Van Dale Grote woordenboeken

Groot woordenboek Nederlands -Engels

Geschiedenis van de Grote woordenboeken

Hedendaags Nederlands

eerste editie	1984	P.G.J. van Sterkenburg en W.J.J. Pijnenburg
tweede editie	1991	P.G.J. van Sterkenburg
tweede editie omgespeld	1996	P.G.J. van Sterkenburg
derde editie	2002	P.G.J. van Sterkenburg
derde editie omgespeld	2006	P.G.J. van Sterkenburg
vierde editie	2008	Van Dale

Engels-Nederlands

eerste editie	1984	W. Martin en G.A.J. Tops
tweede editie	1989	W. Martin en G.A.J. Tops
derde editie	1998	W. Martin en G.A.J. Tops
vierde editie	2008	Van Dale

Nederlands-Engels

eerste editie	1986	W. Martin en G.A.J. Tops
tweede editie	1991	W. Martin en G.A.J. Tops
derde editie	1999	W. Martin en G.A.J. Tops
vierde editie	2008	Van Dale

Frans-Nederlands

eerste editie	1983	B.P.F. Al
tweede editie	1990	B.P.F. Al en P. Bogaards
derde editie	1998	P. Bogaards
vierde editie	2008	Van Dale

Nederlands-Frans

eerste editie	1985	B.P.F. Al
tweede editie	1991	B.P.F. Al en P. Bogaards
derde editie	2000	P. Bogaards
vierde editie	2008	Van Dale

Duits-Nederlands

eerste editie	1983	H.L. Cox
tweede editie	1990	H.L. Cox
derde editie	2002	H.L. Cox
vierde editie	2008	Van Dale

Nederlands-Duits

eerste editie	1986	H.L. Cox
tweede editie	1992	H.L. Cox
derde editie	2002	H.L. Cox
vierde editie	2008	Van Dale

Van Dale Grote woordenboeken – vierde editie

Groot woordenboek Nederlands -Engels

a-m

Van Dale

Utrecht / Antwerpen

Van Dale Groot woordenboek Nederlands-Engels

Vierde editie
eerste oplage, oktober 2008

ISBN 978 90 6648 162 6 (NE compleet)
ISBN 978 90 6648 173 2 (NE deel 1)
ISBN 978 90 6648 174 9 (NE deel 2)
ISBN 978 90 6648 168 8 (set NE-EN)
D/2008/0108/746
R.8162501
NUR 627

Redactionele en vertaalbijdragen aan de vierde editie: Cora Bastiaansen, Ton Beerden, Caroline Boerrigter, Anke Bol, Marjolein Corjanus, Susanne Findenegg-Lackner, Dirk Glandorf, Marie-José Higler, Debbie Kenyon-Jackson, Tino Köhler, Language Unlimited, Nathalie Le More, Sue Muhr-Walker, Barbara Orthen, Peggy van Schaik, Tom Seidel, UvA Vertalers

Vormgeving woordenboekgedeelte: TEFF (www.teff.nl)
Zetwerk woordenboekgedeelte: Van Dale, TEFF
Vormgeving en zetwerk voor- en nawerk: PrePressMediaPartners, Wolvega
Druk- en bindwerk: Clausen & Bosse, Leck, Duitsland
Papier: 60 grams houtvrij wit Primapage FSC
Lettertype: Verdana, Lexicon, Franklin Gothic

Van Dale is gebruikers erkentelijk die nuttige suggesties doen ter verdere verbetering van dit product.

Correspondentieadres:
Van Dale
Postbus 19232
3501 DE Utrecht

info@vandale.nl
www.vandale.nl / www.vandale.be

Hoofdkenmerken van de reeks

De reeks Van Dale Grote woordenboeken is bedoeld voor iedereen die precies wil of moet weten wat een woord of woordcombinatie betekent en hoe je een woord of woordcombinatie vertaalt in of uit het Engels, Frans of Duits. De nadruk in deze reeks ligt dan ook op definities en vertalingen. Ook is veel informatie opgenomen over het gebruik van een woord in context, in de vorm van toelichtingen bij de definities en vertalingen en in de vorm van vele voorbeeldzinnen en idiomatische verbindingen. Op deze manier wordt het tekstbegrip en uiteindelijk de kwaliteit van communicatie vergroot.

U treft in deze woordenboeken de meest actuele woordenschat aan, die zo volledig mogelijk is beschreven. Ten opzichte van vorige edities zijn vele nieuwe woorden en woordbetekenissen toegevoegd. De belangrijkste betekenis of vertaling wordt als eerste gegeven. De woordenboeken verklaren en vertalen ca. 100.000 woorden per reeksdeel.

De Grote woordenboeken zijn vóór alles gebruikswoordenboeken. De lay-out staat volledig ten dienste van het snel vinden van de informatie die u zoekt. Zo vindt u in blauw het kernwoord van de woordbetekenis (het woordenboek Nederlands) dan wel de belangrijkste vertaling per betekenis (de vertaalwoordenboeken). Door in grote artikelen van blauw naar blauw te 'springen', kunt u snel uw weg door de woordenboekartikelen vinden. In de gebruiksaanwijzing vindt u een toelichting op de weergave van alle gegeven informatie in deze woordenboeken.

Nieuw zijn de informatieve kaders in alle delen van de reeks. Deze geven antwoord op vragen als: hoe voer je in het Engels, Frans of Duits een telefoongesprek? wat zijn de namen van de sterrenbeelden? Daarnaast zijn er informatiekaders over de namen van landen en hun inwoners, grammaticakaders waarin een bepaald grammaticaal onderwerp kort en bondig wordt uitgelegd, en telt het woordenboek tal van thematische overzichten.
Als vanouds laten de voorbeeldbrieven in het Nederlandse deel en de delen Nederlands-vreemde taal zien hoe u zakenbrieven opstelt in de diverse talen.

Van Dale volgt in de reeks Grote woordenboeken de officiële spelling van de betreffende talen. In verband met min of meer recente wijzigingen is het van belang te vermelden, dat voor de Nederlandse woorden de officiële spelling van het Nederlands van 2005 is toegepast. In het Duitse taalgebied heeft men in 2006 de nieuwe Duitse spelling uit 1996 nogmaals herzien. Deze herziening is doorgevoerd in de Duitse delen van deze reeks.

Aan de Van Dale Grote woordenboeken hebben generaties gerenommeerde lexicografen meegewerkt. Mede daardoor zijn ze een betrouwbare bron van informatie voor zakelijk gebruik en voor het intensieve thuisgebruik.

De Grote woordenboeken in cijfers:

	NN
Trefwoorden	97.000
Betekenissen	116.000
Definities	116.000
Voorbeeldzinnen	52.000
Antoniemen	2.400
Hyponiemen	62.000
Hyperoniemen	62.000
Synoniemen	58.000

	NE	EN	NF	FN	ND	DN
Trefwoorden	109.000	103.000	113.000	74.000*	106.000	121.000
Betekenissen	139.000	159.000	141.000	111.000	135.000	149.000
Vertalingen	266.000	320.000	255.000	212.000	232.000	263.000
Voorbeeldzinnen	109.000	70.000	82.000	118.000*	85.000	82.000

* Het aantal trefwoorden van Frans is lager, omdat in die taal samenstellingen vaak meerwoordig zijn en daarom in een voorbeeldzin worden geplaatst. Het aantal voorbeeldzinnen in Frans is daarom navenant hoger.

Gebruiksaanwijzing

Opbouw

Een artikel in dit woordenboek heeft de volgende opbouw:

1. *Trefwoord met grammaticale informatie:*

vet	trefwoord
tussen [...]	woordsoort (bij zelfstandige naamwoorden het lidwoord)

2. *Betekenissen en vertalingen:*

1	cijfer in blokje geeft het nummer van de betekenis aan; dit cijfer ontbreekt als er maar één betekenis is
‹...›	als er verschillende betekenissen zijn, staat na het betekenisnummer een korte aanduiding van de betreffende betekenis
blauw	de belangrijkste vertalingen zijn blauw
zwart	de overige vertalingen worden zwart afgedrukt

3. *Voorbeeldzinnen geordend per betekenis:*

♦	de voorbeeldzinnen beginnen na dit teken
cursief	voorbeeldzin
niet-cursief	vertaling van de voorbeeldzin
•	voorbeeldzin die niet bij een van de betekenissen hoort; meestal idioom

Engels

Dit woordenboek behandelt zowel Brits- als Amerikaans-Engels. Ook het Engels van andere gebieden komt aan bod, zoals Australisch-Engels, Canadees-Engels, Iers-Engels, Indisch-Engels, Nieuw-Zeelands-Engels, Schots-Engels en Zuid-Afrikaans-Engels.

brugwachter [de^{m}] bridgeman, ‹BE ook› bridgemaster

belastinginspectie [de^{v}] ‹BE› Inland Revenue, ‹AE› Internal Revenue Service, ‹AE› IRS

Spelling

In dit woordenboek zijn de officiële regels voor de spelling van het Nederlands, zoals terug te vinden in de *Woordenlijst* van 15 oktober 2005, onverkort toegepast.

Het Engels wordt alleen in de meest gebruikelijke spelling weergegeven. Voor Brits-Engels en Amerikaans-Engels geldt dat enkele systematische gevallen van spellingvariatie niet worden gegeven. Het gaat om varianten van het type:

‹BE› neighbour - ‹AE› neighbor
‹BE› centre - ‹AE› center
‹BE› haemophilia - ‹AE› hemophilia

Minder systematische variatie wordt wél aangegeven:
defensie ... defence, ‹AE› defense
juwelier ... jeweller, ‹AE› juweler
Midden in een tekst wordt ‹BE› soms verder afgekort tot ^{B} en Amerikaans-Engels tot ^{A}.
decaan ... student counsellor/^{A}counselor

Uitspraak

De uitspraak van het Engels wordt uit ruimteoverwegingen niet in dit deel gegeven, maar bij de trefwoorden in het deel Engels-Nederlands.

Woordsoort

De woordsoort wordt gegeven tussen [...], meteen na het trefwoord. De daarbij gebruikte afkortingen worden verklaard in de afkortingenlijst die na deze gebruiksaanwijzing staat.
Bij zelfstandige naamwoorden wordt aangeven of het gaat om een de-woord of een het-woord. Bij sommige lidwoorden wordt het woordgeslacht aangegeven, namelijk als het trefwoord uitsluitend mannelijk of vrouwelijk is:

de^{m}	mannelijk
de^{v}	vrouwelijk
de	mannelijk en vrouwelijk
het	onzijdig

Indien een trefwoord alleen in de meervoudsvorm voorkomt, is de aanduiding als volgt:
aanloopkosten [de^{mv}]

De Engelse vertaling heeft meestal dezelfde woordsoort als het Nederlandse trefwoord. Als dit niet het geval is, wordt dit aangegeven bij de vertaling.
In het Nederlands vallen bijvoeglijk naamwoord en bijwoord meestal samen; in het Engels is dat niet zo. In die gevallen wordt bij de vertalingen aangegeven welke woordsoort die vertaling heeft:
zijwaarts [bn, bw] ‹bn› sideward, sideways, lateral, ‹bw› sideways, sidewards
of wordt de bijwoordsvorm tussen haken gegeven:
feilloos [bn, bw] infallible ‹bw: infallibly›, ‹oordeel› unerring ‹bw: ~ly› ...

Als een woord behoort tot verschillende woordsoorten, worden er aparte artikelen gemaakt, die elk van een nummer worden voorzien:
^{1}**arm** [de^{m}] ...
^{2}**arm** [bn] ...

Varianten

Indien van toepassing wordt bij het Nederlandse trefwoord ook de vrouwelijke variant gegeven. De Engelse vertaling geldt voor zowel voor de mannelijke als vrouwelijke variant:
jeugdleider [de^{m}], **jeugdleidster** [de^{v}] youth leader
Is een van de vertalingen beperkt tot de mannelijke of vrouwelijke variant, dan wordt dat aangegeven:
carrièrejager [de^{m}], **carrièrejaagster** [de^{v}] ‹man & vrouw› careerist, ‹vrouw ook› career girl/woman

Betekenis

Als een trefwoord meer dan één betekenis heeft, worden de betekenissen genummerd en van een korte betekenisaanduiding voorzien.
bank [de] 1 ‹meubelstuk› ... 2 ‹instelling› ...

Vertaling

Binnen elke betekenis worden de belangrijkste vertalingen blauw weergegeven. Deze zogenaamde hoofdvertalingen kunnen in vrijwel alle contexten worden gebruikt. In een specifieke context zijn soms nog andere vertalingen mogelijk. Die worden na de hoofdvertaling gegeven (in een zwarte letter). Vaak wordt erbij aangegeven in welke context die vertaling van pas kan komen of welke beperkingen gelden. Bijvoorbeeld:
woonplaats [de] (place of) residence, address, ‹jur› abode, domicil(e), ‹biol› habitat, ‹op formulieren› city, town
geluid [het] ... sound, ‹vaak met negatieve betekenis› noise
Indien de Engelse vertaling een benadering is van het Nederlands, wordt dit aangegeven met een plusminusteken:
komt tijd, komt raad ± time will tell
Soms is het niet mogelijk een Engels equivalent te geven van een Nederlands woord. In zo'n geval wordt een korte omschrijving gegeven:
thesisjaar [het] ‹in België› extra year at university to complete the dissertation

Label

In dit woordenboek wordt door middel van een korte aanduiding (een label) aangegeven wanneer een trefwoord, vertaling of voorbeeldzin niet algemeen gebruikt kan worden. Daarbij wordt gebruik gemaakt van standaardafkortingen. De beperking in het gebruik kan te maken hebben met:

het *stijlniveau:* bijvoorbeeld informeel, formeel, vulgair
de *sociale groep:* bijvoorbeeld kindertaal, studententaal
de *houding* van de spreker: bijvoorbeeld schertsend, ironisch, beledigend
het *vakgebied:* bijvoorbeeld medisch, juridisch, sport

de *regio:* bijvoorbeeld in Nederland, België, USA, Canada
bosbouwer [de^{m}] forester, ‹vnl. USA en Can ook› lumberer, lumberjack, lumberman

Soms komt het stijlniveau van het Nederlandse trefwoord niet exact overeen met dat van de vertaling. In dergelijke gevallen geeft een pijltje omhoog direct voor de vertaling aan dat de vertaling iets 'netter' is dan het Nederlandse trefwoord; een pijltje omlaag duidt op een wat lager stijlniveau dan het trefwoord.
bangerd [de^{m}], **bangerik** [de^{m}] coward, chicken, mouse, ↓'fraid(y)-cat, ↓scaredy-cat
barst ... *ik geloof er geen barst van* I'm not buying that, ↑I don't believe a single word of it

Voorbeeld

Voorbeelden dienen om aan te geven met welke andere woorden het trefwoord kan worden gecombineerd. Hieronder vallen vaste verbindingen (*maatregelen nemen*), idiomatische uitdrukkingen (*paal en perk stellen aan iets*) en spreekwoorden (*waar rook is, is vuur*).
Vaste verbindingen, idiomatische uitdrukkingen en spreekwoorden worden behandeld bij het belangrijkste woord in de verbinding. Meestal is dat het zelfstandig naamwoord. Indien dit niet aanwezig is, wordt de verbinding opgenomen bij het bijvoeglijk naamwoord, het werkwoord, het bijwoord etc.
paal en perk stellen aan iets staat onder **paal**
zich groen en geel ergeren staat onder **groen**
iets wikken en wegen staat onder **wikken**
Als er bij een betekenis meer dan één voorbeeldzin is, zijn de voorbeelden alfabetisch geordend op het zogenaamde combinatie-woord. Dit woord is vetgedrukt. Na het trefwoord is dit het woord waar intuïtief het eerst op gezocht zal worden:

kas krap **bij** kas zitten
de **kleine** kas
hij is er **met** de kas vandoor gegaan
de kas **opmaken**

Verwijzing

Met een pijltje wordt verwezen naar een ander trefwoord:
alge [de] → **alg**
aanbranden [onov ww] ‹aankoeken› burn (on), scorch; → **aange-brand**

Kaders

Tussen de artikelen van het woordenboek staan informatieve kaders. Verderop treft u een lijst aan van alle kaderonderwerpen. Om het kader gemakkelijk te kunnen vinden staat in de lijst ook het trefwoord vermeld waarbij het kader is geplaatst.

Een andere manier om bij een kader terecht te komen is via de verwijzingen die bij sommige trefwoorden worden gegeven. Op die manier komt u bijvoorbeeld via de verwijzing bij het trefwoord **Ram** terecht bij een kader over de sterrenbeelden:

Ram STERRENBEELD

Werkwoorden Achter in het tweede deel van dit boek treft u een lijst aan van alle sterke en onregelmatige werkwoorden van het Engels.

Brieven Eveneens achter in het tweede deel treft u voorbeelden van Engelse zakenbrieven aan die laten zien hoe u effectief kunt corresponderen in het Engels. Eraan vooraf gaat een overzicht met algemene aanwijzingen voor het opstellen van een Engelse brief.

Afkortingen en labels

Algemeen

abstr	abstract
alg	algemeen
bet	betekenis
bv	bijvoorbeeld
concr	concreet
fig	figuurlijk
ihb	in het bijzonder
lett	letterlijk
mbt	met betrekking tot
oneig	oneigenlijk
pregn	pregnant
sprw	spreekwoord
v.d.	van de
v.e.	van een
verk	verkorting
v.h.	van het
vnl	voornamelijk
zeldz	zeldzaam

Regio

België	België
dial	dialectisch
gew	gewestelijk
Ned	Nederland
reg	regionaal

Stijl

arch	archaïsch
dichtl	dichterlijk
form	formeel
inf	informeel
ogm	ongemarkeerd
sl	slang
vero	verouderd
vulg	vulgair

Houding

beled	beledigend
euf	eufemistisch
iron	ironisch
pej	pejoratief, ongunstig
scherts	schertsend

Groep

arg	argot, dieventaal
Barg	Bargoens
chat	chattaal
scholier	scholierentaal
sold	soldatentaal
stud	studententaal
volks	volkstaal

Grammatica

aant	aantonend
aanv	aanvoegend
aanw	aanwijzend
afk	afkorting
attr	attributief
betr	betrekkelijk
bez	bezittelijk
bn	bijvoeglijk naamwoord
bw	bijwoord
coll	collectivum
deelw	deelwoord
ellipt	elliptisch
enk	enkelvoud
h	heeft
i	is
lidw	lidwoord
m	mannelijk
mv	meervoud
n-telb	niet-telbaar
onbep	onbepaald
onov	onovergankelijk

onpers	onpersoonlijk
onv	onveranderlijk
onz	onzijdig
ov	overgankelijk
overtr	overtreffend
pers	persoon, persoonlijk
pred	predicatief
samenst	samenstellingen
samentr	samentrekking
telb	telbaar
telw	telwoord
tw	tussenwerpsel
v	vrouwelijk
vergr	vergrotend
verk	verkorting
vnw	voornaamwoord
volt	voltooid
voorw	voorwaardelijk
vr	vragend
vz	voorzetsel
ww	werkwoord
wk	wederkerend
zelfst	zelfstandig
zn	zelfstandig naamwoord

Vakgebied

aardr	aardrijkskunde
adm	administratie
alch	alchemie
ambacht	ambacht
amb	ambacht(elijk)
anat	anatomie
anglic	anglicaanse kerk
angl	anglicisme
antr	antropologie
arb	arbeid
archeol	archeologie
astrol	astrologie
astron	astronomie
atl	atletiek
autosp	autosport
badm	badminton
balsp	balsport
bank	bankwezen
bk	beeldende kunst
beeldh	beeldhouwkunst
belast	belastingen
bergsp	bergsport
beurs	beurswezen
bibl	bibliotheekwezen
Bijb	Bijbel
bijent	bijenteelt
bilj	biljarten
biochem	biochemie
biol	biologie
boek	boek(wezen)
boekh	boekhouden
bokssp	boksen
bosb	bosbouw
bouwk	bouwkunst
cart	cartografie
comm	communicatie(media)
comp	computer
conf	confectie
cosm	cosmetica
cul	culinaria
cyb	cybernetica
damsp	dammen, damsport
dans	danskunst
diergen	diergeneeskunde
dierk	dierkunde
dram	dramaturgie
drukw	drukwezen
ec	economie
elek	elektriciteit
farm	farmacie
filos	filosofie
fin	financiën
foto	fotografie
fysiol	fysiologie
geldw	geldwezen
geluidsl	geluidsleer
geol	geologie
gesch	geschiedenis
grafi	grafische kunst
gymn	gymnastiek
handw	handwerken
heng	hengelsport

heral	heraldiek
honkb	honkbal
houtind	houtindustrie
huish	huishouden
ind	industrie
jod	jodendom
journ	journalistiek
jur	juridisch
kaartsp	kaartspel
kanssp	kansspel
kerk	kerkelijk
kernfys	kernfysica
kind	kindertaal
kledind	kledingindustrie
krachtsp	krachtsport
landb	landbouw
landmeetk	landmeetkunde
leder	lederindustrie
mil	leger
letterk	letterkunde
lit	literatuur
log	logica
luchtm	luchtmacht
luchtv	luchtvaart
mar	marine
mech	mechanica
med	medisch
meetk	meetkunde
metaalind	metaalindustrie
meteo	meteorologie
metr	metriek stelsel
mijnb	mijnbouw
miner	mineralogie
motorsp	motorsport
muz	muziek
myth	mythologie
natuurk	natuurkunde
nijv	nijverheid
onderw	onderwijs
opt	optica
oudh	oudheid
overh	overheid
paardsp	paardensport
padv	padvinderij
papierind	papierindustrie
path	pathologie
planol	planologie
plantk	plantkunde
pol	politiek
prot	protestants
psych	psychologie
recl	reclame
rel	religie
roeisp	roeisport
r-k	rooms-katholiek
ruimtev	ruimtevaart
schaatssp	schaatssport
schaaksp	schaken
scheepv	scheepvaart
scheik	scheikunde
schermsp	schermen
schietsp	schietsport
schilderk	schilderkunst
skisp	skiën
socverz	sociale verzekeringswezen
soc	sociologie
spoorw	spoorwegen
sportvis	sportvisserij
stat	statistiek
taalk	taalkunde
tandh	tandheelkunde
techn	techniek
technol	technologie
telecomm	telecommunicatie
text	textiel
textind	textielindustrie
theat	theater
theol	theologie
topogr	topografie
tuinb	tuinbouw
vechtsp	vechtsport
veet	veeteelt
verk	verkeer
verz	verzekeringswezen
viss	visserij
voert	voertuig
voetb	voetbal
volkenk	volkenkunde

wap	wapen
watersp	watersport
wwb	weg- en waterbouw
wet	wetenschappelijk
wielersp	wielersport
wijnb	wijnbouw
wintersp	wintersport
wisk	wiskunde
zeilsp	zeilsport
zeilv	zeilvaart
zwemsp	zwemsport

Afkortingen Frans

BF	Belgisch-Frans (Waals)
BN	Belgisch-Nederlands (Vlaams)
Fr	Frankrijk
off	officieel aanbevolen door de Franse regering
qqn	quelqu'un
qqch	quelque chose
qqp	quelque part
qqf	quelquefois

Afkortingen Engels

A	Amerikaans-Engels
AE	Amerikaans-Engels
AuE	Australisch-Engels
B	Brits-Engels
BE	Brits-Engels
CanE	Canadees-Engels
Can	Canada
IndE	Indisch-Engels
IE	Iers-Engels
NZE	Nieuw-Zeelands-Engels
o.s.	oneself
SchE	Schots-Engels
s.o.	someone
s.o.'s	someone's
sth.	something
ZAE	Zuid-Afrikaans-Engels

Afkortingen Duits

+2	met 2e naamval
+3	met 3e naamval
+4	met 4e naamval
+2,3	met 2e of 3e naamval
ex-DDR	in de voormalige DDR
h	haben
jmd	jemand
jmdm	jemandem
jmdn	jemanden
jmds	jemand(e)s
Ndd	Noord-Duitsland
nv	naamval
Oostr	Oostenrijk
s	sein
Zdd	Zuid-Duitsland
Zwi	Zwitserland

h.o.h. = Hart op Hart
= centre to centre.

Kaderonderwerpen

Algemeen

onderwerp	*bij trefwoord*
aap	*aap*
advise of advice?	*advies*
afstand en lengte van dingen	*lengte*
afwijkende geografische namen	*aardrijkskunde*
afwijkende maten in recepten	*recept*
afwijkende temperaturen in recepten	*recept*
already en all ready	*al*
alsjeblieft en alstublieft	*alstublieft*
although en though	*hoewel*
altogether en all together	*samen*
anglicisme	*anglicisme*
any of some?	*iemand*
asiel	*asiel*
assured, confident, conscious	*zelfbewust*
Australië	*Australië*
avond en vooravond	*avond*
Aziatisch	*Aziatisch*
beer	*beer*
bepaald lidwoord	*lidwoord*
beroepen	*beroep*
betrekkelijk voornaamwoord	*betrekkelijk*
bezittelijk voornaamwoord	*bezittelijk*
bij	*bij*
bijwoord	*bijwoord*
botten	*bot*
breuken	*breuk*
camping	*camping*
Canada	*Canada*
chilly chillis in Chile	*chilipeper*
classic of classical?	*klassiek*
comic of comical?	*komisch*
commissie	*commissie*
congressen en conferenties	*congres*
dagindeling	*dag*
data	*data*
de Bijbelboeken	*Bijbelboek*
de lijdende vorm	*passief*
de planeten	*planeet*
de Verenigde Staten	*Verenigde Staten*
duif	*duif*
eend	*eend*
effect, affect	*effect*
electric of electrical?	*elektrisch*
ezel	*ezel*
fietsen	*fiets*
fietsonderdelen	*fiets*
full of ful?	*vol*
geit	*geit*
genitief	*genitief*
gewicht van dingen	*gewicht*
gewicht van mensen	*gewicht*
Groot-Brittannië, Verenigd Koninkrijk	*Groot-Brittannië*
hert	*hert*
het Britse Gemenebest	*Gemenebest*
het, hij en zij	*hij*
historic of historical?	*historisch*
historische en religieuze personen	*persoon*
hockey	*hockey*
hoe is het Engels ontstaan?	*Engels*
hoeken en kanten	*hoek*
hond	*hond*
Ierland	*Ierland*
if of when?	*als*
in church of in the church?	*kerk*
kat	*kat*
kip	*kip*
kleuren	*kleur*
konijn	*konijn*
koper	*koper*

leenwoorden *leenwoord*
leeuw *leeuw*
lenen *lenen*
lengte van mensen *lengte*
leren *leren*
lichaamsdelen *lichaamsdeel*
liggen, leggen en liegen *liggen*
lose, loose en loosen *verliezen*
marine *marine*
medische termen *medisch*
meervoudsvorming *meervoud*
meervoudswoorden *meervoud*
ministeries in Nederland *ministerie*
Ministry, Minister, State Secretary *ministerie*
namen van beroemde dingen *naam*
namen van sprookjesfiguren *sprookje*
nul *nul*
officiële documenten *document*
onbepaald lidwoord *lidwoord*
oppervlakte *oppervlakte*
paard *paard*
pepers, paprika en poeder *peper*
persoonlijk voornaamwoord *persoonlijk*
politic of political? *politiek*
price of prize? *prijs*
pruim *pruim*
psychological, psychic, physical *psychologisch*
rund *rund*
schaap *schaap*
schaatsen, skaten en skeeleren *schaatsen*
schema *schema*
schildpad *schildpad*
serie *serie*
smoking *smoking*
sterrenbeelden *sterrenbeeld*
telefoneren *telefoneren*
telwoorden *telwoord*
temperatuur *temperatuur*
touw *touw*
trappen van vergelijking *vergelijking*
varken *varken*
Verenigd Koninkrijk: Engeland *Verenigd Koninkrijk*
Verenigd Koninkrijk: Noord-Ierland *Verenigd Koninkrijk*
Verenigd Koninkrijk: Schotland *Verenigd Koninkrijk*
Verenigd Koninkrijk: Wales *Verenigd Koninkrijk*
vervoeging: the imperative *vervoeging*
vervoeging: present tense *vervoeging*
vervoeging: past perfect tense *vervoeging*
vervoeging: past tense *vervoeging*
vervoeging: present perfect tense *vervoeging*
visum - visa *visum*
volume van vaste stoffen *stof*
volume van vloeistoffen *vloeistof*
vragend voornaamwoord *vragend*
w/c en w/e *week*
waarom heet het Nederlands Dutch? *Nederlands*
wederkerend voornaamwoord *wederkerend*
werkwoordstijden: future tense *tijd*
werkwoordstijden: past tense *tijd*
werkwoordstijden: perfect tense *tijd*
werkwoordstijden: present tense *tijd*
wijnglas of glas wijn? *glas*
wolf *wolf*
x- *xenofobie*

Landen

Afghanistan
Albanië
Algerije
Andorra
Angola
Argentinië
Armenië
Aruba
Australië
Azerbeidzjan
Bahama's
Bahrein
Bangladesh
België

Belize
Benin
Bermuda
Bhutan
Bolivia
Bosnië-Hercegovina
Botswana
Brazilië
Bulgarije
Burkina Faso
Burundi
Cambodja
Canada
Centraal-Afrikaanse Republiek
Chili
China
Colombia
Congo
Congo, Democratische Republiek
Costa Rica
Cuba
Cyprus
Denemarken
Djibouti
Dominica
Dominicaanse Republiek
Duitsland
Ecuador
Egypte
El Salvador
Equatoriaal-Guinea
Eritrea
Estland
Ethiopië
Filippijnen
Finland
Frankrijk
Gabon
Gambia
Georgië
Ghana
Griekenland
Groenland
Guatemala
Guinee
Guinee-Bissau
Guyana
Haïti
Honduras
Hongarije
Ierland
IJsland
India
Indonesië
Irak
Iran
Israël
Italië
Ivoorkust
Jamaica
Japan
Jemen
Jordanië
Kameroen
Katar
Kazachstan
Kenia
Kirgizië
Koeweit
Kroatië
Laos
Letland
Libanon
Liberia
Libië
Liechtenstein
Litouwen
Luxemburg
Macedonië
Madagaskar
Malawi
Maleisië
Mali
Malta
Marokko
Mauritanië
Mauritius
Mexico

Moldavië
Monaco
Mongolië
Montenegro
Mozambique
Myanmar (Birma)
Namibië
Nederland
Nederlandse Antillen
Nepal
Nicaragua
Nieuw-Zeeland
Niger
Nigeria
Noord-Korea
Noorwegen
Oekraïne
Oezbekistan
Oman
Oostenrijk
Pakistan
Panama
Papoea-Nieuw-Guinea
Paraguay
Peru
Polen
Porto Rico
Portugal
Roemenië
Rusland
Rwanda
San Marino
Saudi-Arabië
Senegal
Servië
Sierra Leone
Singapore
Slovenië
Slowakije
Somalië
Spanje
Sri Lanka
Sudan
Suriname
Syrië
Tadzjikistan
Taiwan
Tanzania
Thailand
Togo
Tsjaad
Tsjechië
Tunesië
Turkije
Turkmenistan
Uganda
Uruguay
Venezuela
Verenigd Koninkrijk
Verenigde Arabische Emiraten
Verenigde Staten (VS)
Vietnam
Wit-Rusland
Zambia
Zimbabwe
Zuid-Afrika
Zuid-Korea
Zweden
Zwitserland

a-m

a

^{1}**a** [de] [1] ⟨letter, klank⟩ a, A ◆ ***van** a tot z **lezen*** read from cover to cover/from beginning to end; *van a tot z kennen* know from A to Z/from beginning to end; *dat is **van** a **tot** z gelogen* that's a lie from beginning to end/from start to finish; *jullie allemaal, **van** A **tot** Z* the whole lot of you [2] ⟨toon⟩ a, A ◆ *a grote **terts*** A major; *a kleine **terts*** A minor [3] ⟨het eerst bekende⟩ a, A ⊡ ⟨sprw⟩ *wie a zegt, moet ook b zeggen* in for a penny, in for a pound

^{2}**a** [afk] (are) a

a. [afk] (aan) at ..., on ..., to ...; → **aan**^{3}

A° [afk] (anno) in the year

à [vz] [1] ⟨tussen 2 getallen⟩ (from ...) to, or ◆ *2 à 3 **maal*** 2 or 3 times; *er waren zo'n **10 à 15 personen*** there were some 10 to 15 people; ***in 20 à 25 minuten*** in 20 to 25 minutes [2] ⟨per eenheid⟩ at (the rate of), ⟨meter enz.⟩ a, per ◆ ***à 10 %*** at (the rate of) 10 %; *5 meter à 6 **euro**, is 30 euro* 5 metres at 6 euros a metre is 30 euros; *10 balen à 45 **kilo*** 10 bales of 45 kilos each ⊡ *à l'improviste* impromptu; ⟨inf⟩ off the cuff; *à titre personnel* personal(ly), on a personal basis; *ménage à trois* ménage à trois

AA [de^{mv}] (Anonieme Alcoholisten) Alcoholics Anonymous, ⟨AE⟩ AA

aagje ⊡ ***nieuwsgierig** aagje* ⟨vnl BE⟩ Nos(e)y Parker

aai [de^{m}] [1] ⟨streling⟩ stroke, ⟨romantisch⟩ caress, ⟨hond, kat⟩ pet ◆ *een **zacht** aaitje* a gentle stroke, a soft caress [2] ⟨gevoelige kneep, duw⟩ ⟨kneep⟩ pinch, ⟨duw⟩ shove

aaibaar [bn] cuddly, snuggly, cuddlesome

aaibaarheidsfactor [de^{m}] (level of) cuddliness ◆ *een cavia met een **hoge** aaibaarheidsfactor* a very cuddly guinea pig

aaien [ov ww, ook abs] stroke, ⟨romantisch⟩ caress, ⟨hond, kat⟩ pet ◆ *zij aaide **over** zijn bol* she stroked/caressed him on the head

aaistoot [de^{m}] ⟨bilj⟩ stroke ◆ *een aaistoot **geven*** stroke (the ball)

aak [de] barge

^{1}**aal** [de^{m}] [1] ⟨paling⟩ eel ◆ *zo glad **als** een aal* (as) slippery as an eel; *hij is een **gladde** aal* he's a slippery customer; ⟨fig⟩ *een aal bij de staart **hebben*** ⟨persoon⟩ have a slippery customer to deal with, not be able to get a grip on s.o., ⟨zaak⟩ not be able to get a grip on sth. [2] ⟨nog niet volgroeide paling⟩ elver [3] ⟨aalmoezenier⟩ padre

^{2}**aal** [de], **aalt** [de] ⟨in België⟩ liquid manure ⊡ *aal aan de **knikker*** → **stront**

aalbes [de] [1] ⟨vrucht⟩ currant ◆ ***rode/witte** aalbessen* red/white currants; ***zwarte** aalbessen* blackcurrants [2] ⟨struik⟩ currant

aalbessenjenever [de^{m}] ± blackcurrant genever

aalbessensap [het] currant juice

aalbessenstruik [de^{m}] currant

aalfuik [de] eelpot

aalglad [bn] ⟨ook fig⟩ (as) slippery as an eel

aalkorf [de^{m}] eelpot

aalmoes [de] [1] ⟨gift aan een bedelaar⟩ alms ◆ *iemand een aalmoes **geven*** give s.o. alms [2] ⟨pej; gift, gunst⟩ charity, ⟨klein loon⟩ pittance ◆ *wat hij kreeg was **slechts** een aalmoes* what he got was a mere pittance/only a pittance; ***van** een aalmoes **leven*** live on charity; *iemand om een aalmoes **vragen*** ask s.o. for charity; *om een aalmoes **vragen/bedelen*** ask for/beg for charity ⊡ ⟨sprw⟩ *aalmoezen geven verarmt niet* (great) almsgiving lessens no man's living; alms never make poor; he that giveth to the poor shall not lack

aalmoezenier [de^{m}] chaplain, ⟨inf⟩ padre, ⟨gesch⟩ almoner

aalscholver [de^{m}] cormorant

aalspeer [de] eelspear

aalt [de] → **aal**^{1}

aambeeld [het] [1] ⟨smeedblok⟩ anvil ◆ *zo zwaar **als** een aambeeld* (as) heavy as a ton of bricks/as lead; ⟨fig⟩ *altijd **op** hetzelfde aambeeld slaan* always be harping on (about) the same thing, never get off one's hobby-horse, have a bee in one's bonnet (about sth.) [2] ⟨techn⟩ anvil ◆ *het aambeeld van een **nietmachine*** the anvil of a stapler [3] ⟨gehoorbeentje⟩ anvil, ⟨anat ook⟩ incus

aambeeldsbeentje [het] anvil, ⟨anat ook⟩ incus

aambeeldsblok [het] anvil block/stand

aambeien [de^{mv}] piles, ⟨med⟩ haemorrhoids

aamborstig [bn] short-winded, wheezy

aamborstigheid [de^{v}] short-windedness, shortness of wind/breath, wheeziness

^{1}**aan** [bn] [1] ⟨zich aan het lichaam bevindend⟩ on ◆ *zij **heeft** haar jas al aan* she's already got her coat on; *een vrouw met een groene **jurk** aan* a woman in a green dress; *met zijn **schoenen/kleren** aan weegt hij 90 kilo* he weighs 90 kilos in his shoes/with his clothes (on) [2] ⟨zich tegen iets aan bevindend⟩ against, on to [3] ⟨in werking⟩ on [4] ⟨brandend⟩ on ◆ *de kachel **is** aan* the stove is on [5] ⟨aan de gang⟩ on ◆ *de school **gaat** aan* school's starting; *het is weer dik aan tussen hen* it's on again between them, they're (back) together again ⊡ ***daar** is niets **van** aan* there's no(t a bit/word of) truth in that; *hij moet **er** aan* he's for the high jump, he's (in) for it; ⟨sl⟩ he's a goner; *ik kan niet zeggen dat ik **er** veel aan vind* I can't say I think ((all) that) much of it; *dat is maar **net** aan* that'll only just do; *daar is **niets/weinig** aan* ⟨gemakkelijk⟩ there's nothing/not much to it, (it's) a piece of cake; ⟨saai⟩ it's a waste of time/not up to much; ⟨niet stuk⟩ there's nothing/not much the matter with it; *de deur **staat** aan* the door is slightly ajar

^{2}**aan** [bw] [1] ⟨na plaatsaanduidend bijwoord; vaak onvertaald⟩ ♦ ***daar** heeft zij niets aan* that's (of) no use to her, it won't do her any good; ***daar** zijn we nog niet aan toe* we/things haven't got to/reached that stage yet; ⟨fig⟩ *het **zit** er bij hem niet aan* he can't afford it, it's beyond his means; *zij **is eraan** toe* she's on the point of (doing) it; ⟨nodig hebben⟩ she's due for it, she could do with it; *100 euro, met alles erop en **eraan*** 100 euros all told; *de vraag **is** niet 'hoe kom je er aan', maar 'hoe kom je er af'* it's not so much a question of how to get hold of it as how to get rid of it; ⟨fig⟩ *zij weet niet **waar** zij aan toe **is*** she doesn't know where she stands, ⟨sl⟩ she doesn't know where she's at [2] ⟨in samengestelde werkwoorden; vaak onvertaald⟩ ♦ ***stel** je niet zo aan!* stop acting/carrying on like that! [3] ⟨op genoemde wijze; vaak onvertaald⟩ ♦ ***rustig** aan!* calm down!, take it easy!; ⟨AE ook; sl⟩ cool it!; *zo **zoetjes** aan* gradually, little by little [4] ⟨+ wat⟩ about, around, away ♦ *ik rotzooi maar **wat** aan* I'm just messing about/around [•] ***af** en aan* to and fro, back and forth, backwards and forwards; *er beroerd aan **toe** zijn* be in a bad way; *daar is wel iets **van** aan* there's a grain of truth in it; ***van** nu af aan* from now on, as from now, starting (from/as of) now; ***van** jongs af aan* from childhood; ***van** voren af aan* from the beginning, (all) over again; ⟨AE vnl⟩ over; ⟨muz, dans⟩ from the top; *jij kunt ervan op aan dat ...* it's a safe bet that ..., you can count on it that ...

^{3}**aan** [vz] [1] ⟨m.b.t. een fysieke verbondenheid⟩ on, against, at, by ♦ *vruchten aan de **bomen*** fruit on the trees; *aan de **grond** zitten* be on the ground; *aan het **hoofd** staan* be the head of; *aan een **krant** werken* work on a newspaper; *Koen stond aan het **raam*** Koen stood at the window; *aan zee/de haven/de kust/een gracht **wonen*** live by the sea/by the harbour/by/on the coast/on a canal [2] ⟨m.b.t. een figuurlijke verbondenheid⟩ by, with ♦ ***dag** aan **dag*** day by day; ***doen** aan* do, go in for; ***twee** aan **twee*** two by two, in twos/pairs/couples [3] ⟨bij werkwoorden die een beweging aanduiden⟩ to ♦ *er is geen **beginnen** aan* that's impossible, that can't be done; *aan wal **gaan*** go ashore; *aan het werk **gaan** aan iets* go/set to work on sth., set about sth.; *hoe **kom** je aan dat spul?* how did you come by/get hold of that stuff?; *hij gooide het kopje aan **stukken*** he smashed the cup (to pieces); *hij geeft les aan de **universiteit*** he lectures at the university [4] ⟨ten gevolge van⟩ of, from ♦ ***sterven** aan een ziekte* die of a disease [5] ⟨wat betreft⟩ of ♦ *een **euro** aan centen* a euro's worth of cents; *een **tekort** aan kennis* a lack of knowledge [6] ⟨in de macht van⟩ up to ♦ *wij **hebben** de tijd aan ons* time is on our side; *het **is** aan mij ervoor te zorgen dat ...* it's up to me to see that ..., it's my business/job to see that ...; *dat **ligt** aan haar* ⟨haar fout⟩ that's her fault [•] *aan de **drank** zijn* have taken to drink; ⟨inf⟩ have hit the bottle; *ik **heb** niets aan die vent* I can take him or leave him, he's (of) no use to me; *hij **heeft** het aan zijn hart* he's got heart trouble; *zij **heeft** niets aan medelijden* sympathy's no use to her/won't do her any good; *hij is aan het **joggen*** he's out jogging; *hij is aan het **strijken*** he's (busy) ironing; *hij **wil** niet aan een auto* he doesn't want the outlay of a car; *aan het timmeren **zijn*** be doing some carpentry; ⟨inf⟩ *ja, aan me (hoela)!* you must be joking!, I dòn't think!, pull the other one!; *ze zijn aan vakantie toe* they're due for/they could do with a holiday/[A]vacation; *zo langzamerhand ben ik wel aan een kop koffie toe* I'm starting to feel I really could do with a cup of coffee

aanaarden [ov ww] [1] ⟨met aarde bedekken⟩ earth/hill up, ridge [2] ⟨met aarde opvullen, versterken⟩ fill up (with earth), ⟨muur⟩ bank up

aanbakken [onov ww] burn, get burnt/[A]burned ♦ *de **aardappels** zijn aangebakken* the potatoes got stuck to the pan/are burnt/[A]burned; *aangebakken **vuil*** burnt-on/[A]burned-on filth

aanbelanden [onov ww] land, ⟨inf⟩ end up

aanbellen [onov ww] ring (at the door/the doorbell) ♦ ***bij** iemand aanbellen* ring at s.o.'s door/(on) s.o.'s doorbell

aanbenen [onov ww] step out (briskly), walk briskly, walk at a brisk pace, ⟨harder lopen⟩ quicken one's pace, ⟨inf⟩ speed up, put some speed on ♦ ***komen** aanbenen* come up briskly/smartly

aanbesteden [ov ww] put out to tender, call for, invite tenders for, ⟨aan iemand⟩ contract out (to) ♦ *een project **Europees** aanbesteden* call for/invite tenders under EU rules; *werk **openbaar** aanbesteden* put up work to public tender; ***werk** aanbesteden* put work out to tender, call for/invite tenders for work; *het **werk** zal worden aanbesteed vóór 1 december* the work will be contracted out by 1 December

aanbesteder [de^{m}], **aanbesteedster** [de^{v}] contracting authority, person/party inviting tenders

aanbesteding [de^{v}] [1] ⟨handeling⟩ putting out to tender, call/invitation for tenders, ⟨aan iemand⟩ contracting-out [2] ⟨opdracht⟩ tender, ⟨aan iemand⟩ contract ♦ ***bij/in** aanbesteding* by contract; *een aanbesteding **houden*** call for/invite tenders; ***in** aanbesteding uitvoeren* contract out; ***inschrijven** op een aanbesteding* (submit a) tender for a contract; ***onderhandse/openbare** aanbesteding* ⟨ook⟩ private/public contract

aanbestedingssom [de] sum/amount contracted for

aanbesteedster [de^{v}] → **aanbesteder**

aanbetalen [ov ww] pay a deposit, make a down, make an initial payment ♦ *heb je iets **moeten** aanbetalen?* did you have to pay a deposit?; *tweehonderd euro aanbetalen **op** een nieuwe kast* pay a 200-euro deposit/make a 200-euro down payment on a new cupboard

aanbetaling [de^{v}] down payment, ⟨m.b.t. huurverkoop ook⟩ deposit ♦ *een aanbetaling **doen** van € 2000* make a down/an initial payment/pay a deposit of € 2,000

aanbevelen [ov ww] [1] ⟨de aandacht trachten op te wekken⟩ (re)commend ♦ ⟨r-k⟩ *de overledene aanbevelen **in** de gebeden* call/ask for prayers for the deceased; *een plan **in** iemands aandacht aanbevelen* commend a plan to s.o.'s attention; *iemand **voor** een betrekking aanbevelen* recommend s.o. for position; ***zich** aanbevelen* commend o.s. [2] ⟨aanraden⟩ recommend ♦ *daarvoor **houd** ik mij aanbevolen* I shall/[A]will be pleased to; *voor suggesties **houden** wij ons aanbevolen* we welcome any suggestions, any suggestions will be gratefully received; ⟨jur⟩ *iemand **in** gijzeling aanbevelen* recommend that s.o. be placed/remanded/held in custody/that s.o. be committed to prison; *dat kan ik je **warm** aanbevelen* I can warmly recommend it to you [3] ⟨toevertrouwen⟩ commend

aanbevelenswaardig [bn] recommendable, advisable ♦ *dat boek is **zeer** aanbevelenswaardig* that book can be recommended highly

aanbeveling [de^{v}] [1] ⟨verklaring⟩ recommendation, ⟨persoon ook⟩ reference [2] ⟨wat tot aanbeveling strekt⟩ recommendation ♦ *voorzien zijn van **goede** aanbevelingen* have good references; *een verzorgd uiterlijk is een **goede** aanbeveling* neat appearance will be considered an advantage; *dat **is** geen aanbeveling* that is no recommendation; *dat **strekt** hem tot aanbeveling* that is to his credit/in his favour; *het **verdient** aanbeveling om ...* it is advisable to ... [3] ⟨handeling⟩ recommendation ♦ ***comité** van aanbeveling* recommending committee; *aanbevelingen **doen*** make recommendation; ***op** aanbeveling **van** Pieter* on Pieter's recommendation; ***ter** aanbeveling **van*** in recommendation of

aanbevelingsbrief [de^{m}] letter of recommendation, reference

aanbiddelijk [bn] adorable

aanbidden [ov ww] [1] ⟨rel⟩ worship, ⟨vereren van heilige⟩ venerate, ⟨form⟩ adore ♦ ***God** aanbidden* worship/adore God; ⟨fig⟩ *de rijzende/opgaande **zon** aanbidden* curry favour with the high and mighty [2] ⟨fig⟩ worship, ⟨romantisch ook⟩ adore ♦ *Jan aanbad zijn **vrouw*** Jan worshipped/adored his wife

aanbidder [de^m], **aanbidster** [de^v] [1] ⟨rel⟩ worshipper [2] ⟨bewonderaar⟩ admirer ♦ *een **stille** aanbidder* a secret admirer

aanbidding [de^v] [1] ⟨verering als god⟩ worship, ⟨heilige verering⟩ veneration, ⟨form⟩ adoration ♦ ⟨r-k⟩ ***gedurige** aanbidding* perpetual adoration; ***in** aanbidding neerknielen* kneel in worship; *de aanbidding van het **Lam*** the Adoration of the Lamb [2] ⟨eerbiedige bewondering⟩ worship, reverence, ⟨romantisch ook⟩ adoration ♦ ***in** stille aanbidding* in silent worship/adoration

aanbidster [de^v] → **aanbidder**

1**aanbieden** [ov ww] [1] ⟨geven⟩ offer, give, tender, ⟨form⟩ proffer ♦ *iemand een **betrekking** aanbieden* offer s.o. a position; *iemand een **diner** aanbieden* invite s.o. to dinner, take s.o. out to dinner, ↑entertain s.o. to dinner; *aangeboden **door** ...* with the compliments of ..., (by) courtesy of ...; ⟨vnl AE⟩ courtesy of ...; *iemand een **geschenk** aanbieden* present a gift to s.o., present s.o. with a gift; ***hulp/diensten** aanbieden* offer help/services; *zijn **ontslag** aanbieden* tender one's resignation; *een **telegram** aanbieden (ter verzending)* hand in a telegram (for dispatch); *brieven aanbieden **ter** tekening* present letters for signatures; *cheques **ter** betaling aanbieden* present cheques for payment; *zijn **verontschuldigingen** aanbieden* apologize, present/offer/tender one's apologies; ***zich** als vrijwilliger aanbieden* volunteer (one's services) [2] ⟨tegen een prijs, voorwaarde verkrijgbaar stellen⟩ offer ♦ *de **aandelen** bleven aangeboden* the shares remained on offer; *een nieuwe uitgave **bij** de boekhandel aanbieden* place a new edition on sale in bookshops/^A bookstores; *een **kwitantie** aanbieden* present a bill; ***personeel** aangeboden* jobs wanted; *iets **te koop/huur** aanbieden* put sth. on sale/up for sale/up for rent; ***ter** overname aangeboden* (offered) for sale

2**zich aanbieden** [wk ww] ⟨zich voordoen⟩ offer/present o.s., arise

aanbieder [de^m], **aanbiedster** [de^v] ⟨van diensten, advies⟩ provider, ⟨van concrete producten⟩ supplier, dealer, distributor

aanbieding [de^v] [1] ⟨handel, offerte⟩ special offer, bargain, ⟨AE⟩ sale ♦ ⟨boek⟩ ***bij** aanbieding bestellen* special terms for large orders; ***goedkope/speciale** aanbieding* special offer, special bargain; ⟨pregn⟩ *koffie is **in** de aanbieding deze week* coffee is on special offer this week, coffee's reduced this week; *aanbiedingen **inwachten*** call for/invite tenders; ***onder** aanbieding van 10 % korting* special bargain: 10 % off! [2] ⟨aanbod⟩ offer [3] ⟨het geven⟩ giving, offering ♦ ***bij** de aanbieding van het cadeau* when the present is/was given [4] ⟨artikel⟩ bargain, special offer

aanbiedingsprijs [de^m] ⟨fin⟩ offer(ed) price, offer for sale price, ⟨AE⟩ offering price

aanbiedster [de^v] → **aanbieder**

aanbijten [ov ww] bite into

aanbinden [ov ww] [1] ⟨vastmaken⟩ fasten on [2] ⟨beginnen te doen⟩ engage, join

aanblaffen [ov ww] [1] ⟨door blaffen bedreigen⟩ bark at, ⟨form⟩ bay at [2] ⟨toesnauwen⟩ bark at

aanblazen [ov ww] [1] ⟨m.b.t. vuur⟩ blow, ⟨wind enz.⟩ fan [2] ⟨opwekken⟩ (a)rouse, stir up, fan [3] ⟨muz⟩ blow [4] ⟨taalk⟩ aspirate

aanblazing [de^v] [1] ⟨het aanblazen⟩ blowing, ⟨wind enz.; ook emoties⟩ fanning, ⟨emoties enz.⟩ stirring up [2] ⟨taalk⟩ aspiration

aanblijven [onov ww] stay on ♦ *zij blijft aan **als** minister* she's staying on as minister

aanblik [de^m] [1] ⟨het aanschouwen⟩ sight, glance ♦ *bij de **eerste** aanblik* at first sight/glance; ***voor** uw aanblik, o Heer, siddert de Boze* before your face/in your sight, o Lord, the Evil One shudders [2] ⟨wat gezien wordt⟩ sight, spectacle, scene, ⟨persoon⟩ appearance ♦ *een **troosteloze** aanblik opleveren* be/make a sorry sight, make/provide a sorry spectacle; *geen **vrolijke** aanblik bieden* not be a pleasant sight, ⟨ook scherts⟩ not be a pretty sight; ⟨voor personen⟩ not look a pretty sight

aanblikken [ov ww] ⟨form⟩ ⟨ogm⟩ look at, ⟨langdurig⟩ gaze at ♦ ⟨fig⟩ *de **sterren** blikken ons aan* the stars gaze down at/on us

aanbod [het] [1] ⟨het aanbieden⟩ supply ♦ *(de wet van) **vraag** en aanbod* (the law of) supply and demand; *er was **weinig** aanbod* supply was limited; *er was **weinig** aanbod van vlees* meat was in short supply [2] ⟨het zich voordoen⟩ number, quantity, amount ♦ *het aanbod van **auto's** in de spitsuren is weer gegroeid* the volume of traffic/the number of cars in the rush-hour/peak hour has increased again [3] ⟨het aangebodene⟩ offer ♦ *een aanbod **aan*** an offer to; *iemand een aanbod **doen*** make s.o. an offer; ***gebruikmaken** van een aanbod* take up an offer; *zij **nam** het aanbod **aan*** she accepted/took up the offer; *zij **sloeg** het aanbod **af*** she rejected the offer; *een **voordelig** aanbod krijgen/doen* get/make a good offer; *een aanbod dat je niet kunt **weigeren*** an offer you can't refuse

aanbodgestuurd [bn] supply-driven, supply-oriented

aanbodkant [de^m] supply side

aanbodzijde [de] supply side

aanboren [ov ww] [1] ⟨door boren raken⟩ strike (while drilling) ♦ ⟨fig⟩ *nieuwe **belastingbronnen** aanboren* tap new sources of taxation; *een **steenkoollaag/olie** aanboren* strike coal deposits/oil [2] ⟨een opening maken in⟩ tap, broach, open up ♦ *een nieuw **vat** aanboren* tap/broach a new barrel

aanbouw [de^m] [1] ⟨handeling⟩ building, ⟨gebouw, schip⟩ construction, ⟨gewas⟩ cultivation, growing ♦ *dit huis is **in** aanbouw* this house is under construction/is being built [2] ⟨resultaat⟩ extension, annex ♦ *een aanbouw **aan** een huis* an extension/annex to a house

aanbouwelement [het] section, ⟨AE ook⟩ sectional

aanbouwen [ov ww] [1] ⟨een nieuw gedeelte (vast)bouwen⟩ build on, add ♦ *het plan opvatten een **garage** aan te bouwen* plan to build on a garage; *een aangebouwde **keuken*** a built-on kitchen [2] ⟨bij een reeds bestaande bouwen, bijvoorbeeld huizen⟩ build more

aanbouwkeuken [de] modular kitchen

aanbouwsel [het] extension, annex

aanbraden [ov ww] sear

1**aanbranden** [onov ww] ⟨aankoeken⟩ burn (on), scorch; → **aangebrand** ♦ *laat de **aardappelen** niet aanbranden* don't let the potatoes get burnt, don't let the potatoes burn on

2**aanbranden** [ov ww] ⟨bouwk⟩ ± (cement-)render

aanbreien [ov ww] knit on ♦ *een aangebreide **kraag*** a knitted-on collar; ⟨inf, fig⟩ *het verhaal was te kort; hij moest er nog een **stukje** aan zien te breien* the story was too short; he would have to tack a(nother) bit on (to the end)

1**aanbreken** [onov ww] ⟨beginnen⟩ come, ⟨dag⟩ break, dawn, ⟨nacht⟩ fall ♦ *de grote **dag** was aangebroken* the great day had dawned/had come; *bij **het** aanbreken van de dag* at daybreak; *toen was het **moment** aangebroken om afscheid te nemen* the moment had then come to say goodbye; *een nieuw **tijdperk** brak aan* a new age dawned/arrived/began

2**aanbreken** [ov ww] ⟨aanspreken⟩ ⟨voorraad⟩ break into, ⟨geld⟩ break (into), ⟨fles⟩ open (up), ⟨vat⟩ broach ♦ *er staat nog een aangebroken **fles*** there's another bottle that's been started/another open bottle; ***kisten** aanbreken* break into/open up boxes

aanbrengen [ov ww] [1] ⟨invoegen, toevoegen, plaatsen⟩ put in/on, install, fit, ⟨veranderingen enz.⟩ introduce, ⟨bedekken, aanwenden; lijm e.d.⟩ apply, ⟨etiket enz.⟩ affix ♦ *een gat **in** de muur aanbrengen* make a hole in the wall; ***make-up** aanbrengen* put on make-up; *lijm **op** de delen aanbrengen* apply glue to the parts; ***verbeteringen** aanbrengen* make/introduce improvements [2] ⟨aangeven⟩ ⟨misdadiger⟩ inform on, ⟨misdaad⟩ report ◆ *een **zaak** aanbrengen* report a matter [3] ⟨werven⟩ bring in, obtain, ⟨leden ook⟩ recruit [4] ⟨naar de bestemde plaats brengen⟩ bring (to) [5] ⟨meebrengen in het huwelijk⟩ bring (in (marriage)) ◆ *zij heeft het **kapitaal** aangebracht* she brought in the capital [6] ⟨veroorzaken⟩ bring, cause, bring about

aanbrenger [de^{m}] [1] ⟨iemand die aanbrengt⟩ fitter, installer, applier, affixer [2] ⟨verklikker⟩ informer

aanbrug [de] [1] ⟨beweegbaar deel⟩ ramp [2] ⟨vast deel⟩ first span of a/the bridge

aandacht [de] attention, notice ◆ *zijn aandacht **afleiden*** divert/distract his attention; *(persoonlijke) aandacht **besteden** aan* give (personal) attention/pay attention to; *ik **dank** u **voor** uw aandacht* I thank you for your attention; *alle aandacht was **gevestigd** op* everyone's attention was fixed on, all eyes were on; *geen aandacht **hebben** voor* have no thought for; *aandacht **krijgen*** receive attention; *iets **met** aandacht volgen* follow sth. attentively/closely/intently/carefully; ***onder** de aandacht komen/brengen **van*** come/bring to the notice/attention of; *aan de/iemands aandacht **ontsnappen*** escape (s.o.'s) notice, slip s.o.'s notice; *die kwestie heeft mijn **onverdeelde** aandacht* this matter has my undivided attention; *alle aandacht **opeisen*** try/want to be the centre of attention; *zijn aandacht **richten** op iets* focus one's mind on sth., concentrate on sth.; *wij moesten al onze aandacht **richten** op …* we had to focus/fix all our attention on …; *(geen) aandacht **schenken** aan* pay (no) attention to, take (no) notice of; *de/iemands aandacht **trekken*** attract/catch/draw (s.o.'s) attention, catch s.o.'s eye; *bijzondere aandacht **verdienen*** deserve/merit particular attention/notice; *de aandacht **vestigen op/afleiden** van* draw/call attention to, distract attention from; *aandacht **vragen** (voor)* call for attention (to), demand attention (for); *hij is onze aandacht **waard*** he is worthy of/he deserves our attention; *aandacht **wijden** aan* give/pay attention to

^{1}**aandachtig** [bn] ⟨aandacht schenkend⟩ attentive, intent ◆ *een aandachtige **waarnemer*** a close observer

^{2}**aandachtig** [bw] ⟨met aandacht⟩ attentively, intently, carefully, closely ◆ *iets aandachtig **bestuderen/bekijken*** examine/look at sth. intently/carefully/closely; *aandachtig **luisteren*** listen attentively/intently/carefully/closely

aandachtsgebied [het] area for special attention, special research area, special responsibility, area of special interest

aandachtspunt [het] point of (special/particular) interest ◆ *een aandachtspunt van iets **maken*** draw special/particular attention to sth.

aandachtsstreep [de] dash

aandachtstekortstoornis [de^{v}] attention deficit disorder

aandachtsveld [het] ⟨fig⟩ area for special attention

aandammen [ov ww] [1] ⟨aanwinnen⟩ dam (up), dike, reclaim [2] ⟨aanvullen, ophogen⟩ fill in, raise

aandeel [het] [1] ⟨deel van gemeenschappelijk bezit⟩ share, portion ◆ *aandeel **hebben** in een zaak/de winst/aan een erfenis* (have a) share in a business/the profits/an inheritance; *zijn aandeel **krijgen*** come in for one's share, get one's share [2] ⟨bijdrage⟩ contribution, part ◆ *een **actief** aandeel hebben in iets* take an active part in, make an active contribution to, contribute to; *aandeel **hebben** aan een oproer* take/have a part in an uprising; *aandeel **hebben** aan iemands ongeluk* contribute to s.o.'s misfortune, share in s.o.'s misfortune [3] ⟨fin; deel dat iemand bijdraagt⟩ share, ⟨vnl AE⟩ stock, contribution ◆ *een maatschappij **op** aandelen* a share/stock company [4] ⟨fin; bewijs van aandeel⟩ share (certificate), ⟨vnl AE⟩ stock (certificate), ⟨AE ook⟩ stock warrant ◆ *aandelen **aanmelden*** offer to sell shares; *een **gouden** aandeel* a golden share; *aandelen **IBM*** IBM shares, shares of/in IBM; *aandeel op **naam*** nominative share, registered share/stock, inscribed stock; *aandelen met **stemrecht*** voting shares/stock; *aandelen zonder **stemrecht*** stock/shares carrying no voting rights; *aandeel aan **toonder*** bearer share

aandeelbewijs [het] share certificate, ⟨vnl AE⟩ stock certificate

aandeelhouder [de^{m}] shareholder, ⟨vnl AE⟩ stockholder ◆ ***gewoon** aandeelhouder* ordinary shareholder; ***lijst** van aandeelhouders* register of shareholders; ***vergadering** van aandeelhouders* meeting of shareholders, shareholders' meeting

aandeelhouderschap [het] ownership of shares, shareholder/shareowner status, ⟨vnl AE⟩ ownership of stock, stockholder/stockowner status

aandeelhouderskapitalisme [het] shareholder capitalism

aandeelhoudersvergadering [de^{v}] shareholders' meeting, ⟨vnl AE⟩ stockholders' meeting, meeting of (the) shareholders/stockholders

aandelenbelang [het] equity interest

aandelenbeurs [de] stock exchange

aandelenbezit [het] shareholding, shareowning, ⟨vnl AE⟩ stockholding, stockowning

aandelenfonds [het] equity fund

aandelenfusie [de^{v}] stock merger

aandelenkapitaal [het] (issued) share capital, ⟨vnl AE⟩ capital stock, equity (capital)

aandelenkoers [de^{m}] ⟨meestal mv⟩ share price

aandelenlease [de] margin financing (to buy stock)

aandelenmarkt [de] stock market

aandelenoptie [de^{v}] share option, equity option, option to purchase shares

aandelenpakket [het] block of shares

aandelenportefeuille [de^{m}] portfolio (of shares), ⟨vnl AE⟩ stock portfolio

aandelenuitgifte [de^{v}] share issue

aandenken [het] keepsake, memento, souvenir ◆ *iets bewaren **als** aandenken* have/keep sth. as a keepsake/memento; *die armband **is** een aandenken* that bracelet is of great sentimental value

^{1}**aandienen** [ov ww] ⟨aankondigen⟩ announce ◆ *aandienen **bij*** announce to; *zich **laten** aandienen* have o.s. announced; ***zich** aandienen* announce o.s.

^{2}**zich aandienen** [wk ww] [1] ⟨zich willen laten gelden⟩ present o.s. (as), put o.s. forward (as) [2] ⟨voorkomen⟩ present o.s. ◆ *er diende zich een **mogelijkheid** aan om …* an opportunity to … presented itself

aandijken [ov ww] [1] ⟨door dijken aanhechten⟩ connect to the mainland (by means of dikes) [2] ⟨door bedijking winnen⟩ dam (up), dike, reclaim ◆ *de aangedijkte **gronden*** the reclaimed land

^{1}**aandikken** [onov ww] ⟨dikker worden⟩ thicken

^{2}**aandikken** [ov ww] [1] ⟨dikker maken⟩ thicken [2] ⟨mooier, erger voorstellen⟩ embroider, pile (it) on, lay (it) on (thick/with a trowel)

aandoen [ov ww] [1] ⟨aantrekken⟩ put on, ⟨vero of scherts⟩ don ◆ *iemand de **boeien** aandoen* handcuff s.o. [2] ⟨berokkenen⟩ do to, cause, subject to ◆ *je doet het **jezelf** aan!* you're asking for it/for trouble!, you'll only have yourself to blame!, you are bringing it on yourself!; *dat **kun** je haar niet aandoen!* you can't do that to her!; *iemand een **proces** aandoen* take s.o. to court, sue s.o.; *iemand **verdriet/onrecht** aandoen* cause s.o. grief, treat s.o. unjustly, do s.o. an injustice; ⟨pregn⟩ ***zich** iets aandoen* do away with o.s. [3] ⟨een indruk geven⟩ strike as ◆ *zijn optreden deed mij **aangenaam/onaangenaam** aan* his behaviour struck me as pleasant/unpleasant, I found his behaviour agreeable/offensive; *een **modern** aandoende prehistorische voorstelling* a prehistoric presentation with a modern touch; *het deed **vreemd/ouderwets** aan* it seemed/looked/sounded strange/

old-fashioned 4 ⟨bezoeken⟩ call (in) at ◆ *een **haven** aandoen* call (in) at/put in at a port 5 ⟨in werking stellen⟩ turn/put/switch on

aandoening [de^v] 1 ⟨ziekte⟩ disorder, complaint ◆ *een lichte aandoening van de **luchtwegen*** a touch of bronchitis 2 ⟨emotie⟩ emotion, feeling ◆ ***van** aandoening kon zij niet meer spreken* she was choked with emotion

[1]**aandoenlijk** [bn] 1 ⟨treffend, roerend⟩ moving, touching, endearing, ⟨meelijwekkend⟩ pathetic ◆ *ze had **iets** aandoenlijks* there was sth. moving/touching/pathetic about her 2 ⟨vatbaar voor aandoeningen, indrukken⟩ sensitive

[2]**aandoenlijk** [bw] ⟨treffend, roerend⟩ movingly, touchingly, ⟨meelijwekkend⟩ pathetically ◆ *iets aandoenlijk **vertellen*** tell sth. movingly

aandokken [ov ww, ook abs] 1 ⟨m.b.t. voer- of vliegtuig⟩ dock 2 ⟨techn⟩ dock

aandraaien [ov ww] 1 ⟨vaster draaien⟩ tighten, screw tighter ◆ ***vast** aandraaien* screw home 2 ⟨(vast)maken aan⟩ screw/twist on 3 ⟨in beweging, werking zetten⟩ turn/put/switch on

aandragen [ov ww] carry, bring (up/along/to) ◆ *met iets **komen** aandragen/aangedragen* ⟨fig⟩ come out with sth., trot sth. out

aandrang [de^m] 1 ⟨het stuwen⟩ pressure, ⟨bloed⟩ rush ◆ *aandrang **hebben*** be in a state of urgency/emergency; ⟨inf⟩ need to go 2 ⟨aansporing⟩ urging, instigation ◆ ***op** aandrang van mijn vader doe ik het* I'm doing it at my father's urging/instigation; *aandrang **uitoefenen** op* put/exert pressure on, pressure 3 ⟨nadruk⟩ urgency, insistence

aandraven [onov ww] ⟨dressuur⟩ trot on ⊡ ***komen** aandraven* come trotting along; ⟨fig⟩ *met iets nieuws **komen** aandraven* trot out sth. new, come out with sth. new

aandrift [de] 1 ⟨sterke opwelling⟩ impulse, urge 2 ⟨drang⟩ instinct, urge, drive

aandrijfas [de] drive shaft

aandrijfmechanisme [het] drive mechanism, machinery, ⟨comp⟩ drive

aandrijfriem [de^m] drive belt

[1]**aandrijven** [onov ww] ⊡ *op een vlot **komen** aandrijven* drift/wash/be washed to the shore on a raft

[2]**aandrijven** [ov ww] 1 ⟨aansporen⟩ urge (on), drive, prompt 2 ⟨techn⟩ drive ◆ ***door** een elektromotor aangedreven* driven by an electric motor 3 ⟨vaster doen sluiten, klemmen⟩ drive (further/deeper) in ◆ *een **vloer** aandrijven* tighten up a floor

aandrijving [de^v] drive, power ◆ ***elektrische** aandrijving* electric drive/power

aandringen [onov ww] 1 ⟨aansporen⟩ urge, press ◆ *op aandringen **van*** at the insistence/the urgent request of; *bij iemand **op** hulp aandringen* urge/press s.o. to help; *bij iemand **op** betaling/spoed/een antwoord aandringen* urge/press s.o. to pay/to hurry/to answer; *niet **verder** aandringen* not press the point, not insist 2 ⟨met klem trachten gedaan te krijgen⟩ insist ◆ *aandringen **op** iets* insist on sth.; *er **sterk** op aandringen dat …* be very insistent that …, insist very strongly that …; *ze drong **zo** aan, dat ik toch maar toegaf* she insisted so much that I eventually gave in 3 ⟨naar voren dringen⟩ press forward, push

aandrukken [ov ww] push, press ◆ *een **deur** aandrukken* push a door to/shut; *je moet de kurk **goed** aandrukken* you must push/press the cork in properly; *iets **harder** aandrukken* push/press sth. harder; *zij drukte het kind (stijf) **tegen** zich aan* she hugged/pressed the child (firmly) to herself, ⟨form⟩ she hugged/pressed the child (firmly) to her breast/bosom

aanduiden [ov ww] 1 ⟨kenbaar maken⟩ indicate ◆ *iemand aanduiden **als** X* refer to s.o. as X; *iets **nader** aanduiden* specify sth. (in detail), indicate sth. more precisely; *niet **nader** aangeduid* unspecified; *iets **terloops** aanduiden* hint at sth. 2 ⟨blijk geven van⟩ indicate, point to 3 ⟨betekenen⟩ denote, designate ◆ *het woord truttig duidt tegenwoordig een ongunstige **hoedanigheid** aan* the word 'truttig' these days denotes an adverse quality

aanduiding [de^v] 1 ⟨dat waardoor men aanduidt⟩ indication, ⟨aanwijzing⟩ clue, hint, ⟨naam⟩ designation ◆ ***vage** aanduidingen* vague indications; *zonder **verdere** aanduidingen* without further specification/details, unspecified 2 ⟨het aanduiden⟩ indication, ⟨benaming⟩ designation 3 ⟨in België; benoeming⟩ appointment, designation, assignment, nomination ◆ ***politieke** aanduiding* political appointment

aandurven [ov ww] 1 ⟨durven te ondernemen⟩ dare to (do) ◆ ***het** aandurven om* dare/presume to; *ik durf het toch **niet** aan* I daren't do/risk it, I don't feel up to it; *het **risico** aandurven* dare to take the risk 2 ⟨zich opgewassen voelen tegen⟩ feel up to ◆ *een **taak** aandurven* feel up to a task

aanduwen [ov ww] 1 ⟨vooruitduwen⟩ push (on), push-start 2 ⟨vastduwen⟩ push home, press firm, ⟨bout⟩ shoot (home)

aandweilen [ov ww] wash, mop, ⟨schip, ziekenhuis⟩ swab

aaneen [bw] ⟨form⟩ together, ⟨tijd⟩ on end, at a time, ⟨afstand ook⟩ at a stretch ◆ ***dagen/maanden/jaren** aaneen* (for) days/months/years on end/at a time/at a stretch; ***dicht** aaneen* close together; ***kilometers** aaneen* kilometres at a stretch

aaneenflansen [ov ww] ⟨ook fig⟩ tack/patch together

aaneengeschakeld [bn] linked-up, connected, ⟨form⟩ concatenated ◆ *een aaneengeschakeld **verhaal*** a coherent/connected story ⊡ ⟨taalk⟩ *aaneengeschakelde **zinnen*** coordinate(d) sentences

aaneengesloten [bn] unbroken, connected, continuous, ⟨fig⟩ united, ⟨gelederen; form⟩ serried ◆ *aaneengesloten **oeververdediging*** unbroken shore defences

aaneengroeien [onov ww] grow together ◆ ***het** aaneengroeien (van)* the union (of); ⟨med; van botten en gewrichten⟩ ankylosis, anc(h)ylosis

aaneenpraten [ov ww] ⟨in België⟩ compere, present ◆ *een **show** aaneenpraten* compere a show

aaneenschakelen [ov ww] ⟨fig⟩ link up/together, connect, join together, ⟨treinen⟩ couple

aaneenschakelend [bn] ⟨taalk⟩ ⟨met voegwoorden⟩ coordinate(d), ⟨zonder voegwoorden⟩ paratactic ◆ *aaneenschakelend **voegwoord*** coordinating conjunction, coordinator; *het aaneenschakelend **zinsverband*** ⟨met voegwoorden⟩ multiple coordination; ⟨zonder⟩ parataxis

aaneenschakeling [de^v] chain, succession, sequence ◆ *een aaneenschakeling **van** leugens* a string/pack of lies; *een aaneenschakeling **van** gevechten* a succession of fights; *een aaneenschakeling **van** ongelukken* a chain of accidents, ⟨ook scherts⟩ a chapter of accidents; *een aaneenschakeling **van** gebeurtenissen* a sequence/train of events

aaneenschrijven [ov ww] write together, ⟨twee woorden ook⟩ write as one, write as a single word, ⟨letters ook⟩ join ◆ ***niet** aaneenschrijven* write separately, leave as two/three/… words

[1]**aaneensluiten** [onov ww] ⟨strak tegen elkaar aan komen⟩ fit (together) well, join (together) tightly

[2]**aaneensluiten** [ov ww] ⟨strak tegen elkaar aanleggen⟩ join/fit (close) together, join up tightly

[3]**zich aaneensluiten** [wk ww] ⟨verbond sluiten⟩ join together, ⟨firma, vakbond ook⟩ merge, amalgamate, ⟨fig ook⟩ join forces, unite ◆ *zich aaneensluiten **tot*** join together in

aanflitsen [onov ww] flash on

aanfloepen [onov ww] flash on

aanfluiting [de^v] mockery, travesty ◆ *dat is gewoon een aanfluiting* that's an absolute mockery/travesty, that's quite absurd; *tot een aanfluiting **maken*** make a mockery/

farce of; *de rechtspraak daar was een aanfluiting **van** alle recht* the administration of justice there was a travesty of justice

[1]aangaan [onov ww] 1 ⟨gaan in de richting van⟩ go (towards), head (for/towards) ◆ ***achter** iemand/iets aangaan* ⟨lett⟩ chase s.o./sth. (up); ⟨fig⟩ go after s.o./go for sth.; ***op** huis aangaan* head for home 2 ⟨een bezoek brengen⟩ call in/by, go/come round, look/drop in ◆ ***bij** een vriend aangaan* call by/in at a friend's (house), go/come round to a friend's (house), call/look/drop in on a friend 3 ⟨beginnen⟩ start ◆ *de **school**/de **kerk** gaat aan* school/the service is starting 4 ⟨in werking treden⟩ go on, ⟨verwarming/licht ook⟩ switch on, ⟨vuur, lucifer⟩ light 5 ⟨horen⟩ ◆ *het gaat niet aan dat …* it won't do to …, … won't do 6 ⟨plantk⟩ take (root), root ◆ *de **stekjes** gaan goed aan* the cuttings are taking/rooting well

[2]aangaan [ov ww] 1 ⟨beginnen met⟩ enter into, ⟨schulden/huwelijk ook⟩ contract, ⟨verdrag/huwelijk ook⟩ conclude ◆ ⟨pol⟩ *een **coalitie** aangaan met …* enter into a coalition with …; *een **lening** aangaan* contract a loan; *de **strijd** aangaan* enter into/join battle/the fray; *een **weddenschap** aangaan* make/take a bet 2 ⟨betreffen⟩ concern, regard ◆ ***dat** gaat hem niet aan* that's none of his business, that's no business/concern of his, that has nothing to do with him; *voor allen die **het** aangaat* to whom it may concern; ***wat** mij aangaat* as far as I'm concerned, as for me; ⟨pej⟩ for all I care; ***wat** dat aangaat, heb je niets te vrezen* as regards that/on that score you have nothing to fear; ***wat** mannen aangaat, is ze erg kieskeurig* as regards/concerning/with regard to men/as far as/where men are concerned, she's very choosy; ***wat** die kwestie aangaat, is er nog niets bekend* as far as that's concerned there's no news yet 3 ⟨ter harte gaan⟩ concern, matter ◆ ***wat** gaat mij dat aan?* what business/concern is that of mine?, what has that got to do with me?

aangaande [vz] as regards, as for, regarding, with regard/respect to, concerning, as far as … is concerned ◆ *aangaande die **kwestie** is nog niets bekend* as far as that's concerned there's no news yet, there's no news yet on that matter/score

aangapen [ov ww] 1 ⟨met open mond aanstaren⟩ gape (at), gawp/gawk at ◆ ***sta** me niet zo dom aan te gapen!* stop gaping at me like an idiot! 2 ⟨fig; bedreigen⟩ yawn (before) ◆ *de **afgrond** gaapte ons aan* the abyss opened up/yawned in front of us

aangebonden [bn] ⊡ ***kort** aangebonden zijn* be short-tempered, have a short temper, ⟨inf⟩ have a short fuse; ***kort** aangebonden zijn tegen iemand* be short/abrupt with s.o.

aangeboren [bn] 1 ⟨ingeboren⟩ innate, inborn, inbred, ⟨med⟩ congenital ◆ ⟨med⟩ *een aangeboren **afwijking*** a congenital defect; *aangeboren **beschaving*** (good) breeding, inbred refinement; *hij doet dat alles alsof het hem aangeboren **is*** he does it all as (if/though) to the manner born 2 ⟨door, met de geboorte verkregen⟩ inherent ◆ *aangeboren **rechten*** inherent rights, birthright

aangebrand [bn] 1 ⟨verbrand⟩ burnt (on), ⟨AE⟩ burned, scorched ◆ *het eten **smaakt** aangebrand* the dinner tastes burnt; ⟨excuses⟩ sorry for the burnt offering 2 ⟨in België; gewaagd⟩ daring, suggestive, risqué ◆ *een aangebrande **mop*** a blue/an off-colour/a suggestive joke; ⟨sterker⟩ a dirty joke 3 ⟨in België; omstreden⟩ controversial, contentious, dubious, ⟨sterker⟩ tarnished, tainted ◆ *een aangebrand **verleden*** a tarnished/tainted past ⊡ ***gauw** aangebrand zijn* have a short temper, ⟨inf⟩ have a short fuse, be short-tempered/touchy

aangedaan [bn] 1 ⟨bewogen⟩ moved, touched ◆ *hij was **door** die woorden bijzonder aangedaan* he was particularly moved/touched by those words; ***tot** schreiens toe aangedaan* moved to (the point of) tears 2 ⟨door ziekte aangetast⟩ affected

aangeharkt [bn] ⟨fig⟩ manicured, immaculate, as if clipped with nail scissors ◆ *het landschap **ligt er** aangeharkt **bij*** the landscape looks well manicured

aangeklaagde [de] accused, ⟨jur ook⟩ defendant, ⟨bij echtscheiding⟩ respondent

aangekleed [bn] ⊡ *een aangeklede **borrel*** drinks with sandwiches; *een aangeklede **boterham*** a (fancy) sandwich, a copious cold lunch; *aangekleed **gaat uit*** ± he/she is overdressed; ⟨inf⟩ ± she is tarted up

aangekomene [de] ⊡ ***pas** aangekomene* newcomer, new arrival

aangelande [de] adjoining landowner, owner of adjoining land, ⟨aan weg⟩ owner of land adjoining a road, ⟨aan rivier⟩ riparian (proprietor/owner)

aangelegd [bn] 1 ⟨in een vorm gebracht⟩ laid-out, designed 2 ⟨aanleg hebbende voor⟩ -minded ◆ ***artistiek/humoristisch** aangelegd* with an artistic/humorous bent; ***commercieel** aangelegd* commercially-minded; ***ernstig** aangelegd* serious-minded; ***huishoudelijk** aangelegd* domestic(ated); *zo **is** zij nu eenmaal aangelegd* that's just the way she is, she's just made that way; ***kritisch** aangelegd* critical(ly inclined)

aangelegenheid [de[v]] affair, business, matter, concern ◆ ***financiële** aangelegenheden* financial affairs/matters; *aangelegenheden van **kerk** en **staat*** affairs of church and state; *zich **met** de aangelegenheden van een ander **bemoeien*** interfere in s.o. else's business/affairs ⊡ ⟨in België⟩ *gemeenschapsministerie van **Binnenlandse** Aangelegenheden en Openbaar Ambt* (Flemish) Ministry of Internal Affairs and Public Office; ⟨in België⟩ ***persoonsgebonden** aangelegenheden* personal matters/well-being; ⟨pol⟩ personal welfare

[1]aangenaam [bn] ⟨genoegen verschaffend⟩ pleasant, ⟨stem, beeld⟩ pleasing, ⟨omgeving ook⟩ congenial, agreeable ◆ *aangenaam van **smaak**/voor het **oog*** pleasant to (the) taste, pleasing to the eye; *zijn komst was een aangename **verrassing*** his arrival was a pleasant surprise; *het zou ons aangenaam **zijn** van u te mogen vernemen* we should be pleased to hear from you; *het was me aangenaam* pleased to have met you, it was nice/a pleasure meeting you; *aangenaam (met u kennis te maken)* how do you do?, ↓ pleased to meet you

[2]aangenaam [bw] ⟨op een wijze die aangenaam is⟩ pleasantly, agreeably ◆ *aangenaam **klinken*** sound/be pleasant/pleasing (to the ear); *de wind was aangenaam **koel*** the wind was pleasantly cool; *ze was aangenaam **verrast*** she was pleasantly surprised

[1]aangenomen [bn] ⊡ *een aangenomen **kind*** an adopted child; *hij reist onder een aangenomen **naam*** he is travelling under an assumed name; *aangenomen **werk*** contract work; *het is geen aangenomen **werk*** there's no hurry!, take your time!, take it easy!, relax!

[2]aangenomen [vz] ⊡ *aangenomen **dat*** supposing (that), suppose (that), say (that), assuming (that)

aangepast [bn] (specially) adapted, ⟨geestelijk⟩ adjusted ◆ ***goed** aangepast zijn* be well-adapted/adjusted; *een aangepaste **ingang** van het hoofdpostkantoor* a specially adapted entrance to the main post office; ***slecht** aangepast zijn* be poorly adapted/adjusted, be maladjusted; *een aangepaste **versie*** an adapted version

aangeschoten [bn] under the influence, tipsy, merry, ⟨scherts⟩ the worse for wear ⊡ *aangeschoten **hands*** unintentional hands

aangeschreven [bn] thought-of ◆ *hij staat **goed** aangeschreven* he's well thought-of, he has a good reputation; ***goed/hoog** aangeschreven staan bij iemand* be in s.o.'s good books, be in good odour with s.o.; *hij staat **slecht** aangeschreven* he's not well thought-of, he has a bad reputation; ***slecht/laag** aangeschreven staan bij iemand* be in s.o.'s bad books, be in bad odour with s.o. ⊡ ⟨wisk⟩ *een aangeschreven **cirkel** (van een driehoek)* an escribed circle (on a triangle)

aangeslagen [bn] 1 ⟨uit zijn evenwicht gebracht⟩ affected, ⟨sterker⟩ shaken ◆ *hij was aangeslagen **door** het* *nieuws* he was shaken/deeply affected by the news; *de bokser maakte een aangeslagen* ***indruk*** the boxer looked groggy/unsteady [2] ⟨met aanslag bedekt⟩ ⟨glas⟩ steamed up, misted over, ⟨ketel⟩ furred (up), ⟨metaal⟩ tarnished

aangestoken [bn] [1] ⟨m.b.t. vruchten⟩ worm-eaten, maggoty [2] ⟨m.b.t. personen⟩ infected

aangetekend [bn] registered ♦ *aangetekende* ***stukken*** *met bewijs van ontvangst* ⟨BE⟩ recorded deliveries, ⟨AE⟩ certified mail; *je moet die stukken aangetekend* ***versturen*** you must send those items registered, ⟨BE⟩ you must send those items by registered post, ⟨AE⟩ you must send those items by registered mail

aangetrouwd [bn] related by marriage ♦ *een aangetrouwde* ***dochter*** a daughter by marriage, a daughter-in-law; *aangetrouwde* ***familie*** in-laws; *aangetrouwde* ***neven*** *en* ***nichten*** cousins by marriage; *aangetrouwd is aangedouwd* you can't choose your in-laws

aangeven [ov ww] [1] ⟨overhandigen⟩ hand, pass [2] ⟨bekendmaken⟩ indicate, declare, state, give ♦ *tenzij* ***anders*** *aangegeven* except where otherwise specified, unless stated/shown otherwise; *de* ***hoofdlijnen*** *van een plan aangeven* outline a plan; *de* ***koers*** *aangeven* indicate/set the course; ⟨fig⟩ point the direction, set the course; ***nauwkeurig*** *aangeven* specify (in detail); *de trein vertrok op de aangegeven* ***tijd*** the train left on schedule/time [3] ⟨ter kennis brengen van de overheid⟩ report, notify, declare ♦ ***bijverdiensten*** *aangeven* declare additional income/earnings; *een* ***dief/diefstal*** *aangeven* report a thief/theft (to the police); *een* ***geboorte*** *aangeven* register a birth; ***hebt*** *u nog iets aan te geven?* do you have anything (else) to declare?; *de dader heeft* ***zichzelf*** *aangegeven* the culprit turned himself in/gave himself up [4] ⟨met tekens aanduiden⟩ indicate, mark, show, record ♦ *de thermometer geeft dertig* ***graden*** *aan* the thermometer reads/registers/indicates 30 degrees, ↓ the thermometer says (it is) 30; *de* ***maat*** *aangeven* beat time; *kunt u* ***ongeveer*** *aangeven waar het is?* can you indicate approximately where it is?; ***wijzigingen*** *steeds met potlood aan te geven* emendations/alterations are always to be made in pencil [5] ⟨sport⟩ ⟨voetb⟩ feed, ⟨volleybal⟩ set [6] ⟨in België⟩ give (it) to (s.o.), credit (s.o.) with (sth.) ♦ *dat zou men* ***hem*** *niet aangeven* you wouldn't give it to him, you wouldn't credit him with that [•] *de* ***mode*** *aangeven* set the fashion; *de* ***pas*** *aangeven* take the lead

aangever [de^m] [1] ⟨iemand die aangeeft⟩ informant, ⟨bij belasting⟩ person submitting a/the declaration [2] ⟨ernstige partner in een komisch duo⟩ stooge [3] ⟨voetb⟩ feeder

aangewezen [bn] [•] *dit is niet de aangewezen* ***methode*** this is not the proper/correct/right/appropriate way/method; *het aangewezen* ***middel*** the obvious means; ***op*** *iets aangewezen zijn* have to turn to/rely on sth., be thrown (back) on sth.; ***op*** *zichzelf aangewezen zijn* be left to one's own devices; *zij zijn* ***op*** *elkaar aangewezen* they depend on/rely on/fall back on each other; *we zijn* ***op*** *het boek zelf aangewezen* we have to resort to/rely on the book itself; *voor olie is ons land aangewezen* ***op*** *...* as regards oil our country is dependent/depends/is reliant/relies on ...; *de aangewezen* ***persoon*** the right/obvious person/man/woman (for the job), just the person/man/woman; *de aangewezen* ***weg*** the obvious way; *dat is de aangewezen* ***weg*** that's the way to go/line to take

aangezicht [het] face, ⟨form⟩ countenance ♦ ***in*** *het aangezicht des Heren* in the sight of the Lord; ⟨fig⟩ ***in*** *het aangezicht van de dood* in the face of death, staring death in the face, face to face with death; ***van*** *aangezicht* ***tot*** *aangezicht met iemand* face to face with s.o. [•] ⟨sprw⟩ *wie zijn neus schendt, schendt zijn aangezicht* ± it's an ill bird that fouls its own nest; ± don't wash your dirty linen in public

aangezichtsligging [de^v] ⟨med⟩ face presentation

aangezichtspijn [de] facial pain, ⟨scherts⟩ face-ache, ⟨med⟩ facial neuralgia

aangezien [vw] since, as, seeing (that), given (that)

aangifte [de^v] ⟨waarde, belasting, douane⟩ declaration, ⟨misdaad; handeling⟩ reporting, ⟨inhoud⟩ report, ⟨bevolkingsregister⟩ registration, ⟨geboorte ook⟩ notification, ⟨wedstrijd⟩ entry, ⟨congres⟩ registration ♦ ⟨belasting⟩ *aangifte* ***doen*** make a declaration, declare; *aangifte* ***doen*** *van een misdrijf* report a crime; *aangifte* ***doen*** *van een vacature/ongeval* notify of a vacancy/an accident; *aangifte* ***doen*** *van geboorte/huwelijk/overlijden* register a birth/marriage/death; *aangifte* ***inkomstenbelasting*** income tax return; *de* ***juistheid*** *van de aangifte werd betwijfeld* the accuracy of the declaration/report was in doubt; ***memorie*** *van aangifte* notification; *de aangifte* ***sluit*** *1 oktober* the closing date is/registration closes on 1 October; *bij diefstal* ***wordt*** *altijd aangifte* ***gedaan*** shoplifters/shoplifting will be prosecuted

aangiftebiljet [het] (income) tax form/return

aangifteformulier [het] ⟨belasting⟩ (income) tax form/return, ⟨douane⟩ declaration, ⟨geboorte, overlijden⟩ registration form, ⟨belasting; inf; AE⟩ 1040

aangifteplichtig [bn] required to submit a tax declaration

aangloeien [onov ww] light (up)

aangooien [ov ww] throw (against), ⟨honkb⟩ pitch, ⟨cricket⟩ bowl ♦ ***fout*** *aangooien* overthrow

¹aangorden [ov ww] ⟨form⟩ ⟨om het middel binden⟩ gird on ♦ *het* ***harnas****/de* ***wapens*** *aangorden (voor/tegen iemand/iets)* take up arms (for/against s.o./sth.)

²zich aangorden [wk ww] ⟨form⟩ [1] ⟨zich wapenen⟩ gird o.s. up, ⟨ook scherts⟩ gird up one's loins [2] ⟨zich gereedmaken voor⟩ gird o.s. up, ⟨ook scherts⟩ gird up one's loins

aangrenzend [bn] adjoining, ⟨i.h.b. huis/vertrek⟩ adjacent, ⟨naburig; land⟩ neighbouring, ⟨form⟩ contiguous

aangrijnzen [ov ww] grin at, ⟨fig⟩ stare in the face ♦ *de* ***honger/dood*** *grijnst de verdwaalden aan* starvation/death stares the lost group in the face

aangrijpen [ov ww] [1] ⟨treffen⟩ grip, strike (at the heart of), ⟨emotioneel ook⟩ move, make a deep impression on ♦ *dit* ***boek*** *heeft me zeer aangegrepen* this book has made a deep impression on me/has deeply moved me; *de* ***koorts*** *had hem aangegrepen* the fever had laid him low; *dit soort* ***situaties*** *grijpt haar nogal aan* this sort of situation affects her a lot, ⟨sterker⟩ this sort of situation takes it out of/a toll on her [2] ⟨met kracht aantasten⟩ seize, attack, assail [3] ⟨beetpakken⟩ seize (at/upon), grip, clutch (at) ♦ *het* ***aanbod*** *(gretig) aangrijpen* jump at the offer; *een* ***gelegenheid*** *met beide handen aangrijpen* seize an opportunity with both hands; *een* ***voorwendsel*** *aangrijpen* latch onto/seize (upon) an excuse

aangrijpend [bn, bw] moving ⟨bw: ~ly⟩, touching, poignant, ⟨boeiend⟩ gripping, stirring

aangrijpingspunt [het] [1] ⟨punt om aan te grijpen⟩ excuse, pretext ♦ *ze* ***zochten/vonden*** *een aangrijpingspunt om tot actie over te gaan* they were looking for/found an excuse to act [2] ⟨natuurk⟩ ⟨van een kracht⟩ point of application/action

aangroei [de^m] [1] ⟨het aangroeien⟩ growth, increase ♦ *de aangroei van de* ***bevolking*** the growth/increase in/of the population [2] ⟨wat ergens aan vastgegroeid is⟩ growth, ⟨aan schip⟩ fouling

aangroeien [onov ww] [1] ⟨toenemen⟩ grow, increase, swell ♦ *de snel aangroeiende* ***bevolking*** the rapidly growing/increasing/swelling population; ***doen*** *aangroeien* swell, increase; ⟨rente⟩ accrue; *aangroeien* ***tot*** ***iets*** grow into sth. [2] ⟨opnieuw groeien⟩ grow again ♦ ***doen*** *aangroeien* regenerate [3] ⟨begroeid worden⟩ develop growths, ⟨schip⟩ become fouled

¹aanhaken [onov ww] ⟨doorgaan op het voorafgaande⟩ take it/... up, follow on (from), come in ♦ ⟨fig; sport⟩ *hij kon* ***bij*** *de kopgroep aanhaken* he was able to join the leading group; *ik wilde graag even* ***bij*** *het zojuist gezegde aanhaken* I would like to come in here, could I just follow up on that?

²aanhaken [ov ww] 1 ⟨al hakend verbinden aan⟩ crochet on ♦ *een aangehaakt* ***randje*** a crocheted-on border 2 ⟨met een haak vasthechten⟩ hook up/on (to), ⟨wagon⟩ couple (to)

¹aanhalen [onov ww] ⟨krachtiger worden⟩ strengthen, ⟨wind ook⟩ freshen

²aanhalen [ov ww] 1 ⟨naar zich toe trekken⟩ pull/draw in, ⟨touw⟩ haul in ♦ *de* ***teugels*** *aanhalen* draw in/tighten the reins; *deze* ***verrekijker*** *haalt sterk aan* these binoculars are very powerful/bring everything very close 2 ⟨vaster trekken⟩ pull/draw tighter, tighten ♦ ⟨fig⟩ *de* ***banden*** *nauwer aanhalen (met)* strengthen the ties/bonds (with); *we moeten allemaal de* ***buikriem*** *aanhalen* we'll all have to tighten our belts; ⟨scheepv⟩ *de* ***schoten*** *aanhalen* sheet home, haul home the sheets 3 ⟨beginnen⟩ let o.s. in for, get o.s. lumbered with ♦ *je weet niet* ***wat*** *je aanhaalt* you don't know what you're letting yourself in for

³aanhalen [ov ww, ook abs] 1 ⟨liefkozen⟩ ⟨mens⟩ caress, ⟨dier⟩ stroke, pet, fondle, ⟨lief zijn⟩ be affectionate 2 ⟨citeren⟩ quote, cite ♦ *op de aangehaalde* ***plaats*** loc cit, loco citato; *een boek/schrijver* ***verkeerd*** *aanhalen* misquote a book/an author; *als* ***voorbeeld/bewijs*** *aanhalen* quote as an example/as evidence

aanhalerig [bn, bw] (over-)affectionate ⟨bw: ~ly⟩

aanhalig [bn, bw] affectionate, sweet ♦ *hij kon zeer aanhalig* ***doen*** he could be very affectionate/sweet

aanhaling [de^v] quotation, ⟨inf⟩ quote, ⟨form⟩ citation ♦ ***verkeerde*** *aanhaling* misquotation; ⟨inf⟩ misquote

aanhalingsteken [het] 1 ⟨onderscheidt aangehaalde woorden⟩ quotation mark, ⟨inf⟩ quote, ⟨BE ook⟩ inverted comma ⟨alle vertalingen voor enkele en dubbele aanhalingstekens⟩ ♦ *aanhalingstekens* ***openen*** quote, open inverted commas/quotes; *aanhalingstekens* ***sluiten*** unquote, close inverted commas/quotes; ***tussen*** *aanhalingstekens plaatsen* put between/in quotation marks/inverted commas/quotes; *onze Duitse beschermers,* ***tussen*** *aanhalingstekens* our German protectors, in inverted commas 2 ⟨geeft herhaling aan⟩ ditto (mark) 3 ⟨geeft figuurlijke betekenis aan⟩ quotation mark, ⟨inf⟩ quote, ⟨BE ook⟩ inverted comma

aanhang [de^m] following, followers, ⟨partij enz.⟩ supporters, ⟨theorie⟩ adherents ♦ *over een* ***grote*** *aanhang beschikken* have a large following, be well supported; ⟨scherts⟩ *daar komt X* ***met*** *zijn aanhang* here comes X with the wife and kids in tow/with all his appendages; *veel/weinig aanhang* ***vinden*** *onder* find little/considerable support among, have a large/small following among; *zijn denkbeelden* ***vonden*** *enige aanhang* his ideas found some support/were (up)held by a number of people

¹aanhangen [onov ww] 1 ⟨hangende vast blijven zitten⟩ cling (to) ♦ *spinazie koken met het aanhangende* ***water*** cook the spinach with the water that's still clinging to it 2 ⟨m.b.t. textiel⟩ catch fluff

²aanhangen [ov ww] 1 ⟨toegedaan zijn⟩ adhere to, be attached to, support ♦ *de Griekse* ***beginselen*** *aanhangen* be gay; *een* ***geloof/partij*** *aanhangen* adhere to a faith, support a party; *het volk hangt nieuwe* ***leiders*** *aan* the people support/back new leaders; *de* ***revolutie*** *aanhangen* support the revolution; *dit* ***standpunt*** *wordt door velen aangehangen* this point of view is held by many 2 ⟨door hangen bevestigen⟩ hitch on, couple (on), connect up

¹aanhanger [de^m], **aanhangster** [de^v] follower, ⟨partij enz.⟩ supporter, ⟨theorie⟩ adherent ♦ *een aanhanger* ***van*** *een sekte* an adherent/a devotee of a sect; *een* ***vurig/trouw*** *aanhanger (van)* an ardent/faithful follower/supporter (of); *iemands aanhanger* ***zijn*** be s.o.'s follower/supporter, be a follower/supporter of s.o.

²aanhanger [de^m] trailer

aanhangig [bn] pending, ⟨jur⟩ before the courts ♦ *de zaak is nog aanhangig* the matter is still pending; *de zaak* ***is*** *voor het gerecht aanhangig* the case is before the courts/sub judice; *een zaak weer aanhangig* ***maken*** re-open a case; *een wetsontwerp aanhangig* ***maken*** introduce a bill; *een rechtsvordering aanhangig* ***maken*** commence an action; *een zaak aanhangig* ***maken*** *voor de rechtbank* bring a case before the court; *een kwestie aanhangig* ***maken*** *bij de autoriteiten* take a matter up with the authorities

aanhangsel [het] 1 ⟨iets aan een groter geheel⟩ appendage, ⟨med⟩ appendix ♦ *sinds haar benoeming* ***is*** *hij slechts een aanhangsel van zijn vrouw* since she was appointed he's only been an appendage to his wife; *het* ***wormvormig*** *aanhangsel* the vermiform appendix 2 ⟨m.b.t. een boek, document⟩ appendix, annex ♦ *een aanhangsel* ***bij*** *een testament* a codicil to a will; *een aanhangsel* ***bij*** *een polis/document* an appendix/annex to a policy/document

aanhangster [de^v] → **aanhanger¹**

aanhangwagen [de^m] trailer ⟨ook van tram⟩, ⟨fig⟩ appendage ♦ ***geremde*** *aanhangwagen* trailer with overriding brake

¹aanhankelijk [bn] ⟨geneigd zich aan iemand te hechten⟩ affectionate, devoted, attached, ⟨negatief⟩ clinging

²aanhankelijk [bw] ⟨met liefde en gehechtheid⟩ affectionately, devotedly, lovingly

aanhankelijkheid [de^v] affection, attachment, adhesion, adherence, devotion, loyalty

aanharken [ov ww] 1 ⟨door harken in orde brengen⟩ rake (over) 2 ⟨bij elkaar harken⟩ rake (up)

aanhebben [ov ww] 1 ⟨aan het lijf hebben⟩ have on, be wearing 2 ⟨brandende hebben⟩ have on/burning/lighted ♦ *wij hebben de* ***kachel*** *al aan* we have already got the heater on/lighted the stove

aanhechten [ov ww] 1 ⟨door hechten bevestigen⟩ attach, ⟨met draad⟩ stitch/tack/fasten on, ⟨plakken⟩ affix, ⟨bijlage⟩ append, annexe 2 ⟨m.b.t. een draad⟩ ⟨nieuwe draad beginnen⟩ start off, ⟨afgebroken draad vasthechten⟩ piece, join (on)

aanhechting [de^v] attachment ⟨ook van spier⟩, fastening, accretion, ⟨med⟩ insertion

aanhechtingspunt [het] join, juncture, point of attachment, ⟨van spier⟩ origin

aanhef [de^m] ⟨lezing, artikel⟩ opening words/lines/sentences, introduction, ⟨form⟩ exordium, ⟨brief⟩ salutation ♦ ***in*** *de aanhef* ***van*** at the beginning/in the opening of

aanheffen [ov ww, ook abs] start, begin, ⟨lied⟩ break into, ⟨gejuich⟩ raise, ⟨volkslied⟩ strike up

aanhikken [onov ww] ⟨inf⟩ ⟨ergens tegen op zien⟩ dread, fear, shrink (from), ⟨moeite hebben met⟩ have problems (with/about), find difficult to accept, find hard to take, kick against ♦ *hij hikte erg* ***tegen*** *het karwei aan* he dreaded the job greatly, he was not looking/did not look forward to the job at all; *hij zit* ***tegen*** *zijn proefwerk aan te hikken* he's having problems/worrying about his test; *hij hikte erg* ***tegen*** *het besluit van zijn chef aan* he found it difficult to accept his boss's decision

aanhitsen [ov ww] incite, stir up, egg on, ⟨hond⟩ set on

aanhobbelen [onov ww] • ***komen*** *aanhobbelen/aangehobbeld* ⟨persoon⟩ come hobbling/limping along; ⟨kind ook⟩ come toddling/tottering along; ⟨kar⟩ come jolting/bumping along/down the road

aanhoesten [ov ww] cough in the direction of another person

aanhollen [onov ww] • ***komen*** *aanhollen/aangehold* come running/rushing on/in/along

aanhoren [ov ww] 1 ⟨luisteren naar⟩ listen to, hear, give a hearing, ⟨form⟩ give audience ♦ ***ten*** *aanhoren* ***van*** in the hearing/presence of, before, in front of 2 ⟨tot het einde toe horen⟩ hear out, give a hearing ♦ *dat is niet* ***om*** *aan te horen* I can't bear to hear (it) anymore; *iemands* ***relaas*** *geduldig aanhoren* give s.o. a patient hearing, listen patiently to s.o.'s story/account [3] ⟨opmaken uit de taal, spraak⟩ hear, tell ♦ *het is hem aan te horen, dat hij een vreemdeling is* you can tell/hear (from his speech) that he is a foreigner, he sounds like a foreigner

aanhorigheid [de^{v}] ⟨in België⟩ affiliation

[1]**aanhouden** [onov ww] [1] ⟨niet ophouden te doen⟩ keep/go on, persist (in), insist (on), persevere (in), stick (at) ♦ ***blijven** aanhouden* persevere, insist; *je moet niet zo aanhouden* you shouldn't insist/keep going on about it like that [2] ⟨voortduren⟩ go on, continue, persist, hold, last, keep up ⟨ook van weer⟩ ♦ ***dat** zal nog wel even aanhouden* that will continue/last for a while (yet) [3] ⟨+ op⟩ ⟨links of rechts⟩ keep, ⟨bepaald doel⟩ make/head (for), ⟨scheepv⟩ bear down (on), stand (in), steer (for) ♦ ***links/rechts** aanhouden* keep to the left/right; ⟨van richting veranderen⟩ bear left/right; ***op** de kust aanhouden* head for/bear down on the coast, stand in for the shore

[2]**aanhouden** [ov ww] [1] ⟨tegenhouden⟩ stop, ⟨door politie⟩ arrest, detain, hold, apprehend, ⟨inf⟩ pick up, ⟨beroven⟩ hold up ♦ *een **bekende** aanhouden* stop an acquaintance (in the street); *een **verdachte** aanhouden* take a suspect into custody [2] ⟨bij zich houden⟩ hold on to, keep, ⟨abonnement⟩ continue, ⟨methode⟩ adhere/stick to ♦ *een **kavel** aanhouden* withdraw a (p)lot/parcel; *een **rekening** aanhouden bij deze bank* have an account with this bank [3] ⟨uitstellen⟩ hold (over), leave, ⟨rechtszaak e.d.⟩ adjourn, reserve, postpone, ⟨inf⟩ put off, put on hold ♦ *een **agendapunt** aanhouden tot een volgende vergadering* hold over a matter/point of discussion to the next meeting; *een **rechtszaak** aanhouden* adjourn a case, hold/leave over a case, let a case stand over [4] ⟨laten voortduren⟩ prolong, ⟨vriendschap⟩ keep up, ⟨noot⟩ hold, sustain [5] ⟨aan het lijf houden⟩ keep on [•] *houdt die **hoeveelheid** maar aan* (you can) take/use that amount; *als je het **recept** aanhoudt, kan er niets misgaan* if you follow/stick to the recipe, nothing can go wrong

aanhoudend [bn, bw] [1] ⟨zonder ophouden⟩ continuous ⟨bw: ~ly⟩, persistent ⟨bw: ~ly⟩, constant, ceaseless, incessant, lasting, protracted, all the time ⟨alleen bw⟩ ♦ *een aanhoudende **droogte*** a prolonged period of drought; *aanhoudend te **nat** voor de tijd van het jaar* persistently too wet for the time of the year; *er is aanhoudende **vraag** naar dit artikel* there is (a) constant/persistent demand for this article [2] ⟨met geringe tussenpozen⟩ continual ⟨bw: ~ly⟩, continuing, repeated, perpetual, time and again, always ⟨alleen bw⟩ ♦ *aanhoudende **interrupties*** repeated interruptions

aanhouder [de^{m}], **aanhoudster** [de^{v}] sticker, go-getter, trier [•] ⟨sprw⟩ *de aanhouder wint* it's dogged that/as does it; if at first you don't succeed, try, try, try again; slow and steady wins the race

aanhouding [de^{v}] [1] ⟨arrestatie⟩ arrest, apprehension, detention ♦ ***verzoeken** om iemands aanhouding* issue a warrant for s.o.'s arrest [2] ⟨uitstel van behandeling⟩ adjournment, postponement, holding over ♦ *verzoek **tot** aanhouding van een proces* request the adjournment of a case/an adjournment

aanhoudingsbevel [het] → **arrestatiebevel**

aanhoudingsmandaat [het] ⟨in België⟩ arrest warrant, warrant of arrest, ⟨voor ontsnapte gevangene⟩ escape warrant, ⟨jur⟩ capias

aanhoudster [de^{v}] → **aanhouder**

aanjagen [ov ww] [1] ⟨veroorzaken bij⟩ fill with, inspire (into) ♦ *iemand **schrik** aanjagen* frighten/terrorize/terrify s.o., put the fear of God/strike terror into s.o.; *iemand **vrees** aanjagen* daunt/intimidate s.o. [2] ⟨feller aanstoken⟩ boost, stoke up, stir up [3] ⟨sneller aandrijven⟩ boost, ⟨motor⟩ supercharge [4] ⟨aansporen⟩ drive/push (on), goad on, ⟨paard⟩ spur/urge on

aanjager [de^{m}] [1] ⟨toestel dat aanjaagt⟩ booster (pump), supercharger, ⟨van brandspuit⟩ feeder (pump), ⟨van schoorsteen⟩ blower, ⟨van locomotief⟩ blast-pipe, ⟨raket⟩ booster (rocket) [2] ⟨m.b.t. een motor⟩ supercharger, booster, ⟨luchtv⟩ compressor

aankaarten [ov ww] raise, broach, introduce, touch on ♦ *een zaak aankaarten **bij*** raise a matter with

aankakken [ww] ⟨inf⟩ [•] ***komen** aankakken/aangekakt* come sauntering/dawdling along/in, show/turn up

aankeiler [de^{m}] → **ankeiler**

aankijken [ov ww] [1] ⟨kijken naar⟩ look at, eye, view, give (sth.) a look ♦ ***elkaar** veelbetekenend aankijken* give each other a meaningful/knowing look/glance; *iemand **recht/goed/onderzoekend** aankijken* look s.o. (straight) in the eye/face, take a good look at s.o., look s.o. through and through, give s.o. a searching look; *elkaar **zitten** aankijken* (just) sit looking at one another; *het aankijken **niet waard*** not worth looking at [2] ⟨in beraad houden⟩ (wait and) see, await further developments, think the matter over ♦ *de **zaak** nog eens aankijken* wait and see, think the matter over [3] ⟨verdenken⟩ suspect, have one's eye on, consider (s.o.) capable of (sth.), ⟨verwijten⟩ blame, put the blame on

aanklaagster [de^{v}] → **aanklager**

aanklacht [de] charge ⟨ook geschrift⟩, ⟨officieel⟩ indictment, complaint, information, accusation ♦ *een aanklacht **afwijzen*** turn down/reject a complaint/charge; *een aanklacht **indienen** tegen iemand (bij)* file/lodge/lay a complaint against s.o. (with), bring a charge against s.o.; *een **punt** van een aanklacht* a count; ⟨fig⟩ *deze misstand is een aanklacht **tegen** de maatschappij* this abuse is an indictment of society; *een aanklacht **wegens** smaad* a libel action; *een aanklacht **wegens** diefstal* a charge of theft; *de aanklacht **werd ingetrokken*** the charge was dropped

aanklagen [ov ww] [1] ⟨beschuldigen⟩ bring/prefer/press charges against, bring/prefer a charge against, lay/lodge/file a complaint against, charge (with), ⟨officieel⟩ indict, accuse (of) ♦ *ik zal **je** aanklagen* I'll have the law on you, I'll sue you; *iemand aanklagen **wegens** smaad* serve a writ of libel against s.o.; *iemand aanklagen **wegens** hoogverraad* impeach s.o. for high treason; *iemand aanklagen **wegens** diefstal/moord* charge s.o. with theft/murder; ⟨moord ook⟩ indict s.o. for murder [2] ⟨in België; aan de kaak stellen⟩ denounce, condemn, criticize

aanklager [de^{m}], **aanklaagster** [de^{v}] accuser, ⟨eiser in zaak⟩ plaintiff, complaining party, complainant, ⟨jurist⟩ prosecutor ♦ ***openbare** aanklager* public/Crown prosecutor, ⟨AE⟩ prosecuting attorney

aanklampen [ov ww] [1] ⟨aanspreken⟩ stop, buttonhole, ⟨form⟩ accost, ⟨fig⟩ approach, apply to ♦ *iemand aanklampen **om geld*** ⟨ook⟩ touch s.o. for money; *iemand aanklampen **om hulp*** approach s.o./apply to s.o. for help [2] ⟨enteren⟩ board [•] ⟨sport, vnl wielersp⟩ *aanklampen **bij** de kopgroep* join the leaders

aankleden [ov ww] [1] ⟨kleding aantrekken⟩ dress, get dressed, ⟨van kleren voorzien⟩ clothe, fit out, ⟨in toga⟩ robe; → **aangekleed** ♦ *je moet die jongen **warm** aankleden* you must wrap/bundle the boy up well; ***zich** aankleden* get dressed [2] ⟨versieren⟩ decorate, furnish, do/fit up, ⟨gerecht⟩ garnish, dress; → **aangekleed** ♦ *een **kamer** aankleden* do up/fit a room; *hij kleedde het verhaal **mooi** aan* he dressed the story up nicely; *een **theorie** aankleden* flesh out a theory

aankleding [de^{v}] ⟨het aankleden van een kamer⟩ furnishing, fitting up, ⟨versiering van een kamer⟩ decor, furnishings, ⟨toneel⟩ decor, staging, setting, ⟨voorstel⟩ presentation

aankleven [onov ww] attach to, belong to, appertain to, be germane/incidental to, stick to ♦ *gebrek kleeft **ons** aan* we have our shortcomings/defects

aanklikken [ov ww] ⟨comp⟩ click (on)

aankloppen [onov ww] [1] ⟨op de deur kloppen⟩ knock/rap (at the door) [2] ⟨+ bij; een beroep doen op⟩ come knocking, appeal (to), apply (to) ♦ ***bij** iemand aankloppen **om** hulp/geld* come/appeal to s.o. for help/money, come knocking on s.o.'s door; ***tevergeefs** bij iemand aankloppen* appeal to s.o. in vain; ⟨geld ook⟩ get no change out of s.o. [3] ⟨door kloppen vaster maken⟩ tamp, compact, ram/knock down

aankloten [onov ww] ⟨inf⟩ [•] ***maar** wat aankloten* mess/fart/muck about a bit

aanknippen [ov ww] [1] ⟨knippen met een ander deel⟩ cut in/as one (piece) with ♦ *aangeknipte **mouwen*** sleeves cut in one with the bodice [2] ⟨in werking stellen⟩ flick/click/switch/snap on

aanknoeien [onov ww] [•] *zij knoeiden maar **wat** aan* they were just fiddling/fooling/messing about/around

¹**aanknopen** [onov ww] ⟨aansluiten⟩ tie in (with), fall in (with), link up (with), continue ♦ *aanknopen **bij** het reeds eerder behandelde* link up/tie in with what has gone before

²**aanknopen** [ov ww] [1] ⟨vastknopen⟩ tie up/together ♦ ⟨fig⟩ *we hebben er nog maar een **dagje** aangeknoopt* we're staying another day [2] ⟨beginnen met⟩ enter into, engage in, open, begin ♦ ***betrekkingen** aanknopen met* establish relations with; *een **gesprek/vriendschap** aanknopen met* begin/strike up a conversation/friendship with; ***onderhandelingen** aanknopen met* enter into negotiations with

aanknopingspunt [het] ⟨voor onderzoek⟩ clue, lead, ⟨als uitgangspunt⟩ point of departure, starting point, ⟨tussen twee mensen⟩ point of contact, thing in common ♦ *een aanknopingspunt **voor** verder onderzoek* a lead/point of departure for further research

aankoeken [onov ww] [1] ⟨zich als een koek vastzetten⟩ cake, stick, cling, catch, set ♦ *het **eten** was aangekoekt* the food had caked/stuck/burned on to the pan [2] ⟨met een koeklaag bedekt worden⟩ be(come) caked/(en)crusted (with), cake, crust ♦ *zo'n **pan** koekt snel aan* these pans stick easily

¹**aankomen** [onov ww] [1] ⟨arriveren⟩ arrive, get to/there, reach, ⟨trein/boot ook⟩ come/pull in, ⟨sport⟩ finish ♦ ⟨sport⟩ ***als** derde aankomen* finish/come in third; ***daar** komt iemand aan* s.o. is coming; *de trein **kan** elk ogenblik aankomen* the train is due (in) any moment; *te **laat** aankomen* come in (too) late, be overdue/late [2] ⟨het doel treffen⟩ hit home/hard, find (its) mark ♦ *die **klap** is hard aangekomen* that blow hit home/(him) hard; ⟨fig⟩ that was a great blow to him [3] ⟨komen aanzetten⟩ come (with), put (to) ♦ *je hoeft met dat plan **bij** hem niet aan te komen* it's no use putting/proposing that plan to him, it's no use going to him with that plan; *en **daar** kom je nu pas **mee** aan?* now you tell me!; *hij zal je **zien** aankomen* he'll see you coming; ⟨fig⟩ you needn't try that one on him, it's no use going to him with that plan/idea [4] ⟨naderen⟩ come (along), approach, draw in/near ♦ ***op** iemand aankomen* approach s.o., come up to s.o.; *een botsing **zien** aankomen* see a crash coming, anticipate a crash [5] ⟨bij toeval aanraken⟩ touch, hit, come up (against) ♦ ***niet/nergens** aankomen!* don't touch!, hands off!; *zij kwam met haar elleboog **tegen** de deurpost aan* she hit her elbow against/on the doorpost [6] ⟨in gewicht toenemen⟩ put on weight/flesh, gain weight/flesh [7] ⟨neerkomen⟩ come down (to), depend (on), fall (to) ♦ *het **erop** aan laten komen* let things come to a head; *alles komt **op** hem aan* it all depends on him/comes down to him; ***op** die paar euro komt het niet aan* those few euros do not matter; *het **op** een scheiding laten aankomen* allow things to develop into a separation; *we kunnen het er niet **op** aan laten komen* we cannot take the risk; *iets **op** het laatste ogenblik laten aankomen* leave sth. to the last moment [8] ⟨eigen worden⟩ come/get to, be acquired ♦ *er valt **moeilijk** aan te komen* it's difficult to come by [9] ⟨door erfenis eigendom worden⟩ come (down) to, be inherited, accrue to

²**aankomen** [onpers ww] ⟨gelden, betreffen⟩ come (down) (to), boil down (to), be a matter of ♦ *waar het **op** aankomt* the crucial point, what really matters, what it comes down to; *als het **op** betalen aankomt* when it comes to paying [•] *het komt **er niet op** aan* it doesn't matter, never mind; *nu komt het **erop** aan* this is it, now comes the tug of war, now comes the crunch; *als het **erop** aan komt* when it comes to the crunch, when the chips are down

aankomend [bn] [1] ⟨nog niet volwassen⟩ ⟨generatie⟩ rising, coming, ⟨jongens en meisjes⟩ adolescent, growing [2] ⟨nog niet volleerd⟩ ⟨studerend⟩ prospective, future, ⟨onbedreven⟩ budding, fledgling, ⟨leerjongen⟩ junior, apprentice, trainee ♦ *een aankomend **actrice*** a starlet, an up-and-coming actress; *een aankomend **advocaat*** a prospective lawyer; *een aankomend **bediende*** a junior/an apprentice clerk/assistant; *een aankomend **leraar*** a prospective/young teacher; *een aankomend **predikant*** a prospective/young minister, an ordinee; *een aankomend **schrijver*** a budding author [3] ⟨aanstaand⟩ next, coming

aankomst [de^v] arrival, advent, coming (in), ⟨sport⟩ finish(ing), ⟨vliegtuig⟩ landing, ⟨in land⟩ entry ♦ ⟨handel⟩ *verkopen na/bij/op **behouden** aankomst* sell to arrive; ***bij** aankomst* on arrival; ***bij** aankomst van de trein* when the train comes in, on the arrival of the train; *aankomst **volgens** dienstregeling ...* due in at ...; ⟨sport⟩ ***in volgorde** van aankomst* in (the) order of finishing, in finishing order [•] ⟨jur⟩ ***titel** van aankomst* investitive fact

aankomsthal [de] arrival(s) (hall), ⟨op vliegveld⟩ arrival lounge, ⟨gecombineerd met vertrekhal⟩ (air) terminal

aankomstlijn [de] ⟨in België⟩ finish, finishing line/point/post, ⟨ook⟩ home

aankomsttijd [de^m] hour of arrival ♦ *aankomsttijd **volgens** dienstregeling ...* scheduled arrival time ...

¹**aankondigen** [ov ww] [1] ⟨officieel bekendmaken⟩ announce, ⟨plechtig⟩ proclaim, ⟨met plakkaten⟩ bill ♦ *een **bezoeker** aankondigen* announce/usher in a visitor; *aankondigen iets te zullen **doen*** announce that one will do sth.; *een **huwelijk/sterfgeval** aankondigen* announce a marriage/death [2] ⟨te kennen geven⟩ indicate, reveal, signal, betoken, spell (out), announce [3] ⟨inluiden⟩ announce, herald, foretell, forebode, foreshadow ♦ *het vertrek van de zwaluwen kondigt de **winter** aan* the departure of the swallows heralds the coming of winter [4] ⟨meedelen⟩ announce ♦ *de volgende **plaat** aankondigen* announce/introduce the next record; *een **trein** aankondigen* announce (the arrival of) a train [5] ⟨het verschijnen bekendmaken⟩ announce, give notice of, ⟨uitgebreid⟩ review [6] ⟨kaartsp⟩ bid

²**zich aankondigen** [wk ww] [1] ⟨zich openbaren⟩ reveal o.s., show/prove o.s., be/stand revealed, turn out (to be) ♦ *zij kondigde zich aan **als** de nieuwe operadiva* she revealed herself as the new diva/opera star [2] ⟨beginnen⟩ dawn ♦ *een nieuw **tijdperk** kondigde zich aan* a new era dawned

aankondiging [de^v] [1] ⟨handeling⟩ announcement, notice, ⟨teken⟩ signal, ⟨inluiding⟩ foreboding, ⟨plechtig⟩ proclamation [2] ⟨bericht⟩ announcement, statement, notice, bulletin, ⟨in krant ook⟩ advertisement, ⟨van boek⟩ (press-)notice, ⟨plakkaat⟩ bill, notice ♦ *aankondigingen **doen*** make announcements; ⟨bijvoorbeeld in vergadering⟩ give out notices; *tot **nadere** aankondiging* until further notice

aankoop [de^m] [1] ⟨handeling⟩ buying, purchase, purchasing, acquisition ♦ ***bij** aankoop van drie flacons krijgt u een poster cadeau* (you get a) free poster with every three bottles [2] ⟨het aangekochte⟩ purchase(s), acquisition, shopping ♦ ***grote** aankopen doen* make large purchases

aankoopbeleid [het] purchasing policy

aankoopsom [de] (purchase) price

aankopen [ov ww] buy, purchase, acquire, obtain

aankoppelen [ov ww] [1] ⟨verbinden⟩ link up, attach,

hitch on, couple (up), ⟨ruimtevaartuig⟩ dock [2] ⟨m.b.t. delen van een machine⟩ couple, link up [3] ⟨m.b.t. dieren⟩ couple, leash ♦ *de **jachthonden** aankoppelen* couple the hounds

aankrijgen [ov ww] [1] ⟨aan het lichaam krijgen⟩ get on, get into [2] ⟨aan de gang krijgen⟩ get going, set in motion, ⟨kachel⟩ get to burn ♦ *ik krijg de **kachel** niet aan* I can't get the stove to burn/light [3] ⟨als levering ontvangen⟩ receive, get/take in ♦ *nieuwe **voorraad** aankrijgen* receive/get (in) new stock(s)

aankruipen [onov ww] ⟨+ tegen⟩ cuddle up (to/against), nestle (up) (to/against)

aankruisen [ov ww] ⟨BE⟩ tick, ⟨AE⟩ check, mark, cross (out) ♦ *aankruisen **wat** van toepassing is* tick where appropriate

aankunnen [onov ww] [1] ⟨opgewassen zijn tegen⟩ be a match for, (be able to) hold one's own (against), be able to take on, be able to cope with, be able to deal with ♦ ***het** alleen aankunnen* hold one's own [2] ⟨berekend zijn voor⟩ be prepared for, be equal/up to, be able to manage, be able to cope with ♦ *zij kon het **lesgeven** niet aan* she wasn't up to teaching; *zij kon het **werk** niet aan* the work was too much for her, she couldn't cope (with the work) [3] ⟨in staat zijn te gebruiken⟩ (be able to) manage, have a way with, require ♦ ***veel** aankunnen* be a great/big spender/eater [4] ⟨kunnen bereiken⟩ be able to reach/touch [•] *niet **op** iemand aankunnen* not be able to rely/depend on/trust s.o.; *kan ik ervan op aan, dat je komt?* can I depend/bank on your coming?

aankweek [de^m^] [1] ⟨het aankweken⟩ cultivation, growing, culture, breeding, development [2] ⟨wat aangekweekt is, wordt⟩ culture, breed, reserve, growth, generation

aankweken [ov ww] [1] ⟨opkweken⟩ cultivate, grow, breed, culture [2] ⟨opwekken⟩ cultivate, generate, foster, breed, build up, create ♦ *een **geest** van verzet aankweken* foster/breed/build up a spirit of resistance; *een **gewoonte** aankweken* get into/cultivate a habit

aanlanden [onov ww] [1] ⟨voor de wal komen⟩ land, touch at, come alongside, come to land, come on shore [2] ⟨zijn bestemming bereiken⟩ finish, land (up), arrive at, reach, come to rest, find o.s. ♦ *hij is er nog **goed** aangeland* he got there safe and sound in the end; ***waar** zijn we nu aangeland?* where are we now/have we landed now?; *voor we goed en wel waren aangeland ...* hardly had we arrived ... [3] ⟨aanslibben⟩ increase, grow, ⟨dichtslibben⟩ silt up

aanlandig [bn] ⟨scheepv⟩ onshore ♦ *de wind **is** aanlandig* there is an onshore wind, the wind is blowing home

aanleg [de^m^] [1] ⟨constructie⟩ construction, building, ⟨weg ook⟩ laying, ⟨kanaal⟩ digging, ⟨stad, tuin⟩ planning, layout ♦ ***in** aanleg* under construction; *aanleg **van** spoorwegen* railroad construction; *aanleg **van** gas/water/elektriciteit* installation of gas/water/electricity [2] ⟨begaafdheid⟩ ⟨kunstzinnig⟩ talent, genius, gift(edness), ⟨zaken⟩ aptitude, capacity, tendency ♦ ***kunstzinnige** aanleg* artistic talent/turn (of mind), artistic bent; *aanleg **tonen** voor talen* show an aptitude for languages; *aanleg **voor** muziek* a talent for music; *daar moet je aanleg **voor** hebben* it's a gift; *hij heeft veel aanleg **voor** wiskunde* he has a mathematical turn of mind/a good head for figures/a good deal of aptitude for mathematics [3] ⟨vatbaarheid⟩ sensitivity, tendency, predisposition, inclination ♦ *aanleg **voor** griep* sensitivity/predisposition to the flu [4] ⟨uitgevoerd (grond)werk⟩ grounds, park [5] ⟨geneigdheid⟩ tendency, bent, temperament, turn (of mind), inclination, disposition ♦ *ik heb geen aanleg **om** dik te worden* I have no tendency to get fat, ↑ I have no inclination towards obesity [6] ⟨jur; instantie⟩ instance ♦ ***in** eerste aanleg* in the first instance [•] ***in** aanleg aanwezig* present in rudimentary form

¹aanleggen [onov ww] [1] ⟨voor de wal komen⟩ ⟨vastleggen⟩ moor, fasten, tie up, ⟨aandoen⟩ touch (at), berth [2] ⟨onderweg stilhouden⟩ stop (off) (at), call in (at)

²aanleggen [ov ww] [1] ⟨aanbrengen tegen, om⟩ apply, lay (on/around/against), place (on/around/against) ♦ ⟨fig⟩ *een **maatstaf** aanleggen* apply a standard/criterion; ***de thermometer** aanleggen* insert/put the thermometer in/under; ***een verband** aanleggen* dress (a wound), bandage; *een **zuigeling** aanleggen* give a baby the breast [2] ⟨doen overeenkomstig een doel⟩ contrive, set/go about, manage ♦ *het **breed** aanleggen* live in a grand way; *het **handig/goed/verkeerd** aanleggen* go/set about it cleverly/the right way/the wrong way; ***hoe** leg ik dat aan?* how do I go/set about this?; *het **met** iemand aanleggen* ⟨zich inlaten met⟩ take up with/get involved with/get mixed up with s.o.; ⟨ruzie krijgen met⟩ fall out with s.o.; ⟨gemene zaak maken met⟩ join forces with/make common cause with/throw in one's lot with/side with s.o.; *het **met** de buurvrouw aanleggen* start carrying on with the woman next door; *het **op** iets aanleggen* be getting/aiming at sth.; *het zó **weten** aan te leggen dat ...* contrive it so that ... [3] ⟨bezig zijn tot stand te brengen⟩ construct, build, ⟨straat ook⟩ lay, ⟨kanaal⟩ dig, ⟨park, tuin⟩ lay out, ⟨gas, licht, water⟩ lay on, ⟨verwarming, riolering⟩ install, ⟨voorraad⟩ build up ♦ ***licht** aanleggen* lay on/install electric light(ing); *een **spoorweg/weg** aanleggen* construct/build a railway/road; *een **verzameling** aanleggen* start/begin a collection; *een **vijver** aanleggen* sink a pond; ***voorraden** aanleggen* build up stocks, stockpile (goods), stock up on provisions; *een **vuur** aanleggen* build/lay a fire; *een nieuwe **wijk** aanleggen* ⟨BE⟩ develop/build a new estate, ⟨AE⟩ build a new development [4] ⟨m.b.t. een proces⟩ commence, start, begin, bring

³aanleggen [ov ww, ook abs] ⟨richten⟩ aim, point, level ♦ *leg aan!* take aim!

aanleghaven [de] port of call

aanlegplaats [de] [1] ⟨m.b.t. vaartuigen⟩ landing stage/place, ⟨vast⟩ mooring place, berth, ⟨van veer⟩ ferry bridge [2] ⟨pleisterplaats langs de weg⟩ stopping place, ⟨scherts⟩ port of call

aanlegsteiger [de^m^] jetty, landing stage/wharf

aanleiding [de^v^] occasion, reason, (immediate) cause, provocation ♦ *er **bestaat** (geen) aanleiding om/tot* there is (no) reason to; ***bij** de geringste aanleiding* at the slightest pretence/provocation, at the drop of a hat; ***directe** aanleiding* immediate cause; *dit **gaf** ons aanleiding om ...* this caused/induced us to ...; *iemand (geen) aanleiding **geven*** (not) provoke s.o., give s.o. (no) cause; *aanleiding **geven** tot klachten/protesten* give cause/occasion for complaints/protests; *geen aanleiding **hebben** om* have no call/cause to, see no reason to; *(alle) aanleiding **hebben** om* have (every) reason to; ***naar** aanleiding **van*** as a result of; ***naar** aanleiding **van** uw schrijven* in response to/in reply to/with reference to/further to your letter; *aanleiding **vinden in*** find a(n) excuse/pretext in, take as one's excuse/pretext; *de aanleiding **voor** mijn klacht* the reason for my complaint; *aanleiding **zijn/geven tot*** be the occasion of, spark/trigger off, lead to, give rise to, occasion; ***zonder** enige aanleiding* without any reason/provocation, for no (apparent) reason

aanlengen [ov ww] dilute, water down, ⟨knoeien⟩ adulterate, doctor

aanleren [ov ww] [1] ⟨leren⟩ learn, acquire, pick up ♦ *slechte **manieren** aanleren* acquire/pick up bad habits/manners; *een aangeleerde **smaak*** an acquired taste; *een vreemde **taal** aanleren* learn/pick up a foreign language; *een aangeleerde **toon*** ⟨pej⟩ an affected tone [2] ⟨onderwijzen⟩ teach, train (in) ♦ *een hond **kunstjes** aanleren* teach a dog tricks

aanleunen [onov ww] lean (against/towards) ♦ ⟨fig⟩ *aanleunen **tegen*** ⟨bijvoorbeeld van stijl⟩ bear (close) resemblance to [•] ⟨in België⟩ *aanleunen **bij*** seek support/protection from, lean on; *zich iets **laten** aanleunen* ⟨belediging⟩ take/accept/put up with/swallow sth.; ⟨compliment⟩ take sth. as one's due; *zich iets niet **laten** aanleunen* not take sth.

lying down

aanleunwoning [dev] sheltered accommodation

aanleveren [ov ww] ⟨lading⟩ deliver for shipment ♦ *het aanleveren* delivery for shipment

aanliggen [onov ww] [1] ⟨aan de dis liggen⟩ recline at table ♦ *aangelegen zijn* (be) recline(d) at table [2] ⟨zekere koers houden⟩ bear, stand, hold course [3] ⟨+ tegen; grenzen⟩ be close (to), ⟨fig ook⟩ come close ♦ *het is niet helemaal hetzelfde maar het ligt er wel dicht **tegen** aan* it's not quite the same but it comes close

aanliggend [bn] adjacent, adjoining, neighbouring, contiguous ♦ ⟨wisk⟩ *aanliggende **hoek** bij een zijde* adjacent/contiguous angle of a side; ⟨wisk⟩ *aanliggende **zijde** van een hoek* adjacent/contiguous side of an angle

aanlijnen [ov ww] leash, put a leash/[B]lead on ♦ *aangelijnd **houden*** keep on a/the leash/[B]lead

aanlokkelijk [bn] tempting, alluring, inviting, attractive ♦ *een aanlokkelijk **voorstel/aanbod*** an attractive proposition/offer; *een **weinig** aanlokkelijk vooruitzicht* a rather uninviting prospect

aanlokken [ov ww] [1] ⟨fig⟩ tempt, allure, attract, invite, entice ♦ *het voorstel lokte **hem** erg aan* the proposition appealed to him very much [2] ⟨aantrekken⟩ attract, lure, entrap, decoy, draw ♦ *zo'n warenhuis lokt **kopers** aan* such a department store attracts many customers

aanloop [dem] [1] ⟨inleidende loop⟩ run-up, ⟨luchtv⟩ take-off run, ⟨machine⟩ run-in ♦ *een sprong **met/zonder** aanloop* a running/standing jump; *een aanloop **nemen*** take a run-up [2] ⟨inleidende woorden⟩ introduction, introductory remarks, preamble ♦ *een **lange** aanloop nemen* take a long time to get/come to the point, give a long introduction; ***na** een korte/lange aanloop* after a few introductory remarks/a long preamble [3] ⟨bezoek⟩ visitors, callers, ⟨klanten⟩ customers, patronage ♦ *zij **hebben** altijd veel aanloop* they always have lots of visitors/customers; ⟨winkel ook⟩ they are well patronized [•] *in de aanloop **naar** de verkiezingen* in the build-up to the elections

aanloopfase [dev] start-up phase, preparatory stage/phase ♦ *verlies lijden **in** de aanloopfase* make a loss during the start-up phase preparatory stage/phase

aanloophaven [de] port of call

aanloopkoppel [het] ⟨techn⟩ starting torque

aanloopkosten [demv] initial costs/expenses, running-in expenses

aanloopmoeilijkheden [demv] initial problems/difficulties, ⟨m.b.t. nieuwe zaak enz.⟩ teething troubles

aanlooppeiler [dem] ⟨luchtv⟩ (aircraft) direction finder, radiogoniometer

aanloopperiode [dev] introductory/initial/running-in/trial period, ⟨m.b.t. product: tijd tussen concept en productie⟩ lead time

aanlooproute [de] approach route

aanloopschaal [de] initial pay scale

aanlooptijd [dem] ⟨ook fig⟩ warm(ing)-up (period); → **aanloopperiode**

aanlooptransformator [dem] starting transformer

[1]**aanlopen** [onov ww] [1] ⟨in een richting gaan⟩ walk/come (towards), ⟨bezoeken⟩ call by/in, drop by/in, ⟨schip⟩ sail (towards/for) ♦ ***achter** iemand aanlopen* follow s.o., dog s.o.'s (foot)steps; ⟨verliefd⟩ chase (after) s.o.; *(even) **bij** iemand aanlopen* call in/drop in/look in on s.o./at s.o.'s (place); ***kom** eens aanlopen* call/drop by/in some time; *die kat is **komen** aanlopen* that cat has strayed (in) here; *(langzaam) **komen** aanlopen* approach (slowly); *hij **kwam** (hard) aanlopen/aangelopen (om te zien ...)* he came (running) along (to see ...); *het schip liep **op** de Azoren aan* the ship sailed towards/for the Azores; ***tegen** iets aanlopen* walk/run into sth.; ⟨fig⟩ chance/stumble on sth., come across sth. (by accident); *zo is hij **tegen** zijn vrouw aangelopen* that's how he met his wife [2] ⟨in zijn loop gestuit worden⟩ ⟨rem⟩ rub, drag, ⟨wiel ook⟩ not run true, run out of true [3] ⟨genoemde kleur krijgen⟩ grow/become/turn ... (in the face), ⟨rood⟩ colour up, glow, flush ♦ ***blauw/paars** aanlopen* turn blue (in the face); ***rood/paars** aanlopen* turn/go red/purple in the face

[2]**aanlopen** [ov ww] ⟨binnenlopen en afmeren⟩ touch/call/dock at ♦ *morgen wordt **Antwerpen** aangelopen* tomorrow we will call at Antwerp

aanmaak [dem] manufacture, production, making, ⟨munten⟩ coinage, ⟨papiergeld⟩ printing ♦ ***in** aanmaak zijn* be in the making/in production

aanmaakblokje [het] firelighter

aanmaakhout [het] kindling(-wood), ⟨AE⟩ lightwood

aanmaakhoutje [het] kindling, spill

aanmaakkosten [demv] manufacturing/production costs, ⟨grote machines e.d.⟩ construction costs, ⟨drukwerk⟩ printing costs

aanmaaklimonade [de] [1] ⟨limonadesiroop⟩ concentrated syrup for making soft drink [2] ⟨limonade⟩ soft drink made with concentrated syrup

aanmaken [ov ww] [1] ⟨vervaardigen⟩ produce, manufacture, make, ⟨munten⟩ mint, ⟨drukwerk, bankbiljetten⟩ print [2] ⟨toebereiden⟩ ⟨verf, deeg, sla⟩ mix, ⟨groenten⟩ prepare ♦ ***beton** aanmaken* mix concrete; *aangemaakte **saus*** ready-made sauce; ***sla** aanmaken* prepare/mix/dress/make salad; *aangemaakte **verf*** ready-mixed paint [3] ⟨doen branden⟩ light, kindle, make ♦ *een **vuur/de kachel** aanmaken* light a fire/the stove

aanmanen [ov ww, ook abs] [1] ⟨aansporen⟩ urge, exhort, advise, call on [2] ⟨sommeren⟩ order, summon, press, demand, ⟨tot betaling⟩ dun ♦ *iemand **tot** betaling aanmanen* demand payment from s.o., press s.o. for payment

aanmaning [dev] [1] ⟨woorden⟩ exhortation, advice, order, ⟨minder sterk⟩ reminder ♦ *een **vriendelijke** aanmaning* a gentle reminder [2] ⟨formulier⟩ summons, demand note, dun, ⟨minder sterk⟩ request, reminder, warning notice ♦ *een **gerechtelijke** aanmaning* a judicial demand/reminder; *aanmaning **tot** betaling* ⟨eerste⟩ reminder; ⟨laatste⟩ final notice

zich aanmatigen [wk ww] ⟨rechten⟩ arrogate, usurp, assume, ⟨oordeel⟩ presume ♦ *zich een **oordeel** aanmatigen* take it upon o.s. to pass judgement; *zich **rechten** aanmatigen* arrogate/assume rights to o.s., usurp rights

aanmatigend [bn, bw] presumptuous ⟨bw: ~ly⟩, arrogant, highhanded, self-assertive, ⟨inf⟩ cocksure ♦ *een aanmatigende **houding*** a presumptuous/an arrogant manner; *aanmatigend **optreden*** act presumptuously/arrogantly; *op aanmatigende **toon** spreken* speak arrogantly/in a high-handed manner

aanmatiging [dev] [1] ⟨onrechtmatige opeising⟩ arrogation, usurpation, appropriation, assumption [2] ⟨laatdunkende taal, daad⟩ arrogance, insolence, pretentiousness, bumptiousness, highhandedness

[1]**aanmelden** [ov ww] [1] ⟨aandienen⟩ announce, ⟨bezoekers ook⟩ usher in, report, ⟨berichten⟩ give notice of ♦ *bezoekers werden eerst **bij** de commandant aangemeld* visitors were first reported to the commandant [2] ⟨als kandidaat opgeven⟩ present, enter (s.o.'s name), put forward (s.o.'s name), put down (s.o.'s name), ⟨baan⟩ apply ♦ *hij meldde zijn zoontje aan **als** nieuw lid* he put forward his little boy for membership; *gegadigden kunnen zich **schriftelijk/persoonlijk** aanmelden bij* candidates may apply by letter/in person to; ***zich** komen aanmelden* present o.s., report; ***zich** voor een examen aanmelden* present o.s. for an exam; ***zich** aanmelden voor een betrekking* apply for a position/post

[2]**zich aanmelden** [wk ww] ⟨zich bekendmaken⟩ come forward, ⟨bij politie⟩ give o.s. up ♦ *hij meldde zich **als** de schrijver van dat pamflet aan* he made himself known as the author of the pamphlet

aanmelding [dev] [1] ⟨aandiening⟩ announcement, notice, notification [2] ⟨kandidatuur⟩ ⟨deelneming⟩ entry, ⟨baan⟩ application, ⟨toetreding⟩ enrolment, ⟨AE⟩ enrollment, enlistment ◆ *zijn aanmelding **als vrijwilliger*** his enlistment as a volunteer; *de aanmelding **is gesloten*** applications will no longer be accepted [3] ⟨registratie⟩ registration ◆ ***verplichte** aanmelding van aidspatiënten* compulsory registration of AIDS cases

aanmeldingsformulier [het] ⟨voor deelneming⟩ registration form, ⟨voor baan⟩ application form

aanmengen [ov ww] mix, ⟨verdunnen⟩ dilute, prepare ◆ ***verf** aanmengen* mix/prepare paint; *deze **verf** is aangemengd te koop* this paint is sold ready-mixed

aanmeren [ov ww, ook abs] moor

[1]aanmerkelijk [bn] ⟨tamelijk groot⟩ considerable, substantial, ⟨merkbaar⟩ appreciable, marked, noticeable ◆ *een aanmerkelijk **verschil** met vroeger* a considerable change from the past

[2]aanmerkelijk [bw] ⟨in aanzienlijke mate⟩ considerably, substantially, ⟨merkbaar⟩ appreciably, markedly, noticeably ◆ *het gaat aanmerkelijk **beter*** things have improved markedly/noticeably

aanmerken [ov ww] [1] ⟨zeggen⟩ comment, find fault (with), quarrel (with), criticize, take exception (to) ◆ ***op** zijn gedrag valt niets aan te merken* his conduct is above/beyond reproach/is irreproachable; ***op** de uitvoering viel heel wat aan te merken* the performance/execution left much to be desired; *hij heeft altijd wat **op** iemand/iets aan te merken* he is forever finding fault with people/things; *ik heb er niets/weinig/veel/één ding **op** aan te merken* I found no/little/much/one fault with it [2] ⟨beschouwen⟩ regard (as), consider (as/to be), hold/deem (to be) ◆ *iets **als** zijn plicht aanmerken* regard sth. as one's duty, consider/deem sth. (as/to be) one's duty

aanmerking [de^{v}] comment, criticism, remark ◆ *aanmerkingen **maken** (over)* comment (on); *aanmerkingen **maken/hebben** (op)* find fault (with), criticize [•] ***in** aanmerking nemen* consider; ***in** aanmerking komend* eligible, qualified; ⟨geschikt⟩ suitable, appropriate; *niet **in** aanmerking nemen* not take into account, disregard, make no allowance for; ***in** aanmerking komen **voor*** ⟨bijvoorbeeld van kosten, voor vergoeding⟩ qualify for; *alles **in** aanmerking genomen* all things considered, all in all, on balance; ***in** aanmerking genomen (dat)* considering (that), seeing (that), ↓ seeing as how; *het eerst **in** aanmerking komen* be the most likely candidate, be the first to be considered, be top of the list; *niet **in** aanmerking komen (voor)* not be under consideration (for), be ineligible/unqualified (for); *haar leeftijd **in** aanmerking genomen ...* considering/in view of her age ...; *voor een uitkering **in** aanmerking komen* qualify/be eligible for a benefit; *zij kwam niet voor de baan **in** aanmerking* she was not considered for the job; ***in** aanmerking komen **voor** een betrekking/pensioen/prijs* qualify/be eligible for a position/pension/prize

aanmeten [ov ww] take s.o.'s measurements for, measure s.o. for, ⟨fig⟩ assume ◆ *zich een nieuw **kapsel** laten aanmeten* change one's hairdo; *een aangemeten **kostuum*** a costume made to measure, a made-to-measure/tailor-made costume; ***zich** een pak laten aanmeten* have one's measurements taken for a suit, be measured for a suit; ⟨fig⟩ ***zich** een beleefde houding aanmeten* assume a polite attitude, strike a polite pose

aanminnig [bn, bw] charming ⟨bw: ~ly⟩, attractive, sweet, lovable, lovely ◆ *aanminnig **glimlachen*** smile sweetly

aanminnigheid [de^{v}] charm, attractiveness, sweetness, loveliness

aanmodderen [onov ww] ⟨inf⟩ soldier/stumble/blunder/muddle/bungle on ◆ *zij **bleven** aanmodderen* they just soldiered/stumbled/blundered/muddled/bungled on; *maar **wat** aanmodderen* mess/play around/about; *zij lieten haar maar **wat** aanmodderen in haar eentje* they just left her to muddle on on her own

[1]aanmoedigen [ov ww] ⟨stimuleren⟩ encourage, stimulate, foster, countenance ◆ *ja, moedig **hem** nog even aan ook!* that's right, encourage him!; you're just as bad, you encourage him

[2]aanmoedigen [ov ww, ook abs] ⟨moed geven⟩ encourage, spur on, give courage to, cheer on ◆ *iemand **tot** iets aanmoedigen* encourage s.o. to do sth., spur s.o. on to do sth.; *dat moedigt maar aan **tot** misbruik* that will only encourage/lead to abuse

aanmoediging [de^{v}] [1] ⟨het moed geven⟩ encouragement, ⟨vnl sport⟩ cheer(s) ◆ *hij had **geen/weinig** aanmoediging nodig* he needed no/little encouragement; ***onder** aanmoediging **van het publiek*** while the spectators cheered him/her/them on; *het publiek **schreeuwde** aanmoedigingen* the audience shouted encouragement; ***ter** aanmoediging* by way of encouragement [2] ⟨stimulans⟩ stimulus, boost, furtherance

aanmoedigingsprijs [de^{m}] incentive prize

[1]aanmonsteren [onov ww] ⟨dienst nemen⟩ sign on/up, sign the articles, muster in ◆ *aanmonsteren **als matroos*** sign on/up as a sailor

[2]aanmonsteren [ov ww] ⟨in dienst nemen⟩ engage, sign on/up, ship

aanmunten [ov ww] [1] ⟨tot munten slaan⟩ coin, mint ◆ ***goud** aanmunten* coin/mint gold, mint gold into coins [2] ⟨door aanmunten maken⟩ coin, mint ◆ *er worden geen **centen** meer aangemunt* cents are no longer being minted/coined

aanmunting [de^{v}] coinage, minting

aannaaien [ov ww] sew on [•] *ik **laat** mij niets aannaaien* I wasn't born yesterday

aanname [de] [1] ⟨veronderstelling⟩ assumption, hypothesis, premise [2] ⟨aanneming⟩ acceptance, recognition, reception

aanneemsom [de] contract sum/price, building sum/price

aanneemster [de^{v}] → **aannemer**

aannemelijk [bn] [1] ⟨geloofwaardig⟩ plausible, likely, credible, convincing ◆ *een aannemelijk **excuus*** a plausible excuse; *het **is** (niet) aannemelijk dat ...* it is (un)likely/(im)probable that ...; *iets aannemelijk **maken*** make a reasonable case for sth.; *niet aannemelijk kunnen **maken*** fail to make a reasonable case for, fail to show; *een aannemelijke **verklaring** geven voor iets* give a plausible/convincing explanation for sth. [2] ⟨aanvaardbaar⟩ acceptable, reasonable, fair ◆ *tegen elk aannemelijk **bod*** any reasonable offer accepted; *op aannemelijke **voorwaarden*** on acceptable terms

aannemen [ov ww] [1] ⟨aanpakken⟩ take, accept, ⟨aan deur⟩ take in, ⟨telefoon⟩ pick up, answer ◆ *kan ik een **boodschap** aannemen?* can I take a message?, is there a/any message?; *aannemen!* waiter! (may I order/I have the bill?) [2] ⟨accepteren⟩ accept, take (on), receive, allow, ⟨wet⟩ pass, ⟨motie⟩ carry ◆ *een **aanbod** met beide handen aannemen* jump at an offer; *de **begroting** is ten slotte toch aangenomen* the budget was passed in the end; ***bij** stemming aannemen* carry by vote; ***met** algemene stemmen aannemen* carry unanimously; *een **opdracht/voorstel** aannemen* accept a commission/proposal; *een **raad** aannemen* accept a piece of advice; *de **uitdaging** aannemen* accept the challenge, take up/on the challenge; *een **wetsontwerp** aannemen* pass a bill [3] ⟨zich eigen maken⟩ adopt, assume, take up/over, ⟨godsdienst/opvatting ook⟩ embrace ◆ *een menselijke **gedaante** aannemen* assume/adopt a human shape/form; *een **gewoonte** aannemen* contract/pick up/get into a habit; *een **godsdienst** aannemen* adopt/embrace a religion; *een **houding** aannemen* adopt an attitude, strike a pose; *een **maatstaf** aannemen* adopt a standard/criterion; *vaste **vorm** aannemen* take (definite) shape, crystallize; *ernstige **vormen***

aannemen grow to an alarming extent, become serious [4] ⟨geloven⟩ accept, believe, take, expect, imagine ♦ *ik wil **graag** van u aannemen dat ...* I am quite willing to believe that ...; ***stilzwijgend** aannemen* tacitly assume; *u kunt het **van mij** aannemen* you can take it from me/take my word for it; *neem één ding **van mij** aan, ...* you may/can take it from me, ...; *iets **voor** waar aannemen* accept/believe sth.; ⟨sterker⟩ take sth. for gospel truth; *iets **voor** zoete koek aannemen* swallow sth. [5] ⟨veronderstellen⟩ assume, presume, suppose, grant, allow; → **aangenomen²** ♦ ***algemeen** werd aangenomen dat ...* it was generally assumed/believed/accepted that ...; ***als** regel aannemen* make it a rule; ***als** vaststaand/vanzelfsprekend aannemen* take for granted; *laten we nu eens aannemen **dat** ...* let's assume/suppose that ...; *naar men **mag** aannemen* presumably; ***mag** ik aannemen dat u het ermee eens bent?* may I take it that you agree? [6] ⟨zich verbinden uit te voeren⟩ undertake, contract for, take ♦ *de **bouw** van een blok woningen aannemen* contract for (the building of) a block of houses [7] ⟨in dienst nemen⟩ engage, take on, hire, employ ♦ *iemand **op** proef aannemen* appoint s.o. for a trial period [8] ⟨zich ontfermen over⟩ adopt, take up ♦ ***in** genade aannemen* pardon [9] ⟨ook fig; gaan dragen⟩ put on, assume, adopt, take (on/over), acquire ♦ ⟨fig⟩ *dat dier neemt de **kleur** van de achtergrond aan* this animal adapts its colouring to that of its environment; ⟨fig⟩ *de paus heeft de **naam** Johannes Paulus II aangenomen* the pope has taken/assumed the name John Paul II; *de **rouw** aannemen* go into mourning [10] ⟨als lid opnemen⟩ admit, let in, adopt, confirm; → **aangenomen¹** ♦ ***catechisanten** aannemen* confirm catechumens; *een **kind** aannemen* adopt a child [•] ⟨sport⟩ *een **bal** aannemen* receive a ball

aannemer [de^m], **aanneemster** [de^v] [1] ⟨iemand die iets aanneemt⟩ accepter [2] ⟨bouwk, wwb⟩ (building) contractor, builder, constructor

aannemersbedrijf [het] contracting firm, contractor

aanneming [de^v] [1] ⟨acceptatie⟩ acceptance, ⟨wet⟩ passage, ⟨motie⟩ carrying [2] ⟨m.b.t. werkzaamheden⟩ contracting, undertaking

aannemingscontract [het], **aannemingsovereenkomst** [de^v] building contract

aannemingsovereenkomst [de^v] → **aannemingscontract**

aannemingssom [de] contract sum, sum contracted for

aanpak [de^m] [1] ⟨ter hand nemen⟩ tackling, setting to (work), taking in hand, proceeding ♦ *het **is** maar een aanpak* it's just/simply/only a matter of getting started [2] ⟨wijze van iets ter hand nemen⟩ approach, method, line, policy ♦ *een **brede** aanpak* a broad approach; *een heel **eigen** aanpak* his/her/... own personal/special approach; *de aanpak van dit **probleem*** the way to deal with this problem; *een **verkeerde** aanpak* the wrong approach; *een **zakelijke** aanpak* a pragmatic approach/policy/line

aanpakken [ov ww, ook abs] [1] ⟨aanvatten⟩ take, take/catch/lay/get hold of, seize, grasp ♦ ***pak eens aan*** get (a) hold of this [2] ⟨(zaak) ter hand nemen⟩ go/set about (it), ⟨beginnen⟩ set to work (on), take in hand, enter/take on, ⟨behandelen⟩ deal with, handle, ⟨probleem⟩ tackle, grapple with, ⟨gelegenheid⟩ seize, take ♦ ***alles** aanpakken* turn one's hand to anything, take on anything; *het **anders** aanpakken* go about it in a different way; *hoe zullen we **dat** aanpakken?* how shall we set/go about it?; ***flink** aanpakken* be up and doing; *een zaak **goed/verkeerd** aanpakken* go the right/wrong way about a matter; *de zaken **groots** aanpakken* think big; *je zult **harder** moeten aanpakken* you will have to go about it more vigorously/to work harder; ***mee** aanpakken* make o.s. useful; *een **probleem** aanpakken* tackle a problem, (try to) come to grips with a problem; *iets **ruw/voorzichtig** aanpakken* handle sth. roughly/cautiously; *iemand **ruw/voorzichtig** aanpakken* deal roughly/gently with s.o.; *hij weet **van** aanpakken* he knows how to set about his work, he does not shirk his work [3] ⟨(persoon) onder handen nemen⟩ deal with, ⟨aanvallen⟩ attack, assail, ⟨jur⟩ proceed against, come down on, sue ♦ *iemand **flink** aanpakken* take a firm line with s.o., be tough on s.o.; *weten hoe **iemand** aan te pakken* know how to deal with s.o.; *iemand **stevig/streng** aanpakken* close down on s.o. [4] ⟨aangrijpen⟩ ⟨emotioneel⟩ make an impression (on), have an impact (on), ⟨fysiek⟩ weaken, try ♦ *de toestand had haar **sterk** aangepakt* the situation had been getting her down; *het **verhaal** pakte aan* the story made a deep impression; *de **ziekte** had het kind sterk aangepakt* the disease had weakened/tried the child considerably [•] *pak aan!, aanpakken!* ⟨m.b.t. klap⟩ take that!

aanpalend [bn] adjacent, adjoining

aanpappen [onov ww] ⟨inf⟩ pick/chum/pal up (with), ⟨versieren; BE⟩ chat up, ⟨slijmen; sl⟩ suck up (to) ♦ ***met** iedereen aanpappen* take/pick up with everybody

¹aanpassen [ov ww] [1] ⟨passen⟩ try/fit on ♦ *een nieuwe **jas** aanpassen* try on a new coat; *iemand een **pak** aanpassen* ⟨fig⟩ give s.o. a sound thrashing [2] ⟨passend maken⟩ adapt (to), tailor (to), adjust/fit (to) ♦ *zijn kleding aanpassen **aan** de omstandigheden* dress to suit the occasion; ***aan** de wensen/noden van het publiek aanpassen* tailor to the requirements/needs of the audience; *de **lonen/huren** zullen opnieuw aangepast worden* wages/rents will be readjusted; *een **tekst** aanpassen* adapt a text

²zich aanpassen [wk ww] ⟨zich schikken⟩ adapt o.s. (to), adjust/accommodate o.s. (to), conform (to), assimilate (to/with) ♦ *zich **aan** de omstandigheden/een nieuwe omgeving aanpassen* adapt/adjust o.s. to circumstances/a new environment; *zich **gemakkelijk** aanpassen* be adaptable, adjust easily

aanpassing [de^v] [1] ⟨het in overeenstemming gebracht worden⟩ adaptation (to), adjustment (to) [2] ⟨het zich aanpassen⟩ adaptation (to), adjustment/accommodation/conformation (to), assimilation (to/with)

aanpassingsklas [de^v] ⟨in België⟩ remedial class

aanpassingsmoeilijkheden [de^mv] problems of adapting/of adaptation, difficulties to fit in

aanpassingsproces [het] adaptation, process of adjustment

aanpassingsvermogen [het] [1] ⟨vermogen om zich te schikken⟩ adaptability (to), flexibility, ⟨ogen⟩ accommodation ♦ ***gebrek** aan aanpassingsvermogen* lack of flexibility [2] ⟨biol⟩ (natural) adaptation

aanpezen [onov ww] ⟨inf⟩ [1] ⟨snel rijden⟩ race, chase, put one's foot down, scorch [2] ⟨hard werken⟩ slog away ♦ *hij moest nog **flink** aanpezen* he really had to slog away

aanpikken [ov ww] [1] ⟨door pikken beschadigen⟩ ⟨ei, door kuiken⟩ chip, ⟨vrucht, door vogel⟩ peck at/away [2] ⟨aan een haak bevestigen⟩ hook (up)

aanplakbiljet [het] poster, bill, placard

aanplakbord [het] notice board, ⟨AE⟩ bulletin board, ⟨recl⟩ boarding, ⟨AE⟩ billboard

¹aanplakken [ov ww] ⟨door aanplakbiljetten bekendmaken⟩ post (up), placard ♦ *een **toneelstuk** laten aanplakken* post (up) a play

²aanplakken [ov ww, ook abs] ⟨met lijm vasthechten⟩ affix, paste (up), ⟨aanplakbiljet⟩ post (up), placard ♦ ***verboden** aan te plakken* no billposting (here), no posters (here); ⟨BE ook⟩ billposters will be prosecuted

aanplant [de^m] [1] ⟨handeling⟩ ⟨het planten⟩ planting, ⟨het kweken⟩ cultivation, ⟨bos⟩ afforestation ♦ *aanplant van **tarwe*** wheat cultivation [2] ⟨het geplante⟩ plantings, plants, plantation ♦ *de aanplant **bedraagt** 8000 stekken* the plantation comes to 8000 cuttings; ***nieuwe/jonge** aanplant* new/young plantings

aanplanten [ov ww] [1] ⟨kweken⟩ plant (out), cultivate, grow, ⟨bos⟩ afforest [2] ⟨door planten vergroten⟩ extend with new plantings

aanplanting [de^{v}] [1] ⟨handeling⟩ → **aanplant bet 1** [2] ⟨het geplante⟩ → **aanplant bet 2** [3] ⟨jong plantsoen⟩ new park

aanporren [ov ww] [1] ⟨een por geven⟩ prod, poke, jab, nudge [2] ⟨aansporen⟩ prod, spur (on), stir up, rouse

¹aanpoten [onov ww] ⟨inf⟩ [1] ⟨flink aanstappen⟩ stride (out), step out [2] ⟨flink voortgang maken⟩ hurry (up), push on/ahead, slog away, step up ◆ *flink aanpoten* work like the devil; ⟨sl⟩ sweat/work one's guts out

²aanpoten [ov ww] ⟨poten om de voorraad te vermeerderen⟩ plant

aanpraten [ov ww] [1] ⟨aansmeren⟩ palm off on, talk into ◆ *iemand iets aanpraten* trick/talk s.o. into (doing) sth., palm sth. off on s.o., persuade s.o. to do sth.; *iemand zijn waar weten aan te praten* know how to press one's wares/goods on s.o. [2] ⟨op de mouw spelden⟩ put into s.o.'s head, kid into ◆ *dat praat ze zichzelf gewoon aan* she just talks herself into believing it; *iemand een ziekte aanpraten* kid s.o. into an illness

aanprijzen [ov ww] recommend, praise, ⟨sterk⟩ puff (up) ◆ *iets luid aanprijzen* sing the praises of sth.; ⟨inf⟩ bark sth.; *zijn waren aanprijzen* extol the virtues of one's goods; *goede waar prijst zichzelf aan* good wine needs no bush

aanpunten [ov ww] [1] ⟨een punt maken aan⟩ ⟨potlood⟩ sharpen, ⟨paal⟩ point [2] ⟨fig⟩ accentuate, highlight ◆ *in haar weerwoord puntte zij zijn zwakheden nog wat aan* in her repartee she highlighted/accentuated his failings a bit more

aanraakbeeldscherm [het], **aanraakscherm** [het] ⟨comp⟩ touchscreen, touch-sensitive display unit

aanraakscherm [het] → **aanraakbeeldscherm**

aanraden [ov ww] advise, ⟨product⟩ recommend, ⟨plan⟩ suggest ◆ *dat is (niet) aan te raden* that is (not) advisable/to be recommended; *ik raad u aan deze te nemen* I advise you to take these, I recommend these; *op aanraden van* at/on the advice/recommendation of; *de dokter raadde hem rust aan* the doctor advised (him to take) rest; *de dokter raadde hem een andere specialist aan* the doctor recommended another/a different specialist to him; *iemand sterk/dringend aanraden iets te doen* advise s.o. urgently/urge s.o. to do sth.

aanrader [de^{m}] must ◆ *die film is een aanrader(tje)* this film is highly recommended

aanraken [ov ww] [1] ⟨beroeren⟩ touch ◆ *ze raakten elkaar net niet aan* they nearly touched (each other); *zijn eten niet aanraken* not touch one's food; *met geen vinger aanraken* not lay a finger on; *de bal mag niet met de hand worden aangeraakt* the ball mustn't be handled; *raak mij niet aan* do not touch me; *verboden aan te raken* (please) do not touch/handle [2] ⟨in het voorbijgaan behandelen⟩ touch upon, glance at ◆ *hij raakte het onderwerp slechts even aan* he just touched upon the subject, he just mentioned the subject briefly/in passing

aanrakerig [bn] physical ◆ *hij is wel erg aanrakerig* he can't keep his hands off you, he's always touching you

aanraking [de^{v}] [1] ⟨het aanraken, aangeraakt worden⟩ touch ◆ *de minste aanraking doet de zieke pijn* the slightest touch gives the patient pain/hurts the patient [2] ⟨contact, omgang⟩ contact, touch ◆ *in aanraking brengen met* bring/put into contact/in touch with; *in aanraking met iemand komen* come/get into touch/contact with s.o.; *hij is nog nooit met de politie in aanraking geweest* he has never been in trouble with the police/with the law

aanrakingspunt [het] point of contact

aanranden [ov ww] assault, assail ◆ *een meisje aanranden* assault a girl indecently/sexually

aanrander [de^{m}], **aanrandster** [de^{v}] assailant, assaulter, mugger

aanranding [de^{v}] (criminal) assault ◆ *een aanranding van de eerbaarheid* an indecent assault

aanrandster [de^{v}] → **aanrander**

aanrecht [het, de^{m}] ⟨AE⟩ counter, ⟨BE⟩ ± dresser (and kitchen-sink unit), ± work(ing) top ◆ *het enige recht van de vrouw is het aanrecht* women belong in the kitchen; ± the only board women are fit for is the drain-board

aanrechtblad [het] (kitchen) work(ing) top ◆ *een roestvrijstalen aanrechtblad* a stainless steel work

aanrechtblok [het] sink unit, counter unit

aanrechtkastje [het] sink cupboard, ⟨in volledig uitgeruste keuken⟩ base unit

aanrechtkeuken [de] pantry, servery

aanreiken [ov ww] [1] ⟨alg⟩ pass, hand, ⟨inf⟩ reach ◆ *informatie/gegevens aanreiken* supply information [2] ⟨onderw⟩ equip with ◆ *een leerling oplossingsstrategieën aanreiken* steer/direct a pupil towards a solution strategy; ⟨m.b.t. conflicten⟩ steer/direct a pupil towards a resolution strategy

aanrekenen [ov ww] [1] ⟨de schuld geven van⟩ blame (for) ◆ *het iemand niet aanrekenen* not blame s.o. for it; *het zou hem zwaar aangerekend worden* it would be strongly/dearly/heavily reckoned/counted against him [2] ⟨beschouwen⟩ consider, deem ◆ *het iemand als verdienste aanrekenen* give s.o. credit for it; *iemand iets als boos opzet aanrekenen* count sth. against s.o. as malice; *het zich tot eer aanrekenen te mogen meedoen* consider it an honour to be allowed to join

aanrennen [onov ww] run along, rush ◆ *achter zichzelf aanrennen* run around in small/ever-decreasing circles; *er kwam een bode aanrennen/aangerend* a courier came running (up); *tegen iets aanrennen* run/crash into sth.

aanrichten [ov ww] cause, bring about, do, create ◆ *een bloedbad aanrichten (onder)* cause a bloodbath/massacre/slaughter/carnage (among); *schade/onheil aanrichten* do damage/mischief; *vernielingen aanrichten* create havoc, cause devastation, commit acts of vandalism; *grote verwoestingen aanrichten (bij)* create/wreak havoc (on), ravage [•] *een feestmaal aanrichten* lay on a feast

¹aanrijden [onov ww] ⟨rijden in een richting⟩ drive/ride up ◆ *bij iemand aanrijden* pull up/stop at s.o.'s house/door; *aanrijden op* drive/ride towards

²aanrijden [ov ww] ⟨botsen tegen⟩ collide (with), crash (into), run into ◆ *hij heeft een hond aangereden* he has knocked down/run into/hit a dog; *hij is lelijk aangereden* ⟨lett⟩ he had a nasty accident; ⟨fig⟩ he took a tumble; *tegen een muur aanrijden* run into a wall

aanrijding [de^{v}] collision, crash ◆ *een aanrijding hebben* be involved in a collision/crash; *een aanrijding met dodelijke afloop* a fatal collision/crash/accident

aanrijgen [ov ww] [1] ⟨tot een snoer vormen⟩ string [2] ⟨met een rijgsteek vastmaken⟩ baste, ⟨BE ook⟩ tack [3] ⟨aan elkaar bevestigen⟩ lace up

aanroep [de^{m}] [1] ⟨handeling⟩ calling [2] ⟨woorden⟩ call

aanroepen [ov ww] [1] ⟨door roepen de aandacht trekken van⟩ call, hail ◆ *de schildwacht riep hem aan* the sentry challenged him; *een taxi aanroepen* call/hail a taxi [2] ⟨om hulp vragen⟩ call on/upon, ⟨in gebed ook⟩ invoke ◆ *de heiligen aanroepen* invoke the saints

aanroeping [de^{v}] calling, ⟨in gebed ook⟩ invocation

aanroeren [ov ww] [1] ⟨opzettelijk aanraken⟩ touch ◆ *het eten was nauwelijks aangeroerd* the food had hardly been touched [2] ⟨oppervlakkig behandelen⟩ touch upon ◆ *even/terloops iets aanroeren* refer to/mention sth. incidentally/in passing

aanrommelen [onov ww] mess ^{B}about/around, fiddle ^{B}about/around, fool ^{B}about/around ◆ *ik rommel maar wat aan* I'm just messing around a bit

aanrukken [onov ww] march (on) ◆ ⟨scherts⟩ *nog een fles laten aanrukken* have another bottle (up); *versterkingen laten aanrukken* move up/call in reinforcements

aanschaf [de^{m}] purchase, buy, acquisition, procurance ♦ *dat is een **hele** aanschaf* that's quite a purchase

aanschaffen [ov ww] purchase, buy, acquire, procure ♦ *zich aanschaffen* purchase, buy, acquire

aanschaffing [de^{v}] **1** ⟨het aanschaffen⟩ purchase, purchasing, buy(ing), acquisition, procurement **2** ⟨wat is aangeschaft⟩ purchase, buy, procurance

aanschafkosten [de^{mv}] purchasing costs, cost(s) of acquisition, ⟨van machine⟩ initial cost(s)/expense(s), ⟨boekh⟩ historic(al) cost

aanschafwaarde [de^{v}] purchase value, original value

aanscherpen [ov ww] **1** ⟨weer scherp maken⟩ sharpen **2** ⟨fig⟩ accentuate, highlight ♦ *een **probleem(stelling)** aanscherpen* accentuate/highlight a problem; ***tegenstellingen** aanscherpen* accentuate contrasts

[1]**aanschieten** [onov ww] ⊡ *nieuwsgierig **kwamen** de jongens aangeschoten* the boys came rushing along inquisitively

[2]**aanschieten** [ov ww] **1** ⟨haastig aantrekken⟩ slip/rush into, throw on ♦ *iets **gemakkelijks** aanschieten* slip into sth. comfortable **2** ⟨licht verwonden⟩ hit ♦ *een aangeschoten **hert*** a shot/wounded deer **3** ⟨aanspreken⟩ buttonhole, accost ♦ *de eerste de beste aanschieten* buttonhole the first person one meets

aanschijn [het] **1** ⟨aangezicht⟩ countenance, face ♦ *in het **licht** uws aanschijns* in the light of thy countenance; *in het **zweet** des aanschijns* by/in the sweat of one's brow/face **2** ⟨nabijheid⟩ presence, face ♦ ***in** het aanschijn **van*** in the face of

aanschikken [onov ww] **1** ⟨dichter bijeen gaan zitten⟩ come/draw closer together **2** ⟨zich aan tafel zetten⟩ sit down (to table)

aanschoppen [onov ww] **1** ⟨een schop geven tegen⟩ kick (against) **2** ⟨kritiek leveren⟩ kick (against), go on (at) ♦ ***tegen** het koningshuis/gezag aanschoppen* kick against the monarchy/authority

[1]**aanschouwelijk** [bn] ⟨zichtbaar, duidelijk voorgesteld⟩ clear, illustrative, graphic ♦ *iets aanschouwelijk **maken*** ⟨met voorbeelden⟩ illustrate sth.; ⟨met proeven⟩ demonstrate sth.; *aanschouwelijk **onderwijs*** teaching with visual aids; *aanschouwelijk **onderwijs** geven* teach by illustration

[2]**aanschouwelijk** [bw] ⟨zo dat men het voor zich ziet⟩ graphically ♦ *iets aanschouwelijk **voorstellen*** give a graphic representation of sth., represent sth. graphically

aanschouwen [ov ww] **1** ⟨zien⟩ behold, see ♦ *het **levenslicht** aanschouwen* (first) see the light of day; ***met** eigen ogen aanschouwen* behold/see with one's own eyes; ***ten** aanschouwen **van*** in the presence/sight of **2** ⟨aandachtig bekijken⟩ watch, observe ♦ *de **natuur/hemel** aanschouwen* watch/observe nature/the sky **3** ⟨met de geest waarnemen⟩ behold, see, ⟨overwegen⟩ contemplate

aanschouwing [de^{v}] **1** ⟨daad van aanschouwen⟩ observation **2** ⟨mystiek⟩ vision ♦ ***zalige** aanschouwing* beatific(al) vision **3** ⟨verkregen voorstelling⟩ sight, vision

aanschrijven [ov ww] **1** ⟨in rekening brengen⟩ charge **2** ⟨ambtshalve bevelen⟩ summon(s), instruct, order ♦ *de gemeente zal de **eigenaar** aanschrijven het dak te repareren* the local authorities will order/summons the proprietor to repair the roof

aanschrijving [de^{v}] **1** ⟨handeling⟩ instruction, order, summons ♦ *een **ministeriële** aanschrijving* a ministerial order **2** ⟨stuk⟩ instruction, order, summons ♦ *er rust een aanschrijving **op** dit huis* a summons has been issued for this house

aanschroeven [ov ww] **1** ⟨met schroeven vastmaken⟩ screw down/home **2** ⟨vaster draaien⟩ screw tighter

[1]**aanschuiven** [onov ww] **1** ⟨schuivend dichterbij komen⟩ shuffle along ♦ *daar **komt** die vervelende vent weer aanschuiven/aangeschoven* there is that bore shuffling along again; ***mee** aanschuiven* pull up a/one's chair **2** ⟨+ bij; bij anderen aan tafel komen zitten⟩ pull up a chair

[2]**aanschuiven** [ov ww] ⟨schuivend dichterbij brengen⟩ push/shove on, draw/pull up ♦ *een **stoel** aanschuiven* pull up a chair

aansjokken [onov ww] ⊡ ***komen** aansjokken/aangesjokt* come slouching along

aansjorren [ov ww] lash

[1]**aansjouwen** [onov ww] ⊡ ***komen** aansjouwen/aangesjouwd* come dragging along

[2]**aansjouwen** [ov ww] ⟨ergens heendragen⟩ bring (along), carry (along), ⟨slepend⟩ drag/lug along

[1]**aanslaan** [onov ww] **1** ⟨m.b.t. een motor⟩ start, fire ♦ ***niet** aanslaan* misfire **2** ⟨zich aan de oppervlakte vasthechten⟩ form a deposit, cake (on), build up ♦ *de **rook** slaat aan* smoke deposits are forming **3** ⟨beslaan⟩ ⟨glas⟩ steam up, mist up/over, ⟨ketel⟩ get furred/scaled, ⟨metaal⟩ tarnish, get tarnished ♦ *de **ruiten** slaan aan* the windows are getting steamed up/are steaming up **4** ⟨beschimmelen⟩ grow mouldy **5** ⟨goed ontvangen worden⟩ catch on, be successful ♦ *dat plan is **bij** hen goed/niet erg aangeslagen* that plan met with/did not meet with approval, they took/did not take to the plan **6** ⟨even geluid geven⟩ ⟨hond⟩ give tongue, ⟨vogel⟩ start singing, ⟨klok⟩ warn **7** ⟨wortel schieten⟩ ⟨ook fig⟩ strike (root), take **8** ⟨salueren⟩ salute ♦ *aanslaan **voor** iemand* salute s.o. **9** ⟨m.b.t. paarden⟩ overreach, click **10** ⟨m.b.t. projectielen⟩ ricochet

[2]**aanslaan** [ov ww] **1** ⟨snel en kort raken⟩ touch, strike, hit ♦ *een **akkoord** aanslaan* strike a chord; *een **letter** aanslaan op een schrijfmachine* strike/hit a key on a typewriter; ***licht** aanslaan* have a light touch **2** ⟨de waarde bepalen van⟩ estimate, ⟨onroerendgoedbelasting e.d.⟩ assess, ⟨inkomstenbelasting e.d.⟩ tax ♦ *iets **hoog** aanslaan* place sth. at a premium, rate sth. highly; *iemand **hoog** aanslaan* ⟨waarderen⟩ think highly of s.o., have a high opinion of s.o.; ⟨belasting⟩ assess/tax s.o. at a high rate; ***te hoog/laag** aanslaan* ⟨waarderen⟩ over/underestimate; ⟨belasting⟩ assess/tax too high/low; *iemand niet **hoog** aanslaan* not think much of s.o.; *iemands kansen niet **hoog** aanslaan* not give much for s.o.'s chances; *iemand aanslaan **voor*** assess s.o. for **3** ⟨gereedmaken⟩ start (up) ♦ *een **vat** bier aanslaan* broach/tap a beer barrel; *de **zeilen** aanslaan* bend the sails **4** ⟨beslag leggen op⟩ seize, confiscate ♦ ***iemand** aanslaan* charge s.o. **5** ⟨vaster, dieper indrijven⟩ drive home **6** ⟨vastslaan⟩ ⟨plank⟩ nail down

aanslag [de^{m}] **1** ⟨muz⟩ touch ♦ *een **lichte/zware** aanslag* a light/heavy touch **2** ⟨m.b.t. een typemachine⟩ touch ♦ *het **aantal** aanslagen per minuut* the number of touches per minute; *een **lichte/zware** aanslag* a light/stiff touch **3** ⟨m.b.t. een vuurwapen⟩ ready, present ♦ ⟨fig⟩ *met de pen **in** de aanslag* with one's pen poised/at the ready; *met het geweer **in** de aanslag* with one's rifle at the ready; *schieten **op** de aanslag* snap a rifle/pistol; *een schot **op** de aanslag* a snap shot **4** ⟨poging tot moord, overrompeling⟩ attempt, attack, assault, ⟨bom⟩ outrage ♦ ⟨fig⟩ *een aanslag doen **op*** ⟨bijvoorbeeld iemands rechten⟩ encroach on; *een aanslag **op** het parlementsgebouw* an attack on (the Houses of) Parliament; *een aanslag **op** iemands leven/iemand plegen* make an attempt/commit an assault on s.o.'s life/s.o.; ⟨fig⟩ *een aanslag doen **op** iemands beurs/portemonnee* make a demand on s.o.'s purse, make inroads upon s.o.'s budget/purse, hurt s.o.'s pocketbook; *een aanslag **opeisen*** claim responsibility for an attack **5** ⟨aanslagbiljet⟩ → **aanslagbiljet** **6** ⟨laag die zich vastgezet heeft⟩ ⟨op ruit⟩ deposit, moisture, ⟨in ketel/bad, op tanden⟩ scale, ⟨in ketel, op tong⟩ fur ♦ *de aanslag van een ketel **krabben*** scrape the scale/fur off/from the kettle; *een **vieze** aanslag op het plafond* a nasty (smoke) deposit on the ceiling **7** ⟨bedrag aan belasting⟩ assessment ♦ *een te **hoge/lage** aanslag* an over-assessment/under-assessment; *aanslag **inkomstenbelasting*** income tax assessment; *een **negatieve** aanslag hebben* have a negative (income tax) assessment; *iemand een aanslag* ***opleggen*** assess s.o.; *een aanslag* ***van*** *€ 1000* a € 1000 assessment; *een* ***voorlopige/definitieve*** *aanslag* a provisional/final assessment

aanslagbiljet [het] ⟨onroerendgoedbelasting⟩ assessment (notice), ⟨inkomstenbelasting e.d.; BE⟩ (income) tax demand, ⟨AE⟩ tax assessment/bill

aanslagvoet [de^{m}] ⟨in België⟩ tax rate

[1]**aanslepen** [onov ww] ⊡ *daar* ***komt*** *hij aanslepen/aangesleept* there he comes dragging himself along

[2]**aanslepen** [ov ww] ① ⟨erbij halen⟩ drag in ◆ *het bier* ***viel*** *niet aan te slepen* ⟨snelheid⟩ the beer couldn't be got to the table fast enough; ⟨hoeveelheid⟩ you couldn't get enough beer to the table ② ⟨in grote hoeveelheden aandragen⟩ get in (a lot of), stock up with/on ③ ⟨slepend voorttrekken⟩ drag along, ⟨over de schouder⟩ lug along

aanslibben [onov ww] form a deposit, ⟨dichtslibben⟩ silt up ◆ *aangeslibd* ***land*** alluvium, alluvial land; *het slibt hier* ***sterk*** *aan* there is a lot of silting (up) here

aanslibbing [de^{v}] ① ⟨het aanslibben⟩ deposit(ion), accretion, alluvion ② ⟨aangeslibde grond⟩ alluvial deposit, ⟨in vaargeul⟩ silty deposit

aanslijpen [ov ww] ① ⟨scherper maken⟩ sharpen ② ⟨door slijpen vormen aan⟩ facet, ⟨diamant⟩ cut facets (up)on ◆ *een aangeslepen* ***vlak*** a faceted surface

aansluipen [onov ww] sneak along, sneak up to ◆ ***komen*** *aansluipen/aangeslopen* come sneaking along/up

[1]**aansluiten** [onov ww] ① ⟨passen⟩ fit, ⟨kleren⟩ fit close, be tight-fitting, ⟨voegen⟩ butt, ⟨harmoniëren⟩ fit in (with), be in keeping (with), dovetail (with) ◆ *de zeewering sluit* ***aan*** *de duinenrij aan* the sea-wall runs into the range of dunes; *aansluiten* ***op*** ⟨ook, bijvoorbeeld op bepaalde behoeften⟩ fit; *deze route sluit aan* ***op*** *de snelweg* this route/road links up with the motorway; *deze treinen sluiten* ***op*** *elkaar aan* these trains connect with each other, these are connecting trains; *die* ***plank*** *sluit niet aan* that board does not fit/butt up; *de* ***scholen*** *sloten niet erg* ***op*** *elkaar aan* the programmes of these schools were poorly attuned to one another ② ⟨m.b.t. personen⟩ close up ◆ ***wilt*** *u daar aansluiten?* will you ^{B}queue up there/^{A}go to the end of the line, please?; *aansluiten!* close up!

[2]**aansluiten** [ov ww] ① ⟨verbinden⟩ connect, join, link ◆ *een nieuwe* ***abonnee*** *aansluiten* ⟨telefoon enz.⟩ connect a new subscriber; *niet alle stakers zijn* ***bij*** *een vakbond aangesloten* not all the strikers are affiliated/associated with a union; *een* ***huis*** *op de riolering aansluiten* connect a house to the sewage main; ***op*** *het net aansluiten* connect to the supply ② ⟨doen sluiten zonder tussenruimte⟩ close, link up, ⟨voegen⟩ butt

[3]**zich aansluiten** [wk ww] ① ⟨zich voegen bij⟩ join, associate o.s. with, become a member of ◆ *zij sluit zich niet* ***gemakkelijk*** *aan (bij anderen)* she does not readily mix (with others), she is (rather) shy joining in (with others), she is not a joiner ② ⟨partij, standpunt kiezen⟩ join (in) ◆ *daar sluit ik me graag* ***bij*** *aan* I should like to second/endorse that; *zich aansluiten* ***bij*** *de staking* join in the strike; *zich* ***bij*** *een partij aansluiten* join a party; *zich* ***bij*** *een verzoek aansluiten* join in a request; *zich* ***bij*** *de meerderheid aansluiten* join the majority, follow the crowd; *zich* ***bij*** *de vorige spreker aansluiten* concur with/agree with/support the previous speaker

aansluitend [bn] ① ⟨m.b.t. kleding⟩ close-fitting, fully-fashioned, ⟨vnl AE⟩ full-fashioned ② ⟨m.b.t. tijd, volgorde⟩ next (to), following on (from), contiguous ◆ *aansluitend* ***aan*** directly after; *gelegenheid tot condoleren aansluitend* ***aan*** *de begrafenis* opportunity to offer your condolences directly after the funeral; ***drie*** *aansluitende dagen vrij* three days off in a row; *aansluitend zou ik nog willen zeggen dat ...* in addition I'd like to say that ..., I would like to add that ...

aansluiting [de^{v}] ① ⟨het zich voegen bij iets, iemand⟩ joining, association (with), affiliation (to/with) ◆ *aansluiting van Spanje* ***bij*** *de EEG* Spain's entry (in)to the EEC; *aansluiting* ***vinden*** *bij iemand/iets* join in with s.o./sth.; *aansluiting* ***zoeken*** *bij* seek alliance/contact with, try to join ② ⟨verk⟩ connection ◆ *de aansluiting* ***missen*** miss the connection; ⟨fig⟩ miss the boat; ⟨niet meer bij de tijd⟩ fall/lag behind the times, be out of step with the times; *de aansluiting van de* ***treinen*** *laat te wensen over* train connections leave much to be desired ③ ⟨het in verbinding gebracht worden⟩ connection ◆ *aansluiting* ***op*** *het gasnet* connection to/^{A}hook up up to the gas mains; *de aansluiting* ***tussen*** *de onderwijssystemen in Europa* the tie-up between the educational systems in Europe ④ ⟨wat een verbinding tot stand brengt⟩ junction, connection ◆ *aansluiting* ***hebben*** *(met)* be connected (with/to); *aansluiting* ***krijgen*** *(met)* ⟨telefoon⟩ be put through (to); *ik kreeg geen aansluiting* ***met hem*** I could not get in touch with him; ⟨telefoon⟩ I was not put through to him; ***op*** *aansluiting* ***wachten*** ⟨telefoon⟩ be waiting to be connected; *de aansluitingen* ***op*** *de snelweg* the junctions on the motorway ⊡ ***in*** *aansluiting* ***aan/op*** with reference to, referring to, following on

aansluitingskosten [de^{mv}] → **aansluitkosten**

aansluitingspunt [het] ⟨mechanisme⟩ connecting point, point of connection, ⟨spoor, kanaal⟩ junction, ⟨elek⟩ terminal, ⟨elektriciteitsnet⟩ power point

aansluitingstreffer [de^{m}] tie/tying goal/point

aansluitklem [de] ⟨elek⟩ terminal (clamp), (cable) connector

aansluitkosten [de^{mv}], **aansluitingskosten** [de^{mv}] connection charges, ⟨AE⟩ hook up charges

aansluitmogelijkheid [de^{v}] ⟨elek⟩ terminal, provision for connection

aansmeren [ov ww] ① ⟨te duur verkopen⟩ palm off (on), fob off (with), pass off (on) ◆ *iemand een tweedehands* ***auto*** *aansmeren* palm a used car off on s.o., fob s.o. off with a used car ② ⟨met metselspecie, kalk bestrijken⟩ ⟨dun⟩ skim, ⟨dik⟩ daub

aansnijden [ov ww] ① ⟨de eerste snee maken in⟩ cut (into) ◆ *een aangesneden* ***brood*** a partly cut loaf ② ⟨beginnen te bespreken⟩ broach, approach, ⟨m.b.t. vraagstuk ook⟩ address, bring up, enter upon ◆ *een* ***thema*** *aansnijden* broach a subject ⊡ *een* ***bocht*** *aansnijden* line up for a corner; ⟨voetb⟩ *een mooi aangesneden* ***voorzet*** a nicely executed cross

aansnoeren [ov ww] ① ⟨vaster snoeren⟩ draw (up) tight(er), tighten up ② ⟨vastsnoeren⟩ lace up

[1]**aanspannen** [ov ww] ① ⟨jur⟩ institute, start ◆ *een* ***geding*** *aanspannen* take legal action; *een* ***proces*** *(tegen iemand) aanspannen* institute (legal) proceedings (against s.o.) ② ⟨vastmaken aan de paarden⟩ hitch to, put (the horses) to ③ ⟨strakker spannen⟩ tighten

[2]**aanspannen** [ov ww, ook abs] ⟨m.b.t. trekdieren⟩ put the horses to, hitch (up) ◆ *ik zal (de* ***paarden****) aanspannen* I'll put the horses to

aanspanning [de^{v}] horse-drawn carriage

aanspeelbaar [bn] ⟨sport⟩ ⊡ ***goed*** *aanspeelbaar zijn* be available (to receive the ball)

aanspelen [ov ww] ⟨sport⟩ ① ⟨balsport⟩ pass, feed, play to ② ⟨bilj⟩ play to

[1]**aanspoelen** [onov ww] ① ⟨aan wal komen drijven⟩ wash ashore, be washed ashore/up ◆ *er is een* ***lijk*** *aangespoeld* a corpse has been washed ashore/up; *aangespoeld* ***wrakhout*** driftwood ② ⟨ontstaan door aanslibbing⟩ increase by alluvial deposition, be washed up ◆ *die* ***strook land*** *is hier aangespoeld* that strip of land was washed up/deposited here by the sea/river

[2]**aanspoelen** [ov ww] ① ⟨op het strand werpen⟩ wash/drift ashore ② ⟨vormen door aanslibbing⟩ deposit ◆ *aangespoelde* ***grond*** alluvial land/soil, alluvium

aansporen [ov ww] urge (on), spur/egg on, stimulate,

inspire, incite, ⟨dieren⟩ spur (on) ♦ *een luie **leerling** aansporen (tot ijver)* urge/prod a lazy pupil (to assiduity/diligence); *iemand **tot** iets aansporen* urge s.o. to (do) sth.; ⟨iets verkeerds⟩ goad s.o. into (doing) sth.; *iemand aansporen **tot** nadenken* encourage s.o. to think; *iemand aansporen **tot** grotere inspanning* prompt s.o. to greater efforts

aansporing [de^{v}] [1] ⟨handeling⟩ exhortation, stimulation, incitement ♦ ***op** aansporing **van*** at the instance of, with the encouragement of, urged by; ⟨medeplichtigheid⟩ aided and abetted by; *hij heeft aansporing **nodig*** he needs to be urged on/prodded [2] ⟨middel⟩ incentive, stimulus ♦ *die beloning betekende een aansporing **voor** hem* that reward was an incentive to him

aanspraak [de] [1] ⟨gelegenheid om met iemand te spreken⟩ contacts, company ♦ *weinig aanspraak **hebben*** have few contacts [2] ⟨claim⟩ claim, right, title ♦ *geen aanspraak kunnen **doen gelden** (op iets)* not be able to lay any claim/have no claim (to sth.); *aanspraak **geven** op* give claim to; *aanspraak **hebben** op iets* have a claim to/on sth., have a right to sth., be entitled to sth.; *aanspraak **maken** op iets* claim sth., lay claim to sth.; *geen aanspraak **maken** op* make no claim to; *(geen) aanspraak **maken** op volledigheid* make (no) claims to being exhaustive, (not) pretend to be exhaustive; *zijn aanspraken **op** de erfenis kon hij niet waarmaken* he was not able to prove his claim/right to the heritage; *de **oudste** aanspraken hebben (op)* have first claim (on)

aansprakelijk [bn] responsible (for), answerable (for), ⟨jur⟩ liable (for) ♦ ***hoofdelijk** en **gezamenlijk** aansprakelijk* jointly and severally responsible/liable; *de directie **is/stelt** zich bij diefstal niet aansprakelijk* the management accepts no liability for theft; *zich niet aansprakelijk **stellen*** take no responsibility, disclaim responsibility; *zich voor iets aansprakelijk **stellen*** take responsibility for sth., assume liability for sth.; *iemand aansprakelijk **stellen** voor iets* hold/make s.o. responsible/liable for sth.; *hij is **wettelijk** aansprakelijk* he is liable in law/legally liable

aansprakelijkheid [de^{v}] [1] ⟨vervolgbaarheid⟩ liability (for) [2] ⟨verplichting om zich te verantwoorden⟩ responsibility [3] ⟨opzicht waarin men aansprakelijk is⟩ liability ♦ *aansprakelijkheid/geen aansprakelijkheid **aanvaarden** voor* accept/reject liability for; ***beperkte** aansprakelijkheid* limited liability; ⟨in België⟩ ***burgerlijke** aansprakelijkheid* civil liability, (legal) liability, liability in law; *aansprakelijkheid **tegenover** derden* third-party liability; ***wettelijke** aansprakelijkheid* civil liability, (legal) liability, liability in law

aansprakelijkheidsrecht [het] liability law

aansprakelijkheidsverzekering [de^{v}] liability insurance, third party insurance

aanspreekbaar [bn] approachable, ⟨inf⟩ get-at-able

aanspreekpunt [het] contact (point/person), information centre/service/desk

aanspreektitel [de^{m}] term of address, title

aanspreekvorm [de^{m}] form of address

^{1}**aanspreken** [ov ww] [1] ⟨beginnen te gebruiken⟩ draw on, break/dip into ♦ *een aangesproken **fles*** an open bottle; *de **fles** duchtig aanspreken* not spare the bottle, have a (good) go at the bottle; *een (nieuwe) **fles** aanspreken* crack (open) a bottle; *een **gerecht** aanspreken* ⟨inf⟩ tuck into/tackle a dish; *zijn **kapitaal** aanspreken* break into one's capital/reserves; *een **spaarrekening/voorraad** aanspreken* start on/use a savings account/supply [2] ⟨toespreken⟩ speak/talk to, address ♦ *iemand aanspreken **als dokter*** address s.o. as doctor; ***iemand** op straat aanspreken* accost s.o. (in the street); *iemand **met** jij/u aanspreken* address s.o. with 'jij/u'/with the informal/formal pronoun, be informal/polite with s.o.; *iemand **met** zijn titel aanspreken* address s.o. by his title; *iemand **met** mevrouw/meneer aanspreken* ⟨vnl BE⟩ address s.o. as madam/sir, madam/sir s.o.; *iemand **op** iets aanspreken* call s.o. to account; *iemand **over** de schade aanspreken* tackle s.o. about the damage; *iemand **over** zijn gedrag aanspreken* talk to/tackle s.o. about/on his conduct; *ik **voel** mij niet aangesproken* it doesn't concern me; ⟨inf⟩ it's not my concern/pigeon; *zich aangesproken **voelen*** be made to feel responsible, take sth. personally; *iemand **vriendelijk** aanspreken* speak kindly to s.o.

^{2}**aanspreken** [ov ww, ook abs] ⟨in de smaak vallen bij⟩ appeal to ♦ *het boek sprak me **niet erg** aan* the book had little appeal for me

aanspreker [de^{m}] undertaker's man

aanspreking [de^{v}] [1] ⟨het aanspreken⟩ addressing [2] ⟨bewoordingen⟩ title, form of address

aanstaan [onov ww] [1] ⟨op een kier staan⟩ be (standing) ajar [2] ⟨aangenaam zijn⟩ please ♦ *de kleur staat **mij** niet aan* I don't like the colour, the colour offends me; *zijn gezicht staat **mij** niet aan* I do not like the look of him [3] ⟨ingeschakeld zijn⟩ ⟨motor⟩ be running, ⟨radio enz.⟩ be (turned) on

^{1}**aanstaande** [de^{m}] ⟨man⟩ fiancé, ⟨vrouw⟩ fiancée ♦ ***mijn** aanstaande* ⟨ook⟩ my future husband/wife; ⟨inf⟩ my intended

^{2}**aanstaande** [bn] [1] ⟨eerstkomend⟩ ⟨in de volgende week⟩ next, ⟨deze week⟩ this ♦ *aanstaande **maandag**, **maandag** aanstaande* this Monday; ⟨maandag over een week⟩ next Monday; ⟨form⟩ Monday next [2] ⟨toekomstig⟩ ⟨te verwachten⟩ (forth)coming, ⟨komend⟩ approaching, ⟨in opleiding⟩ intending ♦ *aanstaande **moeders*** expectant mothers, mothers-to-be; *onze aanstaande **schoonzoon*** our future son-in-law, our son-in-law to be; *zijn aanstaande **vrouw*** his future/intended wife [3] ⟨nabij in de tijd⟩ near ♦ *aanstaande **zijn*** be at hand/near; ⟨dreigen⟩ be imminent

aanstalten [de^{mv}] [•] *geen aanstalten **maken** (om)* make no show/sign (of), show no intention (of); *aanstalten **maken** om te vertrekken* get ready to leave, make a move to leave

aanstampen [ov ww] tamp (down), ram down

aanstappen [onov ww] [1] ⟨sneller voortstappen⟩ stride out, mend/quicken one's pace ♦ *kom, stap **wat aan**!* come on!, hurry up!, get a move on! [2] ⟨met vaste schreden naderen⟩ stride along/up ♦ ***komen** aanstappen/aangestapt* come striding along/up

aanstaren [ov ww] stare at, gaze at, ⟨inf; AE⟩ eyeball ♦ *iemand **met** open mond aanstaren* stare open-mouthed/gaping at s.o., gape at s.o.; *iemand **strak** aanstaren* stare hard at s.o.; *iemand vol bewondering aanstaren* gaze at s.o. admiringly

^{1}**aanstekelijk** [bn] ⟨besmettelijk⟩ infectious, contagious, catching ♦ *geeuwen **is/werkt** aanstekelijk* yawning is/proves infectious

^{2}**aanstekelijk** [bn, bw] ⟨navolging opwekkend⟩ infectious ⟨bw: ~ly⟩, contagious, catching ♦ *aanstekelijk **lachen*** laugh contagiously; ⟨eigenschap⟩ have a contagious laugh

aansteken [ov ww] [1] ⟨doen branden⟩ light, ⟨vuur ook⟩ kindle, ⟨elek⟩ turn/switch on ♦ *die **brand** is aangestoken* that fire was started deliberately; *het **gas** aansteken* light the gas; *een **kaars/lamp** aansteken* light a candle/lamp; *de ene sigaret **met** de andere aansteken* light one cigarette from another; ⟨vulg⟩ have a Dutch fuck; ⟨kettingroken⟩ chain-smoke, be a chain smoker [2] ⟨besmetten⟩ infect, contaminate ♦ ⟨fig⟩ *aangestoken **door** de algemene vrolijkheid* infected by the universal cheerfulness; *ze steken **elkaar** aan* ⟨fig⟩ they are a bad/good influence on one another; ⟨fig⟩ *één schurftig schaap kan een hele **kudde** aansteken* one black sheep can infect the whole flock [•] *een **vat** aansteken* broach/tap a cask

aansteker [de^{m}] [1] ⟨voor vuurtje⟩ (cigarette) lighter [2] ⟨in België; schoen⟩ loafer, slip-on shoe

^{1}**aanstellen** [ov ww] ⟨in dienst stellen, nemen⟩ appoint ♦ *iemand **als** burgemeester aanstellen* appoint s.o. as mayor; *iemand aanstellen **om** toezicht te houden* appoint s.o. to exercise supervision; *iemand **op** proef aanstellen* appoint s.o. for a probationary term/period; ***opnieuw** aanstellen* reappoint; *iemand tot burgemeester aanstellen* appoint s.o. mayor; *iemand vast aanstellen* appoint s.o. permanently, put s.o. on the permanent staff

[2]**zich aanstellen** [wk ww] ⟨zich op overdreven wijze uiten⟩ put on airs, pose, show off ♦ *zich idioot aanstellen* play the idiot; *zich kinderachtig/belachelijk aanstellen* act childishly, make a fool of o.s.; *stel je niet aan!* ⟨m.b.t. kinderachtigheid⟩ act your age!, stop behaving like a child!, don't be such a baby!; ⟨m.b.t. overdrevenheid⟩ stop play-acting!, cut the comedy/act!

aansteller [de^{m}], **aanstelster** [de^{v}] [1] ⟨m.b.t. overdreven gedrag⟩ show-off, poseur, ⟨inf⟩ swank, poser [2] ⟨m.b.t. kinderachtig gedrag⟩ baby ♦ *wat ben je toch een kleine aansteller* you're/don't be such a baby

[1]**aanstellerig** [bn] [1] ⟨geneigd zich aan te stellen⟩ affected, theatrical, highfalutin, attitudinizing ♦ *een aanstellerig mens* an affected/a gushing person [2] ⟨blijk gevend van aanstellerij⟩ affected, ⟨spraak⟩ stilted

[2]**aanstellerig** [bw] ⟨op sterk overdreven wijze⟩ affectedly

aanstellerij [de^{v}] [1] ⟨overdreven gedrag⟩ affectation, pose, showing off ♦ *het is maar aanstellerij* it's only showing off/a pose/an act [2] ⟨kinderachtig gedrag⟩ babyish behaviour ♦ *is het nu uit met die aanstellerij?* are you quite finished?, don't be such a baby!

aanstelleritis [de^{v}] ⟨scherts⟩ touch of the theatricals

aanstelling [de^{v}] appointment, ⟨officier⟩ commission ♦ *akte van aanstelling* appointment; *een vaste/tijdelijke aanstelling hebben/krijgen* hold/obtain a permanent/temporary appointment

aanstellingsbrief [de^{m}] letter of appointment

aanstelster [de^{v}] → **aansteller**

aansterken [onov ww] get stronger, recuperate, regain one's strength, convalesce

aanstevenen [onov ww] [1] ⟨aanvaren⟩ sail along ♦ *het schip stevende op de haven aan* the ship was heading/making for the port [2] ⟨aanstappen⟩ stride along/up ♦ *komen aanstevenen/aangestevend* come striding along

aanstichten [ov ww] ⟨opstand enz.⟩ instigate, ⟨onheil⟩ cause, ⟨steunbeweging⟩ start, set on foot

aanstichter [de^{m}], **aanstichtster** [de^{v}] instigator, originator, perpetrator ♦ *de aanstichter van alle kwaad* the source of all evil

aanstichting [de^{v}] instigation ♦ *op aanstichting van* on the initiative of; ⟨ongunstig⟩ at the instigation of

aanstichtster [de^{v}] → **aanstichter**

aanstiefelen [ww] ⊡ ⟨inf⟩ *komen aanstiefelen* dawdle along, amble/saunter/stroll along

aanstippen [ov ww] [1] ⟨terloops vermelden⟩ mention by the way, mention briefly, touch on, indicate briefly [2] ⟨even aanraken⟩ touch [3] ⟨med⟩ dab ♦ *aanstippen met jodium* dab with iodine [4] ⟨met een stip aantekenen⟩ check/tick off

aanstoken [ov ww] [1] ⟨aanwakkeren⟩ stir up, fan, foment [2] ⟨feller laten branden⟩ stir, poke [3] ⟨opruien⟩ stir up, incite, instigate

aanstoker [de^{m}], **aanstookster** [de^{v}] instigator

aanstonds [bw] directly, immediately, at once, straight away ♦ *al aanstonds* from the outset/start; *zo aanstonds* presently, in a little while

aanstookster [de^{v}] → **aanstoker**

aanstoot [de^{m}] offence, ↑umbrage ♦ *aanstoot geven* give offence/umbrage; *aanstoot nemen aan* take offence at/umbrage at/over/exception to; *een steen des aanstoots* a stumbling block, an obstacle, a bone of contention

aanstootgevend [bn, bw] offensive ⟨bw: ~ly⟩, offending, objectionable, ⟨sterker⟩ scandalous, shocking ♦ *aanstootgevend gedrag* obnoxious behaviour; *zijn gedrag is aanstootgevend* his conduct/behaviour is offensive/scandalous/most objectionable; *aanstootgevende passages in een boek* offensive passages in a book

aanstormen [onov ww] rush, tear, storm ♦ *komen aanstormen/aangestormd* come rushing/tearing up/along, come dashing up; *de aanstormende troepen* the onrushing troops

aanstormend [bn] ⊡ *aanstormend talent* raging talent, up-and-coming talent

[1]**aanstoten** [onov ww] ⟨botsen⟩ knock (against), strike (against), bang (against), bump (into) ♦ *hij stootte tegen de tafel aan* he knocked against/bumped into the table

[2]**aanstoten** [ov ww] ⟨porren⟩ nudge, jog, push, ⟨met voorwerp⟩ prod ♦ *zijn buurman aanstoten* nudge one's neighbour

aanstouwen [ov ww] pile up, stow up ♦ *goederen aanstouwen* pile up goods

aanstrepen [ov ww] mark, check/^{B}tick (off) ♦ *een plaats in een boek aanstrepen* mark a place in a book

aanstrijken [ov ww] [1] ⟨door strijken bedekken⟩ ⟨met kwast⟩ brush (over), coat, plaster ♦ *een muur aanstrijken* plaster a wall [2] ⟨door strijken doen ontbranden⟩ strike [3] ⟨m.b.t. een snaar⟩ bow

aanstrompelen [onov ww] ⊡ *komen aanstrompelen/aangestrompeld* come hobbling/stumbling along/up

aanstuiven [onov ww] [1] ⟨naar een plaats toestuiven⟩ drift, pile up ♦ *de zeedijk is door aangestoven zand bedekt* the sea dike is covered with drifting sand/sand drifts [2] ⟨zich vormen door aangewaaid zand⟩ drift ⊡ *komen aanstuiven/aangestoven* come rushing/tearing along/up

[1]**aansturen** [ov ww] ⟨leiding geven aan⟩ steer, direct, guide, manage

[2]**aansturen** [ov ww, ook abs] [1] ⟨+ op; naar een punt richten⟩ head for, aim at/for, make for ♦ *op de wal aansturen* head for shore [2] ⟨+ op; trachten te bereiken, verkrijgen⟩ aim for/at, steer towards, ⟨bedoelen⟩ drive at, press for ♦ *(het) op een breuk aansturen* aim at/head for a break-up; *ik zou niet weten waar hij op aanstuurt* I don't know what he's driving/getting at

aansukkelen [onov ww] plod along, trudge, jog, drag along ⊡ *komen aansukkelen/aangesukkeld* come staggering along/up

aantal [het] number ♦ *een flink aantal boeken* quite a few books; *een groot aantal deelnemers/huizen/kinderen* a large entry, a good few houses, a lot of children; *in aantal overtreffen* outnumber; *een aantal jaren lang* for a number of years; *hij kreeg het aantal bij elkaar* he got the number required/the necessary number together; *hij kreeg er een aantal bij elkaar* he got some of them together/gathered some of them round; *het aantal leden nam toe* the number of members/membership increased; *een aantal personen kwam te laat* a number of/several people were late; *het totale aantal werkende vrouwen* the total number of working women; *het vereiste aantal werd niet bereikt* the necessary quorum/quota was not reached

aantasten [ov ww] [1] ⟨aanvreten⟩ ⟨negatief, schadelijk⟩ affect, harm, attack, erode ♦ *de zee tast de kust steeds verder aan* the sea is encroaching further and further on the land; *dit zuur tast metalen aan* this acid attacks/corrodes/eats into metals; *die geruchten tasten onze goede naam aan* those rumours injure/tarnish our good name/reputation; *iemands privacy aantasten* invade s.o.'s privacy; *die ziekte heeft hem/zijn gezondheid danig aangetast* the illness greatly/seriously affected his constitution/impaired his health [2] ⟨aanvallen⟩ attack, assail, seize, injure ♦ *iedereen werd door de goudkoorts aangetast* everyone was seized by gold fever; *iemand in zijn eer/goede naam aantasten* injure/impugn s.o.'s honour/good name; *door een ziekte aangetast worden* be taken ill, be attacked by/stricken with a disease

aantasting [de^{v}] ⟨van milieu⟩ adverse/harmful effect (on), damage (to), ⟨van kust door zee⟩ encroachment, ⟨van vrijheid⟩ infringement, ⟨van metaal⟩ corrosion, ⟨van iemands goede naam, reputatie⟩ slur (on)

aantekenboek [het] notebook, memorandum, ⟨inf⟩ jotter

[1]**aantekenen** [onov ww] ⟨zich in ondertrouw laten opnemen⟩ ⟨gemeentehuis⟩ enter a marriage, give notice of marriage, ⟨BE⟩ ± get a wedding licence, ⟨AE⟩ apply for a marriage certificate

[2]**aantekenen** [ov ww] 1 ⟨opschrijven⟩ take/make a note of, note/write down, record, ⟨inf⟩ jot down, enter, lodge, register ⟨bijvoorbeeld in register, bij instantie⟩; → **aangetekend** ◆ *hoger **beroep** aantekenen* lodge/give notice of (an) appeal; ***cassatie** aantekenen* lodge/give notice of (an) appeal to the Supreme Court; *brieven **laten** aantekenen* have letters registered/sent by registered mail 2 ⟨vermelden⟩ comment, note, remark, ⟨m.b.t. tekst- en literaire kritiek⟩ annotate, gloss ◆ *daarbij tekende spreker aan, dat ...* the speaker noted that .../further observed that ...

aantekening [de^v] 1 ⟨het noteren⟩ noting, making note, recording ◆ *aantekening **houden** van iets* keep a note/tally/record/account of sth.; ⟨jur⟩ *aantekening **van** hoger beroep* lodgement/notice of appeal 2 ⟨notitie⟩ note, annotation, record, entry ◆ *aantekeningen **bij** een rapport* notes to a report; *aantekeningen **maken*** ⟨bijvoorbeeld student⟩ take notes; make notes; *zijn aantekeningen **overlezen*** read through/over one's notes 3 ⟨noot⟩ note, footnote, gloss, comment, annotation ◆ *een uitgave van Erasmus **met** aantekeningen* an annotated (Erasmus) edition (of Erasmus), an edition of Erasmus with notes/commentary 4 ⟨bijzondere vermelding⟩ ⟨cheque, rijbewijs, diploma⟩ endorsement, registration ◆ *aantekening **voor** kraamverpleging* registration for maternity/post-natal care

aantekenschrift [het] copybook, ⟨AE⟩ cahier, ⟨inf⟩ jotter, note-pad

aantijgen [ov ww] impute, arraign, charge, accuse

aantijging [de^v] allegation, imputation, accusation ◆ ⟨in België⟩ ***lasterlijke** aantijging* false allegation

[1]**aantikken** [onov ww] ⟨oplopen⟩ mount up, add up, tot up ◆ *dat tikt **lekker** aan* that's mounting/adding up nicely ▪ *zij tikte als eerste aan* ⟨bij zwemmen⟩ she touched first

[2]**aantikken** [ov ww] ⟨even aanraken⟩ tip, tap, touch ◆ *iemand **even** aantikken* dab at s.o.; *de **pet** aantikken* tip/touch one's cap; ⟨voetb⟩ *een **speler** aantikken* clip the heels of a player

aantippen [ov ww] touch lightly

aantocht [de^m] ▪ ***in** aantocht zijn* be on the way/at hand, be coming/approaching; *de winter is **in** aantocht* winter's coming/on the way

aantonen [ov ww] 1 ⟨bewijzen⟩ demonstrate, prove, show, establish ◆ *ik zal u aantonen **dat** ik gelijk heb* I'll show you that I'm right; *de **juistheid** van een bewering aantonen* justify a statement; *er werd **ruimschoots** aangetoond, dat ...* there was ample/abundant evidence/proof that ... 2 ⟨aanwijzen⟩ demonstrate, show, indicate, point out, reveal ⟨voornamelijk passief⟩ ◆ *de **oorzaak** van de narigheid aantonen* demonstrate/show up the cause of the misery 3 ⟨tot uitdrukking brengen⟩ show ◆ *zijn houding toonde aan, **dat** hij schuldig was* it was clear from his attitude that he was guilty 4 ⟨scheik⟩ demonstrate the presence of, detect, identify

aantonend [bn] ▪ ⟨taalk⟩ *de aantonende **wijs*** the indicative (mood)

[1]**aantoonbaar** [bn] ⟨aangetoond kunnende worden⟩ demonstrable ◆ *deze vervalsing is **gemakkelijk** aantoonbaar* this is clearly a demonstrable falsification, this falsification can be/is easily demonstrated

[2]**aantoonbaar** [bw] ⟨zoals aangetoond kan worden⟩ demonstrably, evidently, patently ◆ *dat is aantoonbaar **onjuist*** that is patently incorrect

aantrappen [ov ww] 1 ⟨door trappen doen aanslaan⟩ ⟨motor e.d.⟩ kick-start 2 ⟨door trappen aandrukken⟩ tread down, stamp in

[1]**aantreden** [onov ww] 1 ⟨in een richting stappen⟩ come/step forward, ⟨dans⟩ form up, ⟨met de linker- of rechtervoet⟩ step off 2 ⟨zich verzamelen⟩ fall in, form into line, form/line up ◆ *de manschappen **doen/laten** aantreden* fall the men in; *op bevel aantreden* fall in on command 3 ⟨beginnen te functioneren⟩ take office ◆ *sinds het aantreden van het **kabinet*** since the government took office

[2]**aantreden** [ov ww] ⟨aanstampen⟩ stamp in, tread down

aantreffen [ov ww] 1 ⟨m.b.t. personen⟩ meet, encounter, find, come across ◆ *iemand **dood** aantreffen* find s.o. dead; *iemand niet **thuis** aantreffen* find s.o. (to be) out 2 ⟨m.b.t. zaken⟩ find, come across, happen upon, discover ◆ *deze **bloemen** worden alleen in het wild aangetroffen* these flowers are only found growing wild

aantrekkelijk [bn] attractive, inviting ⟨bijvoorbeeld aanbod⟩, alluring, engaging ◆ *ik vind ze **erg** aantrekkelijk* I find them very attractive; *iets aantrekkelijk **maken*** glamourize sth., make sth. attractive; *aantrekkelijke **modellen/perspectieven*** fetching models/attractive perspectives; *zij heeft **niets** aantrekkelijks* she's (most) unattractive, she has no charm/holds no attraction; ***weinig** aantrekkelijks bieden* offer little attraction/allure

aantrekkelijkheid [de^v] 1 ⟨het aantrekkelijk zijn⟩ attractiveness, allure, appeal 2 ⟨wat aantrekkelijk is⟩ attraction, allure, appeal ◆ *voetbal **heeft** voor mij nog niets van zijn aantrekkelijkheid **verloren*** football has lost none of its attraction for/appeal to me; *zijn aantrekkelijkheid **verliezen*** lose its attraction, pall

[1]**aantrekken** [onov ww] 1 ⟨in een richting gaan⟩ head for, make for, ⟨troepen ook⟩ advance, move towards ◆ *we trokken **op** huis aan* we headed for home 2 ⟨bijtrekken⟩ pick up, ⟨ec⟩ improve, ⟨prijzen ook⟩ firm up ◆ *de **markt** trekt aan* the market is picking up

[2]**aantrekken** [ov ww] 1 ⟨naar zich toetrekken⟩ attract, draw, pull ◆ *de **aarde** wordt door de zon aangetrokken* the earth gravitates towards the sun; *zout trekt **vocht** aan* salt attracts moisture 2 ⟨vaster doen sluiten⟩ tighten, draw tighter, fasten ◆ *de **deur** aantrekken* pull the door to, shut the door; *een **knoop** aantrekken* tighten a knot 3 ⟨bekoren⟩ draw, attract ◆ *dat trekt **mij** wel aan* that appeals to me/takes my fancy; *zich aangetrokken **voelen** door/tot iemand/iets* feel drawn/attracted to s.o./sth. 4 ⟨aan zich verbinden⟩ take on, ⟨een menigte⟩ draw, attract ◆ *nieuwe **industrieën** aantrekken* attract new industries; *vreemd **kapitaal** aantrekken* draw/attract foreign capital; *nieuwe **medewerkers** aantrekken* take on/enlist/recruit new staff 5 ⟨aandoen⟩ put on ◆ *andere **kleren/schoenen** aantrekken* change one's clothes/shoes; *zijn **schoenen/jas/kousen** aantrekken* put on/get into one's shoes/coat, put on one's stockings; *ik heb weer niets om aan te trekken* I have nothing to wear again ▪ ⟨sprw⟩ *wie de schoen past, trekke hem aan* if the cap/shoe fits, wear it

[3]**zich aantrekken** [wk ww] ⟨grote aandacht schenken aan⟩ be concerned about, take seriously ◆ *zich een **advies** aantrekken* take s.o.'s advice seriously/to heart; *zich alles **erg** aantrekken* take everything to heart/very seriously; *zij trok het zich **erg** aan* she took it badly/hard, it bothered/upset her a lot; *zich iemands **lot** aantrekken* take s.o.'s fate to heart, concern o.s. about s.o.('s fate)/on s.o.'s behalf; *trek het je **niet** aan* don't let that worry you, ignore it; *zich alles **persoonlijk** aantrekken* take everything personally; *zich niets aantrekken **van*** not care/mind/bother about, not take the slightest notice of; *je hoeft je **van** mijn kritiek niets aan te trekken* you shouldn't let my criticism worry you/take my criticism too seriously/too much to heart; *ze scheen zich **van** de hele zaak niets aan te trekken* she seemed unconcerned/not to be bothered about the whole affair; *hij trok zich geen **reet/lor** aan **van** wat de anderen dachten* he didn't care/give a damn what the others thought; *zich **verwijten** aantrekken* be very sensitive to reproaches, take reproach-

es to heart

aantrekking [de^{v}] [1] ⟨natuurk⟩ attraction, ⟨m.b.t. planeet⟩ gravitation ♦ *magnetische/elektrische aantrekking* magnetic/electric(al) attraction [2] ⟨scheik⟩ affinity [3] ⟨fig⟩ attraction, appeal, ⟨sterker⟩ seduction, allurement

aantrekkingskracht [de] [1] ⟨natuurk⟩ (force of) attraction, ⟨m.b.t. planeet⟩ attractive/gravitation(al) force [2] ⟨scheik⟩ affinity [3] ⟨fig⟩ attraction, appeal, ⟨sterker⟩ seductiveness, allure ♦ *een grote aantrekkingskracht bezitten voor iemand* have/hold (a) great attraction for s.o.; *aantrekkingskracht uitoefenen op iemand* attract s.o., have an attraction for s.o., exert an attraction on s.o.

aanvaardbaar [bn] acceptable, admissible, allowable, ⟨argument, theorie⟩ plausible ♦ *de president achtte dit voorstel niet aanvaardbaar* the president did not consider this proposal to be acceptable/considered this proposal unacceptable; *een aanvaardbare oplossing* an acceptable/a palatable solution; *aanvaardbaar voor* acceptable to

aanvaarden [ov ww] [1] ⟨accepteren⟩ accept, agree to, ⟨klap, tegenslag⟩ take ♦ *ik aanvaard uw aanbod* I accept your offer; *de consequenties aanvaarden* take the consequences; *je zal dat moeten leren aanvaarden* you will have to learn to accept it/have to come to terms with it; *hij moest zijn nederlaag wel aanvaarden* he was forced to accept defeat; *dit tragisch verlies moeten wij aanvaarden* we shall have to accept this tragic loss; *een voorstel aanvaarden* accept/agree to a proposal; *een weddenschap aanvaarden* accept a bet [2] ⟨beginnen te doen⟩ begin, ⟨reis⟩ commence, set out on [3] ⟨op zich nemen⟩ accept, assume, take on, adopt ♦ *een functie aanvaarden* accept/assume a function; *de regering aanvaarden* assume governement; *een rol aanvaarden* assume/take on/adopt a role; *de verantwoordelijkheid aanvaarden* assume the responsibility; *hij aanvaardde het voorzitterschap* he acceded to/accepted the chairmanship [4] ⟨in ontvangst, gebruik nemen⟩ accept, take possession of, receive ♦ *het huis is dadelijk te aanvaarden* the house is available for immediate possession; *direct te aanvaarden* with immediate possession; *een erfenis/boedel aanvaarden* receive an inheritance, come into an estate; *leeg te aanvaarden* vacant possession; *gelieve mijn verontschuldigingen te aanvaarden* please accept my apologies [•] *dat wordt algemeen aanvaard* that is generally acknowledged/universally accepted

aanvaarding [de^{v}] [1] ⟨het in ontvangst, gebruik nemen⟩ (taking) possession, receipt ♦ *aanvaarding van een erfenis* acceptance of/taking possession of a legacy/an inheritance [2] ⟨het zich schikken⟩ acceptance, resignation [3] ⟨het op zich nemen⟩ assumption, taking on, adoption, acceptance ♦ *aanvaarding van een ambt* assumption of/accession to an office; *bij de aanvaarding van zijn ambt* on the acceptance/assumption of his office

aanval [de^{m}] [1] ⟨offensief⟩ attack, assault, charge, offensive ♦ *een aanval afslaan* beat off an attack; ⟨sport⟩ *een aanval doen op het doel van de tegenpartij* attack the opponent's goal; *een felle aanval doen op iemand* make a vicious attack on s.o.; *een hevige aanval* a violent attack, an onslaught; *in de aanval zijn/gaan* be/go on the offensive; *een aanval op het wereldrecord verspringen* an attempt on the world record for the long jump; *tot de aanval overgaan* take/go over to the offensive; *de aanval is de beste verdediging* attack is the best form of defence [2] ⟨aandoening⟩ attack, fit ♦ *zij kreeg een aanval van koopwoede* she went on a shopping spree; *een aanval van koorts/kiespijn/woede* an attack of fever, a toothache, a fit of anger; *een lichte aanval* a mild dose, a touch; *in een plotselinge aanval van woede* in a sudden burst of anger [3] ⟨sport⟩ attack, charge, offensive, challenge

[1]**aanvallen** [onov ww] ⟨afstormen op⟩ fall/set upon, charge, attack ♦ *(op het eten) aanvallen* attack (the food), ↑ fall to (eating); ⟨inf⟩ dig/bog in; *de vijand viel op de stad aan* the enemy charged the town

[2]**aanvallen** [ov ww] ⟨fig⟩ ⟨met woorden bestrijden⟩ attack, contest, challenge, ↓ have a go at (s.o.) ♦ *een politicus op/over zijn uitspraken aanvallen* attack/challenge a politician about his statements; *een tegenstander aanvallen* attack/assail an opponent, ↓ have a go at an opponent; *een testament aanvallen* contest a will

[3]**aanvallen** [ov ww, ook abs] ⟨een aanval doen op⟩ attack, assail, assault, fall/set upon ♦ *hij viel als eerste aan* he led the attack; *dat elftal valt voortdurend aan* that team is always on the attack; *de vijand in de rug/flank aanvallen* attack/take the enemy from the rear/in the flank; *de keeper aanvallen* tackle the keeper

aanvallend [bn, bw] [1] ⟨offensief⟩ offensive ⟨bw: ~ly⟩, aggressive, attacking ♦ *aanvallende beweging* aggressive movement; *aanvallend verbond* offensive alliance; *aanvallend te werk gaan* act/set about sth. aggressively [2] ⟨sport⟩ attacking ⟨bw: ~ly⟩, ⟨negatief⟩ aggressive, offensive ♦ *aanvallend voetbal* attacking football

aanvaller [de^{m}], **aanvalster** [de^{v}] [1] ⟨aanvallende persoon, partij⟩ assailant, attacker, aggressor [2] ⟨sport⟩ attacker, ⟨voetb⟩ forward, striker

aanvallig [bn] delightful, sweet, charming, lovely

aanvalligheid [de^{v}] charm, loveliness

aanvalsactie [de^{v}] offensive, attack

aanvalsgolf [de] wave of attack

aanvalskracht [de] ⟨mil⟩ offensive power

aanvalslinie [de^{v}] advance guard, vanguard, ⟨sport⟩ forward line

aanvalsoorlog [de^{m}] offensive war, war of aggression

aanvalsplan [het] plan of attack

aanvalssein [het] signal for attack

aanvalster [de^{v}] → **aanvaller**

aanvalsvak [het], **aanvalszone** [de^{v}] ⟨ijshockey⟩ offensive zone

aanvalswapen [het] offensive weapon, weapon of aggression, weapon of offence

aanvalszone [de] → **aanvalsvak**

aanvang [de^{m}] ⟨form⟩ commencement, inception, outset, beginning ♦ *bij aanvang* at the start/onset; *een aanvang nemen* commence, open; *een aanvang maken met de arbeid* commence work, make a start on the job; *van de aanvang af* from the outset; *aanvang der voorstelling: 20.00 uur* curtain (up) at 20.00

[1]**aanvangen** [onov ww] ⟨beginnen te bestaan, te gebeuren⟩ begin, start, commence ♦ *de reis ving aan* the journey began

[2]**aanvangen** [ov ww] [1] ⟨begin maken met⟩ begin, start, commence ♦ *de arbeid/een reis/een lezing/de werkzaamheden aanvangen* begin work, set out on a journey, begin a lecture, commence activity/duties [2] ⟨trachten, beginnen te doen⟩ do ♦ *wat moet ik met zo'n jongen aanvangen?* what am I (supposed) to do with a boy like that?; *daar is niets mee aan te vangen* that/it is hopeless/useless/worthless, there is no doing anything with that/nothing to be done with that; *met haar is niets aan te vangen* there is nothing to be done/nothing can be done with her; ⟨minder wanhopig⟩ you can't get anywhere with her; *de brandweer kon niets meer aanvangen* the fire brigade was helpless/at a loss

aanvangspunt [het] starting point

aanvangssalaris [het] starting salary

aanvangstijd [de^{m}] (scheduled) starting time ♦ *let op! gewijzigde aanvangstijden* note changed starting times

[1]**aanvankelijk** [bn] ⟨waarmee begonnen wordt⟩ initial, original, starting, commencing ♦ ⟨mech⟩ *aanvankelijke snelheid* initial velocity

[2]**aanvankelijk** [bw] ⟨in het begin⟩ initially, at first, in/at the beginning, originally ♦ *aanvankelijk was hij aan winnende hand* at first he was winning

[1]**aanvaren** [onov ww] ⟨in een richting varen⟩ sail ♦ *komen aanvaren/aangevaren* come sailing up/along, sail up; *op iets*

aanvaren make/head for sth., steer/sail towards sth.; ***tegen** een brug aanvaren* run into/hit/strike a bridge
²**aanvaren** [ov ww] ⟨varende in aanraking komen met⟩ run into, collide with, strike, hit, fall foul of ♦ *een ander **schip** aanvaren* collide/come into collision with/run into/hit another ship
aanvaring [de^v] 1 ⟨botsing⟩ collision, crash ♦ ***in** aanvaring komen met* collide/come into collision with, run into 2 ⟨ruzie⟩ collision ♦ ***in** aanvaring komen met* come into collision/collide with, fall foul of
aanvatten [ov ww] ⟨form⟩ 1 ⟨beetpakken⟩ seize (hold of), grasp 2 ⟨te baat nemen⟩ seize, grasp 3 ⟨in België; beginnen⟩ start, commence ♦ *een **reis** aanvatten* set out on a journey; *een **taak** aanvatten* set about a task
aanvechtbaar [bn] contestable, disputable, ⟨zwakker⟩ debatable, impugnable, challengeable ♦ *een aanvechtbaar **standpunt*** a contestable/disputable/debatable point of view
aanvechten [ov ww] contest, dispute, challenge, impugn ♦ *een **beslissing** aanvechten* challenge a decision; *een **dagvaarding** aanvechten* contest a summons; *een **stelling** aanvechten* impugn/challenge/dispute a statement/thesis
aanvechting [de^v] ⟨fig⟩ 1 ⟨aantasting, bestrijding⟩ contesting, disputation, impeachment ♦ *de aanvechting van een **vonnis*** the contesting of a sentence, ± the appeal against a sentence 2 ⟨onweerstaanbare neiging⟩ urge, impulse, temptation, inclination, attack ♦ *een aanvechting **van** (de) slaap/onpasselijkheid* an attack of sleepiness/nausea
aanvegen [ov ww] 1 ⟨door vegen in orde brengen⟩ sweep, ⟨kamer⟩ sweep out 2 ⟨opvegen⟩ sweep up
¹**aanverwant** [de^m] in-law
²**aanverwant** [bn] 1 ⟨door huwelijk verwant⟩ related by marriage 2 ⟨in nauwe betrekking staand⟩ related, ⟨wetenschap, onderwerp⟩ cognate, allied, kindred ♦ *de **geneeskunde** en aanverwante **vakken*** medicine and related professions; *aanverwante **talen*** cognate languages
aanvinken [ov ww] check off, tick off
¹**aanvliegen** [onov ww] 1 ⟨in een richting vliegen⟩ fly (towards) ♦ ⟨fig⟩ *de ziekenauto **kwam** aanvliegen/aangevlogen* the ambulance came flying/racing along/up; ***tegen** iets aanvliegen* fly against/hit sth.; ⟨auto ook⟩ crash into sth. 2 ⟨snel ontbranden⟩ ignite, burst into flames, light
²**aanvliegen** [ov ww] 1 ⟨vliegend naderen⟩ approach, fly towards ♦ *een **vliegveld** aanvliegen* approach an airport 2 ⟨aanvallen⟩ fly at, attack ♦ *de hond vloog de **man** aan* the dog flew at the man 3 ⟨luchtv⟩ fly (in/over), transport/bring by air ▪ ⟨fig⟩ *een **probleem** op een bepaalde manier aanvliegen* tackle a problem in a particular way
aanvliegroute [de] approach route
zich aanvlijen [wk ww] ⟨+ tegen⟩ nestle up (against/to), cuddle up (against/to)
aanvoegend [bn] ▪ ⟨taalk⟩ *de aanvoegende **wijs*** the subjunctive mood
¹**aanvoelen** [onov ww] ⟨het genoemde gevoel veroorzaken⟩ feel ♦ *het voelt **koud/zacht/**als zijde aan* it feels cold/soft/silky, it is cold/soft/silky to the touch
²**aanvoelen** [ov ww] 1 ⟨tot zijn gevoel laten spreken⟩ feel, sense, ⟨instinctief ook⟩ intuit ♦ *elkaar **goed** aanvoelen* speak the same language, be of the same mind, have fellow feeling; *hij had de situatie **goed** aangevoeld* he had a good appreciation of the situation; ***iemand** aanvoelen* understand s.o., ⟨sterker⟩ empathize with s.o.; *men **kan** zoiets beter aanvoelen dan beredeneren* it's easier sensed than rationalised, sth. like that is better felt than rationalized about/discussed; *een **stemming** aanvoelen* sense an atmosphere 2 ⟨even aanraken⟩ feel, finger, touch
aanvoelingsvermogen [het] intuition, instinctive feel/feeling, sensitivity
aanvoer [de^m] 1 ⟨het naar de bestemde plaats brengen⟩ supply, delivery 2 ⟨het aangevoerd worden⟩ supply ♦ *er is **geen** aanvoer* there is no supply 3 ⟨het aangevoerde⟩ supply, ⟨import⟩ arrival, ⟨vis⟩ landing, delivery ♦ *de aanvoer van **levensmiddelen*** food supplies; *de voorraad is op, maar wij verwachten **nieuwe** aanvoer* stocks are exhausted/we are out of stock but we are expecting new supplies; *de aanvoer was **onvoldoende/te groot*** the supply was inadequate, there was a surplus (in the supply) 4 ⟨buis, kanaal⟩ supply/feed pipe, supply/feed duct ♦ *de aanvoer is **verstopt*** the supply(-pipe)/feed pipe is blocked
aanvoerbuis [de] feed/supply pipe, ⟨vnl. gas, water enz.⟩ service pipe
aanvoerder [de^m], **aanvoerster** [de^v] 1 ⟨leider⟩ leader, captain ⟨ook sport⟩, head, chief 2 ⟨iemand die de aanvoer regelt⟩ supplier
aanvoerdersband [de^m] captain armband
aanvoeren [ov ww] 1 ⟨leiden⟩ lead, command, captain ⟨ook sport⟩, conduct ♦ *een **leger/bende** aanvoeren* command an army, lead a gang; *de **stoet** aanvoeren* head the procession 2 ⟨met een vervoermiddel aanbrengen⟩ supply, bring, ↑convey, ⟨uit buitenland⟩ import ♦ *de olie wordt **door** buizen aangevoerd* the oil is piped (in); *het graan wordt **met** vrachtwagens/schepen aangevoerd* the grain is trucked/shipped in; *troepen/goederen werden **per** vliegtuig aangevoerd* troops/goods were flown in 3 ⟨als bewijs naar voren brengen⟩ adduce, bring/put forward, advance, ⟨reden⟩ produce, argue ♦ *hij voerde **als** verontschuldiging/verdediging aan dat ...* he pleaded/urged in excuse/as defence that ...; *hij voerde enige **Bijbelcitaten** aan* he adduced/produced/brought forward several Bible quotations, he quoted several Bible references; *hij voerde aan **dat** ...* he argued/urged that ...
aanvoerhaven [de] port where ... is imported, ⟨vis⟩ fishing port ♦ *Port Headland is een aanvoerhaven van **ijzererts*** Port Headland is an iron ore port; *Rotterdam is een aanvoerhaven van **olie*** Rotterdam is an oil port
aanvoering [de^v] command, leadership, ⟨vnl sport⟩ captaincy ♦ ***onder** aanvoering **van*** under the command/leadership of, headed by, led by
aanvoerster [de^v] → **aanvoerder**
aanvoerweg [de^m] feeder (road), supply route
aanvraag [de] 1 ⟨verzoek⟩ application, request, demand, ⟨om inlichtingen enz.⟩ inquiry ♦ *een aanvraag **indienen** bij* submit/file a request/an application with; *aanvraag **om** eervol ontslag* request for honourable discharge; ***op** aanvraag te vertonen* to be shown on demand; *aanvraag **tot** eerherstel/rechtsherstel* demand for redress; *een aanvraag indienen **tot** echtscheiding/faillissement* file a petition for divorce/bankruptcy; *aanvraag **voor** een uitkering* application for social welfare payment 2 ⟨bestelling⟩ request, demand, order ♦ *wij konden niet **aan** alle aanvragen **voldoen*** we couldn't meet the demand/meet/cope with all the requests/orders; *op aanvraag verkrijgbaar* obtainable/available on request/demand 3 ⟨het aangevraagde⟩ application, request, demand, inquiry
aanvraagformulier [het] application (form), ⟨voor levensverzekering⟩ proposal form, ⟨voor form verzoek⟩ requisition, ⟨bibliotheek⟩ request slip
aanvraagprocedure [de] application procedure ♦ *aanvraagprocedure **voor** de financiering van een onderzoek* application procedure for (the financing of) research funding
aanvraagster [de^v] → **aanvrager**
aanvragen [ov ww] 1 ⟨op officiële wijze verzoeken⟩ apply for, request ♦ *een vergunning aanvragen **bij** de politie* apply for a licence to the police; ***echtscheiding** aanvragen* petition/file for a divorce; ***ontslag/**een **studiebeurs**/een **audiëntie** aanvragen* submit one's resignation, apply for a scholarship, ask for/seek/request an audience; *een **vergunning/octrooi** aanvragen* take out/apply for a licence/patent; ***verlof** aanvragen* put in for/request leave 2 ⟨verzoeken te mogen

ontvangen⟩ request, order, send/ask for ♦ *een **boek** aanvragen* send for/order a book, place/put in a request for/apply for a book; *vraag gratis **folder** aan* send for free brochure; ***informatie** aanvragen over treinen in Engeland* inquire about trains in England; ⟨kaartsp⟩ ***kaarten** aanvragen* request/ask for cards; *een **plaatje** aanvragen voor zijn jarige zusje* request a record for one's sister's birthday ⊡ *een **telefoongesprek** aanvragen* place/put in a call

aanvrager [de^m], **aanvraagster** [de^v] applicant, ⟨telefoon⟩ caller, ⟨jur⟩ petitioner, ⟨om inlichtingen⟩ inquirer

aanvreten [ov ww] [1] ⟨door vreten aantasten⟩ eat away (at), eat into, gnaw (at) [2] ⟨aantasten⟩ eat away (at), eat into, erode, attack ♦ ***door** roest aangevreten* corroded by rust; *door het gifgas aangevreten **longen*** lungs attacked by the toxic gas

aanvullen [ov ww] [1] ⟨voltallig, volledig maken⟩ complete, finish, fill (up), round up/out ♦ *een **bedrag/reserve** aanvullen* make up an amount/a reserve; *een **bestuur/voetbalelftal** aanvullen* fill up the board (of directors)/make up a football team; *zij vullen elkaar **goed** aan* they complement each other well; *'voor maar ...' 'dertig euro' vulde zijn vrouw **hem** aan* 'for only ...' 'thirty euros' his wife finished for him/supplied; *aanvullen **met*** supplement with; *een **tekort** aanvullen* fill a gap, make good/up a shortage/deficit; *de **voorraad** aanvullen* replenish stocks; *iemands **woorden** aanvullen* complete/finish s.o.'s sentence for him/her, finish s.o.'s words [2] ⟨vol maken⟩ fill (up), replenish, complement, supplement [3] ⟨dichtmaken⟩ fill (up/in), close

aanvullend [bn] supplementary, additional, complementary ♦ ***bepalingen** van aanvullend recht* permissive/directory provisions; *een aanvullende **cursus*** an additional/a follow-up course; *een aanvullende **overeenkomst/verklaring*** a supplementary agreement/statement; *een aanvullend **pensioen*** a supplementary/supplemental pension; *aanvullend **recht*** permissive law, ius dispositivum; ⟨volkenrecht⟩ supplementary law; *een aanvullende **uitgave*** an additional/a top-up spending/expense

aanvulling [de^v] [1] ⟨handeling⟩ supplementation, addition, completion, filling (up/in) ♦ ***in** aanvulling **op*** supplementary to, in addition to; ***ter** aanvulling **van*** to fill (up)/complete, as a supplement/an addition, by way of supplement [2] ⟨middel⟩ supplement, addition, complement ♦ *een aanvulling **op*** a supplement to

aanvuren [ov ww] ⟨fig⟩ [1] ⟨aanwakkeren⟩ ⟨stimuleren⟩ fan, ⟨doen ontbranden⟩ fire, ⟨hartstochten⟩ inflame, (en)kindle, ⟨woede, een vechtpartij⟩ spark off [2] ⟨m.b.t. personen⟩ rouse, stimulate, incite, ⟨sterker⟩ galvanize, ⟨inf⟩ egg on ♦ *de **troepen** aanvuren* rouse the troops

aanwaaien [onov ww] [1] ⟨zonder moeite eigen worden⟩ come naturally to ♦ ***alles** waait hem zomaar aan* everything just falls into his lap; ***kennis** waait niemand zomaar aan* there is no royal/short road to learning [2] ⟨door de wind aangevoerd worden⟩ blow about/along ♦ *er waait hier veel **zand** aan* there is a lot of sand that gets blown this way ⊡ ***kom** nog eens aanwaaien* drop/pop/breeze in again some time; *van uit het verre China **komen** aanwaaien* hail/breeze in from China

^{1}**aanwakkeren** [onov ww] ⟨toenemen in kracht⟩ strengthen, increase, pick up, ⟨wind ook⟩ freshen ♦ *zijn **verlangen** wakkerde aan* his desire grew stronger

^{2}**aanwakkeren** [ov ww] [1] ⟨feller doen branden⟩ fan, stir up ♦ *het **vuur** aanwakkeren* fan the fire [2] ⟨in kracht doen toenemen⟩ stimulate, stir up, fan, foster, fuel ♦ *de **kooplust** aanwakkeren* stimulate buying

aanwas [de^m] [1] ⟨het groter worden⟩ growth, ⟨bevolking ook⟩ increase, ⟨rivier⟩ rise, accretion ♦ *de aanwas van de **bevolking*** the growth/increase in the population [2] ⟨door aanslibbing verkregen grond⟩ accretion

aanwassen [onov ww] [1] ⟨groter worden⟩ grow, increase, expand, ⟨rivier⟩ rise, swell ♦ *het smeltende ijs **doet** de rivier aanwassen* the melting ice makes the river rise/swell; *de beek wies aan **tot** een stroom* the brook grew into a stream [2] ⟨zich uitbreiden⟩ accrete

aanwendbaar [bn] applicable, usable, appropriable

aanwenden [ov ww] apply, use, employ, exert ♦ ***gemeenschapsgelden** ten eigen bate aanwenden* divert public funds to one's own use, appropriate public funds; *zijn **gezag/invloed** aanwenden* use/exercise one's authority, exert one's influence; *al zijn **kracht** aanwenden* apply/exert all one's force/strength; *alle beschikbare **middelen** aanwenden* use all available means/resources, put all available means/resources to use; *verkeerde/allerlei **middelen** aanwenden* apply/employ the wrong/all sorts of means

aanwending [de^v] application, ⟨macht, kracht, geweld⟩ use, exertion, ⟨van middelen⟩ employment, ⟨van geld⟩ appropriation ♦ ***verkeerde/onjuiste** aanwending* misuse; ⟨van geld⟩ misappropriation

zich aanwennen [wk ww] make a habit of, fall into the habit of, acquire the habit of, take to ♦ *zich slechte **gewoonten** aanwennen* get into bad habits; *zich het **roken** aanwennen* take to/form a habit of smoking

aanwensel [het] (bad) habit, mannerism, trick, way

aanwerven [ov ww] ⟨in België⟩ [1] ⟨in dienst nemen⟩ recruit, ↓take on, ⟨mil ook⟩ enlist, levy [2] ⟨werven⟩ recruit, bring in, enrol, ⟨AE⟩ enroll

aanwervingsstop [de^m] ⟨in België⟩ halt in recruitment

aanwezig [bn] [1] ⟨m.b.t. personen⟩ present, attendant ♦ *de heer Jansen **is niet** aanwezig* Mr Jansen is not in/here; ***niet** aanwezig* absent; *de aanwezige **ouders*** the attendant parents, the parents who were present; *aanwezig **zijn bij*** be present at, attend; *ik kon niet aanwezig **zijn*** I couldn't be there, I was unable to attend [2] ⟨m.b.t. zaken⟩ existing, ⟨beschikbaar⟩ available, on/at hand ♦ *de aanwezige **mogelijkheden** benutten* make use of the available possibilities/opportunities at hand; *de aanwezige **voorraden** verbruiken* use up the existing stocks

^{1}**aanwezige** [het] ⟨wat voorhanden is⟩ what is available, what is here, what is at hand

^{2}**aanwezige** [de] ⟨persoon⟩ person present ♦ ***alle** aanwezigen keurden het plan goed* all (those) present approved the plan; ***onder** de aanwezigen bevonden zich ...* those present included, among those present were ...

aanwezigheid [de^v] [1] ⟨presentie⟩ presence, attendance ♦ ***in** aanwezigheid **van*** in the presence of; ***in** mijn aanwezigheid* in my presence; *iemand **met** zijn aanwezigheid vereren* grace/honour s.o. with one's presence; *uw aanwezigheid is niet **noodzakelijk*** your presence/attendance is not necessary/required [2] ⟨het voorhanden zijn⟩ existence, presence, ⟨beschikbaarheid⟩ availability ♦ *de aanwezigheid van **radioactiviteit** aantonen* prove the existence/presence of radioactivity

aanwezigheidslijst [de^m] ⟨in België⟩ attendance list, (attendance) roll, roll of attendance, ⟨vnl. op school⟩ attendance book, (attendance) register, ⟨monsterrol⟩ muster

aanwijsbaar [bn] demonstrable, provable, assignable, apparent

aanwijsstok [de^m] pointer

aanwijzen [ov ww] [1] ⟨wijzen naar⟩ point to/out, indicate, show ♦ *de **dader** aanwijzen* point out/to the culprit; *een **fout** aanwijzen* point out a mistake; *ik kan hem/het **met** mijn neus aanwijzen* ± he/it is just a stone's throw from here, ± he/it is within spitting distance; *de naald wijst het **noorden** aan* the needle points north; *gasten hun **plaats** aanwijzen* show guests to their seats; *ik vond het document op de aangewezen **plaats*** I found the document in the place indicated; *de ware **schuldige** aanwijzen* point out the guilty party, put the blame where it belongs [2] ⟨toewijzen⟩ designate, assign, allocate, appoint ♦ *een **acteur** aanwijzen voor een rol* cast an actor for a part; *iemand **als** opvolger aanwijzen* designate s.o. as successor; *hij werd **als** leider aangewezen* he was marked out for leadership; *een **atleet** voor een wedstrijdnummer aanwijzen* put an athlete in for an event; *iemand zijn **deel** in de winst aanwijzen* allocate to s.o. his share in the profit; *een **erfgenaam** aanwijzen* designate an heir; *een **gebied** aanwijzen voor de bouw van goedkope huizen* allocate/designate an area as a low-cost housing zone; ***iemand** aanwijzen om de zaak te regelen* appoint/detail s.o. to look after the matter; *een **opvolger** aanwijzen* designate/appoint a successor; *de hun aangewezen **plaatsen*** the places allotted/allocated/given to them; *iemand **voor** een taak aanwijzen* name/choose s.o. for a task, ⟨vnl mil⟩ detail s.o. for a task, ⟨mil⟩ tell off s.o. for a task; *een **voorzitter** aanwijzen* appoint a chairman [3] ⟨aangeven⟩ indicate, ⟨thermometer enz.⟩ point to, show, read ♦ *de klok wijst de **tijd** aan* the clock shows/indicates the time

aanwijzend [bn] [•] ⟨taalk⟩ *aanwijzend **voornaamwoord*** demonstrative pronoun

aanwijzer [de^m] indicator, pointer, index ♦ ⟨wisk⟩ *de aanwijzer **in** een term* the exponent/index in a term; ⟨wisk⟩ *de aanwijzer **in** de logaritme* the characteristic in the logarithm; *hij is aanwijzer **op** de veiling* he is auctioneers assistant (at the auction)

aanwijzing [de^v] [1] ⟨indicatie⟩ indication, sign, clue, hint, pointer ♦ ***elke** aanwijzing omtrent de moord ontbreekt* there is no sign whatever of/no clue whatever to the murder; *er bestaat **geen** enkele aanwijzing dat ...* there is no indication/sign whatever that ..., there is nothing to suggest that ...; *er zijn **voldoende/geen** aanwijzingen dat er een misdrijf gepleegd is* there is sufficient/no evidence that a crime has been committed, there are sufficient/no indications/clues/signs of a crime having been committed [2] ⟨inlichting⟩ instruction, direction ♦ *ik kan u alleen enkele nuttige aanwijzingen **geven*** I can only give you some useful hints; *hij gaf **nauwkeurige** aanwijzingen* he gave precise/detailed instructions; *aanwijzingen **opvolgen*** follow directions; *aanwijzingen **voor** het gebruik* directions for use [3] ⟨het aangewezene⟩ registration, reading, marking ♦ *de aanwijzing **aflezen*** ⟨bijvoorbeeld meter⟩ take the reading

aanwinnen [ov ww] acquire, gain, increase ♦ ***land** aanwinnen* reclaim land

aanwinning [de^v] ⟨land⟩ reclamation, expansion, acquisition

aanwinst [de^v] [1] ⟨het aanwinnen⟩ acquisition, expansion, increase, gain [2] ⟨het aangewonnene⟩ acquisition, ⟨bibliotheek⟩ accession, addition, increase, gain, signing ⟨bijvoorbeeld voetballer⟩ ♦ *de **jongste** aanwinst* the latest acquisition/accession; *een **mooie** aanwinst voor het museum* a beautiful acquisition for the museum [3] ⟨voordeel, verbetering⟩ gain, improvement, asset, bonus, plus ♦ *dat is **geen** aanwinst* that is no asset/improvement/gain; *de computer is een aanwinst **voor** ieder bedrijf* the computer is an asset in every business

aanwippen [onov ww] [•] ***bij** iemand (komen) aanwippen* pop/drop/look in on s.o.

aanwonenden [de^mv] residents

[1]**aanwrijven** [onov ww] ⟨wrijven tegen⟩ rub against, ⟨licht, zachtjes⟩ graze against/past, brush against/past

[2]**aanwrijven** [ov ww] ⟨ten laste leggen⟩ impute, blame ♦ *iemand **iets** aanwrijven* fasten sth. on s.o., impute sth. to s.o., ↓ pin sth. on s.o.; *dat **laat** ik me niet aanwrijven* I won't be blamed for that, ↓ I won't let that be pinned on me

aanwrijving [de^v] imputation, blame

aanzakken [onov ww] ⟨inf⟩ [•] *daar **komt** hij eindelijk aanzakken/aangezakt* there he comes at last, slouching/dawdling along

aanzeggen [ov ww] give notice ⟨ook ontslag, huuropzegging⟩, notify, announce, declare ♦ *iemand **gerechtelijk** aanzeggen* serve a summons upon s.o., issue a summons to s.o.; *iemands **overlijden** aanzeggen* give notice of/announce s.o.'s death; *iemand de **wacht** aanzeggen* issue a (serious) warning to s.o., give s.o. a talking to

aanzegger [de^m] ⟨dood, geboorte⟩ announcer, ⟨oorlog⟩ declarer

aanzegging [de^v] [1] ⟨officiële bekendmaking⟩ notice, notification, announcement, summons, declaration ♦ ***gerechtelijke** aanzegging* legal notice/notification/summons [2] ⟨het aanzeggen⟩ (giving) notice, service of a notice/summons, notification, declaration ♦ *aanzegging **doen/krijgen*** give/receive notice/notification; ***na** aanzegging van ontslag* after/upon notice/notification of dismissal

aanzet [de^m] [1] ⟨handeling⟩ start, initiative, onset, impulse ♦ *de (eerste) aanzet **geven** tot iets* initiate sth., give the initial impetus to sth., instigate sth. [2] ⟨bouwk⟩ spring, springing line/point [3] ⟨bk⟩ join

aanzetriem [de^m] (razor) strop

aanzetstaal [het] knife-sharpener, steel

aanzetsteen [de^m] [1] ⟨bouwk⟩ skewback [2] ⟨slijpsteen⟩ whetstone, ⟨fijn⟩ hone

aanzetster [de^v] → **aanzetter**

aanzetstuk [het] [1] ⟨verlengstuk⟩ extension ⟨ook muziek⟩, ⟨tafel⟩ (side) extension, leaf [2] ⟨biol⟩ vocal tract

[1]**aanzetten** [onov ww] [1] ⟨dik maken⟩ make fat, be fattening [2] ⟨aankoeken⟩ stick, catch, cake, ⟨ketel⟩ fur ♦ *de **ketel** is aangezet* the kettle has become furred/scaled; *de **melk** is aangezet* the milk has stuck to the pan/caught; *gebonden **soep** zet gauw aan* thickened soups catch quickly/easily [•] ***kom** daar nu niet weer mee aanzetten* don't bother me with that again; *met iets **komen** aanzetten* show/turn up with sth., come up with sth.; *ergens laat **komen** aanzetten* show/turn up late somewhere; *ze **komen** steeds weer met dezelfde oude troep aanzetten* they keep serving up/trotting out the same old nonsense/rubbish

[2]**aanzetten** [ov ww] [1] ⟨vastmaken⟩ put on, sew/stitch on ♦ *een **mouw** aanzetten* sew on/set in a sleeve [2] ⟨aansporen⟩ spur on, urge/egg on, prompt, incite, prod, put up to, ⟨form⟩ exhort ♦ *de **paarden** aanzetten* spur/urge the horses on; ***tot** zelfmoord aanzetten* drive to suicide; *iemand **tot** daden aanzetten* incite s.o. to action; *iemand **tot** spoed aanzetten* urge s.o. to hurry, hurry s.o. up; *iemand **tot** wraak aanzetten* incite/rouse s.o. to revenge; *aanzetten **tot** oproer/geweld* incite/stir up/instigate to revolt/violence; *iemand **tot** diefstal aanzetten* incite/push s.o. to steal, put s.o. up to stealing; *iemand **tot** plichtsverzuim aanzetten* urge s.o. to neglect his duty [3] ⟨in werking stellen⟩ start up, switch on, turn/put on, activate ♦ *de **motor** aanzetten* turn the engine on; *de **radio** aanzetten* turn/switch on the radio, tune in; *de **verwarming** aanzetten* turn on the heat(ing) [4] ⟨meer nadruk geven⟩ accentuate, set off, bring out, stress ♦ *de **lippen** aanzetten* make up one's lips; ⟨theat⟩ *een **rol** te sterk aanzetten* overplay a role [5] ⟨(bijna) tegen iets anders zetten⟩ place, join, add (on), put next to ♦ *de **deur/het raam** aanzetten* put/set the door/window ajar, open the door/window a crack; *een **dominosteen** aanzetten* place/put down a domino [6] ⟨scherpen⟩ sharpen, whet, hone, ⟨scheermes⟩ set [7] ⟨vaster doen zitten, aandrijven⟩ ⟨schroef⟩ tighten, force, ram ♦ *iemand de **duimschroeven** aanzetten* apply/set the screws to s.o.; *de **lading** aanzetten* ram the charge in/down/home

[3]**aanzetten** [ov ww, ook abs] ⟨beginnen⟩ start, begin, produce, ⟨sport⟩ put on a spurt, go into a sprint ♦ *(een **toon**) aanzetten* start/produce a tone/note

aanzetter [de^m], **aanzetster** [de^v] starter, instigator, inciter, initiator

aanzetting [de^v] [1] ⟨het meer nadruk geven⟩ accentuation, accenting [2] ⟨opzetting⟩ incitement, stirring up [3] ⟨het aankoeken⟩ sticking, ⟨ketel⟩ furring [4] ⟨aangezette korst, bezinksel⟩ accretion, encrustation, deposit, scale [5] ⟨het scherp maken⟩ sharpening, whetting

[1]**aanzeulen** [onov ww] [•] ***komen** aanzeulen* come trailing

up

[2]**aanzeulen** [ov ww] ⟨aanslepen⟩ drag up

aanzicht [het] aspect, look, view, appearance, respect ◆ *nu krijgt de zaak een* ***ander*** *aanzicht* that puts a different light on/sheds a new light on matters

[1]**aanzien** [het] [1] ⟨het kijken naar⟩ looking (at), watching, witnessing, regarding ◆ *te dien aanzien* in that connection, as for/to that (matter); *ten aanzien* ***van*** with regard/respect to, in regard to; ⟨BE ook⟩ in respect of; *dat is het aanzien* ***waard*** that is worth watching/looking at/witnessing; ***zonder*** *aanzien des persoons* without regard/respect to persons, without fear or favour [2] ⟨aanblik⟩ look, aspect, appearance ◆ *zich het aanzien* ***geven*** *van* assume the air of; *iets een ander aanzien* ***geven*** give sth. a different complexion, change/alter the complexion of sth., change the face of sth.; *een* ***nieuw*** *aanzien* a new look; *van aanzien* ***veranderen*** look different, change in appearance [3] ⟨achting⟩ standing, regard, prestige, esteem, consequence ◆ *zijn ambt geeft hem een* ***groot*** *aanzien* his position gives him a lot of prestige/earns him a good deal of respect; ***in*** *aanzien staan* ***bij*** be held in high regard/high esteem/great respect by; *hij is sterk* ***in*** *aanzien gestegen* his prestige has risen sharply; *hij is* ***in*** *mijn aanzien gestegen/gedaald* he has risen/fallen in my esteem/estimation; *een* ***man*** *van aanzien* a man of distinction/note; *hij wil aanzien* ***verwerven*** he wants to be somebody

[2]**aanzien** [ov ww] [1] ⟨kijken naar⟩ look at, watch, witness, regard ◆ *de* ***film/jurk*** *is niet om aan te zien* it's an awful film/dress; *iemand* ***met*** *grote ogen aanzien* look at s.o. in surprise/wide-eyed; *iemand* ***uit*** *de hoogte/****met*** *de nek aanzien* look down upon s.o./down one's nose at s.o. [2] ⟨toezien⟩ watch, look on/at, witness, see ◆ *ik* ***kon*** *het niet langer aanzien* I couldn't bear to watch it any longer, I couldn't stand by and watch it any longer; ***kun*** *je zoiets aanzien* can you bear to watch sth. like that; *iets* ***met*** *lede ogen aanzien* see sth. with disappointment, look on (sth.) sadly; *dat is niet* ***om*** *aan te zien* that looks frightful/is disgusting, that is too awful to watch; *ik* ***wil*** *het nog even aanzien* I want to wait a bit/look at it again (first)/await further developments, I'll give it/him/her/them another week [3] ⟨beschouwen⟩ consider, regard ◆ *iemand* ***voor*** *gek aanzien* take s.o. for a fool, think s.o. an idiot; *een 7* ***voor*** *een 1 aanzien* (mis)take a 7 for a 1; *waar zie je mij* ***voor*** *aan?* what do you take me for?; *iemand* ***voor*** *een ander aanzien* (mis)take s.o. for s.o. else [4] ⟨aan het uiterlijk zien⟩ see, tell ◆ *hij is 70 en het* ***is*** *hem wel aan te zien/maar het* ***is*** *hem niet aan te zien* he is 70 and he looks his age/but he doesn't look that old; *het* ***laat*** *zich aanzien dat* it is likely that, there are signs/indications that; *het* ***laat*** *zich mooi aanzien* it looks good/promising; *naar het zich* ***laat*** *aanzien* to/by/from all appearances, by the looks of it; *het* ***laat*** *zich aanzien dat de crisis weldra voorbij zal zijn* to all appearances the crisis will soon be over [•] *ik zie haar er best* ***voor aan*** I think she's quite capable of it, I wouldn't put it past her

[1]**aanzienlijk** [bn] [1] ⟨voornaam⟩ distinguished, notable, prominent, eminent, important ◆ ⟨zelfstandig (gebruikt)⟩ *de aanzienlijken* the notables; *een aanzienlijke* ***familie*** a distinguished/prominent family; *een aanzienlijk* ***man*** a distinguished/prominent/an eminent man [2] ⟨tamelijk groot⟩ considerable, substantial, fair, goodly, appreciable ◆ *een aanzienlijk* ***aantal/bedrag*** a goodly/considerable/substantial number/amount; *een aanzienlijke* ***breedte*** a considerable/substantial width; *aanzienlijke* ***schade*** ⟨ook⟩ serious damage; *een aanzienlijke* ***som*** *(gelds)* a considerable/substantial/handsome sum; *een aanzienlijke* ***verbetering*** a great/substantial improvement

[2]**aanzienlijk** [bw] ⟨in hoge mate⟩ considerably, substantially, appreciably ◆ *de bustarieven* ***zijn*** *aanzienlijk* ***gestegen*** bus fares have been raised/hiked considerably/substantially/appreciably, bus fares have risen sharply

aanzijn [het] ⟨form⟩ ⟨ogm⟩ existence, life, birth, being

aanzitjacht [de] bait hunting

aanzitten [onov ww] sit at (the) table ◆ *aanzitten* ***aan*** *het banket* be a guest at the banquet

aanzoek [het] [1] ⟨het ten huwelijk vragen⟩ proposal, offer (of marriage), suit ◆ *een aanzoek* ***afwijzen/krijgen/aannemen*** reject/receive/accept a proposal; *een aanzoek* ***doen*** propose; *mijn dochter* ***heeft*** *een aanzoek* ***gehad*** my daughter has been proposed to/has received a proposal of marriage [2] ⟨verzoek, (smeek)bede⟩ request, petition, solicitation, application

aanzoeken [ov ww] apply (to), request, petition, solicit, approach ◆ ***als*** *minister/professor aangezocht worden* be offered the position of minister/professor; *hij is aangezocht* ***om*** *de leiding op zich te nemen* he has been approached/invited to take over the management

[1]**aanzuigen** [ov ww] ⟨door zuigen ergens heen brengen⟩ suck in, suck up/down/under/through

[2]**zich aanzuigen** [wk ww] ⟨zich door zuigen vasthechten⟩ stick/adhere by suction

aanzuiveren [ov ww] [1] ⟨bijpassen⟩ pay (off/up/back), settle (up), make good/up ◆ *achterstallige* ***schulden*** *aanzuiveren* pay off/up/back old debts, pay up arrears; *een* ***tekort/verlies*** *aanzuiveren* make up/good a deficit/loss [2] ⟨jur⟩ check, verify

aanzwellen [onov ww] [1] ⟨opzetten⟩ swell (up/out) [2] ⟨in omvang, sterkte toenemen⟩ swell, rise, build up, surge, ⟨fig⟩ snowball ◆ *de wind zwol* ***tot*** *een orkaan aan* the wind reached gale force

aanzwemmen [onov ww] swim (towards/up) ◆ ***komen*** *aanzwemmen* come swimming along/up; *zij zwom snel* ***op*** *het keerpunt aan* she swam quickly towards the turning point

aanzwengelen [ov ww] [1] ⟨door middel van een zwengel in beweging brengen⟩ crank (up), ⟨motor ook⟩ turn over [2] ⟨op gang brengen⟩ crank up, pump, boost ◆ *de* ***economie/handel*** *aanzwengelen* boost the economy/trade, prime the pump [3] ⟨aan de orde stellen⟩ start, get going

aap

- met staart (zoals de resusaap, slingeraap, baviaan): **monkey**
- mensaap (zoals de orang-oetan, chimpansee, gorilla): **ape**
- (in de biologie) alle soorten apen, inclusief mensen: **primate**

aap [de^{m}] ⟨ook fig; met staart⟩ monkey, ⟨mensaap⟩ ape, ⟨form⟩ simian ◆ ⟨fig⟩ *een* ***aangeklede*** *aap* ⟨bespottelijk of opzichtig gekleed⟩ s.o. dressed up like a dog's dinner; ⟨lelijk persoon⟩ (he/she/... is) no oil painting; ⟨mager, slordig gekleed persoon⟩ a scarecrow; *zo zat* ***als*** *een aap* drunk as a skunk/a lord; ⟨vulg⟩ pissed as a newt; *een gezicht* ***als*** *een aap* a face like a gorilla, the face of a goon, a monkey face; *apen apen apen* ***na*** monkey see, monkey do [•] ***broodje*** *aap* monkey's sandwich, (classic) urban legend, urban belief-tale; ***in*** *de aap gelogeerd zijn* be in a fix, be up the/a creek; ⟨vulg⟩ be up shit creek (without a paddle); *aapjes* ***kijken*** gawk at people; *zich een aap* ***schrikken/lachen*** be scared out of one's wits/silly, laugh o.s. silly/sick; *een aap* ***van*** *een jongen* a good-for-nothing, a rogue; ⟨klein kind⟩ a (little) monkey; ***voor*** *aap staan* look a right monkey, be made a fool of, be played (for) a fool; *iemand* ***voor*** *aap zetten* make a monkey/laughing stock out of s.o., play a trick on s.o.; ⟨in België⟩ *iemand* ***voor*** *de aap houden* make a monkey of/play a trick on s.o., have s.o. on, pull s.o.'s leg; *dat ware de aap* ***gevlooid*** that's an insurmountable job/asking the impossible; *aap, wat heb je mooie jongen spelen* butter s.o. up, lay it on thick, brown-nose; *toen kwam de aap uit de mouw* finally the truth came out, that showed him/her/... in his/her/... true colours; ⟨sprw⟩ *al draagt een aap een gouden ring, het is en blijft* *een lelijk ding* an ape's an ape, a varlet's a varlet, though they be clad in silk or scarlet

aapgod [de^{m}] monkey god, Hanuman

aapje [het] [1] ⟨kleine aap⟩ (little) monkey [2] ⟨huurrijtuig⟩ (hackney/hansom) cab

aapmens [de^{m}] [1] ⟨m.b.t. de evolutie⟩ ape-man, Trinil/Java man [2] ⟨aapachtig mens⟩ ape-man, gorilla, troglodyte, Neanderthal

aar [de] [1] ⟨bloeiwijze⟩ spike, spica ◆ *ijle aar* lax spike; *onderbroken aar* interrupted spike [2] ⟨m.b.t. gras-, graangewassen⟩ spike, ear, head ◆ *in de aar schieten* put forth ears; *aren lezen* glean ears

aard [de^{m}] [1] ⟨m.b.t. personen⟩ nature, disposition, character, make-up, constitution ◆ *dat ligt nu eenmaal in zijn aard, dat is de aard van het beestje* that's just part of his nature/character, that's simply his nature/character, that's just in his nature/blood; *dat ligt niet in mijn aard* it's not in me/my nature; *(hij heeft) een aardje naar zijn vaartje* (he's) a chip off the old block; *zacht van aard* sweet-tempered, gentle; *vriendelijk van aard* friendly by nature, with a kindly nature; *verschillend van aard* ⟨ook⟩ dissimilar; *die jongen is heftig van aard* that boy is hot-tempered/has a fiery temperament; *zijn ware aard tonen* show one's true character/colours [2] ⟨m.b.t. abstracte zaken⟩ nature, sort, kind ◆ *van allerlei aard* of all kinds/sorts, of every description; *de eerste poging van die aard* the first attempt of its kind; *iets van dien aard* sth. of the sort/that sort/that nature; *niets van dien aard* nothing of the kind/sort; *het is niet van dien aard dat* it is not such that; *het ligt in de aard der zaak* it's in the nature of things, it's a matter of course; *uit de aard der zaak* from/in the nature of things, naturally; *meningen van uiteenlopende aard* varied/divergent opinions; *dat is van voorbijgaande aard* that is a passing thing/just a phase; *van welke aard dan ook* in any shape, manner or form, whatsoever [3] ⟨m.b.t. levende wezens, natuur⟩ nature ⊡ *hij werkt dat het een aard heeft* he works with a vengeance/will; ⟨in België⟩ *niet van aard zijn om* not be such that, not be the sort of thing that

aardalkalimetalen [de^{mv}] ⟨scheik⟩ alkaline-earth metals

aardappel [de^{m}] [1] ⟨eetbare knol⟩ potato, ⟨inf⟩ spud, ⟨knol⟩ potato tuber ◆ *de aardappels afgieten* drain the potatoes; *bloemige aardappels* floury/mealy potatoes; *gekookte/gebakken aardappels* boiled/fried potato(es); *hij praat of hij een hete aardappel in zijn mond heeft* ⟨bekakt praten⟩ he talks with a plum in his mouth; *aardappels rooien* dig/lift up/raise potatoes; *zoete aardappels* sweet potato(es), ⟨AE⟩ yams, ⟨AE⟩ potatoes; *aardappels in de schil* potatoes in their ^{B}jackets/^{A}skins [2] ⟨plant⟩ potato ⊡ ⟨sprw⟩ *de domste boeren hebben de dikste aardappels* fortune favours fools

aardappelbak [de^{m}] potato bin

aardappelboer [de^{m}] [1] ⟨leverancier, verkoper⟩ potato dealer [2] ⟨verbouwer⟩ potato farmer/grower

aardappelcampagne [de] potato (digging/lifting/raising) season, potato (digging/lifting/raising) time, potato harvest

aardappelkever [de^{m}] potato beetle, Colorado (potato) beetle, potato bug

aardappelkriel [het] small potatoes, smalls

aardappelkroket [de] potato croquette/puff

aardappelmeel [het] potato flour

aardappelmesje [het] potato peeler/parer/knife

aardappelmoeheid [de^{v}] potato sickness, potato root eelworm (disease)

aardappelneus [de^{m}] bulbous nose

aardappelpoter [de^{m}] [1] ⟨machine⟩ potato planting machine, potato planter [2] ⟨persoon⟩ potato planter

aardappelpuree [de^{v}] mashed potato(es), ⟨inf; BE⟩ mash

aardappelrooien [ww] potato digging/lifting/raising/harvesting

aardappelrooier [de^{m}] potato digger/lifter, ⟨machine ook⟩ potato lifting machine, potato harvester

aardappelschiller [de^{m}] ⟨persoon, mes⟩ potato peeler, ⟨schrapmachine⟩ potato scraper

aardappelschurft [het, de] potato scab

aardappelteelt [de] potato growing, cultivation of potatoes

aardappelziekte [de^{v}] potato disease/blight, potato rot/canker/wart/mildew

aardas [de] earth's axis, axis of the earth

aardatmosfeer [de] (earth's) atmosphere, atmosphere of the earth

aardbaan [de] earth's orbit, orbit of the earth

aardbei [de] [1] ⟨vrucht⟩ strawberry ◆ *een doosje aardbeien* a box/pint/quart of strawberries, ⟨vnl BE⟩ a punnet of strawberries [2] ⟨plant⟩ strawberry (plant/runner)

aardbeienbed [het] strawberry bed, strawberry patch

aardbeienneus [de^{m}] ± nose like a carnation, fiery red nose, red, bulbous nose

aardbeientijd [de^{m}] strawberry season ◆ *in de aardbeientijd* when strawberries are in

aardbeiklaver [de] strawberry clover

aardbeivlek [de] strawberry mark

aardbeivlinder [de^{m}] grizzled skipper

aardbeving [de^{v}] earthquake, (earth) tremor, seism, ⟨inf⟩ quake ◆ *het centrum van de aardbeving* the (epi)centre of the earthquake/seism; *haard van een aardbeving* focus of an earthquake/a seism

aardbevingsgebied [het] earthquake/seismic zone

aardbevingsgolf [de] tidal wave, seismic sea wave, tsunami

aardbevingsgordel [de^{m}] (narrow) earthquake/seismic zone

aardbevingshaard [de^{m}] seismic focus, focus of an earthquake

aardbewoner [de^{m}] earthling, earth dweller, inhabitant of the earth, terrestrial, tellurian

aardbij [de] solitary bee

aardbodem [de^{m}] surface/face of the earth, earth('s surface) ◆ *over de gehele aardbodem verspreid* spread over the face of the earth; *op Gods aardbodem* on God's earth; *honderden mensen werden van de aardbodem weggevaagd* hundreds of people were wiped off the face of the earth

aardbol [de^{m}] [1] ⟨aarde⟩ earth, world, ⟨form⟩ globe [2] ⟨globe⟩ (world/terrestrial) globe

aardboor [de] piercer, earth drill

aardbrand [de^{m}] subterranean fire

aardbuil [de] puff-ball

aarddraad [de^{m}] ground/^{B}earth (wire)

aarde [de] [1] ⟨wereld⟩ earth, world ◆ *de aarde draait om haar as* the earth rotates on its axis; *in een baan om de aarde* in an earth orbit, in orbit round the earth [2] ⟨aardbodem⟩ ground, earth ◆ ⟨fig⟩ *onder de aarde zijn/liggen* be six feet under; ⟨fig⟩ *op aarde zijn/verkeren* be among the living; *ter aarde bestellen* commit to the earth, inhume, inter; *zich ter aarde werpen* throw o.s. to the ground, prostrate o.s.; *de ogen ter aarde slaan* cast one's eyes to the ground/down; ⟨fig⟩ *terug op aarde zijn* come back to earth with a bump; *tactiek van de verschroeide aarde* scorched earth policy [3] ⟨grond⟩ earth, ground, soil ◆ ⟨fig⟩ *in goede aarde vallen* go down well; ⟨fig⟩ *dat valt in goede aarde* that falls on fertile ground; ⟨fig⟩ *het plan viel in goede aarde* the plan was well/favourably received; ⟨fig⟩ *dat zal bij haar niet in goede aarde vallen* she's not going to like that, that won't sit well with her, that'll fall on stony ground with her; *een plant nieuwe aarde geven* give a plant new soil, repot a plant; *zwarte aarde* black/rich soil [4] ⟨aardbol als woonplaats⟩ earth, world ◆ *van het goede der aarde genieten* enjoy the good things of life, live off the fat of the land; *de groten der* *aarde* the great of the earth, the rulers of the world; *tussen* ***hemel*** *en aarde* between heaven and earth, in mid-air; ***op*** *aarde* on earth, under the sun; *de gelovigen* ***op*** *aarde* the faithful/believers on earth, the visible Church [5] ⟨elek⟩ earth, ⟨vnl AE⟩ ground ♦ ***met*** *de aarde* ***verbinden*** earth; ⟨vnl AE⟩ ground [6] ⟨klei⟩ clay [7] ⟨scheik⟩ earth ♦ ***rode*** *aarde* ruddle [•] ⟨sprw⟩ *aarde wil van aarde niet* ± what's bred in the bone comes out in the flesh

¹**aardedonker** [het] pitch-darkness ♦ *in het aardedonker* in pitch-darkness

²**aardedonker** [bn] pitch-dark

aardelektrode [de^v] ground/earth electrode

¹**aarden** [bn] [1] ⟨van aarde gemaakt⟩ earthen ♦ *een aarden* ***wal*** an earth wall, a bank/wall of earth [2] ⟨uit klei gevormd⟩ earthen, clay ♦ *aarden* ***potten*** clay/earthenware/stoneware pots

²**aarden** [onov ww] [1] ⟨+ naar; de aard hebben van⟩ take after, resemble ♦ *hij aardt* ***naar*** *zijn vader* he takes after his father [2] ⟨gedijen⟩ thrive, grow, flourish ♦ *ik aard hier* ***best*** I fit in here, I feel at home here; *dit diertje aardt hier* ***goed*** this animal thrives here; *zij* ***kan*** *hier niet aarden* she can't settle in here, she can't find her niche

³**aarden** [ov ww] ⟨techn⟩ earth, ⟨vnl AE⟩ ground ♦ *je moet dat* ***toestel*** *aarden* you have to earth that appliance/machine

aardeweg [de^m] ⟨in België⟩ sand(y) track/road, dirt track, dirt road

¹**aardewerk** [het] [1] ⟨vaatwerk⟩ earthenware, stoneware, pottery ♦ ***Delfts*** *aardewerk* delftware, Delft; ***Keuls*** *aardewerk* Rhenish pottery, Cologne ware [2] ⟨gebakken aarde, klei⟩ pottery ♦ *een schaal* ***van*** *aardewerk* a pottery dish

²**aardewerk** [bn] earthenware, stoneware, pottery ♦ *een aardewerk* ***schotel*** an earthenware dish/platter

aardewerkfabriek [de^v] pottery, earthenware factory

aardewind [de^m] capstan

aardfout [de] earth fault, ⟨vnl AE⟩ ground fault

aardgas [het] natural gas

aardgasbaten [de^{mv}] ⟨ec⟩ natural gas revenues

aardgasbel [de] natural gasfield, natural gas reserve/deposit/pocket

aardgasbus [de] natural gas engine bus, low emission natural gas-fueled bus

aardgasleiding [de^v] natural gas pipe

aardgasnet [het] natural gas network

aardgasreserve [de] natural gas reserves ⟨mv⟩

aardgastanker [de] (natural) gas tanker

aardgasterminal [de^m] natural gas terminal

aardgebonden [bn] [1] ⟨verbonden met de aarde⟩ earthbound [2] ⟨gehecht aan het aardse bestaan⟩ attached to the temporal existence, attached to this earthly life

aardgeest [de^m] [1] ⟨gnoom⟩ gnome, dwarf, goblin [2] ⟨filos⟩ earth spirit

aardglobe [de] (world) globe, terrestrial globe

aardgordel [de^m] zone

aardhars [het, de^m] bitumen

aardhommel [de^m] bumblebee

¹**aardig** [bn] [1] ⟨vriendelijk⟩ nice, friendly, pleasant, kind ♦ ⟨iron⟩ *wat* ***doe*** *je aardig* how charming you are!; ***iets aardigs*** *voor iemand doen* do s.o. a good turn/kindness, do sth. nice for s.o.; *dat* ***is*** *aardig van je!, wat aardig van je!* how (awfully) nice/kind/thoughtful of you!; *een aardig* ***mens*** a nice person; *ik vond hem al direct* ***niet*** *aardig* I took an immediate dislike to him; *ik* ***vind*** *hem wel aardig* I like him, I think he's nice; *dat* ***vind*** *ik niet aardig van je* I don't think that's very nice of you, I don't appreciate what you did/are doing; *iets niet aardig van iemand* ***vinden*** think sth. not very nice of s.o.; *Jan is aardig* ***voor*** *haar* Jan is good to her; *dat is* ***vreselijk*** *aardig* that is awfully/terribly nice [2] ⟨bekoorlijk⟩ nice, pretty, charming ♦ *het is een aardige* ***meid*** she's a nice girl/a sweet thing; *er liepen heel wat aardige* ***meisjes*** *rond* there were a lot of pretty girls (to be seen/found); *een aardig* ***tuintje*** a nice/pretty garden/yard [3] ⟨vrij groot⟩ fair, nice, goodly, pretty ♦ *een aardig* ***inkomen*** a nice/tidy (little) income; *een aardig* ***poosje*** quite a while, a good while; *een aardige* ***portie*** a sizeable amount; ⟨eten⟩ a generous helping; *ze heeft een aardig* ***winstje*** *gemaakt* she picked up/made a nice profit

²**aardig** [bw] [1] ⟨behoorlijk⟩ nicely, pretty, fairly, ⟨BE⟩ jolly ♦ *aardig* ***dronken*** pretty sloshed; *het* ***heeft*** *aardig* ***gesneeuwd*** it has snowed quite a bit, there's been a fair amount of snow; *dat* ***komt*** *aardig in de richting* that's more like it; *het is aardig* ***koud*** it's pretty/jolly cold; *we* ***schieten*** *aardig* ***op*** *met het werk* the/our work is coming along nicely; *ze* ***timmert*** *aardig aan de weg* she's making a name for herself; *aardig* ***wat*** *geld* quite a bit/a nice bit of money; *aardig* ***wat*** *mensen* quite a few people, quite a crowd; *hij kent aardig* ***wat*** *Engels* he knows quite a bit of English; *ze raakte aardig* ***wat*** *pondjes kwijt* she lost quite a few pounds; *hij is aardig op weg om ...* he is well on his way to ...; *hij zat aardig in de nesten* he was really in a fix [2] ⟨op vriendelijke wijze⟩ nicely ♦ *hij kon zo aardig* ***glimlachen*** he had such a charming smile

aardigheid [de^v] [1] ⟨plezier⟩ fun, pleasure, amusement ♦ *er is* ***geen*** *aardigheid meer aan vandaag de dag* it's no fun anymore/nowadays; *aardigheid* ***hebben*** *in iets* enjoy sth., take pleasure in sth.; *aardigheid* ***krijgen*** *in iets* become interested in sth., (take a) fancy (to) sth.; *iets doen* ***uit*** *aardigheid/* ***voor*** *de aardigheid* do sth. for the fun of it; *ik* ***zie*** *(er) de aardigheid niet (van in)* I don't see the fun of it; ⟨van een anekdote⟩ I don't get the joke/point; *voor mij was de aardigheid er allang af* as far as I was concerned, the pleasure/amusement/fun had long worn off [2] ⟨gezegde⟩ joke, pleasantry [3] ⟨handeling⟩ joke, trick, game ♦ *dergelijke aardigheden* ***laat*** *je voortaan maar!* we can do without such jokes/games, thank you!

aardigheidje [het] small present ♦ *ik* ***heb*** *een aardigheidje* ***meegebracht*** I have brought a little present (with me); *het is maar een aardigheidje* it's nothing really, it's just a little sth.

aarding [de^v] [1] ⟨verbinding met aardelektrode⟩ earthing, ⟨vnl AE⟩ grounding [2] ⟨het aarden⟩ earthing, ⟨vnl AE⟩ grounding

aardkern [de] earth's core, core of the earth, barysphere, centrosphere

aardklem [de] earth/ground terminal, ⟨AE⟩ ground clamp

aardklont [de] clod of earth/dirt, lump of earth/mud/dirt

aardkloot [de^m] (terrestrial) globe

aardkluit [de] clod/lump of earth

aardkorst [de] earth's crust, crust of the earth

aardkromming [de^v] curvature of the earth, earth's curvature ♦ *correctie van de aardkromming* correction for the curvature of the earth

aardkunde [de^v] geology

aardkundig [bn] geologic(al)

aardlaag [de] layer (of the earth), stratum

aardleiding [de^v] earth wire, ⟨vnl AE⟩ ground wire

aardlekschakelaar [de^m] earth leakage circuit breaker, residual current operated circuit breaker

aardmagnetisch [bn] (geo)magnetic

aardmagnetisme [het] terrestrial magnetism, geomagnetism

aardmannetje [het] ⟨Germaanse mythologie⟩ gnome, dwarf, goblin

aardmantel [de^m] mantle

aardmassa [de] [1] ⟨grote hoeveelheid grond⟩ mass of earth [2] ⟨massa van de aarde⟩ mass of earth, earth mass

aardmeetkunde [de^v] geodesy

aardmetalen [de^{mv}] (rare-)earth metals

aardmeting [de^v] (geodetic) surveying

afwijkende geografische namen	1/3
gebieden	
de Alpen	the Alps
de Ardennen	the Ardennes
de Balkan/het Balkangebergte	the Balkans (meervoud)
Beieren	Bavaria
de Himalaya/het Himalayagebergte	the Himalayas (meervoud)
de Krim	the Crimea
de Pyreneeën	the Pyrenees
Scandinavië	Scandinavia
Vlaanderen	Flanders
Wallonië	Wallonia
de Westelijke Jordaanoever	the West Bank

aardmoeder [de^{v}] ⟨lit⟩ earth mother
aardnoot [de] [1] ⟨vrucht⟩ peanut, groundnut, earthnut [2] ⟨plant⟩ peanut, groundnut, earthnut
aardnotenolie [de] groundnut oil, arachis oil
aardolie [de] petroleum
aardolieproduct [het] petroleum product, petrochemical product
aardoppervlakte [de^{v}] surface of the earth, earth's surface
aardpeer [de] [1] ⟨plant⟩ Jerusalem artichoke [2] ⟨eetbare wortelknol⟩ Jerusalem artichoke
aardpek [het, de^{m}] bitumen, pitch, asphalt
aardpijler [de^{m}] earth pillar/pyramid
aardplooi [de] ⟨geol⟩ (earth) fold
aardpool [de] (earth's) pole
aardprofiel [het] profile (of the earth)
aardrijk [het] [1] ⟨rijk der aarde⟩ earth, world [2] ⟨mensdom⟩ earth, world

afwijkende geografische namen	2/3
steden	
Antwerpen	Antwerp
Athene	Athens
Belgrado	Belgrade
Berlijn	Berlin
Boekarest	Bucharest
Brugge	Bruges
Brussel	Brussels
Den Haag	The Hague
Genève	Geneva
Gent	Ghent
Genua	Genoa
Hannover	Hanover
Kaapstad	Cape Town
Keulen	Cologne
Kopenhagen	Copenhagen
Lissabon	Lisbon
Londen	London
Luik	Liège
Luxemburg	Luxembourg
Milaan	Milan
Moskou	Moscow
München	Munich
Oostende	Ostend
Parijs	Paris
Praag	Prague
Venetië	Venice
Vlissingen	Flushing
Warschau	Warsaw
Wenen	Vienna

aardrijkskunde [de^{v}] geography ◆ *les in aardrijkskunde* geography lesson; ***sociale** aardrijkskunde* human geography
aardrijkskundig [bn] geographic(al) ◆ *een aardrijkskundig **woordenboek*** a geographical dictionary/index, a gazetteer
aardrijkskundige [de] geographer
aardrol [de] roller
aards [bn] [1] ⟨wereldlijk⟩ earthly, terrestrial, worldly ◆ *aardse **goederen*** earthly/worldly goods; ***het** aardse* all earthly things; *de weg van al **het** aardse gaan* go the way of all flesh; *een aards **paradijs*** an earthly paradise, paradise (here) on earth, heaven on earth; ⟨fig⟩ *het aardse **slijk*** filthy lucre [2] ⟨mondain⟩ worldly, earthly ◆ *aardse **genoegens*** earthly/worldly pleasures [•] *aardse **kijker*** ⟨tegenover astronomische kijker⟩ terrestrial telescope
aardschaduw [de] shadow of the earth
aardschijn [de^{m}] earthshine, earthlight
aardschok [de^{m}] [1] ⟨aardbeving⟩ earthquake [2] ⟨onverwachte gebeurtenis⟩ upheaval, shock
aardschol [de] (continental/tectonic) plate
aardschors [de] crust of the earth, earth's crust
aardslak [de] slug
aardsluiting [de^{v}] ⟨techn⟩ bad/dead earth, ⟨vnl AE⟩ bad/dead ground, earth short, ⟨vnl AE⟩ ground short
aardster [de] earthstar
aardstraal [de] [1] ⟨halve diameter van de aarde⟩ radius of the earth, earth's radius [2] ⟨schadelijke straal⟩ terrestrial/earth ray
aardstraling [de^{v}] terrestrial radiation
aardstroom [de^{m}] earth/ground current
aardtrilling [de^{v}] earth tremor
aardvarken [het] aardvark, ant-bear
aardvast [bn] ⟨jur⟩ (permanently) attached to the land ◆ *hetgeen op het verkochte aard-, **nagel-** of **wortelvast** gevonden wordt, is onder de koop begrepen* all fixtures and growing plants found on the property are included in the sale; *alles wat aard- en **nagelvast** is* all things attached to the land and the building(s), all natural and artificial fixtures
aardveil [het] ground ivy, alehoof
aardverbinding [de^{v}] ⟨techn⟩ earth connection/contact, ⟨vnl AE⟩ ground connection/contact
aardverschuiving [de^{v}] [1] ⟨afschuiving van de grond⟩ landslide, landslip, mud-slide [2] ⟨grote verandering⟩ upheaval, ⟨m.b.t. verkiezingen⟩ landslide
aardvlo [de] flea-beetle, ⟨AE⟩ flea-bug
aardvrucht [de] root vegetables ⟨mv⟩
aardwarmte [de^{v}] internal heat of the earth, ⟨als energiebron⟩ geothermal energy
aardwetenschappen [de^{mv}] earth sciences
aardworm [de^{m}] [1] ⟨regenworm⟩ (earth)worm, angleworm, rainworm [2] ⟨de mens⟩ worm [3] ⟨dierk; klasse⟩ earthworm
aars [de^{m}] anus, ⟨BE⟩ ↓arse, ⟨AE⟩ ↓ass
aarsgewei [het] tramp stamp
aarsmade [de] seatworm
aarsvin [de] anal fin
aartsbedrieger [de^{m}], **aartsbedriegster** [de^{v}] arch deceiver
aartsbedriegster [de^{v}] → **aartsbedrieger**
aartsbisdom [het] archbishopric
aartsbisschop [de^{m}] archbishop
aartsbisschoppelijk [bn] [1] ⟨m.b.t. de aartsbisschop⟩ archiepiscopal, pertaining to the archbishop [2] ⟨m.b.t. het aartsbisdom⟩ archiepiscopal, pertaining to the archbishopric
aartsbooswicht [de^{m}] arch villain
1**aartsconservatief** [de^{m}] archconservative, diehard
2**aartsconservatief** [bn, bw] archconservative, ultraconservative

aartsdeugniet [de^{m}] arrant knave, arrant rogue
aartsdiaken [de^{m}] [1] ⟨r-k, gesch⟩ archdeacon, vicar, forane [2] ⟨anglic⟩ archdeacon [3] ⟨prot⟩ archdeacon
aartsdiocees [het] archdiocese
aartsdom [bn] (as) stupid/^{A}dumb as they come, incredibly stupid/^{A}dumb
aartsengel [de^{m}] ⟨r-k⟩ archangel

afwijkende geografische namen 3/3

water	
de Adriatische Zee	the Adriatic (Sea)
de Atlantische Oceaan	the Atlantic (Ocean)
het Bodenmeer	Lake Constance
de Donau	the Danube
de Egeïsche Zee	the Aegean (Sea)
de Golf van Biskaje	the Bay of Biscay
het Kanaal	the English Channel
de Maas	
· in het Nederlandse stroomgebied	the Maas
· stroomgebied buiten Nederland	the Meuse
de Middellandse Zee	the Mediterranean
de Noordzee	the North Sea
de Oostzee	the Baltic (Sea)
de Rijn	the Rhine
de Stille Oceaan	the Pacific (Ocean)
de Theems	the Thames
de Waddenzee	the Wadden Sea

aartsgierig [bn] miserly, tightfisted, ⟨BE ook⟩ mean
aartshertog [de^{m}] archduke
aartshertogdom [het] archduchy
aartshertogelijk [bn] archducal
aartshertogin [de^{v}] [1] ⟨gemalin van een aartshertog⟩ archduchess [2] ⟨keizerlijke prinses⟩ archduchess
aartshuichelaar [de^{m}] arch-hypocrite, thorough/complete/total hypocrite
aartsketter [de^{m}] arch-heretic, heresiarch
aartsleugenaar [de^{m}] inveterate liar
aartslui [bn] bone idle/lazy
aartsluilak [de^{m}] utter/absolute lazybones, ⟨BE ook⟩ utter/absolute layabout
aartspriester [de^{m}] archpriest
aartstwijfelaar [de^{m}] ⟨aarzelaar⟩ inveterate shilly-shallyer/waverer/wobbler, ⟨ongelovige⟩ inveterate doubter
aartsvader [de^{m}] [1] ⟨stamvader van het Israëlitische volk⟩ patriarch [2] ⟨patriarch⟩ patriarch
^{1}**aartsvaderlijk** [bn] ⟨tot een aartsvader behorend⟩ patriarchal
^{2}**aartsvaderlijk** [bn, bw] ⟨ouderwets⟩ patriarchal ⟨bw: ~ly⟩, old-fashioned, ancient
aartsvijand [de^{m}] [1] ⟨doodsvijand⟩ arch-enemy, mortal/deadly enemy [2] ⟨fig⟩ arch-enemy, great/deadly enemy
aarvormig [bn] ⟨plantk⟩ spicate(d), spike-shaped, spiciform
aarzelen [onov ww] hesitate (between/to do/...), waver, vacillate (between), hang/hold back (from -ing) ◆ *hij aarzelde een* ***beetje*** he hesitated somewhat/was somewhat hesitant/wavered; *hij* ***deed*** *mij aarzelen* ⟨ook⟩ he made me pause; *aarzelen iets te* ***doen*** hesitate about doing sth., hang/hold back from doing sth.; *zij aarzelde* ***in te grijpen*** she hesitated before intervening, she could not decide wether to intervene; *zij aarzelde* ***niet*** *om haar mening te geven* she didn't hesitate to give/wasn't backward in giving her opinion; *ik aarzel* ***nog*** ⟨ook⟩ I am still in doubt; *aarzelen* ***op*** *het beslissende moment* ⟨ook⟩ falter at the decisive moment; ***zonder*** *aarzelen* ⟨bereidwillig ook⟩ readily; ⟨vastberaden ook⟩ unwaveringly
aarzelend [bn, bw] hesitant ⟨bw: ~ly⟩, hesitating ⟨bw: ~ly⟩, irresolute, reluctant, undecided ◆ *iets aarzelend* ***doen*** do sth. hesitantly/reluctantly; *een aarzelend* ***schijnsel*** ⟨wisselende sterkte⟩ a wavering light/glimmer, ⟨zwak⟩ a hesitant light/glimmer, a shimmer
aarzeling [de^{v}] [1] ⟨het aarzelen⟩ ⟨vnl. weifelachtigheid⟩ hesitancy, ⟨vnl. weifeling⟩ hesitation, ⟨geaarzel⟩ shilly-shallying, ⟨twijfel⟩ doubt ◆ ***na*** *enige aarzeling* after some hesitation; *haar aarzeling* ***verbaast*** *me niet* I don't wonder at her hesitancy/hesitation/doubt; ***zonder*** *aarzeling* ⟨ook⟩ readily, promptly [2] ⟨opzicht waarin men aarzelt⟩ hesitation
^{1}**aas** [het] [1] ⟨lokspijs⟩ bait ◆ ***in*** *het aas* ***bijten*** swallow the bait; ***levend*** *aas* live bait; ***van*** *aas* ***voorzien*** bait (the hook/trap) [2] ⟨voedsel⟩ food, ⟨grote dieren en vogels⟩ prey [3] ⟨kreng⟩ carrion
^{2}**aas** [het, de^{m}] [1] ⟨sport; de één⟩ ace ◆ *de aas van* ***harten/ruiten*** the ace of hearts/diamonds; *slag maken* ***met*** *de aas* make the ace; ***onder*** *zijn aas* ***uitkomen*** lead (away) from one's ace [2] ⟨uitblinker⟩ ace
aasdier [het] → **aaseter**
aaseter [de^{m}], **aasdier** [het] scavenging animal, scavenger, carrion eater, ⟨vogel⟩ carrion bird
aasgier [de^{m}] [1] ⟨vogel⟩ Egyptian vulture [2] ⟨persoon⟩ vulture
aasje [het] iota, grain, jot, modicum, bit ◆ *hij heeft* ***geen*** *aasje verstand* he hasn't a grain of (common) sense; *een aasje* ***wind*** a breath/whiff/puff (of wind)
aaskever [de^{m}] scavenger (beetle), carrion beetle
aasvis [de^{m}] baitfish, gudgeon, ⟨AE ook⟩ killifish
aasvlieg [de] bluebottle, blue/meat/flesh fly
a.a.u.b. [afk] (antwoord alstublieft) RSVP
AAW [de] (Algemene Arbeidsongeschiktheidswet) General Disablement Act, General ^{A}Disability Act
a.b. [afk] [1] (als boven) as above [2] (aan boord) on board
AB [het] → **ABN**
abacadabra [het] → **abracadabra**
abactis [de^{m}] (student union) secretary
abacus [de^{m}] [1] ⟨telraam⟩ abacus [2] ⟨dekplaat⟩ abacus
abandonnement [het] [•] ⟨jur⟩ ***recht*** *van abandonnement* right of abandonment
abandonneren [ov ww] [1] ⟨afstand doen van⟩ abandon ◆ *geabandonneerd* ***goed*** abandoned/ownerless property [2] ⟨verlaten⟩ desert, forsake, abandon ◆ *geabandonneerd* ***gebied*** derelict/deserted area/region [3] ⟨schaak⟩ resign
abat-jour [het] [1] ⟨bovenlicht⟩ skylight, ⟨bouwk⟩ rooflight [2] ⟨lampenkap⟩ lampshade [3] ⟨zonneblind⟩ louvred shutter, persienne
abattoir [het] slaughterhouse, abattoir
abbatiaal [bn] abbatial ◆ *abbatiale* ***mis*** abbatial Mass
abbé [de^{m}] abbé
abbreviatie [de^{v}] abbreviation
abbreviatuur [de^{v}] abbreviation
abbreviëren [ov ww, ook abs] abbreviate
abc [het] ABC ◆ *iets kennen* ***als*** *het abc* know sth. backwards (and forwards), know sth. from a to z; ⟨fig⟩ *het abc van een* ***wetenschap*** *of* ***kunst*** the ABC of an art or science
ABC-eilanden [de^{mv}] Aruba, Bonaire and Curaçao
abces [het] abscess ◆ ***koud*** *abces* cold abscess
Abchazië [het] Abkhazia
ABC-oorlog [de^{m}] ABC-warfare
abc'tje [het] child's play, breeze, cinch, piece of cake ◆ *het is een abc'tje* it's child's play/a piece of cake/as easy as pie
ABC-wapens [de^{mv}] ABC weapons ⟨mv⟩, ABC armament ⟨enk⟩
abdicatie [de^{v}] abdication
abdiceren [onov ww] abdicate
abdij [de^{v}] abbey
abdijbier [het] ⟨in België⟩ abbey beer
abdijsiroop [de] (abbey) cough syrup

abdis [de^{v}] abbess
abdomen [het] **1** ⟨onderbuik⟩ abdomen **2** ⟨achterlijf van een insect⟩ abdomen
abdominaal [bn] abdominal
abductie [de^{v}] abduction
abecedarium [het] abecedarium
abeel [de^{m}] ⟨Populus alba⟩ white poplar, abele, ⟨Populus canescens⟩ gray poplar
abel [bn] ⊡ *abel **spel*** ± medieval drama/play
aberratie [de^{v}] **1** ⟨afwijking⟩ aberration, deviation ◆ ⟨natuurk⟩ ***chromatische** aberratie* chromatic aberration; ***sferische** aberratie* spherical aberration **2** ⟨astron⟩ aberration
Abessijns [bn] Abyssinian ◆ *Abessijnse **kat*** Abyssinian cat
Abessinië [het] Abyssinia
A-biljet [het] (standard) income tax return form, ⟨AE⟩ ± 1040 form
abiogenesis [de^{v}] ⟨biol⟩ abiogenesis, autogenesis, spontaneous generation
abituriënt [de^{m}] matriculant, grammar/secondary/high/... school leaver, ⟨Groot-Brittannië⟩ school leaver with A levels, ⟨USA⟩ high-school graduate
abject [bn] despicable, abject
ablatie [de^{v}] **1** ⟨med; loslating van het netvlies⟩ retinal detachment **2** ⟨med; wegneming van een orgaan⟩ ablation **3** ⟨geol⟩ ablation **4** ⟨ruimtev⟩ ablation
ablatief [de^{m}], **ablativus** [de^{m}] ⟨taalk⟩ ablative ◆ ***losse** ablatief, ablativus absolutus* ablative absolute
ablativus [de^{m}] → **ablatief**
ablaut [de^{m}] ⟨taalk⟩ ablaut, vowel gradation
ablutie [de^{v}] **1** ⟨r-k⟩ ablution **2** ⟨afbreken strafvervolging⟩ discontinuance, nolle prosequi
ABN [het], **AB** [het] (Algemeen Beschaafd Nederlands) Standard (Educated) (Dutch)
[1]**abnormaal** [bn] **1** ⟨afwijkend van de gewoonte⟩ abnormal, irregular, anomalous, ⟨i.h.b. m.b.t. gedrag⟩ deviant, aberrant ◆ *een abnormale **droogte*** an abnormal/unnatural drought, ⟨voor de tijd van het jaar⟩ an unseasonable drought; ***niets** abnormaals* nothing out of the ordinary, nothing unnatural/abnormal/uncommon **2** ⟨afwijkend van de gewone gedaante⟩ abnormal, misshapen, deformed ◆ *een abnormaal **hart*** an abnormal heart **3** ⟨geestelijk afwijkend⟩ abnormal, subnormal, mentally handicapped ◆ *hij **is** een beetje abnormaal* ⟨ook⟩ he is not quite normal
[2]**abnormaal** [bw] ⟨op afwijkende wijze⟩ abnormally, anomalously
abnormaliteit [de^{v}] **1** ⟨afwijking van het normale⟩ abnormality, irregularity, anomaly, ⟨i.h.b. m.b.t. gedrag⟩ deviation, aberrance **2** ⟨geestelijke afwijking⟩ abnormality, mental handicap **3** ⟨afwijking van de gewone gedaante⟩ abnormality, deformity
aboleren [ov ww] rescind
A-bom [de] A-bomb
abominabel [bn, bw] abominable ⟨bw: abominably⟩, appalling, scandalous, shocking
abondant [bn, bw] plenteous, abundant
abonnee [de] ⟨krant, telefoon, concertserie⟩ subscriber (to), ⟨trein, tram, concertzaal, zwembad⟩ season-ticket holder
abonneenummer [het] subscriber('s) number
abonneetelevisie [de^{v}] pay television/cable, subscription television
abonnement [het] **1** ⟨het zich abonneren⟩ ⟨krant, telefoon, concertserie⟩ subscription (to), ⟨trein, tram, concertzaal, zwembad⟩ taking/buying a season ticket ◆ *een abonnement **nemen** op .../opzeggen/vernieuwen* ⟨krant enz.⟩ subscribe to ..., discontinue/renew a subscription **2** ⟨kaart⟩ ⟨trein enz.⟩ season (ticket), ⟨concertserie⟩ subscription, subscriber's ticket ◆ *ik **heb** mijn abonnement verloren* I have lost my subscription (card)/season ticket
abonnementhouder [de^{m}], **abonnementhoudster** [de^{v}] ⟨trein, tram, concertzaal, zwembad⟩ season-ticket holder, ⟨concertserie⟩ subscriber (to)
abonnementhoudster [de^{v}] → **abonnementhouder**
abonnementskaart [de] ⟨trein, tram, concertzaal, zwembad⟩ season ticket, ⟨concertserie⟩ subscription, subscriber's ticket
abonnementsprijs [de^{m}] subscription rate
abonnementsvoorwaarden [de^{mv}] terms of subscription
[1]**abonneren** [ov ww] ⟨een abonnement verstrekken⟩ enter as subscriber, sell a season ticket to ◆ ⟨fig⟩ *hij is **erop** geabonneerd* it's always happening to him, he's a regular sucker for it
[2]**zich abonneren** [wk ww] ⟨zich als abonnee opgeven⟩ ⟨week- en dagblad⟩ subscribe (to), take out a subscription (to), ⟨concertserie⟩ take/buy a season ticket (for) ◆ *zich **op** concerten/op een krant abonneren* take a season ticket for concerts, subscribe to concerts/a paper
ABOP [de^{m}] (Algemene Bond van Onderwijzend Personeel) General/Non-denominational Union of Teachers
Aboriginal [de^{m}] Aboriginal
Aborigines [de^{mv}] Aborigines, ⟨zelden⟩ Aboriginals ◆ ***van/met betrekking tot** de Aborigines* Aboriginal
[1]**aborteren** [onov ww] ⟨med; een miskraam hebben⟩ abort, miscarry
[2]**aborteren** [ov ww, ook abs] ⟨een zwangerschap onderbreken⟩ abort (a pregnancy/foetus), ⟨onovergankelijk werkwoord ook; euf⟩ terminate a pregnancy, perform an abortion (on), carry out an abortion (on), ⟨jur⟩ procure an abortion (on) ◆ *zij **liet** zich aborteren* she had an abortion
aborteur [de^{m}], **aborteuse** [de^{v}] abortionist
aborteuse [de^{v}] → **aborteur**
abortief [bn] **1** ⟨vruchtafdrijvend⟩ abortifacient, abortive **2** ⟨niet tot volledige ontwikkeling komend⟩ abortive
abortoir [het] ⟨inf; pej⟩ ± abortion shop
abortus [de^{m}] **1** ⟨zwangerschapsonderbreking⟩ abortion ◆ ***illegale** abortus* illegal abortion; ⟨inf⟩ back-street abortion; *abortus **plegen/opwekken*** perform/carry out/induce (an) abortion, ⟨jur⟩ procure (an) abortion; ⟨euf⟩ terminate a pregnancy **2** ⟨miskraam⟩ abortion, miscarriage ◆ *abortus provocatus* (induced) abortion, pregnancy termination, termination of pregnancy
abortusbeweging [de^{v}] abortionism, pro-abortionism, pro-abortion movement
abortusboot [de] abortion ship
abortuskliniek [de^{v}] abortion clinic
abortuspil [de] abortion pill
abortusregeling [de^{v}] abortion law
abortustoerisme [het] abortion tourism
abortusvraagstuk [het] issue of abortion
abortuswet [de] Abortion Act
ABOS [het] ⟨in België⟩ (Algemeen Bestuur voor Ontwikkelingssamenwerking) Central Bureau for Development/Foreign Aid
à bout portant [bw] pointblank, ⟨ook fig⟩ at pointblank, at close range ◆ *ik **vroeg** hem à bout portant ...* I asked him pointblank/straight out ...
ABP [het] (Algemeen Burgerlijk Pensioenfonds) Non-denominational/National Civil Pension Fund
abracadabra [het] **1** ⟨toverspreuk⟩ abracadabra **2** ⟨wartaal⟩ abracadabra, mumbo-jumbo ◆ *dat is abracadabra **voor** hem* that is all mumbo-jumbo/Chinese/double Dutch to him
abraham [de^{m}] 'Abraham biscuit', large fancy gingerbread man
Abraham [de^{m}] Abraham ⊡ *hij **heeft** Abraham **gezien*** he won't see fifty again; *hij weet waar Abraham de mosterd haalt* he has been around, there are no flies on him
abrasie [de^{v}] ⟨geol⟩ abrasion

abri [de^{m}] bus shelter
abricoteren [ov ww] top/cover with apricot jam
[1]**abrikoos** [de^{m}] ⟨boom⟩ apricot
[2]**abrikoos** [de] ⟨vrucht⟩ apricot ◆ *abrikozen op brandewijn* brandied apricots
[1]**abrupt** [bn] ⟨hortend⟩ abrupt, disconnected, disjointed ◆ *een abrupte* ***stijl*** an abrupt/a disjointed manner/style
[2]**abrupt** [bn, bw] ⟨plotseling⟩ abrupt ⟨bw: ~ly⟩, sudden ◆ *abrupt* ***halt*** *houden* stop short/abruptly, stop dead (in one's tracks)
ABS [het] (antiblokkeersysteem) ABS
abscis [de] ⟨wisk⟩ abscissa ◆ *abscis en* ***ordinaat*** abscissa and ordinate
abseilen [ww] abseil, rappel ◆ *in de vakantie hebben we aan abseilen gedaan* we did some abseiling during the holidays
absence [de] ⟨med⟩ absence
absent [bn] [1] ⟨afwezig⟩ absent ◆ ⟨zelfstandig (gebruikt)⟩ *de absenten aantekenen* take down the absentees; *zij* ***is*** *vaak absent* she is often absent [2] ⟨verstrooid⟩ absent(-minded)
absenteïsme [het] absenteeism
absentenlijst [de] list of absentees
zich absenteren [wk ww] absent (o.s.), leave the room
absentie [de^{v}] [1] ⟨afwezigheid⟩ absence [2] ⟨verstrooidheid⟩ absent-mindedness
abside [de^{v}] → **apsis**
absint [het, de^{m}] absinth
absolutie [de^{v}] ⟨r-k⟩ [1] ⟨vergiffenis van zonden⟩ absolution [2] ⟨formule hiervoor⟩ absolution [3] ⟨kwijtschelding van straffen⟩ absolution ◆ ***generale*** *absolutie* general absolution; *de absolutie* ***geven*** ⟨ook⟩ absolve [4] ⟨deel van het breviergebed⟩ absolution
absolutisme [het] [1] ⟨volstrektheid van gelding, gezag⟩ absolutism [2] ⟨alleenheerschappij⟩ absolutism
absolutistisch [bn, bw] absolutist
[1]**absoluut** [bn] [1] ⟨op zichzelf staand⟩ absolute ◆ *absolute* ***cijfers/hoeveelheden*** absolute numbers/quantities; *absoluut* ***geheugen*** total recall; *absoluut* ***gehoor*** absolute/perfect pitch; ⟨filos⟩ ***het*** *absolute* the absolute [2] ⟨volkomen⟩ absolute, perfect, utter ◆ *op het absolute* ***dieptepunt*** ⟨ook⟩ when touching rock-bottom; *op het absolute* ***hoogtepunt*** *van haar carrière* at the absolute peak/very height of her career; *een absoluut* ***minimum*** an absolute/irreducible/a rock-bottom minimum; *absolute* ***onwetendheid*** sheer/total/absolute/utter ignorance; *absolute* ***stilte/eenzaamheid*** absolute/dead/complete/perfect/utter silence/loneliness; *een absolute* ***vereiste*** ⟨ook⟩ a prerequisite; *absolute* ***zekerheid*** dead/complete certainty, cast-iron certainty [3] ⟨volstrekt zuiver⟩ absolute, pure ◆ *absolute* ***alcohol*** absolute/pure alcohol [4] ⟨geheel onafhankelijk⟩ absolute ◆ *absoluut* ***gezag*** absolute power; *een absoluut* ***vorst*** an absolute ruler; ⟨vnl gesch⟩ a potentate [5] ⟨uit de eigen middelen van een kunst voortkomend⟩ ⟨muz, film⟩ absolute
[2]**absoluut** [bw] ⟨volstrekt⟩ absolutely, utterly, perfectly ◆ *ik heb absoluut* ***geen tijd*** I simply have no time at all, I haven't a single moment; *je hebt absoluut* ***geen kans*** ⟨ook⟩ you haven't an earthly chance, ⟨inf⟩ you haven't a hope in hell; *absoluut* ***niet*** by no means, on no account/condition, absolutely not; *ik weet het absoluut* ***niet*** I really don't know at all, I don't know in the least, I simply don't know; *hij kan absoluut* ***niet*** *autorijden* ⟨ook⟩ he definitely can't drive/can't drive to save his life; *absoluut* ***niets*** nothing at all/whatever/on earth, absolutely nothing; *dat is absoluut* ***onmogelijk*** ⟨ook⟩ that's physically/categorically impossible, that's a physical/sheer impossibility; *ik ben er absoluut* ***tegen*** ⟨ook⟩ I'm dead against it; *ik wil het absoluut* ***weten*** ⟨ook⟩ I definitely want to know, I'm determined to know; *zij* ***wil*** *absoluut actrice worden* ⟨ook⟩ she is set on becoming an actress, ⟨inf⟩ she is hell-bent on becoming an actress; *ik ben (er) absoluut* ***zeker*** *(van) dat ze er was* ⟨ook⟩ I'm positive/dead certain that she was there; *weet je het zeker? absoluut!* are you sure? absolutely!/(I'm) positive!; *heb ik geen gelijk? absoluut!* wasn't/aren't I right?, absolutely!/entirely!, ⟨AE ook⟩ wasn't/aren't I right?, sure thing!
absoluutheid [de^{v}] absoluteness
absolveren [ov ww, ook abs] [1] ⟨vrijstelling verlenen⟩ absolve, ⟨examens vooral⟩ exempt (from) ◆ *absolverende* ***tentamens*** exemptive examinations [2] ⟨vergeving van zonden schenken⟩ absolve (from)
absorbaat [het] [1] ⟨geabsorbeerde stof⟩ absorbate [2] ⟨atoomkern⟩ isotope
absorbens [de^{m}] absorbent
absorberen [ov ww, ook abs] [1] ⟨inzuigen⟩ absorb ◆ *absorberend* ***middel*** absorbent, absorbing agent; *absorberende* ***stof****, absorberend* ***materiaal*** absorbent (substance/material) [2] ⟨fig⟩ absorb ◆ ***door*** *iets geabsorbeerd zijn* be absorbed/engrossed/wrapped up in sth.
absorptie [de^{v}] [1] ⟨inzuiging⟩ absorption ◆ *absorptie van een* ***straling/geluid*** absorption of radiation/sound [2] ⟨med⟩ absorption
absorptieband [de^{m}] absorption band
absorptiespectrum [het] absorption spectrum
absorptiestreep [de] absorption line
absorptievat [het] absorber
absorptievermogen [het] ⟨m.b.t. gassen, vloeistoffen⟩ absorptive power, ⟨m.b.t. straling⟩ absorptivity
absoute [de] ⟨r-k⟩ absolution ◆ *de absoute* ***verrichten*** pronounce the absolution
[1]**abstinent** [de^{m}] abstainer, ⟨i.h.b. m.b.t. alcohol⟩ teetotaller, ⟨AE⟩ teetotaler
[2]**abstinent** [bn] abstinent, ⟨i.h.b. m.b.t. alcohol⟩ teetotal, ⟨m.b.t. geslachtsdaad ook⟩ continent, ⟨matig⟩ abstemious, moderate
abstinentie [de^{v}] abstinence, ⟨m.b.t. alcohol ook⟩ teetotallism, ⟨AE⟩ teetotalism, ⟨m.b.t. geslachtsdaad ook⟩ continence
abstinentieverschijnsel [het] withdrawal symptom/effect
zich abstineren [wk ww] abstain (from)
[1]**abstract** [bn] [1] ⟨onstoffelijk⟩ abstract ◆ *een abstract zelfstandig* ***naamwoord*** an abstract noun [2] ⟨door redenering afgeleid⟩ abstract, theoretical, ⟨onduidelijk⟩ abstruse ◆ *een abstract* ***betoog*** ⟨pej⟩ an abstruse/an academic/a far-fetched argument; *abstracte* ***denkbeelden*** abstract/theoretical ideas; *abstracte* ***wetenschappen*** theoretical/abstract sciences [3] ⟨bk⟩ abstract, ⟨muz ook⟩ absolute
[2]**abstract** [bw] [1] ⟨los van de aanschouwing, werkelijkheid⟩ abstractly, in the abstract, absolutely ◆ *abstract* ***redeneren*** reason in the abstract [2] ⟨bk⟩ abstractly ◆ *abstract* ***schilderen*** paint in the abstract, paint abstracts ⟨mv⟩, paint abstractions ⟨mv⟩
abstractie [de^{v}] [1] ⟨het abstraheren⟩ abstraction ◆ ***onder*** *abstractie* ***van*** abstracting (from) [2] ⟨afgetrokken begrip⟩ abstraction [3] ⟨verstrooidheid⟩ absent-mindedness, abstraction
abstractieniveau [het] abstraction level, ability to think on an abstract level
abstractum [het] abstraction, abstract word/concept ⟨enz.⟩
abstraheren [ov ww, ook abs] [1] ⟨ontdoen van het concrete⟩ abstract (from) [2] ⟨in gedachte afzonderen⟩ abstract (from)
abstruus [bn, bw] abstruse ⟨bw: ~ly⟩
absurd [bn, bw] absurd ⟨bw: ~ly⟩, ⟨ongerijmd ook⟩ incongruous, ⟨dwaas⟩ ridiculous, ludicrous, ⟨sterker⟩ preposterous ◆ *dat* ***is*** *absurd* that is absurd/ludicrous/ridiculous/preposterous; *absurde* ***redenaties*** ⟨ook⟩ pointless/inept reasoning(s); *een absurd* ***toeval*** an extraordinary/a ridiculous/daft coincidence
absurdisme [het] absurdism ◆ *het absurdisme van* ***Pinter*** Pinter's absurdism

Absurdistan [het] Absurdistan, Looking-glass land ♦ *toen we dat hoorden, waanden we ons **in** Absurdistan* when we heard that, everything seemed quite surreal
absurdistisch [bn] absurdist ♦ *absurdistische **toneelliteratuur*** absurdist drama, drama of the absurd
absurditeit [de^v] absurdity, ⟨ongerijmdheid⟩ incongruity, ⟨dwaasheid⟩ folly, ⟨sterker⟩ preposterousness
abt [de^m] abbot
¹abuis [de^m] mistake, slip, lapse, error, oversight ♦ ***per/bij** abuis* by mistake, in error, erroneously
²abuis [bn] mistaken, in error, wrong ♦ *u **is** abuis* ⟨u hebt het mis⟩ you are mistaken, ↓you've got it wrong; ⟨u bent verkeerd⟩ you are/must be mistaken
abundantie [de^v] [1] ⟨overvloed⟩ (super)abundance [2] ⟨mate waarin iets voorkomt⟩ abundance
abuseren [ov ww] maltreat, ill-use
abusief [bn] erroneous, mistaken
abusievelijk [bw] mistakenly, erroneously, by mistake, unintentionally, inadvertently
Abva [de^m] (Algemene Bond Van Ambtenaren) National/Non-denominational Union of Civil Servants
ABVV [het] ⟨in België⟩ (Algemeen Belgisch Vakverbond) Belgian Socialist Trade Union
ABW [de^m] (Algemene Bijstandswet) General Social Security Act
abyssaal [bn] [1] ⟨geol; diepzee-⟩ abyssal ♦ *abyssale **zone*** abyssal zone [2] ⟨geol; plutonisch⟩ plutonic
AC [afk] (alternating current) AC, ac
A.C. [afk] (appellation contrôlée) appellation controlée
acacia [de^m] [1] ⟨plantk; geslacht⟩ Acacia [2] ⟨boom⟩ locust (tree), (false) acacia, Robinia ♦ ***ruige** acacia* rose acacia
acaciahout [het] acacia wood, locust
acad. [afk] (academie) acad
academica [de^v] → **academicus**
academicus [de^m], **academica** [de^v] university/college graduate, person with a university education, ⟨werkzaam aan universiteit⟩ academic
academie [de^v] [1] ⟨genootschap⟩ academy ♦ *de **Koninklijke** Academie voor Beeldende/Schone Kunsten* the Royal Academy of Fine Arts; *de Koninklijke Nederlandse Academie van **Wetenschappen*** the Royal Netherlands Academy of Sciences [2] ⟨universiteit, hogeschool⟩ academy, university, college ♦ *de Koninklijke **Militaire** Academie te Breda* the Royal Military Academy at Breda; *de academie van **Leiden*** Leiden University; ***pedagogische** academie* teachers' training college; ⟨Groot-Brittannië⟩ College of Education; ⟨USA; zelfstandig⟩ Teachers' College; ⟨USA; binnen universiteit⟩ School of Education, Education Department; ***sociale** academie* college for social work; ⟨Groot-Brittannië⟩ ± College of Social Studies; ⟨USA; binnen universiteit⟩ ± School/Department of Social Work; *academie **voor** lichamelijke opvoeding* ⟨binnen universiteit⟩ Department of Physical Education [3] ⟨gebouw⟩ academy (building)
academiestad [de] university town/city, ⟨Breda e.d.⟩ town/city with an academy
academisch [bn, bw] [1] ⟨m.b.t. een universiteit, hogeschool⟩ academic ⟨bw: ~ally⟩, university, ⟨AE⟩ college ♦ *academisch **gevormd*** university educated/trained; ⟨predicatief⟩ trained academic; *academisch **gevormd** zijn* have (had) a university education, be a university/college graduate; *een academische **graad*** a university/an academic degree; *academisch **kwartiertje*** ± break between lectures; *een academische **opleiding*** a university education; *iemand met een academische **opleiding*** ⟨ook⟩ a university/college graduate, s.o. with an academic background; *een academisch **salaris*** an academic stipend/salary; *Academisch **Statuut*** ± University Charter; *een academische **studie*** ⟨alg⟩ academic studies; ⟨m.b.t. een bepaald onderwerp⟩ an academic study; ⟨studierichting⟩ an academic subject; ⟨studieprogramma⟩ a university (degree) course; *academische **titels*** academic titles/degrees; *academische **vorming*** academic training; *de academische **wereld*** ⟨ook⟩ academia; ⟨m.b.t. laksheid, conformisme en vreedzaamheid⟩ (the groves of) Academe; *het academisch **ziekenhuis*** the university/teaching hospital [2] ⟨bk⟩ academic ⟨bw: ~ally⟩ ♦ *zij heeft een academische **stijl*** she has an academic style [3] ⟨theoretisch⟩ academic ⟨bw: ~ally⟩ ♦ *een academische **vraag/kwestie*** an academic question/point [•] ⟨in België⟩ *academische **zitting*** solemn session/meeting/ceremony
academisme [het] [1] ⟨opvatting van beeldende kunst⟩ academicism, academism [2] ⟨het zich laten leiden door regels⟩ academicism, academism
acajou [het] acajou, African mahogany
acajouboom [de^m] cashew tree
acanthus [de^m], **akant** [de^m] acanthus
acanthusblad [het] acanthus
acanthusmotief [het] acanthus
a capella ⟨muz⟩ a cappella, ⟨bijvoeglijk naamwoord⟩ unaccompanied, ⟨bijwoord⟩ without accompaniment
acaricide [de] ⟨scheik⟩ acaricide
acc. [afk] [1] (accepi) acc [2] (accusatief) acc
accelerando [bw] ⟨muz⟩ accelerando
acceleratie [de^v] [1] ⟨versnelling⟩ acceleration [2] ⟨biol⟩ acceleration
acceleratiepomp [de] accelerator pump
acceleratieproef [de] acceleration test
acceleratiesnelheid [de^v] acceleration rate, rate of acceleration
acceleratievermogen [het] acceleration, power to accelerate
accelerator [de^m] [1] ⟨deeltjesversneller⟩ accelerator [2] ⟨acceleratiepomp⟩ accelerator pump [3] ⟨scheik⟩ accelerator, accelerant
accelereren [ov ww, ook abs] accelerate
accelerometer [de^m] accelerometer
accent [het] [1] ⟨klemtoon⟩ accent, ⟨ook fig⟩ stress, ⟨fig⟩ emphasis ♦ *het accent **krijgen/hebben** op de eerste lettergreep* be accented/have the accent on the first syllable; *het accent **leggen** op* stress, emphasize, accentuate, lay the stress/emphasis/accent on; ⟨fig⟩ *het accent **verschuiven*** shift the emphasis [2] ⟨muz⟩ accent [3] ⟨(klem)toonteken⟩ accent, ⟨wisk⟩ prime [4] ⟨tongval⟩ accent(s), ⟨stembuiging⟩ intonation ♦ *een **bekakt** accent* a stuck-up/posh accent; *haar **Nederlandse** accent is nog goed hoorbaar* her Dutch accent still comes/shows through; *een sterk/licht **Nijmeegs** accent* a broad/mild Nijmegen accent; *Frans met een (sterk) **Spaans** accent* French with a (heavy/pronounced) Spanish accent; *Engels spreken **zonder** accent* speak English without an accent [5] ⟨toon, sfeer⟩ accent, note, edge, touch [6] ⟨bk⟩ accent, feature [•] ***zonder** accent* unaccented
accent aigu [het] acute accent
accent circonflexe [het] circumflex
accent grave [het] grave accent
accentkleur [de] accent colour
accentteken [het] accent(-mark), stress-mark
accentuatie [de^v] [1] ⟨het leggen van het, een accent⟩ accentuation [2] ⟨wijze waarop⟩ accenting
accentueren [ov ww] [1] ⟨de klemtoon leggen op⟩ accent(uate), stress, emphasize [2] ⟨fig⟩ stress, emphasize, accentuate, highlight [3] ⟨het accentteken plaatsen op⟩ accent [4] ⟨muz⟩ accentuate, accent
accentuering [de^v] [1] ⟨het accentueren⟩ accentuation, stressing, emphasizing [2] ⟨wijze van accentueren⟩ accentuation
accentvers [het] accented verse
accentverschuiving [de^v] shift of accent/emphasis, ⟨muz⟩ syncopation, ⟨taalk⟩ accent/stress shift
accept [het] [1] ⟨wissel⟩ acceptance [2] ⟨het accepteren van een wissel⟩ acceptance
acceptabel [bn, bw] acceptable

acceptant [de^{m}] acceptor

acceptatie [de^{v}] [1] ⟨aanneming⟩ reception, acceptation, acceptance [2] ⟨handel; verklaring⟩ acceptance, acknowledg(e)ment

accepteren [ov ww] [1] ⟨aannemen⟩ accept, take, ⟨denkbeeld⟩ embrace ◆ ⟨handel⟩ ***reclames** accepteren* allow/acknowledge claims; *een **wissel** accepteren* accept a bill (of exchange) [2] ⟨dulden⟩ accept, take, ⟨slikken⟩ swallow ◆ *die prijs **kan** ik zomaar niet accepteren* ⟨ook⟩ I can't simply settle for that price; *zijn gedrag **kan** ik zomaar niet accepteren* ⟨ook⟩ I can't just go along with/condone his behaviour/conduct; *dat accepteer je toch zeker **niet**!* ⟨ook⟩ surely, you're not going to take that lying down!

acceptgiro [de] → **acceptgirokaart**

acceptgirokaart [de], **acceptgiro** [de] giro form/slip, payment slip ◆ *betaling door middel van **bijgesloten** acceptgirokaart* payment by means of the enclosed giro slip/payment slip

acceptie [de^{v}] [1] ⟨aanneming⟩ acceptance [2] ⟨aangenomen betekenis van een woord, zin⟩ acceptation

acceptkrediet [het] acceptance credit

acceptprovisie [de^{v}] ⟨handel⟩ acceptance commission

acces [het] [1] ⟨toegang tot een bijeenkomst⟩ access, admission, admittance [2] ⟨mil⟩ access [3] ⟨verkiesbaarheid tot een kerkelijk ambt⟩ eligibility

accessibel [bn, bw] accessible, approachable, ⟨inf⟩ get-at-able

accessoir [bn] accessory ◆ *accessoir **recht*** an accessory right; *accessoire **verbintenis*** an accessory obligation

accessoire [het] accessory, ⟨mode⟩ fashion accessory

accesstime [de] ⟨comp⟩ access time

accident [het] [1] ⟨ongeluk⟩ misadventure [2] ⟨filos⟩ accident(al) [3] ⟨muz; verhoging, verlaging⟩ accidental [4] ⟨muz; teken⟩ accidental

accidenteel [bn, bw] accidental ⟨bw: ~ly⟩, ⟨form⟩ adventitious, ⟨toevallig⟩ fortuitous

accidentiën [de^{mv}] perquisites, ⟨inf⟩ perks

accijns [de^{m}] excise (duty/tax) ◆ *accijns **heffen** (op)* levy/charge excise/duty (on)

accijnsgoederen [de^{mv}] excisable goods

accijnskantoor [het] Customs and Excise (Office)

accijnsplichtig [bn] excisable

accijnsvrij [bn] free of excise tax

acclamatie [de^{v}] [•] ***bij** acclamatie aannemen* carry/pass by acclamation; ***bij** acclamatie verkiezen* elect by acclamation

acclimatisatieproces [het] acclimatization process

acclimatiseren [onov ww] [1] ⟨aan een ander klimaat wennen⟩ acclimatize, become/get acclimatized [2] ⟨aan een andere omgeving wennen⟩ acclimatize, become/get acclimatized

acclimatisering [de^{v}] acclimatization

accolade [de^{v}] [1] ⟨teken⟩ brace, bracket [2] ⟨omarming⟩ accolade

accommodatie [de^{v}] [1] ⟨gemakken⟩ accommodation ⟨AE meestal mv⟩, ⟨voorzieningen⟩ facilities ◆ *er is accommodatie **voor** tien passagiers* there is ^{B}facility/^{A}accommodation/are ^{B}facilities for ten passengers, ten passengers can be accommodated [2] ⟨aanpassing⟩ accommodation ⟨ook m.b.t. het oog⟩

accommodatievermogen [het] capacity for accommodation, adaptability, ability/capacity to adjust, ⟨m.b.t. het oog ook⟩ ability to focus

^{1}**accommoderen** [ov ww] [1] ⟨m.b.t. het oog⟩ accommodate, focus [2] ⟨regelen⟩ accommodate, arrange, organize, ↓sort out

^{2}**zich accommoderen** [wk ww] [1] ⟨zich verzoenen⟩ reach a settlement, come to terms, come to an agreement ◆ *zich accommoderen **naar*** ⟨inf ook⟩ go along with [2] ⟨zich schikken in⟩ fit in (with), comply (with), conform (to), compromise (with)

accompagnement [het] ⟨muz⟩ [1] ⟨begeleiding⟩ accompaniment [2] ⟨bijpartij⟩ accompaniment

accompagneren [ov ww] [1] ⟨begeleiden⟩ accompany [2] ⟨muz⟩ accompany

acconsonantie [de^{v}] consonance

accordeon [het, de^{m}] (piano) accordion, ⟨verfijnd soort; BE⟩ melodeon, ⟨inf⟩ squeeze box

accordeonist [de^{m}] accordionist

^{1}**accorderen** [onov ww] [1] ⟨overeenkomen, overeenstemmen⟩ agree, ⟨onpersoonlijk⟩ tally/correspond/accord (with), match [2] ⟨goed overweg kunnen met elkaar⟩ get on (with s.o.), ⟨inf⟩ hit it off (together) [3] ⟨een vergelijk treffen⟩ reach agreement (with), come to terms (with), ⟨met schuldenaar⟩ compound (with) [4] ⟨muz⟩ harmonize, be in harmony (with) [5] ⟨bk⟩ effect a balance

^{2}**accorderen** [ov ww] ⟨vergelijken⟩ collate, check (out/up) ◆ ***rekeningen** accorderen* ⟨ook⟩ balance accounts

accoucheur [de^{m}], **accoucheuse** [de^{v}] ⟨man⟩ accoucheur, ⟨vrouw⟩ accoucheuse, midwife, obstetrician

accoucheuse [de^{v}] → **accoucheur**

^{1}**account** [de^{m}] [1] ⟨toegangsrecht⟩ account [2] ⟨abonnement⟩ account

^{2}**account** [het] ⟨reclame⟩ account

accountancy [de^{v}] accountancy

accountant [de^{m}] accountant, ⟨rekeningcontroleur⟩ auditor

accountant-administratieconsulent [de^{m}] ± auditor

accountantsonderzoek [het] audit

accountantsverklaring [de^{v}] auditors'/audit certificate

accountdirector [de^{m}] account manager, ⟨BE ook⟩ accounts director, ⟨AE ook⟩ account executive

accountexecutive [de] account executive

accounting [de^{v}] accounting

accountmanager [de^{m}] account manager

accreditatie [de^{v}] accreditation

accrediteren [ov ww] [1] ⟨erkennen⟩ acknowledge, recognize [2] ⟨krediet verschaffen⟩ (ac)credit, give credit to ◆ *iemand accrediteren **bij** een bank* give s.o. credit facilities at a bank; *bij iemand **slecht** geaccrediteerd staan* ⟨fig⟩ be held in low esteem by s.o., ↓be in s.o.'s bad books [3] ⟨van geloofsbrieven voorzien⟩ accredit

accreditief [het] [1] ⟨fin⟩ letter of credit [2] ⟨geloofsbrief⟩ credentials ⟨mv⟩, letter of credence

accres [het] increase, growth ◆ *het accres van de **bevolking*** the population growth

accrocheren [ov ww] attach

accu [de^{m}] (storage) battery, accumulator ◆ *de accu is **leeg*** the battery has run down/is dead/flat; ⟨fig⟩ he/she has run out of steam; *de lampen branden **op** de accu* the lights run off the battery/are battery-operated

accubak [de^{m}] battery container, accumulator box

accuklem [de] battery clip

acculader [de^{m}] ⟨elek⟩ battery charger, ⟨voor autoaccu's⟩ trickle charger

acculturatie [de^{v}] ⟨soc⟩ [1] ⟨aanpassing aan de overheersende cultuur⟩ acculturation [2] ⟨ingroeiing in de culturele omgeving⟩ acculturation

accumulatie [de^{v}] accumulation, build-up ◆ *accumulatie **van geld*** accumulation of wealth; *een accumulatie van **ongelukken*** an accumulation of accidents, ⟨vnl BE⟩ a chapter of accidents

accumulatief [bn, bw] accumulative ⟨bw: ~ly⟩

accumulatietheorie [de^{v}] accumulation theory, theory of the accumulation of capital

accumulator [de^{m}] [1] ⟨accu⟩ (storage) battery/cell, accumulator [2] ⟨register aan een rekenmachine⟩ accumulator [3] ⟨m.b.t. hydraulische persen, pompwerktuigen⟩ accumulator

accumulatorcentrale [de] accumulator station
accumuleren [ov ww] accumulate, amass
accuplaat [de] battery/accumulator plate, electrode plate
accuraat [bn, bw] accurate ⟨bw: ~ly⟩, precise ⟨bw: ~ly⟩, ⟨zorgvuldig⟩ meticulous, particular ♦ *hij is/werkt erg accuraat* ⟨ook⟩ he's a very accurate worker; *accuraat **werken*** work accurately/meticulously
accuratesse [de^v] accuracy, precision, ⟨zorgvuldigheid⟩ meticulousness ♦ *dit werk eist **grote** accuratesse* this work requires/demands great precision
accusatie [de^v] 1 ⟨beschuldiging⟩ accusation, ⟨vnl jur⟩ charge 2 ⟨bericht van ontvangst⟩ acknowledg(e)ment of receipt
accusatief [de^m] ⟨taalk⟩ accusative (case)
accuvoeding [de^v] battery supply
accuzuur [het] battery acid
ace [de] ace
acefaal [bn] ⟨biol⟩ acephalous
acesulfaam [het] acesulphame, ⟨AE⟩ acesulfame
acetaat [het] ⟨scheik⟩ 1 ⟨azijnzuur zout⟩ acetate 2 ⟨azijnzure ester⟩ acetate 3 ⟨kunstzijde⟩ → **acetaatzijde**
acetaatzijde [de] acetate (rayon)
acetometer [de^m] acetometer
aceton [het, de^m] ⟨scheik⟩ acetone
acetyleen [het] acetylene, ethyne
acetyleengas [het] acetylene gas
acetyleensnijder [de^m] (cutting) torch/burner, flame cutter
ach [tw] oh, ah, ⟨bij smart ook⟩ ow, ouch, ⟨bij verzuchting of berusting ook⟩ oh/ah well, ⟨SchE ook⟩ och ♦ *ach **kom**, ach **jee*** oh/dear, dear; *ach **wat**, ik doe het gewoon!* oh well/who cares/what the heck, I'll just do it!; *ach en **wee** over iemand roepen* sorrow and sigh/weep and wail about s.o.; *ach zo!* I see!; *ach, loop heen!* oh, clear off/get lost!; *ach, wat jammer!* oh, what a pity/shame!; *ach, toch niet opnieuw!* oh no, not again!; *ach, je kunt niet alles hebben!* oh well, you can't have everything!
à charge [bw] for the prosecution ♦ ***getuige** à charge* witness for the prosecution
achenebbisj [tw] shame, dearie me, oh dear
achilleshiel [de^m] ⟨fig⟩ weakness, flaw, failing, drawback, ⟨m.b.t. persoon⟩ Achilles heel, ⟨m.b.t. plan ook⟩ (soft) underbelly ♦ *de achilleshiel **in** het betoog* the flaw/drawback in the argument
achillespees [de] Achilles tendon, ⟨bij dieren ook⟩ hamstring
[1]**achromaat** [de^m] ⟨kleurenblinde⟩ achromatope, achromat
[2]**achromaat** [de^m] ⟨achromatische lens⟩ achromatic lens
achromatisch [bn] 1 ⟨natuurk⟩ achromatic 2 ⟨muz⟩ achromatic
achromatopsie [de^v] achromatopsy
[1]**acht** [de] 1 ⟨cijfer⟩ eight ♦ *voor dat proefwerk **kreeg** hij een acht* he got (an) eight (out of ten)/a ^AB for that test; *een **Romeinse** acht (VIII)* a Roman eight 2 ⟨figuur⟩ (figure) eight ♦ *een acht **maken** (op het ijs)* make a figure eight (on the ice) 3 ⟨speelkaart⟩ eight ♦ ***ruitenacht*** eight of diamonds 4 ⟨roeiploeg⟩ eight 5 ⟨zorg, aandacht⟩ consideration, concern, regard, care, ⟨aandacht⟩ attention, notice ♦ ***geeft acht!*** attention!, 'shun!; *acht **geven/slaan** op* ⟨aandacht⟩ pay/give attention to; ⟨zorg⟩ take notice/heed of, pay heed to; ***in** acht nemen* ⟨regels⟩ observe, comply with; ⟨zorgen voor⟩ have consideration/regard for, take care of; ⟨denken aan⟩ consider, take note of, be mindful of, bear in mind; ⟨letten op⟩ heed, pay attention/heed to; ⟨zorgvuldigheid⟩ exercise; *zich **in** acht nemen* look after o.s., take care (of o.s.), be careful of one's health; ***in** acht genomen dat ...* considering/bearing in mind that ...; *de regels **in** acht nemen* keep/observe/comply with the rules; *iets nauwgezet **in** acht nemen* pay strict attention to sth.; *zich **in** acht nemen voor iemand* watch/mind out for s.o., be wary of s.o.; *het niet **in** acht nemen van de voorschriften ...* failure to comply with/observe the regulations ...; *geen acht **slaan** op* ⟨aandacht⟩ ignore, take no notice of; ⟨zorg⟩ disregard, take no heed of, not care about; ***zonder** acht te slaan op mij ...* taking no notice/regardless of me ...
[2]**acht** [hoofdtelw] eight ♦ *een **dag** of acht geleden* a week or so/about a week ago; *nog acht **dagen*** another eight days, eight more days; *over acht **dagen*** in a week's time, after a week; *iets **in** achten breken* break sth. into eight pieces; *zij zijn **met** hun achten* there are eight of them; *Jan **wordt** al acht* Jan will soon be eight; *op slag van achten* on the stroke/dot of eight
[3]**acht** [rangtelw] eighth ♦ *acht **mei*** the eighth of May, May the eighth, ⟨AE⟩ May eighth
achtarmig [bn] octopod ♦ ⟨dierk⟩ *de achtarmigen* the octopods
achtbaan [de] roller coaster, ⟨BE ook⟩ switchback, big dipper ♦ ⟨fig⟩ *een **emotionele** achtbaan* an emotional roller coaster
achtbaanrit [de^m] 1 ⟨rit in een achtbaan⟩ roller coaster ride 2 ⟨fig⟩ roller coaster ride
achtbaar [bn] 1 ⟨eerbiedwaardig⟩ respectable, honourable, estimable, ⟨deftig⟩ dignified 2 ⟨aanspreektitel⟩ honourable, worshipful ♦ ⟨vrijmetselarij⟩ *achtbare **meester*** worshipful master
achtdaags [bn] 1 ⟨acht dagen durend⟩ eight-day, week's ♦ *een achtdaags **verlof*** a week's leave 2 ⟨om de acht dagen⟩ eight-day
achtdubbel [bn, bw] octuple
[1]**achteloos** [bn] 1 ⟨m.b.t. personen⟩ ⟨gedachteloos⟩ thoughtless, careless, negligent, ⟨onbedachtzaam⟩ inconsiderate, ⟨zorgeloos⟩ casual, ⟨onbekommerd⟩ nonchalant, carefree 2 ⟨m.b.t. zaken⟩ careless, negligent, ⟨daad⟩ inconsiderate, inadvertent, ⟨pej⟩ sloppy ♦ *een achteloos **gebaar*** a careless/indifferent gesture; *een achteloze **manier** van kleden* a careless way of dressing; *een achteloze **stijl*** a careless/sloppy/happy-go-lucky style
[2]**achteloos** [bw] ⟨zonder zorg⟩ carelessly, negligently, inadvertently, ⟨onbedachtzaam⟩ inconsiderately, mindlessly, ⟨zorgeloos⟩ casually ♦ *iets achteloos **afdoen*** casually brush sth. off; *achteloos aan iets **voorbijgaan*** gloss/smooth over sth.
achteloosheid [de^v] 1 ⟨onoplettendheid⟩ ⟨gebrek aan zorg⟩ carelessness, negligence, ⟨onbedachtzaamheid⟩ inconsiderateness, inconsideration, ⟨onoplettendheid⟩ inattentiveness, ⟨zorgeloosheid⟩ casualness ♦ ***uit** achteloosheid nalaten* neglect (to/-ing) through carelessness 2 ⟨achteloze handeling⟩ carelessness, negligence, ⟨pej⟩ sloppiness
achten [ov ww] 1 ⟨hoogschatten⟩ esteem, respect, value, appreciate ♦ *vriendschap **hoger** achten dan liefde* value friendship more highly than love 2 ⟨menen⟩ consider, think, hold, deem, ⟨voor bijzin; inf⟩ reckon ♦ ⟨jur⟩ *iets (niet) **bewezen** achten* hold sth. (not) proven; *zich **gelukkig** achten* count o.s. lucky; *het **gepast/goed** achten om iets te doen* ⟨ook⟩ see/think fit to do sth.; *zich niet te **goed** achten om* ⟨ook⟩ deign/condescend to; *ik acht **hem** er best toe in staat* ⟨ook⟩ I wouldn't put it past him; *ik acht het **noodzakelijk** om strenger op te treden* I think/deem/judge it necessary to act more firmly; *ik acht het mijn **plicht** om ...* ⟨ook⟩ I feel/count it my duty to ...; *ik acht hem **schuldig*** I consider him guilty; ⟨inf⟩ I reckon that he's guilty; *de mogelijkheid **uitgesloten** achten dat ...* rule out the possibility that ...; ***zich** wel in staat achten tot iets* think/consider o.s. capable of sth.; *zij acht **zich** boven leugens verheven* she considers herself/thinks that she is above lying; *iets beneden zich achten* think/consider sth. beneath one; *de tijd gekomen achten om*

... consider that the time has come to ...; *iets van groot gewicht achten* ⟨ook⟩ count sth. of great importance; *die vrouw acht ik tot alles in staat* I reckon that woman is capable of anything; *hij acht het beneden zich met een boer te spreken* ⟨ook⟩ he will not deign/condescend to speak to a farmer, he is above/turns his nose up at speaking to a farmer [3] ⟨letten op⟩ bother about, take notice of, pay attention to [•] *iedereen **werd** geacht het boek gelezen te hebben* everyone was expected/supposed to have read the book

achtenswaardig [bn] respectable, reputable, honourable, worthy, estimable

[1]**achter** [bw] [1] ⟨aan de achterkant⟩ at the rear/back, behind ◆ *achter **in** de tuin* at the bottom of the garden; ⟨AE⟩ at the end of the garden/yard; *hij **is** achter* he is behind; ***naar** achter **kammen*** comb back; *achter **op** de scène* up stage; *achter **op** het schip* astern, abaft; *met zijn hoed achter **op** zijn hoofd* with his hat on the back of his head; *achter **uit** de zaal* from the back of the hall; ⟨scheepv⟩ ***voor** en achter* fore and aft; *hij **woont** driehoog-achter* he lives on the third/^{A}fourth floor at the back [2] ⟨m.b.t. tijd⟩ slow, behind(hand) ◆ *uw horloge **loopt** achter* your watch is slow [3] ⟨in achterstand⟩ behind(hand), in arrears ◆ *ik **ben** achter met mijn werk* I am behind with my work; *de theorie **loopt** steeds achter op de praktijk* theory always lags behind/runs behind actual practice; ⟨sport⟩ *achter **staan*** be behind/trailing; *vier punten achter **staan*** be four points down; *achter **zijn/raken*** be/get behind(hand) [4] ⟨aan het eind⟩ ◆ *hij is achter **in** de dertig* he is in his late thirties [•] ⟨voetb⟩ *de bal **is/ging** achter* the ball is/went behind/crossed the goal line

[2]**achter** [vz] [1] ⟨m.b.t. plaats⟩ behind, at the back/rear of, ⟨een woord, naam⟩ after, ⟨voorbij⟩ beyond ◆ *achter zijn **bureau/het stuur/de knoppen*** ⟨ook⟩ at his desk/the wheel/the controls; *achter zijn **computer/schrijfmachine*** in front of/at his computer/typewriter; *achter de **coulissen*** behind the scenes, off stage; *achter de **dijk*** ⟨ook⟩ under the bank; *achter de **horizon*** beneath/below the horizon; *achter het **huis*** behind/at the back of the house; *achter **je!*** behind you!; *pas op, achter **je!*** mind your back; ⟨fig⟩ *achter haar **man** om* behind her husband's back; *hij stond achter de **mast*** ⟨scheepv⟩ he stood aft of/abaft the mast; *zij sloot de deur achter **mij*** she shut the door behind/after me, she closed the door on me; *zet een kruisje achter je **naam*** put a tick against your name, ⟨AE⟩ put a check(mark) behind your name; *achter **slot** en **grendel*** under lock and key; *hij bleef met zijn overhemd achter een **spijker** hangen* his shirt got caught on a nail; *de heuvels achter de **stad*** the hills behind/beyond the city; *schrijf je naam achter de **tijd** van je keuze* write your name against the time of your choice; *achter de **tralies*** behind bars; *het volk achter **zich** hebben* ⟨ook⟩ have the support of the people; *met de politie achter **zich** aan* with the police in (hot) pursuit (of him)/(hot) on his tail/right behind him; ⟨fig⟩ *hij heeft de grote meerderheid achter **zich*** he's got the vast majority behind/backing/supporting him; *daar **zit/steekt/schuilt** iets achter* there's more to it than meets the eye; ⟨ook fig⟩ there's sth. behind it/at the back of it [2] ⟨m.b.t. tijd⟩ after ◆ *achter **elkaar*** one after the other, in succession, in a row; ⟨inf; BE⟩ on the trot [•] ⟨inf⟩ *ben je **er** ook achter?* you're telling me!; ⟨iron⟩ that was quick!; *hoe kwam je **er** achter?* how did you find out about it?; *eindelijk ben ik **er** achter!* ⟨m.b.t. een raadsel⟩ at last I've got to the bottom of it; ⟨heb ik er de slag van⟩ I've got the hang/knack of it at last; *achter iets **komen*** find out about sth.; ⟨m.b.t. een raadsel⟩ get to the bottom of sth.; *achter iets **staan*** approve of sth., agree with sth., back sth.; *achter iemand **staan*** support/back s.o., be/stand behind s.o.; *de waarheid achter het **verhaal*** the truth behind the story; *er **zit** meer achter* there is more to it; *achter iets **zitten*** be behind sth., be at the bottom of sth.

achteraan [bw] [1] ⟨aan de achterkant⟩ at the back, at/in the rear, behind, at the tail end ◆ *(helemaal) achteraan **in** de zaal* (right) at the back (of the hall); *wij **wandelden** achteraan* we were walking behind/at the back/in the rear [2] ⟨achterheen⟩ after

achteraandrijving [de^{v}] rear-wheel drive

achteraangaan [ov ww] go after, chase (up) ◆ *ik zou **er** maar eens achteraangaan* you'd better do sth./find out about it, I think you should follow that up, I'd do sth. about it if I were you

achteraankomen [onov ww] come last, come at the back, bring up the rear ◆ *onze boot kwam **helemaal** achteraan* ⟨sport; inf⟩ our boat finished way at the back/last by a mile; *wij **komen** wel achteraan* we'll follow on/come (on) after

achteraanzicht [het] rear view/aspect

achteraanzitten [ov ww] go after

achterachterkleinkind [het] great-great-grandchild

[1]**achteraf** [het] backwater, out-of-the-way place ◆ *hij woonde wel erg **op** een achterafje* he did live in a bit of a backwater; ⟨inf⟩ he lived way out in the sticks

[2]**achteraf** [bw] [1] ⟨in het achterste gedeelte⟩ at the back, in/at the rear, ⟨afgelegen⟩ out of the way ◆ *hij **houdt** zich steeds achteraf* he always keeps in the background/a low profile; *achteraf **wonen*** live in a backwater/(out) in the middle of nowhere [2] ⟨later⟩ afterwards, subsequently, later (on), ⟨+ onvoltooid tegenwoordig tijd⟩ now, as it is ◆ *achteraf **bekeken** zou ik zeggen dat ...* looking back I would say that ...; *achteraf **betalen*** ⟨ook⟩ pay in arrear; *achteraf **bleek** dat ...* it subsequently appeared that ...; *achteraf **gezien/beschouwd** was zijn voorstel niet zo gek* with hindsight his suggestion was not so stupid, ↑in retrospect his suggestion was not so stupid; *achteraf ben ik blij dat ...* now I'm glad that ...; *achteraf is het makkelijk praten* it is easy to be wise after the event

achterafbuurt [de] backwater, out-of-the-way place, sleepy district/part of town

achterafstraat [de] backstreet ◆ *ze woont **in** een of ander achterafstraatje* she lives in the back of beyond

achteras [de] back/rear axle

achterbak [de^{m}] boot, ⟨AE⟩ trunk

[1]**achterbaks** [bn] [1] ⟨m.b.t. zaken⟩ underhand, sneaky, sly, ⟨methoden ook⟩ backstairs, hole-and-corner ◆ *achterbakse **streken*** underhand tricks, sharp practice(s) [2] ⟨m.b.t. personen⟩ sneaky, furtive, sly, tricky ◆ *een achterbakse **jongen*** a sly one; ⟨inf⟩ a wide boy, a wily/slippery customer, a slippery Jim

[2]**achterbaks** [bw] ⟨achter de rug⟩ sneakily, furtively, slyly ◆ *iets achterbaks **doen*** do sth. on the sly/behind people's backs; *achterbaks **gedoe*** ⟨zonder onbepaald lidwoord⟩ chicanery, hole-and-corner stuff; (a) bit of skul(l)duggery; *zich achterbaks **gedragen*** ⟨ook⟩ behave in an underhand way

achterbaksheid [de^{v}] [1] ⟨daad, streek⟩ skul(l)duggery, sharp practice, chicanery [2] ⟨het achterbaks zijn⟩ underhandedness, sneakiness, secretiveness, underhand(ed) manner

achterbal [de^{m}] out ball

achterbalkon [het] [1] ⟨m.b.t. een spoor-, tramwagen⟩ rear/observation platform [2] ⟨m.b.t. een huis⟩ rear/back balcony

achterban [de^{m}] supporters, ⟨steun⟩ backing, ⟨m.b.t. politieke partij⟩ grassroots support ◆ *de achterban **raadplegen*** test/take the pulse of the (rank and file of the) party; ⟨fig⟩ consult one's colleagues; ⟨levenspartner⟩ talk to one's better half; *onaanvaardbaar **voor** de achterban* unacceptable to the rank and file of the party

achterband [de^{m}] back/rear tyre, ⟨AE⟩ back/rear tire

achterbank [de] back seat

achterbankgeneratie [de^{v}] the generation of children driven everywhere by their parents, ⟨calque⟩ back-seat generation

achterblad [het] [1] ⟨wielersp⟩ rear sprocket [2] ⟨m.b.t.

snaarinstrument⟩ back [3] ⟨achterste pagina⟩ back page

achterblijfster [de^v] → **achterblijver**

achterblijven [onov ww] [1] ⟨niet meekomen⟩ stay behind, ⟨BE ook⟩ stop behind, remain (behind) [2] ⟨achtergelaten worden⟩ be/get left (behind) ♦ *moederziel* ***alleen*** *achterblijven* be left isolated/all alone/all on one's own; ⟨inf; BE⟩ be left (all) on one's tod; *zijn* ***bagage*** *is achtergebleven* his luggage got left behind [3] ⟨ook fig; achter anderen blijven⟩ lag (behind), trail, fall/drop behind, ⟨bij wedloop⟩ drop back, ⟨om iets te doen⟩ be tardy ♦ ⟨fig⟩ *hij blijft* ***bij*** *zijn klasgenoten achter* he is lagging behind his classmates; *hij bleef steeds* ***verder*** *achter* he kept/was steadily falling back, he kept/was falling further and further back [4] ⟨het niet halen bij⟩ not be up to ♦ *achterblijven* ***bij*** *de verwachtingen* fall short of expectations; ⟨m.b.t. personen⟩ underachieve; *dat schilderij blijft achter* ***bij*** *zijn vroeger werk* that painting is not up to his previous/earlier work [5] ⟨blijven leven⟩ be left, survive ♦ *zij bleef achter* ***met*** *drie kleine kinderen* she was left with three small children; *goed* ***verzorgd*** *achterblijven* be left well off/well provided for [6] ⟨niet meedoen⟩ back/opt out (of), miss out (on), ⟨inf⟩ cop out (of), ⟨dans⟩ sit out ♦ *niet* ***bij*** *de buren achterblijven* keep up with the Joneses, not be outdone by one's neighbours; *toen iedereen trakteerde,* ***wou*** *hij niet achterblijven* when everyone else paid their round, he felt he had to follow suit

achterblijvende [de] surviving relative, ⟨afhankelijke⟩ surviving dependant, ± next of kin ♦ *zorg* ***voor*** *de achterblijvenden* relief/concern for the bereaved

achterblijver [de^m], **achterblijfster** [de^v] [1] ⟨iemand die blijft⟩ stay-behind, ⟨die thuisblijft⟩ stay-at-home [2] ⟨iemand die achteraankomt⟩ straggler, laggard, back marker, trailer [3] ⟨kind dat achterblijft⟩ slow/late developer, ⟨m.b.t. ontwikkeling⟩ backward child, slow learner [4] ⟨boom, plant⟩ straggler, weedy specimen

achterbout [de^m] haunch, hindquarter, ⟨varken⟩ ham

achterbuur [de^m] back(door)/rear neighbour

achterbuurman [de^m], **achterbuurvrouw** [de^v] [1] ⟨hij, zij die achter iemand woont⟩ back(door)/rear neighbour [2] ⟨hij, zij die achter iemand zit⟩ person behind

achterbuurt [de] slum, backstreet district, ghetto, rough area, poor quarter ♦ ***in*** *de achterbuurten* in the slums; ⟨inf⟩ on the wrong side of the tracks, in the rough districts; *iemand* ***uit*** *de achterbuurt* s.o. from the backstreets/ghetto/slums/poor quarter; ⟨inf⟩ s.o. from the wrong side of the tracks/seedy end of town/seamy side of town

achterbuurvrouw [de^v] → **achterbuurman**

achterdeel [het] [1] ⟨achtergedeelte⟩ back/rear (part), ⟨bij ontleedkunde⟩ rear section [2] ⟨billen⟩ backside, rear end, posterior, bottom, ⟨dier⟩ hindquarters, rump ♦ *het achterdeel van een* ***kalf*** the hindquarters of a calf

achterdek [het] afterdeck, ⟨achterplecht⟩ poop (deck), quarterdeck

achterdeur [de] backdoor, ⟨auto⟩ rear door ♦ ⟨fig⟩ *hij* ***heeft*** *nog een achterdeurtje* he has still sth. to fall back on/a little nest egg; ⟨fig⟩ ***langs/door*** *de achterdeur/een achterdeurtje weer binnenkomen* get back in by the backdoor/by backdoor methods; ⟨fig⟩ *een achterdeurtje* ***openhouden*** leave a loophole/way out, have a second string to one's bow; ⟨fig⟩ *diplomatie* ***via*** *de achterdeur/een achterdeurtje* back channel diplomacy; ⟨fig⟩ *het verzamelen van informatie* ***via*** *de achterdeur is nu onderdeel van het politieke spel* collection of information by backhanded methods is now part of the political game; ⟨fig⟩ *achterdeurtjes* ***zoeken*** ⟨uitvluchten⟩ look for loopholes; ⟨om iets in te voeren⟩ try to get sth. in by the back door

achterdijks [bn, bw] behind embankments/dikes ⟨bn na zn of pred⟩ ♦ *achterdijks* ***land*** land behind embankments/dikes

achterdocht [de] suspicion, mistrust ♦ *achterdocht* ***hebben/voelen*** be/feel suspicious (of/about); *achterdocht* ***inboezemen/wekken*** arouse suspicion; *achterdocht* ***koesteren*** harbour suspicion(s), have one's suspicions; *hij begon achterdocht te* ***krijgen*** he began to get suspicious; *iets* ***met*** *de nodige achterdocht benaderen* approach sth. with due suspicion; *achterdocht* ***opvatten/krijgen*** *(omtrent/tegen)* get/become suspicious (about/of); *achterdocht* ***wegnemen*** remove suspicion

achterdochtig [bn, bw] suspicious, ⟨sterker; inf⟩ paranoid ♦ *een achterdochtige* ***aard/blik*** a suspicious nature/look; *hij* ***doet*** *altijd zo achterdochtig* he is always so suspicious of everything

achterdoek [het] backcloth, backdrop

achtereen [bw] [1] ⟨zonder tussenpozen⟩ in succession, on end, consecutively, running, at a stretch ♦ *het regende vier* ***dagen*** *achtereen* it rained for four days on end/at a stretch/together; ***weken/dagen*** *achtereen* (for) weeks/days on end, week after week, day after day; *hij is drie* ***weken*** *achtereen ziek geweest* he has been ill for three consecutive weeks/for three weeks on end [2] ⟨zonder een keer over te slaan⟩ in succession, on end, in a row, running, ⟨inf; BE⟩ on the trot ♦ ***driemaal*** *achtereen won hij het kampioenschap* he won the championship three times in succession/in a row/running; *zij zijn daar drie* ***jaren*** *achtereen op vakantie geweest* they have been there on holiday (for) three years running/in succession/on the trot

achtereenvolgend [bn] successive, consecutive, in a row, running ⟨na zn⟩

achtereenvolgens [bw] successively, in succession, one after the other, ⟨na opsomming⟩ respectively, in that order

achtereind [het] [1] ⟨eind van het achterste deel⟩ back/rear (end) [2] ⟨kont⟩ rear end, backside, posterior, bottom, ⟨dier⟩ hindquarters, rump ♦ *zo dom als het achtereind van een* ***koe/varken*** as thick as two planks

achterelkaar [bw] straight off, in one go ♦ *zij* ***maakt*** *het achterelkaar* ***af*** she finishes it straight off/in one go

achteren [bw] (the) back ♦ ***naar*** *achteren gaan* go to the back; ⟨fig⟩ pay a visit, pop out to the toilet; *verder* ***naar*** *achteren* further/farther back(wards)/^Aback(ward); *zijn haar* ***naar*** *achteren kammen* comb one's hair back; *wilt u* ***naar*** *achteren doorlopen, alstublieft?* ⟨op bus⟩ move right (down) along the car, please!; ***van*** *achteren* from behind; ***van*** *achteren naar voren* (from the) back to (the) front; ⟨spellen ook⟩ backwards, ⟨AE⟩ backward; ⟨fig⟩ *iets* ***van*** *achteren naar voren kennen* ⟨vnl BE⟩ know sth. backwards; *hij heeft ogen* ***van*** *achteren en van voren* he's got eyes in the back of his head; ⟨fig⟩ *iemand liever* ***van*** *achteren zien dan van voren* be glad to see the back of s.o.

achtererf [het] backyard

achterflap [de^m] back flap

achtergebleven [bn] backward, underdeveloped ♦ *achtergebleven* ***gebieden*** backward/underdeveloped areas/regions

achtergedeelte [het] back (part/section), rear (part/section)

achtergevel [de^m] back, rear, rear side, ⟨bouwk⟩ rear elevation/aspect

achtergrond [de^m] [1] ⟨het verst afliggende deel⟩ background, backdrop, setting ♦ *de achtergronden van een* ***conflict*** the background to/of a dispute; ***tegen*** *de achtergrond* ***van*** against the background of; *de achtergrond van een* ***toneel/schilderstuk/panorama*** the background to/of a stage/painting/panorama [2] ⟨diepere oorzaak⟩ background, backdrop [3] ⟨afkomst⟩ background ♦ *de nieuwe minister mist een* ***politieke*** *achtergrond* the new minister lacks any political background [•] ***op*** *de achtergrond dringen* crowd out, push into the background; *zich* ***op*** *de achtergrond hou-*

den keep in the background, keep a low profile; *iets **op** de achtergrond schuiven* push sth. into the background; *zich op de achtergrond plaatsen* take a back seat; ***op de achtergrond** blijven/raken/treden* stay in/fade into/retreat into the background

achtergrondfiguur [de^m] background figure, ⟨iemand achter de schermsp⟩ back-room boy/girl

achtergrondgeheugen [het] ⟨comp⟩ backing store

achtergrondgeruis [het] background noise

achtergrondgesprek [het] (off-the-record) media briefing

achtergrondinformatie [de^v] background (information)

achtergrondkoor [het] (vocal) backing (group)

achtergrondmuziek [de^v] background music, ⟨in warenhuizen e.d.⟩ muzak

achtergrondreportage [de^v] background report, in-depth report

achtergrondstraling [de^v] natural/background radiation

achterhaalbaar [bn] ⟨terug te vinden⟩ retrievable, recoverable, ⟨te ontdekken⟩ ascertainable, discoverable, ⟨persoon⟩ catchable

achterhaald [bn] superseded, out of date, outmoded ♦ *dat is allemaal achterhaald* that's all out of date, that's all been superseded; *achterhaalde **opvattingen*** outmoded/superseded views

achterhalen [ov ww] 1 ⟨inhalen⟩ overtake, overhand, ⟨bereiken⟩ catch up with ♦ *de politie heeft de **dief** kunnen achterhalen* the police were able to catch up with/run down the thief 2 ⟨terugvinden⟩ retrieve, recover ♦ *die **gegevens** zijn niet meer te achterhalen* those facts/data can no longer be accessed/retrieved 3 ⟨de onjuistheid aantonen van⟩ outdate, supersede, superannuate ♦ *die **opvatting** is allang achterhaald* that opinion/notion has long been superseded/went out long ago; *een achterhaalde **theorie*** ⟨ook⟩ an exploded theory; *is het huwelijk een achterhaalde **zaak**?* is marriage an outmoded convention? 4 ⟨ontdekken⟩ find out, discover ♦ *iemands **identiteit** achterhalen* discover a s.o.'s identity; *het is dikwijls moeilijk de **waarheid** te achterhalen* it is often difficult to find out/get at the truth ▪ ⟨sprw⟩ *al is de leugen nog zo snel, de waarheid achterhaalt haar wel* ± a lie has no legs; ± a lie never lives to be old; ± (the) truth will out

achterham [de] 1 ⟨achterbout van het varken⟩ ham 2 ⟨vlees van de achterbout⟩ ham, ⟨vnl BE; gerookt of gezouten⟩ gammon

achterhand [de] 1 ⟨handwortel⟩ carpus, wrist 2 ⟨kaartsp⟩ last hand ♦ *de achterhand **hebben*** have the last move/go 3 ⟨achterdeel van viervoetige dieren⟩ hindquarters, rump, ⟨paard⟩ crupper

achterhandsbeentje [het] ⟨biol⟩ carpal (bone)

achterheen [bw] ▪ *ergens achterheen **gaan*** chase/follow sth. up, check up on sth.; *ergens achterheen **zitten*** keep onto sth.

achterhoede [de] 1 ⟨mil⟩ rear(guard) 2 ⟨sport⟩ defence, ⟨AE⟩ defense, ⟨AE ook⟩ backfield, backline 3 ⟨het achteraan komend gedeelte van een gezelschap⟩ rear ♦ *de achterhoede **vormen*** bring up the rear

achterhoedegevecht [het] 1 ⟨mil⟩ rearguard action ♦ *een achterhoedegevecht **leveren*** fight a rearguard action 2 ⟨fig⟩ rearguard action

achterhoedespeelster [de^v] → **achterhoedespeler**

achterhoedespeler [de^m], **achterhoedespeelster** [de^v] defender, back

achterhoofd [het] back of the head, ⟨wet⟩ occiput ♦ ⟨fig⟩ ***in** zijn achterhoofd dacht hij ...* he had at the back of his mind that ...; ⟨fig⟩ *iets **in** zijn achterhoofd hebben/houden* keep/have sth. at the back of one's mind ▪ *hij is niet **op** zijn achterhoofd gevallen* he is with it/on the ball, he was not born yesterday, there are no flies on him

achterhoofdsbeen [het] occipital bone

achterhoofdsknobbel [de^m] (external) occipital protuberance

achterhoofdsligging [de^v] head-down position

achterhouden [ov ww] 1 ⟨verduisteren⟩ keep back, withhold, pocket, ⟨geld⟩ embezzle 2 ⟨niet mededelen⟩ withhold, suppress, conceal, ⟨inf⟩ keep (sth.) dark, keep (sth.) under one's collar ♦ ***inkomsten** achterhouden* fail to declare income 3 ⟨nog niet geven, mededelen⟩ hold back, ⟨uitgaven⟩ peg back

achterhoudend [bn] secretive, close, tight-lipped

achterhuis [het] 1 ⟨deel van een huis⟩ back (part) of the/a house 2 ⟨schuur, werkplaats⟩ outbuilding, lean-to, ⟨BE ook⟩ outhouse

achterin [bw] in the back/rear, ⟨achteraan in⟩ at the back/rear ♦ *ik **heb** mijn naam achterin **geschreven*** I've written my name in the back; *het sportnieuws **staat** achterin* the sports news is at the back; *achterin **zitten/leggen*** sit/put in the back

Achter-Indië [het] ⟨gesch⟩ Further India

achteringang [de^m] back/rear entrance, backway

achterkamer [de] backroom

achterkamertjespolitiek [de^v] backroom politics, closed-door politics

achterkant [de^m] back, rear (side), reverse (side), ⟨grammofoonplaatje ook⟩ B-side, flip side ♦ ⟨fig⟩ *de achterkant van het **gelijk*** the other side of the picture/coin; *de achterkant van de **maan*** the far side of the moon; ***met** de achterkant naar voren* end on; ⟨achterstevoren⟩ back to front; *op de achterkant van het **papier*** on the back of the paper, overleaf; *aan de achterkant van een **stof*** at the back of a material; ⟨fig⟩ *de achterkant van **succes*** the reverse side of success

achterkeuken [de] ⟨in België⟩ scullery

achterklap [de^m] backbiting, scandal, malicious gossip, slander

achterklappen [ww] backbite, cast aspersions, slander

achterkleindochter [de^v] great-granddaughter

achterkleinkind [het] great-grandchild

achterkleinzoon [de^m] great-grandson

achterklep [de] ⟨auto met koffer⟩ lid of the boot, ⟨AE⟩ trunk lid, ⟨auto zonder koffer⟩ hatchback, liftback, ⟨vrachtauto⟩ tailboard, ⟨AE⟩ tailgate

achterklinker [de^m] back vowel

achterkwab [de] posterior lobe, ⟨van hypofyse⟩ neurohypophysis

achterlader [de^m] breechloader

achterland [het] 1 ⟨land achter een ander, een dijk⟩ hinterland 2 ⟨handel⟩ ⟨van haven⟩ hinterland, ⟨van marktplaats⟩ surrounding countryside

achterlandvervoer [het] hinterland transport

achterlangs [bw] behind

achterlaten [ov ww] 1 ⟨in een toestand, op een plaats laten⟩ leave (behind), ⟨spullen ook; inf⟩ dump ♦ *een **bericht/boodschap** achterlaten* leave a note/message, leave word; *een **last/bevel** achterlaten* leave instructions/an order; ***schulden** achterlaten* leave debts (behind); *iemand **verbaasd** achterlaten* leave s.o. astounded; *iemand **voor** dood achterlaten* leave s.o. for dead 2 ⟨door de dood achter doen blijven⟩ leave (behind) ♦ ***de** achtergelatenen* the survivors 3 ⟨laten voortbestaan⟩ leave (behind) ♦ *het liet een diepe **indruk** bij mij achter* it left a deep impression on me/my mind; *een slechte **indruk** achterlaten bij iemand* leave s.o. with a poor/bad impression; ***sporen/littekens** achterlaten* leave tracks/scars

achterlating [de^v] ▪ *met achterlating **van/onder** achterlating van* leaving (behind)

achterlichaam [het] posterior, behind, backside, rear end

achterlicht [het] back/rear light, ⟨AE⟩ taillight, ⟨van

fiets ook⟩ rear lamp

achterliggen [onov ww] [1] ⟨meer naar achteren gelegen plaats hebben⟩ lie behind ◆ *de achterliggende **jaren*** the preceding years; *drie **ronden/lengten** achterliggen* be three laps/lengths behind, be trailing by three laps/lengths [2] ⟨fig⟩ lag (behind), trail ◆ *Kees ligt in ontwikkeling duidelijk achter **bij** zijn leeftijdgenoten* Kees's development is clearly lagging behind that of his peers/age-group

achterliggend [bn] underlying ◆ *de achterliggende **gedachte*** the underlying thought/principle/idea; *achterliggende **reden*** reason behind it

achterligger [de^{m}] [1] ⟨degene die achter ligt⟩ one behind, following person, ⟨bij wedstrijd⟩ back marker, ⟨achterblijver⟩ laggard, trailer [2] ⟨verk⟩ following vehicle

achterlijf [het] [1] ⟨van dieren⟩ rump [2] ⟨van gelede dieren⟩ abdomen [3] ⟨van kleren⟩ back

achterlijfssegment [het] abdominal segment

[1]**achterlijk** [bn] [1] ⟨m.b.t. personen⟩ backward, behind(hand), retarded, ⟨zwakzinnig⟩ subnormal, mentally retarded/deficient ◆ ***Jan** is achterlijk* Jan is backward/retarded/subnormal; *een school voor achterlijke **kinderen*** a school for backward/(mentally) retarded children, a school for slow learners; *dat **land** is achterlijk op politiek gebied* that country is politically backward/behind the times; *hij is **niet** achterlijk* he's no fool [2] ⟨m.b.t. dieren, bomen, planten⟩ backward, tardy, behind(hand) [3] ⟨scheepv⟩ following

[2]**achterlijk** [bw] [1] ⟨idioot⟩ like a moron/idiot ◆ ***doe** niet zo achterlijk* don't be such a moron [2] ⟨scheepv⟩ from aft

achterlijkheid [de^{v}] backwardness, retardation, ⟨zwakzinnigheid⟩ subnormality

achterlijn [de] ⟨voetb⟩ by-line, goal line, ⟨basketb⟩ end line

achterlopen [onov ww] [1] ⟨m.b.t. uurwerken⟩ be slow, lose time, ⟨fig⟩ be/lag behind ⟨bijvoorbeeld van werkzaamheden⟩ ◆ *die **klok** loopt 5 minuten achter/5 minuten achter per dag* that clock is five minutes slow, that clock loses five minutes a day [2] ⟨m.b.t. personen⟩ be behind the times

achtermast [de^{m}] aftermast

achtermelk [de] hindmilk

achtermiddag [de^{m}] afternoon

achterna [bw] [1] ⟨later⟩ afterwards, ⟨na gebeurtenis die van invloed was⟩ after the event [2] ⟨vnl in samenstellingen; van achteren na⟩ after, behind; zie ook **achternalopen**

achternaam [de^{m}] last/family/second name, ⟨vnl BE⟩ surname

achternagaan [ov ww] go after, follow (behind) ◆ *die jongen gaat zijn **vader** achterna* ⟨fig⟩ that boy is going to be just like his father/takes after his father/is following in his father's footsteps

achternageven [ov ww] send after, fling/hurl after

achternalopen [ov ww] [1] ⟨lopende volgen⟩ follow, ⟨hard⟩ run/chase after, ⟨heimelijk ook⟩ tail, pursue [2] ⟨fig⟩ follow, ⟨gedwee of hinderlijk⟩ tail along after/behind, tag along after/behind, ⟨met amoureuze bedoelingen⟩ pursue, run/chase after

achternamiddag [de^{m}] spare/odd hour, spare/odd moment ◆ *dat kan **in** een achternamiddag worden gedaan* that can be done at any old time/odd moment

achternarijden [ov ww] follow, ⟨auto⟩ drive after, ⟨paard, fiets⟩ ride after

achternasturen [ov ww] send after(wards), ⟨brieven⟩ send on, forward

achternazenden [ov ww] [1] ⟨alsnog toezenden⟩ send after(wards), ⟨brieven⟩ send on, forward ◆ ⟨fig⟩ *de vijand **kogels/pijlen** achternazenden* send/shoot bullets/arrows after the enemy [2] ⟨afzenden om iemand in te halen⟩ send after

achternazetten [ov ww] chase, give chase to

achternazitten [ov ww] [1] ⟨achtervolgen⟩ chase, give chase to ◆ *rijke **mannen** achternazitten* chase/run after rich men; *de **politie** zit ons achterna* the police are after us/on our heels/on our tails [2] ⟨streng controleren⟩ check up on, keep an eye on, breathe down (s.o.'s) neck

achterneef [de^{m}] [1] ⟨zoon van een neef, nicht⟩ ⟨van eigen generatie⟩ second cousin, ⟨kind van neef/nicht van eigen generatie⟩ first cousin once removed, ⟨kind van oomzegger/tantezegger⟩ great-nephew [2] ⟨verre bloedverwant⟩ kissing cousin

achternicht [de^{v}] [1] ⟨dochter van een neef, nicht⟩ ⟨van eigen generatie⟩ second cousin, ⟨kind van neef/nicht van eigen generatie⟩ first cousin once removed, ⟨kind van oomzegger/tantezegger⟩ great-niece [2] ⟨verre bloedverwante⟩ kissing cousin

[1]**achterom** [het] rear access

[2]**achterom** [bw; ook in samenst] round the back, ⟨vnl AE⟩ around the back; zie ook **achteromlopen** ◆ *een **blik** achterom* a backward glance

achteromkijken [onov ww] look back, look behind one

achteromlopen [onov ww] walk round the back, go/come round the back

achteromzien [onov ww] look back, look behind one

achteronder [het] afterhold

achterop [bw] [1] ⟨aan de achterzijde op iets⟩ at/on the back, ⟨motor ook⟩ (ride) pillion, ⟨scheepv⟩ aft, at the quarterdeck, ⟨tram, bus⟩ on the rear platform ◆ ***mag** ik achterop?* can you give me a double?; ***spring** maar achterop!* jump/get on behind me!; *achterop **staan** de advertenties* the advertisements are at/on the back; ⟨scheepv⟩ ***voor-** en achterop* fore and aft; *hij **zat** bij mij achterop* ⟨alg⟩ I was doubling him/giving him a double; he was sitting on the back of my bike/motorbike/moped; ⟨motor ook⟩ he was riding pillion with me [2] ⟨in een mindere positie⟩ behind, ⟨m.b.t. betaling/werk ook⟩ behindhand ◆ *door mijn ziekte ben ik een heel **jaar** achterop* my illness has thrown me back a whole year; *achterop **zijn*** be behind; ⟨m.b.t. betalingen/werk ook⟩ be in arrear(s)/behindhand/behind schedule; ⟨m.b.t. levering/betaling ook⟩ be overdue; ⟨bij bank⟩ be back in/on one's account, be overdrawn

achteropkomen [ov ww] come up alongside with, catch up with

achteroplopen [ov ww] catch up with

achteropraken [onov ww] ⟨lopen enz.⟩ drop behind/back, fall into the rear, ⟨werk, betaling⟩ fall/get/run behind/into arrears, get behindhand, ⟨school⟩ drop behind

achterover [bw; ook in samenst] back(wards), ⟨AE ook⟩ backward; zie ook **achterovervallen** ◆ *hij **viel** achterover op de stenen* he fell back(wards)/on his back on the stones

achteroverdrukken [ov ww] ⟨inf⟩ pinch, lift, ⟨BE ook⟩ knock off, nick, half-inch

achteroverhellen [onov ww] tilt/slant/slope backwards

achteroverleunen [onov ww] [1] ⟨leunen⟩ lean back, recline, ⟨in stoel ook⟩ sit back [2] ⟨toekijken⟩ sit back and do nothing, sit by (and watch)

[1]**achteroverslaan** [onov ww] [1] ⟨onverhoeds achterovervallen⟩ fall down/over backwards [2] ⟨zeer verbaasd, ontsteld zijn⟩ stagger, ↓ be struck all of a heap ◆ *van zulke prijzen sla je **steil** achterover* those prices are staggering; *hij sloeg **steil** achterover toen ik dat zei* when I said that, he was absolutely staggered/flabbergasted; *daar sla je van achterover* that makes you stagger/makes your head spin

[2]**achteroverslaan** [ov ww] ⟨inf⟩ ⟨snel opdrinken⟩ toss down/off, gulp/bolt down, knock back/down ◆ *er **eentje** achteroverslaan* have a quick one; *een **fles** rum achteroverslaan* ⟨ook⟩ sink a bottle of rum

achterovervallen [onov ww] [1] ⟨achterwaarts omvallen⟩ fall over backwards, fall on one's back [2] ⟨van streek raken⟩ fall over backwards, be bowled over, be appalled/flabbergasted/dumbfounded ◆ *die prijzen zijn **om** van achterover te vallen* those prices are appalling/staggering; *zij viel (zowat) achterover **van** verbazing toen ze me zag* she was bowled over/dumbfounded when she saw me

achterpad [het] [1] ⟨achterste pad⟩ back path [2] ⟨afgelegen pad⟩ by-path

achterpagina [de] back page

achterpand [het] back

achterplaats [de] [1] ⟨achter een huis of gebouw⟩ courtyard, ⟨BE⟩ backyard [2] ⟨plaats (om te zitten of te staan) ver naar achteren⟩ place/seat at the back

achterplan [het] background

achterplat [het] back cover

achterplecht [de] afterdeck

achterpoot [de^{m}] hind leg ◆ *de hond **tilde** even zijn achterpoot **op*** the dog raised his hind leg ⊡ *op zijn achterpoten gaan staan* ⟨fig⟩ get (up) on one's hind legs, flare up, bristle

achterportier [het] rear door

achterrem [de] rear brake

achterruim [het] aft hold, afterhold

achterruit [de] rear window, back window

achterruitverwarming [de^{v}] rear window demister ◆ ***met** achterruitverwarming* heated rear window

achterschip [het] stern, poop, after end ◆ ***op** het achterschip* aft, at/in the stern

achterschot [het] tailboard, ⟨AE ook⟩ tailgate

achterspatbord [het] ⟨auto; BE⟩ rear wing, ⟨AE⟩ rear fender, ⟨fiets; AE⟩ rear mudguard/fender

achterspeler [de^{m}] back

achterst [bn] back, rear, hind, hinder, hindmost ◆ *de achterste **rijen*** the back rows

achterstaan [onov ww] [1] ⟨onderdoen, achtergesteld worden⟩ be (put) behind, ⟨minder zijn ook⟩ be inferior (to), rank below/after [2] ⟨sport⟩ be behind, be down, trail ◆ *bij de rust stonden we **met** 3-1 achter* at half-time we were down 3 to 1/3-1; *twee **punten** achterstaan* be two points down/behind, be down/trail by two points

achterstaand [bn] below, ⟨op volgende bladzijde⟩ overleaf, ⟨op achterzijde⟩ on/at the back

achterstallig [bn] back, behind, overdue, ⟨predicatief ook⟩ in arrears ◆ ***het** achterstallige* the arrears; *achterstallige **huur*** rent in arrears, back rent; *achterstallig **onderhoud** van een huis* back repair of a house, overdue maintenance on a house; *achterstallige **rekeningen*** overdue accounts; *achterstallige **rente*** back interest, interest still due; *achterstallige **schulden*** outstanding/back/overdue debts, arrears

achterstand [de^{m}] [1] ⟨het achterop zijn, het achterblijven⟩ arrears ◆ *een **culturele** achterstand* cultural deprivation; *een **grote** achterstand* serious/considerable arrears/^{B}leeway; ⟨sport⟩ *een **grote** achterstand hebben* be well down/behind; *een achterstand **hebben*** be/trail behind; ⟨sport⟩ *een achterstand **hebben** van twee punten* be two points down/behind, be down/trail by two points; ⟨psych⟩ *een achterstand **in** ontwikkeling vertonen* show a lag in development, be developmentally retarded; *de achterstand **inlopen*** make up arrears; *de wielrenner kwam **met** grote achterstand binnen* the rider came in far behind (the winner); ***op** achterstand staan* be behind; ⟨sport⟩ *de ploeg werd **op** achterstand gezet* the team fell behind/were down (in the game); *een achterstand **oplopen*** ⟨ook sport⟩ fall behind; build up/fall into arrears; *een **technische** achterstand* technical inferiority, a technical disadvantage; ⟨sport⟩ *tegen een achterstand **van** twee tegen een aankijken* be down/trail by two to one; ⟨sport⟩ *onze ploeg probeerde de achterstand **weg te werken*** our side/team tried to draw level/equalize/tie the score/knot the game [2] ⟨op afwerking wachtend werk⟩ backlog, lost ground ◆ *de achterstand **inhalen*** catch up; *we proberen de achterstand **weg te werken*** we are trying to make up/good the arrears/leeway/lost ground/backlog, we are trying to overtake the arrears/leeway/lag, we're trying to catch up [3] ⟨het achterstallige⟩ arrears

achterstandsgebied [het] ⟨pol⟩ disadvantaged area, underprivileged area, ⟨noodlijdend gebied⟩ depressed area

achterstandsleerling [de^{m}] special needs pupil

^{1}**achterste** [het] [1] ⟨het achtereinde⟩ back (part) ◆ *niet het achterste van zijn **tong** laten zien* keep one's cards close to one's chest, not speak one's mind, not commit o.s. [2] ⟨zitvlak⟩ backside, bottom, behind, rear (end), ↓ bum ◆ ***op** zijn achterste vallen* fall on one's backside/bottom/rear/behind/bum/seat/tail

^{2}**achterste** [het, de] ⟨m.b.t. plaats⟩ back one, hindmost/rear(most) one

achtersteek [de^{m}] backstitch

achterstel [het] [1] ⟨m.b.t. een voertuig⟩ rear end/underbody [2] ⟨m.b.t. een dier⟩ hindquarters

achterstellen [ov ww] [1] ⟨minder schatten⟩ rate lower/inferior, ⟨zaken ook⟩ subordinate (to), defer, put behind ◆ *neven worden achtergesteld **bij** broers* cousins are considered after/less important than brothers; *onderwijs wordt achtergesteld **bij** defensie* education is subordinated to/rated less important than defence; *een achtergestelde **lening*** subordinated loan [2] ⟨minder bevoordelen⟩ slight, neglect, discriminate against ◆ *iemand achterstellen **bij*** neglect s.o. for, consider s.o. less important than; *hij **voelde** zich achtergesteld* he felt slighted/discriminated against/put into second place

achterstelling [de^{v}] neglect, ⟨zaken ook⟩ subordination, postponement, ⟨persoon ook⟩ slight, discrimination ◆ ***met** achterstelling **van*** discriminating against, disfavouring

achtersteven [de^{m}] [1] ⟨sluitstuk van achteren aan de romp⟩ stern-post [2] ⟨achterste gedeelte van een schip⟩ stern, poop ◆ ***op** de achtersteven* aft, at/in the stern [3] ⟨kont⟩ stern, tail, rear (end), backside, behind

achterstevoren [bw] backwards, ⟨AE ook⟩ backward, back-to-front, the wrong way about/(a)round, ⟨volgorde ook⟩ in reverse

achterstop [de^{m}] backstop

achterstraat [de] [1] ⟨in een achterbuurt⟩ back street, ⟨smal⟩ alley(way) [2] ⟨achter een hoofdstraat⟩ sidestreet

achterstuk [het] back (part/piece)

achtertuin [de^{m}] [1] ⟨tuin achter het huis⟩ back garden, ⟨AE⟩ backyard [2] ⟨buitenlands gebied⟩ backyard

^{1}**achteruit** [de^{m}] reverse (gear) ◆ *een auto **in** zijn achteruit zetten* put/^{A}shift a car into reverse

^{2}**achteruit** [bw] [1] ⟨ook in samenstellingen; achterwaarts⟩ back(wards), ⟨AE ook⟩ backward, rearward(s), ⟨scheepv⟩ sternward(s); zie ook **achteruitdeinzen** ◆ *een **pas** achteruit* a step back [2] ⟨scheepv⟩ astern ◆ *volle **kracht** achteruit!* full speed astern!

achteruitboeren [onov ww] [1] ⟨m.b.t. een boer⟩ go downhill, do worse [2] ⟨m.b.t. andere personen⟩ go downhill, decline, get/grow worse, ⟨gezondheid ook⟩ fall off, fail

achteruitdeinzen [onov ww] start back, recoil, shrink (back), flinch, back away

achteruitgaan [onov ww] [1] ⟨achterwaarts gaan⟩ go back(wards), ⟨schip⟩ go astern, ⟨ruimte maken⟩ stand/fall back, ⟨auto⟩ reverse, back ◆ *de **barometer** gaat achteruit* the barometer/glass is falling; *ga eens **wat** achteruit!* stand back a little! [2] ⟨fig; verminderen⟩ decline, deteriorate, get/grow worse, go down(hill), ⟨moreel⟩ degenerate, ⟨kwantitatief ook⟩ fall (off), diminish, ⟨gezondheid ook⟩ fail ◆ *onze **economie** gaat achteruit* our economy is on the decline; *er **in** koopkracht op achteruitgaan* lose purchasing/spending-power; *de dollar is **in** waarde achteruitgegaan* the dollar has lost value, the dollar has decreased/declined/deteriorated/gone down in value, the dollar has lost ground; *de om-*

*zet/**productie** gaat achteruit* turnover/production is falling (off)/decreasing/declining/going down/on the decline; *ergens **op** achteruitgaan* lose by sth., be the worse for sth.; *daar ga je nooit **op** achteruit* you can't lose; *ik ben er per maand € 100 **op** achteruitgegaan* I am a hundred euros worse off per month; *we zijn er de laatste jaren (financieel) heel wat **op** achteruitgegaan* we've gone downhill (financially) quite a bit the last few years; ***opnieuw** achteruitgaan* ⟨gezondheid⟩ have a relapse; *de **patiënt** gaat niet achteruit* the patient is holding his own, the patient's condition has stabilized; *haar gezondheid gaat **snel** achteruit* her health is failing rapidly; ***sterk** achteruitgaan* deteriorate drastically; *de **toestand** gaat achteruit* things are changing for the worse, things are on the decline/downgrade; *de **vakbond** ging achteruit* the union lost ground; *hij ging **zienderogen** achteruit* he worsened perceptibly, he got visibly worse; *ze is achteruitgegaan* she has taken a turn for the worse; *hij ging van uur tot uur achteruit* he got worse by the hour

[1]**achteruitgang** [de^m] back/rear exit, backdoor, back way

[2]**achteruitgang** [de^m] decline, deterioration, decay, fall, degeneration, diminuition ♦ *de huidige **economische** achteruitgang* the present economic downturn; *de achteruitgang **in** levensstandaard* the fall/drop in living standards; *de nieuwe regeling **is** een achteruitgang* the new settlement/arrangement is a step backwards/setback; *de achteruitgang van de **moraal*** the moral degeneration/deterioration

achteruithobbelen [onov ww] deteriorate slowly

achteruithollen [onov ww] [1] ⟨terugbollen⟩ go running backwards [2] ⟨fig⟩ degenerate rapidly

achteruitkachelen [onov ww] lose ground, go downhill, take a turn for the worse

achteruitkijkspiegel [de^m] rearview/driving mirror

achteruitlopen [onov ww] [1] ⟨teruglopen⟩ ⟨achterwaarts⟩ walk backwards, ⟨terug⟩ walk back ♦ *de **barometer** loopt achteruit* the barometer/glass is falling [2] ⟨fig⟩ decline, deteriorate, go down, ⟨kwantitatief ook⟩ fall (off), diminish, ⟨gezondheid ook⟩ fail

achteruitmarcheren [onov ww] ⟨fig⟩ → **achteruitlopen**

achteruitrijden [onov ww] reverse, back, ⟨ruiter⟩ ride backwards, ⟨als passagier ook⟩ face the rear, ⟨in trein⟩ sit with one's back to the engine

achteruitrijlamp [de] reversing light, ⟨AE⟩ back-up light

[1]**achteruitschoppen** [onov ww] [1] ⟨achterwaarts schoppen⟩ kick back, lash out [2] ⟨fig⟩ resist kicking and screaming

[2]**achteruitschoppen** [ov ww] ⟨door schoppen achterwaarts doen gaan⟩ kick back(wards)

[1]**achteruitschuiven** [onov ww] ⟨schuivende achteruitgaan⟩ draw back(wards), edge/shift/move back(wards)

[2]**achteruitschuiven** [ov ww] ⟨achterwaarts schuiven⟩ push back

[1]**achteruitslaan** [onov ww] [1] ⟨m.b.t. rij, trekdieren⟩ kick (out), lash out [2] ⟨scheepv⟩ reverse, go astern [3] ⟨m.b.t. personen⟩ resist kicking and screaming

[2]**achteruitslaan** [ov ww] ⟨door slaan achteruit brengen⟩ hit back, beat back

[1]**achteruitsteken** [onov ww] [1] ⟨in achterwaartse richting uitsteken⟩ stick out to the rear, stick out backwards, jut out backwards, jut out to the back, jut out from the rear, jut out from behind, protrude backwards, protrude to the back, protrude from the rear, protrude from behind, project backwards, project to the back, project from the rear, project from behind [2] ⟨m.b.t. een auto⟩ reverse, back

[2]**achteruitsteken** [ov ww] ⟨door steken naar achteren doen gaan⟩ thrust back

achteruitvliegen [onov ww] deteriorate rapidly

achteruitwijken [onov ww] [1] ⟨naar achteren wijken⟩ back away, shrink, ⟨om plaats te maken⟩ step/stand/fall back [2] ⟨zich terugtrekken⟩ back out/down, back/cry off

achteruitzetten [ov ww] [1] ⟨meer naar achteren zetten⟩ set/put back [2] ⟨m.b.t. uurwerken⟩ put/set back [3] ⟨achteruit doen gaan⟩ set back, put/throw back, handicap ♦ *die brand heeft het **bedrijf** achteruitgezet* the fire has set/thrown/put the firm back, the fire has been a setback to the firm [4] ⟨bij anderen laten achterstaan⟩ rate inferior, slight, neglect, discriminate against ♦ *die **ambtenaar** is al tweemaal achteruitgezet* that clerk/official has already been passed over twice

achteruitzicht [het] rear view, ⟨auto ook⟩ rearward view

achtervang [de^m] back-up facilities, supporting facilities

achtervanger [de^m] ⟨sport⟩ catcher

achtervleugel [de^m] ⟨dierk⟩ underwing

achtervoegen [ov ww] add, ⟨taalk⟩ suffix, postfix

achtervoegsel [het] ⟨taalk⟩ suffix, postfix

achtervoet [de^m] heel

achtervolgen [ov ww] [1] ⟨vnl fig; van achteren volgen⟩ follow, ⟨heimelijk ook⟩ tail, ⟨hinderlijk⟩ pursue ♦ *zij werden **door** pech achtervolgd* they were pursued/dogged by bad luck, bad luck pursued them/dogged their footsteps; *die **gedachte** achtervolgt mij* that thought haunts/obsesses me; *iemand achtervolgen **met** verzoeken* badger/dog s.o. with requests [2] ⟨met vijandige bedoelingen volgen⟩ pursue, give chase to, run/chase after ⟨ook met amoureuze bedoelingen⟩, ⟨vervolgen⟩ persecute ♦ *een **moordenaar** achtervolgen* pursue/give chase to/chase (after)/track down/hunt (down) a killer

achtervolger [de^m], **achtervolgster** [de^v] pursuer ⟨ook wielersport⟩, ⟨vervolger⟩ persecutor

achtervolging [de^v] pursuit ⟨ook wielersport⟩, chase, ⟨vervolging⟩ persecution ♦ *de achtervolging **inzetten*** pursue, set off in pursuit (of), give chase; *na een **lange** achtervolging werden de inbrekers gegrepen* after a long pursuit/chase the burglars were caught

achtervolgingswaan [de^m], **achtervolgingswaanzin** [de^m] persecution complex/mania, paranoia

achtervolgingswaanzin [de^m] → **achtervolgingswaan**

achtervolgingswedstrijd [de^m] ⟨sport⟩ pursuit race

achtervolgster [de^v] → **achtervolger**

achtervork [de] rear fork

[1]**achterwaarts** [bn] ⟨naar achteren⟩ backward, rearward, ⟨fig ook⟩ retrograde, ⟨scheepv⟩ sternward ♦ *een achterwaartse **beweging*** a backward/rearward movement

[2]**achterwaarts** [bw] ⟨achteruit⟩ back(wards), ⟨AE ook⟩ backward, rearward(s), ⟨scheepv⟩ sternward(s) ♦ *achterwaarts **gaan*** move/step/stand/fall back, move/go backward(s); *een **stap** achterwaarts* a step back(ward(s))/rearward(s)

achterwacht [de^m] [1] ⟨het dienstdoen als plaatsvervanger voor noodgevallen⟩ backup (duty), reserve (duty) [2] ⟨iemand die daarmee belast is⟩ (emergency) backup, reserve, substitute

achterwand [de^m] back/rear wall

achterwege [bw] [•] *een antwoord **bleef** achterwege* an answer was not forthcoming, there was no answer; *indien betaling achterwege **blijft*** in default of payment; *achterwege **blijven*** ⟨gebeurtenis⟩ not take place, not come off; ⟨wat men had moeten doen⟩ be omitted, be left/remain undone; ⟨weggelaten⟩ be omitted/dropped/left out; ⟨toestemming enz.⟩ be withheld; ⟨niet opdagen⟩ not turn up; *achterwege **houden*** keep back, withhold; *die opmerking had beter achterwege **kunnen blijven*** that remark was uncalled for, ↓ you/he/… oughtn't to have said that; ***laat** voortaan zulke stommiteiten achterwege* refrain from such stupidity/stupidities in future, don't be so stupid in future; *achterwege **laten*** omit; ⟨weglaten ook⟩ leave/cut out, drop; ⟨niet doen ook⟩ leave undone, refrain from; ⟨niet door laten gaan⟩ cancel; *niets achterwege **laten*** leave nothing undone, leave no stone unturned

achterwerk [het] 1 ⟨zitvlak⟩ backside, bottom, behind, rear (end) ♦ *met een **zwaar** achterwerk* broad in the beam 2 ⟨deel van een werk, toestel⟩ back (part), ⟨scheepv⟩ stern

achterwiel [het] 1 ⟨m.b.t. een rij, voertuig⟩ back/rear wheel 2 ⟨rijksdaalder⟩ two and a half guilder piece

achterwielaandrijving [de^v] rear-wheel drive

achterwielophanging [de^v] rear suspension

achterzak [de^m] back pocket, ⟨broek ook⟩ hip pocket

achterzetsel [het] postposition

achterzijde [de] back, rear

achthoek [de^m] octagon ♦ ***bolvormige** achthoek* spherical octahedron; ***regelmatige** achthoek* a regular octagon

achthoekig [bn] octagonal, octangular

achting [de^v] regard, esteem, respect, estimation, opinion ♦ ***grote** achting **genieten*** be greatly/highly respected/esteemed/regarded, be held in high esteem/great respect; *achting voor iemand **hebben*** have regard/respect for s.o.; ***in** (iemands) achting **dalen*** go/come down in s.o.'s opinion/estimation; ***in** (iemands) achting **stijgen*** go up/rise in s.o.'s opinion/estimation; ***met** (de meeste) achting* Yours respectfully/faithfully/truly; *iemands achting **verliezen*** lose/forfeit s.o.'s respect; *achting **voor** zichzelf* self-respect

achtjarig [bn] 1 ⟨acht jaren tellend⟩ eight-year-old ♦ *het achtjarig **bestaan van het bedrijf*** the eighth anniversary of the firm; *een achtjarig **kind**, een achtjarige* an eight-year-old (child) 2 ⟨acht jaren durend⟩ eight-year, ↑ octennial, ⟨oorlog⟩ eight years'

achtkant [het, de^m] octagon

achtkantig [bn] octagonal, octangular, eight-sided

achtling [de^m] ⟨van mens⟩ octuplets, ⟨van dier⟩ litter/nest of eight ♦ *zij **heeft** een achtling **gehad*** she's had octuplets

achtmaal [bw] eight times

achtmaands [bn] eight month(s') ⊡ *een achtmaands **kindje*** an eight months' child

achtpotig [bn] octopod

achtregelig [bn] eight-line, of eight lines ♦ *achtregelige **strofe*** octonary, eight-line stanza

¹**achtste** [bn] eighth ♦ ⟨muz⟩ ***een** achtste* ⟨BE⟩ a quaver, ⟨AE⟩ an eighth note; *een achtste **liter*** one eighth of a litre

²**achtste** [rangtelw] eighth ♦ *u bent **de** achtste* you are the eighth

achttal [het] 1 ⟨bijeenhorende eenheden⟩ (number of) eight, set/group of eight, ⟨sonnetregels, elektronen⟩ octet ♦ *een achttal **vliegtuigen** vloog over* (a flight of) eight planes flew over 2 ⟨personen⟩ group of eight, set of eight, ⟨sportploeg⟩ eight, ⟨vnl. musici⟩ octet

¹**achttien** [hoofdtelw] eighteen ♦ *films voor **boven** de achttien* Xes, ⟨AE⟩ X-rated movies; *nog achttien **dagen*** eighteen more days, another eighteen days; *we waren **met** ons achttienen* there were eighteen of us, we were eighteen in all/all told; *verboden voor personen **onder** de achttien jaar* persons under eighteen not admitted

²**achttien** [rangtelw] eighteen(th) ♦ *achttien **april*** April (the) eighteenth, the eighteenth of April; ***hoofdstuk** achttien* chapter eighteen

achttiende [rangtelw] eighteenth

achttiende-eeuws [bn] eighteenth-century

achturig [bn] eight-hour ♦ *de achturige **werkdag*** the eight-hour (working) day

achtvlak [het] ⟨wisk⟩ octahedron

achtvlakkig [bn] octahedral

achtvoetig [bn] octameter, having eight metrical feet ♦ *een achtvoetige **jambe*** an iambic octameter; *achtvoetig **vers*** octameter

achtvoud [het] 1 ⟨achtmaal zo groot iets⟩ eightfold, octuple ♦ *een brief **in** achtvoud* a letter in octuplicate 2 ⟨veelvoud van acht⟩ octuple

achtvoudig [bn, bw] eightfold ⟨ook bw⟩, ⟨bijvoeglijk naamwoord ook⟩ octuple

achtzijdig [bn] octagonal, eight-sided ♦ *achtzijdige **figuur*** octagon

acid [de] acid

acid house [de^m] acid house

acidimeter [de^m] acidimeter

acidimetrie [de^v] acidimetry

acid jazz [de^m] acid jazz

acinus [de^m] acinus

ACLVB [de^v] ⟨in België⟩ (Algemene Centrale der Liberale Vakbonden van België) Belgian Liberal Trade Unions

acme [het] acme, climax, pinnacle

acne [de] 1 ⟨verzamelnaam; jeugdpuistjes⟩ acne, ↓ pimples, ↓ spots ♦ *hij **heeft** acne* he's got acne/spots 2 ⟨vetpuistje⟩ ↓ pimple, ↓ spot

ACOD [de^v] ⟨in België⟩ (Algemene Centrale der Openbare Diensten) Civil/Public Service Trade Union

acoliet [de^m] 1 ⟨geestelijke⟩ acolyte 2 ⟨misdienaar⟩ acolyte, ⟨jong⟩ altar boy, server

aconceptief [bn, bw] contraceptive ⟨bw: ~ly⟩ ♦ *aconceptieve **tabletten*** contraceptive pills, contraceptives

a conto ⟨handel⟩ on account ♦ *a conto **betalen*** pay on account

¹**a contrario** [bn] ⟨uit de beschouwing van het tegendeel volgend⟩ on the contrary, au contraire

²**a contrario** [bw] ⟨integendeel⟩ on the contrary

acquis [het] acquis

acquisiteur [de^m] canvasser, ± salesman

acquisitie [de^v] 1 ⟨het (ver)werven⟩ acquisition, ⟨klanten⟩ canvassing 2 ⟨aanwinst⟩ acquisition

acquisitiebeleid [het] 1 ⟨beleid gericht op verwerving⟩ acquisitions policy ⟨ook bibliotheek⟩, ⟨handel⟩ new-orders policy 2 ⟨overheidsbeleid⟩ policy of/for encouraging foreign investment

acquisitief [bn] acquiring, ⟨hebzuchtig⟩ acquisitive ♦ *acquisitieve **verjaring*** acquisitive/positive/creative prescription

acquit [het] 1 ⟨bilj⟩ spot ♦ ***van** acquit **gaan*** cue off 2 ⟨kwitantie⟩ receipt

acribie [de^v] meticulousness

acrobaat [de^m], **acrobate** [de^v] acrobat, tumbler

acrobate [de^v] → **acrobaat**

acrobatie [de^v] 1 ⟨kunst⟩ acrobatics, tumbling ♦ ⟨fig⟩ ***financiële** acrobatie* financial acrobatics 2 ⟨toer⟩ stunt, acrobatic feat, acrobatics

acrobatiek [de^v] acrobatics, tumbling

acrobatisch [bn, bw] acrobatic ⟨bw: ~ally⟩

acrogymnastiek [de^v] acrobatic gymnastics

acroniem [het] acronym

acrostichon [het] acrostic ♦ ***enkel/dubbel/driedubbel** acrostichon* single/double/triple acrostic

acryl [het] acrylic (fibre)

acrylglas [het] acrylic glass, plexiglass, perspex

acrylverf [de] acrylic (paint)

acrylvezel [de] acrylic (fibre)

act [de^m] act

acte de présence [de] ⊡ *acte de présence **geven*** put in/make an appearance; ⟨inf⟩ show one's face

acteertalent [het] acting talent

acteren [onov ww] 1 ⟨toneelspelen⟩ act, perform ♦ ***goed** acteren* act/perform well; ***slecht** acteren* act/perform badly; ⟨inf⟩ ham; ⟨overdreven⟩ overplay 2 ⟨doen alsof⟩ act, ⟨vnl pej⟩ play-act, ⟨inf⟩ put it on, pretend

acteur [de^m], **actrice** [de^v] ⟨man⟩ actor, ⟨vrouw⟩ actress, ⟨man & vrouw⟩ performer

acteursfilm [de^m] actor's film, ± all-star film ♦ *het is een acteursfilm* the film is just a vehicle for the actor(s)

acteurstheater [het] actors' theatre

actie [de^v] 1 ⟨handeling, beweging⟩ action, activity, ⟨inf⟩

goings-on ♦ *in actie **komen*** come/go/swing into action, come into operation; ⟨persoon, weer actief worden⟩ rouse o.s., make a move; ⟨inf⟩ look lively, stir o.s.; ⟨inf; BE⟩ pull one's finger out; *hij is weer **in** actie* he's at it again; *het geschut kwam **in** actie* the artillery/guns came into action; *actie en **reactie*** action and reaction; *een boek **vol** actie* an action-packed book; *er **zit** geen actie in dat toneelstuk* there's no action in that play [2] ⟨tot uiting gebracht streven⟩ action, campaign, movement, agitation, crusade ♦ ***positieve** actie* affirmative action, positive discrimination; *een actie **tot** loonsverhoging* agitation/(an) action/a campaign for higher wages [3] ⟨gevecht⟩ action, activity, operation(s), ⟨veldslag⟩ battle ♦ ***militaire** actie* action, military activities/operations [4] ⟨jur⟩ (legal) action, (legal) proceedings, lawsuit ♦ *een actie **instellen*** bring/commence/institute (an) action (at law)/(legal) proceedings; ⟨inf⟩ go to court; ⟨voor schadevergoeding⟩ sue; ***zonder** actie of refactie* with all faults [5] ⟨heng⟩ action [6] ⟨aandeel⟩ share ♦ *de actiën **rijzen/dalen*** shares rise/fall

actiebereidheid [de^{v}] readiness to take action, militancy ♦ ***grote** actiebereidheid bij de bondsleden* considerable militancy among union members

actiecentrum [het] campaign centre

actiecomité [het] action committee, action team/group, ± pressure group, ± lobby

[1]**actief** [bn] [1] ⟨werkzaam⟩ active, busy, ⟨druk bezig⟩ bustling, ⟨energiek⟩ energetic, ⟨doordrijverig⟩ pushy ♦ *de actieve **bevolking*** the working population; *hij is zeer actief **in** de parochie* he takes a very active part in parish affairs; *hij is nog steeds actief* he's still going strong; *een actieve **kerel*** an active/energetic/a dynamic/lively guy/^{B}chap/^{B}bloke, a live wire; *actieve **kool*** active/activated carbon; *het actieve **leven*** active life; *actief **maken*** activate; *je moet wat actiever **worden*** you should be a bit more active; ⟨inf⟩ you should make a move/look lively/stir yourself/put some life into it; ***zeer** actief zijn* ⟨ook⟩ be full of energy/go [2] ⟨in dienst, functie⟩ active ♦ *in actieve **dienst*** on active service/duty; *actieve **troepen*** active troops/forces; *na zijn ziekte **was** hij weer volop actief* he was up and about/on the go again after his illness [3] ⟨fin⟩ active ♦ *actieve **fondsen*** active securities/stocks; *een actieve **handelsbalans*** a favourable balance of trade, balance of trade surplus; *actieve **schulden*** active/outstanding debts, debts due [4] ⟨taalk⟩ active [•] *actieve **handel*** export (trade); ⟨handel⟩ *actief en **passief*** assets and liabilities

[2]**actief** [bw] ⟨metterdaad⟩ actively ♦ *actief **optreden*** take determined/energetic action/steps; *de gehele bevolking **steunde** actief en passief het verzet* the entire population supported the resistance (both) actively and passively

actiefilm [de^{m}] action film

actiefoto [de] action photograph

actiefzijde [de] assets/credit side

actiegroep [de] action group, action committee/team, ± pressure group, ± lobby, ⟨binnen pol partij⟩ ginger group

actieleider [de^{m}] campaign leader

actielijst [de] to-do list

actiemarketing [de] action marketing

actiepunt [het] action item

actieradius [de^{m}] [1] ⟨bereik⟩ radius of action, range (of action), sphere of action/influence [2] ⟨afstand af te leggen op 1 tank⟩ range

actiethriller [de^{m}] action thriller

actieveling [de^{m}] ⟨vnl scherts⟩ live wire, hyperactive person, ⟨vnl. m.b.t. uitgaansleven; sl⟩ swinger

actieven [de^{mv}] employed ♦ ***de** actieven en de niet-actieven* people in work and people out of work

actievoerder [de^{m}], **actievoerster** [de^{v}] campaigner, activist, ⟨gedreven⟩ crusader

actievoeren [onov ww] ⟨eenmalig⟩ hold a demonstration ♦ *actievoeren **voor/tegen*** agitate/campaign for/against, carry on a campaign for/against

actievoerster [de^{v}] → **actievoerder**

actine [de] actin

actiniteit [de^{v}] actinism

actinium [het] actinium

actinometer [de^{m}] actinometer

actinometrie [de^{v}] ⟨scheik⟩ actinometry

actinomyceten [de^{mv}] ⟨biol⟩ actinomycetes

actionaris [de^{m}] [1] ⟨aandeelhouder⟩ shareholder, ⟨vnl AE ook⟩ stockholder [2] ⟨handelaar in aandelen⟩ stockbroker, ⟨AE ook⟩ stockjobber, ⟨pej; inf⟩ sharepusher

actionisme [het] Actionism

actionpainting [de] action painting

activa [de^{mv}] [1] ⟨baten van een boedel⟩ assets, active property, ⟨AE ook⟩ resources ♦ ***netto** activa* net assets; *activa en **passiva*** assets and liabilities; ***vaste** activa* fixed capital/permanent assets; ***vlottende** activa* current floating assets [2] ⟨bezittingen van de gefailleerde⟩ assets, active property, ⟨AE ook⟩ resources

activator [de^{m}] [1] ⟨persoon of zaak die iets activeert⟩ activator [2] ⟨blokbeugel⟩ activator

activeren [ov ww] [1] ⟨actief maken⟩ activate [2] ⟨scheik⟩ activate [3] ⟨radioactief maken⟩ activate [4] ⟨boekh⟩ enter as asset ♦ *geactiveerde **posten*** assets

activering [de^{v}] [1] ⟨het activeren⟩ activation [2] ⟨scheik⟩ activation [3] ⟨het radioactief maken⟩ activation

activisme [het] [1] ⟨theol⟩ activism [2] ⟨streven⟩ activism

activist [de^{m}], **activiste** [de^{v}] activist, crusader

activiste [de^{v}] → **activist**

activistisch [bn] activistic

activiteit [de^{v}] [1] ⟨werkzaamheid⟩ activity, bustle, liveliness, action [2] ⟨een bepaalde werkzaamheid⟩ activity ♦ ***buitenschoolse** activiteiten* extramural activities, extracurricular activities; *activiteiten **ontplooien*** show activities [3] ⟨het in werkelijke dienst zijn⟩ active service [4] ⟨radioactiviteit⟩ activity, radioactivity

activiteitenbegeleider [de^{m}] activity leader

activiteitenbegeleiding [de^{v}] occupational therapy

activitycenter [het] activity centre

activum [het] ⟨taalk⟩ active (voice)

actor [de^{m}] actor, participant (in), party (to)

actrice [de^{v}] → **acteur**

actualiseren [ov ww] [1] ⟨actueel maken⟩ make topical, bring into the news, give publicity to, bring up to date [2] ⟨maken tot iets feitelijks⟩ actualize, realize, fulfil, ⟨AE⟩ fulfill

actualisme [het] uniformitarianism, principle of uniformity

actualiteit [de^{v}] [1] ⟨onderwerp van het ogenblik⟩ topical matter/subject, ⟨gebeurtenis⟩ current event, topicality, ⟨mv ook⟩ current affairs, news ♦ *op de hoogte blijven **van** de actualiteiten* keep abreast of topical matters/current events, keep up to date, ⟨inf⟩ keep in the picture [2] ⟨het actueel zijn⟩ topicality ♦ *de actualiteit van een **kwestie*** the topicality/topical interest/current interest of a question

actualiteitenprogramma [het], **actualiteitenrubriek** [de^{v}] current affairs programme

actualiteitenrubriek [de^{v}] → **actualiteitenprogramma**

actuariaat [het] profession of actuary

actuarieel [bn] actuarial ♦ *de actuariële **wetenschap*** actuarial science

actuaris [de^{m}] actuary

actueel [bn] [1] ⟨op het ogenblik bestaand⟩ current, existent [2] ⟨aan de orde zijnd⟩ current, topical, of current/topical interest, (a)live ♦ *actuele **berichten*** up-to-the-minute reports; *een actueel **onderwerp*** a topical subject, a live/current topic, a topic of the day/moment; an actuality, a topicality ⟨meestal mv⟩; ⟨mv ook⟩ current affairs, news; *actuele **vraagstukken*** questions of the day; *'Macbeth' is nog steeds **zeer** actueel* 'Macbeth' is still very much alive/very relevant to our times

actueren [ov ww] [1] ⟨tot werking brengen⟩ activate, actualize [2] ⟨taalk⟩ actualize

acultureel [bn] uncultured, philistine

acupressuur [de^{v}] acupressure

acupuncteur [de^{m}], **acupuncturist** [de^{m}] acupuncturist

acupuncturist [de^{m}] → **acupuncteur**

acupunctuur [de^{v}] acupuncture

^{1}**acuut** [bn] [1] ⟨dringend⟩ acute, critical ♦ *acuut **gevaar*** acute/critical danger; *acute **hongersnood*** acute famine; *de toestand begint acuut te **worden*** the situation is becoming critical [2] ⟨plotseling opkomend⟩ acute ♦ *acute **ziekten*** acute diseases

^{2}**acuut** [bw] ⟨onmiddellijk⟩ immediately, instant(aneous) ly, right away, at once ♦ *daar ga ik acuut van over mijn nek* it gives me the willies; *ik **heb** acuut **ingegrepen*** I took immediate action, I intervened/stepped in immediately/instantly/at once

ACV [het] ⟨in België⟩ (Algemeen Christelijk Vakverbond) Christian Trade Union

ACVW [het] ⟨in België⟩ (Algemeen Christelijk Verbond van Werkgevers) Christian Employers' Trade Union

a/d [afk] (aan de) ⟨plaatsnaam aan rivier⟩ on the, ⟨plaatsnaam aan de zee⟩ on, by, at the

ad ⊡ *ad 2* ⟨over/m.b.t. punt 2 bijvoorbeeld⟩ sub 2; *ad vier **procent*** at four percent; *ad absurdum* ad absurdum, to the point of absurdity; *ad infinitum* ad infinitum; *ad libitum* ad lib(itum), at will; *ad majorem Dei gloriam* to the greater glory of God; *ad patres gaan* be gathered to one's fathers; *ad valvas* ± on the notice-board

A.D. [afk] ⟨Latijn⟩ (anno Domini) AD, Anno Domini, in the year of our Lord

ad absurdum [bw] ad absurdum, to the point of absurdity

^{1}**adagio** [het] ⟨muz⟩ adagio

^{2}**adagio** [bw] ⟨muz⟩ adagio

adagissimo [bw] ⟨muz⟩ adagissimo

adagium [het] adage, maxim, proverb

Adam [de^{m}] [1] ⟨Bijb⟩ Adam ♦ ***kinderen** van Adam* sons (and daughters) of Adam, Adamites [2] ⟨ingeschapen aard⟩ Adam ♦ *de **oude** Adam **afleggen*** shake off the old Adam; *de **oude** Adam **kwam weer boven*** the old Adam cropped up again

adamiet [de^{m}] Adamite

adamsappel [de^{m}] Adam's apple

adamskostuum [het] ⟨scherts⟩ ⊡ ***in** adamskostuum* in one's birthday suit, in the altogether, in the nude

adaptatie [de^{v}] [1] ⟨aanpassing⟩ adaptation, adjustment, ⟨biol ook⟩ specialization [2] ⟨bk⟩ adaptation

adapter [de] adapter

adapteren [ov ww] [1] ⟨aanpassen⟩ adapt, adjust, ⟨biol ook⟩ specialize [2] ⟨bk⟩ adapt ♦ *een **roman** adapteren* adapt a novel, write an adapted version of a novel

^{1}**adaptief** [bn] ⟨van de aard van adaptatie⟩ adaptive

^{2}**adaptief** [bw] ⟨(als) door adaptatie⟩ adaptively

adaptogeen [bn] adaptogenic

adat [de^{m}] adat, custom, usage, tradition, ⟨adatrecht⟩ customary law ♦ ⟨fig⟩ *de **parlementaire** adat* usage since time immemorial

addenda [de^{mv}] addenda

addendum [het] addendum, appendix, annex

adder [de] [1] ⟨slang⟩ viper, adder ♦ ⟨fig⟩ *als door een adder **gebeten*** as if stung (into action); ⟨fig⟩ *een adder aan zijn borst/boezem/in zijn boezem **koesteren*** foster a viper/snake in one's bosom, nurse/nourish a viper in one's bosom; ⟨fig⟩ *er **schuilt** een adder(tje) onder het gras* ± there has to be a catch/snag somewhere [2] ⟨persoon⟩ viper, snake (in the grass)

adderen [ov ww, ook abs] ⟨scheik⟩ add ♦ *waterstof addeert **aan** ...* hydrogen adds on to ...; *koolwaterstoffen kunnen waterstof adderen* hydrocarbons are able to add hydrogen

addergebroed [het] (generation of) vipers

addergif [het] viper's venom

addict [de^{m}] addict

Addis Abeba [het] Addis Ababa

additie [de^{v}] ⟨scheik⟩ addition

^{1}**additief** [het] additive

^{2}**additief** [bn] [1] ⟨m.b.t. op-, bijtelling⟩ additive ♦ *additieve **constante*** additive constant [2] ⟨door bijeenvoeging gevormd⟩ additive ♦ *additieve **kleuren*** additive colours

additioneel [bn] additional, accessory, supplementary ♦ *additionele **artikelen** van de grondwet* additional/supplementary articles (of a temporary nature) of the constitution

add-on [de^{m}] add-on

adducerend [bn] ⟨biol⟩ adducent

adductie [de^{v}] ⟨biol⟩ adduction

adé [tw] ⟨inf⟩ see you, bye, ⟨BE⟩ cheers

à decharge [bw] for the defence ♦ ***getuige** à decharge* witness for the defence; *als **getuige** à decharge **optreden*** give evidence for the defence

adel [de^{m}] [1] ⟨hoedanigheid⟩ nobility, peerage ♦ *hij **is** van adel* he is a peer, he is of noble birth, he is highborn/highbred/titled/blue-blooded, he belongs to the nobility; *met iemand **van** adel **trouwen*** marry into the nobility/aristocracy, marry blood [2] ⟨adelstand⟩ nobility, peerage, aristocracy, ⟨lagere⟩ gentry ♦ *de **Nederlandse** adel* the Dutch nobility/peerage/aristocracy; *Hoge **Raad** van Adel* ± College of Arms, ↓ ± Herald's College [3] ⟨voortreffelijkheid⟩ nobility, nobleness ♦ *de adel van zijn **ziel*** the nobility of his soul [4] ⟨som van goede eigenschappen⟩ nobility ⊡ ⟨sprw⟩ *adel verplicht* noblesse oblige

adelaar [de^{m}] [1] ⟨vogel⟩ eagle [2] ⟨veldteken⟩ eagle [3] ⟨heral⟩ eagle, spreadeagle ♦ *de **koninklijke** adelaar* the royal eagle [4] ⟨rijk⟩ eagle ♦ *de **Franse** adelaar* the French Eagle

adelaarsblik [de^{m}] imperial look, ⟨scherpziend, gretig⟩ eagle eye ♦ ***met** adelaarsblik* eagle-eyed

adelaarshorst [de^{m}], **adelaarsnest** [het] eyrie, eagle's nest

adelaarsjong [het] eaglet

adelaarsnest [het] → **adelaarshorst**

adelaarsvlucht [de] [1] ⟨vlucht van een adelaar⟩ eagle's flight [2] ⟨afstand tussen de vleugeluiteinden⟩ wingspan of an eagle

adelboek [het] peerage, ⟨inf⟩ blue book

adelborst [de^{m}] midshipman, ⟨sl⟩ reefer ♦ *adelborst tweede klas* naval cadet

adelbrief [de^{m}] [1] ⟨oorkonde⟩ (letters) patent of nobility [2] ⟨eretitel⟩ patent of nobility

adeldom [de^{m}] [1] ⟨het behoren tot de adel⟩ nobility, peerage ♦ *een brief **van** adeldom* letters patent of nobility, a patent of nobility [2] ⟨edele geaardheid⟩ nobility, nobleness [3] ⟨edelen⟩ nobility, peerage, aristocracy, ⟨lager⟩ gentry

^{1}**adelen** [ov ww] ⟨in de adelstand verheffen⟩ ennoble, raise to the peerage, create a peer, lord

^{2}**adelen** [ov ww, ook abs] ⟨zedelijk verheffen⟩ ennoble, elevate ⊡ ⟨sprw⟩ *arbeid adelt* there is nobility in labour; ± work is no disgrace

adellijk [bn] [1] ⟨van de adel⟩ noble, nobiliary ♦ *van adellijke **afkomst*** of noble birth, highborn, highbred, titled, of title, blue-blooded; *adellijk **bloed*** noble/blue blood; *adellijk **geboren*** of noble birth, highborn, highbred; *een telg uit een adellijk **geslacht*** ⟨pej⟩ a sprig of (the) nobility; *een adellijk **slot*** a manor (house) [2] ⟨zodanig als met de adel overeenstemt⟩ noble, genteel [3] ⟨m.b.t. vlees⟩ high, gam(e)y ♦ *adellijk **wild*** high game

adelstand [de^{m}] nobility, peerage ♦ *iemand in/tot de adelstand **verheffen*** ennoble s.o., raise s.o. to the peerage, create s.o. a peer

adem [de^{m}] [1] ⟨lucht⟩ breath ◆ *de adem benemen* take one's breath away; *met ingehouden adem* ⟨fig⟩ with bated breath; ⟨lett⟩ holding one's breath; *zijn adem inhouden* ⟨ook fig⟩ hold one's breath; ⟨van schrik⟩ catch one's breath; ⟨form, fig⟩ *de adem van de lente/liefde* the breath of Spring/love; *naar adem happen* gasp for breath; *een onrustige adem* uneasy breathing; *weer op adem komen* catch one's breath, recover/get (back) one's breath/(second) wind; *ik had de tijd niet om op adem te komen* I was run/rushed off my feet, I had no breathing space; *slechte adem* bad/strong breath, halitosis; ⟨sport⟩ *zijn tweede adem krijgen* get one's second wind [2] ⟨ademtocht⟩ breath, wind ◆ *buiten adem zijn* be out of breath, be puffed out/breathless; *buiten adem raken* lose one's breath, get out of breath, become puffed out/breathless; *dat boek lees je in één adem uit* that book is unputdownable, you can't stop reading that book, you'll finish that book at a single sitting/in one go; *in één adem* in (one and) the same breath; *in één adem iets vertellen* pour sth. out; *zij werden altijd in één adem genoemd* they are always bracketed together; *de laatste adem uitblazen* breathe one's last, be at one's last gasp, expire; ⟨fig⟩ *een spreker van lange adem* a long-winded speaker; ⟨fig⟩ *de langste adem hebben* hold out longest; *zijn adem stokte* he stood breathless, he caught his breath, he gasped; *iemands (hete) adem in de nek voelen* feel s.o. breathing down one's neck [3] ⟨levensbeginsel⟩ breath ◆ *de adem Gods* the breath of the Lord; *al wat adem heeft* all that draws/has breath, all that (lives and) breathes

ademanalyse [de^{v}] breath test

^{1}**adembenemend** [bn, bw] ⟨zeer spannend, mooi, goed⟩ breathtaking ⟨bw: ~ly⟩ ◆ *een adembenemend schouwspel* a breathtaking scene; *een adembenemende snelheid* a breathtaking/breakneck speed; *zij zong adembenemend* she sang breathtakingly/magnificently

^{2}**adembenemend** [bw] ⟨zeer⟩ breathtakingly ◆ *adembenemend mooi* breathtakingly beautiful

adembuis [de] trachea

ademcentrum [het] respiratory centre

^{1}**ademen** [onov ww] [1] ⟨ademhalen⟩ breathe, draw/take breath ◆ *op iets ademen* breathe on sth. [2] ⟨voelbaar zijn⟩ be in the air ◆ *hier ademt een geest van liefde en vrede*↑ this place is suffused with a spirit of love and peace,↓ there's a spirit of love and peace about this place [3] ⟨m.b.t. textiel, leer⟩ breathe ◆ *kunststof ademt niet* synthetics don't breathe

^{2}**ademen** [ov ww] [1] ⟨inademen⟩ breathe, inhale ◆ *de lucht die men hier ademt, is verpest* the air one breathes here is poisoned [2] ⟨vervuld zijn van⟩ breathe, be pervaded/redolent with ◆ *zijn woorden ademen liefde en oprechtheid* his words are pervaded with love and honesty

ademhalen [onov ww] [1] ⟨ademen⟩ breathe, draw/take breath ◆ *al wat ademhaalt* all that draws/has breath, all that (lives and) breathes, all creatures great and small; *haal eens diep adem* take a deep breath, breathe deeply; *weer adem kunnen halen* be able to breathe again, have some breathing space again; *ruimer ademhalen* ⟨fig⟩ breathe again/more freely; *zwaar ademhalen* breathe heavily/hard/labouriously, labour for breath, wheeze [2] ⟨plantk⟩ breathe

ademhaling [de^{v}] [1] ⟨het ademen⟩ breathing, respiration ◆ *kunstmatige ademhaling* artificial respiration; *luisteren naar iemands ademhaling* listen to s.o.'s breathing; *een onrustige ademhaling* uneven/irregular breathing; *een rustige ademhaling* even breathing [2] ⟨ademtocht⟩ breath

ademhalingsapparaat [het] respirator

ademhalingsoefening [de^{v}] breathing exercise

ademhalingsorgaan [het] respiratory organ

ademhalingswegen [de^{mv}] respiratory organs, throat and lungs

ademloos [bn, bw] [1] ⟨zonder adem te halen⟩ breathless ⟨bw: ~ly⟩ ◆ *ademloos toekijken* watch breathless/with bated breath [2] ⟨geluidloos⟩ breathless ⟨bw: ~ly⟩ ◆ *ademloze gloed* breathless heat; *ademloze stilte* breathless silence

ademnood [de^{m}] difficulty (in) breathing, ⟨het zwaar ademen⟩ laboured breathing, gasping, wheezing, ⟨med⟩ dyspn(o)ea ◆ *in ademnood verkeren* be gasping for breath, find it difficult to breathe

adempauze [de] [1] ⟨rust na de uitademing⟩ breathing/respiratory pause [2] ⟨ogenblik van rust⟩ breathing space, ↓breather

ademsteun [de^{m}] breath support

ademstilstand [de^{m}] apn(o)ea

ademstokkend [bn] breathtaking

ademteken [het] breathing mark

ademtest [de^{m}] breath test ◆ *iemand de ademtest afnemen* breathalyse/^{A}breathalyze s.o.

ademtocht [de^{m}] breath, gasp ◆ *elke ademtocht* every breath one takes; *tot aan de laatste ademtocht* until one's dying breath/day; *de laatste ademtocht uitblazen* breathe/gasp one's last, expire

adenine [de] ⟨biochem⟩ adenine

adenocarcinoom [het] adenocarcinoma

adenoïde [bn] adenoid(al) ◆ *adenoïde vegetatie* adenoids ⟨mv⟩

adenoom [het] adenoma

adept [de^{m}] follower, adherent, disciple, devotee, adept

adequaat [bn, bw] ⟨geschikt⟩ proper ⟨bw: ~ly⟩, efficient ⟨bw: ~ly⟩, effective ⟨bw: ~ly⟩, ⟨net voldoende⟩ adequate ⟨bw: ~ly⟩ ◆ *adequaat reageren* react properly/effectively

ader [de] [1] ⟨bloedvat⟩ vein, blood vessel, ⟨slagader⟩ artery ◆ *een gesprongen ader* a burst blood vessel; ⟨fig⟩ *de liefde die in mijn aderen klopt* the love pulsing through/throbbing in my veins [2] ⟨doorgang in de aardkorst⟩ vein [3] ⟨oorsprong⟩ spring, source, origin, fountain(-head), wellhead [4] ⟨laag in de aardkorst⟩ vein, lode, seam [5] ⟨kronkelige streep⟩ vein ◆ *wit marmer met blauwe aderen* white marble with blue veins/streaked with blue [6] ⟨draad in een kabel⟩ ⟨geïsoleerd⟩ core, ⟨blank⟩ conductor [7] ⟨biol⟩ vein

aderbreuk [de] rupture of a blood vessel, bursting of a blood vessel ◆ *een aderbreuk krijgen/hebben* burst a blood vessel

adergezwel [het] dilation of a vein, ⟨slagaderlijk⟩ aneurism

aderiseren [ov ww] retread

aderlaten [ov ww] [1] ⟨bloed aftappen⟩ bleed, let blood [2] ⟨afzetten⟩ bleed, fleece, skin, rip off

aderlating [de^{v}] [1] ⟨bloedaftapping⟩ bleeding, bloodletting [2] ⟨gevoelig verlies⟩ drain (on resources) ◆ *het betekende een behoorlijke aderlating* ⟨fin⟩ it made a big hole in the budget

aderlijk [bn] venous ◆ *aderlijk bloed* venous blood

aderontsteking [de^{v}] phlebitis

aderverkalking [de^{v}] arteriosclerosis, hardening of the arteries

ad fundum [bw] to the dregs, to the last drop ◆ *ad fundum drinken* drain one's glass; *ad fundum!* bottoms up!; ⟨inf⟩ down the hatch!

ADHD [de] (attention deficit hyperactivity disorder) ADD, ADHD

^{1}**adherent** [de^{m}] adherent, follower, supporter

^{2}**adherent** [bn] [1] ⟨samenhangend⟩ adherent (to), related (to), associated (with) [2] ⟨onafscheidelijk verbonden met⟩ inherent (in), inseparable from ◆ *die verplichtingen zijn adherent aan die functie* these obligations are (an inherent) part of/come with this position, ⟨inf⟩ these obligations are part and parcel of this position

adhesie [de^{v}] [1] ⟨instemming⟩ adherence,↑adhesion, endorsement, concurrence, approval ◆ *zijn adhesie betuigen met* express one's adherence to/endorsement of/concur-

rence in/approval of, endorse, espouse [2] ⟨natuurk⟩ adhesion [3] ⟨med⟩ adhesion
adhesiebetuiging [de^v] expression of approval/sympathy/support, declaration of approval/sympathy/support
ad hoc [bn, bw] ad hoc ♦ *een ad-hocoplossing* an ad hoc solution
adie [tw] ⟨inf⟩ bye(-bye), bye now, ⟨vnl BE ook⟩ cheerio, cheers, ⟨vnl. kind ook⟩ ta-ta
adiëren [ov ww, ook abs] apply to, refer (a matter) to
¹adieu [het] goodbye, ⟨form⟩ farewell, adieu ♦ *iemand adieu zeggen* say goodbye/farewell to s.o.
²adieu [tw] goodbye, ⟨form⟩ farewell, adieu
ad infinitum [bw] ad infinitum
ad interim [bw] interim ♦ ***minister*** *ad interim* interim minister; *een ad-interimregering* an interim government
adipeus [bn] adipose, obese
adj. [afk] [1] (adjunct) adj [2] (adjudant) adj, adjt [3] (adjectief) adj
adje [het] bottoms up, down the hatch
¹adjectief [het] adjective
²adjectief [bn] [1] ⟨bijvoeglijk⟩ adjectival, adjective [2] ⟨m.b.t. een toevoegsel⟩ adjective [•] ⟨techn⟩ *adjectieve* ***kleurstoffen*** adjective dyes
adjectivisch [bn, bw] adjectival ⟨bw: ~ly⟩
adjudant [de^m] [1] ⟨stafofficier⟩ adjutant, aide-de-camp, aide, ⟨AE ook⟩ aid, ⟨BE ook; bij vorstelijk persoon⟩ equerry, ADC (to) [2] ⟨adjudant-onderofficier⟩ ± warrant-officer [3] ⟨vogel⟩ adjutant (bird/stork/crane) [4] ⟨politieagent⟩ sergeant
adjudant-chef [de^m] ⟨in België⟩ ± warrant-officer
adjudant-onderofficier [de^m] ± warrant-officer
adjunct [de^m] adjunct, ⟨in samenstellingen vnl⟩ assistant, ⟨onder-⟩ deputy, vice- ♦ *adjunct-hoofdredacteur* subeditor, deputy editor; *adjunct-inspecteur* assistant inspector
adjunct-directeur [de^m] assistant/deputy director, assistant/deputy manager, ⟨onderw⟩ deputy headmaster
adjunct-hoogleraar [de^m] ⟨BE⟩ ± senior lecturer, ⟨AE⟩ ± associate professor, ⟨lager in rang; AE⟩ ± assistant professor
adjunctie [de^v] adjunction
adjuvans [het] ⟨med⟩ adjuvant
adjuvanstherapie [de^v] ⟨med⟩ adjuvant therapy
ad libitum [bw] ad lib(itum), at will
adm. [afk] (administratie) admin
administrateur [de^m], **administratrice** [de^v] [1] ⟨iemand die administratie voert⟩ administrator, ⟨van schip⟩ purser, steward, ⟨boekhouder⟩ accountant ♦ *de administrateur van een* ***universiteit*** the administrative director of a university; ⟨van inschrijvingsbureau⟩ the (university) registrar [2] ⟨beheerder namens de eigenaar⟩ ⟨man & vrouw⟩ administrator, ⟨jur ook; vrouw⟩ administratrix, manager, trustee [3] ⟨ambtenaar⟩ administrative officer, administrator
administratie [de^v] [1] ⟨beheer⟩ administration, ⟨bestuur⟩ management, ⟨boekhouding⟩ accounting, accounts, ⟨kantoorwerk⟩ office work/duties, clerical work, ⟨inf⟩ admin, ⟨ook pej⟩ paperwork, ⟨pej⟩ desk work ♦ *de administratie van een* ***krant*** the management/publishers of a paper; ***raad*** *van administratie* executive board; ⟨in USA ook⟩ general management; *de administratie* ***voeren*** do the administrative work; ⟨boekhouding⟩ keep the accounts/records/books [2] ⟨stukken⟩ records, ⟨boekhouding⟩ accounts, ↓books [3] ⟨gebouw, vertrek⟩ ⟨afdeling⟩ administrative department, ⟨gebouw⟩ administrative building/offices, clerical department, ⟨boekhouding⟩ accounts department, ⟨mil⟩ paymaster's department ♦ *hij zit* ***op*** *de administratie* he's in the administrative/clerical department, ⟨inf⟩ he's in admin [4] ⟨personen⟩ administration, ⟨bestuur⟩ management
¹administratief [bn] [1] ⟨m.b.t. de, een administratie⟩ administrative, ⟨m.b.t. alg kantoor/schrijfwerk⟩ clerical, ⟨m.b.t. bestuur⟩ managerial ♦ *administratief* ***personeel*** administrative/clerical staff, white-collar workers; *administratief* ***werk*** administrative/clerical/office work; ⟨ook pej⟩ paperwork; ⟨pej⟩ desk work [2] ⟨jur⟩ administrative ♦ *administratief* ***recht*** administrative law; *administratieve* ***rechtspraak*** ⟨organisatie, werkwijze⟩ administrative procedure; ⟨zitting⟩ administrative proceedings; ⟨jurisprudentie⟩ administrative decisions
²administratief [bw] ⟨in, wat betreft de administratie⟩ administratively, clerically, managerially ♦ *administratief* ***onderlegd*** *zijn* be (very) experienced in/have (a great deal of) experience in administrative/clerical work
administratiekantoor [het] administrative/managerial office ♦ *administratiekantoor van* ***effecten*** trust (office), voting trust
administratiekosten [de^{mv}] administrative costs/expenses/charges, service charge(s)
administratienummer [het] administration number
administratrice [de^v] → **administrateur**
administreren [ov ww, ook abs] ⟨fondsen, vermogen⟩ administer, ⟨onderneming⟩ manage, ↓run, ⟨boeken bijhouden⟩ keep accounts ♦ *een administrerend* ***lichaam*** an administrative body
admiraal [de^m] [1] ⟨persoon⟩ admiral [2] ⟨vlinder⟩ → **admiraalvlinder**
admiraalsschip [het] admiral('s ship), flagship
admiraalsvlag [de] admiral's flag
admiraalvlinder [de^m] (red) admiral
admiraliteit [de^v], **admiraliteitscollege** [het] ⟨gesch⟩ admiralty, ⟨BE ook⟩ Board of Admiralty
admiraliteitscollege [het] → **admiraliteit**
admiratie [de^v] admiration
admissie [de^v] [1] ⟨toelating⟩ admission, permission ♦ ⟨jur⟩ ***gratis*** *admissie* ⟨vero⟩ taking or defending proceedings 'in forma pauperis'; granting of legal aid [2] ⟨toelatingsexamen⟩ entrance examination
adnominaal [bn, bw] ⟨taalk⟩ adnominal ⟨bw: ~ly⟩
adolescent [de^m] ⟨man & vrouw⟩ adolescent, ⟨man ook⟩ youth, ± youngster, ± teen-ager, ± young adult
adolescentie [de^v] adolescence
adonis [de^m] [1] ⟨schone jongeling⟩ Adonis, ⟨scherts; inf⟩ Greek god, God's gift to women, answer to a maiden's prayer [2] ⟨pronker⟩ ± dandy, ± beau [3] ⟨plant⟩ adonis
adoniscomplex [het] Adonis complex
zich adoniseren [wk ww] [1] ⟨zich opdirken⟩ adonize (o.s.), ± dandify/beautify o.s. [2] ⟨alles doen om jong en mooi te zijn⟩ adonize (o.s.), ± play/imitate Dorian Gray
adoptant [de^m] adopter, adoptive parent
¹adopteren [ov ww] [1] ⟨onder zijn hoede nemen⟩ adopt, take up [2] ⟨aannemen⟩ adopt, take up, embrace, espouse ♦ *een* ***idee*** *adopteren* adopt an idea
²adopteren [ov ww, ook abs] ⟨als kind aannemen⟩ adopt
adoptie [de^v] adoption
adoptief [bn] ⟨vnl. m.b.t. ouder⟩ adoptive, ⟨vnl. m.b.t. kind⟩ adopted
adoptiefouder [de^m] adoptive parent
adoptiekind [het] adopted child, ⟨AE ook⟩ adoptee
adoptieouder [de^m] adoptive parent
adorabel [bn] adorable, gorgeous, lovely, delightful
adoratie [de^v] [1] ⟨aanbidding⟩ adoration, worship, veneration [2] ⟨huldiging⟩ adoration
adoreren [ov ww] adore, worship, venerate, idolize
ad rem [bn, bw] ad rem, (straight/right) to the point, pertinent ♦ *een ad rem* ***antwoord*** an ad rem/a pertinent retort/reply; *ad rem* ***reageren*** react ad rem; *ze is* ***zeer*** *ad rem* she is quick(-witted)
adrenaal [bn] ⟨biol⟩ adrenal
adrenaline [de] adrenaline, ⟨vnl AE⟩ epinephrin(e)

adrenalinestoot [de^{m}] adrenaline rush
adrenogenitaal [bn] adrenogenital
adres [het] [1] ⟨woon-, verblijfplaats⟩ address, (place of) residence ◆ ⟨fig⟩ *bedreigingen uiten* ***aan*** *het adres van iemand* launch/utter threats at s.o.; ⟨fig⟩ *die opmerking was* ***aan*** *het adres van jouw zus* that remark was meant for/intended for/directed at your sister; *weet je een* ***goed*** *adres voor fotoartikelen?* do you know a good photographer's/address for photographic materials?; ⟨fig⟩ *je bent aan het* ***juiste*** *adres* you've come to the right man/woman, ↓ you've come to the right shop; *vanaf volgende maand heb ik een* ***nieuw*** *adres* ⟨ook⟩ I'm moving next month; ***per*** *adres* care of, ⟨AE⟩ in care of; ⟨afkorting⟩ c/o; *zonder* ***vast*** *adres* of no fixed abode; ⟨fig⟩ *je bent bij hem/mij aan het* ***verkeerde*** *adres* you've got the wrong man/person; ↓ you're barking up the wrong tree; ⟨met 'mij' ook⟩ ↓ you've come to the wrong shop [2] ⟨vermelding van de woon-, verblijfplaats⟩ address, ⟨boven brief ook⟩ inside address ◆ *je moet hier je adres* ***invullen*** enter your address here; *hij verhuisde en* ***liet*** *geen adres* ***achter*** he moved (house) and left no forwarding address [3] ⟨rekest⟩ address, petition, memorial ◆ *een adres* ***aan*** *de Tweede Kamer* an address/a petition/memorial to the Second Chamber; *een adres* ***van*** *adhesie* a declaration of approval/sympathy/support [4] ⟨comp⟩ address
adresband [de^{m}] wrapper
adresboek [het] directory
adresfirma [de] business reply firm
adreslijst [de] list of addresses, ⟨verzendlijst⟩ mailing list
adressant [de^{m}] petitioner, memorialist, applicant
adresseermachine [de^{v}] addressing machine, ⟨vnl BE⟩ addressograph
adressenbank [de] directory, list of addresses, ⟨verzendlijst⟩ mailing list
adressenbestand [het] directory, ⟨comp⟩ address file
adresseren [ov ww] [1] ⟨richten⟩ address, direct ◆ *waarom werden die brieven* ***aan*** *mij geadresseerd?* why were those letters addressed/sent to me?; *een* ***brief*** *vergeten te adresseren* forget to address a letter [2] ⟨m.b.t. een probleem, een kwestie⟩ address
adressering [de^{v}] [1] ⟨het adresseren⟩ addressing [2] ⟨adres⟩ address [3] ⟨comp⟩ addressing
adressograaf [de^{m}] ⟨vnl BE⟩ addressograph, addressing machine
adresstrook [de] address label
adreswijziging [de^{v}] change of address ◆ *adreswijzigingen* ***sturen*** send change of address cards, notify people of one's change of address/new address
Adriatisch [bn] Adriatic ◆ *Adriatische* ***Zee*** Adriatic Sea
ADSL [het] (asynchronous digital subscriber line) ADSL
adsorberen [ov ww] adsorb
adsorptie [de^{v}] adsorption ◆ ***polaire*** *adsorptie* polar adsorption
adstringent [bn] astringent
adstringeren [ov ww] astringe, contract
adstructie [de^{v}] ⟨staving⟩ support, substantiation, ⟨toelichting⟩ elucidation, explanation ◆ *voorbeeld* ***ter*** *adstructie* case in point; ***ter*** *adstructie van mijn beweringen* in support of/to substantiate my allegations
adstrueren [ov ww] ⟨staven⟩ support, substantiate, ⟨toelichten⟩ elucidate, explain
adten [ov ww] knock back, down
adukiboon [de] adsuki/adzuki bean
adulaar [het] ⟨geol⟩ adularia, adular, moonstone
adult [bn] adult
adv [de^{v}] (arbeidsduurverkorting) shorter working hours
ad valvas [bw] ⟨in België; stud⟩ on the (official) ^{B}notice/^{A}bulletin board
adv-dag [de^{m}] day off work pursuant to the Reduction of Working Hours Act ◆ *een adv-dag* ***opnemen*** ± take a day off

advectie [de^{v}] advection
advent [de^{m}] ⟨rel⟩ Advent
adventief [bn] adventive, adventitious ◆ *adventieve* ***planten*** adventive/adventitious plants
adventisme [het] Adventism, Seventh-Day Adventism
adventist [de^{m}] Adventist
adventskaars [de] ⟨rel⟩ Advent candle
adventskerk [de^{m}] Adventist church, Seventh-Day Adventist church
adventskrans [de^{m}] Advent wreath
adverbiaal [bn, bw] adverbial ⟨bw: ~ly⟩
adverbium [het] adverb
adverteerder [de^{m}], **adverteerster** [de^{v}] advertiser
adverteerster [de^{v}] → **adverteerder**
advertentie [de^{v}] advertisement, ⟨inf⟩ ad, ⟨vnl BE; inf⟩ advert, ⟨aankondiging van huwelijk, overlijden enz.⟩ notice, announcement ◆ *de* ***kleine*** *advertenties* the small/classified ads; ***op*** *een advertentie* ***schrijven*** answer an advertisement; *een advertentie* ***plaatsen*** put an advertisement in the paper(s); ⟨groot⟩ buy newspaper space
advertentieacquisiteur [de^{m}] advertisement/advertising canvasser, advertising space salesman, ⟨hoofd van dienst⟩ advertising sales director
advertentieacquisitie [de^{v}] selling of advertising space, canvassing of advertisements
advertentieblad [het] advertiser
advertentiebureau [het] advertising agency/office/firm
advertentiecampagne [de] advertising campaign, ⟨inf⟩ ad campaign
advertentiekolom [de] advertisement column
advertentiekosten [de^{mv}] advertising charges/costs
advertentiepagina [de] page of advertisements, ⟨rubrieksadvertenties⟩ classified advertisements, ⟨inf⟩ classified ads
^{1}**adverteren** [onov ww] ⟨advertenties plaatsen⟩ advertise, ⟨aankondigen⟩ announce ◆ *er wordt veel geadverteerd* ***voor*** *dat artikel* there is heavy advertising of that article, that article is being heavily advertised; ⟨inf⟩ they're plugging that article
^{2}**adverteren** [ov ww] ⟨openbaar bekendmaken⟩ publicize, advertise, ⟨aankondigen⟩ announce
advertorial [de^{m}] advertorial

advise of advice?

advise – (werkwoord) adviseren, advies geven
· *I would advise you to say nothing from now on*
advise – (werkwoord) informeren
· *we will advise you of our decision before the holidays*
advice – (zelfstandig naamwoord) advies
· *I really need your advice on this issue*
· *can I give you a piece of advice?*

advies [het] [1] ⟨raad⟩ advice, opinion, counsel, ⟨jur⟩ recommendation ◆ *advies* ***aan*** advice to; *zij gaven mij advies* ***over*** they advised me on; *advies/adviezen* ***geven*** give advice, advise; ***in*** *advies houden* reserve judg(e)ment; *iemands advies* ***inwinnen*** ***over*** obtain s.o.'s advice about; *het advies van deskundigen* ***inwinnen*** obtain expert advice, get the opinion of experts, get expert opinion; *iemand* ***om*** *advies vragen* ask s.o. for advice/an opinion, seek s.o.'s advice, consult s.o.; ↑ take counsel with s.o.; ***op*** *advies van de dokter* on the advice of the doctor, on (the) doctor's advice/orders; *iemands advies/adviezen* ***opvolgen*** act on/follow s.o.'s advice; *iemands advies/adviezen niet* ***opvolgen*** act against/go against/ignore s.o.'s advice; ***rechtskundig*** *advies vragen* take/seek legal advice; ⟨jur⟩ ***tegen*** *zijn advies in* against/contrary to his recommendation/judg(e)ment; *advies* ***uitbrengen*** ***over*** *de voorstellen* publish a report/report on the proposals; ***van*** *advies dienen* advise, give/offer advice/

counsel (to); ↑ counsel; *advies vragen* ask for advice; ⟨van een deskundige⟩ ask for an opinion; *een advies* a piece of advice; ⟨van een deskundige⟩ an opinion [2] ⟨kennisgeving, machtiging⟩ instructions, ⟨bericht⟩ notification, notice, advice, ⟨machtiging⟩ authority ♦ *volgens advies* as authorized, as per instructions/advice; *zonder advies* without authority; ⟨in afwachting van antwoord⟩ awaiting instructions

adviesbureau [het] consultancy, ⟨med⟩ clinic, ⟨handel⟩ firm of consultants

adviescollege [het] advisory board/panel

adviescommissie [de^{v}] advisory committee/board/panel

adviesorgaan [het] advisory/counselling/^{A}counseling body

adviesprijs [de^{m}] recommended selling/retail price, suggested retail price

adviesraad [de^{m}] advisory body, ⟨inf ook; AE⟩ brain trust

adviesrecht [het] advisory powers/right

adviessnelheid [de^{v}] recommended speed

adviesverhoging [de^{v}] upgrade

adviesverlaging [de^{v}] downgrade

adviseren ADVIES [ov ww] [1] ⟨als advies geven⟩ recommend, advise (s.o.) ♦ *de arts adviseerde een nieuwe behandeling* the doctor recommended a new treatment; *iemand adviseren iets te doen* advise s.o. to do sth.; *een adviserende stem* a consultative voice [2] ⟨van advies dienen⟩ advise, counsel ♦ *adviseren tot* recommend, advise [3] ⟨handel⟩ advise, ⟨kennisgeven⟩ notify

adviseur [de^{m}], **adviseuse** [de^{v}] adviser, advisor, counsellor, ⟨AE⟩ counselor, counsel, ⟨handel, med ook⟩ consultant ♦ *adviseur voor beroepskeuze* careers adviser/officer; ⟨r-k⟩ *geestelijk adviseur* spiritual adviser/counsellor; *rechtskundig adviseur* legal adviser, lawyer; ⟨BE ook⟩ solicitor

adviseuse [de^{v}] → **adviseur**

advocaat [de^{m}], **advocate** [de^{v}] [1] ⟨jur⟩ ⟨alg⟩ lawyer, ⟨pleiter voor hogere rechtbank; BE⟩ barrister, ⟨adviseur, pleiter voor lagere rechtbank; BE⟩ solicitor, ⟨AE⟩ attorney, ⟨vnl. Schotland⟩ advocate, counsel ♦ *als advocaat toegelaten worden* be called to the bar; ⟨fig⟩ *advocaat van de duivel* the devil's advocate; *zijn eigen advocaat zijn* represent/defend o.s. (in court); *een advocaat nemen* call in a lawyer, appoint/engage/employ a solicitor; *voor advocaat studeren* read/study for the bar, study to become a lawyer [2] ⟨pleiter⟩ advocate, supporter ♦ *een advocaat van kwade zaken zijn* ⟨fig⟩ stand up for (all) the wrong things; ⟨jur⟩ be a ^{B}bent/^{A}crooked lawyer, be a pettifogger [3] ⟨drank⟩ advocaat, ± eggnog, ± eggflip ♦ *een advocaatje* a glass/tot of advocaat

advocaat-fiscaal [de^{m}] ± judge advocate, ⟨hoofd van dienst⟩ Judge Advocate General

advocaat-generaal [de^{m}] ⟨BE⟩ ± Solicitor General

advocate [de^{v}] → **advocaat**

advocatencollectief [het] law centre, ⟨AE⟩ ± legal clinic

advocatenkantoor [het] lawyer's office, ⟨BE ook⟩ solicitor's office, ⟨AE ook⟩ attorney's office, ⟨BE ook⟩ firm of solicitors, ⟨AE ook⟩ law firm

advocatenstreek [de] ⟨pej⟩ (crafty) dodge, ⟨jur⟩ legal dodge

advocatuur [de^{v}] Bar, legal profession ♦ *de sociale advocatuur* ± legal aid lawyers

adware [de^{m}] adware

AE [afk] ⟨astron⟩ (astronomische eenheid) AU

aeratie [de^{v}] aeration

aereren [ov ww] aerate

aerials [de^{mv}] aerial skiing

aerobiccen [onov ww] do aerobics

aerobics [de^{m}] aerobics

aeroclub [de] aeroclub, flying club

aerodynamica [de^{v}] aerodynamics

aerodynamisch [bn] aerodynamic

aerofobie [de^{v}] ⟨psych⟩ aerophobia

aerograaf [de^{m}] airbrush

aeroliet [de^{m}] ⟨astron⟩ aerolite, aerolith

aeromechanica [de^{v}] aeromechanics

aerometer [de^{m}] aerometer

aeronautiek [de^{v}] aeronautics

aeronautisch [bn] aeronautic(al)

aeroob [bn] ⟨biol⟩ aerobic

aeroplankton [het] aeroplankton

aeroscoop [de^{m}] aeroscope

aerosol [de] aerosol

aerosolverpakking [de^{v}] aerosol (can/container/pack)

aerostatica [de^{v}] aerostatics

aerostatisch [bn] aerostatic

aerotrein [de^{m}] aerotrain, hovertrain

aerotropisme [het] aerotropism

AES [het] (Algemeen Eigenaarssyndicaat) General Employers Syndicate

Aesculaap [de^{m}] ⟨myth; god⟩ Aesculapius

AEX [de^{m}] (Amsterdam Exchange Index) AEX

^{1}**af** [het] [•] *terug zijn bij af* be back to square one; *teruggaan naar af* go back to square one

^{2}**af** [bn] [1] ⟨afgewerkt⟩ finished, done, completed, ⟨verzorgd⟩ polished, well-finished ♦ *dat is af* that is done to perfection; *het werk is af* the job/work is done/finished; *de voorstelling was helemaal af* the performance was perfect; *zijn manieren zijn af* his manners are impeccable [2] ⟨uit⟩ ⟨toestel⟩ off, ⟨licht ook⟩ out ♦ *de verloving is af* the engagement is off [3] ⟨spel⟩ out ♦ *je bent af* you're out

^{3}**af** [bw] [1] ⟨m.b.t. een verwijdering⟩ off, away ♦ *af en aan* back and forth, to and fro, backwards and forwards; *af en aan lopen* come and go; ⟨als zelfstandig naamwoord⟩ comings and goings; *af en aan varen* ⟨dienst onderhouden⟩ ply back and forth; *af en aan varen tussen* ply between; *er af!* get off!; *af fabriek* ex factory; *hoeden af!* hats off!, off with your hats!; ⟨fig⟩ *hij wil er niet af* he won't give way/change his mind; ⟨m.b.t. bezitting⟩ he won't let it go; *het deksel wil er niet af* the top/lid won't come off; *de stoep af en de straat op* off the pavement and into the road; *af en toe* (every) now and then, now and again, off and on, on and off, occasionally, every so often; *af en toe buien* intermittent showers; *af en toe zie ik hem nog weleens* I meet him occasionally; *op uw plaatsen! klaar? af!* on your marks! get set! go!; ⟨inf⟩ ready, steady, go! [2] (+ van; m.b.t. het uitgangspunt) from ♦ *van 1 pond af* from a pound, ⟨toenemend⟩ from a pound up, ⟨afnemend⟩ from a pound down; *van die dag af* from that day (on/onward(s)), since that day; *van de grond af* from the bottom, from ground level; *van september af* from September on/onward(s); ⟨m.b.t. regeling enz.⟩ as from September; *van jongs af (aan)* (ever) since I was/he was/... a child, (ever) since we were/they were/... children, (ever) since childhood; *we zijn nog ver van ons doel af* we are still a long way from our goal; *van de brug af (gerekend) het derde huis* the third house (counting) from the bridge; *van de president af tot de armste burger* from the president down to the poorest inhabitant [3] ⟨m.b.t. een verwijderd, gescheiden zijn⟩ away, off ♦ *ambtenaar af zijn* have retired from office/one's post; *de verf is er af* the paint has come off; *de nieuwigheid is er een beetje af* the novelty has worn off a bit; ⟨fig⟩ *dat kan er niet af* that's beyond my/your/... means, I/you/... can't afford that; *hij is minister af* he has ceased to be/finished being a minister, ⟨vnl BE⟩ he stood down as a minister; *van elkaar af zijn* be separated (from each other/one another), have parted company; *van iemand af zijn* be rid/^{B}shot of s.o., have done with s.o.; *200 meter van de weg af* 200 metres off the road; *u bent nog niet van me af* you haven't seen the last/back of me; *blij van iemand af te zijn* be glad to be rid/^{B}be shot/see the back of s.o.; *gelukkig ben ik daar nu van af* I'm glad that's over (and done) with; *hij woont een eindje van de weg af* he lives a little way off/away from the road; *het huis ligt een goed stuk van de weg af* the house is well away/stands well back from the road; *zij woont twee minuten van de bushalte af* she lives two minutes (away) from the bus stop; *goed, dat we van die moeilijkheden af zijn* we are well rid/^{B}shot of those difficulties [4] ⟨naar beneden⟩ down ◆ *op en af* up and down; *de rivier af* down river; *de trap af* down the stairs; *af!* (get) down!; ⟨tegen hond ook⟩ down boy/girl! [5] ⟨m.b.t. een nadering⟩ to, ⟨+ op⟩ towards, up to ◆ *op het geluid af* towards/in the direction of the sound; *ze komen op ons af* they are coming up to/coming towards us [•] ⟨theat⟩ *allen af* exeunt omnes; *goed/beter/slecht af zijn* be well/better/badly off, come off well/better/badly; ⟨theat⟩ *Hamlet af* exit Hamlet; *op de minuut af* to the (very) minute; ⟨stipt⟩ on the dot, sharp; *op 't onbeleefde af* to the point of rudeness; *tien uur op de minuut af* ten (o'clock) on the dot, on the dot of ten (o'clock), ten (o'clock) sharp; *het gebeurde op de dag af, twee jaar geleden* it happened two years ago to the (very) day; *ik weet er niets van af* I don't know anything about it; *van voren af aan beginnen* start from scratch; ⟨opnieuw⟩ start all over again; *zes bij en vier af* six on and four off; *daar wil ik af zijn* I wouldn't like to say

afasie [de^{v}] aphasia

afatica [de^{v}] → **afaticus**

afaticus [de^{m}], **afatica** [de^{v}] aphasic

afatisch [bn] aphasic

afb. [afk] (afbeelding) fig

afbakbrood [het] pre-baked bread

afbakenen [ov ww] mark out, delimit, ⟨perceel⟩ stake/set/peg out, ⟨grens⟩ define, ⟨gebied, taak⟩ demarcate, ⟨met scheidslijn⟩ mark off, ⟨weg⟩ trace (out) ◆ *duidelijk afgebakend* ⟨plan, taak ook⟩ clear-cut, well-defined, well-delineated; *een stuk land afbakenen* mark/stake out a piece of land; ⟨fig⟩ *de leerstof afbakenen* define the syllabus; *een tracé afbakenen* plot/mark/trace a course; *een vaarwater afbakenen* buoy a channel

afbakening [de^{v}] [1] ⟨handeling⟩ marking out/off, delineation, definition, demarcation ◆ *de afbakening van iemands werkterrein* the definition of s.o.'s (job) responsibilities [2] ⟨resultaat⟩ delineation, definition, demarcation ◆ *de afbakening is niet scherp* there is no fine distinction/clear dividing line

afbakken [ov ww] finish off in the oven, heat up ◆ *broodjes om zelf af te bakken* par(t)-baked rolls, ⟨AE⟩ easy-bake rolls

afbedelen [ov ww] [1] ⟨afsmeken⟩ cadge, ⟨verzoeken⟩ beg (s.o.) for (sth.), ⟨daad⟩ beg (sth.) of (s.o.), ⟨ding⟩ beg (sth.) from (s.o.), solicit, ⟨inf⟩ pester/badger for ◆ *iemand een geschenk afbedelen* ⟨verkrijgen⟩ cadge a gift from s.o.; ⟨verzoeken⟩ beg/solicit a gift from s.o.; *iemand een gunst afbedelen* ⟨verkrijgen⟩ cadge a favour from/off s.o.; ⟨verzoeken⟩ beg a favour of s.o. [2] ⟨bietsen⟩ wheedle out of, scrounge

afbeelden [ov ww] [1] ⟨in beeld voorstellen⟩ depict, portray, picture, illustrate, represent, show [2] ⟨beschrijven⟩ portray, depict, describe

afbeelding [de^{v}] [1] ⟨het afbeelden⟩ portrayal, depiction, illustration, representation [2] ⟨beeld⟩ picture, image, ⟨in boek⟩ illustration, figure ◆ *op de bovenstaande afbeelding* in the above picture/illustration; *lijst van afbeeldingen* ⟨in een boek⟩ list/table of illustrations/figures [3] ⟨beschrijving⟩ portrayal, description [4] ⟨wisk⟩ mapping

afbekken [ov ww] ⟨inf⟩ snap at, snarl/bark at ◆ *iemand afbekken* ⟨ook⟩ jump down s.o.'s throat, round on s.o., bite/snap s.o.'s head off; *je moet je door hem niet laten afbekken* don't take any lip/abuse from him

afbellen [ov ww] [1] ⟨telefonisch afzeggen⟩ cancel (by telephone) [2] ⟨per telefoon langsgaan⟩ ring round ◆ *hij belde de halve stad af om een taxi* he rang round half the city for a taxi

afbestellen [ov ww] [1] ⟨m.b.t. zaken⟩ cancel (an order for), ⟨regelmatige bestelling ook⟩ stop, countermand, revoke ◆ *goederen afbestellen* cancel an order for goods; *de melk/krant afbestellen* cancel/stop the milk/paper; *zij heeft de stoel afbesteld* she has cancelled the order for the chair [2] ⟨m.b.t. personen⟩ cancel

afbetalen [ov ww] [1] ⟨geheel voldoen⟩ ⟨persoon, schuld⟩ pay off, ⟨goederen⟩ pay for, ⟨schuld⟩ discharge, redeem ◆ *het huis is helemaal afbetaald* the house is completely paid for; *de schuldeisers zijn allemaal afbetaald* the creditors have all been paid off [2] ⟨in mindering betalen⟩ pay on account (for), make a (down) payment (on) ◆ *€ 100 afbetalen voor de wagen* pay € 100 on account for the car, make a down payment of € 100 on the car

afbetaling [de^{v}] [1] ⟨betaling in mindering⟩ ⟨BE⟩ hire purchase, ⟨AE⟩ credit, payment by instalment/^{A}installment, ⟨inf; BE⟩ hp ◆ *afbetaling in termijnen* payment by instalment/in instalments; *op afbetaling* on hire purchase/(the) hp/credit, by deferred payments, on the installment plan; ⟨euf⟩ on easy terms, in easy payments; ⟨inf⟩ on tick/the never-never; *een televisie op afbetaling* a hire-purchase TV, a TV on credit; *op afbetaling kopen/leveren* buy/supply on hire purchase/credit/account, ⟨inf⟩ buy/supply on tick [2] ⟨volledige voldoening⟩ payment, ⟨schuld⟩ discharge, redemption, clearance

afbetalingssysteem [het] hire purchase, deferred/extended payment system, ⟨AE⟩ installment plan

afbetalingstermijn [de^{m}] instalment, ⟨AE⟩ installment, term/period of repayment

afbeulen [ov ww] ⟨fig⟩ drive into the ground, work to death, hold/keep s.o.'s nose to the grindstone, ⟨sl; BE⟩ knacker ◆ *een afgebeuld lichaam* ⟨BE⟩ a fagged out body, a knocked ^{B}up/^{A}out body; *een paard afbeulen* work a horse to death; *zich afbeulen* slave; ⟨inf⟩ work one's guts out; knacker o.s.

afbidden [ov ww] [1] ⟨m.b.t. iets kwaads⟩ ward off by prayer, keep at bay by prayer [2] ⟨m.b.t. iets goeds⟩ pray/beg for, ⟨weldaad⟩ entreat, invoke ◆ *iemand een gunst afbidden* entreat a favour from s.o.

afbieden [onov ww] ⟨in België⟩ bring/knock/beat down

afbietsen [ov ww] ⟨inf⟩ wheedle out of, scrounge

^{1}**afbijten** [onov ww] [•] *van zich afbijten* stick up for o.s., give as good as one gets

^{2}**afbijten** [ov ww] [1] ⟨met de tanden afsnijden⟩ bite off ◆ *(de punt van) een sigaar afbijten* bite the end off a cigar; ⟨fig⟩ *zijn woorden afbijten* clip one's words [2] ⟨schoonbijten⟩ strip, remove ◆ *verf afbijten* strip/remove paint

afbijtmiddel [het] (paint) stripper, (paint) remover

afbikken [ov ww] [1] ⟨met een bikijzer verwijderen⟩ ⟨steen, kalk⟩ chip off/away, scale [2] ⟨een laag afbikken van⟩ chip off, ⟨ketel⟩ (de)scale ◆ *een muur afbikken* chip a layer off a wall

afbinden [ov ww] [1] ⟨med⟩ tie off, ligate, ligature ◆ *een dier afbinden* castrate/neuter an animal by ligature; *de navelstreng afbinden* tie off the umbilical cord; *een wrat afbinden* remove a wart by ligature [2] ⟨losbinden⟩ untie, undo ◆ *de schaatsen afbinden* untie/undo one's skates [3] ⟨toebinden⟩ tie up

afbladderen [onov ww] flake (off), peel (off), scale, exfoliate ◆ *de kalk/verf bladdert af* the whitewash/paint is flaking/peeling off

afblaffen [ov ww] bark at, snap/snarl at

^{1}**afblazen** [ov ww] [1] ⟨door blazen verwijderen⟩ blow off/away, ⟨met hoge druk⟩ blast (off) ◆ *de ketel afblazen* blow off the boiler [2] ⟨m.b.t. werk dat uit blazen bestaat⟩ blow (away) ◆ *die muzikant heeft vandaag wat afgeblazen* that musician has been blowing (away) quite a bit today [3] ⟨op het laatst afzeggen⟩ ⟨plan⟩ call off/abandon at the last minute

[2]**afblazen** [ov ww, ook abs] ⟨m.b.t. een signaal⟩ ⟨onovergankelijk werkwoord⟩ blow the whistle, ⟨overgankelijk werkwoord; beginsignaal⟩ whistle off, whistle away, whistle to start, ⟨eindsignaal⟩ whistle to stop ◆ *de scheidsrechter had al afgeblazen* the referee had already blown the whistle

afblijven [onov ww] keep off, leave/let alone, keep/stay away (from) ◆ ***van** iets afblijven* keep off sth.; ⟨fig⟩ have nothing to do with sth., steer clear of sth.; ***van** iemand afblijven* ⟨ook fig⟩ leave s.o. alone/be, lay off s.o.; *blijf **van** de koekjes af* leave the [B]biscuits/[A]cookies alone, stay away from the biscuits; *afblijven!* ⟨met voeten⟩ keep off!; ⟨met handen⟩ don't touch!, hands off!

afbluffen [ov ww] overawe, outbluff

afblussen [ov ww] ⟨cul⟩ add water to ◆ *afblussen **met** bouillon/melk* add stock/milk to

afboeken [ov ww] [1] ⟨volledig boeken⟩ enter up [2] ⟨overboeken⟩ transfer [3] ⟨als verlies boeken⟩ write off ◆ *1 miljoen pond afboeken **op/van** de ontwikkelingskosten* write off one million pounds of the development costs

afboeking [de^{v}] [1] ⟨afsluiting van rekening⟩ closing [2] ⟨overboeking⟩ transfer [3] ⟨afschrijving⟩ writing off

afboenen [ov ww] ⟨nat⟩ scrub (off), ⟨droog⟩ rub (off/down), polish

afborstelen [ov ww] [1] ⟨met een borstel wegnemen⟩ brush off/away [2] ⟨met een borstel reinigen⟩ brush (down) ◆ ***iemand** afborstelen* brush s.o. down; *zijn **kleren** afborstelen* brush one's clothes, give one's clothes a brush; ***zich** afborstelen* brush o.s. down, (have a) brush up

afbouw [de^{m}] [1] ⟨geleidelijke stopzetting⟩ run-down, cutback, reduction ◆ *de afbouw van de **hulpverlening*** the run-down in aid [2] ⟨geleidelijke afbraak⟩ dismantlement [3] ⟨voltooiing van een bouwwerk⟩ completion [4] ⟨mijnb; ontginning⟩ working

afbouwen [ov ww] [1] ⟨geleidelijk beëindigen⟩ run down, cut back, reduce, cut down on ◆ *we zijn onze **relatie** aan het afbouwen* we are breaking it off [2] ⟨de bouw ten einde brengen⟩ complete, finish ⊡ *een afgebouwde **kolenmijn*** an exhausted coal mine

afbraak [de] [1] ⟨handeling⟩ demolition, destruction, ⟨van schip⟩ breaking up ◆ *huizen **voor** afbraak* condemned houses; ***voor** afbraak verkopen* ⟨gebouw⟩ sell for demolition; ⟨auto, schip⟩ sell for/as scrap [2] ⟨resultaat⟩ scrap, ⟨van (bak)stenen⟩ rubble [3] ⟨scheik⟩ decomposition, ⟨van moleculen⟩ breakdown, disintegration, degradation

afbraakbeleid [het] destructive policy, demolition policy

afbraakbuurt [de] demolition/condemned area

afbraakpolitiek [de^{v}] demolition policy

afbraakprijs [de^{m}] knock-down price

afbraakproduct [het] decomposition/degradation product

afbraakterrein [het] [1] ⟨waarop huizen afgebroken worden⟩ demolition site [2] ⟨dat rest nadat puin geruimd is⟩ (former/cleared) demolition site

afbramen [ov ww] (de)burr, smooth off

[1]**afbranden** [onov ww] ⟨door brand vernietigd worden⟩ burn down

[2]**afbranden** [ov ww] [1] ⟨door branden wegnemen⟩ burn off/away ◆ *een **wrat** afbranden* cauterize a wart [2] ⟨door branden reinigen⟩ burn off [3] ⟨door brand vernietigen⟩ burn down [4] ⟨bekritiseren⟩ pan, trash, ⟨BE ook⟩ slate

afbreekbaar [bn] decomposable, degradable, ⟨biologisch⟩ biodegradable ◆ *biologisch afbreekbare **wasmiddelen*** biodegradable detergents

afbreekbaarheid [de^{v}] decomposability, degradability, ⟨biologisch⟩ biodegradability

afbreekfout [de] incorrect (word) division, incorrect hyphenation

afbreekstreepje [het] hyphen

afbreekteken [het] hyphen

[1]**afbreien** [onov ww] ⟨steken op de volgende naald breien⟩ slip (stitches)

[2]**afbreien** [ov ww] ⟨breiend afmaken⟩ finish knitting ◆ *een **sok/net** afbreien* finish knitting a sock/making a net

[1]**afbreken** [onov ww] ⟨brekend losgaan⟩ break off/away, ⟨knappend⟩ snap (off) ◆ *de **punt** brak (van de stok) af* the end broke off (the stick)

[2]**afbreken** [ov ww] [1] ⟨door breken scheiden⟩ break (off), ⟨knappend⟩ snap (off) ◆ ***automatisch** afbreken* automatic hyphenation; *een **draad** afbreken* break/snap a thread; *afgebroken **takken*** broken-off/fallen branches; *een tak **van** de boom/een bloem **van** haar steel afbreken* break a branch off the tree/a flower off its stalk; ***woorden** afbreken* break (off)/divide/split (up) words [2] ⟨plotseling doen ophouden⟩ break off, halt, interrupt, ⟨vakantie⟩ cut short ◆ *haar **leven** werd plotseling afgebroken* her life was suddenly cut short/came to a sudden end; ***onderhandelingen** afbreken* break off negotiations; *hij brak zijn **reis** af* he broke (off)/cut short/interrupted his journey; *een elektrische **stroom** afbreken* cut (off)/break an electric current; *een **telefoongesprek** afbreken* hang up, break off a telephone conversation; *een **verloving** afbreken* break off an engagement; *de **wedstrijd** werd afgebroken* the game was adjourned; *hij brak zijn **zin** plotseling af* he stopped in the middle of his sentence/mid-sentence, he suddenly interrupted his flow [3] ⟨slopen⟩ ⟨slechten⟩ pull down, demolish, ⟨versperring, schutting e.d.⟩ break/tear down, ⟨aan stukken slaan⟩ break up, ⟨m.b.t. auto, schip⟩ (reduce to) scrap, ⟨ontmantelen⟩ dismantle, take apart, ⟨kast, tent⟩ take down ◆ ⟨fig⟩ *de **boel** afbreken* go wild/berserk, ⟨inf; BE⟩ go spare; *een **tent** afbreken* take down/strike a tent [4] ⟨fig; afkraken⟩ heavily criticize, ⟨BE ook⟩ slate, ⟨sterker⟩ annihilate, ⟨inf⟩ pan, slam, ⟨argumenten⟩ pull to pieces ◆ *afbrekende **kritiek*** scathing/destructive criticism

[3]**afbreken** [ov ww, ook abs] ⟨scheik⟩ decompose, degrade, disintegrate, break down

afbrekingsteken [het] [1] ⟨teken dat een woord afgebroken is⟩ hyphen [2] ⟨aanduiding van een afkorting⟩ full stop, point

afbrengen [ov ww] [1] ⟨m.b.t. een plaats⟩ get off, move, shift, ⟨schip ook⟩ refloat ◆ ⟨fig⟩ *iemand **van** de goede weg/het rechte pad afbrengen* lead s.o. astray [2] ⟨m.b.t. een onderwerp⟩ put off, divert, deter, deflect ◆ *het gesprek **van** iets afbrengen* change the subject (of a conversation) (from sth.); *ze zijn er niet **van** af te brengen* they are not to be put off/deflected/deterred/moved; *iemand **van** zijn onderwerp afbrengen* get/put s.o. off his subject, sidetrack s.o.; *iemand **van** het slechte voornemen afbrengen* put s.o. off/dissuade s.o. from his/her bad intention(s) ⊡ *het er **goed** afbrengen* do well/alright (at/in), make a good job (of), bring to a successful conclusion; *het er **levend** afbrengen* escape with one's life; *het er **heelhuids** afbrengen* come off/through unscathed; *het er **slecht** afbrengen* do badly (at/in), make a poor job (of); ⟨inf⟩ come unstuck

afbreuk [de] ⊡ *afbreuk **doen aan*** harm, injure, damage, devalue, denigrate; *iemand afbreuk **doen*** do s.o. harm; *afbreuk **doen** aan de vijand* harm the enemy; ⟨m.b.t. slachtoffers⟩ cause casualties among/inflict losses on the enemy; *dat **doet** geen afbreuk aan zijn verdiensten* that does not detract/that takes nothing away from his merits; *het **doet** een beetje afbreuk aan het geheel* it does mar/spoil the effect somewhat, it does put a bit of a blot on the picture

afbreukrisico [het] risk factor ◆ *een beroep met een **hoog** afbreukrisico* a high-risk profession

[1]**afbrokkelen** [onov ww] ⟨in brokjes losgaan⟩ crumble (off/away), fragment ◆ *het **plafond** brokkelt af* the ceiling is crumbling; ⟨fig⟩ *de **prijzen/koersen** brokkelden af* prices/exchange rates were being eroded

[2]**afbrokkelen** [ov ww] ⟨in brokjes afbreken⟩ break bits/

fragments off, crumble off ◆ ***kruimels** afbrokkelen* break crumbs off

afbrokkeling [de^v] crumbling(-away), ⟨abstr ook⟩ fragmentation

¹**afbuigen** [onov ww] ⟨een andere richting nemen⟩ turn off, bear/branch off, bend away ◆ ***naar** rechts afbuigen* bear off to the right; *die **spoorlijn** buigt hier af* the railway line branches off here; *het afbuigend **verkeer*** traffic turning off

²**afbuigen** [ov ww] ⟨door buigen verwijderen⟩ bend off ◆ *een **tak** van een boom afbuigen* bend a branch off a tree

afbuigmagneet [de^m] deflecting magnet

afchecken [ov ww] check (off) (against)

afconcluderen [ov ww] ⟨pol⟩ end conclusively ▪ ⟨jur⟩ *de **zaak** is afgeconcludeerd* proceedings have been completed

afd. [de^v] (afdeling) dept, div, sect

afdak [het] 1 ⟨afhellend dak⟩ lean-to 2 ⟨vrijstaand dak⟩ lean-to, shelter, ⟨voor auto⟩ carport

afdalen [onov ww] 1 ⟨m.b.t. personen⟩ go/come down, descend ◆ *een **berg** afdalen* descend/go/come down a mountain; ***in** de mijn afdalen* go down the pit/mine 2 ⟨m.b.t. zaken⟩ drop (down), descend ◆ *de wegen daalden af **in** diepe kloven* the roads dropped down/descended into deep ravines 3 ⟨fig⟩ descend, come down ◆ ***tot** iemand afdalen* come down/descend to s.o.'s level; ⟨m.b.t. spreken, schrijven⟩ talk/write down to s.o.; *van de hoofdlijnen **tot** de details afdalen* go from broad outlines into details 4 ⟨genealogie⟩ descend ◆ *de afdalende **lijn*** the line of descent

afdaling [de^v] 1 ⟨het naar beneden gaan⟩ descent 2 ⟨sport⟩ downhill 3 ⟨vermindering⟩ descent

afdammen [ov ww] dam (up), block off, stem

afdamming [de^v] 1 ⟨het afdammen⟩ blockage, blocking off 2 ⟨dam⟩ dam

afdanken [ov ww] 1 ⟨ontslaan⟩ dismiss, ⟨inf⟩ sack, ⟨tijdelijk⟩ lay off, ⟨werkploeg⟩ pay off, ⟨troepen⟩ disband, ⟨wegens ouderdom⟩ pension off ◆ ***personeel** afdanken* pay/lay off staff 2 ⟨buiten gebruik stellen⟩ discard, ⟨kleren⟩ cast off/aside, ⟨m.b.t. schip, machine⟩ (send for) scrap ◆ *een **auto** afdanken* scrap a car; *een **machine** afdanken* scrap a machine; ⟨euf⟩ pension off a machine 3 ⟨afwijzen⟩ turn away/down ◆ *een **vrijer/minnaar** afdanken* turn down a suitor/lover

afdankertje [het], **afdragertje** [het] cast-off, hand-(me-)down ◆ *afdankertjes* ⟨BE ook⟩ jumble

afdankingspremie [de^v] ⟨in België⟩ redundancy pay/scheme

¹**afdekken** [ov ww] 1 ⟨bedekken⟩ cover (over/up), ⟨met bovenlaag⟩ top off, ⟨een punt, top⟩ cap ◆ *een nieuwe **bestrating** afdekken* dust/grit new roadsurfacing, ⟨vnl BE⟩ dust/grit new tarmac; *aardappelen **met** stro afdekken* cover potatoes with straw 2 ⟨bedekking afnemen van⟩ uncover 3 ⟨foto⟩ block out, ⟨deel van afdruk/negatief⟩ opaque ▪ *een **vuur** afdekken* bank (up) a fire

²**afdekken** [ov ww, ook abs] ⟨het tafeldekken afmaken⟩ finish (laying/setting the table)

afdekverf [de] top/finishing coat

afdeling [de^v] 1 ⟨deel van een geheel⟩ department, division, ⟨van maatschappij/boek/weg⟩ section, ⟨van vereniging⟩ branch, ⟨vak⟩ compartment, ⟨van patiënten in ziekenhuis⟩ ward, ⟨van boek/vereniging⟩ chapter ◆ *de afdeling **Borneo*** the Borneo section/branch; *dat is **jouw** afdeling* that is your department/province; ***op** een afdeling werken* work in a department; *de afdeling **stoffen*** the fabrics department; *de afdeling **Utrecht** van onze vereniging* the Utrecht branch of our society; *afdeling gevonden **voorwerpen*** lost property office/department; *afdeling niet roken* no(n)-smoking compartment; ⟨inf⟩ non-smoker 2 ⟨mil⟩ division, detachment, squad 3 ⟨scheepv⟩ division

afdelingsbestuur [het] departmental/divisional/branch management, departmental/divisional/branch committee

afdelingsbibliotheek [de^v] departmental library

afdelingschef [de^m] department(al) manager, head of department, ⟨in grote winkel⟩ floor manager, shop-walker, floorwalker

afdelingsvergadering [de^v] departmental branch meeting, ⟨in parlement⟩ Committee meeting, ⟨op congres⟩ congressional committee meeting

afdelingsvoorzitter [de^m] ⟨in parlement⟩ chairman of a Committee, ⟨op congres⟩ chairman of a congressional committee, ⟨van vereniging⟩ branch chairman

afdelven [ov ww] dig away

afdichten [ov ww] seal, stop/plug up

afdichtingsmiddel [het] sealer, sealing compound, sealant

afdingen [ov ww, ook abs] ⟨overgankelijk werkwoord⟩ bring/beat/knock down, ⟨onovergankelijk werkwoord⟩ bargain/argue/negotiate/haggle (with s.o.) ◆ *een **euro** bij iemand afdingen* bring/beat/knock s.o. down a euro; *het lukte mij er **iets** af te dingen* I managed to get a bit (knocked) off (the price); ***op** de koopprijs afdingen* argue about/haggle over the purchase price; ⟨fig⟩ *daar valt niets **op** af te dingen* ⟨niets aan te veranderen⟩ that is not negotiable, that has to be accepted lock, stock and barrel; ⟨uitstekend in orde⟩ that's fine as it is/stands; ⟨fig⟩ *er valt niets **op** hem af te dingen* there is nothing to be said against him; ⟨fig⟩ *ik wil niets **op** zijn prestaties afdingen* I have no wish to detract from his achievements

afdoen [ov ww] 1 ⟨afleggen⟩ take off, remove 2 ⟨wegnemen⟩ take off ◆ ⟨fig⟩ *dat doet niets af **aan** het feit dat ...* that doesn't alter the fact that ...; ⟨fig⟩ *zijn armoede deed niets af **aan** zijn waardigheid* his poverty did not detract from/took nothing away from his dignity; *als je dat doet, heb je voorgoed **bij** mij afgedaan* if you do that, I'm through with you/I've finished with you for good; *de prijs is te hoog, u kunt **er** wel iets afdoen* the price is too high, you can knock a bit off/come down a bit; *het stof **van** de schoenen afdoen* wipe the dust off one's shoes, dust off one's shoes; *het deksel **van** de pot/het verband **van** een wond afdoen* take the lid off the jar/the bandage off the wound 3 ⟨schoonmaken⟩ ⟨m.b.t. stof⟩ dust (off), ⟨m.b.t. vuil⟩ clean, ⟨afvegen⟩ wipe (off) 4 ⟨ten einde brengen⟩ finish, complete, ⟨zaak⟩ conclude, ⟨werk⟩ dispatch, ⟨afhandelen⟩ deal with, ⟨wegdoen⟩ dispose of ◆ *daarmee is **dat** afgedaan* that is the end of that; *iets afdoen **met** een lachertje* laugh sth. off; *het laatste agendapunt werd **met** een paar woorden afgedaan* the last item on the agenda was disposed of in a few words; *ik beschouw het **onderwerp** als afgedaan* I consider the matter/subject closed; *er zijn vandaag grote **partijen** tabak afgedaan* large quantities of tobacco were dealt with today, there was a lot of tobacco business transacted today; *van afdoen **houden*** like to get things done/sewn up; *hij kan in korte tijd heel **wat** afdoen* he can get through/shift a lot of work in a short space of time; *een afgedane **zaak*** a closed matter/book; *die **zaak** is afgedaan* that matter/business is over and done with; *afgedaan hebben* be finished; ⟨fig⟩ be past it, have had it, have had its/one's day; ⟨m.b.t. personen⟩ be over the hill; ⟨niet meer nodig zijn⟩ have served its/one's purpose 5 ⟨betalen⟩ settle, pay ◆ *de **helft** van een schuld afdoen* settle half a debt; *de schade **onderhands** afdoen* settle the damages privately/out of court; *een **zaak** afdoen* settle a claim 6 ⟨beslissen⟩ conclude, determine

afdoend [bn, bw] 1 ⟨voldoende⟩ sufficient ⟨bw: ~ly⟩, adequate ⟨bw: ~ly⟩, ⟨doeltreffend⟩ effective ◆ *afdoende **maatregelen*** adequate measures; *een afdoend **middel*** an adequate/effective method; *zonder afdoende **reden*** without sufficient reason/good cause, for no good reason 2 ⟨beslissend⟩ conclusive ⟨bw: ~ly⟩, decisive ◆ *een afdoend **bewijs*** conclusive evidence; *dat is afdoend(e)* that is conclusive/decisive, that settles/clinches it; *afdoende **weerleggen*** refute conclusively

afdoening [de^{v}] [1] ⟨afhandeling⟩ completion, conclusion ◆ *er komt maar geen afdoening van* ***zaken*** business is not getting done/completed; ⟨jur⟩ *afdoening buiten proces* settlement out of court [2] ⟨betaling⟩ settlement, payment ◆ *ter afdoening* ***van*** in settlement of

^{1}**afdraaien** [onov ww] ⟨zijwaartse richting nemen⟩ turn off/away ◆ *de* ***weg*** *draait hier af* the road turns off/away here

^{2}**afdraaien** [ov ww] [1] ⟨door draaien verwijderen⟩ turn (away), ⟨afhouden⟩ turn away ◆ *de* ***brug*** *afdraaien* turn the bridge; *een* ***schip*** *afdraaien* turn away/repel a ship; *draai de lamp wat* ***van*** *de* ***muur*** *af* turn the lamp away from the wall a bit/a little [2] ⟨door draaien afscheiden⟩ ⟨verwijderen⟩ unscrew, twist off, ⟨uitdraaien, afsluiten⟩ turn off ◆ *de* ***dop*** *van een vulpen afdraaien* twist the cap off/unscrew the cap of a fountain pen [3] ⟨laten zien, horen⟩ ⟨muz⟩ play, ⟨plaat ook⟩ spin, ⟨film⟩ show, run ◆ *een* ***deuntje*** *op een orgel afdraaien* play/grind out a tune on an organ [4] ⟨ongeïnteresseerd afwikkelen⟩ reel/rattle off ◆ *zijn* ***les*** *afdraaien* reel/rattle/parrot off one's lesson

afdracht [de] payment, contribution, dues, ⟨opbrengst⟩ receipts, takings

afdrachtskorting [de^{v}] employers' social insurance rebate for low-paid workers

afdragen [ov ww] [1] ⟨naar beneden brengen⟩ carry down ◆ *wij moesten hem de* ***trap*** *afdragen* we had to carry him downstairs [2] ⟨door dragen afslijten⟩ wear out ◆ *afgedragen* ***schoenen*** worn (out) shoes [3] ⟨overdragen⟩ make over, transfer, hand over, turn over ◆ ***geld*** *afdragen* hand/turn money over, transfer money; *hij moest € 250 van zijn loon afdragen* ***voor*** *kost en inwoning* € 250 was deducted from his wages for bed and board

afdragertje [het] → **afdankertje**

^{1}**afdraven** [onov ww] ⟨in draf naar beneden gaan⟩ trot down, run down ◆ *zij draafde de* ***heuvel*** *af* she trotted down the hill; *de* ***trap*** *afdraven* trot downstairs

^{2}**afdraven** [ov ww] [1] ⟨dravend afleggen⟩ trot [2] ⟨afrijden⟩ exercise

afdreggen [ov ww] drag, dredge

^{1}**afdrijven** [onov ww] [1] ⟨uit de koers drijven⟩ drift/float off, ⟨scheepv⟩ go adrift, make leeway [2] ⟨wegdrijven⟩ disperse, blow over ◆ *de* ***bui*** *drijft af* the shower is blowing over [3] ⟨stroomafwaarts drijven⟩ drift along/downstream ◆ ***met*** *de stroom afdrijven* drift with the current; ⟨fig⟩ float with the tide; *de* ***rivier*** *afdrijven* drift down river/downstream

^{2}**afdrijven** [ov ww] [1] ⟨door drijven verwijderen⟩ drive off/away, dispel [2] ⟨med⟩ expel, abort ◆ *een* ***vrucht*** *afdrijven* abort; ***wormen*** *afdrijven* expel worms [3] ⟨scheik⟩ refine

afdrijving [de^{v}] ⟨scheik⟩ refinement, refining

afdrinken [ov ww] [1] ⟨het bovenste drinken⟩ drink off [2] ⟨door drinken de kwade gevolgen wegnemen⟩ drown ◆ *wij zullen* ***het*** *afdrinken* we'll have a drink and make up, let's drown the hatchet

afdrogen [ov ww] [1] ⟨het vocht wegnemen van⟩ dry (up), ⟨met doek⟩ wipe dry ◆ *de* ***borden/zijn handen*** *afdrogen* dry (up)/(the dishes), dry one's hands (on a towel); *wil je* ***helpen met*** *afdrogen?* will you help dry/wipe (up)/give a hand with the drying-up/wiping-up?; *droog je* ***tranen*** *af* wipe away/dry your tears; ***zich*** *na een bad afdrogen* dry o.s. off/rub o.s. down after a bath [2] ⟨afranselen⟩ thrash, give a hiding [3] ⟨met groot verschil winnen van⟩ hammer, trounce ◆ *het team heeft de* ***tegenstander*** *met 6-0 afgedroogd* the team hammered/trounced the opposition 6-0

afdronk [de^{m}] aftertaste ◆ *de afdronk is zeldzaam* ***fluwelig*** it has an unusually velvety aftertaste

afdroogdoek [de^{m}] tea-cloth, tea-towel

afdruipbak [de^{m}] draining board, ⟨AE⟩ drainboard, drip-tray

afdruipen [onov ww] [1] ⟨in druppels neervallen⟩ ⟨van daken/bomen⟩ trickle/drip down, ⟨borden, groenten⟩ drain, ⟨kaars⟩ gutter ◆ *de borden* ***laten*** *afdruipen* drain the dishes (dry), let the dishes drain (dry); *de* ***sentimentaliteit*** *droop er(van) af* it oozed sentimentality [2] ⟨stil weggaan⟩ slink off/away, clear off, ⟨vijand ook⟩ fall back

afdruiprek [het] plate/^{A}dish rack, (dish) drainer

afdruk [de^{m}] [1] ⟨handeling⟩ ⟨drukken⟩ printing, ⟨kopiëren⟩ copying [2] ⟨resultaat⟩ ⟨indruk⟩ print, footprint, fingerprint, impression, imprint, ⟨van voet ook⟩ step, ⟨van zegel⟩ impress, ⟨afgietsel⟩ mould, moulding, cast, ⟨van gelaat⟩ mask, ⟨foto, ets, litho, houtsnede e.d.⟩ print ◆ ***fotografische*** *afdruk* photographic print; *de wielen* ***lieten*** *een afdruk* ***achter*** the wheels left an impression [3] ⟨exemplaar van druk, plaatwerk⟩ copy, ⟨gedrukt exemplaar⟩ printed copy, ⟨opnieuw gedrukt⟩ reprint, ⟨afschrift⟩ transcript, ⟨proefafdruk⟩ proof, ⟨overdruk⟩ offprint, separate ◆ *hij ontving 40 afdrukken van zijn* ***artikel*** he received forty offprints of his article; ***eerste*** *afdruk* (page-)proof; ***gesigneerde*** *afdruk* signed copy, ⟨proefdruk⟩ signed proof; *een afdruk* ***op*** *Hollands papier* a printing on Holland paper

afdrukapparaat [het] [1] ⟨comp⟩ printer [2] ⟨foto⟩ printer

afdrukje [het] (printed) copy, ⟨opnieuw gedrukt⟩ reprint

afdrukken [ov ww, ook abs] [1] ⟨in afbeelding overbrengen⟩ print (off), ⟨zegel ook⟩ impress, ⟨afdraaien⟩ run off, ⟨overbrengen⟩ transfer, ⟨opnieuw⟩ reprint, ⟨kopiëren⟩ copy, reproduce ◆ *een lettervorm* ***op*** *het papier afdrukken* print a character on the paper; *dat zegel drukt* ***slecht*** *af* that seal doesn't make clear impressions; *afdrukken!* press! [2] ⟨foto⟩ print (off) ◆ ***portretten*** *afdrukken* print portraits [3] ⟨in werking stellen⟩ press (the button), activate, ⟨vuurwapen⟩ pull (the trigger), fire ◆ *een* ***geweer*** *afdrukken* pull the trigger ⊡ *de scheidsrechter drukte 19* ***seconden af*** the umpire/time-keeper clocked 19 seconds

afdrukpapier [het] [1] ⟨foto⟩ printing paper [2] ⟨papier met over te brengen voorstelling⟩ transfer paper, decal

afdrukraam [het] printing frame

afdruksel [het] print, impression, ⟨vnl. van zegels⟩ impress, ⟨teken⟩ mark ◆ *afdruksels van zegels* ***in*** *was* impresses of seals in wax

afdruksnelheid [de^{v}] ⟨comp⟩ printing speed

^{1}**afduvelen** [onov ww] ⟨inf⟩ ⟨afvallen⟩ take a header, tumble down, ↑fall off, ↑drop ◆ *zij is* ***van*** *haar* ***fiets*** *afgeduveld* she took a header/went for six off her bike

^{2}**afduvelen** [ov ww] ⟨inf⟩ ⟨naar beneden gooien⟩ chuck

afduwen [ov ww] push/shove/boom off, ⟨tegenspeler met de hand wegduwen⟩ hand off ◆ *de* ***roeiboot*** *afduwen* push/shove off the rowing-boat

afdwalen [onov ww] stray (off) (from), go astray, ⟨fig ook⟩ wander (away/off) (from), ramble (from), travel (from) ◆ *afgedwaalde* ***kogel*** stray bullet; ⟨fig⟩ *iemand* ***laten*** *afdwalen* sidetrack s.o.; ⟨fig⟩ *zijn gedachten dwaalden af* ***naar*** *haar* his thoughts wandered off to her; ⟨fig⟩ *de* ***redenaar*** *dwaalde af* the orator wandered/drifted off the subject/digressed/went off at a tangent; *een afgedwaald* ***schaap*** a stray/lost sheep; *het* ***schip*** *dwaalde af* the ship drifted/strayed off; ***van*** *het rechte pad afdwalen* stray from the right path, lapse from virtue, go astray; ⟨fig⟩ ***van*** *zijn onderwerp afdwalen* stray/ramble/wander/deviate/depart from one's subject, get off one's subject

afdwaling [de^{v}] straying, wandering, ⟨uitweiding⟩ digression, excursion, ⟨astron; van licht/sterren⟩ aberration, ⟨misstap⟩ aberration, aberrance, aberrancy, slip, lapse (from virtue)

^{1}**afdweilen** [onov ww] ⟨feestvierend aflopen⟩ be on a spree, ↓be on a binge ◆ *ze hebben de hele* ***stad*** *afgedweild* they painted the town red, ⟨AE ook⟩ they painted the town; they were (out) on the tiles; ⟨vnl BE⟩ they went pub-crawling

^{2}**afdweilen** [ov ww] [1] ⟨door dweilen wegnemen⟩ swab/

mop (up) [2] ⟨met een dweil schoonmaken⟩ swab, mop, wash ◆ *de* ***stoep*** *afdweilen* wash the doorstep

afdwingen [ov ww] [1] ⟨door dwang verkrijgen⟩ ⟨gehoorzaamheid, betaling⟩ exact (from), ⟨gehoorzaamheid, naleving van ...⟩ enforce, ⟨informatie⟩ wring/wrest/extract (from), ⟨geld, belofte⟩ extort (from) ◆ *iemand een* ***bekentenis*** *afdwingen* wrest/wring/extract a confession from s.o., force/wrest/wring a confession out of s.o.; *iemand een* ***belofte*** *afdwingen* extort a promise from/out of s.o., ⟨zwakker⟩ wheedle a promise from/out of s.o. [2] ⟨onvermijdelijk opwekken bij⟩ ⟨aandacht, respect, sympathie⟩ command, ⟨bewondering⟩ compel, ⟨tranen⟩ draw ◆ *die daad van de minister dwingt ons* ***eerbied*** *af* the minister's action compels our admiration; *hij dwong bij iedereen* ***respect*** *af* he won the respect of everybody, he commanded everyone's respect

aferesis [de^v] ⟨taalk⟩ aph(a)eresis

[1]**afeten** [onov ww] ⟨ten einde eten⟩ finish eating, finish one's meal

[2]**afeten** [ov ww] ⟨eten vanaf⟩ ⟨een stuk van iets⟩ eat (from), ⟨takjes, bladeren⟩ browse, ⟨gras⟩ crop

AFF [het] ⟨in België⟩ (Anti-Fascistisch Front) Anti-Fascist Front

affabriekprijs [de^m] price ex-factory, ex-factory price

affaire [de] [1] ⟨zaak, aangelegenheid⟩ affair, ⟨liefdes-⟩ love affair, ⟨handelszaak⟩ business, ⟨transactie⟩ business, deal, transaction, ⟨beurs ook⟩ dealing, bargain ◆ *affaires* ***afsluiten*** transact business, conclude transactions; ⟨beurs ook⟩ transact dealings, make/effect/do bargains; *nou, een* ***mooie*** *affaire* here is a pretty/fine kettle of fish!, what a mess!; *er was* ***veel*** *affaire* there were heavy dealings (in these stocks) [2] ⟨rechts-, politiezaak⟩ case

affairisme [het] ⟨in België⟩ wheeling-and-dealing

affakkelen [ov ww] burn off, flare off

affect [het] [1] ⟨gemoedsaandoening⟩ affect [2] ⟨innigheid van gevoel⟩ affect [3] ⟨gevoelswaarde⟩ affect

affectatie [de^v] [1] ⟨gemaaktheid⟩ affectation, affectedness, mannerism, pose [2] ⟨het aanwijzen voor een bestemming⟩ allotment, assignment ◆ *affectatie* ***verlenen*** *op* allot/assign (sth.) to (s.o.) [3] ⟨in België; benoeming⟩ appointment, assignment

affecteren [ov ww] [1] ⟨voorgeven⟩ affect [2] ⟨aanwijzen ter dekking van uitgaven⟩ ⟨vero; passief⟩ affect, draw (from) ◆ *deze gelden* ***zijn*** *te affecteren op* these funds are to be found/drawn from [3] ⟨in België; benoemen⟩ appoint, assign

affectie [de^v] [1] ⟨genegenheid, gunst⟩ affection, fondness ◆ *affectie* ***voor*** *iemand hebben* feel affection for s.o. [2] ⟨aandoening⟩ affection ◆ *een affectie* ***van*** *de lever* an affection of the liver

affectief [bn] affective ◆ *affectieve* ***woorden*** affective words

affectieschade [de] emotional harm resulting from the death or injury of a love done

affectwoord [het] word of affection

affiche [het, de] poster, ⟨theat⟩ (play)bill, placard ◆ *zij stond* ***bovenaan*** *het affiche* she got top billing/was top of the bill; ***geen*** *affiches!* no posters!; *iemand* ***op*** *het affiche plaatsen* give s.o. a billing

afficheren [ov ww] [1] ⟨aanplakken⟩ post (up), placard, bill [2] ⟨fig⟩ parade, advertise, show off, bill

affietsen [ov ww] [1] ⟨ten einde fietsen⟩ ⟨weg, heuvel⟩ cycle/pedal down [2] ⟨per fiets afleggen⟩ ⟨afstand⟩ cycle ◆ ***stad en land*** *affietsen* cycle all over the place

affigering [de^v] ⟨taalk⟩ affixation

affiliate marketing [de] affiliate marketing

affiliatie [de^v] [1] ⟨aanneming als medelid⟩ affiliation [2] ⟨samenvoeging⟩ affiliation

affiliëren [ov ww] affiliate, associate [•] *geaffilieerde* ***loge*** affiliated lodge

affineren [ov ww] fine, refine

affiniteit [de^v] [1] ⟨overeenkomst⟩ affinity, resemblance ◆ *de Romaanse talen* ***vertonen*** *veel affiniteit* the Romance languages have many affinities (with each other) [2] ⟨scheik⟩ affinity (for) ◆ *zuurstof heeft een grote affiniteit* ***tot*** *ijzer* oxygen has a great affinity for iron [3] ⟨verwantschap⟩ affinity, kinship [4] ⟨aantrekking bij aanraking⟩ affinity [•] *geen enkele affiniteit* ***hebben*** *met* have no feeling whatsoever for

affirmatie [de^v] affirmation

affirmatief [bn, bw] affirmative ⟨bw: ~ly⟩ ◆ ⟨log⟩ *affirmatieve* ***oordelen*** affirmative propositions

affirmeren [ov ww] affirm, assert

affix [het] ⟨taalk⟩ affix

affluiten [ov ww, ook abs] blow the final whistle

affodille [de] ⟨plantk⟩ asphodel

affreus [bn, bw] [1] ⟨zeer lelijk⟩ hideous ⟨bw: ~ly⟩, horrible, horrid ◆ *een affreus* ***schilderij*** a hideous/horrid painting [2] ⟨akelig⟩ hideous ⟨bw: ~ly⟩, horrible, horrid

affricaat [de] ⟨taalk⟩ affricate

affront [het] affront, snub

affronteren [ov ww] ⟨form⟩ affront, offer an affront, snub

affuit [het, de] ⟨mil⟩ (gun) carriage, mount

[1]**afgaan** [onov ww] [1] ⟨afdalen⟩ go down, walk/move down, descend ◆ *de* ***berg****/een* ***rivier*** *afgaan* go down the mountain/a river; *de* ***trap*** *afgaan* go down the stairs [2] ⟨+ op⟩ ⟨lett⟩ go/walk/step up to, make/head for, proceed/go towards, ⟨fig⟩ rely/depend/reckon on, trust in, go by, ⟨inf⟩ bank on ◆ *regelrecht afgaan* ***op*** make a beeline for/to, go straight for, make a push for; ***op*** *zijn gevoel afgaan* play it by ear, play a/one's hunch; *afgaande* ***op*** *wat hij zegt* judging by/from what he says; *ik ga* ***op*** *mijn eigen oordeel af* I use my own discretion, I go by my own judgement, I take my own counsel; *je moet niet* ***op*** *het uiterlijk afgaan* you mustn't trust in/go by (outward) appearances [3] ⟨weggaan⟩ leave, ⟨stoel, tapijt⟩ get off, go off, ⟨afscheiden⟩ secede (from), ⟨opgeven⟩ give up, drop, abandon, ⟨boot ook⟩ start, sail ◆ *het* ***schip*** *gaat morgen af* the ship sails/leaves tomorrow; ***van*** *elkaar afgaan* part, separate; ***van*** *school afgaan* leave school; ***van*** *het toneel afgaan* go off, leave the stage; ***van*** *de rechte weg afgaan* ⟨fig⟩ go astray, stray from the straight and narrow, lapse from virtue; ***van*** *de gouden standaard afgaan* go off the gold standard; *wanneer je* ***van*** *je flat afgaat ...* when you move out of your apartment ...; *ik ga volgend jaar* ***van*** *hockey af* I'm giving up hockey next year; *Peter gaat af* exit Peter [4] ⟨verminderen⟩ go down, ⟨getijde ook⟩ recede, go out ◆ *de* ***aardigheid*** *gaat eraf* it's no fun anymore, the attraction is wearing off [5] ⟨afgenomen worden van een geheel⟩ come off, ⟨van geld ook⟩ be deducted, ⟨glans/verf ook⟩ wear off, ⟨vuil ook⟩ wash/rub off ◆ *daar gaat* ***10 %*** *van af* there's 10 % off that, 10 % is taken off that; *het vuil wil* ***er*** *niet afgaan* the dirt won't come off; *er gaat geen cent* ***van*** *af* there is absolutely no reduction, not a penny less; *de knoop is* ***van*** *de jas afgegaan* the button has come off the coat; ⟨fig⟩ ***van*** *mijn uitspraak gaat niets af* I won't withdraw anything from my statement, my statement stands (as it is); ***van*** *die som gaat een derde af aan onkosten* from this sum a third goes on/is deducted/charged for expenses [6] ⟨in werking gebracht worden⟩ ⟨wap, lucifer, wekker⟩ go off, ⟨lading⟩ explode ◆ *een geweer* ***doen*** *afgaan* fire/shoot a rifle [7] ⟨op genoemde wijze gedaan worden⟩ ◆ *dat gaat hem* ***handig*** *af* it comes easy/easily/natural(ly) to him; *het ging hem* ***slecht****/niet* ***best*** *af* it didn't come easy to him, it wasn't in his nature, it went against the grain for him [8] ⟨een gek figuur slaan⟩ lose face, flop, fail, be a letdown ◆ *afgaan* ***als*** *een* ***gieter*** be a flop/total failure/flash in the pan [9] ⟨afgelegd worden⟩ ⟨hoed e.d.⟩ be taken off, be laid down

[2]**afgaan** [ov ww] ⟨geheel, allemaal langsgaan⟩ go along the line [•] *alle* ***deelnemers*** *afgaan* go to/see/... all the partici-

pants (in turn), go along the line seeing/shaking hands with/... all the participants; *hij ging de **rij** af* he went along the line

afgaand [bn] [1] ⟨naar beneden gaand⟩ descending [2] ⟨minder wordend⟩ decreasing ◆ *afgaande **maan*** waning moon; *afgaande **markt*** falling/dropping market; *afgaand **tij*** outgoing/falling/ebbing tide [3] ⟨ten einde lopend⟩ ⟨contract⟩ terminating, expiring ◆ ⟨fig⟩ *afgaande **pachter*** outgoing tenant(-farmer)

afgang [de[m]] [1] ⟨het weggaan⟩ leaving, ⟨toneel ook⟩ exit [2] ⟨gek figuur dat iemand slaat⟩ comedown, letdown, failure, flop [3] ⟨stoelgang⟩ stool, evacuation, ⟨BE⟩ motion [4] ⟨ontlasting⟩ stool, ⟨BE⟩ motion

afgas [het] exhaust gas

afgebrand [bn] burnt down, burnt to ashes ◆ *een afgebrand **dorp*** ⟨lett⟩ a burnt-down village; ⟨fig⟩ a mess

[1]**afgebroken** [bn] [1] ⟨geen volle zin vormend⟩ broken ◆ *afgebroken **woorden*** broken sentences [2] ⟨kort en bondig⟩ abrupt

[2]**afgebroken** [bw] ⟨hortend⟩ jerkily, joltingly, in fits and starts, haltingly

afgedaan [bn] ⟨fin⟩ ⟨op de beurs⟩ sold, ⟨schuld⟩ settled, paid off [•] *ze **had** bij Jack afgedaan* Jack had done/was done/ was through/was finished with her; *afgedaan **hebben*** have had one's/its day, have served its turn, be played out; *de kwestie **is** (nog niet) afgedaan* the issue is (not) settled/closed (yet)

afgedraaid [bn] worn-out, done in/up/for, run-down, ⟨BE ook⟩ fagged/clapped/shagged out, ⟨AE ook; door werken⟩ burned out, ⟨AE⟩ pooped (out) ◆ *ik **was** afgedraaid* I was worn-out/completely exhausted/at my last gasp, I'd had it, I was pooped

afgeknot [bn] [1] ⟨wisk⟩ truncate ◆ *een afgeknotte **kegel/piramide*** a truncate cone/pyramid, a frustum (of a cone/ pyramid) [2] ⟨m.b.t. bladeren⟩ truncate

afgeladen [bn] [1] ⟨overvol⟩ packed, crammed, jammed, jam-packed, ⟨BE⟩ cramfull ◆ *een afgeladen **auto*** a (jam-) packed/jammed/crammed car; *het **theater** was afgeladen* the theatre was packed to the doors/was full to capacity; *de **trein** was afgeladen* the train was (jam-)packed (to the doors) [2] ⟨stomdronken⟩ tanked up, stewed, canned, smashed, sloshed

afgelasten [ov ww] cancel, ⟨staking⟩ call/declare/order off, ⟨sport ook⟩ abandon, countermand, scratch (out), ⟨inf⟩ scrub (out) ◆ *de **parade** afgelasten* cancel the parade; *de wedstrijd werd afgelast **wegens** regen* the match was cancelled because of rain/was rained off/[A]out

afgelasting [de[v]] cancellation

afgeleefd [bn] [1] ⟨oud en zwak⟩ decrepit, worn with age ◆ *een afgeleefde **grijsaard*** a decrepit/worn-out old man; ⟨BE ook; inf⟩ a clapped-out old man [2] ⟨versleten⟩ used up, worn-out, spent, ⟨sl; AE⟩ burned out

afgelegen [bn, bw] [1] ⟨niet nabij⟩ remote, far, far-off, far-away, distant, ⟨AE ook⟩ way-back, outlying, out-of-the-way, ⟨onbekend⟩ obscure ◆ *een afgelegen **dorp*** a remote/ an out-of-the-way village; *een afgelegen **huis*** a secluded/remote house; ***vreselijk** afgelegen* miles from anywhere, out in the sticks, in the middle of nowhere [2] ⟨eenzaam⟩ secluded, isolated, ⟨dichtl⟩ sequestered ◆ *u **woont** hier erg afgelegen* you live here in a very isolated/secluded place

afgeleid [bn] [1] ⟨met zijn aandacht weggetrokken⟩ diverted, distracted ◆ *hij **is** gauw afgeleid* he is easily distracted/diverted [2] ⟨niet-oorspronkelijk⟩ derived, ⟨vaak pej⟩ derivative ◆ ⟨muz⟩ *afgeleide **akkoorden*** inversions; *een afgeleide **betekenis*** a derived meaning; ⟨ec⟩ *afgeleid **inkomen*** derived income; ⟨mv⟩ transfer incomes; ⟨muz⟩ *afgeleide **tonen*** altered notes; *afgeleid **woord*** derived word, derivative

afgeleide [de] ⟨wisk⟩ [•] *de afgeleide van een **functie*** the derivative of a function

[1]**afgelopen** [bn] last, past ◆ *in het afgelopen **jaar*** last year, during the past year; *de afgelopen **maanden** hadden wij geen **woning*** for the last few months we haven't had anywhere to live; *de afgelopen **tijd*** recently; *de afgelopen **week/maand*** last/the past week/month; *de afgelopen **weken*** the past weeks, the last few weeks

[2]**afgelopen** [tw] [•] *afgelopen!* stop it!, that's enough!

afgemat [bn] exhausted, wearied, (over)spent, fatigued, worn out, ⟨sl; BE⟩ knackered

afgemeten [bn, bw] [1] ⟨in de juiste maat afgepast⟩ measured (off/out) ⟨bw: measuredly⟩ ◆ *een afgemeten **hoeveelheid*** a measure (of), a measured quantity (of); *met afgemeten **passen*** with measured steps [2] ⟨stijf; voorzichtig⟩ measured ⟨bw: ~ly⟩, ⟨stijf⟩ formal, stiff, ⟨weloverwogen ook⟩ deliberate ◆ *hij kan zo afgemeten **spreken*** he can be so formal in his words; ⟨bedacht⟩ he chooses his words so carefully [3] ⟨nors⟩ curt, stern

afgepast [bn] [1] ⟨m.b.t. stoffen⟩ made-up, ready-made [2] ⟨in de juiste maat afgemeten⟩ measured (off/out) [3] ⟨gedwongen, stijf⟩ measured, formal, stiff [•] *afgepast **geld*** the exact sum/money; *met afgepast **geld** betalen!* no change given!, exact fare(s)(, please)!

afgepeigerd [bn] ⟨inf⟩ done in/up/for, all in, ⟨BE ook⟩ fagged/clapped/shagged out, ⟨AE ook; door werken⟩ burned out, more dead than alive, ⟨sl; BE⟩ knackered, ⟨vnl AE⟩ bushed

afgeplat [bn] oblate ◆ *afgeplatte **bol*** oblate sphere, globoid, spheroid

afgericht [bn] [1] ⟨bekwaam, bedreven⟩ (well-)trained [2] ⟨listig⟩ crafty, artful

afgerond [bn] [1] ⟨zijn volle vorm hebbend⟩ (well-)rounded ◆ *het vormt een afgerond **geheel*** it forms a complete whole, it makes one whole/neat unit, it is a self-contained unit; *afgeronde **volzinnen*** (well-)rounded sentences/periods [2] ⟨m.b.t. bedragen, getallen⟩ round ◆ *in afgeronde **getallen*** in round figures

afgescheiden [bn] separate, ⟨rel⟩ dissenting, nonconformist, breakaway ⟨alleen attr⟩ ◆ *afgescheiden **houden** van* keep separate/apart from

afgescheidene [de] [1] ⟨iemand die zich heeft afgescheiden⟩ separatist, ⟨rel ook⟩ secessionist, dissenter [2] ⟨prot⟩ ± dissenter, ± nonconformist, ± free churchgoer, free church member

afgesloofd [bn] worn out, exhausted

afgesloten [bn, bw] [1] ⟨besloten⟩ closed, private [2] ⟨m.b.t. een stelsel⟩ closed ◆ *een afgesloten **geheel** vormen* form a complete whole

[1]**afgesproken** [bn] agreed, settled, fixed ◆ *de afgesproken **plaats*** the place agreed on, the agreed place; *afgesproken **werk*** a put-up/set-up job

[2]**afgesproken** [tw] agreed, all right, fine, it's a deal, OK, done

afgestampt [bn, bw] packed, ⟨met mensen⟩ crowded ◆ *afgestampt **vol*** packed (to capacity), chock-a-block, bursting at the seams, chock-full; *het **was** er afgestampt* it was packed

afgestompt [bn] [1] ⟨stomp van geest⟩ dull(ed), deadened ◆ *een afgestompte **dronkaard*** a person whose mind has been dulled/deadened by drink [2] ⟨niet puntig⟩ blunt [3] ⟨m.b.t. bladeren⟩ obtuse, rounded at the tip/apex

afgestorven [bn] dead ◆ *afgestorven **delen*** dead sections/ parts

afgestorvene [de] deceased, departed ◆ *de afgestorvenen* the deceased

afgestudeerde [de] graduate

afgetakeld [bn] decrepit ◆ *er afgetakeld **uitzien*** look decrepit

afgetekend [bn] by a mile

afgetobd [bn] worn out, weary, ⟨inf; BE⟩ fagged (out) ◆ *een afgetobd **gezicht*** a (care-)worn/drawn/weary face; *het afgetobde **lichaam*** the worn out/spent body; *er afgetobd **uit-***

zien look dead beat/fagged out/worn out

afgetraind [bn] fully trained

afgetrapt [bn] trodden-down, worn-out, ⟨schoenen ook⟩ down-at-heel

afgetrokken [bn] abstracted, preoccupied, absent-minded

afgevaardigde [de] [1] ⟨afgezondene⟩ delegate, representative [2] ⟨lid van een vertegenwoordigende vergadering⟩ delegate, representative, ⟨BE⟩ member (of parliament) ♦ ⟨in België⟩ *bestendig afgevaardigde* ex officio/permanent delegate; *de geachte afgevaardigde* the honourable member, ⟨AE⟩ the honorable representative/congressman/congresswoman

afgevallene [de] apostate, renegade, seceder

[1]**afgeven** [onov ww] [1] ⟨kleurstof loslaten⟩ run ♦ *die handschoenen geven af* those gloves are not colourfast [2] ⟨+ op⟩ run down, disparage, revile, decry ♦ *op iemand/iets afgeven* run s.o./sth. down; *afgeven op zijn eigen waar/familie/land* ⟨ook⟩ cry stinking fish, wash one's dirty linen in public

[2]**afgeven** [ov ww] [1] ⟨onvrijwillig geven⟩ hand over, give up, surrender, deliver up ♦ *hij weigerde zijn geld af te geven* he refused to part with his money [2] ⟨overhandigen⟩ ⟨stukken, kaart, telegram⟩ hand in, ⟨boodschap, krant⟩ deliver, leave ♦ *de bal afgeven aan* pass the ball to; *u kunt daar uw jas en paraplu afgeven* you can hand in/leave your coat/jacket and umbrella there; *zijn kaartje afgeven* leave one's card; *een pakje bij iemand afgeven* leave a parcel with s.o. [3] ⟨als bevoegde uitreiken⟩ ⟨paspoort, reisbiljet enz.⟩ issue, give (out), deliver ♦ *een getuigschrift afgeven* issue a testimonial; *een wissel op iemand afgeven* draw a bill on s.o. [4] ⟨verspreiden⟩ ⟨licht, warmte, geur⟩ give off, ⟨stank, rook ook⟩ emit, ⟨vocht, rook⟩ exude, ⟨warmte⟩ throw out ♦ *vocht afgeven* exude moisture; ⟨mil⟩ *vuur afgeven* fire, open fire; *de kachel geeft goed warmte af* the stove gives off/throws out a lot of heat

[3]**zich afgeven** [wk ww] ⟨zich inlaten⟩ take up (with), ⟨iemand⟩ associate (with), ⟨iemand⟩ get involved with, ⟨iets⟩ get involved in, ⟨iemand, iets⟩ get mixed up (with) ♦ *je moet je daar niet mee afgeven* don't meddle with that, don't get mixed up in that; *zich afgeven met vrouwen* play around with women; *je moet je niet met hem afgeven* you mustn't have anything to do with him; *zich afgeven met allerlei gespuis* associate/hang about with all sorts of riff-raff

afgewerkt [bn] used (up), spent ♦ *afgewerkte lucht* stale/spent air; *afgewerkte mout* spent malt; *afgewerkte olie* consumed/used/waste oil; *afgewerkte stoffen uit het lichaam* waste material from the body; *afgewerkte stoom* dead/spent steam

afgewogen [bn] balanced, level, measured ♦ ⟨fig⟩ *hij sprak in afgewogen termen* he spoke in measured terms

afgezaagd [bn] ⟨fig⟩ ⟨grap, idee⟩ stale, ⟨uitdrukking, idee⟩ hackneyed, threadbare, well-worn, time-worn ♦ *een oud afgezaagd deuntje* an old tune; *een afgezaagde grap* a threadbare/worn/an over-worked/a stale/corny joke; *een afgezaagd onderwerp* a banal/an overworked subject; ⟨inf⟩ an old hat

afgezant [de^{m}] envoy, ambassador, ⟨geheime afgezant⟩ emissary

afgezien [•] *afgezien van* besides, apart from, ⟨AE⟩ aside from, setting aside; *afgezien van de kosten/moeite* not counting the cost/trouble

[1]**afgezonderd** [bn] [1] ⟨van andere(n) verwijderd⟩ isolated, cut off, ⟨patiënten, gevangenen⟩ segregated, ⟨plaats⟩ remote ♦ *een afgezonderd huis* a remote/lonely/an isolated house [2] ⟨eenzaam, stil⟩ solitary, ⟨leven, plaats⟩ isolated, secluded, shut off ⟨bijvoorbeeld van de maatschappij⟩ ♦ *een afgezonderde levenswijze* a solitary/secluded lifestyle

[2]**afgezonderd** [bw] [1] ⟨apart⟩ in isolation/seclusion, apart, cut off ♦ *hij stond van de anderen afgezonderd* he stood apart/away/separated from the others [2] ⟨eenzaam, stil⟩ in seclusion/isolation, shut off ♦ *hij leefde afgezonderd* he lived in seclusion/isolation

afghaan [de^{m}] [1] ⟨hond⟩ Afghan (hound) [2] ⟨tapijt⟩ Afghan (rug/carpet)

Afghaan [de^{m}], **Afghaanse** [de^{v}] ⟨man & vrouw⟩ Afghan, ⟨vrouw ook⟩ Afghan woman/girl

[1]**Afghaans** [het] Pashto, Pushtu

[2]**Afghaans** [bn] Afghan

Afghaanse [de^{v}] → **Afghaan**

Afghanistan [het] Afghanistan

Afghanistan

naam	*Afghanistan* Afghanistan
officiële naam	*Afghanistan* Afghanistan
inwoner	*Afghaan* Afghan
inwoonster	*Afghaanse* Afghan
bijv. naamw.	*Afghaans* Afghan
hoofdstad	*Kaboel* Kabul
munt	*afghani* afghani
werelddeel	*Azië* Asia

int. toegangsnummer 93 www .af auto AFG

afgietdeksel [het] draining/straining lid

afgieten [ov ww] [1] ⟨gietend het vocht verwijderen van⟩ ⟨water, vloeistof⟩ pour off, ⟨door vergiet ook⟩ strain, drain ♦ *aardappels/groente/bonen afgieten* drain potatoes, drain/strain vegetables/beans [2] ⟨naar beneden gieten⟩ pour down, teem (down) [3] ⟨door gieten doen ontstaan⟩ cast

afgietsel [het] [1] ⟨afbeeldsel⟩ cast, moulding [2] ⟨afgegoten vocht⟩ vegetable water

afgietseldiertje [het] infusorian

afgifte [de^{v}] [1] ⟨het afgeven⟩ ⟨brief⟩ delivery, ⟨munt, postzegel enz.⟩ issue, ⟨onvrijwillig afgeven⟩ surrender, ⟨aan loket enz.⟩ handing in ♦ *tegen afgifte van het reçu* in exchange for/on surrender/presentation of the receipt [2] ⟨biol⟩ emission, secretion, release

afgiftekantoor [het] ⟨in België⟩ general post office

afglijden [onov ww] [1] ⟨naar beneden glijden⟩ slide down, slip down, glide down, slither down ⟨bijvoorbeeld slang⟩ [2] ⟨glijdend van iets af raken⟩ slide off, slip off ♦ *de afgegleden dekens* the blankets which had slid/slipped off [3] ⟨vlug en stil afdalen⟩ slide down, slip down, glide down ♦ *de trap afglijden* slide/glide down the stairs [4] ⟨minder, slechter worden⟩ slide/slip down, deteriorate, worsen, fall behind ♦ *hij was steeds verder afgegleden in ...* he had slid/slipped further and further into ...

afgod [de^{m}] [1] ⟨valse godheid⟩ idol, god [2] ⟨afgodsbeeld⟩ idol, image [3] ⟨ideaal, idool⟩ idol, (tin) god ♦ *van zijn buik een afgod maken* make one's stomach one's god, make a god of one's belly

afgodendienaar [de^{m}], **afgodendienares** [de^{v}] ⟨man & vrouw⟩ idolater, ⟨vrouw⟩ idolatress

afgodendienares [de^{v}] → **afgodendienaar**

afgodendienst [de^{m}] idolatry, image/idol worship

afgodentempel [de^{m}] idol temple

afgoderij [de^{v}] [1] ⟨handeling⟩ idolatry [2] ⟨verering⟩ idolatry, image/idol worship ♦ *afgoderij doen/plegen/bedrijven* practise idolatry, worship idols

[1]**afgodisch** [bn] [1] ⟨m.b.t. personen⟩ fanatical, passionate ♦ *een afgodisch vereerder van het toneel* a fanatical/passionate admirer of the theatre [2] ⟨m.b.t. gemoedsaandoeningen, hartstochten⟩ idolatrous, blind ♦ *afgodische verering/liefde* idolatrous/blind veneration/love [3] ⟨m.b.t. zaken⟩ idolatrous ♦ *afgodische plechtigheden* idolatrous ceremonies

[2]**afgodisch** [bw] ⟨op hartstochtelijke wijze dwepend⟩ idolatrously, fanatically, passionately, blindly

afgodsbeeld [het] idol, image

afgodskruid [het] shooting star, American cowslip

afgodspriester [de^{m}] idol priest

afgodstempel [de^{m}] idol temple

afgolven [onov ww] [1] ⟨golvend neerstromen⟩ flow/stream/gush down (in waves) ♦ *het water golfde de trap af* the water gushed (in waves) down the stairs [2] ⟨in golvende beweging afdalen⟩ flow/stream down (in waves), undulate ♦ *het haar golfde af langs zijn schouders* his hair streamed over his shoulders

afgooien [ov ww] [1] ⟨naar beneden gooien⟩ throw down/off, toss down, ⟨met kracht⟩ fling down ♦ *iemand de trap afgooien* throw/fling s.o. down the stairs [2] ⟨zonder opzet doen vallen⟩ knock over/off, upset ♦ *pas op dat je het er niet afgooit* take care that you don't knock it over/off [3] ⟨door gooien doen vallen⟩ throw down/off, let fall, drop [4] ⟨haastig afdoen⟩ throw off, ⟨hoed⟩ toss off, ⟨jas⟩ fling off

afgraven [ov ww] dig up/off, ⟨vlak maken⟩ level, ⟨AE⟩ scalp ♦ *een duin afgraven* level a dune; *een veenlaag afgraven* cut/dig peat/turf

afgraving [de^{v}] [1] ⟨handeling⟩ digging up/off, levelling, ⟨AE⟩ scalping [2] ⟨plaats⟩ quarry

afgrazen [ov ww] [1] ⟨het gras afeten van⟩ graze bare [2] ⟨fig⟩ ± exhaust ♦ *een terrein van onderzoek afgrazen* exhaust an area of research

afgrendelen [ov ww] ⟨fig⟩ seal/close/cordon off, ⟨lett⟩ bolt up

afgrendeling [de^{v}] sealing/closing/cordoning off ♦ *afgrendeling van een gebied* sealing off an area

afgrenzen [ov ww] mark out/off, border (off), stake out, ⟨form⟩ demarcate, delimit

[1]**afgrijselijk** [bn, bw] [1] ⟨verschrikkelijk⟩ horrible ⟨bw: horribly⟩, horrid ⟨bw: ~ly⟩, atrocious, ghastly, ⟨form⟩ horrific, horrendous ♦ *een afgrijselijke moord* a gruesome murder [2] ⟨zeer lelijk⟩ hideous ⟨bw: ~ly⟩, ghastly ♦ *dat schilderij is afgrijselijk* that painting is hideous

[2]**afgrijselijk** [bw] ⟨ontzettend⟩ awfully, terribly, frightfully, fearfully, horrifically, atrociously ♦ *wat een afgrijselijk rot weer/smerige koffie* what frightful/terrible/rotten weather, what awful coffee

afgrijzen [het] horror, dread ♦ *een afgrijzen van iets hebben* be horrified by/at sth.; *met afgrijzen vervuld* horror-stricken, horror-struck, filled with horror; *met afgrijzen vervullen* horrify; *met afgrijzen aan iets denken* think of sth. with horror, be horrified by the thought of sth.

afgrond [de^{m}] abyss, chasm, gulf, ⟨steile rotswanden⟩ ravine ♦ *een bodemloze/gapende afgrond* a bottomless abyss/pit, a yawning chasm/gulf; *in een afgrond vallen* ⟨van steile rots enz.⟩ fall into an abyss/down a precipice; *iemand in de afgrond storten* ⟨fig⟩ wreck/ruin s.o.

afgunst [de^{v}] envy, jealousy ♦ *iets met afgunst gadeslaan* regard sth. with envy; *van afgunst vervuld zijn* be filled/consumed with envy; *haar ring was een voorwerp van afgunst voor haar vriendin* her ring was the envy of her friend

afgunstig [bn] [1] ⟨m.b.t. personen⟩ envious, jealous (of) [2] ⟨afgunst tonend⟩ envious, jealous, grudging ♦ *afgunstige blikken* envious glances; *een afgunstig karakter* a jealous/grudging character; *iets met afgunstige ogen aanzien* regard sth. with envy

afgutsen [onov ww] stream down, gush down

afhaalchinees [de^{m}] Chinese takeaway/^{A}take-out

afhaaldienst [de^{m}] collection service

afhaalrestaurant [het] ⟨BE⟩ takeaway (restaurant), ⟨AE⟩ take-out restaurant/place, ⟨AE⟩ carry-out restaurant/place

[1]**afhaken** [onov ww] ⟨stoppen⟩ pull out, ⟨rijtuig⟩ drop out, quit ♦ *zelfs de meest trouwe fans van Stallone haakten af bij Rocky V* even Stallone's most faithful fans gave up after Rocky V; *zij fietsten zo hard dat hij moest afhaken* they were riding so fast he had to drop out/back

[2]**afhaken** [ov ww] [1] ⟨losmaken⟩ unhook, unhitch, uncouple, ⟨geweer⟩ unlimber, ⟨onder het rijden; BE⟩ slip [2] ⟨haakwerk⟩ fasten off

afhakken [ov ww] chop off, cut off, sever, ⟨staart⟩ dock ♦ *een tak van de boom afhakken* lop a branch off the tree

afhalen [ov ww] [1] ⟨in ontvangst komen nemen⟩ collect, call for, fetch, pick up ♦ *ik laat het morgen wel afhalen* I'll have it sent for tomorrow; *dit pakje wordt afgehaald* this parcel is to be called for [2] ⟨ergens gaan halen⟩ collect, meet, fetch, call for, pick up ♦ *ik kom je over een uur afhalen* I'll pick you up in an hour's time; *komt iemand je afhalen?* is anyone meeting you?; *iemand van de trein afhalen* meet s.o.'s train, collect s.o. from the train [3] ⟨van zijn plaats verwijderen⟩ take away/down, remove ♦ *beddengoed afhalen* strip the beds, remove bedding; *bessen afhalen* strip berries; *iemand van iets afhalen* ⟨fig; bijvoorbeeld verbintenis⟩ get s.o./take s.o. out of sth.; *ze hebben hem van de tribune afgehaald* they dragged him from the platform; *de was afhalen* take down the washing; *hij weet overal iets af te halen* ⟨fig⟩ he cashes in on everything, he always spots a good thing [4] ⟨van iets anders ontdoen⟩ strip, ⟨villen⟩ flay, skin, ⟨bonen⟩ string ♦ *bedden afhalen* strip the beds; *de huid afhalen van* skin, strip off the skin; *paling afhalen* skin eels; *peulen afhalen* top and tail string-peas; *de schil van een banaan afhalen* peel (the skin off) a banana [5] ⟨naar beneden halen⟩ take down, fetch down

afhameren [ov ww] [1] ⟨voortvarend afhandelen⟩ rush through, deal with quickly, dispose of (quickly) [2] ⟨het woord ontnemen⟩ silence ♦ *de agressieve afgevaardigde werd regelmatig afgehamerd* the aggressive ^{B}member (of parliament)/representative was frequently called to order [3] ⟨met de hamer afwerken⟩ hammer out

afhandelen [ov ww] [1] ⟨tot een besluit brengen⟩ settle, conclude, deal with, ⟨voorstel⟩ put through ♦ *deze zaak is afgehandeld* this matter has been settled/dealt with [2] ⟨ten einde toe behandelen⟩ deal with, dispose of, finalize ♦ *de spreker handelde eerst de bezwaren af* the speaker dealt with the problems first

afhandeling [de^{v}] settlement, transaction, ⟨snel⟩ dispatch

afhandig [bn] [•] *iemand iets afhandig maken* trick/do/con s.o. out of sth.; *iemand een mes afhandig maken* snatch a knife from s.o.; *iemand zijn geld afhandig maken* swindle/bamboozle/cheat/do s.o. out of his money; ⟨scherts⟩ relieve s.o. of his money

[1]**afhangen** [onov ww] [1] ⟨naar beneden hangen⟩ hang down, droop [2] ⟨afhankelijk zijn⟩ depend (on), hinge (on), be dependent (on), be subject (to) ♦ *'t zal ervan afhangen* that depends; *het hangt ervan af wat hij wil* it depends (on) what he wants; *hij danste alsof zijn leven ervan afhing* he danced for dear life/as though his life depended on it; *het hangt ervan af of het morgen mooi weer is* it depends on whether the weather is fine/there is fine weather tomorrow (or not); *als het van mij afhing* if it were up to me; *iets laten afhangen van iets anders* let sth. depend on sth. else, let sth. be subject to sth. else

[2]**afhangen** [ov ww] ⟨losmaken en afnemen⟩ take down, ⟨van haken⟩ unhook, ⟨deur⟩ hang, ⟨wapens⟩ ground (arms) ♦ *gordijnen afhangen* unhook/take down curtains

afhangend [bn] hanging, drooping ♦ *een afhangend dak* overhanging eaves; *wijd afhangende mouwen* wide-falling sleeves; *afhangende schouders* drooping shoulders

afhankelijk [bn] [1] ⟨steun, hulp behoevend⟩ dependent (on) ♦ *van elkaar afhankelijk zijn* be interdependent [2] ⟨ondergeschikt⟩ dependent (on), subordinate (to), subsidiary to, subject (to) ♦ ⟨taalk⟩ *afhankelijke zin* subordinate/dependent clause [3] ⟨bepaald wordend door iets anders⟩ dependent (on), subordinate (to), conditional (upon), subject to ♦ *afhankelijke grootheden* dependent variables; *iets van iemand afhankelijk maken/stellen* leave sth. to s.o.'s discretion, leave sth. up to s.o.; *afhankelijk van de omstandigheden* depending on the circumstances, as the case may be

afhankelijkheid [de^{v}] dependence ♦ *onderlinge afhanke-*

lijkheid interdependence
afhechten [ov ww] ⟨draad⟩ fasten (off), ⟨bij breien⟩ cast off
afhellen [onov ww] slant (down), ⟨van terrein⟩ slope (down), shelve, ⟨steil ook⟩ fall/drop away
afhelpen [ov ww] [1] ⟨ten einde toe helpen⟩ ⟨van de trap af⟩ help down, ⟨van muur/trein af⟩ help off [2] ⟨bevrijden⟩ rid (of), relieve (of), ⟨ziekte⟩ cure (of) ♦ *iemand **van de koorts** afhelpen* cure s.o. of fever; ⟨iron⟩ *iemand **van** zijn geld afhelpen* relieve s.o. of his money
[1]**afhollen** [onov ww] ⟨naar beneden hollen⟩ dash down, charge/rush/run down
[2]**afhollen** [ov ww] ⟨hollend afleggen⟩ charge along/down ⟨bijvoorbeeld weg⟩, rush along/down, dash along/down, run along/down ♦ *de **trap** afhollen* charge down the stairs
[1]**afhouden** [onov ww] ⟨scheepv⟩ sail fuller
[2]**afhouden** [ov ww] [1] ⟨verwijderd houden⟩ keep off/out, ⟨door argumenten⟩ dissuade, deter, discourage ♦ *zijn **handen** niet van iets/iemand kunnen afhouden* not be able to keep one's hands off sth./s.o.; ⟨sport⟩ ***iemand** (van de bal) afhouden* screen/shield the ball; *de **ogen** niet kunnen afhouden van* not be able to take/keep one's eyes off, be glued to sth.; ⟨fig⟩ *afhoudend **reageren*** reply guardedly, give a noncommittal reply/reaction; ⟨fig⟩ *iemand **van** zijn werk afhouden* keep s.o. from his work; *de **vijand** van zich afhouden* fend/fight off the enemy, keep the enemy at bay [2] ⟨aftrekken, inhouden⟩ keep back, withhold, deduct, stop, ⟨vnl. als boete/straf⟩ dock ♦ *een **deel** van het loon afhouden* stop/deduct/hold back/dock a part of the wages; ***voorschot**/de **huishuur** afhouden* deduct an advance/the rent
afhouwen [ov ww] chop off, hew off/away, lop/cut off ♦ *iemand het **hoofd** afhouwen* chop s.o.'s head off; *zware **takken** van een boom afhouwen* chop/lop heavy branches off a tree
afhuren [ov ww] ⟨vnl BE⟩ hire, rent, ⟨lokaal⟩ engage, ⟨vliegtuig⟩ charter ♦ *een **kajuit/autobus/wagon** afhuren* hire/rent a cabin/bus/carriage; *een **zaal** afhuren* hire/engage a room/hall
afijn [tw] ⟨inf⟩ so, well
afikoman [de] afikoman
afjagen [ov ww] [1] ⟨wegjagen⟩ chase away, drive away ♦ *jongens **van de stoep/kamer/school** afjagen* chase boys from the doorstep/out of the room, expel boys from school [2] ⟨afmatten⟩ override ♦ *hij jaagt zijn **paarden** af* he overrides his horses [3] ⟨jacht⟩ run down, ⟨honden⟩ whip on ♦ *het **hert** is afgejaagd* the deer is/has been run down ⊡ ⟨jacht⟩ *een **terrein** afjagen* shoot over a field
afjakkeren [ov ww] [1] ⟨uitputten⟩ overwork, slave-drive, exhaust, ⟨paarden, arbeiders; inf⟩ fag out, sweat ♦ *er afgejakkerd **uitzien*** look jaded/dead-beat; ***zich** afjakkeren* overwork (o.s.), exhaust o.s. [2] ⟨overhaast en slordig afmaken⟩ throw together, knock off, dash off, rush off, hurry through [3] ⟨met dolle snelheid afleggen⟩ tear (along), speed (along), charge/rush (along) ♦ *een **weg**/een grote **afstand** afjakkeren* tear along a road, speed over a long distance
afk. [afk] (afkorting) abbr(ev)
afkaarten [ov ww] settle, agree
[1]**afkalken** [onov ww] ⟨kalk loslaten⟩ scale ♦ *de **muur** kalkt af* the wall is scaling
[2]**afkalken** [ov ww] [1] ⟨van kalk ontdoen⟩ scale, chip off [2] ⟨vlug en slordig afmaken⟩ ⟨opstel⟩ throw together, ⟨brief⟩ dash off
afkalven [onov ww] [1] ⟨m.b.t. oevers, gletsjers⟩ cave in, give way, founder, crumble away [2] ⟨een kalf werpen⟩ calve ♦ *een **vers** afgekalfde **koe*** a cow that has recently calved
afkammen [ov ww] [1] ⟨door kammen reinigen⟩ comb ♦ *afgekamde **wol*** combed wool [2] ⟨onbillijk bekritiseren⟩ run down, cut/pick/pull/take/tear (to pieces), ⟨boek ook⟩ slash (to shreds)
afkanten [ov ww] [1] ⟨de scherpe kanten wegnemen⟩ blunt, square, ⟨schuin⟩ level, ⟨techn⟩ cant, ⟨symmetrisch⟩ chamfer [2] ⟨handwerken⟩ ⟨breiwerk⟩ cast off, ⟨haakwerk⟩ fasten off
afkappen [ov ww] [1] ⟨door kappen scheiden⟩ chop off, cut off, lop off ♦ *de **kabels** afkappen* cut the cables; *een hond de **staart** afkappen* dock a dog's tail [2] ⟨overkappen⟩ cover over/in, roof over/in [3] ⟨(een spreker) stoppen⟩ cut (s.o.) short ♦ *een **gesprek** afkappen* break off a conversation, cut short a conversation
afkappingsteken [het] apostrophe
afkatten [ov ww] ⟨inf⟩ snap at
afkauwen [ov ww] bite/chew off ♦ *een afgekauwd **korstje*** a chewed-off crust
afkeer [de^{m}] aversion (to), abhorrence (of), dislike (of/to/for), distaste (for) ♦ *een afkeer **hebben/tonen*** have/display an aversion (to); *een afkeer **krijgen** (van)* take an aversion/a dislike (to); ***met** afkeer* with distaste; *een afkeer **van/jegens** iets/iemand* a loathing for sth./s.o.; *iemand afkeer inboezemen **voor/tegen*** fill s.o. with an aversion/loathing for
afkeren [ov ww] [1] ⟨afwenden⟩ turn away/aside, avert ♦ *het **hoofd**/de **ogen** afkeren* turn one's head away, avert one's eyes; ⟨fig⟩ *zich **van** de wereld afkeren* turn one's back on/withdraw from the world; *zich afkeren **van** iemand of iets* turn away from s.o. or sth. [2] ⟨afweren⟩ avert, parry, ward off, ⟨een andere richting⟩ divert ♦ ***water**/een **stroom** afkeren* divert water/a stream
afkerig [bn] [1] ⟨afkeer hebbend⟩ averse (to), loath (to), abhorrent (of), ill-disposed (to/toward) ♦ *iemand van iets afkerig **maken*** make sth. abhorrent to s.o.; *afkerig zijn **van** geweld* be abhorrent of violence, abhor violence; *niet afkerig zijn **van** iets* not be ill-disposed toward sth. [2] ⟨Bijb⟩ backsliding
[1]**afketsen** [onov ww] [1] ⟨afstuiten⟩ rebound, glance off, bounce off, ricochet ♦ *afketsen **op*** rebound off [2] ⟨niet doorgaan⟩ fall through, fail, backfire, miscarry ♦ *daarop is het **plan** afgeketst* that is where the plan came to grief, that is what caused the plan to founder/fail
[2]**afketsen** [ov ww] ⟨fig⟩ ⟨verwerpen⟩ reject, ⟨voorstel⟩ defeat, ⟨plannen⟩ frustrate, ⟨sollicitatie, voorstel⟩ turn down
afkeuren [ov ww] [1] ⟨ongeschikt verklaren⟩ reject, turn down, declare unfit ♦ *een afgekeurde **auto*** a car which has failed the official annual vehicle inspection; *een **dienstplichtige** afkeuren* declare a conscript unfit (for military service); ***maten en gewichten** afkeuren* reject measurements and weights; *het **sportterrein** werd afgekeurd* the pitch was declared unfit for play; *afgekeurd **vlees*** condemned meat, meat declared unfit for human consumption; *hij is **voor** 70 % afgekeurd* he is 70 % disabled; *afgekeurd **zijn*** ⟨definitief, als werknemer⟩ be declared unfit to work [2] ⟨veroordelen⟩ disapprove of, condemn, censure, denounce ⟨bijvoorbeeld politiek⟩, ⟨gedrag⟩ frown on ♦ *een **daad** afkeuren* condemn a deed; ***openlijk** afkeuren* (publicly) decry/denounce ⊡ *een **doelpunt** afkeuren* disallow a goal
afkeurend [bn, bw] disapproving ⟨bw: ~ly⟩, frowning, condemnatory, deprecative ♦ *afkeurende **gebaren**, een afkeurende **blik*** disapproving gestures, a disapproving look, gestures/a look of disapproval; *afkeurend **kijken** (naar)* look disapproving(ly) (at), frown (at), scowl (at); *hij **liet** zich afkeurend **uit** over die zaak* he expressed his disapproval of/condemned the matter; *een afkeurend **oordeel*** a condemnatory judgement; *hij **schudde** afkeurend zijn hoofd* he shook his head in disapproval
afkeurenswaardig [bn] condemnable, censurable, blameworthy, objectionable ♦ *zijn **gedrag** is zeer afkeurenswaardig* his behaviour is strongly to be condemned/most objectionable
afkeuring [de^{v}] [1] ⟨het ongeschikt verklaren⟩ ⟨gezondheid⟩ rejection (on medical grounds) [2] ⟨het ongunstig beoordelen⟩ disapproval, condemnation, censure, disfa-

vour ♦ *een **motie** van afkeuring* a vote of censure; *afkeuring **uitlokken/verdienen*** incur/deserve disapproval; *zijn afkeuring **uitspreken** over* express condemnation/one's disapproval of; *zijn gedrag **wekte** algemene afkeuring* his behaviour provoked general disapproval/censure

afkickbehandeling [de^v] detoxification (programme/^A program), ⟨inf⟩ detox (programme/^A program)

afkickcentrum [het] drug rehabilitation centre

afkicken [onov ww] kick the habit, ⟨drank⟩ dry out ♦ *hij is afgekickt* he is off the habit, he has kicked the habit

afkicktherapie [de^v] recovery programme/^A program ♦ *Jan is **in** afkicktherapie* Jan is in detox

[1]**afkijken** [onov ww] 1 ⟨heimelijk overschrijven⟩ copy, ⟨op school ook; inf; BE⟩ crib ♦ ***bij/van** zijn buurman afkijken* copy/crib from/off his neighbour 2 ⟨naar beneden kijken⟩ look down ♦ *hij keek de **trap** af* he looked down the stairs

[2]**afkijken** [ov ww] 1 ⟨ongemerkt overnemen⟩ copy, ⟨op school ook; inf; BE⟩ crib, ⟨kunstje ook⟩ catch, imitate, pick up ♦ *iemand de **kunst**/een **kunstje** afkijken* copy the art/a trick from s.o. 2 ⟨ten einde zien⟩ look down 3 ⟨door te veel kijken niet meer waarderen⟩ ♦ *ik heb het **mooie**/het **nieuwe**/de **aardigheid** ervan afgekeken* the beauty/novelty/charm of it has worn off for me, I am tired of looking at it 4 ⟨ten einde toe kijken⟩ see out, see to the end ♦ *we hebben die **film** niet afgekeken* we didn't see the film out

afkijker [de^m] imitator, ⟨inf⟩ copycat

afklappen [ov ww, ook abs] give a slow handclap

afkleden [onov ww] be slimming, have a slimming effect ♦ *een zwart **kostuum** kleedt af* a black suit is slimming

afklemmen [ov ww] 1 ⟨afknellen⟩ catch, pinch (off) ♦ *hij heeft zijn **vinger** tussen de deur afgeklemd* he has caught his finger in the door 2 ⟨sport, bokssp⟩ clinch, tie up, ⟨als zelfstandig naamwoord⟩ clinching

afkletsen [ov ww] chat, chatter (away), gossip ♦ *ze hebben weer **wat** afgekletst* they have had a good (old) chat again

afklimmen [onov ww] climb down, descend

afklokken [ov ww, ook abs] ⟨sport⟩ time, clock ♦ ***iemand** afklokken* time s.o.

afkloppen [ov ww] 1 ⟨van stof en vuil zuiveren⟩ dust down/off, shake, beat ♦ ***kleren** afkloppen* dust down clothes 2 ⟨ongeluk bezweren⟩ knock on wood, ⟨vnl BE⟩ touch wood ♦ ***even** afkloppen!* touch wood!

afkluiven [ov ww] gnaw off/on, tear off ♦ *een **been** afkluiven* pick a bone; ⟨dier⟩ gnaw (on) a bone; ⟨fig⟩ *zijn **vingers** afkluiven* lick one's fingers

afknabbelen [ov ww] nibble away/off, pick (clean) ♦ ⟨fig⟩ ***van** die voorrechten is in de loop der tijden heel wat afgeknabbeld* those privileges have been cut/trimmed down/eaten/nibbled away at in the course of time

afknagen [ov ww] 1 ⟨door knagen ontdoen van⟩ gnaw off 2 ⟨langzaam wegschuren⟩ eat away (at), erode ♦ *de stroom knaagde de **oever** af* the current eroded the bank/ate the bank away

[1]**afknappen** [onov ww] 1 ⟨knappend gescheiden worden⟩ snap (off) ♦ *de **veer** knapte af* the spring snapped 2 ⟨m.b.t. personen⟩ break down, have a breakdown ♦ ⟨inf⟩ *afknappen **op** iemand/iets* go off s.o./sth., get browned off/fed up with s.o./sth.; *verleden **week** is hij afgeknapt* he had a breakdown last week

[2]**afknappen** [ov ww] ⟨met een knap afbreken⟩ snap (off), break (off) ♦ *hij heeft een **stuk** van het glas afgeknapt* he snapped/broke off a piece of the glass

afknapper [de^m] ⟨inf⟩ letdown, nonevent, ⟨vnl AE; sl⟩ bummer

afknellen [ov ww] pinch (off), squeeze (off), catch ♦ *zij heeft haar **vinger** tussen de deur afgekneld* she caught her finger in the door

afknibbelen [ov ww] whittle away/down, ⟨prijs, argument⟩ beat down ♦ *de regering liet niets **van** haar voorstel afknibbelen* the government wouldn't allow its proposal to be whittled down; *een paar dubbeltjes **van/op** de prijs weten af te knibbelen* get a few pence knocked off

afknijpen [ov ww] 1 ⟨door knijpen ontdoen van⟩ pinch/nip off ♦ *een **spijker** met een nijptang afknijpen* pinch off a nail with pincers 2 ⟨(zeer) hard aanpakken⟩ put through it, put through the mill, ⟨scherp ondervragen ook⟩ give (s.o.) the third degree

afknippen [ov ww] 1 ⟨met een schaar afsnijden⟩ ⟨draad, bloem⟩ snip (off), ⟨sigaar e.d.⟩ clip (off), ⟨haar⟩ cut off, ⟨lampenpit⟩ trim ♦ *het **haar** afknippen* cut hair; *het haar **kort** afknippen* crop hair 2 ⟨door een knip met de vingers verwijderen⟩ flick off ♦ ***stofjes** van zijn mouw afknippen* flick (specks of) dust/fluff off one's sleeve

afknotten [ov ww] 1 ⟨van een uitstekend deel ontdoen⟩ truncate ⟨ook wiskunde⟩, lop, ⟨boom⟩ pollard, poll, top, ⟨vnl. lichaamsdeel⟩ amputate, ⟨staart⟩ dock 2 ⟨bouwk⟩ bevel, chamfer

afko [de^v] abbreviation, abbreviated form, clipped form

[1]**afkoelen** [onov ww] ⟨koeler worden⟩ cool (off/down), chill, go/grow cold ♦ ***het** is na het onweer erg afgekoeld* it has cooled down considerably after the thunderstorm; *het ijzer koelt reeds af* the iron is cooling down already

[2]**afkoelen** [ov ww] ⟨koeler maken⟩ cool down/off, chill ⟨bijvoorbeeld wijn⟩, ⟨in koelkast⟩ refrigerate ♦ *dat zal **hem** wel afkoelen* ⟨ook fig⟩ that should cool him down; ⟨fig ook⟩ that should calm him down; *iets **laten** afkoelen* leave sth. to cool/chill; *de **motor** met water afkoelen* cool (down) the engine with water

afkoeling [de^v] 1 ⟨het koeler worden, maken⟩ cooling (off/down), chilling, ⟨in koelkast⟩ refrigeration, ⟨weer⟩ drop in temperature 2 ⟨fig⟩ cooling off, chill(ing)

afkoelingsperiode [de^v] cooling-off period

afkoersen [onov ww] ⟨+ op⟩ head straight for

[1]**afkoken** [onov ww] ⟨m.b.t. aardappels⟩ boil to mush

[2]**afkoken** [ov ww] ⟨door koken ontdoen van⟩ boil down, ⟨vnl. medicijn, extract⟩ decoct, ⟨water van iets⟩ boil off ♦ ***beenderen** afkoken* boil bones (for stock); ***groenten** afkoken* boil vegetables down; *afgekookt **vlees*** bully

afkoker [de^m] mushy potato

afkolven [ov ww, ook abs] drain (with a breast pump)

afkomen [onov ww] 1 ⟨zich verwijderen⟩ come off/away (from) ♦ *kom **van** het ijs af* come away from/get off the ice 2 ⟨+ op; toegaan naar⟩ come up to, come towards, advance on/towards, make for ♦ *(dreigend) **op** iemand afkomen* approach s.o. (menacingly); ⟨fig⟩ *de dingen **op** zich laten afkomen* wait and see, let things take their course; *de muggen komen **op** het licht af* mosquitos are drawn/attracted to the light; *zij zag de auto recht **op** zich afkomen* she saw the car heading straight for her/coming straight at her 3 ⟨afdalen⟩ come down, descend 4 ⟨naderen langs⟩ come down, descend ♦ *een **weg**/een **rivier** afkomen* come down a road, come down/descend a river 5 ⟨ontslagen, bevrijd raken⟩ get rid of, ⟨iets vervelends⟩ be done/finished with, ⟨ontsnappen⟩ get off/away, ⟨uitnodiging, verplichting⟩ get out of ♦ *er **bekaaid** afkomen* come off badly, get the thin end of the stick; ***er** met twee maanden gevangenis afkomen* get off with/be let off with two months in prison; *er **gemakkelijk** afkomen* get off easily/cheaply; *er **goed** afkomen* come off well; *er **met** de schrik van afkomen* get off with only a scare; *ik kon niet **van** hem afkomen* I couldn't shake him off/get rid of him; *ergens zonder kleerscheuren **van** afkomen* get off unscathed, come through without a scratch, get off scot-free 6 ⟨ten einde komen⟩ end, conclude ♦ *komt dat **werk** nooit af?* will that work never be finished? 7 ⟨uitgaan van een hogere instantie⟩ come through, be published ♦ *wanneer komt die **benoeming** af?* when will that appointment come through?

afkomst [de^v] descent, ⟨afstamming⟩ origin, ⟨geboorte⟩ birth, ⟨woord ook⟩ derivation ♦ *van **Franse** afkomst* ⟨in Fr geboren⟩ French by birth; ⟨van Franse ouders⟩ of French descent/extraction/stock/origin; *van **hoge/lage** afkomst* of noble birth/good family, of low birth; ⟨fig⟩ *de afkomst van een **taal/woord*** the origin of a language, the derivation/origin of a word; *een Zweed **van** afkomst* a Swede by descent; a Swede by birth; ⟨pregn⟩ *een meisje **zonder** afkomst* a girl of low birth/poor family/humble origin [•] ⟨sprw⟩ *edel van hart is beter dan hoog van afkomst* kind hearts are more than coronets

afkomstig [bn] [1] ⟨komende⟩ from, coming/originating (from) ♦ *afkomstig **uit** Eindhoven* from Eindhoven; ***uit** Frankrijk afkomstig* of French origin [2] ⟨afgeleid⟩ originating/originated (from), derived (from) ♦ *dat woord is afkomstig **uit** het Engels* that word is derived/borrowed from English [3] ⟨voortkomende⟩ originating, emanating, coming (from) ♦ *voorwerpen **van** diefstal afkomstig* stolen goods; *deze planken zijn afkomstig **van** die oude eik* these shelves originate/are made from that old oak [4] ⟨toebehoord hebbende⟩ originating, belonging, from ♦ *dit horloge is afkomstig **van** mijn vader* this watch belonged to my father [5] ⟨ontworpen⟩ originating ♦ ***van wie** is dat plan afkomstig?* who is responsible for that plan?, from whom does that plan emanate?

afkondigen [ov ww] [1] ⟨bekendmaken⟩ proclaim, give notice of, ⟨verkiezing⟩ call, ⟨verordening, Koninklijk Besluit⟩ promulgate ♦ *een voorgenomen **huwelijk** afkondigen* ⟨kerk⟩ call/publish/put up the (marriage) banns, have one's banns called; ⟨wettelijk, gemeentelijk⟩ give notice of a proposed marriage; *de regering heeft de **staat** van beleg afgekondigd* the government has proclaimed martial law; *een **staking** afkondigen* call a strike; ***van** de preekstoel afkondigen* announce/proclaim from the pulpit; *de **vrede** afkondigen* proclaim peace; *een **wet** afkondigen* promulgate a law [2] ⟨beëindigen⟩ sign off

afkondiging [de^{v}] [1] ⟨het afkondigen⟩ ⟨vrede, staat van beleg, noodtoestand⟩ proclamation, ⟨van voorgenomen huwelijk⟩ notification, ⟨staking, onafhankelijkheid⟩ declaration, ⟨wet, verordening⟩ promulgation ♦ *deze wet treedt in werking op de **dag** van haar afkondiging* this law takes immediate effect; *afkondiging **doen van*** give notice of, announce, notify; *afkondiging van de **huwelijksgeboden*** notice/publication of the marriage banns [2] ⟨het afgekondigde⟩ proclamation, notification, notice, declaration ♦ *afkondigingen **aanplakken*** put up notices, post proclamations

afkooksel [het] decoction

afkoop [de^{m}] buying off/out, redemption, commutation, ⟨verz⟩ surrender ♦ ***bij** afkoop van de verzekering* upon surrender of the policy

afkoopbaar [bn] redeemable ♦ *de **dienstplicht** was afkoopbaar* military service was commutable; *afkoopbare **grondrenten*** redeemable leases

afkoopsom [de] redemption money, compensation, ransom, ⟨verz⟩ surrender value

afkoopwaarde [de^{v}] ⟨verz⟩ surrender value

afkopen [ov ww] buy/purchase (from), ⟨verplichting⟩ buy off, redeem, ⟨loskopen⟩ ransom ♦ *een **grondrente/hypotheek** afkopen* purchase a lease, redeem a mortgage; *een **polis** afkopen* surrender a policy; *een **vervolging** afkopen* buy off a prosecution; *een **verzekeringspolis** afkopen voor een uitkering ineens* commute an insurance policy into/for a lump sum

afkoppelen [ov ww] ⟨wagon⟩ uncouple, ⟨machine⟩ disconnect

afkorten [ov ww] [1] ⟨verkorten door weglating⟩ shorten, ⟨woorden ook⟩ abbreviate, ⟨verhaal⟩ abridge ♦ *een **rede** afkorten* abbreviate/shorten/cut (down on) a speech; *afkorten **tot*** abbreviate to [2] ⟨in lengterichting kleiner maken⟩ shorten ♦ ***hop** afkorten* top/tip hop-vines

afkorting [de^{v}] [1] ⟨afgekort woord⟩ abbreviation, shortening ♦ *Tony is een afkorting **van** Anthony* Tony is short for Anthony [2] ⟨mindering⟩ deduction, reduction ♦ ***op** afkorting betalen* pay on account

afkortingsteken [het] [1] ⟨teken dat afkorting aanduidt⟩ abbreviation mark [2] ⟨weglatingsteken⟩ apostrophe

afkortzaag [de] cut-off saw

afkrabben [ov ww] [1] ⟨door krabben wegnemen⟩ scrape off/from, scratch off/from, ⟨i.h.b. verf enz.⟩ strip off/from ♦ *een **korstje** van een wond/de **verf** van de deur afkrabben* scratch a scab off a wound, scrape/strip the paint from the door [2] ⟨door krabben ontdoen van⟩ scrape ♦ ***ijzerwerk** afkrabben* scrape ironwork

afkrabber [de^{m}] scraper, stripper

afkraken [ov ww] slate, slash, run down, ⟨m.b.t. personen⟩ do down ♦ *de criticus kraakte haar boek **volledig** af* the reviewer ran her book into the ground

afkrijgen [ov ww] [1] ⟨eraf kunnen halen⟩ get off/out ♦ *hij kreeg de verf niet **van** de deur af* he couldn't get/strip the paint off the door; *een paar euro **van** een rekening afkrijgen* get a few euros knocked off a bill; *ik kon hem niet **van** het terrein afkrijgen* I couldn't get him off the field; *hij kreeg de **vlek** er niet af* he couldn't get the stain out [2] ⟨kunnen voltooien⟩ get done/finished, finish ♦ *het **werk** afkrijgen* get the work done/finished

afkruisen [ov ww] cross off, check off, ⟨BE⟩ tick off

afkuisen [ov ww] ⟨in België⟩ clean/wipe down

^{1}**afkukelen** [onov ww] ⟨inf⟩ ⟨aftuimelen⟩ tumble/topple (off) ♦ *het kind kukelde **van** de bank af* the child tumbled off the bench

^{2}**afkukelen** [ov ww] ⟨inf⟩ ⟨afgooien⟩ knock (off)

afkunnen [ov ww] be able to get through, be able to cope with ♦ ***het best** afkunnen* manage (it) alone/on one's own; *ik kan **het** zonder jou wel af* I can get along (very well) without you; *het **werk** alleen niet afkunnen* not be able to get through the work alone

afkussen [ov ww] [1] ⟨door kussen wegnemen⟩ kiss better [2] ⟨met een kus bijleggen⟩ kiss away ♦ ***laten** we het afkussen* let's kiss and be friends

afl. [afk] [1] (aflevering) instalment [2] (afleiding) derivation

aflaat [de^{m}] ⟨r-k⟩ indulgence ♦ ***gedeeltelijke** aflaat* partial indulgence; *iemand een aflaat **schenken*** grant s.o. an indulgence; *een aflaat **verdienen*** earn an indulgence; ***volle** aflaat* plenary indulgence

aflaatbrief [de^{m}] (letter of) indulgence

aflaatsluis [de] sluice

afladen [ov ww] [1] ⟨weg-, af-, uitnemen⟩ unload ♦ *de **koffers** afladen* unload the suitcases [2] ⟨van lading ontdoen⟩ unload, discharge [3] ⟨vol laden⟩ complete the loading of, ship, forward ♦ *afgeladen **schepen*** fully loaded ships

aflader [de^{m}] shipping agent

^{1}**aflakken** [onov ww] ⟨laatste laklaag opbrengen⟩ finish lacquering, give the finishing coat

^{2}**aflakken** [ov ww] ⟨geheel lakken⟩ finish, lacquer all over

aflandig [bn] ⟨scheepv⟩ offshore

aflassen [ov ww] → **afgelasten**

aflasten [ov ww] → **afgelasten**

aflaten [onov ww] ⟨form⟩ desist (from), cease ♦ *zij liet **niet** af haar waren aan te prijzen* she didn't cease advertising her goods; *niet aflatende **zorg*** unremitting/constant care

aflatoxine [de^{v}] ⟨scheik⟩ aflatoxin

aflebberen [ov ww] ⟨inf⟩ [1] ⟨aflikken⟩ lick off [2] ⟨afzoenen⟩ ↑ smooch

afleesbaar [bn] ⟨techn⟩ readable

afleesinstrument [het] ⟨techn⟩ indicating instrument, instrument with visual display/indication

afleesloep [de] reading glass/amplifier

afleggen [ov ww] [1] ⟨afdoen⟩ take off, ⟨wapens⟩ lay down, ⟨afdanken⟩ cast off, discard ♦ *zij legde haar **sluier** af* she took off her veil; ⟨fig⟩ she left the convent/became laicised; ⟨fig⟩ *de **toga** afleggen* retire (from academic/clerical/legal/... office) [2] ⟨zich ontdoen van iets vervelends⟩ shed, discard, lay aside ♦ *slechte **gewoonten** afleggen* shed/shake off/get out of bad habits; *een **last** afleggen* shed/lay aside a burden; *zijn **trots** afleggen* put/lay aside one's pride [3] ⟨verrichten⟩ ⟨verklaring⟩ make, ⟨examen, eed⟩ take ♦ *een **bezoek** afleggen* pay a visit/call, call (on s.o.); *een **examen** afleggen* take/sit for an exam(ination); ⟨BE ook⟩ do an exam(ination); *een **gelofte** afleggen* take/make a vow, take an oath; ***getuigenis** afleggen* give evidence [4] ⟨ten einde volgen⟩ cover, traverse, travel, do ♦ *500 **mijl** per dag afleggen* cover 500 miles a day; *een **weg** te voet afleggen* go some way on foot [5] ⟨afnemen en elders neerleggen⟩ lay/put aside ♦ *leg de boeken **van** de stoel af* remove the books from the chair [6] ⟨m.b.t. een lijk⟩ lay out [7] ⟨m.b.t. de huid, hoorns van dieren⟩ cast, shed [8] ⟨plantk⟩ layer ♦ ***loten/een wijnstok** afleggen* layer shoots/a vine [•] ***het** afleggen* pass away/on, die, kick the bucket; ⟨inf⟩ peg out, snuff it; ***het** afleggen tegen iemand* be worsted/defeated by s.o., be no match for/go under to s.o., ↓ be licked by s.o.; ***het** (moeten) afleggen tegen iemand/iets op het gebied van* lose out to s.o./sth. on

aflegger [de^m] [1] ⟨afdankertje⟩ cast-off [2] ⟨plant⟩ layer [3] ⟨m.b.t. lijken⟩ layer-out

afleggertje [het] cast-off, ⟨inf⟩ hand-me-down

afleidbaar [bn] derivable, ⟨logisch afleidbaar⟩ deducible ♦ *Franklin ontdekte dat de **bliksem** afleidbaar is* Franklin discovered that lightning can be conducted

afleiden [ov ww] [1] ⟨wegleiden⟩ lead/guide away (from), ⟨weg enz.⟩ divert (from), ⟨bliksem⟩ conduct ♦ *de **bliksem** afleiden* conduct lightning; *het **gesprek** van iets afleiden* guide/lead the conversation away from sth.; *de **stroom** afleiden* divert the stream; *het **water** van de bron afleiden* lead/channel the water from the source/spring [2] ⟨ontspanning brengen; storen⟩ divert, distract ♦ *ik leidde **hem** af* I distracted him/his thoughts/kept him from his work; *het zal **mij** wat afleiden* it'll take my mind off things [3] ⟨naar beneden leiden⟩ lead/guide down ♦ *iemand de **trap** afleiden* lead/guide s.o. down the stairs [4] ⟨de oorsprong verklaren⟩ trace back (to) [5] ⟨van, uit bestaande woorden vormen⟩ derive (from) ♦ *spraak, spreuk en sprookje zijn afgeleid **van** spreken* 'spraak', 'spreuk' and 'sprookje' are derived from/derivatives of 'spreken' [6] ⟨deduceren⟩ deduce (from), infer/gather (from) [7] ⟨plantk⟩ train

afleider [de^m] distractor, ⟨bliksem⟩ lightning conductor/rod

afleiding [de^v] [1] ⟨ontspanning⟩ distraction, diversion ♦ *een wandeling **bezorgt** toch afleiding* a walk surely provides a change/some relaxation, a change is as good as a rest; *ik **heb** echt afleiding nodig* I really need a change/sth. to take my mind off it/things; ***ter** afleiding dienen* serve as a diversion, offer a change (of scene); ***voor** afleiding **zorgen*** distract the mind(s), take one's mind off things [2] ⟨taalk; het afleiden, vormen⟩ derivation ♦ *de **leer** der afleidingen* the theory of derivation [3] ⟨taalk; afgeleid woord⟩ derivative, derivation ♦ *koningin is een afleiding **van** koning* 'koningin' is a derivative of/from 'koning' [4] ⟨med⟩ revulsion, counterirritation

afleidingsmanoeuvre [het, de] diversion ⟨ook leger⟩, diversionary tactic/action, feint ⟨ook sport⟩, ⟨fig⟩ red herring

afleren [ov ww] [1] ⟨zichzelf⟩ unlearn, get out of, break o.s. of (the habit of), stop ♦ *het **stotteren/roken** afleren* overcome/cure o.s. of stammering, cure o.s. of/stop smoking [2] ⟨een ander⟩ cure of, break of, get out of, stop ♦ *ik zal **het** je wel afleren!* I'll teach you!, ⟨inf⟩ I'll learn you!; ***iemand** iets afleren* knock sth. out of s.o., teach s.o. not to do sth.; *je moet hem die **vooroordelen** afleren* you must cure him of those prejudices [•] *nog eentje om het af te leren* one for the road

afleveren [ov ww] [1] ⟨afgeven⟩ deliver, ⟨produceren⟩ turn out, produce ♦ *de **bestelling** is op tijd afgeleverd* the order was delivered on time; *we moeten proberen goede **leerlingen** af te leveren* we must try to turn out good pupils [2] ⟨in België⟩ ⟨document⟩ issue, ⟨diploma⟩ award, grant

aflevering [de^v] [1] ⟨bezorging⟩ delivery ♦ ***bij** aflevering betalen* pay/cash on delivery, COD; ***bij** de aflevering tegenwoordig zijn* be present at the delivery/hand-over; ***oude** afleveringen* back/past numbers [2] ⟨boek⟩ instalment, ⟨AE⟩ installment, ⟨tijdschrift⟩ number, issue ♦ ***in** afleveringen verschenen* published serially/in parts/in instalments [3] ⟨radio/tv⟩ episode

afleveringsdatum [de^m] delivery date, ⟨datum waarop een taak klaar moet zijn⟩ completion date

afleveringstermijn [de^m] term of delivery, delivery date

aflezen [ov ww] [1] ⟨uitlezen⟩ finish (reading), read (right) through, read (right) to the end ♦ *hij wilde eerst de **brief** aflezen* he first wanted to finish reading the letter; *hij leest heel **wat** af* he reads a lot [2] ⟨ten einde toe voorlezen⟩ read out (the whole of) ♦ *een **lijst/namen** aflezen* read out a list, call out names, call the names; *een **verordening** aflezen* read out an ordinance [3] ⟨m.b.t. meetwerktuigen⟩ read (off) ♦ *de **stand** van een manometer aflezen* read (out) a manometer, take a manometer reading; ⟨fig⟩ *de **woede** van iemands gezicht aflezen* tell the anger from/see the anger on s.o.'s face

aflikken [ov ww] [1] ⟨door likken wegnemen⟩ lick off ♦ *stroop **van** zijn vingers aflikken* lick syrup off one's fingers [2] ⟨door likken ontdoen van iets⟩ lick ♦ *zijn **vingers/een lepel** aflikken* lick one's fingers/a spoon [3] ⟨afzoenen⟩ ↑ smooch

afloden [ov ww] ⟨scheepv⟩ fathom, sound, take soundings

afloop [de^m] [1] ⟨einde⟩ end, close, ⟨termijn⟩ expiration, expiry, termination ♦ ***na** afloop* afterwards; ***na** afloop van de voorstelling* after the performance/show [2] ⟨uitkomst, resultaat⟩ result, outcome, issue ♦ *ongeluk met **dodelijke** afloop* fatal accident; *de afloop van de **examens** was dit jaar gunstig* the results on the exam(ination)s were good this year [3] ⟨het af-, weglopen⟩ flow(ing) off ♦ *het water op de weg heeft geen **voldoende** afloop* the water on the road has inadequate drainage, there's insufficient fall in the road

afloopdatum [de^m] ⟨verz⟩ expiry date

[1]**aflopen** [onov ww] [1] ⟨weglopen⟩ leave ♦ *niet **van** je plaats aflopen* not leave your place [2] ⟨+ op; zich haastig begeven naar⟩ rush to, make for [3] ⟨ten einde lopen⟩ (come to an) end, finish, ⟨termijn, contract⟩ expire, terminate, run out ♦ *wat ga je doen wanneer dit **baantje** afgelopen is?* what are you going to do once this job is over?; *de **cursus** is afgelopen* the course is finished; ***goed/treurig** aflopen* turn out well/badly; *het verhaal liep **goed** af* the story had a happy end(ing); *de operatie is **goed** afgelopen* the operation was successful; ***hoe** zal 't aflopen?* what will be the end (of it)?; ***hoe** is het afgelopen?* how did it (all) end/come to an end/finish?, what was the end of it?, what was the outcome?; *dit jaar loopt het **huurcontract** af* the lease expires this year; *het loopt af **met** hem* he is sinking fast/is near the end; ***met** een sisser aflopen* ⟨iets dreigends⟩ blow over, pass; ⟨tot niets komen, tegenvallen⟩ fizzle out, be a damp squib; *het zal slecht **met** hem aflopen* he will come to a sticky end/to no good; *hoe is het **met** die zaak afgelopen?* what happened in the end (of that affair)?, what was the outcome of that business/affair?; *hiermee was de **vergadering** afgelopen* that concluded the meeting; *en daar is de **zaak** mee afgelopen* and that's the end of/that clinches the matter [4] ⟨m.b.t. wekkers⟩ go off ♦ *aflopen **als** een wekker* ⟨fig⟩ rattle on (nonstop) [5] ⟨wegstromen⟩ run/flow down, ⟨getijde⟩ ebb, go out, ⟨regenwater⟩ drain (off) ♦ *de **rivier** loopt hier sterk af* the river flows (down) rapidly here; *het bloed liep hem **van** het gezicht af* the blood was running down his face [6] ⟨naar beneden lopen⟩ run/go/walk down ♦ ***van** de berg/trap aflo-*

pen run down the mountain/stairs [7] ⟨zich naar beneden uitstrekken⟩ slope (down/away), decline, ⟨terrein ook⟩ shelve, ⟨weg⟩ run downhill, ⟨terrein⟩ fall away ◆ *de weg loopt snel af* the road slopes down steeply/has a steep slope/plunges downhill [8] ⟨ergens afgaan⟩ run off ◆ *een kabel laten aflopen* run/pay out a cable; *het rad liep van de as af* the wheel came/ran off the axle [9] ⟨van de helling glijden⟩ be launched, leave the ways ◆ *een schip laten aflopen* launch a ship

^{2}**aflopen** [ov ww] [1] ⟨verslijten⟩ wear out ⟨ook schoenen⟩, wear down ⟨ook hak⟩ ◆ *dat vloerkleed is helemaal afgelopen* that carpet is completely/entirely worn out [2] ⟨doorlopen⟩ ⟨land, straten⟩ tramp, ⟨bos⟩ scour, range, ⟨plunderen⟩ plunder, ransack ◆ *stad en land aflopen om iets te vinden* search high and low/the highways and byways to find sth.; *ze hebben heel wat afgelopen vandaag* they've walked a lot today; *ze heeft alle wedstrijden afgelopen* she has made the rounds of all the contests, she has done all the contests [3] ⟨ten einde toe doorlopen⟩ cover, walk, do ◆ *een cursus aflopen* finish/complete a course; *in hoeveel tijd kan men die weg aflopen?* how long does it take to walk that (distance/route)?

aflopend [bn] [·] *aflopende annuïteit* terminable annuity; ⟨plantk⟩ *aflopende bladeren* decurrent leaves; ⟨scheik⟩ *aflopende reactie* irreversible reaction; *aflopende schuld* expiring debt; *aflopend tij* outgoing/falling tide; *een aflopende weg* a sloping/downhill road; *de verkoop van frisbees is een aflopende zaak* frisbee sales are falling off/heading downhill, the frisbee business is on its last legs/dying out/nearly finished off

aflosbaar [bn] ⟨fin⟩ redeemable, ⟨schuld, pandbrief, obligatie⟩ repayable

aflossen [ov ww] [1] ⟨vervangen⟩ ⟨i.h.b. wacht⟩ relieve, take (s.o.'s place) ◆ *iemand bij het spel aflossen* substitute for s.o./relieve s.o. in a game; *laten we elkaar aflossen* let's take turns/take it in turns; *de dag- en nachtploegen lossen elkaar om zes uur af* the day and night shifts relieve/take over from each other at 6 o'clock [2] ⟨terugbetalen⟩ pay off, redeem ◆ *een bedrag op een lening aflossen* pay off an amount of a loan; *een hypotheek aflossen* redeem/pay off a mortgage; *een lening/geleend kapitaal aflossen* redeem/pay off a loan, pay back borrowed capital; *een schuld aflossen* pay off/settle a debt

aflossing [de^{v}] [1] ⟨het vervangen⟩ relief ◆ *de aflossing van de wacht* the changing of the guard [2] ⟨het terugbetalen⟩ redemption, (re)payment ◆ *de aflossing van de hypotheek* the redemption/repayment of the mortgage [3] ⟨termijn⟩ (re)payment (period), instalment, ⟨AE⟩ installment ◆ *een maandelijkse/jaarlijkse aflossing* a monthly/an annual payment/instalment [4] ⟨bedrag⟩ instalment ◆ *de aflossing bedraagt € 500 per maand* the instalment amounts to € 500 a month

aflossingsbedrag [het] ⟨totaal⟩ amount (to be) repaid, ⟨termijn van afbetaling⟩ instalment, ⟨AE⟩ installment

aflossingsboete [de] redemption penalty

aflossingsdatum [de^{m}] repayment date, term, redemption date

aflossingstermijn [de^{m}] term of redemption/repayment, period of redemption/repayment

aflossingsvoorwaarden [de^{mv}] terms of repayment/redemption

aflossingsvrij [bn] interest-only

afluisterapparatuur [de^{v}] monitoring equipment, ⟨telefoon⟩ phone tapping equipment, ⟨vnl pej; inf⟩ bugging devices, bugs

afluisteren [ov ww] [1] ⟨stiekem beluisteren⟩ eavesdrop on, listen in on, monitor, ⟨i.h.b. telefoongesprek⟩ (wire) tap, ⟨inf⟩ bug ◆ *een afgeluisterd gesprek* a monitored conversation; *iemand afluisteren* eavesdrop on s.o.; ⟨door politie⟩ listen in on s.o.; ⟨inf⟩ bug s.o.; *een telefoongesprek afluisteren* listen in to/monitor/tap a phone call; *afgeluisterd worden* ⟨met apparatuur⟩ be tapped/bugged [2] ⟨beluisteren⟩ listen to

afluisterpost [de^{m}] ⟨mil⟩ listening post

afluisterpraktijken [de^{mv}] monitoring operations, ⟨telefoon⟩ wiretapping, ⟨inf⟩ bugging

afluisterschandaal [het] bugging scandal

afluizen [ov ww] ⟨in België⟩ wheedle (out of/from)

AFM [de^{v}] ⟨in Nederland⟩ (Autoriteit Financiële Markten) Netherlands Authority for Financial Markets, Dutch Authority for Financial Markets

afmaaien [ov ww] [1] ⟨langs de grond afsnijden⟩ ⟨gras, akker⟩ mow, ⟨gewas⟩ cut, reap, ⟨fig, dichtl⟩ cut off ◆ *het koren/een gazon afmaaien* cut/reap the corn, mow a lawn [2] ⟨geheel en al maaien⟩ finish mowing/cutting

^{1}**afmaken** [ov ww] [1] ⟨een einde maken aan⟩ finish, complete, bring to an end, bring to a conclusion ◆ *een gerecht op smaak afmaken* finish/season a dish to taste; *iets niet afmaken* leave sth. unfinished/at a loose end; *hij heeft Nederlands gestudeerd maar heeft het nooit afgemaakt* he studied Dutch but (he) never completed the course; *eerst je studie afmaken!* first finish your studies/get your studies over with/get over and done with your studies!; *iets vlug afmaken* dash sth. off, hurry through sth.; *een werkje afmaken* finish/complete a small job/little bit of work [2] ⟨doden⟩ kill, slaughter, kill/finish off ◆ *ze hebben de hond moeten laten afmaken* they had to have the dog put down/put away/destroyed; *het zieke vee afmaken* slaughter the diseased cattle [3] ⟨vernietigend beoordelen, ongeloofwaardig maken⟩ demolish, run down, ⟨inf; BE⟩ slate ◆ *het boek werd volledig afgemaakt door de recensent* the reviewer totally demolished the book/cut the book to pieces/ran the book into the ground; *de getuige werd door de officier afgemaakt* the witness was torn to shreds/flayed/demolished by the (public) prosecutor; *de voorstelling werd door de critici afgemaakt* the performance was slashed/torn to shreds/bits by the critics [·] ⟨sport⟩ *de bal met een smash afmaken* kill the ball with a smash, ⟨volleybal⟩ kill the ball with a spike; ⟨volleybal ook⟩ spike a ball; ⟨tennis⟩ *je moet je slag afmaken* you must follow through

^{2}**zich afmaken** [wk ww] [·] *zich van iets afmaken* wave sth. aside, dismiss sth., get rid of sth.; *zich van iemand afmaken* dispose of s.o.; *hij maakt er zich met een grap van af* he brushed it aside/passed it off with a joke, he laughed it off; *je kunt je er niet zomaar van afmaken* you can't get rid of it without further ado, you can't just ignore sth./pretend sth. isn't there; *zich er wat al te gemakkelijk van afmaken* make light of sth./shrug sth. off too lightly; *zich met een paar woorden van iets afmaken* dispose of/dismiss sth. in two words; *je kunt je er niet van afmaken door te zeggen ...* you can't excuse yourself/get out of it by saying ...

afmaker [de^{m}] [1] ⟨iemand die afmaakt, die vlug, beslist handelt⟩ go-getter, fast mover [2] ⟨sport⟩ goal-scorer, goal-getter, ⟨voetb ook⟩ finisher, ⟨volleybal⟩ spiker ◆ *een kille afmaker* a killer

afmarcheren [onov ww] [1] ⟨wegmarcheren⟩ march off, ⟨één voor één⟩ file off ◆ ⟨mil⟩ *zijn mannen (laten) afmarcheren* march off one's men [2] ⟨weggaan⟩ march off ◆ *wij konden afmarcheren* we could march/set off

afmars [de] marching off ◆ *de troepen maakten zich voor de afmars gereed* the troops prepared for the marching off/the departure

afmartelen [ov ww] torture, torment ◆ *een afgemarteld lichaam* a body racked with disease; *een paard afmartelen* flog a horse to death, (criminally) overwork a horse; *er wordt wat afgemarteld in die landen* there is a lot of torturing/a lot of torturing goes on in those countries; *zich door zware arbeid afmartelen* work o.s. into the ground; ⟨sl⟩ sweat one's guts out

afmatten [ov ww] fatigue, wear/tire out, exhaust, ⟨BE

ook; inf⟩ fag; zie ook **afgemat** ◆ *die **studie** matte hem geheel af* that study has tired him out completely/exhausted him/finished him off; *zijn **tegenstander** afmatten* wear one's opponent down; ***zich** afmatten* exhaust o.s., ↓ fag o.s. out; ⟨sl; BE⟩ do for o.s.; *laat ze **zich** maar lekker afmatten* let her tire herself out/exhaust herself

afmattend [bn] tiring, fatiguing, ⟨sterker⟩ gruelling, ⟨AE⟩ grueling, ⟨sl; BE⟩ knackering ◆ *afmattende **arbeid*** gruelling labour; *afmattende **hitte*** trying/enervating heat; *dat spel is **uiterst** afmattend* that game is extremely tiring/exhausting; *een afmattend **ziekbed*** a debilitating, an enervating illness

afmatting [de^{v}] [1] ⟨handeling⟩ tiring out, exhaustion [2] ⟨resultaat⟩ tiredness, weariness, exhaustion, fatigue ◆ ***van** afmatting zakte hij ineen* he dropped from exhaustion

afmelden [ov ww] cancel ◆ ***zich** afmelden* check/sign (o.s.) out; ⟨mil⟩ report off (duty)

afmeren [ov ww, ook abs] moor

afmeten [ov ww] [1] ⟨opmeten⟩ measure (off) ◆ ⟨fig⟩ *iets **met** de ogen afmeten* measure sth. by eye, take a sighting measurement of sth.; *een **tuin** afmeten* measure (out) a garden [2] ⟨schatten, beoordelen⟩ measure, judge, estimate ◆ *de invloed van een krant afmeten **aan** de oplage* estimate/assess the influence of a newspaper in terms of its circulation, judge a newspaper's influence by its circulation; *je kunt de kwaliteit van een opleiding niet afmeten **aan** het aantal geslaagden* you cannot judge the quality of a course from the number of passes; *de verdiensten van twee personen **tegen** elkaar afmeten* weigh one person's merits against the other's [3] ⟨m.b.t. stoffen⟩ measure (off) [4] ⟨toemeten⟩ measure, proportion (to), adjust (to) ◆ *de straf **naar** het misdrijf afmeten* make the punishment fit the crime; *hij mat zijn **woorden** nauwkeurig af* he measured his words carefully

afmeting [de^{v}] [1] ⟨lengtemaat⟩ dimension, proportion, measurement ◆ *enorme afmetingen **aannemen/bereiken*** assume/reach enormous proportions; *de afmetingen van de **kamer*** the dimensions/size of the room; *een standbeeld van **reusachtige** afmetingen* a statue of gigantic dimensions/proportions [2] ⟨wisk⟩ dimension [3] ⟨het afmeten⟩ measuring (off), measurement

1**afmieteren** [onov ww] ⟨inf⟩ ⟨afvallen⟩ tumble down/off ◆ *hij is **van** de trap/zijn fiets afgemieterd* he tumbled down the stairs/off his bike

2**afmieteren** [ov ww] ⟨inf⟩ ⟨afgooien⟩ sling/fling down ◆ *iemand **van** de trap afmieteren* sling s.o. down the stairs

afmijnen [ov ww] bid at a public auction, ⟨bij afslag⟩ buy at a Dutch auction ◆ *het **huis** werd afgemijnd op € 100.000* the house went for € 100,000 (at the auction); ***iemand** afmijnen* outbid s.o.; *een **werk** op € 100.000 afmijnen* make a successful bid of € 100,000 for a work, purchase/buy for € 100,000 at an auction

afmikken [ov ww] estimate, guess ◆ *iets **goed** afmikken* estimate (the amount of) sth. well, time sth. nicely; *is dat niet **mooi** afgemikt?* isn't that nicely judged/timed?; *het zo afmikken dat ...* time sth. so that ...

afmixen [ov ww] mix, make the final mix

1**afmonsteren** [onov ww] ⟨scheepv⟩ ⟨ontslag nemen⟩ sign off

2**afmonsteren** [ov ww] ⟨scheepv⟩ ⟨uit de dienst ontslaan⟩ pay off, discharge

afmonstering [de^{v}] paying off, discharge ◆ ***bij** de afmonstering* at the time of paying off, on (his) discharge

afmonteren [ov ww] assemble

afnaaien [ov ww] [1] ⟨afmaken⟩ finish, ⟨zoom⟩ sew off [2] ⟨veel en lang naaien⟩ sew a lot, do a lot of sewing ◆ *ik heb **wat** afgenaaid op die lange avonden* I did a lot of sewing during those long evenings

afname [de] [1] ⟨het afnemen⟩ purchase, acquisition ◆ ***bij** afname van 25 exemplaren* for quantities of 25, when taking 25 copies [2] ⟨het afgenomen worden⟩ sale, take-up [3] ⟨het minder worden⟩ decline, diminution, decrease, ⟨bevolking⟩ shrinkage ◆ *een **geringe** afname van de vraag* a slight easing of the demand; *de afname van de **groei/werkloosheid*** the decline in the growth/the reduction in unemployment

afneembaar [bn] detachable, ⟨afwasbaar⟩ removable, washable ◆ *een afneembaar **dak*** a detachable roof; *een auto met een afneembaar **dak*** a convertible

afneemster [de^{v}] → **afnemer**

1**afnemen** [onov ww] [1] ⟨verminderen⟩ decrease, diminish, ⟨krachten⟩ decline, wane, ⟨wind⟩ subside, ⟨voorraden⟩ get low, run out, ⟨licht⟩ fade, ⟨storm⟩ abate, ⟨vraag, productie⟩ slacken ◆ *de vraag is **aan** het afnemen* demand is slackening (off)/weakening; *onze **belangstelling** nam af* our interest faded, ⟨sterker⟩ our interest dwindled; ***geleidelijk** afnemen* gradually decrease/drop (away/off); ***in** gewicht afnemen* lose weight; *bij afnemend **tij*** when the tide is falling, at ebb tide; *zijn verstandelijke **vermogens** namen af* his intellectual faculties/powers declined; *bij afnemende **wind*** with subsiding wind [2] ⟨korter, kleiner worden⟩ shorten ◆ *de **dagen** zijn aan het afnemen* the days are shortening/drawing in; *de **maan** neemt af* the moon is on the wane/is waning; *het **wassen** en afnemen van de maan* the waxing and waning of the moon

2**afnemen** [ov ww] [1] ⟨van een plaats verwijderen⟩ take off/away, remove (from) ◆ *een gevangene de **boeien** afnemen* remove a prisoner's handcuffs; *het **deksel** kan er afgenomen worden* the lid can be removed/is removable; *de **gordijnen** afnemen* take down the curtains; *iemand een **last** afnemen* take a burden from s.o., relieve s.o. of a burden; ***stof** afnemen* dust; *het kleed **van** de tafel afnemen* take/remove the cloth from the table; *de was **van** de drooglijn afnemen* take the wash(ing) down/off the clothes-line/washing-line; ⟨jur⟩ *de **zegels** afnemen* break the seals [2] ⟨van het hoofd nemen⟩ take off ◆ *zijn **hoed** afnemen* take off one's hat; ⟨als groet⟩ raise one's hat [3] ⟨wegnemen⟩ remove ◆ ***bloed** laten afnemen* allow blood to be taken; *iemand **bloed** afnemen* bleed s.o., tap s.o.'s blood, take blood/a blood sample; *neem maar een euro **van** het geld af* you can take a euro from the money/just subtract a euro from what you owe me [4] ⟨ontdoen van wat er op ligt, staat⟩ clear ◆ *het **aanrecht**/de **tafel** met een spons/natte doek afnemen* wipe (off) the counter/table with a sponge/damp cloth; ***met** zeep afnemen* wash (down) with soap; ***meubels** afnemen* dust furniture; *je kunt (de **tafel**) wel afnemen* you can clear the table/clear away [5] ⟨afpakken⟩ rob (of), deprive (of) ◆ *een speler de **bal** afnemen* steal the ball; ***dat** nemen ze ons niet meer af* ± they can't take that away, ± at least we had ...; *iemand al zijn **geld** afnemen* rob s.o. of all his money; ⟨onderw⟩ *een kind een **mes** afnemen* confiscate a child's knife; *iemand zijn **portemonnee** afnemen* rob/deprive s.o. of his purse, take s.o.'s purse off s.o.; *iemand zijn **rijbewijs** afnemen* take away/suspend s.o.'s driving licence/^{A}driver's license, disqualify s.o. from driving; *de vijand een **stad** afnemen* take/capture a town from the enemy [6] ⟨laten afleggen⟩ hold, administer ◆ *iemand de **biecht** afnemen* ⟨ook fig⟩ hear s.o.'s confession; *iemand een **eed** afnemen* administer an oath to s.o.; ⟨bijvoorbeeld getuige, nieuw lid, bij ambtsaanvaarding⟩ swear s.o. in; *iemand een **examen** afnemen* subject s.o. to an examination; ***examens** afnemen* hold examinations; *ik moet nog drie **examens** afnemen* I still have to examine three candidates/persons/take/prepare three exam(ination)s [7] ⟨kopen⟩ take, buy, purchase ◆ ***goederen** afnemen* purchase goods [8] ⟨niet meer laten bezoeken⟩ take away ◆ *een kind **van** school/muziekles afnemen* take a child from school/its music lessons [9] ⟨kaartsp⟩ cut ◆ *de **kaarten** afnemen* cut the cards [•] *een **parade/defilé** afnemen* take the salute

afnemer [de^{m}], **afneemster** [de^{v}] buyer, consumer, customer ◆ *Duitsland is onze **grootste** afnemer van snijbloemen* Germany is our largest customer for cut flowers; *een* *grote afnemer van landbouwproducten* a large consumer/user of agricultural products; *een **regelmatige** afnemer* a regular customer; *geen afnemers kunnen **vinden*** not be able to find any buyers

afnemerskrediet [het] buyer's credit

afneming [de^v] 1 ⟨het afnemen⟩ ♦ *de afneming van een **eed*** the administration of an oath; *de afneming van een **verhoor/examen*** an interrogation/examination 2 ⟨vermindering⟩ decrease, decline, diminution, ⟨bevolking⟩ shrinkage ♦ *de afneming van **krachten*** the decline in powers 3 ⟨bk, rel⟩ descent/deposition (from the Cross)

afnokken [onov ww] ⟨inf; onderw⟩ 1 ⟨ophouden met werken⟩ knock off 2 ⟨weggaan⟩ buzz/push off ♦ *afnokken, jongens!* let's push off, fellas!

1**afnummeren** [onov ww] ⟨in volgorde zijn nummer zeggen⟩ number

2**afnummeren** [ov ww] ⟨nummers geven⟩ number

à fond [bw] thoroughly, in depth ♦ *iets à fond **onderzoeken*** go/get to the bottom of sth., study sth. thoroughly/in depth

afonie [de^v] ⟨med⟩ aphonia, aphony

afoon [bn] aphonic, aphonous

à forfait [bw] 1 ⟨bij de koop ineens⟩ in a single/lump sum, for a fixed sum, cash down 2 ⟨handel; onder afstand van recht op verhaal⟩ without recourse ♦ ***disconteering** à forfait* negotiation without recourse

aforisme [het] ⟨lit⟩ aphorism, maxim

aforistisch [bn, bw] aphoristic ⟨bw: ~ally⟩ ♦ *aforistische **behandeling** van een wetenschap* aphoristic treatment of a science; *aforistische **wijsheden*** aphorisms, maxims

a fortiori [bw] all the more so, a fortiori

afpakken [ov ww] 1 ⟨uit de hand nemen⟩ take away, snatch ♦ *iemand een **mes** afpakken* take away a knife from s.o., take a knife off s.o. 2 ⟨ontnemen⟩ take (away), pinch ♦ *een tegenstander de **bal** afpakken* snatch/take the ball from/dispossess an opponent; *je moet je de bal niet **laten** afpakken (door)* you mustn't let the ball be snatched away/lose the ball (to) 3 ⟨afladen⟩ unload, unpack ♦ ***kisten/koffers** van de wagen afpakken* unload cases/trunks from the car

afpalen [ov ww] 1 ⟨met palen afzetten⟩ stake out, lay/mark out, demarcate, ⟨omheinen⟩ fence (in/off/up) 2 ⟨fig; afbakenen⟩ demarcate, delineate, ⟨beperken⟩ delimit ♦ *zijn **onderzoeksveld** afpalen* define/delimit one's field of research

afpaling [de^v] 1 ⟨handeling⟩ ⟨het uitzetten⟩ demarcation, delineation, ⟨het beperken⟩ delimitation, ⟨het omheinen⟩ fencing (in/off/up), ⟨fig⟩ definition 2 ⟨resultaat⟩ ⟨grens⟩ fence, fencing, perimeter, line of stakes, ⟨ruimte⟩ enclosure, claim

afpassen [ov ww] 1 ⟨afmeten door passen⟩ pace (out), step off/out ♦ *de **lengte** en **breedte** van een veld afpassen* pace (out) the length and width of a field 2 ⟨nauwkeurig afmeten⟩ measure (out) ♦ ***geld** afpassen* give (the) exact money, pay the exact amount; *een afgepaste **portie*** a measured/an adjusted portion; ⟨wisk⟩ *op een lijn AB een **stuk** AC afpassen* measure a distance AC along a line AB

afpeigeren [ov ww] ⟨inf⟩ ⟨BE⟩ fag out, wear out, ⟨BE ook; sl⟩ knacker; zie ook **afgepeigerd** ♦ ***zich** afpeigeren* fag/wear o.s. out

afpeil [de^m] stocktaking of and payment on dutiable goods

afpeilen [ov ww] 1 ⟨m.b.t. een diepte⟩ sound, fathom 2 ⟨m.b.t. accijnsplichtige waren⟩ take stock of ♦ *zijn al die **vaten** afgepeild?* have all those casks been assayed

afpelen [ov ww] depilate, strip

afpellen [ov ww] ⟨fruit⟩ peel (off), ⟨huid⟩ skin, ⟨erwt, ei⟩ shell, ⟨rijst, gerst⟩ husk ♦ *een afgepelde **sinaasappel*** a peeled orange

afperken [ov ww] stake/peg/mark out, demarcate, ⟨omheinen⟩ fence in/off/up, rail off, enclose, ⟨fig⟩ delimit, circumscribe, define, delineate, ⟨omschrijven⟩ circumscribe ♦ ⟨fig⟩ *iemands **functie/bevoegdheid** afperken* circumscribe s.o.'s function/power(s); delimit/define s.o.'s function/power(s); *een **weiland/terrein** afperken* stake/peg off a meadow/plot

afpersen [ov ww] 1 ⟨dwingen te geven⟩ wrest, extort/wring/force/squeeze (from) ♦ *iemand **geld** afpersen* extort/extract money from s.o., blackmail s.o.; *iemand een **verklaring/belofte** afpersen* wring/wrest a statement/promise from s.o. 2 ⟨geheel en al persen⟩ press (the whole of) ♦ *een **broek** afpersen* press (all of) a pair of trousers, finish pressing a pair of trousers 3 ⟨chanteren⟩ blackmail

afperser [de^m] 1 ⟨chanteur⟩ blackmailer, extortioner 2 ⟨confectie-industrie⟩ presser

afpersing [de^v] extortion, extraction, ⟨chantage⟩ blackmail ♦ *zich aan afpersing schuldig maken* be guilty of/commit blackmail

afpeuteren [ov ww] pick off, work off/loose, pry off/loose ♦ *het korstje **van** een wond afpeuteren* pick/scratch the scab off a wound

afpijnigen [ov ww] 1 ⟨uitputten door gedachten⟩ torment ♦ *een afgepijnigd **hart*** a tormented heart/mind; *ik pijnigde **mij** af om dat raadsel op te lossen* I racked my brains to solve that puzzle/riddle 2 ⟨tot uitputtens toe pijnigen⟩ torture, torment

afpikken [ov ww] 1 ⟨wegpikken⟩ peck off ♦ ⟨inf⟩ *ik pik **het** af* I give it up/pack it in 2 ⟨afhandig maken⟩ pinch (from) ♦ *elkaar **klanten** afpikken* pinch each other's customers; *een boek **van** iemand afpikken* pinch a book from s.o. • ⟨inf⟩ ***het** afpikken (van de hitte)* pass out (from the heat)

afpingelen [ov ww, ook abs] haggle, bargain ♦ *(er) een paar **euro** afpingelen* get a few euros knocked off; *afpingelen **op*** haggle over the price of; ***proberen** af te pingelen* try to beat down the price

afplakband [het] masking tape

afplakken [ov ww] 1 ⟨met plakband afdekken⟩ tape up, cover with tape, ⟨foto; gedeeltelijk⟩ crop, ⟨comp⟩ write-protect ♦ *een **oog** afplakken* tape up an eye; *de **ruiten** afplakken* tape up/mask the panes/windows 2 ⟨geheel en al plakken⟩ tape (up)

afplaktape [de^m] masking tape

afplatten [ov ww] flatten (off)

afplatting [de^v] 1 ⟨handeling⟩ flattening 2 ⟨resultaat⟩ flattening ♦ *de afplatting van de **aarde*** the flattening of the earth('s surface) 3 ⟨deel van een bol⟩ flattened surface

1**afpluizen** [ov ww; pluisde af, heeft afgepluisd] ⟨van pluisjes ontdoen⟩ pick fluff (off) ♦ *een **rok** afpluizen* pick fluff off a skirt

2**afpluizen** [ov ww; ploos af, heeft afgeplozen] ⟨afknabbelen⟩ pick

afplukken [ov ww] 1 ⟨door plukken aftrekken⟩ pick, pluck, gather ♦ *de **veren** van gevogelte afplukken* pluck the feathers from birds 2 ⟨voorzichtig aftrekken, afscheuren⟩ ease off, peel off

afpoeieren [ov ww] ⟨inf⟩ 1 ⟨wegsturen⟩ brush off, put off ♦ ***iemand** afpoeieren* ⟨ook⟩ give s.o. the brush-off; ***laat** je niet afpoeieren* don't let yourself be brushed/put off 2 ⟨afranselen⟩ beat up

afpoetsen [ov ww] 1 ⟨door poetsen verwijderen⟩ scour 2 ⟨door poetsen reinigen⟩ clean

afpraten [ov ww] 1 ⟨uit het hoofd praten⟩ talk out of, dissuade from ♦ *je moet trachten hem **van** dat dwaze plan af te praten* you must try and talk him out of that stupid scheme 2 ⟨over veel zaken praten⟩ talk a lot, do a lot of talking ♦ *wij hebben gisteren heel **wat** afgepraat* we talked quite a lot yesterday, we covered a lot of ground yesterday

afprijzen [ov ww] reduce, mark down ♦ ***alles** is afgeprijsd* everything is reduced (in price); *afgeprijsde **artikelen*** reduced articles; *de boeken tien **euro** afprijzen* mark down the books by ten euros; ***sterk** afgeprijsd!* prices slashed!, huge reductions!

afpulken [ov ww] ⟨inf⟩ pick off ♦ *een **korstje** van een wond afpulken* pick a scab off a wound

afraden [ov ww] advise against ♦ *dat zou ik je **beslist** afraden* I would definitely advise you against (doing) that/not to do that; *iemand afraden iets te **doen*** advise s.o. against/discourage s.o. from/dissuade s.o. from/put s.o. off doing sth.; *(iemand) **iets** afraden* advise (s.o.) against (doing) sth.; *vakantiegangers **wordt** afgeraden deze route te gebruiken* holidaymakers are discouraged from/advised against using this route

afrader [de^m^] bad buy, bad choice

afraffelen [ov ww] rush (through), skip through, ⟨brief⟩ dash off, ⟨boodschap, gebed⟩ rattle off ♦ *een **gedicht** afraffelen* ⟨schrijven⟩ dash off a poem; ⟨voordragen⟩ rattle off a poem; *zijn **huiswerk** afraffelen* rush (through)/skimp one's homework

aframmelen [ov ww] ⟨inf⟩ [1] ⟨pak slaag geven⟩ beat up, wallop, give a hiding/drubbing, knock/bash about, ⟨BE ook⟩ do over, duff up [2] ⟨afraffelen⟩ → **afraffelen**

aframmeling [de^v^] hiding, beating, wallop(ping), drubbing, licking, doing-over, going-over ♦ *iemand een aframmeling **geven*** give s.o. a hiding/beating; ⟨fig⟩ give s.o. a roasting/rocket

afranselen [ov ww] beat, thrash, ⟨BE ook⟩ do over, ⟨als straf⟩ flog, ⟨met rotting⟩ cane, ⟨met riem⟩ belt, ⟨met zweep⟩ whip ♦ *iemand **duchtig** afranselen* give s.o. a good/sound/thorough thrashing/going-over

afraspen [ov ww] [1] ⟨door raspen wegnemen⟩ file down/off/away ♦ ***oneffenheden** van houtwerk afraspen* file rough patches off woodwork [2] ⟨fijnraspen⟩ grate

afrasterdraad [het, de^m^] fencing wire

afrasteren [ov ww] fence off/in/up, ⟨met ijzeren hek⟩ rail off/in

afrastering [de^v^] [1] ⟨handeling⟩ fencing off/in/up, ⟨met ijzeren hek⟩ railing off/in [2] ⟨resultaat⟩ fencing, fence, ⟨van ijzer⟩ railings ⟨mv⟩ ♦ *de afrastering **begaf** het* the fencing gave way; ***binnen** de afrastering blijven* stay inside the fence/railings; ***over** de afrastering klimmen* climb over the fence/railings

afratelen [ov ww] rattle/reel off, chum out

afreageren [ov ww, ook abs] work off (one's emotions), vent (one's emotions), ⟨onovergankelijk werkwoord ook⟩ let off steam, ⟨overgankelijk werkwoord ook; psych⟩ abreact ♦ *iets **op** iemand afreageren* take sth. out on s.o., work sth. off on s.o., vent sth. on s.o.; *zijn ongenoegen **op** iets/iemand afreageren* vent one's displeasure on sth./s.o.; *als hij boos is, reageert hij (het) altijd **op** de hond af* when he's cross he always takes it out on the dog

afregelen [ov ww] finetune

afregenen [onov ww] wash off (in the rain) [•] *het heeft me **wat** afgeregend de laatste tijd* it's been pouring down/an awful lot of rain has fallen the last few days

afreis [de] departure, ⟨boot⟩ sailing

[1]**afreizen** [onov ww] ⟨vertrekken⟩ set off/out (for), leave (for), depart (for), start on one's way (for), go off (to)

[2]**afreizen** [ov ww] [1] ⟨geheel doorreizen⟩ travel all over, travel (all) round, ↑ traverse, ⟨als bezoeker⟩ tour ♦ *met een nummer de **kermissen** afreizen* travel round the fairs with an act, tour one's act round the fairs; *heel het **land** afreizen* ⟨ook⟩ tour the country, travel nationwide; *een **landstreek** afreizen* travel all over/tour a district/region; *hij heeft alle **musea** afgereisd* he went round/toured all the museums [2] ⟨veel reizen⟩ travel (about/round) ♦ *heel **wat** afreizen* travel (round/about) quite a bit

afrekencultuur [de^v^] performance culture

afrekenen [ov + onov ww] settle (up), ⟨met iemand⟩ square (up), settle one's bill/account(s), pay one's bill/account(s) ♦ *ik moet mijn **hotel** afrekenen* I must settle up with my hotel, I must settle/pay my hotel bill; ⟨fig⟩ *definitief **met** iemand afrekenen* settle scores/get even with s.o.; ***met** de ober/een taxichauffeur afrekenen* pay/settle up with the waiter/a taxi driver; ***ober,** afrekenen!* waiter, bill/^A^check please!; *laten we ieder **voor** zich afrekenen* let's pay (our bills) separately, ↓ let's go Dutch; *reken jij af?* are you paying?, will you pay? [•] ***met** zijn verleden afrekenen* put one's past behind one, finish with/have done with one's past; ***met** zijn vijanden afrekenen* deal with/polish off one's enemies; ***met** jou heb ik nog niet afgerekend* I'm not finished/I've not done with you yet, I've still got one or two old scores to settle with you yet; *afrekenen **met** verouderde opvattingen* put outdated ideas behind one; ***met** iemand of iets afgerekend hebben* be finished with/have done with s.o. or sth.; *iemand afrekenen **op** zijn/haar resultaten* judge s.o. on his/her results

afrekening [de^v^] [1] ⟨het afrekenen⟩ payment, settlement (of accounts) ♦ *de **dag** der afrekening* the day of reckoning; *afrekening **geschiedt** op 1 mei* payment is due/settlement takes place on May 1st; *zodra de afrekening **heeft plaatsgevonden*** as soon as payment is made/effected; *afrekening **houden*** settle up, settle accounts [2] ⟨geschreven stuk⟩ receipt, ⟨van bank/giro⟩ statement ♦ *een afrekening **ondertekenen*** sign a receipt; ***op** de afrekening staan de af- en bijschrijvingen op uw rekening vermeld* ± additions to and subtractions from your account are indicated on the statement

afrekeningsdatum [de^m^] due date, date of payment

[1]**afremmen** [ov ww] ⟨fig⟩ ⟨afzwakken⟩ curb, check, put a check on, contain ♦ *de **groei** van de werkloosheid afremmen* curb/check/contain the growth in unemployment; *iemand **in** zijn enthousiasme afremmen* curb s.o.'s enthusiasm; *hierdoor wordt de **inflatie** afgeremd* this acts as a brake on inflation

[2]**afremmen** [ov ww, ook abs] ⟨snelheid verminderen⟩ slow down, brake, ⟨alleen overgankelijk werkwoord⟩ put the brake(s) on ♦ ***iets** afremmen* slow sth. down, put the brake on sth.; *hij **kon** niet meer afremmen* it was too late for him to brake; ***scherp** afremmen* brake hard, slam on the brake(s); ***voor** een bocht afremmen* slow down to take a bend, brake (going) into a bend

[1]**afrennen** [onov ww] [1] ⟨zich rennend verwijderen⟩ rush/race/run off ♦ *de **straat** afrennen* dash down the street [2] ⟨tegemoet snellen⟩ rush up to, rush towards, race up to, race towards, run up to, run towards ♦ *op iemand af **komen** rennen* come rushing/running up to/towards s.o.; ***op** iemand afrennen* rush/race/run towards/up to s.o.; ***op** zijn tegenstander afrennen* ⟨ook⟩ rush upon one's opponent [3] ⟨naar een lagere plaats rennen⟩ rush/race/run down ♦ *een **heuvel** afrennen* rush/race/run down a hill; *de **trap** afrennen* dash downstairs/down the stair

[2]**afrennen** [ov ww] ⟨afmatten⟩ over-race, exhaust, tire out

africhten [ov ww] train, ⟨paarden⟩ break in ♦ *je hebt je **kinderen** goed afgericht* you've got your children well trained; *daar is ie **op** afgericht* that's what he's trained to do; ***valken** africhten voor de jacht* train falcons for hunting

africhting [de^v^] training

[1]**afrijden** [onov ww] [1] ⟨wegrijden⟩ drive off/away, ⟨te paard⟩ ride off/away, ⟨bus, trein⟩ leave, depart, ⟨trein⟩ pull out ♦ *de **straat** helemaal afrijden* ride/drive all the way down the street [2] ⟨naar een lagere plaats rijden⟩ drive down, ⟨te paard⟩ ride down ♦ *een **heuvel** afrijden* ride/drive downhill/down a hill [3] ⟨rijexamen afleggen⟩ take/do one's driving test ♦ *morgen **moet** ik afrijden* I'm taking my driving test tomorrow

[2]**afrijden** [ov ww] [1] ⟨ten einde doorrijden⟩ drive to the end of, ⟨te paard⟩ ride to the end of ♦ *de hele **stad** afrijden* ride/drive all over town (looking for) [2] ⟨sport⟩ outpace, outdistance, outride, drop, ⟨met een wagen⟩ outdrive ♦ *proberen iemand **eraf** te rijden* try to outpace s.o. [3] ⟨dresse-

ren⟩ break in, ⟨beweging geven⟩ exercise [4] ⟨afmatten⟩ ride/drive into the ground, override, overdrive, ⟨inf; BE⟩ knacker [5] ⟨door veel, wild rijden doen slijten⟩ wear out, ⟨inf⟩ ride into the ground ⟨ook auto⟩ ♦ *die dure **fiets/auto** had hij in drie jaar afgereden* he'd worn that expensive bicycle/car out/ridden that expensive bicycle/car into the ground in three years

Afrika [het] Africa

Afrikaan [de^{m}], **Afrikaanse** [de^{v}] [1] ⟨bewoner van Afrika⟩ ⟨man & vrouw⟩ African, ⟨vrouw ook⟩ African woman/girl [2] ⟨Afrikaander⟩ → **Afrikaander**

Afrikaander [de^{m}] Afrikaner, Boer ⟨oorspronkelijk van Nederlandse afkomst⟩

^{1}**Afrikaans** [het] Afrikaans, South African Dutch, ⟨gesch⟩ Cape Dutch, Taal

^{2}**Afrikaans** [bn, bw] [1] ⟨uit, van Afrika⟩ African [2] ⟨van, m.b.t. het Zuid-Afrikaans⟩ Afrikaans

Afrikaanse [de^{v}] → **Afrikaan**

afrikaantje [het] [1] ⟨plant⟩ African marigold, tagetes [2] ⟨bloem⟩ African marigold

afrikaniseren [ov ww, ook abs] ⟨pol⟩ Africanize

afrikanisering [de^{v}] ⟨pol⟩ Africanization

afrikanist [de^{m}] Africanist

afrikanistiek [de^{v}] African studies

afristen [ov ww] [1] ⟨van de rist afnemen⟩ strip (off), ⟨bessen⟩ pick (off), string [2] ⟨aftrekken⟩ pull off

afrit [de^{m}] ⟨van een autoweg⟩ exit, ⟨weg tot of van een autoweg; BE⟩ slip road ♦ ***op-** en afritten* ⟨BE⟩ slip roads; slopes; *bij de **volgende** afrit* at the next exit

afritsbroek [de] zip-offs, zip-off pants

Afro-Amerikaans [bn] Afro-American

Afro-Aziaat [de^{m}] Afro-Asian

Afro-Aziatisch [bn] Afro-Asiatic

afrobeat [de^{m}] Afro-beat

afrodiet [de^{m}] hermaphrodite, androgyne

afrodisiacum [het] aphrodisiac

afrodisie [de^{v}] aphrodisia

^{1}**afroeien** [ov ww] ⟨roeiend afleggen⟩ row ♦ *een **vaart** afroeien* row down a canal, row the length of a canal

^{2}**afroeien** [ov ww, ook abs] [1] ⟨door roeien verwijderen⟩ row off/away ♦ *(de boot) **van** de kant afroeien* row (the boat) away from the side [2] ⟨stroomafwaarts roeien⟩ row down ♦ *de **rivier** afroeien* row down the river [3] ⟨veel roeien⟩ row (about/round) ♦ *ik heb heel **wat** afgeroeid als student* I did a lot of rowing as a student; *we hebben deze week heel **wat** afgeroeid* we've spent quite a time rowing this week

afroep [de^{m}] ⟨handel⟩ ♦ *levering **op** afroep* delivery on demand/order, at buyer's option; ***op** afroep verkopen* sell on demand/order; ***op** afroep beschikbaar* available on demand; ⟨m.b.t. persoon/dienst⟩ on call

afroepen [ov ww] [1] ⟨tot zich roepen⟩ call (away) [2] ⟨naar beneden roepen⟩ call (down) ♦ *een timmerman **van het dak** afroepen* call a carpenter (down) from the roof [3] ⟨één voor één opnoemen⟩ call out, ⟨een lijst⟩ call over, ⟨namen, nummers⟩ call off ♦ *je **naam** is net afgeroepen* your name has just been called (out); *de **namen** van de leden afroepen* call out the names of the members, call the roll of members [•] *iets **over** iemand afroepen* bring sth. down on s.o.('s head); *onheil **over** iemand afroepen* call down misfortune (up)on s.o.

afroepkracht [de] stand-by employee/worker, reserve worker

afroffelen [ov ww] [1] ⟨afraffelen⟩ rush/scramble through, scamp [2] ⟨schaven met de roffelschaaf⟩ rough-plane

afrokapper [de^{m}] Afro-barber, Afro-haidresser

^{1}**afrollen** [onov ww] [1] ⟨zich ontrollen⟩ unwind, get unwound, unroll, get unrolled [2] ⟨zich naar beneden laten rollen⟩ roll down ♦ *de **trap** afrollen* roll down the stairs/downstairs

^{2}**afrollen** [ov ww] [1] ⟨uiteenrollen⟩ ⟨vanaf een klos⟩ unwind, ⟨een rol⟩ unroll, ⟨metaaldraad⟩ uncoil, ⟨garen⟩ reel off, unreel ♦ *een stuk **lint**/een **kaart** afrollen* unwind a piece of ribbon/unroll a map [2] ⟨naar beneden rollen⟩ roll down [3] ⟨door oprollen wegnemen⟩ roll away, ⟨ook naar boven; rolluik⟩ roll up

afrolmenu [het] ⟨comp⟩ (pull-down) menu, scrolling menu

afrolook [de^{m}] Afro-look

afromen [ov ww] [1] ⟨room afscheppen van⟩ skim, separate, skim the cream off, cream the top off [2] ⟨fig⟩ skim/cream off, syphon off ♦ *de **markt** afromen* skim/cream off the best students/scientists/players/...; *dat **vak** is ook al afgeroomd* that subject has been well picked over; ***winst** afromen* prune away profits

afronden [ov ww] [1] ⟨rondmaken⟩ round (off) ♦ *de **hoeken** van een tafel afronden* round off the corners of a table [2] ⟨afmaken⟩ wind up, round off, tie/sew up, finish off, wrap up, finalize ♦ *wilt u (uw **betoog**) afronden?* would you like to wind up (your argument)?; *een afgerond **geheel** vormen* form a complete whole/unit, be a self-contained unit; *een **gesprek** afronden* wind up a discussion; *een afrondend **gesprek** voeren* conduct a final discussion; *hij moest nog even een paar **zaken** afronden* we just had to tie up a few things/one or two loose ends [3] ⟨m.b.t. getallen, bedragen⟩ round off, ⟨naar boven⟩ round up, ⟨naar beneden⟩ round down ♦ ***naar** boven/beneden afronden* round up/down; *een bedrag **op** hele euro's/**op** duizendtallen afronden* round off an amount to the nearest euro/to the nearest € 1000

afronding [de^{v}] [1] ⟨het afronden⟩ winding up, rounding off, completion, conclusion ♦ *een plenaire vergadering houden **ter** afronding* hold a plenary session in conclusion; *een werkstuk maken **ter** afronding van zijn studie* do a project in completion of one's study [2] ⟨ronde vorm⟩ rounding (off)

afroomkluis [de] PoS safe

afropop [de^{v}] Afro-pop

afrossen [ov ww] [1] ⟨aframmelen⟩ thrash, wallop, lambast(e), lay into [2] ⟨afrijden⟩ ride into the ground, override, ⟨inf; BE⟩ knacker [3] ⟨roskammen⟩ groom, curry

afrostijl [de^{m}] Afro(-look) ♦ *een kapsel **in** afrostijl* an Afro (hair style)

afruimen [ov + onov ww] clear (away), clear the table ♦ *wie ruimt er **even** af?* who's going to clear the things away/clear the table?

^{1}**afrukken** [onov ww] [1] ⟨zich verwijderen⟩ withdraw [2] ⟨+ op; oprukken⟩ advance on

^{2}**afrukken** [ov ww] [1] ⟨met een ruk lostrekken⟩ pull off/away, tear off/away, wrench off/away [2] ⟨met geweld af-, uitdoen⟩ rip off/away, snatch off/away ♦ *iemand de hoed **van het hoofd** afrukken* tear/snatch the hat off s.o.'s head [3] ⟨vulg⟩ jack off, ⟨BE⟩ wank (off), ⟨BE⟩ frig off, ⟨AE⟩ jerk off, ⟨scherts⟩ shake hands with the unemployed ♦ *een **man** afrukken* jack/jerk a man off, give a man a hand job; ***zich** afrukken* (have a) wank, jack/jerk (o.s.) off

afsabbelen [ov ww] chew (on) ♦ *een afgesabbeld **mondstuk*** a chewed mouthpiece

zich afsappelen [wk ww] ⟨inf⟩ slave/^{B}fag/toil away

afschaduwen [ov ww] (roughly) outline, ⟨een beeld⟩ silhouette, ⟨een tekening⟩ shade, ⟨voorspellen⟩ foreshadow, presage, ⟨zeldz⟩ adumbrate

afschaduwing [de^{v}] [1] ⟨schaduwbeeld⟩ silhouette, adumbration, shadow [2] ⟨fig⟩ rough outline, ⟨weerspiegeling⟩ reflection, ⟨voorspelling⟩ presage, portent ♦ *die problemen waren een afschaduwing van de huidige **crisis*** those problems were a reflection of the present crisis; *slechts een **flauwe** afschaduwing zijn van iets* be only a pale imitation of sth.

afschaffen [ov ww] [1] ⟨afzien van⟩ dispense with, do without, do away with, ⟨inf⟩ axe [2] ⟨m.b.t. een gewoonte,

gebruik⟩ abolish, do away with, scrap, ⟨verbod⟩ lift, ⟨wet⟩ rescind, repeal, ⟨decreet; form⟩ abrogate, ⟨stapsgewijs⟩ phase out ◆ *de **dienstplicht** afschaffen* do away with/abolish conscription/^A^the draft; *die **regeling** is allang afgeschaft* that rule was lifted/rescinded long ago; *een **rookverbod** afschaffen* lift a ban on smoking; *de **slavernij/doodstraf** afschaffen* abolish slavery/capital punishment; ***snelheidsbeperkingen** afschaffen* lift/remove speed restrictions
afschaffer [de^m^] [1] ⟨iemand die afschaft⟩ abolisher [2] ⟨geheelonthouder⟩ teetotaller, (total) abstainer
afschaffing [de^v^] [1] ⟨het afschaffen, afgeschaft worden⟩ abolition ◆ *een voorstander van de afschaffing van de **slavernij*** an advocate of the abolition of slavery, an abolitionist [2] ⟨m.b.t. alcoholgebruik⟩ teetotalism, (total) abstinence, temperance
afschalen [ov ww] downscale, scale down
afschampen [onov ww] glance off, deflect off, ricochet off, bounce off, ⟨snerpend⟩ ping off, ⟨watervlak⟩ skip off ◆ *de kogel schampte **op** de helm af* the bullet glanced off the helmet; ⟨fig⟩ *die woorden schampten af **op** zijn onverschilligheid* those words were like water off a duck's back
afschatten [ov ww] [1] ⟨beoordelen⟩ assess, estimate [2] ⟨m.b.t. de mate van arbeidsongeschiktheid⟩ re-assess degree of incapacity
afschaven [ov ww] [1] ⟨gladschaven⟩ plane (down), shave (off) ◆ ***planken** afschaven* plane down planks/boards/shelves [2] ⟨door sterke schuring wegnemen⟩ wear away, erode, ⟨m.b.t. huid⟩ graze, skin, ⟨form⟩ abrade ◆ *het **vel** van zijn hand afschaven* skin/graze one's hand; *het **vel** van zijn knokkels/knie afschaven* bark one's knuckles/knee
afscheep [de^m^] ⟨handel⟩ shipment
afscheepgewicht [het] ⟨handel⟩ shipped/shipping weight
afscheepmonster [het] ⟨handel⟩ shipping sample
afscheepplaats [de] ⟨handel⟩ place of shipment/despatch/loading
afscheid [het] parting, leaving, ⟨form⟩ leave-taking, farewell, departure ◆ ***bij** zijn afscheid* on parting, at his farewell (party); ⟨fig⟩ *hij **nam** afscheid van zijn geboorteplaats* he bade farewell/said good-bye to his place of birth; *afscheid van iemand **nemen*** take leave of s.o., bid s.o. farewell; ⟨euf; hem ontslaan⟩ let s.o. go; *officieel afscheid **nemen** (van)* take formal leave (of), bid a formal/an official farewell (to); *een **teder/weemoedig/beleefd** afscheid* a fond farewell/a sad parting/a polite good-bye; *een glaasje **ten** afscheid* a parting drink; ⟨inf⟩ one for the road, a stirrup-cup; ***tot/ten** afscheid* in parting
afscheiden [ov ww] [1] ⟨verwijderen⟩ separate, divide (off), detach, dissociate ◆ *er hebben zich twee groepen afgescheiden **van** de beweging* two groups have broken away from the movement; ***zich** afscheiden (van)* break away (from), break with; ⟨kerkgemeenschap, federatie⟩ secede (from); ⟨uit elkaar gaan⟩ part company; ***zich** van de wereld afscheiden* cut o.s. off/retire from the world [2] ⟨m.b.t. een ruimte, oppervlakte⟩ divide (off), ⟨een ruimte⟩ partition off, ⟨door hek⟩ fence off ◆ *een **ruimte** met een gordijn afscheiden* curtain off an area [3] ⟨produceren⟩ ⟨pus⟩ discharge, ⟨vloeistof⟩ secrete, ⟨vocht, zweet⟩ exude, ⟨vaste stof⟩ excrete, ⟨een product⟩ produce, ⟨scheik⟩ separate, precipitate, ⟨zuurstof⟩ give off ◆ ⟨iron⟩ *een **dichtbundel** afscheiden* spawn a book of poems; *sommige bomen scheiden **hars** af* some trees secrete/produce resin; ***melk** afscheiden* ⟨ook⟩ lactate; ***vocht** afscheiden* ⟨van wond ook⟩ weep; ***zich** afscheiden* be secreted/produced/precipitated/given off/...; ⟨scheik ook⟩ separate
afscheiding [de^v^] [1] ⟨handeling⟩ separation, ⟨van partij/federatie ook⟩ secession, ⟨in kerk⟩ schism, ⟨scheik⟩ precipitation, deposition, ⟨med⟩ secretion, excretion, discharge, ⟨afbakening⟩ demarcation [2] ⟨scheiding⟩ partition, ⟨scheidslijn⟩ dividing line, ⟨hek⟩ fence, ⟨hekwerk⟩ fencing ◆ *een afscheiding **aanbrengen*** put up a partition; *een muurtje bouwen **op** de afscheiding* build a wall on the boundary; *een afscheiding **van** prikkeldraad* a barbed-wire fence/barrier, barbed-wire fencing [3] ⟨afgescheiden stof⟩ discharge, secretion, excretion
afscheidingsbeweging [de^v^] secession (movement), separatist(ic) movement
afscheidingspolitiek [de^v^] secessionism, separatism
afscheidingsproduct [het] ⟨biol⟩ secretion
afscheidsborrel [de^m^] farewell drink, ⟨laatste drankje; inf⟩ one for the road, a stirrup-cup
afscheidsbrief [de^m^] farewell/leave-taking/valedictory letter
afscheidscadeau [het], **afscheidsgeschenk** [het] farewell/parting gift, good-bye present
afscheidscollege [het] valedictory lecture ◆ *zijn afscheidscollege **geven*** deliver one's valedictory lecture
afscheidsdiner [het] farewell dinner/banquet
afscheidsfeest [het] [1] ⟨feest ter ere van iemands vertrek⟩ farewell party/celebration, going-away party, ↓ send-off [2] ⟨laatste feestelijke bijeenkomst⟩ final/farewell celebration
afscheidsgeschenk [het] → **afscheidscadeau**
afscheidsgroet [de^m^] good-bye, farewell, parting gesture, ⟨form⟩ vale, adieu
afscheidskus [de^m^] farewell/good-bye/parting kiss
afscheidsmaal [het] farewell dinner, ⟨bij einde van school- of universiteitsopleiding⟩ valedictory dinner
afscheidspremie [de^v^] ⟨in België⟩ → **afdankingspremie**
afscheidsrede [de] valedictory/farewell speech, valediction
afscheidstournee [de^v^] farewell tour
afscheidsvideo [de^m^] farewell video
afscheidsvoorstelling [de^v^] farewell performance
afscheidswoord [het] farewell/parting word, ⟨rede⟩ valediction
afschenken [ov ww] pour off, decant ◆ *de room **van** de melk afschenken* pour off the cream (from the milk)/the top of the milk
afschepen [ov ww] [1] ⟨vaak + met; m.b.t. personen⟩ fob/palm (sth.) off on (s.o.), fob (s.o.) off with (sth.) ◆ *zij **laat** zich niet zo gemakkelijk afschepen* she's not so easily put off; *zich niet **laten** afschepen* not be fobbed off; *iemand **met** mooie praatjes afschepen* fob s.o. off with fine talk/fair words; *iemand **met** een nietszeggend antwoord afschepen* fob s.o. off with a fatuous/inane reply [2] ⟨m.b.t. handelswaar⟩ ship (out), forward, dispatch
afscheppen [ov ww] skim, ⟨verwijderen⟩ skim/take off, ⟨slakken⟩ scum off
afscheren [ov ww] [1] ⟨door scheren wegnemen⟩ ⟨haren⟩ shave (off), ⟨wol⟩ shear (off) [2] ⟨gelijk knippen⟩ ⟨haag enz.⟩ trim
afschermen [ov ww] screen, ⟨beschermen ook⟩ protect (from), guard (against), cover, ⟨elek ook⟩ shield, ⟨afdekken⟩ cover, mask, ⟨afscheiden⟩ screen off, ⟨beschaduwen⟩ shade ◆ ⟨sport⟩ *de **bal** met het lichaam afschermen* shield/screen the ball (with one's body); *een **deel** van een kamer afschermen* screen off part of a room; *een **kernreactor** afschermen* shield a nuclear reactor
afscherming [de^v^] screen(ing), guard, sheath(ing), ⟨voetb⟩ screening
[1]**afscheuren** [onov ww] ⟨losgaan door scheuren⟩ tear, get torn ◆ *het **gordijn** begint boven af te scheuren* the curtain is beginning to tear/get torn at the top
[2]**afscheuren** [ov ww] ⟨aftrekken⟩ tear off, pull off, ⟨krachtig⟩ rip off ◆ *het **behang** afscheuren* strip (off) the wallpaper; *een **bonnetje** langs de perforatie afscheuren* detach a coupon along the perforations; ***hierlangs** afscheuren* tear along the dotted line; *iemands **kaartje** afscheuren* tear off s.o.'s ticket;

zijn kaartje ***laten*** *afscheuren* have one's ticket torn off; *een plaat* ***van de muur*** *afscheuren* pull/rip a plaque off the wall

afscheuring [de^v] 1 ⟨het afscheuren, afgescheurd worden⟩ tearing off/away, pulling off, detachment, separation, ⟨krachtig⟩ ripping off 2 ⟨fig⟩ split, rift, rupture, ⟨kerk⟩ schism, ⟨afsplitsing⟩ secession, break-away

¹**afschieten** [onov ww] 1 ⟨zich snel verplaatsen⟩ shoot, bolt, hare, dash ♦ ***op*** *iemand/iets afschieten* come/go shooting/pelting/dashing towards s.o./sth., dart at/make a dash for s.o./sth.; *de hond schoot* ***van*** *het erf* ***af*** the dog shot out of the yard 2 ⟨losschieten⟩ slip off ♦ *het touw schiet* ***van*** *de takel* ***af*** the rope is slipping off the pulley

²**afschieten** [ov ww] 1 ⟨afvuren⟩ fire (off), ⟨vuurwapen ook⟩ discharge, let off, ⟨pijl⟩ loose off, shoot, ⟨vuurpijl⟩ send up ♦ ⟨met objectsverwisseling⟩ *een* ***geweer/kanon*** *afschieten* fire a gun/cannon; *een* ***kogel*** *afschieten* fire a bullet; ⟨fig⟩ *toornige blikken* ***op*** *iemand afschieten* cast angry glances at s.o., look daggers at s.o.; *afgeschoten* ***patronen*** spent cartridges 2 ⟨door schieten wegnemen⟩ shoot off 3 ⟨doodschieten⟩ shoot, ⟨wegens overbevolking⟩ cull ♦ ***wild*** *afschieten* shoot game 4 ⟨afscheiden door middel van een schot⟩ divide/partition off ♦ *een* ***kamertje*** *met planken afschieten* divide/partition off a room with boarding 5 ⟨verwerpen⟩ shoot down, reject, kill ♦ *een* ***voorstel*** *afschieten* shoot down a proposal

afschijnen [onov ww] shine

afschijnsel [het] ⟨form⟩ reflection

afschilderen [ov ww] 1 ⟨afbeelden⟩ paint, depict, portray 2 ⟨uitbeelden⟩ portray, depict, make out ♦ *iemand afschilderen* ***als*** depict/portray s.o. as, make s.o. out to be; *die cineast kan de menselijke* ***hartstochten*** *levendig afschilderen* that film-maker can portray human passions vividly; *je hoeft het niet* ***mooier*** *af te schilderen dan het is* you needn't paint a nicer picture of it than it really is; *iemand* ***slechter*** *afschilderen dan hij is* make s.o. out to be blacker than he is 3 ⟨afmaken⟩ finish painting

afschildering [de^v] 1 ⟨geschilderde afbeelding⟩ picture, portrayal, depiction, representation 2 ⟨uitbeelding in woorden⟩ portrayal, depiction, picture

¹**afschilferen** [onov ww] ⟨in schilfers loslaten⟩ flake off, peel off, ⟨kalk⟩ scale off, ⟨plantk, med⟩ exfoliate ♦ *mijn* ***huid*** *schilfert af* I'm peeling

²**afschilferen** [ov ww] ⟨van de buitenste laag ontdoen⟩ scale/peel off

afschillen [ov ww] 1 ⟨van de schil ontdoen⟩ peel, ⟨met mes ook⟩ pare, ⟨boom⟩ bark, ⟨banaan ook⟩ unrip 2 ⟨door schillen wegnemen⟩ peel/strip off

afschminken [ov ww] 1 ⟨van schmink ontdoen⟩ remove make-up ♦ ***zich*** *na de voorstelling afschminken* take off/remove one's make-up after the performance 2 ⟨het schminken voltooien⟩ finish making up

afschooien [ov ww] cadge, scrounge ♦ *iemand* ***iets*** *afschooien* cadge sth. off s.o., wheedle sth. out off s.o.

afschoppen [ov ww] 1 ⟨door schoppen verwijderen, verjagen⟩ kick away/off, boot away/off ♦ *iemand* ***van*** *school afschoppen* kick/boot s.o. out of the/a school, expel s.o. from school 2 ⟨naar beneden schoppen⟩ kick/boot down ♦ *iemand de* ***trap*** *afschoppen* kick/boot s.o. downstairs; *een steen* ***van*** *de heuvel afschoppen* kick a stone down the hill

afschot [het] 1 ⟨het doodschieten⟩ shooting, ⟨wegens overbevolking⟩ culling ♦ *men besloot tot afschot van de* ***eenden*** *over te gaan* it was decided to resort to culling the ducks 2 ⟨afgeschoten wild⟩ ⟨van jager⟩ haul, bag, ⟨wegens overbevolking⟩ cull 3 ⟨helling⟩ ⟨van een (afvoer)leiding⟩ fall, ⟨van een dak⟩ pitch, slope ♦ *een plat dak moet* ***voldoende*** *afschot hebben* a flat roof must have sufficient slope

afschrapen [ov ww] 1 ⟨door schrapen verwijderen⟩ scrape off, ⟨met rasp⟩ grate off ♦ *het vet* ***van*** *de darmen afschrapen* scrape the fat from the intestines 2 ⟨door schrapen reinigen⟩ scrape, clean off, ⟨vis⟩ scale ♦ ***beenderen*** *afschrapen* scrape bones; *vuile* ***borden*** *afschrapen* scrape dirty plates; *zijn* ***laarzen*** *afschrapen* scrape one's boots

afschrappen [ov ww] 1 ⟨door schrappen verwijderen⟩ scrape off, ⟨afkrabben⟩ scratch off, ⟨verf⟩ strip off 2 ⟨door schrappen reinigen⟩ scrape, ⟨een deur⟩ strip down 3 ⟨doorstrepen⟩ cross off/out, strike off, scratch out ♦ *iemand* ***van*** *de lijst afschrappen* cross/strike s.o. off the list, scratch s.o. from the list

afschrift [het] copy, ⟨jur ook⟩ transcript ♦ *een* ***eensluidend*** *afschrift* an identical/a true copy; *een* ***gewaarmerkt*** *afschrift* a certified/an official/authenticated copy; *een afschrift van een (lopende)* ***rekening*** a statement of account, a bank statement, a current account statement; ⟨jur⟩ ***voor*** *afschrift getekend door* copy certified correct by; ⟨jur⟩ ***voor*** *afschrift uitgegeven door* issued as true copy by; *afschrift van iets* ***vragen/ontvangen*** ask for/receive a copy of sth.

afschrijven [ov ww] 1 ⟨afboeken⟩ debit, deduct ♦ *geld* ***van*** *een rekening afschrijven* debit money to an account, withdraw money from an account 2 ⟨schriftelijk afzeggen⟩ cancel, ⟨bevel⟩ countermand, ⟨persoon⟩ put off ♦ ***iemand*** *afschrijven* write s.o. a letter of rejection, write to turn s.o. down, write to put s.o. off 3 ⟨uit het hoofd zetten⟩ write off, dismiss, rule/count out, put out of one's head ♦ *die* ***auto*** *kun je wel afschrijven* you can write off that car, that car is a write-off; *we hadden* ***haar*** *al afgeschreven* we had already written her off (as a dead loss)/regarded her as lost; *dat* ***plan*** *kun je nu wel voorgoed afschrijven* you can write that scheme off/dismiss that scheme for good now, you can say good-bye for ever to that scheme now 4 ⟨afpennen⟩ do a lot of writing ♦ *ik heb vandaag heel* ***wat*** *afgeschreven* I've got through quite a bit of writing today, I've done a lot of writing today 5 ⟨een afschrift maken van⟩ copy, transcribe, ⟨heimelijk⟩ crib 6 ⟨ten einde schrijven⟩ finish writing 7 ⟨de boekwaarde verlagen⟩ write down, ⟨voor waardevermindering⟩ write/mark down (for depreciation), write off (as depreciation) ♦ *jaarlijks werd het* ***machinepark*** *met € 100.000 afgeschreven* the machinery was written/marked down by € 100,000 annually/by an annual depreciation of € 100,000; *10 % afschrijven* ***op*** *het kapitaal* write the capital down by 10 % 8 ⟨zich schrijvend ontdoen van⟩ write out of one's system ♦ *zijn* ***verleden*** ***van*** *zich afschrijven* write the past out of one's system, expurge the past by writing about it 9 ⟨bouwk⟩ mark off/out, line out, score

afschrijver [de^m] 1 ⟨iemand die zich afmeldt⟩ withdrawal ♦ *er zijn weer veel afschrijvers* ***voor*** *deze wedstrijd* a lot of competitors have cried off/withdrawn from this race 2 ⟨kopiist⟩ copyist, transcriber, ⟨spieker⟩ copier, cribber 3 ⟨bouwk; gereedschap⟩ marking awl, sriber

afschrijving [de^v] 1 ⟨het afboeken⟩ debit, ⟨handeling van afschrijven⟩ debiting, writing-off ♦ ***automatische*** *afschrijving* direct debit 2 ⟨handel, ind⟩ ⟨op vaste activa⟩ depreciation, write-down, ⟨op immateriële activa⟩ amortization ♦ ***na*** *afschrijving voor waardevermindering* after depreciation; *voor afschrijving* ***op*** *de machines* for depreciation of/as a write-down on the machines; ***technische*** *afschrijving* depreciation for wear and tear; *de* ***totale*** *afschrijving* the total write-down; ***verplichte*** *afschrijvingen* statutory write-downs 3 ⟨bewijs van afschrijving⟩ debit notice ♦ *een afschrijving van de* ***bank*** a debit notice from the bank 4 ⟨afmelding⟩ (letter/notice of) cancellation, ⟨AE⟩ (letter/notice of) cancelation

afschrijvingspost [de^m] (tax) write-off

afschrijvingstermijn [de^m] depreciation period, amortization period

afschrikken [ov ww] 1 ⟨schrik aanjagen⟩ deter, put off, ⟨wegjagen⟩ frighten/scare off ♦ ⟨fig⟩ *dergelijke* ***berichten*** *schrikken hem heel erg af* such reports give him a nasty shock/fright; *hij* ***liet*** *zich door niets afschrikken* he was not to be put off/deterred; undaunted, he ...; *zo'n benadering* *schrikt de mensen af* such an approach scares/puts people off; *door de hoge prijs worden veel mensen afgeschrikt* a lot of people are put off by the high price; *de afschrikkende werking van atoomwapens* the deterrent effect of atomic weapons [2] ⟨techn; m.b.t. metaal⟩ quench, chill

afschrikking [de^v] [1] ⟨het schrik aanjagen⟩ deterrence [2] ⟨techn; m.b.t. metaal⟩ quenching, chilling

afschrikkingsmiddel [het] deterrent, determent, deterrence

afschrikkingspolitiek [de^v] policy of deterrence

afschrikkingswapen [het] deterrent, ⟨concr⟩ nuclear weapon

afschrikwekkend [bn, bw] frightening, ↓ off-putting, ⟨prijzen⟩ prohibitive, ⟨taak⟩ daunting, ⟨middel⟩ deterrent ◆ *een afschrikwekkend middel* a deterrent; *er afschrikwekkend uitzien* look terrifying/daunting; *een afschrikwekkend voorbeeld* a warning, a deterrent

afschrobben [ov ww] [1] ⟨door schrobben verwijderen⟩ scrub off [2] ⟨door schrobben reinigen⟩ scrub (down)

afschroeven [ov ww] unscrew

[1]**afschudden** [ov ww] [1] ⟨door schudden af doen vallen⟩ shake off/down ◆ *appels van de boom afschudden* shake (down) apples from the tree [2] ⟨zich ontdoen, bevrijden van⟩ shake off, ⟨belemmeringen⟩ cast off ◆ ⟨fig⟩ *sombere gedachten van zich afschudden* shake/cast off dismal thoughts; *een tegenstander/achtervolger van zich afschudden* shake/throw off an opponent/a pursuer

[2]**zich afschudden** [wk ww] ⟨zich ontdoen van iets⟩ shake (off) ◆ *de hond schudde zich af* the dog shook itself (off)

afschuieren [ov ww] [1] ⟨door schuieren wegnemen⟩ brush off [2] ⟨door schuieren reinigen⟩ brush (off), ⟨in neerwaartse richting⟩ brush down ◆ *iemand afschuieren* brush s.o. down; *zijn kleren afschuieren* brush (off) one's clothes; *zichzelf afschuieren* brush o.s. off/down

afschuifsysteem [het] shifting responsibility, ⟨inf⟩ passing the buck

afschuimen [ov ww] [1] ⟨afscheppen⟩ skim (off), scoop (off), ⟨slakken⟩ scum ◆ *het vet van de soep afschuimen* skim off the grease from the soup [2] ⟨reinigen⟩ scum [3] ⟨afzoeken⟩ scour, comb ◆ *de stad afschuimen* scour/comb the city; *de zee afschuimen* scour the seas

afschuinen [ov ww] bevel (off), chamfer, edge ◆ *de onderdorpels van kozijnen afschuinen* bevel the window sill

[1]**afschuiven** [onov ww] ⟨verschuiven⟩ slide off, ⟨wegglijden⟩ slide away, ⟨wegschuiven⟩ shift/move away, ⟨grond⟩ slip ◆ *van het vuur afschuiven* shift/move away from the fire; *het kleed schoof van de tafel af* the cloth slipped off the table; *de lading is van de vrachtwagen afgeschoven* the load slipped off the lorry, the lorry shed its load

[2]**afschuiven** [ov ww] [1] ⟨wegschuiven⟩ slide/shift/move away, ⟨van zich⟩ push away ◆ *zijn bord van zich afschuiven* push one's plate away [2] ⟨van zich afzetten⟩ ⟨gedachten⟩ put away, ⟨arb⟩ shirk, ⟨inf; BE⟩ skive off, ⟨moeite⟩ shun [3] ⟨op een ander laten neerkomen⟩ shift/pass (onto s.o.) ◆ *de verantwoordelijkheid op een ander afschuiven* pass the buck (to s.o. else); *zijn verantwoordelijkheid van zich afschuiven* shirk one's responsibility

afschuren [ov ww] [1] ⟨door schuren verwijderen⟩ ⟨roest, verf⟩ rub/scour off [2] ⟨glad schuren⟩ rub down ◆ *met schuurpapier afschuren* rub down with sandpaper, sand down [3] ⟨m.b.t. een stroom⟩ erode, eat into

afschutten [ov ww] [1] ⟨afscheiden⟩ partition/divide off, ⟨omheinen; met haag⟩ hedge in/off, ⟨met hek⟩ fence in/off, ⟨met ijzeren hek ook⟩ rail off, ⟨afschermen⟩ screen (off), ⟨met planken⟩ board off [2] ⟨door schutten, schutsluizen afsluiten⟩ lock off

afschutting [de^v] [1] ⟨handeling⟩ partitioning off, fencing off/in, railing off, screening (off) [2] ⟨middel⟩ partition, ⟨hek⟩ fence, ⟨van ijzer ook⟩ railing(s), ⟨hekwerk⟩ fencing, ⟨haag⟩ hedge, screen ◆ *een afschutting aanbrengen om een bouwterrein* put up/erect a hoarding round a building site

afschuw [de^m] [1] ⟨hevige afkeer⟩ horror, repugnance, disgust, abhorrence, loathing ◆ *er ging een golf van afschuw door de menigte* a ripple of horror ran through the crowd; *een afschuw hebben van iets* have a horror of sth., loathe/detest/abhor/abominate sth.; *met afschuw* with/in disgust; *iets met afschuw aanzien* look at/watch sth. in horror; *de aanblik van zoveel wreedheid vervulde hem met afschuw* ⟨ook⟩ he was horror-stricken/horror-struck at the sight of such cruelty; *tot haar afschuw* to her horror; *zijn afschuw uitspreken over iets* express one's horror at sth.; *van afschuw* in horror; *van afschuw vervuld* filled with horror, horrified, appalled; *afschuw (ver)wekken* horrify [2] ⟨afkeer opwekkend iets⟩ horror, abomination

[1]**afschuwelijk** [bn, bw] [1] ⟨afschuw (ver)wekkend⟩ horrible, abominable, atrocious, loathsome, ⟨misdaad⟩ heinous, hideous ◆ *een afschuwelijke blunder* an awful blunder, a ghastly mistake [2] ⟨ontzettend slecht, lelijk⟩ shocking, awful, appalling, atrocious, diabolical, dreadful, ⟨lelijk ook⟩ hideous ◆ *ik heb een afschuwelijke dag gehad* I've had a beast of a day, ↓ I've had a hell of a day; *hij sprak een afschuwelijk Engels* he spoke appalling/dreadful English; *die jongen schrijft afschuwelijk* that boy writes appallingly/has got shocking handwriting; *die rok staat je afschuwelijk* that dress looks awful on you; *wat een afschuwelijk weer* what atrocious/shocking/beastly weather

[2]**afschuwelijk** [bw] ⟨inf⟩ ⟨enorm⟩ awfully, frightfully, terribly, dreadfully, incredibly ◆ *afschuwelijk mooi* awfully/terribly nice; *afschuwelijk vervelend* awfully/dreadfully boring

afschuwwekkend [bn] horrific, horrifying, horrendous ◆ *afschuwwekkende beelden* horrifying/lurid pictures; *een afschuwwekkend toneel* a horrific scene

afserveren [ov ww] [1] ⟨sport⟩ overwhelm with one's service, blast off the court (with one's service) [2] ⟨afdanken⟩ write off, reject, ⟨inf⟩ dump

afsjouwen [ov ww] [1] ⟨naar beneden sjouwen⟩ lug/hump down ◆ *een kist van de zolder afsjouwen* lug/hump a box/chest down from the attic [2] ⟨aflopen⟩ trudge, plod, traipse ◆ *we hebben de hele stad afgesjouwd* we've traipsed all over town (looking for) [3] ⟨hard werken⟩ slog (away), graft ◆ *heel wat afsjouwen* slog hard

[1]**afslaan** [onov ww] [1] ⟨een andere richting nemen⟩ ⟨persoon, voert⟩ turn (off), ⟨weg⟩ branch off, veer, fork ◆ *zie je die weg/die fietser daar links/rechts afslaan?* do you see there where the road forks/that cyclist is turning left/right? [2] ⟨ophouden te werken⟩ cut out, stall, ⟨inf⟩ conk out [3] ⟨minder worden⟩ go down, drop, be reduced [4] ⟨wegspoelen⟩ be washed away, be eroded ◆ *het schip is van het anker afgeslagen* the ship has gone adrift [•] *van zich afslaan* hit out, strike back; *hij sloeg flink van zich af* he let fly

[2]**afslaan** [ov ww] [1] ⟨door slaan verdrijven⟩ beat off, ⟨slag⟩ repel, repulse, parry/ward off ◆ *een thermometer afslaan* shake down a thermometer; *de vliegen van het vlees afslaan* swat the flies away from/off the meat; *de vijand/een aanval afslaan* beat/fend/ward off the enemy, repel/withstand an attack [2] ⟨afwijzen⟩ ⟨aanbod⟩ turn down, ⟨uitnodiging⟩ refuse, decline, ⟨voorstel⟩ reject ◆ *een geschenk/schadevergoeding afslaan* refuse a gift/compensation; *nou, dat sla ik niet af* ⟨als een borreltje aangeboden wordt⟩ I don't mind if I do; *iets volstrekt niet afslaan* not say no to sth. [3] ⟨wegslaan⟩ knock off, beat off, strike off, flick off ⟨bijvoorbeeld as van sigaret⟩ ◆ *de kop van een spijker afslaan* strike the head off a nail; *de storm heeft een stuk van het dak afgeslagen* the storm has blown part of the roof off [4] ⟨reinigen⟩ dust off, brush off ◆ *het stof van zijn kleren afslaan, zijn kleren afslaan* dust off one's clothes [5] ⟨in prijs verlagen⟩ reduce, cut, ⟨inf; BE⟩ knick down [6] ⟨doen wegspoelen⟩ wash

away, erode ◆ *de zee slaat de duinen af* the sea washes the dunes away [6] ⟨bij afslag verkopen⟩ sell by Dutch auction

afslachten [ov ww] [1] ⟨slachten⟩ kill off, slaughter [2] ⟨massaal doden⟩ slaughter, massacre, decimate, butcher [3] ⟨slecht beoordelen; meedogenloos ondervragen⟩ tear apart, tear to pieces, tear to shreds, murder, crucify

afslag [de^m] [1] ⟨afrit⟩ turn(ing), fork, junction, ⟨op autoweg⟩ exit, slip-road ◆ *de afslag naar X* the turn(ing) for X; *een afslag nemen* turn off; *de volgende afslag rechts nemen* take the next turning on the/your right, take the next turn to the right [2] ⟨vermindering⟩ ⟨prijs⟩ reduction, abatement [3] ⟨openbare verkoping⟩ Dutch auction ◆ *bij afslag veilen* sell by Dutch auction; *afslag van vis* fish auction [4] ⟨verkoopplaats⟩ Dutch auction [5] ⟨het wegspoelen⟩ erosion, washing/wearing away [•] ⟨hockey⟩ *de afslag verrichten* bully off

afslager [de^m] auctioneer

[1]**afslanken** [onov ww] [1] ⟨afvallen⟩ slim (down), trim down, ⟨vnl AE⟩ reduce, slenderize ◆ *ze is erg afgeslankt na die kuur* she has slimmed down a lot/lost a lot of weight after that diet/treatment/cure [2] ⟨inkrimpen⟩ slim down, trim down, reduce

[2]**afslanken** [ov ww] [1] ⟨slanker maken⟩ slim, be slimming, ⟨vnl AE⟩ slenderize ◆ *die jurk slankt je af* that dress is very slimming on you [2] ⟨doen inkrimpen⟩ slim (down), trim (down), reduce

afslanking [de^v] slimming-down, ⟨m.b.t. bedrijf enz.⟩ shrinkage

afslankingsoperatie [de^v] slim-down, ⟨vnl AE⟩ reduction

afslibben [ov ww] ⟨techn⟩ elutriate

afslijpen [ov ww] [1] ⟨door slijpen wegnemen⟩ ⟨met steen⟩ grind (off/away), rub off/away, ⟨met metalen voorwerp⟩ file off ◆ *de scherpe kanten van een prisma afslijpen* grind the sharp edges of a prism; ⟨fig⟩ *het verblijf in een hoofdstad zal bij hem het ruwe er wel afslijpen* staying in a capital city will knock a few rough edges off him [2] ⟨door slijpen reinigen, gladmaken⟩ polish ⟨bijvoorbeeld diamanten⟩, sharpen, whet ◆ *verroeste bijlen afslijpen* polish rusty axes

[1]**afslijten** [onov ww] ⟨de buitenste delen verliezen⟩ wear out/off/away/thin ◆ *door de golfslag van de boten slijten die oevers voortdurend af* the banks are continually being worn away/eroded by the wash from the boats; *de verf slijt van de drempel af* the paint is wearing off the doorstep

[2]**afslijten** [ov ww] ⟨de buitenste delen doen verliezen⟩ wear (off/down), rub off/away, abrade, fret ◆ *zijn schoenen/zolen afslijten* wear out his shoes/soles, wear his shoes/soles thin

afsloven [ov ww] wear out, drudge, slave, ⟨inf; BE⟩ fag out ◆ *een afgesloofd lichaam* a worn-out body; *zich voor iets/iemand afsloven* wear o.s. out/kill o.s. for sth./s.o.; *zich afsloven om het iedereen naar de zin te maken* do one's utmost/one's level best/bend over backwards to please everyone

afsluitbaar [bn] lockable

afsluitboom [de^m] bar, gate, barrier, ⟨van haven⟩ boom, ⟨van spoorlijn⟩ level-crossing barrier

afsluitdijk [de^m] dam, causeway, ⟨met weg⟩ embankment ◆ *de afsluitdijk (van het IJsselmeer)* the IJsselmeer Dam

afsluitdop [de^m] cap

afsluiten [ov ww] [1] ⟨ontoegankelijk maken⟩ close (off/up), ⟨terrein enz.⟩ fence/cut off, rail off/in, enclose, block, ⟨met stop⟩ stopper, ⟨met kurk⟩ cork ◆ *door een gordijn afsluiten* curtain off; *een kantoor/tuin afsluiten* lock up an office, fence off/hedge in a garden; *een waterplas afsluiten* dam up/off a lake; *een weg/toegang afsluiten* cordon off/block a road/an entry; *een weg afsluiten voor verkeer* close a road to traffic; *iemand de weg tot promotie afsluiten* block s.o.'s way to promotion [2] ⟨op slot doen⟩ lock (up), ⟨bus, fles enz.⟩ close ◆ *heb je de kast/koffer/voordeur goed afgesloten?* have you locked the cupboard/suitcase/front door? [3] ⟨beletten door te dringen⟩ cut off, ⟨gas enz.⟩ shut off, ⟨licht⟩ shut out, close off, turn off, disconnect ◆ *de gasleiding afsluiten* turn off the gas main; *iets luchtdicht afsluiten* put an airtight seal on sth., seal hermetically; *de stroom afsluiten* cut off/disconnect the electricity; *de toevoer van water/gas afsluiten* cut/shut/turn off the water/gas (supply) [4] ⟨tot stand brengen⟩ conclude, effect, ⟨overeenkomst⟩ enter into, ⟨hypotheek⟩ negotiate, ⟨kredieten⟩ arrange ◆ *een levensverzekering afsluiten* conclude/take out a life insurance policy; *posten/een contract/een koop/vrachten afsluiten* close accounts, conclude a contract/sale, accept cargo [5] ⟨een eind maken aan⟩ close, conclude, ⟨rekeningen ook⟩ balance ◆ *een jaar afsluiten* close a year; *een (koopmans)boek afsluiten* balance a book; *afsluiten met een examen* ⟨een studie⟩ round off with an examination; *een rekening/balans afsluiten* close/balance an account; *een afgesloten tijdperk* a closed era [6] ⟨verwijderd houden van⟩ cut off, disconnect, ⟨van de buitenwereld ook⟩ isolate ◆ *iemand van het gas/licht afsluiten* disconnect s.o.'s gas/electricity; *zich afsluiten* cut o.s. off, seclude o.s.

afsluiter [de^m] [1] ⟨opmerking⟩ clincher [2] ⟨toestel⟩ cutoff, valve, ⟨stroom⟩ circuit breaker ◆ *luchtdichte afsluiter* air(tight)/hermetic seal; *rechte afsluiter* globe valve

afsluiting [de^v] [1] ⟨het ontoegankelijk maken⟩ closing off/up, fencing in/off, cutting off, hedging in, blocking, stopping, enclosure [2] ⟨het op slot doen⟩ locking (up/away) [3] ⟨m.b.t. gas, water e.d.⟩ shut-off, cut-off, turn-off, disconnection [4] ⟨het tot stand brengen⟩ ⟨van contract⟩ conclusion, ⟨van verzekering⟩ taking-out, ⟨van kredieten⟩ arrangement [5] ⟨het een eind maken aan⟩ ⟨rekening⟩ closing, ⟨jaar⟩ close, ⟨boek, jaar⟩ balancing [6] ⟨het zich afsluiten⟩ seclusion, cutting off, isolation [7] ⟨voorwerp⟩ barrier, bar, ⟨hek⟩ fence, ⟨tussenschot⟩ partition, ⟨m.b.t. water⟩ dam

afsluitingsdatum [de^m] balancing date, date of closing/balancing the books, date of closing/balancing the accounts

afsluitklep [de] cutoff/shutoff valve

afsluitkraan [de] stopcock, turncock

afsluitprovisie [de^v] commission (on a mortgage), brokerage

afsmeken [ov ww] beg, implore, entreat, supplicate (for), ⟨bidden om⟩ invoke ◆ *iemand een aalmoes/hulp/vergeving afsmeken* beg (for)/implore/beseech s.o.'s alms/help/forgiveness; *genade afsmeken voor alle zondaars* invoke mercy for all sinners

afsmelten [ov ww] melt off [•] *het afsmelten* ⟨van kernreactor⟩ meltdown

afsmijten [ov ww] [1] ⟨wegwerpen, naar beneden werpen⟩ fling down/off, hurl down/off, pitch down/off, ↓ chuck down/off ◆ *iemand van de trap afsmijten* throw/chuck s.o. down the stairs [2] ⟨haastig afdoen⟩ toss off, throw off

afsnauwen [ov ww] snap at, snarl at ◆ *flink afgesnauwd worden* have one's nose bitten off, be utterly crushed; *iemand afsnauwen* ⟨ook⟩ snap s.o.'s head off

[1]**afsnellen** [onov ww] ⟨+ op⟩ rush up to, rush at, run up to

[2]**afsnellen** [ov ww, ook abs] ⟨omlaag snellen (van, langs)⟩ run/hurry/rush down

afsnijden [ov ww] [1] ⟨door snijden afscheiden⟩ cut off, ⟨takken ook⟩ lop off, ⟨staart van paard⟩ dock ◆ *een groot stuk afsnijden* ⟨vlees e.d.⟩ cut/slice off a big piece [2] ⟨doorsnijden⟩ cut ◆ *een mens/dier de hals/keel/strot afsnijden* cut/slit s.o.'s/an animal's throat [3] ⟨op de vereiste lengte doorsnijden⟩ cut (off) ◆ *bloemen/haarlokken/een draad/touw afsnijden* cut flowers, cut/clip off locks of hair, snip off a piece of thread, cut off a piece of rope [4] ⟨afsluiten, versperren⟩ cut off ◆ *bochten in een beek afsnijden* cut corners (in a stream); *iemand de pas afsnijden* cut off/block s.o.'s path, cut/head s.o. off; *de stroom afsnijden* cut off/disconnect electricity; *de **toevoer** van levensmiddelen afsnijden* cut off/stop the food supply [5] ⟨afbreken, ontnemen⟩ cut (short), interrupt ♦ *de **onderhandelingen** afsnijden* break off/strangle the negotiations [•] *de **bocht** afsnijden* cut off a/the corner; *een **stuk** afsnijden* take a short cut

afsnoeien [ov ww] [1] ⟨afsnijden⟩ prune, lop off, trim off/away, cut off/away ♦ ***van** die boom zal heel wat afgesnoeid moeten worden* that tree will have to be pruned a lot [2] ⟨ontdoen van overtollige takken⟩ prune, trim

afsnoepen [ov ww] steal, snatch ♦ *iemand een **kus** afsnoepen* steal/sneak a kiss from s.o.; *iemand een **voordeeltje** afsnoepen* steal a march (up)on s.o., do s.o. out of a windfall/bonus

afsoppen [ov ww] soap off/down, ⟨met spons⟩ sponge down, rinse down/off (with soap and water), wash down/off (with soap and water)

afspanning [de^v] ⟨in België⟩ café, pub, bar

afspatten [onov ww] ⟨vuil, modder⟩ spatter (off), ⟨vonken⟩ fly (off), ⟨stukjes, splinters⟩ spall

afspeelapparatuur [de^v] ⟨bandrecorder, cassettedeck⟩ playback equipment, audio equipment ⟨ook pick-up⟩

afspeelbaar [bn] playable ♦ *ook **mono** afspeelbaar* also playable on mono, can also be played in mono; ***mono en stereo** afspeelbaar* mono-stereo playable

afspelden [ov ww] ⟨lap stof e.d.⟩ pin

¹**afspelen** [ov ww] [1] ⟨afdraaien⟩ play ♦ *een **bandje** op een bandrecorder afspelen* play a tape on a tape recorder [2] ⟨uitspelen⟩ finish, play out, complete [3] ⟨te veel (be)spelen⟩ wear out ♦ *een afgespeelde **piano*** a worn-out piano

²**zich afspelen** [wk ww] ⟨plaatsvinden⟩ happen, occur, ⟨scene⟩ take place, be enacted ♦ *die **gebeurtenissen** speelden zich gisteren in alle vroegte af* those events took place early yesterday morning

afspeuren [ov ww] [1] ⟨afzoeken⟩ search [2] ⟨spiedend afzien⟩ scan

¹**afspiegelen** [ov ww] [1] ⟨weerspiegelen⟩ reflect, mirror [2] ⟨afschilderen⟩ depict, portray, describe, represent ♦ *men spiegelt hem af **als** een misdadiger* he is represented as a criminal

²**zich afspiegelen** [wk ww] ⟨weerspiegeld worden⟩ ⟨ook fig⟩ be reflected, reflect, be mirrored

afspiegeling [de^v] [1] ⟨het (zich) afspiegelen⟩ reflection, (mirror) image ♦ *het schijnsel was slechts door de afspiegeling **in** het water waar te nemen* the glow/shine could only be perceived in the reflection in the water [2] ⟨spiegelbeeld⟩ reflection, mirror image ♦ ⟨fig⟩ *zijn kalm gelaat was de afspiegeling **van** zijn vreedzaam gemoed* his calm countenance mirrored/reflected his peaceful spirit

afspiegelingscollege [het] ♦ *deze stad **heeft** een afspiegelingscollege* this city's executive reflects the political composition of the council

afspiegelingsprincipe [het] principle of laying off staff across-the-board

afsplijten [ov ww] [1] ⟨door splijten afscheiden⟩ split off, strip off ♦ *dat hout is te dik voor een hoepel, je moet er wel de **helft** afsplijten* that wood is too thick for a hoop, you'll have to split it in two [2] ⟨stukken doen afspringen, afvallen van⟩ strip ♦ *een bliksemstraal had de **boom** aan één kant geheel afgespleten* lightning had completely stripped the tree on one side

¹**afsplitsen** [ov ww] ⟨door splitsen afscheiden⟩ split off ⟨ook elektronen⟩, separate, divide, ⟨scheik ook⟩ isolate ♦ *een draad **uit** een kabel/water **uit** alcohol afsplitsen* split (off) a piece of cable, separate water from alcohol

²**zich afsplitsen** [wk ww] [1] ⟨m.b.t. wegen, leidingen⟩ split (off), branch off, fork [2] ⟨m.b.t. personen⟩ split off, ⟨vnl. groepen⟩ splinter off, branch off, ⟨kerk⟩ secede

¹**afspoelen** [onov ww] ⟨weggespoeld worden⟩ be washed away, be eroded ♦ *in de laatste jaren is hier **veel** van de duinen afgespoeld* in recent years the dunes have been eroded considerably

²**afspoelen** [ov ww] [1] ⟨luchtig afwassen van⟩ rinse (off) [2] ⟨met water reinigen⟩ rinse (down/off), wash (down/off), ⟨straat⟩ sluice down, swill (down) ♦ *het stof **van** zijn handen afspoelen* rinse/wash the dust off one's hands; ***zich** afspoelen* wash/rinse o.s. [3] ⟨doen wegspoelen⟩ wash away, erode ♦ *de zee spoelt grote stukken **van** dit land af* the sea is washing away large portions of this land

afsponzen [ov ww] [1] ⟨met een spons wegnemen⟩ sponge off, wipe off [2] ⟨met een spons schoonmaken⟩ sponge down

afspraak [de] ⟨met arts enz.⟩ appointment, engagement ⟨bijvoorbeeld voor zaken of sociaal⟩, ⟨overeenkomst⟩ agreement, arrangement, understanding, ↓ deal ♦ *zich niet aan een afspraak **houden*** ⟨met iemand⟩ break an engagement; ⟨overeenkomst⟩ not stick to one's word; *een afspraak **maken*** ⟨vnl. zakelijk⟩ enter into an agreement; *een afspraak **maken/hebben** bij de tandarts* make/have an appointment with the dentist; *een afspraak **nakomen**, zich aan een afspraak **houden*** ⟨met iemand⟩ keep an appointment/engagement; ⟨overeenkomst⟩ stick to/stand by an agreement, stick to/be as good as one's word; *dat was **tegen** de afspraak* that was contrary to the agreement/not part of the bargain/understanding; *spreekuur **volgens** afspraak* consultation by appointment

afspraakje [het] date, ↑ engagement, ↑ appointment ♦ *een afspraakje **hebben*** have a date; *afspraakjes **maken*** make/fix dates

afspraakspreekuur [het] consultation by appointment

¹**afspreken** [onov ww] ⟨een afspraak maken⟩ make an appointment, agree on a time/place, arrange a time/place, ↓ fix a date ♦ *ik heb **voor** volgende week met hem afgesproken* I have fixed up for next week with him

²**afspreken** [ov ww] ⟨bij overeenkomst vaststellen⟩ agree (on), arrange, settle (on), fix; zie ook **afgesproken** ♦ *alsof ze **het** (zo) hadden afgesproken* as if by agreement; *dat **is/blijft** dus afgesproken* that's a deal, that's settled/fixed then; *een **plan** afspreken* agree on a plan; ***zoals** afgesproken* as agreed (upon); *afspreken iets te **zullen doen*** agree to do sth.; *van tevoren afgesproken* prearranged, (pre-)concerted

¹**afspringen** [onov ww] [1] ⟨naar beneden springen⟩ jump down/off, leap down/off, ⟨van paard ook⟩ dismount, spring down/off ♦ *de **ruiter** sprong (van het paard) af* the rider jumped/sprang off (the horse) [2] ⟨wegspringen⟩ jump away (from/off), ⟨paard⟩ lead off ♦ ***van** een zitplaats afspringen* jump out of one's seat [3] ⟨+ op; toespringen op⟩ jump at/on, ⟨vnl. van kat⟩ pounce on, leap at, spring at [4] ⟨plotseling loslaten⟩ jump off, fly off ♦ *de **knoop** sprong eraf* the button flew/burst off; *de **splinters** sprongen eraf* the splinters flew off; *het vernis begint **van** dat schilderij af te springen* the varnish is beginning to chip/crack off that painting [5] ⟨afschampen⟩ ⟨kogel⟩ glance off, ricochet, bounce off [6] ⟨afgebroken worden⟩ ⟨koop, huwelijk⟩ fall through, break down ⟨bijvoorbeeld onderhandelingen⟩ ♦ *de **koop** is afgesprongen (op ...)* the deal is off/has fallen through (because of ...); *ons reisje is afgesprongen **op** de hoge kosten* our journey is off/has been called off because of the expense

²**afspringen** [ov ww] ⟨door springen afscheiden⟩ chip/break/wear off (from jumping) ♦ *de jongens hebben de aarde **van** de wal afgesprongen* the boys have worn down the side of the bank with their jumping

afsprong [de^m] jump (down/off), leap (down/off), ⟨van duikplank⟩ dive

afspuiten [ov ww] [1] ⟨door spuiten verwijderen⟩ ⟨met sl⟩ hose (off), spray (off) ♦ *het vuil **van** de ramen afspuiten* hose the dirt off the windows [2] ⟨door spuiten reinigen⟩ hose (off/down), spray (off/down) ♦ *de **ramen** afspuiten* hose down the windows; *heb je de **wielen** van de auto al afgespoten?* have you hosed (down) the car wheels yet?

^{1}**afstaan** [onov ww] ⟨verwijderd staan, zijn van⟩ stand away/back from ♦ *ver afstaan van de grote weg* ⟨bijvoorbeeld huizen⟩ stand a long way back from the main road; ⟨fig⟩ *ver afstaan van de dagelijkse werkelijkheid* be remote from the realities of daily life

^{2}**afstaan** [ov ww] [1] ⟨afstand doen van⟩ give up, ⟨afdragen⟩ hand over, ⟨erfenis, rechten⟩ yield, relinquish, ⟨goederen⟩ renounce, part with, ⟨adellijke titels⟩ renounce, ⟨territorium⟩ cede ♦ *het afstaan van een **gebied*** the cession of a territory; *zijn **plaats** afstaan* ⟨bijvoorbeeld aan jongere collega⟩ step aside/down; *zijn **rechten** op iets afstaan* surrender/relinquish/give up one's rights to sth., ⟨vnl form⟩ renounce one's rights to sth. [2] ⟨tijdelijk geven⟩ give up, lend, put/place at s.o.'s disposal ♦ *iemand zijn **kamers** afstaan* give s.o. (the use of) one's rooms; *iemand zijn **plaats/enkele ogenblikken/het woord** afstaan* give (up) one's place/seat to s.o., spare s.o. a few moments, yield the floor to s.o.

afstaand [bn] protruding, prominent, ⟨plantk⟩ spreading, patulous ♦ ⟨plantk⟩ *afstaande **bladsteel*** spreading petiole; *hij heeft afstaande **oren*** his ears stick out

afstammeling [de^{m}] descendant ♦ *afstammeling **in** zijlinie* collateral descendant; *afstammeling **in** rechte lijn* direct/lineal descendant; *de **mannelijke/vrouwelijke** afstammelingen* male/female descendants

afstammen [onov ww] [1] ⟨m.b.t. personen, dieren⟩ descend (from) ♦ *in de rechte lijn **van** iemand afstammen* be a direct/lineal descendant of s.o. [2] ⟨m.b.t. woorden⟩ derive (from), stem (from) ♦ *'schot' stamt **van** 'schieten' af* 'shot' is derived/comes from 'shoot' [3] ⟨m.b.t. gebruiken, toestanden⟩ descend (from), come (from), derive (from), be rooted (in), stem (from) ♦ *sommige christelijke feesten stammen **van** oud-Germaanse af* some Christian holidays stem from old Germanic ones

afstamming [de^{v}] [1] ⟨m.b.t. personen⟩ descent, lineage, ⟨vnl. hoge afkomst⟩ ancestry, birth, parentage, ⟨vnl. m.b.t. nationaliteit⟩ extraction ♦ *aanzienlijk **van** afstamming* of gentle birth [2] ⟨m.b.t. een woord⟩ derivation, origin

afstammingsleer [de] theory of evolution, Darwinian theory, Darwinism

afstammingsreeks [de] line of descent, pedigree

afstand [de^{m}] [1] ⟨distantie⟩ distance (to/from), ⟨tussenruimte ook⟩ interval, spacing, ⟨m.b.t. schieten⟩ range ♦ *een afstand **afleggen*** cover a distance; *van **grote** afstand* from a great distance, a long way away; *een **grote/onmetelijke/kleine** afstand* a great/an immeasurable/a short distance; *geen afstand **houden*** tailgate; *afstand **houden/bewaren*** maintain/keep one's distance; ⟨fig ook⟩ hold/keep aloof; ***op korte** afstand schieten* shoot/fire pointblank/at/from short range; *vervoer/verbindingen over **lange** afstanden* long-haul transport/communications; ⟨fig⟩ *afstand **nemen** van een onderwerp* disassociate/distance o.s. from a subject; ***op** een afstand* at a distance; ⟨fig⟩ distant, aloof, standoffish; *iemand **op** afstand zetten* outpace/outdistance s.o., leave s.o. (far) behind; *iemand **op** een afstand houden* ⟨fig⟩ keep s.o. at arm's length/at a distance; ***op** gelijke afstand **van** A en B* equidistant from A and B; *zich **op** een afstand houden van* keep distant/away/back from; ⟨fig⟩ remain distant/aloof from; ***over** een afstand vervoeren* transport over a distance; ⟨fig⟩ *de afstand **tussen** wens en vervulling* the gap between a wish and its fulfilment; *de onderlinge afstand **tussen** de rijen* the interval/distance between the rows; *op **veilige** afstand* at a safe distance [2] ⟨het afstaan, opgeven⟩ renunciation, ⟨van troon⟩ abdication, ⟨van rechten ook⟩ cession ♦ *afstand **doen** van* renounce, disclaim; *afstand **doen** van de troon* abdicate ((from) the throne), renounce the throne; *afstand **doen** van de wereld* turn one's back on the world; *afstand **doen** van zijn bezit/vrijheid* part with one's possessions, give up one's freedom; *afstand **doen** van een kind ten gunste van de vader* cede a baby to the father; *hij **heeft** afstand **gedaan** van al zijn rechten* he has relinquished/surrendered all his rights, ⟨vnl form⟩ he has renounced/relinquished/ceded all his rights, ⟨form⟩ he has signed away all his rights

afstandelijk [bn, bw] distant, detached, aloof, ⟨houding ook⟩ standoffish

afstandelijkheid [de^{v}] detachment, aloofness

afstandmeter [de^{m}] telemeter, ⟨foto ook⟩ range finder

afstandsbaby [de^{m}] baby given up for adoption, baby to be adopted, ± adopted child, ⟨AE ook⟩ ± adoptee

afstandsbediening [de^{v}] [1] ⟨handeling⟩ remote control ♦ *afstandsbediening van **televisie*** television remote control, zapper [2] ⟨instrument⟩ remote control (unit)

afstandsbesturing [de^{v}] remote control, radio control

afstandseis [de^{m}] [1] ⟨voorgeschreven afstand⟩ distance requirement [2] ⟨m.b.t. naturalisatie⟩ requirement to renounce foreign citizenship

afstandshoek [de^{m}] ⟨astron⟩ elongation

afstandskind [het] child given up for adoption, child to be adopted, ± adopted child, ⟨AE ook⟩ ± adoptee

afstandsmaat [LENGTE] [de] linear measure, long measure

afstandsmoeder [de^{v}] natural mother (of an adopted child)

afstandsonderwijs [het] ⟨schriftelijk⟩ correspondence course, ⟨op tv⟩ television course, ⟨op radio⟩ radio course

afstandsouder [de^{m}] birth parent

afstandsschot [het] ⟨sport⟩ long shot

afstandsvader [de^{m}] father who relinquishes his paternal rights at the birth of his child

afstandsverklaring [de^{v}] ⟨jur⟩ ⟨van recht⟩ waiver, ⟨van recht/eigendom/land⟩ cession

afstapje [het] step ♦ ***denk om** het afstapje* watch/^{B}mind the step

^{1}**afstappen** [onov ww] [1] ⟨naar beneden stappen⟩ step down, come down/off, dismount ♦ *het hele **peloton** stapte (van de fiets) af* the entire team of cyclists got off (their bikes); *de **trap/stoep** afstappen* come down the stairs/steps; ***van** een paard afstappen* dismount (from a horse) [2] ⟨stappen naar, van⟩ step up/down to ♦ *afstappen **op** iets/iemand* step up to sth./s.o. [3] ⟨afzien, ophouden⟩ leave, drop, abandon ♦ ***van** zijn onderwerp afstappen* drop/abandon one's subject [4] ⟨in België; uitstappen⟩ get off/down, step/get out, ⟨bus, trein⟩ ↑ alight ♦ ***van** een voertuig afstappen* alight (from a vehicle)

^{2}**afstappen** [ov ww] ⟨in België⟩ ⟨meten⟩ step off/out, measure ♦ *de politie heeft het **terrein** afgestapt* the police stepped off/out the terrain

afsteekbeitel [de^{m}] ⟨metaaldraaien⟩ parting/cutting-off tool, ⟨houtdraaien⟩ grooving chisel

^{1}**afsteken** [onov ww] [1] ⟨sterk uitkomen⟩ stand out, show up, be silhouetted/outlined ♦ *gunstig afsteken **bij*** compare favourably with, show up to advantage against; *zijn eenvoud stak sterk af **bij** al de pracht die hem omgaf* his simplicity stood out in stark contrast to/contrasted sharply with the splendour around him; *een afstekende **kleur*** a contrasting colour; *die fabrieken steken lelijk af **tegen** het landschap* the factories stick out like a sore thumb against the landscape [2] ⟨wegvaren⟩ sail off/away, start to sail [3] ⟨in een andere richting steken⟩ stab out/at, thrust out/at ♦ ***van** zich afsteken* stab (out) about one

^{2}**afsteken** [ov ww] [1] ⟨doen ontbranden, afgaan⟩ let off, ⟨geweer ook⟩ fire, set off [2] ⟨uitspreken⟩ ⟨toespraak, lezing⟩ deliver, ⟨toost⟩ make, propose [3] ⟨door steken verwijderen⟩ cut off/away, chip off/away, ⟨met beitel⟩ chisel off ♦ *een **plant/graszoden** afsteken* take a cutting, cut sods (of turf); *iemand **van** het paard afsteken* knock s.o. off his horse; *een kalklaag **van** een muur afsteken* chip/chisel a layer of plaster off a wall [4] ⟨door steken van iets ontdoen⟩ cut off/away, chip off/away ♦ *een **heideveld** afsteken* remove the turf; *een **muur** afsteken* chip/hack the plaster off the wall [5] ⟨doen afvaren⟩ push off, shove off [6] ⟨afbakenen⟩ mark off/out, ⟨kamp⟩ trace out

afstel [het] cancellation, abandonment, renunciation ⊡ ⟨sprw⟩ *uitstel is geen afstel* forbearance is no acquittance; all is not lost that is delayed; ⟨sprw⟩ *van uitstel komt afstel* tomorrow never comes; one of these days is none of these days

afstellen [ov ww] [1] ⟨instellen⟩ adjust (to), set, ⟨motor⟩ tune (up) ♦ *een* ***tijdbom*** *afstellen* set a time bomb; *dat horloge is* ***zuiver*** *afgesteld* that watch has been set with precision; *de wielen zijn* ***zuiver*** *afgesteld* the wheels are aligned [2] ⟨opgeven⟩ cancel, abandon, renounce

afstelling [de^{v}] adjustment, ⟨m.b.t. auto⟩ tune-up

afstemeenheid [de^{v}] tuner

afstemknop [de^{m}] tuning knob

afstemmen [ov ww] [1] ⟨bij stemming verwerpen⟩ vote down, reject, ⟨wetsontwerp⟩ vote out, ⟨motie⟩ defeat [2] ⟨zuiver stemmen⟩ tune, ⟨klokkenspel⟩ attune ♦ *afgestemde* ***violen*** tuned violins [3] ⟨comm⟩ tune (to), ⟨aanzetten⟩ tune in (to) ♦ *een radio* ***op*** *een zender afstemmen* tune a radio in to a station [4] ⟨in overeenstemming brengen⟩ tune (to), key (to), gear (to), attune ♦ *alle werkzaamheden zijn* ***op*** *elkaar afgestemd* all activities are geared to one another; *een katalysator afgestemd* ***op*** *de verwijdering van* SO_2 a catalyst expressly tailored to remove SO_2 [5] ⟨niet herkiezen⟩ vote out ⊡ ***precies/fijn*** *afstemmen* ⟨ook figuurlijk⟩ fine-tune

afstemming [de^{v}] [1] ⟨het bij stemming verwerpen⟩ rejection, defeat ♦ *de afstemming van zijn* ***begroting*** *gaf de minister aanleiding om af te treden* the defeat of the budget led to the minister's resignation [2] ⟨comm⟩ tuning (in) [3] ⟨overeenstemming⟩ harmony, rapport

afstempelen [ov ww] [1] ⟨van een stempel voorzien⟩ stamp, cancel, ⟨brief⟩ postmark, ⟨vnl BE⟩ frank ♦ ***bankbiljetten*** *afstempelen* stamp bank notes; ***coupons*** *afstempelen* stamp coupons; *een* ***postwissel/paspoort/kaartje*** *afstempelen* stamp a money order/passport/ticket; ***postzegels*** *afstempelen* cancel/frank postage stamps [2] ⟨fin⟩ stamp, write down ♦ *tien procent* ***op*** *de aandelen afstempelen* write the shares down by ten percent [3] ⟨m.b.t. munten⟩ stamp ♦ *beide* ***muntjes*** *zijn waarschijnlijk door het harde metaal slecht afgestempeld* both coins have been badly stamped, probably because of the hard metal

afstemschaal [de] ⟨radio⟩ station scale, ⟨rond ook⟩ (tuning) dial

afsterven [onov ww] [1] ⟨m.b.t. lichaams-, plantendelen⟩ die (off), ⟨plantk ook⟩ die back, ⟨lichaamsdeel⟩ mortify ♦ *de* ***bladeren*** *waren afgestorven* the leaves had died [2] ⟨overlijden⟩ decease, die, depart, ⟨vnl. vee⟩ die off, ⟨uitsterven⟩ die out [3] ⟨van betrekkingen⟩ die (out/down) ♦ *de* ***vriendschap*** *sterft af* the friendship is dying/cooling off [4] ⟨m.b.t. wijn⟩ deaden

afstevenen [onov ww] make for, head for, bear down (up)on ♦ *regelrecht afstevenen* ***op*** head straight for/towards; ⟨inf⟩ make a beeline for; *zodra hij mij zag aankomen, stevende hij* ***op*** *mij af* as soon as he saw me coming he made/headed (straight) for me

afstijgen [onov ww] [1] ⟨naar beneden gaan⟩ descend, come/go down [2] ⟨m.b.t. een rijdier⟩ dismount, alight

afstoffen [ov ww] dust (off) ♦ *zijn* ***boeken/tafel*** *afstoffen* dust one's books/table; ***zich*** *afstoffen* dust o.s. down; ⟨met borstel⟩ brush o.s. down/one's clothes off

^{1}**afstompen** [onov ww] [1] ⟨minder ontvankelijk worden voor emoties⟩ become blunt(ed)/dulled/numb, deaden ♦ ***door*** *de eenzaamheid stompt hij af* loneliness is numbing him [2] ⟨minder scherp worden⟩ become blunt

^{2}**afstompen** [ov ww] ⟨stomp maken⟩ blunt ♦ *de* ***hoorns*** *van een stier afstompen* blunt a bull's horns

^{3}**afstompen** [ov ww, ook abs] ⟨minder ontvankelijk maken voor emoties⟩ blunt, numb, dull, deaden, stupefy ⟨bijvoorbeeld door drank⟩ ♦ *de* ***diensttijd*** *stompt (je) af* military service is soul-destroying; *het verdriet heeft zijn* ***geest*** *afgestompt* grief has numbed him

afstoot [de^{m}] break

afstoppen [ov ww] [1] ⟨opvullen⟩ fill, ⟨lek⟩ stop, ⟨tussenruimte⟩ block [2] ⟨sport⟩ block, stop, ⟨rugby⟩ collar ♦ *de thuisspelende ploeg stopte de* ***aanvallen*** *van hun tegenstanders steeds goed af* the home team kept blocking their opponents' attacks well; ⟨wielersp⟩ *de ploeggenoten van de koploper stopten het* ***peloton*** *af* the front runner's teammates slowed down/blocked the pack

afstormen [onov ww] [1] ⟨naar beneden spoeden⟩ rush/charge down ♦ *de* ***trap*** *afstormen* rush/charge down the stairs [2] ⟨+ op; toesnellen⟩ make (for), rush up (to), storm toward, charge (at), (make a) rush (at/on) ♦ ***op*** *de vijand afstormen* charge at/bear down on the enemy

afstotelijk [bn] repulsive, repellent, repelling, revolting, ⟨gedrag, persoon; BE⟩ off-putting, ⟨persoon ook⟩ repugnant, ⟨uiterlijk⟩ forbidding

^{1}**afstoten** [onov ww] [1] ⟨afketsen⟩ ricochet, bounce off, glance off [2] ⟨bilj⟩ cue off [3] ⟨in een andere richting stoten⟩ thrust out, lunge out, hit out

^{2}**afstoten** [ov ww] [1] ⟨door stoten verwijderen⟩ knock off, break off ♦ *het hert stootte zijn* ***gewei*** *af* the deer shed its antlers; *ik heb het vel* ***van*** *mijn elleboog afgestoten* I have skinned my elbow [2] ⟨van de hand doen⟩ dispose of, ⟨verwerpen⟩ reject, ⟨bedrijfstakken e.d.⟩ hive off, ⟨jur; form⟩ divest o.s. of ♦ ***arbeidsplaatsen*** *afstoten* cut jobs; ***filialen*** *afstoten* close down branches; *de poes stootte haar* ***jong*** *af* the cat rejected her young; ***taken*** *afstoten* give up tasks/duties [3] ⟨biol⟩ reject ♦ *het* ***ruilhart*** *werd afgestoten* the transplanted heart was rejected

^{3}**afstoten** [ov ww, ook abs] [1] ⟨onaangenaam aandoen⟩ revolt, repel, put off, repulse ♦ *zo'n onvriendelijke* ***bejegening*** *stoot af* such unfriendly treatment puts one off/^{B}is off-putting; *zich afgestoten* ***voelen*** *door iets/iemand* feel revolted/repelled by sth./s.o. [2] ⟨natuurk⟩ repel

afstotend [bn] repulsive ⟨ook natuurkunde⟩, repellent, repelling, revolting, ⟨gedrag, persoon; BE⟩ off-putting, ⟨persoon ook⟩ repugnant, ⟨uiterlijk⟩ forbidding ♦ *een afstotend* ***karakter*** an obnoxious character; *de afstotende* ***kracht*** *van gelijknamige polen* the repulsive force of like poles; *zijn optreden/spreken* ***was*** *in hoge mate afstotend* his behaviour/speech was extremely obnoxious/odious

afstoting [de^{v}] [1] ⟨biol⟩ rejection [2] ⟨natuurk⟩ repulsion ♦ *de* ***onderlinge*** *afstoting van gelijknamige polen van de magneet* the mutual repulsion of like poles of the magnet [3] ⟨het inboezemen van afkeer, tegenzin⟩ repugnance [4] ⟨het van de hand doen⟩ disposal, ⟨verwerping⟩ rejection, hiving off, ⟨jur⟩ divestiture ♦ *afstoting van* ***arbeidsplaatsen*** cutting down on employment/jobs

afstotingskracht [de] ⟨natuurk⟩ repulsive force, repulsion

afstraffen [ov ww] [1] ⟨bestraffen⟩ punish ♦ *zich* ***laten*** *afstraffen* submit to one's punishment [2] ⟨de mantel uitvegen⟩ reprimand, ↓tell off ♦ *iemand eens* ***duchtig*** *afstraffen* give s.o. a good dressing down/a piece of one's mind, ↑severely/sternly reprimand s.o. [3] ⟨sport⟩ profit from, take advantage of, ⟨voetb ook⟩ put the ball into the net

afstraffing [de^{v}] (corporal) punishment, beating ♦ *een afstraffing* ***krijgen*** get a beating

^{1}**afstralen** [onov ww] [1] ⟨stralend uitgaan van⟩ radiate (from), shine (forth) [2] ⟨fig⟩ radiate (from), beam ♦ ***op*** *iets/iemand afstralen* reflect on sth./s.o.; *de blijheid straalt* ***van*** *hem af* joy radiated from him, he was radiant with/radiated joy

^{2}**afstralen** [ov ww] ⟨stralend doen uitgaan⟩ radiate, give off

afstraling [de^{v}] [1] ⟨het afstralen⟩ radiation, shining ♦ *de afstraling van een* ***cv-ketel*** heat given off by a central heating boiler; *de afstraling van het* ***maanlicht*** *op de toppen van de bomen* the moonlight shining on the treetops [2] ⟨af-

spiegeling⟩ radiation, reflection ♦ *de flauwe afstraling van Gods onnaspeurlijke wijsheid* the dim reflection of God's unfathomable wisdom
afstreek [de] ⟨muz⟩ downbow
afstrepen [ov ww] cross off, strike off
afstrijken [ov ww] 1 ⟨m.b.t. lucifers⟩ strike, light 2 ⟨door strijken verwijderen⟩ wipe off ♦ *de zalf van een pleister afstrijken* wipe the ointment off a plaster 3 ⟨door strijken van iets ontdoen⟩ strike off, wipe off, level (off) ♦ *een afgestreken* ***eetlepel*** a level/flat tablespoonful; *het* ***mes*** *op het brood afstrijken* wipe the knife (off) on the bread
afstrippen [ov ww] strip (off), tear (off/away) ♦ ***montagedraad*** *afstrippen* strip wire; ***tabak/dek*** *afstrippen* strip tobacco
afstroom [de^m^] movement of students from a difficult study to an easier one
afstropen [ov ww] 1 ⟨door stropen verwijderen⟩ strip (off), skin, peel off ♦ *de* ***bladeren*** *van een wilgentak afstropen* strip the leaves off a willow branch; *een haas de* ***huid****/een paling het* ***vel*** *afstropen* skin a hare/an eel; *een drenkeling de kleren* ***van*** *het lijf afstropen* strip the clothes off a drowned person 2 ⟨villen⟩ skin, flay, fleece 3 ⟨stropend aflopen⟩ pillage, ransack, plunder ♦ *alleen enkele benden stroopten nog het* ***platteland*** *af* only a few bands still pillaged the countryside
afstruinen [ov ww] comb, ⟨gebied e.d.⟩ scour ♦ *het* ***strand*** *afstruinen* comb the beach; *zij struint alle* ***veilingen*** *af* she combs all the auctions
afstudeerfeest [het] graduation party
afstudeeropdracht [de] subject for final/terminal project, ± thesis subject
afstudeerproject [het] final/terminal project, ± thesis
afstudeerrichting [de^v^] main subject, ⟨AE⟩ major
afstudeerscriptie [de^v^] (Master's) thesis
afstuderen [onov ww] graduate, complete one's studies/training, finish one's studies/training, qualify, get one's degree ♦ *afstuderen* ***aan*** graduate from, complete/finish one's studies/training at; *afstuderen* ***aan*** *de tuinbouwschool* graduate at the horticultural college; *afstuderen* ***als*** *ingenieur* graduate as an engineer; *een* ***pas*** *afgestudeerd arts* a recently qualified doctor
afstuiten [onov ww] 1 ⟨afketsen⟩ rebound, glance off, bounce off, ricochet ♦ *de bal stuit af* ***tegen*** *de paal* the ball rebounds off the post 2 ⟨+ op; niet doorgaan⟩ fall through, be frustrated, come to grief, miscarry, fail ♦ *dat voorstel stuitte af* ***op*** *haar onverzettelijkheid* that proposal fell through owing to/because of her intransigence
afstuiven [onov ww] 1 ⟨zich snel begeven in bepaalde richting⟩ rush, tear, dash, storm ♦ *zodra de soldaten aanrukten, stoof het volk (van) de* ***markt*** *af* as soon as the soldiers advanced, the people rushed/dashed/scurried out of/away from the marketplace; *de kinderen stoven* ***op*** *de snoepjes af* the children made (a beeline) for/went for/pounced on the sweets; *hij stoof de* ***trap/gang/heuvel*** *af* he rushed/tore/dashed down the stairs/corridor/hill 2 ⟨wegstuiven⟩ blow off, be blown off 3 ⟨door wegstuiven kleiner worden⟩ be eroded, be eaten away
afsturen [ov ww] 1 ⟨wegzenden⟩ send away 2 ⟨ergens heen zenden⟩ send, dispatch ♦ *de hond* ***op*** *iemand afsturen* unleash/set the dog on s.o.; *een vaartuig* ***op*** *iets afsturen* send a ship towards sth.; *een knokploeg* ***op*** *iemand afsturen* set a bunch/group of heavies/the heavy boys on s.o.
aft [de], **afte** [de] ⟨med⟩ aphtha, aphthous ulcer
aftaaien [onov ww] ⟨inf⟩ buzz off, hop, split, hit the road, beat it
aftakelen [onov ww] go/run to seed, go to pot, be on the decline, decay, go downhill ♦ *hij* ***begint*** *al flink af te takelen* he really is starting to go/run to seed/go to pot/go downhill, he's really on the decline/the downward track; ⟨geestelijk⟩ he's really starting to crack up/go soft
aftakeling [de^v^] decay, deterioration, decline ♦ ***seniele*** *aftakeling* senile decay, softening of the brain
[1]**aftakken** [ov ww] branch (off), fork (off), tap off ♦ *daar takte* ***zich*** *een zijspoor af* at that point a side-track branched/forked off
[2]**zich aftakken** [wk ww] branch (off), fork (off)
aftakking [de^v^] 1 ⟨zijwaarts afgaande tak⟩ branch, fork 2 ⟨plaats⟩ branch, fork
aftands [bn] long in the tooth, broken down, seedy, decayed, dilapidated ♦ *hij wordt een* ***beetje*** *aftands* ⟨oud⟩ he's getting a bit long in the tooth; ⟨geestelijk⟩ he's getting a bit soft/senile; *die zangeres* ***is*** *al aftands* that singer is past her prime/has had it/seen better days; *een aftandse* ***piano*** a worn-out/dilapidated/played-out piano, a honky-tonk; *een aftands* ***vehikel*** a dilapidated vehicle, a broken-down/clapped-out car, a jalopy, a banger
aftanken [ov ww] fill up
aftapkraan [de] draw-off (tap/valve)
aftappen [ov ww] 1 ⟨m.b.t. het omhulsel, waaruit iets wegvloeit⟩ draw off, drain ♦ ***grachten/kanalen*** *aftappen* drain canals; ***vaten*** *aftappen* tap casks; *als het hard vriest, moet men de* ***waterleiding*** *aftappen* when it freezes hard the water pipes have/water has to be drained 2 ⟨m.b.t. hetgeen wegvloeit⟩ tap, draw off ♦ *de* ***benzine*** *aftappen* run/siphon off the ^B^petrol/^A^gas; ⟨fig⟩ *elektrische* ***stroom*** *aftappen* tap electricity; ⟨fig⟩ *een* ***telefoonlijn*** *aftappen* tap a telephone line; ⟨AE ook⟩ wiretap a telephone line 3 ⟨med⟩ tap, draw off, ⟨uit abces/wond⟩ drain ♦ *iemand* ***bloed*** *aftappen* take/tap blood from s.o., bleed s.o.; ⟨inf⟩ *zijn* ***water*** *aftappen* pass/make water
aftasten [ov ww] 1 ⟨tastend onderzoeken⟩ feel, sense, grope ♦ *een* ***oppervlak*** *aftasten* feel one's way over a surface, explore a surface with one's hands; *zijn* ***zakken*** *aftasten* go through/search/dive into/feel about in one's pockets 2 ⟨fouilleren⟩ search, frisk 3 ⟨fig⟩ feel out, sound out ♦ *aftastend* tentative, exploratory 4 ⟨techn⟩ scan ⟨bijvoorbeeld met laserstraal⟩, ⟨van pick-upnaald⟩ track, trace
aftaster [de^m^] ⟨techn⟩ scanner, sensor, tracer ⟨ook m.b.t. metaalbewerking⟩
aftastsnelheid [de^v^] ⟨techn⟩ scanning speed/rate, ⟨pick-up⟩ tracking/tracing speed, ⟨comp⟩ sampling rate
afte [de] → **aft**
[1]**aftekenen** [ov ww] 1 ⟨door omtrekken begrenzen⟩ outline, mark off 2 ⟨afbakenen, aangeven⟩ mark off ♦ *de* ***plattegrond*** *van een plein aftekenen* map out a (town) square/market place, draw/outline a (town)square on a map; *de bouwvallen van de muren tekenen nog de* ***vorm*** *en de* ***inrichting*** *van het kasteel af* the ruins of the walls still show the shape and the lay-out of the castle 3 ⟨nauwkeurig bepalen, nagaan⟩ define, delineate, determine 4 ⟨ondertekenen⟩ sign, ⟨cheque, rekening⟩ endorse, ⟨voor gezien tekenen; inf⟩ OK, ⟨op een lijst⟩ check/tick off ♦ ***papieren*** *aftekenen* sign papers; ⟨in België⟩ *een* ***rekening*** *aftekenen* receipt a bill 5 ⟨nauwkeurig afbeelden⟩ draw, ⟨natekenen⟩ copy, ⟨ook fig⟩ paint, picture, depict 6 ⟨aantekenen op een kaart⟩ register, record ♦ *ik heb mijn twee* ***tentamens*** *en mijn* ***practicum*** *laten aftekenen* I've had my two exams and my practical work registered/recorded 7 ⟨afmaken⟩ finish, put/add the final strokes to 8 ⟨met tekenen afdoen⟩ ♦ *we hebben heel* ***wat*** *afgetekend* we did quite a lot of drawing, we spent hours and hours/days on end drawing
[2]**zich aftekenen** [wk ww] ⟨zichtbaar, merkbaar worden⟩ stand out, show, become visible/apparent, take shape ♦ *de afwisselende emoties tekenden zich scherp af* ***op*** *zijn gezicht* his changing emotions were clearly visible/registered in his face, his face clearly registered his changing emotions; *zich aftekenen* ***tegen*** stand out against/from, be outlined/silhouetted against, show up against, stand in/be thrown into relief against
aftelbaar [bn] ⟨wisk⟩ denumerable

aftelklok [de] countdown timer, countdown clock
[1]**aftellen** [onov ww] ⟨kind⟩ dip for it
[2]**aftellen** [ov ww, ook abs] ⟨een naderend tijdstip afwachten⟩ count, ⟨raket⟩ count down ♦ ***aan** het aftellen **zijn*** be near one's time; *de **dagen/seconden** aftellen* count the days/seconds; *het aftellen **voor** de lancering is onderbroken* the countdown for the launch has been interrupted
aftelrijmpje [het] dipping rhyme
afterclub [de] after-hours club
afteren [onov ww] 1 ⟨een afterparty bezoeken⟩ attend an after-party 2 ⟨na een party doorfeesten⟩ relax with other people after a party, have an after-party
afterparty [de] after-party
aftersales [de^mv] after-sales
aftershave [de^m] aftershave
aftersun [de^m] after sun lotion/cream
aftesten [ov ww] (test and) reject, ⟨BE⟩ plough, ⟨AE⟩ flunk ♦ *Feyenoord test jonge **Bulgaar** af* Feyenoord flunks young Bulgarian
[1]**aftikken** [ov ww] 1 ⟨kind⟩ tag (out), touch, ⟨honkb ook⟩ force out ♦ ⟨fig⟩ *de meisjes aan de kant **mochten** aftikken* the girls without partners were allowed to cut in 2 ⟨door tikken afzonderen⟩ knock off, ⟨met hamer e.d.⟩ tap off ♦ *een rand/hoekje **van** iets aftikken* knock/tap an edge/a corner off sth. 3 ⟨inf; betalen⟩ cough up, fork out ♦ ⟨op een veiling⟩ *afgetikt **worden** voor ...* go for ... 4 ⟨afhandelen⟩ finalize
[2]**aftikken** [ov ww, ook abs] ⟨muz⟩ tap one's baton
aftimmeren [ov ww] 1 ⟨timmerwerk voltooien⟩ finish (making) ♦ *in hoeveel tijd kan zo'n **schuur** afgetimmerd worden?* how long does it take to finish (making)/put up a shed like that? 2 ⟨afwerken⟩ finish (off) ♦ *dat jacht is **met** mahoniehout afgetimmerd* that yacht is finished in mahogany/has a mahogany finish
aftimmering [de^v] finish, woodwork, cladding
aftiteling [de^v] ⟨film, tv⟩ credit titles, credits, acknowledgements
[1]**aftobben** [onov ww] ⟨moeite, zorgen hebben⟩ worry ♦ *zij heeft wat afgetobd **met** dat zieke kind* she has had enough problems with that sick child
[2]**aftobben** [ov ww] ⟨afmatten⟩ wear out, exhaust, weary; zie ook **afgetobd** ♦ ***zich** aftobben met joggen* wear o.s. out/exhaust o.s. (with) jogging
aftocht [de^m] retreat, withdrawal, pull-out ♦ *het **bevel/teken/sein** tot de aftocht geven* give the order/signal to retreat/withdraw/pull out; *de aftocht **blazen*** ⟨fig⟩ beat a retreat; ⟨lett en fig⟩ sound the retreat; *overhaast de aftocht **blazen*** ⟨ook fig⟩ beat a hasty retreat; *iemands aftocht **dekken*** cover s.o.'s retreat; ***vrije** aftocht* unopposed withdrawal
aftoppen [ov ww] head (down), top, tip, truncate, ⟨fig ook⟩ set a ceiling ♦ ***planten** aftoppen* pinch off/out the tops/tips of plants; ⟨fig⟩ *de **salarissen** aftoppen* level down/cap salaries
aftopping [de^v] 1 ⟨het aftoppen⟩ truncation, topping, tipping, heading (down) 2 ⟨ec⟩ levelling, equalization, capping
aftrainen [onov ww] ⟨sport⟩ detrain
aftrap [de^m] ⟨sport⟩ kickoff ♦ ***bij** de aftrap* at the kickoff; *de aftrap **doen*** kick off
[1]**aftrappen** [onov ww] ⟨sport⟩ kick off ▪ ***van** zich aftrappen* kick right and left
[2]**aftrappen** [ov ww] 1 ⟨met een trap wegdrijven⟩ kick away/off ♦ *iemand de **trap** aftrappen* kick s.o. down the stairs/downstairs; ⟨fig⟩ *hij is **van** school afgetrapt* he's been kicked out of school; *iemand (van) de **zaal** aftrappen* kick s.o. out of the room 2 ⟨met de voet afbreken⟩ kick off ♦ *in zijn woede trapte hij een stuk **van** de stoel af* in his anger he kicked a piece off the chair 3 ⟨fietsend afleggen⟩ pedal away 4 ⟨verslijten⟩ wear out ♦ *afgetrapte **schoenen*** worn-out/down-at-heel shoes
[1]**aftreden** [het] resignation, ⟨van vorst⟩ abdication, ⟨bij pensioen⟩ retirement ♦ ***bij** zijn aftreden* on his retirement/quitting office
[2]**aftreden** [onov ww] resign (one's post), retire (from office), step/stand down, ⟨vorst⟩ abdicate ♦ ***als** president aftreden* resign from the presidency; *welke **leden** van de Tweede Kamer/van het bestuur treden dit jaar af?* who are the outgoing MPs/members of the committee/board this year?
aftrek [de^m] 1 ⟨het verminderen⟩ deduction ♦ *aftrek van voorlopige **hechtenis*** deduction of detention awaiting trial, deduction of/allowance for time already served; *drie maanden **met** aftrek* three months less detention awaiting trial/less the period already spent in custody; *veroordeeld tot twee jaar **met** aftrek **van** 3 maanden voorarrest* sentenced to two years, of three months to count as served; ***onder** aftrek **van*** after deducting; *aftrek **voor** kinderen* children's (tax) allowance, tax allowance/relief for children; ***zonder** enige aftrek* free of all deductions 2 ⟨bedrag⟩ deduction, ⟨belasting ook⟩ allowance, rebate, ⟨BE⟩ relief, ⟨AE⟩ benefit 3 ⟨afname⟩ sale ♦ ***geen** aftrek **vinden*** not sell/go/move; ***gerede/grote** aftrek vinden* sell/move well, find a ready market, be in great demand, find ready buyers; *aftrek **hebben/vinden*** have/find a sale/market, sell; ***weinig** aftrek vinden* be in little/poor demand, sell/move slowly
aftrekbaar [bn] deductible, ⟨voor de belasting⟩ tax-deductible ♦ ***fiscaal** aftrekbaar* tax-deductible; *aftrekbare **kosten*** deductible expenses
[1]**aftrekken** [onov ww] 1 ⟨zich verwijderen⟩ withdraw, retreat, retire, pull out, ⟨afmarcheren⟩ march off, ⟨storm⟩ blow/pass over 2 ⟨zich op weg begeven⟩ set out, strike out ♦ *aftrekken **op** iets/iemand* set/strike out for sth./s.o.
[2]**aftrekken** [ov ww] 1 ⟨inhouden⟩ deduct, ⟨van loon⟩ stop ♦ *een tientje **van** 't loon aftrekken* stop ten euros out of/deduct ten euros from the wages; *een paar euro **van** de prijs aftrekken* deduct a few euros from/take a few euros off the price; *de schade zou **van** de huur afgetrokken worden* the damage would be deducted from the rent 2 ⟨door trekken verwijderen⟩ pull off, tear off, ⟨schil, iets dat vastgekleefd is⟩ peel off ♦ *de **hand(en)** (van iets) aftrekken* wash one's hands of sth., have nothing more to do with sth.; *iemand het **masker** aftrekken* unmask s.o., pull off s.o.'s mask; *ik zal de tafel wat **van** de kachel aftrekken* I'll pull the table away from the fire 3 ⟨seksueel bevredigen⟩ jack off, ⟨BE⟩ wank (off), ⟨BE⟩ frig off, ⟨AE⟩ jerk off ♦ ***iemand** aftrekken* jack/wank s.o. off, give s.o. a hand job; ***zich** aftrekken* beat/frig/jack/jerk/whack/wank (o.s.) off, beat one's meat 4 ⟨naar beneden trekken⟩ pull down/off 5 ⟨villen⟩ strip, flay, skin ♦ *een **haas/paling** aftrekken* strip a hare, skin an eel
[3]**aftrekken** [ov ww, ook abs] 1 ⟨wisk⟩ subtract ♦ *acht **van** veertien afgetrokken geeft zes* eight (substracted) from fourteen is/gives six, fourteen minus/less eight is six; *je hebt **verkeerd** afgetrokken* you've made a mistake in your subtraction 2 ⟨afschieten⟩ fire, ⟨onovergankelijk werkwoord ook⟩ pull the trigger
aftrekker [de^m] 1 ⟨wisk⟩ subtrahend 2 ⟨in België; kurkentrekker⟩ corkscrew 3 ⟨in België; flesopener⟩ bottle-opener
aftrekpost [de^m] deduction, rebate, tax-deductible item/expense, tax shelter
aftrekschaak [het] discovered check ♦ *aftrekschaak **geven*** discover
aftreksel [het] extract, infusion, tincture ♦ *een **slap** aftreksel* a weak/diluted extract/infusion/tincture; ⟨fig⟩ a (poor) apology/excuse (for); ⟨fig⟩ *deze vertaling is een **slap** aftreksel van het origineel* this translation is a poor substitute for/rendering of the original; ⟨fig⟩ *zijn laatste boek is een **slap** aftreksel van het vorige* his last book is a poor/mere rehash of the previous one; *een **sterk** aftreksel* a strong/concentrated extract/infusion/tincture
aftreksom [de] ⟨wisk⟩ subtraction (sum)
[1]**aftroeven** [ov ww] ⟨te vlug af zijn⟩ score (points) off, put

in (his/her) place

²**aftroeven** [ov ww, ook abs] 1 ⟨kaartsp⟩ trump ♦ *nu **moet** je (die negen) aftroeven* now you must trump (that nine) 2 ⟨in België; afranselen⟩ beat, thrash, ⟨BE ook⟩ do over

aftroggelarij [de^v] wheedling, cajolery

aftroggelen [ov ww] wheedle out of, coax/cajole/kid out of ♦ *iemand **geld**/een **document** aftroggelen* wheedle/cajole/kid/coax s.o. out of money/a document, coax/cajole s.o. into giving money/a document; ⟨geld ook⟩ touch s.o. for money; *iemand iets **weten** af te troggelen* succeed in wheedling/cajoling/coaxing sth. out of s.o.

aftuigen [ov ww] 1 ⟨afranselen⟩ beat up, rough/^B duff up, mop up on, drub, mug, ⟨inf; BE⟩ bash up ♦ *enige onverlaten hebben die **man** afgetuigd* some hoodlums have mugged the man/beaten/roughed/duffed the man up, some hoodlums have mopped up on/drubbed/clobbered/done a (face) job on the man 2 ⟨m.b.t. trekdieren⟩ unharness 3 ⟨scheepv⟩ unrig

afturven [ov ww] tally up, score up

afvaardigen [ov ww] 1 ⟨met een opdracht⟩ send ♦ *men vaardigde een gezantschap **naar** Engeland af* a mission was sent to England 2 ⟨als vertegenwoordiger⟩ delegate, depute, ⟨naar parlement⟩ return ♦ *hij was voor de afdeling Leiden **naar** de bondsvergadering van de KNVB afgevaardigd* he had been delegated to the annual meeting of the Royal Dutch Football Association by/as a representative of the Leiden branch

afvaardiging [de^v] 1 ⟨handeling⟩ delegation, deputation, ⟨naar parlement⟩ return 2 ⟨personen⟩ delegation, deputation, ⟨met opdracht⟩ mission ♦ *Nederlandse afvaardiging **bij*** Dutch delegation at

afvaart [de] sailing, departure ♦ ***aan-** en afvaart* arrival and departure; ***dag** van afvaart* sailing-day, day of sailing; ***datum** van afvaart* sailing-date, date of sailing; *de **volgende** afvaart vindt plaats om zes uur* the next sailing will be at six o'clock

afval [het, de^m] waste (matter), ⟨wat overblijft⟩ residue, ⟨vuilnis⟩ refuse, rubbish, litter, ⟨vnl AE⟩ trash, garbage, ⟨uit keuken, van tafel⟩ scraps, leavings, kitchen waste, ⟨van graafwerk⟩ spoil ♦ *slechts 5 % afval* a wastage of only 5 %; ***chemisch** afval* chemical waste; *afval van geslachte **dieren*** offal; ***giftig** afval* toxic waste; *afval van **leer*** ⟨enz.⟩ leather waste (matter)/clippings/cuttings/scraps/...; ***medisch** afval* clinical waste; *afval van **metaal*** scrap metal; ***radioactief** afval* radioactive/nuclear waste; *hoog/laag **radioactief** afval* high-level/low-level radioactive waste; *verboden afval te **storten*** ⟨BE⟩ no tipping, ⟨AE⟩ dumping prohibited

afvalbak [de^m] litterbin, litterbasket, ⟨BE ook⟩ dustbin, rubbish bin, ⟨AE ook; vuilnisbak⟩ garbage/trash can

afvalbedrijf [het] waste-processing firm, refuse-processing firm, ⟨AE ook⟩ garbage-processing firm

afvalberg [de^m] mountain of waste/refuge, ⟨AE ook⟩ mountain of garbage

afvalcontainer [de^m] container, refuse container, ⟨vnl AE⟩ garbage container, ⟨voor bouwmaterialen; BE⟩ skip, ⟨AE⟩ dumpster

afvalhoop [de^m] refuse/rubbish/waste/trash heap, ⟨gesch; uit de prehistorie⟩ kitchen midden

afvalkalender [de^m] garbage calendar, refuse collection calendar

afvallen [onov ww] 1 ⟨naar beneden vallen⟩ fall down, fall off ♦ *de **bladeren/bloemen/vruchten** vallen af* the leaves/flowers/fruits fall off; ⟨door stengelrot⟩ flowers shank (off); *zijn **hoed** viel af* his hat fell/dropped off; *het **masker** viel af* the mask fell, the mask was thrown off; *de schellen vielen hem **van** de ogen af* the scales fell from his eyes 2 ⟨niet meer meetellen⟩ drop out ♦ *dat **alternatief** viel af* that alternative was out/dropped; ***bij** een wedstrijd afvallen* drop out of a contest 3 ⟨ontrouw worden⟩ desert, abandon, ⟨kerk, staat⟩ defect, secede ♦ ***God** afvallen* turn away from God; ***iemand** afvallen* let s.o. down, leave s.o. in the lurch, desert/abandon/betray s.o.; *elkaar **niet** afvallen* hang together, stand by each other 4 ⟨afslanken⟩ lose weight, ⟨met opzet ook⟩ slim, ⟨door ziekte⟩ waste (away), lose flesh ♦ *ik ben één **kilo** afgevallen* I've lost a kilogram 5 ⟨scheepv⟩ bear away ♦ ***van de wind** afvallen* bear away

afvallig [bn] 1 ⟨ontrouw⟩ unfaithful, disaffected, disloyal, ⟨van kerk ook⟩ lapsed, apostate ♦ *afvallig **maken*** pervert; *een afvallige **priester*** a renegade/fallen/lapsed priest; *afvallig worden **van/aan** een partij* desert a party 2 ⟨m.b.t. zeilvaartuigen⟩ leewardly

afvallige [de] deserter, renegade, turncoat, ⟨van kerk⟩ apostate, backslider

afvalligheid [de^v] ⟨van godsdienst⟩ apostasy, secession, ⟨pol; partij⟩ disaffection, defection, ⟨regering⟩ dissidence, ⟨van leider, bondgenoot, vriend⟩ desertion

afvalmateriaal [het] waste material, ⟨mv ook⟩ scrap

afvalpers [de] (refuse/^A trash) compactor

afvalproblematiek [de^v] waste issue

afvalproduct [het] by-product, waste/residuary/residual product

afvalrace [de^m] heat, knock-out/elimination/qualifying race

afvalscheiding [de^v] separation of waste (products)/^A trash, ⟨AE ook⟩ sorted waste disposal

afvalschip [het] vessel transporting (toxic) waste/refuse, ship transporting (toxic) waste/refuse

afvalstof [de] waste product, ⟨mv ook⟩ waste (matter) ♦ ***gevaarlijke** afvalstoffen* hazardous waste; ***schadelijke/radioactieve** afvalstoffen* harmful/radioactive waste; ⟨radioactief ook⟩ radioactive fall-out, radwaste

afvalstoffenheffing [de^v] waste levy

afvalstort [het, de^m] ⟨BE⟩ rubbish tip/dump, ⟨AE⟩ garbage dump, refuse tip/dump

afvalsysteem [het] system of elimination

afvaltoerisme [het] illegal waste/^A garbage disposal/dumping

afvalverwerking [de^v] treatment/processing of waste, waste-disposal, ⟨ophalen en behandelen van afval⟩ sanitation

afvalverwerkingsbedrijf [het] waste processing company

afvalwarmte [de^v] rejected heat, residual heat ♦ *afvalwarmte **uit** koelwater* rejected heat in cooling water, residual heat from cooling water

afvalwater [het] waste water, drain water, ⟨ind⟩ sewage/effluent (water), industrial water

afvalwaterzuiveringsinstallatie [de^v] effluent/waste water purification plant, ⟨van rioolwater⟩ sewage treatment plant, sewage works

afvalwedstrijd [de^m] ⟨sport⟩ heat, knock-out/elimination/qualifying competition, knock-out/elimination/qualifying race, ⟨wielersp⟩ devil-take-the-hindmost (race)

afvangen [ov ww] catch from, snatch from ♦ *iemand een **bal** afvangen* catch/snatch the ball from under s.o.'s hands/nose, steal the ball out from under s.o.

afvaren [onov ww] 1 ⟨wegvaren⟩ sail, depart, start, put to sea, leave ♦ *afgevaren **breedte/lengte*** ⟨breedte én lengte⟩ departure fix; point of departure by latitude/longitude; *de **pont** vaart daar af* the ferry sails/leaves from there 2 ⟨ergens heen varen⟩ sail (for), depart (for), start (for), set out (for) ♦ *af- en **aanvaren*** depart and arrive; ***op** iemand/iets afvaren* make/head for s.o./sth. 3 ⟨stroomafwaarts varen⟩ sail down(stream) ♦ ***op-** en afvaren* sail up and downstream; *wij voeren langzaam de **rivier** af* we sailed/went/floated/dropped slowly down the river

afvegen [ov ww] 1 ⟨door vegen reinigen⟩ wipe (off), ⟨bril ook⟩ polish, ⟨bezweet voorhoofd ook⟩ mop ♦ *hij kan zijn **mond** afvegen* ⟨fig⟩ he could stand/sit by and watch them eat; *de **tafel**/zijn **kleren** afvegen* wipe the table, dust one's clothes; ⟨met borstel⟩ brush (off) one's clothes [2] ⟨door vegen wegnemen⟩ wipe off, ⟨tranen⟩ brush/wipe away ♦ ***bloed/zweet/tranen** afvegen* wipe off blood/sweat, wipe/brush away/dry tears

afvinken [ov + onov ww] check off, tick off

afvlaggen [ov + onov ww] ⟨sport⟩ flag down, ⟨auto⟩ red-flag

afvlakken [ov ww] [1] ⟨vlak maken⟩ level (off), smooth (down), flatten (out), ⟨met schaaf⟩ plane, face (up) [2] ⟨m.b.t. spanningsverschillen⟩ smooth

afvliegroute [de] take-off corridor

[1]**afvloeien** [onov ww] [1] ⟨m.b.t. personen⟩ be made redundant, ⟨tijdelijk⟩ be laid off, be compulsorily retired ⟨via VUT⟩ ♦ *300 **arbeiders** moesten afvloeien* ⟨vnl BE⟩ 300 workers were made redundant; *200 man **personeel** laten afvloeien* make 200 workers redundant; *overtollig **personeel** laten afvloeien* lay/stand off redundant staff, discharge redundant staff gradually, retrench the staff, release redundant/excess personnel [2] ⟨wegvloeien⟩ flow off/away, drain off/away ♦ ***aan- en afvloeien*** flow in and out [3] ⟨naar beneden vloeien⟩ flow down [4] ⟨m.b.t. kapitaal, goud⟩ flow out, be drained off/away

[2]**afvloeien** [ov ww] ⟨met vloeipapier bestrijken⟩ blot

afvloeiing [de^{v}] [1] ⟨m.b.t. personeel⟩ release, gradual dismissal/discharge, cutting-back in staff, retrenchment in staff, ⟨tijdelijk⟩ lay off ♦ *afvloeiing van 200 **werknemers*** 200 redundancies [2] ⟨m.b.t. kapitaal, goud⟩ drain, outflow, withdrawal

afvloeiingsregeling [de^{v}] redundancy pay/scheme, ⟨VUT⟩ early retirement scheme/pay

afvoer [de^{m}] [1] ⟨vervoer naar elders⟩ transport, conveyance, removal ♦ *de afvoer van **goederen*** transport/conveyance/removal of goods; *de afvoer van **wijn** en **hout** is dit jaar aanzienlijk geweest* the transport of wine and wood has been considerable this year [2] ⟨het afwaarts voeren⟩ drainage, discharge ♦ ***toe- en afvoer*** supply and drainage; *pijpen voor de afvoer van het **water*** pipes for draining water [3] ⟨pijp⟩ drain(pipe), fall(pipe), outlet, waste(pipe), ⟨voor gassen e.d.⟩ exhaust (pipe), ⟨kachel⟩ flue ♦ *de afvoer is **verstopt*** the drain/waste(pipe) is clogged/stopped (up)

afvoerbuis [de] discharge/outlet pipe, ⟨in grond⟩ drain(pipe), ⟨riool⟩ soil/waste pipe, ⟨voor gassen e.d.⟩ exhaust (pipe)

afvoeren [ov ww] [1] ⟨naar elders (ver)voeren⟩ transport, convey, remove, ⟨water⟩ drain away/off, ⟨van zijn voorgenomen route af⟩ lead away, shunt, divert ♦ ***gevangenen/soldaten** afvoeren* transport/convey/move prisoners/soldiers; *dat pad voert u **van de stad af*** that path takes you away from the town [2] ⟨naar beneden, afwaarts voeren⟩ carry off/down, lead down ♦ ***kolen** de Rijn afvoeren* transport/carry coal down the Rhine; *die rivier voert veel **slib** af* that river carries/washes down a great deal of silt [3] ⟨schrappen⟩ remove, write off ♦ *iemand **van de ledenlijst** afvoeren* drop/delete/remove s.o. from the membership list/list of members; *soldaten **van de troepenmacht** afvoeren* delete/remove (the name of) soldiers from the military forces, reduce military strength

afvoerpijp [de] → **afvoer**

afvoerplug [de] drain plug

afvoerput [de^{m}] drain

zich afvragen [wk ww] [1] ⟨zichzelf een vraag stellen⟩ wonder, ask o.s. ♦ *zich de **reden** van iets afvragen* ask o.s. the reason for sth., wonder what the reason is for sth.; *ik vraag mij af, **wie** .../**hoe** .../**waarom** ...* I wonder who .../how .../why ...; *dat had zij **zichzelf** nooit afgevraagd* she had never asked herself that question [2] ⟨betwijfelen⟩ wonder, (be in) doubt (as to) ♦ *ik vraag mij af **of** dat juist is* I wonder if/whether that is correct, I (am in) doubt (as to) whether that is correct

afvriezen [onov ww] [1] ⟨door de vorst afsterven⟩ catch the frost, be caught by the frost ♦ *de **aardappels** zijn helemaal afgevroren* the potatoes are completely frozen; *al de **bloesems** van de appelboom zijn vannacht afgevroren* all the blossoms on the apple tree (were) caught (by) the frost last night [2] ⟨door de vorst losgaan en afvallen⟩ freeze off, be frozen/frosted off ♦ *de kalk is **van de muur** afgevroren* the plaster was lifted off the wall by the frost

afvuren [ov ww] [1] ⟨afschieten⟩ fire, let off, discharge, ⟨raket⟩ launch ♦ *een **pistool/geweer/kanon** afvuren* fire/discharge a pistol/rifle/cannon [2] ⟨uiten⟩ fire, shoot, level ♦ *vragen **op** iemand afvuren* fire/shoot/level questions at s.o., shower/bombard s.o. with questions

afvuurinrichting [de^{v}] ⟨mil⟩ ⟨voor raketten⟩ launcher, ⟨kanonnen⟩ firing mechanism

[1]**afwaaien** [onov ww] [1] ⟨waaien in tegengestelde richting⟩ blow off ♦ *de wind heeft lange tijd **van het land** afgewaaid* the wind has blown off shore for quite some time [2] ⟨door de wind weggedreven, gerukt worden⟩ blow off/away ♦ *het schip was **van zijn koers** afgewaaid* the ship was blown off course [3] ⟨naar beneden waaien⟩ blow off/down ♦ *er woei veel sneeuw **van de bergtop af*** a lot of snow blew off the mountaintop [4] ⟨m.b.t. water in zeeën, meren⟩ draw off (by the wind)

[2]**afwaaien** [ov ww] ⟨wegwaaien⟩ blow off

afwaarderen [ov ww] rate lower, devalue

[1]**afwaarts** [bn] ⟨naar beneden gericht⟩ downward ♦ *een afwaartse **beweging*** a downward movement

[2]**afwaarts** [bw] [1] ⟨van iets af⟩ away ♦ *de ogen afwaarts **wenden*** turn one's eyes away, avert one's eyes, look away [2] ⟨naar omlaag⟩ down [3] ⟨stroomafwaarts⟩ down(stream)

afwachten [ov ww, ook abs] wait (for), await, ⟨tegemoet zien⟩ anticipate ♦ *een **aanval** afwachten* wait for an attack; *zijn **beurt** afwachten* wait/take one's turn; *de **bui** afwachten* wait for the shower to blow/pass over, wait till the shower has blown/has passed/is over; *hij **keek** hem afwachtend **aan*** he looked at him expectantly; *we **moeten** maar afwachten* we'll have to wait and see; *het **resultaat** moet ik nog afwachten* the result has yet/remains to be seen; *een **tegenstander** niet (durven) afwachten* not (dare to) wait for an opponent, chicken out; *zijn **tijd** afwachten* bide/wait/watch one's time; *de **tram** afwachten* wait for the tram/^{A}streetcar; *een nadere **verklaring** afwachten* await (a) further explanation

afwachting [de^{v}] expectation, ⟨tegemoet zien⟩ anticipation ♦ ***in** afwachting van uw antwoord* ⟨enz.⟩ we look forward to receiving your reply; ***in** afwachting van de dingen die komen gaan* awaiting coming events, in expectation/anticipation of things to come; ***in** afwachting van de uitspraak van de rechter* pending the decision of the judge

afwas [de^{m}] [1] ⟨vaat⟩ dishes, ⟨BE ook⟩ washing-up ♦ *de afwas weer **laten staan*** leave the dishes/washing-up again [2] ⟨het afwassen⟩ doing/washing the dishes, ⟨BE ook⟩ washing-up ♦ *zij is **aan** de afwas* she's washing up/doing the dishes/washing the dishes

afwasautomaat [de^{m}] dishwasher, ⟨BE⟩ washing-up machine

afwasbaar [bn] washable

afwasbak [de^{m}] ⟨BE⟩ washing-up bowl, ⟨AE⟩ dishpan, sink bowl

afwasborstel [de^{m}] dishwashing/^{B}washing-up brush

afwaskwast [de^{m}] dish/^{B}washing-up mop

afwasmachine [de^{v}] dishwasher, ⟨BE⟩ washing-up machine

afwasmiddel [het] ⟨BE⟩ washing-up liquid, ⟨AE⟩ dishwashing liquid, detergent

[1]**afwassen** [onov ww] ⟨de afwas doen⟩ do/wash the dishes, ⟨BE ook⟩ wash up

[2]**afwassen** [ov ww] [1] ⟨door wassen reinigen⟩ wash (up), clean [2] ⟨door wassen verwijderen⟩ wash off/away ♦ ***vuil/bloed** van zijn handen afwassen* wash dirt/blood from his hands

afwasvod [het] ⟨in België⟩ dishcloth, dishrag
afwaswater [het] [1] ⟨water waarin men afwast⟩ dishwater, ⟨BE ook⟩ washing-up water [2] ⟨slecht(e) bier, koffie, thee⟩ dishwater, swill(ings), swash
afwateren [onov ww] drain ♦ *afwateren op een rivier* drain into a river
afwatering [de^v] [1] ⟨het afvoeren van water⟩ drainage, drainings, discharge, ⟨natuurlijk ook⟩ catchment [2] ⟨inrichting⟩ drainage, drains ♦ *een gemetselde afwatering* a brick drain
afwateringsbuis [de] drain(pipe), ⟨door muur/gat⟩ weeper
afwateringsgebied [het] drainage area
afwateringskanaal [het] drainage canal, sluice
afweer [de^m] defence, ⟨AE⟩ defense
afweergeschut [het] anti-aircraft guns, ⟨inf⟩ ack-ack guns
afweerhouding [de^v] defensive attitude
afweermechanisme [het] [1] ⟨psych⟩ defence/^{A}defense mechanism [2] ⟨med⟩ defence/^{A}defense mechanism
afweermiddel [het] prevent(at)ive measure (against), defence (against), ⟨insecten⟩ repellent, repellant
afweerraket [de] anti-aircraft missile
afweerreactie [de^v] [1] ⟨med⟩ immune response/reaction, immunoreaction [2] ⟨psych⟩ defensive reaction
afweerstof [de] antibody
afweersysteem [het] defence system, ⟨van lichaam⟩ immune system
afwegen [ov ww] [1] ⟨nauwkeurig wegen⟩ weigh [2] ⟨overwegen⟩ weigh (up), consider ♦ *rechten en plichten/de voor- en nadelen (tegen elkaar) afwegen* weigh/balance rights and obligations/the pros and cons against each other, weigh up the rights and obligations/pros and cons
afweging [de^v] ⟨het afwegen (tegen elkaar)⟩ assessment, appraisal, ⟨het bepalen⟩ determination, ⟨het overwegen, ook grond⟩ consideration ♦ *een afweging maken* consider/weigh the pros and cons, make a comparative assessment
1**afweken** [onov ww] ⟨week worden en loslaten⟩ come off, come unstuck/undone ♦ *de pleister is afgeweekt* the plaster has come off
2**afweken** [ov ww] ⟨week maken en verwijderen⟩ soak off, ⟨met stoom⟩ steam off, ⟨iets gelijmds⟩ unglue, ungum ♦ *een postzegel van een brief afweken* soak/steam a stamp off a letter
afwenden [ov ww] [1] ⟨in een andere richting wenden⟩ turn away/aside, ⟨blik/gedachten ook⟩ avert ♦ *het hoofd/de ogen afwenden* turn one's head/eyes away/aside, avert one's head/eyes, look away; *de ogen niet afwenden van iemand/iets* not/never take one's eyes off s.o./sth. (for a moment/second); *zich van iets afwenden* turn away from/evade sth., shirk sth.; *zich van iemand afwenden* wash one's hands of s.o., have nothing more to do with s.o. [2] ⟨afweren⟩ avert, ward/stave off, ⟨aanval ook⟩ parry
afwennen [ov ww] cure of, wean (away) from, ⟨gewoonte ook⟩ break of ♦ *zich het gokken afwennen* cure o.s. of gambling, break one's habit of gambling
afwentelen [ov ww] shift, transfer ♦ *de kosten werden op de huurders afgewenteld* the expenses were shifted on to/passed on to/transferred to the tenants; *de verantwoordelijkheid afwentelen op iemand anders* shift the responsibility on to s.o. else, transfer the responsibility to s.o. else; ⟨inf⟩ pass the buck (to s.o. else)
afweren [ov ww] [1] ⟨op een afstand houden⟩ keep off/away, hold off, ⟨fig⟩ fend/ward off ♦ *iemands kussen/liefkozingen afweren* fend off s.o.'s kisses/caresses; *nieuwsgierigen afweren* keep gapers/nosey parkers at a distance/away [2] ⟨zich verzetten tegen⟩ wave aside, ward/fend off, ⟨vragen⟩ parry ♦ *treurige gedachten afweren* ward/fend off melancholy thoughts; ⟨inf⟩ keep the blues away; *lastige vragen/aanzoeken afweren* parry/duck/wave aside tricky questions, evade/dodge/duck inconvenient requests [3] ⟨afslaan⟩ ward off, avert, parry, repel, repulse ♦ *een aanval/aanvaller afweren* repel an attack, repulse/repel/beat off an attacker; *gevaren/rampen afweren* avert/ward off/stave off dangers/disasters
afwerken [ov ww] [1] ⟨afmaken⟩ finish, complete ♦ *alle cafés afwerken* make a tour/do the rounds of all the pubs; ⟨fig⟩ *van afwerken houden* like to finish what one has started [2] ⟨de laatste hand leggen aan⟩ finish (off), add the finishing touch to ♦ *het afwerken van houtwerk* woodwork finishing; *iets netjes/grondig afwerken* finish sth. off nicely/neatly, make a good job of sth.; *een opstel/roman afwerken* add the finishing touches to an essay/a novel [3] ⟨volbrengen⟩ finish (off), complete, work/get through, dispatch, accomplish ♦ *een programma afwerken* work/get through/complete a programme; *heel wat afwerken* get a lot of work done; *hij werkt wat af!* he (sure) gets through some work!, he works like a horse!, he works night and day! [4] ⟨totaal gebruiken⟩ exhaust [5] ⟨uitputten⟩ exhaust, ⟨BE ook; inf⟩ fag out, overdrive, work to death ♦ *de paarden afwerken* overdrive the horses
afwerking [de^v] [1] ⟨handeling⟩ finish(ing), finishing touch, final stroke(s) ♦ *dat team is slecht in de afwerking* that team is weak/bad at scoring; *hij is aan de afwerking van zijn roman* he is putting the finishing touch/final strokes to his novel [2] ⟨wijze⟩ finish, workmanship ♦ *de afwerking van dit model is niet zo fraai* the finish/workmanship of this model is not very good [3] ⟨middel⟩ finish ♦ *koperen afwerking* brass finish
afwerklaag [de] finishing coat
afwerkplaats [de], **afwerkplek** [de] place where it is legal for prostitutes to have sex with their clients
afwerkplek [de] → **afwerkplaats**
afwerpen [ov ww] [1] ⟨afdoen⟩ throw off, cast, fling/toss/hurl off ♦ ⟨fig⟩ *een gevoel van ongerustheid niet van zich kunnen afwerpen* be unable to shake off a feeling of anxiety; *het masker afwerpen* throw off/drop the/one's mask; *veren/huid/hoorns afwerpen* moult; ⟨huid/hoorns ook⟩ cast (off)/shed one's skin/horns; ⟨huid ook⟩ slough, exuviate; *de wapens afwerpen* (throw) down one's weapons [2] ⟨van zich werpen⟩ throw away, cast/fling/toss/hurl away ♦ *appels/peren enz. afwerpen* drop/shed apples/pears; ⟨fig⟩ *alle verantwoordelijkheid van zich afwerpen* deny all responsibility [3] ⟨voortbrengen, opleveren⟩ yield, bear [4] ⟨naar beneden werpen⟩ throw down, cast/fling/toss/hurl down ♦ *het paard wierp zijn ruiter af* the horse threw (off)/bucked off its rider; *zich van een hoogte afwerpen* throw/cast/fling o.s. down from a height
afweten [ww] [•] *het laten afweten* ⟨het niet doen⟩ fail, play up, refuse to work; ⟨niet op komen dagen⟩ beg/cry off, not show (up)
afwezig [bn] [1] ⟨absent⟩ absent, ⟨ontbrekend ook⟩ wanting, ⟨weg⟩ away, gone ♦ *in een vergadering afwezig zijn* be/^{B}go absent at a meeting; *hij is op het ogenblik afwezig* he's away/out/not in at the moment; *de secretaris noteert de afwezige leden* the Secretary records the absent members [2] ⟨verstrooid⟩ absent(-minded), preoccupied, abstracted, inattentive, distracted ♦ *afwezige blikken* absent/abstracted/far-away/distracted looks; *afwezig voor zich uit staren* stare absently/abstractedly in front of one
afwezige [de] [1] ⟨iemand die absent is⟩ absentee ♦ *X was de grote afwezige* X was conspicuous by his absence; *de afwezigen* those absent, the absentees; *de afwezigen hebben altijd ongelijk* the/those absent are always in the wrong/at fault, the absent party is always to blame [2] ⟨jur⟩ ⟨heeft woonplaats verlaten⟩ absentee, ⟨niet verschenen⟩ absent party
afwezigheid [de^v] [1] ⟨absentie⟩ absence, non-attendance, ⟨jur ook; van getuige⟩ non-appearance ♦ *schitteren door afwezigheid* be conspicuous by one's/its absence; *ge-*

durende/tijdens iemands afwezigheid during s.o.'s absence; *in afwezigheid* in absentia; *in/bij afwezigheid van* in the absence of; *afwezigheid met verlof* leave (of absence) [2] ⟨verstrooidheid⟩ absent-mindedness, inattention ♦ *in een ogenblik van afwezigheid* in a forgetful moment, in a momentary abstraction/fit of absent-mindedness [3] ⟨het ontbreken⟩ absence, non-existence ♦ *de afwezigheid van sleutelbeenderen bij hoefdieren* the absence of clavicles/collar bones in hoofed animals

afwijken [onov ww] [1] ⟨een andere richting nemen⟩ ⟨ook fig⟩ deviate (from), ⟨onderwerp⟩ depart (from), ⟨weg, lichtstraal⟩ deflect, ⟨lijn e.d.⟩ diverge (from) ♦ *doen afwijken* deflect, divert, turn (away); *een kompas/kogel wijkt soms af* a compass/bullet sometimes deviates/wanders/drifts off; ⟨fig⟩ *van de hoofdzaken afwijken* ⟨in een betoog/verhaal⟩ depart/drift away/wander away from the essentials; *van de rechte koers afwijken* ⟨van schepen⟩ deviate/depart from a straight course; ⟨fig⟩ *van de goede weg/het rechte pad afwijken* depart/deviate/swerve from the right way/path [2] ⟨niet overeenkomen⟩ differ, deviate, vary, ⟨mening⟩ dissent, ⟨theorie, mening⟩ be at variance (with), ⟨persoon⟩ disagree (with) ♦ *van de waarheid afwijken* deviate/swerve/veer away from the truth [3] ⟨tegengesteld handelen aan⟩ deviate, depart, swerve ♦ *iemand van zijn voornemen doen afwijken* turn s.o. from his resolution; *van de regel afwijken* deviate from/break the rule; *van een voornemen afwijken* depart/swerve/turn away from a resolution; *van het goede voorbeeld van iemand afwijken* deviate/slip away from s.o.'s good example

afwijkend [bn] deviant, divergent, anomalous, aberrant ⟨ook biologie⟩ ♦ *afwijkend gedrag* deviant/aberrant behaviour; *afwijkende lezingen* variant/different readings; *een afwijkende mening* a deviating/divergent/dissenting/dissentient/different opinion; *afwijkende uitkomsten* erratic results; *afwijkend van het normale* out of the ordinary, deviating from the norm

afwijking [de^v] [1] ⟨het afwijken van een richting⟩ deviation, deflection, divergence ♦ *de afwijking van het kompas* the declination of the compass; *de afwijking van lichtstralen* the aberration/deflection of rays of light [2] ⟨wat niet overeenkomstig de norm is⟩ defect, abnormality, aberration, anomaly ♦ *een aangeboren lichamelijke afwijking* a congenital physical defect; *erfelijke afwijking* hereditary/inherited defect/abnormality; *een geestelijke afwijking* a mental aberration/twist/abnormality [3] ⟨het niet volgen van een regel, norm⟩ departure ♦ *in afwijking van de regel* in contravention to/contrary to the rule, as a departure from the rule; *afwijkingen van waarheid/recht* departures from truth/justice [4] ⟨verschil⟩ difference, variance, variation ♦ *een (geringe) afwijking vertonen van* differ/deviate (slightly) from

afwijzen [ov ww] [1] ⟨niet toelaten⟩ not admit, refuse admittance to, turn away ♦ *iemand als lid (van een vereniging) afwijzen* not admit s.o. as a member (of an association), refuse s.o. membership; *drie sollicitanten werden direct al afgewezen* three applicants were rejected outright; ⟨fig⟩ *als Turkije afgewezen wordt door de EU* if Turkey is rebuffed by the EU [2] ⟨een graad, bevoegdheid niet toekennen⟩ fail, reject ♦ *kandidaten afwijzen* fail candidates; *afgewezen worden* fail (in an examination) [3] ⟨weigeren⟩ refuse, decline, reject, ⟨verwerpen⟩ repudiate ♦ *een aanbod/beloning afwijzen* decline an offer/a reward; *een afwijzend antwoord* a refusal; *op een verzoek afwijzend beschikken* refuse/reject a request; *een afwijzende beschikking* a refusal/rejection; *hij maakte een afwijzend gebaar* he waved it aside; ⟨fig⟩ *iemand/iemands hand afwijzen* reject s.o./s.o.'s hand; *mededelingen/geruchten afwijzen* disclaim communications/rumours; *afwijzend staan tegenover* be opposed to, be unfavourably disposed towards; *een verzoek/uitnodiging/voorstel afwijzen* refuse/turn down a request, decline an invitation/a proposal [4] ⟨jur⟩ dismiss ♦ *een afwijzend vonnis* dismissal

afwijzing [de^v] [1] ⟨het niet toelaten⟩ refusal, rejection, denial ♦ *alleen maar afwijzingen ontvangen op zijn sollicitaties* encounter/meet nothing but rejections to one's applications [2] ⟨weigering⟩ refusal, rejection, ⟨verwerping⟩ repudiation, denial

afwikkelen [ov ww] [1] ⟨afwinden⟩ unwind, unroll, wind off, uncoil ♦ *het papier van een pakje afwikkelen* remove the paper from/unwrap (the paper from) a package [2] ⟨afhandelen⟩ complete, settle, ⟨inf⟩ wind up ♦ *een boedel/nalatenschap afwikkelen* wind up/liquidate/administer an estate/inheritance; *een contract afwikkelen* settle a contract; *een faillissement afwikkelen* complete/wind up bankruptcy proceedings; *een kwestie afwikkelen* settle a question; *een transactie afwikkelen* carry through/complete a transaction; *de lopende zaken afwikkelen* settle/complete/wind up current business

afwikkeling [de^v] winding up, settlement, ⟨boedel⟩ liquidation, ⟨contract⟩ completion, fulfilment, ⟨AE⟩ fulfillment ♦ *de afwikkeling van een faillissement* the completion of bankruptcy proceedings

afwimpelen [ov ww] ⟨voorstel⟩ not follow up, pass over, ⟨uitnodiging⟩ find an excuse (not to accept), ↓ get out of

afwinden [ov ww] unwind, unreel, wind/reel off ♦ *garen/wol/touw/geweven stoffen afwinden* unwind yarn/wool/rope/fabrics; ⟨fig⟩ *een kluwen afwinden* unravel a tangle/mess; *een streng/klos afwinden* unwind a strand/bobbin/reel/spool

¹afwisselen [onov ww] [1] ⟨beurtelings voorkomen⟩ alternate ♦ *hoogbouw wisselt hier af met laagbouw* here high-rise (building) alternates with low-rise, here high and low alternate [2] ⟨telkens anders worden⟩ vary

²afwisselen [ov ww] [1] ⟨beurtelings opvolgen⟩ alternate with, succeed, take turns, ⟨aflossen⟩ relieve ♦ *de ene regenbui wisselde de andere af* one shower followed/succeeded the other; *elkaar afwisselen* relieve each other, take turns/each other's place; *vocale en instrumentale muziek wisselden elkaar af* vocal and instrumental music alternated (with each other), it was a mixture of singing and instrumental music; *een zangkoor wisselde de sprekers af* the choir alternated with the speakers, the choir and speakers took it in turns [2] ⟨variëren⟩ vary, diversify ♦ *zijn studie/werk afwisselen met vermaak/plezier* relieve one's study/work with relaxation, combine business with pleasure

¹afwisselend [bn] [1] ⟨elkaar vervangend, opvolgend⟩ alternate ♦ *afwisselend rijm* alternating rhyme [2] ⟨gevarieerd⟩ varied, diversified, variegated ♦ *een afwisselend leven* a varied life

²afwisselend [bw] ⟨beurtelings⟩ alternately, by turns, in turn

afwisseling [de^v] [1] ⟨opeenvolging⟩ alternation [2] ⟨variatie, verandering⟩ variety, variation, change ♦ *afwisseling brengen (in het leven)* provide variety/variation, give life variety/variation; *ter/tot afwisseling* as/for a change, by way of (a) change, for variety's sake; *afwisseling vertonen* be varied; *voor de afwisseling* for a change; *een welkome afwisseling vormen* make a welcome change, give (a) welcome relief [3] ⟨verscheidenheid⟩ diversity, variety ♦ *een bonte afwisseling* a motley variety/collection

afwissen [ov ww] ⟨form⟩ [1] ⟨afvegen⟩ wipe (off), mop ♦ *zijn mond/voorhoofd afwissen* wipe one's mouth, mop one's forehead [2] ⟨wegnemen⟩ wipe (out) ♦ *iemands tranen afwissen* wipe away/dry s.o.'s tears

afworpsnelheid [de^v] ⟨sport⟩ speed/velocity of delivery, delivery speed/velocity

afwrijven [ov ww] [1] ⟨door wrijven verwijderen⟩ rub (off) ♦ *een vlek van iets afwrijven* rub a stain off sth. [2] ⟨wrijvend afvegen⟩ rub off/down, ⟨om te doen glimmen⟩ polish ♦ *er afwrijven* rub off; *de tafel afwrijven* polish (up) the table

afz. [de^{m}] (afzender) sender

afzadelen [ov + onov ww] unsaddle

afzagen [ov ww] [1] ⟨met een zaag afsnijden⟩ saw (off) ◆ *een stuk van een plank/een tak van een boom afzagen* saw a piece off a board/plank, saw a branch off a tree; ⟨fig⟩ *iemand bij de enkels afzagen* ⟨voetb⟩ bring s.o. down; ⟨genadeloos bekritiseren⟩ pull s.o. to pieces, criticize s.o. mercilessly [2] ⟨met een zaag verkorten⟩ saw down, shorten ◆ *een boomstam/plank afzagen* saw down/shorten a trunk/board/plank

afzakken [onov ww] [1] ⟨afglijden⟩ come down, slip/slide down ◆ *de smeltende sneeuw zakte langs het dak af* the melting snow slid down/off the roof; *zich laten afzakken* ⟨naar beneden⟩ let o.s. down; ⟨achteraan gaan rijden/lopen⟩ fall behind [2] ⟨stroomafwaarts drijven⟩ drift down ◆ *afzakken met/voor de stroom* go with/be taken by the current [3] ⟨slechter worden⟩ fall back, slip/sink downwards ◆ *het niveau begint af te zakken* the level is beginning to drop/fall/subside; *de ploeg zakte af tot een bedenkelijk peil* the team fell back to an alarming level [4] ⟨komen naar⟩ go/come down (to)

afzakkertje [het] ⟨inf⟩ ⟨vóór vertrek/afscheid⟩ one for the road, ⟨voor het naar bed gaan⟩ nightcap

^{1}**afzeggen** [ov ww] [1] ⟨meedelen dat iets niet doorgaat⟩ cancel ◆ *een bestelling afzeggen* countermand/cancel an order; *een vergadering afzeggen* cancel a meeting [2] ⟨opzeggen⟩ cancel, discontinue ◆ *de glazenwasser afzeggen* cancel the window-cleaner [3] ⟨verloochenen⟩ give up

^{2}**afzeggen** [ov ww, ook abs] ⟨meedelen dat men niet komt⟩ call/cry off ◆ *onze gast heeft (het) afgezegd* our guest has called (it) off; *afzeggen voor een vergadering* send apologies for absence from a meeting

afzegging [de^{v}] [1] ⟨mededeling dat iets niet doorgaat⟩ cancellation, countermand [2] ⟨mededeling dat men niet komen kan⟩ apology [3] ⟨in België; verloochening⟩ denial

afzeiken [ov ww] ⟨inf⟩ put down, ⟨vulg⟩ shit all over ◆ *zich niet laten afzeiken* not let o.s. be put down, not let them/people shit all over one

^{1}**afzeilen** [onov ww] [1] ⟨ergens heen zeilen⟩ sail (away) ◆ *naar een bestemming afzeilen* sail/make for a destination; ⟨fig⟩ *op iemand afzeilen* sail up to/make for s.o.; *van een haven afzeilen* leave a port [2] ⟨stroomafwaarts zeilen⟩ ⟨rivier⟩ sail down

^{2}**afzeilen** [ov ww] ⟨zeilend afleggen⟩ sail

afzenden [ov ww] [1] ⟨verzenden⟩ send (off), forward, dispatch, ⟨per schip⟩ ship ◆ *goederen/brieven/berichten afzenden* send/forward goods/letters, dispatch news [2] ⟨met een opdracht op pad sturen⟩ send (to) ◆ *iemand erop afzenden* send s.o. to it

afzender [de^{m}], **afzendster** [de^{v}] sender, ⟨goederen⟩ consignor, shipper ◆ *afzender* ⟨achterop brief⟩ sent by ..., from ..., sender

afzendster [de^{v}] → **afzender**

afzet [de^{m}] [1] ⟨het verkopen⟩ sale, market [2] ⟨verkochte waren⟩ sales [3] ⟨het zich afzetten bij het springen⟩ take-off, ⟨gymn⟩ push-off

afzetbaar [bn] removable, deposable ◆ *een afzetbaar ambtenaar* a removable/an untenured civil servant; *de rechterlijke macht is niet afzetbaar* the judiciary cannot be removed from office

afzetbaarheid [de^{v}] removability

afzetbalk [de^{m}] ⟨sport⟩ take-off board

afzetbeen [het] ⟨atl⟩ take-off leg

afzetbevordering [de^{v}] sales promotion

afzetgebied [het] outlet, opening, market ◆ *in de afzetgebieden* in the trading/marketing/selling areas; *een nieuw afzetgebied zoeken/vinden* seek/look for/find a new outlet/market/opening

afzetkanaal [het] sales channel, sales outlet, distribution channel

afzetkosten [de^{mv}] sales costs

afzetmarkt [de] market

afzetmogelijkheid [de^{v}] potential market, new outlet, sales potential

afzetster [de^{v}] → **afzetter**

^{1}**afzetten** [onov ww] ⟨zich afzetten voor een sprong⟩ take off

^{2}**afzetten** [ov ww] [1] ⟨afnemen en ergens neerzetten⟩ take (off), remove ◆ *het geweer afzetten* order arms [2] ⟨buiten werking stellen⟩ ⟨radio, motor⟩ switch off, turn off, ⟨motor ook⟩ stop, ⟨telefoon, alarm⟩ disconnect [3] ⟨amputeren⟩ amputate, cut off ◆ *iemand lelijk afzetten* make s.o. pay through the nose [4] ⟨ontfutselen⟩ cheat (out of), swindle (out of) ◆ *iemand een duur etentje/tien euro afzetten* swindle/cheat/do s.o. out of an expensive dinner-party/ten euros, do s.o. for an expensive dinner-party/ten euros [5] ⟨oplichten⟩ cheat, swindle, ⟨klanten⟩ overcharge, ⟨inf⟩ rip off, fleece ◆ *je moet je niet overal zo laten afzetten!* don't pay through the nose for everything!, ⟨inf⟩ don't go paying through the nose for everything!, don't let them rob you!, ⟨inf⟩ don't let them rob you blind!; *een klant voor tien euro afzetten* cheat a customer out of ten euros, overcharge a customer ten euros [6] ⟨afscheiden⟩ enclose, fence off/in, ⟨toegangsweg⟩ block/close/cordon off ◆ *een bouwterrein afzetten* fence off/enclose a building site; *de straat was afgezet met soldaten* the street was lined with soldiers; *een viswater afzetten* net a fishing-water [7] ⟨van, tegen iets afduwen⟩ push off ◆ *een sloep/boot afzetten* push off a sloop/boat; ⟨voetb⟩ *een speler van de bal afzetten* gain possession (of the ball), take the ball away from an opponent; ⟨ruw⟩ barge a player off the ball; *zich afzetten* take off; *zich afzetten tegen (iets/iemand)* be opposed to/react against (sth./s.o.) [8] ⟨uit zijn ambt ontzetten⟩ dismiss, remove, ⟨officier⟩ cashier, ⟨koning, president⟩ depose ◆ *een koning afzetten* dethrone/depose a king [9] ⟨op enige afstand plaatsen⟩ put/move away (from), take (from) ◆ *de stoelen van de muur afzetten* place the chairs away from the wall/bring the chairs out from the wall/forward; *dat moet je van je af (kunnen) zetten* (you ought to) get that out of your mind/head/clear your mind of it; ⟨fig⟩ *zorgen/kwellende gedachten van zich afzetten* put away cares/harassing thoughts from one, dismiss cares/harassing thoughts from one's mind [10] ⟨laten uitstappen⟩ drop, set/put down, put off ◆ *een passagier bij de halte afzetten* let a passenger off at a stop, ↑ let a passenger down at a stop; *een vriend thuis afzetten* drop a friend at his home/house [11] ⟨markeren⟩ mark (out) ◆ *een landkaart afzetten* mark (out) a map; *de met geel en rood afgezette wagens* the carriages/cars with yellow and red markings; ⟨fig⟩ *twee visies tegen elkaar afzetten* set two opinions alongside each other, compare/contrast two opinions [12] ⟨omboorden⟩ set off, trim ◆ *een jas, afgezet met bont* a coat trimmed with fur, a fur-trimmed coat; *de zoom van een japon afzetten* trim the hem of a dress [13] ⟨van de hand doen⟩ dispose of, sell [14] ⟨de afmetingen, het verloop aanduiden⟩ set out, mark out, ⟨afbakenen⟩ peg/stake out ◆ *een vaarwater afzetten met boeien* buoy a waterway [15] ⟨laten bezinken, neerslaan⟩ deposit ◆ *het vuil zet zich tegen de wand af* the dirt clings/forms a deposit on the wall

afzetter [de^{m}], **afzetster** [de^{v}] cheat, swindler, shady dealer

afzetterij [de^{v}] swindle, cheat, extortion, ⟨inf⟩ rip-off

afzetting [de^{v}] [1] ⟨amputatie⟩ amputation [2] ⟨ontslag⟩ dismissal, removal, ⟨koning, president⟩ deposition [3] ⟨het neerslaan, bezinken⟩ deposition [4] ⟨neerslag, bezinksel⟩ (sedimentary) deposit, sediment [5] ⟨omheining⟩ enclosure, fence, ⟨politie⟩ cordon

afzettingsgesteente [het] ⟨geol⟩ sedimentary rock

afzichtelijk [bn, bw] hideous ⟨bw: ~ly⟩, horrible, ghastly ◆ *afzichtelijk ergens bij afsteken* contrast horribly with; *hij heeft iets afzichtelijks* there is sth. hideous/horrible/ghastly about him; *een afzichtelijk **individu*** a hideous character

afzichtelijkheid [de^v] [1] ⟨hoedanigheid⟩ hideousness, ghastliness [2] ⟨zaak, toestand, voorstelling⟩ atrocity ♦ *een schrijver die maar al te graag afzichtelijkheden **schildert*** an author who enjoys portraying atrocities/revels in lurid details

¹**afzien** [onov ww] [1] ⟨+ van⟩ ⟨niet doorgaan met⟩ abandon, give up, ⟨afstand doen van⟩ ↑ renounce, ↑ waive, ↑ relinquish, ↑ forgo ⟨bijvoorbeeld rechten⟩ ♦ *iemand **doen** afzien van iets* make s.o. abandon/give up sth.; ⟨ompraten⟩ argue/talk s.o. out of sth.; *naderhand zagen ze **er** toch **van** af* afterwards they thought better of it/decided not to/didn't (do it); ⟨afspraak ook⟩ afterwards they backed out (of it)/ cried off; ***van** iemand afzien* decide not to engage s.o., turn s.o. down; ***van** een voornemen afzien* abandon a resolution; ***van** rechtsvervolging afzien* decide not to prosecute; ⟨form⟩ forbear (from) prosecution; ***van** het ministerschap afzien* renounce the ministership/ministry [2] ⟨sport⟩ have a hard/ tough time (of it), really go through it, sweat it out ♦ ⟨fig⟩ *dat **wordt** afzien* we'll/you'll have to give all we've/you've got, we'd/you'd better roll up our/your sleeves

²**afzien** [ov ww] [1] ⟨te lang bekijken⟩ see more than enough of [2] ⟨in zijn geheel overzien⟩ look right across/ down/along/over ♦ *in een uur **kan** men heel wat afzien* you can see a lot in one hour [•] *je ziet het nieuwe er niet **aan** af* you can't tell it's new by the look of it

afzienbaar [bn] surveyable, manageable ♦ *in/binnen afzienbare **tijd*** in the near future, within the foreseeable/not too distant future; *een nauwelijks afzienbare **vlakte*** a plain that extends almost further than the eye can see, ↑ a plain that extends almost beyond the reach of the eye

afzijdig [bn] aloof ♦ *zich afzijdig **houden** van de anderen* keep o.s. apart from the others, not mix with the others; *zich strikt afzijdig **houden in** ruzies* stand severely aloof from/take no part in/keep well away from disputes; *zich afzijdig **houden** van, afzijdig **blijven** van* keep/hold/stand aloof from

afzinken [ov ww] sink down

afzoeken [ov ww] search, ⟨bos ook⟩ beat, ⟨streek⟩ scour ♦ ***alles** afzoeken* look/search high and low, look/search all over the place; *de **horizon** afzoeken (met de blik)* scan the horizon (with the eyes); *de agenten zochten het hele huis af **naar** drugs* the police(men) searched the whole house for drugs

afzoenen [ov ww] [1] ⟨door zoenen goedmaken⟩ kiss away ♦ ***het** afzoenen* ⟨na ruzie⟩ kiss and be friends (again), kiss and make up; ⟨bijvoorbeeld na stoten, van een kind⟩ kiss the pain away; *de **pijn** afzoenen* ⟨bij een kind⟩ kiss the pain away [2] ⟨door zoenen wegnemen⟩ kiss away ♦ *de **tranen** van iemands wangen afzoenen* kiss away the tears from s.o.'s cheeks [3] ⟨veelvuldig zoenen⟩ kiss a lot [•] ***elkaar** afzoenen* cover each other with kisses

¹**afzonderen** [ov ww] [1] ⟨op een afzonderlijke plaats zetten⟩ separate (from), single out [2] ⟨apart zetten en houden⟩ isolate, segregate, place/set apart ♦ *zijn **kinderen** afzonderen* isolate one's children; *de zieke **koeien** afzonderen* isolate the sick cows [3] ⟨met een schot afscheiden⟩ partition off [4] ⟨uit een mengsel, verbinding afscheiden⟩ separate, isolate ♦ *metaal **uit** erts afzonderen* extract/separate/ isolate metal from ore

²**zich afzonderen** [wk ww] ⟨m.b.t. personen⟩ separate/ seclude o.s. (from), retire/withdraw (from) ♦ *hij zondert zich **graag** af* he's withdrawn/a withdrawn person, he keeps (himself) to himself; ⟨fig⟩ *zich **in** de geest afzonderen* withdraw into o.s.; *ik **kan** me nergens afzonderen* I've no privacy, I can't find privacy anywhere; *zich **van** de wereld afzonderen* seclude o.s./retire/withdraw from the world; *zich **van** een gezelschap afzonderen* separate/detach o.s. from a party

afzondering [de^v] [1] ⟨handeling⟩ separation, isolation, seclusion ♦ *afzondering van de besmettelijke **zieken** van de anderen is noodzakelijk* isolation/separation of the contagious patients from the others is imperative/essential [2] ⟨toestand⟩ isolation, seclusion ♦ ⟨jur⟩ *gevangenisstraf **in** afzondering ondergaan* serve one's sentence in solitary confinement; ***in** afzondering leven/zijn dagen doorbrengen* live in/ spend one's days in seclusion, lead a secluded/withdrawn/hermit's life; ***in strikte/strenge** afzondering* in close confinement/strict isolation [3] ⟨uit mengsel, verbinding⟩ separation, isolation

¹**afzonderlijk** [bn] [1] ⟨op zichzelf staande, beschouwd⟩ separate, individual, single ♦ *de keuze wordt aan de ouders van ieder afzonderlijk **kind** overgelaten* the choice is left to the parents of each individual child [2] ⟨bestemd voor een bijzonder doel⟩ separate ♦ *afzonderlijke **scholen** voor protestanten en katholieken* separate schools for protestants and catholics; *het bestuur heeft een afzonderlijk **vergaderlokaal*** the board has a separate/its own meeting room [3] ⟨niet gezamenlijk gedaan, geuit⟩ private ♦ *een afzonderlijk **gesprek*** a private interview; *een afzonderlijk **verdrag*** a separate treaty; ⟨jur⟩ *een afzonderlijk **verhoor*** a separate interrogation

²**afzonderlijk** [bw] ⟨alleen⟩ apart, separately, singly, individually ♦ *(met) iemand afzonderlijk **spreken*** speak to s.o. individually/privately; *een geschrift afzonderlijk **uitgeven*** publish a paper separately; *de kleintjes **zitten** afzonderlijk* the little ones are sitting apart/on their own

afzuigen [ov ww] [1] ⟨door zuigen verwijderen⟩ suction (out), extract/remove (by suction), ⟨techn⟩ exhaust [2] ⟨seksueel bevredigen⟩ suck off, go down on, ⟨AE ook⟩ blow ♦ ***iemand** afzuigen* suck s.o. off, give s.o. a blowjob

afzuigkap [de] cooker (hood), range hood, ⟨in fabriek⟩ exhaust hood

afzuigmethode [de^v] ⟨abortus⟩ vacuum method

afzwaaien [onov ww] [1] ⟨mil⟩ ↑ be discharged, ↑ leave the service, ⟨BE ook⟩ go back to civvy street [2] ⟨vertrekken uit een functie⟩ ⟨alg⟩ leave, ⟨met pensioen gaan⟩ retire

afzwaaier [de^m] [1] ⟨mil; persoon⟩ s.o. leaving the service [2] ⟨schot⟩ hopeless miss ♦ *een paar afzwaaiers **produceren*** produce a couple of shots that go wide

¹**afzwakken** [onov ww] ⟨zwakker worden, van wind⟩ subside, abate, decrease, slacken

²**afzwakken** [ov ww] ⟨zwakker maken⟩ weaken, mitigate, tone/play down ♦ *de scherpe **toon** van die brief afzwakken* soften the sharp tone of that letter, tone down the sharpness of that letter

afzwakking [de^v] [1] ⟨zwakker worden, van wind⟩ decrease/slackening (in) [2] ⟨zwakker maken⟩ ⟨argument, mening⟩ weakening, toning down, qualifying

¹**afzwemmen** [onov ww] [1] ⟨wegzwemmen⟩ swim away (from) [2] ⟨de zwemtocht beginnen⟩ swim off, start [3] ⟨stroomafwaarts zwemmen⟩ swim down ♦ *hij wilde de **rivier** afzwemmen* he wanted to swim down the river [4] ⟨m.b.t. het zwemdiploma⟩ take the final swimming test ♦ *morgen moeten de **kinderen** afzwemmen* the children will have to take the final swimming test tomorrow

²**afzwemmen** [ov ww] ⟨ten einde zwemmen⟩ swim

afzwenken [onov ww] [1] ⟨zijwaarts afslaan⟩ turn off [2] ⟨zich zwenkend verwijderen⟩ turn away

afzweren [ov ww] [1] ⟨onder ede verwerpen⟩ forswear, abjure, renounce ♦ ⟨fig⟩ *de **drank/het drinken** afzweren* swear off drink(ing), take the oath; ⟨form⟩ renounce drink(ing); *zijn **familie/naam** afzweren* repudiate/disown one's father/name; *zijn **geloof/beginselen** afzweren* fall away from/renounce one's faith/principles; *het **kwaad/kwalijke praktijken** afzweren* forswear/renounce evil (practices); ***rechten/aanspraken/eisen** afzweren* renounce rights/claims; ⟨fig⟩ *de **wereld** afzweren* renounce the world [2] ⟨m.b.t. een regerend vorst⟩ abjure

a.g. [afk] ⟨dram⟩ (als gast) guest artist

¹**agaat** [de^m] ⟨siersteen⟩ agate

[2]**agaat** [het] ⟨gesteente⟩ agate
Agalev [het] ⟨in België; pol⟩ (Anders Gaan Leven) ± the Green Party, Flemish Green/Ecological Party
agamie [de^{v}] agamy
agaragar [de] agar(-agar)
agave [de] agave
agekey [de^{m}] device to prevent minors purchasing restricted goods from vending machines
agenda [de] [1] ⟨notitieboekje⟩ ⟨BE⟩ diary, ⟨AE⟩ (pocket) calendar ♦ *een druk **bezette** agenda hebben* have a busy schedule; ***elektronische** agenda* organizer; *schrijf het maar **in** je agenda* note it in your diary/memo-book [2] ⟨lijst van te bespreken onderwerpen⟩ agenda, order of business ♦ ***geheime/verborgen** agenda* hidden agenda; ***op** de agenda staan* be on the agenda, come up for discussion; *hoog **op** de agenda staan* be high on the agenda; *wat staat er voor vanmiddag **op** de agenda?* what will be the business of this afternoon's meeting?, what will appear on this afternoon's agenda?, what have we got to do this afternoon? [3] ⟨lijst van ingekomen (post)stukken⟩ (list of) incoming mail, ⟨BE ook⟩ (list of) incoming post/items ⟨enz.⟩
agendapunt [het] agenda item, item on the agenda ♦ ***alle** agendapunten* all the items/all the business on the agenda
agenderen [ov ww] [1] ⟨een lijst maken van⟩ list (the (agenda) items) [2] ⟨op de agenda plaatsen⟩ place/put/enter on the agenda
agenesie [de^{v}] ⟨med⟩ agenesis
agens [het] [1] ⟨werkende oorzaak of kracht⟩ agent [2] ⟨scheik⟩ agent [3] ⟨med⟩ agent
agent [de^{m}], **agente** [de^{v}] [1] ⟨politieagent⟩ ⟨man⟩ policeman, ⟨vrouw⟩ policewoman, ⟨BE ook; man & vrouw⟩ constable, ⟨inf; man & vrouw; BE⟩ bobby ♦ *een **bereden** agent* a mounted policeman; ***dag** agent!* constable!, officer!; ***oom** agent* bobby; *agentje **pesten*** cop-baiting; *agenten van **politie*** policemen; *een **stille** agent, een agent in **burger*** a plain-clothes policeman [2] ⟨vertegenwoordiger⟩ agent ♦ *agent van de Nederlandsche **Bank*** an agent for the 'Nederlandsche Bank'; ***hoofdagenten** en agenten* distributors and dealers [3] ⟨iemand in diplomatieke, politieke dienst⟩ agent ♦ *een agent van de **CIA/BVD/KGB*** a CIA/BVD/KGB agent; *een **consulair** agent* a consular agent; *een **geheim** agent* a secret agent, a spy
agente [de^{v}] → **agent**
agentschap [het] [1] ⟨betrekking⟩ agency ♦ *hij heeft het agentschap van de **Volkskrant*** he has the agency for the 'Volkskrant' [2] ⟨kantoor⟩ branch (office)
agentuur [de^{v}] [1] ⟨betrekking, optreden⟩ agency [2] ⟨handelsvertegenwoordiging, bedrijf⟩ agency ♦ *het agentuur **aannemen/op zich nemen** voor* accept/undertake the agency for; *dit kantoor heeft verschillende **buitenlandse** agenturen* this office has several agencies abroad
ageren [onov ww] agitate, manoeuvre, ⟨AE⟩ maneuver, (carry on a) campaign ♦ ***gaan** ageren tegen* start an agitation against; ***openlijk** gaan ageren tegen* take open action against; ***tegen** iemand ageren* (carry on/lead a) campaign against s.o.; ⟨jur⟩ bring an action against s.o.; ***tegen** iemands verkiezing/plannen ageren* manoeuvre against s.o.'s election/plans; *er werd sterk geageerd **voor*** there was a strong agitation for; *achter de schermen ageren* pull strings, campaign behind the scenes
agglomeraat [het] [1] ⟨opeenhoping⟩ agglomerate, conglomerate, agglomeration ♦ *het is een agglomeraat **van** mensen uit allerlei landen* it is a conglomerate of people from all kinds of countries [2] ⟨geol⟩ agglomerate
agglomeratie [de^{v}] [1] ⟨uitwendige aanzetting, opeenhoping⟩ agglomerate, agglomeration [2] ⟨steden en voorsteden⟩ conurbation, conglomerate ♦ *de agglomeratie van **Brussel*** the greater Brussels, Brussels metropolitan area
agglutinatie [de^{v}] [1] ⟨samenklontering⟩ agglutination [2] ⟨taalk⟩ agglutination
[1]**agglutineren** [onov ww] ⟨samenklonteren⟩ agglutinate ♦ *agglutinerende rode **bloedlichaampjes*** agglutinating red blood corpuscles
[2]**agglutineren** [ov ww] ⟨doen samenklonteren⟩ agglutinate ♦ ⟨taalk⟩ *agglutinerende **talen*** agglutinative/agglutinate languages
agglutinine [de^{v}] agglutinin
agglutinogeen [het] ⟨biol⟩ agglutinogen
aggravatie [de^{v}] aggravation
aggregaat [het] [1] ⟨vereniging, ophoping⟩ aggregate, combination [2] ⟨bodemkunde⟩ aggregate [3] ⟨geol⟩ aggregate [4] ⟨toeslagstof bij betonbereiding⟩ aggregate [5] ⟨samenstel van werktuigen⟩ aggregate, unit, set [6] ⟨in België; onderwijsbevoegdheid⟩ ± diploma in education, teaching/teacher's certificate [7] ⟨in België; studierichting⟩ teacher training (programme/^{A}program)
aggregatie [de^{v}] [1] ⟨samenvoeging⟩ aggregation [2] ⟨plantk⟩ aggregation [3] ⟨med⟩ aggregation, coagulation [4] ⟨opneming in een lichaam, stand⟩ admission (to) ♦ *de aggregatie van baron A. **in de orde*** the admission of Baron A. to the order [5] ⟨in België; onderwijsbevoegdheid⟩ ± diploma in education, teaching/teacher's certificate [6] ⟨in België; studierichting⟩ teacher training (programme/^{A}program)
aggregatietoestand [de^{m}] ⟨natuurk⟩ state of aggregation, physical condition/state
agile [bw] ⟨muz⟩ agilmente, agilement
agio [het] ⟨handel, fin⟩ premium, agio ♦ *agio **doen*** be/stand at a premium; *10 % agio **doen*** be quoted at a premium of 10 per cent
agiobonus [de^{m}] capitalized share, premium reserve
agioreserve [de] share premium reserve
agioteren [onov ww] speculate in stock exchange securities, speculate in foreign exchange, ⟨pej; AE⟩ be a stockjobber
agioteur [de^{m}] agio-jobber, stock-gambler, ⟨pej; AE⟩ stockjobber
agitatie [de^{v}] [1] ⟨opwinding⟩ agitation, excitement ♦ *de uitslag zorgde voor enige agitatie **onder** de toeschouwers* the outcome caused some excitement among the spectators [2] ⟨onrust⟩ agitation, commotion, unrest ♦ *ten gevolge van de staking nam de agitatie **onder** de bevolking snel toe* as a result of the strike the agitation among the population rapidly increased [3] ⟨het agiteren⟩ agitation
agitator [de^{m}] [1] ⟨persoon⟩ agitator ♦ *een **communistisch** agitator* a communist agitator, an agitprop [2] ⟨trommel voor het vervoer van betonspecie⟩ truck mixer
[1]**agiteren** [onov ww] ⟨onrust stoken⟩ agitate
[2]**agiteren** [ov ww] ⟨in een staat van opwinding brengen⟩ agitate, excite, (a)rouse ♦ *geagiteerd **zijn*** be in a flutter
agitprop [de] agitprop
agnaten [de^{mv}] agnates
agnatisch [bn] agnate, agnatic
agnitie [de^{v}] agnition
agnosie [de^{v}] [1] ⟨onwetendheid⟩ ignorance [2] ⟨onvermogen om zintuigindrukken te herkennen⟩ agnosis, agnosia
agnosticisme [het] ⟨filos⟩ agnosticism
agnosticus [de^{m}] agnostic
agnostisch [bn, bw] agnostic(al) ⟨bw: agnostically⟩
agogentaal [de] ⟨iron⟩ sociological jargon
agogie [de^{v}] social science relating to the promotion of personal, social and cultural welfare
agogiek [de^{v}] [1] ⟨muz⟩ agogics [2] ⟨systeem m.b.t. agogie⟩ theory of 'agogie' ⟨zie aldaar⟩, ± applied social studies
agogisch [bn, bw] [1] ⟨muz⟩ agogic ⟨bw: ~ally⟩ [2] ⟨m.b.t. agogie⟩ relating to 'agogie'
agologie [de^{v}] theory of social work
agologisch [bn, bw] relating to social welfare

agonie [de^{v}] agony
agonist [de^{m}] agonist
agoog [de^{m}] student of 'agogiek', expert in 'agogiek'
agorafobie [de^{v}] agoraphobia
agorafobiepatiënt [de^{m}] agoraphobia patient, agoraphobe, agoraphobic
agrafe [de] ⟨med⟩ suture clips/staples
agrafie [de^{v}] agraphia
agrariër [de^{m}] farmer
agrarisch [bn] [1] ⟨m.b.t. de landbouw(ers)⟩ agrarian, agricultural, farming ◆ *de agrarische **bevolking*** the agrarian/farming community; *agrarische **school*** school of agriculture; *de agrarische **sector*** the agricultural sector, agriculture [2] ⟨m.b.t. het landbezit⟩ agrarian, land(ed) ◆ *agrarische **belangen*** landed interests; *agrarisch **recht*** agrarian law; *agrarische **wetten*** land laws
agreatie [de^{v}] [1] ⟨goedkeuring⟩ approval, approbation, ⟨diplomaten⟩ accreditation [2] ⟨handel⟩ approval ◆ *verkopen/leveren **op** agreatie* sell/deliver on approval
agressie [de^{v}] [1] ⟨aantasting met geweld⟩ aggression ◆ *een **daad** van agressie* an act of aggression, an aggressive act; *een boel agressie **opwekken*** provoke a great deal of aggression; *agressie **plegen*** commit an act of aggression; *agressie in het **verkeer*** aggressiveness in traffic; ⟨sterker⟩ road rage; *hij kan zijn agressie niet **kwijt*** he has no outlet for his aggression/aggressivity [2] ⟨vijandelijke aanval⟩ aggression, attack
agressief [bn, bw] [1] ⟨aanvallend⟩ aggressive ⟨bw: ~ly⟩, offensive ◆ *een agressieve **oorlog*** a war of aggression, an offensive war; ⟨fig⟩ *agressieve **verkooptechniek*** forceful marketing; ⟨inf⟩ hard sell; ⟨fig⟩ *een agressieve **verkoper*** a forceful salesman; *agressief **worden/doen*** cut up rough, turn nasty [2] ⟨een conflict riskerend⟩ aggressive ⟨bw: ~ly⟩, militant, bellicose ◆ *een agressieve **politiek** voeren* pursue an aggressive/militant/bellicose policy; *zij **reageert** altijd zo agressief* she always reacts in such an aggressive way [3] ⟨bijtend⟩ corrosive ⟨bw: ~ly⟩, caustic, abrasive ◆ *agressieve **chemicaliën*** corrosive chemicals
agressieveling [de^{m}] thug, roughneck, tough
agressiviteit [de^{v}] [1] ⟨het agressief zijn⟩ aggression, belligerence, militancy [2] ⟨geneigdheid tot agressie⟩ aggressivity, aggressiveness, bellicosity
agressor [de^{m}] aggressor, attacker
agribulk [de^{m}] agricultural bulk goods
agribusiness [de^{m}] agribusiness
agricultuur [de^{v}] agriculture
A-griep [de] ⟨med⟩ Asian/Asiatic flu
agrobiologie [de^{v}] agrobiology
agrobrandstof [de] agrofuel
agrochemie [de^{v}] agricultural chemistry, soil chemistry
agrofood [het] agrifood
agrogeologie [de^{v}] agricultural geology, agrogeology
agro-industrie [de^{v}] agricultural/farming industry
agrologe [de^{v}] → **agroloog**
agrologie [de^{v}] agrology, pedology, soil science
agroloog [de^{m}], **agrologe** [de^{v}] agrologist, pedologist, soil scientist
agronome [de^{v}] → **agronoom**
agronomie [de^{v}] agronomy, agronomics
agronomisch [bn] agronomic(al) ◆ *een agronomische **kaart*** an agronomic/a soil map
agronoom [de^{m}], **agronome** [de^{v}] agronomist, agriculturist
agrotoerisme [het] agricultural tourism, agritourism
AGV [de^{v}] ⟨comp⟩ (automatische gegevensverwerking) ADP
ah [tw] ah, oh
aha [tw] aha
aha-erlebnis [de^{v}] aha-experience
a.h.d. [afk] (ad hoc deputatus) ad hoc ◆ *de **ambassadeur** a.h.d.* the ad hoc/special envoy/ambassador
ahob [de^{m}] ⟨verkorting van automatische halve overwegbomen⟩ (automatic) half-barrier level crossing
ahoi [tw] ⟨gesch⟩ ahoy
ahorn [de^{m}] maple
ahornsiroop [de] maple syrup
ahum [tw] h'm
a.h.w. [afk] (als het ware) as it were
^{1}**ai** [de^{m}] ⟨dier⟩ ai, three-toed sloth
^{2}**ai** [tw] ⟨pijn⟩ ouch, ow, oh, ⟨verdriet⟩ ai, ah, oh ◆ *ai!, dat was maar net mis* oops! that was a close shave
a.i. [afk] [1] (ad interim) temporary, ad interim, pro tem ◆ *de **minister** van defensie a.i.* the acting Minister of Defence [2] (alles inbegrepen) all in(cluded), inclusive
AI [afk] (artificiële intelligentie) AI
aide de camp [de^{m}] ⟨mil⟩ aide-de-camp, aide
aide de cuisine [de] chef's assistant, kitchen boy
aide-mémoire [de] [1] ⟨kort diplomatiek briefje⟩ aide-mémoire, memorandum [2] ⟨korte nota, handleiding⟩ aide-mémoire, memorandum [3] ⟨geheugensteuntje⟩ aide-mémoire, reminder
aids [de] AIDS
aidsdrager [de^{m}] AIDS carrier
aidspatiënt [de^{m}] AIDS patient
aidsremmer [de^{m}] AIDS inhibitor
aidstest [de^{m}] AIDS test
aidsvirus [het] AIDS virus, HIV-virus
aigrette [de] [1] ⟨versiering⟩ aigrette, aigret, ⟨diamanten⟩ spray, ⟨veren⟩ plume [2] ⟨vogel⟩ little egret
aikido [de] aikido
aileron [de^{m}] ⟨luchtv⟩ ⟨vliegtuigvleugel⟩ aileron, ⟨vliegtuigstaart⟩ elevator
aimabel [bn] amiable, congenial, friendly, sociable
aio [de^{m}] (assistent in opleiding) research trainee, assistant research fellow, research assistant, ⟨AE⟩ teaching assistant
aioli [de] aioli, garlic mayonnaise
air [het] air, look, appearance, ⟨verwaandheid⟩ airs, ⟨gedrag⟩ demeanour ◆ *zich het air **geven** van* assume/take on/give o.s. an air of; *zich airs/een air **geven*** give o.s. airs, think o.s. the Queen of Sheba; *een air **hebben** van ik-weet-het-wel* wear a knowing air; *airs **krijgen**, te veel airs **hebben*** get above o.s., have too much side, act high and mighty; ***met** het air van* with the air/look/demeanour of; *hij **neemt** een air **aan** alsof hij een autoriteit is* he gives himself airs as if he were an authority
airbag [de^{m}] air bag
airboard [het] [1] ⟨slee⟩ airboard [2] ⟨eenpersoons luchtkussenvoertuig⟩ airboard
airboarden [onov ww] airboard
airbrush [de^{m}] [1] ⟨verfspuit⟩ airbrush [2] ⟨techniek⟩ airbrush(ing)
airbus [de^{m}] air bus
airco [de] a/c, air conditioning
airconditioned [bn] air-conditioned
airconditioner [de^{m}] air conditioner
airconditioning [de^{v}] [1] ⟨regeling van temperatuur⟩ air conditioning [2] ⟨installatie⟩ air conditioning, ⟨klein ook⟩ air conditioner ◆ *de airconditioning **inschakelen*** switch on the air conditioning
airedale [de^{m}] Airedale
airhostess [de^{v}] air hostess
airmarshal [de^{m}] sky marshal, air marshal
airmile [de] Air Mile
airpot [de^{m}] pump thermos
airstrip [de^{m}] [1] ⟨luchtv⟩ airstrip [2] ⟨strook op sportkleding⟩ air strip
aïs [de] ⟨muz⟩ A sharp
AIVD [de^{m}] (Algemene Inlichtingen- en Veiligheidsdienst) (Dutch) General Information and Security Service,

Dutch Secret Service

ajakkes [tw] gad!, bah!, pah!, ⟨m.b.t. eten ook⟩ yech!, ⟨BE⟩ yuk, ⟨AE⟩ yuck, ⟨BE⟩ ugh ♦ *ajakkes wat ben jij gierig* gad!, you're so stingy!

ajb. [afk] (alsjeblieft) please, ⟨sms-taal⟩ pls

^{1}**ajour** [het] openwork, ajour, fag(g)ot, cutwork

^{2}**ajour** [bw] (in) openwork ♦ *een ajour **bewerkte** zoom* an openwork/faggotted hem

ajourrand [de^{m}] openwork border, ⟨van leer⟩ punching

ajoursteek [de^{m}] faggot stitch

ajourwerk [het] drawn-thread work, drawnwork, openwork

aju [tw], **ajuus** [tw] ⟨inf⟩ bye(-bye), see you, ⟨BE ook⟩ ta-ta, tara

ajuin [de^{m}] ⟨in België⟩ onion

ajuus [tw] → **aju**

akant [de^{m}] → **acanthus**

A-kant [de^{m}] A-side

akela [de] ⟨man & vrouw⟩ akela, ⟨vrouw⟩ cub-mistress, ⟨man⟩ cub-master, ⟨vrouw; AE⟩ Den Mother

akelei [de] columbine, ⟨geslacht ook⟩ aquilegia

^{1}**akelig** [bn] [1] ⟨naar⟩ unpleasant, nasty, miserable, dismal, ⟨weer ook⟩ dreary, bleak, ⟨spookachtig⟩ ghastly ♦ *een akelig **geluid*** a dismal sound; *een akelig **gezicht/beeld*** an ugly/a nasty sight/picture; ⟨inf⟩ not a pretty sight/picture; *een akelig **karweitje*** a nasty/an unpleasant/a miserable job; *een akelig **lachje*** a ghastly/grim smile; *akelig **licht*** bleak/dreary light; *een akelige **smaak*** an unpleasant taste; *een akelig **verhaal*** a lugubrious story; *een akelig **voorgevoel*** a grim premonition/sense of foreboding; *akelig **weer*** dreary/nasty/bleak weather [2] ⟨onwel⟩ ill, sick, not well, ⟨BE⟩ badly, ⟨AE⟩ bad ♦ *ik word er akelig **van*** it turns my stomach; *akelig **van** de kiespijn/honger* sick with toothache/hunger; *ik **voel** me zo akelig* I don't feel well at all [3] ⟨onaangenaam in de omgang⟩ unpleasant, nasty, creepy, ugly, weird, horrid ♦ *een akelig **wezen*** an unpleasant type, a nuisance; ⟨sterker⟩ a creep

^{2}**akelig** [bw] ⟨in hoge mate⟩ fantastically, amazingly, mightily, ever so, ⟨BE⟩ not half ♦ *akelig **bleek*** sickly/ghastly pale; *dat was akelig **spannend*** that made my hair stand on end, that was dead exciting; *akelig **zoet*** sickly sweet [·] ⟨inf; met klemtoon op 'akelig'⟩ *niet **zo** akelig* ⟨BE⟩ not half

Aken [het] Aachen, Aix-la-Chapelle [·] ⟨sprw⟩ *Aken en Keulen zijn niet op één dag gebouwd* Rome was not built in a day

aki [de] ⟨verkorting van automatische knipperlichtinstallatie⟩ automatic flashing lights (on a level crossing)

akinesie [de^{v}] ⟨med⟩ akinesia, akinesis

akkefietje [het] [1] ⟨lastig werk⟩ chore [2] ⟨karweitje⟩ (little) job, ⟨vnl AE⟩ snap [3] ⟨zaakje⟩ trifle

akker [de^{m}] [1] ⟨afgeperkt stuk bouwland⟩ field, land, ⟨vero⟩ acre ♦ *een akker **met** tarwe/mais* a field of wheat/maize/^{A}corn, a wheat/maize/^{A}corn field [2] ⟨bouwland tussen twee voren, greppels⟩ land ♦ *een land op **brede** akkers ploegen* plough a field in broad bands [·] *op zijn **dooie** akkertje* dawdling, easy-does-it; *het/iets op zijn **dooie** akkertje doen* take one's time (over it/sth.)

akkerbouw [de^{m}] (arable) farming, agriculture

akkerbouwbedrijf [het] [1] ⟨werkzaamheden⟩ arable farming [2] ⟨inrichting⟩ arable farm

akkerbouwer [de^{m}] (crop) farmer, cultivator, cropper

akkerland [het] arable land, plough land, tillage

akkerpaddenstoel [de^{m}] horse mushroom

akkerwinde [de] field bindweed

^{1}**akkoord** [het] [1] ⟨overeenkomst⟩ agreement, arrangement, settlement, ⟨koop⟩ bargain, ⟨met schuldenaar⟩ composition ♦ ⟨jur⟩ *een akkoord **aanbieden*** offer a settlement; ⟨pol⟩ ***Centraal** Akkoord* general agreement; *tot een akkoord **komen**, een akkoord **bereiken** (over iets)* agree ((up)on sth.), reach an agreement (on sth.); ⟨inf⟩ *het **op** een akkoordje gooien* (come to a) compromise, strike a bargain, agree on/come to terms (with); *een akkoord **sluiten*** come to an agreement/arrangement, conclude a bargain; *een **stilzwijgend** akkoord* a tacit agreement [2] ⟨jur⟩ agreement, contract ♦ *het akkoord **ondertekenen*** sign the agreement/contract/composition [3] ⟨muz⟩ chord ♦ *een **gebroken** akkoord* a broken chord, an arpeggio; ⟨fig⟩ *het akkoord **van wind en golven*** the harmony of wind and waves

^{2}**akkoord** [bn] agreed, correct, all right, OK ♦ *akkoord **bevinden*** find in order; *akkoord **gaan** (met)* agree (to), be agreeable (to); *niet akkoord **gaan** (met)* disagree (with); *de rekening/opgave **is** akkoord* the bill/statement is correct; *akkoord zijn/gaan **met** iets* agree to/on sth., go along with sth., be in agreement with sth., ⟨AE⟩ agree sth.; *zich akkoord verklaren **met*** declare o.s. in agreement with; ***voor** akkoord tekenen* sign as correct

^{3}**akkoord** [tw] OK!, agreed!, it's a bargain/deal, done ♦ *akkoord Van Putten!* (I'll say) amen to that!

akoepedie [de^{v}] ± (speech and) hearing therapy, audiotherapy

akoepedist [de^{m}] (speech and) hearing therapist, audiotherapist

akoestiek [de^{v}] [1] ⟨geluidsleer⟩ acoustics [2] ⟨wijze waarop het geluid wordt voortgeplant⟩ acoustics ♦ *de akoestiek van de zaal **is goed*** the acoustics of the hall are good

akoestisch [bn] [1] ⟨door het gehoor kenbaar⟩ acoustic, auditory, aural ♦ *akoestische **mijn*** acoustic/sonic mine; *akoestische **oriëntatie*** acoustic orientation; *akoestische **signalen*** acoustic/auditory signals [2] ⟨m.b.t. de akoestiek⟩ acoustic, sonic ♦ *een akoestische **gitaar*** an acoustic guitar

akoniet [de] ⟨plantk⟩ aconite, wolfsbane, monkshood

aks [de^{v}] (broad)axe, ⟨AE⟩ (broad)ax

akte [de] [1] ⟨schriftelijk stuk⟩ ⟨notariële⟩ deed, (legal) instrument, act, ⟨koop⟩ contract, ⟨oprichting⟩ charter ♦ ⟨jur⟩ *akte van **beschuldiging*** (bill of) indictment, brief; ***bij** akte overdragen* transfer by deed, deed; *akte van **geboorte/overlijden/huwelijk*** birth/death/marriage certificate; *een **notariële** akte* a notarial deed/act/instrument; *een **onderhandse** akte* a private document/act/contract; *een **openbare** akte* a public instrument; *akte **opmaken** van* make a record of; *een akte **opmaken*** draw up an act/a deed; *akte van **oprichting*** ⟨firma⟩ memorandum of association; ⟨vereniging⟩ charter; *akte van **overdracht/afstand/vennootschap/verkoop/schenking*** deed of conveyance, act of abdication, deed of partnership/sale/donation; *akte van **overlijden** opmaken* make entry of a death, register a death; *een akte **passeren/verlijden*** execute/draw up a deed/an act; ⟨jur⟩ *akte **vragen/verlenen*** request/direct that sth. be entered into the records [2] ⟨diploma, vergunning⟩ ⟨diploma⟩ certificate, diploma, ⟨vnl BE⟩ qualification, ⟨vergunning⟩ licence, ⟨AE⟩ license ♦ *akte van **bekwaamheid*** certificate of competency; *een akte **halen*** be awarded a certificate/diploma; *een akte **mo** Frans* ± a secondary school teaching certificate in French; *akte **voor** de jacht/visserij* hunting/fishing permit/licence [3] ⟨dram, film⟩ act [4] ⟨gebed⟩ Act ♦ *een akte **van** geloof/hoop/liefde/berouw* an Act of Faith/Hope/Charity/Contrition [·] *akte **nemen** van iets* take note of sth.; ***waarvan** akte* objection/remark/... noted; ⟨form⟩ as witness the hands of the parties, in witness whereof the parties have hereunto set their hands

aktetas [de] briefcase, document/dispatch case

AKW [de] (Algemene Kinderbijslagwet) General Family Allowances Act

^{1}**al** [het] ⟨heelal⟩ universe, cosmos

^{2}**al** [onbep vnw] [1] ⟨m.b.t. de hele hoeveelheid, omvang⟩ all, whole ♦ *hij was **één en al oor*** he was all ears; *het was **één en al** ellende op tv* the TV showed nothing but misery/disaster; *al **met** al* all in all; *al het **mijne*** all that is mine, my all; *al de **moeite*** all (of our/their) trouble; *al het **vlees*** all (of) the meat; *dit is al **wat** ik kan doen* that is all/the most I can do; *met schil en al opeten* eat (sth.) peel and all [2] ⟨m.b.t. een onderdeel⟩ all (of) ◆ *het is niet al **goud** wat er blinkt* all that glitters is not gold; *zij gelooft al **wat** hij zegt* she believes everything he says; *al **wie*** all those who, anyone who, whoever; ⟨form⟩ whosoever ⊡ ⟨sprw⟩ *eind goed, al goed* all's well that ends well

[3]**al** [bw] [1] ⟨tijd⟩ ⟨in vragende zinnen⟩ yet, ⟨in bevestigende zinnen vaak onvertaald; (nu/toen) al⟩ already ◆ *ik heb het **altijd** al geweten* I've known it all along; *dat **dacht** ik al* I thought as much/so; *ik heb al drie **dagen** niets/al in geen drie **dagen** iets gegeten* I haven't had anything to eat for/in three days; *al **in** '82, al **voor** '82* as early as '82, even before '82; ***is** Jan er al?* is John here yet?, has John arrived yet?; *daar **is** hij al* there he is (already); ⟨met klemtoon op 'nu'⟩ ***is** zij er nu al?* is she here already?; ***is** het nu al vier uur?* is it four (o'clock) already?; *als ik het had gedaan, was het al **klaar** geweest* if I had done it, it would have been finished by now; *hij werkt daar al **lang*** he has been working there for a long time; *hoe **lang** is hij al hier?* how long/since when has he been here?; *zij had al **lang** hier moeten zijn* she should have been here a long time ago, she is long overdue; ***nu** al* already/as early as this; *dat is al **oud*** that's (already) old; *al een hele **tijd*** for a long time now; *al enige **tijd**, al vanaf juli* for some time past/now, (ever) since July; *dat wist zij **toen** al* she knew it even then/beforehand; *ik ben al een **uur** aan het roepen* I've been calling (you) for the last hour; *daar heb je het al* there you are, I told you so, don't say I didn't warn you [2] ⟨als modale bepaling⟩ ◆ *het al of niet slagen van ...* the success or otherwise of ...; *al of **niet** in gezelschap van ...* whether or not accompanied by ...; *je kunt er al of **niet** gebruik van maken* you can take it or leave it [3] ⟨versterking⟩ all, far, much, indeed ◆ *dat **alleen** al* that alone; *zijn komst is al **genoeg*** just his coming is good enough; *zij doen **ook** al mee* they too are in on it; *al **te** goed/eerlijk* good/honest to a fault; *zij waren al **te** uitbundig* they were (far) too exuberant/noisy; *ze weten het maar al **te** goed* they know only too well; *hij is niet al **te** snugger/snel* he is not of the cleverest/quickest; *al **te** snel/spoedig/voorzichtig/...* (far/all) too fast/soon/careful/...; *hij had het **toch** al moeilijk* he had enough problems as it was [4] ⟨toegeving⟩ ◆ *dat lijkt er al meer op, dat is al **beter*** that's more like it; *ze zei heel weinig, als ze al wat zei* she said very little, if anything; *als/zo hij al rijk wordt, gelukkig wordt hij niet* he may get rich this way, but he won't be happy [5] ⟨stopwoord⟩ ◆ *daar zaten zeven kikkertjes al in de boerensloot* seven little frogs, sitting in a ditch [6] ⟨voortdurendheid⟩ ◆ *hij sprak al **lachend*** he laughed as he spoke; *zij kwamen al **nader** en nader* they kept coming closer and closer (all the time) ⊡ *ik zie het hem al **doen*** I can (just) see him (doing it) now!; *je kunt ze al **krijgen** voor een tientje* you can buy them for as little as ten euros; *het is al **laat/duur**/... **genoeg*** it is late/expensive/... enough as it is; *en **wat** al niet, en **wat** al nog meer* and all the rest of it; ***wie** er al niet rookt!* who doesn't smoke, nowadays!; *vertel me waar je **zo** al geweest bent* tell me where you've been; *al naar(gelang)* depending (on)

> **already en all ready**
>
> aan elkaar geschreven met één *l*: already – al, reeds
> · *it was still early, but there were already ten people in the hall*
> los geschreven met twee *l*'en: all ready – helemaal klaar
> · *are you guys all ready? then let's go!*

[4]**al** [hoofdtelw] all (of), ⟨alle afzonderlijke⟩ every, each ◆ *al zijn **gedachten*** his every thought; *al die **jaren*** all these years; *al de **kinderen*** all (of) the children; *al de **mensen*** all the people; ⟨gehele mensheid⟩ all mankind

[5]**al** [vw] though, although, even though/if, ⟨form⟩ albeit (that) ◆ *ook al is het erg* bad as/though it is/may be; *al zeg ik het zelf* if/though I say so myself; *al was het alleen maar omdat* if only because; *al ben ik arm, ik ben gelukkig* I may be poor, but I'm happy; *al was het maar om hem te pesten* if only to annoy him; *het is duidelijk, al is het moeilijk* it is clear, if difficult; *al studeert hij hard, hij zal toch zakken* for all his studying he will fail; *ik deed het niet, al kreeg ik een miljoen* I wouldn't do it for a million, ⟨inf⟩ I wouldn't do it for all the tea in China

al. [afk] (alinea) par

à la [vz] à la

alaaf 'alaaf', greeting at Carnival

à la carte [bw] [1] ⟨cul⟩ à la carte ◆ ***dineren** à la carte* dine à la carte [2] ⟨fig⟩ customized, tailor-made ◆ *een **vakantie** à la carte* a tailor-made holiday

à la jardinière [bw] ⟨cul⟩ jardinière

à la minute [bw] at a moment's notice, at once, immediately, this minute ◆ *en het moest natuurlijk à la minute* and of course it had to be ready yesterday; *je zou denken dat ik zoiets à la minute kon doen* you'd think I could do sth. like that at the drop of a hat; *je kunt van mij niet verwachten dat ik je werk à la minute nakijk* you can't expect me to correct/^{B}mark your work on the spot

alarm [het] [1] ⟨noodsein⟩ alarm, alert, call ◆ ***groot** alarm* red alert; ***loos/vals** alarm* false alarm; ⟨fig⟩ ***loos** alarm slaan* cry wolf; *alarm **roepen/schreeuwen*** raise/call the alarm; *alarm **slaan*** give/raise/sound the alarm [2] ⟨alarmtoestand⟩ alarm, alert, emergency, ⟨bom⟩ scare ◆ ***tijdens** het alarm, **bij** alarm* during the alarm/alert, in case of alarm/alert [3] ⟨opschudding⟩ uproar, tumult, alarum [4] ⟨alarminstallatie⟩ alarm ◆ *het alarm **inschakelen/uitschakelen*** set/switch off the alarm; *een **stil** alarm* a silent alarm

alarmbel [de] alarm bell ◆ *de alarmbel **luiden*** ring the alarm bell, sound/raise the alarm

alarmbelprocedure [de] constitutionally mandated procedure in Belgium to prevent discrimination against minorities

alarmcentrale [de] emergency centre, (general) emergency number

alarmeren [ov ww] [1] ⟨door alarm oproepen⟩ alert, call out, warn ◆ *de **brandweer** alarmeren* call (out) the fire brigade/^{A}department, ⟨form⟩ alert the fire brigade/^{A}department; *de **troepen** alarmeren* alert/call out the troops [2] ⟨in opschudding brengen⟩ alarm, startle, frighten, disturb ◆ *alarmerende **berichten*** disturbing reports; *(overdreven) alarmerend **gedoe*** scaremongering

alarmfase [de^{v}] (smog/...) alert ◆ ***hoogste** alarmfase* red alert; *de alarmfase is **ingegaan*** ⟨bijvoorbeeld bij smog⟩ a smog alert has been declared

alarminstallatie [de^{v}] alarm (system/device/mechanism), ⟨tegen diefstal⟩ burglar alarm, ⟨tegen brand⟩ fire alarm

alarmisme [het] alarmism

alarmklok [de] alarm bell, tocsin ◆ ⟨fig⟩ *de alarmklok **luiden*** sound/raise the alarm

alarmkreet [de^{m}] cry of alarm, warning cry, hue and cry, ⟨wapenkreet⟩ war cry

alarmlichten [de^{mv}], **alarmverlichting** [de^{v}] ⟨van auto⟩ hazard warning lights

alarmnummer [het] emergency number

alarmpistool [het] alarm gun

alarmpoortje [het] security gate

alarmsignaal [het] alarm, alert, alarm signal, ⟨fig⟩ tocsin

alarmsysteem [het] alarm (system), ⟨tegen diefstal⟩ burglar alarm, ⟨tegen brand⟩ fire alarm

alarmtoestand [de^{m}] (state of) emergency, (general) alert

alarmverlichting [de^{v}] → **alarmlichten**

alawiet [de^{m}] Alawite

[1]**Albanees** [de^{m}] ⟨bewoner⟩ Albanian

[2]**Albanees** [het] ⟨taal⟩ Albanian

[3]**Albanees** [bn] Albanian ⊡ ⟨pol⟩ *een Albanese **uitslag*** a landslide (election) result, a landslide victory, ⟨AE⟩ a polit-

ical tsunami
Albanese [de^{v}] Albanian (woman/girl)
Albanië [het] Albania

Albanië	
naam	*Albanië* Albania
officiële naam	*Republiek Albanië* Republic of Albania
inwoner	*Albanees* Albanian
inwoonster	*Albanese* Albanian
bijv. naamw.	*Albanees* Albanian
hoofdstad	*Tirana* Tirana
munt	*lek* lek
werelddeel	*Europa* Europe
int. toegangsnummer 355 www.al auto AL	

albast [het] alabaster ♦ *gewoon albast* (ordinary) alabaster; *oosters albast* oriental alabaster
albasten [bn] ⟨ook fig⟩ alabaster ♦ *het albasten voorhoofd* the alabaster brow
albatros [de^{m}] albatross
albe [de] ⟨r-k⟩ alb
albedil [de^{m}] busybody, meddler, ⟨criticaster⟩ faultfinder, quibbler, nitpicker
Albertmeer [het] Lake Albert
albinisme [het] albinism
albino [de^{m}] albino
Albion [het] Albion ♦ *het perfide Albion* perfidious Albion
album [het] [1] ⟨verzamelalbum⟩ album [2] ⟨boek met gedrukte muziek, platen⟩ album [3] ⟨grammofoonplaat plus hoes⟩ (record) album
albuminaat [het] ⟨biochem⟩ albuminate
albumine [de] albumin
alchemie [de^{v}] alchemy
alchemisme [het] alchemy
alchemist [de^{m}] alchemist
alcohol [de^{m}] [1] ⟨distillatieproduct⟩ alcohol, ethanol, ethyl alcohol, grain alcohol ♦ *absolute/pure alcohol* absolute/pure alcohol; *gedenatureerde alcohol* denatured/industrial alcohol, methylated spirits, meths [2] ⟨drank⟩ alcohol(ic liquor), spirit(s), drink ♦ *geen alcohol drinken* abstain, be a non-drinker; *verslaafd aan alcohol* addicted to alcohol; *zonder alcohol* non-alcoholic, non-intoxicating; *iets/een drankje zonder alcohol* a soft/non-alcoholic drink [3] ⟨scheik⟩ alcohol ♦ *houtgeest is een vergiftige alcohol* methanol/wood spirit/wood alcohol is a poisonous alcohol
alcoholbestrijding [de^{v}] fight against alcohol
alcoholcontrole [de] alcohol testing, ⟨een enkele test⟩ alcohol test ♦ *een alcoholcontrole houden* carry out an alcohol test, test people/drivers/... for alcohol
alcoholgebruik [het] alcohol consumption
alcoholgehalte [het] alcohol content/percentage/level, ⟨standaard⟩ proof ⟨ongeveer 50 % alcohol⟩ ♦ *met een alcoholgehalte van 38 %* with a 38 % alcohol content, 76 proof
alcoholhoudend [bn] alcoholic, intoxicating ♦ *alcoholhoudende dranken* alcoholic beverages, spirits; ⟨vnl jur⟩ intoxicants
[1]**alcoholica** [de^{v}] ⟨verslaafde vrouw⟩ → **alcoholist**
[2]**alcoholica** [de^{mv}] ⟨alcoholische dranken⟩ spirits, alcoholic/intoxicating liquor(s), alcoholic/intoxicating beverages, ⟨vnl jur⟩ intoxicants
alcoholieker [de^{m}] ⟨in België⟩ alcoholic
alcoholisch [bn] alcoholic, intoxicating ♦ *alcoholische dranken* alcoholic/intoxicating liquor(s)/beverages; ⟨vnl jur⟩ intoxicants; *alcoholische gisting* alcoholic fermentation; *licht alcoholisch* mildly alcoholic; *niet alcoholisch* non-alcoholic, non-intoxicating; *een niet alcoholisch drankje* a soft/non-alcoholic drink; *sterk alcoholisch* high-proof; *sterk alcoholische dranken* spirits
alcoholiseren [ov ww] alcoholize, ⟨wijn⟩ fortify, ⟨vnl AE; inf⟩ spike
alcoholisme [het] alcoholism, (problem) drinking, ⟨vnl scherts⟩ dipsomania
alcoholist [de^{m}], **alcoholiste** [de^{v}] alcoholic, (problem) drinker, ⟨sl⟩ lush, ⟨vnl scherts⟩ dipsomaniac
alcoholiste [de^{v}] → **alcoholist**
alcoholmeter [de^{m}] alcohol(o)meter
alcoholmisbruik [het] alcohol abuse ♦ *beweging tegen alcoholmisbruik* temperance movement
alcoholprobleem [het] alcohol/drink problem
alcoholpromillage [het] blood alcohol level/count
alcoholslot [het] alcolock, breath alcohol ignition interlock device
alcoholspiegel [de^{m}] alcohol level in the blood
alcoholtest [de^{m}] alcohol test, blood (alcohol) count, ⟨BE⟩ breathalyzer, ⟨AE⟩ drunkometer
alcoholthermometer [de^{m}] alcohol thermometer
alcoholvergiftiging [de^{v}] alcoholic poisoning
alcoholvergunning [de^{v}] licence/^{A}license (to sell alcohol), alcohol licence/^{A}license ♦ *café met een alcoholvergunning* licensed bar
alcoholverslaafde [de] alcoholic
alcoholvrij [bn] [1] ⟨geen alcohol bevattend⟩ non-alcoholic, alcohol-free, non-intoxicating, soft ♦ *alcoholvrij bier* alcohol-free/non-alcoholic beer; ⟨AE ook⟩ near-beer; *alcoholvrije dranken* non-alcoholic beverages, soft drinks [2] ⟨geen alcohol (meer) gebruikend⟩ dry
alcomobilisme [het] ⟨BE⟩ drink-driving, ⟨AE⟩ drunk-driving
alcomobilist [de^{m}] ⟨BE⟩ drink-driver, ⟨AE⟩ drunk-driver
alcopop [de^{m}] ⟨BE⟩ alcopop
aldaar [bw] there, at/of that place ♦ *de bevolking aldaar* the local population; *de heer N.N. aldaar* Mr N.N. of that place; *zie aldaar* q.v.
aldehyde [het] ⟨scheik⟩ aldehyde
al dente [bn] ⟨cul⟩ al dente
aldine [de^{v}] ⟨lit, drukw⟩ Aldine
aldislamp [de] Aldis (lamp)
aldoor [bw] all along, all the time, forever, always, again and again, continually ♦ *ik ben aldoor ziek geweest* I was ill all the time/^{A}the whole time; *zij dacht aldoor dat ...* she kept thinking that ...; *tijdens de film zat hij aldoor pinda's te knabbelen* he was munching peanuts throughout the film; *hij praat aldoor als ik wat zeggen wil* he always starts talking when I want to say sth.
aldra [bw] ⟨form⟩ erelong, ⟨ogm⟩ before long, presently, soon
aldrin [het] ⟨scheik⟩ aldrin
aldus [bw] thus, so ♦ *aldus geschiedde* and so/thus it happened; *aldus de minister* according to/said the minister; *hij stelde het aldus voor: ...* he presented it like this: ...
aleatoir [bn] → **aleatorisch**
aleatoriek [de^{v}] aleatorism
aleatorisch [bn], **aleatoir** [bn] aleatory, ⟨kunst⟩ aleatoric ♦ *aleatoir contract* aleatory contract; *een aleatorische fout* a chance mistake [•] *aleatorische muziek* aleatoric music
aleer [vw] ⟨form⟩ ere, ⟨ogm⟩ before
alef [de] [1] ⟨Hebreeuwse letter⟩ aleph [2] ⟨het getal één⟩ aleph
Aleoeten [de^{mv}] Aleutian Islands
alert [bn] alert, wakeful, watchful, nimble, sharp-eyed ♦ *alert zijn op spelfouten* be attentive to/on the look-out for spelling mistakes, have a keen eye for spelling mistakes; *alert zijn* be on the alert/on one's toes; ⟨inf⟩ keep one's eyes ^{B}skinned/^{A}peeled
alerteren [ov ww] [1] ⟨alert maken⟩ alert [2] ⟨bridge⟩ signal
alertheid [de^{v}] alertness, attentiveness, wakefulness
aleviet [de^{m}] Alevite
Alexandrië [het] Alexandria

alexandrijn [de^{m}] ⟨lit⟩ alexandrine
alexandrijns [bn] alexandrine
alexie [de^{v}] alexia, word blindness
alf [de^{m}] goblin, elf, sprite
alfa [de] [1] ⟨Griekse letter⟩ alpha [2] ⟨onderw; richting⟩ ± languages, ± humanities, ± arts ♦ *alfa doen/kiezen* do/choose languages/humanities/arts [3] ⟨onderw; leerling⟩ ± language/humanities/arts student ♦ *zij is een echte alfa* all her talents are on the language/humanities/arts side, she has no bent/head for sciences [4] ⟨ster⟩ alpha (star) [•] ⟨fig⟩ *de alfa en omega van iets* the be-all and end-all/alpha and omega of sth.; ⟨Bijb⟩ *Ik ben de Alfa en de Omega* I am Alpha and Omega
alfabet [het] alphabet, ABC ♦ *het Griekse/Latijnse alfabet* the Greek/Latin/Roman alphabet; *alle letters van het alfabet* all the letters in the alphabet; *de boeken staan op alfabet/volgens het alfabet* the books are arranged in alphabetical order/in order of the alphabet
alfabetisch [bn, bw] alphabetical ⟨bw: ~ly⟩, abecedarian, ⟨zeldz⟩ alphabetic ♦ *een alfabetisch register* an alphabetical register; *in alfabetische volgorde* in alphabetical order; *de namen zijn alfabetisch gerangschikt* the names have been arranged alphabetically/in alphabetical order
alfabetiseren [ov ww] [1] ⟨alfabetisch rangschikken⟩ alphabetize [2] ⟨leren lezen en schrijven⟩ make literate, teach (how) to read and write, ⟨land⟩ eliminate illiteracy in
alfabetisering [de^{v}] teaching (people) how to read and write, ⟨land⟩ eliminating illiteracy (in) ♦ *de alfabetisering van het land is praktisch klaar* the country is now largely literate; *de voortschrijdende alfabetisering van de landen van de derde wereld* the increasing literacy rate in the Third World countries
alfabetiseringsproject [het] (adult) literacy project/campaign, program against illiteracy
alfabetisme [het] literacy
alfabetsoep [de] alphabet soup
alfablokker [de^{m}] alpha blocker
alfadeeltje [het] ⟨natuurk⟩ alpha particle
alfahulp [de] ⟨BE⟩ home help
alfa-informatica [de^{v}] computational linguistics
alfalfa [de] alfalfa
alfaman [de^{m}] alpha male
alfamannetje [het] alpha male
alfanumeriek [bn] ⟨comp⟩ alphanumeric(al), alphameric(al)
alfastralen [de^{mv}] alpha rays
alfastraling [de^{v}] alpha radiation
alfastudie [de^{v}] humanities, arts subjects
alfaversie [de^{v}] alpha version
alfavrouw [de^{v}] alpha female
alfawetenschap [de^{v}] arts/humanities subject, one of the liberal arts, ⟨mv⟩ humanities, liberal arts
alg [de], **alge** [de] alga
alg. [afk] [1] (algemeen) gen [2] (algebra) alg
alge [de] → **alg**
algebra [de^{v}] [1] ⟨deel van de wiskunde⟩ algebra [2] ⟨les⟩ algebra (period/lesson/class) [3] ⟨leerboek⟩ algebra book
algebraïsch [bn, bw] algebraic(al) ⟨bw: algebraically⟩ ♦ *een algebraïsche formule* an algebraic formula/expression; *algebraïsche getallen* algebraic numbers; *een vraagstuk algebraïsch oplossen* solve a problem by means of algebra/algebraically
algeheel [bn] complete, total, universal, general ♦ *algehele erfgenaam* sole inheritor; *met algehele steun* ⟨van allen⟩ with general/undivided support; ⟨van één persoon⟩ with (my/your/...) wholehearted support; *tot algehele tevredenheid* to everyone's satisfaction; *een algehele verandering/omzwenking (in denkbeelden)* a (complete) revolution in thought; *algehele vernietiging* total/general/wholesale destruction; *algehele vrijheid* complete freedom
¹algemeen [het] ♦ *in/over het algemeen* by and large, as things go, in the main, in general; *het publiek in het algemeen* the general public, the public at large, the public in general; *in het algemeen hebt u gelijk* generally/broadly speaking, you're right; *zij zijn in het algemeen betrouwbaar* they are mostly/usually reliable, they tend to be reliable; *de Maatschappij tot Nut van het algemeen* the Society for the Common/Public Good; *over het algemeen leveren zandgronden weinig op* on (the) average/as a (general) rule, sandy soils are not very productive
²algemeen [bn, bw] [1] ⟨publiek, gemeenschappelijk⟩ public ⟨bw: ~ly⟩, general ⟨bw: ~ly⟩, common, popular, universal ♦ *het Algemeen Beschaafd (Nederlands)* Standard Dutch; *Algemene Bond van Onderwijzend Personeel* ± General Teachers Union; *voor algemeen gebruik* for general use; *algemene geschiedenis* general history; *een algemeen gesprek* a general conversation; *met algemene instemming* by common consent; *algemeen kiesrecht/stemrecht* universal suffrage; *algemene middelen* public funds; *een algemene opstand* a general rising; *de algemene overtuiging, het algemeen gevoelen* the common opinion, the consensus; *een algemene staking* a general strike; *met algemene stemmen* by common/general consent/assent, unanimously; ⟨jur⟩ nem con; *algemene vergadering* general assembly/meeting; *algemene verkiezingen* general elections; *op algemeen verzoek* by popular/general request/demand; *de teleurstelling/vreugde was algemeen* there was general/universal disappointment/joy; *voor het algemeen welzijn, in het algemeen belang* in the public interest [2] ⟨voor alle gevallen geldig⟩ general ⟨bw: ~ly⟩, universal ⟨bw: ~ly⟩, all-round, global, ⟨inf⟩ across-the-board ♦ *algemene belastingverlaging* all-round/general reduction in taxes; *algemeen maken* universalize, generalize; *een algemene regel* a general/universal/blanket rule; *een algemene wet* a universal/general law [3] ⟨het geheel betreffend⟩ general ⟨bw: ~ly⟩, overall, generic ♦ *de algemene aspecten van een zaak* the general; *algemene begrippen* general terms/concepts; *de Algemene Beschouwingen (over de begroting)* the Budget Debate; *in (te) algemene bewoordingen* in (too) general/broad terms, in sweeping terms; *algemeen maken* universalize, generalize; *algemene onkosten* overhead expenses/costs, overheads; *algemene ontwikkeling* general education/knowledge; *een algemeen overzicht* a bird's-eye view, a general survey/^{A}overview; *in algemene zin* in a general/broad sense, in broad terms [4] ⟨alledaags, veel voorkomend⟩ common ⟨bw: ~ly⟩, everyday, widespread, vulgar ♦ *dat is nu zeer algemeen* that is very common/common practice these days; *een algemene misvatting* a common fallacy/error [•] *de heer P. is algemeen voorzitter* Mr P. is the general president
³algemeen [bw] [1] ⟨bij, voor iedereen⟩ generally, universally, publicly ♦ *een algemeen aanvaard feit/aanvaarde waarheid* an accepted fact/admitted truth; *het is algemeen bekend* it is common knowledge; *een algemeen bekend persoon* a public figure; *algemeen beschouwd worden als* be (publicly) known as; *algemeen gebruik, algemeen in gebruik* in general/universal use, universally used/applied; *deze regel is algemeen geldig* this rule is universally applicable/valid; *men vlagde algemeen* flags were flown all over the town/country [2] ⟨op vage wijze⟩ generally, vaguely, broadly ♦ *zich (te) algemeen uitdrukken* make sweeping statements
algemeengeldend [bn] [•] *de algemeengeldende opinie* the current/(generally) received opinion; *een algemeengeldende regel* a universal (rule); *een algemeengeldend verbod* a general prohibition
algemeenheid [de^{v}] [1] ⟨generaliteit⟩ generality, universality, ⟨onnauwkeurigheid⟩ indefiniteness, ⟨veel voorkomend zijn⟩ commonness ♦ *in zijn algemeenheid is dat waar* broadly speaking/by and large, that is true [2] ⟨vaag ge-

zegde⟩ commonplace, vague term, generality ♦ *hij **maakt** er zich met algemeenheden **af*** he takes refuge in vague commonplaces [•] ⟨in België⟩ *met algemeenheid van **stemmen*** by unanimous vote, unanimously
algemeenverbindendverklaring [de^{v}] declaration of 'generally binding'
algengroei [de^{m}] algal growth
algenpakking [de^{v}] algae wrap
algenplaag [de] plague of algae
algentherapie [de^{v}] algotherapy
Algerije [het] Algeria

Algerije	
naam	*Algerije* Algeria
officiële naam	*Democratische Volksrepubliek Algerije* People's Democratic Republic of Algeria
inwoner	*Algerijn* Algerian
inwoonster	*Algerijnse* Algerian
bijv. naamw.	*Algerijns* Algerian
hoofdstad	*Algiers* Algiers
munt	*Algerijnse dinar* Algerian dinar
werelddeel	*Afrika* Africa
int. toegangsnummer 213 www .dz auto DZ	

Algerijn [de^{m}], **Algerijnse** [de^{v}] ⟨man & vrouw⟩ Algerian, ⟨vrouw ook⟩ Algerian woman/girl
Algerijns [bn] Algerian
Algerijnse [de^{v}] → **Algerijn**
Algiers [het] Algiers
Algol [het] (algorithmic language) ALGOL
algoritme [het] algorithm, algorism ♦ ***logisch** algoritme* logical algorithm
algoritmisch [bn] algorithmic
alhier [bw] in/of this town, in/of this city, here, local ♦ *te **bevragen** alhier* apply within; *mevr. de **Bruin** alhier* Mrs de Bruin of this town; *het **postkantoor** alhier* the local post office
alhoewel [vw] ⟨form⟩ albeit, if, although, notwithstanding the fact that
[1]**alias** [de^{m}] alias
[2]**alias** [bw] alias, also/otherwise known as, a.k.a. ♦ *de heer J.H. Bruis, alias **Buikje*** Mr J.H. Bruis, a.k.a. 'potbelly'
alibi [het, de^{m}] [1] ⟨jur⟩ alibi ♦ *iemand een alibi **bezorgen/geven*** cover up for s.o., provide s.o. with an alibi; *hij **had** geen alibi* he had no alibi [2] ⟨schijnreden⟩ alibi, excuse, pretext ♦ *hij **verschafte** zich steeds een alibi om een glaasje te drinken* he always found an excuse to have a drink
alibiali [de^{m}] foreign worker holding a position for the sole purpose of keeping up a non-discriminatory appearance, ± token foreigner
alibi-jet [de^{v}] statutory/token woman
alien [de^{m}] alien
aliënatie [de^{v}] alienation
alignement [het] alignment, al(l)ineation
alikruik [de] (peri)winkle
alimentair [bn] alimentary
alimentatie [de^{v}] maintenance allowance/money, ⟨bij scheiding⟩ alimony, separation allowance, ⟨inf; AE⟩ palimony
alimentatieplicht [de] maintenance order, ⟨bij scheiding⟩ obligation to pay alimony
alimentatieplichtig [bn] subject to a maintenance order, obliged to pay alimony
à l'improviste [bw] impromptu, ⟨inf⟩ off the cuff
alinea [de^{v}] [1] ⟨nieuwe regel met inspringing⟩ indented line, indentation [2] ⟨tekstgedeelte⟩ paragraph ♦ *een **nieuwe** alinea beginnen* start a new paragraph [3] ⟨deel van een reglement⟩ paragraph, (sub)section, clause ♦ ***artikel** 42, 4e alinea* section/article 42, paragraph 4
aliquottonen [de^{mv}] ⟨muz⟩ aliquot tone
aliterair [bn, bw] a-literary, anti-literary, non-literary, ⟨bijwoord⟩ in an a-literary way, in an anti-literary way, in a non-literary way
alk [de] ⟨alg; geslacht⟩ auk, ⟨i.h.b.⟩ razorbill ⟨Alca torda⟩ ♦ ***kleine** alk* little auk
alkaan [het] ⟨scheik⟩ alkane, paraffin
alkali [het] ⟨scheik⟩ alkali, base
alkalimetaal [het] alkali metal
alkalimeter [de^{m}] alkalimeter
alkalimetrie [de^{v}] alkalimetry
alkalisch [bn, bw] ⟨scheik⟩ alkaline ♦ *alkalische **reactie*** alkaline reaction
alkaliseren [ov ww] ⟨scheik⟩ alkalify
alkaloïde [het] ⟨scheik⟩ alkaloid
alkanna [de] ⟨plantk⟩ alkanet ♦ ***valse** alkanna* dyer's bugloss
alkannine [het] alkanet, alkannin, anchusin
alkenen [de^{mv}] ⟨scheik⟩ alkenes, olefin(e)s
alkoof [de] alcove, bed recess
alkylgroep [de] alkyl group
alla [tw] [1] ⟨vooruit⟩ all right, let's go [2] ⟨vooruit dan maar⟩ all right then
Allah [de^{m}] Allah
Allahoe akbar [tw] Allahu akhbar
allang [bw] for a long time, a long time ago ♦ *ik ben allang blij dat je er bent* I'm pleased that you're here at all; *kom maar tevoorschijn, ik **heb** je allang **gezien*** ⟨bijvoorbeeld bij verstoppertje⟩ come on out, I can see you; *het **is** allang **verdwenen*** it has disappeared long since, it's long gone; *zij is de zestig allang **gepasseerd*** she is well past sixty; *ik **weet** allang wat je van me wilt* I know full well/perfectly well what you want from me, ⟨pej ook⟩ I know all too/only too well what you want from me; *je had allang **weg** moeten zijn* you should have (been) gone long ago
[1]**alle** [onbep vnw] all, every, each ♦ *in alle **ernst*** in all seriousness/sincerity; *met/uit alle **macht** iets proberen* try one's utmost, do one's all; ⟨inf⟩ give it everything one has; *alle **moeite** was vergeefs* every attempt was to no purpose/in vain; *hij had alle **reden** om* he had every reason/right to; *te allen **tijde*** at any time, always; ⟨inf⟩ anytime; *alle **vlees*** all (of) the meat; *voor alle **zekerheid*** just in case
[2]**alle** [hoofdtelw] all, every, each, ⟨m.b.t. personen, zelfstandig (gebruikt); ook⟩ everyone, everybody ♦ *er kwamen veel mensen die allen iets **bijdroegen*** a lot of people came, each of whom contributed sth.; *alle **bijzonderheden*** the full details; *zij komt alle **dagen**/alle veertien **dagen** langs* she comes/stops by every day/every fortnight; *het verbaasde allen **die** het hoorden* it surprised everyone who heard it; *we sukkelen alle **drie*** all three of us are ill/under the weather; *allen **gingen** weer naar huis* everyone went (back) home again; *van alle **kanten*** from all sides/every side; *we gingen alle **kanten** op* we went in all directions/in every direction/all over the place; *alle **leden** hebben hun eigen nummer* all the members have their own number; *zij gingen **met** zijn allen* they went all together/in a group; *zij aten **met** zijn allen vijf broden op* together they ate/got through five loaves of bread; *in aller **ogen*** in the eyes of everybody; *hij is **ons** aller vriend* he is a friend to/of all of us; *in alle **opzichten*** in every way, in all respects; *alle **twee** haar oorbellen* both (of) her earrings; *alle **twee**, ja ik heb ze alle **twee** gezien* both of them? yes, I saw both of them; *geen **van** allen wist het* not one/none of them knew it; ***zij** allen waren schuldig* they were all guilty, all of them were guilty; *allen zonder uitzondering* everyone without exception; ⟨form⟩ each and every one (of them/us) [•] ⟨sprw⟩ *ieder voor zich en God voor ons allen* every man for himself, and God for us all/and the Devil take the hindmost; ⟨sprw⟩ *het zijn niet allen koks die lange messen dragen* ± all are not thieves that dogs bark at; ± you can't tell a book by its cover

allebei [hoofdtelw] [1] ⟨alle twee⟩ both, ⟨de een of de ander⟩ either, each ◆ *het was allebei goed geweest* either would have been correct; *allebei de kinderen waren bang* both (of the) children were afraid [2] ⟨beiden⟩ both

alledaags [bn] [1] ⟨dagelijks⟩ daily, everyday, ⟨form⟩ quotidian ◆ *de kleine, alledaagse dingen van het leven* the little everyday things of life; *alledaagse koorts* quotidian (fever) [2] ⟨gewoon⟩ everyday, ordinary, commonplace ◆ *een alledaags dichter* a banal poet; *een alledaags gezicht* an undistinguished face; *dat is niet iets alledaags* that's not exactly commonplace/not an everyday occurrence; *alledaagse voorvallen* everyday/daily occurrences

alledaagsheid [de^{v}] [1] ⟨het alledaags zijn⟩ commonplace, triviality [2] ⟨mv; banale gezegden, gevallen⟩ platitudes, banalities

alledag [bw] ⟨inf⟩ day-to-day, everyday, daily ◆ *het is alledag hetzelfde* it's the same old thing day in day out; *het werk van alledag* humdrum work

[1]**allee** [de] ⟨in België⟩ avenue

[2]**allee** [tw] come on

[1]**alleen** [bn, bw] [1] ⟨zonder gezelschap⟩ alone, by o.s., on one's own ◆ *helemaal alleen* all/completely alone; *een auto/kamer voor hem alleen* a car/room to himself; *hij is graag alleen* he likes to be alone/by himself/on his own; *alleen is maar alleen* alone is still alone; *die moeder laat dat kleine kind vaak alleen* the mother often leaves that child on its own; *we hadden de coupé voor ons alleen* we had the carriage all to ourselves; *alleen staan* be on one's own; ⟨fig⟩ *dit geval staat niet alleen* this is not an isolated incident; ⟨fig⟩ *in die opvatting staat zij alleen* in that opinion she is quite alone; *vrouw/man alleen* single man/woman; *ik wil alleen zijn* I want to be alone [2] ⟨zonder hulp⟩ alone, by o.s., on one's own ◆ *iemand alleen achterlaten* leave s.o. behind all alone; *dit werk heb ik alleen uitgevoerd* I have done this work alone/on my own/unaided; *helemaal alleen* all/completely alone; *helemaal alleen versloeg hij drie man* completely single-handed he overpowered three men; *het alleen klaarspelen* manage it alone/on one's own; *ik kan het alleen klaarspelen* I can manage it by myself [3] ⟨zonder getuigen⟩ alone ◆ *hij wil u alleen spreken* he wants to speak to you alone [4] ⟨uitsluitend⟩ only, alone ◆ *enkel en alleen* simply and solely; *enkel en alleen ik* me and me alone, me myself and I; *groente alleen is niet voldoende* vegetables by themselves are not enough; *ik alleen wens u te spreken* I'm the only one who wants to talk to you; *Jan alleen/alleen Jan heeft zijn werk gemaakt* only Jan/Jan's the only one who has done his work; *Jill en alleen Jill* Jill and Jill alone; *alleen in het weekeinde geopend* only open (at) weekends [•] ⟨sprw⟩ *een ongeluk komt zelden alleen* misfortunes never come singly; it never rains but it pours; ⟨sprw⟩ *van brood alleen kan de mens niet leven* man cannot live by bread alone; ⟨sprw⟩ *geld alleen maakt niet gelukkig* riches alone make no man happy; ± money isn't everything

[2]**alleen** [bw] [1] ⟨slechts⟩ only, merely, just ◆ *alleen al hierom* if only because of this; *zijn toezegging alleen al was genoeg* his promise was enough in itself; *de gedachte alleen al, de naam alleen al* the mere/very thought, the very name; *het opknappen alleen al kost een kapitaal* first fixing (it) up costs a load/lot of money; *alleen indien* provided that, providing; *je kunt daar alleen maar lopend komen* you can only get there on foot; *alleen maar aan zichzelf denken* only think of o.s.; *al was het alleen maar om/omdat* if only for (the fact that), if only with a view to, if for no other reason than; *ik wilde u alleen maar even spreken* I just wanted to talk to you; *niet alleen ... maar ook* not only ... but also; *dit werk is niet alleen aangenaam, maar ook nuttig* this work isn't just pleasant, it's useful (too); *zij nemen alleen (maar) vrouwelijk personeel aan* they only employ women [2] ⟨met dit voorbehoud⟩ only, just, but ◆ *alleen al het feit dat ...* the very/mere fact that; *ik vind dit opstel goed, alleen is het wat langdradig* I think this paper is good, but it's just a little long-winded

alleengaande [de] independent, single

alleengang [de^{m}] [1] ⟨het alleen-gaan of -zijn⟩ solo effort [2] ⟨het bewust als enige iets afwijkends doen⟩ lonerism, nonconformism

alleengebruik [het] exclusive use

alleenhandel [de^{m}] monopoly

alleenheerschappij [de^{v}] absolute power/monarchy/dictatorship, ⟨fig⟩ monopoly ◆ *de alleenheerschappij voeren (over)* reign/rule supreme (over), hold absolute sway (over)

alleenheerser [de^{m}] absolute sovereign/ruler/monarch, autocrat

alleenmacht [de] hegemony

alleenrecht [het] exclusive right(s) ◆ *het alleenrecht van iets verkrijgen* obtain the exclusive right to/on sth.

alleenspraak [de] [1] ⟨dram⟩ soliloquy ◆ *een alleenspraak houden* soliloquize [2] ⟨monoloog⟩ soliloquy, monologue

alleenstaand [bn] [1] ⟨apart staand⟩ detached, single ◆ ⟨biol⟩ *alleenstaande bloem* single bloom; *een alleenstaande woning* a free-standing house, ⟨vnl BE⟩ a detached house [2] ⟨afzonderlijk⟩ isolated, unique ◆ *een alleenstaand geval* an isolated incident [3] ⟨m.b.t. personen⟩ single ◆ *een alleenstaande ouder* a single parent; ⟨zelfstandig (gebruikt)⟩ *voor alleenstaanden* for single persons; ⟨zelfstandig (gebruikt)⟩ *een dansavond voor alleenstaanden* a singles' dance

alleenstaandeouderkorting [de^{v}] ⟨in Nederland⟩ single parent (tax) credit

alleenverdiener [de^{m}] sole wage-earner, ⟨inf⟩ sole breadwinner, ⟨belastingtechnisch⟩ single-income household

alleenverkoop [de^{m}] sole rights of sale, sole distributorship, exclusive/sole selling rights, monopoly ◆ *de alleenverkoop hebben* hold/have/possess the sole selling/distribution rights

alleenvertegenwoordiger [de^{m}] sole agent, sole representative, exclusive distributor

alleenvertegenwoordiging [de^{v}] sole selling rights, exclusive rights of representation, ⟨agentschap⟩ sole agency

alleenvertoningsrecht [het] sole exhibition rights

alleenwonend [bn] living alone/by o.s.

alleenzaligmakend [bn] ⟨geloof, kerk⟩ one/only true

allegaartje [het] mishmash, hotchpotch, jumble, medley ◆ *het was een raar allegaartje op dat feest* it was a strange mishmash/weird medley at that party

allegatie [de^{v}] [1] ⟨aanhaling⟩ allegation [2] ⟨argument⟩ allegation

allegorie [de^{v}] ⟨lit, bk⟩ allegory

allegorisch [bn, bw] allegorical ⟨bw: ~ly⟩ ◆ *allegorische personen* allegorical figures/personifications; *allegorische poëzie* allegorical poetry; *allegorische uitlegging van de Bijbel* allegorical interpretation of the Bible

[1]**allegretto** [het] ⟨muz⟩ allegretto

[2]**allegretto** [bw] ⟨muz⟩ allegretto

[1]**allegro** [het] [1] ⟨muz⟩ allegro [2] ⟨balletoefening⟩ allegro

[2]**allegro** [bw] ⟨muz⟩ allegro

alleingang [de^{m}] solo effort

[1]**alleluja** [het] ⟨r-k⟩ ⟨loflied⟩ alleluia, hallelujah

[2]**alleluja** [de] ⟨r-k⟩ ⟨deel van de mis⟩ alleluia

[3]**alleluja** [tw] ⟨r-k⟩ alleluia, hallelujah

[1]**allemaal** [bw] ⟨inf⟩ all, only ◆ *hij zag allemaal beestjes* all he saw was little creatures, he saw little creatures everywhere

[2]**allemaal** [telw] all, ⟨mensen⟩ everybody, everyone, ⟨dingen⟩ everything, ⟨inf⟩ the (whole) lot ◆ *beste/leukste van allemaal* best/funniest of all, ⟨inf; AE⟩ neatest of all; *allemaal hufters* boors, the lot of them; *zoals jullie allemaal* like all of you; *ik hou van jullie allemaal* I love you all; *er is niet genoeg voor jullie allemaal* there isn't enough to go around; *allemaal onzin* all nonsense, poppycock; *allemaal samen/*

tegelijk all together; *hou ze maar allemaal* keep all of them/the lot; *tot ziens allemaal* goodbye all/everybody; *het is allemaal niet makkelijk* things aren't easy; *wat is er allemaal aan de hand?* what's going on?, what's it all about?; *hij geloofde het allemaal direct* he swallowed it hook, line and sinker; *dat is allemaal goed en wel/erg leuk* that's all very well/very fine

¹**allemachtig** [bw] colossally, mighty ♦ *allemachtig* ***goed*** terrific, fantastic, fabulous, great, wonderful; *een allemachtig* ***groot huis*** a colossally big house; *allemachtig* ***interessant*** colossally interesting

²**allemachtig** [tw] good heavens ♦ *(wel)* ***God*** *allemachtig!* Good Lord/God, well I'll be ...; ***wel*** *allemachtig* well I'll be ...

alleman [onbep vnw] everybody, everyone ♦ ***Jan*** *en alleman* one and all, all and sundry; *hij gaat om met* ***Jan*** *en alleman* he runs around with all and sundry; *met* ***Jan*** *en alleman naar bed gaan* sleep around

allemande [de] allemande

allemansvriend [de^m] everybody's friend ♦ *hij* ***is*** *een allemansvriend* he's a hail-fellow-well-met, he acts very pally with everybody

allemensen [tw] goodness (gracious/me)!, good heavens!, 'struth!

allengs [bw] gradually, little by little, by degrees

alleraardigst [bn, bw] most/very charming ⟨bw: ~ly⟩, nicest, most attractive

allerarmst [bn] (very) poorest ♦ ***de*** *allerarmsten* the very poorest, the poorest of the poor

allerbelabberdst [bn, bw] dreadful ⟨bw: ~ly⟩, lousy, disgusting, rotten

allerbelangrijkst [bn] all-important, most important, (most) crucial, (most) vital

allerbest [bn, bw] very best, choicest, prime, best of all ♦ ***de*** *allerbeste,* ***het*** *allerbeste* the tops, the very best; *ik wens je* ***het*** *allerbeste* I wish you all the best; ***het*** *allerbest kun je eerst hem opbellen* the best thing to do is to ring him first; ***op*** *zijn allerbest zijn* be at one's very best, be in (tip-)top form; *zijn allerbeste* ***vrienden*** his very best friends

allereerst [bn, bw] first of all, very first, first and foremost ♦ *vanaf het allereerste* ***begin*** from the very beginning/start; ***doe*** *dit nú allereerst* do this first (of all); ***het*** *allereerste wat hij at was chocola* the very first thing he went for/ate was chocolate; *hij* ***zocht*** *allereerst zijn moeder* ***op*** the (very) first thing he did was look up his mother

allerergst [bn] very worst

allergeen [het] allergen

allergie [de^v] ⟨med⟩ allergy

allergietest [de^m] patch/skin test

allergine [het, de^v] allergen

allergisch [bn] [1] ⟨door allergie veroorzaakt⟩ allergic (to) ♦ *hooikoorts is een allergische* ***ziekte*** hay fever is an allergy [2] ⟨lijdend aan allergie⟩ allergic [3] ⟨afkerig⟩ allergic (to) ♦ *hij is allergisch* ***voor*** *tv-reclame* he is allergic to TV commercials

allergologie [de^v] ⟨med⟩ allergology

allergrootst [bn] greatest/highest possible, ⟨belang⟩ utmost, paramount

¹**allerhande** [het] assorted ᴮbiscuits/ᴬcookies

²**allerhande** [bn] all sorts/kinds (of), all manner (of)

Allerheiligen [de^m] All Saints' (Day), All Hallows

allerheiligste [het] inner sanctum, holy of holies

Allerheiligste [het] [1] ⟨deel van de tempel te Jeruzalem⟩ Holy of Holies [2] ⟨hostie⟩ host ♦ *het Allerheiligste* ***toedienen*** administer the host/sacrament

allerhoogst [bn] ⟨berg⟩ highest of all, very highest, ⟨belang⟩ supreme, paramount, ⟨bedrag⟩ maximum, ⟨functionaris⟩ top ♦ *van het allerhoogste* ***belang*** of supreme/paramount importance; ⟨zelfstandig (gebruikt)⟩ ***de*** *Allerhoogste* the Most High; *het is de allerhoogste* ***tijd*** it's really high time

allerijl [•] *in allerijl* with all speed, in great haste; ⟨form⟩ posthaste, with great dispatch

allerkleinst [bn] smallest possible, smallest of all ♦ ⟨zelfstandig (gebruikt)⟩ *een programma voor* ***de*** *allerkleinsten* a programme for the littlest ones, ⟨inf⟩ a programme for the tiny tots

allerlaatst [bn, bw] last of all, very last, very latest ♦ *de allerlaatste* ***bus*** the very last bus; ⟨zelfstandig (gebruikt)⟩ *dat is wel* ***het*** *allerlaatste wat ik zou doen* that's the very last thing I would do; *de allerlaatste* ***mode*** the very latest style; *het allerlaatste* ***nieuws*** up-to-the-minute/the very latest news; ⟨zelfstandig (gebruikt)⟩ ***op*** *het allerlaatst* at the very last moment; *tot* ***op*** *het allerlaatst* right up to the (very) end; ***voor*** *het allerlaatst* for the very last time

allerlei [bn] all sorts/kinds of, miscellaneous, sundry, ⟨form⟩ divers ♦ *allerlei* ***werk*** all sorts/kinds of work, work of every kind and description

allerliefst [bn, bw] [1] ⟨zeer lief⟩ (very) dearest/sweetest, enchanting, delightful ♦ *zij* ***gaat*** *allerliefst* ***om*** *met (de) kinderen* she has a marvellous way with (the) children; *een allerliefst* ***hoedje*** the sweetest of hats; *een allerliefst* ***kind*** a very dear/sweet child; *dat meisje* ***ziet*** *er allerliefst* ***uit*** that girl looks really sweet [2] ⟨liever dan iets anders⟩ more than anything ♦ *(het) allerliefst* ***bleef*** *ik thuis* I'd like most of all to stay home; *laat me met rust, dat is mij* ***het*** *allerliefst* leave me alone, that's all I want; *hij* ***wil*** *het allerliefst acteur worden* he wants more than anything/his great desire is to be an actor

allermeest [bn] (very) most

¹**allerminst** [bn] [1] ⟨geringst in aanzien⟩ least (of all) ♦ ⟨zelfstandig (gebruikt)⟩ *ik heb er niet* ***het*** *allerminste op aan te merken* I don't have the (very) slightest objection; *de allerminste* ***knecht*** the lowliest servant [2] ⟨geringst in aantal⟩ (very) least, (very) slightest ♦ ⟨zelfstandig (gebruikt)⟩ ***op*** *zijn allerminst* at the very least

²**allerminst** [bw] ⟨volstrekt niet⟩ not in the least ♦ *dit had ik (wel het) allerminst* ***verwacht*** I had not expected that in the least, that was the last thing in the world that I had expected

allernieuwst [bn] very newest, most recent/up-to-date, very latest, up-to-the-minute

allerwegen [bw] everywhere, on all sides

Allerzielen [de^m] All Souls' Day

¹**alles** [het] everything, all, anything ♦ ***dat*** *alles wil ik deze week nog doen* I want to finish that lot this week; *jij bent* ***mijn*** *alles* you are my all, you are everything to me

²**alles** [onbep vnw] everything, all, anything ♦ *alles wel* ***beschouwd***/*samen* ***genomen*** after all, all things considered; *ze eet niet zomaar alles* she doesn't eat just anything, she picks and chooses; *hij* ***heeft*** *(van) alles* ***geprobeerd*** he has tried everything; *alles en* ***iedereen*** one and all, all and sundry; *dat* ***is*** *alles* that's it/the lot/everything; ***is*** *dat alles?* ⟨in winkel⟩ will that be all?; *dat* ***is*** *nog niet alles* that's not everything/quite the whole story; *(het is) alles of* ***niets*** (it's) all or nothing; *alles* ***op*** *alles* ***zetten*** go all out, stake everything, give one's all; ***pak*** *alles maar* take all of it/it all/the lot; *dat* ***slaat*** *alles* that takes the cake; ***van*** *alles (en nog wat)* all sorts/kinds of things, ↓ all sorts/kinds of stuff; *er* ***is van*** *alles voldoende* there is enough of everything; *hij nam/las* ***van*** *alles wat* he took/read a bit of everything/everything that came his way; *bijna* ***van*** *alles* ***heeft*** *hij gedaan* he has done pretty well/just about everything; *over* ***van*** *alles en nog wat praten* talk about this that and the other thing/about everything under the sun; *na gister is er nog* ***van*** *alles* ***over*** there are all sorts of leftovers from yesterday; ***vóór*** *alles* first and foremost, above all; *alles* ***wat leeft*** all living creatures; *hij deed alles* ***wat*** *hij kon om* he did all he could/everything in his power to; *hij vervloekt alles* ***wat*** *Duits* ***is*** he hates everything (that's) German; *ik* ***weet*** *er alles van* I know all about

it; *alles op zijn tijd* all in due course, all in good time, there is a time (and place) for everything; *alles bij elkaar viel het mee* all in all/all things considered it was better than expected; *het heeft er alles van dat* it looks (very much) as if [·] ⟨sprw⟩ *aan alles komt een eind* everything has an end; all (good) things must come to an end; ⟨sprw⟩ *alles met mate* moderation in all things; ⟨sprw⟩ *in oorlog en liefde is alles geoorloofd* all's fair in love and war; ⟨sprw⟩ *voor geld en goede woorden is alles te koop* ± when money speaks the world is silent; ± money talks; ⟨sprw⟩ *geduld overwint alles* everything comes to him who waits; ⟨sprw⟩ *geld vermag alles* money is power; money talks; a golden key opens every door

allesbehalve [bw] anything but, not at, far from ◆ *het was allesbehalve een **succes*** it was anything but a success; *allesbehalve **vriendelijk*** anything but friendly; *dat was niet prettig. nee, allesbehalve* that wasn't nice. anything but/far from it

allesbepalend [bn] all-decisive, all-dominating

allesbrander [de^{m}] multi-burner

allesdrager [de^{m}] roof rack

alleseter [de^{m}] omnivore

alleskunner [de^{m}] jack-of-all-trades, all-rounder, ⟨vooral op intellectueel gebied⟩ Renaissance man/woman, polymath ◆ *het **is** een alleskunner* he can turn his hand to anything, he's incredibly versatile

alles-of-nietspoging [de^{v}] all-or-nothing attempt, ⟨AE⟩ all-or-nothing effort

allesomvattend [bn] all-embracing, comprehensive, all-over, global, universal, ⟨instructies⟩ blanket

allesoverheersend [bn] overpowering ◆ *een allesoverheersende **smaak** van knoflookpoeder* an overpowering taste of garlic powder

allesreiniger [de^{m}] all-purpose cleaner

alleszins [bw] in every way, completely, in all respects, fully ◆ *dat is alleszins **redelijk*** that is perfectly reasonable; *zijn houding is alleszins **verklaarbaar*** his behaviour can be accounted for entirely

allfinanz [de^{v}] comprehensive financial service(s) ◆ *allfinanzonderneming* comprehensive financial service(s) provider

alliage [het, de^{v}] [1] ⟨toegevoegd metaal⟩ alloy [2] ⟨legering⟩ alloy

alliance [de^{v}] alliance

alliantie [de^{v}] alliance

allicht [bw] [1] ⟨natuurlijk⟩ most probably/likely, of course ◆ *Mary **vermoedt** allicht iets* Mary most probably suspects sth.; *ken je deze man? ja allicht, het is mijn vader* do you know this man? I should think so, he's my father [2] ⟨op z'n minst⟩ at least ◆ *je **kunt** toch allicht op die advertentie **schrijven*** you can at least reply to that ad, no harm in answering that ad

[1]**alliëren** [ov ww] ⟨samensmelten⟩ alloy (with)

[2]**zich alliëren** [wk ww] ⟨een verbond sluiten⟩ ally o.s. (with)

alligator [de^{m}] alligator

all-in- all-in(clusive) ◆ *de all-inprijs* the all-in/total price, the (all-)inclusive price

all-in [bn, bw] all-in(clusive) ◆ *dat is € 1000 all-in* that is € 1000 everything included

all-inreis [de] all-inclusive trip

allinsonbrood [het] Allinson bread

all in the game [bw] all in the game

alliteratie [de^{v}] alliteration

allitereren [onov ww] alliterate

allo [de^{m}] ↑foreigner, ↑immigrant

allocatie [de^{v}] allocation

[1]**allochtoon** [de^{m}] (im)migrant, alien ◆ *de allochtonen* foreigners

[2]**allochtoon** [bn] foreign, ↑allochthonous

allochtoons [bn] foreign, immigrant

allocutie [de^{v}] allocution

allofoon [de^{m}] ⟨taalk⟩ allophone

allogamie [de^{v}] ⟨biol⟩ allogamy, cross-fertilization, cross-pollination

allogeen [bn] allogenous

[1]**allomorf** [de] ⟨taalk⟩ allomorph

[2]**allomorf** [bn] ⟨taalk⟩ allomorph

allonge [de^{v}] [1] ⟨fin⟩ allonge [2] ⟨blad in een boek⟩ fold-out [3] ⟨scheik⟩ extension piece, distillate outlet

alloniem [het] allonym

allooi [het] [1] ⟨gehalte aan goud, zilver⟩ alloy [2] ⟨fig⟩ worth, sort, kind, quality ◆ *poëzie van **beter** allooi* better (quality) poetry; *lieden van het **laagste** allooi* the lowest of the low; *van het **laagste/minste** allooi* of the lowest/worst sort/kind; *de heren waren **van** hetzelfde allooi* the gentlemen were of the same cast; *van **verdacht/twijfelachtig** allooi* of suspicious/dubious/questionable character

allopaat [de^{m}] ⟨med⟩ allopath(ist)

allopathie [de^{v}] allopathy

allopathisch [bn] ⟨med⟩ allopathic(al)

allosaurus [de^{m}] allosaurus

allotransplantatie [de^{v}] allotransplant(ation)

allotria [de^{mv}] [1] ⟨bijzaken⟩ trivia(l matters) [2] ⟨woorden, daden⟩ tomfoolery, monkey business

allotroop [bn] ⟨scheik⟩ allotrope

allotropie [de^{v}] ⟨scheik⟩ allotropy

allottava [bw] ⟨muz⟩ allotava

all right [bn, alleen pred] all right

allrisk [bn, bw] comprehensive ⟨bw: ~ly⟩, all-risk(s), ⟨AE⟩ no-fault ◆ *allrisk **verzekerd** zijn* be comprehensively insured, have a comprehensive policy

allriskdekking [de^{v}] comprehensive coverage, blanket coverage

allriskpolis [de] all risk(s) policy ◆ *hij **heeft** een allriskpolis* he's got an all risk(s) policy, he's got comprehensive insurance

allriskverzekering [de^{v}] (full/fully) comprehensive insurance, comprehensive insurance policy

allround [bn] all-round

allrounder [de^{m}] all-rounder

allseason [bn] all season, all year round

allspice [het, de] allspice

all the way [bn] all the way

alltime high [het] all-time high

alluderen [onov ww] allude (to), make an allusion (to)

allure [de] [1] ⟨m.b.t. personen⟩ air, style ◆ *(de) allures **aannemen** (van)* assume the air of; *allure **hebben*** have style/a certain elegance; *allures **hebben*** take on/assume airs, posturize; *iemand **met** allure* s.o. with a certain presence; *iemand **van** allure* a striking personality [2] ⟨m.b.t. zaken⟩ style ◆ *een tuin van **bescheiden** allure* a modest garden; *iets **met** allure* sth. with a certain substance; ***van** (grote) allure* imposing

allusie [de^{v}] allusion, reference ◆ ⟨in België⟩ *allusie(s) **maken op*** hint at, allude to

allusief [bn] allusive

alluviaal [bn] [1] ⟨aangeslibd⟩ alluvial ◆ *alluviale **grond*** alluvial, alluvium, alluvion [2] ⟨van het alluvium⟩ alluvial ◆ *het alluviale **tijdperk*** the Holocene epoch

alluvium [het] Holocene

alm [de^{m}] alpine meadow

almaar [bw] constantly, continuously, all the time, always, only ◆ *we **liepen** almaar verder het bos in* we kept walking further into the forest, we walked further and further into the forest; *almaar om snoep **vragende** kinderen* children who are always/constantly asking for sweets

almacht [de^{v}] [1] ⟨alles, allen omvattende macht⟩ omnipotence [2] ⟨God⟩ Almighty, God Almighty, Omnipotent

almachtig [bn] almighty, all-powerful, omnipotent ◆

⟨zelfstandig (gebruikt)⟩ *de **Almachtige*** the Almighty, God Almighty, the Omnipotent; *zo waarlijk helpe mij **God** almachtig* so help me God; *de almachtige **minister-president*** the all-powerful Prime Minister

almagra [de] Indian/Persian red

almanak [de[m]] 1 ⟨dagwijzer⟩ almanac 2 ⟨jaarboekje⟩ almanac, yearbook

almogend [bn] almighty, all-powerful, omnipotent

aloë [de[v]] 1 ⟨plant⟩ aloe ♦ ***honderdjarige** aloë* agave, American aloe, century plant 2 ⟨sap⟩ aloes

alom [bw] everywhere, on all sides ♦ *alom **gevreesd/bekend*** generally feared/known; *stilte **heerst** alom* it is calm everywhere

alomtegenwoordig [bn] omnipresent ⟨ook religie⟩, ubiquitous

alomvattend [bn] universal, comprehensive, all-embracing

alopecia [de[v]] alopecia

aloud [bn] ancient, antique, hoary ♦ *aloude **gebruiken*** time-honoured traditions; *het aloude **Rome*** Ancient Rome

alp [de[m]] alp

[1]**alpaca** [de[v]] ⟨bergschaap⟩ alpaca

[2]**alpaca** [het] 1 ⟨weefsel⟩ alpaca 2 ⟨legering⟩ alpaca

[3]**alpaca** [bn] nickel silver, nickel plate

Alpen [de[mv]] Alps

alpenflora [de] alpine flora/flowers

alpengloeien [het] alpenglow

alpenhoorn [de[m]] alpenhorn, alpine horn

alpenhut [de] alpine hut

alpenjager [de[m]] alpine hunter, ⟨mil⟩ alpine rifleman

alpenklokje [het] soldanella

alpenroos [de] alpine rose

alpenviooltje [het] cyclamen

alpenweide [de] alpine meadow

alpien [bn] alpine ♦ *het alpiene **ras*** the alpine race; *alpiene **vegetatie*** alpine vegetation

alpineski [de[m]] alpine ski

alpineskiën [ww] alpine skiing, downhill skiing

alpinisme [het] alpinism, mountaineering

alpinist [de[m]] alpinist, mountaineer

alpino [de[m]] beret

alpinopet [de] beret

alras [bw] ⟨form⟩ ⟨ogm⟩ presently, very soon

alruin [de] 1 ⟨wortel⟩ mandrake 2 ⟨plant⟩ mandrake

als [vw] 1 ⟨overeenkomst⟩ like, as ♦ *zich als een **dame** gedragen* behave like a lady; *hij is even **groot** als jij* he is as tall as you; *hetzelfde als **ik*** the same as me, just like me; *ik wil zo'n **jurk** als Mary heeft* I want a dress like Mary's; *als één **man*** as one (man); *een kerel als een **reus*** a giant of a fellow; ***trots** als hij was, weigerde hij* proud as he was, he refused; *de brief luidt als **volgt*** the letter reads as follows; *zowel in de stad als op het land* both in the city and in the country 2 ⟨inf; verschil⟩ than, as ♦ ⟨oneig gebruik⟩ ***anders** als de bedoeling was* not as intended; ⟨oneig gebruik⟩ *zij is **knapper** als haar vriend* she is prettier than her friend; *de vrouw was niet zozeer **ziek**, als wel moe* it wasn't that the woman was really ill, (she was) just tired 3 ⟨uitzondering⟩ as ♦ *het is nergens zo **fijn** als in Amsterdam* there's no place like Amsterdam 4 ⟨wijze waarop iemand, iets wordt voorgesteld⟩ as, as if ♦ *als **bij** toverslag veranderde alles* as if by magic everything changed; *hij stond als **versteend*** he stood there as if rooted to the ground; *als het ware* as it were 5 ⟨hoedanigheid⟩ for, as ♦ *ik ben als **bedelaar** geboren en zal als bedelaar sterven* I was born a beggar and a beggar I'll die; *poppen als **geschenk*** dolls for presents; *ik heb die man nog als **jongen** gekend* I knew that man when he was still a boy; *als **keeper** is hij hopeloos, als **vriend** geweldig* he's hopeless as a goalkeeper, but wonderful as a friend; *als sterke **man** kan ik je helpen* being a strong man, I can help you; *hij staat bekend als een eerlijk **man**/een gevaarlijke **gek*** he's known to be an honest man/a dangerous madman; *als **vervoermiddel** had hij een oude fiets* for transportation he had an old bike; *ik spreek als **voorzitter*** I'm speaking from the chair/as chairman; *als **vrienden** uit elkaar gaan* part/separate as friends; *dat **werd** als de beste oplossing beschouwd* that was considered the best solution; *zij kwam als **zevende** (aan)* she came in seventh; *als **zodanig*** as such 6 ⟨gelijktijdigheid⟩ when ♦ ***telkens** als wij elkaar tegenkomen keert hij zich af* whenever we meet, he turns away; *ze deed weinig maar als ze wat deed was het goed* she didn't do much but what she did do was good/all right 7 ⟨voorwaarde⟩ if, as long as ♦ ***zoveel** knikkers als je maar wilt* as many marbles as you like; *als ze al komen* if/provided they come at all; *als het mogelijk **is*** if possible; *als zij er niet geweest was ...* if she had not been/had she not been there ...; *als je dat doet, timmer ik je in elkaar* if you do that, I'll knock your block off; *als ze maar eens naar me wou glimlachen ...* if she would only smile at me ...; *hij had er een hekel aan als ik te laat kwam* he hated me to be late; *maar wat als het regent, als het nu eens regent?* but what if/and if it rains?; *als het maar gebeurt, het geeft niet hoe, ben ik tevreden* no matter how it's done, I shall be satisfied, provided it is done; *het maakt niet uit wat voor boek, als hij maar iets leest* it doesn't matter what he reads as long as he reads sth. 8 ⟨verklaring⟩ as ♦ *hij werd, als **oudste** in jaren, de tijdelijke voorzitter* as the senior/oldest he became temporary chairman 9 ⟨accentuering; onvertaald⟩ ♦ ⟨inf⟩ *hij schreef als dat hij kwam* he wrote that he was coming ▪ *als we eens naar de film gingen?* what about going to the film?

if of when?

if – als, indien (er is een *mogelijkheid*)

- *if you like it, you can have it* (als je het leuk vindt, mag je het hebben)
- *if it starts to rain, we will go somewhere else* (mocht het gaan regenen, dan gaan we ergens anders heen)

when – als, wanneer (het gaat *zeker* gebeuren)

- *will you still love me when I'm old?*
- *when it starts to rain, we will go somewhere else* (het gaat straks regenen, en dan gaan we ergens anders heen)

ALS [de[v]] ⟨med⟩ (amyotrofe lateraal sclerose) ALS, ⟨vnl AE⟩ Lou Gehrig's disease

alsdan [bw] then, in that case

alsem [de[m]] wormwood, absinthe ⟨ook drank hiervan bereid⟩, artemisia, sagebrush

alsmaar [bw] ⟨inf⟩ constantly, continuously, all the time, always, only ♦ *alsmaar **praten*** talk non-stop/constantly

alsmede [vw] as well as, and also

alsnog [bw] still, yet ♦ *hij heeft alsnog **betaald*** he finally paid; *je kunt alsnog van studie **veranderen*** you can still change your course

alsof [vw] as if ♦ *je **doet** maar alsof* you're just pretending, you just pretend; *hij **keek** alsof hij mij niet begreep* he looked as if he didn't understand me; *het **lijkt** alsof het mooi weer wordt* it looks as if the weather will clear; *het **was/scheen** alsof hij boos werd* it was as if he was getting angry; *hij had een gevoel alsof hij maanden **was weggeweest*** he felt as if he had been away for months; *alsof je niet beter **wist**!* as if you didn't know (any) better!; *hij loste het probleem op alsof het niks was* he solved the problem just like that

alsook [vw] as well as, and also

alstu [tw] ⟨bij het aanreiken⟩ there you go, ⟨als reactie op dankwoord⟩ you're welcome

[1]**alstublieft** [bw] please ♦ ***ga** alstublieft niet op dit onderwerp **door*** please drop the subject (will you), do you mind dropping the subject?; *een **ogenblikje** alstublieft* one minute/just a minute, please; ***schei** toch alstublieft **uit** met dat lawaai!* please stop that noise/racket!; ***wees** alstublieft rustig* please be quiet; *mag het raam misschien open, alstublieft?* do you mind if we have a window open?

alsjeblieft en alstublieft

- als u iets aan een ander aangeeft: *there you are/there you go*
- als u een verzoek doet: *please (could you open the window, please?)*
- als u bevestigend antwoordt op een vraag: *yes please (would you like some coffee? yes please)*
- als negatieve kritiek (alsjeblieft zeg, moet dat zo hard?): *come on now, does it have to be so loud?*

^{2}**alstublieft** [tw] [1] ⟨beleefdheidsuiting⟩ please, ⟨bij het aanreiken van iets⟩ here you are ⟨ook onvertaald⟩ ♦ *alstublieft, dat is dan € 6,50* (thank you,) that is/will be € 6.50 [2] ⟨het toestaan van een verzoek⟩ by all means [3] ⟨bevestiging, beaming⟩ how right you are, sure thing [4] ⟨verwondering⟩ well now, that's quite sth. [•] *alstublieft! wat heb ik u gezegd?* there now/you are, what did I tell you?

^{1}**alt** [de^{v}] ⟨muz⟩ ⟨zangeres⟩ contralto, alto

^{2}**alt** [de] ⟨muz⟩ [1] ⟨stem⟩ ⟨man & vrouw⟩ alto, ⟨vrouw⟩ contralto, ⟨man⟩ countertenor [2] ⟨altviool⟩ viola [3] ⟨partij⟩ alto

alt. [afk] (altitude) alt

altaar [het, de^{m}] [1] ⟨offertafel⟩ altar ♦ ⟨fig⟩ *altaren voor iets/iemand **bouwen*** build an altar to sth./s.o.; *het **sacrament** des altaars* the sacrament of the altar [2] ⟨r-k⟩ altar ♦ ⟨fig⟩ *een vrouw **naar** het altaar **geleiden/voeren*** lead a woman to the altar

altaardienaar [de^{m}] acolyte, server, altar boy

altaardoek [de^{m}] frontal, antependium

altaarhek [het] altar rail

altaarsteen [de^{m}] superaltar, altar stone

altaarstuk [het] altarpiece, reredos

altaartafel [de] mensa, altar slab

altazimut [het] ⟨astron⟩ altazimuth

altblokfluit [de] treble recorder

alt.country [de^{m}] alt-country, alternative country

alteratie [de^{v}] [1] ⟨verandering⟩ alteration [2] ⟨muz⟩ chromatic raising/lowering [3] ⟨ontsteltenis⟩ commotion, excitement

alter ego [het, de] alter ego

altereren [ov ww] alter ♦ ⟨muz⟩ *gealtereerde/altererende **akkoorden*** chromatic chords

alternantie [de^{v}] → **alternatie**

alternatie [de^{v}], **alternantie** [de^{v}] [1] ⟨afwisseling⟩ alternation [2] ⟨m.b.t. rijm⟩ alternation

^{1}**alternatief** [het] alternative ♦ ***als** alternatief* as an alternative; *er is **geen enkel** alternatief* there is no alternative; *een keuze uit **twee** alternatieven* a choice of two alternatives; *iemand **voor** een alternatief **stellen*** give s.o. two alternatives

^{2}**alternatief** [bn] [1] ⟨een keuze latend⟩ alternative, alternate ♦ *alternatieve **begroting*** counter budget; ⟨jur⟩ *een alternatieve **verbintenis*** an alternative obligation [2] ⟨niet volgens de norm⟩ alternative, countercultural ♦ *het alternatieve (film/theater) **circuit*** the alternative cinema/theatre, alternative media; *alternatieve **geneeswijze*** alternative treatment; *alternatieve **kleding*** alternative clothing/dress; *de alternatieve **scene*** the counterculture/alternative society; ⟨jur⟩ *alternatieve **straf*** alternative punishment; *op de alternatieve **toer** gaan* adopt an alternative lifestyle

alternatieveling [de^{m}] counterculturist, member of the counterculture

alternativo [de^{m}] altie, ↑ counterculturist

alterneren [onov ww] alternate ♦ ⟨wisk⟩ *alternerende **reeks*** alternating series; *alternerend **rijm*** alternating rhyme; ⟨bouwk⟩ *alternerend **stelsel*** system of alternating pillars and columns

altfluit [de] alto/bass flute, ⟨blokfluit⟩ treble recorder

althans [bw] at least, at any rate, anyhow, anyway ♦ ***hij** doet althans geen kwaad* at least he's harmless; ***ik** althans denk er zo over* at any rate that's how I feel about it; *hij is niet gekomen, althans ik heb hem niet gezien* he hasn't come, at least I haven't seen him

althobo [de^{m}] cor anglais, English horn

althoorn [de^{m}] althorn, alto saxhorn

altijd [bw] [1] ⟨te allen tijde⟩ always, forever ♦ *hetzelfde **als** altijd* the same as always, the usual; ***bijna** altijd* nearly always; *ik **heb** het altijd al/wel **geweten*** I've known it all along; *hij kookt altijd **lekker**/slaapt altijd **goed*** he's a good cook/a good sleeper; *je ziet er **nog** altijd goed uit* you still look nice; *wonen ze **nog** altijd in Almere?* are they still living in Almere?; *... dan kan je altijd **nog** gaan werken* you can always get a job; *ze ging **nog** altijd even slordig gekleed* her clothes were as frumpy as ever; *vroeger was de Franse les altijd **stomvervelend*** French (lessons) used to be a real bore; ***voor** eens en altijd* once and for all; *zij zijn **voor** altijd verbonden* they are bound to one another forever; *hij **zoekt** altijd **door*** he just keeps on looking/searching; *ze ging altijd op woensdag winkelen* she used to shop/always shopped on Wednesdays [2] ⟨bij voortdurende herhaling⟩ always, forever ♦ *hij kwam altijd en **eeuwig** te laat* he was always, but always, late; *ik **heb** het altijd wel **gedacht*** I've always thought so; ⟨sinds het begin van een bepaald gebeuren⟩ I thought so all along, ⟨nog steeds⟩ I've thought so all along; *je **kunt** niet altijd **winnen*** you can't win them all; ***niet** altijd* not always; *jij **ook** altijd (met je eeuwige gezeur)!* isn't that just like you (to moan all the time)?, typical (of) you/that's you all over(, moaning all the time)!; *altijd en **overal*** whenever and wherever; *altijd **weer*** again and again; ***zoals** altijd vloog de vakantie om* the holidays slipped by as fast as ever [3] ⟨in elk geval⟩ always ♦ *wat je ook doet, je **verliest** altijd* no matter what you do, you always lose; *€ 20 is altijd nog € 20* € 20 is € 20, whichever way you look at it; *iets is altijd nog beter dan niets* anything is better than nothing, a bird in the hand is worth two in the bush [•] ⟨sprw⟩ *het geluk is altijd met de sterksten* God/Providence is always on the side of the big battalions; ⟨sprw⟩ *eens een dief, altijd een dief* once a thief, always a thief; ⟨sprw⟩ *een vliegende kraai vindt altijd wat* ± nothing seek, nothing find; ± seek and ye shall find; ⟨sprw⟩ *een kat komt altijd op zijn pootjes terecht* a cat always lands on its feet

altijddurend [bn] everlasting, unending, never-ending, perpetual ♦ *altijddurende **rente*** perpetual interest

altijdgroen [bn] evergreen, indeciduous

altimeter [de^{m}] altimeter

^{1}**altist** [de^{m}] ⟨altviolist⟩ violist, viola

^{2}**altist** [de^{v}] ⟨altzangeres⟩ contralto, alto

altitude [de^{v}] altitude

altmodisch [bn] old-fashioned, outdated

alto [de^{m}] altie

altoos [bw] ⟨form⟩ (for) aye, always

altpartij [de^{v}] alto/contralto part

altruïsme [het] altruism

altruïst [de^{m}] altruist

altruïstisch [bn, bw] altruistic ⟨bw: ~ally⟩

altsaxofoon [de^{m}] ⟨muz⟩ alto saxophone

altsleutel [de^{m}] alto clef

altstem [de] ⟨man & vrouw⟩ alto, ⟨vrouw⟩ contralto, ⟨man⟩ countertenor

altviool [de] ⟨muz⟩ viola

altzangeres [de^{v}] contralto, alto

alufolie [het, de] alufoil, aluminium foil

aluin [de^{m}] ⟨scheik⟩ alum

aluinaarde [de] alumina

aluinpoeder [het, de^{m}] powdered alum, terra alba

^{1}**aluinsteen** [de^{m}] ⟨scheersteen⟩ styptic (pencil)

^{2}**aluinsteen** [het, de^{m}] ⟨aluinerts⟩ alunite, alumite, alum stone

aluminiseren [ov ww, ook abs] aluminize

^{1}**aluminium** [het] aluminium, ⟨AE⟩ aluminum

[2]**aluminium** [bn, alleen attr] aluminium, ⟨AE⟩ aluminum
aluminiumfolie [het] aluminium/^{A}aluminum foil, tin/kitchen foil
aluminiumhoudend [bn] aluminous
alumnus [de^{v}] alumnus, ⟨oud-student⟩ ex-student, graduate
alvast [bw] [1] ⟨intussen⟩ meanwhile, in the meantime, just, now ♦ *begin maar alvast, ik kom zo* just start, I'll be there in a moment; *zijn naam kun je alvast doorstrepen* you can cross his name off now; *jullie hadden alvast kunnen beginnen zonder mij* you could surely have started without me, you needn't have waited for me; *hier is alvast iets om mee te beginnen/als aanbetaling* here is sth. to be going on with/as a downpayment [2] ⟨in België; stellig⟩ at any rate ♦ *deze website is alvast een aanrader* this website is worth a look, at any rate
[1]**alveolair** [de] ⟨taalk⟩ alveolar
[2]**alveolair** [bn] [1] ⟨blaasvormig⟩ alveolar, alveolate [2] ⟨taalk⟩ alveolar
alveole [de^{m}] alveolus, ⟨tandkas ook⟩ socket (of a tooth)
alvermogen [het] omnipotence
alvermogend [bn] omnipotent, almighty, all-powerful
alvleesklier [de] pancreas
alvleessap [het] pancreatic juice
alvorens [bw] before, prior (to), previous (to)
alwaar [bw] where
alweer [bw] again, once more ♦ *het wordt alweer herfst* it is autumn again, autumn has come round once more/again; *het is nu alweer twee jaar geleden dat hij overleed* it is already two years ago that he died; *alweer een mond om te voeden* another mouth to feed
alwetend [bn] omniscient, all-knowing
alwetendheid [de^{v}] omniscience
alzheimer [de^{m}] Alzheimer's ♦ *hij heeft alzheimer* he has Alzheimer's
alziend [bn] all-seeing, panoptic ♦ *het alziend oog* the all-seeing Eye
[1]**alzijdig** [bn] ⟨naar alle kanten gekeerd⟩ universal, all-round ♦ *alzijdige kennis* all-round knowledge
[2]**alzijdig** [bw] ⟨naar, in alle richtingen⟩ universally, all-round ♦ *een alzijdig ontwikkeld verstand* a universal mind, an all-round intellect
alzo [bn] thus, in this way/manner
a.m. [afk] ⟨Latijn⟩ (ante meridiem) a.m.
AM [afk] ⟨techn⟩ (amplitudemodulatie) AM
ama [afk] (alleenstaande minderjarige asielzoeker) unaccompanied asylum seeker under 18
amalgaam [het; vaak in samenst] amalgam ♦ *goudamalgaam* gold amalgam
amalgama [het] ⟨fig⟩ amalgam
amalgamatie [de^{v}] amalgamation, ⟨van bedrijven ook⟩ merger
amalgameren [ov ww] [1] ⟨met kwikzilver legeren⟩ amalgamate [2] ⟨verbinden, samensmelten⟩ amalgamate ♦ *zich amalgameren* amalgamate
amandel [de] [1] ⟨noot⟩ almond ♦ *gepelde amandelen* blanched almonds; *groene amandel* pistachio; *zoete/bittere/blanke/gebrande amandelen* sweet/bitter/blanched/burnt almonds [2] ⟨boom⟩ almond [3] ⟨klier⟩ tonsil ♦ *zijn amandelen laten wegnemen/knippen* have one's tonsils out/a tonsillectomy; ⟨in België⟩ *amandelen trekken* extract/remove tonsils
amandelbroodje [het] small almond-paste pastry
amandelgebak [het] almond pastry/cake, frangipane
amandelmelk [de] almond milk, orgeat
amandelogen [de^{mv}] almond eyes, almond-shaped eyes
amandelolie [de] almond oil
amandelontsteking [de^{v}] tonsillitis
amandelsnippers [de^{mv}] almond flakes, chopped almonds
amandelspijs [de] almond paste
amandelstaaf [de] almond-filled pastry
amanuensis [de^{m}] lab(oratory) assistant
[1]**amarant** [het] ⟨kleurstof⟩ amaranthine
[2]**amarant** [de] ⟨plant⟩ amaranth ♦ *witte amarant* tumbleweed
[3]**amarant** [bn] amaranth(ine)
amaretto [de^{m}] Amaretto
amaril [het, de] emery
amarillo [de^{m}] claro
amaryllis [de] amaryllis
amateur [de^{m}] amateur ♦ *wedstrijd voor profs en amateurs* open match, ⟨vnl AE⟩ pro-am match; ⟨pej⟩ *stelletje amateurs* bunch of amateurs
amateurband [de^{m}] ham radio
amateurclub [de] amateur club
amateurfotograaf [de^{m}] amateur photographer
amateurisme [het] amateurism
amateuristisch [bn, bw] amateurish ⟨bw: ~ly⟩ ♦ ⟨pej⟩ *dat is zeer amateuristisch gedaan* that was done very amateurishly; *amateuristische sportbeoefening* amateur sports
amateurkoers [de] amateur cycling race
amateurswerk [het] amateurish work, work of an amateur
amateurtoneel [het] amateur theatre
amateurvoetbal [het] amateur soccer
Amazigh [de^{m}] Amazigh
amazone [de^{v}] [1] ⟨vrouwelijke ruiter⟩ horsewoman [2] ⟨kloeke vrouw⟩ amazon [3] ⟨rijkostuum⟩ riding habit [4] ⟨papegaai⟩ amazon
Amazone [de] ⟨myth; rivier⟩ Amazon ♦ *van de Amazone* Amazonian
Amazonebekken [het] Amazon River Basin
amazonesteen [de^{m}] amazonite, Amazon stone
amazonezadel [het] sidesaddle
amazonezit [de^{m}] sidesaddle style ♦ *in (de) amazonezit (rijden)* (ride) sidesaddle
ambacht [het] [1] ⟨handwerk, vak⟩ trade, (handi)craft ♦ *demonstratie van oude ambachten* demonstration of old trades/crafts; *het is met hem twaalf ambachten, dertien ongelukken* he is a jack-of-all-trades and master of none; *het ambacht uitoefenen van ...* practise the trade of ... [2] ⟨rechtsgebied⟩ shire
ambachtelijk [bn] according to traditional methods ♦ *ambachtelijk (gebrouwen) bier* boutique beer; *het ambachtelijke* workmanship, the métier; *een ambachtelijke slagerij* an old-fashioned/a real butcher; *op ambachtelijke wijze bereid* prepared according to traditional methods
ambachtsgezel [de^{m}] journeyman
ambachtsman [de^{m}] artisan, craftsman
ambachtsschool [de] technical school
ambassade [de^{v}] [1] ⟨ambassadeur en beambten⟩ embassy ♦ *in ambassade gaan/zenden naar* go/send on an embassy to [2] ⟨gebouw⟩ embassy [3] ⟨diplomatieke zending⟩ embassy
ambassaderaad [de^{m}] counsellor (of an embassy)
ambassadeur [de^{m}] ambassador ♦ *buitengewoon ambassadeur* ambassador extraordinary; ⟨fig⟩ *een ambassadeur voor de sport* an ambassador for sports
ambassadeurspost [de^{m}] ambassadorship
ambassadrice [de^{v}] [1] ⟨vrouwelijke ambassadeur⟩ ambassador, ⟨zeldz⟩ ambassadress [2] ⟨echtgenote van een ambassadeur⟩ ambassador's wife, ⟨zeldz⟩ ambassadress
amber [de^{m}] [1] ⟨stof uit de darm van de potvis⟩ ambergris ♦ *grijze amber* ambergris; *witte amber* sperm(aceti) [2] ⟨harssoort⟩ storax [3] ⟨barnsteen⟩ amber
amberboom [de^{m}] sweet gum
ambergrijs [bn] ambergris
ambetanterik [de^{m}] irritating person, nuisance, pest

ambiance [de] ambiance
ambidexter [bn] ambidextrous, ambidexter
ambidextrie [de^{v}] ambidexterity
ambient [de^{m}] ambient (music)
ambiëren [ov ww] aspire to ♦ *een baan ambiëren* aspire to a job
ambigram [het] palindrome
ambigu [bn] ambiguous, equivocal
ambiguïteit [de^{v}] ambiguity
ambitie [de^{v}] [1] ⟨eerzucht⟩ ambition ♦ *zijn ambities **gingen uit** naar een professoraat* his ambition was to get a professorship; *een man **van** grote ambitie/**met** ambitie* a man of/with great ambitions [2] ⟨ijver⟩ ambition, vigour ♦ *de leerlingen **toonden** niet veel ambitie* the students didn't show much ambition
ambitieus [bn] [1] ⟨eerzuchtig⟩ ambitious ♦ *(te) ambitieus **iemand*** (overly) ambitious person; *ambitieuze **plannen*** ambitious plans [2] ⟨ijverig⟩ ambitious
ambitus [de^{m}] ambitus
ambivalent [bn] ambivalent ♦ *ambivalente **gevoelens*** ambivalent feelings
ambivalentie [de^{v}] [1] ⟨tegenstrijdigheid⟩ ambivalence [2] ⟨psych⟩ ambivalence
amblyopie [de^{v}] ⟨med⟩ amblyopia
ambo [de^{m}] ⟨r-k⟩ lectern
Ambon [het] Ambon
^{1}**Ambonees** [de^{m}] Amboinese, ⟨Zuid-Molukker⟩ Moluccan
^{2}**Ambonees** [bn] Amboinese, Moluccan
amboseksueel [bn] ⟨biol⟩ ambosexual, ambisexual
ambrosia [de] [1] ⟨godenspijs⟩ ambrosia [2] ⟨fig⟩ ambrosia [3] ⟨plantk⟩ ragweed, ambrosia
ambrozijn [het] ambrosia
ambt [het] [1] ⟨openbare betrekking⟩ office ♦ *een ambt **aanvaarden*** take up/assume one's office/duties; *het ambt van **burgemeester*** the office of burgomaster/mayor; *iemand **in** zijn ambt **herstellen*** reinstate s.o. (in one's office); *zijn ambt **neerleggen*** resign one's position, step down from office; ⟨in België⟩ ***openbaar** ambt* public office; *iemand **uit** een ambt **ontzetten*** discharge s.o. from office; *een ambt **uitoefenen*** carry out/exercise one's office/duties; *het **uitoefenen** van een ambt* the exercise of one's duties/of official duty [2] ⟨prot⟩ office, ⟨van dominee⟩ ministry ♦ ***in** het ambt **staan*** be a man of the cloth; *het ambt van **ouderling*** the office/position of elder
ambtelijk [bn, bw] [1] ⟨van een ambt⟩ official ⟨bw: ~ly⟩, professional ♦ *het ambtelijk **karakter** van deze functie* the official character of this position [2] ⟨kenmerkend voor hetgeen van ambtswege gebeurt⟩ official ⟨bw: ~ly⟩, professional ♦ *ambtelijke **stijl*** officialese, official jargon; *ambtelijke **stukken*** official papers/documents; *ambtelijke **weg/werkzaamheden*** official channel/duties [3] ⟨ambtshalve⟩ official ⟨bw: ~ly⟩, professional ♦ *een ambtelijk **bevel*** an official command; *iemand iets ambtelijk **gelasten*** command s.o. officially to do sth.
ambteloos [bn] private ♦ *een ambteloos **burger*** a private citizen; *een ambteloos **leven*** a life of retirement
ambtenaar [de^{m}], **ambtenares** [de^{v}] official, civil/public servant ♦ *ambtenaar **bij/van** het Openbaar Ministerie* counsel for the prosecution/^{B}crown/^{A}state; ***burgerlijk/civiel** ambtenaar* civil/public servant; ⟨pej⟩ *hij is een **echte** ambtenaar* he is a typical bureaucrat; *een **hoge** ambtenaar* a high-ranking/senior official; ⟨BE ook⟩ a higher-grade/senior civil servant; *een **lage** ambtenaar* a minor/low-ranking/petty official; ⟨BE ook⟩ a low(er)-grade civil servant; ***rechterlijk** ambtenaar* judicial officer/functionary; ⟨magistraat⟩ magistrate; *ambtenaar van de burgerlijke **stand*** registrar, ⟨AE⟩ county clerk; *voor de ambtenaar **verschijnen*** ⟨trouwen⟩ tie the knot; *ambtenaar **zijn*** work for the government/^{B}crown/^{A}state/in the civil service; *een (verwaand) ambtenaartje* a jack-in-office
ambtenarenapparaat [het] civil service
ambtenarenbond [de^{m}] (white-collar) civil servants' union, ⟨AE⟩ Government Employees Union
ambtenarengerecht [het] arbitration court for civil servants, Civil Service Tribunal
ambtenarenpensioen [het] retired pay, civil service pension
ambtenarensalaris [het] civil service salary
ambtenarentaal [de] ⟨pej⟩ officialese
ambtenares [de^{v}] → **ambtenaar**
ambtenarij [de^{v}] [1] ⟨bureaucratie⟩ officialdom, bureaucracy, red tape [2] ⟨ambtenaren⟩ civil service
ambtgenoot [de^{m}] colleague, confrère
ambtsaanvaarding [de^{v}] accession to office, acceptance/assumption of duties ♦ ***bij** zijn ambtsaanvaarding* (up)on his accession to office/assumption of duties
ambtsbediening [de^{v}] discharge of one's duties/office, exercise of one's duties/office
ambtsbroeder [de^{m}] colleague
ambtsdraagster [de^{v}] → **ambtsdrager**
ambtsdrager [de^{m}], **ambtsdraagster** [de^{v}] office holder, ⟨AE ook alg; rel⟩ incumbent
ambtseed [de^{m}] oath of office ♦ *de ambtseed **afleggen*** be sworn in, take the oath of office
ambtsgebied [het] district, ⟨jur⟩ jurisdiction, ⟨fig⟩ province
ambtsgeheim [het] [1] ⟨verplichte geheimhouding⟩ ⟨overh⟩ official secrecy, ⟨alg⟩ professional secrecy/confidentiality [2] ⟨geheim te houden zaak⟩ ⟨overh⟩ official secret, ⟨alg⟩ professional secret/confidentiality
ambtsgewaad [het] official robes, regalia
ambtshalve [bw] by virtue of one's office, in one's official capacity, officially ♦ *ambtshalve **aangeslagen worden*** be assessed officially; *ambtshalve **kreeg** hij daarmee **te maken*** he had to deal with that by virtue of his office/in his official capacity; *hij is ambtshalve lid van het comité* he is an ex-officio member of the committee; *zaken waarvan men ambtshalve op de hoogte moet blijven* matters one is obliged to keep abreast of
ambtsjubileum [het] jubilee
ambtsketen [de] chain of office
ambtsmisbruik [het] abuse of office, abuse of power
ambtsmisdrijf [het] malfeasance, misconduct
ambtsopvolger [de^{m}] successor in office
ambtsovertreding [de^{v}] misfeasance, misconduct
ambtsperiode [de], **ambtstermijn** [de^{m}] term of office/service, tenure ♦ *zijn ambtsperiode **loopt af*** his term of office is drawing to a close/nearing its end/is running out; ***tijdens** haar ambtsperiode* during her term of office; *ambtsperiode **van zeven jaar*** seven year term of office; *de ambtsperiode **verlengen*** extend the term of office
ambtsteken [het] badge/mark of office, ⟨mv ook⟩ insignia (of office)
ambtstermijn [de^{m}] → **ambtsperiode**
ambtstheologie [de^{v}] ministry theology, theology of ministry
ambtswege [·] *van ambtswege* officially, ex officio, by virtue of one's office
ambtswoning [de^{v}] official residence
ambulance [de] [1] ⟨auto⟩ ambulance [2] ⟨veldhospitaal⟩ field hospital [3] ⟨dienst m.b.t. oorlogsgewonden⟩ first-aid team
ambulancepost [de^{m}] ambulance base
ambulancevliegtuig [het] air ambulance
ambulancier [de^{m}] ⟨in België⟩ paramedic, ambulance officer/driver
ambulant [bn] [1] ⟨niet bedlegerig⟩ ambulatory, ambulant ♦ *de ambulante **patiënten*** the ambulatory patients [2] ⟨zonder vaste plaats⟩ ambulant, ambulatory, travelling

♦ *de ambulante **handel*** street trading; *een ambulante **troep*** a travelling group/troop; *ambulant **zijn*** be ambulant/ambulatory [3] ⟨zonder vaste werkkring⟩ unattached, ⟨onderw⟩ peripatetic, itinerant, ⟨makelaar⟩ unlicensed ♦ *ambulant **hoofd** van een school* headmaster who teaches no classes

ambulatorium [het] ⟨med⟩ out-patient clinic/section

ambushmarketing [de] ambush marketing

amechtig [bn] ⟨form⟩ [1] ⟨buiten adem⟩ breathless, out of breath, panting for breath, winded ♦ ⟨in België; fig⟩ *een amechtige **economie*** an economy that's running out of puff, a stalling economy; *amechtig **neerzijgen*** collapse out of breath; *amechtige **warmte*** oppressive heat [2] ⟨kortademig⟩ short-winded, wheezy

amelie [de^v] ⟨med⟩ amelia

[1]**amen** [het] amen ♦ ⟨fig⟩ ***ja** en amen (op iets) zeggen* bow to sth.; *toen het amen **uitgesproken was*** when the last amen was said [•] *van eeuwigheid **tot** amen* from here to eternity

[2]**amen** [tw] amen [•] ⟨in België⟩ *amen en **uit**!* ⟨BE⟩ full stop!, ⟨AE⟩ period!, that's that/flat!, so there!

amendement [het] [1] ⟨pol; voorgestelde wijziging⟩ amendment ♦ *de **aanneming** van het amendement* the passing of an amendment; *een amendement **indienen*** hand in/introduce an amendment; *een amendement **op/bij** een wetsvoorstel* an amendment/a rider to a bill [2] ⟨pol; het indienen van een wijziging⟩ amendment, amending ♦ *de Tweede Kamer heeft het **recht** van amendement* the Lower House has the right of amendment [3] ⟨geopperde wijziging⟩ amendment

amenderen [ov ww] amend

amendering [de^v] amending, amendment

amenorroe [de^v] amenorrh(o)ea

americana [de] americana

American football [het] American football

Amerika [het] America

amerikaan [de^m] ⟨auto⟩ American car ♦ *met een **dikke** amerikaan onder zijn gat* in a big fat American car

Amerikaan [de^m] ⟨persoon⟩ American ♦ ***tot** Amerikaan naturaliseren* naturalize as an American, Americanize

[1]**Amerikaans** [het] American

[2]**Amerikaans** [bn] [1] ⟨uit de VS afkomstig⟩ American ♦ *de Amerikaanse **Burgeroorlog*** the Civil War, the War of Secession, the War Between the States; *het Amerikaanse **Congres*** Congress, Capitol Hill, the Hill; *Amerikaans-**Engels*** ⟨ook⟩ AmerEnglish; *een Amerikaanse **fuif*** a BYO party, a bring-a-bottle party, a pot-luck party, a bottle party; *Amerikaanse **onafhankelijkheidsverklaring*** Declaration of Independence; ***typisch** Amerikaans* typically American; ⟨inf⟩ as American as apple pie; *de Amerikaanse **vlag*** the American flag; ⟨inf⟩ the Stars and Stripes, Old Glory; *Amerikaanse **whiskey*** bourbon, rye, corn whiskey; *door en **door/op-en-top** Amerikaans* American through and through, all-American [2] ⟨uit Amerika afkomstig⟩ American ♦ *Amerikaanse **veenbes*** cranberry

Amerikaanse [de^v] American, American woman/girl

[1]**amerikaniseren** [onov ww] ⟨Amerikaans worden⟩ become Americanized

[2]**amerikaniseren** [ov ww] ⟨Amerikaans maken⟩ Americanize

amerikanisering [de^v] Americanization

amerikanisme [het] [1] ⟨taalk⟩ Americanism ♦ *amerikanismen **gebruiken*** use Americanisms, Americanize [2] ⟨levensbeschouwing, -stijl⟩ American way of life

amerikanistiek [de^v] American studies ♦ *amerikanistiek **studeren*** do American studies

A-merk [het] leading brand, grade-A product

ametallisme [het] ametallism

[1]**amethist** [de^m] ⟨steen⟩ amethyst

[2]**amethist** [het] ⟨gesteente⟩ amethyst

ametrie [de^v] [1] ⟨wanverhouding⟩ dissymmetry [2] ⟨lit⟩ ametrical verse [3] ⟨med⟩ ametria

ametropie [de^v] ametropia

ameublement [het] suite of furniture, (bedroom/dining room) suite

amfetamine [het, de] amphetamine

amfibie [de^m] [1] ⟨dier⟩ amphibian [2] ⟨voertuig⟩ amphibian

amfibietank [de^m] amphibious tank

amfibievliegtuig [het] amphibious plane, amphibian

amfibievoertuig [het] amphibious vehicle, amphibian

amfibisch [bn] amphibious, amphibian ♦ *amfibische **operatie*** an amphibious operation

amfibrachisch [bn] ⟨lit⟩ amphibrachic

amfibrachys [de^m] ⟨lit⟩ amphibrach

amfitheater [het] [1] ⟨schouwburg⟩ amphitheatre [2] ⟨zitplaatsen⟩ amphitheatre

amfoliet [de] ⟨scheik⟩ ampholyte

amfora [de] amphora

amfoteer [bn] ⟨scheik⟩ amphoteric, amphiprotic

amicaal [bn, bw] amicable ⟨bw: amicably⟩, friendly ♦ *amicaal **omgaan** met iemand* be on friendly terms/hobnob with s.o.; *hij is mij wat al **te** amicaal* he is a little too familiar for my taste

amice (my) dear friend

amicebrief [de^m] confidential note from one professional to another

aminfluoride [het] aminofluoride

aminozuur [het] ⟨scheik, biochem⟩ amino acid

ammehoela [tw] ⟨inf⟩ not on your life, ⟨vnl BE⟩ not on your nelly, no way, forget it

ammenooitniet [tw] ⟨inf⟩ definitely not, no way, forget it, not on your Nelly, not me, no way, forget it

ammonia [de^m] (aqueous) ammonia, ammonia water/solution

ammoniak [de^m] ⟨scheik⟩ ammonia

ammoniakgas [het] ammonia

ammoniakverbinding [de^v] ammine, ammon(i)ate

ammoniakzout [het] ammonium salt

ammonium [het] ⟨scheik⟩ ammonium

ammonshoorn [de^m] [1] ⟨fossiel weekdier⟩ ammonite [2] ⟨schelp⟩ ammonite

ammunitie [de^v] ammunition

amnesie [de^v] [1] ⟨tijdelijk geheugenverlies⟩ amnesia [2] ⟨slecht geheugen⟩ bad memory, ⟨scherts⟩ amnesia

amnestie [de^v] amnesty, (general) pardon ♦ *amnestie **verlenen** (aan)* extend/grant/give amnesty (to)

amnioscoop [de^m] amnioscope

amnioscopie [de^v] amnioscopy

amoebe [de] amoeba

amoebiasis [de^v] ⟨med⟩ amoebiasis

amoed [het] amud

amok [•] *amok **maken*** ⟨ook fig⟩ run amok/amuck; ⟨fig ook⟩ go berserk

amokmaker [de^m] troublemaker

Amor Cupid, Eros

amoralisme [het] ⟨filos⟩ amoralism

amoreel [bn, bw] amoral

amorf [bn] [1] ⟨natuurk⟩ amorphous ♦ *amorfe **toestand*** amorphism [2] ⟨zonder vormgeving⟩ amorphous [3] ⟨psych⟩ passive

amorfisme [het] ⟨natuurk⟩ amorphism

amoroso [bw] ⟨muz⟩ amoroso

amorti [de^m] dead ball

amortisatie [de^v] [1] ⟨het ongeldig verklaren van geldswaardig papier⟩ invalidation [2] ⟨delging van een schuld⟩ repayment, redemption, ⟨van lening⟩ amortization

amortiseerbaar [bn] amortizable

amortiseren [ov ww] [1] ⟨ongeldig verklaren⟩ invalidate, declare null and void [2] ⟨delgen⟩ repay, redeem, ⟨lening⟩ amortize

amourette [de] (love) affair, intrigue, amourette, affair of the heart

amoureus [bn, bw] [1] ⟨gemakkelijk verliefd rakend⟩ amorous, amatory [2] ⟨m.b.t. de liefde⟩ amorous ♦ *amoureuze avonturen* amorous adventures

amoveren [ov ww] [1] ⟨verwijderen⟩ remove [2] ⟨uit een functie ontzetten⟩ remove, dismiss [3] ⟨slopen⟩ pull/knock down

ampel [bn, bw] ample ⟨bw: amply⟩, lengthy, ⟨bijwoord ook⟩ at great length ♦ *na ampele **overweging*** after careful/full consideration; *een ampel **verslag*** a lengthy report

amper [bw] scarcely, barely, hardly ♦ *ze **had** amper **leren lezen** toen ze Shakespeare kocht* she had scarcely learned to read when she bought Shakespeare; *het is maar amper een voldoende* it's only just a pass, it only just passes; *hij **kon** amper **schrijven*** he could barely write

ampère [de^{m}] ampere

ampèremeter [de^{m}] amperemeter

ampère-uur [het] ampere-hour

ampèrewinding [de^{v}] ampere-turn

ampersand [de^{m}] ampersand

ampex [de^{m}] ampex

amplificatie [de^{v}] [1] ⟨uiteenzetting⟩ amplification [2] ⟨overdrijving⟩ exaggeration

amplificeren [ov ww] amplify, enlarge, increase

amplitude [de^{v}] [1] ⟨slingerwijdte⟩ amplitude [2] ⟨natuurk⟩ amplitude [3] ⟨astron⟩ amplitude

ampul [de] [1] ⟨dichtgesmolten glazen buisje⟩ ampoule, ⟨vnl AE⟩ ampul(e) [2] ⟨r-k⟩ ampulla

amputatie [de^{v}] amputation ♦ *iemand die een amputatie **heeft ondergaan*** amputee

amputeren [ov ww] amputate

amsoi [de] mustard cabbage

Amsterdam [het] Amsterdam

Amsterdammer [de^{m}], **Amsterdamse** [de^{v}] ⟨man & vrouw⟩ citizen of Amsterdam

amsterdammertje [het] no-parking post, ⟨vnl BE⟩ bollard (to prevent parking)

Amsterdams [bn] Amsterdam ♦ *aan de Amsterdamse **grachten*** along/on the Amsterdam canals

Amsterdamse [de^{v}] → **Amsterdammer**

amulet [de] amulet, talisman, charm, mascot

amusant [bn, bw] amusing ⟨bw: ~ly⟩, entertaining, diverting, ⟨AE ook⟩ fun ♦ *het/hij is een amusant **kereltje*** he's an entertaining fellow; *het is **reuze/erg** amusant* it is great/terrific fun; *een amusant **verhaal/avondje*** an amusing story/evening; *iets amusant **vinden*** find sth. amusing/entertaining

amusement [het] amusement, entertainment, diversion, pastime ♦ *die stad **biedt** niet veel amusement* that town/city doesn't offer much (in the way of) entertainment/diversion; ***tot** amusement van de aanwezigen* to the amusement of those present

amusementsbedrijf [het] entertainment industry, show business, ⟨inf⟩ show biz

amusementshal [de] ⟨BE⟩ amusement arcade, ⟨AE⟩ penny arcade

amusementsmuziek [de^{v}] light music

amusementsprogramma [het] light entertainment programme/^{A}program

amusementswaarde [de^{v}] entertainment value

amusementswereld [de] world of entertainment, show business, ⟨inf⟩ show biz ♦ *hij zit **in** de amusementswereld* he's in entertainment

[1]**amuseren** [ov ww] ⟨vermaken⟩ amuse, entertain, divert ♦ *zijn grappen amuseren **me matig*** I think his jokes aren't really very funny

[2]**zich amuseren** [wk ww] ⟨zich vermaken⟩ amuse o.s., have a good time, entertain/enjoy o.s. ♦ *amuseer je je een **beetje**?* are you enjoying yourself?; *zich **kostelijk/geweldig/uitstekend** amuseren* have a great time/a high old time, ⟨inf⟩ have a ball, thoroughly enjoy o.s.; *zich amuseren **met** een boek* amuse o.s./entertain/divert o.s. with a book

amuzikaal [bn] unmusical, ⟨geen muzikaal gehoor hebbend⟩ tone-deaf

AMvB [afk] (Algemene Maatregel van Bestuur) (implementing) regulation/ordinance/order

amygdala [de] amygdala

amylacetaat [het] amyl acetate, ⟨tegenwoordig⟩ pentyl acetate

amylase [de^{v}] amylase, ⟨van het alvleeskliersap⟩ amylopsin

amyloplast [het] ⟨biol⟩ amyloplast(id)

amylose [de^{v}] [1] ⟨bestanddeel van zetmeel⟩ amylose [2] ⟨mv; koolhydraten⟩ amyloses

ana [de^{v}] ana

anaal [bn, bw] anal

anabaptisme [het] anabaptism

anabaptist [de^{m}] anabaptist

anabiose [de^{v}] anabiosis

anabolen [de^{mv}] ⟨med⟩ anabolics, anabolic steroids

anabolisme [het] anabolism

anabool [bn] ⟨med⟩ anabolic ♦ *anabole **steroïden*** anabolic steroids

anachoreet [de^{m}] anchorite, hermit, recluse

anachronie [de^{v}] anachrony

anachronisme [het] [1] ⟨zonde tegen de tijdrekening⟩ anachronism [2] ⟨persoon, zaak⟩ anachronism

anachronistisch [bn] anachronistic

anaconda [de] anaconda

anaeroob [bn] ⟨biol⟩ anaerobic ♦ *anaerobe **bacteriën*** anaerobic bacteria

anafase [de^{v}] ⟨biol⟩ anaphase

anafoor [de] anaphora

anaforisch [bn] ⟨taalk⟩ anaphoric ♦ *het anaforisch **gebruik** van de pronomina* the anaphoric use of the pronouns

anafylaxie [de^{v}] ⟨med⟩ anaphylaxis

anagoge [de] anagoge, anagogy

anagram [het] [1] ⟨woordomkering⟩ palindrome [2] ⟨verschikking van de letters⟩ anagram ♦ *een anagram **vormen** van* make an anagram of

anakoloet [de] anacoluthon

analecten [de^{mv}] analects, analecta

analepticum [het] ⟨med⟩ analeptic

[1]**analfabeet** [de^{m}] [1] ⟨iemand die niet kan lezen of schrijven⟩ illiterate (person) ♦ *een **brief** als van een analfabeet* an illiterate letter [2] ⟨iemand die onbekend is met iets⟩ illiterate (person), unlettered/untutored person

[2]**analfabeet** [bn] ⟨niet in staat tot lezen of schrijven⟩ illiterate ♦ ***functioneel** analfabeet zijn* be functionally illiterate

analfabetisme [het] [1] ⟨het analfabeet zijn⟩ illiteracy [2] ⟨het voorkomen van analfabeten⟩ illiteracy

analgesie [de^{v}] analgesia, analgia

analgeticum [het] analgesic

analist [de^{m}], **analiste** [de^{v}] [1] ⟨iemand die chemisch analyseert⟩ (chemical) analyst, lab(oratory) technician [2] ⟨comp⟩ analyst

analiste [de^{v}] → **analist**

analogie [de^{v}] [1] ⟨overeenkomst⟩ analogy ♦ ***bij** analogie redeneren* reason by analogy [2] ⟨taalk⟩ analogy ♦ ***naar** analogie van* by analogy with [3] ⟨door analogie gevormd iets⟩ analogy

analogisch [bn, bw] analogic(al) ♦ *analogisch **denken/redeneren*** think/reason analogically/in terms of analogies; *analogisch **verklaren*** explain by analogy

analoog [bn, bw] [1] ⟨overeenkomend⟩ analogous ⟨bw: ~ly⟩ ♦ *een analoog **geval*** an analogous case; *analoog **redeneren/denken*** reason/think analogously; *analoog **redenerend*** reasoning by means of analogies; *een analoge **redenering*** an analogous argument; *analoog **zijn** (aan/met)* be analogous to [2] ⟨biol⟩ analogous ⟨bw: ~ly⟩ [3] ⟨techn⟩ analogue, ⟨AE vnl⟩ analog ♦ *een analoge **computer/rekenmachine*** an analogue computer; *een analoog **horloge*** an analogue watch

analysator [de^m] analyser, ⟨AE⟩ analyzer

analyse [de^v] [1] ⟨het ontleden in bestanddelen⟩ analysis ♦ ***chemische** (kwalitatieve) analyse* chemical analysis; ⟨essaai⟩ assay; *een **kritische** analyse (van een roman/gedicht/van politieke problemen/...)* a critical analysis (of a novel/poem/ of political problems/...); ***kwantitatieve** analyse* quantitative analysis; *een analyse **maken** van* make an analysis of, analyse/^Aanalyze; *een analyse **toepassen** op* perform an analysis of, analyse/^Aanalyze [2] ⟨logica⟩ analysis [3] ⟨taalk⟩ analysis ♦ ***logische en grammatische** analyse* logical and grammatical analysis [4] ⟨wisk⟩ analysis [5] ⟨psych⟩ analysis ♦ ***in** analyse gaan/zijn* undergo/be under analysis

analyseerbaar [bn] analysable/^Aanalyzable (into), ⟨essayeerbaar⟩ assayable

analyserapport [het] analyst's report, report of analysis

analyseren [ov ww, ook abs] analyse, ⟨AE⟩ analyze ♦ *zij kon **goed** analyseren* she could analyse a problem well; ***grondig** analyseren* analyse thoroughly; ⟨fig⟩ dissect; *een **schaakpartij** analyseren* analyse a chess game; ***syntactisch** analyseren* analyse the syntax (of), parse; *een **techniek/kunstwerk** analyseren* analyse a technique/work of art

analyticus [de^m] analyst

¹**analytisch** [bn] ⟨analyserend⟩ analytical, ⟨AE vnl⟩ analytic ♦ *een analytische **geest*** an analytical mind

²**analytisch** [bn, bw] ⟨op analyse berustend⟩ analytical ⟨bw: ~ly⟩, ⟨AE vnl⟩ analytic ♦ *analytisch **denken*** think analytically; ⟨wisk⟩ *analytische **functie*** analytical function; *analytische **meetkunde*** analytic(al) geometry; *analytische **oplossing** van een vraagstuk* analytical solution to a problem; *analytische **psychologie*** analytic psychology; *analytische **talen*** analytical languages; *een analytisch **verslag*** an analytical report

anamnese [de^v] [1] ⟨med⟩ anamnesis, case history [2] ⟨filos⟩ anamnesis [3] ⟨rel⟩ Anamnesis

anamorfose [de^v] anamorphosis

ananas [de] [1] ⟨plant⟩ pineapple [2] ⟨vrucht⟩ pineapple

anapest [de^m] anap(a)est

anarchie [de^v] [1] ⟨regeringloosheid⟩ anarchy [2] ⟨ordeloosheid⟩ anarchy

anarchisme [het] [1] ⟨leer⟩ anarchism [2] ⟨streven⟩ anarchism

anarchist [de^m], **anarchiste** [de^v] anarchist

anarchiste [de^v] → **anarchist**

anarchistisch [bn] [1] ⟨m.b.t. het anarchisme, de anarchisten⟩ anarchist(ic) [2] ⟨de beginselen toegedaan⟩ anarchic

anarchokapitalisme [het] anarcho-capitalism

anarchosyndicalisme [het] ⟨pol, gesch⟩ anarcho-syndicalism

anastigmaat [de^m] ⟨foto⟩ anastigmat, anastigmat(ic) lens

anastomose [de^v] anastomosis

anastrofe [de] anastrophe, inversion

anathema [het] anathema ♦ *zijn anathema over iets **uitspreken*** anathematize sth.

Anatolië [het] Anatolia, ⟨gesch⟩ Asia Minor

Anatolisch [bn] Anatolian

anatomie [de^v] [1] ⟨leer⟩ anatomy ♦ ***pathologische** anatomie* morbid/pathological anatomy; ***topografische** anatomie* topographical anatomy, topography [2] ⟨handeling⟩ anatomy

anatomisch [bn] anatomical ♦ *anatomische **bouw/beschrijving/verhandeling*** ⟨ook⟩ anatomy

anatomiseren [ov ww] [1] ⟨ontleden⟩ anatomize, dissect [2] ⟨fig⟩ anatomize, dissect

anatoom [de^m] anatomist

anatoxine [het] ⟨med⟩ toxoid

anatto [het] a(n)natto, anatta

anchorman [de^m] anchorman

anchorwoman [de^v] anchorwoman

ancien [de^m] ⟨in België⟩ [1] ⟨soldaat⟩ long-serving soldier [2] ⟨student⟩ last year student

anciënniteit [de^v] seniority, length of service ♦ *(iemand) met **hogere** anciënniteit* (s.o.) senior; *de bevordering geschiedt **naar** anciënniteit* promotions are made on/according to seniority

Andalusië [het] Andalusia

Andalusiër [de^m], **Andalusische** [de^v] ⟨man & vrouw⟩ Andalusian, ⟨vrouw ook⟩ Andalusian woman/girl

Andalusisch [bn] Andalusian

Andalusische [de^v] → **Andalusiër**

¹**andante** [het] ⟨muz⟩ andante

²**andante** [bw] ⟨muz⟩ andante

andantino [bw] ⟨muz⟩ andantino

¹**ander** [bn] [1] ⟨de, het tweede⟩ other, another ♦ *de andere **drie*** the other three, the three others; *op **één** of andere dag* some day (or other); *om de **één** of andere reden* for one reason or another, for some reason; *op de **één** of andere manier/wijze* by some means or other, one way or another; *mijn andere **ik*** my alter ego; *aan de andere **kant*** ⟨lett⟩ on the reverse side; ⟨anderzijds⟩ on the other hand; *de andere **sekse**, het andere **geslacht*** the opposite/other sex; *(de) een of andere **voorbijganger*** some passer-by; *iemand naar de andere **wereld** wensen* wish s.o. into eternity/the next world; *iemand naar de andere **wereld** zenden/helpen* blow/dispatch s.o. to kingdom come/the next world/to eternity [2] ⟨niet dezelfde⟩ other, another ♦ *aan de andere **kant/zijde** van het dorp* at the far end of the village; *een andere **keer** misschien!* maybe some other time; *geen andere **keuze** hebben dan ...* have no option but ...; *neem een andere **sigaar*** have a fresh/new cigar [3] ⟨zich onderscheidend⟩ different ♦ *zijn vader was een heel andere **man** dan hij* his father was/used to be quite different from him/a very different type; *ik ben nu een ander **mens*** I'm a different man/woman now; ⟨fig⟩ *andere **wind*** a new wind; *dat is een (ge)heel andere **zaak/kwestie*** that's quite a different matter, that's a different matter altogether [•] ⟨sprw⟩ *andere tijden, andere zeden* other times, other manners; other days, other ways

²**ander** [onbep vnw] [1] ⟨persoon⟩ another, ⟨mv⟩ others ♦ *meer dan **alle** anderen bij elkaar* more than all the rest put together; *zij kan dat net zo goed **als** een ander* she can do it as well as anybody else/the next person; ***de** ander* the other; *de **drie** anderen* the three others, the other three; *de **een** of ander* somebody, someone; *als **geen** ander* more than anybody else; *hij kan zwemmen als **geen** ander* there's no one can swim like he does; ⟨inf⟩ he can swim like nobody's business; *de één **na** de ander* (pick them up) one after another, one by one, in sequence; *sommigen wel, anderen **niet*** some do/are, some don't/aren't; *de ene **of** de andere* (choose) one or the other; *wie? jij **onder** anderen!* who? you, for one/ amongst others; *voor hem/haar **tien** anderen* there are plenty more fish in the sea/pebbles on the beach; *zeg het niet **aan** een ander* don't tell a soul/anyone else; *maak dat een ander wijs!* tell me another!, pull the other one! [2] ⟨zaak⟩ another matter/thing, ⟨mv⟩ other matters/things ♦ *(het) **een** en ander* a few things, one thing and another; all this, matters (resulted in ...); *hij moet het **een** of ander vergeten zijn* he must have forgotten sth. or other; *men kan het ene doen en het andere niet **laten*** you can have your cake and eat it too; *het één **met** het ander (genomen), ...* what with one thing and another, ..., one way and another, ...; *van de één **naar** de ander hollen* ⟨ook⟩ rush from one thing to the other/from pillar to post; *of het één, **of** het ander!* ⟨ook⟩ you can't have it both ways; ***onder** andere (o.a.)* among other things, including; ⟨soms ook⟩ e.g. [•] ⟨in België⟩ ***op** een ander* somewhere else, at s.o. else's place; ⟨sprw⟩ *wat gij niet wilt dat u ge-*

schiedt, doe dat ook een ander niet do unto others as you would they should do unto you; do as you would be done by; ⟨sprw⟩ *die een kuil/put graaft voor een ander valt er zelf in* ± whoso diggeth a pit shall fall therein; ⟨sprw⟩ *als de ene hand de andere wast, worden ze beide schoon* one hand washes the other; you scratch my back and I'll scratch yours; ⟨sprw⟩ *de een zijn dood is de ander zijn brood* one man's breath is another man's death

³**ander** [rangtelw] next, other ♦ *des anderen* ***daags****, de andere* ***dag*** (the) next day; *om de andere* ***dag*** every other day, on alternate days; *ten anderen* ***male*** (the) next time; ***om*** *de ander* in turns; *de andere* ***week*** (the) next week [•] ⟨in België⟩ ***ten*** *andere* → **trouwens**

anderdaags [bn] tertian ♦ *anderdaagse* ***koorts*** tertian fever

anderdeels [bw] partly, in part, on the other hand ♦ ***eensdeels*** *..., anderdeels ...* partly ..., partly ...

anderhalf [hoofdtelw] [1] ⟨een en een half⟩ one and a half ♦ ⟨scherts⟩ *anderhalve* ***cent*** lofty and Ti(t)ch; *anderhalf* ***jaar*** a year and a half, eighteen months; *anderhalf* ***maal*** *zoveel* half as much/many again; *anderhalf* ***maal*** *zo hoog* one and a half times as high; *anderhalf* ***maal*** *het loon (voor overwerk)* time and a half (for working overtime); *anderhalf* ***uur*** an hour and a half [2] ⟨zeer gering aantal⟩ ♦ *anderhalve* ***bezoeker*** the odd visitor, a couple of visitors; *anderhalve* ***man*** *(en een paardenkop)* ↑ hardly anybody; ⟨BE ook⟩ a few odds and sods

andermaal [bw] again ♦ ***eenmaal****, andermaal, derdemaal, verkocht* going, going, gone; *een en andermaal* once and again, more than once

anderman [onbep vnw] another (man), ⟨mv⟩ others, other people ♦ *met andermans* ***veren*** *pronken* strut around in borrowed plumage; *zich met andermans* ***zaken*** *bemoeien* interfere in other people's business; ⟨inf⟩ poke one's nose in [•] ⟨sprw⟩ *in andermans boeken is het duister lezen* it is difficult to understand another man's affairs; ⟨sprw⟩ *niemand hinkt van/gaat mank aan andermans zeer* it is easy to bear the misfortunes of others; ⟨sprw⟩ *het is goed riemen snijden van andermans leer* men cut long thongs of other men's leather

¹**anders** [bn, alleen pred] [1] ⟨verschillend⟩ different (from) ♦ *niemand anders* ***dan*** *hij* no one but him; *zij was anders* ***dan*** *anders* she was unlike her usual self; *het is niet anders* ***dan*** *normaal* it is no different from usual; *het kan niet anders* ***dan*** *goed zijn* it cannot but be right; ***iemand/niemand****/niets/iets/wat anders* somebody/s.o./nobody/nothing/sth. else; *nog* ***iets*** *anders?* anything else?; *over* ***iets*** *anders beginnen (te praten)* change the topic/subject; *hij wil niet? dat is* ***iets/wat*** *anders!* he doesn't want to? that's different!; *mooi! maar of het werkt is* ***iets*** *heel anders!* fine! but whether it works is another matter/remains to be seen!; *mooi* ***is*** *anders* beautiful is not what I'd call it/sth. else; *het is (nu eenmaal)* ***niet*** *anders* that's how it is (and there's nothing can be done about it); *het is belachelijk maar het is* ***niet*** *anders* it's ridiculous but there it is; *ik heb* ***niets*** *anders te doen* I have nothing better to do; all I have to do (is ...); *er zit* ***niets*** *anders op dan ...* there is nothing for it but to ...; *dat is heel* ***wat*** *anders/****iets*** *heel anders* that's quite a different matter (altogether)/a very different kettle of fish; *daardoor* ***wordt*** *de zaak anders* that alters the matter; *onze zeden* ***zijn*** *anders dan die van onze voorouders* our morals differ from those of our ancestors [2] ⟨homofiel⟩ different

²**anders** [bw] [1] ⟨op een andere manier⟩ otherwise, differently ♦ *het anders* ***aanpakken*** handle/tackle it differently, change one's tack; *experts bekijken schilderijen anders* ***dan*** *leken* experts and layman view paintings differently; *de zakenman, anders* ***dan*** *de werknemer, moet aan winst denken* the businessman, unlike/as opposed to the employee, has to consider the profits; *ik* ***denk*** *er anders over dan zij* I disagree with her there/in that respect, I differ from her; *anders* ***genoemd*** alias, a.k.a., otherwise; *anders* ***gezegd****, ...* in other words; or, ...; to put it differently, ...; *het* ***is*** *(met mij) anders* ***gegaan*** *dan ik dacht* things turned out different(ly) than I had expected; *met haar* ***is*** *het anders* ***gesteld****, zij* ***staat*** *er anders* ***voor*** she is differently placed/in a different position, with her it's different; *hij* ***kan*** *niet anders* ⟨kan het niet laten⟩ he can't help it; ⟨moet wel⟩ he has no choice; *ik* ***kan*** *niet anders zeggen dan ...* all I can say is ...; *kwebbelen, anders* ***kan*** *je niet(s)!* chatter, that's all you're capable of!; *het* ***kan*** *niet anders of ze is ziek/dan dat ze ziek is* she must be ill; *in jouw geval* ***liggen*** *de zaken anders* in your case things are different; *(zo is het) en* ***niet*** *anders* (I told you) and that's it/that's how it is; *we doen het zo en* ***niet*** *anders* we'll do it this way and no other; *zij zou wel anders* ***praten*** *als ...* she'd sing a different song if ...; *iets anders* ***uitdrukken/stellen*** reword/rephrase sth. [2] ⟨op andere tijden⟩ otherwise ♦ *net* ***als*** *anders* the same as ever; *niet meer zo vaak* ***als*** *anders* less often than usual, not so often as usual; *anders* ***zit*** *ik nu aan mijn bureau* normally, I'd be sitting at my desk now; *hij is anders zeer meegaand* he is very compliant as a rule/otherwise [3] ⟨in andere omstandigheden⟩ otherwise ♦ *als ik het zeg, anders* ***niet!*** only when/if I say so; *maak dat je wegkomt* ***of*** *anders ...!* be off/make yourself scarce, or else ...!; *hij weet het niet, anders zou hij het wel zeggen* he doesn't know, otherwise/or he would tell/say [4] ⟨om een andere reden⟩ else, otherwise ♦ ***waarom*** *zou hij anders zo koppig zijn* why else should he be so stubborn [5] ⟨beperking, voorbehoud⟩ otherwise, though ♦ *het is anders niet zo moeilijk* it is not really so difficult; *verwacht je regen? daar ziet het anders niet naar uit* do you expect rain? it doesn't look like it, though [6] ⟨voor het overige⟩ otherwise, else ♦ *wat* ***kon*** *ik anders (doen) (dan ...)?* what else could I do (but ...)?; *het huis is oud,* ***maar*** *anders wel geschikt* the house is old, but for the rest/otherwise quite suitable; *anders* ***niets?*** ⟨bijvoorbeeld in winkel⟩ will that be all? [7] ⟨toegeving⟩ otherwise, for the rest [•] ***ergens*** *anders* somewhere else; *ga* ***nergens*** *anders heen!* don't go anywhere else!

andersbegaafd [bn] differently-abled

andersdenkend [bn] ⟨met afwijkende mening⟩ dissentient, dissident, ⟨oneens⟩ in disagreement ⟨alleen pred⟩

andersdenkende [de] dissenter, dissident

andersglobalisme [het] alter-globalization

andersom [bw] the other way round ♦ *je moet die schroef andersom* ***draaien*** turn the screw the other way round; *'t is* ***juist*** *andersom* it's just the opposite/the reverse/the other way round

andersoortig [bn] different, heterologous

anderstalige [de] ± non-native/foreign speaker

andersvalide [de^{m}] differently abled

anderszins [bw] ⟨form⟩ otherwise ♦ *schade, zo door brand, hagel* ***als*** *anderszins* damage caused by fire, hail or otherwise; ***en/of*** *anderszins* and/or otherwise

anderzijds [bw] on the other hand ♦ *het is waar,* ***maar*** *anderzijds ...* it's true, yet ...; it's true, but then again/on the other hand ...

Andes [de^{mv}] Andes

andijvie [de] [1] ⟨plant⟩ endive [2] ⟨groente⟩ endive

andoorn [de^{m}] woundwort

Andorra

naam	*Andorra* Andorra
officiële naam	*Vorstendom Andorra* Principality of Andorra
inwoner	*Andorrees* Andorran
inwoonster	*Andorrese* Andorran
bijv. naamw.	*Andorrees* Andorran
hoofdstad	*Andorra la Vella* Andorra la Vella
munt	*euro* euro
werelddeel	*Europa* Europe

int. toegangsnummer 376 www .ad auto AND

Andorra [het] Andorra
[1]**Andorrees** [de^{m}], **Andorrese** [de^{v}] ⟨man & vrouw⟩ Andorran, ⟨vrouw ook⟩ Andorran woman/girl
[2]**Andorrees** [bn] Andorran
Andorrese [de^{v}] → **Andorrees**[1]
andragoge [de^{v}] → **andragoog**
andragogiek [de^{v}] ± adult/continuing/further education
andragogisch [bn, bw] concerning adult/continuing/further education
andragologe [de^{v}] → **andragoloog**
andragologie [de^{v}] ± adult educational theory
andragoloog [de^{m}], **andragologe** [de^{v}] ± specialist in adult education
andragoog [de^{m}], **andragoge** [de^{v}] ± worker in adult/continuing/further education, ± teacher in adult/continuing/further education
andreaskruis [het] St/Saint Andrew's cross ◆ ⟨heral⟩ ***in** andreaskruis* in saltire
androgeen [bn] androgenic ◆ *androgeen **hormoon*** ⟨ook⟩ androgen
[1]**androgyn** [de^{m}] androgyne
[2]**androgyn** [bn] androgynous
androgynie [de^{v}] [1] ⟨biol⟩ androgyny [2] ⟨plantk⟩ androgyny
androïde [de^{v}] android
Andromedanevel [de] ⟨astron⟩ Andromeda Galaxy
andropauze [de] ⟨biol⟩ male menopause, climacteric
androstenon [het] androstenone
androsteron [het] ⟨biol⟩ androsterone
anekdote [de] anecdote ◆ *anekdotes **over** iemand* ⟨vnl bekend persoon⟩ anecdotes about s.o., personal anecdotes (about s.o.)
anekdotisch [bn] [1] ⟨van de aard van een anekdote⟩ anecdotal [2] ⟨samengesteld uit, berustend op anekdotes⟩ anecdotal
anemie [de^{v}] ⟨med⟩ anaemia
anemisch [bn] [1] ⟨lijdend aan bloedarmoede⟩ anaemic, ⟨fig ook⟩ bloodless [2] ⟨m.b.t. anemie⟩ anaemic
anemometer [de^{m}] anemometer
anemoon [de] [1] ⟨plant⟩ anemone [2] ⟨bloem⟩ anemone
anencefalie [de^{v}] anencephaly
anergie [de^{v}] ⟨med⟩ anergy
anesthesie [de^{v}] ⟨med⟩ [1] ⟨verdoving van pijn⟩ anaesthesia ◆ ***epidurale** anesthesie* epidural (anaesthesia), caudal anaesthesia; ***lokale** anesthesie* local anaesthesia; ***totale** anesthesie* general anaesthesia [2] ⟨geneeskundig specialisme⟩ anaesthetics
anesthesiologe [de^{v}] → **anesthesioloog**
anesthesiologie [de^{v}] ⟨med⟩ anaesthesiology
anesthesioloog [de^{m}], **anesthesiologe** [de^{v}] anaesthesiologist
anesthesist [de^{m}] ⟨med⟩ anaesthetist
aneurysma [het] aneurysm
angarie [de^{v}] ⟨jur⟩ angary
angel [de^{m}] [1] ⟨steekorgaan⟩ sting, dart ◆ ⟨fig⟩ *iemand/iets de angel **uittrekken*** take the sting out of sth./s.o. [2] ⟨vishaak⟩ (fish-)hook, angle
angelica [de] ⟨plantk⟩ angelica, angelique
angelologie [de^{v}] angelology
[1]**Angelsaksisch** [het] Anglo-Saxon
[2]**Angelsaksisch** [bn] [1] ⟨Engels⟩ English(-speaking) [2] ⟨van de Angelsaksen⟩ Anglo-Saxon
angelus [het] ⟨r-k⟩ [1] ⟨gebed⟩ angelus [2] ⟨klok⟩ angelus (bell)
angelusklok [de] angelus (bell)
angina [de] ⟨med⟩ [1] ⟨keelontsteking⟩ tonsillitis, quinsy, angina [2] ⟨angina pectoris⟩ angina (pectoris)
angiografie [de^{v}] angiography
angiogram [het] angiogram
angiologie [de^{v}] ⟨med⟩ angiology
angioom [het] ⟨med⟩ angioma
angiopathie [de^{v}] angiopathy
angiotensine [de] angiotensin
angisa [de] Surinamese headscarf
anglicaan [de^{m}] Anglican
anglicaans [bn] Anglican ▪ *de anglicaanse **kerk*** ⟨Groot-Brittannië ook⟩ the Church of England
anglicisme [het] Anglicism

anglicisme

- een *anglicisme* is een woord, uitdrukking of constructie die is gevormd naar het Engels, of die uit het Engels is vertaald, en die in strijd is met het Nederlandse taalgebruik
- een voorbeeld van een anglicisme in het Nederlands is *vroeger of later* in plaats van *vroeg of laat* (naar sooner or later)

anglist [de^{m}], **angliste** [de^{v}] English specialist, expert on English (language and literature), student of English (language and literature), person with a degree in English
angliste [de^{v}] → **anglist**
anglistiek [de^{v}] English studies, (the study of) English language and literature
Anglo- Anglo- ◆ ***Anglo-Amerikaan*** Anglo-American; ***Anglo-Fries*** Anglo-Frisian
Anglo-Amerikaans [bn] Anglo-American
[1]**anglofiel** [de^{m}] Anglophil(e)
[2]**anglofiel** [bn] Anglophile
anglofilie [de^{v}] Anglophilia, ⟨van Engelsen zelf ook⟩ Englishism
anglofobie [de^{v}] Anglophobia
anglomanie [de^{v}] Anglomania
Angola [het] Angola

Angola

naam	*Angola* Angola
officiële naam	*Republiek Angola* Republic of Angola
inwoner	*Angolees* Angolan
inwoonster	*Angolese* Angolan
bijv. naamw.	*Angolees* Angolan
hoofdstad	*Luanda* Luanda
munt	*kwanza* kwanza
werelddeel	*Afrika* Africa

int. toegangsnummer 244 www.ao auto ANG

[1]**Angolees** [de^{m}], **Angolese** [de^{v}] ⟨man & vrouw⟩ Angolan, ⟨vrouw ook⟩ Angolan woman/girl
[2]**Angolees** [bn] Angolan
Angolese [de^{v}] → **Angolees**[1]
angora [de] [1] ⟨dier⟩ angora cat/goat/rabbit [2] ⟨wol⟩ angora (wool)
angorageit [de] angora goat
angorawol [de] angora (wool)
angst [de^{m}] fear (of) ⟨vaak mv⟩, ⟨angstig ontzag⟩ dread, angst (of), ⟨hevige angst⟩ terror (of), ⟨psych vnl⟩ anxiety, ⟨psych; levensangst⟩ angst ◆ *angst **aanjagen*** frighten; ⟨sterker⟩ terrify; *de angst slaat mij in de **benen*** I'm scared stiff; *een **dodelijke** angst* a deadly terror/fear, deadly fears; *angst **doorstaan/uitstaan*** suffer fears, be terrified/anxious; ***duizend** angsten uitstaan* be terror-stricken, suffer agonies (of fear); *angst **hebben** voor* be afraid/scared of; ⟨form⟩ be/stand in dread/fear of; ***in** angst zitten* be afraid/scared; ⟨inf⟩ be in a fright/panic; *de angst in iemands **ogen** lezen* see the fear in s.o.'s eyes; ***overdreven** angst om de kinderen* over-anxiety for the children; *met **stijgende** angst* with growing fear(s)/anxiety; ***uit** angst **voor*** for fear of; *verlamd **van** angst* numb with fear, frightened out of one's wits, rooted to the ground with fear; *(ver)stijf(d) **van** angst* rigid/frozen with fear/terror/dread; *ik bezweek bijna **van** angst* I almost

died/passed out with fear; *sidderen/ineenkrimpen van angst* shake/tremble with fear, be struck with terror/fear; *in angst en vreze* in fear and trembling, beset by fears; *met angst en beven (iets tegemoet zien)* (view/await sth.) with terror in one's heart/with fear and trembling

angstaanjagend [bn, bw] terrifying, frightening, ⟨ervaring ook⟩ anxious, ⟨monster ook⟩ fearsome

angstcomplex [het] anxiety complex/syndrome

angstdroom [de^m] anxious/fearful dream, nightmare, ⟨psych⟩ anxiety dream

angstgegner [de^m] ⟨sport⟩ nemesis

angstgevoel [het] (feeling of) fear/terror/dread

angsthaas [de^m] scaredy-cat

angsthazerig [bn, bw] timid ⟨bw: ~ly⟩, anxious, nervous

¹angstig [bn] 1 ⟨angst voelend⟩ terrified, angst-ridden, anxious, ⟨predicatief⟩ afraid ♦ *dat maakte mij angstig* that frightened me/made me afraid 2 ⟨angst verwekkend⟩ fearful, anxious, terrifying ♦ *angstige gedachten* fearful/anxious/terrifying thoughts; *het waren angstige tijden* those were fearful/anxious times; *angstige voorgevoelens/vermoedens hebben* have qualms (about)/presentiments (that) 3 ⟨van angst getuigend⟩ terrified, anxious ♦ *een angstige schreeuw* a terrified/an anxious cry, a cry of distress

²angstig [bw] 1 ⟨op van angst getuigende wijze⟩ fearfully, anxiously ♦ *angstig gespannen verwachting* anxious expectation/anticipation 2 ⟨zeer⟩ fearfully, anxiously ♦ *zij reed angstig snel* she drove fearfully fast/at fearful speed

angstkreet [de^m], **angstschreeuw** [de^m] cry of fear/distress, ⟨plotselinge schrik⟩ startled cry

angstneurose [de^v] anxiety neurosis

angstogen [de^{mv}] terrified look ♦ *iemand met grote angstogen aanstaren* look fearfully at s.o.

angstpsychose [de^v] anxiety psychosis

ångströmeenheid [de^v] ångström (unit)

angstschreeuw [de^m] → **angstkreet**

angststoornis [de^v] anxiety disorder

angstsyndroom [het] anxiety syndrome

angsttoestand [de^m] anxiety, panic, distress, ⟨psych⟩ anxiety state

angstvallig [bn, bw] 1 ⟨pijnlijk nauwgezet⟩ scrupulous ⟨bw: ~ly⟩, meticulous, painstaking, studious ♦ *angstvallig een geheim bewaren* guard a secret jealously; *zij vermeed angstvallig alle vreemde woorden* she scrupulously/studiously/painstakingly avoided/she took great pains to avoid all foreign words; *angstvallige waarheidsliefde* scrupulous/meticulous concern for the truth/honesty 2 ⟨schroomachtig, bangelijk⟩ anxious ⟨bw: ~ly⟩, nervous, timid, ⟨form⟩ timorous ♦ *angstvallig keek hij om* he glanced back nervously/anxiously/timorously

angstwekkend [bn, bw] frightening, terrifying, alarming

angstzweet [het] cold sweat ♦ *het angstzweet brak hem uit* he broke out in a cold sweat

angulair [bn] angular, ⟨meetk⟩ angled

anhidrose [de^v] ⟨med⟩ anhidrosis, anhydrosis

anijs [de^m] 1 ⟨plant⟩ anise 2 ⟨zaad⟩ aniseed 3 ⟨likeur⟩ anisette

anijsmelk [de] aniseed milk

anijstablet [de] aniseed tablet

anijszaad [het] aniseed

aniline [de] aniline (dye)

anima [de^v] ⟨psych⟩ anima

animaal [bn] animal ♦ *animale driften* ⟨ook⟩ animality

animateur [de^m] initiator

animatie [de^v] 1 ⟨film; tekeningen⟩ animation 2 ⟨film⟩ → **animatiefilm** 3 ⟨in België⟩ activities, festivities, entertainment

animatiefilm [de^m] (animated) cartoon, cartoon (film), animation

animato [bw] ⟨muz⟩ animato

animator [de^m], **animatrice** [de^v] 1 ⟨gangmaker, -maakster⟩ driving force, inspirer, instigator, ⟨m.b.t. gezelligheid enz.⟩ life and soul of the party ♦ *hij is de animator van de actiegroep* he is the driving force behind the action group 2 ⟨iemand die animatiefilms maakt⟩ animator

animatrice [de^v] → **animator**

animatronic [de^m] animatronic

anime [de^m] anime

animeermeisje [het] hostess, ⟨in nachtclub⟩ nightclub hostess, bar girl, ⟨in 'Playboy' club⟩ bunny (girl), ⟨sl⟩ B-girl

animeren [ov ww, ook abs] 1 ⟨lust geven om iets te doen⟩ ↓liven up, ⟨stimuleren⟩ stimulate (to), ⟨overgankelijk werkwoord ook⟩ animate, enliven, ↓ginger up, ⟨aanmoedigen⟩ encourage (to), ⟨aansporen⟩ urge (to/on) ♦ *een vervelend feestje wat animeren* liven/ginger a boring party up a bit; *het weer/zo'n opmerking animeert niet erg* the weather/a remark like that is not very stimulating 2 ⟨activiteiten organiseren⟩ organize activities, entertain

animisme [het] 1 ⟨filos⟩ animism 2 ⟨levensopvatting⟩ animism, ± nature worship 3 ⟨bk⟩ animism

animist [de^m] ⟨rel, filos⟩ animist

animo [het, de^m] 1 ⟨ondernemingslust⟩ zest (for), gusto (in), spirit, ↑animation, eagerness (to), ⟨inf⟩ (get-up-and-) go, zip ♦ *met animo iets doen* do sth. with zest/gusto/spirit/enthusiasm/a will 2 ⟨lust tot kopen⟩ animation ♦ ⟨handel⟩ *er was veel animo* business was brisk/lively/active; *er was veel animo op die verkoping* bidding was/biddings were animated, the sale was marked by great animation; ⟨handel⟩ *er was weinig animo* business was slack, buyers held off, the market was flat; *er was weinig animo op die verkoping* bidding was slow at the sale, there was little inclination/not much disposition/a disinclination to buy

animositeit [de^v] animosity (towards/against), hostility (to), enmity (towards), animus (against), antagonism (to)

anion [het] anion

anisette [de] 1 ⟨likeur⟩ anisette 2 ⟨glas likeur⟩ (glass of) anisette

anisool [de^m] ⟨scheik; inf⟩ anisole

anisotroop [bn] ⟨natuurk⟩ anisotropic, aelotropic

anita [de^v] doll, dumb blond, Betty Boop

anjelier [de] carnation, pink, dianthus ♦ *gestreepte anjelier* flake

anjer [de] carnation, pink, ⟨plant ook⟩ dianthus ♦ *ruige anjer* sweet William

Anjerrevolutie [de^v] Portuguese revolution of 1974

ankeiler [de^m], **aankeiler** [de^m] eye-catcher, appetite-whetter

anker [het] 1 ⟨scheepv⟩ anchor, ⟨kleinanker, i.h.b. stenen anker⟩ killick, killock ♦ *het anker is blind* the anchor is unmarked by a buoy; *het anker is klaar* the anchor is cockbill; *krabbend anker* dragging anchor; *ergens zijn anker laten vallen/uitwerpen* drop/cast anchor somewhere, anchor somewhere; ⟨scheepv⟩ let go somewhere; *het anker lichten* raise (the) anchor; ⟨ook fig⟩ weigh anchor, get under weigh/way; *het anker losgooien (van)* weigh anchor; ⟨scheepv⟩ *anker op!* heave ho!; *een anker ophalen* haul an anchor home; *ten/voor anker liggen* be anchored, lie/be at/ride to/at anchor; *ten/voor anker komen/gaan* anchor, make anchorage, come to/drop/cast anchor; ⟨meren⟩ moor; ⟨scheepv ook⟩ bring up, come to; *een anker uitbrengen* run the anchor; *van zijn anker spoelen/drijven/slaan/afgeslagen worden* break/come adrift, lose one's mooring; *het schip rijdt voor zijn anker* the ship is riding at anchor 2 ⟨bouwk⟩ anchor, cramp (iron), wall-tie, dog ♦ *blind anker* concealed cramp (iron) 3 ⟨fig; houvast⟩ solid footing 4 ⟨inhoudsmaat⟩ anker ♦ *een anker wijn* an anker of wine 5 ⟨natuurk⟩ armature, keeper 6 ⟨techn⟩ armature 7 ⟨bilj⟩ anchor,

square [8] ⟨m.b.t. uurwerk⟩ anchor, lever
ankerarm [de^{m}] (anchor) arm/blade
ankerboei [de] anchor-buoy
[1]**ankeren** [onov ww] ⟨voor anker gaan⟩ anchor, make anchorage, come to anchor, drop anchor, cast anchor, ⟨meren⟩ moor ♦ *ergens geankerd zijn* ⟨ook fig⟩ be anchored (fast) somewhere; ***verboden** te ankeren* no anchorage, anchorage forbidden
[2]**ankeren** [ov ww] [1] ⟨voor anker leggen⟩ anchor, ⟨meren⟩ moor [2] ⟨bouwk⟩ cramp
ankerhorloge [het] lever watch
ankerkader [het] ⟨bilj⟩ balk line
ankerketting [de] chain, (anchor/chain) cable
ankerkruis [het] (anchor) crown
ankerlicht [het] anchor/riding light
ankerplaats [de] anchorage (berth/place)
ankerschacht [de] (anchor) shaft/shank
ankerslot [het] ± pawl lock
ankerspil [het] windlass
ankertouw [het] → **ankertros**
ankertros [de^{m}], **ankertouw** [het] anchor mooring rope/cable, anchor hawser, ⟨scheepv ook⟩ cable, ⟨van luchtschip⟩ guiderope
ankerwikkeling [de^{v}] armature/barrel winding
ankh [de^{m}] ankh
anklet [de^{m}] ⟨BE⟩ ankle sock, ⟨AE⟩ anklet
annalen [de^{mv}] [1] ⟨geschiedkundig verslag van jaar tot jaar⟩ annals, ± chronicles ♦ ⟨fig⟩ *iets **voor** de annalen/om **in** de annalen vast te leggen* sth. for the/to put in the annals; ⟨inf⟩ one for the book [2] ⟨geschiedenis⟩ annals, records, chronicles
annalist [de^{m}] annalist, chronicler
[1]**annex** [bn] adjoining, attached, ↑ appendant ♦ *een huis met **garage** annex* a house with adjoining garage/with garage adjoining/attached; *te koop een brouwerij met annexe **gebouwen*** for sale: a brewery with/and adjoining/appendant buildings; *annex **vindt** u de gevraagde documenten* enclosed please find the documents requested
[2]**annex** [vw] with and/or adjoining, with/and attached ♦ *uitgeverij annex **drukkerij*** ⟨gebouw⟩ publisher's and adjoining printer's; ⟨firma⟩ printer's and publisher's; *woordenboek annex **naslagwerk*** dictionary/reference book
annexatie [de^{v}] [1] ⟨het annexeren⟩ annexation, ⟨vnl. m.b.t. gemeenten⟩ incorporation, ⟨inf⟩ take-over ♦ *de annexatie van **Oostenrijk** door Duitsland in 1938* the annexation of Austria by Germany in 1938, the Anschluss [2] ⟨het geannexeerd worden⟩ annexation, ⟨vnl. m.b.t. gemeenten⟩ incorporation, ⟨inf⟩ take-over
annexen [de^{mv}] annexes, addenda, ⟨toebehoren⟩ appurtenances ♦ ***met** annexen* with annexes/appurtenances; *de annexen van een **verdrag*** the annexes to a treaty
annexeren [ov ww] annex, ⟨vnl. m.b.t. gemeenten⟩ incorporate, ⟨inf⟩ take over, swallow up ♦ *'s-Gravenhage wil een deel van de omliggende **gemeenten** annexeren* The Hague wishes to incorporate some of the surrounding boroughs; ⟨fig⟩ *de nazi's hebben **Nietzsche** geheel geannexeerd* the Nazis (mis)appropriated Nietzsche for their own ends
annexionisme [het] annexationism
annihilator [de^{m}] ± fire extinguisher
anno in the year ♦ *anno 1981* in the year 1981; *anno **Domini*** Anno Domini, AD, in the year of Our Lord
annonce [de] [1] ⟨advertentie⟩ advertisement, ↓ advert, ⟨inf⟩ ad, ⟨vnl. van geboorten/huwelijken/sterfgevallen⟩ announcement ♦ ***kleine** annonces* classified advertisements/ads, small ads [2] ⟨kaartsp⟩ bid, ⟨m.b.t. troefkaart⟩ call
annonceren [ov ww] [1] ⟨bekendmaken, aanbieden⟩ announce, ⟨i.h.b. recl maken⟩ advertise, ↑ herald [2] ⟨kaartsp⟩ bid, ⟨troefkaart⟩ call
annotatie [de^{v}] [1] ⟨het annoteren⟩ annotation [2] ⟨(verklarende) aantekening⟩ annotation, note, ⟨voetnoot⟩ footnote
annoteren [ov ww] annotate, ± comment on
annualiseren [ov ww] annualize
annuïtair [bn] annuity
annuïteit [de^{v}] [1] ⟨jaarlijkse uitkering⟩ annuity [2] ⟨jaarlijkse afbetaling⟩ annuity, annual instalment/^{A}installment [3] ⟨bewijs van betaling⟩ annuity (certificate) [4] ⟨verz⟩ annuity ♦ ***aflopende** annuïteiten* terminable annuities
annuïteitenhypotheek [de^{v}] level payment (amortization) mortgage
annuïteitslening [de^{v}] annuity loan
annuleerbaar [bn] annullable, cancellable
annuleren [ov ww] annul, ⟨i.h.b. afzeggen/opzeggen⟩ cancel, ⟨jur⟩ (a)void, nullify, rescind ♦ *een **bestelling** annuleren* cancel an order; *de **voorstelling** is geannuleerd* the performance has been cancelled
annulering [de^{v}] annulment, cancellation, ⟨jur⟩ avoidance, recision ♦ *annulering van een **reservering*** cancellation of a reservation
annuleringsverzekering [de^{v}] cancellation insurance
annunciatie [de^{v}] ⟨aankondiging⟩ Annunciation
Annunciatie [de^{v}] ⟨feest⟩ Annunciation (Day), ⟨BE ook⟩ Lady Day
anode [de^{v}] ⟨natuurk⟩ anode, ⟨van radiobuis ook; AE⟩ plate
anodebatterij [de^{v}] anode battery, B-battery, HT battery
anodestraal [de] anode ray
anodiseren [ov ww] anodize
anomaal [bn] anomalous, irregular, abnormal
anomalie [de^{v}] [1] ⟨afwijking, tegenstrijdigheid⟩ anomaly, irregularity, abnormality, aberration, deviation [2] ⟨astron⟩ anomaly
anomalistisch [bn] ⟨astron⟩ anomalistic ♦ *anomalistische **maand**, anomalistisch **jaar*** anomalistic month/year
anomie [de^{v}] anomie, anomy
anoniem [bn] [1] ⟨naamloos, ongetekend⟩ anonymous, nameless, ⟨incognito⟩ incognito ♦ *een anonieme **lasterbrief*** a poison-pen letter; ***niet** anoniem* bearing/with the author's name; ⟨ondertekend⟩ signed; ⟨tegenover anoniem⟩ onymous [2] ⟨niet met een naam te onderscheiden⟩ anonymous, nameless, ⟨fig ook⟩ faceless ♦ *de anonieme **massa*** the anonymous/faceless mass/crowd, the grey mass (of people)
anonimiseren [ov ww, ook abs] anonymize
anonimiteit [de^{v}] anonymity, namelessness
anonymus [de^{m}] anonymous, ⟨schrijver ook⟩ anonymous writer, anonym
anopsie [de^{v}] anopsia, anopia
anorak [de] anorak, parka, cagoule
anorexia [de^{v}] anorexia
anorexia nervosa [de^{v}] ⟨med⟩ anorexia nervosa
anorexie [de^{v}] anorexia, ↓ loss of appetite
anorexiepatiënt [de^{m}] anorectic, anorexic
anorganisch [bn] [1] ⟨scheik⟩ inorganic ♦ *anorganische **scheikunde*** inorganic chemistry; *anorganische **stoffen*** inorganic compounds [2] ⟨taalk⟩ inorganic
anorgasmie [de^{v}] ⟨m.b.t. vrouw⟩ frigidity
anosmie [de^{v}] anosmia
ANP [het] (Algemeen Nederlands Persbureau) 'ANP', Dutch Press Agency
anschluss [de] contact ♦ *geen anschluss **krijgen*** not be able to make contact (with s.o.); *al maanden is hij verliefd op haar, maar hij **krijgt** maar geen anschluss* he's been in love with her for months but he can't make (any) contact with her, ⟨zij wijst hem af⟩ he's been in love with her for months but she doesn't give him a chance
Anschluss [de] Anschluss

an sich [bw] in itself, as such
ansicht [de] → **ansichtkaart**
ansichtkaart [de], **ansicht** [de] picture postcard, ± postcard, ↓ card
ansjovis [de^{m}] anchovy
antagonisme [het] [1] ⟨tegenstrijdige werking⟩ antagonism [2] ⟨strijd tussen twee tegengestelden⟩ antagonism, opposition, conflict ♦ *het antagonisme van de **belangen*** the conflict of interests
antagonist [de^{m}] [1] ⟨persoon⟩ antagonist, adversary, opponent [2] ⟨spier⟩ antagonist, opponent
antagonistisch [bn, bw] antagonistic ⟨bw: ~ally⟩, opponent, adverse [•] ⟨anat⟩ *antagonistische **spieren*** antagonistic/opponent muscles, antagonists
Antarctica [het] Antarctica, (the) Antarctic Continent, ± (the) South Pole
antarctis [de] Antarctic, the Antarctic Zone, (the) South Pole
Antarctisch [bn] Antarctic
ante [de] anta
^{1}**antecedent** [het] [1] ⟨voorafgaand feit⟩ antecedent, ⟨precedent⟩ precedent ♦ *iemands antecedenten **natrekken/onderzoeken*** look into/check s.o.'s antecedents, ↓ look into/check s.o.'s record, ↓ look into/check s.o.'s background; ⟨inf⟩ check upon s.o.; ⟨vnl. m.b.t. staatsveiligheid; inf ook; BE⟩ vet s.o.; ***zijn** antecedenten* his antecedents, ↓ his (past) record, ↓ his background (and experience), his previous career [2] ⟨taalk⟩ antecedent
^{2}**antecedent** [bn] ⟨geol⟩ antecedent ♦ ⟨aardr⟩ *antecedente **rivier*** antecedent river
antecedentenonderzoek [het] ± investigation, security check, ⟨vnl. m.b.t. staatsveiligheid; inf; BE⟩ vetting
antecedentie [de^{v}] ⟨aardr⟩ antecedence
antecederen [onov ww] antecede, precede
antediluviaal [bn], **antediluviaans** [bn] antediluvian, from before the flood ⟨alleen pred⟩ ♦ ⟨scherts; fig⟩ *een antediluviaans **voertuig*** ⟨ook⟩ a prehistoric/stone-age/antiquated vehicle
antediluviaans [bn] → **antediluviaal**
antenne [de] [1] ⟨comm⟩ ⟨BE⟩ aerial, ⟨AE⟩ antenna, ⟨techn⟩ antenna, ⟨schotelvormig⟩ dish (antenna), ⟨draaiende radarantenne⟩ scanner ♦ *een **gerichte** antenne* a directional/beam aerial/antenna; *een **verzonken** antenne* a concealed aerial/antenna [2] ⟨biol⟩ antenna [3] ⟨bovenstuk van een dobber⟩ antenna
antennekabel [de^{m}] aerial/antenna cable
antennesysteem [het] ⟨comm⟩ [•] ***centraal** antennesysteem* community ^{B}aerial/^{A}antenna television/system; ⟨op kleinere schaal⟩ block/party ^{B}aerial/^{A}antenna
anthologie [de^{v}] anthology, ⟨leesboek⟩ reader, ⟨lit; over een bepaald boek/onderwerp ook⟩ casebook ♦ *een anthologie van Shakespeare **kritiek(en)*** an anthology of Shakespeare criticism, a Shakespeare casebook
anthurium [de^{m}] anthurium
anti [de^{m}] anti ⟨ook politiek⟩
anti- anti- ♦ *anti-**Amerikaans*** anti-American; *antiapart**heid*** anti-apartheid
antiaanbaklaag [de] non-stick coating, Teflon (coating)
antiabortus- antiabortion, anti-choice, pro-life, right-to-life ♦ *antiabortus**beweging*** ⟨ook⟩ antiabortionism
antiautoritair [bn] anti-authoritarian ♦ *antiautoritaire **opvoeding*** anti-authoritarian education
antibacterieel [bn] antibacterial
antiballistisch [bn] ⟨mil⟩ antiballistic
antibiose [de^{v}] antibiosis
antibioticum [het] antibiotic ♦ *de dokter **heeft** me antibiotica **gegeven/voorgeschreven*** the doctor has given/prescribed me antibiotics, ⟨inf⟩ the doctor has put me on antibiotics; *ik **neem** antibiotica* I'm taking antibiotics, ⟨inf⟩ I'm on antibiotics
antibiotisch [bn] antibiotic
antiblafband [de^{m}] no-bark collar, bark control collar
antiblokkeersysteem [het] anti-lock braking system
antichambre [de] antechamber, anteroom
antichambreren [onov ww] wait, ⟨negatief opgevat⟩ be kept waiting, ⟨inf⟩ be left to cool one's heels ♦ *iemand **laten** antichambreren* keep s.o. waiting, let s.o. wait; ⟨inf⟩ let s.o. cool his heels
antichrist [de^{m}] [1] ⟨naam voor personen, personificaties⟩ antichrist [2] ⟨Bijb⟩ Antichrist, (the) Beast
anticipatie [de^{v}] [1] ⟨het vooruitgrijpen op een situatie die er nog niet is⟩ anticipation [2] ⟨jur⟩ advancement of the date fixed for a hearing [3] ⟨fin⟩ anticipation [4] ⟨lit⟩ prolepsis [5] ⟨muz⟩ anticipation
anticipatief [bn] ⟨in België⟩ (in) advance ♦ *anticipatieve **heffing*** advance levy/payment/tax, withholding tax
anticiperen [onov ww] [1] ⟨op iets vooruitlopen⟩ anticipate ♦ *anticiperend **autorijden*** drive with one's eyes open, anticipate other roadusers' mistakes; *anticiperen **op iets*** anticipate sth. [2] ⟨vóór iets anders plaatshebben⟩ anticipate ♦ *een anticiperende **beweging*** an anticipatory movement; *anticiperend **gebruik** van het adjectief* prolepsis [3] ⟨jur⟩ exercise the right to advance the date fixed for a hearing [4] ⟨fin⟩ anticipate
anticlimax [de^{m}] [1] ⟨lit⟩ anticlimax [2] ⟨domper, dieptepunt⟩ anticlimax
^{1}**anticlinaal** [de^{m}] ⟨geol⟩ anticline
^{2}**anticlinaal** [bn] ⟨geol⟩ anticlinal
anticoagulans [het] anticoagulant
anticonceptie [de^{v}] contraception, ↓ birth control
anticonceptiemiddel [het] contraceptive, ⟨i.h.b. niet de pil⟩ contraceptive device
anticonceptiepil [de] contraceptive pill, (the) Pill
anticonceptiepleister [de] contraceptive patch
anticorrosief [bn] anti-corrosive, rust-preventing, corrosion-inhibiting ♦ *anticorrosief **middel*** anti-corrosion agent, corrosion inhibitor, rust preventer/inhibitor
anticyclisch [bn] countercyclical ♦ *anticyclische **begrotingspolitiek*** countercyclical/compensatory budgetary policy
antidateren [ov ww] antedate, predate, foredate
antideeltje [het] antiparticle
antidepressivum [het] ⟨med⟩ antidepressant
antidiabeticum [het] anti-diabetic
antidotaal [bn] antidotal, alexipharmic [•] ⟨jur⟩ *antidotaal **verzoekschrift/rekest*** counter-petition, answer (to a petition)
antidotum [het] ⟨ook fig⟩ antidote, alexipharmic
^{1}**antiek** [de^{m}] ⟨mv; Grieken en Romeinen⟩ Antiquity, ⟨i.h.b. de schrijvers⟩ the classics
^{2}**antiek** [het] ⟨oude kunstvoorwerpen⟩ antiques
^{3}**antiek** [bn] [1] ⟨oud, verouderd⟩ antique, ancient, old, ⟨pej, scherts⟩ antiquated, ⟨m.b.t. auto; van voor 1916 of 1905⟩ veteran, ⟨uit de periode 1916-1930⟩ vintage ♦ *een antieke **auto*** a veteran/vintage car; ⟨vnl BE; inf⟩ an old crock; ⟨inf; AE⟩ an oldtimer; *wat een antieke **hoed*** ⟨scherts⟩ what an antiquated hat; *een antiek **voorwerp*** an antique [2] ⟨m.b.t. de Griekse en Romeinse oudheid⟩ classical, antique ♦ *antieke **beschaving/literatuur*** classical civilization/literature
antiekbeurs [de] antique(s) fair
antiekveiling [de^{v}] antique sale/auction
antiekwinkel [de^{m}] antique shop, ⟨pej of iron⟩ junk shop ♦ *de antiekwinkels **aflopen*** go round the antique shops
antifascistisch [bn] antifascist
antifonarium [het] antiphonary
antifoon [de] [1] ⟨liturgisch vers⟩ antiphon [2] ⟨beurtzang⟩ antiphony

antifouling [de] anti-fouling
antifrase [de^{v}] ⟨lit⟩ antiphrasis
^{1}**antigeen** [het] antigen
^{2}**antigeen** [bn] antigenic
antigen [het] antigen
antigifcentrum [het] ⟨in België⟩ poisons advice centre
antiglobalisme [het] anti-globalization
antiheld [de^{m}] ⟨film, lit⟩ antihero
antihistamine [het] ⟨med⟩ antihistamine
antihypertensivum [het] antihypertensive
^{1}**antiklerikaal** [de^{m}] anticlerical (person)
^{2}**antiklerikaal** [bn] anticlerical
antiklerikalisme [het] [1] ⟨het antiklerikaal zijn⟩ anticlericalism [2] ⟨de antiklerikalen⟩ anticlericals
antiklopmiddel [het] anti-knock
antikraker [de^{m}] anti-squatter
antikritiek [de^{v}] reply, rebuttal, retort, rejoinder
antilichaam [het] antibody
Antillen [de^{mv}] (the) Antilles ♦ *de grote/kleine Antillen* the Greater/Lesser Antilles; *de Nederlandse Antillen* the Netherlands Antilles
Antillenroute [de] ⟨fin⟩ (Dutch) Antilles route, diversion of funds to the Antilles by Dutch corporations for tax purposes
Antilliaan [de^{m}], **Antilliaanse** [de^{v}] ⟨man & vrouw⟩ Antillean, ⟨vrouw ook⟩ Antillean woman/girl
Antilliaans [bn] Antillean
Antilliaanse [de^{v}] → **Antilliaan**
antilogaritme [de] antilogarithm, ⟨vaak⟩ antilog
antilope [de] antelope
antimakassar [de^{m}] antimacassar, tidy
antimaterie [de^{v}] antimatter
antimetrie [de^{v}] ⟨lit⟩ metrical deviation
antimilitarisme [het] antimilitarism, pacifism
antimilitarist [de^{m}] antimilitarist, pacifist
antimilitaristisch [bn] antimilitarist, pacifist
antimitotisch [bn] ⟨med⟩ antimitotic
antimonium [het] antimony
antinomie [de^{v}] [1] ⟨tegenstrijdigheid⟩ antinomy [2] ⟨m.b.t. wetten⟩ antinomy
antinucleair [bn] antinuclear, ⟨inf⟩ antinuke ♦ *antinucleaire beweging* antinuclear movement; ⟨inf⟩ antinukers
antioxidans [de^{m}] antioxidant, antidegradant
antioxidant [de^{m}] antioxidant, antidegradant
antipapisme [het] anti-Catholicism, anti-papism
antipapist [de^{m}] anti-Catholic, anti-papist
antipassaat [de^{m}] antitrade (wind)
antipasta [de] ⟨cul⟩ antipasto
antipathie [de^{v}] antipathy (towards), aversion (of), (hearty/strong) dislike (of/to), hostility (towards), ⟨inf⟩ allergy (to) ♦ *sympathieën en antipathieën* likes and dislikes; *een antipathie tegen iemand/iets krijgen* take a strong/hearty dislike to s.o./sth.
antipathiek [bn] antipathetic, unsympathetic ♦ *ik vind hem antipathiek* I find him unsympathetic, I dislike/don't like him
antiperistaltisch [bn] ⟨biol⟩ antiperistaltic
antipersoneelsmijn [de] antipersonnel mine
antipode [de] [1] ⟨aardr⟩ antipodean, ⟨mv ook⟩ antipodes [2] ⟨fig⟩ the (very) antipode (of), the (very) opposite (of)
antipodenspel [het] ± juggling with the feet
antipodist [de^{m}] ± one who juggles with his/her feet
antipropaganda [de] [1] ⟨gericht tegen andere propaganda⟩ counterpropaganda [2] ⟨met het tegenovergesteld effect⟩ negative propaganda, bad publicity
antipsychiatrie [de^{v}] antipsychiatry
antipsychoticum [het] ⟨med⟩ antipsychotic (drug)
antipyrine [de] antipyretic
antiqua [de] antique (type (face))
antiquaar [de^{m}] antiquarian bookseller, ↓ second-hand bookseller
antiquair [de^{m}] antique dealer
antiquariaat [het] [1] ⟨handel⟩ antiquarian book trade, ↓ second-hand book trade ♦ *modern antiquariaat* trade in remainders/remaindered books [2] ⟨bedrijf⟩ antiquarian bookshop, ↓ second-hand bookshop
^{1}**antiquarisch** [bn] [1] ⟨m.b.t. voorwerpen uit vroeger tijd⟩ antiquarian, antique [2] ⟨m.b.t. handel in oude boeken⟩ antiquarian, ↓ second-hand
^{2}**antiquarisch** [bw] ⟨bij een antiquair⟩ ↓ second-hand ♦ *antiquarisch kan men dat werk nog wel krijgen* one can still find that book second-hand/in the second-hand shops
antiquiteit [de^{v}] [1] ⟨voorwerp, bouwwerk uit vroeger tijd⟩ ⟨alg⟩ antiquity ⟨ook bouwwerk⟩, ⟨voorwerp⟩ antique [2] ⟨scherts⟩ antique [3] ⟨mv; gebruiken, instellingen uit de oudheid⟩ antiquities
antiracisme [het] antiracism
antiracistisch [bn, bw] anti-racist
antiraketraket [de] antimissile (missile)
antirampaal [de^{m}] anti-ram post, anti-ram bollard
antireclame [de] ± bad/negative publicity
^{1}**antirevolutionair** [de^{m}] antirevolutionary
^{2}**antirevolutionair** [bn] ⟨pol⟩ antirevolutionary
antiroestbehandeling [de^{v}] anti-corrosive treatment
antiroosshampoo [de^{m}] antidandruff shampoo
antisatellietwapen [het] anti-satellite weapon, ⟨inf⟩ Star Wars weapon
antisemiet [de^{m}] anti-Semite
antisemitisch [bn] [1] ⟨gericht tegen de Joden⟩ anti-Semitic [2] ⟨m.b.t. het antisemitisme⟩ anti-Semitic
antisemitisme [het] anti-Semitism
antiseptisch [bn] antiseptic
antiserum [het] ⟨med⟩ antiserum
antiskating [de^{v}] antiskating
antislip [het] antiskid, ⟨autoband⟩ nonskid
antislipcursus [de^{m}] (anti)skid course/lessons
antispeculatiebeding [het] anti-speculation clause
antistatisch [bn] antistatic
antistemming [de^{v}] atmosphere of disapproval, belligerent mood
antistof [de] antibody, immune body
antistrofe [de] [1] ⟨lit⟩ antistrophe [2] ⟨herhaling van woorden in omgekeerde volgorde⟩ antistrophe
antitankmijn [de] antitank mine
antitankwapen [het] antitank weapon
antithese [de^{v}] [1] ⟨het tegenover elkaar plaatsen, geplaatst zijn⟩ antithesis [2] ⟨filos⟩ antithesis
antithetisch [bn] antithetic(al), adversative
antitoxine [het] antitoxin
antitrombine [het, de] antithrombin
antitrustwetten [de^{mv}] ⟨vnl AE⟩ antitrust laws
antivoetbal [het] anti-football
antivries [het, de^{m}], **antivriesmiddel** [het] antifreeze
antivriesmiddel [het] → **antivries**
antizionisme [het] anti-Zionism
^{1}**antoniem** [het] antonym, opposite
^{2}**antoniem** [bn] antonymous, opposite (in meaning)
antoniuskruis [het] St Anthony's cross, ⟨taukruis⟩ Tau cross
antonymie [de^{v}] antonymy
^{1}**antraciet** [het] ⟨kleur⟩ anthracite, ± charcoal, ± dark grey/^{A}gray
^{2}**antraciet** [het, de^{m}] ⟨steenkool⟩ anthracite (coal), hard/blind/glance/stone coal, ⟨inferieure soort⟩ culm
^{3}**antraciet** [bn] anthracite(-coloured), ± charcoal, ± dark grey/^{A}gray
antracose [de^{v}] ⟨med⟩ anthracosis, ⟨ogm⟩ black lung (disease), miner's lung
antrax [de^{m}] [1] ⟨miltvuur⟩ anthrax, splenic fever/apo-

plexy [2] ⟨negenoog⟩ anthrax, furuncle, carbuncle

antropocentrisch [bn, bw] anthropocentric ⟨bw: ~ally⟩

antropocentrisme [het] anthropocentrism

antropofaag [de^{m}] anthropophagus, ↓cannibal

antropofagie [de^{v}] anthropophagy, ↓cannibalism

antropofobie [de^{v}] ± pathological shyness, ± misanthropy

antropogeen [bn] anthropogenic

antropogenese [de^{v}] anthropogenesis, anthropogeny

antropografie [de^{v}] anthropography

antropoïde [bn] anthropoid ♦ ⟨zelfstandig (gebruikt)⟩ ***de antropoïden*** the anthropoids

antropologe [de^{v}] → **antropoloog**

antropologie [de^{v}] [1] ⟨leer van de mens als natuurhistorisch wezen⟩ anthropology ♦ ***criminele** antropologie* criminal anthropology; ***culturele** antropologie* cultural anthropology, ethnology [2] ⟨theol⟩ anthropology ♦ ***filosofische** antropologie* philosophical anthropology

antropologisch [bn, bw] anthropological ⟨bw: ~ly⟩

antropoloog [de^{m}], **antropologe** [de^{v}] anthropologist

antropometrie [de^{v}] anthropometry

antropometrisch [bn] anthropometric(al)

antropomorf [bn] [1] ⟨mensvormig⟩ anthropomorphous, anthropoid ♦ ⟨zelfstandig (gebruikt)⟩ ***de antropomorfen*** the anthropoids [2] ⟨naar het voorbeeld van de mens⟩ anthropomorphic

antropomorfisme [het] [1] ⟨voorstelling⟩ anthropomorphism [2] ⟨leer⟩ anthropomorphism

antroponiem [het] personal name, ⟨zeldz⟩ anthroponym

antroposcopie [de^{v}] anthroposcopy

antroposofe [de^{v}] → **antroposoof**

antroposofie [de^{v}] anthroposophy

antroposofisch [bn] anthroposophic

antroposoof [de^{m}], **antroposofe** [de^{v}] anthroposophist

Antwerpen [het] Antwerp

Antwerpenaar [de^{m}] inhabitant of Antwerp, native of Antwerp

Antwerps [bn] Antwerp

antwoord [het] [1] ⟨mondelinge, schriftelijke reactie⟩ answer, reply, response ♦ ***aandringen** op een antwoord* press for an answer; ***adres** van antwoord* address in reply; *zonder antwoord **af te wachten*** without waiting for a reply/an answer; *in **afwachting** van uw antwoord* awaiting your reply; *een **afwijzend** antwoord* a negative answer, a refusal; *antwoord **betaald, betaald** antwoord* reply-paid; *een **bevestigend** antwoord* an affirmative answer; *een **brutaal** antwoord geven* answer back, give an impudent answer; ⟨jur⟩ ***conclusie** van antwoord* statement of defence; ⟨vnl. bij echtscheiding⟩ answer; ⟨SchE⟩ defences; *geen antwoord **krijgen*** receive/get/obtain no answer, fail to get a response; *dat is **geen** antwoord op mijn vraag* that's not answering/doesn't answer my question; *een **gepast** antwoord* a suitable/apt/apposite answer; *antwoord **geven** op* reply to, answer; *een antwoord **geven*** make a reply, give an answer; *geen antwoord **geven*** give no answer/reply/response, make no reply/response; *op alles een antwoord **hebben,** altijd een antwoord klaar **hebben*** have an answer for everything, always have a ready answer; ***memorie** van antwoord* memorandum in reply; *een **ontwijkend** antwoord geven* give an evasive answer, evade the question; *in antwoord **op** uw brief/schrijven* in reply/response to your letter; *een **positief** antwoord* a favourable answer; ***ten** antwoord krijgen* be told; *iets **ten/tot** antwoord geven* answer/reply sth.; *antwoord **verzocht*** ⟨bijvoorbeeld in uitnodiging⟩ RSVP, please reply/answer; *op antwoord **wachten*** wait for an answer/a reply; *iets **zonder** antwoord laten* leave sth. unanswered; *het antwoord schuldig (moeten) blijven* (be forced to) make no reply/give no reply/remain silent [2] ⟨oplossing⟩ answer ♦ *een **fout(ief)** antwoord* a wrong/incorrect answer [3] ⟨repliek, weerwoord⟩ answer, retort ♦ *een **gevat** antwoord* a witty/clever retort, a riposte/comeback; *een antwoord **hebben** op* have an answer to; *een **vernietigend/verpletterend** antwoord* a crushing answer/reply

antwoordapparaat [het] answering machine, ansaphone

antwoordcoupon [de^{m}] reply coupon

antwoorddienst [de^{m}] answering service

[1]**antwoorden** [onov ww] [1] ⟨antwoord geven⟩ answer, reply, return ♦ ***bevestigend/positief** antwoorden* answer in the affirmative; ***brutaal** antwoorden* answer/talk back; ***gevat** antwoorden* answer/reply smartly, retort; ***ontwijkend/dubbelzinnig** antwoorden* give an evasive/ambiguous answer; ⟨form⟩ tergiversate; ⟨ontwijkend ook⟩ equivocate; *ik antwoord niet **op** zulke vragen* I don't answer such questions; ***scherp** antwoorden* give a sharp answer, answer sharply/cuttingly/stingingly; ***vinnig** antwoorden* retort, riposte, answer tartly [2] ⟨reageren door een daad of handeling⟩ answer, reply, respond, return

[2]**antwoorden** [ov ww] ⟨ten, als antwoord geven⟩ answer, reply, respond ♦ *hij wist niet **wat** hij moest antwoorden* he didn't know what to answer, he was at a loss for an answer

antwoordenveloppe [de] stamped addressed envelope, ⟨AE⟩ prepaid envelope

antwoordkaart [de] reply card

antwoordnummer [het] ± freepost

anurie [de^{v}] anuria

anus [de^{m}] anus

ANVR [de^{v}] (Algemene Nederlandse Vereniging van Reisbureaus) Dutch Travel Agencies Association

ANW [de] (Algemene Nabestaandenwet) (Dutch) Surviving Dependants Act

ANWB [de^{m}] (Algemene Nederlandse Wielrijdersbond) ± Dutch AA, Royal Dutch Touring Club

A-omroep [de^{m}] ⟨radio/tv⟩ Dutch broadcasting corporation with more than 450,000 subscribers

aoristus [de^{m}] ⟨taalk⟩ aorist

aorta [de] ⟨biol⟩ aorta ♦ ***van de aorta*** aortal, aortic

aortaklep [de] aortic valve

AOW [de] [1] (Algemene Ouderdomswet) (Dutch) Old Age Pensions Act, ⟨USA⟩ social security act [2] ⟨premie⟩ pension contribution, ⟨USA⟩ social security contribution [3] ⟨uitkering⟩ (old age) pension, ⟨USA⟩ social security

AOW'er [de^{m}] ⟨BE⟩ OAP (old age pensioner), senior citizen

a.p. [afk] (a priori) a priori

Apache [de^{m}] Apache

Apachedans [de^{m}] Apache dance

apaiseren [ov ww] appease, pacify, soothe, calm

apanage [het] ap(p)anage

a pari [bw] ⟨fin⟩ at par ♦ *de lening wordt u **gegeven** a pari* the loan is issued to you at par/at face value; *de fondsen **staan** a pari* the securities are at par

apart [bn, bw] [1] ⟨afzonderlijk⟩ separate ⟨bw: ~ly⟩, distinct, private, apart, individual ♦ *elk geval apart **behandelen/bekijken*** deal with/treat/look at each individual case; *we **gingen** elk apart naar huis* we went our separate ways home; *een **kamer** apart* a separate room; *iemand apart **nemen/spreken*** take s.o. aside; *die villa **staat** wat apart* that villa stands somewhat isolated/apart; *een aparte **studeerkamer*** a separate study; *onderdelen apart **verkopen*** sell parts separately; *verhuiskosten **worden** apart **berekend*** moving expenses are charged extra; *de kinderen **zaten** apart aan een kleinere tafel* the children were sitting by themselves at a smaller table; *geld apart **zetten*** set/put money aside; *de jongens en meisjes apart **zetten*** separate the boys and girls [2] ⟨exclusief⟩ special ⟨bw: ~ly⟩, exclusive ⟨bw: ~ly⟩ ♦ *zij vormen een **klasse** apart* they are in a class of their own; *dat* *is een zeer apart **model*** that is an exclusive design/cut [3] ⟨anders, raar⟩ different ⟨bw: ~ly⟩, unusual ⟨bw: ~ly⟩ ◆ *dat toneelstuk is echt **iets** aparts* that play is really sth. different; *hij ziet er **wat** apart uit* he looks a bit different/unusual

apartheid [de^v] [1] ⟨rassenscheiding⟩ apartheid ◆ ***grote** apartheid* apartheid; ***kleine** apartheid* petty apartheid [2] ⟨het apart, anders zijn⟩ distinctness, unusualness

apartheidspolitiek [de^v] apartheid (policy), segregation policy, policy of apartheid/segregation

apartje [het] [1] ⟨gesprek onder vier ogen⟩ tête à tête, private conversation, word in private [2] ⟨onderonsje⟩ aside

apathie [de^v] apathy, impassiveness, indifference ◆ *in een doffe apathie **wegzinken*** sink away in dull apathy

apathisch [bn, bw] apathetic ⟨bw: ~ally⟩, impassive, indifferent

apatride [de] stateless person

apatridie [de^v] statelessness

APEC [de^v] (Asia-Pacific Economic Co-operation) APEC

apegapen [ww] ⟨inf⟩ ▪ *op apegapen **liggen*** be at one's last gasp

apekool [de] ⟨inf⟩ nonsense, ⟨BE⟩ bosh, ⟨BE⟩ codswallop, ⟨BE⟩ (tommy-)rot, ⟨AE⟩ ↓ crap, ⟨AE⟩ ↓ rubbish ◆ *het **is** maar apekool* ⟨BE⟩ it's only a load of bunk, ⟨BE⟩ it's all bunkum; ⟨AE⟩ that's a crock; *apekool **verkopen*** talk (tommy-)rot/crap/rubbish

apelazarus [het] ⟨inf⟩ ▪ *zich het apelazarus **schrikken*** jump out of one's skin, be scared silly/stiff/out of one's wits; *zich het apelazarus **werken*** work like blazes/hell/o.s. to death

apenarend [de^m] monkey-eating eagle

apenbroodboom [de^m] monkey bread (tree), baobab (tree)

apenkooi [de] ape/monkey/primate house, apery

apenkop [de^m] ⟨inf⟩ monkey, brat

apenkuur [de] monkey trick

apenliefde [de^v] blind/motherly love

Apennijnen [de^mv] Apennines

apennootje [het] monkey nut, peanut, ⟨vnl BE ook⟩ groundnut

apenpak [het] ⟨inf⟩ [1] ⟨opvallende kleding⟩ rig-out ◆ ***in** een apenpak (gekleed)* dressed (up) like a dog's dinner [2] ⟨zeer net kostuum⟩ rig-out, ⟨AE⟩ monkey suit

apenstaartje [het] ⟨grafi⟩ 'at'-sign/symbol, a-scroll, commercial 'at'

apentronie [de^v] monkey face

apepsie [de^v] ⟨med⟩ apepsia

aperçu [het] aperçu, outline, summary

aperij [de^v] [1] ⟨gekheid⟩ (tom)foolery, buffoonery [2] ⟨na-aperij⟩ apery, aping, mimicry, imitation

aperitief [het, de^m] aperitif, appetizer

apert [bn, bw] manifest ⟨bw: ~ly⟩, patent, evident, obvious ◆ *een aperte **leugen*** a patent lie

apertuur [de^v] [1] ⟨med⟩ aperture [2] ⟨m.b.t. optische instrumenten⟩ aperture

apestoned [bn] ⟨inf⟩ ⟨BE⟩ stoned out of one's mind, ⟨AE⟩ zonked, caned

apetrots [bn] ⟨inf⟩ proud as a peacock

apex [de^m] [1] ⟨uiteinde, punt⟩ apex [2] ⟨plantk⟩ growing point, ⟨vero⟩ apex [3] ⟨goedkoop ticket⟩ APEX

apezat [bn] ⟨inf⟩ blotto, plastered, smashed, drunk as a fiddler/skunk, dead drunk

apezuur [het] ⟨inf⟩ ▪ *zich het apezuur **lopen*** be run off one's feet; *zich het apezuur **werken*** work like blazes/hell/o.s. to death/like the devil

apfelstrudel [de^m] apfelstrudel, apple strudel

aphelium [het] ⟨astron⟩ aphelion

apicaal [bn, bw] ⟨taalk⟩ apical ⟨bw: ~ly⟩

apicultuur [de^v] apiculture

apin [de^v] female-monkey, female-ape, ↓ she-monkey, ↓ she-ape

apitoxine [het] apitoxin

apk-keuring [de^v] (periodic) motor vehicle test, ⟨BE⟩ MOT (test)

aplanaat [de^m] aplanat

aplanatisch [bn] aplanatic

aplaneren [ov ww] level, smooth (over)

aplasie [de^v] ⟨med⟩ aplasia

A-ploeg [de] ⟨sport⟩ A-team, first team

aplomb [het] aplomb, self-possession, poise ◆ *iets **met veel** aplomb zeggen* say sth. with great aplomb/without reservations

apneu [de^m] ⟨med⟩ apnoea

Apocalyps [de^v] Apocalypse, Revelation

apocalyptiek [de^v] apocalypticism

apocalyptisch [bn] [1] ⟨m.b.t. de Apocalyps⟩ Apocalyptic(al) ◆ *het apocalyptisch **getal*** the Apocalyptic number [2] ⟨catastrofaal⟩ apocalyptic(al)

apocarp [bn] ⟨plantk⟩ apocarpous

apocope [de] ⟨taalk⟩ apocope

apocoperen [ov ww, ook abs] ⟨taalk⟩ apocopate

apocrief [bn] ⟨ook fig⟩ apocryphal ◆ *de apocriefe **boeken*** the Apocrypha; ⟨zelfstandig (gebruikt)⟩ ***de** apocriefen* the Apocrypha

apocrien [bn] ⟨biol⟩ apocrine ◆ *apocriene **klieren*** apocrine glands

apodictisch [bn, bw] [1] ⟨onweerlegbaar⟩ apod(e)ictic ⟨bw: ~ally⟩ [2] ⟨met al te grote stelligheid⟩ categorical ⟨bw: ~ly⟩, dogmatic ◆ *apodictische **uitspraken*** categorical statements

apodosis [de^v] ⟨taalk⟩ apodosis

apogeum [het] ⟨astron⟩ apogee

apograaf [de^m] apograph, copy, transcript

apokoinou [de^v] ⟨lit⟩ apokoinou

apolitiek [bn, bw] apolitical ⟨bw: ~ly⟩

apollinisch [bn] [1] ⟨(als) van Apollo⟩ Apollonian [2] ⟨evenwichtig⟩ Apollonian, harmonious

apollovlinder [de^m] Apollo (butterfly)

apologeet [de^m] [1] ⟨theol⟩ apologist, apologete [2] ⟨verdediger van een stelsel, reputatie⟩ apologist

apologetica [de^v] → **apologetiek**

apologetiek [de^v], **apologetica** [de^v] ⟨theol⟩ [1] ⟨leer⟩ apologetic(s) [2] ⟨leerboek⟩ apologetic(s)

apologetisch [bn] [1] ⟨verdedigend⟩ apologetic [2] ⟨m.b.t. de apologetiek⟩ apologetic

apologie [de^v] [1] ⟨verdedigingsrede, verweerschrift⟩ apologia, apology [2] ⟨geschrift⟩ apologetic(s) [3] ⟨verdediging⟩ apologetic(s) [4] ⟨het goedpraten of verheerlijken van misdrijven⟩ condoning, ⟨verheerlijken⟩ glorifying

apologieverbod [het] ⟨m.b.t. verheerlijken⟩ glorifying prohibition, ⟨m.b.t. ontkenning⟩ denial prohibition

apoloog [de^m] apologue

apoplectisch [bn] [1] ⟨m.b.t. een beroerte⟩ apoplectic [2] ⟨aanleg voor een beroerte hebbend⟩ apoplectic

apoplexie [de^v] apoplexy

aporie [de^v] [1] ⟨radeloosheid, besluiteloosheid⟩ aporia [2] ⟨filos; onvermogen⟩ aporia

apostaat [de^m] apostate, heretic, renegade

apostasie [de^v] apostasy

apostel [de^m] [1] ⟨discipel⟩ Apostle ◆ *de **Handelingen** der Apostelen* (the) Acts (of the Apostles) [2] ⟨verkondiger van het christendom⟩ apostle [3] ⟨verkondiger van een nieuwe leer⟩ apostle, advocate, champion ◆ *een apostel van de vrije gedachte* an apostle of free thought

a posteriori [bw] a posteriori, in retrospect

apostille [de] [1] ⟨kanttekening⟩ marginal note, ⟨vero⟩ apostil(le) [2] ⟨formulier⟩ ↓ form

apostolaat [het] [1] ⟨activiteit van de kerk⟩ evangelization, missionary work [2] ⟨werkzaamheid als apostel⟩ apostolate, apostleship [3] ⟨bisschoppelijke waardigheid⟩ episcopate, pontificate

apostolair [bn] apostolic(al)

apostolisch [bn, bw] 1 ⟨m.b.t. de apostelen⟩ apostolic(al) ⟨bw: apostolically⟩ ♦ *de apostolische **geloofsbelijdenis*** the Apostles' Creed; *de Apostolische **Vaders*** the Apostolic Fathers 2 ⟨pauselijk⟩ apostolic ⟨bw: ~ally⟩, papal ♦ *een apostolisch **delegaat*** an apostolic/papal delegate; *de Apostolische **Kamer*** the Apostolic Chamber; *de Apostolische **Stoel*** the Apostolic/Holy See; *een apostolisch **vicaris*** a vicar apostolic; *de apostolische **zegen*** the apostolic blessing; *een apostolische **(zend)brief*** an apostolic letter

apostrof [de] apostrophe

apotheek [de] 1 ⟨werkruimte, winkel⟩ ⟨werkruimte⟩ pharmacy, ⟨winkel; BE⟩ (dispensing) chemist's (shop), ⟨AE⟩ (dispensing) drugstore, ⟨AE⟩ pharmacy, ⟨in ziekenhuis/school, bij huisarts⟩ dispensary ♦ ⟨fig⟩ *ik ben de **hele** apotheek door geweest* I've tried every medicine on record; *apotheek **houden*** dispense medicine; *(uitsluitend) **in** de apotheek verkrijgbaar* ⟨m.b.t. geneesmiddelen; daar op voorraad⟩ offici(n)al; available at (dispensing) chemists only, ⟨AE⟩ available only at a pharmacy 2 ⟨geneesmiddelen⟩ pharmacy, medicine chest ♦ ⟨fig⟩ *de **gezonde** apotheek* the greengrocer's

apotheekhoudend [bn] ♦ *apotheekhoudend **arts*** surgeon apothecary, dispensing physician

apotheker [de^m] pharmacist, dispenser, ⟨BE ook⟩ (dispensing/pharmaceutical) chemist ♦ *zich **als** apotheker vestigen* set up as a pharmacist/(dispensing/pharmaceutical) chemist, start a pharmacy; ***voor** apotheker studeren* study pharmacy

apothekersassistent [de^m], **apothekersassistente** [de^v] pharmacist's assistant, ⟨BE ook⟩ chemist's assistant

apothekersassistente [de^v] → **apothekersassistent**

apothekersflesje [het] dispensing bottle

apothema [het] ⟨wisk⟩ apothem

apotheose [de^v] 1 ⟨slotscène⟩ grand finale ♦ *een schitterend vuurwerk **vormde** de apotheose van de zomerfeesten* a magnificent firework display formed the grand finale of the summer celebrations 2 ⟨vergoding⟩ apotheosis, ⟨vergoddelijking ook⟩ deification, ⟨heiligverklaring ook⟩ canonization 3 ⟨adoratie⟩ apotheosis, deification, canonization, idolization, idealization

Appalachen [de^{mv}] Appalachian (Mountains)

apparaat [het] 1 ⟨toestel⟩ machine, appliance, device, contrivance, ⟨vaak pej; inf⟩ contraption, ⟨voor wet experiment⟩ apparatus ♦ ***elektrische/huishoudelijke** apparaten* electrical/household appliances; *een **handig** apparaat(je)* a handy device/contrivance/gadget/ᴬdoodad; *een apparaat **om** papier te vouwen* a machine/device for folding paper 2 ⟨personen en hulpmiddelen⟩ machine(ry), mechanism, organ, system, apparatus ♦ *het **ambtelijk** apparaat* the administrative machine(ry)/system, the Civil Service, bureaucracy; *het **gerechtelijk** apparaat* the judicial/judiciary system 3 ⟨biol⟩ apparatus 4 ⟨m.b.t. een geschrift, uitgave⟩ apparatus ♦ *het **kritisch** apparaat bij een tekstuitgave* the critical apparatus/apparatus criticus to an edition of a text

apparatsjik [de^m] apparatchik

apparatuur [de^v] apparatus, equipment, machinery, hardware ⟨ook computer⟩, ⟨toebehoren⟩ paraphernalia

apparentement [het] ⟨in België⟩ distribution of preferences/seats

apparenteren [onov ww] ⟨in België⟩ distribute preferences/seats

apparentering [de^v] ⟨in België⟩ distribution of preferences/seats

appartement [het] ⟨BE⟩ flat, ⟨AE⟩ apartment, ⟨BE ook⟩ rooms, ⟨voor vakantie; BE⟩ apartments, ⟨koopflat; AE⟩ condominium, ⟨AuE⟩ home unit ♦ *een **driekamerappartement*** a two-bedroom(ed) flat/apartment, a flat/an apartment with two bedrooms; *appartementen **gelijkvloers*** ground-floor/ground-level/street-level flats, ⟨AE⟩ first-floor apartments; ***gemeubileerde** appartementen* furnished flats/apartments; *een appartement **huren** in Spanje* rent an apartment in Spain; *een appartement **op** de tweede verdieping* a second-floor flat, ⟨AE⟩ a third-floor apartment; *een appartement **voor** 6 personen* a flat/an apartment/apartments sleeping/accommodating six

appartementencomplex [het] ⟨BE⟩ block of flats, ⟨AE⟩ apartment (building/complex), ⟨hoog; AE⟩ high-rise (apartment/complex), ⟨van geringe kwaliteit⟩ tenement building, ⟨AE; koopflats⟩ condominium, ⟨inf⟩ condo, ⟨groter⟩ block of apartments

appartementsgebouw [het] ⟨in België⟩ ⟨BE⟩ block of flats, ⟨AE⟩ apartment (building/complex), ⟨hoog; AE⟩ high-rise (apartment/complex), ⟨van geringe kwaliteit⟩ tenement building, ⟨AE; koopflats⟩ condominium, ⟨inf⟩ condo, ⟨groter⟩ block of apartments

appartementsrecht [het] joint ownership, co-ownership

appassionato [bw] ⟨muz⟩ appassionato

appeasement [de^m] appeasement ♦ ***politiek** van appeasement, appeasementpolitiek* politics of appeasement

¹appel [de^m] 1 ⟨vrucht⟩ apple ♦ *snoep verstandig, **eet** een appel* ± an apple a day keeps the doctor away; ⟨fig⟩ *iets voor een appel en een **ei** verkopen* sell sth. at a sacrifice/for a song/for next to nothing; ⟨fig⟩ *een appeltje met iemand te **schillen** hebben* have a bone to pick with s.o.; ⟨fig⟩ *appels met peren **vergelijken*** ⟨AE⟩ compare apples and oranges; ⟨fig⟩ *een schip met **zure** appelen* a downpour, a cloudburst, a deluge; ⟨fig⟩ *door de **zure** appel heen bijten* take one's medicine, bite the bullet, get sth. over (and done) with 2 ⟨boom⟩ apple (tree) 3 ⟨oogbol⟩ apple, ⟨bol⟩ ball, ⟨pupil⟩ pupil 4 ⟨knop aan een zwaard⟩ pommel 5 ⟨versiering op een toren⟩ spire ball ▪ ⟨sprw⟩ *één rotte appel in de mand maakt al het gave fruit te schand* one rotten apple can spoil the whole barrel; the rotten apple injures its neighbours; ⟨sprw⟩ *de appel valt niet ver van de boom/stam* the apple never falls far from the tree; like father, like son

²appel [het] 1 ⟨jur⟩ appeal ♦ *appel **aantekenen** tegen een vonnis* lodge an appeal, give notice of appeal, appeal against sentence; *het **hof** van appel* the Court of Appeal/Appeal Court; ***in** appel gaan* give notice of appeal, lodge an appeal, appeal; ***zonder** appel* unappealable 2 ⟨verzameling van alle aanwezige personen⟩ call, muster, ⟨naamafroeping⟩ roll call, call-over, ⟨mil ook⟩ parade ♦ ⟨mil⟩ *appel **blazen/slaan*** sound the roll call; *appel **houden*** call the roll, take the roll call; ***op** het appel ontbreken* be absent, fail to turn up, absent o.s., miss out; ⟨fig⟩ ***op** het appel zijn/komen* turn up, be present; *niet **op** het appel verschijnen* cut the roll call 3 ⟨beroep⟩ appeal, protest ♦ *de **jury** van appel* the appeal jury; ⟨sport⟩ *een appel **voor** hands* an appeal for hands ▪ *die hond is **onder** appel* that dog is well-trained

appelaar [de^m] ⟨in België⟩ apple tree

appelazijn [de^m] cider vinegar

appelbeignet [de^m] apple fritter

¹appelbloesem [de^m] apple blossom

²appelbloesem [bn] apple blossom pink

appelbol [de^m] apple dumpling

appelboom [de^m] apple tree

appelboor [de] (apple) corer

appelbrandewijn [de^m] apple brandy, applejack

appelfiguur [het] apple-shape

appelflap [de] apple turnover

appelflauwte [de^v] swoon, faint ♦ *een appelflauwte **krijgen*** go off in a swoon, swoon, sham a faint

appelgebak [het] ± apple pie

appellant [de^m] ⟨jur⟩ appellant, party appellant

appellatief [het] appellative, common noun

appellatoir [bn] appellate ♦ *een appellatoir **verzoek** indie-*

nen lodge an appeal
appelleren [onov ww] 1 ⟨appel aantekenen⟩ appeal, give notice of appeal, lodge an appeal ♦ *appelleren* ***aan*** *de Hoge Raad* appeal to the High/Supreme Court; *appelleren* ***tegen*** *het vonnis van een lagere rechtbank bij een hogere* appeal against the judg(e)ment of/appeal from a lower court to a higher court 2 ⟨sport⟩ appeal ♦ *appelleren* ***bij*** *de scheidsrechter* appeal to the referee; *appelleren* ***voor*** *hands/buitenspel* appeal for hands/offside 3 ⟨een beroep doen op⟩ appeal (to) ♦ *stukken die appelleren* ***aan*** *de gevoelens van het publiek* articles appealing to public sentiment
appelmoes [het, de] applesauce
appelpeer [de^{m}] Asian pear
appelrechter [de^{m}] appeals judge, ⟨de instantie⟩ appeals court
appelrond [bn] (as) round as an apple ♦ *met een appelrond* ***gezichtje*** apple-cheeked
appelsap [het] apple juice
appelschimmel [de^{m}] dapple(-grey)
appelsien [de] ⟨in België⟩ orange
appelsoort [het, de] variety of apple
appelstroop [de] apple spread ♦ *een boterham* ***met*** *appelstroop* an apple spread sandwich
appeltaart [de] apple pie, ⟨BE ook; bovenkant niet met deeg bedekt⟩ apple tart
appeltje [het] little apple ♦ ⟨fig⟩ *ik heb (nog) een appeltje* ***met*** *jou te schillen!* I have a bone to pick with you!; *appeltjes van* ***oranje*** oranges; ⟨fig⟩ *een appeltje* ***voor*** *de dorst* a nest egg, a buffer/^{A}cushion; ⟨fig⟩ *een appeltje* ***voor*** *de dorst bewaren* save up/put away/keep sth. for a rainy day
appeltje-eitje [bn, alleen pred] as easy as pie
appelvink [de^{m}] hawfinch
appelvonnis [het] judg(e)ment on appeal
appelwang [de] ruddy cheek, rosy cheek
appelwijn [de^{m}] (apple) cider
appelzaak [de] appeal case
appelzuur [het] ⟨scheik⟩ malic acid
appendage [de^{v}; meestal mv] accessory, fitting, mounting
appendance [de^{v}] annex
appendicitis [de^{v}] ⟨med⟩ appendicitis
appendix [het, de^{m}] 1 ⟨biol⟩ appendix ♦ *zijn appendix* ***laten weghalen*** have one's appendix removed, have an append(ic)ectomy 2 ⟨aanhangsel van een boek⟩ appendix
appenzeller [de^{m}] Appenzeller cheese
Appenzeller [aanw bn] Appenzeller
apperceptie [de^{v}] apperception
appetijtelijk [bn, bw] 1 ⟨smakelijk⟩ appetizing, tasty, palatable, mouthwatering, delicious ♦ *dat* ***is*** *niet erg appetijtelijk* that is rather unsavoury; *die zalm* ***ziet*** *er appetijtelijk* ***uit*** that salmon looks tasty/delicious 2 ⟨scherts⟩ appetizing, tempting, scrumptious, tantalizing ♦ *dat meisje* ***ziet*** *er appetijtelijk* ***uit*** that girl looks appetizing/scrumptious
appetizer [de^{m}] appetizer
applaudisseren [onov ww] applaud, clap ♦ *er werd* ***langdurig*** *geapplaudisseerd* there was a prolonged applause; *waarom applaudisseer je* ***niet****?* why aren't you clapping?; *applaudisseren* ***voor*** *iemand* applaud s.o.
applaus [het] applause, clapping ♦ *een* ***daverend*** *applaus* thunderous applause, a roar of applause; *er* ***ging*** *een ovationeel applaus* ***op*** there was a burst of applause/an ovation; *de motie werd* ***met*** *applaus begroet* the motion was received with applause/applauded; *iemand* ***met*** *luid applaus ontvangen* receive s.o. with loud applause; ***onder*** *luid applaus* amidst loud applause; *veel applaus* ***oogsten*** win/earn much applause; ***stormachtig*** *applaus* a storm of applause, thunderous applause; *een applausje* ***voor*** *X!* let's give a big hand to X!; *een* ***warm*** *applaus krijgen* get a good/big hand, win/earn warm applause; *applaus in ontvangst nemen* take a bow
applausmachine [de^{v}] canned applause
applausmeter [de^{m}] applause meter, clapometer
applausvervanging [de^{v}] ⟨in België⟩ late/last minute substitution (to allow the crowd to applaud an outstanding player's performance)
applet [het] ⟨comp⟩ applet
applicatie [de^{v}] 1 ⟨toepassing⟩ application, employment 2 ⟨amb⟩ ⟨text⟩ appliqué, ⟨hout⟩ veneering 3 ⟨het aanbrengen, opbrengen⟩ application, applying 4 ⟨toewijding⟩ application, diligence, industry, commitment, assiduity 5 ⟨comp⟩ application
applicatiecursus [de^{m}] refresher course ♦ *een applicatiecursus* ***volgen*** take a refresher course
applicatiewerk [het] appliqué
applicator [de^{m}] applicator
applicatuur [de^{v}] ⟨muz⟩ 1 ⟨kleppenmechaniek⟩ keys 2 ⟨vingerzetting⟩ fingering
appliqueren [ov ww] 1 ⟨als oplegwerk aanbrengen⟩ ⟨op text⟩ appliqué, sew on 2 ⟨voorzien van oplegwerk⟩ ⟨hout⟩ veneer
apporteren [ov ww, ook abs] fetch, retrieve ♦ *een apporterende* ***hond*** a retriever, ⟨AE⟩ a bird dog; *apporte!* fetch (it)!
appositie [de^{v}] 1 ⟨taalk⟩ apposition 2 ⟨aanhechting, plaatsing⟩ apposition, affixture 3 ⟨biol⟩ apposition
appositioneel [bn, bw] 1 ⟨taalk⟩ appositional, appositive 2 ⟨med⟩ appositional, in apposition ⟨alleen pred⟩
appreciatie [de^{v}] 1 ⟨waardering⟩ appreciation, ⟨erkentelijkheid ook⟩ acknowledg(e)ment, ⟨hoogachting ook⟩ admiration, esteem ♦ ***met*** *veel appreciatie over iets spreken* speak highly of sth. 2 ⟨beoordeling⟩ appreciation, appraisal, assessment, estimation, judgement 3 ⟨handel⟩ appreciation
appreciëren [ov ww] 1 ⟨beoordelen⟩ appreciate, estimate, assess, appraise 2 ⟨waarderen⟩ appreciate, ⟨dankbaar zijn ook⟩ be grateful/thankful for, ⟨hoogachten ook⟩ value, esteem ♦ *iemand* ***om*** *iets appreciëren* admire/respect s.o. for sth.; *hij zou dat wel* ***weten te*** *appreciëren* he would appreciate/like/enjoy that; *zij zou het* ***zeer*** *appreciëren* she would be awfully grateful, she would appreciate that immensely
appreteren [ov ww] dress, finish, size
appretuur [de^{v}] 1 ⟨het appreteren⟩ dressing, finishing, sizing 2 ⟨resultaat, glans⟩ finish 3 ⟨appreteermiddel⟩ dressing, size
approach [de^{m}] approach
approbatie [de^{v}] 1 ⟨officiële goedkeuring, toestemming⟩ approbation, approval, sanction 2 ⟨r-k⟩ imprimatur
approches [de^{mv}] 1 ⟨mil⟩ approaches 2 ⟨toenaderingspogingen⟩ approaches, ⟨in onderhandelingen⟩ overtures
approvianderen [ov ww] provision
approximatief [bn, bw] approximate ⟨bw: ~ly⟩, ⟨schatting⟩ rough, ⟨cijfers⟩ round ♦ *de approximatieve* ***waarde/afmetingen*** the approximate value, the approximate/rough measurements
apraxie [de^{v}] ⟨med⟩ apraxia
après-ski [het, de^{m}; vaak attributief] après-ski
après-skiën [onov ww] après-ski
après-soleil [de^{m}] after sun (lotion/cream)
april [de^{m}] April ♦ ***één*** *april* April/All Fools' Day; ⟨kind⟩ ***één*** *april (kikker in je bil)!* April Fool!; *april doet wat hij wil* April is the cruellest month • ⟨sprw⟩ *op de eerste april stuurt men de gekken waar men wil* on the 1st of April, hunt the gowk another mile; on the 1st of April, you may send a fool/gowk whither you will
aprilgrap [de] April Fool's joke, April Fool's trick/hoax/gag
aprils [bn] ⟨in België⟩ April ♦ *aprilse* ***grillen*** April showers
aprilvis [de^{m}] ⟨in België⟩ April Fool's joke, April Fool's

trick/hoax/gag

a prima vista [bw] at first sight, prima facie

¹**a priori** [het] 1 ⟨gegeven⟩ given circumstances 2 ⟨vooronderstelling⟩ presumption

²**a priori** [bw] a priori ◆ *zo a priori kan men dat niet* ***beoordelen*** one cannot make an a priori judgement on that; *er a priori van* ***uitgaan*** *dat ...* presume a priori that ...; *iets a priori* ***vaststellen*** determine sth. a priori

a-priorisch [bn] a priori, deductive, presumptive

a-priorisme [het] 1 ⟨redenering op grond van a priori's⟩ apriorism 2 ⟨vooronderstelling⟩ apriorism

a-prioristisch [bn, bw] aprioristic ⟨bw: ~ally⟩ ◆ *a-prioristisch* ***oordelen*** judge aprioristically; *een a-prioristische* ***opvatting*** an aprioristic/a preconceived opinion, a presumption, a prejudice

¹**à propos** [het] ▪ *van zijn à propos raken/zijn* lose countenance, be at a loss what to do, be embarrassed/disconcerted/unnerved; *iemand* ***van*** *zijn à propos brengen* throw s.o. off balance, disconcert/upset s.o.; *zich niet* ***van*** *zijn à propos laten brengen* keep one's head, keep one's shirt on; ⟨als eigenschap⟩ be unflappable/level-headed

²**à propos** [tw] apropos, by the way, incidentally

apsis [de^v], **abside** [de^v] ⟨bouwk⟩ apse, apsis

apsiskapel [de] apsidal chapel

APV [de^v] (algemene politieverordening) local regulation, ^B police by(e) law ◆ *het sluitingsuur van cafés wordt geregeld* ***in*** *de APV* closing time is prescribed/laid down by the local authorities

aquabike [de^m] aquabike

aquacamping [de] ⟨aan zee⟩ seaside campsite, ⟨aan rivier⟩ riverside campsite, ⟨aan meer⟩ lakeside campsite

aquaculture [de^v] aquaculture, aquiculture, ⟨planten ook⟩ hydroponics

aquaduct [het] 1 ⟨brug⟩ aqueduct (bridge) 2 ⟨Romeinse waterleiding⟩ aqueduct

aquagym [de^v] aquagym

aquajoggen [onov ww] do aquajogging, ± do aquarobics

aquajogging [het] aquajogging, ± aquarobics

aqualong [de] aqualung

¹**aquamarijn** [de^m] ⟨edelsteen⟩ aquamarine

²**aquamarijn** [het] 1 ⟨edelgesteente⟩ aquamarine 2 ⟨verf⟩ aquamarine

³**aquamarijn** [bn] aqua(marine)

aquanaut [de^m] aquanaut

aquaplaning [de] aquaplaning, ⟨slippen⟩ skidding

aquarel [de] water colour, aquarelle

aquarelleren [ov ww, ook abs] paint in water colours, paint aquarelles

aquarellist [de^m] aquarellist, water colourist

aquarium [het] 1 ⟨bak⟩ aquarium 2 ⟨gebouw⟩ aquarium

Aquarius [de^m] Aquarius

aquariustijdperk [het] Age of Aquarius

aquaspinning [het] aquaspinning

aquavion [het] hydrofoil

aquavit [het, de] aquavit, akvavit

aquicultuur [de^v] aquaculture

aquifer [de^m] aquifer

Aquitanië [het] Aquitaine, Aquitania

¹**ar** [de] sleigh

²**ar** [bn] ▪ *in arren* ***moede*** *iets doen* do sth. out of desperation

ara [de^m] macaw

ARAB [het] ⟨in België⟩ (Algemeen Reglement voor de Arbeidsbescherming) Workers' Protection Regulations

arabesk [de] 1 ⟨decoratie⟩ arabesque 2 ⟨kronkeling⟩ arabesque, winding, convolution, undulation 3 ⟨muz⟩ arabesque

arabica [de] arabica

Arabië [het] Arabia

arabier [de^m] ⟨paard⟩ Arab, Arab(ian) horse

Arabier [de^m] 1 ⟨staatsburger van Saudi-Arabië⟩ Saudi (Arabian) 2 ⟨bewoner van Midden-Oosten, Oost-Afrika⟩ Arab 3 ⟨gesch; inwoner van Arabië⟩ Arabian

¹**Arabisch** [het] 1 ⟨taal⟩ Arabic ◆ ***in*** *het Arabisch* in Arabic 2 ⟨schrift⟩ Arabic script

²**Arabisch** [bn] ⟨taal, schrift, cijfers⟩ Arabic, ⟨m.b.t. Arabië⟩ Arabian, ⟨m.b.t. Saudi-Arabië⟩ Saudi (Arabian), ⟨volk, cultuur⟩ Arab ◆ *de Verenigde Arabische* ***Emiraten*** the United Arab Emirates; *Arabische* ***gom*** gum arabic; *de Arabische* ***liga*** the Arab League; *de Arabische* ***literatuur*** ⟨in het Arabisch⟩ Arabic literature; ⟨van/door Arabieren⟩ Arab literature; *Arabische* ***tradities en gewoonten*** Arab traditions and customs; *een Arabische* ***volbloed*** a pure/thoroughbred Arab (horse)/Arabian horse; *de Arabische* ***volkeren*** the Arab peoples; *de Arabische* ***wereld*** the Arab world; *de Arabische* ***Zee/Woestijn*** the Arabian Sea/Desert

arabist [de^m] Arabist

arabistiek [de^v] Arabic (language and literature)

arachideolie [de] ⟨cul⟩ peanut oil, arachis oil, ⟨vnl BE ook⟩ groundnut oil

arafatsjaal [de^m] Arafat scarf, keffiyeh

aragoniet [het] aragonite

à raison ▪ *à raison* ***van*** on payment of

arak [de^m] arrack, arak, rack

Aralmeer [het] Aral Sea

arame [de^m] ⟨cul⟩ arame

¹**Aramees** [het] Aramaic

²**Aramees** [bn] Aramaic

arbeid [de^m] 1 ⟨bezigheid, werkzaamheid⟩ labour, work, ⟨inspanning⟩ effort, exertion, ⟨zware arb⟩ toil ◆ ***aan*** *de arbeid gaan* set/go to work; ***aan*** *de arbeid zijn* be at work; *de* ***Dag*** *van de Arbeid* Labour day, ⟨BE⟩ May Day; ⟨ec⟩ *de* ***factor*** *arbeid* the labour factor; *de arbeid* ***hervatten/voltooien*** resume/finish work; ***herverdeling*** *van de arbeid* redistribution of labour; ***intensieve*** *arbeid* intensive labour; ***lichamelijke*** *arbeid* bodily work; ***(on)geschoolde*** *arbeid* (un)skilled labour/work; *de arbeid* ***op*** *het veld* labour in the fields; *de* ***Partij*** *van de Arbeid* Labour, the Labour Party; ***recht*** *op arbeid* right to work; *de* ***Stichting*** *van de Arbeid* the (Dutch) Social Economic Council; *inkomen* ***uit*** *arbeid* earnings; ***verdeling*** *van de arbeid* division of labour; *dat is* ***vergeefse*** *arbeid* that is lost labour/labour in vain; ***verloren*** *arbeid* labour lost, labour in vain; *arbeid* ***verrichten*** labour, work; ⟨natuurk⟩ do work; ***vrijwillige/gedwongen*** *arbeid* voluntary/forced labour; *de* ***vruchten*** *van zijn arbeid* ***oogsten*** reap the fruits of one's labour; ***weinig*** *arbeid voor veel loon* little work for high wages; ***wetenschappelijke*** *arbeid* scientific work/labours; ***zware/harde*** *arbeid* rough/hard work; ⟨voor een hongerloontje⟩ sweated labour 2 ⟨natuurk⟩ work ◆ *wanneer* ***verricht*** *een kracht arbeid?* when does a force do work? 3 ⟨loonarbeiders⟩ labour ▪ ⟨sprw⟩ *na gedane arbeid is het goed rusten* when work is over rest is sweet; after the work is done repose is sweet; ⟨sprw⟩ *arbeid adelt* there is nobility in labour; ± work is no disgrace; ⟨sprw⟩ *geld verzoet de arbeid* payment makes work tolerable

arbeiden [onov ww] labour, work ▪ ***in*** *de wijngaard van de Heer arbeiden* labour/work in the vineyard of the Lord

arbeider [de^m] 1 ⟨handarbeider⟩ worker, workman, hand ⟨meestal in samenstellingen⟩, ⟨machinebediener⟩ operative ◆ ***geschoolde*** *arbeiders* skilled workers/labour; *meer dan 200 arbeiders in dienst* ***hebben*** employ more than 200 workers/men, employ a labour/work force of over 200; ***land****arbeiders* farm hands, agricultural labourers; *een* ***los*** *arbeider* a casual worker/labourer; *een* ***ongeorganiseerde*** *arbeider* an unorganized worker; ***ongeschoolde*** *arbeiders* unskilled workers/labour, (unskilled) labourers 2 ⟨werknemer⟩ employee ▪ ⟨sprw⟩ *een arbeider is zijn loon waard* the labourer is worthy of his hire

arbeiderisme [het] ⟨pej⟩ proletarianism, cloth-cap atti-

tude
arbeideristisch [bn] proletarian ♦ *de arbeideristische stroming in de PvdA* the proletarian faction in the Dutch Labour Party
arbeidersbeweging [de^{v}] ⟨gesch⟩ labour movement, workers' movement
arbeidersbuurt [de] working-class/blue-collar neighbourhood, ⟨pej⟩ wrong side of the tracks, wrong side of town
arbeidersgezin [het] working-class/workman's/blue-collar/lower-class family
arbeidershuisje [het] ⟨in stad⟩ working-class house, ⟨op het land⟩ working-class/labourer's cottage
arbeidersklasse [de^{v}] working class(es), lower/blue-collar classes
arbeiderskringen [de^{mv}] working-class/blue-collar/lower-class circles
arbeidersparadijs [het] ⟨iron⟩ workers' paradise
arbeiderspartij [de^{v}] Labour Party, Socialist Party
arbeidersraad [de^{m}] workers' council
arbeidersstaat [de^{m}] proletarian state
arbeiderswijk [de] working-class area
arbeiderszelfbestuur [het] workers' control
arbeidsaanbod [het] supply of labour, labour market
arbeidsanalist [de^{m}] ergonomist, work efficiency expert
arbeidsanalyse [de^{v}] time-(and-)motion study, time/motion/work study
arbeidsbemiddelaar [de^{m}] employment officer
arbeidsbemiddeling [de^{v}] employment-finding ♦ ***bureau** voor arbeidsbemiddeling* Employment Office, ⟨AE⟩ Department of Employment; ⟨inf⟩ job centre; ⟨particulier⟩ employment agency/bureau
arbeidsbesparend [bn] laboursaving ♦ *dat **werkt** arbeidsbesparend* that saves labour
arbeidsbureau [het] [1] ⟨overheidsinstelling⟩ employment office, ⟨AE⟩ department of employment, ⟨inf; BE⟩ job centre, ⟨AE⟩ unemployment office ♦ *zich inschrijven **bij** het arbeidsbureau* sign on at the employment office; *hij staat al jaren **bij** het arbeidsbureau ingeschreven* he has been on the books of/he has been signed on at the employment office for years now [2] ⟨gebouw⟩ employment office, ⟨AE⟩ department of employment, ⟨inf; BE⟩ job centre
arbeidsconflict [het] labour dispute/conflict, ⟨in ind ook⟩ industrial dispute/conflict
arbeidscontract [het] employment contract, service agreement ♦ *een arbeidscontract **beëindigen/verbreken*** sever/terminate an employment contract; *een arbeidscontract **verlengen*** continue/extend an employment contract
arbeidscontractant [de^{m}] employee
arbeidsdeelname [de^{v}] employment participation
arbeidsdeskundige [de] vocational expert
arbeidsduur [de^{m}] working hours, hours of work/employment
arbeidsduurverkorting [de^{v}] reduction of working hours, shorter working week, ⟨AE⟩ shorter work week
arbeidseconomie [de^{v}] labour economics
arbeidsethos [het] work ethic
arbeidsextensief [bn] labour extensive
arbeidsgehandicapte [de^{m}] disabled person
arbeidsgeneesheer [de^{m}] ⟨in België⟩ company doctor, ⟨BE⟩ company medical officer, industrial medical officer
arbeidsgeneeskunde [de^{v}] ⟨in België⟩ industrial medicine
arbeidsgerecht [het] ⟨in België⟩ industrial tribunal
arbeidsgeschil [het] job/work dispute
arbeidsgewenning [de^{v}] rehabilitation
arbeidshandicap [de^{m}] employment disability
arbeidshof [het] ⟨in België⟩ industrial court of appeal
arbeidshygiënist [de^{m}] occupational health specialist/officer, occupational hygienist
arbeidsinhoud [de^{m}] manufacturing/production time
arbeidsinkomen [het] earned income
arbeidsinspectie [de^{v}] [1] ⟨toezicht⟩ labour/factory inspection [2] ⟨instelling⟩ labour/factory inspectorate ♦ *een **ambtenaar** van de arbeidsinspectie* a factory inspector; *de arbeidsinspectie **stelt** een onderzoek **in*** the labour/factory inspectorate is holding an inquiry; *de **voorschriften** van de arbeidsinspectie overtreden* contravene occupational (health and) safety regulations
arbeidsintensief [bn] [1] ⟨m.b.t. een bedrijf⟩ labour-intensive [2] ⟨m.b.t. een product⟩ labour-intensive
arbeidsintensiteit [de^{v}] labour intensiveness
arbeidsjaren [de^{mv}] years of employment/service
arbeidsklimaat [het] work climate, work atmosphere, atmosphere at work
arbeidskorting [de^{v}] ⟨in Nederland⟩ tax relief for people receiving income from employment
arbeidskosten [de^{mv}] cost of labour, labour cost(s)
arbeidskostenforfait [het] standard professional expenses allowance
arbeidskostentheorie [de^{v}] ⟨ec⟩ theory of labour cost
arbeidskracht [de] [1] ⟨arbeider⟩ worker, ⟨mv ook⟩ workmen, hand ⟨meestal in samenstellingen⟩, ⟨machinebediener⟩ operative ♦ *een tekort/overschot **aan** arbeidskrachten* a shortage/redundancy of manpower/workers/labour, a labour shortage/redundancy; *het **aantal** arbeidskrachten* the labour/work force; *een **goede/volwaardige** arbeidskracht* an able-bodied worker; ***goedkope** arbeidskracht* cheap labour; ***mannelijke** en **vrouwelijke** arbeidskrachten* the male and female work force; ***overtollige** arbeidskrachten* redundant/^{A}surplus workers; *een **tijdelijke** arbeidskracht* a temp(orary) [2] ⟨het vermogen om te werken⟩ working power, power to work, capacity for work
arbeidskundige [de] ergonomist
arbeidsleer [de] ergonomy
arbeidsloon [het] wages, ⟨op rekening⟩ labour (costs), wage cost ♦ *meer dan 100 euro kwijt zijn alleen al **aan** arbeidsloon* spend more than 100 euros on labour alone; *door de **hoge** arbeidslonen* due to high wages/the high cost of labour; *geen arbeidsloon in rekening brengen* not charge for labour
arbeidsloos [bn] [1] ⟨waarin niet gearbeid wordt⟩ free from work ♦ *arbeidsloze **tijd*** time free from work, leisure time [2] ⟨niet door eigen arbeid verkregen⟩ unearned ♦ *het arbeidsloos **inkomen*** unearned income
arbeidsmarkt [de] labour market, job market ♦ *een **krappe/overspannen** arbeidsmarkt* a tight labour market; *de situatie **op** de arbeidsmarkt* the employment situation; *zich **op** de arbeidsmarkt aanbieden* offer o.s./one's services on the labour market; *zijn kansen **op** de arbeidsmarkt vergroten* increase one's job opportunities; ***ruime** arbeidsmarkt* easy/ample labour market
arbeidsmigrant [de^{m}] economic migrant
arbeidsmobiliteit [de^{v}] mobility of labour, worker mobility
arbeidsmoraal [de] work ethic
arbeidsmotivatie [de^{v}] motivation to work, job motivation
arbeidsomstandigheden [de^{mv}] working conditions
arbeidsongeschikt [bn] disabled, unable to work ♦ ***50** % arbeidsongeschikt zijn* be 50 % disabled; ***gedeeltelijk** arbeidsongeschikt verklaard worden* be declared partially disabled
arbeidsongeschiktheid [de^{v}] disability, inability to work, incapacity (for work) ♦ *bij **volledige of gedeeltelijke** arbeidsongeschiktheid* in case of full or partial disability
arbeidsongeschiktheidsverzekering [de^{v}] (industrial) disability insurance
arbeidsongeval [het] industrial accident

arbeidsonrust [de] industrial unrest, labour unrest

arbeidsorganisatie [de^{v}] labour organization, workers' organization

arbeidsovereenkomst [de^{m}] employment contract, labour contract, service agreement ♦ *een **collectieve** arbeidsovereenkomst* a collective agreement; *een **individuele** arbeidsovereenkomst* an individual employment/labour contract; *een arbeidsovereenkomst voor bepaalde **tijd*** a fixed-term employment contract; *een arbeidsovereenkomst voor onbepaalde **tijd*** a permanent/open-ended employment contract

arbeidsplaats [de] job ♦ *alle 200 arbeidsplaatsen kunnen **behouden blijven*** all 200 jobs can be maintained; *nieuwe arbeidsplaatsen **scheppen*** create job opportunities/new jobs; ***verlies** van arbeidsplaatsen* job losses; *er zullen 20 arbeidsplaatsen **verloren gaan*** 20 jobs will be lost; *er staan 50 arbeidsplaatsen op de tocht* 50 jobs are in danger

arbeidsplaatsenovereenkomst [de^{v}] job agreement, manning level agreement ♦ *een arbeidsplaatsenovereenkomst **sluiten*** agree on manning levels

arbeidspool [de^{m}] labour pool

arbeidspotentieel [het] supply of labour, labour market

arbeidsproces [het] [1] ⟨alles m.b.t. de maatschappelijke arbeid⟩ employment ♦ ***buiten** het arbeidsproces staan* be excluded from employment; *de mensen die niet aan het arbeidsproces **deelnemen*** the unemployed; ***in** het arbeidsproces worden opgenomen* be absorbed into employment; *vrouwen die weer **in** het arbeidsproces willen worden opgenomen* women who wish to re-enter employment; ***uit** het arbeidsproces gestoten worden* be thrown out of employment [2] ⟨handelingen waaruit producten ontstaan⟩ production process

arbeidsproductiviteit [de^{v}] productivity

arbeidspsychologie [de^{v}] industrial/occupational psychology

arbeidsrecht [het] [1] ⟨deel van de rechtswetenschap⟩ labour law [2] ⟨rechtsvoorschriften m.b.t. de arbeid⟩ labour law

arbeidsrechtbank [de] ⟨in België⟩ industrial tribunal

arbeidsrechtelijk [bn, bw] pertaining to industrial law, concerning industrial law, on industrial law ♦ *arbeidsrechtelijk **bekeken*** seen from the point of view of industrial law

arbeidsregister [het] list of workers employed

arbeidsreserve [de] [1] ⟨personen die nog ingeschakeld kunnen worden⟩ surplus labour, labour reserve ♦ *de arbeidsreserve **aan** vrouwelijke krachten* the surplus of female workers [2] ⟨de werklozen⟩ surplus labour, labour reserve

arbeidsrust [de] industrial peace

arbeidsschaarste [de^{v}] shortage of employment, job shortage

arbeidsschuw [bn] workshy, idle, shiftless

arbeidstherapeut [de^{m}], **arbeidstherapeute** [de^{v}] occupational therapist, ergotherapist

arbeidstherapeute [de^{v}] → **arbeidstherapeut**

arbeidstherapie [de^{v}] occupational therapy, ergotherapy

arbeidstijdverkorting [de^{v}], **werktijdverkorting** [de^{v}] reduction of working hours, shorter working week, ⟨AE⟩ shorter work week ♦ *de wettelijke **invoering** van de arbeidstijdverkorting* the introduction of shorter working hours by law

arbeidstoeleiding [de^{v}] job-training

arbeidstoeslag [de^{m}] employment supplement

arbeidsveld [het] field (of activity), sphere (of action), scope ♦ *een **ruim** arbeidsveld* ample scope, a wide field of activity, a large sphere of action; *zijn arbeidsveld **uitbreiden/verleggen*** extend/shift one's field of activity

arbeidsverdeling [de^{v}] division of labour, specialization

arbeidsvergunning [de^{v}] work permit

arbeidsverhouding [de^{v}] industrial relation, labour relation ♦ *de arbeidsverhoudingen zijn er **goed*** industrial/labour relations are good there

arbeidsverleden [het] employment history, employment record

arbeidsverloop [het] labour turnover

arbeidsvermogen [het] [1] ⟨natuurk⟩ energy ♦ *de wet van het **behoud** van het arbeidsvermogen* the law of conservation of energy; *arbeidsvermogen van **beweging*** kinetic energy; *arbeidsvermogen van **plaats*** potential energy; *het arbeidsvermogen van een elektrische **stroom*** electrical energy [2] ⟨m.b.t. personen⟩ capacity for work

arbeidsverzuim [het] absenteeism ♦ *het **geregistreerde** arbeidsverzuim over het eerste halfjaar* recorded absenteeism in the first six months

arbeidsvolume [het] ± number of manyears, manpower

arbeidsvoorwaarde [de^{v}] term of employment, condition of employment ♦ ***secundaire** arbeidsvoorwaarden* fringe benefits, perquisites; ⟨inf⟩ perks

arbeidsvoorwaardenbeleid [het] policy concerning conditions of employment

arbeidsvoorwaardenpakket [het] package of benefits, benefit programme/^{A}program

arbeidsvoorziening [de^{v}] measures to stimulate employment, employment policy/strategy

arbeidsvrede [de] industrial peace

arbeidsvreugde [de^{v}] job satisfaction, joy/pleasure in one's work ♦ *weinig arbeidsvreugde **kennen*** have/find/take little pleasure in one's work

arbeidswet [de] ⟨BE⟩ Factory Acts, ⟨AE⟩ Labor Law

arbeidswetgeving [de^{v}] labour/employment legislation

arbeidzaam [bn] industrious, hard-working, diligent, laborious ♦ *na een arbeidzaam **leven*** after a useful life/a life of hard work; *een arbeidzaam **leven** leiden* lead/live an industrious life

arbeidzaamheid [de^{v}] industriousness, industry, diligence, laboriousness

arbiter [de^{m}] [1] ⟨sport⟩ referee, ⟨vnl. bij tennis, honkb, hockey, cricket⟩ umpire [2] ⟨jur⟩ ⟨man & vrouw⟩ arbitrator, ⟨man⟩ arbiter, ⟨vrouw⟩ arbitress

arbitraal [bn] [1] ⟨bestaande uit arbiters, belast met arbitrage⟩ arbitral, arbitrational ♦ ⟨sport⟩ *het arbitrale **trio*** the referee and linesmen [2] ⟨onderworpen aan, afkomstig van arbiters⟩ arbitral, arbitrational ♦ *een arbitrale **beslissing*** an arbitral decision, arbitration award; *een arbitrale **procedure** voeren* follow an arbitral procedure

arbitrage [de^{v}] [1] ⟨sport⟩ refereeing, ⟨vnl. bij tennis/honkb/hockey/cricket⟩ umpiring, ↑officiating [2] ⟨jur⟩ arbitration ♦ *de bonden willen arbitrage **aanvragen*** the unions want to go to arbitration; *een zaak **bij** arbitrage afdoen* resolve a matter by (means of) arbitration; ***commissie** van arbitrage* arbitration board, board of arbitration; *het Permanent **Hof** van Arbitrage* the Permanent Court of Arbitration; *een geschil aan arbitrage **onderwerpen*** refer/submit a dispute to arbitration [3] ⟨handel⟩ arbitrage

arbitrageclausule [de] arbitration clause

arbitragecommissie [de^{v}] arbitration committee

Arbitragehof [het] ⟨in België⟩ court of arbitration, arbitration/arbitral tribunal

arbitragerechter [de^{m}] arbitrator, arbitrating judge

arbitragezaak [de] [1] ⟨fin⟩ arbitrage transaction [2] ⟨m.b.t. geschillen⟩ case for arbitration

arbitrair [bn, bw] [1] ⟨willekeurig⟩ arbitrary ⟨bw: arbitrarily⟩ ♦ *arbitrair **te werk gaan*** act arbitrarily [2] ⟨jur⟩ arbitral ⟨bw: ~ly⟩ ♦ *arbitrair **beding*** arbitration clause

^{1}**arbitreren** [onov ww] [1] ⟨sport; als arbiter optreden⟩ referee, ⟨vnl. bij tennis/honkb/hockey/cricket⟩ umpire, ↑officiate [2] ⟨jur; als arbiter optreden⟩ arbitrate, adjudicate [3] ⟨handel⟩ arbitrage

²**arbitreren** [ov ww] [1] ⟨sport; als scheidsrechter leiden⟩ referee, umpire ◆ *een **wedstrijd** arbitreren* referee (a match) [2] ⟨jur; door arbitrage afdoen⟩ arbitrate, adjudicate ◆ *een **geschil** arbitreren* arbitrate in a dispute

arbodienst [de^m] ⟨BE⟩ Health and Safety Executive

arboretum [het] arboretum, ↓ tree collection

arborio [de^m] arborio

arboriorijst [de^m] arborio rice

Arbowet [de] (Dutch) Occupational Health and Safety Act, ⟨Groot-Brittannië⟩ Health and Safety at Work Act, ⟨USA⟩ ± Labor Law

arcade [de^v] [1] ⟨booggewelf⟩ arcade, arch [2] ⟨mv; bogengalerij⟩ arcade, ⟨vnl. in kerk⟩ ambulatory

arcadehal [de] (amusement) arcade

Arcadia [het] Arcadia

Arcadiër [de^m] Arcadian

arcadisch [bn, bw] Arcadian, idyllic, ⟨landelijk⟩ pastoral

arceren [ov ww, ook abs] shade, ⟨techn⟩ hatch, ⟨dubbel⟩ crosshatch ◆ *het gearceerde **gedeelte*** the shaded part

arcering [de^v] [1] ⟨handeling⟩ shading, ⟨techn⟩ hatching, ⟨dubbel⟩ crosshatching [2] ⟨resultaat⟩ shading, hatching, crosshatching [3] ⟨gearceerde gedeelte⟩ shading, hatching, crosshatching ◆ *de arcering **aanbrengen*** put in the shading/(cross)hatching, shade in

archaïsch [bn] [1] ⟨m.b.t. een zeer oud tijdperk⟩ archaic, antique, ⟨ouderwets⟩ antiquated, ↓ old-fashioned ◆ ⟨fig⟩ *zijn archaïsch (aandoend) **taalgebruik*** his archaic/antiquated/old-fashioned language [2] ⟨psych⟩ archaic

archaïseren [ov ww, ook abs] archaize, make archaic ◆ *archaïserend **taalgebruik*** (use of) archaism, archaic language

archaïsme [het] [1] ⟨uitdrukking⟩ archaism, archaic expression [2] ⟨taalgebruik⟩ archaism [3] ⟨psych⟩ archaism

archaïstisch [bn, bw] archaistic ⟨bw: ~ally⟩

archeologe [de^v] → **archeoloog**

archeologie [de^v] archaeology ◆ ***industriële** archeologie* industrial archaeology

archeologisch [bn, bw] archaeological ⟨bw: ~ly⟩ ◆ *archeologische **opgravingen*** archaeological excavation(s); ⟨inf⟩ dig

archeoloog [de^m], **archeologe** [de^v] archaeologist

archeopteryx [de^m] archaeopteryx

archetype [het] [1] ⟨oervorm⟩ archetype [2] ⟨oudste manuscript⟩ archetype, urtext, original text

archetypisch [bn, bw] archetypal ⟨bw: ~ly⟩, archetypic(al) ⟨bw: archetypically⟩

archiduc [de] archiduc sauce

archiducsaus [de] archiduc sauce

archief [het] [1] ⟨verzameling geschreven stukken⟩ archives, records, ⟨bij bedrijf⟩ files ◆ *moet dit **in** het archief?* do you want this filed (away)? [2] ⟨bewaarplaats⟩ archives, ⟨openbaar⟩ record office, ⟨registers, burgerlijke stand enz.⟩ registry (office), ⟨bij bedrijf⟩ files ◆ *iets **in** het archief opbergen/bijzetten* file sth. (away); *iets **uit** het archief halen* ⟨inf ook⟩ dig sth. out of the archives [3] ⟨instelling⟩ archives, record office, registry (office), ⟨bij bedrijf⟩ filing department, files ◆ ***op** het archief werken* work at the record office/in the filing department/archives

archiefafdeling [de^v] records department, ⟨inf⟩ records, ⟨bij krantenbedrijf⟩ morgue

archiefbeelden [de^mv] ⟨film⟩ archive films, ⟨tv; BE⟩ library pictures, ⟨AE⟩ file footage

archiefdoos [de] box file

archiefexemplaar [het] file copy, copy for filing

archiefkast [de] filing cabinet, ⟨AE ook⟩ file cabinet ◆ *iets **in** een archiefkast opbergen* file sth. (away) in a filing cabinet

archieflade [de] filing drawer, ⟨AE⟩ file drawer

archiefonderzoek [het] research in the records, search/examination of the records ◆ *archiefonderzoek **doen*** examine the records

archiefstuk [het] record, ⟨bij bedrijf⟩ file

archiefwezen [het] archives, ⟨openbaar⟩ public records

Archimedes [de^m] Archimedes ◆ *de **wet** van Archimedes* Archimedes' principle

archimedisch [bn] Archimedean ◆ *archimedisch **punt*** Archimedean point

archipel [de^m] archipelago

architect [de^m] architect ◆ ⟨fig⟩ *Cruijff was de architect van het **team*** Cruyff was the architect of/brain behind the team

architectenbureau [het] architectural/architect's firm, ⟨van meerdere architecten ook⟩ firm of architects

architectenwinkel [de^m] architectural/architects' advice bureau

architectonisch [bn, bw] architectonic ⟨bw: ~ally⟩, architectural ◆ *een architectonisch **fraaie** oplossing* a fine architectonic solution; *een uit architectonisch **oogpunt** bevredigend compromis* a satisfactory compromise from the architectural point of view, an architecturally satisfactory compromise; *een architectonische **versiering/omlijsting*** an architectonic ornament/frame; *de architectonische **vormgeving*** architectural design

architecturaal [bn, bw] [1] ⟨de bouwkunst betreffend⟩ architectural ⟨bw: ~ly⟩ [2] ⟨behorend tot enig bouwwerk⟩ architectural ⟨bw: ~ly⟩

architectuur [de^v] [1] ⟨bouwkunst⟩ architecture, building, architectonics ◆ ***onder** architectuur gebouwd* architect-designed [2] ⟨bouwstijl⟩ architecture, building (style) ◆ *voorbeelden van **moderne** architectuur* examples of modern architecture [3] ⟨comp⟩ architecture

architraaf [de] ⟨bouwk⟩ [1] ⟨hoofdbalk⟩ architrave, ⟨epistyl⟩ epistyle, platband [2] ⟨deel van een kroonlijst⟩ architrave, ⟨epistyl⟩ epistyle, platband [3] ⟨dekbalk van een kozijn⟩ architrave

archivalia [de^mv] archivalia, archives, records, ⟨bij bedrijf⟩ files

archivaris [de^m] archivist, keeper of the archives/records, ⟨van registers, burgerlijke stand enz.⟩ registrar, ⟨bij bedrijf⟩ filing clerk

archiveren [ov ww] put into the archives, file (away), record, register

archivolte [de] ⟨bouwk⟩ archivolt

Arctica [het] the Arctic

arctisch [bn] arctic, ⟨noordelijk, boreaal⟩ boreal, ⟨hyperboreïsch⟩ Hyperborean ◆ *de arctische **cirkel*** the Arctic Circle

Arctisch [bn] ⟨m.b.t. gebied⟩ Arctic

Ardeens [bn] ⟨in België⟩ Ardennes, from the Ardennes ◆ *Ardeense **ham*** Ardennes ham

Ardennen [de^mv] (the) Ardennes

Ardennenoffensief [het] ⟨gesch⟩ Battle of the Bulge

Ardenner [bn], **Ardens** [bn] Ardennes

Ardens [bn] → **Ardenner**

ardente [bw] ⟨muz⟩ ardente

arduin [het] (Belgian) bluestone, (grey) freestone

arduinen [bn] [1] ⟨van arduin gemaakt⟩ (Belgian) bluestone, (grey) freestone [2] ⟨hecht, duurzaam⟩ durable, long-lasting ◆ *arduinen **kastelen*** impregnable castles

are [de] are ◆ *één are is honderd vierkante meter* one are is a hundred square metres

areaal [het] area, ⟨in acres⟩ acreage

areaalheffing [de^v] ⟨landb⟩ levy (on agricultural produce) according to acreage under cultivation

areligieus [bn] a-religious, unreligious, non-religious

arena [de] [1] ⟨Romeinse gesch⟩ arena, ⟨amfitheater ook⟩ amphitheatre ◆ ⟨fig⟩ *de **politieke** arena (betreden)* (enter) the political arena/the arena of politics [2] ⟨sport⟩ arena, ⟨bij stierengevecht⟩ (bull)ring, ⟨stadion⟩ stadium, ⟨in circus⟩

(sawdust-)ring

arenatoneel [het] theatre-in-the-round, arena theatre

arend [de^{m}] [1] ⟨vogelsoort⟩ eagle [2] ⟨steenarend⟩ golden eagle

arendsblik [de^{m}] ± eagle('s)-eye(s), eagle-eyed perception

arendsnest [het] [1] ⟨nest⟩ eagle's nest, eyrie [2] ⟨hooggelegen slot⟩ eyrie

arendsneus [de^{m}] hawk/hook(ed) nose, ⟨euf⟩ aquiline/Roman nose

arendsoog [het] eagle('s) eye(s) ♦ *iemand* ***met*** *arendsogen* an eagle-eyed person; ***met*** *arendsogen rondloeren* (be on the) watch with eagle('s) eyes

arendsvlucht [de] [1] ⟨het vliegen⟩ eagle's flight [2] ⟨zwerm⟩ flight of eagles

areola [de] areola

areometer [de^{m}] ⟨natuurk⟩ areometer, hydrometer

argeloos [bn, bw] [1] ⟨naïef⟩ unsuspecting ⟨bw: ~ly⟩, unwary, innocent ♦ *een argeloze* ***bezoeker/wandelaar*** an unsuspecting visitor/stroller; *een argeloos* ***kind*** an innocent child; *zij zag hen argeloos* ***aan*** she looked at them innocently [2] ⟨niets kwaads bedoelend⟩ innocent ⟨bw: ~ly⟩, guileless, inoffensive, harmless, artless

argeloosheid [de^{v}] [1] ⟨naïviteit⟩ innocence, naïvety, simplicity ♦ ***in*** *zijn argeloosheid verraadde hij het geheim* in his innocence he betrayed the secret, he betrayed the secret in all innocence/unsuspectingly/without meaning to do so [2] ⟨niets kwaad bedoelen⟩ innocence, guilelessness, inoffensiveness

argentaan [het] argentine

Argentijn [de^{m}], **Argentijnse** [de^{v}] ⟨man & vrouw⟩ Argentine, ⟨man & vrouw⟩ Argentinian, ⟨vrouw ook⟩ Argentine woman/girl, ⟨vrouw ook⟩ Argentinian woman/girl

Argentijns [bn] Argentine, Argentinian

Argentijnse [de^{v}] → **Argentijn**

Argentinië [het] Argentina, the Argentine

Argentinië

naam	*Argentinië* Argentina
officiële naam	*Republiek Argentinië* Argentine Republic
inwoner	*Argentijn* Argentinian
inwoonster	*Argentijnse* Argentinian
bijv. naamw.	*Argentijns* Argentine
hoofdstad	*Buenos Aires* Buenos Aires
munt	*Argentijnse peso* Argentine peso
werelddeel	*Amerika* America

int. toegangsnummer 54 www .ar auto RA

arglist [de] craft(iness), cunning, guile

arglistig [bn, bw] [1] ⟨boosaardig⟩ crafty ⟨bw: craftily⟩, cunning ⟨bw: ~ly⟩, guileful ⟨bw: ~ly⟩ ♦ *een arglistig* ***vorst/volk*** a crafty/cunning ruler/people [2] ⟨bedrieglijk⟩ deceitful ⟨bw: ~ly⟩, fraudulent ⟨bw: ~ly⟩ ♦ *iemand arglistig in een valstrik* ***lokken*** lure s.o. into a trap by deceit/deceitfully

arglistigheid [de^{v}] craftiness, cunning, guile

ARGO [de^{m}] ⟨in België⟩ (Autonome Raad voor het Gemeenschapsonderwijs) State Education Board

argon [het] ⟨scheik⟩ argon

argot [het] [1] ⟨dieventaal⟩ argot, (thieves') cant [2] ⟨groepstaal⟩ argot, jargon, slang

argument [het] [1] ⟨bewijsgrond⟩ argument, ⟨bewijs⟩ proof, piece of evidence ♦ *argumenten* ***aanvoeren*** *voor/tegen iets* make out a case for/against sth.; *iets* ***als*** *argument aanvoeren* put forward sth. as an argument; *een* ***doorslaggevend/afdoend*** *argument* a convincing/clinching argument; ⟨inf⟩ a clincher, a trump card; *dat argument* ***gaat niet op*** that argument won't stand up, ⟨inf⟩ that argument won't wash; *dat is* ***geen*** *argument* that's irrelevant, that's no reason; ***goede*** *argumenten hebben* have good arguments/reasons; *er zijn daarvoor* ***goede*** *argumenten aan te voeren* there's a lot to be said for that; *een argument dat zowel voor als tegen* ***kan worden gebruikt*** a double-edged argument; *zijn argumenten stevig* ***onderbouwen*** construct one's arguments on solid bases, base one's arguments on solid grounds; ***oneigenlijke*** *argumenten* spurious arguments; *een argument* ***ontzenuwen*** invalidate an argument; ⟨inf⟩ knock the bottom out of an argument; *de* ***redelijkheid*** *van een argument* the validity of an argument; *een* ***steekhoudend*** *argument* a watertight/valid argument; *een* ***sterk/zwak*** *argument* a strong/weak argument; *argumenten* ***voor en tegen*** pros and cons; ***voor*** *iemands argumenten zwichten* be convinced by s.o.'s arguments; *een argument op de man af* argumentum ad hominem, special pleading; *zijn argumenten kracht bijzetten* (re-)enforce one's argument [2] ⟨wisk; hoek⟩ argument, amplitude ♦ ⟨wisk⟩ *argument van een complex* ***getal*** argument of amplitude [3] ⟨wisk; de onafhankelijk veranderlijke x⟩ argument

argumentatie [de^{v}] [1] ⟨bewijsvoering⟩ argumentation, reasoning, ⟨opbouw⟩ line of reasoning [2] ⟨aangevoerde bewijsgrond(en)⟩ argument ♦ *een* ***gebrekkige*** *argumentatie* defective reasoning

^{1}**argumenteren** [onov ww] [1] ⟨bewijsgronden aanvoeren⟩ argue, reason, adduce arguments (for/in support of) ♦ *argumenteren* ***voor/tegen*** *de kruisraketten* argue/make out a case for/against cruise missiles [2] ⟨redetwisten⟩ argue, dispute

^{2}**argumenteren** [ov ww] ⟨met argumenten staven⟩ argue, reason ♦ *een* ***goed*** *geargumenteerd betoog* a well-reasoned argument, a well-argued/presented case

argusogen [de^{mv}] [•] *iemand* ***met*** *argusogen* an Argus-eyed person; *iets* ***met*** *argusogen bekijken* look at sth. with Argus' eyes

argwaan [de^{m}] suspicion, mistrust, distrust ♦ *zij* ***had*** *niet de minste argwaan* she wasn't at all suspicious, she did not suspect anything was wrong; *argwaan* ***koesteren*** entertain/have suspicions (of sth.), suspect (sth.); *argwaan* ***koesteren*** *tegen/jegens iemand* be suspicious of s.o.; *argwaan* ***krijgen*** become/grow suspicious; ⟨inf⟩ smell a rat; *argwaan* ***wekken*** arouse/create/excite suspicion; *zonder argwaan te* ***wekken*** without arousing/creating/exciting suspicion

argwanend [bn, bw] suspicious ⟨bw: ~ly⟩, distrustful, ⟨inf⟩ cagey ♦ *iemand argwanend* ***aankijken*** look at s.o. suspiciously, look askance at s.o.; *een argwanende* ***blik*** a suspicious look

aria [de] ⟨muz⟩ aria

ariër [de^{m}] ⟨blanke niet-Jood⟩ Aryan

Ariër [de^{m}] ⟨Indo-Germaanssprekende Indiër, Iraniër⟩ Aryan, Indo-Iranian

ariërverklaring [de^{v}] declaration of Aryan origin

^{1}**arioso** [het] ⟨muz⟩ arioso

^{2}**arioso** [bw] ⟨muz⟩ arioso

arisch [bn] ⟨blank en niet-Joods⟩ Aryan

Arisch [bn] ⟨Indo-Iraans⟩ Aryan, Indo-Iranian ♦ *Arische* ***talen*** Indo-Iranian languages

aristocraat [de^{m}] [1] ⟨lid van een adellijke klasse⟩ aristocrat, patrician, nobleman [2] ⟨iemand die door geest en karakter behoort tot de hoogste klasse van de beschaving⟩ aristocrat [3] ⟨aanhanger van het denkbeeld dat de aanzienlijksten in een staat de leiding moeten hebben⟩ aristocrat

aristocratie [de^{v}] [1] ⟨regering van de aanzienlijksten⟩ aristocracy [2] ⟨staat die door de aanzienlijksten bestuurd wordt⟩ aristocracy [3] ⟨de aanzienlijken⟩ aristocracy, nobility, ⟨Groot-Brittannië⟩ peerage, upper classes, ⟨inf⟩ upper crust, top people [4] ⟨verfijning, voornaamheid⟩ aristocracy

aristocratisch [bn, bw] [1] ⟨bestaande uit aristocraten⟩ aristocratic ⟨bw: ~ally⟩, patrician, upper-class, ⟨inf⟩ upper-crust [2] ⟨geneigd tot de denkwijze van aristocraten⟩ aristocratic ⟨bw: ~ally⟩, patrician, upper-class, ⟨inf⟩ upper-crust [3] ⟨zodanig als bij een aristocraat verwacht wordt⟩ aristocratic ⟨bw: ~ally⟩, patrician, upper-class, ⟨inf⟩ upper-crust ♦ *hij heeft iets aristocratisch* there's sth. aristocratic about him

Aristoteles Aristotle

aristotelisch [bn] Aristotelian

aritmetica [de] arithmetic

aritmetisch [bn] arithmetic(al) ♦ *een aritmetische reeks* arithmetic progression

ark [de] [1] ⟨schip van Noach⟩ Ark ♦ *de ark van Noach/Noë* Noah's Ark [2] ⟨bergplaats voor wetsrollen bij de joden⟩ Ark ♦ *de ark des verbonds* the Ark of the Covenant [3] ⟨woonschip⟩ houseboat

ARKO [de^{m}] ⟨in België⟩ (Algemene Raad van het Katholiek Onderwijs) Catholic Education Board

^{1}**arm** [de^{m}] [1] ⟨ledemaat⟩ arm ♦ *zij liepen arm aan/in arm* they walked arm in arm/with arms linked; *met zijn meisje aan de arm* with his girlfriend on his arm; *iemand bij de arm grijpen* clasp s.o. by the arm; *armpje drukken* arm wrestling; *een gebroken arm* a broken/fractured arm; *gespierde armen* muscular arms; *iemand een arm geven/aanbieden* give/offer s.o. one's arm; *de armen omhoog/ten hemel heffen* throw one's arms up/to heaven; ⟨fig⟩ *iemand in de arm nemen* ⟨bijvoorbeeld politie⟩ call in s.o.; ⟨advocaat, arts⟩ consult s.o.; engage/employ s.o.; *in de armen lopen/drijven van* fall/walk/drive into the arms of; *in iemands armen rusten/liggen* rest/lie in s.o.'s arms; *iemand in zijn armen drukken/klemmen* press s.o. in one's arms; *de armen (slap) laten hangen* ⟨ook fig⟩ let one's shoulders droop, have drooping shoulders; *de arm(en) om de hals van iemand leggen* throw/fold one's arms around s.o.'s neck; ⟨in België⟩ *met de armen overeen zitten* ⟨lett⟩ sit with arms folded/with folded arms; ⟨fig⟩ stand by with one's hands in one's pockets, stand by idly watching; *met de armen over elkaar zitten* ⟨lett⟩ sit with arms folded/folded arms; ⟨fig⟩ take it easy; ⟨fig⟩ *met open armen ontvangen* receive/welcome with open arms; *de arm opheffen* raise one's arms; ⟨fig⟩ rise up; *hij sloeg zijn armen om haar heen* he threw his arms around her; *zijn arm uit de kom trekken* put one's shoulder out; *zich uit de armen van iemand losrukken* pull away from s.o.'s arms/embrace; ⟨scherts⟩ *mijn arm is geen uithangbord* ± what do you think my arm is for? [2] ⟨mouw⟩ arm, sleeve ♦ *de arm zit niet goed* the arm doesn't fit well [3] ⟨ledemaat bij dieren⟩ paw [4] ⟨leuning van een zitmeubel⟩ arm [5] ⟨uitstekend deel van een voorwerp waar iets aan kan hangen⟩ arm, ⟨van kandelaar/gaskroon⟩ branch, ⟨van balans ook⟩ beam, ⟨aan muur⟩ bracket ♦ *de armen van een kruis/balans* the arms of a cross/scales [6] ⟨afsplitsing van een rivier, weg⟩ ⟨van rivier⟩ arm, branch, ⟨van weg⟩ park [7] ⟨maat van lengte, dikte⟩ arm ♦ *die boom is twee armen dik* that tree is two arms thick [8] ⟨maat van hoeveelheid⟩ armful ♦ *iedere koe krijgt twee armen hooi* each cow gets two armfuls of hay [•] *de sterke arm* ± the police; ⟨scherts⟩ the strong arm of the law

^{2}**arm** [bn] [1] ⟨behoeftig, bezitloos⟩ poor, needy ♦ *zo arm als Job/de mieren/een kerkrat* as poor as Job/a churchmouse; ⟨zelfstandig (gebruikt)⟩ *de armen en de rijken* (the) rich and (the) poor, the haves and the have-nots; ⟨zelfstandig (gebruikt)⟩ *een arme* a poor man/woman/person, a pauper; *het arm hebben* be badly/^{B}poorly off; ⟨AE ook; inf⟩ be in bad/tough shape; ⟨erg arm⟩ be in dire straits; *de arme landen* the poor countries; ⟨zelfstandig (gebruikt)⟩ *de nieuwe armen* the nouveau pauvres; *oud en arm* old and poor/penniless; ⟨fig⟩ *arm en rijk was op het ijs* rich and poor (alike) were on the ice; ⟨zelfstandig (gebruikt)⟩ *het is alsof het van de armen gaat* scraping the barrel a bit, aren't we?; *arm worden/maken* be/become reduced to poverty, impoverish; *daar zal je niet armer van worden* you won't be any the poorer/worse off for that; *twintig euro armer zijn* be twenty euros the poorer, be out/set back twenty euros [2] ⟨+ aan; het genoemde niet hebbend⟩ poor (in), deficient (in), short (of), lacking ♦ *arm aan geld* lacking money; *een bodem arm aan voortbrengselen* a soil poor in produce, unproductive/infertile soil; *ons land is niet arm aan dichters* our country does not lack poets; *een ervaring rijker en een illusie armer* an experience the richer and an illusion the poorer; ⟨zelfstandig (gebruikt); Bijb⟩ *de armen van geest* the poor in spirit [3] ⟨schraal⟩ poor, barren ♦ *arm erts, arme brandstof* lean/smokeless ore/fuel; *arme grond* poor/barren ground/soil [4] ⟨misdeeld, zielig⟩ poor, wretched, miserable ♦ *arme ik* poor me; *het arme schaap* the poor thing/soul/dear; *arme stumper/stakker/drommel* poor devil/^{B}blighter/^{B}sod; *wij arme zondaars* we wretched/miserable sinners [•] ⟨sprw⟩ *edel, arm en rijk maakt de dood gelijk* the end makes all equal; death is the great leveller

armada [de] armada

armadillo [de^{m}] armadillo

armatuur [de^{v}] [1] ⟨draagconstructie⟩ fitting, bracket [2] ⟨wapening⟩ armature, armour [3] ⟨natuurk⟩ armature

armband [de^{m}] [1] ⟨sieraad⟩ bracelet, ⟨zonder hesp ook⟩ bangle [2] ⟨band van stof⟩ armband, armlet, ⟨van kruier, brandweer enz.⟩ arm-badge, brassard

armdik [bn] as thick as an arm, arm-sized ♦ *armdikke palingen* eels as thick as your arm

armdrukken [ww] arm-wrestling

armee [de^{v}] army

Armeens [bn] Armenian ♦ *de Armeense kerk* the Armenian Church; *de Armeense taal* Armenian, the Armenian language

armelijk [bn, bw] → **armoedig**

armelui [de^{mv}] poor people, the poor

Armenië [het] Armenia

Armenië	
naam	*Armenië* Armenia
officiële naam	*Republiek Armenië* Republic of Armenia
inwoner	*Armeniër* Armenian
inwoonster	*Armeense* Armenian
bijv. naamw.	*Armeens* Armenian
hoofdstad	*Jerevan* Yerevan
munt	*dram* dram
werelddeel	*Azië* Asia
int. toegangsnummer 7 www.am auto AM	

Armeniër [de^{m}] Armenian

armenzorg [de] poor relief

armetierig [bn, bw] [1] ⟨armoedig⟩ → **armoedig** [2] ⟨onaanzienlijk⟩ miserable, paltry, pathetic, ⟨inf⟩ measly ♦ *een armetierige fooi* a miserable/paltry tip [3] ⟨zonder groeikracht⟩ miserable, pathetic ♦ *een armetierig plantje* a drooping plant

armgebaar [het] gesture, gesticulation

arminiaans [bn] Arminian

arminianisme [het] Arminianism

armkandelaar [de^{m}] girandole, candelabrum

armlastig [bn] poverty-stricken, destitute, needy ♦ ⟨zelfstandig (gebruikt)⟩ *de armlastigen* the paupers/destitute/needy; *armlastig worden/zijn* go/be on the parish/on relief

armlegger [de^{m}] armrest, elbow-rest

armlengte [de^{v}] arm's length ♦ *op armlengte* at arm's length

armleuning [de^{v}] armrest, elbow-rest, arm

^{1}**armoe** [de] ⟨inf⟩ misery, wretchedness ♦ *een hoopje armoe* a heap of misery, a poor/miserable wretch; *daar kun je armoe mee krijgen* you can get into trouble with that; *van armoe ging ik maar naar bed* I was so bored/miserable/wretched that I went to bed

^{2}**armoe** [de] → **armoede**

armoede [de], **armoe** [de] [1] ⟨toestand⟩ poverty, want, need, ⟨sterker⟩ destitution ♦ *armoede aan geest/metalen* poverty in spirit/metals; *de armoede **bestrijden/weren*** combat/prevent poverty; ***dagen** van armoede* days of poverty; ***eerlijke** armoede* honest poverty; ***gebrek** en armoede* poverty and need/want; ***geestelijke** armoede* intellectual/spiritual poverty; ***in** armoede leven* live in poverty; *armoede **lijden*** suffer poverty/want; ***schrijnende/bittere** armoede* abject/grinding/dire/stark/bitter poverty; ***stille** armoede* silent/hidden poverty; ***tot** armoede brengen/vervallen* reduce/be reduced to poverty; ***vergulde** armoede* glorified/gilded poverty; ***vrijwillige** armoede* voluntary poverty; *het is daar armoede troef* they are as poor as churchmice ② ⟨schamel bezit⟩ poverty, want, need, ⟨meestal bedrag⟩ pittance ♦ ***van** zijn armoede gaf hij nog een euro weg* poor as he was he still gave a euro ⊡ ⟨sprw⟩ *armoe is geen schande* poverty is no crime/sin; poverty is no disgrace (but it's a great inconvenience); ⟨sprw⟩ *als de armoe de deur in komt, vliegt de liefde 't venster uit* when poverty/the wolf comes in at the door, love flies/leaps/creeps out of the window

armoedegrens [de] poverty line

armoedeval [de^{m}] poverty trap

armoedig [bn, bw] ① ⟨haveloos⟩ poor ⟨bw: ~ly⟩, ⟨kleding, woning, uiterlijk⟩ shabby, ⟨kleding ook⟩ cheap, ⟨woning ook⟩ dingy, ⟨form⟩ penurious ♦ *armoedig **gekleed*** poorly clad, shabbily dressed; *een armoedig **gezin*** a poor/poverty-stricken family; *een armoedig **leven** leiden* live in poverty/in penury/in straitened/reduced circumstances, lead a poor existence; *dat **staat** zo armoedig* that looks so shabby; *het is daar maar een armoedig **zooitje*** it's a sorry mess there ② ⟨schraal⟩ poor ⟨bw: ~ly⟩, ⟨grond⟩ barren, miserable ⟨bijvoorbeeld baan⟩, pathetic ③ ⟨gezegd van een hoeveelheid, bedrag⟩ poor ⟨bw: ~ly⟩, miserable, paltry ⟨bijvoorbeeld fooi⟩, ⟨opbrengst⟩ niggardly

armoedigheid [de^{v}] poorness, poverty, penury, shabbiness, ⟨grond⟩ barrenness ♦ *de armoedigheid van zijn **kleren*** the shabbiness of his clothes

armoedje [het] hovel, den, shack ♦ *iemand **uit** zijn armoedje schoppen* kick s.o. out of his hovel

armoedzaaier [de^{m}] down-and-out(er), ⟨inf; AE⟩ bum ♦ *een armoedzaaier **zijn*** be down and out, ⟨inf⟩ be on the breadline

armoezaaier [de^{m}] ⟨in België⟩ down-and-out(er), ⟨inf; AE⟩ bum

armoriaal [het] armorial

armsgat [het] armhole

armslag [de^{m}] ① ⟨bewegingsruimte⟩ elbowroom, scope ♦ *ik krijg hier **geen** armslag* I have no elbow room here; *na de salarisverhoging **hebben** wij wat meer armslag* the salary increase has given us more scope ② ⟨armzwaai⟩ gesture, gesticulation, wave, ⟨zwemmen⟩ arm stroke, arm movement, thrust

armsleutel [de^{m}] angled wrench

armsteun [de^{m}] armrest

armstoel [de^{m}] armchair, easy chair

armuitsnijding [de^{v}] armhole

armvol [de] ⊡ *een armvol **hooi*** an armful of hay

armworp [de^{m}] ⟨vechtsp⟩ arm throw

armzalig [bn, bw] ① ⟨armoedig⟩ → **armoedig** ♦ *een armzalig **bestaan** leiden* lead a poor existence, live on a pittance/shoestring; *er armzalig **uitzien*** look shabby/down at heel, be a sorry sight ② ⟨nietig⟩ poor, meagre, paltry, miserable, beggarly ♦ *een armzalig **pensioentje*** a meagre pension; *een armzalig **salaris*** a pittance, a pitiful/miserable/higgardly salary ③ ⟨zeer dom⟩ pathetic, poor, weak ♦ *een armzalig **figuur** slaan* cut a sorry figure

armzwaai [de^{m}] wave, gesture, gesticulation

Arnhem [het] Arnhem

Arnhems [bn] from Arnhem ♦ ⟨fig⟩ *Arnhemse **meisjes*** 'Arnhemse meisjes', type of ^{B}biscuits/^{A}cookies

AROB-procedure [de^{v}] action/claim against a Government decree ♦ *een AROB-procedure **aanspannen*** bring an action against a Government decree; ⟨AE ook⟩ bring a case before the Court of Claims

^{1}**aroma** [de^{m}] ⟨stof⟩ flavouring

^{2}**aroma** [het] ⟨geur⟩ aroma, flavour ⟨ook smaak⟩, smell ♦ *koffie met een **sterk** aroma* highly flavoured/aromatic coffee; *tabak met een **zacht** aroma* mild(ly) flavoured tobacco

aromaten [de^{mv}] ① ⟨specerijen⟩ aromatics ② ⟨scheik⟩ aromatics

aromatherapie [de^{v}] aromatherapy

aromatisch [bn] aromatic, fragrant ♦ *aromatische **middelen*** aromatic substances ⊡ ⟨scheik⟩ *aromatische **verbindingen*** aromatic compounds

aromatiseren [ov ww] flavour, aromatize

aronskelk [de^{m}] arum ⊡ ***gevlekte** aronskelk* wake-robin, friar's-cowl, lords-and-ladies; ***witte** aronskelk* arum lily, calla (lily)

^{1}**arpeggio** [het] ⟨muz⟩ arpeggio

^{2}**arpeggio** [bw] ⟨muz⟩ arpeggio

arr. [afk] (arrondissement) dist

arrangement [het] ① ⟨schikking, regeling⟩ arrangement, ⟨vorm⟩ format, ⟨rangschikking⟩ order ② ⟨muz⟩ arrangement, score ♦ *een arrangement **voor** piano* an arrangement for piano ③ ⟨georganiseerd verblijf⟩ package holiday, package deal

arrangeren [ov ww] ① ⟨rangschikken⟩ arrange, ⟨uitstallen⟩ set out ② ⟨schikkingen treffen⟩ arrange, ⟨organiseren⟩ organize, get up ③ ⟨jur; schikken⟩ settle ④ ⟨muz⟩ arrange, score ♦ ***voor** orkest arrangeren* orchestrate, score

arrangeur [de^{m}] arranger, adapter

array [de^{m}] array

arrenslee [de] horse-sleigh, horse-sledge

arrest [het] ① ⟨voorlopige vrijheidsberoving⟩ arrest ⟨ook krijgstuchtelijke straf⟩, detention, ⟨voorarrest⟩ custody ♦ ***huis** van arrest* house of detention; *iemand **in** arrest nemen* take s.o. into custody, arrest/apprehend s.o.; *iemand **in** arrest houden* detain s.o.; *iemand **in** arrest stellen* place/put s.o. under arrest/detention; *u staat **onder** arrest* you are under arrest ② ⟨krijgstuchtelijke straf⟩ arrest ♦ *drie **dagen** arrest* three days arrest; *arrest **hebben*** be confined to barracks/to one's quarters; *(onder) **licht** arrest* (under) open arrest; *arrest **met/zonder** acces* open/close arrest; *(onder) **verzwaard/streng** arrest* (under) close arrest ③ ⟨beslaglegging⟩ seizure, attachment, ⟨van schip⟩ arrest ♦ *iets **in** arrest nemen* seize sth. ④ ⟨uitspraak van gerechtshof⟩ judgement, decree, arret ♦ ***bij** arrest van 18 april 1984* according to the decree/by a judgement of 18 April 1984; *arrest **wijzen*** give/pronounce/render judgement

arrestant [de^{m}] ① ⟨iemand die gearresteerd is⟩ detainee, arrested man/woman, ⟨gevangene⟩ prisoner ♦ *je bent **mijn** arrestant* you are under/consider yourself under arrest ② ⟨jur; beslaglegger⟩ (judgement) creditor, seizor ⟨ook algemeen⟩

arrestantenbus [de] police van, ⟨AE ook⟩ patrol/police wagon, ⟨inf⟩ Black Maria, paddy wagon

arrestantenlokaal [het] detention room, ⟨mil ook⟩ guardroom

arrestatie [de^{v}] arrest, apprehension, ⟨beslaglegging⟩ attachment ♦ ***tot** arrestatie overgaan* (carry out an) arrest; *een arrestatie **verrichten*** make/carry out an arrest

arrestatiebevel [het], **aanhoudingsbevel** [het] arrest warrant, warrant of arrest, ⟨voor ontsnapte gevangene⟩ escape warrant, ⟨jur⟩ capias ♦ *er loopt een arrestatiebevel **tegen** hem* there is a warrant out for his arrest

arrestatiebevoegdheid [de^{v}] power of arrest

arrestatiegroep [de] ± special squad, ⟨inf⟩ snatch squad

arrestatieteam [het] ± special squad, ⟨inf⟩ snatch squad

arresteren [ov ww] ① ⟨aanhouden⟩ arrest, apprehend, ⟨vasthouden⟩ detain ♦ *iemand **laten** arresteren* have s.o. arrested; ⟨in verzekerde bewaring⟩ give s.o. in(to) charge/custody, ↓ turn s.o. in; *iemand arresteren op beschuldiging* *van/wegens moord* arrest s.o./make an arrest on a charge of murder [2] ⟨beslag leggen op een persoon, zijn goederen⟩ ⟨persoon, schip⟩ arrest, ⟨goederen⟩ seize, take charge of, attach [3] ⟨bij besluit vaststellen⟩ confirm, ⟨goedkeuren⟩ pass, ⟨voorschrijven⟩ prescribe ◆ *de* ***notulen*** *worden goedgekeurd en gearresteerd* the minutes are approved/confirmed and signed

arrivé [de^{m}] ⟨man & vrouw⟩ arrivé, ⟨pej; man & vrouw⟩ upstart, ⟨man⟩ parvenu, ⟨vrouw⟩ parvenue

arriveren [onov ww] arrive ◆ ***in*** *Amsterdam/****op*** *Schiphol arriveren* arrive in Amsterdam/at Schiphol (Airport); ⟨fig⟩ *hij* ***is*** *gearriveerd* he has arrived/made it

arrivisme [het] arrivism, careerism

arrivist [de^{m}] arriviste, careerist

arrogant [bn, bw] arrogant ⟨bw: ~ly⟩, haughty, presumptuous, ⟨uit de hoogte⟩ superior, supercilious, ⟨inf⟩ high and mighty, stuck-up ◆ *een arrogante* ***houding*** *hebben* have a high-handed/haughty manner/an air of superiority; *een arrogante* ***kerel*** an arrogant fellow; *arrogant* ***lachen*** laugh superciliously

arrogantie [de^{v}] arrogance, haughtiness, presumptuousness, superiority, superciliousness

arrondissement [het] [1] ⟨onderdeel van een bestuursgebied⟩ district [2] ⟨jur⟩ district, ⟨Groot-Brittannië⟩ ± county court district/circuit

arrondissementaal [bn] district

arrondissementeel [bn] ⟨in België⟩ district

arrondissementscommissaris [de^{m}] ⟨in België⟩ district commissioner

arrondissementsparket [het] district public prosecutor's office

arrondissementsrechtbank [de] district court ⟨ook USA⟩, ⟨Groot-Brittannië; voor civiele zaken⟩ ± county court, ⟨voor strafzaken⟩ ± crown court

arrondissementssecretaris [de^{m}] ⟨in België⟩ district secretary

arroseren [onov ww] ⟨cul⟩ baste

arrowroot [het, de^{m}] arrowroot

arseenzuur [het] arsenic acid

arsenaal [het] [1] ⟨wapenhuis⟩ arsenal, armoury [2] ⟨verzameling⟩ arsenal, stock, store, repertory ◆ *zijn hele arsenaal van* ***uitvluchten*** *kwam er aan te pas* his whole repertory of excuses was drawn upon

arsenicum [het] ⟨scheik⟩ arsenic

arsenicumvergiftiging [de^{v}] arsenic poisoning

arsis [de^{v}] [1] ⟨muz⟩ arsis [2] ⟨lit, taalk⟩ arsis

art. [afk] (artikel) art

art deco [de^{m}] Art Deco

artdirection [de^{v}] artistic direction

artdirector [de^{m}] art director, art editor

artefact [het] [1] ⟨bewerkt voorwerp uit de prehistorie⟩ artefact, ⟨AE⟩ artifact [2] ⟨biol, med⟩ artefact, ⟨AE⟩ artifact [3] ⟨techn⟩ artefact, ⟨AE⟩ artifact

arte povera [de] Arte Povera

arterie [de^{v}] artery

arterieel [bn] arterial

arterieklem [de] artery clamp

arteriografie [de^{v}] arteriography

arteriosclerose [de^{v}] ⟨med⟩ arteriosclerosis

artesisch [bn] [•] *artesische* ***put*** artesian well

artfilm [de^{m}] art film, ⟨AE⟩ independent movie

arthousefilm [de^{m}] art house film, ⟨AE⟩ art house movie

articulatie [de^{v}] [1] ⟨uitspraak⟩ articulation [2] ⟨med⟩ articulation

articulatiebasis [de^{v}] articulatory setting

articulatieplaats [de] place of articulation

articulatorisch [bn] articulatory

articuleren [ov ww, ook abs] articulate, enunciate ◆ ***goed/duidelijk*** *articuleren* articulate well/distinctly; ***slecht*** *articuleren* articulate badly/poorly

artiest [de^{m}] [1] ⟨uitvoerend kunstenaar⟩ artist, entertainer, ⟨vnl. zang en dans⟩ artiste, performer [2] ⟨circusartiest⟩ artist, artiste, performer [3] ⟨iemand die ergens goed in is⟩ artiste, expert ◆ *die kok is een* ***ware*** *artiest* that cook is a real artiste

artiestenfoyer [de^{m}] ⟨dram⟩ greenroom

artiesteningang [de^{m}] stage door

artiestennaam [de^{m}] stage name

artificialia [de^{mv}] artificialia

artificial intelligence [de] artificial intelligence

artificieel [bn, bw] artificial, synthetic, ⟨vnl AE; pej⟩ plastic

artikel [het] [1] ⟨deel van een geschrift⟩ ⟨in reglement/verordening⟩ article, ⟨jur ook⟩ section, clause ⟨bijvoorbeeld in contract⟩ ◆ *artikel 80 van de Grondwet* article 80 of the constitution; *een artikel des* ***geloofs*** an article of faith; *de* ***twaalf*** *artikelen des geloofs* the Apostles' Creed [2] ⟨opstel, verhandeling⟩ article, paper, ⟨in krant/magazine ook⟩ story ◆ *een* ***redactioneel*** *artikel* an editorial; *de krant wijdde er een* ***speciaal*** *artikel aan* the newspaper ran/did a feature on it; *daar zit een artikel* ***in*** there's a story in that [3] ⟨lemma⟩ article, entry ◆ *in deze encyclopedie staan soms zeer* ***lange*** *artikelen* this encyclopaedia contains some very long articles [4] ⟨voorwerp van handel⟩ article, item, commodity ◆ ***huishoudelijke*** *artikelen* household goods/items; ***medische*** *artikelen* medical supplies; ***sanitaire*** *artikelen* sanitary goods/articles, toiletries; *er was niet veel* ***vraag*** *naar dat artikel* there was not much demand for that article [5] ⟨taalk⟩ article

artikeltwaalfgemeente [de^{v}] ⟨in Nederland⟩ municipality which due to financial deficits has been placed under guardianship pursuant to Art. 12 of the Municipalities Act

artillerie [de^{v}] [1] ⟨legerafdeling⟩ artillery ◆ ***rijdende*** *artillerie* horse artillery [2] ⟨geschut⟩ artillery, ordnance ◆ ***gemotoriseerde*** *artillerie* motorized artillery; ***lichte/zware*** *artillerie* light/heavy artillery

artilleriebeschieting [de^{v}] cannonade, gunnery bombardment

artillerievuur [het] artillery/gun fire

artillerist [de^{m}] gunner, artillerist

artisanaal [bn] ⟨in België⟩ → **ambachtelijk** ◆ *artisanale* ***winkel*** arts and crafts shop

artisjok [de] (globe) artichoke

artisticiteit [de^{v}] artistry

artistiek [bn, bw] [1] ⟨kunstzinnig⟩ artistic ⟨bw: ~ally⟩ ◆ *hij is artistiek* ***aangelegd*** he is artistically inclined; *de Italianen zijn een artistiek* ***volk*** the Italians are an artistic people [2] ⟨smaakvol⟩ artistic ⟨bw: ~ally⟩ ◆ *een artistiek* ***ingerichte*** *kamer* an artistically furnished room; *artistieke* ***tekeningen/voorwerpen*** artistic drawings/objects; *dat is artistiek niet* ***verantwoord*** that is not artistically justifiable [•] *de artistiek* ***leider*** ⟨van toneelgezelschap⟩ the artistic director

artistiekeling [de^{m}] ⟨scherts, iron⟩ arty type, would-be artist

artistiekerig [bn, bw] arty(-crafty), ⟨pej⟩ arty-farty

artist's impression [de^{v}] artist's impression

art nouveau [de^{m}] ⟨bk⟩ art nouveau

artotheek [de^{v}] art lending library

artprint [de^{m}] art print

artritis [de^{v}] arthritis

artrografie [de^{v}] ⟨med⟩ arthrography

artrogram [het] ⟨med⟩ arthrogram

artrologie [de^{v}] arthrology

artroplastiek [de^{v}] arthroplasty

artroscoop [de^{m}] ⟨med⟩ arthroscope

artroscopie [de^{v}] ⟨med⟩ arthroscopy

artrose [de^{v}] ⟨med⟩ arthrosis, articular degeneration

arts [de^{m}] doctor, physician ◆ *hij heeft zich* ***als*** *arts gevestigd* he has opened/started a medical practice; *Artsen zonder*

Grenzen Médecins sans Frontières; *zijn arts* ***raadplegen*** consult/see one's doctor; ***vrouwelijke*** *arts* lady/woman doctor
arts-assistent [de^{m}] assistant physician
artsenbezoeker [de^{m}], **artsenbezoekster** [de^{v}] medical representative, ⟨AE vnl⟩ drug salesman/saleswoman, ⟨inf⟩ detail man/woman
artsenbezoekster [de^{v}] → **artsenbezoeker**
artsenij [de^{v}] medicine, medicament ♦ ⟨fig⟩ *slaap is een gezonde artsenij* sleep is a good medicine/cure
artsenmonster [het] medical sample
artsensyndicaat [het] ⟨in België⟩ medical trade union
artsexamen [het] final examinations in medicine, medical finals
artwork [het] artwork
Aruba [het] Aruba

Aruba

naam	*Aruba* Aruba
officiële naam	*Aruba* Aruba
inwoner	*Arubaan* Aruban
inwoonster	*Arubaanse* Aruban
bijv. naamw.	*Arubaans* Aruban
hoofdstad	*Oranjestad* Oranjestad
munt	*Arubaanse gulden* Aruban guilder
werelddeel	*Amerika* America

int. toegangsnummer 297 www .aw auto ABW

Arubaan [de^{m}], **Arubaanse** [de^{v}] ⟨man & vrouw⟩ Aruban, ⟨vrouw ook⟩ Aruban woman/girl
Arubaans [bn] Aruban
Arubaanse [de^{v}] → **Arubaan**
as [de] [1] ⟨wat rest na verbranding⟩ ashes, ⟨van sigaret⟩ ash, ⟨vnl. open haard⟩ cinders ♦ ***gloeiende*** *as* (glowing) embers; *een stad* ***in*** *de as leggen* reduce a city to ashes; *het vuur smeult* ***onder*** *de as* ⟨fig⟩ trouble is brewing; ⟨fig⟩ *as op zijn hoofd* ***strooien/stapelen*** lie down in/wear sackcloth and ashes; ***vulkanische*** *as* volcanic ash [2] ⟨m.b.t. een lijk⟩ ashes [3] ⟨spil⟩ ⟨vnl. van wielen⟩ axle, ⟨drijfas⟩ shaft, ⟨spil⟩ spindle ♦ *vervoer* ***per*** *as* road and rail transport [4] ⟨denkbeeldige lijn waarom iets draait⟩ axis ♦ ⟨astron⟩ *as van de* ***hemel*** the axis of the sky; ***om*** *zijn as draaien* revolve/rotate/turn/spin on its axis [5] ⟨lijn door het midden⟩ ⟨van bol/cilinder/kegel/magneet/prisma/weg/kristal⟩ axis ♦ ***optische*** *as* optical axis; *as van* ***symmetrie*** the axis of symmetry [6] ⟨plantk⟩ axis, stem [7] ⟨muz⟩ A flat [•] *de as* ***Berlijn-Rome*** the Berlin-Rome axis
a.s. [afk] (aanstaande) next, prospective ♦ *a.s.* ***maandag*** next Monday; *a.s.* ***moeders*** mothers-to-be, expectant mothers
asbak [de^{m}] [1] ⟨m.b.t. rookwaren⟩ ashtray [2] ⟨aslade⟩ ashpan [3] ⟨asemmer⟩ dustbin, ⟨AE⟩ ash can, ⟨vnl AE ook⟩ ashbin
asbakkenras [het] ⟨scherts⟩ ± mongrel
asbelt [de] ⟨BE⟩ (rubbish/refuse) tip, ⟨AE⟩ garbage heap, dump
1**asbest** [het] asbestos
2**asbest** [bn] asbestos
asbestose [de^{v}] ⟨med⟩ asbestosis
asbestplaat [de] asbestos sheet/board, ⟨op fornuis⟩ asbestos mat
asbezorging [de^{v}] scattering of ashes, internment of ashes
asblond [bn] ash blond
asbout [de^{m}] linchpin
asceet [de^{m}] ascetic
ascendant [de^{m}] [1] ⟨astrol⟩ ascendant [2] ⟨persoonlijke invloed⟩ ascendancy, domination, preponderance
ascendenten [de^{mv}] ancestors
ascendentie [de^{v}] ancestry
ascese [de^{v}] ascesis, ascetism
ascetisch [bn, bw] [1] ⟨m.b.t. ascese⟩ ascetic ⟨bw: ~ally⟩, austere ♦ *ascetisch* ***leven*** live an austere life [2] ⟨m.b.t. de asceten⟩ ascetic ⟨bw: ~ally⟩ ♦ *een ascetische* ***levenswijze*** an ascetic lifestyle
ascetisme [het] asceticism
ASCII [afk] (American Standard Code for Information Interchange) ASCII
ascorbinezuur [het] ⟨scheik⟩ ascorbic acid
Asdag [de^{m}] ⟨r-k⟩ Ash Wednesday
asdruk [de^{m}] axle weight
aseksualiteit [de^{v}] asexuality
aseksueel [bn, bw] [1] ⟨ongevoelig voor seksuele prikkels⟩ asexual ⟨bw: ~ly⟩ [2] ⟨ongeslachtelijk⟩ asexual ⟨bw: ~ly⟩, sexless ♦ *deze organismen kunnen zich aseksueel* ***vermenigvuldigen*** these organisms can reproduce asexually
aselect [bn, bw] random, indiscriminate, arbitrary ♦ ⟨stat⟩ *een aselecte* ***steekproef*** a random sample/sampling
asem [de^{m}] ⟨inf⟩ ⟨ogm⟩ breath ♦ ⟨scherts⟩ *sterven aan* ***gebrek*** *aan asem* breath one's last
asemen [onov ww] ⟨inf⟩ ⟨ogm⟩ breathe
asemmer [de^{m}] ash bucket
Asen [de^{mv}] Aesir
asepsis [de^{v}] ⟨med⟩ asepsis
aseptisch [bn, bw] aseptic ⟨bw: ~ally⟩
asfalt [het] [1] ⟨mineraal hars⟩ asphalt [2] ⟨asfaltbeton⟩ → **asfaltbeton** [3] ⟨straatdek⟩ asphalt, blacktop ♦ *hij smakte* ***tegen*** *het asfalt* he fell (with a thud) on the asphalt; *het asfalt van een* ***wereldstad*** the streets of a metropolis
asfaltbestrating [de^{v}] asphalt (paving/pavement), ⟨vnl AE⟩ blacktop
asfaltbeton [het] ⟨BE⟩ hot-rolled asphalt, ⟨AE⟩ asphaltic concrete
asfaltbitumen [het] asphalt (bitumen), pitch
asfalteren [ov ww] asphalt, ⟨vnl AE; wegdek⟩ blacktop
asfaltjeugd [de] inner city kids, kids from the concrete jungle
asfaltlinnen [het] asphaltic linen
asfaltolie [de] asphalt-base oil
asfaltpapier [het] asphalt (paper)
asfaltspreider [de^{m}] ⟨wwb⟩ asphalting machine
asfaltweg [de^{m}] asphalt/bituminous road
asferisch [bn] aspheric(al)
asfyxiatie [de^{v}] asphyxiation
asfyxie [de^{v}] asphyxia
asfyxiëren [ov ww] asphyxiate
asgrauw [bn] ashen, ashy, ash-coloured, ash-grey, ⟨AE⟩ ash-gray ♦ ⟨astron⟩ *asgrauw* ***licht*** earthshine, earthlight; *zijn gezicht* ***werd*** *asgrauw* his face turned ashen/grey
ashaai [de^{m}] dogfish
ashals [de^{m}] journal, neck
ashoop [de^{m}] [1] ⟨overblijfsel⟩ ash-heap [2] ⟨vuilnisbelt⟩ ⟨BE⟩ (rubbish/refuse) tip, ⟨AE⟩ garbage/trash heap, dump
ashram [de^{m}] ashram
asiel [het] [1] ⟨bescherming van de staat, kerk⟩ asylum, ⟨vnl kerk⟩ sanctuary ♦ ***politiek*** *asiel vragen/krijgen/verlenen* seek/obtain/grant political asylum; ***recht*** *van asiel* right of asylum; *asiel* ***vragen*** seek asylum [2] ⟨toevluchtsoord⟩ asylum, shelter, house of refuge [3] ⟨dierenasiel⟩ animal home/shelter, ⟨voor zwerfdieren⟩ pound, home for lost/stray animals

asiel

- opvang voor dieren: **pound; animal shelter**
- bescherming door staat of kerk: **(political) asylum**
- asielzoeker: **asylum seeker**

asielaanvraag [de] request/application for asylum
asieladvocaat [de^{m}] asylum lawyer/^{A}attorney, immigration lawyer/^{A}attorney

asielbeleid [het] (political) asylum policy
asielland [het] asylum country
asielprocedure [de] (political) asylum procedure, asylum hearing
asielrecht [het] [1] ⟨pol⟩ right of asylum [2] ⟨scheepv⟩ right of haven
asielverlening [de^{v}] granting of asylum
asielzoeker [de^{m}] asylum seeker, refugee
asielzoekerscentrum [het] asylum seekers' centre, refugee centre
asje [tw] ⟨bij het aanreiken⟩ there you go, ⟨als reactie op dankwoord⟩ you're welcome
asjemenou [tw] oh dear!, my goodness!, well I never!
askam [de^{m}] cam
askern [de] core (of a shaft)
askleur [de] ash colour, colour of ashes
askoppelwerk [het] spindle/shaft coupling
askraag [de^{m}] collar
askring [de^{m}] ⟨natuurk⟩ spherical aberration
askruisje [het] ⟨r-k⟩ the ashes ♦ *een askruisje **krijgen/geven*** receive/distribute the ashes
askussen [het] (journal) bearing, bearing shell/liner
aslade [de] ashpan
aslager [het] (shaft) bearing
aslijn [de] axis
ASLK [de^{v}] ⟨in België⟩ (Algemene Spaar- en Lijfrentekas) General Savings and Insurance Bank
asmogendheden [de^{mv}] ⟨pol, gesch⟩ Axis powers
[1]**aso** [de^{m}] ⟨inf⟩ antisocial (person)
[2]**aso** [bn] ⟨inf⟩ antisocial
a.s.o. [het] ⟨in België⟩ (algemeen secundair onderwijs) General Secondary Education
asobak [de^{m}] Chelsea tractor, gas guzzler, ⟨AE⟩ gas hog
asociaal [bn] antisocial, unsocial, ⟨niet gezellig⟩ unsociable, asocial ⟨ook egoïstisch⟩ ♦ ⟨zelfstandig (gebruikt)⟩ ***de asocialen*** antisocial people; ⟨fig⟩ ***doe niet zo asociaal!*** don't be so unsociable!; *asociaal **gedrag*** antisocial behaviour; *een asociaal **gezin*** an antisocial family; *asociaal **zijn*** be antisocial
asoverbrenging [de^{v}] shafting
asowoning [de^{v}] ⟨in Nederland⟩ ± ASBO housing
asp. [afk] (aspirant) prospective
asparagine [het] ⟨biochem⟩ asparagine
asparagus [de] asparagus
aspecifiek [bn] non-specific
aspect [het] [1] ⟨zijde, kant⟩ aspect, side, facet, dimension, angle ♦ *dit zijn alle aspecten van één **werkelijkheid*** these are all aspects/facets of the same reality; *we moeten alle aspecten van de **zaak** bestuderen* we must consider every aspect of the matter/consider the matter in all its bearings [2] ⟨uitzicht in de toekomst⟩ outlook, prospect [3] ⟨astron⟩ aspect [4] ⟨taalk⟩ aspect ♦ *het **perfectief** aspect* the perfective aspect
asperge [de] [1] ⟨plant⟩ asparagus ♦ *asperges **steken*** cut/harvest asparagus [2] ⟨groente⟩ asparagus ♦ *asperges **eten*** eat asparagus
aspergebed [het] asparagus bed
aspergekop [de^{m}], **aspergepunt** [de^{m}] asparagus tip
aspergepunt [de^{m}] → **aspergekop**
[1]**asperger** [de^{m}] ⟨syndroom van Asperger⟩ Asperger's syndrome
[2]**asperger** [de^{m}] ⟨persoon⟩ Aspie
Asperger ⊡ *het **syndroom** van Asperger* Asperger's syndrome
aspergesoep [de] asparagus soup
aspergetang [de] asparagus tongs
aspic [de^{m}] aspic
aspidistra [de] aspidistra
aspiraat [de] ⟨taalk⟩ aspirate
aspirant [de^{m}] [1] ⟨iemand in opleiding⟩ trainee, student [2] ⟨sport⟩ junior ♦ *hij speelt nog **bij** de aspiranten* he's still (playing) in the junior league [3] ⟨kandidaat⟩ candidate, aspirant, applicant
aspirant-koper [de^{m}] prospective buyer
aspirant-lid [het] candidate for membership, prospective member
aspiratie [de^{v}] [1] ⟨mv; eerzucht⟩ aspiration(s), ambition(s) ♦ *hij **heeft** aspiraties om voorzitter te worden* it is his ambition to be chairman, he aspires to be chairman, ⟨inf⟩ he fancies becoming chairman; *hij heeft **hoge** aspiraties* he has high ambitions/great aspirations, he aims high; ***hogere** aspiraties hebben* aim higher, have higher ambitions/aspirations [2] ⟨blaasklank⟩ aspiration ♦ *de k wordt in het Duits **met** aspiratie uitgesproken* 'k' is aspirate(d) in German [3] ⟨inademing⟩ inhalation, breathing in [4] ⟨het op-, wegzuigen⟩ sucking (up), ⟨med⟩ aspiration
aspirator [de^{m}] [1] ⟨toestel dat gassen aanzuigt⟩ aspirator [2] ⟨med⟩ aspirator
aspireren [ov ww] [1] ⟨streven⟩ aspire to, aim for [2] ⟨taalk⟩ aspirate [3] ⟨opzuigen⟩ aspirate
aspirientje [het] aspirin (tablet)
aspirine [de] aspirin
asregen [de^{m}] ash rain
asrest [de^{m}] ash(es)
assai [bw] ⟨muz⟩ assai
assaisonneren [onov ww] ⟨cul⟩ season
assaut [het] [1] ⟨bal⟩ 'assaut', annual military school ball [2] ⟨schermdemonstratie, -wedstrijd⟩ fencing display/tournament ♦ *een **militair** assaut* assault at/of arms
assegaai [de] assagai, assegai
assemblage [de^{v}] [1] ⟨handeling⟩ assembly, assembling, assemblage [2] ⟨resultaat⟩ assembly, assemblage
assemblagebedrijf [het] ⟨ind⟩ assembly plant
assemblagekunst [de^{v}] assemblage art, Art of Assemblage
assemblee [de] assembly ⊡ *de Assemblee* ⟨van de VN⟩ the Assembly
assembleerprogramma [het] ⟨comp⟩ assembler, assembler programme/route
assembleertaal [de] ⟨comp⟩ assembler language
assembler [de] assembler
assembleren [ov ww] assemble ♦ ***auto's** assembleren* assemble cars
assenkruis [het] ⟨wisk⟩ co-ordinate system
assenstelsel [het] ⟨wisk⟩ co-ordinate/coordinate system
Assepoester Cinderella
assepoestercomplex [het] Cinderella complex
asserteren [ov ww] assert
assertie [de^{v}] assertion
assertief [bn] assertive ♦ *assertief **gedrag*** assertive behaviour
assertiviteit [de^{v}] assertiveness, self-assertion
assertiviteitstraining [de] assertiveness training, assertive/assertion training
assertoir [bn] assertory, positive ♦ *een assertoire **eed*** an assertory oath
assessment [het] assessment
assessmentcenter [het] assessment centre
assessor [de^{m}] assessor
asset [de^{m}] [1] ⟨bezitting⟩ asset [2] ⟨fig; troef⟩ asset
assibilatie [de^{v}] ⟨taalk⟩ assibilation
assignaat [het] ⟨gesch⟩ assignat
assignatie [de^{v}] (bank) draft, ⟨BE ook⟩ (bank) draught, bill
assimilatie [de^{v}] [1] ⟨gelijkmaking, -stelling⟩ assimilation, integration ♦ *assimilatie **bevorderende** maatregelen* measures that further assimilation/integration; *assimilatie van **minderheden*** assimilation of minorities [2] ⟨taalk⟩ assimilation ♦ ***progressieve** assimilatie* progressive assimilation [3] ⟨biol⟩ assimilation [4] ⟨psych⟩ assimilation

[5] ⟨soc⟩ assimilation
assimilatieproces [het] assimilation process, process of assimilation
^{1}**assimileren** [onov ww] [1] ⟨taalk⟩ assimilate [2] ⟨zich aanpassen⟩ assimilate
^{2}**assimileren** [ov ww] [1] ⟨gelijkvormig maken⟩ assimilate [2] ⟨taalk⟩ assimilate [3] ⟨biol⟩ assimilate [4] ⟨in zich opnemen⟩ assimilate
assisenhof [het] ⟨in België; jur⟩ Assize Court, ⟨Groot-Brittannië⟩ ± Crown Court, ⟨USA⟩ ± District Court
assist [de] [1] ⟨sport⟩ assist [2] ⟨med; helper⟩ assist
assistent [de^{m}] assistant, aid, helper ♦ *assistent **bij** de botanie/**op** een laboratorium* botany/lab(oratory) assistant; ⟨BE ook; in/op lab⟩ demonstrator; *assistent van een **hoogleraar*** research assistant; *hij **is** maar een assistentje* he is just an assistant, ⟨sl⟩ he is just a flunky; ⟨in België⟩ ***maatschappelijk** assistent* social worker; *assistent in **opleiding*** research trainee, assistant research fellow, research assistant, ⟨AE⟩ teaching assistant; ⟨in België⟩ ***sociaal** assistent* social worker; ⟨in België⟩ *assistent van universitaire **staf*** teaching/research assistant; *de **voornaamste** assistent* the senior assistant
assistent-arts [de^{m}] ⟨BE⟩ registrar, ⟨AE⟩ resident
assistente [de^{v}] [1] ⟨medewerkster⟩ assistant [2] ⟨prostitue-ee⟩ hostess ♦ *seksclub zoekt **jonge, charmante** assistente* sex club seeks attractive young hostess
assistentie [de^{v}] [1] ⟨bijstand, hulp⟩ assistance, aid, help ♦ *ter assistentie van* assisting; *assistentie **verlenen*** give assistance, ⟨inf⟩ lend a hand [2] ⟨personen⟩ assistance, aid, help ♦ *de politie **verzocht om** assistentie* the police asked for assistance/help
assistentschap [het] ⟨BE⟩ registrarship, ⟨AE⟩ residency ♦ *hij kreeg een assistentschap **in de gynaecologie*** he received/got a registrarship in gynaecology
assisteren [ov ww, ook abs] [1] ⟨bijstaan⟩ assist, help, aid ♦ *de **dokter** assisteren* assist the doctor [2] ⟨als assistent optreden⟩ assist ♦ ***bij** een bevalling assisteren* assist in/at a delivery; *assisterend **personeel*** support staff, assistants
associatie [de^{v}] [1] ⟨m.b.t. personen⟩ association, company [2] ⟨biol⟩ association [3] ⟨psych⟩ association ♦ *associatie van **ideeën*** association of ideas; *dat **roept** allerlei associaties **op*** that calls up all sorts of associations, that brings all sorts of associations to mind; ***vrije** associatie* free association [4] ⟨scheik⟩ association [5] ⟨geol⟩ association
associatief [bn, bw] associative ⟨bw: ~ly⟩ ♦ *het associatieve **geheugen*** the memory that works by association; *associatief **praten*** talk in a stream of consciousness/following one's free associations; *associatief **waarnemen*** apperceive; *invallen die langs associatieve **weg** tot stand gekomen zijn* bright ideas that occurred by way of association
associatieraad [de^{m}] [1] ⟨overleg⟩ association council [2] ⟨overlegorgaan⟩ association council
associé [de^{m}] associate
associëren [ov ww, ook abs] [1] ⟨m.b.t. personen⟩ associate ♦ *zich niet **met** het gepeupel associëren* not associate/mix with the common crowd/rabble/hoi polloi, ⟨inf⟩ not associate/mix with the plebs; *zich associëren met* associate with, enter into association with, form a company with [2] ⟨biol⟩ associate ♦ *vele paddenstoelen zijn **met** bepaalde bomen geassocieerd* many toadstools are associated with specific trees [3] ⟨psych⟩ associate ♦ ***gedachten/begrippen** associëren* associate thoughts/ideas; *ik associeer stierenvechten **met** Spanje* I associate bullfighting with Spain; ***vrij** associëren* free associate
assonance [de^{v}] assonance
assonant [de^{m}] assonant, assonance
assonantie [de^{v}] assonance
assorteren [ov ww] stock (up), lay in stock ♦ *die zaak is **goed** geassorteerd* this store has a good assortment/is well-stocked; ***zich** assorteren in de laagste prijsklasse* (lay in) stock in the lowest price category
assorti [bn, alleen pred] assorted
assortiment [het] [1] ⟨handel⟩ assortment, selection ♦ *een assortiment **koekjes*** an assortment of ^{B}biscuits/^{A}cookies, assorted ^{B}biscuits/^{A}cookies; *een **ruim/beperkt** assortiment hebben* have/carry a broad/limited range/selection/assortment; ***uitbreiding/beperking** van het assortiment* increase in/reduction of stock/the line/range of products [2] ⟨boek⟩ miscellaneous range
assumeren [ov ww] [1] ⟨aan zich toevoegen⟩ co-opt, elect, appoint, add ♦ *de commissie kan nieuwe **leden** assumeren* the committee can co-opt/elect/appoint/add new members [2] ⟨zich op het standpunt stellen⟩ assume, suppose
assumptie [de^{v}] [1] ⟨het aan zich toevoegen⟩ co-optation, election, appointment, addition [2] ⟨veronderstelling⟩ assumption, supposition
Assumptie [de^{v}] ⟨r-k; feestdag⟩ Assumption
assuradeur [de^{m}] insurer, underwriter, insurance broker
assurantie [de^{v}] [1] ⟨overeenkomst⟩ insurance, ⟨m.b.t. levensverzekering ook; BE⟩ assurance [2] ⟨maatschappij⟩ insurance/assurance company [3] ⟨premie⟩ insurance
assurantieagent [de^{m}] insurance agent
assurantiekantoor [het] insurance office, insurance broker's
assurantiemakelaar [de^{m}], **verzekeringsmakelaar** [de^{m}] insurance broker
assureren [ov ww] insure ♦ ***zich** assureren* insure o.s.; ⟨inf⟩ get insurance/(o.s.) insured; take out an insurance
ast [de^{m}] → **eest**
astasie [de^{v}] ⟨med⟩ astasia
astatisch [bn] ⟨natuurk⟩ [·] *astatisch **naaldenstelsel*** astatic system
astatium [het] ⟨scheik⟩ astatine
A-status [de^{m}] ⟨radio/tv⟩ highest category of Dutch broadcasting corporations with entitlement to maximum broadcasting time ♦ *de A-status **krijgen/verliezen*** acquire/lose one's 'A-status'
aster [de] [1] ⟨plant⟩ aster [2] ⟨bloem⟩ aster
asterie [de^{v}] asterism
asterisk [de^{m}] asterisk, star ♦ *een woord **met** een asterisk aanduiden* asterisk/star a word, put an asterisk/a star against a word
asteroïde [de^{v}] asteroid, planetoid, minor planet
asteroïdengordel [de^{m}] asteroid zone
asthenie [de^{v}] ⟨med⟩ asthenia
asthenisch [bn] ⟨med⟩ [1] ⟨voortkomende uit, gepaard gaande met asthenie⟩ asthenic ♦ *asthenische **koorts*** asthenic/debilitating fever; *het asthenische **type*** the asthenic/weakly type [2] ⟨constitutioneel zwak⟩ asthenic
astigmatisch [bn] astigmatic ♦ *een astigmatische **lens*** an astigmatic lens
astigmatisme [het] astigmatism
astma [het, de] asthma ♦ *astma **hebben*** suffer from/have asthma, be asthmatic
astma-aanval [de^{m}] asthma attack
astmalijder [de^{m}], **astmalijdster** [de^{v}] asthma sufferer, asthmatic
astmalijdster [de^{v}] → **astmalijder**
astmapapier [het] asthma paper
astmasigaret [de] 'asthma cigarette', cigarette which can bring relief to an asthma sufferer
astmaticus [de^{m}] asthmatic
astmatisch [bn] [1] ⟨aan astma lijdend⟩ asthmatic [2] ⟨van de aard van astma⟩ asthmatic ♦ *astmatische **aanvallen*** asthmatic attacks
^{1}**astraal** [het] astral
^{2}**astraal** [bn] [1] ⟨m.b.t. de sterren⟩ astral ♦ *astrale **religie*** astral religion [2] ⟨occultisme⟩ astral

astraallamp [de] astral lamp
astraallichaam [het] astral body
astraallicht [het] astral light
[1]**astrakan** [de^{v}] astrakhan
[2]**astrakan** [bn] astrakhan
astrant [bn, bw] ⟨inf⟩ cool, cheeky, brash, sassy
astreinte [de^{v}] ⟨jur⟩ periodic penalty payment, ⟨soms⟩ per diem penalty
astringent [bn] astringent
astro- astro- ♦ *astrofotografie* astrophotography; *astrofysicus* astrophysicist
astrobiologie [de^{v}] astrobiology, exobiology
astrodynamica [de^{v}] astrodynamics
astrofysica [de^{v}] astrophysics
astrofysisch [bn] astrophysical ♦ *astrofysische **instrumenten*** astrophysical instruments
astrografie [de^{v}] astrography
astroïde [de^{v}] ⟨wisk⟩ astroid
astrolabium [het] ⟨gesch⟩ astrolabe
astrologe [de^{v}] → **astroloog**
astrologie [de^{v}] astrology
astrologisch [bn, bw] astrologic(al) ⟨bw: astrologically⟩
astroloog [de^{m}], **astrologe** [de^{v}] astrologer
astrometrie [de] astrometry
astronaut [de^{m}], **astronaute** [de^{v}] astronaut
astronaute [de^{v}] → **astronaut**
astronautenvoeding [de^{v}] astronaut food, space food
astronautica [de^{v}] astronautical engineering, aerospace engineering
astronautiek [de^{v}] astronautics
astronautisch [bn] astronautic(al)
astronavigatie [de^{v}] [1] ⟨astronomische navigatie⟩ astronavigation, celestial navigation [2] ⟨ruimtev⟩ astronavigation
astronomie [de^{v}] astronomy
astronomisch [bn] [1] ⟨m.b.t. de sterrenkunde⟩ astronomic(al) ♦ *de astronomische **breedte*** celestial latitude, declination; *astronomische **eenheid*** astronomic unit; *astronomische **horizon*** celestial/true horizon; *astronomisch **jaar*** astronomical/solar/tropical year; *astronomisch **jaarboek*** ephemeris; *astronomische **kijker*** (observatory)/astronomic telescope; *de astronomische **lengte*** celestial longitude, right ascension; *astronomische **maand*** lunar month [2] ⟨onvoorstelbaar groot⟩ astronomic(al) ♦ *astronomische **bedragen*** astronomic amounts
astronoom [de^{m}] astronomer
astroturf [de^{m}] AstroTurf
Asturië [het] Asturias
asurn [de] cinerary urn
asvang [de] brake
asverschuiving [de^{v}] bending the flow of traffic laterally in order to slow it down
asverstrooiing [de^{v}] scattering of ashes
aswenteling [de^{v}] rotation, revolution ♦ *alle planeten **hebben** een aswenteling* all planets rotate
Aswoensdag [de^{m}] ⟨r-k⟩ Ash Wednesday
asymbolie [de^{v}] asymbolia ♦ ***optische** asymbolie* visual asymboly
asymmetrie [de^{v}] asymmetry, non-symmetry, dissymmetry
asymmetrisch [bn, bw] asymmetric(al) ⟨bw: asymmetrically⟩, non-symmetric(al), dissymmetric(al)
asymptoot [de^{m}] ⟨wisk⟩ asymptote
asymptotisch [bn] ⟨wisk⟩ asymptotic(al)
asynchroon [bn, bw] asynchronous ⟨bw: ~ly⟩ ♦ *het beeld en het geluid **lopen** asynchroon* the sound and pictures are not synchronized, ⟨inf⟩ the sound and pictures are out of sync; *asynchrone **motor*** induction motor
asyndetisch [bn, bw] ⟨taalk⟩ asyndetic ⟨bw: ~ally⟩ ♦ *asyndetische **vergelijking*** asyndetic comparison
asyndeton [het] ⟨taalk⟩ asyndeton
asystolie [de^{v}] ⟨med⟩ asystole, asystolism
at [het] at, ‘at’-symbol/sign, a-scroll, commercial ‘at’
atactisch [bn] ⟨med⟩ atactic
atalanta [de] red admiral
ataraxie [de^{v}] ataraxia, ataraxy
atavisme [het] atavism, reversion
atavistisch [bn, bw] atavistic ⟨bw: ~ally⟩
ataxie [de^{v}] ⟨med⟩ ataxia, ataxy
atb [de^{v}] (automatische treinbeïnvloeding) Automatic Train Control
ATB [de^{m}] ATB, all-terrain bike/bicycle, mountain bike
atechnisch [bn] [1] ⟨onhandig⟩ untechnical ♦ *zich atechnisch **opstellen*** be untechnical [2] ⟨technisch onkundig⟩ untechnical ♦ *een atechnische **benadering** van de problemen* an untechnical approach to the problems
atelie [de^{v}] arrested development
atelier [het] ⟨van kunstenaar, fotograaf enz.⟩ studio, ⟨werkplaats⟩ workshop, ⟨van kunstenaar/modeontwerper ook⟩ ↑ atelier ♦ ***werken** **op** een atelier* work in a studio
a tempo [bw] ⟨muz⟩ a tempo
atemporeel [bn] atemporal
aterling [de^{m}] ⟨form⟩ miscreant
Atheens [bn] Athenian
atheïsme [het] atheism
atheïst [de^{m}] atheist
atheïstisch [bn] [1] ⟨m.b.t. het atheïsme⟩ atheistic [2] ⟨het atheïsme aanhangend⟩ atheistic
athematisch [bn] off the subject, ⟨muz, taalk⟩ athematic
Athene [het] Athens
atheneum [het] [1] ⟨in Nederland⟩ ‘atheneum’, ⟨BE⟩ grammar school, ^{A}(selective) high school ♦ ***op** het atheneum zitten* ⟨BE⟩ ± be at grammar school, ⟨AE⟩ ± be in a college-prep program [2] ⟨in België⟩ ‘atheneum’, ⟨BE⟩ state secondary school, ^{A}state high school
athermaan [bn] ⟨natuurk⟩ athermanous
atheroom [het] atheroma
à titre personnel [bw] in a personal/private capacity, personally, on a personal basis ♦ *à titre personnel **spreken*** speak in a personal capacity
atjar [de^{m}] (pickle) relish
atlant [de^{m}] ⟨bouwk⟩ atlas, telamon
atlanticisme [het] Atlanticism
atlanticus [de^{m}] Atlanticist
Atlantikwall [de^{m}] Atlantic wall
Atlantis [het] Atlantis
Atlantisch [bn] [1] ⟨m.b.t. de oceaan⟩ Atlantic ♦ *de Atlantische **Oceaan*** the Atlantic (Ocean); *het Atlantisch **Pact*** the North Atlantic Treaty; *een Atlantische **telefoonkabel*** an Atlantic telephone cable [2] ⟨m.b.t. de landen⟩ Atlantic
[1]**atlas** [de^{m}] [1] ⟨kaartenboek⟩ atlas ♦ *een **historische** atlas* a historical atlas; *de atlas van **Nederland*** the atlas of the Netherlands [2] ⟨boek met afbeeldingen⟩ atlas ♦ ***anatomische** atlas* anatomical atlas; *een **letterkundige** atlas* a literary atlas [3] ⟨wervel⟩ atlas
[2]**atlas** [het] ⟨stof⟩ satin
Atlas [de^{m}] Atlas (Mountains)
Atlasgebergte [het] Atlas (Mountains)
Atlasraket [de] Atlas
atlasvlinder [de^{m}] atlas moth
atleet [de^{m}], **atlete** [de^{v}] [1] ⟨iemand die atletiek beoefent⟩ athlete, track and field participant [2] ⟨iemand met atletische lichaamsbouw⟩ athlete
atlete [de^{v}] → **atleet**
atletiek [de^{v}] athletics, track and field events ♦ *de atletiek **beoefenen**, aan atletiek **doen*** take part in athletics, participate in track and field events
atletiekbaan [de] (athletics) track
atletiekploeg [de] athletics squad/team

atletiekwedstrijd [de^{m}] ⟨BE⟩ athletics meeting, ⟨AE⟩ track meet
atletisch [bn] [1] ⟨m.b.t. de atletiek⟩ athletic ◆ *atletische **oefeningen*** athletic/track and field exercises/training [2] ⟨(als) van een atleet⟩ athletic ◆ *atletisch **gebouwd*** with an athletic build, built like an athlete; ⟨wet⟩ mesomorphic, mesomorphous; *een atletische **lichaamsbouw*** an athletic build
atm [afk] (atmosfeer) atm
atmosfeer [de] [1] ⟨dampkring⟩ atmosphere ◆ *de **hogere/lagere** atmosfeer* the upper/lower atmosphere [2] ⟨dampkringslucht⟩ atmosphere [3] ⟨lucht waarin we ademen⟩ atmosphere, air ◆ *in een **bedorven** atmosfeer **werken*** work in a contaminated environment, be exposed to contaminated air [4] ⟨omgeving⟩ atmosphere, environment [5] ⟨sfeer⟩ atmosphere, air ◆ *er **hing** een **geladen** atmosfeer* the air/whole atmosphere was charged; *een **verpeste** atmosfeer* a ruined atmosphere, a miasma [6] ⟨druk⟩ atmosphere ◆ *stoom **van 4 atmosfeer*** steam at (a pressure of) 4 atmosphere
atmosferisch [bn] [1] ⟨m.b.t. de atmosfeer⟩ atmospheric ◆ *atmosferische **neerslag*** precipitation; *atmosferische **storing*** static interference, atmospheric disturbance, atmospherics [2] ⟨m.b.t. de druk⟩ atmospheric ◆ *atmosferische **druk*** atmospheric pressure
atol [het, de^{m}] ⟨aardr⟩ atoll
atomair [bn] [1] ⟨m.b.t. atomen⟩ atomic ◆ *atomaire **verschijnselen*** atomic phenomena [2] ⟨werkend door splitsing in atomen⟩ atomic [3] ⟨m.b.t. atoomsplitsing⟩ atomic, nuclear ◆ *atomaire **kettingreactie*** atomic/chain reaction; *het atomaire **tijdperk*** the atomic/nuclear age
atomisch [bn] [1] ⟨m.b.t. atomen⟩ atomic [2] ⟨m.b.t. atoomsplitsing⟩ atomic, nuclear ◆ *atomische **wapens*** atomic/nuclear weapons
atomiseren [ov ww] atomize
atomisme [het] atomism
atomistiek [de^{v}] atomism
atomizer [de^{m}] atomizer
atonaal [bn, bw] [1] ⟨muz⟩ atonal ◆ *atonale **muziek*** atonal music [2] ⟨lit⟩ experimental
atonie [de^{v}] atony
atoom [het] [1] ⟨scheik⟩ atom ◆ ***gemerkt** atoom* labelled atom; *atomen **splitsen zich*** atoms divide; *een **uit twee/meer** atomen bestaand molecule* ⟨ook⟩ a diatomic/polyatomic molecule [2] ⟨fig⟩ atom, shred, speck
atoomaandrijving [de^{v}] atomic drive, ⟨van schip ook⟩ atomic propulsion
atoomaanval [de^{m}] nuclear/atomic attack
atoomafval [het, de^{m}] atomic/nuclear waste
atoombom [de] atom(ic)/nuclear bomb, A-bomb
atoombureau [het] atomic energy bureau, atomic energy agency
atoomcentrale [de] nuclear/atomic (power) plant, nuclear/atomic power station
atoomcentrum [het] nuclear/atomic research centre
atoomduikboot [de] → **atoomonderzeeër**
atoomenergie [de^{v}] nuclear/atomic energy, nuclear/atomic power ◆ ***door** atoomenergie aangedreven* driven by nuclear power, powered by nuclear energy; *vreedzaam **gebruik** van atoomenergie* peaceful use(s) of nuclear energy; *atoomenergie? nee bedankt* nuclear energy? no thanks
atoomfysica [de^{v}] nuclear physics
atoomgeleerde [de] nuclear expert
atoomgetal [het] ⟨natuurk⟩ atomic number
atoomgewicht [het] ⟨scheik⟩ atomic weight
atoomkern [de] (atomic) nucleus
atoomklok [de] atomic clock
atoomkop [de^{m}] nuclear/atomic warhead ◆ *intercontinentale raketten **met** atoomkoppen* intercontinental nuclear missiles, intercontinental missiles with nuclear/atomic warheads
atoomkracht [de] nuclear power, atomic power
atoommassa [de] atomic mass
atoomonderzeeër [de^{m}], **atoomduikboot** [de] nuclear/atomic submarine
atoomoorlog [de^{m}] nuclear/atomic war
atoompacifisme [het] anti-nuclear/ban-the-bomb movement, ⟨Groot-Brittannië⟩ CND, Campaign for Nuclear Disarmament
atoompacifist [de^{m}], **atoompacifiste** [de^{v}] anti-nuclear/^{B}CND supporter, ⟨inf; AE⟩ antinuke(r)
atoompacifiste [de^{v}] → **atoompacifist**
atoomparaplu [de^{m}] ⟨fig⟩ nuclear/atomic umbrella
atoomproef [de] nuclear/atomic test ◆ *een **ondergrondse** atoomproef* an underground nuclear test
atoomreactor [de^{m}] nuclear/atomic reactor
atoomrooster [het] atom grid
atoomschuilkelder [de^{m}] nuclear/atomic (fallout) shelter, fallout shelter
atoomsplitsing [de^{v}] nuclear fission
atoomstroom [de^{m}] nuclear/atomic energy, nuclear/atomic power
atoomtijdperk [het] nuclear/atomic age
atoomvrij [bn] nuclear-free ◆ *atoomvrije **zone*** nuclear-free zone
atoomwapen [het] nuclear/atomic weapon, ⟨inf; AE⟩ nuke ◆ *de vijand met atoomwapens **aanvallen*** ⟨inf; AE⟩ nuke the enemy
atoomzwaard [het] nuclear weapon/threat/deterrent, atomic weapon/threat/deterrent
atopie [de^{v}] atopy, atopia, atopic constitution
at random [bn] at random
atrium [het] [1] ⟨Romeinse gesch⟩ atrium [2] ⟨voorhof van een basiliek⟩ atrium [3] ⟨binnenplein met synagoge⟩ atrium [4] ⟨boezem van het hart⟩ atrium
atriumfibrilleren [ww] ⟨med⟩ atrical fibrillation
atrofie [de^{v}] ⟨med⟩ atrophy
atrofiëren [onov ww] ⟨med⟩ atrophy
atropine [de] atropine
attaché [de^{m}] [1] ⟨diplomaat⟩ attaché ◆ ***militair** attaché bij de Engelse ambassade* military attaché at the British Embassy [2] ⟨in België; adviseur van een minister⟩ ministerial adviser
attachékoffer [de^{m}] attaché case
attacheren [ov ww] attach (as attaché) ◆ *geattacheerd zijn **aan een ambassade*** serve as attaché at an embassy, be an embassy attaché
attachment [het, de^{m}] ⟨comp⟩ attachment
attaque [de] [1] ⟨aanval⟩ attack [2] ⟨aanval van een ziekte⟩ attack, seizure [3] ⟨lichte beroerte⟩ stroke, apoplexy ◆ *een attaque **krijgen*** suffer/have a stroke
attaqueren [ov ww, ook abs] attack ◆ *iemand **fel** attaqueren* attack s.o. viciously, lash out at s.o., savage/flay s.o.
at-teken [het] ‘at’-symbol/sign, a-scroll, commercial ‘at’
attenderen [ov ww, ook abs] point out, draw attention to, signal ◆ *ik attendeer u **erop dat** …* I draw your attention to (the fact that) …; *mag ik u attenderen **op** deze tekst?* may I draw your attention to this text
attenoje [tw] ⟨inf⟩ Lord Almighty
attent [bn, bw] [1] ⟨met veel aandacht⟩ attentive ⟨bw: ~ly⟩ ◆ *iemand attent **maken op** iets* draw s.o.’s attention to sth., bring sth. to s.o.’s attention; *attent **zijn op*** be attentive to [2] ⟨voorkomend⟩ considerate ⟨bw: ~ly⟩, thoughtful, kind, attentive ◆ *wat attent/dat is erg attent **van je!*** how kind of you!; *hij was altijd heel attent **voor** hen* he was always very considerate/thoughtful towards them/very kind to them
attentaat [het] attack, ⟨moordaanslag⟩ assassination, ⟨poging⟩ assassination attempt
attentie [de^{v}] [1] ⟨daad, voorwerp⟩ attention, (little) mark/token of attention, (small) courtesy/favour, ⟨cadeau⟩ present ◆ *iemand attenties **bewijzen*** pay one’s atten-

tions/pay court to s.o.; *al die kleine attenties voor haar* all the little attentions/marks of attention for her; *ik heb een kleine attentie meegebracht* I've brought a small present [2] ⟨aandacht⟩ attention ◆ *ter attentie van* for the (personal) attention of; *mag ik uw attentie?* may I have/request your attention?
attentiewaarde [de^v] interest, draw, pull
attentvol [bn] ⟨in België⟩ attentive
attest [het] certificate, ⟨jur; beëdigde verklaring⟩ affidavit, ⟨jur; getuigschrift⟩ attestation ◆ *een attest van de dokter* a medical/doctor's certificate
attestatie [de^v] [1] ⟨schriftelijke verklaring⟩ attestation, certificate ◆ *attestatie de vita* life certificate, certificate of existence; *een attestatie de morte* a death certificate [2] ⟨prot⟩ certificate of Membership of the Dutch Reformed Church
attesteren [ov ww] certify, attest, ⟨als getuige medeondertekenen⟩ witness
Attica [het] Attica, Attikí
Attisch [bn] Attic
attitude [de^v] attitude
attractie [de^v] [1] ⟨mogelijkheid tot vermaak⟩ attraction, amenity, feature, ⟨inf⟩ draw ◆ *zij is de grootste attractie vanavond* she is (the) top of the bill/the main attraction/the star turn this evening; *de attracties op de kermis* the attractions/side-shows at the fair; *als speciale attractie hebben wij ...* as a special (attraction/feature) we have [2] ⟨aantrekking⟩ attraction [3] ⟨taalk⟩ attraction [4] ⟨natuurk⟩ attraction
attractief [bn, bw] attractive, catching ◆ *een weinig attractief programma* a rather plain/not a very attractive programme
attractiepark [het] amusement park
attractiepool [de] pole of attraction
attraperen [ov ww] catch (at sth.), catch red-handed, catch in the act
attributie [de^v] [1] ⟨toekenning⟩ attribution [2] ⟨het toegekende⟩ attribution [3] ⟨toeschrijving⟩ attribution, ascription
attributief [bn, bw] ⟨taalk⟩ attributive ◆ *dit woord is attributief gebruikt* this word is used attributively/has an attributive function
attribuut [het] [1] ⟨eigenschap⟩ attribute, quality, characteristic, ⟨emolument⟩ adjunct, ap(p)anage ◆ *schoonheid is een natuurlijk attribuut van het geluk* beauty is a natural adjunct/appanage of happiness [2] ⟨taalk⟩ attribute [3] ⟨zinnebeeldig kenteken⟩ attribute, sign, symbol ◆ *baard en snor golden als attributen van de mannelijkheid* beard and moustache were seen as attributes of manliness
atv [de^v] (arbeidstijdverkorting) shorter working hours
atv-dag [de^m] day off work pursuant to the Reduction of Working Hours Act ◆ *een atv-dag opnemen* ± take a day off
atypisch [bn] atypical, untypical
au [tw] ow, ouch, yow [•] *van au gaan* be a laborious/sticky process/affair
AU [de^v] (Afrikaanse Unie) AU
a.u.b. ⟨(oorspronkelijk) afkorting van: alstublieft⟩ please
aubade [de^v] aubade ◆ *een aubade brengen* perform an aubade, sing an aubade (to s.o.)
au bain-marie [bw] ⟨cul⟩ in a bain-marie, ↓ in a double saucepan ◆ *au bain-marie verwarmen* cook in a bain-marie/ in a double saucepan/^A double boiler
1**aubergine** [de^v] aubergine, ⟨vnl AE⟩ eggplant
2**aubergine** [bn] aubergine (purple)
aucteur [de^m] actor-author
auctie [de^v] auction (sale), sale by auction
auctionaris [de^m] auctioneer
auctoriaal [bn] ⟨lit⟩ [•] *een auctoriale roman* an authorial/ auctorial novel, a novel with an omniscient narrator; *een auctoriale vertelsituatie* omniscient narration
auctor intellectualis [de^m] ⟨jur⟩ instigator

audicien [de^m] hearing specialist, audiologist
audiëntie [de^v] [1] ⟨gehoor⟩ audience ◆ *een audiëntie aanvragen bij* ask for an audience with; *audiëntie geven/verlenen* grant an audience (to s.o.); *door de koningin in audiëntie ontvangen worden* be received in audience by the queen, be admitted to the royal presence; *op audiëntie gaan/zijn bij* have an audience with [2] ⟨rechtszitting⟩ session, sitting ◆ *de audiëntie van de rechtbank* the session/sitting of the court, the court session/sitting
audioapparatuur [de^v] audio equipment, ± stereo
audioboek [het] audio book
audiocassette [de] audio-cassette
audio-cd [de^m] audio CD
audiodescriptie [de^v] audio description
audiogids [de^m] audio guide
audiogram [het] audiogram
audiologie [de^v] ⟨med⟩ audiology
audiometer [de^m] audiometer
audiometrie [de^v] audiometry
audiorack [het] stereo (system), music centre
audioset [de^m] audio set
audiosignaal [het] audio signal
audiotex [de] audiotex
audiotheek [de^v] tape and record library
audiotoren [de^m] stereo (system), music centre
audiotour [de^m] audio tour
audiotypist [de^m], **audiotypiste** [de^v] audiotypist, audiosecretary
audiotypiste [de^v] → **audiotypist**
audiovisual [de] audio-visual
audiovisueel [bn] audio-visual ◆ *audiovisuele middelen* audio-visual aids
audit [de^m] audit ◆ *een externe/interne audit* an external/ internal audit
auditen [ov ww] audit
auditeur [de^m] ⟨in België⟩ [1] ⟨aanklager⟩ Judge Advocate General [2] ⟨adviserend gerechtelijk ambtenaar⟩ ± Commissioner of Audit
auditeur-generaal [de^m] ⟨in België⟩ Judge Advocate General
auditeur-militair [de^m] Judge Advocate
auditie [de^v] [1] ⟨uitvoering⟩ audition, tryout, ⟨film⟩ screen test, ⟨radio⟩ voice test ◆ *een auditie doen* (do an) audition; *auditie laten doen* (give an) audition (to) [2] ⟨rechtsgebied van een krijgsraad⟩ jurisdictional area, district (of a court-martial)
auditief [bn, bw] auditive, ⟨vnl med⟩ auditory, audile, aural ◆ *auditief geheugen* an audile memory; *auditieve indrukken* aural impressions; *een auditief type* an audile (person)
auditing [de^m] auditing
auditor [de^m] (student) listener
auditoraat [het] ⟨in België⟩ [1] ⟨Openbaar Ministerie⟩ ministry of public prosecution [2] ⟨militaire rechtbank⟩ military tribunal
auditorium [het] [1] ⟨toehoorders⟩ audience [2] ⟨gehoorzaal⟩ auditorium, great hall, ⟨theat⟩ theatre, ⟨van school ook⟩ assembly hall
Audouins meeuw [de] Audouin's gull
auerhoen [het] capercaillie, capercailzie
aufklärung [de^v] ⟨gesch⟩ Aufklärung, Enlightenment, Age of Reason
au fond [bw] aufond, ↓ basically, ultimately, fundamentally, at bottom ◆ ⟨jur⟩ *een beslissing au fond* a decision on the merits; *het maakt au fond weinig verschil* basically it doesn't make much difference
augiasstal [de^m] Augean stables, ↓ awful/dreadful state of affairs, ↓ awful/dreadful mess ◆ *de augiasstal reinigen* clean(se) the Augean stables, ↓ clean up the mess; *het is hier een ware augiasstal* this is an awful/dreadful state of affairs/mess, this mess/place is truly Augean

augment [het] 1 ⟨toevoegsel⟩ augmentation, addition, supplement 2 ⟨taalk⟩ augment
augurenlach [de^m] knowing laugh/smile
augurk [de] ⟨vnl BE⟩ (pickled) gherkin, ⟨vnl AE⟩ ± pickle ♦ *wil je een augurkje?* would you like a gherkin/pickle?
augustijn [de^m] 1 ⟨kloosterling⟩ Augustinian, Austin 2 ⟨drukw⟩ cicero
augustus [de^m] August
aula [de^v] auditorium, great hall, ⟨van school ook⟩ assembly hall
aulos [de^m] aulos
¹**au pair** [de] au pair, ⟨vrouw ook⟩ au pair girl
²**au pair** [bw] au pair, on mutual terms ♦ *au pair **werken*** work as an au pair
aura [de^v] 1 ⟨uitstraling van een mens⟩ aura, charisma, mystique ♦ *om de bruiloft **hing** een aura van romantiek* there was an aura of romance to the wedding, ↑ the wedding was invested with an aura of romance; *de aura van een groot **kunstenaar*** the aura/charisma of a great artist 2 ⟨med⟩ aura
auralezen [ww] reading an aura
aurelia [de] ⟨dierk⟩ ⟨vnl. de gehakkelde aurelia⟩ comma butterfly
aureool [het, de] 1 ⟨stralenkrans⟩ aureole, aureola, nimbus, halo ♦ ⟨bk⟩ *een hoofd **met** een aureool* a radiate head 2 ⟨fig⟩ aura, charisma, mystique ♦ *een aureool **van** roem* an aura of fame
aurora [de^v] 1 ⟨astron⟩ aurora ♦ *aurora australis/borealis* aurora australis/borealis; ⟨inf⟩ the Southern/Northern Lights 2 ⟨dageraad⟩ Aurora, dawn
auscultatie [de^v] ⟨med⟩ auscultation
ausdauer [de] stamina, staying power, endurance
au sérieux [bw] seriously ♦ *iemand au sérieux **nemen*** take s.o. seriously
auspiciën [de^mv] auspices, aegis ♦ ***onder** auspiciën van* under the auspices/aegis of, sponsored by
ausputzer [de^m] ⟨sport⟩ sweeper, libero, freeback
austraal [bn] austral, ↓ southern
Austraal-Aziatisch [bn] Australasian ♦ *Austraal-Aziatische **talen*** Austro-Asiatic languages
Australië [het] Australia, ⟨inf⟩ down under

Australië

naam	*Australië* Australia
officiële naam	*(Gemenebest) Australië* Commonwealth of Australia
inwoner	*Australiër* Australian
inwoonster	*Australische* Australian
bijv. naamw.	*Australisch* Australian
hoofdstad	*Canberra* Canberra
munt	*Australische dollar* Australian dollar
werelddeel	*Oceanië* Oceania

int. toegangsnummer 61 www .au auto AUS

Australiër [de^m], **Australische** [de^v] ⟨man & vrouw⟩ Australian, ⟨vrouw ook⟩ Australian woman/girl
Australisch [bn] Australian ♦ *de Australische **taal*** Australian
Australische [de^v] → **Australiër**
autarchie [de^v] autarchy
autarkie [de^v] autarky, (economic) self-sufficiency
autarkisch [bn, bw] autarkic(al) ⟨bw: autarkically⟩, (economically) self-sufficient
auteur [de^m] author, writer ♦ *een roman van een **onbekende** auteur* a novel by an unknown author, a novel by an unknown writer, ↑ a novel by an unknown pen
auteurschap [het] authorship
auteursfilm [de^m] director's movie
auteursrecht [het] 1 ⟨recht van de maker⟩ copyright, ⟨mv; op opvoering/uitvoering⟩ performing rights ♦ *door het auteursrecht beschermde publicaties* copyright publications; ***overtreding** van het auteursrecht* copyright infringement, infringement of copyright 2 ⟨opbrengst⟩ royalty ⟨meestal mv⟩ ♦ *auteursrechten **betalen*** pay royalties
auteurswet [de] copyright act
auteursysteem [het] ⟨comp⟩ authoring tool
authenticeren [ov ww] authenticate, ⟨als notaris⟩ notarize
authenticiteit [de^v] authenticity ♦ *de authenticiteit van dit **document** staat vast* the authenticity of this document is certain
authentiek [bn] 1 ⟨overeenstemmend met het oorspronkelijke⟩ authentic ♦ *een authentieke **tekst*** an authentic text 2 ⟨rechtsgeldig⟩ authentic, legitimate, ⟨jur ook⟩ (legally) valid, valid in law, ⟨afschrift ook⟩ certified ♦ *een authentieke **akte*** an authentic document, a deed 3 ⟨niet vervalst⟩ authentic, genuine, original, bona fide, real ♦ *authentieke **champagne*** genuine/real champagne; *een authentiek **kunstwerk*** an original/authentic work of art; *authentieke **stukken*** authentic pieces/documents 4 ⟨betrouwbaar⟩ authentic, reliable, trustworthy, authoritative, credible ♦ *authentieke **berichten*** authentic/authorized news; *authentieke **landkaarten*** reliable/official maps 5 ⟨eigen kenmerk dragend⟩ original ♦ *een authentiek **dichter*** an original poet
autisme [het] ⟨psych⟩ autism

Australië

staat/territorium	afkorting	hoofdstad
Australian Capital Territory	ACT	Canberra
New South Wales	NSW, NS	Sydney
Northern Territory	NT	Darwin
Queensland	QLD, QL	Brisbane
South Australia	SA	Adelaide
Tasmania	TAS, TS	Hobart
Victoria	VIC, VI	Melbourne
Western Australia	WA	Perth

autist [de^m] autistic person/patient
autistisch [bn] 1 ⟨m.b.t. autisme⟩ autistic 2 ⟨aan autisme lijdend⟩ autistic
auto [de^m] car, ⟨BE ook⟩ motor(car), ⟨AE ook⟩ auto(mobile) ♦ ***in** een auto rijden* drive, go by car; ***in/uit** de auto stappen* get/step into/out of the car; *we gaan **met** de auto* we are going by car/driving; *het is 100 km **met** de auto* it's 100 km by car/road; ***met** zijn auto tegen een boom knallen* crash (one's car) into a tree; *een **oude** auto* ⟨versleten; inf⟩ a banger/crate/heap; ⟨oud model⟩ an old-timer; ⟨van voor 1916 of 1905; BE⟩ a veteran car, ⟨uit de periode 1916-1930; BE⟩ a vintage car; ***schone** auto* ⟨met katalysator⟩ clean car; *de tijd van voor de auto* ⟨inf⟩ the horse-and-buggy days; *een auto van de **zaak*** a company car; *een **zuinige** auto* an economy/economical car
autoalarm [het] car alarm
autoanalyse [de^v] self-analysis
autobaan [de] ⟨BE⟩ motorway, ⟨AE⟩ superhighway, ⟨AE ook⟩ expressway, freeway, interstate (highway), ⟨Duitsland⟩ autobahn
autoband [de^m] (car/automobile) tyre, ⟨AE⟩ (car/automobile) tire, ⟨gladde racewagenband⟩ slick, ⟨groot; sl⟩ rubber, shoe
¹**autobio** [de^v] autobiography
²**autobio** [bn] autobiographical
autobiograaf [de^m] autobiographer
autobiografie [de^v] autobiography, ⟨memoires⟩ memoirs ♦ *zijn autobiografie **schrijven*** write one's autobiography/memoirs
autobiografisch [bn] autobiographical

autoblik [het] sleds
autobom [de] car bomb
autobotsing [de^v] car crash
autobox [de^m] garage
autobus [de^m] bus, ⟨AE ook⟩ autobus, ⟨vero⟩ omnibus, ⟨vero ook; BE⟩ (motor) coach, ⟨vero behalve iron; voor sightseeing; BE⟩ charabanc
autocar [de^m] (motor) coach, ⟨vero behalve iron; BE⟩ charabanc
1**autochtoon** [de^m] autochthon, indigene, ↓ native, aboriginal, aborigine ⟨met hoofdletter in Australië⟩
2**autochtoon** [bn] 1 ⟨de oorspronkelijke bevolking uitmakend⟩ autochthonous, autochthonal, autochthonic, indigenous, native, aboriginal ⟨met hoofdletter in Australië⟩ ♦ *het autochtone* ***ras*** the autochthonous/indigenous race 2 ⟨van de oorspronkelijke bewoners⟩ autochthonous, autochthonal, autochthonic, indigenous, native, aboriginal ⟨met hoofdletter in Australië⟩ ♦ *een autochtone* ***bevolking*** an autochthonous/indigenous/native population 3 ⟨in het lichaam zelf ontstaan⟩ autochthonous, autochthonal, autochthonic 4 ⟨geol⟩ autochthonous, autochthonal, autochthonic, authigenic, ↓ native
autochtoons [bn] foreign
autoclaaf [de^m] autoclave, sterilizer
autocontrole [de] ⟨in België⟩ ⟨Groot-Brittannië⟩ MOT (test), ⟨USA⟩ (state) motor vehicle inspection
autocoureur [de^m] racing(-car) driver, racecar driver
autocraat [de^m] 1 ⟨alleenheerser⟩ autocrat, absolute monarch/ruler 2 ⟨fig⟩ autocrat, tyrant
autocratie [de^v] 1 ⟨onbeperkte heerschappij⟩ autocracy, dictatorship, autarchy 2 ⟨land⟩ autocracy, dictatorship, autarchy
autocratisch [bn, bw] autocratic(al) ⟨bw: autocratically⟩, dictatorial
autocross [de^m] autocross
autocue [de^m] ⟨BE⟩ autocue, ⟨AE⟩ teleprompter
autodafe [het] auto-da-fé
autodaten [ww] car sharing
autodating [de] car-sharing
autodealer [de^m] car dealer
autodek [het] car deck
autodelen [ww] car-share
autodeler [de^m] car sharer
autodeur [de] car door
autodichtheid [de^v] cars per head of population
autodidact [de^m] autodidact, ⟨man⟩ self-taught/self-educated man, ⟨vrouw⟩ self-taught/self-educated woman ♦ *autodidact* ***zijn*** be self-taught/self-educated
autodief [de^m] car thief, ⟨joyrijder⟩ joyrider
autodiefstal [de^m] car theft, autocrime
autodroom [de^m] autodrome, ⟨BE ook⟩ (motor-)racing circuit/track
auto-erotiek [de^v] autoeroticism, autoerotism
autofabrikant [de^m] car manufacturer
autofocus [de^m] autofocus, automatic focussing
autogaam [bn] ⟨biol⟩ autogamous, autogamic, self-fertile
autogamie [de^v] autogamy, self-fertilization
autogarage [de^v] ⟨aan/bij huis, privé⟩ garage, ⟨parkeergarage⟩ multi-storey, (covered) car park
autogas [het] LPG
autogeen [bn, bw] autogenous ⟨bw: ~ly⟩, autogenic ⟨bw: ~ally⟩, self-generated, endogenous ♦ *autogeen* ***lassen*** autogenous welding; *autogene* ***veranderingen*** autogenous changes
autogeenlassen [ww] autogenous weld
autogenese [de^v] autogenesis
autogiro [de^m] ⟨vero⟩ autogiro, gyroplane, ⟨AE ook⟩ giro
autoglasservice [de^m] windscreen firm
autogordel [de^m] seat/safety belt ♦ *het* ***dragen*** *van autogordels is verplicht* the wearing of seat/safety belts is compulsory; *autogordels, vast en zeker!* buckle up for safety!
autograaf [de^m] 1 ⟨eigenhandig geschreven stuk⟩ autograph 2 ⟨oorspronkelijk document⟩ autograph, original manuscript
autografie [de^v] 1 ⟨procedé⟩ autography 2 ⟨afdruk⟩ autograph
autografisch [bn] autographic(al) ♦ *autografische* ***inkt*** autographic ink
autogram [het] autograph
autohandel [de^m] ⟨zaak⟩ car dealer's, ⟨bedrijfstak⟩ car trade
autohandelaar [de^m] car dealer
autoharp [de] autoharp
auto-immuniteit [de^v] ⟨med⟩ autoimmunity
auto-immuun [bn] ⟨med⟩ autoimmune
auto-immuunsysteem [het] immune system
auto-industrie [de^v] car industry, ⟨ook⟩ auto-industry, ⟨BE ook⟩ motor industry
auto-infectie [de^v] ⟨med⟩ autoinfection
auto-instructeur [de^m] driving instructor
auto-intoxicatie [de^v] autointoxication
autokaart [de] road map, ⟨BE ook⟩ motoring map, ⟨in boekvorm⟩ motoring/road atlas
autokatalyse [de^v] autocatalysis, ↓ self-catalysis
autokerkhof [het] junkyard, (used/old) car dump, scrapheap, scrapyard
autokeuring [de^v] ⟨Groot-Brittannië⟩ MOT (test), ⟨USA⟩ (state) motor vehicle inspection ♦ ***verplichte/periodieke*** *autokeuring* (compulsory/periodical) MOT (test), yearly (motor vehicle) inspection
autokosten [de^{mv}] car expenses ♦ *autokosten* ***vergoeden*** refund car expenses
autokostenforfait [het] ⟨in Nederland⟩ company car benefit
autologisch [bn] homologous
autoloos [bn] carless, ⟨autovrij⟩ car-free ♦ *autoloze* ***zondagen*** car-free Sundays
autoluw [bn] low-traffic, reduced/restricted/limited-traffic ♦ *de binnenstad autoluw* ***maken*** (severely) limit/reduce/restrict traffic in the city centre, make the city centre a low-traffic area/zone
autolyse [de^v] autolysis
automaat [de^m] 1 ⟨machine⟩ automaton, automatic, robot 2 ⟨toestel werkend op een munt⟩ ⟨BE⟩ slot machine, ⟨AE⟩ vending machine, dispenser, vender, ⟨kaarten⟩ ticket machine, ticket-issuing machine, ticket-dispensing machine ♦ *munten* ***in*** *een automaat* ***gooien*** feed coins into a slot machine 3 ⟨auto⟩ automatic 4 ⟨persoon⟩ automaton, robot, ⟨inf⟩ zombie
automaattanding [de^v] type of perforation in postage stamps dispensed by vending machines
automarkt [de] (used) car market
automatenhal [de^m] ⟨BE⟩ amusement arcade, ⟨AE⟩ penny arcade
automatie [de^v] automatism
automatiek [het, de^v] automat
automatisch [bn, bw] 1 ⟨zelfwerkend⟩ automatic ⟨bw: ~ally⟩ ♦ *automatische* ***afschrijving/overschrijving*** ⟨vnl BE⟩ direct debit; *machtiging voor automatische* ***afschrijving*** standing order; *een automatische* ***piloot*** an automatic pilot/autopilot; *automatisch* ***sluitende*** *deuren* self-closing doors; *automatisch* ***sparen*** save-as-you-earn; *een automatische* ***wasmachine*** an automatic washing-machine 2 ⟨met behulp van een automaat⟩ automatic ⟨bw: ~ally⟩, ⟨met comp⟩ computerized, self-regulating ♦ *automatisch* ***telefoonverkeer*** automatic telephone communications, direct dialling; *een automatisch* ***wapen*** an automatic (firearm); *de temperatuur wordt hier automatisch* ***geregeld*** we have automatic temperature control/a self-regulating temperature device

[3] ⟨zonder nadenken⟩ automatic ⟨bw: ~ally⟩, mechanical ◆ *iets automatisch* ***doen*** do sth. automatically/mechanically; *automatische* ***handelingen*** automatic/mechanical gestures, automatisms; *automatisch* ***schrift*** automatic writing [4] ⟨vanzelf tot stand komend⟩ automatic ⟨bw: ~ally⟩, spontaneous ◆ *een automatische* ***bevordering*** an automatic promotion; *automatisch* ***verlengen*** extend automatically; *de automatische* ***werking*** *van het prijsmechanisme* the automatism of the price mechanism
automatiseerder [de^{m}] ⟨persoon⟩ computer scientist/programmer, ⟨bedrijf⟩ computer(ization) firm
automatiseren [ov ww, ook abs] [1] ⟨automatisch maken⟩ automatize, automate, ⟨met computers⟩ computerize ◆ *een* ***administratie*** *automatiseren* computerize a bookkeeping/accounting department; *geautomatiseerd* ***telefoonverkeer*** computerized/automated telephone communications; *geautomatiseerd* ***worden*** become automated/computerized [2] ⟨m.b.t. een bedrijf⟩ automate, computerize
automatisering [de^{v}] [1] ⟨het automatisch maken⟩ automation, computerization ◆ *de steeds verder gaande automatisering* ***in*** *de industrie* the ever-increasing automation/computerization in industry [2] ⟨invoering van automatisch werkende machines⟩ automation, computerization [3] ⟨automatiseringssector⟩ automation ◆ *zij werkt* ***in*** *de automatisering* she has a job/is in automation
automatiseringsdeskundige [de] automation expert
automatiseringsproject [het] automation project/programme/^{A}program, computerization project/programme/^{A}program
automatiseringssector [de^{m}] automation sector
automatiseringssysteem [het] automation/computerization system
automatisme [het] [1] ⟨het automatisch zijn⟩ automatism [2] ⟨onwillekeurige handeling⟩ automatism
automedicatie [de^{v}] ⟨med⟩ self-medication
automerk [het] make of car
automobiel [de^{m}] ⟨form⟩ ⟨vnl BE⟩ motorcar, ⟨vnl AE⟩ automobile
automobielclub [de] [•] ⟨in België⟩ *Koninklijke Automobielclub van België* Royal Automobile Club of Belgium
automobielinspectie [de^{v}] ⟨in België⟩ ⟨Groot-Brittannië⟩ MOT (test), ⟨USA⟩ (state) motor vehicle inspection
automobilia [de^{mv}] automobilia
automobilisme [het] [1] ⟨automobielsport⟩ motoring, driving [2] ⟨gebruik van automobielen⟩ motoring, driving
automobilist [de^{m}], **automobiliste** [de^{v}] motorist, driver
automobiliste [de^{v}] → **automobilist**
automobiliteit [de^{v}] ⟨pol⟩ car use
automonteur [de^{m}] car mechanic, motor mechanic
automutilant [de^{m}] person who inflicts self-injuries, person who self-harms
automutilatie [de^{v}] ⟨med⟩ self-mutilation
autonavigatiesysteem [het] in-car navigation(al) system
autonomie [de^{v}] [1] ⟨volkenrecht⟩ autonomy, self-government, self-determination [2] ⟨staatsrecht⟩ autonomy, self-government [3] ⟨filos⟩ autonomy, independence
autonomist [de^{m}] autonomist, separatist
autonoom [bn, bw] [1] ⟨zelfstandig⟩ autonomous ⟨bw: ~ly⟩ ◆ ⟨ec⟩ *autonome* ***investering*** autonomous investment; *de film als autonome* ***kunst*** film-making as an autonomous art, the film as an autonomous form of art/art form; ⟨filos⟩ *autonome* ***wil*** autonomous will [2] ⟨jur⟩ autonomous ⟨bw: ~ly⟩, self-governing ◆ *de Britse* ***dominions*** *zijn autonoom/autonome staten* the British dominions are autonomous, the British dominions are self-governing/autonomous states [3] ⟨biol⟩ autonomic ⟨bw: ~ally⟩ ◆ *het autonome* ***zenuwstelsel*** the autonomic nervous system

autonummer [het] car number
auto-onderdeel [het] car component, ⟨mv; reserveonderdelen en accessoires⟩ car parts
auto-ongeluk [het] car crash, (road) accident ◆ ***bij*** *het auto-ongeluk zijn drie mensen ernstig gewond geraakt* there were three serious casualties in the car crash
autopapieren [de^{mv}] car (registration) papers, car documents
autopark [het] fleet of cars, fleet of vehicles, fleet of vans, fleet of taxis, ⟨AE⟩ fleet of cabs
autopech [de^{m}] breakdown, car trouble
autoped [de^{m}] scooter
autopetten [ww] riding a scooter
autopiloot [de^{m}] ⟨in België⟩ racing(-car) driver, racecar driver
autoplastiek [de^{v}] ⟨med⟩ autoplasty
autopletter [de^{m}] baler
autoportier [het] car door
autopsie [de^{v}] autopsy, post-mortem (examination) ◆ *(een) autopsie* ***verrichten*** *(op)* perform an autopsy ((up)on), perform a post-mortem ((up)on)
autorace [de^{m}] motor race, car race
autoradio [de^{m}] car radio
autoradiografie [de^{v}] autoradiography
autorenbaan [de] racing circuit, racetrack, speedway
autoreply [de^{m}] autoreply, automatic reply
autoresponder [de^{m}] autoresponder
autoreverse [de] autoreverse
autorijden [onov ww] ⟨chaufferen⟩ drive (a car), ⟨tochtje maken⟩ motor ◆ ***het*** *autorijden* driving, the driving of a car; motoring
autorijschool [de] driving school
autorisatie [de^{v}] authorization, sanction, ⟨verleende bevoegdheid⟩ authority ◆ *de autorisatie van de* ***regering*** *verkrijgen om* obtain the government's sanction/an authority from the government to, be authorized by the government to; *de gemeente heeft de autorisatie van de* ***regering*** *nodig om een legaat te aanvaarden* the municipal corporation needs the government's sanction/authorization to accept a legacy
autoriseren [ov ww] [1] ⟨vergunning verlenen⟩ authorize (to), empower (to) [2] ⟨geldigheid geven⟩ authorize, sanction
autorit [de^{m}] drive, trip by car ◆ *een autorit(je)* ***maken*** go for a drive
autoritair [bn, bw] [1] ⟨eigenmachtig⟩ authoritarian, authoritative ◆ *een autoritair* ***iemand*** an authoritarian, a(n) authoritarian/high-handed person; *zijn autoritaire* ***manier*** *van doen* his authoritarianism/high-handed manner; *autoritair* ***optreden*** behave in an authoritarian/authoritative/a high-handed manner [2] ⟨pol⟩ authoritarian ◆ *autoritair* ***geregeerde*** *landen* countries with authoritarian governments/regimes; *autoritair* ***systeem****, autoritaire* ***visie/praktijken*** authoritarianism
autoriteit [de^{v}] [1] ⟨overheidslichaam, -persoon⟩ authority ◆ *zich tot de* ***bevoegde*** *autoriteit wenden* apply to the competent authority; *civiele en* ***militaire*** *autoriteiten* civil and military authorities; ***hoge*** *autoriteit* high authority; *de* ***plaatselijke*** *autoriteiten* the local government [2] ⟨persoonlijk overwicht⟩ authority ◆ ***met*** *autoriteit spreken/optreden* speak/act authoritatively/with authority; *de autoriteit van een* ***schrijver*** a writer's authority; *de* ***vaderlijke*** *autoriteit* paternal authority [3] ⟨iemand van erkend gezag⟩ authority ◆ *een autoriteit* ***op*** *het gebied van ...* an authority on/in the field of ...
autoruit [de] car window, ⟨voorruit; BE⟩ windscreen, ⟨AE⟩ windshield
autosalon [de^{m}] ⟨in België⟩ motor show, car show
autoshop [de^{m}] car-parts shop/^{A}store
autoslaaptrein [de^{m}] car train

autosleutel [de^{m}] car key
autosloperij [de^{v}] breaker's yard, ⟨vnl AE⟩ wrecker's yard
autosnelweg [de^{m}] ⟨BE⟩ motorway, ⟨AE⟩ highway, ⟨AE ook⟩ expressway, freeway, interstate (highway)
autospiegel [de^{m}] car mirror
autosport [de] motor sport, motor/car racing
autospuiterij [de^{v}] car respraying (shop/business)
autostop [de^{m}] ⟨in België⟩ hitchhiking ♦ *autostop* ***doen*** hitch(hike), thumb a ride/lift, hitch a ride/lift
autostrade [de] ⟨in België⟩ ⟨BE⟩ motorway, ⟨AE⟩ highway, ⟨AE ook⟩ expressway, freeway, interstate (highway)
autostrand [het] beach accessible to cars
autostroper [de^{m}] car poacher, motorized poacher
autosuggestie [de^{v}] autosuggestion ♦ *zelfvertrouwen kun je verkrijgen door/is een kwestie van autosuggestie* ⟨ook⟩ self-confidence is all in the mind
autotaks [de] ⟨in België⟩ vehicle tax
autotechniek [de^{v}] car engineering
autotelefoon [de^{m}] car (tele)phone
autotherapie [de^{v}] ⟨zelfmedicatie enz.⟩ autotherapy, ⟨spontane genezing⟩ spontaneous recovery/healing
autotomie [de^{v}] autotomy, self-mutilation
autotrein [de^{m}] car train
autotroof [bn] autotrophic ♦ *autotroof* ***organisme*** ⟨ook⟩ autotroph, autophyte
autotunnel [de^{m}] road tunnel
autotype [de^{m}] ⟨drukw⟩ [1] ⟨afdruk⟩ print made by the artist himself [2] ⟨cliché⟩ autotype block [3] ⟨machine⟩ autotype press
autotypie [de^{v}] ⟨drukw⟩ [1] ⟨procedé⟩ autotype [2] ⟨cliché⟩ autotype block [3] ⟨afdruk⟩ autotype
autovaccin [het] autogenous vaccine
autovakantie [de^{v}] driving holiday
autoval [de] radar trap
autoverhuur [de^{m}] [1] ⟨bedrijf⟩ ⟨BE⟩ car hire, ⟨AE⟩ car rental [2] ⟨handeling⟩ ⟨BE⟩ hiring (of a car), ⟨AE⟩ renting (of a car)
autoverkeer [het] motor/car traffic
autovrij [bn] ⟨zone⟩ pedestrian, ⟨zondag⟩ carless
autowas [het, de^{m}] car wax
autowasstraat [de] car wash
autoweg [de^{m}] ⟨BE⟩ motorway, ⟨AE⟩ highway
autowegenvignet [het] motorway tax sticker
autowijding [de^{v}] ⟨in België⟩ blessing of cars
autowrak [het] wreck
aux fines herbes [bw] aux fines herbes
a.v. [afk] ⟨Latijn⟩ (ad vocem) see/with the word
aval [het] guarantee (for a bill) ♦ *aval* ***geven****, voor aval* ***tekenen*** guarantee a bill
avaleren [onov ww] guarantee a bill
avance [de] [1] ⟨toenadering⟩ advance, approach ♦ *avances* ***doen****, avances* ***maken*** *(bij)* make overtures/approaches (to); ⟨seksueel ook⟩ make advances (to), ⟨vrouw ten opzichte van man; inf⟩ give (s.o.) the come-on, ⟨man ten opzichte van vrouw⟩ make a pass (at) [2] ⟨koersstijging⟩ advance, rise in price
^{1}**avanceren** [onov ww] [1] ⟨voorwaarts gaan⟩ advance, make progress [2] ⟨bevorderd worden⟩ be advanced
^{2}**avanceren** [ov ww] ⟨handel⟩ ⟨op voorschot geven⟩ advance
avant-garde [de] avant-garde
avant-gardist [de^{m}] avant-gardist
avant-gardistisch [bn] avant-garde
avant la lettre [bw] before the term existed
avant-première [de] pre-première
avant-scène [de] [1] ⟨voorgrond van het toneel⟩ proscenium [2] ⟨loge⟩ stage/proscenium box
avatar [de^{m}] [1] ⟨incarnatie⟩ avatar [2] ⟨leer⟩ Avatar
ave [het] ⟨r-k⟩ ave, Ave Maria, Hail Mary
avegaar [de^{m}] auger
Ave Maria [het] ⟨r-k⟩ Ave Maria, Hail Mary
aventurien [het, de^{m}] aventuria
avenue [de] avenue
^{1}**averecht** [bn] ⟨handw⟩ ⟨andersom ingestoken⟩ purl ♦ *averechte* ***steken*** purl stitches
^{2}**averecht** [bw] ⟨handw⟩ ⟨met de draad voor de steken⟩ purl ♦ *averecht* ***breien*** purl; *één recht, één averecht* ***breien*** knit one, purl one
^{1}**averechts** [bn] ⟨misplaatst⟩ misplaced, wrong ♦ *een averechtse* ***uitwerking*** *hebben* be counterproductive, backfire
^{2}**averechts** [bw] [1] ⟨achterstevoren⟩ back-to-front, inside out, upside down [2] ⟨onoordeelkundig⟩ (all) wrong, ill, contrarily [3] ⟨anders dan gehoopt, bedoeld⟩ (all) wrong, ill, contrarily ♦ *het* ***valt*** *averechts* ***uit*** it goes all wrong
averij [de^{v}] [1] ⟨scheepv⟩ damage, ⟨verz⟩ average ♦ ⟨verz⟩ ***bijzondere/particuliere/kleine*** *averij* particular average; ⟨verz⟩ ***gemene*** *averij* general average; *zware averij* ***oplopen*** sustain/incur heavy damage [2] ⟨m.b.t. een voorwerp, kledingstuk⟩ damage
averijclausule [de] average clause
averij-grosse [de^{v}] general average
averijregeling [de^{v}] average statement
A-verpleging [de^{v}] (general) nursing ♦ *de A-verpleging* ***doen*** study/train to be a nurse
avers [de^{m}] obverse
aversie [de^{v}] aversion ♦ *aversie krijgen* ***tegen*** take an aversion to; *aversie* ***tegen*** *iemand/iets* ***hebben*** have an aversion to s.o./sth., find s.o./sth. repugnant
aversief [bn, bw] repugnant ⟨bw: ~ly⟩, offensive
averuit [de] southernwood, boy's love
aveu [de^{m}] ⟨jur⟩ confession, admission
aviair [bn] avian ♦ *aviaire* ***infectie*** avian infection; *aviaire* ***tuberculose*** avian tuberculosis
aviarium [het] aviary
aviateur [de^{m}], **aviatrice** [de^{v}] ⟨man & vrouw⟩ aviator, ⟨vrouw ook⟩ aviatrix, ⟨vrouw ook⟩ aviatress
aviatiek [de^{v}] aviation
aviatrice [de^{v}] → **aviateur**
avicultuur [de^{v}] aviculture, bird-breeding
aviditeit [de^{v}] [1] ⟨gretigheid⟩ avidity (for) [2] ⟨scheik⟩ avidity
A-vier [de] ⟨papierformaat⟩ A4 ⟨standard European-size paper⟩, ± 8½ × 11
A-viertje [het] ⟨hoeveelheid tekst⟩ side ♦ *een* ***rapport*** *van 10 A-viertjes* a report of 10 sides
avifauna [de] avifauna
aviobrug [de] approach/boarding ramp
avirulent [bn] nonvirulent, avirulent
a vista [bw] on sight
avitaminose [de^{v}] avitaminosis
aviveren [ov ww] brighten (up), revive
avo [het] (algemeen voortgezet onderwijs) General Secondary Education
^{1}**avocado** [de^{m}] ⟨boom⟩ avocado (pear), alligator pear
^{2}**avocado** [de] ⟨vrucht⟩ avocado (pear), alligator pear
^{3}**avocado** [bn] avocado green
avocadopeer [de] avocado pear
avoirdupoidsstelsel [het] avoirdupois weight
avond [de^{m}] [1] ⟨deel van de dag⟩ evening, night, ⟨vooravond⟩ eve ♦ *avond* ***aan*** *avond* nightly, night after night; ***alle*** *avonden,* ***iedere*** *avond* night after night, every evening/night, nightly; ***bij*** *avond* in/during the evening, at night; *de* ***hele*** *avond* all evening, the whole evening; ⟨fig⟩ ***in*** *de avond van zijn leven* in the autumn of his life; *op de* ***late*** *avond* late in the evening; *in de* ***loop*** *van de avond* during the evening; *een* ***mooie*** *avond* a splendid evening; ***tegen*** *de avond* towards dark/the evening; *het liep* ***tegen*** *de avond* night/(the) evening was drawing near; *een avondje* ***tv*** ***kijken/lezen*** (spend) the evening watching TV/reading; *een*

*avondje **uit*** a night/an evening out; *hij kwam met het **vallen** van de avond thuis* he came home at nightfall; *de avond **valt*** night is falling; *de avond **voor** de grote wedstrijd/**voor** Pasen* the eve of the big match/of Easter; *het is zijn **vrije** avond* it is his night off; *hij **wijdt** zijn avonden aan de studie* he spends his evenings studying; *het **wordt** avond* (the) evening is approaching; *'s avonds* at night, in/during the evening; *de avond tevoren* (on) the previous evening; *van 's ochtends tot 's avonds* from dawn to dusk; *hij moet 's avonds altijd werken* he always works nights; *Jane werkt door de week 's avonds* Jane works on weeknights/^{A}works weeknights; *'s avonds komt ze graag eens langs* she likes to drop in of an evening [2] ⟨ook in samenstellingen; partij, bijeenkomst⟩ evening, night ◆ *een **bonte** avond* an evening of varied entertainment; ± a variety show; *een **dansavond*** a dance; *een (gezellig) avondje **geven*** give a social evening; ***muzikale** avondjes* musical evenings; *mensen **op** een avondje vragen* invite/ask people for an evening ⊡ ⟨sprw⟩ *men moet de dag niet vóór de avond prijzen* ± the opera isn't over till the fat lady sings; ± do not triumph before the victory; ± there's many a slip 'twixt the cup and the lip; ⟨sprw⟩ *hoe later op de dag/avond, hoe schoner volk* ± the best guests always come late

> **avond en vooravond**
>
> · het Engelse woord evening wordt gebruikt als vertaling van het Nederlandse *avond*
>
> · het Engelse woord eve wordt gebruikt voor *vooravond:* Christmas Eve is de avond vóór kerst, New Year's Eve is de avond vóór nieuwjaarsdag, on the eve of the party is de avond vóór het feest

avondappel [het] ⟨mil⟩ evening parade, evening roll-call

avondblad [het], **avondkrant** [de] evening paper

avondcollege [het] evening/night course

avondcursus [de^{m}] ⟨onderw⟩ evening classes ⟨mv⟩

avonddienst [de^{m}] [1] ⟨godsdienstoefening⟩ evening service, evensong, ⟨anglic ook⟩ Evening Prayer, ⟨r-k ook⟩ Vespers [2] ⟨werk⟩ ⟨ind; alg⟩ evening shift, ⟨in ziekenhuizen enz.⟩ evening duty ◆ *tweemaal per week **heb** ik avonddienst* twice a week I'm on the evening shift/on evening duty

avondeten [het] evening meal, dinner, supper ◆ *het avondeten **klaarmaken*** get/prepare the evening meal, get/prepare dinner/supper; ***zonder** avondeten naar bed gaan* go to bed without a meal/supperless

avondgebed [het] [1] ⟨gebed voor het slapen⟩ evening prayer, bedtime prayer [2] ⟨avonddienst⟩ evening service, evensong, ⟨anglic ook⟩ Evening Prayer, ⟨r-k ook⟩ Vespers

avondhemel [de^{m}] evening sky

avondhoofd [het] person in charge of the night shift

avondjapon [de^{m}] evening gown/dress

avondjurk [de] ⟨inf⟩ evening gown/frock

avondkledij [de^{v}] ⟨in België⟩ evening dress, evening wear

avondkleding [de^{v}] evening dress, evening wear

avondklok [de] ⟨mil⟩ curfew ◆ *een avondklok **instellen*** impose a curfew; *de avondklok **opheffen*** lift/end the curfew

avondkrant [de] → **avondblad**

Avondland [het] ⟨form⟩ Occident

avondleergangen [de^{mv}] ⟨in België⟩ night school, evening classes ⟨mv⟩

avondles [de] evening classes ⟨mv⟩

avondmaal [het] [1] ⟨avondeten⟩ dinner, supper ◆ *brood en kaas **als** avondmaal hebben/gebruiken* have bread and cheese for supper; *het **Laatste** Avondmaal* the Last Supper [2] ⟨prot⟩ (Holy) Communion, the Lord's Supper ◆ ***deelnemen** aan het avondmaal* ⟨BE⟩ communicate, ⟨AE⟩ commune, take Holy Communion; *het **Heilig** Avondmaal des Heren* the Lord's Supper; *iemand tot het avondmaal **toelaten*** communicate s.o.; *het avondmaal **vieren*** celebrate (Holy) Communion

avondmaalsbeker [de^{m}] ⟨prot⟩ Communion cup, chalice

avondmens [de^{m}] night person, ⟨inf⟩ night owl

avondnevel [de^{m}] evening mist

avondonderwijs [het] evening education

avondopleiding [de^{v}] evening classes ◆ *een avondopleiding **volgen*** take evening classes

avondpartij [de^{v}] evening party

avondpermissie [de^{v}] ⟨mil⟩ late pass

avondprogramma [het] evening programme/^{A}program

avondretour [het] evening return ⟨bestaat niet maar wordt wel begrepen⟩

avondrood [het] [1] ⟨rode gloed aan de hemel⟩ sunset (glow), evening glow, sunset sky [2] ⟨vlinder⟩ elephant hawk-moth ⊡ ⟨sprw⟩ *avondrood, mooi weer aan boord; morgenrood, water in de sloot* red sky at night shepherd's/sailor's delight; red sky in the morning shepherd's/sailor's warning

avondschemering [de^{v}] (evening) twilight

avondschool [de] [1] ⟨school die 's avonds wordt gehouden⟩ night school, evening classes ⟨mv⟩ ◆ ***op** een avondschool zitten* go to night school/evening classes; ***op** een avondschool Engels leren* do English at evening classes [2] ⟨gebouw⟩ night school

avondsluiting [de^{v}] [1] ⟨winkelsluiting⟩ evening closing [2] ⟨avondwijding⟩ ± epilogue

avondspits [de] evening rush-hour

avondspitsuur [het] evening rush-hour

Avondster [de] evening star

avondstond [de^{m}] evening (hour)

avondstudie [de^{v}] evening classes/course, night school, ± extension course, ± adult education course

avondtoilet [het] evening dress ◆ *avondtoilet **aantrekken** (voor het eten)* dress (for dinner); *dames en heren **in** avondtoilet* ladies and gentlemen in evening dress

avonduur [het] ◆ ***in** de avonduren* in/during the evening

avondvierdaagse [de^{m}] evening four-day marathon

avondvleermuis [de] frosted bat

avondvlinder [de^{m}] (evening-flying) moth

avondvoorstelling [de^{v}] evening performance

avondvullend [bn] lasting the whole evening ◆ *een avondvullend **programma*** a full evening's entertainment, a programme lasting the whole evening

avondwedstrijd [de^{m}] ⟨sport⟩ evening match

avondwijding [de^{v}] ± epilogue

avondwinkel [de^{m}] late-night shop/^{A}store

avondzon [de] evening sun

avonturenfilm [de^{m}] adventure film

avonturenroman [de^{m}] adventure story

avonturier [de^{m}], **avonturierster** [de^{v}] [1] ⟨iemand die op avontuur uitgaat⟩ ⟨man & vrouw⟩ adventurer [2] ⟨gelukzoeker⟩ ⟨man⟩ adventurer, ⟨vrouw⟩ adventuress

avonturieren [onov ww] [1] ⟨vrijbuiten⟩ freeboot, be a freebooter [2] ⟨avontuur zoeken⟩ seek adventure

avonturierster [de^{v}] → **avonturier**

avonturisme [het] adventurism

avontuur [het] [1] ⟨iets ongewoons⟩ adventure ◆ ***galante** avonturen* amorous adventures; *het avontuur **(op)zoeken*** go looking for/go in search of adventure; *avonturen **verhalen/vertellen*** tell stories of adventure; *een **vreemd** avontuur hebben/beleven* have a strange adventure [2] ⟨riskante onderneming⟩ venture ◆ ***niet** van avonturen **houden*** not like risky undertakings/ventures [3] ⟨geluk, kans⟩ luck, chance ◆ *ik zal mijn avontuur ook eens **beproeven*** I might as well try my luck; ***op** avontuur **(uit)gaan*** set off on adventures; *het **rad** van avontuur* the wheel of fortune

avontuurlijk [bn, bw] [1] ⟨op avonturen belust⟩ adventurous ⟨bw: ~ly⟩ [2] ⟨avonturen opleverend⟩ full of adventure, exciting ♦ *een avontuurlijke **geschiedenis*** a story full of adventure, an exciting story [3] ⟨gewaagd⟩ risky ⟨bw: riskily⟩, hazardous ♦ *een avontuurlijke **onderneming*** a risky/hazardous undertaking

avontuurtje [het] affair ♦ *een avontuurtje **hebben** met ...* have an affair with ...; *zij zette hem zijn avontuurtjes **betaald*** she paid him back his infidelities

AVP [de^{v}] (aansprakelijkheidsverzekering voor particulieren) third-party insurance

à vue [bw] ⟨spelen, zingen⟩ prima vista, at sight, ⟨vertaling⟩ unseen

AVV/VVK [afk] ⟨in België⟩ (Alles voor Vlaanderen, Vlaanderen voor Kristus) All for Flanders/Flanders for Christ

a.w. [afk] (aangehaald werk) op cit

A-wapens [de^{mv}] atomic weapons

A-weg [de^{m}] A-road

awoert [tw] boo, to hell with

AWV [de^{v}] (Algemene Werkgeversvereniging VCO-NCW) General Employers Association of the VCO-NCW

axel [de^{m}] axel ♦ ***dubbele** axel* double axel

axiaal [bn, bw] [1] ⟨de as volgend⟩ axial ⟨bw: ~ly⟩ [2] ⟨behorende tot de as⟩ axial ⟨bw: ~ly⟩, axile [3] ⟨gekenmerkt door een beweging om de as⟩ axial ⟨bw: ~ly⟩

axillair [bw] ⟨biol⟩ axillary, axillar

axiologie [de^{v}] axiology

axioma [het] [1] ⟨grondregel⟩ axiom ♦ *iets **als** een axioma aannemen* take/accept sth. as axiomatic [2] ⟨onbetwistbare waarheid⟩ axiom

axiomatiek [de^{v}] axiomatics

axiomatisch [bn, bw] axiomatic(al) ⟨bw: axiomatically⟩

axiometer [de^{m}] ⟨scheepv⟩ telltale

axolotl [de^{m}] axolotl

axon [het] ⟨med⟩ axon

aya [de^{m}] aya

ayatollah [de^{m}] ⟨rel⟩ ayatollah ♦ *ayatollah **Khomeiny*** the ayatollah Khomeiny

ayurveda [de^{m}] ayurveda

ayurvedisch [bn] ayurvedic

AZ [het] ⟨in België⟩ (Algemeen/Academisch Ziekenhuis) University/General Hospital

azalea [de] azalea

azc [het] (asielzoekerscentrum) asylum seekers' centre

[1]**azen** [onov ww] [1] ⟨m.b.t. personen⟩ have one's eye (on) ♦ *zij azen **op** oma's mooie spulletjes/een fooitje* they have their eye on Grandma's nice things/a tip [2] ⟨m.b.t. dieren⟩ prey (on) ♦ *de sperwer aast **op** allerlei kleinwild* the sparrow-hawk preys on all sorts of small game

[2]**azen** [ov ww] [1] ⟨aas geven⟩ feed, bait [2] ⟨van aas voorzien⟩ bait

Azerbeidzjaan [de^{m}], **Azerbeidzjaanse** [de^{v}] Azerbaijani

[1]**Azerbeidzjaans** [het] Azerbaijani

[2]**Azerbeidzjaans** [bn] Azerbaijani

Azerbeidzjaanse [de^{v}] → **Azerbeidzjaan**

Azerbeidzjan [het] Azerbaijan

Azerbeidzjan

naam	*Azerbeidzjan* Azerbaijan
officiële naam	*Republiek Azerbeidzjan* Republic of Azerbaijan
inwoner	*Azerbeidzjaan* Azeri
inwoonster	*Azerbeidzjaanse* Azeri
bijv. naamw.	*Azerbeidzjaans* Azerbaijani
hoofdstad	*Bakoe* Baku
munt	*Azerbeidzjaanse manat* Azerbaijani manat
werelddeel	*Azië* Asia

int. toegangsnummer 994 www .az auto AZ

Azeri [de^{m}] Azeri

azertytoetsenbord [het] azerty keyboard

Aziaat [de^{m}], **Aziatische** [de^{v}] ⟨man & vrouw⟩ Asian, ⟨vrouw ook⟩ Asian woman/girl

Aziatisch [bn] Asian, Asiatic

Aziatisch

het Engelse woord Asian betekent weliswaar *van/uit Azië*, maar let op:

- in Groot-Brittannië bedoelt men met Asian over het algemeen mensen uit Zuid-Aziatische landen, zoals India, Pakistan, Bangladesh of Sri Lanka
- in de Verenigde Staten bedoelt men met Asian over het algemeen mensen uit landen in Oost- en Zuidoost-Azië, zoals Japan, China, Korea of Thailand

Aziatische [de^{v}] → **Aziaat**

Azië [het] Asia

A-ziekte [de^{v}] notifiable disease

azijn [de^{m}] vinegar ♦ *zo zuur **als azijn** (kijken)* be sour-faced [•] ⟨sprw⟩ *men vangt meer vliegen met een lepel honing/stroop dan met een vat azijn* honey catches more flies than vinegar

azijnaaltje [het] vinegar eel, vinegar worm

azijnachtig [bn] vinegary, vinegarish

azijnpisser [de^{m}] ⟨inf⟩ sourpuss, crab-apple

[1]**azijnzuur** [het] acetic acid

[2]**azijnzuur** [bn] [•] *azijnzure **gisting*** acetic fermentation; *azijnzure **zouten*** acetates

azimut [het] [1] ⟨astron, scheepv⟩ azimuth [2] ⟨landmeetk⟩ azimuth

azoïsch [bn] ⟨geol⟩ azoic ♦ *de azoïsche **periode*** the azoic period

azoöspermie [de^{v}] ⟨med⟩ azoospermia

Azoren [de^{mv}] Azores

azotisch [bn] azotic

azotometer [de^{m}] azotometer

azotum [het] ⟨scheik⟩ azote

azoturie [de^{v}] azoturia

azoverbinding [de^{v}] azoxy-combination

AZT [het] (Azidothymidine) AZT

Azteeks [bn] Aztec

Azteken [de^{mv}] Aztecs

azuki [de] adzuki/adsuki bean

azuren [bn] azure

Azurenkust [de] ⟨in België⟩ French Riviera

azuur [het] [1] ⟨verf, kleurstof⟩ azure [2] ⟨kleur⟩ azure [3] ⟨lucht⟩ azure

azuurkwarts [het] sapphire quartz

azuursteen [het, de^{m}] lapis lazuli, azure stone

b

^{1}**b** [de] [1] ⟨letter, klank⟩ b [2] ⟨het als tweede genoemde⟩ b [3] ⟨wisk⟩ b [4] ⟨muz; toon⟩ B ⊡ ⟨sprw⟩ *wie a zegt, moet ook b zeggen* in for a penny, in for a pound
^{2}**b** [afk] (breedte) w, b
B [1] ⟨op auto's⟩ (België) B [2] (borium) B
BA [de^{v}] ⟨in België⟩ (Burgerlijke Aansprakelijkheid) civil liability, (legal) liability, liability in law
baadje [het] jacket
^{1}**baai** [de^{m}] ⟨tabak⟩ Maryland
^{2}**baai** [de] ⟨inham⟩ bay, ⟨klein⟩ cove, inlet, ⟨diep en wijd⟩ sound
^{3}**baai** [het, de^{m}] ⟨weefsel⟩ baize
baaien [bn] baize
baaierd [de^{m}] [1] ⟨de chaos⟩ chaos [2] ⟨warboel⟩ chaos, (a) muddle, (a) mess
baakafstand [de^{m}] ⟨landmeetk⟩ distance between staffs/^{A}rods
baakzetten [ww] ⟨scheepv⟩ placing markers/beacons, setting markers/beacons
baal [de] [1] ⟨zak met handelswaar⟩ bag, sack, ⟨geperst⟩ bale ◆ *in balen verpakken* bale; *een baal **katoen/tabak*** a bale of cotton/tabacco; *een baal **noten*** a bag of nuts; *een baal **rijst*** a bag/sack of rice; *tot balen persen* bale, compress [2] ⟨papiermaat⟩ ten reams ⊡ *de balen **hebben** van iets* have had (more than) enough of sth., be fed up with/sick (to death) of sth.; *de balen **krijgen** van iets* get a sickener of sth.
baäl [de^{m}] ⟨afgod⟩ Baal, baal
Baäl ⟨zonnegod⟩ Baal
baaldag [de^{m}] [1] ⟨dag waarop men baalt van iets⟩ off-day [2] ⟨extra verlofdag⟩ ± day off
baalkatoen [het] ⟨in België⟩ unbleached/coarse cotton, ± crash
baan [de] [1] ⟨betrekking⟩ job ◆ *iemand **aan** een goede baan **helpen*** find/get s.o. a good job; *een baan **bij** de overheid* a government job; ***gemakkelijk/goedbetaald** baan(tje)* easy/ well-paying job, soft job; ⟨inf⟩ cushy number; *een **halve** baan hebben* work half-time; *geen baan(tje) **hebben*** be out of a job/jobless; *zijn baan **opgeven*** give up one's job, ⟨inf⟩ chuck in one's job; ***vaste** baan* steady job; *een **vaste** baan hebben* have a permanent/steady/nine-to-five job, ⟨inf⟩ have a nine-to-fiver; *van baan **veranderen*** change one's job; *een **vet** baantje* a cosy/fat job; *een **volledige** baan hebben* have a full-time job, be in full-time employment; *een **voltijdse** baan* a full-time job; *een baan **zoeken*** look for a job, be job-hunting [2] ⟨aangelegde weg⟩ ⟨ook fig⟩ path, ⟨rijstrook⟩ lane ◆ *baan **breken*** ⟨fig⟩ break new ground, be a pioneer, blaze a trail, forge ahead; ⟨fig⟩ *iets in **goede** banen leiden* steer sth. in the right direction, put sth. on the right road/lines; ⟨fig⟩ *iemands gedachten/het gesprek **in** een bepaalde baan/**in** nieuwe banen leiden* lead/send/direct s.o.'s thoughts/the conversation in a particular/another direction; ⟨fig⟩ *iets op de **lange** baan schuiven* shelve sth., postpone sth. indefinitely, put sth. on a back burner; ***ruim** baan geven* give a clear field (for); ***ruim/vrij** baan maken* ⟨ook fig⟩ make way/clear a path/clear the way/stand aside (for); ⟨fig⟩ *dat is **van** de baan* that's off; ⟨fig⟩ *ik wilde het **van** de baan hebben* I wanted (to get) it over (and done) with; ⟨fig⟩ *Plannen Nieuw Zwembad **van** de Baan* New pool plans dropped, New pool sunk [3] ⟨strook op sneeuw, ijs⟩ path ◆ *een **gladde** baan* a smooth path; *een baantje **trekken*** do a lap (on the track), skate a lap; *een baan **vegen*** sweep a path clear, clear a path [4] ⟨sport⟩ ⟨renbaan, wielerbaan⟩ track, ⟨tennis⟩ court, ⟨ijs⟩ rink, ⟨wedstrijdschaatsen⟩ speed skating track, ⟨ski⟩ run, piste, ⟨golf⟩ course, ⟨afgebakend deel⟩ lane ◆ *starten in baan **drie*** start in lane three; *wedstrijden op de **lange/korte** baan* long-distance/short-distance races; ***op** de baan komen* appear; *een **snelle/trage** baan* a fast/slow court/rink/...; *een baantje **trekken/zwemmen*** swim a length/a few lengths; ⟨heen en weer⟩ swim a lap/a few laps; go for a swim [5] ⟨route van een voortbewegend lichaam⟩ path, trajectory, ⟨ruimtev ook⟩ orbit ◆ *een baan om de aarde **beschrijven/maken*** orbit the earth; ***in** een baan naar de aarde* on an earthward course; ***in** een baan om de aarde komen* enter into orbit (around the earth); ***in** een baan om de aarde brengen* put/send into orbit (around the earth) [6] ⟨strook stof, behang⟩ length, width, strip, ⟨vlag⟩ bar ◆ *de vloerbedekking werd **in** drie banen van elk twee meter gelegd* the flooring was laid in three two-metre widths/strips [7] ⟨luchtv⟩ runway, ⟨klein⟩ landing strip [8] ⟨techn⟩ path [9] ⟨in België; straatweg⟩ road ◆ ⟨in België; fig⟩ *met iemand over de baan **kunnen*** get along well, get on (together), hit it off (together)
baanbed [het] [1] ⟨wwb⟩ roadbed [2] ⟨spoorw⟩ roadbed, permanent way [3] ⟨techn⟩ slide bed
baanbrekend [bn] pioneering, epoch-making, trailblazing ◆ *baanbrekende **onderzoekingen*** pioneering research; *baanbrekend **werk** verrichten* do pioneering work, break new ground
baanbreker [de^{m}] pioneer, trailblazer
baancommissaris [de^{m}] marshal, track official, ⟨paarden- en motorraces⟩ course judge, clerk of the course
baanfiets [de] ⟨sport⟩ track bike
baanherstel [het] creation of new job opportunities
baanhoek [de^{m}] ⟨luchtv⟩ flight path angle

baanloos [bn] jobless, out of work, unemployed
baanopzichter [de^{m}] track supervisor/walker
baanrace [de^{m}] ⟨sport⟩ track race
baanrecord [het] ⟨sport⟩ track record
baanrenner [de^{m}] ⟨sport⟩ track racer/rider
baanrestaurant [het] ⟨in België⟩ transport cafe, road house, ⟨voor vrachtrijders⟩ truck stop ⟨vnl Amerikaans-Engels⟩
baanschouwer [de^{m}] ⟨spoorw⟩ track inspector
baanschuiver [de^{m}] cowcatcher, guard, ⟨tram ook⟩ tray
baansport [de] track sport
baantjerijden [ww] skating up and down
baantjesjager [de^{m}] ⟨inf⟩ place-hunter
baanvak [het] ⟨spoorw⟩ section (of track), section (of a/the line)
baanvastheid [de^{v}] ⟨in België⟩ road-holding, roadability, ⟨vaste⟩ adhesion
baanveger [de^{m}] [1] ⟨m.b.t. de ijsbaan⟩ rink/track sweeper [2] ⟨m.b.t. de trambaan⟩ track sweeper
baanwachter [de^{m}] ⟨spoorw⟩ ⟨toezichthouder; BE⟩ platelayer, ⟨AE⟩ trackman, ⟨bij spoorwegovergang⟩ gatekeeper, level-crossing keeper, ⟨AE⟩ grade-crossing keeper
baanwedstrijd [de^{m}] track race
baanwerker [de^{m}] permanent way worker
baanwielrennen [ww] track cycling
[1]**baar** [de^{m}] [1] ⟨matroos⟩ rookie [2] ⟨nieuweling aan Militaire Academie⟩ rookie
[2]**baar** [de] [1] ⟨staaf edelmetaal⟩ ingot, bar ♦ *een baar **goud*** a gold bar/ingot [2] ⟨draagtoestel⟩ ⟨draagbaar⟩ litter, stretcher, ⟨lijkbaar⟩ bier [3] ⟨golf⟩ billow ♦ *de **woeste** baren* the wild billows [4] ⟨zandbank voor een riviermonding⟩ (sand)bar, sandbank, shoal [5] ⟨heral⟩ bend sinister
baard [de^{m}] [1] ⟨haar op de kin⟩ beard ♦ ⟨in België; fig⟩ *iemand de baard **afdoen*** beat the pants off s.o.; ⟨fig⟩ *hij **krijgt** de baard in de keel* his voice is breaking; *een **lange/volle/grijze** baard* a long/full/grey beard; *zijn baard **laten staan*** grow a beard; ⟨scherts⟩ *een mop **met** een baard* a joke with whiskers (on), an old chestnut, a hoary old joke; ***met** een baard van drie dagen/een week* with a three-day(-old)/week-old beard, with three days'/a week's growth of beard (on his/one's face); *het was iemand met een **rode** baard* he had a red beard/was red-bearded; *een **woeste** baard* a straggly/tangled/matted beard; ⟨in België⟩ *een baardje **zetten*** rub s.o.('s cheeks) with one's beard [2] ⟨beled; radicale moslim⟩ ± Jihad Joe, ± islamo-fascist [3] ⟨dierk⟩ beard, ⟨van vis⟩ barb(el), ⟨van kat⟩ whiskers [4] ⟨plantk⟩ beard, awns, aristae [5] ⟨m.b.t. een sleutel⟩ bit [6] ⟨oneffenheid⟩ burr, fin [7] ⟨scherpe kant van een bijl⟩ edge [8] ⟨m.b.t. walvissen⟩ plates of baleen
baardaap [de^{m}] [1] ⟨dier⟩ wanderoo [2] ⟨persoon⟩ beardie, fungus-face, bearded wonder
baarddracht [de] [1] ⟨het dragen van een baard⟩ wearing (of) a beard [2] ⟨wijze waarop een baard gedragen wordt⟩ way of wearing a beard
baardgier [de^{m}] lammergeyer, bearded vulture
baardgras [het] beard grass
baardgroei [de^{m}] (a) growth of beard ♦ *baardgroei **hebben/krijgen*** have/develop a growth of beard
[1]**baardhaar** [het] ⟨haar van de baard⟩ beard hair
[2]**baardhaar** [het, de] ⟨haar uit een baard⟩ bristle, beard hair
baardig [bn] bearded
baardman [de^{m}] bearded man, ⟨inf⟩ beardie
baardmannetje [het] ⟨dierk⟩ bearded reedling/tit
baardmees [de] ⟨dierk⟩ bearded reedling/tit
baardmos [het] beard lichen/moss
baardrager [de^{m}] (pall)bearer
baardschimmel [de^{m}] tinea barbea, ringworm of beard area
baardschurft [het, de] scabies
baardvin [de] sycosis, ⟨inf⟩ barber's itch
baardwalvis [de^{m}] whalebone/baleen whale
baarkleed [het] pall
baarlijk [bn] [1] ⟨zich onbedekt vertonend⟩ himself, itself ⟨enz.⟩, ⟨form⟩ incarnate ⟨na zn⟩ ♦ *de baarlijke **duivel** zijn* be the devil incarnate, out-herod Herod [2] ⟨duidelijk⟩ utter, rank ♦ *baarlijke **onzin*** utter nonsense
baarmoeder [de] womb, ⟨med⟩ uterus ♦ *bevruchting **buiten** de baarmoeder* in vitro fertilization; ***in** de baarmoeder* ⟨bijvoeglijk naamwoord⟩ intrauterine; ⟨bijwoord⟩ in the womb/uterus, ⟨form⟩ in utero
baarmoederhals [de^{m}] cervix, neck of the womb
baarmoederhalskanker [de^{m}] cervical cancer, cancer of the cervix
baarmoederkanker [de^{m}] uterine cancer, cancer of the womb
baarmoedermond [de^{m}] cervix
baarmoederontsteking [de^{v}] uteritis
baarmoederring [de^{m}] pessary
baarmoederslijmvlies [het] endometrium ♦ ***ontsteking** van het baarmoederslijmvlies* endometritis
baarmoederverzakking [de^{v}] prolapse of the womb/uterus, prolapsus of the womb/uterus
baars [de^{m}] perch, bass ♦ *van baars **houden*** like perch; *zwarte baars* black bass
baarsachtigen [de^{mv}] Percidae
baarstoel [de^{m}] birthing chair
baarzen [onov ww] angle for perch/bass
baas [de^{m}] [1] ⟨chef, leider⟩ boss, ⟨werkkring ook⟩ ↑ employer, manager, ⟨inf⟩ the old man, ⟨fig⟩ master ♦ *ik **ben** de baas in huis* I'm in charge, what I say goes, I run things my way; *de baas **betaalt*** it's all on expenses; *iemand de baas **blijven*** keep the upper hand/the whip-hand over s.o., keep s.o. under control, manage s.o., cope with s.o.; *er is altijd baas **boven** baas* there's always s.o. bigger/better/…, there's always a bigger fish, every man may meet his match; ***eigen** baas zijn* be one's own master/boss, be a free agent; *de **grote** baas* the big boss; *zijn vrouw is de baas **in** huis* his wife wears the trousers/^{A}pants, his wife's the boss; *hij **kon** het personeel niet de baas* he couldn't handle/manage/control the staff; *men **kon** de brand niet meer de baas* the fire got out of control/out of hand/became unmanageable; *iemand/iets gemakkelijk de baas **kunnen*** easily get the better of s.o./sth.; ⟨persoon ook⟩ tie s.o. into knots, run circles around s.o.; *iemand/de situatie/moeilijkheden de baas **kunnen/zijn*** cope with/deal with/handle/manage s.o./the situation/the problems; *hij is de baas **over** het geld* he's in charge of the money, he holds the purse strings; *de baas **spelen** (over iemand)* play/act the boss (with s.o.), boss s.o. (around); *hij is de baas **van het spul*** he runs the show (around here), he rules the roost; *haar gevoelens **werden/waren** haar de baas* her feelings overcame her/were too strong for her, she could not control her feelings; *een probleem de baas **worden*** ⟨ook⟩ crack/lick a problem; *zijn zenuwen/twijfels de baas **worden*** get the better of/conquer one's nerves/doubts; *(ergens) de baas **zijn*** be the boss (somewhere)/the master (of sth.); *de situatie de baas **zijn*** be in control of the situation, have the situation in hand; *zijn gevoelens de baas **zijn*** master/be master of one's feelings; *iemand (in iets) de baas **zijn*** be the master of s.o./outstrip s.o./be more than a match for s.o. (in/at sth.); *zichzelf niet meer de baas **zijn*** not be able to control o.s. any more; *zij **zijn** daar vrijwel de baas/helemaal de baas* they're pretty much/completely in charge there, they have things pretty much/completely their own way/as they want them there; *de Japanners **zijn** ons verreweg de baas op het gebied van de elektronica* the Japanese are far and away the leaders in electronics; *baas in eigen buik* women's/(a) woman's/the right to choose (abortion), abortion on demand [2] ⟨eigenaar van een zaak⟩ boss,

owner, ↑ proprietor ♦ *geen geleuter in de baas zijn **tijd*** no dawdling during the boss's time [3] ⟨m.b.t. een huisdier⟩ ⟨man & vrouw⟩ owner, ⟨van hond ook; man⟩ master, ⟨vrouw⟩ mistress ♦ ***kom bij** de baas!* here, boy/girl! [4] ⟨man, jongen⟩ fellow, ⟨AE⟩ bloke, ⟨BE⟩ chap, guy ♦ *een **vriendelijke oude** baas* a friendly old chap/guy [5] ⟨iemand, zeer bedreven in iets⟩ ace, whizz, ⟨BE ook⟩ dab hand [6] ⟨kanjer⟩ whopper [7] ⟨heer des huizes⟩ man/owner/master of the house ♦ *is de baas **thuis**?* is your old man/the boss in?

baasachtig [bn, bw] bossy

baasje [het] little boss, ⟨jongen⟩ little man/fellow, ⟨vnl BE ook⟩ laddie, sonny(-boy), youngster, young 'un, ⟨echtgenoot⟩ hubby ♦ *een **dik** baasje* a fat little/little fat guy, ⟨vnl BE⟩ a fat little/little fat chap [•] *het zo druk hebben als een **klein** baasje* be as busy as a (little) bee, be running around in circles

baat [de] [1] ⟨nut, voordeel⟩ benefit, profit, advantage; → **bate** ♦ *de baten en **lasten** (van iets)* the pros and cons (of sth.); *niet **te baat nemen*** pass up/over; ⟨ongewild⟩ let slip; *de gelegenheid/het middel **te baat nemen*** take/seize the/avail o.s. of the opportunity, avail o.s. of the means; *baat **vinden** bij* benefit from, find (some) benefit in, obtain relief from; *ergens weinig baat bij **vinden*** get little (benefit) out of/draw little benefit from sth.; *daar zul je veel baat bij **vinden/hebben*** that'll do you a/the world/power of good [2] ⟨geldelijk voordeel⟩ profit(s), benefit; → **bate** ♦ *baten **afwerpen*** show a profit, be/prove profitable; *de baten en **lasten** (van een bedrijf)* the assets and liabilities (of a firm) [•] ⟨sprw⟩ *de kost gaat voor de baat (uit)* ± throw out a sprat to catch a mackerel; ± you must lose a fly to catch a trout; ± nothing venture, nothing gain/have

baattrekking [de^v] ⟨jur⟩ enrichment (at the expense of another)

baatzucht [de] self-interest, self-seeking, selfishness, egocentricity

1**baatzuchtig** [bn] [1] ⟨uit hebzucht handelend⟩ self-interested, self-seeking, selfish, egocentric [2] ⟨uit hebzucht voortkomend⟩ self-interested, self-seeking, selfish ♦ *een baatzuchtig **plan*** a self-interested/self-seeking/selfish plan

2**baatzuchtig** [bw] ⟨als een hebzuchtig iemand⟩ self-interestedly, self-seekingly, selfishly

babbel [de^m] [1] ⟨mond⟩ trap ♦ ***houd** je babbel!* cut the chat/cackle!, hold your tongue!, ↓ shut your trap! [2] ⟨verhaal⟩ chat, ⟨inf⟩ chin-wag, ⟨vnl BE ook⟩ natter ♦ *een **gezellige** babbel* a cosy/pleasant chat, ⟨BE ook⟩ a good chin-wag/natter; *babbels **hebben*** be a great talker, have a big mouth, be bigmouthed; *hij heeft een **vlotte** babbel* he has a way with words/the gift of the gab/a silver tongue, he's a smooth talker [3] ⟨persoon⟩ chatterbox, chatterer, prattler

babbelaar [de^m] [1] ⟨persoon⟩ chatterbox, chatterer, prattler ♦ *die man is een **gezellige** babbelaar* that man loves a good chat, he's a great one for a chat [2] ⟨snoepje⟩ ± bull's eye

babbelaarster [de^v] → **babbelaar**

babbelachtig [bn] talkative, ⟨inf⟩ chatty, gabby, ⟨form⟩ garrulous

babbelbox [de^m] chat line

babbelen [onov ww] [1] ⟨veel praten⟩ chatter, prattle [2] ⟨gezellig praten⟩ chat, ⟨vnl BE ook⟩ natter, ↓ chew the fat [3] ⟨roddelen⟩ gossip [4] ⟨uit de school klappen⟩ blab, tell tales, (tittle-)tattle

babbelkous [de] → **babbelaar**

babbellijn [de] chat line

babbelpraatje [het] (piece of) gossip, (juicy) titbit

babbeltje [het] [1] ⟨praatje⟩ chat ♦ *een babbeltje **maken** met de nieuwe buurman* have a chat with the new neighbour [2] ⟨briefje, stukje⟩ note

babbeltruc [de^m] talking your way into s.o.'s home so you can steal sth., ± sweet talk, ± turning on the charm

babbelziek [bn] talkative, ⟨inf⟩ chatty, gabby, ⟨form⟩ garrulous, loquacious ♦ *babbelziek **zijn*** have a loose tongue/a big mouth; talk nineteen to the dozen, be able to talk the hind leg off a donkey; ⟨AE ook⟩ talk o.s. sick, talk the pants off of s.o.

babbelzucht [de] talkativeness, ⟨inf⟩ chattiness, gabbiness, ⟨form⟩ garrulousness

babe [de^v] babe

Babel [het] Babel ♦ *de **toren** van Babel* the tower of Babel

babi pangang [de] roast pork

baboe [de^v] ± ayah, ± amah

baby [de^m] baby, ⟨form⟩ infant, ⟨scherts; inf⟩ tiny ♦ *een **blauwe** baby* a blue baby; *een te vroeg **geboren** baby* a premature baby; *een baby **van vier maanden*** a four-month-old baby; ***jij** was toen nog een baby* you were still just/only a baby (then)

babybadje [het] baby bath, ⟨AE vnl⟩ baby bathtub

babybedje [het] ⟨BE⟩ (baby's) cot, ⟨AE⟩ (baby's) crib

babyblauw [bn] baby blue

babyboom [de^m] baby boom

babyboomer [de^m] baby boomer

babybouncer [de^m] baby bouncer

babybox [de^m] (play)pen

babybus [de] mobile baby clinic

babydoekje [het] baby wipe

babydoll [de^m] baby-doll nightdress/^A nightgown, ⟨inf⟩ baby-doll nightie/pyjamas

babydraagzak [de^m] (baby) sling, ⟨handelsmerk⟩ Easy Rider

babyface [de] baby face

babyfoon [de^m] baby alarm, baby intercom

babyjogger [de^m] baby jogger

babykamer [de] baby's bedroom

babykleertjes [de^mv] ⟨inf⟩ baby clothes

babylance [de] baby ambulance

Babylonisch [bn] Babylonian ♦ *de Babylonische **gevangenschap*** Babylonian captivity, the Captivity, the Exile; *van na de Babylonische **gevangenschap*** postexilic; *een babylonische **spraakverwarring*** a (tower of) Babel, Babel-like confusion (of tongues)

babyshower [de^m] baby shower

babysit [de^m] (baby) sitter, ⟨BE ook⟩ baby minder

babysitten [ww] (baby-)sit

babysitter [de^m] [1] ⟨persoon⟩ (baby) sitter, ⟨BE ook⟩ baby minder [2] ⟨kinderzitje⟩ baby seat, child's (car) seat

babyuitzet [de^m] layette

babyverzorgingsruimte [de^v] baby care room

babyvoeding [de^v] baby food, ⟨fig⟩ pap

baccalaureaat [het] [1] ⟨algemene opleiding⟩ first degree course [2] ⟨graad⟩ baccalaureate, Bachelor's (degree) [3] ⟨op de praktijk gerichte opleiding⟩ ± practical degree course, ⟨BE⟩ ± sandwich course

baccalaureus [de^m] Bachelor ♦ *baccalaureus **in de letteren/exacte wetenschappen*** Bachelor of Arts/Science; Bachelor, B Sc

baccarat [het] [1] ⟨kaartspel⟩ baccarat [2] ⟨kristal⟩ Baccarat glass

bacchanaal [het] Bacchanal, Bacchanalia ⟨mv⟩, carousal

bacchant [de^m], **bacchante** [de^v] [1] ⟨priester⟩ ⟨man & vrouw⟩ Bacchanal, ⟨man⟩ Bacchant, ⟨vrouw⟩ Bacchante, ⟨vrouw⟩ maenad [2] ⟨iemand die zich aan dronkenschap, wellust overgeeft⟩ ⟨man & vrouw⟩ Bacchanal, ⟨man⟩ Bacchant, ⟨vrouw⟩ Bacchante

bacchante [de^v] → **bacchant**

bacchantisch [bn, bw] bacchanalian, bacchic, dionysian

Bacchus Bacchus

bachbloesemtherapie [de^v] Bach flower therapy (with Bach flower remedies)

bachelor [de^m] [1] ⟨academische graad⟩ BA/B Sc/LL B ♦ *bachelor **zijn*** hold a Bachelor's degree [2] ⟨opleiding⟩ ⟨BE⟩ Bachelor's degree course, ⟨AE⟩ Bachelor's degree pro-

gram
bachelorfase [de^v] bachelor phase
bachelor-masterstructuur [de^v] bachelor-master system
bacheloropleiding [de^v] bachelor study
bachelorparty [de] bachelor party, stag party
bachtherapie [de^v] Bach flower therapy (with Bach flower remedies)
bacil [de^m] 1 ⟨staafvormige bacterie⟩ bacillus 2 ⟨bacterie⟩ bacillus, bacterium, microbe, ⟨inf⟩ germ, bug
bacillair [bn] bacillary
bacillendraagster [de^v] → **bacillendrager**
bacillendrager [de^m], **bacillendraagster** [de^v] carrier (of bacilli), ⟨inf⟩ germ carrier, ⟨form⟩ vector
back [de^m] back
backbeat [de^m] backbeat
backbencher [de^m] backbencher
backbone [de^m] ⟨comp⟩ backbone
backdoor [de] back door
backen [ov ww] 1 ⟨steunen⟩ back (up) ◆ *iemand backen* back s.o. (up) 2 ⟨muz⟩ back (up)
backend [het, de^m] back-end
backflip [de^m] back flip
backgammon [het] backgammon
background [de^m] background
backhand [de] ⟨sport⟩ backhand(er), backhand stroke
backing [de^m] 1 ⟨steun⟩ backing, back-up 2 ⟨muz⟩ backing, back-up
backlash [de^m] backlash
backlijn [de] 18-yard line
backoffice [de^m] back office
backorder [het, de^m] back order
backpacken [onov ww] backpacking
backpacker [de^m] backpacker
backservice [de] past service
backslash [de^m] backslash
backspin [de^m] backspin
backstage [bw] backstage
backswing [de^m] backswing
back-up [de^m] 1 ⟨comp; reservekopie⟩ backup ◆ *een back-up **maken** van* make a backup of 2 ⟨reservevoorziening⟩ backup
back-uppen [ov ww] make a back-up of
baco [de^m] (Bacardi cola) Bacardi (&) Coke, cuba libre
bacon [het] bacon
bacove [de] cooking banana
¹**bactericide** [het] bactericide
²**bactericide** [bn] bactericidal
bacterie [de^v] bacterium, microbe
bacteriecultuur [de] bacterial culture
bacteriedodend [bn] bactericidal ◆ *bacteriedodend **middel*** bactericide
bacteriedraagster [de^v] → **bacteriedrager**
bacteriedrager [de^m], **bacteriedraagster** [de^v] carrier (of bacteria), ⟨inf⟩ germ-carrier, ⟨form⟩ vector
bacterieel [bn] 1 ⟨door bacteriën veroorzaakt⟩ bacterial ◆ *bacteriële **infecties*** bacterial infections 2 ⟨bacteriën betreffende⟩ bacterial ◆ *bacterieel **onderzoek*** bacterial research
bacteriekweek [de^m] ⟨med⟩ bacterial culture, ⟨door middel van diepgestoken naald⟩ stab culture ◆ *een bacteriekweek **doen*** do a bacterial culture
bacteriëmie [de^v] ⟨BE⟩ bacteraemia, ⟨AE⟩ bacteremia
bacterievrij [bn] free from/of bacteria
bacteriofaag [de^m] (bacterio)phage, bacterial virus
bacteriologe [de^v] → **bacterioloog**
bacteriologie [de^v] bacteriology
bacteriologisch [bn] bacteriological, bacterial, microbial, microbic ◆ *een bacteriologisch **onderzoek*** bacteriological/bacterial research; *bacteriologische **oorlogvoering*** bacteriological/bacterial/biological/microbial warfare, ⟨inf⟩ germ warfare
bacterioloog [de^m], **bacteriologe** [de^v] bacteriologist
bacteriolyse [de^v] bacteriolysis
bacteriostatisch [bn] ⟨med⟩ bacteriostatic ◆ *bacteriostatische **antibiotica*** bacteriostatic antibiotics
bad [het] 1 ⟨badkuip⟩ bath, ⟨AE vnl⟩ bathtub ◆ *de baby/kinderen **in** bad stoppen/doen* ⟨BE⟩ bath the baby/children, ⟨AE⟩ bathe the baby/children; *het bad **laten vollopen*** fill the bath; *kamer **met** bad* room with bath; *een bad **vullen*** fill/run a bath 2 ⟨water⟩ bath ◆ ***geneeskrachtig** bad* ⟨ook⟩ medicated bath; *de planten een badje **geven*** soak/saturate/drench the plants; *een bad **nemen*** have a bath, ⟨AE vnl⟩ take a bath, bath, ⟨AE⟩ bathe 3 ⟨scheik, techn; ook in samenstellingen⟩ bath ◆ ***zinkbad*** zinc bath 4 ⟨zwembad⟩ pool, ⟨BE ook⟩ bath(s) ◆ *25 meterbad* 25 m pool, short course; *50 meterbad* 50 m pool, long course
badartikelen [de^{mv}] ⟨voor badkamer⟩ toilet/bathroom things, ↑ toilet/bathroom requisites, ⟨voor zwemmen⟩ bathing things, ↑ bathing requisites
badborstel [de^m] bath brush
badbroek [de] swim(ming) trunks, bathing trunks
badcel [de] bath/shower cubicle, bath/shower cabinet
badderen [onov ww] ⟨inf, kind⟩ ⟨BE⟩ have bathies, ⟨AE⟩ take a bathy, go splishy splashy
badding [de^m] batten
baddoek [de^m] bath towel
¹**baden** [onov ww] 1 ⟨een bad nemen⟩ ⟨in kuip⟩ bath, ⟨AE⟩ bathe, take a bath, take a tub, ⟨in zee⟩ (go for a) swim, bathe, ⟨inf⟩ take a dip, go for a plunge 2 ⟨m.b.t. lichaamsvocht⟩ bathe (in), be bathed (in) ◆ *baden **in** het zweet* be bathed in sweat, swelter; *baden **in** zijn bloed* (be) bathe(d) in one's (own) blood; *badend **in** het zweet werd hij wakker* he woke up in a pool of sweat/bathing/bathed in sweat 3 ⟨geheel gehuld zijn in⟩ be bathed/steeped (in) ◆ *het paleis baadde **in** het licht van de schijnwerpers* the palace was bathed in the light from the floodlights 4 ⟨een overvloed bezitten van⟩ roll (in), wallow/swim (in) ◆ *baden **in** weelde* ⟨ook⟩ live in the lap of luxury
²**baden** [ov ww] ⟨een bad geven⟩ bath, ⟨AE⟩ bathe ◆ *een **kind** baden* bath a child; ***zich** baden in de rivier* bath in the river
³**zich baden** [wk ww] ⟨zich koesteren⟩ roll (in), wallow/swim (in)
bader [de^m] bather, swimmer
badessence [de] bath essence
badextract [het] bath extract
badgast [de^m] seaside visitor
badge [het, de^m] 1 ⟨speldje met naamkaartje⟩ (name) badge/tag 2 ⟨speldje met tekst, afbeelding⟩ badge, ⟨AE⟩ button 3 ⟨mil⟩ badge, insignia
badgirl [de^v] 1 ⟨ondeugdzame vrouw⟩ bad girl 2 ⟨opstandige vrouw⟩ riot girl, ⟨inf⟩ riot grr(r)l
badhanddoek [de^m] bath towel
badhokje [het] bathing cubicle
badhotel [het] seaside hotel
badhuis [het] bathhouse ⟨ook sauna⟩, (public) baths, ↑ bathing establishment
badinage [de^v] badinage, banter, chaff
badineren [onov ww] banter, chaff ◆ *op badinerende **toon*** in a bantering/facetious/teasing tone (of voice)
badinrichting [de^v] bathing establishment, bathhouse, (public) baths
badjas [de], **badmantel** [de^m] (bath)robe, bath(ing) wrap, wraparound
badjuffrouw [de^v] (woman/female) bath superintendent, (woman/female) bath attendant, (woman/female) lifeguard
badkamer [de] bathroom
badkleding [de^v] swimwear, bathing wear/gear
badkuip [de] bathtub, ⟨BE ook⟩ bath, ⟨AE ook⟩ tub

badlaken [het] bath towel/sheet
badmantel [de^{m}] → **badjas**
badmat [de] bath mat
badmeester [de^{m}] lifeguard, pool attendant
badminton [het] badminton
badmintonnen [onov ww] play badminton
badmintonner [de^{m}] badminton player
badmode [de] (the) fashion in swimwear, bathing fashion
badmuts [de] bathing/swimming cap ♦ *een badmuts opzetten* put on/wear a bathing cap
badpak [het] swimming suit, swimsuit, bathing suit, ⟨BE ook⟩ swimming/bathing costume ♦ ***tweedelig** badpak* two-piece (swimming suit), bikini
badplaats [de] [1] ⟨aan zee⟩ bathing/seaside resort ♦ ***naar** een badplaats gaan* go to the sea(side) [2] ⟨met geneeskrachtige bronnen⟩ spa, health resort
badschuim [het] bath foam, bubble bath
badseizoen [het] bathing/swimming season
badslip [de^{m}] bathing/swimming briefs
badslipper [de^{m}] shower slipper, ⟨inf⟩ flip-flop
badspons [de] bath sponge
badstad [de] ⟨in België⟩ bathing/seaside resort
badstof [de] towelling, ⟨AE⟩ toweling, terry cloth/towelling
badstrand [het] bathing beach
badtas [de] beach bag, swimming bag
bad trip [de^{m}] bad trip
badwater [het] bath water
badwill [de^{m}] bad will
badzeep [de] bath soap
badzout [het] bath salts
bagage [de^{v}] [1] ⟨reisgoed⟩ luggage, ⟨AE vnl⟩ baggage ♦ *weinig bagage bij zich **hebben*** have little luggage/baggage, travel light; *vier **stuks** bagage* four items/pieces of luggage/baggage [2] ⟨fig⟩ baggage, ⟨beschikbare kennis⟩ stock-in-trade ♦ *iemands **culturele** bagage* s.o.'s cultural baggage/stock-in-trade; *met weinig **geestelijke** bagage* lacking intellectual substance
bagageband [de^{m}] baggage claim, ⟨roterend⟩ carousel
bagagedepot [het, de^{m}] left luggage (office), ⟨AE⟩ baggage room, ⟨BE ook⟩ parcel(s) office, ⟨AE ook⟩ checkroom
bagagedrager [de^{m}] (luggage) carrier
bagagekluis [de] (luggage/baggage) locker
bagagelabel [de^{m}] ⟨BE⟩ luggage label, ⟨AE⟩ baggage tag
bagagemandje [het] basket, ⟨achterop⟩ rear basket
bagagenet [het] luggage rack
bagagepunt [de] luggage/baggage space
bagagereçu [het] ⟨BE⟩ luggage ticket, ⟨AE⟩ baggage check
bagagerek [het] [1] ⟨bagagenet⟩ luggage rack [2] ⟨imperiaal⟩ roof rack
bagagerijtuig [het] → **bagagewagen**
bagageruim [het] luggage/baggage compartment
bagageruimte [de^{v}] boot, ⟨AE⟩ trunk ♦ *een auto met een **hoop** bagageruimte* a car with lots of luggage space
bagagewagen [de^{m}] [1] ⟨aanhangwagen⟩ trailer [2] ⟨wagon⟩ ⟨BE⟩ luggage van, ⟨AE⟩ baggage car [3] ⟨wagentje op perron, vliegveld⟩ luggage trolley
bagasse [de^{m}] bagasse
bagatel [het, de] [1] ⟨kleinigheid⟩ bagatelle, trifle [2] ⟨kleine geldsom⟩ trifle
bagatelle [de] bagatelle
bagatelliseren [ov ww] trivialize, play down, underplay
Bagdad [het] Baghdad
bagel [de^{m}] bagel
^{1}**bagger** [de] [1] ⟨modder⟩ mud, slush, ⟨opgehaald⟩ dredgings ♦ ⟨inf, fig⟩ *(zeven kleuren) bagger **schijten*** shit a brick [2] ⟨troep⟩ rubbish, garbage, junk
^{2}**bagger** [bn, alleen pred] ⟨slecht⟩ crap, trash ♦ *dat rapport is bagger* that report is crap
baggeraar [de^{m}] dredger
baggerbedrijf [het], **baggermaatschappij** [de^{v}] dredging company/firm/business
baggereiland [het] floating dredge
baggeremmer [de^{m}] dredging bucket/scoop
^{1}**baggeren** [onov ww] ⟨inf⟩ ⟨waden⟩ wade
^{2}**baggeren** [ov ww, ook abs] [1] ⟨ophalen⟩ dredge, scoop out [2] ⟨transporteren⟩ dredge
baggerketting [de] bucket chain
baggerlaars [de] wader ⟨voornamelijk mv⟩
baggermaatschappij [de^{v}] → **baggerbedrijf**
baggermachine [de^{v}], **baggermolen** [de^{m}] dredge, dredger, dredging machine
baggermolen [de^{m}] → **baggermachine**
baggerschip [het] dredger, dredge
baggerschuit [de] dredger, dredge
baggerwerk [het] dredging (work/operations)
baggerzuiger [de^{m}] suction dredger
baghera [de] ⟨man & vrouw⟩ akela, ⟨man⟩ cub-master, ⟨vrouw⟩ cub-mistress
baglama [de^{m}] baglama
bagna cauda [de^{m}] bagna cauda
baguette [de^{m}] [1] ⟨stokbrood⟩ French stick, French loaf/bread, baguette [2] ⟨stukje diamant⟩ baguette
^{1}**bah** [de^{m}] ⟨kind⟩ ⟨ontlasting, urine⟩ business, job(s) ♦ *bah doen* ⟨ook⟩ do/make a poo; *een **grote** bah doen* do big business/a big job/big jobs/a number two; *een **kleine** bah doen* do little business/a little job/little jobs/a number one
^{2}**bah** [het] ⟨het geluid, zeggen van 'bah'⟩ boo ♦ *hij **zegt** boe noch bah* he wouldn't say boo to a goose; ⟨fig⟩ *zonder **boe** of bah te zeggen* without so much as a word
^{3}**bah** [bn, alleen pred] ⟨kind⟩ poo, pooh ♦ ***niet aankomen**, dat is bah!* don't touch it, it's poo/mucky/yucky!
^{4}**bah** [tw] ugh!, yech!, ⟨luchtje⟩ poo!, phew!, ⟨vnl AE⟩ yuck!
^{1}**bahai** [de^{m}] ⟨aanhanger van de godsdienst⟩ Bahaí
^{2}**bahai** [het] ⟨godsdienst⟩ Bahaí
Bahamaans [bn] Bahamian
Bahama-eilanden [de^{mv}], **Bahama's** [de^{mv}] (the) Bahamas, Bahama Islands

Bahama's

naam	*Bahama's* The Bahamas
officiële naam	*Gemenebest van de Bahama's* Commonwealth of The Bahamas
inwoner	*Bahamaan* Bahamian
inwoonster	*Bahamaanse* Bahamian
bijv. naamw.	*Bahamaans* Bahamian
hoofdstad	*Nassau* Nassau
munt	*Bahamaanse dollar* Bahamian dollar
werelddeel	*Amerika* America

int. toegangsnummer 1 www.bs auto BS

Bahama's [de^{mv}] → **Bahama-eilanden**
bahco [de^{m}] adjustable spanner
Bahrein [het] Bahrain, Bahrein

Bahrein

naam	*Bahrein* Bahrain
officiële naam	*Koninkrijk Bahrein* Kingdom of Bahrain
inwoner	*Bahreiner* Bahraini
inwoonster	*Bahreinse* Bahraini
bijv. naamw.	*Bahreins* Bahraini
hoofdstad	*Manama* Manama
munt	*Bahreinse dinar* Bahraini dinar
werelddeel	*Azië* Asia

int. toegangsnummer 973 www.bh auto BRN

Bahreiner [de^{m}], **Bahreinse** [de^{v}] ⟨man & vrouw⟩ Bah-

raini, ⟨vrouw ook⟩ Bahraini woman/girl
Bahreins [bn] Bahraini
Bahreinse [de[v]] → **Bahreiner**
baileybrug [de] Bailey bridge
bain de soleil [de[m]] ⟨in België⟩ beach dress
bain-marie [de[m]] bain-marie, ⟨toestel ook⟩ double boiler ♦ *iets au bain-marie verwarmen/bereiden* heat up/cook sth. in a bain-marie
baisse [de[v]] ⟨handel⟩ fall in the price ♦ *speculant à la baisse* bear; *à la baisse speculeren* bear the market, sell short
baissemarkt [de] bear market, bearish market
baissestemming [de[v]] ⟨van beurs⟩ bearish tendency/tone, ⟨van speculanten⟩ bearish mood/feeling
baissier [de[m]] bear, bear operator
[1]**bajadère** [de[v]] 1 ⟨persoon⟩ bayadere 2 ⟨snoer⟩ string of coral/jet bead
[2]**bajadère** [het] ⟨ind⟩ ⟨stof⟩ bayadere
[3]**bajadère** [bn] bayadere
bajes [de] ⟨inf⟩ can, cooler, slammer, ⟨BE⟩ nick, ⟨AE ook⟩ pen ♦ *John zit **in** de bajes wegens moord* John's in for murder
bajesklant [de[m]] ⟨inf⟩ jailbird, ⟨BE⟩ gaolbird, lag, con
bajesmaf [bn] ⟨inf⟩ (ex-)con-crazy
bajonet [de] bayonet ♦ *met **gevelde** bajonet* with fixed bayonet(s); *een aanval met **gevelde** bajonet* a fixed-bayonet charge/attack; ***met** de bajonet doorsteken/doodsteken* bayonet; *bajonet **op/af*** fix/unfix bayonets
bajonetaanval [de[m]] bayonet charge/attack
bajonetfitting [de[m]] bayonet socket/fitting
bajonetschermen [ww] bayonet practice
bajonetsluiting [de[v]] bayonet catch
bajonetstoot [de[m]] bayonet thrust
[1]**bak** [de[m]] 1 ⟨voorwerp om iets in te bergen⟩ (storage) bin, ⟨reservoir⟩ cistern, tank, ⟨ondiep⟩ tray, ⟨natuurk⟩ vessel, ⟨trog⟩ trough, ⟨etensbak⟩ dish, bowl, ⟨in auto⟩ boot, ⟨AE⟩ trunk, ⟨kattenbak⟩ tray ♦ ⟨fig⟩ *de regen komt **bij** bakken uit de lucht* it's raining cats and dogs, it's coming down in buckets; *een **houten/plastic** bak* a wooden/plastic dish/bin/tray; *doe even wat water **in** zijn bak* could you put some water in his dish/bowl?; *een bak **met** groente* a vegetable storage bin; *een bak **met** planten* a tray/box of plants; *een **ronde/vierkante** bak* a round/square dish/bin/tray; *bakken **voor** rijst/meel* (storage) bins for rice/flour 2 ⟨grap⟩ rib-tickler, joke ♦ *een **goede/schuine** bak* a good/dirty joke; *dat is me ook een bak* well, I'll be damned; big joke!; *een bak **vertellen*** crack a joke 3 ⟨gevangenis⟩ can, ⟨BE⟩ quod, jug, clink ♦ ***in** de bak zitten* do/serve time, ⟨BE⟩ do porridge; *de bak **ingaan/indraaien*** go down, be put inside/clapped in jail/locked up 4 ⟨kop⟩ cup 5 ⟨auto⟩ big car ♦ *een **Amerikaanse** bak* a big American car 6 ⟨tuinbouw⟩ cold frame, garden frame ♦ *sla **uit** de bakken* cold-frame lettuce 7 ⟨vaartuig⟩ barge 8 ⟨sport⟩ rowing exerciser/machine 9 ⟨in België; krat⟩ crate, box, ⟨AE⟩ case ♦ *een bak **bier*** a crate of beer ⊡ ***aan** de bak komen* get a job/turn; *(vol) aan de bak **moeten*** (have to) pull out all the stops; *een **volle** bak* a full house
[2]**bak** [bw] ⟨scheepv⟩ ⊡ *bak **liggen*** have been laid back; *bak **staan*** have been taken back
bakbanaan [de] cooking banana, ⟨i.h.b., soort; BE⟩ plantain
bakbeest [het] colossus, monster ♦ *een bakbeest van een **hond*** a monster/hulk of a dog; *een bakbeest van een **kast*** a hulking great thing of a cupboard
bakblik [het] baking tin, cake tin ⟨ook voor tulband⟩, ⟨rechthoekig⟩ loaf tin, ⟨bakplaat⟩ baking sheet/tray ♦ *het bakblik **invetten*** butter/grease the baking tin
bakbokking [de[m]] bloater
bakboord [het] port, larboard ♦ ***naar** bakboord draaien* port; *het schip ligt **over** bakboord* the ship is listing to port; ***roer** bakboord!* put the helm to port
bakboordlicht [het] port light
bakcultuur [de[v]] cold-frame cultivation
bakeliet[MERK] [het] bakelite
bakelieten[MERK] [bn] bakelite
baken [het] 1 ⟨scheepv⟩ beacon ♦ ⟨fig⟩ *de bakens **verzetten*** set out a new course; ⟨fig⟩ *de bakens **zijn verzet*** times have changed 2 ⟨verk⟩ beacon, radio beacon ⊡ ⟨sprw⟩ *als het (ge)tij verloopt, verzet men de bakens* trim your sails to the wind; ± circumstances alter cases; ± cut your coat according to your cloth; ⟨sprw⟩ *een schip op (het) strand, een baken in zee* ± wise men learn by other men's mistakes (, fools by their own); ± one man's fault is another man's lesson; ± forewarned (is), forearmed
bakenen [ov ww] beacon
bakengeld [het] beaconage
bakenlijn [de] radio beam, beam
bakenzender [de[m]] (radio) beacon
baker [de[v]] (dry) nurse
bakeren [onov ww] dry-nurse ♦ *uit bakeren **gaan*** go out dry-nursing
bakermat [de] 1 ⟨plaats van oorsprong⟩ cradle, origin, home, nursery ♦ *de bakermat van het **christendom/van de filmkunst*** the cradle of Christianity, the home of the cinema 2 ⟨geboorteplaats⟩ birthplace
bakerpraatje [het] 1 ⟨beuzelpraat⟩ idle gossip 2 ⟨bijgelovige bewering⟩ old wives' tale
bakfiets [de] 1 ⟨driewieler⟩ carrier tricycle 2 ⟨fiets⟩ delivery bicycle, carrier cycle
bakfolie [het, de] baking paper
bakharing [de[m]] herring
bakhitte [de[v]] baking temperature
bakje [het] 1 ⟨kleine bak⟩ (small) box, (small) tray, saucer 2 ⟨kopje⟩ (little) cup ♦ *een bakje **koffie*** a cup of coffee; *een bakje **leut**↑* a cup of coffee 3 ⟨kopje koffie⟩ cup (of coffee) ♦ *een **lekker** bakje* a nice cup (of coffee); *een **slap** bakje* slipslop
bakkebaard [de[m]] (side-)whisker, ⟨inf; BE⟩ sideboard, ⟨AE⟩ sideburn, ⟨op wang⟩ mutton-chop, muttonchop whisker ♦ *het was iemand **met** (lange) bakkebaarden* it was s.o. with sideboards
bakkeleien [onov ww] ⟨inf⟩ 1 ⟨ruzie maken⟩ squabble, wrangle ♦ *die jongens zijn altijd **aan** het bakkeleien* those boys are always squabbling 2 ⟨vechten⟩ scuffle, tussle, scrap
[1]**bakken** [onov ww] 1 ⟨deegwaar bereiden⟩ bake ♦ *ik heb de hele middag **staan** bakken* I've been baking all afternoon 2 ⟨zich vastzetten⟩ stick, burn ♦ ⟨fig⟩ *dat is mij **aan** het hart gebakken* that is dear to my heart 3 ⟨zonnebaden⟩ bake, broil ♦ *ik heb de hele middag **liggen** bakken* I've been baking in the sun all afternoon 4 ⟨inf; m.b.t. school⟩ ⟨vnl AE⟩ flunk, ⟨BE⟩ ↓ plough
[2]**bakken** [ov ww] 1 ⟨m.b.t. deeg, beslag⟩ bake ♦ *vers gebakken **brood*** freshly baked bread; ***brood/cake/koekjes** bakken* bake bread/a cake, bake biscuits/[A]cookies; *hij bakt altijd **zelf** brood* he always bakes his own bread 2 ⟨m.b.t. spijzen⟩ fry, ⟨snel met weinig vet⟩ sauté, ⟨op een plaat⟩ griddle, ⟨frituren⟩ deep-fry ♦ *iets lekker **bruin** bakken* brown sth., fry sth. till golden brown; ***friet** bakken* deep-fry chips; *bakken **in** een koekenpan* panfry, fry in a frying pan; ***karbonaadjes** bakken* fry chops/cutlets; *een **omelet** bakken* make an omelet 3 ⟨m.b.t. klei⟩ bake, fire ♦ ***potten/stenen** bakken* fire/bake pots/bricks ⊡ ⟨inf⟩ *er **niets** van bakken* make a complete mess of it; ⟨sprw⟩ *lieverkoekjes worden niet gebakken* ± beggars can't/mustn't be choosers; ⟨sprw⟩ *overal wordt brood gebakken* ± when one door shuts another opens
bakkenist [de[m]] 1 ⟨meerijder in de zijspan⟩ (sidecar) passenger 2 ⟨amateurzender⟩ (radio) ham
bakker [de[m]] 1 ⟨iemand die als beroep bakt⟩ baker ♦ *een **warme** bakker* a baker who bakes his own bread 2 ⟨verkoper⟩ baker ♦ *een **koude** bakker* a baker who doesn't bake his own bread; ⟨BE vnl⟩ ± an ordinary baker 3 ⟨winkel⟩ bakery, baker's ♦ *een **koude** bakker* a bread shop/[A]store; *een **warme** bakker* a fresh bakery; ⟨AuE⟩ a hot bread shop ⊡

*(het/dat is) **voor** de bakker* it/that is settled, everything is A-OK

bakkerellen [ov ww] sauté, fry meat quickly in hot oil or butter

bakkerij [de^v] [1] ⟨plaats⟩ baker's (shop), bread shop, ⟨groter, industrieel⟩ bakery ◆ ⟨in België⟩ ***industriële** bakkerij* bread factory, bakery [2] ⟨vak⟩ baking trade/business [3] ⟨handeling⟩ baking

bakkersarmen [de^m] ⟨scherts⟩ ± white arms

bakkersbedrijf [het] baker's trade/business, ⟨zaak⟩ bakery

bakkersbroek [de^m] ± baker's trousers/^{A}pants

bakkersgast [de^m] ⟨in België⟩ baker's assistant

bakkersgist [het] (baking) yeast

bakkerskar [de] baker's cart

bakkersknecht [de^m] ⟨in bakkerij⟩ baker's assistant, ⟨bezorger⟩ baker's (rounds)man

bakkersmand [de] baker's bread-basket ◆ ***met** de bakkersmand **lopen*** sell bread from house to house

bakkersoven [de^m] baker's oven ◆ *een mond **als** een bakkersoven* a cavernous mouth

bakkersschotel [de^m] peel, (bread-)shovel

bakkerstor [de] cockroach

bakkersvet [het] shortening, (cooking) fat

bakkes [het] ⟨inf⟩ [1] ⟨gezicht⟩ mug, map, ⟨BE ook⟩ phiz, ⟨zeldz⟩ puss ◆ *een **lelijke** bakkes* an ugly mug, a mug only a mother could love; *iemand **op** zijn bakkes geven* give it to s.o. in the kisser [2] ⟨mond⟩ kisser, trap, ⟨BE⟩ gob ◆ ***houd** je bakkes* shut your trap/face

bakkie [het] ⟨inf⟩ [1] ⟨radiozendapparatuur⟩ rig [2] ⟨kopje (koffie)⟩ cup ◆ *zullen we een bakkie **doen**?*↑ shall we have a cup of coffee?; *een bakkie **troost***↑ a cup of coffee [3] ⟨aanhangwagentje⟩ trailer

baklap [de] frying steak

baklava [de^m] baklava

baklucht [de] baking/frying odours

bakmeel [het] self-raising flour, ⟨AE⟩ self-rising flour ◆ ***zelfrijzend** bakmeel* self-raising/self-rising flour

Bakoe [het] Baku

bakolie [de] cooking oil

bakoven [de^m] (baking) oven, baker's oven

bakpan [de] frying pan

bakpapier [het] baking paper

bakplaat [de] baking sheet/tray

bakpoeder [het, de^m] ⟨cul⟩ baking powder

bakschipper [de^m] bargee, ⟨AE⟩ bargeman

baksel [het] baking, ⟨hoeveelheid⟩ batch ⊡ ⟨sprw⟩ *alle baksels en brouwsels zijn niet gelijk* you can't win them all; all work does not lead to the same result

baksen [ov ww, ook abs] [1] ⟨in het horizontale vlak draaien⟩ swivel, turn [2] ⟨m.b.t. vrachten⟩ pivot

baksjisj [de^m] baksheesh

bakspaan [de] slotted spatula

bakspel [het] trictrac, ± backgammon

bakstag [het] backstay

^{1}**baksteen** [de^m] ⟨gebakken steen⟩ brick, ⟨vnl AE ook⟩ block ◆ ⟨onderw⟩ *zakken **als** een baksteen* fail utterly; ⟨inf⟩ do abysmally; *zinken **als** een baksteen* sink/swim like a stone; ⟨iron⟩ *drijven **als** een baksteen* float like a lump of lead; ⟨fin⟩ *de dollar zakte **als** een baksteen* the dollar dropped/fell/went through the floor, the dollar plummeted; ⟨fig⟩ *iemand laten vallen **als** een baksteen* drop s.o. like a hot brick/potato/like a red-hot coal/like a ton of bricks; ⟨in België; fig⟩ *met een baksteen in de **maag** geboren worden* aspire to home ownership, want to have their own house; ⟨fig⟩ *het **regent** bakstenen* it's raining cats and dogs, it's coming down in bucketfuls, it's throwing it down, ⟨inf⟩ it's chucking it down

^{2}**baksteen** [het, de^m] ⟨stof⟩ brick ◆ *een uit **rode** baksteen opgetrokken gebouw* a red-brick(ed) house; *een huis **uit** baksteen optrekken* build a house (out) of brick

bakstenen [bn] brick

bakster [de^v] (woman) baker

baktrog [de^m] kneading trough

bakvet [het] (cooking/frying) fat

^{1}**bakvis** [de^m] ⟨vis om te bakken⟩ frying fish, pan fish

^{2}**bakvis** [de^v] ⟨meisje⟩ teen-age girl, teen-ager, schoolgirl, ⟨m.b.t. Amerikaanse 50-60's⟩ bobby-soxer, teeny-bopper

bakvorm [de^m] baking tin, cake tin ⟨ook voor tulband⟩, ⟨rechthoekig⟩ loaf tin

bakzeil [het] ⊡ *bakzeil **halen*** ⟨terugkrabbelen⟩ back down, climb down (from); ⟨m.b.t. zeilen⟩ take in sail, trim sail, back the sails

^{1}**bal** [de^m] [1] ⟨sport⟩ ball, ⟨leren bal ook⟩ leather ◆ ***aan** de bal zijn* play the ball; ⟨fig⟩ be on the ball; *een bal **gooien/vangen*** throw/catch a ball; *de bal in eigen ploeg/kamp **houden*** ⟨ook figuurlijk⟩ hold/hang on to the ball; ⟨voetb⟩ *in de bal **komen*** meet the ball; ⟨fig⟩ *veel ballen in de **lucht** houden* keeping the balls in the air, keeping the plates spinning; ***met** de bal spelen* play (with a) ball; *een bal **missen*** miss a ball; ⟨inf⟩ muff/fluff a ball; ⟨bilj⟩ miscue; *de bal **misslaan*** ⟨fig⟩ be wide off the mark/way off; ⟨inf⟩ have another think coming; ***op** de bal spelen, niet op de man* play the ball, not the man; ⟨fig⟩ *een balletje over iets **opgooien*** put out feelers/a feeler about sth., make a tentative suggestion about sth., bring sth. up; ⟨bilj⟩ ***rode/witte** bal* red/object ball, white/cue ball; ⟨bilj⟩ *de bal **stoppen*** pocket/pot the ball; *de bal **terugkaatsen*** ⟨fig⟩ put the ball back in(to) the other person's court, retort; *elkaar de bal **toespelen*** ⟨fig⟩ scratch each other's backs; *iemand de bal **toespelen*** pass (the ball to s.o.); *een balletje **trappen*** kick a ball (about); *John vangt iedere bal* John is a safe catch [2] ⟨tot een ronde bol gevormde massa⟩ ball ◆ *een bal(letje) **gehakt*** a meatball; ⟨BE ook⟩ faggot; *een balletje **slaan*** hit a ball [3] ⟨euro⟩↑ euro [4] ⟨testikel⟩ ball, nut, ⟨BE ook⟩↓ bollock, rock ◆ *het is zo koud dat je ballen eraf **vriezen/vallen*** it's cold enough to freeze the balls off a brass monkey; ⟨BE ook⟩ brass monkeys today!, brass monkey weather (today)! [5] ⟨+ geen⟩ ⟨BE⟩ a bloody thing, ⟨AE⟩ ↓a goddam thing, ⟨BE ook⟩ sweet Fanny Adams, sweet FA, ⟨AE ook⟩ a damn bit ◆ *geen bal **uitvoeren*** not do a (bloody) stroke/damn bit, not lift (so much as) a finger; *het kan me **geen** bal schelen* I don't give a damn/rap, I couldn't care less; ***geen** bal van iets snappen/weten* not understand/know a bloody thing/^{A}beans about sth. [6] ⟨helemaal niets⟩ ⟨BE⟩ not a bloody thing, ⟨AE⟩↓ not a goddam thing, ⟨BE⟩↓ bugger all, ↓fuck all, ⟨AE ook⟩ not a damn bit ◆ *de ballen van iets **begrijpen*** not understand a ^{B}bloody thing/understand bugger all about sth.; ⟨AE ook⟩ not understand beans about sth. [7] ⟨m.b.t. de hand, voet⟩ ⟨van voet⟩ ball, ⟨van hand⟩ heel [8] ⟨wijze waarop de bal gespeeld wordt⟩ ball ◆ ***kromme** bal* ⟨voetb⟩ banana (shot/kick); ⟨golf⟩ banana ball; ***mooie** bal!* nice ball/one! [9] ⟨persoon⟩ snob, ⟨inf⟩ stuck-up/toffee-nosed/hoity-toity person ◆ *een **rechtse** bal* a conservative/right-wing snob; *het **zijn** (echte) ballen* they're so stuck-up, they think they're really sth./^{B}posh ⊡ ⟨pej⟩ *bal **gehakt*** ⟨BE⟩ pillock, ⟨AE⟩ meatball, ⟨AE⟩ meathead; ⟨bilj⟩ *een bal **maken*** cannon, ⟨AE⟩ carom; ⟨inf⟩ *de ballen!* cheers!, ⟨AE⟩ take it easy!; ⟨sprw⟩ *wie kaatst moet de bal verwachten* those who play at bowls must look out for rubbers; ± do as you would be done by

^{2}**bal** [het] ⟨danspartij⟩ ball, ↓dance, ↓dancing ◆ ***gekostumeerd** bal* fancy (dress) ball; *een bal **geven*** give/hold a dance/ball; *het **is** (er) weer bal* ⟨fig⟩ they're at it/away/off again; ***bal masqué, gemaskerd** bal* masked ball; *het bal **openen*** open the ball; *na afloop bal, bal na* followed by dancing

balafoon [de] balaphone

balalaika [de] balalaika

balanceerkunst [de] [1] ⟨evenwichtskunst⟩ balancing act [2] ⟨fig⟩ balancing act

balanceerstok [de^m] balancing pole

¹**balanceren** [onov ww] 1 ⟨zich in evenwicht houden⟩ balance, ⟨form⟩ equilibrate ♦ *op het slappe koord balanceren* balance on the tight-rope; *balanceren* ***op*** *de rand van de dood* hover between life and death, be on the verge of death; ⟨fig⟩ ***op*** *de rand van een bankroet balanceren* be/balance/hover on the verge of bankruptcy 2 ⟨besluiteloos zijn⟩ hesitate, hover, ⟨form⟩ vacillate, poise ♦ ***tussen*** *twee meningen balanceren* hesitate between two different opinions

²**balanceren** [ov ww] ⟨techn⟩ balance

balans [de] 1 ⟨weegwerktuig⟩ (pair of) scales, ⟨wet⟩ balance ♦ ⟨fig⟩ *de balans* ***doen doorslaan*** tip the scale(s)/balance; *de balans in evenwicht* ***houden*** ⟨ook fig⟩ keep the balance steady; ***Romeinse*** *balans* steelyard 2 ⟨evenwicht⟩ balance, equilibrium ♦ *iets* ***in*** *balans houden* balance sth., keep sth. in balance/equilibrium; ***uit*** *balans geraken* get out of balance/off balance, ⟨fig ook⟩ get out of one's stride; ***uit*** *zijn balans zijn* be out of/off balance 3 ⟨tabellarisch overzicht⟩ balance sheet, audit (report) ♦ *de balans* ***afsluiten*** balance the books/an account; *een* ***negatieve*** *balans hebben* be in the red; *de balans* ***opmaken*** draw up the balance sheet, prepare the accounts; ⟨fig⟩ take stock (of sth.); ***passieve*** *balans* adverse balance; ***positieve*** *balans* favourable balance; *de balans* ***sluit niet*** the books won't balance 4 ⟨deel van een ophaalbrug⟩ bascule 5 ⟨deel van een uurwerk⟩ balance (wheel) 6 ⟨deel van een stoommachine⟩ beam

balansarm [de^m] arm (of a pair of scales/a balance), beam (of a pair of scales/a balance)

balansboek [het] account(s) book

balanscijfers [de^mv] ⟨handel⟩ balance sheet figures

balansdag [de^m] balance day

balansgewicht [het] counterbalance

balansopruiming [de^v] (stocktaking) clearance (sale)

balansrekening [de^v] ⟨handel⟩ making-up of (the) accounts, making-up of a/the balance sheet

balansverhouding [de^v] balance ratio

balansverlies [het] negative balance

balansvlak [het] ⟨luchtv⟩ (trim) tab

balanswaarde [de^v] book value, balance sheet value

balata [de^m] balata

balatum [het, de^m] balata (floor covering)

balbehandeling [de^v] ⟨sport⟩ ball technique

balbeheersing [de^v] ball control

balbezit [het] ⟨sport⟩ ▪ ***in*** *balbezit zijn* have/be in possession (of the ball); ***in*** *balbezit* ***komen*** get possession; ***op*** *balbezit spelen* keep (possession of) the ball, keep possession

balboekje [het] dance-card, ⟨BE ook⟩ dancing-programme

balcontact [het] ⟨sport⟩ touch of the ball ♦ *veel balcontact* ***hebben*** see a lot of the ball

balcontrole [de] ⟨sport⟩ ball control ♦ *een* ***goede*** *balcontrole hebben* have good ball control

baldadig [bn, bw] rowdy, ⟨uitbundig⟩ boisterous, ⟨kwaadaardig⟩ wanton, ⟨BE⟩ yobbish

baldadigheid [de^v] 1 ⟨het baldadig zijn⟩ rowdiness, ⟨uitbundig⟩ boisterousness, ⟨kwaadaardig⟩ wantonness, ⟨BE⟩ yobbism ♦ ***uit*** *baldadigheid hadden ze de auto op zijn kant gezet* they had turned the car over on its side (just) for kicks/for the sheer hell of it 2 ⟨daden van overmoed⟩ mischief

baldakijn [het, de^m] 1 ⟨(troon)hemel⟩ canopy, baldachin(o) 2 ⟨r-k⟩ canopy, baldachin(o) 3 ⟨luchtv⟩ cabane

balderen [onov ww] 1 ⟨bulderen⟩ rumble, thunder 2 ⟨roepen, dansen in de paartijd⟩ perform a courtship dance

Balearen [de^mv] Balearic Islands

¹**balein** [het] ⟨stof⟩ whalebone, baleen

²**balein** [de] 1 ⟨staafje van balein⟩ (whale)bone, rib, stiffener ♦ ***met*** *baleinen verstevigd* ⟨ook⟩ boned 2 ⟨staafje van andere stof⟩ (whale)bone, rib, stiffener, stay

baleinen [bn] whalebone ♦ *een baleinen* ***bezem*** a whalebone broom

baleintje [het] 1 ⟨staafje van balein⟩ (whale)bone 2 ⟨pijpdoorsteker⟩ pipe cleaner

balen [onov ww] ⟨inf⟩ be fed up (with), be sick (and tired/to death) (of), ⟨vnl BE⟩ be browned/cheesed off, ⟨vnl AE⟩ have got a bellyful (of) ♦ *balen* ***als*** *een* ***stier*** be fed up to the back teeth, be sick and tired of, be sick to death (of); *ik baal* ***ervan*** I'm fed up with it, I've had it up to here, I'm sick (and tired/to death) of it, it gives me the hump, I hate it; *balend* ***ging*** *zij* ***weg*** she went off in a bad/filthy mood; *balen als een* ***stekker*** be fed up to the back teeth, ⟨BE⟩ be really pissed off, ⟨AE⟩ be really pissed; ***stevig*** *balen* be fed up (to the back teeth); *zij baalt* ***van*** *haar* ***werk*** she's fed up with her job, she hates/can't stand/stick her work, her job (really) gets her down

balg [de^m] 1 ⟨geplooide leren zak⟩ bellows, windbag 2 ⟨buik, maag⟩ gut(s), ↑belly 3 ⟨afgestroopte huid⟩ skin, hide 4 ⟨opgestopt dier⟩ stuffed animal

balgstuw [de^m] bladder dam

balhoofd [het] 1 ⟨kogelgewricht⟩ ball(-and-socket) joint 2 ⟨m.b.t. een fiets⟩ fork/steering head

Bali [het] Bali

balie [de^v] 1 ⟨toonbank⟩ counter, desk, bar ⟨ook receptie⟩ ♦ ***aan*** *de balie verstrekt men u graag alle informatie* you can obtain all the information you need at the counter/desk 2 ⟨leuning⟩ railing 3 ⟨advocaten(stand)⟩ bar ♦ ***lid*** *van de balie zijn* be a member of the bar; ***voor*** *de balie* ***bestemd*** intended for the bar; ***voor*** *de balie* ***studeren*** study for the bar 4 ⟨rechtbank⟩ bar, bench, law ♦ ***voor*** *de balie verschijnen* appear at the bar/before the bench; *iemand* ***voor*** *de balie brengen/laten komen* bring s.o. to the bar/up before the bench; ⟨fig⟩ have/put s.o. on the carpet/the mat, carpet s.o.

balie-employé [de^m] counter/desk clerk, receptionist

baliefunctie [de^v] information function

baliekluiver [de^m] loafer, ⟨BE ook⟩ layabout

baliemedewerker [de^m] counter/desk clerk, receptionist

¹**Balinees** [de^m] ⟨persoon⟩ Balinese

²**Balinees** [het] ⟨taal⟩ Balinese

³**Balinees** [bn] Balinese

baljapon [de^m], **baljurk** [de] ball dress, ⟨BE form; AE⟩ ball gown

baljurk [de] → **baljapon**

baljuw [de^m] ⟨gesch⟩ bailiff, reeve, steward

balk [de^m] 1 ⟨stuk hout, staal, beton⟩ beam, ⟨metaal ook⟩ girder, ⟨in vloer/plafond ook⟩ joist, ⟨in dak ook⟩ rafter, ⟨hout ook⟩ timber, balk ♦ *balken* ***onder*** *het* ***dak*** roof beams, rafters 2 ⟨notenbalk⟩ ⟨BE vnl⟩ stave, ⟨AE vnl⟩ staff 3 ⟨rechte band⟩ bar ⟨ook heraldiek⟩ ♦ *er lopen balken* ***over*** *het* ***beeld*** there are stripes/lines/bands across/on the screen 4 ⟨rangonderscheidingsteken⟩ chevron, ⟨inf⟩ stripe 5 ⟨m.b.t. muziekinstrumenten⟩ sound post ▪ *een balk* ***in*** *zijn wapen voeren* bear a/the bar sinister in one's shield, ⟨heral⟩ bear a/the bend sinister in one's shield; *er liggen balken* ***onder*** *het* ***ijs*** ± the ice is very strong; *geld* ***over*** *de balk gooien* waste/squander money, ⟨sl⟩ blow money, throw one's money about; *het geld* ***over*** *de balk gooien/smijten* spend money like water, throw/splash (one's) money about/around, blue/blow (one's) money; *zij gooien het geld* ***niet over*** *de balk* they don't throw/splash (their) money about/around

Balkan [de^m] (the) Balkans

¹**balkaniseren** [onov ww] ⟨in kleine staten uiteenvallen⟩ become balkanized

²**balkaniseren** [ov ww] ⟨in kleine staten verdelen⟩ balkanize

balkanker [het] 1 ⟨scheepv⟩ stocked anchor 2 ⟨bouwk⟩ stirrup (strap), (wall) hanger, ⟨AE ook⟩ bridle iron

Balkanschiereiland [het] Balkan Peninsula
Balkansyndroom [het] Balkan syndrome
balken [onov ww] bray, ⟨bij uitbreiding m.b.t. mensen⟩ yell, scream, bawl, screech, howl
balkenbrij [de^m] ⟨AE⟩ ± scrapple, dish made from offal, buckwheat flour and raisins
balkenendenorm [de] salary cap for Dutch government and civil service officials equal to the salary of the prime minister
balkenzolder [de^m] open floor
balkhaak [de^m] holdfast
balkhoofd [het] beam head, head of a beam, ⟨uitstekend⟩ sally
balkhout [het] wood for beams
balklaag [de] [1] ⟨balken in één vlak⟩ joisting [2] ⟨muur⟩ supporting wall
balkon [het] [1] ⟨uitbouw aan een huis⟩ balcony, ⟨vnl AE⟩ (sun) deck, terrace ♦ *een **Frans** balkon* French windows with Juliet balcony; *een huis **met** balkons* a balconied house; ***op** het balkon zitten (met warm weer)* sit (out) on the balcony/^{A}deck [2] ⟨rang van plaatsen⟩ balcony, (dress) circle, gallery, ⟨AE ook⟩ mezzanine ♦ *balkon **tweede rang*** upper circle [3] ⟨m.b.t. openbaar vervoer⟩ platform
balkondeur [de] balcony door, ⟨meestal mv⟩ French windows, ⟨vnl AE⟩ French doors
balkonscène [de] balcony scene
balkspiraal [de] ⟨astron⟩ spiral nebula
ballade [de^v] [1] ⟨dichtstuk⟩ ballad, ⟨gesch⟩ lay [2] ⟨muziekstuk⟩ ballade
ballast [de^m] [1] ⟨scheepv⟩ ballast ♦ ***in** ballast varen/liggen* be in ballast; *ballast **innemen*** take on ballast; ***zonder** ballast* unballasted [2] ⟨overbodige last⟩ lumber, dead weight, ⟨vnl. m.b.t. mensen⟩ deadwood, impedimenta, ⟨fig ook⟩ excess baggage ♦ *al die kennis **is** maar ballast* all that knowledge is just so much lumber/dead weight [3] ⟨m.b.t. een luchtballon⟩ ballast [4] ⟨spoorw⟩ ballast
ballastbed [het] ballast bed, gravel bed
¹ballasten [ov ww] ⟨van ballast voorzien⟩ ballast
²ballasten [ov ww, ook abs] ⟨spoorw⟩ ⟨ballast aanbrengen⟩ ballast
ballastschop [de] shovel
ballaststof [de] [1] ⟨m.b.t. voedsel⟩ roughage, bulkage, fibre [2] ⟨m.b.t. drogerijen⟩ vehicle, excipiens
ballasttank [de^m] ballast tank
ballastzak [de^m] bag of ballast, ballast bag
¹ballen [onov ww] ⟨met de bal spelen⟩ play (with a) ball
²ballen [ov ww] ⟨tot een bal vormen⟩ clench ♦ *de **vuist(en)** ballen* clench one's fist(s)
ballenbad [het] ball pit
ballenbak [de^m] ball pit
ballenjongen [de^m] ball boy
ballenkanon [het] (tennis) ball machine
ballententent [de] [1] ⟨uitgaansgelegenheid⟩ snooty/stuck-up/^{B}posh place, snooty/stuck-up/^{B}posh joint, ⟨BE zeldz⟩ Hurray henries' hangout [2] ⟨kermistent⟩ (cock)shy
ballenvanger [de^m] [1] ⟨vangnet⟩ (practice) net, backstop [2] ⟨voetb; keeper⟩ just a keeper, not a proper goalie
¹ballerina [de^v] ⟨danseres⟩ ballerina, ballet dancer/girl, danseuse
²ballerina [de] ⟨schoen⟩ ballerina, pump, ballet shoe
ballerino [de^m] ballet danser, danseur
ballet [het] [1] ⟨dans⟩ ballet [2] ⟨dansers⟩ ballet (company/troupe) [3] ⟨balletkunst⟩ ballet (dancing) ♦ ***modern/klassiek** ballet* modern/classical ballet/dance [4] ⟨les, beoefening⟩ ballet, dancing (lessons) ♦ ***aan** ballet doen* do ballet dance, be in ballet; ***op** ballet zitten* take/go to ballet/dancing lessons
balletdanser [de^m], **balletdanseres** [de^v] ⟨man & vrouw⟩ (ballet) dancer, ⟨vrouw⟩ ballet girl, ⟨vrouw⟩ danseuse, ⟨vrouw⟩ ballerina, ⟨man⟩ danseur
balletdanseres [de^v] → **balletdanser**
balletgroep [de] ballet (company)
balletje-balletje [het] ⟨BE⟩ thimblerig, ⟨AE⟩ shell game ♦ *balletje-balletje **spelen*** play thimblerig/the shell game
balletkunst [de^v] ballet (dancing), dancing
balletmeester [de^m], **balletmeesteres** [de^v] ballet master/mistress
balletmeesteres [de^v] → **balletmeester**
balletmuziek [de^v] ballet (music)
balletrokje [het] ballet skirt, tutu
balletschoentje [het] ballet shoe
balling [de^m] exile, deportee, outcast, outlaw
ballingschap [de^v] exile, banishment ♦ *de **Babylonische** ballingschap* the (Babylonian) Captivity; ***in** ballingschap gaan* go into exile; ***tot** ballingschap **veroordelen*** banish, exile, sentence to be banished/to exile; ***vrijwillige** ballingschap* voluntary exile
ballingsoord [het] place/country of exile
ballistiek [de^v] ballistics
ballistisch [bn] ballistic ♦ *ballistische **galvanometer*** ballistic galvanometer; *ballistische **raket*** ballistic missile; *ballistische **slinger*** ballistic pendulum
ballon [de^m] [1] ⟨dun zakje van rubber dat kan worden opgeblazen⟩ (toy) balloon ♦ ⟨fig⟩ *het ballonnetje **doorprikken*** burst/prick/break the bubble, puncture the balloon; *een ballon **leeg laten lopen*** let the air out of a balloon, let a balloon (go) down; *een ballon **opblazen*** blow/pump up a balloon; *er werden honderden ballonnen **opgelaten*** hundreds of balloons were sent up/let loose; *een ballonnetje **oplaten*** fly a balloon/kite, make a tentative proposal; *ballon d'essai* ⟨ook figuurlijk⟩ ballon d'essai, trial balloon [2] ⟨luchtballon⟩ (hot-air/gas-filled) balloon, ⟨bestuurbare⟩ dirigible (balloon), ⟨omhulsel⟩ envelope ♦ *ballon **captif*** captive balloon [3] ⟨tekstballon⟩ balloon
ballonband [de^m] balloon tyre/^{A}tire
ballondoek [het] balloon fabric/cloth
ballonfok [de] ⟨scheepv⟩ balloon sail, ballooner, spinnaker
ballonglas [het] ⟨in België⟩ balloon (glass)
ballonlening [de^v] balloon loan
ballonmand [de] (balloon) basket
ballonspringen [ww] balloon jumping
ballontent [de] inflatable sport(s) hall, inflatable tennis court ⟨enz.⟩
ballonvaarder [de^m], **ballonvaarster** [de^v] balloonist, aeronaut
ballonvaarster [de^v] → **ballonvaarder**
ballonvaart [de] ⟨het ballonvaren⟩ ballooning, ⟨tocht⟩ trip by balloon, balloon ride
ballonvaren [ww] balloon
ballotage [de^v] [1] ⟨stemming over iemands toelating⟩ ballot, election [2] ⟨herstemming⟩ ballotage
balloteren [onov ww] [1] ⟨stemmen over iemands toelating⟩ ballot, stage a ballot, stage an election, hold a ballot, hold an election, vote on s.o.'s admission ♦ *morgen moet er **over** hen geballoteerd worden* they come up for ballot tomorrow; *balloteren **over iemand/over** iemands **toetreding*** vote on s.o./ballot on s.o.'s admission, put s.o.'s admission to a/the vote [2] ⟨het heen en weer bewegen⟩ perform a ballottement [3] ⟨in België; herstemmen⟩ hold a ballotage
ballpoint [de^m] ball pen, ballpoint (pen), ⟨BE⟩ biro, ⟨AE⟩ ballpoint
bal masqué [het] bal masqué, masked ball
balmuziek [de^v] dance music, ballroom music
balneobad [het] balneo bath
balnet [het] net
balorig [bn] contrary, refractory, recalcitrant, perverse, unmanageable, wayward ♦ *ik **word** altijd een beetje balorig van die urenlange vergaderingen* those long meetings always make me a bit peevish/bad-tempered

balpen [de], **balpuntpen** [de] ball pen, ballpoint (pen), ⟨BE⟩ biro, ⟨AE⟩ ballpoint ◆ *een met een balpen geschreven brief* a letter (written) in biro
balpuntpen [de] → **balpen**
^{1}**balsa** [het] → **balsahout**
^{2}**balsa** [bn] balsa(-wood)
balsahout [het], **balsa** [het] balsa (wood)
balsamicoazijn [de^{m}] balsamic vinegar
balschoen [de^{m}] dancing shoe/slipper
balsem [de^{m}] [1] ⟨geneesmiddel, parfumerie⟩ balm, balsam, ointment, unction, salve [2] ⟨fig⟩ balsam, balm ◆ *dat was balsem **op** de wond(e)/**voor** zijn wonden* that was balm to the wound/to his wounds; *balsem **voor** de ziel* balm to the soul
balsemachtig [bn] balsamy, balmy, balsamic
balsemboom [de^{m}] [1] ⟨gewas⟩ balm/balsam (tree), ⟨i.h.b.⟩ balm of Gilead, Mecca balsam ⟨Commiphora opobalsamum, meccanensis⟩ [2] ⟨mv; familie⟩ Burseraceae, torchwood
balsemen [ov ww] [1] ⟨geurig maken⟩ perfume, scent, make fragrant, ⟨form⟩ embalm [2] ⟨m.b.t. een lijk⟩ embalm, mummify [3] ⟨lichaamspijn verzachten⟩ salve, soothe, ease, alleviate [4] ⟨smart lenigen⟩ balm, soothe, alleviate, relieve
balsemgeur [de^{m}] ⟨form⟩ balm, balmy/balsamic fragrance
balsemiek [bn] balsamic, balsamy, balmy
balsemien [de] balsam, ⟨i.h.b.⟩ garden balsam, balsamine
balsemkruid [het] water mint
balsemlucht [de] balmy air/breeze, fragrant/balsamy air
balspel [het] ball game, ball
balsturig [bn] ⟨form⟩ obstinate, pertinacious, refractory, unmanageable, intractable, wayward
balsturigheid [de^{v}] ⟨form⟩ contrariness, pertinacity, perversity, obstinacy, intractability
baltechniek [de^{v}] ball skill, skill with the ball
Balticum [het] Baltikum
Baltisch [bn] Baltic ◆ *Baltische **talen*** Baltic languages; *Baltische Zee* Baltic (Sea), the Baltic
balts [de^{m}] ⟨biol⟩ display, courtship
baltsen [onov ww] display
baltsgedrag [het] courtship behaviour, display
baltsgeluid [het] mating call, courtship/display call, courtship/display signal
baltstijd [de^{m}] mating season, courtship season/period
baltsvlucht [de] mating/courting/courtship flight
baluster [de^{m}] baluster
balustrade [de^{v}] balustrade, railing, ⟨van trap⟩ banister(s), ⟨van muur/toren⟩ parapet
balverliefd [bn] ◆ *hij **is** balverliefd* he won't let go of the ball
balverlies [het] loss of (possession of) the ball
balvoordeel [het] advantage
balzaal [de] ballroom, dance-hall, palais (de dance)
balzak [de^{m}] [1] ⟨scrotum⟩ scrotum, bag [2] ⟨biljartzak⟩ pocket
bamastructuur [de^{v}] bachelor-master structure
bambino [de^{m}] bambino
bambiogen [de^{mv}] Bambi eyes
^{1}**bamboe** [het, de^{m}] bamboo
^{2}**bamboe** [bn] bamboo
bamboegordijn [het] bamboo curtain ⟨ook politiek⟩
bamboespruit [de] bamboo shoot/sprout
bami [de^{m}] chow mein, Chinese noodles, Chinese noodle dish
bamibal [de^{m}] chow mein ball
bami goreng [de^{m}] chow mein, fried noodles
bamischijf [de] deep-fried chow mein snack with breadcrumb covering
bamisweer [het] ⟨in België⟩ cold, grey/^{A}gray weather
bamzaaien [onov ww] ± draw lots/straws
ban [de^{m}] [1] ⟨excommunicatie⟩ excommunication, anathema, ban ◆ *Luther werd **in** de ban gedaan* Luther was excommunicated; *de ban **uitspreken** over* put/place under a ban, excommunicate [2] ⟨betovering⟩ spell, charm, fascination, enchantment, enthrallment, entrancement ◆ ***in** de ban van iets zijn/raken* be/fall under the spell of sth.; *het publiek **in** zijn ban houden* hold one's audience spellbound; ***in** zijn ban brengen/doen geraken* captivate, enthrall [3] ⟨huwelijksafkondiging⟩ banns [4] ⟨gesch; straf⟩ ban, sentence of outlawry, proscription ◆ ***in** de ban doen* (put under the/a) ban, outlaw [5] ⟨gesch; rechtsgebied⟩ jurisdiction [6] ⟨gesch; heerban⟩ ban
banaal [bn, bw] banal ⟨bw: ~ly⟩, corny, trite, hack(neyed), trivial ◆ *een banale **uitdrukking/opmerking*** a trite/corny expression/remark, a commonplace
banaan [de] [1] ⟨plant⟩ banana ◆ *een **kam/tros** bananen* a hand/bunch of bananas [2] ⟨vrucht⟩ banana
banaanstekker [de^{m}] banana plug
banaliteit [de^{v}] [1] ⟨opmerking⟩ banality, platitude, cliché, banal/corny/trite remark, ⟨vnl mv⟩ bromide, triviality [2] ⟨hoedanigheid⟩ banality, triteness, corn, bathos, triviality
bananenboom [de^{m}] banana (tree/palm/plant)
bananeneter [de^{m}] grey plantain-eater
bananenrepubliek [de^{v}] banana republic
bananenschil [de] banana peel/skin ◆ ***uitglijden over** een bananenschil* slip on a banana skin
bananenvlieg [de] fruit fly, drosophila
banbliksem [de^{m}] anathema, ban, curse
bancair [bn] bank(ing), in/of/through the bank(s) ◆ *bancair **geldverkeer*** monetary exchange via the banks
banco [het] [1] ⟨geldswaarde⟩ banco [2] ⟨bankgeld⟩ banco
^{1}**band** [de^{m}] ⟨Engels⟩ band, orchestra, ensemble, combination, ⟨popmuziek ook⟩ group, ⟨vnl. jazz, kleine groep⟩ combo
^{2}**band** [de^{m}] [1] ⟨strook stof⟩ band, ribbon, tape, ⟨in haar⟩ braid, fillet, ⟨om dicht te knopen⟩ string, ⟨karate, judo⟩ belt ◆ ⟨karate; judo⟩ ***zwarte/bruine** band* black/brown belt [2] ⟨ring om een wiel⟩ tyre, ⟨AE⟩ tire ◆ *een **lekke** band* a flat (tyre), a puncture, a blow-out; *een **lekke** band krijgen* get a puncture, burst a tyre; *we hebben een **lekke** band* we burst a tyre; *er een nieuwe band **omdoen/om laten leggen*** tyre, put on a new tyre/have a new tyre put on; *een band **oppompen*** pump up/inflate a tyre; ⟨in België⟩ *een **platte** band* a punctured/flat tyre, a puncture [3] ⟨magneetband⟩ tape ◆ *een band **afspelen*** play a tape back; *iets **op** de band opnemen* tape/record sth., get sth. on tape; *de band **starten*** start the tape/get the tape rolling [4] ⟨transportband⟩ conveyor (belt), moving belt, (travelling/^{A}traveling) apron ◆ ***aan** de band staan* work on the assembly line/at the conveyor; *de **lopende** band* the conveyor belt, the assembly/production line [5] ⟨nauwe betrekking⟩ tie, bond, link, alliance, association, affiliation ◆ *de banden der vriendschap **aanhalen*** tighten the bonds of friendship; *geen enkele band meer **hebben met** zijn familie/**met** dat stelletje oplichters* have severed all connections with one's family/with that bunch of crooks; ***nauwe** banden met het moederland onderhouden* maintain strong ties/relationships with the/one's mother country; *er bestaat een **sterke** band tussen ons* there are strong ties/bonds between us; *banden van **vriendschap*** ties/bonds of friendship [6] ⟨boekband⟩ binding, cover, ⟨boekdeel⟩ volume ◆ *in **kalfsleren/linnen/leren**/... band* calf-/cloth-/leather-/...bound; *in heel **linnen** band* bound in full cloth; *een **losse** band* a binding-case; *in **slappe/stijve** band* in limp/stiff covers [7] ⟨comm⟩ (wave-)band, wave ◆ *27MC-band* citizen's band [8] ⟨bindweefselvezels⟩ ligament, ⟨abnormaal⟩ band [9] ⟨rand als afscheiding⟩ edging, border, ⟨trottoir⟩

kerb(stone), ⟨AE⟩ curb, ⟨bouwk⟩ fascia 10 ⟨wat rondom iets wordt bevestigd⟩ band, hoop, binding, collar ♦ *een knellende band om het hoofd* a splitting headache; *een band om zijn haar doen* bind one's hair (in a ribbon), tie a ribbon in one's hair; *de hond zijn band omdoen* put on the dog's collar/leash 11 ⟨bilj⟩ cushion, bank ♦ *over de losse band spelen* play from the cushion; *over de band spelen* bank, play bricole; ⟨fig⟩ work indirectly/through devious ways 12 ⟨door licht-, kleurcontrast gevormde streep⟩ band, zone, belt 13 ⟨heral⟩ bend ⊡ *iemand aan banden leggen* restrain/curb s.o.; *de wildgroei in illegale eethuisjes aan banden leggen* curb/check/impose some restraints on the uncontrolled proliferation of illicit restaurants; *aan de lopende band* continually, ceaselessly; *aan de lopende band doelpunten scoren/rotopmerkingen maken* pile on scores, make scathing remarks all the time/one after the other/another; *uit de band springen* let one's hair down, go wild; *de banden verbreken* sever the ties/bonds

^{3}**band** [het] ⟨lintvormig weefsel⟩ tape, ⟨breed⟩ ribbon, ⟨smal⟩ string, ⟨hoed⟩ band, binding ♦ *handelaar/zaak in garen en band* haberdasher, draper

bandafnemer [de^{m}] tyre/^{A}tire lever

bandage [de^{v}] 1 ⟨zwachtel, windsel⟩ bandage, dressing, roller bandage 2 ⟨breukband⟩ truss, bandage

bandagist [de^{m}] bandager, ⟨van breukbanden⟩ trussmaker

bandana [de] bandan(n)a

bandbliksem [de^{m}] ribbon lightning

bandbreedte [de^{v}] 1 ⟨breedte van een band⟩ tyre/^{A}tire/tape/ribbon width 2 ⟨comm⟩ band width 3 ⟨m.b.t. salarissen⟩ range (of salaries)

bandbreuk [de] ⟨in België⟩ flat (tyre), puncture, blowout ♦ *bandbreuk lijden/hebben* have a flat tyre/puncture/blow-out

bandchef [de^{m}] ⟨ind⟩ assembly-line supervisor

banddiagram [het] ± histogram

banddikte [de^{v}] tyre's, ⟨AE⟩ tire width, ⟨BE ook⟩ tyre width ♦ ⟨sport⟩ *met een banddikte winnen* win by a tyre's/hair('s breadth); ⟨sport⟩ *een banddikte voorsprong hebben* be a tyre's ahead

bande [de] ⟨genealogie⟩ bend

bandeau [de^{m}] bandeau, fillet

bandeerder [de^{m}] bander

bandelier [de^{m}] bandolier, crossbelt, shoulder belt, ⟨gesch; versierd⟩ baldric

^{1}**bandeloos** [bn] 1 ⟨m.b.t. gemoedsuitingen, hartstochten⟩ unrestrained, raging, rampant, riotous 2 ⟨m.b.t. personen⟩ lawless, ⟨onordelijk⟩ undisciplined, disorderly, ⟨losbandig⟩ wild, riotous, licentious ♦ *een bandeloze troep* a lawless band

^{2}**bandeloos** [bw] ⟨m.b.t. personen⟩ in an undisciplined manner, in a disorderly manner, wildly, riotously, licentiously

bandenbedrijf [het] tyre dealer/seller, ⟨AE⟩ tire dealer/seller

bandenlichter [de^{m}] tyre/^{A}tire lever

bandenpartij [de^{v}] ⟨sport⟩ cushion billiards/^{A}caroms

bandenpech [de^{m}] tyre/^{A}tire trouble, ⟨lekke band⟩ flat (tyre/^{A}tire), puncture

bandenplak [de^{m}] ⟨inf⟩ rubber solution

bandenspanning [de^{v}] tyre/^{A}tire pressure

bandenspectrum [het] ⟨natuurk⟩ band spectrum

bandenspoor [het] ⟨BE⟩ tyre mark, ⟨AE⟩ tire track

bandera [de] 1 ⟨vlag⟩ banner 2 ⟨vreemdelingenlegioen⟩ 'bandera', Spanish Foreign Legion

banderen [ov ww] address wrap, put address wrappers on/round

banderilla [de] banderilla

banderillero [de^{m}] banderillero

banderol [de] 1 ⟨belastingbandje om sigaren⟩ ± revenue band 2 ⟨vaan⟩ banderole 3 ⟨spreukband⟩ banderole

bandfilter [het, de^{m}] ⟨comm⟩ bandpass filter

bandgeheugen [het] ⟨comp⟩ tape storage

bandiet [de^{m}] 1 ⟨misdadiger⟩ bandit, gangster, ⟨struikrover⟩ brigand, desperado 2 ⟨schavuit⟩ blackguard, hooligan, ruffian, rogue, crook ♦ *een bandiet van een jongen* a roguish boy, a young hooligan ⊡ *eenarmige bandiet* one-armed bandit, fruit machine

bandietenstaat [de^{m}] rogue state

bandijk [de^{m}] main dike ♦ *de wederzijdse bandijken van de Lek* the main dikes along the forelands/foreshores of the Lek

bandijzer [het] strip/hoop/band iron

banditisme [het] banditry, gangsterism

bandje [het] 1 ⟨kleine band⟩ band, strip, ribbon, string ♦ *tijdschriften in een bandje versturen* send magazines in a wrapper 2 ⟨magneetband; opname⟩ ⟨magneetband⟩ tape, ⟨opname⟩ tape recording ♦ *een bandje afspelen* play a tape 3 ⟨sigarenbandje⟩ ⟨cigar⟩ band 4 ⟨schouderbandje⟩ strap ♦ *een bh zonder bandjes* a strapless bra

bandkeramiek [de^{v}] ⟨gesch⟩ bandkeramik

bandleider [de^{m}] bandleader

bandlezer [de^{m}] ⟨comp⟩ tape reader

bandmicrofoon [de^{m}] ribbon microphone

bandoneon [het] bandoneon

bandopname [de] 1 ⟨handeling⟩ tape recording, recording a tape 2 ⟨resultaat⟩ tape recording

bandopnemer [de^{m}] ⟨in België⟩ tape recorder

bandplooibroek [de] pleated (front) trousers

bandponser [de^{m}] ⟨comp⟩ (paper)tape punch

bandrecorder [de^{m}] tape recorder

bandreparatie [de^{v}] 1 ⟨handeling⟩ puncture repair 2 ⟨materiaal⟩ puncture repair kit ♦ *een doosje bandreparatie* a puncture repair kit

bandriem [de^{m}] belt

bandschuurmachine [de^{v}] belt sander

bandsnelheid [de^{v}] tape speed/velocity

bandspreiding [de^{v}] ⟨comm⟩ band spread

bandstaal [het] strip steel/metal

bandstoot [de^{m}] cushion shot, cushion ^{B}cannon/^{A}carom

bandstoten [ww] cushion billiards/^{A}caroms

bandtekening [de^{v}] cover design

bandtransporteur [de^{m}] conveyor/moving belt

bandwagoneffect [het] bandwagon (effect)

bandwipper [de^{m}] tyre/^{A}tire lever

bandy [het] bandy

bandzaag [de] band/ribbon saw

bandzetter [de^{m}] library binding

banen [ov ww] ⊡ *een weg banen* clear/pave/prepare the way, clear a path; *de weg voor iemand banen* prepare/clear/pave the way for s.o.; *gebaande wegen* beaten track(s); *zich een weg banen* work/edge one's way through; ⟨met meer kracht⟩ force/fight/push/blast one's way through; ⟨al zoekend⟩ thread one's way through; ⟨in de wereld⟩ carve one's (own) way (in the world)

banenbeurs [de] job fair

banenmarkt [de] job fair, jobs market ♦ *een door het GAB georganiseerde banenmarkt* a jobs market organized by the local council

banenplan [het] employment plan/package, job scheme/package

banenpool [de^{m}] work programme/^{A}program, job pool

banenpooler [de^{m}] participant in a work programme/^{A}program, job pooler

^{1}**bang** [bn] 1 ⟨vrees voelend⟩ afraid ⟨alleen pred⟩, frightened, scared (of), fearful, ⟨doodsbang⟩ terrified ♦ *bang in het donker* afraid of the dark; *bang maken* scare, frighten; *bang zijn voor* be afraid of; *bang worden* take fright, get the wind up, get cold feet; *bang zijn* have the wind up/the jitters 2 ⟨angstig makend⟩ frightening, anxious, scary, creepy ◆ *bange **dagen*** anxious days; *een bange **droom*** a scary dream, a nightmare; *ik heb een bang **voorgevoel*** I have forebodings/a bad feeling (about) [3] ⟨gauw angstig⟩ timid, fearful, chicken(-hearted), nervous ◆ ⟨inf⟩ *bange **schijter*** fraid(y)-cat, scaredy-cat; *bang **uitgevallen** zijn* be a mouse, be chicken-hearted/pigeon-hearted, be chicken-livered/lily-livered; *daar is hij veel te bang **voor**!* he's too frightened/chicken-hearted for that! [4] ⟨bezorgd⟩ afraid, anxious, apprehensive ◆ ***ik ben bang dat het niet lukt*** I'm afraid it won't work; ⟨inf⟩ *daar ben ik niet bang **voor*** I don't doubt it; ***wees** daar maar niet bang voor* never fear, don't worry about that

²**bang** [tw] bang, wham

¹**bangelijk** [bn] ⟨gauw bang⟩ timid, fearful, chicken-hearted, chicken-livered, lily-livered ◆ *hij **is** bangelijk* he's a nervous type, he's easily frightened

²**bangelijk** [bw] ⟨als iemand die bang is⟩ timidly, nervously, ⟨laf⟩ cowardly, anxiously

bangerd [de^m], **bangerik** [de^m] coward, chicken, mouse, ↓'fraid(y)-cat, ↓scaredy-cat

bangerik [de^m] → **bangerd**

bangheid [de^v] [1] ⟨angst⟩ fear, anxiety, fright, ⟨doodsangst⟩ terror [2] ⟨het gauw angstig zijn⟩ timidity, fearfulness, nervousness

bangig [bn] anxious, timid, nervous, jittery

bangigheid [de^v] timidity, nervousness, apprehension, fearfulness

Bangladesh [het] Bangladesh

Bangladesh	
naam	*Bangladesh* Bangladesh
officiële naam	*Volksrepubliek Bangladesh* People's Republic of Bangladesh
inwoner	*Bengalees* Bangladeshi
inwoonster	*Bengalese* Bangladeshi
bijv. naamw.	*Bengalees* Bangladeshi
hoofdstad	*Dacca* Dhaka
munt	*taka* taka
werelddeel	*Azië* Asia
int. toegangsnummer 880 www .bd auto BD	

bangmakerij [de^v] intimidation, browbeating, ⟨AE⟩ bogey, ⟨bluf⟩ bluff ◆ *'t is maar bangmakerij* it is only intimidation/bluff; *een bangmakerijtje* a little browbeating, a trick to scare s.o.

banier [de] banner, standard, pennon, banderole ◆ *de banier **hooghouden*** ⟨fig⟩ keep the banner/flag up/flying; ***onder** iemands banier* under s.o.'s banner; *de banier **ontplooien*** unfurl/fly the banner/standard

banierdrager [de^m] [1] ⟨iemand die de banier draagt⟩ standard-bearer [2] ⟨initiatiefnemer⟩ standard-bearer, front-runner, vanguard

banistiek [de^v] vexillology

banjeren [onov ww] ⟨inf⟩ pace (up and down)

banjo [de^m] banjo

bank [de] [1] ⟨meubelstuk⟩ ⟨onbekleed⟩ bench, ⟨bekleed⟩ couch, settee, sofa, ⟨in voert⟩ seat ◆ *een **houten** bank* a wooden bench/seat; ***op** de bank zitten* sit on the couch; ⟨sport⟩ sit on the bench; ⟨fig⟩ *thuis **op** de bank zitten* twiddle one's thumbs, sit on one's hands [2] ⟨instelling⟩ bank ◆ ⟨in België⟩ *Nationale Bank van **België*** National Bank of Belgium; ***bij** welke bank beleg jij je geld/ben jij aangesloten?* with whom/where do you bank?; ***Europese** Centrale Bank* European Central Bank; *een bank van **lening*** a pawnbroker's shop, a pawnshop; ***op** een bank werken* work in a bank; *geld **op** de bank hebben* have money in the bank; *geld **op** de bank zetten* bank money, deposit/lodge money in a bank [3] ⟨gebouw⟩ bank [4] ⟨in samenstellingen⟩ bank ◆ ***bloedbank*** blood bank [5] ⟨schoolbank⟩ desk, ⟨lang⟩ form ◆ *ga **in** je bank zitten* sit down at your desk [6] ⟨kerkbank⟩ pew [7] ⟨casino⟩ casino, gambling house [8] ⟨werkbank⟩ (work)bench ◆ ***aan** de bank staan/werken* stand/work at the bench [9] ⟨zandbank⟩ bank, shoal, reef, hurst [10] ⟨harde aardlaag⟩ bank [11] ⟨donkere streep van wolken⟩ bank, wall ◆ *een bank van **wolken*** a cloud-bank [12] ⟨inzet⟩ bank ◆ *de bank **hebben*** keep the bank; *de bank **laten springen*** break the bank [·] ***door** de bank (genomen)* on average, by and large

bankaandeel [het] ⟨vaste coupures⟩ bank(ing) shares, ⟨anders⟩ bank stock

bankaangelegenheden [de^mv] bank(ing) affairs/matters

bankaanwijzing [de^v] [1] ⟨lastgeving aan de bank⟩ bank draft [2] ⟨lastgeving van de bank⟩ payment order

bankaardappel [de^m] couch potato

bankabel [bn] ⟨handel⟩ bankable, readily negotiable

bankaccept [het] [1] ⟨het geaccepteerd zijn van een wissel⟩ bank(er's) acceptance [2] ⟨geaccepteerde wissel⟩ bank(er's) acceptance, ⟨BE⟩ bank bill, ⟨AE⟩ bankable bill

bankactie [de^v] bank share

bankafschrift [het] bank statement

bankagio [het] [1] ⟨opgeld⟩ bank premium [2] ⟨bankdisconto⟩ bank discount rate, market rate of discount

bankassignatie [de^v] [1] ⟨geldaanwijzing⟩ bank draft [2] ⟨cheques⟩ bank (post) bill, ⟨AE⟩ bankable bill

bankautomaat [de^m] cash dispenser, cashpoint, ⟨AE⟩ automatic teller machine, ⟨als afkorting⟩ ATM

bankbed [het] sofa bed bank

bankbediende [de] bank clerk/employee

bankbeitel [de^m] bench/cold chisel

bankberoving [de^v] bank robbery

bankbiljet [het] ⟨BE⟩ (bank) note, ⟨AE⟩ bill, ⟨mv ook⟩ paper currency

bankboekje [het] bankbook, ⟨AE⟩ passbook

bankbreuk [de] bankruptcy ◆ ***eenvoudige en bedrieglijke** bankbreuk* simple/casual and fraudulent/culpable bankruptcy

bankbrief [de^m] ⟨fin⟩ bill

bankbriefje [het] ⟨in België⟩ ⟨BE⟩ (bank) note, ⟨AE⟩ bill

bankcheque [de^m] ⟨in België⟩ bank cheque, banker's draft

Bankcommissie [de^v] ⟨in België⟩ Bank Commission

bankconsortium [het] bankers'/banking syndicate, bankers'/banking consortium, group banking

bankconto [het] bank account

bankdeposito [het] bank deposit

bankdirecteur [de^m] bank manager

bankdisconto [het] bank discount rate, market rate of discount

bankdrukken [ww] ⟨sport⟩ benchpress ◆ *tien **keer** bankdrukken* ten bench presses

bankemployé [de^m] bank employee/clerk/official

banken [onov ww] [1] ⟨blijven⟩ remain, stay [2] ⟨kaartsp⟩ play at vingt-et-un/twenty-one/blackjack [3] ⟨vissen op een zandbank⟩ bank

bankenpacht [de] ⟨r-k⟩ pewage

banket [het] [1] ⟨diner⟩ banquet, public/formal dinner, feast ◆ *een banket **geven/aanbieden*** give a banquet, entertain (people) at a banquet [2] ⟨gebak⟩ ± (almond) pastry, confectionery ◆ *zijn naam **in** banket krijgen* ± be given one's name in pastry letters

banketbakker [de^m] [1] ⟨persoon⟩ pastrycook, baker specialising in pastries and cakes [2] ⟨bakkerij⟩ → **banketbakkerij**

banketbakkerij [de^v] patisserie, cake shop

banketbakkersroom [de^m] pastry cream/custard

banketbakkersspijs [de] (imitation) almond paste

bankethammetje [het] [1] ⟨kleine ham⟩ small choice ham [2] ⟨gebak⟩ (almond) pastry in the shape of a small ham

banketletter [de] (almond) pastry letter

banketstaaf [de^m] (almond) pastry roll, (almond) pastry

banketwinkel [de^{m}] confectionery, patisserie, confectioner's shop
bankfiliaal [het] branch bank
bankgarantie [de^{v}] bank guarantee
bankgebouw [het] bank building
bankgeheim [het] bank(ing) secrecy, banker's duty of secrecy
bankgeld [het] 1 ⟨krediet bij een bank⟩ cash in bank, ⟨AE ook⟩ deposit currency, bank credit 2 ⟨tegoed bij de centrale bank⟩ reserve balance
bankgiro [de^{m}] bank giro
bankgirocentrale [de] ⟨ec⟩ bank giro centre, ⟨Groot-Brittannië⟩ clearing house
bankhamer [de^{m}] bench hammer
bankhangen [ww] hang out on the couch, be a couch potato
bankhanger [de^{m}] couch potato
bankharing [de^{m}] ± prime quality herring (caught off Dogger's bank)
bankhouder [de^{m}], **bankhoudster** [de^{v}] 1 ⟨iemand die een speelbank, bank van lening houdt⟩ pawnbroker 2 ⟨spel⟩ banker
bankhoudster [de^{v}] → **bankhouder**
bankier [de^{m}] 1 ⟨hoofd van een bank⟩ banker 2 ⟨bank⟩ bank(er) ♦ ***wie** is uw bankier?* where do you bank?, who(m) do you bank with? 3 ⟨spel⟩ banker
bankieren [onov ww] bank ⟨ook als klant zaken doen bij een bank⟩, act as banker
bankiersclearing [de] (bank) clearings
bankiershuis [het] 1 ⟨bedrijf⟩ banking house 2 ⟨aandeelhouders⟩ bank shareholders
bankinstelling [de^{v}] bank, banking institution
bankje [het] 1 ⟨zit-, voetbankje⟩ ⟨zitbankje⟩ small sofa, settee, ⟨voetbankje⟩ stool, footrest 2 ⟨inf; bankbiljet⟩ note, ⟨USA⟩ greenback ♦ ***valse** bankjes* forged notes/money; *een bankje **van honderd*** a one hundred euro note
bankkaart [de] ⟨in België⟩ bank(er's) card
bankkluis [de] (bank) vault, (bank) strong room, ⟨voor cliënt⟩ safe-deposit box
bankkrediet [het] bank credit
bankloper [de^{m}] bank messenger, runner
banknummer [het] → **bankrekeningnummer**
bankoctrooi [het] bank charter
bankonderneming [de^{v}] banking undertaking/enterprise
bankopdracht [de] bank draft
bankoperatie [de^{v}] banking operation
bankoverval [de^{m}] bank raid/holdup, bank robbery
bankovervaller [de^{m}] bank robber
bankpapier [het] bank-paper, bank notes
bankpasje [het] bank(er's) card
bankprovisie [de^{v}] bank(er's) commission
bankraad [de^{m}] ± banking commission
bankrekening [de^{v}] bank account, current account, ⟨AE⟩ demand deposits ♦ *geld **op** een bankrekening hebben* have money in a bank account; *een bankrekening **openen** bij een bank* open an account with a bank; *een **slapende** bankrekening* an inactive bank account
bankrekeningnummer [het], **banknummer** [het] (bank) account number
bankrelatie [de^{v}] bank(er)
¹bankroet [het] 1 ⟨faillissement⟩ bankruptcy ♦ ***frauduleus** bankroet* fraudulent/culpable bankruptcy; *hij **heeft** onze firma **naar** het bankroet **gevoerd*** he has bankrupted our firm/led our firm into bankruptcy 2 ⟨fig; ineenstorting⟩ bankruptcy ♦ *het bankroet van de **verzorgingsstaat*** the bankruptcy of the welfare state
²bankroet [bn, alleen pred] bankrupt, ⟨inf⟩ broke, bust ♦ *bankroet **gaan*** go bankrupt, become a bankrupt, fail; (go) bust; *die zaak **is** bankroet* that business has gone bankrupt
bankroetier [de^{m}] bankrupt
bankroetje [het] (small) loss
bankroof [de^{m}] bank robbery
banksaldo [het] bank balance ♦ *zij heeft een banksaldo **van** tweeduizend euro* her account is two thousand euros in credit, ⟨inf⟩ her account is two thousand euros in the black
bankschroef [de] (bench-)vice, ⟨AE⟩ (bench-)vise
bankspeler [de^{m}] ⟨sport⟩ reserve, substitute (player), ⟨sl; AE⟩ bench warmer
bankstaat [de^{m}] bank return
bankstel [het] lounge suite
banktegoed [het] bank balance
bankverkeer [het] bank transactions/operations
bank-verzekeraar [de^{m}] comprehensive financial service (provider)
bankwereld [de] banking world, banking industry, banking community, banking
bankwerk [het] bench work
bankwerken [ww] work as a fitter
bankwerker [de^{m}] (bench) fitter, benchman
bankwet [de] Bank Act
bankwezen [het] banking
bankwissel [de^{m}] bank bill/draft, money order
bankzaken [de^{mv}] banking business
bankzitter [de^{m}] ⟨sport⟩ bench warmer
banlieue [de^{m}] 1 ⟨voorstad⟩ suburb 2 ⟨de gezamenlijke voorsteden⟩ suburbs
banlieusard [de^{m}] suburban resident, suburbanite
banneling [de^{m}], **bannelinge** [de^{v}] exile
bannelinge [de^{v}] → **banneling**
bannen [ov ww] exile (from), expel (from), ⟨vnl fig⟩ banish ♦ ***ban** de **bom*** ban the bomb; *iemand **uit** het land bannen* exile/expel s.o. (from the country); *iets **uit** zijn geheugen bannen* efface sth. from one's memory, efface the memory of sth.
banner [de^{m}] banner
banneren [onov ww] banner
bantamgewicht [het] bantam(weight)
¹Bantoe [de^{m}] Bantu
²Bantoe [het] ⟨taalk⟩ Bantu
³Bantoe [bn] Bantu
bantoeïstiek [de^{v}] bantuistics
bantoestan [het] Bantustan
Bantoetaal [de] Bantu language
banvloek [de^{m}] anathema, ban, curse ♦ *de banvloek over iemand **uitspreken*** anathematize s.o., fulminate a ban against s.o.
banvloeken [ov ww] anathematize
banvonnis [het] sentence of exile, ⟨kerk⟩ excommunication
baobab [de^{m}] baobab (tree), monkey bread (tree)
bapao [de^{m}] Indonesian steamed bread stuffed with meat
baptist [de^{m}] Baptist
baptistengemeente [de^{v}] Baptist church
baptisterium [het] baptistery
¹bar [de^{m}] ⟨natuurk⟩ bar ♦ ***meteorologische** bar* meteorological bar, 1000 millibar
²bar [de] 1 ⟨hoge tafel met krukken⟩ bar ♦ ***aan** de bar zitten* sit at the bar; *wie staat er **achter** de bar?* who's behind/running the bar?, who's the barman/barwoman?, ⟨vnl AE⟩ who's the bartender? 2 ⟨café⟩ bar 3 ⟨vertrek in een hotel⟩ bar ♦ ***in** de bar zitten* sit in the bar 4 ⟨meubel voor de drankvoorraad⟩ bar ♦ *een **rijdende** bar* a mobile bar 5 ⟨in samenstellingen⟩ bar ♦ ***hakken**bar* heel bar; ***koffie**bar* coffee bar 6 ⟨sport⟩ ⟨ballet⟩ bar(re), ⟨gymn⟩ parallel bar ♦ *oefeningen **aan** de bar* exercises at the bar(re)
³bar [bn] 1 ⟨kaal⟩ barren ♦ *een barre **woestijn*** a barren desert 2 ⟨koud⟩ severe, inclement, biting, ⟨klimaat ook⟩ rigorous ♦ *bar **weer*** severe/brutal/foul weather; *een barre **winter***

a severe winter ③ ⟨grof⟩ rough, gross ♦ *jij **maakt** het wat al te bar* you are carrying things/are going too far; *nu **wordt** het toch te bar!* this is carrying things/is going too far!; ⟨BE ook⟩ this is really getting a bit much! ⊡ *bar en **boos*** really awful/terrible/appalling/dreadful

[4]**bar** [bw] ⟨erg⟩ extremely, awfully, horribly ♦ *bar **slecht*** ⟨inf ook⟩ no class; *het is bar **vervelend*** it is awfully/extremely boring

barak [de] ① ⟨tijdelijk woon-, werkverblijf⟩ ⟨werkverblijf⟩ shed, ⟨woonverblijf⟩ temporary building, ⟨vnl mil⟩ hut, barracks ♦ ⟨fig⟩ *deze **oude barak*** this old barracks ② ⟨veldhospitaal⟩ emergency/field hospital ③ ⟨gebouw apart van een ziekenhuis⟩ isolation hospital

barakkenkamp [het] hutted camp, ⟨vnl mil⟩ hutment

barbaar [de^{m}] ① ⟨onbeschaafd mens⟩ barbarian, philistine ② ⟨wreedaard⟩ barbarian ♦ *die barbaar **mishandelt** zijn hond* that barbarian ill-treats his dog

barbaars [bn, bw] ① ⟨onbeschaafd⟩ barbarian, barbarous, ⟨woest⟩ barbaric, savage ♦ *een barbaarse **gewoonte*** a barbaric custom ② ⟨wreed⟩ barbarous ⟨bw: ~ly⟩, barbaric, atrocious ♦ *het slachtoffer was op barbaarse **wijze** verminkt* the victim had been barbarically mutilated

barbaarsheid [de^{v}] ① ⟨het onbeschaafd zijn⟩ barbarism, philistinism ② ⟨onbeschaafde daad, toestand⟩ barbarism ③ ⟨wreedheid⟩ barbarity, barbarism ④ ⟨wrede daad, toestand⟩ barbarity, atrocity, barbarism

Barbadaan [de^{m}], **Barbadaanse** [de^{v}] ⟨man & vrouw⟩ Barbadian, ⟨vrouw ook⟩ Barbadian woman/girl

Barbadaanse [de^{v}] → **Barbadaan**

Barbados [het] Barbados

barbarisme [het] barbarism

barbecue [de^{m}] ① ⟨toestel⟩ barbecue ② ⟨gelegenheid⟩ barbecue (party)

barbecueën [onov ww] barbecue

barbecuesaus [de] barbecue sauce

barbecueworst [de] barbecue sausage

barbediende [de] barman, barwoman, ⟨vnl AE⟩ bartender

barbeel [de^{m}] ① ⟨riviervis⟩ barbel ② ⟨zeevis⟩ red mullet, ⟨AE⟩ goatfish

barbershoppen [ww], **barbershopzingen** [ww] be a member of a barbershop quartet, sing in a barbershop quartet

barbershopzingen [ww] → **barbershoppen**

barbertje [het] ± space saver

Barbertje Babs, Barbie ⊡ *Barbertje **moet hangen*** there must be a scapegoat

barbiepop [de] ① ⟨speelpop⟩ Barbie doll ② ⟨popperige vrouw⟩ Kewpie doll

barbier [de^{m}] barber

barbiesjes [de^{mv}] ⊡ ***naar** de barbiesjes **gaan*** go west, kick the bucket, go to ruin

barbituraat [het] ① ⟨zout van barbituurzuur⟩ barbiturate ② ⟨farmaceutisch product⟩ barbiturate, ⟨sl⟩ down(er)

barbituurzuur [het] barbituric acid

barcarolle [de] barcarol(l)e

Barcelona [het] Barcelona

barcode [de^{m}] bar code

bard [de^{m}] ① ⟨gesch⟩ bard ② ⟨dichter⟩ bard ③ ⟨volksdichter⟩ bard

barderen [ov ww] bard(e)

bardo [het, de^{m}] bardo

barebacken [onov ww] ride bareback

bareel [de^{m}] ⟨in België⟩ barrier, ⟨i.h.b. spoorweg⟩ gate

barema [het] ⟨in België⟩ pay/wage scale

baren [ov ww] ① ⟨ter wereld brengen⟩ bear, give birth to, bring forth ♦ *een **kind** baren* bear a child, give birth to a child ② ⟨veroorzaken⟩ cause, occasion, create ♦ ***opzien** baren* cause a sensation ⊡ ⟨sprw⟩ *oefening baart kunst* practice makes perfect

barensnood [de^{m}] labour, ⟨form⟩ travail ♦ ***in** barensnood verkeren* be in labour, ⟨ook scherts⟩ be in travail, labour, travail

barenswee [de] ① ⟨pijnen voor het baren⟩ contraction, (birth) pang, ⟨mv ook⟩ labour pains, pains/pangs of childbirth ♦ *de barensweeën **kunnen** elk **moment beginnen*** she is near her time ② ⟨fig⟩ throe

Barentszzee [de] Barents Sea

baret [de] ① ⟨slappe muts⟩ cap, beret, ⟨voor kinderen ook⟩ tam(-o'-shanter) ② ⟨mil⟩ (soldier's) beret ♦ *de **groene** baretten* the Green Berets, commandos, ⟨AE⟩ Special Forces; *de **rode** baretten* the paratroopers ③ ⟨muts behorend bij de toga⟩ cap, ⟨van geestelijke⟩ biretta

baretembleem [het] beret emblem/badge

barg [de^{m}] hog, barrow

[1]**Bargoens** [het] (thieves') slang, argot

[2]**Bargoens** [bn] slangy

barheid [de^{v}] ① ⟨kaalheid⟩ barrenness ② ⟨kou⟩ severity, inclemency, inclementness, ⟨ontberingen⟩ rigours

barhouder [de^{m}] bar owner

bariatrie [de^{v}] bariatry

bariet [het] ⟨scheik⟩ ① ⟨bariumsulfaat⟩ barytes, ⟨AE vnl⟩ barite, heavy spar ② ⟨bariumhydroxide⟩ baryta, barium hydroxide

baring [de^{v}] (child)birth, parturition

barista [de^{m}] barista

bariton [de^{m}] ① ⟨stem⟩ baritone ② ⟨zangpartij⟩ baritone part ③ ⟨zanger⟩ baritone (singer) ④ ⟨oud strijkinstrument⟩ baritone, viola bastarda

baritonzanger [de^{m}] baritone (singer)

barium [het] ⟨scheik⟩ barium

bariumhydroxide [het] ⟨scheik⟩ barium hydroxide, baryta

bariumpap [de] barium meal

bariumsulfaat [het] ⟨scheik⟩ barium sulphate, barytes, ⟨AE vnl. ook⟩ barite

barjuffrouw [de^{v}] barmaid

bark [de] ① ⟨zeilschip⟩ barque, ⟨AE vnl⟩ bark ② ⟨oud, slecht schip⟩ barge, tub

barkas [de] longboat, ⟨vero⟩ launch

barkastje [het] bar, cocktail/^{A}liquor cabinet

barkeeper [de^{m}] barman, ⟨vnl AE⟩ bartender, ⟨AE⟩ barkeep(er)

barkelner [de^{m}] bar waiter

barkruk [de] bar stool

barmeid [de^{v}] ↑ barmaid

barmeisje [het] barmaid

barmeubel [het] bar, cocktail/^{A}liquor cabinet

[1]**barmhartig** [bn] ⟨mededogen hebbend⟩ merciful, clement, ⟨weldoend⟩ charitable ♦ *de barmhartige **Samaritaan*** the good Samaritan

[2]**barmhartig** [bw] ⟨als iemand die mededogen heeft⟩ mercifully, charitably

barmhartigheid [de^{v}] mercy, mercifulness, clemency, ⟨het weldoen⟩ charitableness, charity ♦ *de **christelijke** barmhartigheid* Christian charity; ***uit** barmhartigheid* in/out of charity; ***werken** van barmhartigheid* works of mercy

bar mitswa [de^{m}] bar mitzvah

barmsijsje [het] redpoll

barn [de^{m}] barn

barnevelder [de^{m}] barnevelder

barnsteen [het, de^{m}] amber

barnsteenvernis [het, de^{m}] amber varnish

barnstenen [bn] amber

barnumreclame [de] ⟨in België⟩ hype, ballyhoo, publicity buildup/campaign

barograaf [de^{m}] barograph

barogram [het] barogram

[1]**barok** [het, de] baroque

[2]**barok** [bn] ① ⟨onregelmatig, grillig⟩ baroque, ornate ♦

een barok taaltje schrijven have an elaborate style of writing [2] ⟨van de barok⟩ baroque

barometer [de^m] ⟨ook fig⟩ barometer, glass ◆ *de barometer van de **economie*** the barometer of the economy; *de barometer **staat** op mooi weer/storm* the barometer is set at fair/points to storm; ⟨fig⟩ things are looking good/bad; *de barometer **stijgt/daalt*** the barometer/glass is rising/falling

barometerstand [de^m] barometric pressure ◆ *bij **hoge/lage** barometerstand* at high/low barometric pressure, when the barometer is high/low

barometrisch [bn] barometric(al) ◆ *barometrisch **maximum*** barometric maximum; *barometrische **waarnemingen*** barometric observations

baron [de^m] [1] ⟨adellijk persoon⟩ baron ◆ ***meneer** de baron* his/your Lordship; ⟨fig⟩ *de baron **spelen*** lord it [2] ⟨in samenstellingen⟩ baron ◆ ***oliebaron*** oil baron; ***staalbaron*** steel baron

barones [de^v], **baronesse** [de^v] [1] ⟨dame met baronnentitel⟩ baroness [2] ⟨gemalin, dochter van een baron⟩ baroness ◆ ***mevrouw** de barones* her/your Ladyship

baronesse [de^v] → **barones**

baronie [de^v] barony

baroreceptor [de^m] ⟨med⟩ baroreceptor

baroscoop [de^m] baroscope

barotrauma [het, de] ⟨med⟩ barotrauma

barouchet [de^m] barouche

barquette [de] barquette, pastry shell

barracuda [de^v] barracuda

barrage [de^v] [1] ⟨sport⟩ ⟨alg⟩ decider, ⟨schermsp⟩ barrage, fence-off, ride-off, ⟨paardsp⟩ jump-off [2] ⟨versperring⟩ barrier, barrage [3] ⟨stuwdam⟩ barrage

barre [de^v] → **bar^1**

^{1}barrel [de^m] trash ⊡ ***aan** barrels (slaan)* (smash) to pieces/smithereens

^{2}barrel [het] ⟨inhoudsmaat⟩ barrel

barrevoets [bn, bw] barefoot, ⟨bijvoeglijk naamwoord ook⟩ barefooted ◆ *barrevoets **lopen*** go/walk barefoot

barricade [de^v] [1] ⟨straatversperring⟩ barricade ◆ *voor iets **op** de barricade gaan staan* ⟨fig⟩ stand/fight on the barricades for sth.; *barricaden **opwerpen*** raise/throw up barricades [2] ⟨fig⟩ barrier

barricadegevecht [het] barricade fighting

barricaderen [ov ww] barricade, ⟨deur ook⟩ bar ◆ ***zich** barricaderen* barricade o.s. in

barrière [de] [1] ⟨slagboom⟩ barrier [2] ⟨hindernis⟩ barrier ◆ *zijn eisen bleken een **onoverkomelijke** barrière te vormen* his demands proved to constitute an insurmountable barrier; *barrières **opwerpen*** put up barriers [3] ⟨mijnb⟩ barrier [4] ⟨tolhuis⟩ barrier [5] ⟨ingang van de manege⟩ barrier

barrièremiddel [het] ⟨med⟩ mechanical barrier, (cervical) occlusive device

barrièrerif [het] barrier reef ◆ *het **Grote** Barrièrerif* the Great Barrier Reef

barring [de] booms and spars

bars [bn, bw] stern ⟨bw: ~ly⟩, grim ⟨bw: ~ly⟩, ⟨uiterlijk⟩ forbidding, ⟨stem⟩ harsh, gruff ◆ *een bars **antwoord*** a blunt answer; *een bars **gezicht** zetten* put on a grim face; *hij **wees** hem bars de deur* he sternly showed him the door

barsheid [de^v] sternness, grimness, harshness, gruffness

barst [de] [1] ⟨scheur⟩ crack, fissure, ⟨in huid⟩ chap ◆ *een barst **in** een muur/het ijs/een kopje/het vernis* a crack in a wall/the ice/a cup/the varnish; *er **komen** barsten **in*** it's cracking [2] ⟨inf; + geen⟩ (not a) damn/thing/bit ◆ ***geen** barst waard* not worth a damn thing/pigshit; *het helpt **geen** barst* it's no (bloody/damn) use; *ik vond er **geen** barst **aan*** ± it was a complete waste of time; *ik geloof er **geen** barst van* I'm not buying that, ↑I don't believe a single word of it; *het kan haar **geen** barst schelen* she doesn't give a damn, ↑she couldn't care less

barsten [onov ww] [1] ⟨scheuren, splijten⟩ crack, split, ⟨ook fig⟩ burst, ⟨huid ook⟩ chap, get chapped ◆ ⟨inf, fig⟩ *zich te barsten **eten*** eat till one bursts; ⟨fig⟩ ***tot** barstens **toe vol*** crammed, full to bursting (point), bursting at the seams [2] ⟨uit elkaar springen⟩ burst, explode ⊡ ⟨inf⟩ *iemand **laten** barsten* leave s.o. in the lurch; *ik **mag** barsten als ik het weet* I'll be blowed/damned/^{A}darned if I know; ⟨inf⟩ *zich **te** barsten **lachen*** split one's sides with laughter, laugh fit to burst; ***uit elkaar** barsten* ⟨van woede⟩ blow one's top; ⟨inf⟩ *hij barst **van de poen*** he is loaded (with dough); *hij barst **van** pretentie* he is swollen with pride; ⟨inf⟩ *het barst hier **van** de cafés* the place is full of pubs; ⟨fig⟩ *barst!* damn!, up yours!, ⟨AE⟩ nuts to you!, to hell with it!, go to hell!; ***liegen** dat men barst* lie through one's teeth; ⟨sprw⟩ *het is beter te buigen dan te barsten* better bend than break; a reed before the wind lives on, while mighty oaks do fall

barstensvol [bn] ⊡ *hij **zit** barstensvol ideeën* he is brimming over with/full of ideas

Bartholomeusnacht [de^m] ⟨gesch⟩ massacre of St Bartholomew

Bartjens, Bartjes ⊡ ***volgens** Bartjens* according to Cocker/^{A}Gunter

Bartjes → **Bartjens**

bartype [het] type who hangs around bars

barysfeer [de] barysphere

barzoi [de^m] borzoi, Russian wolfhound

bas [de] [1] ⟨hoofdstem in een muziekstuk⟩ bass [2] ⟨mannenstem⟩ bass ◆ *bas **zingen*** sing bass [3] ⟨zanger, speler⟩ bass (singer/player), ⟨zanger ook, vnl. opera/solo⟩ basso [4] ⟨contrabas⟩ double bass, (contra)bass, ⟨AE ook⟩ bass viol ◆ *bas **spelen*** play the bass [5] ⟨basgitaar⟩ bass (guitar) [6] ⟨lagere partij⟩ secondo

basaal [bn] [1] ⟨bij de basis⟩ basal, basic ◆ *basale **cellen*** basal cells [2] ⟨fundamenteel⟩ basal, fundamental, basic ◆ *basale biologische **mechanismen*** basal biological mechanisms; *basale **metabolie*** basal metabolism

basalt [het] basalt

basalten [bn] basalt

basaltine [de] basaltine

basaria [de] bass aria

bas-bariton [de^m] bass-baritone

basbazuin [de] bass trumpet

basblokfluit [de] bass recorder

bas-buffo [de^m] basso buffo

bascule [de] [1] ⟨weegwerktuig voor zware lasten⟩ platform weighing machine [2] ⟨weegschaal⟩ balance, (pair of) scales [3] ⟨wip van een brug⟩ bascule [4] ⟨zwengel van een waterput⟩ sweep

basculebrug [de] bascule bridge

basculesluiting [de^v] espagnolette

basdrum [de] bass drum

^{1}base [de^v] ⟨scheik⟩ [1] ⟨loog⟩ base [2] ⟨stof die neigt een proton op te nemen⟩ base

^{2}base [de] ⟨cocaïne⟩ free-base cocaine

baseball [het] baseball

baseballcap [de^m] baseball cap

baseballen [onov ww] play baseball

baseballpet [de] baseball cap

basecoke [de^m] cocaine base

basedow [de] ⟨med⟩ Basedow's disease, exophthalmic goitre

basejumpen [ww] base jump

basejumping [het] base jumping

baseline [de] base line

baseliner [de^m] ⟨sport⟩ baseliner

basement [het] [1] ⟨voetstuk⟩ base [2] ⟨fundering⟩ foundation

basen [ww] ⟨inf⟩ free-basing

^{1}baseren [ov ww] ⟨doen steunen⟩ base (on), found (on) ◆ *dat is **daarop** gebaseerd dat ...* that rests on ...; *een mening/stelling baseren **op*** base/found an opinion/a thesis on; *op*

niets gebaseerde beweringen unfounded statements
²**zich baseren** [wk ww] ⟨steunen op, uitgaan van⟩ base o.s. on, rely on, go on ♦ *zich **op** iets baseren* base o.s./one's case on sth.; *zich **op** premissen baseren* reason from premisses; *we hadden niets om ons **op** te baseren* we had nothing to go by/on
basgitaar [de] bass (guitar)
Basic [het] (Beginners All-purpose Symbolic Instruction Code) Basic
basics [de^mv] everyday things/clothes
basilica [de^v] basilica
basilicum [het] 1 ⟨kruid⟩ basil 2 ⟨zalf⟩ basilicon (ointment)
basiliek [de^v] 1 ⟨kerk⟩ basilica 2 ⟨eretitel van een kerk⟩ basilica ♦ *de **kathedrale** basiliek van St.-Jan in 's-Hertogenbosch* St John's cathedral in 's-Hertogenbosch
basiliekruid [het] basil
basilisk [de^m] 1 ⟨fabeldier⟩ basilisk, cockatrice 2 ⟨boomhagedis⟩ basilisk
basinstrument [het] bass instrument
basis [de^v] 1 ⟨grondslag, fundament⟩ basis, base, foot(ing), foundation ♦ *de basis van de **zendmast*** the base/foot of the transmitter mast 2 ⟨fig; grondslag⟩ basis, footing, groundwork ♦ *op **brede/smalle** basis* broad-based/narrow-based; *op **commerciële** basis* on business lines; *de basis **leggen** voor iets* lay the foundation of sth.; *een voorlopige conclusie **op** basis **van** de beschikbare gegevens* a tentative conclusion on the basis of the available data; *een **slechte** basis voor verdere onderhandelingen* a bad/weak basis for further negotiations; *aan de basis **staan** van* be at the basis of; *een basis **voor** akkoord* common ground; *een **wankele** basis* an unsound basis 3 ⟨hoofdbestanddeel⟩ base, basis ♦ *een saus met een groentebouillon **als** basis* a sauce with a vegetable stock as a base; *een shampoo **op** basis **van** natuurlijke bestanddelen* a shampoo with a base of natural ingredients 4 ⟨achterban⟩ rank and file ♦ *werk **aan** de basis* work at grass roots (level); *de mensen **aan** de basis* the rank and file, the grass roots 5 ⟨mil⟩ base 6 ⟨wisk; grondvlak, -lijn⟩ base 7 ⟨wisk; grondgetal⟩ base
basisaftrek [de^m] standard deduction(s)
basisarts [de^m] Doctor of Medicine, MD
basisbegrip [het] basic concept ♦ *iemand de basisbegrippen **bijbrengen*** teach s.o. the basics
basisbehandeling [de^v] ⟨med⟩ basic treatment
basisbehoefte [de^v] basic need
basisbeurs [de] basic grant
basisch [bn, bw] ⟨scheik⟩ alkaline, basic ♦ *basisch **carbonaat*** basic carbonate; *basische **gesteenten*** basic rocks; *basische **kleurstof*** basic dye/colour; *basisch **maken*** basify; *basisch **reageren*** give/show an alkaline reaction; *basische **zouten*** basic salts
basischemicaliën [de^mv] heavy chemicals
basiscomponent [de^m] ⟨taalk⟩ base (component)
basiscursus [de^m] basic/elementary course, foundation course
basiseducatie [de^v] basic education
basiselement [het] basic element
basiselftal [het] starting line-up
Basisengels [het] 1 ⟨voor beginners⟩ elementary/basic English 2 ⟨voor internationaal gebruik⟩ Basic (English)
basisgegeven [het] basic fact, basic data ⟨enk en mv⟩
basisgemeente [de^v] base community
basisgroep [de] base community
basishoek [de^m] ⟨wisk⟩ base angle
basisidee [het, de^v] basic/underlying idea
basisindustrie [de^v] basic industry
basisinkomen [het] 1 ⟨uitkering van de staat⟩ guaranteed minimum income 2 ⟨inkomen zonder toeslagen⟩ basic income
basisjaar [het] base year
basiskennis [de^v] rudiments ⟨mv⟩, basic knowledge, ⟨inf⟩ basics ♦ *doe eerst de basiskennis **op*** learn the basics first
basisloon [het] basic wage
basismethode [de^v] base method
basismeting [de^v] ⟨landmeetk⟩ base measurement
basismodulus [de^m] ⟨bouwk⟩ basic module
basisonderwijs [het] 1 ⟨lager onderwijs⟩ primary education 2 ⟨onderwijs in eerste beginselen⟩ elementary/basic instruction
basisopleiding [de^v] basic training
basisopstelling [de^v] ⟨sport⟩ (the team's) starting lineup
basisoptie [de^v] ⟨in België⟩ orientation subjects
basispakket [het] standard package
basispremie [de^v] basic premium
basisprijs [de^m] ⟨handel⟩ base price
basisprincipe [het] basic principle
basisprogramma [het] core curriculum
basispunt [het] ⟨wisk⟩ base point
basisrente [de] base rate, base lending rate
basissalaris [het] ⟨van hoger geschoolden⟩ basic salary, ⟨van arbeiders⟩ basic wage
basisschool [de] primary school, ⟨USA⟩ elementary/grade school
basisspeler [de^m] regular/first-string player, regular member of the team
basistarief [het] base rate, basis rate
basistekst [de^m] 1 ⟨m.b.t. een verklaring⟩ primary text 2 ⟨m.b.t. een uitgave⟩ original text
basisvak [het] basic subject ♦ *de basisvakken van het lager **onderwijs*** the basic subjects of primary education
basisverzekering [de^v] basic (health) insurance/policy
basisvoorziening [de^v] basic facility
basisvorming [de^v] 1 ⟨in Nederland⟩ basic (secondary school) curriculum 2 ⟨in België⟩ orientation years
basiswedde [de] ⟨in België⟩ ⟨van hoger geschoolden⟩ basic salary, ⟨van arbeiders⟩ basic wage
basiswoordenschat [de^m] basic vocabulary
basiszorg [de] basic care
Bask [de^m], **Baskische** [de^v] ⟨man & vrouw⟩ Basque, ⟨vrouw ook⟩ Basque woman/girl
Baskenland [het] the Basque Country
basket [de] basket
¹**basketbal** [de^m] ⟨bal⟩ basketball
²**basketbal** [het] basketball
basketballen [onov ww] play basketball
basketbalspeelster [de^v] → **basketbalspeler**
basketbalspeler [de^m], **basketbalspeelster** [de^v] basketball player
basketten [onov ww] ⟨in België⟩ play basketball
¹**Baskisch** [het] Basque
²**Baskisch** [bn] Basque
Baskische [de^v] → **Bask**
basklarinet [de] bass clarinet
basluit [de] bass lute
basmala [het] basmala
basmatirijst [de^m] basmati rice
bas mitswa [de^m] → **bat mitswa**
baspartij [de^v] ⟨muz⟩ bass (part)
baspijp [de] ⟨muz⟩ bourdon, ⟨van doedelzak ook⟩ drone
basreflexkast [de] ⟨audio⟩ bass-reflex (loud)speaker
bas-reliëf [het] bas-relief, basso-relievo, low relief
bas-reliëffotografie [de^v] bas-relief photography
bassdrum [de] bass drum
bassen [onov ww] 1 ⟨blaffen⟩ bark 2 ⟨snauwen, tekeergaan⟩ bark, bay
basset [de^m] basset (hound)
bassethoorn [de^m] ⟨muz, gesch⟩ basset horn
bassin [het] 1 ⟨zwembad⟩ (swimming) pool 2 ⟨waterbekken⟩ basin

bassist [de^m^], **bassiste** [de^v^] ⟨speler⟩ bass player, ⟨contrabas ook⟩ bassist, ⟨zanger⟩ bass (singer)
bassiste [de^v^] → **bassist**
bassleutel [de^m^] bass clef, F clef
bassnaar [de] drone
basso continuo [de^m^] ⟨muz⟩ (basso) continuo, thorough bass
basstem [de] bass (voice), ⟨muz⟩ bass part ◆ ***diepe** basstem* deep bass; ⟨opera⟩ basso profundo
bast [de^m^] [1] ⟨schors⟩ bark, rind, ⟨schil, peul⟩ husk, shell [2] ⟨inf; lichaam⟩ ⟨ogm⟩ body ◆ *in z'n **blote** bast* bare-chested; *hij heeft een lekker **bruine** bast* he has a nicely tanned skin; ***op** zijn bast geven/krijgen* give/get a hiding [3] ⟨weefsellaag tussen schors en hout⟩ bast, phloem ◆ *een **touw** van bast* a bast rope [4] ⟨huid om het gewei⟩ velvet
basta [tw] stop!, enough! ◆ *en **daarmee** basta!* and there's an end to it!, that's the end of it!, that's that/enough!
bastaard [de^m^] [1] ⟨onwettig kind⟩ bastard [2] ⟨rasloos dier⟩ mongrel [3] ⟨door vermenging van verwante soorten ontstaan dier⟩ crossbreed, mongrel [4] ⟨nieuwe plantenvorm⟩ hybrid, crossbreed [5] ⟨mindere kwaliteit⟩ seconds ⟨alleen mv⟩
bastaardaap [de^m^] half-ape
bastaardbroeder [de^m^] bastard brother
bastaarderen [ov ww] ⟨biol⟩ hybridize
bastaardering [de^v^] hybridization
bastaardhond [de^m^] mongrel
bastaardkind [het] bastard (child), illegitimate child
bastaardnachtegaal [de^m^] ⟨vero⟩ hedge sparrow, dunnock
bastaardspin [de] harvest spider, harvestman, ⟨AE ook; inf⟩ daddy-longlegs
bastaarduitgang [de^m^] loan-suffix
bastaardvloek [de^m^] disguised/wild oath
bastaardvorm [de^m^] cross, ⟨plant ook⟩ hybrid, ⟨dier ook⟩ crossbreed
bastaardwoord [het] loan(-word)
bastaardzoon [de^m^] bastard son
bastaardzuster [de^v^] bastard sister
bastachtig [bn] barky
basterdsuiker [de^m^] [1] ⟨soort suiker⟩ castor sugar [2] ⟨cocaïne⟩ snow, coke, slap
bastion [het] bastion
bastonnade [de^v^] [1] ⟨pak slaag⟩ bastinado [2] ⟨stokslagen op de voetzolen⟩ bastinado
¹**bastonneren** [onov ww] ⟨met stokken exerceren⟩ bastinado
²**bastonneren** [ov ww] ⟨afranselen met een stok⟩ bastinado
basviool [de] (violon)cello
baszanger [de^m^] bass (singer), bassist, ⟨vnl. opera⟩ basso
bat [het] bat
Bataaf [de^m^] [1] ⟨gesch⟩ Batavian [2] ⟨Nederlander⟩ Batavian
Bataafs [bn] [1] ⟨van de Bataven⟩ Batavian [2] ⟨Nederlands⟩ Batavian ◆ *de Bataafse **Republiek*** the Batavian Republic
bataljon [het] battalion ◆ *aan het **hoofd** van een bataljon staat meestal een majoor* a battalion is usually commanded by a major
Batavier [de^m^] Batavian
batch [de^m^] ⟨comp⟩ batch ◆ *dit programma draait **in** de batch* this is a batch program
batchprocessing [de] batch processing
batchverwerking [de^v^] batch processing
bate [de] [•] ***ten bate van*** for the benefit/good of, on behalf of; *iets **ten eigen bate aanwenden*** use for one's own purpose/benefit, turn/use to one's own advantage; *een inzameling **ten bate van** Ethiopië* a collection for/in aid of Ethiopia; *de opbrengst van dit boek komt **ten bate van** het gehandicapte kind* the proceeds from the sale of this book will be used to aid/will go to/be given to the handicapped children
baten [onov ww] avail ◆ *wij zouden **erbij** gebaat zijn* it would prove very helpful to us; *het mocht **niet** baten* it was of no avail; *uw pogingen baten **niet*** your attempts are of no avail; *het zal u volstrekt **niet** baten* it will avail you nothing/be of no avail to you at all; *baat het **niet**, dan schaadt het niet* it doesn't hurt to try; *het baat niet **of** hij hard werkt* it is of no avail to him to work hard
bathometer [de^m^] bathometer
bathyaal [bn] [•] ***bathyale zone*** bathyal zone
bathyscaaf [de^v^] bathyscaphe
bathysfeer [de] [1] ⟨stalen bol voor diepzeeonderzoek⟩ bathysphere [2] ⟨diepste laag van de zee⟩ deep sea
batig [bn] ◆ *batig **slot/saldo*** surplus, credit balance
batik [de^m^] batik (fabric)
batikken [ov ww, ook abs] batik ◆ *gebatikte **stoffen*** batiks
batikker [de^m^], **batikster** [de^v^] batik maker
batikster [de^v^] → **batikker**
batist [het] batiste, cambric, lawn
batisten [bn] batiste
batje [het] bat
bat mitswa [de^m^], **bas mitswa** [de^m^] bat/bas mitzvah
baton [de^m^] [1] ⟨ordeteken⟩ ribbon [2] ⟨iets in staafvorm⟩ baton
batonneerstok [de^m^] singlestick
batonneren [onov ww] play at singlestick
bats [de] (garden) shovel
batsman [de^m^] batsman
battelen [onov ww] battle
batten [onov ww] ⟨cricket⟩ [1] ⟨het bat hanteren⟩ bat [2] ⟨het wicket verdedigen⟩ bat
batterij [de^v^] [1] ⟨toestel met daarin elektrische energie⟩ battery ◆ ***droge/elektrische** batterij* dry/electric battery; ***galvanische** batterij* galvanic battery; ***lege** batterij* exhausted battery; *die radio werkt **op** batterijen* this radio runs on batteries; ***oplaadbare** batterij* rechargeable battery [2] ⟨bij elkaar horend geschut⟩ battery [3] ⟨eenheid van de artillerie⟩ battery [4] ⟨vuurmonden⟩ battery [5] ⟨inf; scherts; achterwerk⟩ behind, bottom, ⟨AE⟩ buns [6] ⟨groep gelijksoortige eenheden⟩ battery, array ◆ *een batterij **schrijfmachines*** a battery of typewriters [7] ⟨in België; accu⟩ (storage) battery, accumulator [•] ***van batterij veranderen*** change front
batterijkip [de^v^] battery hen
batterijklok [de] battery(-run) clock
batterijkooi [de] battery cage
batterijlader [de^m^] battery charger
batterijlamp [de] battery lamp
batterijontsteking [de^v^] battery ignition
batterijoplader [de^m^] battery charger
batterijvoeding [de^v^] battery supply
battledress [de^m^] battle dress
batucada [de] batucada
baud [de] baud
bauwen [onov ww] ± bawl
bauxiet [het] bauxite
bauxietmijn [de] bauxite mine
Bavaria [het] Bavaria
bavaroise [de^v^] bavarois, Bavarian cream
baveuse [bn] ⟨van een omelet⟩ runny, wet
baviaan [de^m^] baboon
baxter [de^m^] ⟨in België; med⟩ drip
bayonneham [de] Bayonne ham
bazaar [de^m^] [1] ⟨oosterse marktplaats⟩ baza(a)r [2] ⟨verkoping voor een liefdadig doel⟩ baza(a)r, (fancy)fair, ⟨BE ook⟩ jumble sale [3] ⟨grote winkel⟩ baza(a)r, ± (department) store, ⟨AE ook⟩ ± dime store
Bazel [het] Basle, Basel, Bâle
bazelen [onov ww] drivel (on), ⟨sl⟩ blah-blah, ⟨BE ook⟩ waffle

bazen [onov ww] domineer (over), ⟨inf⟩ boss ◆ *over iemand bazen* lord it over s.o., boss s.o. (around/about)
bazig [bn, bw] overbearing ⟨bw: ~ly⟩, domineering, ⟨inf⟩ bossy, ⟨form⟩ imperious ◆ *een bazig **ventje*** a bossy little fellow
bazin [de^{v}] [1] ⟨eigenaar van een huisdier⟩ mistress [2] ⟨vrouw des huizes⟩ lady of the house, ⟨vnl. m.b.t. de eigen vrouw⟩ ↓ old lady/woman ◆ *ik moet het eerst **aan** de bazin **vragen*** I'll have to ask the lady of the house/the old lady/woman
bazooka [de^{m}] bazooka
bazuin [de] [1] ⟨soort trompet⟩ trumpet ◆ *de bazuin van het laatste **oordeel*** the Last Trump(et), the Trump of Doom [2] ⟨fig; loftrompet⟩ trumpet ◆ *de bazuin **steken*** blow the trumpet (for s.o.), sing (s.o.'s) praises [3] ⟨schuiftrompet⟩ trombone [4] ⟨orgelregister⟩ trombone, posaune
bazuingeschal [het] sound/blast of trumpets ◆ *het **laatste** bazuingeschal* the Last Trump(et), the Trump of Doom
^{1}**BB** [de^{m}] ⟨in België⟩ (Belgische Boerenbond) Belgian Farmers' Union
^{2}**BB** [de^{v}] (Bescherming Burgerbevolking) CD (Civil Defence/^{A}Defense)
BBC [de] (British Broadcasting Corporation) BBC
b.b.h.h. [afk] (bezigheden buitenshuis hebbende) away all day
B-biljet [het] tax return
BBK [de^{v}] (Beroepsvereniging van Beeldende Kunstenaars) Association of Artists and Sculptors
BBL [de^{m}] ⟨in België⟩ (Bond Beter Leefmilieu) Environmental Protection Agency
bbp [het] (bruto binnenlands product) GDP
bbs [het] ⟨comp⟩ (bulletin board system) BBS
bbt'er [de^{m}] ⟨mil⟩ (beroeps voor bepaalde tijd) serviceman/woman with a short-term engagement
bd [afk] (biologisch-dynamisch) biodynamic
b.d. [afk] (buiten dienst) ret, retd
BDBH [de^{m}] ⟨in België⟩ (Belgische Dienst voor Buitenlandse Handel) Belgian Export Agency
bè [tw] baa
beaat [bn] ⟨vnl iron⟩ beatific, blissful ◆ *een beate **glimlach*** a beatific/blissful smile
beachclub [de] beach club
beachparty [de^{v}] beach party
beachvoetbal [het] ⟨BE⟩ beach football, ⟨AE⟩ beach soccer
beachvolleybal [het] beach volleyball
beademen [ov ww] [1] ⟨adem inblazen⟩ breathe air into, ⟨med⟩ insufflate [2] ⟨behandelen met een beademingstoestel⟩ apply artificial respiration to [3] ⟨de adem laten gaan over⟩ breathe upon
beademing [de^{v}] [1] ⟨het inblazen van adem⟩ breathing of air into, ⟨med⟩ insufflation [2] ⟨het behandelen met een beademingstoestel⟩ artificial respiration [3] ⟨over iets de adem laten gaan⟩ breathing (upon)
beademingstoestel [het] respirator
beambte [de] functionary, (subordinate) official, office worker, ⟨employé⟩ employee, ⟨in samenstellingen vaak⟩ officer ◆ *douanebeambte* customs officer
beamen [ov ww] endorse, indorse, assent to, echo, ⟨het eens zijn met⟩ agree (with), concur (with s.o./in sth.) ◆ *een **bewering/stelling** beamen* endorse a claim/thesis; *iets ten volle beamen* fully endorse sth.; *wat de spreker daar zei, beaam ik* I (fully) endorse/echo what the speaker has just said
beamer [de^{m}] (digital) audio/video projector
beanbag [de^{m}] [1] ⟨zitzak⟩ bean bag [2] ⟨projectiel⟩ bean bag projectile
beangstigen [ov ww] ⟨verontrusten⟩ alarm, ⟨bang maken⟩ frighten
beangstigend [bn] frightening, ⟨verontrustend⟩ alarming
^{1}**beantwoorden** [onov ww] [1] ⟨voldoen⟩ answer, meet, fulfil, comply with ◆ ***aan** een doel beantwoorden* answer/fulfil/fit/meet/serve purpose; *niet beantwoorden **aan** de verwachtingen* fall short of expectations; ***aan** de verwachtingen van iemand beantwoorden* come up to s.o.'s expectations; *beantwoorde **liefde*** requited love [2] ⟨geheel overeenkomen met⟩ answer (to), correspond (to) ◆ ***aan** al de vereisten beantwoorden* meet all the requirements; ***aan** een beschrijving beantwoorden* answer (to) a description
^{2}**beantwoorden** [ov ww] ⟨antwoord geven op⟩ answer, ⟨m.b.t. brief/argument/rede/opmerking/aanval/dronk ook; meestal niet m.b.t. vraag⟩ reply to, ⟨gevoelens ook⟩ respond to, reciprocate, ⟨vergelden⟩ retaliate ◆ *een **bezoek** beantwoorden* return a visit; *een belediging **met** stilzwijgen beantwoorden* ignore an insult, respond to an insult with silence, remain silent in the face of an insult; ⟨fig⟩ *het vijandelijk **vuur** beantwoorden* return the enemy's fire [•] ⟨sprw⟩ *één gek kan meer vragen dan tien wijzen kunnen beantwoorden* a fool may ask more questions in an hour than a wise man can answer in seven years
beantwoording [de^{v}] answering, replying/responding (to), ⟨vergelding⟩ retaliation ◆ *ter beantwoording **van*** in answer/reply/response to; *de beantwoording van die **vragen** is vrij moeilijk* these questions are quite difficult to answer
bearbeiden [ov ww] ⟨form⟩ ⟨ogm⟩ work, ⟨m.b.t. grond ook⟩ cultivate, till
beargumenteren [ov ww] substantiate ◆ *zijn standpunt **kunnen** beargumenteren* be able to substantiate one's point of view; *een beargumenteerd **voorstel*** a substantiated proposal
bearmarkt [de] bear market
bearnaisesaus [de] ⟨cul⟩ béarnaise (sauce), sauce béarnaise
beat [de^{m}] beat
beatbox [de^{m}] beatbox
beatgeneratie [de^{v}] beat generation
beatgeneration [de^{v}] beat generation
beatgroep [de] beat group
beatjuggelen [onov ww] beat juggling
beatmaster [de^{m}] beat master
beatmuziek [de] beat music
beatnik [de^{m}] beatnik
Beatrixvloed [de^{m}] the North Sea floods of 1953 in the south of the Netherlands
beaufort [de^{m}] Beaufort scale
beaufortschaal [de] Beaufort scale
beaujolais [de^{m}] Beaujolais
beau monde [de^{m}] beau monde, high/fashionable society
beauty [de^{v}] [1] ⟨schoonheid⟩ beauty ◆ *een beauty **van** een doelpunt* a lovely/beautiful goal, a beauty/^{A}beaut [2] ⟨mooi meisje⟩ beauty
beautycase [de^{m}] vanity case/bag/box
beautycontest [de^{m}] [1] ⟨schoonheidswedstrijd⟩ beauty contest [2] ⟨selectieprocedure⟩ beauty contest
beautyfarm [de^{m}] health farm, health and beauty spa
beavershot [het] beaver shot
bebakenen [ov ww] beacon, ⟨met boeien⟩ buoy
bebakening [de^{v}] [1] ⟨het aanwijzen van de grenzen⟩ beaconing, ⟨met boeien⟩ buoyage [2] ⟨bakens⟩ beacons, ⟨met boeien⟩ buoys, buoyage [3] ⟨verk⟩ marking and signposting
bébé [de^{m}] baby
bebloed [bn] bloody, blood-stained, blood-covered ◆ *zijn **gezicht** was geheel bebloed* his face was completely covered in blood; *bebloede **kleren*** blood-stained clothes; *een bebloede **neus*** a bloody nose
beboeten [ov ww] fine, impose a fine on, ⟨AE ook; vnl. door politie wegens verkeersovertreding⟩ give a ticket to,

ticket ♦ *iemand beboeten **met** 100 euro* fine s.o. 100 euros; *beboet **worden*** be fined, incur a fine; get a ticket, be ticketed
beboomd [bn] planted with trees, ⟨ook; m.b.t. weg⟩ lined with trees
bebop [de] bebop, bop
bebopkoppie [het] crew cut
bebording [de^v] ⟨bouwk⟩ boarding
bebossen [ov ww] (af)forest ♦ *een beboste **helling*** a wooded slope; *een beboste **streek*** a wooded/forested area; *bebost **terrein*** woodland
bebossing [de^v] [1] ⟨handeling⟩ afforestation [2] ⟨resultaat⟩ forest(s), wood(s)
beboteren [ov ww] butter
bebouwbaar [bn] [1] ⟨geschikt om bebouwd te worden⟩ arable, cultivable, tillable [2] ⟨geschikt om erop te bouwen⟩ fit/suitable for building
bebouwd [bn] [1] ⟨met huizen bezet⟩ built-on, built-over ♦ *de bebouwde **kom*** the built-up area, ± the town centre [2] ⟨ontgonnen⟩ cultivated, tilled, farmed
bebouwen [ov ww] [1] ⟨met gebouwen bezetten⟩ build on/over [2] ⟨met gewassen beplanten⟩ cultivate, till, farm, have/put under ♦ *hij heeft 3 ha **met** tarwe bebouwd* he's got/put 3 hectares under wheat
bebouwing [de^v] [1] ⟨handeling, wijze⟩ building (on/over) ♦ ***open** bebouwing* open-space development/planning, low density development [2] ⟨resultaat⟩ buildings ♦ ⟨in België⟩ ***halfopen** bebouwing* ⟨alg⟩ semidetached housing; ⟨huis zelf⟩ semidetached house, semi
bebouwingscoëfficiënt [de^m] building density
bebrild [bn] (be)spectacled
bebroeden [ov ww] sit on, hatch, ↑incubate ♦ *een bebroed **ei*** a (hard)set egg; *vogels bebroeden hun **jongen*** birds brood over their young
bechamelsaus [de] béchamel (sauce)
Bechterew [de^m] [•] *de **ziekte** van Bechterew* Bechterew's disease, Bechterew's
becijferen [ov ww] [1] ⟨door rekenen uitmaken⟩ calculate, work/figure out, ⟨schatten⟩ compute, estimate ♦ *de schade **valt** niet te becijferen* it is impossible to work out/calculate the damage [2] ⟨door cijfers aanwijzen⟩ figure [3] ⟨muz⟩ figure ♦ *een becijferde **bas*** a figured bass
becijfering [de^v] calculation, ⟨schatting⟩ computation
becommentariëren [ov ww] comment (on)
beconcurreren [ov ww] compete with, ⟨producten/firma's ook⟩ be in competition with ♦ *de banken beconcurreren **elkaar** scherp* there is fierce competition among the banks
becquerel [de^m] becquerel
becquerelstraling [de^v] ⟨gesch, natuurk⟩ Becquerel radiation, ⟨tegenwoordig⟩ radioactivity
bed [het] [1] ⟨slaapplaats⟩ bed, ⟨op schip⟩ berth ♦ ***aan/bij** mijn bed* at/by my bed(side); ***aan** iemands bed geroepen worden* ⟨wegens ziekte⟩ be called to s.o.'s bedside; *de bezoekers zaten **bij** zijn bed* the visitors sat at his bedside; *het bed (moeten) **houden*** have to keep to one's bed, be confined to bed; *goed **in** bed zijn* be good in bed, be a good lay; ***in/te** bed liggen* lie/be in bed; *zijn bedje **is gespreid**, hij komt in een **opgemaakt** bedje* ⟨fig⟩ he's got it made; ***naar** bed gaan* go to bed; ⟨inf ook⟩ turn in; ⟨wegens ziekte ook⟩ take to one's bed; *bij het **naar** bed gaan* at bedtime; ***naar** bed gaan met iemand* sleep/go to bed with s.o.; *altijd laat **naar** bed gaan* keep late hours, go to bed late; *vlak voor het **naar** bed gaan* just before going to bed, last thing at night; *met jan en alleman **naar** bed gaan* sleep around; ***naar** bed brengen, **in** bed stoppen* put/take to bed; *hij was twee nachten niet **naar** bed geweest* he had missed two nights' sleep, he had gone without sleep for two days/nights; ⟨fig⟩ *hij gaat ermee **naar** bed en staat er weer mee **op*** he can't stop thinking about it, he can't get it out of his head; ***op** bed liggen* lie on one's bed; *ontbijt **op** bed krijgen* get breakfast in bed; *het bed **opmaken*** make the bed; *op de **rand** van het bed zitten* sit on the side of the bed; *je bed **uit**!* get out of bed!, show a leg!; *iemand **uit** bed halen* drag/turn s.o. out of bed; *iemand **uit/van** zijn bed lichten* haul s.o. out of bed; ⟨fig⟩ *dat is ver **van** mijn bed* that does not concern me/is none of my business [2] ⟨plaats in een verpleeginrichting⟩ bed [3] ⟨leger van wild⟩ bed [4] ⟨onderlaag van een weg⟩ bed [5] ⟨plaats in een tuin⟩ bed [6] ⟨bedding⟩ bed [•] ⟨sprw⟩ *men moet zijn bed maken zoals men slapen wil* as you make your bed, so must you lie upon it
bedaagd [bn] elderly, of advanced years, ⟨inf⟩ getting on (in years)
bedaard [bn, bw] [1] ⟨onbewogen⟩ composed ⟨bw: ~ly⟩, collected, calm, serene, quiet, ⟨bezadigd⟩ sedate ♦ *iemand bedaard **aanhoren*** listen to s.o. calmly [2] ⟨kalm, rustig⟩ calm ⟨bw: ~ly⟩, quiet ⟨bw: ~ly⟩ ♦ *bedaard **optreden*** act calmly
bedaardheid [de^v] composure, calmness, ⟨bezadigdheid⟩ sedateness
bedacht [bn] [1] ⟨+ op; erop uit⟩ bent/intent (on) [2] ⟨voorbereid⟩ prepared (for) ♦ *hij is **op** alles bedacht* he is prepared for anything; ***op** zoveel verzet waren ze niet bedacht geweest* they had not bargained for so much resistance
bedachtzaam [bn, bw] ⟨omzichtig⟩ cautious ⟨bw: ~ly⟩, circumspect ⟨bw: ~ly⟩, ⟨weloverwogen⟩ deliberate ⟨bw: ~ly⟩ ♦ *een bedachtzaam **antwoord*** a guarded/cautious reply; ***heel** bedachtzaam te werk gaan* go very carefully, act with great caution/circumspection
bedachtzaamheid [de^v] caution, circumspection, deliberation, guardedness
bedankbrief [de^m] [1] ⟨waarin men zijn dank betuigt⟩ letter of thanks, ⟨voor genoten gastvrijheid⟩ bread-and-butter letter/note [2] ⟨waarin men iets afwijst⟩ letter of refusal
[1]**bedanken** [onov ww] [1] ⟨niet aannemen⟩ decline, refuse ♦ ***mag** ik bedanken?* no, thank you!; ***voor** een betrekking bedanken* decline/refuse a post; *(feestelijk) **voor** iets bedanken* ⟨iron⟩ decline sth. with thanks [2] ⟨zijn lidmaatschap opzeggen⟩ resign, retire ♦ *bedanken **als** lid van een commissie/partij* resign one's membership of a committee/party; ***voor** een krant bedanken* terminate/withdraw one's subscription to a newspaper
[2]**bedanken** [ov ww] ⟨zijn dank betuigen⟩ thank, ↑render thanks ♦ *iemand **voor** iets bedanken* thank s.o. for sth.
bedanking [de^v] ⟨in België⟩ expression of gratitude/thanks, word of gratitude/thanks, ⟨schriftelijk⟩ note/letter/message of thanks, acknowledgement
bedankje [het] [1] ⟨dankbetuiging⟩ thank-you, thanks, ⟨brief⟩ letter of thanks, ⟨dankwoord⟩ word of thanks ♦ *er **kon** nauwelijks een bedankje **af**!* (and) small thanks I/he/... got (for it)!, (and) he/she/... hardly said thank-you!; *het is allicht een bedankje **waard*** it won't hurt to say/there's no harm in saying thank-you for it [2] ⟨beleefde weigering⟩ refusal
bedankt [tw] ⟨inf⟩ thanks ♦ ***reuze** bedankt* thanks a lot/a million
bedaren [onov ww] quiet/calm down, ⟨vnl BE ook⟩ quieten down ♦ *het **onweer** bedaart* the (thunder)storm is dying down/blowing over/dropping/subsiding; ***tot** bedaren komen* calm down; *iemand **tot** bedaren brengen/doen bedaren* calm/quiet(en) s.o. down
bedauwen [ov ww] bedew ♦ *bedauwde **bladeren*** bedewed/dew-laden leaves, leaves heavy with dew
bedbank [de] sofa bed
beddengoed [het] (bed)clothes, bedding, ⟨AE⟩ linens
beddenkleedje [het] bedside rug
beddenlaken [het] sheet
beddenlinnen [het] bed linen
beddenpan [de] [1] ⟨ondersteek⟩ bedpan [2] ⟨beddenwarmer⟩ warming pan, bedwarmer
beddenplank [de] bed board
beddensprei [de] bedspread, counterpane, coverlet

[1]**beddentijk** [de^m] ⟨overtrek van een matras⟩ (bed)tick
[2]**beddentijk** [het] ⟨stof hiervoor⟩ (bed)tick(ing)
bedding [de^v] [1] ⟨watergeul⟩ bed, channel [2] ⟨onderlaag voor zware dingen⟩ bed(ding), foundation, ⟨artillerie⟩ platform [3] ⟨in België; m.b.t. een spoorweg⟩ railway bedding
bede [de] [1] ⟨smeekbede⟩ entreaty, supplication, plea, imploration ♦ *bede **om hulp*** plea for help; ***op** zijn bede* at his entreaty; *zijn bede **werd niet verhoord*** his prayer remained/went unanswered [2] ⟨gebed tot God⟩ prayer [3] ⟨gesch⟩ aid(e), ⟨m.b.t. Engelse middeleeuwen ook⟩ benevolence
bedeesd [bn, bw] diffident ⟨bw: ~ly⟩, shy, timid, ⟨schroomvallig⟩ bashful ♦ *een bedeesd **meisje*** a diffident/shy girl; *een bedeesd **stemmetje*** a timid (little) voice
bedeesdheid [de^v] diffidence, shyness, timidity, bashfulness
bedehuis [het] place of worship/prayer, house of worship/prayer
bedekken [ov ww] [1] ⟨aan het oog onttrekken⟩ cover, ⟨toedekken⟩ cover up, ⟨geheel⟩ cover over ♦ ***geheel** bedekken **met iets*** cover in sth.; *bloemen bedekten het **graf*** flowers covered the grave; ***met** een zoutkorst bedekt* crusted over with salt; ***met** sneeuw bedekte bergen* snow-capped mountains; *bedek de zuurkool **met** een paar plakken ham* cover the sauerkraut with a few slices of ham [2] ⟨fig⟩ cover (up), hide ♦ *haar **schaamte** bedekken* cover (up)/hide her shame
bedekking [de^v] [1] ⟨het bedekken, bedekt worden⟩ cover [2] ⟨wat bedekt⟩ cover(ing)
[1]**bedekt** [bn] ⟨niet open⟩ covered, ⟨lucht⟩ overcast
[2]**bedekt** [bn, bw] ⟨niet openlijk⟩ covert ⟨bw: ~ly⟩ ♦ *bedekt te **kennen geven*** hint (at/that); *in bedekte **termen*** in guarded terms; *bedekte **toespeling(en)*** insinuation(s), innuendo(es)
bedektzadig [bn] angiospermous ♦ ⟨zelfstandig (gebruikt)⟩ *de bedektzadigen* the angiosperms
bedelaar [de^m] [1] ⟨iemand die aalmoezen vraagt⟩ beggar, ⟨inf; AE⟩ panhandler, ⟨form⟩ mendicant [2] ⟨iemand die, dier dat aanhoudend om iets vraagt⟩ cadger, scrounger
bedelares [de^v] beggar(woman)
bedelarij [de^v] [1] ⟨het vragen om aalmoezen⟩ begging, ⟨form⟩ mendicancy, mendicity [2] ⟨vraag om ondersteuning⟩ begging
bedelarmband [de^m] charm-bracelet
bedelbrief [de^m] begging-letter
[1]**bedelen** [onov ww] [1] ⟨aalmoezen vragen⟩ beg (for) ♦ *hij zou nog liever **gaan** bedelen dan werken* he'd sooner go begging than work; ***lopen** te bedelen* go (round) begging; ***uit** bedelen gaan* go (out) begging [2] ⟨aanhoudend vragen⟩ beg (for) ♦ ***om** iets bedelen* beg for sth.
[2]**bedelen** [ov ww] [1] ⟨als zijn deel toewijzen⟩ endow ♦ *hij is **rijk** bedeeld* ⟨getalenteerd⟩ he is very gifted, ⟨rijk⟩ he is well off; *iemand **ruim** bedelen* give s.o. a generous share [2] ⟨vaste uitdeling geven⟩ distribute charity to, ⟨gesch⟩ bestow alms upon ♦ ***armen** bedelen* distribute charity to/bestow alms upon the poor
bedeling [de^v] [1] ⟨handeling⟩ charity, poor relief ♦ ***van** de bedeling leven* live on charity, be on the breadline; *ik ben **niet van de bedeling*** I am not a charitable institution [2] ⟨in België; levering⟩ distribution
bedelketting [de] charm bracelet, charm necklace
bedelman [de^m] ⟨arch⟩ beggar(man) ♦ ⟨kinderversje⟩ *edelman, bedelman, dokter, pastoor* the butcher, the baker, the candlestick-maker; tinker, tailor, soldier, sailor, rich man, poor man, beggarman, thief
bedelmonnik [de^m] mendicant (friar)
bedelnap [de^m] begging bowl
bedelorde [de^v] mendicant order
bedelstaf [de^m] beggar's staff ♦ ***aan** de bedelstaf raken* be reduced to beggary, be left a pauper; *die onderneming heeft hem **aan** de bedelstaf gebracht* that venture has reduced him to beggary/has left him a pauper
bedeltje [het] charm
bedelven [ov ww] [1] ⟨geheel bedekken⟩ bury, ⟨fig ook⟩ swamp; zie ook **bedolven** ♦ *bedolven **liggen*** lie buried; *zij werden door het **puin** bedolven* they were buried under/by the rubble [2] ⟨overmannen⟩ overwhelm; zie ook **bedolven**
bedelzak [de^m] [1] ⟨zak voor aalmoezen; symbool voor armoede⟩ beggar's pouch [2] ⟨zeurpiet⟩ cadger, scrounger
[1]**bedenkelijk** [bn] [1] ⟨ongerustheid wekkend⟩ worrying, ⟨gevaarlijk⟩ precarious, ⟨twijfelachtig⟩ dubious, questionable, ⟨kritiek⟩ serious ♦ *een bedenkelijk **geval*** a worrying/serious case; *een bedenkelijke **ziekte*** a precarious illness; *dat **ziet** er bedenkelijk **uit*** that looks precarious/serious [2] ⟨nadenken, twijfel uitdrukkend⟩ doubtful, dubious ♦ *een bedenkelijk **gezicht** zetten* put on a doubtful face, look doubtful
[2]**bedenkelijk** [bw] ⟨op nadenken, twijfel uitdrukkende wijze⟩ doubtfully, dubiously
bedenkelijkheid [de^v] precariousness, dubiousness, questionableness, seriousness
[1]**bedenken** [ov ww] [1] ⟨denken over⟩ think (about), consider ♦ ***als** men bedenkt, dat ...* if you think (that) ..., considering (that) ...; *bedenk, **wat** de gevolgen zullen zijn* think what the consequences will be [2] ⟨uitdenken⟩ think of/up, invent, ↑devise ♦ *een **raadsel/oplossing** bedenken* think of/up a riddle/solution; *bedenk maar **wat*** just think sth. up [3] ⟨als geschenk doen toekomen aan⟩ remember ♦ *iemand **goed** bedenken* remember s.o. generously; *iemand **in** zijn testament bedenken* remember s.o. in one's will; *iemand **met** iets bedenken* remember s.o. with sth.
[2]**zich bedenken** [wk ww] [1] ⟨nadenken over⟩ think (about), consider ♦ *zij zal zich wel **tweemaal** bedenken voordat ...* she'll think twice before ...; ***zonder** zich te bedenken* without (so much as) thinking/a moment's thought; ***zonder** mij te bedenken gaf ik toestemming* I gave permission without thinking twice; *ik hoop dat hij zich zal bedenken* I hope he'll reconsider/think better of it [2] ⟨van gedachten veranderen⟩ think again, change one's mind, have second thoughts ♦ *ze heeft zich bedacht* she thought again/changed her mind/had second thoughts
bedenker [de^m] deviser ♦ *de bedenker **van** Coronation Street* the person who thought up Coronation Street, the person who came up with the idea for Coronation Street
bedenking [de^v] [1] ⟨bezwaar⟩ objection ♦ *weinig bedenkingen **maken*** have/make/raise little objection/few objections (to); ***tegen** iets bedenkingen **hebben*** have/make/raise objections to/against sth. [2] ⟨het bedenken⟩ consideration, thought [3] ⟨in België; opmerking⟩ comment, reflection, thought
bedenksel [het] ⟨pej⟩ harebrained scheme, hairbrained scheme, fabrication
bedenktijd [de^m] time for reflection, time to reflect (on the matter) ♦ *hij kreeg drie **dagen** bedenktijd* he was given three days to think (the matter over)/to consider (the matter)
bederf [het] [1] ⟨ontbinding⟩ decay, rot, ⟨m.b.t. vlees ook⟩ taint, ⟨wet⟩ putrefaction ♦ *aan bederf **onderhevig*** perishable [2] ⟨verslechtering⟩ deterioration, decay, ⟨zedelijk ook⟩ depravity, taint ♦ *het bederf van de **zeden*** moral decay/depravity/taint
bederfelijk [bn] perishable, ⟨BE ook⟩ short-life ♦ *bederfelijke **goederen*** perishables; ***licht** bederfelijk* highly perishable
bederfwerend [bn] preservative, ⟨med⟩ antiseptic ♦ *bederfwerende **middelen*** preservatives
[1]**bederven** [onov ww] ⟨tot bederf overgaan⟩ decay, rot, go bad/off, ⟨m.b.t. vlees ook⟩ taint; zie ook **bedorven**
[2]**bederven** [ov ww] [1] ⟨verknoeien⟩ spoil ♦ ***aan** die kleren valt niets meer te bederven* those clothes are fit to be thrown away; *de **eetlust** bederven* spoil one's appetite; ***grondig** beder-*

ven ⟨inf⟩ louse up; *dat **kleed** is totaal bedorven* that tablecloth/carpet is completely ruined; *hij zal met dat peuterwerk zijn **ogen** nog bederven* he'll ruin his eyes doing that fiddly work; *iemands **plezier** bederven* spoil/ruin s.o.'s fun [2] ⟨verwennen⟩ spoil

bedevaarder [de^m] ⟨in België⟩ pilgrim

bedevaart [de] pilgrimage ◆ ***op** bedevaart gaan* go on a pilgrimage

bedevaartganger [de^m], **bedevaartgangster** [de^v] pilgrim

bedevaartgangster [de^v] → **bedevaartganger**

bedevaartplaats [de], **bedevaartsoord** [het] place of pilgrimage

bedevaartsoord [het] → **bedevaartplaats**

bedgeheim [het] bedroom secrets

bedgenoot [de^m], **bedgenote** [de^v] bedfellow

bedgenote [de^v] → **bedgenoot**

bedheffer [de^m] trapeze bar

bedhek [het] bed rail

bedienaar [de^m] server ◆ ⟨r-k⟩ *bedienaar des **altaars*** priest; *bedienaar der **Heilige Mis*** server (at Mass); *bedienaar van het Goddelijke **Woord*** minister (of the Gospel)

bediend [bn] ⟨r-k⟩ [•] *bediend **zijn*** have been anointed, have received/had the last sacraments/rites/extreme unction, have had the last sacraments/rites administered

bediende [de] [1] ⟨iemand in ondergeschikte betrekking⟩ employee, ⟨kantoor ook⟩ clerk, ⟨winkel ook⟩ assistant, ⟨AE⟩ clerk, ⟨lift e.d.⟩ attendant ◆ ***eerste** bediende* chief/senior clerk; *bediende **in** een koffiehuis* ⟨man⟩ waiter in a coffeeshop, ⟨vrouw⟩ waitress in a coffee-shop; ***jongste** bediende* junior clerk, office junior; ⟨inf⟩ office boy [2] ⟨iemand die persoonlijke, huiselijke diensten verricht⟩ servant ◆ ***eerste** bediende* major-domo, butler; *bedienden **in livrei*** liveried servants; ⟨pej⟩ flunkeys [3] ⟨beambte⟩ official [4] ⟨in België; werknemer⟩ office worker, white-collar worker

bediendecontract [het] ⟨in België⟩ employment contract

[1]**bedienen** [ov ww] [1] ⟨dienen, helpen⟩ serve, attend to ◆ *iemand **op** zijn wenken bedienen* wait on s.o. hand and foot, be at s.o.'s beck and call [2] ⟨m.b.t. de horeca⟩ serve, ↑ wait on ◆ *het bedienend **personeel*** the attendants; *aan tafel bedienen* serve/wait at (the) table [3] ⟨zorg dragen voor, doen functioneren⟩ operate, work ◆ *de **machine** is eenvoudig te bedienen* the machine is simple to operate; *een **schakelbord** bedienen* operate/work a switchboard; ⟨inf⟩ be on a switchboard; *de **telefoon** bedienen* operate/work the telephone [4] ⟨r-k⟩ anoint, administer/give the last sacraments to, administer/give the last rites to, administer/give extreme unction to, ⟨bij onbewustheid⟩ say the last rites over ◆ *bediend **worden*** be given the last rites [5] ⟨van dienst zijn⟩ serve ◆ *die melkboer bedient deze hele **wijk*** that milkman serves/supplies the whole district

[2]**zich bedienen** [wk ww] [1] ⟨gebruiken⟩ use, make use of, avail o.s. of ◆ *hij bediende zich **van** leugens* he availed himself of lies [2] ⟨m.b.t. de spijzen⟩ help o.s. (to) ◆ *bedien je **gerust*** please (feel free to) help yourself; *ze bediende zich rijkelijk **van** de diverse gerechten* she helped herself generously to/took generous helpings of the various dishes

bediening [de^v] [1] ⟨m.b.t. de horeca⟩ service ◆ *al onze prijzen zijn **inclusief** bediening* all prices include service (charges); *een **prompte** bediening* quick service; *een **vlotte** bediening* smooth service [2] ⟨het doen functioneren⟩ operation, working, ⟨m.b.t. auto⟩ controls ◆ *de bediening van een **apparaat/sluis/sein*** the operation of a machine/lock/signal; ***dubbele** bediening* ⟨in lesauto⟩ dual controls; *de bediening is heel **eenvoudig*** it's very simple to operate [3] ⟨ambt, kerkelijke functie⟩ office, post, function [4] ⟨r-k⟩ anointing, (administration of) the last sacraments, (administration of) extreme unction, (giving of) the last rites

bedieningsfout [de] operating error

bedieningsgeld [het] service charge ◆ *bedieningsgeld **berekenen*** make a service charge

bedieningsgemak [het] ease of operation

bedieningsknop [de^m] control (switch/knob/button)

bedieningsmachinist [de^m] operator

bedieningspaneel [het] control/operating panel, ⟨in auto/boot/vliegtuig⟩ dash(board), ⟨comp⟩ console

bedieningsplaats [de] control/operating position, control/operating point

bedieningspost [de^m] control/operating position, control/operating point

bedieningsstraat [de] service road

bedieningsvoorschriften [de^{mv}] operating instructions

bedijken [ov ww] [1] ⟨met dijken omringen⟩ dike (in) ◆ *laag gelegen **land/slikgronden/een polder** bedijken* dike (in) low-lying land/mud flats/a polder [2] ⟨dijken leggen langs⟩ embank [3] ⟨met een dijk afsluiten⟩ dam up

bedijking [de^v] [1] ⟨handeling⟩ diking(-in), damming-up [2] ⟨dijken⟩ dikes, ⟨van rivier⟩ embankment, levee, dams [3] ⟨polder⟩ polder

bedilal [de^m] → **bediller**

bedilgeest [de^m] → **bediller**

bedillen [ov ww] meddle (with), interfere (with), ⟨inf⟩ butt in(to) ◆ *ik laat mij niet bedillen* I'm not having any nitpicking; *een alles bedillende **overheid*** a meddling/an (ever-)interfering government, a busybody of a government

bediller [de^m], **bedilster** [de^v], **bedilal** [de^m], **bedilgeest** [de^m] busybody, meddler

bedillerig [bn] → **bedilziek**

bedilster [de^v] → **bediller**

bedilziek [bn], **bedillerig** [bn] meddling, interfering

bedilzucht [de] meddling, interfering, captiousness

beding [het] condition, stipulation, proviso ◆ ***onder** beding van* subject to; ***onder** geen beding* under no circumstances, on no account; *ik wil het doen, **onder** één beding* I'll do it on one condition; *beding van **rente*** interest-subject to negotiation

bedingen [ov ww] stipulate (for/that), ⟨eisen⟩ insist on, require, ⟨overeenkomen⟩ agree (on) ◆ *dat is **er** niet **bij** bedongen* that was not part of the bargain/agreement; *die prijzen **kan** men niet bedingen* one cannot insist on such prices; *het bedongen **loon*** the agreed wages

bedinging [de^v] [1] ⟨het bepalen⟩ stipulation [2] ⟨wat bepaald is⟩ stipulation

bediscussiëren [ov ww] discuss

bedisselen [ov ww] fix (up), arrange ◆ *hij bedisselt daar **alles*** he runs the show there, he fixes everything there; *dat is **buiten** mij om bedisseld* that was fixed up/arranged behind my back; *hij **heeft** altijd wat te bedisselen* he's always fixing sth. up

bedjasje [het] bed jacket

bedklos [de] (bed) block

bedkruik [de] ⟨met water⟩ hot-water bottle, ⟨elektrisch⟩ electric bedwarmer

bedlampje [het] ⟨naast bed⟩ bedside lamp, ⟨boven hoofdeinde⟩ bedhead light

bedlegerig [bn] ill in bed, ⟨inf⟩ laid up, ⟨chronisch⟩ bedridden ◆ *hij **is** al maanden bedlegerig* he has been bedridden/confined to his bed for months, ⟨inf⟩ he has been laid up for months; *bedlegerig **worden*** take to one's bed

bedlinnen [het] bed linen, bedclothes

bedoeïen [de^m] Bed(o)uin

bedoelen [ov ww] [1] ⟨met een woord aanduiden⟩ mean, ⟨zinspelen op⟩ refer to, ⟨ook jur⟩ allude to ◆ *de in artikel 3 bedoelde **instantie*** the body referred to in section 3; *ik bedoel **maar** ...* as I said ...; *de bedoelde **persoon*** the person referred to/in question; ***wat** bedoel je?* what do you mean?, what are you driving at?; *ik begrijp niet **wat** je bedoelt* I don't see what you're getting at, I fail to understand your point; *ik begrijp volkomen **wat** je bedoelt* I quite see your point; *ieder wist **wie** ik bedoelde* everyone knew who(m) I meant/had in mind/was referring to/was alluding to [2] ⟨met een bedoeling doen⟩ mean, intend ◆ *het was **als** een grap bedoeld* it was meant as a joke; *het was **goed** bedoeld* it was meant well/meant for the best; ***goed** bedoelde raadgevingen* well-meaning/well-meant/well-intended/well-intentioned advice; *het was niet **kwaad** bedoeld* no harm (was) meant; *bedoelen **met*** mean by; *zo was het **niet** bedoeld* it wasn't meant like that, no offence (meant); ***niet-bedoelde** neveneffecten* unintended side-effects; *dit is bedoeld **voor** kinderen* this is designed/intended/meant for children; *die opmerking is **voor** mij bedoeld* that remark was meant for/directed at/intended for/a sly dig at me

bedoeling [de^{v}] [1] ⟨doel⟩ intention, aim, purpose, object, idea ◆ *de bedoeling was **goed*** the intention was good, it was meant well; *met een **goede** bedoeling iets doen* do sth. with good intentions/from good motives; *hij **heeft** er een bedoeling/zo zijn bedoeling(en) mee* he is doing it for his own purposes/purposes of his own, he has his own reasons for doing it; *zonder **kwade** bedoelingen* without malice/evil intention/evil intent; ***met** de beste bedoelingen* with the best of intentions; ***met** de bedoeling om te …* with a view to/with the intention of (…ing); *dat **was** niet de bedoeling* that was not intended, that wasn't supposed to happen/what was wanted [2] ⟨zin, strekking⟩ meaning, ⟨m.b.t. brief/toespraak⟩ drift ◆ *de bedoeling van deze **maatregel** is dat …* the object/aim/idea of this measure is that …, the purpose behind this measure is that/to …; *je hebt de bedoeling van het **stuk** niet begrepen* you have not understood the meaning/intention of the play [3] ⟨voornemen⟩ intention, aim, plan ◆ *het ligt **in** de bedoeling …* it is the intention, it is intended, I/we intend/plan/purpose

bedoening [de^{v}] [1] ⟨drukte⟩ to-do, job, fuss, ado ◆ *het was een **hele** bedoening* it was quite a job/business/to-do [2] ⟨toestand⟩ affair, business, job, how-do-you-do ◆ *een **fraaie** bedoening* a nice/pretty how-do-you-do/state of affairs/kettle of fish; *een **rare** bedoening* strange goings-on, a strange affair/business; *het is hier een **rijke** bedoening* this is a pretty posh affair, this is a classy affair, ↓ this is a flash affair [3] ⟨inrichting, spullen⟩ things, belongings, worldly goods

bedolven [bn] [1] ⟨bedekt met⟩ covered (with) ◆ *die papieren lagen **onder** het stof bedolven* the papers were covered with/lay under a layer of dust [2] ⟨overmand door⟩ snowed under (with), swamped (with), flooded (with), overwhelmed (with) ◆ *bedolven **onder** brieven* snowed under with letters, bogged down with correspondence; *bedolven **onder** het werk* overwhelmed/snowed under with work, up to one's ears/eyebrows in work; *bedolven **onder** schuldgevoelens* overwhelmed with feelings of guilt [3] ⟨begraven⟩ buried (under)

bedompt [bn] [1] ⟨benauwd⟩ stuffy, close, musty, ⟨kamer ook⟩ airless, ⟨lucht ook⟩ stale ◆ *een bedompte **atmosfeer*** a stuffy/musty/stale/close atmosphere; ⟨vnl BE ook⟩ a fug; ⟨BE⟩ ↓ a frowst; *een bedompt **vertrek*** a stuffy/musty/airless/^{B}frowsty room [2] ⟨bekrompen⟩ stuffy ◆ *een bedompt **stelletje*** a stuffy pair/couple [3] ⟨beslagen⟩ steamed (up), steamy, blurred

bedonderd [bn] ⟨inf⟩ [1] ⟨gek⟩ crazy, mad, nuts, barmy, ⟨AE⟩ balmy ◆ ***ben** je (helemaal) bedonderd?* are you (quite) crazy/mad?, are you (right) off your rocker? [2] ⟨slecht⟩ rotten, beastly ◆ *het **gaat** bedonderd* things are rotten/beastly; *hij **ziet** er bedonderd **uit*** he looks shocking/awful/seedy/down-and-out [3] ⟨beroerd⟩ idle, lazy, good-for-nothing ◆ *hij **is** nog te bedonderd om uit zijn ogen te kijken* he's too lazy to scratch himself/too feeble to raise a finger [4] ⟨beteuterd⟩ non-plussed, taken aback, crestfallen ◆ *bedonderd **(staan) kijken*** look on perplexed/taken aback

bedonderen [ov ww] ⟨inf⟩ cheat (on), trick, do (in the eye), sell, ↓ con, ↓ gyp, ⟨met geld ook⟩ swindle ◆ *de **boel** bedonderen* mess things up; *de **kluit** bedonderen* take everybody for a ride, lead everybody up the garden path

bedorven [bn] bad, off, contaminated, ⟨vlees ook⟩ tainted, decayed, ⟨fig⟩ spoilt ◆ *bedorven **eieren*** bad/addled eggs; *bedorven **lucht*** bad/vitiated/foul/musty/stale/^{B}frowsty air, ⟨BE⟩ a frowst; *de **melk** is bedorven* the milk has gone/is bad/off/sour; *bedorven **vlees*** bad/contaminated/tainted meat; *dit **worstje** is bedorven* this sausage is off [•] *een bedorven **maag** hebben* have an upset/a disordered stomach

bedotster [de^{v}] → **bedotter**

bedotten [ov ww] fool, take in, kid, gull, hoodwink ◆ *hij **laat** zich gauw bedotten* he is easy to fool/take in/an easy victim/mark

bedotter [de^{m}], **bedotster** [de^{v}] trickster, cheat

bedplassen [ww] bed-wetting

bedrading [de^{v}] [1] ⟨voorziening met draden⟩ wiring [2] ⟨draden van een toestel⟩ wiring, circuit ◆ *nieuwe bedrading **aanleggen** in een kamer* rewire a room; ***defecte** bedrading* faulty wiring

bedradingsschema [het] wiring diagram

bedrag [het] [1] ⟨grootte van een geldsom⟩ amount, sum ◆ *voor het **exorbitante** bedrag van 1000 pond* to the tune of 1000 pounds, for the ridiculous/excessive price of 1000 pounds; *voor het **luttele** bedrag van* for the matter/mere consideration of; ***openstaand** bedrag* unpaid amount, amount unpaid; ***tot** een bedrag **van**, **ten** bedrage **van*** to the amount/extent of, amounting to, in the sum of [2] ⟨geldsom⟩ sum (of money) ◆ *er zijn **grote** bedragen voor uitgetrokken* large/considerable sums of money have been appropriated for it; *een bedrag **ineens*** a lump sum; *een **rond** bedrag* a round sum; ⟨cijfer⟩ a round figure; *een bedrag **storten*** deposit a sum of money, pay/make a deposit; *een **vast** bedrag* a fixed sum/amount

bedragen [onov ww] amount to, ⟨aantal⟩ number, ⟨geld ook⟩ come to, run (up) to, add up to ◆ *de verhuiskosten bedragen 3000 **euro*** the moving expenses amount/come to 3000 euros; *de hoogte bedraagt 200 **meter*** the height measures 200 metres; *het bedraagt een grote **som*** a great sum is involved

bedrand [de^{m}] edge of the bed ◆ ***op** de bedrand zitten* sit on the edge of the bed

bedreigen [ov ww] [1] ⟨dreigen kwaad te berokkenen⟩ threaten, ⟨intimideren⟩ intimidate ◆ *bedreigde **diersoorten/plantensoorten*** endangered species, species threatened with extinction; ***iemand** bedreigen* threaten s.o., utter threats against s.o.; *een **land** bedreigen* threaten a country, constitute/be a threat to a country; *iemand **met** de dood bedreigen* threaten s.o. with death, threaten to kill s.o. [2] ⟨gevaar vormen voor⟩ threaten, endanger ◆ *dat lot bedreigt **ons allen*** that fate hangs over us all; ⟨sport⟩ *er was maar één deelneemster die haar eerste **plaats** nog kon bedreigen* there was only one competitor left to challenge her number/no 1 position [3] ⟨als dreigement voorhouden⟩ threaten (with)

bedreigend [bn] threatening, menacing, ⟨intimiderend⟩ intimidating

bedreiging [de^{v}] [1] ⟨handeling⟩ threat, ⟨intimidatie⟩ intimidation ◆ *iets **onder** bedreiging verkrijgen* obtain sth. by threats/intimidation/under duress; ***onder** bedreiging van een vuurwapen* at gun-point [2] ⟨datgene waardoor, waarmee gedreigd wordt⟩ threat (to), menace (to), ⟨gevaar⟩ danger (to) ◆ *bedreigingen **uiten*** utter threats, threaten, intimidate; *de nationaalsocialistische politiek was een **voortdurende** bedreiging van de vrede* national-socialist politics were a constant threat to peace

bedremmeld [bn, bw] bashful ⟨bw: ~ly⟩, embarrassed, crestfallen, covered with confusion ◆ *bedremmeld **kijken*** look bashful/embarrassed

bedremmelen [ov ww] embarrass

bedreven [bn] adept (at/in), expert (at/in), ⟨vakkundig⟩

proficient (at/in), skilled (in), ⟨vaardig⟩ skilful/^{A}skillful (in), ⟨goed op de hoogte⟩ (well-)versed (in), conversant (with) ♦ ***niet** bedreven zijn **in** iets* be inexperienced at/in sth., be unskilled/unversed in sth.; ***zeer** bedreven iemand* virtuoso, wizard, past master; ⟨inf⟩ whiz(z)kid

bedrevenheid [de^{v}] adeptness, expertise, proficiency, skill ♦ ***grote** bedrevenheid* virtuosity, (past-)mastery, expertise

^{1}**bedriegen** [onov ww] ⟨misleidend zijn⟩ be deceptive ♦ *hij hangt van **liegen** en bedriegen aan elkaar* he's a born liar and a cheat; *tenzij alle **tekenen** bedriegen* unless all the evidence is nothing to go by, if you can trust what you see/hear [•] ⟨sprw⟩ *schijn bedriegt* appearances are deceiving/deceptive; things are seldom what they seem; ± you can't tell a book by its cover

^{2}**bedriegen** [ov ww] [1] ⟨misleiden⟩ deceive, cheat, play false, ⟨oplichten⟩ swindle, ⟨inf⟩ con; zie ook **bedrogen** ♦ *mijn **geheugen** bedriegt mij* my memory deceives me/plays me false/plays tricks on me; *als mijn **geheugen** mij niet bedriegt* if my memory serves me (well); *als mijn **ogen** me niet bedriegen* if my eyes do not deceive me/play me false/play tricks on me; ***zichzelf** bedriegen* deceive/delude o.s. [2] ⟨ontrouw zijn⟩ deceive, cheat (on), play false, ⟨AE⟩ step out on; zie ook **bedrogen** ♦ *zij bedriegt haar man **met** een collega* she's cheating on her husband by having an affair with a colleague, she is unfaithful to/cuckolding her husband with a colleague; *hij bedriegt zijn **vrouw*** he deceives/cheats on his wife, he plays his wife false

bedrieger [de^{m}] cheat, fraud, deceiver, ⟨iemand die zich voor een ander uitgeeft⟩ impostor, ⟨oplichter⟩ swindler, ⟨inf⟩ con man ♦ *de bedrieger **bedrogen*** the biter bit, the cheat/fraud/imposter/swindler hoist with his own petard; *hij is een **geboren** bedrieger* he's a born cheat/fraud/con man

bedriegerij [de^{v}] [1] ⟨het bedriegen⟩ cheating, trickery, deception, deceit, ⟨m.b.t. geld⟩ fraud, ⟨inf⟩ monkey business, ⟨oplichterij⟩ swindling ♦ *het is allemaal bedriegerij* it's all a cheat/hoax/con (trick) [2] ⟨bedrieglijke handeling⟩ trick, piece of trickery/deceit/deception, ⟨vnl. m.b.t. geld⟩ fraud, piece of monkey business, swindle, ⟨inf⟩ con (trick/^{A}game)

bedrieglijk [bn, bw] deceptive ⟨bw: ~ly⟩, false, misleading, ⟨karakter⟩ deceitful, ⟨praktijken⟩ fraudulent ♦ *bedrieglijke **bankbreuk*** fraudulent/culpable bankruptcy; *een bedrieglijk **beeld*** a false picture; *dit **licht** is bedrieglijk* this light is deceptive/tricky/plays tricks on one; *een bedrieglijke **rust*** a deceptive/misleading/seeming tranquillity; *het **weer** is bedrieglijk* the weather is deceptive/misleading

bedrijf [het] [1] ⟨onderneming, zaak⟩ business, company, enterprise, firm, business undertaking, ⟨groot⟩ concern, ⟨landb⟩ farm ♦ ***gemengd** bedrijf* mixed farm; ***openbare** bedrijven* public services/utilities [2] ⟨in samenstellingen⟩ business ♦ *het **uitgeversbedrijf*** the printing business [3] ⟨akte⟩ act ♦ *het **eerste/tweede** bedrijf* Act One/Two [4] ⟨werking⟩ operation, ⟨m.b.t. apparaat⟩ (working) order ♦ ***buiten** bedrijf zijn* ⟨machine⟩ be out of order/action; ⟨fabriek⟩ be idle/closed down; ***buiten** bedrijf stellen* put out of operation/action; ⟨technische installatie, fabriek, schip, vliegtuig e.d.⟩ decommission; ⟨machine ook⟩ turn off; ⟨fabriek ook⟩ close/shut down; ***in** bedrijf zijn* be in operation; ⟨fabriek ook⟩ be operating/running/at work/open/humming; ***in** bedrijf stellen* bring/put into operation; ⟨technische installatie, fabriek, schip, vliegtuig e.d.⟩ commission, put into commission; ⟨machine ook⟩ bring/put/set into action, turn on; ⟨fabriek ook⟩ start (up) [•] ***tussen/onder** de bedrijven door* as one goes along, in between times/jobs, in the meantime; *een cursus typen doet hij **tussen** de bedrijven door* he's doing a typing course in his spare time

bedrijfsadministrateur [de^{m}] company accountant

bedrijfsadministratie [de^{v}] business administration, ⟨ind ook⟩ works administration, ⟨boekhouding⟩ business/industrial accountancy

bedrijfsadviseur [de^{m}] business/management consultant

bedrijfsafval [het] industrial waste, ⟨van fabriek⟩ factory waste

bedrijfsanalyse [de^{v}] company/corporate analysis

bedrijfsarts [de^{m}] company doctor, ⟨BE⟩ company medical officer, industrial medical officer

bedrijfsauto [de^{m}] company car, commercial/salesman's car, commercial/salesman's van, ⟨bestelwagen⟩ tradesman's van

bedrijfsbelang [het] business interest

bedrijfsbelasting [de^{v}] corporate tax

bedrijfsbeleid [het] corporate/company policy

bedrijfsberichten [de^{mv}] company/trading reports, company/trading returns

bedrijfsbezetting [de^{v}] sit-in (strike), sit-down strike, occupation

bedrijfsblind [bn] dulled by routine ♦ *bedrijfsblind zijn* ± wear blinkers; ± have tunnel vision

bedrijfsblindheid [de^{v}] organisational blindness/myopia

bedrijfsbreed [bn] company-wide

bedrijfsbureau [het] planning and control department

bedrijfschap [het] (wholly owned subsidiary) group ♦ ***licht** bedrijfschap* associated companies, trading organisation/association

bedrijfscommissie [de^{v}] wages council/board, ⟨tijdelijk⟩ arbitration (committee), industrial tribunal

bedrijfscomplex [het] company/corporate complex

bedrijfsconcentratie [de^{v}] integration, agglomeration ♦ ***horizontale/verticale** bedrijfsconcentratie* horizontal/vertical integration

bedrijfscorrespondentie [de^{v}] business correspondence, company mail, commercial correspondence

bedrijfscrèche [de] workplace nursery/day care centre

bedrijfscultuur [de^{v}] corporate culture

bedrijfsdienst [de^{m}] staff/functional organisation

bedrijfsdoorlichting [de^{v}] efficiency/work-measurement study, time and motion study

bedrijfseconomie [de^{v}], **bedrijfshuishoudkunde** [de^{v}] business economics, ⟨ind⟩ industrial economics, ⟨landb⟩ farm economics

bedrijfseconomisch [bn] of/about business economics, of/about farm economics ⟨pred⟩ ♦ *bedrijfseconomische **aangelegenheden*** matters pertaining to business economics; *bedrijfseconomische **boeken*** books on business economics

bedrijfseconoom [de^{m}] business economist

bedrijfsfilosofie [de^{v}] business philosophy, company philosophy, corporate philosophy

bedrijfsgebouw [het] industrial building ♦ *bedrijfsgebouwen en **-terreinen*** company premises

bedrijfsgeheim [het] trade secret

bedrijfsgeneeskunde [de^{v}] industrial medicine

bedrijfsgroep [de] industrial confederation/council, industrial section, industry group, ⟨handel⟩ trading group/section, ⟨landb⟩ branch of agriculture

bedrijfshal [de] corporate/company hall(way)/concourse

bedrijfshoofd [het] head of a business/company, ⟨met eigenaar⟩ business/company manager, business/company director, business/company superintendent

bedrijfshuishouding [de^{v}] organized economy

bedrijfshuishoudkunde [de^{v}] → **bedrijfseconomie**

bedrijfsinkomen [het] ⟨in België⟩ ⟨arbeider⟩ wage, ⟨bediende⟩ salary

bedrijfsinstallatie [de^{v}] ⟨vaak mv⟩ (plant and) equip-

ment

bedrijfskader [het] business/company executives, industrial executives, ⟨bedrijfsleiding⟩ board (of directors), management

bedrijfskantine [de^{v}] works canteen

bedrijfskapitaal [het] working capital, business/operating/trading capital

bedrijfsketen [de] process chain

bedrijfsklaar [bn] in working order, in running order, in working/running condition, ready for operation ◆ *bedrijfsklaar **maken*** put into working/running order/condition, make ready for work/to start; ⟨smeltovens e.d.⟩ fire up

bedrijfskleding [de^{v}] industrial clothing, workwear

bedrijfsklimaat [het] business climate

bedrijfskolom [de] ⟨ec⟩ production and marketing chain

bedrijfskosten [de^{mv}] running costs, working/business/running/operating expenses, ⟨landb ook⟩ farming costs ◆ ***algemene** bedrijfskosten* overheads; *bedrijfskosten van een **auto/installatie*** running costs of a car/installation

bedrijfskunde [de^{v}] business administration, management

bedrijfskundig [bn] managerial, ⟨attributief⟩ management, business, ⟨na zelfstandig naamwoord⟩ of management ◆ *bedrijfskundig **ingenieur*** industrial engineer

bedrijfslasten [de^{mv}] operating expenses/costs, company/corporate overhead

bedrijfsleer [de] business economics

bedrijfsleider [de^{m}], **bedrijfsleidster** [de^{v}] manager, ⟨in fabriek⟩ works manager/superintendent, ⟨landb⟩ farm manager

bedrijfsleiding [de^{v}] management, board (of directors)

bedrijfsleidster [de^{v}] → **bedrijfsleider**

bedrijfsleven [het] [1] ⟨praktisch economisch leven⟩ business, trade and industry, business world ◆ ***in** het bedrijfsleven gaan* go/enter into business/industry; *het **particuliere** bedrijfsleven* private enterprise [2] ⟨personen, bedrijven⟩ business community, business/trade/industrial circles

bedrijfsmaatschappelijk [bn] company/industrial welfare ⟨attr⟩ ◆ *bedrijfsmaatschappelijk **werkster*** company/industrial welfare worker

bedrijfsmatig [bn] efficient, professional ◆ *bedrijfsmatig **werken*** go about things in a businesslike fashion, operate efficiently

bedrijfsmiddel [het] asset

bedrijfsmiddelen [de^{mv}] capital equipment, fixed/capital assets, capital/producers' goods

bedrijfsmodel [het] business model

bedrijfsongeval [het] industrial accident ◆ *aanspraak maken op een uitkering op grond van een bedrijfsongeval* claim industrial injuries benefit

bedrijfsoppervlakte [de^{v}] floor/working area, ⟨landb⟩ (farm) acreage

bedrijfsorgaan [het] [1] ⟨vereniging⟩ trade body [2] ⟨blad⟩ house organ/journal/newsletter

bedrijfsorganisatie [de^{v}] [1] ⟨van een bedrijf⟩ industrial organization, business organization, business/industrial planning ◆ ***bureau** voor interne bedrijfsorganisatie* planning office [2] ⟨van het bedrijfsleven, een bedrijfstak⟩ industrial organization, trading organization, works council

bedrijfsovername [de^{v}] corporate takeover

bedrijfspand [het] ⟨kantoor, winkel⟩ business/commercial property, business/commercial premises, ⟨fabriek⟩ industrial property/premises/building

bedrijfspensioenfonds [het] staff/company pension fund, ⟨voor arbeiders ook⟩ workers' pension fund

bedrijfsplan [het] operation schedule, industrial plan(ning), ⟨landb⟩ farming plan(ning)

bedrijfspluimvee [het] commercial poultry

bedrijfspolitiek [de^{v}] business policy, ⟨specifiek⟩ company policy, ⟨handel⟩ trading policy, ⟨landb⟩ farm(ing) policy

bedrijfspsychologe [de^{v}] → **bedrijfspsycholoog**

bedrijfspsychologie [de^{v}] industrial psychology

bedrijfspsycholoog [de^{m}], **bedrijfspsychologe** [de^{v}] industrial psychologist

bedrijfsraad [de^{m}] [1] ⟨in Nederland⟩ Joint Industrial Councils ⟨mv⟩, ± Whitley council, ⟨vnl BE⟩ works council/committee [2] ⟨in België⟩ industry advisory board

bedrijfsresultaat [het] trading results, operating profit/income, operating/working results, ⟨landb ook⟩ farm profits

bedrijfsrevisor [de^{m}] ⟨in België⟩ auditor

bedrijfsrisico [het] business/trading risk

bedrijfsruimte [de^{v}] working accommodation, work(ing)/factory/manufacturing space, business accommodation

bedrijfsschade [de] loss of profits, consequential/trading loss ◆ *zich **tegen** bedrijfsschade **verzekeren*** take out insurance against (a) loss of profits; *een **verzekering** tegen bedrijfsschade* consequential loss/loss of profits insurance, insurance against loss of profits

bedrijfssector [de^{m}] branch of industry, line of business, trading section/sector, ⟨landb⟩ branch of agriculture

bedrijfssluiting [de^{v}] shut-down, close-down

bedrijfssociologie [de^{v}] industrial sociology

bedrijfsspanning [de^{v}] operating/working voltage

bedrijfssparen [het] company savings plan

bedrijfsspionage [de^{v}] industrial espionage/spying, ↓ (industrial) piracy

bedrijfsstoring [de^{v}] [1] ⟨stagnatie⟩ interruption of operations/work, stoppage of operations/work [2] ⟨bij machines⟩ breakdown, operational trouble/failure

bedrijfstak [de^{m}] [1] ⟨onderdeel van een bedrijf⟩ department [2] ⟨groep van bedrijven⟩ industry (sector), trade/business (sector), line (of business)

bedrijfstechnicus [de^{m}] company engineer/technician

bedrijfsterrein [het] company grounds/premises

bedrijfsuitgaven [de^{mv}] ⟨in België⟩ running/operating costs, overhead

bedrijfsveiligheid [de^{v}] industrial safety, safety at work, ⟨machines e.d.⟩ safety of operation

bedrijfsvereniging [de^{v}] industrial insurance board

bedrijfsvergunning [de^{v}] business/operating licence, ⟨AE⟩ business/operating license, ⟨handel⟩ trade licence/^{A}license

bedrijfsverpleegkundige [de] company nurse

bedrijfsverzekering [de^{v}] business interruption insurance, consequential loss insurance, ⟨AE ook⟩ use and occupancy insurance, (loss-of-)profits insurance

bedrijfsvoering [de^{v}] (operational) management

bedrijfsvoetbal [het] industrial football

bedrijfsvoorheffing [de^{v}] ⟨in België⟩ advance tax payment, advance levy, ⟨AE ook; m.b.t. inkomstenbelasting⟩ withholding tax

bedrijfsvoorlichter [de^{m}], **bedrijfsvoorlichtster** [de^{v}] public relations officer, PR officer

bedrijfsvoorlichtster [de^{v}] → **bedrijfsvoorlichter**

bedrijfswaarde [de^{v}] company value

bedrijfswagen [de^{m}] commercial vehicle, commercial/salesman's car, commercial/salesman's van, ⟨bestelwagen⟩ tradesman's van, ⟨auto van de zaak⟩ company car

bedrijfswinkel [de^{m}] company shop/^{A}store

bedrijfswinst [de^{v}] operating profit

bedrijfszeker [bn] reliable

bedrijfszekerheid [de^{v}] (operational) safety

bedrijfszetel [de^{m}] ⟨in België⟩ plant

bedrijven [ov ww] commit, ↑ perpetrate ◆ *kwaad/onheil bedrijven* perpetrade/do evil, make mischief; *de **liefde** bedrijven* make love; ***zonde** bedrijven* commit sin, sin

bedrijvencentrum [het] ± enterprise zone

bedrijvend [bn] ⟨taalk⟩ ⊡ *de bedrijvende **vorm** van een werkwoord* the active voice of a verb; *bedrijvend **werkwoord*** transitive verb

bedrijvendokter [de^{m}] company doctor

bedrijvenpark [het] industrial ^{B}estate/^{A}park, business park ◆ *gevestigd in een **nieuw** bedrijvenpark* with offices in a new industrial estate/park

bedrijver [de^{m}] ⟨pej⟩ culprit, committer, ↑ perpetrator ◆ *de bedrijver van het **kwaad*** the evil-doer/culprit

bedrijvig [bn] [1] ⟨werkzaam⟩ active, busy, ⟨hard werkend⟩ industrious, ⟨altijd bezig⟩ bustling ◆ *een bedrijvig **leven*** a busy life; *een bedrijvig **type*** an industrious/hard-working type [2] ⟨druk, levendig⟩ active, busy, lively, bustling ◆ *een bedrijvig **kind*** an active child; *een bedrijvige **stad*** a busy/bustling town

bedrijvigheid [de^{v}] [1] ⟨het werkzaam zijn⟩ activity, busyness, industriousness, diligence [2] ⟨drukte, levendigheid⟩ activity, busyness, hustle, bustle, hustle and bustle ◆ ***economische** bedrijvigheid* economic activity; ***koortsachtige** bedrijvigheid* feverish activity

bedrijving [de^{v}] committing, ↑ perpetrating

zich bedrinken [wk ww] get drunk/slashed/smashed (on), ↑ become intoxicated

^{1}**bedroefd** [bn] ⟨verdrietig⟩ sad (about), sorrowful, dejected, ⟨van streek⟩ upset/distressed (about) ◆ *een bedroefd **gezichtje*** a dejected face; *bedroefd **maken*** sadden, upset

^{2}**bedroefd** [bw] ⟨zeer⟩ deplorably, distressingly, miserably, extremely

bedroefdheid [de^{v}] sadness, sorrow, dejection, distress

bedroeven [ov ww] ⟨form⟩ sadden, grieve, afflict ◆ ***diep** bedroeven* deeply distress, afflict, harrow; *je gedrag bedroeft **mij*** your conduct saddens me

^{1}**bedroevend** [bn] [1] ⟨droefheid wekkend⟩ sad(dening), depressing, distressing ◆ *een bedroevend **schouwspel*** a sad spectacle [2] ⟨armzalig⟩ pathetic, pitiful, miserable, lamentable ◆ *bedroevende **resultaten*** pathetic/pitiful results

^{2}**bedroevend** [bw] ⟨zeer⟩ pathetically, miserably, deplorably, extremely ◆ *zijn werk is bedroevend **slecht*** his work is lamentably poor; *bedroevend **weinig*** precious little

bedrog [het] [1] ⟨bedriegerij⟩ deceit, deception, delusion, ⟨oplichting⟩ fraud, swindle ◆ *door **list** en bedrog* by means of trickery, by craft/ruse and guile; *bedrog **plegen*** cheat, swindle, deceive, commit fraud; ***vroom** bedrog* pious fraud; ***zonder** bedrog* guileless [2] ⟨bedrieglijke voorstelling⟩ deception, delusion ◆ ***optisch** bedrog* optical illusion(s) ⊡ ⟨sprw⟩ *dromen zijn bedrog* dreams are lies; ± golden dreams make men awake hungry; ± dreams go by contraries; ⟨sprw⟩ *bedrog loont zijn meester* cheats never prosper

bedrogen [bn] deceived, duped, ↓ had, done ◆ *een bedrogen **echtgenoot*** a deceived/betrayed husband/wife; ⟨alleen van man⟩ a cuckold; *bedrogen **uitkomen*** be deceived/disappointed; ⟨inf⟩ catch a cold, get the short end

bedrogene [de] dupe, deceived

bedruipen [ov ww] sprinkle, ⟨vlees⟩ baste ◆ *het **vlees** elk halfuur even bedruipen* baste the meat every half hour/thirty minutes ⊡ ***zichzelf** (kunnen) bedruipen* be able to pay one's way/support o.s.; ⟨sprw⟩ *een vette gans bedruipt zichzelf* ± good wine needs no bush; ± nothing succeeds like success

bedrukken [ov ww] print, inscribe, impress ◆ *kaartjes bedrukken **met** gegraveerde letters* print cards in copperplate/an engravers' font; *bedrukt **papier*** printed paper; *bedrukte **stoffen*** printed materials, prints

bedrukt [bn] dejected, (cast) down, low, depressed, melancholic ◆ *met een bedrukt **gemoed*** with a stricken heart, dejectedly, in low spirits; *een bedrukt **gezicht** zetten* look dejected, look downcast, have a long face; *er bedrukt **uitzien*** look dejected; *de bedrukte **weduwe*** the unhappy widow

bedruktheid [de^{v}] dejection, low spirits, melancholy

bedruppelen [ov ww] sprinkle

bedrust [de] bed rest ◆ *bedrust **voorschrijven*** prescribe bed rest

bedscène [de] bed(room) scene

bedscherm [het] bed screen

bedstee [de] box bed

bedstel [het] mattress and pillows

bedstro [het] bedding straw ⊡ ⟨sprw⟩ *verhuizen kost bedstro* three removals/removes are as bad as a fire

bedtijd [de^{m}] bedtime, time for bed ◆ ***om** bedtijd* at bedtime; *het **werd** bedtijd* bedtime came/arrived, it was bedtime/time for bed

beducht [bn] apprehensive, anxious (for), ⟨bang⟩ afraid/fearful (of) ◆ *beducht **voor** risico's* be risk-shy/shy of taking risks/nervous; *beducht zijn **voor** zijn reputatie* be concerned/anxious for/tender of one's reputation; *beducht zijn **voor** zijn gezondheid* be afraid/anxious for one's health; *beducht zijn **voor** gevaar/een vijand* be afraid/fearful of danger/an enemy

beduchtheid [de^{v}] apprehension, anxiety, fear

beduiden [ov ww] [1] ⟨gebaren⟩ signal, motion, indicate, wave ◆ *de **agent** beduidde mij te stoppen* the policeman signalled (to) me to stop [2] ⟨betekenis hebben⟩ signify, mean, imply, ⟨form⟩ import ◆ *die kwestie **heeft** weinig te beduiden* the matter is of little consequence/means little [3] ⟨voorspellen⟩ indicate, imply, mean, ⟨vnl. onheil; form⟩ portend ◆ *dat beduidt niet veel **goeds*** that bodes little good

^{1}**beduidend** [bn] ⟨van betekenis⟩ significant, important, considerable, portentous ◆ *een beduidende **som*** a considerable sum; *beduidende **verliezen*** significant losses; *een beduidend **verschil*** a marked difference

^{2}**beduidend** [bw] ⟨in belangrijke mate⟩ significantly, considerably, substantially ◆ *beduidend **minder*** considerably less

beduimeld [bn] well-thumbed ◆ *een beduimeld **boek*** a well-thumbed book; *een beduimelde **spiegel*** a thumb-marked mirror

beduimelen [ov ww] thumb

beduusd [bn] bewildered, confused, dazed, non-plussed ◆ *een **beetje** beduusd* (a little) disconcerted; *hij was **helemaal** beduusd van die opmerking* he was completely taken aback by that remark; *beduusd **zijn, staan*** be bewildered/stand there dazed; *beduusd **(zitten) kijken*** look bewildered, stare in bewilderment, look blank

beduveld [bn] ⟨inf⟩ crazy, nuts, daft, barmy, ⟨AE⟩ balmy ◆ ***ben** je nou helemaal beduveld!* have you gone (right) off your rocker!, are you out of your mind!

beduvelen [ov ww] ⟨inf⟩ cheat (on), trick, do (in the eye), ↓ con, ↓ gyp, ⟨met geld ook⟩ swindle

bedverpleging [de] (sick-)bed nursing

bedwang [het] control, restraint, check, curb ◆ *goed **in** bedwang hebben* have well in hand/check/under control, have a tight rein on; *iemand **in** bedwang houden* ⟨ook fig⟩ keep s.o. in check, check s.o.; *een paard **in** bedwang houden* keep/hold a horse in check/under control; *zijn stem **in** bedwang hebben* have one's voice under control; *zich(zelf) **in** bedwang houden* restrain/contain/control o.s., keep o.s. under control; *zich(zelf) niet langer **in** bedwang (kunnen) houden* lose control (of/over o.s.), no longer be able to restrain/contain/control o.s.

bedwateren [ww] bed-wetting

bedwelmd [bn] [1] ⟨verdoofd⟩ stunned, dazed, stupefied, knocked out ⟨ook door klap⟩, ↓ dopey/overcome (with) ◆ ***door** gas bedwelmd* overcome/knocked out by gas; ***door** alcohol bedwelmd* intoxicated, inebriated, ↓ fuddled with alcohol/drink; ***door** cocaïne bedwelmd* coked up; ***door** de slaap bedwelmd* overcome/dopey with sleep [2] ⟨onder narcose⟩

anaesthetized, ↓ drugged, ↓ doped

bedwelmen [ov ww] [1] ⟨het bewustzijn doen verliezen⟩ stun, daze, stupefy, ⟨door alcohol⟩ intoxicate ◆ *door de val bedwelmd bleef hij liggen* stunned by the fall, he couldn't/didn't get up; *bedwelmende gassen* stupefying gases; *bedwelmende middelen* drugs, narcotics; ⟨inf⟩ dope; ⟨drank⟩ intoxicants [2] ⟨zijn inzicht doen verliezen⟩ intoxicate, ↓ fuddle

bedwelming [de^{v}] [1] ⟨handeling⟩ stunning, stupefying, ⟨ook door alcohol⟩ intoxicating [2] ⟨toestand⟩ intoxication, stupefaction, daze, stupor

bedwelmingsmiddel [het] narcotic, drug, ⟨inf⟩ dope, ⟨drank⟩ intoxicant

bedwingen [ov ww] [1] ⟨onderdrukken⟩ suppress, control, conquer ◆ *een brand bedwingen* bring/get a fire under control; *onlusten bedwingen* suppress disturbances/rebellion [2] ⟨in bedwang houden⟩ suppress, subdue, control, ⟨gevoelens⟩ restrain, keep under control, hold in check ◆ *zijn ongerustheid bedwingen* suppress/quell one's uneasiness; *zijn tranen bedwingen* swallow/keep back/hold back/restrain one's tears; *zijn woede bedwingen* restrain/control/restrain/hold back one's anger; *zich(zelf) bedwingen* restrain/control/contain o.s., keep o.s. under control; *zich(zelf) niet langer (kunnen) bedwingen* lose control (of/over o.s.), no longer be able to restrain/contain/control o.s. [•] *bergen bedwingen* conquer mountains; *de natuur bedwingen* tame nature

bedzeiltje [het] rubber sheet

beëdigd [bn] [1] ⟨m.b.t. personen⟩ sworn, ⟨accountant, ingenieur, bibliothecaris, landmeter⟩ chartered ◆ *beëdigd getuige/klerk* sworn witness/clerk; *een beëdigd makelaar* a sworn broker; *beëdigd taxateur* sworn/licensed assessor; *beëdigd vertaler* sworn translator [2] ⟨door een eed bekrachtigd⟩ sworn, on oath ◆ *(niet) beëdigde getuigenissen* (un)sworn evidence/testimony, evidence/testimony (not) on oath; *een beëdigde vertaling* a certified/sworn translation

beëdigen [ov ww] [1] ⟨eed afnemen⟩ swear (in), administer an oath to, put on oath ◆ *een ambtenaar beëdigen* swear an official into office; *een getuige beëdigen* swear (in) a witness, put a witness on oath; *een soldaat beëdigen* attest a soldier [2] ⟨door een eed bekrachtigen⟩ swear, confirm on oath

beëdiging [de^{v}] [1] ⟨bekrachtiging door een eed⟩ swearing, confirmation on oath [2] ⟨het afnemen van een eed⟩ swearing (in), administration of the oath ◆ *de beëdiging van de nieuwe gemeenteraadsleden* the swearing in of the new councillors

beëindigen [ov ww] [1] ⟨een einde maken aan⟩ end, finish, terminate, conclude, ⟨voltooien⟩ complete ◆ *een behandeling beëindigen* finish treatment; ⟨med⟩ withdraw treatment; *een reis beëindigen* finish/complete a journey; *een vriendschap beëindigen* end/terminate/break off a friendship; *een wedstrijd beëindigen* finish a race [2] ⟨door middel van een overeenkomst tot een einde brengen⟩ end, ⟨vergadering⟩ close, ⟨afbreken⟩ discontinue, ⟨contract⟩ terminate ◆ *een abonnement beëindigen* discontinue/cancel a subscription; *een geschil beëindigen* terminate/end a quarrel, end a disagreement; *de huur beëindigen* stop the rent

beëindiging [de^{v}] end(ing), conclusion, termination, close, ⟨med; behandeling, voeding⟩ withdrawal

beek [de] brook, stream, rivulet, ⟨kreek⟩ creek ◆ *een beek van tranen* a flood of tears; *beekje* brooklet

beekdal [het] stream valley

beeld [het] [1] ⟨driedimensionale af-, uitbeelding⟩ statue, sculpture, figure, image ◆ *een gegoten beeld* a cast/molten image, a cast (statue); *een beeld gieten* cast a statue; *een marmeren/bronzen beeld* a marble/bronze statue/figure; *wassen beelden* wax(work) figures, waxwork, ceroplastics; ⟨in etalage ook⟩ wax models [2] ⟨tweedimensionale afbeelding⟩ picture, image, illustration, ⟨foto⟩ photo(graph) ◆ *in beeld en geschrift* in words and pictures; *de Olympische Spelen in beeld* the Olympic Games in pictures/on film; *beelden van een voetbalwedstrijd* pictures of a football match [3] ⟨afbeelding door middel van een elektronisch apparaat⟩ picture, (photographic) image ◆ *zich buiten het beeld afspelen* take place off the screen/behind the scenes/off the picture; *het beeld is te donker* the picture is too dark; *in beeld brengen* ⟨tv, film⟩ show (a picture/pictures of), put on the screen, bring into vision; ⟨fig⟩ show, ↑ portray; *in beeld zijn/komen* be/come on (the screen); *een scherp/wazig beeld* a sharp/blurred picture [4] ⟨afschijnsel⟩ picture ◆ ⟨foto⟩ *een positief, negatief beeld* a positive/negative (picture) [5] ⟨voorstelling door een beschrijving⟩ picture, definition, description, image ◆ *het beeld bepalen* set the scene; *iemand een beeld van iets geven* give s.o. some/an idea/a picture of sth.; *iemand een beeld geven van de situatie* put s.o. in the picture (about the situation); *een globaal/algemeen beeld* an overall picture; *een beeld schetsen* draw/sketch a picture; *een verkeerd beeld geven van iets* misrepresent sth.; *een verkeerd beeld van iets hebben* misperceive sth., have the wrong impression/idea of sth. [6] ⟨voorstelling in de geest⟩ image, picture, idea, view ◆ *beelden oproepen uit het verleden* evoke/recall images/pictures from the past; *zich een beeld van iets vormen* form a picture/an image of sth., visualize sth. [7] ⟨bijzonder mooi exemplaar⟩ picture ◆ *een beeld van een hoed* a picture of a hat; *een beeldje van een kind* a picture of a child [8] ⟨overdrachtelijke aanduiding⟩ ⟨beeldspraak⟩ figure (of speech), image, picture, metaphor, ⟨vnl lit⟩ simile ◆ *een treffend beeld* a striking image

beeldafstand [de^{m}] [1] ⟨afstand tot het beeld⟩ distance from the picture, ⟨televisie ook⟩ viewing distance [2] ⟨m.b.t. lenzen⟩ focal length

beeldapparatuur [de^{v}] audio-visual equipment

beeldband [de^{m}] videotape

beeldbank [de] image archive

beeldbellen [ww] videophoning

beeldbuis [de] [1] ⟨elektronenstraalbuis⟩ cathode-ray tube, television/picture tube [2] ⟨televisietoestel⟩ screen, tube, ⟨inf⟩ box ◆ *elke avond voor de beeldbuis zitten* sit in front of the box/tube every evening

beeldcultuur [de^{v}] visual culture

beelddrager [de^{m}] ⟨alg⟩ material (on which a picture is painted), base, ⟨doek⟩ canvas, ⟨paneel⟩ panel, ⟨comm⟩ vision/picture carrier

beeldenaar [de^{m}] effigy, head

beeldend [bn, bw] plastic ⟨bw: ~ally⟩, expressive ◆ *(de) beeldende kunst(en)* (the) visual arts; *beeldende taal* expressive/evocative/plastic language; *het beeldend vermogen van een schrijver* the expressive/wordpainting capacity of a writer, the ability of a writer to paint words

beeldendienst [de^{m}] image worship, iconolatry, idolatry

beeldenexpositie [de^{v}] sculpture exhibition

beeldengalerij [de^{v}] statue gallery

beeldengroep [de] sculpture group

beeldenpark [het] statue park/garden

beeldenstorm [de^{m}] [1] ⟨fig⟩ image breaking/destruction [2] ⟨het vernielen van kunstwerken⟩ iconoclasm

Beeldenstorm [de^{m}] ⟨gesch⟩ (16th-century) iconoclastic fury/outbreak, the 'breaking of the images'

beeldenstormer [de^{m}] [1] ⟨gesch⟩ iconoclast [2] ⟨fig⟩ iconoclast, ⟨inf⟩ debunker

beeldenstrijd [de^{m}] (Byzantine) iconoclastic controversy

beeldfrequentie [de^{v}] picture frequency, frame frequency

beeldgeometrie [de^{v}] raster

beeldgrafiek [de^{v}] pictogram, picture diagram, ⟨zeldz⟩ pictograph

beeldhoek [de^{m}] angle of view
beeldhouwen [ov ww, ook abs] sculpture, sculpt, ⟨hout, ivoor enz.⟩ carve
beeldhouwer [de^{m}], **beeldhouwster** [de^{v}] ⟨man⟩ sculptor, ⟨vrouw⟩ sculptress, ⟨hout; man & vrouw⟩ woodcarver
Beeldhouwer [de^{m}] ⟨astron⟩ Sculptor's Workshop
beeldhouwkunst [de^{v}] [1] ⟨kunst⟩ sculpture ◆ ***de moderne/Griekse beeldhouwkunst*** modern/Greek sculpture [2] ⟨voortbrengselen⟩ sculpture
beeldhouwster [de^{v}] → **beeldhouwer**
beeldhouwwerk [het] [1] ⟨kunstwerk⟩ sculpture, ⟨in hout⟩ carving ◆ *de beeldhouwwerken van de **Grieken*** the Greek sculptures [2] ⟨versiering⟩ sculpture, sculpture work, carving, dressings ⟨mv⟩ ◆ *pilaren met **kunstig** beeldhouwwerk* pillars with ingenious/artistic sculpture work/dressings
beeldig [bn, bw] gorgeous ⟨bw: ~ly⟩, adorable, divine, ⟨predicatief ook⟩ as pretty as a picture ◆ *het is een beeldig **hoedje*** it's a gorgeous/an adorable hat, it's a dream of a hat; *die jas **staat** je beeldig* that coat looks gorgeous/divine on you
beeldinstelling [de^{v}] [1] ⟨wijze van instelling⟩ picture adjustment [2] ⟨handeling⟩ picture adjustment
beeldkast [de] radarscope
beeldkrant [de] electronic news/journal
beeldkwaliteit [de^{v}] picture quality
beeldlijn [de] picture line, video line
beeldmateriaal [het] visual material, ↓ pictures, ⟨film ook⟩ footage, ⟨onderw ook⟩ visual aids
beeldmerk [het] logo(type)
beeldopbouw [de^{m}] image formation
beeldoppervlakte [de^{v}] screen diameter, picture size
beeldplaat [de] videodisc, ⟨AE⟩ videodisk
beeldpunt [het] [1] ⟨van een optisch beeld⟩ picture element, ⟨vnl comp⟩ pixel [2] ⟨van een reproductiebeeld⟩ picture element
beeldrecorder [de^{m}] video recorder
beeldredacteur [de^{m}] picture editor
beeldredactie [de^{v}] [1] ⟨het redigeren⟩ photo editing [2] ⟨de beeldredacteuren⟩ photo editor
beeldregistratie [de^{v}] video recording ◆ ***elektronische** beeldregistratie* electronic video recording
beeldrijk [bn] rich in imagery ⟨alleen pred⟩, metaphorical, figurative, ornate ◆ *beeldrijke **taal*** metaphorical language
beeldrijkheid [de^{v}] richness in imagery, metaphoricalness, ornateness
beeldroman [de^{m}] story in pictures, comic (book), ⟨in krant⟩ comic strip, ⟨BE ook⟩ strip cartoon
beeldscherm [het] (picture/viewing) screen, ⟨tv ook⟩ TV/television screen, ⟨comp⟩ monitor, screen, VDU
beeldschermtypist [de^{m}], **beeldschermtypiste** [de^{v}] visual display unit operator, VDU operator
beeldschermtypiste [de^{v}] → **beeldschermtypist**
beeldscherpte [de^{v}] sharpness (of a/the picture), clarity (of a/the picture), focus (of a/the picture), sharpness (of an/the image), clarity (of an/the image), focus (of an/the image), ⟨techn⟩ definition
beeldschoon [bn] gorgeous, (ravishingly/stunningly/...) beautiful, stunning, ravishing, ⟨voorwerp/eigenschap ook⟩ exquisite
beeldschrift [het] picture writing, pictography, ideography
beeldsignaal [het] video signal, picture signal
beeldsnijden [ww] carve
beeldsnijkunst [de^{v}] carving, ⟨hout⟩ woodcarving
beeldspraak [de] [1] ⟨abstr⟩ metaphor, imagery, metaphorical/figurative language [2] ⟨concreet⟩ metaphor, image
beeldstatistiek [de^{v}] pictogram, picture diagram, ⟨zeldz⟩ pictograph
beeldsynchroon [bn] synchronized (with the picture)
beeldtechnicus [de^{m}] ⟨film, tv⟩ video engineer, vision control supervisor
beeldtechnologie [de^{v}] image technology
beeldtelefonie [de^{v}] videophone (technology), videophony
beeldtelefoon [de^{m}] videophone, videotelephone
beeldtelegrafie [de^{v}] phototelegraphy
beeldtrommel [de], **koppencilinder** [de^{m}] head drum
beeldveld [het] ⟨foto⟩ angle/field of view
beeldvenster [het] ⟨drukw⟩ display
beeldverbinding [de^{v}] television link-up
beeldverhaal [het] comic strip, ⟨BE ook⟩ strip cartoon
beeldverslag [het] ⟨film, tv⟩ (film/TV) report
beeldvertaler [de^{m}] television-standard convertor, ⟨knop⟩ system/standard selector
beeldverwerking [de^{v}] [1] ⟨drukw⟩ graphic processing [2] ⟨comp⟩ image processing
beeldvlak [het] ⟨film⟩ projection surface, ⟨camera⟩ focal plane
beeldvorm [de^{m}] [1] ⟨van een beeld⟩ picture form [2] ⟨van beeldspraak⟩ form of image/metaphor, type of image/metaphor
beeldvorming [de^{v}] formation of an/the image, ⟨ook techn⟩ creation of an/the image, formation of a/the picture, ⟨ook techn⟩ creation of a/the picture, conceptualization, ⟨voorstelling bijvoorbeeld in de pers⟩ representation, image ◆ ***bijdragen** tot een bepaalde beeldvorming* help to create/establish a certain image
beeldwoordenboek [het] pictorial/picture dictionary
beeldzijde [de] obverse, face
beeldzoeker [de^{m}] ⟨foto⟩ view finder
beeltenis [de^{v}] [1] ⟨portret⟩ portrait, likeness [2] ⟨afbeelding⟩ likeness, effigy, image
beëlzebub [de^{m}] beelzebub
Beëlzebub [de^{m}] Beelzebub ◆ ⟨fig⟩ *dat is een **echte** beëlzebub* he's a real demon/devil/ogre
beemd [de^{m}] meadow, pasture ◆ *in **veld** en **bos** en beemden* in field, wood and meadow
beemdgras [het] meadow grass, tussock grass, June grass, bluegrass, wiregrass
been [het] [1] ⟨lichaamsdeel m.b.t. de mens⟩ leg, limb, ⟨in uitdrukkingen vaak⟩ foot, ⟨inf; BE⟩ pin ◆ ⟨in België; fig⟩ *ik heb het **aan** mijn been* I'm stuck with it; ⟨in België⟩ *iets **aan** zijn been hebben* ⟨fig⟩ be had/conned/taken in; ⟨fig⟩ *op zijn **achterste** benen gaan staan* be/rise up in arms; *met **beide** benen op de grond staan* ⟨fig⟩ have one's head screwed on (right); ⟨ook fig⟩ have one's feet firmly on the ground; ⟨fig⟩ *met **beide** benen op de grond blijven staan* remain level-headed; ⟨fig⟩ *weer met **beide** benen op de grond komen te staan* come/be brought down to earth (with a bang/bump); *met **blote** benen* bare-legged; *hij **brak** zijn been* he had his leg broken, he broke his leg; *zo vlug als zijn benen hem **dragen** konden* as fast as his legs could carry him; ⟨fig⟩ *op **één** been **winnen*** win hands down; ⟨fig⟩ *hij staat al met **één** been in het graf* he has one foot in the grave; ⟨fig⟩ *op **eigen** benen staan* stand on one's own (two) feet; *zijn benen niet meer kunnen **gebruiken*** no longer have the use of one's legs; ⟨fig⟩ *ik heb **geen** benen meer om op te staan* my feet are killing me, I'll drop dead from exhaustion; *met **gestrekt** been inkomen* ⟨voetb⟩ make a straight-legged tackle; ⟨fig⟩ tackle s.o.; ⟨fig⟩ *het been stijf **houden*** dig one's heels/toes in, take a firm stand; *een **houten** been* a wooden leg; ⟨inf⟩ a peg leg; *(iemand met) een **houten** been* ⟨inf⟩ a peg leg; ⟨fig⟩ *hij heeft nog **jonge** benen* his legs are still young; ⟨fig⟩ *op zijn **laatste** benen lopen* be on his last legs; *een blondine met mooie **lange** benen* a leggy/long-legged blonde; ***met** de benen over elkaar*

with one's legs crossed; ***mooie*** *benen hebben* have nice/good/pretty legs; ⟨fig⟩ *de benen* ***nemen*** take to one's legs/heels, (make a) run for it, bolt, make a bolt for it; ***op*** *de been blijven* remain on one's feet, keep one's feet/footing, keep going; *weer* ***op*** *de been zijn* be up and about (again), be back on one's feet (again); *zich* ***op*** *de been houden* ⟨ook fig⟩ keep going, struggle along, keep on one's feet; ⟨fig⟩ *dat hield me* ***op*** *de been* that's what kept me going; *ik hielp hem* ***op*** *de been* I helped/set him back on to his feet/helped him regain his footing; *stevig* ***op*** *zijn benen staan* be steady on one's feet/legs; ⟨inf; BE⟩ be steady on one's pins; stand/be firm on one's feet, be sure-footed; *er was veel volk* ***op*** *de been* a great many people were (out and) about; *een leger* ***op*** *de been brengen* raise/recruit/mobilize an army; ***op*** *zijn benen staan te trillen* be shaking/shivering in one's shoes; *hij is al de hele dag* ***op*** *de been* he's been on his feet all day; *zijn geloof hield hem* ***op*** *de been* his faith carried him through/sustained him; *ik kan niet meer* ***op*** *mijn benen staan* I can't keep on my feet any longer, I'll drop dead (from exhaustion); ***over*** *zijn eigen benen vallen* trip over one's own feet; *de benen* ***strekken*** stretch one's legs; ⟨in België⟩ *ergens zijn benen onder* ***tafel*** *steken* sit down to table, stay for dinner somewhere; ⟨goed eten⟩ tuck in; *goed* ***ter*** *been zijn* be a good walker; ⟨voetb⟩ *de bal* ***tussen*** *de benen doorspelen* put/play the ball through/between one's opponent's legs, nutmeg; *op het* ***verkeerde*** *been gezet worden* ⟨sport⟩ be wrong-footed; ⟨fig⟩ be misled, be set/put on the wrong track; ⟨fig, inf⟩ be sent barking up the wrong tree; ⟨fig⟩ *hij is met het* ***verkeerde*** *been uit bed gestapt* he got out of bed on the wrong side; ⟨fig⟩ *dat was tegen het* ***zere*** *been* that cut to the quick/touched on a sore spot; *zijn benen wat rust gunnen* take the weight off one's feet; *zich de benen uit het lijf lopen* run one's legs/feet off [2] ⟨lichaamsdeel m.b.t. een dier⟩ leg [3] ⟨bot⟩ bone ♦ *een been* ***afkluiven/aan*** *een been* ***knagen*** pick a bone, gnaw at a bone [4] ⟨stof waaruit botten bestaan⟩ bone [5] ⟨gebeente⟩ bones ⟨mv⟩ [6] ⟨m.b.t. een kous⟩ leg [7] ⟨m.b.t. een voorwerp⟩ leg ♦ *de benen van een* ***passer*** the legs of a compass/a pair of compasses [8] ⟨m.b.t. letters⟩ downstroke, downward stroke [9] ⟨wisk⟩ side, leg ♦ *de benen van een* ***hoek*** the sides of an angle [10] ⟨m.b.t. een hijswerktuig⟩ arm [•] *ergens* ***geen*** *been in zien* make no bones about sth., think little/nothing of sth., have no scruples about sth.; ⟨sprw⟩ *als twee honden vechten om een been, loopt de derde ermee heen* two dogs fight for a bone, and a third runs away with it; ⟨sprw⟩ *op één been kan men niet lopen* a bird never flew on one wing; wet the other eye; ⟨sprw⟩ *leugens hebben korte benen* lies have short legs; a lie has no legs; (the) truth will out; ⟨sprw⟩ *het zijn sterke benen/het moeten sterke benen zijn die de weelde kunnen dragen* ± set a beggar on horseback and he'll ride to the devil

beenaarde [de] bone ash, bone earth
beenachtig [bn] bony, osseous, osteoid
beenbeschermer [de^{m}] leg guard, ⟨voetb⟩ shinguard, shinpad, ⟨cricket⟩ pad, leggings ⟨mv⟩
beenblok [het] hobble, fetter
beenbreuk [de] (bone) fracture, break, ⟨aan het been⟩ fracture of the leg ♦ ***gecompliceerde*** *beenbreuk* compound fracture (of the leg); ***meervoudige*** *beenbreuk* multiple fractures (of the leg)
beencel [de] bone cell, bone corpuscule
beendergestel [het] skeleton, bones
beenderlijm [de^{m}] gelatine, (animal) glue
beendermeel [het] bone meal
beendervet [het] bone fat
beenfractuur [de^{v}] bone fracture
beengeleiding [de^{v}] bone conduction
beengezwel [het] → **beentumor**
beenham [de] ham off the bone
beenholte [de^{v}] bone cavity
beenhouwer [de^{m}] ⟨in België⟩ butcher
beenhouwerij [de^{v}] ⟨in België⟩ butcher's (shop)
beenkap [de] legging, legguard
beenlichaampje [het] bone corpuscule, bone cell
beenmerg [het] bone marrow
beenmergontsteking [de^{v}] osteomyelitis
beenmergpunctie [de^{v}] bone marrow puncture
beenpijp [de] [1] ⟨hol been⟩ hollow bone [2] ⟨losse broekspijp⟩ waterproof leggings ⟨mv⟩
beenpoeder [het, de^{m}] bone dust, bone meal
beenruimte [de^{v}] legroom
beenslag [de^{m}] leg stroke, kick
beenspier [de] leg muscle
beenstand [de^{m}] stance
beenstof [de] bone
beenstomp [de^{m}] (leg) stump
beenstuk [het] legging, leg guard
beentje [het] [1] ⟨klein been⟩ small/little leg ♦ ⟨fig⟩ *zijn beste beentje voorzetten* put one's best foot forward; ⟨m.b.t. gedrag⟩ be on one's best behaviour; ⟨inf; scherts⟩ *het* ***derde*** *beentje* the rod; *iemand beentje* ***lichten*** ⟨ook fig⟩ trip s.o. up; ⟨vnl BE⟩ knock s.o. off his pins; ⟨fig; eruit werken⟩ give s.o. the push, ⟨scherts; BE⟩ give s.o. the bum's rush/the old heave-ho; ⟨sl⟩ ditch s.o.; ***met*** *de beentjes van de vloer gaan* do a knees-up, shake a leg [2] ⟨botje⟩ small bone, bone splinter, ossicle ♦ ***pas op voor*** *beentjes in de soep* look out for pieces of bone in the soup
beentje-over [het] the outside edge ♦ *beentje-over* ***doen*** do the outside edge
beentumor [de^{m}], **beengezwel** [het] bone tumour
beenverharding [de^{v}] osteosclerosis, osteopetrosis
beenverweking [de^{v}] softening of the bones, osteomalacia
beenvissen [de^{mv}] bony/osseous fish
beenvlies [het] periosteum
beenvliesontsteking [de^{v}] periostitis
beenvorming [de^{v}] bone-formation, ⟨med⟩ osteogenesis, ⟨med; ossificatie⟩ ossification
beenwarmer [de^{m}] leg warmer ♦ *zij* ***droeg*** *beenwarmers* she was wearing (a pair of) leg warmers
beenweefsel [het] bony tissue, bone
beenwerk [het] [1] ⟨zwemmen; turnen⟩ legwork [2] ⟨veeteelt⟩ (quality of the) legs
beenwindsel [het] puttee ⟨meestal mv⟩
beenworp [de^{m}] ⟨sport⟩ leg throw
beep [de] beep
beeper [de^{m}] beeper

beer		
dier	bear	beer
mannetje	boar, he-bear	beer
vrouwtje	sow, she-bear	berin
jong	cub	welp
roep	growl	brommen

beer [de^{m}] [1] ⟨dier⟩ bear, ⟨jong⟩ (bear) cub ♦ *sterk* ***als*** *een beer* strong as an ox/a horse; *de* ***Russische*** *beer* ⟨Rusland⟩ the (Russian) Bear [2] ⟨mannetjesvarken⟩ boar, ⟨gecastreerd; AE⟩ barrow [3] ⟨grof gebouwd mens⟩ bear, bull, ⟨scherts⟩ monster, ⟨pej⟩ hulking brute, lumbering oaf ♦ *een* ***dikke*** *beer* a roly-poly (child), a bouncing baby, a chubby child; *een beer* ***van*** *een vent* a big hunk of a fellow [4] ⟨uitwerpselen⟩ night soil [5] ⟨te betalen rekening⟩ ↑debt, ↑bill, ↑account [6] ⟨gemetselde waterkering⟩ dam, weir [7] ⟨muurstut⟩ buttress, abutment, spur, ⟨tussen ramen⟩ pier [8] ⟨schroefpers⟩ rail bender [9] ⟨heiblok⟩ (monkey) ram, monkey, rammer, pile/drop hammer [10] ⟨ijsbreker⟩ ice-apron [11] ⟨crediteur⟩ dun, ↑creditor [•] *een* ***geile*** *beer* a goat, a lecher; *een* ***ongelikte*** *beer* a lout, a clodhopper, an uncouth fellow; ⟨scherts⟩ a caveman; *de beer is* ***los*** the fat's in the fire; ⟨vulg; scherts⟩ the shit has hit the fan; ⟨sprw⟩ *men* *moet de huid van de beer niet verkopen eer men hem geschoten heeft* don't count your chickens before they're hatched; don't sell the skin till you've caught the bear

Beer [de^{m}] [•] ***Grote** Beer* Great Bear, ⟨AE⟩ Big Dipper, Plough, (Charles's) Wain, Wag(g)on, ↑ Ursa Major; ***Kleine** Beer* Little Bear, ⟨AE⟩ Little Dipper, ↑ Ursa Minor

beerbak [de^{m}] manure tank

beerenburg [de^{m}] 'beerenburg', Frisian gin bitters

beerhouder [de^{m}] boar keeper

beerput [de^{m}] [1] ⟨put voor uitwerpselen⟩ cesspool, cesspit, ⟨septische put⟩ septic tank [2] ⟨fig⟩ cesspool, cesspit ♦ *de/een beerput **opentrekken/openleggen*** blow/lift/take the lid off, open a can of worms

beerton [de] ± sewage barrel

beërven [ov ww] ⟨form⟩ ⟨ogm⟩ inherit ♦ *het **koninkrijk** der hemelen beërven* inherit the kingdom of heaven

beest [het; (alleen in bepaalde vaste verbinding) de (vrouwelijk)] [1] ⟨redeloos dier⟩ beast ⟨ook in fabels⟩, animal, creature; zie ook **beestje** ♦ ***als** een beest* like a beast/brute/an animal; ⟨dom⟩ brutishly; ⟨wreed⟩ brutally; ⟨bestiaal, wreed⟩ bestially; ***bij** de beesten af* unspeakable, beastly, brutish, bestial, too awful/dreadful/… for words; *het beest **in** de mens* the beast/brute/animal in man, man's animal instincts/nature; ⟨fig⟩ *de beest **uithangen*** behave like a beast/brute/animal, make a beast of o.s.; paint the town red, horse/mess/muck about; ***wilde** beesten* wild animals/beasts, savage beasts [2] ⟨huisdier⟩ animal, ⟨lievelingsdier⟩ pet, ⟨grote viervoeter⟩ beast, ⟨mv; vee⟩ cattle, livestock ♦ ***braaf** beest* ⟨tegen hengst/reu⟩ good boy; ⟨tegen merrie/teef⟩ good girl; ⟨tegen hond⟩ good dog [3] ⟨eng dier⟩ thing, ⟨vnl AE⟩ bug, ⟨inf⟩ creepy-crawly ♦ *er zit een beest **op** je arm* there's a thing/creepy-crawly/bug on your arm [4] ⟨persoon⟩ beast, brute, animal ♦ *een **lui** beest zijn* be a lazy dog/a lazy-bones; ⟨vulg; BE⟩ be a lazy bugger/sod; *een beest **van** een kerel* a beast/brute (of a fellow); ⟨sterker⟩ a swine [•] ⟨sprw⟩ *hoe groter geest, hoe groter beest* great men have great faults; ± the greater the man, the greater the crime

[1]**beestachtig** [bn, bw] ⟨als (van) een beest⟩ bestial ⟨bw: ~ly⟩, ⟨wreed⟩ brutal, savage, ⟨dom⟩ brutish ♦ *zich beestachtig **gedragen*** behave like a beast/brute/animal, ⟨ook⟩ make a beast of o.s.; *een beestachtige **moord/verkrachting*** a bestial murder/rape; *beestachtig **tekeergaan*** play/raise hell, go mad/wild/crazy; *ze werd op beestachtige **wijze** vermoord/verkracht* she was murdered/raped in a bestial manner

[2]**beestachtig** [bw] ⟨inf⟩ ⟨verschrikkelijk⟩ beastly, terribly, awfully, dreadfully ♦ *het is beestachtig **koud*** it's beastly/perishing/freezing cold; ⟨scherts; BE⟩ it's brass monkey weather/brass monkeys

beestachtigheid [de^{v}] [1] ⟨laagheid⟩ bestiality, beastliness, depravity, ⟨wreedheid⟩ brutality [2] ⟨beestachtige gedraging⟩ (act of) bestiality, depravity, debauch(ery), beastly/depraved act, beastly/depraved action, ⟨wreedheid⟩ brutality

beesten [onov ww] ⟨inf⟩ party, paint the town red, whoop it up

beestenboel [de^{m}] ⟨inf⟩ [1] ⟨rommel⟩ pig-sty, zoo, ↑ great/awful mess, ↓ hell of a mess ♦ *er een beestenboel van **maken*** turn a/the place upside down, make a hell of a mess [2] ⟨herrie⟩ racket, circus, ↓ hell of a noise

beestenspel [het] menagerie, circus

beestenstal [de^{m}] [1] ⟨stal voor het vee⟩ cowshed, cowhouse [2] ⟨smeerboel⟩ → **beestenboel**

beestenvoer [het] [1] ⟨veevoer⟩ cattle/animal feed, (animal) fodder, provender [2] ⟨oneetbare kost⟩ pigswill, garbage, muck, ⟨vulg⟩ crap, shit

beestenwagen [de^{m}] ⟨spoorw; BE⟩ cattle-truck, ⟨AE⟩ stock car, ⟨wegverkeer; BE⟩ cattle lorry, ⟨AE⟩ cattle car

beestenweer [het] ⟨inf⟩ beastly/rotten/lousy weather

beestje [het] [1] ⟨klein beest⟩ little animal, small/little creature, ⟨in fabel⟩ small beast ♦ ⟨fig⟩ *het is de **aard** van het beestje* that's just the way he/she is, that's just his/her nature; *ze is bang voor **enge** beestjes* she is afraid of creepy-crawlies/bugs; ⟨fig⟩ *het beestje bij zijn naam **noemen*** call a spade a spade, not mince matters/words; *beestjes **zien*** ⟨fig⟩ see things/pink elephants [2] ⟨luis⟩ louse, ⟨mv ook⟩ vermin, ⟨scherts; inf⟩ livestock ♦ *beestjes **hebben*** have lice, be verminous/lousy [•] ⟨in België⟩ *het is maar een **mager** beestje* it's nothing to write home about, it's no great shakes

beestmens [de^{m}] beast, brute, animal

[1]**beet** [de^{m}] [1] ⟨daad van bijten⟩ bite, ⟨van hond uit valsheid ook⟩ snap, nip, ⟨van sl/spin ook⟩ sting [2] ⟨afgebeten stuk⟩ bite, bit, morsel, mouthful [3] ⟨wond door bijten ontstaan⟩ bite ♦ *een beet van een **schorpioen*** a scorpion sting/bite [•] *ze heeft een beet van het **hondje*** ⟨verbeeldt zich iets⟩ she's (only) imagining it; ⟨is gek⟩ she's off her head, she's nuts, she's not all there, she's got bats in the belfry

[2]**beet** [de] ⟨biet⟩ beet, ⟨rode biet; BE⟩ beetroot, ⟨AE⟩ red beet, ⟨suikerbiet⟩ sugar beet

[3]**beet** [tw] ⟨viss⟩ I've got sth.!, I've got a bite!

beetgaar [bn] ⟨vnl. m.b.t. pasta⟩ al dente

[1]**beethebben** [onov ww] ⟨viss⟩ have a bite, have a rise/nibble ♦ *na twee uur had hij nog **niet** beetgehad* after two hours (of) fishing he hadn't had a bite/rise/nibble

[2]**beethebben** [ov ww] [1] ⟨vasthebben⟩ have (got) (a) hold of, have caught ♦ ***'m** beethebben* ⟨fig⟩ be tipsy, have had a few (too many); *iets **stevig** beethebben* have (got) a firm hold of/grip on sth. [2] ⟨bedriegen⟩ take in, fool, trick, ⟨in de maling nemen⟩ make a fool of, ⟨bedriegen⟩ cheat ♦ *hij heeft **haar** beetgehad* he took her in, he fooled her, he made a fool of her, he pulled her leg [3] ⟨te pakken hebben⟩ have got, ⟨ziekte/verliefdheid ook⟩ have caught ♦ *eindelijk had hij **het** beet* he finally got it, he finally got the message, ↑ he finally understood

[1]**beetje** IEMAND [het] (little) bit, little ♦ *beetje **bij** beetje* bit by bit, little by little; *bij stukjes en **bij** beetjes* bit by bit, little by little, step by step, a little bit at a time, by degrees; *een beetje **citroensap*** a squeeze of lemon (juice); *een beetje **Frans** kennen* have/know a smattering of French, know a little (bit of)/a bit of French; *het beetje **geld** dat hij heeft* what/the little money he has; *een beetje **hoofdpijn*** a slight headache, a bit of a headache; *hij heeft maar een **klein** beetje* he's only got a little bit, he's only got a wee bit; *wil je nog een whisky? een heel **klein** beetje maar* would you like another whisky? just a small one/a drop/a thimbleful; *ik neem (alleen) een (klein) beetje **melk** in de koffie* I take (only) a (little) drop/spot/bit of milk in my coffee; *een beetje **suiker/melk** graag* a (little) bit of/a little sugar/milk please; ⟨melk ook⟩ a drop/spot of milk, please; *een beetje **té*** that's a bit much, that's over-the-top; *nog een beetje **water*** a bit more water; *wil je nog een beetje **wijn**?* would you like some more wine?; *een beetje **zout** toevoegen* add a pinch of salt [•] ⟨sprw⟩ *alle beetjes helpen* every little helps

[2]**beetje** [bn] ⟨inf⟩ ⟨wat, wie ook maar enigszins zo is⟩ ♦ ***een** beetje kunstkenner …* anyone who knows the slightest bit/thing about art …; ***een** beetje technicus verhelpt dat zo* anyone who calls himself a technician could fix that in a jiffy; ***een** beetje kantoor heeft zo'n machine* any self-respecting office/anyplace fit to be called/calling itself an office has got one of those machines; *als hij maar **een** beetje automonteur was, zou hij dat kunnen maken* if he were half a car-mechanic/if he knew the slightest thing about cars he'd be able to fix it

[3]**beetje** [bw] [1] ⟨ietwat⟩ a (little) bit, (a) little, (a) trifle, (a) shade, somewhat, rather ♦ ***een** beetje uitrusten* take/have a bit of a/a little rest; ***een** beetje opschieten* hurry up a bit, get a bit of a move on; ⟨vnl. gebiedende wijs⟩ look sharp (a bit); ***een** beetje vervelend zijn* ⟨lastig⟩ be a bit of a nuisance/pain, be a bit/rather annoying; ⟨saai⟩ be rather/somewhat/a bit/little (bit) boring, be a bit of a bore, ⟨vnl

AE; inf⟩ be kind of boring; *een beetje opgewonden zijn* be rather/a bit/a little excited; *dat is een beetje* ***weinig*** that's not very much; *dit is een beetje te* ***weinig*** that's not quite enough; *hij kon* ***zo'n*** *beetje koken* he could cook after a fashion; *hij was niet* ***zo'n*** *beetje blij* he was not a little happy; *kan hij dansen? nou, en niet* ***zo'n*** *beetje* can he dance? and how!; *hij zal kwaad zijn, en nog niet* ***zo'n*** *beetje ook* he's going to be more than a little angry! ② ⟨om aan te geven dat iets idioot is⟩ ◆ *maak het* ***een*** *beetje!* you can't be serious!, ⟨verbazing⟩ go away!; *ja zeg, ik ga daar* ***een*** *beetje tien kilometer omrijden voor jouw plezier* I'm blowed if I'm going to make a ten kilometre detour just to please you, (do) you think/you don't seriously think I'm going to make a ten kilometre detour just to please you?, if you think I'm going to make a ten kilometre detour just to please you you've got another think coming

[1]**beetkrijgen** [onov ww] ⟨viss⟩ have/get a bite, have a rise/nibble, get a rise/nibble ◆ *na twee uur kreeg ik beet* after two hours I got a bite

[2]**beetkrijgen** [ov ww] ⟨vast krijgen⟩ get/catch/grab (a) hold of, get one's hands on, lay (one's) hands on, grab ◆ *hij kon de* ***jongen*** *niet beetkrijgen* he couldn't get/catch (a) hold of/lay (his) hands on/get his hands on the boy

beetnemen [ov ww] ① ⟨beetpakken⟩ lay hold of, take (a) hold of, get one's hands on, lay hands on ② ⟨bij de neus nemen⟩ take in, make a fool of, fool, pull a fast one on, ⟨vnl BE⟩ do ◆ *zij hebben* ***John*** *beetgenomen* they've pulled a fast one on John, they've taken John in, they've made a fool of John, they've pulled John's leg, they've put one over on John; *hij heeft zich* ***laten*** *beetnemen* he's let himself be taken in/tricked/fooled; ⟨vnl AE⟩ he's been a sucker; *je bent beetgenomen!* you've been had/done!, you've had your leg pulled!

beetpakken [ov ww] → **beetnemen**

beetsuiker [de^m] beet sugar

beetwortel [de^m] sugar beet, sugar root

bef [de] ① ⟨doek om de hals⟩ ⟨breed⟩ jabot, ⟨twee smalle, gescheiden slippen⟩ bands ◆ *bef en toga* ± bands and gown ② ⟨kraag⟩ jabot ⊡ *de hond/poes heeft een* ***witte*** *bef* the dog/cat has got a white chest/breast/bib

BEF ⟨gesch; in België⟩ BEF

befaamd [bn] famous (for), renowned/noted/distinguished/celebrated/famed (for)

befaamdheid [de^v] fame, renown, distinction

beffen [ov ww, ook abs] ⟨inf⟩ eat (s.o.), French (s.o.), tongue (s.o.), ⟨AE ook⟩ go down on (s.o. (and do tricks)), eat pussy ◆ ***het*** *beffen* French; ⟨ogm⟩ cunnilingus

beflijster [de] ring ouzel

begaafd [bn] gifted, talented, able ◆ *een begaafd* ***jongmens*** a gifted/talented/clever/bright young person; ***met*** *rede begaafd* endowed with reason, rational; *hij is maar* ***middelmatig*** *begaafd* he's just average; ***zwak*** *begaafd* feeble-minded

begaafdheid [de^v] ① ⟨het begaafd zijn⟩ talent, ability, aptitude, ⟨intelligentie⟩ intelligence, ⟨genialiteit⟩ genius ② ⟨talent⟩ talent (for), gift (for), aptitude (for)

[1]**begaan** [bn] sympathetic (towards), ↓sorry (for) ◆ *hij is begaan* ***met*** *haar lot* he is sympathetic towards/sorry for her, he sympathizes with her, he feels sorry/sympathy/compassion for her, his sympathies are with her

[2]**begaan** [onov ww] ⟨zijn gang gaan⟩ do as one likes/pleases, ⟨zijn zin krijgen⟩ have one's (own) way, ⟨zonder toezicht werken⟩ carry on by o.s., get on with it ◆ ***laat*** *hem maar begaan (hij krijgt het wel voor elkaar)* leave/let him alone/be, leave him to (get on with) it (he'll manage), he can be trusted (to get it done) by himself; *iemand stil* ***laten*** *begaan* leave/let s.o. alone/be, let s.o. do as he/she likes/pleases, let s.o. have his/her (own) way, leave s.o. to it/himself/herself, not interfere with s.o.; ⟨op eigen wijze te werk laten gaan⟩ give/allow s.o. a free hand; *hij wilde haar zoenen en ze* ***liet*** *hem begaan* he wanted to kiss her and she let him/she submitted

[3]**begaan** [ov ww] ① ⟨bedrijven⟩ commit, ⟨moord, blunder ook⟩ ↑perpetrate, ⟨fouten ook⟩ make ◆ *een* ***blunder/flater*** *begaan* commit a blunder, blunder; ⟨inf⟩ drop a brick, put one's foot in it; ⟨sport⟩ *een* ***overtreding*** *begaan tegenover een tegenspeler* foul an opponent, commit a foul against an opponent ② ⟨betreden⟩ walk on, tread ◆ *begaan* ***pad*** beaten track, well-trodden path

begaanbaar [bn] passable, negotiable, practicable ◆ *de weg is* ***niet*** *begaanbaar* the road is impassable; *de weg is* ***slecht*** *begaanbaar* the road is only passable with difficulty, the road is/makes hard/heavy going

begaanbaarheid [de^v] passableness, negotiability

begankenis [de^v] ⟨in België⟩ pilgrimage ⊡ ⟨fig⟩ *een* ***hele*** *begankenis* a crowd, a big to-do, a bustle

begeerlijk [bn, bw] desirable ⟨bw: desirably⟩, ⟨mens ook⟩ eligible ◆ *een begeerlijke* ***werkkring*** a desirable post

begeerlijkheid [de^v] ① ⟨bekoring⟩ attraction, allurement, charm, ⟨verzoeking⟩ temptation ◆ *de* ***wereld*** *en haar begeerlijkheden* the world and its temptations/allurements ② ⟨wenselijkheid⟩ desirability, attractiveness ◆ *de begeerlijkheid van de* ***matigheid*** the desirability of temperance ③ ⟨hebzucht⟩ covetousness, avarice, greed(iness), cupidity

begeerte [de^v] ① ⟨het verlangen naar iets⟩ desire (for), wish (for), eagerness (for), craving (for), thirst (for), appetite (for), ↑avidity ◆ ***geestelijke*** *begeerte* spiritual desire/longing; ***zinnelijke*** *begeerte* sensuality, sensual desire/appetite; ⟨m.b.t. seksualiteit ook⟩ sexual desire/appetite, passion, lust, ↑concupiscence ② ⟨wat begeerd wordt⟩ desire, wish, dream

begeesterd [bn] enthusiastic (about), inspired (by), ⟨sterker⟩ enraptured/rapt (with)

begeesteren [ov ww] fill with enthusiasm, inspire, ⟨sterker⟩ throw into a rapture, throw into ecstasies

begeestering [de^v] enthusiasm, inspiration, ⟨sterker⟩ ecstasy, rapture

begeleiden [ov ww] ① ⟨vergezellen⟩ accompany, ↑conduct, ⟨met eerbetoon/bescherming⟩ escort, ⟨als dienaar⟩ attend, ⟨meisje⟩ chaperon(e), ⟨schip⟩ convoy ◆ *Lady L. begeleidde de* ***koningin*** Lady L. was attendant on/attended the Queen ② ⟨met raad en daad bijstaan⟩ guide, counsel, support, see through, look after, ⟨bij studie ook⟩ supervise, coach ◆ *een* ***leerling/student*** *begeleiden* give guidance to/supervise/coach a pupil/student; *iemand begeleiden* ***tijdens*** *een stage* supervise s.o. during his/her practical work ③ ⟨samengaan met⟩ accompany, go with ④ ⟨muz⟩ accompany ◆ *zang begeleid* ***door*** *pianomuziek* singing to the accompaniment of the piano/to (a) piano accompaniment; *(op de piano) begeleid* ***door*** *Alfred Brendel* accompanied (at the piano) by Alfred Brendel; ↓with Alfred Brendel at the piano; *iemand begeleiden* ***op*** *de gitaar* accompany s.o. on the guitar

begeleidend [bn] accompanying, attendant ◆ *begeleidende* ***muziek*** ⟨bij film/toneelstuk⟩ incidental music; *begeleidende* ***omstandigheden*** attendant/accompanying circumstances; *met begeleidend* ***schrijven*** with an accompanying/a covering letter

begeleider [de^m], **begeleidster** [de^v] ① ⟨iemand die vergezelt⟩ companion, ⟨met eerbetoon/bescherming⟩ escort, ⟨dienaar⟩ attendant, ⟨chaperonne⟩ chaperon(e) ◆ *de hond was zijn* ***trouwe*** *begeleider* the dog was his constant/faithful/trusty companion ② ⟨iemand die met raad en daad bijstaat⟩ guide, counsellor, ⟨bij studie ook⟩ supervisor, coach ③ ⟨muz⟩ accompanist ◆ *haar* ***vaste*** *begeleider op de piano* her regular (piano) accompanist ④ ⟨astron⟩ companion (star), ⟨planeet⟩ satellite

begeleiding [de^v] ① ⟨het vergezellen⟩ accompaniment, accompanying, ⟨met eerbetoon/bescherming⟩ escort(ing),

⟨door dienaar⟩ attendance ♦ ***zonder** begeleiding* unaccompanied, unattended, unescorted, unchaperoned [2] ⟨het bijstaan⟩ guidance, counselling, support, ⟨bij studie ook⟩ supervision, coaching ♦ *werken **onder** begeleiding **van*** ⟨m.b.t. studie⟩ work under (the) supervision of; *de begeleiding na de operatie was erg **slecht*** the supporting care after the operation was very poor [3] ⟨muz⟩ accompaniment ♦ ***met** begeleiding **van*** to the accompaniment of; ***zonder** begeleiding* unaccompanied; ⟨zang⟩ a capella [4] ⟨konvooi⟩ convoy, escort

begeleidingsdienst [de] ⟨onderw⟩ ± schools advisory service

begeleidingsverschijnsel [het] accompaniment, accompanying phenomenon

begeleidster [de^v] → **begeleider**

begenadigd [bn] gifted ♦ *een begenadigd **kunstenaar*** an inspired artist, an artist of god-given talent(s); *een begenadigd **spreker/schilder*** a gifted speaker/painter

begenadigen [ov ww] [1] ⟨met bewijzen van genade begiftigen⟩ bless ♦ *de begenadigde **zielen*** the blessed souls [2] ⟨gratie verlenen⟩ pardon, ⟨amnestie verlenen⟩ amnesty, ⟨m.b.t. doodstraf ook⟩ reprieve ♦ *hij is begenadigd, men heeft hem begenadigd* he has been pardoned/reprieved, he has had a pardon/reprieve

begenadiging [de^v] [1] ⟨het begiftigen met bewijzen van genade⟩ blessing [2] ⟨gratie⟩ pardon, ⟨amnestie⟩ amnesty, ⟨m.b.t. doodstraf ook⟩ reprieve

begeren [ov ww] ⟨form⟩ [1] ⟨sterk wensen⟩ ⟨ogm⟩ desire, crave, wish (for), long for, want [2] ⟨verlangen te bezitten⟩ covet, ⟨ogm⟩ desire ♦ *alles wat zijn **hartje** maar kon begeren/begeert* all he could possibly wish for/desire, his heart's desire; ⟨Bijb⟩ *gij zult niet begeren uws naasten **huis*** thou shalt not covet thy neighbour's house; *de meest begeerde **vrijgezel*** the most eligible bachelor; *een **vrouw** begeren* lust for/after/desire a woman

begerenswaardig [bn] desirable, ⟨mens ook⟩ eligible, ⟨benijdenswaardig⟩ enviable ♦ *begerenswaardige **vrijgezellen*** eligible bachelors

begerig [bn, bw] [1] ⟨sterk verlangend⟩ desirous (of) ⟨bw: desirously⟩, longing (for) ⟨bw: longingly⟩, eager (for), ↓ keen (to/on), ↓ set on, ⟨hartstochtelijk⟩ passionate, ⟨wellustig⟩ lustful, ⟨ook fig; hongerig⟩ hungry (for) ♦ *begerige **blikken*** longing/passionate/hungry looks; *begerig **kijken*** look longingly, look with longing eyes; *met een begerig **oog** iets volgen* follow sth. with eager/longing eyes [2] ⟨verlangend (veel) te bezitten⟩ avaricious ⟨bw: ~ly⟩, covetous, greedy, grasping

begerigheid [de^v] [1] ⟨sterk verlangen⟩ desire (for), eagerness (for), ⟨seksueel⟩ lust (for), ⟨pej⟩ greed(iness) (for) [2] ⟨hebzucht⟩ avarice, avariciousness, covetousness, greed(iness), cupidity

^{1}**begeven** [ov ww] [1] ⟨kapotgaan⟩ break down, fail, ⟨instorten⟩ collapse, ⟨doorzakken, doorbreken⟩ give way, ⟨inf⟩ conk out, pack it in ♦ *de **auto** kan het elk ogenblik begeven* the car is liable to break down/conk out (at) any minute; *de **brug** begaf het* the bridge collapsed; *de **ketting** begaf het* the chain broke/snapped; *na al deze jaren heeft mijn **typemachine** het begeven* ⟨inf⟩ after all these years my typewriter has given up the ghost/packed it in/conked out [2] ⟨aan iemand geven⟩ bestow (on), confer (on) ♦ ⟨in België⟩ *te begeven **betrekking*** a vacant position, a vacancy, an opening

^{2}**zich begeven** [wk ww] ⟨ergens heengaan⟩ proceed, ⟨reis, onderneming⟩ embark ((up)on), ↓ go, ↓ make one's way (to), ↓ make for, ↑ betake o.s. (to), ⟨naar andere kamer⟩ adjourn (to) ♦ *zich **in** gevaar begeven* expose o.s. to danger/risks, place/put o.s. in danger; *zich **naar** de vergaderzaal begeven* proceed/make one's way/go to the meeting room; *na het diner begaven ze zich **naar** de salon* after dinner they adjourned to the drawing room; *zich **onder** de mensen begeven* mingle/mix with other people; *zich **op** het slechte pad begeven* go astray/wrong, go to the bad, fall into evil ways, stray from/leave the straight and narrow, ↑ stray from/leave the path(s) of righteousness; *zich **te** water begeven* take to/enter the water; *zich op weg begeven (naar)* set out/off (for)

begieren [ov ww] dress/feed with liquid manure

begieten [ov ww] water, wet ♦ ***bloemen**/een **tuin** begieten* water flowers/a garden

begiftigde [de] ⟨form⟩ donee, grantee, presentee

begiftigen [ov ww] ⟨form⟩ endow (with), present (with), gift (with), ⟨ambt, ereteken, deugd⟩ invest (with), ⟨deugd ook⟩ endue (with) ♦ *iemand **met** een ambt begiftigen* bestow/confer an office (up)on s.o.; *begiftigd **met** grote muzikaliteit* endowed/gifted with great musical talent; *iemand **met** zijn bezittingen begiftigen* endow/present/gift s.o. with one's property, bestow/confer one's property on s.o.

begiftiger [de^m], **begiftigster** [de^v] ⟨form⟩ donor, giver, ⟨van kerk ambt⟩ patron, collator

begiftiging [de^v] gift, bestowal, endowment, donation

begiftigster [de^v] → **begiftiger**

begijn [de^v] beguine

begijnhof [het] beguinage

zich begillen [wk ww] split one's sides, scream

^{1}**begin** [het] [1] ⟨allereerste deel, tijd⟩ beginning, start, ⟨form⟩ commencement, ⟨project⟩ outset, ⟨boek, brief, wedstrijd, rede⟩ opening ♦ ***aan/bij** het begin* at the beginning/start/outset; ***aan** het begin staan van zijn loopbaan/een moeilijke tijd* be/stand on the threshold of one's career/a difficult time; *een begin van **bewijs*** a beginning of proof; *(weer) helemaal **bij** het begin (moeten) beginnen* (have to) begin/start at the beginning/start, (have to) start from scratch; *een begin van **brand*** an outbreak of fire; *het begin van een **brief*** the beginning/opening (lines) of a letter; ***in** het begin* at the beginning/start/outset; ⟨in tegenstelling tot later⟩ at first, initially, to start with; ***in** het begin van dat boek* at the beginning of/in the early/opening chapters of the book; ***in** het begin van het jaar/de eeuw* ⟨ook⟩ in the early part of the year/century; *het begin **inluiden/vormen** van een periode* mark the beginning of a period/age/era; *het begin **is** er* it's a start; ⟨onderhandelingen e.d.⟩ the ice is broken; *dit **is** nog maar het begin* this is only the beginning; ⟨pej⟩ this is (just) the thin end of the wedge; *een begin **maken** met iets* begin/start sth., ⟨form⟩ commence sth., make a start with sth., get started with sth.; *het begin van **roodvonk*** the onset of scarlet fever; *het begin van een **toespraak*** the opening (words) of a speech; ***van** het begin **af*** from the (very) first/start/outset/beginning, right from the beginning/start; ⟨inf⟩ right from the word go; ***van** (het) begin tot (het) eind* from beginning to end, from start to finish, ⟨inf ook⟩ all along the line; *een boek **van** begin tot eind lezen* read a book from cover to cover; *een **veelbelovend** begin* a promising start [2] ⟨oorsprong⟩ beginning, start ♦ *het prille begin van de **geschiedenis*** the beginnings/dawn(ing) of history; ⟨Bijb⟩ ***in** den beginne* in the beginning [•] ⟨sprw⟩ *een goed begin is het halve werk* well begun is half done; the first blow is half the battle; ⟨sprw⟩ *alle begin is moeilijk* all things are difficult before they are easy; the first step is the hardest; every beginning is hard

^{2}**begin** [bw] early ♦ *sinds begin **februari*** since early February; *begin **juli*** early in July, at the beginning of July; *begin volgend jaar* early next year

begindatum [de^m] commencing/starting date, date of commencement

beginfase [de^v] opening, initial phase, early stages ⟨mv⟩

beginjaren [de^{mv}] early years

^{1}**beginkapitaal** [het] ⟨kapitaal⟩ starting capital, opening/venture capital, ⟨inf⟩ seed money

^{2}**beginkapitaal** [de] ⟨letter⟩ (initial) capital (letter)

beginklank [de^m] ⟨taalk⟩ initial sound

beginletter [de] [1] ⟨eerste letter van een woord⟩ initial letter, first letter, ⟨als afkorting naam⟩ initial [2] ⟨eerste letter op een bladzijde⟩ initial letter

beginneling [de^m] beginner, novice, fledgeling, tyro ♦ *dat is geen werk voor beginnelingen* this is no job for beginners/novices/tyros

[1]**beginnen** [onov ww] [1] ⟨de eerste handeling verrichten⟩ begin, start, ⟨form⟩ commence ♦ *laat ik beginnen met iedereen welkom te heten* let me start (off)/begin by bidding everyone welcome; *toen begon hij tegen mij* then he turned/started on me; *ja, maar hij is begonnen!* yes, but he started it! [2] ⟨als eerste iets doen⟩ begin, start, open, ⟨form⟩ commence ♦ *begin maar!* go ahead!; ⟨met vragen ook⟩ fire away!; *wit begint* white opens, white has the first move [3] ⟨zich vanaf een punt uitstrekken⟩ begin, start, ⟨form⟩ commence [4] ⟨aanvangen⟩ begin (to/-ing), start (to/-ing), ⟨form⟩ commence, set about (-ing) ♦ *bij het begin beginnen* begin/start at the beginning; *het leven begint bij zestig* life begins at sixty; *beginnen te bloeien* come into blossom/flower; *daar kan ik niets mee beginnen* that's (of) no use to me; *het begint te dooien* the thaw has set in; *beginnen te drinken/roken* start drinking/smoking; *goed/slecht beginnen* get off to a good/bad start, get off on the right/wrong foot; *een beginnende hoofdpijn* the beginnings of a headache; *beginnende kaalheid* incipient baldness; *klein beginnen* begin/start in a small way; *laten we beginnen* ⟨ook⟩ let's get started; ⟨inf⟩ let's get cracking/^{B}weaving; ⟨inf; AE⟩ let's get the/this show on the road; ⟨fig⟩ *het begint er op te lijken* it's beginning/starting to look like it; ⟨dat is beter⟩ that's more like it; *begin maar (te eten)* just dig/tuck in, get stuck in; *te beginnen met* starting with; *met niets beginnen* start from scratch; *hij begon met te zeggen* he started off/began by saying; *laten we beginnen met soep* let's have soup to start with, ⟨inf; BE⟩ let's have soup for starters; *met een schone lei beginnen* turn over a new leaf, wipe the slate clean; *te beginnen met de eerste dinsdag in juni* beginning/commencing on/with the first Tuesday in June, as from the first Tuesday in June, ⟨AE⟩ as of the first Tuesday in June; *weer van voren af aan moeten beginnen* be back to square one; *opnieuw beginnen* start (over) again; ⟨AE ook⟩ start over, start afresh/anew, make a fresh start; ⟨werkzaamheden⟩ restart, recommence; *en toen begon de pret* and that's when the fun really started; *het begon te regenen* it began/started to rain, it came on to rain; *het begint te lijken* it's beginning/starting to show a likeness; *begin je weer (met dat gezeur)?* there you go again (with your nagging)!; *daar beginnen ze weer (te vechten/over voetbal)* they're off again (fighting/on football); *beginnen te werken* begin/start working, set to work, begin/start work, get to work, set about one's work; *het begint donker te worden* it's getting dark [5] ⟨zich bezighouden met⟩ begin, start ♦ *aan iets nieuws beginnen* start sth. new, take up sth. new; *(laat) aan kinderen beginnen* start a family (late in life); *je weet niet waar je aan begint* you don't know what you are letting yourself in for; *aan zoiets kun je beter niet beginnen* such things are better/best left alone; *ik begin er niet aan!* I wouldn't touch it with a ^{B}barge-pole/^{A}ten-foot-pole; *was ik er maar nooit aan begonnen* I wish I had never/I should never have started/begun it; *er is geen beginnen aan* why even start?; *hij begon met Frans* he took up French; *met een studie beginnen* take up a (course of) study; *het stuk begint met een scène over* the play opens/starts with a scene about ... [6] ⟨gaan praten⟩ bring up, ⟨over een onderwerp⟩ broach, raise, introduce, start ♦ *begin er nu niet wéér over* don't start (off on) that again; *over politiek beginnen* bring up politics, raise/open/introduce/broach the subject of politics, start off on politics; *over iets anders beginnen* change the subject ⊡ *daar kunnen we niet aan beginnen* there's no way we can do that, that's out of the question, don't let's get on to that; *als je daar eenmaal mee begint ...* ± there'll be no end to it; *om te beginnen ...* first of all, for a start, to start/begin with, for one thing; ⟨inf; BE⟩ for start(er)s; *het is haar om de erfenis begonnen* it's the inheritance she's after; *als je zó begint ...* if that's the way you feel about it ...; *voor zichzelf beginnen* start one's own business, set up shop (as); ⟨sprw⟩ *vroeg begonnen, veel gewonnen* the early bird catches/gets the worm; ⟨sprw⟩ *bezint eer gij begint* look before you leap; ± fools rush in where angels fear to tread

[2]**beginnen** [ov ww] [1] ⟨starten, openen⟩ begin, start, ⟨form⟩ commence, ⟨toespraak, spel, onderhandelingen, brief⟩ open ♦ *een brief beginnen* begin/start/open a letter; *een gesprek beginnen* begin/strike up/start a conversation; *inleidende gesprekken over ontwapening beginnen* enter into preliminary talks about disarmament; *een commerciële loopbaan beginnen* go into trade/commerce/business; *de leraar begon de les met een overhoring* the teacher began/started the lesson with a test; *een winkel beginnen* start/open a shop; *een zaak beginnen* start a/set up in a business, set up shop [2] ⟨gaan doen⟩ do ♦ *er is niets meer met hem te beginnen* he's hopeless, ⟨lastig⟩ he's unmanageable; *wat moet ik beginnen!* what am I to do?, whatever shall I do?; *ik weet niet wat ik zonder jou had moeten beginnen* I don't know what I should have done without you; *wat moet ik met hem beginnen?* what am I to do with him?

beginner [de^m] beginner, novice, fledgeling, tyro ♦ *een cursus voor beginners* a beginners' course

beginners- beginners' ♦ *beginnerscursus* beginners' course

beginnersfout [de] beginner's error

beginnersgeluk [het] beginner's luck

beginnersrijbewijs [het] ⟨BE⟩ provisional (driving) licence, ⟨AE⟩ learner permit

beginperiode [de^v] initial period ♦ *een moeilijke beginperiode* a difficult initial period

beginpunt [het] starting point, point of departure, start, ⟨renbaan ook⟩ starting post

beginrijm [het] alliteration

beginsalaris [het] starting salary, initial salary

beginsaldo [het] initial/opening/starting balance

beginsel [het] [1] ⟨grondbegrip⟩ principle, rudiment, basic, fundamental ♦ *de beginselen van de algebra* the rudiments/basic principles/fundamentals of algebra [2] ⟨grondstelling⟩ principle, doctrine, fundamental ♦ *de beginselen van het communisme* the principles/fundamentals of communism; *in beginsel* in principle; ⟨theoretisch ook⟩ in theory, theoretically; ⟨gewoonlijk ook⟩ normally; *leidend beginsel* primary/basic principle; *uit beginsel* on principle, as a matter of principle [3] ⟨overtuiging⟩ principle ♦ *iemand van christelijke beginselen* s.o. with Christian principles; *een man van beginselen* a man of principle, a principled man; *volgens/naar een beginsel handelen* act in accordance with a principle

beginselprogramma [het] manifesto, political programme/^{A}program

beginselvast [bn] consistent, firm of principle

beginselverklaring [de^v] statement of principles, declaration of principles/intent, affirmation of principles, ⟨van partij⟩ manifesto

beginsignaal [het] ⟨sport⟩ ⟨meestal hoorbaar⟩ starting signal, starting whistle, ⟨schot⟩ starting shot

beginsnelheid [de^v] ⟨natuurk⟩ initial velocity, ⟨techn⟩ initial speed

beginstadium [het] initial stage(s), early stages ⟨mv⟩

beginwedde [de] ⟨in België⟩ starting salary

beglazer [de^m] glazier

beglazing [de^v] glazing ♦ *dubbele beglazing* double glazing

begluren [ov ww] peep at, spy on

begoed [bn] ⟨in België⟩ → **gegoed**

begonia [de] begonia
begoochelen [ov ww] delude, beguile, blind
begoocheling [de^v] 1 ⟨bedrog⟩ delusion, deception, illusion 2 ⟨zelfbedrog⟩ self-delusion, self-deception
begraafplaats [de] cemetery, graveyard, burial ground/place, ⟨AE ook⟩ memorial park ◆ *op de **algemene** begraafplaats* in the public cemetery
begrafenis [de^v] 1 ⟨plechtigheid⟩ funeral ◆ ⟨in België⟩ ***burgerlijke** begrafenis* civil burial 2 ⟨stoet⟩ funeral 3 ⟨handeling⟩ burial, internment
begrafenisauto [de^m] hearse
begrafenisfonds [het] 1 ⟨vereniging⟩ burial club/society 2 ⟨kas⟩ burial fund
begrafenisgezicht [het] gloomy/sombre face, gloomy/sombre look, gloomy/sombre expression ◆ ***trek** niet zo'n begrafenisgezicht* don't look so deadly serious
begrafeniskosten [de^mv] funeral expenses/costs
begrafenismaal [het] funeral repast, meal after the funeral
begrafenisondernemer [de^m] undertaker, funeral director, ⟨AE ook⟩ mortician
begrafenisonderneming [de^v] undertaker's (business), funeral parlour/^A home, ⟨AE ook⟩ mortician's (business)
begrafenisplechtigheid [de^v] funeral, funeral ceremony
begrafenisritueel [het] burial/funeral ritual
begrafenisstoet [de^m] funeral procession, cortege, ⟨vnl AE⟩ funeral
begraven [ov ww] 1 ⟨onder, in de aarde bergen⟩ bury ◆ *hij is **met** militaire eer begraven* he was buried with full military honours; *de **strijdbijl** begraven* bury the hatchet 2 ⟨m.b.t. een dode⟩ bury, inter ◆ ***dood** en begraven zijn* be dead and gone; *ergens begraven **liggen*** be buried somewhere; ⟨form⟩ lie/rest/repose somewhere; *ik zou er nog niet begraven willen **liggen*** I wouldn't even want to be buried there 3 ⟨afzonderen⟩ bury ◆ ***zich** in/bij zijn boeken begraven* bury o.s. in one's books; ***zich** in een afgelegen dorp begraven* hide o.s. away in a remote village/the sticks
begrensd [bn] 1 ⟨binnen nauwe grenzen besloten⟩ limited, finite, restricted ◆ *een begrensde **ruimte*** a limited space; *een begrensd **uitzicht*** a limited/obstructed view 2 ⟨beperkt⟩ limited, ⟨voorraad⟩ finite, exhaustible ◆ *de **mogelijkheden** zijn begrensd* the possibilities are limited
begrenzen [ov ww] 1 ⟨de grens vormen van⟩ bound, border ◆ ***door** de zee begrensd* bounded/confined by the sea; ⟨wisk⟩ *een begrensde **functie*** a bounded function; *de duinen begrenzen daar het **vergezicht*** the view is bounded (there) by the dunes in the distance 2 ⟨fig⟩ define, delimit(ate), determine the limits of ◆ *een **voorstel** scherp begrenzen* sharply define a proposal 3 ⟨beperken⟩ limit, restrict, circumscribe, confine ◆ *iemands **macht** begrenzen* restrict s.o.'s power
begrenzer [de^m] speed limiter, speed limiting device, ⟨inf⟩ limiter
begrenzing [de^v] 1 ⟨grens⟩ boundary, border 2 ⟨fig⟩ definition 3 ⟨beperking⟩ limitation
¹**begrijpelijk** [bn] 1 ⟨te begrijpen⟩ understandable, comprehensible, intelligible 2 ⟨verklaarbaar⟩ natural, obvious ◆ *dat **is** nogal begrijpelijk* that's pretty obvious/hardly surprising; *het **is** heel begrijpelijk dat hij bang **is*** it's only natural/hardly surprising that he ^B should be/he ^A be frightened; *een begrijpelijke **vergissing*** an understandable mistake, a mistake anyone can make
²**begrijpelijk** [bw] ⟨op duidelijke wijze⟩ clearly, comprehensibly, intelligibly
begrijpelijkerwijze [bw] understandably, obviously, for obvious reasons
begrijpen [ov ww] 1 ⟨met het verstand bevatten⟩ understand, comprehend, grasp, make out ◆ *ik begrijp het **al*** I see!; *ik begrijp **best** dat ...* I quite understand that ...; *jullie zullen begrijpen **dat** ...* it will be clear to you that ..., you will have understood/gathered that ...; *u moet begrijpen **dat** we dat niet kunnen tolereren* I must make it quite clear/clearly understood that we cannot tolerate that; *ik heb begrepen **dat** hij het voorstel zelf zal verdedigen* my understanding is that he will defend the proposal himself; *ik begrijp er hoe langer hoe minder **van*** I understand (it) less and less; *ik begrijp heel **goed** dat ...* I fully/quite understand/realize that ..., I am quite/fully aware that ...; *laten we dat **goed** begrijpen* let's get that clear; *o, ik begrijp **het*** oh, I see; *dat **laat** zich begrijpen* that's understandable/easy to understand/easily understood; *ik begrijp jou **niet*** I don't get you, I can't make you out, you're beyond me; *dat begrijp ik **niet** helemaal* I don't quite understand/follow that; *hij begrijpt het nog steeds **niet*** ⟨m.b.t. verrassende gebeurtenis⟩ he can't get over it; *ik begreep **niet** wat hij bedoelde* I couldn't get/grasp his meaning, I couldn't see/get his point, I missed his point; *ik begreep al **niet** waar je uithing* I was wondering/I couldn't think/I couldn't imagine where you were; *ik begrijp **niet** wat daar aan mankeert* ⟨ook⟩ I fail to see what's wrong with that; *ik begrijp er **niets** van* I don't understand it, I don't know what to make of it; ⟨m.b.t. probleem⟩ I can't make head or tail of it/make anything of it, I can't make it out, it's beyond me, ⟨inf⟩ it beats me, I don't get it; *begrijp je het/me **nog**?* are you still with me?; *een **som** begrijpen* understand/comprehend/grasp a sum; *hij begreep de **wenk*** he took the hint, he got the message; ⟨in België⟩ *begrijpe wie kan* it's beyond (anyone's) comprehension; *als je begrijpt wat ik bedoel* if you know/see/get what I mean; *dat laat je voortaan, begrepen!* I'll have no more of that, is that clear/get the message/do you hear? 2 ⟨opvatten⟩ understand, gather, take ◆ *begrijp me **goed*** don't get me wrong; *begrijp ik je **goed** ...* do I understand you correctly?, do I get you right?; *begrijpen **onder*** understand by; *ik heb **uit** zijn woorden begrepen dat ...* I understand/gather from his words that ...; *iemand/iets **verkeerd** begrijpen* misunderstand s.o./sth., get s.o./sth. wrong 3 ⟨omvatten⟩ include, cover ◆ *alles **er in** begrepen* everything included, no extras 4 ⟨bevatten⟩ ⟨ogm⟩ include, embrace, hold ▪ *dat **kun** je begrijpen* not likely!, you must be joking!; *ze hebben het **op** uw baan begrepen* they're after/out for your job; *het niet **op** iets/iemand begrepen hebben* ⟨niet vertrouwen⟩ mistrust/distrust s.o./sth.; ⟨een hekel hebben aan⟩ disapprove of/dislike s.o./sth.; *ik heb het niet zo **op** hem/haar begrepen* there's no love lost between us
begrijpend [bn, bw] understanding ⟨bw: ~ly⟩ ◆ *een niet-begrijpende **blik*** a puzzled/uncomprehending look; *begrijpend **knikken*** nod understandingly; *begrijpend **lezen*** reading comprehension
begrip [het] 1 ⟨besef, inzicht⟩ understanding, comprehension, conception, grasp, notion ◆ ***geen** begrip van tijd hebben* have no sense/notion/idea of time; *een **goed** begrip van de leerstof* a good understanding/grasp of the subject matter; *voor een **goed** begrip van de zaak* for a clear understanding of the matter; ***naar** westerse begrippen* by Western standards; *vlug **van** begrip* quick-witted, ready-witted, quick on the uptake/off the mark/to understand; *traag **van** begrip* slow on the uptake/to understand; *alle begrip te boven gaan* be beyond all comprehension, pass all understanding; *dat gaat mijn begrip te boven* that is beyond me/my comprehension/my understanding 2 ⟨denkbeeld⟩ concept, idea, notion, ⟨opvatting⟩ conception, ⟨niet-empirisch⟩ construct ◆ ***negatieve** begrippen* negative concepts/ideas; *zijn begrip **van** vrijheid* his conception/idea of freedom; ***verkeerde** begrippen* misconceptions, fallacies, delusions, erroneous ideas 3 ⟨eenheid van denken⟩ concept, ⟨filos ook⟩ notion, intention ◆ *het begrip **'communicatie'*** the concept of 'communication'; *de **elementaire** begrippen van de algebra* the rudiments/basics of algebra; ⟨pregn⟩ *dat is*

een begrip that is a household word; ⟨filos⟩ ***primaire/secundaire** begrippen* first/second notions/intentions [4] ⟨het willen, kunnen begrijpen van⟩ understanding, sympathy ♦ *begrip voor iets kunnen **opbrengen*** ⟨problemen⟩ appreciate; ⟨mening, moeilijkheden⟩ have sympathy for, sympathize with; *daar kan ik geen begrip voor **opbrengen*** I find that hard to understand/accept; *ze was **vol** begrip* she was very understanding; *hij toonde geen enkel begrip **voor** de situatie* he was completely unsympathetic; *wij **vragen** uw begrip voor dit ongemak* we hope you will forgive the inconvenience/delay [5] ⟨samenvattende inhoud⟩ synopsis

begrippenpaar [het] twin concepts, pair of concepts

begripsbepaling [de^{v}] definition ♦ *een **nadere** begripsbepaling* a more detailed definition

begripsverwarring [de^{v}] confusion of ideas/concepts

begripvol [bn] understanding, sympathetic

begroeid [bn] grown over (with), overgrown/covered (with), ⟨met bos⟩ wooded ♦ ***met** mos begroeid* covered with moss; ⟨attributief⟩ moss-covered; ***met** klimop begroeid* ivied, ivy-clad; ***met** onkruid begroeid* overgrown/overrun with weeds; ***met** varens begroeide hellingen* ferny hillsides, slopes covered with ferns

begroeien [ov ww] grow over (with), cover (with), overgrow (with) ♦ *zijn hele lichaam is **met** haar begroeid* his entire body is covered with hair

begroeiing [de^{v}] [1] ⟨het begroeien⟩ overgrowth [2] ⟨dat wat iets groeiend bedekt⟩ overgrowth, covering ♦ ***lage** begroeiing* low cover; *een terrein **van** zijn begroeiing **ontdoen*** clear a site of its growth

begroeten [ov ww] greet, ⟨roepend⟩ hail, ⟨met een handgebaar ook⟩ salute ♦ *iemand begroeten **als** de bevrijder* hail/welcome s.o. as the liberator; ***elkaar** begroeten* exchange greetings; *de **gastvrouw** begroeten* pay one's respects to the hostess; *hij **ging** haar begroeten* he went over to greet her/say hello to her; *iemand **met** gejuich begroeten* greet/hail s.o. with cheers; *het voorstel werd/zijn woorden werden **met** applaus/gejuich begroet* the proposal was/his words were greeted with applause/cheering

begroeting [de^{v}] greeting, salutation, hail, salute

begrotelijk [bn] expensive, ⟨BE ook⟩ dear

begroten [ov ww] estimate (at), cost (at) ♦ *de **kosten** begroten* give an estimate of the costs; *de **kosten** van het gehele project worden begroot op 12 miljoen* the whole project is costed at 12 million; *de begrote **productie*** the estimated production; *een **werk** begroten* give/send in/submit an estimate for a job/project, cost a project

begroting [de^{v}] [1] ⟨berekening⟩ estimate, budget ♦ ***binnen** de begroting blijven* keep within the budget; *een begroting **maken*** make/draw up/prepare an estimate; *met een **open** begroting werken* work with open books; *een begroting laten **opmaken*** have an estimate drawn up; *hij **overschreed** de begroting* he exceeded the estimate/budget [2] ⟨stukken⟩ ⟨jaarstukken bedrijf/overh⟩ budget, estimate ♦ *een begroting **indienen*** submit an estimate; ⟨regering⟩ present the/one's Budget; *de begroting van **Onderwijs*** the Education Budget; *een tekort **op** de begroting* a deficit on the budget; *de begroting **sluitend** maken* balance the books

begrotingscijfer [het] estimate, budget figure

begrotingsjaar [het] financial/fiscal year, budget(ary) year/period

begrotingspolitiek [de^{v}] budgetary policy

begrotingspost [de^{m}] budget item

begrotingsruimte [de^{v}] budget leeway

begrotingstekort [het] budget deficit

begum [de^{v}] begum

begunstigde [de] beneficiary, ⟨cheque⟩ payee, ⟨kredietbrief ook⟩ party accredited, ⟨overschrijving⟩ remittee, ⟨jur; cessionair⟩ transferee

begunstigen [ov ww] favour, ⟨met klandizie⟩ patronize, ⟨met erfenis⟩ benefit ♦ *iemand **met** een ridderorde begunstigen* favour s.o. with a knighthood; ***vrienden** begunstigen* favour friends

begunstiger [de^{m}], **begunstigster** [de^{v}] patron, supporter, promoter ♦ *begunstiger van de **kunst*** a patron of the arts

begunstiging [de^{v}] favour, ⟨bevordering⟩ patronage, support, ⟨tussen handelsstaten⟩ preference, preferential treatment, ⟨voortrekkerij⟩ favouritism ♦ *een samenleving gebaseerd op begunstiging **van** de rijken* a society which favours the rich

begunstigster [de^{v}] → **begunstiger**

beha [de^{m}] bra ♦ *een **voorgevormde** beha* a pre-formed/padded bra

behaaglijk [bn, bw] [1] ⟨aangenaam⟩ pleasant ⟨bw: ~ly⟩, comfortable ♦ *een behaaglijk **gevoel*** a pleasant/comfortable feeling, a sense of comfort/well-being; *behaaglijk **warm*** comfortably/pleasantly warm [2] ⟨op zijn gemak⟩ comfortable ⟨bw: comfortably⟩, relaxed ♦ *zich behaaglijk **uitstrekken*** stretch like a cat; *zich behaaglijk **voelen*** feel comfortable/at (one's) ease/relaxed [3] ⟨knus⟩ cosy ⟨bw: cosily⟩, snug ♦ *het **ziet** er hier behaaglijk **uit*** this place looks comfortable/comfy/cosy/snug

behaagziek [bn, bw] coquettish ⟨bw: ~ly⟩, flirtatious ♦ *een behaagziek **meisje*** a coquette, a flirt

behaagzucht [de] coquetry

behaard [bn] hairy, hirsute, ⟨biol⟩ pilose ♦ *een behaarde **hand*** a hairy hand; *de **huid** is daar behaard* the skin is covered with hair there; ***zwaar** behaard* very hairy

[1]**behagen** [het] pleasure, delight, enjoyment ♦ *behagen **scheppen in*** take (a) pleasure/delight in, find pleasure/enjoyment in

[2]**behagen** [onov ww] please ♦ *als het **Gode** behaagt* please God, God willing; *het heeft de **Heer** behaagd haar tot zich te nemen* the Lord has seen fit to take her from us; *het heeft Hare **Majesteit** behaagd om ...* Her Majesty has been graciously pleased to ...; *naar het **u** behaagt* as you please, at your pleasure

behalen [ov ww] gain, obtain, achieve, score, win ♦ *daar is geen eer **aan** te behalen* that's not worth bothering with; *een hoog **cijfer** behalen* gain/obtain a high mark; *een **diploma** behalen* obtain/^{B}take a certificate; ***eer** behalen **met*** gain honour/credit by; *een **graad/titel** behalen* ± gain a degree; *de **overwinning** behalen* be victorious, gain victory, carry/win the day; *een **prijs** behalen* gain/carry off/win a prize; *veel **punten** behalen* score highly/a lot of points, gain a high score; ***resultaten** behalen* achieve results; ***roem** behalen* reap glory; *100 % **winst** behalen* gain/secure/earn/make a 100 % profit

[1]**behalve** [vz] [1] ⟨uitgezonderd⟩ except (for), but (for), with the exception of, excepting, apart from, other than, ⟨AE ook⟩ outside of ♦ *ik lust alles behalve **koolraap*** I like everything except (for)/but swedes; *behalve **mij** heeft hij geen enkele vriend* he has no friend except (for)/but/save/other than me; *behalve de **neus** lijkt hij sprekend op zijn vader* except for/with the exception of his nose, he's the spitting image of his father; *allen behalve **Peter*** everyone except/but Peter [2] ⟨naast⟩ besides, in addition to ♦ *behalve de **voorzitter** zijn er zeven leden* besides/in addition to the chairman there are seven members

[2]**behalve** [vw] except, save ♦ *ik weet er niets van, behalve **dat** ik er gisteren terloops over hoorde spreken* I don't know anything about it, except that I heard s.o. mention it in passing yesterday

behandelaar [de^{m}] practitioner, person/doctor in charge of the/your case

behandelen [ov ww] [1] ⟨omgaan met⟩ handle, deal with, treat ♦ *iets **ruw** behandelen* maul/manhandle sth., mishandle sth.; ***voorzichtig** behandelen!* handle with care! [2] ⟨uiteenzetten⟩ treat (of), discuss, deal with, handle ♦ *een **onderwerp** behandelen* treat/discuss/deal with/handle/tackle a subject; *iets* ***oppervlakkig*** *behandelen* scratch the surface of sth./deal summarily with sth.; *dit* ***probleem*** *zal in deel 2 behandeld worden* this problem will be dealt with/discussed in part 2; *iets* ***uitputtend*** *behandelen* treat/deal with/go into sth. fully/exhaustively [3] ⟨afhandelen⟩ deal with, attend to, handle, conduct, manage ◆ *dergelijke* ***aangelegenheden*** *behandelt de directeur zelf* the manager deals with/attends to/handles such matters himself; ***klachten*** *behandelen* deal with/handle complaints; *de secretaresse behandelt de* ***post*** the secretary deals with incoming letters; *de vergadering heeft het* ***rapport*** *behandeld* the meeting has considered the report; *zaken* ***verkeerd*** *behandelen* mismanage affairs [4] ⟨bejegenen⟩ treat, deal with/by ◆ *iemand* ***als*** *een kind behandelen* treat s.o. as/like a child; ***eerlijk*** *behandeld worden* be treated fairly, get a square/fair deal; *de dieren werden* ***goed*** *behandeld* the animals were well looked after; *zijn ondergeschikten* ***goed*** *behandelen* treat one's subordinates well; ***oneerlijk*** *behandeld* hard done by, unfairly treated; ***oneerlijk*** *behandeld worden* receive unfair treatment; *iemand* ***oneerlijk*** *behandelen* do the dirty on s.o., do s.o. wrong; *hij heeft ons* ***smerig*** *behandeld* he treated us shabbily; *iemand* ***voorzichtig*** *behandelen* go easy with s.o., handle/treat s.o. with kid gloves; ***zo*** *behandel je een dame toch niet!* that's no way to treat a lady [5] ⟨als arts verzorgen⟩ treat, attend to, ⟨verplegen⟩ nurse ◆ *de behandelend* ***geneesheer*** the doctor in attendance/attending him/her; *iemand* ***homeopathisch*** *behandelen* treat s.o. homeopathically; *een* ***kwaal*** *behandelen* treat/nurse a complaint; *iemand* ***medisch*** *behandelen* be in attendance on s.o., give s.o. medical treatment; ***thuis*** *behandeld worden* receive (medical) treatment at home; *hij werd behandeld* ***voor*** *een hartkwaal* he was treated/received treatment for a heart condition [6] ⟨jur; verdedigen⟩ handle, ⟨in gerechtszaal zelf⟩ plead ◆ *een zaak* ***voor*** *het gerecht behandelen* handle a court-case

behandeling [de^v] [1] ⟨het omgaan met iets⟩ handling, use, treatment, ⟨machine⟩ operation ◆ *de garantie vervalt bij* ***ondeskundige*** *behandeling* the guarantee does not cover damage caused by improper use; *de behandeling van* ***rozen*** the care of roses [2] ⟨het afhandelen⟩ handling, management, ⟨vergadering ook⟩ consideration ◆ ***in*** *behandeling zijn* be under discussion/consideration, be being attended to, be in hand; ***in*** *behandeling nemen* take up, deal with, attend to; *uw klacht is* ***in*** *behandeling* your complaint is being considered/dealt with/taken up; *de rechtszaak komt/is* ***in*** *behandeling* the case is coming up for trial/being tried; *een wetsontwerp* ***in*** *behandeling nemen* consider/discuss a bill; *het wetsontwerp komt morgen* ***in*** *behandeling* the bill will be coming up for discussion/be given a reading tomorrow; *een* ***verkeerde*** *behandeling van zaken* mismanagement of affairs; *de behandeling van dringende* ***zaken*** the transaction/dispatch of urgent business [3] ⟨geneeskundige verzorging⟩ treatment, attendance, attention, aid, therapy ◆ ***geneeskundige*** *behandeling* medical treatment/attention; ***geneeskundige*** *behandeling van patiënten* medical treatment of patients; ***gratis*** *behandeling* free medical aid/care; ***onder*** *behandeling zijn voor* be treated for, receive treatment for; *zich* ***onder*** *behandeling stellen* call in/go to a doctor; *zich* ***onder*** *behandeling moeten stellen wegens* have to be treated for; *zij staat* ***onder*** *behandeling van de beroemdste specialisten* she is being treated by the most famous specialists [4] ⟨uiteenzetting⟩ treatment, discussion [5] ⟨bejegening⟩ treatment ◆ *een* ***mensonterende*** *behandeling* inhuman/degrading treatment, an indignity; *een* ***oneerlijke/ruwe/gemene*** *behandeling* a rough/raw deal; *een* ***rechtvaardige*** *behandeling* a fair/square deal; *een min of meer* ***rechtvaardige*** *behandeling* rough justice; ***slechte*** *behandeling* ill-treatment

behandelkamer [de] surgery, ⟨AE⟩ doctor's office, ⟨van specialist⟩ rooms

behandelkosten [de^mv] cost of treatment, treatment expenses/costs

behandelplan [het] plan of treatment, treatment plan

behandelstoel [de^m] ⟨bij tandarts⟩ dentist's chair

behandelwijze [de] treatment method

behang [het] wallpaper ◆ ⟨fig⟩ *je zou ze toch* ***achter*** *het behang plakken!* I could cheerfully murder them!; *behang* ***afstomen*** steam off wallpaper; ***akoestisch/muzikaal*** *behang* background music, ⟨BE⟩ wallpaper music, ⟨AE⟩ elevator music; ⟨vnl pej⟩ muzak; ⟨fig⟩ ***door*** *het behang gaan* be driven up the wall, be driven/go round the bend; ⟨uit wanhoop⟩ be frantic with despair; ⟨uit woede⟩ blow one's top, go off one's brain; ⟨inf⟩ *er zit een* ***nieuw*** *behangetje op* it's been newly (wall)papered; *behang* ***uitkiezen*** pick out/choose wallpaper

[1]**behangen** [ov ww] ⟨bedekken⟩ hang (with), drape (with), cover (out)/(with), ↑ deck (out)/(with) ◆ *zij was rondom* ***met*** *goud behangen* she was covered/decked (out)/draped with gold from head to foot; *de wanden waren* ***met*** *schilderijen/vlaggen behangen* the walls were hung with paintings/flags; *hun met onderscheidingen behangen* ***uniformen*** their uniforms decked/hung with medals

[2]**behangen** [ov ww, ook abs] ⟨met behang bekleden⟩ (wall)paper (a room), hang (wallpaper) ◆ ***kun*** *jij behangen?* can you hang wallpaper?, have you ever done any wallpapering?; *een kamer (opnieuw) behangen en* ***schilderen*** paint and re-paper a room

behanger [de^m] paperhanger, paperer ◆ *behanger en* ***stoffeerder*** upholsterer

behangersbij [de] leaf-cutter bee, upholsterer bee

behangerslijm [de^m] wallpaper paste

behangerstafel [de] pasting table

behappen [ww] [•] *dat* ***kan*** *ik niet in m'n eentje behappen* I can't handle that all at once on my own

beharing [de^v] (growth/coat of) hair ◆ *een* ***dichte*** *beharing* a dense growth/coat of hair; *de beharing van de* ***schaamstreek*** the hair in the pubic region, pubic hair

behartigen [ov ww] look after, promote, serve, protect ◆ *iemands* ***belangen*** *behartigen* look after/promote s.o.'s interests, act in s.o.'s interests, act on s.o.'s behalf; *ik kan mijn eigen* ***belangen*** *wel behartigen* I can manage my own affairs; *een vakbond behartigt de* ***belangen*** *van zijn leden* a trade union protects/promotes the interests of its members; *uit ontevredenheid over de manier waarop hij haar* ***belangen*** *behartigd had* out of dissatisfaction with the way he had handled her affairs; *iemands* ***zaken*** *behartigen* manage/look after s.o.'s affairs

behartigenswaardig [bn] worthy of consideration/notice ◆ *behartigenswaardige* ***woorden*** ⟨ook⟩ words worth listening to

behartiging [de^v] promotion (of), protection (of), management (of) ◆ *een organisatie* ***ter*** *behartiging* ***van*** *de belangen van de consument* an organization for the protection of consumer interests

behaviorisme [het] ⟨psych⟩ behaviourism

behaviorist [de^m] behavio(u)rist

beheer [het] [1] ⟨het beheren van andermans eigendom⟩ management, ⟨toezicht⟩ control, supervision, ⟨m.b.t. nalatenschap⟩ stewardship, guardianship ◆ *een boek in* ***eigen*** *beheer uitgeven* publish a book on one's own/one's own books; *een plaat in* ***eigen*** *beheer produceren* produce a record on one's own/one's own record; *het werk wordt in* ***eigen*** *beheer uitgevoerd* the work is done by our own staff/on our own account; *(een) werk in* ***eigen*** *beheer laten uitvoeren* have one's own staff to do the work; *de gemeente heeft de gasvoorziening in* ***eigen*** *beheer genomen* the council has taken over control of the gas supply; *als gevolg van een slecht* ***financieel*** *beheer* owing to financial mismanagement; *onder* ***gemeenschappelijk*** *beheer van* under communal management/direction of; *voor het* ***milieubeheer*** *verantwoordelijk zijn* be in charge of/responsible for the environment; *dat is* ***onder***

zijn beheer gebeurd that occurred under his administration/management; *goederen onder zijn beheer hebben* have goods in/under trust; *de curator is belast met het beheer van een failliete onderneming* the receiver is entrusted with the administration of a bankrupt enterprise; *het beheer over wegen en rivieren hebben* be in charge of/responsible for roads and waterways; *de penningmeester heeft het beheer over de kas* the treasurer is in charge of the funds; *het beheer van zijn bezittingen aan iemand overdragen* place one's property in trust; *het beheer voeren* have managerial control, be in charge of/run the administration; *het beheer voeren over iemands eigendom* hold s.o.'s property in/under trust; *het beheer voeren over iemands nalatenschap* steward/be guardian of s.o.'s estate; *een voorzichtig/strak financieel beheer voeren* manage the finances prudently/tightly [2] ⟨gezag⟩ administration, rule ◆ *dat eiland staat onder Engels beheer* that island is under British administration/rule [3] ⟨administratie, bestuur⟩ administration, management ◆ *raad van beheer* board of directors

beheerder [de^{m}] [1] ⟨exploitant⟩ ⟨camping, kantine, filiaal⟩ manager, ⟨jeugdherberg⟩ warden [2] ⟨m.b.t. andermans eigendom⟩ administrator, ⟨van failliete boedel⟩ trustee, ⟨van nalatenschap⟩ steward, guardian [3] ⟨bewindvoerder⟩ administrator [4] ⟨in België⟩ director, manager ◆ *afgevaardigd beheerder* executive director

beheerraad [de^{m}] ⟨in België⟩ Board of Directors

beheersbaar [bn] controllable, manageable ◆ *de inflatie beheersbaar maken* bring inflation under control

beheersbaarheid [de^{v}] controllability, manageability

[1]**beheersen** [ov ww] [1] ⟨heersen over⟩ control, govern, rule, have control over, ↑ have sway over, ↑ sway, ⟨domineren⟩ dominate ◆ *de alles beheersende kwestie* the dominant/(pre)dominating question; *je moet je gevoelens beter leren beheersen* you should learn to control your feelings more; *die gedachte beheerst zijn leven* that thought dominates/governs his life; *zijn hele leven wordt door zijn verslaving beheerst* his addiction dominates/governs his whole life; *de Japanners beheersen de markt* the Japanese control/dominate the market; *niet te beheersen* uncontrollable, unmanageable; *tijdrekken? dat beheersen ze perfect* playing for time? they've got that down to a fine art; *taxi's/tanks beheersen het straatbeeld* taxis/tanks dominate the streets; ⟨mil⟩ *een terrein beheersen* control a terrain; *de toestand beheersen* be in control of the situation, have the situation under control [2] ⟨kennis hebben van⟩ have a (thorough) command of, have mastered ◆ *zijn stof beheersen* have a thorough command/knowledge/mastery of one's subject matter; *een vreemde taal beheersen* have a thorough command of/be fluent/proficient in/have mastered a foreign language [3] ⟨feilloos kunnen uitvoeren⟩ have mastered ◆ *er zijn maar weinig schaatsers die deze sprong beheersen* few skaters have mastered this jump; *een bepaalde techniek beheersen* have mastered a special technique

[2]**zich beheersen** [wk ww] keep a grip on/control o.s., keep/control one's temper ◆ *hij kon zich nauwelijks beheersen* he could barely control himself; *kon je je weer niet beheersen!* couldn't you get a grip on/control yourself once again?, couldn't you demonstrate a little more self-control once again?

beheersing [de^{v}] control, command ⟨ook van taal⟩, ⟨dominantie⟩ domination, check ◆ *de beheersing van de natuur* the control over nature; *de beheersing over zichzelf verliezen* lose one's self-control, lose one's temper, ↓ lose one's cool, lose one's grip on o.s.; *praktische beheersing van een techniek* mastery/command of a technique; *een praktische beheersing van het Spaans* a working knowledge of Spanish; *een verdere beheersing van de inflatie* a further check on inflation

beheersjacht [de] wildlife management hunting

beheerskosten [de^{mv}] management costs/fee/charges

beheersmaatschappij [de^{v}] [1] ⟨beleggingsmaatschappij⟩ investment company, investment trust company [2] ⟨holdingcompany⟩ holding company

beheersovereenkomst [de^{v}] agreement concerning management ◆ *met de boeren in het natuurgebied is een beheersovereenkomst gesloten* an agreement was reached with the farmers in the area of natural interest concerning its management

beheersplan [het] regional management plan

beheerst [bn, bw] collected ⟨bw: ~ly⟩, composed, cool, ⟨evenwichtig⟩ poised, ⟨zichzelf meester⟩ (self-)controlled, (self-)restrained ◆ *beheerst boksen/stoten* box/punch in a controlled/restrained way; *hij is zeer beheerst in zijn optreden* his is very self-controlled/self-restrained/poised in what he does

beheksen [ov ww] [1] ⟨betoveren⟩ bewitch, bedevil, cast a spell/charm on, put a spell/charm on [2] ⟨fig⟩ bewitch, cast a spell/charm on, put a spell/charm on

zich behelpen [wk ww] manage, make do/swift (with), shift ◆ *het is erg behelpen zonder stroom* it's really roughing it without electricity; *zich zo goed mogelijk behelpen (met iets)* make do (with sth.); *hij moet zich erg behelpen* he lives in straitened circumstances; *we zullen ons moeten behelpen* we'll just have to make do/make shift/manage (as best we can); *je zult je ermee moeten behelpen* you'll just have to do the best you can/make do/shift/manage with that; *hij weet zich te behelpen* he manages, he can manage; ⟨fin⟩ he gets by

behelzen [ov ww] contain, include, comprehend ◆ *zolang we niet weten wat het plan behelst* as long as we don't know/are unaware of what the plan amounts to; *het voorstel behelst het volgende* the proposal/suggestion is this

behendig [bn, bw] ⟨handig⟩ dexterous ⟨bw: ~ly⟩, adroit, ⟨vaardig⟩ skilful, ⟨AE⟩ skillful, deft, nimble, ⟨bijdehand⟩ clever, smart ◆ *een behendige jongen* a dexterous/an agile/a clever/a smart boy; *behendig klom ze achterop* she nimbly/deftly/agilely climbed up on the back; *een behendige manoeuvre* a dexterous/a skilful/an adroit/a clever manoeuvre; *een behendige tactiek* clever tactics

behendigheid [de^{v}] dexterity, adroitness, agility, skill

behendigheidsspel [het] game of skill

behendigheidswedstrijd [de^{m}] contest of skill, ⟨van ruiters⟩ gymkhana

behept [bn] cursed (with), -ridden ◆ *met ondeugden behept* vice-ridden; *met vooroordelen behept* prejudice-ridden

beheren [ov ww] [1] ⟨het beheer hebben over⟩ manage, ⟨fin⟩ administer ◆ *een erfenis/geld van minderjarigen beheren* administer an inheritance/the money of persons under age; *de financiën beheren* control the finances, ↓ hold the purse strings; *zijn vermogen door iemand laten beheren* let s.o. manage/administer one's estate/property [2] ⟨leiden, exploiteren⟩ manage, run, conduct, operate ◆ *een bibliotheek/camping beheren* run a library/camping ground; *een winkel beheren* be in charge of/run a shop

behoeden [ov ww] [1] ⟨beschermen⟩ guard (from), keep/preserve (from) ◆ *iemand voor gevaar behoeden* keep/preserve s.o. from danger; *iemand voor een misstap/val behoeden* keep s.o. from doing wrong/falling [2] ⟨waken over⟩ guard, watch over ◆ *God behoede ons* (may) God keep/preserve us

behoeder [de^{m}] ⟨in België⟩ ⟨man & vrouw⟩ defender, ⟨man & vrouw⟩ guardian, ⟨man⟩ protector, ⟨vrouw⟩ protectress

behoedzaam [bn, bw] cautious ⟨bw: ~ly⟩, wary, careful, circumspect, ⟨op zijn hoede⟩ guarded ◆ *iets behoedzaam ergens afhalen/uithalen* cautiously/carefully take sth. off/out of somewhere; *behoedzaam schreed ze voort* she advanced cautiously/warily/carefully; *behoedzaam te werk gaan* proceed/go at it cautiously/carefully/with caution

behoedzaamheid [de^{v}] cautiousness, wariness, care,

caution, circumspection

behoefte [de^v] [1] ⟨gemis⟩ need (of/for), want (of), ⟨vraag⟩ demand (for) ◆ *daar heb ik geen behoefte* ***aan*** that's one thing I can do without/don't need; *dringend behoefte hebben* ***aan*** *iets* have an urgent need for sth., need sth. urgently; *behoefte hebben* ***aan*** *rust/gezelschap* have a need for quiet/company; *minder behoefte* ***aan*** *afleiding hebben* have less need for distraction; *waar we het meest behoefte* ***aan*** *hebben* what we are most in want/need of; *er bestaat een grote behoefte* ***aan*** *geneesmiddelen* there is an enormous shortage of medicines/a crying need for medicines; *iemands (seksuele) behoeften* ***bevredigen*** satisfy/fulfil s.o.'s (sexual) needs; *daar heeft niet iedereen evenveel behoefte* ***aan*** not everyone needs that as much; *in* ***eigen*** *behoefte (kunnen) voorzien* be self-sufficient/self-supporting/able to meet/fulfil one's own needs; ***in*** *een behoefte* ***voorzien*** fill/meet/supply a need/want; *dat* ***is*** *voor hem een behoefte* ***geworden*** that has become a necessity for him; ***naar*** *behoefte* according to one's needs, as much as one needs; *niet de minste behoefte hebben* ***om*** *te reageren* not have the slightest need to react; *nieuwe behoeften* ***scheppen*** create new needs; *een* ***schreeuwende*** *behoefte aan arbeidsplaatsen* a crying need for job opportunities; *zodra de behoefte zich doet* ***voelen*** as soon as the need makes itself felt; *een cursus die* ***voorziet in*** *mijn behoeften* a course that caters for my needs [2] ⟨ontlasting⟩ nature's call ◆ *zijn behoefte* ***doen*** answer nature's call, relieve nature/o.s., move one's bowels [3] ⟨benodigdheden⟩ necessities, requirements, necessaries ◆ *de* ***dagelijkse*** *behoeften* daily necessities

behoeftig [bn] needy, destitute, ⟨form⟩ indigent, ⟨noodlijdend⟩ distressed ◆ *de armen en* ***de*** *behoeftigen* the poor and the needy/destitute; *het zijn behoeftige* ***mensen*** these are people in need/needy people; *in behoeftige* ***omstandigheden*** *geraken/verkeren* be/find o.s. destitute/in needy/reduced circumstances

behoeve [het] [·] ***ten*** *behoeve* ***van*** on/^{A}in behalf of, for the benefit/purpose of; *uitgaven* ***ten*** *behoeve* ***van*** *de bibliotheek* library expenses; *faciliteiten* ***ten*** *behoeve* ***van*** *de recreant* recreational facilities; *mededelingen* ***ten*** *behoeve* ***van*** *de landbouw* agricultural news; *zich inzetten* ***ten*** *behoeve* ***van*** *politieke gevangenen* devote o.s. to the cause of political prisoners

¹behoeven [onov ww] ⟨form⟩ ⟨nodig zijn⟩ need ◆ *behoef ik u te zeggen, dat ...* need I tell you that ...

²behoeven [ov ww] ⟨nodig hebben⟩ need, be in need of, require, want, be in want of ◆ ***hulp/ondersteuning*** *behoeven* (be in) need (of)/require aid/support; *dit behoeft enige* ***toelichting*** this requires some explanation; ⟨form⟩ *daartoe behoeft men de* ***toestemming*** *van de inspectie* for this the inspector's permission is required [·] ⟨sprw⟩ *goede wijn behoeft geen krans* good wine needs no bush

¹behoorlijk [bn] [1] ⟨fatsoenlijk⟩ decent, appropriate, proper, fitting, respectable ◆ *in strijd met de beginselen van behoorlijk* ***bestuur*** contrary to the principles of good management; *behoorlijk* ***gedrag*** good behaviour; *dat is* ***heel*** *behoorlijk van ze* that's very decent/civil of them; *producten van behoorlijke* ***kwaliteit*** good quality products; *dit is geen behoorlijke* ***tijd*** *om iemand op te bellen* this is not a/no decent/respectable hour to be calling s.o. (up) [2] ⟨voldoende⟩ adequate, sufficient [3] ⟨toonbaar⟩ decent, respectable, presentable ◆ *trek alsjeblieft* ***iets*** *behoorlijks aan* for heaven's sake, put on some decent clothes; *die jas* ***is*** *nog heel behoorlijk* that coat is still quite decent/respectable/presentable; *dat* ***ziet*** *er heel behoorlijk* ***uit*** that's looking/looks very reasonable/well/good, that's shaping up very nicely [4] ⟨tamelijk groot, flink⟩ considerable, ↑substantial, good-sized, sizable, fair, reasonable ◆ *hij houdt er een heel behoorlijke* ***boterham*** *aan over* he's doing quite nicely for himself; *dat is een behoorlijk* ***eind*** *lopen/fietsen/rijden* that's quite a distance to walk/cycle/ride; *met een behoorlijk* ***gangetje*** at a reasonable pace; *een* ***heel*** *behoorlijke kamer* quite a decent/reasonable room; *hij heeft een behoorlijk* ***kapitaal*** he has considerable/substantial capital; *ze verdient een heel behoorlijk* ***salaris*** she's earning a decent salary

²behoorlijk [bw] [1] ⟨fatsoenlijk⟩ decently, appropriately, properly, fittingly, respectably ◆ ***gedraag*** *je behoorlijk* behave respectably/yourself; *we* ***zijn*** *niet eens behoorlijk* ***voorgesteld*** we haven't even been properly introduced [2] ⟨in voldoende mate⟩ adequately, sufficiently, enough ⟨na bn/bw⟩ [3] ⟨nogal⟩ pretty, quite, fairly ◆ *ze zit zich weer eens behoorlijk* ***aan te stellen*** she's being a real show off again; *hij zit weer behoorlijk te* ***overdrijven*** he's exaggerating all over the place again; *behoorlijk* ***wat*** quite a lot, a reasonable amount [4] ⟨goed⟩ decently, well (enough) ◆ *je kunt hier heel behoorlijk* ***eten*** you can get a very decent meal here; *zij* ***schildert*** *vrij behoorlijk* she paints well enough/pretty well/decently

behoren [onov ww] ⟨form⟩ [1] ⟨toebehoren⟩ belong (to), be owned by, be the property of [2] ⟨vereist worden⟩ require, need, be necessary/needed ◆ ***naar*** *behoren* as it should be, properly; *alles ging* ***naar*** *behoren* everything went as it should; ⟨sport⟩ *zijn doel* ***naar*** *behoren verdedigen* do a good job defending one's goal [3] ⟨betamen⟩ should, ought (to), be fit, be proper ◆ *jongeren behoren* ***op te staan*** *voor ouderen* young people should stand up for older people [4] ⟨onderdeel uitmaken van⟩ belong (to), go together/with, be part of ◆ ***bij*** *elkaar behoren* go together; *een auto met de* ***daarbij*** *behorende groene kaart* a car with its green card; *de Krim behoort* ***tot*** *de USSR* the Crimea is part of the USSR; *dat behoort niet* ***tot*** *mijn taak* that isn't included in my responsibilities, ↓that's not part of my job; *dat behoort niet* ***tot*** *zijn vakgebied* that's outside his field/his area of competence; *hij behoort* ***tot*** *de betere leerlingen* he ranks among/is one of the better pupils; ***tot*** *de rooms-katholieke kerk behoren* belong to/be member of the (Roman) Catholic Church; ***tot*** *deze groep behoorde ook een vrouw* this group also included a woman; *dat behoort niet* ***tot*** *de competentie van dit hof* that's beyond this court's competence/the competence of this court; *dit boek behoort* ***tot*** *de beste van deze schrijver* this book ranks among/with/is one of the best written by this author; *een groep* ***waartoe*** *twee Nederlanders behoorden* a group including/which included two Dutch people [5] ⟨zijn plaats hebben, vinden⟩ belong [6] ⟨gerekend worden⟩ belong, be part of, be among ◆ *dat behoort* ***nu tot*** *het verleden* that's past history, we're going to put that/that's behind us now, that's now a part of the past; *dat behoort* ***tot*** *de zeldzaamheden* that's a rarity/very rare; *dat behoort* ***tot*** *de normale gang van zaken* it's common practice

behoud [het] [1] ⟨het in stand houden, blijven⟩ preservation, maintenance, conservation ⟨ook van natuur, monumenten⟩ ◆ *de steun van de regering betekent het behoud* ***van*** *2000 arbeidsplaatsen* government(al) support means the preservation of 2000 jobs [2] ⟨doorgaand bezit, genot⟩ retention, preservation ◆ *verlof* ***met*** *behoud* ***van*** *salaris* leave of absence on full pay; ⟨voor studie/onderzoek⟩ sabbatical leave; *vakantie* ***met*** *behoud van salaris* paid holiday/^{A}vacation, holiday/^{A}vacation with pay; *werken* ***met*** *behoud* ***van*** *uitkering* work while retaining unemployment benefits [3] ⟨het in goede staat houden⟩ preservation, conservation, care ◆ *goed onderhoud betekent het behoud* ***van*** *uw parketvloer* good maintenance insures the preservation of your parquet/inlaid floor [4] ⟨redding⟩ salvation

¹behouden [bn, bw] safe ⟨bw: ~ly⟩ ◆ *hij* ***is*** *gelukkig behouden* ***gebleven*** luckily he is unharmed/he came through unscathed; *dat glaswerk* ***is*** *behouden* ***overgekomen*** that glassware arrived safely/safe and sound; *iemand (een) behouden* ***reis*** *wensen* wish s.o. a safe trip; *ik wens u een behouden* ***vaart*** I wish you a safe journey; *iemand behouden aan land brengen* bring s.o. safely ashore/to shore, bring s.o. to shore safe and sound

²behouden [ov ww] [1] ⟨niet verliezen⟩ preserve, keep,

conserve ⟨ook natuur, monumenten⟩, retain ◆ ⟨Bijb⟩ *onderzoekt alle dingen en behoudt het* ***goede*** test everything and hold fast to what is good; *zijn goede* ***humeur*** *behouden* keep smiling; *zijn* ***invloed*** *behouden* retain/keep one's influence; *zijn* ***zetel*** *behouden* retain one's seat [2] ⟨niet opgeven⟩ maintain, keep ◆ *de verkregen* ***snelheid*** *behouden* maintain the speed acquired; *zijn* ***vorm*** *behouden* stay/keep fit/in shape [3] ⟨in leven houden⟩ save ◆ *zijn* ***geloof*** *heeft hem behouden* his faith is what saved him

behoudend [bn, bw] conservative ⟨bw: ~ly⟩ ◆ ⟨sport⟩ *behoudend* ***spelen/voetballen*** play a defensive/cautious/wary game; *hij behoort tot de behoudende* ***vleugel*** *van de partij* he belongs to the conservative section of the party; ⟨sport⟩ *met behoudend* ***voetbal/spel*** *proberen te winnen* try to win by playing a defensive/cautious/wary game

behoudenis [de^v] ⟨form⟩ salvation

behoudens [vz] [1] ⟨met voorbehoud van⟩ subject to ◆ *behoudens* ***goedkeuring*** *door de gemeenteraad* subject to the council's approval; *behoudens onvoorziene* ***omstandigheden*** barring unforeseen circumstances [2] ⟨behalve⟩ except (for), barring, save ◆ *behoudens enkele* ***wijzigingen*** *werd het plan goedgekeurd* except for/with a few alterations, the plan was approved [3] ⟨met behoud van⟩ ◆ *behoudens alle* ***titels*** titles and honours omitted

behoudzucht [de] conservatism

behuild [bn] [•] *een behuild* ***gezicht*** a tear-stained/teary-eyed/tearful face, a face wet with tears

behuisd [bn] -housed ◆ ***goed/ruim*** *behuisd zijn* live in a fine/roomy house, be well-housed; ***klein*** *behuisd zijn* live in a small/cramped house; ***slecht*** *behuisd zijn* be badly-housed/poorly-housed

behuizing [de^v] ⟨woonruimte⟩ housing, accommodation, ⟨woning⟩ house, dwelling ◆ ***passende*** *behuizing zoeken* look for suitable accommodation; *een* ***schamele*** *behuizing* miserable housing

behulp [het] [•] ***met*** *behulp* ***van*** *iets* with the help/aid/assistance of sth., through the help of sth., by means of sth.; ***met*** *behulp* ***van*** *iemand* with the help/aid/assistance of s.o., through (the help of) s.o.

behulpzaam [bn] [1] ⟨hulpverlenend⟩ helpful ◆ *iemand behulpzaam zijn* ***bij*** *iets* be of use/help to s.o. in doing sth.; ***in/bij*** *iets behulpzaam zijn* lend a (helping) hand with sth.; *zij* ***is*** *altijd behulpzaam* she's always ready to help; *iemand op alle mogelijke manieren behulpzaam* ***zijn*** help s.o. in as many ways as one can [2] ⟨hulpvaardig⟩ helpful, cooperative, obliging ◆ *zij was* ***niet*** *erg behulpzaam* she wasn't very helpful

behuwd [bn] in-law

beiaard [de^m] ⟨in België⟩ carillon

beiaardier [de^m] carilloneur

beide [hoofdtelw] both, either (one), ⟨twee⟩ two ◆ *in jullie beider* ***belang*** for both your sakes; *het is in ons beider* ***belang*** it's in the interest of both of us, it's in both of our interests; *een opvallend verschil tussen hun beide* ***dochters*** a striking difference between their two daughters; ***één*** *van beiden heeft het gedaan* one of the two did it; *het is* ***één*** *van beide: óf hij is gek, óf ik ben het* it's one of the two: either he is mad or I am; *ze kunnen het beiden* ***gedaan hebben*** either of them could have done it; ***geen*** *van beide kandidaten* neither candidate; *ze weten het* ***geen*** *van beiden* neither of them knows; *in beide* ***gevallen*** in either case/both cases; *deze beide* ***machines*** both these machines; *je kunt het op beide* ***manieren*** *doen* you can do it either way/both ways; *beide* ***personen*** *ken ik* I know both of them; *ons beider* ***vriend*** our mutual friend; ***wie*** *van beiden kies je?* which of the two do you choose?; ***wij*** *beiden* both of us, we two, the two of us; *aan beide* ***zijden*** at both ends/either end; *ze* ***zijn*** *beiden* ***getrouwd*** they are both (of them) married, both (of them) are married [•] *welk boek kies je? je kunt ze beide* ***nemen;*** *ze zijn even duur* which book do you choose? you can take either; they're equally expensive; *je kunt beide* ***wegen*** *nemen* you can take either road; ⟨sprw⟩ *waar twee kijven hebben twee/beiden schuld* it takes two to make a quarrel; ⟨sprw⟩ *als de ene hand de andere wast, worden ze beide schoon* one hand washes the other; you scratch my back and I'll scratch yours

[1]**beiden** [onov ww] ⟨form⟩ ⟨wachten⟩ tarry, linger

[2]**beiden** [ov ww] ⟨form⟩ [1] ⟨afwachten⟩ bide [2] ⟨te wachten staan⟩ wait for, await [•] ⟨sprw⟩ *beidt uw tijd* bide your time

beiderhande [bn], **beiderlei** [bn] both, either ◆ *van beiderhande* ***kunne*** of both sexes/either sex

beiderlei [bn] → **beiderhande**

beidjes [telw] [•] *wij* ***met*** *ons beidjes* just the two of us

Beier [de^m], **Beierse** [de^v] ⟨man & vrouw⟩ Bavarian, ⟨vrouw ook⟩ Bavarian woman/girl

beieren [onov ww] [1] ⟨luiden⟩ chime, ring, peel, sound ◆ *onder* ***het*** *beieren van de alarmklok* while/as the alarm bell was/is ringing/sounding [2] ⟨klokkenspel bespelen⟩ ring (the) bells, play a/the carillon

Beieren [het] Bavaria

Beiers [bn] Bavarian

Beierse [de^v] → **Beier**

[1]**beige** [het] beige

[2]**beige** [bn] beige

beignet [de] fritter

zich beijveren [wk ww] apply o.s. (to), devote o.s. (to), ⟨sterker⟩ exert o.s. (to), do one's best/utmost (to), try one's hardest (to)

beijzeld [bn] ice-covered ◆ *beijzelde* ***wegen*** icy roads

beïnkten [ov ww] ink

beïnvloedbaar [bn] impressionable, suggestible, (com) pliant

beïnvloeden [ov ww] influence, affect ◆ ***gemakkelijk*** *te beïnvloeden* impressionable, easily influenced/swayed; *de verkoop* ***gunstig/nadelig*** *beïnvloeden* have a positive/negative effect on (the) sales; *zich door iets* ***laten*** *beïnvloeden* be influenced/swayed by sth.; *zich niet (gemakkelijk)* ***laten*** *beïnvloeden* not let o.s. be (easily) influenced; ⟨sport⟩ *de* ***scheidsrechter*** *proberen te beïnvloeden* try to influence the referee; ⟨sport⟩ *dat beïnvloedt zijn* ***spel*** that has an effect on/affects his game

beïnvloeding [de^v] [•] *beïnvloeding* ***van*** *de* ***jury*** manipulation of/swaying/influencing the jury

Beiroet [het] Beirut, Beyrouth

beitel [de^m] chisel ◆ *een* ***getande*** *beitel* a gradin(e); *een* ***holle*** *beitel* a gouge; *een* ***schuine*** *beitel* a skew chisel

[1]**beitelen** [onov ww] ⟨met de beitel werken⟩ chisel

[2]**beitelen** [ov ww] [1] ⟨met een beitel uithakken⟩ chisel, chip [2] ⟨houwen uit⟩ carve, chisel ◆ *een beeld beitelen* ***uit*** *marmer* carve a statue/sculpture out of marble

beits [het, de^m] [1] ⟨kleurstof⟩ stain ◆ ***dekkende*** *beits* opaque/non-transparent stain; ***transparante*** *beits* transparent stain [2] ⟨fixeermiddel⟩ mordant

beitsen [ov ww] stain

bejaagd [bn] ± blooded, ± experienced

bejaard [bn] elderly, aged, old ◆ *een bejaard* ***echtpaar*** an elderly couple

bejaarde [de] old/elderly man, old/elderly woman, ⟨vnl AE⟩ senior (citizen), ⟨gepensioneerde⟩ old-age pensioner ◆ *bejaarden* old/elderly people, senior citizens; *de bejaarden* the old/aged/elderly

bejaardenaftrek [de^m] tax-free foot for old age pensioners, tax-free foot for retired people, ⟨Groot-Brittannië⟩ old age relief

bejaardencentrum [het] retirement home/centre

bejaardenflat [de^m] old people's flat

bejaardenhelper [de^m], **bejaardenhelpster** [de^v] geriatric helper/assistant, ⟨thuis; BE⟩ home help

bejaardenhelpster [de^v] → **bejaardenhelper**

bejaardenhuis [het] → **bejaardentehuis**

bejaardenoord [het] → **bejaardentehuis**
bejaardenpas [de^{m}] → **bejaardenpaspoort**
bejaardenpaspoort [het], **bejaardenpas** [de^{m}] over sixties pass, 60's plus pass, senior citizen's ^{B}pass, senior citizen's ^{A}reduction card, ⟨BE⟩ Golden Age Pass, ⟨AuE⟩ seniors card
bejaardensociëteit [de^{v}] over-sixties club, Senior citizens' club, ⟨BE ook⟩ Darby and Joan club
bejaardentehuis [het], **bejaardenhuis** [het], **bejaardenoord** [het] old people's/^{A}folks' home, home for the elderly
bejaardenverzekering [de^{v}] senior citizen's insurance
bejaardenverzorger [de^{m}], **bejaardenverzorgster** [de^{v}] geriatric helper, ± geriatric attendant
bejaardenverzorgster [de^{v}] → **bejaardenverzorger**
bejaardenvraagstuk [het] ± the ag(e)ing question, ⟨duidelijker⟩ the issue/problem of ag(e)ing of the population
bejaardenwerk [het] care of the elderly, care of the old, care of old people, work involving the elderly, work involving the old, work involving old people, work with the elderly, work with the old, work with old people, geriatric care/work ◆ *hij zit **in** het bejaardenwerk* he looks after/works with the elderly/the old/old people
bejaardenwoning [de^{v}] old people's flat
bejaardenzorg [de] care of the elderly, care of the old, care of old people
bejegenen [ov ww] treat, ⟨vero⟩ use ◆ *iemand **koeltjes/hartelijk** bejegenen* ⟨bij aankomst⟩ receive s.o. coolly/warmly; ***met** smaad bejegend worden* suffer indignity; *iemand **onheus** bejegenen* snub/rebuff s.o.; *iemand **onvriendelijk** bejegenen* rebuff s.o.; *iemand **welwillend** bejegenen* treat s.o. kindly, use s.o. well
bejegening [de^{v}] treatment, ⟨vero⟩ use ◆ *een onaangename bejegening **ondergaan*** suffer unpleasant treatment; ⟨bij aankomst⟩ receive an unfriendly welcome; *hen allen viel dezelfde **onheuse/onvriendelijke** bejegening ten deel* they all met with the same rebuff; *een **smadelijke** bejegening* indignity
bejubelen [ov ww] cheer, applaud
bek [de^{m}] [1] ⟨snavel⟩ ⟨kort en stevig⟩ beak, ⟨anders, en ook van duiven⟩ bill [2] ⟨muil⟩ snout, muzzle, ⟨wolf, haai enz. ook⟩ jaws [3] ⟨mond⟩ ↑ mouth, ↓ trap, ↓ gob ◆ ⟨inf⟩ ***breek** me de bek niet **open*** don't let me get started on that!, you're telling me!; *een **brutale** bek hebben* have a rough tongue; *hij **deed** geen bek **open*** he never (so much as) said a word/opened his mouth; *ze **doen** gewoon hun bek niet **open*** they just keep their mouths shut; *een **grote** bek hebben* have a big/loud mouth, be big/loud-mouthed, be a big/loud-mouth; ⟨inf⟩ ***hou** je grote bek* shut up!, put a sock in it!, stuff it!, button your lip!, shut your trap/gob/face!; ***uit** de bek hangen* ⟨van tong⟩ loll out [4] ⟨gezicht⟩ mug, chops, ↑ face ◆ ***op** zijn bek gaan* come a cropper, take a nose-dive; *goed **op** zijn bek vallen* ⟨ook fig⟩ come a real cropper, take a real nose-dive; *iemand **op** zijn bek geven* wallop/belt/hit s.o. in the mug/chops/face; *(gekke) bekken **trekken*** make/pull (silly) faces [5] ⟨zaak⟩ ⟨bankschroef, nijptang⟩ jaws, ⟨kan, goot⟩ spout, ⟨brandslang/tuinslang, blaasbalg⟩ nozzle, ⟨pen⟩ nib ◆ *de bek van een **schaaf*** the mouth of a plane [•] ⟨sprw⟩ *een gegeven paard moet men niet in de bek zien* never look a gift horse in the mouth
bekaaid [bn] [•] *er bekaaid **afkomen*** come off badly/worst, get/have the worst of it, get/have a raw/rough deal, come away with one's tail between one's legs/with a flea in one's ear, get the rough/thick end of the stick
bekabelen [ov ww] lay a cable in, ⟨radio, tv⟩ lay the cable in ◆ *de hele stad **is** bekabeld* the whole town has cable television
bekabeling [de^{v}] ⟨resultaat⟩ cables, wires ⟨mv⟩, ⟨actie⟩ cable-laying, cable-wiring
bekaf [bn] ⟨inf⟩ done/all in, dead tired, dead-beat, dead on one's feet, ⟨BE ook⟩ ↓ knackered, ↓ shattered
bekakken [ov ww] [1] ⟨door kakken bevuilen⟩ shit on, shit (all) over [2] ⟨bedriegen⟩ screw, ⟨AE ook⟩ shaft
bekakt [bn, bw] stuck-up, la(h)-di-da(h), posh, ⟨BE ook⟩ toffee-nosed, ⟨AE ook⟩ fancy ◆ *een bekakt **accent*** a stuck-up/posh accent; *bekakt **praten*** talk posh/fancy/la(h)-di-da(h); *een bekakt **ventje** zijn* be stuck-up/toffee-nosed/la(h)-di-da(h), think o.s. (awfully) posh; ⟨BE ook⟩ be a stuck-up/toffee-nosed/la(h)-di-da(h) twit
bekappen [ov ww] [1] ⟨een kap maken op⟩ ⟨huis⟩ roof (in/over), ⟨muur⟩ cope [2] ⟨door kappen bewerken⟩ lop, ⟨balk⟩ hew ◆ ***bomen** bekappen* lop trees, lop the branches off [3] ⟨hoeven besnijden van⟩ trim, pare
bekapping [de^{v}] [1] ⟨overkapping⟩ ⟨huis⟩ roof(ing), ⟨muur⟩ coping [2] ⟨het door kappen bewerken⟩ lopping
bekeerd [bn] [1] ⟨tot het christendom overgegaan⟩ converted [2] ⟨tot een overtuiging overgegaan⟩ converted [3] ⟨tot inkeer gekomen⟩ ◆ *hij **is** bekeerd* he has repented, ⟨inf⟩ he has seen the light/has mended his ways/has seen the error of his ways; *bekeerde **prostituee*** ⟨form⟩ magdalene; *bekeerde **vrijgezel*** ⟨form⟩ benedick, benedict
bekeerling [de^{m}] convert, proselyte ◆ *bekeerlingen **maken*** ⟨ook fig⟩ make converts
^{1}**bekeken** [bn] [1] ⟨uitgemaakt⟩ settled ◆ *dat is een bekeken **zaak*** that matter has been settled [2] ⟨uitgekiend⟩ well-judged ◆ *een bekeken **pass*** a well-judged pass
^{2}**bekeken** [bw] ⟨uitgekiend, handig⟩ deliberately, deftly
bekend [bn] [1] ⟨ter kennis gekomen⟩ known ◆ *zodra dat **algemeen** bekend wordt* as soon as this gets out/around, ⟨vero of scherts⟩ as soon as this gets abroad; *dit **feit** was mij bekend* I knew (of) this, I was acquainted with this; *er zijn mij **gevallen** bekend waarin ...* I know of cases where ...; *er zijn twee **gevallen** van hondsdolheid bekend* two cases of rabies have been recorded/are known to exist; *het **is** algemeen bekend* it's common knowledge; *gevraagd programmeur, bekend **met** Pascal* wanted: programmer with knowledge/experience of PASCAL; *voor zover **mij** bekend* as far as I know/am aware, to the best of my knowledge; *hij zei dat hem dat **niet** bekend was* he said he did not know about this; ⟨jur⟩ he pleaded ignorance; *Venetië is bekend **om** zijn schoonheid* Venice is known/noted for its beauty; *is het **u** bekend dat ...* are you aware/do you know that ...; *er zijn voorbeelden bekend **uit** de geschiedenis* there are instances on record; *ambtenaren **van** wie algemeen bekend is dat ze corrupt zijn* civil servants (that are) generally known to be corrupt; *iets (als) bekend **veronderstellen*** take sth. for granted, take sth. to be common knowledge; *de plannen waren hem **volledig** bekend* he was fully aware of the plans; *zodra het nieuws bekend **wordt*** as soon as the news gets out; *als dit bij de directie bekend **wordt*** if this comes to the notice/knowledge of the management, if the management hears/gets to hear/learns of this; ***zoals** bekend* as is well-known, as already known; *het grootste tot dusver bekende **zonnestelsel*** the largest solar system known/discovered so far; *voor zover bekend* so/as far as is known [2] ⟨kennis hebbende van⟩ familiar (with), acquainted (with), ⟨form⟩ conversant (with) ◆ ***enigszins/oppervlakkig** bekend zijn met de materie/iemand* have a nodding acquaintance with the subject/s.o.; *bekend worden **met** iets* become/get acquainted with sth., get to know sth.; *hij is bekend **met** de procedure* he's familiar/acquainted with the procedure; *bekend **zijn** met een taal* be familiar with a language [3] ⟨door velen gekend⟩ well-known, noted/known (for), ⟨pej⟩ notorious (for) ◆ *Einsteins naam is **algemeen** bekend* Einstein's name is a household word; ***alom** bekend* generally known; ***beter** bekend als* better known as; *het is bekend **dat** ...* it's (a) well-known (fact) that ..., it's common knowledge that ...; *de **feiten** zijn bekend* the facts are well-known/are common knowledge;

*dat zal **gauw** genoeg bekend zijn* the knowledge will spread soon enough; *Italië speelt in de bekende **kleuren*** Italy is playing in its usual colours; *een film vol bekende **namen*** a film with a star-studded cast; *bekende **Nederlanders*** Dutch celebrities; *bekend zijn **onder** de naam van* be known as/by the name of, go by/under the name of; *een merk dat bekend is **over** de hele wereld* a brand with a worldwide reputation; *bekende **personen*** celebrities; *de bekendste **schrijvers*** the best-known authors; *bekend **van** radio en tv* of radio and TV fame; ***weinig** bekende schrijvers* little-known/obscure authors; *zij **werd** bekend door haar kinderboeken* she became (well-)known for/acquired a reputation through her books for children; ***wijd** en **zijd** bekend zijn* be widely known, be known far and wide; *bekend **zijn** in Londen/in de stad* be well-known in London/around/about the town; *te goeder naam en faam bekend **zijn*** have a good name/reputation [4] ⟨niet vreemd⟩ familiar ◆ ***bent** u hier bekend?* do you know your way (a)round here?; *het bier in de bekende **beugelfles*** the beer in the familiar wire-stoppered bottle; *een bekend(e) **gezicht/stem*** a familiar face/voice; *bekend zijn **in** Londen* know (one's way round) London; *goed bekend zijn **in** de streek* know the area well; *u **komt** me bekend **voor*** haven't we met (somewhere) (before)?, don't I know you (from somewhere)?, you look/your face looks familiar; *dat **komt** me bekend **voor*** that looks/sounds/seems familiar; ⟨inf⟩ that rings a bell; *hij is hier **niet** bekend* he's a stranger here/ to the town/to the area; *ik ben hier (ook) **niet** bekend* I'm a stranger here (myself); *een bekende **stem** horen* hear a familiar voice

bekende [de] acquaintance, friend ◆ ⟨scherts⟩ *een **oude** bekende van de politie* an old friend of the police; *hartelijke groeten aan alle **vrienden** en bekenden* regards to all friends and acquaintances; ***waren** er nog bekenden?* was anyone else you knew there?

bekendheid [de^{v}] [1] ⟨het bekend zijn met⟩ familiarity (with), acquaintance (with), experience (of) ◆ *bekendheid **met** ... strekt tot aanbeveling* experience of/familiarity with ... will be an asset [2] ⟨het gekend worden⟩ name, being (well-)known, ⟨pej⟩ notoriety ◆ *bekendheid **geven** aan iets* make sth. public, reveal/disclose/divulge sth.; *meer bekendheid aan iets **geven*** give greater publicity to sth., make sth. more public/better-known/more widely known; *grote bekendheid aan iets **geven*** make sth. widely known, publicize sth.; *plotseling bekendheid **krijgen*** burst upon the public, come into/enter the public eye; ⟨inf⟩ make a splash [3] ⟨vermaardheid⟩ reputation, name, fame ◆ *grote bekendheid **genieten*** be widely known; *bekendheid **krijgen*** become (well-)known

bekendmaken [ov ww] [1] ⟨aankondigen⟩ announce, ⟨form⟩ give notice of, ⟨officieel ook⟩ proclaim [2] ⟨publiek maken⟩ publish, make public/known ◆ *bekendmaken **aan*** make known to; *de **verkiezingsuitslag** bekendmaken* declare the results of the election [3] ⟨onthullen⟩ reveal, disclose, divulge ◆ ***zich** bekendmaken (aan)* make o.s. known (to) [4] ⟨vertrouwd maken⟩ familiarize, acquaint

bekendmaking [de^{v}] [1] ⟨aankondiging⟩ announcement, ⟨form⟩ notice, ⟨officieel ook⟩ proclamation [2] ⟨publicatie⟩ publication, ⟨in krant, op bord⟩ notice, ⟨van verkiezingsuitslag⟩ declaration, communiqué

bekendstaan [onov ww] be known (as), be known/reputed (to be) ◆ *hij staat bekend **als** 'de Vos'* he's known as/by the name of 'the Fox', he goes by the name of 'the Fox'; *een **goed** bekendstaande firma* a well-known/reputable firm; ***gunstig/slecht** bekendstaan* have a good/bad reputation/ name, be reputable/disreputable; *bekendstaan **om** zijn gevoel voor humor* be noted/known for one's sense of humour; ***ongunstig** bekendstaan* have a poor reputation

[1]**bekennen** [ov ww] [1] ⟨bespeuren⟩ see, detect ◆ *er **is** geen mens te bekennen* there isn't a (living) soul (to be seen); *hij was **nergens** te bekennen* there was no sign/trace of him (anywhere) [2] ⟨Bijb⟩ know ◆ *een **man**/een **vrouw** bekennen* know a man/woman

[2]**bekennen** [ov ww, ook abs] [1] ⟨jur⟩ confess, ⟨voor het gerecht⟩ plead guilty (to) ◆ *hij bekende **dat** hij medeplichtig was* he confessed to being involved in the crime; ***schuld** bekennen* confess/admit one's guilt; ***volledig** bekennen* make a full confession [2] ⟨toegeven⟩ confess, admit, acknowledge, own, ⟨inf⟩ own up ◆ *ik moet (eerlijk) bekennen **dat*** I must confess (that); *je kunt beter **eerlijk** bekennen* you'd better come clean/make a clean breast of it/own up; ⟨kaartsp⟩ ***niet** bekennen* revoke, refuse; ⟨AE ook⟩ renege; *zijn **ongelijk** bekennen* admit one is wrong; ***openlijk** bekennen* make a public confession/admission; ***ronduit** bekennen* confess straight out; ***schuld** bekennen* confess/admit one's guilt; *dat **wil** ik wel bekennen* I'll admit that much; *het was erger dan hij wel **wilde** bekennen* it was worse than he would admit; *naar hij **zelf** bekent* by/according to his own admission; *beken nu maar* ⟨ook⟩ be honest (about it)

bekentenis [de^{v}] [1] ⟨het bekennen⟩ confession, admission, acknowledgement, ⟨form⟩ avowal ◆ *een **pijnlijke** bekentenis* an embarrassing admission [2] ⟨jur⟩ confession, ⟨voor het gerecht⟩ plea of guilty ◆ *een bekentenis **afleggen/ intrekken*** make/withdraw a confession; *een **volledige** bekentenis* a full confession

bekentenisliteratuur [de^{v}] confessional literature

beker [de^{m}] [1] ⟨drinkgerei⟩ mug, cup, beaker, ⟨sierlijk⟩ goblet ◆ *een **plastic** bekertje* a plastic cup/beaker [2] ⟨sport⟩ cup ◆ *de beker **winnen*** win the cup [3] ⟨iets met de vorm van een beker⟩ ⟨laboratorium⟩ beaker, ⟨dobbelstenen⟩ dicebox, ⟨ijs⟩ tub ◆ *de beker van een **trompet*** the bell of a trumpet [4] ⟨als symbool⟩ ⟨ook bij Avondmaal⟩ cup, ⟨form⟩ chalice ◆ *de beker **drinken*** bear one's cross; *de beker van het **genot*** the cup of pleasure; *laat deze beker aan mij **voorbijgaan*** let this cup pass from me

[1]**bekeren** [onov ww] ⟨sport⟩ play in a/the cup ◆ *Ajax bekert **verder/niet verder*** Ajax has/have qualified for the next round/has/have been knocked out

[2]**bekeren** [ov ww] [1] ⟨tot een (andere) godsdienst doen overgaan⟩ convert [2] ⟨tot andere inzichten brengen⟩ ⟨alg⟩ convert, ⟨ten goede⟩ reform

[3]**zich bekeren** [wk ww] [1] ⟨tot een (andere) godsdienst overgaan⟩ be converted, ⟨AE ook⟩ convert ◆ *hij heeft zich **tot** het katholieke geloof bekeerd* he has been converted to Catholicism [2] ⟨tot andere inzichten komen⟩ ⟨misdadiger enz.⟩ reform, repent, ⟨inf⟩ mend one's ways, see the light, turn over a new leaf

bekerfinale [de] cup final

bekerglas [het] [1] ⟨drinkglas⟩ tumbler [2] ⟨laboratorium⟩ beaker

bekering [de^{v}] [1] ⟨het (doen) overgaan tot een (andere) godsdienst⟩ conversion, proselytization [2] ⟨het tot andere inzichten brengen, komen⟩ ⟨van misdadiger enz.⟩ reform

bekerkorstmos [het], **bekermos** [het] cup lichen/ moss

bekerkraakbeentje [het] arytenoid

bekermos [het] → **bekerkorstmos**

bekerplant [de] pitcher plant

bekervoetbal [het] cup competition

bekerwedstrijd [de^{m}] cup tie/match

bekerwinnaar [de^{m}] cup winner ◆ *bekerwinnaar **worden*** win the cup, be the cup winner

bekeuren [ov ww] fine (on the spot), book ◆ *bekeurd worden **voor** te hard rijden* be fined/get a ticket for speeding

bekeuring [de^{v}] (on-the-spot) fine, ticket ◆ *iemand een bekeuring **geven*** fine s.o. (on the spot), give s.o. a ticket; *een bekeuring **krijgen*** be fined, get a ticket; *er **werden** tientallen bekeuringen **uitgedeeld*** several dozen people were fined

bekijken [ov ww] [1] ⟨bezichtigen⟩ look at, examine ◆ *bekijk het eens **goed*** have/take a good look at it; *een **huis** bekij-*

ken look at/round a house; *de* ***stad*** *bekijken* look round the town; *iets* ***van*** *onder* ***tot*** *boven bekijken* examine sth. carefully, go over sth. with a fine-tooth comb; *iets* ***vluchtig*** *bekijken* glance at sth.; *van dichtbij bekijken* have/take a close(r) look at [2] ⟨overwegen⟩ look at, consider ♦ *iedere aanvraag wordt* ***afzonderlijk*** *bekeken* each application will be examined/considered separately; *iets nog eens* ***goed*** *bekijken* have another good/hard look at sth., take a closer look at sth.; *de alternatieven* ***nauwkeurig*** *bekijken* have/take a close look at the alternatives; *iets* ***opnieuw*** *bekijken* take another look at/re-examine sth.; *bekijk het eens* ***van*** *mijn* ***kant*** put yourself in my place, look at it from my point of view; *alles* ***wel*** *bekeken* all things considered; *een* ***zaak*** *van alle kanten bekijken* look at sth. from every angle [3] ⟨opvatten⟩ see, look at, consider, view ♦ *hij bekijkt die zaak heel* ***anders*** he sees it completely differently, he has a completely different slant (on it); ***goed*** *bekeken!* ⟨goed gedaan⟩ well done!; ⟨slim⟩ good thinking!; ***hoe*** *je het ook bekijkt* whichever way/however you look at it; *iets* ***van*** *een andere kant bekijken* look at sth. from another angle; *je kunt die zaak* ***van*** *twee kanten bekijken* you can see/consider/view the matter from (either of) two angles; *als je het* ***zo*** *bekijkt* if you look at it from that angle [•] ***het*** *is bekeken!* that's the end of that, we can forget that; ***het*** *is zó bekeken* it'll only take a second/minute; *je bekijkt* ***het*** *maar!* suit yourself!, be like that!, see if I care!; ***het*** *is bekeken met hem* he's had it, he's done for, he's finished (with), he can forget it

bekijks [het] [•] ***veel*** *bekijks hebben* attract a great deal of/a lot of attention/notice; ⟨sprw⟩ *wie aan de weg timmert, heeft veel bekijks* he that buildeth in the street, many masters has to meet; he who builds by the roadside has many masters

bekijven [ov ww] scold, upbraid, reprove, chide

bekisten [ov ww] form

bekisting [de[v]] [1] ⟨handeling⟩ framing [2] ⟨resultaat⟩ formwork, ⟨vnl BE ook⟩ shuttering

bekje [het] [1] ⟨kleine bek⟩ → **bek** [2] ⟨mond⟩ ↑ mouth [3] ⟨gezicht⟩ face ♦ *een* ***aardig*** *bekje* a pretty face

[1]**bekken** [het] [1] ⟨ondiepe kom⟩ basin [2] ⟨biol⟩ pelvis [3] ⟨muz⟩ cymbal [4] ⟨kom, holte⟩ cavity, ⟨nier⟩ pelvis [5] ⟨geol⟩ ⟨ook van rivier⟩ basin

[2]**bekken** [onov ww] [1] ⟨met de bek pikken⟩ peck (at) [2] ⟨snauwen⟩ snap (at) [3] ⟨scheepv⟩ gripe [•] ⟨theat⟩ *die* ***tekst*** *bekt niet/goed* that text doesn't read well/reads well; ***Wolters Samson Kluwer*** *bekt gewoon niet* Wolters Samson Kluwer just doesn't sound right

bekkenbeul [de[m]] ⟨inf; scherts⟩ butcher

bekkeneel [het] ⟨form⟩ ⟨ogm⟩ skull

bekkenholte [de[v]] pelvic cavity

bekkeninstabiliteit [de[v]] ⟨med⟩ pelvic instability

bekkenist [de[m]] cymbalist

beklaagde [de] accused, defendant, ⟨gedetineerde ook⟩ prisoner (at the bar)

beklaagdenbank [de] dock, witness [B]box/[A]stand ♦ ***in*** *de beklaagdenbank moeten plaatsnemen* ⟨ook fig⟩ end up in/land in/find o.s. in the dock

bekladden [ov ww] [1] ⟨bevlekken⟩ ⟨met inkt⟩ blot, ⟨met verf⟩ daub, ⟨muur⟩ plaster ♦ *een muur* ***met*** *hakenkruisen beklad* a wall plastered with swastikas [2] ⟨belasteren⟩ blacken, sully, ⟨form⟩ besmirch ♦ *iemands goede* ***naam*** *bekladden* blacken s.o.'s name, drag s.o.'s name through the mud/mire, sully s.o.'s reputation

beklag [het] [1] ⟨het zich beklagen⟩ complaint ♦ *zijn beklag* ***doen/indienen*** ***(bij)*** make a complaint (to), lodge a complaint (with) [2] ⟨mil⟩ appeal ♦ ***recht*** *van beklag* right of appeal/to appeal

[1]**beklagen** [ov ww] [1] ⟨medelijden uiten⟩ pity ♦ *je* ***bent*** *wel* ***te*** *beklagen* ⟨ook scherts⟩ my heart bleeds for you!, you poor thing!; *ik beklaag* ***je*** I pity you [2] ⟨weeklagen over⟩ lament, bemoan ♦ *iemands* ***dood*** *beklagen* lament s.o.'s death [•] ⟨sprw⟩ *beter benijd dan beklaagd* better be envied than pitied

[2]**zich beklagen** [wk ww] ⟨een klacht indienen⟩ complain (to), make a complaint (to), lodge a complaint (with) ♦ *zich beklagen* ***over*** *de slechte service* complain/make a complaint about the (poor) service

beklagenswaardig [bn] pitiable, pitiful, piteous, lamentable, deplorable, woeful, wretched ♦ *een beklagenswaardige* ***figuur*** a pitiable/lamentable/sorry figure; *hij* ***is*** *beklagenswaardig* he is (much) to be pitied

beklagprocedure [de] complaints procedure

beklant [bn] patronized

bekleden [ov ww] [1] ⟨bedekken⟩ cover, ⟨met verf enz.⟩ coat, ⟨binnenkant⟩ line, ⟨lambriseren⟩ wainscot, panel, ⟨voorzijde van muur ook⟩ face, ⟨meubelen ook⟩ upholster ♦ *een* ***stoomketel*** *bekleden* lag a boiler; *de* ***trap*** *bekleden* carpet the stairs; *een* ***wand*** *bekleden met jute* cover a wall with jute [2] ⟨uitoefenen, bezetten⟩ hold, occupy ♦ *een* ***functie*** *bekleden in het bestuur* hold office on the committee; *een* ***leerstoel/professoraat*** *bekleden* hold a chair; *een hoge* ***positie*** *bekleden* hold a high position; ⟨ambtenaar⟩ hold high office; *een* ***rang*** *bekleden* hold a rank [3] ⟨opdragen⟩ invest, vest, entrust ♦ *iemand* ***met*** *gezag bekleden* invest s.o. with authority; *iemand* ***met*** *een ambt bekleden* invest s.o. with an office

bekleding [de[v]] [1] ⟨resultaat⟩ covering, coat(ing), lining, wainscot, panelling, ⟨AE⟩ paneling, facing, upholstery ♦ ***fluwelen*** *bekleding* ⟨voering⟩ velvet lining; *een auto met* ***leren*** *bekleding* a leather-upholstered car; ***metalen*** *bekleding* metal sheeting, ⟨omhulsel⟩ metal sheathing [2] ⟨handeling⟩ covering, coating, lining, panelling, facing, upholstering, upholstery [3] ⟨uitoefening⟩ tenure, holding

bekleed [bn] [1] ⟨met kleding(stuk)⟩ dressed, ⟨fig, form⟩ clad ♦ ***met*** *een toga bekleed* wearing/dressed in/clad in a toga, togaed [2] ⟨heral⟩ lozengy [•] *bekleed* ***metaal*** clad metal; *met nikkel bekleed* ***staal*** nickel-clad steel

beklemd [bn] [1] ⟨vast⟩ jammed, wedged, stuck, pinned, locked, trapped ♦ *een beklemde* ***breuk*** a strangulated hernia; *beklemd* ***raken*** *tussen* get jammed/wedged/stuck in/between [2] ⟨benauwd, beangst⟩ heavy, oppressed ♦ ***met*** *een beklemd* ***gemoed*** with a heavy heart/a heart of lead, heavy-hearted(ly); *beklemd* ***op*** *de* ***borst*** oppressed in the chest

beklemmen [ov ww] [1] ⟨vastklemmen⟩ jam, wedge [2] ⟨benauwen⟩ oppress, weigh (down) on

beklemmend [bn] oppressive, heavy, sinking, depressing ♦ *een beklemmende* ***gedachte*** a depressing thought; *een beklemmend* ***gevoel*** a sinking/an oppressive feeling

beklemming [de[v]] [1] ⟨med⟩ constriction, tightness ♦ *last hebben van beklemming* ***op*** *de borst* suffer from constriction/tightness in/of the chest [2] ⟨m.b.t. gemoed⟩ oppression, sinking/oppressive feeling, heaviness (of heart), heavy-heartedness, tightening

beklemtonen [ov ww] [1] ⟨klemtoon leggen op⟩ stress, accent(uate), emphasize ♦ *(on)beklemtoonde* ***lettergrepen*** (un)stressed syllables [2] ⟨fig⟩ stress, emphasize, underline, highlight, underscore

bekliederen [ov ww] ⟨in België⟩ ⟨met inkt⟩ blot, ⟨met verf⟩ daub, ⟨muur⟩ plaster

beklijven [onov ww] sink in, take root, leave/make a lasting impression ♦ *dan beklijft het veel* ***beter*** then it will sink in properly

beklimmen [ov ww] climb, ↑ mount, ascend, scale, ⟨mil⟩ scale, escalade ♦ *een* ***berg*** *beklimmen* climb/scale/mount a mountain; *de* ***kansel*** *beklimmen* ascend/mount the pulpit; *de* ***ladder/trap*** *beklimmen* climb/mount the ladder/stairs; *een* ***muur*** *beklimmen* climb/scale a wall

beklimming [de[v]] ascent, climbing

[1]**beklinken** [onov ww] ⟨inzakken⟩ settle ♦ *ingedijkte* ***gronden*** *beklinken* diked(-in) land settles

[2]**beklinken** [ov ww] [1] ⟨vast afspreken⟩ settle, clinch ♦ *de*

zaak is beklonken the matter's settled; ⟨handel; inf⟩ the deal's sewn up [2] ⟨met het glas klinken⟩ drink to ◆ *de koop* ***met*** *een drankje beklinken* ⟨inf⟩ wet a bargain; *een koop die* ***met*** *een drankje (begeleid en) beklonken wordt* a wet/Dutch bargain; *de* ***vrede*** *beklinken* drink to peace, raise one's glass to peace

bekloppen [ov ww] [1] ⟨kloppen op⟩ tap/knock on [2] ⟨door kloppen onderzoeken, peilen⟩ sound, ⟨med vnl⟩ percuss

beknellen [ov ww] trap ◆ *bekneld* ***raken*** ⟨ook⟩ get jammed/wedged; *door een botsing bekneld* ***raken*** *in een auto* be trapped in a car following a collision

¹beknibbelen [onov ww] [1] ⟨geld inhouden, uitsparen⟩ cut back (on), skimp (on), stint (on) ◆ ***op*** *de lonen beknibbelen* cut back on wages, pare/whittle down wages; ***op*** *het eten beknibbelen* skimp/stint on food; *er wordt nu ook* ***op*** *defensie beknibbeld* cutbacks are now being made in defence too; ***op*** *deze post moeten we niet beknibbelen* we mustn't skimp on this entry [2] ⟨in België; bedillen⟩ meddle with, interfere with

²beknibbelen [ov ww] [1] ⟨afdingen op⟩ beat down [2] ⟨inhouden van⟩ cut back

¹beknopt [bn] [1] ⟨kort, bondig⟩ brief(ly-worded), concise, succinct, terse ◆ ⟨taalk⟩ *een beknopte* ***bijzin*** reduced clause; *een beknopte* ***handleiding*** a concise handbook; *een beknopt* ***overzicht*** a brief outline, ↑ a compendious survey; *in beknopte* ***vorm*** in brief, in a nutshell; ⟨samengevat⟩ in summary (form) [2] ⟨samengevat⟩ summarized, ⟨boek⟩ abridged ◆ *een beknopte* ***uitgave*** an abridged edition; *beknopt* ***verslag*** summary report; ⟨als titel boven nieuwsmededelingen⟩ in brief

²beknopt [bn, bw] ⟨in, met weinig woorden⟩ brief ⟨bw: ~ly⟩, succinct, ⟨pej⟩ short, curt, terse ◆ *iets beknopt* ***uitdrukken/weergeven*** express/reproduce sth. in brief

beknotten [ov ww] curtail, cut short, restrict, reduce ◆ *de* ***spreektijd*** *beknotten* cut short/curtail the time allotted for speeches; *iemands* ***vrijheid*** *beknotten* curtail/restrict s.o.'s freedom

bekocht [bn] cheated, ⟨inf⟩ taken in, taken for a ride, ⟨BE ook⟩ done ◆ *daar ben je niet* ***aan*** *bekocht* you've got a good bargain there, that was value for money, that was a good buy; *zich bekocht* ***voelen*** ⟨ook fig⟩ feel cheated/taken in; *bekocht* ***zijn*** have been cheated/taken in/taken for a ride/done

bekoelen [onov ww] cool (off), flag ◆ *dat heeft hun enthousiasme* ***doen*** *bekoelen* that's dampened, that has dampened their enthusiasm; *de* ***vriendschap/haar enthousiasme*** *is bekoeld* their friendship/her enthusiasm is flagging

bekogelen [ov ww] pelt, bombard, pepper ◆ *de voetballers werden* ***met*** *bierblikjes bekogeld* the footballers were pelted with beer-cans

bekokstoven [ov ww] cook up, scheme, ↑ concoct, engineer ◆ *wat ben je nu weer* ***aan*** *'t bekokstoven?* what are you cooking up now?; ***plannen*** *bekokstoven* cook up plans

¹bekomen [onov ww] [1] ⟨gevolgen hebben voor⟩ ⟨goed⟩ agree with, suit, ⟨slecht⟩ disagree with ◆ *die wijn is mij niet* ***goed*** *bekomen* that wine disagreed with me; *dat zal je* ***slecht*** *bekomen* you'll be the worse for that, that will not do you any good, you'll be sorry (for that); ***wel*** *bekome het u!* ± I hope you have enjoyed your meal; ⟨iron⟩ good luck to you/him/her/… [2] ⟨bijkomen⟩ recover, revive, get over, ⟨na flauwvallen; inf⟩ come round/to ◆ ***van*** *de (eerste) schrik bekomen* recover from the (initial) shock, ⟨inf⟩ get over the (initial) shock

²bekomen [ov ww] ⟨form⟩ ⟨krijgen⟩ receive, ⟨verwerven⟩ obtain, ⟨letsel ook⟩ sustain, ⟨inf⟩ get

bekommerd [bn] concerned (about), troubled/anxious (about), ⟨inf⟩ worried (about)

zich bekommeren [wk ww] worry/bother (about), concern/trouble o.s. (with), trouble o.s. (about) ◆ *zonder zich* ***om*** *haar te bekommeren* without concerning himself about her; *zonder zich* ***om*** *de kosten te bekommeren* without worrying about the costs, heedless of the costs; *daar heb ik me niet* ***verder*** *om bekommerd* I gave no further thought to it, I didn't worry about it anymore

bekommernis [de^v] ⟨form⟩ solicitude, concern, trouble, ⟨angst⟩ distress

bekomst [de^v] (one's) fill [•] *zijn bekomst van iets* ***hebben*** have had one's fill of sth.; ⟨inf⟩ be fed up with/sick (and tired) of sth., have had one's bellyful of sth.

bekonkelen [ov ww] cook up, ⟨plan⟩ plot, hatch, ⟨inf⟩ wangle, ⟨zaken ten eigen voordele⟩ wheel and deal

bekoorlijk [bn, bw] charming ⟨bw: ~ly⟩, lovely, attractive, appealing, ⟨verleidelijk⟩ beguiling ◆ *een bekoorlijk* ***landschap*** a charming landscape; *een bekoorlijke* ***oogopslag*** a charming/beguiling glance

bekoorlijkheid [de^v] charm, loveliness, appeal

bekopen [ov ww] pay for ◆ *iets* ***met*** *de dood bekopen* pay for sth. with one's life; *hij heeft zijn misstap* ***zwaar*** *moeten bekopen* he had to pay dearly for his error

bekoren [ov ww] charm, seduce, beguile, appeal to, attract ◆ *zijn spel* ***kan*** *mij niet bekoren* I'm not taken with his performance; ⟨inf⟩ I don't think much of his acting; *zijn nieuwe boek* ***kon*** *mij niet bekoren* his new book did not appeal to me; ⟨inf⟩ I didn't go much on his new book

bekoring [de^v] [1] ⟨aantrekking⟩ charm, appeal, attractiveness, ⟨verleidelijkheid⟩ allure ◆ *de bekoring van het* ***buitenleven*** the charm/appeal of life in the country; ***onder*** *iemands bekoring komen* come under s.o.'s spell; *zijn bekoring* ***verliezen*** lose one's charm [2] ⟨verleiding tot het kwaad⟩ temptation ◆ *leid ons niet* ***in*** *bekoring* lead us not into temptation

bekorten [ov ww] cut short, shorten, curtail, cut down, ⟨boek ook⟩ abridge ◆ *een* ***brief*** *bekorten* cut a letter short; *zijn reis* ***met*** *een week bekorten* cut one's journey short by a week, cut a week off one's journey; *een hoofdstuk* ***tot*** *de helft bekorten* cut a chapter down to half, reduce a chapter to/by half

bekostigen [ov ww] bear/defray the cost of, pay for, ↑ fund ◆ *ik* ***kan*** *dat niet bekostigen* I can't afford that

bekrachtigen [ov ww] [1] ⟨officieel erkennen⟩ ratify, confirm, ⟨wet⟩ pass, ⟨koninklijk⟩ assent to ◆ *een* ***benoeming*** *door een handtekening bekrachtigen* confirm an appointment with a signature; *een* ***overeenkomst*** *bekrachtigen* ratify/confirm an agreement; *een* ***testament*** *bekrachtigen* authenticate a will; *bekrachtigd* ***worden*** ⟨van wet; door senaat enz.⟩ be passed; ⟨van wet; door koning(in)⟩ receive (the royal) assent [2] ⟨bevestigen⟩ confirm, ⟨vonnis ook⟩ uphold ◆ *een verklaring* ***met*** *een eed bekrachtigen* confirm a statement on oath

bekrachtiging [de^v] [1] ⟨wettiging⟩ ratification, confirmation, ⟨testament⟩ authentication, ⟨wet⟩ passing, ⟨koninklijk⟩ assent ◆ *de* ***koninklijke*** *bekrachtiging van een wet* royal assent to a law [2] ⟨bevestiging⟩ confirmation, ⟨vonnis⟩ upholding [3] ⟨vnl in samenstellingen; versterking van een uitgeoefende kracht⟩ servo-mechanism ◆ ***rembekrachtiging*** servo-assisted brakes

bekrassen [ov ww] scratch, ⟨krabbelen op⟩ scrawl on, ⟨viool enz.⟩ scrape away at

zich bekreunen [wk ww] bother o.s. with/about

zich bekrimpen [wk ww] cut down on expenses, cut back (on expenses), go short, stint o.s.

bekritiseren [ov ww] criticise, ⟨persoon⟩ find fault with, carp on, ⟨inf⟩ blast, slam, pan ◆ *iemand/iets* ***scherp/fel*** *bekritiseren* heap criticism on s.o./sth., scarify/attack s.o./sth., criticise s.o./sth. sharply; *de oppositie heeft de regeringsbeslissingen* ***scherp*** *bekritiseerd* the government's decisions have come under heavy criticism from the opposition

bekrompen [bn, bw] [1] ⟨kleingeestig⟩ narrow(-minded) ⟨bw: ~ly⟩, petty, blinkered, ⟨sterker⟩ bigoted, ⟨ouderwets⟩

hidebound ♦ *een bekrompen **figuur*** a narrow character; ⟨BE ook⟩ a Mrs Grundy; *wat een bekrompen **gedoe**!* how narrow/petty can you get!; *een bekrompen **geest*** a narrow/petty/blinkered mind; *bekrompen **opvattingen*** narrow/hidebound/bigoted views; *zijn **ouders** zijn vreselijk bekrompen* his parents are awfully narrow [2] ⟨niet ruim⟩ cramped, confined, ⟨inf⟩ poky ♦ *bekrompen **wonen*** live in cramped conditions [3] ⟨armoedig⟩ straitened, reduced ♦ *bekrompen **leven*** live in straitened circumstances

bekronen [ov ww] [1] ⟨een prijs toekennen aan⟩ award a prize to ♦ *een **inzending** bekronen* award a prize to a contribution; *de **meest** bekroonde tv-serie* the most prize-winning TV series; *zijn inspanningen werden **met** een goed rapport bekroond* his efforts were rewarded with a good report; *een bekroond **ontwerp*** a (prize-/award-)winning design [2] ⟨een goed einde geven aan⟩ crown, be the pinnacle of, ↓ top/round off ♦ *zijn pogingen werden **met** succes bekroond* his efforts were successful/succeeded/met with success

bekroning [de^v] [1] ⟨toekenning van een prijs⟩ award [2] ⟨gelukkige voltooiing⟩ pinnacle, acme ♦ *het eredoctoraat betekent de bekroning van zijn **levenswerk*** this honorary degree is the pinnacle/acme of his life's work, his life's work has been crowned by this honorary degree [3] ⟨versierende top⟩ crown(ing)

bekruipen [ov ww] come over, steal up on/over, creep up on/over ♦ *het spijt me, maar nu bekruipt me toch het **gevoel** dat* ... I'm sorry, but I can't help feeling that .../I've got a sneaking feeling that ...; *als ik zoiets hoor bekruipt me de **lust** om* ... when I hear sth. like that I feel like ...-ing

zich bekruisen [wk ww] cross o.s.

bekschurft [de] sore mouth, orf, Contagious Ecthyma

bekvechten [ww] argue, squabble, spar (with), bicker, quarrel, wrangle

bekwaam [bn] [1] ⟨kundig⟩ competent, capable, able, good, efficient ♦ *een bekwaam **bestuurder*** a competent/capable/able administrator/manager; *daar is hij zeer bekwaam **in*** he's very competent/skilful/good at that; *hij is zeer bekwaam **in** zijn vak* he is very competent/skilful in his field [2] ⟨in staat tot⟩ capable (of), able (to) [3] ⟨doelmatig, gepast⟩ due, appropriate ♦ *met bekwame **spoed*** with (all) due/possible speed; ⟨jur⟩ with (all) due despatch [4] ⟨jur; bevoegd⟩ competent (to), authorized (to)

bekwaamheid [de^v] [1] ⟨eigenschap⟩ competence, (cap)ability, capacity, efficiency, skill ♦ *een vrouw **met** grote bekwaamheden* a highly competent/capable/a very able/efficient/gifted/skilled woman [2] ⟨opzicht⟩ (cap)ability, capacity, gift, skill [3] ⟨jur; bevoegdheid⟩ competence, authority

bekwamen [ov + wk ww] qualify, ⟨wederkerend werkwoord ook⟩ train (o.s.), study, ⟨overgankelijk werkwoord ook⟩ train, educate, teach ♦ *zich **als kok** bekwamen* train (o.s.) as a cook; *zich **in** iets bekwamen* train (o.s.)/study for sth., become competent/proficient/skilled in/at sth.; *zich **verder** bekwamen* undergo further training, do further studies, acquire further qualifications, ⟨zonder diploma⟩ acquire further skills

bekwijdte [de^v] width between jaws, size of jaws

bel [de] [1] ⟨m.b.t. klank⟩ bell, ⟨aan deur⟩ chime, gong (bell), ⟨inf⟩ ding-dong; zie ook **belletje** ♦ ⟨fig⟩ ***aan** de bel hangen* be forever on the doorstep, keep calling round; ***aan** de bel trekken bij iemand/een instantie* ⟨fig⟩ raise/sound the alarm (over sth.), notify/alert s.o./an organisation; *de bel **doet** het niet* the (door)bell is not working; *een **elektrische** bel* an electric bell/gong; *de bel **gaat*** there's s.o./a ring at the door, there goes the bell; *ik laat de bel driemaal **overgaan*** I'll let it/the phone ring three times; *de bel **luiden*** ring the bell; ***op** de bel drukken* press/push the bell; *de bel **stond niet stil*** the doorbell never stopped ringing; *de bel **voor** de laatste ronde* the bell for the final lap, ⟨bokssp⟩ the bell for the last round; *de bel van Slochteren* the Slochteren (natural) gas bell/resources [2] ⟨gas-, luchtbel⟩ bubble ♦ *bellen **blazen*** blow bubbles [3] ⟨groot glas⟩ (brandy) balloon (glass), snifter ♦ *een bel **cognac*** a large cognac/brandy, a balloon/snifter of cognac/brandy

belabberd [bn, bw] ⟨inf⟩ rotten, lousy, rough ♦ *ik **vind** het belabberd voor je* that's rough/tough on you/rotten for you; *ik **voel** me nogal belabberd* I feel pretty rough/rotten/lousy/seedy, ⟨vnl. m.b.t. kater⟩ I feel pretty fragile; *belabberd **weer*** rotten/stinking/lousy weather

belachelijk [bn, bw] ridiculous ⟨bw: ~ly⟩, absurd, laughable, ↑ ludicrous ♦ ***doe** niet zo belachelijk* don't be (so) ridiculous, stop making such a fool of yourself; *iemand belachelijk **maken*** make a fool of s.o., make s.o. look ridiculous; *zich belachelijk **maken/aanstellen*** make a fool/an ass of o.s./an exhibition of o.s., (make o.s.) look ridiculous; *zich onsterfelijk belachelijk **maken*** make a hopeless/utter fool/ass of o.s.; *dat belachelijke **mens** van hiernaast* that ridiculous/preposterous woman next door; *weggaan voor een belachelijke **prijs*** ⟨lage⟩ go for a song/a laughable price; *belachelijke **prijzen** vragen* ⟨hoge⟩ charge ridiculous/absurd/ludicrous prices/the earth; *het is **te** belachelijk om over te praten* it's too ridiculous for words; *op een belachelijk **vroeg** uur* at a(n)/some unearthly/ungodly/ridiculously early hour

[1]**beladen** [bn] emotionally charged

[2]**beladen** [ov ww] ⟨ook fig⟩ load, burden ♦ *beladen **met** roem* famed, renowned; ⟨gesch⟩ covered with glory; ***met** zonde beladen* sin-laden; *beladen **met** schuld* guilt-ridden; ***met** pakjes beladen* loaded (up)/laden with parcels; *een **rijk** beladen dis* a richly-laden table; ⟨fig⟩ ***zwaar** beladen bomen* heavily-laden trees; *een te **zwaar** beladen wagen* an overloaded car

belader [de^m] loader

belagen [ov ww] [1] ⟨zich verdringen rond⟩ beset, ⟨sterker⟩ besiege, beleaguer, waylay, corner, hem in ♦ *de **minister** werd belaagd door journalisten* the minister was hemmed in/waylaid/cornered by the press [2] ⟨bedreigen⟩ menace, endanger

belager [de^m] waylayer, attacker, enemy, rival

belaging [de^v] stalking

belanden [onov ww] land (up), finish/end up, find o.s. ♦ *belanden **bij*** finish/end up at; ***in** het water belanden* land in the water; ***in** de prullenmand belanden* end up/land (up)/finish up in the waste-paper basket; *hij belandt nog eens **in** de gevangenis* he'll land (up)/finish up/end up/find himself in jail (the way he's going); *waardoor hij **in** de gevangenis belandde* which landed him in prison

belang [het] [1] ⟨iets dat iemand raakt in verband met voordeel, voorspoed⟩ interest, concern, ⟨baat⟩ good ♦ *het **algemeen** belang* the common good, the public interest, the general good; *het is in je **eigen** belang* it's in your own interest/to your own advantage/for your own good; *zijn **eigen** belangen voor ogen hebben* put one's own interests first, look to one's own interests; *iemands/zijn **eigen** belangen behartigen* promote/look after s.o.'s/one's own interests, act in s.o.'s/one's own interests, act on s.o.'s/one's own behalf; *van **gemeenschappelijk** belang* of general interest; ***gevestigde** belangen* ⟨ook fig⟩ vested interests; *belang bij iets **hebben*** have an interest in sth.; *belang(en) **hebben** in een bedrijf* have an interest in a company; *daar **hebben** we allemaal belang bij* we're all affected by that, we all have an interest in that; *persoonlijk belang bij iets **hebben*** have a personal interest in sth.; *hij **heeft** er alle belang bij het te verzwijgen* he has every reason to keep it quiet; ***in** het belang van uw gezondheid* for the sake of your health; *iemands belangen **schaden/benadelen*** harm/prejudice s.o.'s interests; ***tegengestelde** belangen hebben* have conflicting/incompatible interests, be faced with a conflict of interest; ***tegenstrijdige** belangen* conflict of interests [2] ⟨belangstelling⟩ interest (in) ♦ *belang **stellen in*** be interested/take an interest/interest o.s. in [3] ⟨gewicht, waarde⟩ importance, significance ♦ *het is van het **grootste** belang* ... it is imperative to ...; *veel be-*

*lang **hechten** aan iets* attach great importance to/set great store by/make much of sth.; *weinig belang **hechten** aan iets* make little/light of sth., set little store by sth.; *(een zaak) van het **hoogste** belang* (an) all-important (matter), (a matter) of the highest/utmost/first importance/of major concern; ***in** belang **toenemen*** become more important/significant, gain/increase/grow in importance/significance; *dat is van **minder** belang* that is a matter of lesser/secondary/minor importance/significance/concern, that is a minor consideration; *een zaak van **ondergeschikt** belang* a matter of lesser/secondary/minor importance/significance/concern; ***overdreven** belang hechten aan formaliteiten* be a stickler for procedure; ***van** belang zijn voor iemand* matter to/concern/be of importance/relevance to s.o.; *de presentatie is daarbij **van** groot belang* the presentation is (highly) important/matters (greatly); *een zaak van **weinig** belang* an unimportant/insignificant matter, a matter of little account; *het is niet **zonder** belang* it is not without significance/not unimportant

belangeloos [bn, bw] [1] ⟨onbaatzuchtig⟩ unselfish ⟨bw: ~ly⟩, altruistic, selfless, disinterested ♦ *belangeloze **hulp*** unselfish/disinterested help; ⟨inf⟩ help with no strings attached [2] ⟨gratis⟩ free of charge, for nothing ♦ *de artiesten zullen geheel belangeloos **optreden*** the performers will appear entirely free of charge; *de bank **werkt** geheel belangeloos **mee*** the bank donates its services

belangenbehartiger [de^{m}] advocate, representative

belangengemeenschap [de^{v}] community of interest(s), combine ♦ *een belangengemeenschap **aangaan*** form a community of interests

belangengroep [de] interest group, lobby, pressure group

belangenorganisatie [de^{v}] (organized) interest group, (organized) pressure group, (organized) lobby

belangensfeer [de] sphere of interest

belangenspreiding [de^{v}] spread of interests, ⟨ec⟩ diversification

belangenstrijd [de^{m}], **belangentegenstelling** [de^{v}] conflict/clash of interests

belangentegenstelling [de^{v}] → **belangenstrijd**

belangenvereniging [de^{v}] association, pressure group, lobby ♦ *een belangenvereniging **oprichten*** set up an association/a pressure group

belangenvermenging [de^{v}] ⟨in België⟩ conflict of interest

belangenverstrengeling [de^{v}] conflict of interest

belanghebbend [bn] [1] ⟨betrokken⟩ interested, concerned ♦ *belanghebbende **partijen*** interested parties, parties concerned [2] ⟨taalk⟩ indirect ♦ *belanghebbend **voorwerp*** indirect object

belanghebbende [de] [1] ⟨betrokkene⟩ interested party/person, party/person concerned, ⟨ec ook⟩ stakeholder ♦ *belanghebbenden **bij** de nalatenschap* beneficiaries of a will [2] ⟨belastingplichtige⟩ → **belastingplichtige**

[1]**belangrijk** [bn] [1] ⟨van grote betekenis⟩ important, significant, major ♦ *een belangrijke **dag*** an important/a great day; *belangrijke **gebeurtenissen*** significant events; *de belangrijkste **gebeurtenissen/onderwerpen*** the main/major events/topics; *niet dat het zo belangrijk **is**, maar ...* not that it matters but ...; *een belangrijk **man*** a man of importance/consequence; *een **minder** belangrijk dichter* a less important/minor poet; *en wat **nog** belangrijker is* and, more important(ly), ...; *een belangrijk **punt*** an important/a major point; *ik vind dat een belangrijk **punt*** I think this is important; *één van de belangrijkste Nederlandse **schilders*** one of the most important Dutch painters, a major Dutch painter; *andere dingen belangrijker **vinden*** give priority to other things, put other things first; *zijn gezin belangrijker **vinden** dan zijn carrière* put one's family before one's career; *belangrijk **voor** iemand* important to s.o.; *wel **wat** belangrijkers te doen hebben* have other fish to fry/more important things to do; *belangrijk **zijn*** matter, be of importance, be important [2] ⟨groot⟩ considerable, substantial, major ♦ *in belangrijke **mate*** to a considerable extent, considerably, substantially; *een belangrijk **verschil*** a marked/significant/important difference [•] ⟨sprw⟩ *kwaliteit is belangrijker dan/gaat boven **kwantiteit*** quality, not quantity

[2]**belangrijk** [bw] ⟨zeer veel⟩ considerably, significantly, appreciably

belangrijkheid [de^{v}] importance, significance

[1]**belangstellend** [bn] ⟨geïnteresseerd⟩ interested, attentive, ⟨bezorgd⟩ concerned ♦ *een belangstellend **toehoorder*** an interested listener; *ze **waren** heel belangstellend* they were most/very interested/attentive/concerned

[2]**belangstellend** [bw] ⟨geïnteresseerd⟩ interestedly, with interest, sympathetically, ⟨bezorgd⟩ concernedly, with concern ♦ *belangstellend **informeren** hoe het met iemand is* enquire with interest/concern/sympathetically how s.o. is (getting on)

belangstellende [de] person interested, interested party ♦ ***eventuele** belangstellenden* anyone interested

belangstelling [de^{v}] [1] ⟨interesse⟩ interest (in) ♦ ***blijken** van belangstelling* signs of interest, expressions of concern/sympathy; *een man met een **brede** belangstelling* a man of wide interests; *wegens **gebrek** aan belangstelling* for lack of interest; *daar heb ik **geen** belangstelling voor* I have no interest in that, I'm not interested in that; ***geen** belangstelling meer voor iets hebben* have lost interest in sth., no longer be interested in sth.; *onderwerpen waar **geen** belangstelling voor bestaat* subjects in which nobody is interested; *toen zijn belangstelling eenmaal **gewekt was*** once his interest had been aroused/awakened/stirred/kindled; *computers **hebben** altijd haar belangstelling **gehad*** she has always been interested in computers; ***in** de belangstelling staan* receive a lot of attention; *een **levendige** belangstelling voor iets hebben* show/take a lively interest in sth.; *iets **met** belangstelling aanhoren* listen to sth. with interest/attentively; *iets **met** grote belangstelling tegemoet zien* look forward to sth.; *in het **middelpunt** van de belangstelling staan* be the/a centre of interest/attraction, be in centre stage, be in the spotlight; ***onder** grote publieke belangstelling* amid great public interest; *belangstelling **tonen** voor iets* show (an) interest in sth.; *weer belangstelling beginnen te **tonen** voor de omgeving* start to take an/show interest in one's surroundings again; *veel belangstelling **trekken*** attract a great deal of attention/interest; ***uit** belangstelling* out of interest; *een vraag stellen puur **uit** belangstelling* ask a question purely out of/as a matter of interest; *zijn belangstelling voor iets **verliezen*** lose (one's) interest in sth.; *iemands belangstelling voor iets proberen te **wekken*** try to arouse/awaken/stir/kindle interest in s.o. for sth. [2] ⟨zin om iets te kopen⟩ interest (in) ♦ ***voor** dit artikel bestond grote belangstelling* there was great interest in this article

belangstellingssfeer [de] area of interest, field of interest

belangwekkend [bn] interesting, of interest ⟨alleen pred⟩, conspicuous, prominent ♦ *een belangwekkende **figuur*** a conspicuous/prominent person, a leading light

belast [bn] [1] ⟨als toegewezen taak hebbend⟩ responsible (for), in charge (of), entrusted (with), ⟨form⟩ charged (with) ♦ *belast zijn **met*** be responsible for/in charge of/entrusted with; *hij is belast **met** de verkoop* he is responsible for/in charge of sales [2] ⟨met een last bezwaard⟩ loaded (up/down), ⟨ook fig en in samenstellingen⟩ laden ♦ *belast en **beladen*** loaded up/down, laden down, heavily laden [3] ⟨genetica⟩ defective, ⟨vero⟩ tainted ♦ ***erfelijk** belast zijn* have a hereditary defect

belastbaar [bn] [1] ⟨belast kunnende worden⟩ capable of carrying a load ♦ *de vloer **is** belastbaar met 1000 kg/m³* the floor has a (load-)bearing/carrying capacity of 1000 kg/

m^3; *nieuwe vloeren **zijn** de eerste week niet belastbaar* the new floors cannot carry any loads/should not be loaded during the first week [2] ⟨waarvan belasting mag worden geheven⟩ taxable, liable to tax, assessable, ⟨m.b.t. douane⟩ dutiable, ⟨m.b.t. accijns⟩ excisable, ⟨BE⟩ rat(e)able ◆ *belastbaar **inkomen*** taxable income

belasten [ov ww] [1] ⟨gewichten plaatsen op⟩ load ◆ *een **brug** belasten om de draagkracht te toetsen* place a load on a bridge to test its strength; *iets te **zwaar** belasten* overload sth. [2] ⟨als prestatie vergen van⟩ load, place a load on [3] ⟨opdracht geven⟩ make responsible (for), ⟨onroerend goed⟩ put in charge (of), entrust (with), ⟨form⟩ charge (with) ◆ *iemand **met** een taak belasten* make s.o. responsible for/put s.o. in charge of/entrust s.o. with/assign s.o. to a task; ***zich** belasten met iets* take responsibility for/charge of sth.; *iemand te **zwaar** belasten* overtax, overburden s.o. [4] ⟨bezwaren met een verplichting⟩ burden, charge, encumber ◆ ⟨in België⟩ *een **huis** (met hypotheek) belasten* mortgage a house [5] ⟨op iemands rekening brengen⟩ charge/debit (to s.o.'s account) [6] ⟨belasting leggen op⟩ tax, ⟨douane⟩ charge/levy duty on, ⟨accijns⟩ charge/levy excise on ◆ *belasten/belast **met** btw* tax/taxed with VAT

belastend [bn] ⟨omstandigheden⟩ aggravating, ⟨jur; bewijzen⟩ incriminating, incriminatory, ⟨feiten, beweringen⟩ damning, damaging

belasteren [ov ww] slander ⟨ook juridisch⟩, malign, ⟨form⟩ calumniate, ⟨in geschrifte⟩ libel

belasting [de^{v}] [1] ⟨druk door een last⟩ load, stress ◆ ***dode** belasting* dead weight; ***geconcentreerde** belasting* concentrated load; ⟨fig⟩ *belasting van het **milieu** met chemische producten* the environmental impact of chemicals; ***nuttige** belasting* payload; *de maximaal **toelaatbare** belasting* the maximum permitted load; ***verdeelde** belasting* distributed load; ***bij volle** belasting* when fully loaded/laden [2] ⟨psychische druk⟩ burden, pressure ◆ *de studie is een te **grote** belasting voor haar* studying is too great a burden on/for her [3] ⟨verplichte bijdrage aan de overheid⟩ tax(ation), ⟨plaatselijk, op onroerend goed; BE⟩ rate(s) ◆ *geen belasting **betalen*** ⟨legaal ook⟩ avoid tax; ***degressieve** belasting* degressive tax; ***directe** belastingen* direct taxes/taxation; *belasting **heffen*** levy taxes; ***in** de belasting vallen* be liable for tax; ***indirecte** belastingen* indirect taxes/taxation; *belasting **inhouden** op het loon* deduct tax from s.o.'s wages; *belasting **innen*** collect tax(es); *belasting **ontduiken*** evade tax; *belasting **op** de toegevoegde waarde, btw* value-added tax, VAT; ***progressieve** belasting* progressive/graduated taxation [4] ⟨dienst⟩ tax authorities, ⟨BE⟩ ± Inland Revenue, ⟨BE⟩ ± exchequer, ⟨AE⟩ ± IRS, ⟨AE⟩ ± Internal Revenue Service, ⟨inf⟩ (the) taxman ◆ *hij werkt **bij** de belastingen* he works for the Inland Revenue/the IRS/the taxman/in taxes; *iemand **van** de belastingen* s.o. from the tax office, a taxation official; ⟨inf⟩ a taxman [5] ⟨genetica⟩ hereditary defect ◆ ***erfelijke** belasting* hereditary defect

belastingaangifte [de^{v}] tax declaration/return ◆ *zijn belastingaangifte **doen*** make one's tax declaration/return; *iemands belastingaangifte **verzorgen*** do/take care of s.o.'s tax declaration, do/take care of s.o.'s tax return, ⟨inf⟩ do/take care of s.o.'s taxes

belastingaanslag [de^{m}] [1] ⟨vastgesteld bedrag⟩ tax assessment ◆ *een **voorlopige/definitieve** belastingaanslag* a provisional/final tax assessment [2] ⟨kennisgeving van dit bedrag⟩ tax assessment

belastingadvies [het] advice in fiscal/tax matters, ⟨BE ook⟩ tax counselling

belastingadviseur [de^{m}] tax consultant/^{B}counsellor, tax agent

belastingaftrek [de^{m}] tax deduction, ⟨BE ook⟩ tax relief ◆ *(geen) belastingaftrek **genieten*** (not) be entitled to/eligible for/receive tax deductions

belastingambtenaar [de^{m}] revenue/tax officer

belastingbetaler [de^{m}] taxpayer, ⟨BE ook; van onroerend goed, gemeentebelasting⟩ ratepayer

belastingbiljet [het] tax (declaration) form, tax return ◆ *zijn belastingbiljet **invullen*** fill in/^{A}fill out one's tax/tax return

belastingboekhouding [de^{v}] tax accounting

belastingbrief [de^{m}] ⟨in België⟩ tax (declaration) form, tax return

belastingcenten [de^{mv}] taxes

belastingconsulent [de^{m}] tax consultant/^{B}counsellor, tax agent

belastingdienst [de^{m}] tax authorities, ⟨BE⟩ ± Inland Revenue, ⟨BE⟩ ± exchequer, ⟨AE⟩ ± IRS, ⟨AE⟩ ± Internal Revenue Service

belastingdiskette [de] tax return diskette

belastingdruk [de^{m}] burden of taxation, tax burden

belastingformulier [het] tax form

belastingfraude [de] tax fraud

belastinggeld [het] tax money, tax revenue(s)

belastinggids [de^{m}] taxpayer's handbook/guide

belastinggroep [de] tax bracket/group

belastingheffing [de^{v}] ⟨ec⟩ taxation, levying of taxes

belastinginspecteur [de^{m}] tax inspector, inspector of taxes

belastinginspectie [de^{v}] ⟨BE⟩ Inland Revenue, ⟨AE⟩ Internal Revenue Service, ⟨AE⟩ IRS

belastingjaar [het] fiscal/tax year

belastingkamer [de] division (of a court) for fiscal cases

belastingkantoor [het] tax(-collection) office

belastingklimaat [het] tax environment

belastingmaatregel [de^{m}] tax(ation) measure

belastingmoraal [de^{v}] attitude to(ward) paying taxes, fiscal ethics

belastingontduiking [de^{v}] tax evasion, ⟨inf⟩ tax-dodging, ⟨BE⟩ tax-fiddling

belastingontvanger [de^{m}] collector of taxes, tax collector

belastingontwijking [de^{v}] tax avoidance

belastingopbrengst [de^{v}] tax proceeds, ⟨inf; AE⟩ tax take

belastingparadijs [het] tax haven

belastingplichtig [bn] liable to (pay) tax, taxable

belastingplichtige [de] taxpayer

belastingpot [de^{m}] tax revenues

belastingquote [de] ⟨pol⟩ ▪ *de belastingquote **bedraagt** 54% van het nationale inkomen* the burden of taxation amounts to 54 % of net national income

belastingrechtspraak [de] tax ruling(s)/judgement(s)

belastingschijf [de] tax(ation) bracket

belastingschuld [de] (tax) arrears

belastingstelsel [het], **belastingsysteem** [het] tax system, system of taxation

belastingsysteem [het] → **belastingstelsel**

belastingtarief [het] revenue tariff, tax rate

belastingtechnisch [bn] taxational, ⟨AE ook⟩ taxwise

belastingtelefoon [de^{m}] taxline, tax information service

belastingteruggave [de] ⟨BE⟩ tax rebate, ⟨AE⟩ tax refund

belastingtruc [de^{m}] tax evasion scheme, ⟨pej⟩ tax dodge/^{B}fiddle

belastingvereenvoudiging [de^{v}] tax (code) simplification, tax (code) streamlining

belastingverhoging [de^{v}] tax increase, ⟨AE ook⟩ tax hike

belastingverlaging [de^{v}] tax reduction/cut, cut in taxes, tax relief

belastingvlucht [de] move for tax reasons, tax evasion (move) ◆ *belastingvlucht **afremmen*** curb the flight of capital

belastingvoet [de^{m}] ⟨in België⟩ tax rate

belastingvoordeel [het] tax/fiscal advantage, tax/fiscal benefit, privilege, tax break, ⟨geen belasting betalend⟩ exemption, ⟨inf⟩ tax shelter

belastingvrij [bn] tax-free, ⟨van goederen⟩ duty-free, duty-paid, ⟨van accijns⟩ untaxed, uncustomed ◆ *belastingvrije som* ⟨BE⟩ personal allowance

belastingwet [de] tax code, tax law

belastingwetenschap [de^{v}] fiscal science

belastingwetgeving [de^{v}] tax legislation/law

belatafeld [bn] → **belazerd**

belazerd [bn] ⟨inf⟩ [1] ⟨gek⟩ crazy, out of one's mind, off one's head, round the bend ◆ *ben je belazerd!* you must be crazy!/out of your mind!/off your head!/round the bend!; *ja, ik ben daar belazerd* you won't/don't catch me!, catch me doing that!, ⟨BE⟩ pull the other one (it's got bells on)! [2] ⟨erg slecht⟩ rotten, stinking, lousy, rough ◆ *het ging belazerd* it went lousy, things went pretty rough, it was rotten/stinking; *er belazerd uitzien* look haggard

belazeren [ov ww] ⟨inf⟩ take in, take for a ride, lead up the garden path, pull a fast one on, have s.o. on, ⟨BE ook⟩ do, ⟨grap⟩ pull (s.o.'s) leg ◆ *je bent belazerd* you've been taken for a ride/done/screwed, s.o.'s pulled a fast one on you; *de kluit belazeren* ⟨BE⟩ do (people), ⟨AE⟩ screw (people), take (people) for a ride; *ik laat me niet belazeren* you won't/don't catch me!, catch me doing that!, ⟨BE⟩ pull the other one (it's got bells on)!; *zich laten belazeren* let o.s. be taken in/be taken for a ride, let o.s. be screwed

belbedrijf [het] phone-service provider, telecom operator

belbezorging [de^{v}] ± parcel post, ± special delivery

belboei [de] bell-buoy

belbundel [de^{m}] phone package

belbus [de] call-up bus service

belcanto [het] bel canto

belcentrale [de] call centre

belcentrum [het] call centre

beledigen [ov ww] [1] ⟨kwetsen⟩ offend, ⟨sterker⟩ insult, affront, injure ◆ *zich beledigd achten/voelen door* be/feel offended by, take offence/^{A}offense at, ⟨ook scherts⟩ take umbrage at; *gauw beledigd zijn* be quick to take offence/^{A}offense; *zich laten beledigen* put up with an insult, take an affront; ⟨jur⟩ *de beledigde partij* the injured party; *iemand zwaar/diep beledigen* offend s.o. seriously/deeply; *mevrouw was weer eens beledigd* Her Ladyship had gone off in a huff again [2] ⟨in strijd zijn met⟩ offend, be an insult to

beledigend [bn, bw] offensive (to) ⟨bw: offensively⟩, insulting/abusive (to) ◆ *beledigende taal* abuse, offensive/insulting/abusive language

belediging [de^{v}] [1] ⟨kwetsing⟩ insult, affront ◆ *een grove/zware belediging* a gross/serious insult/affront, an outrage; *een belediging moeten slikken/incasseren* have to swallow/take an insult; *een belediging voor het oog* an insult/affront to the eye, an eyesore; *een belediging voor de goede smaak* an insult/affront to good taste [2] ⟨beledigende uiting⟩ insult, (piece of) abuse [3] ⟨jur⟩ defamation (of character) ◆ *belediging van een ambtenaar in functie* insulting behaviour towards a public servant in the execution of his duty, using insulting language towards a public servant in the execution of his duty, ⟨tegenover politieagent door arrestant ook⟩ obstructing a police officer in the execution of his duty

beleefd [bn, bw] polite ⟨bw: ~ly⟩, courteous, ⟨welgemanierd⟩ well-mannered, mannerly, ⟨ook koel⟩ civil ◆ *een beleefd bedankje* (a) polite acknowledgement, ⟨weigering⟩ (a) polite refusal, apologies; *dank u beleefd* much obliged, sir/madam; *het is niet meer dan beleefd te ...* it's only common courtesy/polite(ness) to ...; *dat is niet beleefd* that's bad manners/not good manners/not polite; *beleefde opmerking* ⟨ook⟩ courtesy, civility; *wij verzoeken u beleefd doch dringend ...* we urgently request you to ...; *ik vraag/verzoek u beleefd* may I request you to ..., would you be so kind as to ..., may I kindly ask you to ...; *beleefd tegen iemand zijn* be polite to s.o.; *wilt u zo beleefd zijn om ...* would you be so kind as to ..., would you kindly ...; *hij had toch zo beleefd kunnen zijn om ...* he could have had the (good) grace to ...

beleefdheid [de^{v}] [1] ⟨welgemanierdheid⟩ politeness, courtesy, courteousness, civility, (good) manners ◆ *de burgerlijke beleefdheid in acht nemen* observe/show common courtesy, be civil; *doen wat de beleefdheid eist* do the polite/civil thing; *de vergoeding laat ik aan uw beleefdheid over* I will leave the matter of compensation to your discretion; *iets doen uit beleefdheid* do sth. out of politeness/courtesy; *hij is de beleefdheid zelve/een en al beleefdheid* he is a model of politeness/courtesy/civility, he is politeness/courtesy/civility itself [2] ⟨uiting, handeling⟩ courtesy, civility ◆ *gebruikelijke beleefdheden* customary courtesies/niceties; *beleefdheden uitwisselen* exchange civilities/pleasantries [•] ⟨sprw⟩ *beleefdheid kost geen geld* courtesy costs nothing; there is nothing that costs less than civility

beleefdheidsbezoek [het] courtesy/duty call, courtesy/duty visit

beleefdheidsformule [de] polite phrase/formula

beleefdheidshalve [bw] as a matter of politeness/courtesy, out of politeness/courtesy

beleefdheidsvorm [de^{m}] polite form (of address), rule of etiquette, formality ◆ *de beleefdheidsvormen achterwege laten* dispense with formalities; *de beleefdheidsvormen in acht nemen* observe the rules of etiquette, observe formalities/the proprieties

beleg [het] [1] ⟨belegering⟩ siege ◆ *het beleg doorstaan/opbreken* stand/raise the siege; ⟨opbreken ook⟩ end the siege; *het beleg slaan (voor)* lay siege (to); *de staat van beleg afkondigen* proclaim/declare martial law, ⟨minder gebruikelijk⟩ proclaim/declare a state of siege [2] ⟨broodbeleg⟩ (sandwich) filling [3] ⟨naaiwerk⟩ facing

belegen [bn] mature(d), ⟨kaas ook⟩ ripe, ⟨hout⟩ seasoned, ⟨fig⟩ stale, corny ◆ *belegen bier* fully fermented beer; *jong/licht belegen kaas* semi-mature(d) cheese; *belegen (laten) worden* mature

belegeraar [de^{m}] besieger

belegeren [ov ww] [1] ⟨mil⟩ besiege, lay siege to, beleaguer [2] ⟨fig⟩ besiege

belegering [de^{v}] siege

¹beleggen [ov ww] [1] ⟨bijeenroepen⟩ convene, call, summon, convoke ◆ *een vergadering beleggen* convene/call/summon/convoke/arrange a meeting [2] ⟨bedekken⟩ cover, ⟨boterham⟩ fill, put meat/... on, ⟨japon⟩ trim, ⟨fineerhout, goud⟩ overlay ◆ *belegde boterham* (filled/open) sandwich; *belegde broodjes* (ham/cheese/...) rolls; *broodjes met ham beleggen* make ham rolls; *met goud beleggen* overlay with gold; ⟨vergulden⟩ gild; ⟨plateren⟩ gold-plate [3] ⟨vastmaken⟩ lash, belay [4] ⟨uitzetten⟩ contract out ◆ *taken extern beleggen* outsource

²beleggen [ov ww, ook abs] ⟨fin⟩ invest ◆ *in effecten beleggen* invest in stocks and shares; *kapitaal/winst opnieuw beleggen* reinvest capital, reinvest/plough back profits

belegger [de^{m}] investor

belegging [de^{v}] [1] ⟨fin⟩ investment ◆ *belegging op lange termijn* long-term investment [2] ⟨het beleggen van een oppervlak⟩ covering, ⟨japon⟩ trimming, ⟨fineerhout, goud⟩ overlay

beleggingsadviseur [de^{m}] investment consultant

beleggingsfonds [het] [1] ⟨instelling⟩ investment trust/fund [2] ⟨effecten⟩ ± gilt-edged/government securities

beleggingsgelden [de^{mv}] investment funds

beleggingshypotheek [de^{v}] investment mortgage, investment-based mortgage

beleggingsklimaat [het] investment climate

beleggingsmaatschappij [de^{v}] investment company
beleggingsmarkt [de] investment market
beleggingsobject [het] investment
beleggingspand [het] investment property
beleggingsverzekering [de^{v}] unit-linked insurance, equity-linked policy
beleghout [het] [1] ⟨scheepv; belegklamp⟩ cleat [2] ⟨om meubelen mee te beleggen⟩ veneer, inlay, overlay
belegsel [het] covering, ⟨japon⟩ trimming, ⟨uniform⟩ facings, ⟨fineerhout, goud⟩ overlay
belegstuk [het] ⟨naaiwerk⟩ facing
beleid [het] [1] ⟨wijze van behandeling⟩ policy ⟨vaak mv⟩ ◆ *een **doortastend/mager** beleid* a tough/poor policy; ***flankerend** beleid* flanking measure(s); *het beleid **inzake** immigratie* the policy on immigration; *het beleid **inzake** de woningbouw* housing policy; *het beleid van deze **regering*** the policies of this government; *een beleid **uitstippelen*** set out/outline a policy; ***verkeerd/slecht** beleid* mismanagement; ⟨van regering ook⟩ misrule; *een (goed/verkeerd) beleid **voeren*** pursue a (good/bad) policy [2] ⟨overleg⟩ tact, discretion, skill ◆ ***met** beleid te werk gaan* handle things tactfully/skilfully/^{A}skillfully
beleidsambtenaar [de^{m}] policy(-making) official
beleidsarm [bn] lack of policy
beleidsbepaler [de^{m}] policymaker
beleidsbepaling [de^{v}] policy formulation
beleidsbeslissing [de^{v}], **beleidsbesluit** [het] policy decision
beleidsbesluit [het] → **beleidsbeslissing**
beleidsfunctie [de^{v}] management position, managerial position
beleidsinstantie [de^{v}] policy body/unit
beleidsinstrument [het] policy instrument
beleidskwestie [de^{v}] matter of policy
beleidslijn [de] [1] ⟨wijze waarop⟩ (line of) policy [2] ⟨richting waarin⟩ (line of) policy
beleidsmaker [de^{m}] policymaker
beleidsman [de^{m}] ⟨in België⟩ ⟨bewindsman⟩ member of government/cabinet, minister, secretary, ⟨bewindsman⟩ administrator, ⟨van bedrijf⟩ director, manager
beleidsmatig [bn, bw] ⟨bijvoeglijk naamwoord⟩ policy, ⟨bijwoord⟩ in accordance with policy
beleidsmedewerker [de^{m}] policy adviser, policy officer
beleidsnota [de] policy document
beleidsombuiging [de^{v}] [1] ⟨wijziging van beleid⟩ policy review, change/switch in policy [2] ⟨bezuiniging⟩ cut(back), reduction
beleidsplan [het] policy plan
beleidsrijk [bn] based on policy
beleidsruimte [de^{v}] scope for policymaking
beleidsstandpunt [het] official position/view(point), ⟨inf⟩ official line
beleidsteam [het] management team
beleidsterrein [het], **beleidsvlak** [het] policy area
beleidsvlak [het] → **beleidsterrein**
beleidsvoornemen [het] policy intention
beleidsvorming [de^{v}] policymaking, policy formulation
beleidvol [bn, bw] tactful ⟨bw: ~ly⟩, discreet, skilful, ⟨AE⟩ skillful
belemmeren [ov ww] hinder, hamper, ⟨sterker⟩ impede, ⟨storend werken op⟩ interfere with, ⟨onmogelijk maken⟩ obstruct, block ◆ *de **groei** belemmeren van* ⟨ook⟩ stunt/check the growth of; *een ambtenaar belemmeren **in** de uitoefening van zijn ambt* obstruct an official in the exercise/execution of his duty; *de **rechtsgang** belemmeren* obstruct the course of justice; *iemand het **uitzicht** belemmeren* obstruct/block s.o.'s view; *de weg/de **doorgang/**het **verkeer** belemmeren* obstruct/block the way/passage/traffic; *belemmerend **werken op*** check, hinder, impede, hamper, act prohibitively/as a check on
belemmering [de^{v}] [1] ⟨handeling⟩ hindering, impeding, hampering, interference, ⟨doorgang⟩ obstruction, blockage [2] ⟨middel⟩ hindrance, impediment, interference, ⟨doorgang⟩ obstruction, blockage ◆ *belemmering van de **groei*** impediment to growth; *een belemmering **vormen/zijn voor*** form/be a hindrance to, stand in the way of, be a bar/barrier to; ***wettelijke** belemmering* legal impediment, statutory bar; ⟨jur⟩ ***zonder** (enige) belemmering* ⟨beletsel⟩ without let or hindrance; ⟨onbevoegdheid⟩ disability, incompetence; *een belemmering uit de weg ruimen* remove an obstacle; *iemand belemmeringen in de weg leggen* put obstacles in s.o.'s way/path
belendend [bn] adjoining, adjacent, neighbouring, ⟨form⟩ contiguous, abutting ◆ *de belendende **percelen*** the adjoining/adjacent properties, ⟨gebouwen ook⟩ the adjoining/adjacent premises, ⟨stukken land ook⟩ the adjoining/adjacent plots
belenen [ov ww] ⟨goederen⟩ pawn, ⟨bij bank⟩ borrow money on, raise a loan on, ⟨m.b.t. leenstelsel⟩ enfeoff ◆ ***effecten** belenen* use stocks and shares as collateral for a loan, borrow money/raise a loan on (the security of) stocks and shares
beleningsrente [de] loan interest
belerend [bn] pedantic, didactic(al)
bel-esprit [de^{m}] bel esprit, wit
belet [het] ⟨form⟩ ▪ *belet **geven*** refuse to see/be unable to see s.o.; *belet **hebben*** be otherwise engaged; *belet **krijgen*** be refused an appointment, be unable to get an appointment; *belet (laten) **vragen*** ask for an appointment
bel-etage [de^{v}] first/^{A}second floor
beletsel [het] [1] ⟨hindernis⟩ obstacle, impediment, hindrance ◆ *beletselen uit de weg **ruimen*** clear away obstacles [2] ⟨bezwaar⟩ hindrance, impediment ◆ *dat hoeft (voor u) toch **geen** beletsel te zijn om ...* that need not stand in the way of (your) .../prevent (you from) .../stop you ...; ***wettelijk** beletsel* legal impediment
beletselteken [het] ⟨drukw⟩ (horizontal) ellipsis, dot dot dot
beletten [ov ww] prevent, obstruct, bar, ⟨inf⟩ stop/keep (from) ◆ *iemand beletten iets te **doen*** prevent/keep s.o. from doing sth.; *niets belet je **gaan*** there is nothing to stop you/prevent you from going; *het belette hem het **spreken*** it made it impossible for him to speak; *iemand het **spreken** beletten* stop s.o. speaking, prevent/keep s.o. from speaking; ⟨door geschreeuw⟩ shout s.o. down; *iemand de **toegang** beletten* bar the way; ⟨jur⟩ *de **uitvoering** van een vonnis beletten* obstruct/hinder the execution of a sentence
beletteren [ov ww] letter, inscribe
belettering [de^{v}] [1] ⟨het beletteren⟩ lettering [2] ⟨aangebrachte letters⟩ lettering
beleven [ov ww] [1] ⟨meemaken⟩ go through, live through, experience, pass through ◆ *veel vreugde beleven **aan zijn gezin*** get a great deal of enjoyment out of one's family; *de meest spannende **avonturen** beleven* have/undergo the most exciting adventures; *ik heb gisteren toch iets **geks** beleefd* I had this funny experience yesterday; *het boek heeft vele **herdrukken** beleefd* the book has run/gone through a large number of reprints; ***plezier** beleven aan* enjoy, get enjoyment/pleasure out of, ⟨inf⟩ get fun out of; *moeilijke **tijden** beleven* live in troubled times, have fallen on hard times; *hier **valt** niets te beleven* there's nothing doing (a) round here; *in Amsterdam, daar valt **wat** te beleven* Amsterdam, that's where the action is; *iets **weer/opnieuw** beleven* relive sth.; *nu **zul** je eens iets beleven!* now you'll see sth.!, watch this!; *wat **zullen** we nu beleven?* what are we in for now?, whatever next?, what's this supposed to be/mean?, what do you think you're doing?; ***er is daar voor de kinderen** van alles te beleven* it's a great place to take the kids [2] ⟨lang

genoeg leven om iets mee te maken⟩ live to see ♦ *we zullen het nog beleven **dat**...* next thing, ..., before we know it, ...; *dat ik dit nog **mag** beleven* that I should live to see this!; *hij heeft het niet **mogen** beleven* he didn't live to see it; *zijn tachtigste **verjaardag** beleven* live to see one's eightieth birthday, live to be eighty

belevenis [de^{v}] experience, adventure

beleveniseconomie [de^{v}] experience economy

beleving [de^{v}] perception

belevingswereld [de] experience(s), (perception of the) environment ♦ *het onderwijs moet **aansluiten bij** de belevingswereld van de leerlingen* education should be geared to the pupils' perception of their environment/must fit in with the pupils' environment

[1]**belezen** [bn] well-read, widely-read, literate ♦ *een (zeer) belezen **man*** ⟨ook⟩ a man of wide reading

[2]**belezen** [ov ww] [1] ⟨bezweringsformule uitspreken⟩ exorcize [2] ⟨uitbannen⟩ exorcize [3] ⟨overreden⟩ persuade

belfort [het] ⟨in België⟩ belfry, bell-tower, clock-tower

belg [de^{m}] Belgian-bred horse, Belgian cart-horse/shire-horse

Belg [de^{m}], **Belgische** [de^{v}] ⟨man & vrouw⟩ Belgian, ⟨vrouw ook⟩ Belgian woman/girl ♦ ***bent** u een Belg?* are you Belgian?; *hij **is** een Belg* he's (a) Belgian

Belga [het] ⟨in België⟩ Belga, Belgian press agency

Belgacom [de^{v}] ⟨in België⟩ Belgacom, Belgian telephone company

Belgenmop [de] Belgian joke, ⟨Groot-Brittannië⟩ Irish joke, ⟨USA⟩ Polish joke

belgicisme [het] Belgianism, ⟨form⟩ Belgicism

belgicist [de^{m}] Belgian nationalist

België [het] Belgium

België

naam	*België* Belgium
officiële naam	*Koninkrijk België* Kingdom of Belgium
inwoner	*Belg* Belgian
inwoonster	*Belgische* Belgian
bijv. naamw.	*Belgisch* Belgian
hoofdstad	*Brussel* Brussels
munt	*euro* euro
werelddeel	*Europa* Europe

int. toegangsnummer 32 www .be auto B

Belgisch [bn] Belgian, ⟨oud-Belgisch⟩ Belgic

Belgische [de^{v}] → **Belg**

Belgrado [het] Belgrade

belhamel [de^{m}] [1] ⟨kind⟩ rascal, scamp, rogue, ⟨BE ook⟩ tyke [2] ⟨ram met bel⟩ bellwether

belichamen [ov ww] embody, epitomize, ⟨als persoon⟩ personify ♦ ***opnieuw** belichamen* re-embody

belichaming [de^{v}] embodiment, epitomization, ⟨als vlees⟩ incarnation, ⟨als persoon⟩ personification

belichten [ov ww] [1] ⟨licht laten vallen op⟩ illuminate, light (up) [2] ⟨uiteenzetten⟩ discuss, shed/throw light on, elucidate ♦ *iets **nader** belichten* shed/throw more light on sth.; *een **probleem** van verschillende kanten belichten* discuss different aspects of a problem [3] ⟨foto⟩ expose ♦ *een opname te **lang/kort** belichten* overexpose/underexpose a shot

belichter [de^{m}] lighting technician

belichting [de^{v}] [1] ⟨m.b.t. toneel, schilderij⟩ lighting [2] ⟨uiteenzetting⟩ elucidation, clarification [3] ⟨foto⟩ ⟨van film⟩ exposure

belichtingsmeter [de^{m}] ⟨foto⟩ exposure meter, light meter

belichtingstechnicus [de^{m}] lighting technician

belichtingstijd [de^{m}] ⟨foto⟩ exposure time

beliegen [ov ww] lie to, tell a lie to, tell lies to

[1]**believen** [het] [1] ⟨welbehagen⟩ pleasure, satisfaction ♦ *is alles **naar** believen?* is everything to your liking?/to your satisfaction?/as you would wish? [2] ⟨goeddunken⟩ discretion ♦ *suiker toevoegen **naar** believen* add sugar to taste; *hij kon **naar** believen rondlopen* he could wander around at will; *ergens **naar** believen gebruik van maken* use sth. at one's own discretion, be free to use sth.; ***naar** (eigen) believen handelen/beslissen* act at/decide at/use one's (own) discretion, do as one pleases

[2]**believen** [onov ww] ⟨form⟩ ⟨behagen aan⟩ please ♦ *als het **God** believeft* God willing, please God

[3]**believen** [ov ww] ⟨form⟩ [1] ⟨willen hebben⟩ wish, desire ♦ *believeft u (anders) nog **iets**?* would you like anything else?, will/would that be all? [2] ⟨willen doen⟩ choose (to), prefer (to) ♦ *hij believeft dat in twijfel te **trekken*** he chooses/prefers to doubt it, he has his doubts about that

belijden [ov ww] [1] ⟨bekennen⟩ confess, admit, acknowledge, ⟨openlijk⟩ avow ♦ ***schuld** belijden* confess/admit (one's) guilt [2] ⟨een geloof aanhangen⟩ profess, acknowledge ♦ *het **christendom** belijden* profess Christianity; *belijdend **lid** van een kerk* practising member of a church [3] ⟨(geloofs)overtuiging uitdragen⟩ avow ♦ *zijn **geloof** belijden* ⟨ook⟩ testify; *iets **met** de mond belijden* pay lip service to sth.; ⟨inf⟩ not put one's money where one's mouth is

belijdenis [de^{v}] [1] ⟨verklaring⟩ confession (of faith), ⟨als lidmaat⟩ confirmation ♦ *belijdenis **doen*** be confirmed [2] ⟨leerstellingen⟩ creed, ⟨kerkgenootschap⟩ denomination [3] ⟨bekentenis⟩ confession

belijder [de^{m}], **belijderes** [de^{v}] [1] ⟨aanhanger van een geloof⟩ professor [2] ⟨aanhanger van een leer⟩ adherent, professor [3] ⟨heilige⟩ confessor

belijderes [de^{v}] → **belijder**

belijning [de^{v}] lineation

Belizaan [de^{m}], **Belizaanse** [de^{v}] ⟨man & vrouw⟩ Belizian, ⟨vrouw ook⟩ Belizian woman/girl

Belizaans [bn] Belizian

Belizaanse [de^{v}] → **Belizaan**

Belize [het] Belize

Belize

naam	*Belize* Belize
officiële naam	*Belize* Belize
inwoner	*Belizaan* Belizean
inwoonster	*Belizaanse* Belizean
bijv. naamw.	*Belizaans* Belizean
hoofdstad	*Belmopan* Belmopan
munt	*Belizaanse dollar* Belize dollar
werelddeel	*Amerika* America

int. toegangsnummer 501 www .bz auto BH

belkaart [de] (prepaid) calling card, (prepaid) phonecard

belkrediet [het] credit (on prepaid phonecard)

belladonna [de] deadly nightshade, belladonna

belle [de] ⟨sport⟩ decider, ⟨schermsp⟩ barrage, ⟨wielersp ook⟩ ride-off

bellefleur [de^{m}] pearmain

[1]**bellen** [onov ww] [1] ⟨aanbellen⟩ ring (a/the bell) ♦ *heb je **al** gebeld?* have you rung (the bell) yet?; *voor Peters: **driemaal** bellen!* for Peters ring (bell) three times; *er **wordt** gebeld!* there's a ring at the door, there's the bell, s.o.'s ringing the bell/ringing at the door [2] ⟨een signaal geven⟩ ring (a/the bell), sound a/the bell ♦ *de **fietser** belde* the cyclist rang his bell

[2]**bellen** [ov ww] ⟨door een bel roepen⟩ ring for

[3]**bellen** TELEFONEREN [ov ww, ook abs] ⟨opbellen⟩ ring (up), give a ring/call, ⟨inf⟩ give a buzz, call ♦ *naar **buiten** bellen* dial out, use an outside line; ***collect** bellen* call collect, make/place a collect call (to); ***kan** ik even bellen?* may I use the (tele)phone?; ***met** iemand bellen* give s.o. a ring; *heb je al **naar huis** gebeld?* have you phoned/rung home yet?; ***nog eens** bellen* call back, ring again

bellenblazen [onov ww] blow bubbles
bellenbord [het] doorbell panel
bellengeheugen [het] ⟨comp⟩ bubble storage
beller [de^{m}] caller
belletje [het] 1 ⟨klokje⟩ tintinnabulum ◆ *belletje* ***trekken*** ⟨kinderspel⟩ ring the bell(s) and run away, ring and run 2 ⟨inf; telefoontje⟩ buzz, call, ring
belletjeswijn [de^{m}] sparkling wine
bellettrie [de^{v}] belles-lettres, (fine) literature, fiction
bellettristisch [bn] belletristic
belmiep [de^{v}] ⟨inf⟩ switchboard girl, ↑telefonist, ↑telephone operator
belminuut [de] (time) unit
belmuts [de^{v}] ⟨inf⟩ switchboard girl, ↑telefonist, ↑telephone operator
beloeren [ov ww] spy (up)on, peep at
belofte [de^{v}] promise, ⟨plechtig⟩ pledge ◆ *iemand* ***aan*** *zijn belofte* ***houden*** keep s.o. to his promise; ⟨jur⟩ *een belofte* ***afleggen*** ⟨in plaats van eed⟩ affirm, make (one's) affirmation; *(plechtige) beloften* ***afleggen*** take (solemn) oaths, affirm; *iemand een belofte* ***doen*** make a promise; ⟨jur⟩ ***eed*** *van belofte* promissory oath; *zijn belofte* ***houden/nakomen*** *tegenover iemand* keep/live up to/^{A}deliver on one's promise/pledge to s.o., honour/fulfil one's promise to s.o., be as good as one's word; *dat* ***houdt*** *grote beloften* ***in*** *voor de toekomst* that promises well/shows great promise for the future; *een belofte* ***inlossen*** redeem a promise/pledge; ***plechtige*** *belofte* (solemn) pledge/undertaking; *beloften van* ***trouw*** lovers' vows; *zijn belofte* ***(ver)breken*** break one's/go back on one's promise/pledge; *aan een belofte* ***voldoen*** fulfil a promise ▪ ⟨sprw⟩ *een belofte in dwang en duurt niet lang* vows made in storms are forgotten in calms; ⟨sprw⟩ *belofte maakt schuld* promise is debt
beloken [bn] ▪ *beloken* ***Pasen*** Low Sunday
belonen [ov ww] 1 ⟨betalen⟩ pay, ⟨form⟩ remunerate, ⟨vinder van verloren voorwerp enz.⟩ reward ◆ *de eerlijke* ***vinder*** *belonen* reward the finder 2 ⟨voldoening geven voor⟩ reward, repay, ⟨form⟩ recompense ◆ *uw* ***moeite*** *zal dubbel en dwars beloond worden* your efforts will be amply/richly rewarded/repaid; *mijn moeite werd* ***slecht*** *beloond* my efforts were poorly rewarded/repaid ▪ ⟨sprw⟩ *deugd beloont zichzelf* virtue is its own reward
beloning [de^{v}] reward, ⟨form⟩ recompense, ⟨loon⟩ pay(ment), ⟨form⟩ remuneration ◆ *beloning naar* ***prestatie*** performance-related pay; ***ter/als*** *beloning (van/voor)* as a/in reward for, in return for, in reward of; *iets* ***tot*** *beloning krijgen* be rewarded with sth., get sth. in remuneration of/as remuneration for (sth.); *een beloning* ***uitloven*** offer a reward
beloop [het] 1 ⟨ontwikkeling, gang⟩ course, way ◆ *dat moet zijn beloop maar* ***hebben*** it'll just have to run/take its course; *iets* ***op*** *zijn beloop laten* let sth. run/take its course; ⟨nalatig zijn ook⟩ let things drift/slide/rip; *dat is* ***'s werelds*** *beloop* that's the way of the world 2 ⟨ec; bedrag⟩ amount ◆ *een bedrag* ***ten*** *belope* ***van*** a sum amouting to, the amount of 3 ⟨talud⟩ slope ◆ *het beloop van een* ***dijk*** the slope of a dike
belopen [ov ww] 1 ⟨lopen over⟩ walk (along/up/down), ⟨form⟩ tread ◆ *die weg* ***is*** *haast niet te belopen* that road's almost impassable on foot 2 ⟨lopende afleggen⟩ walk ◆ *die afstand* ***is*** *in één dag niet te belopen* it's not a distance you can walk in one day 3 ⟨bedragen⟩ amount to, total, come to, ⟨schade, schuld ook⟩ run (in)to ◆ *het beloopt* ***over*** *de honderd euro* it amounts to/comes to/totals over 100 euros
beloven [ov ww] 1 ⟨toezeggen⟩ promise, ⟨jur⟩ affirm, ⟨plechtig⟩ vow, pledge ◆ *ik beloof je* ***niets,*** *dat kan ik je niet beloven* I make no promises, I can't promise that; *iets* ***plechtig*** *beloven* pledge o.s. to (do) sth., pledge to do sth. 2 ⟨doen verwachten⟩ promise, ⟨form⟩ bid fair ◆ ***dat*** *beloof* ***ik!*** (it's a) promise!; ⟨plechtig⟩ I swear!; *dat belooft niet veel* ***goeds*** that does not promise well, ⟨form⟩ that does not augur well; *spelers die* ***veel*** *beloven* players who show great promise; *dat belooft* ***wat!*** ⟨positief⟩ that's promising!, that promises to turn into sth.!, ⟨negatief⟩ that spells trouble!; *het belooft een mooie dag/een succes te* ***worden*** it promises to be/has all the signs of/looks like a fine day/a success; ⟨form⟩ it bids fair to be a fine day/to be a success/to succeed 3 ⟨in het vooruitzicht stellen⟩ promise ◆ *het wordt flink aanpakken, dat beloof ik je* it's going to be hard work, I (can) promise you!/I'm telling you!/I can tell you! ▪ ⟨sprw⟩ *veel beloven en weinig geven doet de gekken in vreugde leven* to promise and give nothing is comfort to a fool; ± it is one thing to promise and another to perform; ⟨sprw⟩ *beloofd is beloofd* promise is debt; a promise/bargain is a promise/bargain
below the line [bn] below the line
belroos [de] erysipelas, (St) Anthony's fire
belspel [het] phone-in programme, phone-in contest
beltaxi [de^{m}] subsidized public taxi (service)
beltegoed [het] credit (on prepaid phonecard)
beltoon [de^{m}] ringtone
beluchten [ov ww] aerate, oxygenate ◆ ***boomwortels*** *beluchten met kunststof buizen* aerate tree-roots using plastic tubes
beluik [het] ⟨in België⟩ 1 ⟨binnenhofje⟩ interior court(yard) 2 ⟨blinde steeg⟩ dead-end (alley)
beluisteren [ov ww] 1 ⟨luisteren naar⟩ listen to, ⟨omroep ook⟩ listen in to ◆ *het* ***best*** *beluisterde programma* the programme/^{A}program with the biggest audience; *het* ***programma*** *is iedere zondag te beluisteren* the programme/^{A}program is broadcast every Sunday 2 ⟨luisterend waarnemen⟩ hear, overhear ◆ *hij meende enige* ***aarzeling/ironie*** *te beluisteren in hun reacties* he seemed to detect some hesitation/a note of irony in their reactions 3 ⟨afluisteren⟩ listen in on, eavesdrop on, ⟨radio ook⟩ monitor 4 ⟨med⟩ auscultate
belust [bn] eager (for), keen (on), bent (on), out (for) ◆ *belust zijn* ***op*** be keen on/eager for/bent on/out for, thirst/hunger/lust for/after; *belust zijn* ***op*** *wraak* be bent on/be out for vengeance; *belust zijn* ***op*** *schandaaltjes* love scandal; *het* ***op*** *sensatie/schandaaltjes beluste publiek* the sensation-loving/scandal-loving public
belvedère [de^{m}] belvedere, gazebo
bemachtigen [ov ww] 1 ⟨te pakken krijgen⟩ get hold of, get/lay one's hands on, ↑secure ◆ *ik heb kaartjes* ***kunnen*** *bemachtigen* I've managed to get (hold of/my hands on) some tickets; *een* ***order/zitplaats*** *bemachtigen* secure an order/a seat; *een uurtje* ***rust*** *bemachtigen* grab/snatch an hour's rest 2 ⟨zich meester maken van⟩ seize, capture, take (possession of), make o.s. master of, ⟨diploma enz.⟩ acquire ◆ *een nieuw* ***afzetgebied*** *bemachtigen* capture a new market; *een* ***stad*** *bemachtigen* seize/capture/take (possession of) a city; *de* ***troon*** *(onrechtmatig) bemachtigen* seize the throne (unlawfully), usurp the throne
bemalen [ov ww] drain
bemaling [de^{v}] drainage
bemannen [ov ww] 1 ⟨van personeel voorzien⟩ man, ⟨fabriek ook⟩ staff, ⟨schip ook⟩ crew, ⟨vesting ook⟩ garrison ◆ *een karwei niet* ***kunnen*** *bemannen* not have enough manpower/personnel/people/men for the job; ***onvoldoende*** *bemand* undermanned, understaffed, undergarrisoned, ⟨schip ook⟩ below full complement; *een bemand* ***ruimtevaartuig*** a manned spacecraft 2 ⟨het personeel uitmaken van⟩ man, staff, ⟨schip ook⟩ crew, ⟨vesting ook⟩ garrison ◆ *het crisiscentrum* ***wordt*** *dag en nacht bemand* the crisis centre is manned/staffed day and night/round the clock
bemanning [de^{v}] 1 ⟨personeel⟩ crew, ⟨schip ook⟩ ship's company, complement, ⟨vesting⟩ garrison ◆ *het schip* ***heeft*** *een bemanning van 120 man* the ship has a crew/complement of 120; *de* ***voltallige*** *bemanning* (full) complement,

the entire crew [2] ⟨het van personeel voorzien⟩ manning, ⟨schip ook⟩ crewing, ⟨vesting ook⟩ garrisoning

bemanningslid [het] ⟨scheepv⟩ crewman, crew member, hand, ⟨van een duikboot⟩ submariner, ⟨van een kaapschip⟩ privateer(sman)

bemantelen [ov ww] cloak, disguise, cover up

bemensen [ov ww] [1] ⟨van personeel voorzien⟩ staff, crew [2] ⟨het personeel uitmaken van⟩ staff, crew

bemerken [ov ww] notice, note, observe, ↑ perceive

bemerking [de^{v}] remark, observation, comment

bemesten [ov ww] manure, ⟨i.h.b. anorganisch⟩ fertilize, dress (with manure/fertilizer)

bemesting [de^{v}] manuring, ⟨i.h.b. met kunstmest⟩ fertilization

bemeten [bn] -sized, of ... dimensions ♦ *de achterbank is wat* ***krap*** *bemeten* the back seat is a little cramped/on the small side; *met 3 uur is de tijd wat* ***krap*** *bemeten* three hours is a bit on the short side; *een* ***ruim*** *bemeten plaats* a spacious/large(-sized) area, a place of large dimensions

bemeubelen [ov ww] ⟨in België⟩ furnish

bemiddelaar [de^{m}], **bemiddelaarster** [de^{v}] [1] ⟨tussenpersoon⟩ ⟨man & vrouw⟩ intermediary, ⟨m.b.t. geschil; man & vrouw⟩ mediator, ⟨vrouw ook⟩ mediatrix, ⟨internationaal ook⟩ honest broker, ⟨ambtelijk ook; man & vrouw⟩ arbitrator, ⟨man & vrouw⟩ conciliator, ⟨man & vrouw⟩ arbitration officer, ⟨inf⟩ go-between ♦ ***als*** *bemiddelaar optreden* mediate, arbitrate, act as (a) mediator/arbitrator/go-between [2] ⟨m.b.t. een arbeidsbureau⟩ employment officer

bemiddelaarster [de^{v}] → **bemiddelaar**

bemiddelbaar [bn] employable

bemiddeld [bn] affluent, of (...) means, well-to-do, ⟨inf⟩ well-off, comfortable ♦ *een bemiddeld* ***man*** a man of means/substance, a well-to-do/well-off/an affluent man; ***weinig****/minder bemiddeld* less/not so well-off, of small means; *bemiddeld* ***zijn*** be well-to-do/affluent/well-off/comfortable

bemiddelen [onov ww] mediate, ⟨ambtelijk ook⟩ arbitrate ♦ *bemiddelen* ***in*** *een twist* mediate in a dispute; *bemiddelend* ***optreden*** mediate, arbitrate, act as (a) mediator/arbitrator

bemiddeling [de^{v}] mediation, ⟨ambtelijk ook⟩ arbitration, conciliation ♦ *zijn bemiddeling* ***aanbieden*** offer to mediate/act as (a) mediator; *door bemiddeling* ***van*** through, through the agency of; ⟨beleefd ook⟩ through the kind offices of; *de bemiddeling* ***inroepen*** *van (een notaris)* appeal to (a notary); *bemiddeling* ***verlenen*** *bij een verkoop* act as middleman in/intermediary for a sale

bemiddelingsbureau [het] [1] ⟨m.b.t. kennismaking⟩ dating service/agency [2] ⟨m.b.t. werkgelegenheid in een bedrijf⟩ job exchange

bemiddelingsvoorstel [het] compromise (proposal), conciliation/mediatory proposal

bemind [bn] dear (to), liked (by), well-liked (by), much-liked (by), popular (with), ⟨form⟩ beloved (of) ♦ *door zijn charme* ***maakte*** *hij zich bij iedereen bemind* ⟨ook⟩ his charm endeared him to everyone; *zich bemind (weten te)* ***maken*** *bij* endear o.s. to, make o.s. popular with; *zich bemind trachten te* ***maken*** *bij* ⟨pej⟩ ingratiate o.s. with, curry favour with

beminde [de] beloved, sweetheart, love(r), ⟨verloofde⟩ fiancé(e)

beminnaar [de^{m}] lover (of)

beminnelijk [bn] amiable, engaging, lovable

beminnelijkheid [de^{v}] amiability, ⟨passief⟩ lovableness

beminnen [ov ww] ⟨form⟩ ⟨ogm⟩ love, hold dear

bemodderd [bn] muddy, muddied, mud-stained, bemired, ⟨kleren ook⟩ bedraggled

bemoederen [ov ww] mother

bemoedigen [ov ww] encourage, hearten, cheer ♦ *bemoedigende* ***resultaten*** encouraging/heartening results; ***weinig*** *bemoedigend* discouraging, disheartening, hardly encouraging

bemoediging [de^{v}] [1] ⟨aanmoediging⟩ encouragement, cheer [2] ⟨troost⟩ comfort, consolation

bemoeial [de^{m}] busybody, meddler, ⟨inf⟩ fusspot, ⟨BE ook⟩ nos(e)y parker

zich bemoeien [wk ww] [1] ⟨m.b.t. iets waar men niets mee te maken heeft⟩ meddle (in), interfere (in) ♦ *bemoei je er niet* ***mee!*** ⟨ook⟩ stay out of this (will you?); ⟨onbeleefd⟩ butt out!; *ik wil me er niet* ***mee*** *bemoeien maar ...* of course it's none of my business/no business of mine, but ...; *bemoei je niet overal* ***mee!*** stop meddling (in everything)!, mind your own business!; *hij bemoeit zich overal* ***mee*** he's always interfering/meddling, he sticks his nose in everywhere; *waar bemoei je je eigenlijk* ***mee?*** what's that got to do with you?, what's that to you?; *zich* ***met*** *de zaak gaan bemoeien* take the matter in hand, interfere in the matter, step in [2] ⟨m.b.t. het in orde maken van iets⟩ deal with, handle, look after, take in hand, ⟨zich mengen in⟩ step in ♦ ***daar*** *bemoei ik me niet* ***mee*** I don't want to get mixed up in that, that's not my problem/look-out; ***daar*** *hoeven we ons niet* ***mee*** *te bemoeien* we're not concerned/need not concern ourselves with that; *als ik me* ***daar*** *ook nog* ***mee*** *moet gaan bemoeien ...* do I have to take care of everything here?; *zich nergens* ***mee*** *bemoeien* not get involved in anything; ⟨inf⟩ keep well out of things/it; *zich helemaal niet* ***met*** *iets bemoeien* have nothing whatever/refuse to have anything to do with sth., leave sth. well enough alone; *wilt u zich* ***met*** *de afwikkeling van deze kwestie bemoeien?* will you deal/handle/look after this?/take this in hand? [3] ⟨m.b.t. personen⟩ have (sth.) to do with (s.o.) ♦ *ze bemoeit zich* ***met*** *niemand* she won't have anything to do with anybody/keeps herself (very much) to herself

bemoeienis [de^{v}], **bemoeiing** [de^{v}] [1] ⟨betrokkenheid⟩ concern, involvement ♦ *geen bemoeienis* ***hebben*** *met* not be concerned with, have nothing to do with [2] ⟨inmenging⟩ interference, meddling ♦ *door zijn* ***vriendelijke*** *bemoeienis* through his kind/good offices

bemoeiing [de^{v}] → **bemoeienis**

bemoeilijken [ov ww] hamper, hinder, interfere with, ⟨voortgang⟩ impede, ⟨situatie ook⟩ aggravate, complicate, make/render more difficult

bemoeiziek [bn] interfering, meddling, meddlesome ♦ *bemoeiziek* ***gedrag*** interfering/meddling/meddlesome behaviour; *bemoeiziek* ***zijn*** be a meddler/busybody, ⟨BE ook⟩ be a nos(e)y parker

bemoeizucht [de] meddlesomeness, interference

bemonsteren [ov ww] sample, take samples/a sample of

bemorsen [ov ww] soil, dirty, ⟨met vocht ook⟩ splash

ben [de] (wicker) basket, crib, ⟨voor vis⟩ creel, ⟨voor fruit⟩ trug

benadelen [ov ww] harm, damage, injure, put at a disadvantage, handicap, ⟨jur; rechten⟩ prejudice, ⟨personen⟩ aggrieve ♦ *hierdoor wordt het* ***bedrijf*** *voor miljoenen benadeeld* this means a loss of millions to the firm; ⟨jur⟩ ***de*** *benadeelde* the injured/aggrieved party; ⟨jur⟩ *iemand* ***in*** *zijn rechten benadelen* prejudice/infringe (on) s.o.'s rights; *zich benadeeld* ***voelen*** feel badly done by; *benadeeld* ***worden*** *door de scheidsrechter* be treated unfairly by the referee

benaderbaar [bn] approachable, accessible

benaderen [ov ww] [1] ⟨nader komen tot⟩ approach, ⟨fig ook⟩ approximate to, come close to ♦ ***dicht*** *benaderen* come close to; ***gemakkelijk/moeilijk*** *te benaderen* (un)approachable, (in)accessible [2] ⟨zich wenden tot⟩ approach, get in touch with ♦ *iemand* ***officieel/officieus*** *benaderen* approach s.o. officially/unofficially; *iemand benaderen* ***over*** *een kwestie* approach s.o. on a matter [3] ⟨aanpakken⟩ approach ♦ *we moeten dit* ***probleem*** *anders benaderen* we'll have to find another approach to this problem/to approach this problem in another way [4] ⟨wisk⟩ calculate/estimate (roughly) ♦ *de juiste* ***hoeveelheid*** *trachten te benaderen* try to calculate/estimate the right amount; *een getal benaderen* ***tot*** *in vijf decimalen* calculate a figure to five decimal places [5] ⟨beslag leggen op⟩ seize, confiscate, impound

benadering [de^v] [1] ⟨het nader komen⟩ approach, ⟨fig ook⟩ approximation (to) ♦ *de benadering* ***van*** *een ideaal* an approach to an ideal [2] ⟨aanpak⟩ approach ♦ *de* ***kwantitatieve*** *benadering* the quantitative approach [3] ⟨het polsen van iemand⟩ approach [4] ⟨wisk⟩ (rough) calculation, (rough) estimate, approximation [5] ⟨beslaglegging op goederen⟩ seizure, confiscation, impounding [•] ***bij*** *benadering* approximately, roughly; ***bij*** *benadering* ***juist*** roughly/approximately correct

benaderingswijze [de] ⟨fig⟩ approach

benadrukken [ov ww] emphasize, stress, underline

benaming [de^v] name, designation, ⟨form⟩ appellation ♦ *een wettelijk* ***beschermde*** *benaming* a (legally) registered name; *de firma is bekend* ***onder*** *de benaming* ***van*** ... the firm is known as .../by the name of ...; ***onjuiste/verkeerde*** *benaming* misnomer

benard [bn] ⟨moeilijk⟩ awkward, ⟨gevaarlijk⟩ perilous, ⟨benauwend⟩ distressing, distressful, distressed, hard-pressed ♦ *in benarde* ***omstandigheden*** *verkeren* find o.s./be in dire/desperate straits/in a (bad) plight/position/in straitened circumstances; *iemand uit zijn benarde* ***positie*** *bevrijden* release s.o. from his awkward/perilous/distressful position; *een benarde* ***toestand/situatie*** an awkward/a perilous/distressful situation, a terrible plight, a predicament

[1]**benauwd** [bn] [1] ⟨belemmerd in de ademhaling⟩ short of breath ♦ *de patiënt* ***is*** *wat benauwd* the patient is rather short of breath [2] ⟨de ademhaling belemmerend⟩ close, sultry, muggy, ↑oppressive, ⟨onfris⟩ stuffy, musty ♦ *een benauwd* ***gevoel*** *op de borst* a tight/constricted feeling in one's chest [3] ⟨angstig⟩ anxious, afraid ♦ *een benauwd* ***gezichtje*** an anxious expression; *het benauwd* ***krijgen*** feel anxious [4] ⟨angstig makend⟩ upsetting, ⟨inf⟩ scary [5] ⟨nauw⟩ narrow, cramped, confining, ⟨vertrek; inf⟩ poky ♦ *een benauwd* ***hok*** a poky little room

[2]**benauwd** [bw] [1] ⟨de ademhaling belemmerend⟩ closely, sultrily, muggily, ↑oppressively, ⟨onfris⟩ stuffily ♦ *benauwd* ***warm*** close, sultry, muggy, oppressive [2] ⟨angstig⟩ anxiously

benauwdheid [de^v] [1] ⟨bemoeilijkte ademhaling⟩ tightness of the chest [2] ⟨bedomptheid⟩ closeness, stuffiness [3] ⟨angst⟩ fear, anxiety [4] ⟨nood⟩ distress

benauwen [ov ww] [1] ⟨benauwd maken⟩ distress, close in on, ↑oppress [2] ⟨beklemmen⟩ weigh (down/heavily) on, ↑oppress, ↑depress ♦ *al die* ***verplichtingen*** *benauwen me weleens* all these obligations weigh heavily on me now and then

[1]**benauwend** [bn] [1] ⟨de ademhaling belemmerend⟩ close, sultry, muggy, ↑oppressive, ⟨onfris⟩ stuffy [2] ⟨angstig makend⟩ upsetting, ⟨inf⟩ scary

[2]**benauwend** [bw] ⟨de ademhaling belemmerend⟩ → **benauwd[2] bet 1**

bench [de^m] dog cage

benchmark [het] benchmark

benchmarking [de] benchmark, benchmark test/comparison

bende [de] [1] ⟨rommel⟩ mess, shambles ♦ *het is daar één* ***grote*** *bende!* it's a real mess/shambles there!, it's like a bomb site there!; *een bende* ***maken*** *van* mess up [2] ⟨groot aantal⟩ mass, ⟨m.b.t. mensen/dieren⟩ swarm, flock, crowd, horde, ⟨m.b.t. dingen ook⟩ heap, load, pile ♦ *de* ***hele*** *bende* the (whole) lot; ⟨sl⟩ the whole caboodle; *een bende* ***werk*** a pile/heap/mass of work [3] ⟨troep⟩ gang, ⟨dieven ook⟩ pack, ⟨form⟩ band, crew ♦ *een* ***goddeloze*** *bende* a rough crew; *de bende* ***van vier*** the Gang of Four; *een bende* ***vormen*** gang up/together, band together

bendeleider [de^m] gang leader

bendelid [het] gangster, ⟨AE ook⟩ hood(lum), mobster

bendevorming [de^v] formation/forming of a gang, ganging up

[1]**beneden** [bw] down, ⟨ook form⟩ below, ⟨in huis⟩ downstairs, ⟨pagina⟩ at the bottom ♦ ***hier*** *beneden!* down here!; ⟨Bijb⟩ here below; *beneden* ***komen*** come down(stairs); ***naar*** *beneden gaan* go down(stairs); ⟨helling ook⟩ slope down; ⟨met prijzen⟩ lower; ⟨prijzen⟩ go/come down; ***naar*** *beneden halen* ⟨vlag⟩ lower; ⟨vliegtuig⟩ bring down; ***naar*** *beneden komen* ⟨langs trap enz.⟩ come down(stairs); ⟨vallen⟩ fall down; ⟨vliegtuig⟩ crash; ⟨muur, dak⟩ collapse; ***naar*** *beneden brengen* bring down; ⟨kosten ook⟩ reduce; *van boven* ***naar*** *beneden* downwards; *iemand* ***naar*** *beneden halen* ⟨fig⟩ run/cry s.o. down, belittle s.o.; *de punt wijst* ***naar*** *beneden* the tip's pointing downwards; ***naar*** *beneden (laten) vallen* drop; *de vijfde regel* ***van*** *beneden* the fifth line up, the fifth line from the bottom; *zoals beneden* ***vermeld*** as stated below; *beneden* ***wonen*** live on the ground floor, ⟨AE ook⟩ live on the first floor

[2]**beneden** [vz] under, below, beneath ♦ *kinderen beneden de zes* ***jaar*** children under six (years of age); ⟨scheepv⟩ *beneden de* ***koers*** *liggen* drift, make leeway; *beneden iemand* ***staan*** be under s.o.; *beneden de* ***vereisten/verwachtingen*** *blijven* fall short of requirements/expectations; *beneden de* ***waarde*** *verkopen* sell below value; *beneden mijn* ***waardigheid*** beneath my dignity/me; ⟨scheepv⟩ *beneden de* ***wind*** (to) leeward, downwind; *het beneden* ***zich*** *achten* consider it beneath one

benedenbewoner [de^m] downstairs occupant, ⟨als buur gezien⟩ downstairs neighbour

benedenbuur [de^m] downstairs neighbour

benedendek [het] ⟨scheepv⟩ lower deck

benedendijks [bw] at the foot of a/the dike

benedengrens [de] lower limit

benedenhoek [de^m] bottom corner

benedenhuis [het] ground-floor flat, ⟨AE ook⟩ first-floor apartment

benedenkant [de^m] bottom, underside

benedenloop [de^m] lower reaches

benedenmaats [bn] substandard, low-quality, inadequate, inferior ♦ *benedenmaats* ***onderzoek*** substandard research

benedenmodaal [bn] below average

benedenrivier [de] tidal river

benedenstad [de] lower town ♦ ***in*** *de benedenstad* ⟨AE ook⟩ downtown

benedenste [bn] lowest, bottom, ⟨van een stapel ook⟩ undermost

benedenstrooms [bw] downstream

benedenverdieping [de^v] ground floor, ⟨AE ook⟩ first floor, ⟨lagere verdieping⟩ lower floor, floor below

[1]**benedenwaarts** [bn] ⟨de richting naar beneden hebbend⟩ downward

[2]**benedenwaarts** [bw] ⟨in de richting naar beneden⟩ downwards, ⟨AE⟩ downward

[1]**benedenwinds** [bn] ⟨beneden de wind gelegen⟩ leeward [•] *de Benedenwindse* ***Eilanden*** the Leeward Islands

[2]**benedenwinds** [bw] ⟨aan de lijzijde⟩ to leeward

benedenwoning [de^v] ground-floor flat, ⟨AE ook⟩ first-floor apartment

benedenzon [de] parhelion, mock sun, sun dog

benedictie [de^v] benediction

benedictijn [de^m] Benedictine (monk), Black Monk

benedictine [de] Benedictine

benedictines [de^v] Benedictine (nun)

benedictuskruid [het] (herb) bennet, wood avens

benefice [de^v] [•] ***ter*** *benefice* ***van*** for the benefit of

beneficiair [bn, bw] ⟨jur⟩ [•] *beneficiaire* ***aanvaarding*** acceptance without liability to debts beyond the assets descended; *beneficiair **erfgenaam*** beneficiary

beneficiant [de^{m}] [1] ⟨iemand in het genot van een beneficie⟩ beneficiary [2] ⟨iemand voor wie een benefiet wordt gegeven⟩ object of a benefit (performance/match)

beneficie [de^{v}] [1] ⟨rooms-katholieke waardigheid⟩ benefice [2] ⟨postje⟩ benefice, ⟨BE ook⟩ living [•] ⟨jur⟩ *beneficie van **inventaris*** benefit of inventory, beneficium inventarii

benefiet [het] benefit

benefietconcert [het] benefit (concert)

benefietvoorstelling [de^{v}] benefit (performance/evening/night)

benefietwedstrijd [de^{m}] benefit (match)

benefit of the doubt [de] benefit of the doubt

Benelux [de^{m}] Benelux, the Benelux countries

benemen [ov ww] take away (from) ◆ *iemand de **adem** benemen* take s.o.'s breath away; *iemand de **eetlust** benemen* spoil/take away s.o.'s appetite; ⟨inf⟩ put s.o. off his food; *zich het **leven** benemen* take one's (own) life, ↓ do away with o.s.; *iemand het **licht** benemen* block s.o.'s light, be in s.o.'s light; *iemand de **lust** benemen (om)* spoil s.o.'s pleasure (in (doing) sth.); ⟨inf⟩ put s.o. off ((doing) sth.); *iemand de **moed** benemen* take the heart out of s.o.; *iemand het **uitzicht** benemen* cut off/block s.o.'s view, rob/deprive s.o. of his view

^{1}**benen** [bn] bone

^{2}**benen** [onov ww] leg it, hare ◆ ***heen** en **weer** benen* pace up and down/to and fro; ***op** iets **af** benen* leg it/hare towards sth.

benenwagen [de^{m}] ⟨scherts⟩ [•] ***met** de benenwagen gaan* go on/ride (on)/travel by shanks's pony, hoof it

benenwerk [het] ⟨sl⟩ leg-piece, leg-show

benepen [bn, bw] [1] ⟨bekrompen⟩ small-minded, petty, narrow-minded [2] ⟨benauwd, bang⟩ timid, anxious, ⟨stem ook⟩ small ◆ *hij zette een benepen **gezicht*** his face took on an anxious expression [3] ⟨kleinmoedig⟩ faint-hearted, pusillanimous

benepenheid [de^{v}] [1] ⟨bekrompenheid⟩ small-mindedness, pettiness, narrow-mindedness [2] ⟨verlegenheid⟩ timidity [3] ⟨m.b.t. ruimte⟩ crampedness, ⟨inf⟩ pokiness [4] ⟨kleinmoedigheid⟩ faint-heartedness, pusillanimity

benevelen [ov ww] [1] ⟨met nevel bedekken⟩ cover in clouds/mist, obscure in clouds/mist, (be)fog, mist (over/up) ◆ *een benevelde **lucht*** a misty sky [2] ⟨bedwelmen⟩ cloud, (be)fog ◆ *de **geest** benevelen* cloud one's mind; ***licht(elijk)** beneveld* ⟨inf⟩ tipsy, woozy; *zijn verstand **raakte** even beneveld* his brain clouded/misted over for a moment; *in benevelde **toestand*** ⟨dronken⟩ fuddled (with drink), tight, muzzy; ⟨verstand⟩ hazy, mixed up; *beneveld **zijn*** be in a fog/a mist; ⟨dronken⟩ be fuddled (with drink)/tight/muzzy [3] ⟨verbergen⟩ obscure, cloud

benevens [vz] ⟨form⟩ besides, together with, in addition to ◆ *€ 2000 salaris benevens vrije **woning*** a salary of 2000 euros plus free accommodation

benevolentie [de^{v}] benevolence

Bengaal [de^{m}], **Bengaalse** [de^{v}] ⟨man & vrouw⟩ Bangladeshi, ⟨man & vrouw⟩ Bengali, ⟨vrouw ook⟩ Bengali woman/girl

Bengaals [bn] Bengal, ⟨vnl. m.b.t. inwoners/taal⟩ Bengali ◆ ⟨plantk⟩ *Bengaalse **hennep*** sunn (hemp), Indian hemp; *Bengaalse **tijger*** Bengal tiger

Bengaalse [de^{v}] → **Bengaal**

Bengalees [de^{m}] Bangladeshi, Bengali

Bengalen [het] Bengal

bengaline [het] bengaline

bengel [de^{m}] (little) rascal, scamp, scallywag, ⟨AE⟩ scalawag, little beggar, (little) terror

bengelen [onov ww] dangle, swing (to and fro) ◆ ⟨fig⟩ *ergens maar **bij** bengelen* not really belong (to), feel a bit of an appendage; *iets **laten** bengelen* dangle sth.

benieuwd [bn] curious ◆ *ik **ben** wel benieuwd* I'm really curious; *ik **ben** benieuwd wat hij zal zeggen* I wonder what he'll say; *ze was **erg** benieuwd (te horen) wat hij ervan vond* she was anxious/couldn't wait/was dying to hear what he thought of it; *ik ben benieuwd **naar** zijn plannen* I'm curious about his plans/to know his plans, I wonder what he's planning/what his plans are

benieuwen [onov ww] arouse curiosity ◆ *het zal mij benieuwen **of** hij komt* I wonder if/whether he'll come; ⟨iron⟩ I have my doubts whether he'll come, I'm not too sure that he'll come (at all)

benig [bn] [1] ⟨(als) van been⟩ bony, ⟨med⟩ asseous, osteoid [2] ⟨met uitkomende beenderen⟩ bony, ⟨vnl. m.b.t. gezicht⟩ angular

benijdbaar [bn] enviable

benijden [ov ww] envy, be envious/jealous (of) ◆ *hij **is** niet te benijden* I don't envy him, I wouldn't want/like to be in his shoes, he is not to be envied; *zij werd benijd **om** haar succes* she was begrudged/envied her success, her success aroused envy/made people vious/jealous; *al onze vrienden benijden ons **om** ons huis* all our friends envy us our house, our house is the envy of all our friends [•] ⟨sprw⟩ *beter benijd dan beklaagd* better be envied than pitied

benijdenswaardig [bn, bw] enviable ⟨bw: enviably⟩

Benin [het] Benin

Benin	
naam	*Benin* **Benin**
officiële naam	*Republiek Benin* **Republic of Benin**
inwoner	*Beniner* **Beninese**
inwoonster	*Beninse* **Beninese**
bijv. naamw.	*Benins* **Beninese**
hoofdstad	*Porto-Novo* **Porto Novo**
munt	*CFA-frank* **CFA franc**
werelddeel	*Afrika* **Africa**
int. toegangsnummer **229** www **.bj** auto **DY**	

Beniner [de^{m}], **Beninse** [de^{v}] ⟨man & vrouw⟩ Beninese, ⟨vrouw ook⟩ Beninese woman/girl

Beninse [de^{v}] → **Beniner**

benjamin [de^{m}] Benjamin, ↓ baby, ↓ babby ◆ *benjamin **af** zijn* no longer be the baby of the family/the youngest; *hij **is** de benjamin thuis* he is the Benjamin/baby/babby of the family

benodigd [bn] required, necessary, wanted, ↑ requisite ◆ *benodigd **gereedschap*** required/necessary equipment, stock in trade; *al **het** benodigde* everything required/necessary; *de benodigde **ingrediënten*** the necessary ingredients; *de daarvoor benodigde **tijd*** the time required/needed (for this), the time this takes

benodigdheden [de^{mv}] requirements, necessities, needs, ⟨vereisten⟩ requisites, ⟨dram⟩ props

benoembaar [bn] [1] ⟨benoemd kunnende worden⟩ eligible (for), qualified (for) [2] ⟨waaraan men een naam kan geven⟩ nameable ◆ *dat **gevoel** is niet benoembaar* there's no word for/I can't put a name to that feeling

benoemen [ov ww] [1] ⟨aanstellen⟩ appoint, designate, assign (to), nominate ⟨ook jury⟩, ⟨jury⟩ enrol, ⟨AE⟩ enroll ◆ *iemand **bij** een firma benoemen* place s.o. with a firm; *iemand **in** een ambt benoemen* appoint/assign s.o. to a post/an office; *iemand **tot** burgemeester benoemen* appoint s.o. burgomaster; *iemand **tot** zijn erfgenaam benoemen* name s.o. as/make s.o. one's heir; ***vast** benoemd zijn* have tenure, have a permanent appointment [2] ⟨noemen⟩ name, nominate [•] ⟨wisk⟩ *benoemde **getallen*** concrete numbers

benoeming [de^{v}] [1] ⟨handeling⟩ appointment, designation, assignment, nomination ◆ *een benoeming **aanvaarden*** accept an appointment; *benoeming **in** een ambt* appointment to a post/an office; ***ter** benoeming voordragen* propose s.o./submit s.o.'s name for appointment; *zijn benoeming **tot** directeur* his appointment as director/to the post of di-

rector; *een benoeming **weigeren*** decline/turn down an appointment [2] ⟨keer, geval⟩ appointment, designation, assignment, nomination [3] ⟨geschrift⟩ letter/notice of appointment ♦ *zijn benoeming **ontvangen*** receive notice of one's appointment/one's letter of appointment
benoemingscommissie [de^v] selection committee
benoorden [vz] (to the) north of, northward of ♦ *benoorden de Moerdijk* north of the big rivers
bent [het, de] [1] ⟨bentgras⟩ → **bentgras** [2] ⟨hennep⟩ tow of hemp
bentgras [het] [1] ⟨Molinia caerulea⟩ bent(-grass), flying bent, moorgrass [2] ⟨Deschampsia, Aira caespitosa⟩ hairgrass
bentheimersteen [het, de^m] ± gritstone
benul [het] ⟨inf⟩ notion, inkling, idea ♦ *hij **heeft** er geen (flauw) benul van* he hasn't (got) the foggiest/slightest/faintest/remotest notion/idea (of it), he hasn't (got) a clue
benummering [de^v] numbering
benutten [ov ww] utilize, make use of, exploit ♦ *een gelegenheid benutten om* avail o.s. of an opportunity to; ⟨sport⟩ *een **kans niet** benutten* fail to score (a goal), fail to net the ball; *zijn **kansen** benutten* make the most of one's opportunities; *een **situatie** benutten* ⟨ook⟩ take advantage of/make the most of a situation; ⟨sport⟩ *een **strafschop** benutten* score from a penalty, ⟨rugby⟩ convert a penalty
B en W [de^mv] (Burgemeester en Wethouders) Mayor and Aldermen
benzedrine [het, de] Benzedrine, amphetamine
benzeen [het] [1] ⟨als brandstof⟩ benzene, benzol(e) [2] ⟨koolwaterstof⟩ benzene, benzol(e)
benzine [de] ⟨BE⟩ petrol, ⟨AE⟩ gas(oline), motor-spirit ♦ ***gewone/normale** benzine* ⟨inf⟩ normal; ⟨BE⟩ two star petrol, ⟨AE⟩ regular (gas); ***super**benzine* ⟨inf⟩ super; ⟨BE⟩ four star petrol, ⟨AE⟩ premium (gas); *benzine **tanken*** fill (a car) up (with petrol/gas); ***zonder** benzine komen te staan* run out of petrol/gas
benzineblik [het] petrol/^A gas can, jerrycan
benzinebom [de] petrol bomb, molotov cocktail
benzinebon [de^m] petrol coupon, ⟨AE⟩ gas(oline) coupon
benzinedamp [de^m] petrol vapour, gas(olene) fumes
benzinedop [de^m] filler cap
benzineleiding [de^v] fuel pipe(s)
benzinemeter [de^m] fuel gauge, ⟨BE ook⟩ petrol gauge
benzinemotor [de^m] ⟨BE⟩ petrol engine/motor, ⟨AE⟩ gasoline engine/motor, internal combustion engine
benzinepomp [de] [1] ⟨toestel⟩ ⟨BE⟩ petrol pump, ⟨AE⟩ gas(oline) pump [2] ⟨benzinestation⟩ ⟨BE⟩ petrol station, ⟨AE⟩ gas(oline) station, filling station, ± service station [3] ⟨brandstofpomp⟩ fuel pump, ⟨BE⟩ petrol pump, ⟨AE⟩ gas(oline) pump
benzinepompbediende [de] service station attendant
benzineprijs [de^m] ⟨BE⟩ petrol price, ⟨AE⟩ price of gas
benzinestation [het] → **benzinepomp**
benzinetank [de^m] ⟨BE⟩ petrol tank, ⟨AE⟩ gas(oline) tank, fuel tank
benzineverbruik [het] petrol/fuel/^A gas consumption
beo [de^m] myna(h), grackle
beoefenaar [de^m] ⟨taal, kunst⟩ student, ⟨geneeskunde, kunst⟩ practitioner ♦ *het **aantal** beoefenaars van deze sport/de tennissport* the number of people playing this game/tennis; *een **enthousiast** beoefenaar van de zeilsport* a keen yachtsman; *de beoefenaars van de **hengelsport/bokssport*** ⟨ook⟩ the angling/boxing fraternity; *een beoefenaar van de **letterkunde*** a man of letters
beoefenen [ov ww] [1] ⟨zich geregeld bezighouden met⟩ practise, pursue, follow, study, ⟨inf⟩ go in for ♦ *een **kunst/ambacht** beoefenen* practise an art/trade; ⟨amb ook⟩ ply a trade; ***sport** beoefenen* go in for sport, be a sportsman; ***wetenschap** beoefenen* study science, be a scientist [2] ⟨in praktijk brengen⟩ cultivate, put into practice ♦ *de **deugd** beoefenen* cultivate virtue
beogen [ov ww] have in mind/view, aim at, intend, ⟨overwegen⟩ contemplate ♦ *het beoogde **doel*** the object in view/intended purpose; *een bepaald **effect** beogen* have a particular effect in mind, intend/aim at a particular effect; *beogen **met*** intend with; *het beoogde **resultaat*** the intended/desired result, the result aimed at/desired/in view
beoordelaar [de^m], **beoordelaarster** [de^v] judge, critic, evaluator, ⟨recensent⟩ reviewer
beoordelaarster [de^v] → **beoordelaar**
beoordelen [ov ww] [1] ⟨een oordeel vellen⟩ judge, assess ♦ *je moet elk geval **apart/op zichzelf** beoordelen* each case must be judged on its (own) merits; *een **boek** beoordelen* judge/criticize a book; *beoordelen **op*** judge on; *een **persoon** beoordelen* judge/assess a person; *iets **positief/negatief** beoordelen* judge sth. positively/negatively; ***proefwerken** beoordelen* mark/grade papers/tests; *hoe beoordeel jij de **situatie**?* how do you view the situation?; *iemand **streng** beoordelen* judge s.o. harshly; *iemand **verkeerd** beoordelen* misjudge s.o.; *een **voorstel** beoordelen* judge/assess/evaluate a proposal; *ik denk dat je dat het beste **zelf** kunt beoordelen* I think you're the best judge of that [2] ⟨zich een oordeel vormen over⟩ judge, assess, evaluate ♦ *dat is **moeilijk** te beoordelen* that's hard to say/difficult to form an opinion of; *dat kun je van hieraf **niet** beoordelen* it's hard to tell from here; *dat kan ik **zelf** wel beoordelen!* I can judge for myself (, thank you very much)!
beoordeling [de^v] judg(e)ment, assessment, evaluation, appraisal, ⟨onderw⟩ mark, ⟨kritiek⟩ review ♦ ***bij** de beoordeling hiervan* in/when deciding this; ***jaarlijkse** beoordeling* annual evaluation; *zijn beoordeling van mijn **situatie*** ⟨ook⟩ his view of my position; ***ter** beoordeling **van*** at/within the discretion of; *iemand iets **ter** beoordeling voorleggen* submit sth. to s.o. for assessment
beoordelingsfout [de] error of judg(e)ment, ⟨van persoon⟩ mistake, misjudg(e)ment
beoordelingsgesprek [het] assessment interview
beoordelingsstaat [de^m] (assessment) report
beoorlogen [ov ww] make war (on/against), ↑ wage war (on/against), ⟨vnl fig⟩ do battle with ♦ ⟨fig⟩ *elkaar **in** geschriften beoorlogen* do battle with/go hammer and tongs at one another in writing
[1]**bepaald** LIDWOORD [bn] [1] ⟨aangewezen⟩ particular, specific ♦ *doe je dat met een bepaald **doel**?* are you doing that for any particular reason/purpose?; *in dit bepaalde **geval*** in this particular/specific case; *heb je een bepaald **iemand** in gedachten?* are you thinking of anyone in particular? [2] ⟨vastgesteld⟩ specific, fixed, set, specified, ⟨willekeurig⟩ given ♦ *een bepaalde **som*** a specific/specified sum; *het bepaalde **uur*** ⟨ook⟩ the appointed hour/time; ***vooraf** bepaald* predetermined [3] ⟨een of ander, sommige⟩ certain, particular ♦ *bepaalde **mensen*** certain people; *een bepaald **probleem*** a particular problem; *om bepaalde **redenen*** for certain reasons [•] ***niets** bepaalds* nothing definite/specific
[2]**bepaald** [bn, bw] ⟨beslist⟩ definite ⟨bw: ~ly⟩ ♦ *het was bepaald **geen succes*** it was anything but a success; *ik **krijg** bepaald de indruk dat ...* I get the distinct impression that ...; *bepaald **lelijk/onbehoorlijk*** downright ugly/rude; *het is bepaald **misdadig*** it is a positive crime; ***niet** bepaald **slim*** not particularly clever; *hij is **niet** bepaald **rijk*** he is not exactly rich; *ze was bepaald **niet** gelukkig* she was far from happy; *het is bepaald **niet** eenvoudig* it is by no means easy; *dat is **niet** bepaald een compliment* that is hardly/not exactly a compliment; *het is bepaald **onjuist*** it is definitely wrong/untrue; *hij was bepaald **vriendelijk*** he was positively friendly
bepaaldelijk [bw] [1] ⟨uitdrukkelijk, stellig⟩ expressly, specifically ♦ *iemand iets bepaaldelijk **voorschrijven/verbieden*** expressly/specifically prescribe/forbid s.o. sth.

[2] ⟨vooral⟩ especially, particularly

bepaaldheid [de^v] [1] ⟨het onderscheiden zijn⟩ definition [2] ⟨juistheid, stelligheid⟩ definiteness, positiveness [•] ⟨taalk⟩ ***lidwoorden** van bepaaldheid* definite articles

bepakken [ov ww] pack, load (up) ♦ *bepakt en **bezakt*** ± with bag and baggage, ± packed up and ready, ± all ready to go

bepakking [de^v] pack, load, burden, ⟨mil⟩ (marching) kit ♦ ⟨mil⟩ *met **volle** bepakking* in full (marching) kit/order

[1]**bepalen** [ov ww] [1] ⟨voorschrijven⟩ prescribe, lay down, determine, set, fix, stipulate ♦ *een **datum** bepalen voor iets* set/fix a date for sth.; *zijn **keus** bepalen* make one's choice; *de prijs werd bepaald **op** € 100* the price was set at 100 euros; *de **rechtbank** heeft bepaald dat ...* the court has decreed/decided/ruled that ...; *een nog nader **te** bepalen som* a sum still to be fixed/determined; ***vooraf/van tevoren** bepalen* determine in advance, predetermine; *de **wet** bepaalt, dat ...* the law prescribes/lays down/says that ... [2] ⟨vaststellen⟩ determine, define, decide, ascertain ♦ *u mag de **dag** zélf bepalen* (you may) name the day; *zijn standpunt **nader** bepalen* (further) define one's position; *een niet **nader** te bepalen hoeveelheid* an undefinable amount; *de schade werd bepaald **op** € 1000* the damage was assessed at/determined to be 1000 euros; *het **tempo** bepalen* set the pace; *dit is bepalend **voor** het tarief* this determines the tariff; *het was bepalend **voor** zijn toekomst* it played a decisive role on his future; *de **waarde** van het huis werd bepaald op* the house was assessed at; *dat bepaal ik **zelf** wel!* I'll decide that myself!, that's for me to decide/my responsibility/up to me! [3] ⟨vastleggen aan⟩ fix (on), ⟨concentreren⟩ concentrate (on) ♦ *om de gedachten **te** bepalen* to give a better idea, to clarify the issue, to take a concrete example [4] ⟨oorzaak zijn van⟩ determine [5] ⟨taalk⟩ qualify, modify [•] ⟨sprw⟩ *wie betaalt, bepaalt* he who pays the piper calls the tune

[2]**zich bepalen** [wk ww] ⟨zich beperken⟩ confine/restrict (o.s. to)

bepalend [bn] ⟨taalk⟩ modifying, qualifying ♦ *het bepalend **lidwoord*** the definite article

bepaling [de^v] [1] ⟨omschrijving⟩ definition ♦ *een **nauwkeurige** bepaling van iets geven* give a detailed definition of sth. [2] ⟨voorschrift⟩ provision, stipulation, regulation ♦ *een bepaling **nakomen/naleven*** comply with a regulation; *een bepaling **opleggen** aan* impose a regulation on; *een **wettelijke** bepaling* a legal provision/stipulation [3] ⟨beding⟩ condition, stipulation, proviso, clause, ⟨m.b.t. contract ook⟩ terms ⟨mv⟩ ♦ ***beperkende** bepalingen* restrictions, provisos; *overeenkomstig de bepalingen van het **contract*** according to the conditions/terms/provisions of the contract; ***onder** bepaling dat* on the condition that; *bepaling **vooraf*** precondition [4] ⟨vaststelling⟩ determination ♦ *bepaling van het soortelijk **gewicht*** determination of the specific gravity [5] ⟨taalk⟩ adjunct, modifier ♦ ***bijvoeglijke/bijwoordelijke** bepaling* attributive/adverbial adjunct; *bepaling van **gesteldheid*** predicative adjunct

bepantseren [ov ww] armour(plate)

bepeinzen [ov ww] ponder/meditate/muse/reflect on, consider, think over

[1]**beperken** [ov ww] [1] ⟨met een grens afsluiten⟩ limit, restrict [2] ⟨zekere maat niet laten overschrijden⟩ restrict (to), limit (to), confine (to), keep (to) ♦ *de **geldhoeveelheid** beperken* restrict/limit the amount of money, set limits to the amount of money; *iemand **in** zijn vrijheid beperken* restrict/limit s.o.'s freedom; *het aantal is beperkt **tot** zes* the number is restricted/limited to six; ***tot** het minimum/zoveel mogelijk beperken* restrict/confine/keep (down)/limit to a minimum; *het onderzoek werd **tot** één provincie beperkt* the investigation/enquiry was confined/restricted/limited to a single province; *de **uitgaven** beperken* keep expenditure down/within bounds/within limits [3] ⟨kleiner maken⟩ reduce, decrease, restrict, cut (down (on)), curtail ♦ *de **consumptie/het verbruik** beperken van* cut (down (on))/restrict/reduce/decrease the consumption/use of; ***tot** het **minimum** beperken* cut (down)/reduce to a minimum, minimize; *de **uitgaven** beperken* reduce/cut down expenditure

[2]**zich beperken** [wk ww] ⟨zich houden bij⟩ limit/restrict/confine (o.s. to) ♦ *ik beperk me **tot** de situatie in ons land* I am confining/limiting/restricting myself to the situation in our own/this country

beperkend [bn] restrictive, limiting ♦ *zonder beperkende **bepalingen/voorwaarden*** without restrictions/provisos; ⟨inf⟩ with no strings attached; *beperkende **maatregelen*** restrictive measures; ⟨inf⟩ clampdown

beperking [de^v] [1] ⟨het binnen bepaalde grenzen houden⟩ limitation, restriction, confinement, restraint, constraint ♦ *beperking van de **geboorten*** birth control; *zich beperkingen **opleggen*** impose restrictions/restraints on o.s., exercise restraint [2] ⟨maat, grens⟩ limit(ation) ♦ *zijn beperkingen **kennen*** know one's limitations; *beperkingen **opleggen** aan* impose limits/limitations on [3] ⟨inkrimping⟩ reduction, curtailment, cut(ting down), cutback ♦ *een beperking van de **uitgaven*** a reduction of/a cut in expenditure, a cut [4] ⟨het begrenzen⟩ demarcation, delimitation [•] ⟨jur⟩ ***in** beperking(en) zitten* be subject to restrictions

beperkt [bn, bw] [1] ⟨geen volle vrijheid hebbend⟩ limited, restricted, confined [2] ⟨verminderd⟩ limited, restricted, reduced, confined ♦ *beperkte **bewegingsvrijheid*** restricted/limited freedom of movement; *beperkt **houdbaar*** perishable; *dat artikel is beperkt **leverbaar*** that article is in short supply; *een beperkte **ruimte*** a confined space [3] ⟨niet ver reikend⟩ limited, restricted, confined ♦ *beperkte **aansprakelijkheid*** limited liability; *beperkt **blijven** tot* be limited/confined/restricted to; *een beperkte **blik** hebben op iets* have a narrow view of sth.; *een beperkte **keuze*** a limited/restricted choice; ***verstandelijk** beperkt* intellectually/mentally challenged

beplakken [ov ww] cover/plaster with, ⟨met posters ook⟩ placard (with), ⟨met behang⟩ (wall-)paper (over), ⟨clandestien⟩ flypost

beplanten [ov ww] plant, ⟨zaaien⟩ sow ♦ ***met** bomen beplanten* plant with trees; ⟨bebossen⟩ afforest; *land **met** tarwe beplant* land sown with/under wheat; *een tuin **met** aardappelen beplanten* plant a garden with potatoes

beplanting [de^v] [1] ⟨handeling⟩ planting [2] ⟨gewassen⟩ planting, plants, crop(s), ⟨vnl. m.b.t. bomen/thee/koffie/suikerriet enz.⟩ plantation, ⟨bebossing⟩ afforestation

bepleisteren [ov ww] plaster (over), ⟨berapen⟩ render, ⟨ruw bepleisteren⟩ roughcast, ⟨witten⟩ stucco

bepleiten [ov ww] argue, plead, advocate, champion, urge ♦ *de **noodzakelijkheid** bepleiten van* urge/argue/advocate the necessity of; *iemands **zaak** bepleiten (bij iemand)* argue/plead/urge s.o.'s case (with s.o.)

beploegen [ov ww] plough

bepoederen [ov ww] powder, dust

bepotelen [ov ww] ⟨in België⟩ grope, paw, finger, meddle with

beppen [onov ww] babble

bepraten [ov ww] [1] ⟨bespreken⟩ talk over/about, discuss ♦ *wij zullen die **zaak** nader bepraten* we will talk the matter over further/discuss the matter further [2] ⟨ompraten⟩ talk round/into, persuade, ↑ prevail upon ♦ ***iemand** bepraten (om) iets te doen* talk s.o. into doing sth., persuade s.o. to do sth.; ***iemand** bepraten (om) iets niet te **doen*** talk s.o. out of doing sth., persuade s.o. not to do sth.; *zich **laten** bepraten* let o.s. be talked round/into it/persuaded; *het **voorval** werd door iedereen in de stad bepraat* the event was the talk of the town

beproefd [bn] (tried and) tested, (well-)tried, approved, proven, trusty ♦ *een beproefde **methode*** a tried and tested/well-tried/approved method; *een man van beproefde **trouw*** a man of proven loyalty

beproeven [ov ww] [1] ⟨op de proef stellen⟩ (put to the) test, try ◆ *zijn **geluk** beproeven* try one's luck, put one's luck to the test; *zijn **krachten** beproeven* try/test one's strength, put one's strength to the test; *iemands **trouw** beproeven* put s.o.'s loyalty to the test, test s.o.'s loyalty; ***zwaar** beproefd worden* be sorely tried [2] ⟨aanwenden⟩ try ◆ *verschillende **middelen** beproeven* try various methods; *al het **mogelijke** beproeven* try everything possible [3] ⟨testen⟩ test ◆ ***materiaal/apparatuur** beproeven* test material/apparatus [4] ⟨trachten⟩ attempt, endeavour
beproeving [de^{v}] [1] ⟨het op de proef stellen, gesteld worden⟩ testing [2] ⟨ongeluk⟩ ordeal, trial, affliction, tribulation ◆ ***zware** beproevingen* terrible ordeals
beraad [het] consideration, deliberation, ⟨beraadslaging⟩ consultation ⟨vaak mv⟩ ◆ *enige **dagen** beraad krijgen/vragen* get/ask for a few days to consider; ***in** beraad houden* keep under consideration, consider; *iets **in** beraad nemen* consider sth., take sth. into consideration; *de zaak is nog **in** beraad* the matter is still under consideration; ***onderling** beraad houden* consult one another; ⟨jur⟩ *het **recht** van beraad* the right to accept or to forgo a succession; *na **rijp** beraad* after careful/serious consideration, after serious thought
beraadslagen [onov ww] deliberate (upon), consider, discuss, confer ◆ *met iemand **over** iets beraadslagen* consult/confer with s.o. about sth.; ***over** die zaak wordt nog beraadslaagd* the matter is still under discussion/consideration
beraadslaging [de^{v}] deliberation, consideration, discussion, consultation
^{1}**beraden** [bn] sensible, well-considered, well-advised, ⟨vastbesloten⟩ resolute
^{2}**zich beraden** [wk ww] consider, think over ◆ *zich **nader** beraden* consider further; *zich beraden **op*** consider, think over; *zich beraden **over*** deliberate about/over/upon, consider
beradenheid [de^{v}] [1] ⟨bezonnenheid⟩ level-headedness, steadiness [2] ⟨besluitvaardigheid⟩ resolution, resoluteness
beramen [ov ww] [1] ⟨ontwerpen⟩ devise, plan, contrive, design ◆ *een **aanslag** beramen* plot an attack; *een **plan** beramen* devise a plan [2] ⟨begroten⟩ estimate, calculate ◆ *de **kosten** van iets beramen* estimate/calculate the cost of sth.
beraming [de^{v}] [1] ⟨het ontwerpen, ontwerp⟩ devising, planning, design [2] ⟨begroting⟩ estimate, calculation, ⟨budgettaire raming⟩ budget
berapen [ov ww] render, roughcast
berber [de^{m}] ⟨kleed⟩ berber
Berber [de^{m}] ⟨persoon⟩ Berber
berberideeën [de^{mv}] Berberidaceae
berberine [het, de] berberine
berberis [de] [1] ⟨plantengeslacht⟩ barberry, berberry [2] ⟨gewone berberis⟩ (common) barberry/berberry
berberisachtigen [de^{mv}] Berberidaceae
Berbers [het] Berber
berbertapijt [het] berber carpet
berceau [de^{m}] [1] ⟨wandelpad⟩ pergola, covered walk [2] ⟨prieel⟩ arbour, bower
berceuse [de^{v}] [1] ⟨wiegeliedje⟩ berceuse, ↓cradlesong, ↓lullaby [2] ⟨schommelstoel⟩ rocking-chair, ↓rocker
berde [het] [•] *iets **te** berde brengen* bring up/raise/mention a matter, broach a subject; *bezwaren **te** berde brengen* put forward/raise/come up with objections
berechten [ov ww] [1] ⟨rechtspreken⟩ try, ⟨voor krijgsraad⟩ court-martial, ⟨vnl. in civiele zaken⟩ adjudge, adjudicate [2] ⟨in België; laatste sacramenten toedienen⟩ anoint, administer the last sacraments/rites to, give the last sacraments/rites to, administer extreme unction to
berechting [de^{v}] [1] ⟨het rechtspreken⟩ trial, ⟨krijgsraad⟩ court-martial, ⟨uitspraak⟩ judgement, adjudication [2] ⟨in België; toediening van de laatste sacramenten⟩ anointing, administration of the last sacraments/rites

beredderen [ov ww] arrange, manage, see to, straighten out, put/set straight, put in order ◆ *een **boedel** beredderen* administer/settle an estate; *thuis de **boel** beredderen* manage the household; *hij **weet** alles te beredderen* he's always able to fix things (up)/put things straight
^{1}**bereddering** [bn] ⟨steeds beredderend⟩ fussy, governessy
^{2}**bereddering** [bw] ⟨met veel beroddering⟩ fussily, with a lot of fuss/trouble/to-do
beroddering [de^{v}] [1] ⟨het beredderen⟩ fixing/tidying up, straightening out, putting/setting straight, putting in order [2] ⟨drukte⟩ fuss, trouble, bother, ⟨inf⟩ to-do
bereden [bn] mounted ◆ *de bereden **politie*** the mounted police
beredeneerd [bn, bw] [1] ⟨met redenen omkleed, toegelicht⟩ ⟨mening, conclusie⟩ (well-)reasoned, ⟨verslag, catalogus⟩ annotated ◆ *een beredeneerd **antwoord** geven* give an answer with reasons/a (well-)reasoned answer [2] ⟨zich door redenering latend leiden⟩ rational, clear-thinking ◆ *een beredeneerd **mens*** a person of sound judgement, a clear-thinking person
beredeneren [ov ww] argue, reason (out)
beregelen [ov ww] regulate ◆ *de spelling van het Nederlands wordt beregeld door de Nederlandse Taalunie* Dutch spelling is regulated by the Dutch Language Union
beregenen [ov ww] ⟨landb⟩ sprinkle, ⟨uit vliegtuig⟩ spray
beregoed [bn, bw] brill(iant), terrific, great, fantastic, super
beregroot [bn, bw] enormous, huge, monstrous
bereid [bn] [1] ⟨geen bezwaren hebbend⟩ prepared, ready, willing ◆ *zich tot iets bereid **verklaren*** express one's willingness to do sth., declare o.s. prepared/ready/willing to do sth. [2] ⟨genegen te doen⟩ ready, willing, inclined, disposed ◆ *ik ben **gaarne** bereid u te helpen* I shall be glad/pleased/happy to help you; *bereid zijn **om** te helpen* be willing to help; ***tot** alles bereid zijn* be prepared to do anything; ⟨inf⟩ be game for anything; ***tot** wederdienst bereid* ready to reciprocate [3] ⟨gereedgemaakt⟩ ready, ready-made
bereiden [ov ww] [1] ⟨klaarmaken⟩ prepare, get ready, ⟨m.b.t. eten ook⟩ cook, ⟨maken⟩ make ⟨ook m.b.t. jam, boter⟩, ⟨vnl AE; inf⟩ fix ◆ *een **maaltijd** bereiden* prepare a meal, get a meal ready; ⟨vnl AE; inf⟩ fix a meal; ***mortel** bereiden* mix mortar; ⟨vaak iron; fig⟩ *iemand een hartelijke/warme **ontvangst** bereiden* give s.o. a warm welcome; *een **recept/geneesmiddel** bereiden* make up a prescription; ***thee** bereiden* ⟨drogen⟩ cure tea; ⟨zetten⟩ brew/make tea; ⟨fig⟩ *voor iemand/iets de **weg** bereiden* pave/prepare the way for/set the stage for s.o./sth. [2] ⟨voor iets geschikt maken⟩ prepare ◆ ***leer** bereiden* dress/curry leather
bereidheid [de^{v}] readiness, preparedness, willingness
bereiding [de^{v}] [1] ⟨het bereiden⟩ preparation, making, ⟨vervaardigen⟩ manufacture, ⟨productie⟩ production [2] ⟨gerecht⟩ method of preparation ◆ *twee bereidingen **van** langoustines en asperges* two ways of cooking langoustines and asparagus
bereidingswijze [de] method of preparation, ⟨vervaardiging⟩ process/method of manufacture, manufacturing process, procedure
bereidverklaring [de^{v}] declaration of willingness (to)
bereidwillig [bn, bw] obliging ⟨bw: ~ly⟩, willing ⟨bw: ~ly⟩, ⟨hulpvaardig ook⟩ helpful ◆ *bereidwillig iets **doen*** do sth. willingly; *bereidwillige **hulp*** ready help
bereidwilligheid [de^{v}] willingness, obligingness, ⟨hulpvaardigheid ook⟩ helpfulness
bereik [het] [1] ⟨gebied dat bestreken kan worden⟩ reach, range ◆ ***binnen** het bereik komen van* come within reach of; ***binnen** het bereik van de stem* within earshot/call; *het mes lag **binnen** zijn bereik* the knife lay within his reach/grasp; *die snelheid ligt niet **binnen** het bereik van mijn auto* that speed is beyond my car; *hij was vlug **buiten** bereik* he was quickly

out of range; *buiten het bereik van het geschut* out of range of the artillery; *buiten het bereik van de strafwet* beyond the reach of the law; *buiten (het) bereik van kinderen houden/bewaren* keep away from children; ⟨fig⟩ *dit blijft buiten het bereik van de meeste mensen* ⟨te duur⟩ that is beyond the reach/means of most people, ⟨inf⟩ that is beyond the pocket of most people; ⟨te moeilijk⟩ that is beyond most people/above the heads of most people; *zijn uiteenzetting lag buiten het bereik van de leek* his exposition was beyond the grasp of the layman; *geschut met kort bereik* short-range artillery [2] ⟨meet-, frequentiegebied⟩ range [3] ⟨telefonie⟩ signal reception ◆ *ik heb geen bereik* I haven't got a signal, I'm not getting a signal

bereikbaar [bn] accessible, attainable, within reach, ⟨inf⟩ reachable ◆ *waar bent u bereikbaar?* where can you be reached/contacted?; *het hotel is gemakkelijk bereikbaar vanaf het station* the hotel is within easy reach of the station; *een moeilijk bereikbare plaats* a place which is difficult to reach/to get to; *is/bent u telefonisch bereikbaar?* can you be reached by phone?; ⟨op het net aangesloten⟩ are you on the phone?

bereikbaarheid [de^v] accessibility, ⟨van een doel⟩ attainability, ⟨inf⟩ reachability ◆ *de telefonische bereikbaarheid sterk verbeteren* considerably improve contactability; *de bereikbaarheid van de bedrijven in de binnenstad vergroten* improve access to/accessibility of companies in the city centre

bereiken [ov ww] [1] ⟨aankomen in⟩ reach, arrive in/at, get to, make, ↑ gain ◆ *een bestemming bereiken* reach a destination; *het dorp is gemakkelijk te bereiken met de trein* the village is easy to reach/is easily accessible by train; *mijn huis is makkelijk te bereiken vanaf het station* my house is within easy reach of the station [2] ⟨komen tot⟩ reach, achieve, attain, gain ◆ *hij kon bereiken dat de vergadering uitgesteld werd* he was able to get the meeting postponed, he succeeded in getting/having the meeting postponed; *een dieptepunt bereiken* hit/reach (rock) bottom; be at a low ebb; *zijn doel bereiken* attain/achieve one's object/goal; *iets bereiken in het leven* achieve sth. in life, do sth. with/make sth. of one's life; *de brief bereikt hem misschien niet* the letter may not reach/find him/isn't sure to find him; *zo bereik je niets!* that will get you nowhere/won't get you anywhere; *een hoog niveau bereiken* achieve/reach a high level; *goede resultaten bereiken* achieve/gain/get good results; *met geld kan men veel bereiken* money talks [3] ⟨contact krijgen met⟩ reach, contact, ⟨verbinding krijgen⟩ get through ◆ *hij is gemakkelijk te bereiken* he is easy to reach; *iemand niet kunnen bereiken* be unable to reach/contact s.o.; *hij is niet te bereiken* he can't be reached, he is unobtainable; *dit nummer is niet te bereiken* this number is unobtainable; *iemand telefonisch bereiken* reach/get s.o. on the phone; *telefonisch te bereiken zijn* be obtainable/reachable by telephone; ⟨zelf telefoon hebben⟩ be on the (tele)phone [4] ⟨m.b.t. een leeftijd⟩ reach, live to, attain ◆ *een hoge ouderdom bereiken* live to/reach a great age

bereisbaar [bn] fit to be travelled across/in, able to be travelled across/in

bereisd [bn] much-travelled, widely-travelled ◆ *een druk bereisde streek* a much-frequented/much-visited area; *een bereisd man* much-travelled/widely-travelled man, ⟨AE⟩ much-traveled/widely-traveled man; ⟨inf⟩ a globetrotter

bereizen [ov ww] travel (across/through), tour, visit, ⟨m.b.t. zee ook⟩ navigate ◆ *de kermissen bereizen* ⟨als beroep⟩ do the fairs; *klanten bereizen* visit/call on customers; *een land bereizen* travel (across/through)/tour a country

berekenbaar [bn] calculable, computable, estimable

berekend [bn] [1] ⟨geschikt voor⟩ ⟨m.b.t. dingen⟩ meant/designed for, geared to, ⟨vnl. m.b.t. mensen⟩ equal/suited to, ⟨inf⟩ up to ◆ *op effect berekend* designed/intended for effect; *zijn optreden was op succes berekend* his performance was calculated to be a success; *de zaal was op zo'n grote toeloop niet berekend* the hall was not meant to/designed to/built to hold so many people; *hij is (niet) berekend voor zijn taak* he is (not) equal to/up to his job [2] ⟨niet spontaan⟩ ⟨m.b.t. mensen⟩ calculating, designing, scheming, ⟨m.b.t. zaken⟩ calculated

berekenen [ov ww] [1] ⟨door rekenen vaststellen⟩ calculate, compute, determine, work/figure out, ⟨optellen⟩ add/reckon up ◆ *berekenen over* ⟨bijvoorbeeld van rente⟩ calculate on [2] ⟨in rekening brengen⟩ charge ◆ *voor verpakking wordt niets berekend* no charge is made for packing; *iemand de volle prijs berekenen* charge s.o. the full price; *het te veel/weinig berekende* the overcharge/undercharge; *iemand te veel/weinig berekenen* overcharge/undercharge s.o., charge s.o. too much/little [3] ⟨uit gegevens afleiden⟩ work out, calculate, estimate, ↓ figure out ◆ *zijn kansen berekenen* work out/estimate one's chances [4] ⟨voor- en nadeel afwegen van⟩ calculate ◆ *altijd alles berekenen* always be (cool and) calculating, always weigh the pros and cons of everything

berekenend [bn] calculating, scheming, designing ◆ *een berekenende egoïst* a calculating egoist

berekening [de^v] [1] ⟨becijfering⟩ calculation, computation ◆ *een berekening maken* make a calculation; *naar/volgens een ruwe berekening* at a rough estimate; *iemands berekening in de war sturen* throw out/upset s.o.'s calculations [2] ⟨cijfers⟩ calculation, ↓ sum [3] ⟨conclusie van overweging⟩ calculation, estimate, assessment ◆ *naar mijn berekening* according to my calculations/estimate/assessment; *volgens berekening* according to estimates/calculations [4] ⟨overweging van voor- en nadeel⟩ calculation, evaluation, assessment ◆ *een huwelijk uit berekening* a marriage of convenience; *hij handelt alleen uit berekening* he is always so (cool and) calculating

^{1}**beren** [onov ww] [1] ⟨schreeuwen⟩ ⟨alg⟩ roar, ⟨olifant⟩ trumpet [2] ⟨(ver)kopen van goederen op krediet⟩ ⟨verkopen⟩ sell on ^{B}tick/^{A}time, ⟨kopen⟩ buy on ^{B}tick/^{A}time [3] ⟨vulg; schijten⟩ (take a) shit/crap

^{2}**beren** [ov ww] ⟨met beer bemesten⟩ manure (with human excrement)

berenbeurs [de] bear market

berendruif [de] bearberry, crowberry, dogberry ◆ *Californische berendruif* manzanita

berengal [de] bear gall

berenjong [het] bear cub

berenklauw [de^m] ⟨plantk⟩ [1] ⟨plantengeslacht⟩ hogweed, cow parsnip, alexanders [2] ⟨sierplant⟩ acanthus, bears-breech, brankursine

berenkuil [de^m] bear-pit

berenlul [de^m] ⟨scherts; inf⟩ [1] ⟨frikadel⟩ ⟨ogm⟩ mincedmeat hot dog [2] ⟨dekenrol⟩ ⟨ogm⟩ bedroll

berenmarkt [de] bear market

berenmuts [de] bearskin cap/hat, ⟨mil; kolbak⟩ bearskin, ⟨vnl. van Britse garderegimenten⟩ busby

beresterk [bn, bw] (as) strong as a lion, (as) strong as an ox

^{1}**berg** [de^m] [1] ⟨verheffing van de aardoppervlakte⟩ mountain, ⟨heuvel⟩ hill, ⟨hoge berg ook⟩ peak, ⟨vnl. Noord-Engeland ook⟩ fell ◆ *ik zie er als een berg tegenop* I'm not looking forward to it one little bit; *bergen en dalen* mountains and valleys, hills and dales; ⟨fig⟩ *iemand gouden bergen beloven* promise s.o. the earth/moon; *de berg heeft een muis gebaard* ⟨form⟩ the mountain has brought forth a mouse; ↓ it was much ado about nothing, it turned out to be a damp squib; *berg op, berg af* up hill and down dale; *boven op een berg* on top of a mountain/hill; ⟨fig⟩ *over berg en dal* over hill and dale, from all over (the country), (from) far and near; ⟨fig⟩ *bergen verzetten* move mountains; *de bergen* the mountains/hills/highlands/hill-country [2] ⟨grote hoeveelheid⟩ mound, pile, load, heap, ⟨scherts⟩ mountain

♦ *bergen* ***geld*** piles/stacks/loads/heaps of money; *een berg* ***papieren*** a pile/heap/mountain of papers; *een berg* ***werk*** a mountain of work, piles/loads of work [3] ⟨open schuur⟩ Dutch barn [4] ⟨mannelijk zwijn⟩ boar [•] ⟨sprw⟩ *als de berg niet tot Mohammed komt, zal Mohammed tot de berg komen* if the mountain will not come to Mahomet, Mahomet must go to the mountain

²**berg** [het, de^m] ⟨uitslag op het hoofd⟩ ⟨bij pasgeborenen⟩ cradle cap, ⟨dauwworm⟩ ringworm

bergachtig [bn] mountainous, hilly

bergaf [bw] downhill

bergafwaarts [bw] [1] ⟨naar beneden⟩ downhill [2] ⟨fig⟩ downhill ♦ *de koersen* ***gaan*** *bergafwaarts* rates are going down/showing a downward trend/dropping; *het* ***gaat*** *bergafwaarts met hem* he's going downhill, he's on the downgrade, ⟨inf⟩ he's on the skids/the slide/down the drain

bergahorn [de^m] maple

bergamot [de] bergamot (pear/orange)

bergamotolie [de] bergamot (oil), oil/essence of bergamot

bergbeek [de] mountain stream

bergbeklimmen [ww] mountaineering, (rock-)climbing, alpinism ♦ ***doet*** *hij aan bergbeklimmen?* does he climb/mountaineer, is he an alpinist/mountaineer?

bergbeklimmer [de^m], **bergbeklimster** [de^v] mountaineer, (mountain-)climber, ⟨ook⟩ alpinist ⟨in de Alpen, Himalaya enz.⟩, rock-climber ⟨specialist in het beklimmen van korte moeilijke routes⟩

bergbeklimster [de^v] → **bergbeklimmer**

bergblauw [het] [1] ⟨verf⟩ mountain blue, azurite blue, bice (blue) [2] ⟨kleur⟩ ultramarine (blue)

bergdorp [het] mountain village

bergeend [de] shel(d)duck ⟨ook gebruikt voor wijfje⟩, ⟨woerd ook⟩ sheldrake

¹**bergen** [ov ww] [1] ⟨opbergen⟩ store, put away, ⟨vnl scheepv⟩ stow (away) ♦ *mappen* ***in*** *een la bergen* put files away in a drawer; ⟨scheepv⟩ *de* ***vlag*** *bergen* strike the flag [2] ⟨scheepv⟩ salvage, salve ♦ *de beschadigde* ***tanker*** *is nog te bergen/kan nog geborgen worden* the damaged tanker can still be salvaged/is still salvable [3] ⟨opnemen⟩ hold, contain, take, accommodate ♦ *dat schip kan veel* ***lading*** *bergen* that ship can take/hold a lot of cargo [4] ⟨in veiligheid brengen⟩ rescue, save, ⟨personen en dieren⟩ shelter, ⟨wrakstukken, ruimtevaartuig⟩ recover ♦ ⟨fig⟩ *hij* ***is*** *geborgen* his future is assured; ⟨financieel binnen⟩ he is a made man/made (for life); ⟨voor hem is gezorgd⟩ he is provided for

²**zich bergen** [wk ww] ⟨maken dat men wegkomt⟩ get out of the way, take cover ♦ *berg je* ***maar!*** get out of harm's/the way!, watch out (for yourself)!

bergengte [de^v] defile, narrow pass, gorge

berger [de^m] salvager, ⟨als beroep⟩ salvage worker, ⟨vnl jur⟩ salvor

bergère [de] bergère

bergetappe [de] ⟨sport⟩ mountainous stage

bergflank [de] mountainside, mountain slope

bergformatie [de^v] [1] ⟨bergvorming⟩ mountain formation, formation of mountains [2] ⟨gebergte⟩ mountain range, range of mountains

berggeit [de] ⟨gems⟩ chamois, mountain goat ⟨Oreamnos americanus⟩

berggeld [het] salvage (money/charges)

berghelling [de^v] mountain slope, mountainside, versant

berghok [het] ⟨voor kolen⟩ coalshed, coalhole, ⟨schuur(tje)⟩ shed, ⟨opslagkamer in huis⟩ storeroom, ⟨BE ook⟩ box/lumber room

berghut [de] mountain/climbers' hut, mountain refuge, refuge hut, ⟨in Alpen ook⟩ Alpine hut, chalet, ⟨Groot-Brittannië ook⟩ (mountain) bothy

berging [de^v] [1] ⟨scheepv; het in veiligheid brengen⟩ salvage, recovery [2] ⟨bergruimte⟩ storeroom, ⟨schuur(tje), loods⟩ shed, ⟨voor gereedschap⟩ tool-shed, ⟨in huis ook; BE⟩ box/lumber room

bergingsmaatschappij [de^v] salvage company

bergingsoperatie [de^v] salvage operation

bergingsschip [het] salvage vessel/ship, wrecker, salvor

bergingswerken [de^mv] salvage work/operations

bergkam [de^m] (mountain) ridge, ⟨zeer scherp⟩ arête, knife-edge

bergkap [de] Dutch barn

bergkast [de] storage/^B store cupboard, dresser, ⟨AE⟩ (storage) closet

bergketen [de] chain/range of mountains, mountain chain/range

bergklassement [het] ⟨sport⟩ mountain classification

bergklimaat [het] mountain climate

bergkristal [het] rock-crystal, rhinestone

bergland [het] mountain(ous) country, highlands, hill-country

berglandschap [het] mountain scenery, mountain/mountainous landscape

bergloon [het] salvage (money/charges)

berglucht [de] mountain air

bergmassief [het] (mountain) massif

bergmeubel [het] storage cabinet

bergmispel [de] juneberry, serviceberry

bergop [bw] uphill

bergopwaarts [bw] [1] ⟨de berg op⟩ uphill [2] ⟨steeds beter⟩ better and better

bergpad [het] mountain path

bergpas [de^m] (mountain) pass, ⟨col⟩ col

bergpek [het] ⟨bitumen⟩ bitumen, ⟨asfalt⟩ asphalt

bergplaats [de] storage (space), ⟨in huis⟩ storeroom, ⟨schuur(tje), loods⟩ shed, ⟨pakhuis⟩ warehouse, storehouse, repository, depository ♦ *een* ***geheime*** *bergplaats in een schrijfbureau* a secret compartment/hiding place in a writingdesk

Bergrede [de] ⟨Bijb⟩ Sermon on the Mount

bergrit [de^m] ⟨sport⟩ mountainous stage

bergrug [de^m] (mountain) ridge, ⟨zeer scherp⟩ arête, knife-edge

bergruimte [de^v] storage (space/room), ⟨capaciteit⟩ storage capacity

bergschoen [de^m] mountaineering/climbing boot

bergski [de^m] upper ski

bergsport [de] mountaineering, (mountain) climbing, ⟨in de Alpen/Himalaya enz. ook⟩ alpinism, ⟨het beklimmen van korte moeilijke routes⟩ rock-climbing

bergstok [de^m] alpenstock

bergstroom [de^m] mountain torrent, ⟨bergrivier⟩ mountain stream

bergteer [het, de^m] mineral tar

bergtijdrit [de^m] ⟨sport⟩ mountain time trial, uphill time trial

bergtocht [de^m] mountain excursion/trip

bergtop [de^m] summit, mountaintop, ⟨spits⟩ peak, pinnacle

bergwand [de^m] mountainside, face of a mountain, ⟨verticaal⟩ mountain wall

bergweide [de] mountain meadow

bergziekte [de^v] altitude sickness, mountain sickness

bergzout [het] rock salt, halite

beriberi [de] beriberi

bericht [het] message, notice, communication, ⟨m.b.t. nieuwsberichten⟩ report, news ♦ *bericht* ***aan*** *de* ***lezer*** notice to the reader; *bericht van* ***aankomst*** *krijgen* receive notice/word of arrival; *bericht* ***achterlaten*** *dat* leave word/a message that; *een bericht van het ANP* a message from ANP;

binnenlandse/buitenlandse berichten domestic/foreign news (reports); ⟨Groot-Brittannië ook⟩ home/overseas news; ⟨USA ook⟩ US/world news; ***gemengde** berichten* short news (items); *bericht **geven** van* give notice of, notify (s.o.) of; ***heb** je nog weleens bericht van haar **gehad**?* have you had any news/word from her?; *hij **heeft** geen bericht **gehad/gekregen*** he has had/received no word/news/information; *ik **hoor** daar alleen maar goede berichten over* I hear only good things/news about it, I get nothing but good reports about it; *het was slechts een **kort** berichtje* it was only a brief message/note; *bericht **krijgen** dat/van* receive word/information that/about; *je **krijgt** bericht van me zodra ik wat meer weet* you will receive word from me as soon as I know more; *uit Parijs **kwam** het bericht dat* from Paris it is reported that; *eindelijk **kwam** er bericht van haar* at last there was some news from her; *volgens de **laatste** berichten* according to the latest reports; *het bericht **luidde** dat* the message said that; *een bericht uit Parijs **meldt** dat* a report from Paris states that, according to a report from Paris; *tot **nader** bericht* until further notice; ***nagekomen** berichten* ⟨kranten⟩ stop press (news); ⟨televisie⟩ reports just in; *bericht **ontvangen** (over)* receive word (about); *bericht van **ontvangst** sturen* send (an) acknowledgement of receipt; *een bericht **ophangen*** put/pin up a notice; *toen het bericht van zijn **overlijden** arriveerde* when the news of his death arrived/came; ***schriftelijk/telefonisch** bericht* written/telephone message/communication; *er **stond** maar een kort berichtje/berichtje van vijf regels in de krant over die zaak* there was just a brief item/a paragraph of a mere five lines about the matter in the (news)paper; *iemand bericht **sturen** (dat men verhinderd is)* send (s.o.) word (that one is unable to come/attend); *u krijgt **telefonisch/schriftelijk** bericht* you will be informed by telephone, you will receive written notice/notification; *bericht van **verhindering*** apology for absence; *zonder **voorafgaand** bericht* without prior notice; *het bericht deed de ronde dat* the news got/went (a)round that

berichten [ov ww] report, send word, inform, advise, let know ◆ *wij berichten u hierbij **dat*** we hereby notify/inform you that; *iemand **iets** berichten* inform/advise s.o. of sth.; *berichten **over** de stand van zaken* report on the current situation; *het **persbureau** bericht dat* the news agency reports that; ***uit** Londen wordt bericht dat* it is reported from London that, a message/report from London states that; *berichten **wanneer** men aankomt* send word of when one is/will be arriving

berichtenverkeer [het] ⟨comp⟩ messaging

berichtgeefster [de^v] → **berichtgever**

berichtgever [de^m], **berichtgeefster** [de^v] correspondent, reporter, source

berichtgeving [de^v] reporting, (news) coverage, report(s) ◆ *de berichtgeving **uit/over** Zuid-Afrika is zeer gebrekkig* the (news) coverage/reports from/of South Africa is quite poor

berig [bn] on/^Ain heat

berijdbaar [bn] 1 ⟨m.b.t. wegen⟩ passable ◆ ***goed** berijdbaar zijn* be in good condition 2 ⟨m.b.t. voertuigen, rijdieren⟩ rid(e)able

berijden [ov ww] 1 ⟨rijden op⟩ ⟨paard e.d.⟩ ride ◆ *Hazelaar, bereden **door** Roos, won de race* Hazelaar, ridden/mounted by Roos/with Roos up, won the race; *deze pony laat zich **makkelijk** berijden* this pony is easy to ride; *een goed bereden **paard*** a well-broken-in horse 2 ⟨rijden over⟩ ride (on), drive (on) ◆ *een **druk** bereden weg* a much used/a busy road; *een **weg** berijden* ride/drive on a road

berijder [de^m] ⟨paard, (motor)fiets⟩ rider, ⟨paard⟩ horseman

berijmen [ov ww] rhyme ◆ *de berijmde **psalmen*** the rhymed version of the psalms

berijpt [bn] 1 ⟨met rijp bedekt⟩ rimed, frosted, covered with (hoar-)frost, covered with rime 2 ⟨met een fijn waas bedekt⟩ pruinose 3 ⟨m.b.t. bladeren⟩ pruinose

[1]**beril** [de^m] ⟨steen⟩ beryl

[2]**beril** [het] ⟨(edel)gesteente⟩ beryl

berimbau [de^m] berimbau

berin [de^v] she-bear, female bear

beringen [ov ww] 1 ⟨met een ringdijk omgeven⟩ ring/encircle/enclose with a dike 2 ⟨met een beringing afsluiten⟩ close off with a dike

Beringstraat [de] Bering Strait

Beringzee [de] Bering Sea

berispen [ov ww] 1 ⟨ongenoegen, afkeuring te kennen geven⟩ reprimand, reprove, rebuke, chide, admonish ◆ ***iemand** berispen omdat hij te laat komt* reprimand/chide s.o. for being/coming late; *iemand **streng** berispen om iets* severely reprimand s.o. for sth.; *op berispende **toon*** in a reproving/an admonishing tone (of voice) 2 ⟨m.b.t. een autoriteit⟩ reprimand, censure ◆ ***officieel** berispen* reprimand/censure (officially); *hij is door het Medisch **Tuchtcollege** berispt* ± he was censured by the ^BBritish Medical Association/^AAmerican Medical Association

berisping [de^v] 1 ⟨uiting van ongenoegen, afkeuring⟩ reprimand, reproof, rebuke, reproach, admonition ◆ *(iemand) een berisping **geven*** admonish (s.o.); ⟨inf⟩ give (s.o.) a talking-to; *een berisping **krijgen*** be reprimanded; ⟨inf⟩ receive a talking-to; *een **milde/strenge** berisping* a mild/sharp reprimand/rebuke; *iemand een berisping **toevoegen*** reprimand/admonish s.o. 2 ⟨m.b.t. een autoriteit⟩ reprimand, censure ◆ *een **officiële** berisping krijgen* receive an official reprimand

berk [de^m] birch

berkelium [het] berkelium

berken [bn] birch, birchen

berkenbladwesp [de] birch sawfly

berkenboleet [de^m] rough boletus

berkenboom [de^m] birch (tree)

berkhoen [het] ⟨man & vrouw⟩ black grouse, ⟨man⟩ black cock, ⟨vrouw⟩ grey hen

berkoen [de^m] shore, prop, stanchion

Berlijn [het] Berlin

Berlijner [de^m], **Berlijnse** [de^v] ⟨man & vrouw⟩ Berliner, ⟨vrouw ook⟩ woman/girl of Berlin

Berlijns [bn] Berlin ◆ ⟨gesch⟩ *Berlijnse Muur* Berlin wall ⊡ *Berlijns **blauw*** Prussian blue, iron/Berlin blue; *Berlijns **bruin*** Prussian brown; *Berlijns **groen*** Prussian green; *Berlijns **rood*** ⟨Engels rood⟩ Prussian red, English red colcothar; ⟨gebrande oker⟩ burnt ochre; *Berlijns **zilver*** nickel silver, German silver

Berlijnse [de^v] → **Berlijner**

berliner [de] type of luncheon meat

berlinerbol [de^m] ⟨cul⟩ ± custard doughnut/donut

berlitzmethode [de^v] Berlitz method

berm [de^m] shoulder, ⟨vnl BE⟩ verge, roadside, bank ◆ *de berm **afweiden*** let/have the animals graze on the roadside; ***in** de berm zitten* sit on the verge/bank; ***in** de berm belanden* end up in the verge/on the shoulder; ***in** de berm vastraken* get stuck in the verge/on the shoulder, get bogged down in the verge; ***zachte** berm!* soft shoulder/verge!

bermbom [de] IED (improvised explosive device), roadside bomb

bermflora [de] roadside flora, roadside/wayside flowers, roadside/wayside shrubs

bermlamp [de] spotlight

bermmonument [het] roadside memorial

bermpje [het] ⟨dierk⟩ loach

bermplank [de] ⟨verk⟩ reflector pole

bermprostitutie [de^v] kerbside/^Acurbside prostitution

bermtoerisme [het] roadside picknicking

bermuda [de] Bermuda shorts, Bermudas

Bermuda-eilanden [de^mv] → **Bermuda's**

Bermuda's [de^mv], **Bermuda-eilanden** [de^mv] the

Bermudas, Bermuda
bermudatuig [het] Bermuda rig

Bermuda	
naam	*Bermuda* Bermuda
officiële naam	*Bermuda* Bermuda
inwoner	*Bermudaan* Bermudian
inwoonster	*Bermudaanse* Bermudian
bijv. naamw.	*Bermudaans* Bermudian
hoofdstad	*Hamilton* Hamilton
munt	*Bermudaanse dollar* Bermuda dollar
werelddeel	*Amerika* America
int. toegangsnummer 1-441 www .bm auto BMU	

Bern [het] Bern
bernage [de] borage
beroemd [bn] famous, renowned, ⟨gevierd⟩ celebrated, ⟨befaamd⟩ famed ◆ *het boek dat hem beroemd zou* ***maken*** the book that was to make him famous/bring him (to) fame; *beroemd* ***om*** famous/renowned/famed for; *beroemd* ***om*** *zijn zandstrand* renowned/celebrated for its sandy beaches; *de stad is beroemd* ***om*** *haar bouwkunst* the city is famous/renowned/noted for its architecture; *beroemde* ***personen*** celebrities, famous people; *beroemd* ***worden*** become famous, win/achieve fame, rise to fame; *op slag beroemd* ***worden*** become famous overnight, spring to fame; *alom beroemd* ***zijn*** be widely/internationally famous
beroemdheid [de^v] [1] ⟨het beroemd zijn⟩ fame, renown, celebrity [2] ⟨beroemd persoon⟩ celebrity, personality, star, VIP ◆ *een* ***plaatselijke*** *beroemdheid* a local hero/celebrity
zich beroemen [wk ww] boast, brag (about), take pride (in), pride o.s. ((up)on) ◆ *Rotterdam beroemt zich* ***erop*** *dat het de grootste haven ter wereld is* Rotterdam prides itself on having the largest harbour in the world; *zich* ***op*** *zijn familie beroemen* boast about one's family; *zij beroemt zich* ***op*** *haar meedogenloosheid* she takes pride in her ruthlessness
beroep [het] [1] ⟨betrekking⟩ occupation, profession ⟨waar opleiding voor nodig is⟩, vocation, ⟨bedrijf, amb⟩ trade, ⟨zaak⟩ business, ⟨carrière⟩ career ◆ *haar beroep* ***is*** *buschauffeur* she is a bus driver (by occupation); *een beroep* ***maken*** *van* make a business/trade of; *het* ***oudste*** *beroep ter wereld* the world's oldest profession; *een beroep* ***uitoefenen*** have an occupation, follow a profession/a trade; *in de* ***uitoefening*** *van zijn beroep* in the exercise of one's profession; *wat ben jij* ***van*** *beroep?* what is your occupation?; ⟨inf⟩ what do you do for a living?; *mevrouw C.,* ***van*** *beroep journaliste* Ms C., a journalist (by profession); ***vrij*** *beroep* profession; ***zonder*** *beroep* unemployed, of no occupation; *beroep: geen* occupation: none; *uit hoofde van zijn beroep* professionally, in one's professional capacity [2] ⟨verzoek om bijstand⟩ appeal ◆ *een beroep* ***doen*** *op iemand/iets* make an appeal to s.o./sth., appeal to s.o./sth.; *een* ***krachtig*** *beroep doen op* make a strong appeal/plea to; ***met*** *een beroep* ***op*** with a plea of, by pleading [3] ⟨jur⟩ appeal ◆ *er is geen* ***hoger*** *beroep mogelijk* no further appeal lies/is possible; *met uitsluiting van* ***hoger*** *beroep of recht van cassatie* from which judgement no appeal (of any kind) lies/shall lie; ***in*** *(hoger) beroep gaan* appeal (to a higher court), take one's case to a higher court, enter/lodge an appeal; ***in*** *beroep gaan bij ... tegen ...* lodge an appeal with ... against ...; ***in*** *hoogste beroep veroordeeld* be sentenced on appeal in the court of last resort; *het vonnis werd* ***in*** *hoger beroep bekrachtigd/vernietigd* the judgment was upheld/reversed on appeal; *de zaak zal over 14 dagen* ***in*** *hoger beroep worden behandeld* the appeal will be heard/handled in two weeks' time/two weeks from now; *beroep* ***instellen*** *tegen* enter/lodge/bring an appeal against; ***Raad*** *van Beroep* ⟨Groot-Brittannië⟩ Court of Appeal; ⟨USA⟩ Court of Appeals; *beroep in cassatie* appeal in cassation/to the Supreme Court [4] ⟨het roepen tot een waardigheid, ambt⟩ call, invitation ◆ *een beroep* ***krijgen/aannemen*** receive/accept a call; ***op*** *beroep preken* preach with a view to the pastorate

beroepen

- in het Nederlands gebruikt men meestal geen lidwoord bij beroepen *(zij is dokter, hij is leraar)*
- in het Engels wordt altijd een lidwoord gebruikt *(she is a doctor, he is a teacher)*, tenzij maar één iemand dat beroep kan uitoefenen *(she is Prime Minister; he is head of the department)*

beroepbaar [bn] eligible
¹beroepen [ov ww] [1] ⟨benoemen⟩ call ◆ *iemand als/tot predikant beroepen* ***naar*** call s.o. as minister to [2] ⟨met de stem bereiken⟩ shout out to
²zich beroepen [wk ww] [1] ⟨autoriteit inroepen van⟩ call (upon), appeal (to), refer (to) ◆ *zich* ***op*** *iemand/iets beroepen* appeal to s.o./sth., use/plead s.o./sth. as an excuse; *zich* ***op*** *een passage/clausule van het contract beroepen* refer to a passage/clause in the contract [2] ⟨jur⟩ appeal
beroepencode [de^m] professional code
beroepengids [de^m] [1] ⟨telefoongids⟩ classified directory, ⟨inf⟩ yellow pages [2] ⟨gids met beroepen⟩ professional directory
beroeper [de^m] ⟨inf⟩ professional ◆ ***vrije*** *beroepers* professionals
beroeping [de^v] calling, call
beroepingswerk [het] the calling of a new minister
beroeps [bn] professional, vocational, career ◆ *beroeps* ***worden*** ⟨sport⟩ turn professional, become a professional
beroepsaansprakelijkheid [de^v] professional liability, professional indemnity
beroepsbegeleidend [bn] [·] *beroepsbegeleidend* ***onderwijs*** *voor werkende jongeren* ^B day release/^A day-time education for young employees
beroepsbevolking [de^v] [1] ⟨bevolking met een beroep⟩ employed/working population, labour force, work force [2] ⟨stat⟩ labour force
beroepsbezigheid [de^v] professional duty, professional activity ◆ *zijn beroepsbezigheid* ***hervatten*** resume one's professional duties
beroepsblind [bn] dulled by routine
beroepsbokser [de^m] prize fighter
beroepscentrale [de] ⟨in België⟩ trade union federation, ⟨AE⟩ labor union federation, ⟨AE ook⟩ federation of labor, ⟨Groot-Brittannië⟩ Trades Union Congress, TUC, ⟨USA⟩ AFL-CIO
beroepscode [de^m] professional code
beroepsdanser [de^m], **beroepsdanseres** [de^v] professional dancer
beroepsdanseres [de^v] → **beroepsdanser**
beroepsdeformatie [de^v] [1] ⟨psychische afwijking⟩ occupational disability, job-related disability [2] ⟨misvorming⟩ occupational disability, job-related disability
beroepseer [de] professional ethics
beroepsernst [de^m] professional attitude
beroepsethiek [de^v] [1] ⟨waarden en normen⟩ professional standards [2] ⟨morele betekenis van beroepsuitoefening⟩ professional ethics
beroepsgeheim [het] duty of professional confidentiality ◆ *zich* ***beroepen op*** *het beroepsgeheim* ⟨van advocaten⟩ claim professional privilege; claim the protection of professional confidentiality; *gebonden zijn* ***door*** *het beroepsgeheim* bound by a duty of professional confidentiality; *het beroepsgeheim* ***schenden*** breach one's duty of professional confidentiality
beroepsgoederenvervoer [het] road transport and haulage, ⟨vnl AE⟩ (road) transport and hauling
beroepsgroep [de] professional group, occupational group ◆ *indeling van de bevolking in* ***sociale*** *beroepsgroepen*

breakdown of the population into occupational groups
beroepsgrond [de^m] ⟨jur⟩ grounds for appeal ♦ *wellicht kunnen de beroepsgronden **worden uitgebreid*** perhaps more grounds for appeal can be found
beroepshalve [bw] by virtue of one's profession, professionally, in one's professional capacity ♦ *ik zie haar alleen nog beroepshalve* I see her only professionally these days
beroepshof [het] ⟨in België⟩ Court of Appeal
beroepsinbreker [de^m] professional burglar
beroepskeuze [de] choice of (a) career, choice of profession/occupation ♦ *begeleiding **bij** de beroepskeuze* careers guidance/counselling; ***bureau** voor beroepskeuze* careers office
beroepskeuzeadviseur [de^m] ⟨man & vrouw⟩ counsellor, ⟨man & vrouw⟩ careers adviser, careers (advisory) officer, ⟨man & vrouw⟩ vocational guidance officer, ⟨op school; man; BE⟩ careers master, ⟨vrouw; BE⟩ careers mistress
beroepsklasse [de^v] [1] ⟨sociale klasse⟩ occupational group [2] ⟨sport⟩ professional league
beroepskleding [de^v] professional dress, uniform
beroepskosten [de^mv] professional expenses ♦ *beroepskosten **declareren*** declare professional expenses
beroepskracht [de] professional
beroepsleger [het] regular army, ⟨vnl AE⟩ professional army
beroepsmatig [bw] by virtue of one's profession, professionally
beroepsmilitair [de^m] regular (soldier), professional soldier/serviceman
beroepsmisdadiger [de^m] professional criminal
beroepsmogelijkheid [de^v] [1] ⟨jur⟩ possibility of appeal [2] ⟨mogelijkheid om een beroep uit te oefenen⟩ career opportunity, job opportunity
beroepsonderwijs [het] vocational training, professional training ♦ ***lager/middelbaar/hoger** beroepsonderwijs* ⟨lager⟩ technical and vocational training for 12-16 year-olds, ⟨middelbaar⟩ technical and vocational training for 16-18 year-olds, ⟨hoger⟩ technical and vocational training for 18+
beroepsopleiding [de^v] professional/vocational/occupational training
beroepsopvatting [de^v] view of one's profession, way of looking at one's profession
beroepsorgaan [het] appeal authority
beroepsorganisatie [de^v] professional association/body
beroepsoriëntatie [de^v], **beroepsoriëntering** [de^v] ⟨in België⟩ careers guidance, vocational guidance
beroepsoriëntering [de^v] → **beroepsoriëntatie**
beroepsploeg [de] professional team
beroepsprocedure [de] appeal procedure
beroepsrecht [het] right of appeal
beroepsrenner [de^m] professional cyclist
beroepsrijder [de^m] ⟨wielrijder⟩ professional (cyclist), ⟨schaatser⟩ professional (skater), ⟨motorrijder⟩ professional (rider)
beroepsrisico [het] occupational hazard/risk
beroepsscholing [de^v] professional education
beroepsschool [de] ⟨in België⟩ ⟨secundair⟩ technical school, ⟨tertiair⟩ technical college
beroepsspeler [de^m] [1] ⟨sport⟩ professional (player), ⟨inf⟩ pro [2] ⟨acteur⟩ professional actor
beroepssport [de] professional sport
beroepsstructuur [de^v] social structure according to occupation
beroepstaal [de] professional language, professional/technical terminology, professional/technical vocabulary, ⟨inf⟩ professional slang, jargon
beroepstermijn [de^m] ⟨jur⟩ period for appeal
beroepsuitoefening [de^v] execution of one's professional duties, practice of a/one's profession
beroepsverbod [het] 'berufsverbot', prohibition against pursuing one's profession ♦ *een beroepsverbod **instellen** tegen iemand* ban s.o. from a profession
beroepsvervoerder [de^m] long-driver, ⟨AE⟩ trucker
beroepsvoetballer [de^m] professional footballer, professional football player
beroepsvoorlichting [de^v] careers guidance, vocational guidance
beroepszaak [de] appeal case
beroepsziekte [de^v] occupational disease/illness
beroerd [bn, bw] [1] ⟨naar⟩ miserable ⟨bw: miserably⟩, wretched, horrid, awful, terrible, rotten ♦ *een beroerde **dag*** a rotten/wretched/horrid/miserable day; *het **ging** beroerd* it went miserably/wretchedly; *zij **hebben** het nog veel beroerder* they are a lot worse off; ***het** beroerde is dat* the wretched/rotten thing is that; *dat is juist **het** beroerde* that's the worst part of it; *dat is **knap** beroerd* that is simply rotten/horrid/beastly; *dat beroerde **raam** wil niet open* that wretched window won't open; *beroerd **slecht*** downright miserable; *'t is een beroerde **toestand/zaak/boel*** it's a rotten/nasty/beastly situation/matter/mess; *beroerd **van** iets zijn* be shaken by sth.; *een beroerde **vent*** a horrid/vile fellow, a rotter, a nasty piece of work; *het is geen beroerde **vent*** he isn't such a bad bloke; ***ik vind** het heel beroerd maar ik kan niet komen* it's a dreadful shame, but I can't come; ***wat** beroerd voor je* how horrid/awful for you; *ik **word** er beroerd van* it makes me ill/sick; *hij/het **ziet** er beroerd **uit*** he looks terrible/wretched/miserable, it looks horrible; *er beroerd aan toe **zijn*** be in a very bad way [2] ⟨lamlendig⟩ indolent ⟨bw: ~ly⟩, lazy ♦ *te beroerd zijn **om** ...* be too damn lazy to ...; *hij is nooit te beroerd **om** mij te helpen* he's always willing to help me
beroerdigheid [de^v] ⟨inf⟩ trouble, unpleasantness, wretchedness
beroeren [ov ww] [1] ⟨even aanraken⟩ touch, brush [2] ⟨verontrusten⟩ trouble, agitate, disturb ♦ ***door** iets beroerd worden/zijn* be/become disturbed/troubled by sth. [3] ⟨m.b.t. water⟩ stir, disturb ♦ *het water werd **licht/hevig** beroerd* the water was disturbed/troubled
beroering [de^v] [1] ⟨onrust, opschudding⟩ trouble, agitation, unrest, ⟨commotie⟩ commotion, turmoil, tumult ♦ ***in** beroering brengen* trouble, disturb; *het hele land was **in** beroering* the whole country was in turmoil; ***maatschappelijke** beroering* social unrest; *er **ontstond** enige beroering in de zaal* there was some commotion in the room; *in **tijden** van beroering* in times of trouble/unrest, in troubled times [2] ⟨het aanraken⟩ touch, brushing
beroerling [de^m] ⟨fig⟩ rotten/vile fellow, ⟨BE⟩ rotter, nasty piece of work
beroerte [de^v] [1] ⟨verlamming⟩ stroke, fit, seizure, apoplexy ♦ ***door** een beroerte **getroffen worden*** have/suffer a stroke; *ze **kreeg** bijna een beroerte toen ze hem zag* she nearly had/threw a fit when she saw him; *een **lichte** beroerte* a mild/minor stroke [2] ⟨rustverstoring⟩ trouble(s), disturbance(s) ♦ *de **Raad** van Beroerten* the Council of Troubles [•] *iemand een beroerte op het lijf **jagen*** scare the life/wits out of s.o.; *zich een (rol)beroerte **lachen*** laugh o.s. silly/sick, fall about laughing, be in stitches, be convulsed with laughter; *zich een beroerte **schrikken*** scare o.s. silly/sick, jump out of one's skin, be frightened to death/out of one's wits
berokkenen [ov ww] cause ♦ *iemand **schade/leed** berokkenen* cause s.o. harm/sorrow/grief
berooid [bn] [1] ⟨arm⟩ destitute, penniless, ⟨inf⟩ down and out, broke ♦ ***arm** en berooid rondzwerven* wander around destitute/penniless; *berooide **bedelaars*** beggars; *een berooide **beurs/schatkist*** an empty purse/coffer; *berooid **kwam** hij hier **aan*** he came here penniless/destitute [2] ⟨dronken⟩

drunk(en), intoxicated, inebriated, tipsy
berookt [bn] blackened, smutty, ⟨glas⟩ smoked ◆ *berookte **gordijnen*** smutty/smoke-filled curtains; *berookte **schoorstenen*** blackened chimneys
berouw [het] remorse, repentance, contrition, regret, compunction ◆ *berouw **hebben** over/van* regret, rue, be remorseful for; ***oprecht** berouw* sincere remorse/repentance; *berouw **tonen*** show remorse/contrition; ***tranen** van berouw* tears of remorse/repentance/regret; *berouw **voelen*** feel remorse ⊡ ⟨sprw⟩ *berouw komt na de zonde* repentance (always) comes too late
berouwen [onov ww] regret, repent, rue, feel sorry ◆ *die **daad** berouwt hem* he regrets the deed, he feels sorry about the deed; *dit **zal** je berouwen* you'll be sorry, you'll (live to) regret this ⊡ ⟨sprw⟩ *haastig getrouwd, lang berouwd* marry in haste and repent at leisure
berouwvol [bn] remorseful, repentant, contrite, penitent
beroven [ov ww] 1 ⟨door roof ontnemen⟩ rob, despoil, plunder ◆ *een **bank** beroven* rob a bank; ***van** alles beroofd zijn* be stripped/robbed of everything; *iemand beroven **van** iets* rob s.o. of sth. 2 ⟨beschikking over iets doen missen⟩ deprive of, strip, defraud, denude ◆ *zich **van** het leven beroven* take one's own life; *iemand **van** zijn rechten beroven* deprive s.o. of his rights; *iemand **van** zijn vrijheid beroven* deprive s.o. of his freedom 3 ⟨ontdoen van⟩ deprive, strip ◆ *in deze versie is het verhaal **van** al zijn charme beroofd* this version deprives the story of all its charm
beroving [de^v] 1 ⟨handeling⟩ robbery, deprivation, stripping, despoliation, despoilment ◆ *een beroving op klaarlichte dag* daylight robbery 2 ⟨keer, geval⟩ robbery, deprivation, stripping, despoliation, despoilment
berrie [de] (hand)barrow, ⟨voor dode⟩ bier, ⟨voor zieke⟩ stretcher
bersten [onov ww] burst ⊡ ⟨sprw⟩ *de kruik gaat zolang te water, tot ze breekt/berst* the pitcher goes so often to the well that it is broken at last
bertillonnage [de^v] Bertillon system
berucht [bn] notorious (for), infamous, disreputable, of ill fame/repute ⟨na zn⟩ ◆ *zijn **naam** was hier berucht* he was notorious in these parts; *een berucht **persoon*** a notorious/disreputable person, a person of ill repute; *een berucht **proces*** a notorious trial; *hij was berucht **wegens** zijn wreedheid* he was notorious for his cruelty; *een beruchte **wijk*** a notorious area, an area of ill fame/repute
berusten [onov ww] 1 ⟨+ op; steunen op⟩ rest on, be based/founded on ◆ ***op** vrees berusten* be based on/grounded in fear; *deze stelling berust nergens **op*** this proposition is groundless; *dit moet **op** een misverstand berusten* this must be due to/be the result of a misunderstanding; *zijn reputatie berust **op** zijn romans* his reputation rests on his novels; *deze conclusie berust **op** onjuiste gegevens* this conclusion is based/founded on inaccurate data 2 ⟨zich schikken in⟩ resign o.s. to ◆ *berusten **in** zijn lot* resign o.s. to one's fate; *ze berusten **in** hun verlies* they have resigned themselves to their loss; *we zullen hier niet **in** berusten* we won't take this lying down, we won't put up with this; *op berustende **toon*** resignedly, in a resigned tone 3 ⟨in bezit zijn van⟩ rest at/with, be deposited at/with ◆ *die bevoegdheid berust **bij** de Kroon* that power rests with/is vested in the Crown, the Crown is vested with that power; *de beslissing berust **bij** de directeur* the decision rests with the director; *de wetgevende macht berust **bij** het parlement* parliament is vested with (the) legislative power, legislative power rests with parliament; *de verzegelde documenten berusten **bij** een notaris* the sealed documents are held by/deposited with a notary
berustend [bn] resigned, acquiescent
berusting [de^v] 1 ⟨schikking⟩ resignation, acceptance, acquiescence, passivity ◆ *berusting **in** een vonnis/**in** zijn lot* being resigned to a verdict/one's fate; ***met** berusting zijn lot dragen* resign o.s. to one's fate/lot; *in **stille** berusting* in quiet resignation 2 ⟨bewaring⟩ possession, keeping, custody ◆ *de papieren zijn **onder** berusting van de notaris* the papers are in the hands of/the custody/the keeping of the notary
beryllium [het] beryllium
¹bes [de^v] ⟨oude vrouw⟩ old woman, (old) crone ◆ *een **oud** besje* a little old lady/granny
²bes [de] 1 ⟨vrucht⟩ berry, ⟨aalbes⟩ currant 2 ⟨jenever⟩ → **bessenjenever** 3 ⟨muz⟩ B-flat
¹beschaafd [het] ⊡ *het **algemeen** beschaafd* ⟨Nederlands⟩ Standard Dutch; ⟨Engels⟩ ± Standard English, ± received pronunciation, ⟨AE⟩ ± Received Standard
²beschaafd [bn] 1 ⟨keurig, net⟩ cultured, polite, cultivated, refined, well-bred ◆ *een beschaafd **gezicht/uiterlijk*** a refined face/appearance; *een beschaafd **man*** an educated/a cultured man; *beschaafde **manieren*** refined/polite manners; *beschaafde **taal*** refined/cultivated/polite speech/language 2 ⟨niet meer in natuurstaat levend⟩ civilized ◆ *de beschaafde **volkeren*** the civilized peoples; *de beschaafde **wereld*** the civilized world, civilization
³beschaafd [bw] ⟨keurig, net⟩ politely, in a cultivated/refined/cultured/well-bred manner ◆ *beschaafd **eten*** have good table manners; *beschaafd **spreken*** speak in a cultured/refined manner, speak politely
beschaafdheid [de^v] 1 ⟨welgemanierdheid⟩ politeness, good manners 2 ⟨verfijning⟩ refinement, culture, cultivation, finish
beschaamd [bn, bw] 1 ⟨vervuld van schaamte⟩ ashamed, shamefaced, abashed, embarrassed ◆ *met beschaamde **kaken*** shamefaced(ly); *beschaamd **kijken*** look shamefaced; *beschaamd het hoofd **laten hangen*** hang one's head in shame; *iemand beschaamd **maken*** shame s.o., put s.o. to shame, embarrass s.o.; *beschaamd **zijn** over* be ashamed of/about 2 ⟨schuchter⟩ bashful
beschadigd [bn] damaged ◆ *beschadigd **porselein*** chipped/damaged porcelain; *beschadigde **postzegels*** damaged stamps ⊡ ⟨jur⟩ *beschadigde **borg*** surety who has paid the debts/discharged the obligation
beschadigdheid [de^v] ⟨verz⟩ average
beschadigen [ov ww] damage, injure, harm, deface ◆ *de goederen zijn **door** zeewater beschadigd* the goods were damaged by seawater; ***door** brand/regen/storm/water beschadigde goederen* fire/rain/storm/water-damaged goods; ***licht/zwaar** beschadigd* slightly/badly damaged
beschadiging [de^v] 1 ⟨plaats, toegebrachte schade⟩ damage, lesion 2 ⟨het beschadigen⟩ damage, damaging, injury, deterioration, impairment, defacement ◆ *de beschadiging **van** ...* damage (done) to ...
beschaduwen [ov ww] shade, overshadow ◆ *een beschaduwd **plaatsje*** a shady spot
beschamen [ov ww] disappoint, let down, ⟨vertrouwen⟩ betray ◆ *zij werden **in** hun verwachtingen beschaamd* they were disappointed in their hopes/expectations; *iemands **vertrouwen** (niet) beschamen* (not) betray s.o.'s confidence
beschamend [bn] 1 ⟨teleurstellend⟩ shameful, disgraceful ◆ *een beschamend **resultaat*** shameful/disgraceful outcome 2 ⟨vernederend⟩ shameful, humiliating, ignominious ◆ *een beschamende **vertoning*** a humiliating/pathetic/an ignominious performance
beschaven [ov ww] 1 ⟨ontwikkelen⟩ civilize, educate, develop ◆ *een **volk** beschaven* civilize a people 2 ⟨gladmaken⟩ ⟨hout⟩ plane
beschaving [de^v] 1 ⟨toestand van beschaafdheid⟩ civilization ◆ *de **Helleense** beschaving* the ancient Greek civilization; *sporen van een **oude** beschaving* traces of an ancient/a former civilization; *een hoge **trap** van beschaving* a high degree/level of civilization; *de **westerse** beschaving* Western civilization 2 ⟨het beschaafd zijn⟩ culture, refinement, polish ◆ *ver weg van **alle** beschaving* out in the wilds, far from civilization; *iemand enige beschaving **bijbrengen*** teach

s.o. some manners; ***innerlijke** beschaving* innate refinement; ***innerlijke** beschaving missen* lack intrinsic/inherent refinement; *een dun **laagje** beschaving* a thin veneer of culture/refinement

beschavingsgeschiedenis [de^v] history of civilization, cultural history

beschavingsoffensief [het] civilising offensive

beschavingspeil [het] standard of culture, cultural level

beschavingsziekte [de^v] disease of civilization, Western disease(s)

bescheid [het] [1] ⟨geschreven stuk⟩ record, document ♦ *iemand de bescheiden **doen toekomen*** send s.o. the records/documents; ***echte** bescheiden* original/authentic documents [2] ⟨antwoord⟩ answer, reply ♦ *bescheid **geven*** give an answer/reply

bescheiden [bn, bw] [1] ⟨niet aanmatigend⟩ modest ⟨bw: ~ly⟩, unassuming, self-effacing, unpretentious ♦ *je **bent al** te bescheiden* you're too modest; *een bescheiden **persoon*** a modest/an unassuming/a self-effacing person; *zich bescheiden **terugtrekken*** withdraw/retire discreetly [2] ⟨discreet⟩ discreet ⟨bw: ~ly⟩ ♦ *een bescheiden **klopje** op de deur* a discreet knock at the door; *naar mijn bescheiden **mening*** in my humble opinion; *een bescheiden **opmerking*** discreet remark [3] ⟨niet groot⟩ modest ⟨bw: ~ly⟩, small, little ♦ *een bescheiden **ingerichte** woning* a modestly furnished house; *een bescheiden **optrekje*** a modest/little cottage; *op bescheiden **voet/schaal** speculeren* speculate on a small/modest scale; *bescheiden **wonen*** live in a small way

bescheidenheid [de^v] [1] ⟨het niet aanmatigend zijn⟩ modesty, unpretentiousness, unobtrusiveness ♦ ***in** alle bescheidenheid wil ik opmerken dat* with all due respect/deference may I point out that; ***valse** bescheidenheid* false/feigned modesty [2] ⟨beleefdheid⟩ politeness, deference ♦ *met de **meeste** bescheidenheid iets verzoeken* politely request [3] ⟨geringheid⟩ modesty [4] ⟨discretie⟩ discretion [•] ⟨sprw⟩ *bescheidenheid siert de mens* modesty is a virtue

beschenken [ov ww] ⟨form⟩ donate, present, confer, endow, bestow

beschermeling [de^m], **beschermelinge** [de^v] [1] ⟨in bescherming genomen iemand⟩ ward [2] ⟨iemand die vooruitgeholpen wordt⟩ ⟨man⟩ protégé, ⟨vrouw⟩ protégée

beschermelinge [de^v] → **beschermeling**

beschermen [ov ww] [1] ⟨behoeden⟩ protect, shield, preserve, (safe)guard, shelter ♦ *een beschermde **diersoort*** a protected species; *met een beschermend **gebaar*** with a protective gesture; *beschermde **industrieën*** protected industries; *beschermende **laag/kleding*** protective layer/clothing; *een beschermd **leventje*** a sheltered life; *een overdreven beschermende **moeder*** an over-protective mother; *door het auteursrecht beschermde **publicaties*** copyrighted publications; *beschermen **tegen*** ⟨te felle zon, te harde wind⟩ screen from; *iemand **tegen** zichzelf beschermen* protect s.o. from himself, save s.o. from himself; *beschermen **tegen** indringers/het weer/concurrentie* protect against intruders/the weather/competition [2] ⟨bevorderen⟩ foster, promote, further, patronize ♦ *de schone **kunsten** beschermen* promote/further/patronize the arts

beschermengel [de^m] [1] ⟨r-k⟩ guardian angel [2] ⟨fig⟩ guardian angel

beschermer [de^m], **beschermster** [de^v] [1] ⟨behoeder⟩ ⟨man & vrouw⟩ defender, ⟨man & vrouw⟩ guardian, ⟨man⟩ protector, ⟨vrouw⟩ protectress ♦ *beschermer van de **onschuld*** defender/protector of innocence [2] ⟨begunstiger⟩ ⟨man⟩ patron, ⟨vrouw⟩ patroness ♦ *beschermer van de **kunst*** patron of the arts

beschermgod [de^m], **beschermgodin** [de^v] tutelary deity, ⟨plaatselijk⟩ genius loci

beschermgodin [de^v] → **beschermgod**

beschermheer [de^m], **beschermvrouw** [de^v], **beschermvrouwe** [de^v] [1] ⟨beschermer⟩ ⟨man⟩ patron, ⟨vrouw⟩ patroness, ⟨man⟩ protector, ⟨vrouw⟩ protectress [2] ⟨eretitel⟩ ⟨man⟩ patron, ⟨vrouw⟩ patroness ♦ ***als** beschermheer optreden* act as patron

beschermheerschap [het] patronage ♦ ***onder** (het) beschermheerschap van* under the patronage of

beschermheilige [de] ⟨r-k⟩ ⟨man & vrouw⟩ patron saint, ⟨man⟩ patron, ⟨vrouw⟩ patroness ♦ *zijn beschermheilige **aanroepen*** call upon one's patron saint; *de beschermheilige van de **jagers*** the patron saint of hunters

beschermhoes [de] (protective) cover, ⟨van plaat⟩ (record) sleeve

bescherming [de^v] [1] ⟨hoede⟩ protection, (safe)guarding, shelter, cover ♦ *bescherming **bieden** aan* offer protection to; *duinen **bieden** bescherming tegen de zee* dunes are a defence against the sea; *Bescherming **Burgerbevolking*** Civil Defence (Corps); ⟨in België⟩ ***burgerlijke/civiele** bescherming* Civil Defence; *iemand **in** bescherming nemen* take s.o. under one's protection, ⟨fig⟩ take s.o. under one's wing; *de bescherming van de **mensenrechten/van het milieu*** the safeguarding of human rights, the protection of the environment; ***onder** bescherming van de nacht* under cover of night/darkness; ***onder** bescherming van gevechtsvliegtuigen* under cover of fighter planes; ***ter** bescherming van* for the protection of; *bescherming **zoeken** tegen* take cover from, seek refuge from [2] ⟨begunstiging⟩ patronage ♦ *de bescherming **genieten van*** have/enjoy the patronage of; ***onder** de bescherming staan van* be under the patronage of; ***onder** de (hoge) bescherming van Hare Majesteit* under the (Gracious) patronage of Her Majesty the Queen

beschermingsconstructie [de^v] ring fence

beschermingsfactor [de^m] protection factor

beschermingsgebied [het] quarantine area, quarantine zone

beschermingsgeld [het] protection (money)

beschermingsgraad [de^m] ⟨comp⟩ data privacy

beschermkap [de] protective hood/cover, ⟨van machine⟩ shield, guard

beschermlaag [de] protective layer/coating, ⟨tegen corrosie⟩ resist, ⟨dik, zacht materiaal⟩ pad(ding)

beschermster [de^v] → **beschermer**

beschermvrouw [de^v] → **beschermheer**

beschermvrouwe [de^v] → **beschermheer**

bescheten [bn] ⟨inf⟩ [1] ⟨met drek bevuild⟩ fouled, dirtied, soiled [2] ⟨bekaaid⟩ shitty ♦ *er bescheten **afkomen*** get/have the worst of it, get/have a raw/rough deal [3] ⟨ongezond⟩ shitty ♦ *er bescheten **uitzien*** look shitty/like death warmed up [4] ⟨laf⟩ shit-scared, scared shitless ♦ ***te** bescheten zijn om ...* be too shit-scared to ...

zich bescheuren [wk ww] ⟨inf⟩ laugh loudly, die laughing, split one's sides laughing ♦ *de film was **om** je te bescheuren* the film was a scream

bescheurkalender [de^m] (the) rip off annual ⟨with a joke on each page⟩

beschieten [ov ww] [1] ⟨schieten op⟩ fire (up)on/at, shell, bombard, pelt ♦ *een stad **met** granaten/kanonnen/raketten beschieten* bombard a city with grenades/cannon(s)/rockets; *een **vesting/een vijand** beschieten* fire (up)on/shell/bombard a fortress/an enemy [2] ⟨bekleden⟩ panel, line, wainscot ♦ ***met** hout beschieten* panel; ***met** eikenhout beschoten muren* oak panelled walls [3] ⟨afsluiten⟩ close off, plank, (weather)board ♦ *het **dak** beschieten* weatherboard the roof; *een met glas beschoten **galerij*** a gallery/veranda closed in with glass

beschieting [de^v] [1] ⟨het schieten⟩ bombarding, bombardment, firing, shelling, pelting [2] ⟨bekleding⟩ panelling, ⟨AE⟩ paneling, lining, wainscot(t)ing

beschijnen [ov ww] shine (up)on, light (up), spotlight, radiate ♦ ***door** de zon beschenen* sunlit

beschijten [ov ww] ⟨vulg⟩ [1] ⟨schijten op, in⟩ shit (up)on

[2] ⟨bedriegen⟩ screw [3] ⟨maling hebben aan⟩ not give a shit/damn

beschikbaar [bn] available, at one's disposal, free ♦ *niet veel tijd voor iets beschikbaar **hebben*** not have much time available for sth.; *zich beschikbaar **houden*** stand by; *beschikbaar **kapitaal*** liquid capital; *beschikbaar **komen*** become/be made/be rendered available; *alle beschikbare **middelen** aanwenden* use all available means/resources, devote all liquid assets to; *de beschikbare **ruimte** was klein* the available space was limited; *beschikbaar **stellen*** make available, place at s.o.'s disposal, provide; *zich beschikbaar **stellen*** put o.s. at s.o.'s disposal, make o.s. available; *geld/een geldprijs beschikbaar **stellen*** put up a purse/prize; *gratis een vliegtuig beschikbaar **stellen*** make a(n aero)plane available free of cost/charge; ***vrij** beschikbaar vanaf juni* available from June (onwards)

beschikbaarheid [de^{v}] availability

^{1}**beschikken** [onov ww] [1] ⟨+ over; bezitten⟩ have at one's disposal, have (control of), command, ⟨zeldz⟩ dispose of ♦ ***over** genoeg tijd beschikken* have enough time at one's disposal; ***over** een meerderheid beschikken* command/have a majority; *beschikken **over** een groot vermogen* dispose of/have substantial means; *zodra wij beschikken **over** de juiste gegevens* as soon as we have the correct data [2] ⟨+ over; bestemming geven aan⟩ dispose of, see to, have control of, set aside ♦ *u kunt **over** mij beschikken* I am at your disposal; ***over** iemands lot beschikken* decide/determine s.o.'s fate; *wie beschikt **over** de opbrengst?* who takes care of/sees to/disposes of the proceeds?; *vrij **over** iets kunnen beschikken* be able to make free use of sth.; *bij testament beschikken **over** goederen* dispose of one's property by will; *ze kon zelf niet **over** het geld beschikken* she had no control of her money, she did not have free disposition/disposal of her money; *beschikken **over** een bedrag ten gunste van het Rode Kruis* set aside a sum for the Red Cross; *de tsaar beschikte **over** het leven en de dood van zijn onderdanen* the tsar had the power of life and death over his subjects [3] ⟨beslissen⟩ decide, ordain, resolve ♦ ***afwijzend/gunstig** beschikken op een verzoek* deny/grant a request [•] ⟨sprw⟩ *de mens wikt maar God beschikt* man proposes, God disposes; man does what he can, and God what he will

^{2}**beschikken** [ov ww] ⟨regelen⟩ see to, arrange, order, manage, direct ♦ *God had het **anders** beschikt* God willed/ordained it otherwise

beschikking [de^{v}] [1] ⟨macht om over iets te beschikken⟩ disposition, disposal ♦ *de beschikking **hebben** over* possess, have the disposal of, dispose of; *de beschikking **krijgen** over* get/obtain command of, dispose of, acquire; *hij staat **te** mijner beschikking* he is at my disposal, ⟨vnl iron⟩ he is at my command; *(zich) **ter** beschikking houden van* hold/keep (o.s.) at the disposal of; ***ter** beschikking gesteld van de regering* ⟨Groot-Brittannië ook⟩ ordered to be detained during Her/His Majesty's pleasure; *iets **ter** beschikking stellen van iemand* place/put sth. at s.o.'s disposal; *welwillend **ter** beschikking gesteld door* by courtesy of, by kind permission of; *er stonden hem geen andere middelen **ter** beschikking* he had no other means available/at his disposal; *een delinquent **ter** beschikking stellen van de regering* ⟨geestelijk gestoorde⟩ place an offender under a hospital/restriction order; ⟨minderjarige⟩ commit an offender to a youth custody centre; *zijn lichaam **ter** beschikking stellen van de wetenschap* leave one's body to medical science; *ik sta geheel **tot** uw beschikking* I am entirely/completely at your disposal/command; ***tot** zijn (onmiddellijke) beschikking hebben* have at one's (immediate) disposal; *een beschikking der **Voorzienigheid*** a dispensation of Providence, a providence; *de **vrije** beschikking hebben òver* be free to use [2] ⟨besluit⟩ order, command, decision ♦ *een **afwijzende/gunstige** beschikking op het bezwaarschrift* a rejection/grant of the petition, a decision rejecting/granting the petition; ***bij** beschikking van* by order of; *een **bindende** beschikking* binding ordinance, absolute rule; *bij **ministeriële/rechtelijke** beschikking* by ministerial/judicial order; ***testamentaire** beschikkingen* testamentary disposition(s), devises; *een **testamentaire** beschikking maken* make a testamentary disposition; *een eigendom bij **testamentaire** beschikking vermaken* pass a property under will; *een beschikking **uitvaardigen*** issue an order

beschikkingsrecht [het] [1] ⟨tot beslissing⟩ power of decision [2] ⟨tot vrije beschikking over⟩ power of disposal (of), right to dispose of

beschilderen [ov ww] paint, picture ♦ *beschilderde **glazen*** stained glass, pictorial glass; ***met** de hand beschilderd* hand painted; *beschilderde **panelen*** painted panels; *beschilderde **ramen*** stained glass windows

beschildering [de^{v}] [1] ⟨handeling⟩ painting [2] ⟨resultaat⟩ painting

beschimmeld [bn] [1] ⟨met schimmel bedekt⟩ mouldy, mildewy, musty ♦ *beschimmeld **brood*** mouldy bread [2] ⟨oud en onfris⟩ mouldy, musty ♦ *beschimmelde **papieren*** musty papers, ⟨fig⟩ mouldy papers

beschimmelen [onov ww] become mouldy, become musty/mildewy, grow mouldy/musty/mildewy, get mouldy/musty/mildewy ♦ *hij **laat** zijn geld niet beschimmelen* his money burns a hole in his pocket; ⟨scherts⟩ *zijn geld niet **laten** beschimmelen* ⟨ogm⟩ be a spendthrift

beschimpen [ov ww] taunt, jeer at, call names, abuse, scoff (at)

beschimping [de^{v}] taunt(ing), jeering, scoffing, abuse

beschoeien [ov ww] face, ⟨mijn⟩ timber

beschoeiing [de^{v}] [1] ⟨wand⟩ facing, campshot, campshed(ding), ⟨rivieroever⟩ campsheeting, sheet piling, ⟨mijn⟩ timbering [2] ⟨handeling⟩ facing, campshedding, campsheeting, sheet-piling, timbering

beschonken [bn] drunk, intoxicated, inebriated, tipsy, ⟨inf⟩ boozy ♦ *met zijn beschonken **kop*** in his drunken state, as drunk as he is/was; *in beschonken **toestand*** under the influence (of alcohol/drink); ***zwaar** beschonken* plastered, pie-eyed, dead drunk

beschonkene [de] drunk

beschoren [bn] ♦ *een groot **geluk** was hun beschoren* they were blessed with great happiness, great happiness was theirs; *het **geluk** was hem beschoren, dat ...* it was his good fortune that ..., the good fortune befell him/was granted him that ...; *haar was slechts een kort **leven** beschoren* she was granted only a short life; *het hem beschoren **lot*** his lot in life, the lot that fell to him; *dit harde **lot** is mij beschoren* this harsh/bitter fate has fallen to/befallen me

beschot [het] [1] ⟨houten bekleedsel⟩ panel(ling), wainscot(ing) ♦ *een **eiken** beschot* oak panelling [2] ⟨afscheiding⟩ partition [3] ⟨landb⟩ yield, crop, production ♦ *een goed beschot **opleveren*** yield/produce a good crop

beschouwelijk [bn] contemplative, reflective ♦ *hij heeft een beschouwelijke **aard*** he has a contemplative nature

beschouwen [ov ww] [1] ⟨beoordelen⟩ consider, contemplate ♦ ***op** zichzelf beschouwd* considered/taken on its own/alone; *(alles) **wel** beschouwd* all things (being) considered, (all) in all [2] ⟨houden vòor⟩ consider, regard, look upon as, deem, esteem ♦ ***achteraf** beschouwd* looked at/regarded in retrospect; ***als** verloren beschouwen* give up (for lost); *ik beschouw dit **als** een eer* I regard this as an honour, I consider this an honour; *iets **als** zijn plicht beschouwen* consider sth. (as) one's duty; *een zaak **als** afgedaan beschouwen* consider a matter closed; *hij wordt beschouwd **als** de leider* he is considered to be/regarded as/looked upon as/taken as the leader; *een brief **als** niet geschreven beschouwen* disregard/ignore a letter [3] ⟨bekijken⟩ consider, look at, view, contemplate, envisage ♦ *iets **aandachtig** beschouwen* consider/look at sth. attentively [4] ⟨ambtshalve keuren⟩ inspect, examine, survey ♦ ***dijken** beschouwen* inspect the dikes [5] ⟨viss⟩ receive one's portion/share of the catch

beschouwend [bn] contemplative, reflective ♦ *de beschouwende **orden*** the contemplative orders
beschouwing [de^v] [1] ⟨beoordeling⟩ consideration, view ♦ *iets **buiten** beschouwing laten* ⟨ook⟩ ignore sth.; *dit **buiten** beschouwing gelaten* leaving this aside; *een punt **buiten** beschouwing laten* leave a point aside, leave a point out of consideration/account; *een zaak **in** beschouwing nemen* consider a matter/an issue, take a matter/an issue into consideration; *bij **nadere** beschouwing* (up)on closer consideration; *een al te **optimistische** beschouwing* an all too optimistic view [2] ⟨geuite overweging⟩ opinion, view, dissertation ♦ ⟨pol⟩ *de **algemene** beschouwingen* general debate; *hij **hield** een beschouwing over de gevaren van de grote stad* he gave a dissertation on/he held forth on the dangers of the big city; *een **korte/uitgebreide** beschouwing wijden aan* discuss (sth.) briefly/extensively, give brief/extensive consideration to
beschrijven [ov ww] [1] ⟨schrijven op⟩ write (on) ♦ ***dicht** beschreven vellen* closely covered/written pages [2] ⟨een voorstelling geven⟩ describe, paint, picture, portray ♦ *dat **is** met geen pen te beschrijven* it beggars description; *iets zeer **kleurrijk** beschrijven* paint in glowing terms; *niet/moeilijk **te** beschrijven* indescribable, nondescript; *in 't kort beschrijven* describe briefly, sketch [3] ⟨opsommen⟩ draw up, prepare ♦ *de **boedel** beschrijven* draw up/prepare the inventory [4] ⟨m.b.t. het beloop van een gebogen lijn⟩ follow, trace, form, draw ♦ *een **baan** om de aarde beschrijven* trace a path/blaze a trail around the earth; *het vliegtuig beschreef een grote **cirkel** in de lucht* the (aero)plane traced/described a circle in the sky [5] ⟨schriftelijk samenroepen⟩ call, convoke, convene ♦ *een **vergadering** beschrijven* call/convoke/convene a meeting [•] ⟨jur⟩ *er is **niets** beschreven* nothing has been put down in writing/has been written down
beschrijving [de^v] [1] ⟨voorstelling in woorden⟩ description, ⟨beeldend ook⟩ depiction, ⟨beknopt⟩ sketch ♦ *de beschrijving **klopt** met de foto* the description fits the photograph/^{A}checks out with the photograph; *de beschrijving **komt** niet **overeen** met de werkelijkheid* the description isn't true to life/fails to fit the facts; *een **levendige/korte** beschrijving* a vivid picture, a thumb-nail sketch; *dat gaat alle beschrijving te boven* that defies/is beyond all description [2] ⟨opsomming van de bijzonderheden, kenmerken⟩ specification, ⟨inventarisatie⟩ inventory, ⟨van feiten/gebeurtenissen⟩ account ♦ *een beschrijving van iemand **geven*** give a description of s.o.; *beschrijving van de **inboedel*** inventory
beschroomd [bn, bw] diffident ⟨bw: ~ly⟩, timid, bashful, shy
beschuit [de] Dutch rusk ⟨niet als coll⟩, biscuit rusk, zwieback ♦ ***ronde/lange** beschuit* round/sweet oblong rusk(s); ***Weerter** beschuit* rusk
beschuitbol [de^m] crispy baked roll
beschuitbus [de] ± rusk tin/box
beschuitlul [de^m] wimp, twit
beschuldigde [de] accused, ⟨gedaagde⟩ defendant ♦ ***de** beschuldigden* the accused, the defendants
beschuldigen [ov ww] accuse (of), charge (s.o. with sth.), ⟨de schuld geven van⟩ blame (s.o. for sth.) ♦ ***elkaar** beschuldigen* ⟨ook⟩ recriminate; *ik beschuldig **niemand,** maar ...* I'm not blaming anybody, but ..., I won't point a finger, but ...; ***valselijk** beschuldigd* wrongly/falsely accused; *beschuldigd worden **van** moord* be charged with/accused of murder; *iemand **van** een diefstal beschuldigen* accuse s.o. of a theft; *iemand onder ede **van** iets beschuldigen* bring a charge against/accuse s.o. on oath; *de regering wordt altijd **van** van alles beschuldigd* the government is always blamed for everything, the blame is always put on the government; *iets beschuldigend **zeggen/beweren*** say/allege sth. accusingly; ***zichzelf** beschuldigen* blame o.s.; *iemand in het openbaar beschuldigen* accuse s.o. publicly; ⟨aan de kaak stellen⟩ denounce s.o. [•] ⟨sprw⟩ *een slecht werkman beschuldigt altijd zijn getuig* a bad workman (always) blames his tools
beschuldigend [bn] accusatory, imputative, inculpatory, denunciative, denunciatory, ⟨wederzijds⟩ recriminative, recriminatory ♦ *het beschuldigende **vingertje** opheffen (tegen)* shake/wag one's finger (at)
beschuldiging [de^v] [1] ⟨het beschuldigen, beschuldigd worden⟩ accusation, imputation ♦ *iemand in **staat** van beschuldiging stellen (wegens)* indict s.o. (for/on a charge of) [2] ⟨aanklacht⟩ charge, imputation, accusation, ⟨tenlastelegging⟩ indictment ♦ *beschuldigingen **inbrengen** tegen* bring charges against; ***onder/op** beschuldiging van moord (gearresteerd)* (arrested) on a charge of murder/for alleged murder; *een beschuldiging **staven*** validate an accusation; *beschuldigingen **uiten/doen*** utter/make charges/accusations; *een **valse/onbewezen** beschuldiging* a false/an unproven accusation; *een beschuldiging **weerleggen*** disprove/rebut/refute a charge/an accusation; *beschuldigingen over en weer* mutual recriminations; *de beschuldigingen vlogen over en weer* accusations were flying
beschut [bn] sheltered, protected ♦ ⟨ec⟩ *beschutte **bedrijven*** sheltered industries; ⟨tegen buitenlandse concurrentie⟩ protected industries; *beschut **door** hoge bomen* sheltered by tall trees; *een beschutte **haven*** a sheltered harbour; ⟨door aangelegde dam⟩ a mole; *een beschut **leven*** a sheltered life; *een beschut **plekje** opzoeken* look for a sheltered spot; *een beschutte **werkplaats*** a sheltered workshop; *hier **zitten** we beschut (tegen de regen)* we're sheltered here (from the rain)
beschutten [ov ww] [1] ⟨m.b.t. dreigend gevaar⟩ shelter (from), protect (from/against), ⟨afschermen⟩ shield (from) [2] ⟨m.b.t. iets ongewensts⟩ protect, shield, shelter ♦ ***tegen** wind en tocht beschut zijn* be sheltered/protected from the wind; *door een strohoed **tegen** de felle zon beschutten* protect against the blazing sun by a straw hat
beschutting [de^v] shelter, protection ♦ *(geen) beschutting **bieden*** offer (no) protection/shelter; ***onder** de beschutting van de kust* under the lee of the coast; *beschutting **tegen** de zon* protection from the sun; *beschutting **tegen** de wind* shelter from the wind; *de schipbreukelingen **zochten** beschutting bij elkaar* the shipwrecked people stuck together for protection; *beschutting **zoeken*** seek shelter; ⟨zich ingraven⟩ burrow
besef [het] [1] ⟨begrip⟩ understanding, consciousness, idea, ⟨innerlijke overtuiging⟩ sense ♦ *geen **goed** besef hebben van zijn plichten/van wat er gebeurd is* have no proper understanding of one's duties/what happened; *het **groeiende** besef (dat)/(van)* the growing awareness/realization/sense (that/of); *van niets meer besef **hebben*** have lost all sense of reality; ***moreel** besef* moral sense/faculty; ***tot** het besef komen dat* come to realize that; *een **vaag** besef* ⟨van iemands bedoeling⟩ a vague idea/understanding; ⟨van normen/de werkelijkheid⟩ a vague sense; *in het **volle** besef van zijn verantwoordelijkheid* fully aware of/fully understanding his responsibility; ***zonder** enig besef van de waarde* without any understanding/idea of the value, totally unaware of the value [2] ⟨bewustzijn⟩ consciousness
beseffen [ov ww] realize, be aware (of), ⟨bevatten⟩ grasp, ⟨zich bewust zijn⟩ be conscious (of) ♦ *ik **begon** te/ging beseffen dat* it/the realization dawned (up)on me that, it gradually came home to me that; ***duidelijk/vaag** besefte zij dat er iets niet klopte* she had a real/vague sense of sth. being wrong; *(iets) heel **goed** beseffen* be only too aware of sth.; *voor ik **het** besefte, had ik ja gezegd* before I knew it, I had consented/said yes; *beseffen **wat** iemand te wachten staat* realize what is in store for s.o.; *niet beseffen **wat** men heeft verloren* fail to grasp/realize what one has lost; *(iets) ten volle beseffen* be fully aware (of sth.), realize (sth.) full well
besgal [de] lenticular oak gall
besheester [de^m] berrying shrub
besheide [de] crowberry

besje [het] → **bes**[1]

besjoemelen [ov ww] ⟨inf⟩ bamboozle

[1]**beslaan** [onov ww] ⟨met een waas overtrokken worden⟩ mist up/over, steam up/over, ⟨chroom⟩ be(come) tarnished, ⟨tong⟩ be furred/coated ♦ *toen ik binnenkwam, besloeg mijn **bril*** when I entered, my glasses steamed up; *de **ruiten** zijn beslagen* the windows are misted/steamed up; *door het koken zijn de **ruiten** beslagen* the windows have steamed up from the cooking

[2]**beslaan** [ov ww] [1] ⟨bekleden⟩ ⟨met accessoires, hang-en-sluitwerk⟩ fit, ⟨langs de rand⟩ bind, ⟨wandelstok⟩ tip ♦ ***dijkwerken** beslaan* mattress dikes; *een **met** koper beslagen kist* a chest with brass fittings; *een **met** zilver beslagen deur* ⟨ter versiering⟩ a door with silver trimmings/fittings; *een **met** zilver/goud beslagen bijbel* ⟨ook⟩ a silver-clasped/gold-clasped Bible [2] ⟨m.b.t. paarden⟩ shoe [3] ⟨innemen⟩ take up, fill, cover, ⟨woorden, tekst ook⟩ run to ♦ *deze kast beslaat de halve **kamer*** this cupboard takes up/occupies half the room; *het complex beslaat een grote **oppervlakte*** the complex takes up/covers a large area/space [4] ⟨m.b.t. boomstammen⟩ square ♦ *beslagen/onbeslagen **hout*** ⟨ook⟩ hewn/unhewn timber [5] ⟨aanmengen met een vloeistof⟩ mix ♦ ***meel** beslaan* mix/fold flour (into a dough/batter)

beslag [het] [1] ⟨met een vloeistof aangemengde stof⟩ batter ♦ *een **dik** beslag maken* make a thick batter [2] ⟨metalen belegsel⟩ fitting(s), ⟨deur, venster⟩ ironwork, metalwork, ⟨sieraad⟩ mounting, setting, ⟨vat⟩ band(s), ⟨paard⟩ shoe, ⟨wandelstok⟩ ferrule, ⟨noppen⟩ stud(s) ♦ *een bijbel met **gouden** beslag* a Bible with golden mount, ⟨sloten⟩ a Bible with golden clasps; *een stok met **ijzeren** beslag* an iron-tipped stick; *een kist met **koperen** beslag* a chest with brass fittings [3] ⟨gebruik, bezit⟩ possession ♦ ***in** beslag genomen door* ⟨dromerij⟩ caught up in; ⟨de kinderen, zijn zorgen⟩ preoccupied with; ⟨klus, boek, eigen gedachten⟩ absorbed in; ⟨boek, werk, de drukte buiten⟩ engrossed in; ⟨boek, raadsel, taken⟩ taken up by; ⟨bezigheid⟩ engaged in; ⟨het roeien, werk, gezeur⟩ occupied by; *geheel **in** beslag genomen* ⟨beschikbare ruimte, mankracht⟩ monopolized; ⟨door film/woorden⟩ spell-bound; ⟨door wraakzucht⟩ consumed; *iemands tijd **in** beslag nemen* take up s.o.'s time; *iemands aandacht **in** beslag nemen* engage s.o.'s attention; engross s.o.; *haar werk neemt haar helemaal **in** beslag* ⟨altijd werkend⟩ she is obsessed/completely occupied by her work; ⟨geboeid⟩ she is completely engrossed in/absorbed by her work; *de vergadering nam de hele dag **in** beslag* it was an all-day meeting; *deze kast neemt te veel ruimte **in** beslag* this cupboard takes up too much space; *het artikel neemt ruim vijf pagina's **in** beslag* the article takes up/runs to over five pages; *hij **legde** beslag op de derde plaats* he took/secured the third place; *beslag **leggen** op iets* take possession of sth., lay (one's) hands on sth.; ⟨zitplaats⟩ occupy, secure; *beslag **leggen** op iemand* take up s.o.'s time, trespass on s.o.'s time; *beslag **leggen** op een stuk land* take a claim to a piece of land; *beslag **leggen** op de conversatie* monopolize the conversation; *dit **legt** te veel beslag op mijn tijd* this is too large a call on/takes up too much of my time [4] ⟨jur⟩ attachment, ⟨onder derden⟩ garnishment order, ⟨met inbeslagneming, ook⟩ seizure, sequestration, ⟨roerend goed⟩ distress, ⟨op schip in oorlogstijd⟩ embargo ♦ *beslag **aanzeggen*** serve with a writ of attachment, ⟨conservatoir⟩ serve with a writ of sequestration, ⟨executoriaal⟩ serve with a writ of fieri facias, ⟨derde⟩ serve with a garnishment order; *smokkelwaar **in** beslag nemen* confiscate/impound contraband; *beslag **leggen*** ⟨embargo op schip⟩ embargo; *beslag **leggen** op een deel van iemands salaris* attach part of s.o.'s earnings; *het beslag **opheffen*** grant replevin; *er werd beslag **gelegd** op het meubilair door de deurwaarder* the bailiff took possession (of the furniture)/seized the furniture, the furniture was seized/distrained by the bailiff [5] ⟨regeling⟩ completion ♦ *een zaak haar beslag **geven*** bring a matter to completion/to a conclusion; *de zaak **heeft** voor juni haar beslag **gekregen*** the matter was settled before June; *zijn beslag **krijgen*** come to a conclusion; ⟨ingevoerd/uitgevoerd worden⟩ be put into effect [6] ⟨oeverbekleding⟩ mattress [7] ⟨gistmengsel⟩ dough, ⟨brouwerij⟩ mash [8] ⟨bed aangemengde kalk⟩ mortar bed, bed of mortar [9] ⟨drukte⟩ ado [10] ⟨veestapel⟩ stock of cattle, livestock [11] ⟨oogstopbrengst⟩ crop, yield

beslagen [bn] ⟨in België⟩ well-grounded, knowledgeable/skilled (in), ⟨inf⟩ good (at)

beslagkom [de] mixing bowl

beslaglegging [de^{v}] ⟨jur⟩ attachment, seizure, distress (on); zie ook **beslag** ♦ *beslaglegging **op** eigendom* attachment of property

beslapen [ov ww] sleep on ♦ *een **bed** beslapen* sleep on a bed; *een niet beslapen **bed*** a fresh bed ⊡ *een **vrouw** beslapen* sleep with a woman

beslechten [ov ww] [1] ⟨tot een oplossing, einde brengen⟩ settle, decide ♦ *het **pleit** is beslecht* the dispute has been settled/decided; *laat haar de **zaak** tussen hen beslechten* let her sort things out between them [2] ⟨vlak maken⟩ level

beslechting [de^{v}] settlement, ⟨verzoening⟩ conciliation ♦ *de beslechting van **geschillen*** the settlement/conciliation of differences

beslijkt [bn] muddy, miry

beslisdocument [het] decision document

besliskunde [de^{v}] decision theory, management science, operations/operational research

beslismoment [het] moment of decision

[1]**beslissen** [onov ww] ⟨besluit nemen⟩ decide, resolve ♦ *hij **kon** maar niet beslissen* he was just unable to/couldn't make up his mind; *het lot **laten** beslissen* let chance/fate decide; *de commissie zal spoedig **over** deze zaak beslissen* the committee will soon come to a decision on/take a decision in the matter; *bij stemming/referendum beslissen **over** een voorstel* decide (on) a proposition by a vote/referendum; *het **parlement** beslist* Parliament decides; *je kon het **zelf** beslissen* it was up to you to decide; *ten gunste/nadele van iemand beslissen* decide for/against s.o.

[2]**beslissen** [ov ww] [1] ⟨besluiten⟩ decide, rule ♦ *beslissen **of*** decide/resolve whether [2] ⟨een bepaalde uitkomst doen hebben⟩ decide ♦ *dit voorval zou de **wedstrijd** beslissen* this incident was to decide the match; *de **zaak** is (allang) beslist* the matter has (long) been decided

beslissend [bn] decisive, conclusive, ⟨uiteindelijk⟩ final, ⟨belangrijkste⟩ crucial ♦ *van beslissende **betekenis** zijn* be of crucial importance, be decisive (for); *het beslissende **doelpunt*** the deciding goal; *de beslissende **factoren** (voor)* the determinant factors, the determinants (of); *op het beslissende **ogenblik*** at the critical moment; *een beslissende **slag*** a decisive/crucial battle, a Waterloo; *in een beslissend **stadium** komen/zijn* come/have come to a crisis/head; *de beslissende **stap** nemen* take the definitive/decisive step; *de voorzitter heeft een beslissende **stem*** the chairman has the casting vote; *deze gebeurtenis was beslissend **voor** zijn verdere leven* this event determined the course of the rest of his life

beslisser [de^{m}] ♦ *een aanbieding voor **snelle** beslissers* an offer for people who can decide quickly

beslissing [de^{v}] [1] ⟨besluit⟩ decision, ⟨uitspraak van bevoegd gezag ook⟩ ruling ♦ ***bij** zijn beslissing blijven* keep to one's decision/resolve; *een beslissing **forceren*** force a decision/the issue, bring matters to a head; *een **gerechtelijke** beslissing* a judicial decision; *de beslissing **is gevallen*** the decision has been made/taken; *de beslissing **ligt** bij ons* the decision is ours, it's up to us (to decide); *een beslissing **nemen*** make/take a decision, decide (on) (sth.); *een beslissing **nemen** in een zaak* decide on/make a decision in a matter; *zich neerleggen bij een beslissing van de **scheidsrechter*** abide by the umpire's/referee's decision; ***tot** een beslissing komen* reach/arrive at/come to a decision; *vandaag **valt** de beslissing* today a decision will be made/taken; *voor een beslissing staan* be faced with a decision [2] ⟨doorslag⟩ decision ♦ *het ingrijpen van de luchtmacht gaf de beslissing* the intervention by the airforce decided the war/the matter/the battle

beslissingsbevoegdheid [de[v]] power of decision, say, choice, right to decide

beslissingswedstrijd [de[m]] decider, play-off ♦ *een beslissingswedstrijd spelen* ⟨ook⟩ play off

[1]**beslist** [bn] [1] ⟨ontegenzeglijk waar⟩ definite ♦ *een besliste leugen* a definite/positive lie; *geen besliste meerderheid hebben* lack a clear majority [2] ⟨niet weifelend⟩ decided, sure, decisive, ⟨vaak ongunstig⟩ assertive ♦ *besliste gebaren* decisive/resolute gestures; *beslist in zijn antwoorden* sure of his answers

[2]**beslist** [bw] [1] ⟨zeker⟩ certainly, definitely, decidedly ♦ *ik geloof beslist dat ...* I definitely think that ...; *zij is het beslist* it is her all right; ⟨zeer waarschijnlijk⟩ it is bound to be her; *hij komt beslist* he'll come all right; *je moet beslist eens langs komen* you really must come and see us some day; *komt zij echt niet? beslist niet!* are you sure she won't come? no fear!; *het is beslist waar* it is definitely true; ⟨zeer waarschijnlijk⟩ it is bound to be true; *ik weet het beslist* I'm absolutely certain/sure; *komt hij echt? beslist!* is he really coming? you bet! [2] ⟨vastberaden⟩ definitely, decidedly ♦ *ze sprak zeer beslist* she sounded very definite; *ik ben er beslist tegen* ⟨ook⟩ I'm dead/absolutely against it

beslistheid [de[v]] decisiveness, determination, resolution ♦ *met beslistheid optreden* act positively/firmly/with decision

beslommering [de[v]] worry, bother ♦ *de dagelijkse beslommeringen* the day-to-day worries; *vele beslommeringen aan zijn hoofd hebben* have a lot on one's mind/plate

besloten [bn] [1] ⟨gesloten⟩ closed, private ♦ *een besloten huis* a private house/home; *besloten jacht* in/during the close season; *in besloten kring* in a closed/private circle, private(ly); *een besloten ruimte* an enclosed space; *besloten testament* sealed will/testament; *een besloten vergadering* a closed meeting; *in besloten zitting* in camera, behind/with closed doors [2] ⟨(vast) van plan⟩ resolved (to), ⟨in iets⟩ firm, resolute ♦ *besloten zijn iets te doen* be resolved/determined to do sth.

beslotenheid [de[v]] privacy, ⟨afzondering⟩ seclusion, ⟨verborgenheid⟩ secrecy, ⟨ongunstiger⟩ isolation, ⟨beschutting⟩ shelter ♦ *in alle beslotenheid iets doen* ⟨ook⟩ do sth. in secrecy; *in de beslotenheid van zijn eigen kamer* in the seclusion of his own room; *de beslotenheid van een leefgemeenschap* the closed character of a commune; *de beslotenheid van een rusthuis* the sheltered environment of a nursing home

besluipen [ov ww] steal up on, creep up on, ⟨wild⟩ stalk ♦ ⟨fig⟩ *de vrees besloop hen* (the) fear crept over them

besluit [het] [1] ⟨beslissing⟩ decision, resolution, resolve, determination ⟨ook als voornemen⟩ ♦ *ik heb mijn besluit genomen* ⟨ook⟩ I have made up my mind, my mind is made up; *een besluit nemen/vormen* take/come to a decision; *hij kan niet makkelijk besluiten nemen* he is slow to decide/make up his mind; *een besluit over* a decision/resolution about; *mijn besluit staat vast* I'm quite determined/resolved; *dit bracht me tot een besluit* this resolved me/made up my mind for me; *wat bracht je tot dit besluit?* what induced/led you to take this decision?; *een besluit tot uitgifte van aandelen* a decision/resolution to issue shares; *tot het besluit/een besluit komen (dat)* arrive at/come to/reach a/the decision (that); *een besluit uitvoeren* carry out a decision/resolution; *de besluiten van een vergadering* the resolutions adopted/passed/carried at a meeting [2] ⟨wat een einde aan iets maakt⟩ conclusion ♦ *een gebed tot besluit* a prayer to close; *tot besluit van het feest* to round off the party; *tot besluit, wil ik opmerken* winding up/in conclusion I wish to remark [3] ⟨maatregel⟩ order, decree ♦ *vastgesteld bij besluit van* laid down/enacted by order of; *het besluit inkomstenbelasting* Income Tax provisions; *bij Koninklijk besluit* by Royal Decree, ⟨BE⟩ by Order in Council; *een ministerieel/parlementair/pauselijk besluit* a Ministerial Order, a Parliamentary Order/Decree, a papal decree [4] ⟨conclusie⟩ conclusion ♦ *tot het besluit komen dat ...* reach/arrive at the conclusion that

besluiteloos [bn] indecisive, irresolute, ⟨nog niet besloten⟩ unresolved ♦ *hij is altijd zo besluiteloos* he will always shilly-shally; *iemand met een besluiteloos karakter* a feeble-minded/wavering person; *besluiteloos staan* be unresolved, waver; *besluiteloos zijn* ⟨ook⟩ lack decision

[1]**besluiten** [onov ww] ⟨kiezen voor⟩ decide, settle (for sth.) ♦ *dit heeft ons ertegen doen besluiten* this has decided us against it; *ik kon maar niet besluiten* I couldn't make up my mind; *overhaast besluiten* make a hasty decision; *tot die maatregel kon hij niet besluiten* he couldn't decide to take that measure

[2]**besluiten** [ov ww] [1] ⟨beëindigen⟩ conclude, close, end ♦ *hij besloot met de opmerking* he concluded/ended with the remark/by remarking; *een feest met een lied besluiten* round off/conclude a party with a song; *met deze documentaire besluiten we onze uitzending* with this documentary we conclude our broadcast [2] ⟨een besluit nemen⟩ decide, resolve, determine ♦ *de scheidsrechter besloot dat de wedstrijd niet door kon gaan* the referee decided to call off the match; *de vergadering besloot het volgende/stappen te nemen* the meeting resolved as follows/to take steps [3] ⟨afleiden⟩ conclude, gather, infer [4] ⟨omsluiten⟩ comprise, include, contain ♦ *het lag al in de opzet besloten* it was inherent in the plans; *besloten liggen in* be implicit in; *in die woorden ligt veel waars besloten* there's much that's true/a great deal of truth in those words

besluitvaardig [bn] decisive, resolute, purposive

besluitvorming [de[v]] decision-making, decision process

besluitvormingsproces [het] decision-making process

besmeren [ov ww] [1] ⟨bestrijken⟩ spread, ⟨brood met boter⟩ butter, ⟨met verf⟩ daub ♦ *dik besmeren met* spread thickly with, plaster with; *een geroosterd sneetje brood met boter en honing besmeerd* (a piece of) toast and honey [2] ⟨bevuilen⟩ smear, spread

besmet [bn] [1] ⟨ziektekiemen dragend⟩ infected (with), contaminated (with), ⟨als overbrenger⟩ tainted ♦ *besmet/niet langer besmet gebied* ⟨m.b.t. veeziektes⟩ infective/released area; *met tbc besmet* infected with TB [2] ⟨bevuild⟩ tainted, contaminated (with), polluted (by) ♦ *(radioactief) besmet gebied* contaminated area; *besmette melk* tainted/contaminated milk; *met bloed besmet* tainted with blood [•] *besmette lading* ⟨smokkelwaar⟩ contraband; ⟨m.b.t. vakbondsactie⟩ black(ed) cargo; *besmet verklaren* black (a firm/goods); *besmet werk* blackleg/blacked work

besmettelijk [bn] [1] ⟨infectieus⟩ infectious, contagious, catching ♦ ⟨scherts⟩ *ik ben niet besmettelijk* it's not catching; *tyfus is besmettelijk* typhus is infectious; *een besmettelijke ziekte* an infectious/contagious disease [2] ⟨fig⟩ infectious, contagious, catching ♦ *een besmettelijke danswoede* an infectious dancing craze [3] ⟨gemakkelijk bevuild kunnende worden⟩ (be) easily soiled ♦ *wit is erg besmettelijk* white soon gets dirty

besmetten [ov ww] [1] ⟨aansteken⟩ infect (with), contaminate (with) ♦ *besmet worden met een virus* be infected with a virus; *met/door tyfus besmet worden (door iemand)* catch/contract typhus (from s.o.) [2] ⟨fig⟩ infect (with), ⟨ongunstiger⟩ contaminate (with), ⟨in morele zin⟩ corrupt, taint ♦ *ben jij nu ook al besmet door die nieuwe rage?* has the new craze infected you as well? [3] ⟨bevlekken⟩ taint, soil [•] ⟨sprw⟩ *wie met pek omgaat wordt ermee besmet* he that toucheth pitch shall be defiled; who keeps company with the wolf will learn to howl; ± if you play with fire you get burnt

besmetting [de^{v}] [1] ⟨infectie⟩ infection, ⟨door aanraking⟩ contagion ◆ *het **gevaar** voor besmetting is nu geweken* the danger of infection is past; *besmetting van water **met** bacteriën* contamination of water by/with bacteria; ***radioactieve** besmetting* radio-active contamination; ***rechtstreekse** besmetting* contagion [2] ⟨ziektekiemen⟩ infection, disease ◆ *ratten **brengen** de besmetting **over*** rats communicate the infection/disease

besmettingsgevaar [het] danger of infection/contagion, risk of infection/contagion

besmeuren [ov ww] stain, soil, daub, ⟨ook fig⟩ (be)smear, smirch ◆ ***met** inkt besmeurd* inky, ink-stained; ***met** bloed besmeurde handen* ⟨fig⟩ blood-stained hands

besmuikt [bn, bw] sniggering ⟨bw: ~ly⟩, ⟨steels⟩ furtive ◆ *een besmuikt **lachje*** a snigger

besnaren [ov ww] string

besneden [bn] [1] ⟨door snijden gevormd⟩ carved, chiselled ◆ *een **fijn** besneden schip* a trim/sleek ship; *een **fijn** besneden gezicht* a finely chiselled face [2] ⟨besnijdenis ontvangen hebbend⟩ circumcised

besneeuwd [bn] snowy, ⟨bergen⟩ snow-clad, snow-covered, snowcapped

besnijden [ov ww] [1] ⟨door snijden vormen⟩ ⟨ivoor, hout enz.⟩ carve, ⟨stukjes afsnijden⟩ whittle, ⟨overtolligs wegsnijden⟩ trim ◆ *iets **met** letters besnijden* carve letters in sth.; *een **paardenhoef** besnijden* pare a horse's hoof [2] ⟨de voorhuid wegnemen⟩ circumcise ◆ *een **jongen** laten besnijden* have a boy circumcised

besnijdenis [de^{v}] circumcision

¹besnoeien [onov ww] ⟨bezuinigen⟩ cut down (on) ◆ *besnoeien **op*** ⟨ook⟩ cost-cut; ***op** enkele posten besnoeien* cut a few posts

²besnoeien [ov ww] [1] ⟨inkorten⟩ trim (off/down), cut (down/back), curtail ◆ *een **toneelstuk** besnoeien* make cuts in/cut a play; *steeds **verder** besnoeien* whittle down/away [2] ⟨door snoeien bewerken⟩ prune, ⟨bomen⟩ lop, ⟨tot bepaalde vorm⟩ trim, clip

besnuffelen [ov ww] [1] ⟨snuffelend onderzoeken⟩ sniff at [2] ⟨doorsnuffelen⟩ nose through

besodemieterd [bn, bw] ⟨inf⟩ [1] ⟨dwaas⟩ mad ◆ *ben je nou helemaal besodemieterd?* you must be bonkers/mad [2] ⟨ontsteld⟩ flabbergasted ◆ *een besodemieterd **gezicht** trekken* look flabbergasted [3] ⟨beroerd⟩ rotten, crummy ◆ *hij **is** nog te besodemieterd om dat te doen* he's too bloody-minded to do it

besodemieteren [ov ww] ⟨inf⟩ ⟨vnl BE⟩ bugger around/about, mess around, take for a ride ◆ *ik **laat** me niet nog een keer besodemieteren* ⟨BE⟩ I won't be buggered around again; ⟨AE⟩ I'm not going to let myself be screwed like that again; *je **wordt** besodemieterd waar je bij staat* you get taken for a ride/^{A}get the shaft/^{A}get shafted

besogne [het, de] affair ◆ *veel besognes **hebben*** have a lot of things to attend to/cares/worries

bespannen [ov ww] [1] ⟨overspannen⟩ stretch, ⟨met snaren⟩ string ◆ *een **met** doek bespannen raam* a frame with cloth stretched over it; *een viool **met** snaren bespannen* string a violin [2] ⟨m.b.t. trekdieren⟩ harness (a horse to a cart) ◆ *een rijtuig **met** paarden bespannen* put horses to a carriage; *een **met** zes paarden bespannen rijtuig* coach-and-six; *gesloten voor bespannen **wagens*** closed to vehicles pulled by draught animals

bespanning [de^{v}] [1] ⟨dat wat over, in iets gespannen is⟩ ⟨van racket⟩ stringing ◆ *de bespanning van dat **racket** is niet strak genoeg* that racket is not strung tightly enough [2] ⟨trekdieren⟩ team (of)

besparen [ov ww] [1] ⟨uitsparen⟩ save ◆ *de zomertijd bespaarde veel **kunstlicht*** much electricity was saved by (the change to) summer time; *geld besparen **op** het onderhoud* save on maintenance [2] ⟨niet belasten met⟩ spare, save ◆ *die **moeite** had u zich wel kunnen besparen* you could have spared yourself the trouble; *de **rest** zal ik je maar besparen* I'll spare you the rest (of it); *dat **verdriet** had hij mij kunnen besparen* he might have spared me this grief

besparing [de^{v}] [1] ⟨het uitsparen⟩ saving, economy ◆ ***ter** besparing van ruimte* in order to save space [2] ⟨het uitgespaarde⟩ saving(s), economy, economies ◆ *dat geeft een **belangrijke** besparing op de uitgaven* that is an important money-saver

besparingsmaatregel [de^{m}] economy measure, ⟨vnl. van overh⟩ austerity measure

bespeelbaar [bn] [1] ⟨sport⟩ playable ◆ *een **moeilijk** bespeelbare tegenstander* an opponent who is hard to play against; *het **veld** was niet bespeelbaar* the ground was unplayable [2] ⟨muz⟩ playable ◆ *een **gemakkelijk** bespeelbaar instrument* an instrument that is easy to play [•] *deze schouwburg is **goed** bespeelbaar* this theatre plays well; *deze videoband **is** aan beide zijden bespeelbaar* this videotape is playable on both sides

bespelen [ov ww] [1] ⟨sport⟩ ⟨veld⟩ play on/in ◆ *een **biljart** bespelen* play on a billiard-table [2] ⟨muz⟩ play (on) ◆ *een **viool** bespelen* play (on) a violin [3] ⟨invloed uitoefenen op⟩ ⟨omstandigheden⟩ manipulate, ⟨gevoelens⟩ play on ◆ *een **gehoor** bespelen* play to an audience; *iemand **weten** te bespelen* know how to manipulate s.o. [•] *een **schouwburg** bespelen* play a theatre; *een **zaal** bespelen* perform/play in a hall

bespeler [de^{m}] group/ensemble appearing/playing/performing, ⟨sport⟩ home team ◆ *dat orkest is de **vaste** bespeler van onze concertzaal* that is our concert hall's orchestra in residence

bespeuren [ov ww] sense, notice, perceive, find ◆ *ze bespeurde **dat** we iets van plan waren* she sensed that we had a plan up our sleeve; *er **is** nog steeds geen verandering te bespeuren* there is still no noticeable change; ***onenigheid** bespeuren* sense discord; ***onraad/bedrog** bespeuren* sense danger/deceit; *er **viel** geen stofje te bespeuren in de kamer* not a speck of dust was to be found in the room

bespieden [ov ww] [1] ⟨met oplettendheid waarnemen⟩ study, ⟨onderzoeken⟩ scrutinize ◆ *de **geheimen** van de natuur bespieden* study the secrets of nature [2] ⟨bespioneren⟩ spy (on), watch ◆ *iemands **doen** en **laten** bespieden* watch/follow s.o.'s movements; *iemand **laten** bespieden* have s.o. watched/followed

bespiegelen [ov ww] reflect (on), contemplate ◆ *een bespiegelende **geest*** a contemplative/meditative mind, a speculative mind; *de bespiegelende **wijsbegeerte*** speculative philosophy

bespiegeling [de^{v}] reflection (on), contemplation (of), ⟨speculatie⟩ speculation (on) ◆ *bespiegelingen **houden** over* speculate on; *bespiegelingen **omtrent** de godsdienst* meditations on religion; ***onvruchtbare** bespiegelingen* idle speculation(s)

bespijkeren [ov ww] [1] ⟨met spijkers beslaan⟩ nail ◆ *bespijkerde **schoenen*** hobnailed shoes [2] ⟨door spijkeren aanbrengen op⟩ nail on ◆ ***met** planken bespijkeren* board up; nail planks on (to) ...; *een kist **met** pakdoek bespijkeren* nail packing-cloth on (to) a box

bespioneren [ov ww] spy on ◆ *iemand **laten** bespioneren* have s.o. spied on/watched; *ik heb het gevoel alsof ik bespioneerd **word*** I have a feeling I am being watched

bespoedigen [ov ww] accelerate, speed up, expedite, hasten, precipitate ◆ *dit heeft zijn **ondergang** bespoedigd* this has precipitated his downfall; *een **ontwikkeling** bespoedigen* speed up a development; *zijn **reis** bespoedigen* speed up one's journey

bespoediging [de^{v}] acceleration, speeding up, hastening, expedition, precipitation ◆ ***ter** bespoediging van het werk* to speed up the work

¹bespottelijk [bn] ⟨belachelijk⟩ ridiculous, absurd, ludicrous ♦ *een bespottelijk **figuur** slaan* (make o.s.) look ridiculous; *zich bespottelijk **maken*** make a fool of o.s., lay o.s. open to ridicule; *wat je zegt is **volmaakt** bespottelijk* what you say is absolutely ridiculous/ludicrous; *hoe kom je erbij? bespottelijk!* what makes you think that? ridiculous!

²**bespottelijk** [bw] ⟨op belachelijke wijze⟩ ridiculously ♦ *zich bespottelijk **aanstellen*** behave ridiculously, make a ridiculous fuss/scene

bespotten [ov ww] ridicule, mock, deride, scoff at ♦ *zij **werd** voortdurend bespot* she was always mocked/ridiculed

bespotting [de^v^] ridicule, mockery ♦ *iemand **aan** bespotting **blootstellen*** expose s.o. to ridicule; *dit besluit is een bespotting van het **recht*** this decision is a travesty of justice

bespraakt [bn] eloquent ♦ *een zeer bespraakt **man*** an eloquent talker

bespreekbaar [bn] 1 ⟨onderwerp van bespreking⟩ debatable, discussible, ⟨voor onderhandeling vatbaar⟩ negotiable ♦ *bij het loonoverleg **is** arbeidsduurverkorting nu ook bespreekbaar* in the negotiations over wages the reduction of working hours can now also be discussed; *iets bespreekbaar **maken*** ⟨ook⟩ make sth. a subject of discussion 2 ⟨waarover vrij gesproken kan worden⟩ debatable, discussible ♦ *homofilie is niet **voor** iedereen bespreekbaar* not everyone will discuss homosexuality ▫ *bespreekbare **plaatsen*** bookable seats

bespreekbureau [het] booking office, ticket agency, ⟨van theat⟩ box office

bespreken [ov ww] 1 ⟨spreken over⟩ discuss, talk about, ⟨behandelen⟩ consider ♦ *de zaak werd **druk** besproken* the matter was much debated; ***het** besprokene blijft onder ons* our discussion should not go any further; *we zullen deze kwestie nog **nader** bespreken* we shall give the matter further consideration/discuss the matter in more detail; *iets **onder** een drankje bespreken* discuss sth. over a drink; *iets **onder** vier ogen met iemand bespreken* talk about sth. with s.o. in private, have a private interview with s.o.; *een **probleem** bespreken* go into/over a problem, examine a problem; *iets **uitvoerig** met iemand bespreken* talk sth. over thoroughly with s.o. 2 ⟨beoordelen⟩ discuss, comment (up) on, examine, ⟨boek, film⟩ review ♦ *het debuut werd **niet/overal** besproken* the début went unnoticed/was widely reviewed 3 ⟨reserveren⟩ book, reserve ♦ *een **hotel** bespreken* book a hotel; ***kaartjes/plaatsen** bespreken* book (seats), reserve tickets/seats, make reservations; *alle **plaatsen** waren al lang van tevoren besproken* all seats had been booked long in advance

bespreking [de^v^] 1 ⟨het bespreken, besproken worden⟩ discussion, talk ♦ ***buiten** bespreking blijven* be left out of the discussion/the debate; *morgen komt de zaak **in** bespreking* the matter will come under consideration/be discussed tomorrow; *een **korte/lange** bespreking wijden aan een plan* consider a plan briefly/in much detail; ***met** iemand een bespreking houden over iets* discuss sth. with s.o., consult with s.o. about sth.; *de bespreking van een **wetsontwerp*** the deliberations (on)/discussion of a bill 2 ⟨onderhandeling⟩ meeting, conference, talks ♦ *hij **heeft** nu een bespreking* he is in a conference/meeting now; *de bespreking **heeft** niet tot resultaat **geleid*** the talks have not been successful; ***internationale** besprekingen beginnen/openen over* begin/open international talks on; *besprekingen **voeren** over* have talks on; ***voorlopige** besprekingen* preliminary talks 3 ⟨recensie⟩ review, ⟨beknopter⟩ notice 4 ⟨het reserveren⟩ booking, reservation ♦ *de bespreking van **plaatsen*** the booking/reservation of seats

besprenkelen [ov ww] sprinkle ♦ *sla **met** azijn besprenkelen* sprinkle lettuce with vinegar

bespringen [ov ww] 1 ⟨springen op⟩ pounce (up)on, jump ♦ *de kat besprong de **muis*** the cat pounced on the mouse 2 ⟨onverhoeds aanvallen⟩ pounce (up)on, ⟨mil; dorp⟩ raid, ⟨vesting⟩ assault 3 ⟨dekken⟩ cover, mount, ⟨haan⟩ tread, ⟨ram⟩ tup ♦ *een merrie **laten** bespringen* have a mare covered

besproeien [ov ww] 1 ⟨sproeiend begieten⟩ sprinkle, ⟨sproeiend doordrenken⟩ perfuse ♦ ⟨fig⟩ *de maaltijd werd rijkelijk **met** wijn besproeid* the wine flowed freely (with the meal); *de wegen besproeien **tegen** het stof* sprinkle the streets to lay the dust 2 ⟨landb⟩ irrigate, ⟨met insecticiden e.d.⟩ spray, ⟨met water⟩ water

besproeiing [de^v^] ⟨landb⟩ irrigation

besproeiingswagen [de^m^] sprinkler

bespuiten [ov ww] 1 ⟨spuiten op, tegen⟩ spray (on) ♦ *de **plantjes** bespuiten (met water)* spray the young plants (with water), water the young plants 2 ⟨landb; tuinbouw⟩ spray (with) ♦ ***gewas** tegen luis bespuiten* spray crops against aphids; *bespoten **groenten*** sprayed vegetables

Bessarabië [het] Bessarabia

besseldraad [de^m^] tacking thread

bessenboompje [het] currant bush

bessenjenever [de^m^] ± blackcurrant gin

bessensap [het] ⟨rood⟩ (red)currant juice, ⟨zwart⟩ blackcurrant juice

bessenvlinder [de^m^] (common) magpie moth

bessenwijn [de^m^] (red)currant wine

¹**best** [de^v^] ⟨oude vrouw⟩ granny

²**best** [het] ▫ *zijn best **doen*** do one's best; *zijn uiterste best **doen** om op tijd te komen* try as hard as one can to be on time; *je hebt je best **gedaan**, meer kan je niet doen* you have done the best you could, you can't do anymore; *ik **heb** nu wel genoeg mijn best **gedaan*** I've tried hard enough by now; ***op** zijn best* at best; *hij is **op** zijn best* he is at his best; ***op** zijn best zijn er veertig* there are forty of them at most; *iets **ten** beste geven* oblige the company with sth.; ⟨lied enz.⟩ give (a rendering of), render; *een mening **ten** beste geven* vent/air/volunteer an opinion; *een kunstje/liedje **ten** beste geven* perform a trick/song

³**best** [bn] 1 ⟨overtreffende trap van 'goed'⟩ best, better, optimum ♦ *met de beste **bedoelingen*** with the best of intentions; *je bent een **bovenste** beste* you are a brick, you are fantastic; *op een na **de** beste* the second/next best; *op twee na **de** beste* the third best; *dat kan **de** beste overkomen* that can happen to the best of us; *hij kan koken als **de** beste* he can cook like the best of them; *zij kwam als **de** beste uit de bus* she came out best; *je bent **een** beste* you're a dear one; *aan hem hebben we **geen** beste* we could have done a lot better than him, he's certainly not the pick of the bunch; ***het** beste ermee!* good luck!; ⟨bij ziekte ook⟩ best wishes!; *ik wens je **het** beste* ⟨bij afscheid⟩ all the best; ⟨bij ziekte⟩ all the best; ⟨bij problemen⟩ I wish you luck/well; ***het** beste van iets hopen* hope for the best; ***het** beste van iets maken* make the best of sth.; *zo is het maar **het** beste* it's all for the best, it's better like this; *dit zal wel **het** beste zijn* this will be the best thing/plan; ***het** beste met je man/griep* all the best with your husband/flu; ***het** beste is dat we nu maar gaan* we'd better/best go now; *zij is er relatief **het** beste aan toe* of all of them/compared to the others, she has the best of it; *ik wil alleen **het** beste van het beste* I want prime quality only, I only want the best; *in zijn beste **kleren*** in his (Sunday) best, in his best clothes; *(artikelen van de) beste **kwaliteit*** choice/excellent/prime/superior quality; *beste **maatjes** zijn met* be very thick with, be hand in glove with; *hij is **niet** best in Engels* he isn't much good at English; *Peter ziet er niet al **te** best uit* Peter looks none too well; *dit jasje ziet er niet al **te** best meer uit* this jacket has seen its best days; *dat apparaat heeft zijn beste **tijd** gehad* that device/machine has had its day; *iets naar zijn beste **vermogen/weten** doen* do sth. to the best of one's ability/knowledge; *de beste **wensen**!* ⟨met Kerstmis/nieuwjaar⟩ the season's greetings to you 2 ⟨van uitstekende kwaliteit⟩ excellent, very good ♦ *een best **biertje*** an excellent beer; *deze appels zijn niet al **te** best/al **te** best meer* these apples are of poor quality/have gone bad

3 ⟨braaf⟩ good, decent ◆ *het zijn beste **mensen*** they are good people 4 ⟨m.b.t. instemming, onverschilligheid⟩ well, all right ◆ ⟨inf⟩ *(het is) **mij** best* I don't mind, it's fine/all right (with me); *wil je niet? **mij** best!* not interested? it's your choice!/if that's the way you want it!; *alles best **vinden*** be easy(-going) 5 ⟨bij aanspreekwoorden⟩ dear, good ◆ *beste **Jan*** ⟨als briefaanhef⟩ dear John; *beste **jongen,** doe nu niet zo eigenwijs* (my) dear boy, don't be so obstinate; ***mijn** beste!* my dear fellow! ▪ *de eerste, **de** beste* anyone, anything, any; *de eerste, **de** beste die nu nog z'n mond opendoet, krijgt een dreun* the very first of you who still dares to open his mouth is in for it; *het eerste, **het** beste excuus* the first excuse available; *hij overnacht niet in het eerste, **het** beste hotel* he doesn't stay at just any (old) hotel; ⟨sprw⟩ *het beste is de vijand van het goede* the best is the enemy of the good; ⟨sprw⟩ *oost west, thuis best* east, west, home's best; ⟨sprw⟩ *de beste stuurlui staan aan wal* the best horseman is always on his feet; ⟨sprw⟩ *het beste paard struikelt weleens* it's a good horse that never stumbles; even Homer sometimes nods; ⟨sprw⟩ *ondervinding is de beste leermeester* experience is the best teacher; ± experience is the mother/father of wisdom; ⟨sprw⟩ *de beste breister laat weleens een steek vallen* it's a good horse that never stumbles; even Homer sometimes nods; to err is human; no man is infallible; ⟨sprw⟩ *lest best* the last is the best; ⟨sprw⟩ *de beste bode is de man zelf* ± if you want a thing well done, do it yourself; ± if you would be well served, serve yourself

⁴**best** [bw] 1 ⟨overtreffende trap van 'goed'⟩ best ◆ *je versterker **doet** het ook niet best meer* your amplifier isn't any too good these days; *hij kan het/danst **het** best* he is best at it/at dancing; *jij **kent** hem het beste* you know him best 2 ⟨uitstekend⟩ very well ◆ *ik **heb** me best **geamuseerd*** I thoroughly enjoyed myself; *ik **kan** me dat best **voorstellen*** I can very well imagine/believe that; *komt hij niet? best!* he is not coming? very well! 3 ⟨om ontkenning tegen te spreken⟩ sure ◆ *ik vind het best **lekker*** I do like it; *je **weet** het best* you know very well 4 ⟨stellige overtuiging⟩ sure ◆ *dat kunnen we best in één uur **doen*** we can easily do that in an hour; *ze zal best **komen*** she is sure to come; *het **zal** best **lukken*** it's going to work out all right/fine 5 ⟨afzwakking⟩ quite ◆ *het is best een **goed** boek* it's a (fairly) good book; *hij is best een **schatje*** he's a darling; *hij schildert best **wel** aardig* his painting's OK, he paints pretty well/quite reasonably; *eigenlijk best **wel** een goede film* (it's) actually not at all bad/actually quite a reasonable film 6 ⟨erkenning⟩ really ◆ *ik voelde me best **eenzaam*** I did feel lonely; *hij heeft het er best **moeilijk** mee* it's really very difficult for him 7 ⟨mogelijkheid, waarschijnlijkheid⟩ possibly, well ◆ *hij **kan** best thuis **zijn*** he may well be at home/in; *het is best **mogelijk*** it's quite possible/likely; *dat **zou** best **kunnen*** that's very possible; *ze **zou** best **willen** ...* she wouldn't mind ...; *ik **zou** best een pilsje **lusten*** I could do with a (glass of) beer ▪ ⟨sprw⟩ *ieder weet het best waar hem de schoen wringt* only the wearer knows where the shoe pinches; ⟨sprw⟩ *wie het laatst lacht, lacht het best* he laughs best who laughs last; he who laughs last laughs longest

¹**bestaan** [het] 1 ⟨het er zijn⟩ existence ◆ *zijn bestaan **danken** aan* owe one's existence to; *het bestaan van **God*** the existence of God; *in het bestaan van **kabouters/geesten** geloven* believe in fairies/ghosts; *die firma viert vandaag haar **vijftigjarig/honderdjarig** bestaan* that firm is celebrating its fiftieth anniversary/centenary today 2 ⟨leven⟩ existence ◆ *dat is toch **geen** bestaan!* that is a miserable life!, that's no life!; *een **heerlijk/zorgeloos** bestaan* a delightful/carefree life/way of life; *dat is geen **menswaardig** bestaan* that is a degrading existence; *de **strijd** om het bestaan* the struggle for life; ***wat** een bestaan!* what a life! 3 ⟨broodwinning⟩ living, livelihood ◆ *hij heeft een **goed** bestaan* he earns a fair/decent wage/salary; *een **middel** van bestaan zoeken* look for/seek a livelihood/a means of support; *ergens een bestaan in **vinden*** make a living out of, gain/earn a living by

²**bestaan** [onov ww] 1 ⟨er zijn⟩ exist, be (in existence) ◆ *er bestaan geen **bezwaren** meer tegen* any objections about it have been removed; *dat kan allemaal waar zijn, het feit **blijft** bestaan dat* all of this may be true, but it doesn't alter the fact that/yet the fact remains that; *onze liefde zal altijd **blijven** bestaan* our love will live on forever; *de beste auto die **er** bestaat* the best car in existence, the best car going; *je bent de mooiste vrouw/grootste schurk die **er** bestaat* you are the prettiest woman/worst rascal in existence/in the world/I know; ***God** bestaat* God exists; *geloven dat **God** bestaat* believe in God's existence; *al **lang** bestaan* be of long standing, have been around/have existed for a long time; *ergens geen misverstanden over **laten** bestaan* make it perfectly clear (that); *laat daar geen **misverstand** over bestaan* let there be no mistake about it; ***ophouden** te bestaan* cease to exist, disappear; *bestaan **sinds*** date back to; ***voor** haar bestaat hij niet* to her, he does not exist; *deze **wet** bestaat nog* this law still exists; *die **zaak/**dat **volk** bestaat niet meer* that business has discontinued, that people has become extinct 2 ⟨inhouden⟩ consist (in/of), include, ⟨opgebouwd zijn⟩ be made up (of) ◆ *dit werk bestaat **uit** drie delen* this work consists of/in three volumes/parts 3 ⟨rondkomen⟩ live ◆ *hij moet **van** zijn zaak bestaan* he has to make a living out of his business; *goed/nauwelijks kunnen bestaan **van*** live comfortably/well on, scrape an existence by 4 ⟨mogelijk zijn⟩ be possible ◆ ***dat** bestaat niet* there is no such thing, impossible; ***hoe** bestaat het!* can you believe it! ▪ ⟨sprw⟩ *alle goede dingen bestaan in drieën* all good things go by/come in threes

³**bestaan** [ov ww] ⟨wagen⟩ dare ◆ *hij heeft het bestaan mij **op te zoeken*** he has had the nerve to visit me

bestaanbaar [bn] possible, thinkable, ⟨wisk⟩ real

bestaand [bn] existing, existent, in being, current, actual ◆ *de nieuwe wet is duidelijker dan **de** bestaande* the new law is clearer than the existing one; *een bestaand **geval*** an existing case; *een al **lang** bestaande gewoonte/firma* a time-honoured practice/practice of long standing, an old-established firm; ***niet**-bestaand* non-existent; *een **nog** bestaande/**niet** meer bestaande gewoonte* a practice still current/no longer current; *de thans bestaande **rassen*** the races/breeds now in existence; *de bestaande **toestand*** the existing situation, things being what they are

bestaansgrond [de^{m}], **bestaansreden** [de] raison d'être, reason for existence

bestaansminimum [het] subsistence level ◆ ***beneden/boven** het bestaansminimum* below/above subsistence level/the poverty/bread line

bestaansrecht [het] right to exist, rationale (of one's/its existence) ◆ *geen bestaansrecht **hebben*** have no right to exist; *zijn bestaansrecht **ontlenen aan*** be justified by

bestaansreden [de] → **bestaansgrond**

bestaansterrein [het] area of life

bestaansvoorwaarden [de^{mv}] conditions of/for existence

bestaanszekerheid [de^{v}] social security

bestaanszin [de^{m}] ⟨taalk⟩ existential sentence

¹**bestand** [het] 1 ⟨wapenstilstand⟩ truce, armistice ◆ *het bestand **tussen** X en Y* the truce between X and Y; *Het **Twaalfjarig** Bestand* The Twelve Years' Truce 2 ⟨verzameling (gegevens)⟩ file, ⟨aanwezige exemplaren⟩ stock, ⟨om uit te putten⟩ pool, fund ◆ *bestanden **samenvoegen*** merge files

²**bestand** [bn] ▪ *bestand zijn **tegen*** withstand, resist; ⟨onkwetsbaar⟩ be immune to; ***tegen** hitte bestand* heat-resistant; *deze laag is bestand **tegen** roest* this coat is rust-proof; ***tegen** die verleiding was zij niet bestand* she couldn't resist the temptation; ***tegen** die behandeling was zij niet bestand* she couldn't stand up to that treatment

bestanddeel [het] constituent, element, ⟨onderdeel

waaruit iets is opgebouwd⟩ component (part), ⟨ingrediënt⟩ ingredient ♦ *een **belangrijk** bestanddeel van onze taal* an important constituent/element of our language; ***vreemde** bestanddelen* foreign elements/substances

bestandenlijst [de] directory

bestandsformaat [het] file format

bestandslijn [de] demarcation line

bestandsnaam [de^m] ⟨comp⟩ file name

bestandsorganisatie [de^v] ⟨comp⟩ file organization

bestandsvervuiling [de^v] file muddying/corruption

besteden [ov ww] 1 ⟨inzetten voor een doel⟩ spend, take, devote/give (to), employ for ♦ *geen **aandacht** besteden aan* pay no attention to; *veel **aandacht** besteden aan iets* take a lot of time/trouble over sth.; ***zorg** besteden aan* take care over (work) 2 ⟨m.b.t. tijd⟩ spend (on), devote (to) ♦ *al zijn tijd en energie **aan** zijn werk besteden* spend all one's time and energy on one's work; *ik kan mijn tijd wel **beter** besteden* I have better things to do with my time 3 ⟨m.b.t. geld⟩ spend (on), lay out on ♦ *daar is veel geld **aan** besteed* a lot of money has been put into that/spent on that/laid out on that; *het geld is **goed/nuttig/slecht** besteed* the money was well-spent/was put to good use/was ill-spent ⊡ *het is wel **aan** hem besteed* it isn't wasted/lost on him; *zoiets is niet **aan** haar besteed* things like that/such things are lost/wasted on her

besteding [de^v] 1 ⟨m.b.t. tijd⟩ spending ♦ *de besteding van mijn **tijd** is mijn zaak* how I spend my time is my own business 2 ⟨m.b.t. geld⟩ spending ♦ *bestedingen **doen*** spend money, invest; ⟨onkosten oplopen⟩ incur expenses

bestedingsbeperking [de^v] cuts in spending, restriction on spending, ⟨vnl pol⟩ retrenchment

bestedingsinflatie [de^v] demand-induced inflation, demand-pull inflation

bestedingsnota [de] the budget

bestedingsoverschot [het] inflationary gap

bestedingspakket [het] budget

bestedingspatroon [het] pattern of spending

bestedingspolitiek [de^v] spending policy

besteedbaar [bn] disposable ♦ *het besteedbare **inkomen*** disposable income, income after tax

bestek [het] 1 ⟨eetgerei⟩ cutlery ♦ *(een) **zilveren** bestek* a set of silver cutlery 2 ⟨beschrijving van uit te voeren werk⟩ specifications ♦ ***volgens** bestek gemaakt* made/built according to specifications; ⟨op schaal⟩ made to scale 3 ⟨beschrijving van maatregelen⟩ plan, scheme 4 ⟨begrensde ruimte⟩ compass, scope ♦ ***binnen** het bestek van drie jaar* in the space of three years; *iets in **kort** bestek uiteenzetten* explain sth. in brief 5 ⟨opzet⟩ plan, scheme, scope ♦ ***binnen** het bestek van dit boek* within the scope of this book; *dit uitvoeriger te omschrijven valt **buiten** ons bestek* a more detailed definition is outside our plan/scope 6 ⟨scheepv⟩ position, fix ♦ *het bestek **opmaken*** ascertain the position, take a fix

bestekamer [de] ⟨vero⟩ privy

bestekbak [de^m] cutlery tray/drawer

bestekhout [het] ⟨amb⟩ timber sawed to specification

bestektekening [de^v] plan

bestel [het] 1 ⟨bestaande ordening⟩ existing order, establishment ♦ *het **heersende** bestel* the establishment; *het **maatschappelijk** bestel* the social order 2 ⟨regeling, bestuur⟩ ordainment, disposition ♦ *door **Gods** bestel* through God's ordaining

besteladres [het] ⊡ *besteladres BBC, Bush House, Londen* orders to be addressed to BBC, Bush House, Londen

bestelauto [de^m] ⟨BE⟩ delivery van, ⟨AE⟩ (panel) truck, ⟨open⟩ pickup truck

bestelbon [de^m] order form

bestelbusje [het] ⟨BE⟩ delivery van, ⟨AE⟩ (panel) truck

besteldatum [de^m] 1 ⟨datum van order⟩ order date, date of order(ing) 2 ⟨datum van aflevering⟩ delivery date

besteldienst [de^m] 1 ⟨expeditieafdeling⟩ delivery service, parcel delivery 2 ⟨expeditiebedrijf⟩ delivery service

bestelen [ov ww] rob

bestelformulier [het] order form, order sheet, docket

bestelkaart [de] order card, order form, ⟨van boeken⟩ book order, ⟨bij postpakketten⟩ despatch note

[1]**bestellen** [ov ww] 1 ⟨laten komen⟩ order, place an order (for), ⟨i.h.b. personen⟩ send for ♦ *iets bestellen **bij*** order sth. from, place an order with; ***het** bestelde* the goods ordered, the order; *goederen **telefonisch/schriftelijk** bestellen* order goods by telephone, send/write off for; *een **timmerman/** een **taxi** bestellen* send for a carpenter, call a taxi; *iets **uit** een catalogus bestellen* order/send for sth. from a catalogue 2 ⟨aan huis bezorgen⟩ deliver ♦ ***brieven/telegrammen** bestellen* deliver letters/telegrams 3 ⟨reserveren⟩ book, ⟨vnl AE⟩ reserve ♦ *ik wil voor morgen vijf **stokbroden** bestellen* can I order five French loaves for tomorrow, please?

[2]**bestellen** [ov ww, ook abs] ⟨horeca⟩ order ♦ ***zullen** we al bestellen?* shall we order now?

besteller [de^m] 1 ⟨bezorger⟩ deliveryman, ⟨brieven⟩ postman, ⟨telegrammen, expressestukken⟩ messenger ♦ *de besteller van Van **Gend** en **Loos*** the Van Gend & Loos deliveryman; *de besteller **is** al **geweest*** the postman has already been 2 ⟨iemand die goederen laat komen⟩ ± customer ♦ *de vracht komt voor **rekening** van de besteller* freight to be paid by the customer

bestelling [de^v] 1 ⟨het thuisbezorgen⟩ delivery ♦ *er was vertraging **in** de bestelling* we/they were behind with the deliveries; *bestelling op naam* personal delivery 2 ⟨order⟩ order ♦ *een bestelling **doen** bij/voor* place an order with/for; *een bestelling **doen/uitvoeren*** place/execute an order; ***in** bestelling zijn bij* be on order from; *iets **in** bestelling hebben bij* have sth. on order with; ***op** bestelling gemaakt* made to order, custom-made; *de bestelling komen **opnemen*** come to take s.o.'s order, call for s.o.'s order; ***telefonische/schriftelijke** bestelling* telephone/written order; *op bestelling **van*** as ordered by 3 ⟨bestelde goederen⟩ order, goods on order, goods ordered ♦ *bestellingen **afleveren*** deliver goods ordered

bestelnummer [het] order number

bestemmeling [de^m] ⟨in België⟩ addressee

bestemmen [ov ww] 1 ⟨aanwijzen, bedoelen⟩ mean, intend, reserve, ⟨geschikt maken⟩ design ♦ *het daarvoor bestemde **hokje*** the appropriate box; *ter bestemder **tijd*** in due time; *niet **voor** publicatie bestemd* not intended for publication; *bestemd **voor** uitwendig gebruik* intended for external application; *geld bestemmen **voor** iemand/iets* earmark money for s.o./sth., allocate funds to sth.; *dit pakje had ik **voor** jou bestemd* this parcel was intended for you; *deze opmerking is **voor** Jan bestemd* that remark was meant for John; *oorspronkelijk waren deze gebouwen bestemd **voor** bewoning* originally, these buildings were meant to be lived in/were designed as dwellings 2 ⟨voorbestemmen⟩ destine ♦ ***voor** het geluk bestemd zijn* be destined for happiness; *zij zijn **voor** elkaar bestemd* they were meant/made for each other; *hij is bestemd **voor** de handel/de balie/dominee/advocaat/koopman* he is intended/meant/destined for business/for the bar/to be(come) a clergyman/to be(come) a lawyer/to be(come) a businessman; *het **was** bestemd dat* it had been ordained that

bestemming [de^v] 1 ⟨bedoeling⟩ intention, purpose, use, ⟨gelden⟩ allocation ♦ *een **andere** bestemming krijgen* have a change of use; *ergens een bestemming aan **geven*** put sth. to a specific use; *we **hebben** hier geen bestemming voor* we have no use for this; *de **oorspronkelijke** bestemming van dat gebouw* the original purpose of this building; *een bestemming **vinden** voor* find a use for 2 ⟨doel, eindpunt⟩ destination ♦ *zijn bestemming **bereiken*** arrive at/reach one's destination; *reizigers **met** bestemming Groningen moeten hier overstappen* passengers for Groningen, please change here; *een reis met **onbekende** bestemming* a mystery tour; *hij is met **onbekende** bestemming vertrokken* he has left without leaving any address/a forwarding address; ***plaats** van bestemming* destination [3] ⟨levensdoel⟩ destiny, lot, ⟨levenstaak⟩ vocation ◆ *zijn bestemming **vinden*** find one's way (in life)/one's vocation; *dat **was** nu eenmaal zijn bestemming* it was his destiny

bestemmingsplan [het] zoning plan/scheme

bestemmingsreserve [de] ⟨ec⟩ earmarked funds/reserves

bestemmingsverkeer [het] local traffic ◆ *alleen toegankelijk **voor** bestemmingsverkeer* (for) local traffic only

bestemoer [de^v] ⟨form⟩ old crone

bestempelen [ov ww] [1] ⟨noemen⟩ label, call, tag, ⟨pej⟩ brand ◆ *iets bestempelen **als*** designate sth. as, label/call sth.; *dat bestempel ik **als** oplichting* I call this a swindle; *het boek wordt **als** provocerend bestempeld* the book was called/labelled provocative [2] ⟨een stempel drukken op⟩ stamp ◆ *bestempelde **postzegels*** cancelled/^{A}canceled (postage) stamps

bestendig [bn, bw] [1] ⟨duurzaam⟩ ⟨materialen⟩ durable, ⟨vrede, vriendschap⟩ lasting, abiding, enduring, ⟨kleur⟩ permanent ◆ *op aarde **is** niets bestendig* nothing here on earth is lasting; *bestendige **vrede*** lasting peace [2] ⟨niet veranderlijk⟩ stable, steady, invariable, continuous ◆ *de barometer **geeft** 'bestendig' **aan*** the barometer is set fair; *bestendig **weer*** settled weather [3] ⟨in samenstellingen; bestand tegen⟩ -proof, -resistant ◆ ***hitte**bestendig* heat-resistant; ***roest**bestendig* rust-proof; ***vocht**bestendig* damp-proof

bestendigen [ov ww] continue, ⟨toestand⟩ make/render permanent, perpetuate ◆ *het **contract** wordt bestendigd* the contract is renewed; *de voorlopige **toestand** wordt bestendigd* the provisional arrangement is made permanent

bestendigheid [de^v] [1] ⟨duurzaamheid⟩ ⟨materialen⟩ durability, ⟨kleuren⟩ permanency, ⟨vriendschap⟩ lastingness [2] ⟨onveranderlijkheid⟩ stability, constancy, steadiness, invariability

bestendiging [de^v] continuation, ⟨toestand⟩ making (the arrangement) permanent, perpetuation, ⟨contract⟩ renewal

^{1}**besterven** [onov ww] [1] ⟨sterven⟩ die ◆ *dat **ligt** haar in de mond bestorven* that is constantly on her lips; *het woord bestierf **op** zijn lippen* the word died on his lips [2] ⟨m.b.t. vlees⟩ ± hang ◆ *vlees **laten** besterven* hang meat; *bestorven **vlees*** well-hung meat [3] ⟨m.b.t. stoffen⟩ set, harden ◆ *kalk/verf **laten** besterven* let plaster/paint harden

^{2}**besterven** [ov ww] [•] ***het** besterven van schrik* die of fright; ***het** besterven van het lachen* die laughing, laugh o.s. to death

bestiaal [bn, bw] bestial ⟨bw: ~ly⟩

bestialiteit [de^v] [1] ⟨beestachtigheid⟩ bestiality [2] ⟨zoöfilie⟩ bestiality

bestiarium [het] bestiary

bestieren [ov ww] ⟨form⟩ govern, rule ◆ ***God** die 't al bestiert* God who governs all

bestijgen [ov ww] [1] ⟨klimmen op⟩ mount, ⟨troon⟩ ascend ◆ *hij besteeg zijn **paard*** he mounted his horse [2] ⟨m.b.t. een berg⟩ climb, ascend

bestijging [de^v] [1] ⟨het klimmen op⟩ ⟨paard⟩ mounting, ⟨troon⟩ ascent, accession (to) [2] ⟨m.b.t. berg⟩ climbing, ascent, ⟨zeer hoge berg⟩ conquest

bestikken [ov ww] stitch, embroider

bestilla [de] bastilla

bestoefen [ov ww] ⟨in België⟩ praise

best of five [de] best of five

best of seven [de] best of seven

bestoft [bn] dusty, covered with dust ◆ *zijn **kleren** zijn bestoft* his clothes are all covered with dust

bestoken [ov ww] [1] ⟨aanvallen, beschieten⟩ harass, press, ⟨met bommen/granaten⟩ shell, bomb(ard), ⟨met spervuur⟩ barrage ◆ ***met** bommen bestoken* bomb(ard); *de **vijand/een verschansing** bestoken* harass the enemy, press the enemy hard; shell an entrenchment [2] ⟨lastigvallen⟩ harass, bombard, besiege ◆ *ik wordt hier bestookt **door** muggen* I'm being tormented/attacked by gnats here; ***fel** bestookt* hard-pressed; *iemand **met** vragen bestoken* bombard s.o. with questions; *hij **werd** van alle kanten bestookt* he was beset/beleaguered from all sides

bestormen [ov ww] [1] ⟨storm lopen op⟩ storm, attack, assail, assault, rush ◆ *een **vesting** bestormen* storm/assail a stronghold [2] ⟨met grote aantallen afkomen op⟩ storm, besiege, beleaguer ◆ *het **loket** werd bestormd* the (ticket-) window was besieged; ⟨fig⟩ *allerlei herinneringen bestormden **me*** all sorts of memories rushed/crowded in upon me; *de demonstranten bestormden het **politiebusje*** the demonstrators stormed the police van [3] ⟨overladen⟩ assail, beleaguer, pelt, ply

bestorming [de^v] [1] ⟨stormaanval⟩ storming, siege, assault, attack [2] ⟨het bestormd worden⟩ rush (for/upon), ⟨van bank⟩ run ◆ *de bestorming van de **winkels*** the rush on the shops

bestorven [bn] ⟨kind⟩ orphaned, ⟨partner⟩ widowed

bestoven [bn] covered with dust, dusty

bestprestatie [de^v] ⟨in België⟩ best result

bestraffen [ov ww] [1] ⟨straf doen ondergaan⟩ punish, correct, ⟨form⟩ chastise ◆ *iemand bestraffen **voor/wegens*** punish s.o. for [2] ⟨berispen⟩ reprove, reprimand, rebuke, scold ◆ *iemand bestraffend **aankijken*** give s.o. a look of reproof [3] ⟨straf geven voor⟩ punish ◆ *het **kwaad**/de **ondeugd** bestraffen* punish evil/vice

bestraffing [de^v] [1] ⟨het bestraffen, bestraft worden⟩ punishing, correcting, chastising [2] ⟨datgene waarin een straf bestaat⟩ punishment, correction, chastisement [3] ⟨het berispen, berispt worden⟩ reproving, scolding [4] ⟨berisping⟩ rebuke, scolding

bestralen [ov ww] [1] ⟨stralen op iets werpen⟩ ⟨ook voedsel⟩ irradiate, ⟨zon⟩ shine upon ◆ *de zon bestraalt de **aarde*** the sun shines upon/irradiates the earth [2] ⟨med⟩ give radiation treatment, give radiotherapy ◆ *de **patiënt** moet bestraald worden* the patient needs radiation treatment

bestraling [de^v] irradiation, ⟨als behandeling⟩ radiotherapy, radiation treatment ◆ ***drie** bestralingen per week* three radiation treatments per week; *bestraling van een **tumor*** irradiation/radiation treatment of a tumor

bestralingsinstituut [het] institute for radiotherapy

bestralingstherapie [de^v] radiation treatment/therapy, radiotherapy

bestraten [ov ww] pave, ⟨verharden⟩ surface, ⟨met keien⟩ cobble

bestrating [de^v] [1] ⟨handeling⟩ paving, ⟨verharding⟩ surfacing, ⟨met keien⟩ cobbling [2] ⟨materiaal⟩ pavement, paving, surface, cobbles

bestrijden [ov ww] [1] ⟨betwisten⟩ dispute, challenge, contest, ⟨plan⟩ oppose, resist ◆ *de **oppositie** bestrijden* challenge/fight the opposition; *wie zou dat **willen** bestrijden?* who would (like to) quarrel with that?; *een **zienswijze** bestrijden/de **echtheid** van een document bestrijden* oppose a view, challenge/dispute the genuineness of a document; *ik wil dit met kracht bestrijden* I wish to speak out strongly against this [2] ⟨tegengaan⟩ combat, fight, suppress, counteract, ⟨plaag⟩ control ◆ ***hevig/krachtig** bestrijden* put up a vigorous fight against, offer vigorous resistance to; ***stank** bestrijden* suppress smells; *het **vloeken/alcoholisme** bestrijden* combat swearing/alcoholism [3] ⟨vechten tegen⟩ fight, ⟨niet fysiek ook⟩ contend (with) ◆ ***elkaar** op leven en dood bestrijden* be at one another's throats; *iemand **met** zijn eigen wapens bestrijden* give s.o. a taste of his own medicine [•] *de **onkosten** bestrijden* meet/cover the costs; *een **verlies** bestrijden uit reserves* defray a loss from reserves

bestrijder [de^m] opponent, adversary

bestrijding [de^v] fight, combat(ing) ♦ *bestrijding van ongedierte* pest control
bestrijdingsmiddel [het] pesticide ⟨met name dieren⟩, ⟨planten⟩ herbicide, weed killer, ⟨schimmels⟩ fungicide
bestrijken [ov ww] 1 ⟨kunnen bereiken⟩ cover ♦ *deze oplage bestrijkt de hele **regio*** this edition covers the entire area; *een uitgave die de hele **stad** bestrijkt* ⟨AE⟩ a cross-town edition; *een wet die een breed **terrein** bestrijkt* a law with a wide scope 2 ⟨kunnen beschieten⟩ cover, command, have within range ♦ *dit fort bestrijkt het hele **gebied*** this fortress commands the entire area; *de straat bestrijken **met** een machinegeweer* have the street covered with a machine-gun; *vanaf dit punt kunnen we de hele **vallei** bestrijken* from this point we've got the entire valley covered/within range 3 ⟨besmeren⟩ ⟨jam⟩ spread, ⟨verf⟩ coat, ⟨vet⟩ smear
bestrooien [ov ww] ⟨met korrels⟩ sprinkle (with), ⟨met mest⟩ cover/spread (with), ⟨met poeder⟩ powder/dust (with) ♦ *een graf bestrooid **met** bloemen* a grave strewn with flowers; *een boterham bestrooien **met** hagelslag* sprinkle a sandwich with chocolate grains/hundreds-and-thousands; *gladde wegen **met** zand/zout bestrooien* sand/salt icy roads
bestseller [de^m] best seller
besttijd [de^m] best time
bestudeerd [bn, bw] studied, (carefully) composed, practised, contrived ♦ *met bestudeerde **beleefdheid*** with studied politeness; *een bestudeerde **glimlach*** a studied/carefully composed smile; *een bestudeerde **houding*** a studied attitude
bestuderen [ov ww] 1 ⟨met aandacht lezen⟩ study, ⟨krant⟩ pore over, peruse ♦ *iets **aandachtig/lang** bestuderen* pore over sth.; ***iemand** bestuderen* look s.o. over, peer at s.o., study s.o.('s face); *een niet vooraf bestudeerde **tekst*** an unseen text 2 ⟨een studie maken van⟩ study, read up on, ⟨examenstof; BE⟩ revise, ⟨AE⟩ review ♦ *een veel bestudeerd/nog niet bestudeerd **gebied*** a well-studied/virgin field; *de middeleeuwse **geschiedenis** bestuderen* study/read up on medieval history; *iets **opnieuw** bestuderen* revise sth. 3 ⟨onderzoeken⟩ study, investigate, research, explore ♦ *een **kwestie** bestuderen* study/examine/investigate a matter/subject; *iets bestuderen **op** (haalbaarheid)* examine sth. for (feasibility)
bestudering [de^v] study
bestuiven [ov ww] ⟨bloemen⟩ pollinate, ⟨met meel/stof⟩ dust, powder
bestuiving [de^v] pollination
besturen [ov ww] 1 ⟨m.b.t. een voer-, vaartuig⟩ drive, steer, navigate ♦ *een **auto/tram** besturen* drive a car/tram; *een **schip/vliegtuig** besturen* sail/steer/navigate a ship, fly/navigate a plane 2 ⟨m.b.t. een werktuig⟩ control, operate ♦ ***door** de computer bestuurd* computer-operated, computer-controlled; *een **hijskraan**/een **laadklep** besturen* operate a crane/loading-ramp; *een **radiografisch** bestuurde raket* a remote-controlled rocket 3 ⟨leiden⟩ govern, administrate, manage, run ♦ ***slecht** besturen* misgovern, mismanage; *een **stad** besturen* govern/run a town; *een **stichting** besturen* administrate/run an institution
besturing [de^v] 1 ⟨stuurinrichting⟩ control(s), steering, drive ♦ *een auto met **dubbele** besturing* a dual-control car; *een auto met **linkse** besturing* a car with left-hand drive 2 ⟨het besturen, wijze van besturen⟩ steering ♦ ***automatische** besturing* automatic pilot 3 ⟨het beheersen⟩ control, operation ♦ *de besturing van technologische **processen*** the control of technological processes
besturingscomputer [de^m] dedicated computer
besturingsorgaan [het] ⟨comp⟩ control unit
besturingsprogramma [het] operating program
besturingssysteem [het] ⟨comp⟩ operating system
bestuur [het] 1 ⟨het leiden⟩ ⟨van land⟩ government, rule, ⟨van gemeente/ziekenhuis/school⟩ administration, ⟨van bedrijf⟩ management ♦ *het **burgerlijk/openbaar** bestuur* civil/public administration; *het bestuur van de **gemeenten** is bij de wet geregeld* local government/administration is regulated by law; *algemene **maatregelen** van bestuur* administrative measures; ***slecht** bestuur* misgovernment, misrule, maladministration, mismanagement 2 ⟨gezag, regeringssysteem⟩ administration, ⟨van land⟩ government, rule, ⟨van bedrijf⟩ management ♦ *onder **eigen** bestuur* self-governing, autonomous; *het land kwam **onder** Nederlands bestuur* the country came/was placed under Dutch government/rule; ***tijdens** zijn bestuur* during his administration/term of office 3 ⟨lichaam, college⟩ ⟨van land⟩ government, ⟨van stad⟩ council, corporation, ⟨van school⟩ (board of) governors, ⟨van vereniging⟩ (executive) committee, ⟨van fabriek⟩ (board of) directors, management, ⟨van PTT/spoorw⟩ board ♦ *het **dagelijks** bestuur* the executive (committee); ***in** het bestuur zitten* be on the board (of directors/governors)/on the committee; *iemand **in** het bestuur kiezen* elect s.o. to the board/committee; *het bestuur van de **universiteit*** the governing body/board of governors of the university; ⟨in België⟩ *Bestuur der **Wegen*** Ministry of Public Works
bestuurbaar [bn] 1 ⟨bestuurd kunnende worden⟩ controllable, manageable, ⟨schip, vliegtuig⟩ navigable ♦ *een bestuurbare **ballon*** a dirigible (balloon); ***gemakkelijk** bestuurbaar zijn* be easy to steer/control/handle; ⟨schip⟩ be of easy steerage; ***niet meer** bestuurbaar zijn* be out of control; ⟨schip⟩ have run out of hand 2 ⟨geleid, geregeerd kunnende worden⟩ manageable, governable, controllable, administrable ♦ *een groot staatslichaam is **moeilijk** bestuurbaar* a large government body is hard to administrate; ***niet meer** bestuurbaar zijn* be in a state of anarchy, be ungovernable
bestuurder [de^m] 1 ⟨chauffeur⟩ ⟨van auto⟩ driver, ⟨van vliegtuig/ballon⟩ pilot, ⟨van grote machine⟩ operator ♦ ***zonder** bestuurder* unmanned 2 ⟨iemand die bestuur voert⟩ administrator, ⟨van school⟩ governor, ⟨van bedrijf⟩ director, manager, ⟨van land⟩ ruler, ⟨in België; van sportclub⟩ president ♦ *een **bekwaam** bestuurder* a competent/capable/able administrator/manager; *de bestuurders van het **land**/van een **instelling*** the administrators of a country, the governors/managers of an institution 3 ⟨directeur⟩ director, manager, head
bestuurdersplaats [de] driver's seat, driving seat
bestuurlijk [bn] administrative, governmental, managerial ♦ *een bestuurlijk **gewest/district*** an administrative area/district; *bestuurlijke **maatregelen*** administrative measures; *op bestuurlijk **niveau*** at managerial level
bestuursambtenaar [de^m] administrator, civil servant, administrative officer
bestuursapparaat [het] administrative machinery
bestuursbesluit [de^v] decision/resolution of the committee/board, management decision
bestuursbevoegdheid [de^v] decision-making authority
bestuurscollege [het] governing body, board of governors, directorate
bestuursdwang [de^m] administrative order, imposition of administrative penalties
bestuurservaring [de^v] administrative/managerial experience
bestuursfunctie [de^v] 1 ⟨van een persoon⟩ position on the board/executive, a senior managerial post ♦ *een bestuursfunctie **bekleden*** be on the board/executive; ⟨bij een vereniging⟩ hold office on a committee; *een **hoge** bestuursfunctie* a senior position on the board/executive, a senior managerial post 2 ⟨van een bestuurslichaam⟩ administrative function
bestuurshamer [de^m] chairman's gavel
bestuurskunde [de^v] (science of) public/social admin-

istration

bestuurslichaam [het] administrative body/institution

bestuurslid [het] member of the Board, ⟨van instelling⟩ member of the Board of Governors, ⟨van bedrijf⟩ member of the Board of Directors, ⟨van vereniging⟩ committee member ◆ *als bestuurslid bedanken* retire from the Board/Committee; *tot bestuurslid benoemen* appoint to the Board/Committee; *bestuurslid van een **voetbalclub** zijn* be a director of a soccer club

bestuursovereenkomst [de^v] governance agreement, administrative agreement

bestuursrecht [het] administrative law

bestuursrechter [de^m] judge in administrative law

bestuursschool [de] ± school for administrative and business studies

bestuurssecretaris [de^m] ⟨in België⟩ ministerial secretary, ⟨alg⟩ public servant, ⟨Groot-Brittannië⟩ ± undersecretary

bestuurstaal [de] ⟨in België⟩ official language

bestuurstafel [de] ⟨van bedrijf⟩ board, board/committee table

bestuursvergadering [de^v] committee/board meeting

bestuursvorm [de^m] form of administration/government, type of administration/government, polity

bestuurswetenschap [de^v] (science of) public/social administration

bestuurswisseling [de^v] change in the board/committee, management change

bestuurszaak [de] administrative matter/business

bestwil ⊡ *ik doe/zeg het **om/voor** uw (eigen) bestwil* I'm doing/saying this for your own good/benefit; ⟨sprw⟩ *een leugen om bestwil is geen zonde* ± better a lie that heals than a truth that wounds

besuikeren [ov ww] sugar, sift/sprinkle/put sugar on ◆ *een **beschuit** besuikeren* sprinkle/put sugar on a rusk ⊡ *ben je besuikerd?* have you gone out of your mind?

bèta [de] 1 ⟨Griekse letter⟩ beta 2 ⟨onderw; richting⟩ science (side/subjects) ◆ *bèta **doen/kiezen*** do/take science (as a subject) 3 ⟨onderw; leerling⟩ science student/pupil

bèta-afdeling [de^v] science department

betaalautomaat [de^m] point-of-sale terminal, point-of-pay(ment) terminal, ⟨voor kaartjes⟩ ticket machine ◆ *een betaalautomaat **in** een parkeergarage* a ticket machine in a car park

betaalbaar [bn] 1 ⟨te betalen⟩ affordable, reasonably priced ◆ *kwaliteit voor een betaalbare **prijs*** quality at prices you can afford; ***voor** iedereen betaalbaar* which everybody can afford 2 ⟨handel⟩ payable, bankable, ⟨op bepaalde plaats of bij bepaalde bank⟩ domiciled ◆ *betaalbaar **aan** toonder* payable to bearer; *betaalbaar **op** zicht* payable at sight; *betaalbaar **stellen** bij een bank* domicile/make payable at a bank; *de wissel **wordt** op 1 mei betaalbaar **gesteld*** the draft becomes payable on the 1st of May

betaalbaarstelling [de^v] ⟨handel⟩ making payable, ⟨op bepaalde plaats of bij bepaalde bank⟩ domiciling

betaalcheque [de^m] (bank-)guaranteed cheque/^{A}check

betaalchip [de^m] payment chip

betaald [bn] 1 ⟨beroeps⟩ paid, hired, professional, commercial ◆ *betaald **voetbal*** ⟨BE⟩ paid/professional football, ⟨AE⟩ professional soccer 2 ⟨gekocht, gehuurd⟩ paid (for), hired ◆ *betaalde **liefde*** love for sale; *betaalde **moordenaars*** hired killers/assassins ⊡ *een zeer goed betaalde **baan*** a plum job, a highly paid job; *iemand iets betaald **zetten*** get even with s.o., settle/square one's account with s.o., get back at/on s.o.; *iemand iets dubbel en dwars betaald **zetten*** return sth. to s.o. with interest, give sth. back to s.o. with interest

betaaldag [de^m] 1 ⟨dag van uitbetaling⟩ payday 2 ⟨handel; vervaldag⟩ due date, maturity, ⟨vaste geregelde datum⟩ quarter/term day ◆ ***op** de betaaldag* on the due date, at maturity

betaalkaart [de] ⟨giro⟩ (guaranteed) girocheque/^{A}girocheck

betaalmiddel [het] tender, currency, means/instrument of payment, circulating medium ◆ *schelpen **als** betaalmiddel* shells as a means of payment/as a currency; ***buitenlandse** betaalmiddelen* foreign currency; *een cheque **is** een betaalmiddel* a cheque/^{A}check is an instrument of payment; *bankpapier is **wettig** betaalmiddel* bank notes are legal tender

betaalpas [de^m] cheque/^{A}check (guarantee) card, banker's card, ⟨chipkaart⟩ cashpoint card, smart card, ⟨vnl BE⟩ cash card, ⟨credit card⟩ credit card

betaalstrook [de] ⟨wwb⟩ toll lane, pay lane

betaaltelevisie [de^v] pay TV, coin-in-the-slot television

betaalterminal [de^m] payment terminal

betaal-tv [de^v] pay-per-view television (PPV), ⟨AE⟩ pay TV

bètablokker [de^m] ⟨med⟩ beta-blocker

bètadeeltje [het] beta particle

bètaleerling [de^m], **bètaleerlinge** [de^v] science student/major, technical student

bètaleerlinge [de^v] → **bètaleerling**

[1]**betalen** [onov ww] ⟨geld opleveren⟩ pay (off), be rewarded/remunerated ◆ *dit werk betaalt **slecht*** this work pays very badly/is not very well paid/is underpaid

[2]**betalen** [ov ww] 1 ⟨bekopen⟩ pay for, answer (with) ◆ *een roekeloosheid **met** zijn leven betalen* pay for a reckless act with one's life 2 ⟨vergelden⟩ repay, reward, remunerate

[3]**betalen** [ov ww, ook abs] ⟨het verschuldigde doen toekomen⟩ ⟨iemand, een rekening⟩ pay, ⟨iets⟩ pay for, ⟨na protest⟩ pay up, ⟨ten volle⟩ pay off, settle, ↑ clear, ↑ discharge; zie ook **betaald** ◆ ***alles** betalen* stand treat; *en wij moeten **alles** maar betalen* and we have to foot the bill; *het nog te betalen **bedrag** is ...* the amount still due is ...; *je wordt daar wel **beter** betaald* you do get better wages there; *de **chauffeur/de ober/de huisbaas** betalen* pay/settle (up) with the driver/the waiter/the landlord; ***contant** betalen* pay (in) cash; *ieder zijn **deel** betalen* share and share alike; *een **deel** van de kosten betalen* share in the costs; *wie zal **dit** betalen?* who's going to pay for this?; ***door** de staat betaald worden* ⟨mensen, projecten⟩ be paid (for) by the government; ⟨personen ook⟩ be in the pay of the government; *iets **duur** (moeten) betalen* pay dear for sth.; ***elektronisch** betalen* pay by computer (transfer); *wat heb je **ervoor** moeten betalen* what did they charge you for it?; *hoeveel krijgen zij **ervoor** betaald?* what's in it for them?; *de **gasrekening** werd niet meer betaald* the gas bills were left unpaid; ***goed** betalen* ⟨baas⟩ pay well; ⟨klanten⟩ be good payers; *zoveel **kan** hij niet betalen, hij **kan** maar € 50 betalen* he cannot afford that much, he can only pay € 50; *mijn ouders betalen al mijn **kleren*** ⟨ook⟩ my parents keep me in clothes; *de **kosten** betalen* bear/meet the expenses/cost; *zij **laat** hem altijd betalen* she always makes him pay; *iemand te veel **laten** betalen* overcharge s.o.; *iemand een ontzettend bedrag **laten** betalen* make s.o. pay through the nose/bleed; *en de gewone mensen (het) maar **laten** betalen* and let the ordinary people foot the bill; *betalend **lid*** sustaining member; ***mag** ik even betalen?* could I have the bill/^{A}check please?; ***met** Duits geld betalen* pay/make one's payment in German currency; *iemand **met** gelijke munt betalen* give s.o. a taste of his own medicine, get one's own back on s.o.; ***met** een cheque/**met** cheques betalen* pay by cheque/^{A}check; *elkaar **met** gesloten beurzen betalen* settle on mutual terms, conduct a paper transaction; *hij wilde **niet** betalen* ⟨inf⟩ he wouldn't cough up; *(een rekening) **niet** betalen* ⟨inf ook⟩ bilk (a bill); *die huizen zijn **niet** te betalen* the price of these houses is prohibitive/astronomical; *ze worden **niet** betaald, het is vrijwilligerswerk* they receive no pay, it is voluntary work; ***nog** te betalen lonen/reke-*

ningen unpaid wages, outstanding bills; *betalende* ***passagier*** (fare-)paying passenger; ⟨vnl. in taxi⟩ fare; ***per*** *uur/stuk betaald worden* be paid by the hour, be on piece-work; *de* ***rente/huur*** *moet morgen betaald worden/had al betaald moeten worden* the interest/rent is due tomorrow/is already overdue; *met honderd euro is het* ***ruim/goed*** *betaald* a hundred euros is a good price for it; *te betalen* ***saldo,*** *(nog) te betalen* balance due; *zij betaalden het* ***samen*** they shared the cost, they went halves; *zijn* ***schulden*** *(niet) betalen* (not) pay off/settle one's debts; ***slecht****/te weinig betalen* ⟨van baas⟩ underpay; ***terug*** *te betalen* repayable, returnable; ***traag/slecht*** *betalende klanten* customers who are slow to pay; ***uit*** *eigen portemonnee betalen* pay out of one's own pocket; *het wordt betaald* ***uit*** *het boekenfonds* it will be paid out of the books fund; *hij is slecht/langzaam* ***van*** *betalen* he is a bad/slow payer; *hij kan dat nooit betalen* ***van*** *een uitkering* he couldn't possibly pay that out of his benefit; *te* ***veel*** *betalen* ⟨van baas⟩ overpay; *(te)* ***veel*** *voor iets betalen* pay through the nose for sth.; *ieder* ***voor*** *zichzelf betalen* ⟨inf⟩ go Dutch; *hier hoeft u niets* ***voor*** *te betalen* there is no charge (for this); *ieder betaalt* ***voor*** *zichzelf, neem ik aan* Dutch treat, I presume?; ***vooruit*** *te betalen,* ***vooraf*** *betalen* to be paid/payable in advance; ***weigeren*** *te betalen, niet meer betalen* ⟨rekeningen⟩ repudiate/suspend payment; *het te* ***weinig*** *betaalde* the deficiency, the amount underpaid; ***wie*** *zal dat betalen, zoete lieve Gerritje* who'll pay the piper?; *weggaan* ***zonder*** *te betalen* abscond, levant, jump one's bill; *heb je al betaald?* have you paid (the bill/^{A}check)?; *betalen wat er nog staat (op de rekening)* settle/square one's account; *hier kun je alles kopen als je maar betaalt* you can buy anything here, at a price ⊡ ⟨sprw⟩ *wie betaalt, bepaalt* he who pays the piper calls the tune

betaler [de^{m}] payer ◆ *het zijn* ***kwade*** *betalers* they are bad payers

betaling [de^{v}] payment, ⟨voor diensten⟩ reward, remuneration, ⟨van schulden⟩ settlement ◆ *betaling* ***bij*** *levering* payment/cash on delivery; ***bij*** *betaling binnen een week* if paid within a week; *tegen* ***contante*** *betaling* on cash payment; *betalingen* ***doen*** make payments; *betaling* ***in*** *termijnen* payment in instalments, deferred payment; *betaling* ***ontvangen/eisen*** receive/demand payment; *zijn betalingen* ***staken*** suspend one's payments; ***tegen*** *betaling* ***van*** on payment of; ***tegen*** *betaling wil ik dat wel doen* for a (small) remuneration/consideration I'm willing to do it; ***tegen*** *betaling mag je de auto gebruiken* you can use the car at a charge; ***ter*** *betaling* ***van*** in payment of; ***wijze*** *van betaling* method of payment

betalingsachterstand [de^{m}] arrears (of payment)

betalingsbalans [de] balance of payments ◆ *een overschot/tekort* ***op*** *de betalingsbalans* a surplus/deficit in the balance of payments

betalingsbewijs [het] receipt, ⟨concr⟩ voucher, ⟨abstr⟩ proof of payment

betalingskorting [de^{v}] (prompt) payment discount/rebate

betalingsopdracht [de^{m}] payment order

betalingsplicht [de] liability/obligation to pay

betalingstermijn [de^{m}] ① ⟨termijn⟩ term/time of payment ② ⟨bedrag⟩ instalment

betalingsverkeer [het] money transfer, payments

betalingsverplichting [de^{v}] liability/obligation to pay

betalingsvoorwaarden [de^{mv}] terms of payment

betamax [de] betamax

betamelijk [bn, bw] decent ⟨bw: ~ly⟩, fit(ting), seemly, becoming, proper ◆ *op betamelijke* ***wijze*** decently, decorously

betamen [onov ww] become, befit, be proper/becoming, ⟨form⟩ behove, ⟨AE⟩ behoove ◆ *hij redde haar, zoals een echte* ***held*** *betaamt* he saved her like a true hero (should); *dat is niet zoals* ***het*** *betaamt* that is unbecoming; *een* ***man/koning*** *betamend* fit for a man/king

bètamensen [de^{mv}] science people, scientifically-oriented people, people with a science background

bètareceptor [de^{m}] beta receptor

betasten [ov ww] ① ⟨bevoelen⟩ feel, finger, handle, ⟨fouilleren⟩ frisk, ⟨ongewenste intimiteit⟩ feel up ② ⟨med⟩ feel, palpate

betasting [de^{v}] ① ⟨het betasten⟩ fingering, feeling, handling ② ⟨med⟩ palpation

bètastralen [de^{mv}] beta rays

bètatron [het] betatron

bètaversie [de^{v}] beta version

bètawetenschappen [de^{mv}] the sciences, science

bête [bn, bw] inane ⟨bw: ~ly⟩, stupid, imbecile ◆ *iemand bête* ***aanstaren*** stare stupidly at s.o.; ***doe*** *niet zo bête!* don't be so stupid!, stop acting so silly!

betegelen [ov ww] tile

betekenen [ov ww] ① ⟨de aanduiding in een woord zijn voor⟩ mean, signify, stand for ② ⟨te kennen geven⟩ mean, signify, betoken, ⟨form⟩ import ◆ *wat* ***heeft*** *dit te betekenen?* what's the meaning of this?; ⟨afkeurend⟩ what do you think you're doing?, what's all this?; *rood licht betekent* ***stoppen*** a red light means you have to stop; ***wat*** *betekent N.N.?* what does N.N. stand for?; *al die drukte,* ***wat*** *moet dat allemaal betekenen?* what's all the fuss about? ③ ⟨een bepaalde waarde hebben⟩ mean, count, matter ◆ *mijn auto betekent* ***alles*** *voor mij* my car is/means everything to me; *iemand die* ***iets*** *betekent* a person of consequence/of some weight; *hij betekent* ***iets/niet veel*** he is somebody/(a) nobody; *iedereen die* ***iets/wat*** *betekende/te betekenen had/die ook maar* ***iets*** *te betekenen had in de muziekwereld* everybody who is somebody/who carried some weight in the world of music; ***niets*** *betekenen* ⟨van wond/opmerkingen/prestaties enz.⟩ be nothing; *cijfers die* ***niets*** *betekenen* meaningless figures/statistics; *het heeft* ***niets*** *te betekenen* it doesn't matter; *hij/het betekent* ***niets*** *voor mij* he/it is nothing to me; *dat betekent* ***niets*** *in vergelijking met* this is nothing compared with; *wat hij schrijft betekent* ***niets****/nog niet veel* his writings do not amount to anything/to much yet; *niet* ***veel/weinig*** *betekenen* be of little importance/consequence/moment; *hoezo niet* ***veel*** *te betekenen?* what do you mean not important?; *die baan betekent* ***veel*** *voor haar* that job means a lot to her; *het heeft niet* ***veel*** *te betekenen* it does not amount to much, it is of little consequence; *de vergoeding had niet* ***veel*** *te betekenen* it wasn't much of a remuneration; *wat betekent je moeder* ***voor*** *jou?* what does your mother mean to you? ④ ⟨met zich meebrengen⟩ mean, involve, entail ◆ *deze verbetering betekent een grote* ***besparing*** *in ...* this improvement means a large saving in ...; *dat betekent nog niet* ***dat*** *...* that does not mean that ..., that is not to say that ...; *zijn opmerkingen betekenen* ***dat*** *...* the import/meaning of his remarks is that ...; *John en Bill samen betekent* ***dat*** *er herrie op komst is* John plus Bill spells/means trouble; *dit betekende het* ***einde*** *van zijn theorie* this gave the death-blow to his theory, this meant/marked the end of his theory; *deze maatregelen betekenen de* ***ondergang*** *van ...* these measures sound the knell for ...; *de bedrijfssluiting betekent* ***ontslag*** *voor veertig mensen* the plant closure means/entails the dismissal of forty people; *wat betekent het geloof* ***voor*** *jou?* what is religion to you?; *wat betekent dat* ***voor*** *onze verhouding?* where does that leave us?; *besef je wel wat het* ***voor*** *ons betekende om alles te moeten terugbetalen?* do you realize what it meant to us to have to pay back everything?; *dat betekent nogal* ***wat*** that's rather a tall order; ⟨fig⟩ *hij weet niet* ***wat*** *ziek zijn betekent* he doesn't (even) know the meaning of the word illness; *zijn komst betekent niet veel goeds* ⟨form⟩ his coming portends little good ⑤ ⟨jur; bekendmaken⟩ serve ◆ *een* ***vonnis/een dagvaarding*** *betekenen* serve a sentence/writ (upon s.o.)

betekening [de^{v}] ⟨jur⟩ ⟨van een vonnis⟩ pronouncement,

⟨van een dagvaarding e.d.⟩ service

betekenis [de[m]] [1] ⟨begrip, inhoud van een woord⟩ meaning, denotation, sense ◆ *een betekenis **geven** aan iets* put a meaning on sth.; *in dit licht kreeg alles een **nieuwe** betekenis* seen in this light everything took on a new meaning; *pas later kreeg dit woord de betekenis **van** …* it was only later that this word came to mean …; *aan iemands woorden een **verkeerde** betekenis toeschrijven* misinterpret/misconstrue s.o.'s words; *de betekenis van een **woord** nagaan* find out the meaning of a word; ***zonder** betekenis* meaningless; ***zonder** enige betekenis* without rhyme or reason [2] ⟨wat door een voorstelling wordt uitgedrukt⟩ meaning, import [3] ⟨strekking⟩ meaning, import, purport ◆ *de betekenis van een **daad*** the purport of an action [4] ⟨belang⟩ significance, importance, moment, consequence ◆ *van **doorslaggevende** betekenis* of decisive importance, crucial; ***geen** (enkele) betekenis hebben* have no significance (at all), mean nothing; ***grote** betekenis krijgen* become very important, acquire great significance; *betekenis **hechten** aan* attach significance/importance to; *van **historische** betekenis* epoch-making; ***in** betekenis **toenemen*** rise in importance, acquire additional significance; ***van** betekenis zijn* be of consequence, be significant; *een man **van** betekenis* a man of consequence; *niet **van** betekenis zijn* count for little, be of little account; ***van** niet geringe betekenis* of no mean importance; ***van** geen betekenis zijn voor* have no bearing on; *allemaal lui/dingen **van** geen betekenis* all people/matters of no consequence/weight, all light-weight people/matters; *het is een stad **van** betekenis geworden* it has become a town of consequence; *landbouw **van** enige betekenis was er niet* there was no agriculture to speak of; *alle betekenis **verliezen*** lose all importance; *het is niet **zonder** betekenis dat …* it is not without (its) significance that …; ***zonder** betekenis, **van** geen betekenis, **van** weinig betekenis* insignificant, irrelevant

betekenisleer [de] semantics, ⟨log⟩ semasiology

betekenisnuance [de] shade of meaning, nuance

betekenisvol [bn] [1] ⟨vol uitdrukking⟩ expressive [2] ⟨van grote betekenis⟩ significant, meaningful, pregnant (with meaning)

betengeling [de[v]] [1] ⟨het betengelen⟩ lathing [2] ⟨latwerk⟩ lathing

¹beter [het] sth./anything better ◆ *ik geef het **voor** beter* I'll trade it in for sth. better; *bij gebrek aan beter* for want of anything/sth. better, ↑faute de mieux

²beter [bn] [1] ⟨vergrotende trap van 'goed'⟩ better ◆ *veel beter **dan*** streets/miles ahead of; *een klasse beter **dan*** a class/notch/cut above; *iets beter **dan** gemiddeld* slightly/a cut above average; *ik ben er niet beter van/op **geworden*** I'm none the better for it; *bij gebrek aan **iets** beters* for want of anything better; *iemands betere **ik*** s.o.'s better self; *dat **is** al beter* that's more like it; *het **is** beter dat je nu vertrekt* you'd better leave now; *waarschijnlijk **is** het ook beter zo* it is probably better this way, it is probably all for the best; *alles **is** beter dan een bezoek aan haar* anything is preferable to visiting her; *ze **is** beter in wiskunde dan haar broer* she's better at maths than her brother; *dat **maakt** de zaken nog niet beter* that does not mend matters; *huilen **maakt** het er helemaal niet beter op voor je* crying won't do you any good, it's no use crying; *beter **maken*** improve, mend, ameliorate; *vroeger **was** alles beter* it's not like in the good old days; *hij **was** beter af zonder hun hulp* he'd be better off without their help; *wel **wat** beters te doen hebben* have better/more important things to do; *het **werd** er niet beter op, toen zij dat zei* her saying that didn't make things (any) better; *beter **worden*** improve, look up; *ergens beter van **worden*** benefit from sth.; *er niet beter op **worden*** ⟨smaak-/gezichtsvermogen⟩ decline, deteriorate; *onze kansen **worden** beter* our chances are improving; *het weer **wordt** weer beter* it's clearing/picking up again; *daar **wordt** het niet beter van* that will not make things any better; *je **ziet** er echt veel beter **uit*** you've really smartened up; *zij **zijn** niet beter dan wij* they are as bad as us/no better than us; *het **zou** beter **zijn** als/dat ik dat vergat* I'd better forget it; *er niet veel beter aan toe zijn* be hardly any better off [2] ⟨genezen⟩ recovered, well again ◆ *hij **is** weer helemaal beter* he has completely recovered/made a complete recovery; *beter **maken**, weer beter **maken*** heal, cure; *beter **worden**, weer beter **worden*** recover, get well again; ⟨inf⟩ be on the mend; *dokter, **zal** hij weer beter **worden**?* doctor, will he recover? [3] ⟨een zeker niveau hebbend⟩ better (class of), superior ◆ *de betere **boekhandel*** the better class of bookshop; *de betere **kringen*** high circles; *uit/van de betere **kringen*** upper-class; *betere **kwaliteit** (van) koffie* superior quality/grade of coffee; *betere **(woon)wijk*** better class residential district [4] ⟨minder ziek⟩ better ◆ *de zieke is alweer een **stuk** beter* the patient is much better/improved/coming along nicely/coming on, ⟨inf⟩ the patient is on the mend ⊡ ⟨sprw⟩ *beter laat dan nooit* better late than never; ⟨sprw⟩ *beter blo Jan dan do Jan* better a live coward/dog than a dead lion; he that fights and runs away may live to fight another day; discretion is the better part of valour; ⟨sprw⟩ *beter hard geblazen dan de mond gebrand* better (be) safe/sure than sorry; ⟨sprw⟩ *edel van hart is beter dan hoog van afkomst* kind hearts are more than coronets; ⟨sprw⟩ *beter ten halve gekeerd, dan ten hele gedwaald* ± a fault confessed is half redressed; ⟨sprw⟩ *beter een half ei dan een lege dop* half a loaf is better than no bread/than none; half an egg is better than an empty shell; better some of a pudding than none of a pie; ⟨sprw⟩ *één vogel in de hand is beter dan tien in de lucht* a bird in the hand is worth two in the bush; better an egg today than a hen tomorrow; ⟨sprw⟩ *voorkomen is beter dan genezen* prevention is better than cure

³beter [bw] [1] ⟨vergrotende trap van 'goed'⟩ better ◆ ***des** te beter (voor ons)* so much the better (for us); *nou, **doe** het eens beter* well, (try and) beat that if you can!; *het beter **doen** (dan een ander)* do better than (s.o. else), beat/top (s.o. else); *het **gaat** nu beter* ⟨van werk, hoofdpijn enz.⟩ things are improving/looking up; *het **gaat** ze nu beter* they are doing better now; *hij kan zijn geld wel beter **gebruiken*** he knows better than to spend his money on that; *beter **gezegd*** (or) rather; *vanaf dat moment **ging** het hem steeds beter* since then he's never looked back; *je **had** beter **kunnen** helpen, je had er beter aan gedaan te helpen* you would have done better to help; *het beter **hebben** (dan vroeger/dan een ander)* be better off (than before/than s.o. else); *hoe eerder **hoe** beter* the sooner the better; *hoe gaat het? **kan** niet beter!* how are you? top of the world!; *de leerling **kon** beter* the student could do better; *om (des te) beter te **kunnen zien*** (all) the better to see; *jij **kunt** beter je mond houden* you'd better keep your mouth shut; *John **tennist** beter dan ik* John is better at tennis/is a better tennis-player than me; *vader **weet** het beter* father knows best; ⟨iron⟩ *het beter **weten*** know best; *ze **weten** niet beter of …* for all they know …, to the best of their knowledge …; *iets tegen beter **weten** in doen* do sth. against one's better judgement; *de volgende keer beter* better luck next time [2] ⟨anders⟩ better ◆ *jij **weet** wel beter* you ought to know better, you know better than that; *hij **weet** nu wel beter* he knows better now, he is wiser now; *ik **wist** niet beter of …* to the best of my knowledge

¹beteren [onov ww] ⟨beter worden⟩ improve, get better, be on the mend ◆ *aan de beterende **hand** zijn* be on the mend, be getting better/coming along; *de **wond** betert al aardig* the wound is healing well

²beteren [ov ww] tar

³zich beteren [wk ww] ⟨zich beter gaan gedragen⟩ mend one's ways, reform, make amends ◆ *ik **zal** me beteren* I will mend my ways/turn over a new leaf

beterschap [de[v]] [1] ⟨verbetering in de gezondheid⟩ improvement, change for the better [2] ⟨herstel van gezondheid⟩ recovery (of health) ◆ *ik **wens** u beterschap* I wish you a speedy recovery; *beterschap!* get well soon! [3] ⟨verbetering van gedrag⟩ improvement, better behaviour ◆ *beterschap beloven* promise to mend one's ways

beteugelen [ov ww] curb, check, suppress, rein in, control, restrain ◆ *iets krachtig beteugelen* put a strong check/curb on sth.; *zijn ongeduld beteugelen* control one's impatience; *een rivier beteugelen* dam a river

beteuterd [bn] taken aback, crestfallen, perplexed, dumbfounded, bewildered ◆ *met een beteuterd gezicht/beteuterde blik* with a look of dismay; *beteuterd kijken* stand abashed, look dismayed

betichte [de] ⟨in België⟩ accused

betichten [ov ww] accuse (of), ⟨form⟩ charge (with), bring a charge (of sth.) against ◆ *hij werd er ten onrechte van beticht dat hij ...* he was alleged to have ...

betijen [onov ww] [1] ⟨m.b.t. personen⟩ ◆ *laat hem maar betijen* leave/let him alone/be [2] ⟨m.b.t. zaken⟩ ◆ *dat moet even betijen* it'll sort itself out

betimmeren [ov ww] ⟨met planken⟩ board, ⟨kamerwand⟩ panel, wainscot ◆ *een goed betimmerd huis, alles is met eikenhout betimmerd* a solidly-built/solidly-framed house, it is entirely oak-timbered; *met planken betimmeren* board; *de badkamer met schrootjes betimmeren* panel the bathroom wall

betitelen [ov ww] [1] ⟨noemen⟩ call, style, describe, dub, label ◆ *iets als onzin/leugens betitelen* label sth. nonsense/lies; *betiteld worden als de voorvechter van de vrede* be described as a champion of peace; *hij die zichzelf betitelt als expert op muziekgebied* this self-styled music-expert [2] ⟨met een titel aanspreken⟩ address (as), title

betjah [de^{m}] → **betjak**

betjak [de^{m}], **betjah** [de^{m}] trishaw, pedicab, rickshaw

betoelagen [ov ww] ⟨in België⟩ subsidize

betoelaging [de^{v}] ⟨in België⟩ → **subsidie**

betoeterd [bn] out of one's mind, cracked, crazy ◆ *ben je betoeterd?* have you gone out of your mind/taken leave of your senses?

^{1}**betogen** [onov ww] ⟨demonstreren⟩ demonstrate, march ◆ *de betogende menigte* the crowd of demonstrators/marchers; *voor de vrede betogen* march/demonstrate for peace

^{2}**betogen** [ov ww] ⟨trachten aan te tonen⟩ argue, contend ◆ *de spreker betoogde dat ...* the speaker argued/contended that ...; *met klem/nadruk betogen dat ...* stress the point that ...; *volgens zijn woorden heb jij betoogd dat ...* he quotes you as having argued that ...; *de noodzakelijkheid betogen van ...* urge the necessity of ...

betoger [de^{m}] demonstrator, marcher

betoging [de^{v}] demonstration, march

betomen [ov ww] curb, check, suppress, control, subdue

beton [het] concrete ◆ *gewapend beton* reinforced/armoured concrete, ferroconcrete; ⟨fig⟩ *dat is niet in beton gegoten* that's not cast in stone; *in beton storten* (embed in) concrete; *beton storten* pour concrete; *niet van beton zijn* not be made of wood, be only human; *voorgestort/voorgespannen beton* precast/prestressed concrete

betonbouw [de^{m}] concrete construction

^{1}**betonen** [ov ww] [1] ⟨betuigen⟩ show, display, evince, ⟨dankbaarheid/medeleven ook⟩ extend ◆ *eerbied betonen* show deference, pay respect; *wegens betoonde moed* for bravery [2] ⟨benadrukken⟩ stress, accent, emphasize

^{2}**zich betonen** [wk ww] ⟨zich doen kennen als⟩ show (o.s.) ◆ *zich ongenegen betonen* show no inclination (to)

betonijzer [het] reinforcing bars/steel

betonijzervlechter [de^{m}] steel/bar bender

betonmolen [de^{m}] concrete mixer

betonmortel [de^{m}] (fluid) concrete

^{1}**betonnen** [bn] concrete

^{2}**betonnen** [ov ww] buoy, ⟨afsluiten⟩ buoy off

betonning [de^{v}] [1] ⟨bakentonnen⟩ buoyage [2] ⟨het betonnen⟩ buoying

betonrock [de] ⟨muz⟩ heavy metal, heavy rock

betonrot [het] concrete cancer, decay of concrete

betonschaar [de] concrete shears

betonstrijker [de^{m}] fish cracker

betonvlechter [de^{m}] steel/bar bender

betonvloer [de^{m}] concrete floor

betonvoetbal [het] ⟨sport⟩ (the) catenaccio, massive-defence game ◆ *betonvoetbal spelen* stonewall, play defensively

betonweg [de^{m}] concrete road

betonwoestijn [de] concrete jungle

betoog [het] argument, ⟨pleidooi⟩ plea ◆ *het behoeft geen betoog (dat)* it goes without saying (that), it is self-evident (that); *een betoog houden* argue, hold forth; *ten betoge dat* (in order) to prove/show that; *een uitvoerig betoog houden over* expatiate on; *iemand van zijn betoog afbrengen* deflect s.o. from his line of reasoning; *volgens zijn betoog is dat niet nodig* he argues that this is unnecessary

betoogtrant [de^{m}] line of argument, line of reasoning, argumentation

betoon [het] demonstration, show, display, manifestation ◆ *een betoon van dankbaarheid* a demonstration of gratitude

betoveren [ov ww] [1] ⟨beheksen⟩ put/cast a spell on, bewitch ◆ *betoverd door haar ogen* ⟨ook⟩ under the spell of her eyes; *betoverd* elf-struck, bewitched [2] ⟨bekoren⟩ enchant, allure, fascinate, enthrall, charm ◆ *een betoverende schoonheid* a ravishing beauty; *betoverend uitzicht* magnificent/gorgeous/magic view

betovergrootmoeder [de^{v}] great-great-grandmother

betovergrootvader [de^{m}] great-great-grandfather

betovering [de^{v}] [1] ⟨beheksing⟩ spell, bewitchment, magic, witchery ◆ *iemand onder zijn betovering brengen* cast a spell on s.o. [2] ⟨bekoring⟩ enchantment, charm, allure, glamour, fascination, beguilement

betr. [afk] [1] (betreffend(e)) conc [2] (betrekkelijk(e)) rel [3] (betrokken) involved

betraand [bn] tearfilled, ⟨ogen⟩ bleary, ⟨gezicht⟩ tear-stained

betrachten [ov ww] practise, ⟨AE⟩ practice, exercise, ⟨geheimhouding⟩ observe, ⟨genade, terughoudendheid⟩ show ◆ *de deugd betrachten* practise virtue(s), lead a virtuous life; *enige gematigdheid/zuinigheid betrachten* practise/exercise some moderation/economy; *zijn plicht betrachten* do/discharge/fulfil/^{A}fulfill one's duty; *rechtvaardigheid betrachten* act fairly

betrachting [de^{v}] ⟨in België⟩ → **verlangen**^{1}

betrappen [ov ww] catch, surprise ◆ *als ik je er nog een keer op betrap ...* if I catch you at it again ...; *ik betrapte hem toen hij net een sigaret in zijn mond had* I surprised/caught him with a cigarette in his mouth; *op heterdaad betrapt* caught redhanded; *iemand op een fout betrappen* catch s.o. out; *iemand op een leugen/op diefstal betrappen* catch s.o. lying/in the act of stealing; *zij werd in bed betrapt met haar vriendje* she was caught in the act with her boyfriend; *zichzelf op iets betrappen* catch o.s. doing sth.

betreden [ov ww] ⟨form⟩ [1] ⟨zich begeven op, in⟩ enter, set foot on/in, tread on, ⟨kansel⟩ mount ◆ *een huis betreden* enter a house; *het is verboden dit terrein te betreden* no entry, keep out/off [2] ⟨bewandelen⟩ tread ◆ *het pad der deugd betreden* tread the path of virtue; *veel betreden paden* well-trodden/beaten paths; *nieuw terrein/nieuwe paden betreden* break new/fresh ground, strike out upon new paths

betreffen [ov ww] [1] ⟨aangaan⟩ concern, regard, affect, touch ◆ *het betreft hier iemand die altijd klaagt* this is s.o. who is always complaining; *dit betreft jou* this concerns/affects you; *waar het politiek betreft* when it comes to politics; *de zaak betreft mijn toekomst* the matter touches my future, my future is at stake here; *wanneer het vrienden betreft* where friends are concerned; *wat het weer betreft* weather-wise; ***wat** ons onderwerp betreft* about/as regards/apropos (of) our subject; ***wat** mij betreft is het in orde* it's all right with me; ***wat** dat betreft (heb je gelijk)* as far as that is concerned(, you're right); ***wat** betreft (je broer/voorstel/...)* with regard to (your brother/proposition/...); ***wat** voedsel betreft hebben we genoeg* we're OK for food; ***wat** dit/dat betreft doe ik voor niemand onder* I bow to nobody in this (respect); *dit **wat** hen betreft, en nu **wat** betreft jullie* so much for them, and now as for you; ***wat** mijzelf/mij persoonlijk betreft ga ik net zo lief lopen* I for my part would rather walk; ***wat** de kritiek betreft/**wat** betreft de kritiek, wil ik het volgende opmerken* as for the criticism, I should like to make the following observation [2] ⟨handelen over⟩ concern, bear upon, relate to ◆ *de eerste hoofdstukken betreffen de **voorgeschiedenis*** the first chapters concern/bear upon/involve the previous history; ⟨form⟩ *Betreft:* ⟨in kop van brief, memo⟩ Re:

¹**betreffende** [bn] [1] ⟨betrekking hebbend op⟩ concerning, regarding, with regard/respect/reference to, about ◆ *geruchten de **kabinetsformatie** betreffende* rumours concerning/about the formation of a government [2] ⟨desbetreffende⟩ ⟨na zelfstandig naamwoord⟩ concerned, involved, in question ◆ *de betreffende **minister*** the minister concerned; *de betreffende **persoon*** the person in question

²**betreffende** [vz] concerning, regarding, with regard/respect/reference to, about, ⟨form⟩ re ◆ *aanwijzingen betreffende het **onderhoud*** instructions for maintenance; *betreffende uw **rol** in deze zaak* as regards your role in this matter

¹**betrekkelijk** [bn] [1] ⟨relatief⟩ relative ◆ *betrekkelijke **begrippen*** relative notions/concepts; *dat **is** betrekkelijk* that depends (on how you look at it); *geluk/alles **is** betrekkelijk* happiness/everything is relative [2] ⟨taalk⟩ relative ◆ *betrekkelijk **voornaamwoord*** relative pronoun [•] ⟨geol⟩ *de betrekkelijke **hoogte** van een berg* the relative height of a mountain

betrekkelijk voornaamwoord — 1/2

who, whom, whose

- slaat terug op personen
a person who steals is called a thief
- in bijzinnen
this is the girl to whom I have given your handbag
those people whose houses have been destroyed will be aided

which

- als antecedent geen persoon is
there is still a great deal of work which has to be done this week
- in bijzinnen
the shop, which has been profitable, will be sold
- antecedent kan een (deel van een) hele zin zijn
my friend hasn't called, which I don't understand
- kan gebruikt worden na een voorzetsel
the pen with which I was writing ...

that

- alleen in beperkende bijzinnen
here's the address that you must write to
- antecedent kan ook persoon zijn
this is the woman that we met in Amsterdam
- na overtreffende trap, na **all, only, much, little, something, anything, nothing, everything**
the most beautiful sight that we ever saw

²**betrekkelijk** [bw] ⟨nogal⟩ relatively, comparatively, fairly, rather ◆ *alles gaat betrekkelijk **goed*** things are going well, considering; *betrekkelijk **goedkoop*** fairly/relatively cheap; *betrekkelijk **groot*** ⟨inf⟩ biggish; *ze wonen betrekkelijk **klein*** their house/flat is relatively small

betrekkelijkheid [de^v] relativeness, relativity

betrekkelijk voornaamwoord — 2/2

what

- gebruikt zonder antecedent
tell me what you would do
- het antecedent is een bijzin die verderop de zin staat
what surprises me is that my friend hasn't called

geen betrekkelijk voornaamwoord

- na personen, dieren of zaken
this is the city (which, that) we visited
- alleen in beperkende bijzinnen
the candidate (whom, that) I trust most ...
- na overtreffende trap, na **all, only, much, little, something, anything, nothing, everything**
this is all (that) I can do for you

¹**betrekken** [onov ww] [1] ⟨m.b.t. de lucht⟩ become overcast/cloudy, cloud over [2] ⟨somber worden⟩ ⟨gezicht⟩ cloud over, darken, ⟨stemming⟩ sadden, grow gloomy

²**betrekken** [ov ww] [1] ⟨erbij halen⟩ involve, draw in, include, ⟨pej⟩ implicate, mix up ◆ *betrokken zijn **bij*** be involved/implicated/mixed up in; *niet betrokken zijn **bij*** be unconcerned with; *hij is **bij** het complot betrokken* he is in (on) the plot; *ik wil jou er niet **bij** betrekken* I don't want to involve you in this/get you mixed up in this/draw you into this; *iemand **bij/in** een misdaad betrekken* implicate s.o. in a crime; *wij zijn niet betrokken **bij** hun ruzies* we have no part in/have nothing to do with their quarrels; *betrokken raken **bij** (een intrige/oorlog)* get caught up (in an intrigue/a war); *emotioneel/financieel betrokken zijn **bij** iets* be emotionally/financially involved in sth.; *rechtstreeks **bij** een transactie betrokken zijn* be on the inside in a transaction; *hij wenst **er** niet **in** betrokken te worden* he does not want to get involved/get mixed up in it; *te veel mensen zijn **erbij** betrokken* too many people are in on it; *zij deden alles zonder de anderen **erin** te betrekken* they did everything without consulting the others; *de politie **in** de zaak betrekken* bring in the police; *iemand **in** een gesprek betrekken* draw s.o. into the conversation; *iets **in** zijn overweging betrekken* take sth. into consideration; *iemand tegen zijn zin ergens **in** betrekken* drag s.o. into sth.; ***zich** betrokken **voelen** bij de problemen in het onderwijs* be concerned about educational problems [2] ⟨zich vestigen in⟩ move into, take possession of, enter, occupy, ⟨kamp⟩ take up ◆ *een **huis** betrekken* move into/take possession of a house; *wanneer kunnen we het **huis** betrekken?* when can we move into the house?, when is the house available (for occupation)?; ***onmiddellijk** te betrekken* immediate possession/occupation [3] ⟨kopen bij⟩ obtain, buy, draw, procure, ⟨grondstoffen⟩ derive ◆ *hij betrekt alles **van** hen* he gets all his requirements from them

betrekking [de^v] [1] ⟨baan⟩ post, job, position, ⟨ambtenaar ook⟩ office, ⟨dienstpersoneel⟩ situation ◆ *een (vaste) betrekking **aannemen*** settle down (in a steady job); *zijn nieuwe betrekking **aanvaarden*** take up one's new duties; *een betrekking **bekleden*** occupy a post, hold an office; *een goede betrekking hebben **bij** het rijk* have a good position with the Government; *iemand een betrekking **geven/aan** een betrekking **helpen*** place/engage s.o., help s.o. find a job; *zijn betrekking **kwijtraken/neerleggen*** lose/resign one's position/job; *een **ondergeschikte** betrekking* a subordinate position, ↓a menial job; *een **openbare** betrekking* a public office; *een **openstaande** betrekking* an opening, a vacancy; *zijn betrekking **opzeggen*** give notice, resign (one's position); *een **tijdelijke** betrekking* a temporary job/position; ***van** betrekking **veranderen*** change one's job/occupation, ⟨form⟩ change one's employ; *met een **vaste** betrekking kun je wel een* *huis kopen* a steady job will enable you to buy a house; *een betrekking **zoeken*** seek/require employment/a position [2] ⟨band, verhouding⟩ relation(ship) ♦ *betrekkingen **aanknopen** met* enter into relation(s) with; ***diplomatieke** betrekkingen* diplomatic relations; ***goede** betrekkingen onderhouden met* maintain good relations/a good relationship with; ***in** (geen) betrekking staan **tot/met** iemand/iets* be (un) connected with s.o./sth.; *zij staan **in** geen enkele betrekking **tot** de concurrerende firma* they have no relations at all with the competing firm; *nauwe betrekkingen met iemand **onderhouden*** maintain close ties/connections with s.o.; *de betrekkingen **verbreken*** sever the relations; ***wederzijdse** betrekkingen, hun **onderlinge** betrekking* their interrelations [3] ⟨verband⟩ relation, connection, reference, bearing ♦ *betrekking **hebben op*** relate/refer to, concern; *dat **heeft** geen betrekking daarop* that has no bearing on it, that has nothing to do with it; ***met** betrekking **tot*** with regard/respect to [4] ⟨vestiging in huis⟩ moving in, occupation

betreuren [ov ww] [1] ⟨spijt, droefheid voelen over⟩ regret, be sorry for, ⟨sterker⟩ deplore ♦ *het is (diep) te betreuren **dat*** it is (most) regrettable that ...; *wij betreuren het **dat** je niet kunt komen* we are sorry you cannot come; *al betreur ik **het** ten zeerste* much to my regret; *een **vergissing** betreuren* regret a mistake [2] ⟨m.b.t. het verlies, gemis van iemand, iets⟩ mourn (for/over), be sorry for, miss, ⟨sterker⟩ lament, bewail ♦ *zijn **overlijden** werd algemeen betreurd* his demise caused widespread mourning; *het **verlies** van ... betreuren* mourn the loss of ...; *de betreurde X* the late lamented X; *er **zijn** drie slachtoffers te betreuren* three lives were lost

betreurenswaard [bn] → **betreurenswaardig**

betreurenswaardig [bn], **betreurenswaard** [bn] regrettable, sad, unfortunate, ⟨sterker⟩ deplorable, lamentable

betrokken [bn] [1] ⟨in iets gemoeid⟩ concerned ⟨na zn⟩, involved ⟨na zn⟩, ⟨pej⟩ implicated, mixed up ⟨alleen pred⟩ ♦ *de betrokken **ambtenaar*** the official concerned; *zij is er **emotioneel** bij betrokken* ⟨ook⟩ she has an emotional interest in this; *hij wil **hier** niet **bij** betrokken zijn* he wants no part in this; ⟨form⟩ he does not want to be a party to this; ***nauw** betrokken zijn bij* be closely associated with; *de betrokken **persoon*** the person in question [2] ⟨met wolken bedekt⟩ overcast, cloudy, clouded over ♦ *een betrokken **lucht*** an overcast/a cloudy sky [3] ⟨somber, treurig⟩ gloomy, moody, sad, sombre, glum ♦ *een betrokken **gezicht*** a sad/gloomy face [4] ⟨flets⟩ pale [5] ⟨van belang⟩ relevant ♦ *de betrokken **stukken*** the relevant documents

betrokkene [de] [1] ⟨die ergens in betrokken is⟩ person/party concerned, person/party in question, person/party involved ♦ ***alle** (erbij) betrokkenen* all those concerned/involved/interested; *alle **bij** het grootwinkelbedrijf betrokkenen* all those involved in the multiple store business; *de **naaste** betrokkenen* the people most concerned/interested; ⟨familie⟩ the next of kin [2] ⟨handel⟩ drawee

betrokkenheid [de^{v}] [1] ⟨geëngageerdheid⟩ involvement, commitment, concern, participation, engagement ♦ ***politieke/maatschappelijke** betrokkenheid* political/social involvement/engagement [2] ⟨bewolktheid⟩ cloudiness [3] ⟨somberheid⟩ gloom, sadness [4] ⟨fletsheid⟩ paleness

betrouwbaar [bn] [1] ⟨m.b.t. personen⟩ reliable, trustworthy, dependable, trusty, bona fide ♦ *door en door betrouwbaar, **absoluut** betrouwbaar* as firm/steady as a rock, as straight/true as a die [2] ⟨m.b.t. inlichtingen, berichten, geschriften⟩ reliable, sound, dependable ♦ *uit betrouwbare **bron*** on good authority; *zijn **geloofsbrieven** zijn betrouwbaar* there is no question about his credentials; *van betrouwbare **zijde*** from reliable sources [3] ⟨m.b.t. zaken⟩ reliable, dependable, secure, solid, sound, ⟨techn ook⟩ fail-safe, failproof ♦ *een betrouwbaar **voorbehoedmiddel*** a reliable/dependable contraceptive

betrouwbaarheid [de^{v}] reliability, dependability, ⟨personen ook⟩ trustworthiness ♦ *de betrouwbaarheid van de **berichten*** the dependability of the news (items); *zijn betrouwbaarheid **laat** te **wensen** over* he is not entirely reliable/trustworthy; ***politieke** betrouwbaarheid* political reliability

betrouwbaarheidsinterval [het] ⟨stat⟩ confidence interval

betrouwbaarheidsrit [de^{m}] reliability trial/run

betrouwen [ov ww] [1] ⟨in België; vertrouwen⟩ trust ♦ ⟨in België⟩ *hij is niet te betrouwen* he can't be trusted [2] ⟨form; toevertrouwen⟩ (en)trust ♦ *iemand **iets** betrouwen* (en)trust sth. to s.o., (en)trust s.o. with sth.

betten [ov ww] bathe, dab ♦ *een **wond** betten* bathe/dab a wound

betuigen [ov ww] declare, affirm, proclaim, protest, ⟨uiten⟩ express ♦ *hij vroeg het publiek de gastspreker hun **dank** te betuigen* he proposed a vote of thanks to the guest/visiting speaker; *iemand zijn **deelneming/medeleven** betuigen* condole with s.o., express one's condolences/sympathy to s.o.; *zijn **erkentelijkheid** betuigen voor iemands diensten* recognize s.o.'s services; ***instemming** betuigen met* express approval with; *zijn **leedwezen**/zijn **dank** betuigen* express one's regret/thanks/gratitude

betuiging [de^{v}] declaration, affirmation, ⟨uiting⟩ expression ♦ *betuiging van **deelneming*** expression of sympathy/condolence; *betuigingen van **instemming** ontvangen* receive letters of approval/supporting letters; *betuigingen van **vriendschap*** expressions/professions of friendship

betuline [de] betulin(ol)

betuttelaar [de^{m}] [1] ⟨regelaar⟩ patronizing busybody [2] ⟨criticaster⟩ faultfinder, ⟨BE⟩ caviller, ⟨AE⟩ caviler

betuttelen [ov ww] [1] ⟨paternalistisch behandelen⟩ patronize [2] ⟨bekritiseren⟩ find fault with, cavil at

betutteling [de^{v}] [1] ⟨het paternalistisch behandelen⟩ patronizing [2] ⟨het bekritiseren⟩ faultfinding, ⟨BE⟩ cavilling, ⟨AE⟩ caviling [3] ⟨kleingeestige kritiek⟩ cavil

betweetster [de^{v}] → **betweter**

betweter [de^{m}], **betweetster** [de^{v}] know(-it)-all, clever dick, wise guy

betweterig [bn] pedantic, smarty, smartalecky, ⟨inf⟩ clever-clever

betwijfelen [ov ww] doubt, (call in) question ♦ *het valt niet te betwijfelen **dat** ...* there can be no doubt/question that ...; *ik betwijfel **het** (ten zeerste)* I'm (very) doubtful about it/have my doubts; *ik betwijfel, **of** ...* I doubt whether/if ..., I am doubtful whether ...; *het valt te betwijfelen **of** ...* it is doubtful/questionable whether/if ...; *de **waarheid** van iets betwijfelen* have doubts about/question the truth of sth.

betwistbaar [bn] [1] ⟨waarover getwist kan worden⟩ disputable, debatable, contestable, challengeable ♦ *een betwistbaar **punt*** a moot point, a matter of (some) dispute [2] ⟨twijfelachtig⟩ questionable ♦ *een betwistbare **schoonheid/aanspraak*** a questionable beauty/claim

betwisten [ov ww] [1] ⟨over het bezit strijden⟩ dispute, contest ♦ *de partijen betwisten **elkaar** dat gebied* the parties dispute that territory; *betwist **gebied*** disputed territory; ⟨fig⟩ debatable ground/territory; *de vijand de **overwinning** betwisten* contest the enemy's victory [2] ⟨tegenspreken⟩ dispute, contest, challenge ♦ *ik betwist niet, **dat** ...* I do not deny that ...; *de **geldigheid** van de afspraak wordt door de vakbond betwist* the validity of the agreement is being challenged by the trade union; *een **stelling** betwisten* dispute/controvert a thesis [3] ⟨ontzeggen⟩ deny, dispute ♦ *iemands **positie** betwisten* challenge/dispute s.o.'s position

betwisting [de^{v}] ⟨in België⟩ argument, dispute

beu [bn] [•] *tot ik het beu **ben*** until I have had enough of it/am brassed off with it; *hij **was** het beu steeds door critici aangevallen te worden* he was tired of critics always sniping at him; *het beu **worden** alles steeds te moeten uitleggen* tire/get tired/have enough of always having to explain everything; *iets beu zijn* be tired/sick of sth., be fed up with sth.; ⟨inf⟩ be fed to the (back) teeth/be brassed off/be [B]browned off/be cheesed off with sth.; ⟨sl⟩ be pissed off with sth.

beug [de] longline

beugel [de^{m}] [1] ⟨m.b.t. het gebit⟩ brace(s) ◆ *een beugel dragen* wear braces/a brace [2] ⟨toestel tegen het kromgroeien⟩ (surgical) irons ◆ *in beugels lopen* wear (leg) irons [3] ⟨stijgbeugel⟩ stirrup [4] ⟨metalen band, staaf⟩ ⟨draagbeugel⟩ brace, ⟨stelbeugel⟩ clamp, ⟨bevestigingsbeugel⟩ bracket, ⟨ter bevestiging van leiding/kabel aan muur⟩ clip, ⟨van mand⟩ handle, ⟨van hangslot⟩ shackle, ⟨van geweer⟩ trigger guard, ⟨kompasbeugel⟩ gimbals ⟨mv⟩, ⟨stroomafnemer van tram⟩ bow (collector) [5] ⟨sluitring⟩ clasp ◆ *de beugel van een stopfles* the clasp/stopper of a stoppered bottle; *de beugel van een tas* the clasp/frame of a bag ⊡ *dat kan niet door de beugel* that cannot/will not pass (muster), that won't do

beugelbaan [de] (pall-)mall

beugelbekkie [het] braceface

beugel-bh [de^{m}] underwired bra

beugelen [onov ww] ⟨amb⟩ ⟨chroomleer⟩ iron/plate/glaze chrome leather, ⟨leidingen e.d.⟩ clamp/clip in place

beugelfles [de] swing-top bottle

beugelslot [het] U-lock

beugelsluiting [de^{v}] swing stopper

beugelspel [het] (pall-)mall

beugeltas [de] chatelaine (bag)

beugelzaag [de] bow saw, hacksaw

beugvisser [de^{m}] long-liner

[1]**beuk** [de^{m}] [1] ⟨loofboom⟩ beech ◆ *groene/rode/bruine beuk* green/red/copper beech [2] ⟨haagbeuk⟩ hornbeam [3] ⟨inf; harde klap⟩ whang, thwack, thud ⊡ *de beuk erin!* ⟨hard aan het werk gaan⟩ get stuck in!, go/get to it; ⟨vnl sport; tegenstander hard aanpakken⟩ get stuck in, go for it/him/them; *de beuk erin zetten* ⟨hard aan werk gaan⟩ pound away at it, give it stick; ⟨tegenstander hard aanpakken⟩ give him/them hell; *de beuk ging er weer in* ⟨bijvoorbeeld Ajax-Feyenoord⟩ it was a tough/hard-fought game/a real battle

[2]**beuk** [de] ⟨bouwk⟩ ⟨hoofdbeuk⟩ nave, ⟨zijbeuk⟩ aisle

beukelaar [de^{m}] [1] ⟨beukenboom⟩ beech (tree) [2] ⟨schild⟩ buckler

[1]**beuken** [het] beech wood

[2]**beuken** [bn] beech

[3]**beuken** [ov ww, ook abs] batter, beat, pound, ⟨golven ook⟩ lash ◆ *het beuken van de golven* the pounding of the waves; *op/tegen iets beuken* hammer on sth., batter at sth.; *stevig (los) beuken op* take a wild swipe at, pound away at; *de golven beukten het schip* the waves lashed/pounded the ship; *stokvis beuken* pound (stock)fish; *vlas/katoen beuken* beat flax/cotton

beukenboom [de^{m}] beech tree

beukenhout [het] beech wood

beukennootje [het] beech-nut

beukhamer [de^{m}] maul, mallet

beul [de^{m}] [1] ⟨scherprechter⟩ executioner, ⟨ophangen ook⟩ hangman, ⟨onthoofding ook⟩ headsman [2] ⟨wreedaard⟩ tyrant, brute, bully [3] ⟨toestel om gegoten ijzer fijn te maken⟩ iron crusher ⊡ *zo brutaal als de beul* as bold as brass

beulen [onov ww] work o.s. to the bone, work o.s. to death, work o.s. into the ground, ⟨form⟩ toil

beulenwerk [het] grind, labour, ⟨form⟩ toil

beuling [de^{m}] ⟨in België⟩ black/white pudding, blood-pudding

beun [de] [1] ⟨bun, viskaar⟩ (fish) well, corf [2] ⟨open ruim⟩ bin

Beun de Haas [de^{m}] fly-by-night operator, moonlighter

beunen [onov ww] moonlight

beunhaas [de^{m}] [1] ⟨knoeier⟩ bungler, ⟨inf⟩ cowboy, fly-by-night [2] ⟨zwartwerker⟩ moonlighter

beunhazen [onov ww] [1] ⟨knoeien⟩ bungle, botch, dabble [2] ⟨zwartwerken⟩ moonlight

beunhazerij [de^{v}] bungling, botch-up, botch job, dabbling

[1]**beuren** [ov ww] ⟨tillen⟩ lift (up) ◆ *die kist is haast niet te beuren* that crate is almost too heavy to lift, you won't lift that crate in a hurry

[2]**beuren** [ov ww, ook abs] ⟨innen⟩ receive, take (money) ◆ *geld beuren* receive money; *ik heb vandaag gebeurd* I got my money today

beurre noisette [de^{v}] beurre noisette

[1]**beurs** [de] [1] ⟨studiebeurs⟩ scholarship, grant, ⟨kleine toelage⟩ bursary, exhibition ◆ *een beurs hebben, van een beurs studeren* have/hold a scholarship/grant; *een beurs krijgen* win/gain a scholarship/bursary/exhibition, get/obtain a grant; *naar Amerika gaan op/met een beurs* go to America on a grant [2] ⟨gebouw⟩ Stock Exchange, ⟨buiten Groot-Brittannië en USA⟩ Bourse [3] ⟨handel⟩ exchange, stock market ◆ *naar de beurs gaan* float the company (on the stock market), go public; *aan de beurs genoteerd* public, listed (on the (stock) market), exchange-quoted; *op de beurs, ter beurze* on/in the stock exchange; *een zwakke/levendige beurs* a dull/lively market [4] ⟨vaak in samenstellingen; tentoonstelling⟩ fair, show, exhibition ◆ *energiebeurs* energy exhibition; *huishoudbeurs* home fair, ⟨BE⟩ ideal home exhibition; *een stand op de beurs* a stand at the fair/show [5] ⟨portemonnee⟩ purse ◆ *elkaar met gesloten beurzen betalen* settle on mutual terms, conduct a paper transaction; *mensen met een minder goed gevulde beurs* people of modest means; *voor ieders beurs* to suit all purses; *een aanslag op iemands beurs* a strain on one's resources, ↓a hole in one's purse; *een ruime beurs* a long purse; *het komt uit een ruime beurs* everything is done regardless of expense/on a lavish scale; ⟨inf⟩ they're made of it; *een smalle beurs hebben* be badly off; *zijn beurs spekken* line one's purse; *zijn beurs trekken* put one's hand in one's pocket [6] ⟨med⟩ capsule [7] ⟨dierk⟩ pouch ⊡ ⟨plantk⟩ *beursje* bursicle

[2]**beurs** [bn] overripe, mushy, ⟨peren ook⟩ sleepy ◆ *peren zijn gauw beurs* pears easily go sleepy ⊡ ⟨inf⟩ *iemand beurs slaan* beat s.o. black and blue/to pulp

beursagent [de^{m}] stockbroker, ↓stockjobber

beursanalist [de^{m}] stock market analyst, chartist

beursbarometer [de^{m}] (market) barometer, market index

beursbelasting [de^{v}] (stock) exchange duty/tax, duty/tax on (stock) exchange dealings

beursbericht [het] stock market news/report/results

beursdebuut [het] I.P.O. (initial public offering)

beursfonds [het] stock exchange security

beursgang [de^{m}] (stock-market) flotation

beursgenoteerd [bn] quoted on the stock exchange

beursgraadmeter [de^{m}] stock exchange index

beurshandel [de^{m}] (stock) exchange business/dealings

beursindex [de^{m}] stock market price index, share price index

beursintroductie [de^{v}] market introduction

beursklimaat [het] mood of the stock market, financial climate

beurskoers [de^{m}] → **beursnotering**

beurskrach [de^{m}] crash, slump, panic on the stock exchange

beurskringen [de^{mv}] (stock) exchange circles

beurslid [het] member of the stock exchange

beursmakelaar [de^{m}] market maker

beursnotering [de^{v}] [1] ⟨koersen⟩ ⟨m.b.t. aandelen⟩ quotation, share price, ⟨wisselkoers⟩ foreign exchange rate, foreign exchange market quotation [2] ⟨prijscourant⟩ official list, stock market list, official quotation(s), stock market quotation(s) ♦ *geen beursnotering hebben* not be quoted on the stock exchange/in the official list; *in de beursnotering opnemen* admit onto official/stock market quotations; *opname in de beursnotering aanvragen* apply for an official/stock market quotation

beursoverval [de^{m}] hostile take-over bid, market raid

beursoverzicht [het] (stock) market report, ⟨financieel⟩ money market report

beurspromovendus [de^{m}] doctoral student in receipt of a doctoral grant

beursraider [de^{m}] (market) raider

beursschandaal [het] (stock market) scandal

beurssluiting [de^{v}] close of trading/business

beursspeculant [de^{m}] (stock exchange) speculator/operator, agio-jobber, ⟨AE⟩ stock jobber

beursstemming [de^{v}] market sentiment/feeling/mood

beursstudent [de^{m}] student on a grant, student in receipt of a grant, scholar, ⟨vnl SchE⟩ bursar

beursverloop [het] market trend

beursverslag [het] market report

beursvloer [de^{m}] ⟨fin⟩ floor (of the stock exchange)

beurswaakhond [de^{m}] market watchdog, ⟨AE⟩ SEC (Securities and Exchange Commission)

beurswaarde [de^{v}] market value, quoted value, stock exchange value

beurt [de] turn ♦ *hij is aan de beurt* it's his turn, he's next; *ik kom voor u aan de beurt* I am in front of you; ⟨fig⟩ *dan ben je aan de beurt* then your number's up; *tot zijn naam op de lijst weer aan de beurt kwam* until his name came round again on the list; *deze onderwerpen komen later aan de beurt in dit boek* these subjects will be considered/discussed later in this book; *zijn beurt afwachten* wait one's turn, take one's turn (in the ^{B}queue/^{A}line); ⟨vulg⟩ *iemand een beurt geven* ⟨neuken⟩ lay s.o.; *een leerling de beurt geven* hear a pupil's work; *de kamer een grondige beurt geven* give the room a spring-clean/good cleaning; *de auto/oude machines een flinke beurt geven* overhaul the car/old machines; *een goede beurt maken* score (a good mark), make a good impression; *een goede beurt krijgen* get a thorough turnout/cleaning/spring-clean; *een grote beurt* ⟨auto⟩ a big/full/thorough/6,000 mile service, an overhaul, servicing; *hij scoorde acht in één beurt* he scored eight at one go; *jouw beurt* ⟨spel⟩ it's your turn, over to you; *het is jouw beurt om te bieden* (it is) your bid; ⟨vulg⟩ *een beurt krijgen* get laid; ⟨onderw⟩ *hij krijgt een beurt* it's his turn (to show his work/speak); *om de beurt* in turn, by turns; *iedereen zit om de beurt voor* everybody takes the chair in rotation, the chair rotates; *om de beurt/om beurten rijden/iets doen* take turns driving/doing sth.; *om de beurt kom ik bij haar en zij bij mij* I call on her and she calls on me alternately, we call one another in turns; *iemand op zijn beurt complimenteren* return a/the compliment; *hij, op zijn beurt, vond het maar niks* he for his part found it very poor; *een slechte beurt maken* put up a poor show, ⟨BE⟩ blot one's copybook; *te beurt vallen* fall to s.o.'s lot/share; *de eer die hen te beurt viel* the honour which was conferred upon them; *het succes dat/de ontvangst die hem te beurt viel* the success/reception that he met with; *mocht hem in de toekomst een erfenisje te beurt vallen* if ever a legacy/an inheritance should come his way; *voor zijn beurt gaan* jump the ^{B}queue/^{A}line; *voor zijn beurt praten* jump the gun, talk out of turn; *vóór zijn beurt, niet op zijn beurt* out of turn; *je moet drie beurten voorbij laten gaan* you have to miss three turns, you forfeit three turns

beurtbalkje [het] checkout/shopping divider, next customer bar

beurtdienst [de^{m}] → **beurtvaart**

beurtelings [bw] alternately, by turns, in turn ♦ *beurtelings iets doen* do sth. in rotation; *het beurtelings warm en koud krijgen* go hot and cold (all over); *wij roeiden beurtelings* we took turns rowing, we rowed alternately/in turns; *hij werd beurtelings rood en bleek* he turned red and pale by turns

beurtgezang [het], **beurtzang** [de^{m}] antiphonal singing, ⟨kerk⟩ versicles and responses

beurtrol [de] ⟨in België⟩ → **toerbeurt**

beurtschipper [de^{m}] bargeman assigned to regular service

beurtsysteem [het] ⟨in België⟩ rotation system ♦ *zij werken volgens een beurtsysteem* they work on a rotation system

beurtvaart [de], **beurtdienst** [de^{m}] regular (barge) service, regular line

beurtzang [de^{m}] → **beurtgezang**

beurzenstelsel [het] scholarship system

beuzelaar [de^{m}], **beuzelaarster** [de^{v}] [1] ⟨iemand die onzin vertelt⟩ twaddler, drivel(l)er [2] ⟨iemand die zich met nietigheden ophoudt⟩ trifler, dawdler

beuzelaarster [de^{v}] → **beuzelaar**

beuzelachtig [bn] trifling, trivial, futile

beuzelarij [de^{v}] [1] ⟨onbeduidend vertelsel⟩ twaddle, drivel, humbug, poppycock [2] ⟨nietigheid⟩ trifle ♦ *zich met beuzelarijen ophouden* busy o.s. with trifles

beuzelen [onov ww] [1] ⟨onzin vertellen⟩ drivel, twaddle, talk nonsense/rubbish [2] ⟨zich met nietigheden bezighouden⟩ trifle, dawdle

beuzelpraatje [het] twaddle, idle talk, drivel, humbug, poppycock

bevaarbaar [bn] navigable ♦ *een moeilijk bevaarbare rivier* a river difficult to navigate

bevak [de^{v}] ⟨in België⟩ (beleggingsvennootschap met vast kapitaal) closed-end investment company

bevallen [onov ww] [1] ⟨baren⟩ give birth (to), be delivered (of) ♦ *ze moet in januari bevallen* she is expecting in January; *ze moet bijna/kan elk moment bevallen* she is near her term, she could give birth/have the baby at any moment; *ontijdig bevallen* abort, have a miscarriage; *ze wil thuis bevallen* ⟨ook⟩ she wants/prefers a home delivery; *zij is van een dochter bevallen* she gave birth to/was delivered of a daughter [2] ⟨aanstaan⟩ please, suit, ⟨voldoen⟩ give satisfaction ♦ *ik ben goed bevallen want ze vragen me weer* they seem to have liked me/approved of me since I've been invited again; *en bevalt het je hier?* and do you like it this place/are you happy here?; *hoe is het u bevallen?* how did you like it?, how did you get on?; *hoe bevalt het je op school?* how do you like school?; *het leven hier bevalt mij* I like life/living here, life here suits me; *dit soort dingen bevalt me niet* I don't care for things of this nature/this kind of thing; *het bevalt mij niets dat* I'm not at all pleased/happy that, ↑ it's not at all to my liking that; *de nieuwe kapper/auto bevalt uitstekend* the new hairdresser/car gives every satisfaction/suits (me) fine; *het beviel hem maar weinig* it wasn't much to his liking

bevallig [bn, bw] graceful ⟨bw: ~ly⟩, charming ♦ *een bevallige houding* a graceful posture; *een bevallig meisje* a charming girl

bevalligheid [de^{v}] [1] ⟨het bevallig zijn⟩ grace(fulness), charm [2] ⟨iets dat bevallig is⟩ grace

bevalling [de^{v}] delivery, childbirth, confinement, parturition ♦ ⟨fig⟩ *dat was een hele/zware bevalling* that was some undertaking/job/a tough business; *ontijdige/pijnloze/voorspoedige bevalling* premature/painless/successful delivery; *een poliklinische bevalling* a polyclinic birth

bevallingsrust [de] ⟨in België⟩ pregnancy leave

bevallingsverlof [het] ⟨in België⟩ maternity leave

^{1}**bevangen** [bn] [1] ⟨schuchter, verlegen⟩ shy, timid, bashful, embarred, self-conscious [2] ⟨benauwd⟩ tight, constricted ♦ ⟨fig⟩ *bevangen van schrik* terror-stricken, panic-stricken, terrified, paralyzed with fear

^{2}**bevangen** [ov ww] seize, overcome, ⟨BE ook⟩ come over ♦ *door de warmte bevangen* overcome by the heat; *hij werd* *door angst bevangen* he was terror-stricken/panic-stricken, he was paralyzed with fear; *hij werd plotseling bevangen door een vreselijke gedachte* a terrible thought suddenly struck him; *de slaap beving mij* sleep overcame me

bevaren [ov ww] [1] ⟨m.b.t. een schip⟩ navigate, sail ◆ *een druk bevaren (zee)route* a busy (sea) route/lane; *een rivier/zee bevaren* navigate a river, sail a sea [2] ⟨m.b.t. de bemanning⟩ sail (on) ◆ *hij heeft dat schip twintig jaar bevaren* he has sailed on that ship for twenty years

[1]bevattelijk [bn] ⟨vlug van begrip⟩ intelligent, teachable, bright, quick in the uptake ◆ *een bevattelijk kind* an intelligent/a bright child

[2]bevattelijk [bn, bw] ⟨duidelijk⟩ intelligible ⟨bw: intelligibly⟩, comprehensible, clear, lucid ◆ *een bevattelijke uiteenzetting* a comprehensible/lucid explanation

bevattelijkheid [de^{v}] [1] ⟨duidelijkheid⟩ intelligibility, comprehensibility, clarity, lucidity [2] ⟨vlugheid van begrip⟩ intelligence, teachability, receptiveness

bevatten [ov ww] [1] ⟨inhouden⟩ contain, hold ◆ *kunnen bevatten* ⟨van gebouw/ruimte⟩ hold, accommodate, seat; *de brief bevat weinig nieuws* there is not much news in the letter; *dat boek bevat een schat aan informatie* that book is a treasury of information; *het rapport bevatte diverse suggesties voor verbetering* the report contained/included several suggestions for improvement; *deze bus bevat suiker* this tin contains sugar; *uw opzet bevat vele tekortkomingen* there are many deficiencies in your scheme [2] ⟨begrijpen⟩ comprehend, understand, grasp ◆ *iets niet meer kunnen bevatten* lose one's grasp/grip of sth.; *iets nauwelijks kunnen bevatten* be hardly/scarcely able to grasp sth.; *moeilijk te bevatten* difficult to grasp; *niet te bevatten* incomprehensible

bevattingsvermogen [het] comprehension, intellectual/mental grasp ◆ *zijn bevattingsvermogen te boven gaan* be beyond one's comprehension

bevechten [ov ww] [1] ⟨vechtend verkrijgen⟩ gain, win ◆ *de vrijheid/de zege bevechten* gain freedom/the victory; *de zwaar/hard bevochten positie/vrijheid* the hard-won/dearly won position/freedom [2] ⟨vechten tegen⟩ fight (against), combat ◆ *de vijand bevechten* fight (against) the enemy

beveiligen [ov ww] protect, secure, ⟨fig ook⟩ safeguard ◆ *een computerprogramma beveiligen* secure a computer program; *een beveiligde overweg* a protected level/^grade crossing; *tegen inbraak beveiligd* burglarproof; *tegen/voor de regen beveiligen* shelter from the rain; *artikelen beveiligen tegen diefstal* secure articles/belongings against theft; *zich beveiligen tegen* ensure o.s. against, protect o.s. from

beveiliging [de^{v}] [1] ⟨handeling⟩ protection, security, ⟨fig ook⟩ safeguard(s) ◆ *ter beveiliging van* for the protection of [2] ⟨middel⟩ safety/protective/security device, safety measures

beveiligingsapparatuur [de^{v}] security system

beveiligingsbeambte [de] security guard

beveiligingsdienst [de^{m}] (private) security service/firm, security men/guards

beveiligingsfunctionaris [de^{m}] security guard

beveiligingsmaatregelen [de^{mv}] security measures

beveiligingsorganisatie [de^{v}] [1] ⟨het organiseren⟩ security management [2] ⟨bedrijf⟩ security company/firm

beveiligingssoftware [de^{m}] security software

beveiligingssysteem [het] security system

bevek [de^{v}] ⟨in België⟩ trust fund

bevel [het] [1] ⟨opdracht⟩ order, command, ⟨bevelschrift⟩ warrant, writ ◆ *bevelen geven* give orders/commands; *(het) bevel geven tot/om* give the order to; *hij heeft mij geen bevelen te geven* I'm not taking orders from him; *bevel (gekregen) hebben (om) te trekken naar* be under orders to leave for; *bevel is bevel* orders are orders; *het regiment kreeg bevel naar het front te trekken* the regiment was ordered up to the front; *zijn bevelen krijgen van/uit* take one's orders from; *het bevel luidt* the order is (to the effect that); *bevelen in ontvangst nemen/uitdelen* take/issue orders; *op bevel* to order; *op bevel van* by order of; *op zijn bevel* on/at/by his command; *op bevel van de generaal* at the general's command, on orders from the general; *op bevel van de dokter in bed blijven* stay in bed on/under doctor's orders; *een rechterlijk bevel* an injunction; *op/krachtens rechterlijk bevel* by an order of the court, by court order; *tegen zijn uitdrukkelijk bevel in* against his express orders; *tegenstrijdige bevelen* conflicting orders; *bevel tot uitzetting* eviction order; *een bevel tot arrestatie* an arrest warrant, a warrant of apprehension; *bevel tot beslaglegging/huiszoeking* distress/search warrant; *een bevel uitvaardigen* make promulgate/issue an order; *een bevel uitvoeren/opvolgen* execute a command, carry out/obey an order, do (s.o.'s) bidding [2] ⟨gezag⟩ command ◆ *het bevel neerleggen/krijgen* relinquish/be given (the) command; *het bevel op zich nemen* take/assume (the) command; *onder bevel van* under (the) command of; *de gemeentepolitie staat onder bevel van de burgemeester* the municipal police are subject to the orders of the mayor; *het bevel voeren over een leger* be in command of an army

[1]bevelen [onov ww] ⟨bevelen geven⟩ give orders, be in command ◆ *ik beveel hier* I give the orders around here; *ze is gewend te bevelen* she is used to ordering people about

[2]bevelen [ov ww] [1] ⟨het bevel geven tot⟩ order, command, instruct ◆ *de dokter beval hem in bed te blijven* the doctor ordered him to stay in bed; *hij heeft mij niet te bevelen* I won't take orders from him; *de generaal beval de terugtocht* the general ordered the retreat; *zij deed zoals haar was bevolen* she did as she had been told/directed/instructed; *iemand bevelen weg te gaan/te vertrekken* order s.o. out/away [2] ⟨form; toevertrouwen⟩ commend, entrust ◆ *Heer, in Uw handen beveel ik mijn geest* Father, into thy hands I commend my spirit

bevelend [bn] commanding, peremptory, imperative ◆ *een bevelend gebaar* a gesture of command; *op bevelende toon* in a commanding/peremptory tone, commandingly

bevelhebbend [bn] commanding, in command

bevelhebber [de^{m}] ⟨mil⟩ commander, commanding officer

bevelschrift [het] warrant, writ ◆ *krachtens bevelschrift* under an order of the court, by court order; *bevelschrift tot betaling* pay warrant; *bevelschrift tot huiszoeking* search warrant; *bevelschrift tot voorleiding* writ of habeas corpus; *een bevelschrift tot aanhouding* a warrant of apprehension, arrest warrant; *een bevelschrift tot aanhouding uitvaardigen* issue a warrant (against s.o.)

bevelvoerder [de^{m}] commander, commanding officer

bevelvoerend [bn] commanding, in command ◆ *de bevelvoerende officier* the commanding officer, the officer in command

beven [onov ww] [1] ⟨rillen⟩ shake, tremble, shiver, ⟨m.b.t. stem⟩ quiver, quaver ◆ *beven als een riet* shake/tremble like a leaf; *de explosie deed het eiland beven* the explosion shook the island; *de grond beefde onder zijn voeten* the ground shook/trembled under his feet; *zijn handen beefden* his hands shook; *over zijn hele lichaam beven* tremble all over/in every limb, be all of a tremble; ⟨vrees ook⟩ quake in one's shoes; *met bevende stem* in a quivering/quavering voice; *beven van kou/angst* shiver/shake with cold, tremble/shake/quake with fear [2] ⟨bang zijn⟩ tremble, quake ◆ *beven bij de gedachte* tremble at the idea; *voor iemand beven* be in fear and trembling of s.o.

[1]bever [de^{m}] ⟨dier⟩ beaver

[2]bever [het] [1] ⟨bont⟩ beaver [2] ⟨weefsel⟩ beaver (cloth)

beverbont [het] [1] ⟨bevervellen⟩ beaver [2] ⟨imitatie⟩ beaver

beverig [bn, bw] trembling ⟨bw: ~ly⟩, shaking, ↑ tremulous, ⟨m.b.t. stem ook⟩ quavering, quavery, ⟨m.b.t. handschrift⟩ shaky, wobbly, ⟨van ouderdom⟩ doddering ◆ *beverig schrijven* write shakily; *met beverige stem* in a trembling/tremulous/quavering voice

beverrat [de] coypu, ⟨bont⟩ nutria

beverstaarten [de^{mv}] ⟨dakpan⟩ plain tiles

bevestigen [ov ww] 1 ⟨vastmaken⟩ fix, fasten, attach, secure, mount, ⟨als aanhangsel⟩ append 2 ⟨als juist doen erkennen⟩ confirm, bear out, ⟨met bewijs⟩ corroborate ♦ *iemand bevestigen **in** zijn mening* confirm s.o. in his opinion; *mijn **mening** wordt hierdoor bevestigd* this bears out/confirms my opinion; *de nieuwe **orde** van zaken bevestigen* confirm the new order of things; *de **uitkomst** zal het bevestigen* the result will corroborate/endorse this; *een **vonnis** bevestigen* confirm a sentence 3 ⟨zeggen dat iets zo is⟩ affirm, confirm ♦ *mijn vrouw kan u bevestigen **dat** ik thuis was* my wife can confirm that I was at home; *op mijn vraag bevestigde hij **dat** hij er geweest was* in reply to my question he affirmed that he had been there; *de woordvoerder wilde het gerucht bevestigen noch **ontkennen*** the spokesman would neither confirm nor deny the rumour; *de **ontvangst** bevestigen van* acknowledge (the) receipt of; *onze **vermoedens** worden nog onvoldoende bevestigd* we need more confirmation for our suspicions 4 ⟨bekrachtigen⟩ confirm, endorse, validate ♦ *zijn **benoeming** moet nog bevestigd worden* he has not been confirmed in office yet; *een verklaring **met** een eed bevestigen* confirm a statement with an oath; ***niet** bevestigd* unconfirmed; ⟨officieus⟩ unofficial; *een telefonische afspraak **schriftelijk** bevestigen* confirm a telephone agreement by letter; *de **uitspraak** werd in hoger beroep bevestigd* the judgement was upheld on appeal; *iemands **verklaring** bevestigen* corroborate s.o.'s statement 5 ⟨inhuldigen⟩ induct, institute ♦ *een **predikant** (in een plaats) bevestigen* induct a minister (to a living) 6 ⟨prot; als lid inzegenen⟩ confirm ♦ ***lidmaten** bevestigen* confirm members ▪ ⟨sprw⟩ *de uitzondering bevestigt de regel* the exception proves the rule

¹**bevestigend** [bn] ⟨instemmend⟩ affirmative ♦ *een bevestigend **antwoord*** an affirmative answer; ⟨taalk⟩ *een bevestigende **zin*** an affirmative sentence; *in bevestigende **zin** beantwoorden* take the affirmative view

²**bevestigend** [bw] ⟨zó dat iets erkend wordt⟩ affirmatively ♦ *hij **antwoordde** bevestigend* he answered affirmatively/in the affirmative; *bevestigend **knikken*** nod an affirmative

bevestiging [de^{v}] 1 ⟨het vastmaken⟩ fixing, fastening, attachment, securing, mounting 2 ⟨erkenning⟩ confirmation, ⟨met bewijs⟩ corroboration, ⟨ontvangst van brief⟩ acknowledgement ♦ ***ter** bevestiging van* in confirmation/acknowledgement of; *bevestiging **vinden in*** be borne out/confirmed/corroborated by 3 ⟨tegenover ontkenning⟩ affirmation, confirmation 4 ⟨bekrachtiging⟩ confirmation, endorsement, validation 5 ⟨inhuldiging⟩ induction 6 ⟨prot; inzegening⟩ confirmation

bevestigingsmiddel [het] fastener, means of attachment, fixing medium, ⟨plakmiddel⟩ adhesive, fastening

bevind [het] ▪ ***naar** bevind **van** zaken handelen* act according to circumstances/as one thinks fit, use one's judgment/discretion

bevindelijkheid [de^{v}] ⟨prot⟩ (pietistic) experience of God

¹**bevinden** [ov ww] ⟨vaststellen, achten⟩ find, deem, consider ♦ *hij werd **geschikt** bevonden voor zijn werk* he was found fit for his work/suited to his tasks; *gezien en **goed** bevonden* seen and approved; ***schuldig** bevinden (aan een misdaad)* find guilty (of a crime); *iemand **waardig** bevinden voor een ambt* find s.o. worthy of an office

²**zich bevinden** [wk ww] 1 ⟨in een toestand zijn⟩ be, find o.s. ♦ *zich **in** gevaar bevinden* be in danger; *zich **in** de mogelijkheid bevinden* be in a position (to) 2 ⟨aanwezig zijn⟩ be (situated/located) ♦ *alle papieren bevinden zich nu **bij** de politie* all the papers are now in the hands of the police; ***bij** de stukken bevindt zich ook een artikel over ...* the documents are accompanied by an article about ...; *toen ik bijkwam bevond ik mij **in** een donkere kamer* when I came round I found myself in a dark room; *de zich in het pakje bevindende **monsters*** the samples enclosed in the packet; ***onder** de aanwezigen bevindt zich de dief/bevinden zich de koningin en de prins* among those present is the thief/are the queen and the prince; *zich **te** Amsterdam bevinden* be in Amsterdam

bevinding [de^{v}] 1 ⟨waarneming na onderzoek⟩ finding, result, ⟨ervaring⟩ experience, ⟨slotsom⟩ conclusion ♦ *mijn bevinding **is** (niet) dat ...* I (do not) find that ..., in my experience this is (not) ...; *ik zal u mijn bevindingen **mededelen*** I shall communicate my findings to you; ***tot** de volgende bevinding **komen*** arrive at the following conclusion; *bevindingen **uitwisselen*** compare/swap notes; *op grond van nieuwe **wetenschappelijke** bevindingen* on the basis of new scientific findings; *verslag doen van zijn bevindingen* report on one's findings 2 ⟨prot⟩ (pietistic) experience of God

beving [de^{v}] 1 ⟨m.b.t. personen⟩ trembling, ⟨van angst⟩ trepidation, ⟨van kou⟩ shiver, quiver 2 ⟨m.b.t. zaken⟩ tremor, vibration

bevingeren [ov ww] 1 ⟨met de vingers betasten⟩ finger 2 ⟨doffe plekken maken op⟩ thumb, soil

bevissen [ov ww] fish ♦ *de **Noordzee** bevissen* fish the North Sea

bevitten [ov ww] cavil/nag at, find fault with

bevleesd [bn] ⟨in samenstellingen⟩ -meated, ⟨zelfstandig (gebruikt)⟩ meaty ♦ ***goed** bevleesde varkens* well-meated pigs

bevlekken [ov ww] 1 ⟨besmetten⟩ soil, stain, spot, blot ♦ *een bevlekt **boek*** a spotted/blotted/stained book; ***met** bloed bevlekt* bloodstained 2 ⟨fig⟩ defile, besmirch, sully ♦ ⟨form⟩ ***zich** bevlekken* pollute o.s., be guilty of self-abuse/pollution, masturbate

bevliegen [ov ww] fly, operate on ♦ *een **druk** bevlogen route* a busy/heavily used air route

bevlieging [de^{v}] whim, impulse, caprice, fit, rage ♦ *hij **kreeg** een bevlieging om ...* the fancy took him to ..., he was seized by the whim to ...; *een bevlieging **krijgen** (om iets te doen)* get an impulse (to do sth.); *een bevlieging **om** elke ochtend te gaan zwemmen* an impulse to have a swim every morning; *een **rare** bevlieging* a queer whim; *een bevlieging **van** vroomheid* a wave/fit of devotion

bevloeien [ov ww] irrigate, water

bevloeiing [de^{v}] irrigation, watering

bevloeiingswerken [de^{mv}] irrigation works

bevloeren [ov ww] floor ♦ *een **met** marmer bevloerde zaal* a marble-floored hall; *iets **met** planken/tegels/plavuizen bevloeren* board/tile/flag sth.

bevlogen [bn] animated, inspired, enthusiastic ♦ *een bevlogen **partijlid*** an enthusiastic party member

bevlogenheid [de^{v}] animation, inspiration, enthusiasm

bevochtigen [ov ww] moisten, wet, damp(en), moisturize, ⟨lucht⟩ humidify

bevochtiger [de^{m}] 1 ⟨apparaat⟩ moistener, ⟨van lucht⟩ humidifier 2 ⟨middel⟩ wetting agent

bevoegd [bn] 1 ⟨gerechtigd⟩ competent, qualified, authorized, entitled, empowered ♦ *de bevoegde **ambtenaar*** the competent/proper official; *bevoegde **leerkrachten*** ⟨BE⟩ qualified teachers, ⟨AE⟩ certified teachers; ***niet** bevoegd zijn* ⟨leraar⟩ be unqualified/uncertificated; *bevoegd zijn **om*** have the power/authority to, be qualified/entitled/empowered to; *bevoegd zijn **om** stukken te tekenen* be entitled to/have the power to sign documents; *bevoegd zijn **om** een overeenkomst te sluiten* be authorized to conclude an agreement; *de bevoegde **overheden/autoriteiten*** the competent/proper authorities; *bevoegde **personen*** authorized/proper persons; *bevoegde **rechtbank*** competent court, court having jurisdiction; *de rechter **verklaarde** zich niet bevoegd in deze zaak vonnis te wijzen* the judge declared the case beyond/outside the competence/jurisdiction of the court;

bevoegd ***verklaren*** *om* empower to; ***volledig*** *bevoegd zijn* ⟨leraar⟩ be fully qualified; *bevoegd* ***zijn*** ⟨leraar⟩ be [B]qualified/[A]certified; *wij* ***zijn*** *daartoe bevoegd* we are acting within the scope of our authority 2 ⟨bekwaam⟩ competent, qualified, licensed ◆ *zich bevoegd* ***achten*** *om* deem o.s. qualified/competent to, feel qualified to; *ik ben* ***niet*** *ter zake bevoegd* that's outside my field; *ik* ***reken*** *mij niet bevoegd om hierover te oordelen* I consider myself unqualified to judge this matter; *het is ons van bevoegde* ***zijde*** *medegedeeld* we have learnt/been informed on good authority

bevoegdheid [de[v]] 1 ⟨recht tot uitoefenen⟩ competence, qualification, authority, power, ⟨jur⟩ jurisdiction ◆ *dat valt niet* ***binnen/****ligt* ***buiten*** *de bevoegdheid van* that is outside the scope/competence of; ***buiten*** *de bevoegdheid van het hof* beyond/outside the competence/jurisdiction of the court; *de bevoegdheden van de* ***burgemeester*** the powers of the mayor; *Engelse diploma's* ***geven*** *geen bevoegdheid in Nederland* English diplomas are not recognized in the Netherlands; *de bevoegdheid* ***hebben*** *om* possess/have the power to, be authorized to; *een* ***medische*** *bevoegdheid* a medical degree/qualification; ***misbruik*** *van bevoegdheid* ⟨jur⟩ misfeasance; ***ruime*** *bevoegdheden hebben* enjoy wide powers; *bevoegdheid* ***tot*** *het geven van lager onderwijs* qualification/[A]certification for primary education; *iemand de bevoegdheid* ***verlenen/geven*** *om* empower s.o. to, grant s.o. (the) power to; *de arts* ***werd*** *zijn bevoegdheid* ***ontnomen*** the doctor was struck off the register; ***zonder*** *bevoegdheid* unauthorized, unqualified; *zijn bevoegdheden te buiten gaan* exceed one's competence/authority, act outside one's power(s) 2 ⟨bekwaamheid⟩ competence, qualification, licence, ⟨AE⟩ license ◆ *iemand van* ***erkende*** *bevoegdheid op dit terrein* a person of repute in this field

bevoegdheidsbeperking [de[v]] limitation of competence

bevoelen [ov ww] feel, finger, handle

bevolken [ov ww] 1 ⟨van bewoners voorzien⟩ populate, people ◆ ***opnieuw*** *bevolken* repopulate, repeople; *bevolkt* ***raken*** people; ⟨fig⟩ *een* ***school*** *bevolken* populate a school 2 ⟨als bewoner leven op⟩ inhabit, populate ◆ *dat* ***gebied*** *wordt door allerlei wilde dieren bevolkt* that territory is inhabited by all kinds of wild animals; *de Kirgiezen die de* ***steppen*** *bevolken* the Kirghiz who inhabit the steppes

bevolking [de[v]] 1 ⟨populatie⟩ population, inhabitants ◆ *de* ***inheemse*** *bevolking* the native/indigenous population; *de oorlog had desastreuze gevolgen voor de* ***mannelijke*** *bevolking van het land* the war was disastrous for the nation's manhood/the male population of the country; ***relatieve*** *bevolking* relative population; ⟨fig⟩ *de bevolking van een* ***school*** the population of a school; ***varende*** *bevolking* ± seafarers; ***volstrekte/absolute*** *bevolking* absolute population; ***werkende*** *bevolking* labour force, working population 2 ⟨dierk⟩ population 3 ⟨bevolkingsbureau⟩ ⟨BE⟩ register office, registry office, ⟨AE⟩ office of records, ⟨BE ook⟩ registrar's office

bevolkingsaanwas [de[m]] population growth, increase/rise in population

bevolkingsaccres [het] population growth, increase/rise in population

bevolkingsbureau [het] ⟨BE⟩ register office, registry office, ⟨AE⟩ office of records, ⟨BE ook⟩ registrar's office

bevolkingscijfer [het] population figure, number/size of the population

bevolkingsdichtheid [de[v]] population density, density of population

bevolkingsexplosie [de[v]] population explosion

bevolkingsgroei [de[m]] population growth, increase/rise in population

bevolkingsgroep [de] community, population group, section of the population

bevolkingsleer [de] theory/doctrine of population ◆ *de bevolkingsleer van* ***Malthus*** the Malthusian population theory

bevolkingsonderzoek [het] screening, medical examination of the population

bevolkingsopbouw [de[m]] composition of the population

bevolkingsoverschot [het] surplus (of) population

bevolkingspiramide [de[v]] population pyramid

bevolkingspolitiek [de[v]] population policy

bevolkingsregister [het] register (of births, deaths and marriages), municipal/parish/county register

bevolkingstheorie [de[v]] theory of population

bevolkingsvraagstuk [het] population problem/issue

bevolkt [bn] populated ◆ *een* ***dichtbevolkte/dunbevolkte*** *streek* a densely/sparsely populated area/region; *te* ***dunbevolkt*** underpopulated/peopled

bevoogden [ov ww] 1 ⟨zich te veel bemoeien met⟩ patronize (s.o.), be paternalistic/patronizing to(wards) (s.o.), be patronizing about (sth.), treat like a child ◆ *hij* ***doet*** *altijd zo bevoogdend tegen zijn vrouw* he is always so patronizing towards his wife 2 ⟨als voogd optreden over⟩ tutor

bevoordelen [ov ww] benefit, favour, advantage, give (undue) preference to, give preferential treatment to ◆ ***familieleden*** *bevoordelen boven anderen* show favour to relatives above others; *zich* ***ongeoorloofd*** *bevoordelen* feather one's nest; ***zichzelf*** *bevoordelen* benefit o.s., give o.s. advantages

bevoordeling [de[v]] preferential treatment, favouritism

bevooroordeeld [bn] prejudiced, bias(s)ed

bevoorraden [ov ww] provision, supply, stock up

bevoorrading [de[v]] provisioning, supply

bevoorradingsschip [het] supply ship

bevoorradingsvliegtuig [het] supply aircraft/plane

bevoorrechten [ov ww] privilege, favour, prefer, give undue preference to ◆ *de* ***minder*** *bevoorrechte klasse* the underprivileged/disadvantaged; *een bevoorrechte* ***positie*** *innemen* enjoy/occupy a privileged position/a position of favour; ⟨jur⟩ *bevoorrechte* ***schuldeisers*** preferential/privileged creditors; ⟨fig⟩ *de bevoorrechte* ***standen*** the privileged/favoured classes; *een bevoorrechte* ***streek*** a privileged/favoured area/region; ⟨ec, jur⟩ *bevoorrecht* ***zijn*** ⟨m.b.t. aandelen, obligaties, schulden⟩ rank first, take precedence, have priority

bevorderaar [de[m]], **bevorderaarster** [de[v]] promoter, ⟨m.b.t. kunsten en wetenschappen ook⟩ patron, sponsor

bevorderaarster [de[v]] → **bevorderaar**

bevorderen [ov ww] 1 ⟨de werking, ontwikkeling begunstigen⟩ promote, further, advance, ⟨helpen⟩ boost, aid, support, ⟨aanmoedigen⟩ encourage, foster, stimulate, ⟨leiden tot⟩ lead to, be conducive to, make for ◆ *zo'n maatregel bevordert het* ***alcoholgebruik/****het* ***ontduiken*** *van belasting* such a measure leads to an increase in alcohol consumption/puts a premium on tax-dodging; *dat bevordert de* ***bloedsomloop*** that stimulates one's blood circulation; *de* ***verkoop*** *van iets bevorderen* boost the sale of sth., push sth.; *vrijhandel bevordert de* ***welvaart*** free trade makes for/is conducive to prosperity; *dat zou de* ***zaak*** *zeer kunnen bevorderen* that might do much to help the matter 2 ⟨in rang verhogen⟩ promote, ⟨onderw ook⟩ move up ◆ *deze leerling is* ***niet*** *bevorderd* this pupil has to stay down/[A]has to be held back; ***tot*** *officier bevorderd worden* be commissioned, rise from the ranks; *hij werd* ***tot*** *kapitein bevorderd* he was promoted (to) captain/to the rank of captain; *een leerling* ***tot/naar*** *een hogere klas bevorderen* move a pupil up to a higher [B]form/class

bevordering [de[v]] 1 ⟨het vooruithelpen⟩ promotion, furtherance, advancement, ⟨aanmoediging⟩ encouragement, stimulation ◆ ***ter*** *bevordering* ***van*** for the promotion/advancement of; *de bevordering van de* ***wetenschappen*** the advancement of science [2] ⟨verhoging in rang⟩ promotion ♦ ***bij** bevordering **tot** chef-kok verdient u meer* you will earn more on promotion to head chef; *bevordering **naar** anciënniteit* promotion by seniority; *voor bevordering in aanmerking komen* be eligible for promotion [3] ⟨in België; voetb⟩ promotion league

bevorderlijk [bn] beneficial (to), conducive (to), good (for); zie ook **bevorderen** ♦ *zo'n opmerking is **niet** bevorderlijk voor een goede verstandhouding* such a remark does not tend to promote/is not conducive to good understanding; *bevorderlijk zijn **voor*** promote, be conducive to, make for, boost, stimulate; *bevorderlijk **voor** de goede zeden* conducive to good morals; *lichaamsbeweging is bevorderlijk **voor** de gezondheid* physical exercise is beneficial to/good for one's health

bevrachten [ov ww] [1] ⟨vracht laden in, op⟩ load, lade, ⟨m.b.t. schepen ook⟩ ship ♦ *een **met** boeken bevrachte piano* a piano piled high/laden with books; *de **zwaar** bevrachte wagen* the heavily loaded/laden van [2] ⟨charteren⟩ charter, (af)freight

bevrachter [de^m] shipper, charterer

bevrachting [de^v] [1] ⟨het bevrachten⟩ loading, freighting, chartering, (af)freightment [2] ⟨overeenkomst⟩ chartering ♦ ***bij** bevrachting **op** ...* when chartering for ...

bevrachtingskantoor [het] shipping office, chartering broker's office

¹bevragen [ov ww] [•] *hier/binnen **te** bevragen* apply/inquire within; *(dit is) **te** bevragen **bij** ...* apply (for this) to ..., further details can be obtained from/at ...; *dit huis is **te** bevragen **bij** X.* apply for/about this house to X.; *nadere inlichtingen **te** bevragen **bij** ...* for further particulars apply to ...

²zich bevragen [wk ww] ⟨in België⟩ ⟨inlichtingen vragen⟩ ask for information, make enquiries

bevredigen [ov ww] [1] ⟨geheel voldoen aan⟩ satisfy, ⟨m.b.t. wensen, lusten ook⟩ gratify, ⟨m.b.t. verlangens, nukken ook⟩ indulge, ⟨honger, dorst⟩ ↑ assuage ♦ ***moeilijk** te bevredigen* hard to please; *zijn **nieuwsgierigheid**/zijn **lusten** bevredigen* gratify one's curiosity/desires [2] ⟨tot tevredenheid stemmen⟩ satisfy, please ♦ *dat bevredigt mij **allerminst*** that does not satisfy/please me at all; *dat werk/die **voorstelling** bevredigde haar niet* she was not pleased/satisfied with that work/performance [3] ⟨voldoen aan de seksuele begeerte⟩ satisfy ♦ ***zichzelf** bevredigen* masturbate

bevredigend [bn] satisfactory, satisfying, ⟨aangenaam⟩ gratifying, palatable, pleasing, ⟨behoorlijk⟩ fair ♦ *een bevredigend **gevoel*** ⟨ook⟩ a feeling of satisfaction; *de toestand **is** bevredigend* the situation is satisfactory; *een **niet/weinig** bevredigende oplossing* an unsatisfactory/a hardly satisfactory solution; *een bevredigende **oplossing*** a satisfactory/palatable solution; *een bevredigende **uitkomst*** a satisfactory/fair result

bevrediging [de^v] satisfaction, fulfilment, ⟨AE⟩ fulfillment, ⟨m.b.t. wensen, lusten ook⟩ gratification, ⟨m.b.t. honger/verlangen⟩ ↑ assuagement ♦ *dit werk **geeft** mij weinig bevrediging* this work does not give me much satisfaction/is not very rewarding; ***seksuele** bevrediging* sexual fulfilment/gratification; *bevrediging in iets **vinden*** find satisfaction in sth.

bevreemd [bn] surprised

bevreemden [ov ww] surprise ♦ ***dat** zal niemand bevreemden* that won't surprise anybody; *het bevreemdt **mij*** I wonder at it, I'm surprised at it; *het bevreemdt **mij** van haar* it surprises me in her; *het bevreemdt **mij,** dat u zoiets vraagt* I wonder (that) you ask such a thing, I am surprised (to find) (that) you ask such a thing

bevreemding [de^v] surprise, wonder(ment), astonishment ♦ *zijn bevreemding te **kennen geven*** express one's surprise; ***tot** zijn bevreemding* to his surprise; *het **wekt** bevreemding dat* it is surprising that; *het **wekte** zijn bevreemding* it surprised him

bevreesd [bn] ⟨bang⟩ afraid/apprehensive (of), ⟨bezorgd⟩ afraid/apprehensive (for), fearful (of) ♦ *zij **keken** bevreesd **toe*** they looked on frightened; ⟨form⟩ they watched in fear; *bevreesd **maken*** frighten; *zich bevreesd **tonen** voor* express one's fears for; *bevreesd **voor** straf* afraid of punishment; *ze is bevreesd **voor** de toekomst* she is afraid/apprehensive for the future

bevriend [bn] friendly (with), ⟨inf⟩ going round (with), ⟨BE ook⟩ thick (with), mat(e)y (with) ♦ *een bevriend **bedrijf*** a business connection; *met een bevriende **filmer*** with a filmmaker friend; ***goed** bevriend zijn (met iemand)* be close/great friends (with s.o.); *zij is **met** hem bevriend* she is on friendly terms with him, ⟨inf⟩ she goes round with him; *een bevriende **mogendheid*** a friendly nation/power; *bevriend **raken** met/**worden** met iemand* make friends with s.o., become friendly/friends with s.o., take up with s.o.; *van bevriende **zijde** vernemen* hear from friends/a friend, ↑ learn from a sympathetic source [•] ⟨wisk⟩ *bevriende **getallen*** amicable numbers

¹bevriezen [onov ww] [1] ⟨in vaste toestand overgaan⟩ freeze (up/over), become frozen (up/over), be frozen (up/over), ⟨wet⟩ congeal ♦ *het **water** is bevroren* the water is frozen (over), the water has frozen up/solid [2] ⟨onder invloed van vorst veranderen⟩ freeze ♦ ⟨fig⟩ *ik ben **half** bevroren* I'm frozen to the bone/freezing cold/frozen stiff; *alle **leidingen** zijn bevroren* all the pipes are/have frozen up/are solid; ⟨fig⟩ *het is hier **om** te bevriezen* it is freezing in here; *de **planten** zijn bevroren* ⟨dood⟩ the plants are frozen, ⟨beschadigd⟩ the plants are frostbitten; *de was hing **stijf** bevroren aan de lijn* the washing had/was frozen to/on the line [3] ⟨met een dun ijslaagje bedekt worden⟩ frost (up/over), become frosted, ice (up) ♦ *de **ruiten** zijn bevroren* the windows are frosted/have frosted over; *over de bevroren **sneeuw** lopen* walk over the frozen/frosted snow [4] ⟨fig⟩ freeze (up), chill ♦ *ze bevroor bij het horen van die opmerking* she froze (up) at the remark [•] *zijn **gezicht** en **vingers** waren bevroren* his face and fingers were frostbitten; *de bevroren **grond** was onbespeelbaar* the frozen/frostbound field was unfit for play

²bevriezen [ov ww] [1] ⟨niet meer verhogen⟩ freeze, ↓ peg ♦ ***lonen**/de **kinderbijslag** bevriezen* freeze wages/family allowance; *de **prijs** bevriezen op ...* peg/freeze the price at ... [2] ⟨niet uitbetalen⟩ freeze, block ♦ ***gelden/saldo's** bevriezen* freeze/block credits/saldi; *bevroren **tegoed*** frozen assets [3] ⟨med⟩ freeze [4] ⟨stilleggen, opschorten⟩ freeze ♦ *alle **contacten/contracten** bevriezen* freeze all contacts/contracts [•] ⟨film, tv⟩ *het **beeld** bevriezen* freeze the frame; ⟨sport⟩ *het **spel** bevriezen* freeze the game

bevriezing [de^v] [1] ⟨het bevriezen⟩ freezing (over), ⟨wet⟩ congelation, frost, frostbite [2] ⟨stabilisatie⟩ freeze ♦ *bevriezing van het aantal **kernwapens*** nuclear freeze; *bevriezing van de **lonen*** wage freeze [3] ⟨blokkering⟩ freeze

bevriezingsdood [de] death by hypothermia/freezing

bevrijden [ov ww] [1] ⟨vrij maken⟩ free (from), liberate, ⟨gevangenen⟩ release, set free, set at liberty, ⟨redden⟩ rescue, ⟨maatschappelijk⟩ emancipate ♦ *een **land**/een **gevangene** bevrijden* free/liberate a country/prisoner; *een dier **uit** een klem bevrijden* rescue an animal from a trap; *de slachtoffers **uit** het wrak bevrijden* rescue/extricate victims from the wreck; *iemand **uit** zijn benarde positie bevrijden* rescue s.o. from a desperate position; ***zich** bevrijden van/uit zijn ketenen* throw off one's shackles/chains; ***zich** uit een benarde positie bevrijden* extricate o.s. from a difficult situation; *ook mannen moeten eerst **zichzelf** bevrijden* men too must emancipate themselves first [2] ⟨fig⟩ free (from/of), (get) rid of, ⟨kwaad⟩ deliver (from), ⟨zorgen⟩ relieve (from) ♦ *een bevrijd **gevoel*** a feeling of relief; *ik ben **van** die overlast bevrijd* I am relieved of that burden; ***zich** bevrijden van angst/vooroordelen, bevrijd raken van vooroordelen* get rid of/rid o.s. of fear/prejudices

bevrijder [de^{m}] liberator
bevrijding [de^{v}] 1 ⟨het vrij maken, worden⟩ liberation, ⟨van gevangenen ook⟩ release, ⟨redding⟩ rescue, ⟨maatschappelijk⟩ emancipation, ⟨form⟩ deliverance ◆ *bevrijding **uit** slavernij* emancipation from slavery, enfranchisement 2 ⟨fig⟩ relief, riddance ◆ *een **gevoel** van bevrijding* a feeling of relief
bevrijdingsbeweging [de^{v}] liberation movement
Bevrijdingsdag [de^{m}] 1 ⟨herdenkingsdag⟩ liberation day 2 ⟨dag van de bevrijding⟩ liberation day
bevrijdingsfront [het] liberation front ◆ *het **Palestijnse** Bevrijdingsfront* the Palestine Liberation Front
bevrijdingsleger [het] liberation army
bevrijdingsmonument [het] liberation monument
bevrijdingsoorlog [de^{m}] war of liberation
bevrijdingspoging [de^{v}] attempt to free a/the prisoner(s), attempt to release a/the prisoner(s), ⟨reddingspoging⟩ attempted rescue, rescue attempt
bevrijdingstheologe [de^{v}] → **bevrijdingstheoloog**
bevrijdingstheologie [de^{v}] liberation theology
bevrijdingstheoloog [de^{m}], **bevrijdingstheologe** [de^{v}] liberation theologist
bevroeden [ov ww] ⟨form⟩ 1 ⟨vermoeden⟩ suspect, divine, surmise ◆ *dat had ik niet **kunnen** bevroeden* that's sth. I could never have expected, I couldn't have counted on that 2 ⟨begrijpen⟩ understand, realize, comprehend ◆ *om **nauwelijks** te bevroeden redenen* for almost incomprehensible reasons, for reasons that are hard to understand
bevruchten [ov ww] 1 ⟨biol⟩ fertilize, ⟨zwanger maken⟩ impregnate, ⟨vruchtbaar maken⟩ fecundate, ⟨insemineren⟩ inseminate, ⟨doen bloeien⟩ fructify, ⟨bestuiven⟩ pollinate 2 ⟨form, fig⟩ fecundate, fructify
bevruchting [de^{v}] fertilization, ⟨bezwangering⟩ impregnation, ⟨inseminatie⟩ insemination, ⟨bestuiving⟩ pollination, ⟨doen bloeien⟩ fructification ◆ *bevruchting **buiten** de baarmoeder* in vitro fertilization; ***kunstmatige** bevruchting* artificial insemination
bevuilen [ov ww] soil, dirty, foul ◆ ***door** vliegen bevuild* flyblown, flyspecked; *hij had zich/zijn **kleren** bevuild* his clothes were filthy/all messy, he had ^{B}got/^{A}gotten himself into a mess; *het eigen **nest** bevuilen* foul one's own nest ⊡ ⟨sprw⟩ *'t is een slechte vogel, die zijn eigen nest bevuilt* it's a foolish/ill bird that soils/fouls its own nest
bewaarappel [de^{m}] store apple, keeping apple
bewaarder [de^{m}] 1 ⟨vnl in samenstellingen; iemand die iets, iemand bewaakt⟩ keeper, guardian, ⟨van gevangenen ook⟩ jailor, warder, custodian, ⟨van woning ook⟩ caretaker, ⟨van registers⟩ registrar ◆ ***orde**bewaarder* keeper/preserver of law and order/the peace 2 ⟨iemand die iets onder zijn berusting heeft⟩ keeper, depository, depositary, ⟨jur; bewaarnemer⟩ bailee, ⟨beheerder⟩ custodian, custos, ⟨sekwester⟩ sequestrator ◆ *een bewaarder **aanstellen** over in beslag genomen goed* appoint a receiver of/put a keeper over/a man in possession of confiscated goods; ***gerechtelijk** bewaarder* sequestrator
bewaarengel [de^{m}] guardian angel
bewaargever [de^{m}] depositor, ⟨jur⟩ bailor
bewaargeving [de^{v}] ⟨jur⟩ 1 ⟨het in bewaring geven⟩ ⟨Anglo-Amerikaans recht⟩ bailment, ⟨Schots en Romeins recht⟩ deposit ◆ *een bewaargeving **gedaan** door ...* a deposit made by ...; ***gesloten** bewaargeving* safe deposit/custody; ***open** bewaargeving* holding/safe keeping (of securities) for/under management and supervision 2 ⟨sekwestratie⟩ sequestration
bewaarheiden [ov ww] ⟨gerucht, vermoeden⟩ confirm, ⟨voorspelling, vermoeden⟩ verify, ⟨angst⟩ justify, ⟨dromen, voorspelling⟩ come true, materialize, ⟨verklaring⟩ corroborate, bear out ◆ *hun verwachtingen over hun dochter **werden** alleen maar gedeeltelijk bewaarheid* their expectations about their daughter were only partially fulfilled; *de voorspellingen **zijn** bewaarheid/hebben zich bewaarheid* the predictions have come true/materialized/been fulfilled; *de voorspellingen **zijn** niet bewaarheid/hebben zich niet bewaarheid* the predictions have not come true/materialized/have proved false
bewaarkool [de] winter cabbage
bewaarloon [het] ⟨voor pakhuis⟩ warehouse rent, storage charges, ⟨voor bagage⟩ (safe) custody/keeping charges, (safe) custody fee
bewaarmiddel [het] preservative
bewaarnemer [de^{m}] depositary, depository, depositee, ⟨jur⟩ bailee, ⟨beheerder⟩ custodian
bewaarplaats [de] depository, repository, ⟨pakhuis⟩ store(house), ⟨van informatie⟩ repetory, ⟨van inboedel⟩ storage, ⟨van fietsen⟩ shelter ◆ *een **ondergrondse** bewaarplaats* an underground depository, a vault; *een veilige bewaarplaats **voor** geld en juwelen* a place of safekeeping for money and jewelry
bewaarplicht [de] data retention requirement
bewaarschool [de] ⟨vero⟩ nursery school, kindergarten, ⟨BE ook; 5-7 jaar⟩ infant school
bewaarstelling [de^{v}] ⟨jur⟩ 1 ⟨consignatie⟩ deposit/payment into court 2 ⟨sekwestratie⟩ sequestration
bewaartijd [de^{m}] 1 ⟨comp⟩ storage time 2 ⟨m.b.t. levensmiddelen⟩ shelf life ⟨in het bijzonder in winkel⟩, time sth. will keep ◆ *levensmiddelen met een **korte** bewaartijd* (highly) perishable goods
bewaken [ov ww] 1 ⟨waken over⟩ guard, watch (over), keep guard (over), ⟨controleren⟩ monitor ◆ *deze buurt wordt zorgvuldig **door** de politie bewaakt* this area is being carefully watched by the police/is under close police surveillance; *de hond bewaakt het **huis*** the dog guards the house; ***laten** bewaken* set a watch on; *iemand **laten** bewaken* have s.o. guarded, put s.o. under surveillance; *bewaakte **overweg*** protected level/^{A}grade crossing; ***patiënten/bedden** bewaken* keep patients/beds in intensive care; *hij wordt **streng/zwaar** bewaakt* he is closely guarded; *een **terrein** bewaken* guard (over) a territory/an area 2 ⟨zorgen dat iemand niet ontsnapt⟩ guard, watch ◆ *een **gevangene** bewaken* guard a prisoner; ***streng** bewaakt worden* be kept under close surveillance/guard; ***zwaar/licht** bewaakte gevangenis* maximum/minimum security prison 3 ⟨fig⟩ watch, mind, keep an eye on, keep (a) close/careful watch on ◆ *het **budget** bewaken* watch/control the budget
bewaker [de^{m}] 1 ⟨m.b.t. gevangenen⟩ guard 2 ⟨toezichthouder⟩ guard, security officer/agent/man/woman
bewaking [de^{v}] 1 ⟨beveiliging, surveillance⟩ guard(ing), watch(ing), surveillance, ⟨van stad door politie⟩ policing ◆ ***onder** bewaking gesteld* put/placed under guard/surveillance; ***onder** strenge bewaking staan* be kept under strict surveillance/security; ***onder** bewaking van de politie* under police surveillance; ***zonder** bewaking* unattended 2 ⟨ook in samenstellingen; het in het oog houden⟩ control, monitoring ◆ ***budget**bewaking* budgetary control; *bewaking van **patiënten*** intensive care
bewakingscamera [de] surveillance camera
bewakingsdienst [de^{m}] (private) security service/firm, security men/guards
bewakingskorps [het] guard (detail), guards
bewakingspersoneel [het] (security) guards, ⟨in mijnen⟩ safetymen, ⟨in havens⟩ watchmen
bewandelen [ov ww] 1 ⟨wandelen op⟩ walk (on/over), tread (on) 2 ⟨fig⟩ take a/the ... course, follow a/the ... course, steer a/the ... course ◆ *de **middenweg** bewandelen* steer the/a middle course, compromise; *het **pad** der deugd bewandelen* walk in the ways of virtue; *de veilige **weg** bewandelen* keep on the safe side, take the safe course; *de officiële **weg** bewandelen* take the official course/line; *zij kunnen twee **wegen** bewandelen* two courses are open to them; *ongebaande/gebaande **wegen** bewandelen* go off/keep to the beat-

en track
bewapenen [ov ww] arm ◆ *zich bewapenen* arm
bewapening [de[v]] 1 ⟨het van wapens voorzien⟩ armament, arming ◆ ***beperking** van de bewapening* arms limitation 2 ⟨wapens⟩ armament, arms, weaponry, ⟨vnl. individueel⟩ weapons, ⟨vero⟩ armature 3 ⟨wapening, versterking⟩ reinforcement, armouring ◆ *de bewapening van **beton*** the reinforcement/pre-stressing of concrete
bewapeningspolitiek [de[v]] arms policy
bewapeningsprogramma [het] arms programme/[A]program
bewapeningswedloop [de[m]] arms race
bewaren [ov ww] 1 ⟨niet wegdoen⟩ keep, save, retain, ⟨grondstoffen ook⟩ conserve ◆ ⟨fig⟩ *een **geheim** bewaren* keep/guard a secret; *een **kassabon** bewaren* keep/retain a receipt; ***tijdschriften** bewaren* keep/save periodicals 2 ⟨wegbergen⟩ keep, ⟨voorraad⟩ store, stock (up), preserve, save ◆ ***appels** bewaren* store apples; *deze gebouwen/manuscripten/gebruiken zijn bewaard **gebleven*** these buildings/manuscripts/customs have survived/have been handed down to us/have come down to us/have been preserved; ***koel/in de koelkast** bewaren* keep fresh/under refrigeration/refrigerated/on ice; *men kan deze wijn **lang** bewaren* this wine keeps/ages/matures well; *vlees kun je **moeilijk/niet lang** bewaren* meat is hard to keep/does not keep long; *een **onderwerp** tot/voor de volgende keer bewaren* leave a topic/matter for the next time; *kostbare **oudheden** bewaren* preserve precious antiquities; *zal ik je **portemonnee** zolang bewaren of bewaar je hem zelf?* shall I hold on to your purse or are you going to look after/take care of it yourself?; *bewaren **voor** later* save up/put away/put by/keep for a rainy day; *het lekkerste **voor** het laatst bewaren* save the best piece for the end; *een **voorraadje** van iets bewaren* stock up on/with sth.; ***wijn** om te bewaren* wine for keeping 3 ⟨in acht nemen⟩ keep 4 ⟨niet verliezen, handhaven⟩ keep, maintain, preserve ◆ *goede herinneringen bewaren **aan*** treasure (up)/retain/have happy memories of; *zijn **evenwicht** bewaren* keep/maintain one's balance; *zijn **kalmte** bewaren* keep calm/one's head/one's temper, ⟨inf⟩ keep (one's) cool; *de **orde** bewaren* keep/maintain order 5 ⟨behoeden⟩ preserve/save (from), defend/protect (from), guard (from/against) ◆ *voor een ziekte bewaard **blijven*** remain free of (a) disease, be spared an illness; *een **goed** bewaard geheim* a closely guarded secret; *God bewaar **me**!* God forbid!, Lord save us!, Good gracious!; *God beware/bewaar **me** voor mijn vrienden!* God save/protect me from my friends! ▪ ⟨sprw⟩ *wie wat bewaart heeft wat* ± waste not, want not; ± of saving comes having
bewaring [de[v]] 1 ⟨het bewaren⟩ keeping, care, ⟨opslaan⟩ storage, storing, ⟨beheer⟩ custody ◆ ***in gerechtelijke** bewaring stellen* ⟨kinderen⟩ take/place/put into care; ⟨consigneren⟩ pay a sum into court; ⟨sekwestreren⟩ sequestrate; ***in** bewaring nemen* take charge of/into one's custody; ⟨confisqueren⟩ impound; ***in** bewaring hebben* hold in/under trust, have charge of, have in one's keeping/custody; *bagage **in** bewaring geven* deposit luggage (at the station); ***in** bewaring geven (aan/bij)* ⟨bank⟩ deposit (in/at/with); entrust (to), leave/lodge/place (with); *zich **in** bewaring bevinden bij ..., **in** bewaring zijn bij* be in the care/charge/keeping of, be held for safekeeping by; ***in veilige** bewaring stellen (bij)* place in safekeeping (with) 2 ⟨opsluiting⟩ custody, detention ◆ ***huis** van bewaring* house of detention; ⟨mil; sl; BE⟩ glasshouse; ***verzekerde** bewaring* detention; ***in verzekerde** bewaring nemen/stellen* take/place into custody 3 ⟨handhaving⟩ keeping, preservation
bewasemen [ov ww] steam up ◆ *bewasemde **ruiten*** steamy/steamed up windows
bewateren [ov ww] 1 ⟨besproeien, bevloeien⟩ water, irrigate 2 ⟨wateren op⟩ urinate on
beweegbaar [bn] mov(e)able ◆ *beweegbare **delen*** moving/working parts
beweeglijk [bn] 1 ⟨veel bewegend⟩ agile, lively, active, nimble ⟨ook van geest⟩, ⟨van gezicht⟩ mobile ◆ *een zeer beweeglijk **kind*** a very active child 2 ⟨beweegbaar⟩ movable
beweeglijkheid [de[v]] agility, liveliness, nimbleness ⟨ook van geest⟩, ⟨van gezicht⟩ mobility
beweegreden [de] motive, ⟨mv ook⟩ grounds, cause, rationale ◆ *de beweegredenen van zijn **gedrag*** the motivation for/motives underlying his behaviour
beweerd [aanw bn] claimed
[1]**bewegen** [onov ww] ⟨van plaats, stand veranderen⟩ move, stir, ⟨inf⟩ budge, ⟨techn ook⟩ travel ◆ *geen **blad** bewoog* not a leaf stirred; *het bewegen van de **boot*** the movement of the boat; *bewegende **delen*** moving/working parts; *kijk, **het** beweegt* look, it is moving; ***in** een baan rond de aarde bewegen* orbit the earth; ***niet** bewegen!* keep still!; *de zuiger beweegt **op en neer*** the piston travels up and down; ***op en neer/heen en weer** bewegen* move/go up and down, move to and fro; ⟨snel⟩ bob; ⟨van prijzen⟩ fluctuate; ⟨van lichaamsdeel⟩ wag, ⟨lichaamsdeel⟩ waggle
[2]**bewegen** [ov ww] 1 ⟨in beweging brengen⟩ move, stir ◆ *de **foto** is bewogen* the camera moved; ***op en neer/heen en weer** bewegen* move up and down/to and fro; ⟨snel⟩ bob; ⟨lichaamsdeel⟩ wag, waggle; *zijn wenkbrauwen **op en neer** bewegen* wiggle one's eyebrows 2 ⟨m.b.t. werktuigen⟩ move, set/put in motion, start (up), operate, ⟨motor, machine⟩ run, ⟨aandrijven⟩ actuate ◆ *de veer beweegt het **uurwerk*** the spring keeps the works running/in motion 3 ⟨ontroeren⟩ move, stir, affect; zie ook **bewogen** 4 ⟨overhalen, aanzetten⟩ move, induce/bring/get (s.o. to), ⟨form⟩ prevail upon (s.o. to do), ⟨animeren⟩ animate ◆ *iemand **tot** iets bewegen* move s.o. to do sth., induce/bring/get s.o. to do sth.
[3]**zich bewegen** [wk ww] 1 ⟨in beweging zijn, komen⟩ move, stir, ⟨inf⟩ budge, ⟨techn ook⟩ travel ◆ *ik **kan** me nauwelijks bewegen* I can hardly move; *beweeg je **niet*** don't move/get up, ⟨inf⟩ don't budge; *zich **op en neer/heen en weer** bewegen* move/go up and down, move to and fro; ⟨snel⟩ bob; ⟨prijzen⟩ fluctuate; ⟨lichaamsdeel⟩ wag, waggle; *zich **voortdurend** bewegen* move about/around, keep/be constantly on the move; *u beweegt u te **weinig*** you don't take/get enough exercise 2 ⟨omgang hebben met⟩ move (in), travel (in), mix (with) ◆ *hij beweegt zich **in** de hoogste kringen* he moves/travels in the highest circles; *hij heeft zich veel **in** het verenigingsleven bewogen* he was a good club type, he was a real joiner; *zich **niet/slecht** weten te bewegen* have no/bad manners 3 ⟨met een bepaald onderwerp, terrein te maken hebben⟩ ⟨m.b.t. personen⟩ be engaged (in), be active (in (the field of)), ⟨m.b.t. boek, film e.d.⟩ be concerned (with) ◆ *haar tweede boek beweegt zich ongeveer **in** dezelfde sfeer* her second book is more or less set in the same world; *zij bewegen zich **op** het gebied van de elektronica* they are active in the field of electronics
beweging [de[v]] 1 ⟨het bewegen⟩ movement, move, motion, ⟨natuurk⟩ momentum, ⟨gebaar⟩ gesture, ⟨lichaamsbeweging⟩ exercise ◆ ***in** één beweging* with one move, at one fell swoop; ***in** beweging komen* begin to move, start; ⟨actief worden ook⟩ stir o.s.; ***in** beweging blijven* keep moving; *vrij zijn **in** zijn bewegingen* have freedom of action; *de stoet zette zich **in** beweging* the procession moved off; *altijd en eeuwig **in** beweging zijn* be forever on the go; *zij is moeilijk **in** beweging te krijgen* I can't get her to budge, she is a slow mover; *grote troepeneenheden waren **in** beweging* large forces were on the move; ***in** beweging brengen, **in** beweging zetten* get going, set/put in motion, actuate; ⟨machines ook⟩ start; *er is geen beweging in te **krijgen*** it won't budge/move; *beweging **nemen*** take/get exercise; *een **omtrekkende** beweging maken (om)* ⟨mil⟩ outflank/turn the flank of (an army); ⟨fig ook⟩ bypass, circumvent; *een **verkeerde** beweging maken* make a wrong move 2 ⟨het doen bewegen⟩ movement, motion ◆ *de wagen reageert op de **geringste** beweging van het*

stuur the car responds to a touch/the slightest movement of the wheel 3 ⟨ontwikkeling⟩ movement, move, motion ♦ ***in*** *beweging zijn* be moving/in motion/on the move/on the go; ***in*** *beweging brengen* stir (s.o.), get (s.o./sth.) on the move; *de gezondheidszorg is* ***in*** *beweging* sth. is stirring in the health service, the health service is in turmoil/a state of flux; *als er weer wat beweging* ***komt in de huizenmarkt, dan*** ... when the housing market begins to move again, when there's some sign of movement in the housing/^real estate market 4 ⟨vaak in samenstellingen; organisatie⟩ movement, organization, pressure group ♦ *een* ***milieu****beweging* an environmental/ecological movement; *een* ***sociale/godsdienstige*** *beweging* a social/religious movement; *de* ***Vlaamse*** *Beweging* the Flemish (Nationalist) Movement; *de* ***vredes****beweging* the peace movement 5 ⟨aandrift⟩ ♦ *uit eigen beweging iets doen* volunteer to do sth., to do sth. of one's own accord, ⟨inf⟩ to do sth. off one's own bat; *uit eigen beweging,* ***eigener*** *beweging* of one's own accord/free will/volition; ⟨inf; BE⟩ off one's own bat 6 ⟨bedoening⟩ affair, business 7 ⟨drukte⟩ bustle, commotion, stir, agitation 8 ⟨beroering⟩ commotion, stir, flux, excitement ♦ *de tongen* ***in*** *beweging brengen* set the tongues wagging; *de gemoederen* ***in*** *beweging weten te brengen* know how to stir an audience/the masses

bewegingloos [bn] motionless, immobile, unmoving, ⟨kalm⟩ impassive

bewegingsapparaat [het] locomotor apparatus

bewegingsenergie [de^v] kinetic energy, impetus

bewegingskunst [de^v] op(tical) art, ⟨vnl. beeldh⟩ kinetic art

bewegingsleer [de] kinetics, kinematics, motion study, ⟨med⟩ kinesiology

bewegingsruimte [de^v] room to move, space to move

bewegingstherapeut [de^m] kines(i)otherapist, physiotherapist

bewegingstherapie [de^v] kines(i)otherapy, physiotherapy

bewegingsvrijheid [de^v] ⟨ook fig⟩ freedom of movement/action, scope, ↓elbowroom

bewegingswetenschap [de^v] human movement science

bewegingswetten [de^mv] laws of motion

bewegingszenuw [de] motory nerve

bewegingsziekte [de^v] ⟨med⟩ motion sickness

bewegwijzeren [ov ww] signpost

bewegwijzering [de^v] 1 ⟨resultaat⟩ signposting 2 ⟨handeling⟩ signposting

beweiden [ov ww] graze, pasture

bewenen [ov ww] mourn for/over (s.o./sth.), weep for/over (s.o.), mourn (sth.), deplore, lament, ⟨form⟩ bemoan, bewail

beweren [ov ww] assert, claim, maintain, ⟨betogen⟩ contend, ⟨iets onbewezens⟩ allege, ⟨voorgeven⟩ pretend, ⟨beschuldigen⟩ charge ♦ *blijven beweren* ***dat*** insist/stick to it that; *beweren* ***dat*** *men deskundig is* call o.s./claim to be an expert; *er wordt beweerd* ***dat*** *hij erbij was* he is alleged to have been involved; *sommige critici (willen) beweren* ***dat*** ... some critics (would) say (that) ...; *hij beweert* ***dat*** *hij niets gehoord heeft* he maintains that he did not hear anything; *zij beweren (ten onrechte)* ***dat*** *zij rijk zijn* they make themselves out/set themselves up to be rich; *hij beweerde* ***dat*** *de minister onzorgvuldig was geweest* he claimed/charged that the minister had been negligent; ***durven*** *te beweren dat* venture/dare to claim that; *ik heb je weleens iets heel anders* ***horen*** *beweren* I've heard you say quite sth. else; *ik meen te* ***mogen*** *beweren dat* ... I submit that ...; ***naar*** *hij zelf beweert* by his own account, according to his claims; ***naar*** *beweerd wordt/men beweert* reputedly, allegedly, supposedly; ***te veel*** *beweren* overstate one's case; *hetzelfde kan men niet* ***van*** *elke school beweren* the same can't be said of/no such claim can be made for every school; ***wat*** *ik wil beweren is dat* the point I want to make/my point is that; *dat is precies* ***wat*** *wij beweren* that's the very point we're making; *dat zou ik niet* ***willen*** *beweren* I wouldn't (go as far as to) say that; *hij is niet zo slecht als algemeen beweerd* ***wordt*** he is not so black as he is painted; ***wou*** *jij nog beweren dat je ziek was?* would you have us believe that you were ill?; *zij beweerde onschuldig te* ***zijn*** she claimed to be innocent/maintained her innocence; *zoiets* ***zou*** *ik nooit* ***hebben durven*** *beweren* I would never have ventured/have gone as far as to say such a thing

bewering [de^v] assertion, ⟨uitspraak⟩ statement, ⟨onbewezen⟩ allegation, ⟨aanvechtbaar⟩ claim, ⟨mening⟩ contention ♦ ***bij*** *zijn bewering* ***blijven*** stick to one's claim/allegation; ***ongegronde*** *bewering* unfounded allegation; *kun je deze bewering* ***staven/hardmaken?*** can you make good/substantiate/sustain this claim?

bewerkelijk [bn] laborious, toilsome, ⟨gerecht⟩ elaborate ♦ *een bewerkelijk* ***huis*** an inconvenient/time-consuming house; *bewerkelijk* ***materiaal*** intractable material; *bewerkelijk* ***zijn*** be hard to work/run/...

bewerken [ov ww] 1 ⟨werk verrichten aan⟩ treat, ⟨land, deeg, boter⟩ work, ⟨grondstoffen, gegevens⟩ process, ⟨steen⟩ tool, ⟨ijzer⟩ hammer, beat, ⟨redigeren⟩ edit, ⟨herzien⟩ rewrite, revise, ⟨omwerken⟩ adapt, update, ⟨vervaardigen⟩ manufacture, ⟨vormen⟩ fashion, model ♦ *een bewerkt* ***boek/stuk/artikel*** a rewrite, an adaptation; *een Frans* ***boek*** *voor het Nederlandse taalgebied bewerken* adapt a French book for the Dutch reader; ***dierenhuiden*** *bewerken* dress animal skins; *dit lemma is bewerkt* ***door*** ... this entry was prepared by, ⟨opnieuw⟩ this entry was revised by; *te* ***fijn*** *bewerken* overlabour; ***goed*** *te bewerken* ⟨materiaal/grond⟩ easy to work; *bewerkte* ***goederen*** finished/manufactured goods; *de* ***grond*** *bewerken* till the land/soil, farm; ***half*** *bewerkt* rough-wrought; ***machinaal*** *bewerken* machine; *koper is* ***makkelijk*** *te bewerken* copper works/machines easily; *bewerkt* ***marmer*** worked marble; ***met*** *teer bewerken* ⟨balken⟩ treat with tar; *iemand* ***met*** *een mes bewerken* set/lay about s.o. with a knife; ***moeilijk*** *te bewerken (grond/materiaal)* stubborn, intractable (soil/material); ***muziek*** *voor orgel/orkest bewerken* arrange/transcribe music for organ/orchestra; ⟨voor orkest ook⟩ score music for orchestra, orchestrate music; *bewerkt* ***naar*** *het origineel* adapted from the original; *geheel* ***opnieuw*** *bewerkt door* completely revised by; *bewerken* ***tot*** work up to/make into; *bewerken* ***voor*** *de/tot een film* adapt for the screen; *een roman bewerken* ***voor*** *het toneel/tot een stuk* adapt a novel for the stage, dramatize a novel 2 ⟨versieren⟩ work, tool ♦ ***fijn*** *bewerkt* high-wrought, finely tooled; *bewerkt* ***hout*** worked wood; *een* ***prachtig*** *bewerkte zilveren schaal* a finely/handsomely wrought silver dish 3 ⟨overreden⟩ work on, manipulate, use one's influence with, ply (s.o. with sth.) ♦ ***kamerleden*** *bewerken* lobby MP's; *de* ***kiezers*** *bewerken* canvass the voters; *zijn* ***ouders*** *bewerken* work on one's parents 4 ⟨met overleg, volgens regels werken aan⟩ ⟨gegevens⟩ process ♦ *een rekenkundige* ***opgave*** *bewerken* work on a mathematical problem 5 ⟨teweegbrengen⟩ bring about, accomplish, effect(uate), work (out), ⟨beramen⟩ contrive ♦ *een gunstige* ***afloop*** *weten te bewerken* bring about a happy/favourable ending; *zijn eigen* ***ondergang*** *bewerken* put one's head in the noose, dig one's own grave; *hij* ***trachtte*** *te bewerken dat zijn boek gepubliceerd werd* he tried to secure the publication of his book

bewerker [de^m] ⟨m.b.t. film, toneel, tv⟩ redactor, ⟨m.b.t. teksten⟩ editor, ⟨m.b.t. muz⟩ orchestrator

bewerking [de^v] 1 ⟨handeling⟩ treatment, ⟨bodem⟩ tillage, cultivation, ⟨materiaal⟩ working, tooling, ⟨voedsel, goederen⟩ process(ing), ⟨goederen⟩ manufacturing, ⟨redactie⟩ editing ♦ *de derde druk is* ***in*** *bewerking* the third impression is in preparation, ⟨herbewerking⟩ the third edition is in preparation; *een bewerking* ***ondergaan*** be processed/treated, undergo a process/treatment [2] ⟨resultaat⟩ ⟨boek, tekst, film, toneel⟩ adaptation, version, ⟨muz⟩ arrangement, transcription, ⟨voor orkest⟩ orchestration, ⟨herziene uitgave⟩ revision, ⟨redactie⟩ edition ♦ ***in*** *een bewerking voor koor en orkest* arranged for choir and orchestra; *de* ***Nederlandse*** *bewerking van dit boek* the Dutch version/adaptation of this book; *een* ***nieuwe*** *bewerking van een oud stuk/oude film* a rewrite/remake; *bewerking (van een roman)* ***voor*** *toneel* dramatization, stage/drama version, adaptation for the stage; *bewerking (van een roman)* ***voor*** *de film* screen/film version, adaptation for the screen [3] ⟨het beïnvloeden⟩ manipulation, influencing, ⟨klanten, kiezers⟩ canvassing, ⟨kamerleden⟩ lobbying [4] ⟨het met overleg, regels werken aan⟩ ⟨gegevens⟩ processing, ⟨wisk⟩ operation ♦ ***rekenkundige*** *bewerkingen* arithemetical operations/calculations [5] ⟨uitwerking⟩ calculation, computation ♦ *de bewerking van de* ***som*** *moet blijven staan* the calculation of the problem should not be removed

bewerkstelligen [ov ww] bring about/off, effect, realize, procure ♦ *iemand zijn eigen* ***ondergang*** *laten bewerkstelligen* give s.o. enough rope to hang himself, let s.o. dig his own grave; *een* ***ontmoeting/verzoening*** *bewerkstelligen* bring about/arrange a meeting/reconciliation, ⟨ondanks moeilijkheden⟩ engineer a meeting/reconciliation

bewesten [vz] (to the) west of

bewieroken [ov ww] [1] ⟨in wierook hullen⟩ (in)cense, fume [2] ⟨fig⟩ adulate, fawn on

bewijs [het] [1] ⟨feit, redenering⟩ proof, evidence, demonstration ♦ *bewijzen* ***aanvoeren*** produce/bring (forward)/ furnish proof; ***als*** *bewijs aanvoeren* ⟨persoon, passage⟩ quote (in evidence); ***als*** *bewijs overleggen* produce/give in evidence; *stukken die kunnen dienen* ***als*** *bewijs* documents which may be used in evidence; ***concreet*** *bewijs* material/ solid evidence; *een* ***direct*** *bewijs* direct proof; *niet het* ***geringste*** *bewijs* not a shred of evidence; *hij heeft dat gezegd, ik* ***heb*** *het bewijs* he said that, I have chapter and verse for it/I have proof of it; ⟨jur⟩ ***indirect*** *bewijs* circumstantial evidence; *het bewijs* ***leveren*** *(dat/van)* furnish/produce/adduce proof/evidence (that/of), testify (that/to), make one's case; ⟨wisk⟩ *het bewijs* ***leveren*** *van een stelling* demonstrate a theorem; *het is aan haar om het bewijs te* ***leveren*** the onus/burden of proof lies/rests with her; ***met*** *bewijzen aantonen* demonstrate; *een bewering* ***met*** *bewijzen staven* substantiate/sustain/prove/make good a statement; ***mondeling*** *bewijs, bewijs door getuigen* parol/oral evidence, evidence by parol; ⟨wisk⟩ *het bewijs* ***omkeren*** reverse the operation; *het* ***overtuigende*** *bewijs van iets leveren* establish conclusive proof/proof positive of sth.; ⟨jur⟩ ***schriftelijk*** *bewijs* documentary evidence, written proof; ***ten*** *bewijze dat* as (a) proof/evidence that, to show that, to the effect that; *bewijs* ***uit*** *het ongerijmde* indirect demonstration/proof; ***waterdicht*** *bewijs* sure/solid evidence; ***wettig*** *en* ***overtuigend*** *bewijs* conclusive evidence, proof positive [2] ⟨teken⟩ proof, evidence, sign, token, mark ♦ *als bewijs van* ***erkentelijkheid*** as a token of gratitude; *het* ***levende*** *bewijs zijn van* be the living proof of; *een bewijs van* ***moed*** a sign of courage; *een bewijs van* ***trouw*** a token of fidelity/faith; *als bewijs* ***van*** as (a) proof/evidence of; *bewijs* ***zijn*** *van* be testimony to, be evidence/proof of [3] ⟨ook in samenstellingen; schriftelijke verklaring⟩ proof, certificate, confirmation, acknowledgement, ⟨identiteit⟩ card ♦ *bewijs van* ***aandeel*** share certificate, bearer warrant; *een bewijs* ***afgeven*** issue a certificate; *bewijs van* ***betaling*** proof of payment, receipt, docket; *bewijs(je) van de* ***dokter*** doctor's certificate; *bewijs van goed* ***gedrag,*** ⟨in België⟩ *bewijs van goed zedelijk* ***gedrag;*** ⟨in België⟩ *bewijs van goed* ***gedrag*** *en zeden* certificate/testimonial of good conduct, ⟨politie⟩ certificate/testimonial of good character; *bewijs van* ***herkomst*** certificate of origin; *bewijs van* ***lidmaatschap*** membership card/ticket; *bewijs van* ***Nederlanderschap*** certificate of Dutch nationality; *bewijs van* ***ontvangst*** receipt; *bewijs van* ***onvermogen*** ± certificate of insufficient means; *bewijs van* ***storting*** receipt, scrip; *bewijs van* ***toegang*** admission ticket, pass; *een bewijsje* ⟨bonnetje⟩ a receipt/voucher/chit

bewijsbaar [bn] demonstrable, provable ♦ ***moeilijk*** *bewijsbaar* hard to prove

bewijsexemplaar [het] ⟨van schrijver⟩ author's copy, ⟨van krant⟩ reference/voucher copy

bewijsgrond [de^{m}] argument

bewijskracht [de] evidential/probative value, ⟨van stukken/feiten⟩ value as evidence, ⟨van argument/redenering⟩ cogency ♦ *bewijskracht* ***hebben*** have evidential value, be admissible as evidence, form legal evidence; *bewijskracht* ***ontlenen*** *aan* derive evidential value from; *bewijskracht* ***toekennen*** *aan* admit in evidence

bewijslast [de^{m}] onus/burden of proof, onus probandi ♦ *zij* ***heeft*** *de bewijslast* the onus of proof falls on/lies with her; ***omgekeerde*** *bewijslast* onus of proof lying with the insured; *de bewijslast* ***rust op/ligt bij*** *de eiser* the onus of proof rests with the plaintiff; *een zaak met een* ***sterke*** *bewijslast* a good prima facie case

bewijsmateriaal [het] evidence, proof ♦ *geen/onvoldoende bewijsmateriaal* ***hebben*** ⟨ook⟩ have no case

bewijsplaats [de] reference, authority

bewijsstuk [het] proof, evidence, ⟨jur⟩ piece/item of evidence, exhibit, ⟨fin; rekening en verantwoording⟩ voucher

bewijsvoering [de^{v}] [1] ⟨betoog⟩ argumentation, ⟨wisk ook⟩ demonstration, showing [2] ⟨jur; handeling van het bewijzen⟩ furnishing of proof, ⟨door bewijs te leveren⟩ averment, ⟨door getuigenis/bewijzen⟩ verification

bewijzen [ov ww] [1] ⟨aantonen dat iets zo is⟩ prove, establish, demonstrate, show, ⟨form⟩ aver ♦ *het heeft zijn* ***bestaansrecht*** *bewezen* it has justified itself/its existence, it has proved its worth; *dit bewijst* ***dat*** this proves/goes to show that; *het is bewezen* ***dat*** it's a proven/established fact that; *bewijs maar* ***dat*** *het niet zo is* (just) disprove it/prove the contrary; *hij had bewezen* ***dat*** *hij de juiste man was* he had proved himself to be the right man; *zij kan niet bewijzen* ***dat*** *ik het gedaan heb* ⟨ook⟩ she cannot prove the case against me; *dit bewijst toch afdoende* ***dat*** *hij bekwaam is* this is sufficient proof of his competence; *je hebt je* ***gelijk*** *bewezen bewijzen* you have proved your point, ⟨inf⟩ point taken; *zijn* ***identiteit*** *bewijzen* give evidence of one's identity; *dat* ***moet*** *nog altijd bewezen* ***worden*** that remains/still has to be proved, that has still not been proved; ***niet*** *bewezen* unproved, unproven; *dat bewijst nog* ***niets*** that doesn't prove anything; *iemands* ***schuld*** *bewijzen* prove s.o. guilty, bring a charge home to s.o.; *een* ***stelling*** *bewijzen* prove/demonstrate a proposition/theory/claim; *om zijn* ***stelling*** *te bewijzen* to sustain/substantiate/prove one's claim; *het is aan jou om dit* ***te*** *bewijzen* ⟨ook⟩ the onus/burden of proof is on you; ***te*** *bewijzen, moeilijk/makkelijk* ***te*** *bewijzen* demonstrable, easy/hard to prove; ***trachten*** *te bewijzen* ⟨ook⟩ make a case for proof, argue; ***zich*** *bewijzen, bewijzen wat men kan/ waard is* prove o.s., show what one is capable of, prove one's worth [2] ⟨betuigen, betonen⟩ render, show, prove ♦ *een* ***dienst*** *bewijzen* do/render a service, do/confer a favour, accommodate (s.o.), oblige (s.o.); *iemand een slechte* ***dienst*** *bewijzen* do s.o. a bad turn/a disservice; *de kaart bewees goede* ***diensten*** the map was/proved to be a great help/very useful; *als beloning voor bewezen* ***diensten*** in recognition of services rendered; ***eer*** *bewijzen aan* pay tribute to; *de laatste* ***eer*** *bewijzen aan een overledene* render the last honours to a deceased person, pay s.o. one's last respects [•] ***zichzelf*** *moeten bewijzen* have to prove o.s.

[1]**bewilligen** [onov ww] ⟨toestemmen in⟩ assent (to), consent (to), agree (to), approve ♦ *hij bewilligde* ***in*** *mijn vertrek* he consented to my departure

^{2}**bewilligen** [ov ww] ⟨toestaan, inwilligen⟩ consent to, allow, grant, approve

bewind [het] [1] ⟨bestuur, beheer⟩ government, regime, rule, management ◆ *aan het bewind komen* come to power, take (up) office, ⟨form⟩ accede to office; *weer aan het bewind komen* return to power/office, resume office; *aan het bewind zijn/blijven* be/remain in power/office; *een bewind erkennen* recognize a government; *militair bewind* military rule/government; *onder zijn bewind, tijdens zijn bewind* under/during his regime/government, during his period of office; *tijdens het bewind van Queen Mary* during Queen Mary's reign/under (the reign of) Queen Mary; *het bewind voeren over* govern, rule (over); ⟨goederen, zaak⟩ manage, administer; *voorlopig bewind* temporary government/rule [2] ⟨regerende macht⟩ administration, government, authorities ◆ *de val van het bewind* the fall/collapse of the administration/government

bewindhebber [de^{m}] administrator, director, governor

bewindsman [de^{m}], **bewindsvrouw** [de^{v}], **bewindspersoon** [de^{m}] member of government/cabinet, minister, secretary

bewindspersoon [de^{m}] → **bewindsman**

bewindsvrouw [de^{v}] → **bewindsman**

bewindvoerder [de^{m}], **bewindvoerster** [de^{v}] [1] ⟨gezagdrager⟩ administrator, director, ⟨jur⟩ conservator [2] ⟨beheerder⟩ manager, director, administrator, ⟨bij faillissement enz.⟩ receiver

bewindvoering [de^{v}] administration, management, ⟨voogdij⟩ custody, ⟨jur, m.b.t. faillissement⟩ receivership

bewindvoerster [de^{v}] → **bewindvoerder**

bewogen [bn] [1] ⟨ontroerd⟩ moved, stirred, touched, affected ◆ *hij was diep bewogen* he was deeply moved; *een bewogen gemoed* stirred emotions, deeply moved feelings; *bewogen zijn met* pity, commiserate, sympathize with, feel for; *sociaal bewogen zijn* have a social conscience; *tot tranen toe bewogen* moved/stirred to tears [2] ⟨vol gebeurtenissen⟩ stirring, eventful, busy, ⟨vnl. negatief⟩ unsettled ◆ *een bewogen/weinig bewogen middag* an eventful/uneventful afternoon [3] ⟨vol emotie⟩ moving, emotive, stirring ◆ *een bewogen stijl/trant* an emotive/emotional style/manner

^{1}**bewolken** [onov ww] ⟨betrekken⟩ cloud over/up, become clouded/cloudy/overcast ◆ *de lucht begint te bewolken* it's clouding over

^{2}**bewolken** [ov ww] ⟨met wolken overdekken⟩ cloud, overcloud

bewolking [de^{v}] cloud(s), cloudiness ◆ *laaghangende bewolking* low(-lying) cloud(s), a cloud bank; *veel bewolking vandaag* much cloud/overcast today; *een zware/lichte bewolking* heavy/light cloud

bewolkt [bn] [1] ⟨betrokken⟩ cloudy, overcast ◆ *een licht bewolkte hemel* a dull sky; *bij bewolkt weer* under a cloudy sky [2] ⟨fig⟩ clouded, overcast, dark(ened) ◆ *een bewolkt gezicht* a clouded countenance

bewonderaar [de^{m}], **bewonderaarster** [de^{v}] admirer, ⟨inf⟩ fan

bewonderaarster [de^{v}] → **bewonderaar**

bewonderen [ov ww] [1] ⟨ontzag, waardering hebben voor⟩ admire, look up to, revere ◆ *iemand bewonderend aankijken* look admiringly at s.o.; ⟨vnl pej⟩ ogle at s.o.; stare at s.o. in admiration; *bewonderende lezers* admiring readers, admirers; ⟨inf⟩ fans; *alle meisjes bewonderen hem* all the girls adore him, he is the admiration of all the girls; *iemand bewonderen om zijn geduld* admire s.o. for his patience [2] ⟨met ontzag, waardering kijken naar⟩ admire

bewonderenswaard [bn, bw], **bewonderenswaardig** [bn, bw] admirable ⟨bw: admirably⟩, wonderful, remarkable, ⟨daad⟩ noble

bewonderenswaardig [bn] → **bewonderenswaard**

bewondering [de^{v}] admiration, reverence, wonder ◆ *bewondering afdwingen voor* compel/win admiration; *bewondering koesteren voor* hold in great admiration; *iets met bewondering gadeslaan* regard sth. with admiration; *uit bewondering voor* in admiration for; *vol bewondering* in admiration, full of admiration/wonder; *grote bewondering hebben voor iemand* have a great admiration for s.o.

bewonen [ov ww] ⟨land, eiland⟩ inhabit, ⟨huis, kamer, gebouw⟩ occupy, live in ◆ *het huis is al jaren niet bewoond* the house has been unoccupied/empty for years; *drie van de vier kamers zijn niet bewoond* three of the four rooms are not occupied/lived in; *in de bewoonde wereld terugkeren* return to civilization; *mijlen ver van de bewoonde wereld* miles away from anywhere/nowhere/civilization; ⟨inf⟩ in the middle of nowhere

bewoner [de^{m}], **bewoonster** [de^{v}] ⟨stad, land⟩ inhabitant, ⟨huis⟩ occupant, ⟨stad, tehuis, huis ook⟩ resident ◆ *met de eigenaar als bewoner* owner-occupied; *bewoner van een voorstad* suburban, suburbanite; *bewoner van eigen woning* owner-occupier

bewonerscommissie [de^{v}] residents' association (committee)

bewonersvereniging [de^{v}] residents' association, tenants' league

bewoning [de^{v}] ⟨stad⟩ habitation, ⟨huis⟩ occupation, residence ◆ *geschikt voor permanente bewoning* suitable for permanent residence; *ongeschikt voor bewoning* unfit for (human) habitation/occupation, condemned; *een deel van de stad voor bewoning bestemmen* plan (a) part of the town as a residential area

bewoonbaar [bn] ⟨streek⟩ (in)habitable, ⟨huis⟩ liv(e)able, fit for (human) habitation ◆ *het huis is niet bewoonbaar* the house is not fit to live in

bewoonster [de^{v}] → **bewoner**

bewoording [de^{v}] wording, phrasing, phraseology, expression, ⟨mv⟩ terms ◆ *iets in duidelijke bewoordingen te verstaan geven* express sth. in clear/no uncertain terms; *in de bewoordingen van Shakespeare* in Shakespeare's phrase/language; *de juiste bewoordingen van het artikel* the exact wording of the article; *(gesteld) in krachtige/warme bewoordingen* strongly worded; warmly expressed; *in simpele bewoordingen* in simple terms; *in welgekozen bewoordingen* in well-chosen words

^{1}**bewust** [bn] [1] ⟨betreffend⟩ concerned, involved ◆ *op de/die bewuste dag* on that particular afternoon, on the afternoon in question; *de bewuste persoon/zaak* the person/matter concerned/in question [2] ⟨besef hebbend van⟩ aware, conscious ◆ *ervan bewust dat* aware that; *ik ben me (er) niet bewust (van) dat ooit beweerd te hebben* I am unaware of having ever said that; *(zeer) bewust leven* live a life of (total) awareness; *iemand bewust maken (van)* awaken/alert s.o. (to); *voor zover ik mij bewust ben* to my knowledge, that I am aware of; *politiek bewust (worden)* (become) politically conscious; *zich bewust zijn van* be aware/conscious of, ⟨verantwoordelijkheid⟩ be alive to, ⟨gevaar⟩ be awake to, appreciate; *zich bewust worden van* become aware/conscious of; ⟨inf⟩ cop/cotton onto; *zich van geen gevaar bewust* (quite) unaware of any danger; *zich van geen kwaad/schuld bewust zijn* be unaware/unconscious/oblivious of any harm/guilt; *tot hij het zich bewust werd* until it dawned on/came home to him, until he realized it [3] ⟨in samenstellingen⟩ conscious, aware, concerned ◆ *energiebewust* energy-conscious; *milieubewust* environmentally aware/conscious; *modebewust* fashion-conscious [4] ⟨door het bewustzijn gecontroleerd⟩ conscious, aware

^{2}**bewust** [bn, bw] ⟨opzettelijk⟩ conscious ⟨bw: ~ly⟩, knowing, witting, intentional, deliberate ◆ *iets bewust doen* do sth. consciously/deliberately/knowingly; *iemand bewust navolgen* (consciously) follow in s.o.'s footsteps

bewusteloos [bn] unconscious, senseless, insensible, ⟨inf⟩ out cold, insensible ◆ *zich bewusteloos drinken* drink o.s. senseless/into a coma/stupor; *bewusteloos houden met* *morfine* keep under with morphine; *bewusteloos* ***raken*** pass out; *iemand bewusteloos* ***slaan*** knock s.o. out, knock s.o. senseless, stun s.o. with a blow

bewusteloosheid [de^v] unconsciousness

bewustheid [de^v] 1 ⟨besef⟩ consciousness, awareness 2 ⟨bezit van vol besef⟩ consciousness, awareness, realization, appreciation

bewustmaking [de^v] alerting (to), ⟨van eigen identiteit⟩ consciousness-raising

bewustwording [de^v] awakening (to), realization, becoming conscious/aware, ⟨van eigen identiteit⟩ consciousness-raising

bewustzijn [het] 1 ⟨vermogen tot besef⟩ consciousness, awareness ♦ ***bij*** *bewustzijn* conscious; *het* ***menselijk*** *bewustzijn* human consciousness 2 ⟨besef van een gesteldheid, van verhoudingen⟩ consciousness, awareness ♦ *het* ***nationaal*** *bewustzijn* national consciousness/awareness, sense of nationhood; ***redelijk*** *bewustzijn* moral awareness, conscience 3 ⟨zintuiglijk besef⟩ consciousness ♦ ***bij/tot*** *bewustzijn brengen* bring round/to, pull round; ***buiten*** *bewustzijn zijn* be unconscious; *weer* ***tot*** *bewustzijn* ***komen*** regain/recover consciousness; ⟨ook fig⟩ come to one's senses; *zijn bewustzijn* ***verliezen*** lose consciousness, become unconscious

bewustzijnsdaling [de^v] diminution of consciousness/awareness

bewustzijnsgraad [de^v] ⟨psych⟩ level of consciousness

bewustzijnsniveau [het] ⟨psych⟩ level of consciousness ♦ ***verlaging*** *van het bewustzijnsniveau* diminution of the level of consciousness

bewustzijnsveranderaar [de^m] psychotomimetic (drug)

bewustzijnsvernauwing [de^v] restricted awareness

bewustzijnsverruimend [bn] consciousness-expanding, mind-expanding, psychedelic ♦ *bewustzijnsverruimend* ***middel*** consciousness-expending/mind-expanding drug, mind-expander, psychedelic drug

bezaaien [ov ww] 1 ⟨met zaad bestrooien⟩ sow, seed ♦ *een veld* ***met*** *rogge bezaaien* sow/seed a field of rye 2 ⟨overdekken met iets anders⟩ strew, stud, litter, dot ♦ ***dicht*** *bezaaid* thickly studded/strewn; *bezaaid* ***met*** ⟨papier, bladeren enz.⟩ strewn with; ⟨licht, sterren, edelstenen⟩ studded with; ⟨papier, rommel, speelgoed enz.⟩ littered with; ⟨bloemen⟩ dotted with; *bezaaid* ***met*** *lovertjes* sequined; *de hemel was* ***met*** *sterren bezaaid* the sky was studded/spangled with stars ▪ ⟨sprw⟩ *onze weg is met distels en doorns bezaaid* ± every man must eat a pack of dirt before he dies

bezaan [de] ⟨scheepv⟩ mizzen, spanker

bezaansmast [de^m] mizzen(mast)

bezadigd [bn, bw] steady ⟨bw: steadily⟩, sedate ⟨bw: ~ly⟩, sober(minded), dispassionate, balanced, level-headed, moderate ♦ *zij heeft een bezadigd* ***iemand*** *nodig* she needs s.o. steady; *bezadigde* ***meningen*** dispassionate/moderate views; *een bezadigd* ***persoon*** a level-headed person; *bezadigd(er)* ***worden*** steady/settle/calm down

zich bezatten [wk ww] ⟨inf⟩ get sloshed/plastered, ⟨sl; BE⟩ get pissed, ⟨AE⟩ tie one on

bezegelen [ov ww] 1 ⟨bekrachtigen⟩ seal, bind, clinch ♦ *een* ***koop*** *bezegelen* clinch a bargain; *het* ***lot*** *bezegelen* ***van*** seal the fate of; *dat bezegelde zijn* ***lot*** that did for/finished him, that cooked his goose, that settled his hash; *zijn beloften* ***met*** *daden bezegelen* seal/bear out/bind one's promises with actions; *een* ***overeenkomst*** *met een glas/borrel bezegelen* seal/clinch a deal over a drink 2 ⟨van een zegel voorzien⟩ seal, stamp

bezeilen [ov ww] sail for/towards, approach ♦ *een* ***haven*** *bezeilen* sail for a harbour

bezem [de^m] broom, ⟨van takken⟩ besom ♦ ⟨fig⟩ *ergens de bezem door* ***halen*** make a clean sweep (of sth.) ▪ ⟨sprw⟩ *nieuwe bezems vegen schoon* new brooms sweep/a new broom sweeps clean

bezemhok [het] broom closet

bezemkast [de] 1 ⟨kast⟩ broom cupboard 2 ⟨klein, obscuur vertrek⟩ broom cupboard

bezemklas [de^v] ± transitional class

bezemkruiskruid [het] narrow-leaved ragwort

bezemsteel [de^m] 1 ⟨steel van een bezem⟩ ⟨ook van heks⟩ broomstick, broomhandle ♦ ⟨fig⟩ *een bezemsteel* ***ingeslikt hebben*** be very wooden, be like a stick 2 ⟨persoon⟩ beanpole, stick

bezemwagen [de^m] ⟨sport⟩ sag wagon

1**bezeren** [ov ww] ⟨pijn doen⟩ hurt, bruise, ⟨sterker⟩ injure, inflict pain ♦ *een babyhuidje is* ***gauw*** *bezeerd* a baby's skin is easily bruised

2**zich bezeren** [wk ww] ⟨zich pijn doen⟩ hurt o.s., get hurt, ⟨sterker⟩ injure o.s., get injured

bezet [bn] 1 ⟨m.b.t. een ruimte⟩ occupied, ⟨plaats ook⟩ taken, ⟨toilet ook⟩ engaged, in use ♦ ***dicht*** *bezet (zijn met)* (be) thick (with)/crowded/packed; ***geheel*** *bezet* ⟨trein, hotel⟩ full up, fully occupied; *alle* ***kamers/plaatsen*** *zijn bezet* all rooms/places are occupied/taken; *de voorstelling was* ***matig/slecht*** *bezet* the attendance was poor/bad, the performance was poorly/badly attended; ***tot*** *de laatste plaats bezet* filled to capacity 2 ⟨m.b.t. tijd⟩ taken up, occupied, busy, full ♦ ***druk*** *bezette avond* busy/full evening; *een* ***druk*** *bezet leven leiden* lead a busy life; *mijn tijd* ***is*** *bezet* my time is taken up/fully occupied 3 ⟨m.b.t. personen⟩ engaged, occupied, busy ♦ ***ik ben*** *bezet* I am busy/booked up, my time is taken up, I am (otherwise) engaged, I am tied up; ***ben je vanavond*** *bezet?* have you anything on/are you free/are you doing anything this evening?; *(te)* ***druk*** *bezet iemand* everbusy person; *dat meisje is nog* ***niet*** *bezet* that girl is unattached/is still free 4 ⟨m.b.t. een gebied, land⟩ occupied ♦ *bezet* ***gebied*** occupied territory; *de door de Amerikanen bezette* ***gebieden*** American-occupied territory; *bezet* ***houden*** occupy, keep occupied 5 ⟨m.b.t. een gebouw⟩ occupied ♦ *bezette* ***bedrijven*** occupied factories 6 ⟨m.b.t. de borst, longen⟩ congested ▪ ***de lijn*** *is bezet* ⟨telefoon⟩ the line is ^Bengaged/^Abusy; ***met*** *juwelen bezet* set with jewels

bezeten [bn] 1 ⟨boze geest in zich hebbend⟩ possessed (by), obsessed (by) ♦ *bezeten* ***van*** *de duivel* possessed by the devil 2 ⟨dol op⟩ obsessed (by), ⟨inf⟩ mad/crazy (about), ⟨door een idee ook⟩ seized ♦ *bezeten zijn* ***van/door*** have an obsession about; ***van*** *één gedachte bezeten* obsessed/possessed by one idea; ⟨pej⟩ with a one-track mind; *bezeten* ***van*** *stripverhalen* mad about comic strips

bezetene [de] possessed person, s.o. possessed by a demon ♦ ***als*** *een bezetene* frenetically, madly, like mad; ***werken als*** *een bezetene* work like one possessed, be a demon for work; ***als*** *een bezetene tekeergaan* run amok, go berserk

bezetsel [het] ⟨in België⟩ plaster(ing), rendering

bezetten [ov ww] 1 ⟨m.b.t. een plaats, ruimte⟩ occupy, take, fill, engage ♦ *een belangrijke* ***plaats*** *bezetten* ***in*** occupy an important place in; ⟨theat, film⟩ feature in; *het gezelschap bezette een hele rij* ***stoelen*** the party took up a whole row of seats 2 ⟨m.b.t. een gebied⟩ occupy, hold 3 ⟨m.b.t. een gebouw⟩ occupy, sit in 4 ⟨voorzien van⟩ set, inset, ⟨edelstenen ook⟩ encrust ♦ *een ring* ***met*** *edelstenen bezetten* set a ring with precious stones 5 ⟨bekleden⟩ occupy, hold ♦ *een* ***leerstoel*** *bezetten* hold/occupy a chair; *een* ***post*** *bezetten* man a post 6 ⟨m.b.t. tijd⟩ occupy, take up, engage ♦ *al zijn avonden zijn* ***met*** *lessen bezet* all his evenings are taken up/filled with classes 7 ⟨muz; toneel⟩ man, cast ♦ *de* ***rollen*** *zijn goed bezet* the roles are well cast; *een* ***sterk*** *bezet orkest* a strongly/well manned orchestra 8 ⟨in België; bepleisteren⟩ plaster, ⟨eerste laag⟩ render

bezetter [de^m] 1 ⟨mil⟩ occupier(s), occupying force(s) 2 ⟨actievoerder⟩ (the) workers/students/... occupying the building, (the) workers/students/... who have taken over the building ⟨enz.⟩, ⟨zeldz⟩ occupiers

bezetting [de^v] 1 ⟨het bezetten, bezet zijn⟩ occupation, ⟨ambt⟩ filling, ⟨plaats⟩ filling up, ⟨personeel⟩ complement ♦ *de fabriek draait met een* ***halve*** *bezetting* the factory is running on half its manpower/labour force; ***personele*** *bezetting* (complement of) staff, staffing; *met een* ***volledige*** *bezetting van tachtig man* ⟨ook theat⟩ with a full complement of eighty men 2 ⟨m.b.t. een gebouw⟩ occupation, sit-in, ⟨AE⟩ lock-in, ⟨fabriek ook⟩ work-in 3 ⟨m.b.t. een gebied⟩ occupation 4 ⟨manschappen⟩ garrison, ⟨tank⟩ crew 5 ⟨muz; toneel⟩ ⟨toneel⟩ cast, ⟨orkest⟩ strength 6 ⟨benauwdheid door slijmvorming⟩ congestion, constriction
bezettingsgraad [de^m] ⟨hotel⟩ occupancy, ⟨ziekenhuis⟩ occupancy rate, ⟨vervoermiddel⟩ seat occupancy, ⟨fabriek, machine⟩ (degree of) capacity utilization ♦ *de bezettingsgraad van een* ***buslijn*** percentage of occupied route
bezettingsjaren [de^mv] occupation period/years
bezettingsleger [het] army of occupation, occupying force(s)
bezettingsmacht [de] occupying force(s)
bezettoon [de^m] ⟨BE⟩ engaged signal/tone, ⟨AE⟩ busy signal
bezichtigen [ov ww] ⟨kasteel, kerk, museum⟩ visit, pay a visit to, ⟨kasteel enz. ook⟩ see, look over, ⟨huis ook⟩ view, ⟨stad/fabriek ook⟩ tour, ⟨huis, fabriek⟩ inspect, ⟨inf⟩ do ♦ *een* ***huis*** *bezichtigen* see ^B over/see round/^A around/inspect/go over/view a house; ***te*** *bezichtigen* on view/show; ⟨goederen ook⟩ on display; ⟨huis ook⟩ open to inspection; *het huis is te bezichtigen* the house can be visited/seen, ⟨vnl. nieuw huis⟩ the house is on view; *een* ***tentoonstelling*** *bezichtigen* visit/(go to) see/look round an exhibition
bezichtiging [de^v] visit, view, inspection, tour ♦ ***consent/toestemming*** *tot bezichtiging* bill of sight; *alles ligt* ***ter*** *bezichtiging* everything is ready/available for inspection, everything is on show/may be viewed/is on display; *iets* ***ter*** *bezichtiging* ***stellen*** place/put sth. on view/show; open (a house) to the public; ⟨goederen ook⟩ display
bezield [bn] 1 ⟨geestdriftig⟩ animated, inspired, impassioned, spirited ♦ *bezielde* ***taal*** impassioned language; *bezield* ***zijn*** glow, be animated/spirited 2 ⟨met een ziel⟩ alive, living
bezielen [ov ww] 1 ⟨in geestdrift brengen⟩ inspire, animate, impassion ♦ *onder de bezielende* ***leiding*** *van* under the inspiring leadership of; *bezielende* ***woorden*** inspiring words; *bezield* ***worden*** become inspired, come alive 2 ⟨aandrijven⟩ possess, activate, inspire ♦ *bezield* ***door*** *een groot verlangen om* possessed with a great desire to; *wat* ***kan*** *hem toch bezield* ***hebben*** *om zo raar te doen?* what can have possessed him to act so strangely?; ***wat*** *bezielt je!* what has got into/come over you! 3 ⟨leven geven aan⟩ animate, inspirit, vitalize, breathe life into
bezieler [de^m] animating/driving force
bezieling [de^v] 1 ⟨het bezielen⟩ inspiration, animation, vivification 2 ⟨geestdrift⟩ inspiration, animation, vitality ♦ *er ging geen enkele bezieling* ***vanuit*** there was no go/spark/animation in it; ***met*** *bezieling spreken* speak with inspiration/inspiringly; *het* ***ontbreekt*** *zijn kunst* ***aan*** *bezieling* his art lacks soul/vitality
bezien [ov ww] 1 ⟨overwegen⟩ see, consider, look on, regard ♦ ***achteraf*** *bezien* looking back, in retrospect; *iets* ***met*** *welgevallen bezien* look with favour on sth.; ***nuchter*** *bezien* seen in the cold light of day/dawn/reason; ***opnieuw*** *bezien, het nog eens bezien* rethink, reconsider (it); *dat staat nog* ***te*** *bezien* that remains to be seen 2 ⟨bekijken⟩ look at, regard, view, ⟨kritisch⟩ inspect
bezienswaardig [bn] worth seeing
bezienswaardigheid [de^v] object/place of interest, object/place worth seeing, sight ♦ *de bezienswaardigheden* ***bezoeken*** see the sights, go sightseeing
bezig [bn] 1 ⟨werkzaam⟩ busy (with/-ing), working (on), ⟨ook in gedachten⟩ occupied (with), engaged (in) ♦ *hij is bezig* ***aan*** *zijn boek* he's working on his book; ***druk*** *bezig zijn* be busy, be hard at work; *als je er toch* ***mee*** *bezig bent* while you are at/about it; *zij waren al bezig inlichtingen* ***in te winnen*** they were busy making inquiries; *de wedstrijd* ***is*** *al bezig* the match is on/has started; *ze* ***is*** *bezig met schilderen* ⟨ook⟩ she is painting; *bezig* ***met*** *zijn werk* working; ***met*** *iemand bezig zijn* be with s.o., be engaged; ***met*** *iets nieuws bezig zijn* be on to/working on sth. new; ***met*** *andere dingen bezig zijn* be otherwise engaged; *bezig* ***met*** *een studie over opera* engaged on a study of opera; *de hele dag* ***met*** *iets bezig zijn* be busy with/working on/occupied with sth. all day; be thinking about sth. all day, be taken up by sth. all day; *wij zijn* ***met*** *uw bestelling bezig* your order is on hand, we are working on your order; *de buren waren bezig* ***met*** *een boor* the neighbours were doing sth. with a drill; *geconcentreerd bezig* ***met*** *zijn werk* bent on one's work; *Hanny is altijd* ***met*** *zichzelf bezig* Hanny is such a self-centered person/only concerned about herself; *vreselijk lang* ***met*** *iets bezig zijn* be an awful long time over/about sth.; *de hele dag door* ***met*** *zaken bezig zijn* be occupied all day with business, think business all day; *hij was te zeer bezig* ***met*** *zijn eigen gedachten* he was too (much) occupied/involved with his own thoughts; *wij zijn even* ***niet*** *bezig of zij komt alweer* just as we stop (working) she's back; *bezig een opera* ***te schrijven*** engaged in composing an opera; *hij was juist bezig het kantoor* ***te sluiten*** he was just about to close the office; *hij is bezig de grootste wielrenner van deze tijd* ***te worden*** he is (in the process of) becoming/about to become the greatest cyclist of our day; *ik* ***was*** *bezig mijn sommen te maken* I was at/doing my sums; *waar* ***zijn*** *we eigenlijk mee bezig!* just what are we doing/getting into/getting involved in! 2 ⟨ijverig⟩ busy, industrious ♦ *de bezige* ***bij*** the busy bee 3 ⟨pej⟩ ♦ *waar* ***ben*** *je eigenlijk mee bezig!* what do you think you're up to!; *hij is* ***weer*** *bezig* he's at it again
bezigen [ov ww] ⟨form⟩ employ, use, apply ♦ *verstandige* ***taal*** *bezigen* talk sense; *versluierende* ***taal*** *bezigen* use veiled language/words
bezigheid [de^v] activity, occupation, work, ⟨hobby ook⟩ pursuit ♦ *de* ***dagelijkse*** *bezigheden* daily activities/pursuits, ⟨karweitjes⟩ daily chores, the daily round/work; *andere bezigheden* ***hebben*** have other work, have sth. else to do/keep one occupied, be otherwise engaged; *geen andere bezigheden* ***hebben*** have no other work/occupation, have nothing else to do/keep one occupied; *bezigheden buitenshuis* ***hebbend*** ⟨in advertenties⟩ away all day; ***wegens*** *te drukke bezigheden* owing to pressure of work/business; ***zinloze*** *bezigheid* futile occupation; ⟨inf; BE⟩ mug's game
bezigheidstherapie [de^v] occupational therapy
¹**bezighouden** [ov ww] 1 ⟨de aandacht in beslag nemen⟩ occupy, keep busy/going, engage, tie down ♦ *iemand* ***aangenaam*** *bezighouden* entertain/amuse s.o.; ⟨kinderen⟩ keep s.o. amused; *het houdt* ***ons*** *allemaal bezig* we are all concerned about it/interested in it; *die* ***problemen*** *houden hem bezig* those problems are keeping him busy; *de geldproblemen die* ***velen*** *bezighouden* the money problems which are bothering/preoccupying/in the minds of many people; *terwijl ik de* ***vijand*** *bezighield* while I engaged/occupied the enemy/kept the enemy busy/occupied; *het houdt me bezig* it occupies my mind 2 ⟨werk verschaffen⟩ employ, engage, provide work/employment ♦ *deze taak houdt honderden* ***ambtenaren*** *bezig* this assignment/job/task provides work for hundreds of civil servants; ***zichzelf*** *bezighouden* find sth. to do, busy o.s. with sth.
²**zich bezighouden** [wk ww] ⟨zich ophouden met⟩ occupy/busy o.s. with, engage (o.s.) in, deal with, pursue ♦ *ik heb geen tijd om me* ***daarmee*** *bezig te houden* I have no time to attend to/bother with that; *zich bezig* ***gaan*** *houden met* engage/embark upon, throw o.s. into; *zich wat bezighouden* ***met*** take a spell/have a go at, dabble in; *zich niet bezighouden* ***met*** be unconcerned with, not bother with; *zich* ***met***

politiek bezighouden engage in politics; *zich **met** iemand/iets bezighouden* occupy o.s. with s.o./sth.; *zich bezighouden **met** minder belangrijke zaken* turn one's thoughts to less serious matters; *ik zal me vooral bezighouden **met** de volgende problemen* I will be chiefly concerned/deal chiefly with the following problems; *de bladen houden zich pagina's lang bezig **met** dit geval* the newspapers devote pages to this case; *de liefhebberijen **waarmee** wij ons bezighouden* the hobbies we pursue

bezijden [vz] beside, wide of ◆ *bezijden de **waarheid*** wide of/far from the truth

bezingen [ov ww] sing (about/of), sing the praises of ◆ *een **held**/de **lente** bezingen* sing (the praises) of a hero/of spring

bezinken [onov ww] [1] ⟨uit een vloeistof neerslaan⟩ settle (down), sink (to the bottom), subside ◆ ***doen** bezinken* ⟨scheik⟩ precipitate; deposit, clarify; ***uit** de vloeistof bezinkt een zwart poeder* a black powder is deposited from the liquid [2] ⟨helder worden door stilstaan⟩ clarify, settle (out) ◆ *wijn **laten** bezinken* clarify/settle wine [3] ⟨verwerkt worden⟩ sink in ◆ *de stof **laten** bezinken* let the material sink in, digest the material; *dit **moet** even bezinken* this has to sink in first

bezinking [de^v] [1] ⟨het bezinken⟩ sedimentation, settlement, subsidence, ⟨scheik⟩ precipitation [2] ⟨bezinksel⟩ deposit, sediment, residue

bezinkingssnelheid [de^v] ⟨med⟩ erythrocyte sedimentation rate, ESR, rate of settling, settling rate

bezinksel [het] sediment, deposit, residue, ⟨in koffie ook⟩ dregs, ⟨in olietank ook⟩ sludge, ⟨in wijn ook⟩ lees

[1]**bezinnen** [onov ww] ⟨nadenken⟩ think, reflect, ponder [•] ⟨sprw⟩ *bezint eer gij begint* look before you leap; ± fools rush in where angels fear to tread

[2]**zich bezinnen** [wk ww] [1] ⟨nadenken⟩ contemplate, reflect (on), consider ◆ *bezin je eens **even*** think (twice) about it; *zich **nog eens** bezinnen* think twice (about sth.); *zich bezinnen **op** iets* reflect on/think about sth., consider sth. carefully; ⟨iets afwegen⟩ count the cost; *zich bezinnen **over** het nut van iets* contemplate/reflect on the value of sth. [2] ⟨van gedachten veranderen⟩ think better of it, change one's mind, think twice about it

bezinning [de^v] [1] ⟨het zich bezinnen⟩ reflection, contemplation, consideration [2] ⟨helder en rustig besef⟩ sense(s), reason, wit(s) ◆ ***tot** bezinning **komen*** come to one's senses, sober up, remember o.s.; *iemand **tot** bezinning **brengen*** bring s.o. to his senses

bezit [het] [1] ⟨eigendom⟩ possession, property, ⟨landgoed⟩ estate ◆ *haar juwelen zijn haar **gehele** bezit* her jewels are her all/all she possesses/has; *gezondheid is een **kostbaar** bezit* good health is a precious possession; ***uit** particulier bezit* from private ownership/property/residences; *een schilderij **uit** zijn bezit* a painting from his collection/in his possession [2] ⟨het bezitten⟩ possession ◆ ***collectief/gemeenschappelijk/gezamenlijk** bezit* collective ownership/community of property/joint tenancy; *in **iemands** bezit komen/raken* come into s.o.'s possession/ownership/hands; ***in** bezit krijgen* come into/get possession of; ***in** openbaar bezit* in the public domain, in public ownership; ***in** bezit hebben/houden* have/keep in one's possession; *onrechtmatig **in** bezit nemen* usurp, seize illegally; *weer **in** bezit krijgen/nemen* regain possession of; *een huis **in** eigen bezit hebben* own a house; *het landgoed kwam **in** zijn bezit* the estate fell to him; *iemand **in** het bezit stellen van* place/put s.o. in possession of, give s.o. possession of; ***in** het bezit van iets komen/zijn* come into/be in possession of sth.; ***in** zijn bezit trachten te krijgen* try to obtain/gain possession of/get hold of; *wij kwamen/zijn **in** het bezit van uw brief* we are in receipt of your letter; ***in** het volle bezit van zijn geestvermogens* in full possession of one's mental faculties; ⟨jur; ook inf⟩ compos mentis; *55 % van de aandelen zijn **in** het bezit van* 55 % of the shares are held by; *iets **in** bezit nemen, zich **in** het bezit stellen van* take/assume/secure possession of, possess o.s. of; ⟨vaak negatief⟩ appropriate; *het stuk kwam vervolgens **in** het bezit van mijn zoon* my son then received/gained possession of the document, the document then passed into the hands of my son; ***in** het gelukkige/trotse bezit zijn van twee kinderen* be fortunate in having/be the proud parent of two children; *zich **in** het bezit bevinden **van/in** het bezit zijn **van** particulieren* be in private ownership/hands; *gearresteerd worden wegens het **in** bezit hebben van verdovende middelen/van een vuurwapen* be arrested on narcotics/firearms charges/for possession of narcotics/firearms; *bezit **nemen** van* take possession of; ***uit** het bezit stoten* dispossess [3] ⟨jur⟩ tenure ◆ *een recht verkrijgen door een bezit **van** 30 jaar* obtain a right from tenure of 30 years/a 30 year tenure [•] ⟨sprw⟩ *geld/bezit is de wortel van alle kwaad* (the love of) money is the root of all evil

bezitloos [bn] propertyless, unpropertied

bezitsactie [de^v] ⟨jur⟩ possessory action

bezitster [de^v] → **bezitter**

bezitsvorming [de^v] acquisition/accumulation of property

bezittelijk [bn] ⟨taalk⟩ possessive ◆ *bezittelijk **voornaamwoord*** possessive pronoun

bezittelijk voornaamwoord	
my house	it's mine
your house	it's yours
his house	it's his
her house	it's hers
its interest	
our house	it's ours
your house	it's yours
their house	it's theirs

bezitten [ov ww] possess, own, have ◆ ***aandelen** bezitten* hold/have stock/shares; *geen **cent** bezitten* not have a cent (to call one's own), not possess/have a farthing (to one's name), be penniless; *een goede **gezondheid** bezitten* enjoy/have good health, be in good health; ***hoeveel** bezit jouw vader?* how much does your father own/have?; ⟨inf⟩ how much is your father worth?; ***in** volle/beperkte eigendom bezitten* hold in full/restricted ownership; ***kapitalen** bezitten* own capital; ⟨veel geld; inf⟩ have pots/bags of money; *de bezittende **klasse*** the propertied class, ⟨form⟩ the moneyed class; *iets **onvoldoende** bezitten* ⟨moed, geld⟩ lack in, be lacking in; *totaal geen **schaamtegevoel** bezitten* be without any sense of shame, be utterly shameless; *een **titel** bezitten* hold/have a title; *veel **vrienden** bezitten* have many friends; *hij verloor het **weinige** wat hij bezat* he lost his little all

bezitter [de^m], **bezitster** [de^v] owner, ⟨aandelen, titel⟩ holder, possessor, ⟨huis, hotel⟩ proprietor ◆ *alleen voor bezitters van een eigen **huis*** owner-occupiers only, house owners only, (sorry) no tenants; *de bezitters en de **niet-bezitters*** the haves and the have-nots

bezitterig [bn] possessive

bezitting [de^v] property, possession, belongings, ⟨onroerend goed ook⟩ estate ◆ *bezittingen **hebben*** own property; *hij **heeft** al zijn bezittingen **verloren*** he has lost everything (he owns); ***koloniale** bezittingen* colonial possessions, colonies; ***persoonlijke** bezittingen* personal belongings/effects/property; ⟨jur⟩ goods and chattels; ***waardevolle** bezittingen* valuables; *de bezittingen van iemand in beslag nemen* confiscate s.o.'s property; ⟨vnl. communistische landen⟩ expropriate s.o.

bezocht [bn] [1] ⟨bezoek hebbend⟩ visited, attended, frequented ◆ *een slecht bezochte **dienst*** a poorly attended service; *een veel/druk bezochte **plaats*** a much frequented place; *een weinig/slecht bezochte **plaats*** a little frequented/known place; *een druk bezochte **receptie*** a busy/well-attended/

crowded reception [2] ⟨beproefd⟩ afflicted, stricken, visited, tried

bezoedelen [ov ww] defile, besmirch, sully, stain, ⟨naam, eer ook⟩ tarnish, taint, blemish, ⟨handen ook⟩ soil, dirty ◆ ⟨fig⟩ *een bezoedeld **geweten*** a guilty conscience; ⟨fig⟩ *zijn handen zijn **met** bloed bezoedeld* his hands are stained with blood; *iemands goede **naam** bezoedelen* besmirch/tarnish/cast a slur on/blacken s.o.'s name/reputation

bezoedeling [de^v] ⟨in België⟩ defilement, soiling, dirtying, staining, pollution, ⟨fig⟩ tarnishing, tainting

bezoek [het] [1] ⟨het bezoeken⟩ visit, ⟨kort, form of zakelijk⟩ call ◆ *bij ons bezoek **aan** Londen* during our visit to London; *een bezoek aan de huisarts **afleggen*** pay a visit to the GP; *een bezoek **beantwoorden*** return a visit; *iemand een bezoekje/kort bezoek **brengen*** drop in on s.o., pay a brief visit to s.o.; *een **onverwacht** bezoek* a surprise visit; ***op** bezoek vragen* invite; ***op** bezoek gaan bij iemand* (pay a) call on/pay a visit to s.o.; *toen hij hier **op** bezoek was* when he paid us a visit; ⟨als logé ook⟩ when he was staying with us; *hij komt hier vaak **op** bezoek* ⟨plaatselijk⟩ he's a frequent caller, ⟨om te logeren⟩ he's a frequent visitor; *we komen morgen even **op** bezoek* we'll call round/drop by/in tomorrow; ***op** bezoek zijn/komen bij iemand* be on a visit to/be visiting/come on a visit, come to visit s.o.; *hij komt hier voor een paar dagen **op** bezoek* he's coming to stay for a few days; *ik heb een tante/politieagent **op** bezoek gehad* I have had a visit from an aunt/a policeman; *we krijgen bezoek **van** Mary/de buren* we are expecting (a call from) Mary/the neighbours; *Brussel is een bezoek **waard*** Brussels is worth visiting [2] ⟨personen⟩ visitor(s), guest(s), caller(s), ⟨vnl AE⟩ company ◆ *ze **hadden** vandaag veel bezoek* they had many visitors today; *bezoek **hebben/krijgen*** have a visitor/visitors/company, ⟨inf⟩ have people; *altijd veel bezoek **hebben*** entertain a lot; *we **hebben** (bijna) nooit bezoek* we don't entertain much, we don't see/have many visitors; ***hoog** bezoek (krijgen)* (have) a distinguished visitor; *we **kregen** onverwacht bezoek* we received unexpected guests/had callers/guests unexpectedly; *op deze kamer mag je geen bezoek **ontvangen*** no visitors are allowed in this room; *zij **ontvangt** vandaag geen bezoek* she's not receiving visitors today; ⟨euf⟩ she's not at home today; *het bezoek **op/aan** de Firato was teleurstellend dit jaar* the number of visitors to the Firato/the interest in the Firato was disappointing this year

bezoekcijfers [de^mv] attendance/admission figures

bezoekdag [de^m] ⟨ziekenhuis, gevangenis⟩ visiting day, ⟨visites⟩ at-home (day)

bezoeken [ov ww] [1] ⟨een bezoek brengen⟩ visit, pay a visit to, pay a call on, call (up)on, (go to/and) see ◆ *iemand **gaan** bezoeken* go to see/visit s.o.; *iemand **komen** bezoeken* visit/come to see s.o.; *iemand **onverwachts** bezoeken* pay s.o. a surprise visit; *reiziger gevraagd voor het bezoeken van **particulieren/artsen*** traveller/salesman required for door-to-door sales/sales to doctors; *een jarige **tante** bezoeken* visit an aunt on her birthday [2] ⟨gaan zien, horen⟩ visit, attend, pay a visit to ◆ ***Europa** bezoeken* tour/visit Europe, ⟨inf⟩ do Europe; *vreemde **landen** bezoeken* visit/tour foreign countries; *een **museum** bezoeken* pay a visit to a museum, ⟨inf⟩ do a museum; ***opnieuw/weer** bezoeken* revisit; *het **toilet** bezoeken* pay a visit to/use/go to the toilet/lavatory; *een **website** bezoeken* visit a website [3] ⟨geregeld ergens heen gaan⟩ visit, frequent, attend ◆ *een **school** bezoeken* attend a school [4] ⟨beproeven⟩ try, afflict, test, ⟨form⟩ visit upon ◆ *bezocht **door** het ongeluk* tried/afflicted by (the) misfortune

bezoeker [de^m] [1] ⟨gast⟩ visitor, guest ◆ *een **onverwachte** bezoeker* an unexpected guest, a surprise visitor; ⟨sport⟩ *de bezoekers **staan voor*** the visitors are leading [2] ⟨iemand die iets gaat zien, horen⟩ visitor ◆ *er waren 5000 bezoekers op de tentoonstelling* ⟨ook⟩ 5,000 people visited the exhibition; *het **aantal** bezoekers viel tegen* the attendance was disappointing; ***regelmatige/trouwe** bezoekers* frequenters, regulars; *de bezoekers van het **theater*** visitors to the theatre, theatre-goers; ***vaste** bezoeker* habitual, habitué [3] ⟨van website⟩ visitor ◆ *een site met een miljoen bezoekers per week* a site with a million visitors a week

bezoekerscentrum [het] visitors centre

bezoekersvisum [het] visitor's visa

bezoeking [de^v] [1] ⟨beproeving⟩ trial, visitation ◆ *het is een bezoeking des **Heren*** it is a visitation of the Lord [2] ⟨kwelling, ramp⟩ trial, affliction, ill, scourge ◆ *hij **is** een bezoeking voor zijn ouders* he is a trial/horror to his parents, ⟨inf⟩ he is a pain to his parents; *het **is** een bezoeking als zoiets je overkomt* it's a trial/curse/an ordeal if sth. like that happens to you

bezoekrecht [het] visiting rights

bezoekregeling [de^v] visiting arrangements ◆ ***volgens** de bezoekregeling gaan de kinderen elk weekend naar hun vader* according to the agreement the children go to their father at the weekends

bezoektijd [de^m] visiting hours/time

bezoekuur [het] visiting hour(s)/time

bezoldigen [ov ww] pay (salary to), salary ◆ *dit **ambt** wordt niet bezoldigd* this is an honorary position/post; *bezoldigd **ambtenaar*** paid official; *een **goed** bezoldigd ambt* a well-paid position/post; *de gemeente bezoldigt de **politieambtenaren*** the local authorities pay the salaries of the police officers

bezoldiging [de^v] pay, salary, ⟨vnl. van geestelijken/academici⟩ stipend ◆ *een bezoldiging **toekennen** aan* offer a remuneration to

bezoldigingsbesluit [het] ⟨in Nederland⟩ Civil Servants Remuneration Decree

zich bezondigen [wk ww] sin, be guilty of, err, perpetrate ◆ *zich **aan** iemand bezondigen* wrong s.o.; *daar heb ik mij nog nooit **aan** bezondigd* I am innocent/not guilty of that; *zich bezondigen **aan** dronkenschap/**jegens** God* be guilty of drunkenness/sin against God; ⟨iron⟩ ***aan** te grote beleefdheid heeft hij zich nooit bezondigd* overpoliteness has never been one of his failings; ⟨iron⟩ *hij zal zich niet gauw bezondigen **aan** het schrijven van lange brieven* he is no letterwriter, he is not likely to be guilty of excessive correspondence

bezonken [bn] ⟨oordeel⟩ (well-)considered, mature, thoughtful, ⟨geest⟩ mature, collected

bezonkenheid [de^v] maturity, matureness

bezonnen [bn] sensible, ⟨mening, plan⟩ considered, well thought out, ⟨plan ook⟩ well-advised, ⟨persoon⟩ coolheaded, level-headed, steady, deliberate

bezonning [de^v] amount of sunshine that reaches a house or garden

¹bezopen [bn] ⟨inf⟩ ⟨dronken⟩ sloshed, plastered, smashed, (well-)oiled, ⟨AE⟩ jagged, sozzled, soused, boozed, stewed, ⟨sl; BE⟩ pissed ◆ *bezopen **zijn/raken*** be/get sloshed/plastered/tanked up; ⟨BE⟩ be/get pissed

²bezopen [bn, bw] ⟨inf⟩ ⟨onzinnig⟩ cracked, ⟨vnl BE⟩ daft, crack-pot, dotty ◆ *zich bezopen **aanstellen*** act the idiot; ***ben** je nou helemaal bezopen* have you completely gone off your rocker; *een bezopen **idee*** a daft/crack-pot idea

bezorgd [bn, bw] [1] ⟨zorgzaam⟩ concerned (for/about), caring, solicitous, anxious ◆ *de bezorgde **moeder*** the caring mother; *vader was altijd bezorgd **voor** het geluk van zijn kinderen* father was always concerned for/about the happiness of his children [2] ⟨ongerust⟩ worried (about), anxious (about), apprehensive (for/about), troubled ◆ *een bezorgd **gezicht*** a worried face; *met een bezorgd **hart*** with a troubled heart; *bezorgd **kijken*** look worried/troubled, wear a worried look; *men **maakt** zich bezorgd over ...* concern is felt about ...; *zij **maakten** zich ernstig bezorgd over de situatie* they were gravely concerned about the situation; *zich bezorgd **maken** over* worry/fret about, grow uneasy/alarmed about; *zich niet bezorgd **maken** (over)* not worry about, have no anxiety about; *waarom zou je je bezorgd **maken**?* why worry?; ***maken** jullie je daar maar niet bezorgd over/om* don't bother your head/trouble/worry/fret about that, don't let that worry you; *bezorgd zijn **over/om/voor** iets* be worried/anxious about sth., be apprehensive/fear for sth.; *hij was bezorgd **over** zijn zoon/de toekomst* he was worried about/apprehensive for his son/about the future; *zij was alleen maar bezorgd **over** haar dochter* her only concern was her daughter; *op bezorgde **toon*** in a worried voice, with a tone/note of concern; *bezorgd iets **vragen*** ask sth. with concern; ***wees** maar niet bezorgd* don't worry/fret/be afraid

bezorgdheid [de^{v}] concern (for/about), worry, anxiety, apprehension ♦ *het vervult ons met **grote** bezorgdheid* it causes us great anxiety; *iets **met** bezorgdheid tegemoet zien* face sth. with apprehension; *er is geen **reden** tot bezorgdheid* there is no cause for concern; *bezorgdheid **teweegbrengen*** give reason for concern/worry; ***uit** bezorgdheid **voor** haar kinderen* out of concern for her children; *zijn bezorgdheid **uitspreken*** express one's concern

bezorgen [ov ww] [1] ⟨verschaffen⟩ get, procure, provide, furnish ♦ *het bezorgde haar wat **afleiding*** it took her mind off things; *iemand een **baan** bezorgen* fix s.o. up with a job, find/get s.o. a job; *wie zal mij dat **geld** bezorgen?* who'll find the money for me?; *hij bezorgt me grijze **haren*** he gives me grey hair, turns me grey; *iemand **iets** bezorgen* get sth. for s.o., provide s.o. with sth.; *hij zal zichzelf nog een **minderwaardigheidscomplex** bezorgen* he'll give himself/end up with an inferiority complex; *als je mij een leuke **order** kunt bezorgen* if you can put a nice order my way; *zijn goede opleiding bezorgde hem een **plaatsje** bij ...* his good education secured him a place with ...; *wat heeft hem deze **reputatie/bijnaam** bezorgd?* what gave/earned him this reputation?, how did he come by this nickname?; *iemand/zichzelf een slechte **reputatie** bezorgen* disgrace s.o., cheapen/disgrace o.s.; *zijn gedrag bezorgde hem veel **vrienden**/de **haat** van de buren* his behaviour won him many friends/earned him the hatred of the neighbours/put his neighbours' backs up; *dat bezorgt ons heel wat extra **werk*** that causes/lands us with a lot of extra work, that creates a lot of extra work for us [2] ⟨veroorzaken⟩ give, cause ♦ *iemand **kippenvel** bezorgen* make s.o.'s flesh creep, give s.o. the creeps, give s.o. gooseflesh; *iemand een hoop **last** bezorgen* put s.o. to great trouble/inconvenience; *iemand **verdriet** bezorgen* cause s.o. sorrow [3] ⟨afleveren⟩ deliver, bring, send ♦ ***goederen/boodschappen** bezorgen* deliver goods/messages; ***moeten** we het **(laten)** bezorgen of neemt u het zelf mee?* do we have to deliver it/send it round to you, or will you take it with you?; *iets bezorgen **op** een bepaald adres/**bij** iemand thuis* send sth. to a certain address, deliver sth. to s.o.'s home; *de **post** bezorgen* deliver the post [4] ⟨boek⟩ edit, ⟨herzien⟩ revise ♦ *zevende **uitgave**, bezorgd door dr. A. B.* seventh edition, edited by dr A. B.

bezorger [de^{m}], **bezorgster** [de^{v}] deliveryman, deliverywoman, delivery boy/girl, deliverer, ⟨brood, melk enz. ook; BE⟩ roundsman, ⟨van brief⟩ bearer, ⟨expediteur⟩ forwarding/haulage agent

bezorging [de^{v}] delivery ♦ *bezorging **aan huis*** home delivery; *bezorging **op** een verkeerd adres* delivery to the wrong address

bezorgkosten [de^{mv}] delivery charge/fee

bezorgster [de^{v}] → **bezorger**

bezuiden [vz] (to the) south of

bezuinigen [ov ww, ook abs] economize, save, cut (down), skimp ♦ ***drastisch** bezuinigen* ⟨ook⟩ cut down/back drastically, make drastic cutbacks; *er **moet** bezuinigd worden* economies will have to be made, the purse strings will have to be tightened; *bezuinigen **op*** ⟨ook⟩ cost-cut; *bezuinigen **op** het eten* economize on food, cut down on food bills; *waar kunnen we verder nog **op** bezuinigen?* where can we economize further?, where can we make further savings?; *bezuinigen **op** de uitgaven voor luxeartikelen* curtail expenditure on luxury goods; *de minister wil 10 miljoen bezuinigen **op** de onderwijsbegroting* the minister wants to cut/reduce the education budget by 10 million

bezuiniging [de^{v}] [1] ⟨handeling⟩ economy, retrenchment, cut(back), saving ♦ *bezuiniging **op** de uitgaven* retrenchment/cutback in expenditure; ***uit** bezuiniging de telefoon wegdoen* get rid of the phone in order to economize [2] ⟨bedrag⟩ saving(s) ⟨AE meestal mv⟩ ♦ *deze maatregelen leveren een bezuiniging op **van** 250 miljoen* these measures yield/effect a saving of 250 million

bezuinigingsbeleid [het] austerity policy, economy measures, ↓(cuts) policy, ↓cutbacks ♦ *bezuinigingsbeleid **invoeren*** introduce an austerity policy, ↓go in for cuts/cutbacks

bezuinigingscampagne [de] economy drive

bezuinigingsmaatregel [de^{m}] economy measure, ⟨bestedingsbeperking⟩ expenditure/spending cut

bezuinigingspolitiek [de^{v}] austerity policy, policy of retrenchment

bezuinigingswoede [de] mania for economies, compulsive economizing

zich bezuipen [wk ww] ⟨vulg⟩ ⟨BE⟩ get pissed, ⟨AE⟩ lush up, get smashed/sloshed/plastered

[1]**bezuren** [onov ww] ⟨opbreken⟩ suffer ♦ *dat zal **je** bezuren* you'll regret/pay for/suffer for that

[2]**bezuren** [ov ww] ⟨bekopen⟩ pay for ♦ *iets **met** de dood bezuren* pay for sth. with one's life

bezwaar [het] [1] ⟨belemmering, nadeel⟩ drawback, difficulty, trouble ♦ *een beetje regen is toch **geen** bezwaar* a little rain is no problem, is it?; *dit **heeft** het bezwaar dat ...* this has the drawback that ..., the trouble with this is ...; *onoverkomelijke bezwaren **met zich meebrengen/opleveren*** incur/present insurmountable obstacles/problems; ***op** de volgende bezwaren **stuiten*** encounter/meet with the following obstacles/difficulties; *als dit alles **zonder** bezwaar kan* if this can be done without inconvenience/causing trouble; *dit kunt u **zonder** enig bezwaar doen* you can do this without any problem [2] ⟨bedenking⟩ objection, complaint, ⟨gewetens-⟩ scruple, grievance ♦ *bezwaar **aantekenen** (tegen iets)* lodge an objection (to sth.)/complaint (against sth.); *verklaring van **geen** bezwaar* certificate of incorporation; *een of twee kinderen **geen** bezwaar* one or two children acceptable; *er is **geen** bezwaar tegen als je met ons meegaat* there is no objection to your coming with us; *als je er geen bezwaar tegen **hebt,** steek ik een sigaret op* if you don't object/mind/have any objection I'll light a cigarette; *de verstrekking van heroïne **heeft** zijn bezwaren/het bezwaar dat* the distribution of heroin is open to objections/the objection that; *ze **maakte** nogal bezwaar toen ik om opslag vroeg* she made a bit of a fuss/was rather sticky when I asked for a rise; *bezwaren **maken** tegen een onbezonnen voorstel* gib at/object to a rash proposal; *bezwaar **tegen** een belastingaanslag* objection to a tax assessment; *bezwaar/bezwaren **tegen** iets hebben/maken/opperen* have/raise an objection to sth., take exception to sth., demur to sth., object to sth.; *ik **zie** er geen bezwaar in om mijn toestemming te geven* I have no objection to consenting/giving my consent; *hij **ziet** er geen bezwaar in zijn vriend op te lichten* he has no scruples about cheating his friend; ***zonder** enig bezwaar* without any objection/problem, easily; *de verzekering heeft alles **zonder** bezwaar betaald* the insurance has paid everything without demur/objection [3] ⟨(financiële) druk, last⟩ cost, onus, burden ♦ ***buiten** bezwaar van de schatkist* without cost to the State/Treasury; *op verlof gaan **buiten** bezwaar (van de schatkist)* take unpaid leave

bezwaard [bn] troubled, conscience-stricken ♦ *een bezwaard **geweten*** a troubled/an uneasy conscience, a heavy heart; *zich bezwaard **voelen** over iets* feel conscience-stricken about sth.; *zich bezwaard **voelen** iets te doen* feel embarrassed/have scruples/qualms about doing sth.; *daar hoef je* *je niet bezwaard over te* ***voelen*** you need have no qualms about that [•] ⟨jur⟩ *bezwaard zijn* ***door*** *een* ***beslissing*** be aggrieved by a decision

bezwaarde [de] [1] ⟨iemand die zich bezwaard voelt⟩ (the) concerned/troubled/conscience-stricken (person) [2] ⟨jur; iemand die verzet aantekent⟩ aggrieved (party) [3] ⟨jur; erfgenaam⟩ fiduciary heir

[1]**bezwaarlijk** [bn] ⟨lastig⟩ troublesome, problematic, inconvenient, awkward ◆ *kan ik blijven slapen of* ***is*** *dat bezwaarlijk?* can I stay overnight or is it inconvenient?; *bezwaarlijke* ***uitgaven*** troublesome expenses

[2]**bezwaarlijk** [bw] ⟨moeilijk⟩ with difficulty, ⟨nauwelijks⟩ scarcely, hardly ◆ *ik* ***kan*** *het bezwaarlijk* ***geloven*** I find it hard to believe, I can scarcely believe it; *dit* ***kan*** *bezwaarlijk* ***verboden worden*** you can scarcely forbid this, you can't really forbid this

bezwaarschrift [het] (notice of) objection ⟨ook juridisch⟩, protest, petition, ⟨tegen belasting ook⟩ appeal ◆ *bezwaarschriften* ***behandelen****/in het openbaar* ***behandelen*** consider objections (lodged), hear publicly/give a public hearing to objections (lodged); *een bezwaarschrift* ***indienen*** lodge an objection/appeal (in writing); *een bezwaarschrift tegen zijn aanslag* ***indienen*** *(bij)* lodge a notice of objection to/appeal against one's assessment (with)

bezwadderen [ov ww] [1] ⟨bevuilen⟩ (be)foul, besmirch, contaminate, soil [2] ⟨belasteren⟩ defile, sully, stain, blacken

bezwangerd [bn] laden, charged, filled, impregnate ◆ *de lucht is* ***met*** *donderwolken bezwangerd* the sky is heavy with thunderclouds

bezwaren [ov ww] [1] ⟨de druk van een schuld doen voelen⟩ weigh down, burden, weigh on ◆ *zijn geweten is* ***met*** *een misdaad bezwaard* his conscience is burdened/troubled/stricken with/by a crime; *ik wil hem* ***niet*** *bezwaren* I don't want to make it any worse for him [2] ⟨belasten, drukken⟩ burden, ⟨met hypotheek⟩ encumber, weigh/lie on ◆ *bezwaard* ***eigendom*** mortgaged/entailed property; *dat bezwaart* ***mij*** *te veel* I find that too inconvenient, I cannot afford that

bezwarend [bn] [1] ⟨lastig, moeilijk⟩ onerous, burdensome, tiresome ◆ *bezwarende* ***omstandigheden*** tiresome/awkward circumstances [2] ⟨een schuldlast leggend op⟩ incriminating, damaging, damning ◆ *bezwarend* ***bewijs*** *leveren* provide incriminating/damaging proof; *er staan bezwarende* ***dingen*** *voor het bestuur in dit stuk* there are allegations against the board in this document; *bezwarende* ***feiten/getuigenissen*** incriminating facts/evidence; *een bezwarende* ***verklaring*** a damaging/an incriminating statement; *bezwarend* ***zijn*** *voor* be damaging/damning for [•] ⟨jur⟩ *onder bezwarende* ***titel*** for valuable consideration

bezweet [bn] sweaty, sweating, perspiring ◆ *ik* ***ben*** *helemaal bezweet* I'm covered/bathed in sweat/all sweaty; *een bezweet* ***gezicht*** a sweating/perspiring face

bezwendelen [ov ww] swindle, cheat, defraud, deceive

bezweren [ov ww] [1] ⟨betogen, verklaren⟩ swear (to) ◆ *ze bezwoer mij* ***dat*** *ze onschuldig was* she swore to me that she was innocent [2] ⟨smeken⟩ implore, beseech, adjure, entreat ◆ *hij bezwoer mij van dat plan* ***af*** *te* ***zien*** he implored me to give up that plan [3] ⟨in zijn macht brengen, uitdrijven⟩ raise, ⟨oproepen⟩ call up, ⟨geest, duivel⟩ invoke, conjure up, ⟨uitdrijven; geest, duivel⟩ exorcise, ⟨slangen⟩ charm ◆ *een* ***geest*** *bezweren* lay a spirit/ghost [4] ⟨tijdig afwenden⟩ ⟨vrees⟩ allay, ⟨gevaar⟩ ward off, avert ◆ *een* ***crisis*** *bezweren* defuse/avert a crisis; *het* ***gevaar*** *voorlopig bezweren* avert the danger for the time being, throw a sop to Cerberus [5] ⟨onder ede bevestigen⟩ swear (to), declare/confirm on oath [6] ⟨een eed afleggen op⟩ swear to ◆ *de* ***grondwet*** *bezweren* swear to the constitution [•] *met een bezwerend* ***gebaar*** with an imploring/a defiant gesture

bezwering [de^{v}] [1] ⟨het bezweren⟩ ⟨betogen, onder eed bevestigen, eed afleggen⟩ swearing, ⟨smeken⟩ adjuration, ⟨geesten uitdrijven⟩ exorcism, ⟨geest oproepen⟩ conjuration, ⟨afwenden⟩ allaying [2] ⟨formule⟩ incantation, invocation, spell, charm

bezwijken [onov ww] [1] ⟨niet meer bestand zijn tegen⟩ give (way/out), go, fold up, collapse ◆ *de vloer bezweek* ***onder*** *de last* the floor gave way under the load [2] ⟨toegeven, wijken⟩ succumb, yield, give in/way, collapse ◆ ***onder*** *een last bezwijken* ⟨ook fig⟩ collapse under a load; ⟨fig⟩ fold up/go to pieces under a burden; ***voor*** *de overmacht bezwijken* succumb/yield to the superior power; ***voor*** *de verleiding bezwijken* succumb to/yield to/give in to the temptation [3] ⟨sterven⟩ go under, give out, succumb ◆ ***aan*** *een ziekte bezwijken* succumb to a disease

bezwijmen [onov ww] ⟨form⟩ [1] ⟨in onmacht vallen⟩ swoon, faint, collapse ◆ ⟨fig⟩ ***tot*** *bezwijmens toe genieten* have a good time till one drops, exhaust o.s. having fun [2] ⟨wegvallen⟩ fade (away), evaporate, disintegrate

B-film [de^{m}] ⟨BE⟩ B-film, ⟨AE⟩ B-movie, ⟨BE ook⟩ supporting film

b.g. [afk] (begane grond) ground floor

BG [afk] ⟨op auto's⟩ (Bulgarije) BG

b.g.g. [afk] (bij geen gehoor) if (there is) no answer

BGJG [de^{m}] ⟨in België⟩ (Bond van Grote en van Jonge Gezinnen) Family League

bh [de^{m}] (bustehouder) bra

Bhagwan [de^{m}] Bhagwan ◆ ***bij*** *de Bhagwan zijn* be a follower/disciple of Bhagwan

bhakti [het] bhakti

bhakti yoga [de] Bhakti yoga

bhangra [de] bhangra

Bhutaan [de^{m}], **Bhutaanse** [de^{v}] ⟨man & vrouw⟩ Bhutanese, ⟨vrouw ook⟩ Bhutanese woman/girl

Bhutaans [bn] Bhutan(ese)

Bhutaanse [de^{v}] → **Bhutaan**

Bhutan [het] Bhutan

Bhutan	
naam	*Bhutan* Bhutan
officiële naam	*Koninkrijk Bhutan* Kingdom of Bhutan
inwoner	*Bhutaan* Bhutanese
inwoonster	*Bhutaanse* Bhutanese
bijv. naamw.	*Bhutaans* Bhutanese
hoofdstad	*Thimphu* Thimphu
munt	*ngultrum* ngultrum
werelddeel	*Azië* Asia
int. toegangsnummer 975 www .bt auto BTN	

bi [bn] ⟨inf⟩ (biseksueel) bisexual

b.i. [afk] (bouwkundig ingenieur) CE

biaisband [het], **biaislint** [het] bias binding

biaislint [het] → **biaisband**

biatlon [de^{m}] biathlon

bib [de^{v}] ⟨in België; inf⟩ ⟨ogm⟩ library

bibberatie [de^{v}] ⟨inf⟩ (the) shivers, (the) shakes ◆ *de bibberatie* ***krijgen*** ***van*** get the shivers from

bibberen [onov ww] shiver (with), shake/tremble/quake (with) ◆ *bibberend* ***van*** *de* ***zenuwen*** all in a tremor, quaking (with nerves); *bibberen* ***van*** ***angst****/de* ***kou*** shake/quake/tremble with fear, shiver with the cold

bibbergeld [het] ⟨in België⟩ danger money ◆ ⟨fig⟩ *bibbergeld* ***betalen*** sweat it out

bibberig [bn, bw] trembling, shivering, shaking, quivering ◆ *een bibberig* ***stemmetje*** a quavering voice

Biblebelt [de^{m}] Bible Belt

biblicisme [het] biblicism

bibliobus [de] ⟨BE⟩ mobile library, ⟨AE⟩ bookmobile, ⟨inf; BE⟩ mobile

[1]**bibliofiel** [de^{m}] bibliophile

[2]**bibliofiel** [bn] bibliophile, bibliophilic

bibliofilie [de^{v}] bibliophily, bibliophilism
bibliofoon [de^{m}] library info(rmation) line
bibliograaf [de^{m}] bibliographer
bibliografie [de^{v}] [1] ⟨lijst van boeken⟩ bibliography [2] ⟨boekbeschrijving⟩ bibliography
bibliografisch [bn] bibliographic(al)
bibliologie [de^{m}] bibliology
bibliomaan [bn] [1] ⟨lijdend aan bibliomanie⟩ bibliomaniac [2] ⟨voortkomend uit bibliomanie⟩ bibliomaniac
bibliomanie [de^{v}] bibliomania
bibliothecaresse [de^{v}] → **bibliothecaris**
bibliothecaris [de^{m}], **bibliothecaresse** [de^{v}] librarian
bibliotheek [de^{v}] [1] ⟨plaats⟩ library [2] ⟨instelling⟩ library ♦ *openbare bibliotheek* public library [3] ⟨verzameling⟩ library
bibliotheekboek [het] library book
bibliotheekkaart [de] → **bibliotheekpasje**
bibliotheekpasje [het], **bibliotheekkaart** [de] library pass
biblist [de^{m}] [1] ⟨Bijbelkenner⟩ bibl(ic)ist [2] ⟨aanhanger van het biblicisme⟩ bibl(ic)ist
biblistiek [de^{v}] biblicism
bic [de^{m}] ⟨in België⟩ ball pen, ballpoint (pen), ⟨BE⟩ biro, ⟨AE⟩ ballpoint
bicamerisme [het] ⟨pol⟩ bicameral/two-chamber system
bicarbonaat [het] ⟨scheik⟩ bicarbonate
biceps [de^{m}] [1] ⟨armspier⟩ biceps [2] ⟨beenspier⟩ biceps [•] *een man **met** biceps* a muscle man
bichloride [het] ⟨scheik⟩ dichloride, bichloride
bicommunautair [bn] ⟨in België⟩ bicommunal ♦ *bicommunautaire **instelling*** bicommunal organization
biconcaaf [bn] biconcave, concavo-concave
biconvex [bn] biconvex, convexo-convex, lenticular
^{1}**bicultureel** [de] bicultural
^{2}**bicultureel** [bn] bicultural
bicyclekick [de^{m}] bicycle kick
bidbank [de] ⟨r-k⟩ prie-dieu, prayer desk, prayer stool
bidbook [het] bidbook, prospectus
biddag [de^{m}] ⟨dag van algemeen gebed⟩ day of prayer, prayer day ♦ *biddag **voor** het gewas* ± day of prayer for the crops/a good harvest
Biddag [de^{m}] ⟨r-k⟩ prayer day
^{1}**bidden** [onov ww] ⟨m.b.t. dieren⟩ ⟨hond⟩ beg, ⟨vogels⟩ hover
^{2}**bidden** [ov ww, ook abs] [1] ⟨zich in een gebed richten tot God⟩ pray, ⟨onovergankelijk werkwoord ook⟩ say one's prayers ♦ ⟨r-k⟩ *de **rozenkrans** bidden* say the rosary; ***tot** God bidden om* pray to God for; *het Onze **Vader** bidden* say/repeat the Lord's Prayer/'Our Father'; *bidden **voor** de verdrukten* pray for the oppressed; *vandaag wordt er gebeden **voor** de overledenen* today prayers are offered for the dead; *bidden voor/na het eten* say grace; *daar helpt geen bidden aan* that's a lost cause, it doesn't have a prayer (of a chance) [2] ⟨smeken⟩ pray, beseech, implore, entreat, bid ♦ ⟨met zwak voltooid deelwoord⟩ *ik heb gebid en **gesmeekt** om medewerking* I have begged and pleaded for cooperation; *wat ik u bidden **mag*** I pray you; ***om** een gunst bidden* beg a favor; *bidden en **smeken*** beg and plead/implore/entreat [•] ⟨sprw⟩ *nood leert bidden* ± hunger drives the wolf out of the wood; ± necessity is the mother of invention
bidder [de^{m}] [1] ⟨iemand die bidt, smeekt⟩ prayer [2] ⟨nodiger ter begrafenis⟩ ± undertaker('s assistant)
bidet [het, de^{m}] bidet
bidmatje [het] prayer mat/rug
bidon [de^{m}] water bottle, ⟨wielersp ook⟩ bidon
bidonville [de^{v}] bidonville, shantytown
bidprentje [het] ⟨r-k⟩ [1] ⟨heiligenprentje⟩ devotional picture [2] ⟨prentje ter nagedachtenis⟩ mortuary/obituary card, prayer card
bidsnoer [het] [1] ⟨rel⟩ prayer beads, ⟨ook⟩ rosary [2] ⟨r-k⟩ rosary
bidsprinkhaan [de^{m}] praying mantis
bidstoel [de^{m}] prie-dieu
bidstond [de^{m}] ⟨prot⟩ prayer meeting ♦ *bidstond **voor** het gewas* prayer meeting for a good harvest/the crops
bidweek [de] prayer week, week of prayer
bie [bn] ⟨inf⟩ great, fantastic ♦ *ik **vond** het niet zo bie* I didn't think it was all that great
bieb [de^{v}] ⟨inf⟩ ⟨ogm⟩ library
biecht [de] [1] ⟨r-k⟩ confession ♦ *iemand de biecht **afnemen*** ⟨lett⟩ hear s.o.'s confession, confess s.o.; ⟨fig⟩ cross-examine s.o.; ***generale** biecht* general confession; *(de) biecht **horen*** hear/take confession; ***private** biecht* private confession; ***te** biecht gaan* go to confession; ⟨in België; fig⟩ ***uit** de biecht klappen* tell tales out of school, tell a secret, blab [2] ⟨belijdenis⟩ confession
biechteling [de^{m}], **biechtelinge** [de^{v}] ⟨r-k⟩ confessant
biechtelinge [de^{v}] → **biechteling**
^{1}**biechten** [onov ww] ⟨de biecht afnemen⟩ hear/take confession
^{2}**biechten** [ov ww, ook abs] [1] ⟨r-k⟩ confess, go to confession, make one's confession [2] ⟨opbiechten⟩ confess, admit
biechtgeheim [het] ⟨r-k⟩ secret of the confessional
biechtstoel [de^{m}] ⟨r-k⟩ confessional (box)
biechtstoelprocedure [de^{v}] confessional procedure
biechtvader [de^{m}] (father) confessor
^{1}**bieden** [ov ww] [1] ⟨toekeren, toesteken⟩ offer, extend [2] ⟨opleveren, geven⟩ offer, present ♦ *de omgeving biedt **gelegenheid** tot tal van uitstapjes* the area invites numerous excursions; ***mogelijkheden** bieden* open up/offer great possibilities, provide opportunities; *de **mogelijkheid** bieden tot* offer/afford the possibility of, open the door to; ***plaats/onderdak** bieden aan* house, shelter; *een fraai **schouwspel** bieden* make a splendid picture; ***uitzicht** bieden op* provide/command a view; *(hardnekkig) **weerstand** bieden (aan)* resist (stubbornly), put up a (stubborn) resistance, fight off, repel [3] ⟨aanbieden⟩ offer ♦ *een volledig **leerplan** bieden* offer a full curriculum; ⟨fig⟩ *meer **te** bieden **hebben*** have more to offer [4] ⟨kaartsp⟩ bid ♦ *het is jouw beurt **om te** bieden* it's your (turn to) bid now [5] ⟨fin⟩ offer, bid
^{2}**bieden** [ov ww, ook abs] ⟨een bod doen⟩ (make an) offer, (make a) bid ♦ *er is 75 geboden, niemand meer dan 75* ⟨op veiling⟩ 75, I have 75, anyone bid more than 75; going at 75, going at 75; ***als** eerste bieden* open the bidding; *ik bied er twintig **euro voor*** I'll offer/give you 20 euros for it; ⟨op veiling⟩ I bid 20 euros for it; *met **loven** en bieden werden zij het eens* they reached agreement by haggling; ***één meer** bieden* go one better; ***meer/minder** bieden (dan de anderen)* outbid/underbid; ***op** een nummer bieden* bid for a lot; *er wordt al een **ton** geboden* ⟨voor een huis⟩ there is already an offer of 100,000 euros, ⟨sl; AE⟩ there is already an offer of 1 grand/1 g
bieder [de^{m}] bidder ♦ *op één na **hoogste** bieder* second-highest bidder
^{1}**biedermeier** [het] ⟨tijdperk⟩ Biedermeier period, ⟨stijl⟩ Biedermeier style
^{2}**biedermeier** [bn] Biedermeier
biedingsbericht [het] tender report
biedingsstrijd [de^{m}] bid(ding) battle, takeover battle
biedkoers [de^{m}] bid/offer/buying price
biedprijs [de^{m}] offer(ed) price
bief [de^{m}] (beef)steak ♦ *een **broodje** bief* a steak sandwich
biefburger [de^{m}] [1] ⟨schijf vlees⟩ beefburger [2] ⟨broodje met dat vlees⟩ hamburger
biefstuk [de^{m}] steak, rump steak ♦ ***Duitse/Amerikaanse** biefstuk* ground-beef ball topped with onions, onion-topped hamburger; *biefstuk van de **haas*** fillet/tenderloin

steak, filet mignon; ⟨dik⟩ chateaubriand; *biefstuk tartaar* steak tartare
biefstuksocialisme [het] ⟨scherts⟩ populist socialism
biefstukzwam [de] beefsteak fungus/mushroom
biels [de] ⟨BE⟩ (railway) sleeper, ⟨AE⟩ railroad tie
bielsen [bn] made of (railway) sleepers, made of ^{A}railroad ties
biënnale [de] Biennale
bier [het] [1] ⟨drank⟩ beer, ale ◆ *bier* ***brouwen*** brew beer; ***dik/zwaar*** *bier* strong beer/ale; ***donker*** *bier* stout, dark ale; ***dood*** *bier* flat/stale beer; ***dun/klein*** *bier* light/pale ale; ⟨in België; fig⟩ *dat is* ***klein*** *bier* that is small beer; ⟨in België; fig⟩ *het is geen* ***klein*** *bier* that is no small beer/matter; *een* ***lekker*** *biertje* a good beer; ***licht*** *bier* ⟨Engels⟩ light ale; ⟨pils⟩ lager; *bier* ***tappen*** draw beer; *bier* ***uit de tap/van het vat*** draught beer [2] ⟨glas bier⟩ beer ◆ *een biertje* ***drinken*** drink/have a (glass of) beer; ***één*** *bier alstublieft* a beer, please
bieraccijns [de^m] tax on beer
bierblikje [het] beer can
bierbostel [de] brewery spent grain
bierbrouwer [de^m] beer brewer
bierbrouwerij [de^v] brewery
bierbuik [de^m] [1] ⟨dikke buik⟩ beer belly/^{B}gut [2] ⟨persoon⟩ beer guzzler, froth blower
bieren [onov ww] boozing
bierfeest [het] beer party, ⟨vnl. in Duitsland⟩ beer festival, ⟨AuE; sl⟩ beer-up
bierfles [de] beer bottle
bierflesje [het] beer bottle
biergarten [de^m] biergarten, beer garden
biergist [de^m] brewer's yeast
bierglas [het] beer glass
bierhal [de] beer hall
bierkaai [de] ⊡ *vechten* ***tegen*** *de bierkaai* fight a losing battle
bierkaart [de] ± bar tariff, ± list of bar prices
bierkaartje [het] ⟨in België⟩ beer mat, coaster
bierkeet [de] beer barn, beer joint
bierkelder [de^m] beer cellar, ⟨café⟩ cellar bar
bierkrat [het] beer crate
bierlucht [de] beery smell
bierpomp [de] beer pump
bierpul [de] beer mug, tankard
biersoort [het, de] type of beer
biertap [de^m] beer tap
biertapperij [de^v] beer house, beer hall
biertuin [de^m] beer garden
bierviltje [het] beer mat, coaster
bierwacht [de] beer-pump maintenance service
bierworstje [het] ± salami
bies [de] [1] ⟨boordsel⟩ piping, border, edging ◆ *met* ***gouden*** *biezen* with gold piping [2] ⟨oevergewas⟩ rush ◆ ***grote/zoete*** *bies* bulrush; ***vol/begroeid met*** *biezen* full of rushes, rushy [3] ⟨steel van dit gewas⟩ rush [4] ⟨versieringslijn⟩ line, stripe ◆ *het hok was met* ***witte*** *biezen afgezet* the edges of the hutch were picked out in white ⊡ *zijn biezen* ***pakken*** pack one's bags, make o.s. scarce, clear out; ⟨sl⟩ take a powder
biesbos [het] 'biesbos', marshland with rushes
bieslint [het] braid, piping
bieslook [het] chive, ⟨cul⟩ chives
biest [de] [1] ⟨koemelk⟩ beestings [2] ⟨moedermelk⟩ colostrum
biesvaren [de] quillwort
biet [de] beet ◆ *zo rood* ***als*** *een biet* as red as a ^{B}beetroot/^{A}beet; ***gare*** *bietjes,* ***gekookte*** *bieten* ⟨bij de groenteman⟩ cooked beetroot ⊡ ⟨inf⟩ *het kan me* ***geen*** *biet schelen* I couldn't care less, I don't give a damn/a toss/two hoots/^{B}a monkey's; ⟨inf⟩ ***mij*** *een biet* I don't give a damn
bietebauw [de^m] boogey man
bietenberg [de^m], **bietenbrug** [de] ⊡ *de bietenberg op* ***gaan*** hit the skids/rocks, take a nosedive
bietenbrug [de] → **bietenberg**
bietencampagne [de] beet-lifting (season)
bietenkroot [de] beetroot
bietenoogst [de^m] beet crop
bietenpap [de] ± mashed beets
bietensalade [de] beetroot/^{A}beet salad
bietensap [het] beetroot juice
biets [de^m] [1] ⟨het bietsen⟩ scrounging, cadging, sponging, ⟨AE ook⟩ panhandling, bumming [2] ⟨armoede⟩ ↑ poverty
bietsen [ov ww, ook abs] ⟨inf⟩ [1] ⟨bedelen⟩ scrounge, cadge, ⟨AE⟩ panhandle, ⟨onovergankelijk werkwoord ook⟩ sponge, ⟨AE⟩ bum ◆ *altijd (om) sigaretten* ***lopen*** *te bietsen* always bumming/scrounging/cadging cigarettes; *zijn maaltje bij elkaar bietsen* scrounge one's meal [2] ⟨lenen en niet teruggeven⟩ scrounge
bietser [de^m] [1] ⟨bedelaar⟩ scrounger, cadger, ⟨AE⟩ bum [2] ⟨iemand die iets pikt⟩ scrounger, filcher, sponge
bietsuiker [de^m] beet sugar
1**biezen** [bn] rush ◆ *biezen* ***stoelen*** rush-bottomed/seated chairs; *een biezen* ***zitting*** a rush(-bottomed) seat
2**biezen** [ov ww] [1] ⟨reepje stof ter versiering aanbrengen⟩ pipe, braid, edge [2] ⟨sierlijntje aanbrengen⟩ pick out the edges of
biezenmandje [het] rush basket
biezenmat [de] rush mat
bifilair [bn] bifilar ◆ *bifilaire* ***hygrometer*** ⟨BE⟩ hygristor; *bifilaire* ***ophanging*** bifilar suspension
bifocaal [bn] bifocal ◆ *een bifocale* ***bril*** bifocals; *bifocale* ***brillenglazen*** bifocal lenses
bifurcatie [de^v] bifurcation
big [de] piglet, ⟨kind⟩ piggy ◆ *biggen* ***werpen*** farrow, pig ⊡ ***Guinees*** *biggetje* guinea pig, cavy, cavia
bigamie [de^v] bigamy
bigamisch [bn] bigamous
bigamist [de^m] bigamist
bigarreau [de^m] bigarreau (cherry), ⟨gekonfijt⟩ glacé cherry
bigband [de^m] big band
big bang [de^m] big bang
big brother [de^m] Big Brother
big business [de^m] big business
bigfoot [de^m] Bigfoot
biggelen [onov ww] trickle ◆ *tranen biggelden* ***langs*** *zijn wangen* tears trickled down his cheeks
biggen [onov ww] farrow, pig
biggenmerk [het] ear tag (for piglets)
bignonia [de] bignonia, trumpet flower
bigotterie [de^v] bigotry
bigram [het] bigram
1**bij** [de] (honey)bee ◆ ***tamme/gewone*** *bij* honeybee

bij		
dier	bee	bij
mannetje	drone	dar
vrouwtje	worker; queen bee	werkster; koningin
jong	larva	larve
groep	swarm	zwerm
roep	buzz	zoemen
geluid	buzz	bzzz

2**bij** [bn] [1] ⟨bij kennis⟩ conscious ◆ *de drenkeling* ***is*** *nog niet bij* the person they pulled out of the water hasn't come round/to yet/isn't conscious yet [2] ⟨gelijk⟩ up-to-date ◆ *ik* ***ben nog niet bij*** I'm not up-to-date yet; *de leerling* ***is*** *weer/nog niet bij met de lessen* the pupil has now caught up (with the rest)/is still behind in his lessons; *bij* ***zijn*** *met betalen* be up-to-date/current with payments; *de (kas)boeken* ***zijn*** *bij* the (cash)books are up-to-date [3] ⟨van alles op de hoogte⟩ up-to-date, in touch, in the know, on top of ◆ *dit boek **is** niet bij* this book is dated; *(goed) bij **zijn*** be (well) on top of things, be with it, be sharp; *goed bij **zijn** in een vak* be well up on a subject

³bij [bw] [•] *het koren staat **er** best bij* the corn looks good/promising; *ten naasten bij* practically, virtually

⁴bij [vz] [1] ⟨in de nabijheid van⟩ near (to), close (by/to) ◆ *iets bij de **hand** hebben* have sth. at hand/close to hand; *bij **iemand** gaan zitten* sit by/next to s.o.; *bij **ontvangst*** on receipt; *bij het **raam*** close to/next to the window; *bij het **stadhuis*** close to/near the town hall; *een **streepje** zetten bij iets* put a tick/mark next to sth.; *bij **Tiel** is de Waal het breedst* the Waal is at its widest near Tiel; *bij de **vijftig*** close fifty; *bij het **vuur** zitten* sit by/close to/next to the fire; *een stoel bij het **vuur** trekken* pull/draw a chair up to the fire; *bij de **wind** zeilen* sail close to the wind; *bij **zessen*** almost/nearly/going on 6 (o'clock) [2] ⟨m.b.t. een raken aan, bereiken⟩ at, to, by ◆ ***er(gens)** niet bij kunnen* ⟨fig⟩ not understand/get sth.; *iets **er(gens)** bij halen/slepen* ⟨fig⟩ drag sth. up/in; ***kan** jij bij de hoogste plank?* can you reach the top shelf?; *bij een **kruispunt**/een **splitsing** komen* come to an intersection/junction/fork [3] ⟨m.b.t. een niet verder gaan, een niet afwijken⟩ to, with ◆ *het **er** niet bij laten* not leave it at that; *we zullen het **er** maar bij laten* let's leave it there/at that, let's drop it; *bij een **mening** blijven* stick to an opinion; *alles blijft bij het **oude*** we'll stick to the old way(s), nothing will be altered; *het blijft bij **woorden*** ⟨ze gaan niet vechten⟩ they're not coming/they won't come to blows; ⟨plannen niet uitvoeren⟩ it won't come to anything, it's/they're all talk [4] ⟨in het bezit van, tijdens⟩ while, during ◆ *bij zijn **dood*** at his death; *bij zijn **leven*** during his life; *bij **leven en welzijn*** God willing; *bij **zinnen** zijn* be sane [5] ⟨m.b.t. een aanwezigheid⟩ at ◆ ***er** niet bij zijn* not be there/present; *ik ben **er** toch zeker zelf bij* I know what I'm doing, I can take care of myself; *je moet **er** gauw bij zijn, anders zijn ze uitverkocht* you better hurry/you better get your skates on, or everything will be sold out; ***er(gens)** gauw bij zijn* ⟨fig⟩ respond quickly; ⟨m.b.t. ziekte⟩ catch (a disease) in time; *als er niemand bij **is*** when nobody is there/present; *zij was bij haar **tante*** she was at her aunt's; *ik was niet bij de **vergadering*** I wasn't (present) at the meeting; ⟨fig⟩ *er niet bij **zijn** met zijn gedachten* have only half one's mind on it [6] ⟨m.b.t. een toevoeging⟩ along (with), with, by ◆ *bij **elkaar** zijn het er 20* there are 20 altogether; ***er** moet geld bij* ⟨iron⟩ the idea is to make money; ⟨fig⟩ *dat is **er** niet bij* that is out of the question; ***er** mag nog wel wat bij* you could add (sth.) to it; *wat drink je bij het **eten**?* what do you drink with your meal?; *een kopje koffie **is** er tegenwoordig niet meer bij* you don't even get a cup of coffee these days; *heb je iets bij de **koffie**?* do you have anything to go with the coffee?; *soort bij **soort** leggen* put like with like; *er wat bij **verdienen*** make some money/a little on the side [7] ⟨m.b.t. een gebondenheid⟩ for, with ◆ *bij een **baas** werken* work for a boss; ***bediende** bij de heer X* servant to Mr X; *dat is bij de **boeren** zo de gewoonte* that is the habit/custom with farmers; *bij sommige **dieren** ...* in some animals ...; *bij **familie** logeren* stay (overnight) with one's family/relatives; *altijd bij H. **kopen*** always shop at H.'s; *bij het **leger**/de **marine*** in the army/navy; *bij **Lloyd** verzekerd zijn* be insured by Lloyd's; *bij **ons*** at our house; back/at home; in our country, in the Netherlands/England/...; in our family; *bij **Vondel*** in Vondel [8] ⟨m.b.t. een meevoeren⟩ with, along ◆ *iets bij **zich** hebben* have sth. with o.s.; *zij had haar dochter bij **zich*** she had her daughter with her; *geen lucifers/geld bij **zich** hebben* have no matches/money on one [9] ⟨voor, in tegenwoordigheid van⟩ with, to ◆ *bij **hem** kun je van alles verwachten* you can expect anything from him; *zich bij een **instantie** beklagen* lodge a complaint with the authorities; *inlichtingen bij een **loket** inwinnen* request information at a window/desk; *het staat bij **mij** vast* I have no doubt about it, it's clear to me; *bij **zichzelf** (denken/zeggen)* (think/say) to o.s. [10] ⟨aan, met⟩ by ◆ *iemand bij de **hand** nemen* take a person by the hand; *iemand bij zijn **kraag** vatten* grab s.o. by his collar [11] ⟨gedurende, onder⟩ by, during, at, while ◆ *bij **dag/nacht*** by day/night; *bij het **lezen** van de krant* (when) reading the newspaper; *bij een **noordenwind*** with a northerly wind; *bij het **ontbijt*** at breakfast; *bij het **oversteken*** while/in crossing; *bij de derde **poging*** at the third attempt; *bij **tijden*** at times; *bij het **vallen** van de nacht* at nightfall; *bij **vlagen*** in fits and starts; *bij mooi **weer*** when/if the weather is nice; *bij het **weggaan*** at parting/leaving; *bij deze **woorden*** at these words [12] ⟨gelijktijdig met⟩ on, at, over, during ◆ *bij deze **bekentenis** bloosde hij* he blushed at this confession; *bij haar **bezoek** aan ...* during her visit to ...; *bij je volgende **bezoek*** on your next visit; *bij een **glas** wijn iets bespreken* discuss sth. over a glass of wine; *bij een **transactie** geld verliezen* lose money in a transaction [13] ⟨in geval van⟩ in case of, if ◆ *bij **deling** door twee* when divided by two; *ik zal het bij **gelegenheid** weleens doen* if I get the chance I will do it; *bij mogelijk **verzet** zal van geweld gebruik worden gemaakt* if there is resistance, force will be used; *bij **ziekte**/een **sterfgeval*** in case of illness/death [14] ⟨wegens⟩ by, due to ◆ *bij **gebrek** aan bewijs* due to lack of proof; *bij **(on)geluk**/bij **toeval** iets krijgen/zien* get/see sth. by accident/chance [15] ⟨door, voor, door middel van⟩ from, by means of, by ◆ *bij **dezen*** hereby; *een kind bij haar tweede **man*** a child by her second husband; *bij **monde** van* as related by; *iets bij (de) **wet** bepalen* establish sth. by law [16] ⟨m.b.t. een omstandigheid⟩ by way of, for, as ◆ *bij **uitzondering*** as an exception; *bij **wijze** van spreken* so to speak, in a manner of speaking [17] ⟨in eden en verzekeringen⟩ by ◆ *bij **God*** by God [18] ⟨in vergelijking met⟩ in comparison to, as compared with ◆ *de kamer is 6 bij 5* the room is 6 by 5; *wat is hij nu bij een **dichter** als Achterberg?* what is he in comparison to a poet like Achterberg? [19] ⟨m.b.t. een hoeveelheid⟩ by, (along) with ◆ *de mensen kwamen bij **duizenden** toelopen* the people arrived on foot by the thousand/in thousands; *bij **paren*** by twos, in pairs; *iets bij het **vat**/de **fles**/het **gewicht** verkopen* sell sth. by the barrel/the bottle/by weight [20] ⟨in de ogen van⟩ for, in the eyes of ◆ *zij kan bij de **buren** geen goed doen* she can do no good as far as the neighbours are concerned/in the eyes of the neighbours; *zij staat bij haar **collega's** goed aangeschreven* she has a good reputation among her colleagues [21] ⟨+ af; bijna⟩ almost [22] ⟨langs⟩ by, along [•] *het is een schande zoals vader er 's ochtends bij loopt* father looks an absolute disgrace/terrible in the morning; *je bent er bij* gotcha!, you're (in) for it, the game is up

bijaccent [het] secondary stress/accent

bijaldien [vw] in case of, if, in the event of

bijas [de] [1] ⟨natuurk⟩ secondary axis [2] ⟨plantk⟩ secondary axis/branch/stem

bijbaantje [het] job on the side, second/secondary job, ± sideline ◆ *een bijbaantje **hebben*** moonlight

bijbal [de^m] ⟨med⟩ epididymis

bijbedoeling [de^v] double meaning, ulterior motive/design/object ◆ *een bijbedoeling met iets **hebben*** have an ulterior motive/design with sth.; *hij **heeft** een bijbedoeling* he has an ulterior motive/design; ⟨inf⟩ he has sth. up his sleeve; ***met** de bijbedoeling dat* with the implication that; ***met** een bepaalde bijbedoeling* with a specific ulterior motive/design; *iets **met** een bijbedoeling zeggen* say sth. with a double meaning, use duplicitous speech; ***zonder** bijbedoelingen* without any ulterior motive/design

bijbehorend [bn] accompanying, matching, corresponding ◆ *een bijbehorend **boekdeel*** a companion volume; *de bijbehorende* ⟨van sok enz.⟩ the mate/fellow/twin; *bijbehorende **onderdelen*** accessories; *een jas met bijbehorende **sjaal*** a coat with matching scarf; *een huis met bijbehorende **tuin*** a house with garden

bijbel [de^m] 1 ⟨exemplaar van de Bijbel⟩ Bible ♦ *een bijbel **met** koperen sloten* a Bible with a copper clasp 2 ⟨lijfboek⟩ bible ♦ *de bijbel van de **communisten*** the bible of the communists, the communists' bible
Bijbel [de^m] ⟨Heilige Schrift⟩ Bible, (Holy) Scriptures ♦ *dat staat **in** de Bijbel* that's in the Bible, it says so in the Bible; *school **met** de Bijbel* (Protestant) denominational school; ***op** de Bijbel zweren* swear an oath on the Bible; *een eed **op** de Bijbel* a gospel oath
Bijbelbeschouwing [de^v] interpretation of the Bible
Bijbelboek [het] 1 ⟨boek van de Bijbel⟩ book of the Bible 2 ⟨de Bijbel⟩ Bible

de Bijbelboeken 1/3

het Oude Testament	the Old Testament
Genesis	Genesis
Exodus	Exodus
Leviticus	Leviticus
Numeri	Numbers
Deuteronomium	Deuteronomy
Jozua	Joshua
Richteren	Judges
Ruth	Ruth
1 Samuel	1 Samuel
2 Samuel	2 Samuel
1 Koningen	1 Kings
2 Koningen	2 Kings
1 Kronieken	1 Chronicles
2 Kronieken	2 Chronicles
Ezra	Ezra
Nehemia	Nehemiah
Esther	Esther
Job	Job
Psalmen	Psalms
Spreuken	Proverbs

bijbelcodex [de^m] codex of the Bible
Bijbelcommissie [de^v] ⟨r-k⟩ Bible commission
Bijbelgenootschap [het] Bible society
Bijbelgordel [de^m] Bible Belt
Bijbelkennis [de^v] biblical/scriptural knowledge
Bijbelkring [de^m] Bible group/club
Bijbelkritiek [de^v] biblical/textual criticism, textualism
Bijbellezing [de^v] Bible/Scripture reading ♦ *Bijbellezingen **houden*** give Bible classes; ***naar** de Bijbellezing gaan* go to/attend a Bible class
Bijbelplaats [de^v] scriptural passage, passage in the Bible
Bijbels [bn] 1 ⟨van de Bijbel⟩ biblical, scriptural ♦ *Bijbelse **aardrijkskunde*** biblical geography; *Bijbelse **geschiedenis*** biblical history; *het Bijbelse **land*** the Holy Land; *Bijbelse **theologie*** biblical theology; *Bijbelse **treurspelen*** biblical drama/tragedy; *dit strookt niet met de Bijbelse **voorstelling*** this does not fit in with the biblical account 2 ⟨altijd de Bijbel aanhalend⟩ ↑ textualist, religious, always quoting the Bible ♦ *hij **is** zo Bijbels* he is such a textualist, he is so religious, he is always quoting the Bible
Bijbelschool [de] church school, Christian school
Bijbelspreuk [de] biblical proverb, proverb from the Bible
Bijbelstudie [de^v] Bible study
Bijbeltaal [de] biblical language ♦ *dat **is** Bijbeltaal* ⟨fig⟩ that's biblical
Bijbeltekst [de^m] scriptural passage, passage in the Bible
Bijbelvast [bn] well-versed in the Scriptures, well-versed in the Bible ♦ *een Bijbelvast **iemand*** s.o. who is well-versed in the Scriptures/the Bible, a textualist
Bijbelverhaal [het] Bible story
Bijbelverklaring [de^v] exegesis
Bijbelvers [het] Bible verse
Bijbelvertaling [de^v] translation of the Bible ♦ *de herziene **Amerikaanse** Bijbelvertaling* the Revised Standard Version; *de Bijbelvertaling van **Coverdale*** the Great Bible; *de herziene **Engelse** Bijbelvertaling* the Revised Version; *de officiële **Engelse** Bijbelvertaling* the Authorized Version, the King James Version
Bijbelwoord [het] biblical passage ♦ *en het geschiedde **naar** het Bijbelwoord* and it happened just as it said in the Bible/just as the Bible said it would
bijbenen [ww] 1 ⟨lopende bijhouden⟩ keep pace/up (with) 2 ⟨fig⟩ keep pace/up (with) ♦ *ik **kan** al deze ontwikkelingen niet bijbenen* I can't keep up with/abreast of all these developments; *hij dicteerde zo vlug, dat ik het niet **kon** bijbenen* he dictated so fast I couldn't keep pace/up
bijberekenen [ov ww] add/make an additional charge of
bijbestellen [ov ww] reorder, order a further/fresh supply (of), repeat an order (for)
bijbetalen [ov ww, ook abs] pay extra, pay an additional/extra charge, make an additional payment, make a further payment, make a supplementary payment ♦ *tien **euro** bijbetalen* pay an extra 10 euros; *je hoeft **niets** bij te betalen* you needn't pay anything extra/additional
bijbetaling [de^v] additional/extra payment ♦ ***tegen** bijbetaling* at an additional charge/cost, upon payment of an additional sum; ***zonder** bijbetaling* without additional charge/cost, without any further/extra charge/cost/payment

de Bijbelboeken 2/3

het Oude Testament	the Old Testament
Prediker	Ecclesiastes
Hooglied	Song of Solomon
Jesaja	Isaiah
Jeremia	Jeremiah
Klaagliederen	Lamentations
Ezechiël	Ezekiel
Daniël	Daniel
Hosea	Hosea
Joël	Joel
Amos	Amos
Obadja	Obadiah
Jona	Jonah
Micha	Micah
Nahum	Nahum
Habakuk	Habakkuk
Zefanja	Zephaniah
Haggaï	Haggai
Zacharia	Zechariah
Maleachi	Malachi

bijbetekenis [de^v] connotation, secondary meaning ♦ *dat woord heeft een **ongunstige** bijbetekenis* that word has a negative connotation
bijbetrekking [de^v] additional job
bijblad [het] 1 ⟨bijvoegsel⟩ extra sheet, supplement 2 ⟨inlegblad⟩ (extra) leaf ♦ *een uittrektafel **met** drie bijbladen* an extendable table with three (extra) leaves
bijblijven [onov ww] 1 ⟨gelijk blijven⟩ keep pace/up, keep one's hand in ♦ ***door** studie bijblijven* keep up-to-date by studying; *ik heb **moeite** om bij te blijven* I find it hard to keep up 2 ⟨in het geheugen blijven⟩ stick/stay in one's memory ♦ *de **herinnering** aan haar zal mij altijd bijblijven* I'll always carry her memory with me; *een **melodietje** dat je bijblijft* a melody that you can't get out of your head, a haunting melody; *dat zal **mij** altijd bijblijven* that will stick in my mind forever; *dat is **mij** van mijn jeugd bijgebleven*

that's what I remember of/from my youth, that's how I remember my youth

bijboeken [ov ww] post, enter, write up ◆ *een **post** van de ene rekening afboeken en op de andere bijboeken* transfer/carry entries/items from one account to another; *zijn die **posten** al bijgeboekt?* are the books already posted?

bijboeking [de^{v}] entry

bijbouwen [ov ww] build on, add (on) ◆ *er is **flink** bijgebouwd aan de school* considerable additions have been made to the school; *een paar **kamers** bijbouwen* build/add on a couple of rooms; *er werd een **stuk** bijgebouwd* a new addition was erected, an extension was built; *er wordt **weinig** bijgebouwd in die stad* there has been little construction/ building (going on) in that city

bijbrengen [ov ww] 1 ⟨leren⟩ impart (to), convey (to), instill (into), provide, give ◆ *iemand verkeerde **dingen** bijbrengen* lead s.o. astray, get s.o. into bad habits; *iemand **hardhandig** iets bijbrengen* drum/drub sth. into s.o.; *iemand bepaalde **kennis** bijbrengen* impart (a certain) knowledge to s.o.; *zijn hond **kunstjes** bijbrengen* teach one's dog tricks 2 ⟨weer tot bewustzijn brengen⟩ bring to/round, restore to consciousness ◆ *iemand **met** koud water bijbrengen* bring s.o. to/round with cold water

bijdehand [bn] bright, sharp, quick-witted, smart ◆ *een bijdehand **kind*** a bright/sharp/smart child; *bijdehand **zijn*** be all there

bijdehandje [het] bright/sharp thing, bright/sharp child, bright/sharp woman

bijdehands [bn] ▪ *het bijdehandse **paard*** the near/left horse

bijdetijds [bn] modern, up-to-date

[1]**bijdraaien** [onov ww] 1 ⟨m.b.t. personen⟩ come round ◆ *iemand **doen** bijdraaien* bring s.o. round/to terms 2 ⟨scheepv⟩ heave to, head up (into the wind) ◆ *de kapitein **liet** bijdraaien* the captain had (the boat) hove to

[2]**bijdraaien** [ov ww] ⟨bijwerken⟩ hone (down)

bijdrage [de] 1 ⟨gave⟩ contribution, offering ◆ ***geldelijke** bijdrage* financial contribution; *een bijdrage **in** de kosten* a contribution towards the cost; ⟨inf⟩ a contribution to the kitty; *een bijdrage **ineens*** a lifetime contribution; ***kerkelijke** bijdrage* ± a contribution to the church; *een positieve/waardevolle bijdrage **leveren** aan* make a positive/valuable contribution to; *een **vrijwillige** bijdrage* a donation; *de kosten worden door **vrijwillige** bijdragen gedekt* the costs are covered by voluntary contributions 2 ⟨letterkundig(e) geschrift, verhandeling⟩ contribution 3 ⟨geschrift, opstel⟩ contribution ◆ *een bijdrage **leveren** voor* contribute to

bijdragen [ov ww] 1 ⟨als zijn aandeel inbrengen⟩ contribute, add ◆ *dit zal **er toe** bijdragen dat alles beter gaat* this will contribute to the improvement of the situation; *100 euro **in** de kosten bijdragen* contribute 100 euros towards the cost, ⟨inf⟩ contribute 100 euros to the kitty; ***veel/in hoge mate** bijdragen tot* contribute/add greatly to; *ik **wil** gaarne iets bijdragen* I would like to contribute 2 ⟨bevorderlijk zijn voor⟩ contribute, add ◆ *zijn **steentje/het zijne** bijdragen* do one's part/share/(little) bit; *verantwoorde voeding draagt bij **tot** een goede gezondheid* good nutrition contributes to good health

bijdragevoet [de^{m}] ⟨in België⟩ contribution level

bijdruk [de^{m}] reimpression

bijdrukken [ov ww] print more/additional ⟨zn⟩ ◆ *er zijn 1000 **exemplaren** bijgedrukt* 1000 additional copies were printed

bijeen [bw] together ◆ *ik **heb** nog nooit zo'n verzameling bijeen **gezien*** I have never seen such a collection all together; ***in** vergadering bijeen* assembled in a meeting; *de huizen van dit dorp **staan** dicht bijeen* the houses in this village are (built) close together

bijeenbehoren [onov ww] belong together

bijeenbinden [ov ww] 1 ⟨samenbinden⟩ bind together 2 ⟨boek⟩ bind

bijeenblijven [onov ww] remain/stay together ◆ *men bleef na de voorstelling nog **gezellig** bijeen* the group stayed and chatted after the presentation

bijeenbrengen [ov ww] bring/get together, raise ◆ *een **bibliotheek** bijeenbrengen* build a library; ***geld** bijeenbrengen*

de Bijbelboeken 3/3

het Nieuwe Testament	the New Testament
Het evangelie naar Mattheus	The Gospel According to Matthew
Het evangelie naar Marcus	The Gospel According to Mark
Het evangelie naar Lucas	The Gospel According to Luke
Het evangelie naar Johannes	The Gospel According to John
Handelingen der Apostelen	The Acts of the Apostles
De brief van Paulus aan de Romeinen	The Epistle of Paul to the Romans
De eerste brief van Paulus aan de Korinthiërs	The First Epistle of Paul to the Corinthians
De tweede brief van Paulus aan de Korinthiërs	The Second Epistle of Paul to the Corinthians
De brief van Paulus aan de Galaten	The Epistle of Paul to the Galatians
De brief van Paulus aan de Efeziërs	The Epistle of Paul to the Ephesians
De brief van Paulus aan de Filippenzen	The Epistle of Paul to the Philippians
De brief van Paulus aan de Kolossenzen	The Epistle of Paul to the Colossians
De eerste brief van Paulus aan de Thessalonicenzen	The First Epistle of Paul to the Thessalonians
De tweede brief van Paulus aan de Thessalonicenzen	The Second Epistle of Paul to the Thessalonians
De eerste brief van Paulus aan Timotheus	The First Epistle of Paul to Timothy
De tweede brief van Paulus aan Timotheus	The Second Epistle of Paul to Timothy
De brief van Paulus aan Titus	The Epistle of Paul to Titus
De brief van Paulus aan Filemon	The Epistle of Paul to Philemon
De brief aan de Hebreeën	The Epistle of Paul to the Hebrews
De brief van Jakobus	The Epistle of James
De eerste brief van Petrus	The First Epistle of Peter
De tweede brief van Petrus	The Second Epistle of Peter
De eerste brief van Johannes	The First Epistle of John
De tweede brief van Johannes	The Second Epistle of John
De derde brief van Johannes	The Third Epistle of John
De brief van Judas	The Epistle of Jude
De Openbaring van Johannes	The Revelation of John

raise money; *met moeite **geld** bijeenbrengen* scrape together some money, raise money with difficulty; *een **leger** bijeenbrengen* raise an army

^{1}**bijeendrijven** [onov ww] ⟨komen samendrijven⟩ pile/stack up ♦ *wat een **vuil** is hier bijeengedreven* what a lot of dirt has piled up here

^{2}**bijeendrijven** [ov ww] ⟨samendrijven⟩ round up, herd/drive together, ⟨politie⟩ have a dragnet ♦ *de herder dreef de **schapen** bijeen* the shepherd herded the sheep together

bijeengaren [ov ww] ⟨form⟩ gather together, ⟨feiten, fortuin⟩ amass, accumulate

bijeenhouden [ov ww] keep/hold together, save, conserve ♦ *zijn **geld** bijeenhouden* save one's money

bijeenkomen [onov ww] meet, assemble, congregate, gather ♦ *bij het (weer) bijeenkomen van de **kamer*** on the (re) assembly of the Chamber/House; *de **vergadering** is bijeengekomen* the meeting has assembled/convened

bijeenkomst [de^{v}] [1] ⟨samenzijn, vergadering⟩ meeting, gathering, assembly, session ♦ *een **drukke** bijeenkomst* a well-attended/crowded meeting; *een **geheime** bijeenkomst* a secret meeting, conclave; *een **gezellige** bijeenkomst* a social (meeting/gathering); *een **politieke** bijeenkomst* a political meeting/rally [2] ⟨ontmoeting⟩ meeting, encounter

bijeenleggen [ov ww] put together, combine ♦ ***geld** bijeenleggen* pool money, club together

bijeenrapen [ov ww] [1] ⟨oprapen en bijeendoen⟩ collect, pick up ♦ *snippers **papier** bijeenrapen* gather up scraps of paper [2] ⟨zomaar bij elkaar brengen⟩ lump together, assemble ♦ *een bijeengeraapt **leger*** a hastily assembled army; *een bijeengeraapt **zootje*** ⟨voorwerpen⟩ a scratch lot, a jumble; ⟨mensen⟩ a mixed bunch [3] ⟨met moeite verzamelen⟩ rally, muster, collect, summon (up/together) ♦ *al zijn **moed** bijeenrapen* muster/summon up one's courage

bijeenroepen [ov ww] call together, convene, convoke ♦ *alle **buren** bijeenroepen* call together all the neighbours; *in algemene **vergadering** bijeenroepen* convene for a general meeting; ***opnieuw** bijeenroepen* reconvene; *het **parlement** bijeenroepen* convene/summon Parliament; *(leden voor) een **vergadering** bijeenroepen* convene (members for) a meeting

bijeenschrapen [ov ww] [1] ⟨met moeite bij elkaar brengen⟩ scrape (up/together) ♦ *bijeengeschraapt(e) **schatten/geld*** a fortune/money scraped together [2] ⟨door schrapen bijeenbrengen⟩ scrape (up/together)

bijeensteken [ov ww] [·] *de **hoofden/koppen** bijeensteken* put heads together

bijeentellen [ov ww] add (up) ♦ ***posten** van een rekening bijeentellen* add up items of an account

bijeentrommelen [ov ww] ⟨inf⟩ drum up

^{1}**bijeenvoegen** [ov ww] ⟨samenvoegen⟩ join, ⟨in/bij elkaar zetten⟩ assemble, ⟨als één beschouwen⟩ lump together, ⟨verenigen⟩ unite, combine ♦ ***opnieuw** bijeenvoegen* rejoin; reassemble; reunite, recombine

^{2}**zich bijeenvoegen** [wk ww] ⟨samenkomen⟩ meet

bijeenzetten [ov ww] put together, place/stand together, combine, ⟨samenvoegen⟩ join, ⟨fig; naast elkaar zetten⟩ juxtapose ♦ ***bewijsplaatsen/argumenten** bijeenzetten* juxtapose/collocate references/arguments; ***stoelen** bijeenzetten* put/place/stand chairs together

^{1}**bijeenzijn** [het] gathering

^{2}**bijeenzijn** [onov ww] be together/gathered ♦ *de **commissie** is bijeengeweest* the commission has met; *als de **kamer** niet bijeen is* when the Chamber is not sitting/is not in session; *de **kring** is/was bijeen* the circle has a meeting/has gathered, the circle (has) met/was together; *het **parlement** is bijeen* Parliament is in session/is sitting; *de **vrienden** zijn bijeen* the friends are together/have gathered

bijeenzoeken [ov ww] collect, gather, get together ♦ *zijn **spullen** bijeenzoeken* collect/gather one's things

bijenboek [het] handbook of bee-keeping, ⟨form⟩ handbook of apiculture

bijendans [de^{m}] bees' dance

bijeneter [de^{m}] bee-eater

bijenhoning [de^{m}] bee honey

bijenhotel [het] bee hotel

bijenhouder [de^{m}] beekeeper, beemaster, apiarist

bijenkap [de] bee veil

bijenkast [de] (bee)hive

bijenkoningin [de^{v}] queen bee ♦ ***onbevruchte** bijenkoningin* virgin queen

bijenkorf [de^{m}] [1] ⟨bijenwoning⟩ beehive, hive [2] ⟨bijen⟩ hive, hiveful of bees [3] ⟨fig⟩ beehive, hive

bijentaal [de] bee language, language of bees

bijenteelt [de] apiculture, bee culture ♦ ***van/met betrekking tot** de bijenteelt* apiarian, apicultural

bijenvolk [het] hive ♦ *het **nijvere** bijenvolk(je)* the busy bees

bijenwas [het, de^{m}] beeswax ♦ *met bijenwas **opboenen*** ⟨ook⟩ beeswax

bijenzwerm [de^{m}] swarm of bees

bijfiguur [de] [1] ⟨minder belangrijke figuur⟩ minor/secondary figure, minor/secondary character, ⟨toneel⟩ supporting actor/actress [2] ⟨figurant⟩ super(numerary) [3] ⟨wisk⟩ subordinate figure

bijgaand [bn] enclosed, appended, attached ♦ *zie bijgaand **briefje*** see enclosed/accompanying note, see note under cover; *de bijgaande **foto*** the photograph enclosed herewith; *de bijgaande **illustraties*** the enclosed illustrations; *de bijgaande **stukken*** the enclosures

bijgebouw [het] annex(e), outbuilding, outhouse

bijgedachte [de^{v}] [1] ⟨onwillekeurig opkomende voorstelling⟩ association [2] ⟨bijbedoeling⟩ ulterior motive/design/object ♦ ***zonder** enige bijgedachte toejuichen* applaud unreservedly

bijgeloof [het] [1] ⟨geloof aan bovennatuurlijke verschijnselen⟩ superstition [2] ⟨hieruit voortvloeiende praktijk⟩ superstition

bijgelovig [bn, bw] [1] ⟨van bijgeloof vervuld⟩ superstitious ⟨bw: ~ly⟩ [2] ⟨door bijgeloof ontstaan⟩ superstitious ⟨bw: ~ly⟩

bijgelovigheid [de^{v}] [1] ⟨geneigdheid⟩ superstition, superstitiousness [2] ⟨vorm, uiting⟩ superstition

bijgeluid [het] noise, background noise ♦ ***storende** bijgeluiden* irritating background noise; interference

bijgenaamd [bn] called, ⟨vnl BE⟩ surnamed, ⟨m.b.t. spotnaam⟩ nicknamed ♦ *Willem, bijgenaamd de **Zwijger*** William called the Silent

bijgerecht [het] side dish

bijgeval [bw] by (any) chance ♦ ***heb** je bijgeval een potlood voor me (te leen)?* do you happen to have a pencil for me?

bijgeven [ov ww] [1] ⟨extra geven⟩ add, ⟨aanvullen⟩ supplement ♦ *geef me nog maar wat **suiker** bij* give me some more sugar, please [2] ⟨kaartsp⟩ follow suit

bijgevolg [bw] as a consequence/result, consequently

bijgewas [het] secondary crop

bijgieten [ov ww] add, ⟨aanvullen⟩ supplement, pour (some more ...)

bijgift [de] grave gift

bijhalen [ov ww] [1] ⟨naderbij halen⟩ pull/draw/bring near(er), bring (up) close(r) ♦ *die **verrekijker** haalt goed bij* those binoculars bring it/them/... (up) quite close [2] ⟨aanhalen (bij deling)⟩ bring down [3] ⟨(voedsel e.d.) aanvullen⟩ get more ♦ *ik zal nog wat **bier** bijhalen* I'll get some more beer

bijharken [ov ww] rake (up) ♦ *een **tuin** bijharken* rake a garden

bijhart [het] pulsating organ

bijholte [de^{v}] ⟨med⟩ paranasal sinus

bijholteontsteking [de^{v}] sinusitis

bijhouden [ov ww] [1] ⟨houden bij iets anders⟩ hold out/up to ♦ *houd je **bord** bij* hold out your plate [2] ⟨gelijk blijven⟩ keep up (with), keep pace (with) ◆ *een* ***auto*** *bijhouden* keep up with a car; *zoveel cadeaus, ik kon* ***het*** *niet bijhouden* so many presents, I lost count/couldn't keep count; ***iemand*** *bijhouden met drinken* ⟨ook⟩ stay with s.o.; *het* ***onderwijs*** *niet kunnen bijhouden* be unable to keep up at school; *de* ***vakliteratuur*** *bijhouden* keep abreast of/keep up with professional literature [3] ⟨niet achter laten raken⟩ keep up to date ◆ *een* ***dagboek*** *bijhouden* keep a diary; *zijn* ***Frans*** *bijhouden* keep up one's French; *een* ***kasboek*** *bijhouden* keep an account book up to date; *de* ***stand*** *bijhouden* keep tally/count/the score

bijhuis [het] ⟨in België⟩ branch, branch-store, branch-establishment, ⟨van grootwinkelbedrijf⟩ chain store, ⟨BE⟩ multiple store/shop

bijkaart [de] [1] ⟨kleine kaart in een grote⟩ inset (map) ◆ *een kaart van Engeland met een bijkaart van* ***Londen*** a map of England with a map of London inset [2] ⟨kaartsp⟩ plain card/suit ◆ *een* ***mooie*** *bijkaart hebben* have a good supporting card/hand

bijkans [bw] well-nigh, almost, nearly

bijkantoor [het] branch (office), ⟨klein postkantoor/filiaal⟩ suboffice ◆ ***op*** *het bijkantoor in Leiden* at the Leiden branch

bijkeuken [de] scullery

bijklank [de^m] ring, ⟨fig ook⟩ undertone, ⟨bijbetekenis ook⟩ connotation, overtone ◆ *een bijklank* ***hebben*** be equivocal, have an undertone

¹**bijkleuren** [onov ww] ⟨wat kleur krijgen⟩ ⟨na ziekte⟩ get a bit of colour back in one's cheeks, ⟨in de zon⟩ get a tan ◆ *zijn bleke gezicht een beetje* ***laten*** *bijkleuren in de zon* get a bit of sun on one's face, get a bit of colour in one's cheeks

²**bijkleuren** [ov ww] ⟨de kleur bijwerken van⟩ touch up (the colour of)

bijklussen [onov ww] have a sideline, ⟨vooral 's avonds⟩ moonlight, ⟨AE⟩ double-dip

bijknippen [ov ww] trim, clip ◆ *zijn* ***haar*** *wat laten bijknippen* have one's hair trimmed (a bit)

bijkomen [onov ww] [1] ⟨weer bij bewustzijn komen⟩ come to/round ◆ ***doen*** *bijkomen* bring to/round, revive [2] ⟨op adem komen⟩ (re)gain (one's) breath, pick (o.s.) up, recover (o.s.) ◆ *ik moet eerst* ***even*** *bijkomen* I'll have to recover myself/get my breath (back) first; ***niet*** *meer bijkomen (van het lachen)* be in fits (of laughter), be helpless/overcome (with laughter) [3] ⟨flinker, gezonder worden⟩ recover, gain (weight), put on flesh, ⟨opbloeien⟩ revive ◆ *zij is* ***goed*** *bijgekomen* she has made a proper recovery; *na lang verval komt de* ***handel*** *weer wat bij* after a long decline trade is gaining ground once more/is reviving (once more)

bijkomend [bn] additional, added, accessory, attendant, concomitant, incidental, ⟨ondergeschikt⟩ subordinate ◆ *bijkomende* ***hulpmiddelen*** additional aids; *bijkomende* ***kleuren*** matching colours; *de dichtst bijkomende* ***maat*** the nearest size; *bijkomende* ***omstandigheden/onkosten*** incidental/concomitant circumstances, additional/attendant/incidental/extra expenses; *een bijkomend* ***recht/voordeel*** ⟨behorend bij bepaald eigendom⟩ appurtenant right/benefit; ⟨jur⟩ *bijkomende* ***verbintenissen*** collateral obligations [•] ⟨med⟩ *bijkomende* ***zenuw*** accessory nerve

bijkomstig [bn] ⟨toevallig⟩ accidental, incidental, concomitant, ⟨niet wezenlijk⟩ inessential, external, ⟨ondergeschikt⟩ secondary, subordinate ◆ *dat is* ***iets*** *bijkomstigs* that is a side issue, that is of secondary/subordinate importance; *bijkomstige* ***omstandigheden*** incidental factors/circumstances, inessentials

bijkomstigheid [de^v] incidental circumstance ⟨meestal mv⟩, inessentials ⟨alleen mv⟩, adjunct ◆ *door* ***allerlei*** *bijkomstigheden is het werk lang opgehouden* through various incidental circumstances the work has suffered a long delay; *wanneer we in het nieuwe huis trekken is maar een bijkomstigheid* the date we move into the new home is of secondary consideration

bijkopen [ov ww] buy (sth.) in addition, buy (sth.) to match, buy additional/extra (sth.) ◆ *het bijkopen van* ***materiaal*** additional purchase(s) of material; ***onderdelen*** *bijkopen* buy extra spare parts

¹**bijkrabbelen** [onov ww] ⟨inf⟩ [1] ⟨achterstand inlopen⟩ pick up, catch up [2] ⟨beter worden⟩ pick up, improve ◆ *hij is weer* ***aardig*** *bijgekrabbeld* he has picked up nicely again

²**bijkrabbelen** [ov ww] ⟨bijschrijven⟩ scribble (besides/below/in addition), add ◆ *enige bijgekrabbelde* ***woorden*** a few words scribbled in the margin/between the lines/a few scribbled words

bijkrediet [het] ⟨in België⟩ supplementary grant/credit/loan

bijl [de] axe, ⟨AE⟩ ax, ⟨kleine bijl⟩ hatchet ◆ ⟨fig⟩ *met de* ***botte*** *bijl* like a bull at the gate/in a china shop, heavy-handedly, hamfistedly, hamhandedly; ⟨fig⟩ *er met de* ***botte*** *bijl op in hakken* lay into sth./s.o., go about sth. in a heavy-handed way; ⟨ingrijpende maatregelen treffen⟩ take draconian measures; *een* ***dubbele*** *bijl* a double axe; ⟨fig⟩ *ik heb al vaker met dat bijltje* ***gehakt*** I'm an old hand at it/at that game; ⟨fig⟩ *de bijl aan de wortel* ***leggen*** strike at the roots (of ...); ⟨fig⟩ *(onherroepelijk)* ***voor*** *de bijl gaan* give in, bow before the storm, capitulate [•] *het bijltje erbij* ***neergooien*** chuck it, knock off, call it a day; ⟨ook het opgeven⟩ sign off

bijl. [afk] (bijlage) enc(l)

¹**bijladen** [ov ww] ⟨de lading aanvullen⟩ ⟨accu⟩ recharge

²**bijladen** [ov ww, ook abs] ⟨aan de lading toevoegen⟩ ⟨lading⟩ take in additional cargo, complete/supplement the cargo (with), fill up (with), ⟨brandstof⟩ refuel, bunker ◆ *het schip* ***moet*** *daar bijladen* the ship has to bunker/take in cargo/fill up (with ...) there; ***zand*** *bijladen* fill up with sand

bijlage [de] enclosure, ⟨aanhangsel⟩ appendix, annex(e), ⟨bij wet⟩ schedule, ⟨los, meegevouwen vel⟩ inset, ⟨bij krant/tijdschrift⟩ supplement, ⟨comp⟩ attachment ◆ ***als/in*** *bijlage* ⟨ook⟩ under cover; *een* ***losse*** *bijlage* a loose supplement, lift-out pages

bijlange [bw] [•] *bijlange (na)* ***niet*** not anything like (as nice/good/...), not nearly (so nice/good/...); ⟨inf⟩ not by a long shot/chalk!

bijlbrief [de^m] builder's certificate

bijlegbestek [het] serving utensils

¹**bijleggen** [onov ww] ⟨scheepv⟩ lay to/by

²**bijleggen** [ov ww] ⟨goedmaken⟩ settle, reconcile ◆ *een* ***geschil*** *bijleggen* settle a dispute; ***het*** *bijleggen* make up; *een* ***ruzie*** *bijleggen* patch up a quarrel

³**bijleggen** [ov ww, ook abs] ⟨bijbetalen⟩ contribute, pay, ⟨bijpassen⟩ make up ◆ *als ik het zo verkoop, moet ik* ***erop*** *bijleggen* if I sell it like this, I lose (money) on/by it; *het* ***tekort*** *bijleggen* make up the deficit

bijles [de] coaching, extra lessons, ⟨AE ook⟩ tutoring ◆ *bijles Engels* ***geven*** coach in English

bijleveren [ov ww] supply ((something) in addition/extra), ⟨aanvullen⟩ supplement, ⟨iets bijpassends⟩ (supply (sth.) to) match ◆ *de* ***delen*** *van dit servies kunnen altijd worden bijgeleverd* replacement parts of this dinner service will remain available; ***vervangingsonderdelen*** *worden bijgeleverd* spare parts are (also) supplied (with the apparatus/machine)

bijlichten [ov ww] light ◆ ***iemand*** *bijlichten* give (a) light to s.o., light s.o./s.o.'s way

bijliggen [onov ww] ⟨herinnering⟩ have a feeling/recollection, ⟨voorgevoel⟩ have a presentiment ◆ *er ligt me* ***zoiets*** *bij van een ongeluk, dat hem overkomen is* I have a vague feeling/I seem to remember that there was an accident, involving him

bijlslag [de^m] stroke of the axe/^{A}ax/hatchet

bijltjesdag [de^m] [1] ⟨gesch⟩ ± day of reckoning [2] ⟨uur van de waarheid⟩ moment of truth

bijmaan [de] ⟨astron⟩ paraselene, mock moon, moon dog

bijmaken [ov ww] make ((something) in addition/extra), ⟨aanvullen⟩ supplement, ⟨bijpassend iets⟩ (make (sth.) to) match ◆ *het is niet in voorraad, maar het* ***kan*** *voor u bijgemaakt worden* it's not in stock but it can be made specially for you; *die leerling moet nog* ***sommen*** *bijmaken* that pupil must do some more sums
bijmengen [ov ww] ⟨meer van hetzelfde⟩ mix again, ⟨bijpassend iets⟩ match ◆ *kunt u deze* ***kleur*** *voor me bijmengen?* can you once more mix this colour for me?, can you match this colour for me?
bijna [bw] almost, nearly, ⟨voor telwoorden enz. ook⟩ close on, ⟨in samenstellingen⟩ near ◆ *bijna* ***alles*** *(van iets)* ⟨ook⟩ the best part (of ...); *bijna de hele* ***dag*** ⟨ook⟩ the best part of the day; *bijna* ***gaan huilen*** be close to tears; *bijna* ***klaar*** almost/nearly ready; *bijna* ***niet*** hardly (at all), scarcely (at all); *er was bijna* ***niets*** *over* there was hardly anything/next to nothing left; *bijna* ***niets/niemand/nooit/geen*** almost nothing/no-one/never/none; ⟨ook⟩ hardly anything/anyone/ever/any; *bijna* ***onmogelijk*** next to impossible; *het was bijna* ***raak*** it was a near miss; *Jan is bijna* ***tien*** Jan is almost ten; *het is bijna tien* ***uur*** ⟨vnl BE⟩ it is getting on for ten; *ze viel bijna* ***flauw*** she nearly/all but fainted; *ik was bijna niet* ***gegaan*** I almost/nearly didn't go; *bijna* ***wit*** almost/off white; *bijna* ***zestig jaar/zestig mensen*** close on sixty/sixty people; *bijna* ***zoveel*** nearly/almost as much
bijnaam [de^m] 1 ⟨spotnaam⟩ nickname ◆ *dat* ***bezorgde*** *haar de bijnaam van* that earned her the nickname of; *iemand de bijnaam X* ***geven*** nickname/dub a person X; *hij droeg de bijnaam* ***van*** *Buikje* he was nicknamed/carried the nickname of Potbelly 2 ⟨toegevoegde naam⟩ surname, epithet ◆ *Hendrik IV verdiende de bijnaam* ***van*** *'de Grote'* Henry IV earned himself the epithet/surname of 'the Great'
bijna-botsing [de^v] near-miss, near-collision
bijna-doodervaring [de^v] near-death experience
bijnier [de] adrenal gland, ⟨van mens soms ook⟩ suprarenal gland
bijniermerg [het] adrenal medulla
bijnierschors [de] adrenal cortex
bijnierschorshormoon [het] adrenocorticotropic hormone
bijnummer [het] ⟨ook fig⟩ side-show
bijou [het] bijou, ⟨ook fig⟩ jewel, gem, ⟨van geringe waarde⟩ trinket
bijouterie [de^v] 1 ⟨voorwerpen⟩ bijouterie, jewellery, ⟨AE⟩ jewelry ⟨geen mv⟩, ⟨van geringe waarde⟩ trinketry, trinkets 2 ⟨winkel⟩ jeweller's (shop)
bijpassen [ov ww, ook abs] pay, contribute, ⟨aanzuiveren⟩ make up (the difference) ◆ *een* ***euro*** *bijpassen* ⟨ook⟩ find a euro; *je zult* ***moeten*** *bijpassen* you will have to pay/make up the difference; *een* ***tekort*** *bijpassen* pay a deficit
bijpassend [bn] matching, to match ⟨na zn⟩ ◆ *een spijkerbroek met bijpassend* ***jack*** jeans and a jacket to match
bijplakken [ov ww] • *een* ***postzegel*** *bijplakken* affix an additional stamp
bijplaneet [de] satellite, secondary (planet)
bijpleisteren [ov ww] 1 ⟨pleisterwerk aanvullen⟩ repair the plastering 2 ⟨fig⟩ patch up
bijplussen [ww] provide extra government funding above the previously approved budget
bijpraten [ov ww, ook abs] catch up (on news/gossip) ◆ *we moeten weer* ***eens*** *bijpraten* we should have a good long talk soon, we need to catch up one of these days; *we zijn weer* ***helemaal*** *bijgepraat* we're au fait again; *we hadden heel* ***wat*** *bij te praten* we had a lot to tell each other
bijproduct [het] by-product, residual product, spin-off ◆ *de gasfabrieken* ***leveren*** *tal van bijproducten* the gasworks yield numerous by-products
bijpunten [ov ww] 1 ⟨puntig bijwerken⟩ point, give (sth.) a point, sharpen, cut into a point 2 ⟨scherper maken⟩ sharpen 3 ⟨m.b.t. haar⟩ trim
bijregelen [ov ww] regulate, ⟨met knop⟩ readjust, ⟨automatisch⟩ control
bijrijder [de^m] substitite-driver, ⟨BE⟩ driver's mate, ⟨bij wedstrijd⟩ co-driver
bijrol [de] ⟨dram, lit⟩ ⟨ook fig⟩ supporting role/part
bijschaven [ov ww] 1 ⟨glad schaven⟩ plane (down) 2 ⟨fig⟩ polish (up), refine, touch up ◆ *je mag je* ***Frans*** *weleens bijschaven* your French needs a brush-up; *een* ***opstel*** *bijschaven* touch/polish up an essay; *zijn* ***stijl*** *bijschaven* polish/refine one's style
bijschenken [ov ww, ook abs] pour, ⟨glas⟩ fill up ◆ *wil je* ***nog eens*** *bijschenken?* will you pour (us) another cup?; *zal ik* ***nog eens*** *bijschenken?* may I fill you up/^{A}freshen your drink?; ***thee*** *bijschenken* pour more tea
bijschilderen [ov ww] touch up, repaint, paint (sth.) over
bijschildklier [de] parathyroid (gland)
bijscholen [ov ww] give further training ◆ ***zich*** *bijscholen* go on/take/attend a training/refresher course
bijscholing [de^v] (extra) training, in-service training, refresher course
bijscholingscursus [de^m] further training course
bijschrift [het] 1 ⟨onderschrift⟩ caption, legend, ⟨in platenboek⟩ letterpress 2 ⟨kanttekening⟩ note
bijschrijven [ov ww] 1 ⟨toevoegen, bijboeken⟩ enter, include, add ◆ ***op*** *een lijst bijschrijven* include in a list, list; ***op*** *iemands tegoed/rekening bijschrijven* credit to s.o.('s account); ***rente/een post*** *bijschrijven* enter interest/an item 2 ⟨bijhouden⟩ enter, book, keep/write up ◆ *iemands* ***boeken*** *bijschrijven* keep up s.o.'s books, keep s.o.'s books (up to date)
bijschrijving [de^v] 1 ⟨het bijschrijven, -boeken⟩ entering (in the books) 2 ⟨het bijgeschrevene, bijgeboekte⟩ amount/item/... entered, entry, addition, insertion 3 ⟨het door schrijven bijhouden⟩ keeping (of the books/the books up to date)
[1]**bijschuiven** [onov ww] ⟨mede aan tafel gaan zitten⟩ join
[2]**bijschuiven** [ov ww] ⟨naderbij schuiven⟩ pull/draw (a chair) up to (the table)
bijslaap [de^m] ⟨form⟩ 1 ⟨coïtus⟩ intercourse, coition, copulation 2 ⟨persoon⟩ bedfellow, lover, mate, partner
bijslag [de^m] 1 ⟨bijkomend voordeel⟩ bonus, supplement, extra allowance 2 ⟨extra heffing⟩ extra charge, supplementary/additional payment, surcharge
bijslapen [ww] catch up on one's sleep ◆ *ik* ***moet*** *eerst eens bijslapen* I have to catch up on my sleep first
bijslijpen [ov ww] 1 ⟨slijpend bewerken⟩ ⟨potlood, mes⟩ sharpen, cut, grind 2 ⟨fig⟩ polish (up), refine
bijsloffen [ww] ⟨inf⟩ 1 ⟨lopend bijhouden⟩ keep up (with) ◆ *niet zo snel, ik* ***kan*** *je niet bijsloffen* not so fast, I can't keep up with you; *ik kan dit* ***tempo*** *niet bijsloffen* ⟨ook figuurlijk⟩ I can't keep up this pace 2 ⟨volgen met het begrip⟩ keep up, manage ◆ *ik doe echt mijn best, maar ik* ***kan*** *het niet bijsloffen* I do my very best, but I can't keep up/manage
bijsluiter [de^m] information/instruction leaflet, instructions (for use)
bijsmaak [de^m] taste, flavour, smack ◆ *een bijsmaakje* ***hebben*** ⟨lett⟩ have a funny/bad taste/flavour; ⟨fig⟩ be a bit doubtful/shady, ⟨sl⟩ be a bit fishy; *een* ***politieke*** *bijsmaak hebben* have a political flavour/a smack of politics
bijsnijden [ov ww] 1 ⟨aan het gesnedene toevoegen⟩ ◆ *nog wat plakken* ***koek*** *bijsnijden* cut some more slices of cake 2 ⟨snijdend afwerken⟩ cut (to shape), trim
bijsnoeien [ov ww] ⟨heg⟩ clip, trim
bijspelen [ov ww] ⟨sport⟩ follow, play ◆ *de gevraagde* ***kleur*** *bijspelen* follow suit
[1]**bijspijkeren** [onov ww] ⟨herstellen⟩ catch up, recover ◆ *hij is weer* ***aardig*** *bijgespijkerd* he has recovered nicely
[2]**bijspijkeren** [ov ww] 1 ⟨op het vereiste niveau brengen⟩ brush up ◆ *zijn* ***kennis*** *bijspijkeren* brush up one's knowl-

edge; *een zwakke **leerling** bijspijkeren* bring a weak pupil up to standard [2] ⟨door spijkeren herstellen⟩ nail back in place, nail back up [3] ⟨bijbetalen⟩ make up (the deficit/difference), chip in (an amount)

bijspringen [ov ww, ook abs] support, step in (for s.o.) ♦ ***iemand** bijspringen* support s.o., come to s.o.'s aid/help/rescue, help s.o. out; *vader **moet** nogal eens bijspringen* father has to step in every now and then

1**bijstaan** [onov ww] [1] ⟨vaag herinnerd worden⟩ dimly recollect ♦ *er staat me **iets** bij van een vergadering waar hij heen zou gaan* I dimly recollect/I have a vague feeling that he was to go to a meeting [2] ⟨scheepv⟩ be set ♦ *de **zeilen** staan bij* the sails are set

2**bijstaan** [ov ww] ⟨helpen⟩ assist, aid, help, ⟨jur⟩ act for ♦ *iemand bijstaan **in** de nood* stand by s.o. in their hour of need, come to s.o.'s assistance; *iemand **met** raad en daad bijstaan* assist s.o. in work and deed, advise and assist s.o.; *de hemel sta **mij** bij!* God help me!; *een **stervende** bijstaan* lend succour to a dying person; ⟨van geestelijke⟩ say the last rites over/perform the last rites to a dying person

bijstand [de^{m}] [1] ⟨financiële hulp⟩ assistance, ⟨vnl. bij rampen⟩ relief, ⟨van de sociale dienst; Groot-Brittannië⟩ social security, supplementary benefit, ⟨USA⟩ welfare ♦ ***bijzondere** bijstand* supplementary benefit; ***in** de bijstand zitten* be on social security/welfare; ***in** de bijstand terechtkomen/gaan* go on social security/welfare/the dole; *hij **leeft van** de bijstand* he's on social security/the dole/on welfare; *bureau voor **rechtskundige** bijstand* legal aid bureau; ***sociale** bijstand* social security, welfare [2] ⟨instantie⟩ ⟨Groot-Brittannië⟩ Social Security, ⟨USA⟩ Welfare [3] ⟨hulp, ondersteuning⟩ assistance, aid, help, relief, support ♦ ***geestelijke** bijstand* spiritual aid, ministration; ***militaire** bijstand* military aid/support/relief/assistance; ***rechtskundige** bijstand* ⟨rechtshulp⟩ legal aid; ⟨alg⟩ legal advice; *bijstand **verlenen*** render assistance

bijstandsfraude [de] social security fraud

bijstandsgezin [het] ⟨Groot-Brittannië⟩ family on social security, ⟨USA⟩ welfare family

bijstandsmoeder [de^{v}] ⟨Groot-Brittannië⟩ mother on social security, ⟨USA⟩ welfare mother

bijstandsniveau [het] ⟨BE⟩ supplementary benefit level, ⟨AE⟩ welfare level, ⟨bestaansminimum⟩ subsistence level ♦ *hij zit net **boven** bijstandsniveau* he lives just above subsistence level

bijstandsteam [het] emergency team

bijstandsuitkering [de^{v}] ⟨Groot-Brittannië⟩ social security (payment), ⟨USA⟩ welfare (payment) ♦ ***aanvullende** bijstandsuitkering* supplementary benefit

bijstandsvrouw [de^{v}] ⟨Groot-Brittannië⟩ woman on social security, ⟨USA⟩ woman on welfare

bijstandswet [de] ⟨Groot-Brittannië⟩ Social Security Act

bijstandtrekker [de^{m}] ⟨Groot-Brittannië⟩ person on social security, ⟨USA⟩ person on welfare, ⟨mv ook⟩ those on social security, ⟨beled; USA⟩ welfarite

bijstellen [ov ww] [1] ⟨in de juiste stand brengen⟩ (re-)adjust [2] ⟨aanpassen⟩ (re-)adjust ♦ *een **beleid** bijstellen* revise a policy; *het **regeerakkoord** zal worden bijgesteld* the coalition agreement will be adjusted

bijstelling [de^{v}] [1] ⟨het in de juiste stand brengen⟩ (re-)adjustment [2] ⟨het aanpassen⟩ (re-)adjustment [3] ⟨taalk⟩ apposition

bijstellingszin [de^{m}] appositional clause

1**bijster** [bn] ⟨niet meer wetend⟩ off, on the wrong track ♦ *het **spoor** bijster raken/worden* lose the scent/one's way; *iemand het **spoor** bijster maken/doen worden* put s.o. off the track

2**bijster** [bw] ⟨zeer⟩ unduly ⟨niet ironisch⟩, (none) too ⟨alleen negatief⟩ ♦ *de tuin is niet bijster **groot*** the garden is none too large; *hij is niet bijster **slim*** he's none too bright; *ze was niet bijster onder de indruk* she was not impressed

bijstorten [ov ww] [1] ⟨fin, handel⟩ pay (a supplement), supplement, ⟨op aandelen⟩ pay a call [2] ⟨bijvoegen door storten⟩ deposit

bijsturen [ov ww, ook abs] [1] ⟨m.b.t. een schip, voertuig⟩ steer (away from/clear of/towards) [2] ⟨fig⟩ steer away from, steer clear of, ⟨plan, actie⟩ adjust

bijt [de] hole (in the ice) ♦ *een bijt **hakken*** cut a hole in the ice; *een vreemde eend **in** de bijt* an intruder/outsider, the odd one out

bijtanken [onov ww] [1] ⟨nieuwe brandstof innemen⟩ refuel [2] ⟨fig⟩ replenish one's reserves, recharge one's battery

1**bijtekenen** [onov ww] ⟨zich verbinden langer in dienst te blijven⟩ renew a contract ♦ *hij heeft (**voor** 6 jaar) bijgetekend* ⟨mil⟩ he has re-enlisted, he has enlisted/signed (for six more years)

2**bijtekenen** [ov ww] ⟨in een tekening bijwerken⟩ touch up

bijtellen [ov ww] add (to)

1**bijten** [onov ww] [1] ⟨de tanden in iets zetten⟩ bite ♦ ⟨fig⟩ ***in** het zand bijten* bite/lick/kiss/eat the dust; ***in** een appel bijten* bite an apple; *om (rauw) **in** te bijten* ⟨fig⟩ good enough to eat; ***van** zich af bijten* bite back, give (s.o.) tit for tat, give as good as one gets, stick up for o.s.; ⟨snauwen⟩ give (s.o.) the rough side of one's tongue; *ze **willen** vandaag/het **wil** hier niet bijten* they won't bite today/here, I haven't had a bite today/here [2] ⟨sterk prikkelen⟩ sting, smart ♦ *de kou bijt **in** het gezicht* the cold is biting; *peper bijt **op** de tong* pepper burns the tongue; *de **wond** bijt geweldig* the wound smarts/stings terribly [3] ⟨scheik⟩ be corrosive, etch, bite into, burn ♦ *het zuur bijt **in** de **plaat*** the acid bites into the plate [•] ⟨sprw⟩ *blaffende honden bijten niet* ± his bark is worse than his bite

2**bijten** [ov ww] ⟨door bijten in een toestand brengen⟩ bite ♦ *elkaar **niet** bijten* ⟨bijvoorbeeld van opvattingen, ideeën⟩ be compatible, not be contradictory; *iets **stuk** bijten* bite sth. to pieces

3**bijten** [ov ww, ook abs] ⟨de tanden zetten in⟩ bite ♦ *ik zal je heus **niet** bijten* I won't eat you

1**bijtend** [bn] [1] ⟨wat bijt⟩ biting, sharp, snappy ♦ *bijtend **paard*** biting/snappish horse [2] ⟨invretend⟩ biting, corrosive, caustic ♦ *een bijtende **damp*** a corrosive vapour; *bijtende **kalk*** quicklime, live lime; *bijtend **middel*** caustic substance; ⟨voor metaal⟩ pickle; ⟨voor verf⟩ solvent; *bijtende **stoffen*** corrosive/caustic substances, caustics [3] ⟨hekelend⟩ biting, caustic, mordant, scalding, stinging ♦ *een bijtende **kritiek*** biting/stinging criticism; *bijtende **spot*** sarcasm, stinging/pungent/sarcastic mockery

2**bijtend** [bw] ⟨op scherpe, kwetsende wijze⟩ bitingly, sharply, stingingly, sarcastically

bijter [de^{m}] fighter, scrapper ⟨ook agressief⟩ ♦ *die **journalist** is een bijtertje* that journalist is a real terrier/just won't let go

bijtijds [bw] [1] ⟨vroegtijdig⟩ early ♦ ***sta** morgen wat bijtijds **op*** get up early/on time tomorrow [2] ⟨op tijd⟩ early, (well) in advance ♦ *bijtijds de nodige maatregelen **nemen*** take measures (well) in advance, take early measures

bijtmiddel [het] solvent, ⟨voor verf ook⟩ paint remover, ⟨voor metaal⟩ pickle

bijtoon [de^{m}] combination tone, ⟨boventoon⟩ overtone

bijtreden [ov ww] ⟨in België⟩ → **bijvallen**

1**bijtrekken** [onov ww] [1] ⟨zich herstellen⟩ straighten (out), improve, get right ♦ *die **kleuren** zijn al bijgetrokken* those colours have blended in nicely; *het **weer** trekt bij* the weather is improving [2] ⟨in een beter humeur komen⟩ come (a)round ♦ *hij trekt wel **weer** bij* he'll come round all right

2**bijtrekken** [ov ww] ⟨naderbij trekken⟩ pull up, draw up/near ♦ *trek de **tafel** wat bij* pull the table a bit closer

bijtring [de^m] teething ring

bijvak [het] ⟨BE⟩ subsidiary (subject), ⟨AE⟩ minor (subject) ◆ *afstuderen met als bijvak* ... graduate with a ^{B}subsidiary/^{A}minor in ...; *het examen omvat een **hoofdvak** en twee bijvakken* the examination comprises one main subject and two subsidiaries/minors; *een student **in** een bijvak* ⟨BE⟩ a subsidiary student, ⟨AE⟩ a minor

bijval [de^m] approval, approbation, ⟨aanvaarding⟩ acceptance, ⟨applaus⟩ applause, ⟨steun⟩ support ◆ *geen bijval vinden* fail to gain approval; *die maatregel vond **grote** bijval* that measure was widely approved/supported/applauded; *bijval **oogsten/schenken*** gain support/applause; support, approve, applaud

bijvallen [ov ww] agree (with), ⟨idee⟩ applaud, ⟨persoon, idee⟩ support, back up ◆ *velen vielen **haar** bij* many people took her side/sided with her; ***iemand** bijvallen* ⟨in gesprek⟩ go along with s.o., agree with s.o.; *de **oppositie** bijvallen* go with the opposition

bijvalsbetuiging [de^v] applause, cheer(s)

bijveld [het] ⟨sport⟩ side-field

^{1}**bijverdienen** [onov ww] ⟨een extra inkomen inbrengen⟩ supplement the family income ◆ *een paar **pond** bijverdienen* earn a few pounds extra; *zijn **vrouw** verdient aardig bij* his wife makes a fair supplementary income/has a nice sideline

^{2}**bijverdienen** [ov ww] ⟨extra verdienen⟩ have/earn an additional income, have a sideline, moonlight

bijverdienste [de^v] [1] ⟨extra verdienste⟩ extra earnings, extra/additional/supplementary income ◆ *als bijverdienste* as an extra; ***haar** bijverdiensten* the extra money she earns/makes; *hij **heeft** veel bijverdiensten* he earns/makes a lot of extra money; *weinig **kans** op bijverdiensten* little chance of adding to one's income; *een **welkome** bijverdienste* a welcome addition to one's income; *bijverdiensten **zoeken*** try to supplement one's income/look for spare-time employment [2] ⟨aanvullende verdienste⟩ extra/additional/supplementary/spare-time income

bijverschijnsel [het] additional effect, side effect, ⟨med⟩ additional symptom

bijverven [ov ww] ⟨het beschadigde⟩ touch up, ⟨het nog niet geverfde⟩ finish off painting, paint ◆ *de **deuren** wat bijverven* touch up the doors

bijverzekeren [ov ww] insure (additionally) ◆ *zich bijverzekeren **voor** extra onkosten* insure o.s./take out additional insurance against extra expenses

bijvijlen [ov ww] [1] ⟨door vijlen afwerken⟩ touch up, file a bit, (finish off with a) file [2] ⟨fig⟩ touch up, polish up ◆ *een **gedicht/zin** nog wat bijvijlen* touch up/polish up a poem/sentence

bijvoeding [de^v] supplementary/additional feeding

bijvoegen [ov ww] add, ⟨bijsluiten⟩ enclose, ⟨aanhechten⟩ attach, ⟨documenten; form⟩ append, annex, ⟨form⟩ subjoin ⟨zin aan het einde⟩ ◆ *bijgevoegde **cheque*** enclosed cheque; *nog een **postscriptum** bijvoegen* add a postscript; *enige **voorbeelden** bijvoegen* add a few examples

^{1}**bijvoeglijk** [bn] ⟨taalk⟩ ⟨nader bepalend⟩ adjectival ◆ *bijvoeglijke **bepaling*** attributive adjunct; *bijvoeglijk **naamwoord*** adjective; *als bijvoeglijk **naamwoord** gebruikt* used adjectivally/adjectively/as an adjective

^{2}**bijvoeglijk** [bw] ⟨taalk⟩ ⟨als bijvoeglijke bepaling⟩ attributively ◆ *een bijvoeglijk **gebruikt** voornaamwoord/telwoord* a pronoun/number used attributively

bijvoegsel [het] supplement, addition, ⟨bij boek⟩ addendum, ⟨taalk⟩ affix ◆ *bij dit nummer **hoort** een bijvoegsel* there is a supplement with this issue; *het **zaterdags** bijvoegsel* the Saturday supplement

bijvoorbeeld [bw] for example, for instance ◆ ***Jan**, bijvoorbeeld, heeft bezwaren* John, for one, objects; *iets moeilijks, bijvoorbeeld theoretische **natuurkunde*** sth. difficult, theoretical physics, say/say, theoretical physics; *een leider zoals bijvoorbeeld de paus* a leader such as the Pope/like the Pope

bijvrouw [de^v] [1] ⟨vrouw naast de hoofdvrouw⟩ concubine [2] ⟨concubine⟩ concubine

bijvullen [ov ww] top up (with), ⟨vol doen⟩ fill up (with), replenish ◆ *een **glas/tank** bijvullen* top up/fill up a glass/tank

bijwagen [de^m] trailer (coach/car) ◆ ***in** de bijwagen zitten* ⟨fig⟩ play second fiddle, take second place

bijwerken [ov ww] [1] ⟨gelijkbrengen, aanvullen⟩ improve, catch up (on), ⟨bij de tijd brengen⟩ bring up to date, update, ⟨leerling, student⟩ coach, ⟨met nieuws⟩ fill in ◆ *hij moet zijn **aardrijkskunde** nog wat bijwerken* he has to catch up on his geography; *een **dagboek** bijwerken* bring a diary up to date; *nieuwe bijgewerkte **druk*** new updated edition; *een **kasboek** bijwerken* bring a cashbook up to date [2] ⟨netter afwerken⟩ touch/tidy up, rework, ⟨schilderij⟩ retouch ◆ *de **tekening** nog wat bijwerken* touch up the drawing [3] ⟨bijverdienen⟩ also work, earn additional/supplementary/extra income ◆ *zijn vrouw **moet** bijwerken* his wife has to work as well

bijwerking [de^v] [1] ⟨bijkomende werking⟩ side effect ◆ *deze medicijnen hebben een **vervelende** bijwerking* these medicines have an unpleasant side effect [2] ⟨het bijwerken, gelijkbrengen⟩ catching up, bringing up to date, updating, ⟨van leerling⟩ coaching [3] ⟨het afwerken⟩ touching up, finishing touches

bijwijlen [bw] ⟨form⟩ on occasion, (every) now and then, (every) once in a while

bijwonen [ov ww] attend, be present at ◆ *de **dienst** bijwonen* attend the service; *de **mis** bijwonen* hear/attend/go to mass

bijwoord **1/2**

hoofdregel

bijwoorden worden gevormd door toevoeging van -ly
sincere – sincerely
logical – logically
nice – nicely

uitzonderingen

· -llly bestaat niet
full – fully
· -y wordt -ily
happy – happily
dry – drily
gay – gaily
· -e valt weg
terrible – terribly
idle – idly
true – truly
whole – wholly
· -ic wordt -ically
basic – basically
drastic – drastically

bijwoord [het] ⟨taalk⟩ adverb

^{1}**bijwoordelijk** [bn] ⟨taalk⟩ ⟨als bijwoord dienstdoend⟩ adverbial ◆ *bijwoordelijke **bijzin*** adverbial clause; *bijwoordelijk **gebruik*** adverbial use/usage

^{2}**bijwoordelijk** [bw] ⟨taalk⟩ ⟨in de functie van bijwoord⟩ adverbially ◆ *bijwoordelijk **gebruikt*** used adverbially

bijz. [afk] (bijzonder) esp

bijzaak [de] side issue, matter of secondary/minor importance, (minor) detail, minor consideration/point, irrelevance ◆ *een betoog dat zich **in** bijzaken verliest* an argument that gets bogged down in inessentials/details/trivialities/side issues; *dat is bijzaak!* that is irrelevant/not important

bijwoord 2/2

· soms verandert het woord niet van vorm
a far journey – we travelled far
a fast horse – he ran fast
a long time – don't be long
a loud voice – speak out loud
a little amount – we little expected
· bij sommige woorden komt een bijwoordsvorm op -ly voor, maar met een andere betekenis
hard work – work hard
hardly = nauwelijks
near relation – come near
nearly = bijna
a late train – the train arrived late
lately = de laatste tijd
a close friend – stay close together
closely = nauwlettend

bijzettafel [de], **bijzettafeltje** [het] ⟨BE⟩ occasional table, ⟨BE⟩ side table, ⟨AE⟩ end table
bijzettafeltje [het] → **bijzettafel**
bijzetten [ov ww] 1 ⟨plaatsen bij⟩ add ♦ *een paar* ***stoelen*** *bijzetten* add a few (extra) chairs 2 ⟨begraven⟩ inter, bury 3 ⟨toevoegen⟩ add ♦ *aan iets* ***luister*** *bijzetten* add lustre to sth., shed lustre on sth., raise the tone of sth. 4 ⟨scheepv⟩ set ♦ *een* ***zeil*** *bijzetten* set a sail 5 ⟨spel⟩ increase one's stake, increase the stakes
bijzetting [de^v] interment, burial
bijziend [bn] short-sighted, near-sighted, myopic ♦ *hij is bijziend(e)* he is short-sighted/near-sighted; *bijziende* ***ogen*** short-sighted eyes
bijziendheid [de^v] short-sightedness, near-sightedness, myopia, myopy
bijzijn [het] presence ♦ ***in*** *(het) bijzijn van* in the presence of, in front of
bijzin [de^m] ⟨taalk⟩ subordinate clause, (dependent) clause
bijzit [de^v] 1 ⟨concubine⟩ concubine, mistress 2 ⟨in België; minnaar⟩ lover
bijzitten [onov ww] ⟨in België⟩ sit next to s.o.
bijzitter [de^m] 1 ⟨bijstaand rechter, bestuurder⟩ assessor 2 ⟨toeluisterende examinator⟩ external/assistant/second examiner
bijzon [de] mock sun, parhelion, sun dog
¹bijzonder [bn] 1 ⟨niet algemeen⟩ particular ♦ *van het algemene tot* ***het*** *bijzondere afdalen* go/pass from the general to the particular; ***in*** *het bijzonder* in particular, especially; *het geldt voor allemaal, maar voor u* ***in*** *het bijzonder* it applies to everyone, but to you in particular, particularly/especially to you; *de algemene en de bijzondere* ***scheikunde*** general and special chemistry 2 ⟨ongewoon⟩ special, extraordinary, exceptional, unusual ♦ ***iets*** *bijzonders* sth. special; *een bijzonder* ***kind*** an exceptional child; *het is* ***niets*** *bijzonders* it is nothing special/out of the ordinary 3 ⟨zonderling⟩ peculiar, unique, rare, strange, funny, ⟨excentriek⟩ eccentric ♦ *hij* ***was*** *altijd een beetje bijzonder* he always was a bit peculiar/strange/funny 4 ⟨zeer groot⟩ special ♦ *een bijzondere* ***aantrekkingskracht*** *uitoefenen* exert a special/very great attraction; *(een zaak) van bijzonder* ***belang*** (a matter) of special/extreme/exceeding/outstanding importance 5 ⟨niet van de overheid⟩ private ♦ *bijzonder* ***onderwijs*** private education; ⟨confessioneel⟩ denominational education; *een bijzondere* ***school*** a private school; ⟨op religieuze grondslag⟩ a denominational school 6 ⟨zeer speciaal⟩ particular, special ♦ *met bijzondere* ***zorg*** with particular/special care 7 ⟨eigen, particulier⟩ own (special), individual ♦ *ieder gewest had vroeger zijn bijzondere* ***munten*** at one time every region had its own (special) coins
²bijzonder [bw] 1 ⟨vooral⟩ particularly, in particular, especially ♦ *dit* ***geldt*** *bijzonder voor u* this applies particularly/especially to you, this applies to you in particular 2 ⟨zeer, buitengewoon⟩ very (much) ♦ *iemand bijzonder* ***aanbevelen*** thoroughly recommend s.o. 3 ⟨bepaaldelijk⟩ particularly, specially, specifically, expressly ♦ *dat* ***was*** *meer bijzonder voor hem* ***bestemd*** that was more specifically meant for him 4 ⟨zeer goed⟩ very well
bijzonderheid [de^v] 1 ⟨detail⟩ detail, particular ⟨meestal mv⟩ ♦ *bijzonderheden* ***ontbreken*** *nog* no details are yet available, details are still lacking; *niet alle bijzonderheden kunnen* ***onthouden*** not to be able to remember all (the) details/particulars; ***technische*** *bijzonderheden* technical detail(s) 2 ⟨bijzondere omstandigheid, eigenaardigheid⟩ special circumstance, peculiarity ♦ *er* ***kwam*** *nog een bijzonderheid bij* there was one other peculiarity 3 ⟨merkwaardigheid, bezienswaardigheid⟩ curiosity 4 ⟨het niet algemeen, speciaal zijn⟩ particular nature 5 ⟨het ongewoon, opmerkelijk zijn⟩ ⟨m.b.t. dingen⟩ special nature, ⟨m.b.t. personen⟩ (special) quality, ⟨m.b.t. dingen ook⟩ extraordinary/unusual/exceptional nature 6 ⟨het zonderling zijn⟩ peculiarity, strangeness
bikhamer [de^m] chipping/scaling hammer
bikini [de^m] bikini
bikinilijn [de] bikini line
bikkel [de^m] knucklebone, ⟨beentje ook⟩ hucklebone, jackstone, ⟨BE ook⟩ dibstone
bikkelen [onov ww] 1 ⟨met bikkels spelen⟩ play knucklebones, play jacks, ⟨BE ook⟩ play dibs 2 ⟨zeer hard spelen⟩ play all/flat out, go all/flat out
bikkelhard [bn] 1 ⟨erg hard⟩ rock-hard 2 ⟨zeer hardvochtig⟩ very hard, as hard as nails ⟨alleen pred⟩
bikkelspel [het] jacks, knucklebones, ⟨BE ook⟩ dibs
bikken [ov ww, ook abs] 1 ⟨hakken op⟩ chip, ⟨ketel⟩ scrape, ⟨molensteen, marmer⟩ dress ♦ ***stenen*** *bikken* chip stones 2 ⟨inf; eten⟩ (have some) grub/nosh, chow ♦ ***gaan*** *bikken* have some grub/nosh; ***lekker*** *zitten te bikken* enjoy one's grub/chow
bikker [de^m] ⟨inf⟩ pimp, ⟨BE ook⟩ ponce
biks [de^m] feed pellets
bil [de] 1 ⟨deel van het zitvlak⟩ buttock, ⟨vnl. m.b.t. mensen; inf⟩ cheek, ham ♦ ***dikke/blote*** *billen* a fat/bare bottom; *hij moet* ***met*** *de billen bloot* ⟨fig⟩ he'll have to own up, he'll have to come clean; *een kind* ***op/voor*** *de billen geven* smack a child's bottom; ***rode*** *billetjes* ⟨van baby⟩ nappy rash, ⟨AE⟩ diaper rash 2 ⟨bovenbeen⟩ thigh ▪ ⟨sl⟩ ***van*** *bil gaan* ⟨BE⟩ have it off with s.o./together, ⟨AE⟩ get it on; ⟨sprw⟩ *wie zijn billen brandt, moet op de blaren zitten* as you sow, so shall you reap; as you make your bed, so must lie on it
¹bilabiaal [de^m] bilabial
²bilabiaal [bn] ⟨taalk⟩ ⟨met beide lippen gesproken⟩ bilabial ♦ *een bilabiale* ***medeklinker*** a bilabial consonant
³bilabiaal [bw] ⟨taalk⟩ ⟨met beide lippen⟩ bilabially ♦ *bilabiaal* ***uitgesproken*** pronounced bilabially
bilateraal [bn] bilateral ♦ *een bilateraal* ***akkoord*** a bilateral agreement; *bilateraal* ***contract*** bilateral contract; *bilaterale* ***onderhandelingen*** bilateral negotiations; *bilaterale* ***symmetrie*** bilateral symmetry
bilateraaltje [het] tête-à-tête, one-on-one discussion
bilateralisme [het] bilateralism
bilharzia [de^v] schistosomiasis, bilharziasis
bilineair [bn] ⟨wisk⟩ bilinear
bilinguïsme [het] bilingualism
bilirubine [de^v] bilirubin
biljard [hoofdtelw] ⟨BE⟩ thousand billion(s), ⟨AE⟩ quadrillion
biljart [het] 1 ⟨spel⟩ billiards ♦ ***Amerikaans*** *biljart* pool; *een* ***partij*** *biljart* a game of billiards; *biljart* ***spelen*** play billiards, have a game of billiards 2 ⟨tafel⟩ billiard table
biljartbal [de^m] billiard ball ♦ ⟨scherts⟩ *zo kaal* ***als*** *een biljartbal* as bald as a coot ▪ *biljartballen* billiard balls; ⟨sl

ook⟩ ivories
biljartband [de^m] cushion
biljarten [onov ww] play billiards ◆ *een **partijtje** biljarten* a game of billiards
biljarter [de^m] billiards player, ⟨AE ook⟩ billiardist, cueist
biljartkeu [de] billiard cue
biljartlaken [het] billiard cloth, green baize/cloth
biljartstok [de^m] ⟨in België⟩ (billiard) cue
biljet [het] 1 ⟨stuk papier, kaartje⟩ ⟨kaartje⟩ ticket, ⟨aankondiging⟩ bill, poster ◆ *biljetten **aanplakken*** put up posters/placards, stick bills 2 ⟨bankbiljet⟩ ⟨BE⟩ note, ⟨AE⟩ bill ◆ *een **vals** biljet* a counterfeit/forged note/bill; ⟨sl⟩ a dud; *een biljet **van** € 50* a 50-euro note/bill
biljoen [hoofdtelw] trillion
biljonair [de^m] trillionaire
billboard [het, de^m] billboard
billboarding [de^v] branded content advertising, sponsorship credit, advertiser funded programming
billen [ov ww] dress
billenkar [de] ⟨in België⟩ pedal cart
billenkoek [de^m] ⟨kind⟩ smacking, spanking ◆ *pas op, of je **krijgt** billenkoek* just watch it, or you'll get a smacking/spanking
billentikker [de^m] ⟨scherts⟩ shortie (coat), ↓ bum-coat
billfold [de] billfold
¹**billijk** [bn, bw] ⟨rechtvaardig en redelijk⟩ fair, reasonable, ⟨gematigd⟩ moderate ◆ *billijk **handelen*** act fairly/reasonably; *hij was nogal billijk **in** zijn eisen* he was very fair/reasonable/moderate in his demands; *een billijk **oordeel*** a fair judg(e)ment; *een billijke **prijs*** a reasonable/moderate price; *billijk zijn **tegenover** iemand* be fair to/on s.o.; *billijke **verwachtingen*** legitimate expectations; *dat is niet meer dan billijk* that is only fair/no more than fair
²**billijk** [bw] ⟨met reden⟩ rightly so
billijken [ov ww] approve of, appreciate ◆ *dat **kan** ik billijken* I approve of that, I can appreciate that; *dat **kan** men/**valt** te billijken* that is quite reasonable; *iemands **reden** billijken* appreciate s.o.'s motives
billijkerwijze [bw] fairly, reasonably
billijkheid [de^v] fairness, equity, reasonableness ◆ *de billijkheid **eist** dat ...* it is only fair/right that ...; *naar billijkheid* in fairness; ***recht** en billijkheid betrachten* act justly and fairly, be just and fair in one's dealings; ***uit** billijkheid (tegenover)* in fairness/justice (to)
billing [de^m] billing, invoice
bilnaad [de^m] 1 ⟨spleet tussen de billen⟩ anal cleft 2 ⟨huid tussen anus en geslachtsdelen⟩ perineum
bilocatie [de^v] bilocation
bilspier [de] ⟨med⟩ gluteus ◆ *de **grootste/middelste/kleinste** bilspier* gluteus maximus/medius/minimus
bilstuk [het] rump
bilveter [de^m] thong
bilzekruid [het] henbane
bimbam [tw] ding-dong
bimester [het] (period of) two months, ⟨AE ook⟩ bimester
bimetaal [het] bimetal, bimetallic strip
bimetalliek [bn] bimetallic ⟨ook financiën⟩
bimetallisme [het] bimetallism
bims [het] pumice powder/stone
BIN [het] ⟨in België⟩ (Belgisch Instituut voor Normalisatie) Belgian Standardization Institute
binair [bn] binary ◆ ⟨biol⟩ *binaire **afdeling*** binary fission; ⟨wisk⟩ *een binair **cijfer/getal*** a binary digit; ⟨biol⟩ *binaire **nomenclatuur*** binary nomenclature; ⟨wisk⟩ *binair **stelsel*** binary notation/number system/system of numbers; ⟨scheik⟩ *binaire **verbindingen*** binary compounds
¹**binden** [onov ww] 1 ⟨dik worden⟩ bind, thicken ◆ *de saus bindt niet* the sauce refuses to/won't bind/thicken 2 ⟨fig; een band smeden⟩ be a bond ◆ *een gemeenschappelijke **vijand** bindt* a common enemy is a bond/binds people together
²**binden** [ov ww] 1 ⟨knopen⟩ tie, knot ◆ *een touwtje **aan** iets binden* tie a string to sth. 2 ⟨vastmaken⟩ tie (up), bind, fasten, ⟨pakket ook⟩ knot, ⟨met riem⟩ strap, ⟨met dik touw⟩ rope ◆ *graan **aan** schoven binden* sheaf/sheave grain, tie/bind grain into sheaves; *iets **op** een imperiaal binden* lash sth. onto a roof rack; *een pakje **op** zijn fiets binden* tie a package to one's bicycle, ⟨met riem⟩ strap a package to one's bicycle 3 ⟨boeien⟩ tie (up), bind, ⟨i.h.b. iemands armen⟩ pinion ◆ ⟨fig⟩ ***aan** zijn tijd gebonden zijn* be pressed for time, be tied up; *een **gevangene** binden* tie (up)/bind/pinion a prisoner 4 ⟨fig⟩ bind, tie, unite ◆ *hij weet zijn personeel **aan** zich te binden* he knows how to hold on to his staff; *mijn **belofte** bindt mij* I am bound by my promise; *door de **huwelijksband** gebonden zijn* be bound by the ties of marriage, be tied by the bonds of marriage 5 ⟨in zijn vrijheid beperken⟩ tie, ⟨door wet/belofte⟩ bind, ⟨tegen iemands zin⟩ fetter ◆ ***contractueel** binden* bind by contract; *door **voorschriften** gebonden zijn* be bound by regulations 6 ⟨boek⟩ bind 7 ⟨door vastbinden doen ontstaan⟩ bind, tie ◆ ***bezems** binden* make brooms 8 ⟨dik maken⟩ bind, thicken 9 ⟨muz⟩ tie 10 ⟨scheik⟩ combine with, form a compound with
³**zich binden** [wk ww] ⟨een verplichting op zich nemen⟩ commit o.s. (to), bind/pledge o.s. (to), tie o.s. down (to) ◆ *wij **willen** ons niet binden* we do not wish to commit o.s./bind/pledge ourselves, we do not want to tie ourselves down
bindend [bn] binding, stringent, obligatory ◆ *een bindend **advies*** binding advice; *een bindende **overeenkomst*** a binding agreement; *bindend **verklaren*** declare (legally) binding, give the force of law; ⟨jur⟩ *een bindend **vonnis*** an absolute judgement; *bindende **voorschriften*** binding/strict/stringent regulations; ***wederzijds** bindend* bilateral; *niet bindend **zijn**/geen bindende kracht hebben* have no effect, have no binding/obligatory effect/force, be null (and void); *bindend **zijn**/bindende kracht hebben (tegenover)* be binding (upon), bind (upon), have binding/obligatory effect/force (upon)
binder [de^m] 1 ⟨boekbinder⟩ binder ◆ *het boek is **bij** de binder* the book is at the binder's/is binding/is being bound 2 ⟨machine voor het binden van schoven⟩ (sheaf-)binder 3 ⟨band aan een kledingstuk⟩ band
binderij [de^v] bindery
bindfoneem [het] ⟨taalk⟩ (intrusive) linking phoneme, epenthetic/connecting phoneme
binding [de^v] 1 ⟨band tussen personen⟩ bond, tie, ⟨relatie⟩ relationship 2 ⟨psych⟩ relationship, ⟨met een persoon⟩ close bond, ⟨ziekelijk⟩ fixation (on) 3 ⟨sport⟩ binding 4 ⟨scheik⟩ combination, ⟨kracht tussen atomen⟩ bond ◆ ***covalente** binding* covalent bond; ***dubbele** binding* double bond 5 ⟨m.b.t. weefsels⟩ weave
bindingsangst [de^m] fear of commitment
bindmiddel [het] 1 ⟨middel om een vloeistof dik te maken⟩ binding agent, binder, thickener, ⟨cul⟩ thickening 2 ⟨deel van een verf, vernis⟩ vehicle, medium
bindmorfeem [het] ⟨taalk⟩ (intrusive) linking morpheme, epenthetic/connecting morpheme
bindsla [de] romaine/cos lettuce
bindtouw [het] string, (binder) twine, packthread, ⟨tuinieren⟩ tying twine
bindvlies [het] ⟨med⟩ conjunctiva ◆ ***van/met betrekking** tot het bindvlies* conjunctival
bindvocaal [de] epenthetic/connecting vowel, ⟨thema vocaal⟩ thematic vowel
bindweefsel [het] ⟨med⟩ connective tissue, interstitial tissue
bindweefselontsteking [de^v] ⟨med⟩ fibrositis, phleg-

mon

bindwerk [het] [1] ⟨boek; handeling⟩ binding [2] ⟨boek; resultaat⟩ binding [3] ⟨het opbinden van bloemen⟩ ± wreath and bouquet making, floristry [4] ⟨opgebonden bloemen⟩ ± wreaths and bouquets ◆ ***mooi** bindwerk* fine flower-arranging/bouquet work

bingedrinken [onov ww] binge drink

bingo [het] bingo, ⟨vero⟩ housey-housey ◆ *een **spelletje** bingo* a game of bingo; ⟨op grote schaal⟩ a bingo drive ⊡ *bingo!* bingo; ⟨vero⟩ house!

bingoavond [de^{m}] bingo drive, bingo night

bingoën [onov ww] play bingo

bink [de^{m}] ⟨inf⟩ ⟨stoer⟩ he-man, ⟨BE⟩ hard/cool bloke, ⟨AE⟩ tough guy, ⟨aantrekkelijk⟩ hunk (of a man) ◆ *de **populaire** bink uithangen* (try to) make o.s. popular, (try to) be the life and soul of the party, play to the gallery; *een **stoere** bink* a he-man, a macho man, a show-off; *de bink **uithangen*** show off, try to impress, throw one's weight around, play the tough guy; *een **vlotte** bink* a swinger, a real hunk, a hunk of a man

^{1}**binnen** [bw] inside, in, ⟨in huis ook⟩ indoors, within ◆ ⟨fig⟩ *met zo'n klus **ben** je binnen* a job like that will set you up for life; *binnen **blijven*** remain/stay/keep indoors; ⟨viss⟩ keep in port; *binnen **brandt** de kachel* inside/indoors the stove is burning; ***daar** binnen* inside, in there; *niets binnen kunnen **houden*** be unable to keep one's food down/retain one's food; ⟨fig⟩ *hij **is** binnen* he has made his pile, he's got it made (for life), he has arrived; *de buit **is** binnen* the loot/spoil has been secured; *de oogst **is** binnen* the harvest is in/is under cover; *de boot/trein **is** binnen* the boat/train is in/has arrived; ***naar** binnen gaan* go in/inside, enter; ⟨inf⟩ *iets **naar** binnen slaan* bolt (down) sth., gobble sth. down; ⟨schrokken⟩ wolf sth. down; ⟨snel opeten⟩ polish sth. off, put/tuck sth. away, dispatch sth.; ⟨borrel⟩ knock back; *de deur gaat **naar** binnen open* the door opens inwards; ***staat** je fiets al binnen?* is your bicycle inside yet?, have you brought your bike in yet?; *het schoot mij **te** binnen* it suddenly came/occurred to me, I suddenly remembered; *het wil me niet **te** binnen schieten* I can't hit upon/think of it now, it's on the tip of my tongue, it escapes/eludes me; ***van** binnen* (on the) inside, internally; *mooi **van** binnen en lelijk van buiten* ⟨huis, persoon⟩ beautiful within and ugly without, beautiful inside and ugly outside, beautiful on the inside and ugly on the outside; *hij weet niet hoe een kroeg er **van** binnen uitziet* he doesn't know what the inside of a pub is like; *hoe laat moet je binnen **zijn**?* what time do you have to be in?; *'binnen!'* ⟨na kloppen⟩ come in!; *binnen zonder kloppen* please walk in, walk straight in

^{2}**binnen** [vz] [1] ⟨m.b.t. een ruimte⟩ inside, within, ⟨AE⟩ inside of ◆ *het ligt binnen mijn **bereik*** ⟨ook fig⟩ it is within my reach/grasp; *het huis ligt nog binnen (de grenzen van) de **stad*** the house is just within the city (limits) [2] ⟨in minder tijd dan⟩ within, inside (of), under ◆ *de rekening moet binnen drie **dagen** betaald worden* the invoice must be paid within three days; *binnen een **uur** ben ik bij je* I'll be with you within/in less than an hour; *hij had het klusje binnen het **uur** af* he finished the job within/inside (of)/in less than an hour

binnenantenne [de] indoor aerial

binnenbaan [de] ⟨sport⟩ [1] ⟨baan het dichtst bij het midden⟩ inside lane [2] ⟨overdekte baan⟩ indoor track, ⟨tennis⟩ indoor/covered court

binnenbad [het] indoor/covered (swimming) pool

binnenbal [de^{m}] bladder

binnenband [de^{m}] (inner) tube ◆ *een binnenband **opleggen*** tube a tyre/^{A}tire; *(luchtband) **zonder** binnenband* tubeless tyre/^{A}tire

binnenbekleding [de^{v}] lining

binnenblad [het] inside page

binnenbocht [de] inside bend, ⟨van rivier⟩ convex bank

binnenboord [bw] inboard ⊡ *zijn benen binnenboord **houden*** keep one's legs in(side); *de riemen binnenboord **leggen*** ⟨ook fig⟩ ship (the) oars; ⟨fig⟩ throw/chuck it in

binnenboordmotor [de^{m}] inboard motor

binnenbouw [de^{m}] [1] ⟨inwendige bouw⟩ inner structure [2] ⟨taalk⟩ internal structure

binnenbrand [de^{m}] domestic/indoor fire

binnenbreken [onov ww] ⟨in België⟩ break in(to) (a house), ⟨vnl. 's nachts⟩ burgle (a house), ⟨vnl. 's nachts⟩ commit burglary, ⟨vnl. overdag⟩ commit housebreaking

binnenbrengen [ov ww] bring in, take/carry in ◆ *het **koren/hooi** binnenbrengen* bring in/gather in/get in/harvest the corn/hay; ⟨scheepv⟩ *een **schip** binnenbrengen* bring a ship into port, ⟨met loods⟩ pilot a ship into port

binnendeur [de] inner door, inside door, internal door

binnendienst [de^{m}] inside service, office duty ◆ ***personeel** van de binnendienst* inside/office staff

binnendijk [de^{m}] [1] ⟨niet meer aan het water gelegen⟩ inner dike [2] ⟨langs een binnenwater⟩ embankment

^{1}**binnendijks** [bn] ⟨binnen de dijk gelegen⟩ (lying/situated) inside the dike(s), (lying/situated) on the landside of the dike(s)

^{2}**binnendijks** [bw] ⟨op een plaats binnen de dijk⟩ inside the dike(s), on the landside of the dike(s) ◆ *binnendijks **gelegen gronden*** land/farmlands inside the dike(s)/lying inland

binnendoen [ov ww] ⟨in België⟩ [1] ⟨(apparaten en machines) wegbrengen voor reparatie⟩ drop off [2] ⟨(documenten) inleveren⟩ ⟨BE⟩ hand in, turn in ⟨vnl Amerikaans-Engels⟩ [3] ⟨(iem.) versieren⟩ pick up

binnendoor [bw] ⊡ *binnendoor **gaan/rijden/lopen*** take a short cut/back road; *als er een file is, **kun** je ook binnendoor* if there's a tailback you can take a secondary road/leave the motorway/go across country; ***loop** maar even binnendoor* go through the house

binnendraad [de^{m}] female thread

binnendragen [ov ww] carry in(to)

binnendringen [onov ww] penetrate (into), enter, ⟨gewelddadig⟩ break/get in(to), force one's way in(to), enter by force ◆ *de menigte drong het **gebouw** binnen* the crowd forced/pushed/fought its way into the building, the throng crowded/jammed into the building; ***het** binnendringen van stof* the ingress of dust; *dieven drongen het **huis** binnen* thieves broke into/forced an entrance into the house; *stof dringt alle **kieren** binnen* dust finds its way into/intrudes/gets into every nook and cranny; *een **land** binnendringen* invade a country; *het **water** drong binnen* the water found its way in/seeped through

binnendruppelen [onov ww] [1] ⟨druppelsgewijs binnenkomen⟩ trickle in(to) [2] ⟨fig⟩ trickle in(to), come trickling in(to), come in(to) in a trickle ◆ *de bezoekers **kwamen** de zaal binnendruppelen* the audience came trickling into the auditorium

^{1}**binnenfietsen** [onov ww] ⟨fietsend binnengaan⟩ come cycling in

^{2}**binnenfietsen** [ov ww] ⟨binnenhalen⟩ bring in

binnengaan [onov ww] enter, go/walk in(to) ◆ ***bij** iemand binnengaan* look/call in on s.o.; *het **Koninkrijk** Gods binnengaan* enter into the Kingdom of God; *zij ging een **winkel** binnen* ⟨ook⟩ she turned into a shop

binnengaats [bw] ⟨scheepv⟩ in port, in the harbour ◆ *de koopvaardijvloot **bleef** binnengaats* the merchant fleet remained in port; *binnengaats **brengen*** take/bring in

binnengedeelte [het] interior, inner part

binnenglippen [onov ww] slip in(to), sneak/steal in(to)

binnengrens [de] internal border/frontier

binnenhalen [ov ww] [1] ⟨binnen iets halen⟩ get/bring/fetch in, ⟨winst⟩ pocket, rake in, net, ⟨grote vis, belangrijke order⟩ land ◆ *de **buit** binnenhalen* secure the spoil; *de **oogst** binnenhalen* bring/get/gather in the crops/harvest; *alle **prijzen** binnenhalen* net/scoop all the prizes, make a

clean sweep; *de was binnenhalen* fetch/bring/get in the washing; *een dikke* ***winst*** *binnenhalen* rake in/net a fat profit [2] ⟨aan boord halen⟩ pull/draw/haul in ◆ *de* ***netten*** *binnenhalen* draw/haul in the nets [3] ⟨in de haven halen⟩ bring into port, take into port, ⟨met loods⟩ pilot into port
binnenhandel [de^m] home trade, domestic/internal/inland trade
binnenhaven [de] inland harbour, ⟨stad⟩ inland port, ⟨in tegenstelling tot buitenhaven⟩ inner harbour ◆ ***in*** *de binnenhaven van H.* in H. inner harbour
binnenhoek [de^m] [1] ⟨aan de binnenzijde gelegen hoek⟩ inner/inside corner ◆ *de binnenhoek van het* ***oog*** the inner corner of the eye [2] ⟨wisk⟩ interior angle
binnenhof [het, de^m] ⟨binnenplaats⟩ (inner) court(yard)
Binnenhof [het] ⟨gebouw⟩ the Binnenhof, ⟨ter aanduiding van het Nederlandse Parlement⟩ the Dutch Parliament ◆ ***op*** *het Binnenhof zitten* be a member of the Dutch Parliament
binnenhouden [ov ww] [1] ⟨binnenshuis houden⟩ keep in(doors) [2] ⟨niet uitspreken⟩ keep in, keep down, check, hold in ◆ *boze* ***woorden*** *met moeite binnenhouden* keep angry words down/in with difficulty, manage with difficulty to hold in/check angry words [•] *zijn* ***eten*** *binnenhouden* keep down/retain one's food
binnenhuis [het] (domestic) interior
binnenhuisarchitect [de^m] interior designer (and decorator)
binnenhuisarchitectuur [de^v] interior design
binnenin [bw] inside ◆ *de doos* ***is*** *binnenin* ***bekleed*** the box is lined on the inside, the inside of the box is lined; *binnenin (de doos)* ***zitten*** *sieraden* there's jewellery inside (the box)
binnenkant [de^m] inside, interior ◆ ***aan*** *de binnenkant geverfd* painted on the inside/inner surface; ***aan*** *de binnenkant op slot* locked on the inside; *de binnenkant was al even* ***mooi*** *als de buitenkant* the interior/inside was as beautiful as the exterior/outside, it was just as beautiful on the outside as on the inside
binnenkomen [onov ww] [1] ⟨in een ruimte komen⟩ come/walk in(to), enter, ⟨trein ook⟩ arrive ◆ *de laatst binnengekomen* ***berichten*** the latest reports; ***laat*** *je de volgende binnenkomen?* will you show in/summon the next one?, next please!; *zij mocht* ***niet*** *binnenkomen* she was not allowed (to come) in/not admitted; *de* ***trein*** *moet over een halfuur binnenkomen* the train is due (to arrive/come in) in half an hour; ***weer*** *binnenkomen* re-enter, come back in(to) [2] ⟨in de haven komen⟩ come in(to), arrive, get in(to), enter, drop in(to) ◆ *binnengekomen* ***schepen*** arrivals [3] ⟨verkregen worden⟩ come in, ⟨m.b.t. documenten ook⟩ come to hand ◆ *het* ***geld*** *komt van alle kanten binnen* money is coming in from every quarter/all over the place
binnenkomertje [het] ⟨inf⟩ [1] ⟨aanloopje tot het eigenlijke onderwerp⟩ introduction, introductory remarks, preamble [2] ⟨grappige introductie⟩ introductory/warming-up spiel, (comic) intro ◆ *die cabaretier heeft vaak* ***geestige*** *binnenkomertjes* that cabaret artist's intros are often very amusing/witty
binnenkomst [de^v] entry, entrance, ⟨m.b.t. goederen/schepen/treinen⟩ arrival, ⟨m.b.t. geld/brief⟩ receipt ◆ ***bij*** *haar binnenkomst* at her entry/entrance, as she entered; *orders worden behandeld in* ***volgorde*** *van binnenkomst* orders are attended to in order of receipt
binnenkort [bw] soon, shortly, presently, before (very) long, in the not too distant future, in the near future, in the immediate future, ⟨handel⟩ at an early date ◆ *zij* ***wordt*** *binnenkort zestig* she's coming sixty, she'll be sixty soon; ***zeer*** *binnenkort* very soon/shortly, in the very near future; *wij* ***zullen*** *het u binnenkort* ***toezenden*** we will send it to you by early mail
binnenkrijgen [ov ww] [1] ⟨in de maag krijgen⟩ get down, swallow ◆ *de zieke* ***kon*** *niets binnenkrijgen* the patient couldn't get any food down; *hij had* ***vergif*** *binnengekregen* he had swallowed poison [2] ⟨ontvangen⟩ get, obtain, receive, ⟨schuld⟩ recover, collect ◆ *het* ***geld*** *kreeg hij binnen* he got/obtained/received/recovered/collected the money [3] ⟨in zijn binnenste krijgen⟩ ship water, take in water ◆ ***water*** *binnenkrijgen* ⟨schip⟩ ship water/a sea; ⟨zwemmer⟩ swallow water
binnenkruipen [onov ww] crawl in(to), creep in(to)
binnenlaag [de] inner layer, interior layer
binnenland [het] [1] ⟨het inwendige van een land⟩ interior, inland, ⟨i.h.b. uitgestrekt, dunbevolkt land⟩ upcountry ◆ *de binnenlanden van* ***Afrika*** the interior/inland (parts) of Africa, inner Africa; *de binnenlanden van* ***Australië*** the Australian outback; *steden* ***in*** *het binnenland* inland towns; *als* ***in/van*** *het binnenland* inlandish; ***in/naar/van*** *het binnenland* inland [2] ⟨land binnen de grenzen⟩ home ◆ *gasten uit binnen- en* ***buitenland*** guests from home and abroad [3] ⟨binnendijks land⟩ land inside the dikes
binnenlands [bn] home, internal, domestic, native, inland ◆ *binnenlands* ***fruit*** home-grown fruit, home produce; *binnenlandse* ***handel*** internal/domestic trade; *binnenlands* ***nieuws*** home/national news; *binnenlandse* ***posttarieven*** inland/domestic (letter) rates; *binnenlandse* ***producten*** home-made/domestic/native products, domestics; *vliegrecht op binnenlandse* ***routes*** cabotage; *Binnenlandse* ***Strijdkrachten*** Forces of the Interior; *binnenlandse* ***veiligheidsdienst*** domestic/internal intelligence/security (service); *minister van Binnenlandse* ***Zaken*** Minister of the Interior; ⟨Groot-Brittannië⟩ Secretary of State for the Home Department, ⟨inf⟩ Home Secretary; ⟨USA⟩ Secretary of the Interior
binnenlaten [ov ww] let in(to), admit (to), ⟨naar binnen geleiden ook⟩ show/usher in(to) ◆ *een* ***bezoeker*** *binnenlaten* let/show in/admit a guest; *wilt u de volgende* ***patiënt*** *binnenlaten?* will you show in the next patient?, next please!
binnenleiden [ov ww] show/usher/lead in(to)
binnenleiding [de^v] [1] ⟨bedrading⟩ internal wiring [2] ⟨gas- en waterleiding⟩ internal piping
binnenlijn [de] ⟨comm⟩ houseline, inside line
binnenlokken [ov ww] lure in(to)
binnenloods [de^m] river pilot
binnenloodsen [ov ww] [1] ⟨scheepv⟩ pilot into port [2] ⟨fig⟩ sneak in(to)
binnenlopen [onov ww] [1] ⟨ruimte inlopen⟩ go/walk in(to) ◆ *even* ***bij*** *iemand binnenlopen* look/drop/pop in on s.o./at s.o.'s house; *de trein kwam het* ***station*** *binnenlopen* the train drew into the station [2] ⟨ruimte invloeien⟩ run in(to), pour in(to), ⟨langzaam⟩ seep in(to) [3] ⟨scheepv⟩ put in (at), put into (a) port, arrive in harbour, make the harbour [4] ⟨rijk worden⟩ strike it rich/lucky, cash in
binnenmaat [de] inside measurement(s), inside/internal dimension(s)
binnenmanege [de] indoor arena
binnenmarkt [de] internal market, single market
binnenmeer [het] inland lake
binnenmuur [de^m] [1] ⟨muur in een gebouw⟩ inner wall, interior/inside wall, ⟨dun wandje⟩ partition [2] ⟨binnenste muur van een spouwmuur⟩ inner wall, interior/inside/core wall
binnenoor [het] inner ear
binnenopname [de] ⟨geluidsopname⟩ indoor/studio recording, ⟨foto⟩ indoor shot/photo(graph), ⟨film⟩ indoor filming/shooting, indoor shot
binnenpad [het] bypath, byway, ⟨kortere weg⟩ short cut ◆ ***langs*** *binnenpaden* along bypaths/byways, by short cuts
binnenpagina [de] inside page, centre page
binnenplaats [de] (inner) court(yard), ⟨van fabriek⟩ yard, ⟨achter huis⟩ backyard
binnenplein [het] inner court, ward

binnenpolder [de] inland polder
binnenpost [de] ⟨in België⟩ [1] ⟨interne post⟩ internal post [2] ⟨toestelnummer⟩ internal phone number
binnenpraten [ov ww] talk down
binnenpretje [het] private joke, secret amusement, chuckle ♦ *binnenpretjes **hebben*** chuckle to o.s., be secretly amused, be filled with silent laughter, laugh inwardly
binnenrijden [onov ww] ⟨trein⟩ draw/run/pull in, ⟨auto⟩ drive in, ⟨ruiter⟩ ride in
binnenrijm [het] internal rhyme
binnenroepen [ov ww] call in(to)
binnenscheepvaart [de] inland navigation, ⟨bedrijfstak ook⟩ inland shipping, inland carrying trade, canal shipping trade ♦ ***reglement** op de binnenscheepvaart* rules of inland navigation
binnenschip [het] inland navigation vessel, inland/canal boat, inland/canal barge, river-vessel, ⟨mv ook⟩ inland craft, rivercraft
binnenschipper [de^{m}] barge master, barge skipper, ⟨BE⟩ bargee, ⟨AE⟩ bargeman
binnenschrijden [onov ww] ⟨form⟩ stride in(to)
binnenshuis [bw] indoors, inside, within doors ♦ *binnenshuis en **buitenshuis*** in and out of doors, within doors and without; ***samenscholingen** binnenshuis* indoor assembly
binnenskamers [bw] in the room, ⟨fig⟩ privately, in private, in camera, behind closed doors ♦ *iets binnenskamers **doen*** do sth. in private/privately/in camera; *iets binnenskamers **houden*** keep sth. private
binnenslands [bw] in the country, at home ♦ *binnenslands **blijven*** remain in the country, stay at home
binnenslepen [ov ww] [1] ⟨scheepv⟩ drag in(to) [2] ⟨verwerven⟩ score ♦ *een **order** binnenslepen* bring in an order
binnensluipen [onov ww] slip/creep in(to), ⟨in het geniep⟩ sneak/steal in(to)
binnensmokkelen [ov ww] [1] ⟨door smokkelen binnenbrengen⟩ smuggle in(to), run in(to) ♦ ***wapens** binnensmokkelen in Ierland* smuggle in/run arms into Ireland [2] ⟨in het geheim binnenbrengen⟩ smuggle in(to), sneak in(to), shuffle into
binnensmonds [bw] inarticulately, indistinctly, ⟨inf⟩ under one's breath, between the teeth ♦ *binnensmonds **praten*** speak inarticulately/indistinctly, mumble; *binnensmonds **vloeken*** swear under one's breath/inwardly/between the teeth
binnenspelen [ov ww] ⟨in België; inf⟩ ⟨voedsel⟩ put away, ⟨voedsel⟩ dispatch, wolf/guzzle (down), ⟨drank⟩ knock back, guzzle
binnenspeler [de^{m}] ⟨sport⟩ inside (forward)
binnenspiegel [de^{m}] rear-view mirror
binnensport [de] indoor sport
binnenst [bn] in(ner) most, interior, inner ♦ *de binnenste **lagen** van de aardkorst* the in(ner)most/inner/interior/deepest layers of the earth's crust
binnenstad [de] town centre, ⟨van grote stad⟩ city centre, inner city, ⟨AE⟩ downtown ♦ *een hotel **in** de binnenstad* ⟨BE⟩ a hotel in the town centre, a downtown hotel; ***naar** de binnenstad gaan* ⟨BE⟩ go into town, ⟨AE⟩ go downtown; *de **oude** binnenstad* the old town centre
binnenstappen [onov ww] walk (right) in(to), march in(to)
binnenste [het] [1] ⟨het meest naar binnen gelegen deel⟩ inside, interior, in(ner)most/interior/inner part ♦ *het binnenste der **aarde*** the bowels/entrails of the earth; *het binnenste van een **appel*** the core of an apple [2] ⟨gemoed, hart, geweten⟩ heart (of hearts), soul (of souls), inner self ♦ ***in** zijn binnenste had hij er spijt van* deep down (in his heart)/in his heart (of hearts)/in his soul (of souls) he regretted it
binnenstebuiten [bw] inside out, wrong side out ♦ ***keer** uw tas binnenstebuiten!* turn out your handbag!; *iets binnenstebuiten **keren*** turn sth. inside out; *je linkersok **zit** binnenstebuiten* your left sock is inside out/wrong side out
binnenstijds [bw] before the appointed time ♦ *binnenstijds **ontslagen worden*** be dismissed before the time agreed upon/before the expiry of the period agreed upon; *binnenstijds **terugkomen*** return before one's time
binnenstormen [onov ww] storm in(to), tear/dash/rush/barge in(to) ♦ *zij kwam de **kamer** binnenstormen/binnengestormd* she came storming/tearing/dashing/rushing/barging into the room
binnenstromen [onov ww] [1] ⟨binnen een ruimte stromen⟩ stream in(to), pour/flow in(to), ⟨krachtig ook⟩ rush/surge in(to) ♦ *het binnenstromende **water*** the incoming/inrushing/insurgent water, the water streaming/pouring/flowing/rushing/surging/gushing in [2] ⟨fig⟩ stream in(to), pour/flow/rush/surge/flood in(to) ♦ *de **aanvragen** stromen binnen* the applications are pouring/rolling/flooding in; *het geld **bleef** binnenstromen* the money kept pouring/flowing/rolling/flooding in; ***het** binnenstromen van kapitaal* the inflow/influx of capital; *het **publiek** stroomde binnen* the public streamed/poured in; ⟨met geweld⟩ the public piled/crowded/surged/rushed in
binnenstuiven [onov ww] rush in(to), tear/dash/storm/barge in(to) ♦ *ze kwam de **kamer** binnenstuiven/binnengestoven* she came storming/tearing/dashing/rushing/barging into the room
binnentemperatuur [de^{v}] room temperature
binnentreden [onov ww] ⟨form⟩ ⟨ogm⟩ enter ♦ *treed u maar binnen* please come in
binnentrekken [onov ww] march in(to), enter, move in(to)
binnentuin [de^{m}] enclosed garden
binnenvaart [de] inland navigation, ⟨bedrijfstak ook⟩ inland shipping, inland carrying trade, canal shipping trade
binnenvaartschip [het] inland (navigation) vessel, inland/canal boat, ⟨aak⟩ inland/canal barge, river-vessel, ⟨mv ook⟩ inland craft, rivercraft
binnenvaartuig [het] barge, inland/canal boat, river-vessel, ⟨mv ook⟩ inland craft, rivercraft
binnenvallen [onov ww] [1] ⟨onverwachts binnenkomen⟩ burst in(to), barge in(to), drop in/by, ⟨land⟩ invade ♦ *een **dorp** binnenvallen* descend upon/(suddenly) attack/enter a village; *een **goktent** binnenvallen* swoop down on a gambling club; *bij iemand **komen** binnenvallen* burst in on/descend on s.o. [2] ⟨scheepv⟩ put in(to port) ♦ *een **haven** binnenvallen* put in at/into a port
binnenvaren [onov ww] put into, enter ♦ *binnenvarende **schepen*** inward-bound/incoming ships
binnenveld [het] ⟨honkb⟩ infield, diamond
binnenvelder [de^{m}] ⟨honkb⟩ infielder, infieldsman, ⟨verzamelnaam ook⟩ infield
binnenvering [de^{v}] interior/inner spring ♦ *matras **met** binnenvering* interior-sprung/^{A}inner spring mattress
binnenverlichting [de^{v}] interior light(ing), ⟨van een auto⟩ courtesy light, interior lamp ♦ *een molentje **met** binnenverlichting* a windmill with a light inside/interior light
binnenvetter [de^{m}] introvert, ± worrier ♦ *hij **is** een binnenvetter* he always bottles/corks things/it all up, he keeps his feelings bottled/corked/pent up
binnenvisser [de^{m}] inland (water) fisher(man)
binnenvliegen [onov ww] [1] ⟨vliegend binnenkomen⟩ fly in(to) [2] ⟨fig⟩ rush in(to), tear/dash/storm/blow in(to)
binnenwaaien [onov ww] ⟨ook fig⟩ blow in, ⟨fig ook⟩ breeze in
[1]**binnenwaarts** [bn] ⟨naar binnen gericht⟩ inward ♦ *een binnenwaartse **beweging*** an inward movement
[2]**binnenwaarts** [bw] ⟨naar binnen⟩ in(wards), ⟨AE ook⟩ inward ♦ *de voeten binnenwaarts **gekeerd*** the feet turned inward(s)

binnenwacht [de] [1] ⟨bewaking binnenshuis⟩ house guard, internal security service [2] ⟨naaste medewerkers⟩ insiders, intimates, in-crowd, inner circle
binnenwater [het] [1] ⟨niet in zee uitmondende stroom⟩ inland waterway [2] ⟨polderwater⟩ polder water
binnenweg [de^{m}] by-road, ⟨AE⟩ back road, ⟨kortere weg⟩ short cut
binnenwerk [het] [1] ⟨werk binnenshuis⟩ indoor work ♦ *binnenwerk* ***doen*** work indoors [2] ⟨werk binnen in een gebouw⟩ indoor work, ⟨aan de binnenkant van een gebouw⟩ inside/interior work [3] ⟨inwendige delen⟩ mechanism, interior work, ⟨horloge⟩ works, ⟨piano, matras⟩ interior, ⟨sigaar⟩ filler ♦ *het binnenwerk van de klok is nog* ***gaaf*** the clock-mechanism is/the works of the clock are still intact; *het binnenwerk van de* ***piano*** *was niet meer te maken* the mechanism/interior of the piano was beyond repair
binnenwerks [bn, bw] ⟨bijvoeglijk naamwoord⟩ inside, ⟨bijwoord⟩ on the inside ♦ *de binnenwerkse* ***maat*** the internal dimensions
binnenwippen [onov ww] drop in/by, pop/nip in, look in ♦ ***bij*** *iemand binnenwippen* drop/pop/look in on s.o.; *een* ***winkel*** *binnenwippen* pop/nip into a shop
binnenzak [de^{m}] inside pocket, inner pocket
binnenzee [de] inland sea
binnenzicht [het] ⟨in België⟩ inside/interior aspect/view/appearance
binnenzijde [de] inside, interior ♦ ***aan*** *de binnenzijde* on the inside
binnenzool [de] insole, inner sole
binocle [de^{m}] (pair of) binoculars, ⟨veldkijker⟩ (pair of) field glasses, ⟨toneelkijker⟩ (pair of) opera-glasses
1**binoculair** [het] [1] ⟨veldkijker⟩ (pair of) binoculars, (pair of) field glasses [2] ⟨microscoop⟩ binocular microscope
2**binoculair** [bn] binocular ♦ *een binoculaire* ***microscoop*** a binocular microscope
binominaal [bn] binominal ♦ *binominaal* ***systeem*** binominal system/nomenclature
binomisch [bn] ⟨wisk⟩ binomial ♦ *binomische* ***coëfficiënten*** binomial coefficients
bint [het] [1] ⟨balk⟩ beam, ⟨vloerbalk, plafondbalk⟩ joist, ⟨horizontale balk onder dakspanten⟩ tie/hammer beam, ba(u)lk, ⟨schuine dakbalk⟩ rafter [2] ⟨spant⟩ truss
bintje [het] 'bintje', early summer potato
bintlaag [de] ⟨balken⟩ joisting, (bridging) joists
bioactief [bn] bioactive
bioafval [het, de^{m}] biological waste
biobak [de^{m}] compost bin
bioboer [de^{m}] organic farmer
biobrandstof [de] biofuel
1**biochemica** [de^{v}] ⟨vrouwelijke biochemicus⟩ biochemist
2**biochemica** [de^{v}] ⟨biochemie⟩ biochemistry
biochemicus [de^{m}] biochemist
biochemie [de^{v}] biochemistry
biochemisch [bn] biochemic(al) ♦ *biochemische* ***industrie*** biochemical industry
biodiesel [de^{m}] biodiesel, ± rapeseed oil
biodiversiteit [de^{v}] biodiversity, ecological diversity
biodynamisch [bn, bw] biodynamic ⟨bw: ~ally⟩
bio-energetica [de^{v}] ⟨biol⟩ bioenergetics
bio-energie [de^{v}] bioenergy
bio-ethanol [het] bioethanol
bio-ethiek [de^{v}] bioethics
biofarmacie [de^{v}] biopharmacy
biofeedback [de^{m}] biofeedback
biofilm [de^{m}] biofilm
biofysica [de^{v}] biophysics
biofysicus [de^{m}] biophysicist
biogardeMERK [de^{m}] mild yoghurt with active cultures
biogas [het] biogas
biogasgenerator [de^{m}] biogas generator/plant
biogeen [bn] biogenic, biogenous
biogenesis [de^{v}] biogenesis, biogeny
biogenetica [de^{v}] biogenetics
biogenetisch [bn] biogenetic ♦ *biogenetische* ***wet*** biogenesis, recapitulation theory
biogeografie [de^{v}] biogeography
biograaf [de^{m}], **biografe** [de^{v}] biographer
biografe [de^{v}] → **biograaf**
biografie [de^{v}] biography, life ♦ *een biografie van* ***Beethoven*** a biography/life of Beethoven
biografisch [bn] biographic(al) ♦ *biografisch* ***woordenboek*** a biographic dictionary, a 'who's who?'
bio-indicator [de^{m}] biological indicator, bioindicator
bio-industrie [de^{v}] bio-industry, ⟨veehouderij⟩ factory farming, ⟨industrietak⟩ agribusiness
bio-ingenieur [de^{m}] ⟨in België⟩ agricultural engineer
biokatalysator [de^{m}] biocatalyst
biokip [de^{v}] battery hen
biologe [de^{v}] → **bioloog**
biologeren [ov ww] mesmerize, spellbind, bewitch, cast a spell on, fascinate ♦ ***als*** *gebiologeerd naar iets zitten staren* sit staring at sth. as if mesmerized/spellbound/bewitched/under a spell
biologie [de^{v}] biology
biologiewinkel [de^{m}] ± biological advice centre
biologisch [bn, bw] [1] ⟨m.b.t. de biologie⟩ biological ♦ *biologische* ***ouders/moeder/vader*** natural/biological parents/mother/father; *biologisch* ***potentieel*** biotic potential; *biologische* ***preparaten*** biological/microscope slides [2] ⟨door middel van organische reacties⟩ biological ♦ *biologisch* ***afbreekbaar*** biodegradable; *biologische* ***oorlogvoering*** biological/germ/bacterial warfare, biowarfare; *biologische* ***preparaten*** biological preparations, ⟨AE⟩ biologic(al)s; *biologische* ***reiniging*** *van afvalwater* biological sewage purification; *biologische* ***wasmiddelen*** biological detergents [3] ⟨zonder chemicaliën⟩ organic, biological ♦ *biologische* ***groenten*** organic/biological vegetables; *biologisch* ***tuinieren*** organic gardening
biologisch-dynamisch [bn, bw] ⟨landb⟩ biodynamic ⟨bw: ~ally⟩ ♦ *biologisch-dynamisch verbouwde* ***groenten*** biodynamically grown vegetables
bioloog [de^{m}], **biologe** [de^{v}] biologist
bioluminescentie [de^{v}] ⟨biol⟩ bioluminescence
biomagnetisme [het] animal magnetism
biomarker [de^{m}] ⟨med⟩ biomarker
biomassa [de] ⟨biogeografie⟩ biomass
biomathematica [de^{v}] biomathematics
biomechanica [de^{v}] biomechanics
biomechanisch [bn] biomechanical
biomedisch [bn] biomedical ♦ *biomedische* ***ethiek*** biomedical ethics, bioethics
biometeorologie [de^{v}] biometeorology
biometrie [de^{v}] biometrics, biometry
biometrisch [bn] biometric
biomorf [bn] biomorphic
bionica [de] bionics
bionisch [bn] bionic
bionomie [de^{v}] bionomics, bionomy
bioplastic [het] bioplastic
biopsie [de^{v}] biopsy
bioritme [het] biorhythm
bioritmiek [de^{v}] (study of) biorhythmicity
bios [de^{m}] ⟨inf⟩ flicks, pictures, ⟨AE⟩ movies
bioscoop [de^{m}] cinema, ⟨AE⟩ movie theater/house ♦ *wat draait er* ***in*** *de bioscoop?* what's on at the cinema?; ***naar*** *de bioscoop gaan* go to the cinema/flicks/pictures/^{A}movies; ⟨inf⟩ *een bioscoopje* ***pikken*** go to the cinema/flicks/pictures/^{A}movies
bioscoopbezoek [het] cinema attendance
bioscoopbezoeker [de^{m}] cinemagoer, filmgoer, mov-

iegoer, picturegoer
bioscoopbon [de^{m}] film voucher, movie gift certificate
bioscoopbond [de^{m}] union of cinema owners/proprietors
bioscoopcomplex [het] multiplex (theatre)
bioscoopfilm [de^{m}] (cinema)film, ⟨AE⟩ motion picture, ⟨AE ook⟩ movie
bioscoopladder [de] cinema programme, ⟨AE⟩ movie program
bioscooporgel [het] theatre organ
bioscooppubliek [het] cinema audience(s)
bioscoopreclame [de] cinema advertising
bioscoopvoorstelling [de^{v}] cinema/picture/film show
biosfeer [de] biosphere
biosofie [de^{v}] life philosophy, philosophy of life
biotech [de^{v}] biotech
biotechniek [de^{v}] ⟨biol, techn⟩ bionics
biotechnisch [bn] [1] ⟨m.b.t. de biotechniek⟩ bionic [2] ⟨m.b.t. de biotechnologie⟩ bioengineering, biotechnological
biotechnologie [de^{v}] ⟨biol, techn⟩ bioengineering, biotechnology
biotechnologisch [bn] biotechnological, bioengineering
biotoop [de^{m}] [1] ⟨biol⟩ biotope [2] ⟨homogeen woon, groeigebied⟩ biotope
biotoxine [de] biotoxin
biowetenschap [de^{v}] bioscience, biological science, bioresearch
bipolair [bn] bipolar ◆ ⟨psych⟩ *bipolaire **stoornis*** bipolar disorder, manic-depressive illness
bips [de] ⟨kind⟩ bottom, backside, rear (end), bum
biradiaal [bn] ⟨comm⟩ biradial ◆ *biradiale **naald*** biradial stylus
birdie [de^{m}] birdie
Birma [het] Burma
birmaan [de^{m}] Burmese
Birmaan [de^{m}], **Birmaanse** [de^{v}] ⟨man & vrouw⟩ Burmese, ⟨vrouw ook⟩ Burmese woman/girl
Birmaans [bn] Burmese, Burman
Birmaanse [de^{v}] → **Birmaan**
biryani [de^{m}] biryani
^{1}**bis** [de] ⟨muz⟩ B sharp
^{2}**bis** [bw] [1] ⟨nog eens⟩ (once) again, once more [2] ⟨na een telwoord⟩ ⟨op rekening, in adres⟩ b, ⟨zeldz; in wetsteksten ook⟩ bis ◆ *nummer 3 en nummer 3 bis* No 3 and No 3b; *artikel 65 bis* section 65b
^{3}**bis** [tw] encore, we want more ◆ *bis **roepen*** encore
bisamrat [de] muskrat, ⟨als pels(dier)⟩ musquash
biscuit [het, de^{m}] ⟨BE⟩ biscuit, ⟨AE⟩ cooky, ⟨AE⟩ cookie
biscuitblik [het] biscuit tin
biscuitdeeg [het] sponge
biscuitje [het] ⟨BE⟩ biscuit, ⟨AE⟩ cooky, ⟨AE⟩ cookie
bisdom [het] [1] ⟨gebied⟩ diocese, bishopric, episcopacy [2] ⟨bestuur⟩ diocese, bishopric, episcopacy
biseks [bn] ⟨inf⟩↑bisexual, ⟨AE ook; sl⟩ AC/DC
biseksualiteit [de^{v}] bisexuality
biseksueel [bn] bisexual
bisjaar [het] ⟨in België⟩ repeat year
bismut [het] bismuth
bisnummer [het] repeat, encore
bisque [de] bisque
bissara [de^{m}] bissara
bisschop [de^{m}] bishop, ⟨verzamelnaam ook⟩ episcopacy, episcopate ◆ *tot bisschop **wijden*** bishop, mitre, raise to the bench
bisschoppelijk [bn] episcopal, ⟨mis⟩ pontifical ◆ *de bisschoppelijke **waardigheid*** the episcopacy/episcopate/bishopric; *een bisschoppelijke **zetel*** a bishop's chair
bisschoppensynode [de^{v}] synod of bishops
bisschopsambt [het] episcopacy, episcopate, bishopric
bisschopsmijter [de^{m}] (bishop's) mitre
bisschopsring [de^{m}] bishop's ring
bisschopsstad [de] ⟨BE⟩ (cathedral) city
bisschopsstaf [de^{m}] (bishop's) crosier, (bishop's) crozier, crook, pastoral/bishop's staff
bisschopsstoel [de^{m}] → **bisschopszetel**
bisschopswijding [de^{v}] (episcopal) consecration
bisschopswijn [de^{m}] mulled/spiced wine, bishop, cardinal
bisschopszetel [de^{m}], **bisschopsstoel** [de^{m}] bishop's/episcopal see, bishopric
bissectrice [de] ⟨wisk⟩ bisector
bissen [ov ww] ⟨in België⟩ repeat (the year)
bisser [de^{m}] ⟨in België⟩ repeater
bisseren [ov ww] [1] ⟨herhalen op verzoek⟩ play/sing/do again, play/sing/do as an encore [2] ⟨verzoeken te herhalen⟩ encore
bistouri [de^{m}] ⟨med⟩ bistoury
bistro [de^{m}] bistro
^{1}**bit** [het] ⟨mondstuk⟩ bit
^{2}**bit** [de] ⟨comp⟩ bit
bitch [de^{v}] bitch
bitchen [onov ww] bitch
bitchy [bn] bitchy
bitmap [de] bit map
bitneuker [de^{m}] computer geek
bits [bn, bw] snappy ⟨bw: snappily⟩, snappish ⟨bw: ~ly⟩, curt, brusque, short, short-spoken, short-tempered, sharp(-tongued) ◆ *bits **antwoorden*** ⟨ook⟩ answer sharply/acidly/acridly; *een bitse **opmerking*** a snappy/snappish/acid/acrid/acidulous/tart remark; *sorry dat ik zo bits tegen je **was*** sorry I was so short with you
bitsheid [de^{v}] snappiness, snappishness, curtness, brusqueness, acidity, acridity
^{1}**bitter** [het, de^{m}] [1] ⟨jenever⟩ (gin and) bitters ◆ *een bittertje **drinken*** have a glass of (gin and) bitters; ***twee** bittertjes* two (gins and) bitters [2] ⟨aromatisch extract⟩ essence [3] ⟨cichorei⟩ chicory
^{2}**bitter** [bn] [1] ⟨smaakgewaarwording⟩ bitter, acrid, acid, acerbic ◆ *zo bitter **als** gal* as bitter as gall; ⟨fig⟩ *een bittere **nasmaak** hebben* leave a bad/nasty/unpleasant taste (in the mouth); *dat **smaakt** bitter* that tastes bitter/acrid [2] ⟨bijtend⟩ bitter, severe, perishing ◆ *bittere **kou*** bitter/severe/perishing/piercing cold [3] ⟨pijnlijk treffend, zwaar te verduren⟩ bitter, dire, hard, sore ◆ *bittere **armoede*** dire/grinding poverty; *de bittere **dood*** bitter death; *doorgaan tot het bittere **einde*** go on to the bitter end/to the end of the chapter, go all the way; *doorvechten tot het bittere **einde*** fight to the finish, die in the last ditch; *bittere **ernst*** bitter/dire earnest; *iets door bittere **ervaring** leren* learn sth. the hard way/from bitter experience; *bitter **leed*** bitter/dire/severe suffering [4] ⟨scherp⟩ bitter, acrid, acid, acrimonious, astringent ◆ *bittere **spot*** sarcasm [5] ⟨gegriefd⟩ bitter, sour ◆ *bittere **tranen** wenen* cry one's heart out, cry bitter/salt tears; *bitter **worden*** embitter; *bitter **zei** hij ...* bitterly he said ... [•] ⟨sprw⟩ *bitter in de mond maakt het hart gezond* bitter pills may have blessed effects
^{3}**bitter** [bw] ⟨zeer⟩ extremely, awfully, terribly, dreadfully ◆ *het bitter **arm** hebben* be extremely/distressingly poor; *het bitter **koud** hebben* be bitterly/dreadfully/icily/perishing cold; *bitter **weinig*** precious little, next to nothing
bitteraarde [de] ⟨scheik⟩ magnesia, terra alba
bitterbal [de^{m}] type of croquette served as an appetizer
bittergarnituur [het, de^{v}] (assorted) appetizers
bitterheid [de^{v}] [1] ⟨het bitter zijn, bittere smaak⟩ bitterness, acridity, acerbity [2] ⟨het pijnlijk grievend, gegriefd zijn⟩ bitterness, gall, ⟨grievend ook⟩ acridity, acerbity, acrimony [3] ⟨uiting⟩ bitterness, gall, ⟨grievend ook⟩ acridity, acerbity, acrimony

bitterkoekje [het] (bitter) macaroon
bitterkruid [het] bitterweed
bitter lemon [de^{m}] bitter lemon
bittertafel [de] cocktail/drinking table
bittertje [het] ⟨smaakaccent⟩ bitter tasting, bitter undertone ♦ *een wijn met een bittertje* a wine with a bitter undertone
¹**bitterzoet** [het] bittersweet, woody nightshade
²**bitterzoet** [bn] bittersweet
bitumen [het] bitumen
bitumineren [ov ww] [1] ⟨met bitumen bedekken⟩ bituminize, ⟨weg ook⟩ tar [2] ⟨bitumen toevoegen aan⟩ bituminize
bitumineus [bn] bituminous ♦ *bitumineuze **bouwstoffen*** bituminous materials; *bitumineuze **kalksteen**, bitumineus **zand*** bituminous limestone/sand
bivak [het] bivouac ♦ *een bivak **opslaan*** make a bivouac; *ergens zijn bivak **opslaan*** ⟨fig⟩ pitch one's tent somewhere
bivakhuis [het] ⟨in België⟩ cabin, hut
bivakkeren [onov ww] [1] ⟨de nacht in de openlucht doorbrengen⟩ bivouac [2] ⟨voor korte tijd gevestigd zijn⟩ lodge, be put up, stay ♦ *hij heeft een tijdje **bij** ons gebivakkeerd* he lodged/stayed with us for a while, we put him up for a while
bivakmuts [de] balaclava
bivakzak [de^{m}] bivouac bag, bivy bag
bivalent [bn] [1] ⟨scheik⟩ bivalent, divalent [2] ⟨biol⟩ bivalent
bivalentie [de^{v}] ⟨scheik⟩ bivalency, divalency, ⟨AE ook⟩ bivalence
biwa [de^{m}] biwa
BiZa [het] (Binnenlandse Zaken) ⟨Groot-Brittannië⟩ HO
bizar [bn, bw] bizarre ⟨bw: ~ly⟩, grotesque, extravagant, weird, outlandish
bizon [de^{m}] bison ♦ *de **Amerikaanse** bizon* the buffalo/(American) bison; *de **Europese** bizon* the (European) bison, the wisent/aurochs
B-kant [de^{m}] flip side, B side
BKR [de^{v}] ⟨vero⟩ (beeldende kunstenaarsregeling) system of (official) artist's allowances ♦ *hij zit **in** de BKR* he gets an artist's allowance (from the government)
bl. → **blz.**
blaadje [het] [1] ⟨klein blad⟩ leaf(let), ⟨papier⟩ sheet/piece (of paper), ⟨krant⟩ paper, ⟨pej; krant, tijdschrift⟩ rag, ⟨dienblad⟩ tray [2] ⟨plantk⟩ ⟨van samengesteld blad⟩ leaflet, foliole, ⟨gras⟩ blade, ⟨bloem⟩ petal, ⟨van geveerd blad⟩ pinn(ul)a ⊡ *bij iemand in een **goed** blaadje staan* be in s.o.'s good books/graces, be/stand high in s.o.'s favour; *bij iemand in een **goed** blaadje proberen te komen* keep in with s.o., make/suck up to s.o.; *bij iemand in een **slecht** blaadje staan* be in s.o.'s bad/black books, be out of favour with s.o., be in bad with s.o.; ⟨sprw⟩ *een oude bok lust nog wel een groen blaadje* ± there's life in the old dog yet
blaag [de] brat, ⟨jongetje ook⟩ urchin
blaam [de] [1] ⟨afkeuring⟩ blame, censure, reproach ♦ *hem treft/op hem rust **geen** blaam* he is not to blame, no blame attaches to him [2] ⟨smet⟩ ⟨op iemands eer, goede naam⟩ slur, blot, stain ♦ *zich van **alle** blaam zuiveren* clear/exonerate o.s.; *iemand van **alle** blaam zuiveren* exonerate/exculpate/vindicate s.o.; *een blaam **werpen op*** cast a slur on
blaar [de] [1] ⟨blaasachtige opzwelling⟩ blister, ⟨med⟩ vesicle ♦ ⟨fig⟩ *iemand (de) blaren **aan** het hoofd praten* talk s.o.'s head off, talk nineteen/twenty/forty to the dozen; *een blaar **doorprikken*** prick a blister; *hij kreeg door het roeien blaren **in** zijn handen* rowing raised blisters on his hands, his hands blistered with rowing; ⟨fig⟩ *er **komen** blaren op de verf* the paint is blistering/bubbling, blisters/bubbles are beginning to appear on the paint; *zich de blaren **werken*** work one's fingers to the bone [2] ⟨witte plek⟩ blaze [3] ⟨koe⟩ cow with a blaze ⊡ ⟨sprw⟩ *wie zijn billen brandt, moet op de blaren zitten* as you sow, so shall you reap; as you make your bed, so must lie on it
blaarkop [de^{m}] cow with a blaze, ⟨mv⟩ cattle with a blaze
blaartrekkend [bn] blistering, raising blisters, ⟨med ook⟩ vesicant, vesicatory, epispastic ♦ *blaartrekkende **gassen*** blister(ing) gases; *blaartrekkend **middel*** epispastic, vesicant, vesicatory
blaas [de] [1] ⟨biol⟩ bladder, cyst, vesica ♦ *kou **op** de blaas* chill on the bladder [2] ⟨voorwerp⟩ bladder, bag, pouch [3] ⟨met gas gevulde holte⟩ bubble ♦ *blazen **in** gegoten voorwerpen* bubbles in cast objects [4] ⟨blaar⟩ blister, ⟨med⟩ vesicle
blaasbalg [de^{m}] (pair of) bellows ♦ ***aan** de blaasbalg **trekken*** blow the bellows
blaasinstrument [het] wind instrument ♦ *de **houten** blaasinstrumenten* the wood-wind instruments, the wood-wind(s), the wood-wind section; *de **koperen** blaasinstrumenten* the brass instruments, the brass (section)
blaasje [het] [1] ⟨biol⟩ ⟨met vocht⟩ vesicle, follicle, ⟨holte⟩ saccule, alveolus [2] ⟨met gas gevulde holte⟩ bubble
blaasjeskruid [het] bladderwort
blaasjesziekte [de^{v}] ⟨med⟩ swine vesicular disease
blaaskaak [de^{m}] bighead, stuffed shirt, windbag, gasbag, ⟨AE⟩ blow(hard)
blaaskapel [de] wind band, ⟨alleen koper⟩ brass band
blaaskwartet [het] [1] ⟨musici⟩ wind quartet [2] ⟨muziekstuk⟩ wind quartet
blaasmuziek [de^{v}] music for wind instruments
blaasontsteking [de^{v}] bladder infection, cystitis
blaasorkest [het] wind orchestra, wind band, ⟨alleen koper⟩ brass band
blaaspijp [de] [1] ⟨verk⟩ breathalyser, ⟨AE⟩ drunkometer [2] ⟨pijp om lucht door te blazen⟩ blowpipe ⟨ook van glasblazer⟩
blaaspoot [de^{m}] thrips
blaasproef [de] breathalyser test, breath test ♦ *de blaasproef niet willen **doen*** ⟨ook⟩ refuse to be breathalysed
blaasroer [het] blowpipe, blowgun
blaassteen [de^{m}] stone in the bladder, ⟨med⟩ vesical calculus
blaastest [de^{m}] breathalyser test, breath test
blaasvoetbal [het] blow football
blaasvormig [bn] vesicular, bladder-shaped, alveolar, utricular
blaaswerktuig [het] blower
blaaswier [het] bladder wrack, bladder-kelp, bladderweed, fucus
blaasworm [de^{m}] bladder worm
blaataap [de^{m}] gasbag
blabla [de^{m}] blah(-blah), gas, wind, hot air
black box [de^{m}] black box
black comedy [de^{v}] black comedy
blackjack [het] blackjack, vingt(-et)-un
blacklisten [ov ww] blacklist
black-out [de^{m}] blackout
Black Power [de] Black Power
black spot [de^{m}] black spot
blad [het] [1] ⟨plantk⟩ leaf, ⟨bloem⟩ petal ♦ ⟨verzamelnaam⟩ *er zit haast geen blad **aan** de bomen* the trees are almost bare/have hardly any leaf; *hij is omgedraaid **als** een blad aan een boom* he's changed/turned like a leaf on a tree, he's another/a different man, he's made an about-face; ***enkelvoudige** bladeren* simple leaves; ***gezaagde/gekartelde** bladeren* serrate/crenate leaves; ***in** 't blad staan* be in leaf; ***in** het blad schieten* come/burst into leaf/bud, put forth/out leaves, leaf out; *de bladeren van **kool*** cabbage leaves; ***samengestelde** bladeren* compound leaves; *de bladeren **vallen** van de bomen* the leaves are falling from the trees; ⟨fig⟩ he/... is going soft in the head/is losing his marbles; ***wandelende** bladen* leaf insects, walking leaves [2] ⟨dienblad⟩ tray

[3] ⟨vel⟩ sheet, ⟨in boek⟩ leaf, page ♦ ⟨boek⟩ *een boek van 100 bladen* a book of 100 sheets; *een **beschreven/bedrukt** blad* a written/printed sheet/leaf; *de bladen van dit boek **gaan los*** the leaves/pages of this book are coming loose; *een blad **muziek*** a sheet of music; *een **onbeschreven** blad zijn* ⟨ook⟩ be inexperienced, be an unknown quantity; *zij is een **onbeschreven** blad* she's young and innocent; ***van** het blad **zingen/spelen*** play/sing at sight/prima vista; ⟨zelfstandig naamwoord⟩ sight-reading [4] ⟨tijdschrift, krant⟩ ⟨krant⟩ (news)paper, ⟨pej⟩ rag, ⟨tijdschrift⟩ magazine, journal ♦ *de bladen **melden** ...* the papers state ... [5] ⟨plat, breed (deel van een) voorwerp⟩ sheet, ⟨tafel⟩ top, ⟨uittrekblad/inlegblad; goud⟩ leaf, ⟨zaag, roeiriem, gras, tong⟩ blade, ⟨lepel⟩ bowl ♦ *het blad van een **anker*** the fluke of an anchor; *het blad van een **bijl/een zaag*** the blade of an axe/saw; *schroef met **drie** bladen* three-bladed propeller; *bureau met **houten** blad* wood-topped desk; *bladen **mahoniehout*** sheets of mahogany; *het blad van een **tafel*** the top of a table, a tabletop [6] ⟨tandwiel⟩ ⟨van sportfiets⟩ sprocket (wheel) [·] *geen blad voor de mond **nemen*** not mince matters/one's words, call a spade a spade, talk straight from the shoulder, speak plainly/out

bladaaltjes [de^{mv}] eelworms, nematodes

bladaarde [de] leaf mould, leaf soil

bladachtig [bn] leaf-like, leafy, foliate ♦ *de bladachtige **plantendelen*** the leaf-like parts of the plant, the foliage leaf of the plant

bladader [de] vein of a leaf, leafvein

bladbegonia [de] rex begonia

bladblazer [de^{m}] leaf-blower

bladder [de] blister, bladder, bubble

bladderen [onov ww] blister, bubble, ⟨losraken⟩ flake, peel ♦ *de verf **begint** te bladderen* the paint is beginning to blister/bubble/flake/peel

bladderig [bn] blistering, bladdery, bubbly, ⟨losrakend⟩ flaky, peeled ♦ *bladderige **verf*** blistering paint

bladenman [de^{m}] (news)paper boy/man

bladeraar [de^{m}] ⟨comp⟩ browser

bladerdak [het] (roof of) foliage ♦ *een **dicht** bladerdak* a (roof of) dense foliage

bladerdeeg [het] puff pastry/paste

bladeren [onov ww] [1] ⟨lezen⟩ thumb, glance, leaf ♦ ***in** een boek bladeren* thumb/glance/leaf through a book [2] ⟨browsen⟩ browse

bladerkroon [de] leaf canopy

bladerprogramma [het] ⟨comp⟩ browser

bladeter [de^{m}] phyllophagous animal

bladgeel [het] yellow leaf pigment

bladgoud [het] gold leaf, gold foil, leaf/beaten/rolled gold

bladgroen [het] ⟨plantk⟩ chlorophyll, leaf green

bladgroenkorrel [de^{m}] chloroplast

bladgroente [de^{v}] leaf(y) vegetable(s), green vegetable(s), greens ⟨mv⟩

bladgrond [de^{m}] leaf mould, leaf soil

bladhark [de] lawn rake

bladhout [het] [1] ⟨loofdragend hout⟩ broad-leaved wood/branches [2] ⟨takken met alleen bladeren⟩ nonfructiferous branches

bladijzer [het] sheet iron

bladkever [de^{m}] leaf chafer

bladkleurstof [de] leaf pigment

bladknop [de^{m}] leaf bud

bladkoninkje [het] yellow-browed warbler

bladkoper [het] sheet/leaf copper, beaten copper

bladlood [het] sheet lead

bladluis [de] plant louse, greenfly, aphid, aphis

bladmaag [de] ⟨dierk⟩ psalterium, omasum, third stomach

bladmetaal [het] sheet metal, ⟨zeer dun⟩ foil, ⟨edelmetaal⟩ leaf metal

bladmoes [het] ⟨plantk⟩ mesophyll

bladmos [het] moss

bladmotief [het] leaf pattern, ornamental leaf

bladmuziek [de^{v}] sheet music

bladoksel [de^{m}] ⟨plantk⟩ leaf axil

bladplant [de] foliage plant

bladroller [de^{m}] ⟨dierk⟩ leaf roller, tortricid

bladrozet [de] rosette, leaf rosette, ⟨krop⟩ head

bladruimer [de^{m}] leaf blower, leaf sucker

bladrups [de] cankerworm

bladschede [de] ⟨plantk⟩ leaf base/sheath, vagina

bladschikking [de^{v}] → **bladstand**

bladselderie [de^{m}] celery

bladskelet [het] ⟨plantk⟩ leaf skeleton

bladspiegel [de^{m}] ⟨boek⟩ type page

bladspinazie [de] leaf spinach

bladstand [de^{m}], **bladschikking** [de^{v}] ⟨plantk⟩ phyllotaxis, phyllotaxy, arrangement of leaves, leaf arrangement

bladsteel [de^{m}], **bladstengel** [de^{m}] ⟨plantk⟩ leafstalk, ⟨wet⟩ petiole

bladstengel [de^{m}] → **bladsteel**

bladstil [bn] dead calm ♦ *het **was** bladstil* not a leaf stirred, it was dead calm, there wasn't a breath of wind/a stir of air; *het **werd** bladstil* it became dead calm

bladtin [het] tinfoil, ⟨voor spiegel⟩ tain

bladveer [de] leaf spring

bladverliezend [bn] ⟨boom e.d.⟩ deciduous

bladversiering [de^{v}] [1] ⟨ornament in bladvorm⟩ leafwork, foliage [2] ⟨boek⟩ illumination, ornamentation, illustration

bladvezel [de] leaf fibre

bladvorm [de^{m}] shape/form of a leaf

bladvulling [de^{v}] in-fill, filler, fill-up (article)

bladwesp [de] sawfly

bladwijzer [de^{m}] [1] ⟨inhoudsopgave⟩ table of contents [2] ⟨boekenlegger⟩ bookmark(er)

bladziekte [de^{v}] leaf disease

bladzijde [de] [1] ⟨pagina⟩ page ♦ *ik sloeg het boek open **op** bladzijde 58* I opened the book at page 58 [2] ⟨blad⟩ page, leaf ♦ *een bladzijde **omslaan*** turn a page/leaf

bladzilver [het] leaf silver

bladzink [het] sheet zinc

bladzuiger [de^{m}] leaf sucker

blaf [de^{m}] [1] ⟨handeling⟩ barking [2] ⟨keer⟩ bark

blaffen [onov ww] [1] ⟨m.b.t. honden⟩ bark, ⟨luid en aanhoudend⟩ bay [2] ⟨hard hoesten⟩ cough [3] ⟨tekeergaan⟩ bark (at), snap (at) ♦ *je **hoeft** niet zo te blaffen* you needn't bark/snap like that [·] ⟨sprw⟩ *blaffende honden bijten niet* ± his bark is worse than his bite

blaffer [de^{m}] [1] ⟨slang; revolver⟩ piece, ⟨AE ook⟩ heater [2] ⟨hond⟩ barker, yelper [3] ⟨iemand die hard hoest⟩ person with a barking cough [4] ⟨iemand die tekeergaat⟩ snappy/bad-tempered person

blafhoest [de^{m}] bark, barking cough

blague [de] blague, humbug

blaken [onov ww] [1] ⟨gloeiende hitte afgeven⟩ burn, ⟨van zon⟩ blaze, ⟨schroeien⟩ scorch ♦ *blakende **hitte*** scorching heat [2] ⟨m.b.t. personen⟩ burn (with), glow (with) ♦ *blaken **van gezondheid*** glow with health, be in roaring/radiant (good) health/in the best of health [·] *in blakende **gezondheid/welstand*** in the pink of health, brimming/blooming with health; *in blakende **vorm*** in peak condition

blaker [de^{m}] sconce, flat candlestick

blakeren [ov ww] scorch, burn ♦ *(zwart) geblakerde **muren*** blackened walls; *de zon blakert de **velden*** the sun is beating down on the fields; *door de **zon** geblakerd* sun-baked

blamage [de^{v}] disgrace

blameren [ov ww] blame, rebuke, ⟨te schande maken⟩

discredit, disgrace ◆ *zich blameren* disgrace o.s., lose face

blancheren [ov ww] ① ⟨cul⟩ blanch ② ⟨landb⟩ blanch

blanc-manger [het] ⟨cul⟩ blancmange

blanco [bn, bw] blank ⟨bw: ~ly⟩ ◆ *blanco accept* acceptance in blank; *er waren drie biljetten blanco ingeleverd* three blank/unmarked ballot papers had been handed/given in; *in blanco opmaken* make out in blank; *in blanco verkopen/kopen* sell/buy short; *een blanco schrift* an unruled exercise book; *ergens blanco tegenover staan* have an open mind about sth.; *een blanco stem* an abstention; *blanco stemmen* abstain from voting, turn in a blank ballot paper; *een blanco strafblad/strafregister* a clean record/sheet; *(in) blanco tekenen* sign in blank; *blanco volmacht* blank power of attorney; ⟨fig⟩ free hand, carte blanche; *een blanco wissel* a blank bill

blancokrediet [het] ① ⟨ongelimiteerd krediet⟩ blank/open/unlimited credit ② ⟨krediet zonder onderpand, zekerheid⟩ unsecured credit

blank [bn] ① ⟨licht gekleurd, ongekleurd⟩ white, ⟨m.b.t. huid ook⟩ fair, clear, ⟨m.b.t. ras ook⟩ Caucasian ◆ *het blanke duin* the white dune; *blank hout* white/plain/natural wood; *het blanke ras* the white race ② ⟨blinkend⟩ bright ◆ *blanke guldens* bright/shiny guilders; *koperwerk blank schuren* polish brassware; *blanke wapenen* bladed weapons, blades ③ ⟨onbeschreven, onbedrukt⟩ blank ④ ⟨zuiver⟩ pure ◆ ⟨techn⟩ *blanke oliën* white oils ⑤ ⟨onbedekt⟩ naked, cold ◆ *een charge met de blanke sabel* a charge with the naked sword; *blank water* unfrozen water ⑥ ⟨onder water⟩ flooded ◆ *de kelder staat blank* the cellar is flooded ⊡ *blanke slavinnen* white slaves; *blanke verzen* blank verse; ⟨sport⟩ *weggaan op 1.50 blank* aim for 1.50 flat

blanke [de] white (man/woman), Caucasian ◆ *de blanken* the whites/white people

blanketsel [het] white powder

blankheid [de^{v}] ① ⟨het blank zijn⟩ whiteness, ⟨m.b.t. huid ook⟩ fairness ② ⟨reinheid⟩ purity

blankhouten [bn] whitewood ◆ *een blankhouten eierdopje* a whitewood eggcup

blankvoorn [de^{m}] roach

blankwerk [het] natural wood(work)

blasé [bn] blasé

blasfemeren [onov ww] blaspheme

blasfemie [de^{v}] blasphemy

blasfemisch [bn, bw] blasphemous ⟨bw: ~ly⟩

blastoderm [het] ⟨biol⟩ blastoderm

blastomeren [de^{mv}] ⟨biol⟩ blastomeres, blastula cells

blaten [onov ww] bleat, baa

^{1}**blauw** [het] ① ⟨kleur⟩ blue ◆ *in het blauw gekleed* dressed in blue ② ⟨verfstof⟩ blue ◆ *Berlijns blauw* Prussian blue ③ ⟨porselein⟩ delft blue ◆ *een mooie collectie blauw* a beautiful collection of delft blue

^{2}**blauw** [bn] ① ⟨de kleur blauw hebbend⟩ blue ◆ *blauwe boorden* blue-collar workers; *blauwe haai* blue shark; *onder de blauwe hemel slapen* sleep under the blue sky/(out) in the open; *hij is van de blauwe knoop* he has signed/taken the pledge, he has gone on the (water) wagon; *het Blauwe Kruis* the Blue Cross Temperance League; *iets blauw verven* paint/dye sth. blue; *blauwe zone* parking-disc zone/area; ⟨alg⟩ controlled-parking zone/area ② ⟨min of meer blauw⟩ blue, black, dark ◆ *iemand bont en blauw slaan* beat s.o. black and blue; *hij ergerde zich blauw* he was furious/seething; *blauwe klei* blue clay, ⟨in Midlands ook⟩ Oxford clay; *blauwe kringen onder de ogen* dark rings under one's eyes; *iemand een blauw oog slaan* give s.o. a black eye; *hij heeft een pracht van een blauw oog* he has got a real shiner; *een blauwe plek* a bruise; *de kamer stond blauw (van de rook)* the room was blue with smoke; *de blauwe verte* the blue (yonder); *hij zag blauw van de kou* he looked blue with cold; *blauw zijn* ⟨dronken⟩ be drunk ⊡ *zich blauw betalen* pay (way) over the odds, pay through the nose

blauwachtig [bn] bluish

blauwalg [de] blue alga ⟨voornamelijk mv⟩

Blauwbaard [de^{m}] bluebeard

blauwbekken [onov ww] stand in the cold

blauwblauw [bn] ⊡ *iets (maar) blauwblauw laten* let the matter rest

blauwboek [het] blue book

blauwborstje [het] bluethroat

blauwdruk [de^{m}] ① ⟨kopie op blauw papier⟩ blueprint ② ⟨ontwerp, plan⟩ blueprint, plan, scheme

blauwen [ov ww] ① ⟨blauw verven⟩ blue, paint/dye blue ② ⟨blauw maken⟩ blue

blauweregen [de^{m}] wistaria

blauwfilter [het, de^{m}] ⟨foto⟩ blue filter

blauwgeruit [bn] blue-checked ◆ *blauwgeruite kiel* blue check frock

blauwgras [het] bluegrass

blauwgrijs [bn] bluish grey/^{B}gray, ⟨donker; ook⟩ slate grey/^{B}gray, smoke, perse, ⟨licht; ook⟩ battleship grey/^{B}gray

blauwhelm [de^{m}] blue helmet, UN peacekeeper, ⟨mv ook⟩ UN peacekeeping forces/troops

blauwhemd [de^{m}] ① ⟨politieagent⟩ ⟨BE⟩ bluebottle, ⟨AE⟩ thin blue line ② ⟨sport⟩ blue jersey

blauwkous [de^{v}] bluestocking

blauwsel [het] ① ⟨poeder tegen vergelen⟩ blue, blu(e)ing ② ⟨blauwe kleurstof⟩ blue

blauwtje [het] ⊡ *een blauwtje lopen* be turned down, be rejected

blauwtong [de] bluetongue (disease)

blauwvoet [de^{m}] ⟨in België⟩ fulmar (petrel), symbol of Flemish Nationalist Movement

blauwvoeterie [de^{v}] ⟨in België⟩ Flemish Nationalist Movement (19th Century)

blauwwieren [de^{mv}] blue-green algae

blauwzuur [het] hydrocyanic/prussic acid

blauwzuurgas [het] hydrogen cyanide

blaxploitation [de^{v}] blaxploitation

^{1}**blazen** [onov ww] ① ⟨krachtig uitademen⟩ blow ◆ *blazen en puffen van de warmte* puff and blow with heat ② ⟨m.b.t. de wind⟩ blow ◆ *de wind blaast mij in het gezicht* the wind is blowing in my face ③ ⟨m.b.t. dieren⟩ blow, snort ◆ *katten blazen als ze kwaad zijn* cats spit/hiss when they are angry ④ ⟨muz⟩ blow, sound ◆ *hij blaast mooi* he plays beautifully; *op de trompet/de fluit/het fluitje/de hoorn blazen* sound the trumpet, play the flute, blow the whistle, play the horn; *hoog van de toren blazen* bang/beat the big drum ⑤ ⟨in het blaaspijpje blazen⟩ breathe into a breathalyser/^{A}drunkometer ⊡ ⟨sprw⟩ *beter hard geblazen dan de mond gebrand* better (be) safe/sure than sorry

^{2}**blazen** [ov ww] ① ⟨laten horen⟩ blow, sound ◆ *een deuntje blazen* blow a tune ② ⟨verplaatsen, verwijderen door blazen⟩ blow ◆ ⟨damsp⟩ *een schijf blazen* huff a man; *stof van de tafel blazen* blow dust off/from the table ③ ⟨door blazen vervaardigen⟩ blow ◆ *flessen/bellen blazen* blow bottles/bubbles ⊡ *het is oppassen geblazen* we/you need to watch out

^{1}**blazer** [de^{m}] ① ⟨iemand die een blaasinstrument bespeelt⟩ player of a wind instrument ◆ *de blazers van het orkest* the wind section of the orchestra ② ⟨iemand die blaast⟩ s.o. who blows

^{2}**blazer** [de^{m}] ⟨Engels⟩ blazer

blazoen [het] ① ⟨heraldiek wapen, schild⟩ blazon ② ⟨wapen(schild) als kenteken⟩ blazon

^{1}**bleek** [de] ① ⟨grasveld⟩ bleach(ing) ground/field/green ② ⟨bleekwateroplossing⟩ bleach ◆ *het goed staat in de bleek* the laundry is being bleached ③ ⟨het bleken van linnengoed⟩ bleach(ing) ◆ *droge/natte bleek* dry/wet bleach

^{2}**bleek** [bn] ① ⟨m.b.t. personen⟩ pale, pallid, wan ◆ *zo bleek als de dood/een doek* as pale as death, as white as a sheet;

bleek om de neus worden grow green about the gills; *bleek van schrik* pale with fear, ashen-faced; *bleke wangen* pale/wan/pallid cheeks; *bleek worden* pale; *bleek zien* look pale [2] ⟨zeer licht van kleur⟩ pale, whitish, white ◆ *bleek goud* white gold; *bleke inkt* pale ink; *bleek worden* fade; *het bleke zand* the white sand [3] ⟨mat, flauw⟩ pale, dim ◆ *het bleke maanlicht* the pale moonlight

bleekgezicht [het] paleface

bleekgoed [het] washing

bleekheid [de[v]] paleness, ⟨i.h.b. ziekelijke/onnatuurlijke kleur⟩ pallor

bleekjes [bn, bw] [1] ⟨witjes⟩ palish ◆ *er bleekjes uitzien* look rather pale [2] ⟨zwak⟩ weakish ◆ *hij glimlachte bleekjes* he smiled faintly

bleekmiddel [het] bleach, bleaching agent

bleekneus [de[m]] pale person, delicate/sickly-looking person ◆ *wat een bleekneusje* what a pale child

bleekpoeder [het, de[m]] bleaching powder, chloride of lime, chlorinated lime

bleekscheet [de] ⟨inf; beled⟩ paleface

bleekschijter [de[m]] ⟨in België; inf; beled⟩ paleface

bleekselderij [de[m]] blanched celery

bleekveld [het] bleach(ing) field

bleekwater [het] domestic bleach, Javel(le) water

bleekzucht [de] chlorosis, greensickness

blefarospasme [het] blepharospasm

blei [de] white bream

[1]**bleken** [onov ww] ⟨lichter worden⟩ bleach, ⟨landb⟩ blanch, whiten ◆ *in de zon gebleekte beenderen* bones bleached by the sun

[2]**bleken** [ov ww] [1] ⟨lichter laten worden⟩ bleach, blanch, whiten ◆ *lakens bleken* bleach sheets [2] ⟨landb⟩ blanch ◆ *selderie bleken* blanch celery

blende [de] [1] ⟨geol⟩ blende [2] ⟨wieldop⟩ hubcap, wheel cover

[1]**blended** [de[m]] blended

[2]**blended** [bn] blend

blenden [ov ww] blend

blender [de[m]] blender, ⟨BE⟩ liquidizer

blèren [onov ww] [1] ⟨m.b.t. personen⟩ squall, bawl, bleat [2] ⟨m.b.t. schapen⟩ bleat

[1]**bles** [de[m]] ⟨paard⟩ blazed horse, horse with a blaze

[2]**bles** [de] ⟨witte plek⟩ blaze, star

blesseren [ov ww] injure, hurt, ⟨vnl. in gevecht/oorlog⟩ wound ◆ *geblesseerd raken* ⟨ook⟩ receive an injury/injuries; *zich blesseren* get hurt/injured

blessure [de[v]] injury

blessuretijd [de[m]] ⟨sport⟩ injury time, stoppage time ◆ *scoren in blessuretijd* score in injury time

[1]**bleu** [het] light blue

[2]**bleu** [bn] [1] ⟨verlegen⟩ timid, shy, bashful ◆ *wat is dat kind nog bleu* how timid that child is [2] ⟨blauw⟩ light blue

BLEU [de[v]] ⟨in België⟩ (Belgisch-Luxemburgse Economische Unie) Belgian-Luxemburg Economic Union

bliek [de[m]] [1] ⟨blei⟩ white bream [2] ⟨sprot⟩ sprat

bliep [tw] bleep, pip

bliepen [ov ww] bleep, pip

bliepmiep [de[v]] ⟨inf⟩ checkout girl

blieven [ov ww] [1] ⟨lusten⟩ like ◆ *ik blief geen oesters* I don't like oysters; *blief je nog wat?* (would you like) anything else? [2] ⟨wensen⟩ please ◆ *wat blieft u?* I beg your pardon?; *wa(t) blief?* come again

[1]**blij** [bn] [1] ⟨verheugd⟩ glad, happy, pleased, content(ed) ◆ *zo blij als een kind* (as) pleased as Punch, (as) happy as a sandboy; *daar ben ik blij om* I'm glad of/about it; *ik was (wat) blij dat het afgelopen was* I wasn't half glad it was over, ⟨AE⟩ boy, was I glad it was over; *iemand met iets blij maken* please s.o. with sth.; *blij zijn met iets* enjoy sth., be pleased with/glad of sth.; ⟨form⟩ rejoice at sth.; *ik ben blij met deze afloop* I'm glad it ended this way/about the way it turned out; *ze was maar al te blij* she was only too pleased; ⟨inf⟩ *blij toe!* thank heavens!; *blij zijn voor iemand* be happy for s.o.; *ik ben blij u te zien* I'm glad/pleased to see you [2] ⟨tot vreugde stemmend⟩ happy, joyful, joyous, glad, festive ◆ *de blijde boodschap* the Gospel, the Glad Tidings/News; *blijde gebeurtenis* happy event/occasion; *in blijde verwachting zijn* be expecting [3] ⟨fris, lustig⟩ gay, merry, cheerful, joyous, gleeful

[2]**blij** [bn, bw] ⟨vrolijk⟩ cheerful ⟨bw: ~ly⟩, merry, gay, happy, in good/high spirits ◆ *een blij gezicht* a cheerful face; *een blij(d)e lach* merry laughter, a gay laugh; *blij lachen/zingen* laugh/sing cheerily/merrily

blijdschap [de[v]] [1] ⟨blijheid⟩ joy, gladness, cheer(fulness), merriment, happiness, good/high spirits, glee ◆ *met blijdschap iemand begroeten/helpen* greet s.o. cheerfully, be glad to help s.o.; *haar hart klopte van blijdschap* her heart pounded/jumped with joy [2] ⟨dat waarin men zich verheugt⟩ joy, happiness ◆ ⟨Bijb⟩ *Gij zijt onze blijdschap* Thou art our joy

blijf ⟨in België⟩ [•] *met iemand/iets geen blijf weten* not know what to do with s.o./sth.

blijf-van-mijn-lijfhuis [het] women's refuge centre, women's shelter/hostel, ± home for battered women

blijgeestig [bn] cheerful, jovial, merry, high-spirited, good-natured

blijheid [de[v]] gladness, joy, (good) cheer, merriment, happiness, high spirits, glee

blijk [het] ⟨teken⟩ mark, token, ⟨bewijs⟩ evidence, proof, testimony ◆ *ten blijke waarvan deze akte is opgesteld en ondertekend* in witness/evidence whereof this certificate/document was drawn up and signed; *een blijk van vertrouwen* a token of faith/confidence; *geen enkel blijk van verzet* no evidence/trace of resistance; *blijk geven van belangstelling* show one's interest; *hij gaf blijk van grote vreugde* he showed/exhibited great joy; *als blijk van mijn achting/dankbaarheid* as a token of my respect/gratitude; *blijken van instemming/afkeuring/waardering* signs/expressions of approval/disapproval/appreciation; *hij ontving veel blijken van belangstelling bij zijn jubileum* he received many tributes at his jubilee

[1]**blijkbaar** [bn, bw] ⟨duidelijk⟩ evident ⟨bw: ~ly⟩, obvious, clear, manifest ◆ *hij heeft blijkbaar te veel van zichzelf gevraagd* he has obviously overtaxed himself; *het is een blijkbare vergissing* it is an evident/obvious mistake, it is clearly a mistake

[2]**blijkbaar** [bw] ⟨kennelijk⟩ apparently, evidently ◆ *hij heeft daartoe blijkbaar geen gelegenheid meer gehad* apparently he has not had time/the opportunity

blijken [onov ww] prove, turn out, emerge, be shown/proved/found ◆ *hij blijkt betrouwbaar (te zijn)* he has been found (to be) reliable; *'t blijkt, dat ...* it turns out/was found that ..., evidently/apparently ...; *het bleek duidelijk, dat ...* it was obvious/apparent that ...; *uit dit alles blijkt, dat ...* all this shows/proves/goes to show that ...; *uit zijn weigering blijkt dat ...* his refusal implies/is a clear indication that ...; *ze was dolblij toen bleek dat hij vertrokken was* she was overjoyed to find him gone; *doen blijken van* give evidence of, show, express; *laten blijken* show, betray; *hij probeerde zijn woede niet te laten blijken* he tried to hide/conceal his anger; *het bleek een leugen te zijn* it proved to be a lie; *hij liet er niets van blijken* he gave no hint/sign of it; *ze liet duidelijk blijken dat ...* she made it (abundantly) clear that ...; *ik liet niet blijken dat ik het door had* I did not let on that I knew; *het bleek mij/hem dat ...* it became clear to me/him that ...; *dat moet nog blijken* that remains to be seen; *het zal spoedig blijken of hij geschikt is* we shall soon find out if he is the right man; *hun onschuld is gebleken* their innocence has been established; *het bleek een trucje te zijn* it turned out to be a trick; *zoals blijkt* as it turns out

blijkens [vz] according to, as appears from, as is evident from, (as) witness ◆ *blijkens oude **oorkonden** bestond die stad reeds in de tiende eeuw* old documents show this town to date back as far as the tenth century

blijmoedig [bn, bw] cheerful ⟨bw: ~ly⟩, merry, gay, jovial, jolly ◆ *blijmoedig zijn werk **doen*** cheerfully go about one's work; *blijmoedig zijn kruis **dragen*** bear one's cross with cheer, ↓grin and bear it

blijspel [het] comedy

blijspelauteur [de^{m}], **blijspeldichter** [de^{m}] comedy-writer

blijspeldichter [de^{m}] → **blijspelauteur**

[1]**blijven** [onov ww] [1] ⟨voortgaan te bestaan⟩ remain, continue to exist ◆ *zoiets blijft altijd **gevaarlijk*** this sort of thing is always/will always be dangerous; *ik blijf je nog 10 euro **schuldig*** I'll owe you ten euros; *het blijft een open **vraag*** it remains unanswered/an open question; ***vrienden** blijven* remain/continue to be friends; *de **zorg** voor dit kind blijft* this child will always have to be taken care of [2] ⟨niet veranderen⟩ remain (-ing), stay (on), continue/keep (-ing), ⟨vnl. ondanks tegenstand⟩ ↓hang on ◆ *ik blijf **aan** mijn werk* I'll go on working/with my work, I'll carry on with what I'm doing; *blijft u even **aan** de lijn?* hold on/the line, please; *je kunt **aan** het verbieden blijven* you can go on saying no until you're blue in the face; *de winst bleef **beneden** de verwachtingen* the profits fell short of expectations; ***bij** iets blijven* stick to sth.; ***bij** de tijd blijven* keep up with the times; ⟨inf⟩ stay with it; *het bleef **bij** plannen* it never got beyond the planning stage; ***bij** zijn woord blijven* be as good as one's word; *alles bleef **bij** het oude* everything stayed the way it was; *blijf **bij** de reling vandaan* keep clear of the railings; *hij bleef **bij** zijn standpunt* he refused to/wouldn't budge; *hij blijft **bij** zijn weigering* he persists in his refusal; *maar het bleef niet **bij** stoeien* but it did not end with/went beyond a romp; ***bij** de zaak/het onderwerp blijven* keep to the point; *twee **commissieleden** blijven, de rest neemt ontslag* two committee members are staying on, the rest are resigning/ᴬstanding down; *en **daar** blijft het **bij**!* and that's final/flat/it!; *en **daarbij** bleef het* and that was it, and that ended the matter; *zo kan het niet blijven **duren*** things cannot go on like this; ***erbij** blijven* ⟨ook⟩ stick to one's guns; *ik blijf **erbij**, dat ...* I still think that ..., I maintain that ...; *waar ben je zo **lang** gebleven?* where have you been all this time?, what kept you?; *zij bleef **langer** dan de anderen* she outstayed the others; *hij bleef **langer** dan me lief was* he overstayed/outstayed his welcome; *blijven **leven/logeren/eten/wonen*** stay alive/the night/for dinner/on (in the house); *blijf **nog** wat!* don't go yet, please stay, ↓hang on a while; *de wedstrijd bleef **onbeslist*** the game ended in a draw; *laat dit **onder** ons blijven* let this go no further, keep it to yourself/under your hat, this is just between ourselves; *dat blijft dus **op** maandag?* so Monday still stands?; *je moet **op** het voetpad blijven* you have to keep to the footpath; *ze is wat blijven **praten*** she stayed for a chat; *het antwoord **schuldig** blijven* have no answer, not be able to give an answer; *ik blijf een paar dagen **thuis*** I'm taking a few days off; ***tot** het einde van de film blijven* sit/stay out the film; *ik blijf **vandaag*** I'll stay the day; *we moeten deze politiek blijven **volgen*** we must adhere/stick to this policy; *en ik dan?, **waar** blijf ik dan?* and where do I come in?, what about me then?; ***waar** blijf je nu met al je grootspraak?* what price your boasting now?; *je weet niet **waar** je blijft, als je daaraan begint* once you go in for that, you don't know where it is going to end; *blijven **wachten/hopen*** go on waiting/hoping; *het was weg en het bleef **weg*** it was gone and could not be found; *ik blijf **werken*** I'll go/keep on working; *blijven **zitten/liggen*** remain sitting/lying [3] ⟨niet verder gaan⟩ be, keep ◆ *3 van de 7 blijft 4* 3 from 7 leaves 4; ***achterwege** blijven* ⟨niet geschieden⟩ not take place/happen; ⟨overgeslagen worden⟩ be left out/omitted; ***daarbij** blijft het dus* that's final/agreed then; *ik blijf **daarbuiten*** I'll stay/keep out of that, I won't have anything to do with that; *er blijft nog veel te **doen*** much remains to be done, there's a lot still to do; *plotseling **doodblijven*** die suddenly; ⟨inf⟩ drop dead (all of a sudden/in one's tracks); *er bleef **hem** niets anders over dan ...* he had no other choice but to ...; *blijf **maar**!* don't bother, I'll take/do it!; *blijven **staan*** ⟨stoppen⟩ stand still, stop; ⟨overeind blijven⟩ remain standing; *blijven **steken*** get/be stuck; ⟨onderhandelingen bijvoorbeeld ook⟩ ↑reach a stalemate; *blijf **van** mijn lijf* keep your hands off me/to yourself; ***voor** het avondeten blijven* stay to supper; ***waar** blijf je toch?* what's keeping you?; ***waar** blijft het geld?* where does the money go?; ***waar** zijn wij gebleven?* where were we?, where did we stop/leave off?, where had we got to?; ***waar** blijft m'n biertje?* where's my beer?; ***waar** blijf je nou met je bewijzen?* so where is your evidence?; ⟨bij weerlegging⟩ so much for all your evidence; ***waar** is mijn portemonnee gebleven?* where is my purse?, where has my purse got to?, where did I leave my purse?; *het wil niet blijven **zitten/op** zijn plaats blijven* it won't stay put/in its place [4] ⟨sterven⟩ perish, be left behind, remain behind ◆ *ergens **in** blijven* die, choke; ⟨fig⟩ die (laughing/with fright/...); ⟨euf⟩ *dat wil er wel **in** blijven* I'll have no trouble keeping that down, that's going down well; *hij is **op** zee gebleven* he died at sea; *dat schip is **op** zee gebleven* that ship was wrecked at sea ⊡ ⟨sprw⟩ *schoenmaker blijf bij je leest* let the cobbler stick to his last; ± every man to his trade

[2]**blijven** [koppelww] ⟨niet ophouden te zijn⟩ remain, stay, always be, ⟨form⟩ continue ◆ ***beleefd** blijven* remain polite; *de lucht blijft **bewolkt*** the sky remains overcast; ***ernstig/rustig** blijven* remain serious, keep quiet; ***gezond** blijven* keep one's health; ***goed** blijven* keep/remain fresh; *deze appel blijft lang **goed*** this apple keeps well, this is a good keeping apple; ***jong** blijven* stay young; *het weer blijft **mooi*** the fine weather is holding; ***onbeantwoord/geheim** blijven* remain unanswered/a secret; ***ongetrouwd** blijven* remain single/a bachelor; *het blijft de **vraag** of ...* the question remains whether ..., it remains a moot point whether ...; *jij bent en blijft mijn beste **vriend*** you will always be my best friend; *en **zo** blijft het!* and that's final/flat/that!, period! ⊡ ⟨sprw⟩ *eens gegeven blijft gegeven* ± give a thing, and take a thing, to wear the Devil's gold ring; ⟨sprw⟩ *gasten en vis blijven maar drie dagen fris* fish and guests smell in three days; ± a constant guest is never welcome

blijvend [bn] ⟨vrede, vriendschap⟩ lasting, abiding, ⟨waarde/herinnering ook⟩ enduring, ⟨maatregel⟩ permanent, ⟨duurzaam⟩ durable, ⟨niet aflatend⟩ persistent, ⟨kleur⟩ fast ◆ *van blijvende **aard*** (of a) permanent (character), on a permanent basis; *een blijvende **herinnering*** a lasting/an enduring/abiding memory; *een blijvend **invalide*** a chronic/lifelong invalid; *blijvend **letsel*** permanent damage, (a) permanent injury; *zich een blijvende **plaats** verwerven* come to stay, be a permanent feature; *zonder blijvende **waarde*** ephemeral, of no/little lasting value, written in water

blijver [de^{m}] [1] ⟨iemand die op dezelfde plaats blijft⟩ stayer, ⟨scherts⟩ fixture ◆ *die predikant **is** een blijver* this vicar is a stayer/is here to stay [2] ⟨wat in leven blijft⟩ s.o. who will live long ◆ *dat kind **is** geen blijvertje* the child is not long for this world

[1]**blik** [de^{m}] [1] ⟨oogopslag⟩ look, ⟨vluchtig⟩ glance, glimpse, ⟨lang⟩ gaze ◆ *de blik **afwenden*** avert one's eyes, look away; ***begerige** blikken op iets werpen* cast covetous eyes upon; *een **gekwelde** blik* a haunted look; *een **haastige** blik op iets werpen* cast a quick look/glance at; *een **heimelijke** blik werpen op iets* steal a glance at sth., watch sth. out of the corner of one's eye; ***met/in** één blik* at a glance, with one look; *met de blik op **oneindig*** single-mindedly; ***verwijtende** blikken* accusing looks, looks of reproach; *een **vluchtige** blik werpen in/op iets* pass one's eye over sth., take a quick glance at sth.; *een blik op iemand **werpen*** take a look at s.o., look s.o.

over; *een blik in de toekomst* ***werpen*** look into the future [2] ⟨uitdrukking⟩ look (in one's eyes), expression ◆ *een blik van* ***verstandhouding*** a knowing look/glance; *iemand met een* ***vooruitziende*** *blik* a man/woman of foresight [3] ⟨vermogen om te zien⟩ eye(sight), eyes ◆ *een* ***geoefende/scherpe*** *blik* a trained/sharp/keen eye [4] ⟨visie⟩ view, outlook ◆ *iemand met een* ***brede/ruime*** *blik* s.o. with a broad/wide outlook

²**blik** [het] [1] ⟨plaatstaal⟩ tin(plate) ◆ ***in*** *blik* canned; ⟨BE vnl⟩ tinned; *bier* ***uit*** *blik* canned beer [2] ⟨doos, bus⟩ can, ⟨BE vnl; voor conserven⟩ tin, ⟨trommel⟩ tin, ⟨voor bier⟩ can, ⟨met deksel⟩ canister ◆ *een blik* ***groenten*** a tin/can of vegetables; *een blik* ***koekjes*** a tin of biscuits [3] ⟨voorwerp om vuil op te vegen⟩ dustpan ◆ ***stoffer*** *en blik* dustpan and brush

blikachtig [bn, bw] tinny ⟨bw: tinnily⟩

blikconserven [de^mv] canned food, ⟨BE vnl⟩ tinned food

blikgroente [de^v] canned vegetables, ⟨BE vnl⟩ tinned vegetables

blikje [het] [1] ⟨blikken doosje⟩ tin [2] ⟨conservenblikje⟩ can, ⟨BE vnl⟩ tin ◆ *een blikje* ***bier*** a can of beer; *een* ***leeg*** *blikje* a tin can; *een blikje* ***melk*** a can/tin of (evaporated) milk

¹**blikken** [bn] tin ◆ *blikken* ***doosjes*** tin boxes/canisters [·] *een blikken* ***fluitje*** a tin/penny whistle

²**blikken** [ww] [·] *zonder blikken* ***of blozen*** ⟨fig⟩ without a blush, unblushingly, without batting an eyelid

³**blikken** [onov ww] ⟨form⟩ ⟨kijken⟩ look, glance, cast an eye, ⟨lang⟩ gaze ◆ *blikken* ***op/naar/uit*** look (down) on/at/out of

blikkeren [onov ww] flash, gleam ◆ *het water blikkert* ***in*** *de zon* the water gleams/flashes in the sunlight

blikkerig [bn] tinny, ⟨m.b.t. geluid ook⟩ thin

blikkering [de^v] flashing, gleam(ing)

blikogen [onov ww] ◆ *hij blikoogt* ***van*** *woede* his eyes are popping out of his head with rage, he's apoplectic (with rage)

blikopener [de^m] can opener, ⟨BE vnl⟩ tin opener

blikschaar [de] ⟨van blikslager⟩ tin-snips, tinman's shears, ⟨in staalfabriek⟩ flying shears

blikschade [de] damage to the bodywork ◆ *er* ***was*** *alleen wat blikschade* the car was only slightly dented

bliksem [de^m] [1] ⟨meteo⟩ lightning ◆ *zo snel* ***als*** *de bliksem* at lightning speed; *als door de bliksem* ***getroffen*** thunderstruck, dumbfounded; *de bliksem* ***slaat in*** lightning strikes; *de bliksem was niet van de lucht* there was lightning everywhere [2] ⟨krachtterm⟩ deuce, devil, hell [3] ⟨kerel, vent⟩ devil ◆ *een* ***arme*** *bliksem* a poor devil [4] ⟨+ geen⟩ damn(-all) ◆ *het interesseert hem* ***geen*** *bliksem* he doesn't give/care a damn [5] ⟨ondergang⟩ (rack and) ruin ◆ *loop* ***naar*** *de bliksem* go to hell/blazes; ***naar*** *de bliksem gaan* go to pot, go up the spout, ⟨AE ook⟩ go down the tube(s); ⟨sl⟩ go west; *alles is* ***naar*** *de bliksem* everything is ruined/has gone to the dogs; *iemand* ***naar*** *de bliksem jagen* ruin s.o.; *wéér 1000 euro* ***naar*** *de bliksem* another 1000 euros down the drain [·] ***als*** *de bliksem* immediately, right now, this minute, on the double; ⟨inf⟩ *er als de* ***gesmeerde*** *bliksem vandoor gaan* take off like greased lightning/like a bat out of hell, show a clean pair of heels; ***hete*** *bliksem* stewed apples with potatoes and meat served hot; ⟨inf⟩ *iemand* ***op*** *zijn bliksem geven* ⟨pak slaag⟩ give s.o. a good hiding; ⟨uitbrander⟩ dress s.o. down, tear a strip off s.o.

bliksemactie [de^v], **bliksemoperatie** [de^v] hit-and-run operation, tip-and-run operation, lightning operation/action/raid

bliksemafleider [de^m] [1] ⟨staaf⟩ lightning rod/^B conductor [2] ⟨persoon⟩ lightning rod, whipping-boy ◆ *ze gebruikt hem altijd* ***als*** *bliksemafleider* she always takes it out/vents her anger on him

bliksembezoek [het] flying/lightning visit, ⟨vnl pol; inf; AE⟩ whistlestop

bliksemcarrière [de] lightning career, rapid/meteoric rise ◆ *een bliksemcarrière* ***maken*** rise rapidly

¹**bliksemen** [onov ww] ⟨vuur schieten⟩ flash, blaze ◆ *bliksemende* ***ogen*** flashing/blazing eyes

²**bliksemen** [ov ww] [1] ⟨door bliksems neerwerpen⟩ cast out/down by lightning, cast out/down by thunderbolts ◆ *de reuzen werden door Zeus* ***van*** *de Olympus gebliksemd* the giants were thrown off Mount Olympus by Zeus and his thunderbolts [2] ⟨gooien⟩ throw, chuck, fling, ⟨BE ook⟩ bung ◆ *iemand* ***eruit*** *bliksemen* chuck s.o. out, bounce s.o.; *iets* ***van*** *de tafel bliksemen* shove/fling sth. off the table

³**bliksemen** [onpers ww] ⟨lichten⟩ ◆ ***het*** *heeft de hele nacht gebliksemd* there were flashes of lightning all night, the lightning/thunderstorm didn't stop flashing all night

bliksemflits [de^m] (flash of) lightning, thunderbolt

bliksеminslag [de^m] stroke/bolt of lightning, lightning stroke, thunderbolt

bliksemlicht [het] flash of lightning

bliksemoorlog [de^m] blitz(krieg)

bliksemoperatie [de^v] → **bliksemactie**

¹**bliksems** [bn] ⟨zeer ondeugend⟩ devilish, infernal, damned, darned ◆ *een stel bliksemse* ***jongens*** a bunch of little devils/rascals [·] *de hele bliksemse* ***boel*** the whole lot/caboodle

²**bliksems** [bw] ⟨zeer⟩ damn(ed), dashed, infernally, ⟨BE⟩ jolly ◆ *het gaat bliksems* ***goed*** it is going jolly well; *je weet bliksems* ***goed*** ... you know damn(ed) well; *het is bliksems* ***moeilijk*** it's infernally difficult

³**bliksems** [tw] dash (it)!, damn (it)!, hell('s bells)!

bliksemschade [de] damage caused by lightning

bliksemschicht [de^m] thunderbolt, flash/stroke/bolt of lightning

bliksemsnel [bn, bw] ⟨bijvoeglijk naamwoord⟩ lightning, instantaneous, meteoric, ⟨bijwoord⟩ at/with lightning speed, quick as lightning, like greased lightning

bliksemstart [de^m] lightening start

bliksemstraal [de^m] [1] ⟨bliksemschicht⟩ ⟨ook fig⟩ thunderbolt, flash/stroke/bolt of lightning [2] ⟨deugniet⟩ (little) devil/rascal, ⟨BE ook⟩ blighter

¹**blikskaters** [bn] devilish, infernal, damned, darned

²**blikskaters** [tw] damn!, hell('s bells)!, the devil!, what the deuce!

blikslager [de^m] tinsmith, tinman, whitesmith, tinner ◆ *blik- en* ***koperslager*** tin- and coppersmith

blikvanger [de^m] eye-catcher, (eye)stopper, attention-getter, ⟨form⟩ cynosure

blikveld [het] field of vision, visual field, ⟨fig⟩ horizon, perspective

blikvernauwing [de^v] narrowing of vision, narrow-mindedness

blikverruimend [bn] broadening one's view of mind

blikverruiming [de^v] broadening of one's outlook/horizon(s), widening of one's outlook/horizon(s)

blikvoer [het] ⟨inf⟩ ⟨AE⟩ tinned food, ⟨BE⟩ canned food

blikwerk [het] tinware

blimp [de^m] blimp

¹**blind** [het] [1] ⟨vensterluik⟩ ⟨window⟩ shutter, blind [2] ⟨scheepv⟩ blind

²**blind** [bn] [1] ⟨niet kunnende zien⟩ blind, sightless, eyeless ◆ *zij is* ***aan één oog*** *blind* she is blind in one eye; *zo blind* ***als*** *een mol* as blind as a bat; *iemand blind* ***maken*** ⟨lett⟩ make s.o. go blind, blind s.o.; ⟨fig⟩ blind s.o. (to); *een blinde* ***man*** a blind man; *blinde* ***vlek*** blind spot, optic disc; *blind* ***worden*** go blind; ⟨fig⟩ ***ziende*** *blind zijn* ⟨niet willen zien⟩ there's none so blind as those who won't see; ⟨niet kunnen zien⟩ not be able to see for looking; ⟨fig⟩ *hij is* ***ziende*** *blind* he was born without eyes in his head [2] ⟨zonder eigen oordeel⟩ blind, mindless, ⟨vertrouwen, gehoorzaamheid⟩ implicit, unquestioning ◆ *blinde* ***gehoorzaamheid*** blind/un-

questioning obedience; *blind **geloof*** blind faith; *het blinde **geluk*** mere luck/chance; *een blind **toeval*** sheer coincidence; *een blind **vertrouwen** in iemand hebben* trust s.o. implicitly, have implicit faith in s.o.; *ik was blind **voor** zijn gebreken* I was blind to his shortcomings; *blinde **woede/razernij*** blind rage [3] ⟨onzichtbaar⟩ blind, concealed ◆ *blind **anker*** concealed cramp (iron); *een blinde **klip*** a sunken/submerged/blind rock, needles; *een blinde **passagier*** a stowaway; *een blinde **sluiting*** an invisible fastening; *blinde **vernageling*** blind nailing [4] ⟨zonder opening⟩ blind, blank ◆ *blinde **muren*** blind/blank walls [5] ⟨met een opening aan één zijde⟩ blind ◆ *een blinde **steeg*** a blind alley/cul-de-sac [6] ⟨waarbij men niet zien kan⟩ blind ◆ ***in** den blinde rondtasten* be grope around in the dark; *blind **schaken*** play (a game of) chess blindfold, play blindfold chess; *blind **spelen*** play blind; *blind **typen*** touch-type; *blind **vliegen*** fly blind/on instruments [7] ⟨wat niet de verwachte bestemming heeft⟩ blind, false, ornamental ◆ *een blinde **deur*** a blank/false door; *blinde **hutspot*** vegetarian stew/casserole; *blinde **pijpen*** dummy/mute pipes; *een blind **venster*** a blank/walled-up window; *een blinde **vloer*** a counterfloor [8] ⟨waaraan ontbreekt wat men erin, erbij verwacht⟩ blank ◆ *blinde **bijen*** drone flies; *een blinde **landkaart*** outline/teaching map; *een blind **schot*** ⟨niet op doel gericht⟩ a blank (shot); ⟨losse flodder⟩ shot with a blank; *blinde **vragen*** questions without set answers [•] ⟨sprw⟩ *liefde is blind* love is blind

blinddammen [onov ww] ⟨BE⟩ play blind draught, ⟨AE⟩ play blind checkers

blind date [de^m] blind date

blinddoek [de^m] blindfold, bandage, blind ◆ *iemand een blinddoek voor de ogen **binden*** ⟨fig⟩ hoodwink s.o., lead s.o. up the garden path

blinddoeken [ov ww] blindfold

blinddruk [de^m] ⟨drukw⟩ blind stamp(ing)/tooling

blinde [de] ⟨man & vrouw⟩ blind person, ⟨man⟩ blind man, ⟨vrouw⟩ blind woman ◆ *hij oordeelt **als** een blinde over kleuren* he has no judg(e)ment (in these matters), one cannot trust his judg(e)ment; ⟨bridge⟩ ***met** een blinde spelen* play with a dummy; *de blinden* the blind [•] ⟨sprw⟩ *in het land der blinden is eenoog koning* in the country of the blind, the one-eyed man is king; ⟨sprw⟩ *als de blinde de blinde leidt, dan vallen ze beiden in de gracht* when/if the blind lead the blind, both shall fall into the ditch

blindedarm [de^m] blind gut, caecum, ⟨wormvormig aanhangsel⟩ (vermiform) appendix

blindedarmontsteking [de^v] ⟨van wormvormig aanhangsel⟩ appendicitis, ⟨van blindedarm zelf⟩ typhlitis

blindelings [bw] [1] ⟨zonder te zien⟩ blindly, blindfold, unseeingly ◆ *blindelings de weg kunnen **vinden*** know the way blindfold [2] ⟨in het wilde weg⟩ blindly, at random, unthinkingly ◆ *blindelings te werk gaan* go about one's work in a random/disorganized fashion [3] ⟨in vol vertrouwen⟩ blindly, implicitly, through thick and thin ◆ *blindelings **gehoorzamen*** obey implicitly; *iemand blindelings **vertrouwen*** trust s.o. implicitly/blindly; *blindelings **volgen*** follow blindly/through thick and thin

blindeman [de^m] blindfolded player

blindemannetje [het] blindman's buff ◆ *blindemannetje **spelen*** play blindman's buff

blindenbibliotheek [de^v] library for the blind

blindengeleidehond [de^m] guide dog (for the blind), ⟨AE ook⟩ seeing-eye dog

blindeninstituut [het] home/institute/institution for the blind

blindenschool [de] school for the blind

blindenschrift [het] ⟨in België⟩ braille

blindenstip [de^m] raised dot (on a bank note)

blindenstok [de^m] white stick

blinderen [ov ww] [1] ⟨bom-, kogelvrij maken⟩ armour ◆ *een geblindeerde **trein/auto*** an armoured train/car [2] ⟨bekleden, aan het gezicht onttrekken⟩ clad, face, ⟨vnl mil⟩ blind ◆ ***metselwerk** blinderen met tegels* face brickwork with tiles

blindering [de^v] [1] ⟨het bom-, kogelvrij maken⟩ armouring [2] ⟨middel⟩ armour (plate) [3] ⟨het bekleden, aan het gezicht onttrekken⟩ cladding, facing, ⟨vnl mil⟩ blinding [4] ⟨middel⟩ cladding, ⟨vnl mil⟩ blind(age)

blindganger [de^m] dud, unexploded bomb/shell

blindgeboren [bn] born blind, blind from birth ◆ ***een** blindgeborene* a person born blind

blindheid [de^v] blindness ◆ ⟨fig⟩ ***met** blindheid geslagen zijn* be (struck) blind

blindkap [de] hood, ± blinders

blindpartij [de^v] blind game, blind match

blindschaak [het] blind chess

blindschaken [onov ww] play blind chess

blindslang [de] [1] ⟨familie van slangen⟩ blind snake, worm snake [2] ⟨hazelworm⟩ blindworm, slow-worm

zich blindstaren [wk ww] [•] *zich blindstaren **op*** be fixed/fixated on, be obsessed by, overestimate the importance/influence of, concentrate too much on sth. (to the detriment of other aspects); *je moet je niet blindstaren **op** details/de problemen* don't let yourself be put off/obsessed by details/the problems

blindstempel [het] embossing stamp

blindtest [de^m] blind test, blind trial

blindvaren [onov ww] ⟨met 'op'⟩ trust blindly, rely (on) ◆ *blindvaren **op** iemand* trust s.o. blindly; *je kunt niet blindvaren **op** die krantenberichten* you can't trust newspaper reports blindly

bling [de^m] bling

blingbling [het] bling bling

blini [de^m] blin ⟨meervoud blini⟩

[1]**blinken** [onov ww] ⟨schitteren⟩ shine, glisten, glitter, glare ◆ ***alles** blinkt er* everything is spotless/spic-and-span; *koperwerk poetsen **dat** het blinkt* polish the brass until it shines/gleams; *er blonken **lichtjes** in de verte* lights were shining in the distance; *in haar ogen blonken **tranen*** tears were shining/glistening in her eyes; ⟨fig⟩ *zijn gezicht blonk **van** vreugde* his face was radiant/beaming with joy; *blinkend* shining, shiny, glittering; ⟨alleen predicatief⟩ aglitter, agleam [•] ⟨sprw⟩ *het is niet al goud wat er blinkt* all that glitters/glisters is not gold

[2]**blinken** [ov ww] ⟨in België⟩ ⟨poetsen⟩ polish, shine

blinker [de] ⟨comp⟩ cursor

blinkerd [de^m] [1] ⟨duintop⟩ ± white dune [2] ⟨plek aan de hemel⟩ ± clear spot/patch [3] ⟨kunstaas aan sleeplijn⟩ spoon (bait)

blisterverpakking [de^v] blister pack ◆ *een speelgoedauto **in** blisterverpakking* a toy car in a blister pack

[1]**blits** [de^m] [•] *de blits **maken*** steal the show, make a good show

[2]**blits** [bn, bw] ⟨inf⟩ trendy ⟨bw: trendily⟩, hip, groovy, far-out, wild ◆ *blitse **kleren*** trendy/groovy clothes; *er blits **uitzien*** look trendy/hip

blitskikker [de^m] ⟨inf⟩ trendy, hipster, groover

blitz [het] blitz

blitzaanval [de] ⟨mil⟩ lightning raid/attack, blitz

blitzkrieg [de^m] blitzkrieg

blitzpartij [de^v] blitz game, blitz match

blitzschaak [het] blitz chess

blizzard [de^m] blizzard

blo [bn] ⟨form⟩ [1] ⟨laf⟩ cowardly, fainthearted [2] ⟨verlegen⟩ bashful, timorous, timid [•] ⟨sprw⟩ *beter blo Jan dan do Jan* better a live coward/dog than a dead lion; he that fights and runs away may live to fight another day; discretion is the better part of valour

b.l.o. [het] (buitengewoon lager onderwijs) Special Primary Education

blockbuster [de^{m}] blockbuster, box-office success/hit
blocnote [de^{m}] (writing) pad, tablet, jotter, block
bloed [het] blood ◆ ⟨fig⟩ *blauw bloed hebben* have blue blood, be a blue blood/of the blue blood; ⟨fig⟩ *iemand met blauw bloed trouwen* marry s.o. blue-blooded; *bloed en bodem* blood and soil; ⟨r-k⟩ *het bloed van Christus* the blood of Christ/the Lamb; *bloed doen vloeien* draw blood; ⟨fig⟩ *iemand het bloed in de aderen doen stollen* make s.o.'s blood run cold/curdle, freeze one's blood; ⟨fig⟩ *hij kon haar bloed wel drinken* ⟨ook⟩ he could murder her/wring her neck; ⟨fig⟩ *iemands bloed (wel) kunnen drinken* hate s.o.'s guts, be out for s.o.'s blood; *eigen bloed bevoordelen* advance one's family's interests; ⟨fig⟩ *hij heeft bloed geroken* he has tasted blood; *goed en bloed* life and property; ⟨r-k⟩ *het heilig bloed* the holy blood, the blood of the Lamb; *in zijn bloed baden* swim/bathe in one's (own) blood; *dat zit hem in het bloed* it's/it runs in his blood; ⟨fig⟩ *in koelen bloede* in cold blood; ⟨fig⟩ *moord in koelen bloede* cold-blooded murder; *iemand van koninklijken bloede* s.o. of the (royal) blood; ⟨fig⟩ *mijn bloed kookte* my blood boiled/was up; ⟨fig⟩ *kwaad bloed zetten* breed/create bad blood, stir up/create ill-feeling/ill-will; ⟨fig⟩ *wij moeten nieuw bloed in het bestuur hebben* we need new/fresh/young blood on the committee; *bloed opgeven/spuwen* cough up/spit blood; ⟨fig⟩ *het bloed stolde in mijn aderen* my blood ran cold, my blood froze/curdled in my veins; *prins van den bloede* prince of the blood; *bloed vergieten* shed/spill blood; *mensen van vlees en bloed* flesh-and-blood people; *mijn eigen vlees en bloed* my own flesh and blood; *er zal bloed vloeien* blood will flow/be shed/be spilled, there will be bloodshed; ⟨biol⟩ *vreemd bloed invoeren* cross-breed; *geen bloed kunnen zien* not be able to stand the sight of blood; *geen bloed willen zien* try to avoid bloodshed; ⟨fig⟩ *iemand het bloed onder de nagels vandaan halen* plague/exasperate s.o., get under s.o.'s skin ▪ ⟨sprw⟩ *het bloed kruipt waar het niet gaan kan* ± breeding will out; ± blood will tell
bloedappel [de^{m}] blood orange
bloedarm [bn] anaemic, exsanguine, exsanguinous
bloedarmoede [de] anaemia, exsanguinity ◆ *hij lijdt aan bloedarmoede* he's anaemic
bloedbaan [de] bloodstream
bloedbad [het] 1 ⟨slachting⟩ bloodbath, carnage, slaughter, massacre, butchery ◆ *een bloedbad aanrichten* cause a bloodbath; *een bloedbad aanrichten onder de inwoners* massacre the inhabitants 2 ⟨fig⟩ massacre ◆ *een bloedbad op de beurs* a massacre on the stock market
bloedband [de^{m}] blood relationship, blood-tie
bloedbank [de] blood bank
bloedbeeld [het] blood picture, haemogramme, ⟨AE⟩ hemogram, ± blood count
bloedbezinking [de^{v}] erythrocyte sedimentation rate, ESR
bloedblaar [de] blood blister
bloedbraken [ww] vomit blood
bloedbraking [de^{v}] ⟨med⟩ haematemesis, vomiting of blood
bloedbroeder [de^{m}] blood brother
bloedbroederschap [de^{v}] blood brotherhood
bloedcel [de] blood cell/corpuscle
bloeddonor [de^{m}] blood donor
bloeddoop [de^{m}] ⟨rel⟩ blood baptism, baptism of blood
bloeddoorlopen [bn] bloodshot ◆ *met bloeddoorlopen ogen* with bloodshot eyes
bloeddoping [de^{v}] ⟨med, sport⟩ blood doping
bloeddorst [de^{m}] bloodthirstiness, bloodlust, craving/lust/thirst for blood
bloeddorstig [bn, bw] bloodthirsty ⟨bw: bloodthirstily⟩
bloeddruk [de^{m}] blood pressure ◆ *diastolische bloeddruk* diastolic blood pressure; *hoge bloeddruk* high blood pressure, hypertension; *lage bloeddruk* low blood pressure, hypotension; *de bloeddruk meten* take s.o.'s blood pressure; *systolische bloeddruk* systolic blood pressure
bloeddrukmeter [de^{m}] ⟨med⟩ sphygmo(mano)meter, tonometer
bloeddrukverhogend [bn] hypertensive
bloeddrukverlagend [bn] hypotensive ◆ *bloeddrukverlagend middel* anti-hypertensive
bloedeigen [bn] (very) own ◆ *mijn bloedeigen kind* my own child/flesh and blood
bloedeloos [bn] 1 ⟨arm aan, zonder bloed⟩ ⟨zonder bloed⟩ bloodless, ⟨arm aan bloed⟩ anaemic 2 ⟨lusteloos⟩ lifeless, listless, burned/worn out, weak-kneed
bloeden [onov ww] 1 ⟨bloed laten uitvloeien⟩ bleed ◆ *bloeden als een rund* bleed like a pig; *erg bloeden* bleed profusely; *mijn hand bloedt* my hand is bleeding; *hij doet alsof zijn neus bloedt* he's acting as though it's no concern of his/he's got nothing to do with it; *tot bloedens toe* until it bleeds/bleeding occurs 2 ⟨boeten⟩ pay ◆ *hij zal ervoor bloeden* he'll pay for this
bloeder [de^{m}] bleeder, haemophiliac
bloederig [bn] bloody, gory, bloodstained, ↑ sanguinary ◆ *een bloederig boek, een bloederige film* a gory book/film; *bloederige ontlasting* bloodstained stools; *een bloederig verhaal* a gory tale, a blood-and-thunder story; *bloederig vlees* bloody meat; *een bloederige wond* a bloody/gory wound
bloederziekte [de^{v}] haemophilia
bloedfactor [de^{m}] blood factor
bloedgang [de^{m}] ⟨inf⟩ breakneck speed ◆ *met een bloedgang* at (a) breakneck speed/a tearing pace
bloedgeefster [de^{v}] → **bloedgever**
bloedgeld [het] 1 ⟨loon voor een misdaad⟩ blood money 2 ⟨karig loon voor zwaar werk⟩ starvation wages, pittance, ↓ peanuts
bloedgetuige [de] martyr
bloedgever [de^{m}], **bloedgeefster** [de^{v}] blood donor
bloedglucose [de] blood glucose
bloedglucosewaarde [de^{v}] blood glucose level, blood sugar
bloedgroep [de] blood group/type ◆ *iemands bloedgroep bepalen* type/group s.o.'s blood; *bloedgroep B hebben* be blood group/type B
bloedgroepenstrijd [de^{m}] factional conflict
bloedheet [bn] ⟨inf⟩ sweltering (hot), broiling/boiling (hot)
bloedhekel ▪ *een bloedhekel hebben aan iets/iemand* absolutely hate sth./s.o.
bloed-hersenbarrière [de^{v}] blood-brain barrier
bloedhond [de^{m}] 1 ⟨dier⟩ bloodhound, sleuth(hound) 2 ⟨persoon⟩ bloodhound, brute, monster, butcher
^{1}**bloedig** [bn] 1 ⟨met bloed⟩ bloody, gory, bloodstained, ↑ sanguinary ◆ *bloedige doeken* bloody/blood-soaked towels; *bloedig slijm* bloodstained mucus; *bloedige wonden* bloody/bleeding/gory wounds 2 ⟨door bloedvergieting gekenmerkt⟩ bloody, gory, ↑ sanguinary ◆ *een bloedige ontknoping* a bloody/gory ending; *een bloedige slag* a bloody/red/savage battle; *een bloedige sport* a blood sport 3 ⟨fig⟩ bitter, painful ◆ *bloedige ernst* deadly seriousness
^{2}**bloedig** [bw] ⟨zeer hard⟩ very hard, with all one's force/energy ◆ *hij heeft er zo bloedig zijn best op gedaan* he did his utmost/level best; *zij moest er bloedig voor werken* she had to sweat and toil/work her guts out/toil and moil for it
bloeding [de^{v}] bleeding, ⟨meestal hevig⟩ haemorrhage ◆ *herhaalde bloedingen* repeated haemorrhages; *een inwendige bloeding* internal bleeding/haemorrhaging; *bloeding van het tandvlees* bleeding (of the) gums
bloedje [het] (poor) little thing/mite ◆ *die bloedjes van kinderen* those poor little things/children/kids
bloedjeheet [bn] sweltering
bloedjelink [bn] very/extremely tricky
bloedkanker [de^{m}] leukaemia, blood cancer

bloedkleurstof [de] haemoglobin
bloedkoek [de^{m}] (blood) clot, coagulum
[1]**bloedkoraal** [het] ⟨skelet van een soort poliep⟩ red coral
[2]**bloedkoraal** [de] ⟨kraal, bolletje⟩ red coral
bloedkoralen [bn] (red) coral ◆ *een bloedkoralen **ketting*** a coral necklace
bloedlichaampje [het] blood corpuscle/cell ◆ ***rode/witte** bloedlichaampjes* red/white corpuscles
bloedlink [bn, bw] ⟨inf⟩ [1] ⟨zeer riskant⟩ bloody dangerous, risky, unsafe [2] ⟨woedend⟩ hopping mad, furious ◆ *hij **werd** bloedlink toen hij ervan hoorde* he went into a rage when he heard about it
bloedlip [de] bloody lip, bleeding lip
bloedloogzout [het] prussiate of potash ◆ ***geel** bloedloogzout* yellow prussiate of potash, potassium ferrocyanide; ***rood** bloedloogzout* red prussiate of potash, potassium ferricyanide
bloedmaaltijd [de^{m}] meal for blood-sucking parasites
bloedmonster [het] ⟨med⟩ blood sample
bloedmooi [bn] ⟨inf⟩ stunning, dazzling, gorgeous
bloednerveus [bn] on edge, very nervous
bloedneus [de^{m}] bloody nose ◆ *hij **had** een bloedneus* he had a nosebleed, his nose was bleeding; *zij **sloegen** elkaar een bloedneus* they gave each other a bloody nose
bloedoffer [het] [1] ⟨toewijding⟩ blood sacrifice [2] ⟨geofferd mens of dier⟩ blood sacrifice
bloedonderzoek [het] blood test(s)/examination
bloedpens [de] ⟨in België⟩ ⟨vnl BE⟩ black/blood pudding, ⟨AE⟩ blutwurst, ⟨AE⟩ blood sausage
bloedplaatje [het] (blood) platelet, thrombocyte
bloedplasma [het] (blood) plasma
bloedprik [de^{m}] blood sample
bloedproef [de] blood test ◆ *een bloedproef **afnemen*** take a blood sample
bloedprop [de] blood clot, thrombus
bloedrood [bn, bw] blood-red, scarlet, ⟨vnl heral⟩ sanguine ◆ *de zon **ging** bloedrood **onder*** the sinking sun was blood-red/deep red
bloedschande [de] incest
bloedschender [de^{m}] incestuous person, person who commits incest
bloedschendig [bn], **bloedschennend** [bn] incestuous
bloedschennend [bn] → **bloedschendig**
bloedschuld [de] blood-guilt(iness)
bloedserieus [bn] dead serious, ↑ utterly serious
bloedserum [het] blood serum
bloedsinaasappel [de^{m}] blood orange
bloedsomloop [de^{m}] (blood) circulation ◆ *de **grote** bloedsomloop* the greater circulation; *de **kleine** bloedsomloop* the lesser circulation
bloedspat [de] [1] ⟨zwelling, ontsteking van een ader⟩ blood spavin [2] ⟨spetter bloed⟩ spot/drop/splash of blood, bloodstain
bloedspiegel [de^{m}] level/concentration (of sth.) in the blood
bloedspoor [het] trail of blood
bloedsprookje [het] blood libel
bloedspuwing [de^{v}] coughing up of blood, haemoptysis
bloedstelpend [bn] haemostatic, styptic ◆ *een bloedstelpend **middel*** a haemostatic/styptic (agent); *bloedstelpende **watten*** ⟨BE⟩ styptic cotton wool, ⟨AE⟩ styptic cotton
bloedstollend [bn] ⟨inf⟩ blood-curdling ◆ *een bloedstollende **film*** a blood-curdling film/^{A}movie
bloedstolling [de^{v}] coagulation (of the blood)
bloedstolsel [het] blood clot
bloedsuiker [de^{m}] blood sugar
bloedsuikerspiegel [de^{m}] ⟨med⟩ blood sugar level
bloedtest [de^{m}] blood test
bloedtransfusie [de^{v}] ⟨med⟩ (blood) transfusion ◆ *een patiënt een bloedtransfusie **geven*** give a patient a blood transfusion, transfuse a patient
bloeduitstorting [de^{v}] extravasation (of blood), contusion, bruise ◆ *een bloeduitstorting **in** de **hersenen*** a cerebral/brain haemorrhage
bloedvat [het] blood vessel
bloedvatenstelsel [het] vascular/circulatory system
bloedverdunnend [bn] ⟨med⟩ blood-diluting ◆ *bloedverdunnend **middel*** diluent
bloedverdunner [de^{m}] blood diluent/dilutant
bloedvergieten [ww] bloodshed, bloodletting ◆ ***nodeloos** bloedvergieten* needless shedding of blood; *een revolutie **zonder** bloedvergieten* a bloodless revolution
bloedvergiftiging [de^{v}] [1] ⟨bacteriën in de bloedbaan⟩ blood poisoning, ⟨med⟩ septicaemia [2] ⟨ontsteking van een lymfevat⟩ lymphangitis
bloedverlies [het] loss of blood ◆ *uitgeput **door** bloedverlies* weakened by loss of blood
bloedvernieuwing [de^{v}], **bloedverversing** [de^{v}] injecting new blood
bloedverversing [de^{v}] → **bloedvernieuwing**
bloedverwant [de^{m}] ⟨man & vrouw⟩ (blood) relation, ⟨man & vrouw⟩ relative, ⟨man⟩ kinsman, ⟨vrouw⟩ kinswoman ◆ ***naaste** bloedverwanten* close relatives, next of kin; ***verre** bloedverwanten* distant relatives/relations
bloedverwantschap [de^{v}] (blood) relationship, relation, kinship, ↑ consanguinity
bloedvete [de] blood feud, vendetta
bloedvlek [de] bloodstain
bloedvorm [de^{m}] [•] ⟨sport⟩ ***in** een bloedvorm **verkeren*** be on top form, be in excellent form, ↓ be on a roll
bloedvorming [de^{v}] (red) blood cell production, hematopoiesis
bloedwaarde [de^{v}] blood level
bloedwei [de] (blood) serum
bloedwijn [de^{m}] tonic wine
bloedworst [de] ⟨vnl BE⟩ black/blood pudding, ⟨AE⟩ blutwurst, ⟨AE⟩ blood sausage
bloedwraak [de] blood feud, vendetta
bloedziekte [de^{v}] disease of the blood, hematologic disorder
bloedzuiger [de^{m}] [1] ⟨ringworm⟩ leech, bloodsucker [2] ⟨persoon⟩ leech, bloodsucker, parasite
bloedzuiverend [bn] purifying/cleansing the blood ⟨alleen pred⟩
bloei [de^{m}] [1] ⟨plantk⟩ bloom, flower(ing), ⟨van vruchtbomen⟩ blossoming ◆ ***in** bloei **staan*** be in bloom/flower/blossom; *de bloei van deze plant **valt in april*** this plant blooms in April; ***in volle** bloei* in full bloom; ⟨fig⟩ *de bloei **zit in** het **water*** the fish are biting [2] ⟨fig⟩ bloom, flower, prime, florescence, vigour ◆ *iemand **in** de bloei van zijn **leven*** s.o. in the prime of (his) life; *de bloei van de **kunsten/handel**/van een **maatschappij*** the flowering/blossoming of the arts, the flourishing/burgeoning of commerce, the flourishing of a society; *een **tijdperk** van bloei* a flourishing period; ***tot** bloei **komen*** thrive, blossom (out), flourish; ***tot** bloei **brengen*** bring to prosperity/into blossom
bloeien [onov ww] [1] ⟨in bloei staan⟩ bloom, flower, ⟨vruchtbomen⟩ blossom ◆ *een bloeiende **boomgaard*** an orchard in full bloom, a flowering orchard; ***laat** bloeiende **plant*** late flowerer, late flowering plant; *onze **perzik** bloeit in april* our peach tree blooms/blossoms in April [2] ⟨fig⟩ prosper, flourish, thrive ◆ *de **kunsten** bloeiden in dat tijdvak* the arts flourished/flowered in that period; *een bloeiende **stad*** a flourishing city; *het **zakenleven** bloeit* business is booming/thriving/flourishing
bloeimaand [de] May
bloeiperiode [de^{v}], **bloeitijd** [de^{m}] [1] ⟨plantk⟩ flowering time/season [2] ⟨fig⟩ prime, hey-day, bloom, flores-

cence ◆ *de bloeiperiode van de **jeugd*** the prime/bloom/palmy days of youth; *de bloeiperiode van **kunsten en wetenschappen*** the Golden Age of the arts and sciences; *de bloeiperiode van een **vereniging*** the palmy days of an association/a society

bloeitijd [de^m^] → **bloeiperiode**

bloeiwijze [de] ⟨plantk⟩ inflorescence

bloem [de] 1 ⟨deel van een plant⟩ flower, bloom, blossom ◆ *een bos bloemen* a bouquet/bunch of flowers, ⟨boeketje⟩ a nosegay; ***dubbele** bloemen* double/full flowers; ⟨fig⟩ ***duizend** bloemen laten bloeien* let a thousand flowers bloom; ***geen** bloemen (of kransen)* ⟨op overlijdensberichten⟩ no flowers; *bloemen **schikken*** arrange flowers; ⟨fig⟩ *de bloemen **staan** op de ruiten* frost flowers have formed on the windows, the windows are frosted over 2 ⟨plant die bloemen draagt⟩ flower, flowering plant ◆ *de bloemen **begieten/water geven*** water the flowers, give the flowers water 3 ⟨meel⟩ flour 4 ⟨form; puik, keur⟩ flower, choice, pick ◆ *de bloem van de **dichtkunst*** the finest examples of poetry; *de bloem van de **natie*** the flower of the nation

bloembak [de^m^] flower box, ⟨aan raam⟩ window box, planter, ⟨op straat⟩ flower tub

bloembed [het] flowerbed, flower plot ◆ *een bloembed **aanleggen*** arrange a flowerbed

bloembekleedsel [het] perianth, (floral) envelope

bloemblad [het] petal

bloembodem [de^m^] receptacle, torus, thalamus

bloembol [de^m^] bulb

bloembollencultuur [de^v^], **bloembollenteelt** [de^v^] bulb growing/culture/cultivation

bloembollenteelt [de] → **bloembollencultuur**

bloemdieren [de^mv^] Anthozoa, anthozoans

bloemdragend [bn] flower-bearing, floriferous

bloemekee [de] ⟨in België; scherts⟩ bouquet

bloemen [onov ww] become mushy/mealy/floury

bloemencorso [het, de^m^] flower parade/pageant, floral procession

bloemenhandelaar [de^m^] florist

bloemenhoning [de^m^] nectar

bloemenhulde [de^v^] floral tribute

bloemenkas [de] hothouse/greenhouse for flowers

bloemenkinderen [de^mv^] flower children/people

bloemenkrans [de^m^] floral wreath, garland, diadem, chaplet

bloemenman [de^m^] flower seller

bloemenmand [de] flower basket

bloemenmarkt [de] flower market

bloemenmeisje [het] flower girl

bloemenmonument [het] flower memorial

bloemenslinger [de^m^] garland, ⟨Hawaï⟩ lei

bloemenspuit [de] atomizer, plant sprayer

bloemenstalletje [het] flower stand, ⟨BE⟩ flower stall

bloemenstoet [de^m^] ⟨in België⟩ flower parade/pageant, floral procession

bloementeelt [de] floriculture, flower culture, cultivation of flowers

bloementhee [de^m^] scented tea

bloementherapie [de^v^] Bach flower therapy

bloementuin [de^m^] flower garden

bloemenvaas [de] (flower) vase

bloemenweide [de] wildflower meadow

bloemenwinkel [de^m^] florist's (shop), flower shop

bloemenzee [de] sea of flowers

bloemetje [het] 1 ⟨kleine bloem⟩ (little) flower 2 ⟨boeket⟩ flowers, nosegay ◆ *iemand **in** de bloemetjes zetten* ⟨lett⟩ surround/shower s.o. with flowers; ⟨fig⟩ treat s.o. like a king/queen; *een bloemetje **meebrengen*** bring (some) flowers ▪ *vertellen van/over de bloemetjes en de **bijtjes*** tell (s.o.) about the birds and the bees; *de bloemetjes buiten zetten* paint the town red, live it up, have a ball, go/be on a spree

bloemetjesstof [de] floral/flower-patterned fabric, floral/flower-patterned material

bloemhoofdje [het] capitulum, flower head

bloemig [bn] mealy, floury, crumbly ◆ *bloemige **aardappelen*** mushy/mealy potatoes

bloemist [de^m^] florist

bloemisterij [de^v^] ⟨bedrijf⟩ florist's business, ⟨winkel⟩ flower shop

bloemkelk [de^m^] calyx

bloemknop [de^m^] bud

bloemkool [de] cauliflower

bloemkooloor [het] cauliflower ear

bloemkoolroosje [het] cauliflower floret, curd

bloemkorf [de^m^] flower-basket

bloemkroon [de] corolla, crown, envelope, ⟨trompetvormig⟩ trumpet

bloemkweker [de^m^] florist, flower-grower, nurseryman, ↑floriculturist

bloemkwekerij [de^v^] 1 ⟨bedrijf⟩ nursery, florist's (business) 2 ⟨het kweken⟩ floriculture, ⟨ind⟩ flower-growing industry

bloemlezing [de^v^] anthology, ⟨mengeling⟩ miscellany, miscellanea, ⟨pedagogisch⟩ reader ◆ ⟨iron⟩ *een bloemlezing **van fouten*** a marvellous collection of mistakes

bloemmaand [de] May

bloemmotief [het] floral design, floral pattern

bloempap [de] ⟨BE⟩ wheat porridge, panada

bloemperk [het] flowerbed, flower plot

bloempot [de^m^] flowerpot

bloempotkapsel [het] pudding-basin haircut

bloemrijk [bn] ⟨ook fig⟩ flowery, full of flowers, blossomy, florid ◆ ⟨fig⟩ *een bloemrijke **stijl/taal*** a flowery/ornate style/language

bloemsaus [de] ⟨cul⟩ white sauce

bloemschikken [het] (art of) flower arrangement, ⟨Japans⟩ ikebana

bloemschikker [de^m^], **bloemschikster** [de^v^] ⟨man & vrouw⟩ floral arranger, floral designer

bloemschikster [de^v^] → **bloemschikker**

bloemsierkunst [de^v^] (art of) flower arrangement, ⟨Japans⟩ ikebana

bloemsteel [de^m^], **bloemstengel** [de^m^] flower stalk/stem

bloemstengel [de^m^] → **bloemsteel**

bloemstuk [het] 1 ⟨sierlijk gerangschikte bloemen⟩ bouquet, flower arrangement 2 ⟨schilderij, tekening⟩ flower piece

bloemsuiker [de^m^] ⟨in België⟩ powdered/soft sugar, ⟨BE vnl⟩ icing sugar

bloemtuil [de^m^] 1 ⟨ruiker⟩ posy 2 ⟨bloeiwijze⟩ corymb

bloemzaad [het] flower seed(s)

bloes [de] blouse

bloesem [de^m^] 1 ⟨bloem waaruit zich een vrucht ontwikkelt⟩ blossom, flower, bloom 2 ⟨al de bloemen van een plant, boom⟩ blossoms, flowers ◆ *bloesem **dragen*** be in bloom/blossom; ***in** bloesem staan/zijn* be in bloom/blossom; *de bloesem **valt af*** the blossoms are falling off

bloesemtak [de^m^] flowering sprig

bloesemtherapie [de^v^] Bach flower therapy

bloezen [onov ww] blouse

blog [het, de^m^] blog

blogboek [het] blog book

bloggen [ww] keep a blog

blogger [de^m^] blogger

blogstek [de^m^] blog site

blohartig [bn, bw] ⟨form⟩ 1 ⟨lafhartig⟩ faint-hearted ⟨bw: ~ly⟩, cowardly 2 ⟨schuchter⟩ timid ⟨bw: ~ly⟩, timorous, bashful

bloheid [de^v^] ⟨form⟩ timidity, bashfulness

¹blok [de^m^] ⟨in België; stud⟩ ⟨BE⟩ study/free period, ⟨AE⟩↑ independent study period

²blok [het] 1 ⟨stuk hout⟩ block, chunk, ⟨ruwe vorm⟩ log ◆ *een stam **in** blokken zagen* saw a tree trunk into logs; *het blok van een **schaaf*** the stock of a plane; *het blok van een **slager*** the butcher's block; *een **vuur** van blokken* a log fire 2 ⟨stuk van ander materiaal⟩ block, chunk ◆ *neervallen **als** een blok* collapse; *een blok **marmer/zandsteen*** a block of marble/sandstone; *een blok **noga*** a piece of nougat; ***slapen** als een blok* sleep like a log/baby, be dead to the world; *blokken **tin/lood*** blocks/ingots of pewter/lead 3 ⟨meetkundig lichaam⟩ block, cuboid, parallelpiped ◆ *een **doos** met blokken* a box of (building) blocks/bricks; *blokjes **voor** het rekenonderwijs* blocks for arithmetic instruction 4 ⟨huizen⟩ block ◆ *hij woont hier **drie** blokken vandaan* he lives three blocks away from here, ⟨AE ook⟩ he lives three streets away from here; *een blokje **omlopen*** walk around the block, go for a walk 5 ⟨vierkant, rechthoekig veld⟩ block, ⟨van stof⟩ check ◆ *een blok **postzegels*** a block of stamps 6 ⟨coalitie⟩ bloc(k) ◆ ⟨in België⟩ ***Vlaams** Blok* right-wing nationalist Flemish party; *een **West-Europees** blok* a West European bloc; ⟨bij demonstraties⟩ ***zwart** blok* black block 7 ⟨periode⟩ unit, ⟨in België; studieperiode⟩ stuvac ◆ *de cursus wordt gegeven in **drie** blokken van twee dagen* the course is given in three units of two days each 8 ⟨katrol⟩ (pulley-)block ◆ *een **enkel**/een **dubbel** blok* a block with a single/double sheave 9 ⟨deel van een terrein⟩ plot, block, ⟨AE⟩ lot 10 ⟨spoorw⟩ block 11 ⟨sport⟩ block ◆ ⟨voetb⟩ *een blok **zetten*** form a wall 12 ⟨strafwerktuig⟩ stocks ◆ ***in** 't blok sluiten* put in the stocks ▪ *een blok **aan** het been zijn voor iemand* be a millstone/an albatross around s.o.'s neck; *iemand **voor** het blok zetten* put a person on the spot; ***voor** het blok komen te zitten* have no options left

blokband [de^m] ⟨op taxi; BE⟩ chequered strip, ⟨AE⟩ checkered strip, ⟨op pet; BE⟩ chequered band, ⟨AE⟩ checkered band

blokbeest [het] ⟨in België⟩ crammer, ⟨BE⟩ swot, ⟨AE⟩ grind

blokbeugel [de^m] retainer

blokbreker [de^m] quarry operative

blokcursus [de^m] ± intensive/crash course

blokdiagram [het] 1 ⟨comp⟩ block diagram 2 ⟨geol⟩ block diagram

blokdruk [de^m] 1 ⟨handeling⟩ block printing 2 ⟨resultaat⟩ block print

blokfluit [de] 1 ⟨houten fluit⟩ recorder ◆ *blokfluit **spelen*** play the recorder 2 ⟨orgelpijp⟩ recorder

blokfunctie [de^v] ⟨comp⟩ block function

blokhaak [de^m] square bracket

blokhak [de] platform heel

blokhoofd [het] civil defence/^A defense warden

blokhuis [het] 1 ⟨klein fort⟩ blockhouse 2 ⟨spoorw⟩ signal box/^A tower

blokhut [de] log cabin

blokje [het] 1 ⟨klein blok⟩ cube, square; → **blok²** ◆ ***in** blokjes snijden* dice, cube 2 ⟨drukw⟩ square

blokjesvoetbal [het] ⟨AE⟩ pin soccer, ⟨BE⟩ bottle football

blokkade [de^v] 1 ⟨afsluiting⟩ blockade ◆ *een **effectieve** blokkade* a blockade; *blokkade van een **kerncentrale/fabrieksterrein*** blockade of a nuclear power station, factory picket/picket of a factory; *een blokkade **opheffen*** raise/lift a blockade 2 ⟨meteo⟩ blocking high

blokkadepolitiek [de^v] embargo policy

blokken [onov ww] ⟨inf⟩ cram, ⟨BE⟩ swot, ⟨AE⟩ grind, mug up ◆ *hij zit **op** zijn aardrijkskunde te blokken* he's cramming for/^A grinding away at geography; *blokken **voor** een tentamen* cram for an examination

blokkendoos [de] 1 ⟨kinderspeelgoed⟩ box of (building) blocks/^B bricks 2 ⟨flatgebouw⟩ ± tower block

blokker [de^m] ⟨inf⟩ crammer, ⟨BE⟩ swot, ⟨AE⟩ grind

¹blokkeren [onov ww] ⟨niet meer kunnen bewegen⟩ lock, jam ◆ *blokkerende **voorwielen*** locked/jammed front wheels

²blokkeren [ov ww] 1 ⟨afsluiten⟩ blockade, obstruct, block, embargo 2 ⟨fin⟩ block, freeze ◆ *een **cheque** blokkeren* countermand payment of a cheque/^A check, stop a cheque/^A check; *een **creditcard** blokkeren* put a stop on a card, stop/cancel a card; ***fondsen/effecten**/een **rekening** blokkeren* freeze securities/stocks/an account 3 ⟨de beweging onmogelijk maken⟩ block, jam, lock ◆ *de **remmen** werden geblokkeerd* the brakes jammed 4 ⟨veldsport⟩ block, obstruct 5 ⟨volleybal⟩ block

blokkering [de^v] blocking, ⟨van een rekening, tegoed⟩ freezing

blokletter [de] 1 ⟨schrijfletter⟩ block letter, printing ◆ ***met** blokletters opschrijven* print 2 ⟨drukw⟩ block letter

blokletteren [onov ww] ⟨in België⟩ headline

blokmodel [het] block model

blokpatroon [het] tile design

blokperiode [de^v] ⟨in België⟩ stuvac

blokrem [de] block brake ◆ *een fiets **met** blokremmen* a bike with block brakes

blokrijden [ww] (of cars) drive in groups by order of the police, in order to prevent jams

blokschaaf [de] ⟨amb⟩ block plane

blokschema [het] block diagram

blokschrift [het] block writing, block letters ◆ ***in** blokschrift* in block letters; ⟨op formulier enz. ook⟩ please print

bloksein [het] → **bloksignaal**

bloksignaal [het], **bloksein** [het] ⟨spoorw⟩ block signal

blokstelsel [het], **bloksysteem** [het] ⟨spoorw⟩ block system, ⟨op lijn met slechts één spoor⟩ staff system

bloksysteem [het] → **blokstelsel**

blokuur [het] ± double period/lesson

blokverband [het] ⟨bouwk⟩ English bond

blokverwarming [de^v] central heating of a whole block of flats

blokvorming [de^v] formation of a/the bloc

blom [de] ⟨fig⟩ ▪ *jonge blom* lovely young thing, young lovely

blond [bn] 1 ⟨m.b.t. haar⟩ ⟨van man en vrouw⟩ blond, ⟨van vrouw⟩ blonde, fair ◆ *hij heeft blond **haar*** he has blond/fair hair, he is fair-haired; *een zwak voor blonde **vrouwen** hebben* have a weakness for blonde women/blondes 2 ⟨lichtkleurig⟩ golden ◆ *blond **bier*** blond beer, weiss beer; *de blonde **duinen**, het blonde **graan*** the golden dunes/grain

blonderen [ov ww] 1 ⟨m.b.t. haar⟩ bleach, peroxid(e) 2 ⟨goudgeel laten bakken⟩ bake (sth.) till it is golden brown

blondgelokt [bn] ⟨form⟩ flaxen-haired

blondie [de^m] blondie

blondine [de^v] blonde, fair-haired girl

blondje [het] blonde ◆ *een **dom** blondje* a dumb blonde

bloodaard [de^m] coward, craven, faint-heart

bloody mary [de^v] Bloody Mary

blooper [de^m] blooper, blunder

bloosangst [de^m] erythrophobia

¹bloot [het] nudity, flesh ◆ *een film met **veel** bloot erin* a film/^A movie with a lot of nude scenes in it; ⟨inf⟩ a nudie/sexploiter/^A skinflick

²bloot [bn] 1 ⟨naakt⟩ ⟨vaak van lichaamsdeel⟩ bare, naked, nude ◆ *blote **armen*** bare arms; *blote **foto's*** nude photographs; *met blote **hals*** in a low-cut dress; ⟨vulg⟩ *in zijn blote **kont*** stark naked; ⟨euf⟩ in one's birthday suit; *op het blote **lijf** dragen* wear next (to) the skin; *op blote **voeten** lopen* go barefoot(ed) 2 ⟨zonder hulpmiddel⟩ naked, bare, unaided, unassisted ◆ *met blote **handen*** with one's bare hands; *uit het/zijn blote **hoofd** spreken* speak ad lib, speak extemporaneously; *met het blote **oog** iets waarnemen* observe sth. with the naked eye 3 ⟨zonder dek, bedekking⟩ bare, open

♦ ⟨elek⟩ *blote **geleiding*** bare wiring; *op de blote **grond** slapen* sleep on the bare ground; *onder de blote **hemel*** in the open (air), under the open sky; *een blote **jurk*** a revealing dress; *een jurk met blote **rug*** a barebacked dress [4] ⟨enkel, louter⟩ mere, bare ♦ *de blote **eigendom/eigenaar*** the bare ownership, the owner of the bare property rights; *het blote **feit** al* the mere fact; *de blote **feiten*** the cold/bare facts; *een blote **formaliteit*** a mere formality

³bloot [bw] [•] *bloot **paardrijden*** ride bareback

blootblad [het] nude magazine, ⟨inf⟩ girlie magazine, nude mag

zich blootgeven [wk ww] [1] ⟨zich blootstellen aan gevaar⟩ expose o.s. [2] ⟨zijn zwakheid laten blijken⟩ give o.s. away, commit o.s. ♦ *zich **niet** blootgeven* not commit o.s., be noncommittal; ***zonder** zich bloot te geven* noncommittally, without giving anything away [3] ⟨schermsp⟩ open/drop one's guard

blootje [het] ⟨inf⟩ ♦ ***in** zijn blootje* in the altogether/nude/ buff

blootleggen [ov ww] [1] ⟨vrij maken van bedekking⟩ lay open/bare, expose, uncover ♦ *de **fundamenten**/een **overgeschilderd fresco** blootleggen* expose the foundations/an overpainted fresco [2] ⟨fig⟩ lay open/bare, reveal, uncover, bare ♦ *de **feiten** blootleggen* lay bare/disclose/reveal the facts; *zijn **plannen** blootleggen* reveal one's plans; *zijn **zaken/zaak** blootleggen* state one's case; *zijn **ziel** blootleggen* bare one's soul

blootliggen [onov ww] lie open (to), be exposed (to)

blootshoofds [bw] bareheaded, with bared head(s) ♦ *blootshoofds **lopen*** go/walk bareheaded

blootstaan [onov ww] be exposed (to), ⟨onderhevig zijn⟩ be liable/subject/open (to) ♦ ***aan** veel kritiek blootstaan* be subject/exposed to a lot of criticism; *blootstaan **aan** weer en wind* be exposed to all sorts of weathers; ***aan** iemands willekeur blootstaan* be a victim of s.o.'s capriciousness; ***aan** gevaren/verleiding/beledigingen blootstaan* be exposed to dangers/seduction/insults

blootstellen [ov + wk ww] expose (o.s.) (to) ♦ ***aan** de kou blootgesteld zijn* be exposed to cold; *zich **aan** gevaar blootstellen* expose o.s. to danger; *zich **aan** een berisping blootstellen* lay o.s. open to a rebuke

blootsvoets [bw] barefoot(ed) ♦ *blootsvoets **lopen*** go/ walk barefoot(ed)

blos [de^{m}] [1] ⟨gezonde kleur op de wangen⟩ bloom ♦ *een **gezonde** blos* a rosy complexion [2] ⟨verhoogde gelaatskleur⟩ ⟨van emotie, door koorts⟩ flush, ⟨van verlegenheid⟩ blush ♦ *een blos **van** schaamte* a blush of shame; *een blos **vloog** hem naar de wangen* his cheeks flushed [3] ⟨m.b.t. vruchten⟩ bloom

Bloso [het] ⟨in België⟩ (Bevordering van de Lichamelijke Ontwikkeling, de Sport en de Openluchtrecreatie) Organization for Physical Education and Outdoors Sports

blotebillengezicht [het] ⟨inf; scherts⟩ moonface, pudding-face

bloterik [de^{m}] ⟨scherts⟩ nudist [•] ***in** zijn bloterik* in the altogether; ⟨inf⟩ in one's birthday suit

blotevoetendokter [de^{m}] barefoot doctor

blotevoetenpad [het] barefoot path

blouse [de] [1] ⟨overhemdblouse⟩ shirt, blouse, ⟨AE ook⟩ shirtwaist [2] ⟨overhemd⟩ shirt

blouson [de^{m}] blouson

blow [de] [1] ⟨trekje⟩ blow, drag [2] ⟨stickie⟩ joint

blowen [onov ww] ⟨inf⟩ smoke dope

blowjob [de^{m}] blowjob

blow-out [de^{m}] blowout

blow-up [de^{m}] blowup

blozen [onov ww] [1] ⟨een blos hebben van gezondheid⟩ bloom (with) ♦ *er blozend **uitzien*** look healthy, bloom [2] ⟨rood in het gezicht worden⟩ ⟨van opwinding⟩ flush (with), ⟨van verlegenheid⟩ blush (with) ♦ ***diep** blozen* blush/flush deeply; *iemand **doen** blozen* cause s.o. to blush; *zij moest **er van** blozen* she blushed at it; ***snel** blozen* blush easily; *blozen **tot** achter zijn oren* blush to the roots of one's hair; *zij bloosde **van genoegen*** she flushed with satisfaction

blozend [bn] ⟨van opwinding⟩ flushing, ⟨van verlegenheid⟩ blushing, ⟨van gezondheid⟩ blooming, rosy ♦ *een blozend **gezicht*** a rosy face; *blozend **van** gezondheid* blooming with health; *met blozende **wangen*** with rosy cheeks, rosy-cheeked

blub [tw] plop, splash

blubber [de^{m}] [1] ⟨modder⟩ mud, slush, sludge [2] ⟨speklaag van walvissen⟩ blubber

blubberbuik [de^{m}] blubber belly

blubberen [onov ww] wade, slush

blubberig [bn] muddy, slushy, sludgy

blue chip [de^{m}] blue chip

bluejeans [de^{m}] blue jeans

blue movie [de] blue movie

blues [de] blues

blueszanger [de^{m}], **blueszangeres** [de^{v}] blues singer

blueszangeres [de^{v}] → **blueszanger**

bluf [de^{m}] [1] ⟨poging anderen te overdonderen⟩ bluff, bluffing ♦ *zich er **met** bluf doorheen slaan* bluff one's way out of it, bluff it out [2] ⟨grootspraak⟩ boast(ing), brag(ging), big talk ♦ *het **is** allemaal maar bluf* it's all talk [•] *Haagse bluf* ± currant whip/snow

bluffen [onov ww] bluff ⟨ook bij kaartspel⟩, ⟨pochen⟩ boast, brag, talk big ♦ ***met** iets bluffen* boast/brag about sth.

bluffer [de^{m}], **blufster** [de^{v}] bluffer, boaster, braggart

blufpoker [het] [1] ⟨spel⟩ ⟨kaartsp⟩ brag, ⟨AE⟩ bluff poker, ⟨dobbelspel⟩ liar dice ♦ *hij speelde een **partijtje** blufpoker* he tried to brazen it out/bluff his way out [2] ⟨grootspraak⟩ boasting, bragging

blufpolitiek [de^{v}] bluffing tactics

blufster [de^{v}] → **bluffer**

blunder [de^{m}] blunder ♦ *een (kapitale) blunder **begaan*** make a (capital) blunder

blunderen [onov ww] blunder, make a blunder

blusapparaat [het] fire-extinguisher

blusauto [de^{m}] ⟨BE⟩ pump vehicle, ⟨AE⟩ fire engine

blusboot [de] fire-float

blush [de^{m}] blusher

blushelikopter [de^{m}] fire helicopter

blusher [de^{m}] blusher, rouge

blusmiddel [het] extinguishing agent

blusschuim [het] foam

blussen [ov ww] [1] ⟨uitdoven⟩ extinguish, put out [2] ⟨fig⟩ extinguish, quench [3] ⟨techn; koelen⟩ quench ♦ *gloeiend **ijzer** blussen* quench glowing iron; ***kalk** blussen* slake/slack lime; *gebluste **kalk*** slaked lime

blussingswerken [de^{mv}] extinguishing/fire-fighting operations

blusvliegtuig [het] fire-fighting plane, aerial firefighter

bluswater [het] (fire extinguishing) water ♦ *schade **door** bluswater* water damage

blut [bn] [1] ⟨geen geld hebbend⟩ broke, on the rocks, ⟨BE ook⟩ skint ♦ *ik **ben** blut* I am broke; ***volkomen** blut* flat broke; ⟨BE ook⟩ stony(-broke) [2] ⟨spel; alles verloren hebbend⟩ cleaned out ♦ *iemand blut **spelen/maken*** clean s.o. out

bluts [de] ⟨deuk⟩ dent, ⟨kneuzing⟩ bruise

blutsen [ov ww] ⟨deuken⟩ dent, ⟨kneuzen⟩ bruise

blz. [afk], **bl.** [afk] (bladzijde) ⟨enkelvoud⟩ p, ⟨mv⟩ pp

B-merk [het] grade-B product, unknown/lesser/inferior brand

BM-jacht [de] BM dinghy

bmr-prik [de^{m}] MMR shot, ⟨BE ook⟩ MMR jab, mumps, measles and rubella jab

BMX [de^{m}] BMX

BN'er [de^{m}] Dutch celebrity
bnp [afk] (bruto nationaal product) GNP
bo [het] (bijzonder onderwijs) private education, ⟨confessioneel⟩ denominational education
boa [de^{m}] [1] ⟨slang⟩ boa [2] ⟨sjaal⟩ boa
boa constrictor [de^{m}] boa constrictor
board [het] hardboard, (fibre)board, ⟨AE⟩ fiberboard ♦ *hardboard* (standard) hardboard; *een kamertje met board afschutten* partition a room with/using hardboard; *zachtboard* softboard
bob [de] [1] ⟨slee⟩ bobsleigh, bobsled [2] ⟨haarstijl⟩ bob
BOB [afk] ⟨in België⟩ (Bijzondere Opsporingsbrigade) Special Detective Division
bobbel [de^{m}] [1] ⟨bolle verhevenheid⟩ bump, lump, ⟨papier, glas enz.⟩ cockle, ⟨ijs⟩ hummock ♦ *het papier zit vol bobbels* the paper is full of wrinkles; *bobbeltje* bleb [2] ⟨lucht-, gasbel⟩ bubble
bobbelen [onov ww] ⟨van water⟩ bubble, ⟨van papier⟩ cockle, bulge
bobbelig [bn] bumpy, ⟨matras⟩ lumpy, ⟨papier enz.⟩ cockled, ⟨ijs⟩ hummocky
bobben [onov ww] bob
bobby [de^{m}] bobby
bobine [de^{v}] [1] ⟨spoel van een inductieklos⟩ bobbin [2] ⟨inductiespoel⟩ ignition coil
boblijn [de] bob, bob hair style
bobo [de^{m}] big shot, bigwig
bobotie [de^{m}] bobotie
bobslee [de] bob(sleigh), ⟨vnl. AE, CanE⟩ bobsled
bobsleebaan [de] bobsleigh run, ⟨vnl. AE, CanE⟩ bobsled run, ⟨AE ook⟩ coast
bobsleeën [ww] ⟨sport⟩ bob(sleigh), ⟨vnl. AE, CanE⟩ bobsled
bobstart [het] bobsled start, bobsleigh start
boccia [het] bocce
bochel [de^{m}] [1] ⟨kromme, hoge rug⟩ ⟨bult⟩ hump, hunch, ⟨kromme rug⟩ hunchback, humpback [2] ⟨persoon⟩ hunchback, humpback [3] ⟨kromming in een oppervlak⟩ lump, bump
^{1}**bocht** [de] [1] ⟨buiging in een weg⟩ bend, curve ♦ *door de bocht gaan* ⟨fig⟩ give way; *een bocht van 180 graden maken* ⟨lett en fig⟩ make a U-turn; *in de bocht* at the bend; *een bocht te ruim/krap nemen* take a bend too wide/sharp; *een scherpe/ruime bocht* a sharp/wide bend; *uit de bocht vliegen* go off the road, fail to take a/the bend [2] ⟨buiging in een lijn⟩ curve ♦ *zich in allerlei bochten wringen* ⟨oncomfortabel⟩ wriggle; ⟨van pijn⟩ writhe (with pain); ⟨fig⟩ squirm [3] ⟨sport⟩ ♦ *inspringen met de bocht/tegen de bocht* jump in over/under the rope [4] ⟨buiging van een kust⟩ bight, bay ⊡ *daar hebben we Harry weer in de bocht hoor!* Harry is at it again!
^{2}**bocht** [het, de^{m}] ⟨ongenietbare drank⟩ rubbish, cheap drink, ↓rotgut, ⟨BE, AuE; m.b.t. wijn⟩ plonk ♦ *die wijn is bocht* that wine is god-awful
bochtentechniek [de^{v}] ⟨sport⟩ cornering technique
bochtig [bn] winding, tortuous
bockbier [het] bock(beer)
bod [het] [1] ⟨handeling⟩ offer, ⟨vnl handel⟩ bid ♦ *aan bod komen* ⟨fig⟩ get a chance, be given a chance; *niet aan bod komen* ⟨fig⟩ not get a chance; ⟨kaartsp⟩ *wie is er aan bod?* whose bid (is it)?; *een bod doen/uitbrengen* make a bid/an offer; *het eerste bod doen op iets* make the opening bid for sth.; *het hoogste bod doen* make the highest bid; *een bod op iets doen* make a bid for sth. [2] ⟨geboden som⟩ offer, ⟨vnl handel⟩ bid ♦ *een hoger/lager bod doen dan* outbid, underbid; *zijn bod verhogen* amend/increase one's bid
bode [de^{m}] [1] ⟨boodschapper⟩ messenger ♦ ⟨fig⟩ *de boden van de lente* the harbingers of spring; *een bode van slecht nieuws* a bearer of bad tidings [2] ⟨boodschapper van beroep⟩ messenger, ⟨post⟩ postman, ⟨vrachtrijder⟩ carrier, ⟨geldophaler⟩ collector ♦ *de bode der goden* messenger of the gods; *post meegeven met de bode* entrust the mail to the postman; *de boden van een ministerie/de Hoge Raad/het stadhuis* the messengers of a ministry/the Supreme Court/the townhall; *per bode verzenden* send by special messenger ⊡ ⟨sprw⟩ *de beste bode is de man zelf* ± if you want a thing well done, do it yourself; ± if you would be well served, serve yourself
bodedienst [de^{m}] parcel delivery service ♦ *een bodedienst op Amersfoort* a parcel delivery service to Amersfoort
bodega [de^{m}] wine bar, bodega
bodekamer [de] messenger/page's room
bodem [de^{m}] [1] ⟨grondvlak van een voorwerp⟩ bottom, ⟨beschouwd als steun⟩ base ♦ *een dubbele bodem* a double bottom; ⟨fig⟩ a hidden meaning; ⟨fig⟩ *een bodem in de markt leggen* fix a bottom price; ⟨fig⟩ *plannen/verwachtingen de bodem inslaan* dash plans/expectations; *een bodem in een vat slaan* bottom a cask; ⟨fig⟩ *tot op de bodem gaan* go all out, give it all one has, push o.s. to the limit; *tot op de bodem leegmaken* drain to the last drop/to the dregs; ⟨fig⟩ *iets tot de bodem uitzoeken* examine sth. down to the last detail; *de bodem raakt in zicht* we are getting to/reaching the bottom; ⟨fig⟩ *de bodem viel uit de markt* the bottom fell out of the market [2] ⟨grond onder het water⟩ bottom, ⟨oppervlak⟩ floor ♦ *op de bodem van de zee* at the bottom of the sea [3] ⟨grond van de aarde⟩ ground, soil ♦ ⟨fig⟩ *vaste bodem onder de voeten hebben* be on firm ground [4] ⟨grondgebied⟩ territory, soil ♦ *producten van eigen bodem* homegrown products; *op vreemde/vaderlandse bodem* on foreign/native soil [5] ⟨scheepv⟩ ship, bottom
bodemanalyse [de^{v}] soil analysis
bodembedekker [de^{m}] ground cover, creeper
bodembedekking [de^{v}] ground cover
bodembemesting [de^{v}] ⟨met natuurlijke mest⟩ manuring of the soil, ⟨met kunstmest⟩ soil fertilization
bodembeslag [het] ⟨jur⟩ ± sequestration ♦ *bodembeslag leggen* impose a sequestration order
bodemcultuur [de^{v}] cultivation of the soil
bodemdaling [de^{v}] subsidence
bodemdeskundige [de] soil expert/scientist, pedologist
bodemdruk [de^{m}] load (on the ground) ⟨bijvoorbeeld van bouwwerk, landbouwmachine⟩
bodemerosie [de^{v}] erosion
bodemexploitatie [de^{v}] exploitation of mineral resources
bodemgesteldheid [de^{v}] condition/composition of the soil, soil conditions
bodemkaart [de] soil map
bodemklink [de] ⟨landb⟩ subsidence
bodemkoers [de^{m}] ⟨handel⟩ bottom ♦ *de aandelen hebben de bodemkoers bereikt* shares are at rock bottom
bodemkunde [de^{v}] soil science, pedology
bodemlaag [de] ⟨van rivier⟩ bed
bodemloos [bn] [1] ⟨zonder bodem⟩ bottomless ♦ *een bodemloze put* a bottomless pit; ⟨fig⟩ *een bodemloos vat vullen* ± carry coals to Newcastle; ⟨fig⟩ *hij is een bodemloos vat* he spends money like water [2] ⟨onpeilbaar diep⟩ bottomless [3] ⟨m.b.t. begeerten⟩ bottomless, insatiable
bodemmoeheid [de^{v}] soil exhaustion
bodemmonster [het] soil sample
bodemonderzoek [het] soil research, soil testing/examination, ⟨van streek⟩ soil survey, ⟨om olie e.d. te vinden⟩ soil exploration, ⟨geol⟩ geological survey, ⟨mijnb⟩ prospecting ♦ *het oudheidkundig bodemonderzoek* archaeological soil research/soil examination
bodemopbrengst [de^{v}] crop, yield
bodemoppervlak [het] floor (surface)
bodempensioen [het] basic pension
bodempje [het] little bit in the bottom, (last) drop/

dregs ◆ *een bodempje water* enough water to cover the bottom (of a pan)

bodemprijs [de^{m}] minimum price, floor price, fall-back price

bodemprocedure [de] action/proceedings on the merits/substance

bodemprofiel [het] [1] ⟨verticale gronddoorsnede⟩ soil profile, ground profile [2] ⟨beloop van de zeebodem⟩ ocean bottom contour

bodemrijkdom [de^{m}] mineral wealth

bodemsanering [de^{v}] soil sanitation, soil cover reclamation, ⟨bodemreiniging⟩ soil decontamination

bodemschatten [de^{mv}] mineral resources

bodemstructuur [de^{v}] soil structure

bodemtarief [het] minimum rate

bodemtemperatuur [de^{v}] soil/ground temperature

bodemuitkering [de^{v}] basic ^{B}social security benefit, basic ^{A}welfare payment

bodemverbeteraar [de^{m}] soil improver

bodemverbetering [de^{v}] soil improvement

bodemverontreiniging [de^{v}], **bodemvervuiling** [de^{v}] soil/ground pollution, pollution of the ground/soil

bodemvervuiling [de^{v}] → **bodemverontreiniging**

bodemvoorziening [de^{v}] basic ^{B}social security payment, basic ^{A}welfare payment

bodemvorming [de^{v}] pedogenesis

bodemwater [het] groundwater

Bodenmeer [het] Lake Constance

body [het, de] [1] ⟨lichaam⟩ body ◆ *de body van een **camera*** the body of a camera; ⟨inf⟩ *iemand op zijn body **geven/zitten/komen*** give s.o. a thrashing/beating, tan s.o.'s hide, beat s.o. up; *dat **heeft** geen body* that doesn't have any body/substance; *deze bouillon **heeft** geen body* this bouillon/stock doesn't have any body/substance; *mijn **hele** body doet mij pijn* my whole body hurts; *met **veel** body* strong-bodied [2] ⟨bodystocking, bodysuit⟩ ⟨ondergoed⟩ body stocking, ⟨als bovenkleding⟩ body

bodyart [de] body art

bodyboarden [onov ww] do body boarding

bodybuilden [onov ww] do body building

bodybuilder [de^{m}] body-builder, muscleman

bodybuildersveer [de] body-builder's arm/leg/hand exerciser

bodybuilding [het, de] body building

bodyguard [de^{m}] bodyguard

bodyliner [de^{m}] bodyliner

bodylotion [de] body lotion

bodymilk [de] body milk

bodypainten [onov ww] bodypaint

bodypainting [de] body painting

bodypopping [het] body-popping

bodypump [het] body pump

bodypumpen [onov ww] do body pumping

bodyscan [de^{m}] body scanner

bodyshape [de^{m}] body shaping

bodyshapen [onov ww] do bodyshaping

bodyshaping [de] body shaping

bodysnatcher [de^{m}] body snatchers

bodystocking [de] body stocking

bodysurfen [onov ww] do kite surfing

bodywarmer [de^{m}] body warmer

boe [tw] [1] ⟨om schrik aan te jagen⟩ boo [2] ⟨afkeuring, protest⟩ boo ◆ *boe **roepen*** boo, jeer [3] ⟨geloei van koeien⟩ moo ◆ ⟨kind⟩ *koetje boe* moo-cow [•] *hij zegt boe noch **bah*** he doesn't utter a word/open his mouth/have a word to throw at a dog; *zonder boe of **bah** te zeggen* without saying/uttering a word/opening one's mouth

Boedapest [het] Budapest

boeddha [de^{m}] ⟨beeld⟩ Buddha

Boeddha ⟨stichter van het boeddhisme⟩ Buddha

Boeddhabeeld [het] Buddha

boeddhisme [het] Buddhism

boeddhist [de^{m}] Buddhist

boeddhistisch [bn] Buddhist, Buddhistic(al) ◆ *een boeddhistische **monnik/priester*** a Buddhist monk/priest, a talapoin/lama

boeddhologie [de^{v}] Buddhology, study of Buddhism

boedel [de^{m}] [1] ⟨nalatenschap⟩ estate ◆ *een boedel **aanvaarden*** take possession of an estate; *een boedel **beheren/beschrijven/scheiden*** administer/draw up an inventory of/distribute an estate; *een boedel **beredderen*** settle an estate; ***gemene** boedel* community estate; *een **gladde** boedel* an unattached estate, an estate free of claims [2] ⟨inboedel⟩ property, household effects, goods and chattels ◆ *een **desolate** boedel* an abandoned/insolvent estate; *een **failliete** boedel* a bankrupt's estate, bankrupt's assets; *een **insolvente** boedel* a bankrupt's insolvent property

boedelafscheiding [de^{v}] ⟨jur⟩ partition

boedelbak^{MERK} [de^{m}] minitrailer, covered furniture trailer

boedelbeschrijving [de^{v}] ⟨jur⟩ inventory ◆ *een boedelbeschrijving **opmaken*** draw up/make an inventory; ***voorrecht** van boedelbeschrijving* benefit of inventory, beneficium inventarii

boedelceel [het, de] inventory ◆ *een boedelceel **opmaken*** draw up/make an inventory

boedellijst [de] inventory

boedelscheiding [de^{v}] ⟨m.b.t. erfenis⟩ partition/division of the estate, ⟨bij echtscheiding⟩ partition of the joint/community property, division of the joint/community property

boedelveiling [de^{v}] public sale of property, auction of an estate

boedelverdeling [de^{v}] ⟨m.b.t. erfenis⟩ apportionment/distribution of the estate, ⟨bij echtscheiding⟩ apportionment of the joint/community property, distribution of the joint/community property

boedelverkoping [de^{v}] liquidation

boef [de^{m}] scoundrel, rascal, villain, knave, wretch ◆ *een **gemene/vuile** boef* a nasty/filthy scoundrel; ***ouwe** boef!* old rascal!

boefje [het] [1] ⟨kwajongen⟩ scamp, (street) urchin, gutter-snipe [2] ⟨troetelnaam⟩ (old) scamp/rascal

boeg [de^{m}] [1] ⟨voorste gedeelte van de romp⟩ bow(s), prow ◆ ***met** de boeg in de wal liggen* head for shore; ***voor** de boeg afkomen* come across s.o.'s bow; ⟨fig⟩ *nog heel wat **voor** de boeg hebben* have a lot of work on hand/in front/ahead of one/a long way to go [2] ⟨zijde van het voorschip⟩ ⟨aan stuurboord⟩ starboard bow, ⟨aan bakboord⟩ port bow ◆ *over een **andere** boeg gaan* change one's tack; ⟨fig⟩ *het over een **andere** boeg gooien* change (one's) tack, try another tack, try a different approach/policy; ⟨m.b.t. gesprek⟩ change the subject; *het schip over een **andere** boeg wenden/draaien/gooien* start on/take a different/another tack; *de **beste** boeg* the best course/tack; *over **één** boeg liggen* take the same tack, ⟨fig ook⟩ take the same line; *dwars **voor** de boeg* right in front of the bow, athwart-hawse; ⟨fig⟩ *iemand dwars **voor** de boeg komen* cross s.o.'s path [3] ⟨sport; roeier⟩ bow(man), bow oar ◆ ***tweede** boeg* second bow

boeganker [het] ⟨scheepv⟩ bower (anchor)

boegbeeld [het] ⟨scheepv⟩ figurehead, ⟨fig; pej⟩ figurehead, ⟨fig; positief⟩ standard bearer ◆ *zij is het boegbeeld van de **beweging*** ⟨ook⟩ she epitomizes the movement

boegdeur [de] ⟨scheepv⟩ bow door

boegeroep [het] booing, hooting ◆ *iemand **door** boegeroep het spreken onmogelijk maken* hoot down a speaker; ***onder luid** boegeroep* to the tune of loud jeers; *de premier moest **onder** boegeroep het podium verlaten* the prime minister was booed off the stage

boeggolf [de] bow wave, backwash

boegschroef [de] bow thruster

boegseren [ov ww] ⟨scheepv⟩ tow
boegspriet [de^{m}] ⟨scheepv⟩ bowsprit ♦ *losse/inklapbare boegspriet* running bowsprit
boegwater [het] ⟨scheepv⟩ backwater
boei [de] [1] ⟨baken⟩ buoy, marker ♦ *een kop/een kleur als een boei* (a face) as red as a beetroot; *de boei pakken* turn on the buoy; *de route was door boeien aangegeven/gemarkeerd* the route was marked/indicated by buoys [2] ⟨ankerboei⟩ buoy, marker, float [3] ⟨kluister⟩ chain, handcuff, fetter, shackle, ⟨inf⟩ cuff ♦ *de boeien afschudden/afwerpen* ⟨ook fig⟩ cast off/throw off one's shackles/chains; ⟨fig⟩ *gouden boeien* gilded cage; *iemand in de boeien slaan/klinken/sluiten* (hand)cuff s.o., slap the cuffs on s.o., clap/put s.o. in irons; *de boeien verbreken* break the chains, burst the chains/fetters
^{1}**boeien** [ov ww] [1] ⟨in boeien sluiten⟩ chain, (hand)cuff, shackle, fetter, manacle ♦ ⟨scheepv⟩ *geboeid raken* run aground [2] ⟨de aandacht vasthouden⟩ captivate, grip, fascinate, enthrall, arrest ♦ *de aandacht/zinnen boeien* grip s.o.'s attention/emotions; *het publiek geboeid houden* hold/keep the audience riveted/enthralled/captivated; *het stuk kon ons niet (blijven) boeien* the play failed to hold our attention/interest; *iemand weten te boeien* know how to capture s.o.'s attention/keep s.o. enthralled/get across to s.o.; ⟨inf⟩ *dat boeit (me) niet* booooooring
^{2}**boeien** [tw] boring!
boeiend [bn, bw] fascinating, gripping, absorbing, captivating, enthralling ♦ *dat is een boeiend boek* that is a fascinating/gripping/absorbing book, that book makes fascinating reading; *zij weet boeiend te vertellen* she can tell gripping/absorbing stories, she knows how to grip her listeners; *een boeiend verteller* an enthralling/gripping storyteller
boeienkoning [de^{m}] escape artist, ⟨BE ook⟩ escapologist
boeier [de^{m}] boyer, smack ♦ *een Friese boeier* a Frisian boyer
boek [het] [1] ⟨gebonden, ingenaaid aantal bladen⟩ book ♦ *een boek in losse vellen* an unbound book, a book in quires/sheets; *altijd met zijn neus in de boeken zitten* always have one's nose in a book/be at one's books; *een ingenaaid/gebonden boek* a sewn/bound book; *een boek over* a book on [2] ⟨letterkundig product⟩ book ♦ ⟨fig⟩ *dat is voor hem een gesloten boek* that is/remains a closed/sealed book to/for him; *een gesproken boek* a talking book; *het boek Gods/Boek (der Boeken)* God's Book, the (Good) Book, the Book of Books; *het boek der natuur* nature's book; ⟨fig⟩ *een open boek zijn* be an open book; *iets te boek stellen* record/note/write up sth. [3] ⟨schrijfboek⟩ book ♦ *de boeken bijhouden/afsluiten* keep/close the books/accounts; *de boeken bijwerken* balance the books; *dat blijft buiten de boeken* that will remain unentered/will not be entered/will not be put up on the books; *de boeken controleren* examine/check/audit the books; ⟨in België⟩ *de boeken neerleggen* file for bankruptcy; *bij iemand te boek staan voor* be in s.o.'s debt for, owe s.o.; *zij stond onder een andere naam te boek* she was registered under another name; ⟨fig⟩ *als goed/eerlijk/verstandig te boek staan* be reputed to be a good/honest/sensible person, have a good/honest/sensible reputation; *een post te boek stellen/in de boeken inschrijven* post/book an entry, enter an item; *de boeken vervalsen* doctor the accounts [4] ⟨hoofdafdeling van een letterkundig werk⟩ book ♦ *het boek Genesis* the book of Genesis; *het Boek der Psalmen* the Book of Psalms [5] ⟨iets in boekvorm⟩ book [6] ⟨hoeveelheid⟩ quire ♦ *een boek bladgoud* a book of gold leaf; *een boek papier* a quire of paper [•] *een boek met stalen* a sample book; ⟨sprw⟩ *in andermans boeken is het duister lezen* it is difficult to understand another man's affairs
boekaankondiging [de^{v}] book announcement, book notice
boekanier [de^{m}] buccaneer, freebooter
Boekarest [het] Bucharest
boekband [de^{m}] binding (of a book), (hard) cover
boekbespreking [de^{v}] book review
boekbinden [het] (book)binding
boekbinder [de^{m}], **boekbindster** [de^{v}] (book)binder
boekbinderij [de^{v}] [1] ⟨bedrijf, werkplaats⟩ (book)bindery, (book)binder's [2] ⟨werk⟩ (book)binding
boekbindersleer [het] Russia leather
boekbinderslinnen [het] book muslin, buckram, crash
boekbindster [de^{v}] → **boekbinder**
boekblok [het] book, ⟨boek⟩ book-block
boekcassette [de] slipcase, ⟨AE ook⟩ slipcover, slip
boekdeel [het] volume ♦ *een rijk geïllustreerd boekdeel* a richly illustrated volume; ⟨fig⟩ *zoiets spreekt boekdelen* that speaks volumes; *boekdelen over/van iets kunnen volschrijven* be able to write volumes about sth./reams on sth.; *een zwaar boekdeel* a tome/fat volume
boekdruk [de^{m}] letterpress (printing)
boekdrukken [het] printing (books)
boekdrukker [de^{m}] printer
boekdrukkerij [de^{v}] [1] ⟨werkplaats⟩ printing house/office, print shop [2] ⟨bedrijf, zaak⟩ printer's
boekdrukkunst [de^{v}] (art of) printing, typography
boekdrukpers [de] printing press, ⟨BE ook⟩ printing machine
boeken [ov ww] [1] ⟨te boek stellen⟩ book, post, enter (up), record, register ♦ *een bedrag boeken ten laste van* debit s.o. for an amount; *op een nieuwe rekening boeken* carry forward/over to a new account; *een bedrag op iemands rekening/in zijn credit boeken* charge/credit an amount to s.o.'s account; *posten boeken (in het debet)* record entries (on the debit side); *geboekt staan als* ⟨fig⟩ be recognized/known as, be reputed to be; *boeken op naam van* enter against, put on/charge (to) the account of [2] ⟨bespreken⟩ book ♦ *passage boeken* book (a) passage [3] ⟨behalen⟩ achieve, reach, show ♦ *succes boeken* show/achieve success, have great success, get ahead; *vooruitgang boeken* show/make/achieve progress, make headway; *winst boeken* show/record/make a profit
boekenantiquariaat [het] second-hand/antiquarian bookshop, second-hand/antiquarian ^{A}bookstore
boekenbal^{MERK} [het] literary ball
boekenbeurs [de] [1] ⟨tentoonstelling⟩ book fair [2] ⟨ruilhandel⟩ book fair
boekenbewijs [het] evidence from the books ♦ *tot het boekenbewijs toelaten* admit evidence from the books, allow one to enter/produce/submit one's books as/in evidence
boekenbon [de^{m}] book token, ⟨AE⟩ gift certificate (from a bookstore) ♦ *een boekenbon van 20 euro* a book token for 20 euros
boekencensuur [de^{v}] book censorship
boekenclub [de] book club
boekenfonds [het] book fund
boekengek [de^{m}] s.o. who is crazy about books, ⟨verzamelaar⟩ bibliomaniac
boekengids [de^{m}] (book) catalogue/list
boekenkast [de] bookcase, bookshelves
boekenkennis [de^{v}] [1] ⟨boekenwijsheid⟩ book(ish) knowledge, book learning [2] ⟨kennis van boeken⟩ knowledge of books, bibliography, bibliology
boekenlegger [de^{m}] bookmark(er)
boekenlijst [de] (required) reading list, book list
boekenluis [de] booklouse
boekenmarkt [de] [1] ⟨markt waar boeken te koop zijn⟩ book market [2] ⟨ec⟩ book trade/business/market ♦ *de boekenmarkt is overvoerd* there is a glut in the book market
boekenmolen [de^{m}] revolving bookcase
boekenonderzoek [het] ⟨boekh⟩ audit(ing)
boekenplank [de] bookshelf

boekenrek [het] bookshelf, bookshelves, bookrack
boekenstalletje [het] bookstall
boekensteun [de^m] bookend
boekentaal [de] 1 ⟨literaire schrijftaal⟩ literary language 2 ⟨stijve taal⟩ bookish language
boekentas [de] briefcase, ⟨van schoolgaande kinderen⟩ school/^A book bag, satchel
Boekenweek^MERK [de] book week
boekenweekgeschenk^MERK [het] book week gift, book given away free by bookstores to their clients during the national book week
boekenwijsheid [de^v] book learning/knowledge, booklore, knowledge out of books, theoretical knowledge, ⟨pej⟩ armchair learning
boekenwurm [de^m] 1 ⟨persoon⟩ bookworm 2 ⟨dier⟩ bookworm
boekerij [de^v] library
boeket [het, de^m] bouquet ◆ *een boeket **rozen*** a bouquet of roses; *een boeketje* a posy/nosegay
boekformaat [het] format
boekhandel [de^m] 1 ⟨het uitgeven en verhandelen⟩ book trade/business 2 ⟨winkel, zaak⟩ bookshop, ⟨AE⟩ bookstore ◆ *bestellen **bij/via** de boekhandel* order at/from the bookseller's/bookshop/^A bookstore 3 ⟨boekhandelaars⟩ booksellers
boekhandelaar [de^m] bookseller, ⟨antiquariaat⟩ book dealer, ⟨vertegenwoordiger⟩ book salesman, ⟨inf⟩ bookman
boekheiden [de^m] (cultural) philistine, (wo)man of little reading/culture, ⟨scherts⟩ illiterate
boekhoudafdeling [de^v] → **boekhouding**
1**boekhouden** [het] bookkeeping, accounting, accountancy ◆ ***creatief** boekhouden* creative accounting; *het **dubbel/Italiaans** boekhouden* double-entry bookkeeping, double-entry; ***enkelvoudig** boekhouden* single-entry bookkeeping, single entry; ***kennis** van boekhouden* knowledge of bookkeeping/accounting
2**boekhouden** [onov ww] keep the books, do the accounting, do/keep the accounts ◆ ***creatief** boekhouden* indulge in creative accounting
boekhouder [de^m], **boekhoudster** [de^v] accountant, bookkeeper
boekhoudfraude [de] accounting fraude
boekhouding [de^v] 1 ⟨administratieve verwerking⟩ accounting, bookkeeping ◆ *de boekhouding **doen*** do the bookkeeping/books; *een **dubbele** boekhouding voeren* use double-entry bookkeeping; ⟨m.b.t. zwart geld⟩ have two sets of books (for purposes of tax evasion); ***geknoei** met de boekhouding* doctored/tampered books, cooked accounts; *de **hele** boekhouding is in de war* the books are a total mess; ***machinale** boekhouding* computerized/mechanized accounting 2 ⟨afdeling⟩ accounting department/section, bookkeeping department/section, accounts department ◆ *dat werk wordt **op** de boekhouding gedaan* that work is done in the accounting section
boekhoudkundig [bn, bw] accounting, bookkeeping ◆ *de machine **is** inmiddels boekhoudkundig **afgeschreven*** the machine has now been written off (the books); ⟨handel⟩ *boekhoudkundig **winst*** book profit
boekhoudmachine [de^v] 1 ⟨schrijf-, tel- en rekenmachine⟩ accounting machine 2 ⟨naam voor ponskaarten, schrijfmachine(s), kasregister(s)⟩ piece of office equipment, ⟨mv⟩ office equipment
boekhoudster [de^v] → **boekhouder**
boekhoudsysteem [het] accounting/bookkeeping system
boeking [de^v] 1 ⟨bespreking⟩ booking, reservation ◆ *een boeking **annuleren*** cancel a reservation/booking 2 ⟨sport, vnl voetb⟩ booking, caution ◆ *een boeking **krijgen*** be booked 3 ⟨m.b.t. boekhouden⟩ entry
boekingspost [de^m] item
boekingsstuk [het] → **boekstuk**
boekjaar [het] ⟨handel⟩ fiscal/financial year ◆ *het boekjaar **afsluiten*** close/end the fiscal/financial year
boekje [het] 1 ⟨klein boek⟩ (small/little) book, booklet ◆ ***met** een boekje in een hoekje zitten* have a quiet read 2 ⟨bundeltje⟩ book ◆ *een boekje **lucifers*** a match book; *een boekje **postzegels*** a book of stamps ⊡ ***buiten** zijn boekje gaan* go beyond/exceed one's authority/jurisdiction/orders, overstep one's bounds; *dat staat niet **in** mijn boekje* that's not in my dictionary; *een boekje over iemand **opendoen*** tell (s.o.) what sort of person s.o. really is; ***uit** het boekje* ⟨attributief⟩ copybook; *alles gaat daar **volgens** het boekje* everything goes according to the book there
boeklong [de] ⟨dierk⟩ booklung
boekmaag [de] third stomach, manyplies, psalterium, omasum
boekmerk [het] bookplate
boeknummer [het] ⟨in bibliotheek⟩ class mark/number
boekomslag [het, de^m] dust jacket/cover, (book) jacket
boekrol [de] scroll ◆ *de boekrollen van de Dode **Zee*** the Dead Sea Scrolls
boekschrift [het] calligraphy
boekschuld [de] 1 ⟨handelsschuld⟩ book debt ⟨voornamelijk mv⟩, accounts receivable ⟨mv⟩ 2 ⟨inschuld⟩ book debt ⟨voornamelijk mv⟩, accounts receivable ⟨mv⟩
boekstaven [ov ww] 1 ⟨opschrijven⟩ (put on) record, set down, note, chronicle ◆ *dat **staat** geboekstaafd* that has been noted/recorded 2 ⟨met stukken staven⟩ substantiate, produce evidence/proof/substantiation
boekstuk [het], **boekingsstuk** [het] ⟨handel⟩ bookkeeping/accounting receipt/voucher
boekuitgave [de] publication in book form, book ◆ ***van** dat feuilleton is nu ook een boekuitgave* that serial is now also available in book form/as a book
boekverbranding [de^v] book burning
boekverkoper [de^m] bookseller
boekverslag [het] book report, book review
boekverzorging [de^v] book design
boekvink [de^m] chaffinch, whitewing
boekvorm [de^m] book form ◆ ***in** boekvorm uitgeven* publish in book form/as a book
boekwaarde [de^v] book value, balance sheet value ◆ ***tegen** boekwaarde* at book value
boekweit [de] 1 ⟨gewas⟩ buckwheat 2 ⟨graansoort⟩ buckwheat
boekweitmeel [het] buckwheat (flour)
boekwerk [het] book, work
boekwezen [het] book world/business
boekwinkel [de^m] bookshop, ⟨AE⟩ bookstore
boekwinst [de^v] book profit, paper profit
boekworm [de^m] 1 ⟨insect⟩ bookworm 2 ⟨persoon⟩ bookworm
1**boel** [de^m] ⟨inf⟩ 1 ⟨de dingen⟩ things, matters, business, ⟨ongunstig: rommel⟩ mess ◆ *de boel **belazeren*** fix/rig the show/game; *de boel **bij elkaar houden*** keep the peace; *de **hele** boel loopt in het honderd* it's a complete/total/hopeless mess; *de boel de boel **laten*** leave things as they are, leave things in a mess; *de (hele) boel erbij **neergooien*** chuck it, toss it in; *zijn boeltje **pakken*** pack one's things, pack up; *hij kan zijn boeltje wel **pakken*** he can/might as well (just) pack it in (now); *de boel **verraden*** give away the show, squeal, tell; *de boel **verzieken*** muck up/muddle/spoil/ruin things; *de **vuile** boel (afwassen)* (wash ... up) the dirty things, clean up the mess; *laat de boel maar **waaien*** let things run/take their own course, let things slide; *de boel aan kant maken* straighten/tidy things (up); *de boel in de war sturen* make a (proper) mess of things 2 ⟨bedoening⟩ affair, business, matter, situation ◆ *er een **dolle** boel van maken* turn it into a mad affair/wild situation; *zij maakten er een **dolle** boel van*

⟨ook⟩ it turned into a riot; *de **hele** boel kort en klein slaan* smash everything (in sight) to bits/pieces; *een **mooie** boel* a fine mess, a fine/pretty kettle of fish/state of affairs; *het is er een **saaie/dooie** boel* the place is dead; it's a boring business/show [3] ⟨grote hoeveelheid⟩ a lot, heaps, lots, loads, oodles, piles ♦ *een **hele** boel* a whole lot, loads (and loads), piles (and piles), heaps (and heaps), oodles (and oodles), no end/amount

²**boel** [bw] ⟨inf; scherts⟩ a lot, heaps, lots ♦ *een beetje? een beetje boel* a bit? more than a bit

boeldag [de^m] public sale, auction day

boeleren [onov ww] ⟨lit⟩ fornicate, commit adultery

boelgoed [het] [1] ⟨inboedel⟩ personal/household goods of a house put up for auction, personal/household contents of a house put up for auction [2] ⟨veiling⟩ auction, estate sale ♦ *bij boelgoed verkopen* auction; *boelgoed **houden*** have/hold an auction/estate sale

boelhuis [het] [1] ⟨huis waarvan de inboedel wordt geveild⟩ house of which the contents are up for auction [2] ⟨veiling⟩ auction ♦ *boelhuis **houden*** have/hold an auction

boem [tw] bang, boom, bounce ♦ *pats-boem!* bang!, suddenly!, out of a clear blue sky!

boeman [de^m] [1] ⟨denkbeeldig wezen⟩ bog(e)yman, bugbear, bugaboo [2] ⟨persoon⟩ ogre, bog(e)yman ♦ *als boeman **dienen*** be the ogre; *de boeman **spelen*** play the ogre

boemel [de^m] [1] ⟨het boemelen, uitgaan⟩ binge, spree, ⟨BE⟩ pub-crawl, ⟨AE⟩ bar-hopping, booze-up ♦ ***aan** de boemel zijn/gaan* go (out) on the town, paint the town red, have a fling, go on a binge/a spree/a pub-crawl [2] ⟨trein⟩ → **boemeltje**

boemelaar [de^m] ⟨BE⟩ pub-crawler, ⟨AE⟩ bar-hop, boozer

boemelbus [de^m] boozer's bus, ↑ late night bus

boemelen [onov ww] [1] ⟨stappen⟩ go/be out boozing, go on a spree/binge/pub-crawl, ⟨BE ook⟩ pub-crawl, ⟨AE ook⟩ bar-hop, paint the town red, have a fling [2] ⟨met de boemeltrein gaan⟩ take the slow train, take the local

boemeltje [het], **boemeltrein** [de^m] slow train, local

boemeltrein [de^m] → **boemeltje**

boemerang [de^m] boomerang ♦ ***als** een boemerang werken* boomerang

boemerangeffect [het] boomerang effect ♦ *een boemerangeffect **hebben*** boomerang, have a boomerang effect, backfire, rebound (on)

boemerangkind [het] boomerang kid, boomerang child

boender [de^m] [1] ⟨werktuig om mee te boenen⟩ scrub(bing) brush ♦ ***lange** boender* floor brush; ***met** een boender schoonmaken* clean with a scrub(bing) brush, scrub; ***platte** boender* brush [2] ⟨uitbrander⟩ dressing-down, telling-off

boenen [ov ww, ook abs] [1] ⟨glanzend wrijven⟩ polish [2] ⟨schrobben⟩ scrub ♦ ***flink** boenen* scrub well/vigourously

boenwas [het, de^m] polishing/furniture wax, beeswax

boer [de^m] [1] ⟨landbouwer, veehouder⟩ farmer, ⟨m.b.t. vee ook; AE⟩ rancher, ⟨m.b.t. onderontwikkelde landen⟩ peasant ♦ *een **grote/kleine** boer* a small/large landowner/farmer [2] ⟨bewoner van het platteland⟩ country dweller/person, ⟨pej⟩ provincial, peasant ♦ ***burgers** en boeren* city people and country people; ⟨pej⟩ *een boertje van buut'n* a country cousin; ⟨AE⟩ a hillbilly/hick/hayseed [3] ⟨lomp persoon⟩ boor, (country) yokel/bumpkin, peasant ♦ *een boer op klompen* a country bumpkin, a real peasant, a boor/^{A}hick [4] ⟨ontsnapping van gassen uit de maag⟩ burp, belch ♦ *een boer **laten** (vliegen)* burp, belch; *een baby een boertje **laten doen*** burp a baby [5] ⟨in samenstellingen⟩ man ♦ ***melk**boer* milkman; ***vodden**boer* ragman [6] ⟨speelkaart⟩ jack, knave ⊡ *de boer **opgaan*** go on the road; ⟨pol⟩ go on tour, ⟨AE⟩ go on the stump; ⟨om te bedelen⟩ go on (the) tramp; ⟨AuE⟩ go bush; *lachen als een boer die kiespijn heeft* laugh on the wrong side of one's face; ⟨sprw⟩ *wat een boer niet kent dat vreet hij niet* some people don't trust anything they don't know; ⟨sprw⟩ *de domste boeren hebben de dikste aardappels* fortune favours fools; ⟨sprw⟩ *als de vos de passie preekt, boer pas op je kippen* when the fox preacheth, then beware your geese; ± fear the Greeks when bearing gifts

Boer [de^m] ⟨gesch⟩ Boer

boerde [de] ⟨lit⟩ fabliau

boerderij [de^v] [1] ⟨boerenwoning⟩ ⟨woning⟩ farmhouse, ranch house, ⟨woning en land⟩ farm, ⟨AE⟩ ranch, ⟨AuE; groot en met vee⟩ station ♦ *een boerderijtje* ⟨woning en land⟩ a small/little farm; ⟨woning⟩ a small farmhouse; (small) country(style)house [2] ⟨bedrijf, nering⟩ farm, ⟨vnl AE⟩ farming ♦ *een **kleine/grote** boerderij* a small/large farm/spread

boerderijwinkel [de^m] farm shop

boeren [onov ww] [1] ⟨het boerenbedrijf uitoefenen⟩ farm, run a farm, ⟨vnl AE; m.b.t. vee⟩ ranch, run a ranch, ⟨AuE⟩ run a station ♦ ***goed** boeren* be a good farmer [2] ⟨enig beroep, bedrijf uitoefenen⟩ manage one's affairs, get on, do ♦ *hij heeft **goed/slecht** geboerd dit jaar* he has managed his affairs well/badly this year, he has done well/badly this year [3] ⟨gassen uit de maag lozen⟩ burp, belch [4] ⟨afbrokkelen⟩ crumble (away), erode

boerenantiek [het] farm antique(s)

boerenarbeider [de^m] farm-hand, farm labourer/worker, ⟨vnl AE; m.b.t. vee⟩ ranch labourer/worker, ⟨AuE⟩ station hand ♦ ***losse** boerenarbeider* extra hand; ⟨AuE⟩ rouseabout

boerenbedrijf [het] [1] ⟨beroep⟩ farming, agriculture, ⟨vnl AE; m.b.t. vee⟩ ranching, ⟨zeldz⟩ husbandry ♦ *het boerenbedrijf **uitoefenen*** farm, be a farmer [2] ⟨kleine boerenhofstede⟩ farm

boerenbedrog [het] cheap swindle, fraud, humbug, bunk ♦ *dat is je **reinste** boerenbedrog* that is clearly/obviously humbug/total bunk

boerenbevolking [de^v] farming/rural population, ⟨gesch⟩ peasantry

boerenbond [de^m] farmers' union

boerenbont [het] [1] ⟨aardewerk⟩ old colonial [2] ⟨stof⟩ checkered gingham ♦ *een boerenbontje* a piece of gingham

boerenboter [de] farm butter

boerenbruiloft [de] country wedding

boerenbruin [het] ± brown bread, ⟨concr⟩ brown loaf

boerencamping [de^m] farm campsite

boerendans [de^m] country dance, barn dance, hay

boerendeern [de^v], **boerendeerne** [de^v] wench, country lass, peasant girl

boerendeerne [de^v] → **boerendeern**

boerendochter [de^v] [1] ⟨plattelandsmeisje⟩ country girl, ⟨pej⟩ peasant girl [2] ⟨dochter van boer⟩ farmer's daughter

boerenerf [het] [1] ⟨grond met gebouwen⟩ ⟨AE⟩ farmstead, ⟨BE⟩ farm buildings [2] ⟨onbebouwde ruimte rondom een boerderij⟩ farmyard, ⟨deel rond schuur⟩ barnyard ♦ ***op** het boerenerf* in the farmyard

boerenfluitjes ⟨inf⟩ ⊡ *op z'n (jan)boerenfluitjes* in a slaphappy way, in a slapdash/happy-go-lucky way

boerengoed [het] [1] ⟨grote boerderij⟩ farmstead [2] ⟨boerenkleding⟩ farmer's clothing

boerengolf^{MERK} [het] Dutch sport similar to croquet, played with a wooden stick attached to a clog

boerenham [de] country ham

boerenhoeve [de] farmstead, farmhouse

boerenhofstede [de] farmstead, farmhouse (of a gentleman farmer)

boerenhufter [de^m] → **boerenkinkel**

boerenjongen [de^m] [1] ⟨boerenzoon⟩ country boy/lad [2] ⟨mv; drank⟩ brandied raisins

boerenkaas [de^m] farmhouse cheese
boerenkaffer [de^m] → **boerenkinkel**
boerenkalk [de^m] plaster made of clay and chopped straw, ± wattle and daub
boerenkandeel [de] café au lait à la paysanne, coffee boiled with milk and sugar
boerenkapel [de] (brass) band (dressed like farmers)
boerenkermis [de^v] 1 ⟨dorpskermis⟩ country fair 2 ⟨luidruchtige feestviering⟩ riotous party, bash
boerenkers [de] 1 ⟨plantengeslacht⟩ pennycress 2 ⟨veldkruidkers⟩ field cress, pepperwort, ⟨AE⟩ peppergrass
boerenkiel [de^m] peasant blouse, smock
boerenkinkel [de^m], **boerenhufter** [de^m], **boerenkaffer** [de^m] ⟨inf⟩ boor, clodhopper, country bumpkin, lout
boerenknecht [de^m] (farm) hand, farm labourer, ⟨vnl AE; m.b.t. vee⟩ ranch hand, ⟨AuE⟩ station hand
boerenknoop [de^m] ⟨scheepv⟩ granny('s) knot
boerenkoffie [de^m] cinnamon coffee
boerenkool [de] 1 ⟨koolsoort⟩ (curly) kale, borecole 2 ⟨gerecht⟩ ± kale (hotchpotch) ♦ *boerenkool **met** worst* kale and sausage
boerenkost [de^m] peasant food/fare, country food/fare ♦ ***stevige** boerenkost* a square meal
Boerenkrijg [de^m] ⟨in België⟩ Peasants' Revolt
boerenlatijn [het] dog Latin
boerenleenbank [de] agricultural cooperative/loan bank, farm credit bank
boerenlul [de^m] ⟨vulg⟩ dirty bastard, son-of-a-bitch, SOB, ⟨AE ook⟩ asshole
boerenmarkt [de] ⟨in België⟩ agricultural fair
boerenmeid [de^v] 1 ⟨dochter van een boer⟩ country girl, ⟨pej⟩ peasant girl 2 ⟨dienstmeid⟩ farm maid
boerenmeisje [het] 1 ⟨persoon⟩ country girl, ⟨pej⟩ peasant girl 2 ⟨mv; drank⟩ brandied apricots
boerenmetworst [de] ± German sausage
Boerenoorlog [de^m] Boer War
boerenopstand [de^m] ⟨alg⟩ peasants' revolt/rising/rebellion, ⟨gesch; Groot-Brittannië⟩ Peasants' Revolt, ⟨Frans⟩ Jacqerie
boerenpaard [het] cart horse, farm horse, shire (horse)
boerenpummel [de^m] ⟨inf⟩ yokel, ⟨AE⟩ hayseed, lout, boor, country bumpkin
boerenrock [de^m] Dutch country rock (music)
boerenschuur [de] barn
boerensjees [de] gig
boerenslimheid [de^v] 1 ⟨aangeboren slimheid⟩ foxiness, craftiness 2 ⟨het gezonde verstand⟩ horse sense, common sense, gumption
boerenstand [de^m] 1 ⟨maatschappelijke staat⟩ agrarian/farming classes, ⟨kleine boeren en landarbeiders⟩ peasantry, peasant class 2 ⟨boeren⟩ farming community, peasantry
boerenstulp [de] (peasant) cottage, peasant hut
boerentrien [de^v] lumpish/clumsy girl, lump of a girl
boerenverstand [het] horse sense, common sense ♦ *daar kan ik niet bij **met** mijn boerenverstand* that's beyond (simple folks like) me
boerenwagen [de^m] wag(g)on, cart
boerenwerk [het] farmwork
boerenwijsheid [de^v] peasant wisdom, common sense
boerenwit [het] farmhouse loaf
boerenwormkruid [het] tansy
boerenzoon [de^m] farmer's son
boerenzwaluw [de] swallow
boerin [de^v] 1 ⟨vrouw van een boer⟩ farmer's wife 2 ⟨vrouw met een boerenbedrijf⟩ woman farmer 3 ⟨lompe vrouw⟩ lumpish woman/girl, clumsy woman/girl, lump of a woman/girl
boerka [de] 1 ⟨vrouwengewaad⟩ burkah, burqa 2 ⟨kozakkenmantel⟩ burka
boerkini [de^m] burkini, burqini
boernoes [de^m] 1 ⟨Arabische mantel⟩ burnous 2 ⟨officiersmantel⟩ officer's greatcoat
boers [bn, bw] 1 ⟨als (van) een boer⟩ rustic ⟨bw: ~ally⟩, ⟨attributief⟩ peasant ♦ *een boers **accent*** a rustic accent; *boerse **manieren*** ⟨ook⟩ countrified manners; ***op** zijn boers* peasant fashion 2 ⟨lomp, grof⟩ lumpish ⟨bw: ~ly⟩, coarse, churlish, uncouth
boersheid [de^v] 1 ⟨het boers zijn⟩ rusticity 2 ⟨lompheid⟩ lumpishness, coarseness, churlishness
boert [de] buffoonery, jest, jape
boertachtig [bn, bw] ⟨form⟩ chaffing ⟨bw: ~ly⟩, jocular
boertig [bn, bw] jocular ⟨bw: ~ly⟩, farcical, waggish, ⟨grof⟩ broad, coarse ♦ *boertige **humor*** broad humour
boetceremonie [de^v] penance
boete [de] 1 ⟨geldstraf⟩ fine, penalty ♦ *een boete **bepalen*** fix/stipulate a penalty; *wie te laat komt, **betaalt** boete* latecomers will pay a fine; *een boete **krijgen van** € 100* be fined 100 euros, receive a 100 euro fine; *iemand een boete **opleggen** (van € 1000)* fine s.o. (1000 euros), impose a (1000 euro) fine on s.o.; *op die overtreding **staat** een zware boete* this offence carries a heavy fine, there is a heavy fine on this offence; *een boete **stellen op*** attach a penalty to; *op **straffe** van boete (gehouden zijn om ...)* be under penalty (to); *iemand **tot** een boete **veroordelen*** fine s.o. 2 ⟨rel⟩ ⟨penitentie⟩ penance, ⟨genoegdoening⟩ atonement ♦ ***als** boete voor* as a penance for; *boete **doen*** do penance (for sins); atone for sins, expiate sins 3 ⟨straf⟩ penalty ♦ *hij zal daarvoor boete moeten **doen*** he will have to pay the penalty (for it); ***schuld** en boete* crime and punishment
boetebeding [het] penalty clause
boeteclausule [de] penalty clause
boetedag [de^m] day of penance
boetedoening [de^v] penance, atonement, expiation ♦ ***als** boetedoening voor* as a penance for
boetekleed [het] hair shirt, white sheet ♦ *het boetekleed **aandoen*** ⟨ook fig⟩ put on the hair shirt; *het boetekleed **aanhebben*** stand in a white sheet
boeteling [de^m], **boetelinge** [de^v] penitent, repentant sinner ♦ ⟨lit⟩ *het **verblijf** der boetelingen* the abode of sinners
boetelinge [de^v] → **boeteling**
[1]**boeten** [onov ww] ⟨straf ondergaan⟩ suffer (for), pay ((the penalty/price) for), ⟨rel⟩ atone (for), do penance (for) ♦ ***voor** iemand boeten* pay/suffer for s.o. else's deed/crime/...; *daar zul je **voor** boeten!* you'll pay for that!; ***voor** een misdrijf boeten* pay/suffer for a crime; *iemand **voor** iets laten boeten* make s.o. pay for sth.; ***zwaar** voor iets boeten* pay a heavy penalty for sth.
[2]**boeten** [ov ww] 1 ⟨de straf ondergaan voor⟩ pay/suffer for, pay the penalty/price for, ⟨rel⟩ expiate, atone for, suffer for ♦ ⟨fig⟩ *zijn **dapperheid** boeten met het leven* pay with one's life for one's courage 2 ⟨herstellen⟩ ⟨net⟩ mend, ⟨ketel⟩ tinker
boetepreek [de], **boetpredicatie** [de^v] 1 ⟨r-k⟩ penitential sermon 2 ⟨strafrede⟩ sermon, homily ♦ *een boetepreek **houden*** read (s.o.) a lecture/lesson
boeteprocessie [de^v] ⟨in België⟩ procession of the penitants
boeterente [de] penalty interest (rate)
boetestelsel [het] system of fines
boetevrij [bn, bw] penalty-free, free of/without penalty
boetgezant [de^m] preacher of penitence
boetiek [de^v] 1 ⟨winkel⟩ boutique 2 ⟨afdeling in een warenhuis⟩ boutique
boetiekhotel [het] boutique hotel
boetpredicatie [de^v] → **boetepreek**
boetprediker [de^m] 1 ⟨profeet, priester⟩ preacher of penitence 2 ⟨iemand die zedelijke vermaningen houdt⟩

preacher
boetpsalm [de^m] penitential psalm ♦ *de zeven boetpsalmen* the seven penitential psalms
boetseerklei [de] modelling clay
¹**boetseren** [onov ww] ⟨vorm geven aan kneedbaar materiaal⟩ model
²**boetseren** [ov ww] ⟨vormen uit kneedbaar materiaal⟩ mould, ⟨AE⟩ mold, model ♦ *boetseren **in/naar*** ⟨materiaal⟩ mould/model in, ⟨voorbeeld⟩ mould/model upon
boetvaardig [bn, bw] penitent ⟨bw: ~ly⟩, repentant, ⟨gezicht, woorden⟩ contrite, ⟨vol spijt⟩ remorseful ♦ *de boetvaardige **zondares*** the repentant sinner
boetvaardigheid [de^v] penitence, repentance, ⟨berouw⟩ contrition, ⟨spijt⟩ remorse ♦ ***sacrament** van boetvaardigheid* sacrament of penance
boevenbende [de] ⟨ook fig⟩ pack of thieves
boevenpad [het] ⊡ *op boevenpad gaan* get involved in crime
boeventaal [de] (thieves') slang, thieves' Latin
boeventronie [de^v] villain's face
boeventuig [het] villains, pack of thieves
boevenwagen [de^m] Black Maria, ⟨sl; AE⟩ paddy wagon
boezelaar [de^m] ⟨vero⟩ pinafore (dress)
boezem [de^m] 1 ⟨borst(en)⟩ bosom, breast ♦ *iemand **aan** de boezem drukken* press s.o. to one's bosom/breast; ***veel/weinig** boezem hebben* be bosomy/flat-chested; *een **zware/flinke** boezem hebben* be bosomy/busty/full-bosomed 2 ⟨gemoed, hart⟩ bosom, heart 3 ⟨waterplas⟩ 'boezem', (polder) outlet, (polder) drainage pool ♦ ***besloten** boezem* maximum-level 'boezem'; *boezem **hebben*** have a low water level in the 'boezem'; *boezem **malen*** lower the water level in the 'boezem'; ***op** de boezem uitmalen* pump (water) into the 'boezem'; ***vrije** boezem* permanently available/accessible 'boezem' 4 ⟨deel van het hart⟩ atrium, auricle 5 ⟨zeeinham⟩ bay 6 ⟨kring personen⟩ bosom, circle ♦ *verdeeldheid in **eigen** boezem* strife/division among themselves/yourselves/ourselves 7 ⟨binnenste⟩ heart, centre ♦ *de boezem der **aarde*** the heart/centre of the earth 8 ⟨ruimte tussen borst en gewaad⟩ bosom ♦ *de hand in **eigen** boezem steken* acknowledge blame, search one's own heart/conscience
boezemfibrilleren [ww] ⟨med⟩ atrial fibrillation
boezemgebied [het] ± polder drainage area
boezemland [het] polder area with natural drainage
boezemmeer [het] 'boezem' lake, outlet/drainage lake, outlet/drainage reservoir
boezempeil [het] maximum level in a/the 'boezem'
boezemvriend [de^m], **boezemvriendin** [de^v] bosom friend, ⟨sterker⟩ soul mate
boezemvriendin [de^v] → **boezemvriend**
boezeroen [het, de^m] smock ♦ ***in** zijn boezeroen zijn/zitten/lopen* be in one's shirt-sleeves; ***Jan** Boezeroen* ⟨arbeider; BE⟩ navvy, ⟨arbeidersklasse⟩ the cloth caps
¹**bof** [de^m] 1 ⟨doffe slag⟩ bump, thud, thump 2 ⟨goed geluk⟩ (good) luck, fluke ♦ ***wat** een bofje* what a stroke/piece of luck; ***wat** een bof, dat ik hem nog thuis tref* I'm lucky/what a fluke/what luck to find him still at home 3 ⟨ziekte⟩ mumps ⟨mv⟩ ♦ *de bof **hebben/krijgen*** have/get the mumps ⊡ *de bof **krijgen*** ⟨ontslag krijgen⟩ get the sack
²**bof** [tw] wham!, bam!, pow!
boffen [onov ww] be lucky, fluke ♦ *jij boft ook **altijd!*** ⟨ook⟩ you always strike lucky!; ***bij** een examen boffen* be lucky in an examination, pass an examination by a fluke; *bof jij **even!*** are you lucky!; ***geweldig** boffen (met iets)* be jolly lucky (with sth.), have all the luck; *zij boffen ook **nooit** eens* they are always unlucky/out of luck; *niet iedereen boft **zoals** hij* not everyone has his luck; *dat is boffen* that's a bit of good luck/a fluke
boffer [de^m] 1 ⟨persoon⟩ lucky dog 2 ⟨toevallig gelukje⟩ bit of luck, fluke
bofkont [de^m] ⟨inf⟩ lucky dog
bogen [onov ww] ⟨zich kunnen beroemen op⟩ boast, pride o.s. ((up)on), ⟨pochen⟩ boast (of/about) ♦ *hij kan **op** zijn ervaring bogen* ⟨ook⟩ he can show experience; *deze stad kan bogen **op** een stadion* this town boasts a stadium
bogengang [de^m] (row of) arches
bogey [de^m] bogey, bogie
bogie [de^v] bogie
Boheems [bn], **Bohemer** [bn] Bohemian
Boheemse [de^v] → **Bohemer¹**
Bohemen [het] Bohemia
¹**Bohemer** [de^m], **Boheemse** [de^v] ⟨man & vrouw⟩ Bohemian, ⟨vrouw ook⟩ Bohemian woman/girl
²**Bohemer** [bn] → **Boheems**
bohemien [de^m] Bohemian
boho [bn] boho chic
BOIC [het] ⟨in België⟩ (Belgisch Olympisch en Interfederaal Comité) Belgian Olympic Committee
boiler [de^m] water heater, boiler
boilie [de^m] stink bait
boing [tw] boing
boiseren [ov ww] 1 ⟨met houtgewas beplanten⟩ plant with shrubs/trees, ⟨bebossen⟩ afforest 2 ⟨met hout bekleden⟩ (wood-)panel, wainscot
bojaar [de^m] ⟨gesch⟩ boyar(d), boiar
¹**bok** [de^m] 1 ⟨mannetje van de geit⟩ (male) goat, billy goat, he-goat ♦ *erop zitten **als** de bok op de haverkist* be as keen as mustard on doing/to do sth., jump at sth.; ⟨uitslover zijn⟩ be an eager beaver; ⟨fig⟩ *de bokken van de schapen **scheiden*** separate the sheep from the goats 2 ⟨mannetje van andere dieren⟩ ⟨herten, antilopen⟩↑ buck, ⟨herten, elanden⟩ stag ♦ ⟨fig⟩ *een **ouwe** bok* ⟨geil⟩ an old goat 3 ⟨draaggestel⟩ ⟨vnl in samenstellingen⟩ horse, rack, frame, trestle, ⟨bilj⟩ bridge, jigger ♦ *zaagbok* sawhorse 4 ⟨hijswerktuig⟩ (hoisting) sheers, sheerlegs, ⟨giek⟩ jig, boom ♦ *een **drijvende** bok* ⟨ook⟩ a floating sheerlegs crane 5 ⟨gymnastiektoestel⟩ buck, ⟨voor vrouwen⟩ side horse 6 ⟨zitplaats van de koetsier⟩ box, coach-box, ⟨BE ook⟩ dicky 7 ⟨spel⟩ back ♦ *bok **staan*** give (s.o.) a back, make a back (for s.o.) 8 ⟨koppig mens, dier⟩ mule 9 ⟨muz⟩ dais 10 ⟨vaartuig⟩ barge 11 ⟨spoorw⟩ buffer (stop) ⊡ *een bok **schieten/maken*** blunder, drop a brick, make a howler; ⟨sprw⟩ *een oude bok lust nog wel een groen blaadje* ± there's life in the old dog yet
²**bok** [het] ⟨bier⟩ bock
bokaal [de^m] 1 ⟨drinkbeker⟩ beaker, goblet 2 ⟨glazen kom, fles⟩ bowl, jar 3 ⟨wedstrijdbeker⟩ cup 4 ⟨in België; glazen pot⟩ glass jar 5 ⟨in België; viskom⟩ fish bowl
bokbenig [bn] knee-sprung
bokje [het] 1 ⟨vogel⟩ jacksnipe 2 ⟨krukje⟩ stool 3 ⟨slechte sigaar⟩ cheap (^Bthreepenny/^Afive-cent) cigar 4 ⟨korte dikke sigaar⟩ stubby cigar 5 ⟨jonge bok⟩ kid
bokken [onov ww] 1 ⟨nors zijn⟩ sulk ♦ *hij loopt **al** twee dagen te bokken* he has been sulking for two days 2 ⟨m.b.t. geiten⟩ be on/^Ain heat 3 ⟨m.b.t. paarden⟩ buck
bokkenbaard [de^m] goatee
bokkenpoot [de^m] tarbrush
bokkenpootje [het] cat's paw, ⟨sic⟩ langue de chat
bokkenpruik [de] ⊡ *de bokkenpruik **ophebben*** be in a bad mood
bokkenrijder [de^m] ⟨gesch⟩ Goat rider
bokkensprong [de^m] 1 ⟨sprong⟩ caper ♦ *bokkensprongen **maken*** caper (around) 2 ⟨handeling⟩ caper, prank ♦ *(rare) bokkensprongen **maken*** cut capers
bokkentuig [het] 1 ⟨m.b.t. soldaten⟩ leather belts/straps ⟨mv⟩ 2 ⟨m.b.t. vliegeniers⟩ harness
bokkenwagen [de^m] goat-cart ♦ ⟨iron⟩ *een mooi span **voor** een bokkenwagen* an odd couple
bokkig [bn, bw] 1 ⟨m.b.t. personen⟩ gruff, surly, sullen, ⟨koppig⟩ mulish, pigheaded 2 ⟨m.b.t. geiten⟩ on/^Ain heat
bokkinees [de^m] ⟨inf⟩ ⟨ruw⟩ brute, ⟨nors⟩ surly fellow,

⟨wonderlijk⟩ queer/odd fellow
bokking [de^{m}] smoked herring, ± red herring, ± kipper ◆ *Engelse bokking* ± red herring; *verse bokking* ± bloater, ± buckling
bokkraan [de] gantry crane
bokpaal [de^{m}] ± telegraph pole
boks [de^{m}] ⟨begroeting⟩ fist pound, fist bump, big-up
boksbaard [de^{m}] ⟨plantk⟩ goat's-beard, goatsbeard
boksbal [de^{m}] punchball, ⟨AE⟩ punching bag
boksbeugel [de^{m}] knuckle-duster ⟨vaak mv⟩, ⟨AE⟩ brass knuckles, ⟨AE ook; sl⟩ knuckles, knucks
bokschip [het] ⟨getrokken⟩ (horse-drawn) barge, ⟨geduwd⟩ barge (pushed by another boat)
boksdoorn [de^{m}] ⟨plantk⟩ boxthorn, matrimony vine
[1]**boksen** [onov ww] [1] ⟨sport; met de vuist vechten⟩ box ◆ *boksen **tegen/met*** struggle/fight against/with [2] ⟨scheepv⟩ sail into/against the wind, sail to windward
[2]**boksen** [ov ww] ⊡ *hoe heb je het voor elkaar kunnen boksen?* how did you manage it?
bokser [de^{m}] ⟨persoon⟩ boxer
boksersneus [de^{m}] boxer's nose
bokshandschoen [de] boxing glove
bokskampioen [de^{m}] boxing champion
bokspringen [ww] [1] ⟨sport⟩ (squat) vaulting, vaulting exercise [2] ⟨spel⟩ leapfrog, play leapfrog, cockalorum
boksring [de^{m}] boxing ring
bokssport [de] boxing, pugilism, ⟨vero⟩ (the) fancy
bokswedstrijd [de^{m}] boxing match/contest, (prize) fight
boktor [de] long-horned beetle, longicorn (beetle)
[1]**bol** [de^{m}] [1] ⟨rond voorwerp⟩ ball, ⟨van lamp⟩ globe, ⟨van thermometer⟩ bulb ◆ *een bol **garen*** a ball of thread; *de glazen bol van een waarzegster* the crystal ball of a fortune-teller [2] ⟨wisk⟩ sphere ◆ *een **afgeplatte** bol* an oblate spheroid [3] ⟨hoofd⟩ head ◆ *het hoog **in** de bol hebben* have one's nose so high in the air that one can't see the ground; be too big for one's boots/breeches/^{A}britches; *het is hem **in** zijn bol geslagen* he's gone off his head/round the bend, he's gone crazy, he has flipped (his lid); ⟨fig⟩ *een **knappe** bol* a clever chap/^{A}guy; *een kind **over** zijn bol **strijken*** stroke a child's head; *zijn bol **stoten*** knock/bump one's head; ***uit** zijn bol gaan* go crazy/out of one's mind; ⟨van woede⟩ blow one's top [4] ⟨brood⟩ (small) round loaf, ⟨zacht ook⟩ bap [5] ⟨plantk⟩ bulb ◆ ***gerokte** bol* tunicate bulb; ***geschubde** bol* scaly bulb [6] ⟨deel van een hoed⟩ crown ◆ *een **hoge/platte/ronde** bol* a high/flat/round crown [7] ⟨plaat aan de zeekust⟩ shoal
[2]**bol** [bn, bw] [1] ⟨bolvormig van oppervlak⟩ round ◆ *een bolle **lens*** a convex lens; *bol doen **staan*** bulge; ⟨m.b.t. zeilen ook⟩ belly; *de zeilen gingen bol **staan*** the sails bellied (out)/bulged/swelled/billowed/ballooned; ⟨fig⟩ *die recensie **stond** bol van de vooroordelen* that review was (absolutely) full of prejudices [2] ⟨rond en dik⟩ round, ⟨bolvormig⟩ spherical ◆ *een bolle **toet*** a round/full/plump/chubby face; *bolle **wangen*** round/plump/chubby cheeks; ⟨zelfstandig (gebruikt)⟩ *hé, bolle!* hey, Fatso! ⊡ *een bolle **wind*** a gusty wind
bola [de] bola(s)
bolbaak [de], **bolbaken** [het] perch with a ball-shaped lopmark
bolbaken [het] → **bolbaak**
bolbliksem [de^{m}] ball lightning, globe lightning
bolder [de^{m}] ⟨scheepv⟩ [1] ⟨palen om trossen vast te maken⟩ bollard, dolphin, bitt [2] ⟨hout waarlangs de reep schuift⟩ bitt
bolderen [onov ww] rumble ◆ *de lege boerenwagen boldert **over** de weg* the empty farm-cart is rumbling over the road
bolderik [de^{m}] ⟨plantk⟩ (corn) cockle
bolderkar [de], **bolderwagen** [de^{m}] (type of) cart
bolderpen [de] bollard
bolderwagen [de^{m}] → **bolderkar**
boldriehoek [de^{m}] ⟨wisk⟩ spherical triangle
boldriehoeksmeting [de^{v}] ⟨scheepv, wisk⟩ spherical trigonometry
boleet [de^{m}] ⟨plantk⟩ boletus
[1]**bolero** [de^{m}] bolero
[2]**bolero** [de^{m}] [1] ⟨dans⟩ bolero [2] ⟨lied⟩ bolero [3] ⟨hoed⟩ bolero hat
boletriboom [de^{m}] balata (tree), bully tree
bolfunctie [de^{v}] ⟨wisk⟩ spherical function
bolgewas [het] bulbous plant
bolglas [het] bulb jar
bolhamer [de^{m}] ball-peen hammer
bolhoed [de^{m}] bowler/^{A}derby (hat)
bolhol [bn] concavo-convex
[1]**bolide** [de^{v}] ⟨meteoor⟩ bolide
[2]**bolide** [de] ⟨raceauto⟩ racing car
bolita [de^{m}] bolita
Bolivia [het] Bolivia

Bolivia	
naam	*Bolivia* Bolivia
officiële naam	*Republiek Bolivia* Republic of Bolivia
inwoner	*Boliviaan* Bolivian
inwoonster	*Boliviaanse* Bolivian
bijv. naamw.	*Boliviaans* Bolivian
hoofdstad	*Sucre (regering: La Paz)* Sucre, La Paz
munt	*boliviano* boliviano
werelddeel	*Amerika* America
int. toegangsnummer **591** www **.bo** auto **BOL**	

Boliviaan [de^{m}], **Boliviaanse** [de^{v}] ⟨man & vrouw⟩ Bolivian, ⟨vrouw ook⟩ Bolivian woman/girl
Boliviaans [bn] Bolivian
Boliviaanse [de^{v}] → **Boliviaan**
bolk [de] bib, (whiting) pont ⟨Gadus luscus⟩
bolkaf [het] flax chaff
bolkap [de] → **bolsegment**
bolknak [de^{m}] big/fat cigar, Havana
bolknop [de^{m}] offset bulb
bolkop [de^{m}] round head
bolkopschroef [de] round head screw
bollandisten [de^{mv}] Bollandists
bollantaarn [de] globe lamp/lantern
bolleboos [de^{m}] clever clogs ◆ *het is een **echte** bolleboos* he's/she's very bright; *hij is geen bolleboos **in** scheikunde* he's not much good at/no great shakes in chemistry; *zij is een bolleboos **in** natuurkunde* she's very good at physics
bolleke [het] [1] ⟨bierglas⟩ bolleke, traditional Belgian beer goblet [2] ⟨bier⟩ type of beer traditionally served in bolleke
[1]**bollen** [onov ww] [1] ⟨bol gaan staan⟩ bulge, ⟨zeilen ook⟩ belly (out), swell, billow, balloon ◆ ***doen** bollen* bulge; ⟨m.b.t. zeilen ook⟩ belly; *die **muur** bolt* that wall is bulging [2] ⟨m.b.t. koeien⟩ be in heat, ⟨BE ook⟩ be on heat ◆ *een koe laten bollen* put a cow to a/the bull [3] ⟨rollen⟩ bowl along [4] ⟨in België; rijden⟩ drive ◆ *de **auto** bolde goed* we were bowling along
[2]**bollen** [ov ww] [1] ⟨van de zaadbollen ontdoen⟩ ripple [2] ⟨doden met een hamer⟩ ⟨BE⟩ poleaxe, ⟨AE⟩ poleax
bollenbedrijf [het] [1] ⟨bedrijfstak⟩ bulb-growing industry [2] ⟨bedrijf⟩ bulb farm
bollenhandelaar [de^{m}] bulb merchant
bollenkweker [de^{m}] bulb grower
bollenkwekerij [de^{v}] bulb farm
bollenpellen [het] peel flower bulbs
bollenschuur [de] bulb-shed
bollenstreek [de] bulb(-growing) area ◆ *de Bollenstreek* the bulb-growing area in Holland
bollenteelt [de] bulb-growing (industry)
bollentijd [de^{m}] bulb season

bollenveld [het] bulb field ♦ *bloeiende bollenvelden* bulb fields in (full) bloom
bolletje [het] [1] ⟨kleine bol⟩ (little) ball, ⟨druppeltje⟩ globule, ⟨van schrijfmachine⟩ golf ball ♦ *een schrijfmachine met bolletje* a golf ball typewriter [2] ⟨broodje⟩ (soft) roll ♦ *witte/bruine bolletjes* white/brown rolls [3] ⟨hoofdje⟩ head ♦ *en de zon scheen op zijn bolletje* and the sun shone on his head
bolletjesmachine [de^{v}] ⟨inf⟩ golf ball typewriter
bolletjesslikker [de^{m}] body packer, mule
bolletjestrui [de] ⟨sport⟩ spotted jersey
bolletjesvaren [de] sensitive fern
bollewangenhapsnoet [de^{m}] chubby-face
bollig [bn] on/^{A}in heat
bolognesesaus [de] Bolognese sauce
Bolognezer [bn] Bolognese ⊡ *Bolognezer fles* Bologna flask/phial/vial
bolometer [de^{m}] bolometer
bolopperviak [het] ⟨wisk⟩ surface of a sphere
bolpen [de] ball-point (pen)
bolrond [bn] [1] ⟨bolvormig⟩ spherical ♦ *de aarde is niet zuiver bolrond* the earth is not perfectly spherical [2] ⟨min of meer bolvormig⟩ round ♦ *een bolrond gezicht* a round/full/plump/chubby face [3] ⟨deel van een bolvlak uitmakend⟩ convex
bols [de^{m}] Dutch gin, Hollands, geneva ♦ *een glaasje bols* a glass of Dutch gin
bolscharnier [het] ball-and-socket joint
bolschijf [de] [1] ⟨deel van een bol⟩ spherical segment [2] ⟨schijf van een bloembol⟩ segment of a bulb
bolschil [de] ⟨wisk⟩ spherical shell
bolsector [de^{m}] ⟨wisk⟩ sector of a sphere, spherical sector
bolsegment [het], **bolkap** [de] ⟨wisk⟩ segment of a sphere
bolsjewiek [de^{m}] Bolshevik
bolsjewisme [het] Bolshevism
bolsjewist [de^{m}] Bolshevist
bolsjewistisch [bn, bw] Bolshevist, Bolshevistic, ⟨beleid⟩ bolshie, bolshy
bolspel [het] ⟨in België⟩ ⟨BE⟩ ± bowls
bolspits [de] onion(-shaped) spire, ⟨kerk ook⟩ onion(-shaped) steeple, steeple ball
bolstaand [bn] bulging ♦ *een bolstaand conservenblikje* a bulging can, ⟨BE vnl⟩ a bulging tin; *een bolstaande muur* a bulging wall; ⟨fig⟩ *een van leugens bolstaand artikel* an article (absolutely) full of lies; *een bolstaand zeil* a bellying/bulging/swelling/billowing/ballooning sail
bolster [de^{m}] [1] ⟨m.b.t. noten, kastanjes⟩ shell, husk ♦ ⟨fig⟩ *ruwe bolster, blanke pit* (he's/she's) a rough diamond; ⟨fig⟩ *de ruwe bolster moet eraf* the rough edges will have to be knocked off [2] ⟨m.b.t. graan, peulvruchten⟩ hull, ⟨graan ook⟩ husk, ⟨peulvruchten ook⟩ pod [3] ⟨peluw met kaf gevuld⟩ bolster
boltoren [de^{m}] steeple with a ball
bolus [de^{m}] [1] ⟨gebak⟩ ± Chelsea bun [2] ⟨kleiaarde⟩ bole [3] ⟨drol⟩ turd, droppings [4] ⟨strooppil⟩ bolus
bolvorm [de^{m}] spherical shape
¹**bolvormig** [bn] ⟨deel van een boloppervlak vormend⟩ spherical ♦ *bolvormige driehoek* a spherical triangle
²**bolvormig** [bn, bw] ⟨de bolvorm hebbend⟩ spherical ⟨bw: ~ly⟩, ⟨vnl. m.b.t. lenzen⟩ convex, globular ♦ *een bolvormige spiegel* ± a convex mirror
bolwangig [bn] round-cheeked, full-faced, plump-faced, chubby-faced
bolwassing [de^{v}] ⟨in België⟩ dressing down, what for, rollicking, ⟨BE ook⟩ rocket
bolwerk [het] [1] ⟨stad, land⟩ bulwark [2] ⟨fig⟩ bulwark, bastion, stronghold ♦ *als bolwerk dienen tegen* provide/form a bulwark/bastion/stronghold against; *een conservatief bolwerk* a conservative bulwark/bastion/stronghold, a bulwark/bastion/stronghold of conservatism [3] ⟨deel van een vestingwal⟩ bulwark, bastion, rampart [4] ⟨paalwerk bij een zeedijk⟩ ± bulwark
bolwerken [ov ww] ⟨klaarspelen, tot stand brengen⟩ manage, bring/pull off, ⟨uithouden⟩ stick it out, hold one's own ♦ *het wel bolwerken* manage it all right, cope; *het (kunnen) bolwerken* manage (it), bring/pull it off; stick it out; *ze kan het niet meer bolwerken* it's too much for her, she can't take any more
bolwolk [de] ⟨astron⟩ (interstellar) cloud
bolworm [de^{m}] ⟨dierk⟩ coenurus
bolwortel [de^{m}] bulbous root, bulb
bolzaad [het] [1] ⟨papaverzaad⟩ poppyseed [2] ⟨lijnzaad⟩ linseed
¹**bom** [de] [1] ⟨met explosieven gevuld voorwerp⟩ bomb,↑ explosive device ♦ *het bericht sloeg in als een bom* the report was really dynamite/came as a real bombshell; *duizend bommen en granaten!* hell's bells!, bloody wars!, my/good God!; *een echte bom* ⟨tegenover dummy⟩ a live bomb; ⟨fig⟩ *een bom onder iets leggen* put a time-bomb under sth.; *met bommen bestoken* bomb; *een rijdende bom* a bomb on wheels; *een vliegende bom* a flying bomb; ⟨V1, V2; vnl BE; inf⟩ buzz bomb, doodlebug [2] ⟨grote hoeveelheid⟩ ⟨alg⟩ load, pile, ⟨m.b.t. geld ook⟩ bomb ♦ *een bom duiten* a bomb, a packet, a (small) fortune, a bundle, a mint, a ton (of money), bags/lots/pots/loads/a load/a heap of money; *hij verdient een bom duiten/geld* he's earning/making a bomb/packet/fortune; *een bom huiswerk* piles/a pile of homework; *de bom is gevallen* jackpot! [3] ⟨stop van een vat⟩ bung ♦ ⟨fig⟩ *de bom is gebarsten* the bombshell's been dropped, the fat's in the fire; the balloon's gone up; ⟨sl⟩ the shit's hit the fan [4] ⟨stuk lava⟩ (volcanic) bomb ⊡ *zure bommen* pickled gherkins
²**bom** [tw] boom
BOM [afk] (bewust ongehuwde moeder) ± bachelor mother
bomaanslag [de^{m}] ⟨vnl. op specifiek(e) mens(en)/doel⟩ bomb attack, ⟨vnl. willekeurig⟩ bombing, bomb outrage ♦ *een bomaanslag plegen (op)* carry out a bomb attack (on); *de vele bomaanslagen in Noord-Ierland* the many bombings in Northern Ireland
bomaanval [de^{m}] bomb(ing) raid/attack, air raid, bombardment
bomalarm [het] bomb alert, ⟨in oorlogstijd⟩ air-raid warning/alert, ⟨niet in oorlogstijd⟩ bomb scare ♦ *groot bomalarm geven* sound a general/full-scale alert; *er is bomalarm op Schiphol* they are having a bomb alert at Schiphol, there's a bomb scare (on) at Schiphol
bomauto [de^{m}] ⟨in België⟩ booby-trapped car, car packed with explosives
bombarde [de] [1] ⟨kanon⟩ bombard [2] ⟨muz⟩ bombarde, bombardon
bombardement [het] bombardment, ⟨uit de lucht ook⟩ bombing, ⟨met granaten ook⟩ shelling ♦ *het bombardement van Antwerpen* the bombardment/bombing of Antwerp; *een zwaar bombardement uitvoeren* carry out a heavy bombardment, carry out heavy/saturation bombing; ⟨inf⟩ plaster, pound, zap, batter, blitz
bombarderen [ov ww] [1] ⟨bommen werpen op⟩ bomb, bombard, ⟨inf⟩ blitz, batter, plaster, pound, zap [2] ⟨beschieten⟩ bombard, ⟨met granaten ook⟩ shell, ⟨inf⟩ batter, plaster, pound, zap, ⟨met tomaten⟩ pelt [3] ⟨tot een hoog ambt benoemen⟩ pitchfork/thrust (s.o.) into (a job) ♦ *ik werd tot notulist gebombardeerd* I got volunteered to take the minutes; *iemand tot burgemeester bombarderen* pitchfork s.o. into the job of mayor [4] ⟨natuurk⟩ bombard ♦ *een kern met neutronen bombarderen* bombard a nucleus with neutrons
bombardeur [de^{m}] [1] ⟨vliegtuig⟩ bomber [2] ⟨persoon⟩

member of a bomber crew, ⟨verantwoordelijk voor mikken op doel⟩ bombardier, bomb-aimer
bombardon [de^m] bombardon
bombarie [de^v] ⟨inf⟩ fuss, noise, to-do, song (and dance) ◆ *wat een bombarie om zo'n kleinigheid!* what a fuss/to-do/song and dance about such a small matter!
bombast [de^m] bombast, fustian, grandiloquence
bombastisch [bn, bw] bombastic ⟨bw: ~ally⟩, pompous ◆ *bombastische **verzen*** bombastic verse
bombaynoot [de] cashew (nut)
bombazijn [het] bombazine, fustian
¹**bomberen** [onov ww] ⟨zich welven, opgezet zijn⟩ bulge
²**bomberen** [ov ww] ⟨bol maken⟩ ⟨hout⟩ bend, ⟨metaal⟩ curve, ⟨opvullen⟩ stuff ◆ *een **zitting** bomberen* stuff a seat
bomberjack [het] bomber jacket
bombrief [de^m] letter bomb, mail bomb
¹**bomen** [onov ww] ⟨inf⟩ ⟨praten⟩ have a nice/good long talk, have an endless discussion, argufy ◆ *we hebben de hele nacht zitten bomen **over** ...* we sat up all night talking and arguing about ...
²**bomen** [ov ww, ook abs] ⟨met een vaarboom voortduwen⟩ pole, ⟨vnl. m.b.t. punter⟩ punt, quant
bomenrij [de] row/line of trees, ⟨op regelmatige afstand⟩ colonnade
bomexplosie [de^v] bomb explosion
bomgat [het] [1] ⟨krater⟩ (bomb) crater [2] ⟨vulopening⟩ bunghole [3] ⟨galmgat⟩ belfry window
bomijs [het] cat ice
bominslag [de^m] (bomb) hit, (bomb) explosion
bomkrater [de^m] (bomb) crater
bommel [de^m] bung
bommelding [de^v] bomb alert, ⟨niet in oorlogstijd⟩ bomb scare, ⟨euf⟩ security alert ◆ *er is een bommelding **binnengekomen** op Schiphol* they've had a bomb alert at Schiphol, there's a bomb scare (on) at Schiphol; *een **valse** bommelding* a bomb hoax
bommen [onov ww] [1] ⟨dof weerklinken⟩ boom [2] ⟨luiden⟩ toll, peal, ring, re(sound) [3] ⟨bonzen⟩ bang, hammer [•] ⟨inf⟩ *(het) kan mij wat/niet bommen!* (a) fat lot I care!, I should worry!, I couldn't care less (about it)!, I don't care a hang/a rap/a toss/two pins/a damn/about it!
bommenlast [de^m] bomb load
bommenregen [de^m] rain/hail of bombs
bommenrek [het] bomb rack/carrier
bommenrichter [de^m] ⟨persoon⟩ bomb-aimer, ⟨AE⟩ bombardier, ⟨apparaat⟩ bombsight
bommenwerper [de^m] [1] ⟨vliegtuig⟩ bomber [2] ⟨geschut⟩ bomb-thrower
bommetje [het] cannonball
bommoeder [de^v] ± bachelor mother
bompakket [het] parcel bomb
B-omroep [de^m] ⟨radio/tv⟩ Dutch broadcasting corporation with 300,000-450,000 subscribers
bomschade [de] bomb damage
bomtapijt [het] carpet of bombs ◆ *een bomtapijt **leggen** op* carpet-bomb, lay a carpet of bombs on; *het **leggen** van een bomtapijt* carpet/pattern/saturation/area bombing
bomtrechter [de^m] (bomb) crater, bomb-hole
bomvest [het] suicide vest, suicide belt, bomb vest
bomvol [bn] chock-full, cram-full, chock-a-block, crammed, packed, stuffed ◆ *een bomvolle **zaal*** a crammed/packed hall
bomvrij [bn] bombproof, ⟨tegen granaten ook⟩ shellproof ◆ *een bomvrije **schuilkelder*** a bombproof/an underground/an air-raid shelter
bon [de^m] [1] ⟨formulier met het te betalen bedrag⟩ bill, ⟨ontvangstbewijs ook⟩ receipt, ⟨van kasregister ook⟩ cash register slip, ⟨in bar/restaurant; AE⟩ check ◆ ***zonder** bon geen ruiling* goods can only be exchanged (up)on presentation of the receipt; *een bonnetje* a bill/receipt/cash register slip [2] ⟨waardebon⟩ voucher, coupon, ⟨cadeaubon/boekenbon ook⟩ token, ⟨tegoedbon⟩ credit note, ⟨vnl. consumptiebon/maaltijdbon; sl⟩ chit ◆ *bon **voor** een **lunch*** a luncheon voucher [3] ⟨bewijs van bekeuring⟩ ticket, ⟨parkeerbon ook⟩ parking ticket, ⟨wegens te hard rijden ook⟩ speeding ticket, ⟨vnl. AE, parkeerbon ook⟩ tag ◆ ***iemand op** de bon zetten/slingeren* book s.o.; give s.o. a ticket; ⟨vnl AE ook⟩ ticket/tag s.o.; ⟨BE ook; sl⟩ do s.o.; ***op** de bon **gaan** voor te hard rijden* be booked for speeding, get a speeding ticket; ⟨ook; sl; BE⟩ be done for speeding [4] ⟨bewijs van kooprecht⟩ coupon ◆ *vlees ging **op** de bon* meat was rationed; *een bon **voor suiker*** a coupon for sugar, a sugar coupon; ***zonder** bon verkrijgbaar* coupon-free [5] ⟨formulier⟩ form
bonafide [bn, bw] bona fide, in good faith, ⟨inf⟩ on the level
Bonaire [het] Bonaire
Bonairiaan [de^m], **Bonairiaanse** [de^v] ⟨man & vrouw⟩ inhabitant of Bonaire, ⟨vrouw ook⟩ female inhabitant/girl/woman of Bonaire
Bonairiaanse [de^v] → **Bonairiaan**
bonboekje [het] [1] ⟨boek met formulieren⟩ receipt book [2] ⟨waardebonnen in boekvorm⟩ book of vouchers/coupons, ⟨met distributiebonnen⟩ ration book
bonbon [de^m] [1] ⟨praline⟩ chocolate, bonbon, ⟨AE ook⟩ candy ◆ *een **doos** bonbons* a box of chocolates; ***gevulde** bonbons* chocolate creams [2] ⟨in België; snoepje⟩ lolly, ⟨BE⟩ sweet, ⟨AE⟩ (hard) candy, ⟨mv ook⟩ confectionery
bonbonnière [de] sweet box, bonbonnière
bonbonschaaltje [het] bonbon dish, bonbonnière, ⟨BE ook⟩ sweet dish, ⟨AE ook⟩ candy dish
bond [de^m] [1] ⟨duurzame vereniging⟩ (con)federation, confederacy, league, alliance, union [2] ⟨federatie⟩ (con) federation ◆ *de **Duitse** bond* the German Confederation [3] ⟨vereniging ter behartiging van belangen⟩ union ⟨ook vakbond⟩, association, society, alliance, ⟨ook in namen van vakbonden⟩ (con)federation ◆ *de bond van **onderwijzers*** the teachers' union; *naar de bond **stappen*** take sth. to the union, take sth. up with the union [4] ⟨vereniging tot verspreiding van denkbeelden⟩ society, association, league ◆ *bond van **geheelonthouders*** temperance society/association [5] ⟨verdrag tot onderlinge hulp⟩ alliance, pact, treaty [6] ⟨bondgenootschap⟩ alliance, pact, league
bondage [de^v] bondage
bondgenoot [de^m] [1] ⟨staat, persoon met wie men een verdrag heeft gesloten⟩ ally ⟨ook tijdelijk⟩, confederate [2] ⟨iemand met hetzelfde doel⟩ ally, confederate, partner, associate ◆ *in iemand een bondgenoot **herkennen/begroeten*** see/greet s.o. as an ally [3] ⟨deelgenoot in een statenbond⟩ member state
bondgenootschap [het] [1] ⟨verdrag⟩ alliance ◆ *een bondgenootschap **aangaan/sluiten*** enter into/conclude/form/contract an alliance (with); *het **Atlantisch** bondgenootschap* the Alliance [2] ⟨bondgenoten⟩ alliance, (con)federation, confederacy
bondgirl [de^v] [1] ⟨tegenspeelster van James Bond⟩ Bond girl [2] ⟨sexy en gevaarlijke vrouw⟩ Bond girl
bondig [bn, bw] succinct ⟨bw: ~ly⟩, concise ⟨bw: ~ly⟩, terse ⟨bw: ~ly⟩, laconic, ⟨kernachtig⟩ pithy ◆ *een bondig **antwoord*** a terse/curt/laconic answer; ***kort** en bondig* (briefly and) to the point, concise, succinct, terse; ⟨iron⟩ short and sweet; ***kort** en bondig **antwoorden*** give a succinct/terse reply, give an answer right to the point; *een bondige **stijl*** a terse style; *iets bondig **uitdrukken*** put sth. in a nutshell, go right to the point
bondigheid [de^v] [1] ⟨kracht⟩ force, forcibleness, power [2] ⟨beknoptheid⟩ succinctness, conciseness, terseness, ⟨kernachtigheid⟩ pithiness [3] ⟨degelijkheid⟩ soundness, validity
bondsafdeling [de^v] union branch
bondsbestuur [het] society/association executive, ⟨van

vakbond⟩ union executive
bondsbestuurder [de^m] union official, ⟨BE⟩ trades union official, ⟨AE⟩ trade union official
bondsblad [het] association/federation newspaper, ⟨vakbond⟩ union newspaper
bondsbonze [de^m] big shot, bigwig, ⟨vakbond; van vakbond⟩ union boss
bondsbureau [het] society/association headquarters, ⟨van vakbond⟩ union headquarters
bondscoach [de^m] ⟨sport⟩ national coach
Bondsdag [de^m] Bundestag, (the Lower House of) the German Parliament
bondselftal [het] ⟨sport⟩ the (inter)national team/eleven/squad, the English/Dutch/... first eleven
bondshotel [het] ± listed hotel
bondskanselarij [de^v] Office of the Federal Chancellor, Federal Chance(lle)ry
bondskanselier [de^m] Federal Chancellor, ⟨m.b.t. Duitse Bondsrepubliek ook⟩ Chancellor (of the Federal Republic (of Germany)), Chancellor of Germany
bondskas [de] union funds
bondslid [het] ⟨van vakbond⟩ union member, unionist
bondsorgaan [het] association/society journal, ⟨van vakbond⟩ union journal
bondsploeg [de] ⟨sport⟩ (inter)national team
bondspresident [de^m] (Federal) President, ⟨in Oostr⟩ President of the Republic, ⟨in Zwi⟩ President of the Confederation ♦ *de **Duitse** bondspresident* the German President, the President of Germany/the Federal Republic of Germany
Bondsraad [de^m] Bundesrat
bondsregering [de^v] ⟨pol⟩ federal government
Bondsregering [de^v] ⟨pol⟩ ⟨Duitsland⟩ Government of the (German) Federal Republic
Bondsrepubliek [de^v] Federal Republic (of Germany) ♦ ***Duitse** Bondsrepubliek, Bondsrepubliek Duitsland* Federal Republic of Germany, German Federal Republic, ↓Germany
bondsstaat [de^m] (con)federation, federal/federated state
bondstrainer [de^m] ⟨sport⟩ national coach/trainer, trainer of the national team
bondsvoorzitter [de^m] society/association chairman, ⟨van vakbond⟩ union chairman
bonenkever [de^m] ⟨dierk⟩ bean weevil
bonenkruid [het] ⟨plantk⟩ (summer) savory
bonensoep [de] bean soup
bonenstaak [de^m] [1] ⟨stok⟩ beanpole [2] ⟨persoon⟩ beanpole, string bean, ⟨AE ook⟩ broomstick
bongerd [de^m] orchard
bongo [de] ⟨muz⟩ bongo (drum)
bonheur-du-jour [de^m] bonheur du jour, ± escritoire, ± writing desk
bonhomie [de^v] bonhomie, geniality, joviality, good-naturedness, good-heartedness
boni [het] profit, gains
bonificatie [de^v] indemnification, ⟨wielersp⟩ time bonus
bonificeren [ov ww] indemnify
boniment [het] patter, ⟨vnl AE ook⟩ spiel, ⟨van verkoper ook⟩ sales talk/pitch
bonis [·] *een man **in** bonis* a well-to-do/wealthy man, a man of means/substance
bonito [de^m] bonito
bonje [de] ⟨inf⟩ row, rumpus, ructions, bother, bust up ♦ *bonje **hebben*** have a row/bust up; *en toen was er bonje **in** de keet/tent* and then all hell broke loose, and that caused pandemonium/a dreadful rumpus; *bonje **maken*** start a/kick up a row
bonjour [tw] ⟨begroeting⟩ good day, ⟨'s ochtends ook⟩ good morning, ⟨'s middags ook⟩ good afternoon, ⟨afscheid⟩ goodbye
bonjouren [ov ww] ⟨inf⟩ [·] *iemand **eruit** bonjouren* throw/chuck/turn/bundle s.o. out, get rid of s.o.; ⟨uit horecabedrijf ook; door uitsmijter/portier⟩ bounce s.o.
bonk [de^m] [1] ⟨groot stuk⟩ lump, chunk, hunk ♦ ***één** bonk zenuwen* a bundle of nerves, one/a mass of nerves, a nervous wreck; *zij is **één** bonk zelfvertrouwen* she oozes self-confidence; *die jongen is **één** bonk gezondheid* that lad is a picture of/is bursting with health; *een bonk **klei*** a lump of clay [2] ⟨lomp persoon⟩ lump, ⟨m.b.t. man ook⟩ oaf, lout ♦ *een **ruwe/onverschillige** bonk* a coarse/indifferent lump/lout; *een bonk **van** een jongen* a ((hulking) great) lump of a boy [3] ⟨werktuig⟩ battering ram
bonkaart [de] ration card
bonken [onov ww] [1] ⟨hard aankomen tegen⟩ crash (against/into), ⟨inf⟩ bash (against/into), bang (against/into), bump (against/into) ♦ *het schip bonkte **tegen** de rotsen* the ship crashed/bashed against the rocks [2] ⟨hard slaan⟩ bang, thump, hammer, pound, batter, ⟨inf⟩ bash ♦ ***op** een deur bonken* bang/thump/hammer on/at a door, pound/batter at a door; ***op** een piano bonken* bang/thump/hammer away at the piano; *je kon het kind met het hoofd **tegen** het ledikant horen bonken* you could hear the child banging its head on the bedstead [3] ⟨neuken⟩ bang, hump, ↓fuck
bonkig [bn] scraggy, scrawny, bony ♦ *een bonkig **achterwerk*** ⟨van koe⟩ bony hindquarters; *een bonkig **lijf*** a scrawny body; ⟨fig⟩ *hij heeft een bonkige **stijl*** he has a rough style
bon mot [het] bon mot, witticism, witty remark
bonnefooi [de] [·] ***op** de bonnefooi ergens heen gaan* go somewhere on the off chance/on spec; *wij gingen **op** de bonnefooi op vakantie* we went on holiday without having arranged anything
bonnenstelsel [het] coupon system
bonnet [de] [1] ⟨hoofddeksel⟩ biretta [2] ⟨verlenging van een gaffelzeil⟩ bonnet
bonnetterie [de^v] ⟨handel⟩ hosiery trade, ⟨winkel⟩ hosiery shop, hosier's shop, hosier's
bonobo [de^m] bonobo, pygmy chimpanzee
¹**bons** [de^m] [1] ⟨stoot⟩ bump, thump, thud, bang [2] ⟨geluid⟩ bump, bang, thud, thump [3] ⟨bonze⟩ → **bonze** [·] *iemand de bons **geven*** give s.o. the push/brush-off, ditch s.o., chuck s.o.; ⟨omwille van een nieuwe vriend(in)⟩ jilt s.o.; *de bons **krijgen*** get the brush-off/push, be ditched; ⟨omwille van een nieuwe vriend(in)⟩ be jilted
²**bons** [tw] bump, bam, pow, bang
bonsai [de^m] [1] ⟨dwergboompje⟩ bonsai [2] ⟨kweektechniek⟩ bonsai
bonsaiboompje [het] bonsai tree
¹**bont** [het] [1] ⟨pels⟩ fur ♦ ***met** bont afgezet* fur-trimmed, trimmed with fur; ***met** bont gevoerd* fur-lined, lined with fur [2] ⟨voorwerpen⟩ fur ⟨vaak mv⟩, ⟨bontjas, bontmantel⟩ fur coat ♦ *bont **dragen*** wear furs/a fur coat; *bont **wegbergen** voor de zomer* put furs/a fur coat away for the summer; ⟨vulg⟩ *van boven bont, van onder stront* ± all that glitters is not gold [3] ⟨stof⟩ (cotton) print, ⟨AE⟩ calico, ⟨met ruiten⟩ check [4] ⟨kleurschakering⟩ play of colours ♦ *het bont van **de veren*** the play of colours in the feathers
²**bont** [bn, bw] [1] ⟨meer-, veelkleurig⟩ multicoloured, ⟨vnl. m.b.t. planten⟩ ↑variegated, ⟨appelgrauw/appelgrijs, van paard⟩ dapple(d), ⟨wit en zwart, van paard⟩ pied, piebald, ⟨vaak m.b.t. kleding⟩ particoloured ♦ ⟨fig⟩ *bont en **blauw** zien* be black and blue; *iemand bont en **blauw** slaan* beat s.o. black and blue; *zich bont **kleden*** dress in bright colours; ⟨pej⟩ dress garishly/gaudily/showily; *bonte **kleuren*** bright/gay colours, ⟨inf⟩ jazzy colours; ⟨pej⟩ gaudy/garish/showy colours; *een bonte **koe*** a spotted cow; *bont **marmer*** veined marble; *een bont **paard*** a pied horse/piebald (horse)/pinto; *de bonte **was*** the coloured wash, the coloureds; *een bonte **zomerrok*** a bright/gay summer dress; ⟨pej⟩ a gaudy/garish summer dress [2] ⟨gemengd⟩ colourful, varied, ⟨ook pej⟩ motley ♦ *een bonte **avond*** an evening of varied entertain-

ment; ± a variety show; *een bont **gezelschap*** a colourful/varied group of people; ⟨pej⟩ a motley/raggle-taggle crowd/crew; *het bonte **leven*** the colourful life; *een bont **programma*** a varied programme; ⟨inf⟩ a mixed bag, a ragbag; *een bonte **verzameling** boeken* a motley collection/selection of books [•] *het te bont **maken*** go too far; ⟨sprw⟩ *men noemt geen koe bont, of er is een vlekje aan* there's no smoke without fire; ⟨sprw⟩ *een bonte kraai maakt nog geen winter* ± one swallow does not make a summer

bontbekplevier [de^{m}] ringed plover

bontbladig [bn] ↑ variegated ♦ *een bontbladige **klimop*** a variegated (species of) ivy

bonten [bn] fur, furry ♦ *een bonten **muts*** a fur hat/cap

bontgekleurd [bn] colourful, brightly-coloured, gaily-coloured, ⟨pej⟩ gaudily/garishly coloured

bontgoed [het] [1] ⟨stoffen⟩ (cotton) prints [2] ⟨voorwerpen⟩ (cotton) prints, ⟨was⟩ coloureds, coloured wash

bonthandel [de^{m}] fur trade

bonthandelaar [de^{m}] furrier, skinner

bontheid [de^{v}] [1] ⟨veelkleurigheid⟩ multicolouredness, ⟨m.b.t. planten⟩ variegation [2] ⟨gemengdheid⟩ variety, colourfulness

bonthoed [de^{m}] fur hat, fur cap

bontjas [de] fur coat

bontje [het] fur (boa/scarf/tie)

bontkraag [de^{m}] fur collar, fur-trimmed collar

bontlaars [de] fur-lined boot

bontmantel [de^{m}] fur coat

bontmuts [de] fur cap/hat

bon ton [de^{m}] good form/taste/style/manners, the done thing, ⟨mode⟩ the fashion/style ♦ *dat **is** geen bon ton* that's not done; *het **is** daar bon ton om in jacquet te dineren* it's good manners/the done thing/the fashion there to dress for dinner

bontoog [de^{m}] ⟨genus⟩ euglena

bontstola [de] fur stole

bontvoering [de^{v}] furring, fur lining

bontwerk [het] furs, fur goods

bontwerker [de^{m}] furrier, fur worker

bonus [de^{m}] bonus, premium, bounty, ⟨in beroepssport ook; overwinningspremie⟩ talent money

bonusaandeel [het] bonus share, stock dividend

bonusdividend [het] bonus dividend

bonus-malussysteem [het] no-claims bonus system

bonusuitgifte [de^{v}] bonus issue, scrip issue

bon vivant [de^{m}] bon vivant, jovial fellow

bonze [de^{m}] [1] ⟨invloedrijk persoon⟩ (big) boss, big shot, bigwig, ⟨AE ook⟩ honcho ♦ *de **politieke** bonzen* political/party bosses/bigwigs [2] ⟨boeddhistische priester⟩ bonze

^{1}**bonzen** [onov ww] [1] ⟨beuken⟩ bang, thump, hammer, pound, batter, ⟨inf⟩ bash ♦ ***op** een deur bonzen* bang/thump/hammer on/at a door, pound/batter at a door [2] ⟨botsen⟩ bump (against/into), crash (against/into), bang (against/into), ⟨inf⟩ bash (against/into) ♦ ***op** de grond bonzen* fall to the ground with a bump; ***tegen** iemand aan bonzen* bump/bash/bang into s.o.; *met het hoofd **tegen** de muur bonzen* bump/bang one's head against the wall [3] ⟨onstuimig kloppen⟩ pound, throb, thump ♦ *met bonzend **hart*** with (a) pounding heart; *het hart bonst hem **in** de keel* his heart was in his mouth; *zijn hart bonsde **van** angst/ontroering* his heart was pounding with fear/emotion [4] ⟨neuken⟩ bang, hump, ↓ fuck

^{2}**bonzen** [ov ww] ⟨hevig kloppen, slaan⟩ bang, thump, hammer, pound, batter, ⟨inf⟩ bash

boobytrap [de^{m}] booby trap

boodschap [de^{v}] [1] ⟨artikel⟩ purchase ⟨vaak mv⟩, ⟨mv ook⟩ (the) shopping ♦ *voor honderd euro **aan** boodschappen besteden* spend a hundred euros on shopping, buy a hundred euros-worth of shopping; *bij elke € 25 **aan** boodschappen krijgt u één zegel* you get a stamp with/for each/every 25 euros-worth of purchases; *een boodschap **doen*** go (out) and/to buy sth., do/run an errand; *boodschappen gaan **doen*** go (out) shopping, do the/one's/some shopping; ⟨vnl AE⟩ go to the market, do the/some marketing; *is je moeder thuis? nee, ze is boodschappen **doen*** is your mother home? no, she's (out) shopping; *boodschappen **inslaan** (voor het weekend)* stock up (for the weekend); ***om** een boodschap gaan* go on an errand; *die kun je wel **om** een boodschap sturen* ⟨fig⟩ you can leave things to him/her; ⟨m.b.t. kind⟩ he's/she's big enough to do it; *boodschappen laten **thuisbezorgen*** have the/one's shopping delivered; *een boodschap **vergeten hebben*** ⟨ergens hebben laten liggen⟩ have forgotten one of one's purchases; ⟨vergeten te kopen⟩ have forgotten to buy sth. [2] ⟨opdracht⟩ errand, ⟨missie⟩ mission ♦ *een **lastige** boodschap* an awkward mission; *een kind een boodschap **laten doen*** send a child on an errand; *iemand **met** een boodschap belasten* send s.o. on an errand [3] ⟨bericht⟩ message, communication ♦ *kan ik de boodschap **aannemen/overbrengen?*** can I take/give a(ny) message?; *een boodschap voor iemand **achterlaten*** leave a message for s.o.; *de **blijde** boodschap* the Gospel, the Glad Tidings/News; ***Koninklijke** Boodschap* Royal Message; *een boodschap **krijgen*** get/receive a message (that); *(het feest van) **Maria-Boodschap*** (the feast of) the Annunciation; *hij kwam thuis **met** de boodschap dat...* he came home with the message that/brought word home that ...; *een **nare** boodschap* an unpleasant message; *iemands boodschap **overbrengen*** deliver s.o.'s message, deliver a message for s.o.; *hij **stuurde** een boodschap dat hij niet kon komen* he sent word/a message that he couldn't come [4] ⟨mededeling met een strekking⟩ message ♦ *de boodschap **kwam niet over*** the message didn't get across, he/she/... didn't get the message; *een roman **met** een boodschap* a novel with a message; *een boodschap **uitdragen*** spread a message [•] *daar heb ik **geen** boodschap aan* that's no concern of mine; ***geen** boodschap aan iets/iemand hebben* not want to have anything to do with sth./s.o.; *een **grote** boodschap doen* do one's business, answer the call of nature; ⟨kind⟩ do (a) number two; *zwijgen **is** de boodschap* mum's the word; ↓ keep your mouth shut; *oppassen **is** de boodschap* the watchword is: be careful!, you/we must be careful, keep your eyes peeled/skinned; *een **kleine** boodschap doen* spend a penny, ↓ have a pee; ⟨kind⟩ do (a) number one

boodschappenauto [de^{m}] second car, town car, car for shopping

boodschappendienst [de^{m}] messenger service, ⟨privé-expresbesteldienst, vaak op motoren⟩ courier service

boodschappenjongen [de^{m}] errand-boy, messenger boy, ⟨bezorger ook⟩ delivery boy ♦ *ik laat me door niemand **als** boodschappenjongen gebruiken* I'm not your/his/... errand-boy, you're/he's/... not ordering me around/telling me what to do, you/he/... can't order me around

boodschappenkarretje [het] [1] ⟨boodschappenwagentje⟩ shopper, shopping cart, shopping trolley [2] ⟨klein autootje⟩ golf cart, toy car

boodschappenlijstje [het] shopping list

boodschappenmand [de] shopping basket

boodschappennet [het] string bag

boodschappentas [de] shopping bag, ⟨vnl BE; van plastic of papier⟩ carrier (bag), ⟨vnl AE; van papier⟩ tote bag, sack

boodschappenwagentje [het] shopper, shopping cart, shopping trolley

boodschapper [de^{m}] [1] ⟨overbrenger van een bericht⟩ messenger, ⟨koerier⟩ courier ♦ *de **blijde** boodschapper* the messenger/bearer of good news, ⟨form of scherts⟩ the messenger/bearer of glad tidings [2] ⟨persoon die de boodschappen doet⟩ shopper

boodschapper-RNA [het] ⟨biol⟩ messenger RNA, m-RNA

boog [de^{m}] [1] ⟨schiettuig⟩ bow ♦ *met **pijl** en boog* with bow and arrow; *een boog **spannen/ontspannen*** draw/unbend a bow; ⟨spannen ook⟩ bend a bow 2 ⟨bouwk; gebogen constructie⟩ arch, ⟨van brug ook⟩ span ◆ *een brug **met** bogen* an arched bridge; *een **platte** boog* a straight arch 3 ⟨bouwk; overdekking⟩ arch ◆ ***omgekeerde** boog* inverted arch, invert 4 ⟨deel van een kromme lijn⟩ arc, ⟨bocht⟩ curve, bend ◆ ***met** een (grote) boog/**met** een boogje om iets heenlopen* go out of one's way to avoid sth., give sth. a wide berth, skirt round sth. 5 ⟨schriftteken⟩ ⟨m.b.t. noten van zelfde toonhoogte⟩ tie, bind, ⟨legatoteken⟩ slur, legato mark, ⟨fraseringsteken⟩ phrase mark, ⟨portamentoteken⟩ portato mark 6 ⟨(ere)poort⟩ arch(way) ▪ ***elektrische** boog* (electric) arc, (electric) spark; ⟨sprw⟩ *de boog kan niet altijd gespannen zijn* a bow long bent at last waxes weak; ± you can't burn the candle at both ends

boogaloo [de^{m}] boogaloo
boogbal [de^{m}] lob
boogballetje [het] ⟨sport⟩ chip, ⟨hoog⟩ loft, lob
boogbrug [de] arch(ed) bridge
boogconstructie [de^{v}] arch (construction)
boogelement [het] element of arc
boogfries [het, de], **boogtafel** [de] arcature
booggewelf [het] arched vault
booggraad [de^{m}] ⟨wisk⟩ degree (of arc)
boogiewoogie [de^{m}] boogie-woogie
booglamp [de] arc lamp/light
booglassen [ww] arc welding
booglijst [de] archivolt
boogminuut [de] ⟨wisk⟩ minute (of arch)
boogpasser [de^{m}] ⟨om te meten⟩ (bowlegged) outside caliper(s), bowleg caliper(s)
boograam [het] arched window
boogscheut [de^{m}] ⟨in België⟩ → **steenworp**
boogschieten [ww] archery
boogschild [het], **boogveld** [het] ⟨bouwk⟩ tympanum
boogschot [het] 1 ⟨schot uit een boog⟩ bowshot, shot from a bow 2 ⟨afstand⟩ bowshot
boogschutter [de^{m}] ⟨persoon⟩ archer, bowman, ↑ toxophilite
Boogschutter STERRENBEELD [de^{m}] 1 ⟨astrol, astron⟩ Sagittarius, the Archer 2 ⟨persoon⟩ Sagittarius ◆ *hij/zij **is** (een) Boogschutter* he/she is Sagittarius
boogspanning [de^{v}] 1 ⟨lengte van de ruimte⟩ span of an arch 2 ⟨elek⟩ arc voltage
boogtafel [de] → **boogfries**
boogtent [de] dome tent
boogtrommel [de] ⟨bouwk⟩ tympanum
boogveld [het] → **boogschild**
boogvenster [het] arched window
boogvijl [de] saw file, rod saw, tension file
boogvormig [bn, bw] arched, ↑ arcuate(d)
boogzaag [de] bow/frame saw, sweep/turning saw
booklet [het] booklet
bookmaker [de^{m}] bookmaker, ⟨vnl BE ook⟩ ↑ turf accountant, ↑ (turf) commission agent, ⟨inf⟩ bookie
bookmark [de^{m}] ⟨comp⟩ bookmark
bookmarken [ov ww] bookmark
¹boom [de^{m}] 1 ⟨gewas⟩ tree ◆ *de boom des **doods*** yew (tree); *ze zien **door** de bomen het bos niet meer* they can't see the wood for the trees; *een **geknotte** boom* a pollard; ⟨fig⟩ *de bomen **groeien** niet tot in de hemel* ± all good things (must) come to an end, ± you can't always get what you want; *daar zijn wel **hoger** bomen geveld* ⟨fig⟩ stranger things have happened; ⟨fig⟩ ***hoog** in de boom zitten* make great demands (during negotiations etc.); *iemand aan de **hoogste** boom willen* ⟨zijn dood willen⟩ want (to see) s.o. dead; ⟨zijn aftreden eisen⟩ call for s.o.'s resignation; ⟨fig⟩ *je kunt me de boom **in*** ⟨hoepel op⟩ (you can) get lost; ⟨daar komt niets van⟩ forget it, no way; *een **jong** boompje* a sapling; *de boom der **kennis** van goed en kwaad* the tree of knowledge of good and evil; *de boom des **levens*** the tree of life; *appels **op** de boom verkopen* sell apples on the trees; ***opgaande** boom* tall tree; *een boom van een **vent*** a great big fellow, a strapping fellow 2 ⟨voorwerp⟩ ⟨bezaansboom, laadboom, havenboom⟩ boom, ⟨afsluitboom, slagboom⟩ bar, barrier, gate, ⟨spoorboom⟩ gate, ⟨disselboom⟩ pole, ⟨lamoenboom⟩ shaft, ⟨ploegboom⟩ (plough-)beam, ⟨vaarboom⟩ pole, ⟨BE⟩ guant, ⟨weversboom⟩ beam, ⟨m.b.t. kippen⟩ perch, ⟨kraanarm⟩ jib ◆ *een boom **sluiten/openen*** raise/lower a barrier 3 ⟨tekening, diagram⟩ tree, ⟨taalk ook⟩ tree diagram ▪ *een boom **opzetten** over iets* have a good long talk/discussion on sth.; *boompje **verwisselen*** puss in the corner, pussy wants a corner; ⟨sprw⟩ *een boom valt niet met de eerste slag* an oak is not felled at one stroke; ⟨sprw⟩ *het is botertje tot de boom* everything in the garden is lovely; ⟨sprw⟩ *hoge bomen vangen veel wind* the bigger they are, the harder they fall; great winds blow upon high hills; a great tree attracts the wind; ⟨sprw⟩ *kleine boompjes worden groot* ± great oaks from little acorns grow; ⟨sprw⟩ *de appel valt niet ver van de boom/stam* the apple never falls far from the tree; like father, like son; ⟨sprw⟩ *aan de vruchten kent men de boom* a tree is known by its fruit; ⟨sprw⟩ *met veel slagen valt de boom* little strokes fell great oaks; ⟨sprw⟩ *men moet geen oude bomen verzetten/verplanten* remove an old tree and it will wither to death; you can't teach an old dog new tricks; ⟨sprw⟩ *men moet de boom buigen als hij jong is* as the twig is bent, so is the tree inclined
²boom [de^{m}] ⟨Engels⟩ boom
boomblauwtje [het] holly blue
boombox [de^{m}] boombox
boombrand [de^{m}] ± tree blight, (tree) canker
boomcar [de^{m}] boom car
boomchirurg [de^{m}] tree surgeon
boomchirurgie [de^{v}] tree surgery
boomdiagram [het] ⟨taalk⟩ tree diagram, tree
boomen [onov ww] boom
boomgaard [de^{m}] orchard
boomgeld [het] ⟨aan haven⟩ harbour charges, harbour dues, dock charges, dock dues, ⟨aan vaart⟩ toll
boomgrens [de] tree line, timberline
boomgroep [de^{m}] group/clump/copse/stand of trees
boomhagedis [de] agamid
boomheide [de] brier
boomhut [de] treehouse
boomkanker [de^{m}] tree canker/blight
boomkever [de^{m}] 1 ⟨meikever⟩ maybug, cockchafer 2 ⟨boktor⟩ house longhorn, longhorn((ed) beetle), cerambycid
boomkikvors [de^{m}] tree frog/toad
boomklever [de^{m}] nuthatch
boomkor [de] ± trawl
boomkorkotter [de] ± trawler
boomkruin [de] crown of a/the tree
boomkruipertje [het] short-toed tree creeper
boomkunde [de^{v}] dendrology
boomkweker [de^{m}] tree-nurseryman, ↑ arboriculturist
boomkwekerij [de^{v}] 1 ⟨zaak⟩ tree nursery 2 ⟨plaats⟩ tree nursery
boomladder [de] extension ladder
boomlang [bn] very tall
boomleeuwerik [de^{m}] woodlark
boommarter [de^{m}] pine marten
boommes [het] pruning knife
boommos [het] tree-moss
boompieper [de^{m}] tree pipit
boompioen [de] tree peony
boomplantdag [de^{m}] tree-planting day, ⟨USA⟩ Arbor Day
boomschaar [de] pruning hook
boomschors [de] 1 ⟨omkleedsel van een boom⟩ (tree-)

bark [2] ⟨chocolaatje⟩ ± chocolate flake
boomslang [de] tree-snake, ⟨Zuid-Afrikaanse soort⟩ boomslang
boomstam [de^m] [1] ⟨deel van een boom⟩ (tree-)trunk [2] ⟨gebak⟩ log (cake) [3] ⟨zeer groot, dik iets⟩ tree-trunk ♦ *een boomstam* ***van*** *een potlood* a pencil like a tree-trunk
boomstronk [de^m] tree-stump
boomstructuur [de^v] tree (diagram), phrase marker
boomtak [de^m] branch, bough
boomtown [de] boom town
boomvalk [de^m] hobby
boomvaren [de] tree fern
boomvrucht [de] tree-fruit
boomwagen [de^m] timber-wag(g)on
boomzaag [de] (two-man) crosscut saw
boomzwam [de] tree fungus
boon [de] [1] ⟨(zaad van de) peulvrucht⟩ bean ♦ *bonen* ***afhalen/repen*** string beans; *ik* ***ben*** *een boon als het waar is* if that's true (then) I'll eat my hat/I'm a Dutchman, that's untrue or I'll eat my hat/I'm a Dutchman, ↓ (I'm/I'll be) damned if that's true!; *ik* ***ben*** *een boon als ik het weet* search me!, (I'm/I'll be) dashed if I know!, ↓ (I'm/I'll be) damned if I know!, (I) haven't the foggiest (idea)!, I haven't a clue; ***bruine*** *bonen* ± kidney beans; ***witte*** *bonen* haricot/navy beans; ***witte*** *bonen in tomatensaus* ± baked beans [2] ⟨peulgewas⟩ bean [•] *een* ***blauwe*** *boon* (an ounce of) lead, ↑ a bullet; ***in*** *de bonen zijn* be (all) at sea/in a complete fog/(way) off beam; ⟨sprw⟩ *honger maakt rauwe bonen zoet* hunger is the best sauce
boontje [het] bean ♦ ⟨fig⟩ *ik kan mijn eigen boontjes wel* ***doppen*** you don't need to spoon-feed/wet-nurse me; ⟨fig⟩ *hij kan zijn eigen boontjes wel* ***doppen*** he can look after himself/take care of himself/take care of number one/fight his own battles/paddle his own canoe, he doesn't need spoon-feeding/a wet-nurse; ⟨fig⟩ *hij moet zijn eigen boontjes maar* ***doppen*** he'll just have to fend for himself/fight his own battles/manage his own affairs; ⟨fig⟩ *hij is (bepaald) geen* ***heilig*** *boontje* he's (certainly) no saint [•] ⟨in België⟩ *een boontje voor iemand* ***hebben*** have a soft spot for s.o.; ⟨sterker⟩ have a crush on s.o., be smitten with s.o.; *een* ***heilig*** *boontje* a goody-goody/prig; *ze is zo'n* ***heilig*** *boontje* she's so holier-than-thou/such a goody-goody; ⟨in België⟩ *zijn boontjes te* ***week*** *leggen* count on sth., set one's sights on sth.; ⟨sprw⟩ *boontje komt om zijn loontje* he that mischief hatches, mischief catches
boonvormig [bn, bw] bean-shaped
[1]**boor** [het] ⟨scheik⟩ ⟨borium⟩ boron
[2]**boor** [de] [1] ⟨handboor⟩ ⟨omslagboor⟩ brace, ⟨omslagboor met boorijzer⟩ brace and bit, ⟨fretboor, klein⟩ gimlet, ⟨fretboor, groot⟩ auger [2] ⟨boorijzer⟩ bit, ⟨voor boormachine ook⟩ twist bit ♦ ***gewonden*** *boor* spiral bit; *een boortje* ***van*** *6 mm (doorsnede)* a 6 mm bit [3] ⟨boormachine⟩ drill ⟨ook tandarts⟩, ⟨voor rots ook⟩ borer
booras [de] drill spindle/shaft
boorbank [de] drilling bench
boorbeitel [de^m] ⟨draaibank⟩ boring tool, ⟨timmerwerk⟩ flattened chisel, ⟨mijnb⟩ drilling bit
boorbuis [de] [1] ⟨voor het boren naar olie⟩ drill pipe [2] ⟨voor bekleding van het boorgat⟩ casing
[1]**boord** [de^m] [1] ⟨oever⟩ edge, ⟨rivier⟩ bank, ⟨zee, meer⟩ shore [2] ⟨in België; rand, kant⟩ edge ♦ *de boorden van het* ***woud*** the edges of the forest [3] ⟨in België; berm⟩ edge of a/the road, side of a/the road, shoulder of a/the road, roadside, verge [4] ⟨m.b.t. vaatwerk⟩ brim [5] ⟨plantk⟩ ⟨bladschijf⟩ leafblade, lamina
[2]**boord** [het, de^m] [1] ⟨afwerking aan een kledingstuk⟩ border, band, trim ♦ ***elastische*** *boorden* elastic bands [2] ⟨kraag⟩ collar ♦ *een bloesje met een* ***hoge*** *boord* a high-collared blouse; *een boord* ***met*** *omgeslagen punten* a wing collar; *een* ***omgeslagen*** *boord* a turned-down collar; *een* ***opstaande*** *boord* a stand-up collar; ***slappe/stijve*** *boorden* soft/stiff collars; ⟨fig⟩ ***witte*** *boorden* white-collar workers [3] ⟨losse kraag⟩ collar [4] ⟨scheepswand⟩ board, ⟨boven het water⟩ freeboard ♦ *boord* ***aan*** *boord slepen* tow abreast/alongside; *het roer* ***aan*** *boord leggen* ± put the helm down/up; *zij vochten boord* ***aan*** *boord* they fought board on/and/by board; *het roer* ***aan*** *boord leggen en vastzetten* ⟨fig⟩ (decide to) ride out the storm; *het schip* ***had*** *maar 1 dm boord* the ship had only a few inches of freeboard [5] ⟨schip, luchtvaartuig⟩ board ♦ ***aan*** *boord gaan* go aboard/on board; ⟨als passagier ook⟩ embark; ***aan*** *boord blijven* stay on board/aboard; ***aan*** *boord van de QE 2* on board/aboard the QE 2; *franco* ***aan/langs*** *boord* free on board, fob; free alongside ship, fas; *radio/radar* ***aan*** *boord hebben* have radio/radar on board; *schipbreukelingen* ***aan*** *boord nemen* pick up/take on castaways; ***aan*** *boord van het schip/vliegtuig gaan* board the ship/plane; *het schip/vliegtuig had 120 passagiers* ***aan*** *boord* the ship/plane had 120 passengers on board/aboard; ***van*** *boord gaan* ⟨schip⟩ go ashore; ⟨vliegtuig⟩ disembark; *de bemanning* ***van*** *boord halen* disembark the crew [•] ⟨in België⟩ *iets* ***aan*** *boord leggen* tackle sth., go about sth.; ⟨sprw⟩ *die aan boord is, moet meevaren* ± he who rides a tiger is afraid to dismount; ± in for a penny, in for a pound; ⟨sprw⟩ *avondrood, mooi weer aan boord; morgenrood, water in de sloot* red sky at night shepherd's/sailor's delight; red sky in the morning shepherd's/sailor's warning
boordband [het] band, trimming, piping, galloon
boordcomputer [de^m] (on)board computer
boorddocumenten [de^mv] ⟨in België⟩ car (registration) papers, car documents
boorden [ov ww] edge, trim, pipe, set off
boordenknoop [de^m] collar-stud, ⟨AE⟩ collar-button
boordevol [bn] full/filled to overflowing, ⟨glas ook⟩ full to the brim, brimfull, brimming, ⟨zak ook⟩ bulging, ⟨bord ook⟩ heaped, ⟨vertrek ook⟩ crammed (full), packed, ⟨inf⟩ chockablock ♦ *hij zit boordevol* ***energie*** he is bursting with/full of energy, he is full of get-up-and-go/zip; *boordevol nieuwe* ***ideeën*** bursting/brimming with new ideas, ⟨boek⟩ crammed with new ideas; *zijn bord boordevol* ***laden*** heap/pile one's plate; *boordevol* ***mensen*** packed with/crammed with/(chock)full of/chockablock with people; *een glas boordevol* ***schenken*** fill a glass to the brim
boordgeschut [het] guns ⟨mv⟩
[1]**boordiamant** [de^m] ⟨diamanten boorpunt⟩ diamond tip
[2]**boordiamant** [het] ⟨kunstdiamant⟩ boron-based synthetic diamond
boordkanon [het] gun
boordlantaarn [de] sidelight
boordmaat [de] collar size
boordradio [de^m] (ship's/aircraft) radio
boordroeien [ww] rowing (as opposed to sculling)
boordschutter [de^m] [1] ⟨m.b.t. een gevechtsvliegtuig⟩ gunner [2] ⟨m.b.t. een tank, pantservoertuig⟩ gunner
boordsel [het] edging, trimming, piping
boordtarief [het] train rate, higher rate for tickets bought on the train
boordtelegrafist [de^m] radio operator
boordvrij [bn, bw] ⟨handel⟩ ex ship, free on board, f.o.b.
boordwapen [het] gun
boordwerktuigkundige [de] flight engineer
boordwijdte [de^v] collar width
booreiland [het] drilling rig/platform, ⟨olie⟩ oil rig
boorgat [het] drill hole, borehole
boorgereedschap [het] drilling tools
boorhamer [de^m] jackhammer
boorijzer [het] bit ♦ *een boorijzer met een doorsnede van 8 millimeter* an 8 mm bit
boorinstallatie [de^v] drilling rig, drilling installation/equipment
boorkern [de] (drill) core

boorkever [de^{m}] borer ♦ *de gewone boorkever* the death-watch beetle
boorkop [de^{m}] (drill) chuck
boormaatschappij [de^{v}] drilling company
boormachine [de^{v}] ⟨handboor⟩ (electric) drill, ⟨in fabriek enz.⟩ drilling machine, drill press
boormal [de^{m}] drilling jig, template
boormeester [de^{m}] foreman driller
boormossel [de], **boorschelpdier** [het] (stone) borer, piddock
booromslag [het, de^{m}] brace
boorplatform [het] drilling rig/platform, ⟨olie⟩ oil rig
boorput [de^{m}] well, borehole
boorschelpdier [het] → **boormossel**
boorschip [het] drilling-vessel
boorschoen [de^{m}] drive shoe
boort [het] bort
boortol [de^{m}] electric hand-drill
boortoren [de^{m}] derrick, drilling rig
boortunnel [de^{m}] bore tunnel
boorwater [het] boracic lotion
boorworm [de^{m}] shipworm, pileworm
boorzalf [de] boracic ointment
¹boorzuur [het] bor(ac)ic acid
²boorzuur [bn] boric ♦ *boorzure **zouten/esters*** boric salts/esters
boos [bn, bw] 1 ⟨kwaad⟩ angry ⟨bw: angrily⟩, ⟨woedend⟩ furious, ⟨nijdig⟩ cross, ⟨AE ook⟩ mad, sore, ⟨AuE⟩ crook ♦ *een boze **blik** op iemand werpen* give s.o. an angry/ugly/a furious look; *in een boze **bui*** in a fit of anger/a temper, in a bad mood; *daar kan ik me **geweldig** boos om maken* that makes me really angry; *boos **kijken** (naar iemand)* scowl (at s.o.); *iemand/zich boos **maken*** make s.o./get angry; ⟨zich⟩ lose one's temper; *zich boos maken **om** iets* get angry at/over sth., lose one's temper at/over sth.; *boos worden **op** iemand* get angry with/at s.o., loose one's temper with/at s.o.; *hij is boos **op** zichzelf* he's angry with/at himself; *je moet niet boos **worden*** don't be angry 2 ⟨bars⟩ angry ⟨bw: angrily⟩, nasty, hostile, ill-tempered, ⟨minder erg⟩ mean ♦ *een boos **wijf*** a nasty/mean woman; ⟨inf⟩ a fishwife/bitch 3 ⟨kwaadwillig⟩ evil ⟨bw: ~ly⟩, malicious, wicked, ↑ malevolent, ⟨minder erg⟩ bad, ⟨zaken ook⟩ vile, foul ♦ *de boze **fee/stiefmoeder*** the wicked fairy/stepmother; *een boze **lach*** an evil/a wicked/malicious laugh; *boze **listen*** evil/diabolical/dirty tricks; *met boze **opzet*** ⟨ook jur⟩ with malice aforethought, with malicious intent; *geen boze **opzet*** ⟨jur⟩ absence of malice; *het was geen boze **opzet*** there was no harm intended; *boze **plannen*** evil/wicked plans; *boze **tongen*** evil tongues; *de boze **wereld*** the wicked world 4 ⟨zedelijk verdorven⟩ evil ⟨bw: ~ly⟩, foul, vile ♦ *de boze **geesten*** evil spirits; *een boze **lust*** evil/foul/vile urges 5 ⟨kwaadaardig⟩ evil ⟨bw: ~ly⟩, bad, ⟨inf⟩ nasty, ⟨hond⟩ vicious, ⟨AE⟩ mean ♦ *de boze **wolf*** the big bad wolf 6 ⟨onstuimig⟩ bad ⟨bw: ~ly⟩, rough, ⟨inf⟩ nasty, ⟨weer⟩ vile, foul 7 ⟨verderfelijk⟩ evil ⟨bw: ~ly⟩, wicked ⟨bw: ~ly⟩, corrupt ⟨bw: ~ly⟩, depraved, ⟨minder erg⟩ bad ♦ *de boze **gevolgen*** the evil consequences 8 ⟨zorgvol⟩ bad ⟨bw: ~ly⟩, troubled, perilous ♦ *wij beleven boze **tijden*** we are living in/these are bad/troubled times; *het ziet er boos **uit*** it looks bad, ⟨inf⟩ it looks nasty
boosaardig [bn, bw] 1 ⟨kwaadaardig⟩ malignant ⟨bw: ~ly⟩, virulent ♦ *een boosaardige **koorts*** a virulent fever; *een boosaardige **ziekte*** a malignant/virulent disease 2 ⟨vijandig⟩ malicious ⟨bw: ~ly⟩, vicious, spiteful, ↑ malevolent ♦ *een boosaardige **blik*** a leering look; *een boosaardige **glimlach*** a sinister smile; *boosaardig **grommen*** snarl viciously; *boosaardige **laster*** malicious gossip; *boosaardige **moedwil*** malicious wilfulness; *boosaardig **verspreide** leugens* vicious lies
boosdoener [de^{m}] 1 ⟨iemand die kwaad doet⟩ wrongdoer, ↑ evildoer, ↑ malefactor 2 ⟨scherts; dader⟩ the villain (of the piece), ⟨schuldige⟩ culprit ♦ *... dan **ben** ik de boosdoener* ⟨dan krijg ik de schuld⟩ ... (then) I shall get the blame; *wie **is** de boosdoener* who is the culprit?
boosheid [de^{v}] 1 ⟨woede⟩ anger, ⟨grote woede⟩ fury, ⟨AE ook⟩ madness ♦ *zijn boosheid **ging over*** his anger passed off/blew over; *ze begon **van** boosheid te huilen* she began to cry with anger 2 ⟨kwaadwilligheid⟩ malice, wickedness, ↑ malevolence
boost [de^{m}] boost
boosten [ov ww] boost
booster [de] booster
boosterdosis [de^{v}] ⟨med⟩ booster (dose/shot)
boostereffect [het] ⟨med⟩ booster effect
boostergemaal [het] booster pump
booswicht [de^{m}] villain, wretch
boot [de] 1 ⟨alg; vaartuig⟩ boat, vessel, ⟨groot⟩ steamer, ship ♦ *de boot **afhouden*** ⟨lett⟩ keep the boat away from the shore; ⟨fig; zich aan zijn plicht onttrekken⟩ shirk one's responsibilities/duties; ⟨fig; ontwijken⟩ refuse to commit o.s., keep one's distance; ⟨fig⟩ play for time, stall s.o.; ***met** de boot reizen* travel by boat/sea; *zij staken **met** een boot het meer over* they crossed the lake by boat; *de boot **missen*** ⟨ook fig⟩ miss the boat; *iemand **op** de boot naar Australië zetten* ⟨iemand lozen⟩ bundle s.o. off to Australia; ***uit** de boot vallen* ⟨zijn positie verliezen⟩ be eliminated; ⟨zich terugtrekken⟩ opt out; ⟨fig⟩ *studenten die om wat voor reden dan ook **uit** de boot vallen* students who, for whatever reason, drop out/fall by the wayside; *gaan bootje **varen*** go out boating; *de boot is aan* ⟨fig⟩ now there's (going to be) hell to pay, now the fat's in the fire, sparks are going to fly 2 ⟨veerboot⟩ ferry ♦ *de boot **naar** Breskens* the Breskens ferry; *de boot **naar** Engeland nemen* take the ferry to England 3 ⟨reddingsboot⟩ (life) boat ♦ *de bemanning ging **in** de boten* the crew took to the boats; *een boot **uitzetten*** lower a boat ⊡ *de boot in **gaan*** come a cropper, be in for it; *iemand **in** de boot nemen* pull s.o.'s leg
bootdienst [de^{m}] boat/steamer service
bootee [de^{m}] bootee
booten [ov ww] boot
boothals [de^{m}] boat neck ♦ *een trui/jurk **met** een boothals* a boat-neck sweater/dress
boothuis [het] boathouse
boothuur [de] boat hire
bootleg [de^{m}] pirate recording, bootleg record
bootleggen [ov ww] bootleg
bootlengte [de^{v}] (boat's) length ♦ *met een **halve/volle** bootlengte winnen* win by half a/a full length
bootreis [de] voyage, ⟨plezierreis⟩ boat trip/excursion, cruise ♦ *een bootreis **maken*** make a voyage; take a boat trip, go on a cruise
boots [de^{m}] bo(')s'n, bo(')sun, boatswain
bootschoen [de^{m}] boat shoe
bootsgezel [de^{m}] sailor
bootshaak [de^{m}] boathook
bootsman [de^{m}] 1 ⟨marine⟩ boatswain, bo(')s'n, bo(')sun 2 ⟨m.b.t. koopvaardijschepen⟩ boatswain, bo(')s'n, bo(')sun
boottocht [de^{m}] boat trip/excursion
boottrailer [de^{m}] boat trailer
boottrein [de^{m}] boat train
bootvluchteling [de^{m}] boat person/refugee, ⟨in het mv⟩ boat people ⟨verzamelnaam⟩
bootwerker [de^{m}] docker, dockhand, docklabourer, ⟨AE⟩ roustabout, ⟨AE⟩ longshoreman ♦ *eten **als** een bootwerker* eat like a pig
bop [de] bop
bopper [de^{m}] bopper
boraat [het] borate
borax [de^{m}] borax
boraxzuur [het] boric acid
bord [het] 1 ⟨stuk vaatwerk⟩ plate ♦ *zijn bord **leeg** eten*

clean one's plate; ⟨fig⟩ *een probleem bij een ander* ***op*** *zijn bord schuiven* push/shove a problem on to s.o. else; ⟨fig⟩ *alle probleemgevallen komen* ***op*** *zijn bordje terecht* he ends up with all the difficult cases on his plate; ***platte en diepe*** *borden* dinner and soup plates; *een bord* ***soep*** a plate of soup; ***van*** *een bord eten* eat off a plate; *een bord* ***vol*** a plateful; *borden* ***wassen*** wash up/do the dishes; *eerst je bordje leeg eten* first finish your meal [2] ⟨plaat met opschrift⟩ sign, notice, ↑ plate ◆ *een bord* ***met*** *'verboden toegang'* a 'no admittance' notice; *de hele route is* ***met*** *borden aangegeven* it's signposted all the way; *een bordje* ***op*** *de deur* a door-plate/name-plate on the door; *de bordjes zijn* ***verhangen*** ⟨fig⟩ the tables are turned, the boot is on the other leg/foot, the position is reversed [3] ⟨schoolbord⟩ (black)board ◆ *het bord* ***uitvegen*** clean/wipe the blackboard; ***voor*** *het bord komen* come to the blackboard [4] ⟨speelbord⟩ board ◆ ⟨schaak⟩ *aan het* ***eerste*** *bord zitten* be/compete on first/top board [5] ⟨mededelingenbord⟩ notice board [6] ⟨m.b.t. een windmolen⟩ pale ◆ ***lang*** *bord* long pale [7] ⟨schoep van een scheprad⟩ paddle [8] ⟨karton⟩ cardboard [9] ⟨basketb⟩ backboard [•] ⟨inf⟩ *een bord voor zijn kop* ***hebben*** be thick-skinned

[1]**bordeaux** [de^{m}] ⟨wijn⟩ bordeaux, ⟨rode⟩ claret

[2]**bordeaux** [het] ⟨kleur⟩ ± burgundy, claret-colour

[3]**bordeaux** [bn] ± burgundy, claret-coloured

bordeauxrood [bn] burgundy

bordeel [het] brothel, whorehouse

bordeelbezoeker [de^{m}] s.o. who goes to a brothel, s.o. who goes to brothels

bordeelhouder [de^{m}], **bordeelhoudster** [de^{v}] ⟨man & vrouw⟩ brothel keeper, ⟨vrouw⟩ madam(e)

bordeelhoudster [de^{v}] → **bordeelhouder**

bordeelsluiper [de] ⟨inf⟩ ⟨BE⟩ brothel-creeper

bordelaise [de^{v}] [1] ⟨saus⟩ bordelaise (sauce) [2] ⟨maat⟩ bordeaux cask of about 225 litres [3] ⟨fles⟩ bordeaux bottle of about ¾ litre

bordendoek [de^{m}] tea-cloth, tea-towel, ⟨vnl BE⟩ dish-cloth

bordenwarmer [de^{m}] plate-warmer

bordenwasser [de^{m}] dishwasher, ⟨BE ook⟩ washer-up

bordenwisser [de^{m}] board duster

border [de^{m}] border

bordercollie [de^{m}] Border collie

borderel [het] [1] ⟨specificatielijst⟩ list, statement [2] ⟨speciebriefje⟩ coinage specification [3] ⟨lijst van te verzenden goederen, te incasseren wissels⟩ docket [4] ⟨lijst van onderdelen⟩ specification [5] ⟨uittreksel van een rekening⟩ statement (of account) [6] ⟨lijst van dossierstukken⟩ docket [7] ⟨m.b.t. hypotheek⟩ extract of the mortgage deed

borderline [de^{m}] borderline personality disorder

borderliner [de^{m}] borderliner

bordes [het] [1] ⟨verhoogde stoep⟩ ± steps [2] ⟨trapportaal⟩ landing [3] ⟨laadvloer⟩ loading platform

bordkarton [het] (heavy) cardboard

bordkartonnen [aanw bn] [1] ⟨van bordkarton⟩ cardboard [2] ⟨fig; onecht⟩ cardboard

bordpapier [het] cardboard

bordspel [het] board game

borduren [ov ww, ook abs] embroider ◆ *iets* ***met*** *zilverdraad borduren* embroider sth. in silver thread; ⟨fig⟩ *een* ***roman****, geborduurd op het stramien van de geschiedenis* a novel, embroidered on the pattern of history

borduurgaas [het] embroidery canvas

borduurgaren [het] embroidery thread

borduurkunst [de^{v}] embroidery

borduurlamp [de] magnifying light

borduurlinnen [het] embroidery linen

borduurnaald [de] embroidery needle

borduurraam [het] embroidery frame, tabo(u)ret

borduurring [de^{m}] embroidery hoop

borduurschaar [de] embroidery scissors

borduursel [het] [1] ⟨wat op een stof geborduurd wordt⟩ embroidery [2] ⟨boord waarop geborduurd is⟩ embroidery

borduursteek [de^{m}] embroidery stitch

borduurster [de^{v}] embroiderer, embroideress

borduurwerk [het] [1] ⟨werk, kunst van borduren⟩ embroidery [2] ⟨borduursel⟩ (piece of) embroidery

borduurwol [de] crewel

borduurzijde [de] embroidery silk, floss (silk)

boreaal [bn] boreal

boreling [de^{m}] baby, infant, ↑ neonate

[1]**boren** [onov ww] [1] ⟨met een boor werken⟩ bore, drill ◆ ***naar*** *olie/gas boren* bore/drill for oil/gas [2] ⟨door iets heen, in iets dringen⟩ pierce (into), penetrate (into) ◆ ***zich in/*** *door iets boren* bore (one's way) into/through sth.; ⟨van insect ook⟩ tunnel into/through sth.; *de kogel boorde* ***zich*** *in de muur* the bullet penetrated into the wall; *twee vliegtuigen boorden* ***zich*** *in het WTC* two aircraft crashed into the WTC [3] ⟨m.b.t. geluiden, licht, de blik⟩ pierce, penetrate ◆ *een lichtstraal boorde* ***door*** *de nevel* a beam of light pierced through the mist

[2]**boren** [ov ww] [1] ⟨met een boor maken⟩ bore, drill, ⟨put⟩ sink ◆ ***gaten*** *boren* bore/drill holes; *een plan de* ***grond*** *in boren* ruin/wreck/torpedo a plan; *een* ***tunnel*** *boren* bore/drive/cut a tunnel [2] ⟨doorboren⟩ pierce, perforate, ⟨appel, hyacint⟩ core ◆ *de* ***hersenpan*** *boren* trepan the skull [3] ⟨uitboren⟩ ⟨hout⟩ bore (out), ⟨metaal⟩ drill, ⟨als monster uitboren⟩ core, take a sample of ◆ *een* ***kanon*** *boren* bore a gun; ***kiezen*** *boren* drill molars [4] ⟨draaiend drijven, steken door⟩ pierce, stab ◆ *iemand een degen* ***door*** *het lijf boren* run s.o. through with a sword

borg [de^{m}] [1] ⟨persoon⟩ surety, guarantor, guarantee, ⟨m.b.t. gevangene⟩ bail ◆ *de borg(en)* ***aanspreken*** call upon the surety/sureties; *borg* ***staan*** *voor een betaling* stand surety for a payment; ⟨fig⟩ *borg* ***staan*** *voor iemands betrouwbaarheid* vouch for s.o.'s reliability; *borgen* ***stellen/opgeven*** give/provide sureties; *zich borg* ***stellen*** *voor een gevangene* stand bail for a prisoner, bail a prisoner out; *zich borg* ***stellen*** *voor € 10.000/iemand* stand surety for 10,000 euros/s.o. [2] ⟨onderpand⟩ security, guaranty, ⟨borgsom bij koop/huur⟩ deposit, ⟨vnl BE ook; borgtocht⟩ caution money ◆ *de borgen van de* ***koper/huurder*** the buyer's/tenant's deposit; *€ 10.000 borg* ***stellen*** provide security for 10,000 euros; *geen* ***voldoende*** *borg kunnen stellen* be unable to give sufficient security [3] ⟨waarborg⟩ guarantee, pledge ◆ *de zorgvuldige voorbereiding* ***staat*** *borg voor een vlekkeloos verloop* careful preparation guarantees things will go smoothly [4] ⟨techn⟩ keeper, safety device

borgbout [de^{m}] lock bolt

borgen [ov ww, ook abs] [1] ⟨het losgaan beletten⟩ secure, lock [2] ⟨waarborgen⟩ guarantee

borghaak [de^{m}] safety hook/catch

borgketting [de] [1] ⟨ketting tegen het verschuiven van de lading⟩ safety chain [2] ⟨veiligheidskoppeling⟩ safety chain

borgmoer [de] locknut, safety nut

borgpen [de] lock(ing) pin

borgsom [de] ⟨bij huur/koop⟩ deposit, security (money), ⟨vnl BE⟩ caution money ◆ *een borgsom* ***van*** *€ 1000 betalen* pay a 1,000 euro deposit

borgstelling [de^{v}] [1] ⟨handeling⟩ suretyship ◆ *geld lenen* ***onder*** *borgstelling van onroerend goed* borrow money with real property as security [2] ⟨geldsom⟩ security (money), ⟨vnl BE⟩ caution money ◆ *een borgstelling* ***storten*** deposit a sum as security; *geld verstrekken* ***tegen*** *een borgstelling* lend money on security [3] ⟨akte⟩ guarantee, security/suretyship bond [4] ⟨jur⟩ bail ◆ *iemand vrijlaten* ***onder*** *borgstelling* release s.o. on bail; *een* ***ongeldige*** *borgstelling* a straw bail

borgtocht [de^{m}] [1] ⟨overeenkomst⟩ security (bond), guarantee ◆ *onder* ***persoonlijke*** *borgtocht* on personal security, with a personal guarantee; *een **zakelijke** borgtocht* collateral (security) [2] ⟨geldsom⟩ security (money), ⟨vnl BE⟩ caution money [3] ⟨juridisch⟩ bail, recognizance ◆ *vrij zijn **op** borgtocht* be out on bail; ***op** borgtocht vrijgelaten worden* be released on bail; *iemand **op** borgtocht vrij krijgen* bail s.o. out; *weigeren iemand **op** borgtocht vrij te laten* refuse bail; ***onder persoonlijke** borgtocht* on one's own recognizance; *zijn borgtocht **verbeuren*** forfeit one's bail, ⟨AE ook⟩ jump one's bail

boride [het] boride

boring [de^{v}] [1] ⟨het boren⟩ boring, drilling ◆ *een boring **naar olie/gas*** a boring/drilling for oil/gas; *een **speculatieve** boring* ⟨ook, vnl. AE⟩ a wildcat; *de boringen **stopzetten*** discontinue drilling operations; *boringen **verrichten/doen*** effect/make borings/drillings [2] ⟨kaliber⟩ bore ◆ *boring en **slag*** bore and stroke

borium [het] ⟨scheik⟩ boron

bornagain christen [de^{m}] born-again Christian

borrel [de^{m}] [1] ⟨glas sterkedrank⟩ drink, dram, drop, spot, nip ◆ *hij is **aan de borrel*** he's an alcoholic/a wino/drunk/boozer; *een **flinke** borrel **ophebben*** have had a few, have had a bit too much to drink, be a bit tight, be three sheets to the wind; *een borrel **nemen/pakken*** have a drink/dram/drop/spot/nip/short one/shot; *een borrel **te veel ophebben*** have had a drop/glass too much, be one over the eight; *een **stevige** borrel **lusten/drinken*** be a heavy drinker [2] ⟨het drinken, gelegenheid⟩ drink, get-together, gathering, social, ⟨AE⟩ sociable ◆ *een borrel **geven/houden*** organize a get-together/gathering/social/sociable; *iemand **voor** een borrel **uitnodigen*** ask s.o. round/invite s.o. for a drink

borrelen [onov ww] [1] ⟨m.b.t. vloeistoffen⟩ bubble, ⟨sterk⟩ boil, ⟨m.b.t. geluid⟩ gurgle, effervesce ⟨(zoals) koolzuurhoudende drank⟩ [2] ⟨borrels drinken⟩ have a drink

borrelgarnituur [het] snacks, appetizers

borrelglas [het] shot glass

borrelhapje [het] snack, appetizer

borreliabacterie [de^{v}] Borrelia bacteria

borreliose [de^{v}] Lyme disease, borreliosis

borrelnootje [het] nut (to go with cocktails), ⟨als borrelhapje⟩ cocktail snack

borrelpraat [de^{m}] twaddle, drivel, blather, piffle

borreltafel [de] cocktail/drinking table

borreltijd [de^{m}], **borreluur** [het] (the) cocktail hour, cocktail/apéritif time, ⟨AE ook⟩ happy hour

borreluur [het] → **borreltijd**

borrelzoutje [het] ⟨BE⟩ cocktail biscuit, ⟨AE⟩ saltine

borsalino [de^{m}] trilby

[1]**borst** [de^{m}] ⟨jongen⟩ lad, youth ◆ *een **brave** borst* an honest brother

[2]**borst** [de] [1] ⟨m.b.t. mensen⟩ ⟨borstkas⟩ chest, ⟨form⟩ breast ◆ ***aan** iemands borst **liggen*** lie against s.o.'s chest/on s.o.'s breast; *iemand **aan** de borst **drukken*** embrace s.o., press/clasp s.o. to one's bosom; ⟨fig⟩ *een **hoge** borst (op)**zetten*** strut about/around, throw one's weight about; ⟨ook fig⟩ stick/thrust/throw/puff out one's breast; ***op** de borst **kloppen*** tap the chest; *zich **op** de borst **slaan/kloppen*** ⟨zich beroemen⟩ congratulate o.s., boast, brag; ⟨als (al dan niet gemeend) teken van (be)rouw⟩ beat one's breast; *een **platte/ronde/brede** borst hebben* be flat-chested/barrel-chested/broad-chested; ⟨fig⟩ *dat stuit mij **tegen** de borst* that goes against the grain with me, that sticks in my gizzard, that disgusts me, that is distasteful/repugnant to me; *een kind **tegen** de borst **gedrukt houden*** clasp/strain a child to one's breast; *zij klemde de doos **tegen** haar borst bij het rennen* she hugged the box/clasped the box to her chest as she ran; ***tot aan** de borst in het water staan* stand breast-high/breast-deep in the water, stand in the water up to one's chest; ***uit** de borst **zingen*** sing from the chest; *uit **volle** borst **zingen*** sing lustily/at the top of one's voice; *borst **vooruit!*** chest out! shoulders back!; *de borst **vooruitsteken*** ⟨ook fig⟩ throw/stick/thrust/puff out one's chest; *een **zwakke** borst **hebben*** have a weak/delicate chest, be weak-chested [2] ⟨m.b.t. dieren⟩ ⟨paard⟩ breast, ⟨hond⟩ chest, ⟨koe⟩ brisket ◆ *een **gebraden/gerookte** borst* roast/smoked brisket [3] ⟨m.b.t. vrouwen⟩ breast, ⟨mv ook⟩ bosom, bust, ⟨med⟩ mamma ◆ *een kind **aan** de borst **leggen*** nurse/breast-feed a child, put a child to the breast, give a child the breast; *een dame met **flinke** borsten* a bosomy/buxom lady; *een kind de borst **geven*** give the breast to/nurse/breast-feed a child; *de borsten **onderzoeken*** examine the breasts; *het kind is **van** de borst* the child is off the breast/is weaned; ***zware** borsten **hebben*** have a heavy bosom [4] ⟨voorzijde van een voorwerp⟩ ⟨voorpand jurk⟩ breast, bosom, ⟨voorpand overhemd⟩ front, ⟨voorstuk schort⟩ bib ◆ *de borst van een **molen*** the front of a windmill [•] *maak je borst maar **nat!*** ⟨voor flink wat werk⟩ roll your sleeves up!; ⟨voor een hoop moeilijkheden⟩ prepare yourself for the worst!

borstademhaling [de^{v}] chest breathing

borstamputatie [de^{v}] mastectomy

borstbeeld [het] ⟨bk⟩ bust, ⟨op munt⟩ effigy

borstbeen [het] breastbone, ⟨med⟩ sternum

borstbeschermer [de^{m}] ⟨sport, ijshockey⟩ body/chest protector, chest pad

borstcrawl [de^{m}] (front) crawl, freestyle

borstel [de^{m}] [1] ⟨gereedschap om te reinigen, glad te strijken⟩ brush [2] ⟨grove kwast⟩ brush [3] ⟨glijcontact⟩ brush [4] ⟨m.b.t. varkens, wilde zwijnen⟩ bristle [5] ⟨m.b.t. insecten⟩ bristle [6] ⟨m.b.t. planten⟩ bristle [7] ⟨in België; bezem⟩ broom [8] ⟨in België; scheerkwast⟩ shaving brush [9] ⟨in België; verfkwast⟩ paintbrush

borstelbaan [de^{m}] ⟨sport⟩ artificial/dry ski run, artificial/dry ski piste

borstelen [ov ww, ook abs] [1] ⟨met een borstel reinigen, gladstrijken⟩ brush ◆ *een **hond** borstelen* brush (down) a dog; *zijn haar **kammen en borstelen*** brush and comb one's hair ⟨sic⟩; *zijn **kleren** borstelen* brush (down) one's clothes [2] ⟨ind⟩ brush

borstelgras [het] matgrass, bent

borstelig [bn] [1] ⟨op borstels lijkend⟩ bristly, brushy, bushy ◆ *borstelig **haar*** bristly/bushy hair; *borstelige **wenkbrauwen*** beetle brows, bushy eyebrows [2] ⟨met stijve haren begroeid⟩ bristly, stubby, stubbly, ⟨biol⟩ hispid, setaceous

borstelkop [de^{m}] crew cut, ⟨BE ook⟩ number 3, ⟨BE ook; iets langer⟩ number 4

borstelsnor [de^{m}] bristly moustache

borsteltrommel [de] rotating brush

borstelwormen [de^{mv}] Chaetopodes

borsthaar [het] chest hair, hair on one's chest

borstharnas [het] ⟨gesch, mil⟩ breastplate, ⟨borst en rug⟩ cuirass, cors(e)let, ⟨vnl. bij Grieken⟩ thorax

borstholte [de^{v}] thoracic/chest cavity

borsthoogte [de^{v}] [•] ***op** borsthoogte* breast-high, up to one's chest; *het water kwam **tot** (op) borsthoogte* the water was breast-high/breast-deep

borstimplantaat [het] breast implant

borstkanker [de^{m}] breast cancer

borstkas [de] [1] ⟨geraamte van de borst⟩ chest, ⟨med⟩ thorax [2] ⟨holte daarbinnen⟩ chest, ⟨med⟩ thoracic cavity

borstkind [het] breast-fed child

borstklier [de] ⟨med⟩ mammary gland, mamma

borstkolf [de] breast pump

borstkruis [het] pectoral (cross)

borstkwaal [de] chest complaint, chest trouble

borstmicrofoon [de^{m}] chest microphone, clip-on microphone

borstonderzoek [het] ⟨med⟩ [1] ⟨onderzoek van de ademhalingsorganen⟩ chest examination [2] ⟨onderzoek van de borsten van een vrouw⟩ breast examination

borstplaat [de] [1] ⟨lekkernij⟩ ± fondant [2] ⟨als stofnaam⟩

± fondant
borstprothese [de^v] artificial/false breast, breast/mammary prosthesis
borstrok [de^m] ⟨BE⟩ (under)vest, ⟨AE⟩ undershirt, chest protector
borstslag [de^m] ⟨schoolslag⟩ breast stroke, ⟨borstcrawl⟩ (front) crawl
borstspier [de] pectoral (muscle)
borststem [de] chest voice ♦ ***in** borststem* chesty
borststreek [de] chest region ♦ *pijn **in** de borststreek* pain in (the region of) the chest
borststuk [het] 1 ⟨iets dat de borst bedekt⟩ ⟨harnas⟩ breast-plate, ⟨harnas⟩ plastron, ⟨voorpand jurk⟩ breast, bosom, ⟨voorpand overhemd⟩ front, ⟨voorstuk schort⟩ bib 2 ⟨m.b.t. insecten⟩ thorax, trunk 3 ⟨tot de borst behorend stuk⟩ brisket
borsttoon [de^m] chest tone, chest voice/register ♦ ***met** borsttoon* chesty
borstvin [de] pectoral (fin)
borstvlies [het] pleura, thoracic membrane
borstvliesontsteking [de^v] pleurisy, pleuritis
borstvoeding [de^v] 1 ⟨voeding met moedermelk⟩ breast-feeding ♦ *een kind borstvoeding **geven*** breast-feed/nurse a baby, give a baby the breast, feed a baby naturally, suckle a baby; *borstvoeding **krijgen*** nurse, be breast-fed 2 ⟨keer⟩ (breast-)feed 3 ⟨moedermelk⟩ mother's milk, breast milk ♦ *borstvoeding is beter dan die oplosrommel* mother's/breast milk is better than that powdered stuff
borstvoedingsverlof [het] ⟨in België⟩ maternity leave
borstwand [de^m] chest wall
borstwering [de^v] 1 ⟨muurtje, hekwerk⟩ parapet, ⟨langs balkon⟩ balustrade 2 ⟨wal rondom een te verdedigen ruimte⟩ parapet, breastwork, breast wall 3 ⟨deel van een vestingmuur⟩ parapet, rampart
borstwervel [de^m] thoracic vertebra
borstwijdte [de^v] width of the chest, ⟨m.b.t. kledingstuk⟩ chest (measurement), ⟨van dameskleding ook⟩ bust (measurement)
borstzak [de^m] breast pocket
borstzwemmen [ww] ⟨schoolslag⟩ swim/do the breast stroke, ⟨borstcrawl⟩ swim freestyle, crawl
[1]**bos** [de^m] ⟨bundel⟩ bundle, ⟨sleutels, radijs e.d.⟩ bunch ♦ *een bos **bloemen*** a bouquet; ⟨niet opgemaakt, zelf geplukt⟩ a bunch of flowers; ⟨inf, fig⟩ *een **flinke** bos hout voor de deur hebben* be well-endowed/well-stacked, ↑be bosomy/chesty; *een bos **haar*** a head of hair; *een wilde bos **haar*** a shock of hair; *een bos **hooi/stro*** a bundle/bottle/wisp of hay/straw; ***in** bossen binden* bundle, tie up into bundles; ⟨bloemen⟩ bunch; *een bos **takken*** a bundle of sticks/twigs, a faggot/^Afagot; *een bos **touw*** a hank of rope; *een bos **wortelen/bieten*** a bunch of carrots/beets/beetroot
[2]**bos** [het] ⟨woud⟩ woods, ⟨BE ook⟩ wood, ⟨groot⟩ forest ♦ ***met** bos **begroeide** heuvels* wooded hills; ⟨fig⟩ *iemand het bos **in sturen*** fob s.o. off with fair promises, send s.o. off with a tall story; *een **stuk** bos* a stretch of woods/forest/woodland
bosaanplant [de^m] 1 ⟨handeling⟩ afforestation, foresting 2 ⟨plaats⟩ forest reserve 3 ⟨geplante bomen⟩ newly planted trees
bosaardbei [de] wild strawberry
bosanemoon [de] wood anemone
bosbedrijf [het] forestry
bosbeheer [het] 1 ⟨alg⟩ forestry, forest management 2 ⟨rijksdienst⟩ ⟨BE⟩ Forestry Commission, ⟨AE⟩ Forest Service
bosbes [de] 1 ⟨vrucht⟩ ⟨BE⟩ bilberry, ⟨AE⟩ blueberry, heath berry, whortle(berry) ♦ ***rode** bosbes* cowberry 2 ⟨heester⟩ ⟨BE⟩ bilberry, ⟨AE⟩ blueberry, heath berry, whortle(berry) ⟨Vaccinium myrtillus⟩
bosbies [de] wood club-rush
bosbouw [de^m] forestry, silviculture
bosbouwer [de^m] forester, ⟨vnl. USA en Can ook⟩ lumberer, lumberjack, lumberman
bosbouwkunde [de^v] forestry
bosbouwkundige [de] forester, silviculturist
bosbraam [de] blackberry, bramble
bosbrand [de^m] forest fire, ⟨aan de bosrand⟩ bush fire
boscultuur [de^v] forestry, silviculture
bosdag [de^m] ⟨strategy⟩ away-day, one-day strategy session
bosduivel [de^m] mandrill
bose-einsteincondensaat [de^v] Bose-Einstein condensate
bosflora [de] forest flora
bosgebied [het] woodland/wooded area
bosgemeenschap [de^v] forest ecosystem
bosgeur [de^m] smell of woods, ⟨AE ook⟩ woodsy smell
bosgeus [de^m] ⟨gesch⟩ Wild Beggar, Beggar of the Woods
bosgod [de^m] ⟨myth⟩ sylvan deity, faun, satyr
bosgodin [de^v] sylvan deity, wood/tree nymph, dryad
bosgrond [de^m] woodland, ⟨grondsoort⟩ forestland, timberland, woodland soil
boshyacint [de] common bluebell
bosje [het] 1 ⟨bundeltje⟩ bundle, ⟨sleutels, radijs e.d.⟩ bunch, ⟨haar, gras, wol⟩ tuft, ⟨haar/gras ook⟩ wisp ♦ ***bij** bosjes* by the dozen/handful 2 ⟨klein woud⟩ grove, coppice, copse, clump of trees, ⟨BE⟩ spinney 3 ⟨groep struiken⟩ bushes, shrubbery
Bosjesman [de^m] Bushman
boskat [de] wildcat
bosklas [de^v] ⟨in België⟩ ± school camp, ± nature class
bosloop [de^m] cross-country
boslucht [de] forest air
bosmaaier [de^m] bush cutter, strimmer
bosmier [de] wood ant
bosmuis [de] wood mouse
bosneger [de^m] maroon
Bosnië [het] Bosnia
Bosnië-Hercegovina [het] Bosnia-Herzegovina

Bosnië-Hercegovina

naam	*Bosnië-Hercegovina* Bosnia and Herzegovina
officiële naam	*Republiek Bosnië-Hercegovina* Bosnia and Herzegovina
inwoner	*Bosniër* Bosnian, Herzegovinian
inwoonster	*Bosnische* Bosnian, Herzegovinian
bijv. naamw.	*Bosnisch* Bosnian Herzegovinian
hoofdstad	*Sarajevo* Sarajevo
munt	*Bosnische convertibele mark* Bosnian convertible mark
werelddeel	*Europa* Europe

int. toegangsnummer **387** www.**ba** auto **BIH**

Bosniër [de^m], **Bosnische** [de^v] ⟨man & vrouw⟩ Bosnian, ⟨vrouw ook⟩ Bosnian woman/girl
bosnimf [de^v] wood nymph, tree nymph, dryad
Bosnisch [bn] Bosnian
Bosnische [de^v] → **Bosniër**
bospad [het] wood-path, forest path/trail
bospeen [de] ⟨landb⟩ bunched(-up) carrots
Bosporus [de^m] Bosp(h)orus
bosrand [de^m] fringe of a/the wood, edge of a/the wood
bosrank [de] traveller's joy, old man's beard, virgin's bower
bosrietzanger [de^m] marsh warbler
bosrijk [bn] woody, ⟨AE ook⟩ woodsy
bosruiter [de^m] ⟨dierk⟩ wood sandpiper
boss [de^m] boss
bossanova [de] 1 ⟨dans⟩ bossa nova 2 ⟨ritme⟩ bossa

nova
bosschage [het] ⟨form⟩ boscage, boskage, grove, spinney, hurst
bosschap [het] ± Forestry Board
bosselderie [de^m] celery
bossen [ov ww] bundle, tie into bundles, ⟨bloemen⟩ bunch, ⟨houtjes, takjes⟩ faggot
bosterrein [het] (stretch of) woodland, wooded ground
bosuil [de^m] ⟨dierk⟩ tawny owl
bosuitje [het] spring onion
bosvaren [de] male fern
bosveen [het] 1 ⟨in bosgrond gevormd veen⟩ peat 2 ⟨veen ontstaan uit de resten van moerasbossen⟩ peat
bosviooltje [het] wood/hedge violet
bosvrucht [de] ± wild fruit, ± summer fruit, ⟨in yoghurt/sorbet⟩ forest fruit
boswachter [de^m] forester, ⟨USA, Can, Australië⟩ (forest) ranger, ⟨privé ook⟩ gamekeeper, game warden
boswachterij [de^v] forestry (area)
boswandeling [de^v] walk in the forest/wood(s)
¹**bot** [de^m] ⟨vis⟩ flounder, flatfish, fluke ▪ *bot **vangen*** come away empty-handed, be turned down
²**bot** [de^m] 1 ⟨robot⟩ bot 2 ⟨computerprogramma⟩ bot
³**bot** [het] 1 ⟨been⟩ bone, ⟨med⟩ os ♦ *men kan zijn botten **tellen*** you can count his ribs; *tot **op** het bot verkleumd zijn* chilled to the bone; *het is niets dan **vel** en botten* he's (just) skin and bones 2 ⟨mv; leden, lichaam⟩ bones ♦ ⟨fig⟩ *het zit hem nog **in** de botten* he's still getting over it; ⟨inf⟩ *hij heeft het **in** zijn botten* ⟨jicht⟩ he's got gout; ⟨ziekte⟩ it's in his system; ⟨vnl. m.b.t. kanker⟩ he's riddled with it

botten

schedel	skull, cranium
bovenkaak	upper jaw, maxilla
neusbeentje	nasal bone
onderkaak	lower jaw, mandible
wervel	vertebra
nekwervel	cervical vertebra, neck vertebra
lendenwervel	lumbar vertebra
sleutelbeen	collarbone, clavicle
schouderblad	shoulder blade, scapula
rib	rib
opperarmbeen	humerus
telefoonbotje	funny bone
spaakbeen	radius, spoke-bone
ellepijp	ulna
middenhandsbeentje	metacarpus
vingerkootje	phalanx
wervelkolom	backbone, spine, vertebral column
ruggenwervel	dorsal vertebra
stuitje	tail bone, coccyx
bekken	pelvis
heup	hipbone
bovenbeen	femur
knieschijf, meniscus	kneecap, meniscus, patella
kuitbeen	fibula
scheenbeen	shinbone, tibia
hielbeen	heel bone, calcaneum
middenvoetsbeentje	metatarsus
skelet	skeleton
kraakbeen	cartilage

⁴**bot** [de] 1 ⟨plantk⟩ bud ♦ ***in** bot staan* be in bud 2 ⟨in België; laars⟩ boot
⁵**bot** [bn] 1 ⟨niet scherp⟩ blunt, ⟨vnl. mes, gereedschap e.d.⟩ dull ♦ *botte **kant*** ⟨van bijl, hamer e.d.⟩ poll; *bot **maken*** blunt/dull (the point/edge/… of); *bot **worden*** become/get blunt/dull, lose one's point/edge/… 2 ⟨dom⟩ dull(-witted), dumb, ↑obtuse, thick, thick-headed, thick-skulled, thick-witted ♦ ⟨inf⟩ *dat snap jij niet met je botte **hersens*** you're too dull/stupid/thick to understand that/to get that into your thick head/skull 3 ⟨stroef⟩ not smooth/slippery, dull, rough ♦ *bot **ijs*** rough/uneven ice, ⟨m.b.t. schaatsen⟩ slow ice; *botte **tanden*** blunt teeth
⁶**bot** [bn, bw] ⟨plomp, grof⟩ blunt ⟨bw: ~ly⟩, curt, abrupt, gruff, grumpy ♦ *een botte **opmerking*** a blunt/curt remark; *iets bot **weigeren*** refuse sth. bluntly/flatly/pointblank, give a (point)blank/flat/blunt/out-and-out refusal
botanicus [de^m] botanist
botanie [de^v] botany
botanisch [bn] botanic(al) ♦ *een botanische **tuin*** botanic(al) garden(s)
botaniseertrommel [de] (botanical) collecting/specimen box, (botanical) collecting/specimen case, vasculum, (botanist's) specimen container
botaniseren [onov ww] botanize, herborize
botboring [de^v] ⟨voor onderzoek beenstructuur⟩ bone biopsy, ⟨voor mergonderzoek⟩ marrow biopsy
botbreuk [de] break, broken bone, ↑fracture ♦ ***open** en **gesloten** botbreuken* open and closed fractures
botel [het] bo(a)tel, floating hotel
botenbouwer [de^m] boat builder
boter [de] 1 ⟨zuivelproduct⟩ butter, ⟨vloeibare boter, vnl. van buffelmelk, in India⟩ ghee ♦ *de boter **afhalen*** skim off the butter; ⟨vulg⟩ *zo geil **als** boter* horny/randy as hell, as horny/randy as an old goat; *zo mals **als** boter* (as) soft as butter; *het smelt **als** boter in je mond* it melts in your mouth (like butter); *zo glad **als** boter, het glijdt **als** boter* as smooth as silk; *in boter **bereiden*** cook in butter, make with butter; ⟨fig⟩ *boter **bij** de vis* cash on the nail/barrelhead, cash down; ⟨inf⟩ *het is botertje **boven*** ⟨lett⟩ it's the buttered side up; ⟨fig⟩ that's a stroke of good luck; ⟨fig⟩ *de boter eruit **braden*** live it up; ⟨altijd⟩ live off the fat of the land; ⟨inf⟩ *met zijn gat **in** de boter vallen* ⟨iemand met geld trouwen⟩ marry money/a fortune, ⟨het materieel goed treffen⟩ strike it lucky/rich; *met zijn neus **in** de boter vallen* find one's bread buttered on both sides, be in luck; *een **klontje/kluitje** boter* a pat/knob/square of butter, a butterball; *dik **met** boter besmeerd* thickly buttered, smothered in butter; ***zoete** boter* unsalted butter 2 ⟨margarine⟩ butter, margarine, ⟨inf; BE⟩ marge ▪ *hij heeft boter op zijn **hoofd*** look who's talking; ⟨sprw⟩ *wie boter op zijn hoofd heeft, moet niet in de zon lopen* those who live in glass houses should not throw stones; ± be not a baker if your head be of butter; ⟨sprw⟩ *het is botertje tot de boom* everything in the garden is lovely
boterachtig [bn] buttery, like butter, ⟨wet⟩ butyraceous
boterberg [de^m] butter mountain
boterbiesje [het] (round) butter biscuit/^Acookie
boterbloem [de] buttercup, butterflower, crowfoot ♦ ***gulden** boterbloem* goldilocks; ***scherpe** boterbloem* kingcup
boterbriefje [het] ⟨inf⟩ ⟨BE⟩ marriage lines, ↑marriage certificate ♦ *het boterbriefje **halen*** get hitched/spliced, tie the knot; *huwelijk **zonder** boterbriefje* ↑common-law marriage; *zij wonen samen **zonder** boterbriefje* they are (just) living together, they are shacking/shacked up; ⟨pej of scherts⟩ they are living in sin
boterdoos [de] butter box
boteren [onov ww] 1 ⟨tot boter worden⟩ turn into butter ♦ *de **melk** wil niet boteren* the butter will not come 2 ⟨gedijen, lukken⟩ work, come off ♦ *het wil tussen hen **niet** boteren* they don't/can't get on/hit it off (together)
¹**botergeel** [het] butter colour, annatto, orlean
²**botergeel** [bn] butter-coloured
botergeil [bn] horny/randy as hell, as horny/randy as an old goat
boterham [de] 1 ⟨snee brood⟩ slice/piece of bread (and butter) ♦ ⟨pej; fig⟩ *een **afgelikte** boterham* a soiled dove, the town bike; *een **belegde** boterham* a sandwich (with filling);

een droge boterham a slice/piece of dry bread; *zijn boterhammen **meenemen*** take sandwiches, ⟨lunch⟩ take a sandwich lunch; *een boterham **met ham*** a ham sandwich; ⟨fig⟩ *een boterham **met** tevredenheid* a slice/piece of dry bread; ⟨fig⟩ *iets **op** zijn boterham krijgen* get sth. on one's plate, get blamed for sth., get no thanks for it; *boterhammen **snijden*** slice bread [2] ⟨broodmaaltijd⟩ sandwiches, ⟨lunch⟩ spot of lunch, some lunch, sth. to eat ◆ *we gaan een boterham **eten*** we are going to have a sandwich/sth. to eat/a spot of/some lunch [3] ⟨levensonderhoud⟩ living, livelihood, daily bread, bread and butter, ⟨AE ook⟩ meal ticket ◆ *hij verdient een **aardige/dikke** boterham* he makes a decent living, he's doing very nicely; *er zit een **dikke/flinke/goede** boterham in* there's good money to be made out of/in; *hij verdient slechts een **schrale** boterham* he just manages to scrape a living; *zijn boterham **verdienen** met ...* earn one's living/livelihood/daily bread/bread and butter by ... ⊡ ***dubbele** boterham* a sandwich

boterhambeleg [het] sandwich filling
boterhampapier [het] greaseproof paper
boterhampasta [het, de^{m}] sandwich spread
boterhamtrommeltje [het] sandwich/lunch box, ⟨AE ook⟩ lunch pail/bucket
boterhamworst [de] ± luncheon meat
boterhamzakje [het] sandwich bag
boter-kaas-en-eieren [het] ⟨BE⟩ noughts and crosses, ⟨AE⟩ tic-tac-toe
boterkoek [de^{m}] [1] ⟨koek⟩ butter biscuit [2] ⟨in België; koffiebroodje⟩ brioche, bun
boterkuipje [het] butter tub
boterletter [de] (almond) pastry letter
botermals [bn] (as) tender as a chicken
botermelk [de] ⟨in België⟩ buttermilk
botermerk [het] quality control stamp (on butter), (official) butter print
botermesje [het] butter knife
botermijn [de] butter market
boterolie [de] colza oil, rape oil
boterpeer [de] beurré, butter-pear
boterpot [de^{m}] butter crock
botersaus [de] butter sauce
botersprits [de] (Dutch) shortbread
boterstaaf [de] (almond) pastry role
botervet [het] butterfat
botervis [de^{m}] butterfish, gunnel
botervlinder [de^{m}] puff paste wings
botervloot [de] butter dish
boterwaag [de] ⟨vnl in België⟩ weighhouse for butter
boterzacht [bn] (as) soft as butter ◆ ⟨fig⟩ *boterzachte **bezuinigingen*** moderate cutbacks
[1]**boterzuur** [het] butyric acid
[2]**boterzuur** [bn] butyrate, butyric ◆ *boterzure **esters*** butyrates
botheid [de^{v}] [1] ⟨het stomp zijn⟩ bluntness, ⟨vnl. mes, gereedschap e.d.⟩ dullness [2] ⟨grofheid⟩ bluntness, curtness, abruptness, gruffness [3] ⟨domheid⟩ dullness, stupidity, thickness, dullwittedness, ↑ obtusity
botje [het] [1] ⟨kleine bot⟩ (small/little) flounder, (small/little) flatfish, (small/little) fluke [2] ⟨beentje⟩ (small/little) bone [3] ⟨vero; schaats⟩ bone skate ⊡ *botje **bij** botje leggen* pool one's money, put one's money together, club in/together, chip in, go shares/halves
botkanker [de^{m}] bone cancer
botnet [het] ⟨comp⟩ botnet, bot network
Botnisch [bn] Bothnian ◆ *de Botnische **Golf*** the Gulf of Bothnia
botontkalking [de^{v}] osteoporosis
botoxen^MERK [ww] botox
botsautootje [het] dodgem (car), bumper car
botsen [onov ww] [1] ⟨met een schok aankomen tegen⟩ collide (with), bump into/against, run into/against, strike/dash against, ⟨voetgangers ook⟩ barge into, ⟨voertuigen ook⟩ crash into/against, smash into/against, ⟨schepen⟩ run foul of ◆ ***tegen** een lantaarnpaal botsen* crash/bump/run into a lamp-post; *twee wagens botsten **tegen** elkaar* two cars collided with one another/crashed/smashed/ran into one another/were in collision with one another [2] ⟨fig⟩ clash (with), conflict (with), ↑ discord (with) ◆ *hun **karakters** botsen* their characters clash/conflict, it's a personality clash; *botsende **meningen*** conflicting opinions, a clash of opinions
botsing [de^{v}] [1] ⟨het botsen⟩ collision, impact, ⟨vnl. van voertuigen⟩ smash(-up), crash, ⟨van schepen⟩ foul ◆ *een **frontale** botsing* a head-on collision/crash; *we **hadden** een botsing (met de auto)* we had a (car) crash, we were in a (car) crash; *met elkaar **in** botsing komen* come into collision/collide with one another, crash/smash/run into one another, run foul of one another; *ze dreigen met elkaar **in** botsing te komen* they are (set) on a collision course [2] ⟨fig⟩ clash, conflict ◆ *belangen die **in** botsing komen* conflicting interests; *ze dreigen met elkaar **in** botsing te komen* they are (set) on a collision course; *de stakers kwamen **in** botsing met de politie* the strikers clashed with the police
botssimulator [de^{m}] crash simulator
Botswaan [de^{m}], **Botswaanse** [de^{v}] ⟨man & vrouw⟩ Botswanan, ⟨vrouw ook⟩ Botswanan woman/girl
Botswaans [bn] Botswanan
Botswaanse [de^{v}] → **Botswaan**
Botswana [het] Botswana

Botswana	
naam	*Botswana* Botswana
officiële naam	*Republiek Botswana* Republic of Botswana
inwoner	*Botswaan* Botswanan
inwoonster	*Botswaanse* Botswanan
bijv. naamw.	*Botswaans* Botswanan
hoofdstad	*Gaborone* Gaborone
munt	*pula* pula
werelddeel	*Afrika* Africa
int. toegangsnummer 267 www.bw auto BW	

bottel [de] (rose-)hip
bottelaar [de^{m}] bottler, ⟨kleinhandelaar in bier⟩ beer retailer
bottelarij [de^{v}] bottling plant
bottelbier [het] bottled beer
bottelen [ov ww] bottle
bottellijn [de] bottling unit/machine
bottelroos [de] rosa pomifera
botten [onov ww] bud (out), put out buds
bottenkraakster [de^{v}] → **bottenkraker**
bottenkraker [de^{m}], **bottenkraakster** [de^{v}] ⟨inf⟩ bonesetter, ↑ chiropractor, ↑ osteopath
botter [de^{m}] smack, fishing boat
botterik [de^{m}] boor, lout, churl
bottine [de^{v}] lace-up/laced boot, ⟨mv⟩ high-lows
bottleneck [de^{m}] bottleneck
bottom-up [bn] bottom-up
botulisme [het] [1] ⟨vergiftiging van het oppervlaktewater⟩ botulism, ↓ duck sickness, ↓ limberneck [2] ⟨voedselvergiftiging⟩ botulism, ↓ ± food poisoning
botvieren [ov ww] give (full/free) rein (to), give (full/free) vent (to), loose, ↑ indulge ◆ *zijn **lusten/hartstochten** botvieren* give (full/free) rein/vent to one's desires/passions; ⟨inf⟩ let o.s. go, let one's hair down; *dat moet je niet **op** haar botvieren* you mustn't take it out on her
botweg [bw] bluntly, flatly, pointblank ◆ *iets botweg **ontkennen*** flatly deny sth., give a flat denial; *iets botweg **weigeren*** refuse bluntly/flatly/pointblank; ⟨direct, zonder te overwegen⟩ refuse out of hand; *iets botweg **zeggen*** say sth.

bluntly, give (s.o.) sth. straight, not mince one's words; *iemand botweg de waarheid **zeggen*** tell s.o. the naked truth, give it to s.o. straight (from the shoulder)

bouclé [het] bouclé

boud [bn, bw] [1] ⟨vol vertrouwen⟩ bold ⟨bw: ~ly⟩, daring, fearless, brave, valiant, ⟨vnl. daad⟩ audacious ♦ *boud **spreken*** speak boldly/fearlessly; ⟨in België⟩ ***stout** en boud tegen de vijand optreden* stand up to the enemy bravely and boldly [2] ⟨pej⟩ bold ⟨bw: ~ly⟩, impudent, ⟨brutaal, vnl. kinderen⟩↓ cheeky ♦ *een boude/boute **bewering*** an impudent/bold assertion

bouderen [onov ww] sulk, pout

boudoir [het] (lady's) boudoir

boudweg [bw] boldly, fearlessly, undauntedly, valiantly

bouffante [de] muffler, ⟨BE⟩ comforter, (woollen) scarf

bougainville [de] bougainvillaea

bougie [de^{v}] [1] ⟨m.b.t. een verbrandingsmotor⟩ spark plug, ⟨BE ook⟩ sparking plug, ⟨inf⟩ plug [2] ⟨med⟩ bougie, dilator [3] ⟨smal onderdeel⟩ bougie [4] ⟨kaars⟩ candle, bougie [5] ⟨kaarsvorm voor elektrische verlichting⟩ candle lamp [6] ⟨eenheid van lichtsterkte⟩ candlepower

bougiekabel [de^{m}] plug lead/wire, ignition wire/cable

bougiesleutel [de^{m}] (spark) plug spanner/wrench

bougisseren [ov ww, ook abs] ⟨med⟩ dilate ♦ ***het** bougisseren* bougi(e)rage, dilation

bouillabaisse [de] bouillabaisse

bouillon [de^{m}] broth, beef tea, clear soup, ⟨BE ook; merknaam⟩ bovril, ⟨als basis voor gerecht⟩ stock ♦ ***blanke** bouillon* white stock; ***heldere** bouillon* clear soup, cullis, consommé; *een **kop** bouillon drinken* drink a cup of broth/beef tea/clear soup

bouillonblokje [het] beef cube, ⟨merknaam⟩ Oxo cube, ⟨om bouillon te maken als basis voor gerecht⟩ stock cube

boulderen [onov ww] scramble (over rocks)

boulevard [de^{m}] [1] ⟨brede straat⟩ boulevard, ⟨laan⟩ avenue, esplanade [2] ⟨wandelweg langs de zee⟩ promenade, (sea-)front, esplanade, ⟨inf⟩ prom

boulevardblad [het] ± tabloid, ⟨roddelblad⟩ ± scandal sheet, ⟨op glanzend papier⟩ ± glossy ♦ *de boulevardbladen* the tabloids, the yellow/sensational press, ⟨pej⟩ the gutter press

boulevardjournalistiek [de^{v}] yellow/sensational journalism, ⟨pej⟩ gutter journalism

boulevardpers [de] yellow press, ⟨pej⟩ gutter press

bouleverseren [ov ww] ⟨in België⟩ (take by) surprise

boulimia nervosa [de^{v}] bulimia nervosa, ⟨AE⟩ bulimarexia

boulimie [de^{v}] bulimia

bouncen [onov ww] [1] ⟨ritmisch op de voeten veren⟩ bounce [2] ⟨(van e-mail) terugsturen naar de afzender⟩ bounce

bountyeiland [het] tropical island

bouquet [het, de^{m}] bouquet

bouquetreeks [de] ⟨BE⟩ Mills and Boon's, ⟨AE⟩ candlelight romance, ⟨in historische context; inf; BE⟩ bodice-ripper

Bouquetreeksboek [het] romance novel, novelette, ⟨AE⟩ Harlequin novel

bourbon [de^{m}] bourbon (whiskey), corn (whiskey)

bourdon [de^{m}] ⟨muz⟩ [1] ⟨diepe bas⟩ bourdon, drone (bass) [2] ⟨snaar⟩ bourdon, bass string [3] ⟨orgelregister⟩ bourdon [4] ⟨luidklok⟩ bourdon [5] ⟨deel van doedelzak⟩ drone, bourdon

bourettezijde [de] bourette

[1]**bourgeois** [de^{m}] [1] ⟨burger⟩ bourgeois [2] ⟨pej⟩ bourgeois, petit/petty bourgeois, ⟨sl⟩ square

[2]**bourgeois** [bn, bw] bourgeois, middle-class, ⟨pej ook⟩ petit/petty bourgeois, ⟨sl⟩ square

bourgeoisie [de^{v}] bourgeoisie, middle-class(es), ± establishment

bourgogne [de^{m}] burgundy

Bourgondië [het] Burgundy

bourgondiër [de^{m}] flamboyant personality

Bourgondiër [de^{m}] Burgundian

bourgondisch [bn, bw] ⟨uitbundig⟩ exuberant ♦ *bourgondisch **tafelen*** dine heartily

Bourgondisch [bn] ⟨van Bourgondië⟩ Burgundian ♦ *Bourgondische **wijn*** burgundy ▫ *Bourgondisch **kruis*** St Andrew's cross

bourree [de^{v}] [1] ⟨dans⟩ bourrée [2] ⟨muziek⟩ bourrée

bout [de^{m}] [1] ⟨schroefbout⟩ (screw) bolt, ⟨hout⟩ pin ♦ ***blinde** bouten* blind bolts; *een bout **met** moer* a nut and bolt ⟨sic⟩ [2] ⟨soldeerbout⟩ soldering iron [3] ⟨strijkbout⟩ iron [4] ⟨poot van een geslacht stuk vee, wild⟩ leg, quarter, ⟨van vogel ook⟩ drumstick, ⟨lendenstuk⟩ haunch [5] ⟨eendenvlees⟩ duck [6] ⟨grendel⟩ bolt [7] ⟨drol⟩ turd ▫ ⟨vulg⟩ *je kan me de bout **hachelen*** kiss my ass, go to hell/blazes

boutade [de^{v}] witticism, quip, sally, ⟨inf⟩ dig, crack

bouten [onov ww] ⟨inf⟩ (have a) crap, shit

boutonnière [de] [1] ⟨bloem in het knoopsgat⟩ boutonnière, ⟨vnl BE⟩ buttonhole [2] ⟨teken van een ridderorde⟩ buttonhole insignia/ribbon (of an order of chivalry)

bouvier [de^{m}] Bouvier des Flandres

bouw [de^{m}] [1] ⟨het bouwen⟩ building, construction, ⟨niet m.b.t. wegen⟩ erection ♦ *de bouw **uitvoeren*** build [2] ⟨plaats⟩ building site [3] ⟨bouwbedrijf⟩ building industry/trade, construction industry ♦ ***in** de bouw **werken*** be in the building trade/construction industry [4] ⟨constructie⟩ structure, construction, form, ⟨van dieren/mensen⟩ build ♦ ***gedrongen** bouw* ⟨van mens⟩ stocky build; *de **inwendige** bouw van de zenuwen* the internal structure of the nerves; ⟨fig⟩ *de bouw van een **roman*** the structure of a novel; *die dieren zijn krachtig **van** bouw* those animals are solidly/heavily/powerfully built; *dat huis heeft een **vreemde** bouw* that house is of strange construction/is strangely built [5] ⟨het bebouwen⟩ cultivation, tillage [6] ⟨het verbouwen van een gewas⟩ growing, cultivation ♦ *groenten van **eigen** bouw* home-grown vegetables

bouwbedrijf [het] [1] ⟨tak van het economisch leven⟩ building industry/trade, construction industry [2] ⟨bedrijf in deze sector⟩ construction firm/company, builders

bouwbeleid [het] construction policy, building policy

bouwblok [het] [1] ⟨huizengroep⟩ block (of houses) [2] ⟨blok waarmee gebouwd wordt⟩ building block, ⟨B2-blok; BE⟩ breeze block, ⟨AE⟩ cinder/clinker block [3] ⟨eenheid in de montagebouw⟩ building block

bouwboer [de^{m}] arable farmer

bouwcombinatie [de^{v}] building consortium, construction consortium

bouwcommissie [de^{v}] [1] ⟨commissie van toezicht⟩ building authority/department [2] ⟨commissie die een streekplan opstelt⟩ planning commission/committee

bouwconstructie [de^{v}] structure (of a building)

bouwcontingent [het] building quota

bouwdok [het] dry dock

bouwdoos [de] [1] ⟨blokkendoos⟩ box of building blocks [2] ⟨montagedoos⟩ (do-it-yourself) kit

[1]**bouwen** [onov ww] ⟨+ op; zich verlaten op⟩ rely (on), depend/bank/count (on), trust (in) ♦ *iemand waarop je **kunt** bouwen* s.o. you can rely/depend/count on; ⟨inf⟩ a tower of strength; ***op** iemand/**op** God bouwen* rely/depend/count on s.o., trust in God

[2]**bouwen** [ov ww] ⟨de bodem bewerken⟩ till, cultivate, ⟨ploegen⟩ plough

[3]**bouwen** [ov ww, ook abs] ⟨construeren⟩ build, construct, ⟨oprichten⟩ erect, put up ♦ *gebouwde en ongebouwde **eigendommen*** land and buildings; *een **feestje** bouwen* give/throw a party; ***huizen** bouwen* build houses; *de vogels bouwen **nesten*** the birds are building (their) nests; *een theorie/zijn hoop/verwachting **op** iets bouwen* build/base a theory/one's

hope/expectation on sth.; *spoorwegen, havens, dijken bouwen* construct railways/ports/dikes; ⟨fig⟩ *stelsels bouwen* build/construct systems; *van steen bouwen* build with/of stone; *zich rijk bouwen* get rich in the building/construction business; *keurige zinnen bouwen* construct neat sentences [•] ⟨sprw⟩ *waar God een kerk sticht, bouwt de duivel een kapel* where God builds a church, the Devil will build a chapel; ⟨sprw⟩ *Aken en Keulen zijn niet op één dag gebouwd* Rome was not built in a day

bouw- en woningtoezicht [het], **bouwtoezicht** [het] building (and housing) inspection department

bouwer [de^{m}] [1] ⟨landbouwer⟩ farmer [2] ⟨huizen-, schepenbouwer⟩ builder, ⟨m.b.t. huizen ook⟩ (building) contractor, ⟨m.b.t. schepen⟩ shipbuilder

bouwerij [de^{v}] [1] ⟨het bouwbedrijf⟩ building, construction [2] ⟨bedrijvigheid van het bouwen⟩ building (industry/trade), construction (industry)

bouwfonds [het] building fund

bouwgrond [de^{m}] [1] ⟨bouwterrein⟩ building land, building lot ◆ *een stuk bouwgrond* a building lot [2] ⟨voor landbouw geschikte grond⟩ farmland, farming/arable land ◆ *een goede bouwgrond eist weinig mest* good arable land needs little manure [3] ⟨stuk bouwland⟩ farmland, farming/arable land

bouwheer [de^{m}] ⟨bouwk⟩ client, principal

bouwjaar [het] ⟨m.b.t. gebouw⟩ date of building/construction, ⟨m.b.t. auto, machine enz.⟩ date of construction/manufacture, year of construction/manufacture ◆ *te koop: auto bouwjaar 1981* for sale: 1981 car/car of 1981 vintage, car for sale: 1981 model

bouwkas [de] (cooperative) housing society/association, ⟨AE⟩ ± savings and loan association

bouwkeet [de] site hut, ⟨voor directie, opzichters enz.⟩ site office(s), ⟨geprefabriceerd; inf; AE⟩ portable, ⟨AE⟩ prefab

bouwklimaat [het] state of the building trade, state of the building industry, state of the construction industry

bouwkosten [de^{mv}] building costs, construction costs, cost of building/construction

bouwkraan [de] construction/tower crane

bouwkuip [de] (building) excavation

bouwkunde [de^{v}] architecture

bouwkundig [bn, bw] architectural ⟨bw: ~ly⟩, constructional, structural, architectonic(al) ◆ *bouwkundig ingenieur* construction(al)/structural engineer; *bouwkundig tekenaar* architectural draughtsman; *bouwkundig tekenen* architectural drawing

bouwkundige [de] architect, construction(al)/structural engineer

bouwkunst [de^{v}] [1] ⟨het optrekken van bouwwerken⟩ building, construction, architecture, civil engineering [2] ⟨architectuur⟩ architecture

bouwlaag [de] floor, storey, ⟨AE⟩ story ◆ *flat met dertien bouwlagen* a thirteen-stor(e)y ^{B}block of flats/^{A}apartment block, a ^{B}block of flats/an ^{A}apartment block with thirteen floors

bouwlamp [de] construction lamp

bouwland [het] [1] ⟨voor de akkerbouw geschikt land⟩ farmland, farming/arable land ◆ *stuk bouwland* field [2] ⟨akker⟩ field

bouwlat [de] ⟨alleen bij hoek gebruikelijk; BE⟩ profile, ⟨AE⟩ batterboard

bouwlening [de^{v}] home loan

bouwlift [de^{m}] [1] ⟨in het steigerwerk⟩ builder's hoist [2] ⟨om materialen en onderdelen te verplaatsen⟩ builder's hoist

bouwlocatie [de^{v}] building site, construction site

bouwmaatschappij [de^{v}] development company, building company

bouwmarkt [de] ⟨BE⟩ builder's merchant('s), ⟨AE⟩ lumberyard, ⟨AuE⟩ home improvement centre

bouwmateriaal [het] building material ⟨meestal mv⟩ ◆ *handelaar in bouwmaterialen* builder's merchant, contractor

bouwmeester [de^{m}] ⟨vnl gesch⟩ master builder, architect

bouwmodulus [de^{m}] module

bouwmuur [de^{m}] boundary wall

bouwnijverheid [de^{v}] building industry, building trade, construction industry

bouwondernemer [de^{m}] (building) contractor, builder (and contractor)

bouwopdracht [de] building order

bouwopzichter [de^{m}] ⟨in belang van klant⟩ clerk of works, ⟨in belang van ondernemer⟩ building supervisor, ⟨BE ook⟩ building surveyor

bouworde [de] order (of architecture), style of architecture/building, architectural style ◆ *de Ionische bouworde* the Ionic order; *de vijf (klassieke) bouworden* the five classical orders (of architecture)

bouwpakket [het] (do-it-yourself) kit ◆ *sommige auto's zijn verkrijgbaar als bouwpakket* some cars are available in kit form/as a kit; *ik heb het van een bouwpakket gemaakt* I built it from a kit; *een bouwpakket om een klavecimbel te bouwen* a harpsichord kit

bouwplaat [de] [1] ⟨bouwkarton⟩ cut-out [2] ⟨bouwmateriaal⟩ ⟨voor beschieting⟩ wallboard, ⟨gipsplaat⟩ plasterboard

bouwplan [het] [1] ⟨volgens welk gebouwd wordt⟩ building plan(s) [2] ⟨van aanleg van straten en wijken⟩ development plan

bouwploeg [de] construction team/crew

bouwpolitie [de^{v}], **bouwtoezicht** [het] building inspectors, building control department

bouwpremie [de^{v}] building subsidy

bouwpromotie [de^{v}] ⟨in België⟩ property development, ⟨AE⟩ real estate development

bouwput [de^{m}] (building) excavation

bouwrente [de] ⟨bouwk⟩ construction interest

bouwrijp [bn] ready for building ◆ *een terrein bouwrijp maken* prepare a site (for building), clear land (for building)

bouwschuim [het] foam sealant

bouwsel [het] building, structure, erection

bouwsom [de] (total) building cost(s)

bouwsparen [ww] save for a mortgage

bouwsteen [de^{m}] [1] ⟨steen om mee te bouwen⟩ building stone, ⟨baksteen⟩ building brick ◆ ⟨fig⟩ *de bouwstenen van de revolutie* the materials of the revolution [2] ⟨blok uit een bouwdoos⟩ building block [3] ⟨comp⟩ building block

bouwstelsel [het] [1] ⟨landb⟩ crop rotation [2] ⟨bouwk⟩ building scheme

bouwstijl [de^{m}] architectural style, architecture ◆ *de Byzantijnse bouwstijl* Byzantine architecture

bouwstof [de] [1] ⟨bouwmateriaal⟩ building material [2] ⟨fig⟩ material(s) ◆ *bouwstoffen voor een woordenboek* materials for a dictionary

bouwstop [de^{m}] building freeze

bouwsubsidie [het, de^{v}] building grant

bouwtechnokeuring [de^{v}] building inspection

bouwtekening [de^{v}] ⟨bouwk⟩ floor plan, drawing(s)

bouwterrein [het] [1] ⟨grond, terrein om op te bouwen⟩ building land, building lot ◆ *grond als bouwterrein verkopen* sell plots of land for building (on) [2] ⟨plaats, terrein waar gebouwd wordt⟩ building/construction site

bouwtijd [de^{m}] construction time

bouwtoezicht [het] → **bouw- en woningtoezicht, bouwpolitie**

bouwtrant [de^{m}] architectural style

bouwvak [de^{v}] construction industry holiday

bouwvakker [de^m] construction worker, ⟨vnl BE ook⟩ building worker/tradesman, ⟨ongeschoold, halfgeschoold⟩ building/builder's labourer, ⟨inf; AE⟩ hard-hat
bouwval [de^m] 1 ⟨overblijfselen van een ingestort gebouw⟩ (heap of) rubble 2 ⟨vervallen gebouw⟩ ruin, wreck ♦ ⟨fig⟩ *deze man **is** nu niets meer dan een bouwval* this man is now just a wreck
bouwvallig [bn] crumbling, tumbledown, ramshackle, ruinous, dilapidated, ⟨vnl. m.b.t. houten bouwsels zoals trappen, leuningen enz.⟩ rickety ♦ *bouwvallig **worden*** ⟨ook⟩ fall into ruin/decay
bouwverbod [het] building ban, construction ban
bouwvergunning [de^v] building/construction permit, building/construction licence, building/construction ^{A}license, permit/licence to build, ⟨vnl BE ook⟩ planning permission
bouwverordening [de^v] building regulations/^{A}code
bouwvolume [het] 1 ⟨capaciteit voor een categorie van bouwwerken⟩ building capacity 2 ⟨inhoud van een te maken bouwwerk⟩ cubic content/volume (of a building), cubage, cubature
bouwvoor [de] soil
bouwwereld [de] building industry, building/construction trade
bouwwerf [de] ⟨in België⟩ building/construction site
bouwwerk [het] building, structure, construction, ⟨kerk, paleis ook⟩ edifice ♦ ***burgerlijke** bouwwerken* public works
¹boven [bw] 1 ⟨op een hoger gelegen plaats⟩ above, up ⟨met werkwoord van richting⟩, ⟨in gebouw⟩ upstairs ♦ *daar boven* up there; ⟨aan de hemel⟩ on high, above; *boven **in** de bergen* up (in) the mountains; *deze **kant**/dit boven!* this side/end up!; ***naar** boven gaan* go up, ascend; ⟨trap ook⟩ go upstairs; *de weg **naar** boven* the way up; ***naar** boven afronden* round up; *de weg loopt **naar** boven* the road goes up/rises; ***van** boven bekijken* view from above; ***van** boven is het wit* it is white on top; *boven **was** het uitzicht fantastisch* the view from above was magnificent, ⟨op hoogste punt⟩ the view at the top was magnificent; *de zielen van de gestorvenen **zwerven** boven* the souls of the deceased roam on high 2 ⟨op de bovenverdieping⟩ upstairs, ⟨loodrecht⟩ overhead, up ⟨met werkwoord van beweging⟩ ♦ *(naar) boven **brengen*** take/carry up; ⟨herinneringen e.d.⟩ bring back; ***kom** maar boven* come on up; *ik kom net **van** boven* I've just come downstairs; ***woon** je boven of beneden?* do you live upstairs or down? 3 ⟨op de hoogst gelegen plaats⟩ on top, uppermost ♦ ***te** boven komen* get over, overcome, recover from; ⟨moeilijkheden ook⟩ weather; *iets **te** boven gaan* exceed/be beyond sth.; *iemand **te** boven gaan* surpass/excel s.o., go one better than s.o.; *de schande **te** boven komen* live down the shame; *het gaat elke beschrijving **te** boven* it beggars/defies all description; *dat gaat mijn verstand/begrip **te** boven* that is beyond my comprehension/me; ⟨te moeilijk ook⟩ that's over my head; *dat dwepen met popsterren is ze **te** boven* she has outgrown that pop-star worship; *hij is alle moeilijkheden **te** boven (gekomen)* he has overcome/surmounted the difficulties, he has won through, he is out of the wood; *hij is het verlies/de operatie **te** boven (gekomen)* he has recovered from the loss/operation; ***tot** boven aan toe* to the (very) top; ***van** boven uit* ⟨uit de hemel⟩ from above/on high; ***van** boven af (aan)* from the top; *de vierde regel **van** boven* the fourth line from the top; ***van** boven **af** voorschrijven* prescribe authoritatively/from above; *een lijst **van** boven naar beneden aflezen* read down a list (from top to bottom); *hij zat **van** boven tot beneden onder de modder* he was covered with mud from top/head to toe 4 ⟨aan de oppervlakte⟩ up ♦ *weer boven **komen*** come up again 5 ⟨in het voorafgaande⟩ above ♦ ***als** boven* as (stated) above; *boven **is aangetoond** dat ...* it has been demonstrated above that ...; ***zie** boven* see above; ***zoals** boven gezegd/aangehaald* as mentioned above/before/earlier (on) 6 ⟨aan de winnende hand⟩ on top, at the top/head ♦ ***Oranje** boven!* up with Orange!, Orange forever! 7 ⟨+ voorzetsel⟩ on top, at the top ♦ *boven **aan** de lijst staan* be at the top/head of the list; *de man zat boven **in** de mast* the man sat at the top of the mast/in the crow's nest; *de grootste bekers staan boven **in** de prijzenkast* the biggest trophies are at the top/on the top shelf of the display cabinet; *boven **op** elkaar stapelen* pile one on top of the other; *de man zat boven **op** het huis* the man sat on top of the house; *hij is boven **over** het dak geklommen* he climbed over the top of the roof
²boven [vz] 1 ⟨hoger dan⟩ above, ⟨recht boven⟩ over ♦ *hij woont boven een **bakker*** he lives over a baker's shop; *de hemel boven onze **hoofden*** the sky above us; *de bel zit boven het **naamplaatje*** the bell is above/over the name-plate; *de flat boven **ons*** the ^{B}flat/^{A}apartment overhead; ⟨fig⟩ *daar moet je boven **staan*** you should be above that sort of thing; ***uitsteken** boven* stand out/rise above; ⟨zeer hoog⟩ tower above; *het hoofd boven **water** houden* ⟨ook fig⟩ keep one's head above water 2 ⟨verder dan⟩ above, beyond ♦ *dat gaat (mij) boven mijn **verstand*** that is beyond my comprehension/me 3 ⟨in rangorde hoger⟩ above, over, superior to ♦ *veiligheid boven **alles*** safety (comes) first; *iemand **bevoorrechten** boven een ander* favour s.o. more than s.o. else; *er **gaat** niets boven Belgische friet* there's nothing like Belgian chips; *hij stelt zijn carrière boven zijn **gezin*** he puts his career before his family; *een majoor staat boven een **kapitein*** a major is superior to a captain; *boven iemand **staan*** be s.o.'s superior, be over s.o.; *boven zijn **stand** trouwen* marry above o.s.; *hij staat ver boven zijn **tijdgenoten*** he far surpasses/excels his contemporaries; ***uitmunten** boven* excel; *wonder boven **wonder*** wonder of wonders, miracle of miracles 4 ⟨een maat, hoeveelheid overtreffend⟩ over, above, beyond ♦ *niet boven de **begroting** gaan* not exceed the budget; *boven de tien seconden **blijven*** not get below the ten seconds; *de rekening komt boven de honderd **euro*** the bill amounts to over a hundred euros; *kinderen boven de drie **jaar*** children over three; *de effecten staan boven **pari*** the stocks are above par; *boven zijn **stand** leven* live beyond one's means; *boven het lawaai **uit** praten* talk against/above the noise; *hij is boven alle **verdenking/kritiek** verheven* he is above all suspicion/criticism; *dat is boven **verwachting** geslaagd* that has succeeded beyond our expectations; *tien graden boven het **vriespunt*** ten degrees above freezing point; *hij is al boven de **zeventig*** he is already over/turned seventy 5 ⟨behalve⟩ over and above, on top of ♦ *boven zijn **bankrekening** bezit hij nog drie spaarrekeningen* as well as his bank account he has three savings accounts; *de verzendkosten **komen** nog boven de verkoopprijs* postage not included in the price; *hij verdient nog wel duizend euro boven zijn **maandsalaris*** he earns as much as a thousand euros over and above/on top of his monthly salary 6 ⟨stroomopwaarts⟩ above ♦ *Bonn ligt boven **Lobith*** Bonn is above Lobith 7 ⟨ten noorden van⟩ above ♦ *Noord-Holland boven het **IJ*** North-Holland above the IJ 8 ⟨bovenwinds van⟩ to windward of ♦ *boven de **wind*** to windward ▪ ⟨sprw⟩ *de natuur gaat boven/is sterker dan de leer* nature is stronger than nurture; ± what's bred in the bone will never come out of the flesh; ⟨sprw⟩ *geweld gaat boven recht* might is right
bovenaan [bw] 1 ⟨aan het boveneinde⟩ at the top ♦ *bovenaan **staan*** be (at the) top, lead, head/top the bill, be number one, come/rank first; *haar naam **staat** op de lijst bovenaan* her name tops/heads the list, her name is at the top of the list; *Nederland **staat** als bollenproducent bovenaan* the Netherlands takes pride of place as a producer of bulbs 2 ⟨in het bovenste gedeelte⟩ in/at the top ♦ *het **ligt** bovenaan in de kast* it's somewhere at/in the top of the cupboard
bovenaanzicht [het] view from above, ⟨plattegrond⟩ plan, ground-plan, floor-plan

bovenaards [bn] 1 ⟨boven de aardoppervlakte⟩ surface, overground, ⟨leiding⟩ overhead ♦ *bovenaardse **bol*** aerial bulb; *bovenaardse **stengeldelen*** overground parts of the stem 2 ⟨goddelijk⟩ superterrestrial, supernal, supermundane
bovenaf ⊡ ***van** bovenaf* from the top; ⟨door autoriteit⟩ from above
bovenal [bw] above all ♦ *dat **geldt** bovenal in deze crisistijd* that holds true more than ever in this time of crisis; *hij **haatte** bovenal zijn huisbaas* he hated his landlord most of all; *dat zie je bovenal **in** Amsterdam* you see that in Amsterdam more than anywhere else; *hij is bovenal een **muzikant*** above all things he is a musician; *bovenal zorg dragen voor iemands gezondheid/welzijn* make s.o.'s health/well-being one's prime concern
bovenarm [de^m] upper arm
bovenarms [bw] overarm, ⟨vnl AE⟩ overhand
bovenbed [het] ⟨bij stapelbedden⟩ upper/top bunk, ⟨schip, trein ook⟩ upper/top berth
bovenbedoeld [bn] referred to above
bovenbeen [het] upper leg, thigh
bovenbesteding [de^v] ⟨ec⟩ overspending
bovenbewust [bn, bw] conscious ⟨bw: ~ly⟩, superconscious
bovenbewustzijn [het] consciousness, superconscious, supraconscious
bovenblad [het] 1 ⟨dekblad aan een tafel⟩ top 2 ⟨bovenste blad⟩ top ♦ *het bovenblad van een **gitaar*** the belly of a guitar
bovenblijven [onov ww] 1 ⟨niet zinken⟩ stay above water 2 ⟨de overhand behouden⟩ stay on top, hold one's own
bovenbouw [de^m] 1 ⟨bovenste gedeelte van een bouwwerk⟩ superstructure 2 ⟨onderw⟩ last 2 or 3 years of secondary school, ⟨BE⟩ ± sixth form, ⟨AE⟩ ± (senior) high school ♦ *een bovenbouw **van** twee klassen* sixth form (college)
bovenbouwstudie [de^v] advanced specialist study
bovenbuur [de^m] upstairs neighbour
bovendek [het] upper deck, main deck, sun deck
bovendeks [bn] on deck
bovendeur [de] 1 ⟨bovenste halve deur⟩ upper door 2 ⟨deur boven aan de stoep⟩ front door
bovendien [bw] moreover, in addition, furthermore, besides, what's more ♦ *een verstandig, mooi **en** bovendien nog rijk meisje* a sensible, beautiful and, what's more, a rich girl; a sensible, beautiful girl, and rich at that/to boot/in(to) the bargain; *deze oplossing **heeft** bovendien nog het voordeel ...* this solution has the added advantage ...; *hij werkt hard en **is** bovendien niet onvriendelijk* he's hard-working and not unfriendly either; *hij is ontslagen en **krijgt** nog boete bovendien* he's been fired and is to get a fine to boot/in(to) the bargain/on top of that; *bovendien, hij is niet meerderjarig* besides, he's a minor
bovendominant [de] ⟨muz⟩ dominant
bovendrempel [de^m] lintel, transom, ⟨m.b.t. deur ook⟩ doorhead
bovendrijven [onov ww] 1 ⟨op, aan de oppervlakte drijven⟩ float ♦ ***komen** bovendrijven* float/rise to the surface, surface 2 ⟨de overhand krijgen⟩ prevail, predominate, rule, get the upper hand ♦ *de bovendrijvende **partij*** the ruling party ⊡ ⟨in België⟩ *olie drijft boven* (the) truth will out
bovendruk [de^m] ⟨med⟩ systolic pressure
boveneinde [het] 1 ⟨het bovenste uiteinde⟩ top, upper/top end 2 ⟨het voornaamste gedeelte⟩ head, ⟨zaal⟩ upper end ♦ *hij zat **aan** het boveneinde van de tafel* he sat at the head of the table
bovengebit [het] upper/top teeth, ⟨kunstgebit⟩ upper denture
bovengedeelte [het] upper part, top part ♦ *het bovengedeelte van een **rivier*** the upper reaches of a river
bovengenoemd [bn] above(-mentioned), mentioned/stated above ⟨pred⟩, ⟨jur⟩ (afore)said, aforecited, aforementioned ♦ ***het** bovengenoemde* the above-mentioned; ⟨jur; vnl. m.b.t. panden en erven⟩ the premises
bovengistend [bn] ⊡ *bovengistend **bier*** top fermentation beer
bovengreep [de^m] ⟨sport⟩ overgrasp
bovengrens [de] upper limit, ⟨wisk⟩ upper bound ♦ *een bovengrens **stellen** aan geluidshinder* set an upper limit for sound pollution
bovengronds [bn, bw] aboveground, surface, overground, ⟨leiding⟩ overhead ♦ *een bovengrondse **kabel/leiding*** an overground cable/wire, ⟨hoger, van de grond af⟩ an overhead cable/wire; *een bovengrondse **kruising*** a flyover; *bovengrondse **mijn*** opencast mine, ⟨AE⟩ strip-mine; *bovengrondse **mijnwerkers*** aboveground/surface workers; *bovengronds **werk** bij de mijn* grasswork
bovenhalen [ov ww] 1 ⟨omhooghalen⟩ bring to the surface, haul up 2 ⟨oproepen⟩ bring back
[1]**bovenhands** [bn] ⊡ *een bovenhandse **worp*** an overarm throw, ⟨vnl AE⟩ an overhand throw
[2]**bovenhands** [bw] ⟨met de hand boven de schouders geheven⟩ overarm, ⟨vnl AE⟩ overhand ♦ *bovenhands **gooien*** throw overarm; *bovenhands **werken*** do work above one's head
bovenharmonisch [bn] ⟨muz⟩ harmonic ♦ ⟨zelfstandig (gebruikt)⟩ *de **reeks** van bovenharmonischen* the upper partials, the harmonics, the overtones
bovenharmonische [de^m] upper harmonic
bovenhelft [de] upper half
bovenhoek [de^m] top/upper corner
bovenhouden [ov ww] keep up
bovenhuis [het] ⟨enkel⟩ upstairs flat/^Aapartment, ⟨dubbel en anderhalf⟩ maisonette ♦ *een **eerste/tweede** bovenhuis* a first/second floor flat, ⟨AE⟩ a second/third floor apartment; ⟨BE ook⟩ a first/second storey (flat); *een **vrij** bovenhuis* a self-contained flat, ⟨AE⟩ an upstairs apartment with its own staircase
bovenin [bw] at the top, on/up top ♦ *de boeken **liggen** bovenin* the books are at the/on/up top
bovenkaak [de] 1 ⟨opperkaak⟩ upper jaw ♦ *een kies **uit** de bovenkaak* a molar from the upper jaw 2 ⟨één van de twee opperkaakbeenderen⟩ upper jaw, ⟨med⟩ maxilla
bovenkamer [de] 1 ⟨kamer op een bovenverdieping⟩ upstairs room 2 ⟨hoofd⟩ ♦ *het mankeert/scheelt hem **in** zijn bovenkamer* he's funny in the head, he has bats in the belfry; ⟨sl⟩ he has apartments to let
bovenkant [de^m], **bovenzijde** [de] top
[1]**bovenkast** [de] ⟨drukw⟩ 1 ⟨kast met de hoofdletters⟩ upper case 2 ⟨lettertype⟩ upper case, capital
[2]**bovenkast** [bw] ⟨drukw⟩ in capitals ♦ *dit moet bovenkast **gezet worden*** this must be set in capitals, this must be upper-cased
bovenkleding [de^v] outer clothes/clothing/garments, outerwear
bovenkomen [onov ww] 1 ⟨aan de oppervlakte van het water komen⟩ come up, come to the surface, break (the) surface, surface ♦ *de **drenkeling** is tweemaal bovengekomen* the drowning man/woman/child has come up twice; *walvissen **moeten** bovenkomen om te ademen* whales must surface/come up for air 2 ⟨op een hogere verdieping komen⟩ come up(stairs) ♦ ***laat** hem bovenkomen!* show/send him up! 3 ⟨in iemand opwellen⟩ occur, surface ♦ *de oude **vriendschapsgevoelens** kwamen weer boven* the old feelings of friendship resurfaced
bovenkruier [de^m] smock (wind)mill
bovenlaag [de] upper layer, upper(most)/top(most)/surface layer, ⟨geol⟩ upper(most)/top(most)/surface stratum, ⟨geol⟩ superstratum, ⟨verf⟩ topcoat ♦ *de bovenlaag van de*

maatschappij the upper class; ⟨inf⟩ the upper crust/ten thousand; ⟨inf; AE⟩ the Four Hundred
bovenlader [de^m] top-loader
bovenlaken [het] top sheet
bovenlat [de] ⟨sport⟩ crossbar
bovenlaten [ov ww] [1] ⟨laten bovenkomen⟩ show up(stairs) ◆ ***wil** je hem maar bovenlaten?* will you show him up? [2] ⟨boven laten blijven⟩ leave upstairs
bovenleer [het] upper leather
bovenleiding [de^v] ⟨tram, trein⟩ overhead (contact) wire, ⟨tram, bus ook⟩ trolley wire
bovenlichaam [het] upper part of the body
bovenlicht [het] [1] ⟨licht dat van boven valt⟩ top light, overhead light [2] ⟨lichtopening boven een deur⟩ fan light, transom window
bovenliggen [onov ww] [1] ⟨boven op iemand liggen⟩ lie on top [2] ⟨iemand de baas zijn⟩ dominate, have the upper hand
bovenlijf [het] upper part of the body ◆ *met **ontbloot** bovenlijf* stripped to the waist
bovenlip [de] [1] ⟨m.b.t. personen⟩ upper lip, top lip ◆ ⟨inf⟩ *je **ruikt** je bovenlip* you can smell yourself [2] ⟨m.b.t. een bloemkelk⟩ upper lip [3] ⟨m.b.t. insect⟩ labrum
bovenloop [de^m] upper course, upper reaches/waters, headwaters ◆ ***aan** de bovenloop van de rivier* on the upper course/reaches/waters of the river, upriver
bovenmaats [bn] oversize(d), outsize
bovenmanuaal [het] upper manual
bovenmate [bw] exceedingly, extremely, beyond measure
bovenmatig [bn, bw] extreme ⟨bw: ~ly⟩, excessive ◆ *bovenmatig **schoon*** extremely beautiful
Bovenmeer [het] Lake Superior
bovenmenselijk [bn, bw] superhuman ◆ *bovenmenselijke **inspanning*** superhuman effort
bovenmodaal [bn] above-average, ⟨stat⟩ supramodal
[1]**bovennatuurlijk** [bn] ⟨r-k⟩ divine ◆ *de genade is een bovennatuurlijke **gave*** grace is a divine gift
[2]**bovennatuurlijk** [bn, bw] ⟨het natuurlijke te boven gaand⟩ supernatural ⟨bw: ~ly⟩, preternatural ◆ ⟨zelfstandig (gebruikt)⟩ ***het** bovennatuurlijke* the supernatural; *men schreef aan tovenaars bovennatuurlijke **macht** toe* magicians were accredited with supernatural powers; *een bovennatuurlijk **verschijnsel*** a supernatural phenomenon, a prodigy; ⟨helderziendheid e.d.⟩ a psychic phenomenon; *aan bovennatuurlijke **wezens** geloven* believe in supernatural beings
bovennormaal [bn] supernormal, supranormal
bovenop [bw] [1] ⟨op de bovenzijde⟩ on top ◆ *dat bedrag **komt** er nog bovenop* that amount comes on top (of it); *het er te dik bovenop **leggen*** lay it on too thick; ⟨avances ook⟩ come on too strong; ***met** chocola bovenop* topped (off) with chocolate, with chocolate topping; ⟨fig⟩ *ergens bovenop **springen**/**zitten*** pounce on sth., be (right) on the ball [2] ⟨in orde⟩ on one's feet, on one's legs ◆ *het land er financieel bovenop **brengen*** set a country on its feet (again); *iemand er weer bovenop **helpen*** put/get/set s.o. back on his feet/legs, put s.o. right; ⟨na ziekte/moeilijke tijd ook⟩ pull/bring s.o. through; *er niet meer bovenop **komen*** not pull through, not live; *hij **komt** er weer bovenop* he'll pull through; ⟨na ziekte ook⟩ he'll make it/recover, he's on the mend, he'll live; *die fabriek **komt** er wel weer bovenop* that factory will pull through/recover/will regain/find its feet; *na iedere tegenslag **komt** hij er toch weer bovenop* after every setback he just seems to bounce back/come up smiling; *de zieke **kwam** er snel weer bovenop* the patient made a quick recovery; *er weer bovenop **zijn*** be back on one's feet/legs; ⟨zieke ook⟩ have got over it, be right as rain/o.s. again; ⟨m.b.t. moeilijkheden ook⟩ have turned the corner, be out of the wood [3] ⟨onmiddellijk volgend op⟩ instantly, immediately, promptly, straight/right away ◆ *hij antwoordde er **pal** bovenop* he answered without hesitation/straight away/instantly/promptly
bovenover [bw] over/along the top
bovenpersoonlijk [bn] suprapersonal
bovenraam [het] [1] ⟨bovenste deel van een schuifraam⟩ upper window [2] ⟨venster van een bovenverdieping⟩ upstairs window [3] ⟨bovenste raamwerk⟩ upper/top window, fan light, ⟨AE⟩ transom
bovenrand [de^m] top/upper edge, top, brim
Boven-Rijn [de^m] Upper Rhine
bovenrivier [de] upper river
bovenschools [bn] meta-school, supraschool
bovensmering [de^v] upper cylinder lubrication
bovenst [bn] top, topmost, upper(most) ◆ *je bent een bovenste **beste*** you're marvellous/great, ⟨AE⟩ you're a swell guy/girl; ⟨zelfstandig (gebruikt)⟩ ***het** bovenste* the top (part); *van de bovenste **plank*** first class, blue ribbon, top-notch, of the first water; *de bovenste **verdieping*** ⟨ook fig⟩ the upper storey/^{A}story, upstairs
bovenstaand [bn] [1] ⟨hoger op dezelfde bladzijde staand⟩ above ◆ ⟨zelfstandig (gebruikt)⟩ ***het** bovenstaande* the above; *bovenstaand **schema*** the above diagram, the diagram above [2] ⟨eerder vermeld⟩ above, above-mentioned, mentioned/stated above ◆ ⟨zelfstandig (gebruikt)⟩ *in **het** bovenstaande* in the above/afore(-mentioned), in what has been stated above; ⟨jur⟩ hereinbefore
bovenstad [de] upper town ◆ *de bovenstad van **Brussel*** uptown Brussels; ***van/in/naar** de bovenstad* uptown
bovenstandig [bn] ⟨plantk⟩ [•] *bovenstandige **bloembekleedsels*** epigynous perianths; *bovenstandig **vruchtbeginsel*** superior ovary
bovenstel [het] upper part
bovenstem [de] ⟨muz⟩ treble, soprano, top, descant
bovenstrooms [bw] upstream, upriver
bovenstuk [het] top, top/upper part, ⟨van machine⟩ rider
bovenstukje [het] top ◆ ***zonder** bovenstukje* topless
bovenstuur [het] over-seat handlebars
boventallig [bn] supernumerary, ⟨niet meer nodig⟩ redundant ◆ *boventallige **krachten/medewerkers*** supernumerary staff
boventand [de^m] top/upper tooth
boventitel [de^m] surtitle
boventiteling [de^v] supertitles ⟨mv⟩, surtitles
boventoon [de^m] [1] ⟨boven alle andere uit klinkende toon⟩ dominant tone ◆ ⟨fig⟩ *de boventoon **voeren*** ⟨persoon⟩ play first fiddle, rule the roost, monopolize the conversation; ⟨gevoel⟩ predominate [2] ⟨bijtoon⟩ overtone, (upper) partial, harmonic (tone)
bovenuit [bw] above ◆ *zijn stem **klonk** overal bovenuit* his voice could be heard above everything; *hij **komt** er net bovenuit* he scarcely appears above it; *overal bovenuit **steken*** rise/tower above everything; ⟨fig ook⟩ outshine/eclipse everything
bovenverdieping [de^v] upper storey/^{A}story, upper floor, ⟨bovenste⟩ top floor/stor(e)y ◆ ***met** drie bovenverdiepingen* four-storeyed, ⟨AE⟩ four-storied; ***naar/op** de bovenverdiepingen* upstairs
bovenvermeld [bn, alleen attr] above(-mentioned), mentioned above, stated above ⟨pred⟩, (afore)said, aforecited, aforementioned
bovenvlak [het] [1] ⟨vlak dat de bovenkant vormt⟩ upper surface, top [2] ⟨wisk⟩ top face ◆ *het bovenvlak van een **kubus*** the top face of a cube
bovenwaarts [bw] upward, up(wards)
bovenwereld [de] straight world ◆ *drugswinsten van de onderwereld naar de bovenwereld overbrengen* launder drug money
bovenwijdte [de^v] chest, ⟨bij dameskleding ook⟩ bust

bovenwind [de^m] 1 ⟨wind in de bovenlucht⟩ upper wind, winds aloft ⟨mv⟩ 2 ⟨oostenwind⟩ east(erly) wind

¹bovenwinds [bn] ⟨hoger aan de wind gelegen⟩ windward ▪ *de Bovenwindse **Eilanden*** the Windward Islands

²bovenwinds [bw] ⟨scheepv⟩ ⟨aan de windzijde⟩ windward

bovenwoning [de^v] upstairs flat/^Aapartment, upstairs maisonette

bovenzees [bn] ▪ *de bovenzeese **marine*** the surface fleet

bovenzijde [de] → **bovenkant**

bovenzinnelijk [bn, bw] supersensory, supersensible ⟨bw: supersensibly⟩, transcendental, extrasensory ♦ ⟨zelfstandig (gebruikt)⟩ ***het** bovenzinnelijke* the supersensible/transcendental/metaphysical

bovien [bn] bovine

bovist [de] lycoperdacea, puffball

bowdenkabel [de^m] bowden cable

bowl [de^m] 1 ⟨kom, schaal⟩ punch bowl 2 ⟨drank⟩ punch, cup ♦ *een bowl **maken*** mix a punch/cup

bowlen [onov ww] ⟨sport⟩ 1 ⟨bowling spelen⟩ bowl, play tenpins ♦ ***gaan** bowlen* go bowling 2 ⟨cricket⟩ bowl

¹bowling [het] ⟨spel⟩ bowling (game), (game of) tenpins, tenpin bowling

²bowling [de] ⟨gebouw⟩ bowling alley

bowlingbaan [de] 1 ⟨waarlangs de ballen geworpen worden⟩ bowling alley, bowling lane 2 ⟨baan, kegels, ballen⟩ bowling alley, bowling lane

bowlingclub [de] bowling club

bowls [het] bowls

box [de^m] 1 ⟨speaker⟩ (loud-)speaker 2 ⟨stalling voor één paard⟩ (loose) box, stall, stable 3 ⟨plaats voor één auto⟩ garage, ⟨BE⟩ lock-up (garage) 4 ⟨zitje in een café⟩ box, alcove 5 ⟨bergruimte⟩ storeroom, box room, ⟨BE⟩ lock up 6 ⟨loophek⟩ (play)pen 7 ⟨fototoestel⟩ box camera 8 ⟨verzamelcassette⟩ collector's box

boxcalf [het] box calf

boxer [de^m] 1 ⟨hond⟩ boxer 2 ⟨boxershort⟩ boxer shorts ⟨mv⟩

boxermotor [de^m] horizontally opposed engine, ⟨2-cilindermotor⟩ flat engine

boxershort MEERVOUD [de^m] boxer shorts ⟨mv⟩

boxpakje [het] romper suit, Babygro

boy [de^m] boy

boycot [de^m] boycott ♦ *de culturele boycot **tegen/van** Zuid-Afrika* the cultural boycott against/of South Africa

boycotactie [de^v] boycott

boycotten [ov ww] boycott, ⟨persoon/firma ook⟩ freeze out ♦ ***goederen** boycotten* boycott goods

¹boze [de^m] ⟨goddeloze⟩ wicked person, sinful/evil person ♦ *het is **uit** den boze* ⟨zondig⟩ it is wicked/sinful; ⟨ontoelaatbaar⟩ it is fundamentally/altogether wrong/absolutely forbidden

²boze [het] ⟨het kwaad⟩ evil, wickedness, sin

Boze [de^m] ⟨de Duivel⟩ Evil One, Wicked One, Adversary, Enemy ♦ ***verlos** ons van de(n) Boze* deliver us from evil

bozig [bn] bad-tempered, cross

B-ploeg [de] ⟨sport⟩ reserve team, second (team)

¹bpm [de^mv] (beats per minute) bpm

²bpm [de^mv] (belasting personenauto's en motoren) tax on passenger cars and motorcycles

bps [de^mv] ⟨comp⟩ (bits per second) bps

br. [afk] 1 (breed(te)) w 2 (bruto) gr 3 (broeder) Br

braadboter [de] concentrated butter

braadjus [de^m] gravy

braadkip [de] fryer, broiler, roasting chicken

braadlucht [de] ⟨op vuur⟩ smell of frying, ⟨in oven⟩ smell of roasting

braadoven [de^m] oven, roaster

braadpan [de] casserole, Dutch oven, cooking pot

braadschotel [de] 1 ⟨voorwerp⟩ roasting tin, roaster 2 ⟨gerecht⟩ roast, fry

braadslee [de] 1 ⟨braadschotel⟩ roasting tin, roaster 2 ⟨verdiepte ovenplaat⟩ roasting tin

braadspit [het] (roasting) spit, broach, ⟨draaiend⟩ turnspit

braadstuk [het] roast, roasting-joint, ⟨gevogelte⟩ roaster

braadvet [het] 1 ⟨om mee te braden⟩ cooking/frying fat 2 ⟨uitgebraden vet⟩ dripping

braadworst [de] (frying) sausage

braadzak [de^m] roasting bag

braaf [bn, bw] 1 ⟨rechtschapen⟩ good, honest, ⟨vaak iron⟩ respectable, decent ♦ *een brave **borst/ziel/vent*** a good soul/^Aguy, a solid fellow, ⟨BE⟩ an honest burgher; *de kinderen **zijn** heel braaf **geweest*** the children have been as good as gold 2 ⟨niets verkeerd doende⟩ good, well-behaved, obedient, ⟨pej⟩ goody-goody, virtuous ♦ *braaf **beessie*** good dog(gy); ***zij deden** braaf alles wat hun werd opgedragen* they dutifully/obediently did all they were told; *hij **heeft** braaf **gehandeld*** he has done the right thing; *wees een brave **jongen**, en eet je bord leeg* eat your food, there's/that's a good boy; *braaf zo, dat is braaf!* there's a dear/a good boy/girl! 3 ⟨argeloos⟩ innocent, artless ♦ ⟨pej⟩ *een braaf **gezicht zetten*** look as if butter wouldn't melt in one's mouth, assume a sanctimonious/pious expression

braafheid [de^v] goodness, decency, honesty, ⟨soms iron⟩ respectability, ⟨vnl pej⟩ virtue, ⟨gehoorzaamheid ook⟩ obedience

¹braak [de] 1 ⟨inbraak⟩ breaking, ⟨gebouw ook⟩ burglary, ⟨kluis⟩ cracking, ⟨slot⟩ picking ♦ ***diefstal** met braak* breaking and entering, burglary 2 ⟨werktuig⟩ brake

²braak [bn] 1 ⟨onbebouwd⟩ fallow, waste, out of crop, untilled ♦ *braak **laten liggen*** leave/lay fallow, rest, let lie fallow; *'s zomers braak **laten liggen*** summer-fallow; *'s winters braak **laten liggen*** winter-fallow; *braak **liggen*** lie fallow/waste, rest, be out of crop 2 ⟨fig⟩ fallow, undeveloped, unexplored ♦ *die **kennis ligt** braak* that knowledge lies fallow; *er **ligt** nog een heel **terrein** braak voor je* there is still a wide (unexplored) field open to you

braakbal [de^m] pellet

braakgas [het] vomiting gas

braakjaar [het] year of rest

braakland [het] fallow, fallow land/ground/fields, refuse/untilled/waste land

braakliggend [bn, alleen attr] fallow, undeveloped ♦ *braakliggend **terrein*** wasteland

braakmiddel [het] emetic, vomitive, vomitory

braakneiging [de^v] qualm, queasiness

braakpoeder [het] emetic powder

braakschade [de^v] damage by burglary, damage through breaking and entering

braaksel [het] vomit, ⟨inf⟩ sick, puke

braam [de] 1 ⟨oneffen rand⟩ burr, bur 2 ⟨spoor van het slijpen⟩ wire edge ♦ *de braam **eraf rijden*** ⟨van geslepen schaatsen⟩ skate the wire edge off (skates), break in (skates) 3 ⟨struik⟩ blackberry(-bush), ⟨wild⟩ bramble 4 ⟨bes⟩ blackberry ♦ *bramen **gaan plukken*** go blackberrying/brambling ▪ *de braam **afnemen/verwijderen** van* trim, smooth

braambes [de] blackberry

braambos [het] bramble (bush), ⟨gecultiveerd⟩ blackberry(-bush) ♦ *het **brandende** braambos* the burning bush

braamsluiper [de^m] lesser whitethroat

braamstruik [de^m] bramble (bush), ⟨gecultiveerd⟩ blackberry (bush)

braamvlinder [de^m] peach-blossom

Brabançonne [de^v] 'Brabançonne', national anthem of Belgium

Brabander [de^m] ♦ *de **Spaanse** Brabander* the Spanish Brabanter; *Brabander **zijn*** be from Brabant

Brabant [het] Brabant
Brabants [bn] Brabant
brabbelen [ov ww, ook abs] babble, jabber, gibber, ⟨langzaam, dromerig⟩ maunder, talk baby-talk ◆ *hij begint al wat te brabbelen* he's starting to babble
brabbeltaal [de] gibberish, double Dutch, mumbo-jumbo, baby-talk
brace [de^{m}] brace ◆ *enkelbrace* ankle brace
bracelet [de^{m}] [1] ⟨armband⟩ bracelet [2] ⟨handboei⟩ handcuff, manacle, ⟨mv ook; inf⟩ bracelets, cuffs
brachiaal [bn] brachial
brachycefaal [bn] brachycephalic, brachycephalous ◆ ⟨zelfstandig (gebruikt)⟩ *de brachycefalen* the brachycephals/brachycephali
brachygrafie [de^{v}] brachygraphy, stenography, shorthand
brachytherapie [de^{v}] brachytherapy, sealed source radiotherapy
^{1}**bracteaat** [de] ⟨munt⟩ bracteate
^{2}**bracteaat** [bn] ⟨plantk⟩ bracteate
bractee [de^{v}] ⟨plantk⟩ bract
braden [ov ww, ook abs] [1] ⟨m.b.t. vlees, gevogelte⟩ ⟨in oven, aan spit, bij open vuur⟩ roast, ⟨met vet op fornuis⟩ fry, ⟨in gesloten pan⟩ pot-roast, ⟨op rooster⟩ grill, ⟨AE⟩ broil ◆ *appels braden* bake apples; *bruin braden* ⟨vlees⟩ (roast/fry/grill/broil) brown; toast, roast (o.s.) brown, get toasted/^{A}broiled; *gebraden gehakt* meatloaf; *een stuk gebraden kalfsvlees* a joint of roast veal [2] ⟨m.b.t. de zon⟩ roast, broil, bake ◆ *in de zon liggen braden* roast (o.s.) in the sun
braderie [de^{v}] fair
braderij [de^{v}] [1] ⟨plaats waar men braadt⟩ rotisserie [2] ⟨braderie⟩ fair
bradertjes [de^{mv}] fried new potatoes
brahmaan [de^{m}] [1] ⟨aanhanger van het brahmanisme⟩ Brahman, Brahmin [2] ⟨lid van de hoogste kaste⟩ Brahman, Brahmin
brahmaans [bn] Brahmanic(al)
brahmanisme [het] Brahmanism, Brahminism
braille [het] braille ◆ *in braille gedrukt* printed in braille, brailled; *in braille omzetten/transcriberen* braille, transcribe into braille
brailleschrift [het] braille
braindrain [de^{m}] brain drain
brainmachine [de^{m}] brain machine
brainport [de^{m}] brainport
brainstormen [onov ww] do some brainstorming ◆ *brainstormen over* brainstorm on
brainstorming [de] brainstorming
brainstormsessie [de^{v}] brainstorming session
braintrust [de^{m}] think tank, ⟨AE⟩ brain trust
brainwashing [de] brainwashing
brainwave [de^{m}] brain wave
braiseren [ov ww] braise
^{1}**brak** [de^{m}] [1] ⟨jachthond⟩ beagle, harrier, basset (hound) ◆ *met brakken jagen* beagle, go beagling [2] ⟨bengel⟩ urchin, brat, young rogue, gamin
^{2}**brak** [bn] [1] ⟨zout⟩ brackish ◆ *brakke grond* brackish soil [2] ⟨gammel⟩ the worse for wear, rough ◆ *zich brak voelen* feel the worse for wear, feel rough
^{1}**braken** [onov ww] [1] ⟨walgen⟩ loathe ◆ *ik braak ervan* I loathe it, it makes me sick, it turns my stomach, it disgusts/revolts/nauseates me; ⟨heb er genoeg van⟩ I'm sick of it, it makes me puke [2] ⟨braak liggen⟩ lie fallow/waste, rest, be out of crop
^{2}**braken** [ov ww, ook abs] [1] ⟨overgeven⟩ vomit, ⟨vnl BE⟩ be sick, ↓ throw/heave up, ↑ regurgitate, ⟨inf⟩ puke ◆ *bloed braken* vomit/regurgitate blood; *zijn hart uit zijn lijf braken* heave one's heart up; ⟨fig⟩ *de vulkaan braakt vlammen* the volcano belches (out/forth)/vomits flames; *ze heeft de hele keuken onder gebraakt* she threw up/was sick all over the kitchen [2] ⟨braak laten liggen⟩ lay fallow, leave fallow, rest, let lie fallow [3] ⟨stengels kneuzen, breken⟩ brake, scutch
brallen [onov ww] brag, bluster, boast, crow
brallerig [bn] blustering, bragging
bramzeil [het] ⟨scheepv⟩ topgallant (sail)
brancard [de^{m}] stretcher, litter ◆ *ze moet per brancard vervoerd worden* she's a stretcher-case, ⟨sl; AE⟩ she's a carry; *per brancard afvoeren/van het veld dragen* stretcher off
brancardier [de^{m}] stretcher-bearer, ⟨mv ook⟩ stretcher party
branche [de] [1] ⟨afdeling⟩ branch, department, ⟨handel ook⟩ line (of business), (branch of) trade ◆ *een reiziger in een of andere branche* a salesman in some branch (of trade)/line (of business)/trade or other; *dat is zijn branche niet* that's not his department/line/field [2] ⟨lit⟩ 'branche', text, poem, working, version
brancheorganisatie [de^{v}] professional/trade/industry/sector organization/association
branchevereniging [de^{v}] professional/trade/industry/sector organization, professional/trade/industry/sector association
branchevervaging [de^{v}] diversification
branchevreemd [bn] not in one's line (of business), outside the sector
brand [de^{m}] [1] ⟨vertering door vuur⟩ fire ◆ *er is gevaar voor brand* there is a fire hazard/risk; *in brand staan* be on fire/afire/ablaze/aflame/in flames, burn, be burning; *in brand raken/vliegen* catch fire/alight, burst into flames; ⟨ontbranden⟩ ignite; ⟨fig⟩ *de wereld staat in brand* the world is in flames; *een boom in brand steken* make/pass water against a tree, ↓ pee against a tree; *papier/krullen in brand steken* set paper/shavings on fire/afire/alight, put/set a match to paper/shavings, set fire to/fire paper/shavings; ⟨fig⟩ *hij steekt zijn huis in brand, om zich aan de kolen te warmen* he's his own worst enemy, he's cutting his own throat, he's standing in his own light, he's cutting off his nose to spite his face; *er is brand uitgebroken* a fire has started, there has been an outbreak of fire; *er is een hevige brand uitgebroken* a fierce blaze has broken out; ⟨fig⟩ *gearmd naar de brand* hand in hand, side by side; *er de brand in steken* ⟨sigaar, pijp⟩ light up; *er was brand op je kamer/bij de buren* your room/the neighbours' house was on fire, there was a fire in your room/at the neighbours' house; *weet je ook al van de brand?* ⟨fig⟩ have you heard the news?; *de brand van de zon* the heat of the sun; *er is brand!* (there's a) fire! [2] ⟨geval van brand⟩ fire, ⟨fel, uitslaand⟩ blaze, ⟨groots⟩ conflagration, burnout ◆ *die brand is weer geblust* ⟨fig⟩ so much for that, that's that, it's been put right/to rights; *de brand is waarschijnlijk opzettelijk aangestoken* the fire was probably started wilfully/on purpose; *een korte, hevige brand* a flash fire; *brandjes maken* make fires; *brand meester* fire under control [3] ⟨problematische situatie⟩ fix, scrape, predicament, spot, hole ◆ *in de brand zitten* be in hot water, be in a fix/scrape/predicament/spot/hole; *uit de brand zijn* be out of the wood, come in from/out of the cold; *iemand uit de brand helpen* help s.o. out (of a fix/scrape/...); ⟨bij geldnood⟩ bridge/tide s.o. over [4] ⟨het gloeien van lichaam(sdeel)⟩ heat, inflammation, fire, ⟨bij brandwond/zonnebrand⟩ burn(ing) ◆ *zijn keel staat in brand* he must be parched; *de brand eruit trekken met lijnolie* draw out the heat with linseed oil [5] ⟨ziekte ten gevolge van ontsteking⟩ inflammation ◆ *brand aan de mond hebben* have cold sores/fever blisters on one's mouth; *de koe is gestorven aan brand* the cow died of the fever; *brand in de ingewanden/longen* inflammation of the intestines/lungs; *brand in het gezicht/aan het voorhoofd hebben* have a rash on one's face/forehead; ⟨door zeer warm weer⟩ suffer from prickly heat on one's face/forehead [6] ⟨geestdrift, hartstocht⟩ fire, heat ◆ *Venus' brand* the fire of love, the heat of passion [7] ⟨ziek-

te in gewas⟩ smut, blight, rust, ergot [8] ⟨brandstof⟩ fuel, firing [•] ⟨sprw⟩ *een kleine vonk ontsteekt weleens een grote brand* little sparks kindle great fires

brandade [de^{v}] brandade

brandalarm [het] fire alarm/call, ⟨stil alarm⟩ still (alarm)

brandassurantie [de^{v}] fire insurance

brandbaar [bn] combustible, ⟨licht ontvlambaar⟩ (in)flammable ◆ *benzine is zeer brandbaar* ^{B}petrol/^{A}gasoline is highly combustible/(in)flammable; *(zeer) brandbare stof* a combustible, an inflammable, a (highly) combustible/inflammable material

brandbestrijding [de^{v}] fire fighting

brandbeveiliging [de^{v}] fire protection, ⟨systeem⟩ fire protection system

brandblaar [de] blister

brandblusinstallatie [de^{v}] sprinkler system

brandblusser [de^{m}] (fire) extinguisher

brandbom [de] fire bomb, incendiary (bomb) ◆ *(een) brandbom(men) gooien naar, met brandbommen bombarderen* fire bomb

brandbrief [de^{m}] dun, dunning letter, ⟨niet financieel⟩ pressing letter

brandcilinder [de^{m}] incendiary (device)

branddating [de] brand dating

branddeur [de] [1] ⟨nooduitgang⟩ fire exit [2] ⟨deur in een brandmuur⟩ fire door, fireproof/fire-resistant door

^{1}**branden** [onov ww] [1] ⟨verbranden⟩ burn, be on fire, ⟨fel⟩ blaze ◆ *uit zichzelf beginnen te branden* burst into flame/ignite spontaneously; *het gas brandt te hoog* the gas is too high; *droog hout brandt fel* dry wood burns fiercely; *een brandend perceel/huis* a burning building/house, a building/house on fire; *het vliegtuig stortte brandend neer* the plane crashed in flames; *hij keek of hij water zag branden* he stared in utter amazement, he was thunderstruck/dumbfounded/flabbergasted [2] ⟨licht, warmte uitstralen⟩ burn ◆ *feller/minder fel gaan branden* burn up, burn down/low; *de kachel brandt lekker* the (gas-)fire is burning nicely, ⟨met hout⟩ the stove is burning nicely; *de lamp brandt* the lamp is on; *de kachel/alle lampen laten branden* leave the (gas-)fire/lights (turned) on/burning; *dit stelletje brandt op petroleum* this stove burns ^{B}paraffin/^{A}kerosene [3] ⟨smeulen⟩ burn ◆ *een brandende pijp/sigaar* a burning/lit pipe/cigar [4] ⟨m.b.t. lichaamsdelen⟩ burn ◆ *mijn hoofd brandt* my head is burning/throbbing; ⟨fig⟩ *branden van verlangen* burn with desire; ⟨fig⟩ *branden van nieuwsgierigheid* burn with/die of/be devoured/consumed by/be bubbling (over) with curiosity; ⟨fig⟩ *branden van liefde/hartstocht/wraak* be aflame/burn with love/passion/revenge; *die wonden branden* those wounds are inflamed [5] ⟨hitte afgeven⟩ ⟨ook fig⟩ burn ◆ ⟨fig⟩ *een brandende dorst* raging thirst; *brandende hitte* burning/torrid heat; *cognac brandt in de keel* brandy burns the/one's throat; ⟨fig⟩ *het geld brandt in zijn zak* money burns a hole in his pocket; ⟨fig⟩ *brandende liefde* burning love; ⟨fig⟩ *de vraag brandde mij op de lippen* the question trembled on my lips/was on the tip of my tongue, I was burning/dying/itching to ask; ⟨fig⟩ *brandend verlangen* fervent/ardent/burning desire; ⟨fig⟩ *een brandend vraagstuk* a burning issue; *de zon brandt* the sun is burning/blazing; *de zon brandde op mijn weg* the sun beat/blazed down on my back [•] *ik ben er niet op gebrand* I'm not all that keen (on it)/not crazy about it; *het brandt niet* ⟨fig⟩ there's no hurry/rush; *hij is niet vooruit te branden* he won't get up off his ass; *niet vooruit te branden zijn* ⟨lui⟩ have a bone in one's arm/leg; ⟨langzaam⟩ be as slow as molasses; *ze was het huis niet uit/de school niet in te branden* there was no way of getting her out of the house/into school

^{2}**branden** [ov ww] [1] ⟨door vuur doen verteren⟩ burn ◆ *wierook branden* burn incense [2] ⟨schroeien, door middel van vuur bewerken⟩ burn, ⟨aan heet water/stoom⟩ scald, ⟨noten, koffie e.d.⟩ roast, ⟨brandmerken⟩ brand, ⟨tot alcohol⟩ distil ◆ *gebrande amandelen/pinda's* roast(ed) almonds/peanuts, ⟨met suiker⟩ burnt almonds/peanuts; *een gat in een kleed branden* burn a hole in a carpet; *gips branden* calcine/burn/roast gypsum; *glas branden* stain glass; *hout branden* ⟨krommen⟩ warp wood; ⟨versieren, kleuren⟩ decorate wood by pyrography/with poker work; *kalk branden* burn chalk/lime; *porselein/stenen branden* fire/bake china/bricks; ⟨stenen ook⟩ burn bricks; *een schip branden* bream a ship [3] ⟨vastleggen⟩ burn, brand ◆ *die gebeurtenis is in mijn herinnering gebrand* that event has been burnt into/branded on my memory [4] ⟨door vuur bezeren⟩ burn, scorch, scald ◆ *zich aan de kachel branden* burn one's hand on the (gas-)fire; *zich aan brandnetels branden* be stung by nettles; ⟨kinderspel⟩ *je brandt je* you're burning/(getting) hot; *zijn tong branden* burn one's tongue; *zijn vingers/zich de vingers branden* ⟨fig⟩ burn one's fingers, get one's fingers burnt, sear one's wings [5] ⟨gat, merk⟩ burn [6] ⟨cd, dvd⟩ burn [•] ⟨sprw⟩ *wie zijn billen brandt, moet op de blaren zitten* as you sow, so shall you reap; as you make your bed, so must lie on it; ⟨sprw⟩ *beter hard geblazen dan de mond gebrand* better (be) safe/sure than sorry

brandend [bw] [•] *brandend heet* burning hot; ⟨vloeistof ook⟩ scalding hot; ⟨weer ook⟩ baking/roasting/broiling (hot)

brander [de^{m}] [1] ⟨uiteinde van een gasbuis⟩ burner [2] ⟨persoon⟩ burner, ⟨kolenbrander⟩ charcoal burner, ⟨drankstoker⟩ distiller, ⟨illegaal⟩ moonshiner [3] ⟨gesch; schip⟩ fire ship

branderig [bn] [1] ⟨bijtend⟩ irritant, caustic ◆ *branderig sap van planten* irritant sap of plants [2] ⟨ontsteking vertonend⟩ inflamed, ⟨ogen, huid⟩ burning, irritated ◆ *een branderige wond* an inflamed wound

branderij [de^{v}] [1] ⟨werkplaats waar gebrand wordt⟩ roasting house [2] ⟨plaats waar gedistilleerd wordt⟩ distillery

brandewijn [de^{m}] brandy ◆ *vruchten op brandewijn* brandied fruits

brandgang [de^{m}] ⟨in bos⟩ fire lane, firebreak, ⟨tussen huizen⟩ narrow lane/alley/passage (to prevent fire spreading)

brandgans [de] barnacle goose

brandgel [de^{m}] fire gel

brandgevaar [het] fire hazard, fire risk ◆ *bestrijding van brandgevaar* fire prevention; *extra maatregelen tegen brandgevaar* extra fire precautions

brandgevaarlijk [bn] (in)flammable ◆ *een brandgevaarlijk gebouw* a fire trap; *brandgevaarlijke stoffen* flammable materials, fire risks

brandgevel [de^{m}] fire wall, fire break/guard

brandglas [het] burning glass

brandhaard [de^{m}] seat of a fire, ⟨fig⟩ hotbed

brandhelder [bn] spotless, immaculate

brandhout [het] [1] ⟨hout bestemd tot verbranden⟩ firewood ◆ *dat is brandhout* ⟨fig⟩ that's junk/no good/^{A}trash/^{A}garbage, that stinks; *een stapel brandhout* a woodpile [2] ⟨stuk hout om te verbranden⟩ firewood

brandijzer [het] [1] ⟨om wonden dicht te branden⟩ cauterizing iron [2] ⟨om een merk in te branden⟩ branding iron, brand, searing iron

^{1}**branding** [de^{m}] ⟨het gebruiken van een merknaam⟩ branding

^{2}**branding** [de^{v}] surf, ⟨golven⟩ breakers ◆ *de branding slaat op de kust/rolt aan/gaat liggen* the breakers dash against the coast/come rolling in/subside

brandkast [de] safe

brandkastkraker [de^{m}] safeblower, safebreaker, safecracker, ⟨sl ook⟩ peterman

brandkeur [de] brand

brandkist [de] strongbox

brandklok [de] fire bell, fire alarm ◆ ⟨fig⟩ *de brandklok lui-*

den kick up a fuss
brandkluis [de] strong room, vault
brandkogel [de^m] incendiary (device/projectile)
brandkoren [het] smutty corn, smutted/blighted/rusted corn, scald
brandkraan [de] (fire) hydrant, fireplug
brandlaan [de] firebreak, fireguard
brandladder [de] 1 ⟨op een wagen gemonteerde ladder⟩ fire ladder, scaling ladder 2 ⟨om een gebouw te kunnen verlaten⟩ escape ladder
brandlucht [de] smell of burning, burnt/burning smell
brandmeester [de^m] chief fireman
brandmelder [de^m] fire alarm, ⟨installatie⟩ fire alarm system, smoke detector system
brandmelding [de^v] fire alarm
brandmerk [het] 1 ⟨ingebrand merk⟩ brand(mark) 2 ⟨schandmerk⟩ brand(mark) 3 ⟨fig⟩ brand, mark, ⟨form⟩ stigma ♦ *dat **heeft** een brandmerk op hem **gedrukt*** it has branded/marked him (for life); *het brandmerk van het **verraad*** the brand/mark/stigma of a traitor/of treachery
brandmerken [ov ww] 1 ⟨met een brandmerk tekenen⟩ brand 2 ⟨fig⟩ brand, mark, ⟨form⟩ stigmatize ♦ ***iets als onzedelijk** brandmerken* brand sth. (as) obscene
brandmuur [de^m] fire(proof) wall
brandnetel [de] (stinging-)nettle
brandnetelsoep [de] nettle soup
brandoffer [het] burnt offering
brandpiket [het] fire ^B officer/^A marshall, ⟨scheepv⟩ fire combat stations ⟨mv⟩ ♦ *brandpiket **hebben*** be the/a fire officer/marshall
brandplaat [de] heat screen
brandplek [de] burn
brandpreventie [de^v] 1 ⟨voorzorgsmaatregel⟩ fire precaution 2 ⟨geheel van maatregelen⟩ fire prevention
brandpunt [het] 1 ⟨focus⟩ focus ♦ ***denkbeeldig/virtueel** brandpunt* virtual focus; ***in** een brandpunt (doen) **samenkomen/brengen*** focus, focalize 2 ⟨fig; middelpunt⟩ focus, centre ♦ *Athene was een brandpunt van **wetenschap*** Athens was a centre of learning 3 ⟨wisk⟩ focus
brandpuntsafstand [de^m] focal distance/length
brandschade [de] damage by fire, damage due to fire, ⟨verz⟩ loss by fire, loss due to fire, fire damage, ⟨verz⟩ fire loss ♦ *brandschade **aan** een **woning*** fire damage to a house; ***tegen** brandschade **verzekerd zijn*** be insured against fire (damage), have fire insurance
brandschatten [ov ww] 1 ⟨onder dreiging een schatting opleggen⟩ exact a levy under threat (of pillage and fire raising) 2 ⟨uitplunderen⟩ pillage, plunder, loot, despoil, ravage
brandscherm [het] 1 ⟨scherm dat een ruimte kan afsluiten⟩ fire wall, ⟨in schouwburg; BE⟩ safety curtain 2 ⟨vonkenscherm⟩ ⟨vnl BE⟩ fireguard, ⟨vnl AE⟩ fire screen
brandschilderen [ov ww] 1 ⟨m.b.t. glas⟩ stain 2 ⟨m.b.t. ander materiaal⟩ ⟨hout, leer enz.⟩ burn designs/... on, burn designs/... into ♦ ***het** brandschilderen van **hout/leer*** pyrography
brandschimmel [de^m] smut
brandschoon [bn] 1 ⟨geheel schoon⟩ spotless, (as) clean as a new pin, (as) clean as a whistle, spick-and-span 2 ⟨op wie, waarop niets aan te merken is⟩ spotless, blameless, innocent, ⟨inf⟩ clean ♦ *de beklaagde **bleek** brandschoon* the accused turned out to be completely innocent; *bij de alcoholcontrole **bleken de automobilisten niet allen** brandschoon* the breath test showed some of the motorists to be less than sober
brandslang [de] fire-hose
brandspiegel [de^m] burning-mirror
brandspiritus [de^m] methylated spirit(s), ⟨inf; BE⟩ meths, ⟨AuE; inf⟩ metho
brandspuit [de] fire engine ♦ ***drijvende** brandspuit* fireboat, firefloat
brandspuitgast [de^m] ⟨man⟩ fireman, ⟨vrouw⟩ firewoman
brandstapel [de^m] stake, ⟨voor lijkverbranding⟩ funeral pyre/pile ♦ ***op** de brandstapel **moeten/sterven/komen*** go to/die at/be burnt/^A burned at the stake; ***tot** de brandstapel **veroordeeld zijn*** be sentenced/sent to the stake
brandsteen [de^m] firebrick, refractory brick
brandstichten [onov ww] commit arson, raise/start a fire
brandstichter [de^m], **brandstichtster** [de^v] arsonist, fire-raiser, ⟨inf⟩ firebug ♦ *een **groepje** brandstichters* a gang of arsonists/fire-raisers, fire-raising gang
brandstichting [de^v] arson, fire-raising ♦ ***schuldig aan** brandstichting* guilty of arson
brandstichtster [de^v] → **brandstichter**
brandstof [de] 1 ⟨stof ter verwarming, om beweegkracht te leveren⟩ fuel ♦ ***fossiele** brandstoffen* fossil fuels; *brandstof **innemen*** fuel up; ***nieuwe** brandstof **innemen*** refuel; ***natuurlijke** brandstoffen* natural fuels; ***synthetische** brandstoffen* synthetic/man-made fuels; ***vaste** brandstof* solid fuel 2 ⟨stof die energie vrijmaakt⟩ fuel 3 ⟨fig⟩ fuel
brandstofbesparend [bn] fuel-saving
brandstofbesparing [de^v] saving of fuel, fuel savings
brandstofcel [de] fuel cell
brandstofelement [het] fuel element
brandstofpomp [de] fuel pump
brandstofprijs [de^m] fuel price
brandstofschaarste [de^v] fuel shortage
brandstoftank [de^m] fuel tank
brandstoftoeslag [de^v] fuel surcharge
brandstofverbruik [het] fuel consumption
brandtrap [de] fire escape
branduur [het] burning-hour
brandveilig [bn] fireproof, fire-resistant
brandveiligheid [de^v] fire safety
brandverf [de] ⟨op hout, leer enz.⟩ pigment/paint used in pyrography, ⟨op glas⟩ pigment/paint used in the technique of stained glass
brandversneller [de^m] fire accelerant
brandvertrager [de^m] fire retardant
brandverzekering [de^v] fire insurance
brandvos [de^m] 1 ⟨vos met zwarte pluim aan de staart⟩ red fox (with a black-tipped brush) 2 ⟨paard⟩ sorrel (horse)
brandvrij [bn] fireproof, fire-resistant ♦ *brandvrije **kluizen*** fireproof vaults; *brandvrij **maken*** fireproof; *een brandvrij **vertrek*** a fireproof room
[1]**brandwacht** [de^m] 1 ⟨brandweerman in wachtdienst⟩ fireman on duty/stand-by/call 2 ⟨brandweerman van de laagste rang⟩ fireman
[2]**brandwacht** [de] 1 ⟨afdeling⟩ firemen on duty/stand-by/call 2 ⟨het houden van wacht⟩ duty/stand-by (as a fireman)
brandweer [de] fire brigade/^A department ♦ *de brandweer **alarmeren*** call (out) the fire brigade/^A department, ⟨form⟩ alert the fire brigade/^A department
brandweerauto [de^m] fire engine
brandweercommandant [de^m] ⟨BE⟩ (senior) fire officer, ⟨AE⟩ fire chief
brandweergreep [de^m] fireman's lift
brandweerhelm [de^m] fireman's helmet
brandweerkazerne [de] fire station, ⟨AE ook⟩ firehouse, station house
brandweerkorps [het] fire brigade/^A department
brandweerman [de^m] fireman, fire fighter
brandweeroefening [de^v] fire drill/practice
brandweg [de^m] firebreak
brandwerend [bn] fire-resistant
brandwond [de] burn, ⟨door vloeistof⟩ scald ♦ ***met** brand-*

wonden ***overdekt*** covered in burns, burnt/^{A}burned all over (one's body)
brandwondencentrum [het] burns unit
brandy [de^{m}] brandy
brandzalf [de] ointment for burns (and scalds)
brandziekte [de^{v}] smut
brandzwam [de] smut
branie [de] [1] ⟨kranig persoon, durfal⟩ ⟨durfal⟩ daredevil, ⟨bluffer⟩ swaggerer, ⟨AE⟩ blowhard, ⟨BE ook⟩ swank(pot) [2] ⟨kranigheid, drukte⟩ ⟨kranigheid⟩ daring, pluck, ⟨drukte⟩ swagger(ing), swank ♦ ***wat*** *een branie* what swagger/swank!
branieschopper [de^{m}] show-off, swaggerer, ⟨AE⟩ blowhard
bras [de^{m}] [1] ⟨scheepv⟩ brace ♦ ***grote*** *brassen* main braces [2] ⟨rijst⟩ (uncooked,) hulled rice
brasem [de^{m}] bream
braseren [ov ww] solder
braspartij [de^{v}] binge, orgy (of eating and drinking), ⟨inf⟩ blow-out
brassband [de^{m}] brass band
^{1}**brassen** [onov ww] ⟨overdadig eten en drinken⟩ binge, guzzle, have an orgy (of eating and drinking), ⟨inf⟩ have a (regular) blow-out, make a pig of o.s.
^{2}**brassen** [ov ww, ook abs] ⟨scheepv⟩ brace ♦ ***breed*** *brassen* brace up; ***langsscheeps*** *brassen* traverse, brace fore and aft; ***vierkant*** *brassen* square (away); *bij de* ***wind*** *brassen* haul to/(up)on the wind
brasser [de^{m}] guzzler, carouser, rioter
brasserie [de^{v}] brasserie
brassière [de] brassiere, ⟨inf⟩ bra
Bratislava [het] Bratislava
bratra [het] squad specialized in squat eviction
bratsch [de^{m}] viola
bravissimo [tw] bravissimo
^{1}**bravo** [het] bravo
^{2}**bravo** [tw] bravo!, ↓well done!, ⟨overeenstemming⟩ hear! hear!
bravoure [de] [1] ⟨zelfverzekerdheid⟩ bravura ♦ ***vol/met*** *veel bravoure* dashing [2] ⟨muz; moeilijke passage⟩ bravura
bravoureaira [de] bravura (aria)
bravourestuk [het], **bravourestukje** [het] piece of bravado, ⟨stuntje met auto/vliegtuig⟩ stunt
bravourestukje [het] → **bravourestuk**
braziel [het] [1] ⟨houtsoort⟩ brazil(wood) [2] ⟨tabak⟩ Brazilian tobacco
Braziliaan [de^{m}], **Braziliaanse** [de^{v}] ⟨man & vrouw⟩ Brazilian, ⟨vrouw ook⟩ Brazilian woman/girl
Braziliaans [bn] Brazilian
Braziliaanse [de^{v}] → **Braziliaan**
Brazilië [het] Brazil

Brazilië

naam	*Brazilië* **Brazil**
officiële naam	*Federale Republiek Brazilië* **Federative Republic of Brazil**
inwoner	*Braziliaan* **Brazilian**
inwoonster	*Braziliaanse* **Brazilian**
bijv. naamw.	*Braziliaans* **Brazilian**
hoofdstad	*Brasilia* **Brasilia**
munt	*real* **real**
werelddeel	*Amerika* **America**

int. toegangsnummer **55** www **.br** auto **BR**

BRD [de^{v}] (Bundesrepublik Deutschland) FRG
break [de^{m}] [1] ⟨tennis⟩ (service) break, break of service, break of serve [2] ⟨bokssp⟩ break [3] ⟨snelle tegenaanval⟩ break [4] ⟨rijtuig⟩ break [5] ⟨stationcar⟩ ⟨BE⟩ estate (car), ⟨AE⟩ station wagon [6] ⟨pauze⟩ break
breakdancen [onov ww] break-dance
breakdancing [het] breakdancing
breakdansen [onov ww] break-dance
breakdown [de^{m}] ⟨elek⟩ breakdown
^{1}**breaken** [onov ww] ⟨breakdansen⟩ break, break-dance
^{2}**breaken** [ov ww] ⟨tennis⟩ service break
break-evenpoint [het], **break-evenpunt** [het] break-even point
break-evenpunt [het] → **break-evenpoint**
break-out [de] breakout
breakpoint [de^{m}] break point
break-upvalue [de^{m}] break-up value
^{1}**breed** [bn] [1] ⟨een grote breedte hebbend⟩ wide, broad ♦ *een breed* ***gezicht*** a broad face; *met een brede* ***grijns/glimlach*** with a broad grin/smile, grinning from ear to ear; *brede* ***rand/plank*** wide brim/board; *een brede* ***rivier/straat*** a wide/broad street/river; *een breed* ***voorhoofd*** a broad/wide forehead; *breder* ***worden/maken*** broaden/widen (out) [2] ⟨een bepaalde breedte hebbend⟩ wide, broad ♦ *het is zo lang als het breed* ***is*** it's six of one and half a dozen of the other; ⟨BE ook⟩ it's as broad as it's long; ⟨inf; BE⟩ it's the same difference [3] ⟨met vermelding van een maat⟩ wide, broad ♦ *de kamer is 6 m lang en 5* ***m*** *breed* the room is 6 metres (long) by 5 metres (wide/broad)/6 by 5 metres/6 metres by 5; *een vier* ***meter*** *brede kamer* a room 4 meters wide/across, a 4-metre-wide room; ***niet*** *breder dan twee meter* not more than 2 metres wide/in width [4] ⟨groot, uitgebreid⟩ broad, wide ♦ *brede* ***gebaren*** broad gestures; *kiesrecht op brede* ***grondslag*** broad(ly)-based franchise/suffrage; *brede* ***ontwikkeling*** ⟨ook⟩ liberal education; *een breed* ***publiek*** a wide audience; *in brede* ***trekken*** in broad outline; *iets breder* ***trekken*** ⟨veralgemeniseren⟩ generalize sth., ⟨er meer mensen bij betrekken⟩ widen the scope of sth. [5] ⟨royaal⟩ ♦ *het niet breed* ***hebben*** be poorly off, be short of money [•] ⟨sprw⟩ *wie het breed heeft, laat het breed hangen* they that have plenty of butter can lay it on thick
^{2}**breed** [bw] [1] ⟨in de breedte⟩ widely, ⟨kraag enz. ook⟩ loosely ♦ *een breed* ***omgeslagen*** *kraag* a wide/loose collar; *breed* ***zitten*** be a loose/wide fit [2] ⟨ruim⟩ ♦ *ik hoop dat we het nu wat breder* ***krijgen*** I hope the money's going to start coming in now, I hope we're going to be a bit better off now; *ze kunnen er breed van* ***leven*** they can live on that with ease; *breed* ***opgezet*** wide-ranging, broadly-based; *iets breed* ***uitmeten*** lay sth. on thick(ly)
breedbandinternet [het] broadband (Internet access)
breedbeeldtelevisie [de^{v}] wide-screen TV
breedbekstrandloper [de^{m}] broad-billed sandpiper
breeddenkend [bn] broad-minded
breedfok [de] foresail
breedgebouwd [bn] broad(ly-built), square-built
breedgerand [bn] broad-brimmed, wide-brimmed, ⟨hoed⟩ wide-awake
breedgeschouderd [bn] broad-shouldered, square-shouldered
breedheid [de^{v}] breadth, broadness
breedlipneushoorn [de^{m}] white rhinocerous
breedspectrumantibioticum [het] broad-spectrum antibiotic
breedspoor [het] ⟨spoorw⟩ broad gauge, broad-gauge track
breedsprakig [bn, bw] long-winded ⟨bw: ~ly⟩, verbose, ⟨form⟩ prolix, ⟨inf⟩ wordy, ⟨met veel omhaal⟩ circumlocutory ♦ *een breedsprakig* ***mens*** a long-winded/verbose/wordy person; *een breedsprakig* ***verhaal*** a long-winded story
breedstraler [de^{m}] ⟨techn⟩ broad-beam light/lamp, wide-beam light/lamp
breedte [de^{v}] [1] ⟨afmeting⟩ width, breadth ♦ ***in*** *de breedte* breadthways, breadthwise, widthways, widthwise; ***over*** *de hele breedte van het huis/van de bladzijde* right across the width of the house/page; ***ter*** *breedte* ***van*** ... the width/breadth of ..., ... in breadth/width [2] ⟨m.b.t. stoffen⟩

width ♦ *er gaan vier breedten in deze rok* this skirt takes four widths, four widths are needed for this skirt [3] ⟨aardr⟩ latitude ♦ ***astronomische** breedte* astronomic latitude; *Rotterdam ligt **op** dezelfde breedte als ...* Rotterdam is at/on the same latitude as ..., ⟨inf⟩ Rotterdam is on a level with ...

breedtecirkel [de^m] ⟨aardr⟩ parallel (of latitude) ♦ ***bij** de 49e breedtecirkel* at the 49th parallel

breedtedraad [de^m] weft, woof, filling

breedtegraad [de^m] degree of latitude ♦ ***nabij/op** de dertigste breedtegraad* near/at the 30th degree of latitude/the 30th parallel

breedte-investering [de^v] ⟨ec⟩ capital widening

breedteminuut [de] minute of latitude

breedteonderzoek [het] broad(ly-based) study, across the board study

breedtepass [de^m] lateral (pass)

breedterichting [de^v] crosswise

breedtesport [de] popular/recreational sport

breeduit [bw] [1] ⟨in zijn volle breedte⟩ spread (out) ♦ *breeduit gaan **zitten*** sprawl (on), spread o.s. [2] ⟨onverholen⟩ out loud ♦ *breeduit **lachen*** laugh out loud

breedvoerig [bn, bw] circumstantial ⟨bw: ~ly⟩, ⟨uitputtend⟩ exhaustive, ⟨gedetailleerd⟩ detailed ♦ *breedvoerig **bespreken*** discuss at (some) length/in detail/extensively

breekbaar [bn] fragile, breakable, ⟨broos⟩ brittle, frangible ♦ *breekbare **dingen/voorwerpen*** breakables; *het is een breekbaar oud **mensje*** he/she is fragile/old and infirm; *voorzichtig! breekbaar!* fragile!, handle with care!

breekbeitel [de^m] [1] ⟨beitel om iets open te breken⟩ wrecking-bar, jemmy, ⟨AE⟩ jimmy, pinch bar [2] ⟨scheepv⟩ ripping chisel

breekgeld [het] (money for) breakage(s)

breekhout [het] foothold

breekijzer [het] crowbar, ⟨van inbreker⟩ jemmy, ⟨AE⟩ jimmy

breekmesje [het] snap-off blade knife, snappy knife ⟨ook handelsmerk⟩

breekpunt [het] [1] ⟨punt waar iets gebroken is⟩ breaking point [2] ⟨fig⟩ breaking point, end of the line

breekschade [de] breakage

breekwerf [de] ⟨in België⟩ recycling site/centre

breeuwen [ov ww] [1] ⟨scheepv⟩ caulk [2] ⟨wwb⟩ caulk

breeuwwerk [het] oakum

Breeveertien [de] 'Breeveertien', long, wide sandbank off the Dutch coast ♦ ⟨fig⟩ *de breeveertien **opgaan/opvaren*** go astray/to the bad

breezer [de^m] breezer

breezerseks [de^m] young girls performing sexual services in exchange for alcoholic beverages or other favours

breezertaal [de] Dutch Internet slang

brei [de^m] ⟨in België⟩ knitting

breidel [de^m] curb, check, bridle, restrain

breidelen [ov ww] curb, bridle, check, restrain ♦ *de **pers** breidelen* curb (the freedom of) the press, put the press under a curb

breidelloos [bn] unbridled, uncurbed, unchecked, unrestrained

breien [ov ww, ook abs] [1] ⟨handwerken⟩ knit ♦ *ze breien **aan** een trui* they're knitting a sweater; *gebreide **kleding*** knitwear; *hij droeg een door hemzelf gebreide **muts*** he was wearing a woolly hat that he'd knitted himself; ⟨fig⟩ *iets (proberen) **recht** (te) breien* (try and) fix sth./put sth. right; *één **recht**, één **averecht(s)** breien* knit one, purl one [2] ⟨m.b.t. netten⟩ make

breigaren [het] knitting yarn

breikatoen [het] knitting cotton

breimachine [de^v] knitting machine

breimandje [het] knitting basket

brein [het] [1] ⟨hersens⟩ ⟨ook fig⟩ brain, ⟨fig ook⟩ brains ♦ ⟨fig⟩ *het brein zijn **achter** een project/actie* be the brain(s) behind a project/an operation, mastermind a project/an operation; *door iemands brein **spoken*** cross s.o.'s mind; ***elektronisch** brein* electronic brain [2] ⟨verstand⟩ brain ♦ *een **helder** brein* a sharp brain

breinaald [de] knitting needle

breinbreker [de^m] brainteaser, braintwister

breipatroon [het] knitting pattern

breipen [de] knitting pin

breisteek [de^m] knitting stitch ♦ ***afgehaalde** breisteek* slip stitch; ***rechte/averechtse** breisteek* knit/purl stitch

breister [de^v] knitter [•] ⟨sprw⟩ *de beste breister laat weleens een steek vallen* it's a good horse that never stumbles; even Homer sometimes nods; to err is human; no man is infallible

breiwerk [het] [1] ⟨wat men bezig is te breien⟩ knitting ♦ *een breiwerk **opzetten*** cast on [2] ⟨gebreid goed⟩ knitted clothing ⟨enz.⟩, knitwear [3] ⟨handeling⟩ knitting

breiwol [de] knitting wool

brekebeen [de] dead loss, dunce, dud, ⟨vero⟩ duffer ♦ *ik zal in de wiskunde wel altijd een brekebeen **blijven*** ⟨ook⟩ I expect I'll always be useless/hopeless/I'll never be much good at maths

[1]**breken** [onov ww] [1] ⟨stukgaan⟩ break, ⟨med ook⟩ fracture ♦ ⟨fig⟩ *zijn **hart** brak* his heart broke; *het was alsof er **iets in mij** brak* sth. snapped/seemed to snap inside/within me; *de **lucht** breekt* the clouds part; *de **ogen** zijn gebroken* ⟨bij stervende⟩ his/her eyes have clouded over/grown dim/glazed over; ***plotseling** breken* ⟨van draad⟩ snap; *de **ruit**/het **ijs**/het **touw** is gebroken* the glass/ice/rope broke; *de golven breken **tegen** de **kust*** the waves break on the shore [2] ⟨een doorgang, scheiding forceren⟩ break ♦ ***door/uit** iets breken* break through/out of sth.; *de zon breekt **door** de wolken* the sun breaks through the clouds; ⟨fig⟩ ***met** iemand breken* break off (relations) with s.o., ⟨liefde⟩ break up with s.o.; ⟨form⟩ break with s.o.; ⟨fig⟩ ***met** een gewoonte breken* break a(n old) habit [3] ⟨m.b.t. een jongensstem⟩ break [4] ⟨m.b.t. stralen⟩ be refracted [•] ⟨sprw⟩ *langzaamaan, dan breekt het lijntje niet* ± little by little, and bit by bit; ± make haste slowly; ⟨sprw⟩ *de kruik gaat zolang te water, tot ze breekt/berst* the pitcher goes so often to the well that it is broken at last

[2]**breken** [ov ww] [1] ⟨in stukken vaneenscheiden⟩ break, ⟨med ook⟩ fracture ♦ *iemand de **benen** breken* break s.o.'s legs; *het **brood** breken* ⟨rel⟩ break bread; ⟨in België⟩ ***geld** breken met hamers* burn money, spend money like water; *iets **in** tweeën breken* break sth. in two/in half; *brood **in** stukken breken* break up bread, break bread into pieces; *een **weide** breken* plough up a meadow [2] ⟨een breuk doen oplopen⟩ break, ⟨med ook⟩ fracture ♦ ***vaatwerk/zijn been** breken* break crockery, break/fracture one's leg [3] ⟨een einde maken aan⟩ break ♦ *een **code** breken* break a code; *een **record** breken* break a record; *een **staking** breken* break a strike; *het **verzet** breken* break the resistance [4] ⟨schenden⟩ break, ⟨form⟩ violate [5] ⟨van een geheel scheiden⟩ break ♦ *zich **baan** breken* force one's way (in/through/...); *er een **uurtje** uit breken* take an hour's break, break (off) for an hour; *een bloem **van de stengel** breken* break a flower off its stalk [6] ⟨de loop, duur storen⟩ break, ⟨licht⟩ refract ♦ ⟨techn⟩ ***hoeken/kanten** breken* smooth/round off angles/edges; ⟨natuurk⟩ *brekend **oppervlak*** refractive surface; *zijn **val** werd gebroken* his fall was broken; *zo'n vrije dag breekt de **week*** a day off like this breaks up the week (nicely)/makes a nice break in the week [•] ⟨sprw⟩ *lieve kinderen mogen wel een potje breken* ± one man may steal a horse, while another may not look over a hedge; ⟨sprw⟩ *nood breekt wet* necessity knows no law; ± needs must when the devil drives

breker [de^m] [1] ⟨golf⟩ breaker ♦ *het schip **kreeg** een breker **over*** a wave broke over the ship [2] ⟨vnl in samenstellingen; persoon⟩ breaker(-up) ♦ ***echtbreker, baanbreker*** adulterer, pioneer

breking [de^{v}] [1] ⟨het breken⟩ breaking, ⟨med ook⟩ fracture, fracturing ◆ ⟨muz⟩ *breking van akkoorden* arpeggio [2] ⟨het gebroken worden⟩ refraction ◆ *dubbele breking* double refraction [3] ⟨taalk⟩ breaking

brekingshoek [de^{m}] angle of refraction, refraction angle

brekingsindex [de^{m}] refractive index

brem [de^{m}] broom

brems [de] horsefly, gadfly, ⟨BE ook⟩ cleg

bremzout [bn] (as) salty as brine

bren [de] bren

brengen [ov ww] [1] ⟨vervoeren naar⟩ ⟨naar de spreker toe⟩ bring, ⟨van de spreker af⟩ take ◆ *het glas aan de lippen brengen* raise the glass to one's lips; *de boodschappen laten brengen* have the shopping delivered; *breng dit even naar de post* will you go and post/^{A}mail this, please?; *breng jij de was naar de wasserij?* will you take the washing to the laundry/laundrette? [2] ⟨begeleiden naar⟩ take ◆ *mensen (weer) bij elkaar brengen* bring/get people (back) together; *de kinderen halen en brengen* ⟨bijvoorbeeld m.b.t. school⟩ take the children to and from school; *ze bracht haar kinderen overal heen* she took her children everywhere; *naar huis brengen* take home; *een kind naar bed brengen* put a child to bed, take a child off to bed; *iemand naar de tram brengen* take/see s.o. to the tram; *breng haar naar de wachtkamer* show her into the waiting-room; *deze trein brengt ons tot Stockholm* this train will take/get us as far as Stockholm [3] ⟨doen toekomen⟩ bring, take, give, ⟨voor publiek⟩ perform, present ◆ *iemand dank/hulde brengen* give s.o. thanks, pay s.o. tribute; *een lied brengen* perform a song; *naar voren/in het midden brengen* ⟨zaak⟩ come up with, bring up; ⟨mening⟩ put forward, come out with; *goed nieuws brengen* bring good news; *een offer brengen* make a sacrifice; *in deze aflevering brengen wij drie reportages* in this week's/today's/... programme/^{A}program we have/present three reports; *ter tafel/te berde brengen* bring up, raise; *wat zal de tijd ons brengen?* what will the future bring (us)?; *brengen zij dit jaar weer een toneelstuk?* will they be performing another play this year?, ⟨inf⟩ will they be putting on/doing another play this year?; *een zaak voor het gerecht brengen* take a matter to court [4] ⟨in een toestand doen komen⟩ bring, send, put, drive ◆ *iets aan de man brengen* sell/dispose of sth.; *iemand aan het lachen brengen* make s.o. laugh; *iemand aan het twijfelen brengen* raise doubt(s) in s.o.'s mind; *zijn dochters aan de man brengen* marry off one's daughters; *iemand iets aan het verstand brengen* bring/drive sth. home to s.o., get s.o. to understand/see sth., get sth. through to s.o., ⟨inf⟩ get sth. into s.o.'s head; *de zaak aan het rollen brengen, iets aan de gang brengen* get things moving/going/rolling; *een bedrag bij elkaar brengen* get an amount together, raise an amount; *iemand erbovenop brengen* put s.o. on his feet; *zich(zelf) ertoe brengen om ...* bring o.s. to; *wat bracht je ertoe het te doen?* what(ever) made you do it?; *wat bracht je ertoe het niet te doen?* what(ever) stopped you ((from) doing it)?; *iemand ertoe brengen dat hij .../om ..., iem tot een daad brengen* ⟨drijven⟩ drive s.o. to (sth.), get s.o. to (do sth.); *wat brengt u hier?* what brings you here?; *iemand in de war brengen* confuse s.o., throw s.o. into confusion; ⟨inf⟩ mix s.o. up, get s.o. mixed up; *iemand in verrukking brengen* delight/enchant s.o., ⟨in extase⟩ enrapture s.o.; *naar boven brengen* ⟨herinneringen, gevoelens⟩ bring out/up, arouse; *dat brengt het totaal dan op € 30* that brings the total to 30 euros; *het gesprek op iets anders brengen* change the subject; *wie/wat heeft hem op dat idee gebracht?* who(ever)/what(ever) gave him that idea/put him on/up to that?/put that idea into his head?; *de kamer op een lekkere temperatuur brengen* heat the room to a pleasant temperature; *het gesprek op iets/een bepaald onderwerp brengen* bring the conversation round to sth./a particular subject; *iets te binnen brengen* remember, recall; *iets ten einde brengen* conclude sth., bring sth. to a conclusion; *tot staan brengen* stand (up); *tot elkaar brengen* ⟨tegenstanders⟩ bring (back) together; ⟨form⟩ reconcile; *het brengen tot eigenaar van de zaak* rise to be the owner of the business; *het nooit en te nimmer tot iets brengen* never get anywhere, always be a failure; *studie zal hem verder brengen* studying will help him get on (in the world); *jouw oplossing brengt ons niets/geen stap verder* your solution doesn't get us any further/anywhere; *het voor elkaar brengen* fix things (up), sort things out; ⟨inf⟩ get it together [•] *jawel! morgen brengen* not likely!, no fear!, no way!, ⟨vulg⟩ not bloody likely!; *het ver brengen* go/get far/a long way

Brennerpas [de^{m}] Brenner Pass

bres [de] breach, ⟨ook fig⟩ hole ◆ *een bres slaan in* make a hole in, ⟨fig ook⟩ make inroads on; ⟨fig⟩ *dat heeft een bres in mijn beurs/financiën geschoten* that's made a hole in my pocket/wallet/finances; *voor iemand op de bres staan/in de bres springen* step into/throw o.s. into the breach for s.o.; *een bres schieten* make a breach (in sth.), breach (sth.)

Bretagne [het] Brittany

bretel [de] ⟨BE⟩ braces, ⟨AE⟩ suspenders ⟨alleen mv⟩

Bretoen [de^{m}] ⟨in België⟩ Breton

Bretoens [bn] ⟨in België⟩ Breton

[1]**Bretons** [het] Breton

[2]**Bretons** [bn] Breton

breuk [de] [1] ⟨het breken⟩ break(ing), breakage ⟨ook handel⟩ ◆ *verlies van goederen door breuk* loss of goods through/by/owing to breakage [2] ⟨plaats⟩ crack, split, ⟨ook fig⟩ flaw, fault ⟨ook geologie⟩, ⟨techn⟩ fracture [3] ⟨med; fractuur⟩ fracture, break ◆ *een gecompliceerde breuk* a compound fracture [4] ⟨med; uitzakking⟩ rupture, hernia ◆ *beklemde breuk* strangulated hernia; *dubbele breuk* double hernia; *een breuk hebben/krijgen* have/get a hernia; ⟨krijgen ook⟩ rupture o.s.; ⟨fig⟩ *zich een breuk lachen* rupture o.s. laughing, ⟨inf⟩ split one's sides laughing; *zich een breuk aan iets tillen* (nearly) rupture o.s./give o.s. a rupture lifting sth.; *vrije/beweeglijke breuk* reducible hernia [5] ⟨gebroken waar⟩ breakages ◆ *vergoeding voor breuk* breakage(s) [6] ⟨het verbreken van betrekkingen⟩ rift, breach, split, break ◆ *we zullen het niet op een breuk laten aankomen* we must avoid a break/rift, we mustn't let matters come to a head; *een radicale breuk* a clean break; *een breuk veroorzaken tussen mensen* cause a rift/split between people, set people at odds with each other; *de breuk tussen de vrienden/met zijn vader/in het CDA* the rift/split between friends/with his father/in the CDA [7] ⟨wisk⟩ fraction ◆ *decimale/tiendelige breuk* decimal fraction; *een echte/onechte breuk* a proper/improper fraction; *enkelvoudige/eenvoudige breuk* simple fraction; *gewone breuk* common fraction; *repeterende breuk* recurring decimal; *samengestelde breuk* complex/compound fraction

breukband [de^{m}] truss

breukbelasting [de^{v}] breaking strain

breuken 1/2

algemene tips

- bij getallen met cijfers achter de komma schrijft men geen komma maar een *punt*
- werkwoord is enkelvoud als het woord na de breuk een enkelvoud is *(two thirds of the earth is covered in water)*; bij woorden die in het meervoud staan, volgt een werkwoord in het meervoud *(two thirds of the lakes are polluted)*
- in rekensommen kan men ook fourth gebruiken in plaats van *quarter (one fourth plus two fourths is three fourths)*
- als het cijfer voor de komma een *nul* is, wordt in het Amerikaans-Engels de nul meestal niet uitgesproken (point four); in het Brits-Engels spreekt men in deze gevallen de nul uit als nought (nought point four)

breukdal [het] rift valley

breuklijn [de] 1 ⟨lijn waarlangs iets gebroken is⟩ (line of a/the) break, line of fracture ⟨ook medisch⟩ 2 ⟨geol⟩ fault line
breukspanning [de^v] breaking stress
breukstreep [de] ⟨wisk⟩ fraction bar/line, ⟨BE ook; form⟩ solidus, ⟨BE ook; inf⟩ (fraction) stroke
breukvastheid [de^v] breaking strength, ⟨treksterkte⟩ tensile strength
breukvlak [het] 1 ⟨vlak waarlangs iets is gebroken⟩ plane of fracture 2 ⟨oppervlak van de breuk⟩ fracture(d) surface 3 ⟨afmetingen van dit oppervlak⟩ fracture area

breuken 2/2

een half	a half
twee derde	two thirds
een vierde / een kwart	a fourth
driekwart	three quarters/three fourths
vijf achtste	five eighths
een en een kwart	one and a quarter
in het getal 7,5 staat een decimaalteken tussen de 7 en de 5	the number 7.5 has a decimal point between the 7 and the 5
de berekening klopt tot op drie cijfers achter de komma	the calculation is correct to three decimal places
een getal met zes cijfers achter de komma	a number with six decimal places / a figure with six decimal places
teller	numerator
noemer	denominator
een decimale breuk	a decimal fraction
een enkelvoudige breuk	a simple fraction
een samengestelde breuk	a compound fraction / a complex fraction
6,33 repeterend	6.33 recurring

breve [de] brief, breve
brevet [het] certificate, ⟨luchtv⟩ licence, ⟨AE⟩ license ♦ *akte **in** brevet* original instrument/deed; ⟨iron⟩ *zichzelf een brevet van **onvermogen geven*** show one's inability, ⟨onbekwaamheid⟩ show one's incompetence
brevetteren [ov ww] certify, ⟨luchtv⟩ license, ⟨in België; octrooi verlenen⟩ patent
breviatuur [de^v] abbreviation
brevier [het] 1 ⟨gebedenboek⟩ breviary 2 ⟨gebeden⟩ breviary ♦ *zijn brevier **bidden/lezen*** recite one's breviary
bric-à-brac [het] 1 ⟨snuisterijen⟩ bric-à-brac, curios 2 ⟨rommel⟩ rubbish, ↓junk, ⟨AE ook⟩ trash
bricoleren [onov ww] 1 ⟨bilj⟩ play a cushion shot, ⟨AE ook⟩ play a cushion carom 2 ⟨fig; omwegen gebruiken⟩ be underhand/devious, act deviously
bridge [het] bridge
bridgedrive [de^m] bridge drive
bridgen [onov ww] play bridge
bridgetoernooi [het] bridge tournament
brie [de^m] Brie (cheese)
brief [de^m] 1 ⟨geschreven boodschap⟩ letter, ⟨vero of scherts⟩ epistle ♦ *zij had hem er een boze brief over **geschreven*** she had written him an angry/a strong/sharp letter about it; *een **open** brief* an open letter; *de brieven van **Paulus*** the epistles of St Paul; ***rondgaande** brief* circular (letter); *iemand een brief **schrijven*** write s.o. a letter; ***tweede** brief* follow-up letter; ⟨boektitel⟩ *Brieven **uit** Berlijn* Letters from Berlin; *in antwoord op uw brief **van** de 25e* further to/in reply to your letter of the 25th; *brief **volgt*** letter follows 2 ⟨bladen papier⟩ letter ♦ ***aangetekende** brief* registered letter, recorded delivery (letter); *een brief **ontvangen*** receive a letter, ⟨inf⟩ get a letter; ***per** brief* by letter, in writing; *brieven **posten*** post/^Amail letters, put letters in the post/^Amail 3 ⟨vnl in samenstellingen; schriftelijk bewijsstuk⟩ paper ♦ ***kaper**brief* letter(s) of marque (and reprisal)

briefadres [het] postal address
briefbom [de] letter bomb, mail bomb
briefen [ov ww] brief
briefgeheim [het] confidentiality of the mail(s) ♦ ***schending** van het briefgeheim* breach of the confidentiality of the mail(s)
briefgeld [het] paper money, paper currency, soft money, ⟨BE⟩ (bank) notes, ⟨AE⟩ bills
briefhoofd [het] letterhead(ing) ♦ *het briefhoofd **luidde** ...* the letter was headed ...
briefhoofding [de^v] ⟨in België⟩ → **briefhoofd**
briefing [de] briefing
briefje [het] 1 ⟨los stukje papier⟩ note ♦ *een briefje van de **dokter*** a note from the doctor, a doctor's note; *dat geef ik je **op** een briefje* you can take it from me 2 ⟨bankbiljet⟩ note, ⟨AE⟩ bill ♦ *een briefje **wisselen*** change a note
briefkaart [de] postcard, ⟨AE ook⟩ postal card
briefmodel [het] model/specimen letter
briefomslag [het, de^m] ⟨in België⟩ → **enveloppe**
briefopener [de^m] 1 ⟨vouwbeen⟩ paperknife, letter-opener 2 ⟨toestel⟩ letter-opener, letter-opening machine
briefpapier [het] writing paper, stationery, notepaper, letter paper ♦ *op briefpapier **van** W.H. Smith* on W.H. Smith stationery
briefroman [de^m] epistolary novel
briefschrijver [de^m] letter writer
briefstijl [de^m] letter-writing/epistolary/correspondence style
brieftelegram [het] letter telegram, ⟨AE⟩ mailgram
briefvorm [de^m] letter form, form of correspondence ♦ *een roman **in** briefvorm* an epistolary novel, a novel in the form of correspondence
briefwisseling [de^v] 1 ⟨het corresponderen⟩ correspondence, exchange of letters ♦ ***in** briefwisseling **treden** met* enter into correspondence with; ***in** briefwisseling **staan/zijn** met iemand* be in correspondence with s.o.; *een briefwisseling **voeren** (met)* carry on/keep up (a) correspondence (with), correspond (with) 2 ⟨brieven⟩ correspondence, exchange of letters ♦ *een briefwisseling **publiceren*** publish correspondence/an exchange of letters
bries [de] breeze ♦ *een **fikse/stijve/stevige** bries* a stiff breeze
briesen [onov ww] 1 ⟨m.b.t. wilde dieren⟩ roar 2 ⟨m.b.t. paarden⟩ snort
briesje [het] light breeze ♦ *er **kwam** een briesje **opzetten*** there was a light breeze coming up; *een **zacht** briesje* a whiff
brievenbesteller [de^m] postman, ⟨AE⟩ mailman, ⟨AE ook⟩ mail carrier
brievenboek [het] 1 ⟨kopieboek⟩ letter book 2 ⟨verzameling voorbeelden⟩ letter writer, correspondence manual
brievenbus [de] 1 ⟨bus voor te verzenden brieven⟩ postbox, ⟨AE⟩ mailbox, ⟨BE ook; op straat⟩ pillar-box 2 ⟨bus aan, bij een huis⟩ letterbox, ⟨AE⟩ mailbox ♦ ***elektronische** brievenbus* electronic mailbox 3 ⟨opening om post door te gooien⟩ letterbox, ⟨AE⟩ mailbox
brievenbusfirma [de] letterbox company ♦ *dat **is** alleen maar een brievenbusfirma* ⟨ook⟩ that firm is just an accommodation address
brievenmaal [de] 1 ⟨zak voor brieven⟩ mailbag, ⟨BE ook⟩ postbag 2 ⟨zending brieven⟩ mail, ⟨BE ook⟩ post
brievenpost [de] 1 ⟨het vervoer van brieven⟩ post 2 ⟨dienst, organisatie⟩ postal service, post (office) 3 ⟨zending bestaande uit brieven⟩ ⟨BE⟩ letter post, ⟨AE⟩ first-class mail
brievenrubriek [de^v] readers' letters, letters column
brieventas [de] letter case
brievenweger [de^m] letter balance/scale(s)
brigade [de^v] 1 ⟨legerafdeling⟩ brigade 2 ⟨vaak in samenstellingen; groep met een opdracht, doel⟩ squad,

team ♦ *reddingsbrigade* rescue squad/team; *vliegende brigade* flying squad

brigadegeneraal [de^m] brigadier, ⟨AE⟩ brigadier general

brigadier [de^m] 1 ⟨ambtenaar van de gemeentepolitie⟩ (chief) police sergeant 2 ⟨klaar-over⟩ crossing guard, ⟨BE ook⟩ lollipop lady/man 3 ⟨in België; gesch; korporaal⟩ corporal (in a mounted unit)

brij [de^m] 1 ⟨pap⟩ porridge, pap ⟨ook pejoratief⟩, ⟨dun⟩ gruel ♦ ⟨fig⟩ *om de* ***hete*** *brij heen lopen/draaien* beat about/^A around the bush, pussyfoot (around); ⟨fig⟩ *om iets heen lopen als de kat om de* ***hete*** *brij* pussyfoot (around), be fatally attracted by sth. 2 ⟨halfvloeibare stof⟩ pulp, mush ♦ *een* ***kleverige*** *brij* goo; ⟨AE ook⟩ glop; ***tot*** *een grote brij maken* pulp, mash; ***tot*** *een grote brij worden* pulp/mash down ▪ *één* ***grote*** *brij* one (great) big mess; ⟨sprw⟩ *veel koks verzouten de brij* too many cooks spoil the broth

brijvoer [het] liquid feed

¹brik [de^m] 1 ⟨niet goed gebakken, gebroken steen⟩ misfire 2 ⟨in België; verpakking⟩ carton ♦ *melkbrik* carton of milk

²brik [het] ⟨steenslag⟩ rubble

³brik [de] 1 ⟨rijtuig⟩ brake, break ♦ *een* ***ouwe*** *brik* a(n old) heap/bus/rattletrap/crate/^B banger, ⟨AE⟩ a jalopy 2 ⟨fiets⟩ bike 3 ⟨zeilvaartuig⟩ brig ♦ *brik* ***met barktuig*** barque schooner

brikdeeg [het] brique pastry

briket [de] 1 ⟨stuk brandstof⟩ briquet(te) 2 ⟨blok van andere stof⟩ briquet(te)

bril MEERVOUD [de^m] 1 ⟨ook in samenstellingen; montuur plus glazen⟩ (pair of) glasses, ↑ (pair of) spectacles, ⟨inf⟩ (pair of) specs, ⟨dikke bril als bescherming⟩ (pair of) goggles ♦ ⟨fig⟩ *alles door een* ***donkere*** *bril zien* take a gloomy/dismal/black view of everything, look on the dark side of things; ⟨fig⟩ ***door*** *de bril van een ander zien* rely on s.o. else for one's opinions; *ik moet een bril gaan* ***dragen*** I've got to start wearing glasses; ⟨fig⟩ *elk ziet door zijn* ***eigen*** *bril* everyone has his own point of view, ⟨alg⟩ everyone has his own way of seeing things, ± men are blind in their own cause; *zijn bril* ***erbij opzetten*** look harder/more closely at sth., give sth. a closer look; *een* ***gekleurde*** *bril* tinted glasses/spectacles; ⟨fig⟩ *iets door een* ***gekleurde*** *bril zien* have a coloured view of sth.; *een* ***goudkleurige*** *bril* gold-rimmed glasses; ***lasbril*** welding-goggles; *die man* ***met*** *een bril op* that man wearing glasses, ↑ that bespectacled man; ***motorbril, zonnebril*** motor-cycle goggles, sunglasses; *iemand een bril* ***opzetten*** ⟨fig⟩ put s.o. straight; ⟨fig⟩ *alles door een* ***roze*** *bril zien* see everything through rose-coloured glasses, take a rosy view of everything; ***twee*** *brillen* two pairs of glasses; *lezen* ***zonder*** *bril* read without glasses 2 ⟨vlekken op het lichaam van een dier⟩ spectacled pattern 3 ⟨zitting van een wc⟩ (toilet) seat, ↓ loo seat 4 ⟨steun aan werktuigen⟩ rest, steady (rest) ♦ ***vaste*** *bril* fixed rest

brildraagster [de^v] → **brildrager**

brildragend [bn] glass-wearing ♦ *brildragend* ***zijn*** wear glasses

brildrager [de^m], **brildraagster** [de^v] ▪ *hij/zij* ***is*** *brildrager* he/she wears spectacles/glasses

brilduiker [de^m], **brileend** [de] goldeneye

brileend [de] → **brilduiker**

brilgarnituur [het] spectacle/glasses frame

¹briljant [de^m] 1 ⟨diamant⟩ (cut) diamond, ⟨zeldz⟩ brilliant 2 ⟨drukw; vero⟩ half nonpareil, ⟨ogm⟩ four-to-pica

²briljant [bn, bw] brilliant ⟨bw: ~ly⟩ ♦ *briljant* ***jongmens*** whiz(z)-kid; *een briljante* ***partij****/briljant* ***geleerde*** a brilliant game/academic; *een briljante* ***studente*** a brilliant student, ⟨inf⟩ a straight-A student

briljanten [bn] diamond ♦ *een briljanten* ***bruiloft*** a diamond wedding/anniversary; *een briljanten* ***ring*** a diamond ring

brilkaaiman [de^m] spectacled caiman

brillantine [de] 1 ⟨polijstmiddel⟩ polish 2 ⟨haarcrème⟩ brilliantine 3 ⟨weefsel⟩ brilliant, ⟨AE⟩ brilliantine

brillen [onov ww] wear glasses, ↑ wear spectacles, ⟨inf⟩ wear specs

brillendoos [de] → **brillenkoker**

brillenjood [de^m] ⟨beled⟩ four-eyes

brillenkoker [de^m], **brillendoos** [de] spectacle/glasses case

brillosponsje [het] Brillo pad

brilmontuur [het, de^v] spectacle/glasses frame

brilslang [de] (spectacled/Indian) cobra

brilstand [de^m] ⟨sport⟩ scoreless draw, zero all, ⟨als eindstand bij voetb ook⟩ goalless draw, ⟨cricket⟩ pair (of spectacles)

brink [de^m] 1 ⟨met gras begroeid erf⟩ (grassy) farmyard 2 ⟨dorpsplein⟩ village square, ± village green

brinkmanship [het] brinkmanship

brio [het, de^m] brio, verve, vigour ♦ ***met veel*** *brio iets zeggen* say sth. with plenty of brio/verve

brioche [de] brioche

briouat [de] briouat

brique [bn] brick-red

brisant [bn] highly explosive ♦ *brisante* ***stoffen*** high explosives

brisantbom [de] anti-personnel bomb

brisantgranaat [de] high-explosive shell

Brit [de^m], **Britse** [de^v] Briton, ⟨in mv⟩ the British, ⟨vnl pej; inf⟩ Brit, ⟨AE ook⟩ Britisher

brits [de] plank/wooden bed

Brits GROOT-BRITTANNIË [bn] British

Britse [de^v] → **Brit**

broadsheet [het] broadsheet

brocante [de] 1 ⟨curiosa⟩ antiques & collectibles 2 ⟨handel in curiosa⟩ antique shop/market

broccoli [de^m] broccoli

broche [de] brooch ♦ *een* ***diamanten*** *broche* a diamond brooch

brocheren [ov ww] ⟨amb⟩ sew

brochette [de] skewer, kebab stick

brochure [de] pamphlet, brochure, leaflet

broddelaar [de^m], **broddelaarster** [de^v] bungler, botcher, ⟨BE ook; inf⟩ cowboy

broddelaarster [de^v] → **broddelaar**

broddelen [onov ww] bungle (one's work), botch (up) (one's work), be a bungler/botcher

broddellap [de^m] practice piece, scrap of cloth

broddelwerk [het] botch-job, botch-up, botched-up job, bungled/botched work, ⟨BE ook⟩ piece of bungling

brodeloos [bn] without means of support, penniless ♦ *iemand brodeloos* ***maken*** leave s.o. without means of support/penniless

broderie [de^v] embroidery

broed [het] clutch/hatch (of eggs), ⟨van vissen/weekdieren/amfibieën/slangen/bijen⟩ spawn ♦ *een broed* ***van*** *vier eieren* a clutch/hatch of four eggs

broedei [het] hatching egg ♦ ***stel*** *broedeieren* set, sitting, clutch of eggs

broeden [onov ww] 1 ⟨m.b.t. vogels⟩ brood, sit (on eggs) ♦ *onze* ***kanarie*** *broedt* our canary is brooding/sitting; ***kippen*** *broeden 21 dagen* hens sit 21 days; *broedende* ***vogel*** sitter, sitting bird; *een kip te broeden* ***zetten*** set a hen 2 ⟨uitdenken⟩ brood on, hatch ♦ *hij zit* ***op*** *iets te broeden* he is brooding on/hatching sth.

broeder [de^m] 1 ⟨broer⟩ brother ♦ *mijn* ***oudste*** *broeder* my eldest/oldest brother 2 ⟨medemens⟩ brother ♦ *ben ik mijn broeders* ***hoeder****?* am I my brother's keeper?; ⟨fig⟩ *een broeder* ***in het kwaad*** an accomplice; *een* ***valse*** *broeder* a traitor, a snake (in the grass), a Judas; *dat is de* ***ware*** *broeder niet* he isn't the right man/sort; *alle mensen* ***zijn*** *broeders* all men are brothers; *'t is een* ***zwakke*** *broeder* he is a weak brother;

broeder geef mij de hand we can shake hands (then) [3] ⟨r-k⟩ brother, friar ◆ ***barmhartige** broeders* brothers of charity [4] ⟨lid van een christelijke gemeente⟩ brother ◆ ⟨fig⟩ *een broeder van de natte **gemeente*** a tippler; *de **Zeister** broeders* the Moravian Church; *broeders en **zusters** (in de Heer)* brothers and sisters (in the Lord) [5] ⟨verpleger⟩ male nurse

broederdienst [de^m^] [1] ⟨dienst aan de naaste⟩ brotherly service ◆ *elkaar een broederdienst **bewijzen*** render/do s.o. a brotherly service, do s.o. a kind turn [2] ⟨mil⟩ brother's service ◆ *vrijstelling **wegens** broederdienst* exemption owing to one's brother's (military) service

broedergemeente [de^v^] Community of the Moravian Brethren

broederij [de^v^] (poultry) hatchery

broederliefde [de^v^] brotherly/fraternal love

broederlijk [bn, bw] fraternal ⟨bw: ~ly⟩, brotherly ◆ *daar zaten allen broederlijk **bijeen*** there they were all sitting together like brothers; *broederlijk met elkaar **omgaan*** fraternize with each other/one another

broederlijkheid [de^v^] fraternity

broedermoord [de] fratricide

¹**broederschap** [de^v^] [1] ⟨r-k⟩ brotherhood, fraternity [2] ⟨prot⟩ brotherhood ◆ *de **Remonstrantse** Broederschap* the Remonstrant Brotherhood/Brethren, the Remonstrants [3] ⟨vereniging van beroepsgenoten⟩ fraternity, brotherhood, g(u)ild, company ◆ *de broederschap der **notarissen*** the fraternity of public notaries

²**broederschap** [het, de^v^] ⟨betrekking (als) tussen broers⟩ brotherhood, fraternity ◆ ***vrijheid, gelijkheid** en broederschap* liberty, equality and fraternity

broederstrijd [de^m^], **broedertwist** [de^m^] internecine struggle, fratricidal struggle

broedertwist [de^m^] → **broederstrijd**

broedgast [de^m^], **broedvogel** [de^m^] summer bird

broedgebied [het] breeding/nesting ground, breeding/nesting place, nesting home

broedhen [de^v^] broodhen, sitter

broedhok [het] breeding pen

broedknop [de^m^] gemma, germ, brood bud, bulbil

broedkolonie [de^v^] nesting ground

broedmachine [de^v^] incubator, hatcher, brooder ◆ *in de broedmachine doen* set

broedpest [de] foul brood

broedplaats [de] ⟨ook fig⟩ breeding ground/place, ⟨van vogels ook⟩ nesting place, nest site, ⟨van vis⟩ spawning ground/bed

broeds [bn] broody ◆ *de **kip** is broeds* ⟨ook⟩ the hen wants to sit

broedsel [het] [1] ⟨eieren⟩ sitting, ⟨vissen⟩ spawn [2] ⟨jongen⟩ brood, hatch, ⟨i.h.b. vissen⟩ fry

broedstoof [de] incubator

broedtijd [de^m^] breeding season

broedvijver [de^m^] breeding pond, hatchery

broedvogel [de^m^] → **broedgast**

broei [de^m^] heating ◆ *de brand in de hooiberg is **door** broei **ontstaan*** the fire in the hay-stack was caused by overheating [•] *in de broei zitten* be in a scrape

broeibak [de^m^] cold/garden frame

broeibed [het] hotbed, forcing bed

¹**broeien** [onov ww] [1] ⟨heet worden⟩ heat, get heated/hot ◆ *broeiend **hooi*** heated hay; *het **hooi** broeit* the hay heats/gets heated; ⟨fig⟩ *hij heeft de hele dag op kantoor **zitten** broeien* he had been sweating away at the office all day [2] ⟨beraamd worden⟩ brew ◆ *er broeit **iets*** there is sth. brewing

²**broeien** [ov ww] [1] ⟨tuinbouw⟩ force [2] ⟨in de broeikuip doen gisten⟩ ferment

broeierig [bn, bw] [1] ⟨m.b.t. het weer⟩ sultry ⟨bw: sultrily⟩, sweltering ⟨bw: ~ly⟩, muggy, ⟨drukkend⟩ close [2] ⟨zwoel⟩ sultry ⟨bw: sultrily⟩, sensual

broeikas [de] hothouse, greenhouse, ⟨plantenkas⟩ conservatory ◆ ***in** een broeikas **kweken*** raise in a hothouse

broeikaseffect [het] ⟨natuurk⟩ greenhouse/hothouse effect

broeikasgas [het] greenhouse gas

broeimest [de^m^] forcing/hotbed manure

broeinest [het] ⟨pej; fig⟩ hotbed ◆ *een broeinest **van** misdaad/ziekte* a hotbed of crime/disease

¹**broek** [het] ⟨drasland⟩ marsh, marshy land, swamp

²**broek** [de] [1] ⟨kledingstuk⟩ ⟨lang⟩ (pair of) trousers, ⟨AE ook⟩ pants, ⟨lang, los, sportief⟩ slacks, ⟨kort⟩ shorts, ⟨AE⟩ short trousers, ⟨vero⟩ (pair of) breeches ◆ ⟨fig⟩ *iemand **achter** de broek zitten* keep s.o. on his toes, keep s.o. up to the mark/in his work, see that s.o. gets on with his work; ***corduroy** broek* cords; *het loopt hem dun **door** de broek* ⟨lett⟩ he has the trots/runs; ⟨fig⟩ he's scared out of his pants; *zijn vrouw **heeft** de broek **aan/draagt** de broek* his wife wears the trousers/pants; ***in** zijn broek schijten* ⟨ook fig⟩ shit o.s.; ⟨fig⟩ wet one's pants; *het **in** zijn broek doen van angst* (nearly) shit/wet o.s.; *hij heeft het **in** zijn broek gedaan* he has wet his pants/shit himself; *jullie hebben flink **op/voor** jullie broek gehad* ⟨fig⟩ you were given a walloping/were trounced, they walked all over you; *broek met wijde **pijpen*** bell-bottoms, flares, wide-legged trousers/pants; *ergens zijn broek aan **scheuren*** ⟨fig⟩ suffer (great) losses, lose one's shirt; *ik moet even **uit** de broek* I need a toilet/^A^john; *je hemd steekt **uit** je broek* your shirt is sticking out; ***voor/op** de broek geven* spank; ***voor** de broek/**op** zijn broek krijgen* be spanked; ⟨fig⟩ *zoals hij kan liegen, daar **zakt** mijn broek van **af*** the way he lies, it isn't true [2] ⟨reddingstoestel⟩ breeches buoy [3] ⟨m.b.t. paardentuig⟩ breech(ing) [4] ⟨m.b.t. kanon⟩ breech [•] *een proces **aan** zijn broek krijgen* get taken to court; ⟨inf; BE⟩ get hauled up before the beak

broekenman [de^m^] toddler, (little) mite, little man

broekenpers [de] trouser press

broeking [de^v^] [1] ⟨touw m.b.t. een kanon⟩ breeching [2] ⟨deel van een zeil⟩ reef

broekje [het] [1] ⟨kleine broek⟩ ⟨onderbroek⟩ (under) pants, briefs, ⟨slipje⟩ panties, knickers ◆ ⟨fig⟩ *dat is er een **met** een broekje aan* that is a cleverly disguised lie [2] ⟨persoon⟩ whippersnapper ◆ ***jong** broekje* youngster; *nog een broekje zijn* be in short pants [•] *een broekje **krijgen*** be drummed out (of the navy), ↑ be given a dishonourable discharge

broekjurk [de] culotte dress, pantdress

broekklem [de] [1] ⟨klem voor de vouw in een broek⟩ trouser hanger [2] ⟨broekveer⟩ bicycle clip

broekkousen [de^mv^] ⟨in België⟩ tights

broekland [het] marshland, marshy land

broekpak [het] ⟨BE⟩ trouser suit, ⟨vnl AE⟩ pantsuit, pants suit

broekpers [de] trouser press

broekpoepen [ww] defecate in one's trousers, ⟨vulg⟩ shit o.s.

broekriem [de^m^] belt ◆ ⟨ook fig⟩ *de broekriem **aanhalen*** tighten one's belt

broekrok [de] culottes, pantskirt, divided skirt

broeksband [de^m^] waistband, belt

broeksknoop [de^m^] trouser(s) button

broekspijp [de] (trouser-)leg ◆ ***omgeslagen** broekspijpen* turnups, turned-up trousers

broekstuk [het] breech

broekventje [het] ⟨in België; beled⟩ toddler, little man/fellow/mite

broekzak [de^m^] trouser(s) pocket ◆ *iets kennen **als** zijn broekzak* know sth. inside out/like the back of one's hand; *dat is **broekzak-vestzak*** it is robbing Peter to pay Paul

broekzakbellen [ww] pocket-dial

broekzakbeller [de^m^] unintentional caller

broer [de^m^] brother ◆ ***als** broer en zuster leven* live together like brother and sister; *een **volle** broer* a full brother/brother-german

broertje [het] little brother ♦ *heb je nog broertjes?* have you got any little brothers?; *jonger broertje* kid brother ▪ *daar heb ik een broertje aan **dood*** ⟨ook⟩ it's my pet hate/pet aversion; *een broertje **dood** aan iets hebben* hate sth. (like death), not be able to stand sth., detest sth.

broes [de] rose

brogue [de^m] brogue

brok [het, de] 1 ⟨afgebroken stuk⟩ piece, fragment, lump, morsel, chunk ♦ ***droge** brokken* dry dog/cat food; ***hapklare** brokken* bite-size chunks; *hij had een brok **in** zijn keel* he had a lump in his throat; *hij kreeg er een brok van **in** zijn keel* it brought a lump to his throat; *brokken **maken*** smash/mess things up; ⟨ongelukken maken⟩ be accident-prone; ⟨fig ook⟩ blunder; *een brok **marmer*** a piece/lump of marble; *nu zitten ze **met** de brokken* now they are in a fix/mess/jam, now they're left holding the baby; *de **overgebleven** brokken* the remnants, the odds and ends/bits and pieces left over; *in/aan/bij **stukken** en brokken* in bits and pieces, piecemeal 2 ⟨een zekere hoeveelheid⟩ piece, bit ♦ *een brok **ideologie*** a bit of ideology; *zij was één brok **zenuwen** voor het examen* she was a bundle of nerves before the exam 3 ⟨aantrekkelijk persoon⟩ bit, piece

brokaat [het] 1 ⟨weefsel⟩ brocade 2 ⟨bronspoeder⟩ bronze powder 3 ⟨gekleurd papier⟩ tinsel

brokaten [bn] brocade

broker [de^m] broker, stockbroker

brokjes [de^mv; vaak in samenst] dried pet food, ⟨AE⟩ dog/cat/... chunks ♦ ***visbrokjes, vleesbrokjes*** fish/meat chunks

[1]**brokkelen** [onov ww] ⟨in brokken uiteenvallen⟩ crumble ♦ *dit **gesteente** brokkelt sterk* this stone crumbles easily

[2]**brokkelen** [ov ww] ⟨in stukjes breken⟩ crumble

brokkelig [bn] crumbly, ⟨bros⟩ brittle, ⟨deeg⟩ short, ⟨i.h.b. m.b.t. gesteente⟩ friable

brokken [ov ww] break ♦ ⟨fig⟩ *iets/niets in de melk te brokken **hebben*** count for sth./nothing

brokkenmaakster [de^v] → **brokkenmaker**

brokkenmaker [de^m], **brokkenmaakster** [de^v] accident-prone person

brokkenpiloot [de^m] hard-luck pilot, prune ♦ *een brokkenpiloot **zijn*** be a walking disaster

brokstuk [het] (broken) fragment, piece, scrap, ⟨mv ook⟩ debris, débris ♦ *brokstukken van een **gedicht*** snatches/scraps of a poem; *overal lagen brokstukken van het **vliegtuig*** the debris of the plane was scattered all over

brol [de^m] ⟨in België⟩ junk, rubbish, ⟨pej⟩ trash, ⟨AE ook⟩ garbage

brom [de^m] buzz, ⟨in radio e.d.⟩ hum

bromaat [het] bromate

bromauto [de^m] quad bike

brombeer [de^m] grumbler, grump(y)

bromelia [de] bromelia(d)

bromfiets [de] moped, ⟨AE⟩ motorbike

bromfietscertificaat [het] moped licence/^Alicense

bromfietser [de^m] moped rider/driver

bromfietshelm [de^m] crash helmet (for a moped), moped helmet

bromide [het] bromide

bromium [het] bromine

[1]**brommen** [onov ww] 1 ⟨grommend geluid voortbrengen⟩ ⟨insecten, motor, radio e.d.⟩ hum, ⟨persoon, hond⟩ growl, ⟨insecten ook⟩ buzz, drone 2 ⟨mopperen⟩ grumble (at) ♦ ***op** een kind brommen* chide/scold a child; *brommen **over** iets* grumble at sth. 3 ⟨gevangen zitten⟩ serve one's term of imprisonment, do time ♦ *hij zal zes **weken** moeten brommen* he will have to do six weeks 4 ⟨op een bromfiets rijden⟩ ride a moped/^Amotorbike

[2]**brommen** [ov ww, ook abs] ⟨mompelen⟩ mutter ♦ ***in** zijn baard brommen* mutter under one's breath; ⟨inf⟩ *ze komen niet, wat ik je brom* they aren't coming, I'm telling you

brommer [de^m] 1 ⟨bromfiets⟩ moped, ⟨AE⟩ motorbike 2 ⟨iemand die bromt⟩ grumbler 3 ⟨bromvlieg⟩ bluebottle 4 ⟨standje⟩ telling-off, scolding ♦ *hij zal een brommer **krijgen*** he is going to get a scolding/be told off

brommerig [bn] grumbly, grumpish, grumpy

brompot [de^m] grumbler, grump(y)

bromscooter [de^m] (motor) scooter

bromstem [de] humming/low voice

bromtandem [de^m] motor tandem

bromtol [de^m] hummingtop

bromtoon [de^m] buzz, ⟨in radio e.d.⟩ hum

bromvlieg [de] bluebottle, blowfly

bron [de] 1 ⟨opwellend water⟩ well, spring, fountain ♦ ***aan** de bron* ⟨ook figuurlijk⟩ at source; *water **aan/uit** de bron putten* dip water out of the well; *een bron **aanboren*** strike/drill a well; ***geneeskrachtige** bron* medicinal spring; ***hete** bron* hot springs; ***intermitterende** bron* intermittent spring; *bronnetje* springlet 2 ⟨oorsprong van een rivier⟩ source, fountain(head) 3 ⟨oorsprong, oorzaak⟩ source, spring, fountain, cause ♦ *bronnen van **bestaan*** means of living; *een bron van **ergernis*** an annoyance, a nuisance; ⟨sterker⟩ a thorn in s.o.'s flesh, a pest, a torment; *een voortdurende bron van **ergernis*** a thorn in one's flesh/side; *de bron van alle **kwaad*** the source of all evil; *die bron is **opgedroogd*** that source has run dry; *een bron **van** vreugde* a source of joy; *een bron **van** inkomsten* a source of income/revenue; *zijn zoon was een bron **van** zorgen voor hem* his son was a (great) worry to him 4 ⟨geschrift, persoon⟩ source, authority ♦ *tip uit **betrouwbare** bron* straight tip; *hij heeft het uit **betrouwbare/gezaghebbende** bron* he has it from a reliable/an authoritative source/on reliable authority; *de bronnen van onze **kennis*** the sources of our knowledge; *een **rijke/onuitputtelijke** bron van informatie* a (gold) mine/storehouse of information

bronader [de] ⟨ook fig⟩ well-head, fountain-head

bronbelasting [de^v] ⟨fin⟩ tax on unearned income abroad

bronbemaling [de^v] well-point drainage

bronbos [het] swamp forest, marsh forest

bronchiaal [bn] bronchial

bronchiën [de^mv] bronchi

bronchitis [de^v] bronchitis

bronchuscarcinoom [het] bronchial carcinoma

broncode [de^m] ⟨comp⟩ source code

brongas [het] natural gas

bronland [het] 1 ⟨m.b.t. product⟩ country of origin 2 ⟨m.b.t. inkomen⟩ country of residence for tax purposes but where a person does not actually live

bronnenbad [het] natural spring baths

bronnengids [de^m] source book ♦ *bronnengids **voor** de studie van de Nederlandse taal* a source book for the study of the Dutch language

bronnenkritiek [de^v] source-criticism

bronnenlijst [de] index of sources, index of source material, list of sources, list of source material

bronnenmateriaal [het] ⟨wet⟩ source material

bronnenstudie [de^v] study of the (original) sources, study of the (original) source material

[1]**brons** [het] 1 ⟨metaallegering⟩ bronze ♦ *een figuur **in** brons gieten* cast a figure in bronze; ***uit** brons gegoten* cast from bronze; ***verguld** brons* ormolu 2 ⟨bronzen medaille⟩ bronze (medal)

[2]**brons** [bn] bronze, bronzy, ⟨door de zon⟩ bronzed, tanned

[1]**bronsgroen** [het] bronze green

[2]**bronsgroen** [bn] bronze green

bronspanning [de^v] ⟨elek⟩ electromotive force

bronst [de] ⟨mannetjesdier⟩ rut, ⟨vrouwtjesdier⟩ heat

bronstig [bn] ⟨mannetjesdier⟩ rutting, ruttish, ⟨vrouwtjesdier⟩ on/^Ain heat, in season

bronstijd [de^m] ⟨gesch⟩ Bronze Age

bronsttijd [de^m] mating season, ⟨mannetjesdier⟩ rutting season, rut, ⟨vrouwtjesdier⟩ heat, season
brontaal [de] ⟨taalk⟩ source language
brontekst [de^m] source text
brontosaurus [de^m] brontosaurus
bronvermelding [de^v] acknowledgement/quotation of (one's) sources, ⟨AE ook⟩ credit (line) ◆ *de precieze bronvermelding* ***geven*** give chapter and verse; *iets* ***zonder*** *bronvermelding overnemen* copy/borrow sth. without acknowledgement/crediting the source
bronwater [het] ⟨uit bron⟩ spring water, ⟨in fles⟩ mineral water
[1]**bronzen** [bn] 1 ⟨(als) van brons⟩ bronze ◆ *een bronzen* ***medaille*** a bronze (medal); *een bronzen* ***standbeeld*** a bronze statue; *het bronzen* ***tijdperk*** the bronze age 2 ⟨bronskleurig⟩ bronze, bronzy
[2]**bronzen** [ov ww] bronze, ⟨door de zon ook⟩ tan ◆ *een gebronsd* ***beeld*** a bronzed statue; *gebronsde* ***gezichten*** bronzed/(sun)tanned faces
brood [het] 1 ⟨voedsel⟩ bread ◆ ⟨fig⟩ *brood op de plank* ***brengen*** make a living, earn one's daily bread; ***droog*** *brood eten* ⟨fig⟩ be on the breadline, live from hand to mouth; ⟨lett⟩ eat dry bread; ⟨fig⟩ *het levert geen* ***droog*** *brood op* it doesn't pay enough to keep body and soul together; ⟨AE⟩ it doesn't pay beans; *daar is geen* ***droog*** *brood mee te verdienen* you won't/wouldn't make a penny on/from it; *het brood der* ***Engelen*** the bread of angels; ⟨in België⟩ ***Frans*** *brood* French bread; ⟨in België⟩ ***gewonnen*** *brood* ± French toast; ⟨in België⟩ ***grof*** *brood* wholemeal/brown bread; ⟨fig⟩ *brood op de plank* ***hebben*** be able to keep the wolf from the door/make ends meet; ⟨fig⟩ *iemand het brood uit de mond* ***nemen/stoten*** take the bread out of s.o.'s mouth; ***ongezuurd/eigengebakken*** *brood* unleavened/home-made bread; ⟨fig⟩ *zorgen dat er brood* ***op*** *de plank komt* keep the pot boiling/wolf from the door; *voor iemand het brood uit de mond* ***sparen*** stint o.s./scrimp and save for s.o.'s sake; *een* ***stuk*** *brood* a piece/slice of bread; ***Turks*** *brood* Turkish bread; ⟨in België⟩ ***verbeterd*** *brood* enriched bread; ***vers*** *brood* fresh bread; *op* ***water*** *en brood zitten* be on bread and water rations 2 ⟨brood in een bepaalde vorm⟩ loaf (of bread) ◆ *een* ***snee*** *brood* a slice of bread; ***twee*** *broden* two loaves (of bread) 3 ⟨kost, levensonderhoud⟩ bread (and butter), living, livelihood ◆ ***dagelijks*** *brood* daily bread; *het* ***dagelijkse*** *brood bij elkaar scharrelen/verdienen* eke out/scrape a living; ***om*** *den brode* for a living, for the money, ⟨inf⟩ for the dough, to keep the wolf from the door; *een baantje* ***om*** *den brode* a bread-and-butter job; *brood en* ***spelen*** bread and circuses; *zijn brood* ***verdienen*** *(in/met)* earn one's living/make a living (on/with); *een eerlijk stuk brood* ***verdienen*** earn/turn an honest penny, make an honest living; *er een behoorlijk/schamel stuk brood mee* ***verdienen*** earn a good/scrape a meagre living out of it; *ergens (geen) brood in* ***zien*** (not) see the point/good of sth.; *daar zit (geen) brood* ***in*** one can(not) make a living from that, that will/won't pay 4 ⟨boterhammen⟩ ± sandwiches, lunch ◆ ***bij*** *mijn brood drink ik melk* I have milk with my sandwiches; *dat zal zij hem* ***op*** *zijn brood geven* she'll give him hell for that, she won't let him forget that; ⟨fig⟩ *dat krijg ik alle dagen* ***op*** *mijn brood* that is thrown in my face every day 5 ⟨Avondmaalsspijs⟩ bread ◆ ⟨rel⟩ *het* ***breken*** *van het brood* the Fraction; *het brood des* ***levens*** the Bread of Life; *brood en* ***wijn*** bread and wine; ⟨rel ook⟩ the Elements 6 ⟨hoeveelheid stof in een bepaalde vorm⟩ loaf, brick ◆ *een brood* ***klei*** a brick of clay ▪ *het* ***hemels*** *brood* the bread of heaven; ⟨sprw⟩ *overal wordt brood gebakken* ± when one door shuts another opens; ⟨sprw⟩ *wiens brood men eet, diens woord men spreekt* he who pays the piper calls the tune; ⟨sprw⟩ *de een zijn dood is de ander zijn brood* one man's breath is another man's death; ⟨sprw⟩ *van brood alleen kan de mens niet leven* man cannot live by bread alone
broodbakmachine [de^v] bread machine
broodbeleg [het] sandwich filling
broodbezorger [de^m] baker's roundsman, baker's delivery boy, breadman
broodboom [de^m] breadfruit (tree)
broodbus [de] bread tin
brooddeeg [het] (bread) dough
brooddieet [het] bread diet
brooddief [de^m] ⟨fig⟩ s.o. who takes the bread out of another's mouth, ± unfair competitor
brooddronken [bn, bw] ⟨overmoedig⟩ high-spirited, boisterous, ⟨uitgelaten⟩ elated, delirious (with joy)
broodfabriek [de^v] bread factory
broodfietser [de^m] ⟨sport⟩ professional cyclist, cycling pro
broodheer [de^m] ⟨inf⟩ boss
broodje [het] (bread) roll, bun ◆ ⟨in België⟩ *zijn broodje* ***is gebakken*** his fortune is made, he's made it ▪ *broodje* ***aap*** monkey's sandwich, (classic) urban legend, urban belief-tale; *een broodje (met)* ***kaas*** a cheese roll; ⟨in België; fig⟩ ***platte*** *broodjes bakken* ⟨in argument⟩ give in, pipe down; ⟨fig⟩ *als* ***warme*** *broodjes verkocht worden/over de toonbank gaan/de winkel uitvliegen* go/sell like hot cakes; ⟨fig⟩ ***zoete*** *broodjes bakken* eat humble pie, grovel; ⟨bij iemand⟩ butter s.o. up, softsoap s.o.; ⟨zijn eisen lager stellen⟩ set bone's sights lower; *broodje gezond,* ⟨in België⟩ *broodje smos* a salad roll
broodjeszaak [de] sandwich bar, ± snack bar, ⟨AE ook⟩ coffee shop
broodkast [de] breadbin, ± pantry ◆ ⟨fig⟩ *de muizen liggen er dood in de broodkast* they are hard up/poor as a church mouse/without a bean
broodkeuken [de] pantry
broodkever [de^m] ⟨AE⟩ drugstore beetle/weevil
broodkorst [de] 1 ⟨korst van brood⟩ crust of bread, bread crust 2 ⟨stuk brood met korst⟩ crust/heel (of a loaf) ◆ ⟨fig⟩ *iemand een broodkorst* ***toewerpen*** palm s.o. off (with)
broodkruim [het] bread crumbs
broodkruimel [de^m] bread crumb
broodmaaltijd [de^m] cold meal/lunch, sandwiches
broodmachine [de^v] bread machine, automatic bread maker
broodmager [bn] skinny, bony, skin and bone(s), thin as a rake
broodmand [de] 1 ⟨om brood rond te brengen⟩ breadbasket 2 ⟨waarin het brood op tafel komt⟩ breadbasket
broodmes [het] breadknife
broodmix [de^m] bread mix
broodnijd [de^m] professional jealousy
broodnodig [bn] much-needed, badly/sorely needed, highly necessary, bread-and-butter, vital ◆ ***ik heb 't*** *broodnodig* I need it badly
broodnuchter [bn] stonesober
broodoorlog [de^m] bread war
broodoproer [het] bread riots ⟨mv⟩
broodpap [de] bread and milk, ⟨med⟩ bread poultice
broodplank [de] breadboard
broodrenner [de^m] pro, professional racing cyclist
broodroof [de^m] ▪ *broodroof aan iemand* ***plegen*** take the bread out of s.o.'s mouth
broodrooster [het, de^m] toaster
broodschrijver [de^m] (grub-street) hack, hodman, ⟨inf⟩ (penny-a-)liner, ⟨pej; inf⟩ ink-slinger ◆ *broodschrijver* ***zijn*** live on Grub Street
broodschrijverij [de^v] ⟨pej⟩ hackwork
broodsnijmachine [de^v] bread-slicer
broodsuiker [de^m] loafsugar ◆ ***gestampte*** *broodsuiker* powdered/ground loafsugar
broodtrommel [de] 1 ⟨trommel om brood in te bewaren⟩ breadbin 2 ⟨lunchtrommel⟩ lunch box, breadbox

broodvorm [de^m] loaf tin/^A pan
broodvrucht [de] breadfruit
broodwijk [de] bread round
broodwinner [de^m] breadwinner
broodwinning [de^v] livelihood, ⟨sl; AE⟩ meal ticket ♦ *die zaak is geen broodwinning maar een geldwinning* that business is a real money spinner; *iemand zijn broodwinning* ***ontnemen*** take the bread out of s.o.'s mouth; *het is een* ***prima*** *broodwinning* it's a good business, one can make a good livelihood out of it/live well on it
broodwortel [de^m] manioc, cassava
broom [het] 1 ⟨bromium⟩ bromine 2 ⟨broomkali⟩ bromide
broomdrankje [het] bromide mixture
broomkali [het] bromide
broomvergiftiging [de^v] bromi(ni)sm
broomzilver [het] ⟨foto⟩ bromic silver, silver bromide
broomzilverpapier [het] bromide paper
[1]**broomzuur** [het] bromic acid
[2]**broomzuur** [bn] bromic acid ♦ *broomzure* ***zouten*** bromates
[1]**broos** [de^v] buskin, cothurnus ♦ ⟨fig⟩ ***Thespis'*** *brozen* the Thespian art
[2]**broos** [bn, bw] 1 ⟨breekbaar⟩ fragile, breakable, delicate, brittle ♦ *broos* ***glas*** fragile/brittle glass 2 ⟨zwak, vergankelijk⟩ fragile, delicate, brittle, frail ♦ *hun* ***geluk*** *was erg broos* their happiness was very fragile/frail; *een broze* ***stem*** a brittle voice; *broze* ***vriendschap*** brittle/frail friendship
broosheid [de^v] 1 ⟨breekbaarheid⟩ fragility, delicacy, brittleness 2 ⟨vergankelijkheid, zwakheid⟩ fragility, delicacy, brittleness, frailness ♦ *de broosheid des* ***levens*** the fragility of life
broots [de] ⟨techn⟩ broach
brootsen [ww] ⟨techn⟩ broach
brootsmachine [de^v] ⟨techn⟩ broaching machine, broacher
[1]**bros** [de] awl
[2]**bros** [bn] brittle, crisp(y), crumbly, friable ♦ *brosse* ***beschuit*** crisp/crumbly rusks; *gegoten* ***ijzer*** *is bros* cast iron is brittle; *bros* ***maken*** make brittle, embrittle; ⟨cul⟩ shorten; *bros* ***worden*** become brittle; ⟨cul⟩ become short
broskuif [de] crop, crew cut
brosse [de^v] crop, crew cut ♦ *en brosse geknipt* (closely) cropped, cut very short
brossen [onov ww] ⟨in België⟩ ⟨secundair⟩ play truant, ⟨tertiair⟩ skip classes
brosser [de^m] ⟨in België⟩ ⟨secundair⟩ truant, ⟨tertiair⟩ s.o. who skips classes
brouilleren [ov ww] embroil ♦ *zich* ***met*** *iemand brouilleren* embroil o.s. with s.o.; *gebrouilleerd zijn* ***met*** *elkaar* be embroiled with one another, have fallen out, be on bad terms/at loggerheads
brouillon [het] rough copy/draft
[1]**brouwen** [onov ww] ⟨taalk⟩ burr (one's r's)
[2]**brouwen** [ov ww] 1 ⟨m.b.t. bier⟩ brew 2 ⟨samenstellen⟩ brew, mix, concoct ♦ ***drankjes/gif*** *brouwen* brew/concoct potions/a potion; *zal ik wat* ***koffie*** *voor je brouwen?* shall I brew some coffee for you? 3 ⟨beramen⟩ brew, ⟨onrust, twist⟩ stir up, ⟨verraad, boze plannen⟩ hatch (up) ▪ *hij heeft er niet veel* ***van*** *gebrouwen* he didn't make much of it
brouwer [de^m] 1 ⟨bierbrouwer⟩ brewer 2 ⟨taalk⟩ burrer, s.o. who speaks with a burr
brouwerij [de^v] 1 ⟨bedrijf⟩ brewery 2 ⟨beroep, vak⟩ brewing
brouwersknecht [de^m] drayman
brouwketel [de^m] hop/wort boiler
brouwkuip [de] premasher/converter (for mixing grist and water)
brouw-r [de] gutteral r
brouwsel [het] 1 ⟨hetgeen gebrouwen is⟩ brew(age), ⟨bepaalde hoeveelheid bier⟩ gyle, brewing (of ale/beer), batch (of ale/beer) 2 ⟨zelfgemaakt drankje⟩ brew, potion, mixture, concoction ♦ ***slap*** *brouwsel* dishwater 3 ⟨raar product⟩ concoction, brew ▪ ⟨sprw⟩ *alle baksels en brouwsels zijn niet gelijk* you can't win them all; all work does not lead to the same result
brownie [de^m] brownie
browning [de^m] Browning
browsen [onov ww] browse
browser [de^m] ⟨comp⟩ browser
brozem [de^m] ⟨iron⟩ rocker, hell's angel, ⟨inf; AE⟩ biker
brr [tw] ⟨bij kou⟩ brr, ⟨afschuw⟩ ugh ♦ *brr! wat is 't guur!* brr it's raw!
BRT [de] 1 (Belgische Radio en Televisie) BRT ⟨thans VRT⟩ 2 (brutoregisterton(nage)) deadweight capacity/tonnage 3 (Bijzondere Regionale Toeslag) ⟨uitbetaling⟩ Special Regional Allowance, ⟨belasting⟩ Special Regional Tax
brug [de] 1 ⟨verk⟩ bridge ♦ *een brug* ***dichtdraaien*** close a bridge; ⟨fig⟩ *de brug* ***is opgehaald*** there's no going/way back, they/we have burned their/our bridges/boats; *een brug* ***met bogen*** an arch(ed) bridge; *een brug* ***opendraaien*** open/raise a bridge; *een brug* ***slaan/leggen*** *over* bridge, span; ⟨fig⟩ *een brug* ***tussen*** *de volkeren* a bridge between nations; *we moesten wachten* ***voor*** *de brug* we had to wait at the bridge; ⟨in België⟩ *Bruggen en* ***Wegen*** the highways department, the department of civil engineering 2 ⟨gebitsprothese⟩ bridge(work) 3 ⟨sport; toestel⟩ parallel bars ♦ *brug met ongelijke* ***leggers*** asymmetric bars 4 ⟨scheepv⟩ bridge 5 ⟨worstelhouding⟩ bridge 6 ⟨toestel in garage⟩ ramp ▪ ⟨in België⟩ *de brug* ***maken*** make/take a long week-end; *royaal* ***over*** *de brug komen* come across generously/handsomely; *hij moet* ***over*** *de brug komen* he has to fork out/cough up/deliver the goods; ⟨sprw⟩ *men moet geen hei roepen voor men over de brug is* don't halloo/whistle before you are out of the wood
brugbalans [de] platform scale/balance
brugdek [het] 1 ⟨dek van een brug⟩ roadway 2 ⟨scheepv⟩ bridge deck
brugfunctie [de^v] bridging function
Brugge [het] Bruges
bruggenbouwer [de^m] 1 ⟨iemand die bruggen bouwt⟩ bridge builder/constructor 2 ⟨bemiddelaar⟩ mediator
bruggengeld [het] (bridge) toll, bridge dues
bruggenhoofd [het] 1 ⟨walhoofd⟩ abutment 2 ⟨mil; stelling voor de verdediging van een brug⟩ bridgehead 3 ⟨mil; vooruitgeschoven stelling⟩ bridgehead, ⟨op strand⟩ beachhead
bruggepensioneerde [de] ⟨in België⟩ s.o. who has taken early retirement
brugger [de^m] ⟨BE⟩ first-former, ⟨BE⟩ child in year seven, ⟨junior high school; AE⟩ ± seventh-garder, ⟨high school; AE⟩ ± ninth-grader, ⟨AE ook; high school⟩ ± freshman
bruggetje [het] 1 ⟨kleine brug⟩ small bridge 2 ⟨fig; overgang⟩ link
brugjaar [het] 1 ⟨overbruggingsjaar⟩ transitional year 2 ⟨jaar van de brugklas⟩ first class/year (of secondary school)
brugkanaal [het] aqueduct
brugklas [de^v] first class/^B form, ⟨BE⟩ ± Upper Third, ⟨BE⟩ ± year seven, ⟨junior high school; AE⟩ ± seventh grade, ⟨high school; AE⟩ ± ninth grade
brugklasser [de^m] ⟨BE⟩ first-former, ⟨BE⟩ pupil in year seven, ⟨junior high school; AE⟩ ± seventh-grader, ⟨high school; AE⟩ ± ninth-grader, ⟨AE ook; high school⟩ ± freshman
brugkraan [de] bridge/gantry crane
brugleuning [de^v], **brugreling** [de^v] bridge railing, ⟨van steen⟩ parapet
Brugman ▪ *praten als* ***Brugman*** ± have the gift of the gab

brugoefening [de^{v}] ⟨sport⟩ exercise/performance on the parallel bars, ⟨voor vrouwen⟩ exercise/performance on the asymmetric bars

brugpensioen [het] ⟨in België⟩ early retirement

brugpieper [de^{m}] ⟨scherts⟩ ⟨BE⟩ ↑ first-former, ⟨junior high school; AE⟩ ↑ seventh-grader, ⟨high school; AE⟩ ↑ ninth-grader, ⟨AE ook; high school⟩ freshman

brugreling [de^{v}] → **brugleuning**

brugrestaurant [het] overhead motorway restaurant

brugstand [de^{m}] bridge (position)

brugvak [het] [1] ⟨m.b.t. een vaste brug⟩ bridge section [2] ⟨m.b.t. een schip-, pontonbrug⟩ pontoon

brugverbinding [de^{v}] bridge (connection), link by bridge

brugwachter [de^{m}] bridgeman, ⟨BE ook⟩ bridgemaster

brui [de^{m}] ⊡ *er de brui aan **geven*** chuck it (in), throw it up

bruid [de^{v}] bride ♦ *de **aanstaande** bruid* the bride-to-be; *een bruid van **Christus*** a bride of Christ; *een **eeuwige** bruid* ± an eternal spinster; *zij **is** de bruid* she is the bride(-to-be); *zij is de **koperen/zilveren/gouden** bruid* she is celebrating her copper/silver/golden wedding (anniversary) ⊡ ⟨sprw⟩ *je kunt wel dansen al is 't niet met de bruid* ± a wise man cares not for what he cannot have; ± a man must plough with such oxen as he has

bruidegom [de^{m}] (bride)groom ♦ *de bruidegom **zijn*** be the (future) bridegroom; *hij is de **zilveren/gouden** bruidegom* he is celebrating his silver/golden wedding (anniversary)

bruidje [het] ⟨r-k⟩ child making her first communion

bruidsbed [het] bridal bed, nuptial couch

bruidsbloem [de] stephanotis

bruidsboeket [het, de^{m}] bridal bouquet

bruidsdagen [de^{mv}] days leading up to a wedding ♦ *de bruidsdagen zijn voorbij* ⟨fig⟩ the honeymoon is over

bruidsgift [de] wedding present

bruidsjapon [de^{m}] bridal gown, wedding dress

bruidsjonker [de^{m}] page

bruidsmeisje [het] bridesmaid

bruidsnacht [de^{m}] wedding night

bruidspaar [het] bride and (bride)groom, bridal couple

bruidsschat [de^{m}] dowry, bride's/marriage portion

bruidssluier [de^{m}] [1] ⟨sluier van de bruid⟩ bridal veil [2] ⟨plantk⟩ ⟨sierplant⟩ baby's-breath, ⟨klimplant⟩ Russian vine, silver-lace vine

bruidsstoet [de^{m}] wedding/bridal procession

bruidssuiker [de^{m}] sweet(s) handed out by bride

bruidssuite [de] bridal suite, honeymoon suite

bruidstaart [de] wedding cake

bruidstranen [de^{mv}] [1] ⟨drank⟩ spiced wine served in the days leading up to a wedding [2] ⟨partijtje⟩ party after obtaining marriage licence, ⟨AE⟩ ± shower

bruidsvlucht [de] nuptial flight

bruikbaar [bn] usable, ⟨nuttig⟩ useful, ⟨voorstel⟩ practicable, ⟨machines, auto's enz.⟩ serviceable, ⟨arbeidskracht⟩ employable ♦ *niet erg bruikbaar* not much use; *bruikbaar **maken*** make usable; ⟨fig⟩ *een bruikbaar **mens*** an accommodating/obliging person; *een bruikbare **methode/hypothese*** a workable method/hypothesis; *bruikbaar **zijn*** be of use, serve the purpose

bruikbaarheid [de^{v}] utility, usefulness, practicability, serviceability, employability, workability, workableness

bruikleen [het, de^{m}] loan ♦ *iets **in** bruikleen hebben* have the loan/use of sth., have sth. on loan; *iets aan iemand **in** bruikleen geven* give sth. on loan to s.o., loan sth. to s.o., give s.o. the use of sth.

bruiklening [de^{v}] gratuitous/free loan

bruiloft [de] [1] ⟨trouwfeest⟩ wedding ♦ ***op** een bruiloft genodigd (zijn)* (be) invited to/a guest at a wedding; *bruiloft **vieren*** celebrate a wedding [2] ⟨gedenkfeest⟩ wedding (anniversary) ♦ *de **blikken** bruiloft* ⟨7 jaar⟩ ± the wooden wedding (anniversary), ⟨10 jaar⟩ ± the tin wedding (anniversary); ***koperen** bruiloft* wedding anniversary after 12½ years; ***zilveren/gouden/diamanten/platina** bruiloft* silver/golden/diamond/platinum wedding (anniversary) ⊡ ⟨sprw⟩ *van bruiloft komt bruiloft* one wedding brings another

bruiloftsfeest [het] wedding party, wedding feast

bruiloftsgast [de^{m}] wedding guest

bruiloftskleed [het] [1] ⟨op de bruiloft gedragen kleding⟩ wedding garment/attire [2] ⟨bont uiterlijk van dieren⟩ ⟨vogel⟩ nuptial plumage/dress, breeding plumage

bruiloftslied [het] hymeneal, prothalamium

bruiloftsmaal [het] wedding breakfast, wedding reception

bruiloftsmars [de] wedding march

bruiloftsvlucht [de] nuptial flight

[1]**bruin** [het] [1] ⟨kleur⟩ brown [2] ⟨brood⟩ brown (loaf) ⊡ ***oud** bruin* ± brown ale

[2]**bruin** [bn, bw] brown, ⟨paard ook⟩ bay, ⟨glas⟩ amber ♦ *bruin **bakken/braden*** brown; ⟨aardappelen/uien ook⟩ sauté; *bruine **beer/rat*** brown bear/rat; *bruine **beuk*** copper beach; *bruin **bier/haar*** (brown) beer, brown hair; *een bruin **café*** ± a pub; *de **koffie** is bruin* the coffee is ready; *zich bruin **laten bakken*** tan (o.s.), sunbathe; *een schilderij in bruine **tinten*** a painting in browns/shades of brown; *bruin **worden*** get a (sun)tan, go/get brown, tan; *wat **zie** je bruin* my, aren't you brown?, don't you have a tan! ⊡ *wat **bak** je ze weer bruin* you're laying it on thick!, you're really going to town on it/really overdoing it; *een bruin **leven*** a good/an easy life; *bruine **sympathieën*** fascist sympathies

Bruin ⟨beer⟩ Bruin, ⟨paard⟩ bay ♦ *dat kan Bruin niet **trekken*** that's beyond my pocket, I can't afford that, ⟨BE⟩ the exchequer won't allow it

bruinbrood [het] brown bread

[1]**bruinen** [onov ww] ⟨bruin worden⟩ brown, go/turn brown, ⟨door de zon ook⟩ tan, bronze ♦ *hij **begint** al te bruinen* he's already turning brown

[2]**bruinen** [ov ww] ⟨bruin maken⟩ brown ⟨ook culinaria⟩, ⟨door de zon⟩ tan, bronze ♦ *de zon heeft zijn **vel** gebruind* the sun has tanned his skin/turned his skin brown

bruineren [ov ww] [1] ⟨bruin maken⟩ brown, tan [2] ⟨met zuur behandelen⟩ brown ♦ *een **geweerloop** bruineren* brown a gun barrel

bruingoed [het] brown goods, ± audiovisual equipment

bruinhemd [de^{m}] ⟨pol⟩ brownshirt

bruinjoekel [de^{m}] ⟨pej⟩ wog

bruinkool [de] brown coal, lignite

bruinogig [bn] brown-eyed

bruinrot [het] brown rot

bruinsteen [het, de^{m}] black manganese, pyrolusite

bruinvis [de^{m}] porpoise, sea hog

bruinwerker [de^{m}] ⟨pej⟩ [1] ⟨kontlikker, uitslover⟩ ⟨BE⟩ arselicker, ⟨AE⟩ brownnose, toady, creep [2] ⟨homoseksueel⟩ brown hatter

bruinwier [het] brown algae/seaweeds

bruisen [onov ww] foam, ⟨van gazeuse dranken⟩ effervesce, fizz, ⟨van woede⟩ seethe ♦ ⟨fig⟩ *zijn **bloed** bruist* his heart is pounding; *de bruisende **golven*** the seething/foaming waves; ⟨fig⟩ *bruisen **van** geestdrift/energie* bubble/brim over with enthusiasm/energy

bruisend [bn] dazzling ⟨van een feest⟩

bruispoeder [het, de^{m}] effervescent powder

bruistablet [het, de] effervescent tablet

brul [de^{m}] roar

brulaap [de^{m}] [1] ⟨mv; apenfamilie⟩ New World monkeys [2] ⟨dier⟩ howler (monkey), howling monkey [3] ⟨persoon⟩ bawler, ⟨huilebalk⟩ cry-baby

brulboei [de] [1] ⟨zeeboei⟩ whistling buoy [2] ⟨persoon⟩ bawler

brulkikker [de^{m}] bullfrog

brulkikvors [de^{m}] bullfrog

[1]**brullen** [onov ww] [1] ⟨m.b.t. dieren⟩ roar, ⟨roerdomp⟩

boom [2] ⟨hard schreeuwen⟩ roar, bawl, howl, bellow ♦ *de zaal/toehoorders **doen** brullen* set the hall/audience roaring/howling; *de jongen zette het **op** een brullen* the boy set up a roar; *brullen **van** de pijn* roar/bellow with pain; *hij brulde **van** woede* he roared/bellowed with anger; *brullen **van** het lachen* roar/howl with laughter

²**brullen** [ov ww] ⟨brullend meedelen⟩ roar, blare, bellow ♦ *een dove iets **in** 't oor brullen* blare sth. into a deaf person's ear

brulziekte [de^v] heat

brunch [de^m] brunch

brunchen [onov ww] have brunch, brunch

Brunei [het] Brunei

Bruneier [de^m], **Bruneise** [de^v] ⟨man & vrouw⟩ Bruneian, ⟨vrouw ook⟩ Bruneian woman/girl

Bruneis [bn] Bruneian

Bruneise [de^v] → **Bruneier**

brunel [de] ⟨plantk⟩ [•] *gewone brunel* self-heal

brunette [de^v] brunette

Brunswijk [het] Brunswick

bruschetta [de^mv] bruschetta

Brussel [het] Brussels

Brusselaar [de^m], **Brusselse** [de^v] ♦ *Brusselaar **zijn*** be/come from Brussels

brusselen [onov ww] ⟨in België⟩ live it up, live the life of Riley, paint the town red, go on the town

Brussels [bn] Brussels ♦ *Brusselse **kant*** Brussels lace; *Brusselse **kermis*** type of sugared biscuit; *Brussels **lof*** chicory; *Brusselse **spruitjes*** Brussels sprouts

Brusselse [de^v] → **Brusselaar**

brut [bn] brut ♦ ⟨zelfstandig (gebruikt)⟩ *een brut van 1961* a 1961 brut

brutaal [bn, bw] [1] ⟨zonder respect⟩ cheeky ⟨bw: cheekily⟩, brazen, impudent, impertinent, insolent ♦ *een brutaal **antwoord*** an insolent reply; *brutaal **antwoorden*** answer/talk back; *dat **is** brutaal!* some cheek/nerve!; *een brutale **leugen*** a brazen/barefaced lie; *wat **minder** brutaal jij!* less of your cheek!; *houd je brutale **mond*** none of your cheek/sauce!; *een brutaal **nest*** a shameless/brazen hussy; ⟨vnl BE ook⟩ a cheeky little madam; *een brutale **streek*** a barefaced trick; *een brutaal **stukje*** impertinence; ⟨vnl BE ook⟩ a bit/piece of cheek; *brutaal zijn **tegen** iemand* give s.o. cheek/lip; ⟨inf; AE⟩ sass s.o.; *iets brutaal **volhouden*** brazen sth. out; *dat **was** brutaal van hem* that was rather cool of him; ***wat** brutaal!* of all the cheek/nerve!; *niet brutaal **worden**, hè!* none of your cheek!, ⟨sl⟩ none of your lip!; *zij was zo brutaal om ...* she had the cheek/nerve/gall to ... [2] ⟨vrijpostig⟩ bold ⟨bw: ~ly⟩, forward, brazen, shameless ♦ *hij is zo brutaal **als de beul*** he is as bold as brass; *een paar brutale **kijkers** hebben* have an impudent stare; *een brutale **opmerking*** a forward remark [•] ⟨sprw⟩ *brutalen hebben de halve wereld* ± fortune favours the bold; ± faint heart never won fair lady

brutaaltje [het] ⟨inf⟩ saucy imp, cheeky monkey, saucebox, ⟨meisjes ook⟩ hussy, huzzy, (saucy) baggage

brutaalweg [bw] insolently, barefacedly, brazenly, cheekily ♦ *hij **heeft** het brutaalweg **gedaan*** he was just insolent and went ahead and did it; *iemand brutaalweg de waarheid **zeggen*** give s.o. a piece of one's mind

brutaliseren [ov ww] bully, browbeat, ⟨brutaal zijn⟩ cheek, sauce, ⟨AE⟩ sass

brutalisme [het] brutalism

brutaliteit [de^v] [1] ⟨vrijpostigheid⟩ cheek, impudence, insolence, impertinence ♦ *hij **heeft** de brutaliteit te zeggen dat ik lieg* he has the cheek/nerve/gall to say that I'm lying [2] ⟨uiting, daad⟩ cheek, impudence, insolence, impertinence ♦ ***wat** een brutaliteit!* of all the cheek/nerve!; *zo'n brutaliteit!* what cheek/sauce/impudence!

bruteren [ov ww, ook abs] gross up

bruto [bw] [1] ⟨handel⟩ gross, all up ⟨bijvoorbeeld gewicht⟩ ♦ *bruto **voor** netto* gross (weight) for net; *de kist **weegt** bruto 800 kg* the crate weighs 800 kg gross [2] ⟨m.b.t. een salaris, opbrengst⟩ gross ♦ *het concert **heeft** bruto € 1100 **opgebracht*** the concert raised 1100 euros gross [3] ⟨m.b.t. goud, zilver⟩ alloyed [•] *bruto nationaal **product*** gross national product

brutogewicht [het] gross weight

bruto-inkomen [het] gross income

brutoloon [het] gross income

brutomarge [de] gross margin

brutosalaris [het] gross salary

brutowinst [de^v] gross profit

bruusk [bn, bw] brusque ⟨bw: ~ly⟩, abrupt, curt ♦ *een bruusk **antwoord*** an abrupt/curt answer; *een bruusk **optreden*** a brusque manner

bruuskeren [ov ww] snub, brush off ♦ *de **zaak** bruuskeren* push the matter through

¹**bruut** [de^m] brute, beast, bully, ogre

²**bruut** [bn, bw] [1] ⟨gewelddadig⟩ brute, ⟨gruwelijk⟩ brutal ♦ *bruut **geweld*** brute force [2] ⟨rustiek⟩ rustic ♦ *brute **steen*** rustic work/stone

bruutheid [de^v] brutality, bruteness

bruyère [het] → **bruyèrehout**

bruyèrehout [het], **bruyère** [het] briar, brier

BS [de] [1] (burgerlijke stand) register of births, marriages and deaths [2] (Binnenlandse Strijdkrachten) Forces of the Interior

B Sc [afk] (bachelor of science) ⟨BE⟩ BSc, ⟨AE⟩ BS

BSE [de] (bovine spongiform encephalopathy) BSE

bsn [het] Citizen Service Number (CSN)

bso [het] ⟨in België⟩ (bijzonder secundair onderwijs) Special Secondary Education

B-status [de^m] ⟨radio/tv⟩ middle category of Dutch broadcasting corporations

btw [de^v] (belasting op de toegevoegde waarde) VAT ♦ *het hoge/lage **btw-tarief*** the high/low VAT rate

btw-plichtig [bn] liable to VAT

bubbelbad [het] [1] ⟨whirlpool⟩ whirlpool bath, jacuzzi [2] ⟨schuimbad⟩ bubble bath

bubbelgum [het, de^m] bubble gum

bubbels [de^mv] ⟨champagne⟩ bubbly

bubbeltjesplastic [het] bubble wrap

bubblejetprinter [de^m] bubble jet printer

bucentaur [de^m] ⟨myth⟩ bucentaur

bucht [de^m] ⟨in België⟩ (piece of) junk, trash, rubbish, garbage

buckelpiste [de] mogul field

bucket [de] bucket

bucketseat [de^m] bucket seat

buckram [het] buckram

buckyball [de^m] buckyball

bucolisch [bn] bucolic ♦ *bucolische **zangen/poëzie*** bucolic songs/poetry

buddleja [de^m] ⟨plantk⟩ buddleia, butterfly bush

buddy [de^m] [1] ⟨m.b.t. aidspatiënt⟩ buddy [2] ⟨helper⟩ buddy

buddyhollybril [de^m] Buddy Holly glasses, birth control glasses

buddyseat [de^m] pillion

buddyzorg [de] buddy care

budget [het] budget ♦ *we hebben een zeer **beperkt** budget* we are living on a shoe-string; *dat past niet **in** mijn budget* that doesn't suit my budget; *een aanslag **op** mijn budget* an inroad on my budget; ⟨in Nederland⟩ ***persoonsgebonden** budget* client-linked budget (for healthcare)

budgetbewaking [de^v] budgetary control

budgetmaatschappij [de^v] budget airline

budgetneutraal [bn] budget neutral

budgetrecht [het] right to approve the budget, ⟨vnl AE; inf⟩ power of the purse

budgettair [bn] budgetary ♦ *de budgettaire **gelden*** the budgetary funds; *budgettair **neutraal*** not involving addi-

tional expenditure
budgetteren [onov ww] 1 ⟨ramingen en bedrijfsuitkomsten vergelijken⟩ budget 2 ⟨begroting maken⟩ budget
budgettering [de^v] budgeting
budo [het] budo
buffel [de^m] buffalo ◆ *de Kaapse buffel* the (Cape) buffalo
buffelen [onov ww] ⟨inf⟩ wolf (down), gobble
buffelmozzarella [de] buffalo mozzarella
buffer [de^m] 1 ⟨spoorw⟩ buffer ◆ ⟨fig⟩ *dat kind fungeert als buffer tussen zijn ouders* that child acts as a buffer between his parents 2 ⟨comp⟩ buffer
buffercapaciteit [de^v] buffer capacity
bufferen [ov ww, ook abs] 1 ⟨bufferwerking uitoefenen, teweegbrengen⟩ buffer, cushion 2 ⟨voorraad aanleggen⟩ stockpile
bufferfonds [het] buffer fund
buffergeheugen [het] buffer
buffermengsel [het] ⟨scheik⟩ buffer (solution)
bufferstaat [de^m] buffer state
buffervoorraad [de^m] buffer stock
bufferwerking [de^v] buffer effect
bufferzone [de] buffer zone ◆ *het gedemilitariseerde gebied diende **als** bufferzone* the demilitarized area served as a buffer zone; *tussen de woonkernen **zijn** bufferzones **gepland*** buffer zones are planned between the residential centres
buffet [het] 1 ⟨meubelstuk⟩ sideboard, buffet 2 ⟨tapkast⟩ refreshment bar, buffet 3 ⟨wat verkrijgbaar is⟩ buffet ◆ ***koud** buffet* cold buffet; ***lopend** buffet* buffet
buffetkast [de] sideboard, buffet
buffetwagen [de^m] refreshment trolley
bug [de^m] bug
bugel [de^m] 1 ⟨blaasinstrument⟩ bugle ◆ *(op) de bugel **blazen*** (play the) bugle 2 ⟨muzikant⟩ bugler 3 ⟨partij⟩ bugle part
buggy [de^m] buggy
bühne [de] boards, stage ◆ ***op** de bühne voelde hij zich een ander mens* he felt like a different person on the boards
bui [de] 1 ⟨periode van neerslag⟩ shower, squall, ⟨vaak fig; hevig, met onweer⟩ (short) storm ◆ *de bui **barst los*** it started to rain, the clouds opened; *een **fikse** bui* a heavy shower, hard/heavy rain, a downpour; ***hier en daar** een bui* scattered showers; *we **krijgen** een bui* we are in for a storm; *een bui op zijn kop **krijgen*** get a soaking; *de bui **laten overdrijven*** ⟨fig⟩ wait until the storm has passed/blows over; ***maartse** buien* April showers; *er komt een bui **opzetten*** a storm is brewing; ***schuilen voor** een bui* take shelter from a storm; *de bui **trekt af/waait over*** ⟨fig⟩ the storm has passed/blown over; ***voor** de bui binnen zijn* ⟨fig⟩ be in before the rain; ⟨scheepv⟩ ***witte/droge** buien* (white) squalls; *de bui **zien aankomen/zien hangen*** ⟨fig⟩ see the storm coming/building; *het was maar een buitje* it was just a brief shower 2 ⟨humeur⟩ mood, humour, temper ◆ *hij heeft weer eens een **boze** bui* he is having another one of his tantrums/moods; *in een **driftige** bui* in a fit of temper/rage; *een **energieke** bui* a fit/burst of energy; *soms **heeft** hij van die buien* he has these moods sometimes; *hij had een **jolige** bui* he was in jolly spirits/a jolly mood; *hij was in een zeer **knorrige** bui* he was in a terribly grouchy/grumpy/cranky mood; *een **kwade/goede/vrolijke** bui hebben* be in a bad/good/cheerful mood; *in een **nijdige** bui* in a fit of pique ▪ ***bij** buien* by fits and starts, fitfully
buidel [de^m] 1 ⟨beurs⟩ purse, pouch ◆ *een **dikke welgevulde** buidel* a fat/bulging purse; *hij tast niet graag **in** de buidel* he reaches into his pocket/opens the purse reluctantly; *een buidel **met** geld* a sack of money, money in a pouch 2 ⟨huidplooi⟩ pouch
buidelbeer [de^m] koala (bear)
buideldier [het] marsupial
buidelen [onov ww] kangaroo
buidelmees [de] penduline tit
buidelrat [de] opossum
buien [onpers ww] ◆ ***het** buit* it is showery
buienradar [de^m] precipitation radar
buienstraat [de] ⟨meteo⟩ band of showers
buigbaar [bn] flexible, pliant, pliable, bendable
[1]**buigen** [onov ww] 1 ⟨een buiging maken⟩ bow ◆ *hij boog **diep*** he bowed deeply; *alles voor zich **doen** buigen* make everything bend to one's will; ***voor** iemand buigen* bow to s.o.; ⟨fig⟩ ***voor** de mammon buigen* bow to Mammon; ⟨fig⟩ ***voor** iemands wil buigen* bow/yield to s.o.'s will; *buigend **weggaan*** bow one's way out 2 ⟨zich krommen⟩ bend (over) ◆ *het is buigen of **barsten*** ⟨fig⟩ it's bend or break; *plastic buigt **gemakkelijk*** plastic bends easily; *de weg buigt hier **naar** links* the road curves to the left here ▪ ⟨sprw⟩ *het is beter te buigen dan te barsten* better bend than break; a reed before the wind lives on, while mighty oaks do fall; ⟨sprw⟩ *jonge takken buigen licht* as the twig is bent, so is the tree inclined
[2]**buigen** [ov ww] ⟨doen krommen⟩ bend, bow, flex ◆ *het **hoofd** buigen van schaamte* hang one's head in shame; *de **knieën** buigen* kneel (in prayer), genuflect; *zich **over** het werk buigen* ⟨fig⟩ buckle down to/get stuck into one's work; *zich **over** een probleem buigen* ⟨fig⟩ go into/tackle a problem; *zich **over** de balustrade buigen* lean over the railing; *buigen en **strekken*** bend and stretch; *een **teen/stok/plank** buigen* bend a toe/stick/board; *iemands **wil** buigen* bend s.o.'s will ▪ ⟨sprw⟩ *men moet de boom buigen als hij jong is* as the twig is bent, so is the tree inclined
[3]**buigen** [ov ww, ook abs] ⟨natuurk⟩ diffract
buigijzer [het] ⟨amb⟩ moving/bending iron
buiging [de^v] 1 ⟨bocht⟩ bend, curve, flexure ◆ *de buiging van de **arm*** the bend of the arm; *de weg **maakt** hier een buiging* the road bends/curves here/takes a bend/curve here 2 ⟨uiting van eerbied, groet⟩ bow, ⟨vrouwen⟩ curtsy ◆ *een buiging **maken*** bow, curtsy; *ze bedankte **met** een buiging* she bowed her thanks; *iemand **met** buigingen verwelkomen/uitgeleide doen* bow s.o. in/out 3 ⟨taalk⟩ inflection 4 ⟨wijziging van toon⟩ modulation ◆ *een buiging van de **stem*** voice modulation 5 ⟨natuurk⟩ diffraction
buigingsleer [de] ⟨taalk⟩ accidence, inflectional morphology
buigingsrooster [het] ⟨natuurk⟩ diffraction grating
buigingsuitgang [de^m] ⟨taalk⟩ inflection, inflectional ending
buigingsvorm [de^m] ⟨taalk⟩ inflection, inflectional ending/form
buigproef [de] bending test
buigpunt [het] ⟨wisk⟩ point of inflection
buigspanning [de^v] bending stress
buigspier [de] flexor
buigtang [de] (pair of) pliers
buigvastheid [de^v] bending/flexural strength
buigzaam [bn] 1 ⟨lenig⟩ flexible, pliant, pliable, supple, malleable 2 ⟨zich gemakkelijk schikkend⟩ flexible, adaptable, compliant, yielding, malleable ◆ *een buigzaam **karakter*** a compliant/yielding disposition
buigzaamheid [de^v] 1 ⟨lenigheid⟩ suppleness, flexibility, pliability 2 ⟨inschikkelijkheid⟩ flexibility, adaptability, malleability
buiig [bn] 1 ⟨onbestendig⟩ showery, gusty, squally 2 ⟨van stemming wisselend⟩ temperamental, volatile
buik [de^m] 1 ⟨m.b.t. personen⟩ belly, stomach, ⟨kind⟩ tummy, ⟨onderste gedeelte⟩ abdomen ◆ *hij heeft een buik **als** een burgemeester* he's got a paunch; *een **dikke** buik* a fat belly, a paunch, a (fat) gut, a pot belly; ⟨fig⟩ *met het mes **in** de buik rondlopen* carry the (weight of the) world on one's shoulders; *zijn buik **inhouden*** hold in one's stomach; ⟨inf⟩ ***met** een dikke buik lopen* ⟨scherts; BE⟩ have a bun in the oven, be in the pudding club; ***op** zijn buik liggen* lie on one's stomach/belly; ⟨inf, fig⟩ *schrijf het maar **op** je buik* not on your

life, forget it; *zijn buik **rond** gegeten hebben* have eaten one's fill, be sated with food; *hij heeft **van zijn buik een afgod** gemaakt* all he thinks about is his stomach; *zijn buik **vasthouden** van het lachen* hold one's sides with laughter; ⟨fig⟩ *er de buik van **vol** hebben* be fed up with (it), be sick and tired of (it), be fed up to the back teeth [2] ⟨m.b.t. dieren⟩ belly, stomach [3] ⟨m.b.t. voorwerpen⟩ belly, body, thickest part/section, ⟨van zeil ook⟩ bunt, ⟨med; van spier ook⟩ venter, ⟨van ton ook⟩ bilge ◆ *de buik van een **fles*** the body of a bottle; *de buik van een **schip*** the belly of a ship; *de buik van een **zuil*** the thickest part of a column [4] ⟨natuurk⟩ antinode

buikademhaling [de^{v}] abdominal respiration, ⟨vnl sport⟩ belly breathing

buikband [de^{m}] wrapper, advertising band

buikbreuk [de] hernia, rupture

buikdans [de^{m}] belly dance

buikdansen [ww] (do a) belly dance

buikdanseres [de^{v}] belly dancer

buikdenning [de^{v}] ⟨scheepv⟩ ceiling

buikfles [de] flagon

buikgevoel [het] gut feeling

buikgording [de^{v}] ⟨scheepv⟩ buntline

buikgriep [de] gastroenteritis

buikholte [de^{v}] abdomen, abdominal cavity

buikig [bn] [1] ⟨dik⟩ paunchy, corpulent ◆ *een buikig **heerschap*** a corpulent gentleman [2] ⟨buikvormig⟩ bulbous, rounded, full ◆ *een buikige **vaas*** a bulbous vase

buikijzer [het] scoop

buikje [het] [1] ⟨kleine buik⟩ little/small stomach, little/small belly, ⟨kind, inf⟩ tummy [2] ⟨dikke buik⟩ belly, paunch, (fat) gut ◆ *het buikje **eraf** lopen* walk off one's fat/dinner; *een buikje **krijgen*** get/develop a paunch/gut/middle-age(d) spread/a pot belly; *zijn buikje **rond/vol** eten* eat one's fill

buikkramp [de] stomach/abdominal cramp, the gripes ⟨mv⟩

buiklanding [de^{v}] belly landing, belly flop

buikloop [de^{m}] diarrhoea, ⟨inf⟩ the runs/trots

buikoperatie [de^{v}] abdominal operation, laparotomy

buikorgel [het] belly organ

buikpijn [de] stomachache, bellyache, abdominal pain ◆ ⟨fig⟩ *buikpijn van iets **hebben*** have the collywobbles; ⟨fig⟩ *'t is om er buikpijn van te **krijgen*** it's enough to make you sick

buikplaat [de] sternite

buikpotig [bn] ⟨dierk⟩ [•] ⟨zelfstandig (gebruikt)⟩ ***de buikpotigen*** gast(e)ropods; *de buikpotige **weekdieren*** gast(e)ropods

buikriem [de^{m}] [1] ⟨gordel⟩ belt ◆ *zij zullen de buikriem moeten **aanhalen*** they will have to tighten their belt(s) [2] ⟨zadelriem⟩ girth, bellyband, ⟨vnl AE⟩ cinch

buikschuiven [ww] rub bellies

buikspeekselklier [de] pancreas

buikspier [de] stomach muscle, abdominal muscle

buikspieroefening [de^{v}] stomach (muscle) exercise, abdominal exercise

buikspreekster [de^{v}] → **buikspreker**

buikspreken [ww] ventriloquize, throw one's voice ◆ ⟨zelfstandig (gebruikt)⟩ ***het buikspreken*** ventriloquism

buikspreker [de^{m}], **buikspreekster** [de^{v}] ventriloquist

buiksprekerspop [de] ventriloquist's dummy

buikstreek [de] abdomen, abdominal region

buikvin [de] ⟨dierk⟩ pelvic fin, ⟨buik- en aarsvin⟩ ventral fin

buikvlies [het] peritoneum

buikvliesontsteking [de^{v}] peritonitis

buikwand [de^{m}] abdominal wall

buikwind [de^{m}] ↓ fart, ⟨mv⟩ wind, flatulence

buikwond [de] abdominal injury/wound, stomach wound

buikzijde [de] ventral side

buikzwam [de] gasteromycete

^{1}**buil** [de^{m}] [1] ⟨vnl in samenstellingen; papieren zakje⟩ paper bag/sack ◆ *een **theebuiltje*** tea bag [2] ⟨zeef⟩ bolter

^{2}**buil** [de] ⟨bult⟩ bump, lump, swelling, protuberance ◆ *zich een buil **vallen/stoten*** get a bump/bruise from falling/from bumping into sth., bump o.s. falling/from running into sth.; ⟨fig⟩ *daar kun je/zul je je geen buil aan **vallen*** you can't go wrong on/with that

builderen [onov ww] builder

builen [ov ww] bo(u)lt

builenpest [de] bubonic plague

^{1}**buis** [het] ⟨jasje⟩ (tight) jacket

^{2}**buis** [de] [1] ⟨koker, pijp⟩ tube, pipe, tubing, conduit, ⟨kachel⟩ flue, ⟨van radio e.d.⟩ valve, tube ◆ *de buis van **Eustachius*** Eustachian tube; ⟨med⟩ ***fallopische** buis* Fallopian tubes; *een **glazen** buis* a glass tube; *een **tinnen** buis* a tin pipe; *buizen **trekken/persen*** make/produce tubes/tubing; *de buizen van de **waterleiding*** water pipes [2] ⟨plantk⟩ tube [3] ⟨televisie⟩ ⟨BE⟩ box, ⟨BE⟩ telly, ⟨AE⟩ tube, TV ◆ *voor de buis **hangen*** just sit and watch TV; ⟨BE ook⟩ be goggle-boxing; ***op** de buis* on the ^{B}box/^{A}tube [4] ⟨mil⟩ fuse [5] ⟨slag, vlaag⟩ gust, burst [6] ⟨schip⟩ herring boat [•] ⟨in België⟩ *een buis **krijgen**/er met een buisje **afkomen*** fail/^{A}flunk an exam

buisje [het] tube, vial ◆ *een buisje **aspirine*** a bottle/vial of aspirin

buisjespasta [de^{m}] tube pasta

buislamp [de] (neon) tube, striplight, fluorescent/tubular lamp

buisleiding [de^{v}] pipe(line), pipes, piping, conduit ◆ *de buisleiding van de **gasfabriek*** the gas (company) pipes/pipeline

buismuis [de] couch potato, TV junkie

buisverlichting [de^{v}] striplighting, tubular lights, ⟨oneig⟩ fluorescent lighting

buisvormig [bn] [1] ⟨met de vorm van een buis⟩ tubular, tubulate(d), tubate [2] ⟨plantk⟩ tubular

buiswater [het] spray

buit [de^{m}] [1] ⟨wat men veroverd heeft⟩ booty, spoils, plunder, loot, haul ◆ *de buit **binnenhalen*** haul in the loot, ↑ reap a rich reward; *de **gestolen** buit verdelen* divvy up/divide the stolen loot/booty; *er met de **hele** buit vandoor gaan* make off with all the loot; *iets buit **maken*** capture sth.; ***met** de buit gaan strijken* carry off the prize [2] ⟨jachtbuit⟩ catch, bag, take ◆ *met een **flinke** buit thuiskomen* come home with a big catch; *met **rijke** buit keerde de jachtstoet huiswaarts* the hunting party headed for home with their handsome take

buitelaar [de^{m}], **buitelaarster** [de^{v}] tumbler

buitelaarster [de^{v}] → **buitelaar**

buitelen [onov ww] [1] ⟨duikelen⟩ tumble, somersault [2] ⟨failliet gaan⟩ bankrupt, broke

buiteling [de^{v}] [1] ⟨duikeling over het hoofd⟩ tumble ◆ *een lelijke buiteling **maken*** take a nasty spill/tumble; ⟨fig⟩ *vreemde/rare buitelingen **maken*** take a strange/crazy approach [2] ⟨bankroet⟩ bankruptcy

^{1}**buiten** [de^{m}] ⟨in België⟩ ⟨platteland⟩ country(side) ◆ ***van** de buiten zijn* be from the country/provinces, be a country-boy/girl; ⟨in België⟩ *op de buiten **wonen*** live in the country

^{2}**buiten** [het] ⟨buitenverblijf⟩ country place, countryhouse

^{3}**buiten** [bw] outside, out, outdoors ◆ *daar wil ik buiten **blijven*** ⟨fig⟩ I want to stay/keep out of that; *een **dagje** buiten* a day in the country, a country outing; *de koeien buiten **doen*** let/turn the cows out; ***honden** buiten* no dogs allowed; ***naar** buiten gaan* ⟨buitenshuis⟩ go outside/outdoors; ⟨naar het platteland, de stad uit⟩ go to the country/out of town; ⟨scheepv⟩ put to sea; ***naar** buiten rennen* run out(side)/outdoors; ***naar** buiten volgen* follow out; ***naar** buiten treden* go public; ***naar** buiten brengen* ⟨voorwerp⟩ take out; ⟨persoon⟩ lead/show out; ***naar** buiten opengaan* open outwards; *iets*

naar** buiten brengen* ⟨positief⟩ present/publish sth., ⟨negatief⟩ expose sth.; *de voeten **naar** buiten zetten* turn one's toes/feet out; *zijn voeten staan **naar** buiten* his feet/toes point outwards; *buiten **slapen sleep in the open/outdoors; *de kinderen **spelen** buiten* the children are playing outside; *zich **te** buiten gaan (aan)* overindulge (o.s.) (in); *hij ging zijn bevoegdheid **te** buiten* he exceeded his authority/competence; *zich aan eten/drinken/roken **te** buiten gaan* eat/drink/smoke to excess; ***van** buiten* from/on the outside; ***van** buiten komen* ⟨van het platteland⟩ come from the country/provinces; ⟨van buiten naar binnen⟩ come from outside; ***van** buiten gezien* seen/viewed from the outside; *leerlingen **van** buiten* commuting students; *hulp/invloeden **van** buiten* outside help/influences; *een stad **van** buiten kennen* know a city inside out; *een gedicht **van** buiten leren/kennen* learn/know a poem by heart; *hij **woont** buiten* he lives in the country; *de vuilnisbak buiten **zetten*** put the rubbish (bin)/^{A}trash out

^{4}**buiten** [vz] [1] ⟨uit⟩ outside, beyond ♦ *buiten het **bereik** van* out of reach/range of; *dat ligt buiten zijn **bereik*** ⟨fig⟩ that is beyond his scope/grasp; *buiten zijn **boekje** gaan* go beyond one's powers/authority; *buiten de **deur*** outside, outdoors; *dat valt buiten mijn **gebied*** ⟨fig⟩ that is/falls outside of my area/scope; *buiten **gevaar*** out of danger; *buiten het **huis*** outside the house, ⟨SchE⟩ outwith the house; *zich buiten **schot** houden* keep o.s. out of range; *hij was buiten **zichzelf** van angst/woede/blijdschap enz.* he was beside himself with fear/anger/happiness [2] ⟨niet betrokken bij⟩ out of, outside of ♦ *iets buiten **beschouwing** laten* leave sth. aside/out of consideration; *er buiten **blijven*** stay/keep out of it; *buiten **dienst** zijn* be retired; *iemand buiten **gevecht** stellen* put s.o. out of action; ***hou** je er buiten!* stay/keep out of it!; *zich ergens buiten **houden*** keep/stay out of sth., stand aside; *iemand ergens buiten **houden/laten*** keep/leave s.o. out of sth.; *hij **staat** buiten alles* ⟨neemt nergens deel aan⟩ he is always on the outside, he's a bit of a loner; ⟨is er niet bij betrokken⟩ he's not involved; *buiten **verwachting*** contrary to expectations; *buiten **werking/gebruik*** out of order/use; *ik sta geheel buiten de **zaak*** I am completely/totally out of this matter, I have nothing to do with/am not involved in this matter [3] ⟨behalve⟩ except (for), outside of ♦ *buiten **hem** bestaat niets voor haar* nothing exists for her aside from/except for/outside of him; *buiten en behalve* over and above, exclusive [4] ⟨zonder⟩ without, outside of ♦ *ik **kan** er niet/moeilijk buiten* I can't do/cannot do without it; *buiten **kennis*** unconscious; *'t is buiten mijn **medeweten** gebeurd* it happened without my knowledge; *hij kon niet buiten **mij*** he couldn't do without me; *hij heeft de zaak buiten **mij** om beslist* he decided the matter without (consulting) me; *dat is buiten zijn **schuld*** that is not his fault; *buiten **twijfel/kijf*** beyond doubt/dispute

buitenaanzicht [het] external/outside aspect, external/outside appearance

buitenaards [bn] extraterrestrial ♦ *een buitenaards **wezen*** an extraterrestrial, an alien

buitenaf [bw] [1] ⟨van, aan de buitenzijde⟩ outside, external, from/on the outside ♦ *hulp van buitenaf* outside help; *studenten van buitenaf* external students; *iets van buitenaf horen* hear sth. from an outsider; *tussenkomst **van** buitenaf* outside interference; *zonder druk **van** buitenaf* without external pressure [2] ⟨afgelegen⟩ on the outskirts ♦ *zij **wonen** nogal buitenaf* they live quite a long way out

buitenantenne [de] outdoor aerial, ⟨vnl AE⟩ outdoor antenna

buitenbaan [de] ⟨sport⟩ [1] ⟨buitenste⟩ outside lane [2] ⟨niet-overdekt⟩ outdoor track, outdoor court

buitenbaarmoederlijk [bn] ectopic ♦ *buitenbaarmoederlijke **zwangerschap*** ectopic pregnancy

buitenbad [het] open-air/outdoor pool

buitenband [de^{m}] tyre, ⟨AE⟩ tire

buitenbeentje [het] odd man out, outsider, ⟨vnl AE⟩ maverick ♦ *een **socialistisch** buitenbeentje* a socialist outsider/maverick socialist

buitenbeugel [de^{m}] retainer

buitenbezitstelling [de^{v}] ⟨in België⟩ [•] ***onvrijwillige** buitenbezitstelling* wrongful loss, theft or destruction of shares

buitenbocht [de] outside curve/bend

buitenboel [de^{m}] outside ♦ *de buitenboel **doen*** clean the outside of the house/the paintwork/the windows/...

buitenboord [bw] outboard [•] *iemand buitenboord **smijten*** chuck/throw s.o. overboard

buitenboordbeugel [de^{m}] ⟨inf; scherts⟩ brace

buitenboordmotor [de^{m}] outboard motor

buitenboordskraan [de] ⟨scheepv⟩ sea cock

buitenbus [de] letterbox/^{A}mailbox on the road

buitencategorie [de^{v}] first order, top class ♦ *een **acteur** van de buitencategorie* an actor who defies comparison

buitendeur [de] [1] ⟨deur in een buitenmuur⟩ front door, outside door [2] ⟨sluisdeur⟩ sluice gate

buitendien [bw] moreover, besides

buitendienst [de^{m}] [1] ⟨werk⟩ external duty, fieldwork ♦ *buitendienst **hebben*** work outside the office/in the field [2] ⟨organisatie⟩ field organization

buitendijk [de^{m}] outer dike

buitendijks [bn, bw] outside the dike(s) ♦ *buitendijks **hooi*** hay outside the dike

buitenechtelijk [bn] extramarital ♦ *buitenechtelijke **gemeenschap/omgang*** extramarital relations; *buitenechtelijk **kind*** illegitimate child, child born out of wedlock

buitenenkel [de^{m}] outer ankle

buitengaats [bw] offshore ♦ *een **eindje** buitengaats* some way offshore

buitengebeuren [het] [1] ⟨wat zich buitenshuis afspeelt⟩ outside events [2] ⟨wat niet bij het interieur hoort⟩ exterior

buitengebied [het] ⟨mv⟩ environs, outskirts

buitengebruikstelling [de^{v}] ⟨van fabriek e.d.⟩ close-down, ⟨van machine, voert⟩ retirement

buitengemeen [bn, bw] ⟨form⟩ exceptional ⟨bw: ~ly⟩, extraordinary, superlative, wondrous ♦ *hij was buitengemeen **knap*** he was exceptionally bright; *buitengemene **talenten*** exceptional talents; *buitengemeen **zeldzaam*** exceedingly rare

buitengerechtelijk [bn, bw] extrajudicial ⟨bw: ~ly⟩ ♦ *gerechtelijke en buitengerechtelijke **kosten*** legal and non-legal expenses; *een buitengerechtelijk **onderzoek** naar zijn verleden* an extrajudicial investigation into his past

buitengewesten [de^{mv}] outlying districts/provinces

^{1}**buitengewoon** [bn] [1] ⟨van het gewone afwijkend⟩ special, extra ♦ *buitengewone **dienst*** one-time/special item on the budget; *buitengewoon **gezant*** envoy extraordinary; *buitengewoon **hoogleraar*** extraordinary professor; *buitengewone **leden*** associate/adjunct members; *buitengewone **omstandigheden/lasten*** unusual/special circumstances/charges; *buitengewoon **onderwijs*** special education, education for children with special needs; *buitengewone **uitgaven*** extra expenses, extras; *een buitengewone **vergadering*** an extraordinary meeting [2] ⟨boven het gewone uitstekend⟩ exceptional, extraordinary, uncommon, unusual ♦ ***iets** buitengewoons* sth. out of the ordinary; *een man met een buitengewone **moed*** a man of unusual/singular/extraordinary courage; ***niets** buitengewoons* nothing unusual/out of the ordinary; *buitengewone **talenten*** exceptional talents; *buitengewone **zorg** aan iets besteden* devote special/extra care to sth.

^{2}**buitengewoon** [bw] ⟨zeer⟩ extremely, exceptionally, extraordinarily, uncommonly ♦ *buitengewoon **genieten*** enjoy (sth./o.s.) to the utmost/thoroughly; *'t is buitengewoon **heet/goed*** it is extremely/uncommonly hot/good; *buitengewoon **lelijk*** outstandingly ugly; *buitengewoon **mooi*** uncom-

monly/strikingly pretty; *buitengewoon ver* extremely far
buitengoed [het] countryseat, country estate, countryhouse
buitengooien [ov ww] ⟨in België⟩ 1 ⟨naar buiten gooien⟩ throw out 2 ⟨ontslaan⟩ throw out 3 ⟨(iem.) eruit gooien⟩ throw out
buitengrenzen [de^mv] external borders
buitenhaven [de] outer harbour
buitenhoek [de^m] 1 ⟨uithoek⟩ backwater 2 ⟨wisk⟩ exterior angle 3 ⟨hoek aan de buitenkant⟩ outside/outer corner
buitenhof [de^m] ⟨tuin buiten de stad⟩ country place
Buitenhof [het] ⟨plein in Den Haag⟩ 'Buitenhof', square in The Hague
buitenhuis [het] countryhouse, (country) cottage, ⟨inf⟩ (country) place ♦ *'s zomers woont hij **in** zijn buitenhuisje* he spends his summers in his country cottage
buitenissig [bn] ⟨inf⟩ unusual, strange, peculiar, eccentric
buitenissigheid [de^v] uncommonness, oddity, eccentricity
buitenkansje [het] stroke/bit/piece of luck ♦ *hij **had** een buitenkansje* he had a windfall, ⟨geld⟩ he had a bit of luck; ***wat** een buitenkansje! dat krijg je nooit meer* this is the opportunity/chance of a lifetime!
buitenkant [de^m] 1 ⟨buitenzijde⟩ outside, exterior ♦ ***aan** de buitenkant* on the outside/surface, superficially; *hoe breed is het **aan** de buitenkant* what is its outer/outside width?, how wide is it on the outside?; ⟨fig⟩ *het zit bij hem maar **aan** de buitenkant* it's only skin-deep with him; *het zag er **aan** de buitenkant deftig uit* it looked respectable enough on the outside; ***op** de buitenkant afgaan* judge by appearances; ⟨fig⟩ *het enige wat voor hem telt is de buitenkant* all that matters to him is the cosmetics 2 ⟨de buitenwijken⟩ outskirts, outlying districts
buitenkerkelijk [bn] 1 ⟨buiten de kerk omgaande⟩ lay, non-denominational 2 ⟨niet tot een kerkgenootschap behorend⟩ non-church, churchless
buitenkerkelijken [de^mv] non-church members ♦ *een preek **voor** buitenkerkelijken* a sermon for the churchless
buitenkleur [de] outdoor complexion
buitenkoersstelling [de^v] 1 ⟨m.b.t. munten⟩ retirement 2 ⟨m.b.t. effecten⟩ withdrawal (from the market)
buitenkomen [onov ww] come outside, come outdoors, come out of doors
buitenkraan [de] outside tap
buitenlamp [de] outside lamp/light
buitenland [het] 1 ⟨buiten de staatsgrenzen⟩ foreign country/countries ♦ *dat wordt **in** het buitenland gemaakt* that is made abroad, that is an import/is not domestically produced; ***naar** het buitenland vertrekken/gaan* leave for abroad, go abroad; *voor zijn werk moet hij **naar** het buitenland* he has to travel abroad quite often for his work, his work often takes him abroad; *invoer **uit** het buitenland* import(ation); *tomaten **uit** het buitenland* foreign(-grown) tomatoes; ***van/uit** het buitenland terugkeren* return/come home/back from abroad 2 ⟨buitendijks⟩ land outside of the dike(s)
buitenlander [de^m], **buitenlandse** [de^v] foreigner, alien ♦ ***illegale** buitenlander* illegal alien/immigrant
buitenlands [bn] 1 ⟨uit het buitenland⟩ foreign ♦ *onze buitenlandse **afdelingen*** ⟨ook⟩ our overseas offices/branches; *buitenlandse **producten*** foreign products; ⟨zelfstandig (gebruikt)⟩ *hij spreekt geen **woord** buitenlands* he doesn't speak any foreign language 2 ⟨het buitenland betreffend⟩ foreign, external, international ♦ *het buitenlands **beleid*** the foreign policy; *buitenlandse **dienst*** ⟨BE⟩ Diplomatic Service, ⟨AE⟩ foreign service; *een buitenlandse **reis*** a trip abroad; *buitenlandse **schuld*** international debt; *buitenlandse **schulden*** ⟨macro-economisch⟩ foreign debts; *minister van Buitenlandse **Zaken*** Minister for Foreign Affairs/Relations; ⟨Groot-Brittannië⟩ Secretary of State for Foreign Affairs; ⟨Groot-Brittannië; inf⟩ Foreign Secretary; ⟨USA⟩ Secretary of State; *ministerie van Buitenlandse **Zaken*** Ministry of Foreign Affairs; ⟨Groot-Brittannië⟩ Foreign Office; ⟨USA⟩ State Department
buitenlandse [de^v] → **buitenlander**
buitenlandspecialist [de^m] international/foreign affairs expert, specialist in international/foreign affairs
buitenlaten [ov ww] 1 ⟨buiten laten blijven⟩ leave out 2 ⟨uitlaten⟩ let/put out ♦ *wil je de **kat** even buitenlaten?* would you let the cat out, please?
buitenleven [het] country life/living, life in the country, life in the open air
buitenlid [het] non-resident member
buitenlijn [de] (outside) line
buitenlucht [de] ⟨buitenshuis⟩ open (air), ⟨van het (platte)land⟩ country air ♦ *de **gezonde** buitenlucht* the healthy country air; *de buitenlucht zal haar **goeddoen*** the country air will benefit her/do her good; ***in** de buitenlucht **slapen*** sleep in the open/outdoors, sleep out
buitenmaat [de] outside measurement(s), outside/external dimension(s)
buitenman [de^m] man from the country, countryman, rustic ♦ ***burgers** en buitenlui* city and country people
buitenmanege [de] outdoor manege
buitenmate [bw] extremely, exceedingly, excessively, ⟨vnl. AE, SchE⟩ overly
buitenmatig [bn, bw] extreme ⟨bw: ~ly⟩, excessive ♦ *een buitenmatige **belangstelling*** an extreme/excessive interest
buitenmeniscus [de^m] exterior meniscus
buitenmens [het, de^m] 1 ⟨iemand die van het buitenleven houdt⟩ ⟨man⟩ outdoor(s)man, ⟨vrouw⟩ outdoor(s) woman ♦ ***ik ben** geen buitenmens* I'm not an/no outdoor(s) man 2 ⟨plattelander⟩ ⟨man & vrouw⟩ person from the country, ⟨man⟩ countryman, ⟨vrouw⟩ countrywoman, ⟨man & vrouw⟩ rustic
1**buitenmodel** [het] ⟨mil⟩ non-regulation uniform
2**buitenmodel** [bn, bw] non-standard, ⟨kleren⟩ out-size, special ♦ *een buitenmodel **vrachtauto*** a non-standard ^B lorry/^A truck
buitenmuur [de^m] outside/outer/exterior wall
buitennatuurlijk [bn] supernatural, metaphysical
buitenom [bw] around, round the house/town ⟨enz.⟩ ♦ *voor het toilet moet je buitenom **gaan*** to go to the toilet you have to go round the back
buitenomgaan [onov ww] go (a)round
buitenopname [de] exterior, outdoor shot/scene, shot(s) (taken) on location
buitenparlementair [bn, bw] extraparliamentary ♦ *buitenparlementaire **oppositie/actie*** opposition/action from the outside, outside opposition/action
buitenparochie [de^v] rural/outlying parish
buitenpasser [de^m] ⟨techn⟩ (outside) callipers/^A calipers
buitenplaats [de] 1 ⟨landhuis⟩ country estate, countryhouse, countryseat 2 ⟨afgelegen plaats⟩ remote spot/place, out-of-the-way spot/place
buitenplaneet [de] superior/exterior planet
buitenpolder [de^m] 1 ⟨polder buiten de hoofdwaterkering⟩ reclaimed land outside of the main dike, polder outside of the main dike 2 ⟨uithoek van het land⟩ the sticks ♦ *hij woont ergens **in** zo'n buitenpolder* he lives out in the sticks somewhere, ⟨sl; AE⟩ he lives down in the boondocks
buitenpost [de^m] outpost, outstation ♦ ***op** een buitenpost zitten* live in an outpost
buitenproportioneel [bn, bw] disproportionate (to) ⟨bw: disproportionately⟩, disproportional (to)
buitenreclame [de] outdoor advertising
buitenruimte [de^v] outdoors

buitenschools [bn, bw] extracurricular, extramural, outside of school ⟨na zn⟩ ♦ *buitenschoolse* ***activiteiten*** extramural activities, extracurricular activities
buiten-Schriftuurlijk [bn] non-scriptural, outside of the Scripture
buitenshuis [bw] outside, out(side) of the house, outdoors, out of doors ♦ *buitenshuis* ***eten*** eat/dine out; *rustige jongeman, bezigheden buitenshuis* ***hebbende,*** *zoekt woonruimte* quiet young man, out all day, seeks accommodation; *zij* ***slaapt*** *buitenshuis* she sleeps out; *buitenshuis* ***werken*** work outside the house; ⟨m.b.t. werkende vrouw⟩ work outside the home
buitenslands [bw] abroad, out of the country, ⟨overzee⟩ overseas ♦ *hij* ***is/reist*** *buitenslands* he is (travelling) abroad
buitensluiten [ov ww] 1 ⟨niet binnenlaten⟩ shut out ⟨ook kou, licht⟩, lock out ♦ *hij had* ***zichzelf*** *buitengesloten* he had locked himself out; *het* ***zonlicht*** *buitensluiten* shut out the light 2 ⟨niet laten meedoen⟩ leave/shut out, exclude ♦ *hij voelde zich* ***door*** *zijn klasgenoten buitengesloten* his classmates made him feel left out/excluded
buitensmijten [ov ww] ⟨in België⟩ bounce
buitensmijter [de^m] ⟨in België⟩ bouncer
buitenspeelster [de^v] → **buitenspeler**
¹**buitenspel** [het] ⟨sport⟩ offside ♦ *de scheidsrechter* ***floot voor*** *buitenspel* the referee whistled for offside
²**buitenspel** [bw] ⟨sport⟩ offside ♦ ⟨fig⟩ *hij* ***werd*** *buitenspel* ***gezet*** ⟨AE ook⟩ he was sidelined; ⟨fig⟩ *iemand buitenspel* ***zetten*** put s.o. out of action, get rid of s.o., shunt s.o. off
buitenspeldoelpunt [het] ⟨sport⟩ offside goal
buitenspeler [de^m], **buitenspeelster** [de^v] ⟨sport⟩ outside (player), (right/left) winger
buitenspelpositie [de^v] ⟨sport⟩ offside (position) ♦ ***in*** *buitenspelpositie staan* be offside
buitenspelregel [de^m] ⟨sport⟩ offside rule
buitenspelval [de^m] ⟨sport⟩ offside trap ♦ ***in*** *de buitenspelval lopen* run into the offside trap; *de buitenspelval* ***omzeilen*** avoid the offside trap; *de buitenspelval* ***openzetten*** open (up) the offside trap
buitenspiegel [de^m] outside mirror, wing mirror
buitensporig [bn, bw] extravagant ⟨bw: ~ly⟩, excessive, exorbitant, inordinate, prohibitive ♦ *hij* ***drinkt*** *buitensporig* he drinks to excess/excessively; *een buitensporig* ***gedrag*** extravagant/intemporate behaviour, excesses; *buitensporig* ***hoge prijzen*** exorbitant prices, excessively high prices; *buitensporige* ***ontwerpen*** extravagant plans; *buitensporige* ***schatten*** priceless treasures
buitensporigheid [de^v] 1 ⟨het buitensporig zijn⟩ extravagance, excessiveness, exorbitance 2 ⟨wat buitensporig is⟩ extravagance, excess
buitensport [de^m] outdoor sports, ⟨m.b.t. jagen/vissen⟩ field sports
buitenst [bn] out(er)most, exterior, outer
buitenstaan [onov ww] stand outside
buitenstaander [de^m] outsider ♦ *hij* ***voelde*** *zich een buitenstaander* he felt like an outsider, he felt excluded/left out
buitenste [het] outside, exterior ♦ *het buitenste van het* ***brood*** *is zwart geworden* the outside of the bread became black
buitentemperatuur [de^v] outside temperature
buitentent [de] fly, flysheet
buitentijds [bw] out of season, at an unscheduled/irregular time, out of hours ♦ *een vergadering buitentijds* ***bijeenroepen*** call an extraordinary/unscheduled meeting; *iemand buitentijds* ***wegzenden*** send s.o. home early
buitenveld [het] ⟨cricket, honkb⟩ outfield
buitenvelder [de^m] ⟨cricket, honkb⟩ outfielder
buitenverblijf [het] 1 ⟨woning⟩ countryhouse, country place/cottage, ⟨groot⟩ countryseat 2 ⟨het verblijven⟩ stay/sojourn in the country
buitenverlichting [de^v] exterior lighting
¹**buitenwaarts** [bn] ⟨naar buiten gericht⟩ outward ♦ *een buitenwaartse* ***beweging*** an outward movement
²**buitenwaarts** [bw] ⟨in de richting naar buiten⟩ outward(s) ♦ *de voeten buitenwaarts* ***zetten*** turn one's feet/toes out
buitenwacht [de] outside world, public, outsiders ⟨mv⟩ ♦ *hij heeft het van de buitenwacht* he has it from s.o. who is not directly involved; *iets* ***voor*** *de buitenwacht verborgen houden* keep sth. from the public/from becoming public, prevent sth. getting abroad
buitenweg [de^m] country road
buitenwereld [de] 1 ⟨alles buiten het lichaam⟩ objective/external world 2 ⟨de niet-ingewijden, de niet-intimi⟩ public (at large), outside world ♦ ***afgesneden*** *van de buitenwereld* cut off from the outside world; *dat is geen zaak* ***voor*** *de buitenwereld* this shouldn't get abroad; *wat zal de buitenwereld* ***zeggen?*** what will people say?
buitenwerk [het] 1 ⟨buitenshuis⟩ outdoor work, work out-of-doors/outside 2 ⟨in de buitenlucht⟩ outdoor work, ⟨op het land ook⟩ work on the land 3 ⟨m.b.t. huis, gebouw⟩ exterior
buitenwerks [bn, bw] outside ♦ *de breedte van een kozijn buitenwerks* ***gemeten*** the width of a frame out-to-out, the overall width of a frame; *7 duim bij 8 buitenwerks* 7 inches by 8, outside measurement
buitenwettelijk [bn] ⟨in België⟩ extralegal
buitenwijk [de] suburb, ⟨mv ook⟩ outskirts ♦ *een* ***armoedige*** *buitenwijk* a poor/run-down district/area; *de* ***betere*** *buitenwijken* exclusive/expensive areas/suburbs; *de* ***groene*** *buitenwijk(en)* suburbia, the leafy suburbs
buitenwippen [ov ww] ⟨in België⟩ throw out
buitenwipper [de^m] ⟨in België⟩ bouncer
buitenzetten [ov ww] put out(side)
buitenzicht [het] ⟨in België⟩ external/outside aspect/view/appearance
buitenzijde [de] outside, exterior, ⟨fig vnl⟩ surface ♦ *de buitenzijde van een* ***stof*** the right side of a material
buitenzintuiglijk [bn, bw] extrasensory ♦ *buitenzintuiglijk* ***verkregen*** *kennis* extrasensory knowledge; *buitenzintuiglijke* ***waarnemingen*** extrasensory perception
buitmaken [ov ww] seize, ⟨schip⟩ capture
¹**buizen** [onov ww] 1 ⟨m.b.t. zeilboten⟩ take in water, ship water 2 ⟨in België; zakken⟩ flunk, ⟨BE ook⟩ plough, ⟨BE⟩↑ fail ♦ *hij buisde* ***voor*** *wiskunde* he flunked math
²**buizen** [ov ww] ⟨in België⟩ 1 ⟨laten zakken⟩ flunk, ⟨BE ook⟩ plough, ⟨BE⟩↑ fail 2 ⟨stevig drinken⟩ booze, go on a binge
buizennet [het] piping, pipes, mains ♦ *een buizennet* ***aanleggen*** ⟨van gas/water⟩ construct (gas/water) mains/a (gas/water) main, install (gas/water) pipes; *het buizennet van de* ***waterleiding*** the water pipes/mains
buizenpost [de] pneumatic dispatch, air-tube mail distribution
buizerd [de^m] buzzard
bukkake [de^m] bukkake
¹**bukken** [onov ww] ⟨voorover buigen⟩ stoop, ⟨wegduiken⟩ duck, ⟨buigen⟩ bend ♦ *gebukt* ***gaan*** be bent (down), stoop; ***laag*** *bukken* crouch, lie low; ⟨fig⟩ *hij gaat gebukt* ***onder*** *veel zorgen* he is weighed down by many worries; *bukken!* head(s) down!
²**zich bukken** [wk ww] ⟨voorover buigen⟩ stoop, lean down
buks [de] (short) rifle
buksboom [de^m] ⟨plantk⟩ box (tree)
buksjekkie [het] cigarette rolled from (thrown-away) dog-ends, cigarette rolled out of (thrown-away) dog-ends
bukskin [het] buckskin
¹**bul** [de^m] ⟨stier⟩ bull
²**bul** [de] 1 ⟨oorkonde⟩ degree certificate ♦ *de bul* ***uitreiken***

present/award the degree certificate [2] ⟨m.b.t. paus⟩ bull ♦ *pauselijke bul* papal bull
bulderaar [de^m] blusterer
bulderbaan [de] ⟨inf⟩ ⟨ogm⟩ direct flight path
bulderen [onov ww] [1] ⟨dreunen, razen⟩ roar, ⟨dreunen⟩ boom, ⟨donderen⟩ thunder ♦ *het **kanon** buldert* the cannon is pounding/booming/thundering; *de **stormwind** bulderde door de dalen* the storm raged through the valleys, the stormwind swept/thundered/roared through the valleys [2] ⟨luidruchtig spreken⟩ bluster, roar, boom, bellow, thunder ♦ *met bulderende **stem** iets bevelen* command sth. in a booming/bellowing voice; ***tegen** iemand bulderen* roar/bellow at s.o. [·] *bulderen **van** het lachen* roar with laughter, guffaw
bulderlach [de^m] guffaw, roar of laughter, ⟨form⟩ cachinnation
bulderstem [de] booming voice; boom, bellow, roar
buldog [de^m] bulldog
Bulgaar [de^m], **Bulgaarse** [de^v] ⟨man & vrouw⟩ Bulgarian, ⟨vrouw ook⟩ Bulgarian woman/girl
[1]**Bulgaars** [het] Bulgarian
[2]**Bulgaars** [bn] Bulgarian
Bulgaarse [de^v] → **Bulgaar**
Bulgarije [het] Bulgaria

Bulgarije

naam	*Bulgarije* Bulgaria
officiële naam	*Republiek Bulgarije* Republic of Bulgaria
inwoner	*Bulgaar* Bulgarian
inwoonster	*Bulgaarse* Bulgarian
bijv. naamw.	*Bulgaars* Bulgarian
hoofdstad	*Sofia* Sofia
munt	*lev* lev
werelddeel	*Europa* Europe

int. toegangsnummer 359 www .bg auto BG

bulgur [de^m] bulgar (wheat), bulgur
bulk [de^m] [1] ⟨onverpakte lading⟩ bulk [2] ⟨het grootste deel⟩ bulk
bulkartikelen [de^mv] bulk, bulk(ed) goods
bulkboek [het] cheap re-print (in newspaper format)
bulkcarrier [de] bulk carrier
bulken [onov ww] [1] ⟨veel hebben⟩ roll (in), teem (with), overflow (with) ♦ *zij bulkt **van** het geld* she is rolling in money [2] ⟨loeien⟩ low [3] ⟨hard schreeuwen⟩ low, bellow, roar
bulkgoederen [de^mv] bulk goods
bulkproduct [het] product from/in the bulk section
bulksilo [de^m] bulk feed silo/elevator
bulkvaart [de] bulk transportation
bullbar [de^m] bull bar
bulldozer [de^m] bulldozer
bulldozeren [onov ww] [1] ⟨met een bulldozer werken⟩ bulldoze [2] ⟨fig; over iets heen walsen⟩ bulldoze
bullebak [de^m] [1] ⟨boeman⟩ bog(e)yman ♦ *de bullebak **spelen*** act the bully [2] ⟨nors persoon⟩ bully, ogre, browbeater
bullen [de^mv] things, stuff ⟨enk⟩, ⟨kleren⟩ clobber ⟨enk⟩, togs ♦ *hij weet nooit waar hij zijn bullen **laat*** he never knows where he's put/left his things/clobber/togs; *zijn bullen (bij elkaar) **pakken*** get one's things together
bullenbijter [de^m] [1] ⟨Engelse dog⟩ mastiff [2] ⟨kwaadaardige hond⟩ hellhound [3] ⟨persoon⟩ → **bullebak**
bullenpees [de] ± cat
bulletin [het] [1] ⟨bericht in de media⟩ bulletin, report [2] ⟨buitengewone bekendmaking⟩ bulletin, announcement
bulletinboard [de^m] bulletin board
bulletinboardsystem [het] bulletin board (system)
bulletje [het] French bulldog
bullmarkt [de] bull market
bullshit [de] bullshit
bully [de^m] bully
bult [de^m] [1] ⟨buil⟩ lump, ⟨door stoten enz.⟩ bump ♦ *een bult van een **muggenbeet*** a lump caused by a gnat bite [2] ⟨bochel⟩ hunch, hump ♦ ⟨fig⟩ *zich een bult **lachen*** be in convulsions/in fits (of laughter), split one's sides; ***met** een bult* hunchbacked, humpbacked, crookbacked [3] ⟨oneffenheid⟩ bulge, lump, bump
bultenaar [de^m] hunchback, humpback, crookback
bulterriër [de^m] ⟨dierk⟩ bull terrier
bultig [bn] lumpy, bulging, ⟨knobbelig⟩ knobbly
bultrug [de^m] humpback (whale)
bultzwam [de] ⟨in België⟩ [·] ***witte** bultzwam* white rot fungus
Buma [de] (Bureau voor Muziekauteursrecht) Bureau of Musical Copyright
Buma/Stemra [de^v] (Bureau voor Muziekauteursrecht/Stichting tot Exploitatie van Mechanische Reproductierechten der Auteurs) Buma/Stemra, Dutch music copyright organization
bumpen [onov ww] bump
bumper [de^m] bumper ♦ *bumper aan bumper* bumper to bumper, nose to tail
bumperkleven [ww] tailgate
bumperklever [de^m] tailgater
bumpersticker [de^m] bumper sticker/strip
bun [de] corf, ⟨op schip⟩ well
bundel [de^m] [1] ⟨bos⟩ bundle, ⟨papieren, pijlen, aren⟩ sheaf, ⟨houtjes, staven, kruiden⟩ faggot, ⟨AE⟩ fagot, ⟨bladeren, takjes⟩ fascicle ♦ *een bundel **bankbiljetten*** a wad/roll of bank notes; *een bundel **hout*** a bundle of wood; ⟨takkenbos⟩ a faggot; *een bundel **stro*** a bundle of straw [2] ⟨boekje⟩ collection, volume, ⟨verzamelwerk⟩ compilation, ⟨bloemlezing⟩ anthology [3] ⟨wisk⟩ pencil
bundelen [ov ww] bundle, cluster, ⟨krachten⟩ join, combine, ⟨geschriften⟩ compile, collect ♦ *zijn verspreide **geschriften** laten bundelen* publish one's miscellaneous writings in one volume; ⟨fig⟩ ***krachten** bundelen* join/combine forces; ***postzakken** bundelen* bundle mailbags; ***stralen** bundelen* focus/concentrate beams/rays
bundeling [de^v] joining (forces), combining forces
bunder [het, de^m] hectare
bungalow [de^m] [1] ⟨vrijstaand huis⟩ bungalow [2] ⟨zomerhuisje⟩ (summer) cottage, bungalow, chalet
bungalowdorp [het] holiday village
bungalowpark [het] holiday park, ⟨AE⟩ vacationland
bungalowtent [de] family (frame) tent
bungeejumpen [onov ww] bungee jump
bungeejumping [de^m] bungee jumping
bungelen [onov ww] dangle, hang ♦ ***aan** de galg bungelen* swing from the gallows; *hij bungelde **er** maar wat **bij*** he just tagged along; *een zware gouden horlogeketting bungelde **op** zijn vest* a heavy golden watch chain dangled on his waistcoat
bunker [de^m] [1] ⟨verdedigingsstelling⟩ bunker, pillbox, blockhouse, ⟨schuilplaats⟩ bomb shelter, air raid shelter, ⟨voor onderzeeërs⟩ pen [2] ⟨bergplaats⟩ bunker [3] ⟨hindernis⟩ bunker
bunkerbom [de] bunker buster
bunkerbuster [de^m] bunker buster
bunkeren [onov ww] [1] ⟨de bunker vullen⟩ bunker, refuel [2] ⟨veel eten⟩ stuff o.s., stoke up
bunkerhaven [de] bunkering port, ⟨olie ook⟩ (re)fuelling port, ⟨steenkool ook⟩ coaling station
bunkerkolen [de^mv] bunker coal
bunkermentaliteit [de^v] bunker mentality
bunkertank [de^m] fuel storage tank
bunsenbrander [de^m] Bunsen burner
bunzing [de^m] polecat, fitch(ew) ♦ *hij stinkt **als** een bunzing* he stinks like a polecat

buo [het] ⟨in België⟩ (buitengewoon onderwijs) special education
bups [de^m] ⟨inf⟩ bunch, lot ♦ *ik geef € 25 voor de **hele** bups* I'll give 25 euros for the whole lot
burcht [de] castle, fortress, citadel, stronghold ♦ ⟨fig⟩ *burchten van het **kapitalisme*** strongholds of capitalism; ⟨fig⟩ *een **vaste** burcht is onze God* a safe stronghold our God is still
bureau [het] 1 ⟨schrijftafel⟩ (writing) desk, ⟨BE⟩ bureau 2 ⟨gebouw⟩ office, bureau, department, ⟨adviserend, bemiddelend⟩ agency, (police) station ♦ ***elektrotechnisch** bureau* electrical engineering firm/company, electrical engineers/dealers ⟨mv⟩; *iemand **naar** 't bureau brengen* run s.o. in, take s.o. into custody; *bureau **voor** gevonden voorwerpen* lost property office; *bureau **voor** rechtskundig advies* legal advice/law centre; *centraal bureau **voor** statistiek* central bureau of statistics; *bureau **voor** huwelijksvoorlichting* ⟨BE⟩ office of the Marriage Guidance Council, ⟨AE⟩ Marriage Counseling Center 3 ⟨afdeling, kantoor⟩ bureau, department, office ♦ *het bureau **in** een schouwburg* the box-office; *het bureau **onderwijs*** the education department
bureauagenda [de] desk/office diary
bureaubehoeften [de^mv] ⟨alg⟩ office requisites, ⟨van de kantoorboekhandel⟩ stationery
bureaublad [het] desktop
bureauchef [de^m] office manager, managing/head clerk
bureaucraat [de^m] ⟨pej⟩ bureaucrat, legalist
bureaucratie [de^v] 1 ⟨ambtenarij⟩ bureaucracy, ⟨gewichtigdoenerij⟩ officialdom 2 ⟨ambtenaren⟩ bureaucracy, ⟨gewichtigdoeners⟩ officialdom
bureaucratisch [bn, bw] bureaucratic ⟨bw: ~ally⟩ ♦ *een bureaucratische **regering*** a bureaucratic government; *bureaucratische **rompslomp*** red tape
bureaukalender [de^m] desk calendar
bureaula [de] (desk) drawer ♦ *een plan **uit** de bureaula halen* ⟨fig⟩ take an idea/plan out of mothballs
bureaulamp [de] desk lamp
bureaulandschap [het] open-plan office
bureau-ministre [het] pedestal desk
bureauredacteur [de^m], **bureauredactrice** [de^v] ⟨man & vrouw⟩ copy editor, ⟨man⟩ deskman, ⟨vrouw⟩ deskwoman
bureauredactrice [de^v] → **bureauredacteur**
bureaustoel [de^m] office/desk chair
bureau-uren [de^mv] office hours
bureel [het] ⟨vnl in België⟩ 1 ⟨kantoor⟩ office 2 ⟨meubel⟩ desk ♦ *het bureel van een **krant*** the editorial office; *het bureel van een **schouwburg*** the box office
burelist [de^m] ticket agent, ⟨theat⟩ box-office clerk, ⟨station⟩ booking clerk
burengerucht [het] ± disturbance ♦ *burengerucht **maken*** cause a nuisance by noise, make a disturbance; *een klacht **over** burengerucht* a complaint about the noise
burenhulp [de] neighbourly help/assistance
burenplicht [de] duty to one's neighbours, one's duty as a neighbour
burenruzie [de^v] neighbourhood/neighbours' quarrel
buret [de] buret(te)
burg [de] castle, stronghold, citadel, fortress
burg. [afk] (burgemeester) mayor, burgomaster
burgemeester [de^m] mayor, ⟨Lage en Duitstalige landen ook⟩ burgomaster, ⟨Schotland⟩ provost, ⟨in grote Engelse/Schotse 'cities'⟩ Lord Mayor, Lord Provost ♦ ***vrouw** van de burgemeester* mayoress; ***vrouwelijke** burgemeester* mayoress; *burgemeester en **wethouders*** Mayor/Burgomaster and Aldermen; ⟨(in) Groot-Brittannië⟩ ± the (Municipal) Executive ▪ ⟨dierk⟩ ***grote** burgemeester* glaucus gull; ⟨dierk⟩ ***kleine** burgemeester* Iceland gull
burgemeestersambt [het] mayoralty, burgomaster's office
burgemeestersketen [de^m] mayor's/burgomaster's chain of office
burgemeesterssjerp [de^m] ⟨in België⟩ mayoral sash ♦ *zijn burgemeesterssjerp **neerleggen*** leave the mayoral office
burger [de^m] 1 ⟨inwoner van een gemeente⟩ citizen ♦ *de **eerste** burger* the mayor; *een **gezeten** burger* a bourgeois 2 ⟨lid van een staatsgemeenschap⟩ citizen ♦ ⟨scherts⟩ *dat geeft een (de) burger **moed*** that's heartening 3 ⟨lid van de bevolking⟩ ⟨BE⟩ civilian, ⟨AE⟩ citizen ♦ ***militairen** en burgers* military and civilian people, soldiers and civilians; ***studenten** en burgers* town and gown 4 ⟨burgerkleding⟩ ⟨politie⟩ plain clothes, ⟨mil⟩ civilian clothes/dress, ⟨inf⟩ civ(v)ies ♦ *een agent **in** burger* a plain-clothes policeman, a policeman in plain clothes 5 ⟨gesch⟩ commoner, commons ⟨mv⟩, ⟨vnl. in Nederland, Duitsland⟩ burgher ♦ *burgers en **boeren*** town(speople) and country(people); *burgers en **buitenlui*** townspeople and countryfolk; ***edelen** en burgers* nobles and commoners, the nobility and the commons
burgerbescherming [de^v] civil defence
burgerbevolking [de^v] civilian population ♦ ***Bescherming** Burgerbevolking* Civil Defence (Corps)
burgerbuddy [de^m] private citizen who advises a public official informally about what the public is thinking
burgerdienst [de^m] ⟨in België⟩ civic service, alternative national service
burgerdocent [de^m] civilian teacher
burgerdoel [het] civilian target
burgerfatsoen [het] 1 ⟨burgermoraal⟩ middle-class propriety 2 ⟨kleinburgerlijk fatsoen⟩ bourgeois morality
burgerij [de^v] ⟨gezamenlijke burgers⟩ citizenry, citizens ⟨mv⟩, ⟨tegenover militairen⟩ civilians ⟨mv⟩, ⟨gezeten burgerij⟩ (petty) bourgeoisie, middle class(es), ⟨het gewone volk⟩ commonalty, commoners ♦ *de **kleine** burgerij* the petty bourgeoisie, the lower middle class(es)
burgerinformatica [de^v] citizen informatics
burgerinitiatief [het] petition
burgerjongen [de^m] middle-class boy
burgerjournalistiek [de^v] citizen journalism
burgerkleding [de^v] ⟨politie⟩ plain clothes, ⟨mil⟩ civilian clothes/dress, ⟨inf⟩ civ(v)ies ♦ *een agent **in** burgerkleding* a plain-clothes policeman
burgerkloffie [het] civvies ⟨mv⟩, mufti
burgerkost [de^m] plain fare
burgerlijk [bn, bw] 1 ⟨tot de burgers behorend⟩ middle-class, bourgeois ♦ *van burgerlijke **afkomst*** of middle-class/respectable/bourgeois origin; *burgerlijke **personen*** common citizens 2 ⟨pej⟩ bourgeois, conventional, middle-class, ⟨vulg⟩ philistine, ⟨kleinburgerlijk⟩ smug ♦ *burgerlijk **denken/spreken*** think/speak like a bourgeois; *zich burgerlijk **gedragen*** behave conventionally; *dat **staat** zo burgerlijk* it looks so very conventional/low/bourgeois 3 ⟨behorend bij de staatsburger⟩ civil, civic ♦ *burgerlijke **beleefdheid*** common civility; ⟨jur⟩ *de burgerlijke **dood*** attainder, civil death; *een burgerlijk **huwelijk*** a civil wedding/marriage; ⟨Groot-Brittannië ook⟩ a registry-office wedding; *het burgerlijk **jaar*** the civil year; *burgerlijke **ongehoorzaamheid*** civil disobedience; *de burgerlijke **rechtspleging**, het burgerlijk **wetboek*** civil law, the civil code; *burgerlijke **staat*** marital/civil state/status; *(bureau van de) burgerlijke **stand*** Registry of Births, Deaths and Marriages; ⟨officieel; BE⟩ Register Office; ⟨inf; BE⟩ Registry Office; ⟨AE⟩ Country Clerk's/Records Office; *op het bureau van de ambtenaar van de burgerlijke **stand*** at the Registry/^ACountry Clerk's Office; *burgerlijke **vruchten*** income derived from rent and interest 4 ⟨niet militair⟩ civil(ian) ♦ *burgerlijke en militaire **autoriteiten*** civilian and military authorities; *een burgerlijke **betrekking*** civilian employment, a civilian job
burgerlijkheid [de^v] bourgeois/middle-class mentality, small-mindedness, smugness

burgerluchtvaart [de] civil aviation ⟨geen lidw⟩
burgermaatschappij [de^{v}] civilian society, civilian life, ⟨sl; BE⟩ Civvy Street ♦ *bij zijn terugkeer **in** de burgermaatschappij* on his return to civilian life/Civvy Street
burgerman [de^{m}] bourgeois
burgermannetje [het] ordinary little man ♦ *'t is maar zo'n gewoon burgermannetje* he is just an ordinary little man
burgermansfatsoen [het] bourgeois morality
burgermeisje [het] middle-class girl
burgermoed [de^{m}] civil courage
burgermoraal [de] civil ethics
burgeroorlog [de^{m}] civil war ♦ *de **Spaanse/Amerikaanse** Burgeroorlog* the Spanish/American Civil War
burgerpersoneel [het] civilian personnel
burgerplicht [de] civic duty ♦ *het kiesrecht uitoefenen **is** burgerplicht* it is one's/a civic duty to exercise one's right to vote; *het bewaren van de orde **is** een burgerplicht* it is a civic duty to maintain order; *zijn burgerplichten **vervullen*** discharge one's duties as a citizen
burgerrecht [het] civil rights ⟨mv⟩ ♦ ⟨fig⟩ *dit woord **heeft** in onze taal burgerrecht **verkregen*** this word has been adopted/become accepted/become established in our language; *het burgerrecht **verkrijgen/verbeuren/verliezen*** obtain/forfeit/lose one's civil rights
burgerrechtelijk [bn] statutory
burgerrechter [de^{m}] civil court judge
burgerregering [de^{v}] civil/civilian government
burgerschap [het] citizenship
burgerschapskunde [de^{v}] civics
burgerservicenummer [het] ⟨in Nederland⟩ Citizen Service Number
burgerslachtoffer [het] civilian casualty
burgerstand [de^{m}] middle class, bourgeoisie ♦ *de **kleine/deftige** burgerstand* the lower/upper middle class
burgertrouw [de] ⟨in België⟩ ± patriotism
burgertrut [de] narrow-minded cow/bitch, ⟨preuts⟩ prudish cow/bitch, ⟨lelijk⟩ stupid (old) bag
burgervader [de^{m}] mayor
[1]**burgerwacht** [de^{m}] ⟨persoon⟩ vigilante
[2]**burgerwacht** [de] ⟨korps⟩ vigilante patrol, civic watchdog group, neighbourhood watch group, ⟨AE ook⟩ vigilance committee, ⟨gesch⟩ militia
burgerwerk [het] ⟨bouwk⟩ ± maintenance
burgerzaal [de] (main) reception room (of a/the town hall)
burgerzaken [de^{mv}] civil affairs department
burgerzin [de^{m}] sense of public responsibility ♦ *een daad van **echte** burgerzin* a really public-spirited act
burggraaf [de^{m}], **burggravin** [de^{v}] ⟨man⟩ viscount, ⟨vrouw⟩ viscountess
burggravin [de^{v}] → **burggraaf**
burgwal [de^{m}] rampart
Burkina Faso [het] Burkina Faso

Burkina Faso	
naam	*Burkina Faso* Burkina Faso
officiële naam	*Burkina Faso* Burkina Faso
inwoner	*Burkinees* Burkinabe
inwoonster	*Burkinese* Burkinabe
bijv. naamw.	*Burkinees* Burkinabe
hoofdstad	*Ouagadougou* Ouagadougou
munt	*CFA-frank* CFA franc
werelddeel	*Afrika* Africa
int. toegangsnummer 226 www.bf auto BF	

[1]**Burkinees** [de^{m}], **Burkinese** [de^{v}] ⟨man & vrouw⟩ Burkinabe, inhabitant of Burkina Faso
[2]**Burkinees** [bn] Burkinabe, of/from Burkina Faso
Burkinese [de^{v}] → **Burkinees**[1]

burlen [ww] troat, bell
burlesk [bn, bw] burlesque ♦ *een burleske **show*** a burlesque show; ⟨sl; AE⟩ a burleycue
burleske [de] burlesque ♦ *een burleske ten beste geven* burlesque
burn-out [het] burnout
burn-outsyndroom [het], **burnt-outsyndroom** [het] burn-out syndrome, ⟨inf⟩ burn-out
burnrate [de] burn rate
burnt-outsyndroom [het] → **burn-outsyndroom**
burps [tw] burp
burrito [de^{m}] burrito
bursaal [de^{m}] scholarship student, student on a scholarship/fellowship, ⟨gevorderde student⟩ grant recipient
[1]**Burundees** [de^{m}], **Burundese** [de^{v}] ⟨man & vrouw⟩ Burundian
[2]**Burundees** [bn] Burundian
Burundi [het] Burundi

Burundi	
naam	*Burundi* Burundi
officiële naam	*Republiek Burundi* Republic of Burundi
inwoner	*Burundees* Burundian
inwoonster	*Burundese* Burundian
bijv. naamw.	*Burundees* Burundian
hoofdstad	*Bujumbura* Bujumbura
munt	*Burundese frank* Burundi franc
werelddeel	*Afrika* Africa
int. toegangsnummer 257 www.bi auto RU	

Burundiër [de^{m}], **Burundische** [de^{v}] ⟨man & vrouw⟩ Burundian, ⟨vrouw ook⟩ Burundian woman/girl
Burundisch [bn] Burundi
Burundische [de^{v}] → **Burundiër**
bus [de] [1] ⟨autobus⟩ bus, ⟨voor lange afstanden; BE⟩ coach, ⟨inf; AE⟩ greyhound ♦ *een **extra** bus* a relief bus; ⟨AE ook⟩ an extra/rush-hour bus; *met de bus op vakantie gaan* go on holiday by coach/^{A}bus [2] ⟨blikken doos⟩ tin, ⟨om thee te bewaren ook⟩ caddy, ⟨om droge stoffen te bewaren ook⟩ canister, ⟨grote bus⟩ drum ♦ *een busje **thee*** a tin of tea; *een bus **voor koffie*** a tin/canister for coffee, a coffee tin [3] ⟨doos, kastje met gleuf⟩ box ♦ ⟨fig⟩ *het komt **in** de bus* it's all being/it will all be taken care of; *een brief **in/op** de bus doen* post/^{A}mail a letter; *ik krijg het elke week **in** de bus* it's delivered here/I get it through the door every week; *u krijgt de folders morgen **in** de bus* you will have/get the brochures tomorrow in the post; *de bus **legen*** ⟨privébrievenbus⟩ collect/pick up the post, ⟨AE⟩ empty the mailbox; ⟨openbare brievenbus; BE⟩ empty the post/pillarbox/mailbox; *niemand weet wat er **uit** de bus komt* nobody knows what the result will be/what will happen; *het is nog niet zeker wie als winnaar **uit** de bus zal komen* it is not yet certain who will (turn out to) be the winner [4] ⟨ring ter bevestiging, versteviging⟩ ⟨BE⟩ bush, ⟨AE⟩ bushing, sleeve ♦ *een bus **aan** een wiel* a bush in a wheel; *een bus **om** een kachelpijp* a sleeve around a stove/pipe [5] ⟨comp⟩ port ▪ *dat klopt/sluit **als** een bus* it all/that fits (exactly)
busaansluiting [de^{v}] bus connection ♦ *met deze trein **heb** je geen busaansluiting* this train does not connect with a bus
busabonnement [het] season ticket
busbaan [de] bus lane
busboot [de^{m}] bus boat
buschauffeur [de^{m}], **buschauffeuse** [de^{v}] bus driver, coach driver
buschauffeuse [de^{v}] → **buschauffeur**
busdienst [de^{m}] bus service, ⟨voor lange afstanden⟩ coach service
bushalte [de] bus stop, coach stop ♦ ***bij** de bushalte* at the bus/coach stop

bushbush [de^{m}] back of beyond ◆ *zij wonen ergens **in** de bushbush* ⟨bijvoorbeeld in de provincie, op het platteland⟩ they live somewhere in the back of beyond/in the sticks/ in the boonies
bushel [de^{m}] bushel
bushmeat [het] bush meat
bushokje [het] bus shelter
business [de] business
businesscase [de^{m}] business case
businessclass [de] business class
business development manager [de^{m}] business development manager
businessmodel [het] business model
businessplan [het] business plan
businessschool [de] business school
business-to-business [bn] business-to-business
business-to-consumer [bn] business-to-consumer
businessunit [de] business unit
busje [het] minibus, ⟨bestelwagen⟩ van
buskaartje [het] bus ticket, ⟨BE⟩ coach ticket
buskruit [het] gunpowder ◆ ⟨fig⟩ *hij **heeft** het buskruit niet **uitgevonden*** he's not one of the brightest, he's no Einstein/no great brain; *een **vaatje** buskruit* a keg of gunpowder; ⟨fig⟩ an explosive temperament
buslading [de^{v}] busload
buslichting [de^{v}] collection ◆ *de **laatste** buslichting is 's avonds om zes uur* the last collection is at 6 p.m.
buslijn [de] bus route, ⟨BE⟩ coach route
buso [het] ⟨in België⟩ ⟨buitengewoon secundair onderwijs⟩ special secondary education
busonderneming [de^{v}] [1] ⟨bedrijf dat het openbaar vervoer verzorgt⟩ bus company [2] ⟨bedrijf dat autobussen verhuurt⟩ ⟨BE⟩ coach hire firm/company
buspassagier [de^{m}] bus passenger, ⟨BE⟩ coach passenger
busreis [de] bus journey/trip, coach journey/trip
busrit [de^{m}] bus ride, ⟨BE⟩ coach ride
bussel [de] ⟨in België⟩ bundle, faggot, sheaf ◆ *bussel **graan*** sheaf of grain; *bussel **hout*** faggot of wood; *bussel **wortels/asperges/kruiden*** bundle of carrots/asparagus/herbs
busstation [het] bus station, ⟨voor bussen voor lange afstanden⟩ coach station
busstrook [de] bus lane
bustaxi [de^{m}] minibus taxi/service
buste [de] [1] ⟨boezem⟩ bust, bosom ◆ *zij heeft een **mooie** buste* she has a good/nice bust; *een **zware/volle** buste* a big/ large bust/bosom [2] ⟨borstbeeld⟩ bust [3] ⟨paspop⟩ dressmaker's dummy
bustehouder [de^{m}] brassiere, bra
bustemaat [de] bust size/measurement
bustier [de^{m}] bustier
bustocht [de^{m}] bus trip, coach trip
busverbinding [de^{v}] bus connection, coach connection
busziek [bn] ⟨BE⟩ coach-sick
butaan [het] butane
butagas [het] calor gas, ⟨AE⟩ butane (gas/fuel) ◆ ***op** butagas koken* cook with calor gas/butane
butch [de^{v}] butch ⟨ook gebruikt door lesbische vrouwen onder elkaar⟩
buten [ov ww] ⟨spel⟩ get (s.o.) out ◆ *ik heb je gebuut* you're out
butler [de^{m}] butler
butoh [het] butoh
buts [de] dent
butsen [ov ww] dent
butterfly [de^{m}] bow tie
butterflyeffect [het] butterfly effect
button [de] [1] ⟨speld met afbeelding, tekst⟩ badge, ⟨vnl AE⟩ button [2] ⟨overhemdsboord⟩ button-down collar
buttplug [de] butt plug
buur [de^{m}] neighbour ◆ ***als** buren heb je niet veel aan ze* ⟨ook⟩ they're not very neighbourly; *ze kunnen **als** buren goed met elkaar opschieten* ⟨ook⟩ they're on neighbourly terms; *niet **voor** de buren willen **onderdoen**, niet **bij** de buren willen achterblijven* keep up with the Joneses; *de buren* the (next-door) neighbours; the people/population/inhabitants of neighbouring countries, our neighbours in Belgium/Germany/... ⊡ ⟨sprw⟩ *beter een goede buur dan een verre vriend* a good neighbour is worth more than a far friend
buurjongen [de^{m}] ⟨van hiernaast⟩ boy next door, ⟨vlak in de buurt⟩ boy who lives nearby, boy living nearby
buurkind [het] neighbour's child
buurland [het] neighbouring country, neighbour
buurman [de^{m}] [1] ⟨man naast wie men woont⟩ (next-door) neighbour, man next door ◆ ***vraag** het mijn buurman, die weet het ook niet* don't ask me! ⟨klemtoon op 'me'⟩, ask me another! [2] ⟨man naast wie men zit, staat⟩ neighbour ⊡ ⟨sprw⟩ *al te goed is buurmans gek* ± all lay load on a willing horse; ± submitting to one wrong brings on another; ± he that makes himself a sheep shall be eaten by the wolf
buurmeisje [het] ⟨van hiernaast⟩ girl next door, ⟨vlak in de buurt⟩ girl who lives nearby, girl living nearby
buurpraatje [het] [1] ⟨kletspraatje⟩ gossip ◆ *een buurpraatje **houden*** gossip [2] ⟨praatje met de buren⟩ talk/chat with the neighbours
buurt [de] [1] ⟨deel van een wijk⟩ neighbourhood, area, district ◆ ***rosse** buurt* red-light district; *Rijkaard komt hier **uit** de buurt* ⟨ook⟩ Rijkaard is a local boy [2] ⟨bewoners⟩ neighbourhood ◆ *de **hele** buurt bij elkaar schreeuwen* shout/ scream the place down [3] ⟨nabijheid⟩ neighbourhood ◆ *bij ons **in** de buurt* down our way; ***in/uit** de buurt wonen* live nearby/a distance away; *daar ergens **in** die buurt* somewhere around there; *er was niemand **in** de buurt* there was nobody around/about; ***in** de buurt van het station* near the station; *alle huizen hier **in** de buurt* all the houses around/about here; *blijf een beetje **in** de buurt* don't go too far (away); *ergens **in** de buurt **van** Reading* ⟨ook⟩ somewhere Reading way; *als je weer eens **in** de buurt bent* next time you're in the area; *kom eens langs, als je **in** de buurt bent* call in if you happen to be (passing) this way; *een prijs **in** de buurt **van** vierduizend euro* a price in the region/neighbourhood of four thousand euros; *ver **uit** de buurt* ⟨fig⟩ a long way out, ⟨lett⟩ a long way off; *hij moet **uit** mijn buurt blijven* he'd better keep away from me/keep out of my way/not come near me [4] ⟨bij elkaar staande woningen⟩ hamlet
buurtbewoner [de^{m}] local resident ◆ ***alle** buurtbewoners zijn uitgenodigd voor de wijkvergadering* all local residents are invited to the residents' association meeting
buurtbezoek [het] visit to/from one's neighbours, visit to/from the neighbours, visit to/from a neighbour ◆ ***op** buurtbezoek gaan* visit one's/the neighbours/a neighbour
buurtbus [de] local bus (driven by volunteers), volunteer bus service
buurtcafé [het] ⟨BE⟩ local (pub), ⟨AE⟩ corner bar/restaurant, neighbourhood bar/restaurant
buurtcentrum [het] community centre
buurtcomité [het] residents' association
buurtconciërge [de] publicly supported employee who helps senior citizens with home maintenance and difficult chores
buurten [onov ww] visit the neighbours, go to the neighbours, visit one's neighbour, go to one's neighbour, visit a neighbour, go to a neighbour ◆ *jullie moeten eens **komen** buurten* you must come round/over some time
buurthuis [het] community centre
buurthuiswerk [het] community centre work
buurtkrant [de] neighbourhood newsletter
buurtmoeder [de^{v}] neighbourhood mother
buurtpreventie [de^{v}] home watch, neighbourhood

watch
buurtregisseur [de^{m}] community liaison officer, neighbourhood co-ordinator
buurtschap [de^{v}] hamlet
buurtschool [de] local school
buurtvereniging [de^{v}] residents'/^{A}neighborhood association
buurtverkeer [het] local traffic ◆ *treinen in het buurtverkeer* trains on the local service
buurtvoorzieningen [de^{mv}] local amenities/facilities
buurtwacht [de] neighbourhood watch
buurtweg [de^{m}] ⟨in België⟩ local road
buurtwerk [het] community work
buurtwerker [de^{m}], **buurtwerkster** [de^{v}] community worker
buurtwerkster [de^{v}] → **buurtwerker**
buurtwinkel [de^{m}] local shop, ⟨AE⟩ (local) neighborhood/corner store
buurvrouw [de^{v}] [1] ⟨vrouw naast wie men woont⟩ neighbour, woman/lady next door [2] ⟨vrouw naast wie men zit, staat⟩ neighbour
buut [het] ⟨spel⟩ home
buutplaats [de] ± target area/zone
buutreedner [de^{m}] (official) Mardi Gras speechmaker
buutspel [het] ⟨spel⟩ hide-and-seek, ⟨AE ook⟩ hide-and-go-seek
buxus [de^{m}] box (tree), boxwood
buy-out [de^{m}] buyout, acquisition
buzz [de^{m}] buzz
buzzen [ov ww] [1] ⟨oproepen⟩ page, beep [2] ⟨reclame maken⟩ buzz, do buzz marketing
buzzer [de^{m}] pager, beeper
buzzmarketing [de] buzz marketing
bv [de^{v}] (besloten vennootschap) ⟨BE⟩ Ltd, ⟨AE⟩ Inc, ⟨BE⟩ ± PLC
bv. [afk] (bijvoorbeeld) e.g.
bvb [de^{v}] (bijzondere verbruiksbelasting) Extraordinary Consumption Tax, tax on the purchase of motor vehicles
bvba [de^{v}] ⟨in België⟩ (besloten vennootschap met beperkte aansprakelijkheid) ltd, company with limited liability
b.v.d. [afk] (bij voorbaat dank) thank you in advance
BVD [de^{m}] (Binnenlandse Veiligheidsdienst) (Dutch) National Security Service, Dutch Secret Service
B-verpleging [de^{v}] psychiatric nursing
BW [het] (Burgerlijk Wetboek) Civil Code
B-weg [de^{m}] ⟨verk⟩ B-road, secondary/minor road
bye [tw] bye
bypass [de^{m}] bypass
bypassoperatie [de^{v}] bypass operation
byte [de^{m}] byte
byzantijns [bn] ⟨slaafs⟩ sycophantic ◆ *een byzantijnse geest* a sycophantic nature
Byzantijns [bn] [1] ⟨van, uit Byzantium⟩ Byzantine [2] ⟨m.b.t. Grieks-katholieke kerk en cultuur⟩ Byzantine
Byzantium [het] Byzantium
BZ [het] (Buitenlandse Zaken) (the) FO

C

c [de] [1] ⟨letter, klank⟩ c, C [2] ⟨toon⟩ c, C [3] ⟨muz; teken⟩ C [4] ⟨derde van een reeks onbekenden⟩ c

c. [afk] [1] (cent(um)) c [2] (caput) c

C [afk] [1] (Celsius) C [2] ⟨scheik⟩ (carbonium) C ♦ ⟨archeol⟩ *C14-methode* (radio) carbon dating, carbon-14 dating [3] (Romeins cijfer) C

ca. [afk] ⟨Latijn⟩ (circa) approx, ⟨i.h.b. bij data⟩ ca

cabaret [het] cabaret ♦ ***politiek** cabaret* political cabaret/satire

cabaretesk [bn] like a cabaret

cabaretgezelschap [het] troupe of cabaret performers, cabaret company

cabaretier [de^{m}], **cabaretière** [de^{v}] cabaret performer, cabaret artist(e)

cabaretière [de^{v}] → **cabaretier**

cabaretprogramma [het] cabaret (show)

cabarock [de^{m}] cabarock

cabine [de^{v}] [1] ⟨bestuurdershokje⟩ cab(in) [2] ⟨passagiersruimte⟩ cabin [3] ⟨hokje voor filmprojectie⟩ projection room, operating box [4] ⟨kleedhokje⟩ cubicle [5] ⟨wagentje van een kabelbaan⟩ (cable) car [6] ⟨hokje in talenlab, platenzaak enz.⟩ booth

cabinepersoneel [het] cabin crew, flight attendants ⟨mv⟩

cabretleder [het] → **cabretleer**

cabretleer [het], **cabretleder** [het] kid(-leather), cabretta

cabriolet [de^{m}] convertible, ⟨vero⟩ cabriolet, drophead coupé

cacao [de^{m}] [1] ⟨zaad⟩ cacao [2] ⟨poeder⟩ cocoa [3] ⟨drank⟩ cocoa, (drinking) chocolate ♦ *wilt u een **kopje** cacao?* would you like a cup of (hot) chocolate/a cup of cocoa?

cacaoboom [de^{m}] cacao(-tree), cocoa tree

cacaoboon [de] cocoa bean, cacao bean

cacaoboter [de] cocoa butter, cacao butter

cacaofantasie [de^{v}] chocolate fantasy, imitation chocolate

cacaoplantage [de^{v}] cocoa plantation

cacaopoeder [het, de^{m}] cocoa (powder), powdered cocoa

cachaça [de^{m}] cachaça

cache [de] ⟨comp⟩ cache

cachegeheugen [het] cache memory

cachelot [de^{m}] cachalot, sperm whale

cache-nez [de^{m}] muffler, comforter

cache-pot [de^{m}] cachepot, flowerpot container/holder/cover

cachet [het] [1] ⟨distinctie⟩ cachet, (touch of) prestige/distinction ♦ *cachet **geven** aan iets* lend style to sth. [2] ⟨kenmerk⟩ cachet, stamp, (hall)mark ♦ *het cachet van **oorspronkelijkheid** dragen* bear the stamp/mark of originality; *een **persoonlijk** cachet geven/verlenen aan* give personality/a personal touch to [3] ⟨stempel⟩ seal, signet, ⟨filatelie⟩ cachet ♦ *zijn cachet **drukken** op* set one's seal to/the seal of approval on; *het cachet **op** een akte* the seal on a deed [4] ⟨ouwel⟩ cachet, capsule

cachexie [de^{v}] ⟨med⟩ cachexia, cachexy

cachot [het] lockup, (police) cell(s), ⟨sl⟩ slammer, military prison, ⟨i.h.b. militair sl⟩ black hole, ⟨BE⟩ glasshouse ♦ *in het cachot **stoppen*** lock up (in a cell)

cactus [de^{m}] cactus

cactusachtigen [de^{mv}] cactaceae

[1]**CAD** [het] clinic for alcohol and drug abuse

[2]**CAD** [afk] (Computer Aided Design) CAD

cadans [de] [1] ⟨ritme⟩ cadence, rhythm ♦ *in dit gedicht is de cadans goed **bewaard*** in this poem the cadence is well preserved [2] ⟨cadens⟩ ⟨serie akkoorden⟩ cadence, ⟨improvisatie⟩ cadenza

[1]**caddie**^{MERK} [de^{m}] ⟨boodschappenwagentje⟩ (golf-)trolley, ⟨AE⟩ caddie (cart)

[2]**caddie** [de^{m}] ⟨sport⟩ caddie, caddy ♦ *iemands caddie **zijn*** caddy for s.o.

cadeau [het] present, gift ♦ *iemand iets cadeau **doen/geven*** make a person a present of sth., give a person sth. as a present; *boeken om cadeau te **geven*** gift books; *ik zou het niet eens cadeau willen **hebben*** I wouldn't have it as a gift/take it if it was handed to me on a silver platter/if you paid me; *de intekenaars op de encyclopedie **kregen** één deel cadeau* the subscribers to the encyclopedia got one volume free; ⟨iron⟩ *dat **krijg** je van me cadeau!* you can have/keep it!, it's all yours!; *iets cadeau **krijgen*** ⟨ook fig⟩ get sth. for nothing/free, get a free gift of sth.; ⟨euf⟩ *iets **niet** cadeau geven* not give sth. away, not let s.o. off lightly

cadeaubon [de^{m}] gift voucher/coupon/token, ⟨AE⟩ gift certificate

cadeaumaand [de] presents month

cadeaustelsel [het] (free-)gift system, gift scheme, coupon/gift trading

cadeautafel [de] resents table

cadens [de] ⟨muz⟩ ⟨serie akkoorden⟩ cadence, ⟨improvisatie⟩ cadenza

cadet [de^{m}] [1] ⟨mil⟩ cadet [2] ⟨in België; sport⟩ (12 to 15-year-old) junior

cadettenschool [de] cadet school, military/naval/air-

force academy, military/naval/airforce college, military/naval/airforce school
cadmium [het] 1 ⟨scheik⟩ cadmium 2 ⟨cadmiumgeel⟩ cadmium yellow/sulphide
cadmiumgeel [bn] cadmium yellow
caesar [de^{m}] Caesar
caesarsalade [de] caesar salad
café [het] ⟨met vergunning⟩ café, cafe, ⟨BE⟩ ± pub, ⟨BE⟩ bar, ⟨BE⟩ ↑ public house, ⟨AE⟩ ± bar(room), ⟨AE⟩ saloon, ⟨zonder vergunning⟩ café, cafe, coffee shop
cafébaas [de^{m}] ⟨in België⟩ landlord, innkeeper, ⟨BE⟩ publican, ⟨AE⟩ barkeep(er)
cafébezoeker [de^{m}], **cafébezoekster** [de^{v}] café-goer, ⟨BE⟩ ± pub-goer
cafébezoekster [de^{v}] → **cafébezoeker**
café chantant [het] café-chantant, ⟨vnl AE⟩ cabaret
café dansant [het] 1 ⟨gelegenheid⟩ dance in a bar or pub 2 ⟨café⟩ bar or pub with a dance floor
café-elftal [het] 1 ⟨café-elftal⟩ pub team 2 ⟨slecht voetbalelftal⟩ amateurish football team
caféhouder [de^{m}] café proprietor/owner, ⟨BE⟩ ± publican, ⟨AE⟩ ± saloonkeeper, ⟨zonder vergunning⟩ café owner, coffee shop owner
cafeïne [de] caffein(e), ⟨i.h.b. in thee⟩ theine
cafeïnevrij [bn] decaf(feinated) ♦ *cafeïnevrije **koffie*** decaf coffee, decaf(f); ⟨AE ook; inf⟩ unleaded coffee
café-restaurant [het] restaurant, ⟨zonder vergunning⟩ café
cafestol [het] cafestol
cafetaria [de] cafeteria, snack bar
cafetariahouder [de^{m}], **cafetariahoudster** [de^{v}] ⟨man⟩ cafeteria/snack-bar manager, ⟨vrouw⟩ cafeteria/snack-bar manageress
cafetariahoudster [de^{v}] → **cafetariahouder**
caféterras [het] café terrace, pavement terrace/area/café ♦ *hij zat op het caféterras voor Americain* he was sitting outside the American Hotel
cafetière [de] cafetière, French press
cahier [het] exercise book, ⟨schoonschrift⟩ copybook
cahors [de^{m}] 1 ⟨wijnstok⟩ Cahors 2 ⟨cahorswijn⟩ Cahors
cai [afk] (centrale antenne-inrichting) CATV, community antenna installation
CAI [afk] (Computer Assisted Instruction) CAI
caipirinha [de^{m}] caipirinha
Caïro [het] Cairo
caissière [de^{v}] cashier, cash girl, check-out girl/operator, ⟨theat, bioscoop⟩ box-office girl
caisson [de^{m}] 1 ⟨wwb; werkkamer⟩ caisson 2 ⟨wwb; zinkbak⟩ caisson 3 ⟨munitiewagen⟩ caisson, ammunition wag(g)on
Caissonwet [de] Caisson Act, Decompression Act
caissonziekte [de^{v}] caisson disease, decompression sickness, ↓ the bends
Cajun [de^{m}] Cajun
cajunkruiden [de^{mv}] Cajun spices
cajunmuziek [de^{v}] cajun music
cake [de^{m}] (madeira) cake
cakebeslag [het] cake mixture
cakeblik [het] cake tin
cakemeel [het] ± plain flour
cakewalk [de^{m}] cakewalk
cal [afk] (calorie) cal
Calabrië [het] Calabria
calamiteit [de^{v}] calamity, disaster, catastrophe
calamiteitenfonds [het] emergency fund
calamiteitenverlof [het] emergency leave
calamiteus [bn] calamitous, necessitous
calando [bw] ⟨muz⟩ calando
calcificatie [de^{v}] calcification
calcinatie [de^{v}] calcination
calcitonine [het] ⟨med⟩ calcitonin
calcium [het] ⟨scheik⟩ calcium
calciumcarbid [het] (calcium) carbide
calciumcarbonaat [het] calcium carbonate
calciumfosfaat [het] calcium phosphate
calciumhoudend [bn] calcic
calciumhydroxide [het] calcium hydroxide
calculatie [de^{v}] calculation, computation, ⟨handel; achteraf⟩ cost accounting, ⟨vooraf⟩ estimating
calculatiemethode [de^{v}] calculation method, ⟨kostprijsberekening⟩ estimating method, cost accounting method, ⟨BE ook⟩ costing method
calculator [de^{m}] 1 ⟨persoon⟩ calculator, computer, ⟨handel⟩ cost accountant 2 ⟨machine⟩ calculator, calculating machine
calculeren [ov ww] calculate, compute, ⟨handel⟩ cost
calculus [de^{m}] ⟨wisk⟩ calculus
caldarium [het] caldarium
calèche [de] barouche
Caledonië [het] Caledonia
caleidoscoop [de^{m}] kaleidoscope
calendarium [het] calendar (of saints)
calgon [het] ⟨scheik⟩ calgon
calicivirus [het] calicivirus
calicot [het] calico, dowlas, dungaree, crash, ⟨voor boekbanden⟩ book muslin
Californië [het] California ♦ *de **staat** Californië* the State of California
Californiër [de^{m}], **Californische** [de^{v}] ⟨man & vrouw⟩ Californian, ⟨vrouw ook⟩ Californian woman/girl
Californisch [bn] Californian
Californische [de^{v}] → **Californiër**
californium [het] ⟨scheik⟩ californium
calimerocomplex [het] inferiority complex
calisthenics [het, de^{m}] calisthenics
call [de^{v}] call
calla [de] 1 ⟨plantengeslacht⟩ Zanthedeschia calla 2 ⟨witte aronskelk⟩ white calla lily
callanetics [de^{mv}] Callanetics
callcenter [het] call centre
callgeld [het] call money, money on call, money lent at call, money payable at/on call
callgeldlening [de^{v}] call/demand loan, loan (payable) on call/demand, ⟨AE ook⟩ day-to-day loan
callgirl [de^{v}] call girl
calloptie [de^{v}] ⟨ec⟩ call option
calorie [de^{v}] 1 ⟨warmte-eenheid⟩ calorie ♦ ***grote** calorie* large/great calorie; ***kleine** calorie* small calorie 2 ⟨eenheid van voedingswaarde⟩ calorie
caloriearm [bn] low-calorie, low in calories
caloriebom [de] calorie bomb
calorierijk [bn] high-calorie, calorie-rich, rich in calories ⟨na zn⟩ ♦ *een calorierijk **dieet*** a high-calorie diet
calorimeter [de^{m}] calorimeter
calorimetrie [de^{v}] calorimetry
calorisch [bn] calorie, calorific ♦ *calorische **machine*** calorie engine; *de calorische **waarde** van brandstoffen* the calorific value of fuels
calque [de^{v}] 1 ⟨tekening⟩ tracing 2 ⟨vertaling⟩ calque, loan translation
calqueerlinnen [het] tracing cloth
calqueerpapier [het] tracing paper, transfer paper
calqueerplaatje [het] transfer (picture)
calqueren [ov ww] trace, calk, calque
calumet [de^{m}] calumet, peace pipe
calvados [de^{m}] calvados, Calvados
calvarieberg [de^{m}] 1 ⟨kruisheuvel⟩ calvary 2 ⟨r-k, bk⟩ calvary
Calvarieberg [de^{m}] ⟨Bijb⟩ Mount Calvarie, Golgotha
Calvijn [de^{m}] Calvin

calvinisme [het] Calvinism
calvinist [de^m] Calvinist
calvinistisch [bn, bw] 1 ⟨volgens (de leer van) Calvijn⟩ Calvinistic(al) ⟨bw: Calvinistically⟩, Calvinist 2 ⟨behoudend⟩ calvinistic(al) ⟨bw: calvinistically⟩ ♦ *een calvinistische kijk op de samenleving* a calvinistic view of society
calypso [de] calypso
CAM [afk] (Computer Aided Manufacturing) CAM
camaraderie [de^v] comradeship, camaraderie
camber [de^m] camber
cambiëren [ov ww, ook abs] exchange money, deal in bills of exchange, deal in money exchange
cambio [het] ⟨handel⟩ (foreign) bill of exchange, treasury bill
cambist [de^m] cambist, (foreign) exchange dealer/broker, money changer, dealer in bills
Cambodja [het] Cambodia, ⟨in de jaren 80⟩ Kampuchea

Cambodja

naam	*Cambodja* Cambodia
officiële naam	*Koninkrijk Cambodja* Kingdom of Cambodia
inwoner	*Cambodjaan* Cambodian
inwoonster	*Cambodjaanse* Cambodian
bijv. naamw.	*Cambodjaans* Cambodian
hoofdstad	*Phnom Penh* Phnom Penh
munt	*riel* riel
werelddeel	*Azië* Asia

int. toegangsnummer 855 www .kh auto K

Cambodjaan [de^m], **Cambodjaanse** [de^v] ⟨man & vrouw⟩ Cambodian, ⟨vrouw ook⟩ Cambodian woman/girl
Cambodjaans [bn] Cambodian
Cambodjaanse [de^v] → **Cambodjaan**
cambrium [het] ⟨geol⟩ Cambrian (period)
camcorder [de^m] camcorder
camee [de^v] cameo
camel [bn] camel, fawn
camelia [de] ⟨plantk⟩ camel(l)ia, japonica
cameltoe [de^m] cameltoe
camembert [de^m] Camembert (cheese)
cameo [de^m] cameo
camera [de] 1 ⟨foto-, filmtoestel⟩ camera ♦ *laat de camera lopen!* roll the camera!; *verborgen camera* candid/hidden camera 2 ⟨m.b.t. video-, televisieopnamen⟩ camera ▪ *camera lucida* camera lucida; *camera obscura* camera obscura
camerabewaking [de^v] camera surveillance
camerahoek [de^m] camera angle
cameraman [de^m] cameraman
cameramobieltje [het] camera phone
camera obscura [de] camera obscura
cameraoog [het] camera lens
cameraploeg [de] camera crew/team
camerastandpunt [het] camera angle
cameratelefoon [de^m] camera phone
cameratoezicht [het] camera supervision, CCTV
camera-unit [de] camera unit
cameravoering [de^v] camera work
camerawagen [de^m] dolly
camion [de^m] ⟨in België⟩ ⟨BE⟩ lorry, ⟨AE⟩ truck, ⟨klein⟩ van
camionette [de^v] ⟨in België⟩ ⟨BE⟩ delivery van, ⟨AE⟩ (panel) truck
camouflage [de^v] 1 ⟨het camoufleren⟩ camouflage, camouflaging, ⟨fig⟩ covering-up 2 ⟨wat tot camoufleren dient⟩ camouflage, ⟨fig⟩ cover, front ♦ *ter camouflage dienen* serve as camouflage
camouflagebroek [de] camouflage trousers
camouflagekleur [de] camouflage colour
camouflagestift [de] cover-up stick
camouflage-uitrusting [de^v] camouflage (kit) ♦ *een militaire eenheid in camouflage-uitrusting* a military unit in camouflage kit
camoufleren [ov ww] 1 ⟨onopvallend maken⟩ camouflage 2 ⟨fig; m.b.t. handelingen, gevoelens enz.⟩ camouflage, cover up, disguise
camp [bn, alleen pred] camp
campagne [de] 1 ⟨publieke actie⟩ campaign, drive ♦ *een grootscheepse campagne op touw zetten* start a great drive; *de campagne openen/beginnen* launch/mount the campaign; *een politieke campagne* a political campaign; *een campagne tegen iemand voeren* (conduct/run/lead a) campaign against s.o.; *campagne voeren (voor/tegen)* campaign (for/against) 2 ⟨seizoen⟩ (working) season 3 ⟨veldtocht⟩ campaign ♦ *hij heeft heel wat campagnes meegemaakt* ⟨fig⟩ he's an old campaigner, he's seen many a battle in his time
campagnejaar [het] year of hard graft, year of slogging ♦ *het was een campagnejaar* that was a year and a half
campagneleider [de^m], **campagneleidster** [de^v] ⟨pol⟩ campaign manager, head of a/the campaign, ⟨mil ook⟩ spearhead
campagneleidster [de^v] → **campagneleider**
campanologie [de^v] campanology
campari [de^m] Campari
camper [de] camper (van), ⟨BE ook⟩ dormobile, motor caravan, ⟨AE ook⟩ motor home, RV, recreational vehicle
camping [de] camp(ing) site, camp(ing)ground, ⟨voor caravans; BE⟩ caravan park, ⟨AE⟩ trailer park

camping

- in het Engels noemt men een camping een campsite of campground
- het woord camping wordt in het Engels alleen gebruikt voor kamperen als activiteit *(we're going camping this weekend)*

campingbed [het] travel cot
campingbedje [het] camp bed
campingbeheerder [de^m] campsite manager
campingbrander [de^m] camping stove
campinggas [het] butane gas
campingsmoking [de^m] ⟨BE⟩ Lurex tracksuit, ⟨AE⟩ ± sweats, ↑jogging suit
campingvlucht [de] (flight only) charter/holiday flight
campingwinkel [de^m] camping shop
campus [de^m] campus, university/college/school grounds ♦ *op de campus* on (the) campus, in the university/college/school grounds
campy [bn, bw] camp, campy
canada [de^m] ⟨plantk⟩ black Italian poplar
Canada [het] Canada
¹Canadees [de^m], **Canadese** [de^v] ⟨man & vrouw⟩ Canadian, ⟨vrouw ook⟩ Canadian woman/girl
²Canadees [bn] Canadian, Canada ♦ *Canadese den* hemlock (fir/spruce)
Canadese [de^v] → **Canadees¹**

Canada

naam	*Canada* Canada
officiële naam	*Canada* Canada
inwoner	*Canadees* Canadian
inwoonster	*Canadese* Canadian
bijv. naamw.	*Canadees* Canadian
hoofdstad	*Ottawa* Ottawa
munt	*Canadese dollar* Canadian dollar
werelddeel	*Amerika* America

int. toegangsnummer 1 www .ca auto CDN

canaille [het] 1 ⟨gepeupel⟩ canaille, rabble, riff-raff, mob, ↓scum 2 ⟨vrouw⟩ shrew, vixen, ↓bitch
canailleus [bn, bw] coarse ⟨bw: ~ly⟩, common, vulgar, ⟨vrouw⟩ ↓bitchy
canapé [de^m] 1 ⟨sofa⟩ sofa, settee, couch, ⟨AE⟩ davenport,

⟨vaak zonder rugleuning⟩ divan [2] ⟨belegd stukje geroosterd brood⟩ canapé
canard [de^{m}] canard, media rumour, hoax, false report
Canarische Eilanden [de^{mv}] (the) Canaries, (the) Canary Islands
canasta [het] canasta
Canberra [het] Canberra
cancan [de^{m}] cancan
cancelen [ov ww] cancel, annul
cancerologie [de^{v}] cancerology, oncology, cancer research

Canada

provincie/territorium	afkorting	hoofdstad
Alberta	AB	Edmonton
British Columbia	BC	Victoria
Manitoba	MB	Winnipeg
New Brunswick	NB	Fredericton
New Foundland and Labrador	NF	Saint John's
Northwest Territories	NT	Yellowknife
Nova Scotia	NS	Halifax
Nunavut	NU	Iqaluit
Ontario	ON	Toronto
Prince Edward Island	PE	Charlottetown
Québec	QC	Québec
Saskatchewan	SK	Regina
Yukon Territory	YK	Whitehorse

cand. [de^{m}] (candidatus, kandidaat) candidate
candela [de] candela
[1]**candida** [de] ⟨schimmel⟩ candida
[2]**candida** [de^{mv}] ⟨schimmelziekte⟩ candida
candid camera [de] candid camera
candybar [de^{m}] candy bar
cannabis [de^{v}] cannabis, hemp, marijuana, hashish
canneleren [ov ww] flute, groove, channel, ⟨van hout⟩ chamfer
cannelloni [de^{mv}] cannelloni
cannelure [de] cannelure, flute, glyph, ⟨mv ook⟩ fluting, fluted work, channelling, ⟨AE⟩ channeling, grooves, ⟨van hout⟩ chamfer
canon [de^{m}] [1] ⟨muz⟩ round, catch, canon ◆ *in zijn canon zingen* sing in a round/in canon [2] ⟨norm⟩ canon, norm, standard, criterion [3] ⟨Bijb⟩ canon [4] ⟨drukw⟩ canon [5] ⟨jaarlijks te betalen erfpacht⟩ ground-rent [6] ⟨essentiële kennis⟩ canon ◆ *de* ***historische*** *canon van Nederland* ± the historical canon of the Netherlands
cañon [de^{m}] canyon
canoniek [bn] [1] ⟨volgens de canon⟩ canonical ◆ *de canonieke* ***boeken*** the canon (of Scripture), the canonical books [2] ⟨kerkrechtelijk⟩ canonical ◆ *canoniek* ***recht*** canon law [3] ⟨normatief⟩ canonical, authoritative, standard, approved ◆ *dit is geen canonieke* ***spelling*** this is not the accepted/standard/normal spelling
canonisatie [de^{v}] ⟨r-k⟩ canonization
canoniseren [ov ww] ⟨r-k⟩ canonize
Canossa [het] Canossa ◆ ***naar*** *Canossa gaan* ⟨fig⟩ go to Canossa, eat humble pie
[1]**cantabile** [het] ⟨muz⟩ cantabile
[2]**cantabile** [bw] ⟨muz⟩ cantabile
cantate [de^{v}] [1] ⟨zangstuk⟩ cantata [2] ⟨vero; vierde zondag na Pasen⟩ fourth Sunday after Easter
cantharel [de^{m}] chanterelle
cantilene [de] cantilena, cantilène
cantille [de] purl, filigree/filagree wire, gold stitchery
canto [het] [1] ⟨muz⟩ canto, cantus ◆ *canto* ***fermo*** cantus firmus, canto fermo; *canto* ***figurato*** coloratura, musica figurata/coloratura [2] ⟨lit⟩ canto
cantor [de^{m}] cantor, precentor, music director, ⟨judaïsme⟩ (c)hazan
cantorij [de^{v}] (church) choir
cantuccini [de^{mv}] cantuccini
cantus [de^{m}] ⟨stud⟩ songfest, sing-along
canule [de] cannula, tube, drain
canvas [het] canvas, sailcloth, tarpaulin ◆ ***tegen*** *het canvas gaan* be knocked out/ko'd, hit the canvas; ⟨fig⟩ bite the dust
canvassen [ww] ⟨leden voor een politieke partij⟩ canvassing, ⟨colporteren⟩ hawking
canyon [de^{m}] canyon
canyoning [het] canyoning
cao [de^{v}] (collectieve arbeidsovereenkomst) collective (labour) agreement ◆ *dat staat niet* ***in*** *mijn cao* that's not part of my job description, I'm not paid to do that; ***meerjarige*** *cao's afsluiten* sign long-term labour agreements/contracts; *een cao* ***openbreken*** lay the collective labour agreement on the table, review a collective labour agreement prematurely
cao-loon [het] wages as determined in collective labour agreements
cao-onderhandelingen [de^{mv}] collective bargaining
cao-overleg [het] collective bargaining
[1]**caoutchouc** [het, de^{m}] caoutchouc, (India/natural) rubber
[2]**caoutchouc** [bn] caoutchouc, (India/natural) rubber, ⟨rekbaar⟩ elastic, flexible, rubbery
cap [de^{m}] [1] ⟨ruiterhelm⟩ cap [2] ⟨opname⟩ cap
cap. [het] (caput) chap
capabel [bn] [1] ⟨bekwaam⟩ capable, ⟨veelbelovend⟩ able, ⟨geschikt⟩ competent, ⟨bevoegd⟩ qualified ◆ *voor de functie leek hij uiterst capabel* he seemed more than qualified for the job; *hij is* ***niet*** *capabel* ⟨dronken⟩ he's drunk and incapable; ⟨niet bekwaam⟩ he's unsuited (for the job); ⟨onverantwoordelijk⟩ he's irresponsible; *hij is* ***niet*** *capabel om te rijden* he's in no shape/condition to drive [2] ⟨in staat⟩ capable (of sth./of doing sth.), able (to)
capabiliteit [de^{v}] capability, ability, competence
capaciteit [de^{v}] [1] ⟨vermogen⟩ capacity, output, volume, power ◆ ***effectieve*** *capaciteit* actual capacity; ***elektrische*** *capaciteit* (electrical) capacitance/capacity; *de capaciteit van een* ***kachel*** the capacity/output of a heater; *een motor* ***met*** *kleine capaciteit* a low-powered engine; *de fabriek werkt op* ***volle*** *capaciteit* the factory is operating at full capacity; *de capaciteit van een* ***ziekenhuis*** the capacity of a hospital [2] ⟨bekwaamheid⟩ ability, capability ◆ ***geestelijke*** *capaciteiten* mental abilities, intellectual power; *iemand* ***met*** *grote capaciteiten* s.o. with tremendous abilities, a very able person, a man of good parts
capacitief [bn] ⟨elek⟩ capacitive ◆ *capacitieve* ***koppeling*** capacitive coupling
cape [de] cape
[1]**capillair** [het] capillary
[2]**capillair** [bn] capillary ◆ *capillaire* ***aantrekking/werking*** capillary attraction/action; *capillaire* ***buizen/vaten*** capillary tubes/vessels, capillaries; *capillair* ***stelsel*** capillary network; *capillaire* ***verschijnselen*** capillarity
capillariteit [de^{v}] capillarity
capita selecta [de^{mv}] Selected Topics
Capitolijns [bn] Capitolian, Capitoline
capitonnage [de^{v}] padding, stuffing
capitonneren [ov ww] pad, stuff
Capitool [het] [1] ⟨gesch; burcht⟩ capitol [2] ⟨gebouw in Washington⟩ Capitol
capitulatie [de^{v}] [1] ⟨verdrag⟩ capitulation (treaty) [2] ⟨overgave⟩ capitulation, surrender

capitulatievoorwaarde [de^{v}] condition for capitulation
capituleren [onov ww] capitulate, surrender, ↓ give in, ⟨inf⟩ throw in the towel
capo [de^{m}] capo
capot [de^{m}] ⟨BE⟩ bonnet, ⟨AE⟩ hood
Cappadocië [het] Cappadocia
cappen [ov ww] do vidcapping
cappuccino [de^{m}] cappuccino
caprese [bn] Caprese
capribroek [de] capri pants, pedal pushers
capriccio [het] ⟨muz⟩ cappricio, caprice
caprice [de] caprice, whim, (passing) fancy
capricieus [bn] capricious, whimsical, ⟨pej⟩ fickle, temperamental
capriool [de] capriole, caper, prank, ⟨mv ook⟩ antics, ⟨paardsp ook⟩ curvet ◆ *capriolen* ***maken*** ⟨paardsp⟩ perform caprioles/curvets; *capriolen* ***uithalen*** cut capers, ⟨AE⟩ cut up
caprolactam [het, de^{m}] (epsilon) caprolactam
capsaïcine [de^{v}] capsaicin
capsule [de] [1] ⟨omhulsel om geneesmiddelen⟩ capsule [2] ⟨geneesmiddel⟩ capsule [3] ⟨ruimtev⟩ (space) capsule [4] ⟨dop⟩ (bottle-)top, cap [5] ⟨zaaddoos⟩ capsule
captain [de^{m}] captain
capteren [ov ww] ⟨in België⟩ ⟨station⟩ receive/get/pick up, ⟨signaal⟩ receive
captive [de^{m}] captive insurance company
capuchon [de^{m}] hood ◆ *zijn capuchon* ***opdoen/opzetten*** pull on/up one's hood
cara [de] (chronische aspecifieke respiratorische aandoeningen) CNSLD (Chronic Non-Specific Lung Disease)
carabinieri [de^{m}] carabinieri
caracara [de^{m}] crested caracara
caracole [de] ⟨in België⟩ snail
Caraïbiër [de^{m}], **Caraïbische** [de^{v}] ⟨man & vrouw⟩ Caribbean, ⟨man & vrouw⟩ Carib(ee), ⟨vrouw ook⟩ Caribbean woman/girl
Caraïbisch [bn] Caribbean ◆ *de Caraïbische* ***Eilanden*** the Caribbees/Caribbean Islands; *het Caraïbisch* ***gebied*** the Caribbean; *de Caraïbische* ***Zee*** the Caribbean (Sea)
Caraïbische [de^{v}] → **Caraïbiër**
caramba [tw] caramba
carambola [de^{m}] carambola, star fruit
carambole [de^{m}] ⟨bilj⟩ cannon, ⟨AE⟩ carom ◆ *een carambole* ***maken*** get/make a cannon/^{A}carom; *carambole* ***over de band*** cannon/^{A}carom off the cushion
caramboleren [onov ww] [1] ⟨bilj⟩ cannon, ⟨AE⟩ carom, get/make a cannon, get/make a ^{A}carom [2] ⟨botsen⟩ collide (with/into), cannon, crash, bump (into)
carapatiënt [de^{m}] patient suffering from CNSLD ⟨Chronic Non-Specific Lung Disease⟩
caravan [de^{m}] ⟨BE⟩ caravan, ⟨AE⟩ trailer (home), ⟨AE⟩ mobile home
caravanterrein [het] ⟨BE⟩ caravan park, ⟨AE⟩ trailer park, ⟨AE⟩ mobile home park
carbid [het] ⟨scheik⟩ (calcium) carbide
carbide [het] ⟨scheik⟩ carbide
carbidlamp [de] carbide lamp, acetylene lamp
carbol [het, de^{m}] carbolic (acid), phenol
carbolineren [ov ww] creosote, apply carbolineum
carbolineum [het] (coal-tar) creosote, carbolineum
carboliseren [ov ww] carbolize
carbolzuur [het] carbolic acid, phenol
carbon [het] carbon (paper)
carbonaat [het] ⟨scheik⟩ carbonate
carbonarasaus [de] carbonara sauce
carbonatie [de^{v}] [1] ⟨het doen opnemen van koolzuur⟩ carbonation [2] ⟨het harden van staal⟩ carburization
carbondoorslag [de^{m}] carbon copy, duplicate
carbonfiber [het, de^{m}] carbon fibre
^{1}**carboniseren** [ov ww] [1] ⟨zuiveren van wol⟩ carbonize [2] ⟨koolzuur toevoegen aan⟩ carbonate
^{2}**carboniseren** [ov ww, ook abs] ⟨verkolen⟩ carbonize, carbonate
carbonpapier [het] carbon paper
carbonzuur [het] ⟨scheik⟩ carboxylic acid
carboon [het] [1] ⟨geol⟩ Carboniferous (period) [2] ⟨scheik⟩ carbon
carboxyl [het] carboxyl
carburator [de^{m}] carburetter, carburettor, ⟨AE⟩ carburetor ◆ ***dubbele carburator*** twin carburetters; ⟨inf⟩ dual/twin carbs
carbureren [ov ww] [1] ⟨lichtgas met koolwaterstof verbinden⟩ ⟨van lichtgas⟩ carburet, ⟨metallurgie⟩ carburize [2] ⟨brandstof met lucht vermengen⟩ vaporize
^{1}**carcinogeen** [het] ⟨med⟩ carcinogen
^{2}**carcinogeen** [bn] ⟨med⟩ carcinogenic
carcinogeniteit [de^{v}] ⟨med⟩ carcinogenicity
carcinoom [het] carcinoma, malignant tumour, cancer ◆ ***hard*** *carcinoom* scirrhus
card [de] card
cardanas [de] prop(ellor) shaft, drive shaft, crankshaft
cardankoppeling [de^{v}] cardan, cardan/universal joint
cardantunnel [de^{m}] transmission tunnel
cardiaal [bn] ⟨anat⟩ cardiac
cardiochirurg [de^{m}] cardiosurgeon, heart surgeon
cardiochirurgie [de^{v}] cardiosurgery, heart surgery
cardiofitness [de] cardiofitness
cardiograaf [de^{m}] cardiograph
cardiografisch [bn] cardiographic ◆ *cardiografisch* ***onderzoek*** cardiography, examination by cardiograph
cardiogram [het] cardiogram
cardiologe [de^{v}] → **cardioloog**
cardiologie [de^{v}] cardiology
cardiologisch [bn] cardiologic(al)
cardioloog [de^{m}], **cardiologe** [de^{v}] cardiologist
cardiomyopathie [de^{v}] cardiomyopathy
cardiopathie [de^{v}] cardiopathy
cardiopulmonaal [bn] cardiopulmonary
cardiovasculair [bn] ⟨med⟩ cardiovascular
cardulance [de] 'cardulance', ambulance specially equipped for cardiac victims
care [de^{m}] care
carenzdag [de^{m}] ⟨in België⟩ unrefunded first day of sick leave
cargadoor [de^{m}] ship broker
cargadoorsbedrijf [het] ship-broker's firm/company
cargalijst [de] cargo list, ship's manifest
cargo [de^{m}] [1] ⟨schip⟩ cargo ship/vessel/boat [2] ⟨lading⟩ cargo, load
cargobroek [de] cargo pants
cargoverzekering [de^{v}] cargo insurance
cariës [de] caries, tooth decay
carieus [bn] carious, decayed
carillon [het, de^{m}] carillon, chimes, (peal/set of) bells ◆ *het spelen van het carillon* the ringing of the bells/chimes
carjacken [ww] go carjacking
carjacker [de^{m}] carjacker
carjacking [de^{m}] carjacking
carkit [de^{m}] car kit
carnaal [bn] carnal
carnaroli [de^{m}] Carnaroli
carnaval [het] [1] ⟨dagen⟩ Shrovetide, carnival (time/season) [2] ⟨viering⟩ carnival, Mardi Gras ◆ ***Prins*** *Carnaval* King Carnival; *carnaval* ***vieren*** celebrate carnival, go to Mardi Gras
carnavalesk [bn, bw] carnivalesque, (of) carnival, carnival-like
carnavalist [de^{m}] ⟨in België⟩ reveller

carnavalsclub [de] carnival club
carnavalskraker [de^{m}] carnival hit/song
carnavalslied [het] carnival song
carnavalsmis [de] carnival mass
carnavalsoptocht [de^{m}] carnival procession
carnavalstijd [de^{m}] carnival (time/season), Shrovetide
carnavalsvakantie [de^{v}] carnival holiday, Shrovetide holiday
carnavalsvereniging [de^{v}] carnival association/club
carnavalsviering [de^{v}] celebration of carnival, celebration of Shrovetide, celebration of Mardi Gras
carnavalswagen [de^{m}] (carnival) float
carneool [het, de^{m}] carnelian, carneol(e)
carnet [het] [1] ⟨aantekenboekje⟩ notebook [2] ⟨autopaspoort⟩ carnet
carnivoor [de^{m}] carnivore, carnivorous/flesh-eating animal, ⟨mv ook⟩ carnivora
carob [het], **carobe** [het] carob, St-John's-bread, locust bean/pod
carobe [het] → **carob**
caroteen [het], **carotine** [het, de] carotene, carotin
carotine [het, de] → **caroteen**
carottentrekker [de^{m}] ⟨in België⟩ shirker
carpaal [bn] carpal
carpaccio [de^{m}] carpaccio
carpaletunnelsyndroom [het] carpal tunnel syndrome
carpool [de^{m}] car pool
carpoolen [ww] carpool
carpooling [de] carpooling
carpoolstrook [de] carpool lane, lane reserved for carpoolers
carport [de^{m}] carport
carpus [de^{m}] carpus
carrageen [het] car(r)ag(h)een, Irish moss
carré [het, de^{m}] [1] ⟨vierkant⟩ square ◆ *open carré* hollow square [2] ⟨mil⟩ square ◆ *zich in carré opstellen* form (into) a square, take up a square formation [3] ⟨gebak⟩ pastry [4] ⟨kaartsp⟩ four of a kind ◆ *carré azen* four aces
carrément [bw] ⟨in België⟩ definitely, absolutely, simply, completely
carrier [de^{m}] carrier
carrière [de] career ◆ *aan het begin/op het einde van zijn carrière* at the beginning/end of his career; *zijn carrière beginnen* enter on/start one's career; ⟨scherts⟩ *hij is zijn carrière misgelopen* he missed his vocation, he's in the wrong business; *carrière maken* make a career for o.s., succeed in life, get ahead; *zijn carrière mislopen* not get as far as expected (in one's career/profession), not make the grade; *een snelle carrière* a success story, a lightning career
carrièrediplomaat [de^{m}] career diplomat
carrièrejaagster [de^{v}] → **carrièrejager**
carrièrejager [de^{m}], **carrièrejaagster** [de^{v}] ⟨man & vrouw⟩ careerist, ⟨vrouw ook⟩ career girl/woman
carrièreladder [de] career ladder
carrièremaker [de^{m}] careerist, ⟨vrouw ook⟩ career girl/woman
carrièremogelijkheden [de^{mv}] career prospects ◆ *prima/goede carrièremogelijkheden* excellent/good career prospects
carrièreonderbreking [de^{v}] break/interruption in one's career
carrièreplanning [de^{v}] career planning ◆ *niet aan carrièreplanning doen* not go in for career planning
carrièrestap [de^{m}] career step
carrièrevrouw [de^{v}] career woman, ⟨pej ook⟩ career girl
carringtondoctrine [de^{v}] Carrington doctrine
carrosserie [de^{v}] body, bodywork, carriage work, coachwork ◆ *open en gesloten carrosserie* open and enclosed body; *zelfdragende carrosserie* monocoque
carrosseriebedrijf [het] car body works/workshop, motor body works/workshop, bodyworks, coachworks
carrosseriefabriek [de^{v}] bodywork/coachwork factory, bodyworks, coachworks
carrousel [het, de^{m}] [1] ⟨ook fig; draaimolen⟩ merry-go-round, ⟨AE⟩ carousel, roundabout, whirligig ◆ *carrousel rijden* have a ride on the merry-go-round-roundabout/carousel [2] ⟨werktuig⟩ turret, lathe, ⟨draaitafel⟩ turntable
carrouselfraude [de] carrousel fraud
carrure [de^{v}] ⟨in België⟩ build
carte [de^{v}] carte ◆ *dineren à la carte* dine à la carte
carte blanche [de^{v}] carte blanche ◆ *iemand carte blanche geven* give s.o. carte blanche; *carte blanche hebben* have carte blanche
cartel [het] ⟨overeenkomst m.b.t. krijgsgevangenen⟩ cartel
carter [het] crankcase, ⟨oliereservoir onder in het carter; BE⟩ sump, ⟨AE⟩ oil pan
cartesiaan [de^{m}] Cartesian
cartesiaans [bn] Cartesian ◆ *cartesiaans duikertje/duiveltje* Cartesian diver
cartesisch [bn] Cartesian ◆ *cartesisch assenstelsel* (system of) Cartesian coordinates
Carthaags [bn] Carthaginian ◆ *Carthaagse oorlogen* Carthaginian/Punic wars; *Carthaagse vrede* Carthaginian peace
Carthaagse [de^{v}] → **Carthager**
Carthager [de^{m}], **Carthaagse** [de^{v}] Carthaginian
Carthago [het] Carthage
cartograaf [de^{m}] cartographer, map-maker
cartografie [de^{v}] cartography, map-making
cartografisch [bn, bw] cartographic(al) ⟨bw: cartographically⟩ ◆ *cartografische afdeling* map department
cartogram [het] cartogram
cartometrie [de^{v}] cartometry
cartoon [de^{m}] cartoon
cartoonesk [bn, bw] cartoonish, caricatural
cartoonist [de^{m}] cartoonist
cartotheek [de^{v}] filing system, card index, card-index system, index file, card catalogue/^{A}catalog
cartouche [de] [1] ⟨omlijst muurvlak⟩ cartouche, tablet, scroll [2] ⟨vlak op schilderij⟩ cartouche [3] ⟨schietpatroon⟩ cartridge, round, cartridge case [4] ⟨rolletje munten⟩ cartridge, roll of coins
cartridge [de] cartridge
cartuning [de] car tuning
carving [de^{m}] (ski) carving
carwash [de^{m}] car wash
cas [het] (centraal antennesysteem) community antenna television, central aerial system
casanova [de^{m}] Casanova, Don Juan, Lothario, ladykiller
Casanova Casanova
casarca [de] ⟨dierk⟩ ruddy shel(d)duck
cascade [de^{v}] cascade, waterfall
cascadeschakeling [de^{v}] ⟨elek⟩ cascade connection, concatenated/tandem connection
cascadeur [de^{m}] circus clown, ± acrobat, ± tumbler
casco [het; vaak attributief] [1] ⟨schip met uitrusting⟩ body, vessel [2] ⟨romp⟩ body
cascopolis [de] ⟨scheepv⟩ hull policy, ⟨auto⟩ all-risk policy, comprehensive (car) insurance policy
cascoschade [de] ⟨scheepv⟩ damage to the hull, ⟨auto⟩ accidental damage, damage to the car/body
cascoverzekering [de^{v}] ⟨scheepv⟩ hull insurance/underwriting, insurance on hull (and appurtenances), ⟨auto⟩ insurance on bodywork
cascowoning [de^{v}] shell, ⟨AE⟩ ± tract home
caseïne [de] casein
casemanager [de^{m}] case manager
casestory [de] case story

casestudy [de] ⟨soc⟩ case study
casework [het] casework
[1]**cash** [de^m] cash
[2]**cash** [bw] cash ♦ *wilt u cash **uitbetaald worden**?* would you like to be paid in cash?
cash-and-carry [de] cash-and-carry
cashcow [de] cash cow
cashdividend [het] cash dividend
cashen [onov ww] cash (sth.) in, convert to cash, realise
cashewnoot [de] cashew (nut)
cashflow [de^m] cash flow
cashgeld [het] cash
cashmanagement [het] cash management
casino [het] 1 ⟨gokhuis⟩ casino 2 ⟨brood⟩ white tin-loaf
casinobrood [het] → **casino**
cassant [bn] ⟨in België⟩ sharp-tongued, acid, acerbic, cutting, biting
cassatie [de^v] ⟨jur⟩ cassation, annulment, quashing, reversal of judgment ♦ ***hof** van cassatie* Court of Cassation; ⟨Groot-Brittannië⟩ ± House of Lords (and Supreme Court of Judicature); ⟨USA⟩ Supreme Court; ***in** cassatie **gaan*** appeal to the court of cassation; *beroep **in** cassatie instellen* lodge an appeal with the court of cassation; ***middel** van cassatie* objection in cassation
cassatiemiddel [het] cassation plea, grievance, objection ♦ *een cassatiemiddel **ontwikkelen/voordragen*** bring forward grounds for an appeal to the court of cassation
cassatierechter [de^m] judge of the court of cassation/appeal/review
cassatietermijn [de^m] period for lodging an appeal with the court of cassation
cassatiezaak [de] case for the court of cassation
cassave [de] cassava, manioc
casselerrib [de] cured side of pork
casseren [ov ww] 1 ⟨vernietigen⟩ quash, annul, reverse ♦ *een **vonnis** casseren* quash a judgment 2 ⟨ontslaan⟩ cashier
cassette [de] 1 ⟨kistje⟩ box, ⟨juwelen⟩ casket, coffer, ⟨boeken⟩ slip-case, ↑ solander, ⟨geld⟩ cash-box, money-box 2 ⟨voor tafelgerei⟩ canteen, cutlery cabinet/tray, silverware case 3 ⟨voor geluidsband⟩ cassette 4 ⟨voor fotonegatieven en films⟩ cassette, cartridge 5 ⟨vuurvaste doos⟩ oven-proof tray 6 ⟨bouwk⟩ coffer ♦ *een zoldering van cassettes **voorzien*** coffer a ceiling
cassetteband [de^m] cassette (tape) ♦ *een cassettebandje **afspelen*** play (back) a cassette
cassettedeck [het, de^m] cassette deck, tape deck
cassettefilm [de^m] cassette film, cartridge film, ⟨platencamera⟩ film park
cassetteprojector [de^m] ⟨voor films⟩ cinema/movie projector, ⟨voor dia's⟩ (semi-)automatic slide projector
cassetterecorder [de^m] cassette recorder, tape recorder
cassettescoop [de^m] sound projector
cassettetape [de^m] cassette tape
cassettewisselaar [de^m] automatic cassette changer
cassettotheek [de^v] cassette library, tape library
cassis [de] cassis, black currant drink
cassoulet [de^m] cassoulet
cast [de^m] cast, dramatis personae ♦ *die film heeft een erg **slechte** cast* that film has been totally miscast
castagnetten [de^{mv}] castanets
castellum [het] castellum
casten [onov ww] cast
castigatie [de^v] chastisement, ⟨vnl. met woorden⟩ castigation, ⟨verwijdering van aanstootgevende passages⟩ expurgation, censorship, ⟨pej⟩ bowdlerization
castigeren [ov ww] 1 ⟨tuchtigen⟩ castigate, chastise, lambast(e) 2 ⟨censureren⟩ expurgate, bowdlerize, censor
Castiliaan [de^m] Castilian
Castiliaans [bn] Castilian, Castile
Castilië [het] Castile
casting [de^v] casting
castingbureau [het] casting agency
castorolie [de] castor oil, ricinus oil
castorzaad [het] castor bean
castraat [de^m] castrated person/animal, eunuch, ⟨zanger⟩ castrato, ⟨paard⟩ gelding
castratie [de^v] 1 ⟨ontmanning⟩ castration, emasculation, ⟨paard⟩ gelding, ⟨mannelijk dier⟩ doctoring 2 ⟨sterilisatie⟩ sterilization, vasectomy
castratiecomplex [het] castration complex
castreren [ov ww] castrate, ⟨dier⟩ neuter, doctor, ⟨paard⟩ geld, ⟨vogel⟩ caponize, ⟨mannen⟩ vasectomize, ⟨wijfjesdier⟩ spay
casual [bn, bw] casual ⟨bw: ~ly⟩
casualisme [het] casualism
casueel [bn, bw] 1 ⟨toevallig⟩ casual ⟨bw: ~ly⟩, accidental, fortuitous, ⟨attributief bijvoeglijk naamwoord⟩ chance, ⟨bijwoord⟩ by chance ♦ *casuele **voorwaarde*** fortuitous condition 2 ⟨merkwaardig⟩ curious ⟨bw: ~ly⟩, strange
casuïst [de^m] casuist, sophist, ± equivocator
casuïstiek [de^v] 1 ⟨gewetensleer⟩ casuistry, situation ethics 2 ⟨pej⟩ casuistry, sophistry 3 ⟨med⟩ casuistry, case histories
casuïstisch [bn, bw] casuistic(al) ⟨bw: casuistically⟩
casu quo or ... (if any/as the case may be/where appropriate) ♦ *... **voorwaarden** casu quo eisen ...* conditions and/or requirements; ... conditions, or where appropriate, requirements ⊡ *in casu quo* in that case, here
casus [de^m] 1 ⟨naamval⟩ case ♦ *casus **obliquus*** oblique case 2 ⟨geval⟩ case, instance, event, example ♦ ***in** casu* in this case/instance, in the present case/instance; *een casus belli **vormen*** constitute a casus belli
casuspositie [de^v] ⟨jur⟩ case (stated) ♦ *een casuspositie **als** de onderhavige* a case such as the present/of the type now under discussion/consideration
cat. [afk] 1 (catalogus) cat 2 (categorie) category
cataclysme [het] cataclysm, catastrophe, disaster
catacombe [de] 1 ⟨onderaardse gang⟩ catacomb 2 ⟨mv; in het stadion⟩ catacombs
cataforisch [bn] ⟨taalk⟩ cataphoric
Catalaan [de^m] Catalan
[1]**Catalaans** [het] Catalan
[2]**Catalaans** [bn] Catalan, Catalonian
catalectisch [bn, bw] catalectic ⟨bw: ~ally⟩ ♦ *catalectische **verzen*** catalectic verse(s)
catalepsie [de^v] ⟨med⟩ catalepsy
catalogeren [ov ww] ⟨in België⟩ ⟨in een catalogus opnemen⟩ catalogue, ⟨AE⟩ catalog, note, list, record ⊡ *iemand catalogeren **als** ...* style s.o. ..., table s.o. as ...
catalogiseren [ov ww] catalogue, ⟨AE⟩ catalog, note, list, record ♦ *de nieuwe **aanwinsten** zijn nog niet gecatalogiseerd* the new acquisitions/additions have not yet been noted/catalogued/recorded/listed; ***schilderijen/postzegels/boeken** catalogiseren* catalogue/classify/record paintings/stamps/books
catalogus [de^m] catalogue, ⟨AE⟩ catalog ♦ ***alfabetische** catalogus* alphabetical catalogue; ***centrale** catalogus* union/consolidated catalogue; ***systematische** catalogus* classified/subject catalogue; ***thematische** catalogus* subject [B]catalogue/[A]catalog, ⟨muz⟩ thematic [B]catalogue/[A]catalog
catalogusbouw [de^m] prefab home building, custom home building
catalogusnummer [het] catalogue/[A]catalog number
catalogusprijs [de^m] list price, catalogue/[A]catalog price ♦ *de catalogusprijs hiervan **is*** € 5 this is listed at € 5
catalogustitel [de^m] catalogue/[A]catalog entry
catalogusverkoop [de^m] catalogue/[A]catalog sale, mail-

order sales
cataloguswaarde [de^{v}] catalogue/^{A}catalog/listed value ♦ *dat muntstuk heeft een **hoge** cataloguswaarde* that coin has a high catalogue value
cataloguswoning [de^{v}] prefab home, custom home
Catalonië [het] Catalonia
cataloog [de^{m}] ⟨in België⟩ → **catalogus**
catamaran [de^{m}] catamaran
cataract [de] 1 ⟨med⟩ cataract 2 ⟨waterval⟩ cataract, falls
catarraal [bn] catarrhal
catarre [de] catarrh
catastrofaal [bn, bw] catastrophic ⟨bw: ~ally⟩, disastrous, apocalyptic(al), calamitous ♦ *catastrofale **gevolgen*** disastrous consequences
catastrofe [de] catastrophe, disaster, calamity ♦ *een catastrofe **veroorzaken*** cause/bring about a catastrophe/disaster
catatonie [de^{v}] ⟨med⟩ catatonia
catatonisch [bn] catatonic
catch-as-catch-can [het] catch-as-catch-can
catchen [onov ww] 1 ⟨worstelen⟩ wrestle catch-as-catch can, wrestle freestyle 2 ⟨achtervanger zijn⟩ catch, be a/the catcher
catcher [de^{m}] ⟨sport⟩ 1 ⟨vanger⟩ catcher 2 ⟨worstelaar⟩ catch-as-catch-can wrestler, pro-wrestler
catecheet [de^{m}] catechist, catechizer
catechese [de^{v}] catechesis, catechism, religious instruction
catechetisch [bn] catechetic(al)
catechisant [de^{m}] catechumen, confirmation candidate
catechisatie [de^{v}] catechism, confirmation classes ♦ *iemand catechisatie **geven*** catechize s.o., give s.o. confirmation classes/catechism; ***naar** catechisatie gaan* go to catechism/confirmation classes/Sunday school/Bible classes
catechiseermeester [de^{m}] catechist, Sunday-school teacher, catechizer
catechiseren [onov ww] catechize, give confirmation classes, give religious instruction
catechismus [de^{m}] 1 ⟨beginselen⟩ catechism 2 ⟨boek⟩ catechism 3 ⟨les⟩ catechism, confirmation classes
catechist [de^{m}] ⟨r-k⟩ catechist
categoraal [bn] categorial ♦ *categorale **bonden*** non-affiliated (craft) unions
categoriaal [bn] categorial
categorie [de^{v}] 1 ⟨klasse⟩ category, group, class, classification, heading, ⟨m.b.t. leeftijd of inkomen⟩ bracket ♦ ***buiten** categorie* hors concours; *dat valt onder de **eerste** categorie* that is included in/falls/comes under/within the first category; *in drie categorieën **onderbrengen/indelen*** categorize into 3 groups, bring under 3 headings, distinguish into 3 categories 2 ⟨filos⟩ category
categoriek [bn] ⟨in België⟩ → **categorisch**
categorisch [bn, bw] categorical ⟨bw: ~ly⟩, unconditional, absolute ♦ *een categorisch **antwoord*** a categorical answer; *een categorische **imperatief*** a categorical imperative; *categorisch **ontkennen*** deny categorically; *iets categorisch **weigeren*** refuse sth. categorically
categoriseren [ov ww] categorize, compartmentalize, grade, class
categorisering [de^{v}] categorization
catenaccio [het] catenaccio
catenen [de^{mv}] catenae, catenas
cateraar [de^{m}] caterer, ⟨firma ook⟩ caterer's
cateren [onov ww] cater (+ for), do the catering
catering [de] catering
cateringbedrijf [het] catering firm/company/concern, caterer('s)
catfight [de^{m}] cat fight
catgut [het] catgut
catharsis [de^{v}] 1 ⟨loutering⟩ catharsis, purification, purgation 2 ⟨lit⟩ catharsis
cathedra [de] cathedra ♦ ⟨bijvoeglijk naamwoord, bijwoord⟩ *ex cathedra* ex cathedra, authoritative(ly); ⟨pej⟩ authoritarian; *een beslissing ex cathedra* an ex cathedra decision
CAT-scan [de^{m}] CAT scan, CT scan
Catshuis [het] official residence of Dutch prime minister
catsuit [de^{m}] catsuit
catwalk [de^{m}] catwalk
caudasyndroom [het] Cauda Equina syndrome
causaal [bn] 1 ⟨oorzakelijk⟩ causal, causative ♦ *causaal **verband*** causal connection 2 ⟨taalk⟩ causal ♦ *causaal **bijwoord/voegwoord*** causal adverb/conjunction; *causale **bijzin*** causal clause
causalgie [de^{v}] causalgia
causaliteit [de^{v}] causality
causatief [bn] causative ♦ ⟨zelfstandig (gebruikt)⟩ *vellen **is het causatief van vallen*** fell is the causative of fall; *causatieve **werkwoorden*** causative verbs
causerie [de^{v}] causerie, informal talk ♦ *een causerie **houden** over Bredero* give a talk on Bredero
causeur [de^{m}] 1 ⟨gezellige prater⟩ talker, conversationalist ♦ *hij is een **onderhoudend** causeur* he is an entertaining conversationalist/talker 2 ⟨iemand die een causerie houdt⟩ talker
caustisch [bn] caustic ♦ *caustische **kali/soda*** caustic potash/soda
cautie [de^{v}] 1 ⟨borgtocht⟩ security, ⟨gerechtelijk gestelde cautie voor gedrag⟩ recognizance(s) ♦ *cautie **stellen*** give security; ⟨gerechtelijk⟩ enter into recognizance; ⟨gerechtelijk voor de kosten⟩ give security for costs; ⟨voor vrijlating⟩ find/stand/go bail 2 ⟨geldelijke zekerstelling⟩ security, recognizance(s) ♦ *cautie **stellen** voor € 5000* give security for/to the extent of € 5,000, put up a bail of € 5,000, find € 5,000
cautiesteller [de^{m}] guarantor, ⟨AE⟩ bondsman, surety
cautioneren [onov ww] stand/give bail, stand surety/guarantor, ⟨in handel⟩ give a guarantee, guarantee
cava [de^{m}] cava
cavalcade [de^{v}] 1 ⟨optocht te paard⟩ cavalcade 2 ⟨carnavalsoptocht⟩ carnival pageant
cavalerie [de^{v}] 1 ⟨ruiterij⟩ cavalry, horse ♦ ***zware/lichte** cavalerie* heavy/light cavalry/horse 2 ⟨legeronderdeel met tanks⟩ cavalry, tanks ▪ ⟨scherts⟩ *zij behoort tot de **lichte** cavalerie* she's a woman of easy virtue
cavalerist [de^{m}] 1 ⟨soldaat te paard⟩ cavalryman, trooper ♦ ***ongeregeld** cavalerist* rough-rider 2 ⟨militair bij tanks⟩ cavalryman, trooper ♦ ***lichte** cavalerist* light horseman
cavalier [de^{m}] cavalier, ⟨op bal⟩ escort, partner ♦ *een **onderhoudend** cavalier* an entertaining cavalier/partner
caverne [de] ⟨med⟩ (tuberculous) cavern
caverneus [bn] ⟨med⟩ cavernous
cavia [de] guinea pig, cavy, cavia
cayennepeper [de^{m}] cayenne (pepper), red pepper
CBHK [het] ⟨in België⟩ (Centraal Bureau voor Hypothecair Krediet) Central Bureau for Mortgage Credit
CBR [afk] (Centraal Bureau voor de afgifte van Rijvaardigheidsbewijzen) ⟨BE⟩ ± DVLC, Driver and Vehicle Licensing Centre, ⟨AE⟩ ± DMV, Department of Motor Vehicles
CBS [afk] (Centraal Bureau voor de Statistiek) ⟨BE⟩ ± CSO, Central Statistical Office, ^{A}Census Bureau
CBS-koersindex [de^{m}] CBS all-share index
cc [afk] 1 (kubieke centimeter) cc 2 (kopie conform) certified copy
cc'en [ov ww] cc
CCOD [de^{v}] ⟨in België⟩ (Christelijke Centrale der Openbare Diensten) Christian Public Service Union
cd [afk] (compact disc) CD ♦ ***op** cd zetten* put on to CD, record; *... zal **op** cd verschijnen ...* will be released on CD; *een cd **opzetten*** put on a CD, play a CD

CD [afk] (Corps Diplomatique) CD
CDA [het] (Christendemocratisch Appel) CDA, Christian Democratic Appeal
cd-bon [de^{m}] CD gift voucher/certificate
cd-box [de^{m}] CD box
cd-brander [de^{m}] CD burner
cd-i [de^{m}] (compact disc interactief) CD-I
cd-i-speler [de^{m}] CD-I-player
cd-r [de^{m}] (compact disc-recordable) CD-R
cd-recorder [de^{m}] CD recorder, compact disk recorder
cd-rek [het] CD rack
cd-rewriter [de^{m}] CD-rewriter
cd-rom [de^{m}] CD-ROM
cd-romdrive [de^{m}] CD-ROM drive
cd-romspeler [de^{m}] CD-ROM drive, CD-ROM player
cd-rw [de^{m}] (compact disc rewritable) CD-RW (compact disc rewritable)
cd-schijf [de] compact disc/^{A}disk, CD
cd-single [de] CD single
cd-speler [de^{m}] ⟨audio⟩ CD player
cd'tje [het] → **cedeetje**
cd-v [de^{m}], **cd-video** [de] CDV, CD video, videodisc
cd-video [de^{m}] → **cd-v**
cd-writer [de^{m}] CD-writer
cedeetje [het], **cd'tje** [het] CD
cedel [het, de] → **ceel**
cedent [de^{m}] ⟨jur⟩ assignor
ceder [de^{m}] cedar ♦ *Japanse ceder* cryptomeria, Japanese cedar; *Virginische ceder* (eastern) red cedar, pencil cedar, savin
cederappel [de^{m}] (Etrog) citron
^{1}**cederen** [bn] cedar, ⟨form⟩ cedarn
^{2}**cederen** [onov ww] ⟨zwichten⟩ yield, give in
^{3}**cederen** [ov ww] ⟨jur⟩ assign, cede
cederhout [het] cedar (wood)
cederolie [de] savin(e)
cedille [de] cedilla
ceel [het, de], **cedel** [het, de] [1] ⟨kennis-, lastgeving⟩ warrant, certificate, bill ♦ *op ceel **brengen*** prepare/draw up a warrant; *een ceel **opmaken*** draw up/make out a warrant [2] ⟨bewijs van opslag⟩ warrant, ⟨veemceel⟩ warehouse/dock warrant, ⟨AE⟩ receipt ♦ *ceel **aan toonder*** warrant to bearer [3] ⟨handel; verbintenis⟩ warrant ♦ *op ceel **geleverd*** stored terms; *op ceel **leveren/verkopen*** supply/sell on stored terms [4] ⟨lijst⟩ list, schedule ♦ *een **hele** ceel* a long list, quite a list
ceintuur [de^{v}] belt, waistbelt, waistband, ⟨van kamerjas⟩ sash ♦ *zijn ceintuur **dichtgespen*** buckle one's belt; ***met** ceintuur* belted; ***zonder** ceintuur* unbelted
ceintuurbaan [de] circular railway, ⟨BE⟩ beltline, ⟨AE⟩ belt(-rail)way
cel [de] [1] ⟨vertrek⟩ ⟨klooster, gevangenis enz.⟩ cell, ⟨telefooncel⟩ (call) box, kiosk, booth ♦ ⟨fig⟩ *hij heeft een **jaar** cel gekregen* he has been given a year/year's imprisonment, ↓ he's been put away/locked up for a year; ***natte** cel* wet area, ± bathroom unit; *in een cel **opsluiten*** lock up in a cell, put behind bars; *de cellen van de ter dood **veroordeelden*** the condemned cells/death cells, ⟨AE⟩ the death house, ⟨AE⟩ death row [2] ⟨biol⟩ cell ♦ ⟨inf⟩ *de **grijze** cellen* the grey/^{A}gray cells, the grey/^{A}gray matter [3] ⟨raat⟩ cell [4] ⟨afdeling van een organisatie⟩ cell ♦ *een **communistische** cel* a communist cell [5] ⟨deel van een batterij⟩ cell ♦ ***foto-elektrische** cel* photocell, photoelectric cell [6] ⟨inf; cello⟩ cello
celbiologie [de^{v}] cellular biology
celchemie [de^{v}] cell chemistry
celcyclus [de^{m}] cell cycle
celdeling [de^{v}] fission, cell division ♦ ***binaire** celdeling* binary fission; *zich voortplanten **door** celdeling* replicate
celebrant [de^{m}] celebrant, officiant, officiating priest
celebratie [de^{v}] celebration
celebreren [ov ww] [1] ⟨vieren⟩ celebrate [2] ⟨plechtig bedienen⟩ celebrate, officiate ♦ *een **huwelijksmis** celebreren* officiate at a marriage ceremony; *de **mis** celebreren* celebrate mass
celesta [de^{m}] ⟨muz⟩ celesta, celeste
celestijn [de^{m}] Celestine
celgenoot [de^{m}] fellow prisoner, cell mate
celgroei [de^{m}] cell growth
celibaat [het] celibacy
celibatair [de^{v}] celibate, ⟨voorstander van celibaat⟩ celibatarian, ⟨vrijgezel⟩ bachelor
celkern [de] (cell) nucleus
celkweek [de^{m}] cell culture
cella [de] cella
celleer [de] cytology
cellenbeton [het] foam/cellular concrete
cellenblok [het] cell block
cellenhuis [het] police cells
cellenkantoor [het] individual offices
cellentekort [het] cell shortage, ± prison overcrowding
celliet [het] cellite
cellist [de^{m}] cellist, cello-player, ↑ violoncellist
cello [de^{m}] (violon)cello
cellofaan [het] cellophane ♦ *in cellofaan **verpakt*** wrapped in cellophane, cellophane-wrapped
cellulair [bn] [1] ⟨m.b.t. gevangenschap⟩ cellular ♦ *het cellulair **stelsel*** the cellular system [2] ⟨biol⟩ cellular ♦ *de oudste cellulaire **organismen*** the oldest cellular organisms; *cellulaire **pathologie*** cellular pathology
cellulitis [de^{v}] ⟨med⟩ ⟨sinaasappelhuid⟩ cellulite, ⟨ontsteking van het onderhuids bindweefsel⟩ cellulitis
^{1}**celluloid** [het] celluloid ♦ *van celluloid **gemaakt*** made of celluloid
^{2}**celluloid** [bn] celluloid, xylonite
cellulose [de] [1] ⟨celstof⟩ cellulose [2] ⟨grondstof⟩ (chemical) cellulose
celotex [het] ± fibre-board
celplasma [het] cytoplasm
Celsius [de^{m}] ⟨natuurk⟩ Celsius, centigrade ♦ *één **graad** Celsius* one degree Celsius/centigrade; *nul/tien **graden** Celsius* zero/ten degrees Celsius/centigrade
celstof [de] [1] ⟨cellulose⟩ cellulose [2] ⟨vezelmateriaal⟩ cellulose [3] ⟨weefsel⟩ (chemical) cellulose
celstofluier [de] disposable ^{B}nappy/^{A}diaper
celstofwisseling [de^{v}] cell(ular) metabolism
celstraf [de] solitary confinement ♦ *iemand celstraf **geven*** place s.o. in solitary confinement, ↓ give s.o. solitary
celtherapie [de^{v}] ⟨med⟩ cell therapy
celvocht [het] cytoplasm
celvorming [de^{v}] cellulation
celwagen [de^{m}] police van, ⟨AE⟩ police/patrol wagon, ⟨AE⟩ ↓ paddy wagon, ⟨inf⟩ Black Maria
celwand [de^{m}] cell wall
celweefsel [het] cellular tissue, ⟨in planten⟩ cellulose, parenchyma
cembalist [de^{m}] cembalist, harpsichordist
cembalo [het] cembalo, clavicembalo, harpsichord
cement [het, de^{m}] [1] ⟨metselspecie⟩ cement, mortar ♦ *de grond verharden **met cement*** cement over the ground, surface the ground with cement; ***natuurlijk** cement* natural cement; ***Romeins** cement* Roman cement [2] ⟨stof⟩ cement [3] ⟨beenachtige laag om wortels van tanden⟩ cement(um)
cementbeton [het] cement concrete
^{1}**cementen** [bn] cement, made of cement
^{2}**cementen** [ov ww] [1] ⟨cementeren⟩ cement ♦ *een **muur** cementen* cement a wall over [2] ⟨aaneenhechten⟩ cement
cementeren [ov ww] [1] ⟨met cement bestrijken⟩ cement [2] ⟨staal bereiden⟩ cement, carburize, carbonize, caseharden
cementfabriek [de^{v}] cement factory/works

cementijzer [het] ferro-concrete, reinforced concrete
cementlijm [de^{m}] cement
cementmolen [de^{m}] cement mixer
cementmortel [de^{m}] cement mortar
cementspecie [de^{v}] cement, mortar
cenotaaf [de^{m}] cenotaph
censor [de^{m}] ① ⟨ambtenaar⟩ censor, licenser, licensor, ⟨gesch; BE⟩ Lord Chamberlain ♦ *de censor* ⟨m.b.t. film ook; BE⟩ board of censors ② ⟨Romeinse gesch⟩ censor ③ ⟨recensent⟩ reviewer, critic, ⟨vero⟩ censor ⊡ *van de censor* censorial
censureren [ov ww] censor, ⟨inf⟩ blue-pencil, ⟨fig; nieuws, tv⟩ black out
census [de^{m}] census, ⟨gesch; ter verkrijging van kiesrecht⟩ poll/head tax
censuur [de^{v}] ① ⟨toezicht op publicaties⟩ censorship ♦ ***preventieve*** *censuur* precensorship; *censuur* ***toepassen*** *op, aan de censuur* ***onderwerpen*** censor; *het boek werd door de censuur* ***verboden*** the book was banned by the censor(s) ② ⟨kerkelijke rechtspraak, toezicht⟩ censorship ③ ⟨veroordeling⟩ censure ♦ ***onder*** *censuur staan* be censured; *iemand* ***onder*** *censuur stellen/plaatsen* impose a censure on s.o.; *een censuur* ***opheffen*** remove/lift a censure ④ ⟨openlijke terechtwijzing⟩ censure
cent [de^{m}] ① ⟨muntstuk⟩ cent, ⟨AE ook⟩ penny ♦ *hij zou een cent in tweeën* ***bijten*** he's a penny-pincher, he grudges every penny, ↓ he's a right skinflint/scrooge; *je zou hem je* ***laatste*** *cent geven* you'd give him your last penny/the shirt off your back; *alles is tot de* ***laatste*** *cent betaald* I've/they've/... paid everything down to the last farthing/penny; *iemand tot* ***op*** *de laatste cent betalen* pay s.o. to the full/down to a penny/down to the last farthing; ***op*** *een (halve) cent doodblijven/doodvallen* quibble over/grudge every penny, be a (real) skinflint/money-grubber; *deze sigaar kost* ***tachtig*** *cent* this cigar costs eighty cents; *ik zing niet tweemaal/geen twee liedjes* ***voor*** *één cent* I'm not going to say it again ② ⟨kleine waarde⟩ ⟨inf⟩ penny, farthing, sou ♦ ***geen*** *cent waard zijn* not worth twopence/a (red) cent/the paper it's printed on; *dat deugt voor* ***geen*** *cent* it is not worth a (red) cent/straw; *hij deugt voor* ***geen*** *cent* he is a bad lot, he's no good; *dat kan mij* ***geen*** *cent schelen* I couldn't care less/don't care twopence/a tinker's damn/cuss; *ik vertrouw hem voor* ***geen*** *cent* I don't trust him an inch/any further than I can throw him; *ik geef* ***geen*** *cent meer voor zijn leven* I wouldn't give a penny for his life; *ik ben er* ***geen*** *cent wijzer van geworden* I was no wiser than before, I was none the wiser for it; *geen cent* ***geven*** *voor iets* not give that/^{B}tuppence for sth.; *hij heeft/bezit geen* ***rooie*** *cent* he hasn't got two halfpennies to rub together/a penny to his name/a ^{A}copper; *dat heeft mij geen* ***rooie*** *cent gekost* it didn't cost me a penny ③ ⟨vnl mv; geld⟩ money, cash, ⟨sl⟩ bread, ⟨sl; BE⟩ the ready, ⟨BE⟩ tin, ⟨BE⟩ rhino, ⟨sl; AE⟩ dough, ⟨AE⟩ bucks, ⟨AE⟩ greenbacks ♦ ***bulken*** *van de centen* roll/wallow in money, have money to burn; ⟨inf⟩ be stinking rich; ***geen*** *cent te makken hebben* not have a brass farthing/a red cent, be broke, ⟨BE ook⟩ be skint; *hij zal er* ***geen*** *cent armer om/door worden* he won't be a penny the worse off/for it, it won't cost him a penny; *hij* ***heeft*** *centen* he's rolling in it, ⟨BE⟩ he's not short of a bob/quid or two, he's got money; *hij* ***heeft*** *er de centen voor* he won't miss it, he's got enough money for it twice over; *hij doet het alleen* ***om*** *de centen* he's only in it for the money, he'll do anything for money; ***op*** *een cent kijken* be stingy/penny-pinching; *hij is erg* ***op*** *de centen* he's very careful with his money, he's tightfisted/money-mad, he's a penny-pincher; *niet* ***op*** *een cent kijken* be generous, not count the cost, spare no expense; *een* ***paar*** *centen verdienen* earn a bit of money, ⟨BE⟩ earn a bob or two/some bread; *een mooie cent* ***verdienen*** turn a tidy/pretty penny, earn good money, ↓ be coining it/money; ***zonder*** *een cent op zak* penniless, without a penny (in one's pocket); ***zonder*** *een cent zitten* be penniless/broke
centaur [de^{m}] (hippo)centaur, sagittary
centaurus [de^{m}] ⟨myth⟩ centaur
centenaar [de^{m}] ① ⟨100 kg⟩ centner, quintal ② ⟨vero; 100 of 112 oude ponden⟩ hundredweight, quintal
centenaire [de^{m}] centenary
centenbak [de^{m}] ① ⟨geldbakje⟩ ± hat ⟨bijvoorbeeld van orgelman, straatmuzikant⟩, ⟨van bedelaar ook⟩ begging bowl ② ⟨mond⟩ ± Neanderthal jaw
centenkwestie [de^{v}] ① ⟨klein bedrag⟩ chicken-feed, trifling amount, ⟨AE ook; inf⟩ peanuts ② ⟨kwestie van geld⟩ question/matter of money
center [de^{m}] ① ⟨gereedschap⟩ centre punch, prick/dot punch ② ⟨kop van een draaibank⟩ centre
centerboor [de] centrebit, ⟨m.b.t. een draaibank⟩ centre drill, ⟨voor elektrische boor⟩ power bore bit
centercourt [het] centre court
centeren [ov ww] ① ⟨m.b.t. een draaibank⟩ centre ② ⟨in België⟩ centre, put in the centre
centerfold [de] centrefold
centesimaal [bn] centesimal ♦ *centesimale* ***verdeling*** centesimal division/graduation
centiare [de] centiare
centigraad [de^{m}] centigrade
centigram [het] centigramme, ⟨AE⟩ centigram
centiliter [de^{m}] centilitre
centime [de^{m}] centime
centimeter [de^{m}] ① ⟨lengtemaat⟩ centimetre ♦ *een* ***kubieke*** *centimeter* a cubic centimetre; *een* ***vierkante*** *centimeter* a square centimetre ② ⟨meetlint⟩ (metric) tape measure, ⟨AE⟩ tape line
centimetergolf [de] centimetre wave
centje [het] ⟨fig⟩ ♦ *hij heeft daarmee een* ***aardig*** *centje verdiend* he has made a tidy sum/penny on/out of it; ***geen*** *centje pijn* no trouble/problem at all
centraal [bn, bw] ① ⟨in het midden⟩ central ⟨bw: ~ly⟩ ♦ *een centraal* ***gelegen*** *punt* a central(ly situated) point; *centraal* ***staan*** be (the) central (point), be at the centre (stage), occupy centre stage; ⟨van discussie ook⟩ be at the forefront; *iets centraal* ***stellen*** highlight sth., focus attention on sth. ② ⟨het middelpunt vormend⟩ central ⟨bw: ~ly⟩ ♦ *het centraal* ***bestuur*** the central committee; ⟨fig⟩ *een centrale* ***figuur*** a central/pivotal/key figure; *de centrale* ***regering*** the central/federal government; *het centrale* ***zenuwstelsel*** the central nervous system ③ ⟨van één punt uitgaande⟩ central ⟨bw: ~ly⟩ ♦ *centraal* ***antennesysteem*** community ^{B}aerial/^{A}antenna television/system; ⟨op kleinere schaal⟩ block/party ^{B}aerial/^{A}antenna; *centrale* ***verwarming*** *hebben* have central heating, be centrally heated; *de toestellen* ***worden*** *centraal* ***bediend*** the machines are operated centrally/from a central point ⊡ *de Centralen* the Central Powers; ⟨wisk⟩ *centraal* ***projectie*** cylindrical projection

Centraal-Afrikaanse Republiek

naam	*Centraal-Afrikaanse Republiek* Central African Republic
officiële naam	*Centraal-Afrikaanse Republiek* Central African Republic
inwoner	*Centraal-Afrikaan* Central African
inwoonster	*Centraal-Afrikaanse* Central African
bijv. naamw.	*Centraal-Afrikaans* Central African
hoofdstad	*Bangui* Bangui
munt	*CFA-frank* CFA franc
werelddeel	*Afrika* Africa

int. toegangsnummer 236 www .cf auto RCA

Centraal-Afrikaan [de^{m}], **Centraal-Afrikaanse** [de^{v}] ⟨man & vrouw⟩ Central African, ⟨vrouw ook⟩ Central African woman/girl
Centraal-Afrikaans [bn] Central African

Centraal-Afrikaanse [de^v] → **Centraal-Afrikaan**
Centraal-Afrikaanse Republiek [de^v] Central African Republic
centrale [de] 1 ⟨elek⟩ power station/plant, powerhouse ◆ *thermische centrale* thermal power station 2 ⟨telefonie⟩ (telephone) exchange, ⟨van bedrijf⟩ switchboard ◆ *bel de centrale even* will you ring the operator please? 3 ⟨hoofdpost⟩ centre, headquarters, ⟨van firma⟩ head office
centralisatie [de^v] centralization, ⟨i.h.b. van regering⟩ unitarianism ◆ *voorstander van centralisatie* centralist; ⟨i.h.b. van regering⟩ unitarian
centraliseren [ov ww] 1 ⟨samenbrengen⟩ centralize 2 ⟨pol⟩ centralize ◆ *centraliserend* centralist(ic)
centralisme [het] centralism, unitarianism
centralistisch [bn, bw] centralist(ic) ⟨bw: centralistically⟩ ◆ *een centralistisch gezagssysteem* a centralist administration
centreren [ov ww] centre ◆ *een tekst centreren* centre a text
centrifugaal [bn] centrifugal
centrifugaalkracht [de] centrifugal force
centrifugaalpomp [de] centrifugal pump
centrifuge [de] centrifuge, ⟨voor melk ook⟩ separator, ⟨voor fruit⟩ extractor, ⟨voor was⟩ spin-drier, spin-dryer
centrifugeren [ov ww] centrifuge, ⟨melk⟩ separate, ⟨was⟩ spin-dry
centripetaal [bn] centripetal
centrisch [bn, bw] centric(al) ⟨bw: centrically⟩ ◆ *centrisch belasten* load centrically; *centrische belasting* centric load(ing)
centrist [de^m] centrist
centromeer [de] ⟨biol⟩ centromere
centrum [het] 1 ⟨middelpunt⟩ centre ◆ *het centrum van het land* the middle of the country, the heartland; *centrum van een storm* eye of a storm 2 ⟨van een stad⟩ (town/city) centre ◆ *het financieel centrum* the financial centre; ⟨van Londen⟩ the City; ⟨van New York⟩ Wall Street 3 ⟨plaats, instelling, gebouw⟩ centre ◆ *een centrum van revolutionaire activiteit* a centre/focus/hot bed of revolutionary activity; ⟨in België⟩ *Administratief Centrum* council offices; *medisch centrum* medical centre; ⟨in kazerne/fabriek enz.⟩ sickbay; *toeristisch centrum* tourist centre 4 ⟨med⟩ centre ◆ *centrum van Broca* Broca's area 5 ⟨pol⟩ centre ◆ *links/rechts van het centrum* left/right of centre
centrumaanval [de^m] centre attack
centrumfunctie [de^v] regional function
centrumlinks [het] moderate left(-wing), ⟨inf⟩ leftish, ⟨van een coalitie⟩ left of centre
centrumpartij [de^v] centre party
centrumpolitiek [de^v] centrist policy, ⟨inf⟩ middle-of-the-road policy, ⟨abstr, zeldz⟩ centrism
¹**centrumrechts** [het] centre-right
²**centrumrechts** [bn] centre-right
centrumring [de^m] ⟨BE⟩ ring road, ⟨AE⟩ beltway
centrumspits [de^m] ⟨sport⟩ centre forward, ↓striker
centrumstad [de] regional capital
centstuk [het] one-cent piece
centurie [de^v] century
CEP [het] (Centraal Economisch Plan) Central Economic Plan
Cerberus [de^m], **Kerberus** [de^m] Cerberus
cerebellum [het] cerebellum
cerebraal [bn] 1 ⟨de hersenen betreffend⟩ cerebral ◆ *cerebrale dood* cerebral death; *het cerebraal systeem* the cerebral system 2 ⟨verstandelijk⟩ cerebral, intellectual 3 ⟨taalk⟩ cerebral, retroflex(ed), cacuminal
cerebrovasculair [bn] cerebrovascular
ceremoniarius [de^m] ⟨r-k⟩ ceremoniarius
ceremonie [de^v] 1 ⟨plechtigheid⟩ ceremony 2 ⟨handelingen⟩ ceremony, formality 3 ⟨plichtpleging⟩ ceremony
¹**ceremonieel** [het] ceremonial ◆ *overdreven ceremonieel* mummery, excessive ceremony
²**ceremonieel** [bn, bw] 1 ⟨(als) van een ceremonie⟩ ceremonial ⟨bw: ~ly⟩ ◆ *ceremoniële gebruiken* ceremonial rites; *ceremonieel tenue* ceremonial dress; ⟨mil⟩ review order, full dress 2 ⟨vol plichtplegingen⟩ ceremonial ⟨bw: ~ly⟩, formal ◆ *een ceremoniële ontvangst* a formal reception
ceremoniemeester [de^m] Master of Ceremonies, ⟨inf⟩ emcee, ⟨bij bruiloft⟩ best man ◆ *als ceremoniemeester optreden* act as Master of Ceremonies; ⟨inf⟩ emcee
cérémonie protocolaire [de^v] official/formal ceremony, official/ceremonial protocol
¹**cerise** [het] 1 ⟨kersrood⟩ cerise 2 ⟨frisdrank⟩ cherry lemonade
²**cerise** [bn] cerise, cherry (red)
cerium [het] ⟨scheik⟩ cerium
CERN [afk] (Conseil Européen pour la Recherche Nucléaire) CERN
ceroplastiek [de^v] ceroplastics
certificaat DOCUMENT [het] 1 ⟨getuigschrift⟩ certificate ◆ *certificaat van oorsprong* certificate of origin/manufacture; *een certificaat van echtheid* certificate of authenticity; *certificaat van hofleverancier* Royal Warrant; *een certificaat van onvermogen* ⟨jur⟩ certificate of insufficient means; ⟨fig⟩ proof of incompetence; *een certificaat van beschadiging* certificate of damage/average; *een certificaat verlenen aan* certify, grant/give a certificate to 2 ⟨waardepapier⟩ certificate ◆ ⟨fin⟩ *tijdelijk certificaat* scrip; *een certificaat van aandeel* share certificate/warrant; *certificaat van aandeel op naam* registered share certificate; *certificaat van aandeel aan toonder* share certificate to bearer
certificeren [ov ww] 1 ⟨waarborgen, garanderen⟩ certify ◆ *een handtekening certificeren* certify a signature 2 ⟨door ondertekening bevestigen⟩ certify ◆ *een overeenkomst certificeren* certify an agreement 3 ⟨een keurmerk toekennen aan⟩ certify
certificering [de^v] certification
cervela [de^m] ⟨in België⟩ cervelat
cervelaatworst [de] saveloy, cervelat
cervicitis [de^v] ⟨med⟩ cervicitis
cerviduct [het, de^m] wildlife passage(way)/tunnel
cervix [de^m] cervix
ces [de] ⟨muz⟩ C flat
cesartherapie [de^v] Cesar therapy
cesium [het] ⟨scheik⟩ caesium, ⟨AE⟩ cesium
cessie [de^v] assignment, ⟨van gebiedsdeel⟩ cession ◆ *akte van cessie* deed of assignment/arrangement/transfer
cessieakte [de] deed of assignment
cessionaris [de^m] cessionary, assign
cesuur [de^v] 1 ⟨muz⟩ caesura 2 ⟨dichtkunst⟩ caesura 3 ⟨m.b.t. tentamen⟩ cutting score, pass mark, cut-off line/point
cesuurteken [het] caesura sign
ceteris paribus ceteris paribus, (all) other things being equal
cetnik [de^m] cetnik
Cevennen [de^{mv}] Cévennes
Ceylon [het] Ceylon, ⟨staat⟩ Sri Lanka
Ceylonees [de^m], **Ceylonese** [de^v] ⟨man & vrouw⟩ Ceylonese, ⟨vrouw ook⟩ Ceylonese woman/girl
Ceylonese [de^v] → **Ceylonees**
Ceylons [bn] Ceylon(ese)
cf. [afk] (confer) cf
cfk [afk] (chloorfluorkoolwaterstof) CFC
CGSO [het] ⟨in België⟩ (Centrum (Centra) voor Gezinsplanning en Seksuele Opvoeding) Centre for Family Planning and Sexual Education
chacha [de^m] cha-cha
chachacha [de^m] cha-cha(-cha) ◆ *de chachacha dansen* (dance/do the) cha-cha(-cha)

chado [de^m] Chado, Sado
chador [de^m] chador, chuddar
chagrijn [het] 1 ⟨stemming⟩ chagrin, annoyance, vexation 2 ⟨persoon⟩ grouch, grumbler, sourpuss, ⟨BE⟩ misery, ⟨joods AE⟩ kvetch ♦ *wat een **stuk** chagrijn!* what a sourpuss/grouch/^Bmiserable sod!; *het is een chagrijn **van** een vent* he's a real pain in the neck/a real grouch 3 ⟨Turks leer⟩ shagreen
chagrijnig [bn, bw] miserable ⟨bw: miserably⟩, peevish, morose, sullen, grouchy, ↑ cantankerous ♦ *een chagrijnige **bui*** a fit of the sulks, ⟨BE⟩ a paddy(whack); ***doe** niet zo chagrijnig* ⟨BE⟩ stop being such a misery, don't be such a grouch/sourpuss/^Apain/^Akvetch, ⟨AE⟩ stop bitching; *chagrijnig **kijken*** scowl; *chagrijnig **zijn*** sulk, be sullen
chaise longue [de] chaise longue
chakra [het, de] chakra
chalcedon [de^m] chalcedony
Chaldeeër [de^m] Chald(a)ean, Chaldee
chalet [het, de^m] 1 ⟨houten huis⟩ chalet, Swiss cottage 2 ⟨prefab vakantiewoning⟩ chalet
chambreren [ov ww] bring (up) to room temperature, chambré, take the chill off
chambrette [de^v] (sleeping-)cubicle
chameets [het] 1 ⟨gegist deeg⟩ chametz 2 ⟨voedsel met gegist deeg⟩ chametz
¹**chamois** [het] chamois (leather), chammy, shamoy, shammy
²**chamois** [bn] chamois yellow/skin, buff, fawn, light tan
champagne [de^m] champagne ♦ ***stille** champagne* still champagne
champagnecider [de^m] champagne-cider
champagnecoupe [de] (champagne) saucer
champagnedouche [de] champagne shower
champagneglas [het] champagne glass
champagnekoeler [de^m] champagne bucket/cooler
champenoise [de] sparkling (white) wine
champignon [de^m] mushroom
champignonkwekerij [de^v] mushroom farm
champignonsoep [de] mushroom soup
chance [de^m] luck
chancroïd [de^v] ⟨med⟩ chancroid
chanelpakje [het] Chanel suit
change [de^v] (foreign) exchange office, bureau de change
¹**changeant** [het] shot fabric/material
²**changeant** [bn] shot(-coloured), iridescent
changement [het] ⟨dram⟩ scene change ♦ *changement à vue* transformation (scene)
changeren [ov ww] change, shift
changez [tw] change (dancing partner)
channeling [de] channelling
chanoekia [de] Hanukkah lamp
chanson [het, de] song, chanson
chansonnier [de^m], **chansonnière** [de^v] (cabaret) singer, chansonnier
chansonnière [de^v] → **chansonnier**
chantabel [bn] open/vulnerable to blackmail
chantage [de^v] blackmail ♦ *chantage **plegen** op iemand* blackmail s.o. (into doing sth.)
chanten [onov ww] chant
chanteren [ov ww] blackmail ♦ *iemand chanteren **met** iets* blackmail s.o. with sth.
chanteur [de^m] 1 ⟨iemand die chanteert⟩ blackmailer 2 ⟨zanger⟩ singer
chanteuse [de^v] singer, ⟨in cabaret⟩ chanteuse
chaoot [de^m] scatterbrain
chaos [de^m] 1 ⟨wanorde, bende⟩ chaos ♦ *een chaos **aan/van** denkbeelden* a muddle/jumble of ideas; *een enorme/geweldige chaos **achterlaten*** leave enormous chaos/a tremendous mess (behind one); *orde **in** de chaos brengen* sort out the chaos; *één en al chaos* complete (and utter) chaos 2 ⟨ordeloosheid⟩ chaos, disorder, havoc ♦ *er **heerst** chaos in het land* chaos rules in the country, the country is in chaos 3 ⟨baaierd⟩ chaos
chaostheorie [de^v] chaos theory
chaotisch [bn, bw] chaotic ⟨bw: ~ally⟩ ♦ *hij is een **beetje** chaotisch vandaag* he's in a bit of a muddle/mess today, he's not really with it today; *alles **lag** er chaotisch door elkaar* everything was in a chaotic heap
chapati [de^m] chapati
chape [de^v] ⟨in België⟩ screed
chapelure [de^v] ⟨in België⟩ breading, breadcrumbs
chaperon [de^m], **chaperonne** [de^v] ⟨man & vrouw⟩ chaperon(e), ⟨vrouw ook⟩ duenna
chaperonne [de^v] → **chaperon**
chaperonneren [ov ww] chaperon ♦ ***het** chaperonneren* chaperonage
chapiter [het] 1 ⟨hoofdstuk⟩ chapter 2 ⟨onderwerp van gesprek⟩ subject ♦ *dat is een heel **ander** chapiter* that is quite another story/kettle of fish; *dat brengt ons op een **ander** chapiter* that brings us to another subject/point; *om op ons chapiter **terug** te **komen*** to return to/get back to our subject/what we were talking about; *iemand **van** zijn chapiter brengen* put somebody off his subject; *van chapiter **veranderen*** change the subject
chaptaliseren [ov ww] chaptalize
chapter [het] chapter
charactermerchandising [de] character merchandising
charade [de^v] charade
charango [de^m] charango
charcuterie [de^v] ⟨in België⟩ 1 ⟨vleeswaren⟩ sliced cold meat, ⟨AE⟩ cold cuts, meat products, meats, ± delicatessen 2 ⟨winkel⟩ delicatessen
charge [de] 1 ⟨aanval⟩ charge ♦ *een charge **uitvoeren** (met de wapenstok)* make a (baton) charge 2 ⟨voorstelling⟩ caricature, exaggeration
¹**chargeren** [onov ww] ⟨aanvallen⟩ charge, make a charge
²**chargeren** [ov ww, ook abs] ⟨(iets) overdrijven⟩ overdo, exaggerate (it), lay it on thick
charisma [het] 1 ⟨bijzondere gave⟩ charisma 2 ⟨rel⟩ charisma
charismatisch [bn, bw] charismatic ⟨bw: ~ally⟩ ♦ *een charismatische **leider*** a charismatic leader
charitas [de^v] charity
charitatief [bn] charitable ♦ *charitatieve **instelling*** charity, charitable institution
charivari [het] 1 ⟨siervoorwerpjes⟩ (bunch of) charms/seals, trinketry, trinkets 2 ⟨geraas⟩ ch(ar)ivari, ⟨AE⟩ shivaree, hullabal(l)oo
charlatan [de^m] charlatan, quack, mountebank, trickster
charlatanerie [de^v] charlatanism, charlatanry, quackery, trickery
charleston [de^m] Charleston ♦ *de charleston **dansen*** charleston, do the Charleston
charmant [bn] 1 ⟨innemend⟩ charming, sweet, engaging, winning ♦ *een charmante **jongeman*** a charming young man 2 ⟨bekoorlijk⟩ charming, sweet, engaging, delightful, attractive ♦ *een charmante **verschijning*** a charming person 3 ⟨aangenaam⟩ charming, delightful, lovely
charme [de^v] 1 ⟨bekoring⟩ charm ♦ *de charmes **van** het buiten wonen* the attractions of living in the country 2 ⟨bekoorlijkheid⟩ charm ♦ *zijn/haar charmes weten **uit te buiten*** know how to make the most of one's charms; ***zonder** (enige) charme* charmless, unprepossessing
charmeoffensief [het] charm offensive
charmeren [ov ww] charm, ↑ enchant ♦ *hij **weet** iedereen te charmeren* he's a real charmer, he can wind everyone round his little finger
charmeur [de^m] charmer, ⟨tegenover vrouwen ook⟩

Prince Charming, ladies' man ◆ *de charmeur **uithangen*** turn on the charm/all one's charms; ⟨tegenover vrouwen ook⟩ play the gallant

charmeuse [de^v] 1 ⟨zacht zijdesatijn⟩ Charmeuse 2 ⟨verleidelijk(e) vrouw, meisje⟩ charmer, ⟨inf⟩ glamour girl

charmezanger [de^m] ⟨in België⟩ crooner

charoset [het] charoset, charoses

charta [de] charter ◆ *Magna Charta* Magna Charta, the Great Charter

chartaal [bn] ◻ *chartaal **geld*** money/notes and coin(s) in circulation, common money, circulating currency

charter [het] 1 ⟨vlucht⟩ charter flight ◆ ***per charter*** by charter (flight) 2 ⟨vliegtuig⟩ charter(ed) plane 3 ⟨oorkonde⟩ charter

charteraar [de^m] charterer

charterdienst [de^m] charter service

charteren [ov ww] 1 ⟨afhuren en bevrachten⟩ charter 2 ⟨inschakelen⟩ enlist, charter, commission

charterkamer [de] charter room

chartermaatschappij [de^v] charter company

chartermeester [de^m] deputy archivist

charterpartij [de^v] charter party/^Aagreement

charterreis [de] charter trip

chartervliegtuig [het] ⟨luchtv⟩ charter(ed) aircraft/aeroplane

chartervlucht [de] charter flight

chartervracht [de] charter(ed) freight

chartreuse [de] chartreuse

chasechorus [het, de] ⟨muz⟩ chase chorus

chasseur [de^m] page(-boy), ⟨inf; BE⟩ buttons, ⟨vnl AE⟩ bellboy, bellhop

chassidisch [bn] Has(s)idic, Chas(s)idic ◆ *chassidische vertellingen* Hasidic tales

chassidisme [het] Has(s)idism, Chas(s)idism

chassied [de^m] Hasid

chassis [het] 1 ⟨raamwerk⟩ chassis, frame 2 ⟨onderstel⟩ chassis, subframe 3 ⟨houder⟩ dark slide, plateholder, sheet-film holder

chassisnummer [het] chassis number

chat [de^m] chat

chatbot [de^m] chatbot

chatbox [de^m] chat box

chateaubriand [de^m] Chateaubriand

châteauneuf-du-pape [de^m] Châteauneuf-du-pape

chatgroep [de] chat group

chatroom [de^m] chat room

chatten [onov ww] chat

chatter [de^m] chatter

chaufferen [onov ww] drive ◆ ***mag ik chaufferen?*** can I drive?

chauffeur [de^m] driver, chauffeur ◆ *een auto huren **met/zonder** chauffeur* hire a chauffeur-driven/self-drive car

chauffeurscafé [het] ⟨BE⟩ ± wayside inn/restaurant, ⟨AE⟩ truck stop, ⟨BE⟩ transport cafe

chauffeursplaats [de] driver's seat, ⟨BE ook⟩ driving-seat

chauvinisme [het] chauvinism, ⟨BE ook⟩ jingoism

chauvinist [de^m] chauvinist

chauvinistisch [bn, bw] chauvinist(ic) ⟨bw: chauvinistically⟩, ⟨BE ook⟩ jingo(ist(ic)) ◆ *chauvinistisch **boek/lied/toneelstuk*** chauvinistic book/song/play; ⟨inf⟩ flag-waver

cheat [de^m] cheat

cheaten [onov ww] cheat

checkbox [de^m] tick box

checken [ov ww] check (up/out), verify

checklist [de^m] checklist, inventory ◆ *een checklist **afwerken*** go down/through a checklist

checkpoint [de] checkpoint

check-up [de^m] check-up

cheddar [de^m] Cheddar, ⟨AE⟩ store cheese, American cheese

cheerio [tw] 1 ⟨prosit⟩ cheers, bottoms up, ⟨BE ook⟩ cheerio, ⟨AE ook⟩ (here's) mud in your eye 2 ⟨dag⟩ cheerio, ↑goodbye

cheerleader [de^m] cheerleader

cheers [tw] cheers

cheeseburger [de^m] cheeseburger

cheeta [de^m] cheetah, hunting cat/leopard

chef [de^m], **cheffin** [de^v] 1 ⟨baas⟩ boss, ⟨van bende/delegatie⟩ leader, supervisor, ⟨van organisatie/afdeling/school⟩ head, ⟨hoger geplaatste⟩ chief, superior (officer), ⟨patroon⟩↑principal, employer, ⟨bedrijfsleider⟩ manager, ⟨stationschef⟩ stationmaster ◆ *chef van een **afdeling*** head/manager of a department, department(al)/section head; *chef van de generale **staf*** chief of the general staff; *chef de bureau* office manager, chief/head clerk; *chef de cuisine* chef de cuisine, chef; ⟨sport⟩ *chef de mission* skipper/head of the delegation; ⟨sport⟩ *chef d'équipe* team manager; *chef de clinique* ± senior consultant, ± head of department 2 ⟨hoofd(-)⟩ chief, head, managing, principal 2 ⟨chef-kok⟩ chef ◆ *het restaurant heeft een nieuwe chef* the restaurant has a new chef

chef- head, in chief ⟨na zelfstandig naamwoord⟩

chef-d'oeuvre [het] chef-d'oeuvre, masterpiece

cheffin [de^v] → **chef**

chef-kok [de^m] chef

chef-monteur [de^m] chief mechanic/fitter

chefsache [de^m] important issue that can only be dealt with by the head of the government

chef-staf [de^m] Chief of Staff

chelatietherapie [de^v] chelation therapy

chemica [de^v] → **chemicus**

chemicaliën [de^mv] chemicals, chemical products

chemicaliëntanker [de^m] chemical tanker

chemicien [de^m] chemical operator, chemical technician, analyst

chemicus [de^m], **chemica** [de^v] chemist

chemie [de^v] chemistry

chemigraaf [de^m] chemigrapher

chemigrafie [de^v] chemigraphy

chemisch [bn, bw] chemical ⟨bw: ~ly⟩ ◆ *chemisch **afbreekbaar*** degradable; *chemische **industrie*** chemical industry; *chemische **oorlogvoering*** chemical warfare; *chemische **producten/stoffen*** chemical products/agents; *kleren chemisch **reinigen*** dry-clean clothes; *de chemische **samenstelling** van een stof* the chemical composition/constitution of a substance; *chemisch **toilet*** chemical lavatory/closet/toilet, ⟨BE⟩ Elsan; *een chemische **verbinding*** a chemical compound; *chemische **wapens*** chemical weapons

chemisier [de^m] ⟨in België⟩ ⟨algemener⟩ blouse

chemo [de] (chemokuur, chemotherapie) chemo

chemobak [de^m], **chemobox** [de^m] bin for chemical waste, chemical waste bin

chemobox [de^m] → **chemobak**

chemokar [de^m] chemical waste collector

chemokine [de^v] chemokine

chemokuur [de] course of chemotherapy

chemotaxis [de^v] ⟨biol⟩ chemotaxis

chemotherapeuticum [het] ⟨med⟩ chemotherapeutic(al)

chemotherapie [de^v] ⟨med⟩ 1 ⟨behandeling met chemotherapeutica⟩ chemotherapy, chemotherapeutics 2 ⟨behandeling met cytostatica⟩ chemotherapy

chemurgie [de^v] chemurgy

^1**chenille** [het] 1 ⟨fluweelkoord⟩ chenille 2 ⟨pluchegaren⟩ chenille

^2**chenille** [bn] chenille

cheque [de^m] ⟨BE⟩ cheque, ⟨AE⟩ check, ⟨tussen banken⟩ draft ◆ *cheque **aan order*** cheque to order, order cheque; *che-*

que aan toonder cheque to bearer, bearer cheque; *een **blanco** cheque* a blank cheque; ⟨fig ook⟩ carte blanche; *een cheque **blokkeren/tegenhouden*** stop (payment of) a cheque, ⟨form⟩ countermand a cheque; *een cheque **innen*** cash a cheque; *een cheque **kruisen*** cross a cheque; ***met een/per** cheque betalen* pay by cheque; *een **ongedekte** cheque* a dud/bad cheque, ↓ a bouncer/stumer; *een cheque **uitschrijven*** write (out)/make out/draw a cheque
chequeboek [het] chequebook, ⟨AE⟩ checkbook
chermoula [de] chermoula
cherryflip [de^m] cherry flip
cherrytomaat [de] cherry tomato
chertepartij [de^v] charter (party), contract of affreightment
cherub [de^m] cherub
cherubijn [de^m] ① ⟨engel⟩ cherub ② ⟨kind⟩ cherub, cupid, angel
chester [de^m] Cheshire (cheese), ⟨AE ook⟩ Chester
chesterfield [de^m] chesterfield
cheviot [het, de^m] cheviot
chèvre [de] chèvre
chevrons [de^m] chevrons, stripes, bars
chiasme [het] ① ⟨stijlfiguur⟩ chiasmus ② ⟨biol⟩ chiasma
chiastisch [bn] ⟨lit⟩ chiastic
[1]**chic** [de^m] ① ⟨modieuze verfijning⟩ chic, stylishness, smartness, style, elegance ♦ *de chic van haar **kleding*** the stylishness/smart cut of her clothes ② ⟨mensen⟩ the smart set, fashionable/elegant people
[2]**chic** [bn] ① ⟨getuigend van verfijning⟩ chic, stylish, smart, fashionable, dressy, snappy, ⟨AE⟩ tony ♦ *een chic **heer*** a man of fashion, a distinguished gentleman, ↓ a snappy dresser; *een chique **mantel*** a dressy/smart/swagger coat; *dat **staat** chic* that looks (very) smart, ↓ that looks (very) snazzy; *er chic **uitzien*** look (very) smart ② ⟨deftig⟩ chic, elegant, distinguished, distingué, ⟨buurt⟩ fashionable ♦ *chique **kennissen*** swell/smart friends
[3]**chic** [bw] ⟨getuigend van verfijning⟩ chicly, smart(ly), in style ♦ *chic **gekleed*** beautifully turned out, stylishly dressed, ↓ snazzily dressed, prinked (up)
chicagoblues [de] Chicago blues
chicane [de] ① ⟨haarkloverij⟩ quibble, ⟨in rechtspraak⟩ pettifoggery, cavil, ↑ sophistry ♦ *chicanes **maken*** quibble, cavil, bicker ② ⟨bocht⟩ chicane
chicaneren [onov ww] quibble (over), cavil (at), bicker
chicaneur [de^m] quibbler, pettifogger, ↑ sophist, ⟨scheepv⟩ sealawyer
chicaneus [bn, bw] ⟨afkeurenswaardig⟩ quibbling, pettifogging, cavilling, ⟨AE⟩ caviling, ⟨misleidend⟩ chicaning, captious
chick [de^v] chick
chicklit [de^v] chick lit
chief [de^m] chief
chief executive [de] chief executive, CEO
chief financial officer [de^m] chief financial officer, CFO
chief operating officer [de^m] chief operating officer, COO
chief scout [de^m] chief scout
chief technical officer [de^m] chief technical officer, chief technology officer, CTO
chiffon [het] chiffon
chiffonnière [de] chiffon(n)ier, commode, ⟨AE⟩ tallboy
chignon [de^m] chignon, bun
chihuahua [de^m] Chihuahua
chijl [de] chyle
chijlvat [het] lacteal
chikwadraattoets [de^m] ⟨stat⟩ chi-square (test)
Chileen [de^m], **Chileense** [de^v] ⟨man & vrouw⟩ Chilean, ⟨vrouw ook⟩ Chilean woman/girl
Chileens [bn] Chilean
Chileense [de^v] → **Chileen**
chili [de^m] ① ⟨plant⟩ chilli, hot pepper ♦ *chili con carne* chilli con carne ② ⟨poeder, saus⟩ chilli (powder/sauce) ③ ⟨gerecht⟩ chilli (con carne)
Chili CHILIPEPER [het] Chile

Chili

naam	*Chili* Chile
officiële naam	*Republiek Chili* Republic of Chile
inwoner	*Chileen* Chilean
inwoonster	*Chileense* Chilean
bijv. naamw.	*Chileens* Chilean
hoofdstad	*Santiago* Santiago
munt	*Chileense peso* Chilean peso
werelddeel	*Amerika* America

int. toegangsnummer 56 www .cl auto RCH

chiliade [de^v] chiliad
chiliasme [het] chiliasm, millenarianism
chiliast [de^m] chiliast, millenarian
chili con carne [de] chilli con carne
chiliolie [de] chili oil

chilly chillis in Chile

- het Engelse woord chilly met een *y* betekent 'koud, kil' (*a chilly morning*)
- chilli, chili en chile zijn Engelse woorden voor Spaanse peper (meervoud: chillies, chilies en chiles)
- Chile met een hoofdletter is de Engelse benaming van het land Chili
- de uitspraak van al deze woorden is identiek: tsjilli

chilisalpeter [het, de^m] Chile saltpetre/nitre, sodium nitrate, Chilean nitrate
chilisaus [de] chilli sauce
chilivlok [de] chili flake
chill [bn, alleen pred] cool
chillen [onov ww] chill
chill-outroom [de^m] chill-out room
chimaera [de^v] ⟨dier⟩ chim(a)era
Chimaera [de^v] ⟨myth⟩ Chim(a)era
chimeid [de^v] pretty girl
chimère [de] chim(a)era, illusion, figment of the imagination
chimpansee [de^m] chimpanzee, ⟨inf⟩ chimp
China [het] China

China

naam	*China* China
officiële naam	*Volksrepubliek China* People's Republic of China
inwoner	*Chinees* Chinese
inwoonster	*Chinese* Chinese
bijv. naamw.	*Chinees* Chinese
hoofdstad	*Peking* Beijing
munt	*renminbi yuan* renminbi-yuan
werelddeel	*Azië* Asia

int. toegangsnummer 86 www .cn auto RC

[1]**chinchilla** [het] ⟨bont⟩ chinchilla
[2]**chinchilla** [de] ⟨knaagdier⟩ chinchilla
[3]**chinchilla** [bn] chinchilla
chinees [het] ⟨porselein⟩ china(-ware), porcelain
[1]**Chinees** [de^m] ① ⟨bewoner van China⟩ Chinese, Chinaman ② ⟨iemand van het Chinese ras⟩ Chinese, Chinaman, ⟨beled⟩ chink ♦ ⟨scherts⟩ *een **rare** chinees* a queer customer/fish/one, a strange bird/one, ⟨BE⟩ a rum customer ③ ⟨restaurant⟩ Chinese restaurant, ⟨om mee te nemen⟩ Chinese take-away ♦ ***bij** de Chinees gaan eten* go out (for dinner) to/eat out at a Chinese restaurant

[2]**Chinees** [het] 1 ⟨taal⟩ Chinese 2 ⟨onverstaanbare taal⟩ Greek, double Dutch ◆ *dat is Chinees voor mij* it's all Greek/double Dutch to me

[3]**Chinees** [bn] 1 ⟨(zoals) van, in, uit China⟩ Chinese ◆ *Chinese **kool*** Chinese cabbage; *Chinees **papier*** India paper; *Chinese **roos*** China rose, Chinese hibiscus/rose; *Chinese **schimmen*** Chinese silhouettes, ombres chinoises, shadowgraphs; *Chinese **volksrepubliek*** People's Republic of China; *Chinees **vuurwerk*** Chinese fireworks; *Chinese **wijk/buurt*** Chinatown 2 ⟨behorend tot de taal⟩ Chinese

chineesje [het] ⟨het opsnuiven van heroïne⟩ ◆ *een chineesje **maken*** chase the dragon

chineesrestaurantsyndroom [het] Chinese restaurant syndrome, monosodium glutamate symptom complex, MSG symptom complex

Chinese [de^v] Chinese (woman/girl)

chinezen [ww] 1 ⟨eten⟩ go out (for dinner) to a Chinese restaurant, eat out at a Chinese restaurant 2 ⟨verdampte heroïne opsnuiven⟩ chase the dragon

Chinezenwijk [de] Chinese quarter, Chinatown ⟨bijvoorbeeld in New York⟩

chinoiserie [de^v] 1 ⟨kunstvoorwerpen⟩ chinoiserie, Chinese ornament/curio 2 ⟨kleingeestige formaliteit⟩ hairsplitting, unnecessary complications, red tape

chintz [het] chintz

chip [de^m] ⟨elektronica⟩ 1 ⟨plaatje met elektronische schakelingen⟩ chip, integrated circuit 2 ⟨microprocessor⟩ chip, microprocessor

chipkaart [de] cash card, chip card, smart card

chipknip [de] smart card (for small amounts), cash/chip card (for small amounts)

chipolatapudding [de^m] bavarois

chipoteren [onov ww] ⟨in België⟩ 1 ⟨afdingen⟩ haggle 2 ⟨moeilijk doen⟩ hassle

chippas [de^m] smart card, chip card

[1]**chippen** [onov ww] ⟨met een chipknip betalen⟩ use one's cash/chip/smart card ◆ *kan ik hier chippen?* do you take chip cards?

[2]**chippen** [ov ww] ⟨van een chip voorzien⟩ microchip ◆ *de paarden **worden gechipt*** the horses will be microchipped

[1]**chippendale**^{MERK} [de^m] ⟨man⟩ Chippendale, hunk, Adonis

[2]**chippendale** [het] ⟨meubel⟩ Chippendale

[3]**chippendale** [bn] Chippendale

chipper [de^m] smart card (for small amounts), cash/chip card (for small amounts)

chips [de^{mv}] ⟨BE⟩ (potato) crisps, ⟨AE⟩ chips, ⟨cul⟩ game chips

Chiro [de] ⟨in België⟩ Christian Youth Movement

chirograaf [de^m] chirograph

Chirojeugd [de^v] ⟨in België⟩ Flemish Christian Youth Movement

chirologie [de^v] chirology

chiromantie [de^v] chiromancy, palmistry

chiropodie [de^v] chiropody, ⟨AE⟩ podiatry

chiropodist [de^m] chiropodist, ⟨AE⟩ podiatrist

chiropracticus [de^m] chiropractor

chiropractor [de^m] chiropractor

chiropraxie [de^v] chiropractic, chiropraxis

chirurg [de^m] surgeon

chirurgie [de^v] surgery

chirurgijn [de^m] ⟨gesch⟩ chirurgeon, (barber-)surgeon

[1]**chirurgisch** [bn] ⟨heelkundig⟩ surgical, operative ◆ *chirurgische **behandeling*** surgical treatment, surgery; *een chirurgische **ingreep*** an operation, surgery; *chirurgische **instrumenten*** surgical instruments

[2]**chirurgisch** [bw] ⟨langs operatieve weg⟩ surgically

chitine [het] chitin

chlamydia [de] chlamydia

chloasma [het] ⟨med⟩ chloasma, liver spots

chloor [het, de^m] 1 ⟨scheik⟩ chlorine 2 ⟨bleekpoeder⟩ chloride (of lime), bleaching powder 3 ⟨oplossing van chloorkalk⟩ bleach

chlooracne [de] ⟨med⟩ chloracne

chloorecht [bn] colourfast

chloorethyl [het] chloroethyl

chloorfluorkoolwaterstof [de] ⟨scheik⟩ chlorofluorocarbon, CFC

chloorgas [het] chlorine/chloric gas, ⟨mil vnl⟩ mustard gas, yperite

chloorhoudend [bn] chlorous

chloorkali [de^m] chlorate of potash, potassium chlorate

chloorkalk [de^m] chloride of lime, chlorinated lime, bleaching powder

chloornatrium [het] sodium chloride, chloride of soda, common salt

chloorverbinding [de^v] chlorine compound, compound of chlorine

chloorwater [het] ⟨scheik⟩ chlorine water, ⟨in zwembad⟩ chlorinated water

chloorwaterstof [de] hydrochloric acid

chloorzuur [het] chloric acid

chloraal [het] 1 ⟨scheik; vloeistof⟩ chloral 2 ⟨farm; chloraalhydraat⟩ chloral (hydrate)

chloren [ov ww] chlorinate

chloreren [ov ww] ⟨scheik⟩ chlorinate

chloride [het] chloride

[1]**chloriet** [de^m] ⟨geol⟩ ⟨gesteente⟩ chlorite

[2]**chloriet** [het] ⟨zuurverbinding⟩ chlorite

chloroform [de^m] chloroform ◆ ***onder** chloroform* under chloroform, chloroformed

chloroformeren [ov ww] chloroform

chlorofyl [het] chlorophyll

chloroplast [de^m] chloroplast

chlorose [de^v] 1 ⟨med⟩ chlorosis, greensickness ◆ *aan chlorose **lijdend*** chlorotic, greensick 2 ⟨het ontbreken van chlorofyl⟩ chlorosis

chocoholic [de^m] chocoholic

chocolaatje [het] chocolate, ⟨inf; BE⟩ choc

chocolade [de^m] 1 ⟨versnapering⟩ chocolate, ⟨inf; BE⟩ choc ◆ *een **doos** chocolade* a box of chocolates; ***gevulde** chocolade* chocolates with soft centres, ⟨AE⟩ chocolate(-coated) candy; ***pure** chocolade* plain/bitter/^{A}bittersweet chocolate 2 ⟨drank⟩ (drinking) chocolate, cocoa ◆ *ik kan hier geen chocola van maken* ⟨fig⟩ I can't make head or tail of it, it's no use to me; *een **kop** chocolade* a cup of (hot) chocolate/cocoa ▪ *een **plak** chocolade* a slab of chocolate; *een **reep** chocolade* a bar of chocolate

chocoladebeen [het] weaker leg of a soccer player

chocoladebruin [bn] chocolate brown, dark brown

chocoladeflik [de^m] chocolate drop

chocoladehagelslag [de^m] chocolate vermicelli, chocolate sprinkle

chocolade-ijs [het] chocolate ice

chocoladeletter [de] chocolate letter

chocolademelk [de] ⟨BE⟩ (drinking) chocolate, ⟨AE⟩ chocolate milk, ⟨vnl BE⟩ cocoa

chocoladepasta [de^m] chocolate spread

chocoladepudding [de^m] chocolate pudding

chocoladereep [de^m] bar of chocolate

chocoladesigaret [de^m] chocolate cigarette

chocolaterie [de^v] confectioners, confectionery shop, (quality) chocolate shop

chocolatier [de^m] (chocolate) confectioner, (quality) chocolate maker/seller

chocomel^{MERK} [de] (drinking) chocolate, cocoa

chocopasta [het, de^m] chocolate spread

choemasj [het, de] Chumash

choke [de^m] 1 ⟨onderdeel van een carburator⟩ choke 2 ⟨bedieningsknop⟩ choke (control)

choken [onov ww] 1 ⟨de choke gebruiken⟩ choke, use the

choke, pull out the choke, operate the choke [2] ⟨(van sporters) blokkeren⟩ choke
cholecystitis [de^v^] ⟨med⟩ cholecystitis
cholera [de] cholera ♦ ***aan cholera lijden*** be a cholera patient, suffer from cholera; ***Aziatische** cholera* Asiatic/epidemic/Indian cholera
cholerabacil [de^m^] cholera bacillus, cholera vibrio, ⟨wet⟩ Vibrio cholerae
choleralijder [de^m^], **choleralijdster** [de^v^] cholera patient/case
choleralijdster [de^v^] → **choleralijder**
choleriek [bn] ⟨in België⟩ quick-tempered, hot-tempered
cholerisch [bn] choleric, irascible, hot-tempered ♦ *het cholerisch **temperament*** the choleric temperament
cholesterol [de^m^] cholesterol
cholesterolgehalte [het] cholesterol level/concentration
cholesterolverlager [de^m^] cholesterol lowering product
cholinerg [bn] cholinergic
chondrion [het] ⟨med⟩ chondroma
chopper [de^m^] chopper
chopstick [de^m^] chopstick
choquant [bn] shocking, offensive, ⟨details⟩ lurid
choqueren [ov ww, ook abs] shock, give offence ♦ *gechoqueerd **zijn** (door)* be shocked (at/by), take offence (at)
chorba [de^m^] chorba
chordometer [de^m^] ⟨muz⟩ chordometer
choreograaf [de^m^], **choreografe** [de^v^] choreographer
choreografe [de^v^] → **choreograaf**
choreograferen [ov ww] choreograph
choreografie [de^v^] [1] ⟨het ontwerpen van balletten⟩ choreography [2] ⟨ontwerp van een ballet⟩ choreography [3] ⟨notering van dansbewegingen⟩ choreography
chorograaf [de^m^] ⟨vero; aardr⟩ chorographer
chorografie [de^v^] ⟨vero; aardr⟩ chorography
chorologie [de^v^] ⟨aardr⟩ chorology
chorus [het, de] chorus
chowchow [de^m^] chow(-chow)
chowder [de^m^] chowder
Chr. [afk] (Christus) Chr ♦ *n.Chr.* AD; *v.Chr.* BC
chrestomathie [de^v^] chrestomathy, anthology
chrisma [het] chrism, holy/consecrated oil
chrismon [het] chrismon, chi-rho, christogram
[1]**christelijk** [bn] [1] ⟨m.b.t. het christendom⟩ Christian ♦ *de christelijke **feestdagen*** the feasts of the Church, the feastdays, the holy days, the public holidays; *hij **is** erg christelijk* he is very orthodox; *de christelijke **jaartelling*** the Christian/Common Era; *de christelijke **leer*** Christian doctrine/faith, Christianity [2] ⟨passend voor een christen⟩ Christian ♦ *christelijke **naastenliefde*** Christian love, charity, ↑ agape, love of one's neighbour/fellow man; ⟨barmhartigheid⟩ compassion [3] ⟨op confessionele grondslag⟩ Christian, confessional, denominational ♦ *de christelijke **partijen*** the confessional/Christian parties; *christelijke **school*** protestant/denominational school [4] ⟨fatsoenlijk⟩ Christian, decent, civilized ♦ *op een christelijk **tijdstip*** at a civilized/decent hour/time of the day/night; *dat **ziet** er tenminste christelijk **uit*** that's more like it, now it's beginning to look like sth.
[2]**christelijk** [bw] ⟨op een voor een christen passende wijze⟩ in a Christian fashion/way, decently ♦ ⟨fig⟩ *iemand christelijk **behandelen*** treat s.o. decently/in a Christian way
christelijk-gereformeerd [bn] Christian Reformed ♦ *de christelijk-gereformeerde **kerk*** the Christian Reformed Church
christelijkheid [de^v^] Christianity
Christelijk-historische Unie [de^v^] ⟨gesch⟩ Christian Historical Union
christen [de^m^] Christian ♦ ***wedergeboren** christen* born-again Christian; *christen **worden*** ⟨persoon⟩ become a Christian, be christened/baptized; be converted to Christian, become Christian
christendemocraat [de^m^] Christian Democrat
christendemocratisch [bn] Christian Democratic ♦ *het Christendemocratisch **Appel*** the Christian Democratic Appeal
christendom [het] [1] ⟨de christelijke godsdienst⟩ Christianity ♦ *het christendom **aannemen*** embrace Christianity; *tot het christendom **overgaan*** embrace/go over to/turn to Christianity [2] ⟨de christelijke waarheden, voorschriften en gebruiken⟩ Christianity
christengemeenschap [de^v^] [1] ⟨gemeenschap⟩ Christian Church [2] ⟨christenheid⟩ Christianity [3] ⟨christelijk genootschap⟩ Christian community
christengemeente [de^v^] Christian congregation/community
christenheid [de^v^] [1] ⟨de christenen⟩ Christendom [2] ⟨de christelijke landen⟩ Christendom
christenhond [de^m^] christian cur/dog
christenmens [de^m^] Christian
christenplicht [de] Christian duty, (one's) duty as a Christian
christianisatie [de^v^] Christianization
christin [de^v^] Christian (woman)
christoffel [de^m^] Saint Christopher (mascot)
christogram [het] christogram, chi-rho
christologie [de^v^] Christology
christologisch [bn] Christological
christosofie [de^v^] christosophy
christus [tw] Jesus Christ, Jesus (wept), Christ (Almighty) ♦ ⟨inf⟩ *hoe is het (gods)christus mogelijk!* how could it happen, for Christ's sake; ⟨als uitweg⟩ Jesus Christ!
Christus [de^m^] Christ ♦ ***Jezus** Christus* Jesus Christ; *de Kerk van **Jezus** Christus van de Heiligen der Laatste Dagen* the Church of Jesus Christ of Latter-day Saints; *Christus' **leer*** Christ's teaching(s)/doctrine; *Christus is **verrezen*** Christ has/is risen [•] ***na** Christus* AD, after Christ; ***voor** Christus* BC, before Christ
Christusbeeld [het] figure of Christ, crucifix, cross, rood
christusdoorn [de^m^] [1] ⟨sierplant⟩ crown of thorns [2] ⟨parkboom⟩ honey locust
Christus-Koning [de^m^] the Feast of Our Lord Jesus Christ the King
Christuskop [de^m^] Christ's head, ⟨op doek⟩ veronica, vernicle
Christuslegende [de] Christ legend
Christusmonogram [het] Christogram, chi-rho
chromaatgeel [het] chrome (yellow)
chromaatgroen [het] chrome green, chromium green, Brunswick green, viridian
chromatiek [de^v^] [1] ⟨muz⟩ chromaticism [2] ⟨leer van de kleuren⟩ chromatics, chromatology
chromatisch [bn] [1] ⟨muz⟩ chromatic ♦ *chromatische **beweging*** chromatic movement; *chromatische **tekens*** accidentals, chromatic signs; *de chromatische **toonschaal*** the chromatic scale [2] ⟨natuurk⟩ chromatic ♦ *chromatische **aberratie*** chromatic aberration
chromatografie [de^v^] ⟨techn⟩ chromatography
[1]**chromen** [bn, alleen attr] chrome
[2]**chromen** [ov ww] → **verchromen**
chromeren [ov ww] chromium-plate, chrome
chromium [het] chromium, ⟨ogm⟩ chrome
chromolithografie [de^v^] [1] ⟨kleurensteendruk⟩ chromolithography [2] ⟨afbeelding⟩ chromolith(ograph)
chromosfeer [de] chromosphere
chromosoom [het] chromosome ♦ ***deling** van een chromosoom* chromosomal division

chromotypie [de^{v}] chromotyp(ograph)y
chroniqueur [de^{m}] chronicler
^{1}**chronisch** [bn] ⟨m.b.t. ziekten⟩ chronic, ⟨slepend⟩ lingering ◆ *een chronisch **longlijder*** s.o. with a chronic lung disease; *een chronisch **zieke*** a chronic/confirmed invalid, a chronically sick patient; *een chronische **ziekte*** a chronic illness
^{2}**chronisch** [bn, bw] ⟨aanhoudend⟩ chronic ⟨bw: ~ally⟩, recurrent ◆ *chronisch **geldgebrek*** a chronic lack of money/funds; *hij is chronisch **verkouden*** he has a chronic cold, he's always got a cold; *een chronisch **verschijnsel*** a recurrent phenomenon
chronischevermoeidheidssyndroom [het] chronic fatigue syndrome
chronograaf [de^{m}] chronograph
chronogram [het] chronogram
chronologie [de^{v}] [1] ⟨opeenvolging van tijdsmomenten⟩ chronology [2] ⟨tijdrekenkunde⟩ chronology
^{1}**chronologisch** [bn] [1] ⟨tijds-⟩ chronological ◆ *in chronologische **volgorde** plaatsen* arrange in chronological order/in order of date/chronologically [2] ⟨tijdrekenkundig⟩ chronological ◆ *een chronologisch **overzicht*** a chronological list/survey
^{2}**chronologisch** [bw] ⟨naar de opeenvolging van de tijd⟩ chronologically
chronometer [de^{m}] [1] ⟨stopwatch⟩ stopwatch, chronograph [2] ⟨nauwkeurig uurwerk⟩ chronometer
chronorace [de^{m}] time trial
chronoscoop [de^{m}] chronoscope
chroom [het] [1] ⟨scheik⟩ chromium, ⟨ogm⟩ chrome [2] ⟨chroomleer⟩ chrome leather
chroomijzer [het] ferrochrome, ferrochromium, chrome iron
chroomleer [het] chrome leather
chroompoets [de] chrome polish
chroomstaal [het] chrome/chromium steel
chroomzuur [het] chromic acid
chrysant [de], **chrysanthemum** [de^{m}] chrysanthemum
chrysantentroon [de^{m}] Chrysanthemum Throne
chrysanthemum [de^{m}] → **chrysant**
chrysoberil [de^{m}] chrysoberyl
chrysoliet [het] chrysolite, peridot
churros [de^{mv}] churros
chutney [de^{m}] chutney
c.i. [afk] (civiel ingenieur) CE
CIA [de] (Central Intelligence Agency) CIA
ciabatta [de^{m}] ciabatta (bread)
ciborie [de^{v}] ciborium, pyx
cicade [de^{v}] cicada
cicaden [de^{mv}] Cicadidae
cicero [de] ⟨drukw⟩ cicero
cicerone [de] cicirone, guide
cichorei [de] [1] ⟨plant⟩ chicory, succory [2] ⟨vervangingsmiddel⟩ chicory
CID [de^{m}] (Criminele Inlichtingendienst) criminal investigation department
cider [de^{m}] ⟨BE⟩ cider, ⟨AE⟩ hard cider, ⟨inf; BE⟩ scrumpy(-juice)
cie. [afk] (compagnie) Co
cif cif
cigarillo [de] cigarillo, cigarito
cijfer [het] [1] ⟨teken⟩ figure, numeral, digit, cipher ◆ ***Arabische/Romeinse** cijfers* Arabic/Roman numerals; ⟨comp⟩ ***binaire** cijfers* binary digits; ***twee** cijfers achter de komma* two decimal places [2] ⟨uitgedrukt getal⟩ figure, number ◆ *een **getal** van twee cijfers* a double figure; *de cijfers **groeperen*** (re)arrange/tidy up the figures; *getallen die **in de vijf/zes cijfers lopen*** five/six-figure/-digit numbers; ***officiële** cijfers* official figures/statistics; ⟨fig⟩ *in de **rode** cijfers staan* be in the red/overdrawn, have an overdraft [3] ⟨maatstaf⟩ mark, grade ◆ ***hoge** cijfers behalen voor wiskunde* get good/high marks for maths/^{A}math, get a good/high ^{A}grade for maths/^{A}math; *het **hoogste** cijfer* the highest mark/^{A}grade, full marks; *een **laag** cijfer geven aan iemand* give/award a low mark/^{A}grade to s.o.; *een **lager/hoger** cijfer geven* mark (s.o.) down/up; ⟨fig⟩ ***mooie** cijfers kunnen overleggen* ⟨BE⟩ have good results, ⟨AE⟩ have good grades
cijferaar [de^{m}] [1] ⟨berekenend persoon⟩ calculating/hard-headed person, opportunist [2] ⟨(be)rekenaar⟩ arithmetician, calculator ◆ *hij is een **vlugge** cijferaar* he's very good/quick/clever at figures
cijferboek [het] [1] ⟨boek met rekenopgaven⟩ arithmetic ^{B}exercise book, arithmetic ^{A}notebook [2] ⟨(de)codeerboek⟩ code/cipher(ing) book [3] ⟨onderw⟩ mark(s), ⟨AE⟩ grade book
cijferbrij [de^{m}] numerical mess
cijfercode [de^{m}] numeric code, ⟨cryptografie⟩ cipher code
cijfercombinatie [de^{v}] combination (of figures)
cijferen [onov ww] do/make calculations, do/make a calculation, do arithmetic/sums
cijferfout [de] computing error, error in calculation, ↓mistake in the figures
cijferklok [de] digital clock
cijferkunst [de^{v}] computing skill, arithmetic, mathematics
cijferlijst [de] ⟨onderw⟩ list of marks, (school) report
cijfermateriaal [het] figures, numerical data
cijfermatig [bn] in figures
cijferpuzzel [de^{m}] number puzzle
cijferregen [de^{m}] excessive publication of financial data over a short period, number storm
cijferschrift [het] cipher, code, ⟨muz⟩ numerical notation ◆ *cijferschrift **in letters/cijfers*** letter/figure cipher; *in cijferschrift **overbrengen*** encipher, (en)code
cijfersleutel [de^{m}] cipher/code key, key (to a cipher/code), cipher
cijferslot [het] combination lock
cijferwerk [het] arithmetic, figures, figuring, reckoning
cijns [de^{m}] levy, tax
cijnsbaar [bn] taxable, subject to levy/tax
cijnsplichtig [bn] tributary
cilinder [de^{m}] [1] ⟨koker⟩ cylinder [2] ⟨buis om de zuiger⟩ cylinder [3] ⟨wisk⟩ cylinder [4] ⟨hoed⟩ top hat, ↓topper [5] ⟨echappement⟩ escapement
cilinderblok [het] cylinder block
cilinderbureau [het] roll-top desk
cilinderinhoud [de^{m}] cylinder capacity
cilinderkop [de^{m}] cylinder head
cilinderolie [de] cylinder oil
cilinderslot [het] cylinder lock, Yale/safety lock
cilindervlak [het] cylinder
cilindervormig [bn] cylindrical, cylinder-shaped
cilindrisch [bn] cylindrical ◆ ***bijna** cilindrisch* subcylindrical, cylindraceous
CIM [het] ⟨in België⟩ (Centrum voor Informatie over de Media) Centre for Information on the Media
cimbaal [de] ⟨muz⟩ cymbal
cimbalist [de^{m}] cymbalist
cimbalom [het, de^{m}] cimbalom
cinderella [de^{v}] Cinderella stamp
cineac [de^{m}] news cinema
cineast [de^{m}] film/^{A}movie maker, film/^{A}movie director
cineastisch [bn] cinematographic
cinecamera [de] film/^{B}cine/^{A}movie camera
cineclub [de] cine club, film/^{A}movie club
^{1}**cinefiel** [de^{m}] film/^{A}movie enthusiast, film/^{A}movie lover, film/^{A}movie fan, cineast(e)
^{2}**cinefiel** [bn] film-loving, ↓film/^{A}movie crazy, ↓film/^{A}mo-

vie mad
cinema [de^{m}] [1] ⟨bioscoop⟩ cinema, pictures, ⟨BE⟩ movie house/theatre [2] ⟨kunstvorm⟩ film, (the) cinema, (the) art of motion pictures
cinemaorgel [het] cinema organ
cinemascope [de^{m}] cinemascope
cinematheek [de^{v}] [1] ⟨filmarchief⟩ film/^{A}movie library, film/^{A}movie archive [2] ⟨filmotheek⟩ film/^{A}movie library, film/^{A}movie rental shop, ⟨AE⟩ movie store
cinematografie [de^{v}] cinematography
cinéma vérité [de^{m}] cinéma vérité
cinerama [het] cinerama
cineraria [de] ⟨plantk⟩ cineraria
cinnaber [het] cinnaber, vermilion
cinquecento [het] cinquecento
cinsault [de^{m}] Cinsault
CIOS [het] (Centraal Instituut voor de Opleiding van Sportleid(st)ers) Dutch National Sports Training Institute
cipier [de^{m}] warder, jailer, ⟨sl⟩ screw
cipres [de^{m}], **cipressenboom** [de^{m}] cypress
cipressenboom [de^{m}] → **cipres**
circa [bw] approximately, about, (a)round, ⟨zeldz; met jaartallen⟩ circa ♦ *circa 1500* (in) around 1500, c/circa 1500; *circa **honderd bomen*** approximately/about a hundred trees
circadiaans [bn] circadian
circonflexe [het, de^{m}] → **circumflex**
circovirus [het] circovirus
circuit [het] [1] ⟨sport⟩ circuit, (race)track [2] ⟨systeem van leidingen⟩ circuit [3] ⟨kring van personen, instanties⟩ circuit, scene ♦ *het **alternatieve** circuit* ⟨ook m.b.t. film, geneeskunde⟩ the alternative circuit; ⟨m.b.t. geneeskunde ook⟩ alternative medicine; *het **ambtelijk** circuit* the official circuit; ⟨pej⟩ the bureaucratic/government mills; *het **zwarte** circuit* the black market/economy
circulair [bn, bw] [1] ⟨kringvormig⟩ circular ⟨bw: ~ly⟩, round ♦ *circulaire **spieren*** orbicular/sphincter muscles [2] ⟨rondgaand⟩ circular ⟨bw: ~ly⟩, rotating, rotary ♦ *circulaire **processie*** tour, circular procession/march ⊡ *circulaire **kredietbrief*** circular letter of credit
circulaire [de] circular (letter) ♦ *per circulaire bekendmaken* announce by circular (letter); *circulaires **zenden aan*** send circulars to, circularize
circulatie [de^{v}] circulation ♦ *geld **aan de circulatie onttrekken*** recall/call in/withdraw money (from circulation); ***atmosferische** circulatie* atmospheric circulation; *geld **in** circulatie brengen* put/bring money in(to) circulation, circulate; *circulatie van hete **lucht*** circulation of hot air, convection; ***uit** de circulatie nemen* take out of circulation, withdraw (from circulation); ⟨obligaties⟩ call in/redeem/retire
circulatiebank [de] bank of circulation/issue, issue bank, (note-)issuing bank
circulatiestoornis [de^{v}] circulatory disorder
circuleren [onov ww] [1] ⟨rondgaan⟩ circulate ♦ *het bloed circuleert **door de aderen*** the blood circulates through the veins/arteries [2] ⟨rondgezonden worden⟩ circulate, distribute [3] ⟨in omloop zijn⟩ circulate, be in circulation ♦ *geruchten **laten** circuleren* put about/spread/circulate rumours
circumcentrisch [bn] concentric
circumcisie [de^{v}] ⟨med⟩ circumcision
circumferentie [de^{v}] ⟨wisk⟩ circumference
circumflex [het, de^{m}], **circonflexe** [het, de^{m}] circumflex (accent)
circumpolair [bn] circumpolar ♦ *circumpolaire **sterren*** circumpolar stars
circumstantial evidence [het] circumstantial evidence
circus [het, de^{m}] [1] ⟨publieke vermakelijkheid⟩ circus ♦ *(rond)**reizend** circus* travelling circus [2] ⟨wat aan een circus doet denken⟩ (travelling) circus, fuss, to-do [3] ⟨renbaan⟩ circus, arena
circusartiest [de^{m}], **circusartieste** [de^{v}] circus performer
circusartieste [de^{v}] → **circusartiest**
circusdirecteur [de^{m}], **circusdirectrice** [de^{v}] ringmaster, circus master/manager
circusdirectrice [de^{v}] → **circusdirecteur**
circusnummer [het] circus act
circuspaard [het] circus/liberty horse
circustent [de] circus tent, big top, canvas
circusvertoning [de^{v}] ⟨vnl fig⟩ (ridiculous) spectacle, farce, mockery
circuswagen [de^{m}] circus wagon
cirkel [de^{m}] [1] ⟨wisk⟩ circle ♦ ***halve** cirkel* semicircle; *de **kwadratuur** van de cirkel* the quadrature of the circle; *de omgeschreven cirkel **trekken** van een vierkant* circumscribe a square [2] ⟨kring⟩ circle, ring ♦ ***in** een cirkel **staan*** stand in a circle; ***in** een cirkel(tje) ronddraaien* circle, move in a circle, ⟨fig⟩ argue in a circle, go round (and round) in circles; *een **vicieuze** cirkel* a vicious circle; *de politie **vormde** een steeds kleinere cirkel rond het huis* the police zeroed/closed in on the house
cirkelbeweging [de^{v}] circular motion/course ♦ *een cirkelbeweging **maken*** orbit
cirkelboog [de^{m}] arc (of a circle)
cirkelbundel [de^{m}] ⟨wisk⟩ circle bundle
cirkeldefinitie [de^{v}] circular definition
cirkeldeling [de^{v}] circle dissection
cirkeldiagram [het] pie chart, circle graph
cirkeldoorsnede [de] circular cross-section
cirkeldriehoek [de^{m}] arc triangle, circular/curvilinear triangle
cirkelen [onov ww] circle, ⟨satelliet⟩ orbit, ⟨vogel⟩ wheel
cirkelgang [de^{m}] cycle, circular course, circle ♦ *de cirkelgang van de **beschaving*** the circular course of civilisation
cirkelkegel [de^{m}] cone
cirkelmaaier [de^{m}] rotary mower
cirkelomtrek [de^{m}] ⟨wisk⟩ circumference, perimeter
cirkelredenering [de^{v}] circular argument/reasoning
cirkelsector [de^{m}] ⟨wisk⟩ sector of a circle
cirkelsegment [het] ⟨wisk⟩ segment of a circle
cirkelvlak [het] (plane of a) circle
cirkelvorm [de^{m}] circular (shape/form), round, orbicular, spherical
cirkelvormig [bn, bw] circular ⟨bw: ~ly⟩, round
cirkelzaag [de] circular saw
cirlgors [de] ⟨dierk⟩ cirl bunting
cirrocumulus [de^{m}] cirrocumulus, mackerel sky
cirrose [de^{v}] ⟨med⟩ cirrhosis
cirrostratus [de^{m}] cirrostratus
cirrus [de^{m}] cirrus
cis [de] ⟨muz⟩ C sharp
ciseleerder [de^{m}], **ciseleur** [de^{m}] chaser
ciseleerwerk [het] chased work, chasing
ciseleren [ov ww] chase, chisel
ciseleur [de^{m}] → **ciseleerder**
[1]**cisterciënzer** [de^{m}] Cistercian
[2]**cisterciënzer** [bn] Cistercian ♦ *een cisterciënzer **monnik*** a Cistercian monk
cisterne [de] cistern, water tank/reservoir
citaat [het] ⟨letterlijke weergave⟩ quotation, ↓quote, ⟨aanhaling, voorbeeldzin in woordenboek⟩ citation ♦ *een citaat **beëindigen*** unquote; ***begin** citaat* quote, open quotes; ***einde** citaat* unquote, close quotes; *een citaat **geven*** quote; *een **letterlijk** citaat* a literal quotation; *een **verkeerd** citaat* a misquotation
citadel [de] citadel, stronghold
citatenboek [het] book of quotations, commonplace-book

citatie-index [de^{m}] citation index
citeertitel [de^{m}] official title
citer [de] zither
citeren [ov ww] [1] ⟨aanhalen⟩ ⟨lett weergeven⟩ quote, ⟨ter ondersteuning van betoog⟩ cite ◆ *geschikt om te citeren, het citeren waard* quotable [2] ⟨jur; dagvaarden⟩ cite, summon (to appear in court)
citerspeler [de^{m}] cither player
cito [bw] quickly, immediately, on the spot, at once
Cito-toets [de^{m}] placement exam to determine which type of secondary school a child should go to
citraat [het] citrate
citrine [de^{v}] [1] ⟨citrien⟩ citrine [2] ⟨hydroxycitroenzuur⟩ hydroxycitric acid
citroen [de] [1] ⟨vrucht⟩ lemon ◆ *iemand uitknijpen als een citroen* squeeze s.o. dry/until the pips squeak, bleed s.o. (dry/white); *thee met citroen* tea with lemon, lemon tea; *tropische citroen* lime [2] ⟨boom⟩ lemon tree [3] ⟨jenever⟩ lemon geneva, lemon(-flavoured) gin/brandy [4] ⟨sap⟩ (fresh) lemon juice ⊡ *uitgeknepen citroen* squeezed lemon
citroenboom [de^{m}] lemon tree
citroengeel [bn] lemon (yellow)
citroengeranium [de] lemon geranium
citroengras [het] ⟨cul⟩ lemongrass
citroenjenever [de^{m}] → **citroen**
citroenknijper [de^{m}] lemon squeezer/^{A}juicer
citroenkruid [het] southernwood, lemon plant/verbena, boy's love, ⟨BE ook⟩ lad's love, old man
citroenlimonade [de] ⟨drank⟩ lemonade, lemon drink, ⟨siroop⟩ lemon syrup, ⟨koolzuurhoudend⟩ lemon soda, lemonade
citroenmelisse [de] lemon balm
citroenolie [de] lemon oil
citroenpers [de] lemon squeezer
citroensap [het] (fresh) lemon juice
citroenschil [de] lemon peel/rind ◆ *stukjes citroenschil* ⟨geschaafde⟩ shredded lemon rind; ⟨in drankje⟩ twist of lemon; ⟨cul⟩ zest of lemon
citroentje [het] [1] ⟨kleine citroen⟩ small lemon, ± lime [2] ⟨glaasje jenever⟩ (glass of) lemon gin [3] ⟨vogel⟩ icterine warbler [4] ⟨vlinder⟩ brimstone (butterfly)
citroenvlinder [de^{m}] brimstone butterfly
citroenzuur [het] citric acid
citronella [de] citronella (oil)
citronellagras [het] citronella (grass)
citronellaolie [de] citronella (oil)
citrusboom [de^{m}] citrus (tree)
citruscultuur [de^{v}] citrus (fruit) cultivation
citrusfruit [het] citrus, citrus fruit
citruspers [de] lemon squeezer, juicer
citrusvrucht [de] citrus fruit
city [de] ⟨BE⟩ city centre, ⟨AE⟩ downtown
citybag [de^{m}] hold-all
citybike [de^{m}] city bike
cityhopper [de^{m}] ± (air) shuttle
cityvorming [de^{v}] depopulation of city centres, suburbanization
civet [het, de^{m}] [1] ⟨stof⟩ civet [2] ⟨groep van dieren⟩ civet
civetkat [de] civet (cat) ◆ *Aziatische/Indische civetkat* Asian/Indian civet (civet)
civiel [bn, bw] [1] ⟨tot de burgerstand behorend⟩ civil ⟨bw: ~ly⟩, ⟨in tegenstelling tot militair⟩ civilian ◆ ⟨zelfstandig (gebruikt)⟩ *een officier in civiel* ⟨politie⟩ plain-clothes officer; ⟨mil⟩ officer in civilian clothes, ⟨inf⟩ officer in civ(v)ies; *de civiele staat* civil/marital status [2] ⟨burgerlijk⟩ civil ⟨bw: ~ly⟩ ◆ *civiele kamer/zitting* civil division/sitting; *de civiele partij* applicant for compensation in criminal proceedings, 'partie civile'; *zich civiele partij stellen* bring a civil suit against s.o.; *een civiel proces beginnen tegen* take civil action/proceedings against; *het civiel recht* civil law; *een civiele zaak* civil case/cause/action; *hof voor civiele zaken* civil court [3] ⟨billijk⟩ reasonable ⟨bw: reasonably⟩, fair, moderate ◆ *een civiele prijs* a reasonable/fair/moderate price
civielrechtelijk [bn, bw] civil ◆ *iemand civielrechtelijk vervolgen* bring a civil suit/action against s.o.
civieltechnisch [bn] civil engineering
civilisatie [de^{v}] civilization
civilisatieziekte [de^{v}] ± (a) Western disease, disease of affluent societies, disease of the West, disease of civilization
civiliseren [ov ww] civilize
civilist [de^{m}] practitioner of civil law, expert in civil law, ⟨AE ook⟩ civilian
civisme [het] ⟨in België⟩ civil sense/awareness
CJP [het] (cultureel jongerenpaspoort) young people's cultural pass
ckv [de^{v}] (culturele en kunstzinnige vorming) cultural and artistic education
c.l. [afk] ⟨Latijn⟩ [1] (citato loco) loc cit [2] (cum laude) cum laude
clafoutis [de^{m}] clafouti(s)
claim [de^{m}] [1] ⟨vordering⟩ claim, right(s), title, call ◆ *een claim indienen (bij)* lodge/file a claim (with), claim (on); *een (zware) claim leggen op* place (a great) strain on, make heavy demands on/of [2] ⟨recht tot exploitatie⟩ claim [3] ⟨optie⟩ right/option (on new shares), subscription right/option (on new shares), ⟨AE ook⟩ shareholder's pre-emptive right ◆ *met/inclusief claim* cum rights/new; *zonder/exclusief claim* ex rights/new
claimant [de^{m}] claimant
claimcultuur [de^{v}] claim culture
claimemissie [de^{v}] rights issue/offer
claimen [ov ww] [1] ⟨eisen⟩ claim, lay claim to, file/make/lodge a claim, demand, call for ◆ *een bedrag claimen bij de verzekering* file a claim with the insurance company, claim (money back) on one's insurance [2] ⟨beweren⟩ claim, contend, assert
claimrecht [het] ⟨handel⟩ right (to subscribe/apply)
clairette [de^{v}] [1] ⟨druif⟩ Clairette [2] ⟨wijn⟩ Clairette
clair-obscur [het] chiaroscuro, clair-obscure
clairvoyance [de^{v}] clairvoyance, second sight, telaesthesia
[1]**clairvoyant** [de^{m}] clairvoyant
[2]**clairvoyant** [bn] clairvoyant, second-sighted, telaesthetic
clam [de^{m}] clam
clamshell [de^{m}] clamshell
clan [de^{m}] [1] ⟨stam⟩ clan, family, tribe ◆ *lid van een clan* clansman, clanswoman [2] ⟨antr⟩ clan [3] ⟨hechte groep⟩ clan, clique, coterie
clandestien [bn, bw] clandestine ⟨bw: ~ly⟩, surreptitious, secret, illegal, ⟨handel⟩ illicit ◆ *clandestiene activiteiten* ⟨voor de regering⟩ clandestine/undercover activities, ⟨tegen de regering⟩ underground activities; ⟨inf⟩ hole-and-corner stuff; *clandestiene boter* black-market butter; *clandestiene drankverkoop* illicit liquor sales, ↓ under-the-counter liquor sales, ↓ bootlegging; ⟨vnl AE⟩ moonshining; *clandestien gestookte whisky* bootleg whisky, moonshine; *hij heeft het clandestien gedaan* he did it surreptitiously; ⟨inf⟩ he did it on the sly; *een clandestiene kroeg* an unlicensed bar/pub; ⟨AE⟩ a speakeasy ⟨vnl omstreeks 1920-'30⟩; ↑ unlicensed premises; *clandestien slachten* slaughter illegally/without a licence; *een clandestiene zender* a pirate transmitter/radio station
claque [de] claque ⊡ *chapeau claque* opera hat
claqueur [de^{m}] claqueur, (paid) clapper
claris [de^{v}] → **clarisse**
clarisse [de^{v}], **claris** [de^{v}] (Poor) Clare
clark [de^{m}] forklift truck
clash [de^{m}] clash

clashen [onov ww] clash, conflict
classaction [de] class action
classeur [de^m] ⟨in België⟩ (document) file, folder
classic [de^m] classic
classica [de^v] → **classicus**
classicaal [bn] classical ♦ *de classicale **vergadering*** the meeting of the classis
classicisme [het] classicism, classicalism
classicistisch [bn, bw] classicistic, classic(al) ♦ *een classicistisch **kunstenaar*** a classical artist, a classicist
classicus [de^m], **classica** [de^v] classicist, classicalist, classical/classics scholar
classificatie [de^v] 1 ⟨klassenverdeling⟩ classification 2 ⟨indeling⟩ classification, ranking, ordering, grouping, rating
classificatiebureau [het] classification society
classificator [de^m] 1 ⟨persoon⟩ classifier 2 ⟨werktuig⟩ classifier
classificeerder [de^m] ship's cleaner, member of a (ship-) cleaning gang
classificeren [ov ww] classify, class, group, order, rank
classis [de^v] classis
claudicatie [de^m] claudication
claudicatio [de^v] claudication
claus [de^v], **clause** [de^v] 1 ⟨laatste woord van een passage⟩ cue, catchword, tag ♦ *zijn claus **missen*** miss one's cue, miscue 2 ⟨passage⟩ speech, passage
clause [de^v] → **claus**
claustra [de^m] ⟨bouwk⟩ decorative openwork in concrete wall
claustrofobie [de^v] claustrophobia
claustrofobisch [bn] claustrophobic
claustrofoob [bn] claustrophobic
clausule [de] 1 ⟨voorbehoud⟩ clause, proviso, stipulation ♦ *een **allesomvattende** clausule* a blanket/basket/comprehensive clause; *een **arbitrale** clausule* an arbitration clause; *een **misleidende/verborgen** clausule* a misleading/ hidden clause; *een clausule **opnemen in*** insert a clause in, build a clause into; *een **voorwaardelijke** clausule waarin staat dat ...* with a proviso (to the effect) that ...; ⟨handel⟩ *clausule cassatoria* cancelling clause 2 ⟨einde van een zin⟩ clause
clausuleren [ov ww] add/insert a clause (stipulating that ...), attach conditions to, stipulate, make a proviso
clausuur [de^v] 1 ⟨afsluiting⟩ clausura 2 ⟨slot⟩ clasp 3 ⟨ezelsoor⟩ ↓ dog-ear, ↓ dog's-ear
claviatuur [de^v] keyboard, claviature, manual
clavicula [de] clavicle, collarbone
claviger [de^m] (school) caretaker, concierge
clavis [de^v] ⟨muz⟩ clef
clavulaanzuur [het] clavulanic acid
clawback [de^m] clawback
claxon [de^m] (motor) horn, ⟨BE ook⟩ hooter ♦ ***met** de claxon toeteren, **op** de claxon drukken* sound/honk/toot one's horn, give a blast/honk/toot on one's horn
claxonnade [de^v] honking, tooting, hooting
claxonneren [onov ww] sound/honk/toot one's horn, give a honk/toot on one's horn, ⟨BE ook⟩ hoot
CLB [het] (Centrum voor Leerlingenbegeleiding) Centre for Pupils' Counseling
clean [bn, bw] 1 ⟨schoon⟩ clean, clinical 2 ⟨koel, emotieloos⟩ straight, unsentimental, unemotional ♦ *iets clean **brengen/filmen*** tell a story/film a scene straight 3 ⟨vrij van drugs⟩ clean, off (drugs) 4 ⟨met weinig radioactieve neerslag⟩ clean
cleaner [de^m] cleaner
clearing [de] ⟨handel⟩ clearance, transfer
clearinghouse [het] clearing-house
clearinginstituut [het] clearing house
cleistogaam [bn] ⟨biol⟩ cleistogamous, cleistogamic
clematis [de] clematis, ⟨wilde clematis⟩ traveller's/^A traveler's joy, old man's beard, ⟨Clematis virginiana⟩ virgin's bower
clement [bn, bw] lenient ⟨bw: ~ly⟩, merciful ♦ *iemand clement **behandelen*** deal with/treat s.o. leniently; *een clemente **houding** aannemen* take a lenient stance/attitude, show/ exercise clemency
clementie [de^v] leniency, mercy, clemency ♦ *clementie **betrachten*** be lenient, show mercy, ↑ exercise clemency; *de beschuldigde **in** de clementie van de rechters aanbevelen* recommend/ask the court to show mercy towards the defendant; *iemands clementie **inroepen** (voor)* ask (for)/beg s.o.'s indulgence (for)
clementine [de^v] clementine
clenbuterol [het] clenbuterol
cleresij [de^v] ⟨r-k⟩ clergy ♦ *de **Oudbisschoppelijke** Cleresij* the Old Catholic Church
clergé [de^m] clergy, (the) cloth, priesthood, ministry
clergyman [het, de^m] priest's black suit with clerical collar
clericus [de^m] ⟨r-k⟩ priest, cleric
clerihew [de^m] clerihew
clerus [de^m] clergy, (the) cloth, priesthood, ministry
clever [bn] clever, smart
cliché [het] 1 ⟨gemeenplaats⟩ cliché, overworked/worn-out phrase ♦ ***vol** clichés, doorspekt met clichés* cliché-ridden, clichéd 2 ⟨drukw; plaat⟩ (stereotype/electrotype) plate, block, ⟨ook⟩ cliché, standing type 3 ⟨negatief⟩ negative
clichématig [bn, bw] clichéd, commonplace, ⟨inf⟩ corny
clicheren [ov ww] stereotype, electrotype
click [de^m] click
clickfonds [het] click fund
client [de^m] client (computer)
cliënt [de^m] 1 ⟨persoon die gebruikmaakt van diensten⟩ client, consultant 2 ⟨klant⟩ customer, patron ♦ *de **welgestelde** cliënten* the carriage trade/wealthy patrons 3 ⟨gesch; beschermeling⟩ client
clientèle [de] clientele, clientage, custom(ers) ♦ *deze zaak heeft een **goede** clientèle* this store does a good trade/good business/has a good run of customers/is well patronized
cliëntelisme [het] clientelism, clientism, ⟨sl⟩ pork barrel politics
client-serversysteem [het] client-server system
cliffhanger [de^m] cliffhanger
clignoteur [de^m] (direction) indicator, blinker, winker
climacterisch [bn] climacteric, menopausal
climacterium [het] climacteric, climacterium, ⟨inf⟩ change of life, menopause
climax [de^m] 1 ⟨hoogtepunt⟩ climax, culmination ♦ *de ruzie **bereikte** een climax* the quarrel came to a climax/head, reached its culmination; ***naar** een climax toewerken* build (up) to a climax; *gebeurtenissen die **naar** een climax leiden* climactic events 2 ⟨stilistiek⟩ climax, pay-off, punch line 3 ⟨m.b.t. orgasme⟩ climax
climaxassociatie [de^v] ⟨bosb⟩ climax community
clinch [de^m] 1 ⟨bokssport⟩ clinch 2 ⟨fig⟩ tussle ♦ ***in** de clinch gaan met iemand* lock horns with s.o., get into a tussle with s.o.; ***in** de clinch liggen met iemand* be at loggerheads with s.o., have a quarrel/disagreement with s.o.
clinic [de] clinic
cliniclown [de^m] ± clown-care unit ⟨groep cliniclowns⟩
clinicus [de^m] ⟨med⟩ clinician
clinometer [de^m] 1 ⟨hellingmeter⟩ clinometer 2 ⟨scheepv, luchtv⟩ inclinometer
clip [de^m] 1 ⟨papierklem⟩ paper clip/fastener, ⟨groot⟩ bulldog clip 2 ⟨bevestigingsmiddel voor platen⟩ fastener 3 ⟨sierspeld⟩ clip, pin, brooch 4 ⟨videoclip⟩ (music) video
clipboard [het, de^m] clipboard
clipcultuur [de^v] (music) video culture
clipper [de^m] transport plane

clippermap [de] document case
clique [de^{v}] ⟨pej⟩ clique, in-crowd, set
clitoridectomie [de^{v}] ⟨med⟩ clitoridectomy
clitoris [de] ⟨med⟩ clitoris
clivia [de] clivia (miniata), kaf(f)ir lily
cloaca [de] cloaca
cloacadieren [de^{mv}] monotremes
clochard [de^{m}] clochard, tramp, ⟨AE ook⟩ bum, hobo, ⟨euf ook; AE⟩ street people ⟨mv⟩
clog [de^{m}] clog
^{1}**cloisonné** [het] cloisonné
^{2}**cloisonné** [bn] cloisonné
clonus [de^{m}] ⟨med⟩ clonus
^{1}**cloqué** [het] cloqué, ± seersucker
^{2}**cloqué** [bn] ± seersucker
close [bn, alleen pred] close
close finish [de^{m}] close finish
close harmony [de^{m}] close harmony
close reading [het, de] close reading
closet [het] lavatory, toilet, WC, ⟨AE, BE euf⟩ bathroom, ⟨form⟩ water closet ♦ *droog closet* ⟨BE⟩ earth closet
closetborstel [de^{m}] toilet brush, ⟨BE ook⟩ lavatory brush, ⟨inf; BE⟩ loo brush
closetbril [de^{m}] toilet seat
closetpapier [het] toilet paper, ⟨BE ook⟩ lavatory paper, ⟨inf; BE⟩ loo paper
closetpot [de^{m}] toilet bowl, ⟨BE ook⟩ lavatory bowl, lavatory pan/pedestal
closetrol [de] toilet roll, ⟨BE ook⟩ lavatory roll, ⟨AE⟩ roll of toilet paper, ⟨inf; BE⟩ loo roll
closetrolhouder [de^{m}] toilet roll holder, ⟨BE ook⟩ lavatory roll holder
close-up [de^{m}] close-up
clou [de^{m}] point, essence, ⟨van grap⟩ punch line, pay-off ♦ *dat is nou juist de clou* but that's just it/that's the whole point (of the story); *de clou van iets niet **snappen*** miss the point (of sth.); *ik **snapte** de clou van die grap niet* I didn't get/see the joke
clown [de^{m}] ⟨ook fig⟩ clown, fool, buffoon, comedian, funnyman ♦ *hij is zo'n beetje de clown van de **familie*** he's sort of the family clown/joker/jester; *de clown **uithangen/spelen*** play/act the clown/fool, clown around
clownachtig [bn, bw] clownish ⟨bw: ~ly⟩, comic(al) ♦ *zich clownachtig **gedragen*** play/act the clown, clown around
clownerie [de^{v}] clowning
clownesk [bn, bw] clownish ⟨bw: ~ly⟩ ♦ *een clownesk **gebaar*** a comic(al) gesture
clownsneus [de^{m}] clown's nose
club [de] [1] ⟨vereniging⟩ club, society, association ♦ ***lid** zijn van een club* belong to/be a member of a club; *een club **oprichten*** form a club; *van de club zijn* be gay [2] ⟨groep vrienden⟩ crowd, group, crew, gang ♦ ***met** een clubje uitgaan* go out in/with a group/crowd [3] ⟨sociëteit⟩ club, ⟨AE⟩ fraternity, ⟨AE⟩ sorority, ⟨AE⟩ chapter, union [4] ⟨sport; golfstok⟩ (golf) club [5] ⟨bordeel⟩ sex club [6] ⟨inf; pej; groepering⟩ ± clique, (in)crowd, ↓ gang, ↑ circle, outfit, set-up
clubarts [de^{m}] club doctor, club medical officer
clubben [onov ww] go clubbing, go to a club
clubber [de^{m}] clubber
clubblad [het] (club) newsletter, (club) bulletin
clubcard [de^{m}] soccer supporter's card, ⟨BE ook⟩ football supporter's card
clubcircuit [het] club circuit
club class [de] club class
clubfauteuil [de^{m}] club chair, armchair, easy chair
clubgeest [de^{m}] club spirit/mentality
clubgenoot [de^{m}], **clubgenote** [de^{v}] club mate, fellow club member, ⟨AE ook; studentencorps⟩ fraternity brother, sorority sister, ⟨sport ook⟩ teammate
clubgenote [de^{v}] → **clubgenoot**
clubhouse [de^{m}] club house
clubhuis [het] [1] ⟨huis waarin een club zetelt⟩ club(house), ⟨vnl BE; sportclub ook⟩ pavilion, ⟨vnl AE; studentenvereniging⟩ chapter house [2] ⟨gebouw voor verschillende clubs⟩ community centre, ⟨voor jeugd⟩ youth centre
clubkaart [de] membership card, club card
clubkampioen [de^{m}] club champion
clubkas [de] club funds, ⟨inf⟩ kitty
clubkleur [de] club/team colours ⟨mv⟩
clublid [het] club member, member of a/the club
clublied [het] club song
clubpas [de^{m}] football (club) identity/ID card
clubsandwich [de^{m}] club sandwich
clubtrance [de] club trance
clubwedstrijd [de^{m}] club competition tournament/match
cluniacenzer [de^{m}] Cluniac monk
cluster [het, de^{m}] cluster, collection, group ♦ ⟨taalk⟩ *clusters van **medeklinkers*** consonant cluster
clusterbom [de] cluster bomb
clusteren [ov ww] group, classify ♦ ***leerlingen** clusteren naar eindexamenvak* group/classify pupils by final examination subject
clusterhoofdpijn [de] cluster headache
clustermunitie [de^{v}] cluster munition ⟨vaak mv⟩
CM [de^{mv}] ⟨in België⟩ (Christelijke Mutualiteit) Christian Health Fund
co [de^{m}] [1] ⟨coassistent⟩ assistant, ⟨BE⟩ (assistant) houseman, ⟨AE⟩ intern(e) [2] (compagnon) partner, business associate
c/o [afk] (care of) c/o, co
COA [het] (Centraal Orgaan opvang Asielzoekers) Central Reception Camp for Asylum Seekers
coach [de^{m}] [1] ⟨sport⟩ coach, trainer, ⟨begeleider bij opleiding ook⟩ supervisor [2] ⟨personenauto⟩ coach, two-door sedan [3] ⟨autobus⟩ coach, motorbus, ⟨BE⟩ charabanc, ↓ chara
coachen [ov ww] [1] ⟨sport⟩ coach, train [2] ⟨begeleiden⟩ coach, ⟨leerling⟩ tutor
coactie [de^{v}] coercion, force, coaction
coadjutor [de^{m}] [1] ⟨helper van een bisschop⟩ coadjutor (bishop) [2] ⟨hulppriester⟩ ± (assistant) curate
coagulatie [de^{v}] coagulation, congelation, clotting, curdling
^{1}**coaguleren** [onov ww] ⟨stremmen⟩ coagulate, congeal, clot, curdle
^{2}**coaguleren** [ov ww] ⟨med⟩ ⟨(m.b.t. een bloedvat) dichtschroeien⟩ cauterize, sear
coalitie [de^{v}] coalition ♦ *een coalitie **aangaan/sluiten*** form a coalition; *de coalitie* the coalition partners; ***lid/voorstander** van een coalitie* coalitionist
coalitiekabinet [het] coalition cabinet
coalitiepartij [de^{v}] coalition party
coalitiepartner [de^{m}] coalition partner
coalitieregering [de^{v}] coalition government
coaptatie [de^{v}] ⟨med⟩ setting of a fracture
coassistent [de^{m}] [1] ⟨rang⟩ ⟨BE⟩ (assistant) houseman, ⟨AE⟩ intern(e) [2] ⟨medisch student⟩ ⟨BE⟩ houseman, ⟨AE⟩ intern(e)
coassistentschap [het] [1] ⟨het coassistent zijn⟩ ⟨BE⟩ (assistant) housemanship, ⟨AE⟩ intern(e)ship [2] ⟨periode⟩ ⟨BE⟩ (assistant) housemanship, ⟨AE⟩ intern(e)ship ♦ *een coassistentschap **lopen*** do/complete a(n)/one's housemanship/intern(e)ship [3] ⟨functie⟩ ⟨BE⟩ (assistant) housemanship, ⟨AE⟩ intern(e)ship
coaster [de^{m}] coaster
coat [de^{m}] topcoat, finish(ing coat), protecting varnish
coaten [ov ww] coat, ⟨van metaal met metaal ook⟩ clad, ⟨foto ook⟩ bloom

coater [de^{m}] coater, coating machine

[1]coating [de] ⟨het coaten⟩ coating, cladding, covering

[2]coating [het, de] ⟨deklaag⟩ topcoat, finish(ing coat), protecting varnish

coauteur [de^{m}] co-author, co-writer, joint author, fellow author/writer

coaxiaal [bn] coaxial

coaxkabel [de^{m}] ⟨audio; video⟩ coaxial cable, ⟨inf⟩ coax cable

cobalamine [de^{v}] cobalamin

Cobol [het] (Common Business Oriented Language) COBOL

cobra [de] cobra

cobranding [de^{m}] co-branding

Coburger [aanw bn] ⊡ *Coburger **ham*** Coburg ham

COC [het] (Cultuur- en Ontspanningscentrum) COC

coca [de] coca

cocaïne [de] cocaine, ↓coke, ↓snow ◆ *cocaïne **snuiven*** snort/sniff cocaine

cocaïnebaron [de^{m}] cocaine baron

cocaïnevergiftiging [de^{v}] cocaine poisoning

cocaïneverslaving [de^{v}] cocaine addiction, cocainism

coccus [de^{m}] coccus

cochenille [de] [1] ⟨schildluis⟩ cochineal (insect) [2] ⟨verfstof⟩ cochineal

cochleair [bn] cochlear

cockerspaniël [de^{m}] cocker spaniel

cockney [de^{m}] ⟨inwoner⟩ cockney

Cockney [het] ⟨taal⟩ Cockney

cockpit [de^{m}] [1] ⟨m.b.t. een vliegtuig⟩ cockpit, ⟨van lijnvliegtuig⟩ flight deck [2] ⟨m.b.t. een motorboot⟩ cockpit

cockpitvoicerecorder [de^{m}] cockpit voice recorder

cockring [de^{m}] cockring

cocktail [de^{m}] [1] ⟨drank⟩ cocktail ◆ *een cocktail **drinken*** have a cocktail [2] ⟨med; injectie⟩ cocktail [3] ⟨mengelmoes⟩ cocktail

cocktailbar [de] cocktail lounge

cocktailjapon [de^{m}] cocktail dress

cocktailjurk [de] cocktail dress

cocktailparty [de] cocktail party

cocktailprikker [de^{m}] cocktail stick/^{A}pick

cocktailshaker [de^{m}] cocktail shaker

cocktailworstje [het] ± salami

cocon [de^{m}] cocoon, ⟨van zijderups⟩ pod

cocoonen [onov ww] ± (stay at home and) chill out, ⟨AE⟩ cocoon, ⟨tv kijken; inf⟩ couch-potato

[1]cocotte [de^{v}] ⟨vrouw⟩ coquette, flirt, ↓tart, ⟨vero⟩ cocotte

[2]cocotte [de] ⟨vuurvaste schotel⟩ cocotte, casserole

cocounselen [onov ww] co-counsel

cod. [de^{m}] (codex) cod

coda [de] [1] ⟨muz⟩ coda [2] ⟨lit⟩ coda, tail

code [de^{m}] [1] ⟨stelsel van signalen⟩ code ◆ *genetische **code*** genetic code; ***volgens** een bepaalde code met iemand omgaan* deal with s.o. according to certain rules (of conduct) [2] ⟨geheimschrift⟩ code, cipher, cypher ◆ *niet **in** code* en clair; *een bericht **in** code* a code(d) message/dispatch, a message in cipher; *een code **ontcijferen*** break/crack a code/cipher [3] ⟨wetboek⟩ code, body of law [4] ⟨voorschriften⟩ code, regulations, rules, principles

codecisie [de^{v}] ⟨jur⟩ co-decision ◆ ***recht** van codecisie hebben* have/enjoy the right of co-decision

Code Civil [de^{m}] Civil code, Napoleonic code

codeerder [de^{m}] cipher/code clerk, (en)coder

codeïne [het, de] codeine

codenaam [de^{m}] code name

Code Napoléon [de^{m}] Napoleonic code, Civil code

codenummer [het] code-number, ⟨in België⟩ PIN-code (number)

coderekening [de^{v}] coded account

coderen [ov ww, ook abs] [1] ⟨in code omzetten⟩ (en)code, encrypt, encipher [2] ⟨van een code voorzien⟩ code, give/allot a code to

codering [de^{v}] (en)coding, encryption

codetaal [de] code (language) ◆ ***geheime** codetaal* cipher; ***in** codetaal omzetten* (en)code, put in code, encipher; ***uit** codetaal overbrengen* decode, decipher

codetelegram [het] code/cipher telegram

codeur [de^{m}] [1] ⟨iemand die gegevens in code overbrengt⟩ cipher/code clerk, (en)coder [2] ⟨comp⟩ coder

codevlag [de] code flag

codewoord [het] [1] ⟨sleutelwoord⟩ codeword [2] ⟨woord van een code⟩ codeword

codex [de^{m}] [1] ⟨handschrift⟩ codex, manuscript [2] ⟨in België; liedbundel⟩ student songbook

codicil [het] codicil, ⟨toevoegsel ook⟩ rider

codicildrager [de^{m}] codicil bearer

codicologie [de^{v}] codicology

codificatie [de^{v}] codification

codificeren [ov ww] [1] ⟨tot een wetboek maken⟩ codify [2] ⟨in regels vatten⟩ codify ◆ *een grammatica moet het **taalgebruik** codificeren* a grammar book has to codify language usage

co-educatie [de^{v}] coeducation, mixed education

coëfficiënt [de^{m}] ⟨natuurk, wisk⟩ coefficient ◆ *in ax is a de coëfficiënt* the coefficient of the term ax is a

coërcerend [bn, bw] coercive ⟨bw: ~ly⟩

coërcibel [bn, bw] coercible ⟨bw: coercibly⟩

coërcitie [de^{v}] [1] ⟨het bedwingen⟩ coercion [2] ⟨dwang⟩ coercion, force

co-evolutie [de^{v}] co-evolution

co-existentie [de^{v}] [1] ⟨het naast elkaar bestaan⟩ coexistence ◆ ***vreedzame** co-existentie* peaceful coexistence [2] ⟨pol⟩ coexistence [3] ⟨het tegelijk aanwezig zijn⟩ coexistence

co-existeren [onov ww] coexist

coferment [het] fermentation catalyst

coffeepad [de^{m}] coffee pad

coffeeshop [de^{m}] coffee bar, ↑coffee house, ⟨AE⟩ coffee shop, teashop, tearoom, café

cofferdam [de^{m}] ⟨scheepv⟩ [1] ⟨ruimte⟩ coffer(dam), caisson [2] ⟨droogdok⟩ cofferdam

cofiliatie [de^{v}] common descent

cofinanciering [de^{v}] co-financing

cognaat [de^{m}] [1] ⟨bloedverwant⟩ cognate [2] ⟨taalk⟩ cognate

cognac [de^{m}] cognac, French brandy ◆ ***een** cognacje* a (glass of) brandy

cognitie [de^{v}] [1] ⟨kenvermogen⟩ cognition [2] ⟨kennisneming, onderzoek van een zaak⟩ ⟨kennisneming⟩ cognizance, ⟨bevoegdheid⟩ jurisdiction, competence

cognitief [bn, bw] cognitive ⟨bw: ~ly⟩ ◆ *cognitieve **psychologie/antropologie*** cognitive psychology/anthropology

cognitivisme [het] cognitivism

cognossement [het] ⟨handel⟩ bill of lading, ⟨vaak afgekort⟩ B/L

cohabitatie [de^{v}] copulation, ⟨med⟩ coitus, coition, ↓sexual intercourse

cohabiteren [onov ww] copulate, ⟨med⟩ engage in coitus/coition, ↓have sexual intercourse

coherent [bn, bw] coherent ⟨bw: ~ly⟩ ⟨ook natuurkunde⟩, ⟨zonder innerlijke tegenspraak⟩ consistent ◆ *hij is niet in staat coherent te **spreken*** he is not able to speak coherently

coherentie [de^{v}] coherence, coherency, ⟨zonder innerlijke tegenspraak⟩ consistency

cohesie [de^{v}] [1] ⟨samenhang⟩ cohesion [2] ⟨natuurk⟩ cohesion [3] ⟨taalk⟩ cohesion

cohesiefonds [het] cohesion fund

cohort [de] [1] ⟨Romeinse gesch⟩ cohort [2] ⟨krijgsbende⟩ cohort

cohortonderzoek [het] cohort study

coifferen [ov ww] style/dress s.o.'s hair, ↓ do s.o.'s hair
coiffeur [de^{m}] hairdresser, ↑ coiffeur, ⟨voor mannen ook⟩ barber
coiffeuse [de^{v}] ① ⟨kapster⟩ (woman) hairdresser/stylist, ↑ coiffeuse ② ⟨kaptafel⟩ dressing-table
coiffure [de^{v}] hair style, ⟨van vrouwen⟩ ↓ hairdo, ⟨van mannen⟩ haircut, ↑ coiffure, ⟨zeldz⟩ coif
coil [de^{m}] coil
coilen [ov ww] coil
coïncidentie [de^{v}] coincidence
coïncideren [onov ww] coincide
co-instructie [de^{v}] coeducation, mixed education
coïtaal [bn] coital
coïteren [onov ww] copulate, ↑ engage in coitus/coition, ↓ have sexual intercourse
coïtus [de^{m}] coitus, coition, ↓ sexual intercourse
coitus interruptus [de^{m}] coitus interruptus
coke [de^{m}] ① ⟨coca-cola⟩ coke ② ⟨cocaïne⟩ coke, snow, Charlie, girl
cokes [de] coke ♦ *een **mud** cokes* ± a hundredweight of coke
col [de^{m}] ① ⟨opstaande kraag⟩ rollneck, ⟨BE ook⟩ polo neck, turtleneck ② ⟨bergpas⟩ col, (mountain) pass
cola [de^{m}] ① ⟨frisdrank⟩ coke, ↑ Coca Cola ② ⟨glas met cola⟩ (glass of) coke
cola-tic [de^{m}] ⟨bijvoorbeeld⟩ rum/gin and coke
colbert [het, de^{m}], **colbertjasje** [het] jacket, ⟨van kostuum⟩ suit-jacket
colbertisme [het] Colbertism
colbertjasje [het] → **colbert**
colbertkostuum [het] suit, ⟨vnl. BE, ook⟩ lounge-suit, ⟨met vest⟩ three-piece suit, ⟨form⟩ morning dress
cold case [de^{m}] cold case
coldcaseteam [het] cold case team
cold turkey [bw] cold turkey ♦ *cold turkey **afkicken*** cold-turkey, try/take the cold-turkey cure, come off drugs cold turkey
colibacterie [de^{m}] colon bacillus, coli (bacillus)
Coliseum [het], **Colosseum** [het] Coliseum
collaar [het] stock
collaberen [onov ww] collapse
collaborateur [de^{m}] collaborator, collaborationist, quisling
collaboratie [de^{v}] collaboration
collaboreren [onov ww] collaborate
collage [de^{v}] ① ⟨bk⟩ collage, montage, paste-up ♦ *een collage **maken*** make a collage ② ⟨samenvoeging tot een geheel⟩ collage
collageen [het] collagen
collant [de^{m}] ⟨in België⟩ ⟨BE⟩ tights, ⟨AE⟩ panty hose
collaps [de^{m}] collapse
collateraal [bn] collateral, ⟨verwantschap ook⟩ oblique ♦ ⟨zelfstandig (gebruikt)⟩ ***de** collateralen* the collaterals; ⟨plantk⟩ *collaterale **knoppen*** lateral buds
collateralen [de^{mv}] collaterals
collatie [de^{v}] ① ⟨vergelijking⟩ collation ② ⟨uitkomst van een collationering⟩ collation ③ ⟨het begeven van een ambt⟩ collation
collation [het] (cold) collation, ↓ light meal, ↓ snack
collationeren [ov ww] ① ⟨vergelijken⟩ collate ② ⟨controleren⟩ collate
collationering [de^{v}] collation ♦ *telegrammen **met** collationering* repeated telegrams, repetition paid telegrams
collator [de^{m}] collator, patron, ⟨jur⟩ advowee
collect [bw] ⊡ *collect **bellen*** reverse the charges
collecta [de] → **collecte**
collectaneum [het] collectanea, anthology, miscellany, ⟨citatenboek⟩ commonplace-book
collectant [de^{m}] collector, ⟨anglic ook⟩ sidesman
collect call [de^{m}] ⟨BE⟩ reverse-charge call, ⟨AE⟩ collect call
collecte [de] ① ⟨inzameling⟩ collection, ⟨in kerk ook⟩ offertory, ⟨na dienst/concert⟩ retiring collection, ⟨spontane, informele collecte; BE⟩ whip-round ♦ *een collecte **houden*** make a collection; ⟨onder de aanwezigen⟩ take (up) a collection; pass/send the hat round; ⟨spontaan, inf collecteren; inf; BE⟩ have a whip-round; *een collecte **voor** de kankerbestrijding houden* collect on behalf of/for cancer research ② ⟨ingezameld geld⟩ collection (money), ⟨in kerk ook⟩ offertory, ⟨vnl. m.b.t. straatmuzikanten enz.; inf⟩ hat ③ ⟨r-k; gebed na Gloria⟩ Collect
collectebus [de] money-box, collecting-box, ⟨in kerk⟩ offertory-box, ⟨arm(en)bus⟩ poor box, ⟨voor de zending⟩ mission/missionary box
collecteren [ov ww, ook abs] collect, make a collection, ⟨in kerk⟩ take the collection, send round the plate, ⟨onder de aanwezigen⟩ take (up) a collection, ⟨vnl. straatmuziek, demonstraties enz.; inf⟩ pass/send the hat round ♦ *langs de **huizen** collecteren* collect from door to door, make a house-to-house collection
collecteschaal [de] (collection/offering) plate, alms dish/basin ♦ *met de collecteschaal **rondgaan*** carry/take round the collection plate, take up a/the collection/offertory
collecteur [de^{m}], **collectrice** [de^{v}] collector
collectezak [de^{m}] collection bag
collectezakje [het] collection bag, offertory/alms bag, collecting bag
collectie [de^{v}] ① ⟨verzameling⟩ collection, assemblage, show ♦ *een collectie **aanleggen/opbouwen*** start/build up a collection; *een **fraaie** collectie schilderijen/doeken/postzegels* a fine collection/array of paintings/canvases/stamps; *hij heeft een **hele** collectie* he's got quite a/some collection ② ⟨mode⟩ collection, range, line
^{1}**collectief** [het] ① ⟨verzamelnaam⟩ collective (noun) ② ⟨gemeenschap⟩ collective, cooperative, co-operative
^{2}**collectief** [bn, bw] collective, corporate, joint, communal ♦ *collectieve **arbeidsonderhandelingen*** collective (wage) bargaining, collective bargaining on terms/conditions of employment; *collectieve **arbeidsovereenkomst*** collective (wage) agreement, collective agreement on terms/conditions of employment; *collectieve **boerderij**/collectief **landbouwbedrijf*** collective farm; ⟨Sovjet-Unie ook⟩ kolk(h)oz; ⟨Israël ook⟩ kibbutz; *collectieve **druk/lastendruk*** burden of social charges; *collectief **eigendom*** collective/joint ownership; *collectief **leiderschap*** collective leadership; *collectieve **procuratie*** joint power of attorney, ⟨meer mensen ook⟩ collective power of attorney, joint proxy; *collectieve **sector*** corporate/public sector; *collectieve **uitgaven*** public expenditure/spending; *collectieve **verantwoordelijkheid/aansprakelijkheid*** corporate/joint responsibility/liability; *collectieve **voorzieningen*** public/community services; *collectief ontslag **vragen/indienen*** resign in a body
collectievelastendruk [de^{m}] collective tax burden
collectioneren [ov ww] collect, ⟨sparen⟩ save
collectioneur [de^{m}] collector
collectivisatie [de^{v}] collectivization, nationalization
collectiviseren [ov ww] collectivize, nationalize
collectivisme [het] ① ⟨ec⟩ collectivism ② ⟨het vooropstellen van de gemeenschap⟩ collectivism
collectivist [de^{m}] collectivist
collectiviteit [de^{v}] collectivity
collectivum [het] collective (noun)
collector [de^{m}] ① ⟨onderdeel van een dynamo⟩ collector, commutator ② ⟨deel van een transistor⟩ collector ③ ⟨in België; voor afvalwater⟩ waste water catchment
collector's item [het] collector's item, collectible
collectrice [de^{v}] → **collecteur**
collega [de^{m}] colleague, associate, ↑ confrère, ↓ fellow-worker, ↓ co-worker, ⟨vnl. m.b.t. handarbeider⟩ workmate

♦ ***geachte** collega* ⟨rechtszaal⟩ my learned friend; ⟨parlement⟩ my honourable friend; *hij **is** een collega van **mij*** he's a colleague of mine, he is one of my fellow (teachers/translators/...), he is a fellow (teacher/translator/...); *een van **mijn** collega's* one of my colleagues/fellow workers; ⟨inf⟩ s.o. I work with, s.o. from work; ***waarde** collega* my dear Mr/Mrs ...; ⟨onpersoonlijk⟩ Dear Colleague; ⟨form⟩ esteemed colleague

college [het] [1] ⟨les⟩ ⟨alg⟩ (university) class, ⟨hoorcollege⟩ (formal) lecture ♦ *de colleges zijn weer **begonnen*** term has/lectures have started again; *college **houden/geven** (over)* lecture (on), give (a course of) lectures (on); *college **lopen*** attend (a course of) lectures; ⟨student aan een universiteit zijn⟩ go to/be at university/college, ⟨inf ook; AE⟩ go to/be at school; *college **lopen** bij prof.* M. attend Prof M.'s lectures; ***naar** college gaan* attend lectures, go to lectures [2] ⟨bestuurslichaam⟩ board, ⟨m.b.t. kardinalen, herauten⟩ college, collegium ♦ *college van **bestuur*** ⟨van school/universiteit⟩ (Board of) Governors, ⟨USA⟩ (Board of) Regents; ⟨van onderneming⟩ Board of Directors; *het college van **burgemeester** en **wethouders**,* ⟨in België⟩ *het college van **burgemeester** en **schepen*** (the bench of) Mayor and Aldermen; ⟨in Lage en Duitstalige landen ook⟩ (the bench of) Burgomaster and Aldermen; ⟨Groot-Brittannië⟩ ± the (Municipal) Executive; ⟨in België⟩ ***Het** College* Council of the Flemish/Francophone Community of Greater Brussels; ***Hoge** colleges van Staat* High Councils of State; *het college van **kardinalen*** (Sacred) College of Cardinals, Collegium; *het college van **kerkvoogden*** the Church Commissioners; ***rechterlijke** colleges* ⟨colleges van rechters⟩ courts of justice; ⟨collectivum ook⟩ (the) judicature/judiciary; ⟨voor bijzondere rechtspraak⟩ judicial tribunals [3] ⟨school⟩ ⟨BE⟩ college, ⟨AE⟩ highschool, ⟨BE ook⟩ secondary school [4] ⟨in België; school⟩ college

collegedictaat [het] [1] ⟨tijdens college gemaakt dictaat⟩ lecture notes [2] ⟨vóór een college verkrijgbaar overzicht⟩ summary/synopsis of a lecture

collegegeld [het] (tuition) fees, ⟨AE⟩ tuition and fees

collegejaar [het] academic year

collegekaart [de] student card, (university) ID card

collegezaal [de] lecture-room, ⟨groter⟩ lecture-hall, ⟨amfitheater⟩ lecture-theatre

collegiaal [bn, bw] [1] ⟨zoals onder collega's⟩ ↑ fraternal ⟨bw: ~ly⟩, brotherly, amicable, ⟨kameraadschappelijk⟩ comradely ♦ *met collegiale **groet*** with fraternal greetings; *zich collegiaal **opstellen*** be a/behave like a good colleague [2] ⟨door een college geleid⟩ collegiate ⟨bw: ~ly⟩ ♦ *collegiale **kerk*** collegiate church; *collegiale **rechtspraak*** trial by a bench/plurality of judges; ⟨Groot-Brittannië⟩ trial before a full court, ⟨vero⟩ trial at bar

collegialiteit [de^v] collegiality, (good) fellowship, fellow-feeling, ⟨vnl. onder soldaten, vakbondsleden, socialisten⟩ comradeship

collider [de] collider

collideren [onov ww] collide

collie [de^m] collie, ⟨inf⟩ Lassie (dog)

collier [het, de^m] necklace, rivière

collimatielijn [de] line of sight

collimator [de^m] collimator

collineair [bn] ⟨wisk⟩ collinear

collisie [de^v] [1] ⟨botsing⟩ collision, clash ♦ ***in** collisie komen* be in/come into collision with; *collisie van **plichten*** conflicting/conflict of duties/obligations [2] ⟨jur; wetsconflict⟩ conflict of laws

collo [het] package ♦ *deze zending bestaat uit **twintig** colli* this shipment/delivery consists of twenty packages

collocatie [de^v] collocation

collodium [het] ⟨scheik⟩ collodion, collodium

colloïdaal [bn, bw] ⟨scheik⟩ colloidal ⟨bw: ~ly⟩ ♦ *een colloïdale **oplossing*** a colloid, a disperse system, a dispersion; *colloïdaal **stabiel*** colloidally stable

colloïde [het, de^v] colloid, ⟨inclusief oplosmiddel⟩ dispersion, disperse system

colloquium [het] [1] ⟨discussiecollege⟩ colloquium, symposium [2] ⟨prot⟩ colloquy [•] *colloquium doctum* ± special entrance examination (for students without formal educational qualifications)

collusie [de^v] [1] ⟨heimelijke verstandhouding⟩ collusion [2] ⟨samenspanning⟩ collusion

colluvium [het] ⟨geol⟩ colluvium

colofon [het, de^m] colophon, (publisher's) imprint

colofonium [het] colophonium, colophony, resin, ⟨in blokvorm voor strijkstok⟩ rosin

Colombia [het] Colombia

Colombia	
naam	*Colombia* Colombia
officiële naam	*Republiek Colombia* Republic of Colombia
inwoner	*Colombiaan* Colombian
inwoonster	*Colombiaanse* Colombian
bijv. naamw.	*Colombiaans* Colombian
hoofdstad	*(Santa Fé de) Bogotá* Santa Fe de Bogotá
munt	*Colombiaanse peso* Colombian peso
werelddeel	*Amerika* America
int. toegangsnummer 57 www.co auto CO	

Colombiaan [de^m], **Colombiaanse** [de^v] ⟨man & vrouw⟩ Colombian, ⟨vrouw ook⟩ Columbian woman/girl

Colombiaans [bn] Colombian

Colombiaanse [de^v] → **Colombiaan**

colombine [de^v] ⟨verkleed persoon⟩ Columbine

Colombine [de^v] ⟨liefje van Harlekijn⟩ Columbine

colon [het] [1] ⟨karteldarm⟩ colon [2] ⟨dubbelepunt⟩ colon

colonnade [de^v] colonnade, portico

colonne [de] column ♦ ***vliegende** colonne* flying column; *een colonne **vrachtauto's*** a column of ^B lorries/^A trucks [•] *de **vijfde** colonne* the fifth column; *lid van de **vijfde** colonne* fifth columnist

coloradokever [de^m] Colorado beetle, ⟨AE ook⟩ Colorado potato beetle, potato beetle/bug

coloratuur [de^v] coloratura, ⟨vnl. m.b.t. instrumenten⟩ passagework, ⟨diminuties⟩ diminutions, divisions, ⟨i.h.b. de geïmproviseerde coloratura van de belcanto⟩ fioritura ♦ *Farinelli versierde zijn aria's met **veel** coloraturen* Farinelli embellished his arias with a great deal of coloratura/fioritura/with a large number of divisions

coloratuurzangeres [de^v] coloratura (soprano/mezzo/...), ⟨vnl. onder musici; sl⟩ canary

colorfieldpainting [het] colour-field painting

coloriet [het] colour(ing), coloration

colorimeter [de^m] colorimeter, tintometer

colorimetrie [de^v] colorimetry

colorist [de^m] colourist

coloristisch [bn, bw] colour(ing), ⟨bijwoord⟩ from the point of view of (the) colour(ing)/coloration, with regard to (the) colour(ing)/coloration

Colosseum [het] → **Coliseum**

colostrum [het] colostrum, foremilk, ⟨vnl. m.b.t. koe ook⟩ beestings, beastings

colportage [de^v] canvassing, vending, ⟨huis aan huis⟩ doorstep sale, selling door-to-door, ↓ peddling, ↓ hawking, ⟨i.h.b. van Bijbels en traktaten ook⟩ colportage

colporteren [ov ww] [1] ⟨huis aan huis intekenaars werven⟩ canvass, ⟨AE spelling ook⟩ canvas, vend, ⟨huis aan huis⟩ sell door-to-door, ↓ hawk, ↓ peddle, doorstep ♦ *(met) een **blad** colporteren* canvass for a newspaper/magazine [2] ⟨geruchten, leugens verspreiden⟩ peddle, spread, ⟨m.b.t. leugens ook⟩ retail, canvass, circulate ♦ ***geruchten/leugens** colporteren* peddle/spread/retail lies/rumours; *het colporteren van **geruchten/lasterpraat*** the spreading of ru-

mours/scandal, rumourmongering, scandalmongering
colporteur [de^m] canvasser, ⟨huis aan huis⟩ (door-to-door/doorstep) salesman, ↓ hawker, ↓ peddlar, ⟨BE ook⟩ knocker, ⟨i.h.b. van Bijbels en traktaten ook⟩ colporteur
colposcoop [de^m] ⟨med⟩ colposcope
colposcopie [de^v] copolscopy
colt [de^m] Colt
coltrui [de] rollneck (pullover/sweater), ⟨BE ook⟩ polo neck (pullover/sweater), turtleneck (pullover/sweater)
columbarium [het] columbarium
Columbus [de] ▪ *het ei van Columbus* just the thing we want, just what we want
column [de] column
columnisme [het] column writing
columnist [de^m] columnist
columnistisch [bn] columnistic
coluren [de^{mv}] ⟨astron⟩ colures ⟨in Engels ook in enk voorkomend⟩
[1]**coma** [het] ⟨bewusteloosheid⟩ coma ◆ ***diabetisch** coma* diabetic coma; ***in** coma liggen* be in (a) coma; ***in** (een) coma raken* go/lapse into a coma; ***uit** een coma bijkomen* come out of a/one's coma, regain consciousness
[2]**coma** [de] 1 ⟨nevelmassa⟩ coma 2 ⟨afbeeldingsfout⟩ coma
comapatiënt [de^m], **comapatiënte** [de^v] comatose patient, person in (a) coma
comapatiënte [de^v] → **comapatiënt**
comateus [bn] comatose
comazuipen [ww] binge drink, drink o.s. into a coma
combattant [de^m] combatant
combattief [bn] combative, pugnacious
combi [de^m] 1 (stationcar) estate car, ⟨AE⟩ station wagon, ⟨BE ook⟩ shooting-brake, shooting-break, ⟨inf ook; BE⟩ estate, ⟨inf ook; AE⟩ wagon 2 (combinatie) combination, combi
combikaart [de] all-in-one/combined ticket, combined train plus admission ticket
combiketel [de^m] combination boiler
combimagnetron [de^m] combination oven
combinatie [de^v] 1 ⟨het verenigen tot een geheel⟩ combination, combining, integration 2 ⟨de vereniging tot een geheel⟩ combination, association, union, ⟨syndicaat⟩ combine, syndicate, ⟨i.h.b. illegaal/geheim syndicaat⟩ ring, ⟨samenwerking⟩ conjunction ◆ *een combinatie van **factoren*** a combination of factors; *een **hechte/sterke** combinatie vormen* form a close/firm combination/alliance; ***in** combinatie met* in combination/conjunction with, combined with 3 ⟨het in onderling verband brengen⟩ combination 4 ⟨trekker met oplegger⟩ combination 5 ⟨ruiter en paard⟩ combination 6 ⟨sport; aanval⟩ combination 7 ⟨denksport⟩ combination 8 ⟨wisk⟩ combination, ⟨permutatie⟩ permutation 9 ⟨twee bij elkaar horende kledingstukken⟩ combination, two-piece, coordinates, ensemble 10 ⟨van slot⟩ combination
combinatiebad [het] swimming baths with outside pool
combinatief [bn, bw] combinative, combinational, ⟨wisk⟩ combinatorial
combinatiekorting [de^v] ⟨in Nederland⟩ combination tax credit
combinatiepil [de] combined pill
combinatiepolis [de] comprehensive insurance (policy)
combinatierekening [de^v] ⟨wisk⟩ combinatorial analysis
combinatieslot [het] combination lock, permutation lock
combinatietang MEERVOUD [de] combination pliers, ⟨met isolatie⟩ electrician's pliers ◆ ***twee** combinatietangen* two pairs of combination pliers
combinatieteelt [de] combined cultivation
combinatietherapie [de^v] combination therapy
combinatietoon [de^m] combination tone
combinatievermogen [het] power(s) of combining/combination, combinatorial power(s), deductive powers
combinatiewagen [de^m] ⟨BE⟩ estate car, ⟨AE⟩ station wagon
combinatorisch [bn] combinatorial ◆ ⟨taalk⟩ *combinatorische **variatie/variant*** combinatorial/combinative/allophonic variation/variant
combine [de^v] 1 ⟨landb⟩ combine (harvester) ◆ ***twee** combines* two combines, two combine harvesters 2 ⟨samenspanning⟩ combination, combine ◆ *een combine **vormen*** form/make a combination/combine
[1]**combineren** [onov ww] 1 ⟨bij elkaar passen⟩ go (together), match ◆ *die **hoed** en die **schoenen** combineren **uitstekend*** that hat and those shoes go well together/with each other/are a perfect match; *de **kleuren** combineren **niet*** these colours don't go (together)/don't match, these colours clash 2 ⟨sport⟩ play together
[2]**combineren** [ov ww] 1 ⟨samenvoegen⟩ combine (with) ◆ *gecombineerde **balans*** consolidated balance sheet; ***twee betrekkingen** combineren* combine two posts; *deze **heb** ik **nooit** eerder gecombineerd **gezien*** I have never seen these in combination before 2 ⟨met elkaar in verband brengen⟩ associate (with), link (with) ◆ *je moet de **dingen** kunnen combineren* you must/should be able to put two and two together
combioven [de^m] combination oven
combitherapie [de^v] combination therapy
combo [het, de^m] combo
comeback [de^m] comeback ◆ *een comeback **maken**/proberen te **maken*** stage/make/attempt a comeback
comebackkid [de^m] comeback kid
Comecon [de^m] Comecon
comédienne [de^v] comedienne, comedy actress, ⟨fig⟩ sham
comedyserie [de^v] ⟨tv⟩ comedy series
comestibles [de^{mv}] delicatessen, delicacies
comestibleswinkel [de^m] delicatessen (shop), ⟨inf⟩ deli, delly
comfort [het] comfort ⟨vaak mv⟩, convenience ⟨vaak mv⟩ ◆ *gebrek **aan** comfort* lack of comfort/facilities; *voorzien van het meest **moderne** comfort* with all modern conveniences/comforts, with every modern convenience/comfort; ⟨inf; BE⟩ with all mod cons
comfortabel [bn, bw] 1 ⟨comfort biedend⟩ comfortable ⟨bw: comfortably⟩ ◆ *een comfortabel **huis*** a comfortable house 2 ⟨ruimschoots toereikend⟩ comfortable ⟨bw: comfortably⟩ ◆ *een comfortabele **meerderheid*** a comfortable majority
comfortclass [de^m] comfort class
comfortzuil [de] amenities point
comic [de^m] comic
coming man [de^m] coming man
coming-out [de^m] coming out
comité [het] committee ◆ ***Economisch** en **Sociaal** Comité* Economic and Social Commission; *het comité **heeft besloten** dat het zijn werkzaamheden zal voortzetten* the committee has/have decided that it/they will continue its/their activities; *de vergadering ging **in** comité generaal* the meeting went into committee; *vergaderen **in** comité (over het voorstel)* sit/be in committee/behind closed doors/in camera (on the proposal); discuss (the proposal) in committee/behind closed doors/in camera; ⟨in België⟩ ***inrichtend** comité* organizing committee; ⟨in België⟩ ***paritair** comité* joint industrial committee; ***uitvoerend** comité* executive committee; *de zaak werd behandeld en petit comité* the matter was dealt with by a select committee/body/group/working party
commandant [de^m] 1 ⟨mil⟩ commander, ⟨van vesting/

kamp⟩ commandant 2 ⟨m.b.t. de brandweer⟩ ⟨BE⟩ chief (fire) officer, ⟨AE⟩ (fire) chief 3 ⟨iemand die graag de lakens uitdeelt⟩ bully, petty tyrant

commanderen [ov ww, ook abs] 1 ⟨het bevel voeren (over)⟩ command, be in command (of) ♦ *commanderend officier* commanding officer 2 ⟨bevelen⟩ give orders, ⟨pej⟩ boss about/around, order about/around ♦ *commandeer je **hond** en blaf zelf* you needn't think you can order/boss me about (the place); *ze **laat** zich niet commanderen* she won't take orders from anybody/be dictated to; *hij **loopt** voortdurend te commanderen* he's always ordering/bossing people about/around

commandeur [de^m^] 1 ⟨rang bij ridderorden⟩ (knight) commander 2 ⟨rang bij de marine⟩ Commodore 3 ⟨chef van dienst⟩ head of department/section 4 ⟨versnellingshendeltje⟩ handlebar gear lever

commandeurskruis [het] knight commander's cross

commandiet [de^m^] limited/dormant partner, ⟨AE⟩ sleeping partner, ⟨AE⟩ silent partner

¹**commanditair** [de^m^] → **commanditaris**

²**commanditair** [bn] • *commanditair **vennoot*** ^B^sleeping/^A^silent/limited/dormant partner; *commanditair **vennootschap*** limited partnership; ⟨buiten Groot-Brittannië ook⟩ commandite partnership

commanditaris [de^m^], **commanditair** [de^m^] ⟨BE⟩ sleeping partner, ⟨AE⟩ silent partner, limited partner

commando [het] 1 ⟨gezag⟩ command ♦ ***onder** commando staan van* be under the command of; *het commando **overnemen*** take (over) command (of); *het commando **voeren/hebben** (over)* command, be in command (of)/in charge (of) 2 ⟨order⟩ (word of) command, order, ⟨comp⟩ command ♦ ***op** het commando* at the word of command; *huilen **op** commando* cry at will; *iets **op** commando doen* do sth. to order; *iets **op** iemands commando doen* do sth. at s.o.'s command/bidding; *ik kan niet vriendelijk zijn **op** commando* I can't be friendly to order 3 ⟨selecte groep⟩ commando 4 ⟨soldaat⟩ commando

commandobrug [de] ⟨scheepv⟩ bridge

commandogroep [de] command

commandopost [de^m^] ⟨mil⟩ command post, operations room, battle station

commandostaf [de^m^] baton, staff of office

commandotoon [de^m^] peremptory tone ♦ ***op** (een) commandotoon* in a peremptory tone; ⟨inf⟩ in a bossy voice/way

commandotoren [de^m^] conning tower

commandotroepen [de^mv^] commando troops, commando(e)s

commandovlag [de] 1 ⟨op de commandopost⟩ standard, banner, colours, ensign 2 ⟨op een oorlogsschip⟩ admiral's flag

commandowisseling [de^v^] change of command

comme il faut [bw] comme il faut ♦ *dat **is** niet comme il faut* that is not comme il faut/not (quite) the done thing, that is bad form

commemorabel [bn] memorable

commemoratie [de^v^] 1 ⟨herdenking⟩ commemoration 2 ⟨r-k⟩ commemoration

commensaal [de^m^] 1 ⟨kostganger⟩ commensal, lodger 2 ⟨ongedierte⟩ commensal

commensalisme [het] ⟨biol⟩ commensalism

commensurabel [bn] commensurable

commentaar [het, de^m^] 1 ⟨toelichting⟩ comment(s), remark(s), observation(s), ⟨op teksten ook⟩ commentary (on), annotations (to) ♦ ***geen** commentaar* no comment; *commentaar (op iets) **geven/leveren*** comment/make comments (on sth.); ***heeft** iemand nog commentaar hierop?* has anyone any further comments/remarks?, has anyone got anything else to say?; *commentaar **overbodig*** enough said 2 ⟨kritiek⟩ (unfavourable) comment, criticism ♦ *een **hoop** commentaar krijgen* receive a lot of unfavourable comment/criticism, come in for a good deal of unfavourable comment; *aanleiding geven **tot** commentaar* give rise to/be subject of (some) comment, give rise to/be subject of unfavourable comment/criticism; *commentaar **uitlokken*** provoke (unfavourable) comment 3 ⟨rechtstreeks verslag⟩ (running) commentary

commentaarstem [de] voice-over

commentariëren [ov ww] commentate on, give/make a commentary on, ⟨teksten⟩ annotate

commentator [de^m^], **commentatrice** [de^v^] commentator, ⟨van teksten ook⟩ annotator

commentatrice [de^v^] → **commentator**

commenten [onov ww] comment, leave a comment

commercial [de^m^] commercial

commercialiseren [ov ww] commercialize

commercialisering [de^v^] commercialization

commercie [de^v^] commerce, trade

commercieel [bn, bw] commercial ⟨bw: ~ly⟩ ♦ *zij **gaan** daar veel commerciëler **te werk*** they have a much more commercial approach there, they are much more commercially oriented/orientated there; *commercieel **gezien*** commercially speaking, from a commercial point of view; *een commerciële **loopbaan** beginnen* go into commerce/business, start a commercial career; ***op niet-commerciële** basis* on a non-profit(-making) basis; *een commercieel **plaatje/succes**, commerciële **roman*** a commercial record/success/novel; *commerciële **radio** en tv* commercial radio and TV; *een commercieel **schrijver*** a commercial writer/hack (writer)

commies [de^m^] 1 ⟨titel van ambtenaren⟩ clerk, administrative assistant 2 ⟨tolbeambte⟩ customs (and excise) officer ♦ *commiezen **te water*** (maritime) customs officers 3 ⟨klerk⟩ clerk

commiesbrood [het] army bread

commissariaat [het] 1 ⟨ambt⟩ commissionership ♦ *een commissariaat **bekleden** bij een bedrijf* sit on the board of a company; ***houder** van een viertal commissariaten* holder of four commissioner's posts; *Commissariaat voor de **Media*** Broadcasting Commission 2 ⟨bureau⟩ commissioner's office

commissaris [de^m^] 1 ⟨gevolmachtigde⟩ commissioner ⟨vaak Commisioner⟩, governor ♦ *de commissarissen van de **EU*** the EU commissioners; *de Britse **Hoge** Commissaris in Nigeria* the British High Commissioner in Nigeria; *commissaris van de **Koningin*** (Royal) Commissioner, ⟨BE⟩ ± Lord Lieutenant, ⟨AE⟩ ± Governor; *commissaris van **politie*** ⟨BE⟩ Chief Constable, Chief of Police, police commissioner 2 ⟨toezichthouder op de directie⟩ commissioner ♦ *de **raad** van commissarissen* the supervisory board, the board of supervisory directors 3 ⟨actief bestuurslid⟩ official, officer ♦ ⟨fin⟩ *commissaris voor de **notering*** officer of quotations; *de commissarissen van **orde*** stewards

commissaris-generaal [de^m^] commissioner general, ⟨Groot-Brittannië; op ministerie⟩ permanent undersecretary

commissie [de^v^] 1 ⟨personen met bepaalde opdracht⟩ committee, board, commission, panel, tribunal ♦ *commissie van **beheer*** management committee; *een commissie van goede **diensten*** conciliation board; *de **Europese** Commissie* the European Commission; *de **financiële** commissie* financial committee; *de commissie **heeft besloten** dat zij haar werkzaamheden zal voortzetten* the committee has/have decided that it/they will continue its/their activities; ***in** een commissie zitten* be/sit on a committee; *een commissie **instellen*** appoint/set up/form/establish a committee; *commissie van **onderzoek*** commission of inquiry; ⟨jur⟩ Court of Inquiry; ⟨pol⟩ fact-finding committee; *commissie van **ontvangst*** reception committee; *lid zijn van een bijzondere **parlementaire** commissie* ⟨pol; BE⟩ be a member of/sit on a select committee; ⟨in België⟩ *Vaste Commissie voor **Taaltoezicht*** permanent language watchdog commission, permanent commission to supervise the application of the language laws; *commissie van **toezicht*** supervisory/watchdog committee/commission; ⟨school enz.⟩ board of visitors/governors; ***vaste/permanente** commissie* standing committee; *commissie ad hoc* ad hoc committee ② ⟨handel⟩ commission ◆ *goederen **in** commissie houden* hold goods on consignment; *boeken **in** commissie bestellen* order books on sale or return; *iets **in** commissie kopen/verkopen* buy/sell sth. on commission/consignment; *als ik lieg, dan lieg ik **in** commissie* ± I'm telling the truth as I've been told it ③ ⟨loon⟩ commission, factorage ④ ⟨bestelling⟩ order ◆ *commissies **opnemen*** take/collect orders ⑤ ⟨comité⟩ committee, delegation ◆ *een commissie **uit de burgerij*** a delegation of citizens

commissie

- groep personen met een officiële opdracht, vaak op hoog niveau: meestal commission *(the European Commission)*
- groep personen in een bedrijf of vereniging die een grotere groep vertegenwoordigt: meestal committee *(management committee, advisory committee)*
- (in de handel) loon of opdracht: commission *(commission on sales)*

commissiebasis [de^{v}] commission basis ◆ *werken **op** commissiebasis* work on a commission basis
commissieboek [het] ⟨handel⟩ order book
commissiegoed [het] goods sold on consignment, goods sold on sale or return
commissiehandel [de^{m}] agency business, commission selling
commissielid [het] committee member, member of a committee/board/commission/panel/tribunal, committee man/woman, commissioner; → **commissie**
commissieloon [het] commission
commissionair [de^{m}] agent, broker, factor, ⟨AE ook⟩ commission merchant ◆ *commissionair **in effecten*** stockbroker
commissoriaal [bn] committee ◆ *commissoriale **beraadslagingen*** consultations in committee; *iets commissoriaal **maken*** refer sth. to a committee
commissuur [de] ⟨biol⟩ commissure
commitment [het] commitment
committent [de^{m}] principal
committeren [ov ww] commission
commode [de^{v}] chest of drawers, ⟨AE ook⟩ lowboy
commodore [de^{m}] ① ⟨mil⟩ Commodore ② ⟨gezagvoerder bij een luchtvaartmaatschappij⟩ captain ③ ⟨Engels, Amerikaans gezagvoerder⟩ Commodore ④ ⟨gezagvoerder van koopvaardijschepen⟩ Commodore ⑤ ⟨in België; laagste opperofficier⟩ commodore
common rail [de^{m}] common rail
Commonwealth [de] Commonwealth
commotie [de^{v}] commotion, consternation, ⟨inf⟩ fuss, rumpus ◆ *commotie **maken/geven*** create/cause a commotion, make/kick up a fuss
communaal [bn] ① ⟨gemeenschappelijk⟩ communal ② ⟨lokaal⟩ communal
communautair [bn] ① ⟨gemeenschappelijk⟩ communal, ⟨EU⟩ Community ◆ *communautaire **wetgeving*** Community legislation ② ⟨in België⟩ community, communal ◆ *de communautaire **kwestie, moeilijkheden** in België* the community question/difficulties in Belgium; *communautaire **relaties*** relations between the linguistic communities
communautariseren [ov ww] ⟨in België⟩ ① ⟨bevoegdheden overhevelen naar de deelregeringen⟩ devolve powers from central to regional government ② ⟨in de sfeer van de Vlaams-Waalse tegenstellingen plaatsen⟩ put in the context of Flemish-Walloon differences, relate to Flemish-Walloon differences ③ ⟨tot een communautaire aangelegenheid maken⟩ make into a community issue
communautarisering [de^{v}] ⟨in België⟩ devolution of powers from central to regional government
communautarisme [het] communautarism
communauteit [de^{v}] community, ⟨r-k⟩ congregation
commune [de^{v}] ① ⟨leefgemeenschap⟩ commune ◆ ***in** een commune leven* live in a commune; ***lid** van een commune* member of a commune, commune-dweller, communard ② ⟨communisme⟩ commune
communicant [de^{m}] ⟨r-k⟩ ① ⟨iemand die zijn eerste communie doet⟩ s.o. making his/her first Communion ② ⟨iemand die ter communie gaat⟩ communicant ③ ⟨lid van de kerk⟩ communicant
communicatie [de^{v}] communication ◆ ***in** communicatie staan met* be in communication with; ***intermenselijke** communicatie* communication between human beings; ***onderlinge** communicatie was niet mogelijk* communication was impossible
communicatieadviseur [de^{m}] communications consultant
communicatieapparatuur [de^{v}] communication equipment
communicatiecentrum [het] ⟨in België⟩ communication centre
communicatief [bn, bw] ① ⟨m.b.t. de communicatie⟩ communicative ② ⟨mededeelzaam⟩ communicative, talkative, ↓ chatty
communicatiemedia [de^{mv}] communications
communicatiemiddel [het] means of communication
communicatiemogelijkheid [de^{v}] possibility/opportunity to communicate
communicatieproces [het] communication process
communicatiesatelliet [de^{m}] communications satellite, ⟨adm⟩ comsat
communicatiestoornis [de^{v}] breakdown in communication(s), ⟨med⟩ communication disorder
communicatievermogen [het] communication skills
communicatiewetenschap [de^{v}] communication studies
communicator [de^{m}] communicator
[1]**communiceren** [onov ww] ① ⟨in verbinding staan⟩ communicate (with) ◆ *communicerende **vaten*** communicating vessels ② ⟨r-k⟩ communicate, ⟨AE⟩ commune, receive (Holy) Communion
[2]**communiceren** [ov ww, ook abs] ⟨informatie uitwisselen⟩ communicate ◆ *communiceren **met iemand*** communicate with s.o.; *iets **naar** de mensen toe communiceren* communicate sth. to the people
communie [de^{v}] ⟨r-k⟩ ① ⟨het ontvangen van de eucharistie⟩ (Holy) Communion ◆ *zijn (eerste) communie **doen*** make one's first Communion; ***eerste/plechtige** communie* first/solemn Communion; ***te(r)** communie gaan* go to (Holy) Communion ② ⟨het nuttigen van de hostie⟩ (Holy) Communion ③ ⟨hostie⟩ (Holy) Communion, Host, Eucharist ◆ *de communie **ontvangen*** receive/take (Holy) Communion, communicate, ⟨AE⟩ commune; *de communie **uitreiken*** administer (Holy) Communion ④ ⟨deel van de mis⟩ (Holy) Communion
communiebank [de] communion rail(s)
communiedoek [de^{m}] communion cloth
communiejurk [de] communion dress
communiekleed [het] ① ⟨jurk⟩ Communion dress ② ⟨linnen doek⟩ communion cloth
communiqué [het] communiqué, statement, bulletin ◆ *een communiqué **uitgeven*** issue a communiqué, put out a statement
communisme [het] communism, Bolshevism ◆ *het communisme **aanhangen*** be an adherent of communism; *het*

*communisme **bestrijden*** combat/fight communism; *hij **sympathiseert met** het communisme* he is a fellow traveller
communis opinio [de^{v}] general feeling, public opinion
communist [de^{m}] 1 ⟨aanhanger van het communisme⟩ communist, ⟨pej; inf; AE⟩ commie 2 ⟨mv; regeerders⟩ Communists
communistenhater [de^{m}] anti-Communist, Communist-hater
communistenvreter [de^{m}] rabid anti-communist, ± cold warrior, anti-Red
communistisch [bn, bw] communist ⟨bw: ~ically⟩ ♦ *communistische **agitatie*** agitprop; *communistisch **gezind*** pro-communist; *de communistische **partij*** the communist party
communiteit [de^{v}] 1 ⟨kloosterlingen⟩ community 2 ⟨gemeenschappelijk bezit⟩ community
commutatie [de^{v}] commutation
commutatief [bn] commutative ♦ *commutatieve **overeenkomst*** commutative agreement
commutatieproef [de] ⟨taalk⟩ commutation test
commutator [de^{m}] ⟨techn⟩ commutator
commuun [bn] ♦ *commune **averij*** general average; *commuun **delict*** civil offence
Comomeer [het] Lake Como
comorbiditeit [de^{v}] comorbidity
[1]**Comorees** [de^{m}], **Comorese** [de^{v}] ⟨man & vrouw⟩ Comoran, ⟨vrouw ook⟩ Comoran woman/girl
[2]**Comorees** [bn] Comoran
Comoren [de^{mv}] Comoros
Comorese [de^{v}] → **Comorees**[1]
compact [bn, bw] 1 ⟨vast⟩ compact ⟨bw: ~ly⟩, dense ♦ *een compacte **massa*** a compact mass, a dense crowd 2 ⟨weinig ruimte innemend⟩ compact ⟨bw: ~ly⟩ ♦ *een compacte **computer*** a compact computer 3 ⟨fig; zich beperkend tot de essentie⟩ compact ⟨bw: ~ly⟩, dense ♦ *compact **proza*** compact/terse/dense prose; *een compacte **samenvatting*** a succinct précis; *een compacte **stijl*** a compact/terse style
compact disc [de^{m}] ⟨comp⟩ compact disc
compactdiscspeler [de^{m}] ⟨audio⟩ compact disc/^{A}disk player
compactheid [de^{v}] compactness, density ♦ *de compactheid van een **betoog*** the terseness of an argument
compagnie [de^{v}] 1 ⟨mil⟩ company ♦ *een compagnie **infanterie*** an infantry company 2 ⟨handelsvereniging⟩ company ♦ *de **Oost-Indische/West-Indische** Compagnie* the Dutch East/West India Company 3 ⟨vennootschap⟩ company, partnership ♦ ***in** compagnie handelen met* act in partnership with
compagniecommandant [de^{m}] → **compagniescommandant**
compagniescommandant [de^{m}], **compagniecommandant** [de^{m}] company commander
compagnon [de^{m}] 1 ⟨handelsgenoot⟩ partner, (business) associate, consociate ♦ ***als** compagnon worden opgenomen* be taken into/admitted to partnership; *de compagnon van **iemand** worden* enter/go into partnership with s.o., join s.o. in partnership 2 ⟨maat⟩ pal, buddy, chum
compagnonschap [het] partnership
comparant [de^{m}], **comparante** [de^{v}] 1 ⟨iemand die voor een notaris, rechter enz. verschijnt⟩ appearer, party ♦ *de comparanten ter ene en ter andere zijde* the party of the one part and the party of the other part 2 ⟨iemand die geregeld ergens komt⟩ regular attender ♦ *hij is een **getrouwe** comparant* he is a faithful attender
comparante [de^{v}] → **comparant**
comparatie [de^{v}] ⟨taalk⟩ comparison
[1]**comparatief** VERGELIJKING [de^{m}] ⟨taalk⟩ comparative
[2]**comparatief** [bn] comparative ♦ *wet van de comparatieve **kosten*** principle of comparative costs; *de comparatieve **literatuurgeschiedenis*** comparative history of literature
comparatisme [het] comparati(vi)sm
comparatist [de^{m}] comparatist
compareren [onov ww] ⟨jur⟩ appear (in court/before a notary public) ♦ *compareren **bij** een akte* appear as a party
compartiment [het] compartment
compartimenteren [ov ww] compartmentalize
compascuum [het] common
compassie [de^{v}] compassion
compatibel [bn] 1 ⟨verenigbaar⟩ compatible 2 ⟨m.b.t. randapparatuur⟩ compatible 3 ⟨comp⟩ compatible ♦ *compatibele **systemen*** compatible systems
compatibiliteit [de^{v}] 1 ⟨verenigbaarheid⟩ compatibility ♦ ⟨comp⟩ *compatibiliteit van **gegevensbestanden*** data compatibility 2 ⟨overeenstemming⟩ compatibility
compatible [bn] compatible
compendium [het] compendium ♦ *een compendium van de moderne **geschiedenis*** a compendium of modern history
compensabel [bn] ⟨vnl AE⟩ compensable ♦ *compensabele **schuld*** compensable debt
compensatie [de^{v}] compensation, setoff, amends ♦ ***in** compensatie brengen* set off; *zich beroepen **op** compensatie tegen iemand* plead/claim a setoff against s.o.; *hij is maar een klein ventje, dus hangt hij **ter** compensatie thuis de tiran uit* he's a small guy, so he compensates for it by bullying his family; *compensatie **vinden** in iets* be compensated/made up for sth. by; *dit komt in aanmerking **voor** compensatie* this can be set off/is entitled to compensation; *als compensatie voor, ter compensatie **van*** by way of compensation
compensatiekas [de] ⟨in België⟩ child endowment fund
compensatieorder [de] compensation order
compensatierecht [het] right of setoff/compensation, claim of setoff/compensation
compensatieslinger [de^{m}] compensation pendulum, gridiron (pendulum)
compensatoir [bn] compensatory, compensative ♦ *compensatoir **alcoholisme*** compensatory alcoholism; *compensatoire **interessen*** compensatory interests; ⟨taalk⟩ *compensatoire **rekking*** compensatory lengthening
compenseren [ov ww] compensate for, counterbalance, offset, make up for, make good, ⟨kompas⟩ adjust ♦ ***elkaar** compenseren* counterbalance each other, balance out; *dit compenseert de **nadelen*** this outweighs the disadvantages; *een **tekort** compenseren* supply/make good a deficiency; ⟨geld⟩ make good a deficit; *de ontvangsten compenseren de **uitgaven*** the takings cover the outlay, the income covers the expenditure; *niets kan dit **verlies** compenseren* nothing can compensate/make up for this loss; *iemand compenseren **voor iets*** compensate s.o. for sth.
competent [bn] 1 ⟨deskundig⟩ competent, able, capable ♦ *een competente **criticus*** a competent/an able critic; *hij is (niet) competent **op** dat gebied* he is (not) competent in that field 2 ⟨tot handelen, oordelen bevoegd⟩ competent, qualified, ⟨jur ook⟩ cognizant ♦ *dit hof is in deze kwestie **niet** competent* this court is not competent to settle this matter 3 ⟨iemand rechtens toekomend⟩ competent, rightful ♦ *de competente **portie** van een erfgenaam* the competent/rightful share of an heir
competentie [de^{v}] 1 ⟨deskundigheid⟩ competence, competency ♦ *hij **heeft** niet de competentie om daarover te schrijven* he does not have the competence to write about this 2 ⟨bevoegdheid⟩ competence, competency, capacity, ⟨jur ook⟩ cognizance ♦ *dat **behoort** niet **tot** zijn competentie* that is not within his competence; *dat **behoort tot** de competentie van dit hof* this belongs to the cognizance/jurisdiction of this court; ***behoort** dit **tot** de competentie van het bestuur?* is this within the province of the committee? 3 ⟨taalk⟩ competence
competentiecentrum [het] competency centre

competentiegericht [bn] competency-based, skill-based ♦ *competentiegericht **leren*** competency-based teaching/learning
competentiegeschil [het] dispute over areas of responsibility, demarcation dispute
competentieleren [het] competency-based teaching/learning
competentiestrijd [de^m^] competence dispute
competentievraag [de] question of competence/competency
competeren [onov ww] be competent/due ♦ ***mij** competeert een derde deel van die boedel* one third of that estate is competent to me; *het hem competerende **recht*** the right competent to him
competitie [de^v^] [1] ⟨sport⟩ competition, ⟨m.b.t. het Engelse voetb⟩ league ♦ *de competitie **is afgelopen*** the competition has come to an end; *een **spannende** competitie* an exciting competition; *die wedstrijd telt niet mee **voor** de competitie* this is a friendly match [2] ⟨concurrentie⟩ competition ♦ *een **moordende** competitie* fierce/savage competition, a rat race
competitiedag [de^m^] fixture
competitief [bn] ⟨in België⟩ [1] ⟨concurrerend⟩ competitive ♦ *competitieve **prijzen*** competitive prizes [2] ⟨vol wedijver⟩ competitive
competitiestand [de^m^] ⟨BE⟩ league table, ⟨AE⟩ (league/conference) standing
competitiewedstrijd [de^m^] ⟨sport⟩ league match, ⟨voetb⟩ league game
competitiviteit [de^v^] ⟨in België⟩ competitiveness
compie [de^v^] ⟨sold⟩ ↑ company
compilatie [de^v^] [1] ⟨bundeling⟩ compilation [2] ⟨verzamelwerk⟩ compilation
compilatiewerk [het] compilation
compilator [de^m^] compiler
compiler [de^m^] ⟨comp⟩ compiler
compileren [ov ww] [1] ⟨een compilatie maken⟩ compile [2] ⟨comp⟩ compile
¹**compleet** [bn] ⟨volledig⟩ complete, full ♦ *een compleet **ameublement*** a complete set of furniture; *toen was zijn **geluk** compleet* that completed his happiness; *deze jaargang is **niet** compleet* this volume is not complete/incomplete; *een complete **Vondel*** a complete Vondel
²**compleet** [bn, bw] ⟨volslagen⟩ complete ⟨bw: ~ly⟩, total, utter ♦ *een complete **mislukking*** a complete failure, a total flop; *je zit er compleet **naast*** you're wide of the mark; *dat laat me compleet **onverschillig*** it leaves me completely cold/I am utterly indifferent to it; *complete **onzin*** pure/sheer/downright/total nonsense; *ik was het compleet **vergeten*** I clean forgot (it); *een complete **verrassing*** a bolt from the blue, an utter surprise
complement [het] [1] ⟨aanvullend gedeelte⟩ complement [2] ⟨wisk⟩ complement [3] ⟨taalk⟩ complement ♦ *deze begrippen zijn **elkaars** complement* these concepts complement each other/one another, these concepts are complements of each other/one another [4] ⟨biol⟩ complement, alexin(e)
complementair [bn] complementary ♦ ⟨ec⟩ *complementaire **goederen*** complementary goods; *complementaire **hoeken*** complementary angles; *complementaire **kleuren*** complementary/minus colours; *complementair **vennoot*** active partner; *complementaire sociale **voorzieningen*** supplementary social (service) benefits
complementering [de^v^] ⟨taalk⟩ complementation
complet [het, de^m^] ensemble
completen [de^mv^] ⟨r-k⟩ complin(e)
completeren [ov ww] complete, make up ♦ *een **tijdschriftenreeks/verzameling** completeren* complete a set of a periodical/collection
completering [de^v^] completion ♦ *ter completering **van*** by way of/for completion
¹**complex** [het] [1] ⟨blok⟩ complex, aggregate ♦ *een complex van **factoren*** a complex of factors; *een complex **huizen*** a block of buildings/housing property; *een complex van **klanken/gewaarwordingen*** a complex of sounds/sensations; *het hele complex van **mogelijkheden*** the whole range/set of possibilities; *een heel complex van **regels*** a whole complex/set of rules [2] ⟨psych⟩ complex ♦ *complexen **hebben** over iets* have a complex about sth. [3] ⟨scheik⟩ complex, (coordination) compound
²**complex** [bn] complex, complicated, intricate, knotty ♦ *een complex **getal*** a complex number; *een complex **probleem*** a knotty problem; *een complexe **situatie*** a complex/an intricate situation; *een complexe **verbinding*** a complex combination/compound; *een complex **verschijnsel*** a complex phenomenon
complexie [de^v^] constitution, nature, temper, disposition ♦ *iemand van **verliefde** complexie* s.o. of an amorous disposition
complexiteit [de^v^] complexity
complicatie [de^v^] complication ♦ *een **lastige** complicatie* an embarrassing/awkward complication; *bij die ziekte treden dikwijls complicaties **op*** complications often arise with this disease
compliceren [ov ww] complicate ♦ ⟨med⟩ *een gecompliceerde **breuk*** a compound fracture; *iets **onnodig** compliceren* complicate sth. unnecessarily; *een uiterst gecompliceerde **zaak*** an utterly complicated/complex matter/affair
compliciteit [de^v^] complicity
compliment [het] [1] ⟨lof⟩ compliment ♦ *een **dubieus** compliment* a left-handed/backhanded compliment; *dit **is geen** compliment voor hem* this is not (exactly) a point in his favour; *iemand een/zijn compliment **maken** over/voor/wegens iets* pay s.o. a compliment on sth., compliment s.o. on sth., make s.o. compliments for sth.; ***naar** een complimentje **vissen/hengelen*** fish/angle for a compliment; *het **regende** complimenten* compliments/bouquets were flying [2] ⟨beleefde begroeting⟩ compliment, ⟨meestal mv⟩ regard, respect ♦ ⟨iron⟩ *de complimenten **aan** je vader en zeg hem maar dat ...* you can tell your father from me that ...; *de complimenten van **vader** en of u even wilt komen* father sends his compliments and would you mind calling around [3] ⟨mv; vormelijkheid⟩ compliments, ceremony ♦ *geen complimenten met iets/iemand **maken*** not spare sth./s.o.'s feelings; ***zonder** veel complimenten* without ceremony/any ado, unceremoniously; ⟨brutaal⟩ without so much as a by-your-leave [·] ⟨in België⟩ ***Franse** complimenten* fine words
complimenteren [ov ww] compliment ♦ *iemand complimenteren **met** iets* compliment s.o. (up)on sth.
complimenteus [bn, bw] [1] ⟨hoffelijk⟩ complimentary ⟨bw: complimentarily⟩ [2] ⟨vleiend⟩ complimentary ⟨bw: complimentarily⟩ ♦ *dat **was** niet erg complimenteus* this was rather uncomplimentary
complot [het] plot, conspiracy, collusion, intrigue ♦ *iemand **in** een complot betrekken* involve s.o. in a plot, let s.o. in on a plot; *er zaten zes man **in** het complot* there were six people in the conspiracy; *een complot **smeden*** plot, scheme, machinate, hatch a plot, conspire
complotdenken [het] conspiracy thinking
complotteren [onov ww] plot, conspire, collude, scheme, machinate
complottheorie [de^v^] conspiracy theory
component [de^m^] component ♦ ⟨taalk⟩ *de **syntactische** en de semantische component* the syntactic and the semantic component; ⟨wisk⟩ *de componenten van een **vector*** the components of a vector
componentenlijm [de^m^] (two part/component) epoxy adhesive, chemical cure adhesive
componeren [ov ww, ook abs] [1] ⟨samenstellen⟩ compose [2] ⟨muz⟩ compose

componist [de^m], **componiste** [de^v] 1 ⟨muz⟩ composer, musician 2 ⟨schaak⟩ problemist
componiste [de^v] → **componist**
composer [de^m] ⟨drukw⟩ composer, composing machine
composersysteem [het] ⟨drukw⟩ composer system
composertypist [de^m] ⟨drukw⟩ composer typist
composerzetter [de^m] ⟨drukw⟩ composer typist
1**composiet** [de] ⟨plantk⟩ composite (plant)
2**composiet** [bn] composite
compositie [de^v] 1 ⟨muziekstuk⟩ composition 2 ⟨samengesteld woord⟩ compound (word) 3 ⟨ordening tot een geheel⟩ composition ♦ *een **evenwichtige** compositie* a well-balanced composition; *de compositie van een **schilderij/ roman*** the composition of a picture/novel 4 ⟨schaak⟩ (chess) problem 5 ⟨metaalmengsel⟩ composition
compositiebal [de^m] ⟨sport⟩ composition ball, synthetic ball
compositiefoto [de] composition photo
compositietekening [de^v] composite sketch
compositorisch [bn, bw] compositional ⟨bw: ~ly⟩
compositum [het] 1 ⟨wat samengesteld is⟩ composite 2 ⟨taalk⟩ compound 3 ⟨mv; planten⟩ composite
compost [het, de^m] compost
compostbak [de^m] compost bin
composteerbaar [bn] compostable, biodegradable
composteren [ov ww] compost
compostering [de^v] composting
composthoop [de^m] compost heap
compostverwerking [de^v] composting (action)
compote [de] compote, stewed fruit
compotelepel [de^m] compote spoon
compoteschaal [de] compote, compotier, fruit dish, stewed fruit bowl
compound [de^m] compound
compounddynamo [de^m] compound dynamo
compoundstaal [het] compound steel
compressibiliteit [de^v] compressibility
compressie [de^v] compression
compressieruimte [de^v] compression chamber
compressieslag [de^m] compression stroke
compressietherapie [de^v] compression therapy
compressieverhouding [de^v] compression ratio
compressor [de^m] compressor
comprimeren [ov ww] compress, condense ♦ *een gecomprimeerd **verslag*** a condensed account; *de inhoud gecomprimeerd **weergeven*** sum up/report the contents in a few words/in a shortened/concise form
compromis [het] 1 ⟨jur⟩ submission to arbitration, arbitration agreement ♦ *compromis van **averij*** average bond (agreement); *een compromis **tekenen*** ⟨averij⟩ enter into an average bond (agreement); ⟨arbitrage⟩ sign an arbitration agreement 2 ⟨tussenoplossing⟩ compromise ♦ *een compromis **aangaan/sluiten*** come to/reach a compromise/agreement, compromise; *hij wil van **geen** compromissen weten* he won't hear of any compromise, he is completely uncompromising/intransigent; ***tot** een compromis komen* reach a compromise 3 ⟨verbond⟩ compromise ♦ *het compromis der **edelen in 1566*** the Compromise of the Nobility of 1566
compromisfiguur [de] compromise candidate
compromisloos [bn] uncompromising, no-compromise
compromissoir [bn] compromise ♦ *compromissoir **beding*** arbitration agreement; *een compromissoire **oplossing*** a compromise solution
compromisvoorstel [het] compromise proposal ♦ *een compromisvoorstel **doen*** put forward/make a compromise proposal
compromittant [bn] compromising, incriminating
compromitteren [ov ww] compromise ♦ *zich **met** iets/iemand compromitteren* compromise o.s. with sth./s.o.; *zijn **naam** compromitteren* compromise his good name; *gecompromitteerd **zijn*** be compromised, be under a cloud
compromitterend [bn] compromising, incriminating ♦ *een compromitterende **situatie*** a compromising situation; *compromitterende **verklaringen/papieren*** incriminating statements/documents
comptabel [bn] accountable, answerable, responsible ♦ *een comptabel **ambtenaar*** (Government/Civil Service) accountant/auditor
comptabele [de] (Government/Civil Service) accountant, (Government/Civil Service) auditor
comptabiliteit [de^v] 1 ⟨rekenplichtigheid⟩ accountability, answerability, responsibility 2 ⟨afdeling⟩ accountancy department, accounts (department), audit office
comptabiliteitswet [de] Governments Accounts Act
compulsie [de^v] compulsion, urge, constraint, drive
compulsief [bn, bw] compulsive ⟨bw: ~ly⟩
computationeel [bw] computationally
computer [de^m] computer ♦ ***achter** de computer zitten* sit at/in front of the computer; *een computer **bedienen*** operate/run a computer; ***centrale** computer* ⟨ook⟩ host computer; ***digitale/analoge** computer* digital/analogue computer; ***draagbare** computer* portable (computer); *gegevens **invoeren in** een computer* feed data into a computer, read/input data into a computer; *kan de computer dit **lezen/verwerken**?* is this machine-readable?; *de loonadministratie **op** de computer zetten* computerize the wages department
computeradministratie [de^v] computer administration
computerafdeling [de^v] computer department
computeranimatie [de^v] computer(ized) animation
computeranimator [de^m] computer animator
computerapparatuur [de^v] computer hardware/ equipment
computerbestand [het] computer file
computerblad [het] computer magazine
computercentrum [het] computer/computing centre
computercriminaliteit [de^v] computer crime
computercrimineel [de^m] computer criminal, ⟨hacker⟩ hacker
computerdeskundige [de] computer expert/specialist
computeren [onov ww] ⟨inf⟩ be/work at the computer, ⟨m.b.t. spelletjes⟩ play (games) on the computer
computerfanaat [de^m] computer fanatic, computer freak, compuholic, computer nerd, geek
computerfoto [de] computer photo
computerfraude [de] computer fraud
computerfreak [de^m] computer freak, computer nerd, geek
computergeheugen [het] ⟨intern⟩ computer memory, ⟨opslagruimte⟩ (computer) storage ♦ *gegevens opslaan **in** het computergeheugen* store data in the computer
computergek [de^m] computer freak, ⟨negatief⟩ computer nerd, geek
computergestuurd [bn] computer-controlled
computeriseren [ov ww] 1 ⟨geschikt maken voor verwerking⟩ prepare for (automatic) processing 2 ⟨van computers voorzien⟩ computerize
computerisering [de^v] computerization
computerkraak [de^m] (a case of) hacking, hack, computer break-in ♦ *een computerkraak **plegen*** hack; *een computerkraak **plegen met** behulp van een telefoon* break into a computer by using a telephone
computerkraker [de^m] hacker
computerkunde [de^v] computer studies
computerlinguïstiek [de^v] computational linguistics
computermodel [het] computer(ized) model(ling)
computernerd [de^m] computer nerd, geek
computernetwerk [het] computer network

computerondersteund [bn] computer-assisted, computer-aided ♦ *computerondersteund **ontwerpen*** produce (a) computer-aided design(s)
computeroperator [de^{m}] computer operator
computerprint [de^{m}] computer print
computerprogramma [het] computer program, ⟨BE ook⟩ computer programme
computerprogrammeur [de^{m}] computer programmer
computerscherm [het] computer screen/monitor
computerseks [de^{m}] computer sex
computersimulatie [de^{v}] computer simulation
computerspelletje [het] computer game
computerstem [de] [1] ⟨sprekende computer⟩ synthesized voice [2] ⟨per computer uitgebrachte stem⟩ computer vote
computersysteem [het] computer system
computertaal [de] computer language
computertechniek [de^{v}] computer technology
computertijd [de^{m}] machine time, CPU time, run time ♦ *computertijd **huren*** rent machine time/computer time
computeruitdraai [de^{m}] computer output, computer printout
computerverwerking [de^{v}] computer processing
computervirus [het] computer virus
computervredebreuk [de] electronic break-in, ⟨sl⟩ hacking, computer piracy
computerweduwe [de^{v}] computer widow
computerwetenschap [de^{v}] computer science
C-omroep [de^{m}] ⟨radio/tv⟩ Dutch broadcasting corporation with 150,000-300,000 subscribers
con [vz] con ♦ *con brio* ⟨muz⟩ con brio; with vigour/flair, energetically; *con amore* ⟨muz⟩ con amore; with love/pleasure/zest; *iets con amore doen* do sth. with love/pleasure/all one's heart
conan [de^{m}] Conan
conatief [bn] conative
concaaf [bn] concave ♦ *concave **lenzen/spiegels*** concave lenses/mirrors
concelebrant [de^{m}] concelebrant
concelebratie [de^{v}] ⟨r-k⟩ concelebration
concelebreren [ov ww, ook abs] ⟨r-k⟩ concelebrate
concentraat [het] concentrate, extract
concentratie [de^{v}] [1] ⟨vereniging in één punt⟩ concentration ♦ *concentratie van het **gezag*** concentration of authority [2] ⟨aandacht⟩ concentration ♦ *in **diepe** concentratie* in deep concentration; *dit **vergt** de uiterste concentratie* this demands the utmost concentration; *zijn concentratie **verliezen*** lose one's concentration; *na enkele uren **verslapt** de concentratie* the (power of) concentration flags after a few hours [3] ⟨sterkte⟩ concentration, strength, intensity ♦ *in **sterke** concentratie* very/strongly concentrated, strong, in strong concentration [4] ⟨opeenhoping⟩ concentration, multitude, mass
concentratiekamp [het] concentration camp
concentratiekampsyndroom [het] ⟨psychiatrie⟩ concentration camp syndrome
concentratieschool [de] ⟨in België⟩ special school (for migrants)
concentratievermogen [het] power(s) of concentration, capacity/ability to concentrate
^{1}**concentreren** [ov ww] [1] ⟨verenigen in één punt⟩ concentrate, centre, ⟨troepen ook⟩ mass ♦ *de **macht** in handen van één persoon concentreren* concentrate power in the hands of one person; *zijn hoop concentreerde **zich op*** his hopes were centred/pinned/fixed on; *de besprekingen concentreren **zich op** ...* the talks are concentrating/centring on ... [2] ⟨sterker maken⟩ concentrate, strengthen ♦ *een geconcentreerde **oplossing*** a concentrated/strong solution
^{2}**zich concentreren** [wk ww] ⟨de aandacht richten⟩ concentrate (on), centre (on), focus (on), fix (on), bend one's mind (to) ♦ *zich (niet) **kunnen** concentreren* be (un)able to concentrate; *zich **op** iets concentreren* concentrate/fix one's attention on sth.
^{1}**concentrisch** [bn] ⟨met één middelpunt⟩ concentric ♦ *concentrische **cirkels*** concentric circles; ⟨onderw⟩ *een concentrische **leergang*** a concentric (teaching) method
^{2}**concentrisch** [bn, bw] ⟨op één punt gericht⟩ concentric ⟨bw: ~ally⟩ ♦ *een concentrische **aanval*** a concentric attack
concept [het] [1] ⟨ontwerp⟩ (rough/first) draft, outline, plan, project ♦ *een concept **maken** van* draft [2] ⟨wijsgerig begrip⟩ concept
conceptie [de^{v}] [1] ⟨bevruchting⟩ conception [2] ⟨het ontstaan van werken van de geest⟩ conception [3] ⟨opvatting⟩ conception, understanding, idea, notion
conceptkunst [de^{v}] conceptual art
conceptnota [de] draft proposal, ⟨in Brits parlement⟩ Green Paper
conceptreglement [het] draft regulations
conceptual art [de^{m}] conceptual art
conceptualiseren [ov ww] conceptualize
conceptualisme [het] ⟨filos⟩ conceptualism
conceptueel [bn] conceptual ♦ *conceptuele **kunst*** conceptual art
conceptwet [de] (draft) bill, draft legislation
concern [het] group, chain
concert [het] ⟨muz⟩ [1] ⟨uitvoering⟩ concert, ⟨solo-instrument⟩ recital ♦ ***naar** een concert gaan* go to/attend a concert; *een **reeks** concerten voor abonnees* a series of subscription concerts [2] ⟨stuk⟩ concerto ♦ *concert **in** E grote terts* concerto in E major, E major concerto; *een concert **uitvoeren*** perform/give/do a concert; *concert **voor** fluit en viool* concerto for flute and violin
concertant [bn] ⟨muz⟩ concertante ♦ *de concertante **partijen*** the concertante parts
concertante [de] ⟨muz⟩ concertante
concertatie [de^{v}] ⟨in België⟩ consultation, deliberation
concerteren [onov ww] [1] ⟨concert geven⟩ perform/give/do a concert ♦ *het orkest concerteerde **onder** leiding van M.* the orchestra gave a concert conducted by M. [2] ⟨als solist spelen⟩ perform/play (solo), give a recital ♦ *cantates van **Bach** met concerterend orgel* Bach cantatas with organ solo
concertganger [de^{m}] concertgoer
concertgebouw [het] concert hall
concerthal [de] concert hall
concertina [de^{v}] concertina
concertino [het] concertino
concertist [de^{m}] concert soloist
concertmeester [de^{m}] (orchestra) leader, concertmaster
concerto [het] concerto
concertpianist [de^{m}], **concertpianiste** [de^{v}] concert pianist
concertpianiste [de^{v}] → **concertpianist**
concertpodium [het] concert platform
concertstuk [het] concert-piece
concertvleugel [de^{m}] concert grand (piano)
concertzaal [de] concert hall, auditorium
concertzanger [de^{m}], **concertzangeres** [de^{v}] concert singer
concertzangeres [de^{v}] → **concertzanger**
concessie [de^{v}] [1] ⟨toegeving⟩ concession ♦ *een concessie **aan** de mode* a concession/nod to fashion; *concessies **doen** aan iemand* make concessions to s.o., concede (sth.) to s.o. [2] ⟨vergunning⟩ concession, franchise, licence, permit, ⟨jur⟩ charter ♦ *concessie **aanvragen** voor iets* apply for a licence/permit for sth.; *in concessie **geven*** concede; *concessie **verlenen*** grant a concession/licence/permit [3] ⟨stuk land⟩ concession

concessieaanvraag [de] application for a concession
[1]**concessief** [de^m] concessive conjunction
[2]**concessief** [bn] concessive
concessiehouder [de^m], **concessionaris** [de^m] concessionaire, ⟨AE⟩ concessionary, franchise holder, grantee
concessionaris [de^m] → **concessiehouder**
conchoïde [de^v] ⟨wisk⟩ conchoid
conchyliologie [de^v] ⟨biol⟩ conchology
conciërge [de] ⟨BE⟩ caretaker, ⟨vnl AE; vnl. school⟩ janitor, ⟨vnl. ziekenhuis, hotel, universiteit, flatgebouw⟩ porter, ⟨vnl. hotel⟩ doorman, doorkeeper, ⟨meestal inwonend⟩ warden, ⟨AE⟩ super(intendent)
concies [bn] concise, compact, condensed
conciliair [bn] conciliar
conciliant [bn] conciliatory, conciliating ◆ *een conciliant **voorstel*** a conciliatory proposal
concilie [het] ⟨r-k⟩ council ◆ ***nationaal** concilie* national council; ***pastoraal** concilie* diocesan synod; *het tweede **Vaticaans** concilie* the second Vatican Council, Vatican II
conciliëren [ov ww] conciliate, appease
concipiëren [ov ww] 1 ⟨opvatten⟩ conceive 2 ⟨ontwerpen⟩ conceive, draft, plan
conclaaf [het] conclave ◆ *de kardinalen zijn **in** conclaaf bijeen* the cardinals are (sitting) in conclave
[1]**concluderen** [onov ww] ⟨jur⟩ ⟨tot een eis komen⟩ apply (for), move (for/that), ⟨laatste conclusie⟩ close the pleading ◆ ***tot** invrijheidstelling concluderen* apply for/demand discharge; *concluderen **tot vernietiging van het vonnis*** move to quash/set aside the verdict/judgement; *concluderen **voor** eis* state the claim, claim
[2]**concluderen** [ov ww] ⟨besluiten⟩ conclude, deduce, infer, draw a conclusion ◆ *wat **kunnen** we daaruit concluderen?* what can we conclude from that?; *concluderend kunnen we **zeggen** dat ...* in conclusion we can say that ...
conclusie [de^v] 1 ⟨slotsom⟩ conclusion, inference, deduction, ⟨onderzoek, mv⟩ findings ◆ *hoe **luidt** uw conclusie?* what is your conclusion?; ***tot** de conclusie komen dat ...* come to/reach the conclusion that ...; *de conclusie **trekken*** draw the conclusion; ***voorbarige** conclusies **trekken*** jump to conclusions 2 ⟨jur; gedingstuk van partijen⟩ pleading, statement, motion, ⟨AE⟩ brief ◆ *conclusie van **antwoord/repliek/dupliek*** the (statement of) defence/reply/rejoinder; *conclusie van **eis** (nemen)* (present/serve/deliver) the statement of claim 3 ⟨jur; sluitrede⟩ final pleading 4 ⟨advies van OM⟩ District Attorney's opinion given at the judge's request
concordaat [het] 1 ⟨overeenkomst tussen regering en paus⟩ concordat 2 ⟨in België; gerechtelijk akkoord⟩ composition, scheme
concordant [bn] 1 ⟨overeenstemmend⟩ concordant, agreeing, harmonious, consonant 2 ⟨geol⟩ concordant
concordantie [de^v] 1 ⟨m.b.t. de Bijbel⟩ concordance 2 ⟨m.b.t. een boek⟩ concordance 3 ⟨overeenstemming⟩ concordance, agreement
concorderen [onov ww] concord, harmonize, agree
concours [het, de^m] competition, contest, concours ◆ ***deelnemen** aan een concours* enter/take part in a competition; *een concours **voor** fanfares* a brassband festival/competition
concours hippique [het] horse show, show jumping (competition), ⟨wedren⟩ race meeting
[1]**concreet** [bn] 1 ⟨als vorm voorstelbaar, aan een vorm gebonden⟩ concrete, material ◆ *een concreet **begrip*** a concrete idea/term; *een concreet **zelfstandig naamwoord*** a concrete noun 2 ⟨werkelijk bestaand⟩ concrete, real, actual, tangible ◆ *een concreet **geval*** an actual/a specific case; *de concrete **situatie*** the real/true situation 3 ⟨duidelijk⟩ concrete, definite, specific, particular ◆ *het overleg heeft **niets** concreets opgeleverd* the discussion did not result in anything concrete; *concrete **toezeggingen*** definite promises/pledges; *een concreet **voorstel*** a concrete proposal ▪ *concrete **muziek*** concrete music; *concrete **poëzie*** concrete poetry
[2]**concreet** [bw] ⟨ondubbelzinnig⟩ clearly, concretely, in a concrete manner, definitely ◆ *zich concreet **uitdrukken*** express o.s. in concrete/clear terms, put it concretely/clearly
concrement [het] ⟨med⟩ concretion
concretiseren [ov ww] concretize, ⟨plannen⟩ make concrete, ⟨ideeën⟩ crystallize
concretisering [de^v] realization, realizing ◆ *concretisering van de **plannen*** realization of plans
concubant [de^m] person with whom one cohabits
concubinaat [het] concubinage ◆ ***in** concubinaat leven* live as common law man and wife; ⟨gesch⟩ live in concubinage
concubine [de^v] concubine
conculega [de^m] ± competitor and colleague
[1]**concurrent** [de^m] 1 ⟨mededinger⟩ competitor ⟨ook handel⟩, rival ◆ *alle concurrenten ver achter zich laten* leave the competitors/competition standing far behind/miles behind, be streets/miles/way ahead of the competition 2 ⟨schuldeiser⟩ ordinary creditor/liability
[2]**concurrent** [bn] competing (with), rival(ling) ◆ *concurrente **crediteuren*** ordinary creditors/liabilities; *concurrent zijn **met*** rank (along) with; ⟨bij faillissement⟩ rank pari passu with ▪ *concurrente **lijnen*** concurrent lines
concurrentie [de^v] 1 ⟨wedijver⟩ competition, contest, rivalry ◆ *iemand concurrentie **aandoen*** compete with s.o., offer competition to s.o.; ⟨handel⟩ sell in competition with s.o.; ***genadeloze/moordende** concurrentie* ruthless/cutthroat/fierce competition; *weinig/geen concurrentie **hebben*** meet with/face little/no competition, have little/no competition to contend with; *concurrentie **ondervinden (van)*** meet with/experience competition (from); ***scherpe** concurrentie* fierce/close/severe/keen competition 2 ⟨de concurrenten⟩ competition ◆ *de concurrentie het hoofd **bieden*** stand up to/face/meet the competition; *ik ga wel **naar** de concurrentie* I'll do business with/go to the competition 3 ⟨gelijkgerechtigdheid⟩ ranking pari passu (inter se)
concurrentiebeding [het] 1 ⟨m.b.t. werk tijdens de overeenkomst⟩ (contract/agreement in) restraint of trade 2 ⟨m.b.t. werk na de overeenkomst⟩ competition clause
concurrentiepositie [de^v] competitive position, competitiveness
concurrentieslag [de^m] battle/struggle with one's competitor(s), commercial battle ◆ *de concurrentieslag **overleven*** survive the battle with one's competitor(s), survive the competition
concurrentiestrijd [de^m] competition, competitive struggle/rivalry ◆ *de concurrentiestrijd **aanbinden** met iemand* enter into competition/rivalry with s.o.; *in een **bikkelharde** concurrentiestrijd gewikkeld zijn met iemand* be engaged in (some) cutthroat competition/competitive warfare with s.o., ⟨inf⟩ be engaged in (some) (very) tough competition/competitive warfare with s.o.
concurrentieverhoudingen [de^{mv}] competitive position/situation/relationships, competitiveness
concurrentievermogen [het] competitiveness
concurrentievervalsing [de^v] distortion of competition, unfair competition, ↑ imperfect competition
concurreren [onov ww] 1 ⟨wedijveren⟩ compete ◆ *andere merken **eruit** concurreren* undercut other brands; *kunnen concurreren **met*** be able to compete/hold one's own with; *moeten concurreren **met/tegen*** have to compete with/face the competition of 2 ⟨m.b.t. vorderingen, schuldeisers⟩ compete, rank pari passu
concurrerend [bn, bw] ⟨prijs⟩ competitive ⟨bw: ~ly⟩, ⟨firma⟩ competing ⟨bw: ~ly⟩, rival, ⟨belangen⟩ clashing ⟨bw: ~ly⟩ ◆ *zich concurrerend **opstellen*** adopt a competitive position; *scherp concurrerende **prijzen*** keenly competitive prices

condens [de] condensation, condensate
condensaat [het] condensate, condensation
condensatie [de^v] condensation
condensatiestreep [de] condensation trail, contrail, vapour trail
condensatiewarmte [de^v] heat of condensation/vaporization
condensatiewater [het] (water from) condensation
condensator [de^m] 1 ⟨toestel tot opeenhopen van elektrische lading⟩ capacitor, condenser ♦ ***variabele** condensator* variable capacitor/condenser 2 ⟨toestel om stoom in water om te zetten⟩ (steam) condenser
¹**condenseren** [onov ww] ⟨verdichten⟩ condense ♦ *de waterdamp condenseert **tegen de ruiten*** the steam is condensing on the windows, the windows are steaming up
²**condenseren** [ov ww] 1 ⟨doen verdichten⟩ condense 2 ⟨indampen⟩ condense, boil down, evaporate ♦ *gecondenseerde **melk*** evaporated milk; ⟨met suiker⟩ condensed milk 3 ⟨bekorten⟩ condense
condensor [de^m] 1 ⟨reservoir⟩ condenser 2 ⟨lenzenstelsel⟩ condenser
condenswater [het] (water from) condensation
conditie [de^v] 1 ⟨voorwaarde⟩ condition, proviso, ⟨mv ook⟩ terms ♦ ***onder/op** conditie dat* on (the) condition that, provided that; *een conditie **stellen*** make a condition 2 ⟨toestand⟩ condition, state, ⟨lichamelijk⟩ form, shape, fitness ♦ *je hebt **geen** conditie* you've got no stamina; ***in goede** conditie zijn* ⟨zaken, gebouwen⟩ be in good condition/in a good state; ⟨personen, i.h.b. m.b.t. sport en spel⟩ be on form, be in (good) form/condition/shape, be fit; *een **goede/slechte** conditie hebben* be in good/bad condition/shape/form, be fit/unfit; *niet **in** conditie zijn* be off form, be unfit; *hij trainde veel om **in** conditie te blijven* he trained a lot in order to keep fit/in condition/in form; *in een **slechte** conditie zijn* ⟨zaken, gebouwen⟩ be in bad/poor condition/in a bad/poor state; ⟨personen⟩ be off form, be out of form/condition/shape, be unfit; *in **uitstekende** conditie* in top form, in the pink of condition, in fine fettle
conditietraining [de] fitness training, callisthenics, ⟨scherts⟩ physical jerks ♦ ***aan** conditietraining doen* ⟨ook⟩ work out
conditio [de^v] condition, term, provision ♦ *conditio tacita* implicit condition; *conditio sine qua non* (conditio) sine qua non; *de conditio sine qua non is dat de lucht helder is* a clear sky is a sine qua non
conditionalis [de^m] ⟨taalk⟩ conditional
conditioneel [bn, bw] conditional ⟨bw: ~ly⟩
conditioner [de^m] conditioner
conditioneren [ov ww] 1 ⟨psych⟩ condition 2 ⟨bedingen⟩ stipulate, condition 3 ⟨in een toestand houden⟩ condition 4 ⟨het vochtgehalte bepalen⟩ condition
conditionering [de^v] conditioning
condoleance [de], **condoleantie** [de^v] condolence, sympathy ♦ *zijn condoleances **aanbieden*** offer one's condolences
condoleanceregister [het] book of condolence
condoleancesite [de] condolence site, condolence page
condoleantie [de^v] → **condoleance**
condoleantiebezoek [het] call of condolence/sympathy, visit of condolence/sympathy
condoleantiebrief [de^m] letter of condolence/sympathy
condoleren [ov ww, ook abs] offer one's condolences/sympathy (to s.o.), condole with s.o. ♦ *iemand condoleren **met*** condole with s.o. on, sympathize with s.o. in; *gecondoleerd **met** je moeder* please accept my condolences on the death of your mother; ***schriftelijk** condoleren* send/write a letter of condolence, send one's sympathies ▪ *gecondoleerd* accept my sympathies, you have my sympathy

condominium [het] 1 ⟨gemeenschappelijk eigendom⟩ condominium 2 ⟨gemeenschappelijke soevereiniteit⟩ condominium
condoom [het] condom, (protective/contraceptive) sheath, ⟨inf⟩ rubber, ⟨inf; BE⟩ durex
condoomautomaat [de^m] condom dispenser/machine, ⟨inf; BE⟩ durex machine
condor [de^m] ⟨dierk⟩ (Andean) condor
conducteur [de^m] conductor ⟨Amerikaans-Engels ook op trein⟩, ticket collector, ⟨BE⟩ guard ♦ ***treinen/bussen** zonder conducteur* driver-only trains/buses
conductie [de^v] ⟨natuurk⟩ conduction
conductor [de^m] 1 ⟨geleider⟩ conductor 2 ⟨geleibuis⟩ surface casing, ⟨op trein⟩ conductor
conductrice [de^v] ⟨vnl BE⟩ conductress, ticket collector, ⟨BE⟩ ↓ clippie
conduitestaat [de^m] personal record, ⟨mil; bus⟩ conduct sheet
confectie [de^v] 1 ⟨kleding⟩ ready-to-wear clothes/garments, off-the-peg clothes/garments, ready-made clothes/garments 2 ⟨het vervaardigen van kleding⟩ production of ready-to-wear clothing, clothing manufacture
confectieatelier [het] (ready-made) clothing factory/workshop, ⟨slechte werkomstandigheden⟩ sweatshop
confectie-industrie [de^v] clothing industry, clothing trade, ⟨inf⟩ rag trade
confectiekleding [de^v] ready-to-wear clothes/garments, off-the-peg clothes/garments, ready-made clothes/garments
confectiemaat [de] stock size
confectiepak [het] ready-to-wear/off-the-peg suit, ⟨vnl pej⟩ reach-me-down suit, ⟨AE⟩ hand-me-down suit
confectioneren [ov ww] manufacture (ready-to-wear) clothes
confectioneur [de^m] ready-to-wear tailor
confederatie [de^v] confederation, confederacy
confedereren [ov ww] confederate
confer [tw] cf (confer), see
¹**conference** [de^v] ⟨Frans⟩ 1 ⟨voordracht⟩ (solo) sketch/act, (comic) monologue 2 ⟨praatje⟩ talk, ↑ lecture, ↑ speech 3 ⟨conferentie⟩ conference
²**conference** [de] ⟨Engels⟩ conference
conferencier [de^m] ⟨vnl BE⟩ compère, entertainer
conferentie CONGRES [de^v] 1 ⟨beraadslaging⟩ conference, discussion, meeting ♦ *een conferentie **afgelasten*** call off/cancel a conference; *een conferentie **beleggen*** call a conference; *een conferentie **hebben met*** have a meeting/an appointment with; *een conferentie **houden*** hold a conference; ***in** conferentie zijn* be in conference; *een conferentie **met** een advocaat* a consultation with a lawyer 2 ⟨toespraak⟩ talk, ↑ lecture, ↑ speech
conferentietafel [de] conference table ♦ ⟨fig⟩ ***aan** de conferentietafel gaan zitten* go to the conference table
conferentiezaal [de] conference room/hall
confereren [onov ww] confer, consult ♦ *er is **lang** geconfereerd* the consultations went on/lasted a long time; *met iemand **over** iets confereren* confer with/consult (with) s.o. on sth.
confessie [de^v] 1 ⟨schuldbekentenis⟩ confession, acknowledg(e)ment, admission 2 ⟨geloofsbelijdenis⟩ confession (of faith), ⟨overtuiging⟩ (religious) denomination/belief/persuasion
confessio [de^v] confession, creed
confessionalisme [het] 1 ⟨het vooropstellen van de belijdenis⟩ confessionalism, denominationalism 2 ⟨richting⟩ denominationalism, ⟨pej⟩ sectarianism, partisanship
confessioneel [bn] 1 ⟨overeenkomstig een geloofsbelijdenis⟩ confessional, ⟨i.h.b. m.b.t. onderw⟩ denomination-

al, ⟨AE⟩ parochial ♦ *confessionele* ***school*** denominational school [2] ⟨orthodox⟩ orthodox [3] ⟨pol⟩ confessional, religious, denominational ♦ *de confessionele* ***partijen*** the confessional/religious parties

confessionelen [de^mv] [1] ⟨pol⟩ (supporters of the) confessional/religious parties [2] ⟨de orthodoxen⟩ orthodox

confetti [de^m] confetti, ⟨kleurenruis ook⟩ colour noise/snow, ⟨bij ponsen⟩ chad(s) ♦ ***met*** *confetti strooien* throw/shower confetti

confidentie [de^v] [1] ⟨vertrouwelijke mededeling⟩ confidence ♦ *confidenties* ***doen*** *aan* confide in, share a confidence with [2] ⟨vertrouwen⟩ confidence, trust

confidentieel [bn, bw] confidential ⟨bw: ~ly⟩, ⟨op enveloppe⟩ (private and) confidential, ⟨jur; gevrijwaard van gerechtelijke toetsen⟩ privileged ♦ *(iemand) iets confidentieel* ***zeggen*** tell (s.o.) sth. in confidence/sub rosa, take (s.o.) into one's confidence

configuratie [de^v] [1] ⟨samenstel van figuren⟩ configuration [2] ⟨wisk⟩ configuration [3] ⟨natuurk⟩ configuration, conformation [4] ⟨astron⟩ configuration [5] ⟨comp⟩ configuration

configureren [ov ww] configure

confirmandus [de^m] confirmand, candidate for confirmation

confirmatie [de^v] [1] ⟨bevestiging⟩ confirmation, corroboration [2] ⟨prot⟩ confirmation [3] ⟨stat⟩ confirmation

confirmeren [ov ww] [1] ⟨prot⟩ confirm [2] ⟨r-k⟩ confirm [3] ⟨handel⟩ confirm

confiscabel [bn] [1] ⟨verbeurdverklaard kunnende worden⟩ confiscable [2] ⟨verboden⟩ prohibited, unauthorised

confiscatie [de^v] confiscation, ⟨algemener⟩ seizure, ⟨verbeurdverklaring⟩ forfeiture

confiserie [de^v] ⟨form⟩ confectionery, confectioner's (shop/^A store), pastry/cake shop, pastry/cake ^A store

confiseur [de^m] ⟨form⟩ confectioner, pastrycook

confisqueerbaar [bn] confiscable, ⟨algemener⟩ seizable

confisqueren [ov ww] confiscate, ⟨algemener⟩ seize, ⟨verbeurdverklaren⟩ forfeit

confiteor [het] ⟨r-k⟩ Confiteor

confiture [de] ⟨ook in samenstellingen⟩ preserve(s), preserved/candied fruit, conserve(s)

confituren [de^mv] conserves

confituur [de] ⟨in België⟩ jam

conflict [het] conflict, clash ♦ *een* ***gewapend*** *conflict* an armed conflict, conflict of arms; ***in*** *conflict komen met* come into conflict/collision with, clash with; *een* ***innerlijk*** *conflict* an inner struggle/conflict

conflictbeheersing [de^v] conflict management/control

conflictbemiddeling [de^v] conflict mediation

conflicteren [onov ww] conflict ♦ *die gegevens conflicteren* ***met*** *elkaar* the data conflict (with one another)/are conflicting; *conflicterende* ***theorieën*** conflicting theories

conflicthantering [de^v] ⟨welzijnswerk⟩ conflict management ♦ *een* ***cursus*** *conflicthantering* a course in conflict management

conflictland [het] country of conflict, conflict zone

conflictmodel [het] strategy of confrontation

conflictsituatie [de^v] [1] ⟨toestand⟩ conflict situation [2] ⟨innerlijke strijd⟩ inner conflict/struggle

conflictueus [bn] discordant ♦ *een conflictueuze* ***sfeer*** a discordant atmosphere, an atmosphere of discordance/conflict

^1**conform** [bn] ⟨overeenstemmend⟩ in conformity/accordance with, conformable to ♦ ⟨wisk⟩ *conforme* ***afbeelding*** conformal representation; *voor* ***kopie*** *conform* (certified) true copy, conformable to the original

^2**conform** [bw] [1] ⟨overeenkomstig⟩ in conformity/accordance with ♦ *conform de eis* in accordance with the demand, as demanded; *conform uw* ***instructies*** pursuant to/in accordance with your instructions; *zijn optreden was conform de* ***opdracht*** he acted in accordance with his instructions [2] ⟨in orde⟩ correct, as agreed, in order ♦ *een zaak conform* ***bevinden*** find a matter correct/in order

^1**conformeren** [ov ww] ⟨gelijkvormig maken⟩ conform

^2**zich conformeren** [wk ww] ⟨zich voegen naar⟩ conform (to), comply (with) ♦ *zich conformeren* ***aan*** *de publieke opinie* conform to/bow to public opinion

conformisme [het] conformism

conformist [de^m] [1] ⟨iemand die zich makkelijk schikt⟩ conformist [2] ⟨lid van de Engelse bisschoppelijke kerk⟩ conformist

conformistisch [bn] [1] ⟨geneigd zich te schikken⟩ conformist [2] ⟨van de conformisten⟩ conformist

conformiteit [de^v] conformity, accordance, conformance ♦ *in conformiteit* ***met*** in conformity/accordance with

confrater [de^m] colleague, confrère

confrère [de^m] confrère, ⟨tussen advocaten⟩ (my) learned friend, (his) brother counsel

confrérie [de^v] ⟨gesch⟩ confrerie, brotherhood, fraternity

confrontatie [de^v] [1] ⟨het confronteren, geconfronteerd worden⟩ confrontation ♦ *een* ***directe*** *confrontatie* a direct/face-to-face confrontation [2] ⟨sport⟩ confrontation

confrontatiespiegel [de^m] two-way mirror

confronteren [ov ww] [1] ⟨tegenover elkaar plaatsen⟩ confront (with), face (with) ♦ ***met*** *de werkelijkheid geconfronteerd worden* be confronted/faced with reality, come up against hard facts [2] ⟨m.b.t. getuigen⟩ confront (with), bring face to face (with)

confucianisme [het] Confucianism

confusie [de^v] [1] ⟨verwarring⟩ confusion, muddle [2] ⟨verlegenheid⟩ confusion, embarrassment [3] ⟨jur; schuldvermenging⟩ confusion

confuus [bn] [1] ⟨verward⟩ confused, mixed-up, muddled [2] ⟨verlegen⟩ confused, embarrassed, confounded ♦ *iemand confuus* ***maken*** confuse/embarrass/confound s.o.; *hij* ***werd*** *er confuus van* he didn't know what to say, he was speechless/confounded

conga [de] [1] ⟨trom⟩ conga drum [2] ⟨dans⟩ conga

congé [het] [1] ⟨ontslag⟩ dismissal, notice (to quit/leave), ↑ congé ♦ *iemand zijn congé* ***geven*** dismiss/sack/fire s.o., give s.o. (his) notice; ⟨inf⟩ give s.o. the boot/the sack/his cards/his marching orders, send s.o. packing; *zijn congé* ***krijgen*** ⟨ontslagen worden⟩ get dismissed/fired, get the boot/the sack, ⟨inf⟩ get one's cards; ⟨m.b.t. minnaar⟩ get/be given one's marching orders/the brush-off; *zijn congé* ***nemen*** ⟨ontslag nemen⟩ hand in one's cards/notice; ⟨weggaan⟩ take one's congé [2] ⟨in België; verlof⟩ holiday, ⟨AE⟩ vacation, leave, time off

congeniaal [bn] congenial, ⟨geesten⟩ kindred, sympathetic

congenitaal [bn] congenital ♦ *congenitale* ***afwijking*** congenital anomaly, birth defect

congestie [de^v] [1] ⟨bloedophoping⟩ congestion [2] ⟨fig; opstopping⟩ congestion

conglomeraat [het] [1] ⟨samenklontering⟩ conglomerate, conglomeration [2] ⟨steenmassa⟩ conglomerate, puddingstone

conglomeratie [de^v] conglomeration

conglomereren [onov ww] conglomerate

conglutineren [ov ww] conglutinate

^1**Congo** [het] ⟨land⟩ Congo

^2**Congo** [de] ⟨rivier⟩ Congo

^1**Congolees** [de^m], **Congolese** [de^v] Congolese

^2**Congolees** [bn] Congolese

Congolese [de^v] → **Congolees**^1

congregatie [de^v] ⟨r-k⟩ [1] ⟨vereniging van personen die geloften hebben afgelegd⟩ congregation, order [2] ⟨kerkelijk goedgekeurde vereniging van leken⟩ congregation, sodality [3] ⟨groep van kardinalen⟩ Congregation

Congo

naam	*Congo* Congo
officiële naam	*Republiek Congo* Republic of the Congo
inwoner	*Congolees* Congolese
inwoonster	*Congolese* Congolese
bijv. naamw.	*Congolees* Congolese
hoofdstad	*Brazzaville* Brazzaville
munt	*CFA-frank* CFA franc
werelddeel	*Afrika* Africa
int. toegangsnummer 242 www .cg auto RCB	

congres [het] ⟨samenkomst tot bespreking⟩ congress, ⟨kleiner⟩ conference, ⟨vnl AE; van zakenlieden, kiesmannen van politieke partij⟩ convention ◆ *de* ***handelingen/verslagen*** *van een congres* conference proceedings; *een* ***medisch*** *congres* a medical congress/conference (on)

Congo, Democratische Republiek

naam	*Congo, Democratische Republiek* Congo, Democratic Republic of the
officiële naam	*Democratische Republiek Congo* Democratic Republic of the Congo
inwoner	*Congolees* Congolese
inwoonster	*Congolese* Congolese
bijv. naamw.	*Congolees* Congolese
hoofdstad	*Kinshasa* Kinshasa
munt	*Congolese frank* Congolese franc
werelddeel	*Afrika* Africa
int. toegangsnummer 243 www .cd auto ZRE	

Congres [het] ⟨wetgevende vergadering⟩ Congress ◆ *het (Amerikaanse) Congres* (the United States) Congress
congrescentrum [het] conference/congress centre
congresganger [de^{m}] person attending a/the conference, person attending a/the congress, person attending a/the convention, conference participant, conferee, ⟨afgevaardigde⟩ delegate to a conference, conference delegate
congresgebouw [het] conference hall/centre
congreslid [het] ⟨deelnemer aan congres⟩ member of a/the congress, person attending a/the congress, person attending a/the conference, person attending a/the convention
Congreslid [het] ⟨pol⟩ ⟨man⟩ Congressman, ⟨vrouw⟩ Congresswoman, member of Congress
Congrespartij [de^{v}] ⟨India⟩ Congress Party
congresseren [onov ww] hold a congress/conference
congrestolk [de^{m}] conference/congress interpreter

congressen en conferenties

- in de wetenschap of het bedrijfsleven meestal: conference *(a conference on neuroscience, a sales conference)*
- in de politiek meestal: congress *(a party congress)*
- Congress met een hoofdletter is het Amerikaanse Congres

congruent [bn] [1] ⟨overeenstemmend⟩ corresponding, matching, agreeing, congruous [2] ⟨wisk; gelijk(vormig)⟩ congruent
congruentie [de^{v}] [1] ⟨overeenstemming⟩ correspondence, agreement, congruity [2] ⟨taalk⟩ concord, agreement [3] ⟨wisk⟩ congruence
congrueren [onov ww] [1] ⟨overeenstemmen⟩ correspond (to/with), match, agree (with) [2] ⟨taalk⟩ agree ◆ *onderwerp en persoonsvorm congrueren* ***met*** *elkaar* subject and verb agree in person and number, there is subject-verb concord/concord between subject and verb [3] ⟨wisk⟩ be congruent
conifeer [de^{m}] conifer
conisch [bn] conical, cone-shaped
conjecturaal [bn] conjectural
conjectuur [de^{v}] [1] ⟨vermoeden⟩ conjecture [2] ⟨vermoedelijke lezing⟩ conjecture, conjectural reading
conjugaal [bn, bw] conjugal ⟨bw: ~ly⟩
conjugatie [de^{v}] [1] ⟨taalk⟩ conjugation [2] ⟨biol⟩ conjugation
conjugeren [ov ww] conjugate
conjunct [bn] conjunct
conjunctie [de^{v}] [1] ⟨vereniging, verbinding⟩ conjunction [2] ⟨astron⟩ conjunction [3] ⟨taalk⟩ conjunction
^{1}**conjunctief** [de^{m}] ⟨taalk⟩ subjunctive
^{2}**conjunctief** [bn, bw] conjunctive ⟨bw: ~ly⟩ ◆ ⟨log⟩ *een conjunctieve* ***propositie*** a conjunctive proposition; *men moet dit gegeven conjunctief* ***zien*** this item needs to be seen in its full context
conjunctiva [de^{v}] ⟨med⟩ conjunctiva
conjunctivitis [de^{v}] conjunctivitis, pinkeye
conjunctureel [bn, bw] cyclical ⟨bw: ~ly⟩, economic, connected with economic/market trends, due to economic/market trends ◆ *problemen van conjuncturele* ***aard*** cyclical problems, problems caused by fluctuations in the market; *conjunctureel* ***gezien*** *was 1985 ...* viewed in the short term/as a phase in the trade cycle, 1985 was ...; *conjuncturele* ***maatregelen*** (anti-)cyclical measures, economic policy measures; *de conjuncturele* ***situatie*** the economic/business situation
conjunctuur [de^{v}] (short-term/general) economic situation, (short-term/general) economic climate, state/condition/trend of the market, state of trade (and industry), market conditions/trends, trade/business cycle, business outlook ◆ *een* ***dalende*** *conjunctuur* a slump, a decline/downswing in trade, a downward economic trend, a slowing economy; ***hoge*** *conjunctuur* (cyclical) boom, (period/wave of) prosperity, booming economy; ***lage*** *conjunctuur* recession, depression, trough, dip; *een* ***opgaande*** *conjunctuur* a trade/an economic recovery/revival/upturn/upswing, an increasing economic activity
conjunctuurbarometer [de^{m}] conjuncture indicator
conjunctuurbeleid [het] trade cycle policy, cyclical policy
conjunctuurbeweging [de^{v}] cyclical movement, economic trend, trade/business cycle ◆ *een* ***opgaande*** *conjunctuurbeweging* an upward trend/revival of the business cycle/in trade
conjunctuurdal [het] conjuncture dip
conjunctuurdip [de^{m}] conjucture dip
conjunctuurgevoelig [bn] cyclically sensitive, sensitive to economic/cyclical/market trends, sensitive to economic/cyclical/market fluctuations
conjunctuurgolf [de] business cycle, trade cycle
conjunctuurindex [de^{m}] conjuncture index
conjunctuurindicator [de^{m}] conjuncture indicator
conjunctuurpolitiek [de^{v}] anti-cyclical policy, counter-cyclical policy
conjunctuurschommeling [de^{v}] economic/cyclical fluctuation, fluctuation in trade, business cycle
conjunctuurverschijnsel [het] cyclical phenomenon ◆ *een veel* ***voorkomend*** *conjunctuurverschijnsel* a common cyclical phenomenon
conjunctuurwerkloosheid [de^{v}] cyclical/seasonal unemployment, unemployment due to economic factors
connaisseur [de^{m}] connoisseur, ↑ cognoscente ⟨ook ironisch⟩
connectie [de^{v}] [1] ⟨relatie⟩ connection, link, relation(ship), association ◆ *connecties* ***aanknopen*** make/establish connections; ***in*** *connectie staan met* have connections with, be associated with; ***in*** *connectie treden met* make/establish connections with, enter into relations with, become associated with [2] ⟨invloedrijke betrekkingen⟩ connection, ⟨persoon⟩ contact (man) ◆ ***goede*** *connecties hebben* be well connected; *hij* ***heeft*** *overal connecties* he

has connections/contacts all over the place; *veel connecties hebben* have many connections/contacts
connectief [bn] connective
conniventie [de^{v}] [1] ⟨toegevendheid⟩ connivance (at sth.) [2] ⟨samenspanning bij misdrijven⟩ connivance (with s.o. to do sth.)
connotatie [de^{v}] ⟨ook taalk⟩ connotation
connotatief [bn] connotative
conrector [de^{m}] [1] ⟨m.b.t. een middelbare school⟩ ⟨vnl BE⟩ ± deputy headmaster, ± second master, deputy principal [2] ⟨m.b.t. geestelijke instellingen⟩ vice-rector [3] ⟨m.b.t. een universiteit⟩ ⟨BE⟩ deputy vice-chancellor, ⟨AE⟩ vice-president, ⟨BE⟩ pro-vice-chancellor
consacreren [ov ww] consecrate
consciëntieus [bn, bw] conscientious ⟨bw: ~ly⟩, scrupulous, painstaking ♦ *een taak/functie consciëntieus **vervullen*** perform a task/function conscientiously; *consciëntieus **werken*** (do one's) work conscientiously; *een consciëntieus **werker/iemand*** a conscientious worker/person
conscriptie [de^{v}] conscription, ⟨AE⟩ draft
consecratie [de^{v}] ⟨r-k⟩ [1] ⟨wijding door een bisschop⟩ consecration [2] ⟨sacramentele woorden bij het misoffer⟩ consecration
^{1}**consecutief** [bn] ⟨taalk⟩ consecutive
^{2}**consecutief** [bn, bw] ⟨opeenvolgend⟩ consecutive ⟨bw: ~ly⟩
consensus [de^{m}] [1] ⟨m.b.t. gevoelens⟩ consensus ♦ *een consensus **bereiken*** reach a consensus [2] ⟨m.b.t. opvattingen⟩ consensus
consensuscultuur [de^{v}] consensus culture
consensusmodel [het] consensus model
consensuspolitiek [de^{v}] consensus politics
consent [het] [1] ⟨vergunning⟩ permission, authorization [2] ⟨verlofbriefje⟩ permit, licence, ⟨AE⟩ license [3] ⟨handel⟩ licence, ⟨AE⟩ license, permit ♦ *consent voor **invoer/uitvoer*** import/export licence [4] ⟨geleidebiljet⟩ waybill, ⟨douane⟩ permit
consenteren [ov ww] consent to, agree to
^{1}**consequent** [bn] [1] ⟨logisch, noodzakelijk voortvloeiend⟩ logical, consequential ♦ *de consequente **toepassing** van een beginsel* the logical application of a principle [2] ⟨zichzelf gelijk blijvend⟩ consistent (with) ♦ *je moet consequent **blijven*** you must be consistent
^{2}**consequent** [bw] ⟨op logische wijze⟩ logically, consequentially ♦ *consequent **handelen*** act logically, do the logical thing, be consistent; *consequent **redeneren*** reason logically
consequentie [de^{v}] [1] ⟨logisch, noodzakelijk gevolg⟩ implication, consequence, ↑ corollary ♦ *steeds grotere financiële consequenties **hebben*** have ever-increasing financial consequences; *die consequentie **moet** men **aanvaarden*** one has to take/accept/bear the consequences; ***terugschrikken** voor de consequenties (van iets)* shrink from the consequences (of sth.); *de consequenties **trekken*** draw the obvious conclusion, take the logical/obvious step; *tot in de **uiterste/verste** consequenties doordacht* thought right through (to its ultimate/logical conclusion); ***verregaande** consequenties* far-reaching consequences [2] ⟨het trouw blijven aan beginselen⟩ consistency
conservatie [de^{v}] conservation, preservation
^{1}**conservatief** [de^{m}] [1] ⟨behoudend persoon⟩ conservative [2] ⟨pol⟩ conservative, ⟨BE⟩ Tory
^{2}**conservatief** [bn] [1] ⟨behoudend⟩ conservative ♦ ***extreem** conservatief* ultra-conservative, arch-conservative; ⟨BE ook⟩ blimpish, true-blue; *conservatieve **krachten*** conservative forces [2] ⟨pol⟩ Conservative, ⟨BE⟩ Tory ♦ *de conservatieve **partij*** the Conservative/Tory Party [•] *conservatieve **therapie*** conservative therapy
^{3}**conservatief** [bw] [1] ⟨op behoudende wijze⟩ conservatively [2] ⟨pol⟩ in Conservative/^{B}Tory fashion
conservatieveling [de^{m}] conservative, die-hard, ⟨inf⟩ square(-toes), old fog(e)y, ⟨pol; BE⟩ Tory, ⟨sl; BE⟩ Colonel Blimp
conservatisme [het] conservatism, ⟨BE⟩ Toryism ♦ ***star** conservatisme* arch-conservatism; ⟨inf; BE⟩ blimpery
conservatoir [bn] [•] *conservatoir **beslag leggen op*** attach, garnish(ee), seize, distrain
conservator [de^{m}], **conservatrice** [de^{v}] ⟨van museum⟩ curator, ⟨van een afdeling of collectie⟩ keeper, custodian ♦ *conservator van de **handschriften*** custodian/keeper of the manuscripts, head of the manuscript department
conservatorium [het] academy/college/school of music, conservatory, conservatoire ♦ *het **diploma** conservatorium* diploma/degree in music; *zij zit **op** het conservatorium* she is at music school/the conservatory; *als docent aan het conservatorium **verbonden zijn*** be a teacher at the school of music
conservatoriumleerling [de^{m}], **conservatoriumleerlinge** [de^{v}] music student, student at a/the music academy, student at a/the music school, student at a/the school of music, student at a/the conservatory
conservatoriumleerlinge [de^{v}] → **conservatoriumleerling**
conservatoriumstudent [de^{m}], **conservatoriumstudente** [de^{v}] music student, student at a/the music academy, student at a/the music school, student at a/the school of music, student at a/the conservatory
conservatoriumstudente [de^{v}] → **conservatoriumstudent**
conservatrice [de^{v}] → **conservator**
conserven [de^{mv}] canned/^{B}tinned food(s), canned/^{B}tinned provisions, canned/^{B}tinned goods, preserved food(s)
conservenblik [het] [1] ⟨bus met geconserveerde producten⟩ can, ⟨BE⟩ tin (can) [2] ⟨autootje⟩ ⟨AE⟩ tin Lizzie, ⟨AE⟩ jalopy
conservenfabriek [de^{v}] cannery, canning factory, ⟨BE ook⟩ preserving/tinning factory, packinghouse, packing plant
conserveren [ov ww] [1] ⟨in stand houden⟩ preserve, conserve, maintain ♦ *het hoger onderwijs heeft ook een conserverende **functie*** higher education also has a conservative function; *conserverende **tandheelkunde*** conservative dentistry [2] ⟨voor bederf bewaren⟩ preserve, ⟨in blik⟩ can ♦ ***goed** geconserveerd zijn* be well preserved
conservering [de^{v}] [1] ⟨het in stand houden⟩ preservation, ⟨monumenten⟩ preserving, ⟨natuur⟩ conservation [2] ⟨het voor bederf bewaren⟩ preserving, ⟨in blik⟩ canning
conserveringsmiddel [het] preservative
considerans [de] [1] ⟨beweegreden⟩ consideration, factor, reason [2] ⟨inleidende paragraaf⟩ preamble
consideratie [de^{v}] [1] ⟨toegeeflijkheid⟩ consideration ♦ ***geen** enkele consideratie hebben* be completely inconsiderate; *consideratie **met** iemand hebben* make allowances for s.o.; *consideratie **tonen*** show consideration (for), be considerate (towards); ***zonder** enige consideratie* without the slightest consideration [2] ⟨overweging⟩ consideration, factor, reason ♦ *iets **in** consideratie nemen* take sth. into account, consider sth. [3] ⟨aanzien⟩ consideration, deference, respect, esteem ♦ ***uit** consideratie **voor*** out of consideration for; ⟨hoogachting⟩ in deference to
considereren [ov ww] [1] ⟨beschouwen⟩ consider [2] ⟨hoogachten⟩ respect, esteem
consigliere [de^{m}] [1] ⟨van de maffia⟩ consigliere [2] ⟨alg⟩ counsellor
consignant [de^{m}] consignor, consigner
consignataris [de^{m}] [1] ⟨medeondertekenaar⟩ consignatory [2] ⟨handel⟩ consignee [3] ⟨jur⟩ consignatory
consignatie [de^{v}] [1] ⟨handel⟩ consignment ♦ ***goederen in** consignatie geven/verzenden* consign goods, give goods in/

send goods on consignment [2] ⟨jur⟩ consignation

consignatiegoederen [de^{mv}] ⟨ten opzichte van consignatiegever⟩ goods (shipped/sent (out)) on consignment, goods (shipped/sent (out)) on commission, ⟨ten opzichte van consignatienemer⟩ goods received/held on consignment, goods received/held (for sale) on commission, ⟨boekhoudkundig⟩ outwards/inwards consignments

consigne [het] [1] ⟨opdracht⟩ orders, instructions ◆ *het consigne **luidde**: niemand doorlaten* the orders were to let no-one pass [2] ⟨wachtwoord⟩ password

consigneren [ov ww] [1] ⟨verbieden de kazerne te verlaten⟩ confine to barracks [2] ⟨in bewaring geven⟩ consign, deposit [3] ⟨verzenden⟩ consign [4] ⟨het wachtwoord geven⟩ give the password

consilium abeundi [het] ⟨tijdelijk⟩ (threat of) rustication, suspension (from university/college), ⟨definitief⟩ (threat of) expulsion ◆ *een consilium abeundi **krijgen*** be expelled; ⟨inf; BE⟩ be rusticated/sent down; ⟨inf; AE⟩ flunk out

consistent [bn] consistent, solid, sound ◆ *consistent **gedrag*** consistent behaviour; *een consistente **theorie*** a consistent theory

consistentie [de^{v}] [1] ⟨samenhang, dichtheid⟩ consistency [2] ⟨het aan zichzelf gelijk blijven⟩ consistency [3] ⟨het vrij blijven van innerlijke tegenspraak⟩ consistency

consistentvet [het] lubricating grease, mineral grease, (semi-)solid lubricant

consistoriaal [bn] consistorial

^{1}**consistorie** [de^{v}] ⟨kamer⟩ consistory, vestry

^{2}**consistorie** [het] [1] ⟨prot; raad⟩ consistory, vestry, ± parish council [2] ⟨r-k; vergadering⟩ consistory

consistoriekamer [de] consistory, vestry

consolbaken [het] ⟨verk⟩ consol beacon, consol transmitter

console [de] ⟨amb⟩ [1] ⟨draag-, kraagsteen⟩ console, corbel [2] ⟨ondersteunend deel⟩ bracket, support [3] ⟨tafeltje⟩ console (table) [4] ⟨comp⟩ console

consolekraan [de] wall-(bracket) crane

consoletafel [de] console (table)

consolidatie [de^{v}] [1] ⟨bestendiging⟩ consolidation [2] ⟨med⟩ consolidation [3] ⟨schuld⟩ consolidation

consolidatieproces [het] consolidation process

consolideren [ov ww] [1] ⟨duurzaam maken⟩ consolidate, strengthen ◆ *zijn **positie** consolideren* strengthen/consolidate one's position [2] ⟨vlottende schuld in vaste omzetten⟩ consolidate, fund ◆ *geconsolideerde **schuld*** funded debt; *geconsolideerde **staatsschuld*** consolidated annuities/stock/^{A}bonds, consols

consols [de^{mv}] ⟨fin⟩ consols, consolidated annuities/stock/^{A}bonds

consolsysteem [het] consol (system)

consommé [de^{m}] consommé, clear soup

^{1}**consonant** [de] [1] ⟨taalk⟩ consonant [2] ⟨muz⟩ consonant tone

^{2}**consonant** [bn, bw] consonant (with) ⟨bw: consonantly⟩, ⟨alleen predicatief⟩ in accordance (with), in agreement (with)

consonantisme [het] consonantism

consorten [de^{mv}] confederates, associates, ↓ buddies, ⟨vaak pej⟩ henchmen, clique ◆ *X **en** consorten* X and company, X and his pals, ↓ X and his lot/gang/mob

consortium [het] consortium, syndicate ◆ *een **internationaal** consortium* an international consortium

conspiratie [de^{v}] conspiracy, plot

conspiratief [bn, bw] conspiratorial ⟨bw: ~ly⟩

conspireren [onov ww] conspire, plot

constant [bn, bw] constant ⟨bw: ~ly⟩, steady, continuous, ⟨vrienden ook⟩ staunch, loyal ◆ *de toestand **blijft** constant* the situation remains stable/unchanged, ⟨m.b.t. ziekte⟩ his condition remains stable/unchanged; *een constante **grootheid/waarde*** a constant quantity/value; *de temperatuur constant **houden*** maintain a steady/constant temperature; *constante **kwaliteit*** consistent quality; *constante **liefde*** undying/eternal love; *een constante **stroom*** a steady stream; *constante **trouw*** unswerving loyalty; *hij houdt me constant voor de gek* he never misses a chance to make fun of/make a fool (out) of me, he's forever pulling my leg

constante [de] constant

constantheid [de^{v}], **constantie** [de^{v}] constancy

constantie [de^{v}] → **constantheid**

constatatie [de^{v}] ⟨in België⟩ → **constatering**

constateerbaar [bn] observable, noticeable, ↑ perceivable, ⟨te ontdekken⟩ detectable

constateren [ov ww] [1] ⟨vaststellen⟩ ⟨een feit, de waarheid⟩ establish, ⟨door onderzoek⟩ ascertain, ⟨door vermelding⟩ (put/place on) record, ⟨ontdekken⟩ find, detect, ⟨bemerken⟩ observe, see, ⟨ziekte⟩ identify, diagnose ◆ *de **aanwezigheid** van olie constateren* establish the presence of oil; *de **dood** constateren* certify s.o.'s death; *ik constateer slechts het **feit** (dat)* I'm merely recording/stating the fact (that), all I'm saying is that, the point I'm making is that; *wij **moeten** helaas constateren dat* I'm afraid we have to accept the fact that, unfortunately it appears that; *een **verschijnsel** constateren* record/observe a phenomenon; *een **ziekte/hartafwijking** constateren* diagnose an illness/a heart problem [2] ⟨bevestigen⟩ verify, confirm, acknowledge, ⟨schriftelijk ook⟩ certify ◆ *de **betaling** wordt door een ontvangstbewijs geconstateerd* a receipt will be issued as proof of payment, payment will be acknowledged by a receipt

constatering [de^{v}] observation, ⟨van een feit, de waarheid⟩ establishment, ⟨door onderzoek⟩ discovery, detection, ⟨het noteren⟩ registration, recording ◆ ***tot** de constatering komen dat* come to the conclusion that, establish that

constellatie [de^{v}] [1] ⟨toestand⟩ state of affairs, situation, ⟨structuur⟩ line-up, make-up ◆ *de **politieke** constellatie in Europa* the European political situation/set-up [2] ⟨onderlinge stand van hemellichamen⟩ configuration [3] ⟨groep sterren⟩ constellation

consternatie [de^{v}] consternation, alarm, dismay, panic ◆ *heel wat consternatie **geven/verwekken*** cause quite a stir/commotion; put/set the cat among the pigeons; *in **grote** consternatie verkeren* be at a complete loss, be filled with consternation/dismay, ↓ be in a state of panic; ***tot** consternatie van de aanwezigen* to the horror of those present

constipatie [de^{v}] constipation ◆ *last **hebben** van/**lijden** aan constipatie* be constipated

constituante [de^{v}] Constituent Assembly

constituent [de^{m}] [1] ⟨onderdeel⟩ constituent, component part, ingredient [2] ⟨taalk⟩ constituent

constitueren [ov ww] [1] ⟨instellen, vormen⟩ constitute, (formally) establish, install, set up ◆ *een nieuw **bestuur** constitueren* install/establish a new committee/government; ***zich** constitueren* constitute o.s. (into); ⟨pol⟩ resolve o.s. into a committee [2] ⟨vaststellen, verordenen⟩ constitute, draw up, lay down, enact

constituerend [bn] [1] ⟨m.b.t. een staatsregeling⟩ constituent ◆ *constituerende **vergadering*** constituent assembly [2] ⟨m.b.t. de samenstelling van iets⟩ constituent, component ◆ *constituerende **delen*** constituent/component parts

constitutie [de^{v}] [1] ⟨gestel⟩ constitution, physique ◆ *een **slechte** constitutie hebben* have a weak constitution, be in poor (general) health [2] ⟨grondwet⟩ constitution [3] ⟨r-k⟩ constitution [4] ⟨wijze waarop iets samengesteld is⟩ constitution, structure, make-up, nature [5] ⟨inwerkingstelling⟩ constitution, installation ◆ *constitutie van een **commissie*** installation/appointment of a committee/commission

constitutief [bn] constitutive, investitive ◆ ⟨jur⟩ *een constitutieve **titel*** an original title, a title acquired by an investitive fact; ⟨jur⟩ *constitutief **vonnis*** a 'constitutive' judge-

ment

constitutioneel [bn, bw] [1] ⟨grondwettig⟩ constitutional ⟨bw: ~ly⟩ ♦ *constitutionele **monarchie*** constitutional monarchy [2] ⟨med⟩ constitutional ⟨bw: ~ly⟩ ♦ *constitutioneel **eczeem*** atopic eczema

constructeur [de^{m}] designer, design engineer/draughtsman, structural engineer

constructeursprijs [de^{m}] constructors' prize/award

constructie [de^{v}] [1] ⟨het construeren⟩ construction, ⟨het bouwen/maken⟩ building, erection, ⟨het ontwerpen⟩ design(ing) ♦ *de constructie, bouw en installatie van een **kernreactor*** the design, construction and installation of a nuclear reactor [2] ⟨wijze van construeren⟩ construction, design ♦ *een **gelaagde** constructie* a layered architecture; *de constructie van een **schip*** the construction/design of a ship [3] ⟨wat door construeren ontstaat⟩ construction, structure, building ♦ *een **theoretische** constructie* a theoretical construct [4] ⟨taalk⟩ construction [5] ⟨wisk⟩ construction

constructiebankwerker [de^{m}] constructional fitter

constructief [bn, bw] [1] ⟨opbouwend, vormend⟩ constructive ⟨bw: ~ly⟩, helpful, useful, positive ♦ *constructieve **bijdragen/ideeën*** helpful/useful suggestions/ideas; *zich constructief **opstellen*** be constructive/positive, take a positive stance/attitude; *constructief te **werk gaan*** go about sth. in a positive/constructive way [2] ⟨m.b.t. een constructie⟩ constructional ⟨bw: ~ly⟩, structural ♦ *constructieve **details/delen*** structural details/parts [3] ⟨in overeenstemming met de constructie⟩ constructional ⟨bw: ~ly⟩, structural [•] *constructief **tekenen*** mechanical drawing

constructiefout [de] ⟨in ontwerp⟩ design error, faulty design, ⟨in bouwwerk⟩ structural/construction defect, structural/construction fault, faulty construction ♦ *een constructiefout **constateren*** find/note a fault in design/a design error; *dit is te **wijten aan** een constructiefout* this is owing to faulty construction/a structural defect

constructiewerkplaats [de] [1] ⟨werkplaats voor metaalconstructies⟩ assembly/engineering (work)shop [2] ⟨spoorw⟩ railway engineering works, railway workshop

constructionisme [het] constructionism

construeren [ov ww] [1] ⟨samenstellen⟩ construct, ⟨bouwen⟩ build, erect, put together, ⟨ontwerpen⟩ design ♦ *een **plan** construeren* devise a plan [2] ⟨wisk⟩ construct ♦ *een **vierkant** construeren* construct a square [3] ⟨kunstmatig vormen⟩ hypothesize ♦ *een geconstrueerd **geval*** a hypothetical case [4] ⟨taalk; m.b.t. zinnen⟩ construe [5] ⟨taalk; afleiden⟩ construe ♦ *een geconstrueerde **vorm*** a hypothetical/reconstructed form

consul [de^{m}] [1] ⟨m.b.t. een vreemde regering⟩ consul ♦ ***honorair** consul* honorary consul [2] ⟨m.b.t. een vereniging⟩ area/local representative [3] ⟨gesch⟩ consul

consulaat [het] [1] ⟨bureau⟩ consulate [2] ⟨ambt⟩ consulate, consulship

consulaat-generaal [het] consulate general

consulair [bn] consular ♦ *een consulair **agent*** a consular agent; *consulaire **ambtenaren/verslagen*** consular officials/reports

consulent [de^{m}] [1] ⟨adviseur⟩ consultant, adviser, counsellor ♦ ***als** consulent **werken*** be a consultant/counsellor [2] ⟨predikant⟩ clergyman who has the care of a vacant parish [3] ⟨voorlichter⟩ (government) adviser, information officer

consul-generaal [de^{m}] consul general

consult [het] [1] ⟨raadpleging, voorlichting⟩ consultation, ⟨arts⟩ visit ♦ ***gratis** consult **geven*** give consultations free of charge, give free consultations [2] ⟨overleg tussen artsen⟩ consultation

consultancy [de^{v}] consultancy, consulting firm/agency

consultancybureau [het] consulting agency

consultant [de^{m}] consultant

consultatie [de^{v}] consultation ⟨ook juridisch⟩, advice

consultatiebureau [het] clinic, health centre ♦ *met een **baby naar** het consultatiebureau **gaan*** take one's child to the health centre/^{A}(well-baby) clinic; *consultatiebureau **voor zuigelingen*** infant welfare centre, child health centre, ⟨AE⟩ well-baby clinic; *consultatiebureau **voor alcohol en drugs*** clinic for alcohol and drugs abuse; *consultatiebureau **voor geslachtsziekten*** VD clinic; *consultatiebureau **voor tuberculosebestrijding*** ± TB prevention clinic; *consultatiebureau **voor geboorteregeling en seksualiteit*** family-planning clinic

consultatief [bn] consultative, advisory

consulteren [ov ww] [1] ⟨raadplegen⟩ consult, seek professional advice ♦ *een **advocaat** consulteren* consult a lawyer, ↓ see a lawyer, take/seek legal advice; *een **arts** consulteren* consult a doctor, ↓ see a doctor, take/seek medical advice; *een andere/tweede **dokter** consulteren* get a second opinion; *een consulterend **geneesheer*** a consulting physician, a consultant [2] ⟨onderling overleg plegen⟩ confer, discuss, deliberate

consument [de^{m}] consumer ♦ *de **uiteindelijke** consument* the ultimate consumer

consumentenbelangen [de^{mv}] consumer('s) interests ♦ ***behartiging** van de consumentenbelangen* consumerism, promotion of the consumer's interests

consumentenbeleid [het] ⟨ec⟩ consumer policy

consumentenbond [de^{m}], **consumentenvereniging** [de^{v}] consumers' organization/association/union, ⟨AE⟩ Consumer's Guide

consumentenboycot [de^{m}] consumer boycott

consumentencampagne [de] consumer campaign

consumentenelektronica [de^{v}] consumer electronics

consumentengedrag [het] consumer behaviour

consumentengids [de^{m}] consumers' magazine

consumentenindex [de^{m}] [1] ⟨vertrouwensindex⟩ consumer confidence index [2] ⟨consumentenprijsindex⟩ consumer price index

consumentenkrediet [het] consumer credit

consumentenkring [de^{m}] ± coop, cooperative buying

consumentenmarkt [de] [1] ⟨markt waarin de consument domineert⟩ buyer's market [2] ⟨markt voor consumenten⟩ consumer market

consumentenonderzoek [het] consumer research/survey

consumentenprijs [de^{m}] retail price

consumentenprijsindex [de^{m}] consumer price index

consumentenrubriek [de^{v}] consumer programme/^{A}program

consumentenvereniging [de^{v}] → **consumentenbond**

consumentenvertrouwen [het] consumer confidence

consumentenvoorlichting [de^{v}] consumer information

consumentenwinkel [de^{m}] ⟨BE⟩ (local authority) advice centre, ⟨BE⟩ (voluntary) Citizens Advice Bureau

consumentisme [het] consumerism, Naderism

consumeren [ov ww] [1] ⟨nuttigen, gebruiken⟩ consume, eat, drink, ⟨grote hoeveelheden⟩ get through ♦ ***iets** consumeren* eat/drink sth., have sth. to eat/drink [2] ⟨ec⟩ deplete, exhaust, use up

consuminderen [ww] consume less

consummatie [de^{v}] consummation

consumptie [de^{v}] [1] ⟨verbruik van goederen⟩ consumption ♦ ⟨handel⟩ ***in** consumptie* duty paid; ***particuliere** consumptie* private consumption [2] ⟨verbruik van levensmiddelen⟩ consumption ♦ *(on)**geschikt voor** consumptie* (un)fit for (human) consumption [3] ⟨gemaakte vertering⟩ food, drinks, refreshments ♦ *drie consumpties **aangeboden krijgen*** be treated to/be offered three drinks; ***alle** consumpties twee euro* all drinks two euros each; *een consumptie **bestellen/ge-***

bruiken order some refreshments, take some refreshment; *de consumpties* ***betalen*** pay for the drinks, ⟨AE⟩ pick up the tab ⊡ ***met*** *consumptie spreken* spray s.o., spit (while talking)

consumptieaardappelen [de^{mv}] edible/eating potatoes, potatoes for the retail market

consumptieartikel [het] ⟨vnl mv⟩ consumable, ⟨mv ook⟩ (basic) consumer goods

consumptiebeperking [de^{v}] cut down (on) consumption

consumptiebon [de^{m}] food voucher, chit

consumptief [bn] consumptive ♦ *consumptieve* ***belastingen*** consumption tax, excise (tax); *consumptieve* ***bestedingen*** consumer expenditure; *voor consumptieve* ***doeleinden*** (produced) for consumption/for consumer purposes; *consumptief* ***krediet*** consumer credit; *consumptieve* ***overheidsuitgaven*** government/public expenditure on goods and services; *consumptieve* ***vraag*** consumer demand, demand for consumer goods

consumptiegoederen [de^{mv}] consumer goods ♦ ***duurzame*** *consumptiegoederen* consumer durables, durable consumer goods

consumptie-ijs [het] ice cream

consumptiemaatschappij [de^{v}] consumer society

consumptiepatroon [het] consumption pattern, spending pattern

contact [het] 1 ⟨aanraking⟩ contact ♦ ***in*** *contact komen met iets* come in contact with sth., be exposed to sth.; *iemand* ***in*** *contact brengen met iets/iemand* introduce/expose s.o. to sth./s.o., acquaint s.o. with sth./s.o.; ***vermijd*** *contact met de huid* avoid skin contact/contact with the skin 2 ⟨comm⟩ contact, connection, ⟨inf⟩ link-up ♦ *het contact* ***is verbroken*** the connection has been cut/broken, I've/we've been cut off; ***telefonisch*** *contact opnemen* get in touch by phone, get on the phone to s.o. 3 ⟨onderlinge communicatie⟩ contact, touch ♦ *we* ***hebben*** *geen contact meer met elkaar* we're out of touch, we've lost contact/touch; *contact* ***houden*** *met elkaar over iets* keep in touch (with one another) on sth., get back to/liaise with one another on sth.; *nauw contact* ***houden*** *met, nauwe contacten* ***onderhouden*** *met* keep in close touch with; ***in*** *contact blijven met* keep in touch with; ***in*** *(nauw) contact staan met* be in (close) contact/touch with; *iemand* ***in*** *contact brengen met* put s.o. in contact/touch with; ⟨voorstellen ook⟩ make s.o. acquainted with, introduce s.o. to; *contact* ***krijgen*** *met iemand* make contact with s.o., get in touch with s.o.; *contact(en)* ***leggen*** make contact(s), contact; *het dagelijks contact* ***onderhouden*** *met* be daily in touch with, keep day-to-day contact with; *contact* ***opnemen*** *met iemand* contact s.o., establish contact with s.o., get in touch with s.o.; *contact* ***opnemen*** *met iemand over iets* contact s.o. about sth.; *contact(en)* ***verbreken*** break contact, sever relations/connections; ***wisselende*** *contacten* multiple sexual contacts; *contact* ***zoeken*** *met iemand* approach s.o., try to get in touch with s.o. 4 ⟨band, verstandhouding⟩ contact, terms ♦ *een* ***goed*** *contact met iemand hebben* be on good/friendly terms with s.o., have a good rapport/relationship with s.o. 5 ⟨persoon⟩ contact (man), ⟨relatie⟩ connection, ⟨binnen organisatie⟩ focal point ♦ *contacten* ***hebben*** ***in*** *bepaalde kringen* have contacts/connections (in certain circles) 6 ⟨elek⟩ contact ♦ *het sleuteltje* ***in*** *het contact* ***steken*** put the key in the ignition; *contact* ***maken*** make contact, complete the circuit 7 ⟨schakelaar⟩ contact, switch, ⟨van auto⟩ ignition 8 ⟨geol⟩ contact

contactadres [het] contact address

contactadvertentie [de^{v}] personal ad(vert), advert in the personal column

contactafdruk [de^{m}] contact print, ⟨inf⟩ contact

contactambtenaar [de^{m}] contact officer, case worker

contactarm [bn] socially inhibited, ⟨eenzaam⟩ socially isolated

contactarmoede [de^{v}] contactual problems, inability to make friends easily, unsociability ♦ ***lijden aan*** *contactarmoede* have extreme difficulty in making friends, ↑ have extreme difficulty in forming relationships

contactavond [de^{m}] social (evening), get-together, ⟨AE⟩ sociable

contactcommissie [de^{v}] liaison committee, ⟨in fabriek⟩ works committee

contactdocent [de^{m}] work placement co-ordinator

contactdoos [de] socket, ⟨BE⟩ (power) point, ⟨techn⟩ socket/wall outlet, ⟨in toestel⟩ appliance inlet, ⟨spanningsomschakelaar⟩ adapter socket

contactdraad [de^{m}] contact wire

contacten [ov ww] contact

contacteren [ov ww] 1 ⟨contact opnemen met⟩ contact, approach, get in touch with 2 ⟨in België; opzoeken⟩ call on, visit

contactgestoord [bn] (severely) withdrawn, socially handicapped

contactgrill [de^{m}] contact grill

contactlens [de] contact lens, ⟨mv ook; inf⟩ contacts

contactlensspecialist [de^{m}] contact lens specialist

contactlijm [de^{m}] contact adhesive

contactman [de^{m}] contact (person)

contactonderwijs [het] face-to-face education

contactouder [de^{m}] contact parent

contactpersoon [de^{m}] 1 ⟨verbindingspersoon⟩ contact (person), ⟨bron⟩ source, informant, ⟨binnen organisatie⟩ focal point 2 ⟨m.b.t. een besmettelijke ziekte⟩ carrier, contact

contactpunt [het] 1 ⟨punt⟩ point of contact, contact point 2 ⟨blokje metaal⟩ ⟨meestal mv⟩ (contact-breaker) point ♦ *de contactpunten van een auto* ***vernieuwen*** replace the points in a car

contactsleutel [de^{m}] ignition key

contactslot [het] ignition lock

contactsport [de] contact sport

contactstoornis [de^{v}] contact disorder

contactstop [de^{m}] ⟨elek⟩ plug

contacttaal [de] common language

contactueel [bn, bw] contactual ⟨bw: ~ly⟩ ♦ ***goede*** *contactuele* ***eigenschappen*** ***bezitten*** be able to get on well with others, have good communication/human relations skills, be able to make friends easily; *contactueel* ***gestoord*** *zijn* be (severely) withdrawn

contactuur [het] contact hour, teaching/class period/hour

container [de^{m}] 1 ⟨laadbak, voorraadvat⟩ container 2 ⟨afvalbak⟩ ⟨BE⟩ (rubbish) skip, ⟨AE⟩ dumpster, ⟨AE ook⟩ (garbage) container

containerbegrip [het] catch-all term

containerhaven [de] container port

containeroverslag [de^{m}] trans(s)hipment/transfer (from container to container)

containerplant [de] container plant

containerschip [het] container ship

containerterminal [de^{m}] container terminal

containervervoer [het] containerization, container transport

containerwagen [de^{m}] ⟨BE⟩ container lorry, ⟨AE⟩ container truck

contaminatie [de^{v}] 1 ⟨taalk⟩ contamination 2 ⟨lett⟩ contamination 3 ⟨besmeuring⟩ contamination

contamineren [onov ww] contaminate

contant [bn, bw] cash, ready ♦ *contant* ***betalen*** pay in cash, pay money down; *tegen contante* ***betaling*** on cash payment; *korting voor contante* ***betaling*** cash discount; *met 2% korting voor contante* ***betaling*** 2 % discount against cash payments/for cash; *30 euro contant* € 30 down/in cash; *contant* ***geld*** cash, ready money, hard cash, ⟨AE⟩ cold cash; *zijn inkom-*

sten contant ***maken*** make his income cash; ***over*** *contant geld* ***beschikken*** have cash in hand; *contante* ***waarde*** market value; ⟨van een eigendom⟩ proprietary equity; *wij verkopen alleen à contant* we do business on a cash basis only, our terms are spot cash/cash down

contanten [de^{mv}] cash, ready money, cash in hand ♦ *honderd euro* ***aan*** *contanten* a hundred euros in cash; ***gebrek*** *aan contanten* shortage of cash, lack of funds; *betaling* ***in*** *contanten* cash/down payment, cash on the nail; *omwisselen* ***in*** *contanten* ⟨cheque⟩ cash; ⟨aandelen⟩ cash in; *hij drukt alles* ***in*** *contanten* ***uit*** he reduces everything to hard cash, he's always talking money

conté [het] conté (crayon), drawing chalk

contemplatie [de^{v}] contemplation, meditation ♦ ⟨jur⟩ *ter contemplatie* ***van*** in re

contemplatief [bn] [1] ⟨beschouwend, bespiegelend⟩ contemplative [2] ⟨r-k⟩ contemplative ♦ *een contemplatieve* ***orde*** a contemplative order

contemporain [bn] contemporary ♦ *contemporain* ***zijn/maken*** contemporize

^{1}**content** [de^{m}] content

^{2}**content** [bn] content (with), satisfied/pleased (with)

contentement [het] ⟨in België⟩ contentment

contentieus [bn] [•] ⟨jur⟩ *contentieuze* ***rechtspraak*** contentious jurisdiction, jurisdiction in disputed matters

contentmanager [de^{m}] content manager

contestant [de^{m}] protester, dissident, activist, militant

contestatie [de^{v}] protest, anti-establishment activity/action

contesteren [ov ww] contest, question, dispute, protest (against)

context [de^{m}] [1] ⟨zinsverband, samenhang⟩ context ♦ *iets* ***in*** *een bepaalde context plaatsen* contextualize sth., place/put sth. in a particular context [2] ⟨kader, situatie⟩ context, framework, background ♦ *iets* ***binnen*** *een bepaalde context behandelen* treat sth. within a particular context/against a particular background; *een gebeurtenis uit zijn* ***historische*** *context losmaken* divorce an event from its historical context; *je moet dat in de* ***juiste*** *context zien* you must view that in the proper context [3] ⟨jur⟩ wording, terms (used) ♦ *context der* ***dagvaarding*** wording of the summons

contextgebonden [bn] ⟨alg⟩ contextual, ⟨taalk⟩ context-bound

contextgevoelig [bn] ⟨taalk⟩ context-sensitive

contextualiseren [ov ww] contextualize

contextueel [bn] contextual ♦ *contextuele* ***analyse*** contextual analysis

contextuur [de^{v}] contexture

contextvrij [bn] ⟨taalk⟩ contextfree

contigu [bn] adjacent, ↑contiguous, ⟨onderwerpen⟩ closely related, ⟨in ruimte, tijd of betekenis⟩ co(n)terminous, coextensive

contiguïteit [de^{v}] contiguity, proximity, ⟨van onderwerpen⟩ relatedness

^{1}**continent** [het] continent

^{2}**continent** [bn] continent

continentaal [bn] continental ♦ ⟨geol⟩ *continentale* ***afzettingen*** continental deposits; *het continentaal* ***plat*** the continental shelf

continentie [de^{v}] [1] ⟨matiging, onthouding⟩ continence, moderation, (self-)restraint, ⟨m.b.t. geslachtsdrift⟩ chastity [2] ⟨m.b.t. de ontlasting⟩ continence

^{1}**contingent** [het] [1] ⟨verplicht aandeel⟩ contingent [2] ⟨ec; toegewezen aandeel⟩ quota, share, proportion, ⟨toewijzing⟩ allocation, allotment

^{2}**contingent** [bn] ⟨bepaald door, toevallig⟩ contingent ((up)on)

contingenteren [ov ww] allocate/apportion/assign by a quota system, impose quotas (on/for), fix quotas (on/for), establish quotas (on/for) ♦ *de* ***invoer*** *van vlees contingenteren* restrict the import of meat; *de* ***productie*** *contingenteren* fix/impose/establish quotas for the production, put/place quotas on production

contingentering [de^{v}] quota restrictions, fixing of quotas, quota system/scheme ♦ *contingentering van* ***invoer*** import restrictions; *contingentering van* ***productie/de haringvangst*** restriction of production/herring fishing by quota; *tot contingentering* ***overgaan*** introduce a quota (system/scheme)

contingentie [de^{v}] contingency

^{1}**continu** [bn] ⟨zonder onderbreking voortgaand⟩ continuous, ⟨lijn⟩ unbroken, uninterrupted ♦ *een continue* ***stroom*** *mensen* a continuous stream of people; ⟨wisk⟩ *continue* ***variabele*** continuous variable

^{2}**continu** [bw] ⟨onafgebroken⟩ continuously, uninterruptedly, without a break, ⟨form⟩ without cease ♦ *hij* ***loopt*** *continu te klagen* he is always/continuously/forever complaining; *die machine* ***werkt*** *continu* this machine is running continuously/is in continuous operation; *in dit bedrijf* ***wordt*** *al jaren continu* ***gewerkt*** this factory has been working continuously for years

continuarbeid [de^{m}] shift work

continuatie [de^{v}] [1] ⟨voortduring, -zetting⟩ continuance, continuation [2] ⟨jur⟩ adjournment, ⟨AE⟩ continuance

continubedrijf [het] [1] ⟨bedrijf⟩ ⟨bedrijfstak⟩ continuous industry, ⟨bedrijf⟩ continuous working plant ♦ *de staalindustrie* ***is*** *een continubedrijf* the steel industry is a continuous production industry [2] ⟨werkwijze⟩ continuous process/production/operation ♦ *staalfabrieken* ***zijn*** *continubedrijven* steel mills operate round the clock/on a 24-hour basis/operate non-stop

continudienst [de^{m}] continuous working ♦ *hoogovens* ***kennen*** *continudienst* blast furnaces have continuous working/work day and night/work twenty-four hours a day

^{1}**continueren** [onov ww] ⟨voortduren, doorgaan⟩ continue

^{2}**continueren** [ov ww] [1] ⟨voortzetten⟩ continue (with), carry on (with) [2] ⟨handhaven⟩ continue, retain ♦ *het* ***dienstverband*** *wordt telkens voor een jaar gecontinueerd* tenure is renewable annually [3] ⟨jur⟩ adjourn, ⟨AE⟩ continue ♦ *een* ***zaak*** *continueren* adjourn/continue a case

continuering [de^{v}] continuation, prolongation, extension

continuïteit [de^{v}] [1] ⟨samenhang⟩ continuity, ⟨eenheid⟩ unity, cohesion ♦ *continuïteit van* ***gedachten*** continuity of thought [2] ⟨voortduring⟩ continuation ♦ *de continuïteit van een* ***bedrijf*** *verzekeren* ensure the continuation of a company

continukrediet [het] ⟨fin⟩ continuous credit, credit facility

conto [het] account ♦ ⟨fig⟩ *iets* ***op*** *iemands conto schrijven* hold s.o. responsible/accountable for sth., lay sth. at s.o.'s door, score sth. (up) against/to s.o.; *a conto* on account; *conto finto* pro forma account/invoice; *conto a metà* joint account; *conto corrente* account current, current account, check/drawing account

contour [de^{m}] contour, outline ♦ *de contouren* ***aangeven*** *van iets* contour/outline sth.; mark the contour(s) of sth.; ***scherpe/vage*** *contouren* sharp/vague contours/outlines

contourennota [de] policy outline memorandum

contourschets [de] profile, outline

^{1}**contra** [de^{m}] ⟨contrarevolutionair⟩ contra

^{2}**contra** [het] [•] *het* ***pro*** *en contra* the pros and cons, the arguments for and against

^{3}**contra** [bn, bw] [1] ⟨tegen⟩ contra, con ♦ *alle argumenten* ***pro*** *en contra bekijken* consider all the arguments for and against/all the pros and cons [2] ⟨muz⟩ contra

^{4}**contra** [vz] contra, against, ⟨vnl. jur⟩ versus, ⟨adm⟩ v, vs ♦

*Smit contra **Smit*** Smit versus Smit

contrabande [de] contraband (goods), smuggled goods, illegal imports/exports

[1]**contrabas** [de^{m}] ⟨musicus⟩ (double) bass player, contrabassist

[2]**contrabas** [de] ⟨instrument⟩ (double) bass, contrabass, ⟨in jazzband⟩ string bass

contrabassist [de^{m}] (double) bass player, contrabassist

contraceptie [de^{v}] contraception, birth control, family planning ♦ ***biologische** contraceptie* biological contraception; ***chirurgische** contraceptie* surgical contraception; ***hormonale** contraceptie* hormonal contraception; *contraceptie **toepassen*** practise contraception, use contraceptives

[1]**contraceptief** [het] contraceptive ♦ *een **oraal** contraceptief* an oral contraceptive

[2]**contraceptief** [bn] contraceptive ♦ *contraceptieve **middelen*** contraceptive devices; *de contraceptieve **werking*** the contraceptive effect

contraceptiemiddel [het] ⟨med⟩ contraceptive

contraceptioneel [bn] contraceptive, contraception

contraceptivum [het] contraceptive (device)

contract [het] [1] ⟨overeenkomst⟩ contract, agreement ♦ *een speler een contract **aanbieden*** offer a contract to a player; *een contract **(af)sluiten*** enter into/make a contract; ⟨sport⟩ *zijn contract **loopt af*** his contract is running out; *een **lopend** contract* a(n) (out)standing/unexpired contract; ⟨sport⟩ ***onder** contract zijn bij* be under contract to, have a contract with; *een contract **(onder)tekenen*** sign/execute a contract; *iemand aanstellen **op** een tweejarig contract* appoint s.o. on a two-year contract; *een contract **openbreken*** change the terms of a contract; ↓ tinker with a contract; *een contract **opzeggen/verbreken*** terminate/break a contract; ***volgens** contract* as per contract, according to contract; *een contract **voor** de levering van aardgas* a contract for the supply of natural gas [2] ⟨geschrift⟩ contract ♦ *zich **bij** contract verbinden goederen te leveren* contract to supply goods; *een contract geldig/ongeldig **verklaren*** validate/invalidate a contract [3] ⟨bridge⟩ contract ♦ *het contract **maken*** make the/one's contract

contractant [de^{m}] contractor, contractant, contracting party, party to a contract, stipulator

contractarbeid [de^{m}] contract labor

contractbasis [de^{v}] ⊡ *op contractbasis werken/in dienst nemen* work/employ under contract/on a contract basis

contractbreuk [de] breach of contract ♦ *contractbreuk **plegen*** commit a breach of contract, break one's contract; *iemand een boete opleggen **wegens** contractbreuk* fine s.o. for breach of contract

contractbridge [het] contract bridge

contracteren [ov ww] [1] ⟨contract sluiten⟩ contract ♦ *contracterende **partijen*** contracting parties, the parties hereto [2] ⟨bij contract overeenkomen⟩ contract ♦ *de gecontracteerde **prijs*** the price agreed, the price contracted for, the contracted price [3] ⟨verbinden, engageren⟩ engage, ⟨vnl sport⟩ sign (up/on) ♦ *een **artiest** contracteren* sign up/contract a performer; *een nieuwe **spits** contracteren* sign up a new striker

contractie [de^{v}] contraction

contractonderwijs [het] contract education

contractonderzoek [het] contract research

contractpartner [de^{m}] contractor, contracting party, party to a contract

contractpolis [de] contract policy, open/floating policy ♦ *verzekerd **op** contractpolis* insured under a floating policy

[1]**contractueel** [de^{m}] ⟨in België⟩ contractual worker

[2]**contractueel** [bn, bw] contractual ⟨bw: ~ly⟩ ♦ *contractueel **gebonden** zijn aan* be bound by contract to, be under contractual obligation to; *dat **is** niet contractueel **geregeld/vastgelegd*** this is not regulated/fixed by contract/covered by the terms of the contract; *iets contractueel **vastleggen*** lay sth. down/stipulate sth. in a contract; *contractueel **verplicht** zijn om* be under contract to; *zich contractueel **verplichten** tot iets/iets te doen* contract for sth./to do sth., commit o.s. to sth./to doing sth.; *contractuele **verplichting*** contractual obligation

contradans [de^{m}] contredanse, contradance

contradictie [de^{v}] contradiction

contradictio in terminis contradiction in terms

contradictoir [bn] contradictory ⊡ *contradictoir **vonnis*** judg(e)ment in a defended case

contra-expert [de^{m}] assessor/adjuster acting for the opposing party

contra-expertise [de^{v}] countercheck, verification, second opinion, ⟨verz⟩ re-appraisal ♦ *contra-expertise **aanvragen*** apply for/request a countercheck; *de renner werd ook **bij** de contra-expertise positief bevonden* the result of the countercheck on the cyclist was also positive; *contra-expertise **op** het gebruik van doping/verboden stimulerende middelen* countercheck on the use of drugs/illegal stimulants; *contra-expertise **uitvoeren*** (carry out/perform/run a) countercheck, verify

contrafagot [de^{m}] ⟨muz⟩ contrabassoon, contrafagotto, double bassoon

contragewicht [het] counterweight, counterpoise, counterbalance

contraheren [ov ww] contract

contrail [de^{m}] contrail, vapour trail

contra-indicatie [de^{v}] contraindication

contrair [bn] contrary ♦ ⟨jur⟩ *contrair **beding*** stipulation/provision to the contrary

contralto [de] contralto

contramine [de^{v}] ⟨handel⟩ bear campaign/operation/^{A}raid, short selling ♦ *dekkingen **door** de contramine* bear/^{A}short coverings; ***in** de contramine zijn* be a bear (in the market), speculate for a fall, sell short ⊡ ***in** de contramine zijn* be uncooperative/argumentative/perverse/difficult, ↑ be contrary, ↓ be bolshy; *hij is altijd **in** de contramine* he's a born moaner, he's never got a good word (to say) for anything/anybody

contramineur [de^{m}] bear, speculator/operator for a fall, short(seller)

contramoer [de] locknut, check/safety nut

contraorder [het, de] counter-order

contrapost [de^{m}] ⟨adm⟩ contra, per contra item/entry, cross-entry, counter-entry, balancing/offsetting entry

contraprestatie [de^{v}] quid pro quo, return, ⟨jur⟩ consideration ♦ ***als** redelijke contraprestatie bieden wij aan om ...* as a reasonable quid pro quo we are prepared to ...; *een betaling als contraprestatie **voor** het gebruik van* payment as consideration for the use of/in return for the use of; *iets doen als/zonder contraprestatie* do sth. in return/without any return

contraproductief [bn] counterproductive

contrapunt [het] ⟨muz⟩ counterpoint, contrapunto ♦ *contrapunt **toevoegen** aan* counterpoint ⟨ww⟩

contrapuntisch [bn, bw] ⟨muz⟩ contrapuntal

contrapuntist [de^{m}] contrapuntist, contrapuntalist

Contrareformatie [de^{v}] Counter Reformation

contraremonstrant [de^{m}] ⟨gesch⟩ counter-remonstrant, contra-remonstrant

contrarevolutie [de^{v}] counterrevolution

[1]**contrarevolutionair** [de^{m}] counterrevolutionary, counterrevolutionist

[2]**contrarevolutionair** [bn] counterrevolutionary

contrariëren [ov ww] thwart, frustrate, ↓ cross

contraschroef [de] ⟨verk⟩ counterrotating/contrarotating propeller

contraseign [het] countersignature

contrasigneren [ov ww] countersign

contraspion [de^{m}] counterspy

contraspionage [de^v] counterespionage, counterintelligence
contrast [het] [1] ⟨tegenstelling⟩ contrast ♦ *in (schril) contrast staan met* contrast (sharply) with ⟨ww⟩; *(bekwaam) met contrasten werken* use contrasts (skilfully); *een schreeuwend contrast* a glaring contrast; *het zijn twee contrasten* they are two opposites, they're like chalk and cheese/fire and water; *een (sterk) contrast vormen met* contrast (strongly) with ⟨ww⟩, be in (marked) contrast with/to, form a sharp contrast with/to [2] ⟨m.b.t. televisie⟩ contrast ♦ *het contrast bijstellen* (re)adjust the contrast; *het beeld heeft niet genoeg contrast* the image doesn't have enough contrast
contrastekker [de^m] coupling socket, connector
contrasteren [onov ww] contrast (with), be in contrast (with/to) ♦ *doen contrasteren* being into contrast/relief, bring out the contrast; *contrasterende kleuren/temperamenten* contrasting colours/temperaments; *contrasterend werken* have a contrastive effect, work contrastively
contrastief [bn, bw] contrastive ⟨bw: ~ly⟩ ⟨ook taalkunde⟩ ♦ *een contrastieve grammatica* a contrastive grammar; *contrastieve linguïstiek/taalkunde* contrastive linguistics; *contrastief relevant* contrastively relevant
contrastregelaar [de^m] contrast control/knob
contrastrijk [bn] full of contrast, rich in contrast ⟨alleen na zn⟩, ⟨foto ook⟩ contrasty, with plenty of contrast, with marked contrast ♦ *een contrastrijk landschap* a landscape full of contrast; *een contrastrijk negatief* a contrasty negative
contrastvloeistof [de] contrast fluid/medium ♦ *iemand contrastvloeistof inspuiten* inject s.o. with a contrast fluid/contrast medium/radio-opaque fluid
contrastwerking [de^v] contrast (effect)
contratenor [de^m] [1] ⟨stem⟩ countertenor, alto [2] ⟨zanger⟩ countertenor, male alto, ⟨inf; BE⟩ cock alto
contraterreur [de] [1] ⟨terreur tegen terreur⟩ counter terror [2] ⟨contraterrorisme⟩ counterterrorism
contraterrorisme [het] counterterrorism
contraveniëren [ov ww] contravene
contrecoeur [•] *à contrecoeur* halfheartedly; *het werd à contrecoeur gedaan* it was done reluctantly, it went against the grain; *iets à contrecoeur geven, à contrecoeur toestemmen* give sth./agree grudgingly
contrefilet [het, de^m] sirloin (steak)
contrefort [het] [1] ⟨steunmuur⟩ buttress, counterfort [2] ⟨hielstuk⟩ counter, stiffener
contreien [de^mv] parts, regions ♦ *in die contreien* in those parts, in that area
contribuabel [bn] liable to taxation, assessable, taxable, ratable ♦ ⟨zelfstandig (gebruikt)⟩ *de contribuabelen* the tax/rate payers
contribuant [de^m] contributor
contribueren [ov ww, ook abs] contribute (to), subscribe (to) ♦ *contribuerend lid* subscribing/paying member, subscriber
contributie [de^v] [1] ⟨periodieke vaste bijdrage⟩ ⟨als lid⟩ subscription, membership fee, ⟨belasting⟩ tax, contribution, ⟨vrijwillig⟩ contribution ♦ *geen contributie meer betalen* cease to be a member, stop (paying) one's subscription [2] ⟨bedrag daarvan⟩ ⟨als lid⟩ (member's) subscription fee, ⟨mv⟩ membership dues, ⟨vrijwillig⟩ contribution
controle [de] [1] ⟨inspectie⟩ check (on), checking, control, ⟨toezicht ook⟩ supervision (of/over), surveillance, ⟨van gegevens ook⟩ verification, ⟨op kwaliteit⟩ inspection, examination, ⟨med⟩ checkup, medical, ⟨van een continu proces⟩ monitoring, ⟨boekh⟩ audit(ing), ⟨antecedenten van iemand⟩ screening ♦ *controle van de bagage* baggage check; *de controle van de boekhouding* the audit of accounts/examination of the books; *zij staat nog steeds onder (medische) controle* she is still under (medical) supervision/she still has to have regular checkups; *er was weinig controle op de uitgaven* little check was kept on (the) expenditure; *belast zijn met de controle over een afdeling/bedrijf* be charged/entrusted with the supervision of a department/business; *sociale controle* social control; *onder strenge/voortdurende controle staan* be under strict/constant supervision/surveillance/monitoring; *we doen dat louter ter controle* this is just a routine check, we do this as a check; *controle uitoefenen op* exercise supervision over, supervise, superintend, check (on) [2] ⟨plaats⟩ control (point), checkpoint, ⟨van toegangsbewijzen⟩ turnstile, (ticket) gate/barrier/box ♦ *zijn kaartje aan de controle afgeven* hand in one's ticket at the (ticket) gate/barrier/to the ticket collector; *hij kwam niet door de controle* he didn't get through/in/out, he didn't get past the gate [3] ⟨beheersing⟩ control ♦ *daar hebben wij geen controle op* that's beyond our control, we can't keep tabs on/check everything; *hij kon de bal niet onder controle krijgen* he was not able to get the ball under control/control the ball; *de situatie/een gebied onder controle hebben* be in control/command of a situation/an area; *zij heeft de situatie volledig onder controle* she's in full command of the situation, she has the situation well in hand; *zijn reacties/een brand onder controle hebben* have one's reactions/a fire under control; *de controle hebben over* have control of; *de controle over het stuur verliezen* lose control of the steering-wheel
controleapparaat [het] control apparatus, machinery of control
controlearts [de^m] ⟨bij keuring⟩ medical examiner, ⟨bij ziekte⟩ ± medical officer
controlebeurt [de] ⟨m.b.t. auto⟩ overhaul, servicing, ⟨inf⟩ service ♦ *mijn auto is aan een controlebeurt toe* my car's due for an overhaul/for servicing/for a service
controlecommissie [de^v] control commission, board/committee of control, ⟨inf⟩ watchdog commission/committee
controleerbaar [bn] verifiable, checkable ♦ *een verder niet controleerbare bewering* an unverifiable claim/assertion
controlegroep [de] ⟨stat⟩ control group
controlekamer [de] control room, ⟨mil⟩ operations room, ⟨inf⟩ ops room
controlelampje [het] pilot (lamp/light), check light, warning light
controlelijst [de] ⟨alfabetisch, systematisch⟩ check-list, ⟨aantallen enz.⟩ tally/inspection sheet, ⟨duplicaat⟩ counterlist
controlemaatregel [de^m] check, control (measure)
controlepost [de^m] control (point), checkpoint
controleren [ov ww] [1] ⟨toezicht houden⟩ supervise, superintend, ⟨continu⟩ monitor, ↓ keep tabs on, keep a check on, ↓ control ♦ *controlerend geneesheer* ± medical officer [2] ⟨checken⟩ check (up/on), inspect, examine, ⟨van gegevens ook⟩ verify, ⟨boekh⟩ audit, ⟨antecedenten van iemand⟩ screen, ⟨goederen⟩ keep a tally ♦ *de boeken controleren* audit the books/accounts, ↓ examine the books/accounts; *iets extra/dubbel controleren* double-check sth., (check and) recheck sth.; *je moet je gebit eens laten controleren* you should have your teeth examined/a dental checkup; *geruchten/verklaringen controleren* verify/check (out) rumours/statements; *kaartjes controleren* inspect/control tickets; *het oliepeil/de bandenspanning controleren* check the oil (level)/tyre pressure; *iets op mankementen controleren* check/inspect/examine sth. for faults/defects [3] ⟨beheersen⟩ control, regulate ♦ *de wedstrijd controleren* have the game sewn up, control the match
controlestation [het] control (point), checkpoint
controlestrookje [het] stub, counterfoil
controlesysteem [het] control system, system of checks/control
controleur [de^m] [1] ⟨ambtenaar⟩ inspector, controller, checker, ⟨van kaartjes⟩ ticket inspector/examiner, ⟨AE⟩

conductor, ⟨boekh⟩ auditor, controller, comptroller, ⟨van scheepsladingen⟩ checker, tallyman, tally clerk [2] ⟨onderinspecteur⟩ controller ♦ ⟨in België⟩ *controleur der **belastingen*** controller/inspector of taxes

controlevoorschrift [het] control instruction/regulation, checking/test instruction

controlfreak [de^m] control freak

controller [de^m] controller, comptroller

controltoets [de^m] control (key), ⟨adm⟩ Ctrl

controverse [de^v] controversy, polemic, dispute, argument, debate

controversieel [bn] controversial, ⟨m.b.t. zaken ook⟩ contentious, much/highly debated ♦ *een controversiële **figuur*** a controversial figure; *een controversieel **onderwerp/vraagstuk*** a controversial/contentious subject/issue, ↓ a hot potato

conurbatie [de^v] conurbation, urban sprawl

conus [de^m] [1] ⟨kegel⟩ cone [2] ⟨voorwerp, onderdeel⟩ cone, ⟨techn ook⟩ taper, conoid

conuskoppeling [de^v] cone clutch

[1]**convalescent** [de^m] convalescent

[2]**convalescent** [bn] convalescent, convalescing, recovering, recuperating

convalescentie [de^v] convalescence, recovery, recuperation

convectie [de^v] [1] ⟨natuurk⟩ convection [2] ⟨meteo⟩ convection

convector [de^m] convector, convection/convector heater

convenabel [bn, bw] suitable ⟨bw: suitably⟩, fitting, becoming, proper, ⟨form⟩ seemly

convenant [het] covenant, agreement, contract, ⟨voorwaarde⟩ condition

conveniencefood [het] convenience food

conveniënt [bn] [1] ⟨gepast⟩ suitable, fit(ting), proper, convenient, opportune [2] ⟨inschikkelijk⟩ obliging, complaisant, accommodating, agreeable

conveniëntie [de^v] [1] ⟨gepastheid⟩ suitability, propriety, convenience, opportuneness [2] ⟨inschikkelijkheid⟩ obligingness, complaisance, accommodation, agreeableness

conveniëren [onov ww] be convenient (to/for), be opportune (to/for), suit ♦ *zo'n uitgave convenieert **mij niet*** I cannot afford that sort of money, that sort of expenditure/it does not suit my pocket; *tenzij het **u** niet convenieert* unless it is inconvenient/not convenient to/for you

convent [het] [1] ⟨samenkomst, vergadering⟩ convention, assembly, meeting [2] ⟨klooster⟩ ⟨monniken⟩ monastery, ⟨nonnen⟩ convent [3] ⟨vergadering van kloostermonniken⟩ convention

conventie [de^v] [1] ⟨verdrag⟩ convention, agreement [2] ⟨vergadering⟩ convention, assembly, congress [3] ⟨partijcongres in de VS⟩ convention ⟨ook Convention⟩ [4] ⟨geheel van regels en normen⟩ convention(s) ♦ *hij **hangt** erg **aan** conventies* he clings to convention(s); *de **sociale** conventies in acht nemen* observe the proper forms/social decencies; *in strijd met de conventie zijn* be bad form, go against the accepted norm [5] ⟨bridge⟩ convention(al) [•] ⟨jur⟩ ***eis in** conventie* plaintiff's (statement of) claim

conventikel [het] conventicle

conventioneel [bn, bw] [1] ⟨traditioneel⟩ conventional ⟨bw: ~ly⟩, traditional, accepted, standard, customary [2] ⟨geesteloos⟩ conventional ⟨bw: ~ly⟩, formal, academic, factitious, unoriginal ♦ ***het** conventionele in de kunst* academism/academicism in art; *er conventionele **ideeën** op nahouden* hold orthodox opinions [3] ⟨niet nucleair⟩ conventional ⟨bw: ~ly⟩ [•] ⟨ec⟩ *conventionele **clearing*** conventional clearing/clearance; ⟨jur⟩ *conventionele **eis*** plaintiff's claim

conventueel [de^m] conventual ⟨ook Conventual⟩

convergent [bn] convergent, converging

convergentie [de^v] convergence, ⟨lichtstralen ook⟩ focalization, concentration ♦ ⟨fig⟩ *deze convergentie van twee theorieën* this convergence/coming together of two theories

convergeren [onov ww] [1] ⟨zich naar één punt richten⟩ converge, ⟨van lichtstralen ook⟩ focus, focalize, concentrate ♦ *convergerende **lenzen*** converging lenses, positive lenses; *verscheidene wegen convergeren **naar dit punt*** several roads converge on/meet at this point [2] ⟨wisk⟩ converge ♦ *convergerende **reeksen*** convergent series

convers [de^m] lay brother

conversatie [de^v] [1] ⟨gesprek⟩ conversation, talk, speech, ⟨form⟩ discourse, colloquy [2] ⟨wijze van spreken⟩ (gift for) conversation, talk, ⟨form⟩ address ♦ *hij **heeft geen** conversatie* he's not much of a talker/conversationalist, he has no conversation; *een **levendige/prettige** conversatie hebben* be a lively/pleasant talker; ⟨inf⟩ have the gift of the gab

conversatieles [de] conversation lesson/class

conversatietoon [de^m] conversational tone (of voice)

conversatiezaal [de] ⟨in hotel enz.⟩ (resident's) lounge, ⟨in klooster⟩ locutory

converseren [onov ww] [1] ⟨gesprek voeren⟩ converse (with), engage in conversation, talk ♦ *zij kan heel **aardig** converseren* she's quite a conversationalist/a marvellous talker; *veel mensen **kunnen** niet meer converseren* many people have lost the art of conversation; ***met** de gasten converseren* chat/talk/make conversation with the guests [2] ⟨omgang hebben⟩ associate (with), have (little/a lot) to do (with)

conversie [de^v] [1] ⟨omzetting⟩ conversion ♦ ⟨jur⟩ *conversie van de **bewijslast*** transference of the burden of proof [2] ⟨verwisseling van een openbare schuld⟩ conversion [3] ⟨psych⟩ (hysterical) conversion [4] ⟨omschakeling naar civiele industrie⟩ conversion [5] ⟨sport; rugby⟩ conversion

converteerbaar [bn] [1] ⟨inwisselbaar⟩ convertible, commutable, negotiable ♦ *converteerbare **obligaties*** convertible bonds/debentures [2] ⟨omzetbaar in een andere code⟩ convertible

converteren [ov ww] [1] ⟨veranderen, verwisselen⟩ convert ((in)to/from ... to ...), change, adapt, transform, commute ♦ *een **polis** converteren* convert a policy [2] ⟨omzetten in een ander codeerstelsel⟩ convert ((in)to)

convertibel [bn] convertible, commutable, negotiable

convertibiliteit [de^v] convertibility, commutability, negotiability

convertible [de^m] convertible

convertiet [de^m] convert

convertor [de^m] [1] ⟨ruimte, toestel voor chemische omzetting⟩ converter [2] ⟨signaalomzetter⟩ converter

convex [bn, bw] convex

convex-concaaf [bn] convexo-concave, concavo-convex

convexiteit [de^v] convexity

convictie [de^v] conviction, persuasion, (firm) belief

convivialiteit [de^v] conviviality

convocatie [de^v] [1] ⟨bijeenroeping⟩ convocation, summons [2] ⟨convocatiebriefje⟩ notification (of a meeting), summons to a meeting

convocatiebriefje [het] notification of a meeting, summons to a meeting

convoceren [ov ww] convoke, convene, summon, call

convulsief [bn, bw] convulsive ⟨bw: ~ly⟩, convulsionary, paroxysmal, spasmodic

cookie [het] cookie

cool [bn] [1] ⟨ontspannen⟩ cool, composed [2] ⟨te gek⟩ cool, far out, ⟨BE⟩ wicked, ⟨AE⟩ awesome

coolhunter [de^m] cool hunter

coolingdown [de^m] ⟨abstr⟩ cooling down, ⟨concr⟩ cooldown (phase) ⟨bijvoorbeeld een bepaalde tijd of serie oefeningen⟩

cooljazz [de^m] cool jazz, ± West Coast jazz

coöp. [afk] [1] (coöperatie) cooperation [2] (coöperatief) co-op

coöperant [de^m] ⟨in België⟩ development-aid worker, ⟨AE⟩ developing-aid worker, person serving [B]on VSO, person serving [A]in the Peace Corps

coöperatie [de^v] [1] ⟨samenwerking⟩ cooperation, collaboration [2] ⟨vereniging⟩ cooperative (society), ⟨inf⟩ co-op

coöperatief [bn, bw] [1] ⟨op coöperatie, samenwerking gebaseerd⟩ cooperative ⟨bw: ~ly⟩, concurrent, combined ♦ *op coöperatieve **basis/grondslag*** cooperative(ly), on a cooperative basis; *coöperatief **bouwen*** build in cooperation; *coöperatieve **winkelvereniging*** cooperative wholesale society [2] ⟨bereid tot samenwerken⟩ cooperative ⟨bw: ~ly⟩ ♦ *we zoeken iemand met een coöperatieve **instelling*** we're looking for s.o. with a cooperative attitude/who can work with others

coöperator [de^m], **coöperatrice** [de^v] [1] ⟨m.b.t. samenwerking⟩ cooperator, collaborator, associate [2] ⟨m.b.t. een coöperatie⟩ cooperator

coöperatrice [de^v] → **coöperator**

coöpereren [onov ww] cooperate (with), collaborate/combine (with)

coopertest [de^m] ⟨sport⟩ 12-minute running test

coöptatie [de^v] co-op(ta)tion ♦ *iemand **bij** coöptatie benoemen/toelaten* co-opt s.o., appoint s.o. by co-option

coöpteren [ov ww] co-opt

coördinaat [de^m] ⟨wisk⟩ co-ordinate ♦ ***tweede** coördinaat* co-ordinate, ordinate

coördinatenstelsel [het] ⟨wisk⟩ co-ordinate system, grid

coördinatie [de^v] co-ordination ⟨ook taalkunde⟩

coördinatiecentrum [het] co-ordinating/administrative centre, ⟨informatiedistributiecentrum⟩ clearing-house, ⟨mil⟩ command post/headquarters, ⟨ruimtev⟩ mission control

coördinatiecommissie [de^v] co-ordinating committee, committee in charge of co-ordination

coördinatiegetal [het] ⟨scheik⟩ co-ordination number

coördinatiestoornis [de^v] poor coordination, coordination problem/disorder

coördinatievermogen [het] (power of) co-ordination ♦ *het **ontbreekt** hem aan coördinatievermogen* he lacks co-ordination

coördinator [de^m], **coördinatrice** [de^v] co-ordinator, ⟨onderw; AE⟩ supervisor

coördinatrice [de^v] → **coördinator**

coördineren [ov ww] co-ordinate, arrange, organize, ⟨radioprogramma, televisieprogramma⟩ anchor, ⟨werktuigen⟩ gang ♦ ***werkzaamheden/afspraken** coördineren* organize tasks/supervise work, arrange appointments

co-ouder [de^m] ⟨in Nederland⟩ co-parent

co-ouderschap [het] joint custody (of a child), ⟨in Nederland⟩ co-parentship

copartnership [het] (co)partnership

copernicaans [bn] Copernican ♦ *de copernicaanse **wereldbeschouwing*** the Copernican system/theory ⊡ *copernicaanse **wending*** turnabout, about-turn, about-face

copieus [bn, bw] copious ⟨bw: ~ly⟩, plentiful ⟨bw: ~ly⟩, abundant, generous, rich, ⟨form⟩ bounteous, plenteous ♦ *een copieus **diner*** a lavish dinner; *copieus **dineren*** enjoy/partake of a lavish spread

copiloot [de^m] copilot, ⟨sl; AE⟩ meter-reader, ⟨rallyrijder⟩ navigator

copla [de^m] copla

coprocessor [de^m] coprocessor

coproductie [de^v] joint production, co-production ♦ ***in** coproductie met* in joint production/co-production with

coprofagie [de^v] coprophagy

coproliet [de^m] [1] ⟨versteende uitwerpselen⟩ coprolite, coprolith [2] ⟨med⟩ coprolith

coprologie [de^v] ⟨med⟩ coprology, scatology

copromotor [de^m] ⟨BE⟩ ± co-examiner, ⟨AE⟩ ± co-supervisor

copulatie [de^v] [1] ⟨paring⟩ copulation, sexual intercourse, coitus, coition, coupling, ⟨dieren⟩ mating [2] ⟨entwijze⟩ splice

copulatieorgaan [het] copulatory/copulative organ

[1]**copuleren** [onov ww] ⟨geslachtsgemeenschap hebben⟩ copulate, have sexual intercourse, couple, ⟨dieren⟩ mate

[2]**copuleren** [ov ww] ⟨een wilde boom veredelen⟩ improve by splicing

copycat [de^m] copycat

copycenter [het] copy centre

copyleft [het] copyleft

copyrette [de^v] copy shop/centre

copyright [het] copyright ♦ *op dat boek **rust** copyright* that book is copyright(ed), there is a copyright on that book

copyrightteken [het] copyright symbol

copyshop [de^m] copy shop/centre

copywriter [de^m] (advertising) copywriter

copywriting [het, de] copywriting

coq-au-vin [de] coq au vin

coquette [de^v] coquette, flirt

coquille [de] ⟨techn⟩ chill/ingot mould

corbillard [de^m] ⟨in België⟩ hearse

[1]**cordiaal** [bn] ⟨hartversterkend⟩ cordial, stimulating, reviving, heartening, cheering

[2]**cordiaal** [bn, bw] ⟨hartelijk⟩ cordial ⟨bw: ~ly⟩, hearty, sincere, warm, friendly, kindly

cordialiteit [de^v] cordiality, warmth, warmness, friendliness, kindliness

cordiet [het] cordite

Córdoba [het] Cordoba, Cordova

cordon bleu [de^m] [1] ⟨kok⟩ cordon bleu cook, ⟨beroeps⟩ cordon bleu chef [2] ⟨vleesgerecht⟩ ⟨BE⟩ escalope with ham and cheese, ⟨AE⟩ veal cordon bleu

cordon sanitaire [het] cordon sanitaire ♦ *een cordon sanitaire rondom een ultrarechtse partij **leggen*** put up a cordon sanitaire around a radical right-wing party

[1]**corduroy** [het] cord(uroy), ⟨fijn⟩ needlecord

[2]**corduroy** [bn] cord(uroy), ⟨stof⟩ corded ♦ *een corduroy **broek*** corduroys, cords

corebusiness [de^m] core business, ⟨fig⟩ bread and butter

coreferent [de^m] co-reporter, co-assessor, co-reviewer, second reporter/assessor/reviewer ♦ *coreferent **zijn** bij de beoordeling van een proefschrift* be second reader/examiner of a dissertation/thesis

corgi [de^m] (Welsh) corgi

cornedbeef [het] corned beef, bully (beef)

corner [de^m] [1] ⟨sport⟩ corner, ⟨hockey ook⟩ corner hit, ⟨voetb ook⟩ corner kick ♦ ***drie** corners penalty* three corner(s) penalty; *een bal die corner **gaat*** a ball that goes over the goal-line, a corner ball; *de bal corner **koppen/stompen*** head/punch the ball over the goal-line; *een corner **nemen*** take a corner (kick/hit); *een corner **weggeven/versieren*** concede/force a corner [2] ⟨handel⟩ corner, monopoly

cornerbal [de^m] ⟨sport⟩ corner (kick)

cornergoal [de^m] corner goal

cornerverhouding [de^v] corner ratio

cornervlag [de] ⟨sport⟩ corner flag

cornflakes [de^{mv}] corn flakes

cornichon [de^m] ⟨in België⟩ ⟨vnl BE⟩ (pickled) gherkin, ⟨vnl AE⟩ ± pickle

cornrows [de^{mv}] cornrows

Cornwall [het] Cornwall ♦ ***in/van/uit** Cornwall* Cornish; *inwoner van Cornwall* ⟨man⟩ Cornishman, ⟨vrouw⟩ Cornishwoman

corollarium [het] corollary

corona [de] corona, aureole, ⟨rond de maan; inf⟩ halo

coronaal [bn, bw] ⟨taalk⟩ coronal

coronair [bn] coronary
coronary care [de^m] coronary care
corporale [het] ⟨r-k⟩ corporal(e), communion cloth
corporate [bn, alleen attr] corporate
corporate finance [de] corporate finance/financing
corporatie [de^v] corporation, corporate body, body corporate
¹corporatief [bn] ⟨van een corporatie⟩ corporat(iv)e
²corporatief [bn, bw] ⟨volgens een systeem van corporaties⟩ corporative ♦ ⟨boek⟩ *corporatieve **auteur*** corporate author; *de corporatieve **staat*** the corporate state
corporatisme [het] corporati(vi)sm
corporatist [de^m] corporati(vi)st
corporatistisch [bn] corporatist(ic), corporativist(ic)
corporeel [bn, bw] corpor(e)al ⟨bw: ~ly⟩, bodily, physical
corps [het] ⟨studentencorps⟩ student(s') union, body ▪ *corps de **ballet*** corps de ballet
corpsbal [de^m], **corpspik** [de^m] ⟨BE⟩ ± hearty, ⟨AE⟩ frat rat, ⟨AE⟩ fratter, ⟨AE⟩ fratty
corps de ballet [het] corps de ballet
corps diplomatique [het] diplomatic body, diplomatic corps, corps diplomatique
corpspik [de^m] → **corpsbal**
corpsstudent [de^m], **corpsstudente** [de^v] member of a student association, ⟨mannen; AE⟩ member of a student fraternity, ⟨vrouwen; AE⟩ member of a student sorority
corpsstudente [de^v] → **corpsstudent**
corpulent [bn] corpulent, stout, ample, ⟨inf⟩ tubby
corpulentie [de^v] corpulence, corpulency, stoutness, ⟨inf⟩ tubbiness
corpus [het] 1 ⟨lichaam⟩ corpus, body 2 ⟨jur⟩ corpus 3 ⟨verzameling documenten⟩ corpus 4 ⟨taalk⟩ corpus
corpusculair [bn] corpuscular, particulate
corpus delicti [het] corpus delicti
corpus juris civilis [het] corpus juris civilis, civil code
corpuslinguïstiek [de^v] corpus(-based) linguistics
correct [bn, bw] 1 ⟨zonder fouten⟩ correct ⟨bw: ~ly⟩, accurate, precise, ⟨juist⟩ right, exact ♦ *correct **antwoorden*** get the answer(s) right, answer correctly; *correct **schrijven*** spell correctly 2 ⟨onberispelijk⟩ correct ⟨bw: ~ly⟩, right, proper ♦ *zich correct **gedragen*** behave with propriety, behave properly; *zich altijd correct jegens iemand **gedragen*** always do the decent thing by s.o.; *correct **handelen*** do the correct/proper thing, act correctly; *correcte **houding*** proper conduct/behaviour; *correcte **kleding*** suitable dress; ***politiek** correct* politically correct, pc
correctheid [de^v] 1 ⟨juistheid, zuiverheid⟩ correctness, accuracy, precision, exactness 2 ⟨onberispelijkheid⟩ correctness, correctitude, propriety, decorum, good form
correctie [de^v] 1 ⟨verbetering⟩ correction, rectification, ⟨aanpassing⟩ adjustment, ⟨tekst⟩ revision, emendation ♦ *correcties **aanbrengen*** make corrections; ⟨aanpassen⟩ adjust, make adjustments 2 ⟨m.b.t. schoolwerk, drukproeven⟩ correction, ⟨onderw ook⟩ marking, ⟨AE⟩ grading, ⟨drukw ook⟩ proofreading ♦ *correctie van **drukproeven*** correction of proofs/proof sheets, proofreading; *correctie **vervalt*** stet 3 ⟨correctiewerk⟩ correction, correcting, ⟨i.h.b. onderw⟩ marking, ⟨AE⟩ grading 4 ⟨fouten in drukproeven⟩ (printing) errors/mistakes
correctief [het] corrective, restorative, ⟨med⟩ curative, remedy
correctiefactor [de^m] correction factor
correctiefout [de] faulty correction, error in (the) correction
correctielak [het, de^m], **correctievloeistof** [de] correction/correcting fluid
correctiemodel [het] correction sheet/model
correctiesleutel [de^m] grading key
correctieteken [het] proofreader's mark/sign, correction mark/sign
correctietoets [de^m] correction key
correctievloeistof [de] correction/correcting fluid
correctiewerk [het] correction, correcting, ⟨i.h.b. onderw⟩ marking, ⟨AE⟩ grading ♦ *ik moet nog een hoop correctiewerk **doen*** I still have a lot of correcting/marking/grading to do; *correctiewerk **mee** naar huis **nemen*** take home papers/exams/tests to mark/grade
correctionaliseren [ov ww] ⟨in België⟩ refer a (criminal) case to a correctional court
correctioneel [bn, bw] correctional ⟨bw: ~ly⟩, corrective ⟨bw: ~ly⟩ ♦ *een correctionele **inrichting*** a reform school/reformatory, ⟨BE ook⟩ a Borstal; *een correctionele **zaak*** ± a misdemeanour/minor offence
¹corrector [de^m] correcting fluid
²corrector [de^m], **correctrice** [de^v] ⟨drukw⟩ proofreader, corrector, ⟨BE⟩ corrector of the press, (press) reader, reviser, ⟨AE⟩ revisor
correctrice [de^v] → **corrector²**
correlaat [het] correlate, ⟨BE spelling ook⟩ corelate, correlative, counterpart
correlatie [de^v] correlation, ⟨BE spelling ook⟩ corelation, interdependence ♦ *een **aantoonbare/hoge** correlatie* a demonstrable/high correlation; *er **bestaat** geen correlatie tussen geslacht en intelligentie* there is no correlation between sex and intelligence; *er kon geen correlatie **worden aangetoond*** no correlation could be proved/shown
correlatiecoëfficiënt [de^m] ⟨stat⟩ correlation coefficient
¹correlatief [het] ⟨taalk⟩ correlative (subordinator)
²correlatief [bn] correlative
correleren [onov ww] correlate, ⟨BE spelling ook⟩ corelate, correspond ♦ *variabelen die **hoog/laag** correleren* variables with a high/low correlation
correspondent [de^m] 1 ⟨iemand met wie men briefwisseling onderhoudt⟩ correspondent 2 ⟨berichtgever⟩ correspondent ♦ *van **onze** correspondent in Parijs* from our Paris correspondent/correspondent in Paris; ***plaatselijk** correspondent* local correspondent 3 ⟨vertegenwoordiger, agent⟩ correspondent, agent, representative 4 ⟨handel; met de correspondentie belast persoon⟩ correspondent, (foreign) correspondence clerk
correspondentie [de^v] 1 ⟨briefwisseling⟩ correspondence ♦ *de correspondentie **afbreken*** break off correspondence, stop writing; *een **drukke** correspondentie voeren* keep up/carry on/conduct a lively correspondence; ***in** correspondentie treden met* enter into correspondence with; *alle correspondentie **over** dit onderwerp* all correspondence (exchanged) on this subject 2 ⟨gewisselde brieven⟩ correspondence
correspondentieadres [het] postal/mailing address, ⟨bij vriend/hotel⟩ address for correspondence, ⟨voor geheime communicaties; AE⟩ mail drop
correspondentiekaart [de] postcard, ⟨AE ook⟩ postal card
correspondentievriend [de^m], **correspondentievriendin** [de^v] pen friend, ⟨inf⟩ pen pal
correspondentievriendin [de^v] → **correspondentievriend**
corresponderen [onov ww] 1 ⟨beantwoorden aan, overeenstemmen met⟩ correspond (to/with), match/agree/conform/tally (with), ⟨inf⟩ square (with) ♦ *die twee voorstellen corresponderen niet **met** elkaar* these two proposals don't match/are incompatible; *corresponderende **steekproeven*** linked samples 2 ⟨briefwisseling houden⟩ correspond (with), write (to) ♦ *druk **met** iemand corresponderen* maintain a lively correspondence with s.o.; *hij heeft jarenlang (geregeld) **met** haar gecorrespondeerd* he maintained a (regular) correspondence with her/they were (regular) correspondents for years 3 ⟨verk⟩ connect

corridor [de^m] 1 ⟨gang⟩ corridor, hall(way), passage(way) 2 ⟨strook land⟩ corridor
corrigenda [de^mv] corrigenda, errata
corrigendum [het] corrigendum, erratum
corrigeren [ov ww] 1 ⟨verbeteren⟩ correct, rectify, ⟨aanpassen⟩ adjust, ⟨tekst⟩ revise, emend(ate) ♦ ***werkloosheidscijfers** corrigeren naar seizoensinvloeden* adjust unemployment figures for seasonal changes 2 ⟨nakijken⟩ correct, ⟨onderw ook⟩ mark, ⟨AE⟩ grade, ⟨drukw ook⟩ (proof)read 3 ⟨berispen⟩ correct, reprove, rebuke, reprimand ♦ *corrigerend **optreden*** take corrective measures
corroderen [ov ww] corrode, rust, ⟨wegknagen⟩ fret, gnaw (away)
corrosie [de^v] 1 ⟨roest, verwering⟩ corrosion 2 ⟨geol⟩ corrosion, degradation
corrosief [bn] corrosive, caustic
corrumperen [ov ww] corrupt, pervert, debase, deprave ♦ ***macht** corrumpeert* power corrupts; *haar gedrag **werkte** corrumperend op de anderen* her behaviour had a corruptive effect on the others
corrupt [bn, bw] 1 ⟨verdorven⟩ corrupt ⟨bw: ~ly⟩, dishonest, bribable, depraved ♦ *corrupte **praktijken*** venal practices 2 ⟨bedorven, vervalst⟩ corrupt ⟨bw: ~ly⟩ ⟨ook van tekst⟩, rotten, perverted, degenerate
corruptheid [de^v] corruptness, baseness, depravity
corruptie [de^v] corruption ⟨ook van tekst⟩, ⟨omkoping⟩ bribery
corsage [het, de^v] corsage, spray, ⟨vnl BE ook⟩ buttonhole
corselet [het] cors(e)let, corselette, corset
Corsica [het] Corsica
Corsicaan [de^m], **Corsicaanse** [de^v] ⟨man & vrouw⟩ Corsican, ⟨vrouw ook⟩ Corsican woman/girl
Corsicaans [bn] Corsican
Corsicaanse [de^v] → **Corsicaan**
corso [het] pageant, parade, procession
corsowagen [de^m] float
cortège [het] cortege, train, procession
Cortes Cortes
cortex [de^m] ⟨med⟩ cortex
corticoïden [de^mv] ⟨med⟩ corticoids
corticosteroïden [de^mv] ⟨med⟩ corticosteroids
corticosteron [het] ⟨biol⟩ corticosterome
corvee [de^v] 1 ⟨huishoudelijke werkzaamheden⟩ (household) chores, ⟨in keuken; AE⟩ KP duty, ⟨mil⟩ fatigue (duty) ♦ *corvee **hebben*** do the chores, be on kitchen/cleaning duty; ⟨mil⟩ be (put) on fatigue (duty), do fatigues 2 ⟨lastig, ondankbaar werk⟩ chore, drudgery, ⟨vnl BE⟩ fag
coryfee [de^m] star, lion, celebrity, ↓ big wheel, ⟨inf⟩ ace
cos [afk] ⟨wisk⟩ (cosinus) cos
cosa nostra [de^m] Cosa Nostra, ± organized crime, ± the Mafia, ± the Mob
coschap [het] ⟨BE⟩ (assistant) housemanship, ⟨AE⟩ intern(e)ship ♦ *coschappen **lopen*** do/complete one's housemanship/intern(e)ship
cosecans [de] ⟨wisk⟩ cosecant
cosinus [de^m] ⟨wisk⟩ cosine ♦ *cosinus versus* versed cosine
cosmetica [de^mv] cosmetics, make-up ♦ ***afdeling** cosmetica* cosmetics department
cosmetiek [de^v] cosmetology, beauty culture, cosmetics
cosmetisch [bn] cosmetic, beauty ♦ *de cosmetische **industrie*** the cosmetic(s)/beauty industry
Costa Rica [het] Costa Rica
Costa Ricaan [de^m], **Costa Ricaanse** [de^v] ⟨man & vrouw⟩ Costa Rican, ⟨vrouw ook⟩ Costa Rican woman/girl
Costa Ricaans [bn] Costa Rican
Costa Ricaanse [de^v] → **Costa Ricaan**
1**costumier** [de^m] costumier, costumer, ⟨dram⟩ dresser, wardrobe keeper/master
2**costumier** [bn] ⟨jur⟩ customary ♦ *costumier **recht*** common law
costumière [de^v] costumier, ⟨dram⟩ wardrobe mistress
cotangens [de^m] ⟨wisk⟩ cotangent
coteren [ov ww] 1 ⟨merken⟩ grade 2 ⟨fin⟩ admit to the Official List
coterie [de^v] coterie
cotering [de^v] quoted value, quote

Costa Rica	
naam	*Costa Rica* **Costa Rica**
officiële naam	*Republiek Costa Rica* **Republic of Costa Rica**
inwoner	*Costa Ricaan* **Costa Rican**
inwoonster	*Costa Ricaanse* **Costa Rican**
bijv. naamw.	*Costa Ricaans* **Costa Rican**
hoofdstad	*San José* **San José**
munt	*Costa Ricaanse colon* **Costa Rican colón**
werelddeel	*Amerika* **America**
int. toegangsnummer **506** www **.cr** auto **CR**	

cottage [de^v] cottage
cottagecheese [de^m] cottage cheese
couch [de^m] couch
couchette [de] berth, ⟨boven elkaar⟩ bunk, ⟨AE⟩ couchette
couchpotato [de] couch potato
coulance [de^v] considerateness, ⟨in trein⟩ compliance, courtesy, ⟨soepelheid⟩ reasonableness, promptness, leniency ♦ *verzekerden **met** coulance behandelen* treat the insured fairly; *coulance **tonen** tegenover schuldenaren* show forbearance/leniency towards debtors
coulant [bn, bw] 1 ⟨toegevend, gedienstig⟩ accommodating ⟨bw: ~ly⟩, compliant, obliging, courteous ♦ *iemand coulant **behandelen*** be accommodating towards s.o., be obliging/fair to s.o. 2 ⟨gemakkelijk, soepel⟩ accommodating ⟨bw: ~ly⟩, reasonable, fair, generous ♦ *een coulante **houding*** an accommodating/a generous attitude; *zich coulant **opstellen** jegens klanten* be obliging towards customers; *de coulante **uitbetaling** van het verzekerd bedrag* (the) prompt payment/settlement of the amount insured; *coulante **voorwaarden*** reasonable/generous terms
coulantie [de^v] readiness to oblige, obligingness, fairness, consideration
couleur locale [de] local colour
coulisse [de^v] (side) wing ⟨vaak mv⟩, coulisse ⟨vaak mv⟩ ♦ ***achter** de coulissen* ⟨ook fig⟩ offstage, behind the scenes, in the wings; ***achter** de coulissen hoort men trompetten* trumpets sound within; ***tussen** de coulissen staan* stand in the wings; ***tussen** de coulissen verdwijnen* retreat between/step back into the wings; ***uit** de coulissen tevoorschijn komen* come on stage
coulomb [de^m] coulomb
coumarine [de^v] coumarin
counselen [ov ww] ⟨psych⟩ counsel
counseling [de] ⟨psych⟩ counselling, ⟨AE⟩ counseling, ⟨m.b.t. huwelijksrelatie ook⟩ marriage guidance/encounter
counselor [de^m] counsellor, ⟨AE⟩ counselor, adviser, ⟨AE spelling ook⟩ advisor
counter [de^m] 1 ⟨sport⟩ counter, counterattack, countermove, counterstroke, ⟨schermsp ook⟩ riposte ♦ ***op** de counter spelen* rely on breakaways; try to score through counterattacks 2 ⟨toonbank⟩ counter, ⟨AE ook⟩ desk
counteren [onov ww] 1 ⟨sport⟩ counter(attack), strike back, ⟨schermsp ook⟩ riposte 2 ⟨fig⟩ counter(attack), strike back
counterfeiting [de] counterfeiting
counterspits [de^m] counter-attacker
countertenor [de^m] ⟨muz⟩ 1 ⟨stem⟩ countertenor 2 ⟨zanger⟩ countertenor

countervoetbal [het] ± defensive football
country [de^{m}] [1] ⟨platteland⟩ country(side) [2] ⟨muziek⟩ country (music)
country-and-western [de] country-and-western ♦ *country-and-western**muziek*** country-and-western (music), ⟨vaktaal⟩ C and W (music)
countryblues [de] country blues
countryclub [de^{m}] [1] ⟨gezelligheidsclub⟩ country club [2] ⟨golfclub⟩ golf and country club [3] ⟨club met countrymuziek⟩ country and western club
countrydansen [ww] country dancing
countrymuziek [de^{v}] [1] ⟨liedjes⟩ country/hillbilly music [2] ⟨muziekstroming⟩ country music, country-and-western (music), ⟨vaktaal⟩ C and W (music)
countryrock [de] country rock
coup [de^{m}] coup, coup d'état, putsch ♦ *een coup **plegen*** stage a coup, seize power
coupe [de] [1] ⟨snit, vorm⟩ cut, shape, pattern, ⟨van haar⟩ style ♦ *er zit een hele **goede** coupe **in*** it is extremely well cut; *je haar in een **goede** coupe laten **knippen*** get a nice (hair)cut, have your hair styled nicely; *de hele coupe is uit mijn haar* my hair has lost its shape [2] ⟨wijd glas⟩ cup, coupe, bowl, vessel [3] ⟨ijsgerecht⟩ coupe
coupé [de^{m}] [1] ⟨treincoupé⟩ compartment ♦ *een coupé **voor niet-rokers*** a non-smoker, a no smoking compartment [2] ⟨tweedeursauto⟩ coupé
coupenaad [de^{m}] dart
couperen [ov ww] [1] ⟨afsnijden⟩ cut, trim, pare ♦ *een **hond/paard** couperen* dock a dog/horse's tail, bobtail a dog/horse; ***vechthanen** couperen* dock/crop fighting-cocks [2] ⟨kaartsp⟩ cut [3] ⟨gedeelten wegknippen⟩ cut, make cuts [4] ⟨versnijden⟩ ⟨wijn⟩ dilute
couperose [de^{v}] (acne) rosacea
coupe soleil [de] highlights ⟨mv⟩
coupeur [de^{m}], **coupeuse** [de^{v}] (tailor's) cutter, fitter
coupeuse [de^{v}] → **coupeur**
couplet [het] stanza, strophe, verse, ⟨tweeregelig⟩ couplet, ⟨vierregelig⟩ quatrain
coupon [de^{m}] [1] ⟨lap stof⟩ remnant, (dress) length [2] ⟨rente-, dividendbewijs⟩ (interest/dividend/bond) coupon ♦ *coupons **inruilen*** redeem coupons; ⟨fig⟩ *couponnetjes **knippen*** be a coupon clipper, be of independent means; ***verschenen/verjaarde** coupon* due/lapsed coupon [3] ⟨toegangsbewijs⟩ ticket, voucher
couponbelasting [de^{v}] coupon and dividend tax, tax on unearned income
couponbetaling [de^{v}] coupon payment
couponblad [het] coupon sheet, sheet of coupons
couponboekje [het] coupon book, ticket book, book of tickets/coupons
couponknipper [de^{m}] coupon clipper, man of independent means
couponring [de^{m}] ± rubber band (for coupons)
couponschaar [de] (a pair of) coupon/long-bladed scissors
couppoging [de^{v}] attempted coup
coupure [de] [1] ⟨weglating van een gedeelte⟩ cut, deletion ♦ *coupures **aanbrengen in een film*** cut a film, make cuts in a film; ***zonder** coupures* uncut, unabridged, unexpurgated [2] ⟨fin⟩ denomination ♦ *bankbiljetten **in** coupures van 5, 10, 20, 50, 100 euro* bank notes in denominations of 5, 10, 20, 50, 100 euros; *geld **in kleine** coupures* money of small denominations [3] ⟨afsnijding⟩ (short) cut, cutting
courage [de^{v}] courage
1**courant** [het] ⟨betaalmiddel⟩ currency
2**courant** [de] → **krant**
3**courant** [bn] current ⟨ook financiën⟩, prevalent, prevailing, easily marketable, standard ♦ *courante **fondsen*** sal(e) able/marketable stocks; *niet courante **maten*** special/unusual sizes; *courante **maten/modellen*** stock/standard sizes; *het meest courante **model*** the best-selling model, the model most in demand; *courante **rente*** running interest; *courante **schulden*** current debts; *courante **waren/artikelen*** current stock, goods/articles in demand
coureur [de^{m}] ⟨wielrenner⟩ (racing) cyclist, ⟨motorracer⟩ racing motorcyclist, ⟨autoracer⟩ race-driver, racecar/racing driver
courgette [de] courgette, ⟨AE⟩ zucchini
course [de^{m}] ⟨sport⟩ race
courseware [de^{m}] ⟨comp⟩ courseware, academic software
courtage [de^{v}] brokerage, (broker's) commission, ⟨m.b.t. onroerend goed⟩ estate agent's fees, ⟨AE⟩ real estate agent's fees ♦ ***geen/dubbele courtage in rekening brengen*** charge no/double commission
courtagekosten [de^{mv}] brokerage, broker's fees
courtisane [de^{v}] courtesan, courtezan, ⟨Griekse oudh⟩ hetaera, hetaira
courtoisie [de^{v}] courtesy, courteousness, ↑comity
couscous [de] ⟨cul⟩ couscous
coûte que coûte at all costs, at any cost
couture [de^{v}] couture, dressmaking ♦ *haute couture* haute couture, high fashion
couturejurk [de] designer dress
couturier [de^{m}] couturier, (fashion) designer
couvade [de^{v}] couvade
couvert [het] [1] ⟨enveloppe⟩ cover, envelope, wrapper ♦ *in **gesloten/open** couvert* under sealed/unsealed cover, in a sealed/an unsealed envelope; *een geschenk **onder** couvert **aanbieden/overhandigen*** ± present s.o. with a cheque [2] ⟨eetgerei⟩ cover, ⟨messen, vorken, lepels⟩ cutlery ♦ *diners van dertig euro **per** couvert* dinners of thirty euros each/a cover; *een diner van **twintig** couverts* a dinner of twenty covers
couverteren [ov ww] put in envelopes
couverture [de^{v}] [1] ⟨deksel⟩ cover [2] ⟨(boek)omslag⟩ cover, (book) jacket [3] ⟨chocolade⟩ couverture
couveuse [de^{v}] [1] ⟨med⟩ incubator [2] ⟨broedmachine⟩ incubator, hatchery, brooder
couveusebaby [de^{m}] incubator baby
couveusekind [het] premature baby
covariantie [de^{v}] ⟨stat⟩ covariance
cover [het, de^{m}] [1] ⟨hoes, omslag⟩ cover, (dust) jacket, ⟨van grammofoonplaat⟩ sleeve [2] ⟨coverversie⟩ → **coverversie**
coverage [de] covering
coverartikel [het] cover story
coverband [de^{m}] remould, ⟨AE⟩ remold, retread
coverbedrijf [het] tyre remoulding/retread business, ⟨AE⟩ tire remolding/retread business
coverboy [de^{m}] cover boy
coveren [ov ww] [1] ⟨nieuwe versie maken⟩ cover ♦ *dit nummer van de Stones is veel gecoverd* there have been plenty of cover versions of this Stones' song/number [2] ⟨dekken⟩ cover ♦ *deze maatregelen coveren alle **problemen*** these measures cover all problems [3] ⟨van een nieuw loopvlak voorzien⟩ remould, ⟨AE⟩ remold, re-tread [4] ⟨journalistiek verslaan⟩ cover
covergirl [de^{v}] cover girl
coverstory [de] cover story
cover-up [de^{m}] cover-up
coverversie [de^{v}] ⟨muz⟩ cover (version), remake
cowboy [de^{m}] [1] ⟨veedrijver⟩ cowboy, cowhand, ⟨inf; AE⟩ cowpoke [2] ⟨handel⟩ cowboy, rogue trader
cowboyeconomie [de^{v}] cowboy economy, cowboy economics
cowboyfilm [de^{m}] western, cowboy film, ⟨inf⟩ horse opera
cowboyhoed [de^{m}] cowboy hat, stetson
cowboylaars [de] cowboy boot
cowboyverhaal [het] [1] ⟨verhaal over cowboys⟩ cowboy

story, cowboy and Indian story, tale from the Wild West [2] ⟨ongeloofwaardig verhaal⟩ tall story

cox [de^{m}] Cox, ⟨voluit⟩ Cox's orange pippin

coyote [de^{m}] coyote, prairie wolf

CPB [het] (Centraal Planbureau) government body for economic planning

CPN [de^{v}] (Communistische Partij van Nederland) Communist Party of the Netherlands

CPNB [de^{v}] (Collectieve Propaganda van het Nederlandse Boek) organization to promote the Netherlands publishing industry

CPU [de^{m}] (central processing unit) CPU

c.q. [afk] ⟨Latijn⟩ (casu quo) as the case may be, and/or; zie ook **casu quo**

crack [de^{m}] [1] ⟨sport⟩ ⟨BE⟩ crack player, ace, star, ⟨inf; AE⟩ hotshot [2] ⟨cocaïnemengsel⟩ crack

cracken [ov ww] hack

cracker [de^{m}] cracker

crackverslaafde [de] crack addict, ⟨sl⟩ crackhead

cranberry [de] cranberry

craniometrie [de^{v}] craniometry

crank [de^{m}] crank

crankspie [de] crank peg

crapaud [de^{m}] tub chair

crapuul [het] ⟨in België⟩ mob, rabble, riff-raff

craquelé [het] crackle(ware), crackle china/glass ◆ *een vaas van craquelé, een craquelé* ***vaas*** a crackleware vase

craquelure [de] crackle, ⟨schilderijen⟩ craquelure

crash [de^{m}] [1] ⟨krach⟩ crash [2] ⟨botsing⟩ crash

crashdieet [het] crash diet

crashen [onov ww] [1] ⟨bankroet gaan⟩ crash, go bankrupt, go to the wall [2] ⟨botsen, te pletter storten⟩ crash, ⟨inf; BE⟩ prang ◆ *het* ***toestel*** *crashte bij de landing* the plane crashed on landing [3] ⟨comp⟩ crash

crashtest [de^{m}] crash test

crashtestdummy [de^{m}] crash test dummy

crawl [de^{m}] crawl

crawlen [onov ww] crawl, do/swim the crawl

crawlslag [de^{m}] (front) crawl

crawlzwemmer [de^{m}], **crawlzwemster** [de^{v}] crawler

crawlzwemster [de^{v}] → **crawlzwemmer**

^{1}**crayon** [de^{m}] ⟨tekening⟩ crayon, pastel

^{2}**crayon** [het] ⟨tekenstift⟩ crayon, pastel, pencil ◆ *en crayon* with pastel/crayon pencil

crayontekening [de^{v}] crayon (drawing), pencil drawing

crazy [bn, bw] crazy ⟨bw: crazily⟩, mad, insane ◆ *ik* ***word*** *crazy van dat lawaai* that noise is driving me crazy/up the wall

CRB [de^{m}] ⟨in België⟩ (Centrale Raad voor het Bedrijfsleven) Central Board for Industry

crea [de^{v}] craft

creamcracker [de^{m}] cream cracker

creamer [de^{m}] creamer

creatie [de^{v}] [1] ⟨schepping⟩ creation [2] ⟨modeontwerp⟩ creation, design ◆ *de* ***nieuwste*** *creaties van Dior* Dior's latest creations/designs [3] ⟨dram⟩ creation

creatief [bn, bw] creative ⟨bw: ~ly⟩, original, innovative, inventive, imaginative ◆ *creatief* ***bezig*** *zijn* be occupied creatively/in a creative way; *een creatieve* ***geest*** an original/inventive mind; *een creatieve* ***periode*** *in zijn loopbaan* a creative period in his career; *creatief* ***vertalen*** translate creatively/in a creative way/with imagination; ***weinig*** *creatief* unimaginative, pretty sterile

creatieveling [de^{m}], **creatievelinge** [de^{v}] creative person

creatievelinge [de^{v}] → **creatieveling**

creationisme [het] creationism

creationist [de^{m}] creationist

creative director [de^{m}] creative director

creativiteit [de^{v}] [1] ⟨bk⟩ creativity, creativeness, creative talent, imagination ◆ ⟨fig⟩ *haar oplossingen* ***getuigen van*** *creativiteit* her solutions show imagination [2] ⟨voortplantingsvermogen⟩ fecundity

creatuur [het, de^{v}] [1] ⟨schepsel⟩ creature [2] ⟨pej⟩ creature

crèche [de] ⟨BE⟩ crèche, day-care centre, ⟨BE ook⟩ day nursery, ⟨AE ook⟩ daycare (center) ◆ *een kind* ***op*** *de crèche doen* place a child in a crèche/nursery

credens [de] → **credenstafel**

credenstafel [de], **credens** [de] ⟨r-k⟩ credence (table)

credit [het] ⟨handel⟩ [1] ⟨dat wat men schuldig is⟩ credit ◆ ***debet*** *en credit* debit and credit [2] ⟨passiva op een balans⟩ credit [3] ⟨tegoed van de rekeninghouder⟩ credit ◆ *zijn rekening credit* ***houden*** keep one's account in credit; ***in*** *zijn credit hebben/staan* have/stand to one's credit; *voor € 1000* ***in*** *credit staan* have a credit (balance) of 1000 euros; ***in*** *het/iemands credit boeken* pass/enter/place to s.o.'s credit/the credit of s.o.'s account; *iets* ***op*** *iemands credit schrijven* ⟨ook fig⟩ put sth. to s.o.'s credit; *zijn rekening credit* ***stellen*** put/place one's account in credit

creditcard [de^{m}] credit card

crediteren [ov ww] [1] ⟨op vertrouwen leveren, lenen⟩ give credit, ⟨inf⟩ give on tick [2] ⟨op de creditzijde boeken⟩ credit, pass/place/put/enter/carry to s.o.'s credit, pass/place/put/enter/carry to the credit of s.o.'s account [3] ⟨als tegoed bijschrijven⟩ credit ◆ ***iemand*** *crediteren voor 1000 euro* credit s.o./s.o.'s account with 1000 euros; *het zal u* ***in*** *rekening worden gecrediteerd* it will be credited to your account

creditering [de^{v}] credit entry

crediteur [de^{m}] creditor, ⟨mv; boekh⟩ accounts payable ◆ ***gedekte/gewone/preferente*** *crediteur* secured/ordinary/preferential creditor

crediteurenadministratie [de^{v}] accounts payable

crediteurenbestand [het] the creditors, list of creditors

crediteurensaldo [het] creditor balance

creditnota [de] credit note/slip

creditpost [de^{m}] credit item/entry, item of credit, entry on the credit side, asset

creditrekening [de^{v}] credit/charge account

credits [de^{mv}] [•] *de credits voor iets* ***krijgen*** get (the) credit for sth.

creditsaldo [het] credit balance

creditzijde [de] [1] ⟨rechterzijde van een rekening-courant⟩ credit/creditor side [2] ⟨fig; de gunstige zijde⟩ credit side

credo [het] [1] ⟨geloofsbelijdenis⟩ credo, creed [2] ⟨diepe overtuiging⟩ creed, belief, conviction ◆ *iemands* ***politiek*** *credo* s.o.'s political creed/conviction [3] ⟨motto⟩ motto, device [4] ⟨deel van de mis⟩ Credo, Creed

creëren [ov ww] [1] ⟨scheppen⟩ create, bring/call into being, ⟨inf⟩ drum up/into being ◆ *een nieuwe* ***uitdrukking*** *creëren* create/coin a new expression/phrase; ***werkgelegenheid*** *creëren* create employment [2] ⟨instellen⟩ create [3] ⟨benoemen⟩ create [4] ⟨(een mode) ontwerpen⟩ create [5] ⟨fin⟩ ⟨lening⟩ raise

crematie [de^{v}] cremation

crematorium [het] crematorium, ⟨AE⟩ crematory

^{1}**crème** [het] ⟨kleur⟩ cream ◆ *zij was die avond* ***in*** *het crème* she was wearing/dressed in cream that evening

^{2}**crème** [de] [1] ⟨cosmetica⟩ cream ◆ *crème op zijn gezicht* ***smeren*** rub cream on one's face; ***vochtinbrengende*** *crème* moisturizer [2] ⟨room⟩ cream [3] ⟨fondant, likeur⟩ crème [4] ⟨schuimachtige substantie⟩ cream [5] ⟨soep⟩ cream soup

^{3}**crème** [bn] cream ◆ *een crème* ***japon*** a cream(-coloured) dress; *een deur crème* ***schilderen*** paint a door cream

crème brûlée [de^{m}] crème brulee

crème de la crème [de] (the) cream/pick of the bunch, (the) crème de la crème, ⟨AE⟩ (the) four hundred

crème de vanille [de^m] cream of vanilla
crème fouettée [de^m] clotted/whipped/whipping cream
crème fraîche [de^m] creme fraîche
crèmekleurig [bn] cream(-coloured)
cremeren [ov ww] cremate, ↑commit to the flames
crèmerie [de^v] ⟨in België⟩ [1] ⟨zuivelhandel⟩ dairy goods shop [2] ⟨ijssalon⟩ ice-cream parlour
crèmespoeling [de^v] hair conditioner
cremometer [de^m] creamometer
creneleren [ov ww] [1] ⟨kerven, uittanden⟩ ⟨munten⟩ mill, make a crenullation/^{A}crenulation in [2] ⟨van kantelen voorzien⟩ crenellate, ⟨AE⟩ crenelate ♦ *gecreneleerde muren* crenellated walls
crenologie [de^v] (literary) source study
creolisering [de^v] [1] ⟨het creools worden⟩ creolization [2] ⟨taalk⟩ creolization
creool [de^m], **creoolse** [de^v] [1] ⟨afstammeling van Europeanen⟩ Creole [2] ⟨(in Suriname) afstammeling van negerslaven⟩ Creole
^{1}**creools** [het] creole
^{2}**creools** [bn] creole
creoolse [de^v] → **creool**
creosoot [het, de^m] creosote (oil)
creosoteren [ov ww] creosote, season with creosote oil
^{1}**crêpe** [de^m] [1] ⟨weefsel⟩ crêpe, crepe, crape ♦ *crêpe de Chine* crêpe de Chine; *crêpe georgette* crêpe georgette [2] ⟨soort rubber⟩ crêpe, crepe, crape
^{2}**crêpe** [de^v] ⟨flensje⟩ crêpe, crepe ♦ *crêpes suzette* crêpes Suzette
crepeergeval [het] desperate case
crêpepapier [het] crêpe/crepe paper
^{1}**creperen** [onov ww] ⟨inf⟩ [1] ⟨m.b.t. dieren; sterven⟩ die [2] ⟨ellendig omkomen⟩ die (miserably), perish ♦ *ze **lieten** haar gewoon creperen* they let her die like a dog; *creperen **van** de honger* die of hunger, be starved to death [3] ⟨lijden⟩ suffer, be racked ♦ *creperen **van** de pijn* be racked with/writhing in pain
^{2}**creperen** [ov ww] ⟨in België⟩ ⟨touperen⟩ tease, backcomb
crêpezool [de] crepe/crêpe sole
crepitatie [de^v] crepitation
^{1}**crescendo** [het] crescendo
^{2}**crescendo** [bw] ⟨muz⟩ crescendo ♦ ⟨fig⟩ *het **gaat** weer crescendo de laatste tijd* it has been going crescendo/uphill again lately; *een passage crescendo **spelen*** play a passage crescendo
cretin [de^m] ⟨ook fig⟩ cretin
cretinisme [het] ⟨med⟩ cretinism, infantile myxoedema
cretonne [het] cretonne
cretonnen [bn] cretonne
creuse [de] Japanese oyster
crew [de^m] crew
crewcut [de^m] crew cut, ⟨nog korter; AE⟩ buzz cut
cri [de^m] cry, scream, shout
CRI [de^m] (Centrale Recherche-informatiedienst) Central Investigation and Information Service, nationally operating Dutch police force
criant [bw] excruciatingly, terribly
crianza [de^m] Crianza
cricket [het] cricket
cricketen [onov ww] play cricket
cricketer [de^m] cricketer
cricketmatch [de] cricket match
cricketveld [het] cricket ground/field ♦ ***op** het cricketveld* on the cricket ground
cri du coeur [de^m] cri de coeur, cry from the heart
crime [de^m] disaster ♦ *het **is** een crime* it is dreadful/a disaster/hopeless; *die zondagsrijders **zijn** een crime* these weekend motorists/drivers are a disaster/hopeless
crime passionnel [de^m] crime passionnel, crime of passion
criminaliseren [ov ww] make a criminal act ♦ *het **gebruik** van softdrugs wordt gecriminaliseerd* the use of soft drugs is being made a criminal act
criminalist [de^m] criminalist, criminal lawyer
criminalistiek [de^v] criminalistics
criminaliteit [de^v] crime (rate), criminality, delinquency ♦ *de **lichte/kleine** criminaliteit* petty crime; *een **toename** van de criminaliteit* an increase of/in crime; *de **zware** criminaliteit* capital crime/offences
^{1}**crimineel** [de^m] criminal, felon, malefactor, lawbreaker
^{2}**crimineel** [bn] [1] ⟨strafrechtelijk⟩ criminal ♦ *criminele **antropologie*** criminal anthropology; *crimineel **recht*** criminal law; *criminele **sociologie*** criminology; *ik zou het crimineel **vinden** als je kunt komen* it would be just great if you could come; *een criminele **zaak*** a criminal case [2] ⟨misdadig⟩ criminal, felonious ♦ *een criminele **aanleg*** a criminal predisposition/inclination
^{3}**crimineel** [bw] ⟨enorm⟩ horribly, outrageously, terribly, awfully ⟨soms positief⟩ ♦ *het is crimineel **koud*** it's wickedly cold; *hij **vloekt** crimineel* he swears like a trooper
criminogeen [bn, bw] conducive to crime ♦ *een dergelijke maatregel kan criminogeen **werken*** such a measure can be an incentive to crime/may well lead to crime
criminologe [de^v] → **criminoloog**
criminologie [de^v] criminology
criminologisch [bn] criminological
criminoloog [de^m], **criminologe** [de^v] criminologist
crin [het] horsehair ♦ *crin végétal* vegetable hair, crin
crinoline [de^v] crinoline, hoop skirt
crisis [de^v] [1] ⟨med⟩ crisis, critical stage ♦ *de crisis te boven komen/zijn* ⟨ook figuurlijk⟩ have turned the corner/passed the critical stage [2] ⟨kritieke situatie⟩ crisis, critical stage ♦ *een crisis **bezweren*** defuse a crisis; *dit **loopt** op een crisis **uit*** things are coming to a head; *een **ministeriële** crisis* a cabinet/governmental crisis [3] ⟨ec⟩ crisis, depression, slump ♦ *de crisis **brak uit*** the crisis came/set in/blew up; *de **economische** crisis **verergert*** the economic crisis is getting worse/deepening; *de crisis van de **jaren** dertig* the depression of the 1930s; *de fabriek is aan de crisis ten onder gegaan* the factory was a casualty of the depression [4] ⟨psych⟩ crisis ♦ *een crisis **doormaken*** pass/go through a crisis; *een crisis **doorstaan*** weather a crisis; *zich **in** een crisis bevinden* undergo a crisis
crisisbeheersing [de^v] crisis management, crisis control
crisiscentrum [het] [1] ⟨opvangcentrum⟩ crisis centre [2] ⟨coördinatiecentrum⟩ crisis/emergency centre
crisisjaren [de^{mv}] the Dutch Great Depression
crisismaatregel [de^m] emergency measure
crisismanager [de^m] crisis manager
crisisopname [de] emergency admission
crisisplan [het] crisis plan, contingency plan
crisissituatie [de^v] crisis situation, crisis
crisisstaf [de^m] crisis management
crisisteam [het] crisis team
crisistijd [de^m] time of crisis, ⟨ec⟩ depression, ⟨geestelijk⟩ time of stress ♦ ***in** crisistijden* at/in times of crisis
crisp [de^m] crisp
crispy [bn] crispy
criterium [het] [1] ⟨maatstaf⟩ criterion, test, standard, touchstone ♦ ***aan** de criteria **voldoen*** meet the tests/criteria; ***aan** een criterium **toetsen*** try by a test, test by a criterion; *dit kan enigszins **als** een criterium dienen ter beoordeling van ...* this affords some test/criterion for determining whether ...; *een criterium **vaststellen*** lay down a criterion [2] ⟨wielersp⟩ criterium
criticaster [de^m] criticaster, faultfinder, hairsplitter
criticus [de^m] [1] ⟨beoordelaar, recensent⟩ critic, reviewer ♦ *een **ongenadig** criticus* a merciless critic, a hatchet man;

*door de critici **toegejuicht worden*** receive critical acclaim **2** ⟨vitter⟩ criticaster, faultfinder, hairsplitter
crochet [het] crochet
Croesus [de^{m}] Croesus ◆ *hij is zo rijk **als** Croesus* he is as wealthy as Croesus
croftybom [de] homemade caustic soda bomb, sodium hydroxide bomb
crohn [de^{m}] Crohn's disease
Crohn [de^{m}] ⊡ ***de ziekte** van Crohn* Crohn's disease
croissant [de^{m}] croissant
croissanterie [de^{v}] croissant shop
cronies [de^{mv}] cronies
croonen [ov ww, ook abs] croon
crooner [de^{m}] crooner
croque-monsieur [de^{m}] ⟨in België⟩ **1** ⟨tosti⟩ toasted ham and cheese sandwich **2** ⟨tosti-ijzer⟩ sandwich toaster
croquet [het] ⟨sport⟩ croquet
croquethamer [de^{m}] ⟨sport⟩ croquet mallet
cross [de^{m}] cross-country event/competition
crossauto [de^{m}] stock car, ⟨voor demolitiecross; BE⟩ knockabout (car), junker, demolition derbycar
crossbaan [de] ⟨voor het klassieke veldrijden⟩ (bicycle) cross-country course/track
crosscountry [de^{m}] cross-country
crosscountryskiën [ww] cross-country skiing
crosscultureel [bn] cross-cultural
crossen [onov ww] **1** ⟨sport⟩ take part in a cross-country (event/race/competition), ⟨atl ook⟩ do cross-country, ⟨auto⟩ do autocross/rallycross, ⟨motorfiets⟩ do motocross/mx, ⟨fiets⟩ go BMX-ing, do BMX racing, ⟨paard⟩ take part in a point-to-point (race) **2** ⟨scheuren⟩ tear/scoot about ◆ *hij crost heel wat af op die fiets* he's always tearing/scooting about on that bike of his
crosser [de^{m}] cross-country racer
crossfiets [de] ⟨voor het klassieke veldrijden⟩ cross-country (racing) bicycle, ⟨inf⟩ cross-country (racing) bike, ⟨voor kinderen⟩ BMX (bi)cycle, ⟨inf⟩ BMX bike, ⟨mountainbike⟩ mountain bike, all-terrain bicycle, ⟨inf⟩ all-terrain bike, ATB, off(-the)-road bicycle, off(-the)-road bike
crossing-over [de] crossing over
crossmediaal [bn] cross-media
crossmotor [de^{m}] → **crossmotorfiets**
crossmotorfiets [de], **crossmotor** [de^{m}] cross-country motorcycle, scrambling motorcycle, scrambler, trials bike, ⟨AE⟩ trailbike
crosspass [de^{m}] ⟨sport⟩ cross, crossing pass, cross kick
crossselling [de] cross-selling
crosstalk [de^{m}] crosstalk
crosstrainer [de^{m}] cross trainer
crostini [de^{mv}] crostini
crotonolie [de] croton oil
croupier [de^{m}] croupier
crouton [de^{m}] croûton, sippet
crowdcontrol [de^{m}] crowd control
crowdsurfen [ww] crowd surf
[1]**cru** [de^{m}] vintage, wine, cru ◆ *wijnen van **de beste** cru's* the best vintages, the greatest/most famous vintages/wines
[2]**cru** [bn, bw] **1** ⟨grof⟩ crude ⟨bw: ~ly⟩, coarse, rude, ⟨ongemanierd⟩ rough ◆ *dat **klinkt** misschien cru/**is een beetje** cru, maar ...* that sounds a bit harsh, but ...; *crue **woorden*** blunt words **2** ⟨rauw⟩ blunt ⟨bw: ~ly⟩, forthright, ⟨wreed⟩ cruel
cruciaal [bn] crucial, vital, pivotal, critical, cardinal ◆ *van cruciaal **belang*** of crucial/vital importance; *de cruciale **vraag*** the crucial question, the crux (of the matter)
cruciferen [de^{mv}] Cruciferae
crucifix [het] crucifix, cross
cruise [de] cruise
cruisecontrol [de^{m}] cruise control
cruisen [onov ww] go for/on a cruise, cruise
cruisepassagier [de^{m}] cruise passenger
cruiseschip [het] cruise ship
crumble [de^{m}] crumble
crusher [de^{m}] crusher
crustaceeën [de^{mv}] Crustacea, crustaceans
crux [de^{v}] crux, pivot
cruzeiro [de^{m}] cruzeiro
cryobiologie [de^{v}] cryobiology ◆ ***seminale** cryobiologie* seminal cryobiology
cryochirurgie [de^{v}] ⟨med⟩ cryosurgery ◆ ***met** cryochirurgie een wrat verwijderen* remove a wart by means of cryosurgery
cryogeen [bn] cryogenic ◆ *cryogeen **laboratorium*** cryogenic laboratory; *cryogeen **pompsysteem*** cryopump (vacuum-producing) system
cryometer [de^{m}] cryometer
cryostaat [de^{m}] cryostat
cryotherapie [de^{v}] ⟨med⟩ cry(m)otherapy
cryptanalyse [de^{v}] cryptanalysis
crypte [de] **1** ⟨onderaardse gang⟩ crypt, vault, undercroft **2** ⟨grafkelder⟩ crypt, vault, undercroft
cryptisch [bn, bw] cryptic(al) ⟨bw: cryptically⟩, obscure, abstruse, mysterious ◆ *cryptische **poëzie*** cryptic poetry; *zich cryptisch **uitdrukken*** be cryptic/abstruse
cryptocommunist [de^{m}] crypto-communist
cryptogamen [de^{mv}] cryptogams, Cryptogamia
cryptogram [het] **1** ⟨stuk in geheimschrift⟩ cryptogram, cryptograph **2** ⟨puzzel⟩ cryptogram, cryptic (crossword) ◆ *een cryptogram **oplossen*** do/solve a cryptogram
cryptologie [de^{v}] cryptography, cryptology
cryptologisch [bn] cryptographic, cryptological
cryptomnesie [de^{v}] ⟨psych⟩ cryptomnesia
c.s. [afk] (cum suis) & co, and co
csardas [de^{m}] csardas, czardas
CSE [het] ⟨onderw⟩ (Centraal Schriftelijk Eindexamen) ⟨BE⟩ ± A-level examination, ⟨BE⟩ ± O-level examination, ⟨AE⟩ ± comprehensive high school final examinations
CS-gas [het] CS gas
c-sleutel [de^{m}] C clef
CSSR [de] ⟨gesch⟩ (Ceskoslovenská Socialistická Republika) Czechoslovakia
C-status [de^{m}] ⟨radio/tv⟩ lowest category of Dutch broadcasting corporations with entitlement to minimum broadcasting time
c-straal [de] gamma ray
ct. [afk] **1** (courant) ct, c **2** (cent) ct, c
CT-scan [de^{m}] CAT scan, CT scan
CT-scanner [de^{m}] CAT scanner, CT scanner
Cuba [het] Cuba

Cuba	
naam	*Cuba* Cuba
officiële naam	*Republiek Cuba* Republic of Cuba
inwoner	*Cubaan* Cuban
inwoonster	*Cubaanse* Cuban
bijv. naamw.	*Cubaans* Cuban
hoofdstad	*Havana* Havana
munt	*Cubaanse peso* Cuban peso
werelddeel	*Amerika* America
int. toegangsnummer 53 www .cu auto CU	

Cubaan [de^{m}], **Cubaanse** [de^{v}] ⟨man & vrouw⟩ Cuban, ⟨vrouw ook⟩ Cuban woman/girl
Cubaans [bn] Cuban
Cubaanse [de^{v}] → **Cubaan**
cue [de] cue
cuisine [de^{v}] cuisine, cooking ◆ *haute cuisine* haute cuisine, cordon-bleu cooking/cookery; *chef de cuisine* chef

cuisinier [dem] cuisinier, cook
cul-de-sac [dem] cul-de-sac, ⟨ook fig⟩ blind alley, dead end
culdoscopie [dev] ⟨med⟩ culdoscopy
culi [dem] foodie, food lover, ↑ gourmet
culinair [bn] culinary ♦ *culinair **genot*** culinary delight; *de culinaire **kunst*** culinary art, the art of cooking
culinaria [demv] culinaria
culminatie [dev] ⟨astron⟩ culmination ♦ ***onderste** culminatie* lowest culmination
culminatiepunt [het] [1] ⟨astron⟩ (point of) culmination, highest point, culminating point ♦ *zijn culminatiepunt **bereiken*** culminate; ⟨fig ook⟩ reach one's/its/a climax/height/peak [2] ⟨fig; toppunt⟩ culmination, culminating/highest point, height, ⟨van carrière/faam/macht ook⟩ summit, acme, pinnacle, peak, apex, zenith, ⟨toneelstuk, redevoering⟩ climax
culmineren [onov ww] [1] ⟨astron⟩ culminate, be on the meridian [2] ⟨fig⟩ culminate (in), reach its/a climax (in)
culpabiliseren [ov ww] ⟨in België⟩ blame
culpoos [bn] ⟨jur⟩ culpable, criminal, ⟨nalatig⟩ negligent ♦ *een culpoos **misdrijf*** a criminal offence/^offense; *culpoze **zaakbeschadiging*** criminal damage (to property)
cult [dem] cult
cultboek [het] cult book
cultfiguur [het, dem] cult figure
cultfilm [dem] cult film
cultisch [bn] cult(ic), ritual(istic)
cultivar [de] ⟨landb⟩ cultivar, cultivated variety
cultivator [dem] cultivator, grubber, scarifier
cultivéparel [de] cultured pearl
cultiveren [ov ww] [1] ⟨bebouwen⟩ cultivate, till, farm ♦ ⟨scherts⟩ *een **baard** cultiveren* cultivate a beard [2] ⟨beschaven, vormen⟩ cultivate, improve, civilize, refine ♦ *gecultiveerde **kringen*** cultured/refined/sophisticated circles; *een gecultiveerde **smaak*** (a) cultivated/sophisticated taste; *zijn **taal** cultiveren* civilize/refine one's language [3] ⟨in stand houden⟩ cultivate, foster, nurture ♦ ***gevoelens** cultiveren* foster/cherish/nurture feelings; *de **vriendschap** met iemand cultiveren* cultivate a friendship with s.o.
culture [dev] culture, cultivated/agricultural crop
cultureel [bn, bw] [1] ⟨m.b.t. de cultuur⟩ cultural ⟨bw: ~ly⟩ ♦ *een cultureel **akkoord*** a cultural agreement; *culturele **antropologie*** cultural anthropology, ethnology; *de Culturele **Revolutie*** the (Great Proletarian) Cultural Revolution; *een culturele **veelvraat/alleseter*** a culture vulture [2] ⟨aan de cultuur gewijd⟩ cultural ⟨bw: ~ly⟩ ♦ *een culturele **avond*** a conversazione, a cultural evening; *cultureel **centrum*** ⟨stad⟩ centre of cultural life, cultural centre; ⟨instelling⟩ arts centre; *cultureel **werk*** cultural activities, social and creative activities
cultus [dem] [1] ⟨godsverering⟩ cult(us), worship [2] ⟨verering⟩ cult, worship, rage, craze ♦ *de cultus van het **discogebeuren*** the disco cult; *rond haar persoon **is** een hele cultus **ontstaan*** she has turned into quite a cult, they've made quite a cult out of her
cultusbeeld [het] religious symbol, devotional image, ⟨afgod⟩ (cult-)idol
cultuur [dev] [1] ⟨verbouw van gewassen⟩ culture, growing, cultivation ♦ ***in** cultuur zijn* be cultivated/under cultivation; *een stuk grond **in** cultuur brengen* bring land into/under cultivation; ***intensieve** cultuur* intensive cultivation [2] ⟨beschaving⟩ culture, civilization ♦ *zich **aanpassen aan** een andere cultuur* ⟨ook⟩ acculturate (o.s.); ***primitieve** culturen* primitive cultures; *de **westerse** cultuur* western civilization [3] ⟨gekweekte bacteriën⟩ culture
cultuuraarde [de] mould, upper soil
cultuuranimator [dem] ⟨in België⟩ cultural activities organizer
cultuurbarbaar [dem] ⟨beled⟩ Philistine
cultuurbezit [het] cultural heritage
cultuurdrager [dem] [1] ⟨m.b.t. de cultuur van een land⟩ vehicle of culture/civilization, vector of culture/civilization, ⟨persoon⟩ purveyor of culture [2] ⟨boegbeeld van een organisatie⟩ figurehead, key figure
cultuurfilosofie [dev] philosophy of culture
cultuurgemeenschap [dev] ⟨in België⟩ cultural community
cultuurgeschiedenis [dev] history of civilization, ⟨van bepaald land/volk⟩ cultural history
cultuurgoed [het] items of cultural worth/value/significance, ⟨dichtl⟩ cultural baggage, (cultural) heritage
cultuurgrond [dem] arable/crop/agricultural land, farmland, ⟨in cultuur gebracht ook⟩ cultivated land ♦ *ten behoeve van de land- of bosbouw bedrijfsmatig **geëxploiteerde** cultuurgrond* land under commercial cultivation for agricultural or forestry purposes
cultuurhistorica [dev] → **cultuurhistoricus**
cultuurhistoricus [dem], **cultuurhistorica** [dev] cultural historian
cultuurhistorisch [bn] concerned/connected with the history of civilization, historico-cultural, cultural-historical ♦ *cultuurhistorisch is haar werk zeer interessant* seen from the point of view of the history of civilization/culture, her work is very interesting
cultuurimperialisme [het] cultural imperialism
cultuurinvloed [dem] cultural influence/impact
cultuurkloof [de] cultural rift/gap
cultuurkring [dem] [1] ⟨geografisch gebied⟩ culture area/complex [2] ⟨sfeer⟩ cultural sphere/orbit
cultuurland [het] man-made environment
cultuurlandschap [het] man-made landscape, area (of land) developed and created by man
cultuurminister [dem] ⟨in België⟩ minister of culture
cultuurniveau [het] stage/level of civilization, stage of/in cultural development, cultural level
cultuuromslag [dem] cultural shift/change
cultuurpact [het] ⟨in België⟩ cultural minorities agreement
cultuurpessimist [dem] s.o. who despairs of civilization
cultuurpolitiek [dev] cultural (and educational) policy
cultuurraad [dem] ⟨in België⟩ cultural/arts council, council for the arts
cultuurrelativisme [het] cultural relativism
cultuurschat [dem] cultural heritage
cultuurschok [dem] culture shock
cultuurshock [dem] culture shock
cultuursociologie [dev] cultural sociology, sociology of culture/civilization
cultuurstelsel [het] system of forced farming
cultuurstudie [dev] cultural studies
cultuurtaal [de] national/standard language ♦ *zijn werken zijn **in alle cultuurtalen vertaald*** his works have been translated into every civilized language
cultuurtechnicus [dem] agricultural engineer, land development officer, land-developer
cultuurtechniek [dev] agricultural engineering, land development
cultuurtechnisch [bn] agricultural engineering, land development ♦ *de Cultuurtechnische **Dienst*** government service for land and water use; *cultuurtechnische **werken*** land development projects
cultuurverschijnsel [het] cultural phenomenon
cultuurvolk [het] civilized nation/people
cultwoord [het] cult word
cum annexis with accessories/fittings, and all that goes with it, ⟨inf⟩ and all the trimmings
cumarine [de] c(o)umarin
cumbia [het] cumbia

cum laude with credit/distinction, ⟨vnl AE⟩ cum laude ♦ *hij slaagde cum laude* he passed with credit/distinction; ⟨Groot-Brittannië; universiteit⟩ he got a first
cumpref [de] (cumulatief preferent aandeel) cum pref, ⟨BE⟩ cumulative preference share, ⟨AE⟩ cumulative preferred stock
cumshot [het, de^{m}] cum shot
cum suis and associates/partners/collaborators/friends
cumul [de^{m}] ⟨in België⟩ 1 ⟨cumulatie⟩ (ac)cumulation, combination of jobs 2 ⟨bijbaantje⟩ second/secondary job, job on the side, ± sideline
cumulard [de^{m}] ⟨in België⟩ s.o. who has several jobs/a second job/a job on the side
cumulatie [de^{v}] 1 ⟨samenvoeging, opeenhoping⟩ (ac)cumulation ♦ *cumulatie van **ambten*** plurality, pluralism, combination of offices/benefices; *cumulatie van **straffen*** cumulation of penalties 2 ⟨med⟩ cumulation, cumulative action
cumulatief [bn] cumulative, accumulative ♦ *het cumulatieve **karakter** van dit proces* the cumulative nature of this process; ⟨handel⟩ *cumulatief **preferente aandelen*** cumulative preference shares, cumulative preferred stock; *een cumulatief **register**, een cumulatieve **index*** a cumulative register/index
^{1}**cumuleren** [onov ww] ⟨in België⟩ ⟨verschillende ambten gelijktijdig uitoefenen⟩ have several jobs, have a second job, have a job on the side
^{2}**cumuleren** [ov ww] ⟨opeenhopen⟩ (ac)cumulate ♦ *verschillende **functies** cumuleren* pluralize, combine offices/benefices
cumulocirrus [de^{m}] ⟨meteo⟩ cirrocumulus
cumulonimbus [de^{m}] ⟨meteo⟩ cumulonimbus
cumulostratus [de^{m}] ⟨meteo⟩ cumulostratus, stratocumulus
cumulus [de^{m}] ⟨meteo⟩ cumulus, cumulus cloud
cunnilingus [de] cunnilingus, cunnilinctus
cunnus [de] vulva
cup [de^{m}] cup
cupel [de^{m}] cupel
cupfighter [de^{m}] cup fighter
cupfinale [de] ⟨sport⟩ cup final ♦ ***in** de cupfinale spelen* play in the cup final
cupido [de^{m}] cupid
Cupido ⟨myth⟩ Cupid, Eros
cupmatch [de] cup tie
cupriet [het] cuprite, red copper (ore)
cupvoetbal [het] cup football
cupwedstrijd [de^{m}] cup tie
curabel [bn] curable
curaçao [de^{m}] curaçao ♦ ***een** curaçaotje* a (glass of) curaçao
Curaçao [het] Curaçao
Curaçaoënaar [de^{m}], **Curaçaoër** [de^{m}], **Curaçaose** [de^{v}] ⟨man & vrouw⟩ inhabitant of Curaçao, ⟨vrouw ook⟩ female inhabitant/girl/woman of Curaçao
Curaçaoër [de^{m}] → **Curaçaoënaar**
Curaçaose [de^{v}] → **Curaçaoënaar**
curandus [de^{m}] person/firm under legal restraint, ⟨minderjarige⟩ ward of court, ⟨bij faillissement⟩ bankrupt
curare [het] curare
curatele [de] ⟨jur⟩ legal restraint, ⟨bij faillissement⟩ receivership, ⟨minderjarige⟩ wardship, guardianship ♦ *iemand **onder** curatele stellen* make s.o. a ward of court; ⟨fig⟩ clip s.o.'s wings, keep tabs/a watch on s.o.; ***onder** curatele staan/gesteld zijn* be under legal restraint; be in receivership; be made a ward of court; *de curatele **opheffen*** remove the legal restraint; *iemands curatele **vragen*** apply for s.o. to be placed under legal restraint; apply for a receiving/wardship order
curatief [bn] curative ♦ *de curatieve **geneeskunde*** curative medicine
curator [de^{m}], **curatrice** [de^{v}] 1 ⟨beheerder, -ster⟩ ⟨van museum; man⟩ curator, ⟨vrouw⟩ curatrix, ⟨beheerder; man & vrouw⟩ custodian, ⟨man & vrouw⟩ keeper, ⟨man⟩ administrator, ⟨vrouw⟩ administratrix, ⟨man & vrouw⟩ trustee, ⟨van school/instelling; man & vrouw⟩ governor, ⟨voogd; man & vrouw⟩ guardian ♦ *de firma staat onder het **beheer** van een curator* the firm is in receivership 2 ⟨jur⟩ ⟨van onder curatele gestelde⟩ curator bonis, curator ad litem, ⟨bij faillissement⟩ trustee in bankruptcy, (official) receiver 3 ⟨lid van een raad van toezicht⟩ (custodian) trustee ♦ *het **college** van curatoren* the governing body, the board of governors/trustees
curatorium [het] board of governors/trustees
curatorschap [het] 1 ⟨van beheerder⟩ ⟨van museum⟩ curatorship, ⟨beheer⟩ trusteeship 2 ⟨van voogd⟩ guardianship, tutelage, ⟨faillissement⟩ receivership 3 ⟨van college⟩ governorship, trusteeship
curatrice [de^{v}] → **curator**
cureren [ov ww] cure, heal, restore ♦ *cureren **aan** het symptoom* cure the symptom
curettage [de^{v}] curettage, curettement, ⟨na miskraam, bij hevige bloeding⟩ dilatation and curettage, D and C
curette [de] curet(te)
curetteren [ov ww] ⟨med⟩ curette
curiaal [bn] curial ♦ *curiale **stijl*** curial style
^{1}**curie** [de^{v}] ⟨r-k⟩ 1 ⟨pauselijke regering⟩ Curia ♦ *de **pauselijke/roomse/Romeinse** curie* the papal/Roman Curia 2 ⟨beambten die een bisschop bijstaan⟩ curia ♦ *de **diocesane** curie* the diocesan curia
^{2}**curie** [de^{v}] ⟨natuurk⟩ curie
curieus [bn, bw] 1 ⟨merkwaardig⟩ curious, strange, odd, queer ♦ *een curieus **boekje*** a curious book; *curieuze **gewoonten*** curious/strange/odd habits; *ik **vind** het curieus* I find it strange 2 ⟨nieuwsgierig⟩ curious, inquisitive, ⟨beled; inf⟩ nos(e)y
curiositeit [de^{v}] 1 ⟨merkwaardigheid⟩ curiosity, oddity, strangeness ♦ *ik heb het gekocht **voor** de curiositeit* I have bought it as a curiosity 2 ⟨curieus voorwerp⟩ curio(sity) ♦ *... en **andere** curiositeiten ...* and other curiosities/curiosa 3 ⟨nieuwsgierigheid⟩ curiosity, ⟨beled; inf⟩ nosiness
curiositeitenkabinet [het] curiosity cabinet/gallery
curiosum [het] curiosity, rarity, curio ♦ *een **winkeltje** met antiek en curiosa* an antique and curiosity shop; *de **handel** in curiosa* the trade in curios, the curiosity trade; *curiosa* curiosa
curling [het] curling
curriculum [het] curriculum
curriculum vitae [het] curriculum vitae, CV, ⟨AE ook⟩ résumé
curry [de] 1 ⟨saus⟩ curry (sauce) 2 ⟨gerecht⟩ curry
currysaus [de] curried ketchup
^{1}**cursief** [de] italic (type), cursive
^{2}**cursief** [bn, bw] italic, italicized, cursive ♦ *cursief **drukken*** italicize, print in italics; *cursief **schrift*** italics ⟨mv⟩
cursiefje [het] (regular) column
cursiefjesschrijfster [de^{v}] → **cursiefjesschrijver**
cursiefjesschrijver [de^{m}], **cursiefjesschrijfster** [de^{v}] columnist
cursiefletter [de] italic letter, cursive letter
cursist [de^{m}] student, participant in a course, course member
cursiveren [ov ww] italicize, print/type in italics ♦ *ik cursiveer* my italics
cursivering [de^{v}] 1 ⟨drukw⟩ italicization, printing in italics ♦ ***mijn** cursivering, cursivering van **mij*** italics mine, my italics, italics supplied 2 ⟨cursief gedrukte passage⟩ passage in italics
cursor [de] ⟨comp⟩ cursor
cursorisch [bn, bw] cursory ⟨bw: cursorily⟩ ♦ *cursorisch **lezen*** read cursorily/in a cursory manner

cursortoets [de^m^] cursor (control) key
cursus [de^m^] 1 ⟨reeks van lessen⟩ course (of study/lectures) ♦ *een cursus **begeleiden*** supervise a course; *een cursus **bijwonen/bezoeken*** attend a course/classes; *ik ben met mijn cursus **boekhouden** gestopt* I have stopped my accountancy course; *zich voor een **Franse** cursus opgeven/inschrijven* register/sign up for a French course; *een cursus **geven** (over/in)* give/hold a course on, hold classes in; ***op** cursus gaan* take a course; ***op** een cursus zitten* participate in a course; *een **schriftelijke** cursus* a correspondence course; *een cursus **volgen** (bij iemand)* take a course (with s.o.); *cursus **voor de hoofdakte*** ⟨BE⟩ headmaster's certificate course; *een cursus **voor beginners*** a beginners' course 2 ⟨leerjaar⟩ course ♦ *de cursus **openen/sluiten*** open/close the course 3 ⟨les⟩ class, lesson 4 ⟨in België; (door prof uitgegeven) notities, tekst voor studenten⟩ syllabus, course
cursusaanbod [het] courses on offer, course offering(s)
cursusbegeleider [de^m^] course supervisor
cursusboek [het] textbook, ⟨vnl. voor beginners⟩ course (book)
cursusduur [de^m^] duration of the course
cursusgeld [het] course fee
cursusjaar [het] course (year), ⟨school⟩ school year, ⟨universiteit⟩ academic year ♦ *het **begin/einde** van het cursusjaar* the beginning/end of the course; ***in** het derde cursusjaar* in the third year of a course
cursusleider [de^m^], **cursusleidster** [de^v^] course instructor
cursusleidster [de^v^] → **cursusleider**
cursuspakket [het] course material
curve [de] curve, ⟨grafische voorstelling ook⟩ graph ♦ *een curve **beschrijven*** describe a curve; *een curve van de **geluidssterkte*** a sound-intensity curve; *de curve van de **inkomens** gaat omlaag* the income curve is going down; *een **stijgende/dalende/vlakke** curve* a(n) upward/downward/flat curve; *de bal maakte een **verraderlijke** curve* the ball made a dangerous curve/curved dangerously
curvimeter [de^m^] curvometer
cushingsyndroom [het] Cushing's syndrome
custard [de] custard (powder)
custardpudding [de^m^] (egg) custard
custode [de^v^] → **custos**
customercare [de] customer care
customizen [ov ww] customize
custos [de^m^] 1 ⟨conciërge, beheerder⟩ keeper, custos, custodian 2 ⟨drukw; custode⟩ catchword
cut [de^m^] 1 ⟨moment van overschakelen⟩ cut 2 ⟨las⟩ cut, cutting
cutter [de^m^] 1 ⟨machine⟩ slicer, cutter 2 ⟨film; video; technicus⟩ cutter, ⟨BE vnl⟩ editor 3 ⟨cutterzuiger⟩ cutter dredge(r)
cutterzuiger [de^m^] cutter dredge(r)
cv [afk] 1 (centrale verwarming) CH, ch 2 (curriculum vitae) CV 3 (commanditaire vennootschap) Limited/Special Partnership 4 (coöperatieve vereniging) co-op
cva [de^v^] ⟨in België⟩ (commanditaire vennootschap op aandelen) partnership limited by shares
CVA [afk] (cerebrovasculair accident) CVA
cve [de^v^] ⟨comp⟩ (centrale verwerkingseenheid) CPU
C14-datering [de^v^] carbon (14) dating, radiocarbon dating
cv-ketel [de^m^] central-heating boiler
cvoa [de^v^] ⟨in België⟩ (coöperatieve vennootschap met onbeperkte aansprakelijkheid) co-operative company with unlimited liability
CVP [de^v^] ⟨in België⟩ (Christelijke Volkspartij) Christian Democratic Party, Christian Democrats
CVS [het] (chronischevermoeidheidssyndroom) CFS
CVSE [de^v^] (Conferentie voor Veiligheid en Samenwerking in Europa) CSCE ⟨Conference on Security and Cooperation in Europe⟩
cyaan [het] ⟨scheik⟩ cyanogen
cyaankali [de^m^] potassium cyanide, ⟨inf⟩ cyanide
cyaanwaterstof [de] ⟨scheik⟩ hydrogen cyanide, hydrocyanic acid
cyanide [het] cyanide, prussiate
cyanobacterie [de^v^] cyanobacteria
cyanose [de^v^] ⟨med⟩ cyanosis
cyber- cyber
cybernaut [de^m^] cybernaut
cybernetica [de^v^] cybernetics
cyberneticus [de^m^] cyberneticist, cybernetician
cybernetisch [bn, bw] cybernetic ⟨bw: ~ally⟩
cyberpesten [ww] cyber-bully
cyberpreneur [de^m^] cyberpreneur
cyberpunk [de^m^] cyberpunk
cyberseks [de^m^] cybersex
cyberspace [de] ⟨comp⟩ cyberspace
cyberterreur [de] cyber terror
cyclaam [de] cyclamen
Cycladen [de^mv^] Cyclades
cyclamaat [het] cyclamate
cyclecross [de^m^] cyclo-cross
cyclisch [bn, bw] 1 ⟨een cyclus vormend⟩ cyclic(al) ⟨bw: cyclically⟩ ♦ ⟨plantk⟩ *cyclische **bloemen*** cyclic flowers; *cyclisch **gedicht*** cyclic poem; ⟨scheik⟩ *cyclische **verbindingen*** cyclic/ring compounds 2 ⟨rondgaand⟩ cyclic(al) ⟨bw: cyclically⟩ ♦ *cyclische **bewegingen*** cyclic movements; ⟨wisk⟩ *cyclische **bewerkingen*** cyclic operations; ⟨taalk⟩ *cyclische **transformaties*** cyclic transformations; *de elementen **zijn** cyclisch **geordend*** the elements are cyclically arranged
cyclocross [de^m^] ⟨in België⟩ 1 ⟨(het) veldrijden⟩ cyclo-cross (race/racing) 2 ⟨veldrit⟩ cyclo-cross race
cycloïde [de^v^] ⟨wisk⟩ cycloid
cyclonaal [bn] cyclonic(al)
cycloon [de^m^] 1 ⟨wervelstorm⟩ cyclone, hurricane 2 ⟨toestel⟩ cyclone
cycloop [de^m^] 1 ⟨myth⟩ Cyclops 2 ⟨kreeftje⟩ cyclops
cyclopisch [bn] Cyclopean ♦ *cyclopische **muren*** Cyclopean walls
cyclorama [het] cyclorama, panorama
cyclosporine [de^v^] cyclosporin
cyclotron [het] cyclotron
cyclus [de^m^] 1 ⟨kring(loop), periode⟩ cycle 2 ⟨lett⟩ cycle 3 ⟨muz⟩ cycle 4 ⟨in België; onderw⟩ ± grade ♦ ***derde** cyclus* ⟨universitair; na einddiploma⟩ ± (post)graduate (education); ***eerste/tweede** cyclus* ⟨universitair; voor behalen van diploma⟩ ± undergraduate (education); ***hogere/lagere** cyclus* ⟨secundair⟩ upper/lower secondary education ▪ *een cyclus **lezingen over*** a series of lectures about
cynicus [de^m^] 1 ⟨aanhanger van het cynisme⟩ Cynic ♦ ***de** cynici* the Cynics 2 ⟨cynisch persoon⟩ cynic
cynisch [bn, bw] 1 ⟨sarcastisch⟩ cynical ⟨bw: ~ly⟩, ⟨inf⟩ hard-boiled ♦ *cynisch **lachen*** laugh cynically; *een cynisch **oordeel*** a cynical judg(e)ment; *cynische **opmerkingen*** cynical remarks 2 ⟨volgens de leer der cynici⟩ Cynic ⟨bw: ~ally⟩
cynisme [het] 1 ⟨leer van de cynici⟩ Cynicism 2 ⟨cynische houding en levensopvatting⟩ cynicism 3 ⟨cynische uitlating⟩ cynicism
cynodont [de^m^] cynodont
cypers [bn] ▪ *cyperse **kat*** tabby (cat)
Cyprioot [de^m^] Cypriot
Cyprisch [bn] Cypriot
Cyprus [het] Cyprus
cyrillisch [bn] Cyrillic ♦ *cyrillisch **schrift*** Cyrillic (alphabet/script)
cyste [de] ⟨med⟩ 1 ⟨lichaamsholte⟩ cyst 2 ⟨blaas⟩ cyst 3 ⟨rond gezwel⟩ cyst
cystic fibrosis [de^v^] cystic fibrosis

Cyprus	
naam	*Cyprus* Cyprus
officiële naam	*Republiek Cyprus* Republic of Cyprus
inwoner	*Cyprioot* Cypriot
inwoonster	*Cypriotische* Cypriot
bijv. naamw.	*Cypriotisch* Cypriot
hoofdstad	*Nicosia* Nicosia
munt	*euro* euro
werelddeel	*Azië* Europe
int. toegangsnummer 357 www .cy auto CY	

cystografie [de[v]] cystography
cystoscoop [de[m]] ⟨med⟩ cystoscope
cystoscopie [de[v]] ⟨med⟩ cystoscopie
cytochemie [de[v]] cytochemistry
cytogenetica [de[v]] cytogenetics
cytokine [de[v]] cytokine
cytologie [de[v]] 1 ⟨celleer⟩ cytology 2 ⟨diagnostiek⟩ cytology
cytologisch [bn] cytological
cytoplasma [het] cytoplasm
cytosine [de] ⟨biochem⟩ cytosine
cytostatica [de[v]] ⟨med⟩ cytostatics
cytostaticum [het] cytostatic (agent)
cytostatisch [bn] cytostatic

d

d [de] [1] ⟨letter⟩ d, D [2] ⟨muz⟩ D

D [afk] [1] ⟨op auto's⟩ (Duitsland) D [2] ⟨scheik⟩ (deuterium) D [3] (Romeins cijfer) D

daad [de] [1] ⟨verrichting⟩ act(ion), deed, activity, ⟨meestal mv⟩ doing ♦ *iemand naar zijn daden* ***beoordelen*** judge s.o. by his actions; *iemand op* ***heter*** *daad betrappen* catch s.o. red-handed/in the act (of doing sth.)/at it; *gedachten/ideeën* ***in*** *daden* ***omzetten*** put one's plans/ideas into action; *een* ***man*** *van de daad* a man of action, a doer; *een* ***onbezonnen*** *daad* a thoughtless/rash deed/step, a heedless action; *iemand met* ***raad*** *en daad bijstaan* assist s.o. in word and deed; *daden* ***spreken*** *duidelijker dan woorden* actions speak louder than words; *een daad (van naastenliefde)* ***stellen*** perform an act (of charity); *een goede daad* ***verrichten*** do a good deed, do (s.o.) a good turn/kindness; *de daad bij het woord voegen* suit the action to the word, put one's money where one's mouth is [2] ⟨roemrijke verrichting⟩ deed, exploit, feat, achievement

daadkracht [de] decisiveness, energy, vigour, dash ♦ ***met*** *daadkracht* energetically

daadkrachtig [bn, bw] decisive ⟨bw: ~ly⟩, energetic ⟨bw: ~ally⟩ ♦ *daadkrachtig* ***optreden*** *tegen terroristen* take decisive/energetic measures against/to counter terrorism, clamp down on/deal firmly with/take a firm stand on terrorism

daadwerkelijk [bn, bw] actual ⟨bw: ~ly⟩, active, practical ♦ *daadwerkelijk hulp* ***bieden*** *aan iemand* actively assist s.o., offer s.o. material assistance

^{1}**daags** [bn] ⟨dagelijks⟩ daily, everyday ♦ *daagse* ***kleren*** weekday/everyday/ordinary clothes/wear

^{2}**daags** [bw] [1] ⟨per dag⟩ a/per day, daily, ⟨form⟩ per diem ♦ ***tweemaal*** *daags* twice a day/daily; ⟨med; op recept⟩ bid, bis in die [2] ⟨op de dag⟩ ♦ *daags* ***daarna*** the next/following day, the day after; *daags* ***tevoren*** the day before, the previous day

daalder [de^{m}] ⟨gesch⟩ thaler ♦ ⟨fig⟩ *op de markt is uw gulden een daalder waard* ± your money goes farther at the market [•] ⟨sprw⟩ *de eerste klap is een daalder waard* the first blow is half the battle

daaldersplaats [de] ringside seat

daalsnelheid [de^{v}] [1] ⟨snelheid waarmee iets daalt⟩ speed/rate of descent [2] ⟨luchtv; hoogteverlies⟩ rate of descent, ⟨i.h.b. zweefvliegen⟩ sink rate, ⟨bij landing⟩ landing speed

^{1}**daar** [bw] [1] ⟨ginds⟩ (over) there ♦ *ze moet daar* ***en*** *daar nog voor zorgen* she still has to see to this and that/one or two things; *in het kastje, daar* ***heb*** *ik het* ***neergelegd*** in the cupboard, that's where I've put it; ***hier*** *en daar* here and there; *daar* ***moet*** *je* ***wezen*** that's the place to be/where you want to be/where it's happening/where it's at/where the action is, you should be there; ***tot*** *daar* up to there, as far as that; ***van*** *daar* from there; ***zie*** *je dat huis daar* (do you) see that house (over there)? [2] ⟨om de aandacht op iets, iemand te vestigen⟩ (just/over/right) there ♦ *welwel, wie* ***hebben*** *we daar! Meneer Smit!* well, well, if it/that isn't Mr Smith!; *wie* ***is*** *daar?* who is it/there?; *daar* ***is*** *hij eindelijk* there/here he is at last; *wie* ***klopt/belt*** *daar?* who is that knocking/ringing? [3] ⟨er⟩ there ♦ *het einde* ***is*** *nog niet daar* we haven't seen the last of that, the end is not yet in sight [•] *ze knikken en daar* ***blijft*** *het bij* they just nod and that's it; *dat is (nog)* ***tot*** *daar aan toe* that is one thing (but ... is quite another), let that pass, that's all right so far; *ik* ***zal*** *me daar gek* ***zijn!*** I'm nobody's fool/not that daft!, catch me!; *daar heb ik verdorie mijn sleutels vergeten* well, if I haven't forgotten my keys; *daar niet van* to be sure, admittedly, I must say/admit; *daar zijn het kinderen voor* that's children for you/all over, children will be children

^{2}**daar** [vw] as, because, seeing that, since, ⟨form⟩ whereas, ⟨inf⟩ seeing as ♦ *daar hij verhinderd was, heeft hij afgezegd* as/since he was unable to come/be there, he cancelled the appointment

daaraan [bw] [1] ⟨m.b.t. plaatselijke verbondenheid, aanraking⟩ on (to) it, ⟨mv⟩ on (to) them ♦ *een rivier met de steden, die daaraan* ***liggen*** a river and the towns on/along it [2] ⟨m.b.t. figuurlijke verbondenheid⟩ ⟨form⟩ thereto, thereby ♦ *wat* ***heb*** *je daaraan* what good/use is that, what is the point/use (of (doing) that); *daaraan* ***heb*** *ik genoeg* that's all I need/want, that will do/is enough/is plenty/is sufficient for me, that suits me nicely; *de daaraan* ***verbonden*** *kosten* the costs involved, the costs arising out of this

daarachter [bw] [1] ⟨achter die plaats, plek⟩ behind, behind it, behind that, ⟨mv⟩ behind them, behind there, at the back (of it/that/there) [2] ⟨verderop⟩ beyond (it/that/them/there) ♦ *de duinen en de* ***zee*** *daarachter* the dunes and the sea beyond (them) [3] ⟨achter die zaak, kwestie⟩ behind it/that/them ♦ *wat zou daarachter* ***steken?*** I wonder what's behind/at the bottom of it

daarbeneden [bw] [1] ⟨beneden een plaats⟩ down there, below ♦ *het* ***ligt*** *daarbeneden* it is (lying) down there; *daarbeneden* ***ligt*** *het dorp* down there/below is the village [2] ⟨onder een grens⟩ below, under ♦ *kinderen van tien* ***jaar*** *en daarbeneden* children of/aged ten and under/less

daarbij [bw] [1] ⟨bij dat⟩ with it/that, ⟨mv⟩ with these/those ♦ *daarbij* ***blijft*** *het* that's how it is, we'll keep it like that [2] ⟨daarenboven⟩ besides, moreover, furthermore, what is more, in addition (to this/that), ⟨form⟩ withal ♦ *daarbij* ***komt***, *dat ...* what's more, (and) another thing is ...; *en/met daarbij* ***nog*** and what's more, to boot, on top of that/it

daarbinnen [bw] in there, inside, in it/that, ⟨mv⟩ in these/those, ⟨form⟩ within ♦ *daarbinnen* ***is*** *het warm* it's warm in there/inside; *het huis en de* ***mensen*** *daarbinnen* the house and the people in it/inside

daarboven [bw] up there, above it, over it, on top of it ♦ *de voordeur en het* ***balkon*** *daarboven* the front door and the balcony above it; *God* ***is*** *daarboven* God is up there; *daarboven* ***is*** *nog een kamer* there is another room above (it)/upstairs; *daarboven* ***kwamen*** *nog de kosten* and on top of that there were the cost; *100 euro en daarboven* a hundred euros and upwards/over

daarbuiten [bw] [1] ⟨ginds⟩ out (there), outside (it) ♦ *daarbuiten* ***staat*** *hij* he is (standing) outside/out there [2] ⟨buiten die zaak⟩ out of it, outside ♦ *jij* ***moet*** *daarbuiten* ***blijven*** you must stay/keep out of it

daardoor [bw] [1] ⟨daar doorheen⟩ through it/that, ⟨mv⟩ through these/those, through there [2] ⟨fig⟩ ⟨daarom⟩ therefore, so, because of this/that, that's why, consequently, ⟨door middel daarvan⟩ by (means of) this/that, by this/that means, thereby ♦ *zij weigerde, en daardoor* ***gaf*** *zij* ***te kennen*** *...* she refused, and by doing so intimated/hinted/made it clear ...; *daardoor* ***werd*** *hij ziek* that is/was what made him ill, because of this/that he became ill, that caused his illness; *hij werd ziek, daardoor kon hij niet komen* he became ill so/that's why he couldn't come

daarenboven [bw] besides, moreover, furthermore, what is more, in addition (to this/that), over and above this/that, ⟨form⟩ withal ♦ *hij was knap en daarenboven* ***rijk*** he was handsome and rich besides

daarentegen [bw] on the other hand, conversely, by contrast ♦ *hij is zeer radicaal, zijn* ***broer*** *daarentegen conservatief* he is a strong radical, his brother, on the other hand/whereas his brother is a conservative

daargelaten [bw] leaving aside, apart from, except for, not counting ♦ *daargelaten* ***dat*** *...* (quite) apart from the fact that ...; *dit/deze* ***dingen*** *daargelaten* leaving this/these things aside; ***fouten/uitzonderingen*** *daargelaten* apart from/except for/not counting mistakes/exceptions; *nog daargelaten* ***of*** *men dat wel wil* leaving aside the question of whether people want that

daarginder [bw], **daarginds** [bw] ⟨form⟩ yonder

daarginds [bw] → **daarginder**

daarheen [bw] (to) there ♦ *wij* ***willen*** *daarheen* we want to go (over) there, (it's) there we want/would like to go

daarin [bw] [1] ⟨m.b.t. een plaats⟩ in there/it, ⟨mv⟩ in those, ⟨vero⟩ therein ♦ *daarin* ***zit*** *de suiker* the sugar is in there [2] ⟨m.b.t. een zaak, aangelegenheid⟩ in that ♦ *hij is daarin* ***handig/begaafd*** he is good at that (kind of thing)/he has a talent/gift for that; *u* ***vergist*** *u daarin* you are wrong there/in that, there you make a mistake

daarlangs [bw] by/past/along there, by/past/along that, ⟨mv⟩ by/past/along those ♦ *we* ***kunnen*** *beter daarlangs* ***gaan*** we had better go along there/that way; *daarlangs* ***moet*** *de schutting* ***komen*** the fence is going to run/go along there

daarmee [bw] with/by that, with/by it, ⟨mv⟩ with/by those ♦ *daarmee* ***kun*** *je het* ***vastzetten*** you can fasten it with that/those; *daarmee* ***lukt*** *het wel* that should do it/the trick; *en daarmee uit!* and that's that/all there is to it/all I am going to/have to say!; *en daarmee was zijn geluk compleet* and this/that made his happiness complete

daarna [bw] after(wards), next, then, from then on, from that time on, ⟨form⟩ thereafter, subsequently ♦ ***de dag*** *daarna* the day after (that), the next day; *en nog* ***jaren*** *daarna schreven ze elkaar regelmatig* and for years to come they wrote (to each other) regularly; *eerst ... en daarna ...* first ... and then/after that/afterwards ...

daarnaar [bw] [1] ⟨naar die zaak⟩ at/to/for that, at/to/for it, ⟨mv⟩ at/to/for those [2] ⟨overeenkomstig die zaak⟩ accordingly, according to that, ⟨mv⟩ according to those, after that/those ♦ *daarnaar* ***moet*** *je* ***handelen/je*** *je* ***gedragen*** you must act/behave accordingly

daarnaast [bw] [1] ⟨naast dat⟩ beside it, next to it, by the side of it, adjoining it, joining on to it ♦ *de vrouw en het* ***kind*** *daarnaast* the woman and the child beside her/at/by her side; *ik* ***zal*** *eens daarnaast* ***aanbellen*** I'll try ringing next door [2] ⟨bovendien⟩ besides, furthermore, in addition (to this) ♦ *daarnaast* ***is*** *hij nog brutaal ook* and as if that isn't enough/what's more he is cheeky/impudent (too)

daarnet [bw] just now/then, not long ago, only a little while ago, only a minute ago

daaro [bw] ↑ over there

daarom [bw] [1] ⟨daaromheen⟩ (a)round/on it [2] ⟨bijgevolg⟩ therefore, so, because of this/that, for that reason, that's why, on that account, accordingly, consequently ♦ *hij wil het niet hebben, daarom* ***doe*** *ik het juist* he doesn't like it, and that's exactly why I do it; *waarom niet? daarom* ***niet*** why not? because (I say so)!, ⟨wanneer reden wel wordt aangegeven⟩ why not? that's why! [3] ⟨desondanks⟩ nevertheless, for all that, in spite of this/that ♦ *het is daarom niet minder waar dat ...* that doesn't make it any less true that ..., nonetheless/for all that, it's still true that ...

daaromheen [bw] (a)round/about it, ⟨mv⟩ (a)round/about them ♦ *een tuin met een* ***hek*** *daaromheen* a garden with a fence (a)round it

daaromtrent [bw] [1] ⟨over die zaak⟩ about that, as to that, concerning that ♦ *ik* ***kan*** *u daaromtrent geen inlichtingen* ***geven*** I can't give you any information about that, as to/concerning that I can't tell you anything [2] ⟨ongeveer, min of meer⟩ thereabout(s), or so, (round) about (that), ⟨vnl. bedragen⟩ (somewhere) in that region, (sth.) of that order ♦ *€ 100* ***of*** *daaromtrent* a hundred euros or thereabout/so; *rond vier uur* ***of*** *daaromtrent* round about/around four o'clock [3] ⟨in die omgeving⟩ thereabout(s), around there ♦ *op het plein* ***en*** *daaromtrent* in and around the square, (in) the square and thereabout/round about

daaronder [bw] [1] ⟨beneden, onder dat⟩ under(neath)/below/beneath that, ⟨mv⟩ under(neath)/below/beneath those ♦ *daaronder* ***ligt*** *het* it is (lying) under(neath)/beneath it/that [2] ⟨onder meer⟩ among (them), including

daarop [bw] [1] ⟨m.b.t. die plaats⟩ (up)on that, on top of that, ⟨mv⟩ (up)on those, on top of those, over that, ⟨mv⟩ over those ♦ *de tafel en het* ***kleed*** *daarop* the table and the cloth on (top of) it; *het* ***ligt*** *daarop* it's on there/on top of that [2] ⟨m.b.t. dat onderwerp⟩ on/to that ♦ *uw* ***antwoord/reactie*** *daarop* your reply/reaction (to that); *daarop* ***zei*** *hij: ...* (and) then/so he said ... [3] ⟨vervolgens⟩ thereupon, upon this, subsequent to this, following this, after this ♦ *de* ***dag*** *daarop* the next/following day, the day after (that); ***kort*** *daarop* shortly afterwards, soon after (that); *daarop* ***sloot*** *zij de deur* at that/with this/thereupon she closed the door

daaropvolgend [bn, bw] next, following, subsequent ♦ *hij kwam in juli en vertrok in* ***juni*** *daaropvolgend* he arrived in July and left the following June; *de daaropvolgende* ***zondag*** *kwam hij niet* the next/following Sunday he didn't come

daarover [bw] [1] ⟨over die plaats⟩ on top of that, on/over/above that, across that ♦ *daarover* ***lag*** *een zeil* there was a tarpaulin on top of/over/across it [2] ⟨daaromtrent⟩ about that ♦ ***genoeg*** *daarover* enough said, enough of that; *later* ***meer*** *daarover* more of/about that later

daartegen [bw] [1] ⟨m.b.t. een plaats, positie⟩ against that, next to that, on to that, joining on to that, ⟨mv⟩ against those, next to those, on to those, joining on to those [2] ⟨m.b.t. die zaak, kwestie⟩ against that, ⟨mv⟩ against them ♦ *daartegen* ***bleven*** *bezwaren* ***bestaan*** objections to that/it remained

daartegenaan [bw] ⟨enkelvoud⟩ (right) up against that, (right) onto that, ⟨mv⟩ (right) up against those, (right) onto those ◆ *onze schuur* ***is*** *daartegenaan* ***gebouwd*** our shed is built up against/onto it

daartegenover [bw] 1 ⟨tegenover die zaak⟩ opposite that, facing that, in front of that, ⟨mv⟩ opposite those, facing those, in front of those ◆ *daartegenover* ***moet*** *je* ***wezen*** you want to be opposite it/there; *de kerk met de* ***pastorie*** *daartegenover* the church with the vicarage opposite/facing it 2 ⟨daarentegen⟩ on the other hand ..., (but) then again ... ◆ *daartegenover* ***staat*** *dat dit systeem duurder is* (but) on the other hand this system costs more, (but) then again this system is more expensive

daartoe [bw] 1 ⟨voor dit, dat⟩ for/to that, ⟨mv⟩ for these/those, to these/those ◆ *daartoe* ***heb*** *ik geen tijd/moed* for that I have no time/courage; *daartoe heeft het kunnen* ***komen*** it's come to this 2 ⟨voor dat doel⟩ for that, for that purpose, to that end ◆ *daartoe* ***bevoegd/gemachtigd*** *zijn* be qualified for it, be authorized to do it; *de* ***middelen*** *daartoe* the means thereto/to do it/to that end; *daartoe* ***neme*** *men de volgende ingrediënten* you need the following ingredients

daartussen [bw] 1 ⟨m.b.t. een plaats, positie⟩ between/among them, with (a space) in between ◆ *die twee ramen en de* ***ruimte*** *daartussen* those two windows and the space between (them) 2 ⟨m.b.t. die zaak, kwestie⟩ between them ◆ *ik* ***kwam*** *daartussen* I came between (them); *wat is het* ***verschil*** *daartussen?* what's the difference (between them)?

daaruit [bw] 1 ⟨m.b.t. een plaats⟩ out of that, ⟨mv⟩ out of those ◆ *het water* ***spuit*** *daaruit* the water spouts/spurts/squirts/jets/gushes out of it 2 ⟨m.b.t. die zaak, kwestie⟩ from that ◆ *daaruit* ***kan*** *men* ***afleiden*** *dat ...* from this it can be deduced/it follows that ...

daarvan [bw] 1 ⟨m.b.t. een plaats, positie⟩ from it/that/there ◆ *ver daarvan* ***verwijderd*** *zijn* be far removed from it, be far/a long way away from it, be far off it 2 ⟨m.b.t. die zaak, kwestie⟩ from that 3 ⟨m.b.t. een hoeveelheid⟩ of it/that, thereof ◆ ***gebruik/eet*** *daarvan zoveel je wilt* take/eat as much (of it) as you like 4 ⟨m.b.t. materiaal⟩ of it/that ◆ *daarvan* ***maakt*** *men plastic* plastic is made of that, that is used for making plastic ▪ ***niets*** *daarvan* nothing of the sort/kind, out of the question

daarvandaan [bw] 1 ⟨van die plaats af⟩ (away) from there, away (from it) 2 ⟨vandaar⟩ hence, therefore, that's why/how

daarvoor [bw] 1 ⟨voor die plaats⟩ in front of it, before that, ⟨mv⟩ before those 2 ⟨voor die tijd⟩ before (that), previous to that ◆ *de* ***week*** *daarvoor* the week before (that), the previous week 3 ⟨voor, ten behoeve van die zaak⟩ for that (purpose) ◆ *daarvoor* ***heb*** *ik geen tijd* I haven't got the time, I've no time for that; *daarvoor* ***heeft*** *hij ons gebeld* that's (just/exactly) what he rang us for/why he rang us 4 ⟨in plaats van⟩ for it/that, ⟨mv⟩ for those, instead (of that/...), in place of that/... ◆ *daarvoor (in de plaats)* ***heb*** *ik een boek gekregen* I got a book instead 5 ⟨wegens, vanwege⟩ that's why, that's what ... for ◆ *daar* ***zijn*** *het kinderen voor* that's children for you, children will be children

¹daas [de^m] ⟨persoon⟩ scatterbrain, muddlehead

²daas [de] ⟨biol⟩ ⟨steekvlieg⟩ horsefly, gadfly, greenhead, ⟨BE ook⟩ cleg

³daas [bn, bw] scatterbrained, woolly-headed, muddleheaded, ⟨vnl BE; inf⟩ scatty, daft

DAC [het] ⟨in België⟩ (Derde Arbeidscircuit) ± temporary job scheme

¹da capo [het] ⟨muz⟩ da capo

²da capo [bw] ⟨muz⟩ da capo

DAC'er [de^m] ⟨in België⟩ member/employee within temporary job scheme

dactylisch [bn] dactylic ◆ ***dactylische verzen*** dactylic verse

dactylografie [de^v] typewriting

dactylologie [de^v] dactylology

dactyloscoperen [onov ww] take (s.o.'s) fingerprints

dactyloscopie [de^v] ⟨vnl AE⟩ dactylography

dactylus [de^m] ⟨lit⟩ dactyl(ic)

dada [tw] ⟨kind⟩ ta-ta, bye-bye

dadaïsme [het] Dada(ism)

dadaïst [de^m] Dadaist

¹dadel [de^m] ⟨dadelpalm⟩ date (palm)

²dadel [de] ⟨vrucht⟩ date

dadelhoning [de^m] date-palm resin/amber

¹dadelijk [bn] ⟨onmiddellijk⟩ immediate, direct

²dadelijk [bw] 1 ⟨aanstonds⟩ immediately, instantly, at once, right/straight away, ⟨inf⟩ this/that minute ◆ *dadelijk* ***antwoorden*** answer immediately/directly/at once; *al dadelijk* ***bij/in*** *het begin* right at/from the start, at the outset; *kom je haast? ja, dadelijk* are you coming now/nearly ready? yes, just a minute/I'll be right there/I won't be a minute 2 ⟨straks⟩ directly, ⟨BE ook⟩ presently, in a moment/minute, ⟨inf⟩ any minute (now) ◆ *ik* ***kom*** *(zo) dadelijk bij u* I'll be right with you/with you directly/in a moment; ***kom*** *je dadelijk even* ***langs****?* (will you) come round/drop in in a couple of minutes/a (little) while; *dadelijk* ***wil*** *je nog* ***beweren*** *dat ...* I suppose you'll say next that ..., in a minute/moment you'll be saying that ...; *ik* ***zal*** *dat dadelijk wel even* ***doen*** I'll do that presently/in a moment

dadelpalm [de^m] date palm

dadelwijn [de^m] date wine

dadendrang [de^m] dynamism, drive, thirst for action, ⟨onstuimigheid⟩ impetuosity

dader [de^m] perpetrator, offender, (wrong)doer, inflictor, culprit ◆ ⟨fig⟩ *de dader ligt op het* ***kerkhof*** there's no trace of the culprit, ± the cat did it; *de* ***vermoedelijke*** *dader* the suspect, the suspected offender

daderprofiel [het] offender profile ◆ *een daderprofiel* ***opstellen*** compile an offender profile

dadertherapie [de^v] offender therapy

dading [de^v] settlement (out of court), arrangement, compromise ◆ *een dading* ***aangaan/treffen*** come to/reach/arrange a settlement/(an) agreement, settle (a dispute) (out of court)

¹dag [de^m] 1 ⟨dageraad⟩ day(break), dawn ◆ ***voor*** *dag en dauw* ⟨ook⟩ before cockrow/daybreak; ***voor*** *dag en dauw op zijn/opstaan* be up/rise with the lark, be up/get up at the crack of dawn/at cockcrow/with the birds 2 ⟨daglicht⟩ daylight, light of day ◆ ***aan*** *de dag treden* ⟨bijvoorbeeld gebreken⟩ emerge, become apparent; *veel moed/scherpzinnigheid* ***aan*** *de dag leggen* show/display great courage/perspicacity/insight; ***voor*** *de dag halen* bring out/to light, produce; ***voor*** *de dag komen* come to light, surface, appear; ***voor*** *de dag ermee!* ⟨vertel eens⟩ out with it!, spit it out!; ⟨laat zien⟩ show me!; *goed* ***voor*** *de dag komen* make a good impression, cut a good figure, show up well, be well turned out; *met iets* ***voor*** *de dag komen* ⟨een voorstel doen⟩ come forward/up with sth., put sth. forward; ⟨zich presenteren⟩ come forward, present o.s.; *openlijk* ***voor*** *de dag komen met* come out into the open with; ⟨fig⟩ *zo kan ik niet* ***voor*** *de dag komen* I can't go (out)/appear/show myself (looking) like this; *van de dag een nacht maken* turn day into night 3 ⟨toestand, tijd dat de zon boven de horizon is⟩ day(time) ◆ ***bij*** *dag* by day, in daytime; *de* ***hele*** *dag open zijn* be open all day; *het* ***is/wordt*** *dag* day is breaking/breaks; *werken zolang het dag* ***is*** ⟨fig⟩ work all the hours God gave/from dawn till dusk/all day (long); *op* ***klaarlichte*** *dag* in broad daylight; *het is* ***kort*** *dag* time is running out (fast), there is not much time (left); *het is* ***laat/lang*** *dag* the day is/days are long; *dag en* ***nacht*** night and day, day and night; *dag en* ***nacht*** *bereikbaar* available day and night/24 hours a day, 24-hour service; *het is een verschil (als) van dag en* ***nacht****, het is dag en* ***nacht*** they're as different as night and day/chalk and cheese; *later* ***op*** *de dag* later in the day, later that (same) day; *midden* ***op*** *de dag* in broad daylight; *hulpje* ***voor*** *dag en nacht* resident servant (girl); *gevraagd bediende* ***voor*** *dag en nacht* wanted servant, (to) live in; *het is morgen* ***vroeg*** *dag* we must get up early/get an early start tomorrow; *een gat in de dag slapen* sleep well into the day, sleep in [4] ⟨etmaal⟩ day ◆ *dag* ***aan/op/na*** *dag* day by/after day; ***bij*** *de dag leven* live from one day to the next; *de dag* ***doorkomen*** get through the day; *er* ***gaat*** *geen dag* ***voorbij*** *of ik denk aan jou* not a day passes but I think of you/without my thinking of you; *een* ***grote*** *dag* ⟨belangrijke dag⟩ a field/big day; ⟨feestdag⟩ a red-letter day; ***halve/hele*** *dagen werken* work half/full time; *de dag des* ***Heren*** the Lord's Day; *die dag* ***hoop*** *ik nog te* ***beleven*** I hope I may live to (see it), I live for the day (when ...); *dag* ***in****, dag* ***uit*** day in day out, for days on end; *wat* ***is*** *het voor dag?* what day (of the week) is it?; ⟨fig⟩ *het* ***is*** *vandaag mijn dag niet* it just isn't my day (today), I'm having an off-day, it's just one of those days; *de* ***jongste*** *dag* the latter day, the Last Day, Judgement Day; *tot aan de* ***jongste*** *dag* till the crack of doom; *het is niet alle dagen* ***kermis*** life is not all beer and skittles, Christmas comes but once a year; ***lange*** *dagen maken* work long hours; *iemand de dag van zijn* ***leven*** *bezorgen* give s.o. the time of his life, make s.o.'s day; *het wordt* ***met*** *de dag slechter* it gets worse by the day/every day; *het* ***nieuws*** *van de dag* the news of the day, the day's/today's news/topic; ***om*** *de andere dag/de drie dagen* every other day, every third day/three days; *de dag des* ***oordeels*** Judgement Day, the Last Day/Judgement, doomsday; ***op*** *de dag* ***af*** to a/the day; ⟨fig⟩ ***op*** *alle dagen lopen* be near one's time, be due any minute/day now; ***op*** *een (goede/mooie) dag* one (fine) day; ***open*** *dag* open day; *24 uur* ***per*** *dag* 24 hours a day, round the clock; *een* ***slappe*** *dag op de Beurs* a quiet/slow day at the stock exchange; *mijn dag kan niet meer* ***stuk*** that's made my day, nothing can spoil my day now; ***tot op*** *deze dag/de dag van vandaag* to this (very) day; *dag noch* ***uur*** *weten* know neither time nor day; ***van*** *dag tot dag* daily, from day to day; *een leven* ***van*** *dag tot dag* a hand-to-mouth existence; ***van*** *de ene dag op de andere* from one day to the next; ⟨fig⟩ ***van*** *de ene dag in de andere leven* live from day to day/one day to the next; ⟨zonder geregelde verdiensten ook⟩ live from hand to mouth; *ik weet het nog als de dag* ***van*** *gisteren* I remember as if it were only yesterday; *over* ***veertien*** *dagen* in two weeks' time, over two weeks; ⟨BE ook⟩ in a fortnight; *de dag* ***voor*** *Kerstmis/de wedstrijd* Christmas Eve, the eve of the match; *een (halve)* ***vrije*** *dag* a (half) day off, a free (half-)day; ⟨vnl. scholen⟩ a (half-)holiday; *een dag* ***werk*** *hebben aan iets* take a day (to do) over sth.; *de dag der dagen* D-day [5] ⟨tijdperk⟩ day(s), age, time ◆ ***betere*** *dagen/tijden gekend hebben* have seen better days; ***dezer*** *dagen* ⟨komende dagen⟩ in the next few/coming days; ⟨recentelijk⟩ in the last few/in recent days; *vanaf dag* ***één*** from the word go, from the beginning, ⟨AE⟩ from the get go; *vanaf de* ***eerste*** *dag* from day one/the very first day; ***in*** *mijn dagen* in my day/time; ***in*** *de dagen van het schrikbewind* during the reign of terror; *sedert* ***jaar*** *en dag* for many years (now); *er* ***komt*** *een dag dat* the day will come when, there will come a day when; *zijn* ***laatste*** *dagen slijten* end one's days; *de* ***oude*** *dag komt met gebreken* infirmity comes with old age; ⟨in België⟩ *de dag van* ***vandaag*** nowadays, these days; *zijn dagen* ***zijn geteld*** his days are numbered; *ouden van dagen* (the) elderly, (Old Age) Pensioners, senior citizens [6] ⟨begroeting⟩ ⟨bij aankomst⟩ hello, hi (there), ⟨AE⟩ howdy, ⟨bij vertrek⟩ bye(-bye), see you, goodbye ◆ ***zeg*** *maar dag met je handje* ⟨kind⟩ wave bye bye/goodbye; ⟨fig⟩ you can kiss that goodbye/wave goodbye to that; ⟨inf⟩ *ja dag!* not likely!, no, thank you!, count me out! [7] ⟨herdenkingsdag⟩ Day, day ◆ *Dag van de* ***Arbeid*** May Day, Labour Day [8] ⟨lichtopening⟩ ◆ ***in*** *de dag komend metselwerk* exposed brickwork, brickwork exposed to the elements/weather [9] ⟨m.b.t. een asomwenteling van een hemellichaam⟩ sidereal day [•] ⟨sprw⟩ *hoe later op de dag/avond, hoe schoner volk* ± the best guests always come late; ⟨sprw⟩ *Aken en Keulen zijn niet op één dag gebouwd* Rome was not built in a day; ⟨sprw⟩ *gasten en vis blijven maar drie dagen fris* fish and guests smell in three days; ± a constant guest is never welcome; ⟨sprw⟩ *morgen komt er weer een dag* tomorrow is another day; ⟨sprw⟩ *pluk de dag* there's no time like the present; gather ye rosebuds while ye may; ⟨sprw⟩ *men moet de dag niet vóór de avond prijzen* ± the opera isn't over till the fat lady sings; ± do not triumph before the victory; ± there's many a slip 'twixt the cup and the lip

dagindeling

vroeg in de ochtend/'s morgens vroeg	early in the morning/in the early morning
halverwege de ochtend	halfway through the morning
aan het eind van de ochtend	late in the morning
tussen de middag	at lunchtime
aan het begin van de middag	early in the afternoon/in the early afternoon
halverwege de middag	in the middle of the afternoon
aan het eind van de middag	late in the afternoon
aan het begin van de avond	early in the evening
halverwege de avond	during the evening
laat op de avond	late in the evening/late at night
om middernacht	at midnight
midden in de nacht	in the middle of the night

²dag [tw] ⟨als begroeting⟩ hello, ↓hi, ⟨als afscheid⟩ bye(-bye), goodbye ◆ *dáág!* bye(-bye)!, bye then/^now!, see you!; ⟨vnl BE⟩ cheers, ciao, ta-ta, so long; ⟨inf⟩ *ja, dáág!* forget it!

dagafschrift [het] daily statement (of account)

dagbalans [de] daily balance(sheet)

dagbedrag [het] ⟨verz⟩ per diem insurance payment

dagbehandeling [de^v] [1] ⟨medische behandeling gedurende één dag opname⟩ outpatients' treatment ◆ ***onder*** *psychotherapeutische dagbehandeling staan* attend the psychotherapeutic clinic [2] ⟨ziekenhuisafdeling⟩ outpatients' (clinic/department)

dagblad [het] (daily) newspaper, (daily) paper, ⟨inf⟩ daily ◆ *het staat* ***in*** *alle dagbladen* it's in all the (news)papers; *een* ***landelijk/regionaal/lokaal*** *dagblad* a national/provincial/local newspaper

dagbladpers [de] daily/newspaper press

dagblind [bn] day-blind, ⟨med⟩ hemeralopic

dagblindheid [de^v] day-blindness, ⟨med⟩ hemeralopia

dagbloem [de] [1] ⟨bloem die 1 dag leeft⟩ ephemeral (flower) [2] ⟨bloem die bij dag opengaat⟩ diurnal flower [3] ⟨winde⟩ ⟨haagwinde⟩ bellbine, ⟨purperwinde⟩ morning glory

dagboek [het] [1] ⟨aantekeningenboek⟩ diary, journal ◆ *een dagboek* ***(bij)houden*** keep a diary [2] ⟨scheepsjournaal⟩ (ship's) log(book), journal [3] ⟨handel⟩ daybook, journal

dagboekaantekening [de^v] diary note, annotation in one's diary/journal, comment in one's diary/journal, jotting in one's diary/journal

dagboekanier [de^m] diarist

dagboekstijl [de^m] diary style

dagboog [de^m] ⟨astron⟩ diurnal arc

dagboot [de] day(light) boat/steamer, ⟨scheepv⟩ dogger

dagbouw [de^m] opencast mining, ⟨AE ook⟩ opencut mining, strip mining

dagcentrum [het] outpatients' clinic

dagchirurgie [de^v] outpatient operation

dagcirkel [de^m] ⟨astron⟩ diurnal circle

dagcrème [de] day cream

dagcursus [de^{m}] day(time) course, day(time) classes
dagdag [tw] toodle-oo
dagdagelijks [bn, bw] ⟨in België⟩ day-to-day, daily, routine, normal
dagdeel [het] ⟨alg⟩ daily period, ⟨m.b.t. werk⟩ shift, ⟨ochtend⟩ morning, ⟨middag⟩ afternoon, ⟨avond⟩ evening, ⟨nacht⟩ night ◆ *een baan van vijf dagdelen per week* a job for five shifts/mornings/... a/per week, a job for twenty hours a/per week
dagdetentie [de^{v}] day custody
dagdief [de^{m}] idler, ⟨AE vnl⟩ lazybones, slacker, ↓shirker, ⟨sl; BE⟩ skiver
dagdienst [de^{m}] ① ⟨dienst bij dag⟩ daywork, day duty, days, ⟨ploeg⟩ day shift/tour ◆ *dagdienst hebben* be on day duty/days/the day shift ② ⟨van boot⟩ day(time) service
dagdieven [onov ww] idle (away one's time), slack, ⟨sl; BE⟩ skive
dagdieverij [de^{v}] idling, slacking, ↓shirking
dagdromen [onov ww] daydream, build castles in the air, build castles in Spain
dagdromer [de^{m}] daydreamer, woolgatherer, Walter Mitty ◆ *hé dagdromer!* a penny for your thoughts
dagdroom [de^{m}] daydream, (idle) reverie, pipe dream
[1]**dagelijks** [bn] ① ⟨daags⟩ daily, ⟨astron⟩ diurnal, ⟨biol⟩ circadian ◆ *zijn dagelijkse bezigheden* his routine/day-to-day/normal work, his daily routine; *ons dagelijks brood* our daily bread; ⟨genoeg om van te leven⟩ a living, our bread and butter; *zijn dagelijkse goede daad doen* do one's good deed for the day; *voor dagelijks gebruik* for everyday/normal/ordinary use; *belast met de dagelijkse leiding* charged with the day-to-day running/management; *de dagelijkse omwenteling van de aarde om haar as* the diurnal rotation of the earth ② ⟨gewoon⟩ everyday, ordinary, day-to-day, common-or-garden, run-of-the-mill, workaday ◆ *dagelijks bestuur* executive (committee); *dagelijkse kost* ordinary food, everyday fare; *in het dagelijks leven* in (his/her) private life, in everyday life; *de dagelijkse sleur* the daily grind, the jogtrot of daily life, the groove/rut; *de dagelijkse spreektaal* everyday language, the vernacular; *dat is dagelijks werk voor hem* that's routine/everyday work for him; *dagelijkse zonde* venial sin; ⟨fig⟩ peccadillo; *de dagelijkse zorgen/beslommeringen* everyday problems/worries, the hurries and harries/stresses and strains of everyday life
[2]**dagelijks** [bw] ⟨elke dag⟩ daily, each day, every day ◆ *dat doe ik dagelijks* I do that regularly/all the time; *dat komt dagelijks voor* it happens every day; ↑it's an everyday occurrence; *dagelijks van A naar B reizen/pendelen* commute from A to B; *ik spreek hem dagelijks* I see him/talk to him every day
[1]**dagen** [onov ww] ⟨aanbreken⟩ dawn, break ◆ *de morgen daagt* day/morning is dawning/breaking
[2]**dagen** [ov ww] ⟨jur⟩ summon(s), cite, take out a summons/writ against, issue a summons/writ against, ⟨getuige⟩ subpoena ◆ *voor het gerecht dagen* summon(s), subpoena
[3]**dagen** [onpers ww] ⟨dag worden⟩ dawn ◆ ⟨fig⟩ *het begon mij te dagen* it dawned/began to dawn on me, the penny dropped, I began to see daylight; *het daagt in het oosten* the sun comes up in the east
[1]**dagenlang** [bn] ⟨enige dagen durend⟩ lasting (for) days ◆ *een dagenlang verhoor* an interrogation lasting (for) days
[2]**dagenlang** [bw] ⟨gedurende enige dagen⟩ for days
dag-en-nachtevening [de^{v}] equinox
dager [de^{m}] ⟨jur⟩ plaintiff, claimant, litigant, suitor, ⟨bij echtscheiding⟩ petitioner
dageraad [de^{m}] ① ⟨morgenstond⟩ dawn, daybreak, sunrise, ⟨AE⟩ sunup, break of day ◆ *de dageraad brak aan* dawn/day broke/was breaking; *met de dageraad* at dawn/daybreak/(the) break of day/first light ② ⟨begin⟩ dawn, dawning ◆ *de dageraad van het leven* (early) childhood, the dawn of life; *de dageraad van de vrijheid* the dawn/dawning of freedom
Dagestan [het] Dagestan
dagexcursie [de^{v}] daytrip, day out
dagge [de] ① ⟨ponjaard⟩ dagger, ⟨lit⟩ poniard ② ⟨voegijzer⟩ (brick) jointer
daggeld [het] ① ⟨loon⟩ daily pay/wage, ⟨het bedrag zelf⟩ daily wages ◆ *in daggeld werken* work for a daily wage ② ⟨lening⟩ call money, money lent at call, money payable at/on call, ⟨AE⟩ day-to-day money/loan, overnight money
daggeldmarkt [de] ⟨in België⟩ call money/overnight money market
daggemiddelde [het] daily average
daggetijden [de^{mv}] ⟨r-k⟩ Day Hours
daghandel [de^{m}] day trading
daghandelaar [de^{m}] punter
daghandelen [onov ww] day trade
dagheilige [de^{m}] saint of the day
daghit [de^{v}] daily (help/girl)
dagindeling [de^{v}] schedule, timetable/programme/^{A}program/plan for the day ◆ *een strakke dagindeling aanhouden* keep to a strict timetable
daging [de^{v}] summoning, citation, ⟨van getuige⟩ subpoenaing
dagje [het] day ◆ *een dagje buiten* a day (out) in the country; *er een leuk/gezellig dagje van maken* make a day of it; *een dagje ouder worden* be getting on (a bit), not be as young as one was, not getting any younger; *een productief dagje* a good day's work; *een dagje uit* a day out; *een dagje uit gaan* go out for the day, have a day out, make a day of it; *een dagje vrij* a day off (duty); *dat was me het dagje wel!* what a day!
dagjesmensen [de^{mv}], **dagrecreanten** [de^{mv}] (day) trippers, excursionists
dagkaart [de] day-ticket
dagkalender [de^{m}] block-calender
dagkliniek [de^{v}] day clinic
dagkoers [de^{m}] ⟨wisselkoers⟩ current/day's rate (of exchange), ⟨m.b.t. fondsen⟩ current rate, current (market) value, quotation/rate of the day ◆ *tegen de dagkoers* at the current/day's rate (of exchange); at the current quotation/market price, at the rate of the day
daglelie [de] ⟨plantk⟩ ① ⟨plant van het geslacht Hemerocallis⟩ day lily ② ⟨haagwinde, Convulvulus sepium⟩ hedge bindweed, wild morning glory
dagleven [het] daytime life, life in the day(time)
daglicht [het] daylight, natural light, ⟨vnl fig⟩ light of day ◆ ⟨fig⟩ *iets aan het daglicht brengen* bring sth. to light, uncover/expose sth.; ⟨fig⟩ *de zaak kwam in een ander daglicht te staan* the matter took on a different/new aspect, that put a different complexion on the matter; *in een belachelijk/bespottelijk daglicht stellen* (hold up to) ridicule/caricature, make (sth./s.o.) look ridiculous; *bij daglicht* in/by daylight; *in een zo gunstig mogelijk daglicht stellen* show up to the best advantage, show in the best possible light; *iets in een helder daglicht stellen* ⟨lett⟩ put sth. in a clear/bright light; ⟨fig⟩ show off sth. to (its) (best) advantage; *dat kan het daglicht niet verdragen* ⟨lett⟩ that can't tolerate/bear daylight; ⟨fig⟩ that can't stand up to/stand/bear the light of day/examination; *een kamer waar het daglicht nooit komt* a room without natural light/where the sun never comes, ± a sunless room; ⟨fig⟩ *iemand in een kwaad daglicht stellen* put/show s.o. in a poor/bad light; ⟨fig⟩ *in een kwaad daglicht komen te staan* appear in/be put in a bad light; ⟨fig⟩ *bij iemand in een kwaad daglicht staan* be in s.o.'s bad books/black book; *in het volle daglicht* in broad daylight, in the broad/full light of day
daglichtfactor [de^{m}] daylight factor
daglichtlamp [de] (artificial) daylight lamp
daglichtopname [de] ⟨foto⟩ daylight photo(graph)/exposure, ↓daylight shot, natural light photo(graph)/ex-

posure, ↓ natural light shot
daglichtpapier [het] ⟨foto⟩ printing-out paper, pop
dagloner [de^m] day labourer, journeyman
dagloon [het] daily wage/pay, ⟨het bedrag zelf⟩ day's wages/pay, per diem ♦ ***in** dagloon werken* be/get paid by the day
dagmars [de] day's march ♦ ***drie** dagmarsen verwijderd zijn van* ... be three days' march away from ...
dagmenu [het] day's menu, ⟨van vandaag⟩ today's menu/special
dagnotering [de^v] current rate, current (market) value, quotation/rate of the day
dagonderwijs [het] daytime education, daytime lessons/tuition, day(time) classes ♦ ***volledig** dagonderwijs* full-time education
dagopening [de^v] morning prayer, ⟨radioprogramma op BBC⟩ Thought for the Day
dagopleiding [de^v] day(time) course/classes
dagopvang [de^m] day nursery, day-care centre, ⟨vnl BE ook⟩ crèche, ⟨AE ook⟩ daycare (center)
dagorde [de] 1 ⟨volgorde van afhandeling⟩ schedule, agenda, programme, order 2 ⟨in België; agenda⟩ order of the day, order paper, agenda, order of business ♦ ***op** de dagorde staan* be on the agenda/order of the day
dagorder [het, de] 1 ⟨afkondiging van bevelen⟩ routine orders, detail ♦ ***bij** dagorder vermeld worden* be mentioned in general orders 2 ⟨bekendmaking van het militair gezag⟩ routine order, order of the day 3 ⟨fin⟩ overnight order
dagpauwoog [de^m] peacock butterfly
dagploeg [de^m] day-shift
dagprijs [de^m] 1 ⟨handel⟩ current (market) price/quotation, price of the day ♦ ***tegen** dagprijs* at the current (market) price/quotation, at the price of the day 2 ⟨sport⟩ prize ♦ ***om** de dagprijs strijden* compete for the prize; ⟨wielersp⟩ *de dagprijs **winnen*** ± win a stage, ± gain a stage victory
dagproductie [de^v] daily production
dagprogramma [het] today's programme/^A^program/show
dagrantsoen [het] daily ration
dagrecreanten [de^mv] → **dagjesmensen**
dagrecreatie [de^v] daytrip(s), day's/one-day outing(s) ♦ *dagrecreatie **komt** steeds meer **voor*** daytrips are becoming more and more popular
dagregister [het] daily register, daybook, journal, ⟨scheepv⟩ (ship's) log
dagreis [de] day's journey
dagrente [de] ⟨fin⟩ current rate of interest, the day's rate of interest
dagretour [het] day return, day (return) ticket, ⟨AE⟩ round-trip ticket
dagschema [het] (the) day's schedule, timetable/programme/plan for the day
dagscholier [de^m] 1 ⟨leerling aan een dagschool⟩ ± full-time pupil/student 2 ⟨externe leerling⟩ day pupil/student, ↓ day boy/girl
dagschone [de] ⟨plantk⟩ morning glory
dagschool [de] day school
dagschoot [de] latch, catch bolt, ⟨AE ook⟩ latch-bolt
dagschotel [de] plat du jour, dish of the day, day's menu, ⟨van vandaag⟩ today's special
dagschuw [bn] averse/allergic to light, ⟨med⟩ photophobic, ⟨dierk⟩ lucifugous
dagslot [het] latch, catch, single lock
dagsluiter [de^m] epilogist, writer/speaker of the epilogue, writer/speaker of the ^A^epilog
dagsluiting [de^v] epilogue, ⟨AE⟩ epilog
Dagster [de] 1 ⟨Venus⟩ daystar, morning star 2 ⟨Orion⟩ Orion 3 ⟨de zon⟩ daystar
dagtaak [de] 1 ⟨dagelijks werk⟩ daily work/routine/duties/stint ♦ ***aan** zijn dagtaak **gaan*** set to/get down to/start work; *als de dagtaak **afgelopen is*** when the day's work/business is over/done; *het is gewoon een **deel** van haar dagtaak* it's just part of her daily routine/her duties/job/(daily) work; ***met** de dagtaak **beginnen*** start the day's work/the daily stint 2 ⟨taak voor een dag⟩ day's work ♦ *een **halve/gedeeltelijke** dagtaak* a half-time/part-time job; *daar **heb** ik een dagtaak aan* that is a full day's work/a full-time job
dagtarief [het] ⟨overdag geldend⟩ day(time) rate, ⟨verk⟩ day(time) fare, ⟨een (hele) dag geldend⟩ daily rate(s)
dagtekenen [onov ww] ⟨+ van⟩ date (from)
dagtekening [de^v] date, ⟨van krantenartikel⟩ dateline
dagtelevisie [de^v] daytime television
dagteller [de^m] ⟨van auto⟩ trip (mileage) recorder, ↓ trip clock
dagtenue [het, de] ⟨mil⟩ ⟨vnl BE⟩ ± walking-out dress, ⟨mar⟩ ± number five uniform/dress, ⟨mil⟩ ± lovats
dagtocht [de^m], **daguitstap** [de^m] daytrip, excursion, day out ♦ *een dagtocht(je) **maken*** go on a daytrip/an excursion/for a day out
dagtoerisme [het] day-tripping, day trips
daguerreotype [de] ⟨foto⟩ daguerrotype
daguerreotyperen [ov ww] make a daguerreotype
daguerreotypie [de^v] daguerreotype
daguitstap [de^m] → **dagtocht**
dagvaarden [ov ww] 1 ⟨jur⟩ summon(s), cite, take out a summons/writ against, issue a summons/writ against, ⟨getuige⟩ subpoena ♦ *gedagvaard **worden*** receive a writ/be summon(s)ed (to appear in court), have a writ served on one; ⟨vnl. als getuige⟩ be subpoenaed 2 ⟨ter vergadering oproepen⟩ convene, summon
dagvaarding [de^v] ⟨jur⟩ (writ of) summons, writ, citation, ⟨vnl. van getuige⟩ subpoena ♦ *iemand een dagvaarding **sturen/betekenen*** serve a summons/writ on s.o.; *een dagvaarding **uitbrengen*** take out/issue a summons/writ
dagverblijf [het] 1 ⟨m.b.t. personen⟩ ⟨vertrek⟩ dayroom, ⟨dagziekenhuis⟩ daycentre ♦ *een dagverblijf voor **kinderen*** a day-care centre, a day nursery, a crèche, ⟨AE⟩ a day care (center) 2 ⟨m.b.t. dieren⟩ outdoor enclosure, outside cage/pen
dagvergoeding [de^v] per diem, daily allowance
dagverpleging [de^v] day(time) nursing
dagvers [bn] fresh daily, fresh each day
dagvlucht [de] day flight
dagvoorzitter [de^m] honorary chairman
dagwaarde [de^v] current/market value, marketable value, actual cash value
dagwacht [de] 1 ⟨wacht bij dag⟩ daytime watch 2 ⟨eerste wacht na de nacht⟩ morning watch
dagwerk [het] 1 ⟨dagelijks werk⟩ (daily) work, job, business 2 ⟨hoeveelheid arbeid⟩ day's work ▪ *als ze die allemaal alleen moest nakijken **had** ze wel dagwerk* if she had to mark all those by herself, she'd have her work cut out (for her)/she'd be pretty well occupied all day/she'd never see the end of it
dagwijzer [de^m] calender, date-indicator
dagwissel [de^m] bill payable on/at a fixed date
dagzege [de] stage victory
dagziekenhuis [het] daycentre
dagzijde [de] 1 ⟨deel van de aarde⟩ light/day side 2 ⟨buitenzijde⟩ exterior, outside, outer face/side ♦ *de dagzijde van **deuren/kozijnen/metselwerk*** the exterior/outside of walls/window-frames/masonry
dagzoom [de^m] ⟨geol⟩ (bed) outcrop(ping), ⟨zeldz⟩ basset
dagzuster [de^v] day nurse, ⟨BE ook⟩ day sister
dahlia [de] dahlia
daim [het] ⟨in België⟩ ⟨fijner⟩ buckskin, doeskin, ⟨ruwer⟩ ± suede
daisy wheel [het] ⟨op schrijfmachine, printer⟩ daisy-

wheel

dak [het] [1] ⟨bedekking van een huis, gebouw⟩ roof, ⟨vnl fig⟩ housetop ◆ *een **beschoten** dak* an underdrawn/a boarded roof; ⟨fig⟩ *het dak **gaat eraf*** it's going to be one big party, they're going to raise the roof; *een **gebroken** dak* a mansard (roof), a gambrel (roof), a curb roof; *een **gewelfd** dak* a vaulted roof; *een dak boven het hoofd **hebben*** have a roof over one's head; *een **leien** dak* a slate(d) roof; ***onder** dak komen* find accommodation/shelter/a home; *hij is **onder** dak* ⟨lett⟩ he is under cover/has found shelter; ⟨fig⟩ he is made/settled/set up (for life); ***onder** één dak wonen* live under one/the same roof, live in the same house; *een huis **onder** dak brengen* roof in/over a house, get/put the roof on a house; *toeristen **onder** dak brengen* accommodate/house/find accommodation for tourists; *een vluchteling **onder** dak brengen* provide/find shelter for a refugee, take in a refugee; *iemand tijdelijk **onder** dak brengen* find temporary accommodation/a temporary home for s.o.; *iemand een nachtje **onder** dak brengen* fix/put s.o. for a/the night; *een kunst/boekenverzameling **onder** dak brengen* house an art/a book collection; *iemand **op** zijn dak vallen* descend on s.o.; *het viel me koud **op** mijn dak* I was quite unprepared for it, it gave me quite a turn/start; *iemand iets **op** zijn dak schuiven* lay/put/shove the blame on s.o., saddle s.o. with the blame, lay the blame at s.o.'s door; *ga nu maar gauw **op** het dak zitten* you must be kidding!, tell it to the marines!, forget it!; *iemand de politie **op** zijn dak sturen* put the police on to s.o.; *hij kreeg (daarvoor) de politie **op** zijn dak* he got the police down on him/down on his neck; *hij kreeg opeens zijn schoonmoeder **op** zijn dak gestuurd* he was suddenly saddled with his mother-in-law; ***open** dak* sun(shine) roof; *auto met **open** dak* open-topped car, ± convertible, ± cabriolet, ± soft-top; *een **plat** dak* a flat roof; ⟨vnl AE; waarop men kan zonnen⟩ a sun deck; ⟨vnl. van Spaans/oosters huis⟩ a terraced roof; *huizen met een **plat/rieten** dak* flat-roofed/thatched houses; *je moet het dak **repareren** als de zon schijnt* ± one should save for a rainy day; *een **schuin/aflopend** dak* a pitched/sloping roof; ⟨fig⟩ *iets **van** de daken schreeuwen* shout/proclaim sth. from the housetops/rooftops; *het dak van de **wereld*** the roof of the world [2] ⟨fig; bedekking⟩ roof, cover, umbrella [3] ⟨woning⟩ roof ⊡ ***uit** zijn dak gaan* go crazy/out of one's mind, ↑ go into raptures; ⟨van woede⟩ blow one's top

dakappartement [het] ⟨in België⟩ penthouse

dakbak [de^{m}] coupler

dakbalk [de^{m}] roof-beam, roof-timber

dakbedekking [de^{v}] roofing (material), roof covering

dakbeschot [het] roof boarding, sheathing, ⟨SchE⟩ sarking

dakdekker [de^{m}] roofer, ⟨met riet⟩ thatcher, ⟨met pannen⟩ tiler, ⟨met leien⟩ slater, ⟨met spanen⟩ shingler

dakgebint [het] truss

dakgoot [de] gutter, roof-gutter, eaves-gutter, cullis

dakhaas [de^{m}] ⟨scherts⟩ mog(gie), ⟨AE⟩ alley cat, ↑ cat

dakhelling [de^{v}] pitch/angle of a roof, roof-slope

dakisolatie [de^{v}] roof/loft insulation

dakje [het] [1] ⟨klein dak⟩ rooflet [2] ⟨accent op letter⟩ circumflex (accent) ⊡ *het ging van een **leien** dakje* it was plain/smooth sailing all the way, it went swimmingly/like clockwork/like a dream, it was a piece of cake, it was as easy as falling off a log; *het loopt van een **leien** dakje* ⟨ook⟩ it's going smoothly/without a hitch

dakkamer [de] attic, garret, ⟨niet bewoonbaar⟩ loft

dakkap [de] truss, framework

dakkapel [de] dormer (window), lucarne, shed dormer

daklaag [de] ⟨geol⟩ roof

dakladder [de] roof/cat ladder

dakleer [het] ± roofing felt, ⟨AE⟩ ± rag felt, ± (asphalt-impregnated) roofing paper

^{1}daklei [het] ⟨verharde leem⟩ rag(stone)

^{2}daklei [de] ⟨lei⟩ (roof(ing)) slate

daklicht [het] skylight, ⟨dat niet open kan⟩ deadlight, ⟨in kerk⟩ clerestory, clearstory

daklijn [de] ridge

daklijst [de] ridge-piece, ridge beam/board, rooftree

daklook [het] ⟨biol⟩ houseleek, hen-and-chickens

dakloos [bn] homeless, roofless, ⟨alleen predicatief⟩ (left) without a roof over one's head ◆ *honderden mensen **werden/raakten** dakloos* hundreds of people were made homeless/lost their homes

dakloze [de] homeless person, ⟨mv⟩ street people, ⟨als groep⟩ the homeless, ⟨zwerver⟩ vagrant, ⟨vnl. kind⟩ waif, ⟨vnl. dier⟩ stray

daklozenkrant [de] homeless news/paper

dakpan [de] (roof(ing)) tile

dakpansgewijs [bw] (overlapping) like (roof-)tiles, overlapping, ⟨ook plantk⟩ imbricately, ⟨planken in scheepshuid⟩ clinker-built, lapstraked

dakpijp [de] downpipe, ⟨AE⟩ downspout, drainpipe, waterspout, rainwater pipe

dakraam [het] skylight, fan light, attic/loft/garret window, ⟨merknaam⟩ velux window

dakrail [de] roof rail

dakrand [de^{m}] edge of a/the roof, ⟨overhangend⟩ eaves

dakriet [het] (reed-)thatch(ing)

dakruiter [de^{m}] roof-turret, ⟨i.h.b. op kerkdak⟩ flèche, spire(let)

dakschild [het] plane/side/face of a roof

dakspaan [de] shingle, shake

dakspar [de^{m}] ⟨bouwk⟩ rafter

dakstoel [de^{m}] ⟨bouwk⟩ (roof) truss(es)

dakstro [het] thatch(ing)

dakterras [het] terrace, roof garden

daktuin [de^{m}] roof garden

dakvenster [het] dormer (window), luthern, shed dormer

dakvorst [de^{m}] (roof-)ridge, crest, coping

dakwerk [het] roof(ing), roof construction

dal [het] [1] ⟨vallei⟩ valley, ⟨form⟩ vale, ⟨vnl BE⟩ dale, ⟨nauw⟩ glen, ⟨klein⟩ dip, hollow ◆ *het dal van de **Maas*** the valley of the river Maas/Meuse; ⟨fig⟩ *het dal van de **schaduw** des doods* the Valley of the Shadow of Death [2] ⟨aarde⟩ vale (of tears) ◆ *dit aardse/dit **ondermaanse** dal* this earthly/mortal vale [3] ⟨fig; laagte⟩ pit, low, gulf, abyss, ebb ◆ *hij is door een **diep** dal gegaan* he has had a very rough time; ⟨inf⟩ he has been down in the dumps; *iemand **uit** het dal halen* help s.o. back on his feet

dalai lama [de^{m}] Dalai Lama

dalen [onov ww] [1] ⟨omlaaggaan⟩ descend, go/come down, drop, ⟨meetwaarde⟩ fall, ⟨zon⟩ sink, set ◆ *hij is zeer **in** mijn achting gedaald* my esteem for him has plummeted, he has gone down considerably in my estimation; *zich in dalende **lijn** bewegen* be on the downgrade, show a downward tendency; *de **luchtdruk** daalt* the barometer/atmospheric pressure is falling/going down; *de club is **naar** de zevende plaats gedaald* the club has fallen/sunk to seventh place; *de temperatuur daalde **tot** beneden het vriespunt* the temperature/temperatures fell (to) below zero; *het **vliegtuig** daalt* the (air)plane is descending; ⟨landt⟩ the plane is landing; *de **weg** daalt hier* the road drops/goes down/descends here; *de **zon** daalt reeds* the sun is already going down/sinking/setting [2] ⟨minder worden⟩ fall, go/come down, drop, sink, ⟨waarde ook⟩ decline, decrease ◆ *de prijzen zijn een paar **euro** gedaald* prices are down by a couple of euros; *iets in **waarde** doen dalen* depreciate/devalue/devaluate sth., bring sth. down (in value); *de **invoer** is **sterk** gedaald* imports are down/have decreased quite a lot/considerably; *de **koersen** dalen* (the) prices are dropping/falling/going/coming down; ⟨fig⟩ things are/business is going downhill; *de prijzen zijn **sterk** gedaald* prices have

plummeted/taken a plunge/dive ③ ⟨m.b.t. geluiden⟩ drop, sink, fall, be lowered
dalengte [de^{v}] glen, ⟨zeer steil⟩ gorge, gulf
daler [de^{m}] loser
dalgrond [de^{m}] reclaimed/cleared peatland
daling [de^{v}] ① ⟨het naar beneden gaan⟩ descent, fall(ing), sinking, drop, decline ◆ *daling van de **bodem/zeespiegel/het kwik/een vliegtuig*** drop in the level of the land/sea level; fall(ing) of the mercury/thermometer; descent/landing of an aeroplane; *een **sterke** daling van het ledenaantal* a slump/a considerable drop/decrease in (the) membership ② ⟨helling⟩ slope, incline, gradient, descent, drop, ⟨klein⟩ dip ③ ⟨baisse⟩ decrease, drop, slump, fall(ing-off) ◆ *de daling van het **geboortecijfer*** the decrease/drop/fall in the birth rate; *verkoop **op** daling* bear selling; ***op** daling **speculeren*** speculate for a fall
dalingsgebied [het] area/zone of subsidence
dalit [de^{m}] Dalit
dalkonschildje [het] ⟨med⟩ Dalkon shield
dalkruid [het] ① ⟨lelieachtige plant⟩ May lily ⟨Majanthemum bifolium⟩ ② ⟨salomonszegel⟩ Solomon's seal ③ ⟨lelietje-van-dalen⟩ lily of the valley
dalles [de] ⟨Barg⟩ scrape, stew, mess, state ◆ ***in** de dalles **zitten*** ⟨in de zorgen⟩ be in a scrape/stew/state; ⟨aan lagerwal⟩ on one's uppers
dalleshoer [de^{v}] ⟨inf⟩ cheap whore, ⟨AE ook⟩ cheap hooker
Dalmatië [het] Dalmatia
dalmatiek [de^{v}] ⟨r-k⟩ dalmatic
dalmatiër [de^{m}] Dalmatian, dalmatian
Dalmatisch [bn] Dalmatian
dalski [de^{m}] lower ski
dalstuw [de] dam, barrage
daltonisme [het] daltonism, colour blindness
daltonmethode [de^{v}] Dalton method/plan/system
daltononderwijs [het] Dalton (plan) education
daluren [de^{mv}] off-peak (hours/period)
dalurenkaart [de] ⟨spoorw⟩ off-peak railcard
dalven [onov ww] cadge, scrounge, sponge, beg, ⟨AE ook⟩ panhandle
dalver [de^{m}] tramp, beggar, ⟨AE ook⟩ hobo, bum
dalweg [de^{m}] ⟨aardr⟩ thalweg
dalwind [de^{m}] valley wind
^{1}**dam** [de^{m}] ① ⟨waterkering⟩ dam, barrage, ⟨in rivier⟩ weir ◆ *een dam **leggen*** build a dam; *een dam in de **Nijl*** a barrage in the Nile; *een dam **om** een bouwput* a sheetpile wall around a building site; ⟨fig⟩ *een dam **opwerpen** tegen* stem the tide of, check (the progress of) ② ⟨toegang tot een weiland⟩ causeway ③ ⟨med⟩ perineum ④ ⟨verbindingsstuk⟩ ⟨tussen vensters/deur en venster⟩ pier ⊡ ⟨sprw⟩ *als één schaap over de dam is, volgen er meer* if one sheep leaps over the ditch, all the rest will follow; ± the flock follows the bellwether; ⟨sprw⟩ *als 't hek van de dam is, lopen de schapen overal* ± when the cat's away the mice will play
^{2}**dam** [de] ⟨damsp⟩ king, crowned man ◆ *een dam **halen/maken*** crown a man
damagecontrol [de^{m}] damage control
Damascener [bn] ① ⟨m.b.t. Damascus⟩ Damascene ② ⟨m.b.t. metalen⟩ damascene
damasceren [ov ww] ① ⟨m.b.t. staal⟩ damascene, damask ② ⟨m.b.t. andere metalen: versieren⟩ damascene, inlay
damast [het] damask, diaper
damastbloem [de] dame's violet/rocket
damasten [bn] damask, diapered ◆ *een damasten **tafelkleed*** a damask tablecloth
damastpapier [het] damask paper
damastpruim [de] damson (plum)
damaststaal [het] Damascus steel, damask (steel)
dambord [het] ⟨BE⟩ draughtboard, ⟨AE⟩ checkerboard
damclub [de] ⟨BE⟩ draughts club, ⟨AE⟩ checkers club
dame [de^{v}] ① ⟨(voorname, beschaafde) vrouw⟩ lady ◆ *de **ijzeren** dame* the Iron Lady; *zij **is op-en-top** een dame* she's a lady to the (very) tips of her fingers/from head to toe, she's a regular lady/every inch a lady; *de dame **spelen/uithangen*** act/play the lady/grande dame; *de dames **Jansen*** ⟨ongetrouwden⟩ the Miss(es) Jansen; the Jansen ladies; *niet waar (de) dames **bij** zijn!* not in front of (the) ladies!, (not in) mixed company! ② ⟨vrouwelijke partner⟩ lady, partner ③ ⟨als aanspreekvorm⟩ lady ◆ *dames en **heren*** ladies and gentlemen ④ ⟨schaak, kaartsp⟩ queen ◆ *een dame **halen*** queen a pawn ⑤ ⟨mv; opschrift op toilet⟩ Ladies('), ⟨AE⟩ Ladies(') room
dame blanche [de^{v}] ice cream with hot chocolate sauce, ⟨AE⟩ hot-fudge sundae
dameruil [de^{m}] ⟨schaak⟩ exchange of queens
damesachtig [bn, bw] ⟨bijvoeglijk naamwoord⟩ ladylike, ⟨bijwoord⟩ in a ladylike manner/way
damesafdeling [de^{v}] women's (wear) department
damesblad [het] women's magazine
damesconfectie [de^{v}] ladies'/women's clothing, ladies'/women's wear, ⟨inf; BE⟩ ladies'/women's off-the-peg clothing ◆ *op de **afdeling** damesconfectie* in ladies' wear
damesdubbel [het] → **damesdubbelspel**
damesdubbelspel [het], **damesdubbel** [het] women's doubles
damesenkel [het] → **damesenkelspel**
damesenkelspel [het], **damesenkel** [het] ladies'/women's singles
damesfiets [de] ⟨inf⟩ woman's/lady's bike, woman's/lady's bicycle, ⟨vaak ook⟩ girl's bike
dameshoed [de^{m}] lady's hat/bonnet, ⟨groot, met bloemengarnering⟩ Dolly Varden
dameskapper [de^{m}] ① ⟨kapper⟩ ladies' hairdresser, (ladies') hair stylist ② ⟨kapsalon⟩ ladies' hairdresser's, (ladies') hair stylist's
dameskapsalon [het, de^{m}] → **dameskapper**
dameskleding [de^{v}] ladies'/women's wear, ladies'/women's clothing
dameskoor [het] women's chorus, female/ladies' choir
dameskransje [het] ladies' circle/group, ⟨inf⟩ henparty, ⟨AE ook⟩ coffee klatsch
damesliefde [de^{v}] lady love
damesmode [de] ① ⟨mode voor dames⟩ ladies'/women's fashion ② ⟨artikelen⟩ ladies'/women's fashions, ladies'/women's wear, ladies'/women's clothing ◆ ***afdeling** damesmode* ladies' fashions/wear (department)
damesondergoed [het] women's/ladies' underwear, lingerie, underthings
damespaard [het] ladies' mount/horse
damesploeg [de] ladies'/women's team
damesroman [de^{v}] novelette
damesslipje [het] (pair of) (women's) briefs/panties, (pair of) undies, ⟨BE ook⟩ (pair of) knickers, ⟨mv⟩ (women's) underwear
damestas [de] handbag, ⟨met make-up spullen⟩ vanity case/bag
damestennis [het] ladies'/women's tennis
damestoilet [het] ladies' toilet, ⟨BE⟩ ladies', ⟨vnl AE⟩ ladies room, powder room
damesverband [het] sanitary ^{B}towels/^{A}napkins ◆ *een damesverbandje* a sanitary ^{B}towel/^{A}napkin
damesvoetbal [het] ladies'/women's football, ⟨BE ook, AE vnl⟩ ladies'/women's soccer
dameswielrennen [ww] women's cycling
dameszadel [het, de^{m}] side-saddle, ⟨van fiets⟩ ladies' saddle
dametje [het] (little) lady ◆ *ze/'t is al een **echt** dametje* she's (already) quite a (little) lady; *een **lief, oud** dametje* a sweet old lady

damvleugel [de^{m}] ⟨schaak⟩ queen's side

damhert [het] fallow deer

damhinde [de^{v}] fallow deer hind

damkampioen [de^{m}], **damkampioene** [de^{v}] ⟨BE⟩ draughts champion, ⟨AE⟩ checkers champion

damkampioene [de^{v}] → **damkampioen**

damklok [de] ⟨sport⟩ ⟨BE⟩ draughts clock, ⟨AE⟩ checkers clock

damlijn [de] ⟨sport⟩ king line/row, back line/row

dammen [onov ww] play (at) ^{B}draughts/^{A}checkers ◆ *een potje/partijtje dammen* a game of draughts/checkers

dammer [de^{m}], **damster** [de^{v}] ⟨BE⟩ draughts player, ⟨AE⟩ checkers player

Damocles Damocles ◆ *het **zwaard** van Damocles* the sword of Damocles

damp [de^{m}] [1] ⟨nevel, wasem⟩ ⟨wasem⟩ steam, vapour, ⟨nevel⟩ mist, haze, fog, ⟨riekend⟩ fume ⟨vaak mv⟩ ◆ *de damp van een kokende **ketel*** the steam from a boiling kettle; *de damp **slaat** van de paarden **af*** the horses are steaming [2] ⟨natuurk⟩ vapour ◆ *damp van **jodium*** iodine vapour; ***overgaan** in damp* evaporate, vaporize, volatilize; ***verzadigde** damp* saturated vapour [3] ⟨rook⟩ smoke, ⟨schadelijk⟩ smog, ⟨vaak mv⟩ fume ◆ *wat **hangt** hier een damp* this place is full of smoke/fumes; ***schadelijke** dampen* noxious fumes, effluvium [•] ***kwade** dampen* (ill/noxious/evil) vapours

dampartij [de] game of ^{B}draughts/^{A}checkers

dampdicht [bn] vapour-tight

dampdichtheid [de^{v}] ⟨natuurk⟩ vapour density

dampen [onov ww] [1] ⟨damp afgeven⟩ steam, smoke ◆ *het **paard** stond te dampen* the horse was steaming; *dampende **schotels*** steaming dishes [2] ⟨rook afgeven, roken⟩ smoke, fume ◆ *dampende **schoorstenen*** smoking chimneys; *hij zat weer **flink** te dampen* he was puffing away again for all he was worth

dampfase [de^{v}] ⟨natuurk⟩ vapour phase

dampig [bn] [1] ⟨op damp lijkend⟩ vaporous, vapour-like, vapourish [2] ⟨nevelig, rokerig⟩ ⟨nevelig⟩ misty, hazy, foggy, steamy, ⟨rokerig⟩ smoky, smoggy [3] ⟨m.b.t. paarden⟩ broken-winded

dampigheid [de^{v}] heaves, broken wind

dampkap [de^{v}] ⟨in België⟩ cooker hood

dampkring [de^{m}] [1] ⟨m.b.t. de aarde⟩ (earth's) atmosphere, air, ⟨form⟩ ether ◆ ⟨ruimtev⟩ *terugkeer **in** de dampkring* re-entry (into the (earth's) atmosphere) [2] ⟨m.b.t. andere planeten⟩ atmosphere

damplank [de] ⟨wwb⟩ sheet pile

dampmeter [de^{m}] vaporimeter

damprobleem [het] ⟨BE⟩ draughts problem, ⟨AE⟩ checkers problem

dampscherm [het] ⟨in België⟩ waterproof layer

dampspanning [de^{v}] vapour pressure/tension

dampvorming [de^{v}] vaporization, vapour formation/production

damschijf [de], **damsteen** [de^{m}] ⟨damsp⟩ draught(sman), ⟨AE⟩ checker(man), man, piece

damslag [de^{m}] ⟨sport⟩ [•] *damslag **gaat voor*** you must take the King first

Damslaper [de^{m}] ⟨BE⟩ ± dosser, ⟨AE⟩ ± hippie

damspel [het] [1] ⟨spel⟩ ⟨BE⟩ draughts, ⟨AE⟩ checkers [2] ⟨benodigdheden⟩ set of ^{B}draughts/^{A}checkers, ⟨BE⟩ draughts set, ⟨AE⟩ checkers set

damsport [de] (competition) ^{B}draughts/^{A}checkers

damsteen [de^{m}] → **damschijf**

damster [de^{v}] → **dammer**

damwand [de^{m}] sheet piling, sheetpile wall

damwedstrijd [de^{m}] ⟨BE⟩ draughts match/competition, ⟨AE⟩ checkers match/competition

^{1}**dan** [de^{m}] dan

^{2}**dan** [bw] [1] ⟨op dat tijdstip⟩ then ◆ *nu eens dit, dan weer **dat*** first one thing, then another; *hij zei dat hij dan **en** dan zou komen* he said he'd come at such and such a time; *morgen zijn we vrij, dan **gaan** we uit* we have a day off tomorrow, and/so we're going out; ***nu** en dan* now and then; ***tot** dan* till/until then; ⟨als afscheid⟩ (I'll) see you (tomorrow/Tuesday/...) then [2] ⟨daarna, daarbij⟩ then, ⟨vervolgens⟩ subsequently, ⟨daarbij⟩ besides ◆ ***en** dan?* and what then?, and then what?; *(ik heb maar één vest) en dan **nog** een oud ...* and an old one at that; *hij heeft twee huizen in de stad en dan **nog** één buiten* he has two houses in town and one in the country as well; *eerst werken, dan **spelen*** business before pleasure; ***zelfs** dan (nog) gaat het niet* even so it won't work [3] ⟨bijwoord van voorwaarde⟩ then ⟨meestal onvertaald⟩ ◆ *als de trein niet rijdt, dan **kan** ik niet komen* if the train isn't running/doesn't run I won't be able to come; *(je wilt dit niet en dat (ook al) niet); **wat** dán?!* what dó you want?!, whát, then?! [4] ⟨modaal bijwoord⟩ then ◆ ⟨in elliptische vragen⟩ *'en je **broer** dan?'* (and) what about your brother (then)?; *nou, **en** dan!* ⟨wat kan mij dat schelen⟩ well, what of it/so what?; ***hebben** dan alle getuigen **gelogen**?* do you mean (to say) all the witnesses lied?, so I suppose all the witnesses were lying (, were they)?; *al dan **niet** ...* ... or otherwise, whether ... or not; ⟨met tegenstellende kracht⟩ *ook goed, dan **niet*** all right, we won't then; all right then, we won't; *moeders, al dan **niet** gehuwd* mothers, married and/or otherwise; *en dan zeggen ze **nog** dat ...* and still they say that ...; ⟨om een onderbroken gedachtegang weer op te nemen⟩ ***nu** dan, zoals ik zei* well then/now, as I was saying; *hij heeft niet gewerkt; hij is dan **ook** gezakt* he didn't work; and so/not surprisingly he failed; *wees dan **toch** eindelijk eens stil* will you shut up (for heaven's sake), do be quiet; *die schrijver had dan **toch** maar veel succes* but that writer did have considerable success; ***wat** dan nog?* so what!; *als je het dan beslist **wilt*** well, if you insist; *wat **zeur/lul** je dan?* why go on about it, then?

^{3}**dan** [vw] [1] ⟨na een vergrotende trap⟩ than ◆ *hij is **rijker/armer/groter** dan ik* he is richer/poorer/bigger than me/than I (am) [2] ⟨na 'ander(s)'⟩ than, from ◆ *een **ander** dan hij heeft het me verteld* I heard it from s.o. else (, not him)/s.o. other than him; *dat is **anders** dan je zegt* it is not as you tell it, it's different from the way you tell it [3] ⟨na een ontkennende zin⟩ but, except, besides ◆ *hij heeft **niemand** dan zijn moeder* he has no one but/except his mother; *ze gaat nooit uit dan 's zondags* she never goes out except/but on Sundays [4] ⟨na 'te'⟩ to (do/be ...), for (that) ◆ *hij is te trots dan **dat** hij zoiets zou aannemen* he is too proud to/so proud that he would never accept such an offer [5] ⟨of⟩ or ◆ *al dan **niet** geslepen* (whether) cut or not, cut or otherwise; *hij vroeg of hij morgen dan **wel** overmorgen zou komen* he asked whether he should come tomorrow or the day after

dance [de^{m}] dance

dancefeest [het] dance party

dancehall [de^{m}] dance hall

dancemuziek [de^{v}] dance music

danceparty [de^{m}] dance party

dancing [de^{m}] dance hall, discotheque

dancing queen [de^{v}] dancing queen

dandy [de^{m}] dandy, swell, fashion-plate, clothes-horse

dandyisme [het] dandyism, fashion-consciousness, clothes-consciousness

^{1}**danig** [bn] ⟨enorm⟩ sound, thorough, good(ly), huge ◆ *een danig **pak** slaag* a good/sound hiding/thrashing

^{2}**danig** [bw] ⟨terdege, enorm⟩ soundly, thoroughly, well, greatly, badly, violently, awfully ◆ *ik **heb** hem danig de waarheid **gezegd*** I (really) gave him a piece of my mind, I (really) told him off properly, ⟨inf⟩ I (really) told him off good and proper; *hij **heeft** zich danig **verveeld*** he was bored stiff/to death/to tears; *iemand danig **toetakelen*** really give it to s.o., do work s.o. over, give s.o. a good beating; *zich danig **vergissen*** make a big mistake, be sorely mistaken; *zich danig **weren*** put up a good fight; *danig van **streek** zijn* be awfully upset; *danig in de knoei zitten* be in a terrible mess/a terrible fix

Danish blue [de^m] Danish blue

dank [de^m] thanks, gratitude ♦ ***als** dank voor alle goede zorgen* by way of thanks for all you've done (for me/us); *laat niet **als** dank voor het aangenaam verpozen, de eigenaar (van het bos) de schillen en de dozen* take your litter home with you, don't be a litter-lout/^{A}litter-bug; *iemand dank **betuigen*** show/extend one's thanks/gratitude to s.o.; *God dank **brengen*** give thanks to the Lord/to God; ***duizendmaal** dank* thanks a million/ever so much; ***geen** dank* that's all right, you're welcome, not at all, don't mention it; *de **hemel** zij dank* thank heaven(s); ***in** dank terug/retour* returned with thanks; *iemand iets niet **in** dank afnemen* not thank s.o. for sth., take it ill of s.o. (that); *iets **in** dank aannemen/aanvaarden* accept sth. with thanks/gratitude; *dat zal hij je niet **in** dank afnemen* he won't thank you for that; *iemand (grote) dank **verschuldigd zijn*** owe many thanks/a large debt (of gratitude) to s.o.; *tegen **wil** en dank* unwilling, willy-nilly; *God(e) zij dank* thanks be to God; ⟨gelukkig maar⟩ thank God; *bij voorbaat dank* thank(ing) you in anticipation/advance; *stank voor dank krijgen* get more kicks than halfpence/not so much as a word of/small thanks for one's pains

dankbaar [bn, bw] [1] ⟨erkentelijk⟩ grateful ⟨bw: ~ly⟩, thankful ♦ *een dankbaar **mens/hart*** a(n) grateful/thankful/appreciative person, a thankful heart; *zij **namen** de gaven dankbaar **aan*** they accepted the gifts with thanks/gratefully; *ik zou u zeer dankbaar **zijn** als ...* I should be most grateful to you/obliged if ..., I should appreciate it greatly if ... [2] ⟨voldoening gevend⟩ rewarding ⟨bw: ~ly⟩, grateful, pleasant, pleasing ♦ *een dankbare **grond/akker*** a grateful/productive soil/field; *een dankbaar **onderwerp*** a rewarding subject; *een dankbaar **publiek*** an appreciative audience; *een dankbare **taak*** a rewarding task

dankbaarheid [de^v] gratitude, thanks, thankfulness, appreciation ♦ ***tot** dankbaarheid stemmen* be a matter for thankfulness, make (one) grateful; *we hebben weinig/veel reden **tot** dankbaarheid* we have little/much to be thankful for; ***uit** dankbaarheid voor* in appreciation of, in gratitude for; *overlopen **van** dankbaarheid* be overflowing with gratitude, be effusive in one's gratitude

dankbetuiging [de^v] expression of gratitude/thanks, word of gratitude/thanks, ⟨schriftelijk⟩ note/letter/message of thanks, acknowledgement, ⟨motie⟩ vote of thanks ♦ ***onder/met** dankbetuiging* with thanks; *een dankbetuiging in de krant **plaatsen*** put a note of thanks/an acknowledgement in the paper; *een **schriftelijke** dankbetuiging* a letter/note of thanks

dankdag [de^m] Thanksgiving Day, day of thanksgiving ♦ *dankdag voor het **gewas*** Harvest Festival

^{1}**danken** [onov ww] [1] ⟨afslaan⟩ decline (with thanks), refuse, turn down ♦ *dank je **feestelijk**!* thanks a lot/bundle!, thank you for nothing!; *nee hoor, dank je (wel)!* no, thank you (very much)! [2] ⟨bidden⟩ say grace, give thanks, say a prayer of thanks, ⟨na maaltijd⟩ return thanks ♦ *heb je **al** gedankt?* have you said grace (yet)?; *er is **voor** de zieke gedankt* thanks(givings) have been offered for the patient

^{2}**danken** [ov ww] [1] ⟨bedanken⟩ thank, ⟨applaus e.d.⟩ acknowledge ♦ *ik dank **God** dat ik daarvan verlost ben* I thank God I'm rid of that/him/her; *nee, dank je* no, thanks/thank you; *ja graag, dank je* yes, please/thank you; *niet(s) **te** danken* not at all, you're welcome, don't mention it; *(ik) dank **u/je*** thank you; ⟨bij weigering⟩ no, thank you; *iemand danken **voor** iets* thank s.o. for sth.; *dank u **zeer/wel*** thank you very much, many thanks [2] ⟨verschuldigd zijn⟩ owe, be indebted, (have to) thank ♦ *dit heb ik **aan** jou te danken* I owe this to you, I have you to thank for this; *waar heb ik dit **aan** te danken?* to what do I owe this?, what have I done to deserve this?; *je hebt het **aan** jezelf te danken* you have yourself to thank/blame for this, this/it is your own fault

dankgebed [het] prayer of thanks(giving), ⟨bij maaltijd⟩ grace

danklied [het] song/hymn of thanks(giving)

dankoffer [het] thank(s)-offering

dankrede [de] speech/vote of thanks, word of thanks

dankwoord [het] word(s) of thanks/gratitude, expression of thanks/gratitude, ⟨van redenaar⟩ speech of thanks/gratitude, vote of thanks/gratitude ♦ ***in** zijn dankwoord **tot** de aanwezige gasten* in his speech of thanks to the guests present; *een dankwoord **richten tot*** extend a word of thanks to

dankzeggen [ov ww] [1] ⟨bedanken⟩ thank, express (one's) thanks/gratitude to, say thank you [2] ⟨een dankgebed zeggen⟩ thank, give thanks to, ⟨bij maaltijd⟩ say grace ♦ ***God** dankzeggen* give thanks to God

dankzegging [de^v] [1] ⟨dankbetuiging⟩ word(s) of thanks/gratitude, expression of thanks/gratitude ♦ ***onder** dankzegging **voor** bewezen diensten* with thanks for services rendered; *dat is een dankzegging **waard*** that is sth. to be grateful/thankful for [2] ⟨het zeggen van een dankgebed⟩ saying/giving thanks, thanksgiving, ⟨bij maaltijd⟩ saying grace

dankzij [vz] thanks to ♦ *niet **bepaald** dankzij* small/no thanks to; *en allemaal dankzij **haar*** and it's all thanks to her, and that is all her doing; *dankzij **jou** hebben we de wedstrijd gewonnen* thanks to you we won the match, we won the match thanks to you

dans [de^m] [1] ⟨ritmische beweging⟩ dance, ⟨als kunstvorm ook⟩ dancing ♦ *hij **beoefent** de dans als **kunst*** he does dance/dancing as an art; *iemand **ten** dans **vragen*** ask s.o. to dance/for a dance [2] ⟨keer⟩ dance, ⟨als kunstvorm ook⟩ dancing ♦ ***mag** ik deze dans van u?* may I have this dance, please?, is this dance taken? [3] ⟨danswijze⟩ dance, ⟨als kunstvorm ook⟩ dancing [4] ⟨stuk muziek⟩ dance, ⟨als kunstvorm ook⟩ dancing ♦ *de vijfde **Hongaarse** dans van Brahms* Brahms' fifth Hungarian dance [·] *de dans **ontspringen*** get off scot-free, get/come off/away unscathed

dansavond [de^m] dance, dancing party

dansclub [de] dance/dancing club

danse macabre [de] danse macabre, dance of death

^{1}**dansen** [onov ww] [1] ⟨ritmisch bewegen⟩ dance ♦ ***gaan** dansen* go dancing, take the floor; *uit dansen **gaan*** go (out) dancing, go to a dance; ***goed** kunnen dansen* dance well, be a good dancer; *dansen **op** (de) muziek/een plaat* dance to music/a record [2] ⟨ook fig; springen⟩ dance, ⟨huppelen⟩ hop, ⟨bootjes ook⟩ bob (up and down) ♦ *dansende **bijen*** dancing bees; *de **letters** dansten voor mijn ogen* the letters danced before my eyes; ⟨fig⟩ *dansende **lichtstralen*** flickering rays (of light), dancing sunbeams; *dansen **van** blijdschap* leap/jump for joy [·] ⟨sprw⟩ *voor geld kan men de duivel laten dansen* ± all things are obedient to money; ⟨sprw⟩ *je kunt wel dansen al is 't niet met de bruid* ± a wise man cares not for what he cannot have; ± a man must plough with such oxen as he has; ⟨sprw⟩ *pissen gaat vóór dansen* ± business before pleasure; ± first things first; ⟨sprw⟩ *als de kat van huis is, dansen de muizen (op tafel)* when the cat's away the mice will play

^{2}**dansen** [ov ww] ⟨dansfiguren maken⟩ dance ♦ *de **chachacha** dansen* (dance/do the) cha-cha(-cha-cha); *een **tango/Engelse wals** dansen* (dance a/the) tango/waltz

danser [de^m], **danseres** [de^v] [1] ⟨iemand die danst⟩ dancer [2] ⟨iemand die beroepshalve danst⟩ dancer

danseres [de^v] → **danser**

danseur [de^m], **danseuse** [de^v] dancer, ⟨bij ballet ook⟩ ballet dancer

danseuse [de^v] → **danseur**

dansexpressie [de^v] expressive dance

dansfeest [het] dance, dancing party, ⟨concours⟩ dance festival

dansfiguur [de] (dance-)figure
dansgelegenheid [de^v] dance hall, dancing-salon
dansgroep [de] dance group
dansinstituut [het] → **dansschool**
dansje [het] dance, ⟨thuis met de stoelen aan de kant⟩ carpet dance/hop, ⟨sprongetje⟩ hop ♦ *een dansje **maken*** (do a) dance; ⟨inf⟩ shake a leg; *een dansje **wagen*** tread a measure
danskunst [de^v] art of dance, dancing, ⟨vnl. modern⟩ dance
dansleraar [de^m], **danslerares** [de^v] ⟨man & vrouw⟩ teacher of dancing, ⟨man & vrouw⟩ dancing teacher
danslerares [de^v] → **dansleraar**
dansles [de] dancing class/lesson, ⟨cursus⟩ dancing classes
dansluiting [de^v] crown cap/cork
dansmarieke [het] (drum) majorette
dansmuziek [de^v] dance music
dansorgel [het] dance organ
dansorkest [het] dance band/orchestra
danspaal [de^m] dance pole
danspaar [het] dancing couple, dance/dancing partners
danspartner [de^m] (dancing/dance) partner
danspas [de^m] (dance) step
dansplaat [de] dance(-music) record
dansschoen [de^m] dancing shoe, pump
dansschool [de], **dansinstituut** [het] dancing school, school of dance/dancing, dancing academy
danstent [de] dance hall, disco, ⟨lett⟩ tent for dancing
danstheater [het] [1] ⟨theater⟩ theatre of dance, dance theatre [2] ⟨gezelschap⟩ dance company ♦ *het **Nederlands** danstheater* the Netherlands Dance Theatre
danstherapie [de^v] dance therapy
dansvloer [de^m] dancefloor
danswijsje [het] dance tune, ⟨op doedelzak⟩ musette
danswoede [de] dancing mania/craze, ⟨gesch⟩ dancing disease, tarantism, St Vitus's dance
danszaal [de] dance hall, ⟨in hotel⟩ ballroom
dansziekte [de^v] St Vitus's dance, ⟨med ook⟩ chorea
dapper [bn, bw] [1] ⟨onverschrokken⟩ brave ⟨bw: ~ly⟩, valiant, courageous ♦ ⟨iron⟩ *zich dapper **houden*** put a brave face on it, bear up bravely; *een dapper **man*** ⟨ook⟩ a man of character; *een dapper **soldaat*** a brave soldier; *zich dapper **verdedigen*** put up a good/brave fight [2] ⟨flink⟩ plucky ⟨bw: pluckily⟩, tough, game, hardy ♦ *klein maar dapper* small but tough/plucky/game [•] ⟨sprw⟩ *het geluk helpt de dapperen* fortune favours the bold
dapperheid [de^v] bravery, valour, daring, courage
dar [de^m] drone
darbepoëtine [de^v] darbepoetin-alpha
darboeka [de] darbuka
darcy [de^m] darcy
Dardanellen [de^mv] Dardanelles
Dari [het] Dari
dark horse [de^m] dark horse
darkroom [de^m] dark room, back room
darkwave [de^m] darkwave
darm [de^m] [1] ⟨spijsverteringskanaal⟩ intestine, gut, bowel, ⟨voor worst⟩ case, skin ♦ ***dunne/dikke** darm* small/large intestine; ⟨fig⟩ *een **holle** darm* a greedy guts, a dustbin; ↑ a glutton; ***twaalfvingerige** darm* duodenum; *van de **twaalfvingerige** darm* duodenal; *zijn darmen zijn van slag* he has an upset stomach; *zijn darmen zitten in de knoop* ⟨kramp⟩ he has a stomach/tummy-ache; ⟨verstopping⟩ ↑ he's constipated, ⟨BE⟩ ↓ he's bunged up [2] ⟨in België; slang⟩ hose, tube
darmader [de] iliac vein
darmafsluiting [de^v] ileus
darmbeen [het] ilium, iliac bone
darmbloeding [de^v] intestinal haemorrhage
darmcatarre [de] (gastro)enteritis
darmflora [de] intestinal flora/bacteria
darmgas [het] flatus
darminfectie [de^v] intestinal infection
darminhoud [de^m] bowel contents
darmkanaal [het] intestinal canal/tract/tube
darmkanker [de^m] intestinal cancer, cancer of the intestines/bowels
darmklachten [de^mv] intestinal complaints, ⟨diarree⟩ diarrhoeia, ⟨AE⟩ diarrhea
darmkoliek [het, de^v] intestinal colic, ⟨med⟩ enteralgia
darmkronkel [de^m] volvulus
darmlis [de] duodenum
darmonderzoek [het] intestinal investigation/examination
darmontsteking [de^v] (gastro)enteritis
darmparasiet [de^m] intestinal parasite
darmpek [het] meconium
darmperistaltiek [de^v] peristalsis, peristaltic movement
darmsap [het] enteric/intestinal juice, ⟨med⟩ succus entericus
darmscheel [het] mesentery, caul
darmsnaar [de] catgut, gut string
darmspoeling [de^v] clyster, lavement, lavage
darmstoornissen [de^mv] intestinal/abdominal disorders, ⟨inf⟩ intestinal/abdominal trouble ♦ ***maag- en darmstoornissen*** gastrointestinal disorders; ⟨inf⟩ tummy trouble
darmvlokken [de^mv] intestinal villi
darmworm [de^m] intestinal worm
darren [onov ww] ⟨inf⟩ hover (around), knock about
darrencel [de] drone cell
dartboard [het] dart board
dartbord [het] dart board
dartel [bn, bw] [1] ⟨speels⟩ playful ⟨bw: ~ly⟩, frisky, frolicsome, ⟨m.b.t. paarden en vrouwen ook⟩ skittish ♦ *een dartel **veulen*** a frolicsome/frisky foal [2] ⟨wulps⟩ frisky ⟨bw: friskily⟩, flirtatious, flirty, playful, ⟨vero⟩ wanton ♦ *een dartele **grijsaard*** a frisky old devil, a gay old dog; *het dartele Franse **hof*** the gay French court
dartelen [onov ww] romp, frisk, frolic, caper, gambol ♦ ⟨fig⟩ *door het leven dartelen* waltz through life (without a care in the world); *het visje dartelt **in** het water* the fish darts (about) in the water; *de kinderen dartelen **op** het veld* the children romp in the field
dartelheid [de^v] [1] ⟨speelsheid⟩ playfulness, friskiness, ⟨m.b.t. paarden en vrouwen ook⟩ skittishness [2] ⟨wulpsheid⟩ friskiness, flirtatiousness, playfulness, ⟨vero⟩ wantonness [3] ⟨dartele daad⟩ frolic, caper, trick
darts [de^mv] darts, ⟨inf; BE⟩ arrows
dartsspel [het] (game of) darts
darwinisme [het] Darwinism
darwinist [de^m] Darwinist
darwinistisch [bn, bw] Darwinian, Darwinist(ic)
[1]**das** [de^m] [1] ⟨zoogdier⟩ badger [2] ⟨dashond⟩ dachshund
[2]**das** [de] [1] ⟨stropdas⟩ tie, ⟨AE⟩ necktie ♦ ***boorden en dassen*** neckwear [2] ⟨halsdoek⟩ scarf, ⟨vero⟩ muffler ♦ ***doe** een das om, het is koud* put a scarf on, it is cold; *dat deed hem de das om* that did for him, that finished him (off), that cooked his goose, that settled his hash
dashboard [het] dashboard, ↓ dash, ⟨BE⟩ fascia, ⟨van vliegtuig ook⟩ instrument panel
dashboardkastje [het] glove compartment
dashond [de^m] dachshund
dassenburcht [de] badger's set, badger's burrow
dasspeld [de] tie-pin, tie-clip, ⟨AE⟩ stickpin
dasymeter [de^m] dasymeter
[1]**dat** [aanw vnw] [1] ⟨zelfstandig (gebruikt)⟩ that ♦ *dat **alles** is van mij* all that's mine, that/this is all mine; ***ben** ik dat?*

⟨op foto⟩ is that me?; *zo, **denk** je dat?* is that what you think?, do you really think so?; *dat **doe** je niet!* you'll do nothing of the sort!; *dat **doet** maar!* some people!, the nerve of it/of those people!, some people do have a nerve/cheek!; *zij **heeft** dat en dat **gezegd*** she said such and such; *hoe **heet** dat?* what is that called?, what's it called?, what do you call it?; *wie **is** dat?* who's that?, who is it?; ⟨als tegenwerping⟩ *dat **is te zeggen*** that is to say, however; ⟨form⟩ albeit; *ziezo, dat **is/was** dat* right, that's that (then)/that's done/so much for that; *dat **is** het hem nu juist* that's just it, that's the problem; *dat **is** nog eens een man* he's a real man, there's a man for you; *nou, dat **is/was** het dan* that is/was it, that's that; *dat **lijkt** er meer op* that's more like it; *wat **moet** dat?* what's the meaning of this?, what (on earth) is going on here?, what's all this about?; *mijn boek en dat **van** jullie* my book and yours; *helemaal alleen en dat **voor** zo'n jong meisje* all by herself, (and that for) such a young girl/and she's only young; *zij zoeken alleen dat **wat** voordeel geeft* they only seek (whatever is to) their own advantage; *hoe **weet** je dat?* how do you know (that)?; ⟨als verklaring⟩ *dat **wil zeggen*** that means/is, i.e.; *wandelen, dat **wil** ik niet* walk? no thanks!; walking? that's not for me/not my cup of tea; ***zijn** dat je ouders?* is that/are they your parents?; *wat **zou** dat?* what of it?, that's nothing to get worried about [2] ⟨bijvoeglijk⟩ that, ⟨onbeklemtoond⟩ the ◆ *dat **dorp*** that village; *dat **gezanik/gezeur*** ⟨afkeurend⟩ that (awful) nagging/complaining (of his/hers/theirs); *dat **mens*** that (dreadful) woman, ↓ that bitch/cow [•] ⟨met nadruk⟩ *het is **niet** je dat* it's not that great, it's no great shakes, it's not quite the ticket; ⟨met nadruk⟩ ***niet** dat bezitten* have nothing at all, ↓ have damn all, not have two halfpennies to rub together; ⟨AE⟩ not have two cents to one's name; ⟨met nadruk⟩ ***niet** dat er voor over hebben* not give a rap/hoot; ⟨inf⟩ not give a damn/a tinker's cuss

²dat [betr vnw] [1] ⟨beperkend⟩ that, which, ⟨m.b.t. personen⟩ that, who, ⟨m.b.t. personen; 3e en 4e naamval en onmiddellijk na voorzetsels; form⟩ whom ◆ *het **bericht** dat hij mij bracht ...* the news/message (that/which) he brought me; *het **bericht** dat mij gebracht werd ...* the news/message that/which was brought me; *het **jongetje** dat ik een appel heb gegeven* the little boy (that/who) I gave an apple to, ↑ the little boy to whom I gave an apple; *het **kind** dat net riep, is mijn zoon* the child that/who just called out is my son; *dat is het **leukste** dat ik heb meegemaakt* that's the nicest thing (that) I've ever experienced/that's ever happened to me; *hier woont een **meisje** dat ik vroeger kende* a girl (that/who) I used to know lives here, ↑ a girl whom I used to know lives here; *dit is het beste/enige/snelste **middeltje** dat te koop is* this is the best/only/fastest remedy that is available; *het **verhaal** dat jij bedoelt, heb ik vaker gehoord* I've heard the story (that/which) you're referring to on several occasions, ↑ I've heard the story to which you're referring on several occasions [2] ⟨uitbreidend⟩ which, ⟨m.b.t. personen⟩ who, ⟨m.b.t. personen; 3e en 4e naamval en onmiddellijk na voorzetsels; form⟩ whom ◆ *het **huis**, dat onlangs opgeknapt was, werd verkocht* the house, which had recently been done up, was sold

³dat [vw] [1] ⟨ter inleiding van een afhankelijke mededeling⟩ that ⟨kan vaak vervallen⟩ ◆ ***behalve** dat* except/but/save that; *zij kregen **bericht** dat hij niet op tijd zou zijn* they got a message (to say) that he would be late; *de **dag** dat hij thuiskwam* the day (that) he came home; *ik **denk** dat hij komt* I think (that) he's coming/he'll come; ***met** dat hij ...* just as he ..., the moment (that) he ...; *in **plaats** (van) dat je me het vertelt* instead of telling me, you ...; *de **reden** dat hij niet komt is ...* the reason (why) he's not coming is ...; *de **tijd** dat zij nog werkte* when she was still working/used to work; *uit **vrees** dat* for fear that, fearing/afraid that; ⟨form⟩ lest; *ik **weet** zeker, dat zij wegblijft* I'm sure (that) she'll stay away/won't come; ***zonder** dat ik het wist* without me/my knowing, without my knowledge [2] ⟨m.b.t. graadaanduidend gevolg⟩ ◆ ⟨inf⟩ *je liegt dat je barst!* you're a rotten liar!, there isn't a true word in what you're saying!; *het regende dat het goot* it was pouring (down), ⟨sl; BE⟩ it was pissing down; *het vriest dat het kraakt* it's freezing (cold); ⟨sl; BE⟩ it's real brass monkey weather; *hij schreeuwt dat het een aard heeft* he is shouting like mad/at the top of his voice/fit to burst; *zij zongen dat het een (lieve) lust was* they sang with great gusto; *hij vloekte dat de honden er geen brood van lustten* he swore/cursed like a trooper/with a vengeance [3] ⟨m.b.t. reden, oorzaak⟩ that, because ◆ *ben je ziek dat je zo bleek ziet?* don't you feel well, you look very pale; *hij is kwaad, dat hij niet mee mag* he is angry that/because he can't come [4] ⟨m.b.t. beperking⟩ as far as ◆ *is ze handig, dat u weet?* is she any good as far as you know?; *is hier ook een bioscoop? niet dat ik weet* is there a cinema here? not that I know (of)/not to my knowledge/not as far as I know [5] ⟨in uitroepen⟩ ◆ *stommeling dat ik ben!* fool that I am!, silly me!; *stommeling dat je bent!* you stupid/silly fool!; *smerig dat het er uit zag!* you should have seen how dirty it was!; ⟨BE⟩ ↓ it didn't half look grubby; *dat ik daar nooit erg in heb gehad!* fancy me/my never realizing that!, to think (that) I never noticed!; *dat mij nu juist zoiets moest overkomen!* that such a thing should happen to me right now!, of all the things that should happen to me now! [6] ⟨inf; expletief⟩ ◆ *hij wist niet meer of hij waakte **of** dat hij droomde* he didn't know whether he was awake or dreaming; ***sinds** dat* since; ***terwijl** dat hij keek* while/as he was watching

dat. [afk] [1] (datum, daterend) d [2] (datief) dat

data [de^mv] [1] ⟨gegevens⟩ data [2] ⟨comp⟩ data, information

data

data – gegevens als basis voor onderzoek
- in wetenschappelijke teksten vaak met werkwoord in het meervoud
- enkelvoud: **datum**
- *unfortunately the data we used for our research were unreliable*

data – digitale gegevens
- met werkwoord in het enkelvoud
- *the data was converted to the new system*

dates – meervoud van datum (dagaanduiding)
- *what dates are convenient for the meeting?*

databank [de] data bank/base
databankbeheer [het] database management
database [de] database ◆ ***relationele** database* relational database
databasebeheer [het] database management
databasemanagementsysteem [het] database management system
databasepakket [het] database package
databestand [het] data file
databus [de] data bus
datacasting [de^m] datacasting
datacommunicatie [de^v] ⟨comp⟩ data communication(s)
datacompressie [de^v] data compression
datahotel [het] data hotel, data centre, DC
datalijn [de] data line
datalimiet [de] data limit
dataloog [de^m] computer scientist
datamining [de^m] data mining
datanet [het], **datanetwerk** [het] data network
datanetwerk [het] → **datanet**
datapakhuis [het] data warehouse
datapost [de] ⟨in België⟩ data transmission centre
dataprocessing [de^v] data processing
dataprocessor [de^m] data processor

dataretentie [de^v] data retention
dataset [de^m] data set
datastructuur [de^v] data structure
datatransmissie [de^v] data transmission
datatypist [de^m], **datatypiste** [de^v] data processor
datatypiste [de^v] → **datatypist**
dataverbinding [de^v] data connection
dataverkeer [het] data traffic
datawarehouse [het] data warehouse
date [de^m] 1 ⟨rendez-vous⟩ date 2 ⟨persoon⟩ date
dateerbaar [bn] dat(e)able ♦ *moeilijk dateerbare **munten*** coins which are difficult to date
daten [ov ww, ook abs] date
1**dateren** [onov ww] ⟨stammen uit een periode⟩ date (from), go back (to) ♦ *het huis dateert al **uit** de veertiende eeuw* the house goes all the way back to the fourteenth century; *de brief dateert **van** 6 juni* the letter is dated 6th June; *deze kwesties dateren **van** jaren geleden* these questions go back years/date from years back
2**dateren** [ov ww] 1 ⟨van datum voorzien⟩ date ♦ *een **brief** gedateerd (op) 6 juni* a letter dated June 6th; *ze heeft deze **brief** gedateerd op eergisteren* she dated this letter (as of) the day before yesterday, she put the day before yesterday's date on this letter 2 ⟨jaartal, periode vaststellen⟩ date, assign a date to ♦ *een oude **prent** dateren* date an old print; *kun je het **schilderij** dateren?* can you put a(n) (exact) date on the painting?, can you fix a(n) (exact) date on the painting?
datering [de^v] 1 ⟨dagtekening⟩ date ♦ *betaling uiterlijk tien dagen **na** datering van deze rekening* payment due within ten days of the invoice date/date of this account 2 ⟨bepaling van de ouderdom⟩ dating
datgene [aanw vnw] what, that which ♦ *datgene **wat** je zegt, is waar* what you say is true; *datgene **wat** anderen toebehoort, mag men niet nemen* one may not take anything belonging to others
1**datief** [de^m] ⟨taalk⟩ dative
2**datief** [bn] ⟨jur⟩ dative ♦ *datieve **voogdij/voogd*** dative guardianship/guardian
datingshow [de^m] dating show
dato [bw] date, dated ♦ *drie weken **na** dato* three weeks after/from date
datowissel [de^m] ⟨handel⟩ dated security
datrecorder [de^m], **datspeler** [de^m] DAT recorder
datspeler [de^m] → **datrecorder**
dattum ▪ ***van** dattum* you-know-what; *hij denkt alleen maar aan **van** dattum* he can only think of you-know-what/one thing, he's got a one-track mind
datum DATA [de^m] 1 ⟨dagtekening⟩ date, ⟨tijd van oorsprong ook⟩ time ♦ *van **dezelfde/gelijke** datum* of/bearing even date; *datum **postmerk*** date as postmark; *de plaats en datum **vastleggen*** fix the where and when/the time and place; ***welke** datum is het?* what is the date today?; ***zonder** datum* undated; *er staat geen datum op* there is no date on it 2 ⟨dag⟩ date ♦ *een datum **afspreken*** to arrange/fix a date; *dat is een **belangrijke** datum in de geschiedenis* that is an important date in history; ***op** een nader te bepalen datum* on a date to be fixed/specified later; ***vóór** die datum* before that date 3 ⟨tijd van oorsprong⟩ date, time ♦ *dat is al van **oude** datum* that is long ago/past history; *gebeurtenissen van **recente** datum* events of recent date, recent events
datumgrens [de] (international) dateline, calendar line
datumlijn [de] (international) date line, calendar line
datumstempel [het, de^m] 1 ⟨stempel⟩ date/dating stamp, dater 2 ⟨stempelafdruk⟩ date-stamp, date-marker
datzelfde [aanw vnw] the same (thing)
dauphin [de^m], **dauphine** [de^v] ⟨troonopvolger⟩ dauphin, ⟨vrouw van troonopvolger⟩ dauphine, dauphiness
dauphine [de^v] → **dauphin**
dauw [de^m] 1 ⟨waterdamp⟩ dew ♦ *over de velden **lag** dauw* the fields were covered in dew 2 ⟨waas op vruchten, bloemen⟩ bloom
dauwachtig [bn] dewy
dauwdruppel [de^m] dewdrop
dauwen [onpers ww] ⟨vero⟩ dew ♦ ***het** dauwt* there's a dew falling, the dew falls/is falling; *het had **sterk** gedauwd* there has been a heavy dew, the grass was wet with dew; *bij betrokken lucht dauwt het **weinig*** when it is overcast there is little dewfall
dauwnetel [de] ⟨plantk⟩ large-flowered hemp-nettle
dauwpunt [het] ⟨natuurk⟩ dew point
dauwtrappen [ww] ± taking a walk at dawn, ± going for an early morning walk, Dutch folk ritual on certain days in spring/May
dauwtrapper [de^m] person on an early walk in the country
dauwvorming [de^v] dew formation
dauwworm [de^m] 1 ⟨larve⟩ larva of the horsefly/warble-fly 2 ⟨eczeem⟩ ⟨BE⟩ milk scab/crust, ⟨med⟩ infantile eczema 3 ⟨regenworm⟩ earthworm
d.a.v. [afk] (daaraanvolgend) subsequent
daver [de^m] ⟨in België⟩ trembling, shaking, quivering, quaking, ⟨aardbeving, van stem⟩ tremor ▪ *met de daver op het **lijf** zitten* sweat it out, pack death, ⟨ogm⟩ fear, be afraid; *iemand de daver op het **lijf** jagen* give s.o. a fright, strike terror into s.o., put the fear of God into s.o., ⟨ogm⟩ frighten/scare s.o.
daveren [onov ww] 1 ⟨dreunen⟩ boom, thunder, shake, roar, ⟨metaal op metaal⟩ clang, ⟨ook fig⟩ echo, ⟨weerklinken⟩ resound, ↑ reverberate ♦ ***doen** daveren* shake, rock; *de grond daverde **van** de schok* the crash shook the ground; *de zaal daverde **van** het lachen/applaus* the hall reverberated/rang/rocked/echoed with laughter/applause 2 ⟨in België; trillen⟩ shake, ⟨minder hevig⟩ quiver, tremble ♦ *op zijn **grondvesten** daveren* shake to its foundations
daverend [bn, bw] ⟨ook fig⟩ resounding, thunderous ♦ *een daverend **applaus*** thunderous applause, a roar of applause; *een daverend **feest*** a roaring party, ↓ a hell of a party; *onder daverend **gelach*** amidst/to roars of laughter; *een daverende **hoofdpijn*** a splitting headache; *de test is **niet** daverend gemaakt* the test was not terribly well done; *een daverend **succes*** a resounding/tremendous success; *iemand daverend **toejuichen*** cheer s.o. to the echo, give s.o. a good/big hand
davidster [de] 1 ⟨Joods symbool⟩ Star of David, ⟨judaïsme⟩ Magen David ♦ *de **gele** davidster* the (yellow) Star of David 2 ⟨mystiek symbool⟩ Solomon's seal
Daviscup [de^m] ⟨sport⟩ Davis Cup
davit [de^m; vaak mv] ⟨scheepv⟩ davit
davvenen [onov ww] daven
davylamp [de] Davy lamp
dawa [de^m] dawa
daypack [het] daypack
dazen [onov ww] ⟨inf⟩ prattle (away/on), gab, gas, blether, ↑ prate ♦ ***zit** niet zo te dazen* stop your gab/prattle, don't talk such rot
dazig [bn, bw] silly, wet, soft, daft
db [het] (dagelijks bestuur) EC, Executive Council
d.c. [afk] ⟨muz⟩ (da capo) DC
d.d. [afk] (de dato) dd
D-day [de^m] D-day
DDR [de^v] ⟨gesch⟩ (Deutsche Demokratische Republik) GDR
DDT [afk] (dichlorodifenyltrichloorethaan) DDT
de [lidw] 1 ⟨lidwoord⟩ the ♦ *ze kosten twintig euro de **honderd*** they are twenty euros a hundred; *eens in de **week*** once a week 2 ⟨(met nadruk) de beste in zijn soort⟩ thé ♦ *dat is **dé man** voor dat karwei* he is (just) the man for that job; *dat is **dé oplossing*** that is thé/the perfect solution
dead heat [de^m] dead heat

deadline [de^m] deadline
deal [de^m] deal
dealen [onov ww] deal (in), push ♦ *hij dealt* ***in*** *heroïne* he deals in/pushes heroin
dealer [de^m] 1 ⟨handelaar, vertegenwoordiger⟩ dealer 2 ⟨m.b.t. drugs⟩ dealer, pusher
dealercampagne [de] dealers' advertising campaign
deb. [afk] (debet, debent) deb
debacle [het, de] disaster, ⟨mislukking⟩ failure, ⟨ondergang⟩ downfall, ruin ♦ *een* ***financieel*** *debacle* a financial disaster/crash/debacle; *het* ***feest werd*** *een debacle* the party was a disaster/fiasco/wash-out
deballoteren [ov ww] blackball
debardeur [de^m] sleeveless pull-over/sweater/jumper, slipover
debarkeren [ov ww, ook abs] disembark, land, ⟨goederen⟩ unload, discharge
debat [het] 1 ⟨discussie, overleg⟩ debate, ↓discussion, ⟨overleg⟩ deliberation ♦ *deelnemen* ***aan*** *een debat* participate/take part in a debate/discussion; *een debat* ***houden over*** hold a debate on/about; *een debat* ***leiden*** lead a debate, ⟨als voorzitter⟩ chair a debate; *het debat* ***openen/sluiten*** open/close the debate; ⟨pol⟩ *het debat* ***sluiten*** cloture the debate, apply closure/cloture to the debate; ⟨pol⟩ *voorstellen het debat te* ***sluiten*** move that the question be now put, move the closure; ⟨jur⟩ ***voortzetting*** *van de debatten* continuation/resumption of the proceedings; *een* ***vurig*** *debat* a heated discussion 2 ⟨redetwist⟩ argument, debate, ⟨controverse⟩ controversy, ⟨woordenstrijd⟩ dispute, contest ♦ *een debat* ***aangaan*** *met iemand* engage in (a) debate/an argument with s.o.; ***in*** *debat treden met iemand over iets* enter into debate with s.o. on/about sth.
debater [de^m] debater
debatingclub [de] debating society/club
debatteren [onov ww] debate, discuss, ⟨redetwisten⟩ argue ♦ *zij verstaat de* ***kunst*** *van het debatteren* she is a skilled debater; *debatteren* ***over*** *iets* debate sth.; ⟨overleggen⟩ deliberate about/upon sth.; *daar valt* ***over*** *te debatteren* that is a matter of/for debate, some people may disagree with that; ***over*** *die problemen valt niet te debatteren* there's no point in arguing about such problems
¹**debet** [het] 1 ⟨boekh⟩ debit(s), debtor/debit/liabilities side ♦ *debet en* ***credit*** debit(s) and credit(s); *een bedrag* ***in*** *debet boeken* pass/put/enter a sum to the debits/debtor side/debit side; *de som is* ***in*** *mijn debet geboekt* the sum has been charged to/against me/charged to (the debit of) my account, I have been debited with the sum 2 ⟨schuldvorderingen⟩ debt(s), debt(s) payable, liabilities
²**debet** [bn] · *debet* ***staan*** *bij iemand* be in s.o.'s debt, be indebted to s.o.; *mijn rekening* ***staat*** *debet* I'm/my account is overdrawn in debit, I have an overdraft, ↓I'm in the red; ⟨fig⟩ *de recessie zal er ook wel debet aan zijn* the recession is likely to be one of the causes; ⟨fig⟩ *hij is er debet aan* it is his fault/doing, he's the one to blame (for it); ⟨fig⟩ *debet zijn aan* be responsible for
debetbedrag [het] debit (amount)
debetboeking [de^v] debit (entry)
debetnota [de] debit note/slip
debetpost [de^m] debit entry/item
debetrente [de] debit interest, ⟨rentevoet⟩ interest charged on debit balances, ⟨rentevoet⟩ debit interest rate
debetsaldo [het] debit (balance), balance due
debetstand [de^m] (state of) deficit ♦ *onze debetstand* ***blijft bestaan*** our deficit remains; *de debetstand van de* ***rekening*** the state of deficit of the account
debetzijde [de] 1 ⟨handel, adm; linkerzijde⟩ debit/debtor side, debit(s) 2 ⟨fig; ongunstige zijde⟩ debit side
¹**debiel** [de^m] mental defective, moron, ⟨scheldwoord ook⟩ imbecile, cretin
²**debiel** [bn, bw] mentally defective/deficient, ⟨scheldwoord ook⟩ feeble-minded, moronic, cretinous ♦ ***doe niet*** *zo debiel* don't act the idiot, don't be such a cretin/moron
debieleninrichting [de^v] home for the mentally deficient/subnormal
debiet [het] 1 ⟨afzet van waren⟩ sale(s), turnover (of goods) ♦ *een* ***groot*** *debiet hebben* sell well/widely, have/command a large/wide/ready sale/market 2 ⟨opbrengst, productie⟩ flow, capacity, flow rate, output
debietmeter [de^m] ⟨techn⟩ flow meter
debiliteit [de^v] mental deficiency, subnormality, feeblemindedness
De Bilt [het] the (Dutch) Meteorological Office, ⟨inf; BE⟩ the weather people, ⟨AE⟩ the weatherman, the weather report ♦ *De Bilt* ***voorspelt*** *regen* the Metereological Office forecasts/the weather people/weatherman/weather report forecast(s) rain
debiteren [ov ww] 1 ⟨als debet boeken⟩ debit, charge ♦ *iemand* ***voor*** *een zeker bedrag debiteren* debit s.o. with an amount; *iemands rekening* ***voor*** *een bedrag debiteren* debit/charge an amount against/to s.o.'s account 2 ⟨fig; aanrekenen⟩ impute, hold against ♦ *iemand* ***iets*** *debiteren* impute sth. to s.o., hold sth. against s.o. 3 ⟨in het klein verkopen⟩ retail, sell (goods) retail 4 ⟨vertellen⟩ tell, ⟨pompeus⟩ deliver o.s. of ♦ *een* ***grap*** *debiteren (over)* crack/tell a joke/gag (about); ***leugens*** *debiteren* tell lies; ⟨jokken⟩ tell fibs
debiteur [de^m] debtor, ⟨adm⟩ debt/account receivable ♦ ***dubieuze*** *debiteuren* doubtful/questionable debtors, poor credit risks
debiteurenadministratie [de^v] 1 ⟨stukken⟩ debtors ledger, debtors records, receivable accounts ledger, receivable accounts records 2 ⟨beheer⟩ keeping (of) the debtors ledger, management of the debtors ledger, control of the debtors ledger, keeping (of) the debtors records, management of the debtors records, control of the debtors records, keeping (of) the receivable accounts ledger, management of the receivable accounts ledger, control of the receivable accounts ledger, keeping (of) the receivable accounts records, management of the receivable accounts records, control of the receivable accounts records
debiteurenbestand [het] the debtors, list of debtors
debiteurenpost [de^m] debit entry
debiteurensaldo [het] balance of accounts receivable, net receivables
deblokkeren [ov ww] 1 ⟨ontzetten⟩ clear, ⟨haven, weg⟩ remove/lift/raise the blockade (of) 2 ⟨vrijgeven⟩ release, ⟨krediet, rekening, goederen⟩ unblock, unfreeze, ⟨geldverkeer⟩ deblock ♦ *het deblokkeren van het* ***tegoed*** the release of the deposit/amount due 3 ⟨vrijmaken⟩ clear
debrailleren [ov ww] transcribe from Braille (into normal orthography)
debrailleur [de^m] transcriber of Braille (into normal orthography)
debrayeren [ov ww, ook abs] declutch, disengage/depress the clutch
debriefen [ov ww] debrief
debriefing [de] debriefing
debuggen [ww] debug
debunken [ov ww] debunk
debunking [de^v] debunking
debutant [de^m] 1 ⟨iemand die voor het eerst in het openbaar optreedt⟩ debutant, new face/talent, ⟨beginner⟩ beginner, novice, tyro, ⟨AE⟩ tenderfoot 2 ⟨sport⟩ novice, ⟨club, bijvoorbeeld in eredivisie⟩ newcomer, new face/talent/man/woman, ⟨AE ook⟩ tyro, rookie, tenderfoot
debutante [de^v] débutante, ⟨AE⟩ debutante, ⟨inf⟩ deb ♦ *als/van een debutante* ⟨inf; BE⟩ debbie, ⟨AE⟩ deb
debuteren [onov ww] 1 ⟨voor het eerst in het openbaar optreden⟩ make a/one's debut, make one's first appear-

ance, ⟨meisje uit hogere stand⟩ come out, ⟨vnl AE⟩ debut, ⟨in parlement⟩ make one's maiden speech ♦ *debuteren met* make a/one's debut/one's first appearance with, first come out/appear with [2] ⟨sport⟩ make a/one's debut, make one's first appearance, ⟨club, bijvoorbeeld in eredivisie⟩ be a newcomer, turn out for the first time, be a novice, be a new face, be a new man, be a new woman, ⟨AE⟩ be a rookie/tyro/tenderfoot, ⟨vnl AE⟩ debut

debuut [het] [1] ⟨eerste optreden⟩ debut, first appearance/effort, ⟨meisje uit hogere stand⟩ coming out ♦ ***bij** zijn debuut heeft hij .../hebben wij ...* on making his debut, he has ...; at his debut, we have ...; *zijn debuut **maken*** make one's debut/first appearance; *zijn debuut **was** niet gelukkig* his debut was unfortunate [2] ⟨sport⟩ debut, first time/appearance [3] ⟨datgene waarmee men debuteert⟩ debut, ⟨dram⟩ first performance/appearance/effort, ⟨in parlement⟩ maiden speech

dec [afk] (december) Dec

deca [de] decaf

decaan [de^m] [1] ⟨deken, faculteitsvoorzitter⟩ dean, chairman of the faculty/department, chairperson of the faculty/department [2] ⟨raadgever voor studenten, scholieren⟩ student counsellor/^Acounselor, ⟨universiteit⟩ director of studies, ⟨met disciplinaire bevoegdheden⟩ dean, ⟨BE⟩ (moral) tutor

decade [de^v] [1] ⟨tien dagen⟩ decade of days [2] ⟨tien boeken⟩ decade of books, set of ten books, ten-volume set

decadent [bn] [1] ⟨in verval⟩ decadent ♦ *decadente **kunst*** decadent art; ⟨fin de siècle⟩ (the) decadent movement/decadents; *een decadent **mens*** a decadent (person) [2] ⟨verfijnd, zonder innerlijke kracht⟩ decadent

decadentie [de^v] [1] ⟨geleidelijk verval⟩ decadence, degeneration, decline [2] ⟨zucht naar verfijnd genot⟩ decadence, luxuriousness

decaëder [de^m] decahedron

decaf [de^m] decaf

decafé [de^m] decaf

decafeïne [de] decaffeinated (coffee)

decagoon [de^m] decagon

decagram [het] decagram

decalcomanie [de^v] ⟨drukw⟩ [1] ⟨procedé⟩ decalcomania [2] ⟨papier⟩ transfer paper [3] ⟨versiering⟩ transfer picture

decaliter [de^m] decalitre

decalogus [de^m], **decaloog** [de^m] ⟨Bijb⟩ Decalogue, Ten Commandments

decaloog [de^m] → **decalogus**

decameter [de^m] decametre

decanaal [bn] [1] ⟨van (een) decaan, deken⟩ decanal ♦ *het decanale **ambt*** the deanship, the office of (a) dean; *decanale **kerk*** deanery church [2] ⟨van een decanaat⟩ decanal

decanaat [het], **dekenaat** [het] [1] ⟨ambt⟩ deanship, deanery [2] ⟨ambtsgebied⟩ deanery [3] ⟨woning⟩ deanery

decanteren [ov ww] decant

decasyllabisch [bn, bw] decasyllabic ⟨bw: ~ally⟩

decateren [ov ww] → **decatiseren**

decatiseren [ov ww], **decateren** [ov ww] decatizing, decatizing

decatlon [het, de^m] ⟨sport⟩ decathlon

december [de^m] December ♦ *(op) **acht** december* (on) 8(th) December, (on) December 8(th)

decemberzegel [de^m] ⟨in Nederland⟩ ± (special issue) Christmas stamp

decemviraat [het] decemvirate

decennium [het] decade, ⟨zeldz⟩ decennium

decent [bn, bw] decent ⟨bw: ~ly⟩, ⟨behoorlijk, netjes⟩ proper, ⟨eerlijk⟩ honest ♦ *zich decent **kleden*** dress properly, ↓ make o.s. (look) decent

decentie [de^v] decency, propriety

decentraal [bn, bw] decentralized, local ♦ *decentraal **overleg*** local consultations

decentralisatie [de^v] decentralization, ⟨vnl. bestuurlijke macht⟩ devolution, deconcentration, ⟨van voorzieningen⟩ localization, ⟨van ind⟩ dispersal

decentraliseren [ov ww] decentralize, ⟨bestuurlijke macht⟩ devolve, deconcentrate, ⟨voorzieningen⟩ localize, ⟨ind⟩ disperse

decentralisme [het] decentralism, decentralization, devolution

deceptie [de^v] ⟨teleurstelling⟩ disappointment, ⟨ontgoocheling⟩ disillusionment

decharge [de] [1] ⟨ont-, opheffing⟩ discharge ⟨ook m.b.t. bewijs⟩, ⟨m.b.t. schulden⟩ acquittance (of), ⟨verplichting⟩ release (from), ⟨jury⟩ dismissal ♦ *iemand **tot** decharge strekken* release/acquit/discharge s.o.; *decharge **verkrijgen*** obtain one's discharge, be discharged (from all liability), be relieved of all responsibility; *iemand decharge **verlenen*** ⟨na bankroet⟩ discharge s.o.; ⟨verplichting⟩ release/relieve s.o. (from/of) [2] ⟨vrijspreking⟩ acquittal, discharge ♦ *getuige à decharge* witness for the defence; *als getuige à decharge optreden* give evidence for the defence

dechargeren [ov ww] [1] ⟨ontheffen⟩ discharge, ⟨verplichting⟩ release (from), ⟨schulden⟩ acquit (of), ⟨jury, commissie⟩ relieve, dismiss ♦ *de **penningmeester** dechargeren* discharge the treasurer, pass the treasurer's accounts; *gedechargeerd **worden*** obtain one's discharge (from s.o.), be cleared (of sth.) [2] ⟨vrijspreken⟩ acquit

deciare [de] deciare

decibel [de^m] decibel

decideren [ov ww] [1] ⟨beslissen⟩ resolve, decide ♦ *een gedecideerd **antwoord*** a determined/decided/definite answer; *een gedecideerde **houding*** a resolute/firm attitude/bearing; *een gedecideerd **optreden*** decisive/resolute/positive action/manner [2] ⟨besluiten⟩ resolve, decide ((up)on) ♦ ***zich** decideren* come to a conclusion, ↓ make up one's mind

deciel [het] ⟨stat⟩ decile

decigram [het] decigram

deciliter [de^m] decilitre

[1]**decimaal** [de] decimal (place) ♦ ***repeterende** decimalen* recurring decimals; ***tot op** zes decimalen (nauwkeurig) uitrekenen* calculate to six decimal places/to six places of decimals; *een getal met **vijf** decimalen* a number with five decimals; *met **weglating** van de decimalen* leaving out the decimals, leaving out the digits to the right of the decimal point

[2]**decimaal** [bn] decimal ♦ *decimale **breuk*** decimal fraction, decimal; *decimale **classificatie*** decimal classification; *een decimaal **getal*** a decimal number; *overgaan op het decimale **muntstelsel*** decimalize the currency, go decimal; *decimaal **stelsel*** decimal system

decimaalpunt [het], **decimaalteken** [het] decimal point

decimaalteken [het] → **decimaalpunt**

decimatie [de^v] decimation

decime [de] ⟨muz⟩ [1] ⟨de 10e toon⟩ tenth [2] ⟨interval⟩ tenth

decimeren [ov ww] decimate ♦ *de hongersnood decimeerde de **bevolking*** (the) famine decimated the population

decimeter [de^m] decimetre

decisie [de^v] ⟨form⟩ resolution, decision

decisief [bn, bw] ⟨form⟩ decisive ⟨bw: ~ly⟩, crucial

deck [het] deck

declamatie [de^v] [1] ⟨het voordragen⟩ declamation, ⟨i.h.b. verzen⟩ recitation [2] ⟨hoogdravendheid⟩ (empty) rhetoric, bombast, (theatrical) ranting, inflated talk [3] ⟨voordracht⟩ declamation, ⟨i.h.b. verzen⟩ recitation, tirade, harangue

declamator [de^m], **declamatrice** [de^v] ⟨man & vrouw⟩ declaimer, ⟨i.h.b. verzen; man & vrouw⟩ reciter, ⟨vaak met muzikale begeleiding; man⟩ diseur, ⟨vrouw⟩ diseuse

declamatrice [de^v] → **declamator**

declameren [ov ww, ook abs] declaim, ⟨i.h.b. verzen⟩ recite
declarabel [bn] claimable
declarant [de^{m}] [1] ⟨iemand die declareert⟩ ⟨alg⟩ declarant, ⟨bij douane⟩ importer, exporter, ⟨van onkostennota⟩ claimant (for costs), submitter [2] ⟨bediende⟩ customs clerk [3] ⟨jur⟩ accountable person/firm
declaratie [de^{v}] [1] ⟨onkostenrekening, nota⟩ ⟨onkostennota⟩ (statement of) expenses, expense account, ⟨nota⟩ account, bill, ⟨bij verzekering⟩ claim (form) ♦ *zijn declaratie* ***indienen*** send (in)/submit one's account/bill/claim [2] ⟨aangifte van in- en uitvoer⟩ (customs) declaration, customs entry [3] ⟨opgave voor belastingheffing⟩ declaration/statement of income, ⟨formulier⟩ tax return
declaratiebasis [de^{v}] basis of reimbursement, reimbursement regulations ♦ *werken* ***op*** *declaratiebasis* do freelance work, work on a free-lance basis; *onkosten worden vergoed* ***op*** *declaratiebasis* expenses are reimbursable on presentation of a detailed account
^{1}**declaratoir** [het] [1] ⟨vnl med⟩ certificate [2] ⟨jur⟩ declaratory judgement
^{2}**declaratoir** [bn] declaratory ♦ *declaratoir* ***vonnis*** declaratory judgement
^{1}**declareren** [ov ww] [1] ⟨declaratie indienen van⟩ declare/claim (expenses), make a declaration (of expenses), submit a statement (of expenses) ♦ *een* ***bedrag/driehonderd euro*** *declareren* charge an amount/three hundred euros [2] ⟨aangifte doen van⟩ declare, enter ♦ ***heeft*** *u nog iets te declareren?* have you anything to declare? [3] ⟨aangeven voor de belasting⟩ declare
^{2}**zich declareren** [wk ww] ⟨zich verklaren⟩ declare o.s., ⟨liefdesuiting⟩ make a declaration of one's love, declare one's love
declasseren [ov ww] [1] ⟨uit een lijst schrappen⟩ downgrade, declass, relegate, reduce the status of ♦ ***een*** *gedeclasseerde* a déclassé(e); ⟨in België⟩ ***monumenten/gebouwen*** *declasseren* ⟨BE⟩ delist monuments/buildings, ⟨AE⟩ take off the list of historic monuments/buildings [2] ⟨overtroeven⟩ outclass ♦ *Ajax declasseerde zijn* ***tegenstander*** *volkomen* Ajax totally outclassed their opponents, Ajax ran rings round their opponents
declinatie [de^{v}] [1] ⟨taalk⟩ declension [2] ⟨natuurk⟩ declination, magnetic declination/variation [3] ⟨astron⟩ declination ♦ ***schijnbare/ware*** *declinatie* apparent/true declination [4] ⟨afwijzing⟩ refusal, ⟨AE⟩ declination
declinatiecirkel [de^{m}] hour circle
declinatorium [het] declinometer
^{1}**declineren** [onov ww] ⟨natuurk⟩ decline
^{2}**declineren** [ov ww] ⟨taalk⟩ decline
decoder [de] decoder
decoderen [ov ww] decode, ⟨vnl. onbekende code⟩ decipher, ⟨vervormd gesprek, door mar⟩ unscramble
decodering [de^{v}] [1] ⟨het decoderen⟩ decoding, deciphering, decipherment, unscrambling [2] ⟨als vak⟩ cryptanalysis
decolleté [het] low neckline, decolletage, plunging neckline ♦ *een jurk* ***met*** *decolleté* a low-necked/low-cut dress, a décolleté dress/gown
decompenseren [onov ww] decompensate
decompileren [ov ww] decompile
decompositie [de^{v}] [1] ⟨ontleding⟩ decomposition [2] ⟨het uiteenvallen⟩ decomposition
decompressie [de^{v}] [1] ⟨m.b.t. een explosiemotor⟩ decompression [2] ⟨med⟩ decompression [3] ⟨m.b.t. lucht, gasdruk⟩ depressurization, decompression, pressure reduction
decompressiekamer [de] decompression chamber
decompressietijd [de^{m}] decompression period, period of decompression
decompressieziekte [de^{v}] decompression sickness, ⟨inf⟩ (the) bends ⟨ww vaak enk⟩
decomprimeren [ov ww] decompress
deconcentratie [de^{v}] ⟨pol⟩ decentralization
deconfessionaliseren [ov ww, ook abs] ⟨onovergankelijk werkwoord⟩ lose one's/its denominational character, ⟨overgankelijk werkwoord⟩ secularize ♦ *een gedeconfessionaliseerde* ***vakbond*** a non-denominational/an undenominational/a secularized union
deconfessionalisering [de^{v}] secularization ♦ *de deconfessionalisering van de politieke* ***partijen*** the secularization of the political parties
deconfiture [de^{v}] ⟨form⟩ [1] ⟨mislukking⟩ collapse, defeat, ruin, downfall [2] ⟨faillissement⟩ bankruptcy, (financial) collapse, (financial) ruin
decongestivum [het] decongestant
deconstructivisme [het] deconstructivism
decor [het] [1] ⟨toneeluitrusting⟩ décor, scenery, setting, scene, ⟨film; toneel⟩ set ♦ *decor en* ***kostuums*** settings and costumes; *een decor* ***ontwerpen*** design a set/scenery; ***wisseling*** *van decor* scene change/shift [2] ⟨decorstuk⟩ piece of scenery, scene [3] ⟨fig; achtergrond⟩ background, scenery, setting, décor
decorateur [de^{m}], **decoratrice** [de^{v}] ⟨dram⟩ scene painter/artist, scenic artist, ⟨m.b.t. interieur⟩ (interior) decorator
decoratie [de^{v}] [1] ⟨het decoreren⟩ decoration, adornment [2] ⟨tijdelijke versiering⟩ decoration [3] ⟨ordeteken⟩ decoration, distinction, ↓ medal
^{1}**decoratief** [het] scenery, settings
^{2}**decoratief** [bn, bw] decorative ⟨bw: ~ly⟩, ornamental, ⟨inf⟩ fancy ♦ *een decoratief* ***effect*** a decorative effect; ⟨fig⟩ *een decoratieve* ***figuur*** a colourful/stylish character; *decoratieve* ***kunst*** decorative/ornamental/flowery art; *de bloemen* ***staan*** *heel decoratief op je bureau* those flowers add a decorative touch to your desk; ⟨bouwk⟩ *decoratieve* ***stijl*** decorated style/architecture
decoratieschilder [de^{m}] ornamental painter
decoratrice [de^{v}] → **decorateur**
decorbouwer [de^{m}] stage/set designer
decoreren [ov ww] [1] ⟨(tijdelijk) versieren⟩ decorate, deck (out), ⟨opknappen ook⟩ ↓ do up [2] ⟨ridderen⟩ decorate, invest with an order, confer an order on ♦ *gedecoreerd* ***worden*** receive a decoration, be decorated
decorontwerp [het] set/scenery/scenic design
decorontwerper [de^{m}], **decorontwerpster** [de^{v}] set/scene designer
decorontwerpster [de^{v}] → **decorontwerper**
decorschilder [de^{m}] scenery artist/painter
decorstuk [het] piece of scenery
decorticatie [de^{v}] ⟨med⟩ decortication
decorum [het] decorum, propriety, ⟨sociaal⟩ etiquette ♦ *het decorum* ***bewaren/in acht nemen*** maintain/observe decorum/the proprieties; *dat doet afbreuk aan het decorum* it goes against decorum, it's an infringement of the proprieties
decorwisseling [de^{v}] scene change, sceneshifting
decoupage [de^{v}] decoupage
decoupeerzaag [de] jigsaw
decouperen [ov ww] cut (out/up), jigsaw
decreet [het] decree, enactment, ordinance, edict, ⟨van dictator⟩ ukase, ⟨in België⟩ linguistic community/regional decree ♦ ***bij*** *decreet* by decree; *een decreet* ***uitvaardigen*** issue/promulgate a decree
decreetgevend [bn, alleen attr] ⟨in België⟩ decreeing, promulgating, issuing
decreetgeving [de^{v}] ⟨in België⟩ linguistic community/regional decreeing
^{1}**decrescendo** [het] ⟨muz⟩ decrescendo, diminuendo
^{2}**decrescendo** [bw] ⟨muz⟩ decrescendo, diminuendo
decretaal [bn] ⟨in België⟩ determined by decree

decreteren [ov ww] 1 ⟨verordenen⟩ decree, ordain, order 2 ⟨apodictisch verklaren⟩ decree
decriminaliseren [ov ww] decriminalize
decrypten [ov ww] decrypt
decubitus [de^{m}] ⟨med⟩ decubitus
deculturatie [de^{v}] ⟨in België⟩ culture loss
decumul [de^{v}] ⟨in België⟩ separation of incomes
dedain [het] disdain, scorn, contempt
de dato [bw] dated, bearing the date, ⟨in memo e.d.⟩ date
dedicatie [de^{v}] dedication, (dedicatory) inscription
deduceerbaar [bn] deducible, infer(r)able
deduceren [ov ww, ook abs] infer (from), ⟨overgankelijk werkwoord ook⟩ deduce/educe (from)
deductie [de^{v}] 1 ⟨het deduceren⟩ deduction, inference, eduction 2 ⟨redenering⟩ deduction
1**deductief** [bn] ⟨op deductie berustend⟩ deductive ◆ *langs deductieve* ***weg*** by deduction, ⟨ook wisk⟩ by inference; *een deductieve* ***wetenschap*** a deductive science
2**deductief** [bw] ⟨met deducties⟩ deductively ◆ *deductief te werk gaan* proceed deductively
deeg [het] 1 ⟨dooreengekneed mengsel⟩ ⟨m.b.t. brood⟩ dough, ⟨m.b.t. gebak⟩ paste, pastry, ⟨in recepten ook⟩ mixture ◆ ⟨fig⟩ *zij zijn allen van* ***één*** *deeg* they are all of the same kidney/tarred with the same brush; ***gerezen*** *deeg* sponge; *het deeg* ***is gerezen*** the dough has risen/proved; *het deeg* ***kneden*** knead the dough 2 ⟨heng⟩ bread, bait
deegachtig [bn] doughy, pasty
deeghaak [de^{m}] dough-hook
deegklopper [de^{m}] whisk
deegkussentje [het] pasta pillow
deegmachine [de^{v}] dough mixer
deegrol [de], **deegroller** [de^{m}] rolling pin
deegroller [de^{m}] → **deegrol**
deegwaren [de^{mv}] pasta
deejay [de^{m}] deejay
1**deel** [het] 1 ⟨gedeelte⟩ part, piece, portion, proportion, ⟨klein⟩ fraction, ⟨grootste deel⟩ bulk, ⟨afdeling⟩ section ◆ *een* ***derde/vierde*** *deel* a third/fourth; ⟨vero⟩ a third/fourth part; *kentekenbewijs deel* ***drie*** part three of the road fund licence, ± tax disc; *de* ***edele*** *delen* the private parts; *de delen van een* ***eetservies*** the pieces of a dinner service; *een* ***essentieel*** *deel uitmaken van* be essential to; *voor een* ***groot*** *deel* in large part, to a large/great extent; *voor het* ***grootste*** *deel* for the most/greater part; *het* ***grootste*** *deel van de tijd* (far) most of the time; ***in*** *(gelijke) delen* in aliquots; *sonate* ***in*** *drie delen* a sonata in three movements; *een hoorspel* ***in*** *zeven delen* a seven-part radio play; *een* ***onlosmakelijk*** *deel zijn van iets* be an integral part of sth.; *de* ***som*** *van de delen* the sum (total) of the parts; ***ten*** *dele* partly, in part; *deel* ***uitmaken*** *van* be part of, belong to; ⟨team⟩ be a member of; ⟨commissie⟩ sit on; *geen deel* ***uitmaken*** *van* be extraneous to; *één deel* ***zwavel*** *op één deel* ***salpeter*** one part (of) sulphur to one part (of) saltpetre 2 ⟨aandeel⟩ share, portion ◆ ***elk zijn*** *deel* to each his own; *deel aan iets* ***hebben*** have a share in sth., be involved in sth.; *zijn deel* ***inbrengen*** do one's fair share; *hij moet zijn deel van de* ***winst/buit*** *hebben* he insists on his share of the profits/loot; *het viel hem ten deel* it fell to him/to his lot; *part noch deel aan iets hebben* have no share in sth., have nothing to do with sth., be innocent of sth. 3 ⟨boekdeel⟩ volume, ⟨groot en zwaar⟩ tome ◆ *een encyclopedie/boekwerk* ***in*** *tien delen* an encyclopaedia/a book in ten volumes ▪ *in genen dele* by no means/not at all
2**deel** [de] 1 ⟨planken vloer⟩ wooden/boarded floor 2 ⟨deel van een boerderij⟩ ⟨overdekt⟩ attached barn/stable, ⟨niet overdekt⟩ courtyard 3 ⟨dorsvloer⟩ threshing-floor 4 ⟨plank⟩ (floor) board, plank, ⟨van grenen- of vurenhout⟩ deal
deelachtig [bn] ◆ *iemand iets deelachtig* ***maken*** impart sth. to s.o.; *iets deelachtig* ***worden*** acquire/obtain/receive sth., be blessed with sth.; *iets deelachtig* ***zijn*** participate/share in sth.
deelakkoord [het] partial agreement
deelauto [de^{m}] shared-use car, timeshare car
deelbaar [bn] divisible ⟨ook wiskunde⟩, ⟨scheidbaar⟩ separable, ⟨verdeelbaar ook; vnl. erfenis⟩ partible ◆ *tien is deelbaar* ***door twee*** ten can be divided/is divisible by two; ⟨wisk⟩ *deelbare* ***getallen*** composite/divisible numbers
deelbaarheid [de^{v}] divisibility ⟨ook wiskunde⟩, separability, divisibleness, partibility, ⟨door snijden⟩ sectility
deelbewerking [de^{v}] operation
deelcertificaat [het] credit, pass (certificate)
deelcontract [het] profit-sharing agreement
deeldiscipline [de^{v}] subdiscipline
deelgebied [het] (sub)sector, subfield, area, branch
deelgemeente [de^{v}] 1 ⟨in Nederland⟩ ± borough ⟨in het bijzonder in Londen en New York⟩ 2 ⟨in België⟩ formerly independent municipality
deelgenoot [de^{m}], **deelgenote** [de^{v}] 1 ⟨iemand die met een ander iets deelt⟩ partner (in), sharer (in), companion (in), ⟨winst, boedel⟩ participant (in) ◆ *hij is deelgenoot van mijn* ***ellende*** he shares my misery; *iemand deelgenoot* ***maken*** *van een geheim* confide/impart a secret to s.o. 2 ⟨compagnon⟩ partner, (business) associate, ⟨van onverdeelde gemeenschap⟩ co-owner, joint owner
deelgenootschap [het] 1 ⟨hoedanigheid⟩ partnership, companionship, participation, joint ownership 2 ⟨bond⟩ partnership, association, ⟨vnl mil⟩ alliance
deelgenote [de^{v}] → **deelgenoot**
deelgerechtigd [bn] entitled to a share
deelhebber [de^{m}] sharer, ⟨in winst/boedel⟩ participator, participant, party, ⟨in firma⟩ (co-)partner, (business) associate
deellijn [de] dividing line, ⟨matrijs⟩ parting line, ⟨wisk⟩ bisector
deelmarkt [de] market segment/share, segment of the/a market ◆ *een reclamecampagne gericht* ***op*** *een deelmarkt* an advertising campaign aimed at a segment of the market
deelname [de^{v}] participation, attendance, entry, membership, candidature, ⟨handel⟩ holding, interest, stake ◆ *deelname* ***aan*** *een wedstrijd* taking part/running in a contest/competition/race; ***financiële*** *deelname is gewenst* financial participation/contribution is requested; *bij* ***voldoende*** *deelname* if there is sufficient interest, if there are enough entries/competitors/students/...
deelneemster [de^{v}] → **deelnemer**
deelnemen [onov ww] 1 ⟨meedoen⟩ participate (in), take part (in), ⟨aanwezig zijn⟩ attend, ⟨wedstrijd⟩ go in (for), enter, compete (in), ⟨gesprek⟩ join (in) ◆ *deelnemen* ***aan*** *een examen* ⟨BE⟩ sit (for) an exam, ⟨AE⟩ take an exam; *deelnemen* ***aan*** *een project* be engaged in a project; *deelnemen* ***aan*** *een maaltijd* ⟨vaak scherts⟩ partake of a meal; *deelnemen* ***aan*** *onderhandelingen* ⟨ook⟩ be a party to negotiations; ***aan*** *een veldtocht/wedstrijd/optocht deelnemen* take part in a campaign/contest/parade; *deelnemen* ***in*** *een onderneming/stichting* participate in/contribute to a company/foundation 2 ⟨meevoelen⟩ sympathize (with) ◆ ***in*** *iemands droefheid deelnemen* sympathize with s.o.'s sorrow
deelnemend [bn] 1 ⟨meelevend⟩ sympathetic, compassionate ◆ *een deelnemende* ***blik*** a sympathetic look 2 ⟨meedoend⟩ participatory, participating ◆ *de deelnemende* ***landen*** *van de EU* the member countries of the EU
deelnemer [de^{m}], **deelneemster** [de^{v}] participant, participator, person present, person taking part, ⟨aan congres ook⟩ member, ⟨aan wedstrijd⟩ competitor, entrant, entry, ⟨aan prijsvraag⟩ contestant, candidate, ⟨aan toelatingsexamen⟩ candidate, entrant, ⟨aan cursus⟩ student, ⟨aan centrale antennesysteem⟩ subscriber, ⟨paard⟩ runner ◆ *deelnemer* ***aan*** participant/competitor/contest-

ant in, entrant/entry/candidate for, subscriber to; *een beperkt **aantal** deelnemers* a limited entry/attendance, a limited number of participants/entries; *een deelnemer **in** het verkeer* road-user

deelnemersveld [het] entry, number of entrants ◆ *een **goed** deelnemersveld* a good entry

deelneming [de^{v}], **deelname** [de^{v}] ① ⟨participatie⟩ participation, attendance, entry, membership, candidature, ⟨handel⟩ holding, interest, stake ◆ *deelneming **aan** de winst* profit/gain sharing, participation in profits; *deelneming **aan** een wedstrijd* taking part/running in a contest/competition/race; ⟨jur⟩ *deelneming **aan een strafbaar feit*** complicity in an (indictable) offence; ***financiële** deelneming is gewenst* financial participation/contribution is requested; *bij **voldoende** deelneming* if there is sufficient interest, if there are enough entries/competitors/students/... ② ⟨medelijden⟩ sympathy, compassion, commiseration, ⟨i.h.b. bij overlijden⟩ condolence(s) ◆ *zijn deelneming **betuigen*** extend one's sympathy/condolences; ***betuiging** van deelneming* condolence(s), expression of sympathy; ***innige** deelneming* heartfelt sympathy; *deelneming **tonen*** be sympathetic, show sympathy

deelnemingsformulier [het] entry/enrolment/[A]enrollment form, entry/enrolment/[A]enrollment card, entry/enrolment/[A]enrollment slip

deelpacht [de] métayage

deelprobleem [het] sub-problem, part of the problem

deelproces [het] (separate) constituent process

deelpunt [het] ⟨wisk⟩ dividing point

deelraad [de^{m}] district council

deelrapport [het] section (of a report)

deelregering [de^{v}] ⟨in België⟩ executive, ± regional/community government

deels [bw] partly, part, partially, in part ◆ *deels om die reden, deels om een andere* partly for this reason, partly for another (one); *het leger bestaat deels uit vrijwilligers, deels uit dienstplichtigen* the army is part volunteers, part conscripts, some of the soldiers are volunteers, others conscripts

deelschool [de^{v}] subschool

deelsom [de^{v}] ⟨wisk⟩ division sum

deelspanning [de^{v}] ⟨natuurk⟩ component/partial stress

deelstaat [de^{m}] (federal) state

deelstaatverkiezing [de^{v}] state elections

deelstreep [de] ① ⟨wisk⟩ (horizontal) line ② ⟨m.b.t. meetinstrumenten⟩ graduation, scale mark

deelstudie [de^{v}] monograph

deeltal [het] ⟨wisk⟩ dividend

deeltaxi [de^{m}] share taxi, shared taxi (service)

deelteken [het] ① ⟨wisk⟩ division sign ② ⟨trema⟩ diaeresis

deeltentamen [het] ± exam(ination), ⟨geschreven⟩ paper, ⟨mondeling⟩ viva (voce)

deeltijd [de^{m}] part-time, half-time ◆ ***in** deeltijd werken* work part-time, be on half-time

deeltijdarbeid [de^{m}] part-time/half-time work, ⟨duobaan⟩ worksharing

deeltijdbaan [de] part-time job

deeltijder [de^{m}] part-timer

deeltijdontslag [het] partial unemployment

deeltijdouder [de^{m}] part-time parent

deeltijdpensioen [het] partial retirement

deeltijds [bn] ⟨in België⟩ part-time, half-time ◆ *Centrum voor Deeltijds **Onderwijs*** Centre for Part-time Education

deeltijdstudie [de^{v}] part-time course ◆ *naast het werk een deeltijdstudie **volgen*** study part-time in addition to working, ⟨AE ook⟩ go to school part-time in addition to working

deeltijdwerk [het] part-time work, half-time work, ⟨duobaan⟩ worksharing

deeltijdwerker [de^{m}], **deeltijdwerkster** [de^{v}] part-timer, part-time employee

deeltijdwerkster [de^{v}] → **deeltijdwerker**

deeltitel [de^{m}] title in a series, title of a/the volume ◆ *elk deel **heeft** een deeltitel* each volume has its own title

deeltje [het] ① ⟨klein deel⟩ particle, ⟨inf⟩ tiny bit, grain ◆ *in kleine deeltjes* finely cut/powdered ② ⟨kleinst denkbare hoeveelheid⟩ particle

deeltjesfysica [de^{v}] particle physics

deeltjesstraling [de^{v}] ⟨kernfys⟩ corpuscular emission

deeltjesversneller [de^{m}] particle accelerator ◆ *een **lineaire** deeltjesversneller* a linear accelerator, a linac

deelvak [het] minor subject

deelverzameling [de^{v}] ⟨wisk⟩ subset

deelvisie [de^{v}] partial view, limited view

deelweefsel [het] ⟨biol⟩ meristem

deelwetenschap [de^{v}] (sub)discipline

deelwoord [het] ⟨taalk⟩ participle ◆ *het **onvoltooid/tegenwoordig** deelwoord* the present participle; ⟨m.b.t. het Engels ook⟩ the -ing participle; *het **voltooid/verleden** deelwoord* the past participle; ⟨m.b.t. het Engels ook⟩ the -ed participle

deemoed [de^{m}] humility, meekness, submissiveness ◆ ***vol** deemoed* humbly, in all humility

deemoedig [bn, bw] humble ⟨bw: humbly⟩, lowly, meek, submissive ◆ *een deemoedige **blik*** a hangdog look; *deemoedig **gestemd*** in (a) humble/chastened mood

deemoedigheid [de^{v}] humility, meekness, submissiveness

deemstering [de^{v}] ⟨form⟩ dusk, twilight, half-light

Deen [de^{m}], **Deense** [de^{v}] ⟨man & vrouw⟩ Dane, ⟨vrouw ook⟩ Danish woman/girl

[1]**Deens** [het] Danish ◆ ***modern** Deens* ⟨meubelen⟩ Danish modern

[2]**Deens** [bn] Danish

Deense [de^{v}] → **Deen**

deephouse [de^{m}] deep house

deeplinken [ww] deep link

deep throat [de^{m}] ① ⟨informant⟩ deep throat ② ⟨fellatio⟩ deep throat

[1]**deerlijk** [bn] ⟨deerniswekkend⟩ pitiful, sad, pitiable, miserable

[2]**deerlijk** [bw] ⟨hevig⟩ badly, pitifully, sorely, grievously, greatly ◆ *het schip was deerlijk **gehavend*** the ship was badly damaged/was in a pitiful state; *deerlijk **toegetakeld** zijn* be in a sorry state, be badly knocked about; *je **vergist** je deerlijk* you are profoundly/very much mistaken

deern [de^{v}] lass, wench, ↓ hussy

deernis [de^{v}] pity, compassion, commiseration ◆ *deernis **gevoelen** met* regard/treat with compassion; *deernis **hebben** met* take/have pity on, pity; *deernis **wekken*** arouse pity/compassion

deerniswekkend [bn] pitiful, pitiable, pathetic, sorry, miserable ◆ *in deerniswekkende **toestand*** in a pitiful/sorry state

de-escalatie [de^{v}] de-escalation

de facto [bw] de facto, in fact

defaitisme [het] defeatism

defaitist [de^{m}] defeatist

defaitistisch [bn] defeatist

default [de^{m}] default

defaultwaarde [de^{v}] ⟨comp⟩ default value

[1]**defect** [het] ⟨in constructie⟩ fault, defect, ⟨onvolkomenheid⟩ flaw, blemish, fault, ⟨storing⟩ malfunction, failure, breakdown ◆ *het defect **aan de machine*** engine trouble/failure; *een **gering** defect* a (slight) flaw/blemish; ***mechanisch** defect* mechanical fault/defect; ⟨storing⟩ mechanical failure; *we hebben het defect aan de machine kunnen **verhelpen*** we've managed to sort out the trouble with the engine

[2]**defect** [bn] faulty, defective, unserviceable, ⟨alleen predi-

catief⟩ out of order, ⟨beschadigd⟩ damaged, ⟨auto⟩ broken down, ⟨alleen predicatief; inf⟩ on the blink ◆ ⟨amb⟩ *een defecte **letter*** a damaged/broken character; *een defecte **machine/leiding*** a faulty machine/connection; *defect **raken*** break down, fail, malfunction, become defective/unserviceable, ↓ go wrong; *defect* ⟨op automaat e.d.⟩ out of order

^{1}**defectief** [de^{m}] ⟨taalk⟩ defective verb

^{2}**defectief** [bn] defective, faulty, deficient, imperfect ◆ ⟨taalk⟩ *defectieve **werkwoorden*** defective verbs

defederaliseren [onov ww] defederalize

defensie [de^{v}] [1] ⟨(lands)verdediging⟩ defence, ⟨AE⟩ defense ◆ *de defensie van het **land*** the defence of the country/ ^{B}the realm; *de **minister** van Defensie* the Minister of Defence/Defence Minister; ⟨Groot-Brittannië⟩ Secretary of State for Defence; ⟨USA⟩ Secretary of Defense [2] ⟨jur⟩ defence, ⟨AE⟩ defense ◆ *defensie **voeren*** speak for the defence [3] ⟨sport; achterhoede⟩ defence, ⟨AE⟩ defense, defenders, backline, backfield, backs ◆ *dat team heeft een **zwakke** defensie* that team has a weak defence/is bad in defence [•] ⟨fig⟩ *hij werkt **op** Defensie* he works for the MoD, ⟨USA⟩ he works for the Dept of Defense

defensieapparaat [het] defence/^{A}defense system

defensiebegroting [de^{v}] defence/^{A}defense budget

defensiebeleid [het] ⟨pol⟩ defence/^{A}defense policy, policy on/towards defence/^{A}defense ◆ *het defensiebeleid **moet** volgens velen **gericht worden** op ontwapening* many people consider that defence policy should be directed towards disarmament

defensiecommissie [de^{v}] defence/^{A}defense committee, committee for defence

^{1}**defensief** [het] defensive ◆ ***in** het defensief zijn* be on the defensive; *iemand **in** het defensief dringen* force s.o. onto the defensive/into a defensive position

^{2}**defensief** [bn, bw] defensive ⟨bw: ~ly⟩ ◆ *defensief **ageren*** act defensively, employ defensive force; *een defensieve **houding** aannemen* act/be/stand on the defensive, take up/assume a defensive attitude; *zich defensief **opstellen*** take up a defensive position; *een defensief **optreden*** defensive action; *defensieve **wapens*** defensive weapons, weapons of defence

defensiesysteem [het] defence system, ⟨AE⟩ defense system, system of defence

defibrillatie [de^{v}] defibrillation

defibrillator [de^{m}] ⟨med⟩ defibrillator

defibrilleren [ov ww] ⟨med⟩ defibrillate

deficiënt [bn] deficient

deficiëntie [de^{v}] [1] ⟨tekort(koming)⟩ deficiency, inadequacy, imperfection, shortcoming, lack [2] ⟨ontoereikendheid⟩ deficiency, insufficency, inadequacy [3] ⟨taalk⟩ deficiency

deficiëntieziekte [de^{v}] deficiency disease/illness

deficit [het] deficit, shortfall ◆ *er **is** een deficit in de kas* there is a deficit, the books show a deficit

deficitair [bn] in deficit, running to a deficit, leading to deficit ◆ *een deficitaire **begroting*** a budget deficit; *een deficitair **saldo*** a deficit

defilé [het] [1] ⟨handeling⟩ parade, procession, ⟨mil⟩ march-past, defile ◆ *het defilé **afnemen*** take the salute; *een defilé **houden*** hold a parade/procession/march-past [2] ⟨gelegenheid⟩ parade, procession, ⟨mil⟩ march-past, defile

defileren [onov ww] march/file (past), parade (past) ◆ *defileren **langs** de katafalk* file past the bier; ***voor** de officieren defileren* march past the officers; *de troepen defileerden **voor** de koningin* the Queen took the salute

definieerbaar [bn] definable ◆ ***moeilijk** definieerbaar* ⟨alleen na zelfstandig naamwoord⟩ hard to define, elusive, rather/fairly undefinable

definiendum [het] ⟨taalk⟩ definiendum

definiens [de^{v}] ⟨taalk⟩ definiens

definiëren [ov ww] define, ⟨duidelijk beschrijven⟩ be specific about ◆ ***moeilijk** te definiëren* hard to define, elusive; *iets **nader** definiëren* quantify sth., define sth. more closely, be more specific about sth.; ***niet** te definiëren* indefinable

definiet [bn] ⟨wisk⟩ definite

definitie [de^{v}] [1] ⟨het definiëren⟩ definition [2] ⟨omschrijving⟩ definition ◆ *een definitie **geven van*** give a definition of; ***per** definitie* by definition [3] ⟨wisk⟩ definition

definitief [bn, bw] definitive ⟨bw: ~ly⟩, definite, final, permanent, ⟨jur⟩ peremptory ◆ *een definitieve **benoeming*** a permanent appointment; *nog geen definitieve **keuze** doen* keep/leave one's options open; *een definitieve **transactie*** a definitely settled transaction/deal; *een definitieve **uitspraak** doen* pass final judgment; *definitief **verbreken*** ⟨relaties⟩ break off, sever; ⟨contract e.d.⟩ cancel, annul; *een definitieve **versie*** a definitive version; *zich ergens definitief **vestigen*** settle somewhere (permanently), make somewhere one's permanent home; ⟨jur⟩ *een definitief **vonnis*** a peremptory decree, final judgment/sentence; ***ik weet** het definitief* I'm positive about it, I'm absolutely certain; *aan iets definitief een einde maken* make an end to sth. once and for all; *een gerucht definitief uit de wereld helpen* quash/put paid to a rumour

deflagratie [de^{v}] deflagration

deflatie [de^{v}] [1] ⟨ec⟩ deflation ◆ *deflatie **veroorzaken*** deflate [2] ⟨geol⟩ deflation

deflatiepolitiek [de^{v}] deflationary policy, policy of deflation

deflationist [de^{m}] deflationist

deflationistisch [bn], **deflatoir** [bn] deflationary ◆ *een deflationistisch **beleid** voeren* pursue a deflationary policy/a policy of deflation

deflatoir [bn] → **deflationistisch**

deflator [de^{m}] [1] ⟨maat voor inflatie⟩ deflator [2] ⟨veroorzaker van prijsverlaging⟩ deflator [3] ⟨duiksport⟩ deflator

^{1}**deflecteren** [onov ww] ⟨taalk⟩ deflect, lose its inflection(s)/ending(s)

^{2}**deflecteren** [ov ww] ⟨ombuigen⟩ deflect

deflexie [de^{v}] ⟨taalk⟩ deflection

defloratie [de^{v}] defloration, deflowering

defloreren [ov ww] deflower

deformatie [de^{v}] [1] ⟨ver-, misvorming⟩ deformation, deformity, disfigurement, disfiguration [2] ⟨vormverandering⟩ deformation, distortion

deformeren [ov ww] ⟨misvormen⟩ deform, disfigure, ⟨vervormen⟩ contort, distort ◆ *zijn **arm** was gedeformeerd tot een stompje* his arm was reduced to a stump; *iets deformeren **tot*** deform sth. to

deformiteit [de^{v}] deformity

defragmenteren [ov ww] defragment

deftig [bn, bw] [1] ⟨voornaam⟩ distinguished, fashionable, stately, aristocratic, dignified, ↓ posh ◆ *een deftige **buurt/woonstraat/woonwijk*** a fashionable quarter/street/ district; *deftig **doen*** assume a solemn air, act grandly; *van deftige **familie*** of high descent/birth; *een deftig **gezicht*** an aristocratic face; *van deftige **huize*** of an aristocratic family; *een deftige **indruk** maken* have an air of gentility; *zich deftig **kleden*** dress stylishly/fashionably/elegantly; *de deftige **kringen*** the distinguished/fashionable circles; *deftige **manieren*** formal/aristocratic manners; *deftige **mensen*** distinguished/aristocratic people, people of gentle birth; *deftig **praten*** talk with an upper-class accent; ⟨inf; BE⟩ talk posh; *de deftige **stand*** the upper class; *deftige **stijl*** grand/solemn/ dignified style; *zich deftig **uitdrukken*** express o.s. in a formal manner [2] ⟨in België; fatsoenlijk⟩ respectable, decent, proper, ↑ decorous

deftigheid [de^{v}] [1] ⟨het deftig zijn⟩ fashionableness, distinction, dignity, gentility, stateliness ◆ *alle/de deftigheid **overboord gooien*** throw respectability overboard; dispense with the formalities [2] ⟨deftig persoon⟩ ⟨iron; inf⟩ swell

defusie [de^{v}] demerger

degel [de^m^] ⟨drukw⟩ platen

¹**degelijk** [bn] ⟨betrouwbaar⟩ reliable, respectable, solid, sound, reputable, steady, sterling ♦ *een degelijke **firma*** a solid/(financially) sound/reputable/respectable firm; *een degelijk **persoon*** a respectable/steady/sterling person

²**degelijk** [bn, bw] ⟨deugdelijk⟩ sound ⟨bw: ~ly⟩, reliable, solid, thorough, substantial ♦ *een degelijk **boek*** a solid/sound work; *een degelijk **fabricaat*** a reliable/durable/high-quality product; *een degelijk **huwelijk*** a sound marriage; *dat huis **is** degelijk **gebouwd*** that house is solid/of solid construction/solidly constructed; *een degelijke **maaltijd*** a substantial meal

³**degelijk** [bw] ⟨danig⟩ thoroughly, soundly, very much ♦ *ik heb hem eens degelijk onder handen genomen* I have hauled him over the coals/given him a good talking to ⊡ ***wel** degelijk* really, actually, positively, indeed; *ik meen het **wel** degelijk* I am in earnest/quite serious, I do mean it; *ik heb hem **wel** degelijk gezien* I saw him all right/I did see him

degelijkheid [de^v^] [1] ⟨deugdelijkheid⟩ soundness, thoroughness, substance ♦ *van **Duitse** degelijkheid* Teutonic in its thoroughness [2] ⟨betrouwbaarheid⟩ reliability, solidity, respectability

degelpers [de] ⟨drukw⟩ (automatic) platen press

degen [de^m^] sword, ⟨schermsp⟩ foil, épée, rapier ♦ *iemand **aan** de degen rijgen* run s.o. through (with one's sword), impale s.o. on one's sword; *de degens **kruisen** (met)* have passage of/at arms (with), ⟨ook fig⟩ cross swords (with), measure swords (against/with); ⟨fig ook⟩ break a lance (with); ***op** de degen duelleren* fight in duel with swords; *de degen **trekken*** draw the sword; *de degen **voeren*** carry the sword; *meester op de degen* proficient swordsman

degene [aanw vnw] ⟨enkelvoud⟩ he, she, the one, ⟨mv⟩ those ♦ *degene **die** ...* he/she/the one who; *degenen **die** ...* those who

degeneratie [de^v^] [1] ⟨verval⟩ degeneration, degradation, decay [2] ⟨med⟩ degeneration

degeneratief [bn] degenerative

degeneratieverschijnsel [het] symptom of degeneration, degenerative symptom

degeneratieziekte [de^v^] degenerative disease

dégénéré [de^m^] degenerate

degenereren [onov ww] [1] ⟨ontaarden⟩ degenerate, degrade [2] ⟨biol⟩ degenerate

degenkling [de] sword blade

degenknop [de^m^] pommel

degenkoppel [de^m^] sword belt

degenkrab [de] king crab, ⟨AE⟩ horseshoe crab

degenschede [de] sword sheath

degenslikker [de^m^] sword swallower

degenstok [de^m^] sword cane/stick

degenstoot [de^m^] sword thrust, thrust of the sword

degenvis [de^m^] sting-ray

degout [de^m^] disgust (at/for/of), distaste (for), repugnance (to)

degoutant [bn] disgusting, disgustful, revolting, repugnant, distasteful

degradatie [de^v^] [1] ⟨verlaging in rang, klasse⟩ ⟨vnl mil⟩ demotion, ⟨mar⟩ disrating, ⟨vnl sport⟩ relegation [2] ⟨ontzetting uit een waardigheid⟩ degradation

degradatieduel [het] relegation duel/match

degradatiegevaar [het] ⟨sport⟩ danger/risk of relegation ♦ ***in** degradatiegevaar* in danger of being relegated to a lower division

degradatiekandidaat [de^m^] ⟨sport⟩ relegation candidate

degradatiespook [het] spectre of relegation ♦ *het degradatiespook **dreigt** voor* NEC the spectre of relegation is looming large for NEC, ↑NEC are in danger of being relegated

degradatiewedstrijd [de^m^] ⟨sport⟩ relegation match

degradatiezone [de] ⟨sport⟩ relegation zone

¹**degraderen** [onov ww] ⟨gedegradeerd worden⟩ be relegated (to), be downgraded (to) ♦ *deze club is gedegradeerd **naar** de 2e divisie* this team has been relegated to the second division

²**degraderen** [ov ww] [1] ⟨in rang, klasse verlagen⟩ degrade, downgrade, ⟨vnl mil⟩ reduce, reduce to the ranks, reduce to the rank of, demote (to), ⟨mar⟩ disrate, ⟨vnl sport⟩ relegate ♦ ⟨fig⟩ *dit heeft ons **onderwijs** gedegradeerd* this has down-graded the value of our education; ⟨fig⟩ *zijn vrouw degraderen **tot** huishoudster* lower/relegate one's wife to the position of a mere housekeeper [2] ⟨uit een waardigheid ontzetten⟩ degrade

degressie [de^v^] degression

degressief [bn, bw] degressive ⟨bw: ~ly⟩

degusteren [ov ww] ⟨cul⟩ taste

dehydrateren [ov ww] → **dehydreren**

dehydratie [de^v^] dehydration

dehydreren [ov ww], **dehydrateren** [ov ww] dehydrate

deïficatie [de^v^] deification

deiktisch [bn] deictic ♦ *de deiktische **leervorm*** the deictic teaching method; *de deiktische **pronomina*** the deictic pronouns

deinen [onov ww] [1] ⟨m.b.t. de waterspiegel⟩ heave, ⟨sterk⟩ surge ♦ *de zee deinde sterk* the sea surged wildly [2] ⟨m.b.t. vaartuigen⟩ rock, bob, roll ♦ *deinen **op** de golven* rock/bob on the waves, roll on the waves

deining [de^v^] [1] ⟨golfbeweging⟩ swell, heave, undulation, roll ♦ *er staat een **sterke** deining* the sea is swelling/heaving [2] ⟨golvende beweging⟩ rock, rocking motion [3] ⟨beroering⟩ commotion, excitement, stir, fuss ♦ ***maak** niet zo'n deining* don't make such a fuss; *deining **veroorzaken/verwekken*** cause/create a stir

de-installeren [ov ww] uninstall

deinzen [onov ww] start back, recoil (from), shrink (back)

deïsme [het] deism

deïst [de^m^] deist

deixis [de] deixis

déjà vu [het] déjà vu ♦ *een déjà vu **hebben*** have the feeling of déjà vu

dejeuner [het] lunch(eon)

de jure [bw] de jure, by right

dek [het] [1] ⟨bedekking⟩ cover(ing), ⟨wegdek⟩ surface, ⟨sneeuw⟩ blanket [2] ⟨m.b.t. een sigaar⟩ wrapper [3] ⟨kleed voor dieren⟩ cover, ⟨paard⟩ horsecloth [4] ⟨scheepsvloer⟩ deck ♦ ***aan** dek gaan* go on deck; ***glad** dek* flush deck; *de bemanning was **op** (het) dek* the crew were on deck; *alle hens aan dek* all hands on deck [5] ⟨m.b.t. dieren⟩ ⟨haar⟩ coat, skin, fur [6] ⟨beddengoed⟩ bedclothes

dekbalk [de^m^] ⟨scheepv⟩ (deck) beam

dekbed [het] eiderdown, ⟨AE ook⟩ comforter, ⟨BE ook⟩ continental quilt, duvet

dekbedovertrek [het, de] eiderdown cover, ⟨BE ook⟩ continental quilt cover, duvet cover

dekblad [het] [1] ⟨blad dat iets afdekt⟩ cover (sheet/plate) [2] ⟨van boek⟩ flyleaf, endpaper [3] ⟨m.b.t. een blocnote⟩ cover [4] ⟨m.b.t. een sigaar⟩ wrapper [5] ⟨geol⟩ overlying stratum [6] ⟨plantk⟩ bract

¹**deken** [de^m^] [1] ⟨overste, hoofd⟩ dean, master, doyen ♦ *deken van het **brouwersgilde*** master of the brewers' company; *de deken van het **corps** diplomatique* doyen of the diplomatic corps; *de deken van de **orde** van advocaten* the president of the Bar ^B^Council/^A^Association [2] ⟨r-k; hoofd van een kapittel⟩ dean [3] ⟨r-k; geestelijke⟩ dean [4] ⟨voorzitter⟩ chairman, president

²**deken** [de] ⟨kleed⟩ blanket ♦ ***elektrische** deken* electric blanket; ***onder** de dekens kruipen* pull the cover(s) over one's head, go between the sheets, turn in/go to roost; ⟨fig⟩ *samen **onder** één deken liggen* ⟨inf⟩ be hand and/in glove, be in

league/collusion; *lekker (diep) **onder** de dekens kruipen* snuggle down; ***wollen en katoenen** dekens op een bed* woollen and cotton blankets on a bed
dekenaat [het] → **decanaat**
dekenij [de^{v}] ⟨in België⟩ 1 ⟨gebied⟩ deanery 2 ⟨woning⟩ deanery, dean's residence
dekenkist [de] blanket chest
dekensingel [de^{m}] cover girth
dekenstof [de] blanketing
dekgeld [het] stud/service fee
dekglaasje [het] cover glass/slip
dekgrond [de^{m}] etching ground, etching varnish
dekhengst [de^{m}] 1 ⟨dier⟩ sire, (breeding) stallion, stud(-horse) 2 ⟨persoon⟩ stud
dekhuis [het] deckhouse
dekhut [de] deck-cabin
dekken [ov ww] 1 ⟨een voorwerp, laag leggen op⟩ cover, ⟨deklaag⟩ coat ♦ *een huis **met** pannen dekken* tile a house; *de **tafel** dekken* set the table, lay the table/covers/the cloth; ***voor** één/twee personen dekken* set the table for one/for two; ***voor** het ontbijt/avondeten/de lunch dekken* lay/set the table for breakfast/lunch/supper 2 ⟨geheel bedekken⟩ cover ♦ *dekkende **verf*** finishing paint, paint which coats well, paint with great covering/masking power 3 ⟨overeenstemmen met⟩ agree (with), correspond (with/to) ♦ *die begrippen dekken **elkaar*** these concepts are completely analogous 4 ⟨verbergen⟩ cover (up), hide ♦ ***hou** je gedekt* ⟨voorzichtig⟩ be careful/on your guard; ⟨kalm⟩ keep quiet/calm; *zich gedekt **houden*** keep in the background, keep a low profile; ⟨inf⟩ lie low 5 ⟨beschermen⟩ cover (for), protect, defend, shield, stand up (for), screen ♦ ⟨sport⟩ *zijn **achterhoede** dekken* cover one's defense; *de **aftocht** dekken* cover the retreat; *deze twee verdachten dekken **elkaar*** these two suspects are covering for each other/are in league; ***iemand** in de rug dekken* back (up)/support/stand up for/stand by s.o.; *de vlag dekt de **lading*** the flag covers the cargo; ⟨schaak⟩ *zijn **loper** dekken* cover one's bishop 6 ⟨vergoeden⟩ cover, meet, reimburse, repay ♦ *deze **cheque** is niet gedekt* this cheque is not covered/will bounce; ⟨fig⟩ *iemands **handelwijze/fouten** dekken* sanction s.o.'s actions/mistakes; *de verzekering dekt de **schade*** the insurance covers the damage; *een **schuld** dekken* make good a debt; *een **tekort**/een **verlies** dekken* guarantee to make up a deficit/cover a loss; *de inkomsten dekken de **uitgaven*** the receipts meet/cover/counterbalance the expenses; *gedekt **zijn*** ⟨tegen verlies⟩ be insured; be covered 7 ⟨bespringen, paren⟩ cover, ⟨merrie⟩ service 8 ⟨sport⟩ ⟨vnl. teamgenoot⟩ cover, ⟨voetb ook; vnl. tegenstander⟩ mark ♦ *de midvoor **kort** dekken* cover/mark the centreforward
dekker [de^{m}] roofer, ⟨pannen⟩ tiler, ⟨lei⟩ slater, ⟨riet⟩ thatcher
dekking [de^{v}] 1 ⟨handeling⟩ covering, coating 2 ⟨mil⟩ cover, shelter, protection ♦ *dekking **bieden*** offer cover/shelter; ***onder** dekking **van** de nacht* under the cloak of darkness; ***onder** dekking **van** de luchtmacht* under air cover; *dekking **zoeken*** seek/take cover (from) 3 ⟨bevruchting⟩ service ♦ ***ter** dekking **staan*** be in service 4 ⟨fin; metaal⟩ backing, cover, reserve 5 ⟨fin; activa⟩ security 6 ⟨fin; m.b.t. cheques⟩ cover, ⟨AE⟩ margin ♦ ***zonder** dekking* not covered, with insufficient funds 7 ⟨fin; compensatie⟩ cover ♦ ***ter** dekking **van** de (on)kosten* to cover/meet/make up for the expenses 8 ⟨zekerheid⟩ coverage ♦ *deze polis geeft dekking **op**/biedt dekking **tegen inbraak*** this policy offers coverage against burglary 9 ⟨jur⟩ retroactive authorization, ex post facto authorization 10 ⟨sport⟩ ⟨voetb⟩ marking, cover, ⟨bokssp e.d.⟩ guard
dekkingsaankoop [de^{m}] ⟨handel, fin⟩ covering purchase, (short) covering
dekkingsfout [de] ⟨sport⟩ failure to mark/cover
dekkingspakket [het] financing measures, coverage (package)
dekkingspercentage [het] ⟨fin⟩ percentage of cover
dekkingsplan [het] financing scheme
dekkleed [het] 1 ⟨dekzeil⟩ cover, canvas, tarpaulin 2 ⟨kleed voor een dier⟩ cover, ⟨paard⟩ horsecloth
dekkleur [de] 1 ⟨dierk⟩ camouflage/protective colour 2 ⟨bk⟩ scumble
deklaag [de] 1 ⟨verf⟩ finishing coat, topcoat, surface coat(ing) 2 ⟨gesteente⟩ overburden 3 ⟨wwb⟩ covering layer, top/upper layer 4 ⟨bovenste rij stenen⟩ coping, top course
deklading [de^{v}] deck cargo/load
deklanding [de^{v}] deck landing
deklast [de^{m}] deck cargo/load
deklat [de] 1 ⟨m.b.t. dakbeschot⟩ roof batten 2 ⟨bedekkende lat⟩ covering strip 3 ⟨sport; dwarslat⟩ crossbar
deklei [de] roofing-slate
deklijst [de] cornice
dekmantel [de^{m}] ⟨fig⟩ cover, cloak, ⟨i.h.b. m.b.t. misdadige praktijken⟩ blind, front ♦ ***als** dekmantel **dienen*** be (used as) a front/cover; *iemand/iets **als** dekmantel **gebruiken*** use s.o./sth. as a front/cover(-up)/stalking-horse; ***onder** de dekmantel **van** ...* under cover/colour/the cloak of ...
dekmat [de] cover mat
deknaam [de^{m}] ⟨in België⟩ pseudonym, (pen) name
dekolonisatie [de^{v}] decolonization
dekoloniseren [ov ww] decolonize
dekpassagier [de^{m}] deck passenger
dekplaat [de] 1 ⟨afdekking⟩ capping, cover(ing) plate 2 ⟨vloertegel⟩ floor(ing) tile
dekplank [de] ⟨scheepv⟩ deck plank
dekrondte [de^{v}] camber
dekschaal [de] vegetable/covered dish, tureen
dekschild [het] ⟨dierk⟩ wing case, elytron, wing cover/shield
dekschub [de] ⟨biol⟩ 1 ⟨m.b.t. een kelk⟩ (bud) scale 2 ⟨m.b.t. naaldbomen⟩ ± scale 3 ⟨m.b.t. vlinders⟩ ± scale
dekschuit [de] ⟨scheepv⟩ (flat/flat-bottomed) boat, ⟨vnl BE⟩ keel
deksel [het, de^{m}] lid, ⟨fles/mand ook⟩ top, ⟨ter afdekking/bescherming⟩ cover ♦ *dat sluit als een deksel op een pot* it all fits together (beautifully), it all fits in, that figures; *het deksel op zijn neus krijgen* be rebuffed, have/get the door slammed in one's face • ⟨sprw⟩ *wie het onderste uit de kan wil hebben, krijgt het lid/deksel op de neus* grasp all, lose all; ⟨sprw⟩ *geen potje zo scheef of er past een dekseltje op* ± every Jack must have his Jill
[1]**deksels** [bn, bw] ⟨inf⟩ damned, confounded, ⟨euf voor damned⟩ d-d, ⟨BE⟩ dashed, ⟨AE⟩ darn(ed), ⟨vero; euf⟩ deuced ♦ *wat een dekselse **jongen*** what a confounded boy; *dat is deksels **mooi*** that is seriously beautiful, that is damn/darn nice
[2]**deksels** [tw] ⟨inf⟩ what the devil, confound it, ⟨vero; euf⟩ (what) the deuce
dekservet [het] place mat
dekstation [het] breeding centre, ↓ ± stud farm
deksteen [de^{m}] 1 ⟨steen⟩ covering stone/slab 2 ⟨steenlaag⟩ coping stone, capstone, coping slab ♦ *de dekstenen* the coping
dekstier [de^{m}] breeding bull, ↓ stud bull
dekstoel [de^{m}] deck chair, canvas chair
dekstro [het] thatch(ing), thatching reed
dekstuk [het] 1 ⟨amb; beschoeiing⟩ weatherboard 2 ⟨zerksteen⟩ abacus 3 ⟨scheepv; waterbord⟩ weatherboard
dekstut [de^{m}] stanchion
dektegel [de^{m}] coping tile
dekveren [de^{mv}] ⟨dierk⟩ (wing/tail) coverts, tectrices
dekverf [de] 1 ⟨waterverf⟩ opaque water colour, body colour 2 ⟨verf waarmee wordt afgeschilderd⟩ scumble

dekvlies [het] ⟨biol⟩ operculum

dekzand [het] [1] ⟨weg- en waterbouw⟩ (road) surface sand [2] ⟨geol⟩ wind-borne sand deposit

dekzeil [het] tarpaulin, canvas, ⟨AE ook⟩ tarp

dekzwabber [de^{m}] [1] ⟨zwabber⟩ deck swab(ber) [2] ⟨matroos⟩ swabber

del [de^{v}] [1] ⟨slons⟩ slut, slattern [2] ⟨slet⟩ slut, tramp, ⟨inf⟩ tart, ⟨beled; inf⟩ hussy, huzzy

del. [afk] [1] (deleatur) del [2] (delineavit) del

delcredere [het] ⟨handel⟩ del credere

Delcrederedienst [de^{m}] ⟨in België⟩ foreign export board

delegaat [de^{m}] delegate ♦ *apostolisch delegaat* apostolic delegate

delegatie [de^{v}] [1] ⟨overdracht⟩ delegation [2] ⟨opdracht om voor een ander op te treden⟩ delegation, delegacy [3] ⟨opdracht van bevoegdheid⟩ delegation, relegation [4] ⟨het afvaardigen⟩ delegation [5] ⟨afvaardiging⟩ delegation, deputation, delegacy

delegatieleider [de^{m}] delegation leader

delegeren [ov ww] [1] ⟨overdragen⟩ delegate, depute [2] ⟨afvaardigen⟩ delegate ♦ *gedelegeerd **commissaris*** delegate member of the board of supervisory directors

delegering [de^{v}] delegation, delegacy

delegitimeren [ov ww] deligitimize

[1]**delen** [onov ww] ⟨deelnemen⟩ share (in), participate (in) ♦ *in de winst delen* share/participate in the profits; *ik deel in uw droefheid* I sympathize with your grief; *iemand in de winst **laten** delen* let s.o. have a share in the profits, ↓ cut s.o. in on the profits; *iemand in zijn vreugde **laten** delen* share one's joy with s.o., let s.o. share in one's joy

[2]**delen** [ov ww] ⟨meevoelen⟩ share ♦ *iemands **ideeën, gevoelens** delen* share s.o.'s ideas/feelings; *een **mening/opvattingen** delen* subscribe to/share an opinion/views

[3]**delen** [ov ww, ook abs] [1] ⟨in delen splitsen⟩ divide, split ♦ ***in** tweeën/drieën/vieren delen* divide in two, divide into three/four parts; ⟨sport⟩ *de punten delen **met*** draw with; *bacteriën vermenigvuldigen zich door **zich** te delen* bacteria multiply by division/fission [2] ⟨verdelen⟩ divide, split, share ♦ *met iemand het **bed** delen* share the bed with s.o.; ***eerlijk** delen* share and share alike; *u moet **kiezen** of delen* you may take it or leave it; *woonruimte/een kamer delen **met*** double (up) with; ⟨fig⟩ *dat wil ik graag **met** jullie delen* I'd like to share that with you; *de tweede plaats delen **met** iemand* tie for second place with s.o.; ***samen** delen* go halves/fifty-fifty, take equal shares; *het **verschil** delen* split the difference; *de **winst**/een **boedel** delen* divide the profit(s)/an estate [3] ⟨m.b.t. rekenkunde⟩ divide, ⟨onderw, als oefening⟩ do division ♦ *honderd delen **door** tien* divide one hundred by ten; *6 **in/op** de 24 delen* divide six into twenty-four

deler [de^{m}] [1] ⟨iemand die deelt⟩ divider, sharer [2] ⟨wisk⟩ divisor ♦ *de (grootste) **gemene** deler* the (greatest) common divisor/factor; ⟨fig⟩ the (common) denominator

deleten [ov ww] ⟨comp⟩ delete

deletetoets [de] delete key

deletie [de^{v}] [1] ⟨weglating⟩ deletion, erasure [2] ⟨vernietiging⟩ deletion [3] ⟨med⟩ deletion, deficiency [4] ⟨taalk⟩ deletion

delfhamer [de^{m}] ⟨mijnb⟩ pneumatic drill

Delfisch [bn, bw] Delphian, Delphic

delfstof [de] mineral ♦ *delfstoffen **winnen*** extract minerals

delfstoffenleer [de] mineralogy

delfstoffenrijk [het] mineral kingdom

delfstofkunde [de^{v}] mineralogy

Delfts [bn] delft [·] *Delfts **blauw*** ⟨aardewerk⟩ delft(ware); ⟨kleur⟩ delft blue

delgen [ov ww] liquidate, ⟨schulden⟩ pay off, settle, extinguish, discharge, ⟨lening, zonde⟩ redeem, ⟨zonde ook⟩ wipe out, ⟨lening ook⟩ amortize ♦ ***schulden** delgen* pay off/settle debts

delging [de^{v}] liquidation, ⟨schulden⟩ payment, settlement, discharge, ⟨lening, zonde⟩ redemption

delgingsfonds [het] sinking fund

deliberatie [de^{v}] [1] ⟨overleg⟩ deliberation, consultation [2] ⟨in België; over examenuitslagen⟩ examination board meeting

delibereren [onov ww] deliberate (over/(up)on), consult, ⟨discussiëren⟩ debate ♦ *na **lang** delibereren werden zij het eens* they agreed after much debate

[1]**delicaat** [bn] [1] ⟨gevoelig⟩ delicate, weak ♦ *een delicaat **gestel** hebben* have a delicate constitution [2] ⟨netelig⟩ delicate, ticklish, tickly, touchy [3] ⟨m.b.t. spijzen⟩ delicate, delicious, dainty, nice, exquisite

[2]**delicaat** [bw] ⟨kies⟩ delicately, considerately

delicatesse [de^{v}] [1] ⟨lekkernij⟩ delicacy, dainty (bit), ⟨mv ook⟩ table delicacies/dainties, delicatessen [2] ⟨kiesheid⟩ delicacy, consideration

delicatessenwinkel [de^{m}] delicatessen, ⟨AE, AuE inf ook⟩ deli

delicieus [bn, bw] delicious ⟨bw: ~ly⟩, dainty, exquisite

delict [het] offence, ⟨AE⟩ offense, delict, delinquency, ⟨misdrijf ook⟩ criminal offence//^{A}offense ♦ ***economisch** delict* economic offence/^{A}offense

delier [het] delirium

deling [de^{v}] [1] ⟨het scheiden in delen⟩ division, fission [2] ⟨het verdelen⟩ partition ♦ ***akte** van deling **houden*** divide the goods [3] ⟨het delen (in)⟩ participation (in) [4] ⟨wisk⟩ division

delinquent [de^{m}] delinquent, offender

delirant [bn, bw] delirious ⟨bw: ~ly⟩

delirium [het] delirium ♦ *een delirium **hebben*** see snakes, have snakes in one's boots

delirium tremens [het] delirium tremens, ⟨inf⟩ DT, ⟨inf⟩ the DT's

deliveryorder [de] delivery order

dellerig [bn, bw] tarty, slutty

deloyaal [bn, bw] disloyal, ⟨concurrentie⟩ unfair

Delphi [het] Delphi ♦ *het **orakel** van Delphi* the Delphic oracle, the oracle of Delphi

delta [de] [1] ⟨Griekse letter⟩ delta [2] ⟨aardr⟩ delta [3] ⟨rivierarmen⟩ delta [4] ⟨verk; vleugel⟩ delta wing [5] ⟨vliegtuig⟩ delta wing

delta-arm [de^{m}] delta arm

deltadeeltje [het] ⟨natuurk⟩ delta ray

deltagebied [het] delta (area)

deltagolf [de] delta wave

deltahoogte [de^{v}] ⟨wwb⟩ minimum safe height ♦ ***dijken** op deltahoogte brengen* raise dikes to the minimum safe height

Deltametropool [de] Delta metropolis

deltaplan [het] master plan

Deltaplan [het] Delta project/plan

deltaschool [de] school providing fully individualized education

deltaslaap [de^{m}] deep sleep, ⟨med⟩ stage 4 NREM sleep

deltaspier [de] ⟨med⟩ deltoid (muscle)

deltastralen [de^{mv}] ⟨natuurk⟩ delta rays

deltavleugel [de^{m}] delta wing

deltavliegen [ww] hang gliding

deltavlieger [de^{m}] hang-glider

deltavormig [bn] deltaic, deltic, delboid

Deltawerken [de^{mv}] Delta works

[1]**delven** [ov ww] ⟨uitspitten⟩ ⟨aardappelen⟩ dig, ⟨steenkolen⟩ dig, extract, mine, work, ⟨leien⟩ quarry ♦ ***keien/goud/grondstoffen** delven* quarry stone(s), mine gold/raw materials; ***konijnen** delven* dig out rabbits

[2]**delven** [ov ww, ook abs] ⟨graven⟩ dig

demagnetiseren [ov ww] demagnetize

demagogie [de^{v}] demagogy, ⟨pej ook⟩ demagoguery

demagogisch [bn] demagogic(al), rabble-rousing

demagoog [de^{m}] demagogue, tribune, rabble-rouser

demarcatie [de^{v}] demarcation, delimitation

demarcatielijn [de] line of demarcation, demarcation/dividing line

demarche [de^{v}] démarche

demarqueren [ov ww] demarcate, delimit(ate)

demarrage [de^{v}] ① ⟨het demarreren⟩ breaking away ② ⟨uitlooppoging⟩ breakaway ♦ *een demarrage **plaatsen*** attempt to break away/a breakaway, dash away/off

demarreren [onov ww] ⟨sport⟩ break away, take a flyer, dash away/off

demaskeren [ov ww] unmask, expose

demasqué [het] ① ⟨het afnemen van de maskers⟩ unmasking ② ⟨fig; ontmaskering⟩ unmasking, exposure

dematerialisatie [de^{v}] ① ⟨ontstoffelijking⟩ dematerialization ② ⟨natuurk⟩ dematerialization

dement [bn] demented

[1]**dementeren** [onov ww] ⟨verkindsen⟩ grow demented

[2]**dementeren** [ov ww] ⟨ontkennen⟩ deny, disclaim

dementi [het] ① ⟨logenstraffing⟩ denial, contradiction, ⟨vnl. diplomatie⟩ démenti ♦ *iemand een dementi **geven*** give s.o. the lie ② ⟨ontkenning⟩ denial, disclaimer

dementia [de^{v}] → **dementie**

dementie [de^{v}], **dementia** [de^{v}] dementia, dotage ♦ *dementia praecox* dementia pr(a)ecox; *dementia senilis* senile dementia; *dementia paralytica* dementia paralytica, general paresis

demi [de^{m}] spring/autumn/light overcoat

demi-john [de^{v}] demijohn

demilitarisatie [de^{v}] demilitarization

demilitariseren [ov ww] ① ⟨ontdoen van het militaire⟩ demilitarize ② ⟨troepen terugtrekken⟩ demilitarize ♦ *gedemilitariseerde **zone*** demilitarized zone/area

demi-mondaine [de^{v}] demimondaine, demimonde, demirep

demi-monde [de^{m}] demimonde, demiworld

demi-plié [de^{m}] demi-plié

demi-reliëf [het] mezzo-relievo, mezzo-rilievo

demi-sec [bn] demi-sec, semi-dry, semi-sweet

demissie [de^{v}] dismissal ♦ *iemand demissie **geven*** dismiss s.o.; *zijn demissie **krijgen*** be dismissed; *zijn demissie **nemen*** resign, tender one's resignation

demissionair [bn] outgoing ♦ *het **kabinet** is demissionair* the cabinet has resigned/tendered its resignation

demo [de^{m}] ① ⟨muz⟩ demo (tape) ② ⟨computerprogramma⟩ demo

demobilisatie [de^{v}] demobilization, ⟨inf; BE⟩ demob

demobiliseren [ov ww] ① ⟨de legersterkte terugbrengen⟩ demobilize, ⟨inf; BE⟩ demob ② ⟨uit de krijgsdienst ontslaan⟩ demobilize, ⟨inf; BE⟩ demob ③ ⟨jur⟩ demobilize

democraat [de^{m}], **democrate** [de^{v}] ① ⟨aanhanger van de democratie⟩ democrat ② ⟨lid van een democratische partij⟩ Democrat

democrate [de^{v}] → **democraat**

democratie [de^{v}] ① ⟨staatsvorm⟩ democracy, self-government ② ⟨staat⟩ democracy

democratisch [bn, bw] ① ⟨als (van) een democratie, democraat⟩ democratic ⟨bw: ~ally⟩ ② ⟨de volksregering voorstaand⟩ democratic ⟨bw: ~ally⟩ ♦ *de democratische **partij*** the democratic party

democratiseren [ov ww, ook abs] democratize

democratisering [de^{v}] democratization

democratisme [het] ① ⟨het streven naar parlementaire democratie⟩ democratism ② ⟨doorgeschoten democratische ontwikkeling⟩ democratism

demoderen [onov ww] ⟨in België⟩ go out of fashion, date

demoduleren [ov ww] demodulate

demograaf [de^{m}] demographer

demografie [de^{v}] demography

demografisch [bn, bw] demographic ⟨bw: ~ally⟩

demologie [de^{v}] population studies, demography

demon [de^{m}] ① ⟨duivel⟩ demon, devil, fiend, evil spirit ♦ ***door** een demon bezeten zijn* be possessed by a demon/the/a devil/an evil spirit ② ⟨slechtaard⟩ demon, devil, fiend, ghoul, monster

demonenleer [de] demonology, demonism

demonie [de^{v}] possession (by devils/evil spirits)

demonisch [bn, bw] ① ⟨(als) van een demon⟩ demoni(a)c ⟨bw: ~ally⟩, satanic, devilish, fiendish, diabolic(al), ghoulish ② ⟨fig; duivelachtig⟩ demoni(a)c ⟨bw: ~ally⟩, satanic, devilish, fiendish, diabolic(al), ghoulish

demoniseren [ov ww] demonize

demonstrant [de^{m}], **demonstrante** [de^{v}] demonstrator, protester, marcher

demonstrante [de^{v}] → **demonstrant**

demonstrateur [de^{m}], **demonstratrice** [de^{v}] demonstrator

demonstratie [de^{v}] ① ⟨het aantonen van iets⟩ demonstration, showing ② ⟨pregn; bewijs van kunnen⟩ demonstration, display, show, exhibition ♦ *een demonstratie van zijn kunnen **geven/weggeven*** give a demonstration/show/display of one's power/ability ③ ⟨het vertonen⟩ demonstration, display, show(ing), exhibition, presentation ♦ *demonstratie van een nieuw **vliegtuigtype*** demonstration/presentation of a new type of aeroplane ④ ⟨betoging⟩ demonstration, (protest) march, manifestation, ⟨inf; BE⟩ demo ♦ *een demonstratie **tegen** kernwapens* a demonstration against nuclear arms, a ban-the-bomb march/demonstration ⑤ ⟨wisk⟩ demonstration, logical proof

[1]**demonstratief** [het] demonstrative (pronoun)

[2]**demonstratief** [bn, bw] ① ⟨taalk⟩ demonstrative ⟨bw: ~ly⟩ ② ⟨erop gericht de aandacht te trekken⟩ ostentatious ⟨bw: ~ly⟩, demonstrative, obvious, showy ♦ *een demonstratief **machtsvertoon*** an ostentatious display of power; *demonstratief **weglopen** uit de vergadering* walk out of/leave the meeting as a sign of protest; *zij liet op demonstratieve **wijze** haar ongenoegen blijken* she made no attempt to hide her anger/displeasure

demonstratiemodel [het] demonstration model, ⟨auto; inf; AE⟩ demo

demonstratietoernooi [het] demonstration game/match

demonstratievlucht [de] demonstration flight

demonstratiewagen [de^{m}] ⟨in België⟩ demonstration car

demonstratrice [de^{v}] → **demonstrateur**

demonstreerbaar [bn] demonstrable, arguable

[1]**demonstreren** [onov ww] ⟨een betoging houden⟩ demonstrate, march, protest, hold a demo(nstration), hold a (protest) march ♦ *er werd **massaal** gedemonstreerd* there were mass(ive) demonstrations, massive demonstrations were held; *demonstreren **tegen/voor** iets* demonstrate/march against/in favour/support of sth.

[2]**demonstreren** [ov ww] ① ⟨aantonen⟩ demonstrate, show ♦ *de **uitzetting** door warmte demonstreren* show/demonstrate expansion as a result of heat ② ⟨iets in zijn werking vertonen⟩ demonstrate, display, show, exhibit ♦ *een **stofzuiger** demonstreren* demonstrate a vacuum cleaner

demontabel [bn] → **demonteerbaar**

demontage [de^{v}] ① ⟨handeling⟩ dismantling, disassembling, taking apart, taking to pieces, taking down, ⟨motor ook⟩ stripping (down), ⟨van onderdeel⟩ removal, detaching, taking off, ⟨bom⟩ defusing, deactivating ② ⟨keer⟩ dismantlement, disassembly, ⟨motor ook⟩ stripping (down), ⟨onderdeel⟩ removal, take-down, ⟨bom⟩ defusing, deactivation

demonteerbaar [bn], **demontabel** [bn] sectional,

⟨onderdeel⟩ demountable, removable, detachable, ⟨anatomisch model⟩ clastic ♦ ***gemakkelijk** demonteerbaar* easily dismantled/disassembled; ⟨meubels ook⟩ knockdown

demonteren [ov ww] [1] ⟨uit elkaar nemen⟩ ⟨geheel⟩ disassemble, dismantle, take apart, take to pieces, take down, demount, ⟨motor⟩ strip (down), ⟨onderdeel⟩ take off, remove, detach, ⟨vnl. passief⟩ knock down ♦ ***een machine/motor** demonteren* strip (down)/disassemble/dismantle a machine/an engine; ***wapens** demonteren* dismount weapons [2] ⟨onbruikbaar maken⟩ deactivate, ⟨bom⟩ defuse, disarm ♦ ***zeemijnen** demonteren* deactivate/defuse mines

demoralisatie [de^{v}] [1] ⟨het tenietgaan van moreel besef⟩ demoralization, corruption, debauching, depraving [2] ⟨ontmoediging⟩ demoralization, discouragement, disheartenment

demoraliseren [ov ww, ook abs] [1] ⟨zedeloos maken⟩ demoralize, corrupt, debauch ♦ *een demoraliserende **invloed*** a demoralizing/corrupting influence [2] ⟨ontmoedigen⟩ demoralize, discourage, dispirit, dishearten, get/drag down ♦ *gedemoraliseerde **troepen*** demoralized/dispirited troops

demotie [de^{v}] demotion

demotisch [bn] demotic, enchorial, enchoric ♦ *demotisch **schrift*** demotic (script)

demotiveren [ov ww, ook abs] remove/reduce (s.o.'s) motivation, remove/reduce (s.o.'s) impetus, ⟨overgankelijk werkwoord ook⟩ discourage, dishearten, demotivate ♦ *dat **werkt** alleen maar demotiverend* that will only (serve to) discourage him/her/them

dempen [ov ww] [1] ⟨dichtgooien⟩ fill (up/in), close/stop (up) ♦ *een **sloot/gracht** dempen* fill in a ditch/canal [2] ⟨temperen⟩ ⟨kleuren⟩ subdue, tone down, ⟨geluid⟩ muffle, deaden, ⟨licht⟩ dim, shade, ⟨schok⟩ cushion, buff ♦ *een **geluid** dempen* muffle/subdue/deaden a sound; *gedempt **licht*** subdued/dimmed/soft light; *met gedempte **stem*** in a low voice, in an undertone, sotto voce [3] ⟨muz⟩ mute, ⟨pianosnaar⟩ damp, ⟨piano⟩ soft-pedal [•] ⟨sprw⟩ *als het kalf verdronken is, dempt men de put* it's too late to lock the stable door after the horse has bolted

demper [de^{m}] [1] ⟨m.b.t. kachels, ketels⟩ damper [2] ⟨muz; m.b.t. toetsinstrumenten⟩ damper [3] ⟨muz; sordino⟩ mute, sordino [4] ⟨knaldemper⟩ silencer, ⟨AE⟩ muffler [5] ⟨m.b.t. geweer⟩ silencer [6] ⟨techn⟩ damper

demping [de^{v}] [1] ⟨het dichtgooien⟩ filling (in) [2] ⟨m.b.t. geluiden⟩ muffling, deadening [3] ⟨m.b.t. schokken⟩ cushioning, buffing [4] ⟨techn⟩ damping, attenuation [5] ⟨muz⟩ muting

dempinrichting [de^{v}] ⟨techn⟩ damping device, damper, ⟨schokdemper ook⟩ shock absorber

demystificeren [ov ww] demystify

den [de^{m}], **dennenboom** [de^{m}] pine(-tree), ⟨m.b.t. hout vnl.⟩ fir ♦ *zo slank **als** een den* as slim as a reed, willowy; *de **grove** den* the Scots pine/fir

denasalisatie [de^{v}] ⟨taalk⟩ denasalization

denationalisatie [de^{v}] [1] ⟨ontneming van de nationaliteit⟩ denationalization [2] ⟨het weer tot particulier eigendom maken⟩ denationalization, privatization

denaturaliseren [ov ww] denaturalize

denatureren [ov ww] [1] ⟨onbruikbaar maken voor consumptie⟩ denature ♦ *gedenatureerde **alcohol*** denatured alcohol, methylated spirit(s); ⟨inf⟩ meths [2] ⟨m.b.t. eiwitten⟩ denature

Den Bosch [het] Den Bosch

denderen [onov ww] rumble, thunder, ⟨snel⟩ hurtle, roar, ⟨trillen⟩ rattle, judder ♦ *de trein denderde **voorbij*** the train thundered/hurtled/roared past

denderend [bn, bw] roaring ⟨bw: ~ly⟩, raging, raving, riotous, thunderous, ⟨resultaat⟩ tremendous, overwhelming ♦ *ik vind dat boek **niet** denderend* I don't think that book is so marvellous, I'm not exactly wild about that book

dendriet [de^{m}] [1] ⟨geol⟩ dendrite [2] ⟨biol⟩ dendrite

dendrochronologie [de^{v}] dendrochronology

dendrologie [de^{v}] dendrology

Denemarken [het] Denmark

Denemarken	
naam	*Denemarken* Denmark
officiële naam	*Koninkrijk Denemarken* Kingdom of Denmark
inwoner	*Deen* Dane
inwoonster	*Deense* Dane
bijv. naamw.	*Deens* Danish
hoofdstad	*Kopenhagen* Copenhagen
munt	*Deense kroon* Danish krone
werelddeel	*Europa* Europe
int. toegangsnummer 45 www.dk auto DK	

dengue [de] dengue

Den Haag [het] The Hague

denier [de^{m}] denier ♦ *panty's van **twintig** denier* twenty-denier tights/^{A}panty hose

denigrerend [bn, bw] denigratory ⟨bw: denigratorily⟩, belittling, disparaging, depreciatory, degrading ♦ *denigrerend over iemand/iets **spreken*** speak disparagingly/belittlingly about s.o./sth., ↓ run s.o./sth. down

denim [het] denim

denivelleren [ov ww] reverse the equalization of incomes

denkbaar [bn] conceivable, imaginable, supposable, thinkable, possible ♦ *met alle denkbare **invloeden** rekening houden* take into account all possible/conceivable influences; *het **is** (zeer wel) denkbaar dat* it is (quite) conceivable/(perfectly) possible that; *het is **niet** denkbaar dat* it is inconceivable/unthinkable/unlikely that

denkbeeld [het] [1] ⟨idee⟩ concept(ion), idea, thought, notion, ⟨ingewikkeld⟩ construct ♦ *een **eigentijds** denkbeeld ligt aan zijn werk ten grondslag* his work is based on a modern idea/concept/notion; *zich een denkbeeld **vormen van*** get/gain/form some/an idea, build up some/a mental image of [2] ⟨begrip⟩ notion, concept, image ♦ *een **verkeerd** denkbeeld hebben van* have a false/faulty, an erroneous notion/conception/idea of [3] ⟨mening⟩ opinion, idea, view ♦ ***extreemrechtse** denkbeelden hebben* have extreme right-wing views; *zijn denkbeeld **omtrent** de politieke situatie* his opinion on/view of the political situation [4] ⟨mv; denkwijze⟩ opinions, ideas, views ♦ *hij houdt er **verouderde** denkbeelden op na* he has some antiquated ideas/opinions

denkbeeldig [bn] [1] ⟨slechts in het begrip bestaand⟩ notional, theoretical, hypothetical, abstract, ⟨wisk⟩ imaginary ♦ *een denkbeeldig **geval*** a hypothetical case; *denkbeeldige **grootheden** in de wiskunde* imaginary quantities in mathematics [2] ⟨niet werkelijk⟩ imaginary, illusory, unreal, ⟨bedacht⟩ fictitious, fanciful, fantastic(al) ♦ *een denkbeeldig **gevaar*** an imaginary/imagined danger; *het gevaar is **niet** denkbeeldig dat ...* there's a (very) real danger that ...; *denkbeeldige **pijn*** phantom pain; *een denkbeeldig **succes*** an illusory/unreal success; ⟨fin⟩ *denkbeeldige **winst*** fictitious/paper profit(s)

denkelijk [bn, bw] [1] ⟨waarschijnlijk⟩ ⟨bijvoeglijk naamwoord⟩ likely, probable, ⟨bijwoord⟩ probably [2] ⟨vermoedelijk⟩ ⟨bijvoeglijk naamwoord⟩ probable, likely, ⟨bijwoord⟩ probably ♦ *ik **kom** denkelijk met de laatste trein* I'll probably come by the last train

[1]**denken** [onov ww] [1] ⟨het verstand gebruiken⟩ think, consider, cogitate, reflect, ponder, meditate, reason, ⟨vnl AE; inf⟩ figure ♦ ***aan** iets/iemand denken* think/be thinking of sth./s.o., remember sth./s.o.; *zij dacht **aan** geen kwaad* she thought of no harm; *daar dacht ik ook net **aan*** it just occurred to me too; *hij dacht nooit **aan** zichzelf* he never

thought of himself/considered his own interests; *iemand* ***aan*** *het denken zetten* set s.o. thinking, give s.o. food for thought; *hij denkt er zelden/nooit* ***aan*** he rarely/never gives it a thought; *ik denk hierbij speciaal* ***aan*** ... I have in mind particularly ...; *zonder te denken* ***aan*** *het gevaar* without realizing/unmindful of the danger; *ik probeer er niet* ***aan*** *te denken* I try to put it out of my mind; *laten we er niet meer* ***aan*** *denken* let's forget about it; *zij denkt nooit* ***aan*** *zulke dingen* she never gives a thought to such matters; *niet* ***aan*** *de dag van morgen denken* take no thought for the morrow; *ik moest er steeds maar* ***aan*** *denken* I couldn't get it out of my head; *daar heb ik geen moment* ***aan*** *gedacht* that never (even) crossed my mind; ⟨vergeten⟩ I forgot all about it; *jij kan alleen maar* ***aan*** *geld denken* all you can think of is money; *zij denkt er niet* ***aan*** *een huis te kopen* she wouldn't think/dream of buying a house; *daar denken wij in de verste verte niet* ***aan*** nothing could be further from our thoughts; *er* ***anders*** *over gaan denken* change one's mind (about it); *ik dacht* ***bij*** *mezelf* I thought/said to myself; ***daar*** *valt niet* ***aan*** *te denken* there can be no question of that; *dat* ***deed*** *me aan mijn jeugd denken* that brought back/took me back to my youth; *het* ***doet*** *denken aan* it reminds one of ...; *dit* ***doet*** *sterk aan omkoperij denken* this savours strongly of bribery; *ik denk* ***er*** *niet* ***aan!*** I wouldn't think/dream of it!, it's out of the question!, no way!; *denk* ***er*** *nog eens* ***over*** give it some more thought, think about it (for a while), think it over; *ik denk* ***er*** *net zo* ***over*** I (completely) agree, I feel just the same (about it); *denk* ***er*** *(maar eens)* ***om!*** just you watch it!, don't you forget it!; *ik moet* ***er*** *niet* ***aan*** *denken* I can't bear to think about it, that doesn't bear thinking about, God forbid!; *nu ik* ***eraan*** *denk* (now I) come to think of it; *ik zal* ***eraan*** *denken* I'll bear it in mind; *men moet* ***eraan*** *denken dat* it should be borne in mind that; *denk* ***erom*** *dat het niet weer gebeurt* look to it/mind/make sure that it doesn't occur again; ***even*** *denken, hoor* let's/let me see/think; ***gunstig*** *denken over* think well of, have a favourable opinion of; ***hardop*** *denken* think aloud, soliloquize; *denken* ***in*** *geld* think in terms of money; *zo* ***kun*** *je er ook over denken* I suppose you can see it/could look at it that way; *daar* ***kun*** *je verschillend over denken* there's more than one way of looking at/you can take different views on that; ***logisch/helder*** *denken* think logically/clearly/straight; ***min*** *denken over* take a poor/dim view of; *denk* ***om*** *de buren* ⟨bijvoorbeeld bij ruzie⟩ think of the neighbours; *denk* ***om*** *je hoofd* mind your head; *er heel anders* ***over*** *denken* have a completely different view of the subject/completely different ideas on the subject; *zij denkt er nu anders* ***over*** she feels differently (now); *hoe denkt u* ***over*** *dit voorstel?* what do you think of this suggestion/proposition?; *wij hebben er lang* ***over*** *gedacht* we have been giving a lot of thought; *als je er goed* ***over*** *denkt, dan ...* when one comes to think of it, (then) ...; *er verschillend/anders* ***over*** *denken* take a different view (of the matter), beg to differ, think otherwise; ***positief*** *denken* think positively; *stof* ***tot*** *denken geven* give (s.o.) food for thought; *dat had ik niet* ***van*** *hem gedacht* I should never have thought/believed it of him; *ik zat* ***net*** *te denken* I was just thinking; *zijn telefoontje* ***zette*** *mij aan het denken* his phone call set me thinking; *waar* ***zit*** *je aan te denken?* what's on your mind?; *dat geeft te denken* that makes one/you think, that's food for thought [2] ⟨van plan zijn⟩ think of/about, intend (to), plan (to), propose (to) ◆ *ik denk* ***erover*** *met roken te stoppen* I'm thinking of/considering giving up smoking; *wat denk je* ***ervan****? hoe denk je* ***erover****?* well, what (are you going to do) about it?/what do you think?; *ik denk er ernstig* ***over*** *om ...* I have a good mind to ..., I'm seriously thinking of/about ...; *ik denk er half en half* ***over*** *om ...* I've half a mind to ..., I'm half thinking of ... [•] ***geen*** *denken aan!* definitely not!, never!, it's out of the question!, certainly not!, ↓ not a hope/chance!; ⟨sl⟩ not on your Nelly/life!

²denken [ov ww] [1] ⟨menen⟩ think, be of the opinion, consider, ⟨vnl AE; inf⟩ figure ◆ *wat denk je* ***ervan?*** what do you think (about/of it)?; *het zijne* ***ervan*** *denken* have one's own idea(s)/thoughts/doubts about it; *dat* ***kun*** *je (net) denken* not (bloody) likely, I don't think so; *ik weet niet wat ik ervan* ***moet*** *denken* I don't know what to make of it/to think; *wat dacht je* ***van*** *een ijsje?* what about/would you say to an ice(cream)?; ***zou*** *je (dat) denken?* (do) you (really) think so?; *ik dacht van wel/van niet* I (should) think/thought so/not; *wat denk je (eigenlijk) wel!* what are you thinking of!, who do you think you are?; *wie denk je wel dat je bent?* (just) who do you think you are?; *weet je de weg? dat zou ik denken* you know the way? I'll say/I should think so; *dat dacht je maar, dat had je maar gedacht* that's what you think!, that shows how much you know! ⟨klemtoon op 'you'⟩ [2] ⟨vermoeden⟩ think, suppose, expect, imagine, hope ◆ *dat dacht ik* ***al*** I thought as much/so; *wat denk je daarmee te* ***bereiken?*** what do you hope to achieve by that?; *ik zou denken,* ***dat*** I'm inclined to think that; *ik dacht* ***dat*** *je het wist* I thought you knew; *dacht je* ***dat*** *ik dat geloofde?* do you (really) expect me to believe that?; *ik denk* ***dat*** *het goed weer blijft* I expect/think/imagine the weather will hold; *ik denk zo* ***dat*** *hij wel gelijk heeft* I suppose he's right; *ik had gedacht,* ***dat*** *hij verstandiger zou zijn* I would have thought he had more sense; *(het is niet zo ernstig als zijn woorden) zouden* ***doen*** *denken* (it is not so serious as his words) ... might suggest; *wie had dat* ***kunnen*** *denken* who would have thought it?; *voor mij* ***mag*** *hij denken wat hij wil* he can think what(ever) he likes (as far as I'm concerned), I don't mind what he thinks; *u* ***moet*** *niet denken (dat) ...* you mustn't suppose/think/don't imagine (that) ...; *denk dat maar* ***niet*** don't you believe it; *hoe denkt hij* ***over*** *zijn baas?* what does he think/what's his opinion of his boss?; *hij denkt te* ***slagen*** he expects to/thinks he'll pass; *ik heb het altijd* ***wel*** *gedacht* I always knew it/thought so; *wat* ***zullen*** *de mensen niet (gaan) denken?* what will people think/say?; *..., denk ik ...,* I think/suppose; *dacht ik het niet!* just as I thought!, I knew it!, didn't I know it!; *om zoiets ook maar te denken* the very thought of it!, fancy thinking that!; *hij is slimmer dan je zo zou denken* he has more sense than one would give him credit for; *(jij went er snel genoeg aan,) zou ik denken* (...,) I should imagine/think/suppose [3] ⟨in aanmerking nemen⟩ think, understand, imagine, appreciate, consider ◆ *de beste arts die men zich maar* ***kan*** *denken* the best (possible) doctor; *een groter huis* ***kunt*** *u zich nauwelijks denken* you could scarcely imagine a bigger house; *je* ***moet*** *maar denken dat het slechts voor heel kort is* try to remember it is only for a short period; *ik had* ***Peter*** *gedacht voor de hoofdrol* I was thinking of Peter/had Peter in mind for the principal part; *dat laat* ***zich*** *denken* you/I can imagine; *ik dacht bij mezelf dat ...* I thought/said to myself that ...; *ik had zo gedacht ... als jij morgen eens naar B. ging* I was thinking ... if you went to B. tomorrow [4] ⟨van plan zijn⟩ think of/about, intend, be going (to), plan, propose ◆ *wat denk je nu te* ***doen?*** what do you intend to do now?; *ik denk dit jaar examen te* ***doen*** I intend to take my exam this year

³zich denken [wk ww; met een bepaling van gesteldheid] ⟨peinzen⟩ think (o.s.), imagine ◆ *denkt u zich eens* ***in*** *mijn positie* try to imagine my position, put yourself in my place/position; *zich* ***suf*** *denken* rack one's brains, think o.s. silly

denkend [bn] thinking, rational, intelligent, conscious, reasoning ◆ *het denkende* ***deel*** *van de natie* the thinking public, the intelligentsia; ***helder*** *denkend* clear-headed, clear-thinking; *hij is een* ***logisch*** *denkend iemand* he has a logical mind; *denkende* ***wezens*** intelligent/rational beings/creatures

denker [de^m] thinker, philosopher, mind, brain(s) ◆ *de* ***grote*** *denkers* the great thinkers/philosophers/minds

denkertje [het] food for thought, ⟨doordenkertje⟩ deep one

denkfout [de] logical error, fallacy, error of/in reasoning, wrong inference
denkkracht [de] mental power/capacity, brainpower, power of thought, intelligence
denklijn [de] line of thought
denkpatroon [het] pattern/habit of thought, way of thinking, frame of mind
denkpiste [de^v] ⟨in België⟩ (line/way of) thinking/reasoning
denkproces [het] mental/thought process
denkpsychologie [de^v] psychology of thought
denkraam [het] [1] ⟨denkvermogen⟩ mental power/capacity, brainpower ♦ *een **klein** denkraam hebben* have little reasoning power/brainpower, have a limited mind/understanding/intelligence [2] ⟨denkwijze, denkpatroon⟩ pattern/habit of thought, way of thinking, frame of mind
denkrichting [de^v] direction/school of thought, line of reasoning/thought, mindset ♦ *de denkrichting van **Freud*** Freud's thinking
denkrimpel [de^m] [•] *denkrimpels **trekken*** furrow/knit one's brow in concentration, be deep in thought
denksport [de] [1] ⟨het zich bezighouden met raadsels, puzzels⟩ puzzle/problem solving, mental exercise ♦ *zij is een echte denksportliefhebber* she loves puzzles and brainteasers [2] ⟨tak daarvan⟩ mental/mind game
denktank [de^m] think tank
denktrant [de^m] (line/way of) thinking/reasoning ♦ *geboeid worden door **iemands** denktrant* be fascinated by s.o.'s (way of) thinking; *als je **in** die denktrant doorredeneert ...* if you carry on reasoning along those lines, ...
denkvermogen [het] intellect, mental/intellectual capacity, reasoning power, brainpower, (faculty of) thought, ⟨verstand⟩ sense ♦ *het **logisch** denkvermogen* the capacity for logical thought
denkvorm [de^v] way of thinking, mode/habit of thought, frame of reference
denkwereld [de] (way of) thinking, mental world, mentality ♦ *zich **in** zijn denkwereld verplaatsen* enter into his way of thinking, get on (to) his wavelength/line of thought
denkwerk [het] brainwork, thinking ♦ *voor die ontdekking **heeft** hij veel denkwerk **moeten verrichten*** he had to do a great deal of brainwork to make that discovery, a lot of thinking/brainwork went into that discovery
denkwijs [de], **denkwijze** [de] [1] ⟨manier van denken⟩ way of thinking, mode of thought [2] ⟨opvatting⟩ (way of) thinking, mentality, mind, school of thought, view(s)
denkwijze [de] → **denkwijs**
denkwolkje [het] thought-balloon
dennen [bn] pine(wood)
dennenappel [de^m] ⟨van grove den⟩ pinecone, ⟨van spar⟩ fir-cone
dennenboom [de^m] → **den**
dennenbos [het] pine forest/wood, pinetum, pinery
dennengeur [de^m] pine smell/odour, smell of pine
dennengroen [het] pine branches/foliage
dennenhars [het, de^m] pine-resin
dennenhout [het] fir(wood), pine(wood)
dennenkegel [de^m] pine cone
dennennaald [de] pine-needle
dennenrups [de] (caterpillar of the) nun moth ♦ *gestreepte dennenrups* pine beauty caterpillar
dennenscheerder [de^m] pith borer
dennenschot [het] leaf/needle cast
dennentak [de^m] pine branch
dennenuil [de] pine beauty
denominaal [bn] ⟨taalk⟩ denominative, denominal
denominatie [de^v] [1] ⟨naamgeving⟩ denomination, designation, appellation [2] ⟨sekte⟩ denomination, persuasion, religion
^{1}**denominatief** [het] ⟨taalk⟩ denominative
^{2}**denominatief** [bn] ⟨taalk⟩ denominative
denonceren [ov ww] denounce, inform against
denotatie [de^v] [1] ⟨aanduiding⟩ denotation [2] ⟨taalk⟩ denotation
densimeter [de^m] ⟨natuurk⟩ densimeter
densiteit [de^v] [1] ⟨natuurk; dichtheid⟩ density [2] ⟨foto; zwarting⟩ density
^{1}**dentaal** [de] ⟨taalk⟩ dental
^{2}**dentaal** [bn] [1] ⟨m.b.t. spraakklanken⟩ dental [2] ⟨m.b.t. de tand⟩ dental
dentist [de^m] ± dentist
denuclearisatie [de^v] denuclearization
denudatie [de^v] [1] ⟨ontbloting⟩ denudation, denuding, exposure, stripping, baring, divestiture [2] ⟨geol⟩ denudation
denuderen [ov ww] denude ⟨ook geologie⟩, expose, strip
deodorant [de^m] deodorant
deodorantroller [de^m] roll-on (deodorant)
deodorantspray [de^m] spray deodorant, deodorant spray
deodorantstick [de^m] deodorant (stick)
deodoriseren [ov ww] deodorize
deontologe [de^v] → **deontoloog**
deontologie [de^v] deontology
deontologisch [bn] deontological
deontoloog [de^m], **deontologe** [de^v] deontologist
Deo volente [bw] Deo volente
dep. → **dept.**
depannage [de^v] ⟨in België⟩ [1] ⟨takel- en sleephulp⟩ towing service [2] ⟨hulp- en reparatiedienst⟩ ⟨m.b.t. auto's⟩ road side assistance, breakdown service, ⟨m.b.t. computers e.d.⟩ advice and repair service [3] ⟨het uit de brand helpen⟩ (the act of) helping s.o. out
depanneren [ov ww] ⟨in België⟩ [1] ⟨repareren⟩ repair, ⟨auto's⟩ provide road side assistance/breakdown service [2] ⟨hulp bieden⟩ help out
departement [het] [1] ⟨ministerie⟩ department, ministry, office ♦ *het departement van **Defensie*** The Ministry of Defence; *ik informeerde **op** het departement naar* at the ministry I enquired after; ⟨in België⟩ *departement van **Verkeerswezen*** Ministry of Transport and Public Works; ⟨Groot-Brittannië⟩ Ministry of Transport; ⟨USA⟩ ± Department of Transportation [2] ⟨gebouw van ministerie⟩ department, ministry, office [3] ⟨provincie in Frankrijk⟩ department [4] ⟨afdeling van een vereniging⟩ department, section, division ♦ ***hoofd** van een departement* head of a department [5] ⟨in België; afdeling van een instituut⟩ department ♦ *departement **taalkunde*** department of linguistics, linguistics department
departementaal [bn] [1] ⟨m.b.t. een ministerie⟩ departmental [2] ⟨m.b.t. ambtenarenapparaat⟩ departmental [3] ⟨m.b.t. een Franse 'provincie'⟩ departmental
departementalisme [het] (governmental) departmentalism
depêche [de] [1] ⟨mededeling⟩ dispatch, memo(randum), message [2] ⟨telegram⟩ telegram
depenaliseren [ov ww] ⟨in België⟩ decriminalize
depenalisering [de^v] ⟨in België⟩ decriminalization
dependance [de] annex(e) ♦ *de universiteit **heeft** twee dependances* the university has two auxiliary branches; *een dependance van het **hotel*** an annex to the hotel
dependentie [de^v] dependence, dependency
depersonalisatie [de^v] depersonalization
depersonaliseren [ov ww] depersonalize
dépit [het] spite, resentment ♦ *iets **uit** dépit doen* do sth. out of spite/resentment
deplorabel [bn] deplorable, lamentable, woeful, abominable
depolarisator [de^m] ⟨natuurk⟩ depolarizer

depolariseren [ov ww] ⟨natuurk⟩ depolarization
depolitiseren [ov ww] depoliticize
depolitisering [de^v] depoliticization, depoliticizing
deponens [het] ⟨taalk⟩ deponent (verb)
deponent [de^m] 1 ⟨m.b.t. een promotie⟩ Ph D candidate 2 ⟨iemand die een verklaring aflegt⟩ deponent 3 ⟨iemand die iets in bewaring geeft⟩ depositor
deponeren [ov ww] 1 ⟨ergens neerleggen⟩ deposit, place, put (down) ♦ *hij deponeerde de **notitie** op het bureau* he placed/left the memo on the desk 2 ⟨overleggen⟩ ⟨document⟩ file, lodge ♦ ***stukken** deponeren bij de rechtbank/griffier* file documents with the court/with the court registry; *een **voorstel** ter griffie deponeren* ⟨fig⟩ shelve a proposal 3 ⟨in bewaring geven⟩ deposit, lodge, bank ♦ ***aandelen** bij de bank deponeren* deposit shares with/in the bank; ***geld** in een kluis deponeren* place/deposit money in a safe 4 ⟨ter inschrijving aanbieden⟩ register ♦ *een **akte** deponeren* put a deed on file, file a deed; *een **merk**/een **model** deponeren* register a trademark/model; ***wettig** gedeponeerd handelsmerk* registered trademark 5 ⟨als getuige verklaren⟩ depose, testify
deponie [de^v] dump
deportatie [de^v] 1 ⟨handeling⟩ ⟨verbanning⟩ deportation, ⟨naar strafkolonie⟩ transportation ♦ *de deportatie van miljoenen **Joden** naar concentratiekampen* the deportation of millions of Jews to concentration camps 2 ⟨straf⟩ deportation, transportation
deporteren [ov ww] ⟨verbannen⟩ deport, ⟨naar strafkolonie⟩ transport ♦ *een **gedeporteerde*** a deportee/transportee
deporthandel [de^m] ⟨handel⟩ backwardation business
deposant [de^m] 1 ⟨iemand die deponeert⟩ depositor 2 ⟨houder van een depositorekening⟩ depositor
depositaris [de^m] ⟨alg; fin; Schots recht⟩ depositary, ⟨jur⟩ bailee
depositeur [de^m] depositor
depositie [de^v] ⟨jur⟩ 1 ⟨getuigenis⟩ deposition 2 ⟨het deponeren van een stuk⟩ deposition
deposito [het] 1 ⟨het in bewaring geven⟩ deposit, lodgement ♦ *geld à/in deposito geven (bij een bank)* deposit money (with a bank); *geld **in** deposito nemen* take/receive money on deposit; *geld **in** deposito hebben* hold money on deposit; *geld **in** deposito plaatsen* make a deposit, lodge (a sum of) money, place money on deposit 2 ⟨in bewaring gegeven geld⟩ deposit ♦ *deposito **met/zonder** opzegging* deposit at notice/on call
depositobank [de] deposit bank
depositobewijs [het] certificate of deposit, deposit receipt/slip
depositorekening [de^v] ⟨fin⟩ deposit account
depositorente [de] depositor's interest
depot [het, de^m] 1 ⟨bewaargeving⟩ deposit(ing), consignment/committing to safe keeping ♦ *bagage **in** depot* left luggage 2 ⟨iets in bewaring⟩ (goods on) deposit, deposited goods/documents ⟨enz.⟩, ⟨handel⟩ (reserve) stock, store ♦ ⟨fin⟩ ***in** depot hebben/nemen* hold in depositary; ⟨fin⟩ ***in** depot gegeven stukken* securities/documents deposited (with a bank) 3 ⟨magazijn⟩ ⟨ook mil⟩ depot, store, ⟨handel ook⟩ warehouse, repository, ⟨bank⟩ depository, ⟨mil, tijdelijk⟩ dump ♦ *een depot van dat **grootwinkelbedrijf*** a depot of that department store; *een depot van **koopwaren*** a goods depot 4 ⟨droesem⟩ sediment, dregs, deposit, lees 5 ⟨m.b.t. een handels-, fabrieksmerk⟩ registration
depotbewijs [het] certificate of deposit, deposit receipt, unit
depotfractiebewijs [het] unit trust certificate
depothandel [de^m] ⟨BE⟩ trade in deposits, ⟨AE⟩ money market business
depothouder [de^m], **depothoudster** [de^v] depositary, ⟨chef van depot⟩ depot manager, agent, stockist, consignee, trustee
depothoudster [de^v] → **depothouder**
depotkosten [de^mv] commission, poundage
deppen [ov ww] dab, ⟨droogdeppen⟩ pat (dry)
depreciatie [de^v] 1 ⟨minachting⟩ depreciation, disparagement, deprecation, decrial 2 ⟨lagere waardering⟩ depreciation, debasement, devaluation 3 ⟨waardevermindering⟩ depreciation, ⟨officiële devaluatie⟩ devaluation
[1]**depreciëren** [onov ww] ⟨in waarde(ring) dalen⟩ depreciate, devalue
[2]**depreciëren** [ov ww] 1 ⟨de waarde verlagen⟩ depreciate, ⟨officieel devalueren⟩ devalue ♦ *de **euro** is gedeprecieerd* the euro has depreciated 2 ⟨minachten⟩ depreciate, disparage, deprecate, decry
depressie [de^v] 1 ⟨meteo⟩ depression, low, (cyclone) trough 2 ⟨gedrukte gemoedsstemming⟩ depression, low (spirits), melancholy, ⟨med⟩ dysphoria, ⟨inf⟩ blues ♦ *zij **leed aan** ernstige depressies* she suffered from serious depressions/severe bouts of depression; ***postnatale** depressie* postnatal depression; ⟨inf⟩ the baby blues 3 ⟨ec⟩ depression, recession, slump ♦ *de depressie van de **jaren** dertig* the depression of the Thirties
depressief [bn] 1 ⟨m.b.t. gemoedsstemming⟩ depressed, depressive, low, downcast, dejected, heavy(-hearted), ⟨inf⟩ blue 2 ⟨meteo⟩ ⟨alleen attributief⟩ low-pressure
depressiegebied [het] ⟨meteo⟩ area of low pressure, area of depression
depressiviteit [de^v] 1 ⟨toestand⟩ depression 2 ⟨eigenschap⟩ depressive nature
depri [bn] down, ↑depressing, ⟨personen⟩ ↑depressed ♦ *wat een depri **tent** is het hier!* this place/joint is a real downer!; what a depressing place!; *zich depri **voelen*** feel down/depressed
deprimeren [ov ww] depress, deject, ⟨inf⟩ cast/get/drag/weigh down, ⟨beklemmen⟩ oppress, ⟨ontmoedigen⟩ dishearten
deprimerend [bn, bw] depressing ⟨bw: ~ly⟩, ⟨vooruitzicht ook⟩ bleak, ⟨nieuws ook⟩ dispiriting, disheartening, ⟨beklemmend⟩ oppressive
deprivatie [de^v] ⟨psych⟩ deprivation
deprivatiseren [ov ww, ook abs] ⟨pol⟩ deprivatize
deprogrammeren [ov ww] deprogramme, ⟨AE⟩ deprogram ♦ ***ex-sekteleden** deprogrammeren* deprogramme former sect members
dept. [afk], **dep.** [afk] (departement) Dept
deputaat [de^m] deputy, delegate, representative
deputatie [de^v] 1 ⟨het afvaardigen⟩ deputation, deputing, delegation 2 ⟨afvaardiging⟩ deputation, delegation ♦ ⟨in België⟩ ***bestendige** deputatie* provincial council, executive
deputé [de^m] ⟨in België⟩ deputy
deputeren [ov ww] depute, ⟨AE ook⟩ deputize, delegate
[1]**der** [bw] thither, there
[2]**der** [lidw] of (the) ♦ *het boek der **boeken*** the Bible, the (Good) Book; *de koning der **koningen*** the King of Kings
derailleerbalk [de^m] ⟨AE⟩ derail(er), ⟨BE⟩ ± catchpoint
derailleerspoor [het] ± siding(track), ± sidetrack
deraillement [het] derailment
derailleren [onov ww] 1 ⟨ontsporen⟩ be/get derailed, go off the rails/track, run off the rails/track, leave the rails/track, derail, ⟨plotseling⟩ jump the rails ♦ *zij **lieten** de trein derailleren* they derailed the train, ⟨inf⟩ they ditched the train 2 ⟨van de wijs raken⟩ go off the rails 3 ⟨zich verspreken⟩ make a slip of the tongue, slip up, make a Freudian slip
derailleur [de^m] (derailleur) gears ⟨mv⟩
derangeren [ov ww] inconvenience, put out, disturb ♦ *laat ik u niet derangeren* don't let me disturb you, don't let me put you out/to any trouble, I don't want to inconvenience you
derby [de^m] ⟨(voetbal)wedstrijd⟩ local derby

Derby [de^m] ⟨wedstrijd voor driejarige paarden⟩ Derby
derbyschoen [de^m] derby
[1]**derde** [de^m] ⟨buitenstaander⟩ third party/person ◆ *je mag dit niet **aan** derden **verklappen*** you mustn't tell anybody else; *in **aanwezigheid** van derden* in the presence of a third party; *'n derde **hoeft** dit niet **te weten*** this shouldn't go any further, this is strictly between you and me; *aansprakelijkheid **jegens** derden* third-party risk, liability to a third party ▫ ⟨sprw⟩ *als twee honden vechten om een been, loopt de derde ermee heen* two dogs fight for a bone, and a third runs away with it
[2]**derde** [het] 1 ⟨verdelingsgetal⟩ third ◆ *de prijs werd met **een** derde verhoogd* the price was raised by a third; *een derde **liter*** a/one third of a litre; ***twee** derde van de kiezers* two thirds of the voters 2 ⟨kaartsp⟩ run of three
[3]**derde** [de] ⟨derde klas⟩ third ◆ ***in** de derde zitten* be in the third form/class/^{A}grade
[4]**derde** [rangtelw] third ◆ ⟨inf⟩ *het derde **been(tje)*** the third leg; *we hebben een derde **man** nodig* we need a third; *de derde **mei*** the third of May, May (the) third; *de derde **Orde*** the Third Order; *derde **rail*** third rail; *het Derde **Rijk*** the Third Reich; *de derde **stand*** the third/common estate; ***ten** derde* third(ly), in the third place
derdegeneratiepil [de] third-generation pill
derdegraads [bn] third-rate
derdegraadsbevoegdheid [de^v] grade-three teaching qualification
derdegraadsleraar [de^m], **derdegraadslerares** [de^v] non-university trained secondary school teacher, college-of-education trained teacher
derdegraadslerares [de^v] → **derdegraadsleraar**
derdegraadsverbranding [de^v] third-degree burn, tertiary burn
derdegraadsverhoor [het] third degree (interrogation) ◆ *iemand een derdegraadsverhoor **afnemen*** subject s.o. to a third degree (interrogation); ⟨inf; AE⟩ give s.o. the third degree
derdehands [bn] 1 ⟨uit de derde hand⟩ third-hand 2 ⟨van slechte kwaliteit⟩ third-rate, third-class
[1]**derdejaars** [de] third year (student), ⟨AE⟩ junior
[2]**derdejaars** [bn] third-year
derdeklasser [de^m] 1 ⟨voortgezet onderwijs⟩ ⟨BE⟩ third-former, ⟨AE⟩ ± ninth-grader, ⟨AE ook⟩ ± freshman 2 ⟨lager onderwijs⟩ ⟨BE⟩ pupil of the third year, ⟨AE⟩ third-grader
derdelander [de] third-country citizen
derdemachtskromme [de] ⟨wisk⟩ cubic curve
derdemachtsvergelijking [de^v] ⟨wisk⟩ cubic equation
derdemachtswortel [de^m] ⟨wisk⟩ cube root ◆ *de derdemachtswortel **trekken uit*** extract the cube root of/from
derdenbeslag [het] garnishment
derdendaags [bn] tertian ◆ ⟨med⟩ *derdendaagse **koorts*** ⟨na 48 uur terugkerend⟩ tertian fever, ⟨na 72 uur⟩ quartan fever
derdenverzet [het] ⟨in België⟩ third-party proceedings
derdenwerking [de^v] ⟨jur⟩ collateral effect
derderangs [bn] third-rate, third-class
derdewereldland [het] Third World country, developing country
derdewereldwinkel [de^m] Third-World shop, ⟨Groot-Brittannië⟩ ± Oxfam shop
dereguleren [onov ww] deregulate
deregulering [de^v] deregulation
dereguleringsbeleid [het] policy of deregulation
deren [onov ww] 1 ⟨schaden⟩ harm, damage, injure, hurt ◆ *dat zal mij **niet** deren* that won't hurt/harm me 2 ⟨verdriet doen⟩ hurt, upset, pain ◆ *hun afgunst deerde hem **niet*** their envy didn't bother him, he was indifferent to their envy ▫ ⟨sprw⟩ *wat niet weet wat niet deert* what the eye doesn't see the heart doesn't grieve over; ± where ignorance is bliss, 't is folly to be wise
derg. [afk] (dergelijke(n)) → **dergelijk**
dergelijk [aanw vnw] similar, (the) like, such(like) ◆ ***deze** en dergelijke redenen* these and similar/other such reasons; *wijn, bier en dergelijke **dranken*** wine, beer and similar drinks/drinks of that sort; ***en** dergelijke* and the like; ⟨zelfstandig (gebruikt)⟩ ***iets** dergelijks* sth. similar/of the kind/sort; ***iets** dergelijks bestaat bij ons niet* we have nothing like that/of the kind here, there's no such thing here; ***iets** dergelijks heb ik nog nooit meegemaakt* I have never experienced anything like it
derhalve [bw] therefore, so, accordingly, consequently
derivaat [het] 1 ⟨iets dat afgeleid is⟩ derivative 2 ⟨taalk; afgeleide zinsstructuur⟩ derivative 3 ⟨taalk; afgeleid woord⟩ derivative, derivation 4 ⟨scheik⟩ derivative 5 ⟨afgeleid product⟩ derivative
derivatenmarkt [de] derivatives market
derivatie [de^v] 1 ⟨afleiding⟩ derivation 2 ⟨afwijking⟩ deviation 3 ⟨mil⟩ deviation 4 ⟨afgeleide stof⟩ derivative
derivatief [bn] 1 ⟨afleidend⟩ derivative 2 ⟨afgeleid⟩ derived
dermate [bw] so (much), to such an extent, to such a degree, such (that) ◆ *hij was dermate **opgewonden,** dat ...* he was so excited that ...
dermatitis [de^v] ⟨med⟩ dermatitis
dermatografie [de^v] dermatography
dermatologe [de^v] → **dermatoloog**
dermatologie [de^v] ⟨med⟩ dermatology
dermatologisch [bn] dermatologic(al)
dermatoloog [de^m], **dermatologe** [de^v] dermatologist
dermatoplastiek [de^v] dermatoplasty
dernier cri [de^m] (the) dernier cri, (the) latest fashion
derny [de] ⟨sport⟩ derny, motorcycle ◆ *wedstrijd **achter** derny's* motor-paced race
derrie [de] 1 ⟨grondsoort⟩ peat 2 ⟨blubber⟩ muck, goo ◆ *pas op, trap niet **in** die derrie* be careful, don't step in that muck 3 ⟨stront⟩ muck, ↓shit, ↓crap
derrière [de] behind, buttocks, bottom, posterior
[1]**dertien** [hoofdtelw] thirteen ◆ *dertien **is** een ongeluksgetal* thirteen is an unlucky number; *zij zijn **met** hun dertienen* there are thirteen of them, they are thirteen; *nog dertien **nachtjes slapen*** (in) just two (more) weeks/two weeks' time, in a fortnight; *hij **wordt** dertien vandaag* he is/will be thirteen today, it is his thirteenth birthday today; *zo gaan er dertien in een dozijn* ⟨BE⟩ they are ten/two a penny, ⟨AE⟩ they are a dime a dozen
[2]**dertien** [rangtelw] thirteen(th) ◆ ***aflevering** dertien* issue no thirteen, (the) thirteenth instalment/number; *dertien **augustus*** the thirteenth of August, August (the) thirteenth ▫ *hij is er **nummer** dertien* he is the odd man out
[1]**dertiende** [het] thirteenth ◆ *een en **een** dertiende* one and a/one thirteenth; *een dertiende **kilo*** one thirteenth of a kilo
[2]**dertiende** [rangtelw] thirteenth ◆ *Lodewijk **de** Dertiende* Louis the Thirteenth; *vandaag is het **de** dertiende* it is the thirteenth today, today is the thirteenth; *een dertiende **maand*** an annual bonus, a Christmas bonus; *het dertiende **vers*** verse thirteen, the thirteenth verse; *hij liep weg op **zijn** dertiende* he ran away when he was thirteen
[1]**dertig** [hoofdtelw] thirty ◆ *september heeft dertig **dagen*** September has thirty days; *vorige week **is** hij dertig **geworden*** he was/turned thirty/it was his thirtieth birthday last week
[2]**dertig** [rangtelw] thirty, thirtieth ◆ *dertig **april*** the thirtieth of April, April (the) thirtieth; ***bladzijde** dertig* page thirty; *hij is **in** de dertig* he is in his thirties; *zij is ver/diep **in** de dertig* she is well into her thirties/pushing forty; *in de **jaren** dertig* in the Thirties; *zij is **rond** de dertig* she is thirty-ish

dertiger [de^{m}] s.o. in his/her thirties ◆ *hij is een goede dertiger* he is well into his thirties

dertigjarig [bn] [1] ⟨dertig jaren durend⟩ thirty year(s)/years' ◆ *de Dertigjarige **Oorlog*** The Thirty Years(') War [2] ⟨dertig jaar oud⟩ thirty-year-old ◆ *een dertigjarige* a thirty-year-old

^{1}**dertigste** [het] thirtieth ◆ *een dertigste uur* a thirtieth of an hour; *zes dertigste is gelijk aan een vijfde* six thirtieths equals/is one fifth

^{2}**dertigste** [rangtelw] thirtieth ◆ *vandaag is het **de** dertigste* it is the thirtieth (of the month) today, today is the thirtieth; *de dertigste gele **kaart** van het seizoen* the thirtieth yellow card of the season

dertigtal [het] ⟨ongeveer dertig⟩ about/approximately/roughly thirty, thirty or so, ⟨dertig⟩ thirty

derven [ov ww] [1] ⟨ontberen⟩ lack, be deprived of, (have to) do/go without, forgo [2] ⟨mislopen⟩ lose, miss ◆ ***inkomsten** derven* lose income [3] ⟨in België; zich onthouden van⟩ abstain from

derving [de^{v}] [1] ⟨gemis⟩ lack, loss, (de)privation [2] ⟨ec⟩ loss

derwaarts [bw] ⟨form⟩ thither(ward(s)) ◆ ***her-** en derwaarts* hither and thither/yon

derwisj [de^{m}] dervish

^{1}**des** [de^{m}] ⟨med⟩ (di-ethylstilbestrol) DES

^{2}**des** [de] ⟨muz⟩ D flat

^{3}**des** [bw] ⟨vero, behalve in uitdrukkingen⟩ wherefore, on that/which count [•] *des te beter* (all) the/so much the better; *des te erger* (all) the/so much the worse, more's the pity; *des te meer omdat* all the more/the more so because; *des te meer reden* (all) the more reason; *des **te** gemakkelijker naarmate ...* (all) the easier/more easily as ..., the more ..., the easier/more easily; *ik zal er des **te** beter om slapen* I will sleep (all) the better for it; *dan kunnen we des **te** eerder komen* then we can come all the sooner; *hoe meer mensen er komen, des **te** beter ik me voel* the more people come, the better I feel

^{4}**des** [lidw] of (the), (the) ...'s ◆ *de heer des **huizes*** the master of the house; ⟨van landhuis, anders scherts⟩ the lord of the manor; *de vrouw des **huizes*** the lady/mistress of the house; ***'s ochtends*** in the morning

desa [de] dessa

desacraliseren [ov ww] desecrate, profane, unhallow

desaggregatie [de^{v}] disintegration

desalniettemin [bw] nevertheless, nonetheless, just the same, in spite of this/that, for all that, ↑ notwithstanding

desapproberen [ov ww] disapprove of

desastreus [bn, bw] disastrous ⟨bw: ~ly⟩, calamitous ◆ *de wedstrijd **verliep** desastreus* the match turned into a disaster/was a débâcle/became a rout

desavoueren [ov ww] repudiate, ⟨belofte⟩ disavow, deny, ⟨verantwoordelijkheid⟩ disclaim, ⟨afzweren, onterven⟩ disown

desbetreffend [bn] relevant, appropriate, ⟨woorden, daden⟩ to that effect, ⟨betreffende een of elk van een aantal⟩ respective ◆ *de desbetreffende **afdelingen*** the departments concerned/in question; *desbetreffende **maatregelen*** appropriate measures, measures to that effect; *een desbetreffend **voorstel*** a relevant suggestion, a suggestion to that effect

descendant [de^{m}] ⟨astrol⟩ descendant, descendent

descendent [de^{m}] descendant

descendentie [de^{v}] descent

descriptie [de^{v}] description

descriptief [bn, bw] descriptive ⟨bw: ~ly⟩ ◆ *descriptieve **grammatica/taalkunde*** descriptive grammar/linguistics; *de descriptieve **methode*** the descriptive method

descriptor [de^{m}] [1] ⟨persoon⟩ describer [2] ⟨comp⟩ descriptor

desdochter [de^{v}] DES daughter

desegregatie [de^{v}] desegregation

desem [de^{m}] leaven, ⟨AE⟩ sourdough

desensibilisatie [de^{v}] ⟨med⟩ desensitization

desensibilisator [de^{m}] ⟨foto⟩ desensitizer

desensibiliseren [ov ww] desensitize

desensitisatie [de^{v}] ⟨psych⟩ densensitization

deserteren [onov ww] [1] ⟨mil, scheepv; weglopen⟩ desert ◆ ***uit** het leger deserteren* desert (the army); ***van** het schip deserteren* jump ship, desert one's ship [2] ⟨overlopen⟩ defect (to), desert (to), go over (to)

deserteur [de^{m}] deserter

desertie [de^{v}] [1] ⟨daad⟩ desertion [2] ⟨geval⟩ desertion

desespereren [onov ww] despair, give up (all) hope, lose (all) hope

desgelijks [bw] likewise, similarly, ↓ in the same way

desgevallend [bw] ⟨in België⟩ if need be, if necessary

desgevraagd [bw] if required/requested ◆ *desgevraagd **deelde** zij **mee*** on being asked, she declared

desgewenst [bw] if required, if (so) desired ◆ *wij zouden, desgewenst, die informatie kunnen **verschaffen*** we could supply that information if desired/if you should (so) desire

desideratum [het] desideratum

design [het] design, ⟨in samenstellingen⟩ designer ◆ ***computer aided** design* computer-aided design; ***designjeans*** designer jeans

designatie [de^{v}] designation, nomination, appointment

designer [de] designer

designerbaby [de^{m}] designer baby

designerdrug [de^{m}] designer drug

designeren [ov ww] designate ◆ *gedesigneerde **voorzitter*** chairman designate

desillusie [de^{v}] disillusion, ⟨inf⟩ letdown, flop, ⟨gemoedstoestand⟩ disillusionment, disenchantment

desillusioneren [ov ww] disillusion, disenchant

desinfectans [het] disinfectant

desinfecteermiddel [het] disinfectant

desinfecteren [ov ww] disinfect, ⟨tegen gifgas/radioactiviteit⟩ decontaminate, ⟨uitroken⟩ fumigate ◆ *een **huis** desinfecteren* disinfect/fumigate a house; *een **wond** desinfecteren* disinfect/cleanse a wound

desinfectie [de^{v}] disinfection, decontamination, ⟨door uitroken⟩ fumigation

desinformatie [de^{v}] disinformation

desintegratie [de^{v}] disintegration, decomposition

desintegreren [onov ww] disintegrate, decompose, crumble, break up

desinteresse [de^{v}] lack of interest ◆ *blijk geven van desinteresse* show little interest; *desinteresse aan de dag leggen* show little interest

desinvesteren [onov ww] disinvest

desinvestering [de^{v}] disinvestment

desisteren [onov ww] ⟨jur⟩ drop (charges), desist, restrain

desk [de^{m}] desk

desknote [de^{m}] desknote

deskoperator [de^{m}] desk operator

deskresearch [de^{m}] desk research

desktop [de^{m}] [1] ⟨desktopcomputer⟩ desktop (computer) [2] ⟨bureaublad⟩ desktop

desktopcomputer [de^{m}] desktop computer

desktoppublishing [de] ⟨comp⟩ desktop publishing

deskundig [bn, bw] [1] ⟨vakbekwaam⟩ expert (in/at) ⟨bw: expertly⟩, professional ◆ *deskundig **afhandelen*** ⟨ook⟩ make a professional job (of); *ik **ben** niet ter zake deskundig* I'm no expert on/not competent to deal with these matters, I don't know enough about such things; *een deskundig **onderzoek*** an expert/a professional enquiry/examination; *zij is zeer deskundig **op** het gebied van* she's an authority on/an

expert in, she's very expert in/at [2] ⟨van kennis blijk gevend⟩ expert (in/at) ⟨bw: expertly⟩, professional ♦ *een deskundig **advies/oordeel** geven* give expert advice/an expert judgement; *een zaak deskundig **beoordelen*** judge a matter expertly; *deskundige **beschouwingen*** expert opinions
deskundige [de] expert (in/at), authority (on), specialist (in), ⟨vaak iron⟩ pundit, ⟨AE⟩ maven, ⟨bij examen⟩ exam specialist, external examiner ♦ ***commissie** van deskundigen* panel of experts
deskundigheid [de^{v}] expertise, professionalism, know-how ♦ *zijn **grote** deskundigheid op dit gebied* his great expertise/outstanding ability in this field
deskundologie [de^{v}] ⟨scherts⟩ ± cant, ± blinding with science, ⟨als verzamelnaam⟩ ologies and isms
deskundoloog [de^{m}] ⟨scherts⟩ ± so-called/self-styled expert, ± pundit, ± guru
desniettegenstaande [bw] nonetheless, nevertheless
desnoods [bw] [1] ⟨zo nodig⟩ if need be, if necessary [2] ⟨in het uiterste geval⟩ in an emergency, ⟨inf⟩ at a pinch, if it comes to the worst, if the worst comes to the worst [3] ⟨voor mijn part⟩ as far as I'm concerned, for my part
desobstructie [de^{v}] ⟨med⟩ desobstruction
desolaat [bn] [1] ⟨troosteloos⟩ desolate, ⟨streek, toestand⟩ dismal, bleak, disconsolate [2] ⟨diepbedroefd⟩ desolate, despondent, dejected, forlorn, wretched [3] ⟨verwaarloosd⟩ desolate, ruinous, dilapidated ♦ *een desolate **boedel*** an abandoned/insolvent estate
desondanks [bw] in spite of this, in spite of (all) that, all the same, for all that, nevertheless ♦ *er dreigde regen, desondanks **gingen** wij **uit*** it was threatening to rain, but we went out regardless; *desondanks **protesteerde** hij niet* he did not protest for all that, in spite of all that he did not protest
desorganisatie [de^{v}] [1] ⟨ontbinding⟩ decomposition, decay, disintegration [2] ⟨fig; chaos⟩ disorganisation, confusion, disarray, ⟨inf⟩ muddle
desoriëntatie [de^{v}] [1] ⟨m.b.t. koers⟩ disorientation [2] ⟨verwarring⟩ disorientation
desoriënteren [ov ww] [1] ⟨uit de koers brengen⟩ disorient(ate), ⟨AE alleen⟩ disorient ♦ *gedesoriënteerd **raken*** ⟨ook fig⟩ lose one's bearings, get disorient(at)ed; ⟨fig ook⟩ be thrown [2] ⟨van zijn stuk brengen⟩ disorient(ate), ⟨AE alleen⟩ disorient
desoxidatie [de^{v}] ⟨scheik⟩ deoxidation
desoxyribonucleïnezuur [het] ⟨biochem⟩ deoxyribonucleic acid
desperaat [bn, bw] desperate ⟨bw: ~ly⟩, driven to desperation
desperado [de^{m}] desperado
despoot [de^{m}] [1] ⟨dictator⟩ despot, autocrat ♦ *een **verlicht** despoot* an enlightened/a benevolent despot [2] ⟨heerszuchtig persoon⟩ despot, tyrant ♦ *zijn vader is een **echte** despoot* his father is a right tyrant
despotisch [bn, bw] despotic ⟨bw: ~ally⟩, autocratic, tyrannical ♦ *despotisch **optreden*** act autocratically
despotisme [het] despotism
dessert [het] [1] ⟨nagerecht⟩ dessert, sweet, ⟨vnl BE⟩ pudding, ⟨inf; BE⟩ afters ♦ *wat **wil** je als dessert?* what would you like for dessert?; ⟨inf; BE⟩ what do you want for afters/pud? [2] ⟨laatste deel van een diner⟩ dessert, sweet (course) ♦ ***aan** het dessert zitten* sit down to dessert/the sweet course
dessertbord [het] dessertplate, puddingplate, dessertdish, puddingdish
dessertijs [het] ice cream dessert
dessertkaart [de] dessert menu
dessertlepel [de^{m}] dessertspoon
dessertwijn [de^{m}] dessert wine
dessin [het] design, pattern ♦ *stoffen **in** gebloemde dessins* materials in floral designs/patterns; *stoffen **in** geruite/gestreepte dessins* materials in check/striped patterns
dessineren [ov ww] design (with)
dessous [de^{m}] [1] ⟨(dames)ondergoed⟩ underwear, undergarments, lingerie [2] ⟨geheime beweegreden⟩ ulterior motive(s)
destabilisatie [de^{v}] destabilization
destabiliseren [ov ww, ook abs] destabilize
destalinisatie [de^{v}] ⟨pol⟩ destalinization
destaliniseren [ov ww] ⟨pol⟩ destalinize
destijds [bw] at the/that time, then, in those days ♦ *Zoetermeer, destijds nog een **dorp*** Zoetermeer, at that time still a village; *de destijds **genomen** beslissing* the decision then taken/taken at the time; *destijds de **hoofdstad** van het land* the then capital; *toen wij het huis destijds **huurden*** at the time we rented the house
destinatie [de^{v}] [1] ⟨lot⟩ destiny, fate, lot [2] ⟨plaats van bestemming⟩ destination
destineren [ov ww] destine, ⟨inf⟩ earmark
destroyer [de^{m}] destroyer
destructie [de^{v}] [1] ⟨vernietiging⟩ destruction [2] ⟨scheik⟩ decomposition
destructiebedrijf [het] carcass destructor plant
destructief [bn, bw] destructive ⟨bw: ~ly⟩ ♦ *een destructieve **natuur*** a destructive nature
destructor [de^{m}] destructor ⟨ook luchtvaart⟩
desverlangd [bw] if required, if (so) desired
deswege [bw] ⟨form⟩ hence, on that account, therefore
detachement [het] detachment, contingent, draft, detail, squad ♦ ⟨fig⟩ *een detachement **schoonmakers*** a contingent/band of cleaners, a clean-up crew
detacheren [ov ww] [1] ⟨elders te werk stellen⟩ ⟨BE⟩ second, send on secondment [2] ⟨m.b.t. een militair⟩ attach (to), ⟨BE⟩ second, draft (off) (to), post (to), ⟨voor bepaalde taak⟩ detail (to) [3] ⟨m.b.t. troepenonderdelen⟩ detach (to), quarter (in), draft (off) (to), post (to), detail (to) ♦ *de troepen worden nu **in** een andere stad gedetacheerd* the troops are now being quartered into another town
detachering [de^{v}] [1] ⟨tewerkstelling⟩ posting (to), ⟨m.b.t. leraar ook; BE⟩ secondment (to) [2] ⟨m.b.t. een militair⟩ posting (to), ⟨BE⟩ secondment (to) [3] ⟨m.b.t. troepenonderdelen⟩ detachment (to), dispatching (to)
detacheur [de^{m}] dry cleaner
detail [het] [1] ⟨bijzonderheid⟩ detail, particular, ⟨mv⟩ specifics, minutiae ♦ ***alle** details geven* give chapter and verse; ⟨inf; BE⟩ give all the gen, ⟨BE⟩ give full details; ***alle** details van het plan* ⟨ook⟩ the facts and figures of the plan; ***in** details treden* go/enter into detail(s), elaborate (on); *(iets) **in** detail onderzoeken* scrutinize (sth.), investigate (sth.) in detail; *(iets) **in** detail(s) bespreken* discuss (sth.) in detail; *(iets) **in** detail(s) vertellen* elaborate (on sth.), relate (sth.) in detail; ***op** de details ingaan* go into detail(s); ***tot in** de details* minutely, down to the last/smallest detail, in great detail, to the letter [2] ⟨kleinhandel⟩ retail ♦ *verkoop en détail* retail trade, retailing [3] ⟨kleinigheid⟩ trifle, ⟨mv⟩ trivia
detailfoto [de] close-up, detail (picture), ⟨bij grotere foto⟩ inset, ⟨vergroting van detail⟩ blow-up, ⟨m.b.t. microscoop⟩ photomicrograph
detailhandel [de^{m}] retail trade, ⟨BE⟩ high-street trading/sales, ⟨winkel⟩ retail business/shop/^{A}store
detailkaart [de] ⟨geneeskunde; verslechtering, achteruitgang⟩ detailed map
detailkritiek [de^{v}] detailed criticism, minute criticism, ⟨lit⟩ close reading
detailkwestie [de^{v}] matter/point/question of detail
detailleren [ov ww] [1] ⟨in bijzonderheden beschrijven, afbeelden⟩ specify, elaborate (on), detail, ⟨op lijst⟩ list, enumerate ♦ *een gedetailleerde **beschrijving/tekening*** a detail(ed) description/drawing; *een gedetailleerde **rekening*** an itemised account [2] ⟨in details tekenen⟩ draw in detail, make a detailed plan (of) ♦ *een **machine** detailleren* make a

detail(ed) plan/diagram of a machine
detaillist [de^m] retail trader/dealer, retailer
detailonderzoek [het] detailed examination, (close) scrutiny, inquiry/examination in detail
detailopname [de] close-up (picture/shot), detail
detailprijs [de^m] retail price
detailstudie [de^v] ① ⟨studie van de bijzonderheden⟩ detailed study, scrutiny ② ⟨tekening⟩ study in detail, detail drawing
detailtekening [de^v] detail(ed) drawing
detailverkoop [de^m] retail sale, sale by/at/in retail
detecteren [ov ww] ⟨in België⟩ detect, discover
detectie [de^v] detection
detectiepoort [de] security gate, metal detector
detective [de^m] ① ⟨persoon⟩ detective, ↓ sleuth, ⟨sl⟩ tec ♦ *iemands gangen laten **nagaan** door een detective* have s.o.'s movements checked (out) by a detective; ***particulier** detective* private detective/investigator; ⟨inf⟩ private eye, ⟨AE⟩ PI; *iemand laten **volgen** door een detective* have s.o. tailed/shadowed/followed by a detective ② ⟨verhaal⟩ detective/crime story, detective/crime novel, ⟨inf⟩ whodunit
detectiveserie [de^v] detective/crime series
detectiveverhaal [het] detective/crime story, ⟨inf⟩ whodunnit
detector [de^m] detector, ⟨radio⟩ rectifier
detectorvliegtuig [het] detector aircraft/plane, early-warning aircraft/plane
detente [de^v] ⟨pol⟩ détente
detentie [de^v] ⟨jur⟩ ① ⟨hechtenis⟩ detention, arrest, custody ♦ ***in** detentie* ⟨ook⟩ on remand; ***militaire** detentie* military detention/arrest ② ⟨houderschap⟩ mediate possession, de facto possession, custody, (physical) detention
detergens [het] detergent
deterioratie [de^v] ① ⟨geneeskunde; verslechtering, achteruitgang⟩ deterioration ② ⟨geestelijke aftakeling⟩ deterioration
determinant [de^m] ① ⟨bepalende factor⟩ determinant, deciding/decisive factor, deciding/decisive element ② ⟨wisk⟩ determinant
determinatie [de^v] ① ⟨bepaling⟩ determination, establishment, ⟨plantk⟩ identification ② ⟨filos⟩ determination
determinatief [bn] ⟨taalk⟩ ① ⟨bepalend⟩ determinative, defining ② ⟨bepalingaankondigend⟩ determinative, conclusive
determinator [de^m] determiner
determineerklas [de^v] orientation year, ⟨Groot-Brittannië⟩ ± first form (of secondary school), ⟨USA⟩ ± junior high school
determineren [ov ww] ① ⟨bepalen⟩ determine, establish ② ⟨biol⟩ identify, ⟨scheikundige stof⟩ fingerprint ③ ⟨filos⟩ determine
determinisme [het] ⟨filos⟩ determinism
determinist [de^m] determinist
deterministisch [bn] deterministic ♦ *een deterministische **levensvisie*** a deterministic view of life
detestabel [bn] detestable, loathesome, abhorrent
detineren [ov ww] detain, remand in custody ♦ ***in** Scheveningen gedetineerd zijn* be remanded/on remand in Scheveningen (prison)
detonatie [de^v] ① ⟨ontploffing⟩ detonation, explosion, blast ② ⟨m.b.t. motoren⟩ detonation, premature combustion ③ ⟨muz⟩ ⟨ook fig⟩ false note, going out of tune, going off key
detonator [de^m] detonator
detoneren [onov ww] ① ⟨muz⟩ be out of tune, be off key ♦ ***het** detoneert* it is out of tune, it's going out of tune ② ⟨fig; uit de toon vallen⟩ be out of tune, strike a false note, clash ♦ *het gebouw detoneert **met** de omgeving* the building is out of tune with/clashes with its surroundings ③ ⟨ontploffen⟩ detonate, explode, blow up
deuce [het] deuce
deugd [de] ① ⟨het zedelijk goed zijn⟩ virtuousness, morality, ⟨vnl. m.b.t. vrouw⟩ chastity ♦ *in alle **eer** en deugd* in all decency ② ⟨eigenschap⟩ virtue, merit, grace ♦ *met al zijn deugden en **gebreken*** with all his/its faults and virtues/pros and cons; ⟨rel⟩ ***goddelijke/theologische** deugden* Christian/divine virtues; *naastenliefde is de **hoogste** deugd* love of one's neighbour is the highest virtue; *dapperheid is niet zijn **sterkste** deugd* bravery is not his chief/greatest virtue/asset ③ ⟨iets goeds⟩ virtue, merit ⊡ ⟨in België⟩ *deugd aan iets **beleven*** enjoy sth., get enjoyment/pleasure out of sth.; *dat **doet** me deugd* that does me (a power of) good, I'm pleased to hear it; ***lieve** deugd* my goodness, goodness me/gracious, gracious me; ⟨scherts⟩ *de deugd in 't midden* ± piggy in the middle; ⟨sprw⟩ *deugd beloont zichzelf* virtue is its own reward
deugddoend [bn] ⟨in België⟩ enjoyable, pleasant, beneficent
^{1}**deugdelijk** [bn] ① ⟨aan alle vereisten voldoend⟩ sound, ⟨mechanisme⟩ reliable, ⟨tegenover snelslijtend⟩ durable, hard-wearing ♦ *iets in deugdelijke **staat** houden* maintain/keep sth. in good condition, in good/proper working order; *een deugdelijke **uitvoering*** a sound performance ② ⟨van goede kwaliteit⟩ sound, good
^{2}**deugdelijk** [bw] ① ⟨goed⟩ well, thoroughly ♦ *zijn werk deugdelijk **verrichten*** do one's/the job well/thoroughly/properly ② ⟨grondig⟩ thoroughly ♦ *dit is deugdelijk **bewezen*** this has been proved beyond doubt
deugdelijkheid [de^v] ① ⟨goede kwaliteit⟩ soundness, good quality, ⟨van mechanisme⟩ reliability, ⟨tegenover snelle slijtage⟩ durability ♦ ⟨scheepv⟩ ***certificaat** van deugdelijkheid* certificate of seaworthiness ② ⟨gegrondheid⟩ soundness, validity
deugdenethiek [de^v] virtue ethics
deugdzaam [bn, bw] virtuous ⟨bw: ~ly⟩, good, upright, honest ♦ *deugdzaam **leven*** lead a virtuous/an upright/honest life; *een deugdzaam **meisje*** a virtuous/good girl
deugdzaamheid [de^v] virtuousness, uprightness, honesty
deugen [onov ww; voornamelijk met ontkenning gebruikt] ① ⟨met ontkenning: niet braaf zijn⟩ be no good, be good for nothing, be a bad lot ♦ *die jongen **heeft** nooit **willen** deugen* that boy has always been a bad lot/sort; *hij deugt voor geen cent* he's a thoroughly bad lot ② ⟨met ontkenning: niet geschikt zijn⟩ be wrong/unsuitable/unfit, not be right/suitable/fit ♦ *nergens **voor** deugen* be no good for anything; *die man deugt niet **voor** zijn werk* that man's no good at his job; *hij deugt niet **voor** journalist, als journalist deugt hij niet* he's a bad/hopeless journalist, he's no good as a journalist ③ ⟨met ontkenning: niet in orde zijn⟩ be no good, ⟨werk⟩ be bad, ⟨berekening⟩ be wrong, not be right, ⟨argument⟩ not be valid/sound, not hold water ♦ *geloof je werkelijk dat dit **essay** deugt?* you don't really think this essay's any good, do you?; *het is niet **goed** of het deugt niet* ± some people are never satisfied, ± you can't win, it's a no-win situation; *die **oplossing** deugt niet* that's no solution/answer
deugeniet [de^m] ⟨in België⟩ good-for-nothing
deugniet [de^m] ① ⟨slecht mens⟩ good-for-nothing, ne'er-do-well ♦ *een **grote** deugniet* a real bad lot ② ⟨ondeugende jongen⟩ rogue, rascal, scoundrel ♦ *een **onverbeterlijke** deugniet* an incorrigible rogue ③ ⟨scherts; rakker⟩ rascal, scamp, scallywag, rogue ♦ *jij, **(kleine)** deugniet* you (little) rascal/scamp/scallywag/rogue
deuk [de] ① ⟨bluts⟩ dent ♦ *die auto zit **vol** deuken* that car is covered in dents/dented all over ② ⟨fig; knauw⟩ blow, shock ♦ *zijn zelfvertrouwen heeft een **flinke** deuk gekregen* his self-confidence took a terrible knock; *zijn naam/reputatie heeft een **lelijke** deuk gekregen* his name/reputation has been badly damaged ③ ⟨inf; lachstuip⟩ fit ♦ *we lagen **in** een deuk*

we were in fits/stitches ▫ *hij kan nog geen deuk in een pakje boter **schieten*** ⟨BE⟩ he couldn't organize a piss-up in a brewery, ⟨AE⟩ he couldn't fight his way out of a bag
deukdij [de] lipoatrophia semicircularis
deuken [ov ww] dent, ⟨fig⟩ damage, injure
deukhoed [de^m] Homburg (hat), trilby (hat), ⟨AE⟩ fedora
deun [de^m] 1 ⟨wijsje⟩ tune, air, ⟨liedje⟩ song, ditty 2 ⟨afgezaagde wijs⟩ well-worn/hackneyed tune ♦ *hij zingt altijd **dezelfde** deun* ⟨fig⟩ he's always harping on the same subject/going on about the same thing
deuntje [het] tune, ⟨liedje⟩ song, ditty ♦ *een **eentonig** deuntje* a monotonous tune, a tuneless song; *een deuntje **fluiten*** whistle a little tune; *deuntjes **spelen*** play simple/little tunes; *dat deuntje **zit** al de hele middag in mijn hoofd* that tune's been going round and round in my head all afternoon
deur [de] door ♦ ***aan** de deur kloppen* knock at/on the door; ***aan** de deur wordt niet gekocht!* no hawkers!; *er is iemand voor je **aan** de deur geweest* there was s.o. at the door for you; *vroeger kwam de bakker bij ons **aan** de deur* the baker used to call at the house; *ik heb wel een stok **achter** de deur nodig* I (do) need an incentive; ***buiten** de deur eten* eat out; ⟨fig⟩ *de deur voor iemands neus **dichtdoen/gooien*** shut/slam the door in s.o.'s face; *de deur achter zich **dichttrekken*** shut/close the door behind one, pull the door to behind one; *een **dubbele** deur* double doors; *de schoenen **gaan** voor een habbekrats de deur **uit** in die winkel* shoes are going for a song at that shop; *zo **gek** als een deur* as mad as a hatter/March hare, as crazy as a loon; *met/achter **gesloten** deuren* behind closed doors, in private; ⟨jur⟩ in camera; *voor een **gesloten** deur komen* find no-one at home/in; *een **halve/glazen** deur* a half/glass door; ***in** de deur staan* stand at the door, stand in the doorway; *hij **is** net de deur **uitgegaan*** you've just missed him, he's just walked out of the door, he's just gone out; ⟨fig⟩ *de deur op een **kier** zetten* leave the question/door open, leave a window of opportunity open; *jij **komt** de deur niet meer **in*** you shan't enter my house again; *zij **komt** de deur niet meer **uit*** she never goes out any more, she never darkens the door; *met iets **langs** de deuren gaan* sell sth. door-to-door; ***met** de deuren gooien* slam the doors; ⟨fig⟩ ***met** de deur in huis vallen* come straight to the point/out with it, not beat about the bush; *dat is niet bepaald **naast** de deur* that isn't exactly on the doorstep/running in and out; *een zitting met **open** deuren* an open/a public session; ⟨ec⟩ *de politiek van de **open** deur* an/the open door policy; ⟨fig⟩ ***open** deuren inlopen/intrappen* state the obvious, labour an obvious point; *de deur **open laten/dichtgooien** voor onderhandelingen* open the door for negotiations; close the door to negotiations; ⟨fig⟩ *de deur ((wagen)wijd) **openzetten** voor knoeierijen* leave the door (wide) open/open the door (wide) to corruption; *de deuren van een **sluis*** the gates of a lock; ⟨fig⟩ *de deuren **sluiten*** ⟨voorgoed stoppen⟩ close down, fold up, go out of business; ⟨fig⟩ *bij ons **staat** de deur altijd **open*** our door is always open; *zijn vinger/sjaal kwam **tussen** de deur* his finger/scarf got trapped in the door; *hij is de deur **uit*** he's gone out; ⟨voorgoed⟩ he's left home; *ik mag voorlopig de deur niet **uit*** I'm confined to the house at the moment/for the time being; *iemand de deur **uit krijgen/werken*** get rid of s.o.; *het is wel stil nu de kinderen de deur **uit** zijn* it's quiet now the children are off my/our hands; *de deur **uitgaan/openen/sluiten*** go out of/open/shut, close the door; *zijn de folders de deur al **uit(gegaan)**?* have the leaflets been sent out yet?; *iemand de deur **uitzetten**/buiten de deur **zetten*** throw/turn s.o. out of the house; *hij gaat **van** deur **tot** deur* he goes from door to door; *ze wonen een paar deuren **verder*** they live a few doors away; *auto met **vijfde** deur* hatchback; ⟨fig⟩ *zij **vliegen** de deur **uit*** they're selling like hot cakes, they're being snapped up; they'll sell like hot cakes, they'll be snapped up; *de winter staat **voor** de deur* winter is almost here, it's almost/it will soon be winter; *veranderingen die **voor** de deur staan* forthcoming changes; *iemand (het gat van) de deur **wijzen*** ⟨fig⟩ show s.o. the door; ⟨fig⟩ *bij iemand de deur platlopen* wear out s.o.'s doorstep, always be knocking on s.o.'s door; *daar is (het gat van) de deur!* there's the door! ▫ *dat **doet** de deur **dicht*** that does it, that (just about) puts the lid on it, that's the limit/it; ⟨sprw⟩ *als de armoe de deur in komt, vliegt de liefde 't venster uit* when poverty/the wolf comes in at the door, love flies/leaps/creeps out of the window; ⟨sprw⟩ *gekken en dwazen schrijven hun namen op deuren en glazen* a white wall is a fool's paper; ⟨sprw⟩ *geld doet alle deuren open* a golden key opens every door; ± money makes the world go round
deurbel [de] doorbell
deurbeleid [het] door policy
deurbeslag [het] door furniture/fittings
deurbuffer [de^m] door protector
deurcontact [het] door switch
deurdranger [de^m] door-spring
deurenkomedie [de^v] ⟨in België⟩ slapstick comedy
deurketting [de] door-chain
deurklink [de] → **deurkruk**
deurklopper [de^m] (door) knocker, rapper
deurknip [de] door catch, latch, door bolt
deurknop [de^m] doorknob
deurkruk [de], **deurklink** [de] doorhandle ♦ ⟨fig⟩ *hij kan uren **met** de deurkruk in zijn handen staan* he can stand and talk for hours
deurlijst [de] doorcase, casing
deurmat [de] doormat ♦ *iemand **op** de deurmat laten staan* ⟨fig⟩ keep s.o. standing on the doorstep
deuropening [de^v] doorway ♦ ***door** de deuropening verdwijnen* vanish through the doorway; *plotseling stond hij **in** de deuropening* suddenly he was standing in the doorway
deurplaat [de] 1 ⟨plaatje voor sleutelgat⟩ finger-plate 2 ⟨naamplaat⟩ doorplate
deurpost [de^m], **deurstijl** [de^m] doorpost, (door)jamb
deurraampje [het] window in a door, ⟨aan balie⟩ wicket
deurspion [de^m] spy-hole, peephole
deurstijl [de^m] → **deurpost**
deurtelefoon [de^m] intercom
deurvanger [de^m] doorstop
deurveer [de] door-spring
deurvergrendeling [de^v] ▫ ***centrale** deurvergrendeling* central locking (system)
deurvleugel [de^m] leaf, door
deurwaarder [de^m] 1 ⟨gerechtelijk ambtenaar⟩ process server, bailiff, ⟨ordehandhaver in de rechtszaal⟩ usher ♦ *zijn vorderingen **met** een deurwaarder halen* send in the bailiffs; *een deurwaarder **sturen*** serve a writ 2 ⟨belastingambtenaar⟩ bailiff
deurwaardersexploot [het] writ, ⟨dagvaarding⟩ (writ of) summons ♦ *iemand een deurwaardersexploot **betekenen*** serve a writ on s.o.; ⟨dagvaarding⟩ summons s.o.; ***bij/per** deurwaardersexploot* by means of a writ/summons
deus ex machina [de^m] 1 ⟨gesch, dram⟩ deus ex machina 2 ⟨redder in de nood⟩ deus ex machina
deuterium [het] ⟨scheik⟩ deuterium
deuteron [het] ⟨scheik⟩ deuteron
Deuteronomium [het] ⟨Bijb⟩ Deuteronomy
deuvel [de^m] dowel (pin)
deuvik [de^m] 1 ⟨deuvel⟩ dowel (pin) 2 ⟨afsluiter van een vat⟩ spigot
deux-chevaux [de^m] 2 cv
deux-pièces [het, de] two-piece, ⟨minder gebruikelijk⟩ costume
devaluatie [de^v] ⟨ook fig⟩ devaluation
[1]**devalueren** [onov ww] 1 ⟨fin⟩ devalue 2 ⟨fig; verminderen⟩ become devalued ♦ *de betekenis van het festival is **sterk** gedevalueerd* the festival has become greatly devalued
[2]**devalueren** [ov ww] ⟨fin⟩ devalue ♦ *de yen **is** 8 % gedevalu-*

eerd the yen has been devalued by 8 %

developpé [de^{m}] developpé

[1]**deverbatief** [het] deverbative

[2]**deverbatief** [bn] deverbative

devesteren [ov ww] ⟨r-k⟩ unfrock, defrock

devestituur [de^{v}] ⟨r-k⟩ unfrocking, defrocking

[1]**deviant** [de^{m}] ⟨persoon⟩ deviant

[2]**deviant** [de] ⟨vorm⟩ deviant

[3]**deviant** [bn, bw] deviant ♦ *deviant **gedrag*** deviant behaviour

deviatie [de^{v}] 1 ⟨astron, natuurk⟩ deviation (from), ⟨van kompasnaald ook⟩ deflection 2 ⟨koersverandering⟩ deviation 3 ⟨med⟩ ⟨alg⟩ deviation, ⟨m.b.t. oogbol⟩ strabismus 4 ⟨m.b.t. de normale toestand⟩ deviation 5 ⟨m.b.t. voorgeschreven opvattingen⟩ deviation

deviationisme [het] deviationism

devies [het] 1 ⟨zinspreuk⟩ motto, ⟨heral ook⟩ device ♦ *'Je maintiendrai' is het devies van het Nederlandse **wapen*** 'Je maintiendrai' is the motto on the Dutch coat of arms 2 ⟨handel; wissel⟩ bill of exchange 3 ⟨waardepapieren⟩ (foreign) exchange ♦ *een **bron** van vreemde deviezen* a foreign currency earner; ***vreemde** deviezen* ⟨geld⟩ foreign currency; ⟨wisselwaarde⟩ foreign exchange

deviezenbeperking [de^{v}] currency restrictions ⟨mv⟩, (foreign) exchange control(s)

deviezencontrole [de] exchange control

deviezenhandel [de^{m}] foreign exchange dealings/business

deviezeninstelling [de^{v}] currency agency

deviezenmarkt [de] foreign exchange/currency market

deviezenreserve [de] foreign currency/exchange reserves

deviezensmokkel [de^{m}] currency smuggling

deviezenverkeer [het] foreign currency/exchange dealings, foreign currency/exchange traffic

deviezenverordening [de^{v}] exchange control regulation, currency laws

devolutie [de^{v}] devolution

devoon [het] Devonian

[1]**devoot** [de^{m}] devotee, votary

[2]**devoot** [bn, bw] 1 ⟨vroom⟩ devout ⟨bw: ~ly⟩, pious, reverent ♦ *devoot **bidden*** pray devoutly/reverently; *in een devote **stemming** zijn* be in a reverent mood/frame of mind 2 ⟨geheel toegewijd⟩ devoted ⟨bw: ~ly⟩

devotie [de^{v}] ⟨r-k⟩ 1 ⟨vroomheid⟩ devotion, devoutness, piety 2 ⟨godsdienstige verering⟩ worship, devotion, cult ♦ *devotie **tot** Maria* worship of the Virgin Mary; *in **onbruik** geraakte devoties* dead cults

devotionalia [de^{mv}] devotional objects

devotioneel [bn] devotional

dewelke [betr vnw] ⟨form⟩ ⟨ogm⟩ who, which, that ♦ *een regel **volgens** dewelke* a rule according to which

deweysysteem [het] Dewey (decimal) system/classification

de-woord [het] Dutch word that uses 'de' as article

dextrien [de] ⟨scheik⟩ dextrin

dextrocardie [de^{v}] ⟨med⟩ dextrocardia

dextrose [de] dextrose

deze [aanw vnw] this, ⟨mv⟩ these, ⟨zonder zelfstandig naamwoord⟩ this one, ⟨mv⟩ these (ones) ♦ ***bij** deze(n) meld ik u* I herewith inform you; ***bij** deze verklaar ik de tentoonstelling voor geopend* I hereby declare the exhibition open; *dezer **dagen*** ⟨onlangs⟩ recently; ⟨binnenkort⟩ shortly; *een dezer **dagen*** one of these days; *bij deze of **gene** gelegenheid* on some occasion or other; *deze en **gene** heeft al gebeld* various people have rung already; *mocht deze of **gene** er naar vragen* if anyone should ask; *deze of **gene** zal ons vast wel te hulp komen* s.o./somebody will come to our aid; ***in** dezen* in this matter; *aan deze **kant** van het kanaal* on this/the near side of the canal; ***na** dezen* after this (date), from today; ***schrijver** dezes* the present writer/author; *om deze **tijd** vorig jaar* this time last year; ***toonder** dezes* bearer; *de **twaalfde** dezer* the twelfth of this month; ***wil** je deze (hier)?* do you want this one?; *uw brief van vijftien dezer* your letter of the 15th instant/inst

dezelfde [aanw vnw] the same ♦ *deze is dezelfde **als** die* this one is the same as that one; *we **bedoelen** niet dezelfde* we don't mean the same one, we're not talking about the same one; *ik **ben** nog steeds dezelfde* I'm still the same; *van dezelfde **datum*** of even/the same date; ***een** en dezelfde* one and the same; *allemaal van dezelfde **kleur*** all the same colour, all of a colour; *op **precies** dezelfde dag* on the very same day, on exactly the same day; *er waren geen **twee** dezelfde* no two were alike; ***wil** je weer dezelfde?* (would you like the) same again?; *dat **zijn** dezelfden die we gisteren zagen* those are the same ones/peoples we saw yesterday ▪ ⟨sprw⟩ *een ezel stoot zich geen tweemaal aan dezelfde steen* once bitten, twice shy; wherever an ass falls, there will he never fall again

[1]**dezerzijds** [bn] ⟨form⟩ ⟨van deze kant geschiedend⟩ ♦ *dezerzijdse **bezwaren*** objections from this quarter

[2]**dezerzijds** [bw] ⟨van deze zijde⟩ on this/my/our side, on my/our part ♦ *dezerzijds **zijn** er geen bezwaren **te verwachten*** there are no objections on my/our part

dg [afk] (decigram) dg

D.G. [afk] (Deo Gratias) DG

dgl. [afk] (dergelijke) suchlike, the like

dhimmi [de^{m}] dhimmi

dhow [de^{m}] dhow

dhr. [afk] ⟨niet algemeen⟩ (de heer) Mr

di [afk] (dinsdag) Tue(s)

d.i. [afk] (dit/dat is) i.e.

di- → **dia-**

dia [de^{m}] ⟨gewoonlijk ingeraamd⟩ slide, transparency ♦ *een lezing **met** dia's* a lecture with slides; *dia's **vertonen*** show slides

dia-, di- [afk] 1 ⟨doorheen⟩ di(a)- 2 ⟨van elkaar af⟩ di(a)-

diabeet [de^{m}] diabetic

diabetes [de^{m}] diabetes

diabetica [de^{v}] → **diabeticus**

diabeticus [de^{m}], **diabetica** [de^{v}] diabetic

diabetologie [de^{v}] diabetology

diabolisch [bn, bw] diabolic(al) ⟨bw: diabolically⟩, devilish

diaboliseren [ov ww] diabolize

diabolo [de^{m}] diabolo

diacassette [de] slide case

diachronie [de^{v}] 1 ⟨verloop volgens de historische ontwikkeling⟩ diachrony 2 ⟨taalk⟩ diachrony

diachronisch [bn] diachronic ♦ *diachronische **taalkunde*** diachronic/historical linguistics

diaconaal [bn] diaconal

diaconaat [het] 1 ⟨r-k⟩ diaconate, deaconate ⟨ook anglicaans⟩ 2 ⟨prot⟩ deaconate, diaconate

diacones [de^{v}] ⟨prot⟩ deaconess

diaconessenhuis [het] deaconesses' hospital/nursing-home

diaconie [de^{v}] ⟨kerk⟩ ± church social welfare work ♦ ***aan** de diaconie komen/vervallen* ⟨gesch⟩ ± go on the parish

diadeem [het, de^{m}] 1 ⟨met edelgesteenten versierde hoofdband⟩ diadem 2 ⟨vrouwelijk haartooisel⟩ tiara, coronet

diaforese [de^{v}] ⟨med⟩ diaphoresis

diafragma [het] 1 ⟨middenrif⟩ diaphragm 2 ⟨schermpje met verstelbare opening⟩ diaphragm, stop ♦ ***klein/groot** diafragma* small/large aperture; *het diafragma **openen*** ⟨foto⟩ open up, increase the aperture; ⟨film⟩ fade in; *het diafragma **sluiten*** ⟨foto⟩ stop down (a lens), reduce the aperture; ⟨film⟩ fade out 3 ⟨tussenwand⟩ diaphragm

diafragmagetal [het] f-number, aperture value/ratio/number, relative aperture
diafragmaopening [de^v] aperture
diafyse [de^v] ⟨med⟩ diaphysis
diagenese [de^v] ⟨geol⟩ diagenesis
diagnose [de^v] 1 ⟨med⟩ diagnosis ♦ *de diagnose **stellen*** make a/one's diagnosis, diagnose 2 ⟨fig⟩ diagnosis 3 ⟨biol⟩ diagnosis
diagnosticeren [ov ww, ook abs] diagnose
diagnosticus [de^m] diagnostician
diagnostiek [de^v] diagnostics
diagnostisch [bn] diagnostic ♦ *een diagnostische **toets** voor wiskunde* a diagnostic test in mathematics
1**diagonaal** [de] diagonal
2**diagonaal** [bn, bw] diagonal ⟨bw: ~ly⟩ ♦ ⟨fig⟩ *een boek diagonaal **lezen*** skim through a book; *pionnen **slaan** diagonaal* pawns take diagonally
diagonaalband [de^m] cross-ply tyre, ⟨AE⟩ bias ply tire
diagonaalvlak [het] diagonal plane
diagram [het] 1 ⟨schets⟩ diagram ♦ ⟨biol⟩ *het diagram van een **bloem*** the diagram of a flower 2 ⟨grafische voorstelling⟩ diagram, graph, chart 3 ⟨automatisch opgetekende voorstelling⟩ trace ♦ *diagram van de **polsslag*** read-out of the pulse rate
diagramstand [de^m] diagram position, position of diagram
diagramstelling [de] diagram position, position of diagram
diaken [de^m] 1 ⟨prot⟩ deacon 2 ⟨r-k⟩ deacon ⟨ook anglicaans⟩
diakritisch [bn] ⟨taalk⟩ diacritic(al) ♦ *een diakritisch **teken*** a diacritic(al mark)
dialect [het] 1 ⟨streektaal⟩ dialect 2 ⟨talen met een gemeenschappelijke grondtaal⟩ dialect
dialectatlas [de^m] dialect atlas
dialectgeografie [de^v] dialect geography, linguistic geography
dialecticus [de^m] ⟨filos⟩ dialectician, ⟨discussievaardige⟩ dialectic
dialectiek [de^v] 1 ⟨kennisleer⟩ dialectic(s) 2 ⟨redeneerkunde⟩ dialectic(s) 3 ⟨discussievaardigheid⟩ dialectic skill 4 ⟨filos⟩ dialectic(s) ⟨meestal mv⟩
1**dialectisch** [bn] 1 ⟨tot de dialectiek behorend⟩ dialectical 2 ⟨op dialectiek berustend⟩ dialectical ♦ *dialectische **theologie*** dialectical theology 3 ⟨filos⟩ dialectical ♦ *dialectisch **materialisme*** dialectical materialism
2**dialectisch** [bn, bw] ⟨volgens een dialect⟩ dialectal ⟨bw: ~ly⟩, regional ♦ *dat woord **komt** alleen dialectisch **voor*** this word only occurs in dialect/as a regional/dialectal variant
dialectisme [het] ⟨taalk⟩ dialectal form/variant, dialecticism
dialectkaart [de] dialect map
dialectologie [de^v], **dialectstudie** [de^v] dialectology
dialectoloog [de^m] dialectologist
dialectspreekster [de^v] → **dialectspreker**
dialectspreker [de^m], **dialectspreekster** [de^v] dialect speaker, speaker with a regional accent
dialectstudie [de^v] → **dialectologie**
dialogisch [bn, bw] dialogic(al) ⟨bw: dialogically⟩
dialogiseren [ov ww] dialogize, dialogue
dialoog [de^m] 1 ⟨tweespraak⟩ dialogue, duologue 2 ⟨discussie⟩ dialogue ♦ ⟨in België; fig⟩ *een dialoog van **doven** voeren* talk at cross-purposes, conduct mutual monologues
dialoogkader [het] → **dialoogvenster**
dialoogvenster [het], **dialoogkader** [het] dialog box
dialysator [de^m] dialyser, ⟨AE⟩ dialyzer, ⟨med⟩ haemodialyser, artificial kidney
dialyse [de^v] 1 ⟨scheiding van stoffen⟩ dialysis 2 ⟨med⟩ (haemo)dialysis, extracorporeal dialysis
dialyseren [ov ww] 1 ⟨dialyse teweegbrengen⟩ dialyse, ⟨AE⟩ dialyze 2 ⟨dialysebehandeling geven⟩ dialyse, ⟨AE⟩ dialyze
dialytisch [bn] dialytic
diamagnetisch [bn] diamagnetic
diamagnetisme [het] ⟨natuurk⟩ diamagnetism
diamant [het, de^m] 1 ⟨edelgesteente⟩ diamond ♦ ⟨fig⟩ *een **ongeslepen** diamant* a rough diamond; ***ruwe/geslepen** diamant* rough/polished diamond; *diamant **slijpen*** polish/cut a diamond; *een diamant **van het eerste/zuiverste water*** a diamond of the first water; *een diamant **zetten*** set a diamond 2 ⟨gereedschap⟩ diamond
diamantair [de^m] diamond dealer/merchant
diamantbewerker [de^m], **diamantbewerkster** [de^v] diamond worker/cutter
diamantbewerkster [de^v] → **diamantbewerker**
diamantboor [de] diamond drill
diamantboort [het] (diamond) bo(a)rt
diamantdruk [de^m] ⟨drukw⟩ diamond (type)
diamanten [bn] 1 ⟨van diamant⟩ diamond 2 ⟨fig; uiterst hard⟩ adamant(ine) 3 ⟨met diamanten bezet⟩ diamond, diamond-ornamented ♦ *een diamanten **broche*** a diamond brooch
diamanthandel [de^m] diamond trade
diamanthandelaar [de^m] diamond dealer/merchant
diamanthoudend [bn] diamond-bearing, diamond-yielding, ⟨wet ook⟩ diamantiferous, diamondiferous
diamantindustrie [de^v] diamond industry
diamantkloven [ww] diamond splitting/cleaving
diamantletter [de] ⟨drukw⟩ diamond
diamantnaald [de] diamond needle, diamond (stylus/stilus)
diamantpoeder [het, de^m] diamond powder/dust
diamantslijper [de^m], **diamantslijpster** [de^v] diamond cutter/polisher
diamantslijperij [de^v] diamond-cutting establishment/factory/shop, diamond-polishing establishment/factory/shop
diamantslijpster [de^v] → **diamantslijper**
diamantspaat [het] diamond spar
diamantveld [het] diamond field
diamantzetten [ww] diamond setting
diameter [de^m] diameter, ⟨van cilinder ook⟩ bore ♦ *het heeft een diameter van 2 **centimeter*** it is 2 centimetres in diameter/across
diametraal [bn, bw] diametral ⟨bw: ~ly⟩, ⟨ook fig⟩ diametric(al) ♦ ⟨fig⟩ *dat ligt/staat er diametraal **tegenover*** that is diametrically opposed to it
dianetica [de^v] dianetics
diapason [de^m] ⟨muz⟩ 1 ⟨stemvork⟩ tuning fork 2 ⟨toonhoogte van A⟩ ⟨A = 435 trillingen per seconde⟩ French pitch, ⟨A = 440 trillingen per seconde⟩ concert pitch
diapauze [de] ⟨biol⟩ diapause
diapositief [het] slide, ⟨niet ingeraamd ook⟩ transparency
diapresentatie [de^v] slide presentation
diaprojector [de^m] slide projector
diaraampje [het] slide frame/mount
diarree [de^v] diarrhoea, ⟨bij vee⟩ scour ♦ *diarree **hebben*** suffer from/have diarrhoea
diaschuif [de] slide holder
diascoop [de^m] diascope, slide projector
diascopie [de^v] diascopy
diaspora [de] Diaspora, Dispersion
diaspore [de] ⟨plantk⟩ diaspore
diastase [de^v] 1 ⟨scheik⟩ diastase 2 ⟨med⟩ diastasis
diasteem [het] diastema
diastole [de] ⟨med⟩ diastole
diastolisch [bn] ⟨med⟩ diastolic
diatheek [de^v] slide collection/library

diathese [de^{v}] ⟨med⟩ diathesis
diatomeeën [de^{mv}] diatoms
diatonisch [bn] ⟨muz⟩ diatonic ♦ *de diatonische **toonladder*** the diatonic scale
diatribe [de] [1] ⟨scherpe kritiek⟩ diatribe, tirade [2] ⟨retorisch betoog⟩ discourse
diaviewer [de^{m}] slide viewer
dibboek [de^{m}] dibbuk
dichotomie [de^{v}] [1] ⟨indeling in tweeën⟩ dichotomy [2] ⟨plantk⟩ dichotomy
^{1}**dicht** [het] poetry ♦ *iets **in** dicht brengen* put into verse; *dicht en **ondicht*** poetry and prose
^{2}**dicht** [bn] [1] ⟨gesloten⟩ closed, shut, ⟨gordijnen⟩ drawn, ⟨kraan⟩ off ♦ *zijn jas dicht **doen*** button (up) one's coat; *wil je mijn rits even dicht **doen**?* will you do up my zip/^{A}zipper?; *die is dicht!* ⟨iron⟩ that's what I call closing a door; ***kop** dicht!* shut up!, shut your trap!, put a sock in it!; *ik **krijg** mijn rok niet dicht* my skirt won't do up; *ik **krijg** mijn riem niet dicht* I can't fasten my belt; *de afvoer **zit** dicht* the drain is clogged/blocked up; *de vijver **zit** dicht* the pond is frozen over; *haar keel **zit** dicht* she has a lump in her throat, she is all choked up/too choked to speak; *mijn neus **zit** dicht* my nose is blocked/stuffed up; *het vliegveld **zit** dicht* the airport is fogbound [2] ⟨ondoordringbaar⟩ tight [3] ⟨fig; niets loslatend⟩ close(-mouthed), close-lipped, tight-lipped ♦ *zo dicht **als** een pot zijn* be a close one/as close as an oyster/a clam
^{3}**dicht** [bn, bw] ⟨met weinig tussenruimte⟩ close ⟨bw: ~ly⟩, thick, dense, compact ♦ *dicht **beschreven** bladzijden* closely written pages; *een dicht **bos*** a dense wood, a thick forest; *een dichte **bos haar*** a thick head of hair, a shock of hair; *in dichte **drommen*** in dense hordes; ⟨geol⟩ *leisteen is een zeer dicht **gesteente*** slate is a highly compact rock; *een dicht **geweven** stof* a close-weave/closely woven fabric; *dichte **mist*** (a) thick/heavy/dense fog; *dicht **op** elkaar wonen* live close together/on top of one another; *ze zaten dicht **opeengepakt*** they sat closely/tightly packed together; *in dichte **rijen*** in serried rows/ranks; ⟨natuurk⟩ *goud is een dichte **stof*** gold is a dense substance; *zich dicht **tegen** iemand aanvlijen* cuddle/snuggle up to s.o., nestle up against/to s.o.; ⟨fig⟩ *dichter **tot** elkaar komen* come/draw closer (together), begin to find common ground; *de sneeuw valt in dichte **vlokken*** the snow is falling in thick flakes, the air is thick with snow
^{4}**dicht** [bw] ⟨op geringe afstand⟩ close (to), near ♦ *dicht **bij** de wind houden* ⟨ook fig⟩ sail close to the wind; *we zijn dicht **bij** de stad* we are close to/near the town; *je bent er aardig dicht **bij*** you are pretty near the mark; *zij waren dicht **bij** het doel* they were close to the goal; ⟨fig ook⟩ they were nearly there; *zijn ogen staan dicht **bij** elkaar* he has close-set eyes; *hij woont dicht **in** de buurt* he lives/is living near by/near here; *dicht **onder** de kust varen* hug the shore; *iemand dicht **op** de hielen zitten* be close (up) on s.o.'s heels
dichtader [de] poetic vein, vein of poetry
dichtbegroeid [bn] thick, dense, thickly wooded/grown ♦ *dichtbegroeid **terrein*** overgrown land
dichtbevolkt [bn] densely populated, ⟨form⟩ populous
dichtbij [bw] close by, near by, nearby, close/near at hand ♦ ***van** dichtbij* at close quarters, close to/up; ***van** te dichtbij* from too close; ***van** dichtbij bekijken* take a close look; *hij **woont** hier dichtbij* he lives near here/nearby
dichtbijgelegen [bn] nearby
dichtbinden [ov ww] tie up
dichtbranden [ov ww] ⟨med⟩ cauterize, sear
dichtbundel [de^{m}] collection of poems, book of poetry
dichtdoen [ov ww] close, shut, ⟨gordijnen⟩ draw ♦ *dat doet de **deur** dicht!* that clinches/settles it!; ⟨inf⟩ that puts the lid on it!; *geen **oog** dichtdoen* not sleep a wink, not get a wink of sleep; *ik heb er geen **oog** van dichtgedaan* it kept me awake all night, I couldn't sleep because of it
dichtdraaien [ov ww] ⟨kraan⟩ turn off, ⟨deksel⟩ close, ⟨slot⟩ turn the key in
^{1}**dichten** [onov ww] ⟨verzen maken⟩ write poetry/verses, compose verses, versify ♦ *hij kan **goed** dichten* he writes good verse, he is good at verse-writing
^{2}**dichten** [ov ww] [1] ⟨in dichtvorm behandelen⟩ poeticize, poetize, versify [2] ⟨dichtmaken⟩ stop (up), fill (up), seal (up), ⟨dijk⟩ seal, close ♦ *een **gat** dichten* ⟨ook fig⟩ stop a gap; mend a hole; *het ene **gat** met het andere dichten* rob Peter to pay Paul, throw good money after bad; *een **lek** dichten* stop a leak; *een **scheur** dichten* stop/fill up a crack/crevice; *een **schip** dichten* ca(u)lk a ship/vessel
dichter [de^{m}], **dichteres** [de^{v}] ⟨man & vrouw⟩ poet, ⟨vrouw ook⟩ poetess ♦ *een **lyrisch** dichter* a lyric poet
dichterbij [bw] nearer, closer
dichteres [de^{v}] → **dichter**
^{1}**dichterlijk** [bn] [1] ⟨(als) van een dichter⟩ poetic(al) ♦ *een dichterlijke **natuur*** a poetic nature; *dichterlijke **ontboezemingen*** poetic effusions/outpourings [2] ⟨m.b.t. de dichtkunst⟩ poetic(al) ♦ *dichterlijke **taal*** poetic language; *dichterlijke **vrijheid*** poetic licence/^{A}license
^{2}**dichterlijk** [bw] [1] ⟨als een dichter⟩ poetically [2] ⟨als in een dichtwerk⟩ poetically
dichterlijkheid [de^{v}] poetic nature, poeticism
dichterschap [het] [1] ⟨het dichter zijn⟩ poethood, life/work as a poet [2] ⟨poëtische aanleg⟩ poetic genius
dichtervorst [de^{m}] great poet, famous poet
dichtgaan [onov ww] close, shut, ⟨kledingstuk⟩ fasten, ⟨met knopen⟩ button, ⟨wond⟩ close (up), heal ♦ *de **deur** gaat niet dicht* the door won't shut/close; *de **deur** gaat helemaal dicht* the door shuts to; *'s zomers gaat de **fabriek** twee weken dicht* in (the) summer the factory/works/shuts down for two weeks/a fortnight; *hoe gaat dit **jasje** dicht?* how does this jacket do up?; *deze **jurk** gaat van achteren met haakjes dicht* this dress hooks up at the back; *mijn **rok** gaat niet dicht* my skirt won't meet; *op zaterdag gaan de **winkels** vroeg dicht* the shops close early on Saturdays
dichtgespen [ov ww] buckle together, clasp together, ⟨met riem⟩ strap
dichtgooien [ov ww] [1] ⟨krachtig dichtdoen⟩ ⟨deur, boek⟩ slam (to/shut), ⟨deur ook⟩ bang [2] ⟨dempen⟩ ⟨sloot⟩ fill up/in, backfill
dichtgroeien [onov ww] ⟨wond⟩ close (up), heal, ⟨bos⟩ grow thick
dichtheid [de^{v}] [1] ⟨mate van onderlinge nabijheid⟩ density, thickness, compactness ♦ ⟨aardr⟩ *dichtheid van **bevolking*** population density; *de dichtheid van een **bos*** the density/thickness of a wood [2] ⟨natuurk⟩ density ♦ *de dichtheid van de **dampkringslucht** bepalen* measure/determine the density of the atmospheric(al) air
dichtheidsmeter [de^{m}] ⟨natuurk⟩ densimeter
dichthouden [ov ww] keep shut, keep closed ⟨ook winkels e.d.⟩ ♦ *zijn **oren** dichthouden* stop one's ears
dichting [de^{v}] filling (up), sealing (up), ⟨dijk⟩ closing, ⟨gat⟩ stopping up ♦ *dichting van een **lek/dijk*** sealing a leak, closing a dike
dichtingsmateriaal [het] seal
^{1}**dichtklappen** [onov ww] [1] ⟨krachtig dichtgaan⟩ ⟨deksel, boek, kleine deur⟩ snap shut/to, ⟨huisdeur, raam⟩ close with a bang [2] ⟨m.b.t. personen⟩ ⟨inf⟩ clam up ♦ *hij klapte **volkomen** dicht* he clammed up completely
^{2}**dichtklappen** [ov ww] ⟨krachtig dichtdoen⟩ ⟨deur⟩ slam, shut up, ⟨boek⟩ snap to/shut
dichtknijpen [ov ww] squeeze ♦ *de ogen **half** dichtgeknepen* the eyes slightly narrowed/half-closed; *de **handen** dichtknijpen* clench one's fingers; ⟨fig⟩ *hij mag zijn **handen** dichtknijpen* he can count himself lucky; *iemand de **keel** dichtknijpen* take s.o. by the throat, strangle/choke a person; *met dichtgeknepen **lippen*** with tightly shut lips; *zijn **neus** dichtknijpen* hold/pinch one's nose; *een **oogje** dichtknijpen voor iets* turn a blind eye to sth.

dichtknopen [ov ww] button (up), fasten ♦ *zijn jas dichtknopen* button up one's coat; *zijn veters dichtknopen* tie one's (shoe) laces
dichtkunst [de^{v}] (art of) poetry, poetic art ♦ *een bloemlezing uit de hedendaagse dichtkunst* an anthology of contemporary poetry; *een verhandeling over de dichtkunst* a treatise on the art of poetry
^{1}**dichtlopen** [onov ww] ⟨drukw⟩ black out
^{2}**dichtlopen** [ov ww] ⟨de achterstand verkleinen⟩ catch up
dichtmaat [de] metre
dichtmaken [ov ww] close, fasten ♦ *een brief dichtmaken* close/seal a letter; *een kier/gat dichtmaken* close a chink/gap; ⟨fig⟩ stop a gap
dichtmetselen [ov ww] brick (up), wall (up), mure (up)
dichtnaaien [ov ww] sew up, stitch up ♦ *een wond dichtnaaien* sew/stitch up a wound; ⟨fig⟩ *dichtgenaaid zijn* be close-lipped/mouthed
dichtplakken [ov ww] ⟨brief⟩ seal (up), ⟨omslag⟩ stick/gum down, ⟨gat⟩ close, stop
dichtregel [de^{m}] verse, line of poetry
dichtrijgen [ov ww], **dichtsnoeren** [ov ww] lace up, tie up, string together
dichtritsen [ov ww] zip up
dichtschroeien [ov ww] sear up, cauterize ♦ *vlees dichtschroeien* seal meat
dichtschroeven [ov ww] screw down ♦ ⟨fig⟩ *zijn keel zat dichtgeschroefd* it caught him by the throat, his throat was choked up
dichtschuiven [ov ww] slide to, push to ♦ *een gordijn dichtschuiven* draw a curtain
^{1}**dichtslaan** [onov ww] 1 ⟨krachtig dichtgaan⟩ slam (to/shut), bang (to/shut) 2 ⟨m.b.t. personen⟩ clam up
^{2}**dichtslaan** [ov ww] ⟨krachtig dichtdoen⟩ ⟨deur⟩ bang/slam (shut), ⟨boek⟩ snap to/shut ♦ *de deur voor iemands neus dichtslaan* slam the door in s.o.'s face
dichtslibben [onov ww] silt up, get/become/be silted up
dichtsmijten [ov ww] ⟨deur, boek⟩ slam (to/shut), ⟨deur ook⟩ bang
dichtsnoeren [ov ww] → **dichtrijgen**
dichtsoort [de] poetic genre
dichtspijkeren [ov ww] nail up/down, board up ♦ *een deksel dichtspijkeren* nail down a lid; *een deur/venster dichtspijkeren* board up a door/window; ⟨inf, fig⟩ *spijker de kist dicht* let the matter rest; *een kist dichtspijkeren* nail up a box/case
dichtspringen [onov ww] slam shut
dichtstbijzijnd [bn] nearest
dichtstijl [de^{m}] poetic style
dichtstoppen [ov ww] stop (up), ⟨met allerlei materiaal⟩ fill (up), ⟨met een prop⟩ plug (up) ♦ *zijn oren dichtstoppen* stuff up/plug one's ears
dichttimmeren [ov ww] board up, nail up
^{1}**dichttrekken** [onov ww] ⟨met wolken of mist bedekt worden⟩ ⟨wolken⟩ cloud over, ⟨mist⟩ grow foggy
^{2}**dichttrekken** [ov ww] ⟨sluiten door te trekken⟩ pull closed/shut/to, ⟨gordijnen ook⟩ draw, ⟨met ritssluiting⟩ zip up ♦ *trek je capuchon/broek dicht* zip up your hood/trousers; *de deur achter zich dichttrekken* pull the door to behind one; *de gordijnen dichttrekken* ⟨ook⟩ close/shut the curtains
dichtvallen [onov ww] fall to shut, swing to, ⟨ogen⟩ close, ⟨in het slot⟩ click shut ♦ *de deur is net dichtgevallen* the door has just fallen shut/swung to
dichtvorm [de^{m}] form/kind of poetry, poetic form ♦ *in dichtvorm* in poetic form, in verse
dichtvouwen [ov ww] fold up, ⟨paraplu, vlag⟩ furl
dichtvriezen [onov ww] freeze (over/up), ⟨buizen⟩ be frozen (up), ⟨kanaal, meer e.d.⟩ be frozen over
dichtwaaien [onov ww] blow shut, be blown shut
dichtwerk [het] 1 ⟨gedichten⟩ poetical work/oeuvre 2 ⟨groot gedicht⟩ epic/long poem
dichtzitten [onov ww] 1 ⟨afgesloten zijn⟩ be closed, be blocked/locked ♦ *mijn neus zit dicht* my nose is blocked/stuffed up; *vervelend dat dat raam dicht zit!* what a nuisance! that window has (got) stuck! 2 ⟨ontoegankelijk zijn⟩ ⟨vliegveld⟩ be fogbound, ⟨wegen⟩ be icebound/snowbound, ⟨rivier⟩ be frozen over
dickeyseat [de^{m}] ⟨BE⟩ dickey, ⟨AE⟩ rumble seat
dicroot [bn] ⟨med⟩ dicrotic, dicrotal, dicrotous
dictaat [het] 1 ⟨aantekeningen⟩ (lecture) notes ♦ *dictaat maken* take (down) notes; *een dictaat opnemen* take (down) (a) dictation 2 ⟨schrift⟩ notebook 3 ⟨opgelegde voorwaarden⟩ diktat
dictaatcahier [het], **dictaatschrift** [het] notebook
dictaatschrift [het] → **dictaatcahier**
dictafonist [de^{m}], **dictafoniste** [de^{v}] audiotypist
dictafoniste [de^{v}] → **dictafonist**
dictafoon [de^{m}] dictaphone
dictator [de^{m}] 1 ⟨alleenheerser⟩ dictator 2 ⟨Romeinse gesch⟩ dictator 3 ⟨fig; heerszuchtig persoon⟩ dictator
dictatoriaal [bn, bw] 1 ⟨als (van) een dictator⟩ dictatorial ⟨bw: ~ly⟩ ♦ *een dictatoriaal bewind* a dictatorial regime/government/administration; *dictatoriaal geregeerde landen* dictatorially governed countries; *met dictatoriale macht bekleed* vested with dictatorial power 2 ⟨fig; gebiedend⟩ dictatorial ⟨bw: ~ly⟩, overbearing, tyrannical ♦ *dictatoriaal gedrag* dictatorial behaviour
dictatorisch [bn, bw] dictatorial ⟨bw: ~ly⟩
dictatorschap [het] dictatorship
dictatuur [de^{v}] 1 ⟨regering van een dictator⟩ dictatorship 2 ⟨land⟩ dictatorship 3 ⟨dictatorschap⟩ dictatorship 4 ⟨fig; dwingende macht⟩ dictatorship ♦ *dictatuur van het proletariaat* dictatorship of the proletariat
dictee [het] dictation ♦ *een dictee geven* give a dictation (exercise)
dicteerapparaat [het] dictating machine
dicteersnelheid [de^{v}] 1 ⟨m.b.t. het dicteren⟩ dictation speed 2 ⟨m.b.t. het schrijftempo⟩ dictation speed ♦ *iets op dicteersnelheid voorlezen* read sth. at dictation speed
^{1}**dicteren** [onov ww] ⟨voorzeggen⟩ dictate
^{2}**dicteren** [ov ww] 1 ⟨laten opschrijven⟩ dictate 2 ⟨voorschrijven⟩ dictate, prescribe, impose ♦ *een stad die de mode dicteert* a city that dictates fashion/sets the trend; *door de omstandigheden gedicteerd* dictated by (the) circumstances; *een vrede dicteren* dictate a peace
dictie [de^{v}] diction
dictionaire [de^{m}] dictionary
dictum [het] 1 ⟨gezegde⟩ dictum 2 ⟨jur⟩ operative part/provision(s)
didactica [de^{v}] → **didacticus**
didacticus [de^{m}], **didactica** [de^{v}] 1 ⟨leerdichter⟩ didactic poet/writer 2 ⟨beoefenaar van de didactiek⟩ didactician
didactiek [de^{v}] 1 ⟨onderwijskunde⟩ didactics, pedagogy, pedagogics 2 ⟨m.b.t. een bepaald vak⟩ didactics
didactisch [bn, bw] 1 ⟨onderwijzend⟩ didactic(al) ⟨bw: didactically⟩ ♦ *didactisch gedicht* didactic poem 2 ⟨onderwijskundig⟩ didactic(al) ⟨bw: didactically⟩ ♦ *didactisch verantwoord* didactically justified/warranted
didgeridoo [de^{m}] didgeridoo
^{1}**die** [aanw vnw] 1 ⟨om iemand, iets aan te wijzen⟩ that, ⟨mv⟩ those, ⟨zonder zelfstandig naamwoord⟩ that one, ⟨mv⟩ those (ones) ♦ *niet deze maar die (daar)* not this one, that one; *welke heb je het liefst? deze? deze? of die?* which do you prefer, this one, this one, or that one?; *die en die* so and so, such and such; *op die en die dag* on such and such a day; *heb je die nieuwe film van Godard al gezien?* have you seen this new film by Godard?; *die grote of die kleine?* the big one or the small one?; *zie je dat meisje met die groene jurk/hoge hakken?* do you see that girl in the green dress/

high heels?; *die **stem** van hem* that voice of his [2] ⟨als terugwijzing⟩ that, ⟨mv⟩ those, ⟨zonder zelfstandig naamwoord⟩ that one, ⟨mv⟩ those (ones) ◆ *mijn **boeken** en die van mijn zus* my books and my sister's; ⟨inf⟩ me and my sister's books; *op die **dag**, in die **week*** on that day, in that week; *die **griet** is gek* she's a nutcase; ***ken** je die?* do you know him/her?, ⟨pej⟩ do you know that one/them?; *wie? die **met** die lange haren* who? the one with the long hair; *die **tijd** is voorbij* those times are over/have gone; *met alle bezwaren **van dien*** with all the associated drawbacks, with all its (attendant) objections; *met alle gevolgen **van dien*** with all that that entails; *dat zijn **van** die rare mensen* they're such odd people, they're so odd; *ken je die **van** die Belg die …* do you know the one about the Belgian who …?; *ze draagt altijd **van** die korte rokjes* she always wears (those) short skirts; *die **van** mij/jou/hem/haar/ons/jullie/hen* mine/yours/his/hers/ours/yours/theirs; ⟨inf⟩ my one/your one/his one/her one/our one/your one/their one; *o, die!* oh, him/her!; *die zit!* bull's-eye!, that (one) really went home!, touché!; *die is goed* that's a good one; *het is een rare vent, die Jan* he's a strange guy, Jan is; *was X er ook? nee, die moest werken* was X there? no, he/she had to work; *sigaren? die rook ik allang niet meer* cigars? I stopped smoking them ages ago; *waar is je auto? die staat in de garage* where's your car? it's in the garage [3] ⟨ter aankondiging van een bepaling⟩ the ◆ *met dien verstande, **dat*** on the understanding/on condition/provided/providing that; *hij heeft zijn werk gedaan met die nauwkeurigheid **die** je van hem mag verwachten* he has worked with the accuracy one has come to expect from him [•] ⟨inf⟩ *die is gek* not bloody likely; ⟨inf⟩ *die Jan toch* what am I/are we going to do with Jan?, that Jan!; ⟨BE ook⟩ Jan really takes the biscuit!; ⟨inf⟩ *ha, die Jan* oh, here's Jan!, hello, look who's here!

[2]**die** [betr vnw] [1] ⟨antecedent nog niet geheel bekend⟩ that, ⟨persoon ook⟩ who, ⟨als voorwerp ook⟩ whom, ⟨zaak ook⟩ which ◆ ***dezelfde** die ik heb* the same one (as) I've got; *de **eerste/laatste** die vertrok* the first/last (one) to leave; *er is hier **iemand** die u wil spreken* there's somebody here who/that wants to see you; *de **kleren** die u besteld heeft* the clothes (which/that) you ordered; *de **man** die daar loopt, is mijn vader* the man (that's/who's) walking over there is my father; *geen **mens** die er wat aan doet* no-one does a thing about it; *de **mensen** die ik spreek, zijn heel vriendelijk* the people (who(m)/that) I talk to are very nice; ***niemand** die het weet* nobody knows; *er is **niemand** die niet van Londen houdt* there's no-one who doesn't love London, ⟨BE ook⟩ there's no-one but loves London [2] ⟨antecedent bekend⟩ ⟨persoon⟩ who, ⟨als voorwerp ook⟩ whom, ⟨zaken⟩ which ◆ *zijn **vrouw**, die arts is, rijdt in een grote Volvo* his wife, who's a doctor, drives a big Volvo

diecast [bn] die-cast

diëder [de^m] ⟨wisk⟩ dihedral (angle)

dieet [het] diet, regime, regimen ◆ ***op** dieet zijn* be on a diet, diet (o.s.); *iemand **op** dieet stellen* put s.o. on a diet, diet s.o.; ***zoutarm** dieet* low-salt/low-sodium diet

dieetkeuken [de] diet kitchen, dietary cuisine

dieetkok [de^m], **dieetkokkin** [de^v] diet cook

dieetkokkin [de^v] → **dieetkok**

dieetleer [de] dietetics

dieetmaaltijd [de^m] diet(ary) meal

dieetmargarine [de] diet margarine

dieetpatiënt [de^m] diet patient

dieetvoeding [de^v] special diet food, prescription diet

dieetvoorschrift [het] dietary rule

dieetwinkel [de^m] ⟨in België⟩ health food shop, wholefood shop, health food ^Astore, wholefood ^Astore

dief [de^m] [1] ⟨iemand die steelt⟩ thief, ⟨i.h.b. met geweld⟩ robber, ⟨met inbraak⟩ burglar ◆ ***als** een dief in de nacht* as/like a thief in the night; *'**houd** de dief!' roepen (tegen)* raise a hue and cry (against); ***houdt** de dief!* stop thief!; *hij is een dief **van** eigen portemonnee* he robs/is robbing his own purse [2] ⟨vezel van een kaarsenpit⟩ thief [3] ⟨plantk⟩ ⟨waterloot⟩ sucker, ⟨aardbeiplanten e.d.⟩ runner [•] *'t is dief en **diefjesmaat*** ⟨het zijn dikke vrienden⟩ they're as thick as thieves; ⟨de een is al even erg als de ander⟩ they're two of a kind; ⟨kwade honden bijten elkaar niet⟩ dog doesn't eat dog; ⟨sprw⟩ *wie eens steelt, is altijd een dief* once a thief, always a thief; ⟨sprw⟩ *eens een dief, altijd een dief* once a thief, always a thief; ⟨sprw⟩ *met dieven vangt men dieven* set a thief to catch a thief; an old poacher makes the best keeper; ⟨sprw⟩ *de gelegenheid maakt de dief* opportunity makes the thief

[1]**diefachtig** [bn] ⟨geneigd tot stelen⟩ thievish, thieving, theft prone ◆ *een diefachtige **natuur*** a thievish nature

[2]**diefachtig** [bw] ⟨als een dief⟩ thievishly, stealthily

dieffenbachia [de] dieffenbachia

diefje-met-verlos [het] prisoner's base ◆ *diefje-met-verlos **spelen*** play prisoner's base

diefstal [de^m] theft, ⟨i.h.b. met geweld⟩ robbery, ⟨met inbraak⟩ burglary, ⟨jur; voor 1968⟩ larceny ◆ ***gekwalificeerde** diefstal* aggravated theft; ***kleine** diefstal* pilferage, pilfering, petty theft; *iemand **van** diefstal beschuldigen* accuse s.o. of theft

diefstaltas [de] booster bag

diegene [aanw vnw] he, she ◆ *diegenen **die*** those who

diehard [de^m] diehard

diëlektrisch [bn] dielectric(al)

dienaangaande [bw] as to that, with respect/reference to that, on that subject/score ◆ *dienaangaande **berichten wij** het volgende* with respect to that/on that subject we report the following

dienaar [de^m], **dienares** [de^v] [1] ⟨tegen loon⟩ servant ◆ *dienaar van het **gerecht*** officer of the court, law officer; *dienaar van de **kroon*** servant/minister of the Crown [2] ⟨vrijwillig⟩ servant ◆ *uw **gehoorzame, onderdanige** dienaar* your obedient servant; *een dienaar van **Satan*** a Satanist

dienares [de^v] → **dienaar**

dienbak [de^m] (dinner-)tray, dumb-waiter

dienblad [het] (dinner-)tray, (serving) tray, ⟨kleiner⟩ salver

diender [de^m] ⟨iron⟩ officer, ⟨BE ook⟩ bobby, ↓cop(per) ◆ *een **stille** diender* a detective, an undercover man, a plant [•] *een **dooie** diender* a dull fellow/dog

[1]**dienen** [onov ww] [1] ⟨geschikt, gunstig zijn voor⟩ serve ◆ ***ijs** en **weder** dienende* weather permitting; *waar dient dat **toe**?* what's that in aid of?; *dat dient nergens **toe*** that is of no use, that serves no (useful) purpose, that is no good [2] ⟨middel, werktuig zijn⟩ serve as/for, be used as/for, do as/for ◆ *dient dit **als** asbak?* does this do duty as an ashtray?, is this what you use as an ashtray?; ***als** basis dienen **voor*** serve as a basis for; *een bijl dient **om** bomen om te hakken* an axe is for felling trees; *die feiten dienen **tot** bewijs van zijn onschuld* those facts are evidence of his innocence; ***vensters** dienen om licht en lucht toe te laten* windows are used for letting in light and air [3] ⟨behoren⟩ need, should, ought to ◆ *dat dient **gezegd*** that needs to be said; *dat dient u **te weten*** you should know that; *u dient onmiddellijk te **vertrekken*** you are to leave immediately [4] ⟨jur⟩ come up, be down for hearing ◆ *wanneer dient die **zaak** voor de rechtbank?* when does this case come up in court? [5] ⟨mil⟩ serve, be in the armed forces, do one's military service [6] ⟨in dienst zijn⟩ serve, be in (domestic) service ◆ ***bij** iemand gaan dienen* take service with s.o.

[2]**dienen** [ov ww] [1] ⟨werken voor⟩ serve, attend (to), minister ◆ *iemand **trouw** dienen* serve s.o. faithfully, be a faithful servant to s.o. [2] ⟨zich wijden aan⟩ serve ◆ ***afgoden** dienen* serve/worship idols, practise idolatry; *dat dient het algemeen **belang*** it is in the public interest/to the public good; *de **waarheid** dienen* serve the truth [3] ⟨van dienst zijn⟩ serve, help ◆ *waarmee **kan** ik u dienen?* what can I do for

you?, can I help you?; ⟨in winkel⟩ are you being served?; *hij **was** er niet mee gediend* that did not suit his purpose, he did not like that [4] ⟨bruikbaar zijn⟩ serve, avail ◆ *hij was **er niet van** gediend* none of that with him, he didn't want that [5] ⟨geven⟩ ◆ *iemand **van advies** dienen* advise s.o., give s.o. advice; *(iemand) **van repliek** dienen* come right back (at s.o.), give as good as one gets [•] *de **mis** dienen* serve at mass; ***om u te dienen!*** at your service!, right you are!; ⟨sprw⟩ *niemand kan twee heren dienen* no man can serve two masters

dienluik [het] serving/service hatch

dienovereenkomstig [bw] accordingly ◆ *dienovereenkomstig **werd besloten*** it was decided accordingly

diens [aanw vnw] ⟨form⟩ his ◆ *de schrijver en diens **werken*** the writer and his works

dienschaal [de] serving dish

dienschort [het, de] apron

dienst [de^m] [1] ⟨het dienen⟩ service ◆ ***in** dienst **nemen*** take into one's employment, take on, engage; ***in** dienst **treden** (bij)* take up office (with), take service (with), join; *zich **in** dienst stellen van* place o.s. in the service of; ⟨gesch⟩ *hij trad bij de hertog **in** dienst als kapelmeester* he entered the service of the Duke as maestro di capella [2] ⟨mil⟩ service ◆ ***in actieve** dienst* on active service/duty; *uit **actieve** dienst ontslaan* remove from active service; ⟨vanwege verwondingen⟩ invalid out; ***in** dienst zijn* be in the forces, do one's military service; *dienst **nemen**, in dienst **gaan*** enlist, take service, join the army [3] ⟨het verrichten van werkzaamheden⟩ duty ◆ ***buiten** dienst stellen* take out of service, withdraw from service; *de lift is **buiten** dienst* the lift is out of order/use; *die wagen is **buiten** dienst gesteld* that car has been withdrawn from service; ***geen** dienst* ⟨op bus⟩ private; *ik **heb** morgen geen dienst* I am off duty tomorrow; *hij **heeft** van 8 tot 12 dienst* he is on duty from 8 a.m. till 12; ***vrij** van dienst zijn* be off duty [4] ⟨werkzaamheden voor, door een openbare instelling⟩ service ◆ ⟨in België⟩ *Gewestelijke Dienst voor **Arbeidsbemiddeling*** Regional Employment Service; ⟨in België⟩ *Vlaamse Dienst voor **Arbeidsbemiddeling** en Beroepsopleiding* Flemish Employment and Training Service; ⟨in België⟩ *de **civiele** dienst* internal administration; ***geheime** dienst* secret/intelligence service; ***gewone, buitengewone** dienst* revenue/capital account; *Dienst* ⟨op enveloppe⟩ ⟨Groot-Brittannië⟩ OHMS; ⟨USA⟩ on US Government Service [5] ⟨openbare instelling⟩ service, department, office ◆ *de dienst openbare **werken*** the public works department/service [6] ⟨handeling waarmee men iemand van nut is⟩ service, office ◆ *zijn goede diensten **aanbieden*** offer one's good offices; *beloning voor **bewezen** diensten* reward for services rendered; *je kunt me een dienst **bewijzen*** you can do me a favour; *iemand een goede dienst **bewijzen*** do s.o. a good office/turn, to serve s.o. well; *iemand een slechte dienst **bewijzen*** do s.o. an ill service/a disservice/bad turn; *hij **heeft** ons bijzonder goede diensten **bewezen*** he has done us yeoman service; ⟨in België⟩ *dienst **inbegrepen*** service included; *zijn diensten **uitbreiden*** extend one's services [7] ⟨rel⟩ service [8] ⟨betrekking⟩ place, situation, position ◆ *iemand **in** dienst hebben* employ s.o.; ***in** dienst zijn bij iemand* be in s.o.'s service, be in the employ of s.o.; ***in** dienst van een bedrijf* in the pay of a company; *tuinman in **losse** dienst* jobbing gardener; *iemand de dienst **opzeggen*** give s.o. notice; *in **vaste/tijdelijke** dienst zijn* hold a permanent/temporary appointment [•] ***in** dienst van het vaderland* in the service of the country; ***ten** dienste van* for the purpose/use/benefit of; *met alle hem **ten** dienste staande middelen* with all means at his disposal; ***tot** uw dienst* don't mention it, you're welcome; *wij staan geheel **tot** uw dienst* we are entirely at your service/disposal; *de dienst **uitmaken*** run the show, rule the roost, lay down the law, call the shots; *wat is er **van** uw dienst?* what can I do for you?; *kan ik u **van** dienst zijn?* can I help you?; ⟨in winkel ook⟩ are you being served?; *iemand **van** dienst zijn met* be of service to s.o. with; *dat boekje is me **van** dienst geweest* this little book has been of use to me/has rendered me good service; ⟨sprw⟩ *de ene dienst is de andere waard* one good turn deserves another

dienstaanvaarding [de^v] entering upon one's duties/office, taking up one's duties/office

dienstaanwijzing [de^v] service/official instruction, ⟨post⟩ instruction relating to the postal service

dienstauto [de^m] official car, ⟨mil⟩ service car, ⟨firma⟩ company car

dienstbaar [bn] [1] ⟨bevorderlijk voor⟩ instrumental (in), subservient (to) ◆ ⟨jur⟩ *het lijdend erf is dienstbaar **aan** het heersend erf* the servient tenement is subservient to the dominant tenement; *de omstandigheden dienstbaar **maken** aan zijn plannen* make (the) circumstances subservient to one's plans; *de universiteiten **zijn** altijd zeer dienstbaar **geweest** (voor/bij iets)* universities have always been very helpful (to sth./in doing sth.) [2] ⟨dienend⟩ in service ◆ ⟨fig⟩ *een volk dienstbaar **maken*** subjugate a people; *zich dienstbaar **opstellen*** be of service

dienstbaarheid [de^v] [1] ⟨afhankelijke staat⟩ servitude, bondage [2] ⟨hulpvaardigheid⟩ helpfulness, readiness/willingness to help [3] ⟨fig; slavernij⟩ bondage

dienstbetoon [het] [1] ⟨service⟩ service(s) rendered, rendering of service(s), acts of service ◆ ***wederzijds** dienstbetoon* mutual service(s) rendered [2] ⟨in België; bemiddeling van een politicus⟩ political favour

dienstbetrekking [de^v] (gainful) employment ◆ *bij **beëindiging** van de dienstbetrekking* on the termination of service/employment; *een dienstbetrekking **uitoefenen/vervullen*** exercise an employment, perform the duties of an employment

dienstbevel [het] ⟨mil⟩ order

dienstbode [de^v] servant (girl), maid (servant), domestic (servant)

dienstboek [het] [1] ⟨boek met gegevens⟩ service manual [2] ⟨prot⟩ service/prayer book

dienstbrief [de^m] official letter

dienstcontract [het] contract of service/employment, service contract

dienstdoen [onov ww] serve (as/for), be used (as/for), do duty (as) ◆ *gooi dat niet weg, het **kan** nog weleens dienstdoen* don't throw that away, it might come in useful some day

dienstdoend [bn] ⟨agent, wacht⟩ on duty, ⟨officier, ambtenaar⟩ in charge, ⟨geestelijke, scheidsrechter, ambtenaar bij ceremonie⟩ officiating, ⟨aan hof⟩ in waiting/attendance, ⟨waarnemend⟩ acting ◆ *de dienstdoende **arts*** the doctor in attendance; *de dienstdoende **officier*** the officer in charge; ⟨tijdelijk⟩ the duty officer; *de dienstdoende **priester*** the officiating priest; ⟨in België⟩ *de dienstdoende **voorzitter*** the acting chairman

dienstenbond [de^m] service sector/industries (trade) union

dienstencentrum [het] social service centre, welfare centre

diensteneconomie [de^v] service economy

dienstenpakket [het] package of services

dienstensector [de^m] ⟨ec⟩ services sector, tertiary sector, service industries

dienstenverkeer [het] invisible trade

dienster [de^v] waitress

dienstfiets [de] [1] ⟨rijwiel⟩ company/duty bicycle, ⟨inf⟩ company/work bike [2] ⟨scherts; bril⟩ ± granny glasses

dienstgeheim [het] official secret

dienstgesprek [het] business call

diensthond [de^m] ⟨patrouillehond⟩ patrol dog, ⟨politiehond⟩ police dog

diensthoofd [het] head of (a public service) department, commissioner, deskman

dienstig [bn] useful, serviceable, handy, convenient,

helpful ♦ *nergens dienstig toe zijn* serve no useful purpose; *voor iets dienstig zijn* be of service for sth.
dienstijver [de^m] professional zeal, keenness on the job, diligence (in office)
dienstingang [de^m] trade/tradesmen's entrance
dienstjaar [het] 1 ⟨jaar van dienst⟩ year of service, ⟨mv ook⟩ seniority ♦ *hij heeft dertig dienstjaren* he has done thirty years' service, ↓ he has clocked up thirty years; *ouder in dienstjaren* senior; *bevordering naar dienstjaren* promotion by seniority; *zij heeft/telt vier dienstjaren meer dan ik* she is four years my senior/senior to me, she is my senior by four years 2 ⟨m.b.t. de werkzaamheid van een instelling⟩ working year, official year, ⟨fin⟩ financial/^Afiscal year
dienstkaart [de] staff/official/duty pass
dienstkleding [de^v] uniform, service dress, ⟨mil⟩ service uniform
dienstklopper [de^m] ⟨pej⟩ martinet, stickler for the book/rules/regulations, fusspot official, ⟨abstr⟩ bureaucrat, ⟨sl⟩ jobsworth, ↑ overzealous official
dienstklopperij [de^v] ⟨pej⟩ ↑ overzealousness, ⟨zeldz⟩ stickling for regulations, martinetism
dienstknecht [de^m] ⟨form⟩ man(servant), ⟨ogm⟩ servant, ⟨lijfknecht⟩ valet, ⟨mil⟩ batman ♦ ⟨Bijb⟩ *een dienstknecht des Heren* a servant of the Lord
dienstkring [de^m] official territory, ambit, (service) district/area, ⟨inf⟩ (official) patch, pitch
dienstlift [de^m] service ^Blift/^Aelevator, goods/freight elevator, ⟨vnl BE⟩ hoist
dienstlijn [de] pensionable service
dienstmaagd [de^v] ⟨form⟩ handmaid(en), maid(servant) ♦ ⟨Bijb⟩ *een dienstmaagd des Heren* a handmaiden of the Lord
dienstmededeling [de^v] staff announcement ♦ *hier volgt een dienstmededeling* this is/the following is a staff announcement
dienstmeisje [het] maid(servant), housemaid, domestic servant, (serving-)girl ♦ *dienstmeisje gevraagd* domestic/home help wanted
dienstneming [de^v] ⟨mil⟩ enlistment
dienstnota [de^v] ⟨in België⟩ directive, ± memo
dienstorder [de] (official) order, instructions
dienstpersoneel [het] (household) servants, domestics, domestic staff, ⟨inf⟩ downstairs ♦ *chef van het dienstpersoneel* house steward
dienstpet [de] uniform cap
dienstpistool [het] duty weapon
dienstplicht [de] (compulsory) military service, conscription, ⟨Groot-Brittannië ook⟩ national service, (national) call-up ♦ *algemene dienstplicht* general conscription; ⟨USA⟩ the draft; *de dienstplicht verlengen* extend (the period of) compulsory military/national service; *vervangende dienstplicht* alternative national service; ⟨maatschappelijk⟩ community service; *dienstplicht vervuld* military obligations fulfilled, military service accomplished
dienstplichtig [bn] subject to national/military service, liable to national/military service, eligible for national/military service, ⟨AE⟩ draftable ♦ *de dienstplichtige leeftijd bereiken* become of military age; *niet dienstplichtig* ⟨ook⟩ free/exempt from national/military service
dienstplichtige [de] conscript, ⟨AE ook⟩ draftee, national serviceman, ⟨inf; AE⟩ GI
dienstregeling [de^v] 1 ⟨regeling van vertrek en aankomst⟩ timetable, schedule ♦ *in de dienstregeling opnemen* schedule; *volgens een stipte dienstregeling* to a tight schedule; *volgens een vaste dienstregeling* (according) to a set timetable/fixed schedule; *een vlucht met vaste dienstregeling* a scheduled flight 2 ⟨boekje met vertrek- en aankomsttijden⟩ timetable, ⟨AE⟩ schedule 3 ⟨regeling van dienst⟩ programme, ⟨AE⟩ program, schedule, agenda
dienstreglement [het] conditions/terms of service, official regulations, ⟨inf⟩ rules and regulations
dienstreis [de] official journey/trip, business/duty trip, tour of duty ♦ *op dienstreis zijn* be travelling on duty/(official) business
dienstrooster [het, de^m] (duty) roster, ⟨vnl BE⟩ (duty) rota, timetable ♦ *een dienstrooster opstellen* make up a roster
dienststaat [de^m] ⟨in België⟩ record of service
dienststempel [de^m] 1 ⟨m.b.t. het slaan van munten⟩ die 2 ⟨m.b.t. officiële stukken⟩ official stamp
dienststuk [het] official document, ⟨verzonden⟩ official dispatch, ⟨mv ook⟩ official correspondence, ⟨Groot-Brittannië⟩ parcel sent on Her/His Majesty's Service (OHMS), letter sent on Her/His Majesty's Service (OHMS)
diensttelefoon [de^m] official/service telephone, official/service line
diensttijd [de^m] 1 ⟨werktijd⟩ ⟨m.b.t. loopbaan⟩ (period/length of) service, term of office, ⟨dienstjaren⟩ seniority, ⟨tijdens dag⟩ hours of duty/attendance, duty/office hours ♦ *buiten diensttijd* when off duty, outside working/office/duty hours; *in/gedurende zijn diensttijd* during his service, on duty 2 ⟨arbeidsjaren nodig voor ambtelijk pensioen⟩ pensionable service 3 ⟨militaire dienst⟩ military service, national service, time in military service, period of military service, term of military service, time in national service, period of national service, term of national service, ⟨inf⟩ time in uniform
diensttrap [de^m] servants' staircase/stairs/stairway, service staircase/stairs/stairway
dienstvaardig [bn, bw] obliging ⟨bw: ~ly⟩, helpful, willing ♦ *te dienstvaardig* officious, over-zealous
dienstvaardigheid [de^v] obligingness, helpfulness, ⟨te groot⟩ officiousness
dienstverband [het] employment, engagement in office/service, tenure of office, ⟨overeenkomst⟩ work agreement, terms of employment ♦ *een dienstverband aangaan voor de duur van één jaar* accept (terms of) employment for a period of one year, accept a one-year post/appointment/tenure of office; *bij beëindiging van het dienstverband* on termination of employment; *in los/vast dienstverband werken* be employed on a temporary/casual/permanent basis; *los dienstverband afschaffen/omzetten in vast dienstverband* decasualize labour
dienstverkeer [het] work-related traffic
dienstverlenend [bn] ⟨attributief⟩ service, ⟨predicatief⟩ rendering a service, servicing ♦ *dienstverlenende bedrijven* service industries; *dienstverlenende maatschappij/organisatie* service company/organization; *de dienstverlenende sectoren* the service industries, the services
dienstverlener [de^m] service provider
dienstverlening [de^v] 1 ⟨service⟩ service(s), ⟨als alternatieve straf⟩ community service ♦ *op de klant afgestemde dienstverlening* services to suit/tailored to the customer, customer-related service; *uitbreiding van dienstverlening* extension of services 2 ⟨ec⟩ provision of services
dienstverrichting [de^v] 1 ⟨verrichting⟩ performance of duty/duties, carrying out (of) duty/duties 2 ⟨het verrichten⟩ (performance of) services ♦ *kantoor voor dienstverrichting* service/odd job agency
dienstvervulling [de^v] discharge/performance of (one's) duties
dienstvoorschrift [het] official instruction/regulation/order
dienstweigeraar [de^m] conscientious objector, war resister, ⟨vnl AE; inf; vaak pej⟩ draft dodger
dienstweigeren [onov ww] refuse to do military service, refuse conscription
dienstweigering [de^v] 1 ⟨mil⟩ conscientious objection, refusal of military service, ⟨vnl AE; inf; vaak pej⟩ draft-dodging 2 ⟨weigering van opgedragen diensten⟩ wilful

disobedience, insubordination ⟨ook leger⟩

dienstwillig [bn] willing, keen/ready to serve, obliging, complaisant ♦ *uw dienstwillige (dienaar)*↑ your obedient servant

dienstwoning [de^v] official/company house, official/company flat, ⟨BE ook⟩ tied house, staff residence, ⟨huisvesting; BE⟩ tied accommodation

dienstzaak [de] official/business matter, official business

dientafeltje [het] side/serving table, serving trolley, ⟨AE⟩ dinner wagon, ⟨vnl BE⟩ dumbwaiter

dientengevolge [bw] consequently, in consequence, as a consequence (of which/this), as a result (of which/this), therefore

dienwagentje [het] (dinner-)waggon, ⟨vnl BE ook⟩ waggon, serving-trolley

¹diep [het] canal

²diep [bn] [1] ⟨intens⟩ deep, profound ♦ *een diep* ***gevoel*** *van dankbaarheid* profound/deep gratitude; *met diep* ***leedwezen*** with deep suffering; *diep* ***medelijden*** *met iemand hebben* deeply sympathize with s.o.; *diepe* ***minachting*** profound contempt; *in diepe* ***rouw*** in deep mourning; *een diepe* ***smart*** deep sorrow [2] ⟨zich ver naar beneden uitstrekkend⟩ deep ♦ *een diep* ***bord*** a deep/soup plate; *een diep* ***decolleté*** a low-cut/plunging neckline; ⟨fig⟩ *er gaapt een diepe* ***kloof*** *tussen die twee* there is a deep rift between the two of them; *dieper* ***maken*** ⟨kuil enz.⟩ deepen; *twee* ***meter*** *diep* two metres deep; *het* ***water*** *is hier diep* the water is deep here; *dieper* ***worden*** ⟨m.b.t. water waar men in zwemt⟩ deepen [3] ⟨zich ver naar achteren uitstrekkend⟩ deep ♦ *een diepe* ***kast/kamer*** a deep cupboard, a long room [4] ⟨m.b.t. geluiden⟩ deep ♦ *een diepe* ***stem*** a deep voice [•] ⟨sprw⟩ *stille wateren hebben diepe gronden* still waters run deep

³diep [bn, bw] [1] ⟨ook fig; ver naar binnen gaand, gelegen⟩ ⟨ook fig⟩ deep ⟨bw: ~ly⟩, ⟨fig ook⟩ profound ♦ *diep* ***ademhalen*** breathe deeply; ⟨een keer⟩ take a deep breath; *diep van* ***binnen*** deep inside; *diep in iets* ***doordringen*** penetrate sth. deeply; *een diepe* ***duisternis*** profound/utter darkness; *dat* ***gaat*** *tamelijk diep* that's rather deep (for me); *in diepe* ***gedachten/diep gepeins*** *verzonken* (sunk) deep in thought; *in* ***het*** *diepst van* in the depths of; *uit* ***het*** *diepste van zijn hart* from the bottom of one's heart; *tot in* ***het*** *diepste van zijn ziel geroerd* moved to the depths of one's soul; *diep* ***in*** *het bos* in the depths of the forest; *diep* ***in*** *Rusland* in the depths of Russia; *diep* ***in*** *het vlees* deep in the flesh; *diep* ***in*** *zijn hart* deep (down) in one's heart; *een diepe* ***indruk*** *maken/achterlaten* make/leave a deep impression; *zijn ogen* ***lagen*** *diep* his eyes were deep-set; *diep* ***nadenken*** think deeply/hard, rack/beat one's brains (about); *diepe* ***rimpels*** deep lines, furrows; *in diepe* ***rust*** resting peacefully; *alles was in diepe* ***rust*** everything was utterly peaceful; *een diepe* ***slaap*** a deep/sound sleep; *een diep* ***stilzwijgen*** *bewaren* maintain (a) complete silence; *iets diep* ***verborgen*** *houden* keep sth. well hidden; *in zijn diepste* ***wezen*** in one's innermost being, in the depths of one's being; *een diepe* ***wond*** a deep wound; *de haat/het wantrouwen* ***zit*** *diep* the hate/distrust runs deep; *het zit niet erg diep bij hem* it doesn't go very deep (down) with him, he isn't very deep; *een diepe* ***zucht*** a deep sigh [2] ⟨ver naar achteren gelegen⟩ deep ⟨bw: ~ly⟩ ♦ ⟨fig⟩ *de diepere* ***oorzaak/bedoeling/zin*** the deeper cause/meaning [3] ⟨m.b.t. kleuren⟩ deep ⟨bw: ~ly⟩ ♦ *diep* ***blauw*** deep blue; *diepe* ***tinten*** deep hues

⁴diep [bw] [1] ⟨op, tot een plaats ver beneden iets⟩ deep(ly), low ♦ *de plank* ***boog*** *diep* ***door*** the shelf sagged considerably; *diep* ***buigen*** bow deeply; *dat vooroordeel is diep* ***geworteld*** it's a deep(ly)-rooted prejudice; *te diep in het glaasje* ***hebben gekeken*** have had one/a few too many, have had a drop too much; *diep* ***in*** *de aarde doordringen* penetrate deep/a long way into the earth; *deze boot* ***ligt*** *4 voet diep* this ship draws four feet of water; *diep* ***onder*** *de dekens kruipen* creep right down under the blankets; *het wrak lag diep* ***onder*** *de grond* the wreck lay deep underground, ⟨inf⟩ the wreck lay way underground; *diep in de zak moeten* ***tasten*** have to reach deep (down) into one's pockets; *een diep* ***uitgesneden*** *jurk* a low-cut dress; ⟨fig⟩ *iemand diep* ***vernederen*** deeply humiliate s.o.; *zes* ***voet*** *diep onder de grond liggen* be six feet under(ground); ⟨fig⟩ *diep* ***zinken/vallen*** sink low [2] ⟨zeer⟩ deeply ♦ ***diepgeroerd*** deeply moved; *diep* ***in*** *de schulden zitten* be deep(ly) in debt, be up to one's neck in debts; *zich diep* ***in*** *de schulden steken* accumulate/incur large debts, get deeply into debt; *diep* ***ongelukkig*** *zijn* be deeply unhappy; *het is diep* ***treurig*** it's very distressing; ⟨schandalig⟩ it's outrageous/disgraceful; *hij is diep* ***verontwaardigd*** he is deeply indignant [3] ⟨m.b.t. tijd⟩ deep, far ♦ *tot diep* ***in*** *de nacht* deep into the night; ⟨inf⟩ till all hours; *tot diep* ***in*** *de 19e eeuw* (until) well into the 19th century

diepbedroefd [bn] grieving, deeply distressed/afflicted, heartbroken, broken-hearted ♦ *de diepbedroefde* ***ouders*** ± the bereaved parents

diepblauw [bn] deep blue

diepdruk [de^m] [1] ⟨geen mv; methode⟩ ⟨alg⟩ engraving, ⟨etsen⟩ etching, ⟨foto⟩ (photo)gravure, ⟨tegenover reliëf⟩ intaglio ♦ *illustraties* ***in*** *diepdruk* engravings [2] ⟨afdruk⟩ engraving, engraved print, etching, (photo)gravure

diepe [het] deep end ♦ ***in*** *het diepe gegooid worden* be thrown in at the deep end

dieperik [de^m] ⟨in België⟩ ⟨ook fig⟩ depth(s) ♦ *de dieperik* ***ingaan*** ⟨lett en fig⟩ go under/down, sink; ⟨fig⟩ fail, go down the drain, sink to the depths

diepgaan [onov ww] [1] ⟨sport⟩ advance (quickly into the space), penetrate deeply [2] ⟨scheepv⟩ draw, go/stretch down ♦ *het schip gaat 18* ***voet*** *diep* the ship draws/has a draught of 18 feet [•] *de ijsberg gaat 20* ***meter*** *diep* the iceberg goes down (to) 20 metres

¹diepgaand [bn] ⟨diep in het water liggend⟩ deep-drawing, deep-draught(ed), ⟨AE⟩ deep-draft(ed)

²diepgaand [bn, bw] ⟨intens⟩ profound ⟨bw: ~ly⟩, searching, in-depth, ⟨essentieel⟩ basic, fundamental ♦ *diepgaande* ***discussie*** in-depth/deep discussion; *diepgaande* ***hervormingen*** radical/fundamental reforms; *diepgaande* ***meningsverschillen*** radical/basic/fundamental differences of opinion; ***niet*** *diepgaand* shallow, superficial; *een diepgaand* ***onderzoek*** a searching/an in-depth investigation, a penetrating inquiry; *iets diepgaand* ***onderzoeken/bestuderen*** investigate/study sth. in depth/thoroughly/exhaustively

diepgang [de^m] [1] ⟨scheepv⟩ draught, ⟨AE⟩ draft, gauge, ⟨AE⟩ gage ♦ ***geladen*** *diepgang* laden/load(ed) draught, draught when loaded; *een schip met* ***grote/geringe*** *diepgang* a ship with a deep/shallow draught, a deep-drawing/shallow-drawing ship; *het vaartuig heeft een diepgang van 20* ***voet*** the vessel draws/has a draught of 20 foot/feet [2] ⟨fig⟩ depth, profundity ♦ *die roman* ***heeft*** *grote diepgang* that novel has great depth/is very profound/penetrating; *een geschrift* ***zonder*** *enige diepgang* (a piece of) shallow writing/writing without any depth/meat (to it)

diepgangsmerk [het] Plimsoll line, load-line

diepgelovig [bn] deeply/extremely/intensely religious

diepgevroren [bn] frozen (solid)

diepgeworteld [bn] ingrained, deep-seated, (deep(ly)) rooted, inherent, ⟨gewoonte⟩ intrenched ♦ *een diepgeworteld* ***wantrouwen*** a deep/an instinctive distrust

diepgezonken [bn] base, low(-down), abject, fallen, ⟨na zelfstandig naamwoord of predicatief⟩ in the gutter, sunk low ♦ *een diepgezonken* ***booswicht*** a base/low-down villain, a low cur; ⟨inf⟩ a guttersnipe; *hij* ***is*** *wel diepgezonken* he hàs sunk low

diepgravend [bn] profound, thorough, ⟨vraag ook⟩ searching, ⟨onderzoek ook⟩ penetrating, in-depth

dieplader [de^m] [1] ⟨verk⟩ low-loader, flatbed trailer [2] ⟨spoorw⟩ drop-frame wagon

diepliggend [bn] ⟨ogen, ramen⟩ deep-set, ⟨schip, aderen⟩ deep-lying, ⟨fig⟩ deep-down
dieplinken [ov ww] deep link
dieplood [het] ⟨scheepv⟩ plumb line, (sounding) lead, plummet
diepsneeuw [de^m] deep snow
diepspoeler [de^m] (standard) WC pan
diepstraler [de^m] dome reflector
diepte [de^v] 1 ⟨het diep zijn⟩ depth, profundity ◆ *in de diepste diepten van de aarde* deep in the bowels of the earth; *de diepte van een **kanaal/huis*** the depth of a channel/canal/ of a house; *een schilderij **zonder** diepte* a painting with no depth 2 ⟨plaats onder de oppervlakte⟩ depth(s) ◆ *een **onpeilbare** diepte* an unfathomable/a fathomless depth; ***op** een diepte van honderd meter* at a depth of a hundred metres 3 ⟨plaats waar het water diep is, waar een bodeminzinking is⟩ trough, hollow, ⟨alleen in water⟩ pool, gulf, deep, dip ◆ *het dorp lag **in** de diepte* the village lay in the hollow/ dip; ⟨ver beneden⟩ the village lay in the depths below/far below 4 ⟨fig⟩ depth(s), trough, abyss ◆ *de **diepste** diepten van de ziel* the penetralia/very depths of the soul; *de diepten van het menselijk **hart*** the depths of the human heart; ⟨fig⟩ *de diepte **ingaan*** discuss/study sth. in depth
dieptebaan [de] underwater trajectory/path
dieptebom [de] depth charge/bomb
dieptecijfer [het] depth figure, ⟨op instrument⟩ depth reading
diepte-interview [het] in-depth interview
diepte-investering [de^v] capital deepening, capital-intensive investment
dieptelijn [de] depth contour, isobath
dieptemeter [de^m] depth gauge, fathometer
diepteonderzoek [het] in-depth examination/investigation/inquiry
dieptepass [de^m] ⟨sport⟩ long ball/pass, ⟨dwars over het veld⟩ square pass
dieptepsychologie [de^v] depth psychology
dieptepunt [het] 1 ⟨laagste punt⟩ low point, nadir, (absolute) low, trough 2 ⟨slechtste situatie⟩ all-time low, the lowest ebb, rock bottom ⟨zonder lidw⟩ ◆ *een (absoluut) dieptepunt **bereiken*** reach rock bottom; *een dieptepunt **in** een relatie* a low point in a relationship; ***over** het dieptepunt heen zijn* have turned the corner, have bottomed out, be over the worst
dieptestroom [de^m] (deep) undercurrent, underwater current, deep-water current, ⟨tegenstroom⟩ undertow, underset
dieptestructuur [de^v] ⟨taalk⟩ deep structure
dieptewerking [de^v] 1 ⟨effect van diepte⟩ depth (effect), three-dimensional effect 2 ⟨in de diepte gaande werking⟩ (downward) penetration, penetrative effect
dieptreurig [bn] 1 ⟨zeer teleurstellend⟩ (very) distressing 2 ⟨schandelijk⟩ disgraceful
diepvries [de^m] 1 ⟨het diepvriezen, -gevroren zijn⟩ deepfreeze 2 ⟨installatie⟩ deepfreeze, freezer ◆ *vlees **uit** de diepvries* meat from the freezer, freezer/(deep-)frozen meat
diepvriesafdeling [de^v] 1 ⟨in koelkast⟩ freezer (compartment) 2 ⟨in winkel⟩ frozen food section
diepvriesbaby [de^m] baby from a deep-freeze embryo
diepvriescel [de] freezer (room)
diepvriesembryo [het] deep-freeze embryo
diepvriesgroente [de^v] (deep-)frozen vegetables
diepvriesinstallatie [de^v] deepfreeze (unit), freezer
diepvrieskast [de] (upright) freezer, deep-freeze cabinet, quick-freezer
diepvrieskist [de] deepfreeze, freezer, chest-type deepfreeze/freezer, chest-model deepfreeze/freezer, quickfreezer
diepvriesmaaltijd [de^m] freezer meal, ⟨AE⟩ TV dinner
diepvriesproduct [het] (deep-)frozen product, ⟨levensmiddel⟩ (deep-)frozen food
diepvriestas [de] freezer bag
diepvriesvak [het] freezer (compartment)
diepvriezen [ov ww] (deep)freeze
diepvriezer [de^m] deepfreeze, freezer
diepwaterhaven [de^m] deep-water port
diepzee [de] deep sea
diepzeeduiken [ww] deep-sea diving
diepzeeduiker [de^m] deep-sea diver
diepzeefauna [de] ⟨plantk⟩ deep-sea fauna
diepzeeonderzoek [het] deep-sea exploration
¹**diepzinnig** [bn] 1 ⟨diep denkend⟩ profound, discerning, sagacious, penetrating ◆ *diepzinnige **wijsgeren*** sagacious philosophers 2 ⟨getuigend van diep denken⟩ profound, pensive, contemplative, serious-minded ◆ *een diepzinnige **blik*** a thoughtful/pensive look 3 ⟨met diepe zin⟩ profound, meaningful, significant, abstruse ◆ *een diepzinnig **betoog*** a profound/thought-provoking argument
²**diepzinnig** [bw] 1 ⟨als iemand die diep denkt⟩ profoundly, discerningly, sagaciously 2 ⟨op een van diep denken getuigende wijze⟩ profoundly, pensively
diepzinnigheid [de^v] profundity, profoundness, depth
dier [het] 1 ⟨dierk⟩ animal, creature, ⟨vaak Bijb, fabels⟩ beast, ⟨inf; AE⟩ critter, ⟨AE⟩ crittur ◆ *voor **mens** en dier* for man and beast; *een **onrein** dier* an unclean animal; ***redeloze/stomme** dieren* dumb animals/creatures 2 ⟨vertederend, aantrekkelijk persoon⟩ pet, dear, ⟨vnl. m.b.t. kind⟩ lamb, dearie, sweetie ◆ ***lekker** dier!* hi sexy/pussycat!; ⟨iron⟩ charming (creature)!, delightful! ⊡ ***Lekker** Dier* ⟨actiegroep⟩ ± Friends of the Earth; *een **politiek** dier* a political animal; *ieder diertje zijn pleziertje* each to his own
dierbaar [bn] dear, loved, well-loved, much-loved, beloved, precious ◆ *de wetenschap **blijft** mij dierbaar* science remains dear to me; ***mijn** dierbaren* my loved ones; *in dierbare **nagedachtenis*** in loving/fond memory; *ons dierbaar **vaderland*** our beloved fatherland/country; *verlies van een dierbare* ± bereavement, loss of a dear one; *zij die ons het meest dierbaar **zijn*** our nearest and dearest
dierenaanbidding [de^v] zoolatry
dierenactivist [de^m] animal rights activist
dierenambulance [de] animal ambulance
dierenarts [de^m] ⟨BE⟩ veterinary surgeon, ⟨AE⟩ veterinarian, ⟨inf⟩ vet
dierenasiel [het] animal home/shelter
dierenbeschermer [de^m], **dierenbeschermster** [de^v] animal protectionist, ⟨Groot-Brittannië⟩ RSPCA-member, ⟨USA⟩ SPCA-member
dierenbescherming [de^v] 1 ⟨streven⟩ animal protection, prevention of cruelty to animals ◆ *vereniging **voor** dierenbescherming* society for the prevention of cruelty to animals; ⟨Groot-Brittannië⟩ RSPCA; ⟨USA⟩ SPCA 2 ⟨vereniging⟩ animal protection society, humane society
dierenbeschermster [de^v] → **dierenbeschermer**
dierenbeul [de^m] s.o. who is cruel to animals, a person who is cruel to animals, s.o. who ill-treats animals, a person who ill-treats animals, s.o. who mishandles animals, a person who mishandles animals
Dierenbevrijdingsfront [het] Animal Liberation Front
dierendag [de^m] ⟨4 oktober⟩ ± animal/pets' day
dierendokter [de^m] ⟨BE⟩ veterinary surgeon, ⟨BE⟩ vet, ⟨AE⟩ veterinarian
dierenepos [het] beast epic
dierenfabel [de] beast fable
dierenhuid [de] animal skin, hide, pelt, ⟨gelooid, verveld⟩ spoil, ⟨ongeprepareerd⟩ peltry
dierenkliniek [de^v] animal clinic
dierenliefde [de^v] love of/for animals
dierenliefhebber [de^m], **dierenliefhebster** [de^v] an-

imal/pet lover, lover of animals, ⟨activist⟩ animal rights activist
dierenliefhebster [de^{v}] → **dierenliefhebber**
dierenmishandeling [de^{v}] cruelty to animals, mistreatment of animals, animal abuse
dierennummer [het] animal act, animal number/turn
dierenopvang [de^{m}] animal shelter
dierenpark [het] → **dierentuin**
dierenpension [het] (boarding) kennel(s)
dierenporno [de] animal porn
dierenpsychologie [de^{v}] animal psychology
dierenrechten [de^{mv}] animal rights
dierenriem [de^{m}] zodiac ♦ *de **tekens** van de dierenriem* the signs of the zodiac
dierenrijk [het] animal kingdom, animal realm/world
dierensage [de] animal/beast epic
dierensymboliek [de^{v}] animal symbolism
dierentaal [de] animal language
dierentemmer [de^{m}] animal trainer, tamer of wild animals, ⟨leeuwen⟩ lion-tamer
dierentuin [de^{m}], **dierenpark** [het] zoo, ⟨form⟩ zoological garden(s), ⟨park⟩ animal park
dierenverzorger [de^{m}] animal carer, zookeeper
dierenvriend [de^{m}] animal/pet lover, ⟨form⟩ zoophile, zoophilist
dierenwereld [de] animal realm/world
dierenwinkel [de^{m}] pet shop/^{A}store
dierenziekte [de^{v}] animal disease, disease of animals
diëresis [de^{v}] [1] ⟨taalk; breking van een tweeklank⟩ diaeresis [2] ⟨taalk; breking van een lettergreep⟩ diaeresis [3] ⟨dichtkunst⟩ diaeresis, caesura
diergaarde [de] ⟨form⟩ zoological garden
diergeneeskunde [de^{v}] veterinary medicine/science, ⟨med⟩ zootherapy
dierkunde [de^{v}] zoology
dierkundig [bn] zoological
dierkundige [de] zoologist
^{1}**dierlijk** [bn] [1] ⟨aan het dier eigen⟩ animal ♦ *de dierlijke **aard/natuur*** animal nature; ⟨form⟩ animality; *het dierlijk **leven*** animal life; *dierlijk **magnetisme*** animal magnetism; ⟨gesch⟩ mesmerism; *dierlijke **vetten*** animal fats; *dierlijk **voedsel*** animal food product(s); *dierlijke **warmte*** animal heat [2] ⟨de mens als dier eigen⟩ animal, ⟨pej⟩ bestial, beastly, ⟨redeloos⟩ brute, ⟨ruw⟩ brutish ♦ ***het** dierlijke in de mens* the animal in man/side of man, man's bestial nature; *dierlijke **instincten*** animal instincts; *aan zijn dierlijke **lusten voldoen*** satisfy one's bestial desires/lusts
^{2}**dierlijk** [bw] ⟨beestachtig⟩ bestially, brutishly, in a beastly manner/way
dierlijkheid [de^{v}] bestiality, animalism, ⟨pej⟩ brutishness, beastliness
dierproef [de] animal experiment/test, experiment/test on an animal, ⟨vnl. als pijnlijk beschouwd⟩ vivisection
diersoort [de] animal species ♦ ***bedreigde** diersoorten* threatened species (of animals)
dierverzorger [de^{m}] animal keeper/tender, ⟨in dierentuin⟩ zoo-keeper
diervoeder [het] animal feed
^{1}**dies** [de^{m}] foundation day, commemoration day, founder's/founders' day ♦ *de dies van de Leidse **universiteit*** Leiden University foundation day; *dies irae* dies irae; *dies natalis* foundation day
^{2}**dies** [aanw vnw] [•] *en wat dies meer zij* and so on (and so forth), and the like; ⟨inf⟩ and suchlike
^{3}**dies** [bw] ⟨form⟩ wherefor(e)
^{1}**diesel** [de^{m}] [1] ⟨auto⟩ diesel (car) [2] ⟨trein⟩ diesel (train)
^{2}**diesel** [de^{v}] ⟨motor⟩ diesel (engine)
^{3}**diesel** [de] ⟨olie⟩ diesel (oil/fuel), ⟨BE ook⟩ derv ♦ ***op** diesel rijden* be driven by diesel, be diesel-driven, take diesel
dieselelektrisch [bn] diesel-electric
dieselen [ww] run on
diesellocomotief [de] diesel locomotive, diesel-electric (locomotive)
dieselmotor [de^{m}] diesel engine ♦ *een **snellopende** dieselmotor* a high-speed diesel engine; ***uitrusten** met een dieselmotor* dieselize
dieselolie [de] diesel oil/fuel
dieseltrein [de^{m}] diesel train, diesel-electric (train)
diesfeest [het] foundation day celebration
diësis [de^{v}] ⟨muz⟩ [1] ⟨verschil octaaf en drie grote tertsen⟩ (enharmonic) diesis [2] ⟨kruis⟩ diesis, sharp
diesrede [de] foundation day speech
diëtetiek [de^{v}] dietetics
diëtisch [bn, bw] dietetic(al) ⟨bw: dietetically⟩, ⟨bijvoeglijk naamwoord ook⟩ dietary
diëtist [de^{m}], **diëtiste** [de^{v}] dietician, dietitian
diëtiste [de^{v}] → **diëtist**
^{1}**Diets** [het] Middle Dutch, medi(a)eval Dutch
^{2}**Diets** [bn] Middle Dutch, medi(a)eval Dutch ♦ *de Dietse **taal*** the Middle/medi(a)eval Dutch language [•] *iemand iets diets **maken*** ⟨duidelijk maken⟩ make sth. clear to s.o.; ⟨wijsmaken⟩ make s.o. believe/delude s.o. into believing sth., have s.o. on
dievegge [de^{v}] thief, robber, ⟨op kleine schaal⟩ pilferer, ⟨in winkels⟩ shoplifter
dieven [ov ww, ook abs] [1] ⟨stelen⟩ thieve, steal, ⟨op kleine schaal⟩ pilfer, ⟨in winkels⟩ shoplift, ⟨overgankelijk werkwoord ook; inf⟩ pinch, nick [2] ⟨plantk⟩ nip/pinch out
dievenbende [de] [1] ⟨groep dieven⟩ gang/band of thieves, pack/bunch of thieves [2] ⟨rommel⟩ shambles, mess, ⟨rommelige plaats⟩ tip ♦ *wat is het hier een dievenbende* a right shambles/mess this is; this (place) is a right tip
dievengespuis [het] pack of thieves, riff-raff
dievengilde [het] light-fingered gentry
dievenhol [het] den/cave of thieves, ken
dievenjacht [de] hunting/chasing of thieves ♦ *de politie is op dievenjacht* the police is hunting (down/for)/chasing thieves
dievenklauw [de] security lock, ⟨AE ook⟩ police lock
dievenlantaarn [de] dark-lantern
dievenpad [het] intention to burgle/steal ♦ *het dievenpad **opgaan*** take to theft
dievenpoeder [het] fingerprint powder, ⟨inf⟩ dust
dievenpoortje [het] security label detector, anti-shoplifting alarm
dievensleutel [de^{m}] passkey, skeleton key
dievenstreek [de] thievish/knavish trick
dieventaal [de] [1] ⟨taal van de onderwereld⟩ underworld slang/jargon, thieves' slang/cant, flash, argot, ⟨inf⟩ thieves' Latin/lingo [2] ⟨vaktaal⟩ jargon, cant
dieventas [de] booster bag
dievenwagen [de^{m}] police van, ⟨inf⟩ Black Maria
dievenweer [het] foul/wicked weather
dieverij [de^{v}] thievery, thieving, ⟨op kleine schaal⟩ pilferage, pilfery
diezelfde [aanw vnw] the very same, this/that same, this/that very
diffamatie [de^{v}] ⟨form⟩ defamation (of character), calumny, ⟨gesproken; ogm⟩ slander, ⟨geschreven⟩ libel
diffameren [ov ww] ⟨form⟩ defame, calumniate, ⟨gesproken; ogm⟩ slander, ⟨geschreven⟩ libel
different [bn, bw] distinct ⟨bw: ~ly⟩, differing ⟨bw: ~ly⟩
differentiaal [de] ⟨wisk⟩ differential
differentiaalbeveiliging [de^{v}] ⟨techn⟩ differential protective system
differentiaaldiagnose [de^{v}] ⟨med⟩ differential diagnosis
differentiaalquotiënt [het] ⟨wisk⟩ differential coefficient, ⟨zeldz⟩ differential quotient

differentiaalrekening [de^{v}] ⟨wisk⟩ differential calculus ♦ *differentiaal- en integraalrekening* infinitesimal calculus
differentiaaltarief [het] sliding scale (of fares/charges)
differentiaalthermometer [de^{m}] differential thermometer
differentiaalvergelijking [de^{v}] ⟨wisk⟩ differential equation
differentiatie [de^{v}] [1] ⟨het uiteenlopen⟩ differentiation, distinction [2] ⟨splitsing⟩ differentiation, specialization ♦ *differentiatie naar tempo/inhoud van een onderwijsprogramma* specialization according to pace/content of a course [3] ⟨wisk⟩ differentiation
differentie [de^{v}] [1] ⟨verschil, onderscheid⟩ difference, distinction [2] ⟨fin⟩ differential (rate) [3] ⟨wisk; verschil van twee waarden⟩ differential [4] ⟨wisk; aangroeiing van een grootheid⟩ differential
^{1}**differentieel** [het] differential (gear)
^{2}**differentieel** [bn] differential, differentiating, distinguishing, discriminative ♦ ⟨ec⟩ *differentiële kosten* differential costs; ⟨psych⟩ *differentiële psychologie* differential psychology; ⟨fin⟩ *differentiële rechten* differential tariffs/duties
differentieerbaar [bn] differentiable, distinguishable
^{1}**differentiëren** [onov ww] [1] ⟨onderscheid aanbrengen⟩ differentiate, distinguish, make/draw distinctions, make/draw a distinction ♦ *differentiëren op functionele punten* differentiate/distinguish on the basis of functional details; *differentiëren tussen* differentiate/distinguish between [2] ⟨zich verschillend ontwikkelen⟩ differentiate, specialize
^{2}**differentiëren** [ov ww, ook abs] ⟨wisk⟩ differentiate
difficiel [bn] difficult, demanding, troublesome
diffractie [de^{v}] ⟨natuurk⟩ diffraction
diffunderen [onov ww] ⟨natuurk⟩ diffuse
diffusie [de^{v}] ⟨natuurk⟩ [1] ⟨vermenging van vloeistoffen, gassen⟩ diffusion, mixture [2] ⟨transport van moleculen⟩ diffusion, pervasion ♦ *diffusie van koolstof in ijzer* diffusion of carbon in iron [3] ⟨m.b.t. warmte, lichtstralen⟩ diffusion
diffusionisme [het] ⟨volkenk⟩ diffusionism
diffusor [de^{m}] [1] ⟨buis⟩ diffuser [2] ⟨armatuur voor diffuus licht⟩ diffuser
diffuus [bn] [1] ⟨verspreid⟩ diffuse, scattered, diffused ♦ ⟨natuurk⟩ *diffuus licht* diffuse light [2] ⟨m.b.t. een stijl⟩ desultory, rambling, wordy, discursive, ⟨onduidelijk⟩ vague
difterie [de^{v}], **difteritis** [de^{v}] diphtheria
difteritis [de^{v}] → **difterie**
diftong [de] ⟨taalk⟩ diphthong
diftongeren [ov ww, ook abs] ⟨taalk⟩ diphthongize
diftongering [de^{v}] ⟨taalk⟩ diphthongization
digamma [de] digamma
digereren [ov ww] [1] ⟨verteren⟩ digest [2] ⟨scheik⟩ digest
digestie [de^{v}] digestion
^{1}**digestief** [het] digestive ⟨ook medisch⟩, ⟨med ook⟩ digestant, digester
^{2}**digestief** [bn] digestive, peptic
diggelen [de^{mv}], **diggels** [de^{mv}] ⟨aardewerk, porselein⟩ shards, potsherds, ⟨ook m.b.t. andere stoffen⟩ shivers, pieces, smithereens ♦ *aan diggelen gaan/vallen* shatter, smash (to pieces); *aan diggelen gooien/slaan* dash/smash to smithereens
diggels [de^{mv}] → **diggelen**
^{1}**digibeet** [de^{m}] ⟨comp⟩ computer moron/dummy
^{2}**digibeet** [bn] computer illiterate
digicam [de] digital camera, digicam
digicamera [de] digital camera
DigiD [de^{v}] ⟨in Nederland⟩ DigiD login code
digirati [de^{mv}] digerati
digitaal [bn, bw] [1] ⟨cijferverwerkend⟩ digital ⟨bw: ~ly⟩ ♦ *digitaal horloge* digital watch; *digitale rekenmachine* digital computer; *digitaal weergeven* digitize [2] ⟨m.b.t. de vingers, de tenen⟩ digital ⟨bw: ~ly⟩
digitaline [de] ⟨med⟩ digitalin
digitalis [de] [1] ⟨kruid⟩ digitalis, foxglove [2] ⟨geneesmiddel⟩ digitalis ♦ *met digitalis behandelen* digitalize
digitaliseren [ov ww] ⟨comp⟩ digit(al)ize
diglossie [de^{v}] diglossia
dignitaris [de^{m}] dignitary ♦ *de tegenwoordige dignitaris* the present incumbent
digniteit [de^{v}] [1] ⟨waardigheid⟩ dignity [2] ⟨ereambt⟩ dignity
digraaf [de^{m}] digraph
digressie [de^{v}] [1] ⟨brede uitweiding⟩ digression, sidetrack, ↑expatiation [2] ⟨astron⟩ elongation ♦ *grootste digressie* greatest elongation
dii [de^{mv}] [•] *dii minores* ⟨lett⟩ minor deities; ⟨fig⟩ lesser lights
dij [de] thigh, ⟨meestal m.b.t. vlees⟩ ham ♦ *op zijn dijen slaan (van plezier)* slap one's thighs (in pleasure), double up with laughter; *stevige dijen* sturdy thighs
dijader [de] ⟨med⟩ femoral artery
di-jambe [de] di(i)amb, diiambus
dijbeen [het] thighbone, ⟨med⟩ femur
dijbreuk [de] hernia femoralis, ⟨BE⟩ femoral hernia
dijenkletser [de^{m}] ⟨inf⟩ side-splitter, real scream
dijharnas [het] ⟨gesch⟩ cuisse
dijk [de^{m}] [1] ⟨dam⟩ bank, embankment, levee, ⟨m.b.t. Nederland⟩ dike, dyke ♦ *een dijk (aan)leggen* throw up a bank/an embankment; *als een dijk* like a hulk; ⟨attributief⟩ a hulking/hulk of a; *binnen/buiten de dijk* within/beyond the banks; *de dijken doorsteken* breach the banks; *een groene dijk* a grassy bank [2] ⟨in België; promenade langs strand⟩ front [•] *iemand aan de dijk zetten* fire s.o., lay s.o. off; ⟨inf⟩ give s.o. the push/heave-ho/axe, axe s.o.; ⟨BE ook⟩ give s.o. his/her cards; *een dijk van een film/boek* ⟨prachtig⟩ a thumping good/a cracker of a film/book, a blockbuster (of a film/book); *een dijk van een huis/salaris* ⟨goed⟩ a thumping good/a cracker of a house/salary; ⟨groot⟩ a thumping great/a monster of a/a massive house/salary
dijkage [de^{v}] [1] ⟨het (be)dijken⟩ embankment, embanking, damming/banking up [2] ⟨dijkwerken⟩ embankment(s), embanking
dijkarbeider [de^{m}] dike worker, diker
dijkbeslag [het] revetment
dijkbestuur [het] [1] ⟨bestuurscollege⟩ dike board/authority [2] ⟨toezicht op een dijk⟩ dike management
dijkbouw [de^{m}] dike construction, diking, dike building
dijkbreuk [de] bursting of a/the dike, giving way of a/the dike, breach in a/the dike ♦ *het hele dorp stond blank als gevolg van een dijkbreuk* the whole village was flooded when the dike burst/gave way
^{1}**dijken** [onov ww] ⟨een dijk maken⟩ build/construct a dike
^{2}**dijken** [ov ww] ⟨bedijken⟩ dike, dyke, enclose/protect with a dike, enclose/protect with dikes, ⟨met dijken omringen⟩ build/construct a ring dike, ⟨rivieren⟩ embank
dijker [de^{m}] 'dijker', (in 1960's) person who took part in the events in the Nieuwedijk in Amsterdam ♦ *dijkers en pleiners* mods and rockers ⟨sic!⟩
dijkgelden [de^{mv}] dike dues, ⟨BE ook⟩ dike rates
dijkgraaf [de^{m}], **watergraaf** [de^{m}] dike grave, ⟨Groot-Brittannië⟩ dike reeve, dike warden
dijkgraafschap [het] [1] ⟨gebied⟩ dike district [2] ⟨waardigheid⟩ office of dike grave/reeve/warden
dijkheemraad [de^{m}] member of a dike board
dijkheemraadschap [het] [1] ⟨waardigheid⟩ membership of a dike board [2] ⟨college⟩ dike conservancy board
dijkleger [het] dike supervisors, dike watch

dijklichaam [het] core of a/the dike, body of a/the dike, ⟨zandlichaam⟩ sand core
dijkmeester [de^{m}] ± superintendent/inspector (of dikes)
dijkpaal [de^{m}] [1] ⟨om golfslag te breken⟩ dike post [2] ⟨voor plaatsbepaling⟩ dike post
dijkraad [de^{m}] [1] ⟨dijkbestuur⟩ dike board/authority [2] ⟨dijkheemraad⟩ member of a dike board
dijkrecht [het] [1] ⟨wettelijke voorschriften⟩ dike law(s), regulations for the maintenance of dikes [2] ⟨belastingen⟩ dike dues/rates
dijkrecreatie [de^{v}] dike recreation
dijkschouw [de^{m}] inspection of dikes, inspection of a dike
dijksloot [de] (dike) drainage ditch
dijkvak [het] section of a dike
dijkval [de^{m}] dike subsidence
dijkverzwaring [de^{v}] dike improvement/reinforcement
^{1}**dijkwacht** [de^{m}] ⟨beambte⟩ ± dike warden/inspector
^{2}**dijkwacht** [de] ⟨wacht op de dijk bij gevaar⟩ dike watch
dijkwezen [het] construction and maintenance of dikes, dikes and their management
dijlap [de^{m}] ± leather apron
dijn [het] [•] *het **mijn** en dijn* mine and thine, meum and tuum; *hij kent het verschil tussen het **mijn** en het dijn niet* he doesn't know the difference between mine and thine/meum and tuum
dijspier [de] thigh muscle
dijstuk [het] leg
^{1}**dik** [het] [1] ⟨bezinksel⟩ grounds, dregs ◆ *het dik van **koffie*** the coffee grounds [2] ⟨wat dik is⟩ thick [•] *door dik en **dun** gaan* go through thick and thin; *iemand door dik en **dun** volgen, met iemand door dik en **dun** gaan* support s.o./stand by s.o. through thick and thin/fair and foul
^{2}**dik** [bn] [1] ⟨niet dun⟩ thick ◆ *een dik **boek*** a thick/fat book/tome; *tien **cm** dik* 10 cm thick/in thickness; *een dikke **laag*** a thick layer; *een dikke **plank*** a thick board/plank; *ze stonden tien **rijen** dik* they stood ten (rows) deep; *een dikke **streep/lijn*** a thick/bold stroke/line; *een dikke **trui/jas*** a thick/heavy/warm jumper/coat [2] ⟨van aanzienlijke omvang⟩ thick, fat, bulky ◆ *een dikke **buik*** a fat belly, a paunch, a (fat) gut, a pot belly; ⟨fig⟩ *een dikke **portemonnee** hebben* have a fat/bulging wallet; *dikke **tranen*** big tears; *dikke **wangen*** chubby/plump cheeks [3] ⟨weinig vloeibaar⟩ thick ◆ *een dikke **brij*** ⟨voedsel⟩ pap; *dikke **melk*** ⟨geronnen⟩ curdled milk; *dikke **saus*** thick/rich sauce; *dikke **soep*** thick soup, potage; *dik **worden*** thicken, set, congeal [4] ⟨m.b.t. staafvormige voorwerpen⟩ thick ◆ *de dikke **darm*** the large intestine; *een dikke **stok*** a big stick [5] ⟨gezet, corpulent⟩ fat, stout, corpulent ◆ *zich dik **eten*** gorge o.s., make a pig of o.s.; *die jurk **maakt** dik* that dress makes you look fat; *een dikke **man*** a fat man; *dik **worden*** grow/get fat, put on weight/flesh; *zij heeft aanleg om dik te **worden*** she puts on weight easily [6] ⟨opgezet, gezwollen⟩ swollen ◆ *dikke **vingers*** plump fingers; ⟨kort en dik⟩ stubby fingers; *dik **worden*** swell (up) [•] *dik **doen*** swank, swagger, boast; *dik **gekleed*** warmly dressed; *zich dik **maken** (over iets)* get worked up/excited (about sth.), be in a stew (about sth.); ⟨sprw⟩ *de domste boeren hebben de dikste aardappels* fortune favours fools; ⟨sprw⟩ *wat de een niet lust, daar eet een ander zich dik in* one man's meat is another man's poison
^{3}**dik** [bn, bw] [1] ⟨ruim, royaal⟩ thick ⟨bw: ~ly⟩, ample, good ◆ ⟨fig⟩ *in die handel zit een dik **belegde** boterham* you can make/earn a good living in that trade; *een dikke **honderd** euro* a good hundred euros, a hundred-odd euros; *hij is dik **in** de zeventig* he is well (on) into his seventies; ⟨fig⟩ *een dikke **kus*** a big kiss, ↓a smacker; *dik **onder** het stof* thick with dust; *dik **tevreden** (zijn)* (be) well-satisfied; *een dik **uur*** a good hour; *dik **verdiend*** well-earned, thoroughly deserved/merited; *iemand dik **verslaan*** beat s.o. by miles; *een dikke **voldoende*** a (very) high mark; *dik in **orde** zijn* be all right; *dat zit er dik **in*** I wouldn't be surprised, that is more than likely, there's every chance of that; *het ligt er dik **bovenop*** it is quite obvious; *het er dik **bovenop** leggen* lay it on thick, lay it on with a trowel; *dat komt dik voor **elkaar/mekaar*** that'll work out fine [2] ⟨van relaties: hecht⟩ thick ⟨bw: ~ly⟩, close, great ◆ *het is dik **aan** tussen hen* they're as thick as thieves; ⟨ook geliefden⟩ they're pretty close; ⟨geliefden ook; inf⟩ they've got sth. pretty deep (together/(going on) between them); *dik **bevriend** zijn* be close friends, be very close; *dikke **maatjes** zijn* be as thick as thieves; *dikke **vrienden** zijn* be great/close friends, be the best of friends [3] ⟨dicht⟩ thick ⟨bw: ~ly⟩, heavy, dense ◆ *een dikke **bos** haar* a shock of hair, a thick head of hair; ⟨fig⟩ *niet dik **gezaaid*** thin on the ground, few and far between; ⟨in België; fig⟩ *er dik **lopen*** be thick on the ground, be common/frequent; *een dikke **mist*** (a) dense/thick fog; *een dikke **rook*** a thick smoke; *een dikke **vacht*** a thick coat, thick fur
dikbastig [bn] ⟨biol⟩ thick-shelled
dikbekzeekoet [de^{m}] Brünnich's guillemot
dikbil [de] [1] ⟨persoon⟩ s.o. with a fat behind, ⟨inf; BE⟩ s.o. with a fat bum, ⟨AE⟩ s.o. with a fat ass, ⟨AE⟩ s.o. who is broad in the beam, ⟨vulg; AE⟩ fat ass [2] ⟨rund⟩ double-muscled beef
dikbilkalf [het] double-muscle calf
dikbilstier [de^{m}] double-muscle bull
dikbuik [de^{m}] potbelly
dikbuikig [bn] big-bellied, potbellied, p(a)unchy, ↑abdominous, ↑ventripotent
dikdik [de^{m}] dik-dik
dikdoener [de^{m}] braggart, boaster, big-mouth
dikdoenerig [bn, bw] braggart ⟨bw: ~ly⟩, boastful, big-mouthed
dikdoenerij [de^{v}] bragging, boasting
dikheid [de^{v}] thickness, ⟨mens⟩ fatness, corpulence, ⟨dichtheid ook⟩ density, consistency
dikhuid [de^{m}] ⟨ook fig⟩ thick skin, ⟨bijvoorbeeld olifant⟩ pachyderm
dikhuidig [bn] [1] ⟨dik van huid⟩ pachyderm(at)ous, thick-skinned ◆ *de dikhuidige **zoogdieren** (Pachydermata)* the pachyderms/pachydermata, the thick-skinned mammals [2] ⟨bot, stompzinnig⟩ thick-skinned, pachyderm(at)ous
dikkedarmontsteking [de^{v}] ⟨med⟩ colitis, colonitis
dikkerd [de^{m}] fatty, piggy, fatso, tub ◆ *dat is een **gezellige** dikkerd* he/she is round/fat and cuddly; *kom 'ns hier, dikkerd* come here, fatty
dikkop [de^{m}] [1] ⟨iemand met een dikke kop⟩ person with a large head/skull [2] ⟨stijfkop⟩ pigheaded person, bonehead, fathead [3] ⟨kikvors⟩ tadpole [4] ⟨vlinder⟩ skipper
diklippig [bn] thick-lipped
dikoor [de^{m}] ⟨in België⟩ mumps ⟨mv⟩
dikte [de^{v}] [1] ⟨het dik-zijn⟩ fatness, thickness [2] ⟨afmeting⟩ thickness, ⟨glas, metaal⟩ gauge, ⟨ronde voorwerpen⟩ girth ◆ *de dikte van een **boom*** the girth of a tree; *de dikte van het **ijs*** the thickness of the ice; *een dikte **van** vier voet* four feet thick, a thickness of four feet [3] ⟨dichtheid⟩ thickness, density, ⟨vnl. vloeistoffen⟩ consistency ◆ *de dikte van de **mist*** the thickness/density of the fog; *de dikte van de **verf*** the thickness/consistency of the paint [4] ⟨verdikking⟩ swelling, lump ◆ *een dikte **aan** een tak* a swelling/lump on a branch; *hij heeft een dikte **aan** zijn voet* he has a swelling/lump on his foot
dikvloeibaar [bn] viscous, viscose, viscid
dikwerf [bw] ⟨form⟩ oft(en)times
dikwijls [bw] [1] ⟨vele malen⟩ often, frequently, many times ◆ *dat moet je dikwijls **doen*** you have to do that frequently; *ze gaat niet dikwijls **uit*** she doesn't go out much; *wat **hebben** we dikwijls plezier **gehad**!* what fun we used to have!; ***hoe** dikwijls moet ik u dat nog zeggen?* how often do I

have to tell you this/repeat this (for you) 2 ⟨in menig geval⟩ often, frequently, many times ◆ *dat is dikwijls niet uit te maken* often that can't be decided
dikzak [de^{m}] ⟨scherts⟩ fatty, piggy, fatso, tub
dil [de] ± fenland
dilatatie [de^{v}] 1 ⟨natuurk⟩ dilatation, expansion 2 ⟨med⟩ dilatation, dilation
dilatatievoeg [de] dilatation seam/joint
dilatatorium [het] ⟨med⟩ dilat(at)or, dilater
dilateren [ov ww] dilate
dilatoir [bn] dilatory, delaying ◆ ⟨jur⟩ *dilatoire **exceptie*** dilatory exception
dildo [de^{m}] dildo
dilemma [het] dilemma, quandary ◆ *voor een dilemma staan* be in a dilemma/quandary; ⟨form⟩ be on the horns of a dilemma; *iemand **voor** een dilemma stellen* place s.o. in a dilemma
dilettant [de^{m}], **dilettante** [de^{v}] 1 ⟨amateur⟩ dilettante, amateur 2 ⟨iemand met oppervlakkige kennis⟩ dilettante, amateur
dilettante [de^{v}] → **dilettant**
dilettantentoneel [het] amateur theatricals/theatre
dilettanterig [bn, bw] ⟨pej⟩ ⟨bijvoeglijk naamwoord⟩ amateurish, ⟨bijwoord⟩ in an amateurish way
dilettantisch [bn, bw] ⟨bijvoeglijk naamwoord⟩ dilettant(e)ish, amateur, dilettante, ⟨bijwoord⟩ in a dilettante manner, in an amateur way ◆ *een dilettantisch **boek*** a book written by a non-specialist; ⟨pej⟩ an amateurish book
dilettantisme [het] dilettantism, amateurism, ⟨pej⟩ amateurishness
diligence [de] ⟨gesch⟩ diligence, (stage-)coach ◆ *in de tijd van de diligence* in the days/period of the stage-coach
diligent [bn] diligent, hard-working, industrious, ⟨form⟩ assiduous ▪ *een commissie/iemand diligent **verklaren*** authorize/instruct a committee/s.o. to continue (in charge/with an/the assignment/…)
diligentverklaring [de^{v}] authority to continue (in charge), instructions to continue (in charge), authority to continue (with an/the assignment), instructions to continue (with an/the assignment)
dille [de] 1 ⟨deel van een spade⟩ socket 2 ⟨plant, kruid⟩ dill
diluvium [het] 1 ⟨pleistoceen⟩ Diluvium, Pleistocene 2 ⟨geol; gronden uit dat tijdvak⟩ diluvium, Drift, Pleistocene
dimensie [de^{v}] 1 ⟨afmeting⟩ dimension, measurement ◆ *de **vierde** dimensie* the fourth dimension 2 ⟨fig; betekenis⟩ dimension, meaning ◆ *een andere/nieuwe dimensie **toevoegen** aan zijn bestaan* add another/a new dimension to one's existence 3 ⟨natuurk⟩ dimension 4 ⟨element, aspect⟩ dimension, perspective
dimensionaal [bn, bw] dimensional ⟨bw: ~ly⟩
dimensioneren [ov ww] dimension
diminuendo [bw] ⟨muz⟩ diminuendo, decrescendo
diminutief [het] ⟨taalk⟩ diminutive
diminutiefsuffix [het] ⟨taalk⟩ diminutive suffix
dimlicht [het] dipped/^{A}dimmed headlights, ⟨AE ook⟩ dimmers
¹dimmen [onov ww] ⟨inf⟩ ⟨rustig aan doen⟩ cool it ◆ *effe dimmen, da's niet leuk meer* cool it, it's not funny any more; *effe dimmen, anders gaan we meppen* cool it unless you're looking for a fight
²dimmen [ov ww, ook abs] ⟨licht temperen⟩ dip/^{A}dim (the headlights), shade
dimmer [de^{m}] ⟨elek⟩ dimmer(-switch)
dimorf [bn] ⟨natuurk⟩ dimorphic, dimorphous
dimorfie [de^{v}] 1 ⟨biol⟩ dimorphism 2 ⟨scheik⟩ dimorphism
dimschakelaar [de^{m}] ⟨BE⟩ dipswitch, ⟨AE⟩ dimmer, ⟨BE ook⟩ dipper
dimsum [de^{m}] dimsum
DIN [afk] ⟨foto⟩ (Deutsche Industrie-Norm) DIN
dinar [de^{m}] dinar
dinch [de^{m}] dinch
dinchen [onov ww] have dinch
diner [het] 1 ⟨avondmaaltijd⟩ dinner ◆ ***aan** het diner* at dinner; *een dinertje bij **kaarslicht*** a candle-lit dinner/supper 2 ⟨feestelijke, officiële maaltijd⟩ dinner (party) ◆ *een diner **geven/aanbieden*** give a dinner party, entertain s.o. to dinner
diner dansant [het] dinner-dance
dineren [onov ww] dine, have dinner ◆ ***buitenshuis** dineren* dine out; *dineren à la carte* dine à la carte
ding [het] 1 ⟨voorwerp⟩ thing, object, ⟨apparaatje⟩ gadget, contraption, contrivance ◆ *ik zou er een **lief** ding voor geven om …* I would give my right arm to ⟨ww⟩, I would give my right arm for ⟨zn⟩, I wish to goodness that …; *zij verkopen alle **mogelijke** dingen* they sell just about everything; *een **mooi** ding, dat schuurtje* a nice job, that shed; *en (al) dat **soort** dingen* and all that, and (all) that sort of thing, and the like, and all that jazz; *het is een ding **van niets*** ⟨zonder waarde⟩ it's a worthless/useless thing/a cream puff; ⟨gemakkelijk⟩ it's child's play/plain sailing/nothing, there's nothing to it; ⟨onbelangrijk⟩ it's nothing 2 ⟨feit, gebeurtenis⟩ thing, matter, affair, business ◆ *de dingen tegen elkaar **afwegen*** weigh (up) the pros and cons, weigh things up; ***andere** dingen te doen hebben* have other things to do, be otherwise engaged, have other fish to fry; *dingen van de **dag*** current affairs; ***een** ding is zeker, hij komt niet* one thing is certain, he is not coming/going to come; *er is maar **één** ding op tegen* there is only one drawback/snag, ⟨inf⟩ there is only one thing; *de dingen **gaan** zoals ze gaan* things take their natural course; *doe geen **gekke** dingen* don't do anything foolish/silly/stupid; ⟨scherts⟩ don't do anything I wouldn't do; ***gewone/alledaagse** dingen* trivial matters, commonplace things, commonplaces; *een goede kijk op **mensen** en dingen hebben* see (things) sharply, be nobody's fool; *de dingen **nemen** zoals ze zijn/komen* take things as they are/come; ***over** die dingen spreekt men niet* one doesn't talk about such things, such things are better left unmentioned; *geen **verkeerde** dingen zeggen/doen* not say/do anything wrong; *dat **zijn** zo van die dingen* that's just one of those things; *er kunnen nog **zoveel** dingen gebeuren* anything can happen; *de dingen bij hun naam noemen* call a spade a spade, not mince matters 3 ⟨jonge vrouw⟩ thing, ⟨vnl pej⟩ chit ◆ *een **brutaal** ding* a chit of a girl; *een **jong/aardig/lekker** ding* a young thing, a nice/sweet little thing; *een **lekker** ding* ⟨vulg ook; BE⟩ a bit of fluff 4 ⟨klein kind⟩ thing, chit 5 ⟨gesch⟩ thing, ting, ⟨jur⟩ ± court ▪ ⟨sprw⟩ *al draagt een aap een gouden ring, het is en blijft een lelijk ding* an ape's an ape, a varlet's a varlet, though they be clad in silk or scarlet; ⟨sprw⟩ *alle goede dingen bestaan in drieën* all good things go by/come in threes
dingen [onov ww] 1 ⟨wedijveren⟩ compete 2 ⟨+ naar; trachten te verkrijgen⟩ compete (for), strive (after/for), contend (for) ◆ ***naar** een betrekking dingen* solicit a post/position; ***naar** de hand van een meisje dingen* ⟨vero⟩ court a girl; *dingen **naar** de gunst van het publiek* court the public, bid for the public's favour 3 ⟨afdingen⟩ bargain, haggle
dinges [de] ⟨inf⟩ thingummy, thingamajig, ⟨zaak ook⟩ what-d'you-call-it, whatchacallit, whatsit, ⟨sl⟩ whatsis, ⟨m.b.t. persoon ook⟩ what's-his-name, what's-her-name, ⟨sl⟩ what's-his-face, what's-her-face ◆ ***meneer/mevrouw** Dinges* Mr/Mrs what's-his/her-name/Thingummy
dinghy [de] dinghy
dingo [de^{m}] dingo
dingsigheidje [het] gadget, trifle, gimrack
dingtaal [de] ⟨jur⟩ pleadings ⟨mv⟩, documents in the case ⟨mv⟩

dinkie [de^{m}] (double income no kids) dink(ie), dinky
dinosaurus [de^{m}] dinosaur
dinsdag [de^{m}] Tuesday ♦ *de derde dinsdag in september* the third Tuesday in September; ⟨in België⟩ ***vette** dinsdag* Shrove Tuesday, Mardi Gras, Pancake Day
^{1}**dinsdags** [bn] ⟨op dinsdag vallend⟩ Tuesday ♦ *de dinsdagse **markt*** the Tuesday market
^{2}**dinsdags** [bw] ⟨op dinsdag⟩ on Tuesdays, ⟨AE ook⟩ Tuesdays ♦ *elke dag **behalve** dinsdags ben ik bezet* I am busy every day except Tuesday; *hij **kwam** gewoonlijk dinsdags* he used to come on Tuesdays, ⟨AE ook⟩ he used to come Tuesdays
diocees [het] diocese
^{1}**diocesaan** [de^{m}] diocesan
^{2}**diocesaan** [bn] diocesan ♦ *diocesane **synode*** diocesan synod
diode [de^{v}] diode ♦ ***halfgeleidende** diode* semi-conducting diode
diofantisch [bn] ⟨wisk⟩ Diophantine
dionysisch [bn] [1] ⟨m.b.t. Dionysus⟩ Dionysian [2] ⟨uitbundig⟩ Dionysian, Dionysiac
dioptaas [het] dioptase
diopter [het] peep sight
dioptrica [de^{v}] dioptrics
dioptrie [de^{v}] dioptre ♦ *een lens **van** één dioptrie* a one-dioptre lens, a lens of one dioptre
dioptrisch [bn] dioptric(al) ♦ *dioptrische **kijker*** refractor, refracting/dioptric telescope; *dioptrische **kleuren*** dioptric colours
diorama [het] diorama, panorama
dioriet [het] diorite
dioxide [het] ⟨scheik⟩ dioxide
dioxine [het] ⟨scheik⟩ dioxin
dioxinekip [de^{v}] dioxin-contaminated chicken
dip [de^{m}] dip ♦ *in een dip **zitten*** be going through a bad patch
diplegie [de^{v}] ⟨med⟩ diplegia
diplodocus [de^{m}] diplodocus
diploïd [bn] ⟨biol⟩ diploid
diploma DOCUMENT [het] [1] ⟨bewijs van een examen⟩ diploma, certificate ♦ *een diploma **behalen*** qualify, graduate; *hij heeft het diploma **boekhouden*** he is a certificated bookkeeper; *diploma van **ingenieur*** ± BSc Engineering, ± degree in Engineering; *diploma's **uitreiken*** present diplomas/certificates, ⟨AE⟩ graduate; *in het bezit zijn van alle **vereiste** diploma's* have all the necessary bits of paper; ***zonder** diploma's* unqualified; *tegenwoordig heb je overal een diploma voor nodig* nowadays one needs a qualification for everything [2] ⟨bewijsstuk van een onderscheiding⟩ diploma [3] ⟨boek⟩ diploma
diplomaat [de^{m}] [1] ⟨ambassadeur, gezant⟩ diplomat, diplomatist [2] ⟨fig⟩ diplomatist, diplomat
diplomatenklasje [het] diplomatic training
diplomatenkoffertje [het] attaché case, document case
diplomatentaal [de] the language of diplomacy
diplomatentas [de] attaché case
diplomaticus [de^{m}] diplomat(ist)
diplomatie [de^{v}] [1] ⟨diplomatiek verkeer⟩ diplomacy ♦ *hij gaat **in** de diplomatie* he is going to enter the diplomatic service [2] ⟨omzichtigheid⟩ diplomacy, tact ♦ *diplomatie **gebruiken*** be diplomatic, diplomatize
^{1}**diplomatiek** [de^{v}] diplomatics
^{2}**diplomatiek** [bn, bw] [1] ⟨m.b.t. de diplomatie⟩ diplomatic ⟨bw: ~ally⟩ ♦ *diplomatieke **betrekkingen** onderhouden/verbreken* maintain/break off diplomatic relations; *in diplomatieke **dienst** treden* enter/join the diplomatic service; *een diplomatieke **nota*** an aide-mémoire, a diplomatic memorandum; *diplomatieke **onschendbaarheid*** diplomatic immunity/privilege; *diplomatieke **stappen** ondernemen* take diplomatic steps/action; *diplomatieke **vertegenwoordiger*** envoy; *langs diplomatieke **weg*** through diplomatic channels; ⟨ook fig⟩ by diplomacy; *een diplomatieke **werkkring*** a diplomatic post/position [2] ⟨omzichtig⟩ diplomatic ⟨bw: ~ally⟩, tactful ♦ *een diplomatiek **antwoord*** a diplomatic/tactful answer; *diplomatiek te **werk gaan*** show great tact, be diplomatic
diplomeren [ov ww] certificate ♦ *niet gediplomeerd* unqualified, untrained; *een gediplomeerd **verpleegster*** a ^{B}State Registered Nurse/^{A}Registered Nurse, a trained nurse; *gediplomeerd **zijn*** be certificated/qualified/trained/registered, hold certificates
diplopie [de^{v}] diplopia
dipodie [de^{v}] ⟨lit⟩ dipody
dipool [de] [1] ⟨dubbele pool⟩ dipole [2] ⟨elektrisch systeem⟩ dipole [3] ⟨antenne⟩ dipole
dipoolantenne [de] dipole
dippen [ov ww] [1] ⟨even indopen⟩ dip [2] ⟨afstellen⟩ dip [3] ⟨m.b.t. koeienuiers⟩ dip
dipsaus [de] dip
dipsomanie [de^{v}] dipsomania ♦ *zij **lijdt** aan dipsomanie* she is a dipsomaniac
diptera [de^{mv}] ⟨dierk⟩ diptera
diptiek [het] diptych
dir. [afk] [1] (direct) direct [2] (directeur) → **directeur**
^{1}**direct** [bn, bw] [1] ⟨rechtstreeks⟩ direct ⟨bw: ~ly⟩, immediate, straight ♦ *directe **aandrijving*** direct drive; *een directe **actie*** a direct action; *direct **al, al** direct* from the very beginning/start, right from the beginning/start; *een direct **antwoord*** a direct/straight answer; ⟨fin⟩ *directe **belastingen*** direct taxes/taxation; *zijn directe **chef*** his immediate superior; ⟨bokssp⟩ ***een** linkse/rechtse directe plaatsen* throw a straight left/right; *directe **kosten*** immediate costs/expenses; *hij heeft een directe **manier** van spreken* he is very direct; ⟨onderw⟩ *directe **methode*** direct method; *de directe **omgeving*** the immediate vicinity; *de directe **oorzaak*** the immediate cause; *een directe **reactie*** a prompt reaction; ⟨taalk⟩ *directe **rede*** direct speech; *direct **uit** de fles drinken* drink straight from the bottle; *directe **uitzending*** live broadcast; *een directe **verbinding*** a direct connection; ⟨trein ook⟩ a through train; *iemand een directe **vraag** stellen* ask s.o. a straight question, ask s.o. outright [2] ⟨ogenblikkelijk⟩ prompt ⟨bw: ~ly⟩, immediate ♦ *direct **bij** aankomst* immediately on arriving/arrival; ***kom** direct* come at once/straight away; *direct **leverbaar*** immediately available; *directe **levering*** prompt delivery; ⟨fin⟩ *direct **opvraagbaar*** (repayable) at/on call, on demand; *direct **te aanvaarden*** with vacant possession, available for immediate occupation; *direct **toen** hij haar zag* the moment he saw her
^{2}**direct** [bw] ⟨zeer spoedig⟩ presently, ⟨inf⟩ directly ♦ *ik ben direct **klaar*** I'll be ready in a minute/in no time ▪ ***niet** direct vriendelijk* not exactly kind
directbank [de] direct bank
direct drive [de^{m}] direct drive
directe [de^{m}] ⟨in België⟩ an express train, an intercity train
directeur [de^{m}], **directrice** [de^{v}] ⟨zaak; man⟩ manager, ⟨vrouw⟩ manageress, ⟨nv; man & vrouw⟩ (managing) director, ⟨school; man⟩ principal, ⟨vrouw⟩ lady principal, ⟨BE ook; man⟩ headmaster, ⟨vrouw⟩ headmistress, ⟨ziekenhuis; man & vrouw⟩ superintendent, ⟨vrouw; BE⟩ matron, ⟨man & vrouw; AE⟩ director of nursing, ⟨gevangenis; man & vrouw⟩ governor ♦ ***algemeen** directeur* general manager; *directeur van een **bibliotheek*** chief librarian; ⟨iron⟩ ***meneer** de directeur* Mr Big Shot; *directeur van het **postkantoor*** ⟨man⟩ postmaster, ⟨vrouw⟩ postmistress
directeur-generaal [de^{m}] director-general, ⟨med; AE⟩ surgeon general, ⟨ministerie ook⟩ deputy secretary ♦ *de directeur-generaal van de **PTT*** postmaster general
directeur-sportief [de^{m}] director of sport, sports director

directheid [de^v] directness, straightforwardness, bluntness ♦ *de directheid **van** zijn antwoord verbaasde mij* the directness of his answer surprised me
directie [de^v] [1] ⟨directeuren⟩ management, board (of directors), directorate ♦ *je moet even **bij** de directie **komen*** you're wanted by the management; *we hebben een **nieuwe** directie* we're under new management [2] ⟨bureau⟩ secretariat(e) [3] ⟨bestuur⟩ management, board, directorate ♦ *dat is **onder** zijn directie gebeurd* that happened under his management/directorship; *de directie **voeren*** be the management
[1]**directief** [het] directive, direction ⟨meestal mv⟩
[2]**directief** [bn] directive, leading ♦ *een directieve **opmerking*** a leading remark
directiekamer [de] boardroom
directiekeet [de] site office, surveyor's house
directielid [het] member of the board (of directors), ⟨fabrieken⟩ management, member of the board of managers
directiesecretaresse [de^v] → **directiesecretaris**
directiesecretariaat [het] post/office of (the) executive secretary
directiesecretaris [de^m], **directiesecretaresse** [de^v] executive secretary
directievergadering [de^v] board meeting, meeting of a/the board (of directors)
directievoering [de^v] management (of a company), operations management
directioneel [bn, bw] managerial ⟨bw: ~ly⟩, executive ⟨bw: ~ly⟩ ♦ *een directioneel **genomen** beslissing* a managerial decision
direct mail [de] direct mail
direct marketing [de] direct marketing
directoire [de^m] (Directoire) knickers, drawers
directoraat [het] ⟨zaak⟩ managership, ⟨mv⟩ directorship, directorate, ⟨m.b.t. het ministerie⟩ directorate ♦ *het directoraat **neerleggen*** ⟨zaak⟩ resign from the board/as manager; ⟨school⟩ resign as principal; ⟨gevangenis⟩ resign as government
Directoraat-generaal [het] Directorate-General
directorium [het] [1] ⟨bestuurslichaam⟩ board of directors [2] ⟨r-k; miskalender⟩ directory
director's cut [de^m] director's cut
directory [de^m] ⟨comp⟩ directory
directrice [de^v] → **directeur**
direct selling [de] direct selling
direct writer [de^m] direct writer
dirham [de^m] dirham
dirigeerstok [de^m] baton
dirigent [de^m] conductor, ⟨AE ook⟩ leader, ⟨gesch⟩ Kapellmeister, ⟨van koor ook⟩ choirmaster
dirigeren [ov ww, ook abs] [1] ⟨besturen⟩ ⟨orkest⟩ conduct, ⟨groep mensen⟩ control [2] ⟨richten, zenden⟩ direct, guide ♦ *hij dirigeerde het **publiek** de zaal uit* he directed the public out of the hall
dirigisme [het] ⟨ec⟩ dirigisme, statism
dirigistisch [bn, bw] [1] ⟨sterk leidend⟩ imperious, domineering [2] ⟨volgens het dirigisme⟩ dirigiste, statist
dirty mind [de] dirty mind
DIRV [de^v] ⟨in België⟩ (Derde Industriële Revolutie in Vlaanderen) Third Industrial Revolution in Flanders
[1]**dis** [de^m] ⟨form⟩ [1] ⟨tafel⟩ table, board ♦ *zich **aan** de dis zetten* sit down to/at the table, seat o.s. at the table; *een goed **voorziene** dis* a good table [2] ⟨maaltijd⟩ table, board, fare ♦ *een **feestelijke** dis* festive fare
[2]**dis** [de] ⟨muz⟩ ⟨toon⟩ D sharp
disagio [het] ⟨fin⟩ discount
disassembleren [ov ww] disassemble
disbalans [de] imbalance
discant [de^m] ⟨muz⟩ [1] ⟨hoge toon⟩ descant, ⟨piano⟩ treble [2] ⟨sopraan⟩ treble voice
discantsleutel [de^m] ⟨muz⟩ treble clef
discfilm [de^m] ⟨foto⟩ ⟨BE⟩ discfilm, ⟨AE⟩ diskfilm
discipel [de^m] disciple, follower
disciplinair [bn, bw] disciplinary ⟨bw: disciplinarily⟩ ♦ *disciplinaire **bepalingen*** disciplinary provisions/regulations; *een disciplinaire **maatregel*** a disciplinary measure; *een disciplinair **onderzoek instellen*** hold a disciplinary inquiry; *disciplinaire **straf*** disciplinary punishment; *iemand disciplinair **straffen*** take disciplinary action against s.o.
discipline [de^v] [1] ⟨tucht, orde⟩ discipline ♦ ***gebrek aan** discipline* lack of discipline; *de discipline **handhaven*** maintain/keep up discipline; *discipline **moet** er **zijn*** there must be discipline; *dit **ondermijnt** de discipline* this undermines discipline [2] ⟨krijgstucht⟩ discipline ♦ *een troep **zonder** discipline* an undisciplined bunch of soldiers [3] ⟨leer, tak van wetenschap⟩ discipline
disciplineren [ov ww] discipline, train, drill ♦ *een goed gedisciplineerd **leger*** a well-disciplined/well-trained army; *hij **werkt** zeer gedisciplineerd aan zijn nieuwe roman* he applies himself to his new novel with strict self-discipline
disclaimer [de^m] disclaimer
discman [de^m] discman, portable cd player
disco [de] [1] ⟨discotheek⟩ disco(theque) [2] ⟨muziek⟩ disco (music)
discobal [de^m] disco ball, mirror ball
discobar [de] disco(thèque)
discobeat [de^m] disco beat
discobol [de^m] disco ball, mirror ball
discoboot [de] disco boat
discobus [de] disco bus
discodans [de^m] disco dance
discofiel [de^m] discophile
discograaf [de^m] discographer
discografie [de^v] discography
discomuziek [de^v] disco (music)
discontabel [bn] [1] ⟨wat gedisconteerd kan worden⟩ discountable [2] ⟨solide⟩ sound
disconteren [ov ww] discount
disconteringsbank [de] ⟨BE⟩ discount house, ⟨AE⟩ discount company
discontinu [bn] discontinuous, intermittent
discontinueren [ov ww] discontinue
discontinuïteit [de^v] discontinuity, intermittency
disconto [het] ⟨handel⟩ [1] ⟨korting op een wissel⟩ discount ♦ ***in** disconto **nemen*** discount, buy at a discount; ***officieel** disconto* bank rate, minimum lending rate; *disconto **over de constante waarde*** discount on the regular/real price; ***particulier** disconto* cash discount [2] ⟨koop van een wissel⟩ discount ♦ ***in** disconto **geven*** discount, sell at a discount; *disconto **over de nominale waarde*** discount on the list/nominal price [3] ⟨rente⟩ discount ♦ *het disconto **verhogen*** raise/increase the (rate of) discount; *het disconto **verlagen*** lower/reduce the (rate of) discount
discontokrediet [het] ⟨in België⟩ industrial/commercial credit
discontoverhoging [de^v] rise/^Araise/increase in the discount rate
discontoverlaging [de^v] lowering of the discount rate, reduction in the discount rate
discontovoet [de^m] discount rate
discopathie [de^v] ⟨med⟩ discopathy
discorage [de] disco craze/rage/fever/bug
discordantie [de^v] [1] ⟨het uiteenlopen⟩ discordance, discordancy, discrepancy, disagreement [2] ⟨geol⟩ unconformity
discotheek [de^v] [1] ⟨verzameling grammofoonplaten⟩ record library/collection [2] ⟨instantie die grammofoonplaten uitleent⟩ record library [3] ⟨discobar⟩ disco(theque)
discount [de^m] [1] ⟨korting⟩ discount [2] ⟨winkel⟩ → **discountzaak**

discountprijs [de^m] discount price ♦ *bungalowtenten nu tegen discountprijzen* frame tents now at discount prices
discountzaak [de] discount ^Bshop/^Astore, ⟨vnl AE ook⟩ discount house
discours [het] discourse, address, talk
¹discreet [bn] 1 ⟨discretie vereisend⟩ delicate, secret ♦ *een discrete* ***opdracht*** a delicate mission 2 ⟨wisk⟩ discrete
²discreet [bn, bw] 1 ⟨kies⟩ discreet ⟨bw: ~ly⟩, delicate, tactful ♦ *discreet de blik* ***afwenden*** look away discreetly; *iets discreet* ***behandelen*** treat sth. discreetly; *je moet in deze zaken discreet* ***blijven/zijn*** you must remain/be discreet in these matters; *iemand discreet* ***uithoren*** *over iets* sound s.o. out about sth. 2 ⟨zacht⟩ discreet ⟨bw: ~ly⟩, unobtrusive ♦ *een discreet* ***tikje*** *op de kamerdeur* a discreet tap/knock on the door
discrepantie [de^v] 1 ⟨verschil⟩ discrepancy, difference 2 ⟨tegenspraak⟩ discrepancy, inconsistency
discretie [de^v] 1 ⟨kiesheid⟩ discretion, tact 2 ⟨geheimhouding⟩ discretion, secrecy, delicacy ♦ *discretie* ***gevraagd en verzekerd*** discretion assured, anonymity guaranteed, no questions asked
discretionair [bn] ⟨jur⟩ discretionary ♦ *discretionaire* ***bevoegdheden/macht*** discretionary power(s)
discriminantanalyse [de^m] ⟨stat⟩ discriminant(al) analysis
discriminatie [de^v] 1 ⟨verwerpende onderscheiding⟩ discrimination, ⟨rassen⟩ segregation, ⟨Zuid-Afrika⟩ apartheid, ⟨AE inf ook⟩ Jim Crow(ism) ♦ *de discriminatie van de zwarte* ***bevolking*** *in Zuid-Afrika* the apartheid of the black population of South-Africa; *discriminatie op grond van* ***geslacht*** discrimination on the basis of gender, ⟨ook⟩ gender bias 2 ⟨apartstelling⟩ discrimination, differentiation ♦ ***positieve*** *discriminatie van vrouwen bij vacatures* positive discrimination in favour of women in the job market; ***positieve*** *discriminatie van minderheidsgroeperingen bij vacatures* ⟨AE⟩ affirmative action
discriminatoir [bn] discriminatory ♦ *discriminatoire* ***wetten*** discriminatory/^AJim Crow laws
discrimineren [ov ww, ook abs] discriminate (against), ⟨overgankelijk werkwoord ook⟩ segregate
disculpatie [de^v] ⟨jur⟩ exculpation, ⟨zeldz⟩ disculpation
disculperen [ov ww] exculpate, ⟨zeldz⟩ disculpate
discursief [bn] discursive, argumentative
discus [de^m] 1 ⟨werpschijf⟩ discus 2 ⟨plantk⟩ disc
discussiant [de^m] discussant, discusser, panel member, member of a/the panel
discussie [de^v] discussion, debate, argument ♦ *de discussie* ***aanzwengelen*** start the discussion, get the discussion going; *hierover kan geen discussie* ***bestaan*** this is beyond discussion; ***brede, maatschappelijke*** *discussie* broad/wide public debate; *een* ***diepgaande*** *discussie* an in-depth/profound discussion; *een* ***hevige/verhitte*** *discussie* a heated discussion; ⟨inf⟩ battle royal; *iets* ***in*** *discussie brengen* bring sth. under discussion; *met iemand* ***in*** *discussie treden* enter into a discussion/an argument with s.o., take issue with s.o.; *(het)* ***onderwerp*** *van discussie (zijn)* (be) under discussion/the talking point; *discussie* ***over*** debate about/on, discussion about/of, argument about/over; *hiermee* ***sluiten*** *wij de discussie* ⟨onder ingezonden stuk⟩ the debate is now closed; ***ter*** *discussie staan* be under discussion/dispute/debate; *iets* ***ter*** *discussie stellen* bring sth. up for discussion; ⟨BE ook⟩ lay sth. on the table; ⟨m.b.t. besluit enz.⟩ call sth. into question; *het doel* ***ter*** *discussie stellen* question the aim; *een voorstel* ***zonder*** *discussie aannemen* pass a motion undiscussed
discussiegroep [de] discussion group, ⟨dispuut⟩ debating society
discussieleider [de^m], **discussieleidster** [de^v] discussion leader, leader of a discussion (group)
discussieleidster [de^v] → **discussieleider**
discussiemethode [de^v] debating method
discussienota [de] working paper
discussieprogramma [het] discussion programme/^Aprogram, discussion hour/show, talk show ♦ *deelnemen* ***aan*** *een discussieprogramma* be on/in a discussion programme, take part in a discussion programme; *een discussieprogramma* ***volgen*** follow a discussion programme/panel discussion
discussiepunt [het] subject of discussion, subject for debate
discussiëren [onov ww] discuss, debate, argue, dispute, talk ♦ *er werd* ***druk*** *gediscussieerd over de vraag ...* there was much discussion on the question ...; ***met*** *iemand* ***over*** *iets discussiëren* discuss sth. with s.o.; ***over*** *iets discussiëren* discuss/debate sth.; *hier valt niet* ***over*** *te discussiëren* this is beyond debate/argument, this is not for discussion
discussiestuk [het] discussion paper
discussietechniek [de^v] discussion technique
discuswerpen [ww] discus-throwing
discuswerper [de^m], **discuswerpster** [de^v] ⟨sport⟩ discus thrower
discuswerpster [de^v] → **discuswerper**
discutabel [bn] debatable, dubious, disputable, moot, open to question
disfunctie [de^v] dysfunction
disfunctioneel [bn] ⟨form⟩ dysfunctional
disfunctioneren [onov ww] dysfunction, disfunction
disgenoot [de^m] ⟨form⟩ table companion, commensal
disharmonie [de^v] disharmony, discord, disagreement, dissonance ♦ ***in*** *disharmonie zijn* be in disharmony, jar
disjunct [bn] disjunctive ♦ ⟨taalk⟩ *disjunct* ***zinsverband*** disjunctive context
disjunctie [de^v] 1 ⟨scheiding⟩ disjunction, separation 2 ⟨biol⟩ disjuncture 3 ⟨taalk⟩ disjunction
disjunctief [bn, bw] ⟨taalk⟩ disjunctive ⟨bw: ~ly⟩
disk [de] disk
diskdrive [de^m] disk drive
diskette [de] ⟨comp⟩ diskette, floppy (disk)
diskettestation [het] disk drive
diskjockey [de^m] disc jockey
diskrediet [het] discredit ♦ ***in*** *diskrediet zijn* be discredited; ⟨inf⟩ be under a cloud; ***in*** *diskrediet geraken* fall into discredit, become discredited; *iemand* ***in*** *diskrediet brengen bij* discredit s.o. with, bring s.o. into discredit with
diskwalificatie [de^v] disqualification
diskwalificeren [ov ww] 1 ⟨sport⟩ disqualify 2 ⟨ongeschikt verklaren⟩ disqualify ♦ *iemand* ***als*** *getuige/voogd diskwalificeren* disqualify s.o. as a witness/guardian; ***zichzelf*** *diskwalificeren* disqualify o.s.
dislocatie [de^v] 1 ⟨verplaatsing⟩ dislocation 2 ⟨med⟩ dislocation 3 ⟨geol⟩ dislocation 4 ⟨natuurk⟩ dislocation
disneyficatie [de^v] Disneyfication, Disneyization
dispache [de] average adjustment/statement
dispacheur [de^m], **dispacheuse** [de^v] averager, average adjuster
dispacheuse [de^v] → **dispacheur**
disparaat [bn] disparate
dispariteit [de^v] disparity
dispatching [de^v] ⟨in België⟩ dispatch
dispensarium [het] ⟨in België⟩ dispensary
dispensatie [de^v] dispensation, exemption, ⟨r-k⟩ indult ♦ *dispensatie* ***aanvragen*** ask for exemption/a dispensation; *dispensatie* ***verlenen*** *(van)* grant dispensation/exemption (from)
dispenser [de^m] dispenser
dispenseren [ov ww] dispense/exempt (from)
dispergeren [ov ww] disperse ⟨ook scheikunde⟩
dispersie [de^v] 1 ⟨natuurk, scheik⟩ dispersion 2 ⟨aardr⟩ dispersion
dispersief [bn, bw] ⟨natuurk⟩ dispersive ⟨bw: ~ly⟩

displaced person [de^{m}] displaced person
display [de] [1] ⟨beeldscherm⟩ display, VDU [2] ⟨reclame⟩ display [3] ⟨reclamebord⟩ advertisement (board), ⟨BE⟩ hoarding, ⟨AE⟩ billboard
displayen [ov ww] [1] ⟨op een scherm zichtbaar maken⟩ display [2] ⟨uitstallen, vertonen⟩ display
^{1}**disponeren** [onov ww] [1] ⟨beschikken over⟩ have at one's disposal ♦ *hij kan* ***over*** *grote sommen/reserves disponeren* he has large sums/reserves of money at his disposal [2] ⟨innen, vorderen⟩ collect ♦ ***op*** *een afnemer disponeren voor een bedrag* collect an amount from a customer; ***over*** *een verschuldigd bedrag disponeren* collect the amount due
^{2}**disponeren** [ov ww] [•] ***niet*** *gedisponeerd zijn* be indisposed/disinclined/unwilling, be not in the mood
disponibel [bn] [1] ⟨beschikbaar⟩ available, at one's disposal [2] ⟨handel; direct leverbaar⟩ available, at hand
disposable [het] disposable (item/article)
dispositie [de^{v}] [1] ⟨beschikking, inrichting⟩ disposition, disposal, command, arrangement [2] ⟨vatbaarheid⟩ disposition, susceptibility [3] ⟨aanleg, vast gedragspatroon⟩ disposition [4] ⟨gemoedsstemming⟩ mood
disproportie [de^{v}] disproportion
disproportioneel [bn] disproportional
disputatie [de^{v}] [1] ⟨redetwist⟩ disputation, dispute, controversy [2] ⟨gesch; dialectische behandeling⟩ disputation
disputeren [onov ww] dispute, debate, polemize ♦ ***met*** *iemand disputeren* dispute/debate with s.o.; ***over*** *iets disputeren* dispute/debate about sth.; *daar valt* ***over*** *te disputeren* that's disputable/open to question
dispuut [het] [1] ⟨redetwist⟩ dispute, controversy, debate ♦ *hij bleef* ***buiten*** *het dispuut* he kept out of the argument; *aanleiding geven tot* ***heftige*** *disputen* arouse a storm of controversy, cause much heated controversy; *een dispuut* ***over*** *iets beginnen/hebben* enter into/have a debate about sth.; *in een* ***verwoed*** *dispuut gewikkeld zijn* be involved in a heated dispute [2] ⟨(studenten)vereniging⟩ debating society
diss [de^{m}] diss
dissectie [de^{v}] dissection
dissel [de^{m}] [1] ⟨kleine bijl⟩ adze [2] ⟨verbindingsstang⟩ pole, shaft, thill
disselboom [de^{m}] pole, ⟨lamoen⟩ (pair of) shafts
disselen [ov ww] adze, dub
disselpaard [het] polehorse
disselpin [de] pole pin
disselwagen [de^{m}] pole wagon
disseminatie [de^{v}] [1] ⟨med⟩ dissemination, metastasis [2] ⟨verspreiding⟩ dissemination, distribution, dispersion
dissen [ov ww] ⟨inf⟩ diss
dissenter [de^{m}] dissenter, ⟨rel; BE⟩ Dissenter
dissertatie [de^{v}] (doctoral) dissertation, (doctoral) thesis
^{1}**dissident** [de^{m}] dissident
^{2}**dissident** [bn] dissident
dissidentie [de^{v}] ⟨in België⟩ dissidence
dissimilatie [de^{v}] [1] ⟨taalk⟩ dissimilation [2] ⟨biol⟩ dissimilation, catabolism, breakdown
dissimileren [ov ww, ook abs] ⟨taalk⟩ dissimilate
dissimulatie [de^{v}] dissimulation
dissimuleren [ov ww, ook abs] dissimulate
dissociatie [de^{v}] dissociation, disassociation
dissociatief [bn, bw] dissociative ♦ *dissociatieve* ***identiteitsstoornis*** dissociative disorder
dissociëren [ov ww, ook abs] dissociate, disassociate
dissolve [de^{m}] dissolve
^{1}**dissonant** [de^{m}] dissonance, discord, discordance ♦ ⟨fig⟩ *er was geen dissonant te* ***horen*** not a note of discord was heard; ⟨fig⟩ *die opmerking vormde een* ***lelijk*** *dissonant* that remark provided a note of discord
^{2}**dissonant** [bn] dissonant, discordant
dissonantie [de^{v}] [1] ⟨onwelluidendheid⟩ dissonance, disharmony [2] ⟨fig; onverenigbaarheid⟩ dissonance, discordance ♦ ***cognitieve*** *dissonantie* cognitive dissonance
dissoneren [onov ww] be dissonant, ⟨niet bij elkaar passen⟩ be in discord/disharmony, clash
dissrap [de^{m}] diss rap
dissymmetrie [de^{v}] dissymmetry
distantie [de^{v}] [1] ⟨afstand⟩ distance, remoteness [2] ⟨fig; het zich onttrekken⟩ distance, aloofness, detachment ♦ *enige distantie* ***bewaren/in acht nemen*** stand aloof, keep one's distance
zich distantiëren [wk ww] [1] ⟨afstand nemen⟩ distance, detach [2] ⟨fig⟩ distance, dissociate ♦ *zich distantiëren* ***van*** distance/dissociate o.s. from
distantiëring [de^{v}] [1] ⟨het afstand nemen, verkrijgen⟩ distancing (o.s.) [2] ⟨fig; het zich onttrekken⟩ dissociation
distel [de] thistle ♦ ⟨fig⟩ *vijgen* ***aan*** *distels* ***zoeken*** gather figs of thistles; ⟨fig⟩ ***onder*** *distels en doornen* ***zaaien*** sow among thorns [•] ⟨sprw⟩ *onze weg is met distels en doorns bezaaid* ± every man must eat a pack of dirt before he dies
distelvink [de] (European) goldfinch
distelvlinder [de^{m}] painted lady, thistle butterfly, vanessa, cosmopolite
distichon [het] ⟨lit⟩ distich
distillaat [het] distillate, distillation
distillateur [de^{m}], **distilleerder** [de^{m}] distiller
distillatie [de^{v}] distillation ♦ ***droge*** *distillatie* destructive distillation; ***extractieve*** *distillatie* extractive distillation; ***gefractioneerde*** *distillatie* fractional distillation
distillatiekolom [de] distilling/fractionating/rectifying column
distilleerder [de^{m}] → **distillateur**
distilleerderij [de^{v}] distillery
distilleerinrichting [de^{v}] distillery, distilling plant
distilleerketel [de^{m}] distilling vessel/boiler, still, ⟨voor alcohol⟩ pot still
distilleerkolf [de] distilling flask, ⟨vero⟩ alembic, matrass
distilleertoestel [het] distilling apparatus, still
distilleren [ov ww] [1] ⟨m.b.t. vloeistoffen⟩ distil [2] ⟨sterkedrank bereiden⟩ distil [3] ⟨fig; afleiden⟩ distil, deduce, infer ♦ *iets* ***uit*** *iemands woorden distilleren* deduce/gather sth. from what s.o. says
distinctie [de^{v}] [1] ⟨onderscheid⟩ distinction, difference, ⟨BE ook⟩ sophistication [2] ⟨voornaamheid⟩ distinction, style, refinement ♦ *distinctie* ***geven aan*** lend distinction to; *alle distinctie* ***missen*** have no style, ⟨inf⟩ have no class
^{1}**distinctief** [het] badge, distinction, ⟨mv ook⟩ insignia
^{2}**distinctief** [bn] [1] ⟨onderscheidend⟩ distinctive, distinguishing, characteristic, relevant [2] ⟨taalk⟩ distinctive ♦ *distinctieve* ***kenmerken/eigenschappen*** distinctive features
distomatose [de^{v}] distomatosis, liver rot
distr. [afk] (district) dist
distractie [de^{v}] [1] ⟨verstrooidheid⟩ distraction, distractedness, absentmindedness [2] ⟨jur⟩ distraint
distribueren [ov ww] [1] ⟨uit-, verdelen⟩ distribute, ration (out), dispense, hand out [2] ⟨boek⟩ distribute
distributeur [de^{m}] distributor
distributie [de^{v}] [1] ⟨verdeling, verspreiding⟩ distribution ♦ *de distributie van* ***brieven*** the delivery of letters; ⟨ec⟩ *de distributie van* ***goederen*** the distribution of goods [2] ⟨rantsoenering⟩ rationing ♦ *de distributie van* ***benzine*** ***afschaffen/opheffen*** deration ^{B}petrol/^{A}gas [3] ⟨het verdeeld zijn⟩ distribution ♦ ⟨taalk⟩ *de distributie van* ***fonemen en morfemen*** the distribution of phonemes and morphemes [4] ⟨wisk, stat⟩ distribution
distributieafdeling [de^{v}] distribution department/section ♦ *hij werkt* ***op*** *de distributieafdeling* ⟨inf⟩ he's in distribution
distributieapparaat [het] distribution machinery/system
distributiebedrijf [het] distribution firm, distributive

agency
distributiebon [de^{m}] (distribution) coupon
distributiecentrum [het] distribution centre, ⟨informatie, materialen⟩ clearing-house
distributief [bn] distributive ⊡ ⟨jur⟩ *distributieve **bevoegdheid** van de rechter* the jurisdiction of the judge; *distributieve **wet*** distributive law
distributiekaart [de] ration(ing)/food card, ⟨Groot-Brittannië⟩ ration book
distributiekanaal [het] distribution channel/route
distributiekantoor [het] ① ⟨posterijen⟩ distribution centre ② ⟨m.b.t. rantsoenen⟩ food office
distributiekosten [de^{mv}] distribution costs/charges, cost(s) of distribution
distributieriem [de^{m}] camshaft drive belt, timing belt
distributiestelsel [het] ① ⟨m.b.t. verdeling⟩ distributive system ② ⟨m.b.t. rantsoenering⟩ system of rationing, rationing system
distributiewezen [het] distribution (system/authorities)
district [het] ① ⟨rechts-, ambtsgebied⟩ district, division, county, ⟨AE⟩ precinct, section ② ⟨kiesdistrict⟩ district, constituency, ⟨AE⟩ precinct
districtenstelsel [het] constituency voting system
districtsbestuur [het] district committee, regional board
districtsbureau [het] district office
districtshoofd [het] district head/manager
districtsklasse [de^{v}] district league
districtsraad [de^{m}] district/county council
districtswedstrijd [de^{m}] district match
distripark [het] distribution park
dit [aanw vnw] this, ⟨mv⟩ these ♦ *in dit **geval*** in this (particular) case; *het heeft ook nog dit **voordeel*** it has the additional advantage; *zij die dit **zeggen/denken*** those who say/think so; *wat **zijn** dit?* what are these?; *dit **zijn** er drie* there are three here, I have three here; *dit **zijn** mijn ouders* these are my parents; *dit is **zeker** ...* this much is certain ...; *als dit het **geval** mocht zijn* if this/such should be the case ⊡ ⟨euf⟩ *voor de dit en **dat*** for goodness'/heaven's sake; ⟨euf⟩ *loop naar de dit en **dat*** go to blazes!, go take a jump!, drop dead!
dithyrambe [de] dithyramb
ditje [het] ⊡ *ditjes en **datjes*** trifles, odds and ends, bits and pieces; *over ditjes en **datjes** praten* talk about this, that and the other/about this and that, pass the time of day; *een kast vol ditjes en **datjes*** a cupboard full of bits and pieces/knick-knacks, ↓ a cupboard full of odds and sods
ditmaal [bw] this time, for once ♦ *ditmaal **loog** hij eens niet* for once he wasn't lying
dito [bn, bw] ditto ♦ *Jan kreeg een uitbrander en **Karel** dito* John was told off and so was Charles; *rode jassen en dito **tassen*** red coats and bags; ⟨pleonasme⟩ *idem dito* ditto; *bij mij idem dito* ditto, that makes two of us
dittografie [de^{v}] dittography
dittum ⊡ *een beetje **van** dittum en een beetje van dattum* a bit of this and a bit of that
ditzelfde [aanw vnw] this same (thing) ♦ *op ditzelfde **moment*** at this very moment, ⟨form; scherts⟩ at this selfsame moment
diureticum [het] ⟨med⟩ diuretic
div. [afk] ① (diversen) sundries ② (dividend) div
diva [de^{v}] diva
Divali [het] Divali
divan [de^{m}] divan, couch, ottoman, ⟨AE⟩ davenport
divanbed [het] divan (bed)
divergent [bn] divergent ♦ ⟨med⟩ *divergent **strabisme*** divergent strabismus, divergent/outward squint; ⟨inf⟩ wall-eye
divergentie [de^{v}] divergence, divergency
divergeren [onov ww] diverge
divergerend [bn] divergent ♦ ⟨wisk⟩ *divergerende **reeksen*** divergent series; *divergerende **stralen/lens*** divergent rays/lens
divers [bn] ① ⟨onderscheiden⟩ diverse, various ② ⟨ettelijke⟩ various, several, sundry
diversen [de^{mv}] sundries, ⟨in begroting ook⟩ incidental expenses, ⟨in catalogus⟩ miscellaneous (items) ♦ ⟨boekh⟩ *diversen en onvoorzien* sundries and contingencies
diversificatie [de^{v}] ⟨form⟩ diversification, diversity, variety
diversifiëren [ov ww, ook abs] ⟨form⟩ diversify
diversiteit [de^{v}] diversity, variety
zich diverteren [wk ww] amuse o.s.
divertimento [het] ⟨muz⟩ divertimento
dividend [het] dividend ♦ *een dividend uitgekeerd **krijgen*** receive/draw a dividend; *de handelsmaatschappij **maakt** mooie dividenden* the trading company is making large dividends; ***met/zonder** dividend* with/without premium; *het dividend **over** 1992* the dividend for 1992; *het dividend **passeren**, geen dividend **uitkeren*** pay no dividend; *een **vast** dividend geven* yield/carry/pay a fixed dividend; *het dividend **vaststellen/aankondigen/uitkeren*** fix/announce/pay the dividend
dividendaftrek [de^{m}] dividend deduction
dividendbelasting [de^{v}] tax on dividends
dividendbewijs [het] dividend coupon
dividendreserve [de] dividend reserve
dividendstop [de^{m}] dividend limitation
dividenduitkering [de^{v}] distribution of dividends
dividendverhoging [de^{v}] dividend increase, increase in a/the dividend, rise in a/the dividend
dividendverlaging [de^{v}] dividend reduction, ⟨inf⟩ dividend cut, reduction in a/the dividend, cut in a/the dividend
diviniteit [de^{v}] divinity, deity
divisie [de^{v}] ① ⟨legerafdeling⟩ division ② ⟨vlootafdeling⟩ division ③ ⟨sport⟩ division, league, class ♦ *promoveren/degraderen naar de **tweede** divisie* be promoted/relegated to the second division, ⟨vnl BE; voetb⟩ be promoted/relegated to the third division ④ ⟨wisk⟩ division ⑤ ⟨ind; sector⟩ division, branch ♦ *de **boekendivisie** draait met verlies* the book trade is making a loss ⑥ ⟨drukw; koppelteken⟩ hyphen, dash
divisieadmiraal [de^{m}] ⟨in België⟩ rear admiral
divisiecommandant [de^{m}] divisional commander
dixieland [de^{v}] dixieland
dixielandmuziek [de^{v}] dixieland (music/jazz)
dixit dixit, says he
dizzy [bn] ① ⟨duizelig⟩ dizzy ② ⟨dol⟩ dizzy ♦ *ik **word** dizzy van die stortvloed aan informatie* there's such a torrent of information it makes me dizzy/drives me round the bend
dj [de^{m}] (diskjockey) DJ
djahé [de^{m}] ⟨cul⟩ dried ground ginger
djatiboom [de^{m}] teak
djatihout [het] teak
djellaba [de^{m}] djellaba
djembé [de] djembe
Djibouti [het] Djibouti

Djibouti

naam	*Djibouti* Djibouti
officiële naam	*Republiek Djibouti* Republic of Djibouti
inwoner	*Djiboutiaan* Djiboutian
inwoonster	*Djiboutiaanse* Djiboutian
bijv. naamw.	*Djiboutiaans* of Djibouti
hoofdstad	*Djibouti* Djibouti
munt	*Djiboutiaanse frank* Djibouti franc
werelddeel	*Afrika* Africa

int. toegangsnummer 253 www .dj auto DJ

Djiboutiaan [de^{m}], **Djiboutiaanse** [de^{v}] ⟨man & vrouw⟩ Djiboutian, ⟨vrouw ook⟩ Djiboutian woman/girl
Djiboutiaans [bn] → **Djiboutisch**
Djiboutiaanse [de^{v}] → **Djiboutiaan**
Djiboutiër [de^{m}], **Djiboutische** [de^{v}] ⟨man & vrouw⟩ Djiboutian, ⟨vrouw ook⟩ Djiboutian woman/girl
Djiboutisch [bn], **Djiboutiaans** [bn] Djiboutian, of/from Djibouti
Djiboutische [de^{v}] → **Djiboutiër**
djilbab [de^{m}] jilbab
djinn [de^{m}] (d)jinn, jinnee, genie
djinten [de^{m}] ground cumin seed
dktp-prik [de^{m}] injection against diphteria, pertussis, tetanus and polio, ⟨inf⟩ jab against diphteria, pertussis, tetanus and polio
DM [afk] ⟨gesch⟩ (Deutsche Mark) DM
d.m.v. [afk] (door middel van) by means of, through
dn [afk] (dyne) dyne
DNA [het] (deoxyribonucleic acid) DNA
DNA-onderzoek [het] DNA-test
DNA-patroon [het] DNA pattern
DNA-profiel [het] DNA profile
DNA-spoor [het] DNA trace
DNA-vingerafdruk [de^{m}] DNA fingerprint, genetic fingerprint
^{1}**do** [de] do(h)
^{2}**do** [afk] (donderdag) Thu(rs)
dobbelaar [de^{m}], **dobbelaarster** [de^{v}] dicer, dice player, ⟨AE ook; inf⟩ crapshooter, ⟨speler⟩ gambler
dobbelaarster [de^{v}] → **dobbelaar**
dobbelbeker [de^{m}] dice cup/shaker, dicebox
dobbelen [onov ww] dice, play (at) dice, gamble, game ◆ *laten we **erom** dobbelen* let's dice for it; *kapitalen verliezen **met** dobbelen* dice/gamble away a fortune; ⟨fig⟩ ***tegen** elf ogen dobbelen* play a losing game, have the odds stacked against o.s.
dobbelspel [het] [1] ⟨spel met dobbelstenen⟩ dicing, game of dice, hazard, ⟨AE ook; inf⟩ craps [2] ⟨hazardspel⟩ game of dice, gamble, gambling ◆ *de loterij **is** een dobbelspel* the lottery is gambling/a gamble; ⟨fig⟩ *zo'n investering **is** een dobbelspel* such an investment is a gamble
dobbelsteen [de^{m}] [1] ⟨spel⟩ dice ◆ ***met** dobbelstenen gooien/spelen* throw the dice, play dice; ⟨fig⟩ ***met** twee dobbelstenen dertien ogen gooien* accomplish the impossible [2] ⟨kubusvormig voorwerp⟩ dice, cube ◆ ***in** dobbelsteentjes gesneden vlees* diced/cubed meat
dobber [de^{m}] [1] ⟨drijver⟩ float, bobber, quill, ⟨van anker⟩ buoy [2] ⟨vistuig⟩ float [•] *er een **harde** dobber aan hebben (om)* be hard put to it (to), have a struggle (to); *dat zal nog een **hele** dobber worden* that is still going to be quite a job; *hij had er een **zware** dobber aan* he found it a tough job/a real struggle/a hard nut to crack
dobberen [onov ww] [1] ⟨drijvend op en neer gaan⟩ float, bob ◆ ***op** het water/de zee dobberen* bob up and down on the water/sea [2] ⟨handel⟩ fluctuate [3] ⟨aan de gang blijven⟩ float, ⟨nog net aan de gang⟩ tick over
dobermann [de^{m}] Doberman, Doberman Pinscher
dobermannpincher [de^{m}] → **pincher**
doblispiegel [de^{m}] blind spot mirror
doblo [de^{m}] dumb blonde
doceermethode [de^{v}] teaching method
docent [de^{m}] [1] ⟨leraar⟩ teacher, instructor ◆ *docent **aan** de universiteit* university teacher, professor, ⟨BE⟩ lecturer, ⟨man; AE⟩ instructor, ⟨vrouw; AE⟩ instructress, tutor(ess) [2] ⟨in België; hoogleraarsgraad beneden ordinarius⟩ ⟨graad⟩ lecturer, ⟨alg⟩ university teacher
docentenkamer [de] staff room, ⟨BE ook⟩ common room
docentenkorps [het] teaching staff, ⟨vnl AE; universiteit⟩ faculty
docentenvergadering [de^{v}] staff meeting, meeting of teaching staff ◆ *een **algemene** docentenvergadering houden* hold a full/general staff meeting
docentschap [het] teaching post, ⟨universiteit⟩ lectureship, tutorship
doceren [ov ww, ook abs] teach, instruct, ⟨universiteit⟩ lecture ◆ ***aan** de universiteit doceren* teach/lecture at the university; *ik heb vier uur **staan** doceren* I have been teaching for four hours
doch [vw] ⟨form⟩ ⟨ogm⟩ yet, but, still, except ◆ *hij had haar gewaarschuwd, doch zij wilde niet luisteren* he had warned her, yet/but/still she wouldn't listen
dochter [de^{v}] [1] ⟨kind van het vrouwelijk geslacht⟩ daughter, (little) girl ◆ *een **welgeschapen** dochter* a fine/healthy daughter [2] ⟨dochterbedrijf⟩ subsidiary (company) [•] ⟨sprw⟩ *die de dochter trouwen wil, moet met de moeder vrijen* he that would the daughter win, must with the mother first begin
dochterlief [de^{v}] dear/darling/precious daughter
dochtermaatschappij [de^{v}] → **dochteronderneming**
dochteronderneming [de^{v}], **dochtermaatschappij** [de^{v}] subsidiary company, subsidiary
dochtertaal [de] daughter language
dociel [bn, bw] docile ⟨bw: ~ly⟩, tractable, submissive, (com)pliant, yielding
dociliteit [de^{v}] docility, ⟨gedweeheid ook⟩ submissiveness, tractability
docking station [de^{m}] docking station
doctor [de^{m}] doctor, Ph D, D Phil ◆ *doctor **in** de rechten/medicijnen/theologie* Doctor of Law/Medicine/Divinity/Theology; *doctor **in** de letteren/wis- en natuurkunde/muziekwetenschappen/wijsbegeerte* Doctor of Literature/Science/Music/Philosophy; ⟨als (overkoepelende) term voor al deze ook⟩ Doctor of Philosophy, Ph D Phil; *doctor honoris causa* doctor honoris causa
^{1}**doctoraal** [het] Master's (degree/exam), ± MA ⟨enz.⟩ ◆ *zijn doctoraal **doen*** do one's MA/M Sc/Master's, take one's finals; *zij zijn vorige maand **voor** hun doctoraal geslaagd* they graduated/passed their finals/took their degree last month
^{2}**doctoraal** [bn] ± Master's, (post)graduate, ⟨AE ook⟩ upper-class ◆ *een doctoraal **bijvak*** a (post)graduate subsid(iary subject); *het doctoraal **diploma*** the Master's degree/certificate
doctoraalbul [de] degree
doctoraalexamen [het] Master's (degree), Master's (exam), ± MA ⟨enz.⟩
doctoraalfase [de^{v}] 2nd, 3rd and 4th year
doctoraalscriptie [de^{v}] ± undergraduate thesis/dissertation, ⟨AE ook⟩ senior thesis, ⟨oneig⟩ MA thesis/dissertation
doctoraalstudent [de^{m}] university student (in his/her 2nd, 3rd or 4th year), BA/MA student
doctoraat [het] ⟨graad⟩ doctorate, doctoral/doctor's degree, Ph D ⟨enz.⟩, ⟨waardigheid⟩ doctorship
doctoraatsstudie [de^{v}] ⟨in België⟩ doctoral thesis, Ph D thesis, dissertation
doctoraatsverhandeling [de^{v}] ⟨in België⟩ doctoral thesis, Ph D thesis, dissertation
doctoranda [de^{v}] → **doctorandus**
doctorandus [de^{m}], **doctoranda** [de^{v}] [1] ⟨academische graad⟩ ± Master of Arts, ± MA, ⟨exacte wetenschappen⟩ ± Master of Science, ± M Sc ◆ *doctorandus **in** de letteren/theologie/sociale wetenschappen/psychologie/taalwetenschap/literatuurwetenschap/muziekwetenschap* ± Master of Arts, ± MA [2] ⟨in België; promovendus⟩ doctoral/Ph D student
doctoreren [onov ww] take one's doctor's degree, receive one's doctor's degree, proceed to one's doctor's degree
doctorsbul [de] doctor's/Ph D/... degree certificate, doc-

tor's/Ph D/... degree diploma

doctorsgraad [de^{m}] doctorate, doctor's degree, Ph D ♦ *de doctorsgraad **behalen*** get one's/a doctorate/Ph D

doctorstitel [de^{m}] doctorate, Ph D ♦ *de doctorstitel **voeren*** have/hold a doctorate/Ph D

doctrinair [bn, bw] doctrinal ⟨bw: ~ly⟩, doctrinaire, dogmatic ♦ *een doctrinaire **opvatting*** a doctrinal opinion

doctrine [de^{v}] doctrine, dogma, tenet

docu [de^{m}] documentary

docudrama [het] docudrama

docufictie [de^{v}] docufiction

document [het] [1] ⟨bewijsstuk⟩ document, deed, paper ♦ ***officiële** documenten* official documents/records; *documenten tegen betaling/accept* documents against payment/acceptance, DA/DD [2] ⟨oorkonde⟩ document [3] ⟨bestand⟩ document

documentair [bn] documentary, documental, factual ♦ *documentair **krediet*** documentary credit

documentaire [de^{m}] documentary (film)

documentalist [de^{m}], **documentaliste** [de^{v}] documentalist

documentaliste [de^{v}] → **documentalist**

documentarist [de^{m}], **documentariste** [de^{v}] documentarian, documentary maker

documentariste [de^{v}] → **documentarist**

documentatie [de^{v}] [1] ⟨het bijeenbrengen van documenten⟩ documentation [2] ⟨materiaal⟩ documentation, (re)sources ♦ *het werk berust op een **omvangrijke** documentatie* the work is based on extensive documentation/is extensively documented/has been well-researched

documentatiecentrum [het] documentation centre

documentatiemateriaal [het] documentation

documenteren [ov ww] [1] ⟨met bewijsstukken staven⟩ document, support with evidence/references ♦ *een goed gedocumenteerd **betoog/boek/vonnis*** a well-documented argument/book/sentence; ***goed** gedocumenteerd voor de dag komen* come out well documented [2] ⟨voorzien van documentatie⟩ document, research, ⟨inf⟩ read up (on) ♦ *hij heeft **zich slecht** gedocumenteerd* he has documented himself badly, he has not read up/researched the subject adequately

dodaars [de^{m}] ⟨dierk⟩ little grebe, dabchick

doddig [bn, bw] cute ⟨bw: ~ly⟩, dinky, ducky, sweet ♦ *een doddig **hoedje*** a cute/dinky (little) hat

dode [de] dead man/woman/person, (the) deceased, ⟨vnl AE; jur⟩ decedent ♦ *het totale **aantal** doden en gewonden bij een ongeluk* the (total number of) casualties in an accident; *de doden **bewenen/eren*** mourn/honour the dead; *vijftig doden en **gewonden*** fifty casualties/fatalities, fifty killed/dead and wounded; *het **rijk** der doden* the realm of the dead; *er **vallen** straks nog doden* people will get killed; *er waren **vijf** doden te betreuren bij dit ongeluk* five people were killed in this accident ⊡ ⟨sprw⟩ *van de doden niets dan goeds* never speak ill of the dead; speak well of the dead

dodecaëder [de^{m}] ⟨wisk⟩ dodecahedron

dodecafonisch [bn] dodecaphonic, twelve-tone

dodehoekspiegel [de^{m}] blind corner mirror

dodelijk [bn, bw] [1] ⟨de dood veroorzakend⟩ deadly, mortal, lethal, fatal ♦ *een dodelijke **dosis*** a lethal dose; *een dodelijk **gif*** a deadly/lethal poison; *een dodelijk **ongeluk/ongeval** met dodelijke **afloop*** a fatal accident; *de dodelijke **slag*** the mortal blow, the deathblow; *met zijn auto dodelijk **verongelukken*** have a fatal/be killed in a car accident; ⟨fig⟩ *dat is dodelijk **voor** de democratie* that is fatal for democracy; *een dodelijk **wapen*** a lethal/deadly weapon; *een dodelijke **wond*** a fatal wound/injury; *een dodelijke **ziekte*** a fatal/deadly disease [2] ⟨zeer hevig⟩ deadly, mortal ♦ *dodelijke **angst/vrees*** mortal fear; *een dodelijke **belediging*** a deadly/mortal insult; *dodelijke **ernst*** deadly earnest/seriousness; *dodelijk **geschrokken*** frightened to death; *een dodelijke **haat*** a mortal hatred; *dodelijke **kritiek/precisie*** destructive/devastating criticism, devastating accuracy; *dodelijk **verliefd*** desperately/head over heels in love; *dodelijk **vermoeid*** dead beat, dead(ly) tired [3] ⟨als van de dood⟩ dead(ly), deathly, killing

dodelijkheid [de^{v}] deadliness, lethality, fatality ♦ *de dodelijkheid van dit **gif** berust op ...* the deadliness/lethal effect of this poison is due to ...; ⟨fig⟩ *de dodelijkheid van zijn scherpe **woorden*** the deadliness/venom of his sharp words

dodemansduim [de^{m}] dead man's fingers

doden [ov ww] [1] ⟨doodmaken⟩ kill, ⟨vermoorden ook⟩ murder, ⟨afmaken⟩ dispatch, finish off, ⟨form⟩ slay ♦ ***het** doden* (the) killing; ***mensen** doden* kill people [2] ⟨een einde maken aan⟩ kill, ⟨form⟩ mortify ♦ *het **gevoel** doden* kill/deaden feeling, do away with sentiment; *zijn **lusten/het vlees** doden* mortify one's passions/the flesh; *de **tijd** doden* kill time

dodenakker [de^{m}] God's acre, last resting-place of the dead

dodenbocht [de] dangerous bend, ⟨AE⟩ dead man's curve

dodencel [de] death cell, condemned cell

dodencijfer [het] number of deaths/casualties, death toll ♦ *het **officiële** dodencijfer* the official death toll

dodendans [de^{m}] dance of death, danse macabre ♦ *de do-*

officiële documenten

diploma	diploma
geboorteakte/geboortebewijs/uittreksel uit het geboorteregister	birth certificate
getuigschrift	certificate
een gewaarmerkte kopie/afschrift	a certified/an official/an authenticated copy
identiteitsbewijs/legitimatiebewijs	identification/ID
identiteitskaart	identity card/ID card/ID/identification
overlijdensakte/akte van overlijden	death certificate
paspoort	passport
reisdocument	travel document
rij(vaardigheids)bewijs	driving licence/driver's licence
samenlevingscontract	partnership contract/cohabitation contract
testament	will/last will and testament
trouwboekje/trouwakte	marriage certificate/certificate of marriage
uittreksel uit het bevolkingsregister	(afhankelijk van het register) birth certificate/death certificate/ certificate of residence
verblijfsvergunning	residence permit
verklaring van geen bezwaar	certificate of incorporation
visum	visa
werkvergunning/tewerkstellingsvergunning	work permit/employment permit

dendans van ***Holbein*** Holbein's Dance of Death, the Dance of Death by Holbein

dodenfeest [het] festival of the dead

dodenherdenking [de^v] commemoration of the dead, ⟨Groot-Brittannië⟩ Remembrance Day/Sunday, ⟨USA⟩ Memorial Day

dodenkamp [het] death camp

dodenlijst [de] ⟨na ramp/gevecht⟩ list of the dead/killed, ⟨in jaaroverzicht⟩ obituary list, ⟨op monument⟩ death roll, ⟨m.b.t. aanslagen⟩ hit list

dodenmars [de] dead/funeral march

dodenmasker [het] death mask

dodenmis [de] requiem (mass), Mass/Office for the Dead

dodenrijk [het] underworld, shades, Hades, ⟨Hebreeuws⟩ Sheol

dodenrit [de^m] break-neck drive/ride, death-defying drive/ride, suicidal drive/ride

dodenschip [het] funeral ship

dodensprong [de^m] death-defying leap, salto mortale

dodenstad [de] necropolis

dodental [het] number of deaths/dead/casualties/fatalities, death toll ♦ *het dodental* ***bedraagt*** *ongeveer dertig* the number of deaths/dead/casualties is about thirty; *het dodental* ***loopt*** *in de duizenden* the number of deaths/dead/casualties is in the thousands, there are thousands of casualties/dead

dodentempel [de^m] mortuary temple

dodentuin [de^m] cemetery, burial ground

dodenverering [de^v] worship/veneration of the dead

dodenwake [de] (death)watch, vigil, ⟨vnl SchE⟩ lyke-wake, ⟨vnl. IE, AE⟩ wake

dodenweg [de^m] deathtrap, hazardous (stretch of) road

doder [de^m] killer, slayer

Dode Zeerollen [de^mv] Dead Sea Scrolls

dodo [de^m] dodo ♦ ⟨iron⟩ *een* ***dappere*** *dodo* a do-gooder

doedel [de^m] 1 ⟨doedelzak⟩ (bag)pipes, bagpipe 2 ⟨gedachteloze krabbel⟩ doodle

doedelen [onov ww] play the bagpipes, skirl

doedelzak [de^m] (bag)pipes, bagpipe ♦ ***op*** *een doedelzak spelen* play a bagpipe/the (bag)pipes

doedelzakspeler [de^m] (bag)piper, bagpipe player

doeg [tw] bye(-bye), cheerio, cheers

doe-het-zelfartikel [het] do-it-yourself/DIY article, do-it-yourself/DIY item

doe-het-zelfzaak [de] do-it-yourself/DIY ^B shop, do-it-yourself/DIY ^A store

doe-het-zelven [ww] do it yourself, ⟨BE⟩ DIY

doe-het-zelver [de^m] do-it-yourselfer, do-it-yourself/DIY enthusiast

doei [tw] ⟨inf⟩ bye(-bye), cheerio, cheers ♦ ***dikke*** *doei* bye, catch ya later, see ya

doejoeng [de^m] dugong, sea cow/pig

¹**doek** [de^m] ⟨stuk stof⟩ cloth, rag ♦ *hij werd zo wit* ***als*** *een doek* he turned (as) white as a sheet; *hij had zijn arm* ***in*** *een doek* he had/carried his arm in a sling; *een* ***wollen*** *doek* a woollen cloth ⊡ *iets* ***uit*** *de doeken doen* unfold/disclose/explain sth.

²**doek** [het, de^m] 1 ⟨geweven stof⟩ cloth, linen, fabric 2 ⟨projectiescherm⟩ screen ♦ *het* ***witte*** *doek* the silver/big screen 3 ⟨schilderstuk, stuk linnen⟩ canvas, painting ♦ *iets* ***op*** *('t) doek brengen* put sth. on canvas 4 ⟨toneelgordijn⟩ curtain, ⟨achterdoek⟩ back-cloth, back-drop, ⟨brandscherm⟩ safety curtain ♦ *het doek* ***gaat op*** the curtain rises; *het doek* ***valt*** ⟨ook fig⟩ the curtain falls/drops/comes down; ⟨fig, inf ook⟩ it's curtains

doekje [het] (piece of) cloth, rag, ⟨van fijne stof⟩ tissue, ⟨voor handen, dweil; BE⟩ flannel ♦ ⟨fig⟩ *er* ***geen*** *doekjes om winden* not mince matters/one's words, not beat about the bush, call a spade a spade; ⟨fig⟩ *laten we er* ***geen*** *doekjes om winden* let's not mince matters/make no bones about it; ⟨fig⟩ *om er maar* ***geen*** *doekjes om te winden* not to put too fine a point on it; *een* ***open*** *doekje (krijgen)* (have) a curtain call; ⟨fig⟩ *een doekje* ***voor*** *het bloeden* mere eyewash, a mere palliative, a (mere) blind/pretext

doel [het] 1 ⟨voorwerp waarop men schiet⟩ target, mark, aim ♦ ***militaire*** *doelen* military targets 2 ⟨sport⟩ goal, ⟨ijshockey⟩ net ♦ ***in eigen*** *doel schieten* score an own goal; ⟨fig⟩ shoot o.s. in the foot; ***in*** *het doel staan* be in goal, be the goalkeeper; ***naast*** *(het) doel schieten* shoot wide; ***op*** *(het) doel schieten* kick/shoot at goal; *missen voor* ***open*** *doel* miss (with) an unguarded/empty goal; *de bal vloog* ***over*** *het doel* the ball flew/sailed over the goal/went over the bar 3 ⟨mikpunt⟩ target, butt, aim, object 4 ⟨ook fig; wat men wil bereiken⟩ target, purpose, object(ive), aim, goal, aspiration, ⟨reisdoel⟩ destination ♦ *aan een doel* ***beantwoorden*** serve/meet/answer a purpose, fit/fill the bill; *zijn doel* ***bereiken/najagen*** achieve/reach/pursue one's aim; *het huwelijk is voor haar niet het* ***enige*** *doel (van het leven)* marriage is not her sole object (in life); *een* ***gemeenschappelijk*** *doel nastreven* work towards a common goal; *het is voor een* ***goed*** *doel* it's for a good cause; *dat* ***is*** *het doel waarnaar wij streven* that's what we're after/we want to achieve, that's our aim; ***met*** *het doel om iets te doen* with a view to doing sth.; ***met*** *dat doel heb ik het niet gezegd* I didn't say it for that reason; ***met*** *dit doel voor ogen, voor dit doel* with this (end) in view, with this in mind, for/to this end; *recht* ***op*** *het doel afgaan* go straight for the goal, come/go straight to the point; *zich een doel* ***stellen*** set o.s. a target/an objective; ***ten*** *doel hebben* aim at, be aimed at, be intended to; *zich iets* ***ten*** *doel stellen* make sth. one's aim/purpose; ⟨bijvoorbeeld bedrag/aantal⟩ set o.s. a target of sth.; *het is niet* ***voor*** *mijn doel geschikt* it doesn't serve/suit my purpose; *zijn doel* ***voorbijstreven/voorbijschieten*** overshoot the mark, overreach/overleap o.s.; *een doel op zichzelf* an aim/objective/a purpose in itself; *zijn doel uit het oog verliezen* swerve from one's purpose/aims, lose sight of one's aim ⊡ ⟨sprw⟩ *het doel heiligt de middelen* the end justifies the means

doelbewust [bn, bw] determined ⟨bw: ~ly⟩, resolute, purposeful ♦ *een doelbewuste* ***handeling/poging*** a resolute act/attempt; *een doelbewust* ***streven*** a determined effort

doelbewustheid [de^v] determination, resoluteness, purposefulness

doelcijfers [de^mv] goal difference

doelcirkel [de^m] ⟨hockey⟩ striking circle, ⟨ijshockey⟩ (goal) crease, ⟨handbal⟩ goal-area circle/line, ⟨voetb⟩ goal circle

doeleinde [het] 1 ⟨bedoeling⟩ purpose, aim, design 2 ⟨bestemming⟩ end, aim, purpose, destination ♦ ***voor*** *privédoeleinden* for one's private ends; ***voor*** *eigen doeleinden* for one's own ends; ***voor*** *alle/velerlei doeleinden geschikt* all-purpose, multi-purpose; *die stof wordt* ***voor*** *veel doeleinden gebruikt* that material has many uses

¹**doelen** [de^m] range, gallery, shooting-range, shooting-gallery, butts

²**doelen** [onov ww] aim (at), refer (to), mean, allude (to), drive (at) ♦ *dat doelt* ***op*** *mij* that is meant for/aimed at me; ***op*** *iets/iemand doelen* refer/allude to/mean sth./s.o.; ⟨iets ook⟩ aim/drive at sth.; *waar ik* ***op*** *doel is dit* what I mean/am referring to/am driving at is this

doelgebied [het] goal area, six-yard area

doelgemiddelde [het] goal average

doelgericht [bn, bw] purposeful ⟨bw: ~ly⟩, purposive ⟨bw: ~ly⟩, goal-oriented ♦ *doelgerichte* ***vragen*** purposive questions

doelgerichtheid [de^v] purposiveness, ⟨psych⟩ goal-orientedness

doelgroep [de] target group/audience, group aimed at

doelgroepstrook [de] reserved lane, bus lane, ⟨BE⟩ lorry lane, ⟨AE⟩ truck lane

doelkans [de] chance to score, scoring opportunity
doellat [de] (cross)bar
doellijn [de] goal line ♦ *de bal van de doellijn halen* kick the ball from the line, save/make a save on the line
doelloos [bn, bw] aimless ⟨bw: ~ly⟩, purposeless, idle, ⟨van persoon ook⟩ feckless, shiftless, ⟨nutteloos⟩ pointless ♦ *dat is volstrekt doelloos* there's absolutely no point in that/that's completely pointless; *een doelloos leven* a meaningless life, a futile/vacuous existence; *doelloos ronddwalen/rondlopen* drift, wander (aimlessly), swan around; *doelloos voor zich uit zitten staren* stare idly into space; *zich doelloos laten voortdrijven* drift/float/coast along
doelloosheid [de^{v}] aimlessness, idleness, pointlessness, futility
doelman [de^{m}] (goal)keeper, ⟨AE⟩ (goal)tender, ⟨inf⟩ goalie
doelmarkt [de] target market
doelmatig [bn, bw] suitable ⟨bw: suitably⟩, appropriate, practical, functional, efficient ♦ *het huis is zeer doelmatig ingericht* the house has been very functionally furnished/appointed; *doelmatige werktuigen* efficient tools/implements
doelmatigheid [de^{v}] suitability, appropriateness, expediency, efficiency, ⟨van gebouw⟩ functionalism
doelmond [de^{m}] goalmouth
doelnet [het] net, goal
doelpaal [de^{m}] (goal) post
doelpunt [het] goal, score, point, ⟨onder andere rugby⟩ touchdown ♦ *een doelpunt afkeuren* disallow a goal; *een eigen doelpunt* an own goal; *een doelpunt maken* kick/score a goal; *een doelpunt tegen krijgen* have a goal scored against one; *met twee doelpunten achterstaan/voorstaan* trail/lead by two goals; *met twee doelpunten verschil verliezen/winnen* lose/win by two goals; *een zeker doelpunt voorkomen* stop a sure goal, make a (dramatic/miraculous) save
doelpunten [onov ww] score (a goal)
doelpuntenfestival [het] festival of goals, goalfest
doelpuntenkoning [de^{m}] ⟨in België⟩ top scorer, topmarksman, ⟨AuE⟩ spearhead
doelpuntenmaker [de^{m}] (goal-)scorer, goal-getter
doelpuntenverschil [het] goal difference
doelpuntloos [bn] ⟨sport⟩ goalless, scoreless
doelrijp [bn] ♦ *een doelrijpe kans missen* miss a sure goal
doelsaldo [het] goal difference
doelsatelliet [de^{m}] target satellite
doelschop [de^{m}], **doeltrap** [de^{m}] goal kick
doelstelling [de^{v}] [1] ⟨gesteld doel⟩ aim, object(ive) [2] ⟨het bepalen van een doel⟩ setting (of) aims/objectives, definition of (one's) purpose
doeltaal [de] ⟨taalk⟩ object/target language
doeltrap [de^{m}] → **doelschop**
doeltreffend [bn, bw] effective ⟨bw: ~ly⟩, efficient, ⟨zaken⟩ efficacious ♦ *doeltreffende maatregelen* effective measures; *snel en doeltreffend* fast and efficient; *doeltreffende voorschriften/bepalingen* effective regulations
doeltreffendheid [de^{v}] effectiveness, efficiency, efficacy
doeluitkering [de^{v}] earmarked payment/benefits, allocated payment/benefits
doelverdediger [de^{m}], **doelverdedigster** [de^{v}] (goal) keeper, ⟨AE⟩ (goal)tender, ⟨inf⟩ goalie
doelverdedigster [de^{v}] → **doelverdediger**
doelvrouw [de^{v}] (goal)keeper, ⟨AE⟩ (goal)tender, ⟨inf⟩ goalie
doelwachter [de^{m}] ⟨in België⟩ goalkeeper, keeper, ⟨inf⟩ goalie, ⟨AE ook; ijshockey⟩ goal-tender, goal-minder
doelwit [het] [1] ⟨mikpunt⟩ target, butt, aim, object ♦ *een dankbaar doelwit vormen* make an easy victim/target; *het doelwit zijn van bespotting/plagerijen* be the target/butt/object of ridicule/banter [2] ⟨doel(einde)⟩ aim, object(ive)
doelzoeker [de^{m}] ⟨mil⟩ homing apparatus/equipment
doelzone [de] target zone
doem [de^{m}] doom ♦ *er rust een doem op* it is doomed/fated, there's a curse/jinx on it
Doema [de] duma
doemdenken [het] doom-mongering, defeatism, ⟨inf⟩ doom and gloom
doemdenker [de^{m}] doom-monger, defeatist, ⟨inf⟩ doom and gloom merchant
doemen [ov ww] [1] ⟨noodzaken, bestemmen⟩ doom, destine ♦ *ik ben gedoemd mijn leven in eenzaamheid te slijten* I am doomed/destined to live out my life/pass my days in solitude/loneliness; *tot mislukken gedoemd zijn* have the cards/odds stacked against (one/sth.), be doomed to fail(ure), be ill-fated/ill-omened; *tot nietsdoen/werkloosheid gedoemd* be doomed to idleness/unemployment [2] ⟨veroordelen⟩ doom, condemn
doemprofeet [de^{m}] prophet of doom
doemscenario [het] doom scenario
doemsdag [de^{m}] ⟨form⟩ Doomsday, day of Judgement, Judgement day, day of reckoning, Last Day
^{1}**doen** [het] ⊡ *dat is geen doen* that can't be done, that's impossible; *uit zijn gewone doen zijn* be not one's usual/normal self, be put out; *in goeden doen zijn* be well/comfortably off, be in easy circumstances; *iemands doen en laten* s.o.'s doings/comings and goings; *dat is geen manier van doen* that's no way to behave; *uit zijn doen zijn* not be o.s.; *iets van doen hebben* need sth.; *ergens mee van doen hebben* have (sth.) to do with, be involved with, have business with; *voor hun doen, …* for them, …; …, considering
^{2}**doen** [onov ww] [1] ⟨zich gedragen, handelen⟩ do, act, behave ♦ *doen alsof* act/behave as if, pretend, fake; *hij deed alsof hij wegging* he made as if to leave, he pretended to be leaving; *dom doen* act/behave stupidly/foolishly; do sth. stupid; *je zou er beter aan doen je mond te houden* you would do better to keep your mouth shut/be well-advised to say nothing; *gewichtig doen* give o.s. airs, be pompous, make o.s. important, act important; *heb ik daar kwaad aan gedaan?* did I do wrong there/in that?; *doe maar net of ik er niet ben* just pretend I am not here, don't mind me; *niet doen!* don't (do that)!; *sentimenteel doen* act/be sentimental; *verstandig/goed doen* act wisely, do well/right; *vreemd/lief doen* act/behave strangely/kindly, be strange/kind; *je doet maar* ⟨vaak iron⟩ go ahead, suit yourself, do as you please [2] ⟨bezig zijn met⟩ do, be ♦ *aan sport doen* be a sportsman/athlete, do/take part in sport(s); *aan tekenen doen* go in for drawing, draw; *aan de (slanke) lijn doen* slim, be slimming/dieting/trying to lose weight; *zij doen niets aan hun geloof* they don't practise their religion; *wij doen dit jaar niet aan carnaval* this year we aren't celebrating/doing anything about/we'll pass over carnival; *ik doe er twee uur over* it takes me two hours; *hij doet lang over dat boek* he is taking a long time over that book [3] ⟨handel drijven⟩ do, deal, trade ♦ *in lompen doen* deal in rags/old clothes; *hij doet in textiel/levensmiddelen* he deals/trades in textiles/foods/foodstuffs
^{3}**doen** [ov ww] [1] ⟨een handeling verrichten⟩ do, make, take ♦ *een aanbetaling doen* make a down payment/deposit; *boete/een eed doen* do penance, make/take an oath; *er is niets tegen te doen* nothing can be done (about it), there's nothing to be done; *dat heb je gauw gedaan* that was quick (work)/a quick job; *ik geef 't je te doen* it's quite a job, do you want to try?/you can have a go; *het doen* make it, do it (together); *ik doe het* I'll do it, I accept, done; *ze doet het erom* she does it on purpose; *hij heeft het in zijn broek gedaan* he wet his pants/himself; *hij deed het in zijn broek (van angst)* he was (practically) wetting himself, he wet his pants (in fear); *de politie kan hem niets doen* the police can't touch/hurt him; ⟨pregn⟩ *wat heeft dat kind gedaan?* what has that child done (wrong)?; ⟨in België⟩ *100 km doen* do a 100 (km); *koken doen we iedere dag* we cook every day; *wat*

kom** jij doen?* what do you want?; *iets gedaan weten te **krijgen manage to get sth. done, contrive to do sth.; *hij heeft het **meer** gedaan* he has done it before; *dat **moet** je vooral doen* you (should) do that; *als je het dan toch **moet** doen* if you really have to (do it); *zoiets doe je **niet*** that's not done, you (just) don't do that (sort of thing); *ik doe het (lekker) toch **niet*** (well,) I won't do it/I'm not going to; *die hond doet **niets*** that dog won't hurt you/do anything; *zij deed **niets** dan praten* all she did was/she did nothing but talk; *een **oproep** doen* make an appeal/a summons; *hij doet **rechten*** he is reading/studying/doing law, he's reading/studying for the Bar; ***roken** doet hij niet* he doesn't smoke; *we weten wat ons te doen **staat*** we know what (we are) to do/our job/what's to be done; *als 't fout gaat, heb ik **'t** weer gedaan* if it goes wrong, I'll get the blame again; *dat is **te** doen* that can be done/is possible; *veel **te** doen hebben* have a lot to do, be busy; *wat is hier **te** doen?* what's up/(going) on here?; *weinig **te** doen hebben* have little to do; *in die stad is veel **te** doen* there's a lot doing/to do in that town/city; *iemand iets doen **toekomen*** send s.o. sth., let s.o. have sth.; ***uitspraak** doen* pass judgement/sentence, return a verdict; *een **uitspraak** doen* pronounce (on), make a pronouncement; *ik weet niet waar ze het **van** doen* I don't know how they do/manage it/where they get the money from; *hij zingt beter dan hij **vroeger** deed* he sings better than he used to/did; *moet je **wat** doen?* do you have to go (somewhere)?; ***wat** doet die man (voor de kost)?* what does that man do (for a living)?; *met honderd euro doe je al heel **wat*** you can do quite a bit with a hundred euros, hundred euros (will) last you quite a while; *doe mij maar een witte **wijn*** for me a white wine, mine's/I'll have a white wine; *dat **wordt** altijd zo gedaan* it/that is always done like this/that; *goede **zaken** doen* do good business; *zo gezegd, **zo** gedaan* it will be/has been done as stated; *vergeet niet om ... Doe ik* don't forget to ... Will do [2] ⟨ergens plaatsen⟩ put ◆ *kleuren **bij** elkaar doen* mix/combine colours; *iets **erbij** doen* add sth. (on), include sth.; ***in** de ban doen* ban, put under a/the ban, outlaw; ⟨kerk⟩ excommunicate; *iets **in** zijn zak doen* put/stick sth. in one's pocket; *de koeien **in** de wei doen* put the cows in(to) the fields [3] ⟨laten ondergaan⟩ make, do ◆ *iemand iets **cadeau** doen* make s.o. a present of sth.; *dat doet mij **goed*** (that's) good!, that does me good, (it's) nice to hear that; ***het** deed me niets* I couldn't have cared less; *die muziek doet me **niets*** I don't care for that music, that music does nothing to me; *dat doet me **plezier*** I'm glad about/pleased with that; *iemand **recht** doen* do s.o. justice, be fair to s.o.; *iemand **verdriet/pijn** doen* hurt/distress s.o., cause s.o. grief/pain; *zo'n ervaring doet je **wat*** such an experience moves/gets you; *met een gezicht van wie-doet-me-wat* with a you-can't-get-me/who-can-get-me expression on her face, with an air of who-can-get-me [4] ⟨kosten, opbrengen⟩ do, go for, cost ◆ *wat moet dat **boek** doen?* how much do you want for that book?; *hoeveel deden de **eieren** gisteren?* how much did the eggs go for yesterday?; *zulke grappen doen **opgeld*** that sort of joke is all the vogue/rage [5] ⟨schoonmaken⟩ do, clean ◆ *de **kamer** doen* do the room [6] ⟨bereizen, bezichtigen⟩ do, visit ◆ *die toeristen deden **Europa** in 7 dagen* those tourists did Europe in 7 days [7] ⟨+ het; gewenste (uit)werking hebben⟩ do ◆ *dat doet **het** hem* that does it/makes all the difference; *de kachel doet **het*** the heating is on/working; *die poster doet **het** daar goed* that poster looks good there; *het zijn de programma's die **het** hem doen* it's the programmes that do it/the trick; *de **remmen** doen het niet* the brakes don't work/aren't working; *de **tv** doet het niet meer* the TV is out of order [8] ⟨+ onbepaalde wijs: laten⟩ make ◆ *dat bericht heeft de gezichten doen **betrekken*** that (piece of) news clouded a few faces/caused some long faces; *iets in waarde doen **dalen*** reduce the value of sth., devalue/deflate sth.; *zich doen **gelden*** assert o.s., make o.s. felt; *iemand iets doen **geloven*** lead s.o. to/make s.o. believe sth.; *oud zeer doen **herleven*** reopen old sores/wounds; *hij deed van zich **spreken*** he made his mark/a great stir he got/had people talking about him; *iemand paf doen **staan*** stagger s.o., take s.o.'s breath away, knock s.o. out; *een steen deed hem **struikelen*** a stone made him stumble/tripped him up; *een herinnering doen **vervagen*** blur a memory [•] *dat doet **er** niets **toe*** that's beside the point/nothing to do with it; ***er** het zwijgen **toe** doen* not say a word, sit/keep mum; ***er** is niets **aan** te doen* there's nothing to do about it, it can't be helped; ***er** niets **aan** kunnen doen* not be able to help it; *kan ik **er** iets **aan** doen!* I can't help it!, it's not my fault!; *hij kan **er** niets **aan** doen* he can't help it, it's not his fault, he can't do anything about it; *ik doe **het** ermee* I make do with it, I manage with/on it, I get along on it; *hij kan **het** wel doen* he can do/afford it; *daar kan hij **het** mee doen* that's one in the eye for him, he can put that in his pipe and smoke it; *het **is** niets gedaan met hem* nothing can be done/there's nothing to be done (for him); *anders **krijg** je met mij te doen* or else you'll come up against me; *je moet nog **lang** met die jurk doen* that dress will have to last/you'll have to make do with that dress for a long time; ⟨in België⟩ *zich niet **laten** doen* not let people push you around/put it over you; *dat **moet** je altijd doen* you should always do that, don't miss/let an opportunity like that pass; ***te** niet doen* undo, nullify, neutralize, override; *niets aan **te** doen* (it) can't be helped; *het is hem **te** doen om* he is after (sth.)/out to (do sth.); *met iemand **te** doen hebben* feel sorry for s.o.; *met iemand **te** doen krijgen* have s.o. to deal/reckon with; *het is me niet om het geld **te** doen* I am not after/not concerned about the money; *zich aan iets te goed doen* do (o.s.) well on sth.; ⟨sprw⟩ *jong geleerd, oud gedaan* ± learn young, learn fair; ± what's learnt in the cradle lasts till the tomb; ⟨sprw⟩ *hoop doet leven* if it were not for hope, the heart would break; ± hope springs eternal in the human breast; ± while there is life there is hope; ⟨sprw⟩ *zeggen en doen is twee* saying is one thing and doing another; easier said than done; ⟨sprw⟩ *wie goed doet, goed ontmoet* ± do as you would be done by; ⟨sprw⟩ *al doende leert men* experience is the best teacher; ± practice makes perfect; ⟨sprw⟩ *wat gij niet wilt dat u geschiedt, doe dat ook een ander niet* do unto others as you would they should do unto you; do as you would be done by

doener [de[m]] doer, go-getter

doenerig [bn] ⟨werkzaam⟩ busy

doenlijk [bn] practicable, feasible, workable, viable ◆ ***niet** doenlijk* impracticable, infeasible, unworkable

doerak [de[m]] rascal, scamp, pest ◆ *'t is zo'n **kleine** doerak* he/she's a (real) little rascal/scamp/pest

doerian [de[m]] ⟨plantk⟩ [1] ⟨vrucht⟩ durian [2] ⟨boom⟩ durian

does [de[m]] [1] ⟨hond⟩ poodle [2] ⟨sproeier⟩ rose(head)

doetje [het] softy, ↑ milksop, wet, ⟨AE⟩ pantywaist, ⟨AE⟩ Milquetoast

doevakantie [de[v]] action holiday/[A]vacation

doezel [de[m]] [1] ⟨dommel⟩ doze [2] ⟨doezelaar⟩ → **doezelaar**

doezelaar [de[m]] stump, tortillon

[1]**doezelen** [onov ww] [1] ⟨suf zijn⟩ doze, drowse, be drowsy [2] ⟨fig; vervagen⟩ blur, fade

[2]**doezelen** [ov ww, ook abs] ⟨kleurstof uitwrijven⟩ ⟨onovergankelijk werkwoord⟩ use a stump, ⟨overgankelijk werkwoord⟩ stump

doezelig [bn, bw] [1] ⟨slaperig, loom⟩ drowsy ⟨bw: drowsily⟩, dozy, ⟨i.h.b. na alcoholgebruik⟩ fuddled [2] ⟨vaag⟩ blurred ⟨bw: ~ly⟩, fuzzy, hazy

doezelkrijt [het] soft black crayon

[1]**dof** [de[m]] [1] ⟨slag⟩ thud, thump [2] ⟨op mouw, rok, gordijn: strook⟩ puff

[2]**dof** [bn] ⟨zonder glans⟩ dull, lustreless, ⟨verf, metaal⟩ mat(t), ⟨aangeslagen⟩ tarnished ◆ *een doffe **blik*** a dull gaze, lacklustre/glazed eyes; *dof **goud*** dull/lustreless/tarnished

gold; *dof **maken/worden*** tarnish; *doffe **tinten*** dull/muted hues/tints

[3]**dof** [bn, bw] 1 ⟨niet helder⟩ dim ⟨bw: ~ly⟩, dull ◆ *een doffe **gloed*** a dim/dull glow 2 ⟨m.b.t. geluiden⟩ dull ⟨bw: ~y⟩, muffled, muted ◆ *een dof **gemompel*** a dull murmur; *een doffe **knal/dreun/bons*** a muffled bang, a dull rumble/thud; *met een doffe **stem** spreken* talk in a dull/flat/toneless voice 3 ⟨niet opgewekt⟩ dull ⟨bw: ~y⟩, ⟨onverschillig⟩ listless ◆ *een doffe **onverschilligheid*** dull indifference ▪ *een doffe **pijn*** a dull ache, an obtuse pain

doffer [de^m^] cock-pigeon

dofheid [de^v^] 1 ⟨m.b.t. kleuren⟩ dullness, dimness, lack of lustre 2 ⟨m.b.t. geluiden⟩ dullness 3 ⟨m.b.t. de geest⟩ dullness

doft [de] thwart

dog [de^m^] mastiff ◆ ***Deense/Duitse** dog* Great Dane

doge [de^m^] ⟨gesch⟩ doge

dogger [de^m^] cod-fisher(man)

Doggersbank [de] Dogger Bank

dogging [de] dogging

doggybag [de^m^] doggy bag

doggydance [het] ⟨BE⟩ heelwork to music, ⟨AE⟩ canine freestyle

doggydancing [het] ⟨BE⟩ heelwork to music, ⟨AE⟩ canine freestyle

dogkar [de] dogcart

dogma [het] 1 ⟨leerstuk, geloofsartikel⟩ dogma, ⟨form⟩ tenet 2 ⟨geloofsleer⟩ dogma, doctrine

dogmaticus [de^m^] 1 ⟨leraar in de dogmatiek⟩ dogmatician, dogmatist, dogmatic theologian 2 ⟨iemand die aan dogma's hangt⟩ dogmatist, doctrinarian

dogmatiek [de^v^] 1 ⟨leer⟩ dogmatics, dogmatic theology 2 ⟨dogma's⟩ dogma(s)

dogmatisch [bn, bw] 1 ⟨volgens een dogma⟩ dogmatic(al) ⟨bw: dogmatically⟩ 2 ⟨geen tegenspraak duldend⟩ dogmatic(al) ⟨bw: dogmatically⟩ ◆ *dogmatische **leervorm*** dogmatic teaching method

dogmatiseren [ov ww, ook abs] dogmatize, ⟨overgankelijk werkwoord ook⟩ turn into a dogma

dogmatisme [het] dogmatism

dogmatist [de^m^] dogmatist

dogtag [de^m^] 1 ⟨m.b.t. huisdieren⟩ dog tag 2 ⟨van persoon⟩ dog tag

dok [het] 1 ⟨scheepv⟩ dock(yard) ◆ ***drijvend** dok* floating dock; *de dokken* the docks, ⟨BE⟩ dockland 2 ⟨muz⟩ jack

doka [de] ⟨foto⟩ darkroom

dokgeld [het] ⟨scheepv⟩ dock-dues, dockage

dokhaven [de] 1 ⟨dok⟩ dock 2 ⟨haven⟩ dock

dokken [ov ww, ook abs] 1 ⟨in het dok komen, brengen⟩ dock, put into dock, ⟨onovergankelijk werkwoord ook⟩ go into dock 2 ⟨inf; betalen⟩ fork out, cough up, shell out ◆ ***voor** iets moeten dokken* have to fork out/cough up/shell out for sth.

dokmeester [de^m^] dockmaster

doksaal [het] rood loft

dokter [de^m^], **dokteres** [de^v^] 1 ⟨arts⟩ doctor, ⟨huisarts⟩ GP, ⟨form⟩ physician ◆ *ik moet **naar** de dokter* I must see the doctor/go to the doctor/doctor's; *ga er eens mee **naar** een dokter* go to/see a/the doctor about it; *je moet met het kind **naar** de dokter* you must take the child to (see) the doctor; *zijn dokter **raadplegen*** consult one's doctor; *een dokter **roepen/laten komen*** send for/call (in)/summon a doctor; ***voor** dokter studeren* study/read medicine, train/study to be a doctor; *is er een dokter in de zaal?* is there a doctor in the house? 2 ⟨aanspreektitel⟩ Doctor ▪ ⟨inf⟩ *doktertje **spelen*** play doctors and nurses, play hospitals

dokteren [onov ww] 1 ⟨als dokter optreden⟩ practise, ⟨AE⟩ practice, ⟨inf⟩ doctor, be in practice (as a doctor) 2 ⟨proberen te verbeteren⟩ tinker (with/at) ◆ ***aan** iets dokteren* tinker with sth. 3 ⟨onder doktersbehandeling zijn⟩ be under medical treatment, ⟨BE ook; inf⟩ be under the doctor ◆ *zich **arm** dokteren* pay a fortune in medical bills; *hij doktert nu al een paar jaar* he's been under medical treatment/the doctor for a few years now

dokteres [de^v^] → **dokter**

doktersadvies [het] doctor's advice, medical advice, ↓ doctor's orders ◆ ***op** doktersadvies een poosje rust houden* take some rest on doctor's/medical advice, ↓ take some rest by doctor's orders

doktersassistente [de^v^] (medical/doctor's) receptionist

doktersattest [het] → **doktersverklaring**

doktersbehandeling [de^v^] medical treatment ◆ ***onder** doktersbehandeling zijn, zich **onder** doktersbehandeling stellen* be/put o.s. under medical treatment

doktersbriefje [het] → **doktersverklaring**

doktershulp [de] medical assistance

doktersjas [de] doctor's (white) coat, ⟨inf⟩ white coat

dokterskabinet [het] ⟨in België⟩ ⟨BE⟩ doctor's surgery, ⟨AE⟩ doctor's office

dokterspost [de^m^] ⟨BE⟩ out-of-hours GP service

dokterspraktijk [de] medical practice ◆ *zijn dokterspraktijk **overdoen** aan een jonger iemand* pass one's practice on/hand one's practice over to s.o. younger

doktersrecept [het] (doctor's) prescription

doktersroman [de^m^] doctor novel

dokterstelefoon [de^m^] (weekend) medical switchboard ◆ *in het weekeinde te bereiken **via** de dokterstelefoon* contactable at weekends through the medical switchboard

doktersverklaring [de^v^], **doktersattest** [het], **doktersbriefje** [het] medical certificate, doctor's certificate

doktersvisite [de] (doctor's) visit/call, ⟨inf⟩ visit from the doctor

doktersvoorschrift [het] medical instructions, ⟨inf⟩ doctor's orders ◆ ***op** doktersvoorschrift* on prescription; ⟨inf⟩ on doctor's orders; *verkrijgbaar **zonder** doktersvoorschrift* obtainable without a prescription/over the counter

dokwerker [de^m^] dockworker, docker, ⟨AE⟩ longshoreman

[1]**dol** [de^m^] 1 ⟨m.b.t. roeiriemen⟩ thole(-pin), rowlock, ⟨AE⟩ oarlock 2 ⟨pin op een rad, schijf⟩ thole(-pin) 3 ⟨rib passend in een sleuf⟩ tongue

[2]**dol** [bn] 1 ⟨versleten⟩ worn, slipping, stripped ◆ *die **schroef** is dol* the screw is worn/slipping, the thread has/is stripped 2 ⟨m.b.t. wijzers⟩ crazy, whirling (round in circles) ◆ *het **kompas**/de **naald** is dol* the compass/needle has gone crazy/is whirling (round in circles) 3 ⟨plantk⟩ poisonous, deadly ◆ *dolle **kastanje*** horse chestnut; *dolle **peterselie*** fool's parsley 4 ⟨m.b.t. honden⟩ mad, rabid

[3]**dol** [bn, bw] 1 ⟨krankzinnig⟩ mad ⟨bw: ~ly⟩, crazy ◆ ***ben** je dol?* are you crazy/out of your mind/off your head?; *dat geluid **maakt** mij dol* that noise is driving me round the bend/up the wall; *dol **van** woede* hopping mad, ↓ furious as hell 2 ⟨onbezonnen⟩ mad ⟨bw: ~ly⟩, wild, crazy ◆ *een dolle **dries*** a loony/nut/madman, ↑ a madcap; *door **het** dolle heen zijn* be beside o.s./delirious with excitement/joy, have gone/be (completely) off one's head, flip, go absolutely wild; *door **het** dolle heen raken* ↓ go bonkers; *met een dolle **kop** iets doen* do sth. without so much as a thought/off the top of one's head; *een dolle **vlucht*** a mad/wild chase 3 ⟨dwaas⟩ foolish ⟨bw: ~ly⟩, silly ⟨bw: sillily⟩, ↓ daft ⟨bw: ~ly⟩ ◆ *de dolste **dingen** zeggen* say the daftest things; *dit is **te** dol* this is too silly for words; *een dolle **klucht*** a roaring farce; *dolle **pret** beleven/hebben* have great/glorious fun; *dat is **te** dol om los te lopen* that's just too crazy for words/to be true; *dol **van** vreugde* wild/delirious/mad with joy, on top of the world 4 ⟨verzot⟩ mad (about) ⟨bw: madly⟩, crazy (about), fond (of), ↓ nuts (about/on), nutty (about/on), ↓ dippy (about) ◆ *dol **op** iets/iemand zijn* be mad/crazy/wild about sth./s.o.; *hij is dol **op** zijn kinderen* he's a doting father

[5] ⟨bijzonder prettig⟩ great ⟨bw: ~ly⟩, super, fantastic ◆ *dat is dolletjes* that's great/super; *het was dolle pret* it was great fun, ↓ it was a giggle
dol- extremely, highly, really, wildly ◆ *doldwaas* maniacal
dolblij [bn] overjoyed (about), ⟨inf⟩ (as) pleased as Punch (about), tickled pink (with) ◆ *dolblij zijn met iets* be over the moon about sth., feel/be on top of the world about sth.
dolboord [het] ⟨scheepv⟩ gunwale, gunnel
dolby [de^m] Dolby
dolce [bw] ⟨muz⟩ dolce ◆ *la dolce vita* dolce vita, the sweet life; ⟨fig⟩ *dolce far niente* dolce far niente
¹**doldraaien** [onov ww] [1] ⟨niet meer pakken⟩ strip, have stripped, slip, not bite ◆ *de schroef is dolgedraaid* the screw/thread has stripped, the screw is slipping/isn't biting [2] ⟨fig⟩ ⟨ding⟩ run away with itself, ⟨persoon⟩ go off the rails
²**doldraaien** [ov ww] ⟨te ver doordraaien⟩ drive/push/turn too far, overload ◆ ⟨fig⟩ *iemand doldraaien* drive s.o. too far/over the edge, ↓ drive s.o. round the bend
doldriest [bn, bw] foolhardy ⟨bw: foolhardily⟩, reckless, daredevil, lunatic, rash ◆ *een doldrieste daad* (an act/a piece of) recklessness/lunacy/daredevilry
doldriestheid [de^v] foolhardiness, recklessness, daredevilry, lunacy, rashness
doldriftig [bn, bw] hotheaded ⟨bw: ~ly⟩
doleantie [de^v] [1] ⟨klacht⟩ petition, appeal ◆ *in doleantie gaan* lodge an appeal, submit a petition [2] ⟨afscheiding⟩ secession
Doleantie [de^v] ⟨kerkelijke groeperingen⟩ ± (Dutch) Nonconformism, Dissent
dolen [onov ww] [1] ⟨dwalen⟩ wander (about) ◆ *ik heb een tijd lopen dolen voor ik zijn huis vond* I wandered about for a while before I was able to find his house [2] ⟨zwerven⟩ roam, wander, rove, ramble ◆ *de dolende ridders* the knights-errant [3] ⟨fig⟩ stray, go astray, err, ⟨form⟩ stumble
dolente [bw] ⟨muz⟩ dolente
dolenthousiast [bn] wild(ly enthusiastic) (about), (as) keen as mustard, really keen (on)
doler [de^m] wanderer, ⟨form⟩ rover, vagabond
doleren [onov ww] [1] ⟨zich beklagen⟩ appeal, lodge an appeal, submit a petition [2] ⟨zich afscheiden van⟩ secede (from), ⟨vnl rel⟩ dissent (from) ◆ *een dolerende gemeente* ± a dissenting/Nonconformist congregation/community
dolfijn [de^m] ⟨biol⟩ dolphin
Dolfijn [de^m] ⟨astron⟩ Delphinus, the Dolphin
dolfinarium [het] dolphinarium
dolgedraaid [bn] insane
dolgelukkig [bn, bw] deliriously happy, in raptures, (as) pleased as Punch, over the moon ◆ *zij zijn dolgelukkig met hun huis* they're in raptures over their house
dolgraag [bw] with great pleasure, with the greatest of pleasure, ↓ ever so much ◆ *iets dolgraag doen* love doing/to do sth.; *ik wil het dolgraag hebben* I want it badly, I'd (dearly) love (to have) it; *zij wil dolgraag aan het toneel* she is stagestruck/has got stage fever; *hij wil dolgraag naar het buitenland* he is itching/has an itch/is raring to go abroad; *iets dolgraag willen* want (to do) sth. very much/badly, be very keen to do/have sth.; *zij willen dolgraag winnen* they are keen on winning; *ga je mee? dolgraag!* are you coming? sure/absolutely/you bet!/I'd love to/try and stop me!
dolheid [de^v] [1] ⟨ziektetoestand⟩ madness, frenzy [2] ⟨dwaze streek⟩ (piece of) madness, (piece of) lunacy, prank
dolichocefaal [bn] dolichocephalic, dolichocephalous
doline [de^v] ⟨aardr⟩ dolina
doling [de^v] [1] ⟨zwerftocht⟩ wander(ing), roam, ramble [2] ⟨fig; dwaling⟩ straying, error
dolk [de^m] dagger, ⟨gesch⟩ poniard, ⟨vnl SchE⟩ dirk ◆ ⟨fig⟩ *iemand een dolk in de rug steken* stab s.o. in the back, knife s.o.
dolkmes [het] dagger
dolkomisch [bn, bw] screamingly/killingly funny, ⟨inf⟩ a scream ⟨alleen pred⟩, killing
dolkruid [het] ⟨biol⟩ [1] ⟨zwarte nachtschade⟩ black nightshade [2] ⟨bitterzoet⟩ woody nightshade, bittersweet [3] ⟨bilzekruid⟩ henbane [4] ⟨doodkruid⟩ deadly nightshade
dolksnavel [de^m] dagger beak, dagger bill
dolksteek [de^m] ⟨stoot⟩ dagger-thrust, stab, ⟨wond⟩ stab-wound, dagger-wound, knife-wound ◆ ⟨fig⟩ *haar woorden waren zovele dolksteken* her words cut me/him/... to the quick, every word she spoke was a stab to the heart
dolkstoot [de^m] dagger-thrust, stab ◆ *een dolkstoot in de rug* ⟨fig⟩ a stab in the back
dolkstootlegende [de] stab-in-the-back legend
dollar [de^m] dollar, ⟨inf; AE⟩ buck, ⟨AE⟩ greenback ◆ *hoe staat de dollar?* what is the dollar rate/rate of the dollar?, how is the dollar doing?; *sterke dollar* strong dollar
dollarbiljet [het] (one-)dollar bill, ⟨inf⟩ greenback, ⟨sl⟩ ace, frogskin
dollarcent [de^m] cent, ⟨inf; AE⟩ penny ◆ *vijf/tien/vijfentwintig dollarcent* nickel, dime, quarter
dollargebied [het] dollar area
dollargevoelig [bn] dollar-sensitive
dollarisering [de^v] dollarization
dollarkoers [de^m] dollar (exchange) rate, (exchange) rate of the dollar
dollarlening [de^v] dollar loan
dollarteken [het] dollar sign/mark [•] *dollartekens in de ogen hebben* see a lot of dollar signs in front of s.o.'s eyes, ⟨BE⟩ have a pound sign for a brain
dollarzwakte [de^v] dollar weakness
dolle [de^m] madman, lunatic ◆ *als een dolle wegrennen* take off like a bat out of hell, ⟨AE⟩ take off at a rate of knots, ↓ take off like a dose of salts/like the clappers
dollekervel [de^m] ⟨plantk⟩ ⟨Chaerophyllum temulum⟩ rough chervil, ⟨Cicuta virosa⟩ cowbone, water hemlock
dolleman [de^m] madman, lunatic, idiot ◆ *hij reed als een dolleman* he drove like a madman/like hell
dollemanspraat [de^m] mad/crazy/wild talk
dollemansrit [de^m] crazy ride
dollemanswerk [het] sheer/utter madness, sheer/utter folly, sheer lunacy ◆ *het is dollemanswerk* ⟨ook⟩ it's (an) absurd (situation)/it's completely pointless
¹**dollen** [onov ww] ⟨gekheid maken⟩ horse around, lark about, play the fool ◆ *met iemand dollen* horse around/lark about with s.o.; ⟨inf⟩ *zonder dollen* seriously
²**dollen** [ov ww] ⟨opfokken⟩ take the mickey out of, mess with, tease
¹**dolletjes** [bn] great, super, fantastic, ↓ wild
²**dolletjes** [tw] super!, great!, fantastic!, ↓ wild!, what a super/great/fantastic idea!, ↓ what a wild idea!, what fun!
dolly [de] dolly
dolma [de^m] dolma
dolmen [de^m] dolmen, cromlech
dolomiet [het] dolomite ◆ *de Dolomieten* the Dolomites
dolpen [de] thole (pin)
dolus [de^m] ⟨jur⟩ malice aforethought, premeditation
dolverliefd [bn, bw] madly in love ◆ *dolverliefd zijn (op)* be mad/crazy/wild about, be gone on, be over ^Bhead and ears in love (with)/head over heels in love (with)
¹**dom** [de^m] [1] ⟨domkerk⟩ cathedral [2] ⟨Portugese eretitel⟩ Dom [3] ⟨titel van benedictijnen⟩ Dom
²**dom** [bn] ⟨onwetend⟩ ignorant ◆ *iemand dom houden* keep s.o. in ignorance, keep s.o. ignorant; *de domme massa* the common herd, the ignorant masses; *zich van de domme houden* play ignorant/(the) innocent, pretend/feign ignorance/innocence
³**dom** [bn, bw] [1] ⟨met weinig verstand⟩ stupid, simple,

slow, dull, dense, ⟨inf⟩ thick, thickheaded, thickwitted, dumb ♦ *zo dom **als** een ezel/**als** het achtereind van een koe/varken* as thick as a brick/two (short) planks, ⟨AE⟩ a real jerk; ⟨in België⟩ *te dom om te helpen **donderen*** as thick as two planks, as stupid as they come/make them; ⟨in België⟩ *hij is te dom om het te helpen **donderen*** if he had another brain, it would be lonely; *een domme **jongen*** a stupid fellow/^{A}guy, a simpleton; *ik kan er niet bij met mijn domme **verstand*** it's too complicated for my simple mind, it (all) goes right over my head; *iemand dom **vinden*** consider s.o. stupid/a fool/an ass [2] ⟨onnozel⟩ silly, daft, naive ♦ *hij is niet zo dom **als** hij eruitziet* he's not such a fool as he looks; *een dom **antwoord*** a silly/stupid answer; *een domme **gans*** a silly goose; *sta niet zo dom te **grijnzen**!* take/wipe that silly grin off your face!; *dat **is** nog zo dom niet* that's not such a silly/daft idea/so stupid as it sounds/looks; *een domme **streek** uithalen* play a silly/daft trick; ***wat** dom van mij!* that was stupid/silly of me!, how stupid/silly of me!; *het zou dom **zijn** om ...* it would be foolish/unwise/stupid to ...; *hoe kon ik zo dom **zijn**!* how could I be so stupid!/such a fool! [3] ⟨stomweg⟩ sheer, pure ♦ *dom **geluk*** sheer luck, a fluke/freak, pure chance; *dom **geweld*** brute force [•] ⟨sprw⟩ *het geluk is met de dommen* fortune favours fools; ⟨sprw⟩ *de domste boeren hebben de dikste aardappels* fortune favours fools

dombo [de^{m}] ⟨inf⟩ dumbo

domein [het] [1] ⟨territorium, gebied⟩ domain, land, territory, ⟨gesch⟩ demesne ♦ *de **koninklijke** domeinen* the royal domains/estates, royal lands, crown land [2] ⟨fig; geestelijk gebied⟩ domain, field, area ♦ *dat **behoort** niet **tot** mijn domein* that is outside/not within my domain/province/area of competence; ⟨inf⟩ that's not my department; *het domein van de **kunst*** the field of art; ***publiek** domein* public domain/property [3] ⟨comp⟩ domain

domeinbestuur [het] domain board, management of crown lands, ⟨Groot-Brittannië⟩ Crown Lands/Estates Commissioners, Commissioners of the Crown Lands

domeinextensie [de^{v}] domain extension

domeinkaper [de^{m}] domain pirate

domeinnaam [de^{m}] domain name

domesticeren [ov ww] ⟨dier, plant⟩ domesticate

domheer [de^{m}] canon

domheid [de^{v}] [1] ⟨het dom zijn⟩ stupidity, idiocy, denseness, foolishness ♦ *hij heeft het aan zijn **eigen** domheid te danken* he has (only) his own stupidity to thank for that [2] ⟨domme streek⟩ stupid thing (to do), (piece of) idiocy, sth. stupid, stupid error ♦ *een domheid **begaan*** do sth. stupid; *een domheid **goedmaken*** make up for/make amends for a stupid error

domicilie [het] domicile, abode, ⟨handel⟩ registered offices ♦ *domicilie van **afkomst*** domicile of origin; *domicilie **hebben/houden*** be domiciled/resident; ⟨jur⟩ *domicilie **kiezen** ten kantore van* elect domicile at the office of

domiciliëren [ov ww] domicile ⟨ook handel⟩ ♦ ***in** Leuven gedomicilieerd zijn* be domiciled/resident at Louvain; ⟨handel⟩ *een **wissel** domiciliëren* domicile a bill of exchange

domiciliëring [de^{v}] domiciling, domiciliation

domina [de^{v}] → **dominee**

[1]**dominant** [de] [1] ⟨kleur⟩ dominant colour [2] ⟨muz⟩ dominant [3] ⟨biol⟩ dominant

[2]**dominant** [bn] [1] ⟨overheersend⟩ dominant, overriding, outstanding [2] ⟨biol⟩ dominant ♦ *dominant **gen*** dominant gene

dominantie [de^{v}] [1] ⟨het overheersen⟩ dominance, ⟨pol, gesch⟩ ascendancy [2] ⟨biol⟩ dominance

dominee [de^{m}], **domina** [de^{v}] [1] ⟨titel, aanspreekvorm⟩ ⟨man & vrouw⟩ minister, ⟨man⟩ Sir, ⟨vrouw⟩ Madam, ⟨anglic; man & vrouw⟩ vicar, ⟨man & vrouw⟩ Reverend, ⟨inf; man⟩ padre [2] ⟨predikant(e)⟩ ⟨man & vrouw⟩ minister, ⟨vrouw⟩ woman minister, ⟨man⟩ clergyman, ⟨vrouw⟩ clergywoman, ⟨man & vrouw⟩ parson, ⟨man & vrouw⟩ pastor, ⟨man & vrouw⟩ preacher, ⟨anglic; man & vrouw⟩ vicar, ⟨mil; man⟩ padre ♦ ⟨fig⟩ *een **blikken** dominee* (hot) gospeller; ⟨AE ook; sl⟩ gospel grinder/pusher; ⟨ook pol⟩ soap box orator/preacher; ⟨fig⟩ *daar **gaat** de (een) dominee **voorbij*** there's a lull in the conversation; *je **lijkt** wel een dominee* hark at you!, don't be so serious; *dominee **worden*** go into/be intended for the Church/the ministry [3] ⟨zedenprediker⟩ ± fire-and-brimstone preacher, ± (person who is) preachy/sanctimonious

dominee-dichter [de^{m}] preacher-poet

domineese [de^{v}] minister's/clergyman's wife, ⟨anglic⟩ vicar's wife, ⟨zeldz⟩ vicaress, ⟨inf⟩ parson's wife

domineesland [het] ⟨iron⟩ (the) provinces, the sticks

domineesstukje [het] rump steak

domineestoon [de^{m}] preaching/preachy/pious/sanctimonious tone (of voice)

domineren [ov ww, ook abs] dominate, ⟨inf⟩ lord it (over) ♦ *de **fagotten** domineren te veel* the bassoons are too dominant/tend to drown out the other instruments; *hij domineert zijn hele **omgeving*** he dominates everyone around him; *die berg domineert de hele **streek*** the mountain dominates the whole district

Dominica [het] Dominica

Dominica	
naam	*Dominica* Dominica
officiële naam	*Gemenebest Dominica* Commonwealth of Dominica
inwoner	*Dominicaan* Dominican
inwoonster	*Dominicaanse* Dominican
bijv. naamw.	*Dominicaans* Dominican
hoofdstad	*Roseau* Roseau
munt	*Oost-Caraïbische dollar* Eastern Caribbean dollar
werelddeel	*Amerika* America
int. toegangsnummer **1-767** www**.dm** auto **WD**	

dominicaan [de^{m}] Dominican, Black Friar

Dominicaan [de^{m}], **Dominicaanse** [de^{v}] ⟨man & vrouw⟩ Dominican, ⟨vrouw ook⟩ Dominican woman/girl

dominicaans [bn] Dominican

Dominicaans [bn] Dominican [•] *de Dominicaanse **Republiek*** the Dominican Republic

Dominicaanse [de^{v}] → **Dominicaan**

Dominicaanse Republiek [de^{v}] Dominican Republic

Dominicaanse Republiek	
naam	*Dominicaanse Republiek* Dominican Republic
officiële naam	*Dominicaanse Republiek* Dominican Republic
inwoner	*Dominicaan* Dominican
inwoonster	*Dominicaanse* Dominican
bijv. naamw.	*Dominicaans* Dominican
hoofdstad	*Santo Domingo* Santo Domingo
munt	*Dominicaanse peso* Dominican peso
werelddeel	*Amerika* America
int. toegangsnummer **1-809** www**.do** auto **DOM**	

dominicaner [bn] Dominican ♦ *dominicaner **monnik*** Dominican friar, Black Friar; *dominicaner **non*** Dominican nun

dominicanes [de^{v}] Dominican nun

dominion [het] dominion

domino [het] dominoes

domino-effect [het] ⟨fig⟩ ⟨alg⟩ knock-on effect, ⟨pol⟩ domino effect

dominoën [onov ww] play dominoes

dominospel [het] [1] ⟨spel⟩ dominoes [2] ⟨dominostenen⟩ set of dominoes

dominosteen [de^{m}] domino
dominotheorie [de^{v}] domino theory
domkapittel [het] (dean and) chapter
domkerk [de] cathedral (church)
dommekracht [de] [1] ⟨werktuig om zware voorwerpen op te tillen⟩ jack, screw jack, jackscrew [2] ⟨dom log persoon⟩ (mindless) hulk ♦ *het is een dommekracht* he's all brawn and/but no brain
dommelen [onov ww] doze, drowse, be half asleep
dommelig [bn] drowsy, dozy, half asleep
dommie [de^{m}] dummy
dommigheid [de^{v}] act of stupidity/foolishness, piece of stupidity/foolishness, blunder
domoor [de^{m}] idiot, fool, blockhead, dunce, fat-head, nitwit, nincompoop ♦ *jij **kleine** domoor!* you silly little boy/girl!, ↓(you) little nitwit/nincompoop!
domotica [de^{v}] home electronics
dompelaar [de^{m}] [1] ⟨vogel⟩ diver [2] ⟨m.b.t. een pomp⟩ plunger [3] ⟨verwarmingsstaaf⟩ immersion heater [4] ⟨in België; stakker⟩ poor devil/wretch
dompelbad [het] [1] ⟨m.b.t. personen⟩ plunge bath/pool [2] ⟨m.b.t. zaken⟩ immersion bath, dip
dompelen [ov ww] [1] ⟨onder laten gaan⟩ plunge, dip, ⟨form⟩ immerse, duck ⟨ook schertsend⟩ ♦ *zijn brood **in** soep dompelen* dunk/dip one's bread in soup; *zijn voeten **in** het water dompelen* dip one's feet in the water [2] ⟨fig⟩ plunge ♦ ***in** diepe slaap/armoede/schulden/rouw gedompeld* plunged in(to) a deep sleep/poverty/debt/mourning
domper [de^{m}] damper, chill ♦ *dit onverwachte bericht zette een domper **op** de feestvreugde* this unexpected news put a damper on/cast a shadow over the party
dompig [bn] [1] ⟨muf⟩ stuffy, close, musty [2] ⟨dampig⟩ clammy, moist, dank
dompteur [de^{m}] animal trainer/tamer
domra [de^{m}] domra
domstad [de] cathedral city ♦ *de domstad* ⟨ook⟩ Utrecht
domtoren [de^{m}] cathedral tower, ⟨met spits⟩ cathedral spire
domweg [bw] (quite) simply, without a moment's thought, just ♦ *iets domweg **overschrijven*** (quite) simply copy sth.
don [de^{m}], **doña** [de^{v}] Don, Doña ♦ *Don **Quichot*** Don Quixote
doña [de^{v}] → **don**
donataris [de^{m}] donee
donateren [ov ww] donate
donateur [de^{m}], **donatrice** [de^{v}] donor, ⟨van vereniging⟩ contributor, supporter, ↑benefactor ♦ ***leden** en donateurs* members and supporters; *donateur van een **vereniging*** contributors to/supporters/benefactors of an association
donatie [de^{v}] donation, gift
donatrice [de^{v}] → **donateur**
Donau [de] Danube
Donaumonarchie [de^{v}] Danube Monarchy
donder [de^{m}] [1] ⟨onweer⟩ thunder [2] ⟨lichaam⟩ carcass, ⟨persoon⟩ devil, ↓bugger ♦ *een **arme** donder* a poor devil/bastard, ⟨BE⟩ a poor (old) bugger; ***op** zijn donder krijgen* catch/get hell, get it in the neck, get a roasting/^{B}a rocket; *iemand **op** zijn donder geven* give s.o. a beating/a good hiding, ⟨fig⟩ give s.o. a (good) dressing-down/a roasting/^{B}a rocket; ⟨fig⟩ read s.o. the riot act [3] ⟨als krachtterm⟩ hell, damn(ation) ♦ ***als** de donder wegwezen* get the hell out (of (t)here), scram, ⟨BE⟩ scarper, get lost, ⟨AE⟩ split; ***geen** donder* not a sausage, damn all, sweet Fanny Adams/FA; *je krijgt **geen** donder* you'll get damn all (out of me); *ik snap er **geen** donder van* it's a complete mystery to me, I haven't the foggiest (idea) what you mean, I don't get it (at all); *ik weet er **geen** donder van* I know damn all about it, I don't know a damn thing about it, it's news to me; *het kan me **geen** donder schelen* I don't give a damn about it, damned if I care, ↓I don't give a ^{B}monkey's (fart)/^{B}tinker's (cuss)/^{A}flying fuck; *kom hier **voor** de donder!* bloody well come here!, come here, damn it/you!; *daar kun je donder op **zeggen*** you can bet your boots/your bottom dollar/your life on that, you can bank on that; *om de donder **niet**!* like hell I will/I am/you will/you are/..., no way!
donderaal [de^{m}] pond loach
donderaar [de^{m}] [1] ⟨dondergod⟩ thunder god [2] ⟨persoon⟩ blusterer, cusser
donderbeestje [het] thrips
donderbui [de] [1] ⟨onweersbui⟩ thunderstorm, thunder-shower [2] ⟨fig⟩ thunderstorm, dressing-down, ⟨BE⟩ rocket
donderbus [de] [1] ⟨kanon⟩ name for early artillery, esp. a small bronze cannon [2] ⟨handvuurwapen⟩ blunderbuss
donderdag [de^{m}] Thursday ♦ ***Witte** Donderdag* Maundy Thursday; *de donderdag is de dief van de **week*** ± where's the week gone (to)?
^{1}**donderdags** [bn] ⟨elke donderdag terugkerend⟩ Thursday ♦ *mijn donderdags **bezoek*** my Thursday visit
^{2}**donderdags** [bw] ⟨op donderdag⟩ (on) Thursdays ♦ *ik **zie** hem alleen donderdags* I only see him (on) Thursdays
^{1}**donderen** [onov ww] [1] ⟨tieren en razen⟩ thunder away, bluster, ⟨form⟩ fulminate ♦ *met donderend **geraas*** with a thundering din/roar [2] ⟨vallen⟩ tumble (down), come crashing down ♦ ***naar** beneden donderen* tumble/crash down, go/come tumbling/crashing down [3] ⟨zaniken⟩ nag, ⟨inf⟩ go on ♦ ***lig** niet zo te donderen* stop nagging, don't keep going on so [•] *dat dondert **niet*** ↑that doesn't matter
^{2}**donderen** [ov ww] ⟨smijten⟩ chuck, fling, hurl ♦ ***iets/iemand** van de trap donderen* chuck sth./s.o. down the stairs
^{3}**donderen** [onpers ww] ⟨onweren⟩ thunder ♦ ***het** dondert* it's thundering, there's thunder about
donderend [bn] thundering, ⟨mbt. applaus⟩ thunderous
dondergod [de^{m}] thunder god, god of thunder
donderjagen [onov ww] be a nuisance/pest, be a pain (in the ass), ⟨BE ook⟩ muck about, ⟨zaniken⟩ go on, nag ♦ *hij is weer **aan** 't donderjagen* he's being a nuisance/pest/mucking about again; *'t wordt donderjagen* now we're in trouble/in for it
donderkop [de^{m}] [1] ⟨wolk⟩ thunderhead [2] ⟨dikkopje⟩ tadpole
donderkruid [het] ⟨plantk⟩ [1] ⟨donderbaard, Sempervivum tectorum⟩ houseleek [2] ⟨alant, Inula conyza⟩ ploughman's/^{A}plowman's spikenard [3] ⟨fijnstraal, Erigeron⟩ fleabane
donderpad [de] [1] ⟨kikkervisje⟩ tadpole [2] ⟨vis⟩ bullhead, sculpin, ⟨rivier⟩ miller's thumb, ⟨zee⟩ father lasher
donderpreek [de] fire-and-brimstone sermon, ⟨niet rel⟩ harangue ♦ *een donderpreek **houden*** preach fire and brimstone
^{1}**donders** [bn] ⟨inf⟩ ⟨vervloekt⟩ damn(ed), ⟨BE ook⟩ bloody, ⟨AE ook⟩ goddam ♦ *die donderse **vent** bedriegt me* that bloody fellow is cheating me [•] *een donderse **kerel*** ⟨tot veel in staat⟩ a/one hell of a/helluva guy
^{2}**donders** [bw] ⟨inf⟩ ⟨zeer⟩ damn(ed), ⟨BE ook⟩ bloody, ⟨AE ook⟩ goddam ♦ *je weet donders **goed** ...* you know damn(ed) well ...; *dat is donders **moeilijk*** that's damn(ed)/bloody difficult
^{3}**donders** [tw] ⟨inf⟩ damn(ation)!, damn it! ♦ *donders, dat heb ik vergeten!* damn (it), I forgot that!
donderslag [de^{m}] [1] ⟨donder van een bliksemstraal⟩ thunderclap, thunderbolt, roll/crack/peal of thunder ♦ *een **ratelende** donderslag* a rattling thunderclap [2] ⟨fig⟩ thunderbolt, bombshell ♦ *als een donderslag **bij** heldere hemel* like a bolt from the blue [3] ⟨huls met buskruit⟩ thunderflash
donderspeech [de^{m}] sermon, harangue ♦ *een donderspeech **houden*** lay down the law; ⟨BE ook⟩ read the riot act

dondersteen [de^{m}] [1] ⟨mispunt⟩ rascal, rotter, stinker, ⟨BE⟩ blighter ◆ *'t is een echte dondersteen* he's a proper rascal/a real stinker [2] ⟨geol⟩ thunderstone, fulgurite [3] ⟨bijdehand iemand⟩ ◆ *dat meisje is een dondersteen* that girl is as bright as a button/is nobody's fool

donderstem [de] thunderous voice, ⟨lit⟩ voice of thunder

donderstenen [ww] ⟨inf⟩ nag, go on ◆ *lig niet te donderstenen* stop nagging, don't keep going on so

donderstraal [de^{m}] ⟨inf⟩ rascal, rotter, stinker, ⟨BE⟩ blighter

donderstralen [onov ww] ⟨inf⟩ [1] ⟨klieren⟩ be a pain, be a pain in the neck, ⟨vulg; BE⟩ be a pain in the arse, ⟨AE⟩ be a pain in the ass [2] ⟨vallen⟩ crash, clatter, thunder ◆ *met veel lawaai donderstraalde hij van de trap af* he went crashing/clattering/thundering down the stairs with a tremendous din [•] *donderstraal op!* bugger off!, ⟨vulg⟩ piss off!

dondervogel [de^{m}] Thunderbird

donderwolk [de] thundercloud ◆ *een gezicht als een donderwolk* a face like thunder

doneren [ov ww] donate

döner kebab [de^{m}] doner kebab

dong [de^{m}] dong

donjon [de^{m}] donjon

donjuan [de^{m}] Don Juan, Casanova, Lothario, lady-killer

donk [de] ⟨aardr⟩ [1] ⟨moeras⟩ swamp, marsh [2] ⟨zandhoogte⟩ Pleistocene dune

^{1}**donker** [het, de^{m}] dark(ness), gloom, ⟨form⟩ obscurity ◆ *in het donker* in the dark; ⟨fig⟩ *een schot in het donker* a shot in the dark, a potshot; *tussen licht en donker* at twilight, at dusk, as dusk falls; *het nachtelijk donker* the dark of night

^{2}**donker** [bn] [1] ⟨duister⟩ dark, gloomy, murky, obscure, ⟨lit⟩ tenebrous ◆ *in donker Afrika* in darkest Africa, in the depths of Africa; *zo donker als de nacht* pitch dark; *de donkere dagen voor Kerstmis* the dark days before Christmas; *een donkere lucht* a dark/gloomy sky; *donker maken* darken; *donker worden* grow dark/dusk, darken; *het wordt donker* it's getting dark [2] ⟨somber, droevig⟩ dark, dismal, gloomy, black, sombre ◆ *een donkere bladzijde in zijn leven* a dark/dismal/black chapter in his life; *een donker gezicht zetten* look black, have a black look on one's face; *een donkere toekomst* a dark/dismal/black future [3] ⟨niet licht van kleur⟩ dark, dusky, dim, deep, ⟨huid⟩ swarthy ◆ *donker bier* stout, dark ale; *een donker type* a dark-complexioned/swarthy/dusky type [4] ⟨m.b.t. geluiden⟩ low(-pitched), ⟨stem ook⟩ grave, deep ◆ *een donkere stem* a low(-pitched) voice; ⟨somber⟩ a grave voice

^{3}**donker** [bw] ⟨somber⟩ dismally, gloomily, blackly ◆ *de toekomst donker inzien* take a gloomy/black/dismal view of the future

donkerblauw [bn] dark/deep blue, mazarine (blue), Oxford blue

donkerblond [bn] dark blonde, ⟨van man ook⟩ dark blond, ± light brown

donkerbruin [bn] dark/deep brown, ⟨haar, huid, ogen⟩ brunet(te), sepia, umber ⟨attr⟩

donkeren [onpers ww] grow/get dark, grow dusk, darken ◆ *het donkert* darkness/dusk/night is falling, it's growing/getting dark, it's growing dusk, it's darkening

donkerte [de^{v}] dark(ness), gloom, ⟨form⟩ obscurity

donor [de^{m}] [1] ⟨(bloed)gever⟩ donor [2] ⟨iemand die sperma, een orgaan afstaat⟩ donor

donorcodicil [het] (organ) donor card

donorconferentie [de^{v}] donor conference, donor summit

donorgeld [het] donation

donorhart [het] donor heart

donorinseminatie [de^{v}] (artificial) insemination by donor, ⟨med ook⟩ AID

donorkind [het] donor child

donorland [het] donor country

donormoeder [de^{v}] surrogate mother

donororgaan [het] transplant(ation) organ

donorregister [het] donor register

donorvader [de^{m}] donor father, biological father

donovanosis [de^{v}] Donovanosis

donquichot [de^{m}] Don Quixote

donquichotterie [de^{v}] quixotry

dons [het] [1] ⟨veren van vogels⟩ down ◆ *een dekbed gevuld met dons* a down(-filled) quilt/^{B}duvet [2] ⟨zachte beharing⟩ down, fuzz ◆ *het eerste dons op de kin* the first down on one's chin; *het dons van perziken* peach down/fuzz

donsdeken [de] ⟨op laken (en deken)⟩ eiderdown, (down) quilt, ⟨in plaats van laken en deken⟩ duvet, (continental) quilt

donshaar [het] downy hair, ⟨plantk⟩ pappus, ⟨van foetus⟩ lanugo

donsje [het] (powder-)puff

donut [de^{m}] doughnut

donzen [bn] down(-filled) ◆ *een donzen dekbed* a down(-filled) quilt/^{B}duvet

donzig [bn] [1] ⟨donsachtig⟩ downy ◆ *donzig fluweel, mos* downy velvet/moss, velvety moss; *donzige haartjes* downy hair [2] ⟨zacht⟩ downy, fluffy ◆ *een donzig bedje* a downy cot; *donzige wangen* downy cheeks

^{1}**dood** [de] [1] ⟨levenloosheid⟩ death ◆ *iemand in de dood volgen* follow s.o. to his death; *klinische dood* clinical death; *op leven en dood vechten* fight to the death; *de dood voor ogen hebben/zien* have a glimpse of death, face death; *getrouw tot in de dood* true till death; *uit de dood verrijzen/opwekken* (a)rise/(a)wake from the dead; *dood en verderf* death and destruction; *dat zal je dood zijn* that'll be the death of you; *om de (dooie) dood niet* not on your life, over my dead body, ↓ no way, ⟨BE⟩ ↓ not on your Nelly [2] ⟨het sterven⟩ death, end ◆ *aan de dood ontkomen* escape/miss death; *bij de dood van haar vader* at/on her father's death, when her father died/dies; *duizend doden sterven* ⟨in doodsangst zitten⟩ (nearly) die a thousand deaths, be scared to death; *een gewelddadige/natuurlijke dood sterven* die a violent/natural death; *iemand de dood injagen* drive/send s.o. to his/her death; *dat is/wordt zijn dood* that will be the death of him; ⟨fig⟩ *de dood klopt aan de deur* death comes knocking at the door; *een langzame dood sterven* die a slow death, die by inches; *met de dood voor ogen* face to face with death, staring death in the face; *de dood nabij zijn* be close to/near death, be at death's door; *op iemands dood wachten* wait for s.o. to die, wait for dead men's shoes; ⟨sport⟩ *de poule/groep des doods* the Group of Death; *ten dode opgeschreven zijn* be doomed to die, be a dead/doomed man/woman; *iemand ter dood brengen* put s.o. to death; *iemand ter dood veroordelen* condemn/sentence s.o. to death; *tot de dood ons scheidt* till death us do part; *de dood vinden* meet one's death/end; *hij vond zijn dood in de golven* he found a watery grave; *de dood was al ingetreden* death had already occurred; *een zachte/langzame dood* a gentle/slow death; *de Zwarte Dood* the Black Death [3] ⟨het eindigen⟩ death, end ◆ *dat is de dood voor de handel* that will be the kiss of death as far as business is concerned, that will kill (off) trade; *een zachte/stille dood sterven* fade away/out [•] *als de dood voor iets zijn* be scared to death of sth.; ⟨sprw⟩ *de een zijn dood is de ander zijn brood* one man's breath is another man's death; ⟨sprw⟩ *je kunt maar één dood sterven* a man can only die once; ⟨sprw⟩ *tegen de dood is geen kruid gewassen* there is a remedy for everything except/but death; ⟨sprw⟩ *edel, arm en rijk maakt de dood gelijk* the end makes all equal; death is the great leveller

^{2}**dood** [bn] [1] ⟨gestorven⟩ dead, killed ◆ *zo dood als een pier* (as) dead as a doornail/dodo/^{B}as mutton; *dood en begraven* dead and buried; ⟨jur⟩ *burgerlijk dood* civilly dead; *ik zou er* *nog niet dood **gevonden** willen worden* I wouldn't be seen dead there; *dood of **levend*** dead or alive; ***meer** dood dan levend* more dead than alive; *zich blij maken met een dooie **mus*** ± count one's chickens before they are hatched; *hij is nog lang **niet** dood* he's by no means dead yet, don't write him off yet, there's life in the old boy yet; *dode **takken*** dead branches; *iemand voor dood **verklaren*** ⟨fig; afgesproken actie⟩ send s.o. to Coventry, ostracize s.o.; ⟨fig; bij ontmoeting⟩ cut s.o. dead; ⟨fig⟩ *zich dood **vervelen*** be bored stiff/silly/to tears/out of one's mind; ***voor** dood laten liggen* leave for dead; ***voor** dood blijven liggen* be left for dead; *hij **was** op slag dood* he died instantly/outright/on the spot; *hij is op sterven na dood* he is dying/as good as dead, it's just a matter of time [2] ⟨fig⟩ dead, extinct, blind, lifeless ♦ *een dooie **boel*** a dull show/affair, a dead place; ⟨jur⟩ ***goederen** in de dode hand* property in mortmain; *een dode **hoek*** a blind angle; *dood **kapitaal*** idle/dead capital; *dode **letter*** dead letter; *over het dode **punt** heen raken* be over the hump; *over het dode **punt** heen helpen* remove the deadlock; *een dode **(rivier)arm*** a blind arm of a river; *dode **stof*** lifeless dust; *een dode **taal*** a dead/an extinct language; *dode **vingers*** dead fingers; *dood **vlees*** proud flesh; *een dode **vulkaan*** an extinct volcano [3] ⟨als versterking⟩ ♦ *in zijn dooie **eentje*** all alone; *op zijn dooie **gemak*** at one's ease/leisure; *op zijn dooie **gemak** winnen* win hands down, have a walkover [•] ⟨sport⟩ *dood **zijn*** be dead/out of play; *dood!* ⟨tegen hond⟩ die!; ⟨sprw⟩ *heden rood, morgen dood* here today and gone tomorrow; ⟨sprw⟩ *beter blo Jan dan do Jan* better a live coward/dog than a dead lion; he that fights and runs away may live to fight another day; discretion is the better part of valour

doodarm [bn] poverty-stricken, ⟨inf⟩ awfully poor, ↓ ever so poor

doodbedaard [bn, bw] quite calm/cool ⟨bw: quite calmly/coolly⟩, ⟨inf⟩ dead calm/cool, (as) cool as a cucumber

doodbidder [de^m] [1] ⟨aanspreker⟩ undertaker's man, mute [2] ⟨saai persoon⟩ dreadful/dead/deathly bore

doodbijten [ov ww] [1] ⟨door bijten doden⟩ bite to death [2] ⟨med⟩ cauterize

doodblijven [onov ww] drop dead, ⟨form⟩ fall dead ♦ *ter plekke doodblijven* drop (down) dead (on the spot) [•] *doodblijven **op** een kleinigheid* quibble over/fuss about a trifling matter

doodbloeden [onov ww] [1] ⟨sterven door bloedverlies⟩ bleed to death [2] ⟨fig⟩ run down, peter/fizzle out, blow over ♦ *een staking **laten** doodbloeden* allow a strike to peter/fizzle out; *dat **zaakje** zal wel doodbloeden* that business is likely to blow over

doodbranden [ov ww] ⟨med⟩ cauterize

dooddoen [ov ww] ⟨in België⟩ kill [•] ⟨in België⟩ *er niet veel **aan** dooddoen* not do much, not extend/push o.s.

dooddoener [de^m] unanswerable remark, bromide ♦ *hij wist hem **met** een dooddoener af te schepen* he fobbed him off with a bromide; ⟨BE ook⟩ his answer put paid to any further discussion

dooddrukken [ov ww] ⟨ook fig⟩ squeeze/squash/crush to death ♦ ⟨fig⟩ *door de grote concurrentie **dreigen** de kleine winkels doodgedrukt te worden* small shops may find themselves squeezed to death/squeezed/forced out of existence by competition from major stores

doodeenvoudig [bn, bw] perfectly/quite simple, ⟨inf⟩ dead simple, child's play ♦ *je **zegt** doodeenvoudig dat je geen tijd hebt* (quite) simply say you haven't got time

doodeerlijk [bn] completely/perfectly honest, ⟨inf⟩ dead honest, as honest as the day is long

doodeng [bn, bw] really scary/creepy/eerie, ⟨inf⟩ dead scary/creepy/eerie ♦ *ik **vind** het allemaal doodeng* it really gives me the creeps, it really makes my hair stand on end

doodenkel [bn] occasional, odd, rare ♦ *een doodenkele **bezoeker*** the/an occasional/the odd visitor; *een doodenkele **keer** komt dat voor* it happens once in a blue moon/very rarely; *een doodenkele **keer** hebben we zo'n zomer* such summers are few and far between

zich doodergeren [wk ww] be/get exasperated (with), be/get furious, be/get really annoyed, be/get really irritated ♦ *ik erger me dood **aan** jou/**aan** zijn gedrag* you really make/his behaviour really makes me furious, you drive/his behaviour drives me up the wall/drive(s) me berserk/bananas; *zich doodergeren **over** slordigheden* get exasperated over/by/with sloppiness

doodernstig [bn] deadly serious, solemn, grave, ⟨inf⟩ dead serious ♦ *met een doodernstig **gezicht*** with a grave/solemn expression (on one's face); *doodernstig **kijken*** look as solemn as a judge; *iets doodernstig **opmerken*** make a comment in deadly earnest/in all seriousness

doodfluiten [ov ww] ⟨sport⟩ [•] *een **wedstrijd** doodfluiten* kill/spoil a game by whistling too often, ⟨AE⟩ kill/spoil a game by making too many calls

doodgaan [onov ww] die ♦ *je zult **er** niet **aan** doodgaan* it won't kill you, you won't die of it, you'll live; ⟨scherts⟩ *ik ga liever **gewoon** dood* I'd rather/I want to die in my bed; *doodgaan **van schaamte*** die of shame/embarrassment; ***van** de honger doodgaan* starve to death

doodgeboren [bn] ⟨ook fig⟩ stillborn ♦ *het wetsvoorstel was een doodgeboren **kind*** the bill was stillborn/never got off the ground/was a non-starter

doodgemakkelijk [bn, bw] quite/perfectly easy ⟨bw: quite easily⟩, ⟨inf⟩ child's play, dead easy, like taking candy from a baby, like falling off a log

doodgemoedereerd [bn, bw] → **doodkalm**

[1]**doodgewoon** [bn, bw] ⟨zeer gewoon⟩ quite/perfectly common, everyday, commonplace, quite/perfectly ordinary, common-or-garden, plain ♦ ***iets** doodgewoons* sth. quite ordinary/common/normal, a run-of-the-mill thing

[2]**doodgewoon** [bw] ⟨gewoonweg⟩ quite simply, nothing but, plain ♦ *dat is doodgewoon **diefstal*** that's plain stealing/nothing but theft/quite simply theft

doodgoed [bn] good to a fault ♦ *hij **is** doodgoed* he wouldn't hurt a fly, he is good to a fault/goodness itself

doodgooien [ov ww] [1] ⟨doden⟩ stone to death [2] ⟨fig; overstelpen⟩ bombard, swamp, flood ♦ *je **wordt** ermee doodgegooid* you get bombarded/flooded/swamped with them

doodgraver [de^m] [1] ⟨persoon⟩ gravedigger, sexton [2] ⟨kever⟩ sexton beetle, burying beetle

doodhongeren [ov ww, ook abs] starve to death, ⟨onovergankelijk werkwoord ook⟩ die of hunger/starvation

doodjammer [bn] a great pity/shame, ever such a pity/shame, a downright/crying shame

doodkalm [bn, bw], **doodgemoedereerd** [bn, bw] quite/perfectly calm ⟨bw: quite calmly⟩, quite/perfectly cool ⟨bw: quite coolly⟩, ⟨inf⟩ dead calm/cool, (as) cool as a cucumber, cool and collected

doodkist [de] coffin, ⟨AE ook⟩ casket ♦ ⟨fig⟩ *een **drijvende** doodkist* a floating coffin

doodklap [de^m] [1] ⟨dodelijke klap⟩ deathblow, coup de grâce [2] ⟨oorzaak van de ondergang⟩ deathblow, final blow, kiss of death, coup de grâce, ⟨inf⟩ killer ♦ *de doodklap **voor** die fabriek* the deathblow/final blow as far as the factory is concerned [3] ⟨zeer harde klap⟩ almighty blow, ⟨inf⟩ (almighty) wallop/thump

doodknijpen [ov ww] pinch/squeeze to death

doodknuffelen [ov ww] kill with kindness, smother, squeeze/cuddle to death

doodknuppelen [ov ww] club to death, ⟨BE ook; met gummiknuppel⟩ cosh to death

doodkruid [het] ⟨plantk⟩ deadly nightshade, belladonna, banewort

zich doodlachen [wk ww] die laughing, kill o.s. laughing, laugh one's head off, split one's sides, be in stitches ♦ *het is **om** je dood te lachen* it's killing(ly funny), it's a scream;

*een verhaal **om** je dood te lachen* a side-splitting/killingly funny story, a story that leaves you in stitches

doodleuk [bw] coolly, blandly, as cool as you please ♦ *zij **vertelde** hem doodleuk dat zij al eerder getrouwd was geweest* she had the nerve to tell him/she told him as cool as you please that she had been married before

^{1}**doodliggen** [onov ww] ⟨onbeweeglijk liggen⟩ lie still ♦ *lig dood!* ⟨tegen hond⟩ die!

^{2}**doodliggen** [ov ww] ⟨doden door erop te liggen⟩ overlie, overlay

^{1}**doodlopen** [onov ww] [1] ⟨niet verder gaan⟩ come to an end, come to a dead end, peter out, ⟨straat ook⟩ end in a cul-de-sac ♦ *het **spoor** van de vos loopt dood* the fox's trail peters out/comes to an end; *doodlopend **steegje*** blind alley; *een doodlopende **straat*** a dead end, a cul-de-sac, ⟨BE⟩ a no-through road; *doodlopende **weg*** no through road; *doodlopende **zijarm*** blind arm of a river [2] ⟨fig⟩ peter/fizzle out, lead nowhere, lead to nothing, ⟨form⟩ come to nothing ♦ *al hun **onderzoekingen** liepen dood* all their investigations led nowhere/to nothing

^{2}**zich doodlopen** [wk ww] ⟨zolang lopen dat men dood neervalt⟩ walk o.s. to death

doodmaken [ov ww] [1] ⟨doden⟩ kill [2] ⟨vnl voetb⟩ trap, kill

doodmartelen [ov ww] torture to death

doodmoe [bn] dead tired, dead on one's feet, shattered, worn out, dead-beat ♦ *iemand met zijn gezeur doodmoe **maken*** wear s.o. out with one's nagging, pester s.o. to death; *doodmoe worden **van** dat lawaai* be worn out by the noise; *doodmoe worden **van** het sjouwen* wear o.s. out lugging things about

doodnormaal [bn, bw] quite/perfectly/absolutely normal ⟨bw: quite normally⟩

doodnuchter [bw] coolly, blandly, as cool as you please

doodongelukkig [bn] utterly/thoroughly miserable, utterly/thoroughly unhappy

doodongerust [bn] worried to death, worried sick

doodonschuldig [bn, bw] perfectly innocent, ⟨inf⟩ (as) innocent as a lamb

doodop [bn] worn out, shattered, dead-beat, washed-out, ⟨BE⟩ fagged out ♦ *doodop **van** het werk* worn out/shattered by the work; *doodop **van** slaap/vermoeidheid* dead tired, dead on one's feet, unable to keep one's eyes open

doodpraten [ov ww] talk/do to death, run into the ground ♦ *een **onderwerp** helemaal doodpraten* run a subject right into the ground, do a subject to death, give a subject a good innings/a (good) run for its money

doodranselen [ov ww] thrash to death

doodrijden [ov ww] [1] ⟨in het verkeer⟩ run over and kill ♦ ***zich** doodrijden* get o.s. killed (in a crash) [2] ⟨door rijden doden, uitputten⟩ ⟨ook fig⟩ ride to death ♦ *een **paard** doodrijden* ride a horse to death

doodrijder [de^{m}] ⟨in België⟩ road hog, maniac driver, ⟨AE⟩ leadfoot

doods [bn] [1] ⟨akelig⟩ deathly, deathlike, ⟨form⟩ funereal ♦ *een doodse **stilte*** a dead silence, a deathly hush [2] ⟨zonder leven⟩ dead, dead-and-alive ♦ *een doodse **buurt/straat*** a dead neighbourhood/street; *wat **is** het hier doods* it's really dead (around) here; *een doods **stadje/oord*** a dead(-and-alive) little town/place [3] ⟨zonder kleur⟩ ashen, deathly pale ♦ *een doods **gelaat*** an ashen face [4] ⟨zonder uitdrukking⟩ dead, wooden ♦ *een doods **gelaat*** a dead/wooden expression

doodsakte [de] death certificate

doodsangst [de^{m}] [1] ⟨angst voor de dood⟩ fear of death/dying [2] ⟨grote angst⟩ agony, mortal fear, terror ♦ ***in** doodsangst verkeren/zitten* be terrified/in mortal fear/mortally afraid, be in an agony; *doodsangsten **uitstaan*** be terrified/in mortal fear/mortally afraid, suffer agonies; ⟨inf⟩ be scared stiff/to death; *doodsangsten **uitstaan** dat iets verkeerd zal gaan* be terrified/in mortal fear/mortally afraid that sth. will go wrong, ⟨form⟩ be terrified/in mortal fear/mortally afraid lest sth. (should) go wrong

doodsbang [bn, bw] terrified, mortally afraid, ⟨inf⟩ scared stiff, scared to death ♦ *iemand doodsbang **maken*** terrify s.o., scare/frighten s.o. stiff/to death, scare/frighten the (living) daylights out of s.o.; ***voor** iemand/iets doodsbang zijn* be terrified of/scared stiff of s.o./sth., stand in mortal fear of s.o./sth.; *zij **was** doodsbang voor haar baantje* she trembled for her job; *doodsbang **zijn*** be in a (blue) funk; *doodsbang **zijn** iets geks te doen/zeggen* be terrified/scared stiff of doing/saying sth. silly

doodsbed [het] deathbed

doodsbedreiging [de^{v}] death threat

doodsbeenderen [de^{mv}] dead man's bones, human bones ♦ ***schedel** en doodsbeenderen* skull and crossbones

doodsbenauwd [bn] terrified, mortally afraid, ⟨inf⟩ scared stiff, scared to death

doodsbericht [het] obituary/funeral/death notice, ⟨alg⟩ news of s.o.'s death

doodsbleek [bn] deathly pale, as white as a sheet ♦ *er doodsbleek **uitzien*** look as white as a sheet; *doodsbleek worden **van** woede* turn/go white with rage

doodsbrief [de^{m}] ⟨in België⟩ mourning card

zich doodschamen [wk ww] die of shame/embarrassment, be terribly ashamed (about/over), be terribly embarrassed (about/over)

doodschieten [ov ww] shoot (dead), shoot and kill ♦ ***zichzelf** doodschieten* shoot o.s.

doodschop [de^{m}] violent/vicious/nasty kick ♦ *iemand een doodschop **geven*** give s.o. a vicious kick; ***met** een doodschop haalde de achterspeler de topscorer onderuit* the back brought the top scorer down with a violent/vicious/nasty kick

doodschoppen [ov ww] kick to death ♦ *hij is het doodschoppen **niet waard*** death's too good for him/for that sort

zich doodschrikken [wk ww] be frightened/terrified/scared to death, be mortally afraid/frightened ♦ *hij schrok zich dood* he was scared to death/out of his wits, he got the fright of his life; *om je dood te schrikken!* how terrifying!, what a fright!

doodschudden [ov ww] shake to death

doodsdrift [de] death wish

doodserieus [bn, bw] deadly serious, solemn, grave, ⟨inf⟩ dead serious

doodseskader [het] death squad

doodsgedachte [de^{v}] thought/idea of death

doodsgevaar [het] deadly peril, mortal/deadly danger, danger of death ♦ ***in** doodsgevaar zijn/verkeren* be in deadly peril/mortal danger

doodsgevaarlijk [bn, bw] ⟨in België⟩ perilous ⟨bw: ~ly⟩, dangerous to life, involving risk of life

doodsheid [de^{v}] deathliness

doodshemd [het] shroud, winding sheet ⊡ ⟨sprw⟩ *een doodshemd/het laatste hemd heeft geen zakken* shrouds have no pockets; you can't take it with you (when you go)

doodshoofd [het], **doodskop** [de^{m}] [1] ⟨schedel⟩ skull, ⟨fig⟩ death's-head [2] ⟨zeer mager, bleek gezicht⟩ cadaverous face, face like death

doodshoofdaapje [het] squirrel monkey

doodshoofdvlinder [de^{m}] death's-head moth

doodsimpel [bn] dead simple/easy, child's play ♦ *een doodsimpel **zaakje*** an open-and-shut case

doodskist [de] coffin, ⟨AE ook⟩ casket

doodsklap [de^{m}] (powerful/tremendous) blow/thump/wallop

doodskleed [het] [1] ⟨lijkwade⟩ shroud, winding sheet [2] ⟨op doodkist⟩ pall [3] ⟨fig⟩ pall, shroud

doodskleur [de] pallor/hue of death, livid hue

doodsklok [de] death bell, funeral bell, ⟨lett, ook fig⟩ (death-)knell ♦ *de doodsklok over iets **luiden*** ring/sound the

(death-)knell of sth.
doodskloppertje [het] ⟨dierk⟩ deathwatch beetle
doodskop [de^{m}] → **doodshoofd**
doodskreet [de^{m}] dying scream ◆ *een doodskreet **slaken*** give a dying scream
doodskus [de^{m}] kiss of death
doodslaan [ov ww] ⟨ook fig; doden⟩ kill, ⟨door herhaaldelijk slaan doden⟩ beat to death, ⟨met één slag⟩ strike dead ◆ ***al** sla je me dood, ik zou het echt niet weten* for the life of me I don't know, (I'm) blessed if I know; ⟨fig⟩ *iemand **met** argumenten doodslaan* silence s.o./shut s.o. up with arguments; *een **vlieg** doodslaan* swat a fly
doodslag [de^{m}] manslaughter, ⟨vnl AE⟩ homicide ◆ ***wegens** doodslag veroordeeld* convicted of manslaughter
doodsmak [de^{m}] 1 ⟨dodelijke smak⟩ fatal crash/smash 2 ⟨zware val⟩ cropper ◆ *een doodsmak **maken*** come a cropper
doodsnood [de^{m}] 1 ⟨stervensnood⟩ death agony/agonies, ⟨lit ook⟩ death throes, throes of death, deathstruggle 2 ⟨fig⟩ death throes, fight to survive, death agony/agonies ◆ ***in** doodsnood verkeren* be in one's death agony, be fighting to survive
doodsoorzaak [de^{v}] cause of death
doodspelen [ov ww] play to death
doodspuiten [ov ww] 1 ⟨door spuiten doden⟩ give a fatal (over)dose, ↓ give a fatal shot ◆ *de heroïneverslaafde heeft **zich** doodgespoten* the heroin addict gave himself/herself a fatal (over)dose/shot, ↓ the heroin addict OD'd 2 ⟨landb⟩ spray (with weed killer), kill ◆ ***onkruid** doodspuiten* spray/kill weeds, use weed killer
doodsschrik [de^{m}] mortal fear/terror, ⟨inf⟩ the fright of one's life ◆ *iemand de doodsschrik op het lijf jagen* frighten/scare s.o. out of his wits/skin, give s.o. the fright of his life, scare s.o. stiff, scare the (living) daylights out of s.o.
doodsslaap [de^{m}] sleep of death, death-sleep
doodssnik [de^{m}] last gasp ◆ *de doodssnik **geven*** give the last gasp, ↑ breathe one's last; ⟨scherts⟩ give up the ghost
doodsstrijd [de^{m}] death agony/agonies, ⟨lit ook⟩ death throes, throes of death, death-struggle
doodsteek [de^{m}] 1 ⟨dodelijke steek⟩ fatal stab/thrust, deathblow 2 ⟨fig; genadeslag⟩ coup de grâce, deathblow, kiss of death, final blow ◆ *dat **gaf** hem de doodsteek* that finished him off 3 ⟨fig; pijnlijk, kwetsend feit⟩ stab/thrust to the heart ◆ *die opmerking was een doodsteek **voor** hem* that comment cut him to the quick/stabbed him to the heart
doodsteken [ov ww] stab to death, stab and kill
doodstil [bn] deathly quiet/still, ⟨bewegingloos⟩ quite still, stock-still, ⟨zwijgend⟩ dead silent ◆ *hij **bleef** doodstil **zitten*** he sat stock-still/without moving a muscle; *het **is** in de handel doodstil* trade is at a standstill, business is slack; *doodstil blijven **staan*** stand stock-still/like a statue/without moving a muscle; *het **was** er doodstil* it was deathly quiet; *het **werd** opeens doodstil toen hij binnenkwam* there was a sudden hush when he came in
doodstraf [de] death penalty, capital punishment, ⟨oordeel⟩ death (sentence) ◆ *de doodstraf **krijgen*** be sentenced to death; ***hier staat** de doodstraf op* this is a capital offence, this is punishable by death
doodsuur [het] hour of death, dying/last/mortal/supreme hour
doodsverachting [de^{v}] contempt/disregard for death ◆ ***met** doodsverachting de vijand tegemoet treden* face the enemy with total contempt/disregard for death/without thought for one's own safety
doodsverlangen [het] longing for death
doodsvijand [de^{m}] mortal/deadly enemy, arch-enemy ◆ *zij **zijn** doodsvijanden (van elkaar)* they are arch-enemies, they are at daggers drawn
doodszweet [het] 1 ⟨van een stervende⟩ death sweat, sweat of death, death damps 2 ⟨fig; angstzweet⟩ cold sweat
doodtij [het] 1 ⟨zwakke eb en vloed⟩ neap tide 2 ⟨periode tussen eb en vloed⟩ slack water 3 ⟨fig⟩ (a) slack time
doodtrappen [ov ww] kick to death, ⟨onder de voet⟩ trample (to death) ◆ *hij is het doodtrappen niet **waard*** death's too good for him/for that sort
doodvallen [onov ww] 1 ⟨een dodelijke val maken⟩ fall to one's death 2 ⟨vallen en doodblijven⟩ drop/fall dead ◆ *ik **mag** doodvallen als het niet waar is* if that isn't so I'll eat my hat/I'm a Dutchman/I'm a Chinaman; *val dood!* drop dead!, go to hell!, to/the hell with you!
zich doodvechten [wk ww] fight to the death, fight to the bitter end
doodverklaren [ov ww] ⟨lett⟩ pronounce dead, ⟨fig; afgesproken actie⟩ send to Coventry, ostracize, ⟨bij ontmoeting⟩ cut dead
doodverklaring [de^{v}] ⟨fig⟩ ostracism, shunning
doodvermoeiend [bn] exhausting, wearing, wearying, ⟨inf⟩ shattering
doodvervelend [bn] deadly boring, utterly boring
doodverven [ov ww] ⟨fig⟩ tip ◆ *de gedoodverfde **winnaar** zijn* be tipped to win
doodvissen [ov ww] fish out, ⟨tot er bijna geen vis meer is⟩ overfish
doodvonnis [het] 1 ⟨vonnis⟩ death sentence, sentence of death ◆ *het doodvonnis **voltrekken aan*** execute, carry out the death sentence on 2 ⟨einde⟩ death sentence, death warrant, kiss of death, ⟨inf⟩ curtains, end of the line, ⟨persoon ook⟩ high jump ◆ *zijn doodvonnis **horen** van de dokter* receive one's death warrant from the doctor; *je eigen doodvonnis **tekenen*** sign your own death warrant; *het doodvonnis **uitspreken/vellen** over* pronounce/pass sentence of death on; *dat is het doodvonnis **voor/over** onze handel* that's the death sentence/death warrant/end of the line/kiss of death for our business/as far as our business is concerned
doodvriezen [onov ww] freeze to death, be frozen to death, die of cold ◆ *vriezen we dood dan vriezen we dood* we're just going to have to face it/go through with it, there's no way (a)round it, we've got to like it or lump it
zich doodwerken [wk ww] work o.s. to death, kill o.s. with overwork, work o.s. into the ground, work o.s. into an early grave ◆ *hij werkt zich **niet bepaald** dood* he's not exactly killing himself with overwork
doodwond [de] fatal wound, mortal wound
doodziek [bn] 1 ⟨zwaar ziek⟩ critically/dangerously ill, ⟨dood volgt onvermijdelijk⟩ mortally/fatally/terminally ill ◆ *je **wordt** doodziek als je nu gaat zwemmen* you'll catch your death (of cold) if you go swimming now 2 ⟨fig⟩ sick and tired, sick to death ◆ *ik **word** doodziek van die kat/van jouw gitaarspel* I'm (getting) sick and tired/sick to death of that cat/of your guitar playing
[1]**doodzonde** [de] 1 ⟨r-k⟩ mortal sin ◆ ***in** doodzonde sterven* die in mortal sin; *de **zeven** doodzonden* the seven deadly sins 2 ⟨onvergeeflijke fout⟩ mortal sin, deadly sin ◆ *dat **is** geen doodzonde* that isn't a mortal/deadly sin
[2]**doodzonde** [bn] a terrible/great pity, a terrible/great/crying/downright shame, ⟨verspilling⟩ a terrible/great waste
doodzwijgen [ov ww] hush up, smother, keep quiet, keep dark, ⟨inf⟩ keep under wraps ◆ *we zullen deze **zaak** verder maar doodzwijgen* let's keep this dark/quiet/under wraps, let's keep quiet about this
doof [bn, bw] 1 ⟨slechthorend⟩ deaf ⟨bw: ~ly⟩ ◆ *doof **aan** één oor* deaf in one ear; *zo doof **als** een **kwartel*** as deaf as a (door)post, stone-deaf; *ik **ben niet** doof!* I'm not deaf!; *zich doof **houden**, horende doof **zijn*** act/play deaf, pretend not to hear; ***Oost-Indisch** doof zijn* act/play deaf, pretend not to hear; *een **tikkeltje** doof zijn* be a shade deaf; ⟨inf⟩ have cloth ears, be cloth-eared; *doof zijn **van** het **lawaai*** be deaf with/deafened by the noise; *helemaal doof **worden*** become/go

stone deaf [2] ⟨niet luisterend naar⟩ deaf ⟨bw: ~ly⟩ ◆ *doof **blijven** voor* turn a deaf ear to, remain deaf to; *doof zijn **voor** alle waarschuwingen* be deaf to all warnings
doofgeboren [bn] born deaf
doofheid [de^v] deafness ◆ *toenemende doofheid **aan** het rechteroor* increasing deafness in the/one's right ear
doofpot [de^m] extinguisher, ⟨fig⟩ cover-up ◆ ⟨fig⟩ *het **deksel** van de doofpot halen* lift the lid (on); ⟨fig⟩ *die zaak **is in** de doofpot* this has been covered up/hushed up/swept under the carpet/kept dark; ⟨fig⟩ *iets **in** de doofpot stoppen* stifle/smother sth., cover/hush sth. up, sweep sth. under the carpet, keep sth. dark; *een **koperen** doofpot* a copper extinguisher; ⟨fig⟩ ***politiek** van de doofpot* hush-hush policy
doofpotcultuur [de^v] cover-up culture
doofpotpolitiek [de^v] cover-up policy
doofstom [bn] deaf-and-dumb, deaf-mute ◆ *doofstomme **kinderen*** deaf-and-dumb children
doofstomheid [de^v] deaf-mutism, deaf-muteness
doofstomme [de] deaf-mute, deaf-and-dumb person/man/woman ◆ *de **gebarentaal** van de doofstommen* deaf-and-dumb language, sign language; *de doofstommen* the deaf-mute, the deaf-and-dumb
doofstommenalfabet [het] finger/manual/deaf-and-dumb alphabet
doofstommeninstituut [het] institute for the deaf-and-dumb, institute for the deaf-mute
dooi [de^m] thaw ◆ *wat moeten we doen **bij** dooi?* what shall we do if it thaws/if there's a thaw?; ⟨fig⟩ *een dooi **in** de betrekkingen tussen Oost en West* a thaw in East-West relations; *bij **invallende** dooi* when the/if a thaw sets in
dooibareel [de^m] ⟨in België⟩ ◆ *de dooibarelen zijn **gesloten**/**geopend*** the roads are closed off/opened because of flooding caused by thawing
dooien [onpers ww] thaw ◆ *het **begon** te dooien* it began to thaw, the thaw set in; *het ziet er naar uit dat het **gaat** dooien* it looks as if we're in for a thaw; ***het** dooit **hard*** it is thawing fast; *(weg) dooiende **sneeuw*** slush(y snow)
dooier [de^m] (egg) yolk ◆ *een ei met een **dubbele** dooier* a double-yolked egg; *wilt u uw ei met een **hele** of een **kapotte** dooier?* would you like your/the yolk whole or broken?
dooiermos [het] common orange lichen
dooiervlies [het] ⟨dierk⟩ yolk bag/sac
dooievisjeseter [de^m] → **dooievisjesvreter**
dooievisjesvreter [de^m], **dooievisjeseter** [de^m] ⟨inf⟩ (utter) bore, drag
dooiwater [het] melt-water
dooiweer [het] thaw
dook [de] dowel
doolhof [de^m] [1] ⟨hof, tuin⟩ maze, ⟨gesch⟩ labyrinth [2] ⟨ingewikkelde zaak⟩ maze, labyrinth, jungle, (rabbit) warren ◆ *een doolhof van **belastingwetten*** a maze/jungle of fiscal legislation; *de doolhoven van de **politiek*** the political maze/jungle
doomsday [de^m] [1] ⟨doemdag⟩ doomsday [2] ⟨dag waarop een grote ramp gebeurt⟩ fateful day
doop [de^m] [1] ⟨rel⟩ baptism, christening ◆ *doop door **onderdompeling*** baptism by immersion; *de doop **ontvangen*** receive baptism, be baptized; *een kind **ten** doop houden* present a child for baptism/at the font; *de doop **toedienen*** administer baptism, baptize; *doop op **ziek/sterfbed*** baptism on one's sickbed/deathbed; ⟨jur⟩ clinical baptism [2] ⟨fig; feestelijke inwijding⟩ inauguration, christening ◆ *de doop van een **klok*** the christening/blessing of a bell; ⟨scheepv⟩ *doop **onder** de linie* (the ceremony of) crossing the line; *de doop van een **schip*** the christening/inauguration of a ship [3] ⟨in België; stud; mil; ontgroening⟩ ⟨ogm⟩ initiation ceremony, ⟨BE⟩ ragging, ⟨AE⟩ hazing
doopakte [de] certificate of baptism, baptismal certificate
doopattest [het], **doopattestatie** [de^v] certificate of baptism
doopattestatie [de^v] → **doopattest**
doopbekken [het] ⟨rel⟩ baptismal/christening font, ⟨voor onderdompeling⟩ baptist(e)ry
doopbelofte [de^v] baptismal vows ◆ *de doopbelofte **hernieuwen*** renew one's baptismal vows; *de plechtige **hernieuwing** van de doopbelofte* the solemn renewal of one's baptismal vows
doopbewijs [het] certificate of baptism
doopboek [het], **doopregister** [het] register of baptisms, baptismal register, ⟨BE ook⟩ ± parish register
doopceel [het, de] ⟨vero behalve in het voorbeeld in context⟩ certificate of baptism ◆ ⟨fig⟩ *iemands doopceel **lichten*** bring out/lay bare/drag out/dredge up s.o.'s past, bring out s.o.'s skeleton(s) in the cupboard/^{A}closet
doopdienst [de^m] baptism service, service of baptism
doopfeest [het] christening feast/party
doopformulier [het] ⟨rel⟩ baptismal formula, ⟨hele dienst⟩ baptismal service, order of baptism
doopgenade [de] baptismal grace
doopgetuige [de] godparent
doopjurk [de] christening dress
doopkaars [de] ⟨r-k⟩ baptismal candle
doopkapel [de] baptist(e)ry
dooplid [het] ⟨rel⟩ baptized member of a church ◆ *dooplid **worden** van een kerk* be baptized into a church
doopnaam [de^m] baptismal name, Christian name, given name ◆ *iemand N. **als** doopnaam geven* christen/baptize s.o. N.
doopouder [de^m] parent of the child to be baptized
doopplechtigheid [de^v] christening/baptismal ceremony ◆ *de doopplechtigheid **voltrekken*** perform the christening ceremony
doopregister [het] → **doopboek**
doopsel [het] ⟨r-k⟩ baptism, christening ◆ *het doopsel des **bloeds**/der **begeerte*** baptism of blood/desire; *het doopsel **hebben ontvangen*** have received baptism, have been baptized
doopsgezind [bn] [1] ⟨de kinderdoop verwerpend⟩ Baptist, ⟨i.h.b. Nederlands⟩ Mennonite ◆ *de Doopsgezinde **Gemeenten*** the Mennonite communities [2] ⟨m.b.t. de Doopsgezinde Gemeenten⟩ Mennonite ◆ ***een** doopsgezinde* a Baptist/Mennonite
doopsuiker [de^m] ⟨in België⟩ sugared almonds (given on the occasion of baptism)
doopvont [de] (baptismal) font
doopwater [het] baptismal water
^{1}**door** [bw] [1] ⟨m.b.t. het plaatshebben van een beweging⟩ through ◆ *de kast kan de **deur** niet door* the cupboard won't go through the door; ⟨fig⟩ *het kan **ermee** door* it's passable; *de tunnel gaat **onder** het water door* the tunnel passes under the water; ⟨fig⟩ *zij lachte door haar tranen heen/**onder** haar tranen door* she laughed through her tears; *hij liep de **tuin** door* he walked through the garden [2] ⟨m.b.t. het plaatsgevonden hebben van iets⟩ through, over, out ◆ *ik ben het **boek** door* I've got through the book, I've finished the book; *wij zijn het **bos** door* we're out of the forest; *de zweer **is** door* the ulcer has burst, ⟨med⟩ the ulcer has perforated; *mijn schoenen **zijn** door* my shoes are worn out [3] ⟨gedurende⟩ through ◆ *de hele **dag** door* all day long, throughout the day; *zijn hele **leven** door* his whole life long, throughout his life [•] *door **en** door slecht* rotten to the core, thoroughly bad; *door **en** door eerlijk* perfectly honest; *ik ben door **en** door nat/koud* I'm wet through (and through), I'm chilled to the bone; *hij is een door **en** door fatsoenlijke kerel* he's an out-and-out gentleman/a gentleman to the core/through and through; *zij kent het land en de mensen door **en** door* she knows the country and the people like the back of her hand; ***tussen** de buien door* between showers
^{2}**door** [vz] [1] ⟨m.b.t. een zijde⟩ through ◆ *de kogel drong door de **plaat*** the bullet went through the plate [2] ⟨m.b.t. een

ruimte⟩ through ♦ *door heel* ***Europa*** throughout Europe, all over Europe; *door* ***Frankrijk*** *reizen* travel through France; *hij vertrok door de* ***tuin*** he left via/through the garden [3] ⟨m.b.t. een opening, doorgang⟩ through ♦ *door* ***rood/oranje*** *rijden* jump the light; *z'n hoofd door het* ***venster*** *steken* stick/put one's head through the window [4] ⟨m.b.t. een vermenging⟩ through, into ♦ *alles lag door* ***elkaar*** everything was in a mess/muddle, everything was all muddled up; *zout door het* ***eten*** *doen* mix/stir salt into the food [5] ⟨middels⟩ by (means of) ♦ *door* ***haar*** *heb ik hem leren kennen* she introduced me to him, I met him thanks to her; *door ijverig te* ***werken,*** *kun je dat doel bereiken* you can reach that goal by working hard [6] ⟨vanwege⟩ because of, ↑owing to, by, with ♦ *dat* ***komt*** *door jou* that's (all) because of you, it's all your fault; *door zijn* ***optreden*** *alles bederven* ruin everything by/with one's behaviour; *door de* ***rook*** *niets meer kunnen zien* not be able to see for the/because of the/with the smoke; *door het slechte* ***weer*** because of/owing to the bad weather; *door* ***ziekte*** *verhinderd* prevented by illness from coming/attending/going [7] ⟨in passieve zinnen⟩ by ♦ *zij werden door de* ***menigte*** *toegejuicht* they were cheered by the crowd; *door* ***wie*** *is dat geschreven?* who wrote it?, who(m) was/is it (written) by?, by who was it written? [•] *een door* ***hem*** *geschreven brief* a letter written by him; *door de* ***jaren*** *heen* over the years; *door de* ***week*** through the week, on weekdays

doorademen [onov ww] [1] ⟨aanhoudend ademen⟩ keep (on) breathing, go on breathing, continue breathing, continue to breathe [2] ⟨diep ademen⟩ breathe deeply, take a deep breath ♦ *adem eens* ***flink*** *door* take a good deep breath

dooraderen [ov ww] vein ♦ ***blauw*** *dooraderd marmer* blue-veined marble

doorakkeren [ov ww] plough through

doorbakken [bn] well-done ♦ *goed/niet goed doorbakken* ***brood*** well-baked/slack-baked bread

doorbehandelen [ov ww] continue treatment

doorbellen [ov ww] pass on (by (tele)phone), phone through

doorberekenen [ov ww] pass on, on-charge ♦ *de belastingverhoging* ***in*** *de prijzen doorberekenen* pass on the tax increase to the customer; *doorberekende* ***kosten*** on-charged expenses

doorbetalen [ov ww] keep (on) paying, go on paying, continue paying, continue to pay ♦ *doorbetaalde* ***vakantie*** paid holiday/^{A}vacation, holiday/^{A}vacation with pay

doorbetaling [de^{v}] continued payment ♦ ***met*** *doorbetaling van loon bij ziekte* with continuation of pay/continued payment of wages in the event of sickness

^{1}**doorbijten** [onov ww] [1] ⟨met kracht bijten⟩ bite (hard) ♦ *de* ***hond*** *beet niet door* the dog didn't bite hard; *de* ***vis*** *beet niet door* the fish was only nibbling [2] ⟨scheik⟩ etch through, ⟨inf⟩ eat through ♦ *het* ***zuur*** *is helemaal doorgebeten* the acid has etched/eaten (its way) right through [3] ⟨voortgaan met bijten⟩ keep (on) biting, go on biting, continue biting, continue to bite, ⟨fig⟩ keep trying, grit one's teeth, keep at it ♦ ***even*** *doorbijten!* just grin and bear it!

^{2}**doorbijten** [ov ww] [1] ⟨stukmaken, verdelen⟩ bite through ♦ *een* ***touw*** *doorbijten* bite through a rope [2] ⟨geheel doen vergaan⟩ eat through/away ♦ *het* ***leer*** *is doorgebeten* the leather has been eaten away/through

doorbijter [de^{m}] trier, stayer, dogged person/type

doorbitch [de^{v}] door bitch

doorbladeren [ov ww] [1] ⟨bladerend doorlopen⟩ leaf through, flick through, skim through, glance through, ⟨boek ook⟩ thumb through ♦ *de* ***krant*** *doorbladeren* leaf/flick/glance/skim through the paper [2] ⟨comp⟩ page, browse

^{1}**doorblazen** [onov ww] ⟨krachtig blazen⟩ blow hard

^{2}**doorblazen** [ov ww] ⟨ergens doorheen blazen⟩ blow through ♦ *je moet het* ***ventiel*** *eens goed doorblazen* you must give a good hard blow through the valve

doorbloed [bn] rare, underdone, ⟨inf⟩ bloody ♦ *ik heb mijn* ***vlees*** *graag doorbloed* I like my meat rare/underdone

doorbloeden [onov ww] [1] ⟨aanhoudend bloeden⟩ keep (on) bleeding, go on bleeding, continue bleeding, to bleed, bleed away [2] ⟨bloed doorlaten⟩ saturate with blood ♦ *dat* ***verband*** *is geheel doorgebloed* that bandage is completely saturated with blood/completely bloody

doorbloeier [de^{m}] ⟨plantk⟩ perpetual plant/flower, long-flowering plant/flower, remontant plant/flower

^{1}**doorbomen** [onov ww] [1] ⟨(een boot) blijven bomen⟩ go on poling/punting [2] ⟨blijven praten⟩ go on talking/chatting/arguing/... (about), spin a yarn

^{2}**doorbomen** [ov ww] ⟨(een boot) doen doorgaan⟩ pole on(ward)/ahead, punt on(ward)/ahead

doorborduren [onov ww] keep (on) embroidering, go on embroidering, continue embroidering, continue to embroider, ⟨ook fig⟩ embroider away (on) ♦ ***op*** *iets doorborduren* ⟨fig⟩ embroider (away) on/enlarge on sth.

^{1}**doorboren** [onov ww] [1] ⟨voortgaan met boren⟩ keep (on) drilling/boring, go on drilling/boring, continue drilling, continue boring, continue to drill, continue to bore [2] ⟨in iets doordringen⟩ drill, bore

^{2}**doorboren** [ov ww] drill (through), bore (a hole in), pierce, ⟨gaatjes maken⟩ perforate, ⟨berg⟩ tunnel, ⟨met blikken/steekwapen⟩ pierce, stab, transfix, ⟨spietsen⟩ impale, ⟨met hoorns⟩ gore ♦ ⟨fig⟩ *doorborende* ***blikken*** piercing gazes, gimlet eyes; *een* ***met*** *kogels doorboord lijk* a bullet-riddled corpse; *iemand* ***met*** *een bajonet doorboren* transfix s.o./run s.o. through with a bayonet; ⟨fig⟩ *iemand* ***met*** *zijn blikken doorboren* transfix s.o. with one's looks/eyes, look piercingly at s.o.; *een doorboord* ***plankje*** a drilled plank, a plank with holes bored/drilled in it

^{3}**doorboren** [ov ww] ⟨door iets dringen⟩ drill through ♦ *hij heeft de* ***plank*** *helemaal doorgeboord* he has drilled right through the board

^{1}**doorboring** [de^{v}] ⟨met boor⟩ drilling, boring, piercing, ⟨gaatjes⟩ perforating, ⟨berg⟩ tunnel, ⟨met blikken/steekwapen⟩ piercing, stabling, ↑transfixion, ⟨spietsing⟩ impalement, ⟨met hoorns⟩ goring, ⟨met kogels⟩ riddling

^{2}**doorboring** [de^{v}] ⟨met een boor⟩ drilling, ⟨spietsing⟩ impalement, ⟨van een berg⟩ tunnelling, ⟨AE⟩ tunneling

doorbraak [de] [1] ⟨het door-, stukbreken⟩ bursting, collapse, ⟨med⟩ fracture, rupture ♦ *de doorbraak van een* ***dijk*** the collapse/bursting of the dike [2] ⟨het door een obstakel heenbreken⟩ breakthrough, ⟨sport ook⟩ break ♦ *een doorbraak* ***forceren*** force a breakthrough; ⟨fig⟩ *de doorbraak* ***in*** *een impasse/onderzoek* the breakthrough in a deadlock/in research; ⟨fig⟩ *zijn voorstel betekende een doorbraak* ***in*** *de vastgelopen onderhandelingen* his proposal broke the deadlock in the talks/was a breakthrough in the deadlocked talks; ⟨fig⟩ *doorbraak van een politieke* ***partij*** the breakthrough of a political party; ⟨fig⟩ *een* ***politieke*** *doorbraak* a political breakthrough; *na een* ***snelle*** *doorbraak scoorde hij de winnende treffer* he scored the winning goal after a rapid break(through) [3] ⟨plaats⟩ break

^{1}**doorbranden** [onov ww] [1] ⟨voortgaan met branden⟩ keep (on) burning, go on burning, continue burning, continue to burn, burn on/away ♦ *het pakhuis* ***bleef*** *maar doorbranden* the warehouse kept on burning [2] ⟨door en door branden⟩ burn through/away, burn properly ♦ *de kachel* ***wil*** *niet doorbranden* the stove will not burn properly [3] ⟨stukgaan⟩ burn out ♦ *een doorgebrande* ***kachel*** a burnt-out stove; *een doorgebrande* ***lamp*** a burned-out (light) bulb

^{2}**doorbranden** [ov ww] ⟨in twee delen scheiden⟩ burn through ♦ *de* ***safedeur*** *was doorgebrand* the door of the safe had been burned through

^{1}**doorbreken** [onov ww] [1] ⟨stuk-, openbreken⟩ break (apart/in two), break up, burst ⟨ook gezwel⟩, ⟨zweer⟩ perforate ♦ *de **dijken** van de rivier zullen doorbreken* the river dykes will burst; *het **gezwel** brak door* the swelling burst/ruptured; *doorgebroken **kamers*** open-plan rooms [2] ⟨door iets heen breken⟩ break through, come through, ⟨tanden ook; form⟩ erupt ♦ *de **midvoor** is doorgebroken tot vlak voor het doel* the centre forward broke through to right in front of the goal; *de vijand probeerde door te breken **naar** de kust* the enemy attempted a break-through/to break through to the coast; *de **tandjes** zullen snel doorbreken* the teeth will come through fast; *de **zon** zal spoedig doorbreken* the sun will break through soon [3] ⟨opvallend op de voorgrond treden⟩ break through, make it

^{2}**doorbreken** [ov ww] ⟨in twee delen scheiden⟩ break (in two), ⟨stok ook⟩ snap (in two)

^{3}**doorbreken** [ov ww] break (through), burst (through), ⟨ook fig⟩ breach ♦ *een **afzetting/kordon** doorbreken* break/burst through a barrier/cordon; *de **geluidsbarrière** doorbreken* break/burst the sound barrier; *de vijandelijke **linies** doorbreken* break/burst through/breach the enemy lines; ⟨fig⟩ *de **partijbindingen** doorbreken* cut across party lines; ⟨fig⟩ *de **sleur** doorbreken* break out/get out of a rut; *een moeilijk te doorbreken **spiraal*** a spiral that is hard to break out of; ⟨fig⟩ *de **stilte** doorbreken* break the silence

doorbrengen [ov ww] spend, ⟨form⟩ pass ♦ *de **dag** half slapend/feestend doorbrengen* spend the day drowsing/feasting, drowse/feast the day away; *de dag **met** nietsdoen doorbrengen* spend the day doing nothing/idling, idle the day away; *de avond werd doorgebracht **met** dia's kijken* the evening was spent looking at slides; *hoe heb je de **middag** doorgebracht?* how did you spend the afternoon?, ↓ what did you do with yourself this afternoon?; *ergens de **nacht** doorbrengen* spend the night/stay overnight somewhere; *zijn **vakantie/wittebroodsdagen/de zomer** doorbrengen aan/in* spend one's holiday/honeymoon/the summer in/at

doorbrieven [ov ww] pass on, forward

^{1}**doorbuigen** [onov ww] ⟨bocht aannemen onder een last⟩ bend, sag, give ♦ *het **vlondertje** boog sterk door* the plank-bridge sagged/gave badly

^{2}**doorbuigen** [ov ww] ⟨door druk doen ombuigen⟩ bend

doordacht [bn] well thought-out, well-considered, ⟨oordeel⟩ ripe ♦ *in goed doordachte **bewoordingen*** with well-considered words; *het plan is **goed** doordacht* the plan has been well thought-out

doordat [vw] through (the fact that), because (of the fact that), owing to (the fact that), as a result of (the fact that), on account of (the fact that), in that ♦ *doordat ze geen tijd had* owing to her having/to the fact that she had no time; *doordat er gebrek aan geld was* through lack of money, through there being no money; *ze lijken op elkaar doordat ze rood haar hebben* they are alike in that they have red hair; *de auto bleef steken, doordat er geen benzine meer was* the car broke down as a result of running out of petrol; *ze verschillen doordat ze verschillende betekenissen hebben* they differ in that they have different meanings

doordenderen [onov ww] [1] ⟨verder rijden of hollen⟩ thunder on, hurtle on [2] ⟨fig⟩ thunder on, hurtle on

^{1}**doordenken** [onov ww] reflect, think, consider ♦ *als je **even** doordenkt/door had gedacht* if you think/had thought for a moment, if you give/had given it a moment's thought; *hij heeft **niet** doorgedacht* he didn't think (it out); ***over/op** iets doordenken* reflect on/think over sth., think sth. out; *laten we maar niet **zover** doordenken* let's not think as far as that

^{2}**doordenken** [ov ww] think through, consider fully ♦ *heb je de **gevolgen** wel goed doordacht?* have you thought through the consequences?, have you considered the consequences fully?

doordenker [de^{m}] [1] ⟨persoon⟩ deep thinker [2] ⟨opmerking⟩ deep one ♦ *dat **is** een doordenker* you have to think about that one, that's a deep one

doordeweeks [bn] weekday, workaday ♦ *doordeweekse **bezigheden*** weekday activities; *op een doordeweekse **dag/avond*** on a weekday/week-night; *zijn doordeweekse **schoenen*** his weekday/workaday shoes

doordien [vw] through (the fact that), because (of the fact that), owing to (the fact that), as a result of (the fact that), on account of (the fact that), in that

^{1}**doordouwen** [onov ww] ⟨doorzetten⟩ keep trying, keep at it

^{2}**doordouwen** [ov ww] ⟨doordrukken⟩ ⟨ook fig⟩ push through ♦ ⟨fig⟩ *zijn **plannen** doordouwen* push one's plans through

doordouwer [de^{m}] [1] ⟨doorzetter⟩ trier, stayer, ⟨inf⟩ dogged person/type [2] ⟨verk⟩ cowboy, road hog

doordraafster [de^{v}] → **doordraver**

^{1}**doordraaien** [onov ww] [1] ⟨voorbij een punt draaien⟩ revolve [2] ⟨verder draaien⟩ keep (on) turning, go on turning, continue turning, continue to turn, ⟨fig⟩ go on, keep moving [3] ⟨doldraaien⟩ slip, not bite, have/be stripped ♦ ⟨fig⟩ *ik **voel** me nogal doorgedraaid* I feel pretty worn out

^{2}**doordraaien** [ov ww] [1] ⟨door iets heen laten gaan⟩ twist/put through ♦ *ik zal er een **schroef** doordraaien* I'll put a screw in it [2] ⟨m.b.t. groenten⟩ withdraw/remove from the market (due to excess supply) [3] ⟨inf; verkwisten⟩ run/get/go through

doordrammen [onov ww] ⟨inf⟩ ⟨inf⟩ go on ♦ *doordrammen **over** iets* keep harping on sth.; *wat **dram** jij door* you do go on!; ⟨BE ook⟩ you don't half go on!

doordrammer [de^{m}] [1] ⟨zeurkous⟩ nagger, pest [2] ⟨doordrijver⟩ pusher

doordrammerig [bn, bw] [1] ⟨zeurderig⟩ nagging, pestering [2] ⟨doordrijverig⟩ pushing, pushy

^{1}**doordraven** [onov ww] [1] ⟨ondoordacht doorredeneren⟩ rattle/rabbit on, blather (on), let one's tongue run away with one (about) ♦ *wat **draaf** je weer door* you're off again!, there you go again!; *hij kan ook **zó** doordraven* he does rattle/rabbit on, he lets his tongue run away with him [2] ⟨verder draven⟩ keep trotting, trot on

^{2}**doordraven** [ov ww] ⟨dravend gaan door⟩ trot through, ⟨straat⟩ trot along/down/up

doordraver [de^{m}], **doordraafster** [de^{v}] ⟨doorprater⟩ rattle, ⟨overdrijver⟩ immoderate, fanatic

doordrenken [ov ww] soak (through), saturate, drench, ⟨fig⟩ imbue ♦ *een **met** bloed doordrenkt shirt* a blood-soaked shirt; *het water had het **papier** doordrenkt* the water had soaked (through)/saturated the paper; *de grond **raakte** doordrenkt* the ground became/got/was getting saturated/sodden/was (getting) drenched; *doordrenkt **van** revolutionaire ideeën* imbued with revolutionary ideas

doordrijfster [de^{v}] → **doordrijver**

^{1}**doordrijven** [onov ww] [1] ⟨doorzeuren⟩ nag, ⟨inf⟩ go on ♦ *je **moet** niet zo doordrijven* you mustn't go on so/like that, stop nagging! [2] ⟨scheepv⟩ drift on/further

^{2}**doordrijven** [ov ww] ⟨doorzetten⟩ push/force through, ⟨wil⟩ enforce, impose, ⟨standpunt⟩ press home ♦ *hij wist zijn **beslissingen** door te drijven* he succeeded in forcing through his decisions; *iets te **ver/tot** het uiterste doordrijven* carry things/go too far/to the (utmost) limit/to extremes; *zijn **wil** doordrijven* impose one's will/one's wishes, get/have one's way

doordrijver [de^{m}], **doordrijfster** [de^{v}] headstrong/obstinate person

doordrijverij [de^{v}] obstinacy, headstrongness, pushiness

doordringbaar [bn] ⟨warmte, vocht⟩ permeable (to), pervious (to), ⟨met het oog⟩ penetrable, ⟨met scherp instrument⟩ pierceable

doordringbaarheid [de^{v}] ⟨voor warmte/vocht⟩ permeability, perviousness, ⟨met het oog⟩ penetrability, ⟨met scherp instrument⟩ pierceability

[1]**doordringen** [onov ww] penetrate, ⟨ook fig; vocht⟩ permeate, ⟨fig⟩ get through, occur ◆ *doordringen **in*** penetrate; ⟨vocht⟩ permeate, ooze/filter/seep through; ⟨het onbekende⟩ push out into; ***tot** iets doordringen* penetrate as far as sth.; ⟨stem⟩ carry as far as sth.; ***tot** de finale doordringen* get through to/make it to/get to the finals; ⟨fig⟩ *iets **tot** iemand laten doordringen* bring sth. home/get sth. across to s.o., make sth. register/sink in with s.o., make s.o. aware of sth., get sth. into s.o.'s head; ⟨fig⟩ *niet **tot** iemand kunnen doordringen* not be able to get through to s.o.; ***tot** de kern van de zaak doordringen* penetrate/go/get to the (very) heart/core of the matter; ⟨fig⟩ *het drong allemaal niet meer **tot** hem door* none of it registered with him any more; ⟨fig⟩ *het drong niet **tot** hem door dat hij brutaal was* it didn't strike him/occur to him/dawn on him that he was being rude; *bijna ongemerkt was zij **tot** de top doorgedrongen* she had worked her way up almost unnoticed; ⟨fig⟩ *de ernst van de situatie drong plotseling **tot** hem door* he suddenly became aware (of) how serious the situation was

[2]**doordringen** [ov ww] [1] ⟨penetreren⟩ penetrate, ⟨ook fig; vocht⟩ permeate, ⟨fig ook⟩ pervade ◆ *de lucht was doordrongen **van** rozengeur* the air was permeated by the perfume of roses, the perfume of roses permeated/saturated the air [2] ⟨volkomen overtuigen⟩ persuade, convince ◆ *hij begint er eindelijk van doordrongen te **raken** dat het zo niet langer kan* it is finally getting through to him/sinking in/dawning on him/he is finally awakening/waking up to the fact that this can't go on; *iemand **van** iets doordringen* convince/persuade s.o. of sth.; *doordrongen **zijn** van de noodzaak ...* be convinced of/persuaded of/imbued with the necessity of ...

doordringend [bn] ⟨blik, kou, kreet⟩ piercing, penetrating, ⟨blik ook⟩ searching, ⟨stem, geluid⟩ carrying, ⟨geur, instelling⟩ pervasive, ⟨geur⟩ pungent, ⟨verstand⟩ keen ◆ *iemand doordringend **aankijken*** give s.o. a penetrating/piercing look; *een doordringend **geluid*** a penetrating noise, a sound that carries (well); *een doordringende **kou*** penetrating cold; *een doordringende **stem*** a penetrating/carrying voice; ⟨met hoge tonen⟩ a piercing voice, ⟨met lage tonen⟩ a stentorian voice

doordringendheid [de[v]] ⟨van blik/kou/kreet⟩ piercingness, penetration, ⟨van blik ook⟩ searchingness, ⟨van geluid⟩ penetrating quality/character, ⟨van geur/instelling⟩ pervasiveness, ⟨van geur ook⟩ pungency, ⟨van verstand⟩ keenness

[1]**doordrukken** [onov ww] [1] ⟨drukw⟩ show through ◆ *die letters drukken door* those letters show through; *het **papier** drukt door* the print shows through the paper; ⟨inf⟩ the paper shows through [2] ⟨foto⟩ burn in, print in

[2]**doordrukken** [ov ww] [1] ⟨drukkend door iets heen brengen⟩ push/press/force through [2] ⟨fig⟩ push/force through ◆ *zijn eigen **mening** doordrukken* impose one's own view(s); *een **plan** doordrukken* push/force a plan through

doordrukstrip [de[v]] strip

doordrukverpakking [de[v]] strip

[1]**doorduwen** [onov ww] ⟨voortgaan met duwen⟩ push on

[2]**doorduwen** [ov ww] ⟨duwend een opening maken⟩ push through

dooreen [bw] in a mess, in a jumble, higgledy-piggledy, jumbled (up) ◆ *alles **lag** dooreen* everything was lying higgledy-piggledy/in a jumble

dooreengooien [ov ww] mix (up), jumble (together/up), throw into confusion, ⟨papieren⟩ make hay of, bundle/throw (together) higgledy-piggledy

dooreenhaspelen [ov ww] ⟨fig⟩ jumble (up/together), mix (up), muddle (up/together)

dooreenschudden [ov ww] shake (up/together), shuffle ◆ *in het rijtuig werd ze dooreengeschud* she was jolted (to pieces) in the carriage

dooreenvlechten [ov ww] intertwine, interlace, intertangle, interwind, interwreathe

dooreten [onov ww] [1] ⟨voortgaan met eten⟩ carry on eating, keep (on) eating, go on eating, continue eating, continue to eat ◆ *eet **nu maar** door* just carry on eating/keep (on) eating [2] ⟨voortmaken met eten⟩ eat up (one's food) ◆ *eet eens **even** door!* eat up now!; *dat kind eet niet **goed** door* that child doesn't eat up (his/her food) properly

dooretteren [onov ww] fester, suppurate

doorfietsen [onov ww] [1] ⟨met spoed, sneller fietsen⟩ speed up, ride/cycle/pedal faster ◆ *wij **moeten** doorfietsen, willen wij op tijd thuis zijn* we must speed up/pedal faster if we want to be home in time [2] ⟨doorheen fietsen⟩ cycle/ride through ◆ *een **straat** doorfietsen* cycle/ride along/down/up a street [3] ⟨voortgaan met fietsen⟩ keep (on) cycling/riding, go on cycling/riding, continue cycling, continue to cycle, continue riding, continue to ride, cycle/ride on ◆ *wij zullen nog een **kwartiertje** doorfietsen* we'll keep on riding for a quarter of an hour or so

[1]**doorgaan** [onov ww] [1] ⟨verder gaan⟩ go/walk on, continue ◆ *deze trein gaat door **tot** Amsterdam* this train goes on to/through to Amsterdam [2] ⟨voortgaan met een handeling⟩ continue (-ing/with), go on (-ing/with), carry on (-ing/with), persist (in/with), proceed (with) ◆ *hij **bleef** maar doorgaan over die ruzie, terwijl ik hem allang vergeten was* he just kept/went on about that argument, whereas I had forgotten about it long ago; *doorgaan **met** eten* ⟨ook⟩ go/carry on eating/with one's meal; ***tot** het uiterste doorgaan* persist/continue/go on to the very/bitter end; *dat gaat in één moeite door* we can do that as well while we're about it, we can kill two birds with one stone [3] ⟨voortduren⟩ continue, go on, last ◆ *dit werk gaat **altijd maar** door* this work just keeps going on (and on)/is endless, there's no end to this work [4] ⟨door een ruimte, opening gaan⟩ go/pass through, pass ◆ ⟨fig⟩ ***onder** het juk doorgaan* eat humble pie; *hij ging **onder** het poortje door* he went/passed through (beneath)/passed beneath the gateway/arch [5] ⟨geschieden⟩ take place, be held, be on ◆ *het **feest** gaat door* the party is on; *iets **laten** doorgaan* allow sth. to take place/to be held; *iets niet **laten** doorgaan* cancel sth., call sth. off; ***niet** doorgaan* be off/called off/cancelled; *zijn **voorstel** ging niet door* his proposal did not go through/come off [6] ⟨ingaan op⟩ go into ◆ ***op** een zaak/detail doorgaan* go into a matter/into detail; *laten we daar maar niet **over** doorgaan* let's not go into/on about that, let's not press that point, shall we/let's drop that [7] ⟨aangezien worden voor⟩ pass for, pass o.s. off as, profess/claim to be, ⟨zonder bedrog⟩ be considered (as) ◆ *zij gaat **voor** erg rijk door* she is said/thought to be very rich; *willen doorgaan **voor** iets/iemand* try to pass for/pass o.s. off as sth./s.o. [8] ⟨heengaan, vluchten⟩ be off, go, get away/out

[2]**doorgaan** [ov ww] ⟨zich bewegen door⟩ go/pass through

doorgaand [bn] through ◆ *doorgaande **reizigers*** through/on-going passengers; *doorgaand(e) **rijtuig/wagen*** a through carriage; *een doorgaande **trein*** a through train; *geen doorgaand **verkeer*** ⟨verkeersbord⟩ no through traffic, no thoroughfare

doorgaans [bw] generally, usually, as a rule

doorgang [de[m]] [1] ⟨het doorgaan⟩ occurrence ◆ *(geen) doorgang **hebben/vinden*** (not) take place, (not) be held [2] ⟨opening⟩ passage(way), way through, ⟨tussen banken enz.⟩ gangway, ⟨i.h.b. kerk⟩ aisle ◆ ***ondergrondse** doorgang* underground/subterranean passage; *een **ruime/nauwe** doorgang* a wide/narrow passage(way); *een doorgang **versperren/bezetten*** block/close off a passage/a way through; ***vrije** doorgang* free/open passage; ⟨pol⟩ safe-conduct [3] ⟨gelegenheid⟩ passage ◆ ***verboden**/geen doorgang* ⟨voetpad⟩ no (through) way, no right of way; ⟨toegang⟩ no entry, entry prohibited; *doorgang **verlenen/weigeren*** grant/refuse passage

doorgangshoogte [de^v] headroom, ⟨brug ook⟩ height
doorgangshuis [het] (temporary) refuge/shelter, ⟨fig⟩ clearing-house ♦ ⟨fig⟩ *Zürich is het doorgangshuis **voor** goud* Zürich is the clearing-house for gold
doorgangskamp [het] transit camp
doorgangspost [de^m] border checkpoint/station
doorgangsrecht [het] right of way/passage/entry
doorgangsweg [de^m] through road, through street, thoroughfare
doorgedraaid [bn] exhausted, worn out, (dead) beat, bushed ♦ *doorgedraaid **zijn** na een zware vergadering* be exhausted/(dead) beat/all in after a difficult meeting, ⟨inf⟩ be bushed after a difficult meeting
doorgedreven [bn] ⟨in België⟩ intensive ♦ *een doorgedreven **cursus*** an intensive course
doorgeefluik [het] (serving-)hatch, ⟨fig⟩ intermediary, middleman, conduit, ⟨spreekbuis⟩ mouthpiece
doorgestoken [bn] ▪ *dat is doorgestoken **kaart*** it's been arranged behind our backs, it's fixed/rigged, it's a put-up job; ⟨gearrangeerde beschuldiging⟩ it's a frame-up
doorgetript [bn] constantly tripping/high ♦ *hij **is** doorgetript* he never comes down, he's on a long high, he's stoned all the time
doorgeven [ov ww] 1 ⟨verder geven, laten rondgaan⟩ pass (on/round), hand on/round ♦ *geef de **fles** eens door* pass the bottle round/on; *doorgeven!* pass it on! 2 ⟨overbrengen⟩ pass (on) ♦ *een boodschap **aan** iemand doorgeven* pass a message (on) to s.o.; *elkaar **informatie** doorgeven* pass information to one another 3 ⟨overdragen⟩ pass/hand on, hand over ♦ *die **kennis/traditie** is van geslacht op geslacht, van vader op zoon doorgegeven* that knowledge/tradition has been passed/handed on/down from generation to generation/from father to son; *een **opdracht/taak** doorgeven aan zijn opvolger* pass on/hand over a task/job to one's successor 4 ⟨verder vertellen, bekendmaken⟩ pass on, let (s.o.) know about, ⟨inf⟩ let (s.o.) in on ♦ *dat zal ik **moeten** doorgeven aan je baas* I shall have to inform/tell your boss about this/let your boss know about this
doorgewinterd [bn] dyed-in-the-wool, seasoned, experienced
doorglippen [onov ww] slip through
¹doorgloeien [onov ww] 1 ⟨voortgaan met gloeien⟩ glow on 2 ⟨door iets gloeien⟩ glow through 3 ⟨door en door gloeien⟩ glow through (and through)
²doorgloeien [ov ww] set aglow (with), ⟨ook fig⟩ inflame, thrill (with), inspire (with)
³doorgloeien [ov ww] ⟨door gloeien schaden, stuk raken⟩ melt/burn through
¹doorgraven [onov ww] ⟨voortgaan met graven⟩ dig on
²doorgraven [ov ww] ⟨door iets heen graven⟩ dig through, ⟨berg ook⟩ tunnel (through), ⟨landengte⟩ pierce/cut through
³doorgraven [ov ww] dig/turn up
doorgroeimogelijkheid [de^v] ⟨in bedrijf⟩ career (growth/development) opportunity/possibility, ⟨tot vaste universitaire benoeming⟩ tenure-track
doorgroeisteen [de^m] ⟨wwb⟩ grass paver, grass block, perforated tile
doorgronden [ov ww] fathom, penetrate, plumb (the depths of) ♦ *iemands **gedachte** doorgronden* see into/read s.o.'s thoughts/mind; *een **geheim** doorgronden* get to the bottom of a mystery; *die **man** is niet te doorgronden* that man is inscrutable/a closed book; ***moeilijk** te doorgronden* difficult to fathom, unfathomable, impenetrable; ⟨persoon⟩ inscrutable; *iemands **plannen** doorgronden* see through s.o.'s plans
doorhakken [ov ww] chop in half, chop in two, split, cleave
¹doorhalen [onov ww] ⟨met bezigheid verder gaan⟩ ♦ *de **nacht** doorhalen* stay up all night (working/having fun/drinking/...)
²doorhalen [ov ww] 1 ⟨door een opening naar zich toe trekken⟩ pull through ♦ ***iemand** (duchtig) doorhalen* give s.o. a (thorough) dressing-down, tell s.o. off (in no uncertain terms), haul s.o. over the coals, give s.o. a (proper) roasting 2 ⟨fig; hekelen⟩ tell off, dress down, ⟨boek, film⟩ slate 3 ⟨schrappen⟩ cross out, ⟨form⟩ delete, strike out, ⟨lijst⟩ cross off ♦ *een **hypotheek** doorhalen* cancel a mortgage; *een **persoon** doorhalen* cross out/off s.o.'s name; *een **woord** doorhalen* cross out/delete/strike out/scrap a word; *doorhalen wat niet van toepassing is* delete where not applicable
doorhaling [de^v] 1 ⟨geschrapt woord⟩ deletion, ⟨inf⟩ crossing-out 2 ⟨het doorhalen⟩ deletion, cancellation, ⟨inf⟩ crossing-out
doorhangen [onov ww] 1 ⟨zo hangen dat er een doorbuiging, uitzakking ontstaat⟩ sag ♦ ***door** het gewicht van de gordijnen hangt de rail door* the rail is sagging under the weight of the curtains 2 ⟨m.b.t. deuren en ramen⟩ hang askew
doorhebben [ov ww] ⟨inf⟩ see (through), be on to, be/get wise to ♦ *hij had het dadelijk door **dat**...* he saw at once that ..., he was immediately on to the fact that ...; *ik heb die **grap** door* I see/get the joke; *ik heb **het** door* I see (it), I get it, I've got it; ***iemand** doorhebben* ⟨ook⟩ have s.o. taped, have s.o.'s number; ⟨sl⟩ cotton on/drop to s.o., psyche/figure s.o. out
¹doorheen [bw] through ♦ ***er/hier/daar** doorheen* through (it/them/this/that/here/there); *zij komt er nooit doorheen* she'll never get through (it); ⟨ziekte ook⟩ she'll never pull through (it); *ik ben er doorheen/erdoorheen* I'm through (it), I've got through (it), I've got it over with; *zich **er** doorheen/erdoorheen slaan* get through (it) somehow or other; ***er** doorheen breken/gaan/kijken/zakken/...* break/go/look/fall/... through
²doorheen [vz] ⟨in België⟩ 1 ⟨dwars door⟩ through 2 ⟨in de loop van⟩ in the course of, during, through
doorhollen [onov ww] 1 ⟨voortgaan met hollen⟩ ⟨ook fig⟩ run on, ⟨ruiter, paard⟩ gallop on 2 ⟨door een ruimte hollen⟩ run/race through
¹doorjagen [onov ww] 1 ⟨voortgaan met haasten⟩ hurry on(ward(s))/ahead, run on(ward(s))/ahead, race on(ward(s))/ahead 2 ⟨voortgaan met de jacht⟩ hunt on, go on hunting, continue hunting
²doorjagen [ov ww] 1 ⟨verkwisten⟩ squander, waste 2 ⟨wegjagen⟩ chase away/off
doorkiesnummer [het] direct-dialling number, dial-direct number, ⟨BE ook⟩ STD-number
doorkiessysteem [het] direct-dialling system, dial-direct system, ⟨BE ook⟩ STD-system, subscriber trunk dialling system
doorkiezen [onov ww] dial direct, ⟨BE ook⟩ dial the/an STD-number
doorkijk [de^m] 1 ⟨gelegenheid⟩ view (through) 2 ⟨opening⟩ viewing hole, ⟨loergat⟩ spyhole 3 ⟨tuinkunst⟩ vista
doorkijkbloes [de^v] see-through blouse
¹doorkijken [onov ww] ⟨door iets heen kijken, zichtbaar zijn⟩ look through, peer/peek out ♦ ***tussen** de hoofden doorkijken* peer/peek out among the heads
²doorkijken [ov ww] ⟨beoordelen⟩ (have/take a) look through, (have/take a) look over, (have/take a) glance through, (have/take a) glance over, scan, skim (over), run through/over, go through/over ♦ *ik heb dat **boek** eens doorgekeken* I've had a look/glance through/over that book; *zijn **werk** nog eens doorkijken* have/take another look/glance through one's work, run/go through/over one's work again
doorkijkjurk [de] see-through dress
doorkijkspiegel [de^m] two-way mirror
¹doorklieven [ov ww] ↑ cleave, cut (one's way) through ♦

zijn schip doorkliefde de ***baren*** his ship ploughed through/cut through/clove/cleft/breasted the waves; *een gil doorkliefde de* ***lucht*** a cry rent the air; *de vogels doorklieven de* ***lucht*** the birds speed/wing through the air

²**doorklieven** [ov ww] cleave/split/chop in two, cleave/split/chop in half

doorklikken [onov ww] click (on the link)

¹**doorklinken** [onov ww] 1 ⟨m.b.t. geluiden⟩ ring (out), ring through, (re)sound, (be able to) be heard ♦ *zijn* ***kreet*** *klinkt het hele huis door* his shout rings (out)/(re)sounds through the whole house/throughout the house 2 ⟨zich hoorbaar maken⟩ be heard, ⟨fig⟩ (be able to) be heard (in), be conveyed (by) ♦ ⟨fig⟩ *de berusting die* ***uit*** *zijn woorden doorklinkt* the resignation that is heard/can be heard in his words/that his words convey

²**doorklinken** [ov ww] ⟨amb; klinken⟩ rivet, nail

³**doorklinken** [ov ww] ring/(re)sound through(out), fill with sound

doorknagen [ov ww] gnaw/chew through

doorkneed [bn] seasoned, ⟨wetenschap enz.⟩ experienced/well-versed/steeped (in), ⟨vaardig⟩ proficient ♦ *een doorkneed* ***diplomaat*** an experienced/a seasoned diplomat; *doorkneed* ***zijn in*** ⟨ook⟩ have a thorough grasp of; ⟨inf⟩ know all the ins and outs of

doorknippen [ov ww] cut through, snip through, cut/snip in half, cut/snip in two

doorknoopjurk [de] button-through dress, coat dress

doorknooprok [de^m] button-through skirt

doorkoken [ov ww, ook abs] cook (right) through, heat/warm (right) through, heat/warm thoroughly ♦ *de* ***soep*** *moet nog wat doorkoken* the soup needs to heat/warm through a bit longer

doorkomen [onov ww] 1 ⟨zijn, haar weg nemen⟩ come through/past/by, pass (through/by) ♦ *de* ***stoet*** *moet hier doorkomen* the procession must come past/pass by here; *zij kwam* ***tussen*** *de struiken door naar ons toe* she came towards us through the bushes 2 ⟨ten einde brengen⟩ get through (to the end), make it through ♦ *de* ***dag/nacht/winter*** *doorkomen* get/make it through the day/night/winter, ⟨zieke ook⟩ last through the day/night/winter; *een* ***examen*** *doorkomen* get through an examination; *de* ***tijd*** *doorkomen* pass (away)/w(h)ile away the time; *hoe komt Jan Splinter door de* ***winter****?* and what will the robin do then, poor thing; *er is geen doorkomen* ***aan*** there is no way to get through/to finish/of getting through/of finishing, there is no end to it 3 ⟨door iets heen dringen⟩ come/get through ♦ *de* ***berichten*** *die doorkomen zijn slecht* the reports coming through are bad; *zijn* ***tanden*** *komen door* he's cutting his teeth, his teeth are coming through; *de* ***zon*** *komt door* the sun comes/breaks through; *de menigte was zo dicht, dat er geen doorkomen aan was* the crowd was so dense, that there was no way (of getting) through it 4 ⟨waarneembaar worden⟩ come out, show through/up ♦ *de* ***koorts*** *komt niet door* the fever is not coming out; *dat* ***radiostation/programma*** *komt niet goed door* the reception is not good on that station, there is interference in that programme

doorkopbal [de^m] ⟨voetb⟩ flick-on header

doorkrassen [ov ww] scratch out, cross out

doorkrijgen [ov ww] 1 ⟨stuk krijgen⟩ get through 2 ⟨gaan begrijpen⟩ see through ♦ ***iem*** *doorkrijgen* see through s.o.; ⟨sl⟩ cotton on/drop to s.o., psyche/figure s.o. out 3 ⟨ontvangen⟩ get ♦ *een* ***bericht*** *doorkrijgen* get/receive a message

doorkruiden [ov ww] season, spice

¹**doorkruisen** [ov ww] cross out

²**doorkruisen** [ov ww] 1 ⟨rondtrekken door⟩ traverse, roam, range (over), ⟨op zoek⟩ scour, ⟨fig⟩ cross, run/roam through ♦ *hij heeft heel* ***Frankrijk/alle zeeën*** *doorkruist* he has travelled all over/traversed France/the oceans 2 ⟨fig; dwarsbomen⟩ thwart, ⟨inf⟩ scupper, stymie ♦ *dat voorstel doorkruist mijn* ***plannen*** that proposal has thwarted my plans

doorkruising [de^v] 1 ⟨het in alle richtingen door iets trekken⟩ traversing 2 ⟨het dwarsbomen van plannen⟩ thwarting, ⟨inf⟩ scuppering, stymying

doorlaat [de^m] drain, culvert

doorlaatbaar [bn] permeable

doorlaatpost [de^m] checkpoint

doorladen [ov ww] cock ♦ *een doorgeladen* ***pistool*** a cocked pistol

doorlaten [ov ww] let through/pass, allow through, allow to pass ♦ *geen* ***geluid*** *doorlaten* be soundproof; *geen* ***licht*** *doorlaten* be opaque; *hier wordt* ***niemand*** *doorgelaten* no one may pass/is allowed to pass, no one is allowed through here; *geen* ***stof*** *doorlaten* be dustproof; ***water*** *doorlaten* let water through/in; *deze stof laat geen* ***water*** *door* this material is waterproof

doorleefd [bn] wrinkled, aged ♦ *een doorleefd* ***gezicht*** a face marked by age

doorlekken [onov ww] leak through

doorleren [onov ww] keep (on) studying, continue studying, continue with one's studies, ⟨i.h.b.⟩ stay (on) at school, go on to higher education

doorleven [ov ww] live through, spend, ⟨form⟩ pass ♦ *de in Indië doorleefde* ***jaren*** the years spent in the East Indies; *angstige* ***ogenblikken*** *doorleven* live through/spend/have (some) anxious moments; *iets* ***opnieuw*** *doorleven* relive sth., live sth. over again

¹**doorlezen** [onov ww] ⟨voortgaan met lezen⟩ read on, keep (on) reading, go on reading, continue reading, continue to read ♦ *doorlezen op pag. 7* turn to p 7, now read on on p 7, continued on p 7

²**doorlezen** [ov ww] ⟨ten einde toe lezen⟩ read (to the end/through) ♦ *ik heb dat* ***boek*** *slechts vluchtig doorgelezen* I have only glanced/skimmed through that book; *iets* ***zorgvuldig*** *doorlezen* scrutinize/peruse/study sth.

doorlichten [ov ww] 1 ⟨licht doen schijnen in alle delen⟩ shine light through, ⟨fig⟩ investigate, ⟨persoon⟩ screen, vet ♦ ⟨fig⟩ *een* ***bedrijf*** *doorlichten* investigate a company 2 ⟨met röntgenstralen onderzoeken⟩ X-ray, ⟨form⟩ radiograph ♦ ***zich*** *laten doorlichten* get o.s./be X-rayed, have an X-ray (taken)

doorlichting [de^v] 1 ⟨onderzoek met röntgenstralen⟩ X-ray (examination), ⟨form⟩ radiograph(ic examination) 2 ⟨controlerend onderzoek⟩ investigation, ⟨m.b.t. persoon⟩ screening, vetting

doorliggen [ov ww, ook abs] have/get bedsores ♦ *doorgelegen* ***plek*** bedsore; *zijn* ***rug*** *is doorgelegen* he has (got) bedsores on his back; *om doorliggen te* ***voorkomen*** to prevent bedsores

doorligwond [de] bedsore

doorloop [de^m] passage(way), way through, ⟨tussen banken enz.⟩ gangway, ⟨i.h.b. kerk⟩ aisle

doorlooptijd [de^m] lead time, throughput time, turnaround time

¹**doorlopen** [onov ww] 1 ⟨lopen door iets⟩ walk/go/pass through ♦ *de* ***stad/poort*** *doorlopen* walk/go/pass through the town/gate; *hij liep* ***tussen*** *de struiken door* he walked/went through the bushes 2 ⟨verder lopen⟩ keep (on) walking/going/moving, continue walking, continue moving, continue to walk, continue to move, walk/go/move on ♦ ***flink/stevig*** *doorlopen* step/walk/move along (briskly); *doorlopen* ***met*** *een ziekte* keep going/on one's feet despite being ill; *loop nog een* ***stukje/eindje*** *door* keep walking/going for a bit; *doorlopen a.u.b.!* move along now, please! 3 ⟨m.b.t. kleuren⟩ run ♦ *het* ***blauw*** *is doorgelopen* the blue has run 4 ⟨niet onderbroken worden⟩ run on, carry on through, continue, ⟨nummers ook⟩ be consecutive ♦ *de eetkamer loopt door* ***in*** *de keuken* the dining room runs (on) into/carries on through into the kitchen; *de pa-*

ginering van die twee delen loopt door the page-numbering of the two parts runs on/is consecutive, the pages of the two parts are numbered consecutively; *doorlopen* ***tot/naar*** walk/go on as far as/to; *de aantekeningen lopen door* ***tot*** *bladzijde 30* the notes run on/carry on through/continue up to page 30 [5] ⟨sneller lopen⟩ hurry up ♦ *als we een* ***beetje*** *doorlopen halen we de bus nog* if we hurry up a bit we'll still catch the bus [6] ⟨(van koffie) door het filter vloeien⟩ run through the filter

^{2}**doorlopen** [ov ww] [1] ⟨doorkruisen⟩ walk/go/pass through ♦ *de zon doorloopt in één jaar de 12* ***hemeltekens*** in one year the sun passes through the 12 signs of the zodiac; *ik doorliep het hele* ***park*** I walked/went all over the park, I covered every inch of the park [2] ⟨volgen⟩ go/pass through, ⟨afronden; cursus⟩ complete ♦ *een* ***school/cursus*** *doorlopen* attend/go to a school, take a course; *alle* ***stadia/fasen*** *doorlopen* go/pass through/complete every stage/phase [3] ⟨vluchtig lezen⟩ run/go/glance through ♦ *zijn* ***aantekeningen*** *nog even doorlopen* run/go/glance briefly through one's notes again

^{3}**doorlopen** [ov ww] ⟨stuklopen⟩ wear out/through, ⟨voeten⟩ make sore ♦ *zijn* ***zolen/voeten*** *doorlopen* wear out one's soles/feet; ⟨voeten ook⟩ get/become footsore

doorlopend [bn, bw] ⟨ononderbroken⟩ continuous ⟨bw: ~ly⟩, continuing, ⟨met onderbrekingen⟩ continual ⟨bw: ~ly⟩, ⟨opeenvolgend⟩ consecutive ⟨bw: ~ly⟩ ♦ *een doorlopende* ***betaalopdracht*** a direct debit instruction; *hij is doorlopend* ***dronken*** he is continually/constantly drunk; *een doorlopende* ***hak*** a wedge/all-in-one heel; *doorlopende* ***kaart****, een doorlopend* ***abonnement*** a season-ticket; ⟨concerten ook⟩ a subscription-ticket; *doorlopend* ***krediet*** revolving/continuous credit; *doorlopende* ***lijfrente*** perpetuity; *doorlopende* ***order*** standing order; *een doorlopende* ***(spoor)wagen*** an open (railway/^{A}railroad) carriage; *een doorlopend* ***verhaal*** a continuous story; *een doorlopende* ***voorstelling*** a continuous performance

doorloper [de^{m}] [1] ⟨kruiswoordraadsel⟩ Mephisto crossword, Xenophon crossword [2] ⟨mv; schaatsen⟩ safety speed-skates ♦ ***Friese*** *doorlopers* ± Frisian/Fen(land) skates [3] ⟨postzegel⟩ ± se-tenant stamp

doorluchtig [bn] ⟨form⟩ august, illustrious ♦ *(Uwe) Doorluchtige* ***Hoogheid*** (Your) Serene Highness

doorluchtigheid [de^{v}] illustriousness, serenity

doormaken [ov ww] go/pass/live through, experience, undergo ♦ *een* ***ontwikkeling*** *doormaken* undergo a development; *een moeilijke* ***tijd*** *doormaken* go through hard times/a hard time, have a hard time (of it), go through a bad patch; *ik heb heel wat doorgemaakt* I have gone/been/lived through/seen a great deal

^{1}**doormarcheren** [onov ww] ⟨voortgaan met marcheren⟩ march on, go on marching, continue marching

^{2}**doormarcheren** [ov ww] ⟨marcherend doorlopen⟩ march through

doormeten [ov ww] ⟨techn⟩ test (for) continuity ♦ ***het*** *doormeten* continuity testing

doormeter [de^{m}] ⟨in België⟩ diameter, ⟨van cilinder ook⟩ bore

doormidden [bw] in two, in half ♦ *iets doormidden* ***breken/snijden*** break/cut sth. in two/in half; *iets doormidden* ***scheuren*** tear sth. apart/across/asunder; ⟨fig; voetb⟩ *iemand doormidden* ***schoppen*** make a flying tackle/scissor movement

doormigratie [de^{v}] onward migration

doormodderen [onov ww] ⟨inf⟩ muddle on, blunder (one's way) on ♦ *hij* ***blijft*** *maar doormodderen* he just keeps muddling on/blundering (his way) on

doorn [de^{m}] [1] ⟨uitsteeksel aan een plant⟩ thorn ♦ ⟨fig⟩ *het leven is vol doornen en* ***distels*** life is not a bed of roses; ⟨fig⟩ *dat is mij een doorn* ***in*** *het* ***oog*** that is a thorn in my flesh/side; ⟨lelijk gebouw enz.⟩ an eyesore [2] ⟨struik, heester⟩ thorn-bush [3] ⟨uitsteeksel bij dieren⟩ spine, ⟨van egel⟩ spike [•] ⟨sprw⟩ *onze weg is met distels en doorns bezaaid* ± every man must eat a pack of dirt before he dies; ⟨sprw⟩ *geen roosje zonder doornen* no rose without a thorn

doornat [bn] wet through, soaked (through), soaked to the skin, drenched ♦ *doornat* ***maken*** soak (through), drench; *doornat* ***van*** *het zweet/de regen* drenched/bathed in sweat, rain-soaked; *doornat* ***worden*** get soaked (through)/wet through/...

doornemen [ov ww] [1] ⟨bestuderen⟩ go through/over ♦ *je moet die* ***hoofdstukken*** *nog eens goed doornemen* you must go over/through these chapters again properly; *de* ***post*** *doornemen* go through the post/^{A}mail; *een artikel* ***vluchtig*** *doornemen* glance through/glance over/skim through/scan an article [2] ⟨bespreken⟩ go over ♦ *iets* ***met*** *elkaar doornemen* go over sth. with each other/together; *een* ***scene*** *met iemand doornemen* go over a scene with s.o.

doornen [bn] [1] ⟨van een doorngewas⟩ thorn [2] ⟨van doornstruiken⟩ thorn [3] ⟨met doorns⟩ thorny

doornenkroon [de] crown of thorns

doornhaag [de] thorn-hedge

doornhaai [de^{m}] spiny dogfish

doornig [bn] ⟨ook fig⟩ thorny, spiny ♦ ⟨fig⟩ *een doornig* ***levenspad*** a thorny path

Doornik [het] Tournai

Doornroosje Sleeping Beauty

doornstruik [de^{m}] [1] ⟨doornige struik⟩ thorn-bush [2] ⟨gaspeldoorn⟩ gorse, furze, whin

doornummeren [ov ww] number consecutively

doornvormig [bn] thorn-shaped, thorn-like

doorpassen [ov ww] try on

doorplaatsen [ov ww] [1] ⟨elders onderbrengen⟩ transfer [2] ⟨in een ander medium plaatsen⟩ reproduce

^{1}**doorploegen** [onov ww] plough/^{A}plow on, keep (on) ploughing, go on ploughing, continue ploughing, continue to plough

^{2}**doorploegen** [ov ww] plough, ⟨AE⟩ plow, ⟨fig⟩ furrow ♦ *doorploegde* ***akkers*** ploughed fields; *de* ***zee*** *doorploegen* plough the ocean

doorploeteren [onov ww] plod/toil/plough/^{A}plow on, plod/toil/plough/^{A}plow (one's way) through, ⟨vnl BE ook⟩ slog on

^{1}**doorpraten** [onov ww] ⟨voortgaan met praten⟩ keep (on) talking, go on talking, continue talking, continue to talk, talk on

^{2}**doorpraten** [ov ww] ⟨grondig bespreken⟩ talk over/through ♦ *deze* ***zaak*** *is nog niet voldoende doorgepraat* this matter has not yet been talked over/through sufficiently

doorprikken [ov ww] [1] ⟨door prikken openen⟩ burst, prick, puncture, ⟨med⟩ lance ♦ *een* ***gezwel/blaar*** *doorprikken* burst/prick/puncture/lance a tumour/blister; ⟨fig⟩ *een doorgeprikte* ***illusie*** a shattered illusion [2] ⟨door iets heen prikken⟩ prick (through), pierce

doorratelen [onov ww] rattle away/on, chatter on, ⟨haastig⟩ rush on

doorredeneren [onov ww] continue a line of argument/reasoning, follow a (line of) argument/reasoning through (to its (logical) conclusion)

doorregen [bn] streaked, ⟨spek⟩ streaky, marbled ♦ *doorregen* ***spek*** streaky bacon; *doorregen* ***vlees/(runder)lapjes*** streaked/marbled meat, (marbled) braising steak

doorregenen [onov ww] [1] ⟨regen doorlaten⟩ leak, let the rain through ♦ *het* ***dak*** *regent door* the roof leaks/lets in the rain; ***het*** *regent hier door* there is a leak here/the rain is coming in/through here; *mijn* ***jas*** *is doorgeregend* my coat is soaked (through)/wet through; *deze* ***jas*** *regent beslist niet door* this coat is definitely waterproof [2] ⟨voortgaan met regenen⟩ keep on raining, rain continuously ♦ ***het*** *regende nog het hele weekend door* it kept (on) raining the whole weekend/throughout the weekend

doorreis [de] stopover, stopoff, passage, journey through ◆ *op zijn doorreis door Texas* as he was travelling through Texas; *hij was* ***op*** *doorreis (naar Rome)* he was passing through/stopping over (on his way to Rome); ***op*** *mijn doorreis blijf ik twee dagen in A.* I shall stop off for two days in A. on my trip, I shall break my journey for two days at A.
doorreisvisum [het] transit permit/visa
¹**doorreizen** [onov ww] [1] ⟨voortgaan met reizen⟩ continue travelling/ᴬtraveling, keep on travelling/going ◆ *wij hebben* ***dag en nacht*** *doorgereisd* we travelled night and day [2] ⟨zijn reis voortzetten⟩ continue one's journey, continue travelling, proceed, push/travel (on) ◆ *ze reist vandaag nog door* ***naar*** *A.* she is going on to A. today
²**doorreizen** [ov ww, ook abs] ⟨reizend doortrekken⟩ travel through ◆ *ik heb heel* ***Europa*** *doorgereisd* I have travelled all through/over Europe
doorrennen [onov ww] [1] ⟨verder rennen⟩ keep on running, continue running [2] ⟨rennend doorlopen⟩ run through, rush/race through ◆ *hij rende het* ***park*** *door* he ran/rushed/raced through the park
¹**doorrijden** [onov ww] [1] ⟨doorgaan met rijden⟩ keep on driving/riding, continue driving/riding, drive/ride on ◆ *rijdt deze bus door* ***naar*** *het station?* does this bus go through to the station? [2] ⟨verder rijden⟩ drive/ride on, proceed, continue, push/carry (on), not stop ◆ *een ongeluk waarbij de* ***bestuurder*** *is doorgereden* a hit-and-run accident; *de* ***bus*** *reed door zonder stil te staan bij de halte* the bus carried on without stopping at the busstop; *doorrijden* ***na*** *een aanrijding* fail to stop after an accident [3] ⟨sneller rijden⟩ drive/ride faster, increase speed ◆ *je* ***kunt*** *hier nooit eens lekker doorrijden* you can never put your foot on it (along) here; *als we* ***wat*** *doorrijden, zijn we er in een uur* if we step on it, we will be/get there in an hour [4] ⟨door iets heen rijden⟩ drive/ride through ◆ *hij reed de* ***poort*** *door* he drove through the gate
²**doorrijden** [ov ww] ⟨door rijden stukmaken⟩ ⟨paard⟩ gall
doorrijder [deᵐ] hit-and-run driver
doorrijgen [ov ww] ⟨veters⟩ lace/thread through
doorrijhoogte [deᵛ] headroom, clearance, headway ◆ ***maximale*** *doorrijhoogte* maximum headroom
doorrit [deᵐ] passage
doorroeien [onov ww] [1] ⟨voortgaan met roeien⟩ keep (on) rowing, row on, continue rowing, continue to row, go on rowing [2] ⟨snel(ler) roeien⟩ row fast(er) [3] ⟨stud; opblijven⟩ make a night of it
doorroeren [ov ww] stir in/up, mix (in/up) ◆ *daarna* ***goed*** *doorroeren* then stir/mix in well
doorroesten [onov ww] rust through, corrode ◆ *mijn* ***auto*** *is helemaal doorgeroest* my car has/is completely rusted through
¹**doorroken** [onov ww] ⟨doorgaan met roken⟩ continue smoking, continue to smoke, ⟨inf⟩ go on smoking, keep (on) smoking, carry on smoking
²**doorroken** [ov ww] ⟨met rook doortrekken⟩ smoke (through) ◆ *die bokking is* ***goed*** *doorgerookt* that bloater is well smoked
doorrollen [onov ww] roll on/along
doorschakelen [ov ww, ook abs] put s.o. through, redirect ◆ *mijn telefoongesprekken zijn doorgeschakeld* ***naar*** *mijn mobiele telefoon* my phone calls have been redirected to my mobile
doorschemeren [onov ww] [1] ⟨vaag zichtbaar zijn, schijnen⟩ shine through, filter/glimmer/show through [2] ⟨enigermate kenbaar worden⟩ be hinted at, be implied, be intimated ◆ *hij* ***liet*** *inderdaad al zoiets doorschemeren* he did in fact drop a hint in that direction/imply some such thing; *hij* ***liet*** *doorschemeren dat hij trouwplannen had* he hinted that he was planning to marry
¹**doorscheuren** [onov ww] ⟨stukgaan⟩ tear, rip (through), ⟨form⟩ rend ◆ *het* ***papier*** *scheurde door* the paper tore
²**doorscheuren** [ov ww] ⟨stukscheuren⟩ tear up, ⟨in tweeen⟩ tear in half ◆ *hij scheurde de* ***brief*** *door* he tore the letter up
¹**doorschieten** [onov ww] [1] ⟨verder schieten⟩ shoot through/past ◆ *de* ***bal*** *schoot door* the ball shot through/past; *de touwen* ***laten*** *doorschieten* slacken/veer the ropes, pay/run/let out the ropes, ease off the ropes; ⟨plantk⟩ *doorgeschoten* ***slaplanten*** lettuce which has bolted; *het* ***vliegtuig*** *schoot door van de landingsbaan af* the plane skidded off the runway [2] ⟨voortgaan met schieten⟩ keep shooting, fire on
²**doorschieten** [ov ww] [1] ⟨doorboren⟩ ⟨met kogels⟩ riddle ◆ *de* ***muur*** *was doorschoten* the wall was riddled with bullets [2] ⟨boek⟩ interleave, interleaf ◆ *een doorschoten* ***boek*** an interleaved book
doorschijnen [onov ww] [1] ⟨licht doorlaten⟩ be translucent, be see-through ◆ *je* ***jurk*** *schijnt door* your dress is see-through [2] ⟨zichtbaar zijn⟩ show through, shine through ◆ *haar* ***slipje*** *schijnt door* her panties are showing (through her dress)
doorschijnend [bn, bw] translucent, ⟨van kleding⟩ see-through, transparent ◆ *een doorschijnende* ***beha/nachtjapon/jurk*** a see-through bra/night-gown/dress; *een doorschijnende* ***huid*** translucent skin; ***porselein*** *is doorschijnend* china is translucent; *doorschijnend* ***wit*** transparent white
doorschrappen [ov ww] cross/scratch out, cross off, strike out ◆ *iemands* ***naam*** *doorschrappen* cross/strike/scratch out s.o.'s name
doorschrijfpapier [het] self-copying paper
doorschrijfsysteem [het] carbon copy system
doorschrijven [onov ww] [1] ⟨voortgaan met schrijven⟩ keep on writing, continue writing, write on [2] ⟨sneller schrijven⟩ write faster
doorschrokken [onov ww] [•] *hij* ***bleef*** *maar doorschrokken* he kept guzzling away/kept on/went on guzzling
doorschudden [ov ww] mix, ⟨kaarten⟩ shuffle, ⟨sla⟩ toss ◆ *een* ***mengsel*** *goed doorschudden* shake a mixture well/thoroughly
doorschuifsysteem [het] promotion system, system of promotion ◆ ***volgens*** *het doorschuifsysteem* in accordance with the promotion system
¹**doorschuiven** [onov ww] [1] ⟨verder schuiven⟩ advance, move/close up [2] ⟨naar een andere plaats, positie gaan⟩ advance, move on/up
²**doorschuiven** [ov ww] [1] ⟨verder schuiven⟩ push through, shove through [2] ⟨doorgeven naar een ander⟩ pass on, saddle s.o. with ◆ *een* ***karwei*** *doorschuiven* pass on a chore, saddle s.o. with a chore, pass the buck
doorseinen [ov ww] transmit, relay, send ◆ *een* ***telegram*** *doorseinen* send a telegram
doorsijpelen [onov ww] [1] ⟨lekken⟩ seep through, filter through, trickle out ◆ *om doorsijpelen te* ***voorkomen*** to prevent seepage; *het* ***water*** *sijpelt langzaam door de dijk* the water is slowly seeping through the dike [2] ⟨fig; uitlekken⟩ filter through, leak out ◆ *de* ***informatie*** *sijpelde langzaam door* the information slowly filtered through/leaked out
doorsjezen [onov ww] charge on
¹**doorslaan** [onov ww] [1] ⟨voortgaan met slaan⟩ go on hitting/beating, keep (on) hitting/beating, continue hitting/beating [2] ⟨ergens doorheen dringen⟩ come through, ⟨papier⟩ blot, ⟨vloeistof⟩ ooze (out), ⟨inkt⟩ show through ◆ *de* ***drukinkt*** *slaat door het papier* the printer's ink shows through the paper; *de* ***muur*** *slaat door* the wall sweats/is damp [3] ⟨overhellen naar het grootste gewicht⟩ tip, dip, turn ◆ *de* ***balans*** *slaat door* the scale tips/dips [4] ⟨onzin verkopen⟩ run/talk on (about), rattle on/away, blather (on/away) ◆ *doorslaan* ***als*** *een blinde vink* blabber on, talk a lot of nonsense, drivel (on), twaddle [5] ⟨slippen⟩ race, skid, slip, spin [6] ⟨met kracht, gevoelig slaan⟩ hit hard, not pull one's punches [7] ⟨elek⟩ blow, melt, ⟨lei-

ding⟩ fuse, ⟨isolatie⟩ break down ♦ ⟨techn⟩ *de **stop** is/de **stoppen** zijn doorgeslagen* the fuse has/the fuses have gone/blown [8] ⟨bekennen⟩ talk, ⟨AE⟩ ↓ sing, ⟨op iemand⟩ ↓ rat (on), ⟨BE⟩ ↓ grass (on) ♦ *de **verdachte** sloeg door* the suspect talked [9] ⟨doorschieten⟩ go over the top, carry too far, go overboard ♦ *die **maatregelen** zijn doorgeslagen* those measures are over the top [•] *het **paard** slaat door* the horse breaks into a gallop/canter

[2]**doorslaan** [ov ww] [1] ⟨door slaan breken, delen⟩ break, ⟨muur⟩ knock down [2] ⟨door slaan mengen, doorroeren⟩ beat (up), ⟨eieren ook⟩ whisk [3] ⟨m.b.t. het naaien⟩ use tailor's tacks, ± baste, ± tack

doorslaand [bn] conclusive, convincing, decisive ♦ *doorslaand **bewijs*** conclusive evidence, proof positive; *een doorslaand **succes*** a resounding success

doorslag [de^m] [1] ⟨het doorslaan van een balans⟩ dip, tip, turn ♦ *dat **gaf** bij mij de doorslag* that decided me; *de overweging die bij de commissie de doorslag **gaf*** the deciding factor for the committee/commission, the deciding factor in the committee's/commission's decision; ⟨fig⟩ *dat **geeft** de doorslag* that does it, that settles/decides/clinches it [2] ⟨afschrift, kopie⟩ carbon copy, carbon, duplicate [3] ⟨het ergens doorheen dringen⟩ penetration, ⟨papier⟩ blotting, ⟨olie⟩ seepage ♦ *de doorslag **van** dit wapen is ontzettend groot* the penetration of this weapon is extremely good [4] ⟨ontlading in een gas⟩ disruptive discharge

doorslaggevend [bn] decisive, deciding ♦ *van doorslaggevende **betekenis** hierbij was* the deciding/decisive factor here was; *van doorslaggevende **betekenis/**doorslaggevend **belang*** of overriding importance

doorslagpapier [het] carbon paper, copying/copy paper

doorslapen [onov ww] sleep on/through

doorslenteren [onov ww] [1] ⟨door iets gaan⟩ traipse, rove, roam, wander, tramp ♦ *de **straat** doorslenteren* roam the street [2] ⟨verder slenteren⟩ wander on

doorslijten [ov ww, ook abs] wear through, be/become threadbare, go ♦ *de **broek** is doorgesleten* the trousers are worn through; *de **knieën/ellebogen** zijn doorgesleten* the knees/elbows are gone/worn through/threadbare

doorslikken [ov ww] swallow (down) ♦ ***heel** doorslikken* swallow whole; *ik kan die **pil** niet doorslikken* I cannot swallow this pill/tablet, I cannot get this pill/tablet down

doorslippen [onov ww] [1] ⟨verder slippen⟩ slip, side, skid, continue slipping/sliding/skidding ♦ ***door** de hoge snelheid is die auto doorgeslipt* the high speed caused the car to skid (some distance) [2] ⟨door een opening verder of wegglippen⟩ slip through/past

doorsluizen [ov ww] channel, funnel, divert ♦ ***het** doorsluizen van miljoenen dollars naar de contra's* ⟨ook⟩ the diversion of millions of dollars to the contras

doorsmeerbeurt [de] 2000-mile service ♦ ***bij elke** doorsmeerbeurt* every time the care is lubricated; *de auto een doorsmeerbeurt **geven*** lubricate the car thoroughly

doorsmelten [onov ww] ⟨techn⟩ melt through, ⟨zekering⟩ blow, fuse

doorsmeren [ov ww] lubricate ♦ *de auto **laten** doorsmeren* have the car lubricated

doorsmeulen [onov ww] keep/continue smouldering, ⟨fig ook⟩ keep/continue simmering, keep/continue brewing, keep/continue bubbling

doorsnede [de], **doorsnee** [de] [1] ⟨snijvlak⟩ sectional plane [2] ⟨tekening⟩ section, cross-section, cross-cut, slice, profile ♦ ***horizontale/verticale** doorsnede* horizontal/vertical section; *een doorsnede van een **kubus** maken* make a cross-section of a cube [3] ⟨middellijn⟩ diameter ♦ *die bal **heeft** een doorsnede van 5 cm* this ball has a diameter of 5 cm [4] ⟨gemiddeld⟩ average, mean, common, ordinary ♦ *de **Familie** Doorsnee* the average/ordinary family; ***in** doorsnede* on average, in the main; *de doorsnee **man*** the man in/on the street, Mr Average; *de doorsnee **Nederlander/automobilist*** the average Dutchman/car driver [5] ⟨wisk; m.b.t. verzamelingen⟩ intersection

doorsnee [de] → **doorsnede**

doorsneekwaliteit [de^v] average quality

doorsneeprijs [de^m] average price

doorsnellen [onov ww] [1] ⟨verder snellen⟩ rush on/along, ⟨inf⟩ shoot on/along [2] ⟨snellen door⟩ rush through, ⟨langs⟩ rush along/down/up, ⟨inf⟩ shoot through, shoot along/down/up ♦ *hij snelde de **gang** door* he rushed/shot along/down/up the corridor

[1]**doorsnijden** [ov ww] cut (through), transect, slice, ⟨in alle richtingen⟩ criss-cross ♦ *dit **land** is van rivieren doorsneden* this country is criss-crossed with rivers; *de **lucht/de zee** doorsnijden* cleave the air, plough through the sea/water; *de trein doorsneed de eenzame **vlakte*** the train cut across/through the empty plain

[2]**doorsnijden** [ov ww] cut, slice, sever, transect, ⟨in tweeën⟩ cut in(to) two, bisect ♦ ⟨fig⟩ *hij heeft de **banden** met zijn familie doorgesneden* he has severed/cut the ties with his family

[1]**doorsnuffelen** [ov ww] hunt through, rummage through

[2]**doorsnuffelen** [ov ww] rummage through, forage/hunt/nose through, search for ♦ *hij heeft alle **boeken** doorsnuffeld* he has rummaged/nosed through all the books; *het hele **huis** doorsnuffelen* rummage through the whole house; *alle **kamers** doorsnuffelen op bewijsmateriaal* search/rummage through all the rooms for evidence

doorspekken [ov ww] interlard (with), intersperse/pepper/punctuate/sprinkle (with) ♦ *zijn taal **met** vloeken doorspekken* pepper/punctuate one's language with swear words; *een toespraak doorspekt **met** grappen* a speech punctuated/peppered/interspersed with jokes

[1]**doorspelen** [onov ww] ⟨doorgaan met spelen⟩ play on, continue to play, ⟨sport⟩ continue play ♦ *de hele **avond** doorspelen* play right through the evening/all evening long; *de scheidsrechter **gebaarde** door te spelen* the referee waved play on/signalled for play to continue

[2]**doorspelen** [ov ww] [1] ⟨ten einde toe spelen⟩ play through ♦ *een **stukje** op de piano eens doorspelen* play a piece through on the piano [2] ⟨aan iemand toespelen⟩ pass on, feed, leak ♦ *informatie **aan** een krant doorspelen* leak/feed information to/pass on information to a newspaper; *de bal doorspelen **naar**...* pass (the ball) to ...; *een **probleem** doorspelen aan iemand anders* pass a problem on to s.o. else

doorspoelen [ov ww] [1] ⟨reinigen⟩ ⟨leiding⟩ flush out, ⟨wc⟩ flush ♦ *zijn **keel** doorspoelen* wet one's whistle [2] ⟨m.b.t. een geluids-, videoband⟩ wind on

doorsporen [onov ww] [1] ⟨verder reizen⟩ go on (by train/rail), travel on (by train/rail) ♦ *doorsporen **tot** A.* go on by train to A. [2] ⟨doorkruisen⟩ go through (by train/rail), travel through (by train/rail) ♦ *het **land** doorsporen* go through the country by train

[1]**doorspreken** [onov ww] ⟨doorgaan met spreken⟩ go on speaking, continue speaking, speak on

[2]**doorspreken** [ov ww] ⟨grondig bespreken⟩ discuss, go into (in depth) ♦ *een **kwestie** doorspreken* discuss a matter in depth; *iets goed **met** iemand doorspreken* discuss sth. with s.o. thoroughly, talk things/the (whole) thing over with s.o.

doorspuiten [ov ww] ⟨buis⟩ scour, cleanse, ⟨oor⟩ syringe

doorstaan [ov ww] endure, bear, (with)stand, weather, go/come through ♦ *de **eeuwen/de tijd** doorstaan* withstand the centuries, stand/bear the test of time; ***ontberingen/martelingen/kou** doorstaan* bear/endure hardship/torture/cold; *een/de **proef** doorstaan* stand/bear the test; *hij heeft heel wat **rampen** doorstaan* he has been through many crises; *de **storm/crisis** doorstaan* ride out/weather the storm; come through/survive the crisis; *dat kan de **toets** der kritiek door-*

staan that can stand/bear the test of criticism; *een* ***ziekte*** *doorstaan* come through (an illness)

doorstappen [onov ww] 1 ⟨flink voortmaken met lopen⟩ step out, walk briskly, keep up a stiff pace ◆ *als we* ***even*** *doorstappen ...* if we get a move on, if we hurry up/step out ...; *we kunnen beter* ***even*** *doorstappen* we had better step out/walk briskly/get a move on 2 ⟨verder stappen⟩ walk on, keep going, walk/push/step along

doorstart [de^m] 1 ⟨luchtv⟩ aborted landing ◆ *een doorstart* ***maken*** start up again 2 ⟨fig⟩ new start ◆ *een doorstart* ***maken*** start up again

doorstarten [onov ww] start up again

doorsteek [de^m] 1 ⟨luchtv⟩ descent-through-cloud landing 2 ⟨plaats waar iets doorgestoken is⟩ hole, ⟨opzettelijk gemaakt ook⟩ opening 3 ⟨kortste weg⟩ short-cut 4 ⟨het afsnijden van een rivierbocht⟩ ± canalization

¹**doorsteken** [onov ww] ⟨de kortste weg nemen door⟩ cut through, take a short cut (through), cut across ◆ *als we hier het* ***bos*** *doorsteken* if we take a short cut through the wood here; *we zijn de* ***stad*** *dwars doorgestoken* we cut right across the town

²**doorsteken** [ov ww] 1 ⟨door, in een opening brengen⟩ run through ◆ *een* ***bout*** *doorsteken* run a bolt through 2 ⟨een opening maken in⟩ pierce, cut, ⟨gezwel⟩ lance, ⟨matras⟩ tuft, ⟨zweer, blaasje⟩ prick ◆ *een* ***dijk*** *doorsteken* cut a dike 3 ⟨m.b.t. verstopte buizen⟩ clear, unblock ◆ *een* ***afvoerbuis*** *doorsteken* clear/unblock a waste-pipe; *een* ***pijp*** *doorsteken* clean a pipe

³**doorsteken** [ov ww] stab, run through, pierce, gore, skewer, ⟨met mes⟩ knife

doorstep [de^m] doorstep interview

doorstikken [ov ww] stitch through, ⟨met vulsel ertussen⟩ quilt ◆ ***met*** *gouddraad doorstikt* stitched through with gold thread; *doorgestikte* ***zakken*** quilted pockets

doorstoot [de^m] big step forward, major progress

doorstorten [ov ww] pass on

¹**doorstoten** [onov ww] 1 ⟨voortgaan met stoten⟩ keep on pushing, continue pushing 2 ⟨doordringen, oprukken⟩ advance, push on/through, press/march on, thrust ahead, ⟨ergens doorheen⟩ break/burst through ◆ *zij stootten door* ***tot*** *voor Moskou* they advanced to the outskirts of Moscow; ⟨fig⟩ *doorstoten* ***tot*** *de kern van de zaak* get to the heart of the matter; *in één jaar* ***tot/naar*** *de top doorstoten* reach the top in a year

²**doorstoten** [ov ww] stab, pierce (through), run through

³**doorstoten** [ov ww] ⟨bilj⟩ play a follow shot

doorstralen [ov ww] irradiate

doorstrepen [ov ww] cross out, delete, strike out/through, score out/through ◆ *doorgestreepte* ***woorden*** deleted words; *doorstrepen wat niet van toepassing* ***is*** delete where appropriate

¹**doorstromen** [onov ww] 1 ⟨m.b.t. woningen⟩ ± buy a larger house, ± move up the housing ladder 2 ⟨m.b.t. het onderwijs⟩ move up/on, go up/on ◆ *doorstromen* ***van*** *(de lerarenopleiding)* ***naar*** *(de universiteit)* move/go on from (teacher training college) to (university) 3 ⟨stromend door iets heengaan⟩ flow (through), stream/run through ◆ *het verkeer (vlotter)* ***laten*** *doorstromen* let traffic circulate more freely

²**doorstromen** [ov ww] flow through, run through, ⟨fig ook⟩ overcome

doorstromer [de^m] 1 ⟨iemand die een andere rang, functie krijgt⟩ s.o. who is transferred, ⟨naar boven⟩ s.o. who is promoted, transfer(ee), promotee 2 ⟨onderw⟩ pupil who moves on (to another school), transfer(ee) ◆ *het* ***aantal*** *doorstromers van secundair naar tertiair onderwijs wordt steeds minder* the number of pupils moving on from secondary to higher education is becoming less and less

doorstroming [de^v] 1 ⟨m.b.t. woningen⟩ ± buying a larger house, ± moving up the housing ladder 2 ⟨m.b.t. het onderwijs⟩ moving up/on, going up/on 3 ⟨verk⟩ flow, circulation ◆ *maatregelen ten behoeve van een vlottere doorstroming* ***van*** *het verkeer* measures to aid the freer flow/circulation of traffic 4 ⟨m.b.t. bloed⟩ flow, circulation

doorstroomplaats [de] ⟨onderw⟩ short-term research assistanceship, new-blood post

doorstroomsnelheid [de^v] ⟨techn⟩ flow rate, rate of flow

doorstuderen [onov ww] 1 ⟨doorgaan met studeren⟩ continue (with) one's studies, ⟨inf⟩ carry on with one's studies 2 ⟨aan een andere onderwijsinstelling⟩ continue/pursue one's studies

doorsturen [ov ww] send on, redirect, ⟨wegsturen⟩ send away ◆ *de* ***bakker*** *doorsturen* send the baker away; *een* ***brief*** *doorsturen* forward/readdress/redirect/send on a letter; *een patiënt* ***naar*** *een specialist doorsturen* refer a patient to a specialist

doorstuuradres [het] forwarding address

doorsukkelen [onov ww] 1 ⟨sjokkend verder gaan⟩ jog on, plod/jog along 2 ⟨m.b.t. een kwaal, ziekte⟩ be ailing, be in continued poor health 3 ⟨moeilijkheden ondervinden, niet opschieten⟩ struggle through ◆ *doorsukkelen* ***met*** *zijn studie* plod along with one's studies

¹**doortasten** [onov ww] 1 ⟨tot op de grond tasten⟩ search thoroughly, feel/grope (all) around 2 ⟨fig; krachtig ingrijpen⟩ take a firm line, act vigorously, act with decision, take strong action

²**doortasten** [ov ww] search (through), ⟨inf⟩ go through

doortastend [bn, bw] vigorous ⟨bw: ~ly⟩, energetic, bold ◆ *doortastend* ***optreden*** act boldly/vigorously; *een doortastend* ***persoon*** a thoroughgoing person

doortastendheid [de^v] vigorousness, energy, promptness of action, boldness, ⟨m.b.t. voorstel/maatregel⟩ thoroughness

doortellen [onov ww] 1 ⟨verder tellen⟩ keep/continue counting, count on 2 ⟨meegerekend worden⟩ count, add up ◆ *bij onbetaald verlof tellen de* ***dienstjaren*** *gewoon door* unpaid leave will be reckoned/counted as years of service (for the purpose of assessing pension)

doortimmerd [bn] sound, solid, well-built ◆ ⟨fig⟩ *een goed doortimmerd* ***betoog*** a sound/well constructed argument

doortintelen [ov ww] set aglow/atwinkle, ⟨ook fig⟩ thrill

doortocht [de^m] 1 ⟨het doortrekken⟩ crossing, passage/way through, ⟨mil⟩ march through ◆ *de doortocht* ***door*** *de woestijn* the crossing/passage through the desert; *op doortocht* ***naar*** *Griekenland* on the way through to Greece; ***op*** *doortocht zijn* pass through, be passing through; ***op*** *onze doortocht door* on our passage/way through 2 ⟨opening, weg⟩ passage, thoroughfare, way (through), throughway ◆ *zich een doortocht* ***banen*** force one's way through; *de noordoostelijke doortocht* ***naar*** *Indië* the northeast passage to India; *de doortocht* ***versperren*** block the way through; ***vrije*** *doortocht eisen* demand free passage

doortochten [onov ww] be aired ◆ *een kamer* ***laten*** *doortochten* air a room

¹**doortrappen** [onov ww] 1 ⟨doorgaan met trappen⟩ keep on kicking, continue kicking 2 ⟨(per fiets) verder rijden⟩ pedal on, keep/continue pedalling 3 ⟨voortmaken met fiets⟩ pedal faster/harder ◆ *wij* ***moeten*** *doortrappen om vóór donker thuis te zijn* we shall have to pedal faster if we are to be home before dark 4 ⟨trappen om te raken⟩ kick ◆ *bij karate* ***mag*** *je niet doortrappen* kicking isn't allowed in karate 5 ⟨in België; inf; niet goed wijs zijn⟩ be off one's brain/head/out of one's mind, be nuts/nutty/loony/^Bbonkers

²**doortrappen** [ov ww] ⟨kapot trappen⟩ kick to pieces

doortrapper [de^m] fixed-wheel bicycle

doortrapt [bn, bw] 1 ⟨geraffineerd in het kwaad⟩ cunning, crafty, artful, wily, sly ◆ *een doortrapte* ***leugenaar*** a double-dyed/arrant liar; *hij is een doortrapte **schurk*** he is a thorough/regular/unmitigated scoundrel [2] ⟨door en door kwaad⟩ base, villainous, arrant ◆ *een doortrapte **schurk*** an arrant knave

doortraptheid [de^v] [1] ⟨geraffineerdheid in het kwaad⟩ cunning, craft, artfulness, wiliness, slyness [2] ⟨kwaadheid⟩ baseness, villainy

¹**doortrekken** [onov ww] [1] ⟨door iets heen reizen⟩ travel through, pass/journey through, roam, ↑traverse ◆ *het **land** doortrekken* traverse the country, ⟨doelloos⟩ roam the country, ⟨als toerist⟩ tour the country; *de verkiezingskaravaan trekt het hele **land** door* the election caravan is touring the entire country [2] ⟨voortgaan met trekken⟩ continue to pull/draw, go on pulling/drawing, keep on pulling/drawing [3] ⟨het toilet doorspoelen⟩ flush the toilet, pull the flush, ↓pull the chain

²**doortrekken** [ov ww] impregnate, permeate, ⟨vloeistof ook⟩ soak, saturate, ⟨geur ook⟩ pervade ◆ *doortrokken **met humor*** pervaded with a sense of humour; *doortrokken **van** de geur van rozen* soaked/impregnated/permeated/heavy with the smell of roses; *zijn geest is **van** vooroordelen doortrokken* his mind is steeped in prejudices; *de maatschappij is doortrokken **van** corruptie* society is riddled with corruption

³**doortrekken** [ov ww] [1] ⟨verlengen⟩ extend, continue, prolong, ⟨meetk⟩ produce, ⟨fin⟩ extrapolate ◆ *een **lijn** doortrekken* ⟨fig⟩ continue on/follow the same line/course; *een **spoorlijn** doortrekken* push on/extend a railway; ⟨fig⟩ *een **vergelijking** doortrekken* carry/pursue a comparison (further) [2] ⟨verder verplaatsen⟩ pull further down/in/out/up ⟨enz.⟩ ◆ *(de **trekker** van) de **wc** doortrekken* flush the toilet [3] ⟨stuktrekken⟩ pull apart, pull to pieces ◆ *een **touw** doortrekken* break a rope

doorvaart [de] [1] ⟨gelegenheid om door te varen⟩ passage, transit ◆ ***gevaarlijke** doorvaart* dangerous passage; *de **noordwestelijke** doorvaart* the North-West Passage; *een **vrije/onbelemmerde** doorvaart eisen* demand a clear transit [2] ⟨geul, kanaal⟩ fairway, channel

doorvaarthoogte [de^v] headroom, (vertical) clearance

doorvaartwijdte [de^v] width of passage, available width

doorvaren [onov ww] [1] ⟨voortgaan met varen⟩ sail on ◆ *dat schip is de hele **winter** doorgevaren* that boat remained at sea all winter [2] ⟨verder varen⟩ sail on, continue, proceed ◆ *deze boot vaart door **tot** Singapore* this ship continues to Singapore [3] ⟨zijn weg nemen door⟩ pass through, ⟨kanaal⟩ pass along ◆ *de **zeestraat** doorvaren* pass the straits

¹**doorvechten** [onov ww] ⟨voortgaan met vechten⟩ keep/go on fighting, continue the fight, fight on ◆ ***tot** het bittere einde/uiterste doorvechten* fight to the finish, fight on to the bitter end

²**zich doorvechten** [wk ww] ⟨zich een weg banen⟩ fight one's way (through)

doorverbinden [ov ww] ⟨comm⟩ connect, ⟨telefoon ook⟩ put through (to) ◆ *wilt u mij even doorverbinden **met** meneer X?* could you put me through to Mr X please?; *ik verbind **u** door* I'll connect you/put you through, (I'm) trying to connect you

doorverkoop [de^m] resale

doorverkopen [ov ww] resell (to a third party)

doorvertellen [ov ww] pass on ◆ *ik zal **het** niet doorvertellen* I won't pass it on/I won't tell anyone (else); ⟨inf⟩ I won't blab, I'll keep it under my hat

doorverwijzen [ov ww] refer ◆ *een patiënt doorverwijzen **naar** de specialist* refer a patient to a specialist

doorvlechten [ov ww] (inter)lace (with/through), intertwine/interweave (with)

doorvliegen [onov ww] [1] ⟨voortgaan met vliegen⟩ fly on [2] ⟨verder vliegen⟩ fly on, continue one's flight (to)

doorvloeien [onov ww] [1] ⟨voortgaan met vloeien⟩ flow on, continue flowing [2] ⟨verder vloeien⟩ flow on ▪ *de **kleuren** vloeien door* the colours are running; *dit **papier** vloeit door* this paper will blot

doorvoed [bn] well-fed, well-nourished

doorvoelen [ov ww] be keenly sensitive to, be keenly sensible of, feel intensely ◆ *doorvoelde **poëzie*** feeling/passionate verse

doorvoer [de^m] [1] ⟨het vervoeren van koopwaren⟩ transit ◆ ***rechten** van doorvoer* transit duties/dues [2] ⟨waren⟩ transit goods [3] ⟨opening voor leiding⟩ pipe hole

doorvoeren [ov ww] [1] ⟨handel⟩ ⟨koopman⟩ forward/ship goods in transit, ⟨vervoerder⟩ convey goods in transit [2] ⟨uitvoering geven aan⟩ carry through/out, go ahead with, put through, ⟨wet⟩ implement, enforce ◆ ***bezuinigingen/hervormingen** doorvoeren* bring cuts/reforms into force, carry out/implement cuts/reforms; *een methode **streng/met kracht** doorvoeren* enforce a method; *een vergelijking **te ver** doorvoeren* push an analogy too far/to extremes; *je moet dat niet **te ver** doorvoeren* you shouldn't press the point; *zij voerden het **zover** door, dat ...* they carried it through to such lengths/such an extent that ... [3] ⟨door iets heen voeren⟩ conduct through, guide/lead through, ⟨ter bezichtiging⟩ show over/around ◆ *hij voerde mij alle **zalen** door* he showed me over/around all the rooms

doorvoerhandel [de^m] transit trade

doorvoerhaven [de] transit port

doorvoerland [het] transit country

doorvoerrecht [het] transit duty ◆ *doorvoerrechten **betalen*** pay transit duty/duties

doorvorsen [ov ww] scrutinize, examine, study closely, study in depth, explore

¹**doorvragen** [onov ww] ⟨doorgaan met vragen⟩ keep/go on asking (questions), continue to ask (questions)

²**doorvragen** [ov ww] ⟨vragen van begin tot eind⟩ ⟨lessen⟩ ask questions on, test

¹**doorvreten** [onov ww] ⟨voortgaan met vreten⟩ continue to stuff o.s.

²**doorvreten** [ov ww] ⟨vretende vernielen⟩ eat through

³**doorvreten** [ov ww] eat away/through, corrode

doorvriezen [onov ww] keep (on) freezing, continue to freeze, continue freezing, go on freezing ◆ *als het nog even **wil** doorvriezen* if it just keeps (on) freezing a little longer

doorwaadbaar [bn] fordable, wad(e)able, passable ◆ *een doorwaadbare **plaats*** a ford

doorwaaien [onov ww] air ◆ ***laat** de kamer eens flink doorwaaien* give the room a good airing

doorwaden [ov ww] wade through, ⟨bij een voord⟩ ford

¹**doorwaken** [ov ww] watch through ◆ *een doorwaakte **nacht*** a wakeful night

²**doorwaken** [ov ww] watch through, wake

doorwandelen [onov ww] [1] ⟨verder wandelen⟩ walk on [2] ⟨door iets wandelen⟩ walk through, walk round, walk all over [3] ⟨met spoed wandelen⟩ stride/march along ◆ ***stevig** doorwandelen* walk briskly/at a brisk/stiff pace

doorweekt [bn] wet through, soaked, drenched, ↑saturated ◆ *haar **kleren** waren doorweekt* here clothes were soaked/drenched through; *doorweekt **tot op** hun hemd kwamen ze thuis* they came home soaked/drenched to the skin/soaking wet/sopping wet/dripping wet; *het **veld** was doorweekt* the field was sodden/soggy/waterlogged

doorweken [ov ww] soak, drench, ↑saturate

¹**doorwerken** [onov ww] [1] ⟨voortgaan met werken⟩ go/keep/carry on working, continue to work, work on, ⟨noest⟩ peg, ↓slog (away), ⟨na werktijd⟩ work overtime ◆ *er werd **dag** en **nacht** doorgewerkt* they worked night and day; *wij werken **vanavond** door* we're working late tonight [2] ⟨voortgang maken met het werk⟩ make headway, get on (with the job) ◆ *je **kunt** hier nooit doorwerken* one can never get on with one's work here [3] ⟨invloed hebben (op)⟩ affect, make itself felt ◆ *zijn **houding**/zijn gezonde **oor**-*

deel werkt door op anderen his attitude/his common sense has its effect on others; *dat werkt door **op** zijn humeur* that affects/influences his temper; ⟨negatief ook⟩ that irritates him

[2]**doorwerken** [ov ww] work (with), interweave/interlace (with) ♦ ***met** goud doorwerken* work with gold

[3]**doorwerken** [ov ww] ⟨ten einde toe bestuderen⟩ work (one's way) through, get/go through ♦ *een heleboel **brieven/ stukken** door moeten werken* have to plough/wade through a mass of letters/documents

doorwerking [de^v] 1 ⟨het doorwerken⟩ ⟨invloed, uitstraling⟩ carry-over, ⟨gevolg⟩ (continued) effect 2 ⟨muz⟩ development

doorwerkpak [het] all-weather clothing

doorwerkproject [het] ± non-stop project

doorweven [ov ww] ⟨ook fig⟩ interlace/interweave/inweave (with) ♦ *een gouden doekje doorweven **met** blauw* a gold cloth interwoven/tissued/shot with blue

doorwinterd [bn] ⟨in België⟩ dyed-in-the-wool, seasoned, experienced

doorwinteren [ov ww] winter ♦ *een **koe** doorwinteren* winter a cow; ***kool** doorwinteren* leave cabbage standing/ out throughout the winter

[1]**doorwoelen** [onov ww] ⟨voortgaan met woelen⟩ ⟨in bed⟩ continue tossing and turning, go on tossing and turning, ⟨wroeten⟩ go on rooting (up), continue rooting (up), go on grabbing up, continue grabbing up, go on burrowing, continue burrowing

[2]**doorwoelen** [ov ww] root/burrow/rummage through

[3]**doorwoelen** [ov ww] ⟨stukwoelen⟩ burrow through, root up

doorworstelen [ov ww] struggle/wade/plough through ♦ *een vervelend **boek** doorworstelen* plough/wade through a dull book; *slechte **tijden** doorworstelen* struggle through hard times

doorwrocht [bn] well thought-out, ⟨bouwwerk⟩ solid, ⟨plan⟩ mature ♦ *een doorwrocht **betoog*** a well-wrought argument; *een doorwrocht **geheel*** a solid piece of work

[1]**doorwroeten** [onov ww] ⟨voortgaan met wroeten⟩ go on rooting (up), continue rooting (up), go on grabbing up, continue grabbing up, go on burrowing, continue burrowing

[2]**doorwroeten** [ov ww] ⟨wroetend stukmaken⟩ root up, uproot

[3]**doorwroeten** [ov ww] root (around/among), burrow (around/among), rummage (around/among), ransack

[1]**doorzagen** [onov ww] 1 ⟨doorgaan met zagen⟩ keep/go on sawing, continue to saw 2 ⟨vervelend blijven doorpraten⟩ keep/go/moan on (about sth.), harp on (sth./the same string), flog (sth.) to death

[2]**doorzagen** [ov ww] ⟨in tweeën zagen⟩ saw (sth.) through, saw in two ▪ ***iemand** over iets blijven doorzagen* force/thrust sth. down s.o.'s throat; ⟨scherp ondervragen⟩ pester s.o. with questions about sth., give s.o. the third degree about sth.

doorzakken [onov ww] 1 ⟨een doorbuiging krijgen⟩ sag, give (way) ♦ *met doorgezakte **knieën*** with sagging knees, sagging at the knees; *de **vloer** zakte door* the floor sagged/dropped/subsided; *doorgezakte **voeten*** fallen arches 2 ⟨sterkedrank drinken⟩ go on drinking/boozing, make a night of it, get drunk/tight ♦ *zeker weer **lekker** doorgezakt, hè?* been out on the town again, then?

doorzakking [de^v] sag(ging), collapse

[1]**doorzeilen** [onov ww] ⟨verder zeilen⟩ sail on, ⟨fig⟩ trim, maintain a middle course/position, hold a middle course/ position

[2]**doorzeilen** [ov ww] ⟨zeilend stukmaken⟩ sail through

doorzetster [de^v] → **doorzetter**

[1]**doorzetten** [onov ww] 1 ⟨met meer kracht optreden⟩ get/become stronger, get/become more intense ♦ *de **weeën** zetten door* the contractions are increasing (in intensity); *de **wind** zet door* the wind is rising 2 ⟨volharden⟩ persevere, stay the course, ⟨pej⟩ persist, ↓hang on ♦ *nog **even** doorzetten!* don't give up now!, ⟨AE⟩ hang in there!; give it one more try!; *als de economische **groei** doorzet* if economic growth continues; ***stug** doorzetten* persevere; ***van** doorzetten weten* be a go-getter/stayer, not give up easily, not take no for an answer

[2]**doorzetten** [ov ww] 1 ⟨doen voortgaan⟩ press/go ahead with, ⟨plan, voorstel⟩ push/get through, ⟨eis⟩ press, enforce ♦ *een **plan/besluit** doorzetten* carry a plan/decision through 2 ⟨volledig uitvoeren⟩ go through with, see/carry through, ⟨iets vervelends⟩ get over (and done) with ♦ *wij konden de genomen **maatregelen** niet doorzetten* we were unable to enforce the measures; *iets **tot** het einde toe doorzetten* see sth. through/out, pursue sth. to the end

doorzetter [de^m], **doorzetster** [de^v] go-getter, stayer, trier, ↓whole-hogger, terrier

doorzettingsmacht [de] ⟨in Nederland⟩ power to overrule

doorzettingsvermogen [het] perseverance, drive, ⟨pej⟩ persistence ♦ *het **ontbrak** hem aan doorzettingsvermogen* he lacked drive, he couldn't stand the pace; *zijn doorzettingsvermogen **werd beloond*** his perseverance was rewarded

doorzeuren [onov ww] harp on (about), keep/go on (about), keep whining, nag ⟨ook pijn⟩ ♦ *hij zeurt maar door **over** zijn kwalen* he never stops moaning about his aches and pains

doorzeven [ov ww] riddle ♦ *een **met** kogels doorzeefd lijk* a bullet-riddled corpse; *iemand/de deur doorzeven **met** kogels* riddle s.o./the door with bullets

doorzicht [het] 1 ⟨gelegenheid om tussen iets door te zien⟩ view, perspective 2 ⟨fig⟩ insight, perspicacity, discernment, understanding ♦ *een man met **veel/weinig** doorzicht* a man of great/little discernment

doorzichtig [bn] 1 ⟨transparant⟩ transparent, ⟨kledingstuk⟩ (trans)lucent, pellucid, see-through, ⟨glas⟩ clear ♦ *gewoon **glas** is doorzichtig, matglas doorschijnend* plain glass is transparent, frosted glass is translucent 2 ⟨fig⟩ transparent, thin, obvious ♦ *een doorzichtig **excuus*** a transparent/ thin excuse; *een doorzichtige **leugen*** a transparent/obvious lie; *een al te doorzichtig **plan*** an all too transparent/obvious plan; *een doorzichtige **vermomming*** a thin disguise

doorzichtigheid [de^v] ⟨ook fig⟩ transparency, (trans)lucency, pellucidity

[1]**doorzien** [onov ww] → **doorkijken**[1]

[2]**doorzien** [ov ww] see through, ⟨persoon⟩ be on to, ⟨persoon, list; inf; BE⟩ rumble ♦ *hij doorzag haar **bedoelingen*** he saw what she was up to/what her (little) game was; ***gemakkelijk** te doorzien* transparent, obvious; *ik doorzie **je wel*** I can read you like a book, I've got your number, I'm up to your tricks; *een **spelletje** doorzien* tumble to s.o.'s (little) game, ⟨inf⟩ rumble to s.o.'s (little) game

[1]**doorzijgen** [onov ww] ⟨door iets heen zijgen⟩ filter, strain (through), infiltrate

[2]**doorzijgen** [ov ww] ⟨door iets heen doen zijgen⟩ filter, strain, percolate

[1]**doorzitten** [onov ww] ⟨paardsp⟩ ride (at) a sitting trot

[2]**doorzitten** [ov ww] ⟨beschadigen⟩ wear out (the seat of) ♦ *je **broek** is doorgezeten* you've worn out/through the seat of your trousers/[A]pants

[1]**doorzoeken** [onov ww] go/keep on searching, go on with the search, continue the search, search on

[2]**doorzoeken** [ov ww] search/go through, ⟨grondig⟩ ransack, ⟨vero⟩ visit, ⟨persoon; sl⟩ frisk ♦ *een **bos** doorzoeken* comb a wood; *het hele **huis** doorzoeken op wapens* ransack/ comb the whole house for weapons/in search of weapons; *wij hebben het hele **huis** doorzocht* we've been through the whole house; *zijn **zakken** doorzoeken* turn one's pockets

(inside) out, go through one's pockets

doorzonkamer [de] through lounge/room

doorzonwoning [de^v] house with a through lounge/room, flat with a through lounge/room

doorzweet [bn] 1 ⟨m.b.t. personen⟩ perspiring all-over, running/dripping (wet) with sweat 2 ⟨m.b.t. kledingstukken⟩ sweaty

doorzweten [onov ww] sweat, ↑transude ♦ *doorzwetende* ***muren*** damp/sweating walls

doorzwikken [onov ww] sprain, turn ♦ *zijn* ***enkel*** *is doorgezwikt* he has a sprained ankle, he's sprained his ankle

¹**doorzwoegen** [onov ww] ⟨doorgaan met zwoegen⟩ toil on, ⟨inf⟩ plug away

²**doorzwoegen** [ov ww] ⟨zwoegend doorkomen⟩ toil through, ⟨inf⟩ plug one's way through

doos [de] 1 ⟨voorwerp⟩ box, ⟨wijn⟩ case, ⟨gezichtspoeder⟩ compact ♦ *een doos* ***bonbons*** a box of chocolates; *een* ***kartonnen*** *doos* a carton, a cardboard box; *een liedje/verhaal uit de* ***oude*** *doos* an old(-fashioned) song/story, a golden oldie; *de doos van* ***Pandora*** Pandora's box; ⟨luchtv⟩ *de* ***zwarte*** *doos* the black box, the flight recorder 2 ⟨inf; wc⟩ ⟨BE⟩ loo, ⟨BE⟩ lav, ⟨AE⟩ john, ⟨AE⟩ ↓can ♦ ***op*** *de doos zitten* be in the ^{B}lav/^{B}loo/^{A}john/^{A}can 3 ⟨gevangenis⟩ clink, jug, ⟨AE⟩ slammer, ⟨AE⟩ can ♦ ***in*** *de doos zitten* be in clink/in the slammer, do time, ⟨BE⟩ do bird 4 ⟨in België; blik⟩ ⟨BE⟩ tin, ⟨AE⟩ can 5 ⟨inf; vrouw⟩ cunt, stupid cow

doosje [het] box, ⟨sigaretten⟩ carton, ⟨bijouterie⟩ casket ♦ *een doosje* ***aardbeien*** a punnet of strawberries; *een doosje* ***lucifers*** a box of matches; *hij is/ziet eruit als* ***uit*** *een doosje* he is dressed up to the nines, he looks a picture, he is dressed/looks like a band-box

doosvrucht [de] ⟨plantk⟩ capsule, pyxidium, pyxis

doowop [de] doo-wop

dop [de^m] 1 ⟨omhulsel, schaal⟩ ⟨eieren, noten⟩ shell, ⟨peulvruchten⟩ pod, shuck, ⟨zaden, granen⟩ husk ♦ *een advocaat* ***in*** *de dop* a budding/would-be lawyer; *pas* ***uit*** *de dop* hardly out of the shell, wet behind the ears 2 ⟨voorwerp⟩ ⟨pen, flacon, tube⟩ cap, top ♦ *de dop van een* ***ventiel*** a valve(-sealing) cap, a dustcap 3 ⟨mv; ogen⟩ eyes ♦ ***kijk uit*** *je doppen!* keep your eyes skinned/peeled!, watch where you're going! 4 ⟨hoed⟩ ⟨BE⟩ bowler (hat), ⟨AE⟩ derby, ⟨dameshoed⟩ cloche, pillbox 5 ⟨werkloosheidsuitkering⟩ dole, ⟨AE⟩ welfare ♦ *hij leeft* ***van*** *de dop* he's on the dole/on welfare ⊡ ⟨sprw⟩ *beter een half ei dan een lege dop* half a loaf is better than no bread/than none; half an egg is better than an empty shell; better some of a pudding than none of a pie

¹**dope** [de^m] 1 ⟨pepmiddel⟩ dope ♦ *helemaal* ***onder*** *de dope zitten* be stoned, ↓be doped up to the eyeballs 2 ⟨drugs⟩ dope

²**dope** [bn] ⟨inf⟩ ⟨cool⟩ (really) dope, awesome

dopeling [de^m] child/person to be baptized, child/person receiving baptism

dopen [ov ww] 1 ⟨dompelen⟩ sop, dunk (in) ♦ *beschuit* ***in*** *melk dopen* sop rusks in milk; *zijn pen* ***in*** *de inkt dopen* dip one's pen in the ink 2 ⟨de doop toedienen⟩ baptize, christen ♦ *dopen* ***door*** *onderdompeling* baptize by immersion; *dat zijn gedoopte* ***heidenen*** they are most unchristian christians; *iemand* ***tot*** *christen dopen* baptize s.o. (as) a Christian 3 ⟨een naam geven⟩ christen, baptize, name ♦ *ik doop u Poseidon en wens u een behouden vaart* I christen thee Poseidon, and wish thee a prosperous voyage 4 ⟨doping toedienen aan⟩ drug, ↓dope, ⟨renpaard⟩ nobble 5 ⟨in België; ontgroenen⟩ initiate, ⟨BE⟩ rag, ⟨AE⟩ haze

doper [de^m] 1 ⟨iemand die doopt⟩ baptizer ♦ ***Johannes*** *de Doper* John the Baptist 2 ⟨doopsgezinde⟩ Baptist

doperwt [de] green/garden pea

dopheide [de] heath(er) ♦ ***gewone*** *dopheide* cross-leaved/bottle heath, bell-heather

dophoed [de^m] ⟨BE⟩ bowler (hat), ⟨AE⟩ derby

doping [de^v] 1 ⟨het toedienen⟩ doping, ⟨renpaard⟩ nobbling 2 ⟨middelen⟩ drug(s), ↓dope, ↑narcotic(s) ♦ *betrapt op het* ***gebruik*** *van doping* caught taking drugs; *die wielrenner* ***heeft*** *doping* ***gebruikt*** that cyclist has taken drugs; *iemand doping* ***toedienen*** drug s.o., ↓dope s.o., give drugs to s.o., ↑administer drugs to s.o.

dopingcontrole [de] ⟨sport⟩ dope test

dopinggebruik [het] doping ♦ *de strijd* ***tegen*** *het dopinggebruik* control of doping, measures to combat/control doping, ⟨inf⟩ measures to stamp out doping

dopinggeduid [aanw bn] ± allegedly prohibited/banned/illegal substance

dopinglijst [de] dope list

dopingtest [de^m] dope test ♦ *iemand een dopingtest* ***afnemen*** dope-test s.o.

dopingzondaar [de^m] sportsperson who has failed drug/doping test

dopluis [de] cottony maple scale

dopmoer [de] ⟨techn⟩ cap/dome/box/blind nut, thimble

dopneus [de^m] red nose

¹**doppen** [onov ww] ⟨in België⟩ ⟨stempelen als werkloze⟩ sign on (at the employment/labour exchange), ⟨BE⟩ be on the dole, ⟨AE⟩ be on welfare

²**doppen** [ov ww] 1 ⟨pellen, schillen⟩ (un)shell, ⟨bonen/erwten ook⟩ pod, shuck, hull, ⟨noot/ei ook⟩ peel, ⟨zaden, granen⟩ (un)husk, hull ♦ *ik kan mijn eigen* ***boontjes*** *wel doppen!* don't wet-nurse me!, I can look after myself!; *je zult je eigen* ***boontjes*** *moeten doppen* you'll have to go it alone, you'll have to stand on your own two feet 2 ⟨in België; indopen⟩ sop, dunk (in)

dopper [de^m] 1 ⟨doperwt⟩ (green/garden) pea 2 ⟨in België; werkloze⟩ unemployed person, ⟨BE⟩ person on the dole ♦ *de doppers* the unemployed

dopplereffect [het] doppler effect

dopregeling [de^v] early retirement plan for teachers

dopsleutel [de^m] socket spanner, ⟨AE⟩ socket wrench, ⟨AE⟩ box wrench

dopvrucht [de] achene ♦ ***enkelvoudige/dubbele/gevleugelde*** *dopvrucht* single/double/winged achene

dor [bn] 1 ⟨schraal, verdord⟩ barren, arid, dry ♦ ⟨van ideeen, voorstellen⟩ *in dorre* ***aarde vallen*** fall on barren ground; *een dor* ***heideveld*** a barren heath 2 ⟨m.b.t. planten⟩ withered, ⟨vrucht⟩ wizened ♦ *dorre* ***bladeren*** withered leaves; *dor* ***hout*** dry/dead wood; *een dorre* ***rank*** a withered vine 3 ⟨m.b.t. het lichaam⟩ withered, ⟨gezicht⟩ wizened ♦ *een dor* ***mannetje*** a withered/dried up little fellow; *een dorre* ***schoot*** a barren womb 4 ⟨m.b.t. uitingen⟩ dull, ⟨geschriften⟩ humdrum, dehydrated, insipid, prosy ♦ *op dorre* ***toon*** *spreken* speak in a dry voice 5 ⟨weinig bezield⟩ dry (as dust), dull (as ditchwater), insipid ♦ *een dor* ***scepticisme*** a dry/barren scepticism

dorade [de] dorado

dorheid [de^v] 1 ⟨droogte⟩ dryness, aridity 2 ⟨onvruchtbaarheid⟩ barrenness, aridity 3 ⟨fig⟩ dryness, aridity, monotony, dullness

Dorisch [bn] Doric ⟨ook beeldende kunst, taalkunde⟩, Dorian ⟨ook muziek, soms taalkunde⟩ ♦ *Dorische* ***bouworde*** the Doric order; *de Dorische* ***tongval*** the Doric accent, ⟨zeldz⟩ the Dorian accent; *de Dorische* ***toonaard*** the Dorian mode; *Dorische* ***zuil*** Doric column

dormitorium [het] dormitory

dorp [het] 1 ⟨gemeente op het platteland⟩ village, ⟨AE⟩ town ♦ ***in/op*** *een dorp wonen* live in a village/^{A}town 2 ⟨bewoners⟩ village, ⟨AE⟩ town ♦ *het* ***hele*** *dorp weet het* it's all over town ⊡ ⟨sprw⟩ *'t is een slecht dorp waar 't nooit kermis is* ± all work and no play makes Jack a dull boy; ± variety is the spice of life

dorpel [de^m] 1 ⟨drempel⟩ threshold, doorstep 2 ⟨deel van een kozijn⟩ ⟨benedendorpel deur⟩ threshold, ⟨bovendorpel⟩ lintel, ⟨benedendorpel deur of raam⟩ sill

dorpeling [de^{m}] villager, ⟨mv ook⟩ village people
dorper [bn] boorish
dorps [bn, bw] 1 ⟨landelijk⟩ rural ⟨bw: ~ly⟩, rustic, countrified, ⟨pej⟩ cracker-barrel ◆ *het is daar nog echt dorps* life is still very rural there; *zich dorps **kleden*** dress rustically; *een dorps **tafereel*** a rustic scene; *dorpse **zeden*** village morality 2 ⟨bekrompen⟩ parochial ⟨bw: ~ly⟩
dorpsbewoner [de^{m}] villager
dorpscentrum [het] town centre
dorpscultuur [de^{v}] small-town culture
dorpsgeest [de^{m}] parochialism
dorpsgek [de^{m}] village idiot
dorpsgemeenschap [de^{v}] village/rural community
dorpsgenoot [de^{m}], **dorpsgenote** [de^{v}] fellow-villager
dorpsgenote [de^{v}] → **dorpsgenoot**
dorpsgezicht [het] 1 ⟨uitzicht⟩ view of a/the village ◆ ***beschermd*** *dorpsgezicht* protected rural area, conservation area 2 ⟨afbeelding daarvan⟩ view of a/the village
dorpshoofd [het] village chief, head of a/the village, ⟨vnl. stamhoofd⟩ headman
dorpshuis [het] 1 ⟨gemeentehuis⟩ Town Hall 2 ⟨cultureel centrum⟩ community centre
dorpsidioot [de^{m}] village idiot
dorpskom [de] town centre
dorpsleven [het] village life
dorpsmentaliteit [de^{v}] village/parochial outlook, village/parochial mentality
dorpsomroeper [de^{m}] town crier
dorpspastoor [de^{m}] ⟨r-k⟩ village/parish priest
dorpsplein [het] (village) green/square
dorpspolitiek [de^{v}] village politics
dorpsschool [de] (village/country/rural) schoolhouse
dorpsschoolmeester [de^{m}] village/country schoolteacher, ⟨BE ook⟩ village schoolmaster
dorpsstraat [de] village street, ⟨voornaamste⟩ main street
1**dorsaal** [de] ⟨taalk⟩ dorsal
2**dorsaal** [bn] 1 ⟨taalk⟩ dorsal 2 ⟨van de rug⟩ dorsal, tergal
dorsen [ov ww, ook abs] thresh, thrash, ⟨met vlegel, ook⟩ flail
dorsmachine [de^{v}] threshing-machine, thresher, thrasher
dorst [de^{m}] 1 ⟨behoefte aan drinken⟩ thirst ◆ *dorst **als** een paard* raging thirst; ***erge*** *dorst hebben* be parched, be dry as dust; *dorst **hebben*** be thirsty, have a thirst; *daar **krijg** je dorst van* that makes one thirsty, that's a thirsty job; *zijn dorst **lessen*** quench one's thirst; *ik **verga** van de dorst* I'm dying for a drink, I'm dying of thirst; *een appeltje **voor** de dorst* a nest egg/buffer 2 ⟨hevig verlangen⟩ thirst, craving, hunger ◆ *dorst **naar** rijkdom/eer/kennis* thirst for/hunger for/crave riches/honour/knowledge
dorsten [onov ww] thirst for/after, hunger for, crave, be thirsty for ◆ ***naar*** *bloed/wraak dorsten* thirst for/after blood/revenge, be out for blood/revenge
dorstig [bn] thirsty, parched, dry as dust ◆ *dorstige **kelen*** parched throats; *dit weer **maakt** dorstig* this is thirsty weather, this weather gets one's thirst up
dorstlessend [bn] thirst-quenching
dorstlesser [de^{m}] thirst-quencher
dorststaking [de^{v}] thirst strike
dorstverwekkend [bn] causing/producing thirst, ⟨werk; inf⟩ thirsty
dorsvlegel [de^{m}] flail
dorsvloer [de^{m}] threshing floor
dos [de^{m}] attire, dress, apparel ◆ *in **rijke/feestelijke/plechtige** dos* in rich/festive/formal attire
DOS [het] (disk operating system) DOS
doseerapparaat [het] (dose-)measuring device, (piece of) (dose-)measuring apparatus/equipment, dispenser
doseren [ov ww] 1 ⟨een dosis bepalen⟩ dose 2 ⟨in doses verdelen⟩ dose, divide/measure into doses ◆ *een **goed** gedoseerd (programma-)aanbod* a well-balanced variety of programmes
dosering [de^{v}] 1 ⟨afgemeten hoeveelheid⟩ quantity, ⟨van geneesmiddel⟩ dose 2 ⟨het doseren⟩ measurement (of quantity), ⟨van geneesmiddel⟩ measurement of (the) dose, ⟨met toedienen⟩ dosage
dosis [de^{v}] ⟨med⟩ dose, measure, ⟨fig⟩ degree ◆ *een **bescheiden** dosis gezond verstand* a modicum of common sense; *een **fatale** dosis* a fatal dose; *een **flinke** dosis gezond verstand* a good share/a full measure of common sense; *daar komt ook een dosis **geluk** bij kijken* that needs a certain amount of luck; *een te **grote/zware** dosis* an overdose; *beschikken over een **grote** dosis **moed*** have a great stock/store/fund of courage; *een **zekere/redelijke** dosis gezond verstand* a certain amount/a fair share of common sense
dosismeter [de^{m}] dosimeter
dossier [het] file, documents, records, ⟨politie, jur ook⟩ dossier ◆ *een dossier **aanleggen** van iets* file sth., place sth. on file; *een dossier **bijhouden** van iets/iemand* keep a dossier/file on sth./s.o., have sth./s.o. on file; *een dossier **lichten*** remove a file; *zijn getuigenis vormt inmiddels een **omvangrijk** dossier* his statement has grown to an extensive file/dossier; *iets/iemand **uit** het dossier lichten* remove sth./s.o. from the file, take sth./s.o. off the file
dossierkennis [de^{v}] familiarity with a file or case
dot [de] 1 ⟨dot, pluk⟩ ⟨haar, gras⟩ tuft, ⟨haar ook⟩ knot, ⟨gras ook⟩ tussock ◆ *een dot **garen/poetskatoen*** a tuft of thread, a wad of cotton waste; *een **flinke** dot **slagroom*** a dollop of cream; *een dot **watten*** a wad of cotton 2 ⟨iets kleins, liefs⟩ darling, (little) love, dream, duck, peach ◆ *een dot **van** een kind/hoedje* a little love/dream of a child/hat ⊡ *een dot **gas** geven* step on it/the gas, gun the engine; ⟨sport⟩ *een dot **van** een **kans*** a golden opportunity
dotaal [bn] dotal ◆ *dotale **goederen*** dowry; *dotaal **systeem*** dotal system
dotatie [de^{v}] 1 ⟨schenking⟩ donation, endowment, contribution, ⟨boekhouding⟩ appropriation, allocation ◆ *een dotatie **uit** de winst aan het reservefonds* an allocation/appropriation/a transfer out of the profits (made) to the reserve fund/to reserve, a reserve allocation/appropriation/transfer from the profits 2 ⟨in België; rijkstoelage⟩ (state) grant/subsidy/funds
dotcom [de^{m}] dotcom
doteren [ov ww] 1 ⟨begiftigen⟩ donate (to), endow (with), contribute (to), present (to) ◆ *een bedrag **aan** een instelling doteren* donate a sum to an institution, endow an institution with a sum; *een **goed** gedoteerde prijzenpot* a well-filled jackpot; *de **hoogst** gedoteerde koers* the highest price/quotation/rate offered; *een met 100.000 dollar gedoteerd **toernooi*** a tournament with prize money of 100,000 dollars 2 ⟨toevoegen, -schrijven⟩ allocate, appropriate, transfer, add, carry ◆ *een bedrag doteren **aan** de oudedagsreserve* contribute a sum to the pension fund
dotterbehandeling [de^{v}] percutaneous angioplasty
dotterbloem [de] marsh-marigold, king-cup
dotteren [ov ww] ⟨med⟩ perform percutaneous angioplasty on ◆ *gedotterd **worden*** have percutaneous angioplasty
douairière [de^{v}] dowager
1**douane** [de^{m}] ⟨beambte⟩ customs officer
2**douane** [de] 1 ⟨dienst⟩ customs ◆ ***door*** *de douane gaan* go through customs, pass the customs; *iets **door/langs** de douane smokkelen* smuggle sth. past the customs 2 ⟨kantoor⟩ customs house, customhouse
douaneagentschap [het] ⟨in België⟩ (forwarding and) customs agency, forwarding/shipping office
douanebeambte [de] customs officer/official, customs

house officer, revenue officer

douaneformaliteiten [de^{mv}] customs formalities ♦ *aan de douaneformaliteiten is voldaan* the customs formalities have been satisfied; *de douaneformaliteiten **afhandelen/vervullen*** conclude/complete the customs formalities

douanekantoor [het] customs office/house

douaneloods [de] customs shed

douaneonderzoek [het] customs/inspection examination, ⟨inf⟩ (the) customs

douanepapieren [de^{mv}] customs forms/documents

douanepolitiek [de^{v}] customs policy

douanerechten [de^{mv}] customs/revenue duties, revenue taxes, ⟨inf⟩ (the) customs

douanetarief [het] customs/revenue tariff, tariff rate

douane-unie [de^{v}] customs union

douaneverklaring [de^{v}] customs declaration, ⟨bij goederen⟩ bill of entry

douanevervoer [het] Customs transit operation

douanier [de^{m}] customhouse officer/official, customs collector

doublant [de^{m}] repeater

double [de^{m}] double

^{1}**doublé** [het] gold plate ♦ *een armband **van** doublé* a gold-plated bracelet

^{2}**doublé** [bn] gold-plated

^{1}**doubleren** [onov ww] ⟨bridge⟩ double

^{2}**doubleren** [ov ww] ① ⟨verdubbelen⟩ double ② ⟨bilj⟩ double ③ ⟨voeren⟩ line

^{3}**doubleren** [ov ww, ook abs] ⟨onderw⟩ repeat (a class), stay down/^{A}back

doublet [het] ① ⟨dubbel exemplaar⟩ duplicate, double, twin ② ⟨taalk⟩ doublet ③ ⟨natuurk⟩ doublet ④ ⟨bridge⟩ double

doubleur [de^{m}] ① ⟨onderw⟩ ± non-promoted pupil ② ⟨film⟩ double

doublure [de] ① ⟨voering⟩ lining, ⟨boek⟩ doublure ② ⟨dram; een dubbelrol spelen⟩ doubling ③ ⟨dram; reservespeler⟩ understudy ④ ⟨onderw; het zittenblijven⟩ staying back/^{A}down, repeating (a class) ⑤ ⟨verdubbeling⟩ duplication ♦ *om doublures te **voorkomen*** to prevent duplication

douceur [de] ① ⟨fooi, geschenk in geld⟩ tip, gratuity, douceur ♦ *een **aardig** douceurtje* a nice windfall ② ⟨bijverdienste⟩ extra earnings

douche [de] ① ⟨stortbad⟩ shower ♦ *een **koude** douche* ⟨lett⟩ a cold shower; ⟨fig⟩ a rude awakening; ⟨fig⟩ *als een **koude** douche werken op* cast/throw cold water, put a damper on; ⟨fig⟩ *dat was een **koude** douche voor ons* that brought us out of the clouds, that brought us down with a bump; *een douche **nemen*** take a shower; *ze staat **onder** de douche* she's in the shower; ***Schotse** douche* alternating hot and cold shower ② ⟨douchecel⟩ shower (cubicle/stall) ③ ⟨toestel voor stortbaden⟩ shower, ⟨vnl med⟩ douche

douchecabine [de^{v}] → **douchecel**

douchecel [de], **douchecabine** [de^{v}] shower (cubicle), ⟨met deur ook⟩ shower cabinet, ⟨zonder deur ook⟩ shower stall

douchegel [het, de^{m}] shower gel

douchegordijn [het] shower curtain

douchekop [de^{m}], **douchesproeier** [de^{m}] shower head

douchen [onov ww] shower, take/have a shower

douchescherm [het] shower screen

douchesproeier [de^{m}] → **douchekop**

Dougalls stern [de] ⟨dierk⟩ roseate tern

douglasspar [de^{m}] Douglas fir

douw [de^{m}] ⟨inf⟩ shove, push, thrust, poke, ⟨met elleboog⟩ nudge ♦ ⟨fig⟩ *iemand een douw **geven*** set s.o. back, rap s.o. on/over the knuckles, throw the book at s.o.; *een douw **krijgen*** catch it, take the rap, be reprimanded/punished

douwen [ov ww, ook abs] ⟨inf⟩ shove, push, thrust, poke, ⟨opzij⟩ crowd

dove [de] deaf person ♦ *dat was **aan** geen dove gezegd* he took careful note of that; *(de) doven* the deaf ⊡ ⟨sprw⟩ *er zijn geen erger doven dan die niet horen willen* there's none so deaf as those who won't hear

dovekool [de] dead coal

dovemansoren [de^{mv}] ⊡ *dat is niet aan dovemansoren gezegd* that did not fall on deaf ears; ***voor** dovemansoren spreken* not find/obtain any hearing

doven [ov ww] extinguish, put out, ⟨licht⟩ turn out/off, ⟨vuur ook⟩ smother, ⟨kaars, hoogoven⟩ blow out ♦ *een auto met gedoofde **lichten*** a car with no lights/its lights off; ⟨fig⟩ *het vuur is gedoofd* the fire is gone/has gone out

dovenetel [de] dead nettle, blind nettle ♦ ***witte** dovenetel* white dead nettle

doveninstituut [het] institute for the deaf

doventaal [de] sign language

doventelefoon [de^{m}] telephone for the deaf

doventolk [de^{m}] interpreter for the deaf

dovig [bn] somewhat deaf, a bit deaf, hard of hearing

Dow-Jonesindex [de^{m}] Dow Jones Index

down [bn] ① ⟨neerslachtig⟩ down, down in the mouth, down-hearted, downcast, out of spirits, blue, low ② ⟨bridge⟩ down ♦ ***twee** down (gaan)* (be/go) down by two, (be/go) two down ⊡ *down **gaan*** ⟨van computer(systeem)⟩ fail, go down

downbeat [de^{m}] ① ⟨muz⟩ downbeat ② ⟨zwemmen⟩ down beat

downer [de^{m}] downer

downgraden [ov ww] downgrade

downhill [bn] downhill

downie [de^{m}] child with Down's syndrome

download [de^{m}] download

downloaden [ov ww] ⟨comp⟩ download

downslag [de^{m}] ⟨bridge⟩ undertrick

downstemming [de^{v}] low spirits, downheartedness, melancholy

downstream [bn] ① ⟨m.b.t. de verwerking van delfstoffen⟩ downstream ② ⟨comp⟩ downstream

downsyndroom [het] Down's syndrome

^{1}**downtown** [de] ⟨binnenstad⟩ ⟨AE⟩ downtown, ⟨BE⟩ town centre, ⟨BE⟩ city centre

^{2}**downtown** [bn] ⟨m.b.t. de binnenstad⟩ ⟨AE⟩ downtown, ⟨BE⟩ town-centre, ⟨BE⟩ city-centre

down-under [bw] down under

doyen [de^{m}] ① ⟨oudste in (dienst)jaren⟩ doyen ② ⟨voorzitter op grond van leeftijd⟩ doyen, ⟨kerk, universiteit⟩ dean

dozijn [het] dozen ♦ ***bij** het dozijn verkopen* sell by the dozen/in dozens; *zulke mannen zijn er **bij** dozijnen* there are dozens of men like that, such men are to be had by the dozen; *(verscheidene) dozijnen **boeken*** (several) dozens of books; ***een/twee** dozijn eieren* one/two dozen eggs; *een **half** dozijn* half a dozen, a half dozen; *zo gaan er geen twaalf **in** een dozijn* this is sth. special/out of the ordinary, you won't find many like it; *zo gaan er twaalf/dertien **in** een dozijn* things like this are a dime a dozen/two a penny/ten a penny; *voordeliger **per** dozijn* cheaper by the dozen/in dozens

dp [afk] (displaced person) DP

dr. [afk] ① (druk) imp, ⟨oneig⟩ ed ② (doctor) Dr

^{1}**d'r** [bez vnw] ⟨inf⟩ her

^{2}**d'r** [bw] → **er**^{1}

^{3}**d'r** [bw] ⟨inf⟩ there ♦ *d'r **in** en d'r **uit*** in and out

dra [bw] ⟨form⟩ soon, nigh

draad [de^{m}] ① ⟨ineengedraaide vezels⟩ thread, strand, fibre ♦ *de draad **insteken*** thread; ⟨fig⟩ *de draad van het **leven*** the thread of life; *een **rode** draad* ⟨fig⟩ a leitmotiv/thread, a connection, a connecting thread, a theme; *de draad van een **spinnenweb*** the thread of a spider's web; ***tot op** de draad* *versleten* worn to shreds/a thread/a frazzle, threadbare ② ⟨m.b.t. smeltbare stoffen⟩ wire, ⟨in lamp⟩ filament ◆ *een van draad gevlochten kooi* a cage of wire-netting/wire-meshing ③ ⟨biol; vezel⟩ fibre, filament, ⟨vlees, peulen⟩ string ◆ *deze slaboontjes zijn **zonder** draad* these green beans are stringless ④ ⟨biol; beloop van vezels⟩ grain, ⟨wol⟩ staple ◆ ***met/op** de draad snijden* cut with/in the direction of the grain; *vlees **tegen** de draad snijden* cut meat across the grain; *dat hout is mooi recht **van** draad* this wood is even-grained ⑤ ⟨gegeven dat de weg wijst⟩ thread, ⟨misdaad⟩ clue ⑥ ⟨samenhang, verband⟩ thread ◆ *de draad weer **opnemen/opvatten*** take up/pick up/resume the thread; *de draad van een **verhaal/gesprek*** the thread of a story/conversation; *de draad kwijt zijn* ⟨spreken⟩ flounder; get one's wires crossed ⑦ ⟨m.b.t. schroeven⟩ thread ⑧ ⟨m.b.t. messen⟩ wire-edge, burr ⊡ *hij is altijd **tegen** de draad (in)* he's always going against the grain/perverse/contrary; *hup, **voor** de draad ermee* come on, out with it/cough it up/make a clean breast of it; *(met iets) **voor** de draad komen* come out with/disclose sth., cough sth. up, make a clean breast of sth.

draadachtig [bn] threadlike, ⟨als metalen draad⟩ wiry

draadbekleding [de^{v}] ⟨elek⟩ insulation

draadbreuk [de] break, open

draadgaas [het] wire gauze/mesh, ⟨fijn⟩ wire cloth, ⟨grof⟩ wire netting

draadglas [het] wire(d) glass

draadijzer [het] bar-iron

draadje [het] ① ⟨kleine, dunne draad⟩ thread, strand, fibre ◆ ⟨fig⟩ *aan een **zijden** draadje hangen* hang/tremble in the balance, hang by a thread/hair; ⟨fig⟩ *er **zit** een draadje **los** bij hem* he has a screw loose ② ⟨stukje draad⟩ wire, piece of wiring ◆ *een **los** draadje* a loose connection ③ ⟨plukje⟩ ⟨tabak⟩ pinch

draadjesvlees [het] stewed meat

draadklem [de] ⟨elek⟩ wire clip/clamp, ⟨AE ook⟩ outrigger

draadloos [bn, bw] wireless ◆ *een draadloos **bestuurd** schip* a remote controlled ship; *de draadloze **omroep*** the wireless, the radio; *draadloze **telefoon*** cordless telephone, ⟨ruimer⟩ cellular (tele)phone, cellphone, mobile phone

draadnagel [de^{m}] wire nail

draadomroep [de^{m}] rediffusion ⟨in Groot-Brittannië merknaam⟩

draadontspanner [de^{m}] ⟨foto⟩ cable release

draadpaal [de^{m}] fence-pole

draadplastiek [de^{v}] wire sculpture

draads [bn] ply ◆ ***hoeveel** draads wol is dat?* what ply is this wool?

draadschaar [de] wire cutter

draadspanner [de^{m}] turnbuckle

draadspoel [de] bobbin, reel, solenoid

draadstripper [de^{m}] wire-stripper

draadtang MEERVOUD [de] (pair of) pliers, (pair of) (wire) nippers

draadtrekker [de^{m}] wiredrawer

draadverbinding [de^{v}] wire connection

draadversperring [de^{v}] barbed-wire barrier/fence

draadvormig [bn] threadlike, ⟨van metaaldraad⟩ filamentary, ⟨plantk⟩ filiform

draadwerk [het] wire work/netting, ⟨fijn, van goud enz.⟩ filigree

draadworm [de^{m}] threadworm, nematode (worm), hairworm, pinworm, filaria, eel(worm)

draadzaag [de] helicoidal saw, wire saw

draadzeef [de] (wire) screen

draagas [de] carrying axle

[1]**draagbaar** [de] stretcher, litter, ⟨voor doodskist⟩ bier, ⟨voor waren⟩ handbarrow

[2]**draagbaar** [bn] ① ⟨vervoerbaar⟩ portable, transportable, ⟨grote zaken⟩ movable ◆ *een draagbare **radio*** a portable radio; *draagbare **telefoon*** ⟨BE⟩ mobile (phone), ⟨AE⟩ cellular (tele)phone, ⟨AE⟩ cellphone, GSM (phone); *draagbare **wapenen*** hand weapons; *al wat draagbaar **was** werd het huis uit gesjouwd* everything movable was carried out of the house ② ⟨m.b.t. kleding⟩ wearable ◆ *zo'n **model**japon is niet draagbaar* a dress of that style isn't wearable

draagbal [de^{m}] ⟨sport⟩ carried ball

draagbalk [de^{m}] ⟨bouwk⟩ breastsummer, girder, summer(-tree), supporting beam

draagband [de^{m}] belt, ⟨bh, tas⟩ strap, ⟨voor gebroken arm⟩ sling

draagdoek [de^{m}] sling

draaggolf [de] ⟨elek⟩ carrier wave

draaghemel [de^{m}] ⟨r-k⟩ (portable) canopy, baldakin, tester

draaginsigne [het] insignia, decoration

draagjuk [het] yoke

draagkarton [het] cardboard carrier (for beer/soft drinks)

draagkorf [de^{m}] pannier

draagkracht [de] ① ⟨financieel⟩ capacity, strength, ⟨belasting⟩ taxable/taxbearing capacity ◆ ***financiële** draagkracht* financial strength/capacity/resources/means; ***naar** draagkracht (laten) betalen* (make) pay according to/in accordance with one's means; *de lasten/kosten **naar** draagkracht verdelen* distribute costs according to ability to pay; *dat gaat mijn draagkracht te boven* that is beyond my means/more than I can afford ② ⟨vermogen om te vervoeren⟩ (carrying) capacity ③ ⟨vermogen om te ondersteunen⟩ bearing/supporting power, ⟨vliegtuig⟩ lift ④ ⟨bereik⟩ range

draagkrachtbeginsel [het] ⟨ec⟩ ability-to-pay principle

draagkrachtig [bn] well-to-do, well-off, of (sufficient) means/resources ◆ ⟨zelfstandig (gebruikt)⟩ *de minderdraagkrachtigen* the financially weak

draaglijk [bn, bw] bearable, endurable, tolerable

draagmoeder [de^{v}] surrogate mother

draagmoedercontract [het] contract/agreement about surrogate motherhood

draagmoederschap [het] surrogate motherhood, surrogacy

draagmuur [de^{m}] ⟨bouwk⟩ supporting wall

draagplicht [de] obligation to carry identification/ID papers, requirement to carry identification/ID papers

draagraket [de] booster, launcher ◆ *als de brandstof op is, wordt de draagraket **afgestoten*** when the fuel is used up, the booster is jettisoned

draagriem [de^{m}] sling, (carrying) strap, ⟨van officier⟩ Sam Browne (belt)

draagstel [het] frame

draagster [de^{v}] → **drager**[2]

draagstoel [de^{m}] sedan (chair), litter, ⟨Verre Oosten⟩ palanquin, keen, ⟨paus⟩ gestatorial chair

draagtas [de] carrier bag, ⟨AE⟩ bag

draagverband [het] sling ◆ *een draagverband **aanleggen*** put an arm in a sling; *zij had haar arm **in** een draagverband* she carried her arm in a sling

draagvermogen [het] ① ⟨techn; vermogen om te ondersteunen⟩ ⟨vnl bouwk⟩ bearing/supporting power, ⟨vliegtuig⟩ lift ② ⟨vermogen om te vervoeren⟩ carrying capacity, ⟨scheepv⟩ deadweight capacity, cargo/load capacity ③ ⟨ecologie⟩ carrying capacity

draagvlak [het] ① ⟨vlak waarop een last steunt⟩ ⟨lett⟩ bearing surface, ⟨ook fig⟩ basis, support ◆ *het **maatschappelijk** draagvlak van een wetsontwerp* the social basis of/the public support for a bill; *de nieuwe partij heeft een breed **maatschappelijk** draagvlak* the new party is (socially) broadly based ② ⟨vliegtuigvleugel⟩ aerofoil, ⟨AE⟩ airfoil, plane

draagvleugel [de^{m}] [1] ⟨luchtv⟩ aerofoil, ⟨AE⟩ airfoil [2] ⟨scheepv⟩ hydrofoil

draagvleugelboot [de] hydrofoil, ⟨oneig⟩ jetfoil ◆ *per draagvleugelboot reizen* travel by hydrofoil

draagwijdte [de^{v}] range, ⟨stem/luidspreker ook⟩ carrying power, ⟨fig ook⟩ scope, bearing ◆ *pas later drong de volle draagwijdte van haar woorden tot hem door* only later did he understand all the implications of what she had said

draagzak [de^{m}] [1] ⟨zak om baby's in te dragen⟩ baby sling, ⟨handelsmerk⟩ Easy Rider [2] ⟨buidel van buideldieren⟩ pouch

draai [de^{m}] [1] ⟨wending, draaiing⟩ turn, twist, bend ◆ *geef er maar een draai aan* explain it how you will; *een draai aan iets geven* twist/turn the meaning of sth., give sth. a twist/turn; *een positieve draai aan iets geven* give sth. a positive twist; *de weg maakt hier een draai* the road bends here; *een draai naar links/rechts* a left/right turn; *een draai van 180° maken* make an about-turn/about-face [2] ⟨plaats waar iets draait, gebogen is⟩ turn(ing), bend, curve, ⟨fig⟩ turning point [3] ⟨slag⟩ turn, twist, ⟨schroef⟩ screw ◆ *een draai om de oren* a box/clip/clout on/about the ears; *iemand een draai om de oren geven* box/cuff s.o.'s ears ⊡ *hij kon zijn draai niet vinden* he couldn't find his niche/feet

draaibaar [bn] revolving, rotating, swinging, ⟨op pen⟩ pivoted, ⟨zwenkbaar⟩ swivelling, ⟨op scharnier⟩ hinging ◆ *een draaibare (bureau)stoel* a swivel chair; *het bovenstuk is draaibaar bevestigd* the top part is on a pivot; *een draaibare kraan* a pivot/swing crane

draaibank [de] (turning/turner's) lathe, ⟨van horlogemaker⟩ (watchmaker's) lathe

draaibeweging [de^{v}] turn, turning movement, turning motion, ⟨munt, bal⟩ spin, spinning movement, spinning motion, ⟨trommelstok enz.⟩ twirl, twirling movement, twirling motion, ⟨techn⟩ rotation, gyration, rotary/revolving/gyrating movement, rotary/revolving/gyrating motion

draaiboek [het] [1] ⟨film, radio/tv⟩ shooting script, film script, ⟨scenario⟩ screenplay, scenario [2] ⟨schema van de te volgen werkwijze⟩ scenario, plan, strategy, scheme

draaiboom [de^{m}] barrier, turnstile

draaibord [het] [1] ⟨draaischijf⟩ revolving disc, ⟨roulette⟩ spinning wheel, ⟨pottenbakker⟩ potter's wheel [2] ⟨rad van avontuur⟩ Wheel of Fortune

draaibrug [de] swing bridge, pivot/swivel/turn bridge

draaicirkel [de^{m}] turning circle ◆ *een auto met een kleine/grote draaicirkel* a car with a small/large turning circle

draaideur [de] revolving door

draaideurcrimineel [de^{m}] recidivist (criminal)

draaiduizeligheid [de^{v}] dizziness from spinning in circles

^{1}**draaien** [onov ww] [1] ⟨zich rond een middelpunt bewegen⟩ turn (around), revolve, rotate, ⟨planeten⟩ orbit, circle, ⟨om as⟩ pivot, ⟨snel, tollend⟩ spin, gyrate, whirl ◆ *een draaiende bal* a spinning ball; *in het rond draaien* turn/spin round/about; *de molen draait* the windmill is turning; ⟨fig⟩ *daar draait het om* that's what it's all about; ⟨fig⟩ *alles draait om hem* everything revolves around him; *de aarde draait om de zon* the earth revolves/orbits around the sun; *alles draaide om haar heen* everything swam/span/reeled before her eyes [2] ⟨wenden⟩ turn, swerve, veer ◆ *met de ogen draaien* roll one's eyes; *met het hoofd draaien* turn one's head; *de weg draaide scherp naar links* the road made a sharp turn/bend to the left; *de weg draait hier* the road turns/bends here; *de wind draait* the wind is shifting/changing/veering round; *zit niet zo te draaien!* stop fidgeting!; *hij draait met alle winden mee* he trims/sets his sail to every wind, he blows hot and cold [3] ⟨draaiend komen of gaan⟩ turn (one's way) into, turn (one's way) out of ◆ ⟨fig⟩ *zich eruit draaien* wriggle out of it; *de bal draaide het doel in* the ball spinned its way into the goal; *de auto draait de hoek om* the car is turning the corner [4] ⟨weifelend, doelloos heen en weer lopen⟩ pace up and down ◆ *hij draaide voortdurend om mij heen* he was constantly hanging around me [5] ⟨niet voor de waarheid uitkomen⟩ equivocate, prevaricate, be evasive ◆ *er omheen draaien* beat about the bush, dodge/evade the question; *zonder er omheen te draaien* without beating about the bush, to come to the point, without further ado [6] ⟨vertoond worden⟩ be on/shown ◆ *die film/voorstelling draait nog steeds* that film/show is still on, that film is still showing [7] ⟨klandizie aantrekken, omzetten⟩ work, run, do ◆ *de ijssalon heeft dit seizoen goed gedraaid* the ice-cream parlour has had a good season; *met winst/verlies draaien* work at a profit/loss [8] ⟨aan de gang, in werking zijn⟩ run, work ◆ *de zaak draaiende houden* keep things going; *een programma laten draaien op de computer* run a program on the computer; *met draaiende motor* with the engine running; ⟨comp⟩ *draaien op* ⟨besturingssysteem, programma⟩ run on; *het team draaide uitstekend* the team was functioning extremely well ⊡ *aan de knoppen draaien* turn the knobs; ⟨kind⟩ twiddle the knobs

^{2}**draaien** [ov ww] [1] ⟨keren⟩ turn (around/about), ⟨snel⟩ twirl, spin, ⟨om spoel⟩ wind, ⟨artillerie⟩ traverse [2] ⟨andere richting geven aan⟩ turn (around/about), swerve, wheel, swing around ◆ *hoe men de zaak ook draait* which way you will, which ever way you look at it [3] ⟨doen ontstaan, draaiend bewerken⟩ roll, ⟨op draaibank⟩ turn ◆ *een film draaien* shoot a film/^{A}movie; *hout/ivoor/een vaas draaien* turn wood/ivory/a vase; *pillen draaien* roll pills; *een sjekkie draaien* roll a cigarette; ⟨film⟩ *draaien maar!* roll 'em! [4] ⟨in een toestand brengen⟩ turn ◆ *het gas hoger/lager draaien* turn the gas up/down; *kapot draaien* ⟨horloge, klok⟩ overwind; twist (to pieces); *een verhaal/stukje in elkaar draaien* throw a story/an article together; *een deur op slot draaien* lock a door [5] ⟨telefoonnummer kiezen⟩ dial [6] ⟨comp⟩ ⟨programma⟩ run [7] ⟨afspelen⟩ play ◆ *een film draaien* show a film/^{A}movie; *een plaat draaien* play a record [8] ⟨op gang houden⟩ run, keep going, work ◆ *een nachtdienst draaien* work a night shift ⊡ *de motor had al heel wat kilometers gedraaid* the engine had clocked up quite a few kilometres already

^{1}**draaier** [de^{m}], **draaister** [de^{v}] [1] ⟨iemand die draait, werkman⟩ turner [2] ⟨veinzer⟩ ↑equivocator, ↑prevaricator

^{2}**draaier** [de^{m}] ⟨med⟩ axis ◆ *de atlas en de draaier* the atlas and the axis

draaierig [bn] [1] ⟨duizelig⟩ dizzy, giddy ◆ *ik voel me draaierig/heb een draaierig gevoel* I feel dizzy/giddy [2] ⟨telkens draaiend, zeer beweeglijk⟩ fidgety ◆ *een draaierig kind* a fidgety child

draaierij [de^{v}] [1] ⟨werkplaats⟩ turner's/turning shop, ⟨fabriek⟩ turning mill, ⟨afdeling⟩ turning department [2] ⟨fig⟩ equivocating, twisting, beating about the bush, fencing, hedging

draaigreep [de] handgrip control

draaihals [de^{m}] ⟨dierk⟩ wryneck

draaihek [het] turnstile, swing gate

draaiing [de^{v}] [1] ⟨het draaien, wenteling⟩ rotation, turning, revolution, ⟨wenteling⟩ turn ◆ *draaiing om een as* axial rotation; *de draaiing om de zon* the revolution around the sun; *draaiing van het hoofd* turning of the head [2] ⟨duizeling⟩ (spell of) dizziness, (spell of) giddiness, faint(ing spell) [3] ⟨het gedraaid zitten, knoop⟩ twist, torsion, convulsion

draaikiepraam [het], **draaivalraam** [het] top- and side-hinged window

draaiknop [de^{m}] knob

draaikolk [de] whirlpool, eddy, vortex ◆ *in een draaikolk meegesleurd worden* be drawn into a vortex; *een wervelende draaikolk* a dizzy whirlpool, a surging vortex

draaikont [de^{m}] ⟨inf⟩ [1] ⟨onoprecht, huichelachtig per-

soon⟩ twister [2] ⟨iemand die niet stil kan zitten⟩ fidget, s.o. with ants in his pants
draaikruk [de] [1] ⟨van een wiel⟩ crank (handle) [2] ⟨zit⟩ revolving stool
draailicht [het] revolving light
draailier [de] ⟨muz⟩ hurdy-gurdy, vielle
draaimolen [de^{m}] merry-go-round, whirligig, ⟨BE ook⟩ roundabout, ⟨AE ook⟩ carousel ♦ *een ritje **in** de draaimolen* ride on the merry-go-round; *ze gingen allemaal **in** de draaimolen* they all got on the merry-go-round
draaiorgel [het] barrel organ, street organ, ⟨draagbaar⟩ hand organ, hurdy-gurdy ♦ *de orgelman **speelde** zijn draaiorgel* the organgrinder was grinding his barrel organ
draaipen [de] [1] ⟨waarom iets draait⟩ pivot [2] ⟨om iets mee aan te draaien⟩ tommy (bar)
draaipunt [het] [1] ⟨rotatiepunt⟩ ⟨ook fig⟩ turning point, centre of rotation, pivot, ⟨deur e.d.⟩ hinge point, ⟨van hefboom⟩ fulcrum [2] ⟨ec⟩ average income to calculate social security premiums, income tax and child allowance payments
draairichting [de^{v}] direction of rotation/revolution, sense of rotation/revolution
draaischijf [de] [1] ⟨pottenbakkersschijf⟩ potter's wheel [2] ⟨schijf van een grammofoon⟩ turntable [3] ⟨kiesschijf⟩ dial [4] ⟨schijf waarop men locomotieven laat keren⟩ turning-table, turntable, transfer table, traverser
draaispiegel [de^{m}] swing-glass, swing-mirror, cheval-glass
draaispil [de] capstan, winch, windlass
draaispit [het] (roasting-)spit ♦ ***aan** het draaispit* on the spit
draaistel [het] truck, ⟨spoorw⟩ bogie
draaister [de^{v}] → **draaier**^{1}
draaistoel [de^{m}] [1] ⟨draaibare stoel⟩ swivel/revolving chair [2] ⟨draaibankje⟩ turn-bench
draaistroom [de^{m}] ⟨elek⟩ rotary/three-phase current
draaitafel [de] [1] ⟨platenspeler⟩ turntable ♦ *een plaat **op** de draaitafel leggen* put a record on the recordplayer [2] ⟨draaibare tafel⟩ revolving/swivel table
draaitoestel [het] ⟨comm⟩ dial telephone
draaitol [de^{m}] [1] ⟨iemand die niet stilzit⟩ fidget(er) [2] ⟨iemand die telkens van mening verandert⟩ weathercock, shilly-shallier [3] ⟨speelgoed⟩ (spinning) top
draaitoneel [het] revolving stage
draaitopstofzuiger [de^{m}] swivel top (vacuum) cleaner
draaitrap [de^{m}] ⟨in België⟩ spiral staircase
draaivalraam [het] → **draaikiepraam**
draaiziekte [de^{v}] ⟨dierk⟩ staggers, vertigo, ⟨bij schapen⟩ gid, sturdy, goggle(s), waterbrain
draak [de^{m}] [1] ⟨fabeldier⟩ dragon, ⟨vuurspuwend⟩ firedrake, ⟨heral⟩ wyvern ♦ ⟨heral⟩ *een **tweepotige gevleugelde** draak* a wyvern [2] ⟨persoon⟩ dragon, shrew, hag, witch, old bag/hat ♦ *een draak van een **mens*** a fierce old dragon/hag [3] ⟨melodrama⟩ melodrama, blood and thunder play, two-penny tragedy ♦ *een **sentimentele** draak* a weepy, a tearjerker [4] ⟨smakeloos voorwerp⟩ monstrosity ♦ *een draak **van een jurk*** a hideous/frightful dress [5] ⟨schip⟩ dragon ⊡ *de draak **steken met*** poke fun at, make fun of, ridicule, jibe at
Draak [de^{m}] ⟨astron⟩ Dragon
drab [het, de] [1] ⟨droesem⟩ dregs, lees, sediment, grout [2] ⟨bezinksel⟩ dregs, lees, sediment, grout [3] ⟨troebele, dikke vloeistof⟩ ooze, ⟨riool⟩ slops
drabbig [bn] muddy, turbid, feculent ♦ *drabbige **inkt*** muddy ink; *een drabbige **sloot*** a muddy ditch
drabbigheid [de^{v}] muddiness, turbidity, feculence
drachme [het, de] ⟨gesch⟩ drachma, ⟨Oud-Griekse zilveren munt⟩ drachm
dracht [de] [1] ⟨het drachtig-zijn⟩ gestation, ⟨mensen⟩ pregnancy ♦ *10 varkens **van één** dracht* ten piglets in one litter [2] ⟨het dragen van kleren⟩ costume, dress, garb, attire ♦ *een **merkwaardige** dracht* strange garb; *de **nationale/Friese** dracht* (the) national/Frisian costume; ***zomerse** dracht* summer wear [3] ⟨last⟩ load, ⟨schip⟩ burden, charge ♦ *de dracht van een **appelboom*** the crop/produce of an apple-tree; *een dracht **hout*** a load of wood
drachtig [bn] with young, bearing ♦ *ze ziet eruit als een drachtige **koe*** she looks like a cow in calf; *het **paard** is weer drachtig* the horse is carrying again; *drachtig **zijn*** be/go with young, ⟨koe⟩ be/go in calf, ⟨paard⟩ be/go in foal, ⟨schaap⟩ be/go in lamb, ⟨varken⟩ be/go in pig/farrow, ⟨teef⟩ be/go in pup, ⟨hert⟩ be/go in fawn
drachttijd [de^{m}] gestation (period)
draconisch [bn, bw] draconian, draconic ♦ *draconische **wetten/straffen*** draconian laws/punishments
draconitisch [bn] ⟨aardr⟩ ⊡ *draconitisch **jaar*** dracon(i)tic year; *draconitische **maand*** dracon(i)tic month
draculagebit [het] Dracula teeth, Dracula fangs
dradenkruis [het] reticle, cross hairs/wires
draderig [bn] ⟨vloeistof, vlees, bonen⟩ stringy, ⟨vloeistof ook⟩ viscous, ⟨hout⟩ fibrous
draf [de^{m}] trot ♦ *in **gestrekte** draf* at full/extended trot; ***in** draf* at a trot; ***in** de draf **zetten/brengen*** bring/urge to a trot, put into a trot, put to the trot; *in een **kalme** draf* at a steady pace; *in **korte** draf* at a jog; *het **op** een draf(je) zetten* set off running, strike/break into a trot/run; *in een **stevige** draf* at a brisk trot; *in **volle/snelle** draf* at full trot
drafbaan [de] trotting course
drafje [het] trot ♦ ***op** een drafje lopen* run along, trot; *hij liep **op** een drafje voorbij* he came running by; ***op** een drafje naar de winkels toegaan* ⟨BE⟩ nip along to the shops
drafsport [de] trotting ♦ *de drafsport **beoefenen*** take part in trotting races; ⟨inf⟩ go in for trotting
drag-and-drop [het] drag-and-drop
dragant [de] sea buckthorn
dragee [de^{v}] coated tablet
^{1}**dragen** [onov ww] [1] ⟨steunen, gedragen worden⟩ rest on, be supported/carried/born(e) ♦ *een dragende **balk*** a supporting/load-bearing beam, a joist; *een dragende **muur*** a supporting/load-bearing wall [2] ⟨zich over een afstand uitstrekken⟩ carry ♦ *zijn stem draagt **ver*** his voice carries far/has great carrying power; *het geweer draagt **ver*** that gun carries far/has a long range [3] ⟨zwanger zijn⟩ be carrying, ⟨mensen⟩ be pregnant ♦ *een **olifant** draagt bijna twee jaar* the gestation period of an elephant is almost two years ⊡ *hij draagt **links*** he dresses left
^{2}**dragen** [ov ww] [1] ⟨boven de grond houden, ondersteunen⟩ support, bear, carry, ⟨fig; in water⟩ buoy up, ⟨fig ook⟩ sustain ♦ *zo snel als je **benen** je dragen kunnen* as fast as your legs will carry you; *dat plan wordt **breed** gedragen* that plan enjoys wide support; ⟨fig⟩ *gedragen **door** een vast besluit* carried by a firm resolve; ⟨fig⟩ *gedragen worden **door** (iemand/iets)* be inspired by (s.o./sth.); ⟨iemand ook⟩ be supported by (s.o.), ⟨bijvoorbeeld van voorstelling⟩ be (heavily) dependent on (s.o.); *hij draagt het hele **team*** he carries the whole team [2] ⟨bij zich hebben⟩ carry ♦ *iets **bij** zich dragen* have sth. on one('s person); ***geld** bij zich dragen* have/carry money on one('s person); *een **revolver** dragen* carry a gun/revolver, ⟨inf⟩ tote/pack a gun/revolver [3] ⟨aan, op hebben⟩ wear, have on ♦ *die schoenen kun je niet **bij** die jurk dragen* those shoes don't go with that dress; *een **bril** gaan dragen* take to spectacles; *die **broek** heb ik al heel wat gedragen* these trousers have seen a lot of wear; *gedragen **kleding** verkopen* sell second-hand clothes; *kleren die je **lang** kunt dragen* clothes with a lot of wear in them; *geen **stropdas/beha/bril** meer dragen* give up wearing/cease to wear a tie/bra/spectacles [4] ⟨voorzien zijn van, als kenmerk hebben⟩ bear ♦ *dat stuk draagt zijn **naam*** that document bears his name; *de **sporen** dragen van* bear marks/signs/evidence of [5] ⟨zwanger zijn van⟩ carry, be pregnant ♦ *zij draagt een*

kind onder haar hart she is carrying a child under her heart, she is with child [6] ⟨op-, voortbrengen⟩ bear, yield ♦ *rente dragen* bear/carry interest [7] ⟨op zich nemen⟩ take, bear, have ♦ *de gevolgen (moeten) dragen* suffer/bear/(have to) take the consequences; *de kosten moeten dragen* bear/defray the costs, foot the bill; *de kosten laten dragen door* charge expenses to; *het risico dragen* take/run the risk; *de schuld van iets dragen* take/bear the blame, ⟨inf⟩ carry the can [8] ⟨verduren⟩ bear, endure ♦ *hij droeg het als een man* he took/bore it like a man/standing up; *een ziekte/tegenslag moedig dragen* bear up against an illness/against adversity; *de spanning was niet langer te dragen* the suspense/tension had become unbearable/intolerable [•] *op gedragen toon* in a lofty/solemn voice; ⟨sprw⟩ *het zijn niet allen koks die lange messen dragen* ± all are not thieves that dogs bark at; ± you can't tell a book by its cover; ⟨sprw⟩ *al draagt een aap een gouden ring, het is en blijft een lelijk ding* an ape's an ape, a varlet's a varlet, though they be clad in silk or scarlet; ⟨sprw⟩ *het zijn sterke benen/het moeten sterke benen zijn die de weelde kunnen dragen* ± set a beggar on horseback and he'll ride to the devil; ⟨sprw⟩ *je moet geen water naar de zee dragen* ± light not a candle to the sun; ± don't carry coals to Newcastle

^{1}drager [de^{m}] [1] ⟨voorwerp dat iets draagt, steunt⟩ support [2] ⟨rechte lijn⟩ vector, base

^{2}drager [de^{m}], **draagster** [de^{v}] [1] ⟨iemand die draagt⟩ bearer ⟨ook begrafenis⟩, carrier ⟨ook van ziekte⟩, ⟨bagage⟩ porter, ⟨kroon, contactlenzen⟩ wearer, ⟨orde⟩ holder ♦ *insecten als dragers van ziekten* insects as vectors/carriers of diseases; *de drager van dit chromosoom* the carrier of the chromosome; *de drager van een erfelijke ziekte* carrier of a disease [2] ⟨iemand die het genoemde bezit⟩ bearer ♦ *drager dezes* bearer of this note/letter; *de drager van de kroon* the wearer of the crown

dragerschap [het] ± being a carrier

dragline [de^{m}] dragline

dragon [de^{m}] tarragon

dragonazijn [de^{m}] tarragon vinegar

dragonder [de^{m}] [1] ⟨lichte cavalerist⟩ dragoon [2] ⟨manwijf⟩ battle-axe, virago

dragoniet [het] rock-crystal

dragqueen [de^{m}] drag queen

dragrace [de^{m}] drag race

drain [de^{m}] drain ⟨ook medisch⟩, ⟨landb⟩ drainpipe ♦ *een drain aanbrengen voor het wondvocht* attach a drain

drainage [de^{v}] drainage

draineerbuis [de] drain(pipe)

draineerploeg [de] moleplough, ⟨AE⟩ moleplow

draineren [ov ww] [1] ⟨ontlasten van het water⟩ drain, underdrain [2] ⟨med⟩ drain

drainering [de^{v}] drainage, draining

drakenbloed [het] [1] ⟨bloed van een draak⟩ dragon's blood [2] ⟨harssoort⟩ dragon's blood [3] ⟨bloedzuring⟩ bloodwort

drakenboot [de] dragon boat

drakendans [de^{m}] dragon dance

drakerig [bn] melodramatic, sensational, ⟨zeldz⟩ transpontine

dralen [onov ww] ⟨form⟩ tarry, linger, hedge, ↓ hang back (from), ⟨telkens uitstellen⟩ procrastinate ♦ *zij bleef nog even dralen* she lingered for a moment; *hij stemde zonder dralen toe* he agreed directly/without hesitation/without a moment's thought; *wij hebben nu lang genoeg gedraald* we've been hanging about long enough

draler [de^{m}] dawdler, ⟨uitsteller⟩ procrastinator

drama [het] [1] ⟨toneelstuk⟩ tragedy, ⟨alg⟩ drama, play ♦ *de Griekse drama's* the Greek tragedies; *een drama opvoeren* perform a tragedy [2] ⟨toneelstukken van een land, periode⟩ drama ♦ *het moderne/Nederlandse drama* modern/Dutch drama [3] ⟨droevige gebeurtenis⟩ tragedy, disaster, calamity, catastrophe ♦ *lach niet, het is een drama* don't laugh, it's really tragic/it's a disaster; *een drama van iets maken* get in a state about sth., make a mountain out of a molehill/mountains out of molehills

dramademocratie [de^{v}] political system in which elected leaders derive their legitimacy from media appearances, particularly in crisis situations

dramafilm [de^{m}] film drama

dramatherapie [de^{v}] drama therapy

dramaticus [de^{m}] playwright, dramatist, ⟨toneelwetenschapper⟩ dramatologist

dramatiek [de^{v}] [1] ⟨toneelkunst⟩ drama(tics), dramatic art [2] ⟨dramatische aard⟩ tragic nature, ⟨geschiktheid voor toneel⟩ dramatic potential

dramatisch [bn, bw] [1] ⟨m.b.t. het drama⟩ dramatic ⟨bw: ~ally⟩ ♦ *dramatische effecten* theatrical effects; *dramatische expressie* dramatic expression; *de dramatische handeling* the dramatic action; *de dramatische kunsten* the dramatic arts/dramatics, the drama; *dramatische poëzie* poetic drama; *dramatische werkvormen* dramatic forms of expression [2] ⟨aangrijpend⟩ ⟨rampzalig⟩ tragic ⟨bw: ~ally⟩, ⟨tot de verbeelding sprekend⟩ dramatic ⟨bw: ~ally⟩, ⟨overdreven⟩ theatrical ⟨bw: ~ly⟩ ♦ *doe niet zo dramatisch* don't make such a drama of it; *een dramatisch feit* a tragic fact

dramatiseren [ov ww] [1] ⟨voor het toneel behandelen⟩ dramatize, ⟨roman ook⟩ adapt for the stage/theatre [2] ⟨als iets dramatisch voorstellen⟩ dramatize, emotionalize, make a drama of, make a (big) thing of ♦ *men moet de zaken niet dramatiseren* one mustn't dramatize/make too much of things

dramatisering [de^{v}] dramatization

dramatis personae [de^{mv}] dramatis personae

dramatologie [de^{v}] dramatology

dramatoloog [de^{m}] dramatologist

dramaturg [de^{m}] [1] ⟨toneelkenner⟩ theatre/drama expert, ⟨zeldz⟩ theatrician [2] ⟨toneelschrijver⟩ dramatist, playwright [3] ⟨m.b.t. een toneelgezelschap⟩ dramaturge, dramaturgist

dramaturgie [de^{v}] dramaturgy

drammen [onov ww] nag, go on ♦ *loop niet zo te drammen* don't keep/go on so; *je moet niet zo drammen, jij* do stop nagging, don't be so tiresome

drammer [de^{m}] [1] ⟨dwinger⟩ tyrant [2] ⟨zeurder⟩ nag, pest, ⟨inf⟩ pain in the neck/ass

drammerig [bn, bw] tiresome ♦ *doe niet zo drammerig* do stop nagging; *een drammerig kereltje* an insistent (little) fellow

drang [de^{m}] [1] ⟨opwelling, neiging⟩ urge, instinct, impulse, tendency, drive ♦ *een innerlijke drang* an inner urge; *een drang om te troosten* an impulse/urge to comfort; *een sterke drang naar de zee* a strong seafaring instinct; *een sterke drang naar liefde/heroïne hebben* have a strong craving for love/heroine; *de drang tot zelfbehoud* the survival instinct; *een ziekelijke drang naar macht/volmaaktheid hebben* have a morbid craving for power/perfection [2] ⟨het dringen⟩ pressure, force ♦ *met zachte drang* with gentle pressure; ⟨fig ook⟩ with gentle insistence; *de drang van het water* the pressure of the water

dranger [de^{m}] door-closer

dranghek [het] crush barrier ♦ *dranghekken plaatsen* place/put up crush barriers; *de dranghekken werden omvergeworpen* the crush barriers were overturned/knocked over

drangreden [de] urgent/pressing reason

drank [de^{m}] [1] ⟨drinkbaar vocht⟩ drink, ⟨op menu⟩ beverage ♦ *water is geen aangename drank* it's no fun drinking water; *spijs en drank* food and drink [2] ⟨alcoholische drank⟩ drink ♦ *aan de drank (verslaafd) zijn* drink, be an alcoholic, be addicted/given to drink; *aan de drank raken, naar de drank grijpen* take to drink(ing), hit the bottle; *al-*

coholhoudende dranken alcoholic beverages, spirits; ⟨vnl jur⟩ intoxicants; *drank **gebruiken*** drink; ⟨in België⟩ ***korte** drank* spirits, ⟨AE⟩ liquor, strong/hard drink; ⟨scherts⟩ firewater; *de drank **laten staan*** give up drinking, keep off alcohol, ↓ be off the sauce; *niet **tegen** drank kunnen* not be able to hold one's drink; *de drank is zijn grootste vijand* drink is his worst enemy [3] ⟨medicijn⟩ medicine, mixture [•] ⟨sprw⟩ *water is de gezondste drank* adam's ale is the best brew

drankaccijns [de^m] excise/duty on liquor

drankbestrijder [de^m], **drankbestrijdster** [de^v] prohibitionist, temperance advocate

drankbestrijding [de^v] [1] ⟨het tegengaan van drankmisbruik⟩ temperance movement [2] ⟨organisatie⟩ temperance society, ⟨BE⟩ Band of Hope

drankbestrijdster [de^v] → **drankbestrijder**

drankduivel [de^m] drink-demon, drink-fiend

drankenautomaat [de^m] drinks (vending) machine, ↑ beverage (vending) machine

drankfles [de] spirit bottle, liquor bottle

drankgebruik [het] consumption of alcohol, ⟨inf⟩ drinking ♦ ***overmatig** drankgebruik* excessive consumption of alcohol, excessive drinking; ⟨wet⟩ alcohol abuse

drankgelegenheid [de^v] drinking-house, drinking-shop, ⟨BE⟩ licenced premises, ⟨inf⟩ gin shop

drankhandel [de^m] liquor trade/business

drankje [het] [1] ⟨glaasje van drank⟩ drink, dram ♦ *iets **in** iemands drankje doen* ⟨met medicijn⟩ dope s.o.'s drink; ⟨met drank⟩ spike s.o.'s drink; *een **laatste** drankje (voor het weggaan)* one for the road; *een **verkoelend** drankje* a cooler [2] ⟨geneesmiddel⟩ medicine, mixture ♦ *een drankje **innemen/gebruiken*** take one's medicine; *een drankje **klaarmaken*** mix a draught; *een drankje **voorschrijven*** prescribe a/some medicine

drankkeet [de] beer barn, beer joint

dranklucht [de] smell of alcohol/spirits/^Aliquor ♦ *er hing een **sterke** dranklucht* the place smelled strongly of alcohol/spirits/liquor, the smell of alcohol/spirits/liquor pervaded the room

drankmeter [de^m] breathalyser, ⟨AE⟩ drunkometer

drankmisbruik [het] alcohol abuse

drankoffer [het] drink offering, libation

drankorgel [het] ⟨inf⟩ drunk(ard), hard drinker, soak, ⟨AE ook⟩ lush

drankprobleem [het] alcohol problem, ⟨inf⟩ drinking problem, alcoholism

dranksmokkel [de^m] liquor smuggling/running, ⟨sl⟩ bootlegging, moonshining

dranksmokkelaar [de^m], **dranksmokkelaarster** [de^v] liquor smuggler/runner, ⟨sl⟩ bootlegger, moonshiner, rum-runner

dranksmokkelaarster [de^v] → **dranksmokkelaar**

drankverbod [het] prohibition (of liquor sales) ♦ *het drankverbod in Amerika tussen 1920 en 1933* Prohibition in America between 1920 and 1933

drankverbruik [het] alcohol/liquor consumption ♦ *het drankverbruik **per** hoofd van de bevolking* alcohol/liquor consumption per head of population

drankvergunning [de^v] liquor licence/^Alicense

drankverkoop [de^m] sale of liquor/spirits/intoxicants

drankvoorraad [de^m] supply of drinks, ⟨vaak pej⟩ supply of drink, drink(s) supply ♦ *een **ruime** drankvoorraad* an ample supply of drinks

drankwet [de] licensing act ♦ *veroordeeld worden wegens **overtreding** van de drankwet* convicted on a licensing act offence

drankwinkel [de^m] off-licence, ⟨AE⟩ liquor store

drankzucht [de] dipsomania, addiction to drink, alcoholism

drankzuchtig [bn] dipsomaniacal, liquorish, given to drink(ing), ⟨form⟩ bibulous, ⟨scherts⟩ boozy

drankzuchtige [de] dipsomaniac, alcoholic, tippler, inebriate, ⟨scherts⟩ boozer

draperen [ov ww] drape ♦ *een kleed **om** het beeld draperen* drape a cloth over the statue

draperie [de^v] ⟨in België⟩ (long/heavy/lined) curtain, drape(s)

dras [de] bog, swamp, marsh, ⟨modder⟩ mud, muck

drasland [het] marshland, swamp, sump, fen

drassig [bn] boggy, swampy, marshy, soggy, sodden ♦ *een rit door drassig **terrein*** a ride through swampy/marshy territory/through wetlands; *een drassig **(voetbal)veld*** a soggy pitch/^Afield

drastisch [bn, bw] [1] ⟨doortastend⟩ drastic ⟨bw: ~ally⟩, extreme, radical, sweeping ♦ *drastische **maatregelen/hervormingen*** drastic/radical/sweeping measures/reforms [2] ⟨sterk en snelwerkend⟩ drastic ⟨bw: ~ally⟩, strong ♦ *een drastisch **purgeermiddel*** a drastic purgative; *de prijzen/belastingen drastisch **verlagen*** slash prices/taxes

draven [onov ww] [1] ⟨m.b.t. paarden⟩ trot ♦ *een paard **laten** draven* trot a horse [2] ⟨rennen⟩ trot, run [3] ⟨gehaast in de weer zijn⟩ hurry about, be on the go ♦ *hij **loopt** altijd **te** draven voor zijn familie* he's always running errands for his family; *voor iemand **sloven** en draven* fetch and carry for s.o., wait on s.o. hand and foot, be at s.o.'s beck and call

draver [de^m] trotter

draverij [de^v] trotting race

dravik [de] ⟨plantk⟩ brome (grass)

drawback [de^m] drawback

dreadlocks [de^mv] dreadlocks

dreadnought [de^m] dreadnought

dreads [de^mv] dreads, dreadlocks

dreamteam [het] dream team

dredging [de] dredging company

dreef [de] [1] ⟨laan⟩ avenue, lane, ⟨in park⟩ alley [2] ⟨+ op; op gang⟩ ⟨BE⟩ on form, ⟨AE⟩ in form, in one's stride, at one's best, in one's element ♦ ***op** dreef komen* get/settle into one's stride, find one's form, get the hang of things; ⟨spreker⟩ warm to one's subject; ⟨van campagne, actie⟩ gather momentum; *niet **op** dreef zijn* have not got the hang of it (yet), be in poor/out of/off form; ⟨spel⟩ be off one's game; *weer **op** dreef komen* recover one's stride/form; *iemand **op** dreef helpen* give s.o. a start, help s.o. on; ⟨iron⟩ *je was weer behoorlijk **op** dreef* you were in fine form, weren't you; *hij is aardig/goed/geweldig **op** dreef* he's in good/excellent/splendid form, he's at the top of his form [3] ⟨mv; (fraaie) streek⟩ lush countryside ♦ *de **prachtige** dreven van mijn geboortestreek* the beautiful scenery of my home country; *door velden en dreven* through fields and pastures

dreg [de] [1] ⟨hulpmiddel om iets, iemand uit het water te halen⟩ drag, grapnel, grappling iron/hook [2] ⟨vishaak⟩ treble hook, triangle

dreganker [het] grapnel, grappling hook/iron

dreggen [onov ww] [1] ⟨vissen⟩ drag ♦ *in de rivier/het meer **naar** een drenkeling dreggen* drag the river/lake for the body of drowned person; *het dreggen **staken*** abandon/give up dragging; *er is gisteren de hele dag gedregd* dragging operations went on all day yesterday [2] ⟨een zeegebied afzoeken⟩ drag

dreigbrief [de^m] threatening letter

dreigement [het] threat ♦ ***loze** dreigementen uiten* bluff; *dreigementen **uiten/gebruiken** tegen iemand* threaten s.o., utter/use threats against s.o.; *een **verholen** dreigement* a veiled threat

[1]**dreigen** [onov ww] [1] ⟨bedreigend handelen, spreken⟩ threaten, menace ♦ ***met** zijn vuist dreigen* threaten with one's fist, shake/put up one's fist (at s.o.); *zij dreigde **met** een mes* she brandished a knife; ***met** zijn ontslag dreigen* ⟨door werknemer zelf⟩ threaten to resign; ***met** oorlog/geweld dreigen* threaten war/violence; *dreigen **met** straf/een boete/de*

dood/zelfmoord threaten punishment/a fine/death/suicide [2] ⟨gevaar lopen, op het punt staan⟩ threaten, be in danger ◆ *er dreigen **acties/stakingen*** industrial action is/strikes are imminent; *er dreigt **gevaar/onweer*** danger/a storm threatens; *het huis dreigde **in te storten*** the house threatened to collapse; *het dreigt **te gaan regenen/sneeuwen*** there's a threat of rain/snow; *de vergadering dreigt **uit te lopen*** the meeting threatens to go on longer than expected

[2]**dreigen** [ov ww] ⟨in het vooruitzicht stellen⟩ threaten ◆ *hij dreigde me te **ontslaan*** he threatened to fire me; *hij dreigde hem alles te **vertellen*** he threatened to tell him everything

[1]**dreigend** [bn] ⟨op het punt staande te gebeuren⟩ imminent, impending, threatening ◆ *een dreigende **staking** voorkomen* prevent an impending/imminent strike

[2]**dreigend** [bn, bw] ⟨dreiging uitdrukkend⟩ threatening ⟨bw: ~ly⟩, ominous, menacing, ⟨wolken ook⟩ angry, ⟨hemel ook⟩ lowering, ⟨gezicht ook⟩ scowling, black, ⟨muren, rotsen⟩ frowning ◆ *iemand een dreigende **blik** toewerpen/dreigend aankijken* scowl at s.o.; *een dreigende **houding** aannemen* adopt a threatening/menacing attitude, get ugly; *er dreigend **uitzien*** ⟨rotsen⟩ frown; ⟨hemel⟩ lower; *dreigend met een mes/zwaard **zwaaien*** brandish a knife/sword menacingly

dreiging [de^v] [1] ⟨het dreigen⟩ threat, menace ◆ *er **gaat** geen dreiging van **uit*** it does not pose/form a threat; *er **gaat** te weinig dreiging **uit** van de voorhoede* the forward line doesn't pose enough of a threat; ***onder** dreiging toegeven* admit under threat; *de dreiging die **uitgaat** van kernwapens* the deterrent effect of nuclear weapons; ***vol** dreiging* filled with/full of menace [2] ⟨wat dreigt⟩ threat, menace ◆ ***bij** de eerste dreiging* at the first threat

dreinen [onov ww] whine, whimper, snivel, whinge

dreinerig [bn, bw] whining, whimpering, snivelling, whingeing

drek [de^m] dung, muck, ⟨mest⟩ manure, ⟨van dieren⟩ droppings

drekkig [bn] dungy, ⟨vuil⟩ mucky, filthy, ⟨bevuild⟩ excremental, feculent

drempel [de^m] [1] ⟨verhoging⟩ threshold, doorstep, ⟨schip, raam⟩ sill, ⟨verk⟩ speed bump/ramp, sleeping policeman ◆ ⟨fig⟩ *ergens een drempel **inbouwen*** put up a barrier; ⟨fig⟩ ***op** de drempel van een nieuwe tijd* on the threshold of a new era/age; *ik zet er geen voet meer **over** de drempel* I shall never set foot in his house/across his threshold again; *ik verbood hem hier nog ooit een voet **over** de drempel te zetten* I forbade him ever to cross my threshold again [2] ⟨m.b.t. een rivier, zeegat⟩ bar, rise [3] ⟨psych⟩ threshold, barrier

drempelbijdrage [de] minimum contribution

drempelgeld [het] ⟨in België⟩ money paid for goodwill

drempelloos [bn] without a threshold/doorstep ⟨alleen pred⟩

drempelprijs [de^m] threshold price

drempelverhogend [bn] inhibiting, ⟨afschrikkend⟩ deterrent ◆ *de dreiging van wederzijdse vernietiging **werkt** drempelverhogend* the threat of mutual destruction has an inhibiting/a deterrent effect

drempelverlagend [bn, bw] making accessible, breaking down barriers ◆ *drempelverlagende **maatregelen*** measures to break down barriers; *drempelverlagend **werken*** make accessible

drempelverlaging [de^v] removal of a barrier, removal of an inhibition, incentive, encouragement (to do sth.)

drempelvrees [de] initial resistance, initial hesitation/inhibition, qualms ◆ *er bestaat een **grote** drempelvrees bij het publiek* the public tends to hang back/is shy of coming forward; *zijn drempelvrees **overwinnen*** overcome one's initial hesitation/resistance

drempelwaarde [de^v] threshold value

drenkeling [de^m], **drenkelinge** [de^v] drowning person, ⟨reeds verdronken⟩ drowned body/person ◆ *drenkelingen **redden*** rescue people from drowning; *drenkelingen weer tot leven brengen* resuscitate people rescued from drowning

drenkelinge [de^v] → **drenkeling**

drenken [ov ww] [1] ⟨drinken geven aan⟩ water ◆ *het **vee** drenken* water the cattle [2] ⟨doortrekken met een vloeistof⟩ drench, soak, saturate ◆ *een in benzine gedrenkte **doek*** a cloth drenched/soaked in/with petrol; *iets **in** alcohol drenken* drench sth. in pure alcohol, soak sth. in/with pure alcohol

drenkplaats [de] watering place, horsepond

drentelaar [de^m] saunterer

drentelen [onov ww] saunter, stroll ◆ *hij **loopt** steeds heen en weer te drentelen* he keeps flitting to and fro/pacing up and down; *zij zijn **naar** huis gedrenteld* they strolled/sauntered home; ***om** iemand **heen** drentelen* hover round s.o.

drentenieren [onov ww] retire to a rural province

drenzen [onov ww] whine, whimper, snivel, whinge

drenzerig [bn, bw] [1] ⟨lastig, dwingerig⟩ whining, whimpering, petulant, snivelling [2] ⟨druilerig⟩ drizzling, drizzly, sullen

dressboy [de^m] dummy, mannequin

dresscode [de^m] dress code

dresseren [ov ww] [1] ⟨m.b.t. dieren⟩ train ◆ *een nummer met gedresseerde **dieren*** an act with performing animals; *een **op** de man gedresseerde hond* a dog trained to his master; *een **paard/hond** dresseren* train a horse, teach a dog tricks; *een ongetemd **paard** dresseren* break in a wild horse; *de dieren waren **uitstekend** gedresseerd* the animals were excellently trained [2] ⟨m.b.t. mensen⟩ train, teach, drill, coach, discipline ◆ *een goed gedresseerde **echtgenoot*** a well-trained husband

dresseur [de^m], **dresseuse** [de^v] (animal) trainer, ⟨van paarden⟩ horse breaker/trainer

dresseuse [de^v] → **dresseur**

dressing [de] ⟨cul⟩ (salad) dressing

dressman [de^m] male model

dressoir [het, de^m] sideboard, buffet

dressuur [de^v] training, drilling, teaching, ⟨paarden⟩ dressage, schooling ◆ *de eerste prijs bij het **onderdeel** dressuur* first prize for dressage

dressuurproef [de] ⟨paardsp⟩ dressage test

dressuursport [de] dressage

dreumes [de^m] toddler, mite, tot, nipper ◆ *een **kleine** dreumes* a tiny tot, a little mite/nipper

dreun [de^m] [1] ⟨geluid, trilling⟩ boom, rumble, ⟨lang en eentonig⟩ drone ◆ *er klonk een **doffe** dreun* a dull boom/rumble/drone was to be heard [2] ⟨eentonig ritme⟩ drone, ⟨bij lezen⟩ sing-song, monotone ◆ *alles **op** één dreun* all in a drone/a sing-song manner [3] ⟨harde klap⟩ blow, bang, thud, crash, thump ◆ ***geef** hem 'n dreun* give him one, lay one on him; *de bal een dreun **geven*** boot/sock the ball; *iemand een dreun **verkopen/geven*** sock s.o. one, punch/slosh s.o., give s.o. a bash/punch; ⟨voetb⟩ ***wat** een dreun!* what a kick!; ***wou** je 'n dreun?* looking for a fight/bash over the head?, d'you want a black eye/thick ear/...?

dreunen [onov ww] [1] ⟨trillen met dof geluid⟩ hum, drone, buzz, rumble, reverberate ◆ *het hele **huis** dreunt ervan* the whole house is rocking with it; *het **huis** dreunde door het kanonschot* the gun blast shook the house [2] ⟨dof en zwaar weerklinken⟩ boom, crash, thunder, shake, roar ◆ *een dreunende **donderslag*** crashing thunder; *de **woorden** bleven in zijn oren dreunen* the words kept ringing in his ears [3] ⟨met een eentonig ritme dof klinken⟩ drone

dreutel [de^m] [1] ⟨kleuter⟩ tot, toddler, nipper [2] ⟨onhandig mens⟩ bungler, (clumsy) oaf, buffoon [3] ⟨drol⟩ turd [4] ⟨treuzelaar⟩ ⟨BE⟩ slowcoach, ⟨AE⟩ slowpoke

dreutelen [onov ww] dawdle, loiter

dreuzel [de^m] [1] ⟨(in de Harry Potterboeken) iem. die niet kan toveren⟩ muggle [2] ⟨niet-ingewijde⟩ muggle

drevel [de^{m}] punch, ⟨gatenmaker ook⟩ piercer, ⟨verzinker ook⟩ drift

drevelen [ov ww] punch, ⟨gaten maken ook⟩ pierce, ⟨spijkers ook⟩ drift

dribbel [de^{m}] ⟨sport⟩ dribble

dribbelaar [de^{m}] ⟨sport⟩ dribbler

dribbelen [onov ww] [1] ⟨met kleine snelle passen lopen⟩ scurry, scuttle, scamper, flit/dash about ♦ *dribbelende ganzen* scurrying geese; *het kind dribbelde van de ene stoel naar de andere* the child tottered from one chair to the other [2] ⟨sport⟩ dribble

dribbelpasje [het] tripping step

^{1}**drie** [de] [1] ⟨cijfer⟩ three ♦ *een Arabische drie (3)* an Arabic three; *een Romeinse drie (III)* a Roman three [2] ⟨sport⟩ three, ⟨op dobbelsteen⟩ trey ♦ *ik gooi drie* I've thrown a three/trey; *hartendrie* three of hearts

^{2}**drie** [hoofdtelw] three ♦ *drie aan drie* in/by threes; *bij/met drie tegelijk* by/in threes, three at a time; *een-twee-drie* right now, just like that; *iets in drieën delen/breken* divide/break sth. in three parts/portions; *iets in drieën terugbetalen* pay sth. back in three instalments; *zij waren met hun drieën* there were three of them, the three of them were together; ⟨wisk⟩ *regel van drieën* rule of three; *het is tegen drieën* it's almost/just on three o'clock; ⟨fig⟩ *niet tot drie kunnen tellen* ⟨dom⟩ be too stupid for words; ⟨verlegen⟩ be covered with confusion; *drie uur/dollar/meter* three o'clock/dollars/metres; *drie drie, 3-3* three-all; *drie is te veel* three is a crowd; *met 3-0 verliezen* lose/be beaten (by) three goals to nill/^{A}nothing ⊡ ⟨sprw⟩ *alle goede dingen bestaan in drieën* all good things go by/come in threes; ⟨sprw⟩ *gasten en vis blijven maar drie dagen fris* fish and guests smell in three days; ± a constant guest is never welcome; ⟨sprw⟩ *drie is te veel* two is company, three is a crowd/three is none

^{3}**drie** [rangtelw] three, ⟨data⟩ third ♦ *drie april* April the third, the third of April, ⟨AE⟩ April third; *hoofdstuk drie* chapter three; *een auto in z'n drie zetten* put a car into third gear

drieachtstemaat [de] three-eight (time)

driearmig [bn] three-armed ♦ *driearmige kandelaar* three-branched candlestick/holder

driebaansweg [de^{m}] three-lane road

driebanden [het] → **driebandenspel**

driebandenspel [het], **driebanden** [het] ⟨bilj⟩ three-cushion billiards, three-cushions

driebandentoernooi [het] three-cushion tournament, ⟨in krant vaak⟩ 3 cushion tournament

driebenig [bn] three-legged, ↑ tripodal ♦ *een driebenige mast* a three-legged mast; *een driebenige passer* (a) three-legged (pair of) compasses

drieblad [het] ⟨plantk⟩ trefoil

driebladig [bn] ⟨plantk⟩ trefoiled, trifoliate(d), tripetalous, ⟨blad⟩ tripartite, three-leaved

driedaags [bn] three-day, three day's ♦ *de driedaagse zeeslag* ⟨gesch⟩ the three-day battle off Portland/between Portland and Calais

driedekker [de^{m}] [1] ⟨schip⟩ three-decker [2] ⟨ongemakkelijke vrouw⟩ virago [3] ⟨vliegtuig⟩ triplane

driedelig [bn] tripartite ⟨ook biologie⟩, ⟨meubilair, kostuum⟩ three-piece, ⟨boek⟩ three-volume, in three volumes, ⟨feuilleton⟩ three-part, in three parts ♦ ⟨muz⟩ *een driedelige maat* triple time

driedeursauto [de^{m}] three-door car

driedimensionaal [bn] three-dimensional, tridimensional, three-D, 3-D ♦ *een driedimensionaal lichaam* a solid

driedraads [bn] ⟨katoen⟩ three-ply, ⟨touw⟩ three-strand

driedubbel [bn, bw] [1] ⟨drievoudig⟩ threefold, triple ♦ *hij kan het driedubbel betalen* he could pay for it three times over; *de driedubbele kroon* the triple crown [2] ⟨driemaal zo groot⟩ treble, triple ♦ *een driedubbele hoeveelheid* three times the amount/quantity; ⟨dosis⟩ a triple dose; *een driedubbele onderkin* a treble/triple chin [3] ⟨als versterking⟩ out-and-out, downright, utter, ⟨AE⟩ double-dyed ♦ *driedubbele ezel* an utter/a complete fool, a total idiot, a thorough/complete ass; *een driedubbel overgehaalde lul* a rotten/filthy/fucking bastard/pig; *een driedubbel overgehaalde kluns* a clumsy/darned/cotton-picking clod/^{A}klutz

drie-eenheid [de^{v}] ⟨eenheid gevormd door drie onderdelen⟩ triad, trinity, trine

Drie-eenheid [de^{v}], **Drievuldigheid** [de^{v}] ⟨rel⟩ the (Blessed/Holy) Trinity ♦ *de heilige Drie-eenheid* the Holy/Blessed Trinity; *het dogma van de heilige Drie-eenheid* Trinitarianism

drie-enig [bn] triune ♦ *drie-enige God* triune God(head)

drieërlei [bn] of three sorts/kinds/types

driefasig [bn] three-phase

driegen [ov ww] ⟨in België⟩ baste, ⟨vnl BE⟩ tack

driehelmig [bn] ⟨plantk⟩ triandrous

driehoek [de^{m}] [1] ⟨wisk⟩ triangle ♦ *een vlakke/scherpe/gelijkzijdige driehoek* a plane/an acute-angled/equilateral triangle [2] ⟨wat de vorm heeft van een driehoek⟩ triangle ♦ *de gouden driehoek* ⟨in Zuidoost-Azië⟩ the Golden Triangle; *de bomen staan in een driehoek* the trees form a triangle; *roze driehoek* pink triangle [3] ⟨tekeninstrument⟩ set-square, ⟨AE ook⟩ triangle

Driehoek [de^{m}] ⟨sterrenbeeld⟩ Triangulum

driehoekig [bn, bw] triangular ⟨bw: ~ly⟩ ⟨ook wiskunde⟩, three-cornered

driehoekschakeling [de^{v}] ⟨techn⟩ delta connection

driehoeksmeting [de^{v}] [1] ⟨wisk⟩ trigonometry [2] ⟨het opmeten van land⟩ triangulation

driehoeksoverleg [het] three-cornered discussion, ⟨inf⟩ three-way discussion, three-way consultation

driehoeksverhouding [de^{v}] [1] ⟨m.b.t. personen⟩ (eternal) triangle, triangular/three-cornered relationship [2] ⟨handel, fin⟩ trilateral trading relations

driehonderd [hoofdtelw] three hundred

driehonderdjarig [bn] tercentenary, tercentennial

driehoofdig [bn] three-headed ♦ *driehoofdige armspier* triceps (muscle)

driehoog [bw] ⟨BE⟩ three floors/storeys up, ⟨AE⟩ four floors/stories up, ⟨BE⟩ on the third floor/storey, ⟨AE⟩ on the fourth floor/story ♦ *driehoog-achter* a garret (room); *die lui van driehoog* ⟨BE⟩ the people on the third floor, ⟨AE⟩ the folks on the fourth floor; *hij woont driehoog* he lives three/four floors up, he lives on the third/fourth floor; *nummer 12, driehoog(-achter/-voor)* (at) no 12 on the third/fourth floor (at the back/front)

drie-in-de-pan [de] Scotch pancake

driejaarlijks [bn, bw] triennial ⟨bw: ~ly⟩, three-yearly ♦ *de betaling geschiedt in driejaarlijkse termijnen* payment is made in three-yearly instalments; *de toekenning vindt driejaarlijks plaats* the prize/award is offered every three years

driejarig [bn] [1] ⟨drie jaar oud⟩ three-year-old, three years old ♦ *op driejarige leeftijd* at the age of three [2] ⟨drie jaar durend⟩ three-year, triennial ♦ *een driejarige cursus* a three-year course, a course lasting three years ⊡ *een driejarige plant* a triennial

driejarige [de] [1] ⟨kind⟩ three-year-old [2] ⟨sport; paard⟩ three-year-old

driekaart [de] tierce

driekamerflat [de^{m}] two bed-room(ed) ^{B}flat/^{A}apartment, three-room(ed) ^{B}flat/^{A}apartment

driekamerwoning [de^{v}] two bed-room(ed) house, three-roomed house

driekamp [de^{m}] triathlon

driekantig [bn] triangular, trilateral, ⟨met 3 hoeken⟩ three-cornered, trigonal ♦ *een driekantige hoed* a three-cornered/a cocked hat, a tricorn(e); *een driekantige vijl* a three-square file

drieklank [de^{m}] [1] ⟨muz⟩ triad ◆ ***kleine/grote** drieklank* minor/major triad [2] ⟨taalk⟩ thriphthong
driekleur [de] tricolour ◆ *de **nationale** driekleur* the national flag; ⟨Franse vlag⟩ the tricolour
driekleurendruk [de^{m}] [1] ⟨methode⟩ three-colour process/printing [2] ⟨afdruk⟩ three-colour print
driekleurig [bn] three-colour(ed), tricolour(ed) ◆ *een driekleurig **lint*** a three-coloured ribbon; *het driekleurig **viooltje*** the wild pansy, the heartsease, ⟨AE⟩ the Johnny-jump-up
Driekoningen [de^{m}] (feast of (the)) Epiphany, Twelfth Day
driekoningenavond [de^{m}] Twelfth Night
driekoningenbrood [het] Twelfth-cake, Twelfth-Night cake
driekroon [de] tiara
driekwart [bn, bw] three-quarter ◆ *(voor) driekwart **dicht/leeg*** three-parts closed/empty; *(voor) driekwart **dronken*** half-cut, well-oiled, tanked(-up); *een driekwart **jurk*** a three-quarter length dress; ⟨zelfstandig (gebruikt)⟩ *driekwart van de **oogst** is bedorven* three-quarters of the harvest is ruined; *(voor) driekwart **open/vol*** three-quarters open/full; *een driekwart **slag*** a three-quarter turn
driekwartbroek [de] three-quarter length ^{B}trousers/^{A}pants
driekwartjas [de], **driekwartmantel** [de^{m}] three-quarter (length) coat
driekwartmantel [de^{m}] → **driekwartjas**
driekwartsmaat [de] ⟨muz⟩ three-four (time), ⟨vnl AE ook⟩ three-quarter time ◆ *een dans **in** driekwartsmaat* a dance in three-four time
driekwartviool [de] three-quarter violin
drielandenpunt [het] place where (the) three countries meet, ⟨i.h.b.⟩ place where Holland, Germany and Belgium meet
drieledig [bn] three-part, ⟨doel⟩ threefold, ⟨wisk⟩ trinominal, ⟨telescoop⟩ three-draw, ⟨vraag⟩ three-barrelled, ⟨AE⟩ three-barreled ◆ *een drieledig **doel** beogen* pursue a threefold purpose/aim; ⟨wisk⟩ *drieledige **grootheid*** a trinominal quantity
drielettergrepig [bn] trisyllabic(al), three-syllable ◆ *een drielettergrepig(e) **woord/versvoet*** a trisyllabic/three-syllable word/foot; ⟨woord ook⟩ a trisyllable
drieletterwoord [het] four-letter word
drieling [de^{m}] [1] ⟨drie kinderen van dezelfde zwangerschap⟩ (set of) triplets ◆ *de **geboorte** van een drieling* the birth of triplets [2] ⟨één kind van een drieling⟩ triplet ◆ *zij is een drieling* she is one of triplets, she is a triplet; *dat **zijn** drielingen* they are triplets
drielobbig [bn] trilobate, three-lobed
drieluik [het] triptych
driemaal [bw] three times, ⟨form⟩ thrice ◆ *driemaal **kopiëren*** triplicate, run off/make three copies; *driemaal **per week** verschijnend* appearing three times a week/thrice weekly; *driemaal **zoveel/zo groot** geworden* increased threefold [•] ⟨sprw⟩ *driemaal is scheepsrecht* third time lucky
driemaandelijks [bn, bw] quarterly, three-monthly ◆ *driemaandelijkse **betaling*** quarterly payment; *een driemaandelijks **tijdschrift*** a quarterly, a three-monthly periodical; *driemaandelijks **verschijnen*** appear quarterly/every three months
driemachtenleer [de] separation of powers theory
driemalig [bn] triple
drieman [de^{m}] ⟨gesch, pol⟩ triumvir
driemanschap [het] trio, threesome, ⟨regerend⟩ triumvirate, troika ◆ ⟨scherts⟩ *een **edel** driemanschap* a fine trio; ⟨gesch⟩ *het **eerste** driemanschap* the first triumvirate
driemaster [de^{m}] three-master
driemijlsgrens [de] three-mile limit
driemijlszone [de] three-mile zone

driemotorig [bn] three-engined, triple-engined
driepikkel [de^{m}] ⟨in België⟩ [1] ⟨statief, drievoet⟩ tripod [2] ⟨stoeltje met drie poten⟩ (milk)stool, three-legged stool
driepits [het] → **driepitsstel**
driepitsstel [het], **driepits** [het] three-burner (gas) ^{B}cooker/^{A}stove(top)
drieploegenstelsel [het] three-shift system
driepoot [de^{m}] [1] ⟨stoeltje⟩ tripod, stool [2] ⟨statief⟩ tripod [3] ⟨de letter m⟩ m as in Mary
driepunter [de^{m}] field goal in basketball
driepuntig [bn] three-pointed, three-cornered, ⟨tand⟩ tricuspid
driepuntsgordel [de^{m}] three-point (inertia reel) seat-belt
drieregelig [bn] three-line, of three lines ◆ *drieregelige **strofe*** three-line stanza, tercet
Dries Andy, Andrew ◆ ***dolle** dries* live wire
driesetter [de] three-setter
drieslagstelsel [het] three-field system
driespan [het] team of three (horses)
driesprong [de^{m}] [1] ⟨m.b.t. wegen⟩ three-forked road ◆ ⟨fig⟩ ***op** een driesprong staan* be at the crossroads [2] ⟨paardsp⟩ triple jump
driest [bn, bw] [1] ⟨overmoedig⟩ reckless ⟨bw: ~ly⟩, foolhardy, rash ◆ *driest **optreden*** act with effrontery/rashly [2] ⟨aanmatigend⟩ insolent ⟨bw: ~ly⟩, presumptuous ◆ *drieste **rovers*** barefaced robbers
driestar [de] ⟨BE⟩ short leader, ⟨BE⟩ short leading article, ⟨AE⟩ short editorial
driestemmig [bn, bw] three-part ◆ *zij **zingen** driestemmig* they are singing a three-part song/piece
driesterrenhotel [het] three-star hotel
driesterrenrestaurant [het] three-star restaurant
driestheid [de^{v}] [1] ⟨overmoed⟩ recklessness, foolhardiness, rashness, ⟨vero, behalve scherts⟩ derring-do [2] ⟨aanmatiging⟩ insolence, presumption
drietal [het] [1] ⟨aantal van drie⟩ threesome, trio, triad ◆ *een drietal **mannen*** about three men [2] ⟨lijst van drie namen⟩ ⟨vnl BE⟩ short list ◆ ***op** het drietal staan* be one of the candidates nominated, be on the short list; *een drietal **opmaken*** make a short list
drietalig [bn] [1] ⟨in drie talen⟩ trilingual [2] ⟨drie talen sprekend⟩ trilingual
drietallig [bn] ⟨plantk⟩ ternate, ternary
drietand [de^{m}] [1] ⟨vork, staf met drie tanden⟩ trident ◆ *de drietand van **Neptunus*** Neptune's trident [2] ⟨mestvork⟩ three-pronged fork, three-tined fork
drietandig [bn] ⟨vork, staaf⟩ three-tined, three-pronged, three-forked, ⟨biol, plantk⟩ tridentate, tridental
drieteenmeeuw [de] kittiwake (gull)
drieteenstrandloper [de^{m}] sanderling
drietenig [bn] three-toed, tridactyl(ous)
drietjes [hoofdtelw] the three of ... ◆ ***met** z'n (ons, hun) drietjes* the three of us/them; ***wij** drietjes* the three of us; ⟨inf ook⟩ we three
drietonner [de^{m}] three-tonner
drietrapsraket [de] three-stage rocket
drieversnellingsnaaf [de] three-speed gear
drievingerig [bn] three-fingered, tridactyl(ous)
drievlak [het] trihedron
drievoet [de^{m}] [1] ⟨schraag, voetstuk⟩ tripod, ⟨treeft⟩ trivet [2] ⟨gesch; zetel⟩ tripod ◆ *de drievoet van de **Pythia*** the Pythia's tripod
drievoetig [bn] three-footed, tripodal
drievoud [het] [1] ⟨grootheid, aantal⟩ treble, triplicate ◆ ***in** drievoud opgemaakt* drawn up in triplicate; *een **formulier** in drievoud ondertekenen* sign a form in triplicate; *zes is het drievoud **van twee*** six is three times two [2] ⟨door drie deelbaar getal⟩ multiple of three

¹drievoudig [bn] 1 ⟨driedubbel⟩ treble, triple ♦ *een drievoudig **afschrift*** a copy in triplicate; *drievoudige **besprenkeling/onderdompeling*** ⟨bij doop⟩ trine aspersion/immersion; *een drievoudig **contract*** a tripartite indenture; *we moesten **het** drievoudige (bedrag) betalen* we had to pay three times as much/three times the amount 2 ⟨van drieërlei aard⟩ triple ♦ ⟨gesch⟩ *drievoudig **verbond*** Triple Alliance
²drievoudig [bw] ⟨op drie manieren⟩ in three ways
Drievuldigheid [de^v] → **Drie-eenheid**
Drievuldigheidsdag [de^m] ⟨r-k⟩ Trinity Sunday
driewaardig [bn] ⟨scheik⟩ trivalent, tervalent
driewegbox [de^m] three-way speaker
driewegkraan [de] three-way cock
driewegstekker [de^m] three-way plug
driewegsysteem [het] three-way system
driewekelijks [bn] three-weekly, triweekly ♦ *het **verschijnt** driewekelijks* it appears every three weeks/every third week
driewerf [bn, bw] ⟨form⟩ thrice ♦ *een driewerf **hoera** (voor)* three cheers (for)
driewieler [de^m] ⟨fiets⟩ tricycle, ⟨auto⟩ three-wheeler, three-wheel car, ⟨BE⟩ tricar
driezijdig [bn] 1 ⟨met drie zijden⟩ three-sided, triangular ♦ *een driezijdig **prisma*** a triangular prism 2 ⟨van, aan drie zijden⟩ trilateral, tripartite ♦ *een driezijdig **verdrag*** a tripartite/trilateral pact/agreement
driezits [bn] three-seater
driezitsbank [de] (three-seat(er)) sofa/settee
drift [de] 1 ⟨opwelling van woede⟩ (fit of) anger, (hot) temper, rage ♦ *in **dolle** drift* in a towering rage/passion, in a blind/burning/furious rage, in a raging/tearing passion; *in drift **ontsteken*** fly into a rage; *hij kon zijn opkomende drift niet **onderdrukken*** he could not suppress his growing anger; *in een **opwelling** van drift* in a fit of anger; *rood **van** drift* red/flushed with anger 2 ⟨neiging, begeerte⟩ passion, urge, desire, impulse ♦ *zijn driften **beteugelen*** check/control one's urges/impulses/desires; *een edele drift **tot** weldoen* a noble urge to do good 3 ⟨psych⟩ urge, drive 4 ⟨het drijven⟩ drift ♦ *een schip **op** drift* a ship adrift; *het ijs is **op** drift geraakt* the ice is drifting 5 ⟨afwijking van de koers⟩ drift ♦ ***op** drift gaan* break adrift 6 ⟨kudde⟩ drift, herd, drove, ⟨schapen⟩ flock
driftbui [de] fit/outburst of anger, passion, ⟨inf; AE⟩ catfit ♦ *hij kon **vreselijke** driftbuien hebben* he could fly into terrible tempers
¹driftig [bn] 1 ⟨vervuld van woede⟩ angry, heated ♦ *in een driftige **bui*** in a fit of temper/rage; *je moet je niet zo driftig **maken*** you must not lose your temper 2 ⟨opvliegend⟩ irascible, quick-tempered, short-tempered, hot-tempered, irritable ♦ *een driftig **temperament*** an irascible temperament; *driftig **zijn*** be quick-tempered, be short-tempered, be hot-tempered; *driftig van aard zijn* be quick-tempered, be short-tempered, have a hot temper 3 ⟨ronddrijvend⟩ adrift ♦ *driftig **worden*** ⟨van schip, goederen⟩ break adrift; ⟨schip⟩ break away from the moorings
²driftig [bn, bw] 1 ⟨waaruit woede spreekt⟩ angry ⟨bw: angrily⟩, hot-headed, hot-tempered ♦ *een driftige **beweging*** an angry gesture; *driftig **spreken*** speak angrily/harshly/in anger; *driftige **woorden*** angry/harsh/hot-tempered words, words spoken/written in anger 2 ⟨heftig⟩ vehement ⟨bw: ~ly⟩, heated ♦ *hij stond driftig te **gebaren*** he was making vehement gestures, he was gesturing vehemently; *zij **maakte** driftig aantekeningen* she was busily taking notes 3 ⟨haastig⟩ hasty ⟨bw: hastily⟩ ♦ *hij **kwam** driftig op mij toelopen* he came rushing up to me
driftigheid [de^v] 1 ⟨woede⟩ anger, (hot) temper 2 ⟨opvliegendheid⟩ hot-headedness, hot temper, passion(ate nature) 3 ⟨heftigheid⟩ vehemence, heatedness 4 ⟨haastigheid⟩ hastiness
driftkikker [de^m] hothead, spitfire ♦ *hij is een **echte** driftkikker* he is a real spitfire
drijfanker [het] sea/drift anchor, drogue
drijfas [de] ⟨wiel⟩ driving axle, ⟨schroef, machine⟩ drive, driving/propeller shaft
drijfbeitel [de^m] chasing chisel
drijfgas [het] propellant
drijfhamer [de^m] chasing hammer
drijfhout [het] driftwood, drift(age), ⟨wrakstukken⟩ flotsam
drijfijs [het] drift ice, drifting/floating ice
drijfijzer [het] drift, punch, ⟨met platte kop⟩ pin punch, ⟨met punt⟩ centre punch
drijfjacht [de] drive, battue, ⟨fig, op persoon⟩ manhunt ♦ ⟨fig⟩ *een drijfjacht houden **op** iemand* hunt s.o. down, hound s.o. (down)
drijfkaars [de] floating candle
drijfkracht [de] 1 ⟨beweegkracht⟩ driving power, motive power/force, ⟨van schip ook⟩ propelling force, ⟨stuwkracht⟩ drive ♦ *stromend water gebruiken **als** drijfkracht* use flowing/running water as/to provide driving power/drive; *van drijfkracht **voorzien*** power 2 ⟨fig⟩ driving force, moving spirit, dynamic force
drijfkunst [de^v] chasing
drijfmest [de^m] slurry, semi-liquid manure
drijfmestput [de^m] slurry pit
drijfnat [bn] soaking/sopping wet, drenched, soaked, wet/drenched through ♦ *iemand drijfnat **maken*** drench/soak s.o.; *mijn shirt is drijfnat **van** het zweet* my shirt is dripping/soaked with sweat; *drijfnat **zijn*** ⟨ook⟩ be drenched/soaked to the skin, be soaked from head to foot
drijfnet [het] drift(net)
drijfriem [de^m] (driving/transmission) belt
drijfstang [de] connecting rod, beam, ⟨AE ook⟩ pitman ♦ *een **warmgelopen** drijfstang hebben* have an overheated connecting rod
drijfsteen [de^m], **zwemsteen** [de^m] floatstone, swimming stone
drijftol [de^m] whip(ping) top
drijfveer [de] 1 ⟨beweegreden⟩ motive, mainspring ♦ *de drijfveer **tot** een daad* the motive behind/the underlying motive for an act; *eigenbelang was de drijfveer **van** zijn handelingen* self-interest was the motive for his actions, he was motivated by self-interest 2 ⟨veer⟩ mainspring
drijfvermogen [het] buoyancy, floating power ♦ *de meeste houtsoorten hebben een **groot** drijfvermogen* most kinds of wood are very buoyant/float easily
drijfwant [het] driftnet
drijfwerk [het] 1 ⟨het figuren slaan in metaal⟩ chasing, engraving, embossing 2 ⟨gedreven metaal⟩ engraved/chased/embossed work 3 ⟨aandrijvende toestellen⟩ drive, driving gear, ⟨mijnb⟩ headgear, ⟨in horloge⟩ transmission
drijfwiel [het] drive/driving wheel, driver
drijfzaad [het] drift seed
drijfzand [het] quicksand(s) ♦ ***in** drijfzand wegzinken* sink into quicksand; ⟨fig⟩ *hun relatie is **op** drijfzand gebouwd* their relationship is built on quicksand
¹drijven [onov ww] 1 ⟨aan de oppervlakte blijven⟩ float, drift ♦ *het pakje **bleef** drijven* the package remained/kept afloat; ***doen** drijven* float; *de boot/een zaak drijvend **houden*** ⟨fig⟩ keep the boat/business afloat; ***naar** boven komen drijven* float up to the surface; *het wrakhout is **naar** de kust gedreven* the driftwood drifted to the shore/ashore; ***op** zijn rug drijven* float on one's back; *hout drijft **op** water* wood floats on water; ⟨fig⟩ *de zaak drijft **op** hem* everything rests on his shoulders, he's the King-pin/the life and soul of the whole business; *het schip dreef **op** zijn lading* the ship was waterlogged; ⟨fig⟩ *de onderneming drijft **op** orders van het rijk* governmental orders are the mainstay/bread and butter of the enterprise; *het bier dreef **over** de tafel* the bear

spilled all over the table; *zich drijvende **weten te houden*** ⟨ook fig⟩ manage to keep o.s. afloat/one's head above water [2] ⟨zweven⟩ float, drift, glide ♦ *statig dreef de **reiger** op zijn lange wieken* the heron glided majestically on its long wings; ***wolken** dreven voor de maan* clouds drifted across the moon; ***wolken** dreven door de lucht* clouds drifted through the air/across the sky [3] ⟨doornat zijn⟩ be soaked, be drenched, be sopping wet, ⟨van schip⟩ be waterlogged ♦ ***ik** dreef toen ik thuis kwam* I was soaked/drenched to the skin/sopping wet when I got home; *drijven **van** het zweet* be dripping with sweat; *de **vloer** dreef (van het water)* the floor was under water/awash with water

²drijven [ov ww] [1] ⟨voor zich uit doen gaan⟩ drive, push, move, ⟨wild⟩ beat ♦ *de **bal** drijven* ⟨sport⟩ dribble the ball; ***iemand** op de vlucht drijven* put s.o. to flight, force/compel s.o. to flee; *de **menigte** uit elkaar drijven* break up the crowd; ***vee** naar de weide drijven* herd/drive cattle (in)to the field; *de **vijand** uit het land drijven* drive the enemy out of the country [2] ⟨fig; bewegen tot⟩ drive, push, compel ♦ *iemand het **bloed** naar de wangen drijven* cause s.o. to blush, send the blood rushing to s.o.'s cheeks; ***door** woede gedreven* spurred on/actuated/driven by anger/rage; ***door** edele motieven gedreven* actuated by noble intentions; ***door** nieuwsgierigheid gedreven* prompted/driven by curiosity; ***iemand** in de armen drijven van* drive s.o. into the arms of; ***iemand** tot het uiterste drijven* push s.o. to the extreme/end of his tether; ***iemand** in het nauw/een hoek drijven* drive/push s.o. to/against the wall/into a corner, bring s.o. to bay; *een onweerstaanbaar verlangen dreef het **meisje** naar huis* an irresistable urge drove the girl home; *hij drijft de **scherts** te ver* he's pushing the joke too far; *het is gevaarlijk de zaak nog **verder** te drijven* it's dangerous to push things any further; *de **zaak** op de spits drijven* carry the matter to an extreme/to extremers, bring the matter to a head [3] ⟨bedrijven⟩ run, conduct, manage, keep ♦ *zwarte **handel** drijven* deal on the black market, have black market dealings; *illegaal **handel** drijven* traffic/deal/profiteer in illegal marchandise/goods; *een **handel** drijven in antiek* deal in antiques; ***handel** drijven op/met een land* trade with a country; *de **spot** met iemand drijven* hold s.o. up to ridicule, make fun of s.o.; *een **winkel** drijven* run/keep/manage a shop/^A^store; *een **zaak** drijven* run/conduct/manage a business [4] ⟨in beweging brengen⟩ drive, ⟨machine⟩ propel, operate [5] ⟨slaan⟩ drive ♦ *een **paal** de grond in drijven* ⟨heipaal⟩ drive a pile into the ground, ⟨hek⟩ drive a post into the ground, ⟨staak⟩ drive a stake into the ground; *een **spijker** in de muur drijven* drive a nail into the wall; ***uit** elkaar drijven* ⟨ook fig⟩ wedge/force apart, drive a wedge between [6] ⟨figuren slaan in metaal⟩ chase, emboss (on/with) ♦ *in goud gedreven **vruchten** en **bloemen*** fruit and flowers embossed in gold; *gedreven **zilver*** chased/embossed silver

drijvend [bn] floating, drifting, ⟨predicatief ook⟩ afloat ♦ *een drijvende **boei*** a floating buoy; *een drijvende **brandspuit*** a firefloat/fireboat; *een drijvend **dok*** a floating dock; *een drijvend **hotel*** an aquatel; *een drijvende **kraan*** a floating pontoon/crane, a crane/derrick barge; *drijvend **krijgsmaterieel*** naval ships; *een drijvende **mijn*** ⟨als zodanig bedoeld⟩ a floating mine; ⟨losgeraakt⟩ a drifting mine

drijver [de^m^] [1] ⟨iemand die iets drijft⟩ ⟨van vee⟩ driver, drover, ⟨jacht⟩ beater, ⟨metaalbouw⟩ chaser, embosser [2] ⟨voorwerp dat drijft⟩ float ♦ *drijvers van een **watervliegtuig*** floats of a seaplane [3] ⟨voorwerp dat de vloeistofstand aanwijst⟩ float

drijverij [de^v^] fanaticism, fanatic/intemperate zeal, zealotry

¹dril [de^m^] [1] ⟨aap⟩ drill, mandrill [2] ⟨boor⟩ drill

²dril [het] ⟨stof⟩ drill

³dril [de] ⟨gelei⟩ jelly

drilboog [de^m^] drill bow

drilboor [de] drill

¹drillen [onov ww] ⟨trillen⟩ shake, tremble, quiver

²drillen [ov ww] [1] ⟨africhten⟩ drill ♦ *gedrild **in** een vak* drilled in a subject; *een goed gedrilde **troep*** a well drilled troop; *de leerlingen worden **voor** examens gedrild* the pupils are being drilled for exams [2] ⟨trillende beweging geven⟩ brandish, wave ♦ *hij drilde zijn **speer*** he brandished his spear [3] ⟨boren⟩ drill [4] ⟨slijpen⟩ grind ♦ *de **naalden** drillen* grind needles; *de **versiering** op de kelk is gedrild* the decoration on the chalice is engraved

drilsergeant [de^m^] [1] ⟨mil⟩ drill sergeant, drill instructor [2] ⟨fig⟩ drill sergeant, drill instructor

dring [tw] ring

¹dringen [onov ww] [1] ⟨zich een weg banen⟩ push, press, shove, squeeze, penetrate ♦ *het zonlicht dringt **door** de gordijnen* the sunlight comes through/penetrates the curtains; *het water drong **door** de bodem in de boot* the water came through/penetrated the floor of the boat; *hij drong **door** de samengestroomde menigte heen* he pushed/elbowed/forced/squeezed his way through the gathered crowd; *de kogel drong **in** het hout* the bullet penetrated (into) the wood; ⟨fig⟩ ***in** iemands geheimen dringen* penetrate (into) s.o.'s secrets; *het zand drong **in** zijn kiezen* the sand got in between his teeth; *de menigte drong de zaal **in/uit*** the crowd pushed its way into/out of the hall; ***naar** voren dringen* push forward/to the front [2] ⟨voorwaartse druk uitoefenen⟩ push, press ♦ *dringen **om** een plaats* jostle for a place; *het zal wel dringen worden **om** een goede plaats* we'll probably have to fight for a good seat; ***sta** niet zo **te** dringen* don't jostle/hustle/crowd me!; *ik **sta** niet bepaald te dringen om dat klusje op te knappen* I'm not exactly dying to do that job; *iedereen **stond** te duwen en te dringen* everyone was pushing and shoving [3] ⟨druk doen gelden⟩ press, urge, compel ♦ *de **tijd** dringt* time presses/is short; *de **zaak** dringt nogal* the matter is rather urgent

²dringen [ov ww] ⟨door drukken verplaatsen⟩ push, force, shove, press ♦ ***iemand** in een hoek dringen* push s.o. into a corner; *hij drong de **man** van zijn plaats* he pushed the man out of his place, ↑ he ousted the man from his place; ⟨fig⟩ *iemand **naar** de achtergrond dringen* relegate s.o. to the background; *hij werd **naar** buiten/buiten de deur gedrongen* he was pushed/forced/shoved outside/out the door; *iemand/een product **van** de markt dringen* drive/force/oust s.o./a product from the market

¹dringend [bn] [1] ⟨urgent⟩ ⟨behoefte, telegram, verzoek⟩ urgent, ⟨behoefte, bezigheden⟩ pressing, ⟨nood⟩ acute, dire, crying ♦ *er is dringend **behoefte**/een dringende **behoefte** aan geneesmiddelen* there is urgent need of medicines, there is a pressing/urgent/dire need for medicines; *dringende **bezigheden*** urgent/pressing business; *in dringende **gevallen*** in urgent cases, in case of emergency; *een dringende **oproep*** an urgent call/appeal; *dringende **redenen*** urgent reasons; ***uiterst** dringend* dire; *dringend **zijn*** be urgent/pressing/dire [2] ⟨met aandrang gedaan⟩ urgent, ⟨verzoek⟩ earnest, insistent, pressing ♦ *op dringend **verzoek** van* at the urgent/earnest request/plea of/from; *een dringend **verzoek** (om)* an urgent request/plea (for) [3] ⟨sterk vragend⟩ insistent, earnest

²dringend [bw] [1] ⟨onmiddellijk⟩ urgently, pressingly, acutely, direly ♦ *dat is dringend **noodzakelijk*** that is absolutely essential/urgently necessary; *ik moet u dringend **spreken*** I must speak to you immediately; *dringend verlegen zitten om/nodig hebben* be in urgent need of [2] ⟨met aandrang⟩ insistently, pressingly, earnestly ♦ *iemand iets dringend **verzoeken*** plead with s.o. for sth./to do sth., beg/implore/urge s.o. to do sth.; *de situatie **vraagt** dringend om maatregelen* the situation urgently demands action

drinkbaar [bn] ⟨smakelijk⟩ drinkable, ⟨ongevaarlijk⟩ potable ♦ *deze wijn is al **jeugdig** drinkbaar* this wine is drinkable even when young; *eetbare en drinkbare **waren*** edible and drinkable provisions, food and drink, foodstuffs and drinks; *het water uit deze pomp is niet drinkbaar* the water from this pump isn't drinkable/potable

drinkbak [de^m] ⟨vee⟩ drinking/water(ing) trough, ⟨paarden ook⟩ horse-trough, ⟨huisdieren, kippen⟩ waterbowl, ⟨in kooi⟩ (drinking) fountain

drinkbeker [de^m] drinking cup, goblet, chalice, beaker

drinkebroer [de^m] tippler, drunk(ard), boozer, ⟨sl; AE⟩ lush

¹**drinken** [het] drink(s), beverage ◆ *het eten en drinken is er goed* they have good food and drink there; *dit is geen drinken* this isn't fit to drink; ***heb** je de hond drinken **gegeven?*** did you give the dog sth. to drink?; *de zieke **vroeg** om drinken* the patient asked for sth. to drink

²**drinken** [onov ww] ⟨pregn⟩ ⟨alcohol drinken⟩ drink ◆ *drinken **als** een tempelier/beest/spons* drink like a fish; ***minder** gaan drinken* cut down on one's drinking, drink less; ***nooit** drinken* be a teetotaller/^{A}teetotaler, never touch the stuff/a drink, be on the wag(g)on; ***stevig/zwaar/erg** drinken* drink heavily, be a heavy drinker; ***te veel** drinken* drink (to excess), hit the bottle a bit too much; *hij **drinkt*** he drinks, he's a boozer/drunk, ⟨sl; AE⟩ he's a lush, ⟨AE⟩ he's on the bottle

³**drinken** [ov ww] ⟨in een toestand brengen⟩ drink ◆ *de fles **leeg** drinken* finish off/kill the bottle; *zich **zat** drinken* get dead drunk; ⟨vulg⟩ get pissed; *zich **dood** drinken* drink o.s. to death; *zich **bewusteloos** drinken* drink o.s. into oblivion; *iemand onder de **tafel** drinken* drink s.o. under the table

⁴**drinken** [ov ww, ook abs] [1] ⟨tot zich nemen⟩ drink, ⟨met kleine teugjes⟩ sip ◆ *geen **alcohol** drinken* be a non-drinker; *iemand vragen een **borrel** te komen drinken* invite s.o. for a drink; *drink er **een** van mij* have one on me; *een dier te drinken **geven*** give an animal sth. to drink; *een paard te drinken **geven*** water a horse; *die koffie **is niet te** drinken* that coffee tastes terrible, that coffee is undrinkable; *de **kudde** ging drinken aan de poel* the herd watered at the pool; ***op** de koop drinken* let's drink on/wet the bargain; *een glas drinken **op*** drink (a glass) to; *ik drink **op** ons succes!* here's to our success!, let's drink to our success!; *hier moet **op** gedronken worden* this calls for a toast; ***op** iemands gezondheid drinken* drink/pledge (to) s.o.'s health; *ik stel voor/laten we **op** de voorzitter (te) drinken* I'd like to propose a toast to the chairman, I give you the chairman; *een kop **thee/koffie** drinken* have a cup of tea/coffee; *we gaan **theedrinken** bij Peter* we're having tea at Peter's; *(wil je) **wat** drinken?* (will you) have a drink?; *drink nog **wat** voor je gaat* have a quick one before you go, have one for the road; ***wat** wil je drinken?, **wat** drink jij?* what are you having?, what's yours?, what'll it be?; ⟨scherts⟩ what's your poison?; *een glas **wijn** drinken* drink a glass of wine; ***wijn** bij het eten drinken* drink wine with the meal; *je moet niet alles door elkaar drinken* don't mix your drinks [2] ⟨opzuigen⟩ absorb, soak (up) ◆ *de spons drinkt het **water*** the sponge soaks up/absorbs the water

drinker [de^m] drinker ◆ *een **matige** drinker* a light/moderate drinker; *een **stevige** drinker* a heavy drinker

drinkgelag [het] drinking-bout, carousal, drinking spree ◆ *tijdens hun **stevige** drinkgelagen* during their bouts of hard drinking

drinkgeld [het] tip(s), (a) gratuity, gratuities

drinkgewoonte [de^v] drinking habit

drinkglas [het] (drinking) glass, tumbler, goblet

drinkkan [de] tankard, ⟨SchE; met knopdeksel⟩ tappit-hen

drinkkeet [de] beer barn, beer joint

drinklied [het] drinking song

drinknap [de^m] drinking-bowl

drinkplaats [de] watering place

drinkwater [het] drinking-water, potable water ◆ ***geen** drinkwater!* ⟨als waarschuwing⟩ not/unfit for drinking!

drinkwaterbedrijf [het] water company/board

drinkwaterverbruik [het] drinking-water consumption

drinkwatervoorziening [de^v] (drinking-)water supply

drinkwaterzuivering [de^v] drinking-water treatment/purification

drinkyoghurt [de^m] drinking yoghurt, yoghurt drink

drins [de^{mv}] drins

drionpil [de] Drion Pill

drip-dry [bn] drip-dry

dripping [het] drip painting

drive [de] ⟨comp⟩ disk drive

drive-inbioscoop [de^m] drive-in-cinema

drive-inrestaurant [het] drive-in drive-through restaurant

drive-inwoning [de^v] ⟨vnl. reclametaal⟩ drive-in home, ⟨alledaagse taal⟩ home with a built-in garage, ⟨BE⟩ town house

driver [de^m] driver

¹**droef** [bn] ⟨form⟩ ⟨treurig⟩ sad, ⟨i.h.b. na trieste gebeurtenis⟩ sorrowful, afflicted, melancholy, down-hearted ◆ *een droeve **blik*** a sorrowful look; *droeve **jaren*** years of suffering, time of trial; *het is mijn droeve **plicht*** the sad duty falls upon me, it is my sad duty; ***wat stemt** u zo droef?* what saddens you so?, what's the cause of your grief?; *het werd mij droef te moede* I was cast down

²**droef** [bw] ⟨form⟩ ⟨als een treurig iemand⟩ sadly, sorrowfully, mournfully

droefenis [de^v] ⟨form⟩ sadness, sorrow, grief, affliction, distress ◆ *in **diepe** droefenis* in deep distress

¹**droefgeestig** [bn] [1] ⟨m.b.t. personen⟩ melancholy, mournful, gloomy, despondent, doleful, sombre [2] ⟨m.b.t. zaken⟩ doleful, dreary, gloomy, melancholy ◆ *een droefgeestig **lied*** a sad/melancholy song; *droefgeestig **weer*** dreary/gloomy/dismal weather

²**droefgeestig** [bw] [1] ⟨m.b.t. personen⟩ dolefully, despondently, sadly ◆ *droefgeestig voor zich uit **staren*** stare despondently [2] ⟨m.b.t. zaken⟩ drearily, dolefully, sadly

droefheid [de^v] sorrow, sadness, grief, mournfulness, affliction ◆ *met **grote** droefheid vernamen wij ...* we heard with deep regret (of/that) ...

droeftoeter [de^m] loser, sucker, ⟨AE⟩ schlemiel

droes [de^m] [1] ⟨droesem⟩ → **droesem** [2] ⟨ziekte⟩ glanders, strangles, farcy ◆ ***goedaardige** droes* strangles; ***kwade** droes* glanders, farcy [3] ⟨duivel⟩ deuce

droesem [de^m] ⟨ook fig; van wijn⟩ dregs, lees, sediment, deposit

¹**droevig** [bn] [1] ⟨verdrietig⟩ ⟨mens, dag, gelegenheid⟩ sad, sorrowful, miserable, ⟨BE⟩↓wretched, ⟨mens ook⟩ cast down [2] ⟨van droefheid getuigend⟩ sad, melancholy, pathetic, doleful ◆ *een droevige **blik*** a sad/melancholy/dejected look [3] ⟨tot droefheid stemmend⟩ depressing, saddening, miserable, disheartening ◆ ***het** droevige van het geval is dat ...* the sad part/feature/aspect of the case is that ..., the tragedy of the case is that ...; *een droevig **lied*** a sad/melancholy song; *een droevig **thema*** a sad/doleful/depressing theme; *een droevig **voorval*** a sad event, a tragic incident

²**droevig** [bn, bw] ⟨bedroevend⟩ depressing ⟨bw: ~ly⟩, distressing, miserable ◆ *een droevig **klein aantal** vrijwilligers heeft zich gemeld* a depressingly small number of volunteers have come forward; *in droevige **omstandigheden** verkeren* be in miserable circumstances/a sorry plight

³**droevig** [bw] [1] ⟨op een van droefheid getuigende wijze⟩ sadly, dolefully, sorrowfully ◆ *droevig **kijkend*** sad-faced [2] ⟨bedroevend⟩ depressingly, pathetically, sadly, distressingly ◆ *het **is** droevig **gesteld** met hem* he's in a distressing situation, his situation is a distressing one, ↓he's in a bad way

drogbeeld [het] [1] ⟨bedrieglijk beeld⟩ illusion, phantom, mirage [2] ⟨verwrongen afbeelding⟩ distortion, distorted image

[1]**droge** [de^{m}] ⟨komiek⟩ straight guy
[2]**droge** [het] dry land ◆ *op het droge brengen* bring to land/grass, land; *als een vis op het droge* like a fish out of water; *op het droge zitten/verzeild zijn* ⟨ook fig⟩ be high and dry, be stranded
[1]**drogen** [onov ww] ⟨droog worden⟩ dry ◆ *drogende oliën* drying oils; *te drogen hangen* hang out to dry, air
[2]**drogen** [ov ww] [1] ⟨droog maken⟩ dry, air, ⟨door vegen⟩ wipe ◆ *de borden drogen* dry/wipe the plates; *zijn handen drogen (aan)* wipe/dry one's hands (on); *iets laten drogen* leave sth. to dry; *hij droogde zijn tranen* he wiped his eyes, he dried his tears; *goed drogend weer* good/nice drying weather [2] ⟨conserveren⟩ dry, dehydrate ◆ *gedroogde appelen/kabeljauw* dried/dehydrated apples, dried cod; *het drogen van hout* seasoning/drying wood; *thee drogen* fire tea
drogenaaldprent [de] dry-point
droger [de^{m}] drier
drogeren [ov ww] ⟨sport⟩ dope, ⟨hondenrennen, paardsp⟩ nobble ⟨waardoor hond, paard verliest⟩
drogerij [de^{v}] [1] ⟨plaats⟩ drying house/shed/room [2] ⟨drogisterijartikelen⟩ ⟨vnl mv; kruiden, geneesmiddelen⟩ drugs, ⟨toiletartikelen, kleurstoffen⟩ sundries ◆ *handelaar in drogerijen* chemist, ⟨BE⟩ drysalter, ⟨AE⟩ druggist; *zaak in drogerijen* chemist's, ⟨BE⟩ drysaltery, ⟨AE⟩ drugstore
droget [het] drugget
drogist [de^{m}] [1] ⟨verkoper⟩ chemist, ⟨AE⟩ druggist [2] ⟨winkel⟩ chemist's, ⟨AE⟩ drugstore
drogisterij [de^{v}] chemist's, ⟨AE⟩ drugstore
drogreden [de] fallacy, sophism, specious argument
drol [de^{m}] [1] ⟨keutel⟩ turd ◆ *een drol draaien* have a shit, ⟨AE⟩ have/take a crap [2] ⟨liefkozende aanduiding⟩ ± pet, sweetie, honey (bunch), precious ◆ *wat ben je toch een eigenwijze drol* you're such a smart ass; *je bent een lekkere drol* you're a sweet little thing [3] ⟨minachtende aanduiding⟩ turd, ⟨inf⟩ ass, ⟨AE⟩ jerk, ⟨AE⟩ idiot, ⟨AE⟩ blockhead ◆ *een drol van een vent* a real monster, a rotter
drolbaars [de^{m}] [1] ⟨drol⟩ turd [2] ⟨persoon⟩ turd
drollenvanger [de^{m}] ⟨scherts⟩ bags, baggy trousers
drollig [bn, bw] ⟨in België⟩ comical ⟨bw: ~ly⟩, funny, farcical, droll
drom [de^{m}] crowd, throng, horde, mob ◆ *in dichte drommen komen opzetten* show up in force/in droves; *in drommen naar binnen/buiten stromen* come trooping in, go trooping out; *drommen mensen* throngs/mobs/crowds of people; *de vijandelijke drommen* the enemy hordes
dromedaris [de^{m}] dromedary, (Arabian) camel
[1]**dromen** [onov ww] [1] ⟨een droom hebben⟩ dream ◆ *ik heb naar gedroomd* I had a bad dream; *ik heb van je gedroomd* I dreamt/dreamed about you [2] ⟨mijmeren⟩ dream, muse, daydream, stargaze ◆ *staan te dromen* daydream [3] ⟨hopen op⟩ dream, fantasize ◆ *dromen van een carrière als filmster* dream of becoming a film star; *dingen waarvan we vroeger niet droomden, zijn nu heel gewoon* things formerly undreamt of/we never dreamed of are now part of everyday life
[2]**dromen** [ov ww] [1] ⟨tot inhoud van zijn droom hebben⟩ dream ◆ *welke avonturen heb je vannacht gedroomd?* what adventures did you dream about last night? [2] ⟨in verbeelding beleven⟩ dream, ⟨AE⟩ imagine, fantasize ◆ *ik kan dat boek wel dromen* I know that book by heart/inside out/like the back of my hand; *dat had je gedroomd!* that's the way you'd like it!, you'd like that, wouldn't you?, forget about it!, no way!, don't you wish it was/he had/you could/...!; *wie zou dat gedroomd hebben/had dat kunnen dromen* who would ever dream/could have dreamt of such a thing; *hij had nooit durven dromen dat zij terug zou komen* it was beyond his wildest dreams to think that she'd ever return; *je hebt het zeker gedroomd* you must have been imagining things/dreaming

dromenland [het] land of Nod, dreamland ◆ *zij is al in dromenland* she's already in the land of Nod
dromenrijk [het] dreamland, land of Nod/dreams
[1]**dromer** [de^{m}] rearmost dike (of three), landward dike
[2]**dromer** [de^{m}], **droomster** [de^{v}] [1] ⟨persoon die droomt⟩ dreamer [2] ⟨fantast, sufferd⟩ dreamer, muser, stargazer, wool-gatherer, rainbow chaser
[1]**dromerig** [bn] [1] ⟨geneigd te dromen⟩ dreamy, moony, absorbed, faraway, meditative ◆ *een dromerig kind* a dreamy-eyed/moony/pensive child [2] ⟨van de aard van een droom⟩ dreamy, dreamlike, illusory, fantastic, unreal ◆ *een dromerige melodie* a reverie; *een dromerige sfeer* a dream-like/faraway feeling
[2]**dromerig** [bw] [1] ⟨als iemand die droomt⟩ dreamily ◆ *dromerig uit zijn ogen kijken* gaze dreamily/musingly, have a faraway look [2] ⟨als in een droom⟩ dreamily ◆ *een dromerig zacht geluid* a dreamy-soft noise
dromerigheid [de^{v}] dreaminess, mooniness, ⟨dagdromen⟩ wool-gathering
dromerij [de^{v}] [1] ⟨toestand⟩ dream-like state, reverie [2] ⟨verwarde voorstelling⟩ delusion, chimera, figment of the imagination ◆ *al zijn zogenaamde plannen zijn slechts dromerij* all of his so-called plans amount to nothing more than pipe-dreams
drommel [de^{m}] [1] ⟨duivel⟩ deuce, devil, dickens ◆ *voor de drommel* how the devil, how in hell/the world, how in the name of heaven, how on earth; *wie ben jij voor de drommel?* who the hell are you? [2] ⟨beklagenswaardig persoon⟩ devil ◆ *geef die arme drommel een euro* give that poor devil/^{B}bugger/^{A}bastard a euro ⊡ *zij is om de drommel niet bang* she's by no means afraid, she isn't afraid by any means; *dat valt om de drommel niet mee* that'll be damned difficult, that sure won't be easy; *wat drommel!* what the devil/deuce!, ⟨BE⟩ confound it!, hang it all!; *om de drommel niet* not on your life/^{B}nelly, not for all the tea in China, no way!
[1]**drommels** [bn] ⟨inf⟩ ⟨verwenst⟩ cursed, blessed, ⟨BE⟩ deuced, bloody ◆ *die drommelse kwajongens!* curse those brats!, those damned young scoundrels!; *die drommelse regen* that cursed/blessed rain; *die drommelse vent heeft altijd geluk* that cursed/blessed fellow is always lucky
[2]**drommels** [bw] ⟨inf⟩ ⟨heel erg⟩ darn(ed), ⟨BE⟩ jolly, ⟨BE⟩ dashed, confoundedly, awfully ◆ *drommels aardig* ⟨BE⟩ jolly nice; *hij wist drommels goed wat ik bedoelde* he knew perfectly/jolly/damn(ed) well what I meant; *het was drommels koud* it was damned/bloody/awfully cold
[3]**drommels** [tw] ⟨inf⟩ darn (it) by Jove/George, ⟨BE⟩ the deuce, ⟨AE⟩ good grief ◆ *drommels nog aan toe* hang/darn it all
drommen [onov ww] ⟨form⟩ swarm, throng ◆ *de arbeiders dromden het terrein op* the workers swarmed onto the grounds; *de reizigers drommen uit de treinen* the passengers came out of the trains in throngs/came pouring out of the trains
dronk [de^{m}] [1] ⟨slok⟩ drink, draught, sip, ⟨vnl AE; sl⟩ slug ◆ *een dronk water/wijn* a drink of water/wine [2] ⟨keer dat men drinkt⟩ toast ◆ *een dronk op iemand/iets uitbrengen* toast s.o./sth., give a toast to s.o./sth. [3] ⟨het drinken⟩ drinking ◆ *een kwade/goede dronk hebben* be a mean/happy drunk; *op dronk komen* ⟨wijn⟩ age
dronkaard [de^{m}] drunk(ard) ◆ *een fatsoenlijke/stille dronkaard* a closet/clandestine drinker
dronken [bn] [1] ⟨zat⟩ drunken ⟨attr⟩, drunk ⟨pred⟩, ↑ intoxicated, ↑ inebriated, ⟨inf⟩ tipsy, tight ◆ *zo dronken als een tor/kanon* (as) drunk as a lord/skunk, tight as a drum; *hij heeft het in een dronken bui gedaan* he did it in a drunken fit; *zich dronken drinken* drink o.s. blind/silly; *met zijn dronken kop* drunk as he is; *de wijn maakt hem dronken* the wine is making him drunk/tipsy; ⟨fig⟩ *een dronken schroef* a wobbly screw; *iemand dronken voeren* ply s.o. with liquor; *zij*

wordt al dronken van een glas sherry she gets drunk/tipsy on just one glass of sherry [2] ⟨+ van; buiten zichzelf⟩ drunk (with), intoxicated (with/from) ♦ *dronken* ***van*** *vreugde* drunk with joy, heady with pleasure ⊡ ⟨sprw⟩ *kinderen en gekken/dronken mensen zeggen de waarheid* children and fools cannot lie

dronkenlap [de^{m}] drunk(ard), ↓boozer, ↓wino, ⟨vnl BE; sl⟩ sot, ⟨sl; AE⟩ lush

dronkenman [de^{m}] drunk

dronkenmansgebedje [het] ⊡ *een dronkenmansgebedje* ***doen*** count one's money

dronkenmansmoed [de^{m}] Dutch courage, pot-valour

dronkenmanspraat [de^{m}] drunken/beery talk, ↓boozy talk

dronkenmanswaanzin [de^{m}] delirium tremens, ⟨inf⟩ DT's, jim-jams, the shakes, blue devils

dronkenschap [de^{v}] drunkenness, intoxication, inebriety ♦ *hij sloeg alles kort en klein* ***in*** *zijn dronkenschap* he destroyed everything in his path when he was drunk; ***openbare*** *dronkenschap* public/open drunkenness; *in* ***kennelijke staat*** *van dronkenschap (verkeren)* (be) under the influence of drink

^{1}**droog** [bn] [1] ⟨niet nat⟩ dry, ⟨klimaat⟩ arid ♦ *droog* ***bewaren,*** *drooghouden!* store in a dry place!, keep dry!; *zou het droog* ***blijven****?, zouden we het drooghouden?* will the weather hold?, will it stay dry?; *een droog* ***cognacje*** a straight brandy; *geen droge* ***draad*** *aan het lijf hebben* be soaked to the skin; *hij zit* ***hoog*** *en droog* he's sitting high and dry; *het* ***is*** *weer droog* the weather has cleared, the rain has stopped; *ik kreeg een droge* ***mond*** my mouth went/became dry; *de inkt was nog* ***niet*** *droog of ...* the ink was still wet (on the page)/not yet dry when ...; *dat is niet met droge* ***ogen*** *aan te zien* you can't watch that dry-eyed; *droge* ***stoom*** dry steam; *een droge* ***vorst*** a dry frost; *de* ***waterput*** *was droog* the well was/had gone dry; *droog* ***weer*** dry/fine weather [2] ⟨ontdaan van, arm aan sappen⟩ dry, dried out, sapless, juiceless ♦ *droog* ***hout*** dry wood; *een droge* ***huid*** a dry skin; *een droge* ***keel*** *hebben* have a dry throat [3] ⟨zonder hetgeen erbij hoort⟩ dry ♦ ***aardappels*** *droog eten* eat potatoes without gravy; *droog* ***brood*** dry bread [4] ⟨saai⟩ dry ♦ *een droge* ***klaas/vent*** a colourless fellow/character; *het is* ***vreselijk*** *droge kost/stof* it's terribly dry material/matter, the subject is as dry as dust [5] ⟨m.b.t. opmerkingen⟩ dry, wry ♦ *op droge* ***toon*** in a dry tone; *droog uit de hoek komen* make a dry remark [6] ⟨waar geen vloeistof aan te pas komt⟩ dry ♦ *droge* ***distillatie*** destructive distillation; *droge* ***verven*** pastel; *droge* ***waren*** dry goods [7] ⟨m.b.t. wijn⟩ dry, sec [8] ⟨m.b.t. koeien⟩ dry

^{2}**droog** [bw] ⟨zonder vloeistof⟩ dry ♦ *droog* ***distilleren*** dry-distil

droogautomaat [de^{m}] drier, drying machine, tumbler, tumble(r) drier

droogbloeier [de^{m}] autumn crocus, meadow saffion

droogbloem [de] [1] ⟨gedroogde bloem⟩ dried flower [2] ⟨samengesteldbloemige plant⟩ cudweed

droogboeket [het] bouquet of dried flowers

droogdoek [de^{m}] ⟨BE⟩ tea-cloth, ⟨BE⟩ tea towel, ⟨AE⟩ dish towel

droogdok [het] dry dock, graving dock ♦ ***drijvend/vast*** *droogdok* floating/stationary dock; *het schip gaat* ***in*** *het droogdok* the ship is being drydocked/is going into dry dock

drooghekje [het] airer, clothes-horse

drooghouden [ov ww] [1] ⟨droog bewaren⟩ store in a dry place [2] ⟨de tranen bedwingen⟩ hold back one's tears ♦ *hij hield* ***het*** *niet droog* he couldn't hold back his tears ⊡ *zouden we* ***het*** *drooghouden?* ⟨m.b.t. regen⟩ will the weather hold?, will it stay dry?

drooghuis [het] drying-house, sweathouse, sweating house/room ⟨bijvoorbeeld voor tabak⟩

droogje [het] ± daily bread ♦ *zijn* ***natje*** *en droogje op tijd krijgen* get one's food on the table three times a day ⊡ ***op*** *een droogje zitten* have/get nothing to drink, ⟨inf⟩ have/get nothing to wet one's whistle, be without anything to drink/a drink

droogjes [bw] dryly, drily, wryly ♦ *heel droogjes iets* ***opmerken*** make a very dry/wry remark

droogkamer [de] drying room/chamber, ⟨hout⟩ dry kiln

droogkap [de] (hair)drier (hood)

droogkast [de] airing cupboard

droogkloot [de^{m}], **droogpruim** [de^{m}] ⟨inf⟩ bloody bore/drag, ⟨AE⟩ goddam bore/drag

droogkoken [onov ww] boil dry

droogkokend [bn] ⊡ *droogkokende* ***aardappels*** mealy/floury potatoes; *droogkokende* ***rijst*** dry and fluffy rice

^{1}**droogkomiek** [de^{m}] dry/wry comedian, dry/wry comic, dry one

^{2}**droogkomiek** [bn] drily humorous, with dry humour/wit

droogkuis [de^{m}] ⟨in België⟩ dry cleaner's, dry cleaning shop/^{A}store

droogkuisen [ww] ⟨in België⟩ dry-clean

drooglat [de] drying pole

drooglegen [ov ww] [1] ⟨droogmaken⟩ reclaim, ⟨vnl. m.b.t. Nederland⟩ impolder [2] ⟨alcoholverkoop verbieden⟩ make dry ♦ *een drooggelegde/niet drooggelegde* ***stad/gemeente*** a dry/wet city; *drooggelegd* ***worden*** become dry

drooglegging [de^{v}] [1] ⟨het droogmaken⟩ (land) reclamation, ⟨vnl. m.b.t. Nederland⟩ impoldering ♦ *er is een begin gemaakt* ***met*** *de drooglegging* reclamation has begun; *het* ***plan*** *tot drooglegging* reclamation plan/program(me); *de drooglegging van de* ***Zuiderzee*** the reclamation of the Zuyder Zee [2] ⟨instelling van een verbod op alcoholverkoop⟩ prohibition (of the sale of alcohol)

drooglijn [de] (clothes-)line

drooglopen [onov ww] [1] ⟨boven water komen⟩ be uncovered, stand clear of the water ♦ *deze* ***plaat*** *loopt bij laag water droog* this sandbank/shallow is uncovered at low tide [2] ⟨m.b.t. machines⟩ run dry

droogmachine [de^{v}] drier, drying machine

droogmaken [ov ww] [1] ⟨afdrogen⟩ dry (off) [2] ⟨drooglegen⟩ reclaim, ⟨vnl. m.b.t. Nederland⟩ impolder

droogmakerij [de^{v}] [1] ⟨land⟩ (piece of) reclaimed land, ⟨vnl. m.b.t. Nederland⟩ polder [2] ⟨het droogmaken⟩ (land) reclamation, ⟨vnl. m.b.t. Nederland⟩ impoldering

droogmaking [de^{v}] reclamation, ⟨vnl. m.b.t. Nederland⟩ impoldering

droogmalen [ov ww] reclaim, drain

droogmiddel [het] drying agent, desiccant, ⟨vnl. in verf⟩ siccative, drier

droogmolen [de^{m}] collapsible clothesline/^{A}washline, rotary clothesline/dryer

droogoven [de^{m}] dry(ing) kiln

droogpak [het] drysuit, dry suit

droogproces [het] drying process

droogpruim [de^{m}] → **droogkloot**

droogpruimen [ww] take/have nothing to drink with one's food

droogrek [het] drying rack ⟨ook fotografie⟩, dish drainer/rack, ⟨voor kleren ook⟩ clothes-horse

droogrot [het] dry rot

droogscheerapparaat [het] dry-shaver, electric shaver

zich droogscheren [wk ww] dry-shave, use an electric shaver

droogscheur [de] shrinkage crack

droogschuur [de] drying shed

droogshampoo [de^{m}] dry shampoo

droogskiën [ww] ski exercises/practice, ⟨op gras⟩ grass ski(ing)

droogstaan [onov ww] [1] ⟨geen water meer hebben⟩

have run/gone dry, be dry ♦ *mijn **planten** staan droog* my plants are dry/dried out; *de **rivier** staat droog* the river has run dry; ⟨scherts⟩ *ik sta droog* I'm dry [2] ⟨geen melk meer geven⟩ be dry, have gone dry [3] ⟨gemolken staan⟩ be (milked) dry [4] ⟨geen alcohol meer drinken⟩ not drink any more, have stopped drinking, be on the wagon

droogstaand [bn] ⟨koe⟩ (temporarily) dry

droogstappen [onov ww] cool

droogstempel [het, de^{m}] embossed stamp

droogstoken [ov ww] dry (out)

droogstoppel [de^{m}] dry-as-dust/colourless/prosaic person, bore

droogte [de^{v}] [1] ⟨het droog zijn⟩ dryness, ⟨m.b.t. klimaat⟩ aridity [2] ⟨droog weer⟩ drought ♦ *een **langdurige** droogte* a long drought [3] ⟨zandbank⟩ shoal, (sand)bank, reef, (sand)bar ♦ ***op** een droogte verzeilen* run aground

droogteperiode [de^{v}] period of drought, dry spell

droogtoestel [het] drying-apparatus, ⟨chemisch⟩ exsiccator, desiccator

droogtrommel [de] drier, drying machine, tumble(r) drier

droogtunnel [de^{m}] drying tunnel

droogvallen [onov ww] be uncovered, stand clear of the water ♦ *droogvallend **land*** tide-land

droogvloer [de^{m}] drying floor, ⟨vnl. hop⟩ cast, ⟨voor koffiebonen; AE⟩ barbecue

droogvoer [het] dry feed/fodder, provender, ⟨voor huisdieren⟩ dry food

droogvoets [bw] with dry feet, without getting one's feet wet ♦ *'s zomers kan men de beek droogvoets **oversteken*** in the summer you can cross the brook without getting your feet wet

droogweg [bw] drily, dryly, wryly ♦ *droogweg iets **zeggen**/**antwoorden*** say sth./answer drily

droogwrijven [ov ww] rub dry

droogzetten [ov ww] [1] ⟨m.b.t. personen⟩ dry out [2] ⟨scheepv⟩ take out of the water, ⟨droogdok⟩ put in dry-dock

droogzolder [de^{m}] drying loft

droogzwemmen [onov ww] [1] ⟨zwemoefeningen maken⟩ practise swimming on (dry) land [2] ⟨oefenen in een leersituatie⟩ do/make/have a dry run [3] ⟨zich behelpen⟩ muddle through, manage

droogzwierder [de^{m}] ⟨in België⟩ spin drier

droogzwieren [ov ww] ⟨in België⟩ spin dry

droom [de^{m}] [1] ⟨toestand⟩ dream ♦ *een **boze** droom* ⟨nachtmerrie⟩ a nightmare, ⟨afschuwelijke gebeurtenis⟩ a nightmare; *dat zou ik zelfs **in** mijn dromen niet doen* I wouldn't dream of doing such a thing, not in my wildest dreams would I do such a thing; *een **natte** droom* a wet dream; ***uit** een droom ontwaken* awaken from a dream [2] ⟨het gedroomde⟩ dream ♦ *ik heb een **benauwde** droom gehad* I had a bad/nasty dream; *dromen **duiden*** interpret dreams [3] ⟨fantasie⟩ dream, fantasy, reverie ♦ *een droom van **geluk*** a dream of happiness; *rechtvaardigheid **is** een droom* justice is a chimera/an empty dream/a delusion; *het **meisje** van zijn dromen* the girl of his dreams; *dit overtreft mijn **stoutste** dromen* this goes beyond/surpasses my wildest dreams; *haar droom ging in vervulling* her dream came true [4] ⟨waan⟩ dream, delusion, pipe-dream, ⟨form⟩ chim(a)era, illusion ♦ ***uit** de droom ontwaken* wake up to it/to the fact; *iemand **uit** de droom helpen* disillusion/disenchant/disabuse s.o., open s.o.'s eyes [5] ⟨m.b.t. iets heerlijks, moois⟩ dream, gem, jewel, plum ♦ *een droom **van** een jurk* a fantastic/heavenly dress [•] ⟨sprw⟩ *dromen zijn bedrog* dreams are lies; ± golden dreams make men awake hungry; ± dreams go by contraries

droombeeld [het] [1] ⟨voorstelling uit een droom⟩ picture/image/vision from a dream, picture/image/vision out of a dream [2] ⟨fantasiebeeld⟩ fantasy, illusion, ⟨form⟩ chim(a)era, dream

droomeiland [het] dream island, island paradise

droomfabriek [de^{v}] dream factory, film studio

droomgedachte [de^{v}] ⟨psych⟩ latent dream content

droomgezicht [het] vision, apparition, phantom

droomhuis [het] dream house, house of one's dreams

droomland [het] dreamland

droomprins [de^{m}] Prince Charming

droomreis [de] trip of one's dreams

droomster [de^{v}] → **dromer^{2}**

droomteam [het] dream team

droomtijd [de^{m}] [1] ⟨m.b.t. de Aboriginals⟩ Dreamtime [2] ⟨sport; fantastische tijd⟩ fantastic time

droomtoestand [de^{m}] [1] ⟨lett⟩ dreaming state [2] ⟨fig⟩ dreamlike state, ⟨pej⟩ cloud-cuckoo-land [3] ⟨hypnose⟩ (state of) hypnosis

droomuitlegger [de^{m}], **droomuitlegster** [de^{v}] interpreter of dreams, oneirocritic

droomuitlegging [de^{v}] dream interpretation, dream reading, oneiromancy, ⟨als studie⟩ oneirology

droomuitlegster [de^{v}] → **droomuitlegger**

droomvrouw [de^{v}] dream woman

droomwereld [de] dream world, fantasy world, fool's paradise ♦ *de droomwereld van **Hollywood**/**der sprookjes*** the dream world/fantasy world of Hollywood/of fairy tales; ***in** een droomwereld verkeren* ⟨ook⟩ be out of touch with the world/reality; ⟨inf⟩ have one's head in the clouds

droop [de] mastitis, garget

^{1}**drop** [de^{m}] → **drup**

^{2}**drop** [het, de] ⟨snoepgoed⟩ liquorice, ⟨AE⟩ licorice ♦ ***Engelse** drop* liquorice all-sorts; *een **pijp** drop* a piece/stick of liquorice; ***zachte** drop* soft liquorice; ***zoete**/**zoute** drop* sweet/salt(y) liquorice

dropdown [de^{m}] dropdown menu

dropje [het] piece of liquorice, lozenge, jujube [•] *wat een dropje/droppie!* isn't he/she a cutie/cute!

droplul [de^{m}] jerk, wally, ⟨BE ook⟩ berk, ⟨AE ook⟩ nerd, turkey

drop-out [de^{m}] dropout

^{1}**droppen** [onov ww] ⟨form⟩ ⟨druppelen⟩ drip

^{2}**droppen** [ov ww] [1] ⟨ergens afzetten⟩ drop off [2] ⟨uit een vliegtuig werpen⟩ (make a) drop ♦ *gedropt **voedsel*** dropped/air-lifted food

dropping [de] [1] ⟨het werpen uit een vliegtuig⟩ drop [2] ⟨tocht⟩ night orienteering event

drops [de^{mv}] ± sour/acid drop

dropshot [het] drop shot

dropsleutel [de^{m}] key-shaped liquorice

dropwater [het] liquorice water

droschke [de] droshky

drososcoop [de^{m}] drew point hygrometer

drossen [onov ww] abscond, ⟨slaaf⟩ run away, desert ⟨ook leger⟩, ⟨mil⟩ go AWOL ♦ *gedroste **matrozen*** deserters

drost [de^{m}] ⟨vnl gesch⟩ bailiff, sheriff

drostambt [het] bailiwick, sheriffdom

droste-effect [het] illusion of infinity

drs. [afk] (doctorandus) MA, ± M Sc

drude [de^{v}] ⟨myth⟩ witch

drudevoet [de^{m}] pentacle, pentagram

drug [de^{m}] drug, narcotic ♦ *iemand **aan** drugs helpen* get s.o. a fix; *drugs **gebruiken*** take/use drugs, be on drugs, ⟨sl⟩ be into drugs; ⟨AE ook; sl⟩ do drugs; ***handelen** in drugs, drugs **verkopen*** deal in/sell drugs, ⟨inf⟩ push drugs; *handel **in** drugs* drug traffic(king)/dealing/trade; ⟨inf⟩ drug-pushing, dealing (in drugs); *aan drugs **weten te komen**, drugs **bemachtigen*** get hold of drugs; ⟨sl⟩ score

drugsaddict [de^{m}] drug addict

drugsbaron [de^{m}] drug baron

drugsbeleid [het] drug policy, policy on drugs, ↑policy on narcotics

drugsbestrijding [de^{v}] fight against drugs, ↑fight against narcotics, anti-drug campaign, ⟨USA⟩ war on drugs
drugsdealer [de^{m}] (drug) dealer, ↑narcotics dealer, ⟨inf⟩ pusher
drugsdode [de] drug victim
drugsdollar [de^{m}] drug dollar
drugsgebruik [het] use of drugs, drug abuse ♦ *toenemend drugsgebruik* increasing use of drugs/drug abuse
drugsgebruiker [de^{m}] drug user
drugsgeld [het] drug money, ↓narco dollars
drugshandel [de^{m}] dealing (in drugs), ↑dealing in narcotics, drug traffic(king)/dealing/trade, ⟨inf⟩ (drug) pushing
drugshandelaar [de^{m}] drug trafficker, ⟨inf⟩ drug/dope pusher, drug/dope dealer
drugshond [de^{m}] sniffer dog
drugskartel [het] drug cartel
drugskoerier [de^{m}] (drugs) courier, drug runner
drugslijn [de] drugs SOS line
drugsmaffia [de] drug maffia
drugsmisbruik [het] drug abuse
drugsoverlast [de^{m}] drug-related problems ⟨mv⟩
drugspand [het] drug joint, shooting gallery, green house, hop joint
drugsrunner [de^{m}] drug(s) runner
drugsscene [de] drug scene
drugssmokkel [de^{m}] drug smuggling
drugsteam [het] drug team
drugsterrorisme [het] drug terrorism, narcoterrorism
drugstoerisme [het] drug tourism
drugstoerist [de^{m}] drug tourist
drugstore [de] drugstore
drugsverslaafde [de] drug addict, drug-dependent (person), ↓junkie
drugsverslaving [de^{v}] drug addiction, dependence on drugs, drug dependence
drugsvrij [bn] drug-free, ⟨inf⟩ clean
druïde [de^{m}] Druid ♦ *leer der druïden* Druidism; *vrouwelijke druïde* Druidess
[1]**druif** [de^{m}] ⟨inf⟩ ⟨mal mens⟩ silly-billy, goon, ⟨vnl AE⟩ goof ♦ *een rare druif* a funny/weird one, a weirdo; *wat ben je toch een druif!* you silly-billy!, you are a one!
[2]**druif** [de] ⟨vrucht⟩ grape ♦ *de geoogste druiven binnenhalen* bring in the harvested grapes; *druiven plukken* pick/harvest grapes; *druiven treden* tread grapes; *een tros druiven* a bunch of grapes; *witte/blauwe druiven* white/black grapes; *de druiven zijn zuur* sour grapes, the grapes are sour
druifhyacint [de] grape hyacinth
druifje [het] little grape ⊡ *blauwe druifjes* grape hyacinths
druifkruid [het] 1 ⟨Chenopodium botrys⟩ Jerusalem oak 2 ⟨maanvaren⟩ grape fern 3 ⟨Scabiosa columbaria⟩ small scabious
druifluis [de] phylloxera
druifvormig [bn] aciniform, clustered, ⟨plantk, anat⟩ racemose ♦ *druifvormige klieren* racemose glands, acini
druil [de^{m}] 1 ⟨scheepv⟩ spanker, driver 2 ⟨lusteloos persoon⟩ → **druiloor**
druilen [onov ww] look like rain, threaten to rain ♦ *het druilt* it looks like rain, it's trying to rain
[1]**druilerig** [bn] 1 ⟨m.b.t. het weer⟩ dull, overcast, cloudy ♦ *druilerig worden* threaten to rain 2 ⟨m.b.t. personen⟩ mopish, droopy, listless
[2]**druilerig** [bw] ⟨als iemand die lusteloos is⟩ mopingly, listlessly ♦ *druilerig rondhangen* mope about
druiloor [de] mope(r)
druiloren [onov ww] mope about
druilregen [de^{m}] drizzle, mizzle
druipen [onov ww] 1 ⟨in druppels neervallen⟩ drip, trickle ♦ *het water druipt door de doek heen* the cloth is dripping; *het zweet droop van zijn voorhoofd* his forehead was dripping with sweat 2 ⟨vocht laten neervallen⟩ drip, trickle ♦ *de goot druipt* the gutter's dripping/leaking; *mijn kleren dropen* my clothes were dripping/soaking/sopping (wet) 3 ⟨niet slagen⟩ fail, ⟨AE⟩ flunk ⊡ *de verwaandheid druipt van hem af* he exudes self-importance, he's so full of himself
druipende hartjes [de^{mv}] bleeding hearts
druiper [de^{m}] 1 ⟨ziekte⟩ the clap, a dose, ↑gonorrhoea 2 ⟨gevelversiering⟩ dripstone 3 ⟨knop als versiering⟩ (pendant) boss
druiperig [bn] 1 ⟨druppelend⟩ dripping 2 ⟨zeer sentimenteel⟩ maudlin, lachrymose, ⟨AE⟩ sappy
druipkaars [de] dripping candle
druiplijst [de] drip-moulding, ⟨AE⟩ drip-mold, weather moulding
druipnat [bn] dripping/sopping/soaking wet, soaked through ♦ *druipnat worden van de regen* ⟨ook⟩ get drenched in the rain
druipneus [de^{m}] 1 ⟨snotneus⟩ runny nose ♦ *ik heb een druipneus* ⟨ook⟩ my nose is running 2 ⟨persoon⟩ s.o. with a runny nose
[1]**druipoog** [de^{m}] ⟨persoon⟩ s.o. with watery eyes
[2]**druipoog** [het] ⟨traanoog⟩ weepy/watery eye ♦ *ik heb een druipoog* my eye is watering
druiprek [het] (dish) drainer/rack
druipsnor [de^{m}] handlebar moustache
druipstaarten [onov ww] have its tail between its legs ♦ *druipstaartend weggaan/weglopen* ⟨ook fig⟩ go/run off with its/one's tail between its/one's legs
druipsteen [het, de^{m}] ⟨hangend⟩ stalactite, ⟨op de bodem⟩ stalagmite
druipsteengrot [de] ⟨hangende druipstenen⟩ stalactite cave, ⟨staande druipstenen⟩ stalagmite cave
druisen [onov ww] roar
druivelaar [de^{m}] ⟨in België⟩ (grape-)vine
druivenblad [het] vine/grape leaf
druivenjaar [het] vintage ♦ *1985 is een goed druivenjaar geweest* 1985 was a good year/vintage
druivenkas [de] grape-house, grapery, vinery
druivenkuur [de] grape cure
druivenoogst [de^{m}] grape harvest, vintage, ⟨BE⟩ growth
druivenpers [de] winepress, wine presser
druivenpit [de] grapestone, grape seed
druivenpluk [de^{m}] grape harvesting, vintage
druivenplukker [de^{m}], **druivenplukster** [de^{v}] grape picker/gatherer, ↑vintager
druivenplukster [de^{v}] → **druivenplukker**
druivensap [het] grape juice
druivensuiker [de^{m}] grape sugar, dextrose
druiventeelt [de] grape growing, viticulture, viniculture
druiventeler [de^{m}] 1 ⟨om de vrucht⟩ grape-grower 2 ⟨om de wijn⟩ wine-grower
druiventreden [het] grape pressing
druiventros [de^{m}] bunch of grapes
[1]**druk** [de^{m}] 1 ⟨het duwen⟩ pressure ♦ *een druk op de knop is voldoende* just press the button; *druk uitoefenen* ⟨fig⟩ exert pressure, use one's influence 2 ⟨stuwende kracht⟩ pressure ♦ *te hoge druk* overpressure; *een gebied van hoge druk* a high pressure area; *hydraulische/atmosferische druk* hydraulic/atmospheric pressure; ⟨fig⟩ *de druk is van de ketel* the pressure is off; ⟨fig⟩ *druk op de ketel houden* keep up the pressure; ⟨fig⟩ *druk op de ketel zetten* put the pressure on; *gas onder een druk van drie atmosfeer* gas under three atmospheres of pressure; *de druk verhogen (op), onder hogere druk zetten* increase/boost the pressure (on), pressurize; *de druk verlagen* ⟨ook fig⟩ lower/ease the pressure; decompress; *zijwaartse/opwaartse druk* lateral/upward pressure; *de druk per cm^{2}* the pressure per cm^{2}; *druk in centimeters water*

pressure in centimeters water [3] ⟨pressie, aandrang⟩ pressure, ⟨spanning⟩ strain, stress, ⟨van belasting/zorgen⟩ burden, weight, ⟨samendrukking⟩ compression, ⟨last⟩ oppression, ⟨stuwing⟩ thrust ◆ *de druk van de* ***belastingen*** the burden of taxation/tax burden; ***onder*** *druk toegeven* cave in/under pressure; *iemand* ***onder*** *druk zetten* put pressure on s.o., pressure s.o.; ⟨inf⟩ lean on s.o.; ***onder*** *(hoge) druk leven/staan* live/be under/be subjected to (great) pressure/stress; ***onder*** *de druk der omstandigheden handelen* be forced by circumstances to do sth., act by force of circumstances; *dat zal de druk* ***op*** *de organisatie verlichten* that will ease the pressure/strain on the organisation; ***sociale*** *druk* social pressures; *de druk van de* ***tijden*** the pressure of the times; *druk* ***uitoefenen/aanwenden*** *(op iemand)* put/exert pressure (on s.o.) [4] ⟨het drukken⟩ printing ◆ ***in*** *druk verschijnen* appear in print; *een werk* ***in*** *druk geven* have a work printed/published, publish a work; *100* ***pagina's*** *druk(s)* 100 pages of print [5] ⟨oplage⟩ edition, impression, printing ◆ *een* ***herziene*** *druk* a revised edition; *(tweede,)* ***onveranderde*** *druk* second impression; *het boek is al aan de* ***vijfde*** *druk* the book is already in/has gone into its fifth edition [6] ⟨wijze van drukken⟩ print, ⟨lettertype⟩ type ◆ *een* ***fraaie*** *druk* a handsome edition; ***onduidelijke/vage*** *druk* mackle

²druk [bn] [1] ⟨veel werk met zich meebrengend⟩ busy, demanding ◆ *een drukke* ***baan*** a demanding job; *een drukke* ***zaak*** a thriving business, a shop doing a good trade [2] ⟨veel te doen hebbend⟩ busy, active ◆ *het zo druk hebben/zo druk zijn* ***als een klein baasje*** be busy as a (little) bee; *wat* ***ben*** *je toch druk* you are busy, aren't you; *het druk* ***hebben*** be busy; *het te druk* ***hebben*** *met werken* be too busy working; *hij* ***krijgt*** *het steeds drukker* he is increasingly busy [3] ⟨bedrijvig⟩ busy, lively ◆ *(overmatig) drukke* ***bijeenkomst*** crowded meeting, crush; *een drukke* ***straat*** a busy street; ⟨verk⟩ *drukke* ***uren*** peak hours, rush hour; *het* ***was*** *er erg druk* it was very busy; *het* ***was*** *druk/niet druk op de beurs* trading was active/heavy/was light, the market was (not) busy/active [4] ⟨intensief⟩ busy ◆ *een drukke* ***correspondentie*** a lively correspondence; *(een) druk* ***gebruik*** *van* use frequently, make much use of; *drukke* ***handel*** thriving business, lively trade; *druk* ***verkeer*** heavy traffic [5] ⟨luidruchtig⟩ busy, active, excited, lively, boisterous ◆ *drukke* ***kinderen*** lively/boisterous children; *zich niet druk* ***maken*** be calm/relaxed/casual, remain calm; ⟨inf⟩ keep (one's) cool; *zich nodeloos druk* ***maken*** worry/fuss needlessly; *zich druk* ***maken*** *over iets* worry/get excited about sth.; ⟨onnodig⟩ make a fuss about sth.; *die kinderen* ***zijn*** *te druk* those children are too noisy [6] ⟨overladen⟩ busy ◆ *een drukke* ***stof*** a busy/loud fabric [7] ⟨bezet, gevuld⟩ busy, full, active ◆ *wegens drukke* ***bezigheden/werkzaamheden*** on account of/owing to the pressure/stress of work; *een druk* ***leven*** *hebben* lead a busy/an active life; *een druk* ***programma*** a busy/full schedule/programme/ᴬprogram; *drukke* ***tijden/dagen*** busy times/days

³druk [bw] [1] ⟨intensief⟩ busily ◆ *een druk* ***bereden*** *weg* a well-travelled/ᴬwell-traveled/heavily used road; *druk* ***bezet*** busy; *te druk* ***bezig/bezet*** overbusy; *druk* ***bezig*** *zijn (met iets)* be busy/tied up (with/doing sth.); *een druk* ***bezocht*** *college* a well-attended lecture; *druk in de weer zijn* be up and about, be on the go, bustle (about); *druk in gesprek zijn* be engaged in lively conversation; *hij is druk aan het werk* he is busy working; *druk aan het schrijven zijn* be busily writing, be hard at work writing [2] ⟨luidruchtig, opgewonden⟩ busily, noisily, excitedly ◆ *druk* ***bewegen*** fidget; *druk* ***praten*** talk animatedly, excitedly; ⟨als eigenschap⟩ be (very) talkative

drukautomaat [deᵐ] [1] ⟨inrichting aan een geiser⟩ pressure governor [2] ⟨degelpers⟩ platen

drukbestendig [bn] pressure-resistant

drukcabine [deᵛ] pressure cabin, pressurized cabin

drukcilinder [deᵐ] pressure cylinder, platen

drukcontact [het] push contact

drukdoenerij [deᵛ] fussing, bustling

drukfout [de] misprint, printing error, erratum ◆ ***lijst*** *van drukfouten* errata; *een drukfout* ***maken*** misprint a word; *een* ***storende*** *drukfout* a serious misprint

drukfoutduiveltje [het] ⟨zeldz⟩ printer's imp

drukgang [deᵐ] printing

drukhoogte [deᵛ] [1] ⟨hoogte tot waar iets geperst wordt⟩ (pressure) head [2] ⟨hoogte berekend uit de luchtdruk⟩ pressure altitude

drukhouder [deᵐ] pressurized container

drukinkt [deᵐ] printer's/printing ink

¹drukken [onov ww] [1] ⟨duwen⟩ press, push ◆ *druk maar* ***op*** *dit knopje* just press this button; *het verband drukt* ***op*** *de wond* the bandage is pressing on the wound; ***tegen*** *iets drukken* press/push against sth. [2] ⟨als iets zwaars liggen op⟩ press, weigh down ◆ ***zwaar op*** *het geweten drukken* weigh heavily on one's conscience; *een maatregel die* ***op*** *allen drukt* a measure/decision that burdens everyone [3] ⟨kakken⟩ ⟨kind⟩ do number two

²drukken [ov ww] [1] ⟨aan een kracht onderwerpen⟩ push, press ◆ *iemand de* ***hand*** *drukken* shake s.o.'s hand, shake hands with s.o.; ⟨sport⟩ *iemand* ***van*** *de baan drukken* force s.o. out of his lane [2] ⟨iets in een toestand, ergens brengen⟩ push, force ◆ *een vriend* ***aan*** *het hart/de borst drukken* clasp a friend to one's heart/bosom; *een motie* ***erdoor*** *drukken* push a motion through; ***in*** *elkaar drukken* press/crush together; *iemand geld* ***in*** *de hand drukken* press money into s.o.'s hand; *de lippen* ***op*** *elkaar drukken* press one's lips together; *een kurk* ***op*** *een fles drukken* force a cork (back) into a bottle; *zich* ***tegen*** *de muur drukken* press o.s. against the wall; *iemand* ***tegen*** *de muur drukken* pin s.o. against the wall; *iemand* ***tegen*** *zich aan drukken* hold s.o. close (to o.s.) [3] ⟨door drukken doen ontstaan⟩ force, make, create ◆ *iemand een kus* ***op*** *de lippen drukken* kiss s.o. on the lips [4] ⟨omlaag brengen⟩ push down ◆ *de* ***beursprijzen*** *drukken* put pressure on the market; ⟨bepaalde aandelen⟩ raid; *de* ***lonen/prijzen/kosten/onkosten*** *drukken* hold/keep down a/the lid on wages/prices/costs/expenses, ⟨inf; AE⟩ keep a/the lid on wages/prices/costs/expenses; ⟨ec⟩ *de* ***markt*** *drukken* put pressure on the market; *zich (plat)* ***tegen*** *de grond drukken* press o.s. to the ground [5] ⟨drukw⟩ print ◆ *een* ***boek*** *drukken* print a book; *het* ***boek*** *wordt gedrukt* the book is being printed/published; ***cursief*** *drukken* italicize; *10.000* ***exemplaren*** *drukken* print/run off 10,000 copies; ***gewoon/cursief/vet*** *drukken* print in roman type/in italics/bold(face) type; ***machinaal*** *drukken* machine print; ***onduidelijk/vaag/dubbel*** *drukken* mackle, smudge, print double; ***verkeerd*** *drukken* misprint; *(niet)* ***geschikt*** *om gedrukt te* ***worden*** (un)printable; ***liegen*** *of het gedrukt staat* lie through one's teeth; ⟨sl; AE⟩ lie like a dog [6] ⟨door middel van een stempel aanbrengen⟩ stamp, impress ◆ *een cachet* ***op*** *een brief drukken* place/impress a seal on a letter

³zich drukken [wk ww] ⟨inf⟩ ⟨zich aan iets onttrekken⟩ dodge, shirk, ⟨sl; BE⟩ scrimshank, ⟨AE⟩ goldbrick ◆ *iemand die zich drukt* dodger, shirker; ⟨sl; BE⟩ scrimshanker, ⟨AE⟩ goldbricker

⁴drukken [ov ww, ook abs] ⟨sport⟩ lift (weights), press (200 kilos), ⟨inf⟩ pump (iron)

drukkend [bn] [1] ⟨zware last vormend⟩ oppressive, heavy, burdensome, onerous ◆ *drukkende* ***belastingen*** oppressive taxation; *een drukkende* ***last*** a heavy burden; *een drukkende* ***stilte*** an oppressive silence [2] ⟨loom makend⟩ oppressive, ⟨broeierig⟩ sultry, ⟨benauwd⟩ close ◆ *een drukkend* ***hete dag*** a sweltering day; *een drukkende* ***hitte*** an oppressive heat; ⟨broeierig⟩ a swelter; *drukkend* ***weer*** oppressive/close weather

drukker [deᵐ] [1] ⟨boek-, plaatdrukker⟩ printer ◆ *het artikel is al* ***bij*** *de drukker* the article is already at the printer's/in the hands of the printer; *het boek moet morgen* ***naar*** *de* *drukker* the book has to go to press/the printer's tomorrow [2] ⟨drukknop⟩ push-button [3] ⟨mil⟩ shirker, ⟨AE⟩ shammer, ⟨sl; BE⟩ scrimshanker

drukkerij [de^{v}] ⟨bedrijf⟩ printer, printing office/business, ⟨inf⟩ printer's, ⟨werkplaats⟩ printing establishment, ⟨AE⟩ printery ♦ ***kleine** drukkerij* small printer

drukkersambacht [het] printing profession/trade

drukkersjongen [de^{m}] printer's devil/assistant, journeyman printer

drukkersmerk [het] printer's mark

drukkertje [het] ⟨BE⟩ press-stud, ⟨AE vnl⟩ snap, ⟨inf; BE⟩ popper

drukketel [de^{m}] autoclave

drukking [de^{v}] [1] ⟨het uitoefenen van druk⟩ pressure ♦ *de drukking **van het water*** water pressure [2] ⟨grootte van de druk⟩ amount of pressure [3] ⟨blaar bij rij-, lastdieren⟩ sore

drukkingsgroep [de] ⟨in België⟩ pressure group, lobby, ⟨in politieke partij/parlement; BE⟩ ginger group

drukknoop [de^{m}] → **drukkertje**

drukknop [de^{m}] touch/push button, button

drukknopbediening [de^{v}] touch/push button control

drukkosten [de^{mv}] printing costs

drukkunst [de^{v}] [1] ⟨boekdrukkunst⟩ printing, typography [2] ⟨het drukken als kunst⟩ art of printing

drukletter [de] [1] ⟨geschreven letter⟩ (block/printed) letter [2] ⟨letter waarmee gedrukt wordt⟩ type, letter ♦ *(volledig) **stel** drukletters* fount, ⟨AE⟩ font

drukmediaan [het] ± low-grade paper

drukmeter [de^{m}] pressure gauge

drukmiddel [het] lever

drukmijn [de] pressure mine

drukpak [het] pressure suit

drukpan [de] pressure cooker

drukpapier [het] printing paper

drukpatroon [het] (printing) pattern

drukpers [de] [1] ⟨werktuig⟩ printing press [2] ⟨het drukken en verspreiden⟩ press ♦ *de **vrijheid** van drukpers* freedom of the press

drukplaat [de] [1] ⟨drukw⟩ printing plate ♦ ***vaste** drukplaat* standing type [2] ⟨plaat om druk te verdelen⟩ washer

drukproef [de] [1] ⟨drukw⟩ proof, galley (proof), printer's proof ♦ *drukproeven **corrigeren*** proofread, correct the proofs/galleys; ***gecorrigeerde/tweede** drukproef* revise; ***nog niet gecorrigeerde** drukproef* pull; ***laatste** drukproef* press proof; ***losse** drukproef* slip; *een drukproef **maken*** pull a proof; ***voorgecorrigeerde** drukproef* author's proof; ***vuile** drukproef* foul proofs [2] ⟨materiaalonderzoek⟩ pressure test, test under pressure

drukpunt [het] [1] ⟨med⟩ pressure point [2] ⟨mil⟩ pressure point [3] ⟨scheepv⟩ centre of pressure

drukpuntmassage [de^{v}] pressure point massage

drukraam [het] printing frame

drukring [de^{m}] [1] ⟨om een pakking⟩ pressure ring [2] ⟨in een waterkraan⟩ pressure ring, washer

drukriool [het] pressure sewer

drukschakelaar [de^{m}] switch, (push) button

druksel [het] [1] ⟨product van drukkunst⟩ print(ing) [2] ⟨pej; gedrukt stuk⟩ mere print, just (a/so much) print, ⟨krant⟩ rag, ⟨boek ook⟩ just paper, so much paper, waste paper, scrap paper

drukspanning [de^{v}] compressive stress

drukspiegel [de^{m}] type page, lay-out

druktank [de^{m}] pressure tank

drukte [de^{v}] [1] ⟨veel bezigheden⟩ busyness, pressure (of work), ⟨inf⟩ squeeze ♦ ***door** de drukte heb ik de bestelling vergeten* it was so busy/hectic I forgot the order; *een **periode** van grote drukte (in zaken)* a busy time, a period of great pressure [2] ⟨leven, vertier⟩ bustle, commotion, activity, stir, scurry, rush, coming and going, hullaba(l)loo ♦ *vanwaar al **die** drukte?* what's all this (hustle and bustle) in aid of?; *de drukte **in** de straten* the commotion/bustle in the streets; ***in** de drukte is hem zijn horloge gerold* in all the commotion his watch was stolen; *het was een drukte **van juwelste/van belang*** there was a huge crowd, there were lots of people milling around; *de drukte **voor** Kerstmis* the Christmas rush [3] ⟨veel ophef⟩ fuss, ado, flurry, stir, ballyhoo ♦ ***bestuurlijke** drukte* excessive layers of government; ***kouwe** drukte* much ado about nothing; ***kouwe** drukte **maken*** ⟨zich aanstellen⟩ put on/give o.s. airs (and graces), swank; ⟨onnodige ophef⟩ make a song and dance (about sth.), ⟨AE⟩ make a hoopla; *(veel) drukte over/om/van iets **maken*** make a big fuss about/over sth.; *(een hoop kouwe) drukte **om** niets (maken)* (make) much ado/(a lot of) fuss and bother about nothing; ***over** die zaak is veel drukte geweest* there was a big to-do over that affair; ***zenuwachtige, nerveuze** drukte* flurry [4] ⟨omslag, omhaal⟩ bother, fuss, to-do, ruckus ♦ ***maakt** u voor mij geen drukte* don't go to any bother/fuss/trouble for me

druktechniek [de^{v}] printing (technique)

druktechnisch [bn, bw] typographical ⟨bw: ~ly⟩

druktemaker [de^{m}] show-off, fussbudget, fusspot, fussbox

druktoestel [het] → **druktoetstelefoon**

druktoets [de^{m}] (push) button

druktoetstelefoon [de^{m}], **druktoestel** [het] push button telephone, keyphone, touch tone telephone

drukvat [het] ⟨scheik⟩ pressure vessel, ⟨papiniaanse pot⟩ autoclave

drukverband [het] compress(or), tourniquet, pressure bandage

drukvorm [de^{m}] [1] ⟨in een raam opgesloten zetsel⟩ form [2] ⟨gegraveerd blok⟩ (printing) form(e), matrix

drukvulling [de^{v}] supercharging

drukwal [de^{m}] hummock

drukwaterreactor [de^{m}] pressurized water reactor

drukweerstand [de^{m}] [1] ⟨drukvastheid⟩ pressure resistance, resistance to pressure, compressive strength [2] ⟨weerstand door verandering van druk⟩ resistance

drukwerk [het] [1] ⟨poststuk⟩ printed matter/^{B}paper ♦ ***als** drukwerk verzenden* send as printed matter, ⟨BE⟩ send printed paper rate, ⟨boeken ook⟩ send book post/^{A}third class rate [2] ⟨gedrukt stuk⟩ printed matter, print [3] ⟨(opdracht tot) het drukken van iets⟩ printing ♦ *wij **nemen** geen drukwerk meer **aan*** we're not taking on any more printing

drukzin [de^{m}] pressure perception

drum [de^{m}] [1] ⟨slagwerk⟩ drum(s) [2] ⟨ijzeren vat⟩ drum [3] ⟨comp⟩ drum

drumband [de^{m}] drum band ♦ *een **militaire** drumband* a military (drum) band

drumcomputer [de^{m}] drum computer

drumkit [de^{m}] drum kit, set of drums

drummachine [de^{v}] ⟨muz⟩ rhythm/percussion box

drummen [onov ww] [1] ⟨het drumstel bespelen⟩ drum, play/beat/sound a drum, play/beat/sound the drum(s) [2] ⟨in België; dringen, duwen⟩ push and shove [3] ⟨in België; drommen⟩ swarm, throng

drummer [de^{m}], **drumster** [de^{v}] drummer (boy/girl)

drum-'n-bass [de^{m}] drum 'n bass

drumstel [het] drum set, (set of) drums

drumster [de^{v}] → **drummer**

drumstick [de] drumstick

drup [de^{m}], **drop** [de^{m}] [1] ⟨omstandigheid, plaats⟩ drip ♦ ***in** de drup staan* take the flak [2] ⟨druppel⟩ drip, drop [3] ⟨kleine hoeveelheid⟩ drop, spot, dribble, trickle ♦ *er is geen drup **melk in huis*** there is not a drop of milk in the house [•] ⟨sprw⟩ *de gestadige drup holt de steen* constant dripping wears away the stone

drupje [het] [1] ⟨druppel⟩ drop, droplet [2] ⟨slokje⟩ drop,

⟨sl⟩ slug, ⟨borrel ook⟩ dram, tot, thimbleful

druppel [de^{m}] [1] ⟨vochtdeeltje⟩ drop(let), bead ⟨o.a. zweet⟩, drip, globule ♦ *druppel **aan de neus*** a dew-drop/drip on the nose; *enige druppels **citroensap*** a few drops/a squeeze of lemon juice; ⟨fig⟩ *dat is de druppel die de **emmer** doet overlopen* that's the straw that breaks the camel's back, that's the last straw; *alles tot de **laatste** druppel opdrinken* drain to the (very) last drop; ⟨fig⟩ *een druppel **op** een gloeiende plaat* (just) a drop in the ocean; *druppel **voor** druppel* in drops, drop by drop; *druppels **zweet*** beads of sweat; *ze lijkt als twee druppels water op m'n zus*↓ she's a dead ringer for my sis; *zij lijken op elkaar als twee druppels water* they are as like as two peas in a pod [2] ⟨kleine hoeveelheid⟩ drop, spot, thimbleful ♦ ***geen** druppel bloed werd gestort* not a drop of blood was shed; *ik heb nog **geen** druppel gedronken* I haven't had a drop to drink (yet) [3] ⟨borrel⟩ drop, dram, tot, thimbleful ⊡ ⟨sprw⟩ *de laatste druppel doet de emmer overlopen* the last drop makes the cup run over; the last straw breaks the camel's back

[1]**druppelen** [onov ww] [1] ⟨in druppels vallen⟩ drip, trickle, dribble, ooze ♦ ***uit** de insnijdingen druppelt vocht* the incisions are oozing/exude moisture [2] ⟨druppels laten vallen⟩ drip, trickle, dribble, weep ♦ *druppelende **takken*** dripping branches

[2]**druppelen** [ov ww] ⟨in druppels laten neervallen⟩ drip, dribble, trickle ♦ *druppel er wat **azijn** op* dribble some vinegar on it; *iets **in** het oog druppelen* put drops in one's eye

[3]**druppelen** [onpers ww] ⟨zachtjes regenen⟩ drizzle, mizzle, spit (down) ♦ ⟨fig⟩ *als het daar regent, druppelt het hier* if he sneezes, you get a cold

druppelflesje [het] (eye) dropper, dropping bottle

druppelinfuus [het] ⟨med⟩ drip ♦ ***aan** een druppelinfuus liggen* be on a drip

druppelpipet [het, de] (dropping) pipet(te), dropper

druppelreactie [de^{v}] ⟨scheik⟩ spot test

druppelsgewijs [bw] [1] ⟨druppel voor druppel⟩ in drops, drop by drop [2] ⟨fig⟩ little by little, bit by bit, in dribs and drabs ♦ *druppelsgewijs **kwamen** de bezoekers **binnen*** the visitors trickled in; *het nieuws **lekt** druppelsgewijs **uit*** (gradually) the news leaked out (bit by bit)

druppelteller [de^{m}] (eye) dropper, ⟨scheik⟩ dropping bottle, pipet(te)

druppeltje [het] [1] ⟨kleine druppel⟩ droplet, driblet [2] ⟨kleine hoeveelheid vocht⟩ spot, bead

druppelvanger [de^{m}] drip catcher

druppelvorm [de^{m}] teardrop form

druppen [onov ww] [1] ⟨in druppels neervallen⟩ drip, trickle, dribble, spit [2] ⟨druppels laten vallen⟩ drip, trickle, dribble, ooze, drop

dry [bn] dry

dryade [de^{v}] dryad

ds. [afk] (dominee) Rev

DSL [het] DSL

dtb [afk] [1] (dividend- en tantièmebelasting) tax on dividends and bonuses [2] (Doop-, Trouw- en Begraafboeken) registers of baptisms, marriages and burials

dt-fout [de] common spelling mistake when conjugating Dutch verbs

dtp [de] (desktoppublishing) DTP

d.t.p. [afk] (daar ter plaatse) in that place, locally

dtp'er [de^{m}] desktop publisher

dtp-prik [de] ⟨med⟩ DTP injection, ⟨inf⟩ DTP jab, ⟨dagelijkse taal⟩ injection against diphteria, tetanus and polio, ⟨inf⟩ jab against diphteria, tetanus and polio

D-trein [de^{m}] inter-city express with surcharge

duaal [bn] dual ♦ *duale **economie*** dual economy

dual band [de^{m}] dual band

dualbandtelefoon [de^{m}] dual-band telephone

dualis [de^{m}] dual

dualisme [het] [1] ⟨tweeheidsleer⟩ dualism [2] ⟨tweeslachtigheid⟩ dualism, duality [3] ⟨pol⟩ dualism

dualistisch [bn] dualist(ic)

dualiteit [de^{v}] duality

duatlon [de^{m}] duathlon

dub [de] dub

[1]**dubbel** [de^{m}] ⟨stuntman-, vrouw⟩ double, stand-in

[2]**dubbel** [het] [1] ⟨tweede gelijk exemplaar⟩ duplicate, copy ♦ ***in** dubbel opgemaakt* drawn up in duplicate; *hij **verkocht** zijn dubbelen* he sold his duplicates [2] ⟨dubbelspel⟩ doubles

[3]**dubbel** [bn] [1] ⟨tweevoudig⟩ double, duplicate, dual, two-fold, two-part ♦ *dubbele **besturing/bediening*** dual control(s); *dubbel **blok*** double pulley(s); *een dubbele **bodem*** a double bottom; ⟨fig⟩ a hidden meaning; *dubbele **boekhouding*** double/dual entry (bookkeeping), dual books; *een dubbel(e) **boord*** a double edge; *een dubbele **boterham*** a sandwich; ⟨med⟩ *dubbele **breuk*** double hernia; *dubbele **controle*** double check; *een dubbele **deur*** double doors; *een dubbele **één*** ⟨dobbelspel⟩ ambsace, amesace; *dubbele **exemplaren*** duplicate copies; *een dubbele **kin*** a double chin; *een deken dubbel **leggen*** fold a blanket double/in two/in half; *dubbele **longontsteking*** double pneumonia; *dubbele **manchet*** French cuff; *een dubbele **naam*** a double name, ⟨BE ook: naam met koppelteken⟩ a double-barrelled name; *dubbele **ramen/beglazing*** double windows/glazing; *een weg met dubbele **rijbaan*** a two-lane road; *dubbel **slot*** double lock; *een lijn met dubbel**spoor*** double-track line; *een dubbele **tand*** a double tooth; *dubbele **vijf/zes*** double five(s)/six(es); *wij doen veel dubbel **werk*** our work overlaps a great deal, we duplicate one another's work [2] ⟨tweemaal zo groot als gewoonlijk⟩ double (the size/...), twice (as big/...) ♦ *een dubbele **aflevering*** ⟨tv-programma⟩ double episode; *dubbel **bed*** double/full-size bed; *dubbele **bessen*** doubly large berries, berries twice the usual/normal size; *dubbel **bier*** extra strong beer; *een vergadering in dubbelen **getale*** a doubly large meeting, a meeting attended by twice as many people as usual; *hij vroeg mij **het** dubbele van de prijs* he wanted double the price from me, he asked me for twice the price; *dubbele **likeuren*** extra special liqueurs; *een dubbel **nummer*** a double number; *dubbele **stoffen*** crossband/warp twist/left-hand twine fabrics [3] ⟨van tweeërlei aard⟩ double, dual, two-fold ♦ *een dubbele **betrekking*** a dual post/position; ⟨fin⟩ *een dubbele **optie*** a double option, a put and call option; ⟨AE ook⟩ a spread, a straddle; *dubbel **spel** spelen* play double/a double game; *de dubbele **standaard*** (the) double standard; ⟨fin⟩ symmetallism, bimetallism/^{A}bimetalism ⊡ *dubbele **twee*** double skiff/scull

[4]**dubbel** [bw] [1] ⟨in tweeën, twee keer⟩ double, twice ♦ *ik **heb** dat boek dubbel* I have duplicate/two copies of that book; *dubbel **interliniëren*** double-space; *dubbel **liggen*** be doubled up; *dubbel **parkeren*** double park(ing); *hij **ziet** dubbel* he sees/is seeing double/has double vision [2] ⟨tweemaal⟩ twice (as) ♦ *dubbel **schaak*** double check; *de vijand was dubbel zo **sterk*** the enemy was twice as strong [3] ⟨in tweemaal zo hoge mate⟩ doubly, twice ♦ ⟨in België⟩ *dubbel en **dik*** amply, plentifully, abundantly, largely; *hij verdient het dubbel en **dwars*** he's earned/he deserves more than his share, he deserves every bit of it; *hij heeft zijn aandeel al dubbel en **dwars** gekregen* he got more than his share/his share and more; *dat is dubbel **erg*** that's twice as bad, that's doubly bad; ***quitte of dubbel?*** double or quits?; *dubbel **zo duur/veel*** twice as expensive/much; *dubbel **zo** hard werken* work twice as hard

dubbelagent [de^{m}] double agent

dubbelalbum [het] double album, double LP

dubbelbed [het] double bed

dubbelbesluit [het] ⟨pol⟩ ⊡ *het NAVO-dubbelbesluit* the NATO twin-track decision

dubbelblad [het] double sheet

[1]**dubbelblank** [het] double blank ♦ *ik **heb** dubbelblank* I

have the double blank
²**dubbelblank** [bn] with no score ◆ *de voetbalwedstrijd eindigde in een dubbelblanke **stand*** the football match ended with no score (on either side), ⟨BE ook⟩ the football match ended in a goalless draw/ended nil-all/nil nil
dubbelblind [bn] double-blind ◆ *dubbelblind **onderzoek*** double-blind study/test/trial
dubbelboekhouden [ww] double-entry bookkeeping
dubbelboeking [deᵛ] double booking
dubbelbol [bn] biconvex, double convex, lenticular, lentoid
dubbelbreed [bn] twice as wide, double width
dubbelbrekend [bn] ⟨natuurk⟩ double refracting, birefringent
dubbel-cd [deᵐ] double CD
dubbeldakstent [de] double roof/skin tent
dubbeldekker [deᵐ] [1] ⟨bus⟩ double deck(er) (bus) [2] ⟨vliegtuig⟩ biplane [3] ⟨trein⟩ double deck(er) (train)
dubbeldeks [bn] double-deck(ed), two-deck(ed) ◆ *die **veerboot** is dubbeldeks* the ferry has two decks/is a two-decker
dubbeldik [bn] double, doubly thick, double thickness, two-ply ◆ *dubbeldikke **ijswafels*** double ice cream sandwich; *dubbeldik **vensterglas*** double (strength) (window) glass
dubbeldooier [deᵐ] [1] ⟨dubbele dooier⟩ double yolk [2] ⟨ei met een dubbele dooier⟩ double yolker
¹**dubbeldraads** [bn] ⟨uit dubbele draden bestaand⟩ two-ply, double threaded
²**dubbeldraads** [bw] ⟨met dubbele draden⟩ two-ply, with a double thread
dubbeldrank [deᵐ] mixed fruit juice, ± fruit-juice cocktail
dubbelelpee [de] double LP, double album
¹**dubbelen** [onov ww] [1] ⟨sport⟩ play doubles [2] ⟨kaartsp⟩ double [3] ⟨in België; blijven zitten⟩ repeat (the year)
²**dubbelen** [ov ww] [1] ⟨m.b.t. schepen⟩ sheathe [2] ⟨m.b.t. een prent, tekening⟩ remount, (re)back [3] ⟨kaartsp⟩ double [4] ⟨een ronde voorkomen op⟩ lap
dubbelepunt [de] colon
dubbelfocus [het, deᵐ] bifocal
dubbelfocusbril [deᵐ] (pair of) bifocal glasses, ↑(pair of) spectacles, ⟨inf⟩ (pair of) bifocals
dubbelfout [de] ⟨sport⟩ [1] ⟨tennis⟩ double fault [2] ⟨geval dat twee tegenstanders gelijktijdig een persoonlijke fout maken⟩ double/simultaneous foul, ⟨basketb ook⟩ multiple foul
dubbelfunctie [deᵛ] dual function
dubbelganger [deᵐ], **dubbelgangster** [deᵛ] double, look-alike, doppelgänger, ⟨sl⟩ dead ringer (for)
dubbelgangster [deᵛ] → **dubbelganger**
dubbelgebeide [deᵐ] [1] ⟨jenever⟩ gin made with twice the normal quantity of juniper berries, premium quality gin [2] ⟨persoon⟩ artful one, ⟨inf⟩ sharp/smooth customer, sharp/smooth operator
dubbelgehandicapt [bn] doubly handicapped, having/with a dual handicap
dubbelgeleed [bn] double(-jointed), ⟨biol ook⟩ bivalve, bivalvate, two-part ◆ *dubbelgelede **tramwagens*** double ᴮtrams/ᴬstreet cars
dubbelgesprek [het] double dialogue
dubbelglas [het] double glazing
dubbelgraf [het] double grave
dubbelgreep [deᵐ] ⟨muz⟩ double stopping ◆ ***in** dubbelgrepen spelen* double stop
¹**dubbelhartig** [bn] ⟨m.b.t. hout⟩ double hearted
²**dubbelhartig** [bn, bw] ⟨huichelachtig⟩ two-faced, double-faced, double dealing, false, ambidexterous ◆ *een dubbelhartig **mens*** a two-faced person, a double dealer
dubbelhartigheid [deᵛ] duplicity, double-dealing, two-facedness, ambidexterity
dubbelhol [bn] biconcave, amphic(o)elus
dubbeling [deᵛ] [1] ⟨het dubbelen⟩ doubling [2] ⟨dubbele huid⟩ ⟨van schip⟩ sheathing
dubbelklikken [onov ww] ⟨comp⟩ double-click
dubbelkoolzure soda [de] bicarbonate of soda, sodium bicarbonate
dubbelkromme [de] ⟨wisk⟩ double curve
dubbelkruis [het] [1] ⟨kruis met twee dwarsbalken⟩ patriarchal cross [2] ⟨muz⟩ double sharp
dubbelkwartet [het] double quartet
dubbelleven [het] [·] *een dubbelleven **leiden*** lead a double life/a Jekyll-and-Hyde existence
dubbelloof [het] hard/deer fern
dubbelloop [deᵐ] double barrel
dubbelloops [bn] double-barrelled, ⟨AE ook⟩ double-barreled
dubbelloopsgeweer [het] double-barrelled (shot) gun, ⟨AE spelling ook⟩ double-bareled (shot)gun
dubbelmandaat [het] ⟨in België⟩ double mandate
dubbelmol [de] ⟨muz⟩ double flat
dubbelmonarchie [deᵛ] double monarchy
Dubbelmonarchie [deᵛ] Double Monarchy
dubbelnummer [het] double issue
dubbeloffer [het] double sacrifice
dubbelop [bw] double ◆ *nog een keer? dat is dubbelop* again? that's the second time/that's doing things all over again
dubbelparkeerder [deᵐ] double parker
dubbelparkeren [onov ww] double-park
dubbelpartij [deᵛ] doubles match
dubbelpartner [deᵐ] doubles partner
dubbelportret [het] double portrait
dubbelpulsar [deᵐ] binary pulsar
dubbelpunt [het] ⟨wisk⟩ [1] ⟨punt op een vlakke, ruimtekromme⟩ double point [2] ⟨punt van een oppervlak⟩ double point
dubbelriet [het] [1] ⟨mondstuk⟩ double reed mouthpiece [2] ⟨instrument⟩ double reed instrument
dubbelrijm [het] double rhyme/rime, ± rich rhyme, ± rime riche
dubbelrol [de] [1] ⟨dubbele rol⟩ double role, twin roles ◆ *een dubbelrol **spelen*** play a double role [2] ⟨twee door één persoon vervulde functies⟩ double role, twin roles
dubbelrondig [bn] two round-up
dubbelschalig [bn] double-walled, ⟨ei⟩ double-shelled
¹**dubbelslaan** [onov ww] ⟨doorbuigen⟩ double up/over ◆ ⟨fig⟩ *ik sloeg dubbel toen ik dat hoorde* I doubled up when I heard that, ⟨inf⟩ I cracked/creased up when I heard that
²**dubbelslaan** [ov ww] ⟨omvouwen⟩ fold in two, fold double, fold up
dubbelslachtig [bn] [1] ⟨ambivalent⟩ ambivalent, contradictory, ⟨inf ook⟩ double-barrelled ◆ *dubbelslachtige **gevoelens*** mixed/ambivalent feelings [2] ⟨biol⟩ hermaphrodite
dubbelslag [deᵐ] ⟨muz⟩ turn
dubbelspan [het] ⟨in België⟩ two-horse span
dubbelspel [het] ⟨sport⟩ [1] ⟨partij van twee tegen twee⟩ doubles ◆ ***gemengd** dubbelspel* mixed doubles [2] ⟨m.b.t. honkbal⟩ double play, ⟨sl⟩ twin killing
dubbelspion [deᵐ] double agent
dubbelspoor [het] [1] ⟨m.b.t. rails⟩ double line/track ◆ *van dubbelspoor **voorzien*** double track [2] ⟨m.b.t. geluidsinstallaties⟩ double track
dubbelsprong [deᵐ] ⟨paardsp⟩ double
dubbelstad [de] [1] ⟨bestuurlijke eenheid⟩ twin city [2] ⟨agglomeratie⟩ twin cities
dubbelstekker [deᵐ] double plug
dubbelster [de] double star, multiple/binary star
dubbelstrengs [bn] double-stranded

dubbelstrengs-DNA [het] double-stranded DNA
dubbelstrengs-RNA [het] double-stranded RNA
dubbeltje [het] 1 ⟨muntstukje⟩ ⟨in Nederland⟩ ten-cent piece, ⟨BE⟩ tuppenny piece, two pence piece, ⟨AE⟩ dime ♦ *zij is zo plat **als** een dubbeltje* she's as flat as a pancake/an ironing-board/ᴬboard; *je weet nooit hoe een dubbeltje **kan rollen*** ⟨fig⟩ you never know/can tell, stranger things have happened (at sea); ⟨fig⟩ *je zou hem je **laatste** dubbeltje toevertrouwen* you'd give him the shirt off your back, you'd trust him with your last penny/ᴬdime; *elk dubbeltje tweemaal **omkeren*** ⟨fig⟩ be tight-fisted, be tight with/look twice at one's money, be a penny-pincher; ⟨fig⟩ *ze moesten elk dubbeltje tweemaal **omkeren*** they didn't have two pennies to rub against each other; ***voor** een dubbeltje op de eerste rang/rij willen zitten* ⟨fig⟩ want sth. for nothing; ⟨fig⟩ *het **is** een dubbeltje op zijn kant* it's a toss-up, it's touch and go 2 ⟨mv; geld⟩ pennies, pence, money ♦ ***op** de dubbeltjes **passen*** ⟨fig⟩ watch the pennies, keep an eye on/watch one's money ▪ ⟨sprw⟩ *wie voor een dubbeltje geboren is, wordt nooit een kwartje* ± if you are born poor you will remain poor all your life
dubbeltjeskwestie [deᵛ] 1 ⟨geldkwestie⟩ question of cash/money/ᴮpounds, matter of cash/money/ᴮpounds, question/matter of ᴮshillings and pence, question/matter of ᴬdollars and cents ♦ *het **is** een dubbeltjeskwestie* it's a matter of pounds/shillings and pence/dollars and cents/money 2 ⟨kwestie van gering geldelijk belang⟩ two-bit affair/matter, ⟨BE ook⟩ tuppenny-hapenny affair/matter
dubbeltoernooi [het] doubles tournament
dubbelverhouding [deᵛ] ⟨wisk⟩ duplicate proportion, duple/duplicate ratio
dubbelvla [de] custard/pudding with two flavours in one carton
dubbelvoudig [bn] twofold
dubbelvouwen [ov ww] fold double, fold in two/half, double (up), bend double, bend in two ♦ ⟨scheepv⟩ *het **zeil** dubbelvouwen* middle the sail; ***zich** dubbelvouwen* bend over backwards; ***zich** dubbelvouwen **in een kleine auto*** fold o.s. into a car; *dubbelgevouwen **zitten/liggen*** sit/lie all hunched up
dubbelwandig [bn] double-walled ♦ *een dubbelwandige **theepot*** a double-walled teapot
dubbelwerkend [bn] double-acting, double-action ♦ *een dubbelwerkende **luchtpomp*** a double-acting pump
dubbelzes [het, deᵐ] 1 ⟨worp⟩ double six, two sixes ♦ *dubbelzes **gooien*** throw a double six 2 ⟨dominosteen⟩ double six
¹**dubbelzijdig** [bn] ⟨zich aan twee zijden bevindend⟩ double(-sided), two-sided ♦ *een dubbelzijdige **breuk*** ⟨uitzakking⟩ a double hernia; ⟨beenbreuk⟩ double/compound fracture
²**dubbelzijdig** [bw] ⟨aan beide kanten⟩ on two/both sides ♦ *dubbelzijdig **getypte** vellen* sheets typed on both/two sides/typed back and front
dubbelzinnig [bn] 1 ⟨voor twee uitleggingen vatbaar⟩ ambiguous, equivocal, ⟨orakelachtig ook⟩ Delphic ♦ *een dubbelzinnig **antwoord*** an ambiguous/evasive answer; *dubbelzinnige **opmerking*** (a) double entendre; *de **orakels** waren vaak zeer dubbelzinnig* the oracles were often ambiguous; *dubbelzinnig **spreken/zijn*** ⟨persoon⟩ equivocate, ⟨inf⟩ hedge 2 ⟨m.b.t. obscene toespelingen⟩ ambiguous, suggestive, with a double meaning ♦ *dubbelzinnige **grappen/opmerkingen*** double entendre(s), jokes/remarks with a double meaning, suggestive remarks 3 ⟨jur⟩ ambiguous, disputable, contestable
dubbelzinnigheid [deᵛ] 1 ⟨ambiguïteit⟩ ambiguity, equivocality ♦ *dubbelzinnigheden **debiteren*** talk double, equivocate 2 ⟨uitlating⟩ ambiguous/suggestive remark, tergiversation, double entendre
dubbelzout [het] ⟨scheik⟩ double salt
dubben [onov ww] 1 ⟨piekeren⟩ brood, ponder ♦ *dubben **over iets*** brood/mope about/over sth. 2 ⟨weifelen⟩ waver, vacillate, be in/of two minds, ⟨vnl BE⟩ dither, hesitate (between/to) 3 ⟨kopiëren⟩ ⟨cassettebandje⟩ copy, dub
dubieus [bn] 1 ⟨twijfelachtig⟩ dubious, doubtful ♦ *een dubieus **compliment*** a left-handed/backhanded compliment; *een dubieus **geval*** a dubious case 2 ⟨onbetrouwbaar⟩ dubious, questionable, suspect ♦ *dubieuze **debiteuren*** doubtful/questionable debtors, poor credit risks
Dublin [het] Dublin
dublinclaimant [de] asylum seeker of whom the authorities suspect he should claim asylum in another EU country which has also signed the Dublin Agreement
dubreggae [de] dub reggae
duce [deᵐ] Duce
duchten [ov ww] fear, dread, be afraid of ♦ *geen gevaar te duchten **hebben*** to have nothing to fear, fear nothing
duchtig [bn, bw] thorough ⟨bw: ~ly⟩, good, ⟨als bijwoord⟩ well, sound, fearful, strong, terrible ♦ *een duchtige **aframmeling*** a good hiding, a sound thrashing; *hij **ging** duchtig **tekeer*** he brought the roof down, he really went at it/let rip; *hij **werd** duchtig **afgerost*** he was soundly/thoroughly thrashed/beaten; *zich duchtig **weren*** exert o.s. to the utmost; *er iemand duchtig van langs geven* really give it to s.o., lay into s.o., come down on s.o. like a ton of bricks; *de stad heeft duchtig weerstand geboden* the city put up a strong/stout resistance
duckwalk [de] duck walk
duecento [het] thirteenth century in Italy
duel [het] 1 ⟨tweegevecht⟩ duel, fight, single combat, affair of honour ♦ *een duel **aangaan*** (fight a) duel; *een duel **op** de degen* a duel with swords; ***uitdagen tot** een duel* challenge (to a duel), defy/dare to fight; *een duel met iemand **uitvechten*** fight a duel with s.o., fight it out with s.o. 2 ⟨wedstrijd⟩ duel, fight, battle, fencing ♦ ⟨fig⟩ *een **politiek** duel* political fencing, a political battle/struggle; *een duel **tussen** Ajax en Feyenoord* a battle/fight/contest between Ajax and Feyenoord
duelleren [onov ww] duel, fight ♦ *duelleren **op** het pistool/de degen* duel with pistols/swords
dueña [deᵛ] duenna, chaperone
duet [het] 1 ⟨muziekstuk⟩ duet, duo 2 ⟨uitvoering⟩ duet, duo
duetzanger [deᵐ], **duetzangeres** [deᵛ] duettist
duetzangeres [deᵛ] → **duetzanger**
duf [bn, bw] 1 ⟨bedompt⟩ musty, stuffy, stale, frowsty, mouldy, fusty ♦ *duffe **kelders*** musty cellars 2 ⟨fig⟩ stuffy, ⟨gesprek e.d.⟩ stale, mouldy, fuddy-duddy, fusty, vapid ♦ *duffe **boekenwijsheid*** stuffy book knowledge; *duffe **burgerlijkheid*** stale/stuffy/dreary middle class life/attitudes/values 3 ⟨dom⟩ dull, muzzy, dense, dim(-witted), befuddled ♦ ***doe** toch niet zo duf!* don't be so dense/thick! 4 ⟨suf⟩ dozy, ⟨BE⟩ not with it ♦ *ik stak met m'n duffe **hoofd** plotseling de straat over* I must have been miles away-I walked straight out into the road
¹**duffel** [deᵐ] ⟨jas⟩ duffel coat
²**duffel** [het] ⟨stof⟩ duffel
duffels [bn] duffel ♦ *een duffelse **jas*** a duffel coat; *duffelse **stof*** duffel
dufheid [deᵛ] 1 ⟨fig⟩ stuffiness, staleness, mouldiness, fustiness, vapidness 2 ⟨domheid⟩ dullness, denseness, dim-wittedness
dug-out [deᵐ] dugout
duh [tw] duh, D'oh!
duidelijk [bn, bw] 1 ⟨begrijpelijk⟩ clear(-cut), ⟨verschil⟩ plain, obvious, evident, apparent, marked, ⟨wenk⟩ broad, explicit ♦ *een duidelijke **beschrijving*** a clear/detailed description; *zich in duidelijke **bewoordingen/taal** uitdrukken* speak plainly/in no uncertain terms; *ik heb hem duidelijk **gemaakt** dat ...* I made it clear to him, that, I brought it

home to him that, I told him expressly that; *je **hebt** je mening/bedoeling duidelijk genoeg **gemaakt*** you've made your point, you've made your view(s)/intention(s) perfectly clear; *het **is** duidelijk dat ...* it is plain that ...; plainly/clearly, ...; *het **is** mij nu duidelijk (geworden)* now I understand; *het **is** zonder meer duidelijk dat ...* it is entirely clear that ..., it goes without saying that ...; *iemand iets duidelijk **maken*** make sth. clear, explain sth. clearly/unequivocally to s.o.; *duidelijk **maken** wat men bedoelt* make o.s. clear; *een duidelijke **verklaring*** a clear explanation/statement; *het **werd** haar duidelijk dat* it became clear/obvious/apparent to her that, it dawned (up)on her that; *duidelijk **zeggen** waar het op staat* not mince one's words; *om duidelijk te **zijn**, om het maar eens duidelijk te **zeggen/stellen*** to put it (quite) plainly/bluntly; *iemand iets duidelijk te verstaan geven* let s.o. know in no uncertain terms, make sth. perfectly clear to s.o. [2] ⟨goed waarneembaar⟩ clear ⟨bw: ~ly⟩, distinct, plain ♦ *een duidelijke **aanwijzing*** a clear indication; *een duidelijk **beeld*** a clear picture, a sharp image; ⟨fig⟩ *een duidelijk **besef*** a clear/definite idea/notion; ⟨fig⟩ *een duidelijke **ontstemming*** a distinct annoyance; *een duidelijk **schrift*** clear (hand) writing, a clear hand; *deze atleet is duidelijk **sneller** dan de anderen* this athlete is clearly/visibly/manifestly faster than the others; *duidelijk **spreken/uitspreken/articuleren*** speak/enunciate/articulate clearly; *duidelijk **uitkomen*** stand out (clearly); *een duidelijke **voorkeur** hebben voor iets* have a distinct/marked preference for sth.; *duidelijk **zichtbaar**/te merken zijn* be clearly visible/noticeable; ***zo** duidelijk als wat* as plain as the nose on your face

duidelijkheid [de^v] [1] ⟨begrijpelijkheid⟩ clearness, clarity, obviousness ♦ *zijn antwoord liet **aan** duidelijkheid niets te wensen over* his answer was quite explicit/unequivocal; *iets **in** alle duidelijkheid zeggen* state sth. in no uncertain terms/quite plainly; *duidelijkheid **scheppen** over iets* throw some light on sth.; ***voor** de/alle duidelijkheid* (just) to be perfectly clear; (so as) to leave no doubt [2] ⟨waarneembaarheid⟩ clearness, clarity, distinctness

duidelijkheidshalve [bw] for clarity's sake, for the sake of clarity

[1]**duiden** [onov ww] [1] ⟨wijzen⟩ point (to/at) [2] ⟨aanwijzing geven, zijn⟩ point (to), indicate, denote, evidence ♦ *er is weinig dat **op** verbetering duidt* there is little indication/sign of improvement; *verschijnselen die **op** tuberculose duiden* symptoms that suggest/indicate tuberculosis [3] ⟨zinspelen (op)⟩ allude (to), point (to), hint (at) ♦ *duiden **op** het falen van het bestuur* allude/draw attention to the failures of the administration/board

[2]**duiden** [ov ww] ⟨uitleggen⟩ interpret, read ♦ *duiden **als*** interpret as; *iemand iets **euvel** duiden* resent s.o. for sth.; *iemand iets ten **kwade** duiden* take sth. ill/amiss of s.o.

duiding [de^v] interpretation, reading

[1]**duif** [de^m] ⟨pol⟩ dove ♦ *duiven en **haviken*** doves and hawks

[2]**duif** [de] [1] ⟨vogels⟩ pigeon, dove ♦ ***Barbarijse** duif* barb; *een **gebraden** duif* ⟨fig⟩ a windfall/godsend; *duiven **houden/melken*** keep/fancy/raise pigeons; *duiven op zolder **houden*** ⟨fig⟩ run a brothel, ⟨AE ook⟩ run a cathouse; ***jonge** duif* squab; ***Kaapse** duif* pintado (petrel), Cape pigeon; ***tamme** duif* tame/domestic pigeon/dove; ***vlucht** duiven* loft of pigeons [2] ⟨zinnebeeld⟩ dove [•] ***onder** iemands duiven schieten* encroach upon/poach on s.o.'s territory/domain

duif		
dier	pidgeon, dove	duif
mannetje	cock	doffer
vrouwtje	hen	duivin
jong	squab	kuiken
groep	flock	zwerm
roep	coo	koeren
geluid	coo	roekoe

Duif [de] ⟨astron⟩ Columba, Dove

duifje [het] [1] ⟨kleine duif⟩ small pigeon/dove ♦ *kijk die duifjes eens **tortelen*** ⟨fig⟩ look at those turtle doves billing and cooing [2] ⟨onschuldig meisje⟩ little dove, lamb ♦ ***mijn** duifje* my (little) dove, my sweet; ***onnozel/onschuldig** duifje* ⟨BE⟩ innocent (lamb)

duig [de] stave ♦ ***in** duigen vallen* ⟨fig⟩ fall to pieces through, collapse; ***in** duigen doen vallen/slaan* stave (in), crush; ***stel** duigen* shook

duighout [het] staving

duik [de^m] [1] ⟨het duiken⟩ dive, diving, plunge, ⟨inf⟩ header ♦ *een duik **in** het verleden* an excursion into the past; *een duik **nemen*** dive (in), take a dip; ⟨zwemmen⟩ ***platte** duik* bellyflop(per) [2] ⟨duikvlucht⟩ (nose) dive ♦ ***snelle/plotselinge** duik* ⟨ook van onderzeeër⟩ crash dive; ⟨luchtv⟩ ***uit** de duik halen* pull out of a (nose) dive

duikbommenwerper [de^m] dive bomber

duikboot [de] submarine, ⟨inf⟩ sub, ⟨gesch; Duits⟩ U-boat

duikbootbasis [de^v] submarine base

duikbootjager [de^m] (submarine) chaser

duikbootnet [het] submarine net

duikbootoorlog [de^m] submarine warfare

duikbril [de^m] diving goggles/mask

duikeend [de] diving duck

duikelaar [de^m] [1] ⟨persoon⟩ tumbler [2] ⟨speelgoed⟩ tumbler [3] ⟨vleugelvrucht van de esdoorn⟩ ⟨dubbel zaad⟩ samara, ⟨elk van de twee⟩ key of wing, ⟨kind⟩ helicopter [4] ⟨plantk⟩ (great) reed-mace, cat's tail [•] *hij is een **slome** duikelaar* he is a drip/slowpoke

duikelen [onov ww] [1] ⟨over het hoofd buitelen⟩ (turn) a somersault, go/turn head over heels, tumble ♦ ***achterover/voorover** duikelen* do a backward(s)/forward(s) somersault/roll [2] ⟨vallen⟩ (take a) tumble, fall over, fall head over heels ♦ *hij is **uit** zijn bed geduikeld* he tumbled/rolled out of bed [3] ⟨dalen⟩ drop, dip, fall, dive, ⟨van koersen ook⟩ plunge (downward) [4] ⟨failliet gaan⟩ go under/broke/bankrupt, fail, crash

duikeling [de^v] [1] ⟨buiteling⟩ somersault, roll [2] ⟨val⟩ fall, tumble [3] ⟨m.b.t. koersen⟩ downward plunge/dive, sharp fall

[1]**duiken** [onov ww] [1] ⟨zich onder het water begeven⟩ dive, plunge, duck, go under, ⟨onderzeeër ook⟩ submerge ♦ ***naar** parels duiken* dive for pearls; ***van** de toren/**naar** een voorwerp duiken* dive off/from the board/for an object [2] ⟨zich in iets verbergen⟩ duck (down/behind) ♦ ***in** een onderwerp duiken* go (deeply) into a subject; *hij is **in** zijn boeken gedoken* he is huddled over his books, he is engrossed/immersed in his books; ***in** zijn kraag/**achter** zijn krant duiken* shrink down into one's collar/behind one's paper [3] ⟨zich snel naar de grond begeven⟩ dive, swoop, plunge, drop ♦ ***in** elkaar duiken* cower, huddle together; ⟨sport⟩ ***naar** een bal duiken* dive for/after a ball; *de keeper dook **naar** de linkerhoek* the goalie dived/^A dove into the left corner, the goalie dived/^A dove for the left corner; ⟨fig⟩ *de zon duikt **onder** de kim* the sun slips below the horizon; *de bal dook juist **onder** de lat* the ball ducked/slipped/just went under the bar; *een hoogspringer duikt **over** de lat* a high jumper leaps over/clears the bar; ***snel/plotseling** (doen) duiken* ⟨vliegtuig, onderzeeër⟩ crash dive [•] ***erin** duiken* turn in, hit the hay/^A sack, ⟨AE ook⟩ sack out; *deze winkelier duikt **onder** de adviesprijs* this shopkeeper undercuts/sells below the recommended retail price

[2]**duiken** [ov ww] ⟨de tegenstander achteroverwerpen⟩ butt (over)

[3]**duiken** [ov ww, ook abs] ⟨kaartsp⟩ underplay, play low, slough, dump ♦ *een **aas** duiken* play a low card under the ace

duiker [de^m] [1] ⟨persoon⟩ diver [2] ⟨wwb⟩ culvert [3] ⟨dierk⟩ diver, diving bird [4] ⟨spijker⟩ finishing nail

duikerarts [de^m] diving doctor

duikerhelm [de^m] diving helmet
duikerklok [de] diving bell
duikerpak [het] wet suit, diving suit
duikersluis [de] culvert (sluice)
duikersziekte [de^v] decompression sickness, caisson disease, ⟨inf⟩ the bends
duikmasker [het] diving mask
duikpak [het] wet suit, diving suit
duikplank [de] diving board, springboard
duikreflex [de^m] diving reflex
duikroer [het] diving rudder/plane
duiksport [de] diving
duiksprong [de^m] 1 ⟨snoekduik⟩ spring, dive 2 ⟨atl⟩ dive
duiktoren [de^m] diving tower
duikuitrusting [de^v] diving equipment/gear/apparatus
duikvlucht [de] (nose) dive, ⟨met motor aan⟩ power dive, ⟨tolvlucht⟩ spin, ⟨vogels⟩ swoop, stoop ♦ *een duikvlucht maken/uitvoeren/laten nemen* do/go/put into a nose dive, nose dive
duim [de^m] 1 ⟨vinger⟩ thumb, ⟨wet⟩ pollex ♦ *iets over de duim **berekenen*** guesstimate sth., calculate sth. by rule of thumb; *een **dikke** duim hebben* ⟨fig⟩ have a vivid imagination; ⟨in België; fig⟩ *de duimen **leggen*** surrender; ***met** de duimen draaien* twiddle one's thumbs; ***onder** de duim houden/hebben* ⟨fig⟩ keep/have under one's thumb; ***op** zijn duim zuigen* suck one's thumb; *de/zijn duim **opsteken*** give the/do thumbs up; *iets tussen duim en **vinger** wrijven* pinch 2 ⟨deel van een handschoen⟩ thumb 3 ⟨haakje⟩ hook ♦ *de duimen van een **deur*** the hooks of a door 4 ⟨uitholling in een handgreep⟩ thumb 5 ⟨oude lengtemaat⟩ inch ♦ ***Engelse** duim* inch; *een duim **hoog/groot** zijn* one/an inch high/tall; *geen duim gronds **wijken/afstaan*** not give/yield an inch ▪ ⟨fig⟩ *iets **uit** zijn duim zuigen* dream/make sth. up, fabricate/manufacture/invent sth., spin a yarn, tell a tall tale
duimafdruk [de^m] thumb-print
duimbreed [het] inch ♦ *geen duimbreed wijken* not yield/give an inch; *geen duimbreed toegeven/wijken* not budge an inch
duimdik [bw], **duimendik** [bw] an inch deep/thick ♦ *het stof ligt **er** duimdik **op*** the dust is an inch thick on top of it; ⟨fig⟩ *het ligt **er** duimdik **(boven)op*** it's as plain as the nose on your face, it sticks out a mile
duimelot [de^m] Tommy Thumb, Thumbkin, the little red hen ♦ *naar bed, naar bed, zei duimelot* to bed, to bed, said the little red hen
duimen [onov ww] 1 ⟨om iemand iets goeds toe te wensen⟩ cross one's fingers, keep one's fingers crossed ♦ *ik zal morgen **voor** je duimen* I'll keep my fingers crossed for you tomorrow 2 ⟨duimzuigen⟩ suck one's thumb
duimendik [bw] → **duimdik**
duimendraaien [ww] 1 ⟨de duimen om elkaar (doen) draaien⟩ twiddle/twirl one's thumbs 2 ⟨nietsdoen⟩ twiddle one's thumbs, cool one's heels, fool/fidget around, goof around
duimgreep [de^m] thumb-index
duimpje [het] (little) thumb, (small) hook ▪ *iets **op** zijn duimpje kennen* ⟨stad e.d.⟩ know sth. like the back of one's hand/inside out; ⟨les e.d.⟩ have sth. (down) pat, know sth. (off) by heart
duimplectrum [het] thumb pick/plectrum
duimschroef [de] 1 ⟨schroef om te pijnigen⟩ thumb screw ♦ *(iemand) de duimschroeven **aanleggen/aanzetten/aandraaien*** ⟨fig⟩ put/tighten the screws on (to s.o.), put the squeeze/the heat on (s.o.) 2 ⟨schroefbout⟩ thumb screw
duimshout [het] one-inch planks ⟨mv⟩
duimspijker [de^m] ⟨in België⟩ ⟨BE⟩ drawing pin, ⟨AE⟩ thumbtack, ⟨AE⟩ pushpin
duimstok [de^m] (folding) rule(r)/gauge/^{A}gage
duimzuigen [ww] 1 ⟨zuigen op de duim⟩ thumb sucking 2 ⟨fantaseren⟩ making things up, fantasizing
duimzuiger [de^m], **duimzuigster** [de^v] 1 ⟨iemand die op zijn duim zuigt⟩ thumb-sucker 2 ⟨fantast⟩ ⟨van verhalen⟩ fabricator, ⟨inf⟩ storyteller
duimzuigerij [de^v] fabrication, (pure) fantasy
duimzuigster [de^v] → **duimzuiger**
¹duin [het] ⟨streek⟩ dunes
²duin [het, de] ⟨heuvel⟩ (sand) dune, sand hill ♦ ***laag** duin* low dune; ⟨BE ook⟩ dene
duinafslag [de^m] dune erosion, dune abrasion, erosion/abrasion of the dunes
duinbeplanting [de^v] (sand) dune plantation, ⟨tegen verstuiving⟩ (sand) dune fixation
duindoorn [de^m] 1 ⟨kattendoorn⟩ sea buckthorn 2 ⟨gaspeldoorn⟩ gorse, furze, whin
duinenrij [de] range/chain/line of dunes
duingrond [de^m] dune soil
duinhagedis [de] sand lizard
Duinkerken [het] Dunkirk
duinkruiskruid [het] dune ragwort
duinlandschap [het] 1 ⟨landschap⟩ (landscape of) dunes, dune area 2 ⟨schilderij⟩ dune landscape, painting of the dunes
duinmeer [het] lake in (the) dunes
duinovergang [de^m] dune crossing
duinpaarlemoervlinder [de^m] Niobe Fritillary
duinpan [de] dip/hollow (in the dunes)
duinpieper [de^m] tawny pipit
duinplant [de] dune plant, ⟨mv ook⟩ dune flora/vegetation
duinrel [de^m] dune spring
duinreservaat [het] dune reserve
duinroos [de] burnet/Scotch rose
duinslag [het] dune path(way)
duinstreek [de] dune area/lands/district
duinwater [het] 1 ⟨grondwater⟩ dune water ♦ *zo helder als duinwater* crystal clear 2 ⟨drinkwater⟩ dune water
¹duist [het] ⟨kaf(bolsters)⟩ ⟨van graan⟩ chaff, ⟨van andere zaden/vruchten⟩ husks
²duist [de] ⟨grasachtig onkruid⟩ black twitch, slender foxtail
¹duister [het] 1 ⟨duisternis⟩ dark, darkness, ⟨form⟩ dusk ♦ ***door** het duister overvallen* surprised by the dark(ness); ***in** het duister zitten* sit/be sitting in the dark; *het duister **wijkt*** the darkness retreats 2 ⟨onbekendheid⟩ dark, darkness, obscurity ♦ ***in** het duister tasten* grope in the dark, ⟨fig ook⟩ be in the dark; ⟨fig⟩ be all at sea; ⟨fig⟩ *een sprong **in** het duister* a leap in the dark; ⟨fig⟩ *over de oorzaken van het misdrijf tast men **in** het duister* the motive for the crime is a mystery
²duister [bn, bw] 1 ⟨donker⟩ dark ⟨bw: ~ly⟩, ⟨somber⟩ gloomy, sombre ♦ *een duistere **gevangenis/nacht*** a dark/gloomy prison, a dark night; ***het is** duister* it is dark/gloomy; *duister **maken*** darken, dim, make dark; *zijn ogen **werden** duister* ⟨bijvoorbeeld door tranen⟩ his eyes dimmed 2 ⟨fig⟩ ⟨onduidelijk⟩ dark ⟨bw: ~ly⟩, dim, obscure, vague, ⟨somber⟩ black, bleak ♦ *een duistere **afkomst*** an obscure origin; *het **is** me nog even duister* it is still a mystery to me; *de duistere **machten** (van het kwaad)* the dark powers (of evil); ⟨verdorven⟩ the powers of darkness; *de duistere **middeleeuwen*** The Dark Ages; *een duistere **stijl*** an obscure style; *een duistere **toekomst*** an uncertain/a dim future; a bleak/black future 3 ⟨louche⟩ shady ⟨bw: shadily⟩, dubious ♦ *duistere **praktijken*** shady/dubious/dark practices; *een duister **zaakje*** a shady affair/matter, a mysterious business ▪ ⟨sprw⟩ *in andermans boeken is het duister lezen* it is difficult to understand another man's affairs
duisteren [onpers ww] ⟨form⟩ dusk, ⟨ogm⟩ grow dusky/dark ♦ *het **begint** te duisteren* it is growing dark
duisterheid [de^v] 1 ⟨onduidelijkheid⟩ darkness, obscu-

rity, vagueness ♦ *de duisterheid van een* ***redenering*** the lack of clarity in a (line of) reasoning [2] ⟨geheimzinnigheid⟩ darkness, obscurity, mysteriousness ♦ *er zijn nog tal van duisterheden in deze zaak* ***op te lossen*** there are still quite a number of points to be cleared up

duisternis [de^{v}] [1] ⟨afwezigheid van licht⟩ darkness, dark ♦ *de duisternis* ***daalde neer*** *over de stad* darkness settled on/descended over the town; *in* ***dichte/diepe*** *duisternis* in pitch-darkness; *een* ***Egyptische*** *duisternis* a Cimmerian darkness; ***in*** *de duisternis verdwijnen* ⟨fig⟩ fall/sink into oblivion; *het* ***invallen*** *van de duisternis* dusk, nightfall; *onder de* ***mantel*** *van de duisternis* under cover/the cloak of darkness; *de duisternis van de* ***nacht*** the dark of the night [2] ⟨plaats zonder licht⟩ darkness, dark ♦ ⟨Bijb⟩ *de* ***buitenste*** *duisternis* the outer darkness; *het* ***rijk*** *van de duisternis* the realm of darkness; *de* ***vorst*** *der duisternis* the prince of darkness; ⟨fig⟩ ***werken*** *van de duisternis* deeds of darkness [3] ⟨fig⟩ darkness ♦ ***in*** *duisternis gehuld* shrouded/cloaked in mystery; *zich* ***in*** *duisternis hullen* act mysterious(ly); *een* ***tijdperk*** *van duisternis* an era/epoch of darkness, a dark age

duit [de^{m}] [1] ⟨munt⟩ ± farthing, cent ♦ ***geen*** *(rooie) duit waard zijn* be not worth a ^{B}brass farthing/^{A}red cent; *ik heb er* ***geen*** *duit voor gekregen* I didn't get a bean/^{B}brass farthing for it; *hij verdiende er* ***geen*** *(rooie) duit aan* he didn't make a penny/cent on it; *een* ***halve*** *duit* a mite; ⟨fig⟩ *ook een duit in het zakje doen* ⟨alg⟩ put one's oar in; ⟨m.b.t. geld⟩ chip in [2] ⟨geld⟩ penny, cent ♦ *hij verdient er een* ***aardige*** *duit aan* he makes a fair bit on/with it/turns a tidy penny with it; *het heeft een* ***bom*** *duiten gekost* it cost a bomb/mint/fortune; *dat heeft hem een* ***flinke/lieve*** *duit gekost* that (will/must have) cost him a pretty penny; *hij* ***heeft*** *duiten* he has plenty of bread/dough/cash; ***op*** *de duiten zijn* be tight(-fisted)/stingy

duitblad [het] frogbit

duitendief [de^{m}] moneygrubber

^{1}**Duits** NEDERLANDS [het] German

^{2}**Duits** [bn] [1] ⟨van de Duitsers, Duitsland⟩ German ♦ *Duits* ***brood*** rye bread; *Duitse* ***degelijkheid/grondigheid*** German/Teutonic efficiency/thoroughness; *Duitse* ***letter*** Gothic letter; ⟨gesch⟩ *Duitse* ***mark*** German mark, deutschmark; *(ridder van) de Duitse* ***Orde*** (knight of) the Teutonic Order; *Duitse Democratische* ***Republiek*** ⟨1949-1990⟩ German Democratic Republic; *het Duitse* ***Rijk*** the German Empire/Reich, the Second Reich [2] ⟨van de Duitse taal⟩ German ♦ *Duits* ***schrift*** Gothic script [•] *Duitse* ***herdershond*** ⟨BE⟩ Alsatian, ⟨AE⟩ German shepherd (dog); *Duitse* ***staander*** German pointer

Duitse [de^{v}] German, ⟨jongedame⟩ Fräulein ♦ *zij is een Duitse* she is German

Duitser [de^{m}] German, Teuton

Duitsgezind [bn] pro-German, Germanophil(e)

Duitsland [het] Germany ♦ ***Bondsrepubliek*** *Duitsland* Federal Republic of Germany

Duitsland	
naam	*Duitsland* **Germany**
officiële naam	*Bondsrepubliek Duitsland* **Federal Republic of Germany**
inwoner	*Duitser* **German**
inwoonster	*Duitse* **German**
bijv. naamw.	*Duits* **German**
hoofdstad	*Berlijn* **Berlin**
munt	*euro* **euro**
werelddeel	*Europa* **Europe**
int. toegangsnummer **49** www **.de** auto **D**	

Duitstalig [bn] [1] ⟨Duitssprekend⟩ German-speaking ♦ *Duitstalig* ***Zwitserland*** German-speaking Switzerland [2] ⟨in het Duits gesteld⟩ German (language) ♦ *een Duitstalig* ***tijdschrift*** a German (language) magazine

duivel [de^{m}] [1] ⟨geen mv; Satan⟩ devil ♦ ⟨in België; fig⟩ *iemand de duivel* ***aandoen*** give s.o. hell, make s.o.'s life hell; ***alsof*** *de duivel hem op de hielen zat* as if the devil were at his heels; *de* ***baarlijke*** *duivel* the devil himself; ⟨form⟩ the devil incarnate; *de duivel* ***bannen/bezweren/uitdrijven*** exorcise/drive out the devil; ⟨fig⟩ ***bij*** *de duivel te biecht gaan* consort with the enemy/devil, confide in the wrong person; ⟨fig⟩ *de duivel* ***hale*** *je* to hell/the hell with you, go to hell, damn you; ⟨fig⟩ *loop* ***naar*** *de duivel* go to hell, to hell/the hell with you, damn you; ⟨fig⟩ *iemand* ***naar*** *de duivel wensen* wish s.o. (would go) to hell; ⟨fig⟩ ***om*** *de duivel niet* not on your life!, ⟨BE ook; inf⟩ not on your nelly!, no fear!, no way!; *'t is of de duivel ermee* ***speelt*** you'd think the devil had a hand in it, the gremlins have been busy again; ⟨fig⟩ *hij is* ***van*** *de duivel* ***bezeten*** he's possessed (by/of the devil); *hij is* ***voor*** *de duivel nog niet bang* he's sure as hell not scared; ⟨fig⟩ *hij is te dom om* ***voor*** *de duivel te dansen* he's as stupid as they come/as they make 'em, he's too stupid for words; ⟨BE ook⟩ he's as thick as two (short) planks, he hasn't got the sense he was born with; ⟨fig⟩ *dat mag de duivel* ***weten*** the devil only knows; ⟨in België⟩ *tekeergaan als een duivel in een* ***wijwatervat*** ± raise hell; ⟨fig⟩ *hij is des duivels* he's furious/livid [2] ⟨duivelachtig wezen⟩ devil, demon, fiend ♦ *de duivel van de* ***drankzucht*** the demon drink, the curse/evils of drink(ing); *de* ***rode*** *duivels* 'the Red Devils', the Belgian international football team [•] *kom hier,* ***voor*** *de duivel* come here, damn you!, ⟨AE ook⟩ come here, goddam it!; ⟨BE ook⟩ bloody well come here!; *wat/waar/wie* ***voor*** *de duivel* what/where/who the devil/the hell/in (the) hell; ⟨sprw⟩ *als je van de duivel spreekt, trap je op zijn staart* talk of the devil and he is sure to appear; ⟨sprw⟩ *ledigheid is des duivels oorkussen* the devil finds work for idle hands; ⟨sprw⟩ *de duivel schijt altijd op de grootste hoop* the devil looks after his own; ± money makes money; ⟨sprw⟩ *waar God een kerk sticht, bouwt de duivel een kapel* where God builds a church, the Devil will build a chapel; ⟨sprw⟩ *die met de duivel uit één schotel wil eten, moet een lange lepel hebben* he who sups with the devil should have a long spoon; ⟨sprw⟩ *voor geld kan men de duivel laten dansen* ± all things are obedient to money; ⟨sprw⟩ *de duivel heeft het vragen uitgevonden* ± curiosity killed the cat; ⟨sprw⟩ *de duivel is zo zwart niet als men hem schildert* the devil is not so black as he is painted; give the devil his due

duivelachtig [bn, bw] devilish ⟨bw: ~ly⟩, diabolical, demonic, fiendish

duivelbanner [de^{m}] exorcist

duivel-doet-al [de^{m}] ⟨in België⟩ ⟨iemand die alles kan⟩ a jack-of-all-trades, ⟨kantoor⟩ man/girl Friday

duivelin [de^{v}] [1] ⟨vrouwelijke duivel⟩ she-devil [2] ⟨gewetenloze vrouw⟩ she-devil, hellcat, shrew

duiveljager [de^{m}] [1] ⟨duivelbanner⟩ exorcist [2] ⟨ruziemaker⟩ hell-raiser, troublemaker

^{1}**duivels** [bn, bw], **duvels** [bn, bw] [1] ⟨als (van) een duivel⟩ diabolic(al) ⟨bw: diabolically⟩, devilish, demonic ♦ *duivelse* ***aantrekkingskracht/invloed*** diabolic attraction/influence; *duivelse* ***geesten*** diabolic/evil spirits; *een duivels* ***genoegen*** a sinful/wicked pleasure; *een duivels* ***kabaal*** a devil/hell of a noise, a diabolical din/racket; *een duivelse* ***lach*** a diabolical/demonic laugh; *een duivels* ***voornemen*** a diabolical plan/intention [2] ⟨woedend⟩ livid ⟨bw: ~ly⟩, (raving) mad, furious, possessed ♦ *hij* ***is*** *echt duivels* he is like a man possessed, he is livid/fit to be tied; *duivels* ***reageren*** be livid, react as though possessed, flare up; *het is om duivels van te* ***worden*** it's enough to provoke/vex a saint

^{2}**duivels** [bw], **duvels** [bw] ⟨enorm⟩ devilishly, confoundedly, ⟨sl; AE⟩ darned ♦ *duivels* ***aardig*** frightfully/awfully/dreadfully nice; *dat is duivels* ***ingewikkeld*** that is devilishly complicated; *dat veroorzaakte duivels* ***veel last*** that caused a/the devil/a hell of a lot of trouble

^{3}**duivels** [tw], **duvels** [tw] the deuce ♦ *(wel) (alle) duivels!* damn it!

duivelsadvocaat [dem] devil's advocate
duivelsbrood [het] ± (poisonous) toadstools
duivelsdrek [dem] devil's dirt/dung, asafoetida
duivelseiland [het] Devil's Island
duivelskunsten [demv] devilry, diabolism, sorcery, black magic
duivelskunstenaar [dem], **duivelskunstenares** [dev] 1 ⟨handig mens⟩ wizard ◆ *een duivelskunstenaar zijn in iets* be a wizard at sth. 2 ⟨iemand die iets perfect beheerst⟩ wizard 3 ⟨magiër⟩ ⟨man⟩ sorcerer, ⟨vrouw⟩ sorceress, ⟨man & vrouw⟩ wizard
duivelskunstenares [dev] → **duivelskunstenaar**
duivelskunstenarij [dev] sorcery, devilry, diablerie
duivelsoog [het] ⟨plantk⟩ pheasant's-eye
duivelsrit [dem] hellride
duivelsstreek [dem] nasty/mean trick ◆ *een duivelsstreek uithalen* play a nasty/mean trick
duivelswerk [het] 1 ⟨moeilijke arbeid⟩ devilish work, ↓ a devil/hell of a job 2 ⟨werk (als) van de duivel⟩ devilish/diabolical work, devil's work
duiveltje [het] imp, little devil, elf
duiveltje-uit-een-doosje [het] jack-in-the-box
duiveluitbanning [dev] → **duiveluitdrijving**
duiveluitdrijving [dev], **duiveluitbanning** [dev] exorcism (of demons/devils)
duivenbond [dem] ⟨in België⟩ pigeon fanciers' association
duivenboon [de] tickbean
duivenconcours [het, dem] pigeon race
duivendom [het] ⟨pol⟩ doves ⟨mv⟩
duivendrek [dem] ⟨harssoort⟩ asafoetida
duivenei [het] pigeon's egg ◆ *hagelstenen zo groot als duiveneieren* hail (stones) as large as plovers' eggs, ⟨AE ook⟩ hail (stones) as large as baseballs
duivenhok [het] dovecot(e)
duivenliefhebber [dem] ⟨in België⟩ pigeon fancier
duivenmelk [de] pigeon's milk
duivenmelker [dem], **duivenmelkster** [dev] 1 ⟨houder⟩ pigeon fancier, ⟨van postduiven⟩ pigeon flyer 2 ⟨handelaar⟩ pigeon breeder
duivenmelkster [dev] → **duivenmelker**
duivenplat [het] ± pigeon-loft
duivenpost [de] pigeon post ◆ *per duivenpost* by pigeon post
duivensport [de] pigeon racing/flying
duiventil [de] 1 ⟨duivenhok⟩ dovecot(e), pigeon house, dovehouse 2 ⟨fig; plaats, groep⟩ pigeonry, pigeon coop ◆ *het is hier net een duiventil* it's like [B]Waterloo Station/[A]Grand Central Station here
duivenvlucht [de] ⟨aantal samenvliegende duiven⟩ flight of pigeons/doves
duizelen [onov ww] grow/get dizzy, grow/get giddy, reel, spin ◆ *hij duizelde bij de gedachte* he felt dizzy/dazed, his mind reeled/boggled at the thought; *dat doet mij duizelen* that makes me feel dizzy/giddy, that makes my head swim; *het duizelt mij* my head is spinning/swimming; *ik duizel/mijn hoofd duizelt van al die getallen* my brain is reeling from all those numbers
duizelig [bn] dizzy (with), giddy (with), ↑ vertiginous ◆ *de drukte maakte hem duizelig* the crowds made his head spin; ⟨fig⟩ *duizelig van geluk* dizzy with happiness; *duizelig worden* grow/get dizzy, ⟨inf⟩ come over dizzy; *duizelig zijn* be/feel dizzy/giddy
duizeligheid [dev] dizziness, giddiness ◆ *aanval van duizeligheid* dizzy turn, attack of dizziness
duizeling [dev] dizziness, dizzy spell/turn, ⟨med⟩ vertigo ◆ *een duizeling krijgen* have a dizzy turn/an attack of dizziness; *soms last hebben van duizelingen* suffer from/have dizzy spells
duizelingwekkend [bn, bw] 1 ⟨duizelingen teweegbrengend⟩ dizzy, giddy ◆ *duizelingwekkend hoog* staggeringly high; *hij reed duizelingwekkend snel* he drove at a dizzy speed; *duizelingwekkend steil/snel* breathtakingly steep/fast; *duizelingwekkend steile bergen* dizzy/vertiginous mountains 2 ⟨enorm⟩ dizzy, staggering ◆ *duizelingwekkende afstanden/hoogten/bedragen/vaart* enormous distances, dizzy/giddy heights, staggering amounts/dizzy speed
[1]**duizend** [hoofdtelw] 1 ⟨hoofdtelwoord⟩ (a/one) thousand ◆ *hij kent duizend en één moppen* he knows a thousand and one jokes; *dat werk heeft (vele) duizenden gekost* that work cost thousands; *periode van duizend jaar* millennium, millenary; *duizenden keken toe* there were thousands of onlookers/spectators; *duizend pond/dollar* a thousand pounds/dollars; ⟨sl⟩ one grand; *duizend tegen één* a thousand to one; *een meisje van duizend weken* ± a girl of eighteen or nineteen 2 ⟨fig; bijzonder veel⟩ a thousand, thousands ◆ *duizend angsten uitstaan* endure a thousand terrors; *zij vielen bij/met duizenden* they fell in their/by thousands; ⟨scherts⟩ *duizend bommen en granaten!* shiver me timbers!, well I'll be blowed!; ⟨in België⟩ *op zijn duizend gemakken* taking one's time (doing it); *aan duizend gevaren blootstaan* be exposed to a thousand dangers; *dat loopt in de duizenden* that runs into (the) thousands; *duizenden en nog eens duizenden mensen* thousands and/upon thousands of people; *hij is er één uit duizend(en)* he is one in a thousand
[2]**duizend** [rangtelw] ⟨rangtelwoord⟩ thousand ◆ *het jaar duizend* the year thousand
duizendblad [het] 1 ⟨vederkruid⟩ water milfoil 2 ⟨plant⟩ yarrow ◆ *gewoon duizendblad* milfoil
Duizend-en-een-nacht [dem] the Thousand and One Nights, the Arabian Nights ◆ *de Vertellingen van Duizend-en-een-nacht* Tales of a Thousand and One Nights, the Arabian Nights
duizendguldenkruid [het] centaury
duizendjarig [bn] thousand year (old), millennial, millenary ◆ *het duizendjarig bestaan van een stad* the millenary/millennium/thousandth anniversary of a city; *duizendjarige periode* millenary, millennium; *Hitlers 'duizendjarig rijk'* Hitler's 'thousand-year empire/Reich'; ⟨Bijb⟩ *het duizendjarig (vrede)rijk* the millennium, the thousand-year reign
duizendje [het] ⟨gesch⟩ thousand guilder note
duizendklapper [dem] string of bangers
duizendknoop [dem] knotweed, polygonum, bistort ◆ *oosterse duizendknoop* prince's feather
duizendkoppig [bn] multitudinous ◆ *een duizendkoppige menigte* a crowd of thousands, an enormous/a huge crowd, a multitude
duizendmaal [bw] 1 ⟨duizend keren⟩ a thousand times, ⟨form⟩ a thousandfold ◆ *duizendmaal tien is tienduizend* a thousand times ten is ten thousand; *duizendmaal zoveel/zo groot* a thousand times more/as much, a thousand times bigger/as big 2 ⟨fig; zeer groot aantal keren⟩ a thousand (times) ◆ *duizendmaal dank/bedankt* a thousand thanks; ⟨inf⟩ thanks a million; *ik heb het al duizendmaal geprobeerd* I have (already) tried it a thousand times
duizendpoot [dem] 1 ⟨dier⟩ centipede 2 ⟨persoon⟩ general dogsbody, girl/man Friday, jack-of-all-trades ◆ *deze clown is een muzikale duizendpoot* this clown is a musical jack-of-all-trades
duizendschoon [de] sweet William
[1]**duizendste** [bn] thousandth ◆ *een duizendste* one thousandth; *een duizendste kilo* one thousandth of a kilo
[2]**duizendste** [rangtelw] (one-)thousandth ◆ *de duizendste bezoeker van de tentoonstelling* the (one-)thousandth visitor to the exhibition
duizendtal [het] 1 ⟨duizend personen, zaken⟩ thousand, chiliad 2 ⟨mv; cijfers⟩ thousands ◆ *de duizendtallen*

the thousands

¹duizendvoud [het] 1 (duizendmaal iets) (a) thousand, (a) thousandfold 2 (wisk) multiple of a thousand

²duizendvoud [bw] a thousand times, a thousandfold

¹duizendvoudig [bn] 1 (uit duizend maal het grondbegrip, eenheid bestaand) (a) thousand 2 (zich duizend malen herhalend) a thousand times, (a) thousandfold ♦ *een duizendvoudige* ***weerkaatsing*** ± reflected a thousand times, ± multiple reflection(s)

²duizendvoudig [bn, bw] (duizendmaal) (a) thousandfold, a thousand times

duizendwerf [bw] a thousand times

dukaat [de^m] ducat

dukatengoud [het] 1 (goud van het fijnste gehalte) standard gold, fine gold 2 (soort van geel bladgoud) ± gold leaf

dukdalf [de^m] dolphin, mooring post

dulcimer [de^m] dulcimer

duldbaar [bn] tolerable, supportable, endurable, bearable, (toelaatbaar) permissible, allowable

dulden [ov ww] 1 (verdragen) endure, bear, tolerate, stand, put up with ♦ *geen* ***tegenspraak*** *dulden* not bear being contradicted, tolerate no contradiction; *dat duldt geen* ***tegenspraak*** that admits no contradiction 2 (toelaten) tolerate, permit, allow ♦ *ik duld die* ***hond*** *hier niet langer* I won't have that dog here any longer; *dergelijke* ***overtredingen*** *kunnen niet meer geduld worden* such offences can no longer be tolerated; *een voorzitter die geen* ***tegenspraak*** *duldt* a chairman who won't be contradicted; *dat duldt geen* ***uitstel*** *meer* that can no longer be put off; (form) that brooks no further delay; *de oude directeur werd door zijn collega alleen nog geduld* the old director was now merely tolerated by his colleague/was only there on his colleague's sufferance

dulse [het] dulse

dumdumkogel [de^m] dumdum (bullet), soft-nosed/expanding bullet

dummy [de^m] 1 (model van uitvoering) dummy 2 (kaartsp) dummy, board

du moment [bw] the very moment

dump [de^m] 1 (depot) dump, refuse depot, (ammunition-)depot, (BE) tip 2 (goederen) dump, (pile of) refuse/rubbish 3 (dumphandel) (army) surplus trade ♦ *iets* ***in*** *de dump doen* send/sell sth. for scrap

¹dumpen [onov ww] (onder de marktprijs verkopen) dump

²dumpen [ov ww] 1 (storten) dump, (BE) tip ♦ *radioactief* ***afval*** *werd in zee gedumpt* radio-active waste was dumped in the sea; ***het*** *dumpen in zee* ocean dumping 2 (laten vallen) dump

dumpgoederen [de^mv] army surplus (goods)

dumping [de] dumping

dumpling [de] dumpling

dumpprijs [de^m] bulk-purchase price, (stuntprijs) clearance/knockdown price

dumpschip [het] dumping vessel, waste disposal vessel

dumpshop [de^m] surplus shop

dumpstore [de^m] surplus store

dumpzaak [de] army surplus store, army and navy store, (BE ook) army surplus shop, army and navy shop, (inf) army surplus, surplus supplies

¹dun [het] thin/runny/watery part, liquid ♦ *het dun van een* ***ei*** the white of an egg

²dun [bn] 1 (niet dik) thin, (boom/steel/lijn/taille ook) slender, (haar, stof ook) fine, spare, gaunt ♦ *dunne* ***darm*** small intestine; *een dun* ***laagje*** *ijs* a glaze/glare of ice; *een dun* ***laagje*** *beschaving* a thin veneer of culture/refinement; *een dun(ne)* ***laag(je)*** a thin layer; (boter) scrape, scraping; (poeder ook) dusting; (stof) film; sheet; (ook fig) veneer; *dun* ***papier/glas/garen*** thin/flimsy paper, thin/light/fine glass, thin/fine yarn/thread; *een dun* ***straaltje*** *water* a (thin) trickle of water; *de lucht* ***werd*** *dunner* the air became rarer; *dunner (en dunner)* ***worden/maken*** become/make thinner (and thinner); (slijten) wear thin; (sterk afnemen) become emaciated 2 (niet dicht opeen) thin, (haar/bevolking ook) sparse, light, fine, scant ♦ *dun* ***haar*** thin/fine hair, (inf) scraggy hair; *een dunne* ***lucht*** a rare/tenuous atmosphere; *een dunne* ***nevel*** a thin/light fog/mist; *een dunne* ***wind*** a light wind; *eerlijke mensen* ***zijn*** *dun* ***gezaaid*** honest people are thin on the ground/few and far between 3 (zeer vloeibaar) thin, light, ↓ runny, watery ♦ *dun* ***bier*** small beer; (sl; BE) swipes; ***het*** *dunne van het brouwsel wordt weggegoten* the liquid (of the mixture/brew) is poured off; *dunne* ***melk*** light/skimmed/non-fat milk; *dunne* ***ontlasting*** *hebben* have a loose/watery/soft stool, have diarrhoea; *dunne* ***soep*** thin/light/watery soup 4 (m.b.t. lijnen, schrifttekens) thin, light, narrow • (fin) *een dunne* ***markt*** a thin/quiet market; (sprw) *vele varkens maken de spoeling dun* where the hogs are many the wash is poor; ± the fewer the better cheer

³dun [bw] 1 (op dunne wijze) thinly, sparsely, lightly, (kleingeestig) meanly ♦ *een dun* ***gesmeerde*** *boterham* thinly buttered bread; (inf) bread and scrape; *zich te dun* ***kleden*** dress too thinly/lightly; *verf dun* ***opbrengen*** (apply) paint thinly 2 (in dunne, vloeibare toestand) thinly

dunbevolkt [bn] thinly/sparsely populated, thinly/sparsely peopled ♦ *een dunbevolkt* ***gebied*** a thinly populated area

dundoek [het] 1 (vlaggendoek) bunting 2 (vlag) bunting, flags ♦ *vrolijk* ***wapperde*** *het dundoek* the bunting fluttered gaily

dundruk [de^m] ♦ *dit boek is verschenen* ***in*** *dundruk* this is an india-paper edition

dundrukpapier [het] India paper, Bible paper

Dunglish [het] Dunglish

dunheid [de^v] thinness, (haar, stof, glas) fineness, (bevolking, haar) sparsity ♦ *de dunheid van het* ***boekje*** *is een voordeel* the slimness of the book is an advantage; *de dunheid van de* ***lucht*** the rarity of the air

dunk [de^m] 1 (mening) opinion ♦ *een* ***geringe/lage/slechte*** *dunk hebben van iemand* have a poor/low/bad opinion of s.o., think little of s.o.; (form) disesteem/disfavour s.o.; *een* ***goede/hoge*** *dunk hebben van iemand* have a good/high opinion of s.o., think highly of s.o., (form) deem highly of s.o., hold s.o. in high esteem; *ik heb er geen* ***hoge*** *dunk van* I don't think much of it; *een* ***hoge/lage*** *dunk krijgen van* form a high/low opinion of; *een* ***hoge*** *dunk van zichzelf hebben* have a high opinion of o.s.; (inf) have a swelled head 2 (basketb) dunk (shot)

¹dunken [onov ww] (voorkomen) be of the opinion, consider, (form) deem, hold the view, think ♦ ***me*** *dunk(t)!* I should say so!, indeed!; *naar* ***mij*** *dunkt* in my opinion; ***mij*** *dunkt, dat ...* it seems to me that ..., I think that ...; (ierouderd, behalve scherts) methinks; ***wat*** *dunkt u ervan?* what is your opinion/view of it?

²dunken [ov ww, ook abs] (basketb) dunk ♦ *een* ***bal*** *dunken* dunk (a ball), play a dunk shot

dunne [de^m] • *aan de dunne zijn* have the trots/runs

dunnen [ov ww, ook abs] thin (out/down/off), (overgankelijk werkwoord ook; vnl. lichaam) emaciate ♦ *een* ***bos/bed*** *groenten dunnen* thin (out) a wood/a vegetable plot; *ziekte had de* ***gelederen*** *gedund* illness had depleted the ranks; *mijn* ***haar*** *begint te dunnen* my hair is thinning

dunnetjes [bw] 1 (in, met een dunne laag) thinly, lightly ♦ *men moet de waterverf er dunnetjes* ***op brengen*** the watercolour has to be applied lightly 2 (fig; zuinig, matig) thin(ly), poor(ly) ♦ *iets nog eens dunnetjes* ***overdoen*** go ahead and do it all over again; *'t was maar dunnetjes* it wasn't up to much; *ze zag er maar dunnetjes* ***uit*** *na haar griep* she looked poorly/thin after her illness

dunschiller [de^m] parer, peeler
dunsel [het] 1 ⟨bomen, planten⟩ thinnings 2 ⟨sla⟩ young lettuce
dunwandig [bn] thin-walled
¹duo [de^m] ⟨duozitting⟩ pillion (seat)
²duo [het] 1 ⟨tweetal⟩ duo, pair, couple ◆ *een **mooi** duo* a fine/pretty pair; *(op de) duo **rijden*** ride pillion 2 ⟨duet⟩ duet, duo
duobaan [de] shared job
duobak [de^m] ⟨BE⟩ double/sorting bin, ⟨AE⟩ double/sorting trash/garbage/refuse basket
duoblok [het] low-flush suite
duodecimo [het] duodecimo, twelvemo, 12mo ◆ ⟨fig⟩ ***in** duodecimo* in miniature
duodenum [het] duodenum
duopartner [de^m] colleague who shares the other part of a part-time position
duopassagier [de^m] pillion passenger/rider ◆ *duopassagier **zijn*** ride pillion
duopolie [het] ⟨handel⟩ duopoly
duotone [het] duotone
duozadel [het, de^m] pillion (seat/saddle)
duozitting [de^v] pillion (seat)
dupe [de^m] victim, dupe, ↓ bait, sucker ◆ *hij **is** de dupe van de affaire* he is the victim of the affair; *wie zal daar de dupe van **zijn**?* who will (be the one to) suffer?, who will be left holding the baby?
duperen [ov ww] ⟨teleurstellen⟩ let down, fail, ⟨bedriegen⟩ ↓ con ◆ *gedupeerd **zijn*** be let down, be duped
duplex [de^m] ⟨in België⟩ ± duplex (appartment)
duplexkarton [het] duplex/double cardboard, duplex/double ^{A}paperboard
duplexpapier [het] duplex/two-ply paper
duplexwoning [de^v] ± maisonette, ⟨AE⟩ ± duplex (apartment)
duplicaat [het] 1 ⟨afschrift⟩ duplicate (copy), transcript, facsimile 2 ⟨dubbelexemplaar⟩ duplicate
duplicator [de^m] 1 ⟨kopieermachine⟩ duplicator 2 ⟨foto⟩ duplicator, ⟨m.b.t. dia's ook⟩ (slide) copier
¹dupliceren [onov ww] ⟨dupliek geven⟩ rejoin
²dupliceren [ov ww] 1 ⟨kopiëren⟩ duplicate, copy 2 ⟨herhalen⟩ duplicate, reiterate
dupliek [de^v] rejoinder ◆ ⟨jur⟩ *dupliek **geven*** rejoin, reply by rejoinder; *na re- en dupliek* ± after thrust and counter-thrust/a brief exchange (of words)
duplo ⊡ ***in** duplo* in duplicate; *akte/document **in** duplo* indenture
duplolamp [de] 1 ⟨(auto)koplamp⟩ anti-dazzle (head) light 2 ⟨lamp met twee gloeidraden⟩ dual-filament lamp
duppie [het] ⟨inf⟩ ten-cent piece, ± penny, ± cent ◆ *drie keer gooien **voor** een duppie* ± sixpence a shy/go, ± three goes for sixpence
dupuytren [de^m] Dupuytren's contracture
Dupuytren ⊡ *de ziekte van Dupuytren* Dupuytren's contracture
dur ⟨muz⟩ major ◆ *een stuk **in** dur* a piece in a major key
durabel [bn] durable
duraluminium [het] Duralumin ⟨merknaam⟩, dural
¹duratief [het] ⟨taalk⟩ continuous/progressive (form)
²duratief [bn, bw] ⟨taalk⟩ continuous, progressive ◆ *duratieve **vorm*** continuous form
duren [onov ww] 1 ⟨m.b.t. een tijdruimte⟩ last, take ◆ *de overtocht duurt tien **dagen*** the crossing takes/lasts ten days; *het duurt nog een **jaar*** it will take a/another year; *het duurde **lang** voor het werk af was* the work took a long time (to finish); *het zal nog **lang** duren voor(dat) er vrede komt* it will be a long time before there is peace, peace will be long in coming; *hoe **lang** zal het duren voor de goederen hier zijn?* how long will it be/take for the goods to be here?; *zijn slecht humeur duurt nooit **lang/niet langer** dan een uur* his bad temper is always short-lived/never lasts longer than an hour; *het heeft enige **tijd** geduurd* it has taken (quite) some time; ⟨form⟩ it has been of some duration; *de tentoonstelling duurt nog **tot** oktober* the exhibition runs until October; *een staking die al een **week** duurt* a week-old strike 2 ⟨voortduren⟩ last, take, continue, go on ◆ *zolang **als** het duurt* ⟨iron⟩ as long as/while it lasts, we'll see how long that lasts; *het duurde **eindeloos** (lang)* it took/lasted ages/forever; *dat duurde **en** duurde maar* that/it went on and on/dragged on; ***het** duurt nog wel even (voor het zover is)* it will be/take a while yet (before that happens/before that stage is reached); *het duurt me hier te **lang*** it's taken too long here for me/my liking; *dat kan niet **lang** meer duren* that cannot take/last/be for much longer; *dat zal mijn **tijd** wel duren* that will last my time; *het duurde **uren/eeuwen/een eeuwigheid*** it lasted hours/ages/an eternity; ***zolang** de staking duurt rijden er geen treinen* there will be no trains for the duration of the strike/until the strike is over/while the strike lasts; ***zolang** het onderzoek duurt leg ik geen verklaring af* I shall not make any statement until the inquiry is over ⊡ ⟨sprw⟩ *wachten duurt altijd lang* a watched pot/kettle never boils; ⟨sprw⟩ *eerlijk duurt het langst* honesty is the best policy; ± cheats never prosper; ⟨sprw⟩ *een belofte in dwang en duurt niet lang* vows made in storms are forgotten in calms
durend [bn] lasting, continuing, extending ◆ ***langer** durend dan drie maanden* extending beyond three months
durf [de^m] daring, ⟨inf⟩ nerve, guts, pluck ◆ *een plan dat van **grote** durf getuigt* a plan which shows great daring; *iemand **met** durf* s.o. with guts/nerve/spirit/spunk; *iemand **zonder** durf* a coward, a gutless person, s.o. without nerve
durfal [de^m] daredevil
durfkapitaal [het] venture capital, start-up/risk capital
duro [de^m] ⟨gesch⟩ duro, spanish peso
durtoonladder [de] major scale
durven [ov ww, ook abs] dare, venture (to/upon) ◆ *hij durft **alles*** he is game for everything; ***als** je toch durft* don't you dare!, just you dare!; *probeer maar **als** je durft!* try if you dare!; *kom eens hier (op) **als** je durft* I dare you!, you're on!; *ik durf zelfs (te) **beweren** dat ...* I would even venture (to say) that ..., I would even go so far as to say that ...; ***hoe** durf je!* how dare you!; *hij durft niet te **komen*** he does not dare (to) come; *je **moet** maar durven!* of all the nerve!, some/the cheek!; *hij durfde het **niet*** he didn't dare; *dat durft hij vast **niet*** he wouldn't dare (to do that); *als het erop aan kwam durfde hij **niet*** he got cold feet when it came to the crunch, ↓ he funked it when it came to the crunch; *niemand durfde hem **tegen te spreken*** nobody dared to contradict him; *voor zijn mening durven **uitkomen*** have the courage of one's convictions/opinions; *zij durfde het hem niet (goed) te **vragen*** she hesitated to ask him; *dat zou ik niet durven **zeggen*** I wouldn't dare to say that, I would be afraid to say that; *ik durf erop te **zweren*** I would swear (it/that); *u/jij durft!* ⟨ook iron⟩ you have a nerve!, you've got guts!
¹dus [bw] thus, in such a way/manner, so ◆ *dus **doende*** so (that), in such a way, thus; ⟨bijgevolg⟩ consequently, as a result; *het dus **gewijzigd** ontwerp* the thus/so altered draft, ⟨wet⟩ the thus/so altered bill
²dus [vw] so, therefore, then ◆ *dat is dus afgedaan* (so,) that's finished then; *ik kan dus op je rekenen?* I can count on you then?
¹dusdanig [aanw vnw] such, that sort of ◆ *een dusdanige **brutaliteit*** such (a) cheek; *met dusdanige **mensen** kan men niet werken* such people are impossible to work with
²dusdanig [bw] so, in such a way/manner, ⟨dermate⟩ to such an extent ◆ *hij **heeft** zich dusdanig **gecompromitteerd** dat hij moet aftreden* he has compromised himself in such a way/to such an extent that he is forced to resign; *de zaak **is** dusdanig **geregeld**, dat ...* the matter has been so arranged that .../has been arranged in such a way that ...

duster [de^m] housecoat, ⟨AE⟩ duster
dusver [bw] ⊡ *tot dusver* so far, up to now, hitherto, to date; *tot dusver is het/alles in orde* so far so good; *ik kan u tot dusver nog niets zekers meedelen* I cannot tell you anything definite as yet
dutje [het] nap, snooze, bit of shut-eye, forty winks, ⟨sl; BE⟩ kip ♦ *een dutje **doen*** have a nap/snooze/kip, get a bit of shut-eye, have/take forty winks
duts [de^m] ⟨in België⟩ duffer, dunce
dutten [onov ww] 1 ⟨slapen⟩ (take a) nap, snooze, daze 2 ⟨suffen⟩ daydream, have one's head in the clouds, woolgather
duümviraat [het] duumvirate
¹**duur** [de^m] ⟨tijdruimte die iets beslaat⟩ duration, length, ⟨m.b.t. apparatuur⟩ life, ⟨m.b.t. gevangenisstraf, ambt⟩ term ♦ *van **korte** duur* of short duration, short-lived; *deze toestand is maar van **korte** duur* this situation is only temporary/of short duration; *het geschil is al van **lange** duur* the quarrel/dispute is of long standing; *(geldig) voor **onbepaalde** duur* ⟨kaart⟩ open; valid indefinitely/for an indefinite period; *voor **onbepaalde** duur in staking gaan* strike indefinitely/for an indefinite period; ***op** de(n) (lange) duur* in the long run/term, finally; ***voor** de duur van* for the duration of ⊡ *rust noch duur **hebben*** be (very) restless/unsettled
²**duur** [bn] 1 ⟨hoog van prijs⟩ expensive, dear, costly, pricey ♦ *een dure **aankoop*** an expensive buy, a big-ticket purchase; *die huizen zijn ongeveer **even** duur* those houses are of a price; *dure **gewoontes*** expensive/luxurious habits; ***hoe** duur is die fiets?* how much/what price is that bicycle?; *een duur **hotel*** an expensive/plush hotel; ⟨sl⟩ plushery; *die auto **is** duur (in het gebruik)* that car is expensive to run; *aan de dure **kant*** on the pricey side; ⟨fig⟩ *dat was een dure **les*** that was a dearly earned lesson; *dat **maakt** het weer duurder voor ons* that makes it dearer/more expensive for us, that raises the cost of it for us; *dure **smaak*** expensive taste; *een dure **studie*** ± an expensive subject to study; *dat is veel **te** duur* that is far too expensive/much too dear/overpriced; *een te duur artikel* an overpriced item/article; ⟨inf⟩ a rip-off; *dat is **te** duur voor mij/me **te** duur* that is beyond my pocket/purse, I can't afford it; *een dure **tijd*** expensive times, a period of high prices; *dure **vaklui*** highly-paid craftsmen; *een dure **winkel*** an expensive shop; *de stookolie **wordt** weer duurder* heating oil is going up again; *ergens duur mee uit zijn* get a bad bargain 2 ⟨zwaarwegend, bindend⟩ solemn ♦ *hij zwoer een dure **eed*** he swore a solemn oath; *een dure **plicht*** a bounden duty 3 ⟨gewichtig doend⟩ chic, ⟨inf⟩ posh ♦ *dure **mensen*** chic/posh people; *hij gebruikt graag dure **woorden*** he likes to use big words ⊡ ⟨sprw⟩ *goede raad is duur* it is difficult to give good advice to s.o. who is in difficulty
³**duur** [bw] 1 ⟨voor, met veel geld⟩ expensively, dearly ♦ *onze duur **betaalde/bevochten** vrijheid* our dearly bought/hard-won freedom; *iets duur **betalen*** ⟨ook fig⟩ pay a high price for sth.; ⟨fig⟩ pay dearly for sth.; ⟨fig⟩ *een duur **gekochte** eer* a dearly bought honour; ⟨fig⟩ *duur **te staan komen*** cost (s.o.) dearly; *allerlei afval **werd** duur **verkocht*** all kinds of waste were sold at a high price 2 ⟨gewichtig⟩ expensively, with chic ♦ *duur **doen/praten**/zich duur **voordoen*** show off; ⟨inf⟩ strut one's stuff; *hij **doet** duur met zijn nieuwe auto* he's showing off (with) his new car
duurdoenerij [de^v] conspicuous consumption, ⟨sl; AE⟩ putting on the dog
duurkoop [bn] dear, expensive ⊡ ⟨sprw⟩ *goedkoop is duurkoop* best is cheapest; a good bargain is a pickpurse
duurloop [de^m] endurance race, long-distance run/race/event
duurrecord [het] endurance record, ⟨ruimterecord⟩ record time in space
duursport [de] endurance sport
duurte [de^v] expensiveness, costliness, dearness ♦ *de duurte van de **levensbehoeften*** the high cost of living; ⟨ec⟩ *schaarste en duurte (van goederen)* scarcity and high prices (of goods); *in **tijden** van duurte* when prices are high, when the cost of living is high, in times of high prices
duurtetoeslag [de^m] cost-of-living supplement/bonus/allowance, weighting, index-linked supplement
duurtraining [de] ⟨sport⟩ endurance training
duurvermogen [het] long-range endurance
¹**duurzaam** [bn] 1 ⟨bestendig⟩ ⟨materialen⟩ durable, hard-wearing, ⟨vrede, vriendschap, waarde⟩ (long-)lasting, enduring, permanent, ⟨enkel predicatief⟩ made to last ♦ *duurzame **energie*** renewable energy; *duurzame **energiebronnen*** renewable/sustainable energy sources; *een duurzaam **gebouw*** a permanent building, a building built to last; ⟨m.b.t. milieubewustheid⟩ a sustainable building; *een duurzame **herinnering/vrede*** an enduring/a lasting memory/peace; *duurzame **kleuren*** permanent/fast colours; *een duurzame **kopie*** a hard copy; *duurzame **landbouw*** sustainable agriculture; *die **stof** is erg duurzaam* this material wears very well/is very durable/hard-wearing; *duurzame **verbruiksgoederen*** durable consumer goods, consumer durables 2 ⟨voortdurend⟩ permanent, perpetual, (long-)lasting, sustained ♦ *voor duurzaam **gebruik*** for permanent use
²**duurzaam** [bw] ⟨langdurig⟩ permanently, durably ♦ *duurzaam **gescheiden*** divorced, permanently separated; *duurzaam **standhouden*** last well/long
duurzaamheid [de^v] durability, endurance, permanence, permanency, ⟨van product⟩ (useful/service) life, ⟨van levensmiddelen⟩ keeping quality, ⟨m.b.t. milieu⟩ sustainability
duurzaamheidstest [de^m] endurance/durability test
duvel [de^m] 1 ⟨persoon⟩ devil, demon, ⟨inf; AE⟩ hellion, ⟨stakker⟩ wretch ♦ *de duvel **hale** me* ⟨verwensing zeelui in komische lit⟩ shiver my timbers!; *een **handige** duvel* a handy/clever devil, ↓ a little bugger 2 ⟨inf; lichaam⟩ ♦ ***op** zijn duvel krijgen* be told off, get a good telling-off, get what for; *iemand **op** zijn duvel geven* give s.o. what for/a good hiding, keelhaul s.o., give s.o. gyp
duvelen [onov ww] 1 ⟨donderjagen⟩ be a nuisance, be a pain (in the neck), carry on, ⟨stoelen⟩ romp (about/around) ♦ ***lig** niet te duvelen* don't be a nuisance; ⟨tegen kind⟩ stop that devilment 2 ⟨vallen⟩ topple, tumble
duveljagen [onov ww] → **duvelen**
duvels [bn] → **duivels¹**
duvelstoejager [de^m] 1 ⟨persoon⟩ factotum, handyman, ⟨sloof⟩ drudge, dogsbody ♦ *duvelstoejager **zijn** bij een advocaat* devil for a barrister 2 ⟨scheepv; sliphaak⟩ pelican hook, quick-release hook, sliphook
duveltje [het] 1 ⟨bijdehand kind⟩ sharp little devil, ⟨ondeugend⟩ imp 2 ⟨kacheltje⟩ ± pot-bellied stove
duveltje-uit-een-doosje [het] ⟨ook fig⟩ jack-in-the-box ♦ ***als** een duveltje-uit-een-doosje* like a bat out of hell
duw [de^m] push, shove, thrust, ⟨zacht⟩ nudge, ⟨i.h.b. met scherp voorwerp⟩ poke, jab, dig ♦ *hij **gaf** me een duw (met de elleboog)* he nudged me, he gave me a prod/dig in the ribs; ⟨fig⟩ *de zaak een duwtje **geven*** help the matter along; *iemand een duwtje (in de rug) **geven*** ⟨fig⟩ give s.o. a boost/leg-up; *hij moet af en toe een duwtje **hebben*** he needs a prod from time to time; *een duwtje **in** de goede richting* ⟨fig⟩ a push in the right direction; *een duw **krijgen*** ⟨fig⟩ suffer a setback
duwbak [de^m] tug-pushed dumb barge, tug-pushed lighter
duwband [de^m] power belt
duwboot [de] push tug, pusher (tug), towboat
duwcombinatie [de^v] push boat and barge(s) combination
duweenheid [de^v] pushed convoy, tow (of barges), multiple barge convoy set
¹**duwen** [onov ww] ⟨druk uitoefenen op⟩ press, push, shove, jostle ♦ *een duwende en **dringende** massa* a jostling

crowd; *duw* ***niet*** *zo!,* ***niet*** *duwen!* don't press (me)!, stop pushing/shoving (me)!; *duwen* ***tegen*** *de deur* give the door a push

²**duwen** [ov ww] 1 ⟨voortbewegen⟩ push, ⟨hardhandig⟩ shove, ⟨iets op wielen ook⟩ wheel ◆ ***heen*** *en* ***weer*** *duwen* shove around, jostle; *een* ***kinderwagen*** *duwen* wheel/push a pram 2 ⟨ergens, in een toestand brengen⟩ push, thrust, shove, jab, ⟨zacht⟩ nudge ◆ *een deur* ***in*** *het slot duwen* shut a door, push a door shut/to; *iemand iets* ***in*** *de hand duwen* thrust sth. into s.o.'s hand; *zich iets* ***in*** *handen laten duwen* get sth. thrust upon one; *de gijzelaar werd* ***in*** *een auto geduwd* the hostage was hustled into a car

duw- en trekwerk [het] pulling and pushing

duwfout [de] ⟨sport⟩ pushing foul

duwvaart [de] push-towing, pushing

D.V. [afk] (Deo volente) DV, God willing

dvd [de^m] (digitale videodisk) DVD

dvd-brander [de^m] DVD burner

dvd- en cd-bon [de^m] CD and DVD gift voucher

dvd-recorder [de^m] DVD recorder

dvd-speler [de^m] DVD player

dw. [afk] 1 (dienstwillig) obdt ◆ ⟨form⟩ *uw dw.* ***dienaar*** your obdt servant 2 (deelwoord) part 3 (deadweight) dead weight

dwaalbegrip [het] misconception, fallacy, false/mistaken notion, erroneous idea/belief

dwaalgast [de^m] vagrant, visitant, visitor

dwaalgeest [de^m] erring spirit, ⟨i.h.b.⟩ heretic

dwaalleer [de] heresy, false doctrine, heterodoxy, error

dwaallicht [het] 1 ⟨vlammetje⟩ will-o'-the-wisp, wildfire, ignis fatuus, fen-fire, jack-o'-lantern 2 ⟨persoon⟩ false guide

dwaalspoor [het] ⟨fig⟩ wrong track, false scent ◆ ***op*** *een dwaalspoor raken/zijn* go/be on the wrong track; ⟨honden⟩ lose the scent; ⟨ook fig⟩ go astray; *iemand* ***op*** *een dwaalspoor brengen* mislead/misguide s.o.; ⟨op de verkeerde weg⟩ lead s.o. astray; ⟨achtervolger⟩ put/throw s.o. off the scent

dwaalster [de] 1 ⟨planeet⟩ planet 2 ⟨misleidend licht⟩ wondering star

dwaaltocht [de^m] ramble, hike, tramp

¹**dwaas** [de^m] fool, idiot, featherbrain, ⟨BE ook⟩ ass, ⟨inf⟩ dope, dummy, nincompoop ◆ *een* ***verliefde*** *dwaas* a fool in love, an infatuated idiot ⊡ ⟨sprw⟩ *gekken en dwazen schrijven hun namen op deuren en glazen* a white wall is a fool's paper

²**dwaas** [bn] 1 ⟨m.b.t. personen⟩ foolish, silly, stupid, ⟨inf; BE⟩ daft, ⟨BE⟩ potty ◆ ***ben*** *je dwaas?* have you gone round the bend?, are you mad/all there?; *de dwaze* ***moeders*** the mothers of the Plaza de Mayo; *je zult toch zo dwaas niet* ***zijn*** surely you won't be so mad (as to); *hij was* ***zo*** *dwaas het te verklappen* he was foolish enough to give it away 2 ⟨m.b.t. woorden, handelingen⟩ foolish, silly, stupid, ⟨inf; BE⟩ daft ◆ *wat een dwaas* ***gedoe!*** what a silly/preposterous business!; *een dwaas* ***hoedje*** a silly hat; *een dwaas* ***idee/dwaze gedachte/inval*** a crazy/freak idea; *een dwaze* ***onderneming*** a wild-goose chase; *dwaze* ***streken*** ***uithalen*** get up to silly/daft tricks/pranks; *de dwaaste* ***vooroordelen*** all kinds of silly prejudices; *dwaze* ***wensen/hoop/dromen*** fond/idle wishes/hopes/dreams; *dat is nog* ***zo*** *dwaas niet* it's not such a crazy/bad idea

³**dwaas** [bw] ⟨op gekke, zotte wijze⟩ foolishly, stupidly, crazily ◆ *zich dwaas* ***aanstellen/gedragen*** play the fool, make a fool of o.s.; *dwaas* ***handelen/doen*** act foolishly/like a fool

dwaasheid [de^v] 1 ⟨eigenschap, toestand⟩ foolishness, folly, stupidity, idiocy, ⟨sterk⟩ madness ◆ *dat is je* ***reinste*** *dwaasheid* that is sheer folly/madness, it's (just) plain foolish(ness); *dat is het* ***toppunt*** *van dwaasheid* it's the height of folly/quite mad 2 ⟨handeling, uiting⟩ folly, nonsense ◆ *dwaasheden* ***begaan*** do stupid things; *het zou een* ***grote*** *dwaasheid zijn dat te geloven* it would be absurd to believe that; ***wat*** *een dwaasheid* what folly/nonsense/rot! ⊡ *dwaasheid!* go away!, ridiculous!

dwalen [onov ww] 1 ⟨dolen⟩ stray, err, wander ◆ *hij dwaalde* ***door*** *de stad* he wandered round the town 2 ⟨zonder doel rondlopen⟩ wander, roam, ramble, rove ◆ *wij dwaalden twee uur* ***in*** *het bos* we roamed (through) the forest for two hours 3 ⟨m.b.t. blikken, gedachten⟩ stray, travel ◆ *zijn blikken dwaalden* ***door*** *de grote kamer* his eyes travelled all over the big room; *zijn gedachten dwaalden weer* ***naar*** *het verleden* his thoughts strayed back to the past 4 ⟨fig; zich vergissen⟩ err, go astray ⊡ ⟨sprw⟩ *beter ten halve gekeerd, dan ten hele gedwaald* ± a fault confessed is half redressed

dwaling [de^v] 1 ⟨het dwalen⟩ deviation, aberration, ⟨form⟩ divagation 2 ⟨vergissing⟩ error, mistake, fallacy ◆ *dat is een* ***grove*** *dwaling* that is a serious mistake; *een* ***rechterlijke*** *dwaling* a miscarriage of justice, a judicial error 3 ⟨afwijking van het goede pad⟩ digression, deviation, error(s), ⟨form⟩ divagation ◆ *zijn dwaling* ***inzien*** see the light; *de dwalingen van zijn* ***jeugd*** the errors of his youth

dwang [de^m] 1 ⟨machtsuitoefening⟩ compulsion, coercion, ⟨geweld⟩ force, ⟨verplichting⟩ obligation, ⟨remmend⟩ constraint, ⟨druk⟩ pressure, ⟨jur⟩ duress ◆ ***onder*** *dwang* under duress/constraint/pressure, involuntarily; ⟨jur⟩ *bekennen* ***onder*** *dwang* confess under duress; *dwang op iemand* ***(uit)oefenen*** bring pressure to bear on s.o., pressurize s.o. (into sth./doing sth.); *buigen* ***voor*** *dwang* give way/yield to pressure; *met* ***zachte*** *dwang* by persuasion; ***zonder*** *dwang* unconstrained, without obligation 2 ⟨pathologisch verschijnsel⟩ obsession, compulsion ⊡ ⟨sprw⟩ *een belofte in dwang en duurt niet lang* vows made in storms are forgotten in calms

dwangarbeid [de^m] hard labour, forced/convict labour, penal servitude ◆ *dwangarbeid* ***verrichten*** do hard labour

dwangarbeider [de^m], **dwangarbeidster** [de^v] convict ◆ ***troep*** *dwangarbeiders* convict/chain gang, forced labour (crew)

dwangarbeidster [de^v] → **dwangarbeider**

dwangbehandeling [de^v] compulsory treatment

dwangbevel [het] ⟨jur⟩ ⟨m.b.t. belasting⟩ distress warrant, ⟨alg⟩ (bailiff's) writ, fieri facias, ⟨ogm⟩ injunction, enforcement order ◆ *iemand een dwangbevel* ***betekenen*** serve a writ on s.o., ↓ slap an injunction on s.o.

dwangbeweging [de^v] compulsive movement, tic

dwangbuis [het] ⟨ook fig⟩ straitjacket, ⟨BE ook⟩ straitwaistcoat ◆ *iemand een dwangbuis* ***aandoen*** put s.o. in a straitjacket, straitjacket s.o.

dwanggedachte [de^v] obsession, obsessional thought/idea, ⟨inf⟩ hang-up

dwangligging [de^v] forced posture

dwangmaatregel [de^m] coercive/compulsory measure, sanction

dwangmatig [bn, bw] ⟨tegen iemands wil⟩ inexorable ⟨bw: inexorably⟩, relentless ⟨bw: ~ly⟩, ⟨van binnenuit opgedrongen⟩ compulsive ⟨bw: ~ly⟩ ◆ *dwangmatig* ***drong*** *zich die afschuwelijke herinnering aan haar* ***op*** the awful memory forced its way inexorably/relentlessly into her mind; *dwangmatig* ***handelen*** act compulsively

dwangmatigheid [de^v] compulsiveness

dwangmedicatie [de^v] ⟨med⟩ 1 ⟨het onder dwang toedienen van geneesmiddelen⟩ compulsory medication 2 ⟨onder dwang toegediende geneesmiddelen⟩ compulsory/forced medication

dwangmiddel [het] means/method of coercion ◆ *eenzame opsluiting* ***als*** *dwangmiddel* solitary confinement as a means of coercion

dwangnagel [de^m] hangnail, agnail

dwangneurose [de^v] obsessive-compulsive neurosis/reaction, obsessional neurosis

dwangopname [de] compulsory admission
dwangpositie [de^v] 1 ⟨positie waarin men tot iets gedwongen wordt⟩ predicament, dilemma ♦ ***in** een dwangpositie verkeren* have one's hands tied, not be a free agent, be in a dilemma/between the devil and the deep blue sea; *iemand **in** een dwangpositie brengen* place/put s.o. in a dilemma, force s.o.'s hand 2 ⟨bridge⟩ squeeze (play)
dwangprostitutie [de^v] forced prostitution
dwangrail [de] guardrail, ⟨BE ook⟩ checkrail
dwangregime [het] despotic/tyrranical/oppressive regime
dwangsom [de] penalty/damages (imposed on a daily basis in case of non-compliance)
dwangstoornis [de^v] obsessive disorder, compulsive disorder
dwangverpleging [de^v] compulsory admission, compulsory (psychiatric) treatment
dwangvoorstelling [de^v] obsession, fixed idea, idée fixe
dwarrelbal [de^m] chaotic, meandering ball
dwarrelen [onov ww] ⟨snel⟩ whirl, twirl, swirl ⟨ook snel⟩, ⟨bladeren⟩ flutter, ⟨vnl. water⟩ eddy ♦ *dwarrelende **bladeren*** fluttering/swirling/dancing leaves; ***doen** dwarrelen* blow about; *de **sneeuwvlokken** dwarrelen langs mijn raam* the snowflakes are whirling past my window
dwarreling [de^v] whirl, twirl, swirl, flutter, eddy
dwarrelvlucht [de] ⟨luchtv⟩ falling leaf
dwarrelwind [de^m] whirlwind, ⟨op kleine schaal⟩ eddy of wind
dwars [bn, bw] 1 ⟨in een richting loodrecht op een andere⟩ diagonal ⟨bw: ~ly⟩, transverse, crosswise, crossways ♦ *dwars **door** het veld* straight across the field; *het ging dwars **door** mij **heen*** it cut me to the heart/quick; ⟨fig⟩ *dwars **door** iemand heen kijken* look straight through s.o.; *hij stak hem dwars **door** het lijf* he ran him through (with his sword); *het gekrijs ging dwars **door** me heen* the shrieking split my ears/went right through me; *ergens dwars **doorheen** gaan* go/cut right through/across sth.; *een dwarse **doorsnede*** a cross-section/transverse section; *iets dwars **doorsnijden*** cut straight through/right across sth.; *dwars **gebakken*** ⟨fig⟩ half-baked; *dwars **gestreept*** cross-striped; ⟨enkel predicatief⟩ with diagonal stripes; *dwars tegen iets **ingaan*** go right against sth.; *de balken **liggen** dwars* the beams lie crosswise; *je moet het dwars **nemen*** you must take it crosswise; ⟨hout⟩ you must cut it across the grain; *dwars **op** de golven liggen* lie across/athwart the waves; *de boom lag dwars **over** de weg* the tree lay right across the road; *dwars **over** een rivier zwemmen* swim (straight) across a river; *er was een touw dwars **over** de weg gespannen* a rope had been strung across the road; *de weg dwars **oversteken*** cross straight over the road; *dwarse **strepen*** diagonal lines, ⟨op stof⟩ diagonal stripes; ⟨scheepv⟩ *met de **wind** dwars zeilen* sail with the wind on the beam 2 ⟨onhandelbaar⟩ cross-grained, contrary, intractable, perverse, ⟨inf⟩ cussed, ⟨sl; AE⟩ ornery ♦ *een dwars **karakter*** an intractable character; ⟨persoon; inf⟩ a cross-patch
dwarsbalk [de^m] 1 ⟨lett⟩ tra(ns)verse beam, crossbeam, crossbar, cross piece, ⟨AE⟩ cross tie, ⟨van deur/raam⟩ transom, lintel ♦ *de dwarsbalk van een **letter*** the cross of a letter; ***met** (een) dwarsbalk(en)* ⟨raam, deurstijl⟩ transomed; *van dwarsbalken **voorzien*** joist 2 ⟨wapenkunde⟩ fess, ⟨mv⟩ bars
dwarsbeuk [de^m] transept
dwarsbomen [ov ww] thwart, cross, frustrate ♦ *iemand dwarsbomen **in** iets* cross s.o. in sth.
dwarsdoorsnede [de] cross section ⟨ook wiskunde⟩, transverse section, transection, crosscut ♦ *een dwarsdoorsnede **geven van*** give a profile of; *een dwarsdoorsnede **maken van*** make a cross section of, transect; ⟨fig⟩ *een dwarsdoorsnede van de **populatie*** a cross section/sample section of the population

dwarsdraads [bn, bw] cross-grained ♦ *een plank dwarsdraads **doorzagen*** cut/saw a plank across the grain; *dwarsdraads **hout*** cross-grained wood
dwarsdrijfster [de^v] → **dwarsligger**
dwarsdrijver [de^m] → **dwarsligger**
dwarsdrukcompensatie [de^v] ⟨van pick-uparm⟩ antiskating compensation
dwarsfluit [de] flute, German/transverse flute ♦ *dwarsfluit **spelen*** play the flute
dwarsgestreept [bn] horizontally striped ♦ *dwarsgestreepte **spieren*** striated muscle(s); *een dwarsgestreepte **trui*** a horizontally-striped pullover, a jumper with horizontal stripes
dwarshelling [de^v] 1 ⟨helling in dwarse richting⟩ transverse slope, ⟨luchtv; wegen⟩ bank, ⟨van weg/spoor⟩ superelevation 2 ⟨scheepv⟩ side-launching yard
dwarshout [het] 1 ⟨dwars aangebracht hout⟩ crossbeam, cross-bracing, ⟨van ladder⟩ rung, ⟨tussen stoelpoten e.d.⟩ stretcher, ⟨van raam⟩ transom, lintel 2 ⟨soort hout⟩ cross-grained wood
dwarskijker [de^m] 1 ⟨spion⟩ spy, informer, ⟨inf⟩ snooper 2 ⟨ongewenste getuige⟩ ± Peeping Tom
dwarsklamp [de^m] brace, batten, ⟨in lijst⟩ rail
dwarskop [de^m] → **dwarsligger**
dwarskrachtcompensatie [de^v] ⟨audio⟩ 1 ⟨concreet⟩ anti-skating device, anti-skate control 2 ⟨abstr⟩ anti-skating compensation
dwarslaesie [de^v] ⟨med⟩ spinal cord lesion, ⟨het gevolg⟩ paraplegia ♦ ***totale** dwarslaesie* complete paraplegia
dwarslat [de] cross-lath, ⟨sport⟩ crossbar
dwarsliggen [onov ww] be obstructive, be contrary/awkward, ⟨inf; AE⟩ buck, be a troublemaker, ↓ be an awkward so-and-so
dwarsligger [de^m] 1 ⟨persoon⟩ obstructionist, troublemaker, ↓ awkward customer, awkward so-and-so 2 ⟨balk⟩ ⟨spoorw; BE⟩ (railway) sleeper, ⟨AE⟩ (cross)tie, crossbeam, (cross-)girder 3 ⟨doellat⟩ crossbar
dwarsligging [de^v] ⟨med⟩ transverse presentation
dwarsprofiel [het] transverse section, cross section
dwarsscheeps [bn, bw] athwartship, across ship, ⟨ten opzichte van schip⟩ abeam (of), on the beam, ⟨bijwoord ook⟩ athwartships ♦ *dwarsscheeps **liggen*** lie abeam, be on the beam
dwarsschip [het] transept
dwarsstraat [de] side-street ♦ ⟨fig⟩ ***ik noem** maar een dwarsstraat* just to give an example, for example/instance
dwarsstreep [de] cross/transverse line, ⟨op stof⟩ cross/diagonal stripe, band, ⟨drukw⟩ serif, ⟨dwarsbalk van een letter⟩ cross
dwarsstuk [het] crosspiece, traverse, ⟨in houten hek⟩ rider
dwarsverband [het] ⟨scheepv⟩ bracket frame, (cross-)bracing, strutting, ⟨fig⟩ (unexpected) connection
dwarsvleugel [de^m] transept
dwarsvoor [bw] ⟨scheepv⟩ athwarthawse
dwarszee [de] cross sea, beam-sea
dwarszitten [ov ww] cross, thwart, hamper ♦ *de opmerking **bleef** hem dwarszitten* the remark rankled in/preyed on his mind/stuck in his throat/rankled; ***iemand** dwarszitten* foil/frustrate s.o.('s plans), thwart s.o.; ⟨sl, vulg; BE⟩ bugger s.o. about/around; ***wat zit je dwars?*** what's eating/biting/bugging you?, what's got your goat?
dweepster [de^v] → **dweper**
dweepziek [bn] fanatical, ⟨m.b.t. godsdienst ook⟩ zealotic, ⟨overdreven⟩ ↑ effusive, ↑ gushing, ↓ gushy, ⟨opgetogen⟩ languishing, ecstatic, ⟨verzot⟩ besotted, infatuated, smitten, ↓ gooey ♦ *een dweepziek **kind*** an infatuated child
dweepzucht [de] fanaticism, ⟨m.b.t. godsdienst ook⟩ zealotry, ⟨in woorden uitgedrukt⟩ effusion, rapture, ⟨verzotheid⟩ infatuation, hero-worship

dweil [de^{m}] 1 ⟨doek⟩ (floor-)cloth, rag, ⟨op stok⟩ mop, ⟨mil, scheepv ook⟩ swab 2 ⟨iemand die over straat sliert⟩ loafer, gadabout, ⟨dronkenlap⟩ soak, boozer, ⟨AE⟩ lush, ⟨slappeling⟩ drip

¹**dweilen** [onov ww] 1 ⟨straatslijpen⟩ loaf (around), knock/hang about, ⟨veel drinken⟩ be/go on a spree, ⟨sl⟩ be/go on a bender ♦ *langs de straat dweilen* knock about the streets 2 ⟨verk⟩ crawl

²**dweilen** [ov ww, ook abs] ⟨schoonmaken⟩ mop (down), ⟨mil, scheepv ook⟩ swab (down), ⟨vloeistof⟩ mop/swab (up) ♦ ⟨fig⟩ *(dat is) dweilen met de kraan open* (that's just) banging/running/beating one's head against a brick wall, (it's) a waste of time (and effort)

dweilmachine [de^{v}] ⟨schaatssp⟩ zamboni ⟨ook Zamboni⟩

dweilorkest [het] Carnival/Oompah band

dwepen [onov ww] 1 ⟨overdreven denkbeelden koesteren⟩ be fanatical (about), enthuse (over), gush (about), rave (over/about), be mad/crazy (about), go into raptures (about) ♦ *dwepende* ***ogen*** starry/fond/gooey eyes; *een dwepende* ***toon/bewondering*** a rapturous tone, a fanatical admiration 2 ⟨grote bewondering hebben voor⟩ adore, idolize, be fanatical/mad/crazy (about), ⟨m.b.t. personen ook⟩ dote (on), ↓ be sold on, be gone on, ↓ go (all) gooey over ♦ *ze dweepte* ***met*** *die boeken/Bach* she adored those books/idolized Bach

dweper [de^{m}], **dweepster** [de^{v}] 1 ⟨iemand die dweept⟩ fanatic, ⟨rel⟩ zealot ♦ *een dweper* ***met*** *Joyce* a Joyce devotee, ⟨inf⟩ a Joyce fan 2 ⟨aanhanger van een idee⟩ devotee, enthusiast, ⟨vnl sport⟩ fan, ⟨AE⟩ raver, ⟨ook scherts⟩ aficionado, ⟨fanatiek⟩ fanatic ♦ ***religieuze*** *dweper* religionist

¹**dweperig** [bn] ⟨geneigd tot dwepen⟩ fanatic(al), ⟨enthousiast⟩ enthusiastic

²**dweperig** [bw] ⟨op dweepzieke wijze⟩ fanatically, dotingly ♦ *dweperig* ***religieus*** religiose

dweperij [de^{v}] zealotry, fanaticism, ⟨enthousiasme⟩ enthusiasm ♦ ***religieuze*** *dweperij* religiosity

dwerg [de^{m}] 1 ⟨fabelachtig wezen⟩ gnome, dwarf, elf, ⟨IE⟩ leprechaun ♦ ⟨fig⟩ *een reus* ***onder*** *de dwergen* a giant among dwarfs, Triton among the minnows; *Sneeuwwitje en de zeven dwergen* Snow White and the Seven Dwarfs 2 ⟨klein mens⟩ dwarf, midge(t), pygmy, Tom Thumb, ⟨pej⟩ runt ♦ *een* ***wanstaltige*** *dwerg* a misshapen midget/dwarf ▪ ⟨astron⟩ ***witte*** *dwerg* white dwarf

dwergachtig [bn] stunted, miniature, pygmy, ⟨form⟩ pygm(a)ean ♦ *dwergachtige* ***boompjes*** stunted trees

dwergarend [de^{m}] booted eagle

dwergberk [de^{m}] dwarf birch

dwergblauwtje [het] small blue

dwergboom [de^{m}] dwarf tree, ⟨i.h.b.⟩ bonsai, ⟨slecht gegroeid⟩ stunted tree

dwerggans [de] lesser white-fronted goose, lesser whitefront

dwerggeit [de] dwarf goat

dwerggroei [de^{m}] dwarfism, ⟨vnl. m.b.t. planten⟩ stunting

dwerghert [het] mouse deer, chevrotain

dwergkees [de^{m}] toy keeshond

dwergmeeuw [de] little gull

dwergmuis [de] harvest mouse

dwergooruil [de^{m}] Scops owl

dwergpalm [de^{m}] palmetto, dwarf fan palm

dwergpartij [de^{v}] ± splinter party

dwergpincher [de^{m}] affenpinscher

dwergplaneet [de] dwarf planet

dwergpoedel [de^{m}] miniature poodle

dwergstaat [de^{m}] microstate, mini-state

dwergster [de] dwarf star

dwergstern [de] little tern

dwergtong [de] little sole

dwerguil [de^{m}] pygmy owl

dwergvlas [het] allseed

dwergvleermuis [de] common pipistrelle

dwergvolk [het] dwarf people/tribe, pygmies

DWI [de^{m}] (Dienst Werk en Inkomen) Work and Income Department

dwingeland [de^{m}] 1 ⟨tiran⟩ tyrant, despot, dictator, autocrat 2 ⟨iemand die anderen zijn wil oplegt⟩ bully, tyrant ♦ *een* ***kleine*** *dwingeland* a little tyrant

dwingelandij [de^{v}] tyranny, despotism, dictatorship, autocracy

¹**dwingen** [onov ww] ⟨in het bijzonder van kinderen: zeuren⟩ whine (for), pule

²**dwingen** [ov ww] ⟨noodzaken⟩ force, compel, oblige, coerce, constrain, make (s.o. do sth.) ♦ *hij was wel gedwongen (om) te* ***antwoorden*** he was obliged to answer; *de hongerstakers werden gedwongen te* ***eten*** the hunger-strikers were force-fed; *als hij niet wil, zullen we* ***hem*** *wel dwingen* if he doesn't want to, we'll make him (do it); ***iemand*** *langs gerechtelijke weg dwingen* coerce s.o. by legal means; *hij* ***laat*** *zich niet dwingen* he won't be forced/coerced, ⟨inf⟩ he won't be bullied, he won't yield to force; *zoiets* ***laat*** *zich niet dwingen* you can't force a thing like that; *de omstandigheden hebben* ***mij*** *gedwongen* circumstances have compelled me; *iemand dwingen een overhaast besluit te* ***nemen*** rush s.o. into making a hasty/rush decision; ***tot*** *overgave dwingen* force into submission; *iemand* ***tot*** *het uiterste dwingen* drive s.o. to extremes; *een vliegtuig dwingen* ***tot*** *landen* force a plane down; *iemand dwingen* ***tot*** *gehoorzaamheid* force s.o. to obey, enforce obedience from s.o.; *iemand* ***tot*** *actie/handelen dwingen* force s.o.'s hand; *(iemand)* ***tot*** *bekentenissen dwingen* force (s.o.) to confess; ⟨kaartsp⟩ *dwingen* ***tot*** *het spelen van een kaart* force a card; *de tegenstander* ***tot*** *de aanval dwingen* force the opponent to attack; *niets dwingt* ***u*** *daartoe* you are not obliged/compelled to do it; *ze dwongen het vliegtuig naar Cuba te* ***vliegen*** they forced the plane to fly to Cuba, the plane was hijacked to Cuba; ***zich*** *gedwongen zien* be forced/compelled (to); *liefde laat* ***zich*** *niet dwingen* love cannot be forced/constrained; ***zichzelf*** *(moeten) dwingen (om) niet te schreeuwen/(om) niet te glimlachen* (have to) force/steel o.s. not to scream/smile

¹**dwingend** [bn] 1 ⟨noodzakend, gebiedend⟩ compelling, compulsory, coercive, peremptory, imperative ♦ *een dwingend* ***argument*** a cogent/compelling argument; *dwingende* ***eisen*** imperative/peremptory demands; *dwingende* ***noodzakelijkheid*** imperative need/necessity; ⟨jur⟩ *dwingend* ***recht*** imperative law; *dwingende* ***redenen*** compelling reasons; *een dwingend* ***voorschrift*** a strict order/regulation 2 ⟨dwingerig⟩ → **dwingerig**

²**dwingend** [bw] ⟨op gebiedende wijze⟩ authoritatively, peremptorily, imperatively, obligatorily, coercively ♦ *dwingend* ***kijken*** give a commanding look; *iemand iets dwingend* ***voorschrijven*** make sth. compulsory for s.o., make it imperative/impose an obligation (on s.o.) to do sth.

dwingerig [bn] whining, moaning, ⟨form⟩ puling

d.w.z. [afk] (dat wil zeggen) i.e.

dyname [de] dyname

dynamica [de^{v}] dynamics

dynamiek [de^{v}] 1 ⟨(ritmische) bewogenheid, vaart⟩ dynamics, vitality, dynamism ♦ ⟨fig⟩ *de* ***maatschappelijke*** *dynamiek van de 20e eeuw* the social dynamics of the 20th century 2 ⟨muz; leer⟩ dynamics 3 ⟨muz; toepassing⟩ dynamic ♦ *de dynamiek* ***in*** *die aria is bepalend* the dynamic in that aria is all-important

dynamiet [het] dynamite, ± gelignite, ± giant powder ♦ *een* ***lading*** *dynamiet* a blast (of dynamite); ***met*** *dynamiet opblazen/vernielen* dynamite, blast, blow up

dynamietstaaf [de] stick of dynamite

dynamisch [bn] 1 ⟨m.b.t. de dynamica⟩ dynamic(al) ♦

*dynamische **druk/elektriciteit*** dynamic pressure/electricity; *dynamisch **stelsel*** dynamic system [2] ⟨m.b.t. de dynamiek⟩ dynamic ♦ *het dynamisch **accent*** the dynamic stress/accent; *dynamische **tekens*** dynamics, dynamic marks/markings [3] ⟨waarin innerlijke beweging, bewogenheid overheerst⟩ dynamic, energetic, forceful, ↓ full of gumption/get-up-and-go ♦ *een dynamische **persoonlijkheid*** a dynamic personality; ⟨inf⟩ a live wire

dynamisme [het] ⟨filos⟩ dynamism

dynamo [de^{m}] dynamo, generator

dynamo-elektrisch [bn] dynamoelectric

dynamometer [de^{m}] [1] ⟨krachtmeter⟩ dynamometer [2] ⟨m.b.t. een lens⟩ dynameter

dynast [de^{m}] dynast, ruler, monarch

dynastie [de^{v}] dynasty ♦ *een dynastie **vestigen*** found/begin a dynasty

dynastiek [bn] dynastic(al)

dyne [de^{m}] dyne

dysartrie [de^{v}] ⟨med⟩ dysarthria

dyscalculie [de^{v}] dyscalculia

dysenterie [de^{v}] ⟨med⟩ dysentery

dysfasie [de^{v}] dysphasia

dysfonie [de^{v}] ⟨med⟩ dysphonia

dyslectisch [bn] dyslexic

dyslexie [de^{v}] dyslexia

dysmenorroe [de] ⟨med⟩ dysmenorrhoea

dyspepsie [de^{v}] ⟨med⟩ dyspepsia, dyspepsy, ⟨ogm⟩ ± indigestion

dysplasie [de^{v}] [1] ⟨med; stoornis in de ontwikkeling⟩ dysplasia [2] ⟨med; abnormale celgroei⟩ dysplasia [3] ⟨afwijking van het normale⟩ dysplasia

dyspneu [de^{m}] ⟨med⟩ dyspnoea

dyspraxie [de^{v}] dyspraxia

dystonie [de^{v}] dystonia

dystrofie [de^{v}] ⟨med⟩ dystrophy, dystrophia

dystrofine [het] dystrophin

dystrofisch [bn] ⟨med⟩ dystrophic

D66 [het] (Democraten '66) Democrats '66

e

e [de] 1 ⟨letter, klank⟩ e, E 2 ⟨toon⟩ e, E ◆ *E-groot* E major; *e-klein* E minor
E [afk] (España) E
e.a. [afk] (en andere(n)) et al
eagle [de^m] eagle
EAJ [afk] (Experimentele Arbeidsplaatsen voor Jeugdigen) ⟨BE⟩ ± YTS, Youth Training Scheme, ⟨BE⟩ ± YOP, Youth Opportunities Programme ◆ *een EAJ-project* a YTS project
early adopter [de^m] early adopter
easy going [bn] easy-going
easy rider [de^m] (baby) sling, ⟨handelsmerk⟩ Easy Rider
eau de cologne [de] cologne, Cologne water, eau de Cologne
eau de javel [de] javel(le) water
eau de lavande [de] lavender water
eau de toilette [de] eau de toilette, toilet water
eb [de] 1 ⟨het aflopen van de zee⟩ ebb(-tide), outgoing tide, reflux ◆ *het komt als eb en vloed* it comes and goes; *het is eb* the tide is out 2 ⟨laag getijde⟩ low tide, low water ◆ *bij eb* at low tide/low water, when the tide is out
e-banking [de] e-banking
ebaucheren [ov ww, ook abs] 1 ⟨schetsen⟩ sketch (out), outline 2 ⟨een model maken (van)⟩ roughcast
¹**ebben** [het] ebony
²**ebben** [bn] 1 ⟨van ebbenhout⟩ ebony 2 ⟨zwart als ebbenhout⟩ ebony
³**ebben** [onov ww] ebb, go out, recede ◆ *het ebt morgen om halfzeven* tomorrow the tide will be out at 6.30
ebbenhout [het] ebony ◆ *meubelen van nagemaakt ebbenhout* ebonized furniture
ebbenhouten [bn] ebony ◆ *een ebbenhouten ameublement* a suite of ebony furniture
ebdeur [de] tailgate
ebi [de^v] (extreem beveiligde inrichting) high security prison/wing
ebit [de] ebit (earnings before interest and taxation)
ebita [de] ebita (earnings before interest, taxes and amortization)
e-boek [het] e-book
ebola [de] ebola (virus)
eboniet [het] ebonite, vulcanite
ebonieten [bn] ebonite, vulcanite
e-book [het] e-book
ebstroom [de^m] ebb current/tide, outgoing tide
EBU [afk] (Europese Betalingsunie) EPU
eburine [het] ivorine
e-business [de^m] e-business
e.c. [afk] (exempli causa) e.g.
ecart [de^m] ⟨fin⟩ ecart
ecarté [het] ecarté
¹**ecarteren** [onov ww] ⟨ecarté spelen⟩ play at ecarté
²**ecarteren** [ov ww] 1 ⟨terzijde schuiven⟩ discard, reject, throw away/out, shove/set aside 2 ⟨kaartsp⟩ discard
ECB [de] (Europese Centrale Bank) ECB
ecce homo Ecce Homo
ecclesia [de] Church ◆ *ecclesia mater* Mother-Church; *ecclesia triumphans* Church triumphant
ecclesiastisch [bn] ecclesiastic
ecg [het] ⟨med⟩ (elektrocardiogram) ECG, ⟨AE ook⟩ EKG
échange [de^v] exchange
echappement [het] escapement
echec [het] fiasco, failure, ⟨inf⟩ flop, ⟨nederlaag bij stemming e.d.⟩ defeat, reverse ◆ *het was een groot echec* it was a huge flop; *echec lijden* fail, suffer a defeat, meet with a rebuff/repulse; ⟨bij stemming⟩ be defeated; ⟨inf⟩ come a cropper
echelle [de^v] ⟨gesch⟩ port (in the Levant)
echelon [het, de^m] 1 ⟨troepenafdeling⟩ echelon ◆ *'en echelon' opstellen* place in echelon 2 ⟨niveau, rang⟩ echelon, level
echelonneren [ov ww] echelon
echinacea [de^m] echinacea
echo [de^m] 1 ⟨nagalm⟩ echo, reverberation, resonance, ⟨radar⟩ blip ◆ *de echo weerkaatste zijn stem* his voice was echoed 2 ⟨uiting die een andere herhaalt⟩ echo ◆ *iemands echo zijn* echo s.o.'s words/opinions 3 ⟨muz⟩ echo 4 ⟨echogram⟩ echo(gram)
echobeeld [het] double image, echo, ghost image
echocardiogram [het] ultrasound cardiogram
echodicht [het], **echogedicht** [het] echo verse
echoën [ov ww, ook abs] ⟨onovergankelijk werkwoord⟩ echo, reverberate, resound, ring, ⟨overgankelijk werkwoord⟩ echo
echofoon [de^m] echo-sounder, sonar
echogedicht [het] → **echodicht**
echogewelf [het] echo vault
echografie [de^v], **echoscopie** [de^v] 1 ⟨techniek⟩ echography, ultrasonography, ultrasound imaging/scanning 2 ⟨product⟩ echogram, ultrasound scan/image; zie ook **echogram**
echogram [het] → **echografie**
echolalie [de^v] ⟨med⟩ echolalia
echolocatie [de^v] echolocation

echolood [het] echo-sounder, Fathometer, depth sounder
echopeiling [de^v] echo-sounding
echopraxie [de^v] ⟨med⟩ echokinesis, echokinesia
echoput [de^m] echoing well
echoscopie [de^v] → **echografie**
echowerk [het] echo organ
¹**echt** [de^m] ⟨form⟩ matrimony, wedlock ♦ *in/door de echt verbonden/verenigd worden, in de echt treden* be joined in matrimony
²**echt** [bn] 1 ⟨zuiver, onvervalst⟩ ⟨werkelijk, geen imitatie⟩ real, ⟨oprecht, niet vervalst⟩ genuine, ⟨handtekening, document⟩ authentic, ⟨waarlijk⟩ true, actual ♦ *zij heeft* ***de echte*** *gevonden* she's found Mr Right; *voor echt* ***erkennen/verklaren*** authenticate; *echt* ***gevoel, medelijden*** real/genuine feelings/compassion; *echt* ***goud*** real/genuine gold; *een echte* ***handtekening*** an authentic signature; ***in*** *het echt* in reality, in real life; *het echte* ***theater/toneel*** the legit(imate) theatre; *een echte* ***vriend*** a true/real friend; *echte* ***wijn*** real wine; *het* ***zag*** *er helemaal (als) echt* ***uit*** it looked completely genuine/like the real thing 2 ⟨bij uitnemendheid⟩ real, regular, true, trueblue, trueborn, perfect, downright, thorough, ⟨form of scherts⟩ veritable ♦ *zij is een echte* ***dame*** she is a real/regular lady; *dat is nog niet* ***het*** *echte* it's not the real thing/the genuine article/ᴬthe real McCoy; *een echt(e)* ***lafaard/serpent/luilak/...*** a real/regular coward/bitch/lazybones/...; *het is een echt* ***schandaal*** it's a real/first-rate scandal; *het is nog niet de echte* ***zomer*** it's not really summer yet 3 ⟨wettig⟩ legitimate ♦ ⟨jur⟩ *een echt* ***kind*** a legitimate child, a child born in wedlock
³**echt** [bw] 1 ⟨werkelijk⟩ really, truly, genuinely, honestly, heartily ♦ *dat is echt* ***Hollands*** that's typically Dutch; *dat is echt* ***iets voor hem*** ⟨typisch voor hem⟩ that's him all over; ⟨daar houdt hij van⟩ that's just his cup of tea; *het* ***is*** *echt* ***gebeurd*** it's a true story, it really happened; ***meen*** *je dat echt?* are you serious?; *dat* ***moet*** *je echt* ***niet doen*** you really mustn't do that; *ik heb het echt* ***niet*** *gedaan* I honestly didn't do it; ⟨inf⟩ I didn't do it, honest; *echt* ***(waar)*** honest(ly)!, honest-to-God!; ⟨AE⟩ honest Injun! 2 ⟨inderdaad de genoemde hoedanigheid bezittend⟩ real, genuine(ly) ♦ *een echt* ***gouden*** *horloge* a real gold watch; *het* ***klinkt*** *echt* it rings true
echtbreekster [de^v] → **echtbreker**
echtbreken [ww] commit adultery ♦ ⟨Bijb⟩ *gij zult niet echtbreken* thou shalt not commit adultery
echtbreker [de^m], **echtbreekster** [de^v] ⟨man⟩ adulterer, ⟨vrouw⟩ adulteress
echtbreuk [de] adultery, infidelity ♦ *echtbreuk* ***plegen*** commit adultery
echtelieden [de^{mv}] ⟨form⟩ spouses
echtelijk [bn] ⟨form⟩ conjugal, marital, matrimonial, connubial ♦ *echtelijk(e)* ***moeilijkheden/geluk*** marital problems/bliss; *de echtelijke* ***rechten en plichten*** conjugal rights and duties; *een echtelijke* ***ruzie*** a domestic quarrel; *de echtelijke* ***sponde*** the conjugal bed; *de echtelijke* ***staat*** the married/wedded state, (the (holy) estate of) matrimony, connubiality, wedlock; *echtelijke* ***trouw*** conjugal fidelity; *de echtelijke* ***woning*** *verlaten* leave the marital home
echten [ov ww] ⟨form⟩ legitimate, legitim(at)ize ♦ *een* ***kind*** *echten* legitimate a child
echter [bw] however, nevertheless, yet, but ♦ *dat is echter* ***niet gebeurd*** however, that did not happen
echtgenoot [de^m], **echtgenote** [de^v] ⟨man⟩ husband, ⟨vrouw⟩ wife, ⟨ook scherts; vrouw⟩ spouse ♦ *de* ***aanstaande/toekomstige*** *echtgenoten* the intending husband and wife, the husband and wife to be; *een* ***bedrogen*** *echtgenoot/echtgenote* a deceived/betrayed husband/wife; ⟨alleen van man⟩ a cuckold; *de* ***overblijvende*** *echtgenoot erft alles* the surviving spouse will inherit everything; *iemand* ***tot*** *echtgenoot/echtgenote nemen* take s.o. as one's husband/wife; ⟨form⟩ espouse s.o.; *een* ***wettige*** *echtgenoot/echtgenote* a lawful/wedded husband/wife
echtgenote [de^v] → **echtgenoot**
echtgescheiden [bn] ⟨in België⟩ divorced
echtheid [de^v] 1 ⟨zuiverheid, onvervalstheid⟩ authenticity, genuineness ♦ *de echtheid* ***bewijzen/bevestigen/vaststellen*** *van iets* prove/ascertain the authenticity of sth., authenticate sth. 2 ⟨waarheid⟩ genuineness, truth 3 ⟨wettigheid⟩ legitimacy
echtheidsgarantie [de^v] certificate of authenticity
echting [de^v] ⟨form⟩ legitimation, legitimization
echtpaar [het] married couple, husband and wife ♦ *het echtpaar* ***de Haan*** Mr and Mrs de Haan
echtscheiding [de^v] divorce ♦ *hij* ***stemde*** *in echtscheiding* ***toe*** he agreed to a divorce; *zij weigerde in echtscheiding* ***toe*** *te* ***stemmen*** she refused to give him a divorce; *een verzoek/aanvraag* ***tot*** *echtscheiding indienen, echtscheiding aanvragen* sue for/seek a divorce, file a divorce suit/a petition for a divorce, start divorce proceedings; ⟨jur⟩ *voorlopig* ***vonnis*** *van echtscheiding* decree nisi
echtscheidingsaanvraag [de] divorce petition, application/petition for (a) divorce ♦ *een echtscheidingsaanvraag* ***indienen*** file a divorce petition; ⟨inf⟩ file for divorce
echtscheidingsgrond [de^m] ground for divorce
echtscheidingsprocedure [de] divorce proceedings ♦ *een echtscheidingsprocedure* ***aanspannen*** *tegen iemand* begin/instigate divorce proceedings against s.o.
echtverbintenis [de^v] ⟨form⟩ marital/matrimonial union, marital/matrimonial bond, ↓marriage
echtvereniging [de^v] ⟨form⟩ marital union ♦ ***vijfentwintigjarige*** *echtvereniging* twenty-fifth wedding anniversary
echtverklaring [de^v] ⟨bijvoorbeeld van kind⟩ legitimation, ⟨van document⟩ authentication
eclatant [bn, bw] 1 ⟨schitterend⟩ glorious ⟨bw: ~ly⟩, resounding, sensational, brilliant ♦ *een eclatant* ***succes*** a resounding success 2 ⟨opzienbarend⟩ sensational ⟨bw: ~ly⟩, spectacular, startling, ⟨succes⟩ signal
eclecticisme [het] eclecticism
eclecticus [de^m] eclectic
eclectisch [bn, bw] eclectic ⟨bw: ~ally⟩
eclips [de] eclipse, ± occultation
¹**eclipseren** [onov ww] ⟨verdwijnen⟩ abscond, decamp, ⟨inf⟩ flit, bolt, ⟨van werk; BE⟩ skive off
²**eclipseren** [ov ww] ⟨verduisteren⟩ eclipse, ± occult, intercept (the light of)
ecliptica [de^v] ecliptic
ecloge [de] eclogue, bucolic(s), pastoral
ecofreak [de^m] eco freak
ecofysiologie [de^v] ecophysiology
eco-industrie [de^v] eco industry
Ecolo [de] ⟨in België⟩ Francophone/Walloon Green Party
ecologie [de^v] 1 ⟨m.b.t. dieren en planten⟩ ecology 2 ⟨m.b.t. de mens⟩ human ecology ♦ ***sociale*** *ecologie* social ecology ▪ ***fysiologische*** *ecologie* autecology
ecologisch [bn, bw] 1 ⟨m.b.t. de ecologie⟩ ecological ⟨bw: ~ly⟩ ♦ *ecologische* ***uitgeverij*** a publisher in the field of ecology 2 ⟨milieuvriendelijk⟩ ecological ⟨bw: ~ly⟩, ⟨van landbouwmethoden⟩ organic ♦ *ecologische* ***landbouw*** organic farming
ecologisme [het] ecologism
ecologist [de^m] ⟨in België⟩ conservationist, environmentalist, anti-pollutionist, ecologist
ecoloog [de^m] ecologist
e-commerce [de^v] e-commerce
econologie [de^v] econology
econometrie [de^v] econometrics
econometrist [de^m] econometrician, econometrist
economie [de^v] 1 ⟨staathuishoudkunde⟩ economics, political economy 2 ⟨staathuishoudkundig bestuur⟩ economy ♦ ***geïndustrialiseerde*** *economie* industrialism, industri-

alized economy; *geleide economie* planned economy; *gemengde economie* mixed economy; *vrije economie* free-market economy [3] ⟨opzet uit oogpunt van doelmatigheid⟩ economics

economisch [bn, bw] [1] ⟨spaarzaam, zuinig⟩ economical ⟨bw: ~ly⟩, frugal, thrifty ♦ *een ruimte economisch **indelen*** make economical/efficient use of the available space; ⟨scheepv⟩ *economische **vaart*** service speed [2] ⟨m.b.t. de staathuishoudkunde⟩ economic ⟨bw: ~ally⟩ ♦ *economische **aardrijkskunde*** economic geography; *economisch **achteruitgaan*** ⟨van bedrijf⟩ go into financial decline; ⟨van land⟩ go into economic decline; *het economisch **belang**/de economische **aspecten** van het uitgeversbedrijf* the economics of publishing; *Economische **Hogeschool/Faculteit*** ⟨hogeschool, faculteit⟩ School of Economics; ⟨faculteit ook; BE⟩ Faculty/Department of Economics; *het economisch **leven*** the economy/economic activities; *economische **politiek*** economic policies; *een economisch **stelsel*** an economic system/economy

economiseren [ov ww] economize

economisme [het] economism

economist [de^m] economist

economyclass [de] economy class

economyclasssyndroom [het] economy class syndrome

econoom [de^m] [1] ⟨deskundige in de economie⟩ economist [2] ⟨in België; huismeester⟩ (financial) administrator, steward

ecoplanologie [de^v] environmental planning

ecosysteem [het] ecosystem

ecotaks [de] ecotax

ecotoerisme [het] eco-tourism, environmental tourism

ecotoerist [de^m] ecological tourist, ecotourist

ecotoop [de^m] ecotope

ecotunnel [de^m] wildlife tunnel

ecrin [het] jewel box/case, jeweller's case

ecru [bn] ecru, light fawn

ecstasy [de] Ecstacy, E, XTC

ectoderm [het] ⟨biol⟩ ectoderm, exoderm

ectopie [de^v] ⟨med⟩ ectopia

ectopisch [bn] ⟨med⟩ ectopic ♦ *een ectopische **zwangerschap*** (an) ectopic pregnancy

ectoplasma [het] [1] ⟨biol⟩ exoplasm, ectoplasm [2] ⟨parapsychologie⟩ ectoplasm

ectoplastisch [bn] ectoplasmic

ecu [de^m] ECU

Ecuador [het] Ecuador

Ecuador	
naam	*Ecuador* **Ecuador**
officiële naam	*Republiek Ecuador* **Republic of Ecuador**
inwoner	*Ecuadoraan* **Ecuadorian**
inwoonster	*Ecuadoraanse* **Ecuadorian**
bijv. naamw.	*Ecuadoraans* **Ecuadorian**
hoofdstad	*Quito* **Quito**
munt	*Amerikaanse dollar* **US dollar**
werelddeel	*Amerika* **America**
int. toegangsnummer **593** www**.ec** auto **EC**	

Ecuadoraan [de^m], **Ecuadoraanse** [de^v] ⟨man & vrouw⟩ Ecuadorian, ⟨vrouw ook⟩ Ecuadorian woman/girl

Ecuadoraans [bn] Ecuadorian

Ecuadoraanse [de^v] → **Ecuadoraan**

eczeem [het] eczema ♦ ***vochtig*** *eczeem* weeping eczema

ed. [afk] [1] (edidit) ed [2] (editio) ed [3] (editeur) ed

e.d. [afk] (en dergelijke(n)) and suchlike, and the like

edammer [de^m] ⟨kaas⟩ Edam (cheese)

¹Edammer [de^m] ⟨inwoner van Edam⟩ inhabitant of Edam

²Edammer [bn] Edam ♦ *Edammer **kaas*** Edam cheese

Edda [de] [1] ⟨Oudijslands prozawerk⟩ Edda ♦ *de Snorra Edda* the Younger/Prose Edda [2] ⟨Scandinavische goden-, heldenliederen⟩ Edda ♦ *de **Poëtische** Edda* the Elder/Poetic Edda

edel [bn, bw] [1] ⟨van adel⟩ noble ⟨bw: nobly⟩, aristocratic, patrician ♦ *van edel(e) **geboorte/ras*** high-bred, high-born; *edele **geslachten*** noble families; ⟨form⟩ *U Edele* Your Honour/Worship [2] ⟨in zedelijk opzicht voortreffelijk⟩ noble ⟨bw: nobly⟩, magnanimous, gentle, generous ♦ *dat **is** edel van u* that's very noble/generous of you; *een edel **mens/karakter*** a noble man/character; *de edele **wilde*** the noble savage [3] ⟨voortreffelijk in zijn soort⟩ noble ⟨bw: nobly⟩, perfect, fine, precious, sublime ♦ *de edele **delen*** the private parts; *edele **gassen*** inert gases; *edele **metalen*** noble/precious metals; *een edel **paard*** a high-bred horse; *edele **trekken*** noble features; *edele **wijnen*** fine wines [4] ⟨m.b.t. bezigheden, kunsten⟩ noble ⟨bw: nobly⟩, gentle ♦ *de edele **kunst*** ⟨bijvoorbeeld hengelen, dichten, luieren⟩ the noble/gentle art (of angling/...) [•] ⟨sprw⟩ *edel, arm en rijk maakt de dood gelijk* the end makes all equal; death is the great leveller; ⟨sprw⟩ *edel van hart is beter dan hoog van afkomst* kind hearts are more than coronets

edelachtbaar [bn] [•] *Edelachtbare **Heren*** My Lords, ⟨AE⟩ (Mr Mayor and) Members of the Council/City Council Members

edelachtbare [de] Your Honour, ⟨BE ook⟩ My Lord, ⟨BE ook⟩ Your Worship, ⟨rechter; BE⟩ Mr Justice

edele [de^m] noble ♦ ⟨gesch⟩ *het **Verbond** der Edelen* the Compromise; *de edelen* the nobility; ⟨gesch⟩ the nobles

edelfiguratie [de^v] [1] ⟨optreden⟩ the actions of specialist extras on a film/television set [2] ⟨de edelfiguranten⟩ all of the specialist extras on a film/television set

edelgas [het] ⟨scheik⟩ rare/noble/inert/indifferent gas

edelgesteente [het] precious stone

edelhert [het] red deer

edelman [de^m], **edelvrouw** [de^v] ⟨man & vrouw⟩ noble, ⟨man⟩ nobleman, ⟨man⟩ peer, ⟨man⟩ gentleman, ⟨vrouw⟩ noblewoman, ⟨vrouw⟩ peeress, ⟨vrouw⟩ lady, ⟨vrouw⟩ gentlewoman ♦ ***Spaans*** *edelman* don

edelmetaal [het] precious metal

edelmoedig [bn, bw] noble ⟨bw: nobly⟩, generous, magnanimous ♦ *een edelmoedig **gebaar*** a noble gesture, a beau geste; *edelmoedig **handelen*** act with generosity; *een edelmoedig **persoon*** a noble/generous person; *iemand edelmoedig **vergeven*** generously forgive s.o.

edelmoedigheid [de^v] generosity, magnanimity, nobility, ⟨vrijgevigheid; form⟩ largesse ♦ *toegeven aan een **opwelling** van edelmoedigheid* give in/way to a burst of generosity; *zij is de edelmoedigheid **zelve*** she is generosity itself/the soul of generosity

edelsmeedkunst [de^v] silversmith's/goldsmith's trade

edelsmid [de^m] worker in precious metals, ⟨goudsmid⟩ goldsmith, ⟨zilversmid⟩ silversmith

edelsteen [de^m] precious stone, gem(stone), jewel ♦ *een **gekaste** edelsteen* a set stone, a jewel in a setting; ***met** edelstenen **bezet/getooid*** encrusted with jewels, (be)jewelled; ***met** edelstenen **bezetten/tooien*** set with jewels, jewel, gem; *een **valse** edelsteen* a false/imitation stone/gem; a paste

edelvrouw [de^v] → **edelman**

edelweiss [het] edelweiss

Eden [het] Eden ♦ *de **Hof** van Eden* the Garden of Eden, paradise

edict [het] edict, decree

Edison [de^m] Edison (music) award

editen [ov ww] edit

editie [de^v] edition, ⟨van krant/weekblad ook⟩ issue, ⟨fig ook⟩ version ♦ *de **eerste** editie* the first edition, the editio princeps; *een **gebonden** editie* a hardback/hardcover edition; *de **laatste** editie* the final edition; ⟨fig⟩ *haar tweede man was een jongere editie **van** haar eerste* her second husband was a younger edition/version of her first one

editor [de^{m}] ⟨comp⟩ editor
edoch [vw] ⟨form; iron⟩ however, yet, still, but
educatie [de^{v}] education ♦ *geen educatie genoten hebben* have (had) no education; *permanente educatie* continuous/permanent education
educatief [bn, bw] educational ⟨bw: ~ly⟩, educative, instructional ♦ *de educatieve diensten van de bibliotheken* the educational services of the libraries; *educatief speelgoed* educational toys
educt [het] ⟨scheik⟩ educt
edutainment [het] edutainment
Edwardmeer [het] Lake Edward
eed [de^{m}] [1] ⟨plechtige verklaring⟩ oath, vow ♦ *de eed afleggen in handen van* be sworn (in) by, take an oath before; *iemand een eed afnemen* administer an oath to s.o., put s.o. under oath; ⟨van getuige ook⟩ swear (a witness); ⟨van ambtenaar⟩ swear in (a public servant); *beslissende eed* decisory oath; *zich bij ede verbinden* engage o.s. on oath (to); *zijn eed breken* break one's oath; *een eed doen/afleggen* make/take/swear an oath, swear; *een eed van geheimhouding* an oath of secrecy; *een eed herroepen/intrekken* unswear; *onder ede staan* be under oath, be on (one's) oath; *een getuige onder ede* a sworn witness; *iemand onder ede horen* examine/hear s.o. on oath; *iets onder ede verklaren* declare sth./give evidence on oath; ⟨vnl form⟩ depose sth.; *eed op de Bijbel* oath sworn on the Bible; *ik zou er een/geen eed op willen doen* I could swear/not swear to it; *iemand de eed opleggen/laten afleggen* require/exact an oath from s.o., make/force s.o. to take an oath; *een plechtige eed* a solemn oath/vow/promise; *promissoire eed* promissory oath; *een eed op het sterfbed* a dying oath; *suppletoire eed* suppletory oath; *een eed van trouw aan de koning* an oath of allegiance to the king; *de eed weigeren* refuse to take the oath [2] ⟨nadrukkelijke belofte⟩ oath, vow
eedaflegging [de^{v}] taking an/the oath
eedafneming [de^{v}] administration of an/the oath, ⟨bij ambtsaanvaarding, nieuwe leden⟩ swearing-in, ⟨getuigen⟩ swearing (of an/the oath)
eedbreekster [de^{v}] → **eedbreker**
eedbreker [de^{m}], **eedbreekster** [de^{v}] perjurer
eedbreuk [de] perjury, breach of oath, violation of one's oath ♦ *eedbreuk plegen* commit perjury, be guilty of perjury, break one's oath, perjure o.s.
eedformule [de], **eedformulier** [het] wording of the oath, ⟨gedrukt⟩ printed oath
eedformulier [het] → **eedformule**
eedgenoot [de^{m}] confederate
eedgenootschap [het] confederacy, confederation, league ♦ *het Zwitserse eedgenootschap* the Swiss Confederation
eeg [het] ⟨med⟩ (elektro-encefalogram) EEG
EEG [de^{v}] ⟨gesch⟩ (Europese Economische Gemeenschap) EEC
eega [de] ⟨form⟩ spouse
eekhoorn [de^{m}] squirrel, ⟨Noord-Amerikaanse gestreepte variëteit⟩ chipmunk ♦ *een grijze/rode eekhoorn* a grey/red squirrel; *een vliegende eekhoorn* a flying squirrel; ⟨een kleine soort⟩ polatouche
eekhoorntjesbrood [het] cep, boletus
eekhoornvis [de^{m}] squirrelfish
eelt [het] ⟨vnl. van plek⟩ call(o)us, callosity, ⟨alg⟩ hard/horny skin ♦ *eelt op zijn ziel hebben* be hardened, ↓ be thickskinned
eeltig [bn] callous, callused, horny
eeltknobbel [de^{m}] call(o)us, callosity
Eems [de] Ems
[1]**een** [de] one ♦ ⟨dobbelspel⟩ *dubbele een* two ones, amesace, ambsace; *enen gooien/werpen* throw ones
[2]**een** [bn] one ♦ *van een grootte* of a size, (of) the same size; *een maken* unite; *een met* one/united with; *zich een voelen met de natuur* be at one with nature, commune with nature; *een worden* become one; *een zijn/blijven* be/remain one/united
[3]**een** [onbep vnw] one ♦ *hij gaf hem er een op de neus* he gave him one on the nose; *er een laten vliegen* fart; *geef me er nog een* give me another (one)/one more; ⟨in België⟩ *op een, twee, drie* just like that, in the wink of an eye, in one minute/second/… flat; *er een pakken/nemen/drinken* have a drink/drop, ⟨vnl BE; inf⟩ have a wet; have (a quick) one; *dat is er een voor jou* that's one up to you; *je bent me er (ook) een!* you are a one/nice one!, ↓ you are a caution!; ⟨fig⟩ *bij hem is er een op de loop* he's not all there, he's got a screw loose; *als er een is die het kan, dan is hij het* if anyone can do it, he can
[4]**een** [lidw; zonder klemtoon] [1] ⟨onbepaald⟩ a, ⟨voor klinker⟩ an ♦ *een ander* another; *op een (goeie) dag* one (fine) day; *nog een woordenboek* (yet) another dictionary; *een Rembrandt* a Rembrandt; *neem een Tedje van Es* take a/s.o. like a Tedje van Es; *wat (voor) een* what a; *een zekere (meneer) Jansen, ene (meneer) Jansen* a (certain)/one/s.o. like (Mr) Jansen; *zo een* such a [2] ⟨categoriaal⟩ a ♦ *een walvis heeft longen* a/the whale has lungs, whales have lungs [3] ⟨ongeveer⟩ a, some ♦ *een dag of wat* a day or so/what; *over een dag of wat* in a few days, in a couple of days; *een duizend euro* some thousand euros; *een uur of drie* three hours or so; around three o'clock [4] ⟨in uitroepen⟩ a, some ♦ *een mensen dat er waren!* what a lot of people there were!, plenty of people there!; *het was daar een temperatuur!* some temperature there; *wat een lef!* what guts!, what a nerve!, the/some nerve!; *wat een mensen!* what a crowd!; *wat een weer(tje)!* what/some weather!; *wat een mooie bloemen!* what beautiful flowers!; *wat een idee/een geldverspilling!* what an idea!, the idea!; what a waste (of money)!
[5]**een** [hoofdtelw; met klemtoon] one ♦ *zij is een en al oor* she is all ears; *hij was een en al zenuwen* he was a bundle of nerves; *de weg is een en al modder* the road is a sea of mud/is nothing but mud; *zij was een en al gastvrijheid* she was hospitality itself/the soul of hospitality; *als een man* as one man, in a body; *het een en ander* this and that, a few things, a thing or two; *de/het een of ander* s.o./sth. or other; *het een met het ander* one thing with another; *van het een komt het ander* one thing leads to another; *(noch) het een noch het ander* neither one thing nor the other; *van de een naar de ander kijken* look from one to the other; *ik zal een en ander nog opzoeken* I'll check these things; *u krijgt een en ander voor € 100* you get all this for the price of € 100; *de een zegt dit, de andere dat* some (people) say one thing, some another; *het is bij enen* it's almost one (o'clock); *de ene bui na de andere* one shower after another, shower after shower; *op één dag* in one day; on the same day; *op (de) een (of andere) dag* some/one day; *een dezer dagen* one of these days; *een en dezelfde* one and the same; *(je moet kiezen) het een of het ander* you can't have it both ways; *men kan het ene doen en het andere niet laten* you/one could/can do both; *elke cent is er een* a penny saved is a penny earned; *elke stem is er een* every vote counts; *elke cent is er een voor hem* he has to count his pennies, he has to turn every penny twice; *een keer is voldoende* once is enough; *uit een mond* with one voice; *niet een, geen een* not one, no one; *niet een heeft er iets over gezegd* nobody said anything about it; *nog een woord of/en ik schiet* one more word and/not another word or I'll shoot; *een of ander* one or other; *een of ander meisje* some girl or other; *op de een of andere wijze* (in) one way or another, somehow or other; *allen op een na* all except/but one; *niet een op de duizend* not (a single) one in a thousand; *de op een na beste, op een na de beste* the second best; *de op een na laatste, op een na de laatste* the last but one, the penultimate; *honderd tegen een* a hundred to one; *een van hen* one of them; *een van tweeën* one of two things; *een van beide(n)* either, one of them, one or the other; *een van de twee kleuren* either of the

two colours; *een voor een* one by one, one at a time, one after the other; *een voor allen, allen voor een* all for one and one for all; *in een woord* in one word ▪ ⟨sprw⟩ *twee weten meer dan één* two heads are better than one; ⟨sprw⟩ *als één schaap over de dam is, volgen er meer* if one sheep leaps over the ditch, all the rest will follow; ± the flock follows the bell-wether; ⟨sprw⟩ *één vogel in de hand is beter dan tien in de lucht* a bird in the hand is worth two in the bush; ± better an egg today than a hen tomorrow; ⟨sprw⟩ *twee ogen zien meer dan één* four eyes see more than two; two heads are better than one; ⟨sprw⟩ *één gek kan meer vragen dan tien wijzen kunnen beantwoorden* a fool may ask more questions in an hour than a wise man can answer in seven years

6**een** [rangtelw; met klemtoon] one, first ♦ *op een april* on April/All Fools' Day; (on) April 1(st), ⟨uitgesproken als:⟩ on the first of April/April the first/AApril first; *een mei vieren* celebrate May Day/the first of May; *nummer een* number one; *een zijn* be (the) first/the winner/number one/at the top

eenaderig [bn] ⟨elek⟩ single-core ♦ *eenaderig snoer* single-core Bflex/Acord

eenakter [dem] one-acter, one-act play

eenarmig [bn] one-armed ♦ *een eenarmige bandiet* a one-armed bandit, a fruit machine

eenassig [bn] uniaxial, monaxial, ⟨auto⟩ single-axle

eenbaansweg [dem] single-track road, single-lane road

eenbenig [bn] ⟨sport⟩ ♦ *eenbenig zijn* have (only) one strong foot

eenbes [de] herb Paris, truelove, leopard's-bane

eenbloemig [bn] uniflorous, unifloral

eenbroederig [bn] ⟨plantk⟩ monadelphous

eencellig [bn] unicellular, single-celled ♦ *eencellige organismen* single-celled organisms

eend [de] 1 ⟨watervogel⟩ duck, ⟨jong⟩ duckling, ⟨woerd⟩ drake ♦ *eend eten* eat duck; ⟨fig⟩ *de gebraden eenden vliegen hem in de mond* he has all the luck in the world, he is a lucky one; ⟨fig⟩ *het lelijke kleine eendje van de eredivisie* the ugly duckling of the premier league; *een stukje eend* a piece of duck; ⟨fig⟩ *er is een vreemde eend in de bijt* there's a stranger in our midst; ⟨fig⟩ *zich een vreemde eend in de bijt voelen* feel like a stranger/outsider/intruder, feel the odd man out; *wilde eend* mallard; ⟨i.h.b. woerd⟩ greenhead; *zwarte/noordse eend* common scoter 2 ⟨scheldnaam⟩ goose, gull, silly, ↓ass ♦ *het is een eend* he is such a goose, ↓ he is such an ass 3 ⟨auto⟩ (Citroen) 2 CV, deux-chevaux ♦ *(in) een (lelijke) eend rijden* drive (in) a deux-chevaux

eend		
dier	eend	duck
mannetje	woerd	drake
vrouwtje	wijfje, vrouwtje, eend	hen
jong	kuiken	duckling
roep	kwaken, snateren	quack
geluid	kwak	quack

eendaags [bn] 1 ⟨één keer per dag⟩ (once) daily, once-a-day 2 ⟨een dag durend, geldig⟩ one-day, ⟨kortstondig⟩ ephemeral

eendagsbloem [de] Spiderwort, day flower

eendagskuiken [het] day-old/unsexed chick

eendagstoerist [dem] ⟨in België⟩ daytripper

eendagsvlieg [de] 1 ⟨fig⟩ flash in the pan, nine day's wonder, ⟨form⟩ ephemeron, ephemera 2 ⟨insect⟩ mayfly, dayfly, (green) drake, emphemerid, ephemera

eendekker [dem] ⟨bus⟩ single-decker, single-deck bus, ⟨vliegtuig⟩ monoplane

eendelig [bn] one-piece, one-part ♦ *een eendelig boekwerk* a single/one-volume work; *een eendelige pyjama* one-piece pyjamas/Apajamas

eendenbek [dem] ⟨med; inf⟩ duck's-bill

eendenbijt [de] duck hole

eendenei [het] duck egg

eendengang [dem] waddle

eendenjacht [de] duck hunting, ⟨BE ook⟩ duck shooting, ducking ♦ *de eendenjacht is open* ducks are in season, the duck season has begun

eendenkooi [de] (duck) decoy

eendenkorf [dem] duck nest box

eendenkroos [het] duckweed

eendenkuiken [het] 1 ⟨jong van een eend⟩ duckling 2 ⟨sufferd⟩ goose, silly, ↓ass, ⟨vnl AE⟩ dummy, ⟨sl⟩ dumb duck

eendenmossel [de] barnacle

1**eender** [bn] ⟨de-, hetzelfde⟩ (the) same, ⟨alleen predicatief⟩ alike, equal ♦ *die jongens zijn allemaal eender* those boys are all of a kind/all the same/alike; *dat is eender* that's all one/all the same; *dat is mij eender* that's all one/all the same to me; *eender van kleur* of the same colour; *geen twee mensen zijn eender* no two people are alike/are cut to the same pattern

2**eender** [bw] ⟨op dezelfde wijze⟩ alike, equally ♦ *zij zijn eender gekleed* they are dressed alike

eendje [het] 1 ⟨kleine, jonge eend⟩ duckling, ⟨kind⟩ ducky ♦ *jonge eendjes* duck chicks; *het lelijke (jonge) eendje* the ugly duckling 2 ⟨auto⟩ → **eend**

eendracht [de] harmony, concord, union ▪ ⟨sprw⟩ *eendracht maakt macht* united we stand, divided we fall; union is strength

eendrachtig [bn, bw] united ⟨bw: ~ly⟩, harmonious, ⟨predicatief en bijwoord ook⟩ in unity/concord, as one man ♦ *eendrachtig samenwerken* work together in unison, work harmoniously together/hand in hand

eenduidig [bn, bw] univocal ⟨bw: ~ly⟩, unequivocal, unambiguous

eendvogel [dem] 1 ⟨eend als spijs⟩ duck 2 ⟨stommeling⟩ goose, stupid, silly, ↓ass 3 ⟨mv; orde van vogels⟩ Anseriformes

eeneiig [bn] monovular, monozygotic ♦ *een eeneiige tweeling* identical twins; ⟨wet⟩ monovular/monozygotic twins

eenentwintigen [onov ww] play blackjack/vingt-et-un, ⟨AE ook⟩ play twenty-one, ⟨BE ook⟩ play pontoon ♦ *heeft er iemand zin om een potje te eenentwintigen/zin in een potje eenentwintigen?* anybody for a game of blackjack/vingt-et-un?

eenfasig [bn] single-phase

eengezinswoning [dev] single-family dwelling

eenheid [dev] 1 ⟨overeenstemming, harmonie⟩ unity, oneness, ⟨gelijkvormigheid⟩ uniformity ♦ *eenheid van beginselen* unity of principles; *eenheid brengen in verschillende methodes* integrate various methods; *de drie eenheden van Aristoteles* the dramatic unities, Aristotle's unities of time, place and action; *eenheid van gedachten/denken* unity/agreement of thought, marriage of minds; *de eenheid herstellen/verbreken* restore/destroy unity; *de eenheid van een kunstwerk* the unity of a work of art; *de eenheid van het land wordt bedreigd* the unity of the country is in danger; *de eenheid van lichaam en ziel* the unity of body and soul; *een gevoel van eenheid met de natuur* a sense/feeling of oneness/communion with nature; *eenheid van prijzen/afmetingen/loon/taal* uniformity of prices/measurements/wages/language 2 ⟨maat, hoeveelheid, grootheid⟩ unit ♦ *abstracte eenheid* abstract unit; *concrete eenheid* physical unit; *eenheden en tientallen* units and tens 3 ⟨onderdeel dat een afgerond geheel vormt⟩ unit, entity ♦ *administratieve eenheid* an administrative unit; *economische eenheid* economic unit; *Europese eenheid* European unity; *de mobiele eenheid* flying squad, riot police; *speciale eenheid* task force/group; *strategische eenheid* strategic unit; *tactische eenheid* tactical unit; *een (hechte/gesloten) eenheid **vormen*** form a (tight/closed) group

eenheidsfront [het] ⟨pol⟩ united front, ⟨Volksfront⟩ popular front

eenheidskabinet [het] big coalition cabinet, national unity government

eenheidslijst [de] single/unified/combined list (of candidates)

eenheidsmarkt [de] common (economic) market

eenheidspartij [de^{v}] united party ♦ *in sommige landen is er een eenheidspartij* in some countries there is a one-party system/there is only one political party

eenheidspolitie [de^{v}] unified police

eenheidsprijs [de^{m}] ① ⟨prijs per eenheid⟩ unit price, price per unit ② ⟨prijs voor alle artikelen geldend⟩ uniform price, single price

eenheidstarief [het] flat/uniform rate, standard tariff

eenheidsworst [de] sameness ♦ ***wordt** de middenschool een eenheidsworst?* will the comprehensive school lead to sameness/boring uniformity?

eenhelmig [bn] ⟨plantk⟩ monandrous

eenhendelkraan [de^{m}] single-knob faucet

eenhoevig [bn] ⟨dierk⟩ single-hoofed, solidungulate ♦ ⟨zelfstandig (gebruikt)⟩ ***de** eenhoevigen* the solidungulates

eenhoofdig [bn] one-headed, single-headed, ⟨van staatsbestuur⟩ monocratic, monarchical ♦ *een eenhoofdige **regering*** a monocracy/monarchy

eenhoorn [de^{m}] ① ⟨fabeldier⟩ unicorn ② ⟨vis⟩ unicorn (fish/whale), sea-unicorn, narwhal

eenhuizig [bn] ⟨plantk⟩ monoecious

eenieder [onbep vnw] everyone, everybody

eenjarig [bn] ① ⟨één jaar oud⟩ one-year(-old), ⟨dierk⟩ yearling ♦ *het eenjarig **bestaan** van de vereniging* the first anniversary of the society; ⟨zelfstandig (gebruikt)⟩ ***de** eenjarigen* the one-year-olds; ⟨dieren, i.h.b. (ren)paarden⟩ yearlings; *een eenjarig **paard/veulen*** ⟨ook; BE⟩ hogg colt; *eenjarig **schaap*** ⟨BE⟩ hogget; *eenjarige **windhond*** sapling ② ⟨één jaar durend⟩ one-year('s), yearlong, ⟨plantk⟩ annual ♦ *een eenjarige **plant*** an annual; *een eenjarig **verlof*** one year's leave, a one-year/yearlong vacation, a sabbatical year

eenkamerflat [de^{m}] single-room ^{B}flat/^{A}apartment, one-room ^{B}flat/^{A}apartment, studio (^{B}flat/^{A}apartment)

eenkamerwoning [de^{v}] single-room ^{B}flat/^{A}apartment, one-room ^{B}flat/^{A}apartment, studio (^{B}flat/^{A}apartment), bed-sit(ter), ⟨AE⟩ efficiency apartment

eenkennig [bn] shy, ⟨inf⟩ mummyish ♦ *niet eenkennig **zijn*** not be shy/mummyish/clinging

eenkleurig [bn] monochrome, monotint, unicoloured

eenlettergrepig [bn, bw] monosyllabic ⟨bw: ~ally⟩, ⟨attributief ook⟩ one-syllable ♦ *een eenlettergrepig **woord*** monosyllable, a monosyllabic word

eenling [de^{m}] (solitary) individual, solitary, lone wolf, loner

eenlobbig [bn] monocotyledonous

eenmaal [bw] ① ⟨één keer⟩ once, one time ♦ *eenmaal, andermaal, voor de derdemaal, verkocht* going, going, gone!; once, twice, for the last time!; *wij **leven** maar eenmaal* we only live once; *eenmaal is geen maal* once is no custom; *als hij eenmaal op dreef is, houdt hij nooit meer op* once he gets started/going, there's no stopping him ② ⟨ooit, eens⟩ ⟨verleden⟩ once, ⟨toekomst⟩ one day, someday ♦ *als dat nu maar eenmaal **gebeurd is*** once that has happened ...; *eenmaal **komt** de tijd ...* (one day) the time will come ...; *als het eenmaal zover **komt*** if it ever comes to it/happens ③ ⟨niets aan te veranderen⟩ just, simply ♦ *dat **is** nu eenmaal zo* that's just the way it is; *omdat **nu** eenmaal* for the simple reason that; *ik ben **nu** eenmaal zo* that's the way I am, I am made that way, that's me all over; *ik houd **nu** eenmaal van hem* it's just that/the fact is that I love him; *ik mag hem **nu** eenmaal niet* I just don't like him; *zo is het leven **nu** eenmaal* that's/such is life, that's the way of the world; *het moet **nu** eenmaal gebeuren* it'll have to be/it must be done, there is no getting round it; *er wordt **nu** eenmaal geroddeld* people will talk; *het/jongens zijn **nu** eenmaal jongens* boys will be boys; *dat gebeurt **nu** eenmaal, zo gaat het **nu** eenmaal* (it's) just one of those things, that's the way it goes; ⟨inf; AE⟩ that's the way the cookie crumbles

eenmaking [de^{v}] unification, integration

eenmalig [bn] once-only, single, ⟨BE⟩ one-off, ⟨inf⟩ one-shot, ⟨met nadruk⟩ once-in-a-life-time ♦ *een eenmalige **aanbieding*** a once-only/one-of-a-kind offer; *voor eenmalig **gebruik*** use only once, for single use; ⟨attributief⟩ disposable, non-returnable; *een eenmalig **optreden/concert*** a one-night stand, a single performance; ⟨inf⟩ a gig; *een eenmalige **toelage*** a once-only/block grant; *een eenmalige **uitgave*** a non-recurring/non-recurrent expense; *een eenmalige **uitgave/publicatie/gebeurtenis*** a once-only/one-shot edition/publication/event; ⟨BE ook⟩ a one-off (edition/publication/event); *eenmalige **uitkering*** non-recurrent allowance

eenmansactie [de^{v}] one-man campaign, ⟨fel⟩ one-man crusade, ⟨handeling⟩ one-man operation

eenmansbedrijf [het] one-man business

eenmansfractie [de^{v}] ⟨pol⟩ one-man faction

eenmansoorlog [de^{m}] one-man war

eenmansorkest [het] one-man band

eenmansschool [de] one-room school

eenmanszaak [de] one-man business

eenmeifeest [het] May Day (celebrations)

eenmotorig [bn] single-engine(d)

een-na-laatst [bn] last but one

eenogig [bn] one-eyed

eenoog [de^{m}] one-eyed person ⊡ ⟨sprw⟩ *in het land der blinden is eenoog koning* in the country of the blind, the one-eyed man is king

een-op-eenrelatie [de^{v}] ① ⟨(liefdes)relatie⟩ one-to-one relationship ② ⟨directe samenhang⟩ direct relation

eenoudergezin [het] one-parent/single-parent family

eenpansgerecht [het] one-pot meal

eenpansmaaltijd [de^{m}] ↑casserole, one-pan meal

eenparig [bn, bw] ① ⟨eensgezind⟩ unanimous ⟨bw: ~ly⟩, ⟨predicatief en bijwoord⟩ with one voice/accord, by common consent ♦ *een voorstel eenparig **aannemen*** carry a proposal unanimously; *met eenparige **stemmen*** by unanimous vote, unanimously; *op eenparig **verzoek*** ⟨jur⟩ at the joint request (of); *men **was** eenparig van oordeel/mening dat* there was a general consensus that, they were all agreed that, they agreed unanimously that ...; *eenparig **werd besloten*** it was decided by unanimous/common consent ② ⟨zonder onderling verschil⟩ uniform ⟨bw: ~ly⟩, steady ⟨bw: steadily⟩, even ⟨bw: ~ly⟩ ♦ *een eenparige **beweging*** a steady/uniform motion; *eenparig **versnelde/vertraagde** beweging* uniformly accelerated/decelerated movement; *een eenparige **warmte*** a even/steady heat

eenparigheid [de^{v}] ① ⟨eensgezindheid⟩ unanimity ♦ *met eenparigheid van **stemmen*** by unanimous vote, unanimously; ⟨inf⟩ by solid vote ② ⟨gelijkmatigheid⟩ uniformity, steadiness, evenness

eenpartijstaat [de^{m}] one-party/single-party state

eenpersoonsbed [het] single bed

eenpersoonsdeken [de] single blanket

eenpersoonshuishouden [het] single household, one-man household, single person (household)

eenpersoonshut [de] single(-berth) cabin

eenpersoonskamer [de] single room, ⟨inf⟩ single

eenpitsstel [het] gas ring, single-burner cooker/^{A}stove

eenpitter [de^{m}] ① ⟨kooktoestel⟩ single burner ② ⟨ondernemer⟩ self-employed person, ⟨inf⟩ one-man band

eenpolig [bn] unipolar, single-pole, monopolar

eenpoter [de^{m}] ⟨landb⟩ uniflorous/unifloral plant

eenrichtingsverkeer [het] ① ⟨verk⟩ one-way traffic ♦

***straat** met eenrichtingsverkeer* one-way street [2] ⟨fig⟩ one-way traffic/communication

¹eens [bn] ⟨van dezelfde mening⟩ agreed, in agreement ♦ *het **met** iemand eens zijn* agree with s.o., be of s.o.'s mind, see eye to eye with s.o.; *dat ben ik (niet) **met** je eens* I (don't) agree/disagree with you there; *het niet eens zijn **met** iemand* disagree/be in disagreement with s.o., differ with s.o.; *u zult het **met** mij wel eens zijn, dat ...* you'll agree with me that ..., you must agree that ...; *het **met** zichzelf niet eens kunnen worden* be not able to make up one's mind, be in two minds (about sth.), be undecided; *het **op/over** sommige punten niet eens kunnen worden* be unable to reach agreement on/over certain points; *het eens zijn **over** iets* agree (up)on/about sth.; *het **over** iemand eens worden* agree about s.o.; *het **volkomen/roerend** eens zijn* be in heartfelt agreement, be at one with s.o., be hand and/in glove with each other; *het eens **worden*** come to/reach an agreement/understanding, come to terms; *het over de prijs eens **worden*** agree on a/about the price; *het eens **zijn*** agree, be agreed, be in agreement; *het erover eens **zijn**, dat ...* agree that ... [•] *het **met** zichzelf eens zijn* have reached a decision/made up one's mind

²eens [bw] [1] ⟨eenmaal⟩ once ♦ *voor eens en **altijd**, eens (en) voor **al**, eens en **voorgoed*** once and for all, for good and all, outright; *meer **dan** eens* more than once, frequently; *eens **in** het uur* hourly, every hour; *eens **in** de week/drie maanden/drie jaar* weekly, three-monthly, triennially; once a week/every three months/every three years; *dat is eens en **nooit weer*** never again, once is enough; *eens te meer* in particular, more so [2] ⟨nog eenmaal⟩ twice ♦ *geef mij **nog** eens zoveel, a.u.b.* would you give me twice as much/many, give me as much/many again, would you; *eens **zo groot*** twice as large/big [3] ⟨op zekere tijd⟩ ⟨toekomst⟩ some/one day, sometime, ⟨verleden⟩ once ♦ *de eens **beroemde** pianist* the once famous pianist; ***kom** eens **langs*** drop in/by/come round/by sometime; *ik heb de groenten **nu** eens gestoomd* I steamed the vegetables for a change, I thought I'd steam the vegetables; ***ooit** eens* some time or other, sometime; *eens **op** een dag* once, one day; *er **was** eens* once upon a time (there was), there was once; *Londen is niet meer wat het eens **was*** London is not what it used to be; *dat is **weer** eens wat anders* that makes a change [4] ⟨ter versterking⟩ ♦ *dat zou **best** eens kunnen* that might well be the case; ***denk** eens even (goed) **na*** just think (carefully); *het **gebeurt** nog al eens dat* it not infrequently happens that ..., it does (sometimes) happen that ...; ***hoor** eens* look/see here!; hey/just listen!; I say ...; *nou moet je eens goed naar me **luisteren*** now just listen to me carefully, you'd better listen to me; *hij keek **niet** eens* he never as/so much as looked, he did not even look; ***niet** eens tijd hebben om ...* not even have the time to; *ik spreek nog **niet** eens over de rest* I am not even talking about the rest, to say nothing of the rest; ***nog** eens* once more, (once) again; ⟨form⟩ anew, afresh; *nee en **nog** eens nee* once and for all: no!; *schenk ze **nog** eens in!* the same again!; *dat is **nog** eens een flinke vent/mooie vrouw* (now) that's what I call a real man/a beautiful woman; *als we **nu** eens ...* suppose we ..., how about ...?; ***nu** eens, dan weer* off and on, on and off; ***stel** je eens **voor*** (just) imagine!; *zeg, **vertel** me eens, Jan* tell me, Jan!; ***waag** het eens* just try it, I dare you, don't you dare; ***wacht** eens* wait a minute, hang on; *je **zult** eens **zien** wat er gebeurt* you (just)/you'll see (what happens); *je moet je eens na laten **kijken*** you really should have a check-up; ⟨iron⟩ you need your head examining; *kijk eens aan!* well, fancy that!, just look at that! [•] ⟨sprw⟩ *eens gegeven blijft gegeven* ± give a thing, and take a thing, to wear the Devil's gold ring; ⟨sprw⟩ *eens een dief, altijd een dief* once a thief, always a thief

eenscharig [bn] ⟨ploeg⟩ one-share, with one share

eensdeels [bw] ♦ *eensdeels ... **anderdeels*** partly ..., partly; for one thing ..., for another; on the one hand ... on the other (hand)

eensdenkend [bn] of one mind, like-minded

eensgezind [bn, bw] unanimous ⟨bw: ~ly⟩, united, harmonious, ⟨acties, pogingen⟩ concerted, ⟨form⟩ concordant ♦ *een eensgezinde **familie*** a united family; *eensgezind **handelen*** act with one accord/in concert/as one (man)/unanimously; *een eensgezinde **houding** aannemen* take an unanimous stand; ***over** iets eensgezind zijn* be united on/about sth.; *eensgezinde **pogingen*** concerted/united efforts; *alle experts **raden** eensgezind het roken **af*** all experts are united in advising against smoking; *eensgezind **voor/tegen** iets zijn* be unanimously/solidly for/against sth.; *eensgezind **zijn*** agree to a man, be of one mind/at one

eensgezindheid [de^v] unanimity, unity, consensus, harmony, accord ♦ *de eensgezindheid van de werkende **klasse*** the solidarity of the working class

eensklaps [bw] suddenly, all at once, all of a sudden, ⟨inf⟩ slap(-bang), out of the blue

eenslachtig [bn] ⟨biol, plantk⟩ unisexual, ⟨biol ook⟩ dioecious, ⟨plantk ook; bloem⟩ diclinous ♦ *eenslachtige **dieren*** dioecious animals; *eenslachtige **planten*** dioecious plants

eensluidend [bn] identical (in content), uniform (with), concurrent, (exactly) corresponding, ⟨afschrift⟩ certified, true ♦ *voor eensluidend **afschrift*** certified a true copy, I certify this to be a true copy (of ...); *een eensluidend **afschrift**, een voor eensluidend getekend/gewaarmerkt afschrift* a certified/true copy, a duplicate; ⟨jur⟩ a tenor; *de vertaling is eensluidend **met** de originele tekst* the translation agrees with/is faithful to the original text; *tot een eensluidend **oordeel** komen* arrive at/come to a uniform/unanimous opinion/judgment

eensporig [bn] single-track

eensteensmuur [de^m] 9 inch wall

eenstemmig [bn, bw] [1] ⟨unaniem⟩ unanimous ⟨bw: ~ly⟩, consentient, ⟨predicatief en bijwoord⟩ by common assent/consent, with one accord, with one voice, in unison ♦ *eenstemmig **verklaren** dat ...* declare unanimously/with one voice that ...; *eenstemmig **werd** hiertoe **besloten*** this was decided/agreed by common consent/assent/nem con; *zij **zijn** eenstemmig in hun **afwijzing*** they are unanimous in their rejection [2] ⟨met één stem gezongen⟩ unison, for one voice ♦ *een eenstemmig **liedje*** a song for one voice, a unison song; ⟨a capella⟩ monody; *zij **zongen** alleen eenstemmig* they sang only (in) unison

eenstemmigheid [de^v] unanimity, (general) agreement, consensus, concurrence, ⟨eenparige stemmen⟩ unanimous vote, ⟨inf⟩ solid vote ♦ *eenstemmigheid **bereiken*** come to/reach (a unanimous/an) agreement; *hierover **bestaat** geen eenstemmigheid* there is no universal agreement/consensus (of opinion) on this matter; *niet tot eenstemmigheid **komen*** not reach/fail to reach an agreement

eentalig [bn] monolingual, unilingual

¹eentje [het] a small (figure) one

²eentje [onbep vnw] [1] ⟨een van de genoemde soort⟩ one ♦ *geef mij er eentje* give me one (of those/them); *hij **is** me er eentje!* he is a one/nice one!, ↓ he is a caution!; ***neem** er nog eentje* have another (one/glass); *er eentje **pakken/nemen/achteroverslaan*** get/take/have a drink/drop, ⟨vnl BE; inf⟩ get/take/have a wet; knock one back; have a quick one; *ben je er **zo** eentje?* you're one of those, are you?; *er eentje te veel op hebben* have had one too many/a drop too much; he had one over the eight [2] ⟨+ in/op zijn; alleen⟩ (by) o.s., (on) one's own ♦ *hij zat **in** zijn eentje* he was alone/by himself/on his own; *iets **in** zijn eentje doen* ⟨ook⟩ do sth. single-handed(ly); ***in** z'n eentje zitten drinken/zingen* drink/sing alone/by o.s.; ***op** zijn (dooie) eentje* all alone/on his own/by himself, ⟨sl; BE⟩ all on his tod/lonesome

eentonig [bn, bw] [1] ⟨monotoon⟩ monotonous ⟨bw: ~ly⟩, monotone, monotonic, in the same key ♦ *eentonig **gezang*** monotonic/monotone singing [2] ⟨saai⟩ monotonous ⟨bw:

~ly), drab, dull, tedious, unrelieved, unvarying, wearisome, (sl; BE) samey, flat ◆ *een eentonig* ***landschap*** a monotonous/dull landscape; *een eentonig* ***leven/bestaan*** *leiden* lead a humdrum/drab/grey/gray/jogtrot life/existence, vegetate; *eentonig* ***werk*** tedious/monotonous work; (vnl BE) a fag; drudgery; (inf) a drag; *eentonig* ***werk*** ***doen*** do tedious/repetitive/soul-destroying work, drudge

eentonigheid [de^v] monotony, monotonousness, drabness, humdrum, sameness, tedium

een-twee-drie [bw] just like that, in the wink of an eye ◆ ***niet*** *(zo) een-twee-drie* not just like that

een-tweetje [het] (sport) one-two, (voetb ook) wall pass, double pass, give-and-go ◆ *een een-tweetje* ***spelen*** execute/do a give-and-go/one-two

eenverdiener [de^m] sole/single wage-earner

eenvolumewagen [de^m] minivan

eenvormig [bn] [1] (gelijkvormig) uniform, monomorphous, monomorphic ◆ *eenvormig* ***maken*** make uniform, uniformize [2] (saai) monotonous, flat, dull, tedious, indistinctive

eenvormigheid [de^v] [1] (gelijkvormigheid) uniformity, uniformness [2] (saaiheid) monotony, flatness, dullness

eenvoud [de^m] [1] (simpelheid) simplicity, simpleness ◆ *de eenvoud van het* ***systeem*** the simplicity of the system [2] (ongekunsteldheid) simplicity, plainness, artlessness, straightforwardness, homeliness [3] (afwezigheid van praal) simplicity, unpretentiousness, plainness ◆ ***in alle*** *eenvoud werd hij begraven* he was buried quietly in/with all simplicity/without ceremony

¹eenvoudig [bn] [1] (niet samengesteld, ingewikkeld) simple, (woorden, waarheid) uncomplicated, elementary, plain, (gemakkelijk) easy ◆ *zo eenvoudig* ***als wat*** as easy as winking/falling off a log, a piece of cake; *in eenvoudige* ***bewoordingen*** in plain words/straightforward terms/language; *dat* ***is*** *het eenvoudigste* that's the simplest/easiest way; *dat* ***is*** *toch heel eenvoudig* surely that's quite simple/straightforward, that's plain sailing, isn't it?; ***kinderlijk*** *eenvoudig* childishly/ludicrously/ridiculously simple; (inf) foolproof; *dat* ***maakte*** *de zaak stukken eenvoudiger* that simplified matters considerably; *om de eenvoudige* ***reden*** *dat hij geen geld had, kocht hij het niet* he did not buy it for the simple reason that he had no money; he did not buy it, (quite) simply because he had no money; *zo eenvoudig* ***ligt*** *dat niet* it's not that simple, that is far from being a/no simple matter [2] (zonder overdaad, pronk) simple, unpretentious, ordinary, homespun, homely, (van maaltijd ook) frugal, (zeer eenvoudig) severe, austere, primitive ◆ *een eenvoudig* ***etentje*** a simple/homely/frugal meal [3] (bescheiden) simple, plain, ordinary, (afkomst) low(ly), humble, modest, unpresuming, simple-hearted ◆ *van eenvoudige* ***afkomst*** (of) humble/low (descent), lowborn; ***de*** *eenvoudigen van geest* simple(-hearted) souls, ↑ the simple-minded; *het zijn eenvoudige* ***mensen*** they are simple/homely people [4] (enkel, zonder meer) simple, common ◆ *eenvoudige* ***beleefdheid*** common courtesy

²eenvoudig [bw] [1] (op eenvoudige wijze) simply, plainly ◆ *hij* ***kleedt*** *zich eenvoudig* he dresses simply/soberly; *zij* ***leven*** *eenvoudig* they lead a simple life, they live plainly/quietly/in a small way; *eenvoudig* ***uitgedrukt/gezegd*** in plain words; (form) in common parlance; *(al) te eenvoudig* ***voorstellen*** (over)simplify [2] (zonder meer) simply, just ◆ *het* ***is*** *eenvoudig onzin* it is (just) sheer nonsense, it is utter/downright nonsense; *ik doe het eenvoudig niet!* I simply won't do it!

eenvoudigheid [de^v] simplicity, simpleness; zie ook **eenvoud**

eenvoudigweg [bw] simply, just ◆ *ik heb er eenvoudigweg* ***genoeg*** *van* I have simply had enough of it; (inf) I am simply fed up with it, I've just had my fill of it/had it up to here

eenwaardig [bn] monovalent, univalent, (scheik ook) monatomic ◆ *natrium is een eenwaardig* ***element*** sodium is a monad

eenwording [de^v] unification, integration, union, (pol ook) federation, alliance, coalition, (dichtl, rel ook) communion ◆ *de* ***Europese*** *eenwording* the European unification; (fig) *de eenwording van het individu* ***met*** *God* the communion of the individual with God; ***mystieke*** *eenwording* mystic (comm)union; *de* ***politieke*** *eenwording van Europa* the political unification/integration of Europe

eenzaadlobbig [bn] (plantk) monocotyledonous ◆ (zelfstandig (gebruikt)) ***de*** *eenzaadlobbigen* the monocotyledones, the monocotyledonae; *eenzaadlobbige* ***plant*** monocotyledon

eenzaam [bn, bw] [1] (alleen) solitary (bw: solitarily), isolated, lonely, lone(some), (verlaten) desolate, forlorn, (form of scherts) lorn ◆ *een eenzaam* ***huisje*** an isolated/secluded house; *hij bleef* ***in*** *zijn ouderdom eenzaam achter* he was left on his own/alone in his old age; *eenzaam* ***mens*** (vindt het erg om alleen te zijn) lonely/solitary person, lonely heart; (vindt het niet erg) loner; *eenzame* ***opsluiting*** solitary confinement; ***zich*** *eenzaam* ***voelen*** be/feel lonely/lonesome [2] (stil, afgelegen) solitary (bw: solitarily), isolated, lonely, secluded, (doods) desolate ◆ *eenzame* ***plaats/plek*** lonely/solitary/secluded/isolated place/spot; *het eenzame* ***strand*** the deserted/desolate beach; *eenzame* ***wegen*** lonely/unfrequented roads [3] (zonder gezelschap verricht, doorgebracht) solitary (bw: solitarily), lonely, lone(some), retired ◆ *een eenzaam* ***leven*** *leiden* live a solitary/retired life, live in solitude

eenzaamheid [de^v] [1] (afzondering, stilte) solitude, solitariness, loneliness, (afzondering) isolation, retirement, seclusion, privacy ◆ *zijn leven* ***in*** *eenzaamheid slijten* spend one's life/pass one's days in solitude; *de eenzaamheid* ***zoeken*** seek privacy/seclusion [2] (verlatenheid) desolation, loneliness

eenzaat [de^m] (in België) [1] (eenzelvig persoon, kluizenaar) hermit, (alg) loner, lone wolf ◆ ***leven*** *als een eenzaat* live like a recluse, live a solitary life [2] (eigenzinnig persoon) eccentric

eenzelfde [aanw vnw] identical ◆ *eenzelfde* ***ervaring*** the same experience

eenzelvig [bn, bw] self-contained, retiring, solitary, introverted, (terughoudend) unsociable, reserved ◆ *hij* ***is*** *erg eenzelvig* he keeps (very much) himself/to himself, he likes/tends to go it alone; *een eenzelvig* ***kind*** a solitary/self-contained child; *zij* ***leven*** *zeer eenzelvig* they lead a very solitary life/self-contained existence; *een eenzelvig* ***mens*** a loner; (inf) a lone wolf; an introvert; (pej; in gezelschap) a bad mixer; *eenzelvig* ***worden*** be(come) turned in on o.s./withdrawn

eenzelvigheid [de^v] self-containment, introversion, solitariness, (terughoudendheid) unsociability, reserve

eenzijdig [bn, bw] [1] (met, aan één zijde) one-sided (bw: ~ly), unilateral (bw: ~ly), (strijd) one-legged, (biol, plantk) secund, (asymmetrisch ook) lopsided, (jur) ex parte ◆ (jur) *een eenzijdige* ***akte*** (a) deed poll; *eenzijdige* ***ontwapening*** unilateral disarmament; *een verdrag eenzijdig* ***opzeggen*** terminate/denounce a treaty unilaterally; *eenzijdige* ***overeenkomst*** (jur) a unilateral contract/agreement; *een eenzijdig* ***verkeersongeval*** an accident involving only one car, a one car accident [2] (partijdig, bevooroordeeld) one-sided (bw: ~ly), biased, partial, partisan ◆ *een eenzijdig* ***oordeel*** a one-sided/biased opinion/judgment; *iets eenzijdig* ***voorstellen*** give a one-sided/biased/portrayal/representation [3] (in slechts één richting gaand) one-sided (bw: ~ly), one-track, limited ◆ *hij* ***is*** *erg eenzijdig* he is very one-sided/rather limited; *een eenzijdige* ***ontwikkeling*** a unidirectional development

eenzijdigheid [de^v] [1] (partijdigheid, vooringenomenheid⟩ one-sidedness, bias(edness), partiality [2] ⟨actie van één van beide partijen⟩ unilaterality [3] ⟨gebrek aan veelzijdigheid⟩ imbalance, one-sidedness

[1]**eer** [de] [1] ⟨achting, roem⟩ honour ♦ ***aan** u de eer (om te beginnen)* your honour to start, you have the honour (of starting); *iets/het **aan** zijn eer verplicht zijn* be (in) honour bound; *de eer aan zichzelf **houden*** take the honourable way out; *iets **in** ere herstellen* restore (a principle), reinstate (a custom); *iemand **in** zijn eer (aan)tasten* impugn s.o.'s honour, hurt s.o.'s pride; ***naar** eer en geweten antwoorden* answer to the best of one's knowledge, answer in all conscience/in good faith; ***op** mijn (woord van) eer* (up)on my honour, you have/I give you my word (of honour); *de eer **redden*** save one's face; ⟨sport ook⟩ score in reply; *het is mijn eer **te na*** I have my pride, that piques my pride; *een zaak/man **van** eer* a question/point/man of honour; *op het **veld** van eer vallen* fall on the field of honour [2] ⟨eerbetoon, hulde⟩ honour(s), credit ♦ *de tafel eer **aandoen*** do credit/honour/justice to the meal; *zijn naam eer **aandoen*** live up to one's name, do/be (a) credit to one's family/name; *eer **behalen** met* gain credit by; *er is geen eer aan te **behalen*** ⟨van iemand⟩ good advice is thrown away on him, he is past praying for; ⟨van iets⟩ little (credit) can be gained by (it/this job); *de (over)winnaar eer **bewijzen/geven*** do honour/pay tribute to the winner; *dat is een **grote/hele** eer* that/this is a great honour/quite an honour; ⟨in België⟩ *eer van iets **halen*** cover o.s. with glory, be praised for sth.; *ik **heb** niet de eer* I have not the honour/pleasure of (-ing); *met wie **heb** ik de eer (te spreken)* with whom have I the pleasure (of speaking); ⟨iets formeler⟩ with whom have I the honour (of speaking); *geen eer van iets **hebben*** get/receive no credit for sth.; *hem **komt** alle eer **toe*** he deserves all the credit, all credit to him; *iemand de **laatste** eer bewijzen* pay s.o. the last honours/one's last respects; *eer **met** iets inleggen* gain honour/credit by sth.; *met **militaire** eer begraven worden* be buried with military honours, be given a military funeral; *er een eer **in stellen** om* consider it an honour/make it a point of honour to, take (a) pride in (-ing), be proud (to); ***te** zijner ere* in his honour; ***ter** ere **van*** in honour of (s.o./sth.); *dat strekt u **tot** eer* it does you credit, it is to your credit; ⟨form⟩ this will redound to your honour/credit; *dat strekt u niet **tot** eer* that is not to your credit, that does not reflect well on you; ***tot** zijn eer moet gezegd worden* that much should be said for him, it must be said to his credit, that should be handed to him; *wat **verschaft** mij de eer?* to what do I owe the honour?; ⟨iron⟩ ***voor** de eer bedanken* decline the honour, decline with thanks; *het **zal** me een (grote/bijzondere) eer **zijn*** I will be (greatly) honoured (to); *ere zij God* glory to God [3] ⟨hoog aanzien⟩ honour, respect ♦ *iemand **in** ere houden* hold s.o.'s memory dear/in esteem, cherish s.o.'s memory, keep s.o.'s memory green; *een dag/gebruik **in** ere houden* observe a (feast) day, keep up/maintain a custom [4] ⟨kuisheid⟩ honour, virtue, modesty ♦ *ze **heeft** haar eer **verloren*** she lost her honour/virtue; ***in** (alle) eer en deugd* in (all) honour and decency; *een meisje haar eer **ontnemen/roven*** deprive a girl of her honour/good name [•] ⟨sprw⟩ *'s lands wijs 's lands eer* when in Rome do as the Romans do; so many countries, so many customs; ⟨sprw⟩ *ere wie ere toekomt* give credit where credit is due; ± give the devil his due

[2]**eer** [bw] ⟨form⟩ → **eerder**[1], **eerder**[2]

[3]**eer** [vw] before, ⟨liever ... eer⟩ (rather ...) than ♦ *ik zou nog liever m'n tong afbijten, eer ik dat **zou zeggen*** I'd rather bite my tongue (off)/lips than tell him

EER [de^v] (Europese Economische Ruimte) EEA, European Economic Area

eerbaar [bn, bw] honourable ⟨bw: honourably⟩, ⟨kuis ook⟩ virtuous, chaste, modest

eerbaarheid [de^v] virtue, chastity, modesty, decency ♦ ***aanranding** van de eerbaarheid* indecent assault; *openbare **schennis** van de eerbaarheid* offence against public decency, (act of) indecency, public offence; ⟨exhibitionisme⟩ indecent exposure

eerbetoon [het] (mark of) honour, ⟨hulde⟩ homage, obeisance, accolade, tribute ♦ ***met** veel eerbetoon ontvangen* receive with full honours

eerbewijs [het] [1] ⟨uiterlijke blijk van verering⟩ (mark of) honour, homage, accolade, tribute, commendation ♦ *hij werd **met** eerbewijzen **overladen*** he received many accolades, he was showered with honours [2] ⟨mil⟩ ⟨vnl mv⟩ honour ♦ *iemand de **militaire** eerbewijzen brengen* bestow military honours upon s.o.

eerbied [de^m] respect, ⟨achting⟩ esteem, regard, deference, ⟨diepe eerbied⟩ reverence, veneration, worship ♦ *eerbied **afdwingen*** command/inspire respect/admiration; ⟨form⟩ *met **alle/verschuldigde** eerbied* with all (due) respect; *eerbied **betonen/betuigen/bewijzen** aan* show respect for/toward(s), show/pay deference to; *eerbied voor iemand **hebben/koesteren/krijgen*** have/feel/come to respect (for) s.o.; ***uit** eerbied voor het leven* out of/in respect for life; ***uit** eerbied voor zijn leeftijd* in deference to/out of consideration for his age; *iemand eerbied **verschuldigd zijn*** owe s.o. respect/duty

eerbiedig [bn, bw] respectful ⟨bw: ~ly⟩, deferent(ial), reverential, regardful ♦ ⟨iron⟩ *op eerbiedige **afstand*** at a respectful distance; *iemand eerbiedig **groeten*** greet s.o. respectfully/with respect; ⟨form⟩ *met eerbiedige **hoogachting*** respectfully Yours; ⟨BE ook⟩ Yours faithfully; *op eerbiedige **toon*** in a respectful/deferential tone; *eerbiedig **verzoeken*** respectfully request

eerbiedigen [ov ww] [1] ⟨eerbied voelen voor, bewijzen aan⟩ respect, venerate, revere, worship, stand in awe of ♦ *God eerbiedigen* worship/honour God [2] ⟨respecteren⟩ respect, defer to, regard, ⟨naleven⟩ observe ♦ *de wet **doen** eerbiedigen* enforce the law; *de **mening** van anderen eerbiedigen* respect the opinion(s)/view(s) of others; *iemands **verdriet** eerbiedigen* show regard/consideration/respect for s.o.'s grief; *zijn **wensen** eerbiedigen* respect/defer to/be regardful of his wishes; *de **wetten** eerbiedigen* obey/observe the law

eerbiediging [de^v] respect, deference, observance ♦ ***met** eerbiediging van uw gevoelen* ⟨in brief⟩ with respect for/in deference to your feelings/sensibility

eerbiedwaardig [bn] respectable, ⟨alleen predicatief⟩ commanding respect, worthy of respect, estimable, worthy, ⟨oude man, baard, gebouwen⟩ venerable, ⟨gebruiken⟩ time-honoured, hallowed, sacrosanct, ⟨oude man; form⟩ reverend

eerbiedwaardigheid [de^v] venerability, venerableness, sanctity, holiness

eerdaags [bw] one of these days, soon, ere/before long

[1]**eerder** [bn] earlier

[2]**eerder** [bw] [1] ⟨vroeger⟩ before (now), sooner, earlier ♦ *een paar **dagen** eerder* a few days before/earlier; *hij was er eerder **dan ik*** he was there earlier than I/before me; *ik **heb** u al eens eerder **gezien*** I have seen you (somewhere) before/prior to this; ***hoe** eerder hoe beter (liever)* the sooner the better; *op 21 juni en **niet** eerder* on June 21 and not before; *we schieten al lekker op, des **te**/zoveel **te** eerder kunnen we naar huis* we're getting on/moving along so well, we'll be able to go home even sooner; *eerder **vermeld/genoemd*** mentioned/given before, ⟨in tekst ook⟩ mentioned/given above, supra; ⟨form⟩ aforesaid, aforementioned [2] ⟨als iets waarschijnlijkers⟩ rather, sooner, ⟨inf⟩ more (likely), first, in preference (to) ♦ *eerder meer **dan** minder* rather more than less; *zij is eerder blond **dan** donker* she is blonde rather than dark; *ik **denk** eerder dat hij zich vergist heeft* I rather/more likely think, that he has made a mistake; *ik zou eerder **denken** dat* I am more inclined/I prefer to think that; *ik **geloof** eerder hem dan jou* I believe him rather/sooner than you; *hij zal eerder **liegen** dan bekennen* he is more likely to lie

than confess/he'll lie sooner than confess; *des **te** eerder* a fortiori, all the more (so); *hij is eerder te beklagen dan dat je hem verwijten kunt* he is rather to be pitied than reproached [3] ⟨liever⟩ rather, sooner ◆ *ik **wil** eerder sterven, dan dat doen* I'll die first, rather/I'd rather die than do that

eergevoel [het] (sense/feeling of) honour, pride ◆ *(geen/weinig) eergevoel **hebben*** have no/little sense of honour; ***op** iemands eergevoel werken* play upon/appeal to s.o.'s honour

eergisteren [bw] the day before yesterday ◆ ⟨fig⟩ *hij is **niet van** eergisteren* he was not born yesterday, he knows a thing or two

eerherstel [het] [1] ⟨m.b.t. gekwetste eer⟩ rehabilitation [2] ⟨r-k⟩ satisfaction, atonement

eerlang [bw] ⟨form⟩ before long, shortly

[1]**eerlijk** [bn] [1] ⟨oprecht⟩ honest, fair, straight(forward), square, sincere, true ◆ *eerlijke **handel*** fair trade, honest business; *eerlijk **is** eerlijk* fair 's fair; *een eerlijk **karakter*** an honest/a sincere nature; *een eerlijke **kerel/vent*** an honest guy, ⟨BE ook⟩ an honest chap/fellow; *eerlijke **motieven*** honourable motives; *een eerlijke **strijd*** a fair/clean fight; *eerlijk zijn **tegen(over)** iemand* be fair to/honest with/square with s.o., treat s.o. square(ly); *een eerlijke **tegenstander*** a fair/worthy opponent; *de eerlijke **vinder** krijgt een beloning* a reward will be given to the finder; ***wees** nou eerlijk!* please/do be fair!; *laten we eerlijk **zijn*** let's be (quite) honest (about this/it), let's face it; *eerlijk **zijn** tegenover zichzelf* be honest with o.s. [2] ⟨betrouwbaar⟩ honest, true, genuine, fair, straight, clean ◆ *zo eerlijk **als goud*** (as) honest as the day is long; ⟨fig⟩ *eerlijk **bier*** real ale/beer; *een eerlijke **zaak*** ⟨handel⟩ a square deal; ⟨sl⟩ a fair ^{A}shake/^{B}do [3] ⟨gepast, fatsoenlijk⟩ fair, square, honest, honourable, straight(forward) ◆ *een eerlijke **behandeling*** (a) fair treatment; *eerlijk **blijven*** go straight, keep one's hands clear; *iemand een eerlijke **kans** geven* give s.o. a fair chance, ⟨inf; BE⟩ give s.o. a fair crack of the whip; *het is **niet** eerlijk* it's not fair/not playing the game/playing fair; *eerlijk **spel*** fair play, sportsmanship; *eerlijk **spel** spelen* play a square game/a straight bat/square/fair; *een eerlijke **vrede*** an honourable peace [•] ⟨sprw⟩ *eerlijk duurt het langst* honesty is the best policy; ± cheats never prosper

[2]**eerlijk** [bw] [1] ⟨naar waarheid⟩ sincerely, ⟨openhartig⟩ honestly, frankly, candidly ◆ *eerlijk **gezegd*** to be honest, (quite) honestly, to tell the truth; *ik **moet** eerlijk **bekennen** dat ik het niet weet* I (must) honestly/frankly admit that I don't know; *eerlijk **uitkomen** voor iets* admit sth. openly, level (with s.o.) about sth.; *eerlijk **zeggen** hoe men over iemand denkt* say frankly/candidly what one thinks of s.o. [2] ⟨werkelijk⟩ honestly, really and truly ◆ *het is eerlijk **waar*** it is the honest/plain truth; *ik heb het niet gedaan, eerlijk (waar)!* honestly/cross my heart I didn't do it! [3] ⟨op gepaste, eervolle wijze⟩ fairly, squarely, justly ◆ *eerlijk **behandelen/behandeld worden*** give/get a fair/square deal; *eerlijk **delen**!* fair shares!; *alles **gaat** er eerlijk **toe*** it is all fair and square, everything is above board; *het eerlijk **menen** met iemand* mean well by s.o.; *eerlijk **spelen*** play fair/square, play a square game; *iets eerlijk **verdelen*** divide sth. fairly/fair and square; *eerlijk **verdiend** geld* hard-earned money; *eerlijk zijn brood **verdienen*** earn/make an honest living

eerlijkheid [de^{v}] [1] ⟨oprechtheid⟩ honesty, fairness, sincerity, ⟨rechtschapenheid⟩ probity, ⟨openheid⟩ candour ◆ *in **alle** eerlijkheid* in all fairness/honesty [2] ⟨fatsoen⟩ honesty, fairness, decency ◆ *de eerlijkheid **gebiedt** me te erkennen dat* in all fairness I have to/honesty compels me to admit that

eerlijkheidshalve [bw] in fairness ◆ *eerlijkheidshalve **voeg** ik eraan **toe** dat ...* in (all) fairness I have to add ...

eerloos [bn, bw] [1] ⟨zonder eer⟩ dishonourable ⟨bw: dishonourably⟩, inglorious ◆ *een eerloze **daad*** a dishonourable action; *eerloos **sterven*** die without glory [2] ⟨onterend⟩ dishonourable ⟨bw: dishonourably⟩, ignoble, disgraceful ◆ *iemand eerloos (uit het leger) **ontslaan*** dismiss s.o. in disgrace, drum s.o. out of the army [3] ⟨gewetenloos⟩ dishonourable ⟨bw: dishonourably⟩, disgraceful, infamous, unscrupulous

eerloosheid [de^{v}] [1] ⟨het eerloos-zijn⟩ dishonourableness, lacking in honour [2] ⟨laagheid⟩ ignobility, infamy, baseness

eermoord [de^{m}] honour killing

eerroof [de^{m}] defamation (of character), slander, libel, calumny

eerst [bw] [1] ⟨voor alle anderen⟩ first ◆ *hij zag de brand **het** eerst* he was the first to see the fire, he saw the fire first; ***voor** het eerst* for the first time, first; *ik hoor dat **voor** het eerst* that is news to me, this is the first I've heard of it; *(het) eerst aan de beurt zijn* be first/next; *hij was er het eerst bij om dat product te verkopen* he was the first (in the field) to sell/market that product [2] ⟨voorafgaand aan iets anders⟩ first ◆ *je moet dat morgen het eerst **doen*** you must/should do that first thing tomorrow; *als ik **maar** eerst thuis ben* once I am/get home; ⟨in België⟩ *eerst en **vooral*** first and foremost; *eerst **werken,** dan spelen* first work, then play, business before pleasure [3] ⟨in het begin⟩ first(ly) ◆ *het ziet er beter uit **dan** eerst* it looks better than (it did) before/at first; *eerst was hij **verlegen,** later niet meer* at first he was shy, but not so later [4] ⟨pas⟩ only, not until, not till ◆ *hij kan eerst **morgen** hier zijn* he can only be here tomorrow, he cannot be here until tomorrow; *eerst **toen** hij sprak herkende ik hem* not until/only when he spoke did I recognize him [•] ⟨sprw⟩ *het eerste gewin is kattengespin* ± win at first and lose at last; ⟨sprw⟩ *een boom valt niet met de eerste slag* an oak is not felled at one stroke; ⟨sprw⟩ *die het eerst komt, het eerst maalt* first come, first served

eerstaanwezend [bn] senior ◆ *eerstaanwezende **ambtenaar*** senior official, senior civil servant; *eerstaanwezend **officier*** commanding officier

eerste [rangtelw] first, ⟨voornaamste ook⟩ chief, prime, ⟨in hiërarchie⟩ senior, ⟨vroegste⟩ earliest ◆ *het eerste **begin*** ⟨van de misdaad e.d.⟩ the thin end of the wedge, the first step; *de eerste **beginselen** (van lezen en schrijven)* the rudiments of reading and writing, the ABC; *eerste **bod*** opening bid; *de eerste **christenen*** the early Christians; *de eerste vier **dagen*** (for) the next four days; *de eerste **dagen** van de maand* the first few days of the month; *de eerste **dagen** ging het wel* the first few days things were fine; ***de** eerste de beste dokter* the nearest/any doctor; *je zou **de** eerste niet zijn* you wouldn't be the first (to whom this had happened); *hij is niet **de** eerste de beste* he is not just anybody, he's not just any old ...; *ze nam **de** eerste de beste trein* she took the first train that passed/happened to pass; ***de** eerste de beste zal het je zeggen* any one/the first person that comes along will/can tell you that; *jij zou **de** eerste zijn om dat te zeggen* you would be the first to say that; *bij de eerste de beste **gelegenheid*** at the earliest possible/the first opportunity, at s.o.'s earliest convenience; *bewijs uit de eerste **hand*** direct evidence; *informatie uit de eerste **hand*** firsthand information, information straight from the horse's mouth; ***het** eerste het beste excuus* the first excuse to come/that comes to mind, any (old) excuse; ***het** eerste wat we zagen was ...* the first thing we saw was ...; *dat is **het** eerste wat ik daarvan hoor* that's the first I have heard of it; *eerste **hulp** (bij ongelukken) (verlenen)* give first aid, ⟨form⟩ render first aid; ⟨sport⟩ *hij speelt **in** het eerste* he plays in the first team/^{B}the first eleven/^{A}the A team; ***in** de eerste versnelling* in first/bottom gear; *de Eerste **Kamer*** the Upper Chamber/House, the Senate; *de eerste **klas*** ⟨BE⟩ the first form, ⟨AE⟩ the seventh grade; *eerste **klas** reizen* travel (in) first-class/first; *de eerste die aankomt, **krijgt** de prijs* the first (one) in/home to arrive/get there gets the prize; *de eerste **leerling** van de klas* (the) top (student)/the head of the class; *de vier eerste **leerlingen***

uit de klas the top four pupils/students in the class; *de eerste* ***levensbehoeften*** the (basic) necessaries/necessities/ needs of life; *eerste* ***luitenant*** (first) lieutenant; *ik zeg het voor de eerste en de laatste* ***maal*** I am saying this once and for all; *de eerste* ***minister*** the Prime Minister, the Premier; *de eerste* ***officier*** the chief/senior officer; *op de eerste* ***pagina*** ⟨boek⟩ on the first/opening page; ⟨krant⟩ on the front (page); *in/op de eerste* ***plaats*** at first, in the first place/instance, first(ly), primarily, initially; ⟨met nadruk⟩ first and foremost, first of all; *de eerste* ***prijs*** (the) first prize; *zijn eerste* ***rede(voering)*** his maiden speech; *de eerste* ***reis*** *(van een schip)* the maiden voyage (of a ship); *de eerste* ***straat*** *aan uw linkerhand* the first street on your left; ***ten*** *eerste* first(ly), in the first place; ⟨om te beginnen⟩ for one thing; ⟨inf⟩ for a start; *de eerste* ***tijd*** *kan ik je niet komen bezoeken* I cannot visit you for some time to come/for a while; *de eerste* ***uitgave*** ⟨van boek⟩ the first edition/publication, the editio princeps, the original text; *eerste* ***uitgaven*** initial expenses/ outlay; *op de eerste* ***van de maand*** on the first (day) of the month; ***van*** *de eerste* ***tot*** *de laatste* from the first (man) to the last (man); *eerste* ***verdieping*** ⟨BE⟩ first floor, ⟨AE⟩ second floor; *een eerste* ***vereiste*** a precondition, a prerequisite, a requirement; *eerste* ***violist*** ⟨speler van sopraanpartij⟩ first violin, first desk violinist; *de eerste* ***viool*** *spelen* ⟨lett⟩ be/play first violin, ⟨fig⟩ be/play first fiddle; *één keer moet de eerste* ***zijn*** there's a first time for everything/always a first time; *J. en P. zijn mijn vrienden. de eerste is schrijver, de tweede dichter* J. and P. are friends of mine. the former/first (one) is a writer, the latter/second a poet ⊡ ⟨sprw⟩ *de laatsten zullen de eersten zijn* the last shall be first

eerstedagenveloppe [de] first-day cover

eerstegeneratieallochtoon [de^m] first-generation immigrant

eerstegraads [bn, bw] ⟨m.b.t. school⟩ fully qualified, ⟨m.b.t. verbranding⟩ first-degree

eerstegraadsbevoegdheid [de^v], **eerstegraadslesbevoegdheid** [de^v] Postgraduate teaching diploma, qualification to teach senior secondary pupils/^A(senior) high-school students

eerstegraadslesbevoegdheid [de^v] → **eerstegraadsbevoegdheid**

eerstegraadsverbranding [de^v] first-degree burns

eerstegraadsvergelijking [de^v] first-degree equation

eerstegrader [de^m] ⟨inf; onderw⟩ fully-qualified teacher

eerstegroeper [de^m] kindergarten pupil

eerstehands [bn] firsthand, direct

eerstehulppost [de^m] (first-)aid post/station

eerstehulpverlening [de^v] first aid

[1]**eerstejaars** [de^m] first-year (student), freshman ⟨Brits-Engels: uitsluitend aan universiteit; Amerikaans-Engels: ook aan middelbare school⟩, ⟨inf; BE⟩ fresher, ⟨AE⟩ freshie, ⟨AE⟩ frosh

[2]**eerstejaars** [bn] first-year ♦ *een eerstejaars****student*** → **eerstejaars**[1]

Eerste Kamerfractie [de^v] the liberal/socialist/... party in the Upper Chamber (of Dutch Parliament), the liberal/socialist/... party in the Upper House (of Dutch Parliament)

Eerste Kamerlid [het] Member of the Upper Chamber/House (of Dutch Parliament)

eersteklas [bn, bw] ⟨uitmuntend, voortreffelijk⟩ first-rate, first-class, top-class, top-rank, ⟨AE⟩ A-1, ⟨m.b.t. personen⟩ crack, classy ♦ *eersteklas* ***aardappels*** top-quality/ top-grade potatoes; ***alles*** *eersteklas!* all top quality!; *een eersteklas* ***bediening/behandeling*** first-class/first-rate service/ treatment; ⟨iron⟩ *een eersteklas* ***bedrieger/leugenaar*** a first-rate cheat/liar; *een eersteklas* ***grap*** a great joke; *een eersteklas* ***kok*** a first-rate/first-class cook

eersteklas- ⟨gebruikmakend van de duurste afdeling⟩ first-class ♦ *een eersteklas****passagier*** a first-class passenger; *een eersteklas****patiënt*** ⟨BE⟩ a private patient

eersteklasser [de^m] 1 ⟨voortgezet onderwijs⟩ ⟨BE⟩ first-former, ⟨junior high school; AE⟩ ± seventh-grader, ⟨high school; AE⟩ ± ninth-grader, ⟨AE ook; high school⟩ ± freshman 2 ⟨lager onderwijs⟩ ⟨BE⟩ ± pupil of the first year, ⟨AE⟩ first-grader 3 ⟨sport⟩ ⟨voetb⟩ first-division club, ⟨cricket⟩ first-class club, ⟨alle sporten; AE⟩ major-league club

eerstelijns [bn] ♦ *eerstelijns****gezondheidszorg*** primary health care

eerstelijnsgezondheidszorg [de] primary health care

eersteling [de^m] 1 ⟨eerstgeborene⟩ first-born, ⟨m.b.t. dier⟩ firstling 2 ⟨fig; eerste voortbrengsel⟩ first-fruit(s), firstling 3 ⟨mv; aardappelen⟩ 'eerstelingen', type of potato 4 ⟨eerste vrucht⟩ first-fruits

eersterangs [bn] first-rate, top-class, top-rank, ⟨AE⟩ A-1, top, crack, ⟨AE⟩ major-league

eerstesteenlegging [de^v] laying of the foundation stone

eerstgeboorterecht [het] (right of) primogeniture, birthright

eerstgeboren [bn] first-born

eerstgeborene [de] first-born

eerstgenoemd [bn] ⟨uit meer dan twee⟩ named/mentioned first, ⟨m.b.t. twee⟩ former

eerstkomend [bn] next, coming ♦ *eerstkomende* ***woensdag*** ⟨volgende week⟩ next Wednesday; ⟨dezelfde week⟩ coming Wednesday

eerstverantwoordelijk [bn] person responsible

eerstvolgend [bn] next, first, ⟨form⟩ proximate ♦ *de eerstvolgende* ***trein*** the first/next train due; *in de eerstvolgende* ***uren*** in the next few hours; *de eerstvolgende* ***uren*** *waren nu beslissend* the next few hours were crucial; *de eerstvolgende* ***vijf*** *jaar* the next five years

eertijds [bw] formerly, once (upon a time), in former times, in bygone days

eerverleden [bn] before last ♦ *eerverleden* ***week/maand/jaar*** the week/month/year before last

[1]**eervol** [bn] 1 ⟨eer brengend⟩ honourable, glorious, creditable, commendable ♦ *een eervolle* ***betrekking*** a position of great honour/distinction; *de eervolle* ***verliezers*** the worthy losers; *een eervolle* ***vermelding*** an honourable mention, a citation; ***weinig*** *eervol* ⟨gedrag⟩ dishonourable; ⟨feiten⟩ discreditable 2 ⟨de eer niet tekortdoend⟩ with honour, without loss of face ♦ *eervol* ***ontslag*** *verlenen aan iemand* accept s.o.'s resignation, release s.o.; ⟨mil⟩ grant s.o. an honourable discharge; *een eervolle* ***vrede*** *sluiten* conclude a peace with honour

[2]**eervol** [bw] ⟨zo dat men er eer mee inlegt⟩ honourably, worthily, gloriously, creditably ♦ *zich eervol* ***gedragen/onderscheiden*** conduct o.s. honourably, distinguish o.s.; ⟨mil⟩ *eervol* ***vermeld worden*** receive an honourable mention; ⟨mil⟩ be mentioned/cited in dispatches; *eervol uit de* ***strijd*** *komen* come through the battle with honour/distinction

eervorig [bn] one before last ⟨pred⟩

Eerw. [afk] (Eerwaarde) Rev, Revd, ⟨aartsdeken⟩ Ven

eerwaard [bn] reverend, ⟨voor naam⟩ Reverend, ⟨aartsdeken⟩ Venerable ♦ *de zeer eerwaarde* ***heer*** ⟨bisschop⟩ the Right Reverend Mr, ⟨deken, anglic⟩ the very Reverend Mr; *de eerwaarde* ***heer*** *Brown* ⟨r-k⟩ the Reverend Father Brown; ⟨anglic⟩ the Reverend Mr Brown; *eerwaarde* ***moeder*** Reverend Mother, Mother Superior; *eerwaarde* ***vader*** reverend father; ⟨als titel⟩ Reverend Father

eerwaarde [de] Reverend, ⟨vero; behalve IE, scherts⟩ your Reverence

eerwraak [de] honour killing, vendetta killing, blood

revenge
eerzaam [bn, bw] respectable ⟨bw: respectably⟩, virtuous, decent, honest, worthy ♦ *een eerzaam **leven** leiden* lead a respectable/virtuous/decent life
eerzucht [de] ambition, aspirations ⊡ *hij heeft totaal **geen** eerzucht* he has absolutely no ambition/not a scrap of ambition
eerzuchtig [bn, bw] ambitious ⟨bw: ~ly⟩, aspiring, high-flying, ⟨form⟩ emulative ♦ *een eerzuchtig **mens/karakter*** an ambitious person/nature
eest [de^{m}], **ast** [de^{m}] (drying-)kiln, ⟨voor mout en hop⟩ oast(-house)
eetbaar [bn] edible, fit for (human) consumption, fit to eat, ⟨smakelijk⟩ eatable, palatable ♦ ***niet** eetbaar zijn* be inedible/unfit for consumption; *eetbare **paddenstoelen*** (edible) mushrooms
eetbaarheid [de^{v}] edibility, palatability
eetcafé [het] pub serving food/meals, ⟨AE⟩ bar serving food/meals, ⟨inf⟩ beanery
eetclub [de] eating club, dinner club, meal club
eetcultuur [de^{v}] gastronomic culture
eetgelegenheid [de^{v}] place to eat, eating-house, ⟨AE⟩ diner
eetgerei [het] cutlery, tableware, ⟨mil⟩ mess-kit, canteen
eetgerief [het] ⟨in België⟩ cutlery
eetgewoonte [de^{v}] eating habit, ⟨m.b.t. soort voedsel⟩ diet
eethoek [de^{m}] 1 ⟨deel van een vertrek⟩ dinette, dining recess/area 2 ⟨ameublement⟩ dinette, dining-table and chairs
eethuis [het] eating-house, (small) restaurant, eating-place, ⟨inf⟩ beanery
eetkamer [de] 1 ⟨kamer⟩ dining room, ⟨klein⟩ dinette ♦ *de eetkamer **inrichten*** furnish the dining-room 2 ⟨ameublement⟩ dining-room furniture, dining-table and chairs
eetketel [de^{m}] ⟨mil⟩ messtin
eetkeuken [de] kitchen-diner
eetlepel [de^{m}] soupspoon, ⟨voor dessert⟩ dessertspoon, ⟨als maat⟩ tablespoon(ful) ♦ *een eetlepel **bloem*** one tablespoon of flour; *iedere avond een grote eetlepel **van** het medicijn* one large spoonful of the medicine every evening
eetlust [de^{m}] appetite, hunger ♦ *iemand de eetlust **benemen*** put s.o. off his food, spoil s.o.'s appetite; *hij heeft een **buitensporige** eetlust* he has a ravenous appetite, he eats like a horse; ***gebrek** aan eetlust* lack of appetite; ***geen** eetlust hebben* have no appetite, be off one's food; ***goede/weinig** eetlust hebben* have a good/poor appetite; *de eetlust **opwekken*** whet/stimulate the appetite; *de eetlust **remmen*** suppress the appetite; *de eetlust **verliezen*** lose one's appetite, go off one's food
eetlustopwekkend [bn] appetizing
eetlustremmer [de^{m}] appetite depressant, anorectic
eetmaal [het] ⟨in België⟩ meal, dinner, supper
eetpartij [de^{v}] feed
eetservies [het] dinner service, dinner set, tableware
eetstokje [het] ⟨meestal mv⟩ chopstick
eetstoornis [de^{v}] eating disorder
eettafel [de] dining-(room) table, dinner table, ⟨inf⟩ mahogany
eettent [de] ⟨inf⟩ snack bar, café, caff ♦ *een **goedkoop** eettentje* a cheap snack bar/café; ⟨pej⟩ a greasy spoon
eetverslaving [de^{v}] food addiction, ⟨med⟩ bulimia
eetwaar [de] foodstuff(s), eatables, food, ⟨i.h.b. klaar voor gebruik; form⟩ victuals, ⟨form of scherts⟩ comestibles
eetzaal [de] dining room, dining-hall, ⟨voor personeel⟩ canteen, ⟨mil⟩ mess(room), ⟨klooster, sommige scholen⟩ refectory
eeuw [de] 1 ⟨tijdvak van honderd jaar⟩ century ♦ *in het Londen van de 18e eeuw* in eighteenth-century London; *Vlaanderen **door** de eeuwen heen* Flanders through the ages; *tot **in** de eeuwen der eeuwen* from everlasting to everlasting, world without end; *in de **loop** der eeuwen* through the centuries/ages 2 ⟨lange tijd⟩ ages, (donkey's) years, aeons ♦ *we hebben je al in **geen** eeuw gezien* we haven't seen you in/for ages; *het is eeuwen **geleden** dat ik van haar iets gehoord heb* I haven't heard from her for ages/donkey's years; *dat **heeft** een eeuw **geduurd*** that took ages/forever 3 ⟨tijdperk⟩ age, era, epoch ♦ *de eeuw van **Augustus/de verlichting*** the age of Augustus, the age of Enlightenment/Reason; *de **gouden** eeuw* the Golden Age
eeuwenlang [bn, bw] ⟨bijvoeglijk naamwoord⟩ age-long, secular, ⟨bijwoord⟩ for centuries/ages ♦ ***al** eeuwenlang* for ages/centuries (on end); *een eeuwenlange **strijd*** an age-long struggle
eeuwenoud [bn] age-old, centuries-old, immemorial, dateless ♦ *eeuwenoude **gebruiken*** age-old/time-honoured customs
eeuwfeest [het] centenary (celebration), ⟨vnl AE⟩ centennial (anniversary) ♦ *het **tweede** eeuwfeest* the bi-centenary (celebrations), ⟨AE⟩ the bi-centennial
1**eeuwig** [bn] 1 ⟨altijddurend⟩ eternal, everlasting, perennial, perpetual, never-ending ♦ *ten eeuwigen **dage*** to all eternity; *een eeuwig **graf*** a plot held in perpetuity; *het eeuwige **leven*** (the) eternal life, (the) life everlasting; *eeuwige **rente*** interest in perpetuity; *de eeuwige **rust** genieten* be at peace/at rest; *de eeuwige **slaap*** eternal rest, the last/long sleep; *de eeuwige **stad*** the Eternal City; *het eeuwig **vrouwelijke*** the eternal feminine; *het eeuwige **vuur*** the Eternal Fire 2 ⟨levenslang⟩ lifelong, undying, abiding, everlasting, eternal ♦ *iemand tot eeuwige **ballingschap** veroordelen* send s.o. into permanent exile; *eeuwige **vriendschap*** undying/lifelong friendship 3 ⟨telkens weer⟩ endless, eternal, incessant, interminable, never-ending ♦ *dat eeuwige **gezeur*** this endless nagging; *haar eeuwige **glimlach*** her eternal smile; *een eeuwige **optimist*** an incorrigible optimist; *met zijn eeuwige **sigaret** in zijn mond* with the inevitable cigarette in his mouth
2**eeuwig** [bw] 1 ⟨voor altijd⟩ forever, eternally, perpetually, ⟨handel; form⟩ in perpetuity ♦ *dat **blijft** eeuwig **bestaan*** it will last forever; ***voor** eeuwig* forever (more); ***voor** eeuwig verdoemd zijn* be damned to all eternity 2 ⟨steeds⟩ forever, incessantly, endlessly, interminably, eternally ♦ *eeuwig **jong*** forever young; *zij zit eeuwig te **breien*** she's forever/always knitting 3 ⟨buitengewoon⟩ ♦ *het duurde eeuwig **lang*** it took ages (and ages)/an unconscionable time; *het is eeuwig **zonde*** it's a thousand pities
eeuwigdurend [bn] perpetual, everlasting, ⟨pej⟩ interminable, endless ♦ *een eeuwigdurende **lening** afsluiten* contract a loan in perpetuity
eeuwigheid [de^{v}] 1 ⟨tijdruimte zonder einde⟩ eternity, ⟨handel⟩ perpetuity ♦ ***in** der eeuwigheid **niet*** not in a month of Sundays; ***tot in** eeuwigheid* for (all) eternity 2 ⟨zeer lange tijd⟩ ages, eternity, ⟨inf⟩ donkey's years, a month of Sundays ♦ *het leek wel een eeuwigheid te **duren*** it seemed to go on/last/take forever; *dat is een eeuwigheid **geleden*** it's ages ago; *ik heb je **in** geen eeuwigheid gezien* I haven't seen you for ages 3 ⟨het hiernamaals⟩ eternity, the hereafter, the world to come ♦ *zo **ging** hij de eeuwigheid **in*** thus he made his end, thus he went to his Maker/account
eeuwjaar [het] last year of the century
eeuwwisseling [de^{v}] turn of the century ♦ ***rond** de eeuwwisseling* around the turn of the century
efedra [de] 1 ⟨plantk⟩ ephedra sinica, ma huang 2 ⟨geneeskunde⟩ ephedrine
efedrine [de] ephedrine
efemeer [bn] 1 ⟨kortstondig⟩ ephemeral, short-lived 2 ⟨plantk⟩ ephemeral
efemeriden [de^{mv}] 1 ⟨biol; eendagsvliegen⟩ Ephemerae 2 ⟨geschrift met gegevens⟩ ephemerides

effe [bw] → **effen**[2]

effect [het] [1] ⟨uitwerking⟩ effect, result, outcome, consequence ♦ ***averechts/nadelig** effect hebben* have the wrong/a harmful/an ill effect, be counterproductive, backfire; *het **gewenste** effect hebben* have the desired effect; *een **goedkoop** effect* a cheap effect; *weinig effect **hebben*** have a little effect; *effect **hebben, sorteren*** have/produce an effect, be effective; *geen effect **hebben/sorteren*** have/produce no effect, be ineffective; *niet het minste effect **hebben*** have absolutely no effect, be like water off a duck's back; *effect **najagen**, op effect **uit zijn*** strain for effect, play to the gallery; ***nuttig** effect* beneficial effect, effectiveness; *op effect **berekend zijn*** be calculated for effect; ***synergetisch** effect* synergistic effect; ***van** effect zijn* be effective; ***zonder enig** effect* without any effect [2] ⟨indruk op het gemoed⟩ effect ♦ *zoiets **heeft** effect* sth. like that works/is effective [3] ⟨sport⟩ spin, ⟨AE ook⟩ stuff, twist, ⟨honkb ook⟩ curve, slice, ⟨bilj ook⟩ side ♦ *een bal effect **geven*** give a ball spin, put spin on a ball; ⟨bilj⟩ put side/top/back (spin) on a ball; slice a ball; *een bal **met** effect **spelen*** play a ball with spin [4] ⟨handel⟩ stock, share, security ♦ *een makelaar **in** effecten* a stock-broker; *effecten op **naam*** registered securities

effect, affect

effect (zn.) – effect, uitwerking, gevolg
· *the effect of global warming on the Earth's climate*
effect (ww.) – bewerkstelligen, voor elkaar krijgen, bereiken
· *the party wants to effect a radical change in politics*
effectuate – ten uitvoer brengen, tot stand brengen
· *the regulations were effectuated on 1 January*
affect – aangrijpen, beïnvloeden, aantasten
· *the disease affected his liver; her friends were deeply affected by her death; the current economic situation affects our spending power*
affect – voorwenden
· *she affected illness when he came to her door*

effectbal [de^{m}] ⟨sport⟩ ⟨(tafel)tennis; cricket; bowls; honkb⟩ spinner, ⟨AE ook⟩ stuff, ⟨golf; hoge boogbal⟩ pitch, ⟨voetb⟩ banana shot, swerve kick, swerver ♦ ⟨bilj⟩ *een effectbal **geven*** give a ball side

effectbejag [het] aiming at effect, straining after effect, ⟨theatraal gedoe⟩ theatrics, ⟨sensatiezucht⟩ sensationalism ♦ ***op** effectbejag **uit zijn*** play to the gallery; ***uit** effectbejag* for (the sake of) effect; ***zonder** effectbejag* without straining after/hunting/striving for effect

effectenbank [de] securities house/firm

effectenbeurs [de] stock exchange, ⟨buitenland ook⟩ bourse, ⟨i.h.b. Parijs⟩ Bourse, ⟨New York⟩ Wall Street, ⟨inf⟩ The Street

effectenbezit [het] stock-holding, security-holding, holding of securities/stocks

effectenhandel [de^{m}] ⟨het handelen⟩ stockbroking, stockjobbing, ⟨de handel⟩ stock market, trade in (stocks and) shares, business of dealing in (stocks and) shares

effectenhuis [het] stockbroking house/company, firm of stockbrokers ♦ *het effectenhuis **Daiwa*** the Daiwa Securities Company, Daiwa Securities

effectenkoers [de^{m}] price of stocks, Stock Market/Exchange quotation, ⟨mv ook⟩ stock prices

effectenmakelaar [de^{m}] stockbroker

effectenmarkt [de] stock market

effectennotering [de^{v}] quotation of securities/stocks (and shares), Stock Market/Exchange quotation

effectenrecht [het] financial law

effectenrekening [de^{v}] stock/securities account

effectief [bn, bw] [1] ⟨werkelijk⟩ real ⟨bw: ~ly⟩, actual, effective, active ♦ *in effectieve **dienst*** ⟨mil⟩ on active service; *effectieve **handel*** effective trade; *effectieve **vraag*** ⟨ec⟩ aggregate/effective demand, market demand [2] ⟨doeltreffend⟩ effective ⟨bw: ~ly⟩, efficacious, potent, ⟨handelingen, beleid⟩ effectual, ⟨stijl, taalgebruik⟩ trenchant ♦ ***dat is niet** effectief* that is not effective, that is ineffective; *effectieve **maatregelen** treffen* take effective measures/steps; *effectief **vermogen*** actual (horse)power, brake horsepower, efficiency

effectiseren [ov ww] trading using future income as collateral

effectiviteit [de^{v}] effectiveness, effectivity, efficiency

effectueren [ov ww] implement, effectuate, execute, effect

effectuering [de^{v}] implementation, effectuation, execution

[1]**effen** [bn, bw] [1] ⟨vlak, glad⟩ even ⟨bw: ~ly⟩, level, smooth, flat, flush [2] ⟨koel⟩ cool ⟨bw: ~ly⟩, icy, chilly, unresponsive [3] ⟨van één kleur⟩ plain ⟨bw: ~ly⟩, uniform, solid, unpatterned, self-coloured ♦ *effen **in het wit/in het zwart*** in plain white/black; *effen **rood*** solid/uniformly red; *een effen **stof/kleed*** a plain/an unpatterned fabric/carpet [4] ⟨m.b.t. het gelaat⟩ impassive ⟨bw: ~ly⟩, expressionless, ⟨niet lachend⟩ straight ♦ ***met een** effen **gezicht*** with an expressionless/impassive look/face [5] ⟨m.b.t. de stem⟩ flat ⟨bw: ~ly⟩, monotonous, level, ⟨toon⟩ even

[2]**effen** [bw] ⟨inf⟩ [1] ⟨eventjes⟩ (for) a sec, (for) a minute, (for) a moment, just a minute, (for) half a minute ♦ ***als het** effen **kan*** if I/we/you/... have half a chance, if given half a chance, if poss; *laat eens effen **kijken*** let me see/think, let's see, just a minute, hold on a minute; *wees nou effen **stil*** do be quiet for a minute/moment [2] ⟨net⟩ just, slightly

effenen [ov ww] [1] ⟨vlak-, gladmaken⟩ level, smooth, even out, flatten, ⟨met schaaf⟩ plane ♦ ⟨fig⟩ *het **pad/de weg** effenen voor iemand* smooth/pave the way for s.o. [2] ⟨vereffenen⟩ settle, square, ⟨nalatenschap, boedel⟩ wind up

effenheid [de^{v}] [1] ⟨vlakheid, gladheid⟩ evenness, levelness, smoothness [2] ⟨koelheid⟩ coolness [3] ⟨m.b.t. stof⟩ plainness [4] ⟨m.b.t. het gelaat⟩ impassiveness [5] ⟨m.b.t. de stem⟩ flatness, monotony, levelness, ⟨m.b.t. toon⟩ evenness [•] *de boedel **tot** effenheid **brengen*** wind up/liquidate the estate

effentjes [bw] → **effen**[2]

efficiency [de^{v}] efficiency

efficiencybeurs [de] office/business efficiency fair

efficiënt [bn, bw] efficient ⟨bw: ~ly⟩, businesslike, ± practical, ± rational

efficiëntie [de^{v}] efficiency, ± economy

Effie [de] television advertising prize, ⟨Groot-Brittannië⟩ BTAA (British Television Advertising Award), ⟨USA⟩ Cleo

efflorescentie [de^{v}] [1] ⟨bloei(tijd)⟩ efflorescence, flowering, blossoming [2] ⟨huiduitslag⟩ efflorescence [3] ⟨scheik; zoutkristalvorming⟩ efflorescence

effluent [het] effluent, liquid waste

EFTA [de^{v}] (European Free Trade Association) EFTA

eg [de] harrow, ⟨zwaar model⟩ drag, drag-harrow, brake, brake-harrow

e.g. [afk] (exempli gratia) e.g.

EG [de^{v}] ⟨gesch⟩ (Europese Gemeenschap) EC

egaal [bn, bw] even ⟨bw: ~ly⟩, level, smooth, ⟨kleur e.d.⟩ uniform, solid ♦ *egaal **grijs*** solid/uniformly grey; *een egale **lucht*** a uniform sky

egalisatie [de^{v}] ⟨handel⟩ equalization, ⟨lonen, weg⟩ levelling

egalisatiefonds [het] (exchange) equalization fund

egaliseren [ov ww] [1] ⟨gelijk-, gladmaken⟩ level, equalize, smooth, surface, even out ♦ *een **terrein** egaliseren* level a site [2] ⟨vereffenen⟩ settle, square

egalist [de^{m}] egalitarian

egalitair [bn, bw] ⟨bijvoeglijk naamwoord⟩ egalitarian, ⟨bijwoord⟩ in an egalitarian way

egalitarisme [het] egalitarianism

egard [het, de^{m}] respect, consideration, regard, attention, ceremony ◆ *iemand **met** egards behandelen* treat s.o. with respect/respectfully/with consideration

Egeïsch [bn] Aegean ◆ *Egeïsche **Zee*** Aegean Sea

egel [de^m] hedgehog

egelantier [de^m] ⟨plantk⟩ sweet-brier, eglantine

egelskop [de^m] 1 ⟨kop van een egel⟩ head of a hedgehog 2 ⟨waterplant⟩ bur-reed

egelstelling [de^v] hedgehog (position)

egelvis [de^m] ⟨dierk⟩ swell-fish, globefish, porcupine-fish, puffer

eggen [ov ww, ook abs] harrow, brake

egghead [de^m] egghead

EGKS [de^v] (Europese Gemeenschap voor Kolen en Staal) ECSC (European Coal and Steel Community)

ego [het] ⟨psych⟩ ego ◆ *zijn ego **kreeg** een flinke deuk* he suffered a serious blow to his ego; *dat **streelde** haar ego* it gave her an ego-boost; *alter ego* alter ego other self

egocentrisch [bn, bw] ⟨bijvoeglijk naamwoord⟩ egocentric, self-centred, ⟨bijwoord⟩ in an egocentric way, in a self-centred way

egocentrisme [het] egocentricity, self-centredness

egocratie [de^v] egocracy

egodocument [het] vanity document, ego-centric/ego trip/self-serving document

egoïsme [het] egoism, selfishness

egoïst [de^m] egoist, self-seeker

egoïstisch [bn, bw] egoistic(al) ⟨bw: egoistically⟩, selfish, self-seeking, self-interested

¹**egomaan** [de^m] egomaniac

²**egomaan** [bn] egomaniacal

egosurfen [onov ww] go egosurfing, go vanity surfing

egotisme [het] egotism

egotist [de^m] egotist

egotrip [de^m] ego-trip

egotrippen [ww] go on an ego trip, ego trip ◆ *een egotrippende **bandleider*** a bandleader on an ego trip

egotripper [de^m] ego tripper

egotripperij [de^v] ego-tripping

egozine [het] egozine

Egypte [het] Egypt ◆ *de **uittocht** uit Egypte* the exodus from Egypt

Egypte

naam	*Egypte* Egypt
officiële naam	*Arabische Republiek Egypte* Arab Republic of Egypt
inwoner	*Egyptenaar* Egyptian
inwoonster	*Egyptische* Egyptian
bijv. naamw.	*Egyptisch* Egyptian
hoofdstad	*Caïro* Cairo
munt	*Egyptische pond* Egyptian pound
werelddeel	*Afrika* Africa

int. toegangsnummer 20 www .eg auto ET

Egyptenaar [de^m], **Egyptische** [de^v] ⟨man & vrouw⟩ Egyptian, ⟨vrouw ook⟩ Egyptian woman/girl

¹**Egyptisch** [het] Egyptian

²**Egyptisch** [bn] 1 ⟨m.b.t. Egypte⟩ Egyptian 2 ⟨ondoorgrondelijk⟩ Egyptian, sphinx-like ◆ *Egyptische **duisternis*** Egyptian/intense/Cimmerian/Memphian darkness

Egyptische [de^v] → **Egyptenaar**

egyptologe [de^v] → **egyptoloog**

egyptologie [de^v] Egyptology

egyptoloog [de^m], **egyptologe** [de^v] Egyptologist

eh [tw] ⟨ter aanduiding van aarzeling⟩ er

e-handel [de^m] e-trade

EHBO [de] (Eerste Hulp Bij Ongelukken) first aid, ⟨plek waar EHBO wordt gegeven⟩ first aid post/station, ⟨in fabriek e.d.⟩ sick bay/room, ⟨in ziekenhuis⟩ emergency ward/department, ⟨BE ook⟩ casualty (ward/department)

EHBO-diploma [het] first-aid certificate

EHBO'er [de^m], **EHBO'ster** [de^v] first-aider, ⟨in Groot-Brittannië lid van 'St John Ambulance Brigade', bij voetbalwedstrijden enz.⟩ St John Ambulance man

EHBO-kist [de] first-aid box

EHBO'ster [de^v] → **EHBO'er**

¹**ei** [het] 1 ⟨biol; eicel⟩ ovum, egg 2 ⟨m.b.t. vogels⟩ egg ◆ ***bevrucht** ei* fertilized egg; ⟨fig⟩ *dat is het ei van **Columbus*** that's just the thing/just what we want; ***gebakken** eieren* fried eggs; ***gepocheerde** eieren* poached eggs; *een **hard** ei* a hard-boiled egg; ⟨fig⟩ *eieren **kiezen** voor zijn geld* make the best of a bad job/bargain; *eieren **klutsen*** beat/whisk eggs; ⟨fig⟩ *als een kip die haar ei niet **kwijt kan*** like a proper fidget; *eieren **leggen*** ⟨insecten⟩ deposit ova, lay eggs; *een ei **leggen**/**uitbroeden*** lay/hatch an egg; *eieren **met spek*** bacon and eggs; ⟨in België; fig⟩ *hij zit **met** een ei* he wants to get sth. off his chest; ⟨fig⟩ ***op** eieren lopen* tread on eggs/lightly; *een hen **op** eieren zetten* set a hen; *een **rauw** ei* a raw egg; *met **rotte** eieren gooien (naar iemand)* pelt (s.o.) with rotten/bad eggs, throw rotten/bad eggs (at s.o.); ⟨fig⟩ throw/sling mud (at s.o.); ***verse** eieren* new-laid/fresh eggs; *een **vuil**/**bebroed** ei* an egg with a blood speck; *een **zacht** ei* a soft-boiled egg; ⟨fig⟩ a softy, ⟨AE⟩ a milquetoast; ⟨fig⟩ *zijn ei niet kwijt kunnen* not be able to say one's piece, not get one's chance 3 ⟨iets met een eivorm⟩ egg ◆ *het ei van een **spier*** the bulge of a muscle; *een ei van **suiker**/**van chocolade*** a sugar/chocolate egg 4 ⟨doetje⟩ softy, soft touch, wet, ⟨onnozel meisje⟩ ingénue, little innocent, ⟨onnozele vrouw⟩ innocent ◆ ***wat** een ei!* what a softy!/wet! ▪ ⟨in België⟩ *een eitje met iemand te **pellen** hebben* have a bone to pick with s.o.; ⟨sprw⟩ *beter een half ei dan een lege dop* half a loaf is better than no bread/than none; half an egg is better than an empty shell; better some of a pudding than none of a pie; ⟨sprw⟩ *kakelen is nog geen eieren leggen* the greatest talkers are the least doers; ± a man of words and not of deeds is like a garden full of weeds; ⟨sprw⟩ *het ei wil wijzer zijn dan de kip/hen* don't teach your grandmother to suck eggs; ⟨sprw⟩ *men moet de kip met de gouden eieren niet slachten* kill not the goose that lays the golden eggs

²**ei** [tw] ⟨form; arch⟩ O(h)! ▪ ⟨in België⟩ *ei zo na* very nearly, all but

e.i. [de^m] (elektrotechnisch ingenieur) electrical engineer

eicel [de] egg-cell, ovum, female germ cell, female gamete ◆ ***bevruchte** eicel* fertilized ovum/egg-cell

eiceladoptie [de^v] egg adoption

eiceldonatie [de^v] egg donation

eideling [de^v] cleavage, segmentation

eiderdons [het] eider(down)

eidereend [de] eider (duck)

eidetiek [de^v] eidetics

eidetisch [bn] eidetic

eidooier [de^m] → **eierdooier**

eierboer [de^m] poulterer, poultry/chicken farmer, ⟨op kleine schaal⟩ eggman

eierdooier [de^m], **eidooier** [de^m] egg yolk

eierdop [de^m] 1 ⟨schaal rond het ei⟩ eggshell 2 ⟨eetgerei⟩ egg-cup

eiereneten [ww] ▪ *dat is nu het **hele** eiereneten* that's all there is to it, there's nothing more (than that) to it, it's as simple as that

eierklopper [de^m], **eierklutser** [de^m] ⟨garde⟩ (egg) whisk, ⟨roterende⟩ eggbeater, rotary beater

eierklutser [de^m] → **eierklopper**

eierkoek [de^m] 1 ⟨zachte koek⟩ sponge (cake) 2 ⟨omelet⟩ omelet(te)

eierkoker [de^m] ⟨elektrisch⟩ egg cooker/poacher/coddler, ⟨rekje⟩ egg-boiler

eierkolen [de^mv] ovoids

eierleggend [bn] oviparous, egg-laying

eierlepeltje [het] egg-spoon

eierlijst [de] ⟨bouwk⟩ egg-and-tongue (moulding), egg-and-anchor (moulding), egg-and-dart (moulding), echinus
eiermijn [de] egg auction/mart/market
eiernetje [het] egg-net
eierpoeder [het, de^m] egg powder
eierrek [het] egg rack/stand
eierschaal [de] eggshell
eierscheider [de^m] egg separator
eiersnijder [de^m] egg slicer/cutter
eiersplitser [de^m] egg separator
eierstok [de^m] ⟨med⟩ ovary ♦ *de eierstokken* ***wegnemen*** remove the ovaries, perform ovariectomy
eierstokontsteking [de^v] ovaritis, oophoritis
eierstruif [de] 1 ⟨geklutste eieren⟩ beaten eggs 2 ⟨omelet⟩ omelet(te)
eierveiling [de^v] egg market/mart/auction
eierwarmer [de^m] egg-cosy
eierwekker [de^m] egg-timer
Eiffeltoren [de^m] Eiffel Tower
eig. [afk] (eigenlijk) literally
¹**eigeel** [het] egg yolk ♦ ***met*** *eigeel bestrijken* brush with egg yolk
²**eigeel** [bn] buttercup yellow
¹**eigen** [het] ⟨fig⟩ 1 ⟨inf; + bezittelijk voornaamwoord⟩ ⟨enkelvoud⟩ -self, ⟨mv⟩ -selves, myself, yourself, himself, herself, itself, ourselves, yourselves, themselves ♦ *ik dacht* ***bij*** *mijn eigen dat ...* I was thinking to myself ...; ***op*** *zijn eigen gaan wonen* start living on one's own/by o.s. 2 ⟨eigendom, bezit⟩ one's own (property) ♦ *wij boeren* ***op*** *ons eigen* we farm (on) our own (land)
²**eigen** [bn] 1 ⟨aan de betrokkene(n) toebehorend⟩ own, ⟨privé⟩ private, ⟨persoonlijk⟩ personal ♦ *eigen* ***baas*** *zijn* be one's own master/boss, be a free agent; *een eigen* ***bedrijf*** *beginnen* start one's own company, start a company of one's own; *op eigen* ***benen*** *staan* stand on one's own (two) feet; *eigener* ***beweging*** of one's own accord; ⟨inf⟩ off one's own bat; *voor eigen* ***gebruik*** for (one's own) personal/private use; *een* ***geheel*** *eigen stijl ontwikkelen* develop a style all one's own; *eigen* ***geld*** one's own money; ⟨bij loterij⟩ stake; ⟨bij hypotheek⟩ deposit; ⟨sport⟩ *op de eigen* ***helft*** in one's own half; *hij heeft een eigen* ***huis*** he has a house of his own; *mensen met een eigen* ***huis*** people who own their own house, houseowners, owner-occupiers; *de eigen* ***kinderen*** one's own children; *iets in eigen* ***kring*** *vieren* celebrate sth. privately; *ik wil mijn eigen* ***naam*** *houden* ⟨meisjesnaam⟩ I want to keep my maiden name; *iets met eigen* ***ogen*** *zien* see sth. with one's (very) own eyes; ⟨sport⟩ *voor eigen* ***publiek*** *spelen* play at home, play in front of a/one's home crowd; *betreden op eigen* ***risico*** entry at one's own risk; *wij hebben ieder een eigen* ***(slaap)kamer*** we have separate (bed)rooms; ⟨sport⟩ *op eigen* ***terrein*** at home; *eigen* ***weg*** private road; *op een geheel eigen* ***wijze*** in a way of one's (very) own, in my/your/... very own way; *het waren haar eigen* ***woorden*** those were her very words; *iets uit eigen* ***zak*** *betalen* pay for sth. out of one's own pocket; *bemoei je met je eigen* ***zaken*** mind your own business 2 ⟨uitgaand van iemand zelf⟩ own ♦ *in eigen* ***beheer*** *een boek uitgeven* publish a book privately/o.s.; *zijn eigen* ***gang*** *gaan* go one's own way; ⟨inf⟩ do one's own thing, suit o.s.; *op eigen* ***gezag*** on one's own authority; *naar eigen* ***goeddunken*** at one's (own) discretion, as one sees fit; *op eigen* ***kracht*** on one's own, under one's own steam/power; ⟨BE ook⟩ off one's own bat; *naar eigen* ***zeggen*** by one's own account 3 ⟨kenmerkend⟩ typical, characteristic, individual, peculiar ♦ *dat is eigen* ***aan*** *deze landstreek* that is typical of this part of the country; *met de* ***hem*** *eigen bescheidenheid* with his characteristic modesty, with the modesty (so) characteristic of him; *dat* ***is*** *hem eigen* that is typical of him; ⟨inf⟩ that's him all over; *bier met een geheel eigen* ***smaak*** beer with its own special taste, beer with a taste all (of) its own 4 ⟨vertrouwd⟩ familiar ♦ *hij* ***is*** *hier eigen* he is/feels at home here; *zich iets eigen* ***maken*** ⟨ook m.b.t. taal⟩ make o.s. familiar with sth.; ⟨m.b.t. taal ook⟩ master, pick up; ⟨m.b.t. gewoonte⟩ pick up, fall into, acquire 5 ⟨m.b.t. de streek, het land van herkomst⟩ own, native, domestic ♦ *van eigen* ***bodem*** ⟨ook⟩ homegrown, homemade; *de situatie in eigen* ***land*** the domestic situation, the situation at home; *onze eigen* ***literatuur*** our own/native/national literature; *eigen* ***producten*** domestic products/produce ⊡ ⟨sprw⟩ *eigen lof/roem stinkt* a man's praise in his own mouth stinks; ⟨form⟩ ± self-praise is no recommendation; ⟨inf⟩ ± you shouldn't/don't blow your own trumpet; ⟨sprw⟩ *eigen haard is goud waard* be it (n)ever so humble, there's no place like home; home is where the heart is; east, west, home's best; ⟨sprw⟩ *'t is een slechte vogel, die zijn eigen nest bevuilt* it's a foolish/ill bird that soils/fouls its own nest
eigenaar [de^m], **eigenares** [de^v] ⟨man & vrouw⟩ owner, ⟨onroerend goed/huurhuis ook; man⟩ proprietor, ⟨vrouw⟩ proprietress, ⟨bezitter ook; man & vrouw⟩ possessor, ⟨van waardepapieren e.d.; man & vrouw⟩ holder ♦ ⟨jur⟩ ***blote*** *eigenaar* bare/legal owner; *de* ***rechtmatige*** *eigenaar* the rightful owner; ***van*** *eigenaar* ***verwisselen*** change hands/ownership; *deze auto is drie keer* ***van*** *eigenaar veranderd* this car changed hands three times; ***verandering*** *van eigenaar* change of owner(ship)
eigenaar-bewoner [de^m] owner-occupier
¹**eigenaardig** [bn] 1 ⟨eigen karakter hebbend⟩ singular, peculiar, personal, idiosyncratic, individual, special ♦ *een eigenaardige* ***gewoonte*** an odd/a peculiar habit, a mannerism, a quirk, an idiosyncracy; *een eigenaardig* ***gezegde/gebruik/geval*** a peculiar saying/curious custom/singular case; *ze heeft* ***iets*** *eigenaardigs - ik mag dat wel* there is sth. quite special about her - I like that; *een eigenaardige* ***stijl*** an individual style, a style of one's own 2 ⟨euf; vreemd⟩ peculiar, strange, odd, curious, queer ♦ *het* ***is*** *wel eigenaardig* it is peculiar/strange/odd/weird, isn't it; *hij was een eigenaardige* ***jongen*** he was a(n) strange/funny/odd/queer/singular/peculiar boy; *hij heeft een eigenaardige* ***opvatting*** *van zijn taak* he takes a(n) peculiar/strange/odd view of his duties; *een eigenaardig* ***soort*** *beleefdheid* a(n) peculiar/singular/odd/queer kind of politeness, a funny/odd/queer way of being polite
²**eigenaardig** [bw] ⟨op bijzondere wijze⟩ peculiarly, oddly ♦ *hij kan zo eigenaardig* ***handelen*** he can behave so strangely/oddly/peculiarly; *zich eigenaardig* ***uitdrukken*** express o.s. oddly/peculiarly
eigenaardigheid [de^v] 1 ⟨het eigenaardig zijn⟩ oddity, singularity, ⟨vnl. van personen⟩ individuality 2 ⟨bijzondere eigenschap⟩ peculiarity, idiosyncrasy, oddity, characteristic ♦ *hij* ***heeft*** *van die eigenaardigheden* he has such funny ways/queer habits
eigenaarssyndicaat [het] ♦ ⟨in België⟩ ***Algemeen*** *Eigenaarssyndicaat* General Employers Syndicate
eigenares [de^v] → **eigenaar**
eigenbaat [de] selfseeking, selfishness ♦ ***uit*** *eigenbaat handelen* act for gain, be moved by selfish interests/considerations
eigenbelang [het] self-interest, ⟨opportunistisch⟩ expediency ♦ *alleen* ***op*** *eigenbelang* ***uit zijn*** be driven purely/solely by self-interest/by pure self-interest/by self-interest alone, have an eye to the main chance only; ***uit*** *eigenbelang handelen* act out of self-interest/for selfish reasons
¹**eigendom** [de^m] ⟨jur⟩ ⟨eigendomsrecht⟩ ownership, title, ⟨onroerend goed, onbeperkte duur⟩ freehold, ⟨onroerend goed, beperkte duur⟩ leasehold ♦ ***in*** *eigendom verkrijgen* acquire the ownership of/title to; *iets* ***in*** *eigendom hebben/houden* own sth.; ***intellectuele/letterkundige*** *eigendom* intellectual/literary property; *de (volle) eigendom* ***overdragen*** *aan* ... transfer/convey the (full) ownership/title to ...; *de eigen-*

dom over iets ***verliezen*** be dispossessed of sth., lose one's title to sth., ↓lose possession of sth.; *in* ***volle/vrije*** *eigendom* ***bezitten*** possess the freehold of, own (sth.) freehold; *(het) eigendom* ***zijn/blijven/worden*** *van* be owned by, be/remain the property/in the ownership of, become the property of

²**eigendom** [het] 1 ⟨bezit⟩ property, possession, ⟨mv⟩ belongings ♦ ***algemeen/publiek*** *eigendom worden* become common/public property; *tot* ***gemeenschappelijk*** *eigendom maken* make (sth.) common property, communize; ***intellectueel*** *eigendom* intellectual property; *dat boek is* ***mijn*** *eigendom* that book belongs to me/is my property; *dat park is* ***particulier*** *eigendom* that park is private property; ***iets tot*** *zijn eigendom maken* appropriate sth., make sth. one's own 2 ⟨onroerend goed⟩ property, ⟨jur⟩ freehold estate, leasehold ♦ ***gebouwde en ongebouwde*** *eigendommen* land and buildings

eigendomsbeperking [de^v] limitation of/on ownership, restriction of/on ownership

eigendomsbewijs [het] title deed, proof of ownership (to/of), document of title (to/of), evidence of title (to/of), ⟨van auto; BE⟩ registration book, ⟨effecten⟩ security

eigendomsoverdracht [de] transfer of property, ⟨van vastgoed ook⟩ conveyance of property, ⟨eigendomsrecht⟩ transfer of ownership/title

eigendomsrecht [het] right(s) of ownership (in), title (to)

eigendomsvoorbehoud [het] retention of title

eigendunk [de^m] self-conceit, self-importance, arrogance

eigene [het] individuality, ⟨zaken⟩ characteristic feature/flavour, ⟨landschap⟩ genius ♦ *het eigene van een* ***volk/land*** the typical quality of a nation/country, a nation's/country's characteristics

eigengebakken [bn] ⟨inf⟩ home-baked, home-made ♦ *eigengebakken* ***brood*** ⟨meestal⟩ home-made bread

eigengeldje [het] ♦ *een eigengeldje* ***hebben*** break even, get one's stake/(ticket) money back

eigengemaakt [bn] ⟨inf⟩ home-made ♦ *eigengemaakte* ***kleding*** home-made clothes; *eigengemaakte* ***paté*** home-made pâté

eigengerechtig [bn, bw] self-willed, self-opinionated ♦ *eigengerechtig* ***handelen*** go about things in one's own way

eigengerechtigheid [de^v] 1 ⟨het eigenmachtig handelen⟩ self-will 2 ⟨eigenmachtige daad⟩ wilfulness

eigengereid [bn] headstrong, high-handed, ↓self-willed ♦ *een eigengereid* ***jongetje*** a headstrong/an obstinate little boy

eigenhandig [bn, bw] (made/done) with one's own hand(s), ⟨bijwoord ook⟩ (do sth.) o.s., personally, ⟨eigenhandig geschreven stuk, ondertekening⟩ holographic, autographic ♦ *eigenhandig* ***geschreven*** ⟨sollicitatiebrief⟩ self-written, in one's own handwriting; ⟨manuscript⟩ holograph; *een door de minister eigenhandig* ***geschreven*** *brief* a personal letter from the Minister, a letter from the Minister personally; ⟨lett⟩ a letter in the Minister's own hand(writing); *een eigenhandig* ***schrijven*** an autograph, a personal letter

eigenheid [de^v] 1 ⟨eigenaardigheid⟩ singularity, characteristic property/trait 2 ⟨eigen karakter⟩ individuality, individual character

eigenheimer [de^m] 'eigenheimer', type of potato

eigenliefde [de^v] amour-propre, self-love, egotism, egoism, ⟨zelfvoldaanheid⟩ (self-)complacency ♦ ***zoiets streelt*** *zijn eigenliefde* a thing/sth. like that tickles his vanity; *haar eigenliefde* ***was gekrenkt*** her pride had been hurt

¹**eigenlijk** [bn] ⟨echt⟩ real, actual, true, proper ♦ *zijn eigenlijk* ***beroep*** *is timmerman* his real/proper trade is carpentry; *de eigenlijke* ***betekenis*** *van een woord* the true/proper sense/meaning of a word, the literal meaning of a word; *een eigenlijke* ***breuk*** a proper fraction; *het eigenlijke* ***Londen*** London proper; *de eigenlijke* ***reden*** the real/true reason; *dit zijn afschriften, de eigenlijke* ***stukken*** *liggen in het archief* these are copies, the originals/the documents themselves are in the archives; *in eigenlijke* ***zin*** in the true/literal/proper sense (of the word)

²**eigenlijk** [bw] ⟨in werkelijkheid⟩ really, in fact, exactly, actually ♦ *wat* ***bezielt*** *je eigenlijk?* what on earth has got/^Agotten into you?, just what has got/^Agotten into you?; *ik kom* ***daarom*** *eigenlijk niet* that's not really why I've come/what I've come for; *u* ***heeft*** *eigenlijk* ***gelijk*** you are right, really, fundamentally, you are right; *eigenlijk* ***is*** *de zaak deze* in fact this is the situation/point/issue, this is the situation/point/issue, really; *eigenlijk* ***is*** *het schandalig* it's disgraceful/a disgrace, really, it's little short of a scandal; *het* ***is*** *eigenlijk een leugen* it's not true really/really true, actually/as a matter of fact, it's a lie; *wat* ***is*** *een pacemaker eigenlijk?* what exactly is a pacemaker?; *wat* ***is*** *er eigenlijk aan de hand?* what is the matter then?, what is going on exactly?; *daar* ***kom*** *ik eigenlijk voor* that's what I've come for, really/I've really come for; *eigenlijk* ***mag*** *ik je dat niet vertellen* I shouldn't tell you, really, actually, I'm not supposed to tell you; *wat* ***moet*** *hij hier eigenlijk* what's he doing here?; *eigenlijk* ***niet*** not really/exactly, hardly; ***waar*** *moet je eigenlijk* ***heen?*** where are you going, in fact?, where have you got to get to exactly?; *wat* ***wil*** *je nu eigenlijk?* just what are you aiming/driving at?; *ik* ***wist*** *eigenlijk niet wat ik moest zeggen* I didn't quite know what to say

eigenmachtig [bn, bw] self-willed, self-opinionated ♦ *eigenmachtig* ***handelen*** ⟨op eigen gezag⟩ act on one's own authority/act with a high hand; ⟨zonder machtiging⟩ act without authorization; *een eigenmachtig* ***optreden*** a high-handed action

eigennaam [de^m] ⟨taalk⟩ proper name

eigenpijperij [de^v] boasting, showing off, blowing of one's own trumpet, public self-display

eigenrichting [de^v] taking justice into one's own hands, taking the law into one's own hands ♦ *eigenrichting* ***plegen*** take the law into one's own hands, take what is one's due, make one's own justice

eigenschap [de^v] 1 ⟨hoedanigheid⟩ quality, ⟨van stoffen⟩ property ♦ *kunt u enige eigenschappen van dit* ***gas*** *noemen?* can you name some/any of the properties of this gas?; *de* ***goede*** *eigenschappen* ⟨van boek, paard, man, ...⟩ the qualities/strong points/strengths; *zij heeft veel* ***goede*** *eigenschappen* she has many good points/good/fine qualities; *zij heeft* ***goede en slechte*** *eigenschappen* she has virtues and vices/strengths and weaknesses/good and bad points; ***kenmerkende*** *eigenschap* (characteristic/distinguishing) feature/trait, characteristic; *de* ***vereiste*** *eigenschappen* the required qualities, the qualities required; ⟨sollicitant⟩ the skills required; *een man* ***zonder*** *eigenschappen* a man without qualities 2 ⟨wisk⟩ property

eigensoortig [bn] (it is) (in) a class of its own, (she is) (in) a class of her own, (he is) (in) a class of his own

eigenste [bn] ⟨inf⟩ ⟨ogm⟩ selfsame, the very same ♦ *die eigenste* ***dag*** *is hij vertrokken* that selfsame day he left, he left the very same day

eigentijds [bn] contemporary, modern ♦ *eigentijds* ***design*** contemporary design

eigenwaan [de^m] self-satisfaction, conceitedness, egotism ♦ ***vol*** *eigenwaan* self-satisfied, (self-)conceited

eigenwaarde [de^v] self-respect, self-esteem ♦ *iemands* ***gevoel*** *van eigenwaarde* s.o.'s sense of dignity/of self-worth, s.o.'s self-respect; *een overdreven* ***gevoel*** *van eigenwaarde* an exaggerated sense of self-esteem, egotism; ⟨sterker⟩ egomania; *hij heeft me* ***in*** *mijn eigenwaarde geraakt* he has hurt/wounded my pride/touched my vanity

eigenwijs [bn, bw] 1 ⟨verwaand⟩ cocksure ⟨bw: ~ly⟩, cocky ⟨bw: cockily⟩, conceited, pigheaded, ⟨betweterig⟩ priggish, self-willed, ⟨(te) wijs voor zijn/haar leeftijd⟩ precocious ♦ *doe niet zo eigenwijs* don't think you know it all, come off your high horse/perch, don't be so superior; ⟨inf⟩ *een eigenwijze **drol*** a smart alec(k)/alick, ⟨AE⟩ a smart-ass; *een eigenwijs **figuur*** a know-(it-)all; *wat een eigenwijs **kereltje*** what a precocious child; *een eigenwijs **nest*** a pert little girl [2] ⟨grappig, afwijkend⟩ pert ⟨bw: ~ly⟩, ⟨brutaal⟩ saucy, cheeky ♦ *een eigenwijs **hoedje** heeft zij op* she is wearing a saucy/little hat

eigenwijsheid [de^v] [1] ⟨hoedanigheid⟩ pertness, cocksureness [2] ⟨uitlating, handeling⟩ impertinence

eigenwillig [bn, bw] self-willed, wilful, headstrong, obstinate

eigenwoningforfait [het] ⟨in Nederland⟩ notional rental value, addition to taxable income for home owners

eigenzinnig [bn, bw] self-willed, ⟨koppig⟩ stubborn, obstinate, ⟨onhandelbaar⟩ unamenable, wayward

eigenzinnigheid [de^v] self-will, wilfulness, obstinacy, intractability, ⟨inf⟩ pigheadedness

eiglans [de^m] ⟨vnl. m.b.t. verf⟩ eggshell gloss, satiny/silky gleam

eihoofd [het] [1] ⟨eivormig hoofd⟩ egg-shaped head [2] ⟨als scheldnaam⟩ egghead

eik [de^m] oak (tree)

eikel [de^m] [1] ⟨vrucht van de eikenboom⟩ acorn [2] ⟨deel van de penis⟩ glans (penis) [3] ⟨versiersel⟩ acorn [4] ⟨kluns⟩ oaf

eikelen [onov ww] ⟨jongerentaal⟩ mess about/around, ⟨BE ook⟩ muck/fart about/around, be a pain in the neck, ⟨BE ook⟩ ↓ bugger/piss about/around

eikelvormig [bn] acorn-shaped, glandiform

¹eiken [het] oak(-wood) ♦ ***blank** eiken* natural oak

²eiken [bn] oak, oak-wood, oaken ♦ *eiken **balken*** oak beams; *een eiken **wandmeubel*** an oak cabinet

eikenblad [het] oak leaf

eikenbladsla [de] oak leaf lettuce

eikenboom [de^m] oak (tree)

eikenbos [het] oak wood, ⟨klein⟩ oak-grove

eikenhout [het] oak(-wood)

eikenprocessierups [de] processionary caterpillar

eilaas [tw] ⟨form; iron⟩ alas

eiland [het] [1] ⟨door water omringd land⟩ island, ⟨dichtl; klein; met bepaalde eigennamen⟩ isle, ⟨eilandje⟩ islet ♦ ⟨meteo⟩ *de **Britse** eilanden* the British Isles; ***Ionische** Eilanden* Ionian Islands; *op het eiland **Man/Wight*** in/on the Isle of Man/Wight; ***op** een eiland wonen* ⟨klein⟩ live on an island, ⟨groot⟩ live in an island; ⟨sport⟩ ***op** een eiland staan* be (far) away from the action; ⟨fig⟩ *we zitten hier niet **op** een eiland* we are not the only people in the world/alone in the world; ⟨fig⟩ *hij vaart **tussen** de eilanden door* he steers a fine line/course; *op het eiland **Walcheren*** in the island of Walcheren [2] ⟨hoger, droog gedeelte⟩ island ♦ *eilandjes van **gras*** islands/islets of grass; *een **kunstmatig** eiland* an artificial/a manmade island; ⟨boor-/werkeiland⟩ a platform (at sea)

eilandbewoner [de^m], **eilandbewoonster** [de^v] islander, island dweller, ⟨zeldz⟩ insular

eilandbewoonster [de^v] → **eilandbewoner**

eilandcultuur [de^v] [1] ⟨cultuur van eilandbewoners⟩ island culture [2] ⟨bedrijfscultuur⟩ insular culture

eilandengroep [de] archipelago, group of islands

eilandenrijk [het] island empire/kingdom, ⟨voormalig Nederlands-Indië⟩ archipelago

eilandenstaat [de^m] island state

eilandgebied [het] ⟨aardr, jur⟩ island group, ⟨gebiedsdeel⟩ island territory

eilandhoppen [ww] island hopping

eilandjescultuur [de^v] (office) culture in which there is no knowledge sharing or transfer

eilands [bn] islander

eileider [de^m] ⟨biol⟩ Fallopian tube, ⟨vnl. van vogels⟩ oviduct

eileiderontsteking [de^v] inflammation of a/the Fallopian tube, inflammation of the Fallopian tubes, ⟨med ook⟩ salpingitis

eind [het] [1] ⟨bepaalde afstand, lengte⟩ ⟨afstand⟩ way, distance, ⟨stuk⟩ piece ♦ *het is een **heel** eind* it's (quite/rather) a long way, it's a good/fair way/distance; *het is nog een **heel** eind* it's still a long way (to go), we've/they've/... still got a long way to go; *ze zijn al een **heel** eind op weg* they've already gone a long way; *hij lag een **heel** eind achter/voor* he was quite a way behind/ahead; *een eind **hout*** a piece of wood; *een eind **in** de 40* well over/past 40, well into one's 40's; *daar **kom** ik een heel eind mee* that will go a long way (towards paying/covering my costs/...); ⟨fig⟩ *aan het **kortste** eind trekken* get the worst of it, come off worst/second best, be left with/get the short end of the stick, be worsted, lose out; *wat een **lang** eind, die dochter van ons* she's a tall one, that daughter of ours; ⟨fig⟩ *aan het **langste** eind trekken* come off best, get the best of it; *ga een eind **lopen*** ⟨lett⟩ go for (a bit of) a walk; ⟨fig⟩ don't talk nonsense; *het is een heel eind **lopen/fietsen/rijden*** it's a long/good/fair way/distance to walk/ride/drive, it's a long walk/ride/drive; *dat is een heel eind **om*** that's quite a bit out of the way; *de kosten bleven een heel eind **onder** de raming* the costs were considerably less than the estimate; *het is al een heel eind **over** achten* it's well past eight (o'clock); *op het (laatste) **rechte** eind* on the (home) straight, on the home/finishing stretch, coming up to the finish; *iemand een heel eind **tegemoetkomen*** ⟨ook figuurlijk⟩ go a long way to meet s.o.; *een eind **touw*** a length of rope; ⟨dun⟩ a piece of string; ***wat** een eind* what a way/distance; ⟨fig⟩ *een eind **weg** praten* go/rattle on; ⟨AE ook⟩ talk up a storm; *een eind **worst*** a piece of sausage [2] ⟨het laatste gedeelte, stuk⟩ end, extremity, ⟨van toneelstuk/boek/verhaal/film ook⟩ ending ♦ *eind **1986*** towards/by the end of 1986; *het **andere** eind van de stad* at the other/far end of the town; *hij woont aan het **andere** eind van de wereld* he lives in the back of beyond; *aan **beide** einden* at both ends; *eind **mei*** at the end of May; *hij liep helemaal **op** het eind van de stoet* he was right at the tail-end of the procession; ***op** het eind van de film kwam alles nog goed* everything came out right at the end of the film/in the last reel; ***op** het eind van de achttiende eeuw/jaren zestig* towards the end of the eighteenth century/sixties, in the late eighteenth century/sixties [3] ⟨einde⟩ → **einde** [•] *het bij het **rechte** eind hebben* be right/correct; *het bij het **verkeerde** eind hebben* have got hold of the wrong end of the stick, be mistaken/wrong, be labouring under a misapprehension; *als je denkt dat ik dat doe, dan heb je het bij het **verkeerde** eind* if you think I'm going to do that, then you've got another think/guess/thing coming

eindaccent [het] final accent/stress

eindafrekening [de^v] [1] ⟨handel⟩ ⟨bank, giro⟩ final/last statement, ⟨het afrekenen⟩ final/last payment [2] ⟨m.b.t. tegenstander⟩ final reckoning, final/last settling of accounts

eindbedrag [het] ⟨sum⟩ total, total amount

eindbeslissing [de^v] final/definitive decision

eindbestemming [de^v] ultimate/final destination, ⟨fig⟩ goal, ⟨halte⟩ terminal, terminus (ad quem)

eindcijfer [het] total figure, grand total, ⟨schoolrapport⟩ final mark

eindconclusie [de^v] final conclusion ♦ *komen **tot** een eindconclusie* come to a final conclusion

eindcontrole [de] final inspection

einddatum [de^m] final date, deadline

einddiploma [het] diploma, certificate, ⟨beroepsopleiding⟩ certificate of qualification ♦ *het einddiploma van de middelbare **school** (behalen)* (obtain/be awarded/get) one's ^{B}GCE's ⟨General Certificate of Education⟩, (obtain/be awarded/get) one's ᴮO levels ⟨Ordinary level; ± havo⟩, (obtain/be awarded/get) one's ᴮA levels ⟨Advanced level; ± vwo⟩, (obtain/be awarded/get) one's ᴬhigh school certificate

einddoel [het] ⟨doelstelling⟩ (ultimate) goal/object/end, ⟨eindbestemming⟩ final destination ♦ *zijn einddoel **bereiken*** attain one's end at last/one's (final) goal, achieve one's (ultimate) purpose/one's object; ⟨na reis/transport⟩ reach one's final destination

einde [het], **eind** [het] 1 ⟨plaats⟩ end ♦ *het einde **halen/bereiken*** reach the end, finish; *daar moet maar eens een einde aan **komen*** sth. has to be done about it, there ought to be a stop put to it; *er **komt** geen einde aan* there's no end to it/in sight; ⟨fig⟩ *aan het einde van de **rit*** at the end of the day; *het einde van de **weg**/van de **tafel*** the end of the road/table; *een band **zonder** einde* an endless belt/band; *als je dat doorlaat, waar is het einde?* if you let that be, where is it going to stop?; *daar kunnen we niet aan beginnen, dan is het einde zoek* we mustn't start on that because there'd be no end of/to it 2 ⟨moment⟩ end, ⟨van toneelstuk/boek/verhaal/film ook⟩ ending, ⟨van vijandigheden⟩ cessation, ⟨van wedren/loop⟩ finish ♦ ***aan** het einde van* at the end of; *lelijk **aan** zijn einde komen* come to meet a nasty/sticky end; ⟨fig⟩ ***aan** het eind van zijn Latijn zijn* be at the end of one's tether; ⟨uitgeput ook⟩ be shattered, ⟨sl; BE⟩ be shagged (out); ⟨inf; AE⟩ be bushed; *ik kom hiermee **aan** het einde van mijn betoog* this brings me to the end of/this concludes my argument; *ik ben daarmee nog niet **aan** het einde gekomen van mijn betoog/reeks bezwaren* I have not yet finished (with) my argument/complaints; *tot het **bittere** einde doorgaan* go through/fight on to the bitter end; *het was of er nooit een einde aan zou **komen*** it seemed endless/interminable, it seemed (as if) it would never end; *het leek alsof er geen einde aan het applaus zou **komen*** it seemed (as if) the applause would go on forever/never stop; *er **kwam** geen einde aan* there was no end to them/it/...; *zijn inbreng **maakte** een einde aan de discussie* his contribution concluded/wound up the discussion, ⟨negatief⟩ his contribution cut short the discussion; *er een einde aan **maken*** bring to an end, finish, conclude; ⟨zelfmoord⟩ make an end of o.s./it all, do away with o.s.; *een einde **maken** aan iets* ⟨doen ophouden⟩ put an end/a stop to sth., stop sth.; ⟨regelen, bijvoorbeeld m.b.t. staking/argument/ruzie⟩ settle; *laten we er nu maar een einde aan **maken*** let's finish off now/call it a day; *om een einde te **maken** aan alle geruchten* to put an end to all rumours; *het einde **nadert*** the end is near, ⟨form⟩ the end is nigh; *een einde **nemen*** come to an end, finish, stop, cease, conclude; ***op** het einde van de middag* in the late afternoon; *ze loopt **op** haar/het einde* she's near her time/term; *de wereld loopt **op** haar einde* the world is coming to an end, the end of the world is near, ⟨form⟩ the end of the world is nigh; *het loopt met hem **op** een einde* he's nearing his end, his end is (drawing) near, he's at death's door; ⟨inf⟩ he's on his last legs; *een verhaal met een **open** einde* a story with an ambiguous ending, an open-ended story; ***tegen** het einde van de winter* towards the end of the winter; ***ten** einde lopen* come to an end, draw to an end/close, finish; ⟨contract⟩ expire; ***ten** einde raad zijn* be at one's wits'/wit's end; *iets **ten** einde brengen* finish sth. off, conclude sth.; *mijn geduld loopt **ten** einde* my patience is coming to an end/wearing thin, there's a limit to my patience; ***ten** einde raad besloot hij ...* not knowing what else to do he decided to ...; *het jaar/de week loopt langzaam **ten** einde* we are coming to the end of the year/week; ***tot** het einde toe* to the very end, right to the end; ***tot** het einde der tijden* to the end of time; ***tot** het einde toe blijven* stay until/to the end; *van het begin **tot** het einde* from beginning to end/start to finish; *wij moeten **tot** het einde volhouden* we must see things through; *einde (van het) **verhaal*** ⟨er valt niets meer aan toe te voegen⟩ end of story, that's the end of it; *zijn einde **vinden**/aan zijn einde **komen*** meet one's end; *het einde van de **wereld*** the end of the world, the Last Day/Judgement, the Apocalypse; *ze bleef tot het einde van de **zomer*** ⟨ook⟩ she stayed through the summer; *einde* ⟨aan eind van film, boek⟩ (the) end 3 ⟨resultaat⟩ upshot, result, conclusion ♦ *het einde van de **besprekingen** was, dat ...* the upshot/result of the discussions was that ...; *iets tot een **goed** einde brengen* bring sth. to a favourable/happy conclusion; *het einde van het **liedje** was, dat ...* the end of it/the upshot (of the affair) was that ... ▪ *dat is **het** einde!* that's fantastic/terrific/fabulous/marvellous!; ⟨vnl AE ook⟩ that's the end; *voor hem is Picasso **het** einde* he thinks Picasso is everything/really it/the tops/the cat's whiskers/the bee's knees/the best thing since sliced bread, he thinks the world of Picasso; ⟨sprw⟩ *eind goed, al goed* all's well that ends well; ⟨sprw⟩ *aan alles komt een eind* everything has an end; all (good) things must come to an end

eindejaarsfeesten [de^{mv}] ⟨in België⟩ end of year celebrations, Christmas and New Year

eindejaarspremie [de^{v}] ⟨in België⟩ end-of-year bonus

eindejaarsuitkering [de^{v}] year-end bonus, annual bonus, Christmas bonus

eindejaarswinst [de^{v}] year-end profit

[1]**eindelijk** [bn] ⟨definitief⟩ final, ultimate ♦ *eindelijke **toewijzing*** ⟨bij verkoop⟩ the definitive assignment

[2]**eindelijk** [bw] 1 ⟨na lange tijd⟩ finally, at last, in the end ♦ ***kom** je eindelijk* are you coming at last; *hèhè, eindelijk!* at (long) last!; *daar heb je ze eindelijk, daar zijn ze eindelijk* there they are at last 2 ⟨op het einde⟩ finally, at last, in the end, eventually

[1]**eindeloos** [bn, bw] 1 ⟨oneindig⟩ endless ⟨bw: ~ly⟩, infinite, interminable ♦ *de eindeloze **ruimte*** infinite space, infinity; *eindeloos **ver*** miles (and miles) away 2 ⟨nooit ophoudend⟩ endless ⟨bw: ~ly⟩, perpetual, interminable, unending ♦ *eindeloos **geklets*** perpetual/unending chatter; *ik moest eindeloos **lang** wachten* I had to wait for ages; *eindeloos **zeuren*** never stop moaning/whining 3 ⟨prachtig⟩ superb ⟨bw: ~ly⟩, wonderful, smashing, ⟨BE⟩ wizard ♦ *wat een eindeloos **boek** is dat* what a superb/wonderful book it is; *een eindeloze **man*** a wonderful man

[2]**eindeloos** [bw] ⟨in de hoogste mate⟩ infinitely ♦ *zij zijn eindeloos **gelukkig*** they are infinitely happy

eindeloosheid [de^{v}] 1 ⟨het eindeloos zijn⟩ endlessness, ⟨m.b.t. God⟩ infinity, ⟨tijd⟩ perpetuity 2 ⟨eindeloze ruimte⟩ infinity

einder [de^{m}] horizon

eindexamen [het] final exam(ination), finals, leaving exam(ination), ⟨middelbare school; BE⟩ O levels ⟨Ordinary level; ± havo⟩, ⟨BE⟩ A levels ⟨Advanced level; ± vwo⟩ ♦ *eindexamen **doen*** take one's finals/O levels/A levels; *ze **haalde** haar eindexamen op haar sloffen* she sailed through her finals; ***voor** zijn eindexamen slagen/zakken* pass/fail one's finals

eindexamenkandidaat [de^{m}] 1 ⟨iemand die zich voorbereidt⟩ ⟨BE⟩ sixth-former, ⟨BE⟩ A-level candidate, ⟨AE⟩ senior 2 ⟨iemand die eindexamen doet⟩ examinee, ⟨BE⟩ A-level candidate

eindexamenklas [de] ⟨BE⟩ (upper) sixth form, ⟨AE⟩ senior class, ⟨ook; inf; BE⟩ (upper) sixth

eindexamenopgave [de] final examination paper/question, ⟨inf⟩ final (exam)

eindexamenpakket [het] final examination subjects, school certificate subjects, courses taken towards receiving certificate/diploma upon passing final exam, course of study needed for certificate/diploma

eindexamenvak [het] final examination subject, ⟨BE⟩ school certificate subject

eindfactuur [de^{v}] final invoice

eindfase [de^{v}] final stage, ultimate/last phase

eindgebruiker [de^{m}] end user

eindgesprek [het] final interview/session/talk, last interview/session/talk

eindig [bn] [1] ⟨een einde hebbende⟩ finite ◆ *het **aardse** is eindig* all things on earth must come to an end; ⟨wisk⟩ *eindige **getallen/reeksen*** finite numbers/progressions [2] ⟨beperkt⟩ limited, finite ◆ *ons eindig **verstand*** our limited intellects; *de **voorraad** is eindig* there is a limited supply

^{1}**eindigen** [onov ww] [1] ⟨ophouden⟩ end, finish, come to an end, stop ◆ *het juist geëindigde **jaar*** the year just ended; *hier eindigt **Leiden** en begint Zoeterwoude* this is where Leiden ends and Zoeterwoude begins; *de school eindigt **om** twaalf uur* school finishes/stops at twelve o'clock; *de **onderhandelingen** zijn geëindigd* (the) negotiations have come to an end; *eindigen **waar** men begonnen is* end (up) where one started (from), have come full circle; *de **zitting** is geëindigd* the session has come to an end/is over/is at an end [2] ⟨als einde hebben⟩ end, finish, come to an end, terminate, ⟨tijd ook⟩ run out, expire ◆ *de staaf eindigt **in** een punt* the bar ends in a point; *de ruzie eindigde **met** ...* the outcome of the quarrel was ..., the quarrel resulted in ...; *het verhaal eindigt **met** zijn dood* the story ends/comes to an end with his death; *dit woord eindigt **op** een klinker* this word ends in a vowel [3] ⟨danken na de maaltijd⟩ say grace ⊡ *zij eindigde **als** eerste/tweede* she finished/came first/second

^{2}**eindigen** [ov ww] ⟨ten einde brengen⟩ finish (off), end, bring to a close, terminate ◆ *hij eindigde zijn **leven/zijn dagen** in eenzaamheid* he ended his life/days in solitude

^{3}**eindigen** [ov ww, ook abs] ⟨besluiten, afronden⟩ end, close, wind up, finish (off) ◆ *hij eindigde zijn brief **met** ...* he ended his letter by/with ...; *hij eindigde **met** te zeggen dat ...* he ended by saying that ...; *de spreker eindigt **met** een woord van dank* the speaker ends/finishes/concludes his speech with a word of gratitude/thanks (to)/with a brief acknowledgement (of); *ik **moet** nu eindigen* I must close/stop now

eindigheid [de^{v}] finiteness ◆ *de eindigheid van onze natuurlijke **rijkdommen*** the exhaustibility of our natural resources

eindindruk [de^{m}] final impression

eindje [het] [1] ⟨stukje, restantje⟩ piece, bit, ⟨touw, hout⟩ length, ⟨plakband, metaal⟩ strip ◆ *een eindje van een **sigaar*** a cigar butt/end/stub/stump; *een eindje **touw*** a length of rope; ⟨dun⟩ a piece of string [2] ⟨korte afstand⟩ little way, some way ◆ *dat is een **aardig** eindje* that's quite a way; *een eindje **buitengaats*** some way out (at sea); *laten we een eindje **gaan rijden*** let's go for a ride, ⟨inf⟩ let's go for a spin; *de deur een eindje **openlaten*** ⟨op een kier⟩ leave the door ajar; leave the door open a little (way); *een eindje **oplopen** met iemand* walk part of the way with s.o.; *ga eens een eindje **opzij*** move up a bit, will you?; *een eindje **verder*** a bit further, further on [3] ⟨uiteinde⟩ (loose) end ◆ ⟨fig⟩ *de eindjes niet/met moeite aan elkaar **kunnen knopen*** be unable/hardly able to make (both) ends meet

eindklassement [het] overall standings/placings, ⟨etappewedstrijd ook⟩ General Classification (table)

eindlijn [de] [1] ⟨sport⟩ goal line [2] ⟨montagelijn⟩ final assembly line

eindlijst [de] [1] ⟨lijst⟩ final list [2] ⟨rapport⟩ → **eindrapport**

eindloon [het] final pay

eindloonpensioen [het] final salary pension

eindloonstelsel [het] final wage pension system

eindloonsysteem [het] final wage pension system

eindnotering [de^{v}] closing rate/price/quotation, final rate/price/quotation

eindoordeel [het] final judgement/verdict, ⟨van commissie⟩ final conclusion(s)

eindoorzaak [de] [1] ⟨laatste oorzaak⟩ ultimate cause [2] ⟨belangrijkste oorzaak⟩ primary/chief cause

eindoverwinning [de^{v}] final victory

eindproduct [het] final/end product, ⟨afgewerkt artikel⟩ finished article, ⟨resultaat ook⟩ final/end result

eindpunt [het] [1] ⟨punt dat het einde vormt⟩ ⟨in het alg⟩ end point, ⟨doel, bestemming⟩ (final) destination, ⟨m.b.t. bus/trein/spoorweg⟩ terminus ◆ *het eindpunt **van lijn 8*** the terminus of (route/bus/tram) number 8 [2] ⟨moment⟩ end, final point, termination ◆ *het eindpunt van zijn **loopbaan** bereiken* reach the end/termination of one's career [3] ⟨punt waarop iets eindigt⟩ end, finishing point, ⟨finish⟩ finish, ⟨van paardenrennen ook⟩ (finishing) post ◆ *het eindpunt van onze **wandeling*** the end/finishing point of our walk

eindrangschikking [de^{v}] overall standings

eindrapport [het] [1] ⟨onderw⟩ ⟨overgangsrapport⟩ end-of-year report, end-of-year ^{A}report card, ⟨laatste schoolrapport⟩ (school) leaving report, (school) leaving ^{A}report card [2] ⟨m.b.t. een onderzoek⟩ final report

eindredacteur [de^{m}], **eindredactrice** [de^{v}] ± editor-in-chief, ⟨van nieuwsuitzending⟩ anchor man/woman

eindredactie [de^{v}] [1] ⟨laatste redactie⟩ final editing, ⟨van tekst⟩ final wording, final form [2] ⟨afdeling⟩ editorial board

eindredactrice [de^{v}] → **eindredacteur**

eindregel [de^{m}] final/last line

eindresultaat [het] final/end result, ⟨uitkomst ook⟩ upshot, ⟨conclusie⟩ conclusion, ⟨ook fig; eindbedrag⟩ sum total ◆ *met vier gouden medailles heeft onze ploeg een **prachtig** eindresultaat behaald* in winning four gold medals our team achieved a splendid final result, our team achieved a splendid final result/score of four gold medals; *het eindresultaat van al zijn moeite/werk was **teleurstellend*** the upshot of all his trouble was a disappointment; *alleen het eindresultaat **telt*** only the final/end result counts

eindrijm [het] [1] ⟨aan het eind van een regel⟩ end rhyme [2] ⟨door de eindklanken gevormd⟩ end rhyme

eindronde [de] ⟨sport⟩ [1] ⟨laatste ronde⟩ last/final round, finals ⟨mv⟩ ◆ *zich **voor** de eindronde plaatsen* qualify for the last/final round/the finals [2] ⟨finale⟩ last/final round, finals ⟨mv⟩

eindsaldo [het] final/closing balance

eindschot [het] (final) kick

eindscore [de^{m}] ⟨sport⟩ final score

eindsignaal [het] ⟨van wedstrijd⟩ final whistle

eindsnelheid [de^{v}] final velocity/speed, ⟨bij vrije val⟩ terminal velocity

eindspel [het] end-game

eindsprint [de^{m}] → **eindspurt**

eindspurt [de^{m}], **eindsprint** [de^{m}] final sprint, (final) kick ◆ *over een **goede** eindspurt beschikken* be a fast finisher/kicker; *een eindspurt **inzetten*** put on a final sprint

eindstadium [het] final stage, ⟨ziekte⟩ terminal stage

eindstand [de^{m}] final score

eindstation [het] [1] ⟨station⟩ terminal (station), terminus [2] ⟨uiteindelijk doel⟩ final destination, ultimate/final goal

eindstreep [de] finish(ing line) ◆ *de eindstreep **bereiken/halen*** finish; *de eindstreep niet **halen*** ⟨fig⟩ not make it; *iemand **op** de eindstreep verslaan* beat s.o. at the post, ⟨inf; BE⟩ pip s.o. at the post; *het eerst **over** de eindstreep gaan* finish first, breast the tape

eindstrijd [de^{m}] ⟨sport⟩ final(s), final contest ◆ *de **halve** eindstrijd* semifinal(s)

eindterm [de^{m}] final attainment level

eindtermijn [de^{m}] last/closing date ◆ *dat is de **absolute** eindtermijn voor levering* that is the latest possible date for delivery

eindtotaal [het] grand total, final/gross/sum total

einduitslag [de^{m}] ⟨sport⟩ final results, ⟨stand, puntentotaal⟩ final score, ⟨lijst van uitslagen⟩ (list of) results ◆ ***in** de einduitslag werden we als tweede gerangschikt* in the final (list of) results we were placed second; *de einduitslag **luidt** als volgt* the final results are as follows; *en dan nu de einduitslagen van de vandaag gespeelde **voetbalwedstrijden*** (and now) here are the football results/the results of today's football matches

eindverantwoordelijkheid [de^{v}] final responsibility ♦ *de eindverantwoordelijkheid **ligt bij** u* you have the final responsibility, you are ultimately responsible

eindverslag [het] 1 ⟨laatste verslag⟩ final report 2 ⟨m.b.t. een wetsontwerp⟩ final report

eindversterker [de^{m}] power/output amplifier

eindvonnis [het] final judgment/verdict, ⟨echtscheiding; BE⟩ decree absolute, ⟨AE⟩ final decree

eindwedstrijd [de^{m}] final (game/match), ⟨om beker⟩ cup final

eindwerk [het] ⟨in België⟩ thesis, dissertation, long essay

eindwoning [de^{v}] end house

eindzege [de] 1 ⟨sport⟩ first place ♦ *de eindzege **behalen*** be the overall winner 2 ⟨mil⟩ (final) victory/triumph

einzelgänger [de^{m}] loner, lone wolf

eirond [bn] oval, ovoid

eis [de^{m}] 1 ⟨wat men verlangt alvorens tevreden te zijn⟩ requirement, demand, claim ♦ ***aan** de eisen **voldoen*** meet the requirements, be up to standard; ***aan** alle eisen **voldoen*** fulfill/meet all requirements; *de remmen moeten **aan** de strengste eisen voldoen* the brakes have to comply with the strictest requirements; *dit zijn de **gestelde** eisen* these are the requirements; *aan de **gestelde** eisen voldoen* meet the requirements; ***hoge** eisen stellen aan iemands bekwaamheid* make high/heavy/great demands (up)on s.o.'s competence; *aan onze vertegenwoordigers stellen wij **hoge** eisen* our representatives have to meet stringent requirements; *de eis **stellen** dat ...* press for ..., require that ..., call for ...; *zijn eisen minder hoog **stellen*** lower one's requirements; *hij **stelt** geen eisen* ⟨lett⟩ he makes no demands; he is not exacting, his needs are small; *zijn eisen naar voren brengen* assert one's claims 2 ⟨vordering krachtens recht of macht⟩ demand, requirement ♦ *iemands eisen **inwilligen*** comply with s.o.'s demands; *zijn eisen **matigen*** moderate/relax/ mitigate one's demands 3 ⟨voorwaarde voor een tegenprestatie⟩ demand, term ♦ ***afdingen op** iemands eisen* challenge s.o.'s demands/terms; *akkoord gaan met iemands eisen* agree to s.o.'s demands/terms 4 ⟨wat behoort krachtens normen, gedragsregels⟩ requirement, need ♦ *als **algemene** eis geldt dat ...* it is a general requirement that ...; *volgens de eisen van de **betamelijkheid** ...* decency requires (that) ...; *aan de eisen des **tijds** voldoen* conform to modern standards, be up-to-date; *de eisen van het moderne **verkeer*** modern traffic requirements 5 ⟨jur⟩ claim, suit, petition, ⟨strafrecht⟩ sentence demanded ♦ *een **incidentele** eis* an interlocutory application, an application for interlocutory relief; *de eis van het Openbaar **Ministerie** was vier jaar* the Prosecution demanded four years; *haar eisen werden **ontvankelijk** verklaard* her action/claim was pronounced admissible/ was allowed; *iemand zijn eis **ontzeggen*** dismiss s.o.'s claim, nonsuit s.o.; *een **principale** eis* an application for (final) judgement; *iemand zijn eis **toewijzen*** allow/sustain s.o.'s claim; *een eis **tot** echtscheiding indienen* present a petition for divorce; sue for divorce; *tegen iemand een eis **tot** schadevergoeding instellen* bring a claim for damages against s.o., sue s.o. for damages; *de eis **was/luidde** levenslang* life imprisonment was demanded

eïs [de] E sharp

eisen [ov ww] 1 ⟨verlangen⟩ demand, require, claim, make demands on ♦ *dringend de **aandacht** eisen* clamour for attention; *een goede **behandeling** eisen* demand proper treatment; ***gehoorzaamheid** eisen* demand obedience; *meer **geld** eisen* require more money; ***genoegdoening** eisen voor iets* demand that sth. ^{B}be set right, ⟨AE ook⟩ demand that sth. is set right, demand satisfaction for sth.; *iets **krachtig/dringend** eisen* press for sth., insist on sth.; *het ongeval eiste vier **mensenlevens*** the accident claimed four lives; *een zware **tol** eisen, zijn **tol** eisen* take a heavy toll, take its toll; *iets **van** iemand eisen* demand sth. from/of s.o.; *je eist te veel **van** jezelf* you are overtasking yourself, you demand/ask too much of yourself; *het eiste te veel **van** zijn krachten* it overtaxed his strength/powers 2 ⟨jur⟩ demand, sue for ♦ *het Openbaar Ministerie eiste drie **jaar*** the Prosecution demanded three years; ***schadevergoeding** eisen* claim damages, make a claim/put in a claim for damages; *iets in rechte eisen* sue for sth. 3 ⟨tot voorwaarde hebben⟩ require, call for ♦ *een **losgeld** voor iemand eisen* hold s.o. to ransom; *dat eist **overleg*** consultation is called for

eisenpakket [het] list of demands, log of claims, ⟨niet conflictueus⟩ set of requirements ♦ *iemand een eisenpakket **voorleggen*** present s.o. with a list of demands

eiser [de^{m}], **eiseres** [de^{v}] 1 ⟨iemand die iets eist⟩ requirer, claimer 2 ⟨jur⟩ plaintiff, ⟨m.b.t. echtscheiding; man & vrouw⟩ petitioner, ⟨in strafzaak; man⟩ prosecutor, ⟨vrouw⟩ prosecutrix, ⟨man & vrouw⟩ prosecuting party, ⟨m.b.t. schadevergoeding; man & vrouw⟩ claimant, ⟨m.b.t. verkrachting; man & vrouw⟩ complainant

eiseres [de^{v}] → **eiser**

eisprong [de^{m}] ⟨biol⟩ ovulation

eistadium [het] egg stage

eitand [de^{m}] egg tooth

eitje [het] 1 ⟨klein ei⟩ (small) egg, ⟨kiemcel⟩ ovum, ovule ♦ *eitjes **leggen*** lay eggs; ⟨vnl. m.b.t. insecten⟩ ↑ oviposit; ⟨in België; fig⟩ *een eitje met iemand te **pellen** hebben* have a bone to pick with s.o.; *een **zacht** eitje* ⟨lett⟩ a soft-boiled egg; ⟨fig⟩ a wally 2 ⟨makkie⟩ piece of cake, ⟨BE⟩ doddle, easy-peasy

eivlies [het] 1 ⟨m.b.t. dieren⟩ shell membrane 2 ⟨m.b.t. de mens⟩ egg membrane

eivol [bn] packed, ⟨alleen predicatief⟩ brimfull, chockfull, chock-a-block

eivorm [de^{m}] oval, ovoid

eivormig [bn] egg-shaped, oval, oviform, ovate, ovoid(al)

eiwit [het] 1 ⟨witte stof in een ei⟩ egg white, white of an egg, albumen ♦ ***geklopt** eiwit* whisked/beaten egg white; *tot sneeuw **geklopt** eiwit* stiffly beaten egg white 2 ⟨proteïne⟩ protein, albumin ♦ ***dierlijk/plantaardig** eiwit* animal/ vegetable protein

eiwitachtig [bn] albuminous, albuminoid, protein-like, proteinaceous, proteinic, ⟨slijmerig⟩ glairy ♦ *een eiwitachtige **stof*** an albuminoid; ⟨slijmerig⟩ a glaire

eiwitarm [bn] low-protein, poor/deficient in proteins

eiwithoudend [bn] albuminous, containing protein

eiwitmantel [de^{m}] coat protein

eiwitrijk [bn] high-protein, rich in proteins

eiwitstof [de] albumen, protein, albuminous matter, albuminoid

ejaculaat [het] ejaculate

ejaculatie [de^{v}] ejaculation, emission

ejaculeren [onov ww] 1 ⟨van een man⟩ ejaculate 2 ⟨van een vrouw⟩ squirt

ejecten [ov ww] eject

ejectie [de^{v}] 1 ⟨uitstoting van bloed door het hart⟩ ejection 2 ⟨afstoting van een transplantaat⟩ rejection

ejector [de^{m}] ejector

e.k. [afk] 1 (eerste kwartier) first quarter 2 (eerstkomende) ⟨enkelvoud⟩ next, ⟨mv⟩ next few

EK [de^{mv}] ⟨sport⟩ (Europe(e)s(e) Kampioenschap(pen)) European championship(s)

EKO-keurmerk [het] ecological quality symbol

ekster [de] magpie ♦ *praten/klappen **als** een ekster* chatter like a magpie

eksteroog [het] corn ♦ *iemand **op** zijn eksterogen trappen* tread on s.o.'s corns

eksteroogpleister [de] corn plaster

el [de] 1 ⟨oude lengtemaat⟩ yard ⟨Engelse el, 91 cm⟩, ⟨vnl

Bijb⟩ ± cubit, ⟨gesch⟩ ell [2] ⟨meetlat⟩ yardstick ♦ ⟨fig⟩ *iets met de el uitmeten* lay it on thick

elan [het] zest, élan, zeal, fervour ♦ ***met** elan* with elan/ zest/fervour; ⟨zwier⟩ with panache

eland [de^m] elk, ⟨Noord-Amerikaanse eland⟩ moose

elasticiteit [de^v] elasticity

elasticiteitsgrens [de] elastic limit

elastiek [het] [1] ⟨gummi⟩ rubber, elastic ♦ ⟨wielersp⟩ ***aan** het elastiek **hangen*** be on the point of losing ground; ⟨fig⟩ *zijn geweten is **van** elastiek* he has an elastic conscience [2] ⟨geweven band⟩ elastic ♦ ***rond** elastiek* elastic cord [3] ⟨elastiekje van gummi⟩ rubber band, ⟨BE⟩ elastic band

[1]**elastieken** [bn] elastic

[2]**elastieken** [onov ww] ± jump-rope

elastiekje [het] rubber band, ⟨BE⟩ elastic band

elastiekspringen [ww] bungee jumping

elastisch [bn] elastic, ⟨tred ook⟩ springy, ⟨metaal, hout⟩ springy, flexible, ⟨stof ook⟩ stretchy, ⟨spier, mens⟩ supple ♦ ⟨fig⟩ *een elastisch **begrip*** a fluid concept; *elastisch **maken*** elasticize; ⟨fig⟩ *deze bepalingen zijn **niet** elastisch genoeg* these provisions aren't flexible enough; ⟨fig⟩ *elastische **regels*** elastic rules

elastomeer [het] elastomer

Elckerlijc [de^m] Everyman

elders [bw] elsewhere ♦ *goederen elders **betrekken*** obtain/ get goods elsewhere/from another supplier/source; *zijn vakantie elders **doorbrengen*** spend one's holidays somewhere else; *(naar) elders **gaan*** go elsewhere; *met zijn **gedachten** elders* woolgathering, absent-minded; *elders **in de kost** gaan/doen* board out; ***nergens** elders* nowhere else; ***overal** elders* everywhere/anywhere else; *elders **rechtvaardigheid** preken* preach justice abroad; *hij komt **van** elders* he is from elsewhere; *zijn ouders **wonen** elders* his parents live elsewhere

eldorado [het] ⟨fig; paradijs⟩ eldorado, ⟨belastingparadijs⟩ tax haven

Eldorado [het] ⟨fabelachtig land⟩ eldorado

electie [de^v] election

electoraal [bn] electoral ♦ *uit electorale **overwegingen*** for electioneering purposes; *uit iets electorale **voordelen** proberen te halen* try to turn sth. to electoral advantage

electoraat [het] [1] ⟨hoedanigheid van kiezer⟩ electoral status [2] ⟨kiezersvolk⟩ electorate [3] ⟨waardigheid van keurvorst⟩ electorate [4] ⟨keurvorstendom⟩ electorate

electoralisme [het] electioneering

electric boogie [de] electric boogie

electro [de^m] electro

electroclash [de^m] electroclash

electronic publishing [de] electronic publishing

elefantiasis [de^v] [1] ⟨verdikking van de huid⟩ pachydermia [2] ⟨knobbelmelaatsheid⟩ elephantiasis

élégance [de^v] elegance

elegant [bn, bw] ⟨beweging, stijl, schrijver, manieren⟩ elegant ⟨bw: ~ly⟩, ⟨mens, smaak⟩ refined ♦ *een elegante **dame*** a lady of refinement; *hij **drukte** zich elegant **uit*** he used an elegant turn of phrase; *een uiterst elegante **jongeman*** a most polished young man; *een elegante **oplossing** van een vraagstuk* an elegant solution to a problem; *een elegante **verschijning*** an elegant figure/appearance

elegantie [de^v] elegance ♦ *het **toppunt** van elegantie* the height of elegance

elegie [de^v] [1] ⟨klaagdicht⟩ elegy [2] ⟨muz⟩ elegy, ⟨bij rouwplechtigheid⟩ dirge

elegisch [bn, bw] elegiac

elektra [het, de^v] [1] ⟨aansluiting op het elektrisch net⟩ electricity [2] ⟨verbruik⟩ electricity [3] ⟨artikelen⟩ ⟨BE⟩ electrics, electrical equipment/goods

elektricien [de^m] electrician

elektriciteit [de^v] [1] ⟨vorm van energie⟩ electricity ♦ ***atmosferische** elektriciteit* atmospheric electricity; ***geïnduceerde** elektriciteit* induced electricity; ***negatieve/positieve** elektriciteit* negative/positive electricity; ***statische** elektriciteit* static electricity [2] ⟨aansluiting op het elektrisch net⟩ electricity ♦ *elektriciteit **aanleggen*** lay on electricity; *het dorp heeft **gas** en elektriciteit* the village has gas and electricity; *de elektriciteit is nog niet **aangesloten*** the electricity isn't on yet, we aren't connected to the mains yet [3] ⟨verbruik⟩ electricity

elektriciteitsbedrijf [het] electricity company

elektriciteitscentrale [de], **elektriciteitsfabriek** [de^v] power station, (electricity) generating station

elektriciteitsfabriek [de^v] → **elektriciteitscentrale**

elektriciteitskabel [de^m] cable, ⟨BE⟩ flex, ⟨AE⟩ electric cord

elektriciteitsmeter [de^m] electricity meter

elektriciteitsnet [het] electricity grid ♦ *het **nationale** elektriciteitsnet* the national grid

elektriciteitsrekening [de^v] electricity bill, ⟨AE ook; inf⟩ electric bill

elektriciteitsstoring [de^v] electricity/current/power failure, electricity/current/power breakdown

elektriciteitstarief [het] electricity rate/tariff ♦ *de elektriciteitstarieven **verhogen*** raise the electricity charges/rates

elektriciteitsverbruik [het] consumption of electricity

elektriciteitsvoorziening [de^v] electricity supply, supply of electricity, (electric) power supply

elektrificatie [de^v] electrification

elektrificeren [ov ww] electrify ♦ *een **spoorweg** elektrificeren* electrify a railway

[1]**elektrisch** [bn] [1] ⟨met elektriciteit geladen⟩ electric ♦ *de **dampkring** is elektrisch* the atmosphere is charged with electricity; *elektrische **installatie*** electrical installation; *elektrisch **koken*** cook with/on electricity; *de elektrische **stoel*** the electric chair; ⟨inf⟩ the chair; ⟨sl⟩ the hot seat; *elektrisch **veld*** electric field [2] ⟨door elektriciteit bewogen, veroorzaakt⟩ electric ♦ *elektrische **apparaten*** electrical appliances/ equipment; *elektrische **cel*** electric cell; *een elektrische **deken*** an electric blanket; *elektrische **kachel*** electric fire/heater/ radiator; *een elektrische **schok*** an electric shock [3] ⟨van de aard van elektriciteit⟩ electrical ♦ *elektrische **energie*** electrical energy/power; *elektrische **spanning*** voltage, tension [4] ⟨elektriciteit voortbrengend⟩ electric ♦ *een elektrische **centrale*** a power station; *een elektrisch **element*** an electric element

electric of electrical?

electric – in overdrachtelijke zin: opwindend
· *the atmosphere in the club was electric*
electric – werkend op elektriciteit (bij een specifiek apparaat)
· *an electric guitar, an electric blanket*
electrical – werkend op elektriciteit (bij een algemeen woord voor apparaat of apparaten)
· *electrical machinery, an electrical appliance*
electrical – technisch elektrisch
· *the fire was caused by an electrical fault; he is an electrical engineer*

[2]**elektrisch** [bw] ⟨door, met elektriciteit⟩ electrically ♦ *elektrisch **negatief** geladen* electronegative; *elektrisch **positief** geladen* electropositive; *elektrisch **verlicht*** lit by electricity/ electrically; *dat toestel **werkt** elektrisch* that appliance uses electricity/is worked/operated by electricity

elektriseermachine [de^v] electrostatic generator

elektriseren [ov ww] [1] ⟨elektriciteit opwekken in⟩ electrify [2] ⟨fig⟩ electrify, galvanize [3] ⟨med⟩ treat with electricity

elektroanalyse [de^v] electroanalysis

elektrocardiografie [de^v] electrocardiography

elektrocardiogram [het] electrocardiogram

elektrochemie [de^{v}] [1] ⟨m.b.t. chemische en elektrische verschijnselen⟩ electrochemistry [2] ⟨m.b.t. de omzetting van chemische in elektrische energie⟩ electrochemistry
elektrocoagulatie [de^{v}] ⟨med⟩ electrocoagulation
elektrocuteren [ov ww] electrocute
elektrocutie [de^{v}] electrocution
elektrode [de^{v}] electrode ◆ ***negatieve** elektrode* negative electrode; ***positieve** elektrode* positive electrode
elektrodialyse [de^{v}] electrodialysis
elektrodynamica [de^{v}] electrodynamics
elektrodynamisch [bn] electrodynamic ◆ *elektrodynamische **kracht*** electrodynamic force
elektro-encefalograaf [de^{m}] electroencephalograph
elektro-encefalogram [het] electroencephalogram
elektrofiets [de] electrobike
elektrokinetisch [bn, bw] electrocinetic ⟨bw: ~ally⟩
elektroluminescentie [de^{v}] electroluminescence
elektrolyse [de^{v}] electrolysis
elektrolyt [de^{m}] electrolyte
^{1}**elektrolytisch** [bn] ⟨m.b.t. elektrolyse⟩ electrolytic
^{2}**elektrolytisch** [bw] ⟨door, met elektrolyse⟩ electrolytically ◆ *elektrolytisch **verkregen koper*** copper obtained by electrolysis, electrolytic copper
elektromagneet [de^{m}] electromagnet
elektromagnetisch [bn] electromagnetic ◆ *elektromagnetische **schakelaar*** solenoid switch
elektromagnetisme [het] electromagnetism
elektrometer [de^{m}] electrometer
elektromonteur [de^{m}] electrical fitter, electrician
elektromotor [de^{m}] (electric) motor
elektromotorisch [bn] ▪ *elektromotorische **kracht** (emk)* electromotive force (EMF)
elektromyograaf [de^{m}] electromyograph
elektromyografie [de^{v}] electromyography
elektron [het] [1] ⟨natuurk⟩ electron [2] ⟨magnesiumlegering⟩ Elektron ⟨handelsmerk⟩
elektronenbuis [de] electron tube, ⟨met vacuüm⟩ vacuum tube, ⟨BE ook⟩ vacuum valve, ⟨met warmte⟩ thermionic tube/valve
elektronenemissie [de^{v}] electron emission, ⟨bij hoge temperatuur⟩ thermionic emission
elektronenflitser [de^{m}] electronic flash
elektronenkanon [het] electron gun
elektronenlens [de] electron lens
elektronenmicroscoop [de^{m}] electron microscope
elektronentheorie [de^{v}] (theory of) electronics
elektronenversneller [de^{m}] betatron
elektronenwolk [de] electron cloud
elektronica [de^{v}] electronics
elektronicus [de^{m}] electronic engineer
elektronisch [bn, bw] electronic ⟨bw: ~ally⟩ ◆ *elektronisch **betalen*** make an electronic payment; *elektronisch **brein*** electronic brain; *elektronische **muziek*** electronic music; *elektronisch **oog*** electric eye; *elektronisch **orgel*** electronic organ; *elektronische **post*** electronic mail, e-mail; *elektronische **rekenmachine*** computer; *elektronisch **winkelen*** electronic shopping, shopping by computer
elektroscoop [de^{m}] electroscope
elektroshock [de^{m}] electroshock
elektrostatica [de^{v}] electrostatics
elektrostatisch [bn] electrostatic
elektrotechnicus [de^{m}] electrical engineer, electrotechnician
elektrotechniek [de^{v}] electrotechnology, electrotechnics, electrical engineering
elektrotechnisch [bn] electrical, electrotechnic(al) ◆ *elektrotechnisch **ingenieur*** electrical engineer; *elektrotechnische **woordenlijst*** electrotechnical glossary, dictionary of electrical engineering (terms)
elektrotherapie [de^{v}] electrotherapy

element [het] [1] ⟨gesch⟩ element ◆ *het **natte** element* the aqueous element, water [2] ⟨scheik⟩ element ◆ ***kunstmatige** elementen* synthetic elements [3] ⟨vormend (hoofd)bestanddeel⟩ element, component, factor, ingredient, aspect ◆ *een **essentieel/onmisbaar** element ontbrak* an essential element/component/ingredient was missing; *dat element **miste** ik in zijn betoog* that element/aspect was missing in his argument; *water is het **voornaamste** element in veel natuurproducten* water is the most important component in many natural products [4] ⟨persoon⟩ element ◆ ***ongewenste** elementen* undesirable elements, undesirables; *een **storend** element* a disturbing element [5] ⟨bouwk⟩ component, element, unit ◆ ***geprefabriceerde** elementen* prefabricated components/units; *een bank bestaande uit drie **losse** elementen* a couch/sofa/settee consisting of three separate components/units [6] ⟨plaats waar men zich thuis voelt⟩ element ◆ ***in** zijn element zijn* be in one's element; *zich **in** zijn element voelen* be in one's element, feel (completely) at home; *hij voelt zich niet **in** zijn element* he feels lost/out of it/like a fish out of water; *hij voelt zich helemaal **in** zijn element* he feels like a fish in the water [7] ⟨mv; weersomstandigheden⟩ elements ◆ *de elementen **trotseren*** brave the elements; *de strijd tegen de elementen* the battle with the elements [8] ⟨m.b.t. een pick-up⟩ cartridge ◆ *een **magnetodynamisch** element* a magnetic cartridge [9] ⟨natuurk; toestel⟩ cell [10] ⟨wisk⟩ element [11] ⟨eenheid in een elektrisch verwarmingstoestel⟩ element ◆ *een elektrische radiator met **twee** elementen* a two-bar electric fire [12] ⟨kies, tand⟩ element
elementair [bn] [1] ⟨de basisbeginselen betreffend⟩ elementary, fundamental, basic ◆ *een elementaire **fout*** an elementary mistake; *elementaire **kennis*** elementary/fundamental/basic/rudimentary knowledge; *elementaire **wiskunde*** elementary/basic mathematics [2] ⟨de (hoofd)bestanddelen betreffend⟩ elementary, elemental, fundamental, basic ◆ *een elementair **onderdeel** is zoek* a basic/an essential part is missing [3] ⟨noodzakelijk⟩ elementary, elemental, fundamental, basic, essential, vital ◆ *elementaire **behoeften*** elementary/fundamental/basic/vital/elemental needs [4] ⟨natuurk⟩ elementary ◆ *elementaire **deeltjes*** elementary particles; *elementair **kwantum*** unit quantity [5] ⟨de chemische elementen betreffend⟩ elementary, elemental ▪ *met elementaire **kracht*** with elemental power/force
elevatie [de^{v}] [1] ⟨verheffing⟩ elevation [2] ⟨r-k⟩ elevation [3] ⟨bouwk⟩ elevation [4] ⟨hoek van een lijn⟩ elevation
elevatiehoek [de^{m}] ⟨mil⟩ elevation
elevator [de^{m}] elevator, ⟨graanzuiger⟩ grain elevator, ⟨zandzuiger⟩ suction dredger
^{1}**elf** [de; elfen] [1] ⟨sprookjesfiguur⟩ elf, pixie, sprite, ⟨vrouw vnl.⟩ fairy [2] ⟨ijle geestengestalte⟩ shade, spirit
^{2}**elf** [de; elven] ⟨cijferteken⟩ eleven ◆ *de wijzers staan al bijna **op** de elf* the hands are nearly on eleven
^{3}**elf** [hoofdtelw] eleven ◆ ⟨zelfstandig (gebruikt)⟩ *het is **bij** elven/op slag van elven* it's close on eleven/on the stroke of eleven; ***de** elf van Oranje* the Dutch eleven/team; ⟨zelfstandig (gebruikt)⟩ *zij waren met **hun** elven* they were eleven, there were eleven of them; ⟨zelfstandig (gebruikt)⟩ *deel dit onder **u** elven* divide this among the eleven of you
^{4}**elf** [rangtelw] eleventh ◆ *elf **maart*** ⟨BE⟩ March the eleventh, ⟨AE⟩ March eleventh
^{1}**elfde** [het] eleventh ◆ ***drie** elfde* three elevenths
^{2}**elfde** [rangtelw] eleventh ◆ *daar komt **de** elfde* here comes the eleventh (man/woman); *de elfde **maart*** the eleventh of March
elfenbankje [het] bracket/shelf fungus
elfenbloem [de^{m}] epimedium
elfendertigst [rangtelw] ⟨scherts⟩ ▪ ***op** zijn elfendertigst* at a snail's pace; in a roundabout way; *alles gaat hier **op** zijn elfendertigst* everything here is done/happens at a snail's pace, they've only got one speed here

elfenkoning [de^m^], **elfenkoningin** [de^v^] King/Queen of the Fairies, Fairy King/Queen
elfenkoningin [de^v^] → **elfenkoning**
elfhoek [de^m^] hendecagon, undecagon, eleven-sided figure
elfmeter [de^m^] ⟨sport⟩ penalty kick
Elfstedentocht [de^m^] 'Elfstedentocht', 11-city skating race, skating marathon in Friesland
elftal [het] [1] ⟨sport⟩ eleven, side, team ◆ *het **eerste** elftal* the first team; *het **nationale** elftal* the national team; *het **tweede** elftal* the reserve team, the reserves [2] ⟨elf eenheden⟩ (set/group of) eleven
eliminatie [de^v^] [1] ⟨verwijdering⟩ elimination, removal ◆ ***geleidelijke** eliminatie* gradual elimination; ⟨inf⟩ phase-down, phase-out [2] ⟨het doden⟩ elimination, liquidation [3] ⟨wisk⟩ elimination [4] ⟨med⟩ elimination
elimineren [ov ww] [1] ⟨wegwerken⟩ eliminate, remove, ⟨inf⟩ cut out ◆ ***geleidelijk** elimineren* gradually eliminate; ⟨inf⟩ phase down, phase out [2] ⟨doden⟩ eliminate, liquidate, ⟨inf⟩ rub out
elisie [de^v^] ⟨taalk⟩ elision
elitair [bn] [1] ⟨eigen aan een elite⟩ elitist ◆ *een elitaire **houding** aannemen* be elitist/superior/a snob, behave arrogantly/snobbishly [2] ⟨voorbehouden aan een elite⟩ elite
elitarisme [het] elitism
elite [de] elite, ⟨puikje⟩ pick (of the bunch), cream, ⟨hogere kringen⟩ top/best people, upper crust, (high) society ◆ ***bijeenkomst** van de elite* society function, ↓society do; ***onder** de elite* amongst the elite, elite; in (high) society; ***tot** de elite **behoren*** belong to the elite; belong to the upper crust/to (high) society
elitegroep [de], **elitekorps** [het] elite (group), ⟨form⟩ corps d'élite
elitehaver [de] mixed nuts and oats
elitekorps [het] → **elitegroep**
eliterenner [de^m^] competitive cyclist over 23
elitetroepen [de^mv^] elite troops, ⟨inf⟩ crack troops
elixer [het] [1] ⟨extract van kruiden, planten enz.⟩ elixir [2] ⟨oplossing met bittere smaak⟩ elixer, bitters
elk [onbep vnw] [1] ⟨zelfstandig (gebruikt); ieder uit een beperkt aantal⟩ ⟨m.b.t. twee of meer⟩ each (one), ⟨m.b.t. meer dan twee; alle(n)⟩ every one ◆ ***van** elk vier (stuks)* four of each; *elk **van** hen/van die dingen* each (one)/every one of them/of those things [2] ⟨zelfstandig (gebruikt); ieder(een)⟩ everyone, everybody, ⟨form⟩ each ◆ *elke **tweede*** every other/second one; *melk is goed **voor** elk* ⟨slagzin⟩ drinka pinta milka day; *elk het **zijne** geven* to each his own; *elk voor zich* everyone for himself; *er is daar voor elk wat wils* there's sth. for everyone/everybody there [3] ⟨bijvoeglijk⟩ ⟨m.b.t. twee of meer⟩ each, ⟨m.b.t. meer dan twee; alle⟩ every, ⟨welke dan ook⟩ any ◆ *ze komen elke **dag*** they come every day; *ze kunnen elke **dag** komen* they can come any day; *in elk **geval*** in any case, at any rate, anyhow, anyway; *aan elke **hand** een tas* (with) a bag in either/each hand; *elke **keer** dat hij komt* each/every time he comes; *elk **kind** kan je dat vertellen* any child can tell you that; *in elk **opzicht*** in every respect, in all respects, in every way [·] ⟨sprw⟩ *elk huisje heeft zijn kruisje* ± every man has his cross to bear; ⟨sprw⟩ *elke gek heeft zijn gebrek* ± every man has his faults; ⟨sprw⟩ *elk wat wils* there is sth. for everyone; all tastes are catered for
elkaar [wdg vnw] [1] ⟨zonder voorzetsel⟩ each other, one another ◆ *elkaar **groeten*** greet/speak to each other/one another; *elkaar **helpen*** help each other/one another; *elkaar uit de weg gaan* avoid each other/one another [2] ⟨met voorzetsel⟩ each other, one another ◆ *ze zijn **aan** elkaar gewaagd* they are well matched/a good match; *twee touwen **aan** elkaar binden* tie two ropes together; *de landerijen grenzen **aan** elkaar* the estates border (on)/adjoin each other/one another; ***achter** elkaar* ⟨m.b.t. tijd⟩ in succession, consecutively, ⟨BE⟩ running; ***achter** elkaar staan* stand one behind the other, stand in line, ⟨BE⟩ queue (up); *vier keer **achter** elkaar* four times in succession; *weken/uren **achter** elkaar* for weeks/hours on end/at a time/together; *niet te lang **achter** elkaar* not too long at a time/without a break; *tien minuten **achter** elkaar* (for) ten minutes without a break; *voor de vierde keer **achter** elkaar* for the fourth time in succession; *drie boeken **achter** elkaar uitlezen* read three books one after the other; *vlak/snel/onmiddellijk **achter** elkaar* just/soon/immediately after one another; *hij heeft een uur **achter** elkaar gepraat* he went on talking for a whole hour, he has been speaking/spoke for an hour (without a break/pause); *zij liepen **achter** elkaar de kamer in/uit* they filed into/out of the room; *wij hadden twee dagen **achter** elkaar feest* we had a party two days running; ***bij** elkaar* ⟨optelsom⟩ (all) together, in all, all told; ⟨in elkaars gezelschap⟩ together; *alles **bij** elkaar* ⟨uiteindelijk⟩ in the end; ***bij** elkaar komen* meet, assemble, get/come together; *geld **bij** elkaar leggen* ⟨BE⟩ club together, ⟨AE⟩ go together; *wij blijven **bij** elkaar* we stick/keep together; *alles **bij** elkaar (genomen)* on the whole, altogether, all in all; ***bij** elkaar op bezoek komen* visit each other/one another; *papieren **bij** elkaar leggen* sort papers; *de boel goed **bij** elkaar houden* keep things together/going; *wij zijn thans **bij** elkaar om ...* we are gathered together in order to ...; *meer dan alle anderen **bij** elkaar* more than all the others put together; *zij zitten de hele dag **bij** elkaar* they are together all day; *alles **bij** elkaar kost het 45 euro* that makes/that's 45 euros in all/all told; *zodra we het geld **bij** elkaar hebben* as soon as we have raised the money/got the money together; *allen **bij** elkaar zijn er 22 personen* they are 22 persons all told; *hoe krijg ik zoveel geld **bij** elkaar?* how can I raise so much money/such a sum?; *hij heeft heel wat **bij** elkaar gelezen* ⟨belezen⟩ he's very well read; ⟨over bepaald onderwerp⟩ he's read up a lot on/about it; *hij heeft ze niet allemaal **bij** elkaar* he's got a screw loose, he's not all there; *hoe krijg ik al die mensen **bij** elkaar?* how will I get all those people together?; *elkaar **bij** de schouders/de handen pakken* take each other/one another by the shoulder/hand; *zoveel geld heb ik nooit **bij** elkaar gezien* I've never seen so much money at once; *zij hebben 50 euro **bij** elkaar kunnen leggen* they were able to raise 50 euros; ***door** elkaar raken* get mixed up/confused/muddled; ***door** elkaar roeren* mix; ***door** elkaar spreken* speak at the same time; *alles ligt **door** elkaar* everything is mixed up/jumbled up/confused/higgledy-piggledy; *hij gooit alles **door** elkaar* ⟨lett⟩ he mixes/jumbles everything up; ⟨fig; voor anderen⟩ he throws everything into confusion; ⟨fig; voor zichzelf⟩ he gets muddled/confused, he mixes everything up; *iemand **door** elkaar schudden* shake s.o. up, give s.o. a shaking; *alles staat hier **door** elkaar* everything here is mixed up; *de kinderen lopen **door** elkaar* the children are running all over the place/every which way; *feiten/gebeurtenissen **door** elkaar halen* mix up/confuse/muddle facts/events; *de betekenissen van dat woord/die woorden lopen **door** elkaar* the meanings of that word/those words are interchangeable/can be used interchangeably/indiscriminately; *in elkaars **gezelschap*** in each other's/one another's company, together; ***in** elkaar passen* fit (together); ***in** elkaar vouwen* fold together/up; ***in** elkaar zakken* collapse; ***in** elkaar zetten* ⟨machine⟩ fit/put together, assemble; ⟨fiets⟩ put together, assemble; ⟨jurk⟩ run up; ⟨borden⟩ stack; ⟨vlug of slordig⟩ knock together; ⟨plannetje⟩ contrive, think up; *hij stortte **in** elkaar* he went/fell to pieces/broke down/collapsed; *hoe zit dat **in** elkaar* how does it work?, tell me how it's put together; ⟨fig⟩ tell me all about it; ↓fill me in, ↓give me the low-down; *iemand **in** elkaar slaan* beat s.o. up; *dingen **in** elkaar voegen/zetten* put/fit things together, assemble things; *de onderneming stortte **in** elkaar* the business collapsed; ⟨inf⟩ the business went bust/broke; *een brief snel **in** elkaar draaien* quickly put a letter together; knock ^B^up/^A^out a letter; *het verhaal zit goed/slecht **in** elkaar* the story is well/badly planned/conceived/

thought out; *hij heeft zijn motor* ***in*** *elkaar gedraaid* he has wrecked his engine; *zij praten* ***langs*** *elkaar heen* they are talking at cross purposes; *zij* ***lijken op*** *elkaar* they look like/resemble one another; *landen in oorlog* ***met*** *elkaar* countries at war (with each other/one another); *zij werden het* ***met*** *elkaar eens* they came to/reached an agreement; *zij spreken niet meer* ***met*** *elkaar* they are not speaking/on speaking terms; *ze hadden* ***met*** *elkaar nog geen euro* they didn't have a euro between them; *twee keer* ***na*** *elkaar* twice in succession/in a row; *ze kwamen enkele minuten* ***na*** *elkaar binnen* they came in within a few minutes of each other/one another; ***naar*** *elkaar knipogen/lachen* wink/smile at one another; *broederlijk* ***naast*** *elkaar* cheek by jowl; ***naast*** *elkaar zitten/liggen/lopen* sit/lie/walk side by side/abreast; *ze zaten met zijn vieren* ***naast*** *elkaar* they sat/were sitting four abreast, the four of them sat/were sitting side by side; *we zijn toch* ***onder*** *elkaar* after all, we are by ourselves/on our own; *zij doen zaken* ***onder*** *elkaar* they do business amongst themselves; *getallen* ***onder*** *elkaar zetten* write/place figures in columns/one below the other; *het zijn vrienden* ***onder*** *elkaar* they are all friends (together); *de cijfers netjes* ***onder*** *elkaar schrijven* write the figures neatly one below the other; *zij moeten dat* ***onder*** *elkaar maar uitmaken* they must decide that/sort that out for/^{B}amongst/^{A}among themselves; *waar kunnen we hier ergens* ***onder*** *elkaar zijn?* where can we get/have some privacy here?; *dat moeten jullie* ***onder*** *elkaar uitvechten/bespreken* you must settle/discuss it amongst yourselves; ***op*** *elkaar liggen* lie one on top of the other, lie on top of one another; ***op*** *elkaar inrijden* crash into each other/one another; *met de lippen* ***op*** *elkaar* ⟨lett⟩ with closed lips; ⟨fig⟩ keeping one's mouth shut; *dozen* ***op*** *elkaar plaatsen* place/pile boxes on top of each other/one on top of the other; *loodrecht* ***op*** *elkaar staan* ⟨lett⟩ be at right angles to each other; ⟨fig⟩ be contradictory/incompatible; *de handen* ***op*** *elkaar krijgen* earn/get applause; ***op*** *elkaar gepakt zijn als haringen in een ton* packed like sardines in a tin; *met de benen* ***over*** *elkaar (geslagen)* with legs crossed; *twee personen* ***tegen*** *elkaar opzetten* cause/make trouble between two people; *dingen* ***tegen*** *elkaar zetten/leggen/drukken* put/lay/press things together; *lijnrecht* ***tegenover*** *elkaar staan* be (polar) opposites; ***uit*** *elkaar gaan* ⟨gezelschap, commissie, jury⟩ break up; ⟨vrienden, echtgenoten⟩ split up/break up; ⟨menigte, betogers⟩ disperse; *ik ken ze niet* ***uit*** *elkaar* I can't tell one from the other/tell them apart, I don't know which is which; *ze zijn* ***uit*** *elkaar gegroeid* they (have) drifted apart; *met de voeten ver* ***uit*** *elkaar* with feet far apart; *die groep is* ***uit*** *elkaar gevallen* the group has split up/broken up; *dit ding kan helemaal* ***uit*** *elkaar* this thing comes apart/takes to pieces/comes to pieces/can be taken apart completely; *een machine* ***uit*** *elkaar halen/nemen* strip down/dismantle/take apart a machine, take a machine to pieces; *niet (goed)* ***uit*** *elkaar kunnen houden* not be able to tell (people/things) apart, not be able to distinguish between (people/things); *ik kan die twee nooit* ***uit*** *elkaar houden* I'm always confusing/mixing up those two, I never know which of those two is which; *die auto valt bijna (van ellende)* ***uit*** *elkaar* that car is falling apart/to pieces/to bits; *met de lippen* ***van*** *elkaar* with lips parted/parted lips; *zij hebben veel* ***van*** *elkaar* they are very much alike, they closely resemble one another, they have a lot in common; ***van*** *elkaar trekken/scheuren* pull/tear apart; *zij zijn familie* ***van*** *elkaar* they are related; *met zijn benen ver* ***van*** *elkaar* with his legs wide apart; *mijn twee zussen hebben niets* ***van*** *elkaar* my two sisters have nothing in common/are very different; *het is* ***voor*** *elkaar* it is fixed (up), it has been taken care of/arranged, it has been seen to; *het komt* ***voor*** *elkaar* it will be fixed (up)/arranged/seen to; *de zaak is* ***voor*** *elkaar* the matter has been settled/arranged; ***voor*** *elkaar hebben/zijn* have/be seen to/fixed (up)/arranged/planned; *hij heeft zijn zaakjes goed* ***voor*** *elkaar* he's fixed things (up)/got things fixed (up)/seen to things; *iets niet* ***voor*** *elkaar kunnen krijgen/brengen* not manage (to do) sth., not be able to do sth., not get sth. done/right

elkeen [onbep vnw] ⟨form⟩ each, everybody, everyone, all

elleboog [de^m] [1] ⟨kromming van de arm⟩ elbow ♦ ⟨fig⟩ *hij heeft het* ***achter*** *zijn ellebogen* he's a sly one/dog/boots; *een jas waar de ellebogen* ***doorsteken*** an out-at-elbows coat; *zijn elleboog* ***stoten*** bang one's elbow; *de mouw reikt* ***tot*** *de elleboog* the sleeve is elbow-length/reaches to the elbow [2] ⟨benedenarm met de elleboog⟩ forearm ♦ *zijn ellebogen* ***gebruiken, met*** *de ellebogen* ***werken*** ⟨lett en fig⟩ use one's elbows; ⟨fig ook⟩ be pushy/ruthless, jockey for position; *ze moesten zich* ***met*** *de ellebogen een weg uit de winkel banen* they had to elbow their way out of the shop; *het hoofd* ***op*** *de ellebogen laten rusten* rest one's head on one's hands; *zijn ellebogen* ***steken*** *door de mouwen* he is out at elbows, his elbows are (worn) through [3] ⟨deel van een mouw⟩ elbow ♦ *mijn trui is door* ***aan*** *de ellebogen* my sweater is (worn) through at the elbows; *je ellebogen zijn* ***versleten*** you've worn holes in your elbows, your elbows are (worn) through [4] ⟨rechthoekige ombuiging⟩ elbow, knee, bend, crook

elleboogjesmacaroni [de^m] elbow macaroni

elleboogpijp [de] ulna, elbow(-joint)

elleboogstoot [de^m] elbow

ellende [de] [1] ⟨rampzalige toestand, omstandigheid⟩ misery, distress, squalor, ⟨armoede⟩ (abject) poverty, destitution ♦ *het* ***einde*** *van de ellende* the end of the tunnel; *als dat gebeurt is de ellende niet te* ***overzien*** if that happens it will be a right/real mess/a disaster; ***poel*** *van ellende* Slough of Despond; ***van*** *ellende wegkwijnen* waste away with misery/distress/hardship/care; ⟨inf⟩ *die auto valt* ***van*** *ellende uit elkaar* that car is falling apart/to pieces/to bits; ***wat*** *een ellende* how awful/dreadful; what an awful/rotten business/state of affairs [2] ⟨rampzalige ervaring⟩ misery, woe, suffering, misfortune ♦ *het was een* ***doffe*** *ellende* it was an awful business/affair [3] ⟨narigheid⟩ trouble, bother, fuss, nuisance ♦ *hij is de* ***bron*** *van alle ellende* he's the source of all the trouble/problems, he's nothing but trouble; *dat* ***geeft*** *alleen maar (een hoop) ellende* that will only/just cause (a lot of) trouble/bother/problems; *de ellende* ***is****, dat ...* the trouble/the rotten thing is that ...

ellendeling [de^m] wretch, ⟨schurk⟩ scoundrel, villain, ⟨vnl BE⟩ nasty piece/bit of work, bad 'un/lot

[1]**ellendig** [bn] [1] ⟨rampzalig⟩ awful, dreadful, miserable, dismal, wretched ♦ *ellendige* ***toestanden/ontwikkelingen*** awful/disastrous/dreadful conditions/developments; *ik* ***voelde*** *me ellendig* I felt rotten/awful/wretched/lousy/really down [2] ⟨beklagenswaardig, deerniswekkend⟩ wretched, pitiful, miserable, distressing ♦ *ellendige* ***mensen*** unfortunate/wretched/miserable/pitiable people [3] ⟨erbarmelijk⟩ pitiful, wretched, lamentable, pathetic ♦ *een ellendig* ***krot*** *van een huis* a wretched/miserable hovel [4] ⟨zeer onaangenaam, vervelend⟩ awful, dreadful, horrible, nasty ♦ *ik kan die ellendige* ***sommen*** *niet maken* I can't do those awful/rotten/beastly sums [5] ⟨onbetekenend⟩ measly, paltry, ⟨inf⟩ lousy ♦ *een ellendige honderd* ***euro*** a hundred measly euros, ⟨inf⟩ a hundred lousy euros, a measly/paltry hundred euros, a lousy hundred euros [6] ⟨verachtelijk⟩ despicable, contemptible, abject ♦ *ellendige* ***verraders*** contemptible/despicable traitors

[2]**ellendig** [bw] [1] ⟨op ellendige wijze⟩ awfully, dreadfully, miserably ♦ *wat* ***gaat*** *dat ellendig* what a dismal affair, it's like a funeral [2] ⟨in onuitstaanbare mate⟩ awfully, terribly, insufferably, dreadfully ♦ *het is ellendig* ***heet*** it is insufferably/dreadfully/terribly/awfully hot

ellenlang [bn, bw] lengthy ⟨bw: lengthily⟩, long-winded, long drawn-out, interminable, endless ♦ *iemand ellenlange* ***brieven*** *schrijven* write s.o. letters a mile long/incredibly long letters

ellenmaat [de] [1] ⟨lengtemaat⟩ yard ⟨Engelse el⟩, ⟨gesch⟩

ell [2] ⟨meetlat⟩ yardstick
ellenstok [de^{m}] yardstick
ellepijp [de] ulna
ellips [de] [1] ⟨wisk; ovaal⟩ ellipse, oval [2] ⟨wisk; vlakke kromme⟩ ellipse [3] ⟨taalk; weglating van woorden⟩ ellipsis, ellipse [4] ⟨taalk; uitdrukking, zin⟩ ellipsis
elliptisch [bn] [1] ⟨ellipsvormig⟩ elliptic(al), oval [2] ⟨taalk⟩ elliptic(al) [3] ⟨lit⟩ elliptic(al) [•] *elliptische **functies*** elliptic functions
elmsvuur [het], **elmusvuur** [het] Saint Elmo's fire, corposant, dead fire
elmusvuur [het] → **elmsvuur**
elocutie [de^{v}] elocution
éloge [de^{m}] eulogy, panegyric, ⟨bij overlijden lid Franse Academie⟩ éloge
eloquent [bn] eloquent, articulate, silver-tongued, smooth-tongued, persuasive
eloquentie [de^{v}] eloquence, articulacy, ⟨inf⟩ way with words, ⟨sl⟩ gift of the gab
elpee [de^{m}] LP (record), album, ↑ long-playing record
elpenbeen [het] ⟨form⟩ ⟨ogm⟩ ivory
^{1}**els** [de^{m}] ⟨boom⟩ alder
^{2}**els** [de] ⟨amb⟩ ⟨gebogen priem⟩ (brad)awl, bodkin, pricker
El Salvador [het] El Salvador

El Salvador	
naam	*El Salvador* El Salvador
officiële naam	*Republiek El Salvador* Republic of El Salvador
inwoner	*Salvadoraan* Salvadorian
inwoonster	*Salvadoraanse* Savadorian
bijv. naamw.	*Salvadoraans* Salvadorian
hoofdstad	*San Salvador* San Salvador
munt	*Amerikaanse dollar* US dollar
werelddeel	*Amerika* America
int. toegangsnummer 503 www .sv auto ES	

eluvium [het] ⟨geol⟩ eluvium
Elysisch [bn] Elysian
Elysium [het] Elysium, Elysian fields
Elzas [de^{m}] Alsace
Elzaskanaal [het] Great Alsace Canal
Elzas-Lotharingen [het] Alsace-Lorraine
Elzasser [de^{m}] Alsatian
Elzassisch [bn] Alsatian
elzenhout [het] alder-wood
elzenkatje [het] alder catkin
elzenprop [de] alder-cone
^{1}**elzevier** [de^{m}] ⟨drukwerk⟩ Elzevir
^{2}**elzevier** [de] ⟨lettertype⟩ elzevir
em. [afk] [1] (emeritus) em [2] (Eminentie) E
email [het] [1] ⟨glazuur⟩ enamel, glaze, stove-enamel [2] ⟨met glazuur bedekt materiaal⟩ enamel [3] ⟨voorwerp⟩ enamel [4] ⟨tandglazuur⟩ enamel
e-mail [de] [1] ⟨elektronische post⟩ e-mail ♦ *e-mail **hebben*** ⟨e-mail kunnen versturen⟩ be on/have e-mail [2] ⟨bericht⟩ e-mail ♦ *(een) e-mail **ontvangen** van* get/receive (an) e-mail from; *iemand een e-mail(tje) **sturen** over iets* e-mail s.o. about sth.; *(een) e-mail **versturen*** (send (an)) e-mail
e-mailadres [het] e-mail address
e-mailbericht [het] e-mail message
e-mailbox [de^{m}] e-mail box
e-mailen [ov ww] e-mail
emaillak [het, de^{m}] enamel (paint)
emailleeroven [de^{m}] enamelling furnace/oven/stove, ⟨AE⟩ enameling furnace/oven/stove
emaillen [bn] enamelled, ⟨AE⟩ enameled ♦ *emaillen **pannen*** enamel/enamelled/^{A}enameled pans; enamelware
emailleren [ov ww] [1] ⟨met email bekleden⟩ enamel ♦ *geëmailleerde **pannen*** enamel/enamelled/^{A}enameled pans, enamelware [2] ⟨met emailwerk versieren⟩ enamel
emailleur [de^{m}] [1] ⟨iemand die emailleert⟩ enameller, ⟨AE⟩ enameler [2] ⟨kunstenaar⟩ enamellist, ⟨AE⟩ enamelist
e-mailverkeer [het] e-mail traffic
e-mailvirus [het] e-mail virus
emanatie [de^{v}] [1] ⟨uitvloeiing van geuren, dampen enz.⟩ emanation, efflux(ion), effluence [2] ⟨uitvloeisel, manifestatie⟩ emanation [3] ⟨radioactieve gassen⟩ emanation [4] ⟨jur; afkondiging van een wet⟩ promulgation
emanatietheorie [de^{v}] ⟨natuurk⟩ corpuscular theory
emancipatie [de^{v}] [1] ⟨streven naar gelijkgerechtigdheid⟩ emancipation, liberation ♦ *de emancipatie van de **vrouw*** the emancipation of women, women's liberation; ⟨inf⟩ women's lib [2] ⟨gelijkstelling voor de wet⟩ emancipation, equality of opportunity
emancipatiebeleid [het] ⟨pol⟩ equal opportunity policy, policy of emancipation, emancipation policy
emancipatiebeweging [de^{m}] emancipation movement, liberation movement ♦ *de emancipatiebeweging **van homofielen*** the Gay Liberation Movement
emancipatiecommissie [de^{v}] equal-rights commission, ⟨van overh⟩ Commission for Equal Rights and Opportunities for Women
emancipatiewet [de] ⟨m.b.t. slaven, lijfeigenen enz.⟩ emancipation law, ⟨m.b.t. vrouwen⟩ sex discrimination law, ⟨Groot-Brittannië, USA ook⟩ sex discrimination act, ⟨m.b.t. werk ook⟩ equal opportunities law, ⟨Groot-Brittannië, USA ook⟩ equal opportunities act
emancipatiewetgeving [de^{v}] ⟨m.b.t. slaven, lijfeigenen enz.⟩ emancipation legislation, ⟨m.b.t. vrouwen⟩ sex discrimination legislation, ⟨m.b.t. werk ook⟩ equal opportunities legislation
emancipatiezaken [de^{mv}] matters concerning equal opportunity, matters concerning women's affairs ♦ *de **staatssecretaris** voor emancipatiezaken* ⟨in Nederland⟩ minister for women's affairs, ⟨Groot-Brittannië, USA⟩ undersecretary for women's affairs
emancipatoir [bn] emancipatory ♦ *een emancipatoir **personeelsbeleid*** an emancipatory personnel policy
^{1}**emanciperen** [ov ww] [1] ⟨vrij, zelfstandig maken⟩ emancipate, liberate, (set) free [2] ⟨gelijkstellen voor de wet⟩ emancipate
^{2}**zich emanciperen** [wk ww] ⟨zich zelfstandig maken⟩ emancipate, liberate, free
emaneren [onov ww] emanate (from), come/derive/issue/originate (from)
emballage [de^{v}] [1] ⟨het inpakken⟩ packing, packaging [2] ⟨verpakking⟩ packing, packaging, wrapping
emballeren [ov ww] pack, package, wrap
emballeur [de^{m}] packer
embargo [het] [1] ⟨beslaglegging op schepen⟩ embargo [2] ⟨handel⟩ (trade) embargo, ban, (trade) sanctions ♦ *een embargo **leggen** op de wapenverkoop* lay/place/put an embargo/a ban on the sale of armaments; ***onder** embargo leggen* impose/put an embargo on, lay/place under (an) embargo, embargo; ***onder** embargo liggen* be embargoed/placed under (an) embargo; *een embargo **opheffen*** lift/raise/end/remove an embargo [3] ⟨verbod aan de media⟩ embargo, ⟨BE⟩ D-notice ♦ *op deze stukken **rust** een embargo tot 20 juni a.s.* these documents are embargoed/under embargo until 20th June
^{1}**embarkeren** [onov ww] ⟨aan boord gaan⟩ embark, board, go/come on board
^{2}**embarkeren** [ov ww] ⟨aan boord brengen⟩ embark ♦ ***troepen** embarkeren* embark troops
embarras du choix [de^{m}] embarras de/du choix ♦ *embarras du choix **hebben*** have a superfluity of (good) things from which to choose, have too great a choice
embleem [het] [1] ⟨herkenningsteken⟩ emblem, symbol, sign, ⟨herkenningsteken⟩ badge, ⟨van firma⟩ logo [2] ⟨zin-

nebeeld⟩ emblem
emblema [het] emblem
emblematabundel [de^{m}] emblem book
embolie [de^{v}] ⟨med⟩ embolism
embolisatie [de^{v}] embolization
embonpoint [het, de^{m}] embonpoint, plumpness, stoutness, tubbiness, ⟨scherts⟩ middle-age spread
embossen [onov ww] emboss
embossing [het] embossing
embouchure [de^{v}] ⟨muz⟩ embouchure ♦ *een goede embouchure hebben* have a good embouchure
embryo [het] embryo
embryologie [de^{v}] embryology
embryoloog [de^{m}] embryologist
embryonaal [bn] [1] ⟨van een, als embryo⟩ embryonic, embryonal ♦ *in embryonale toestand* in embryo/germ, in the embryo stage [2] ⟨fig; in de, als kiem aanwezig⟩ embryonic, germinal, inchoate, rudimentary
embryotransplantatie [de^{v}] embryo transfer
emendatie [de^{v}] [1] ⟨het verbeteren⟩ emendation, correction [2] ⟨aangebrachte verbetering⟩ emendation, correction
emenderen [ov ww] [1] ⟨m.b.t. geschriften⟩ emend, correct [2] ⟨verbeteringen aanbrengen, voorstellen⟩ emend, correct
^{1}**emerald** [het] emerald
^{2}**emerald** [bn] emerald (green)
emerging market [de] emerging market
emeritaat [het] superannuation, ± retirement ♦ *zijn emeritaat aanvragen* apply for/seek superannuation; *met emeritaat gaan* be given/accorded emeritus status; ± retire
^{1}**emeritus** [de^{m}] emeritus
^{2}**emeritus** [bn] emeritus, retired ♦ *een emeritus hoogleraar* an emeritus professor, a professor emeritus; *een emeritus predikant* a pastor emeritus/retired clergyman
emfase [de^{v}] emphasis
emfatisch [bn, bw] emphatic ⟨bw: ~ally⟩
emfyseem [het] ⟨med⟩ emphysema
emigrant [de^{m}] emigrant, expatriate
emigratie [de^{v}] emigration
emigratiegolf [de] wave of emigration
emigratieland [het] [1] ⟨met vertrekoverschot⟩ emigration country [2] ⟨met hoge immigratie⟩ emigration country
emigreren [onov ww] emigrate
éminence grise [de] éminence grise, confidential agent
eminent [bn, bw] eminent ⟨bw: ~ly⟩, distinguished, prominent, notable, outstanding ♦ *een eminent geleerde* an eminent/a distinguished scholar
eminentie [de^{v}] [1] ⟨voortreffelijkheid⟩ eminence, distinction, prominence [2] ⟨titel⟩ eminence ♦ *Zijne Eminentie* His Eminence
emir [de^{m}] emir, emeer
emiraat [het] emirate
emissie [de^{v}] [1] ⟨uitzending⟩ emission, ⟨fin, handel⟩ issue ♦ *een emissie waarborgen* underwrite an issue [2] ⟨natuurk⟩ emission ♦ *thermische emissie* thermionic emission
emissiebank [de] issuing house
emissiehandel [de^{m}] emissions trading
emissiekoers [de^{m}] price of issue, issue price
emissierecht [het] emissions rights
emissiespectrum [het] ⟨natuurk⟩ emission spectrum
emissietheorie [de^{v}] corpuscular theory
emissievoorwaarden [de^{mv}] terms of issue, terms and conditions of the issue
emittent [de^{m}] issuer, issuing house
emitteren [ov ww] emit, ⟨fin, handel⟩ issue
Emmaüsgangers [de^{mv}] men of Emmaus
emmentaler [de^{m}] Emment(h)al(er)
emmer [de^{m}] [1] ⟨vat met hengsel⟩ bucket, pail [2] ⟨m.b.t. de inhoud⟩ bucket(ful), pail(ful) ♦ *met hele emmers tegelijk* by the bucketful/pailful; *het geld komt er met emmers (vol) binnen* money is pouring in there; *het regent of het met emmers uit de hemel gegoten wordt* it's pouring (down)/^{B}bucketing down; it's pouring (with rain), it's raining cats and dogs; *een emmer water/melk* a bucket(ful)/pail(ful) of water/milk; ⟨fig⟩ *dat kwam als een emmer koud water* that was like a cold shower [•] *(het is) alsof je een emmer leeggooit!* wow, that's expensive!/that's a lot!; ⟨sprw⟩ *de laatste druppel doet de emmer overlopen* the last drop makes the cup run over; the last straw breaks the camel's back
emmerbaggermolen [de^{m}] bucket dredge(r)
emmeren [ww] ⟨inf⟩ ya(c)k (on), ↑ harp on, whine (on), go on (and on) ♦ *lig toch niet te emmeren* stop whining (on about that), don't go on (about); *wat staat/zit/ligt hij weer te emmeren* he's yacking/whining on again
emmerladder [de] bucket ladder/elevator
emmetroop [bn] ⟨biol⟩ emmetropic
emmetropie [de^{v}] ⟨biol⟩ emmetropia
Emmy Award [de] Emmy award
emo [de] emo (subculture)
emocore [de^{m}] emocore
emoe [de^{m}] emu
emolumenten [de^{mv}] emoluments, perquisites, fringe benefits, ⟨inf⟩ extras, perks
emoticon [het] emoticon
emotie [de^{v}] emotion, feeling, passion, ⟨opwinding⟩ excitement ♦ *hij werd door zijn emoties overmand* his emotions got the better of him; *hij liet zich meeslepen door zijn emoties* he let his emotions/feelings run away with him; *de emoties liepen hoog op* emotions/feelings ran/were running high; *emoties losmaken* release/unlock emotions; *dat is/komt van de emotie* that is the result of emotion; *ze stond te trillen van emotie* she was shaking/quivering with emotion; *een stem vol emotie* a voice full of emotion; *zij liet haar emoties de vrije loop* she let herself go
emotiecultuur [de^{v}] emotions culture
emotieloos [bn, bw] emotionless ⟨bw: ~ly⟩, dispassionate, detached
emotie-tv [de] emotion TV
emotionaliteit [de^{v}] sensitiveness, sensitivity, emotionalism, ⟨vero⟩ emotionality ♦ *een verhoogde emotionaliteit* a heightened sensitiveness/sensitivity/emotionalism
^{1}**emotioneel** [bn] [1] ⟨vatbaar voor emoties⟩ emotional, sensitive ♦ *een emotionele benadering vermijden* avoid an emotional approach, intellectualize; *hij is nog altijd veel te emotioneel* he is still much too emotional; *een emotioneel karakter geven aan iets* emotionalize sth. [2] ⟨m.b.t. emoties⟩ emotional, affective ♦ *emotionele drang* emotional drive/urge/impulse; *een emotioneel geladen reactie* an emotionally charged reaction, an emotional response, a reaction full of/charged with emotion; *zijn reactie was sterk emotioneel* his reaction was highly emotional
^{2}**emotioneel** [bw] ⟨vol emoties⟩ emotionally, sensitively ♦ *emotioneel reageren* react emotionally
emotivisme [het] emotivism
emo-tv [de^{v}] emo TV
empathie [de^{v}] empathy
empathisch [bn] empathic
empire [het] Empire ♦ *een kamer in empire* a room in Empire style
empirestijl [de^{m}] Empire style
empiricus [de^{m}] empiricist
empirie [de^{v}] empiricism
empirisch [bn, bw] empiric ⟨bw: ~ally⟩, empirical ♦ *de empirische wetenschappen* the empirical sciences; *empirische wijsbegeerte/methode* empirical philosophy/method
empirisme [het] ⟨filos⟩ empiricism, experientialism, experiential philosophy

empirist [de^{m}] empiricist
emplacement [het] yard
emplooi [het] employment, work, employ ♦ *emplooi vinden in de handel* find employment in business; *zonder (vast) emplooi* unemployed, out of work; ⟨inf⟩ jobless
employability [de^{v}] employability
employé [de^{m}] employee
empowerment [de] empowerment
EMS [het] (Europees Monetair Stelsel) EMS
EMU [de^{v}] (Economische en Monetaire Unie) EMU ⟨Economic and Monetary Union⟩
emuleren [ov ww] emulate
emulgator [de^{m}] emulsifier, emulsifying agent
emulgeren [ov ww] emulsify
emulsie [de^{v}] [1] ⟨vloeistof⟩ emulsion ♦ *melk is een natuurlijke emulsie* milk is a natural emulsion [2] ⟨foto⟩ emulsion
emulsielaag [de] (layer of) emulsion
en [vw] [1] ⟨toevoeging⟩ and, ⟨wisk⟩ plus ♦ *en nu erop los* now for it, let's go, let's do it; ⟨inf⟩ up an' at 'em; *en nu het verhaal* now for the story; *twee en twee is vier* two and two is four; ⟨wisk⟩ two plus two is four [2] ⟨aanduiding van een nauwer verband⟩ and, ⟨én ... én⟩ both (... and) ♦ *én boete én gevangenisstraf krijgen* get both fine and a prison sentence; *door en door* through and through [3] ⟨geleidelijke versterking⟩ and ♦ *al verder en verder* further and further [4] ⟨herhaling, voortzetting⟩ and ♦ *en maar kletsen/zeuren* nothing but/just chatter/drivel, still chattering/driveling; *ik zocht en zocht* I searched and searched [5] ⟨onderscheid⟩ and ♦ *er zijn deskundigen en deskundigen* there are experts and experts [6] ⟨inleiding op een tegenstellend zinsverband⟩ but, and ♦ *en toch* and/but still, even so, nevertheless [7] ⟨bij verrassing, teleurstelling⟩ and, but, so ♦ *en waarom doe je het niet?* so why don't you do it?; *en ik heb het zelf gezien!* but I saw it myself!; *en ik heb het nog zo verboden* and I absolutely forbade it [8] ⟨aanmoediging tot een antwoord⟩ well ♦ *nou en?* so what?, and ...?; *nou en, wat dan nog?* so what?, what of it?, what's that to you?; ⟨ellipt⟩ *en?* well?; *en, hoe gaat het ermee?* well, how's it going? [9] ⟨sterke bevestiging⟩ and ♦ *en boeten zal hij!* and pay/suffer he shall!; *hij liep, en hoe!* he ran but ran!, he ran, and how!; *vind je het fijn? (nou) en of!* do you like it? I certainly do!/^{B}not half!/I'll say!; *en wat zou dat?* so what?, what of it?; *hij wil niet gaan?, en of hij zal gaan!* he doesn't want to go? oh yes he will!/he will so!
enakskind [het] giant
en bloc en bloc, in/as a body, all together ♦ *de ministers namen en bloc ontslag* the ministers resigned en bloc/as a body; *een inboedel en bloc overnemen* take over furniture wholesale/en bloc
en brochette [bn, bw] brochette, kebab
encadreerband [het] passe-partout
encadreren [ov ww] [1] ⟨inlijsten⟩ frame [2] ⟨in-, omsluiten⟩ frame, surround, enclose
zich encanailleren [wk ww] frequent/keep low company, cheapen o.s. (by keeping low company), ⟨inf⟩ slum it ♦ *zich encanailleren met misdadigers* consort with criminals
encefalitis [de^{v}] ⟨med⟩ encephalitis ♦ *encefalitis postvaccinalis* encephalitis post vaccinalis, post-vaccinal encephalitis
encefalografie [de^{v}] encephalography
encefalogram [het] (electro)encephalogram, EEG
encefalomyelitis [de] ♦ *myalgische encefalomyelitis* myalgic encephalomyelitis
encierro [de^{m}] encierro
enclave [de] enclave
enclise [de^{v}] ⟨taalk⟩ enclisis
enclitisch [bn] enclitic ♦ *een enclitisch(e) woord/vorm* an enclitic
[1]**encore** [het, de] encore
[2]**encore** [tw] encore
encounter [de^{m}] encounter, close encounter
encountergroep [de] encounter group
encrypten [ov ww] encrypt
encryptie [de^{v}] encryption, encoding
encycliek [de^{v}] encyclical, encyclic, encyclical letter
encyclopedie [de^{v}] [1] ⟨naslagwerk⟩ encyclop(a)edia, cyclop(a)edia ♦ *algemene encyclopedie* general encyclop(a)edia; *speciale/bijzondere encyclopedie* specialist/specialized encyclop(a)edia; *systematische encyclopedie* systematic encyclop(a)edia; ⟨fig⟩ *die man is een wandelende encyclopedie* that man is a walking encyclop(a)edia [2] ⟨algemene inleiding tot een wetenschap⟩ general introduction ♦ *encyclopedie van de klassieken* ⟨AE ook; ongeveer⟩ Classics 101
encyclopedisch [bn] encyclop(a)edic ♦ *een encyclopedische geest* an encyclop(a)edic/a polymath mind, a polymath; *encyclopedische kennis* encyclop(a)edic knowledge; *een encyclopedisch woordenboek* an encyclop(a)edic dictionary
encyclopedist [de^{m}] encyclop(a)edist
en daube [bn, bw] braised, stewed
endeldarm [de^{m}] ⟨med⟩ rectum
endemie [de^{v}] [1] ⟨biol⟩ endemism, endemicity [2] ⟨ziekte⟩ endemic (disease)
endemisch [bn] endemic ♦ *endemische ziekten* endemic diseases
endocardiaal [bn] endocardial
endocarditis [de^{v}] ⟨med⟩ endocarditis
endocardium [het] ⟨med⟩ endocardium
endocrien [bn] endocrine ♦ *endocriene klieren* endocrine/ductless glands, glands of internal secretion
endocrinologie [de^{v}] endocrinology
endogeen [bn] endogenous ♦ ⟨geol⟩ *endogene krachten* endogen(et)ic forces; ⟨taalk⟩ *endogeen systeem* endogenous system
endometrium [het] ⟨med⟩ endometrium
endoniem [het] endonym
endoparasiet [de^{m}] endoparasite, entoparasite
endoprothese [de^{v}] endoprosthesis
endorfine [de] ⟨med⟩ endorphine
endoscoop [de^{m}] ⟨med, techn⟩ endoscope
endoscopie [de^{v}] ⟨med⟩ endoscopy
endossant [de^{m}] endorser
endossement [het] ⟨handel⟩ endorsement, indorsement ♦ *endossement aan order* special endorsement
endosseren [ov ww] [1] ⟨handel⟩ endorse, indorse [2] ⟨fig⟩ pass on (to), delegate (to), ⟨inf⟩ shunt (onto)
endostatine [het] endostatin
endosymbiose [de^{v}] endosymbiosis
endotheel [het] endothelium
endotherm [bn] ⟨scheik⟩ [·] *endotherme reactie* endothermic reaction
endotoxine [het, de] ⟨med⟩ endotoxin
ene [onbep vnw] a, an, one ♦ *woont hier ene Bertels?* does a (Mr/Ms) Bertels live here?
enenmale [bw] [·] *(dat is) ten enenmale (onmogelijk)* (that is) absolutely/entirely/completely/totally/utterly (impossible); *hij is ten enenmale ongeschikt voor die functie* he's utterly/entirely unsuitable for the post
energetica [de^{v}] [1] ⟨natuurk⟩ energetics [2] ⟨filos⟩ energetics
energeticus [de^{m}] [1] ⟨natuurk⟩ energeticist [2] ⟨filos⟩ energeticist
energetisch [bn] energetic
energie [de^{v}] [1] ⟨geestkracht⟩ energy, vigour, spirit, drive, go ♦ *hij zit boordevol energie* he is bursting with/full of energy, he is full of get-up-and-go/zip; *overlopen van energie* be bursting with energy, run over with energy; *zonder energie* without (any) energy/pep, lethargic [2] ⟨natuurk; arbeidsvermogen⟩ energy, power ♦ *de zon is een onuitputtelijke bron van energie* the sun is an inexhaustible source of

energy; ***duurzame*** *energie* renewable energy; ***elektrische*** *energie* electrical energy/power; ***schone*** *energie* clean energy

energiearm [bn, bw] energy-saving ◆ *energiearm* ***bouwen*** build energy-saving buildings, build in such a way as to save energy; *energiearme* ***woningen*** energy-saving houses

energiebalans [de] ⟨scheik⟩ energy balance/budget

energiebedrijf [het] electricity company, power company

energiebehoefte [de^{v}] energy requirement(s)/need(s) ⟨meestal mv⟩

energiebeleid [het] ⟨pol⟩ energy policy

energiebesparend [bn, bw] energy-saving, energy-conserving, low-energy ◆ *energiebesparende* ***maatregelen*** *treffen* take energy-saving measures, take measures to save energy; *een verwarmingsketel die energiebesparend* ***werkt*** an energy-saving boiler, a boiler constructed (so as) to save energy

energiebesparing [de^{v}] energy saving ◆ *deze nieuwe motor levert een energiebesparing* ***van*** *25 % op* this new motor uses 25 % less energy

energiebewust [bn] energy-conscious

energiebron [de^{v}] ⟨natuurk⟩ energy/power source, source of energy/power ◆ *nieuwe energiebronnen* ***aanboren*** tap new sources of energy/power; ***alternatieve*** *energiebronnen* alternative energy sources; ***duurzame*** *energiebronnen* renewable/sustainable energy sources

energiecentrale [de] power station/plant

energiecrisis [de^{v}] energy crisis

energiedrager [de^{m}] fuel, source of energy

energieheffing [de^{v}] environmental tax on energy

energiek [bn, bw] energetic ⟨bw: ~ally⟩, dynamic, lively, vigorous, forceful ◆ *hij is* ***heel*** *energiek* he is very energetic/dynamic; ⟨inf⟩ he is full of beans/go, he is a live wire/bundle of energy; *een energiek* ***jongmens*** an energetic/a dynamic young person; *energiek* ***optreden*** act vigorously, take vigorous/firm action; *energiek van start gaan* get off to a good start, go off at score

energiekeling [de^{m}] ⟨vnl iron⟩ live wire, bundle of energy, rip-snorter

energiekosten [de^{mv}] energy costs, costs of energy

energieloos [bn, bw] without energy, feeble, weak, powerless, lethargic

energienota [de] [1] ⟨rekening⟩ ⟨m.b.t. elek⟩ electricity bill, ⟨m.b.t. gas⟩ gas bill [2] ⟨discussiestuk⟩ paper on energy, ⟨pol⟩ energy green paper

energiepakket [het] energy plan/policy

energiepark [het] [1] ⟨locatie⟩ energy park [2] ⟨geheel⟩ energy park

energiepolitiek [de^{v}] energy policy

energiereep [de^{m}] energy bar

energiesector [de^{m}] energy sector

energietekort [het] energy shortage/gap

energietoeslag [de^{m}] ⟨fiscus⟩ supplementary grant for energy-saving investment

energieveld [het] energy field

energieverbruik [het] energy consumption/use, consumption of energy, power consumption ◆ ***hoog/laag*** *energieverbruik* high/low energy consumption

energieverlies [het] loss of energy, energy loss, ⟨in circuit⟩ power loss

energieverslindend [bn, bw] (very) wasteful of energy ◆ *een energieverslindende* ***wasmachine*** a washing-machine which wastes energy

energieverspilling [de^{v}] waste of energy, dissipation of energy

energievoorziening [de^{v}] energy/power supply, supply of energy/power

energievretend [bn, bw] [1] ⟨veel menselijke energie vergend⟩ exhausting ⟨bw: ~ly⟩ ◆ *dit is een energievretend* ***apparaat*** this machine is (very) wasteful of energy/wastes a lot of energy; *hardlopen is een energievretende* ***bezigheid*** running is an exhausting activity [2] ⟨veel energie verbruikend⟩ (very) wasteful of energy ◆ *een energievretend* ***apparaat*** a machine which wastes energy

energiewaarde [de^{v}] energy value

energiezuinig [bn] low-energy, energy-saving, energy-conserving

energydrink [de^{m}] energy drink

enerveren [ov ww] ⟨afmatten⟩ enervate, fatigue, tire (out), ⟨opwinden⟩ excite, agitate; zie ook **geënerveerd**

enerverend [bn] exciting ◆ *een enerverende* ***wedstrijd*** an exciting match

enerzijds [bw] for one thing, on the one hand/side, in one respect ◆ *enerzijds ...,* ***anderzijds*** *...* on the one hand ..., on the other (hand) ...; for one thing ..., for another (thing) ...

en face ⟨recht tegenover⟩ directly/right/straight opposite, ⟨van portret⟩ fullface

enfant terrible [het] [1] ⟨dwarsligger⟩ enfant terrible, (little/holy) terror ◆ *hij is het enfant terrible van de nationale* ***sportwereld*** he is the enfant terrible/terror of the national sporting scene [2] ⟨flapuit⟩ enfant terrible

ENFB [de^{m}] (Eerste Nederlandse Fietsersbond) Dutch Cyclists' Association

enfin [tw] [1] ⟨kortom⟩ in short [2] ⟨afijn⟩ still, anyway, anyhow ◆ *de zon schijnt niet, maar enfin* the sun isn't shining, but still/anyway; *enfin, het is nu eenmaal gebeurd* anyway/still it's happened

eng [bn, bw] [1] ⟨gering van wijdte, ruimte⟩ narrow ⟨bw: ~ly⟩, tight ◆ *een enge* ***doorgang*** a narrow passage [2] ⟨met weinig tussenruimte⟩ narrow ⟨bw: ~ly⟩, close, tight, cramped ◆ *eng* ***behuisd*** cramped for space; *in de enge* ***familiekring*** in the immediate/close family (circle) [3] ⟨griezelig⟩ scary ⟨bw: scarily⟩, creepy ⟨bw: creepily⟩, eerie, sinister ◆ *een eng* ***beest*** a nasty/creepy/scary animal; ⟨vnl. (kruipend) insect/ongedierte⟩ a creepy-crawly; *wat* ***doe*** *je eng* you're frightening me/making me frightened; *een eng* ***huis*** a scary/creepy/spooky/eerie/sinister house; *een enge* ***man*** a scary/creepy/nasty/sinister man, a creep; *ik* ***word*** *helemaal eng van dat boek* that book gives me the creeps [4] ⟨beperkt⟩ narrow ⟨bw: ~ly⟩, narrow-minded, restricted, limited, confined ◆ *een enge* ***blik*** a narrow(-minded)/restricted outlook, narrow-mindedness; *in engere* ***zin*** in the narrow/restricted sense [5] ⟨de geest, het gemoed drukkend⟩ narrow(-minded) ⟨bw: ~ly⟩, confined, restrictive, limited ◆ *het* ***werd*** *hem thuis te eng* things at home became too restrictive for him

Eng. [afk] [1] (Engeland) Eng [2] (Engels) Eng

engagement [het] [1] ⟨verbintenis⟩ engagement, agreement, commitment, ⟨van acteur⟩ booking ◆ *een engagement* ***aangaan*** enter into an agreement, agree/undertake to do sth.; *een engagement* ***verbreken*** break an agreement, go back on an agreement/commitment [2] ⟨maatschappelijke betrokkenheid⟩ commitment, involvement, concern ◆ ***politiek*** *engagement* political commitment [3] ⟨verloving⟩ engagement [4] ⟨in België; pol; voornemen⟩ engagement

[1]**engageren** [ov ww] ⟨aan zijn dienst verbinden⟩ engage, contract, take on ◆ *een artiest* ***voor*** *een concert engageren* book an artist/a performer for a concert

[2]**zich engageren** [wk ww] [1] ⟨zich (als artiest) verbinden aan⟩ ⟨ensemble enz.⟩ join, ⟨voor één concert⟩ accept a booking ◆ *zich engageren* ***bij*** *de opera* join the opera(-company) [2] ⟨zich verloven (met)⟩ get engaged (to)

engel [de^{m}] [1] ⟨rel⟩ angel ◆ ⟨fig⟩ ***als*** *een engel uit de hemel komen* come just at the right moment, ± come in the nick of time; *hij spreekt* ***als*** *een engel en doet als een bengel* ± he's a wolf in sheep's clothing; *de* ***boodschap*** *van de engel* the angel's message, the Annunciation; ⟨form⟩ the angel's tidings, the angelic tidings; *de engel der* ***duisternis*** the Prince of Darkness; *een* ***gevallen*** *engel* a fallen angel; ⟨form⟩ *een en-*

*gel Gods/des **hemels*** an angel of God/from heaven; ⟨inf⟩ *het was of er een engeltje op mijn tong **pieste*** it was fit for the gods, it was pure nectar; *een **reddende** engel* a ministering angel; *een engeltje op zijn **schouder** hebben* have the luck of the devil; ⟨scherts⟩ *de engelen **schudden** hun bedje **uit*** the old woman is plucking her geese [2] ⟨toonbeeld van liefde en toewijding⟩ angel, treasure, dear ♦ *als je dat doet, **ben** je een engel* if you do that you're an angel; *hij is een engel **met** een b ervoor!* he's sweet and cute allright - a sweet little devil!; ⟨iron⟩ he's a real little angel/darling; *engelen **van** kinderen* angelic children

engelachtig [bn, bw] angelic(al) ⟨bw: angelically⟩, cherubic ♦ *een engelachtig **geduld*** the patience of a saint; *een engelachtige **lach*** a seraphic smile; *zij was engelachtig **lief*** she was an angel/a treasure; *een engelachtige **schoonheid*** a vision; *een engelachtig **uiterlijk*** a seraphic appearance

engelachtigheid [de^v] angelic nature

Engeland [het] ⟨aardrijkskundig⟩ England, ⟨staatkundig⟩ Britain, ⟨dichtl⟩ Albion ♦ ***in** Engeland gemaakt/vervaardigd* British made, made in England

hoe is het Engels ontstaan? 1/5

Kelten en Angelsaksen

Het eilandenrijk dat wij nu Groot-Brittannië noemen, werd tot ongeveer het jaar 500 bewoond door Kelten. De Kelten hadden hun eigen cultuur en hun eigen taal, het *Gaelic*.
In die tijd vonden er op het vasteland van Europa grote volksverhuizingen plaats. Grote groepen Germanen, zoals Angelen, Saksen en Juten, staken toen over naar Groot-Brittannië om zich daar te vestigen.
De taal die deze nieuwe bewoners in hun nieuwe vaderland spraken, een mengeling van een aantal Germaanse talen, wordt *Angelsaksisch* genoemd, naar de namen van twee van die Germaanse stammen: de Angelen en de Saksen. Een andere naam van deze taal is Oudengels.
De Keltische cultuur binnen het eilandenrijk werd door de nieuwe Germaanse bewoners vrijwel geheel verdrongen. De Keltische taal werd na een tijd alleen nog maar gesproken in de meer afgelegen delen van de eilanden, zoals Wales, Schotland en Ierland. Het Welsh dat nu in Wales wordt gesproken, het Schotse Gaelic en het hedendaagse Iers zijn nog overgebleven van die oude Keltische taal. De inwoners van deze gebieden noemen zich soms nog Celts.

engelbewaarder [de^m] ⟨r-k⟩ guardian angel

engelenbak [de^m] the gods, the gallery ⟨alleen met bepaald lidw⟩

engelengeduld [het] patience of a saint

engelenhaar [het] angel's hair

engelenkoor [het] [1] ⟨koor van engelen⟩ angelic choir, choir of angels [2] ⟨r-k; een van de negen klassen engelen rond Gods troon⟩ order, grade

engelenkopje [het] ⟨ook fig⟩ cherub's head, head of a cherub/angel, ⟨bk; met vleugels⟩ cherub

engelenmis [de] ⟨r-k⟩ Mass of the Angels

engelenschaar [de] host of angels, angelic host

engelenstem [de] voice of an angel, angel's voice, ⟨muz⟩ voix céleste, vox angelica

[1]**Engels** [het] English ♦ *iets van het Nederlands **in** het Engels vertalen* translate sth. from Dutch into English; *zij is **lerares** Engels* she is an English teacher/a teacher of English, she teaches English; ***spreekt** hij Engels?* does he speak English?

[2]**Engels** [bn] [1] ⟨van de Engelsen, Engeland⟩ English, ± British ♦ *hij is lid van de Engelse/anglicaanse **kerk*** he is a member of the Church of England/the Anglican Church; ⟨inf⟩ he is Church of England/Anglican; ⟨sl⟩ he is C. of English; *de Engelse **Rivièra*** the Cornish Riviera; *de Engelse **vlag*** the Union Jack; ⟨officieel⟩ the Union Flag [2] ⟨van, behorend tot de Engelse taal⟩ English [•] *Engels **mos*** (lesser) club moss; *Engelse **naad*** felled seam, fell; *Engelse **pleister*** court plaster; *Engels **pluksel*** lint; *Engelse **tuin*** English garden; *Engels **zadel*** English saddle; *Engelse **ziekte*** rickets; ⟨med⟩ rachitis; *Engels **zout*** Epsom salts, magnesium sulphate/^A sulfate

Engels-Amerikaans [bn] Anglo-American, English-American

Engelse [de^v] Englishwoman, Briton, ⟨zeldz⟩ Englander, Englisher, ⟨AE⟩ Britisher ♦ *zij **is** een Engelse* she is an Englishwoman, she is English/British, she is an English lady

hoe is het Engels ontstaan? 2/5

Willem de Veroveraar

In het jaar 1066 viel Willem de Veroveraar met zijn leger het zuiden van Engeland binnen. Deze Willem was een Normandiër, een Fransman dus, en sprak een vroege vorm van het *Frans*.
De invasie was een groot succes en snel daarna werd de Angelsaksische bevolking van Groot-Brittannië, die daar toen al enkele honderden jaren woonde, volledig overheerst door een Franssprekende bovenklasse. Frans werd de officiële taal in de regering, het rechtssysteem, de handel, de wetenschap, het schoolsysteem, de schone kunsten enzovoort.
Hoewel de cultuur van de Angelsaksen in deze tijd grotendeels werd verdrongen, bleef het grootste deel van de bevolking gewoon de eigen taal spreken. Deze heette inmiddels niet meer Angelsaksisch, maar werd in deze tijd al *Engels* genoemd.

Engelsgezind [bn] Anglophile, English-oriented

Engelsman [de^m] [1] ⟨persoon⟩ Englishman, Briton, ⟨zeldz⟩ Englander, Englisher, ⟨AE⟩ Britisher ♦ *hij **is** een Engelsman* he is an Englishman, he is English/British; ⟨sl⟩ he is a beefeater/limey/John Ball [2] ⟨Engels schip⟩ Englishman [3] ⟨dieventaal; Engelse sleutel⟩ monkey wrench, screw-wrench, screw-spanner [4] ⟨knoop⟩ Englishman's Knot

Engelssprekend [bn] English-speaking

Engelstalig [bn] [1] ⟨in het Engels gesteld⟩ English-language, English [2] ⟨Engelssprekend⟩ English-speaking

hoe is het Engels ontstaan? 3/5

Franse woorden in het Engels

Tegen de vijftiende eeuw was het Frans op zijn retour in Groot-Brittannië en werd er weer Engels gesproken in de hoge kringen en aan het hof. Toch heeft het Frans tijdens de eeuwen van Franstalige overheersing een zeer grote invloed gehad op het Engels.
Wie goed naar het huidige Engels kijkt, kan nog steeds veel woorden herkennen die uit het Frans zijn overgenomen.
Het gaat hier vooral om woorden die te maken hebben met bestuur, scholing, wetenschap, kunst, handel en dergelijke, zoals capital, dance, government, hospital, judge, machine, merchandise, money, music, palace, punish, school, science en value.
Het Frans is een Romaanse taal, net als het Italiaans en het Spaans. Engelse woorden die uit het Oudfrans zijn overgenomen lijken daarom vaak sterk op die in het huidige Frans, Italiaans of Spaans.

engeltjesmaakster [de^v] [1] ⟨aborteuse⟩ back-street abortionist [2] ⟨vrouw die kinderen opzettelijk laat sterven⟩ infanticide

engelwortel [de^m] ⟨plantk⟩ (garden) angelica/angelique ♦ *grote/**echte** engelwortel* archangel; ***wilde** engelwortel* wild angelica

engerd [de^m] creep, ghoul

engerling [de^{m}] cockchafer grub, May-beetle grub, May-bug grub
enggeestig [bn, bw] ⟨in België⟩ narrow-minded ⟨bw: ~ly⟩, petty
enghartig [bn, bw] narrow-minded ⟨bw: ~ly⟩, petty
engineer [de^{m}] engineer
engineering [de] engineering
en gros wholesale ♦ *en gros* ***verkopen*** sell (by/^at) wholesale; *en gros en en détail* wholesale and retail
engte [de^{v}] [1] ⟨nauwe doorgang⟩ narrow(s), ⟨zee⟩ strait(s), ⟨i.h.b. bergpas⟩ defile, ⟨land⟩ isthmus [2] ⟨omstandigheid, eigenschap⟩ narrowness
engtevrees [de] claustrophobia

hoe is het Engels ontstaan? 4/5

Angelsaksische woorden in het Engels

De Engelse taal heeft veel woorden uit het Frans overgenomen, maar er is toch nog een groot aantal woorden met een Angelsaksische oorsprong overgebleven.
In tegenstelling tot de woorden die uit het Frans zijn overgenomen, hebben de Angelsaksische woorden vaak betrekking op huis-tuin-en-keukenaangelegenheden, zoals **cow, dog, flood, goat, ground, hand, kettle, oak, shoe, stone, stool** en **wife.**
Omdat het Angelsaksisch behoort tot de Germaanse taalfamilie, lijken Angelsaksische woorden vaak sterk op die in andere Germaanse talen, zoals het Nederlands, Duits of de Scandinavische talen.

^{1}**enig** [bn] ⟨waarvan geen tweede is⟩ only, sole, single, unique, ⟨sterker⟩ one and only ♦ ⟨zelfstandig (gebruikt)⟩ *hij is* ***de*** *enige die het kan* he is the only one who can do it; *ik ben niet* ***de*** *enige die zo denkt* I am not the only person/one who thinks so; *enig* ***erfgenaam*** sole heir; ***het*** *enige dat helpt is ...* the only thing that helps is ...; ***het*** *enige wat ik kon zien was* all I could see was; *enig* ***in*** *zijn soort* unique (of its kind), the only one of its kind; *dat geval is enig* ***in*** *onze geschiedenis* that case is unique in our history; *een enige* ***kans*** the chance of a lifetime, a unique chance; *dit was de enige* ***keer*** *dat ...* this was the only time that ..., ⟨sterker⟩ this was the one and only time that ...; *zijn enig* ***kind*** his only child; *dit is het enige* ***middel*** this is the only/sole means
^{2}**enig** [bn, bw] ⟨leuk⟩ wonderful ⟨bw: ~ly⟩, marvellous ⟨bw: ~ly⟩, splendid ⟨bw: ~ly⟩, lovely ⟨bw: lovelily⟩ ♦ *een enige* ***vent*** a great/marvellous/terrific guy, ⟨BE⟩ a great/marvellous/terrific chap/bloke/fellow; *je* ***woont*** *hier enig* you've got a lovely/marvellous/splendid place here
^{3}**enig** [onbep vnw] [1] ⟨een of ander(e)⟩ some, any ♦ *enige* ***tegenslag*** a slight set-back; *te eniger* ***tijd*** sometime [2] ⟨welk(e) dan ook⟩ some, any ♦ *zich enige* ***moeite*** *getroosten* go to some trouble; *op enige* ***plaats*** *gedeponeerd* placed anywhere; *zonder enige* ***twijfel*** without any doubt, beyond all doubt
^{4}**enig** [hoofdtelw] [1] ⟨een zekere mate⟩ some, a bit of, a measure of ♦ *hij heeft enig* ***geld*** he has some money; *wij koesteren enige* ***hoop*** we cherish some hope/a spark of hope; *met enige* ***scherpte*** not without a certain sharpness [2] ⟨ook maar één⟩ any, a single ♦ *zonder enig* ***incident*** without a single incident [3] ⟨een klein aantal⟩ some, a few, a number of ♦ *er kwamen enige* ***bezoekers*** a number of/a few visitors came; ⟨zelfstandig (gebruikt)⟩ *enigen* ***hielden vol*** some/a few persevered [4] ⟨ook maar de geringste⟩ any ♦ *zonder enige* ***moeite*** without any trouble
enigerlei [bn] any ♦ *in enigerlei* ***mate*** to any extent; *in enigerlei* ***vorm*** in any form, in some form or other; *op enigerlei* ***wijze*** in any way(, shape or form)
enigermate [bw] somewhat, a bit/little, to some extent, in some degree
enigerwijs [bw] in some way (or other), in any way
eniggeboren [bn] only-begotten ♦ *Jezus, Gods eniggeboren zoon* Jesus, the only-begotten son of God
enigheid [de^{v}] [1] ⟨het uniek zijn⟩ uniqueness [2] ⟨overeenstemming⟩ unity, union, unanimity
enigma [het] enigma, puzzle, riddle, mystery
enigmatisch [bn, bw] enigmatic ⟨bw: ~ally⟩
enigst [bn] ⟨inf⟩ (one and) only ♦ *hij is enigst* ***kind*** he is an only child; *zij was zijn enigst* ***kind*** she was his (one and) only child; *dat is de enigste* ***mogelijkheid*** that is the (one and) only way

hoe is het Engels ontstaan? 5/5

Voorbeeld

Er zijn ook woorden waarvan de Germaanse oorsprong niet zo duidelijk meer is. Zo'n woord is **knight**. De huidige betekenis van dit woord is *ridder*, en men zou daarom kunnen denken dat het in het rijtje Franse woorden thuishoort.
In de Angelsaksische tijd bestond het woord echter al, en betekende het *jonge dienaar*. Later kreeg het de betekenis *dienaar van een belangrijke heer of dame*, of zelfs *dienaar van de koning*. Uit die betekenis is de betekenis *ridder* voortgekomen.
Knight werd oorspronkelijk uitgesproken als het Nederlandse woord *nicht* met een harde *k* ervoor: *knicht*. Op die manier lijkt het opeens erg op het Nederlandse *knecht*. Daar is het dan ook aan verwant: *jonge dienaar*. De uitspraak zonder *k* is pas later ontstaan.

enigszins [bw] [1] ⟨enigermate⟩ somewhat, a little, rather, slightly ♦ *hij was enigszins* ***koel*** he was rather/somewhat/a little cool; *enigszins* ***warm/vreemd/donker/...*** warmish/oddish/darkish/..., a bit warm/odd/dark/...; ⟨iron⟩ ***wel*** *enigszins* (just) a little, just a tiny wee bit; *de prijzen* ***zijn*** *enigszins* ***gestegen/gedaald*** the prices have risen/fallen slightly/somewhat; *je hebt enigszins* ***gelijk*** to some/to a certain extent you are right; *om daarvan enigszins een idee te krijgen ...* to get some idea of it [2] ⟨op welke wijze dan ook⟩ at all, in any way, ever ♦ *zodra ik maar enigszins* ***kan*** as soon as ever I can, as soon as I possibly can; *als je haar enigszins* ***kent****, dan ...* if you know her at all, then ...; *indien enigszins* ***mogelijk*** if at all/in any way possible; *zo vlug als maar enigszins* ***mogelijk*** *is* as soon as ever possible
enjambement [het] ⟨lit⟩ enjamb(e)ment
enk. [afk] (enkelvoud) s
^{1}**enkel** [de^{m}] [1] ⟨gewricht⟩ ankle ♦ ***tot*** *de enkels in de modder* ankle-deep in mud; *ze dragen nog rokken die* ***tot*** *de enkels vallen* they still wear ankle-length skirts/skirts down to the(ir) ankles; *een* ***verstuikte*** *enkel* a sprained ankle [2] ⟨deel van een kous⟩ ankle [3] ⟨enkele reis⟩ ⟨BE⟩ single (ticket), ⟨AE⟩ one-way ticket
^{2}**enkel** [het] ⟨enkelspel⟩ singles
^{3}**enkel** [bn] ⟨niet dubbel, samengesteld⟩ single ♦ *een enkel* ***blad*** a simple leaf; ⟨handel⟩ *enkel* ***boekhouden*** single-entry bookkeeping; *een stof van enkele* ***breedte*** a single-width material/cloth; *een enkele* ***handschoen/kous/schoen*** an odd glove/stocking/shoe; *een kaartje enkele* ***reis*** ⟨BE⟩ single (ticket), ⟨AE⟩ one-way ticket; *enkele* ***rozen*** single roses; *een enkel* ***slot*** a single lock; ⟨fin⟩ *de enkele* ***standaard*** single standard [•] *een boek in enkele* ***vellen*** a loose-leaf book
^{4}**enkel** [bw] [1] ⟨niet dubbel⟩ singly [2] ⟨alleen⟩ only, just, solely, merely ♦ *ik doe het enkel en* ***alleen*** *om jou* I do it/I'm doing it simply and solely for you; *een bos van enkel* ***beuken*** a wood with only beech trees/consisting only of beeches; *hij* ***doet*** *het enkel voor zijn plezier* he only does it for fun; *zij was enkel* ***gevoel*** *en zachtmoedigheid* she was all feeling and gentleness; *enkel* ***maar*** *de gedachte daaraan* the verv thought of it; *ik kon enkel* ***medelijden*** *hebben met* could only/but feel sorry for her
^{5}**enkel** [hoofdtelw] [1] ⟨niet meer dan één⟩ sole, so single ♦ *in geen enkel opzicht* in no respect; *op geen*

manier (in) no way; *van **geen** enkel belang* of no importance at all, wholly (de)void of interest; *er is **geen** enkel gevaar* there is not the slightest danger; ***geen** enkele kans hebben* not have an earthly chance, have no chance at all/what(so) ever; *onder **geen** enkele voorwaarde* on no account, not on any account, on no condition; *ik heb maar één enkel **gesprek** met hem gehad* I have had only one single conversation with him; *in één enkele **klap*** at one blow, at one fell swoop; *een enkele eenzame **toeschouwer*** a single solitary spectator; *één enkel **woordje/ogenblikje*** just one word/moment, just a word/moment (or two) [2] ⟨een klein aantal⟩ a few, one or two ♦ *in slechts enkele **gevallen*** in only isolated/only a few cases; *een enkele **keer** zie ik hem weleens* I do see him occasionally/once in a while, ↓I do see him once in a blue moon; *met een enkel **woord** van iets gewagen* say a few words/a word or two about sth. [3] ⟨mv; enige⟩ a few, some few ♦ *in enkele **dagen/uren*** in a few days/hours, in a day/hour or two; ⟨bij het beklemtonen van snelheid⟩ in a matter of days/hours; *enkele **huizen** staan nog leeg* a few/some houses are still empty; *enkele **opmerkingen** maken* make a few remarks/the odd remark

enkelband [de^{m}] [1] ⟨biol⟩ ankle ligament ♦ *zijn enkelbanden **scheuren*** tear one's ankle ligaments [2] ⟨sierbandje⟩ anklet

enkelboekhouden [ww] single-entry bookkeeping

enkelcijferig [bn] in single figures

enkeldakstent [de] single tent

enkelgewricht [het] ankle-joint

enkeling [de^{m}] individual ♦ *slechts een enkeling **weet** hiervan* only one or two people know about this

enkelkous [de] ⟨sport⟩ elastic(ated) ankle support (bandage), elasticated stockinette, ⟨AE⟩ elasticated anklet

enkelspel [het] singles

enkelspoor [het] single track

enkelsporig [bn] single-track

enkeltoernooi [het] singles tournament

enkelvoud [het] ⟨taalk⟩ singular ♦ *dit werkwoord staat **in** het enkelvoud* this verb(-form) is singular

enkelvoudig [bn] [1] ⟨slechts uit één deel bestaand⟩ simple ♦ ⟨biol⟩ *enkelvoudig **blad*** simple leaf; ⟨jur⟩ *enkelvoudige **kamer*** magistrate's court; ⟨AE ook⟩ police court; ⟨natuurk⟩ *enkelvoudige **lichamen/elementen*** simple solids/elements; *een enkelvoudige **trilling*** a simple vibration [2] ⟨taalk; in het enkelvoud staand⟩ singular ♦ *een enkelvoudig **onderwerp*** a singular subject [3] ⟨taalk; niet samengesteld⟩ simple ♦ ⟨taalk⟩ *een enkelvoudige **zin*** a simple sentence

enkelwandig [bn] single-walled, single-hulled

enkelzijdig [bn, bw] one-sided ⟨bw: ~ly⟩, unilateral ⟨bw: ~ly⟩ ♦ *een enkelzijdig **beschreven** blad* a page with writing on one side only; *een enkelzijdig **beschrijfbare** diskette* a single-sided diskette; *een enkelzijdige **verlamming*** a one-sided/unilateral paralysis

en masse [bw] en masse

enne [vw] ⟨spreektaal⟩ and, well

enneagram [het] enneagram

en-ofrekening [de^{v}] joint account, and/or account

^{1}**enorm** [bn] ⟨bijzonder groot⟩ enormous, huge, gigantic, immense, ⟨uitgestrekt⟩ vast ♦ *enorme **kennis*** vast knowledge; *een enorm **succes*** an enormous/a tremendous success; *enorme **winsten*** vast/huge/enormous profits

^{2}**enorm** [bn, bw] ⟨geweldig, ontzettend⟩ tremendous ⟨bw: ~ly⟩, fantastic ⟨bw: ~ally⟩, fabulous ⟨bw: ~ly⟩, terrific ⟨bw: ~ally⟩ ♦ *enorm **belangrijk*** terribly/extremely important; *enorm **groot*** vast, gigantic, immense, massive; *'t **is** enorm* it's fantastic/terrific; *ze is enorm **gegroeid*** she has grown an enormous/tremendous amount; *enorme **pijn*** tremendous pain; *enorm **veel** geld* a tremendous/vast amount of money

enormiteit [de^{v}] [1] ⟨grote stommiteit⟩ enormity, (gross) blunder ♦ *enormiteiten **debiteren*** put one's foot in one's mouth/in it, drop a clanger; ⟨altijd⟩ suffer from foot-in-mouth disease [2] ⟨overmatige grootte⟩ enormity, enormousness

en papillote [bn] ⟨cul⟩ en papillote, wrapped up

en passant [bw] en passant, in passing, by the way, incidentally

en petit comité [bn, bw] in/by a select group/committee

en plein public [bw] in public, publicly

en profil [bw] in profile

enquête [de] [1] ⟨pol; door overheidsinstantie⟩ inquiry, investigation ♦ *een enquête **instellen** naar* institute/set up an inquiry into; ***parlementaire** enquête* parliamentary inquiry [2] ⟨onderzoek door ondervraging⟩ poll, survey ♦ ***dialectologische** enquête* dialect survey; *een enquête **houden** over* conduct/do/make a survey into; *een enquête **naar** de leesgewoonten in Nederland* a survey of reading habits in the Netherlands; *een enquête **onder** Amsterdammers* a poll/survey of residents of Amsterdam; *een **schriftelijke** enquête* ± a postal survey; ⟨in dialectonderzoek⟩ postal questionnaire [3] ⟨jur⟩ hearing

enquêtecommissie [de^{v}] committee/board of inquiry, ⟨BE ook⟩ committee/board of enquiry, ⟨van Kamer⟩ investigative/fact-finding committee

enquêteformulier [het] questionnaire ♦ *een enquêteformulier **invullen*** fill in a questionnaire

enquêterecht [het] ⟨van Kamer⟩ right to instigate/institute an inquiry, ⟨BE ook⟩ right to instigate/institute an enquiry, right to instigate/institute an investigation, ⟨van aandeelhouders⟩ right to petition the court for the appointment of a committee of inquiry, ⟨jur⟩ right to call/institute an inquest

enquêteren [ov ww, ook abs] [1] ⟨enquête instellen⟩ inquire [2] ⟨enquêtevragen stellen⟩ poll, survey

enquêteur [de^{m}], **enquêtrice** [de^{v}] pollster, poll-taker

enquêtrice [de^{v}] → **enquêteur**

ensceneren [ov ww] [1] ⟨in scène zetten⟩ stage, put on, produce, direct, stage-manage [2] ⟨op touw zetten⟩ stage(-manage)

enscenering [de^{v}] [1] ⟨het in scène zetten⟩ staging, production, direction [2] ⟨het op touw zetten⟩ staging

ensemble [het] [1] ⟨toneel-, muziekgezelschap⟩ ensemble, company, troupe [2] ⟨muz⟩ ensemble [3] ⟨dameskostuum⟩ ensemble

ensemblefilm [de^{m}] ensemble film

en suite [bn] connecting, adjoining ♦ *kamers en suite* ⟨ook⟩ rooms en suite

ent [de] graft

entadministratie [de^{v}] ⟨in Nederland⟩ vaccine administration authority

entameren [ov ww] [1] ⟨aanvangen⟩ ⟨een taak⟩ start (on), begin, address o.s. to, ⟨onderwerp⟩ broach, ⟨onderhandelingen⟩ open, ⟨een zaak/kwestie⟩ take up, raise [2] ⟨m.b.t. een gesprek⟩ begin, start, strike up

enten [ov ww] [1] ⟨een ent op een boom bevestigen⟩ graft, engraft, bud ♦ ***bomen, vruchten** enten* graft trees/fruit; ***op** een wilde stam enten* graft onto a wild stock/rootstock [2] ⟨fig⟩ graft, engraft, imbue (with), implant ♦ *een beschaving die geënt is **op** een oudere* a civilization which is (en) grafted onto an older one [3] ⟨entstof brengen in⟩ vaccinate, inoculate [4] ⟨bacteriën in een voedingsbodem brengen⟩ inoculate

entente [de^{v}] ⟨gesch⟩ Entente

enter [de^{m}] yearling

enteraal [bn] enteral

enterbijl [de] poleax(e)

^{1}**enteren** [ov ww] [1] ⟨zich vastmaken aan⟩ grapple (with) [2] ⟨fig; aanklampen⟩ buttonhole, ↑accost

^{2}**enteren** [ov ww, ook abs] ⟨een schip beklimmen om het te veroveren⟩ board

enterhaak [de^{m}] grappling-iron, grappling-hook, grap-

nel
enterokok [de^{m}] enterococcus
enterovirus [het] enterovirus
entertainen [ww] entertain
entertainer [de^{m}] entertainer
entertainment [het] entertainment
entertoets [de^{m}] ⟨comp⟩ enter (key)
^{1}**entheogeen** [het] entheogen
^{2}**entheogeen** [bn] entheogenic
enthousiasme [het] enthusiasm, keenness ♦ *een jeugdig enthousiasme* youthful enthusiasm; *zich met enthousiasme op een taak werpen* fall to a task with enthusiasm/enthusiastically; *hij kon geen enthousiasme meer opbrengen voor tennis* he could no longer get enthusiastic about tennis, ⟨inf⟩ he could no longer get worked up about tennis; *hij is nog vol enthousiasme* he is still full of enthusiasm/highly enthusiastic
enthousiasmeren [ov ww] enthuse, make enthusiastic, excite, stir, kindle enthusiasm in
enthousiast [bn, bw] [1] ⟨geestdriftig⟩ enthusiastic ⟨bw: ~ally⟩ ♦ *enthousiast op iets ingaan* take to sth. with enthusiasm/enthusiastically; *laaiend/wild enthousiast zijn over iets* be wildly enthusiastic about sth.; be/go wild/crazy about sth.; *iemand enthousiast maken voor iets* get s.o. enthusiastic about sth.; *een enthousiast publiek* an enthusiastic public/audience; *snel enthousiast over iets raken* quickly/soon get/become enthusiastic about sth.; ⟨sl⟩ be turned on quickly; *hij toonde zich erg/niet erg enthousiast* he was highly enthusiastic/not very enthusiastic; ⟨inf⟩ he enthused/didn't enthuse (about) [2] ⟨hartstochtelijk⟩ enthusiastic ♦ *een enthousiast voetballiefhebber* an enthusiastic football fan
enthousiasteling [de^{m}] ⟨scherts⟩ ± fanatic, ± addict, ± buff, ↓ nut, ↓ freak, ↓ maniac, ⟨positiever⟩ enthusiast, fan
enthymema [het] enthymeme
enting [de^{v}] ⟨met entloot⟩ graft(ing), engrafting, ⟨inenting⟩ engrafting, inoculation
entiteit [de^{v}] [1] ⟨wezenlijkheid⟩ entity [2] ⟨eenheid⟩ entity
entoderm [het] ⟨biol⟩ endoderm, entoderm, hypoblast
entomografie [de^{v}] ± insect taxonomy, ± entomology
entomologie [de^{v}] entomology, insectology
entomologisch [bn] entomological
entomoloog [de^{m}] entomologist
entourage [de^{v}] entourage, surroundings, environment
entozoön [het] entozoon, entozoan
entr'acte [de] [1] ⟨pauze⟩ entr'acte, interact, interlude, ⟨vnl AE⟩ intermission [2] ⟨tussenstukje⟩ entr'acte, interlude, intermezzo
entrecote [de] entrecôte, ⟨AE⟩ prime rib, prime (fore)rib ♦ *entrecote in wijnsaus* prime rib in/with wine sauce; ⟨cul⟩ entrecôte au vin
entre-deux [het, de^{m}] ⟨bij gordijnen/japonnen e.d.⟩ insertion
entree [het, de^{v}] [1] ⟨ingang, toegang⟩ entrance, ⟨vestibule⟩ (entrance-)hall [2] ⟨recht om binnen te treden⟩ entry, entrance, admission, ⟨vero⟩ entrée ♦ *vrij entree* admission free, free entrance; ⟨in winkels⟩ free inspection invited, no obligation to buy [3] ⟨intrede⟩ entry, entrance ♦ *zijn entree maken* ⟨zaal enz.⟩ enter, make one's entry into; ⟨pol enz.⟩ make one's entrance into [4] ⟨muz⟩ entrée [5] ⟨eerste dans⟩ entrée [6] ⟨gerecht⟩ ⟨BE⟩ entrée [7] ⟨toegangsprijs⟩ admission (charge/fee) ♦ *entree betalen* pay for admission; *entree heffen* charge for admission, charge an entrance fee; *ze vragen geen entree* there is no admission charge, they do not charge for admission
entreebiljet [het] (admission) ticket
entreegeld [het] [1] ⟨te betalen geld⟩ admission/entrance charge, charge for admission/entrance, admission/entrance fee ⟨ook van vereniging⟩, ⟨m.b.t. kabeltelevisie⟩ initial fee [2] ⟨ook in mv; ontvangen geld, recette⟩ ⟨van stadion⟩ gate (money/receipts), ⟨van theat⟩ (box-office) takings, door money/receipts
entreekaartje [het] (admission) ticket
entreeprijs [de^{m}] price of admission/entrance, cost of admission/entrance, admission price, admission/entrance charge
entrefilet [het, de^{m}] (newspaper) paragraph/item, ⟨inf⟩ par
entrefilettist [de^{m}] paragrapher, paragragraphist, ± columnist
entremets [het, de] ⟨cul⟩ entremets, dessert, sweet
entre nous [bn] between you and me ♦ *dat blijft entre nous* that's between you and me; ⟨scherts⟩ that's between you, me and the doorpost
entrepot [het] entrepôt, bonded warehouse/store ♦ *fictief entrepot* unbonded warehouse; *in entrepot liggen* be in/under bond, be bonded; *goederen in entrepot* bonded goods, B/G; *in entrepot verkopen* sell in bond/on bonded terms; *levering in/uit entrepot* delivery on bonded terms/duty paid; *de wijn bleef in entrepot* the wine is bonded/is in bond; *goederen in entrepot plaatsen/opslaan* place goods in bond, put goods into bond; *particulier entrepot* private bonded warehouse; *publiek entrepot* government-bonded/customs warehouse; *goederen uit entrepot halen* take goods out of bond, release goods from bond
entrepothouder [de^{m}] (bonded) warehouse keeper, bonder
entrepreneur [de^{m}] ⟨handel⟩ entrepreneur, business operator, businessman, businesswoman
entresol [de^{m}] entresol, mezzanine (floor)
entropie [de^{v}] ⟨natuurk⟩ entropy
entspleet [de] graft
entstof [de] inoculum, inoculant, vaccine
enucleatie [de^{v}] ⟨med⟩ enucleation
enumeratie [de^{v}] enumeration ⟨ook als stijlfiguur⟩
enumeratief [bn, bw] enumerative ⟨bw: ~ly⟩
E-nummer [het] E Number
enuntiatief [bn] enunciative
enveloppe [de] envelope, ⟨filatelie⟩ cover ♦ *een gefrankeerde enveloppe* a stamped envelope; *gegomde enveloppen* adhesive/^{B}gummed envelopes; *in een enveloppe* in an envelope, under cover; *in een open/gesloten enveloppe* in an unsealed/sealed envelope; *iets verzenden in een verzegelde enveloppe* send sth. in a sealed envelope
enveloppentasje [het] ± pocketbook, clutch bag, ⟨zeldz⟩ envelope (bag)
environment [het] environment
en vogue [bw] in vogue
enz. [afk] (enzovoort) etc, &c
enzovoort [bw] et cetera, and so on ♦ *enzovoort enzovoort* et cetera, etcetera; and so on and so forth
enzym [het] enzyme
enzymologe [de^{v}] → **enzymoloog**
enzymologie [de^{v}] enzymology
enzymoloog [de^{m}], **enzymologe** [de^{v}] enzymologist
e.o. [afk] [1] (ex officio) eo [2] (en omstreken) and environs
eoceen [het] ⟨geol⟩ Eocene
EOE-index [de^{m}] (European options exchange) EOE index
EOE-optiebeurs [de] EOE options exchange
eoliet [de^{m}] eolith
eolisch [bn] aeolian ♦ *duinen zijn eolische vormingen* dunes are aeolian formations
eolusharp [de] aeolian harp, wind harp
eon [de^{m}] [1] ⟨geol⟩ (a)eon [2] ⟨eeuwigheid⟩ (a)eon
Eos [de^{v}] ⟨myth⟩ Eos
eosine [het, de] eosin, bromeosin
ep [afk] (extended play) EP
e.p. [afk] [1] (ex professo) eo [2] (en personne) in person
EP [het] (Europees Parlement) EP

epanalepsis [de^{v}] ⟨lit⟩ epanalepsis
epanodos [de^{m}] ⟨lit⟩ epanados
[1]**e-paper** [de^{m}] ⟨digitale krant⟩ e-paper
[2]**e-paper** [het] ⟨materiaal⟩ e-paper
epateren [ov ww] astound, flabbergast, startle, amaze
epaulet [de] ⟨mil⟩ epaulet(te)
epenthesis [de^{v}] ⟨taalk⟩ epenthesis
epenthetisch [bn] ⟨taalk⟩ epenthetic
epi [de^{v}] ⟨med; inf⟩ ⟨ogm⟩ episiotomy ◆ *een epi **zetten*** perform an episiotomy
epicentrum [het] epicentre
epicondylitis [de] ⟨med⟩ epicondylitis, ⟨tennisarm⟩ tennis elbow
epicondylus [de^{m}] ⟨biol⟩ epicondyle
epicurisch [bn, bw] 1 ⟨de leer van Epicurus betreffend, aanhangend⟩ Epicurean 2 ⟨genotzuchtig⟩ epicurean, hedonistic, sensual
epicurisme [het] 1 ⟨leer van Epicurus⟩ Epicureanism 2 ⟨genotzucht⟩ epicur(ean)ism, hedonism, sensualism
epicurist [de^{m}] 1 ⟨volgeling van Epicurus⟩ Epicurean 2 ⟨genotzuchtig persoon⟩ epicure, hedonist, sensualist 3 ⟨iemand die verfijnde genoegens bemint⟩ epicure, gourmet, gastronome
epidemie [de^{v}] 1 ⟨besmettelijke ziekte⟩ epidemic 2 ⟨fig⟩ epidemic, craze, rage
epidemiologie [de^{v}] epidemiology
epidemiologisch [bn] epidemiological ◆ *een epidemiologisch **onderzoek*** an epidemiological investigation
epidemisch [bn, bw] epidemic(al) ⟨bw: epidemically⟩, ⟨dierk⟩ epizootic ◆ *die ziekte **heerst** hier epidemisch* there is an epidemic here, the disease is epidemic here; *een epidemische **ziekte*** an epidemic (disease)
epidermis [de^{v}] epidermis, cuticle
epidiascoop [de^{m}] epidiascope
epiduraal [bn] epidural ◆ *epidurale **verdoving*** epidural anaesthesia, an epidural
epiek [de^{v}] ⟨lit⟩ 1 ⟨leer van het heldendicht⟩ epic 2 ⟨epische poëzie⟩ epic (poetry), epos, epopee
epifanie [de^{v}] epiphany
Epifanie [de^{v}] Epiphany, Twelfth-day
epifenomenalisme [het] epiphenomenalism
epifoor [de] ⟨lit⟩ epistrophe
epifyse [de^{v}] ⟨med⟩ epiphysis
epifysiolyse [de^{v}] ⟨med⟩ epiphysiolysis, slipped epiphysis, epiphyseal separation
epifyt [de^{m}] epiphyte
epigastrium [het] epigastrium
epigoon [de^{m}] epigone
epigraaf [de^{m}] epigraph
epigrafie [de^{v}] epigraphy
epigrafisch [bn] epigraphic(al) ◆ *de epigrafische **zijde*** the obverse, ↓ the head
epigram [het] epigram
epigrammatisch [bn] epigrammatic(al)
epilatie [de^{v}] depilation
epilator [de^{m}] epilator
epilepsie [de^{v}] epilepsy
epileptica [de^{v}] → **epilepticus**
epilepticus [de^{m}], **epileptica** [de^{v}] epileptic
epileptisch [bn] epileptic ◆ *een epileptische **aanval*** an epileptic fit/attack; ⟨inf⟩ a fit
epileren [ov ww] depilate
epiloog [de^{m}] 1 ⟨slotrede⟩ epilogue 2 ⟨naspel⟩ epilogue 3 ⟨toevoegsel na het verhaal⟩ epilogue, afterword 4 ⟨naspel van een reeks gebeurtenissen⟩ epilogue, aftermath, sequel
episch [bn, bw] 1 ⟨m.b.t. het heldendicht⟩ epic ⟨bw: ~ally⟩, epical, heroic ◆ *een episch **gedicht*** an epic (poem), a heroic poem 2 ⟨de heldenpoëzie beoefenend⟩ epic ⟨bw: ~ally⟩ ◆ *een episch **dichter*** an epic poet 3 ⟨waarin het epos op de voorgrond treedt⟩ epic ⟨bw: ~ally⟩, heroic ◆ *een episch **tijdvak*** an epic/a heroic period
episcoop [de^{m}] episcope
episcopaal [bn] episcopal ◆ *de episcopale **kerk*** the Anglican Church, the Church of England; ⟨Schotland en USA⟩ the Episcopal Church
episcopaat [het] 1 ⟨bisschoppelijke waardigheid⟩ episcopate, episcopacy 2 ⟨bisschoppen⟩ episcopate, episcopacy 3 ⟨bisdom⟩ bishopric, diocese, see
episcopie [de^{v}] episcopic projection, projection of opaque objects
episiotomie [de^{v}] ⟨med⟩ episiotomy
episode [de^{v}] 1 ⟨deel van een verhaal⟩ episode, scene 2 ⟨deel van een reeks gebeurtenissen⟩ episode, incident, chapter ◆ *een **donkere** episode uit zijn leven* a dark chapter/period in his life 3 ⟨aflevering⟩ episode
episodisch [bn, bw] episodic ⟨bw: ~ally⟩
epistel [het, de^{m}] 1 ⟨brief van de apostelen⟩ Epistle 2 ⟨deel van de mis⟩ Epistle 3 ⟨brief⟩ epistle, missive, screed ◆ *iemand **hele** epistels schrijven* write s.o. long epistles
epistemologie [de^{v}] epistemology
epitaaf [het, de^{m}] 1 ⟨grafschrift⟩ epitaph 2 ⟨grafsteen⟩ gravestone, tombstone
epitestosteron [het] epitestosterone
epitheel [het] ⟨med⟩ epithelium
epitheton [het] 1 ⟨lit⟩ epithet ⟨ook pejoratief⟩, ⟨vaak pej⟩ label ◆ *epitheton ornans* (Homeric) epithet, epitheton (ornans) 2 ⟨biol⟩ epithet, trivial name
epitome [het] epitome, summary, précis
epizoën [de^{mv}] epizoa
epo [de^{v}] (erytropoëitine) EPO
epode [de^{v}] 1 ⟨slotstrofe⟩ epode 2 ⟨korte versregel⟩ epode 3 ⟨gedicht⟩ epode
eponiem [het] eponym
epoque [de] epoch, age, period, era ◆ *la belle époque* la belle époque
epos [het] 1 ⟨heldendicht⟩ epic (poem), epos, epopee 2 ⟨fig⟩ epic ◆ *het epos van de **drooglegging** van de Zuiderzee* the epic reclamation of/the epic task of reclaiming the Zuider Zee
e-post [de] e-mail
epoxyhars [het, de^{m}] epoxy resin, epoxy
eppo [de^{m}] dope
epsilon [de] epsilon
epsomzout [het] Epsom salt(s)
Epstein-Barrvirus [het] Epstein-Barr virus
EPU [de^{v}] (Europese Politieke Unie) EPU
EQ [afk] (emotionele-intelligentiequotiënt) EQ
equalizer [de^{m}] equalizer
equatie [de^{v}] 1 ⟨algebraïsche vergelijking⟩ equation 2 ⟨het verrekenen, op gelijke basis brengen⟩ equation
equatie-uurwerk [het] equation clock
equator [de^{m}] equator
[1]**equatoriaal** [het, de^{m}] equatorial telescope
[2]**equatoriaal** [bn] equatorial ◆ *equatoriale **stroom*** equatorial current; *equatoriale **winden*** trade winds, trades
Equatoriaal-Guinea [het] Equatorial Guinea
Equatoriaal-Guineeër [de^{m}], **Equatoriaal-Guinese** [de^{v}] ⟨man & vrouw⟩ Equatorial Guinean, ⟨vrouw ook⟩ Equatorial Guinean woman/girl
Equatoriaal-Guinees [bn] Equatorial Guinean, of/from Equatorial Guinea
Equatoriaal-Guinese [de^{v}] → **Equatoriaal-Guineeër**
equilibrist [de^{m}], **equilibriste** [de^{v}] equilibrist, tightrope walker, balancer
equilibriste [de^{v}] → **equilibrist**
equinoctiaal [bn] equinoctial
equinoctium [het] equinox
equinox [de^{m}] equinox

equipage [de^v] [1] ⟨scheepv⟩ crew ◆ *equipage **houden*** keep a carriage [2] ⟨reistoerusting⟩ equipage, outfit, ⟨inf⟩ kit, gear [3] ⟨paard met rijtuig⟩ equipage, (horse and) carriage

equipe [de] team

equipement [het] equipment, outfit, ⟨inf⟩ kit, gear

equiperen [ov ww] [1] ⟨uitrusten⟩ equip, fit out [2] ⟨bemannen⟩ man

equipier [de^m] team-member

Equatoriaal-Guinea	
naam	*Equatoriaal-Guinea* **Equatorial Guinea**
officiële naam	*Republiek Equatoriaal-Guinea* **Republic of Equatorial Guinea**
inwoner	*Equatoriaal-Guineeër* **Equatorial Guinean**
inwoonster	*Equatoriaal-Guinese* **Equatorial Guinean**
bijv. naamw.	*Equatoriaal-Guinees* **of Equatorial Guinea**
hoofdstad	*Malabo* **Malabo**
munt	*CFA-frank* **CFA franc**
werelddeel	*Afrika* **Africa**
int. toegangsnummer **240** www **.gq** auto **GQ**	

[1]**equivalent** [het] equivalent, counterpart ◆ *een equivalent **vinden** voor* find an equivalent for; *een equivalent voor iets **zoeken*** search/look for an equivalent for sth.

[2]**equivalent** [bn] equivalent (to)

[1]**er** [pers vnw], **d'r** [pers vnw] [1] ⟨inf; vrouwelijk enkelvoud⟩ her [2] ⟨meervoud⟩ of them ◆ *ik **heb** er geen (meer)* I haven't got any (left); *ik **heb** er nog/nóg twee* I have got two left/more; *hij **kocht** er acht* he bought eight (of them); *daar **komen** er nog drie* there are three more (of them) coming; *er **zijn** er die ...* there are some/those who/which ...; *er **zijn** er genoeg* there are enough (of them); *geef mij een paar sigaren, **zijn** er nog veel?* give me a few cigars, are there many (of them) left?

[2]**er** [bw] [1] ⟨daar⟩ there ◆ *ik zal er even **aangaan/aanlopen*** I'll just call in/look in/drop in/stop off (there), ↓ I'll just pop in (there); *dat boek **is** er niet* that book isn't there; *wie **waren** er?* who was/were there?; *we **zijn** er* ⟨op de bestemde plaats⟩ here we are, we've arrived; ⟨succes hebben⟩ we have made/done it [2] ⟨zonder aan een plaats te denken⟩ there ⟨ook vaak onvertaald⟩ ◆ *nu **ben** ik er* (now) I've got it; *er **gebeuren** rare dingen* strange things (can) happen; ***heeft** er iemand **gebeld**?* did anybody call/phone?; *wat **is** er?* what is it?, what's the matter/trouble?, ↓ what's up?; ***is** er iets?* is anything wrong/the matter?, ↓ is anything up?; *er **is/zijn** ...* there is/are ...; *dat **is** er niet* ⟨bestaat niet⟩ that doesn't exist; ⟨bijvoorbeeld in winkel⟩ we/they don't have it; *er **is besloten**, dat ...* it has been decided that ...; *er **is** geen **ontsnappen** aan* there's no way of escaping; *er **kwam** een kerel aangefietst* this/a fellow came cycling along/by; *zo iemand **leeft** er niet* there's no such person; *er **was** niemand te **vinden** die het doen wilde* nobody could be found who would do it; *er **werd** hard **gewerkt*** they worked hard; *er **wordt gepraat/gedanst*** there's conversation/dancing; they are talking/dancing; *er **wordt** hier een museum **gebouwd*** there's a museum being built here; *er **wordt gezegd/verondersteld** dat ...* it is said/supposed that ...; *zo, we **zijn** er* well, here we are, we're arrived; *ze **zijn** er nog niet* ⟨uit de problemen⟩ they are not yet out of the [B]wood/[A]woods; *er was eens een koning* once upon a time there was a king [3] ⟨+ bijwoord⟩ ◆ *het er goed/slecht **afbrengen*** make a good/bad job of it; *er slecht/goed **afkomen*** get off badly/well; *de verf **is** er **afgegaan*** the paint has come off; *ik zit er niet **mee*** it doesn't worry/bother me, I don't mind (it); *er niets **van** gehoord hebben* have heard nothing about it

era [de] [1] ⟨tijdperk⟩ era, epoch, age, period [2] ⟨tijdrekening⟩ era

eraan [bw] [1] ⟨vastzittend aan het genoemde, bedoelde⟩ on (it), attached (to it) ◆ *kijk eens naar het kaartje dat eraan **zit*** have a look at the card that's on it/attached to it [2] ⟨aan het genoemde, bedoelde⟩ ◆ *wat **heeft** hij eraan?* what use is it to him?, what does he get out of it?; *wat **kan** ik eraan **doen**?* what can I do about it? [•] *hij **gaat** eraan* his number is up, he is a deadman, ↓ he is a goner; *de hele boel **ging** eraan* the whole lot went up/was destroyed; *ik **kom** eraan* (I'm) coming, I'm on my way; ⟨inf⟩ just a jiff/sec/tick; *toen de politie eraan **kwam** ...* when the police arrived/came/turned up ...; *hij **moet** eraan* ⟨straf⟩ he's got it coming to him, he's (in) for it; ⟨werk, taak⟩ he's got to get down to it/to work

erachter [bw] behind, ⟨enkelvoud⟩ behind it, ⟨mv⟩ behind them ◆ *het hek en de **tuin** erachter* the hedge and the garden behind (it) [•] ***ben** je erachter?* (have you) got it?, (do you) get it?; *erachter **komen*** ⟨plotseling⟩ find out, hit upon; ⟨toevallig⟩ happen/stumble on; ⟨begrijpen⟩ realize, ⟨inf⟩ cotton on (to); *erachter **zijn*** get/have got sth.; *hij **zit** erachter* ⟨gevangen⟩ he's inside/behind bars

eradiatie [de^v] eradiation

eraf [bw] [1] ⟨verwijderd⟩ off, ⟨enkelvoud⟩ off it, ⟨mv⟩ off them ◆ *het knopje **is** eraf* the button has come off, a button is missing; ⟨fig⟩ *de aardigheid **is** eraf* the fun has gone out of it, it's no longer fun (any more), the gilt has worn off; *mijn **kop** eraf, als het niet waar is* strike me dead if it is not true [2] ⟨bevrijd⟩ finished, ⟨AE ook⟩ done, through ◆ *zodra het gebouw is goedgekeurd, **is** de aannemer eraf* as soon as the building has been approved, the contractor's job will be finished, ⟨AE ook⟩ as soon as the building has been approved, the contractor will be through; *eraf **zijn*** be finished/done/through with, be rid of, have seen/heard the last of

Erasmusprijs [de^m] Erasmus Prize

erbarmelijk [bn, bw] [1] ⟨zeer gebrekkig⟩ pathetic ⟨bw: ~ally⟩, wretched, abominable, miserable ◆ *erbarmelijk (slecht) **Duits spreken*** speak German abominably, speak wretched/abominable/atrocious German, ↓ speak rotten German; *een erbarmelijk **opleiding*** a pathetic/pitiful/wretched education; *erbarmelijk (slecht) **voorbereid*** abominably prepared, dreadfully ill-prepared [2] ⟨medelijden opwekkend⟩ pathetic ⟨bw: ~ally⟩, pitiable ⟨bw: pitiably⟩, pitiful ⟨bw: ~ly⟩ ◆ *het gebouw was in een erbarmelijke **toestand*** the building was in a sorry state

[1]**erbarmen** [het] compassion, pity, mercy ◆ *met iemand erbarmen **hebben*** feel pity for s.o., commiserate with s.o., have mercy (up)on s.o.; ***vol** erbarmen* full of compassion/pity; ***zonder** erbarmen* without compassion/pity, pitiless, merciless

[2]**zich erbarmen** [wk ww] take/have pity (on), pity (on), have mercy (up)on ◆ ⟨iron⟩ *hij erbarmde zich **over** het laatste restje wijn* he took pity on the last (bit of wine), ⟨ogm⟩ he finished/polished off the last bit of wine

erbij [bw] [1] ⟨aanwezig⟩ there, ⟨enkelvoud⟩ included at/with/... it, ⟨mv⟩ included at/with/... them ◆ ***is** het supplement erbij?* is the supplement with it/included? [2] ⟨tot het genoemde, bedoelde⟩ ⟨enkelvoud⟩ at/to/... it, ⟨mv⟩ at/to/... them ◆ *ik **blijf** erbij dat ...* I still insist/believe/maintain that ...; *zout erbij **doen*** add salt; ⟨fig⟩ *hoe **kom** je erbij!* what an idea!, the very idea!, what can you be thinking of!; *hoe **kom** je erbij om zoiets raars te doen?* what made you/prompted you to do such an extraordinary thing?; ***kun** je erbij?* (do you) get it?; *het erbij **laten*** leave it (at that/there), forget (about) it, leave well alone, call it a day [•] *je **bent** erbij* your game/number is up, the game is up, ↓ gotcha!; *het kan hem niet schelen hoe hij erbij **loopt*** he doesn't care about clothes/what he looks like

erbinnen [bw] inside

erboven [bw] above, over, ⟨enkelvoud⟩ above/over it, ⟨mv⟩ above/over them ◆ *hij **staat** erboven* he's too good for that, he's above that, that's beneath him; *de titel **staat** erboven* ⟨van een pagina⟩ the title is at the top, ⟨van een artikel enz.⟩ the title is at the beginning

erbovenop [bw] 1 ⟨bovenop het genoemde⟩ on (the) top, on top of it/them ⟨enz.⟩ 2 ⟨fig⟩ ♦ *nu **is** hij **erbovenop*** he has got over it now, he is all right again; ⟨van patiënt⟩ he has pulled through, he has recovered; ⟨fin enz.⟩ he is on his feet again, he has got his head above water, he has pulled through

erdoor [bw] 1 ⟨m.b.t. een plaats⟩ ⟨enkelvoud⟩ through it, ⟨mv⟩ through them ♦ *al regent het nog zo hard, ik **moet** erdoor* no matter how hard it's raining, I have to go out in it 2 ⟨m.b.t. tijd⟩ ⟨enkelvoud⟩ through it, ⟨mv⟩ through them ♦ *die saaie zondagen, hoe **zijn** we erdoor **gekomen**?* those boring Sundays, how(ever) did we get through them? 3 ⟨m.b.t. oorzaak⟩ ⟨enkelvoud⟩ by/because of it, ⟨mv⟩ by/because of them ♦ *hij **raakte** zijn baan erdoor **kwijt*** it cost him his job, he lost his job because of it; *zij werden erdoor **verrast*** they were surprised by it • *ik **ben** erdoor* ⟨geslaagd⟩ I've got through, I've passed; ⟨heb niets meer in voorraad⟩ I've finished it/them/..., I've got no more of it/them/... left; *het **is** erdoor* it's settled/agreed; *een motie erdoor **krijgen*** get a motion through/passed/accepted/carried, carry a motion; *de dokter **sleepte** de patiënt erdoor* the doctor pulled the patient through/round; *ik **wil** erdoor* I'd like to get past/through

erdoorheen [bw] through, ⟨enkelvoud⟩ through it, ⟨mv⟩ through them ♦ *het roet/vocht **komt** erdoorheen* the soot/damp is coming through; *ik heb zoveel werk, ik weet niet hoe ik erdoorheen **moet komen*** I have (got) so much work I don't know how I'll get through (it) • *erdoorheen **zijn*** be through (with)

ere [de] → **eer**[1]

ereambt [het] honorary post/office/position

erebaantje [het] honorary post/office/job

ereblijk [het] mark of honour/respect, tribute

ereboog [de^m] triumphal arch

ereburger [de^m] ⟨in Engeland⟩ freeman ⟨meestal gevolgd door 'of the city'⟩, ⟨buiten Engeland⟩ honorary citizen ♦ *iemand tot ereburger **maken*** confer/bestow the freedom of the city on s.o.

ereburgerschap [het] honorary citizenship, (honorary) freedom, freemanship ♦ *hem werd het ereburgerschap van de **stad** aangeboden* he was presented with/admitted to/offered honorary citizenship/the freedom of the city, he was made free of the city/honorary citizen; *het ereburgerschap **verlenen aan*** bestow/confer honorary citizenship/the freedom of the city on, give/grant honorary citizenship/the freedom of the city to

erecode [de^m] code/law of honour

erectie [de^v] erection ♦ *een erectie **hebben/krijgen*** have/get an erection

eredienst [de^m] worship, service ♦ *de eredienst **bijwonen*** attend worship/a service

eredivisie [de^v] ⟨sport⟩ ⟨BE⟩ premier league, ⟨SchE⟩ premier division, ⟨AE⟩ major/big league

eredivisieclub [de] first-division club, ⟨SchE⟩ premier-division club, ⟨AE⟩ major-league club, ⟨AE⟩ big-league club

eredoctor [de^m] honorary doctor, doctor honoris causa

eredoctoraat [het] honorary doctorate/degree

eregalerij [de^v] 1 ⟨heldengalerij⟩ hall of fame 2 ⟨plaats voor topstukken⟩ place of honour

eregast [de^m] guest of honour

erehaag [de] double row ♦ *het bruidspaar liep **door** de erehaag* the bridal couple walked between the double row of guests

erekrans [de^m] wreath of honour, garland, laurel (wreath)

erekruis [het] cross of honour/merit

erelid [het] honorary member

erelidmaatschap [het] ⟨in Engeland⟩ honorary freedom, ⟨buiten Engeland⟩ honorary membership ♦ *hij kreeg het erelidmaatschap van de **vereniging*** he was made honorary member/free of the society

erelijst [de] 1 ⟨lijst van overwinningen⟩ list of achievements/victories 2 ⟨lijst van winnaars⟩ roll of honour

ereloge [de] royal/VIP box

ereloon [het] ⟨in België⟩ ⟨van dokter of advocaat⟩ fee

eremetaal [het] medal of honour

eren [ov ww] 1 ⟨eer(bied) bewijzen⟩ honour, ⟨sterker⟩ revere ♦ *de **doden** eren* honour/revere the dead; ⟨vieren⟩ commemorate the dead; ***God** eren* give praise to God 2 ⟨een onderscheiding toekennen⟩ honour ♦ *iemand **met** het ereburgerschap van de stad eren* honour s.o. with the freedom of the city 3 ⟨hoger aanzien verlenen⟩ do credit ♦ *een **bescheidenheid** die hem eert* a modesty which does him (great) credit • ⟨sprw⟩ *geen profeet is in zijn (eigen) land geëerd* a prophet is not without honour, save in his own country; ⟨sprw⟩ *die het kleine niet eert, is het grote niet weerd* ± take care of the pence/pennies and the pounds will take care of themselves

erepalm [de^m] palm (of honour), laurels, laurel (crown)

ereplaats [de] 1 ⟨voornaamste plaats⟩ place of honour, honoured place ♦ *iemand/iets een ereplaats(je) **geven/toekennen*** give s.o./sth. pride of place/an honoured place; *een ereplaats **innemen*** have an honoured place, have/take pride of place 2 ⟨sport⟩ the leader board, ⟨tweede positie⟩ runner-up (position)

erepodium [het] victory platform/stand, podium

erepoort [de] triumphal arch

ereprijs [de^m] 1 ⟨hoogste onderscheiding⟩ (first) prize 2 ⟨plantk⟩ speedwell, veronica

ereronde [de] lap of honour, ⟨i.h.b. atl⟩ victory lap

eresaluut [het] salute ♦ *iemand een eresaluut **brengen*** salute s.o.

ereschuld [de] debt of honour

ereteken [het] decoration, medal, (badge/mark of) honour, distinction ♦ *ereteken **voor** belangrijke krijgsverrichtingen* decoration for important war service

ereterras [het] VIP zone, VIP seats

eretitel [de^m] honorary title, title of honour, ⟨BE⟩ courtesy title

eretribune [de] ± grandstand, seats of honour

ereveld [het] military cemetery

erevoorzitter [de^m] honorary president/chairman, honorary chairwoman/chairperson

erevoorzitterschap [het] honorary presidency/chairmanship ♦ *het erevoorzitterschap **bekleden*** occupy the post of honorary chairman/chairwoman/chairperson

erewacht [de] guard of honour

erewedstrijd [de^m] tribute match

erewoord [het] word of honour, ⟨vnl. m.b.t. gevangenen⟩ parole (of honour) ♦ *zijn erewoord **geven*** give one's (word of) honour, pledge o.s.; ***op** mijn erewoord!* on my (word of) honour!, word of honour!; ⟨inf⟩ honour bright, cross my heart (and hope to die)!; *iemand **op** (zijn) erewoord **vrijlaten*** release s.o./set s.o. free on parole; *iemands erewoord **vragen**, op iemands erewoord **vertrouwen*** put s.o. on his honour

erezaak [de] matter/affair/point of honour ♦ *het **als** een erezaak beschouwen ...* ⟨ook⟩ feel in honour bound to ...

erf [het] 1 ⟨huis met de erbij behorende grond⟩ property, premises, ⟨AE⟩ lot, ⟨vnl. landgoed⟩ estate, grounds ♦ ***dienstbaar/lijdend** erf* servient tenement/property/estate; ***heersend** erf* dominant tenement/property/estate 2 ⟨grond(bezit)⟩ (farm) yard, ⟨vnl. landgoed⟩ estate, grounds ♦ ***huis** en erf* premises, property

erfbeplanting [de^v] planting in the yard, ⟨de planten zelf, voor bescherming⟩ windbreak

erfdeel [het] 1 ⟨wat iemand uit een nalatenschap toekomt⟩ inheritance, portion, ⟨vnl fig⟩ heritage ♦ ⟨fig⟩ *het **cultureel** erfdeel* the cultural heritage; *zijn erfdeel **krijgen***

come into one's inheritance; *het **moederlijk** erfdeel* maternal inheritance/portion; ***vaderlijk** erfdeel* patrimony, paternal inheritance; *zijn **wettelijk** erfdeel* his legitimate inheritance/portion [2] ⟨door God toegezegd bezit, recht⟩ inheritance ◆ *de zaligheid is **ons** erfdeel* salvation is our inheritance

erfdienstbaarheid [de^{v}] (praedial) servitude, incorporeal hereditament, easement ◆ *erfdienstbaarheid ten laste van een **perceel*** easement on a property; *erfdienstbaarheid **van licht*** right to light, easement of light, ⟨Engels recht⟩ ancient lights; *erfdienstbaarheid **van overpad*** right of way; *erfdienstbaarheid **van bouwhoogte*** jus non altius tollendi, right to prevent another from building higher

erfdochter [de^{v}] heiress

erfelijk [bn, bw] [1] ⟨m.b.t. erfelijkheid⟩ hereditary ⟨bw: hereditarily⟩ ◆ *hij is erfelijk **belast*** it runs in the family, he was born that way, he is a victim of heredity; ⟨beled⟩ he comes of tainted stock; *erfelijk **bepaald** zijn* be determined by heredity, be genotypic(al); *erfelijke **eigenschappen*** hereditary qualities/properties/characteristics, ⟨biol ook⟩ hereditary characters; *erfelijk **materiaal*** genetic material; *deze **ziekte** is erfelijk* this illness is hereditary [2] ⟨m.b.t. erfenis⟩ hereditary ⟨bw: hereditarily⟩, heritable, hereditable ◆ *erfelijke **gebruikers*** hereditary users; *erfelijke **graad*** hereditary degree; *erfelijk **recht/bezit*** hereditary right/property

erfelijkheid [de^{v}] [1] ⟨biol⟩ heredity, inheritance [2] ⟨het erfelijk zijn, worden⟩ hereditariness ◆ *de erfelijkheid van de **kroon*** the hereditariness of the crown

erfelijkheidsdrager [de^{m}] unit of heredity

erfelijkheidsleer [de] genetics

erfelijkheidsmateriaal [het] genetic material

erfelijkheidstheorie [de^{v}] theory of heredity, hereditary theory

erfenis [de^{v}] [1] ⟨wat iemand erft⟩ inheritance, portion, ⟨vnl fig⟩ heritage ◆ *een erfenis **erdoor jagen*** run through/squander/dissipate an inheritance; *een erfenis **krijgen*** be left an inheritance/a legacy/bequest; ↑ inherit; ⟨inf⟩ come into (some) money; *een erfenis **verwerpen/weigeren*** renounce an inheritance [2] ⟨wat iemand nalaat⟩ legacy, bequest, inheritance, ⟨boedel⟩ estate [3] ⟨vererving⟩ inheritance ◆ ***bij/door** erfenis verkregen* acquired by inheritance; ***tot** de erfenis geroepen worden* be called to the inheritance, inherit, succeed (to the inheritance) [4] ⟨wat men heeft overgenomen⟩ heritage, inheritance ◆ ⟨form⟩ *erfenis der **vaderen*** national patrimony/heritage

erfenisjager [de^{m}] legacy hunter

erffactor [de^{m}] (hereditary/genetic) factor

erfgenaam [de^{m}], **erfgename** [de^{v}] [1] ⟨m.b.t. een nalatenschap⟩ ⟨i.h.b. van een fortuin; man & vrouw⟩ heir, ⟨vrouw⟩ heiress, (in)heritor, successor, beneficiary, legatee ◆ *iemand tot erfgenaam **benoemen**/als erfgenaam **aanwijzen*** appoint/make/institute s.o. (one's) heir; *erfgenaam **bij versterf*** heir-at-law; ***natuurlijke** erfgenamen* heir of the body; *een **universeel** erfgenaam* universal/sole heir; ***vermoedelijk** erfgenaam* heir presumptive; *een **wettelijke/wettige** erfgenaam* an heir-at-law, a lawful/legal/rightful heir, an heir by (operation of) law; *erfgenaam **over de hand*** fideicommissary (heir) [2] ⟨m.b.t. rechten, verplichtingen⟩ heir, successor ◆ *erfgenaam van **Lord B.** van het **landgoed*** Lord B.'s heir, heir to/of Lord B., heir to the estate

erfgename [de^{v}] → **erfgenaam**

erfgerechtigd [bn] heritable, able to inherit, inheritable

erfgoed [het] [1] ⟨nalatenschap⟩ inheritance, legacy, bequest, ⟨boedel⟩ estate, ⟨jur⟩ hereditament ◆ ***in** het erfgoed **vervallen*** become entitled to the succession; ***onvervreemdbaar** erfgoed* entail; *het **vaderlijk** erfgoed* ⟨lett⟩ patrimony, patrimonial estate; ⟨van natie⟩ national heritage [2] ⟨goed dat in het vooruitzicht is gesteld⟩ inheritance ◆ *de **hemel** is **ons** erfgoed* heaven is our inheritance

erfgrond [de^{m}] hereditary land

erflaatster [de^{v}] → **erflater**

erfland [het] [1] ⟨Bijb⟩ ± Promised Land [2] ⟨waarover een vorst erfelijk regeert⟩ hereditary land/domain/state ◆ *de **Oostenrijkse** erflanden* the Austrian Succession States

erflater [de^{m}], **erflaatster** [de^{v}] ⟨man⟩ testator, ⟨vrouw⟩ testatrix, ⟨man & vrouw⟩ legator, ⟨man & vrouw⟩ divisor, ⟨man & vrouw⟩ testate

erflating [de^{v}] [1] ⟨het nalaten van bezit⟩ bequest, testation [2] ⟨nagelaten bezit⟩ bequest, legacy, inheritance

erfoom [de^{m}] uncle from whom one expects a legacy, ⟨inf⟩ rich uncle

erfopvolger [de^{m}], **erfopvolgster** [de^{v}] ⟨man & vrouw⟩ successor, ⟨man & vrouw⟩ heir, ⟨man⟩ inheritor, ⟨vrouw⟩ inheritress, ⟨vrouw⟩ inheritrix

erfopvolging [de^{v}] [1] ⟨opvolging van een overledene⟩ (hereditary) succession ◆ *erfopvolging **bij versterf*** succession on intestacy/ab intestato, intestate succession; *erfopvolging **bij wettelijk erfrecht*** succession by operation of law [2] ⟨opvolging in de regering⟩ succession

erfopvolgster [de^{v}] → **erfopvolger**

erfpacht [de] [1] ⟨gebruik van grond⟩ ± long lease, ground lease ◆ *grond **in** erfpacht **uitgeven*** ± lease (out)/let (out) land on (a) long lease; *grond **in** erfpacht **hebben/nemen/afstaan*** ± hold/take/let (out) land on (a) long lease; ***voortdurende** erfpacht* permanent ground lease [2] ⟨vast geldbedrag⟩ ground rent, rent charge [3] ⟨bij overlijden voortdurende pacht⟩ hereditary tenure, hereditary lease

erfpachtcanon [de^{m}] ground rent, rent charge

erfpachter [de^{m}] ground lessee, long leaseholder, long-lease tenant, leaseholder, leasehold tenant

erfprins [de^{m}], **erfprinses** [de^{v}] hereditary prince/princess, ⟨troonopvolger⟩ heir to the throne, heir apparent, crown prince/princess

erfprinses [de^{v}] → **erfprins**

erfrecht [het] [1] ⟨samenstel van rechtsregels⟩ law of inheritance/succession ◆ ***volgens** erfrecht* by the law of succession [2] ⟨het recht om te erven⟩ right of inheritance/succession ◆ *zijn erfrecht **laten gelden*** assert one's right of inheritance/succession

erfrechtelijk [bn] according to the law of inheritance/succession

erfrente [de] (hereditary) rent-charge

erfschuld [de] hereditary debt

erfstelling [de^{v}] appointment/institution of an heir, ⟨jur⟩ testamentary disposition ◆ ⟨jur⟩ *erfstelling **over** de hand* fideicommissary substitution; ⟨jur⟩ *erfstelling **uit** de hand* institution of an heir

erfstuk [het] (family) heirloom

erftante [de^{v}] aunt from whom one expects a legacy, ⟨inf⟩ rich aunt

erfvijand [de^{m}] hereditary enemy, traditional enemy

erfvredebreuk [de^{m}] trespass, trespassing

erfwet [de] law of inheritance/succession

erfzonde [de] [1] ⟨rel⟩ original sin [2] ⟨fig; ondeugd⟩ family failing/trait, ↑ inborn tendency

^{1}**erg** [de^{m}] ⟨eenheid van arbeid⟩ erg

^{2}**erg** [het] [1] ⟨argwaan⟩ misgiving(s), notion, inkling, suspicion ◆ ***geen** erg in iets hebben* not be aware/be unaware of sth., not know where one is/what is happening; *hij werd voortdurend bedrogen **zonder** er erg in te hebben* he was constantly cheated without (his) noticing (it)/realizing it; *voor ik er erg in had/kreeg, was het gebeurd* before I knew what was happening/where I was, it had happened [2] ⟨opzet⟩ (evil) intention(s) ◆ *ik deed/zei het **zonder** erg/**zonder** er erg in te hebben* I did/said it unintentionally/meaning no harm

^{3}**erg** [bn] [1] ⟨onaangenaam⟩ awful, terrible, dreadful, ⟨vaak zwakker⟩ bad ◆ ***des te** erger* so much the worse; *dit maakt het **des te** erger* this makes it all the worse; *het is (zo) al erg*

genoeg it's bad enough as it is; *in het ergste* ***geval*** if (the) worst/it comes/came to (the) worst; ⟨zelfstandig (gebruikt)⟩ ***het*** *ergste* ***is*** the worst (of it) is; ⟨zelfstandig (gebruikt)⟩ ***het*** *ergste hebben we gehad* have had the worst (of them/it/...); ⟨zelfstandig (gebruikt)⟩ *op* ***het*** *ergste voorbereid zijn* be prepared for the worst; *zo erg* ***is*** *het niet* it's not as awful/bad as (all) that; *dat* ***is*** *niet erg, hoor* it doesn't (really) matter, it's not serious, (it's) no great matter; *dat* ***is*** *toch niet erg?* it's not (really) so (very) bad, is it?, that doesn't really matter, does it?; ***is*** *het erg/****vind*** *je het erg als ik er niet ben?* do you mind if I'm not there?; *ik heb mijn jas vergeten en wat erger* ***is,*** *mijn portefeuille zat erin* I've forgotten my jacket and the awful thing is that my wallet is in it; *de zaak nog erger* ***maken*** make matters (even) worse, add insult to injury; *het erger* ***maken*** *dan het is* make it seem worse than it (really/actually) is, exaggerate; *ik* ***vind*** *het heel erg dat je altijd ...* I think it's absolutely awful/dreadful that you always ..., I think it's absolutely awful/dreadful of you to be always ...; *het* ***wordt*** *hoe langer hoe erger* it gets worse the longer it goes on; *het had erger kunnen* ***zijn*** it could have been (even) worse [2] ⟨te betreuren⟩ awful, dreadful, ↑regrettable, ↑lamentable, ↑deplorable, ⟨vaak zwakker⟩ bad ◆ *iets erg* ***vinden*** think sth. is awful/dreadful/terrible, find sth. regrettable/lamentable/deplorable; ***wat*** *erg!* how awful/dreadful!; ***wat*** *erg voor je!/wat vind ik dat erg voor je!* I'm/I feel so sorry (for you)!; ***zo*** *erg is het nu ook weer niet* it's not (really) so (very) bad as all that, it's not really that bad [3] ⟨slecht, schandelijk⟩ awful, terrible, dreadful, ⟨vaak zwakker⟩ bad ◆ *dit* ***is*** *erg, maar wat zij heeft gedaan* ***is*** *nog erger* this is bad enough, but what she did is even worse; *van de ergste* ***soort*** of the (very) worst kind/type/sort; *van kwaad* ***tot*** *erger vervallen* go from bad to worse; ***zoiets*** *ergs heb ik nog nooit meegemaakt* I've never seen/been through anything that awful/bad [4] ⟨hevig⟩ awful, terrible, dreadful, ⟨vaak zwakker⟩ bad ◆ *erge* ***honger/dorst*** *hebben* be awfully/dreadfully hungry/thirsty; *de regen is nu* ***op*** *zijn ergst* the rain is now at its worst/heaviest; *zijn ergste* ***vijand*** his (very) worst enemy [5] ⟨zorgelijk⟩ awful, terrible, dreadful, ⟨vaak zwakker⟩ bad, ⟨m.b.t. ziekte ook⟩ serious, critical ◆ *de toestand van de patiënt* ***is*** *erger* ***geworden*** the patient's condition has become (even) more serious/critical; *het* ***wordt*** *steeds erger met hem* he's getting (even) worse [•] *hij maakt het* ***te*** *erg* he's going too far; *het is meer dan erg* it's absolutely awful/dreadful/terrible; ⟨sprw⟩ *er zijn geen erger doven dan die niet horen willen* there's none so deaf as those who won't hear; ⟨sprw⟩ *het middel is erger dan de kwaal* the remedy may be/is worse than the disease

[4]**erg** [bw] ⟨zeer⟩ awfully, dreadfully, terribly, very, ⟨zwakker⟩ badly ◆ *erg* ***bang/arm/goed*** awfully/terribly/very frightened/poor/good; *heel erg* ***bedankt*** ⟨ook ironisch⟩ thanks awfully/a lot, thank you/thanks very much (indeed); *ze* ***bibbert*** *heel erg* she's shivering dreadfully; *we hebben erg* ***gelachen*** we laughed a lot; *een erg(e)* ***grote/mooie*** an awfully/a very big/beautiful one; *hij moest zich erg* ***haasten*** he was in an awful hurry, he really had to hurry; *het staat u erg* ***lelijk*** you look awful/dreadful/terrible in it; *hij was niet erg* ***mededeelzaam/vriendelijk*** he wasn't very/was none too communicative/friendly; *hij* ***miste*** *haar erg* he missed her awfully/dreadfully/terribly, he really missed her; ***niet*** *erg waarschijnlijk* not (really) (so) very likely, not at all likely, not very/really likely; *heb je lekker gegeten? Niet erg* Was the food good? Not really/very, Did you enjoy your meal? Not really/much; *hij ziet er erg* ***slecht uit*** he looks awful/dreadful/terrible; *zijn toestand was erg* ***slecht*** his condition was serious/critical; *het* ***spijt*** *me erg* I'm awfully sorry; *hij is er heel erg aan toe* he's in a (very) bad way; *hij heeft zich erg pijn gedaan* he hurt himself badly, he really hurt himself

ergens [bw] [1] ⟨waar dan ook⟩ somewhere, anywhere, ⟨AE ook⟩ someplace, anyplace ◆ *ergens* ***anders*** somewhere else; ↑elsewhere; ***heb*** *je dat ooit ergens* ***gehoord?*** have you ever heard that anywhere? [2] ⟨op zekere plaats⟩ somewhere ◆ *ik* ***heb*** *dat ergens* ***gelezen*** I've read that somewhere; *kunnen we vanavond niet ergens* ***heen/naartoe?*** can't we go (out) somewhere this evening?; ***hier*** *ergens moet het zijn* it must be somewhere here; *hij woont ergens* ***in*** *de buurt* he lives somewhere in this area; *ergens* ***omstreeks*** *de zesde juni* (sometime) round about the sixth of June; ***waar*** *ergens?* whereabouts? [3] ⟨in enig opzicht⟩ somehow, somehow or other ◆ *ik* ***kan*** *hem ergens toch wel* ***waarderen*** he has his good points [4] ⟨iets⟩ something, sth. or other ◆ *ergens* ***mee*** *pronken* show off sth., ↑flaunt sth.; *hij zocht ergens* ***naar*** he was looking for sth. (or other)

[1]**ergeren** [ov ww] ⟨aanstoot geven⟩ annoy, irritate, vex, anger, ⟨inf⟩ get s.o.'s back up, ⟨ernstiger⟩ scandalize, shock, give offence, ↑give umbrage ◆ ***het*** *ergerde mij zeer dat ...* I was very annoyed that ...; *die zaak ergert mijn* ***tante*** *reeds lang* this matter has been annoying my aunt for a long time

[2]**zich ergeren** [wk ww] ⟨aanstoot nemen⟩ be/feel/get annoyed (at), be indignant, ⟨inf⟩ get one's back up, ⟨ernstiger⟩ be shocked/scandalized, take offence/umbrage ◆ *hij ergert zich* ***aan*** *wat ik doe* he gets annoyed at/about what I do, what I do annoys him; *zich* ***aan/over*** *misstanden ergeren* get annoyed about/worked up about abuses; *hij ergert zich eraan dat ik zo weinig doe* it annoys him/he gets annoyed that I do so little; *zich* ***dood/wild*** *ergeren* be extremely annoyed, fume (with annoyance), be in a rage/a boiling temper; ⟨inf⟩ be hopping mad; *mens, erger je* ***niet*** keep your shirt on, ⟨BE ook⟩ keep your hair on; ⟨spel; BE⟩ ludo

ergerlijk [bn, bw] annoying ⟨bw: ~ly⟩, aggravating, exasperating, ⟨vnl. m.b.t. kinderen⟩ tiresome, ⟨sterker⟩ maddening

ergernis [de[v]] [1] ⟨toestand⟩ annoyance, irritation, exasperation, vexation, indignation ◆ ***tot*** *(grote) ergernis* ***van*** *de aanwezigen* to the (great) annoyance of those present; *ergernis* ***verwekken*** cause annoyance/a nuisance, be a nuisance; ⟨ernstiger⟩ cause scandal, give offence, ↑give umbrage [2] ⟨aanleiding⟩ annoyance, nuisance, ⟨inf⟩ pest, drag ◆ *je* ***bent*** *me een ergernis* you are a nuisance; *dat zijn gewoon* ***kleine*** *ergernissen* those are just minor annoyances/nuisances

ergo [bw] ergo, therefore, consequently

ergonome [de[v]] → **ergonoom**

ergonomie [de[v]] ergonomics, ⟨AE⟩ biotechnology, human engineering

ergonomisch [bn, bw] ergonomic, ⟨AE⟩ biotechnological

ergonoom [de[m]], **ergonome** [de[v]] ergonomist

ergotherapeut [de[m]], **ergotherapeute** [de[v]] occupational therapist, ⟨inf⟩ OT

ergotherapeute [de[v]] → **ergotherapeut**

ergotherapie [de[v]] occupational therapy, ⟨inf⟩ OT

erheen [bw] ⟨richting⟩ there, ⟨enkelvoud⟩ to it, ⟨mv⟩ to them ◆ *ga je erheen?* are you going there?; *op de weg erheen* on the way (there)

erhu [de[m]] erhu

erica [de] ⟨plantk⟩ erica, heath

Eriemeer [het] Lake Erie

erin [bw] [1] ⟨in het genoemde, bedoelde⟩ ⟨enkelvoud⟩ in(to) it, ⟨mv⟩ in(to) them, (in) there ◆ *erin* ***lopen*** ⟨fig⟩ walk right into it, fall for it; ⟨inf⟩ *iemand erin* ***luizen*** take s.o. for a ride; *ik zal erin* ***slagen*** I shall succeed (in it), I shall manage (it/that); ***staat*** *het erin?* ⟨bijvoorbeeld in boek⟩ is it in there/it?; *erin* ***zijn*** ⟨op dreef⟩ be into it; ⟨erin opgaan⟩ be wrapped up in it; ⟨sport⟩ be in/on form [2] ⟨in bed⟩ in(to) (bed) ◆ *erin* ***blijven*** stay in bed; *erin* ***kruipen*** crawl/creep in(to bed); *hups erin, en gauw wat!* jump/hop into bed, quick! [3] ⟨in huis⟩ inside, in(doors) ◆ ***kom*** *erin!* come inside!

Eritrea [het] Eritrea

Eritrea	
naam	*Eritrea* Eritrea
officiële naam	*Staat Eritrea* State of Eritrea
inwoner	*Eritreeër* Eritrean
inwoonster	*Eritrese* Eritrean
bijv. naamw.	*Eritrees* Eritrean
hoofdstad	*Asmara* Asmara
munt	*nakfa* nakfa
werelddeel	*Afrika* Africa
int. toegangsnummer 291 www .er auto ER	

Eritreeër [de^m], **Eritrese** [de^v] ⟨man & vrouw⟩ Eritrean, ⟨vrouw ook⟩ Eritrean woman/girl

Eritrees [bn] Eritrean

Eritrese [de^v] → **Eritreeër**

erkenbaar [bn] recognizable, acknowledgeable

erkend [bn] 1 ⟨algemeen als zodanig ervaren⟩ recognized, acknowledged ◆ ***algemeen** erkend* undisputed, generally approved/recognized; *een erkend **meester** in zijn vak* an acknowledged master in his trade/field 2 ⟨officieel toegelaten⟩ recognized, acknowledged, ⟨kantoor, beroep⟩ authorized, certified ◆ *(algemeen) erkende **feestdag*** ⟨BE⟩ official/public holiday, ⟨AE⟩ (legal) holiday; *erkend **hofleverancier*** purveyor to the court of ⟨naam van land⟩; ⟨op voorwerp; BE⟩ by appointment to (Her/His Majesty) the Queen/King; *een **internationaal** erkend diploma* an internationally recognized certificate; *erkend **loodgieter*** registered plumber; *een erkende **methode*** an approved method; ***officieel/algemeen** erkend* accredited, officially recognized, generally approved; *een erkende **verhuizer*** a registered moving company

erkennen [ov ww] 1 ⟨inzien⟩ recognize, acknowledge, realize, ⟨toegeven⟩ admit, confess ◆ *de ware **God** erkennen* acknowledge/profess the one true God; *ik heb me vergist, ik erken **het*** I recognize that I was mistaken, I admit I made a mistake; *zijn **ongelijk** erkennen* admit to being (in the) wrong; *iemands **onschuld** erkennen* admit s.o.'s innocence, exculpate s.o.; *hij erkende een aanhanger te **zijn** van Solidariteit* he owned/admitted to being a supporter of Solidarity; *naar hij zelf erkent* by his own admission, on his own confession, avowedly 2 ⟨als wettig, echt beschouwen, behandelen⟩ recognize, acknowledge ◆ *iemand **als** koning erkennen* recognize s.o. as king; *ik erken hem **als** mijn meester* I acknowledge him as my master; *een document **als** echt erkennen* recognize a document as genuine; *iemand **als** zijn meerdere erkennen* acknowledge s.o. as one's superior/s.o.'s superiority; *een **handtekening** niet als echt erkennen* not recognize/accept a signature as genuine; ***iets** niet erkennen* ⟨verantwoordelijkheid, natuurlijk kind⟩ disown/disclaim/disavow sth.; ⟨jur; vordering⟩ reject/disallow sth.; ⟨schuld, verplichting⟩ repudiate sth.; *een natuurlijk **kind** erkennen* own to/acknowledge a natural child; *het nieuwe **record** werd later wel officieel erkend* the new record was officially recognized later; *de grote mogendheden erkenden de revolutionaire **regering*** the Great Powers recognized the revolutionary government; *het **vaderschap** niet erkennen* deny paternity 3 ⟨zich dankbaar tonen voor⟩ acknowledge, appreciate, recognize ◆ *genoten **weldaden** erkennen* acknowledge/recognize benefits enjoyed

erkenning [de^v] 1 ⟨inzicht⟩ recognition, acknowledgement 2 ⟨waardering⟩ recognition, acknowledgement, appreciation ◆ *zij kregen de **verdiende** erkenning* they received/gained the recognition they deserve(d); *weinig erkenning **vinden*** meet with/gain/receive little recognition 3 ⟨jur; aanvaarding als rechtens bestaande⟩ recognition, legitimization, ratification, homologation ◆ *de erkenning van een **record*** the recognition/ratification of a record; *de erkenning van een **regering*** the recognition of a government

erkentelijk [bn] appreciative (of), grateful, thankful ◆ *zich erkentelijk **tonen** jegens iemand* show one's appreciation/gratitude to s.o.; *iemand erkentelijk **zijn** voor iets* be grateful/obliged to s.o. for sth.

erkentelijkheid [de^v] appreciation, recognition, gratitude ◆ *iemand zijn erkentelijkheid voor iets **betuigen*** show one's appreciation of sth. to s.o.; *een **blijk** van erkentelijkheid* a token of appreciation; ***uit** erkentelijkheid voor zijn hulp* in recognition of his help, in gratitude for his help; *iemand erkentelijkheid **verschuldigd zijn*** owe s.o. a debt of gratitude, owe s.o. thanks

erkentenis [de^v] recognition, realization, admission, acknowledgement ◆ ⟨jur⟩ *de **eigen** erkentenis van een beklaagde* the confession of a defendant

erker [de^m] bay (window), oriel

erlangs [bw] past, ⟨enkelvoud⟩ past it, ⟨mv⟩ past them, alongside, ⟨enkelvoud⟩ alongside it, ⟨mv⟩ alongside them ◆ *een weg met **bomen** erlangs* a road lined with trees; *wil je deze brief even op de bus doen als je erlangs **komt**?* could you pop this letter in the (post-)box while/when you're passing?; *hij **wil** erlangs* he wants to get past/by

erlenmeyer [de^m] Erlenmeyer flask

ermee [bw] ⟨enkelvoud⟩ with it, ⟨mv⟩ with them ◆ *hij **bemoeide** zich ermee* he concerned himself with it; ⟨ongunstig⟩ he interfered (with it)/meddled (in it); *wat **doen** we ermee?* what shall we do about/with it?; *veel **geluk** ermee!* good luck; ⟨vaak iron⟩ much good may it do you!; ***je hebt** jezelf ermee* you're the one who'll suffer/who suffers (by it/this); *hij pakte zijn hoed en **liep** ermee **weg*** he picked up his hat and left; *zo **staat** het ermee* that's how/the way it is; ***wat wilt** u ermee?* what do you want it for/want (to do) with it?; *je zit ermee* you're stuck/saddled with it ▪ *het kan ermee **door*** it will do

ermitage [de^v], **hermitage** [de^v] ⟨form⟩ ⟨ogm⟩ hermitage

erna [bw] afterwards, after, ⟨enkelvoud⟩ after it, ⟨mv⟩ after them, later ◆ *dat **komt** erna* that comes afterwards/after/later/next; *dat was **lang** erna* that was long after (it)/much later; *de **ochtend** erna* the following morning, the morning after

ernaar [bw] ⟨enkelvoud⟩ to/towards/at/after it, ⟨mv⟩ to/towards/at/after them ◆ *ernaar **kijken/luisteren*** look at/listen to it; *hij **sloeg** ernaar* he hit out at it; *ernaar **verlangen*** long for it ▪ *hij **maakt** het ernaar* he is asking for it

ernaast [bw] 1 ⟨naast het genoemde⟩ ⟨enkelvoud⟩ beside it, next to it, adjoining it, adjacent to it, ⟨mv⟩ beside them, next to them, adjoining them, adjacent to them ◆ *de fabriek en de **directeurswoning** ernaast* the factory and the manager's house next(door) to/adjacent to/adjoining it; ⟨scherts⟩ *een zilveren horloge? het heeft er wel naast **gelegen*** a silver watch? I suppose it does look like silver (if you're prepared to stretch your/the imagination); *ik **woon** ernaast* I live beside/next to it 2 ⟨mis⟩ off the mark ◆ *dat **is** ernaast* that is off/wide of the mark; *ernaast **zitten*** ⟨fig⟩ be wide of the mark, be off (the mark)

ernst [de^m] 1 ⟨(uiting van) stemming⟩ seriousness, earnest(ness), gravity, sobriety ◆ ***in** volle ernst* in all seriousness, in deadly earnest; *dat meen je toch niet **in** ernst* you surely don't mean that seriously, you can't be serious, you must be joking; *genoeg gelachen, nu even **in** volle ernst* joking apart, let's be serious for a minute; *er **klonk** ernst in zijn stem* he/his voice sounded serious, ⟨zeer ernstig⟩ he/his voice sounded grave; *een boek vol ernst en **luim*** a seriocomic(al) book; *iemand iets **met** ernst onder ogen brengen* point out sth. seriously to s.o.; ⟨verwijten⟩ remonstrate with s.o. on/about sth.; ***van** ernst vervuld zijn* be (very) serious/grave 2 ⟨vastheid, gemeendheid⟩ seriousness, earnest(ness) ◆ *het is **bittere** ernst* it is bitter earnest; *het is mij **bittere** ernst* I am not joking, I mean (every word of) it; *iets **in** alle ernst overwegen* give sth. serious consideration, consider sth. seriously; *het is mij volkomen ernst **met** dat* *plan* I am completely serious about this plan; *zal het hun toch ernst **worden**?* will they get serious?, will it get serious between them?, will they mean business this time?; *het leven/werk **wordt** nu ernst voor hem* he will have to take life/work seriously from now on [3] ⟨fig; wat ernst teweegbrengt⟩ seriousness, gravity ◆ *de ernst van het **leven** inzien* take a serious view of life, take life seriously; *de ernst van de **toestand**/een **geval** inzien* recognize the seriousness/serious nature/gravity of the situation/a case; *het **wordt** ernst met de bezuiniging/schaarste* the cuts/cutbacks are/the shortage is becoming/getting serious; *de ernst van een **ziekte*** the seriousness/gravity of an illness

[1]**ernstig** [bn] [1] ⟨van ernst vervuld⟩ serious, grave ◆ *ernstig **blijven*** remain serious, keep a straight face; *dat is een al te ernstig **heerschap/heertje*** he takes things far too seriously; *een ernstig **woord** met iemand spreken* talk seriously to s.o., have a serious talk with s.o., ⟨inf⟩ have a serious talk to s.o. [2] ⟨werkelijk gemeend⟩ serious, earnest, sincere ◆ *dat is mijn ernstige **overtuiging*** that is my sincere conviction [3] ⟨ernst opwekkend, niet licht op te vatten⟩ serious, grave ◆ *een ernstige **fout*** a serious mistake; *een ernstig **geval*** a serious case; *een ernstige **mededinger*** a serious rival/competitor; *een ernstig **verwijt*** a serious accusation; *de situatie **wordt** ernstig* the situation is becoming/getting serious [4] ⟨van ingrijpende aard⟩ serious, severe, grave ◆ *een ernstig **beschadiging*** serious/severe damage; *een ernstig **gestoorde*** a badly/seriously disturbed person; *ernstige **gevolgen** hebben* have serious/grave consequences; *dat **is** niet ernstig* that's not serious, it's nothing to get upset about; *in ernstige **moeilijkheden** verkeren* be in serious difficulties/trouble; *ernstige **verwondingen*** serious injuries; *een ernstige **ziekte*** a serious/grave/severe illness

[2]**ernstig** [bw] [1] ⟨in, met, vol ernst⟩ seriously, gravely ◆ *ernstig **kijken*** look serious/grave; *(iemand) ernstig **stemmen*** put (s.o.) in a serious mood; *iemand ernstig **toespreken*** talk seriously to s.o., have a serious talk with s.o., ⟨inf⟩ have a serious talk to s.o. [2] ⟨serieus, werkelijk gemeend⟩ seriously, earnestly, sincerely ◆ *het ernstig **inzien*** take a gloomy/dark/grave view of things, see how serious things are; *het ernstig **menen*** be in earnest (about sth.), be serious, ↓ mean business; *iets/iemand ernstig **nemen*** take sth./s.o. seriously; ⟨niet met iets/iemand spotten⟩ not trifle with sth./s.o.; *zich ernstig zorgen maken* be seriously/really/very worried (about sth.) [3] ⟨zwaar, danig⟩ seriously, gravely ◆ *iemand iets ernstig **aanrekenen*** hold sth. very much against s.o.; *ernstig **gestoord*** seriously disturbed

eroderen [ov ww, ook abs] erode

eroev [de] eruv

erogeen [bn] erogenous ◆ *erogene **zones*** erogenous zones

erom [bw] [1] ⟨eromheen⟩ ⟨enkelvoud⟩ around it, ⟨mv⟩ around them, ⟨enkelvoud⟩ round (about) it, ⟨mv⟩ round (about) them ◆ *een tuin met een **schutting** erom* a garden enclosed by a fence [2] ⟨m.b.t. verwisseling, ruil⟩ ⟨enkelvoud⟩ for it, ⟨mv⟩ for them [3] ⟨m.b.t. een object van denken, voelen⟩ ◆ ***denk** erom!* remember!, don't forget!; ***denk** je erom?* you won't forget (will you)?; *erom **huilen/treuren*** cry about it, grieve (over it); *ik **lach** erom* I couldn't care less, ↓ I couldn't give a damn (about it) [4] ⟨m.b.t. een beweegreden⟩ for it, ⟨enkelvoud⟩ on account of it, because of it, ⟨mv⟩ on account of them, because of them ◆ ⟨pregn⟩ *hij **doet** het erom* he does/is doing it on purpose [5] ⟨m.b.t. een doel⟩ ⟨enkelvoud⟩ for it, ⟨mv⟩ for them ◆ *als hij erom **komt*** if he comes for it/to get it; *als hij erom **vraagt/schrijft*** if he asks/writes for it [·] *het **gaat** erom dat ...* the thing/point is that ...

eromheen [bw], **errond** [bw] ⟨enkelvoud⟩ around it, ⟨mv⟩ around them, ⟨enkelvoud⟩ round (about) it, ⟨mv⟩ round (about) them ◆ ⟨fig⟩ *zonder eromheen te **draaien*** without beating about the bush, coming straight to the point; *eromheen **praten*** evade the issue, be evasive, beat about the bush; *het touw dat eromheen **zit*** the rope/string (a)round it

eronder [bw] [1] ⟨onder het genoemde⟩ ⟨enkelvoud⟩ under it, ⟨mv⟩ under them, underneath, ⟨enkelvoud⟩ underneath it, ⟨mv⟩ underneath them, ⟨enkelvoud⟩ below it, ⟨mv⟩ below them, ⟨enkelvoud; form⟩ beneath it, ⟨mv⟩ beneath them ◆ *hij zat op een bank en zijn hond **lag** eronder* he sat/was sitting on a bench/settee and his dog lay underneath (it)/under it; *iemand eronder **stoppen*** tuck s.o. in(to bed); ⟨begraven⟩ bury s.o. [2] ⟨m.b.t. ondergeschiktheid, onderworpenheid⟩ ◆ *hij **heeft** ze eronder* he has them under his thumb/control; *(iemand) eronder **houden*** hold (s.o.) down, suppress (s.o.), keep (s.o.) under one's thumb; *(iemand) eronder **krijgen*** beat/defeat (s.o.) [3] ⟨ingedeeld bij het bedoelde⟩ there ◆ ***hoort** dat eronder?* does that belong there/in that category? [4] ⟨m.b.t. een zich bevinden⟩ there, among them [5] ⟨m.b.t. een oorzakelijke betrekking⟩ from it, as a result of it, because of it, under it ◆ *hij **lijdt** eronder* he suffers from it

eronderdoor [bw] ⟨enkelvoud⟩ underneath it, ⟨mv⟩ underneath them ◆ ⟨fig⟩ *eronderdoor **gaan*** ⟨het afleggen⟩ go to pieces; ⟨failliet gaan⟩ go bust, go to the wall; *het hek was dicht maar de kat **kroop** eronderdoor* the gate was closed but the cat crept underneath it

eronderop [bw] underneath, ⟨enkelvoud⟩ underneath it, ⟨mv⟩ underneath them, at/on the bottom ◆ *de gebruiksaanwijzing **staat** eronderop* the instructions for use are at the bottom (of the box)

eronderuit [bw] [1] ⟨aan de onderkant eruit⟩ ⟨enkelvoud⟩ out (from) under it, ⟨mv⟩ out (from) under them ◆ *je onderjurk **komt** eronderuit* your slip is showing [2] ⟨weg van onder het genoemde⟩ ⟨enkelvoud⟩ out (from) under it, ⟨mv⟩ out (from) under them ◆ *hij **kroop** eronderuit* he crept out from under it; ⟨fig⟩ *eronderuit **kunnen*** get out of sth.

erop [bw] [1] ⟨op het genoemde⟩ ⟨enkelvoud⟩ on it, ⟨mv⟩ on them, ⟨form⟩ thereon ◆ *ijs met **aardbeien/chocola** erop* ice-cream with strawberries/chocolate on top/topped with strawberries/coated with chocolate; *met alles erop en **eraan*** full dress, in full feather, with the works/all the frills, with everything that goes with it; ⟨fig⟩ *erop of **eronder*** make or break, sink or swim, kill or cure; ***hand** erop!* (let's) shake on it!, here's my/give me your hand on it!; *het ijs is nog te dun om erop te kunnen **lopen*** the ice is still too thin to walk on (it); *de naam **staat** erop* it has the name on it [2] ⟨m.b.t. een richting, beweging⟩ ⟨enkelvoud⟩ on(to) it, ⟨mv⟩ on(to) them ◆ *erop **slaan*** hit it, bang on it; ⟨vechten⟩ hit out [3] ⟨m.b.t. een beweging naar boven⟩ ⟨enkelvoud⟩ up it, ⟨mv⟩ up them ◆ *erop **klimmen*** climb up it; ⟨paard⟩ mount it; *erop **komen*** ⟨zich herinneren⟩ think of/remember sth.; ⟨idee krijgen⟩ hit on it/an idea, occur to/strike (s.o.) [4] ⟨m.b.t. een toevoeging⟩ to it, ⟨mv⟩ to them ◆ *het **vervolg** erop* the sequel to it [·] *de **dag** erop* the following day; *erop **los** leven* live it up; *erop **staan*** insist on it; *het **zit** erop* that's it (then), it's/that's finished/^done

eropaan [bw] ◆ *als het eropaan **komt*** when it comes to the crunch, when the chips are down; *u **kunt** eropaan/u **kunt** ervan op aan* you can depend/count/rely on it; *ik **moet** eropaan **kunnen*** I must be able to depend/rely/count on it/be sure of it

eropaf [bw] to, ⟨enkelvoud⟩ to it, ⟨mv⟩ to them ◆ *eropaf **gaan*** make for/go towards it; ⟨fig⟩ rely/depend/bank on it

eropin [bw] in(to) ◆ *eropin **slaan*** hit out (at sth.) [·] *eropin **gaan*** take/follow it up, consider it

eropna [bw] [·] *eropna **houden*** ⟨personeel, dieren, gezelschap⟩ keep; ⟨personeel ook⟩ employ; ⟨fig; ideeën, vnl. merkwaardige⟩ hold, have, entertain; ⟨methoden⟩ pursue; *een auto eropna **houden*** keep/run/own a car; *rare gewoonten eropna **houden*** have strange/odd habits; *vreemde ideeën eropna **houden*** have/hold/entertain peculiar ideas; *stiekem een vriendje eropna **houden*** have a boyfriend on the sly; *een bepaalde levenswijze eropna **houden*** lead a certain (type of) life; *een eigen/uitgesproken mening eropna **houden*** have/hold one's own opinions/strong/definite opinions; *een woordenboek eropna **slaan*** consult a dictionary

eropuit [bw] ▪ *hij **is** eropuit mij dwars te zitten* he is bent on thwarting/crossing me, he is out to frustrate me

eros [de^m] eros

Eros [de^m] ⟨myth⟩ Eros, Cupid

eroscentrum [het] ± sex-club

erosie [de^v] ⟨geol⟩ erosion

erotheek [de^v] sex shop

erotica [de^mv] erotica

erotiek [de^v] 1 ⟨seks⟩ eroticism 2 ⟨psych⟩ the erotic

erotisch [bn, bw] erotic ⟨bw: ~ally⟩ ◆ *erotische **literatuur/kunst*** erotic literature/art; ⟨met nadruk op seks⟩ erotica; *erotische **verlangens*** erotic desires

erotogeen [bn] erotogenic, erotogenous, erogenous

[1]**erotomaan** [de^m] erotomaniac

[2]**erotomaan** [bn] erotomaniac(al)

erotomanie [de^v] 1 ⟨geestelijke afwijking⟩ erotomania 2 ⟨hyperseksualiteit⟩ erotomania

erover [bw] 1 ⟨over het genoemde heen⟩ ⟨enkelvoud⟩ over/across it, ⟨mv⟩ over/across them ◆ *het kleed dat erover **ligt*** the cloth which covers/is covering it; *wat betekent die rode lijn die erover **loopt**?* what is the meaning of the red line which runs across it?; *de trein die erover **reed*** the train which went over it 2 ⟨m.b.t. een betrokken zijn bij⟩ over it ◆ *wie **beschikt** erover?* who has charge/use of it?; *hij **gaat** erover* he is in charge of it, he has authority over it 3 ⟨m.b.t. een onderwerp, mening⟩ about/of it ◆ *hoe **denk** je erover?* what do you think about/of it?, what is your thinking/opinion on it? 4 ⟨aan de andere zijde van het genoemde⟩ across, ⟨enkelvoud⟩ across it, ⟨mv⟩ across them ◆ *eindelijk **waren** we erover* at long last we were on the other side/were across 5 ⟨zo dat het over de rand gaat⟩ ◆ *pas op, de melk **gaat** erover* be careful, the milk is boiling over

eroverheen [bw] 1 ⟨erover⟩ ⟨enkelvoud⟩ over/across it, ⟨mv⟩ over/across them ◆ ⟨vulg⟩ *eroverheen **gaan*** lay, screw, fuck; *dat **gaat** eroverheen* ⟨fig⟩ that goes/is going too far, that's too much 2 ⟨fig; het genoemde te boven gekomen⟩ over it ◆ *eroverheen **komen/zijn*** get/be over it; *het heeft lang geduurd eer ze eroverheen **waren*** it took them a long time to get over it

erratisch [bn] ⟨geol⟩ erratic ◆ *erratische **blokken*** erratic blocks, boulders, erratics

erratum [het] erratum, misprint, (printer's) error, corrigendum

errond [bw] 1 ⟨eromheen⟩ → **eromheen** 2 ⟨in België; erom⟩ ⟨enkelvoud⟩ around it, ⟨mv⟩ around them, ⟨enkelvoud⟩ round (about) it, ⟨mv⟩ round (about) them

error [de^m] error, mistake

ersatz [het, de^m] substitute, imitation, ersatz

ertegen [bw] 1 ⟨tegen het genoemde⟩ ⟨enkelvoud⟩ against/at it, ⟨mv⟩ against/at them ◆ *hij gooide de **bal** ertegen* he threw the ball at it; *iets ertegen **spijkeren*** nail sth. (on)to/(up) against it 2 ⟨contra⟩ against, ⟨enkelvoud⟩ against it, ⟨mv⟩ against them ◆ *ik **ben** ertegen* I am against it; *ondanks zijn **strijd** ertegen* despite his struggle/fight against it; *ertegen **tekeergaan*** rage against/at it; *ertegen **vechten*** fight (against)/oppose/combat it 3 ⟨m.b.t. een bestand zijn⟩ ◆ *ertegen **kunnen*** feel up to it; ⟨kunnen verdragen ook⟩ be able to put up with it/cope with it/stand it/bear it

ertegenaan [bw] ⟨enkelvoud⟩ onto/against it, ⟨mv⟩ onto/against them ◆ *de vleugel die ertegenaan **gebouwd is*** the wing which is built on to it; *ertegenaan **lopen*** run into it ▪ *ertegenaan **gaan*** ⟨werk⟩ get down to it; ⟨onderwerp, probleem⟩ tackle it, come to grips with it; ⟨ook sport en spel⟩ get going

ertegenin [bw] ⟨enkelvoud⟩ against it, ⟨mv⟩ against them ◆ ⟨fig⟩ *ertegenin **gaan*** ⟨zich verzetten⟩ go against/object to it; ⟨proberen tegen te gaan⟩ refuse to put up with it; *de wind is koud, als je ertegenin **loopt*** the wind is cold if you have it against you/if you're walking into it

ertegenop [bw] 1 ⟨omhoog tegen het genoemde⟩ ⟨enkelvoud⟩ up it, ⟨mv⟩ up them ◆ *hij **klom** ertegenop* he climbed up (it); *ertegenop **zien*** ⟨fig⟩ dread sth., not look forward to sth. 2 ⟨in tegengestelde richting⟩ ⟨enkelvoud⟩ against it, ⟨mv⟩ against them ◆ *ertegenop **kunnen*** ⟨fig⟩ be able to cope with/manage it; *de stroom was sterk, zodat zij moeite hadden ertegenop te **roeien*** the current was so strong they had difficulty in rowing against it ▪ *ertegenop **rijden*** bump into/collide with/hit/drive into/against it

ertegenover [bw] 1 ⟨aan de overkant van het genoemde⟩ ⟨enkelvoud⟩ opposite (to) it, ⟨mv⟩ opposite (to) them, ⟨enkelvoud⟩ facing it, ⟨mv⟩ facing them ◆ *het **huis** ertegenover* the house opposite (it)/facing it/across (the road) from it; *het postkantoor **ligt** ertegenover* the post office is opposite (it) 2 ⟨m.b.t. een tegenstelling⟩ ⟨argument⟩ against it, ⟨gevoelens⟩ towards it, ⟨moeilijkheid⟩ up against it ◆ *ertegenover **staat** dat ...* on the other hand ... ▪ *hoe **sta** je ertegenover?* where do you stand on that/this?, what is your position on it?

ertoe [bw] 1 ⟨m.b.t. een bestemming, besluit⟩ to ◆ *iemand ertoe **brengen/bewegen/krijgen** om (iets te doen)* bring s.o. round/^Aaround to (doing sth.), persuade/get s.o. to (do sth.); *het zwijgen ertoe **doen*** remain silent, give no answer; *ertoe **geroepen zijn*** be called to it; *ertoe **komen*** get (a)round to it; *hoe **kwam** je ertoe?* what made you do it?; *de **moed** ertoe **hebben*** have the nerve/will for it/to do it, be up to it 2 ⟨m.b.t. een behoren bij⟩ to, ⟨enkelvoud⟩ to it, ⟨mv⟩ to them ◆ *de vogels die ertoe **behoren*** the birds which belong to it ▪ ⟨inf⟩ *wat **doet** dat ertoe?* what has that got to do with it?, what difference does that make?

erts [het] ore ◆ *erts **wassen*** wash, ⟨AE⟩ sluice ore; *erts **winnen*** mine ore; *metaal uit erts **winnen*** extract metal from ore

ertsader [de] vein (of ore), lode

ertsgebergte [het] mineral rock

Ertsgebergte [het] Erz Mountains

ertshoudend [bn] ore-bearing

ertslaag [de] ore deposit, deposit of ore

ertsrijk [bn] rich in ore/ores

ertstanker [de^m] ore carrier

ertswinning [de^v] ore-mining, mining for ore, ore extraction

ertszeef [de] jig(ger)

ertussen [bw] 1 ⟨tussen twee zaken, tijdstippen enz.⟩ (in) between, ⟨enkelvoud⟩ (in) between it, ⟨mv⟩ (in) between them ◆ *dat stuk **is** ertussen **gezet*** that piece has been inserted; *mag ik er even tussen **komen**?* can I butt in?, can I chip in?, ⟨inf; AE⟩ can I chime in?; *het lukte me niet ertussen te **komen*** ⟨fig⟩ I couldn't get a word in (edgewise); *als er maar niets tussen **komt*** if only there are no hitches/foul-ups/difficulties; *als er niets tussen **komt**, dan* if nothing intervenes/prevents, if there are no foul-ups, unless sth. unforeseen should occur; ⟨fig⟩ *iemand ertussen **nemen*** make a fool of s.o., pull s.o.'s leg, con s.o., take s.o. in, ⟨BE⟩ have s.o. on, ⟨AE⟩ put s.o. on; *sneetjes brood met **vlees** ertussen* slices of bread with meat in between 2 ⟨te midden van, bij, onder meer zaken⟩ in the middle, among(st) (other) things, along with other things, ⟨form⟩ in the midst of things, amid(st) things ◆ *kijk maar of het ertussen **ligt*** see if it's (in) among those things; *er **zitten** ertussen die rot zijn* there are a few rotten ones among them

ertussendoor [bw] 1 ⟨m.b.t. een doorgang⟩ through, ⟨enkelvoud⟩ through it, ⟨mv⟩ through them, between, ⟨enkelvoud⟩ between it, ⟨mv⟩ between them ◆ *de spijlen stonden zo ver van elkaar, dat hij ertussendoor **kon kruipen*** the bars were so far apart that he could crawl through/between [2] ⟨m.b.t. een vermenging⟩ mixed in ♦ *een grapje ertussendoor **gooien*** throw in a joke here and there/the occasional joke [3] ⟨m.b.t. een tussenvoeging in de tijd⟩ (in) between, meanwhile, in the meantime ♦ *dat kunnen wij wel even ertussendoor **doen*** ⟨tussen twee andere dingen⟩ we can do that in the meantime; ⟨tijdens andere bezigheid⟩ we can do that as we go along

ertussenin [bw] [1] ⟨tussen twee zaken, tijdstippen enz.⟩ (in) between, ⟨enkelvoud⟩ (in) between it, ⟨mv⟩ (in) between them ♦ *hij is de oudste, zij is de jongste en ik **zit** ertussenin* he is the eldest, she is the youngest, and I am/come in between [2] ⟨te midden van, bij, onder meer zaken⟩ in the middle, among(st) (other) things, along with other things, ⟨form⟩ in the midst of things, amid(st) things

ertussenuit [bw] [1] ⟨naar buiten⟩ out, ⟨enkelvoud⟩ out of it, ⟨mv⟩ out of them ♦ *het papier dat ertussenuit **steekt*** the piece of paper that is sticking out [2] ⟨vrij, los⟩ out, loose, free ♦ *een dagje ertussenuit **gaan/knijpen*** slip off/away for the day; *met moeite **kwam** ik ertussenuit* I could barely get out/loose/free

erudiet [bn] [1] ⟨met een uitgebreide kennis⟩ erudite, scholarly, learned [2] ⟨van eruditie getuigend⟩ erudite, scholarly, learned

eruditie [de^v] erudition, scholarship, learning

eruit [bw] [1] ⟨naar buiten⟩ out ♦ *nog één zo'n blunder en hij **gaat/vliegt** eruit* one more mistake/gaff like that and he's out (on his ear); *iemand eruit **gooien*** throw s.o. out, ↓chuck s.o. out; ***hij** eruit of **ik** eruit* it's either him or me, either he goes or I go; *hij heeft 's morgens moeite om eruit te **komen*** he has trouble getting out of bed/getting up in the morning; *hij **moet** eens een poosje eruit* he should/ought to get away (from it all) for a while, he needs a rest; *zijn tenen **steken** eruit* his toes are sticking out; *eruit!* (get) out!, clear off!, be off! [2] ⟨niet (meer) erin, erbij⟩ out, gone ♦ *ik **ben** eruit* ⟨niet meer vertrouwd met⟩ I have lost my touch, I am out of practice, I am rusty; ⟨de draad kwijt⟩ I have lost the thread/drift; ⟨heb het opgelost⟩ I have got/found it; *eruit **liggen*** be out of favour/in the doghouse; ⟨sport⟩ be eliminated; *de beste stukken **zijn** eruit* the best pieces are/have gone [3] ⟨ter aanduiding van oorsprong⟩ from it, out of it ♦ *de kosten eruit **halen*** recover the expenses; *je **kunt** eruit **opmaken** dat ...* you can gather/conclude/deduce from that that ...

eruitzien [onov ww] [1] ⟨voorkomen hebbend⟩ look ♦ *er **goed** uitzien* look well/^A good; *er **slecht/jong/oud** uitzien* look bad/young/old [2] ⟨de indruk wekken te⟩ look like, look as if, look as though ♦ *plastic dat eruitziet **als** marmer* plastic that looks like marble; *hij is niet zo dom **als** hij eruitziet* he's not as dumb/stupid/^B thick as he looks; *hij ziet eruit **alsof** hij een kater heeft/**alsof** hij verzopen is* he looks as if/though he has (got) a hangover/as if he's sozzled; *het ziet ernaar uit **dat** ...* it looks as if ... [3] ⟨vuil, onverzorgd zijn⟩ look a mess/fright ♦ *wat ziet de **boel** eruit!* what a mess this place looks!; *kijk nou eens **hoe** je eruitziet!* just look at the mess you're in!, what do you think you look like!; *zij ziet er **niet uit*** she looks terrible [4] ⟨zich laten aanzien⟩ look like, look as if, seem, appear ♦ *het ziet er **slecht** uit voor jullie* it looks/things are looking bad for you

eruptie [de^v] eruption

eruptief [bn] eruptive ♦ *eruptieve **gesteenten*** eruptive/volcanic rocks

ervan [bw] [1] ⟨m.b.t. een verwijdering⟩ ⟨enkelvoud⟩ from it, ⟨mv⟩ from them ♦ *ervan **weggaan/scheiden/verwijderd zijn*** depart/divorce/be removed from it [2] ⟨m.b.t. een los, vrij raken⟩ ⟨enkelvoud⟩ from it, ⟨mv⟩ from them ♦ *het stukje dat ervan **afgebroken is*** the piece that has been/is broken off from it; *hij kan zich moeilijk ervan **losmaken*** he has trouble getting away/breaking free from it [3] ⟨m.b.t. een afstamming, oorsprong⟩ ⟨enkelvoud⟩ from it, ⟨mv⟩ from them, ⟨fig; enkelvoud⟩ of it, ⟨mv⟩ of them ♦ *de verbindingen die ervan **afgeleid zijn*** the combinations that have been/are derived from it; ⟨in België⟩ *ik **kom** ervan* that's where I've just come from, I have just come from there; *dat **komt** ervan* ⟨fig⟩ that's what comes of it [4] ⟨m.b.t. een oorzaak⟩ ♦ *zij **moest** ervan **huilen*** it made her cry; *ik **schrok** ervan* it frightened me/gave me a turn/gave me a scare [5] ⟨m.b.t. object van handeling⟩ ⟨enkelvoud⟩ of it, ⟨mv⟩ of them, ⟨form⟩ thereof ♦ *dat is het **aantrekkelijke** ervan* that's what is (so) attractive about it; *zich ervan **bedienen*** employ it, make use of it; ⟨aan tafel⟩ help o.s. to it; *hij **houdt** ervan tegen te spreken* he likes to contradict; *de mensen **spraken** ervan* people talked about/of it [6] ⟨m.b.t. materiaal⟩ of it, ⟨form⟩ thereof ♦ *het **dubbele** ervan* twice/double that; *de **helft** ervan* half of it/them/that; *alles wat men ervan **maken kan*** all one can make of it [7] ⟨m.b.t. hetgeen aanwezig is⟩ ⟨enkelvoud⟩ from it, ⟨mv⟩ from them, ⟨enkelvoud⟩ (out) of it, ⟨mv⟩ (out) of them ♦ *hoeveel hij ook ervan **nam**, ...* no matter how much he used/took of it, ... [8] ⟨m.b.t. een betrokken zijn⟩ of it ♦ *de hele stad **weet** ervan* it's all over town/it's the talk of the town; *ervan **weten*** know of it; *ervan op de hoogte zijn* know of/about it, be informed of it, have knowledge of it [9] ⟨m.b.t. een mening, oordeel, gevoelens⟩ of it, about it ♦ *ik **ben** ervan **overtuigd*** I am convinced of it; *ik **ben** ervan **overtuigd** dat ...* I am convinced that ...; *wat **vind** je ervan?, wat **zeg** jij ervan?* what do you think of it?, what do you say/have to say to that? [•] *het ervan nemen* live it up; *iemand ervan langs geven* give s.o. what for/a good dressing down, come down on s.o. (like a ton of bricks); *we kregen ervan langs* we caught it/were given what for/got it hot

ervandaan [bw] [1] ⟨weg van het genoemde⟩ away (from there) ♦ ***ga** ervandaan, het is gevaarlijk* get away from there, it's dangerous [2] ⟨verwijderd van het genoemde⟩ from there ♦ *hij **woont** dertig kilometer ervandaan* he lives twenty miles from there [3] ⟨afkomstig uit de genoemde plaats⟩ from there ♦ *ik **kom** ervandaan* that's where I have just come from, I have just come from there

ervandoor [bw] away, off ♦ *met het geld ervandoor **gaan*** make off with the cash; *hij wou ervandoor **gaan**, maar ik kon hem nog net grijpen* he wanted to run away/off, but I just managed to get hold of him; *zij **ging** ervandoor met een zeeman* she ran off/away with a sailor, ↑she eloped with a sailor; *nou, het is tijd, we **moeten** ervandoor* it is time for us to be off

ervanlangs [•] *iemand ervanlangs **geven*** let s.o. have it; *we **kregen** ervanlangs* we were given what for; *ervanlangs **krijgen*** (really) get/catch it

ervantussen [bw] [•] ⟨scherts⟩ *ervantussen **gaan*** be off

[1]**ervaren** [bn] experienced (in), expert (at/in), ⟨handwerkslieden ook⟩ skilled (in), practised/^A practiced (in) ⟨ook pejoratief⟩ ♦ *ervaren **iemand** gevraagd* experienced person wanted, wanted, experienced person; *hij is helemaal niet ervaren **in** dit soort klusjes* he has got no idea about these things/that sort of thing; ***op** dat gebied ervaren zijn* be experienced in that field; *een ervaren **piloot*** an experienced pilot

[2]**ervaren** [ov ww] experience, ⟨gewaarworden⟩ discover ♦ *iets ervaren **als*** experience sth. as; *hij heeft tot zijn schande/verdriet moeten ervaren **dat** ...* he has discovered to his shame/sorrow that ...; *ik heb dat **zelf** ervaren* I have experienced it personally/myself

ervarenheid [de^v] skill, experience, practice, routine

ervaring [de^v] [1] ⟨het ondervinden⟩ experience, discovery ♦ *iets door **bittere** ervaring leren* learn sth. the hard way/from bitter experience; *uit **eigen** ervaring* from personal/one's own experience; *de ervaring **leert** dat ..., uit ervaring is **gebleken** dat ...* experience shows/teaches one that ...; ***uit** ervaring weten* know from/by experience [2] ⟨ondervinding⟩ experience ♦ *slechte/goede ervaringen **met** iets/iemand hebben* have bad/good experiences with sth./s.o.; *dat is* *weer een ervaring **rijker*** you can put that (one) down to experience; *ervaringen **uitwisselen*** compare notes, exchange experiences ③ ⟨verkregen kennis, routine⟩ experience, skill, practice, routine ◆ *veel ervaring **hebben*** be very experienced, ↓ be an old hand/an old stager; *weinig/geen ervaring **hebben** in zijn vak/op bepaald gebied* be inexperienced in/new to one's trade/subject/profession, have little/no experience in a certain field/area; *mijn ervaring **is dat** ...* it is my experience that ..., I have found that ..., in my experience ...; *(de nodige) ervaring **opdoen/missen*** acquire/get/gain (the necessary) experience, lack (the necessary) experience; *ervaring **vereist*** experience required/essential, only experienced persons need apply

ervaringsdeskundige [de] 'hands-on' expert

ervaringseconomie [de^{v}] experience economy

ervaringsfeit [het] empirical fact

ervaringsleer [de] ⟨filos⟩ experientialism, experiential philosophy, empiricism

ervaringswereld [de] world of (one's) experience

^{1}**erven** [de^{mv}] heir(s) ◆ *de erven **Janssens*** the Janssens heirs

^{2}**erven** [ov ww] ① ⟨m.b.t. eigenschappen⟩ inherit ◆ *zij heeft haar vaders **uiterlijk** geërfd* she has inherited her father's looks, she takes after her father in looks ② ⟨van een ander overnemen⟩ adopt, acquire, inherit, take on, catch ◆ *zij heeft haar vaders **maniertjes** geërfd* she has adopted her father's mannerisms ③ ⟨deelachtig worden⟩ inherit ◆ *het **koninkrijk** der hemelen erven* inherit the Kingdom of Heaven

^{3}**erven** [ov ww, ook abs] ⟨door erfenis krijgen⟩ inherit, ⟨troon⟩ come into, succeed to ◆ *een **fortuin/geld** erven* come into a fortune/money; ***iets** (van iemand) erven* inherit sth. (from s.o.)

ervoor [bw] ① ⟨voor het genoemde, bedoelde⟩ in front, ⟨enkelvoud⟩ in front of it, ⟨mv⟩ in front of them ② ⟨m.b.t. een reactie⟩ ◆ *hij **liep** ervoor **weg*** he ran away from it; *er alleen voor **staan*** be (out) on one's own; *zoals de zaken ervoor **staan** ...* as things stand/are ③ ⟨voor het genoemde in volg-, rangorde⟩ before (it) ◆ *de lijst van deelnemers **komt** ervoor* the list of participants comes before it; *dat **was** ervoor, niet erna* that was before, not after(wards) ④ ⟨m.b.t. een bestemming, oorzaak⟩ for it ◆ *dat **dient** ervoor om ...* that is for ..., that serves to ...; *hij heeft geen **gevoel** ervoor* ⟨geen gevoelsvermogen bezittend⟩ he has no feeling for it; ⟨niet ontvankelijk⟩ he is not sensitive to it; *hij **moet** ervoor **boeten*** he will pay for it; *ik **zal** je ervoor **betalen*** I'll pay you for it; *ervoor **zorgen** dat ...* see/look to it that ..., take care that ..., make sure that ... ⑤ ⟨ten voordele, behoeve van⟩ for it ◆ *hij **streed** ervoor om hun lot te verbeteren* he strove/fought to improve their lot/conditions/situation, he fought for an improvement in their situation ⑥ ⟨pro⟩ for it, in favour (of it) ◆ ***ik ben** ervoor* I am in favour of it, I am (all) for it; *hij **heeft** ervoor **gestemd*** he voted for it/in favour (of it)/pro ⑦ ⟨in de plaats van⟩ ⟨enkelvoud⟩ for it, ⟨mv⟩ for them, instead, ⟨enkelvoud⟩ instead of it, ⟨mv⟩ instead of them ◆ *wat **krijg** ik ervoor?* what will I get for it?; *u **kunt** het ervoor **ruilen*** you can exchange/switch it for this/trade it (in) for this ⑧ ⟨m.b.t. een gelijkstelling⟩ for it ◆ *ervoor **doorgaan*** pass for (sth. else)

erwt [de] ① ⟨zaad⟩ pea ◆ ⟨inf, fig⟩ *ze heeft **twee** erwten op een plankje* she is as flat as a pancake/flat-chested ② ⟨plant⟩ pea ③ ⟨mv; voedsel⟩ peas ◆ ***groene** erwten* green/garden peas

erwtbeentje [het] ⟨anat⟩ pisiform (bone)

erwtensoep [de] pea soup

erytrocyt [de^{m}] ⟨med⟩ erythrocyte, red blood cell/corpuscle

^{1}**es** [de^{m}] ⟨boom⟩ ash

^{2}**es** [de] ⟨muz⟩ e-flat

ESA [de^{v}] (European Space Agency) ESA

escadrille [het, de] flight

escalatie [de^{v}] escalation

^{1}**escaleren** [onov ww] ⟨het voorwerp worden van escalatie⟩ escalate, snowball, ⟨prijzen ook⟩ rocket, shoot up

^{2}**escaleren** [ov ww] ⟨het voorwerp doen worden van escalatie⟩ (cause to) escalate, snowball, ⟨prijzen ook⟩ force up

escapade [de^{v}] escapade, ↓ fling, ↓ spree

escape [de^{m}] escape

escapetoets [de^{m}] ⟨comp⟩ escape (key)

escapisme [het] escapism

escargots [de^{mv}] ⟨cul⟩ escargots, (edible) snails

eschatologie [de^{v}] ⟨theol⟩ eschatology

escort [de] escort

escorte [het] escort

escorteren [ov ww] escort

escortservice [de^{m}] escort service

escudo [de^{m}] ⟨gesch⟩ escudo

esculaap [de^{m}] ① ⟨embleem⟩ staff of Aesculapius, Aesculapius' staff ② ⟨scherts; arts⟩ medic(o)

esdoorn [de^{m}] maple(-tree)

esdoornachtigen [de^{mv}] maples

ESIM [het] ⟨in België⟩ (Economisch en Sociaal Instituut voor de Middenstand) Economic and Social Institute for the retail Industry

eskader [het] ① ⟨m.b.t. een vlootafdeling⟩ squadron ② ⟨m.b.t. oorlogsvliegtuigen⟩ squadron

eskadron [het] squadron

Eskimo [de^{m}] Eskimo

eskimohond [de^{m}] Eskimo dog, husky, malamute

esmerald [het, de^{m}] ⟨arch⟩ emerald

esotericus [de^{m}] esotericist

esoterie [de^{v}] esoterics, esotericism

esoterisch [bn] esoteric

esoterisme [het] esoteri(ci)sm

esp [de^{m}] aspen

espadrille [de] espadrille

espagnolet [de] espagnolette

esparcette [de] ⟨plantk⟩ sainfoin

espartogras [het] esparto (grass), Spanish grass, alfa (grass)

espenblad [het] aspen leaf ◆ *hij trilt **als** een espenblad* he's shaking/trembling like a leaf, he's quivering like an aspen

esperantist [de^{m}] Esperantist

Esperanto [het] Esperanto

esplanade [de^{v}] ① ⟨voorplein⟩ esplanade ② ⟨exercitie-, wandelplein⟩ esplanade, ⟨exercitieplaats ook⟩ parade ground

espoir [de^{m}] espoir

espressivo [bw] ⟨muz⟩ espressivo, espressione

espresso [de^{m}], **espressokoffie** [de^{m}] espresso

espressoapparaat [het], **espressomachine** [de^{v}] espresso (machine)

espressobar [de] café, ⟨BE⟩ coffee bar, ⟨AE⟩ coffeehouse, espresso(bar)

espressokoffie [de^{m}] → **espresso**

espressokopje [het] demitasse, after-dinner cup, espresso cup

espressomachine [de^{v}] → **espressoapparaat**

esprit [de^{m}] ① ⟨geest⟩ esprit, spirit, mentality ◆ *esprit de corps* esprit de corps; *esprit de clocher* parochialism ② ⟨geestigheid⟩ esprit, sprightliness, wit ◆ *esprit de l'escalier* esprit de l'escalier

essaai [het] assay

essaaikantoor [het] assay office

essay [het] essay

essayeren [ov ww] assay, test (the purity of)

essayeur [de^{m}] assayer, tester

essayist [de^{m}] essayist

essen [bn] ash(en)

essence [de] ① ⟨aftreksel⟩ essence, extract, concentrate

[2] ⟨smaak-, geurstof⟩ essence, perfume, scent
essenhout [het] ash (wood)
essenkruid [het] dittany, fraxinella
essentialia [de^{mv}] essentials
essentie [de^{v}] essence
essentieel [bn, bw] essential ⟨bw: ~ly⟩, fundamental, material, elemental, vital, central ♦ *van essentieel* ***belang*** of vital importance; *een essentieel* ***deel*** *van* an essential part/ aspect of, part and parcel of; ***het*** *essentiële van de zaak* the heart/essence/crux of the matter; *het essentiële* ***punt*** *aanroeren* touch (up)on/come to the central issue/main point; *een essentieel* ***verschil*** a fundamental difference
Est [de^{m}], **Estlander** [de^{m}] Estonian
establishment [het] establishment
estafette [de] relay (race)
estafetteloop [de^{m}] relay (race)
estafetteloper [de^{m}] (relay) runner
estafetteploeg [de] relay team
estafettestaking [de^{v}] sequential (sector) strikes
estafettestokje [het] baton
estate [de^{m}] ⟨auto⟩ station wagon, ⟨vnl BE⟩ estate car
ester [de^{m}] ⟨scheik⟩ ester
estheet [de^{m}] aesthete, ↓art lover, ⟨pej⟩ arty person
Estherrol [de] Esther roll
esthetica [de^{v}] aesthetics
estheticienne [de^{v}] beautician
estheticisme [het] aestheticism
estheticus [de^{m}] aesthetician
esthetiek [de^{v}] aesthetics
esthetisch [bn, bw] [1] ⟨m.b.t. de waarneming, beoordeling van het schone⟩ aesthetic ⟨bw: ~ally⟩, ⟨m.b.t. wetenschap der esthetica⟩ aesthetical ♦ *esthetisch* ***gevoel*** aesthetic sense [2] ⟨kunstzinnig, smaakvol⟩ aesthetic ⟨bw: ~ally⟩ [3] ⟨gevoelig voor het schone⟩ aesthetic ⟨bw: ~ally⟩ ♦ *een esthetische* ***natuur*** an aesthetic nature [·] *esthetische* ***chirurgie*** cosmetic/corrective/plastic surgery
Estland [het] Estonia

Estland	
naam	*Estland* Estonia
officiële naam	*Republiek Estland* Republic of Estonia
inwoner	*Est; Estlander* Estonian
inwoonster	*Estse; Estlandse* Estonian
bijv. naamw.	*Ests; Estisch; Estlands* Estonian
hoofdstad	*Tallinn* Tallinn
munt	*Estlandse kroon* Estonian kroon
werelddeel	*Europa* Europe
int. toegangsnummer 372 www .ee auto EST	

Estlander [de^{m}] → **Est**
Estlands [bn] Estonian
estouffade [de] ⟨cul⟩ braised dish, stew, casserole
estuarium [het] estuary
ETA [de^{v}] ETA
etableren [ov ww] establish, set up, found ♦ ***zich*** *etableren* establish o.s.
etablissement [het] [1] ⟨onderneming: hotel, café e.d.⟩ establishment [2] ⟨geheel van gebouwen⟩ institution, complex
etage [de^{v}] [1] ⟨verdieping⟩ floor, storey, ⟨AE⟩ story ♦ *op de* ***eerste*** *etage* on the ^{B}first/^{A}second floor; *hij woont op een* ***kleine*** *etage* he lives in a small flat/^{A}apartment; *dit gebouw wordt* ***per*** *etage verhuurd* this building is let out in floors; *een huis met* ***twee*** *etages* a two-storeyed/^{A}three-storied house, a house with two/^{A}three floors [2] ⟨laag⟩ layer, level
etagebed [het] bunkbed
etagère [de] whatnot, étagère, shelves
etagewoning [de^{v}] flat, ⟨AE⟩ apartment
et al. [afk] et al, and others
etalage [de^{v}] shop-window, display window ♦ *etalages* ***(gaan) kijken*** (go) window-shopping; ⟨fig; handel⟩ ***in*** *de etalage staan* be (put) in the shop window; ***in*** *de etalage liggen* be on display in the window; *het* ***inrichten*** *van een etalage* window dressing; *een etalage* ***inrichten/opmaken*** dress a shop-window; *iets* ***uit*** *de etalage halen* take sth. out of the window
etalagepop [de] (shop-window) dummy, mannequin
etalagewedstrijd [de^{m}] window-dressing/display competition
etalagist [de^{m}] ⟨in België⟩ window-dresser, window-trimmer
etaleren [ov ww] [1] ⟨uitstallen⟩ display, exhibit, place on show [2] ⟨verkondigen⟩ display, show off, exhibit ♦ *zijn* ***kennis/standpunten*** *etaleren* show off/display/exhibit one's knowledge/opinions
etaleur [de^{m}] window-dresser, window-trimmer
etaleur-decorateur [de^{m}] window-dresser
etalon [de^{m}] standard (measure)
etappe [de] [1] ⟨afstand tussen twee rustpunten⟩ stage, ⟨laatste ook⟩ lap, ⟨vliegreis ook⟩ hop, leg ♦ ⟨fig⟩ ***in*** *etappes plaatsvinden* take place in/by stages; ⟨fig⟩ ***in korte*** *etappes* by easy stages [2] ⟨sport⟩ stage, leg [3] ⟨mil⟩ lines of communication/area
etappeoverwinning [de^{v}] ⟨sport⟩ stage win/victory
etappeplaats [de] stopover/staging point
etappewedstrijd [de^{m}] ⟨sport⟩ stage race
etappewinnaar [de^{m}] ⟨sport⟩ stage winner
etatisme [het] etatism, stat(e)ism, state socialism
etc. [afk] (et cetera) etc, & c
et cetera et cetera, etcetera, and so on, and so forth
[1]**eten** [het] [1] ⟨voedsel⟩ food, fare, ⟨inf⟩ meal, dinner ♦ *hij laat zijn eten en* ***drinken*** *ervoor staan* ⟨fig⟩ it's his be-all and end-all; ⟨vero⟩ it's meat and drink to him; *dat is* ***geen*** *eten* that isn't fit to eat; *eten* ***geven*** *aan (dieren/de armen/...)* feed (animals/the poor/...); *geen eten* ***hebben*** have nothing to eat; *weer trek* ***in*** *eten krijgen* get one's appetite back; ***koud*** *eten* cold meal, lunch; ⟨BE ook⟩ tea; *hij houdt van* ***lekker*** *eten* he is fond of good food; *eten en drinken* ***meenemen*** bring along sth. to eat and drink; *een pan* ***met*** *eten* a pan of food; ***warm*** *eten* hot meal, dinner [2] ⟨maaltijd⟩ meal, ⟨middag of avond⟩ dinner, ⟨middag⟩ lunch, ⟨avond⟩ supper ♦ *wijn* ***bij*** *het eten drinken* drink wine with a meal; *het eten* ***is opgediend,*** *het eten* ***staat*** *op tafel, het eten* ***is klaar*** dinner is served, dinner is waiting/on the table, dinner's ready; *het eten* ***klaarmaken/bereiden/koken*** prepare/cook dinner/the meal, make dinner; *het eten* ***laten staan*** not eat, not finish eating, leave food on one's plate; go/be off one's food; *ik ben niet thuis* ***met*** *het eten* I won't be home for dinner; *we waren net klaar* ***met*** *het eten* we had just finished our dinner; *een dutje* ***na*** *het eten* an after-dinner nap, ↑a postprandial nap; *poets altijd je tanden* ***na*** *het eten* always brush your teeth after meals; ***onder*** *het eten* at table, during meals/the meal, at dinner(time); *nog een kik en je gaat* ***zonder*** *eten naar bed* one more word out of you and you'll be packed off to bed without your dinner
[2]**eten** [onov ww] ⟨een maaltijd gebruiken⟩ eat, dine, have a meal, have dinner ♦ *wij komen (zondag)* ***bij*** *jullie eten* we're coming round/over for dinner (Sunday); ***blijf*** *je (te) eten?* will you stay to/for dinner?; ***buitenshuis/buiten*** *de deur eten* eat/dine out/away from home; ***in*** *een restaurant eten* dine in a restaurant; *iemand mee* ***laten*** *eten* have s.o. stay to/for/ stop to dinner, have s.o. over for a meal/for dinner; *wij eten* ***om*** *zes uur* dinner's at six; *iemand* ***te*** *eten vragen/hebben* invite/ask s.o. to dinner, invite/ask s.o. round/over for dinner; ***thuis*** *eten* eat in; ***uit*** *eten gaan* go out for dinner; *iemand* ***uit*** *eten nemen* take s.o. out to dinner, treat s.o. to a meal; *wij* ***zitten*** *net te eten* we've just sat down to dinner; *wij* ***zitten*** *nog te eten* we're still having dinner, still eating
[3]**eten** [ov ww] ⟨door eten verkrijgen⟩ eat ♦ *iemand* ***arm*** *eten* eat s.o. out of house and home; *zijn bord* ***leeg*** *eten* eat every-

thing up/on one's plate; *zich een **ongeluk/beroerte** eten* overeat, eat o.s. sick; *zijn buikje **rond** eten* eat one's fill; *zich **vol** eten* stuff o.s.; *zich **ziek** eten* eat o.s. sick; *zich te barsten eten* eat o.s. fit to bu(r)st

⁴**eten** [ov ww, ook abs] 1 ⟨nuttigen⟩ eat, have sth. to eat ◆ *eten **als** een wolf/paard* eat like a wolf/horse; *de patiënt **begint** weer iets te eten* the patient is starting to eat again/is getting back his appetite; *hij **begon** er direct van te eten* he dug/pitched into it, he fell to; *we hebben **brood** en **soep** te eten gekregen* we had bread and soup, we were given bread and soup to eat; ***flink/stevig/goed** eten* eat heartily; *al gegeten en **gedronken** hebben* ⟨fig⟩ have had more than one's fill; *te eten **geven*** feed; *te veel/te weinig te eten **geven*** overfeed, underfeed; ***goed** kunnen eten* have a good/healthy/hearty appetite, be a hearty eater; *een **hapje** eten* have a bite to eat; *het **is** te eten/niet te eten* it's edible/inedible, it tastes OK/awful; ⟨fig⟩ *daar **kan** men niet van eten* fair words butter no parsnips; ***lekker** gegeten?* enjoyed your meal?; *hij kan **lekker** eten* he likes his food; *je kunt hier **lekker** eten* they serve good food here; ***met** smaak eten* eat with a relish/with gusto; *zij eet nog steeds **niet(s)*** ⟨van een zieke⟩ she's still off her food; *eet **smakelijk*** enjoy your meal; ***uit** het vuistje eten* eat with one's fingers; ***uit** iemands hand eten* eat out of s.o.'s hand; ***van** twee walletjes eten* butter both sides of one's bread, play a double game; *te **veel** eten* overeat (o.s.); ***wat** eten we vandaag?* what's for dinner/what are we having for dinner today?; *eten **wat** de pot schaft* eat what's cooked/going, take potluck; *hij eet **weinig*** he's a poor/small eater; *ze at heel **weinig** aan het ontbijt/met het middageten* she ate hardly any breakfast/dinner, she hardly touched her breakfast/dinner; *kan het kind al **zelf** eten! en van een bord!* the child can already feed itself! and off a plate, too!; *eet ze!* ⟨BE⟩ dig in!, ⟨AE⟩ enjoy!, ⟨BE⟩↑bon appétit!; *heb je al gegeten?* have you had your dinner?; *om op te eten zijn* be/look good enough to eat 2 ⟨kaartsp⟩ buy ◆ *als er een joker valt, **moet** je (vijf kaarten) eten* if a joker falls, you must buy/take (five cards) • ⟨sprw⟩ *de grote vissen eten de kleine* the great fish eat up the small; ⟨sprw⟩ *men eet om te leven, maar men leeft niet om te eten* eat to live, not live to eat; ⟨sprw⟩ *met grote heren is het kwaad kersen eten* ± he who sups with the devil should have a long spoon; those that eat cherries with great persons shall have their eyes squirted out with the stones; ⟨sprw⟩ *die niet werkt, zal ook niet eten* if you won't work you shan't eat; ⟨sprw⟩ *de soep wordt nooit zo heet gegeten als ze wordt opgediend* things are never as black/bad as they seem/look; ⟨sprw⟩ *die met de duivel uit één schotel wil eten, moet een lange lepel hebben* he who sups with the devil should have a long spoon; ⟨sprw⟩ *wat de een niet lust, daar eet een ander zich dik in* one man's meat is another man's poison; ⟨sprw⟩ *verandering van spijs doet eten* variety is the spice of life; a change is as good as a rest; ⟨sprw⟩ *wiens brood met eet, diens woord men spreekt* he who pays the piper calls the tune

etensbak [de^m] (feeding/eating/food) trough, feeder, feed box, ⟨voor huisdieren⟩ food bowl, ⟨scheepv⟩ (mess-)kit

etenskast [de] provision/food cupboard, larder, pantry ⟨ook kamer⟩

etenslift [de^m] dumbwaiter

etenslucht [de] smell/odour of food, smell/odour of cooking, cooking smell(s)

etensresten [de^mv] leftovers, leavings

etensschuiver [de^m] pusher

etenstijd [de^m] 1 ⟨tijd om te gaan eten⟩ dinner time, time for dinner 2 ⟨tijd waarop men pleegt te eten⟩ dinner time, mealtime ◆ ***onder** etenstijd* during meals/the meal, at table, at dinner(time)

etenswaar [de] food, eatables, comestibles, ↑victuals

etentje [het] dinner, meal, (small) dinner party ◆ *iemand op een etentje **trakteren*** treat s.o. to dinner/a meal; *iemand voor een etentje **uitnodigen*** ask/invite s.o. round/over for dinner, ask/invite s.o. to dinner

eter [de^m] 1 ⟨iemand die (van) iets eet⟩ eater, ↑partaker ◆ *een **flinke** eter zijn* be a large/great/hearty eater, have a large appetite; *die jongen is een **kleine** eter* that boy is a small eater/has a small appetite; *een **slechte** eter* be a poor eater 2 ⟨persoon die gevoed moet worden⟩ eater ◆ *een eter **erbij** hebben* have another mouth to feed 3 ⟨tafelgast⟩ dinner guest, diner ◆ *zij **hebben** eters vandaag* they have dinner guests/people to dinner today

eterniet [het] asbestos cement, eternite

eternieten [bn] eternite

etgras [het] aftermath, aftergrass, ⟨AE⟩ rowen

ethaan [het] ⟨scheik⟩ ethane

ethanol [het] ⟨scheik⟩ ethanol, ethyl alcohol

etheen [de^m] ethene, ethylene

ether [de^m] 1 ⟨scheik⟩ ether 2 ⟨m.b.t. radiogolven⟩ air, the ether ◆ ***in** de ether zijn* be on the air; ***uit** de ether verdwijnen* go off the air; *een piratenzender **uit** de ether halen* black out a pirate station, take a pirate station off the air 3 ⟨lucht⟩ ether

etherisch [bn] 1 ⟨ijl en ongrijpbaar⟩ ethereal, delicate, spiritual ◆ *etherisch **lichaam*** astral/ethereal body; *een etherische **verschijning*** an ethereal presence 2 ⟨snel verdampend⟩ ethereal, vaporous, volatile ◆ *etherische **olie*** ethereal/essential/volatile oil 3 ⟨hemels⟩ ethereal, supernal

etherkapje [het] ether mask/cone

ethernet [het] ⟨comp⟩ Ethernet

etherpiraat [de^m] pirate, ⟨station⟩ pirate station, ⟨zender⟩ pirate radio/transmitter

etherreclame [de] (radio/television) commercials

etherstilte [de^v] ⟨ook fig⟩ radio silence ◆ *etherstilte in acht **nemen*** keep/observe radio silence

ether-tv [de^v] ether tv

ethervervuiling [de^v] pollution/abuse of the airwaves

etherzender [de^m] ether broadcaster

ethica [de^v] ethics, ⟨systeem van normen⟩ ethic

ethicus [de^m] ethicist

ethiek [de^v] ⟨filos, theol⟩ ethics ◆ ***medische** ethiek* medical ethics

Ethiopië [het] Ethiopia, ⟨gesch⟩ Abyssinia

Ethiopië	
naam	*Ethiopië* Ethiopia
officiële naam	*Federale Democratische Republiek Ethiopië* Federal Democratic Republic of Ethiopia
inwoner	*Ethiopiër* Ethiopian
inwoonster	*Ethiopische* Ethiopian
bijv. naamw.	*Ethiopisch* Ethiopian
hoofdstad	*Addis-Abeba* Addis Ababa
munt	*birr* birr
werelddeel	*Afrika* Africa
int. toegangsnummer 251 www .et auto ETH	

Ethiopiër [de^m], **Ethiopische** [de^v] ⟨man & vrouw⟩ Ethiopian, ⟨vrouw ook⟩ Ethiopian woman/girl, ⟨gesch; man & vrouw⟩ Abyssinian

Ethiopisch [bn] Ethiopian, ⟨gesch⟩ Abyssinian, ⟨m.b.t. taal⟩ Ethiopic

Ethiopische [de^v] → **Ethiopiër**

ethisch [bn, bw] ethical ⟨bw: ~ly⟩, moral ◆ *het ethisch **reveil*** ± moral revival

ethologie [de^v] ethology

ethos [het] ethos

ethyl [het] ⟨scheik⟩ 1 ⟨koolwaterstofgroep⟩ ethyl 2 ⟨verkorting van tetra-ethyllood⟩ (tetra)ethyl (lead)

etiket [het] label, ⟨prijs⟩ ticket, ⟨kaartje⟩ tag, ⟨zelfklevend⟩ sticker ◆ ⟨fig⟩ *iemand een etiket **opplakken*** label/pigeonhole s.o.; ***van** etiketten voorzien* label, tag; *blikken **zonder***

etiket unlabelled tins
etiketteermachine [de^{v}] labelling/^{A}labeling machine
etiketteren [ov ww] label, tag
etiologie [de^{v}] [1] ⟨leer van de oorzaken van ziekten⟩ aetiology [2] ⟨leer van de oorzaken⟩ aetiology
etiquette [de] etiquette, good manners/form, decorum ♦ *tegen de etiquette **zondigen*** commit a breach of etiquette; *het is niet **volgens** de/geen etiquette om ...* it is not etiquette/against etiquette/bad form to ...; *de etiquette **in acht nemen*** observe the proper forms, take note of etiquette
etmaal [het] twenty-four hours(' period), natural day, space of twenty-four hours ♦ ***binnen** een etmaal* within twenty-four hours; ***per** etmaal* per (period of) twenty-four hours, in a day
etmaalsom [de] one-day precipitation
etniciteit [de^{v}] ethnicity
etnisch [bn] ethnic ♦ *etnische **minderheden*** ethnic minorities; *etnische **verschillen*** ethnic differences
etnocentrisch [bn, bw] ethnocentric ⟨bw: ~ally⟩, ethnically conscious
etnocentrisme [het] ethnocentrism, ethnocentricity
etnodating [de] ethnic dating
etnograaf [de^{m}], **etnografe** [de^{v}] ethnographer
etnografe [de^{v}] → **etnograaf**
etnografie [de^{v}] ethnography
etnografisch [bn, bw] ethnographic(al) ⟨bw: ethnographically⟩
etnolect [het] ethnolect
etnolinguïstiek [de^{v}] ethnolinguistics
etnologe [de^{v}] → **etnoloog**
etnologie [de^{v}] ethnology, ethnics
etnologisch [bn, bw] ethnological ⟨bw: ~ly⟩
etnoloog [de^{m}], **etnologe** [de^{v}] ethnologist
être [het] being, creature, ⟨pej⟩ nuisance ♦ *een **vervelend** être* a bore
etrog [de] etrog
Etrusken [de^{mv}] Etruscans
Etruskisch [bn] Etruscan
ets [de] [1] ⟨geëtste plaat⟩ etching, copperplate [2] ⟨afdruk⟩ etching
etsbrug [de] acid etch bridge
etsdruk [de^{m}] ⟨ind⟩ mordanting
^{1}**etsen** [ov ww] ⟨aantasten⟩ etch, ⟨van zuur⟩ corrode, ⟨med ook; met apparaat⟩ cauterize ♦ *salicylzuur etst de **maagwand*** salicylate causes gastric irritation
^{2}**etsen** [ov ww, ook abs] ⟨graveren⟩ etch ♦ *etsen **met** de droge naald* etch with a dry point; *etsen **op** zink* zincograph
etser [de^{m}] etcher
etsgrond [de^{m}] etching ground, etching varnish
etsnaald [de] etching needle
etsplaat [de] plate, ⟨uit koper ook⟩ copperplate
et-teken [het] ampersand
ettelijke [hoofdtelw] [1] ⟨vele⟩ innumerable, dozens of ♦ *ik heb het al ettelijke **malen** gezegd* if I've told you once, I've told you a hundred/thousand times [2] ⟨enige⟩ a number of, some, several
etter [de^{m}] [1] ⟨med⟩ pus, matter ♦ ⟨fig⟩ *etter en **bloed** zweten* sweat blood, be in a cold sweat [2] ⟨rotzak⟩ pain in the neck, ↓ pain in the arse, ⟨AE⟩ ↓ pain in the ass, nasty piece of work, creep ♦ *hij **is** toch zo'n etter* he's such a pain in the neck/arse, he's a real bastard/a ^{B}bloody nuisance; *een etter **van een vent*** a son of a bitch
etterachtig [bn] purulent
etterbak [de^{m}] → **etter**
etterbakje [het] ⟨vervelend kind⟩ brat, holy/little terror
etterbuil [de] [1] ⟨zwelling⟩ abscess [2] ⟨rotzak⟩ → **etter**
etteren [onov ww] [1] ⟨etter afscheiden⟩ fester, suppurate, run, discharge pus, matter ♦ ***gaan** etteren* discharge pus, begin to matter; *een etterend **gezwel*** a festering abscess; *een etterende **wond*** a festering wound [2] ⟨klieren⟩ be a pain in the neck, ↓ be a pain in the arse, ⟨AE⟩ ↓ be a pain in the ass, bellyache, ⟨zeuren⟩ nag, keep on ♦ ***lig** niet zo te etteren* don't be such a pain in the neck/arse, quit bellyaching
ettergezwel [het] gathering abscess
etterig [bn] [1] ⟨med⟩ festering, suppurating, running [2] ⟨treiterig⟩ obnoxious ♦ *een etterig **ventje*** a creep/pest
ettering [de^{v}] suppuration, ⟨med⟩ pyorrhoea, discharge of pus
ettertje [het] ⟨vervelend kind⟩ brat, holy/little terror
etterwond [de] suppurating/festering wound, ulcer
etude [de^{v}] étude, study
etui [het] [1] ⟨doosje met (schrijf)gereedschap⟩ case, holder ♦ *een vulpen en een vulpotlood **in** een etui* a fountain pen and a propelling pencil in a case; *een etui **met** scharen* a scissor case [2] ⟨(sier)verpakking⟩ case, container, étui ♦ *een couvert in etui* a cover/a fork, spoon and knife in a case
etymologe [de^{v}] → **etymoloog**
etymologie [de^{v}] ⟨taalk⟩ [1] ⟨wetenschap⟩ etymology [2] ⟨afleiding van een woord⟩ etymology ♦ *de etymologie **geven/vaststellen** van* etymologize
etymologisch [bn, bw] etymologic(al) ⟨bw: etymologically⟩ ♦ *een etymologisch **woordenboek*** an etymological dictionary
etymologiseren [ov ww] etymologize
etymoloog [de^{m}], **etymologe** [de^{v}] etymologist
EU [de^{v}] (Europese Unie) EU
eubiotiek [de^{v}] eubiotics
eucalyptus [de^{m}] eucalyptus (tree), eucalypt, gum tree
eucalyptusolie [de] eucalyptus (oil)
eucharistie [de^{v}] ⟨r-k⟩ [1] ⟨sacrament van het altaar⟩ Eucharist [2] ⟨eucharistieviering⟩ Eucharist, celebration of the Eucharist, ⟨r-k vnl⟩ (the) Mass, ⟨anglic⟩ (Holy) Communion ♦ *de eucharistie **vieren*** celebrate the Eucharist, celebrate Mass/(Holy) Communion
eucharistieviering [de^{v}] → **eucharistie**
eucharistisch [bn] Eucharistic(al), Communion ♦ *het eucharistisch **gebed*** grace
euclidisch [bn] Euclidean ⟨ook meetkunde⟩
EU-commissaris [de^{m}] EU commissioner
EU-commissie [de^{v}] EU committee
eudiometer [de^{m}] eudiometer
eufemisme [het] ⟨lit⟩ euphemism ♦ *eufemismen **gebruiken** (voor)* speak in euphemisms/euphemistically; ⟨met negatie⟩ mince one's words
eufemistisch [bn, bw] euphemistic ⟨bw: ~ally⟩ ♦ *dat is eufemistisch **uitgedrukt*** that's putting it mildly
eufonie [de^{v}] euphony
eufonisch [bn, bw] euphonic ⟨bw: ~ally⟩ ⟨ook fonetiek⟩, euphonious
euforie [de^{v}] euphoria, well-being ♦ *iemand in een **toestand** van euforie brengen* induce euphoria in s.o.
euforisch [bn] euphoric
Eufraat [de^{m}] Euphrates
eugenese [de^{v}] eugenics
eugeneticus [de^{m}] eugen(ic)ist
eulogie [de^{v}] eulogy
EU-markt [de] EU market
eunuch [de^{m}] eunuch
Euratom [het] Euratom
Eurazië [het] Eurasia
Euraziër [de^{m}] Eurasian
euregio [de] Euregio
eureka [tw] eureka
euritmie [de^{v}] ⟨bewegingskunst⟩ eurhythmics
euro [de^{m}] ⟨fin⟩ [1] ⟨munteenheid⟩ euro, ⟨ISO⟩ EUR ♦ *dat kost **drie** euro **twintig*** that's three euros (and) twenty (cents); *(voor) dertig euro (aan) **dubbeltjes** hebben* have thirty euros in 10-cent coins; ***één** eurootje maar* only one euro; *in **harde** euro's* in (hard) cash; *de euro **staat sterk*** the euro is strong; *dat is 200 euro **waard*** that's worth 200 euros [2] ⟨eu-

robenzine⟩ Euro
Eurobank [de] Eurobank
euro-bv [de^v] European company
eurocent [de^m] (euro) cent
eurocentrisch [bn] Eurocentric
eurocheque [de^m] Eurocheque
eurocommissaris [de^m] Member of the European Commission
eurocommissie [de^v] European Commission
eurocommunisme [het] Eurocommunism
eurocraat [de^m] Eurocrat
eurofles [de] European standard half-litre bottle
eurogebied [het] Euro area
eurogeld [het] euro currency
eurogroep [de] euro group
euroland [het] ⟨land met de euro als betaalmiddel⟩ Euro country
Euroland [het] ⟨alle landen met de euro als betaalmiddel⟩ Euroland
euroman [de^m] ⟨inf⟩ ⟨ogm⟩ euro ◆ *dat ding kost wel **dertig** euromannen* that thing costs thirty euros
euromarkt [de] 1 ⟨landenorganisatie⟩ European Union, ⟨gesch⟩ (European) Common Market 2 ⟨markt voor tegoed in Amerikaanse dollars⟩ Euromarket
euromunt [de] 1 ⟨munteenheid⟩ euro 2 ⟨munt⟩ euro coin
euro-obligatie [de^v] euro bond
Europa [het] Europe ◆ *de **Raad** van Europa* the Council of Europe
Europacup [de^m] ⟨sport⟩ European Cup
Europacupvoetbal [het] European Cup football/soccer
Europarlement [het] European Parliament
Europarlementariër [de^m], **Europarlementslid** [het] member of the European Parliament, ⟨BE ook⟩ Euro-MP
Europarlementslid [het] → **Europarlementariër**
Europeaan [de^m], **Europese** [de^v] ⟨man & vrouw⟩ European, ⟨vrouw ook⟩ European woman/girl
europeanisatie [de^v] Europeanization
europeaniseren [ov ww] Europeanize
Europees [bn, bw] European ◆ ⟨gesch⟩ *Europese (Economische) **Gemeenschap*** European (Economic) Community; ⟨inf⟩ Common Market; *Europese **Gemeenschap** voor Atoomenergie* European Atomic Energy Community, Euratom; *Europese **Gemeenschap** voor Kolen en Staal* European Coal and Steel Community; *de Europese **landbouwgemeenschap*** the European Agricultural Community; *aanpassing aan de Europese **normen*** adaptation to European standards; *Europees **Rusland*** European Russia; *de Europese **Unie*** the European Union; *het Europese **vasteland*** the European mainland; ⟨tegenover Groot-Brittannië⟩ the Continent; *Boerhaave genoot een Europese **vermaardheid*** Boerhaave was famous throughout/all over Europe
Europese [de^v] → **Europeaan**
Europol [de^v] Europol, European Police Office
Europoort [de] Europoort
euroteken [het] euro symbol
euroton [de] hundred thousand euros
eurotop [de^m] Euro summit
Eurotransplant [de^m] Eurotransplant
euroverkiezingen [de^{mv}] Euro-elections
euroverpakking [de^v] Eurocontainer
eurovignet [het] Eurovignette, (European) toll sticker
Eurovisie [de] Eurovision
Eurovisiesongfestival [het] Eurovision Song Contest
eurozone [de] Euro zone
eustachiusbuis [de] ⟨med⟩ Eustachian tube
euthanasie [de^v] euthanasia ◆ ***actieve/directe** euthanasie* active euthanasia, ↓ mercy killing; ***passieve** euthanasie* passive euthanasia; *euthanasie **plegen*** carry out euthanasia
euthanasiepil [de] euthanasia pill
euthanasieverklaring [de^v] ± euthanasia passport, living will
eutonie [de^v] eutony
eutrofie [de^v] eutrophy
eutrofiëring [de^v] eutrophication
eutroof [bn] eutrophic
[1]**euvel** [het] fault, defect, shortcoming, ⟨ziekte⟩ ailment, illness ◆ ***mank gaan** aan een euvel* be faulty/deficient; *hij is nog niet **van** dat euvel **genezen*** he is not yet cured of that illness/ailment; *een euvel **verhelpen*** remedy a fault/defect/shortcoming, ⟨onrecht⟩ redress a wrong
[2]**euvel** [bn] ⟨kwaad, slecht⟩ evil, bad ◆ *de euvele **moed** hebben om ...* have the nerve/face/audacity to ...
[3]**euvel** [bw] ▪ *iets euvel **duiden*** take sth. amiss/ill, resent sth.; *iemand iets euvel **duiden*** hold sth. against s.o., resent s.o. for sth.
euveldaad [de] ⟨form⟩ evil deed, misdeed, wrongdoing
ev. [afk] (eventueel) possibly, if necessary/desired
e.v. [afk] 1 (eerstvolgend(e)) next 2 (en volgende) et seq, ⟨pagina's⟩ ff 3 (ex voto) ex voto 4 (en ville) in this town 5 (echtgeno(o)t(e) van) married to
e.v.a. [afk] 1 (en vele andere(n)) and many others 2 (en volgens afspraak) and by appointment
Eva [de^v] Eve
EVA [de^v] (Europese Vrijhandelsassociatie) EFTA
evaatje [het] apron, pinafore
evacuatie [de^v] evacuation
evacuatiebevel [het] evacuation order
evacué [de^m] evacuee
[1]**evacueren** [onov ww] ⟨weggaan uit zijn woonplaats⟩ be evacuated
[2]**evacueren** [ov ww] 1 ⟨elders onderbrengen⟩ evacuate ◆ *de burgers **uit** de gevarenzone **evacueren*** evacuate civilians from the danger zone 2 ⟨mil⟩ evacuate
evakostuum [het] ⟨scherts⟩ her birthday suit, her skin, the clothes God gave her ◆ *twee meisjes **in evakostuum*** two girls in/wearing their birthday suits/(only) their skin/(only) the clothes God gave them
evaluatie [de^v] 1 ⟨nabespreking⟩ evaluation, assessment ◆ *de evaluatie van de **cursus/het groepsproces*** the evaluation of the course/the group process 2 ⟨waardeschatting, -bepaling⟩ evaluation, valuation ◆ *de evaluatie van nieuwe **producten*** the evaluation of new products 3 ⟨fin⟩ setting of the rate of exchange, setting of the exchange rate
evaluatieonderzoek [het] evaluation, evaluative survey/assessment/study/examination
evalueren [ov ww] evaluate, assess ◆ *een **cursus/programma** evalueren* evaluate/assess a course/syllabus
evangelical [de] evangelical
evangelicalisme [het] evangelicalism
evangelie [het] 1 ⟨leer van Jezus Christus⟩ gospel ◆ *tot het evangelie **bekeren*** evangelize; *het evangelie **verkondigen*** preach/spread the gospel 2 ⟨Bijbelboek⟩ Gospel ◆ *het evangelie van/naar **Marcus*** the Gospel according to St Mark; ***uit** het evangelie **voorlezen*** read from the gospel 3 ⟨r-k; deel van de mis⟩ Gospel (for the Day) 4 ⟨leer die men aanhangt⟩ gospel
evangeliebediening [de^v] ministry, priesthood
evangelieboek [het] ⟨r-k⟩ evangelistary, evangelary
evangeliedienaar [de^m] minister, preacher
evangeliënharmonie [de^v] harmony (of the gospels)
evangelieprediker [de^m] preacher of the gospel, ⟨rondtrekkend⟩ evangelist
evangeliewoord [het] gospel
evangelisatie [de^v] evangelization
evangelisch [bn, bw] 1 ⟨overeenkomstig het evangelie⟩ evangelical ⟨bw: ~ly⟩ 2 ⟨prot⟩ Evangelical ⟨bw: ~ly⟩
[1]**evangeliseren** [onov ww] ⟨het evangelie verkondigen⟩

evangelize

[2]**evangeliseren** [ov ww] ⟨tot het evangelie bekeren⟩ evangelize

evangelisme [het] evangelism

evangelist [de^m] [1] ⟨schrijver van een evangelie⟩ evangelist [2] ⟨voorganger⟩ evangelist

evaporatie [de^v] evaporation

evaporeren [onov ww] [1] ⟨uitdampen⟩ evaporate [2] ⟨vervliegen⟩ volatilize

evapotranspiratie [de^v] [1] ⟨proces⟩ transpiration [2] ⟨hoeveelheid⟩ evapotranspiration

evasie [de^v] [1] ⟨ontsnapping⟩ evasion [2] ⟨uitvlucht⟩ evasion

evasief [bn, bw] evasive ⟨bw: ~ly⟩ ♦ *een evasief **antwoord*** an evasive answer

[1]**even** [bn] ⟨door twee deelbaar⟩ even, ⟨wedden ook⟩ evens ♦ ⟨wisk⟩ *een even **functie*** an even function; ***op** even zetten* bet on evens [•] *het is mij **om** het even* it's all the same/all one to me, it makes no odds to me; ***om** het even wat je doet* regardless of/no matter what you do, whatever you do; ***om** het even wie/wat/waar/welke/wanneer/hoe* whoever/whatever/wherever/whichever/whenever/however, no matter who/what/where/which/when/how

[2]**even** [bw] [1] ⟨in dezelfde, gelijke mate⟩ (just) as ♦ *hij is even slim **als** sterk* he is as clever as he is strong; *ze is even lief **als** ze mooi is* she is as sweet as she is beautiful; *even goede vrienden* just as good friends, no hard feelings, nothing personal; *in even **grote** aantallen/hoeveelheden/stapels* in equal numbers/quantities/piles; *even **lang/dik/groot** zijn* be equally long/fat/big, be as long/fat/big as each other, be the same length/weight/size; *hij is even **oud** als ik* he is (just) the same age as me/as old as I am; *het is er nog altijd even **rommelig*** it's as untidy as ever [2] ⟨als versterkende bevestiging⟩ just ♦ *alles moet er altijd even **duur*** they always have to have the most expensive things; *was (me) dat even **lachen*** what a laugh that was!; *een salaris van **maar** even drie ton* a salary of no less than € 300,000; *dat is even **mooi**!* isn't that sth.!; *zij is altijd even **opgewekt*** she's always pretty cheerful; *is me dat even **slim*** that's pretty smart (of him/you/...); ***zomaar** even* just like that [3] ⟨een korte tijd⟩ just, (just) (for) a moment/while/bit ♦ *het **duurt** nog wel even* it'll take (just) a bit/while longer; *zij moet **er** even **uit*** she just has to go out for a bit/while/moment; *ik **ga** even naar buiten* I'm just going outside (for a moment/while/bit); ***heel** even* just for a second/minute; ***hoor** eens even* (just) listen, look (here), I say; *even **later/daarna*** shortly afterwards, presently; ***mag** ik u even **storen**?* may I disturb you (just) for a moment?; ***wacht** eens even* just wait a minute/a moment; *eens even **zien*** let me see, ⟨inf⟩ let's see [4] ⟨in korte tijd, met weinig moeite⟩ just ♦ ***gooi** hem even de deur uit* just throw him out; *even mijn hoed **opzetten,** dan kunnen we gaan* I'll just put on my hat, then we can go; *hij **zou** dat wel even **doen*** he'd take care of it [5] ⟨nauwelijks⟩ (only) just, barely ♦ *iets even **aanraken*** (only) just touch sth., barely/only touch sth.; *even **geeuwen/lachen/gillen*** give a little yawn/laugh/shriek; ***maar** even bewegen* (only) just move, barely move [6] ⟨een weinig⟩ just (a bit) ♦ *even **buiten** de stad gelegen* (just) a bit/a little way out of town; *nog even **doorzetten*** go on for/continue just a bit longer; *zij is even **in/over** de twintig* she is just in her twenties/over twenty, she is in her early twenties; *in even **meer** dan een uur* in just over an hour; *je was **net** even te laat/te vroeg* you were just a bit too late/too early; *dit moet **toch** even worden gezegd* this (just) needs to be said; *dat is wel even **vreemd*** that's just a bit odd [•] *als het maar éven **kan*** if it is at all possible, if it can be done at all; *als ze het **maar** even niet hoeven te doen, dan ...* if they can possibly get by/manage without doing it, ...; *ho eens even!* whoa!

evenaar [de^m] [1] ⟨aardr⟩ equator ♦ *de **magnetische** evenaar* the magnetic equator; *de evenaar **passeren*** cross the equator, ⟨inf⟩ cross the line [2] ⟨m.b.t. een weegschaal⟩ pointer, tongue

evenals [vw] (just) like, (just) as ⟨vóór ww⟩ ♦ *hun zaak ging failliet, evenals **die** van kleine ondernemers* their business went bankrupt, in common with/(just) like/as did many other small businesses; *evenals andere **landen*** in common with/(just) like other countries, as do/did/are/were/... other countries; *die man is evenals zijn **vader** een bekend acteur* that man is a famous actor (just) like his father

evenaren [ov ww] equal, match, be a match for, rival, ⟨inf⟩ touch, come up to (s.o.'s level) ♦ *niemand **heeft** hem ooit **kunnen** evenaren* no-one has ever been able to match/touch him/come up to him/come up to his level; *iets/iemand **in** schoonheid evenaren* equal/rival sth./s.o. in beauty; ***niet** te evenaren* unequalled, unparallelled, matchless, unrivalled, second to none

evenbeeld [het] image, likeness ♦ *zij is het evenbeeld **van** jou* ⟨ook⟩ she is another you; *zij is het evenbeeld **van** haar moeder* she is the spitting image/spit and image of her mother, ⟨inf; BE⟩ she is the dead spit of her mother, ⟨BE⟩ she is a carbon copy of her mother

eveneens [bw] also, too, as well, likewise ♦ *mijn vrouw heeft me verlaten, en mijn **geluk** eveneens* my wife has deserted me, and so has my happiness

evenement [het] [1] ⟨publieke gebeurtenis⟩ event [2] ⟨handel, jur⟩ event

evenementenhal [de] ± multi-purpose hall/building

evengoed [bw] [1] ⟨evenzeer⟩ just as, no less (than), ⟨inf⟩ every bit as ♦ *jij bent evengoed **schuldig** als je broer* you are just/quite/every bit as guilty as your brother/no less guilty than your brother [2] ⟨met hetzelfde resultaat⟩ just as well, equally well ♦ *je **kunt** dat evengoed zo **doen*** you can just as/equally well do that, you can just as well do it like this [3] ⟨desondanks⟩ all the same, just the same, anyhow, nevertheless, nonetheless ♦ *ik weet van niets, maar word er evengoed wel op aangekeken* I know nothing about it, but I am suspected all the same/just the same/anyhow/nevertheless/nonetheless

evenhoevigen [de^mv] Artiodactyla

eveningdress [de^m] evening dress

evenknie [de] equal, peer, rival, match ♦ *hij **heeft** zijn evenknie **gevonden*** he has met his match; *iemands evenknie **zijn*** be s.o.'s equal/peer/rival

evenmatig [bn, bw] proportional ⟨bw: ~ly⟩, corresponding

evenmens [de^m] fellow-man, fellow human (being), ⟨Bijb⟩ neighbour

evenmin [bw] (just) as little as, no(t any) more than, ⟨voor werkwoord ook⟩ neither, nor ♦ *hij is evenmin afgestudeerd **als** ik* we've neither of us graduated; *hij is evenmin **geleerd** als verstandig* he has as little education as (he has) intelligence/no more education than (he has) intelligence; *ik kan het me niet permitteren en **jij** evenmin* I can't afford it nor can you/(and) neither can you/and you can't either; *en evenmin **kon** hij er wat aan **doen*** nor/(and) neither could he do anything about it, and he could not do anything about it either; *ik kom niet en mijn **vrouw** evenmin* I am not coming nor is my wife/(and) neither is my wife/and my wife is not either

evennaaste [de] fellow-man, fellow human (being), ⟨Bijb⟩ neighbour

evennachtslijn [de] ⟨aardr⟩ (celestial) equator, equinoctial (line)

[1]**evenredig** [bn] [1] ⟨in verhouding gelijk⟩ proportional (to), ⟨beantwoordend⟩ proportionate (to), commensurate (with) ♦ *het loon is evenredig **aan** de inspanning* the pay is proportionate to/in proportion to/commensurate with the effort; *een evenredig **deel*** a proportion; *niet evenredig **met*** disproportionate to; *evenredige **vertegenwoordiging*** proportional representation [2] ⟨wisk⟩ proportional (to) ♦

recht evenredig ***met*** (directly) proportional, varying (directly) as; *omgekeerd evenredig* ***met*** inversely proportional to, varying inversely as; ***omgekeerd*** *evenredige grootheden* inversely proportional quantities

[2]**evenredig** [bw] ⟨in overeenstemming met de verhoudingen⟩ in proportion, proportionally ◆ *evenredig* ***verdelen*** divided up proportionally

evenredige [de] proportional quantity/line

evenredigheid [de^{v}] [1] ⟨gelijke verhouding⟩ proportion ◆ ***in*** *evenredigheid* ***met*** in proportion to; ***naar*** *evenredigheid* ***van*** in the proportion of [2] ⟨wisk⟩ proportion ◆ ⟨wisk⟩ *voorgaande* ***term*** *van evenredigheid* first term of a proportion

event [het] [1] ⟨belangrijke gebeurtenis⟩ event [2] ⟨evenement⟩ event

eventjes [bw] [1] ⟨amper⟩ (only) just, barely ◆ *eventjes* ***aanraken*** (only) just/barely/only touch [2] ⟨een korte tijd⟩ (for) (just) a little while, (for) (just) a moment, (for) a bit ◆ *hij* ***is*** *eventjes hier* ***geweest*** he was here for (just) a little while/for (just) a moment/for a bit; ***wacht*** *eventjes* wait just a moment/just a bit [3] ⟨met weinig tijd, moeite⟩ just ◆ ***laat*** *mij dat nu eventjes* ***doen*** just let me do that [4] ⟨liefst⟩ only, merely ◆ *het kostte* ***maar*** *eventjes € 1200* it only cost 1200 euros, it cost a mere 1200 euros [5] ⟨een klein beetje⟩ just ◆ *als je nu nog eventjes* ***doorredeneert,*** *dan ...* if you just follow that line of reasoning through, ...

eventualiteit [de^{v}] contingency, eventuality ◆ ***tegen*** *eventualiteiten gewaarborgd zijn* be guaranteed against any contingency/eventuality/against contingencies/eventualities

[1]**eventueel** [bn] ⟨mogelijk⟩ any (possible), such ... as, potential ⟨vaak ook onvertaald in het Engels⟩ ◆ *hij zal een eventuele* ***benoeming*** *aannemen* he will accept an appointment (in the event of one being offered/in the event that one is offered/should one be offered/if one is offered); *voor eventuele verdere* ***informatie*** for (any) further information; *eventuele* ***klachten*** *indienen bij ...* (any) complaints should be lodged with ...; *eventuele* ***klanten*** prospective/potential customers; *bij eventuele* ***moeilijkheden*** if problems arise, should problems arise, in the event that problems arise/of problems (arising); *eventuele* ***onkosten*** *kunt u declareren* you may declare (any) expenses, you may declare such expenses as (may) arise; *verzekering tegen eventuele* ***verliezen*** insurance against contingent/accidental loss(es)

[2]**eventueel** [bw] ⟨mogelijkerwijs⟩ possibly, if necessary, if (so) desired, ⟨alternatieve mogelijkheden⟩ alternatively ◆ *alles of eventueel de* ***helft*** all of it, or alternatively half; *men* ***kan*** *eventueel ook met een cheque* ***betalen*** payment by cheque is also possible if so desired; *als hij eventueel niet* ***komt*** if he doesn't come, in the event (that) he doesn't come; *ik zou eventueel nog een maandje* ***kunnen wachten*** I could if necessary wait another month or so; *indien de dokter eventueel* ***mocht weigeren*** in the event that the doctor refuses/of the doctor('s) refusing, should the doctor for any reason refuse; *de chef of eventueel de* ***souschef*** the chief or if necessary the deputy chief; *mocht dat eventueel het geval zijn* should that (prove to) be the case, in that event, if such should be the case; *wij zouden eventueel bereid zijn om ...* we might be prepared to ...; *gevraagd eerstegraadsdocent, eventueel nog studerende* vacancy for junior lecturer, possibly postgraduate student; *het eventueel te veel betaalde krijgt u natuurlijk terug* you will of course be refunded such money as has been overpaid/any money paid in excess

evenveel [hoofdtelw] (just) as much, ⟨vóór zelfstandig naamwoord⟩ just as, equally ◆ *evenveel* ***houden*** *van A als van B* love A (just) as much as B; *ieder* ***krijgt*** *evenveel* everyone gets just as much/the same amount; *iedereen heeft er evenveel* ***recht*** *op* everyone is equally entitled to it

evenvingerig [bn] cloven-hoofed, cloven-footed

evenwaardig [bn] of equal value/quality/merit, equivalent

evenwel [bw] however, nevertheless, nonetheless, yet, still

evenwicht [het] [1] ⟨gelijk gewicht⟩ balance, ⟨form⟩ equilibrium ◆ *met elkaar* ***in*** *evenwicht brengen* balance; ⟨fig⟩ equate; ⟨fig⟩ *de twee partijen houden elkaar* ***in*** *evenwicht* the two parties balance each other/one another out [2] ⟨stabiele toestand van een lichaam⟩ balance, ⟨form⟩ equilibrium ◆ *gebrek* ***aan*** *evenwicht* imbalance, disequilibrium, unsteadiness; *zijn evenwicht* ***bewaren*** keep one's balance; *het/zijn evenwicht* ***herkrijgen/hervinden*** regain/recover one's balance; right o.s.; ***in*** *evenwicht zijn* be (well-)balanced/in equilibrium; ***in*** *evenwicht brengen* balance, make ... balance; *niet* ***in*** *evenwicht zijn* be unbalanced/out of balance/off balance/in disequilibrium; *iets* ***in*** *evenwicht houden* keep sth. balanced; ***in*** *evenwicht staan/blijven* be/remain balanced, keep one's balance; *zijn evenwicht* ***kwijt*** *zijn/****kwijtraken*** have lost/lose one's balance, be off balance, be/become unbalanced; ⟨natuurk⟩ ***labiel/stabiel/onverschillig*** *evenwicht* unstable/stable/neutral equilibrium; ***uit*** *het evenwicht brengen* unbalance, throw off/out of balance; *het evenwicht* ***verliezen*** lose (one's) balance; *het juiste evenwicht* ***vinden*** achieve the right balance; ***wankel*** *evenwicht* unsteady/precarious/shaky balance [3] ⟨toestand van rust⟩ balance, ⟨form⟩ equilibrium ◆ ***geestelijk*** *evenwicht* mental balance/equilibrium, balance of (the) mind; *het evenwicht (enigszins)* ***herstellen*** restore/redress the balance (somewhat); *het evenwicht der* ***machten, staatkundig*** *evenwicht* the balance of power; *het evenwicht* ***tussen*** the balance between; *iemand* ***uit*** *zijn evenwicht brengen* throw s.o. off balance; ***uit*** *zijn evenwicht zijn, zijn evenwicht kwijt zijn* be (thrown) off balance; *het evenwicht* ***verstoren/verbreken*** disturb/destroy the balance/equilibrium; *zijn evenwicht* ***zoeken*** seek one's balance [4] ⟨scheik⟩ equilibrium ◆ ***chemisch*** *evenwicht* chemical equilibrium

[1]**evenwichtig** [bn] ⟨stabiel⟩ (well-)balanced, steady, stable ◆ *een evenwichtige* ***gemoedstoestand*** a (well-)balanced state of mind; *een evenwichtige* ***kerel*** a level-headed fellow; *een evenwichtige* ***opbouw*** a stable construction; *evenwichtige* ***verhoudingen*** stable relationships

[2]**evenwichtig** [bw] [1] ⟨harmonieus, regelmatig⟩ evenly, equally, uniformly [2] ⟨zo dat het gewicht gelijkelijk verdeeld is⟩ evenly, equally, uniformly ◆ *een vracht evenwichtig* ***verdelen*** distribute a load evenly/equally/uniformly

evenwichtigheid [de^{v}] balance, equilibrium, stability, ⟨ook fig⟩ poise, composure

evenwichtsbalk [de^{m}] ⟨sport⟩ (balance) beam

evenwichtsgevoel [het] sense of balance/equilibrium

evenwichtskunst [de^{v}] [1] ⟨evenwichtskunst⟩ balancing act [2] ⟨fig⟩ balancing act

evenwichtskunstenaar [de^{m}] equilibrist, balancer, tight-rope walker

evenwichtsleer [de] statics

evenwichtsorgaan [het] organ of balance

evenwichtsstoornis [de^{v}] disturbance of equilibrium

evenwichtstoestand [de^{m}] (state of) equilibrium, balanced/equilibrium condition ◆ *een evenwichtstoestand* ***bereiken*** attain a balance/an equilibrium; *de* ***huidige*** *evenwichtstoestand* the present equilibrium position/situation/condition; ***in*** *de evenwichtstoestand terugkeren* return to the position/state of equilibrium; *een evenwichtstoestand* ***scheppen*** establish a balanced condition/a state of balance

[1]**evenwijdig** [bn] ⟨wisk⟩ parallel (to/with)

[2]**evenwijdig** [bw] [1] ⟨wisk⟩ parallel (to/with) ◆ *een lijn trekken evenwijdig* ***aan*** draw a line parallel to [2] ⟨in geheel gelijke richting⟩ parallel (to/with) ◆ *de weg loopt evenwijdig* ***met*** *de spoorbaan* the road is/runs parallel to/with the railway line

evenwijdigheid [de^v] parallelism
evenzeer [bw] [1] ⟨in even hoge mate⟩ (just) as much/greatly (as), no less than ◆ *zij wordt evenzeer bewonderd **als** gehaat* she is just as much admired as (she is) hated [2] ⟨eveneens⟩ likewise, also
evenzo [bw] likewise ◆ *evenzo **doen*** do likewise, follow suit
evenzogoed [bw] [1] ⟨net zo goed⟩ just as well, equally well ◆ *het had evenzogoed **mis kunnen gaan*** it could just as/equally well have gone wrong [2] ⟨desondanks⟩ just/all the same, nevertheless, nonetheless ◆ *hij had er totaal geen zin in, evenzogoed **ging** hij* he didn't feel at all like it, but he went all/just the same
ever [de^m] wild boar
evergreen [de^m] evergreen
everseller [de^m] classic
evertebraat [bn] invertebrate
everzwijn [het] wild boar
^{1}**evident** [bn] ⟨zeer duidelijk⟩ obvious, (self-)evident ◆ *het is evident dat ...* it is obvious/it goes without saying that ..., clearly ...; *een evidente **verschrijving*** an obvious slip of the pen
^{2}**evident** [bw] ⟨zoals duidelijk blijkt⟩ obviously, clearly, manifestly
evidentie [de^v] obviousness
evocatie [de^v] evocation
^{1}**evocatief** [bn] ⟨gevoelens oproepend⟩ evocative
^{2}**evocatief** [bw] ⟨gevoelens oproepend⟩ evocatively
evoceren [ov ww] evoke
evolueren [onov ww] [1] ⟨zich geleidelijk ontwikkelen⟩ evolve [2] ⟨wendingen maken⟩ move (and turn), ⟨snel⟩ whirl, spin, ⟨mil⟩ wheel
evolutie [de^v] [1] ⟨geleidelijke ontwikkeling⟩ evolution [2] ⟨draaiende beweging⟩ rotation
evolutieladder [de] evolutionary ladder
evolutieleer [de] theory of evolution, evolutionary theory, evolutionism, ⟨van Darwin ook⟩ Darwinism
evolutietheorie [de^v] theory of evolution
evolutionist [de^m] evolutionist, ⟨m.b.t. Darwin ook⟩ Darwinist
Evriet [het] (Modern) Hebrew
evt. [afk] (eventueel) possibly, if necessary/desired
EVV [het] (Europees Verbond van Vakverenigingen) ETUC
E-weg [de^m] E road, European motorway/^{A}highway
^{1}**ex** [de] ⟨vroegere echtgeno(o)t(e)/verloofde enz.⟩ ex
^{2}**ex** [vz] [1] ⟨uit⟩ ex ◆ *100 ton maïs ex-**Triton*** 100 tonnes of maize ex Triton; *ex usu* out of use; *ex jure* de jure; *ex professo* professionally, by virtue of one's profession [2] ⟨jur⟩ under, by virtue of ◆ *vordering ex **art.** 3* claim under Sec 3 [•] ⟨handel⟩ *ex **coupon*** bond without block of coupons attached
ex. [afk] (exemplaar) copy
^{1}**exact** [bn] [1] ⟨zonder afwijking uitgevoerd⟩ exact, precise, accurate [2] ⟨op wiskundige grondslag gebouwd⟩ exact ◆ *exacte **wetenschappen*** exact sciences; *een exacte **wetenschapper*** a scientist
^{2}**exact** [bw] [1] ⟨zonder afwijking⟩ accurately, precisely, exactly [2] ⟨op wiskundige grondslag⟩ ± scientifically
ex aequo [1] ⟨gelijk geëindigd⟩ equal, joint ◆ ***Timman** en Karpov eindigden ex aequo op de 2e plaats* Timman and Karpov finished joint second [2] ⟨gelijkelijk⟩ ex aequo, equally
exagereren [ov ww] exaggerate
exaltatie [de^v] [1] ⟨geestvervoering⟩ exaltation [2] ⟨overspanning, opgewondenheid⟩ over-excitement, agitation
exalteren [ov ww] elate, enchant, enrapture, delight
examen [het] exam(ination) ◆ *een examen **afleggen*** take/^{B}sit an exam; *examen **afnemen*** examine; *een **afsluitend** examen* a final exam; *examen **doen*** do/take/^{B}sit an exam; ***door** een examen komen* pass an exam; ⟨inf⟩ get through an exam; *zijn examen **halen**, voor zijn examen **slagen*** pass one's exam; *hij moest het examen **in/voor** drie vakken overdoen* he had to retake/^{B}resit the exam in three subjects; ***mondeling** examen* oral exam; ***op** het examen zelf wist hij niets meer* when it came to the actual exam his mind was a blank; ***schriftelijk** examen* written exam; *een **vergelijkend** examen* a competitive exam; *opgaan **voor** een examen* go in for/present o.s. for an exam; ***voor** zijn examen zitten* be preparing for one's exam, ⟨BE⟩ be reading for one's exam; *met gemak **voor** een examen slagen* sail through an exam; *zakken/niet slagen **voor** een examen* fail an exam; *het examen **zal worden afgenomen/gehouden** op de 18e* the exam will be held on the 18th
examencijfer [het] examination mark/grade
examencommissie [de^v] examining board, board/panel of examiners, examination board
exameneis [de] examination requirement, requirement for an examination
examengeld [het] examination fee
examenkandidaat [de^m] examinee, examination candidate, candidate (for (an) examination), testee, ⟨aangemeld ook⟩ applicant for examination
examenlokaal [het] examination room
examenopgave [de] examination paper, (act of) examination questions ◆ *een examenopgave **maken*** answer the examination paper; *een examenopgave **opgeven*** ⟨bedenken⟩ devise an examination paper, ⟨BE ook⟩ set an examination paper; ⟨uitdelen⟩ pass/hand out an examination paper
examenstof [de] subject matter, required reading, set books, ⟨inf⟩ syllabus, curriculum ◆ ***behoren** deze boeken tot de examenstof?* are these books part of the exam/on the exam syllabus?; *de examenstof **bestaat uit** ...* the examination syllabus consists of ...
examentijd [de^m] examination period/time, ⟨sl; AE⟩ dead week
examenvak [het] examination subject, ⟨BE⟩ A-level subject, ⟨BE⟩ O-level subject ◆ *hij heeft **zeven** examenvakken* he's taking seven subjects in his examination
examenvrees [de] fear of exam(ination)s, ⟨inf⟩ (pre-)exam nerves
examinandus [de^m] examinee, candidate
examinator [de^m], **examinatrice** [de^v] examiner
examinatrice [de^v] → **examinator**
^{1}**examineren** [onov ww] ⟨examen afnemen⟩ examine, hold an/the exam(ination)
^{2}**examineren** [ov ww] ⟨ondervragen⟩ examine ◆ *iemand examineren **in*** examine s.o. on; ***mondeling** examineren* examine orally
exantheem [het] ⟨med⟩ exanthem, exanthema
Exc. [afk] (Excellentie) Exc
excasso [het, de^m] credit
ex cathedra [bw] ex cathedra, authoritatively
excellent [bn, bw] excellent ⟨bw: ~ly⟩, splendid
^{1}**excellentie** [de^v] ⟨titel⟩ Excellency ◆ ***Hare/Zijne** Excellentie* Her/His Excellency
^{2}**excellentie** [de] ⟨persoon⟩ excellency
excelleren [onov ww] excel
excentriciteit [de^v] [1] ⟨zonderlingheid⟩ eccentricity [2] ⟨ligging buiten het middelpunt⟩ eccentricity
^{1}**excentriek** [het] eccentric
^{2}**excentriek** [bn, bw] [1] ⟨raar, zonderling⟩ eccentric ⟨bw: ~ally⟩ ◆ *hij kan zo excentriek **doen*** he can be so eccentric, he can be such an eccentric; *een excentriek **karakter*** an eccentric character [2] ⟨buiten het middelpunt⟩ eccentric ⟨bw: ~ally⟩
excentriekeling [de^m] ⟨scherts⟩ eccentric, crank, crackpot, ↓weirdo, ⟨AE⟩ oddball
^{1}**excentrisch** [bn] ⟨buiten het middelpunt gelegen⟩ ec-

centric
²**excentrisch** [bw] ⟨buiten het middelpunt⟩ eccentrically ♦ *een excentrisch **gelegen wijk*** a district located away from/out of the centre, a district (located) in the suburbs
exceptie [de^v] [1] ⟨uitzondering⟩ exception ♦ ***bij** exceptie* exceptionally, by way of exception, as an exception; *een exceptie met iemand **maken*** make an exception for s.o. [2] ⟨jur⟩ plea, objection, exception ♦ ***als** exceptie aanvoeren/opwerpen (dat)* raise the objection (that), set up a plea (of); ***declinatoire** exceptie* declinatory plea, motion contesting jurisdiction; *exceptie van **nietigheid*** exception/plea/objection of nullity; *exceptie van **onbevoegdheid*** declinatory plea, motion contesting jurisdiction; *een exceptie **opwerpen** tegen* raise an objection to/against, set up a plea against
exceptief [bn] ♦ ⟨jur⟩ *exceptief **verweer*** (defence by way of) objection
exceptionalisme [het] exceptionalism
¹**exceptioneel** [bn] ⟨uitzonderlijk⟩ exceptional
²**exceptioneel** [bw] ⟨uitzonderlijk⟩ exceptionally
excerperen [ov ww] excerpt
excerpt [het] excerpt, abstract, extract, précis
exces [het] [1] ⟨buitensporigheid⟩ excess, ⟨uitgaven⟩ extravagance ♦ *zich **aan** excessen te buiten gaan* commit excesses [2] ⟨overschrijding van de ambtsbevoegdheid⟩ excess
excessief [bn] excessive, ⟨uitgaven⟩ extravagant, ⟨prijs⟩ exorbitant
exchange [de] exchange
excitatie [de^v] [1] ⟨opwekking⟩ excitation, stimulation [2] ⟨staat van opgewondenheid⟩ (over-)excitement, agitation, ⟨i.h.b. seksueel⟩ arousal
exciteren [ov ww] excite, stimulate, ⟨i.h.b. seksueel⟩ arouse
excl. [afk] (exclusief) excl
exclamatie [de^v] exclamation
exclameren [ov ww] exclaim, cry (out)
exclave [de] exclave
exclusie [de^v] exclusion
¹**exclusief** [bn] [1] ⟨iemand, iets anders uitsluitend⟩ exclusive ♦ *de exclusieve **rechten** van de verfilming* the exclusive/sole film rights [2] ⟨personen uitsluitend⟩ exclusive, select ♦ *een exclusieve **club*** an exclusive club, a select club [3] ⟨niet overal verkrijgbaar⟩ exclusive ♦ *een exclusief **bericht*** an exclusive (report), a scoop
²**exclusief** [bw] [1] ⟨niet inbegrepen⟩ excluding, exclusive of ♦ *exclusief **btw*** VAT extra, excluding VAT, plus VAT; *(de prijzen/gelden zijn) exclusief **omzetbelasting*** (the prices/fees are quoted) exclusive of/excluding purchase tax [2] ⟨met uitsluiting van andere personen, zaken⟩ on an exclusive basis ♦ *rechten exclusief **verkopen*** sell rights on an exclusive basis, sell exclusive rights
exclusiviteit [de^v] exclusivity, exclusiveness
exclusiviteitsbeding [het] exclusivity clause
excommunicatie [de^v] excommunication
excommuniceren [ov ww] excommunicate
excreet [het] excreta ⟨mv⟩ ♦ ***menselijke** excreten* human excreta
excrement [het] excrement
excretie [de^v] excretion
excursie [de^v] [1] ⟨uitstapje⟩ excursion ♦ *excursies **organiseren*** run/organize/arrange excursions [2] ⟨leer-, werkbezoek⟩ (study) visit, ⟨buiten⟩ field trip ♦ ***op** excursie gaan* go on/make a field trip/(study) visit [3] ⟨uitweiding⟩ excursus, digression
excusabel [bn] excusable, pardonable, forgivable
excuseren [ov ww] excuse, pardon, forgive ♦ *Jack vraagt of we **hem** willen excuseren, hij voelt zich niet lekker* Jack asks/begs to be excused/sends his apologies, he's not feeling well; *wilt u **mij** even excuseren* please excuse me for a moment; ***zich** excuseren voor* make one's excuses for; *hij excuseerde **zich** netjes* he politely excused himself/made his excuses; *geëxcuseerd **zijn*** have an excuse/a good excuse; ⟨inf⟩ *excuseer* sorry, beg your pardon
excusez-moi [tw] excusez-moi
excuus [het] [1] ⟨verontschuldiging⟩ apology ♦ *zijn excuus/excuses **maken/aanbieden*** apologize, make an apology/(one's) apologies; *excuus **vragen*** apologize [2] ⟨reden van verontschuldiging⟩ excuse ♦ ***als** excuus aanvoeren/gebruiken* plead as an excuse; *welk excuus **gaf** hij **op**?* what excuse did he give?; *dat **geeft** hun een excuus om ...* that gives them an excuse to ...; *dat is nog **geen** excuus om je huiswerk niet te maken* that's no excuse for not doing your homework; *een **geldig/goed** excuus hebben* have a valid/good excuse; *een **slap/mager** excuus* a poor/lame/paltry excuse
excuuscultuur [de^v] excuse culture, culture of apologizing but not making reparation
excuusneger [de^m] token black
excuustruus [de^v] ⟨inf⟩ token/statutory woman
ex dividend [bw] ex dividend
executant [de^m] [1] ⟨zanger, speler⟩ performer, executant [2] ⟨jur⟩ ⟨van testament⟩ executor
¹**executeren** [ov ww] [1] ⟨een vonnis voltrekken⟩ execute, carry out, enforce, put into effect ♦ *een **hypotheek** executeren* foreclose a mortgage [2] ⟨ter dood brengen⟩ execute
²**zich executeren** [wk ww] ⟨effectenhandel⟩ declare o.s. insolvent
executeur [de^m] ⟨man⟩ executor, ⟨vrouw⟩ executrix
executeur-testamentair [de^m] ⟨man⟩ executor, ⟨vrouw⟩ executrix
executie [de^v] [1] ⟨strafvoltrekking⟩ execution, enforcement, putting into effect ♦ ***parate** executie* summary execution; ***tot** executie **overgaan*** levy/issue (a writ of) execution; ***uitstel** van executie* stay of execution [2] ⟨terechtstelling⟩ execution [3] ⟨inbeslagneming⟩ execution, seizure, distress, distraint, ⟨van hypotheek⟩ foreclosure ♦ *verkoop **bij** executie, **bij** executie laten verkopen* sale/sell under distress; ***fiscale** executie* execution for arrears of taxes
executief [bn] executive ♦ *executieve **bevoegdheid*** executive powers; *een executief **orgaan*** an executive body
executiekamer [de] execution chamber
executiepeloton [het] execution squad, firing squad
executieve [de] ⟨in België⟩ executive (body)
executieverkoop [de^m] distress sale
executiewaarde [de^v] liquidation value
executive [de^m] executive
executiveboard [de^m] executive board
executoir [bn] ⟨jur⟩ enforceable ♦ *een vonnis executoir **verklaren*** declare a sentence enforceable; *een belastingkohier executoir **verklaren*** declare a tax payable
¹**executoriaal** [bn] ⟨jur⟩ ⟨ten gevolge van een vonnis⟩ enforceable ♦ *executoriaal **beslag*** attachment, seizure under a writ of attachment; *executoriaal **beslag** (laten) **leggen op*** attach; *executoriale **titel*** writ of execution; *een executoriale **titel** bezitten/verkrijgen* be/become entitled to execution; *een executoriale **verkoop*** sale under distress
²**executoriaal** [bw] ⟨jur⟩ ⟨ten gevolge van een vonnis⟩ under the court's direction ♦ *executoriaal **verkopen*** sell under distress
exegeet [de^m] exegete, exegetist
exegese [de^v] exegesis ♦ ***grammatische** exegese* grammatical exegesis; ***historische** exegese* historical exegesis
exempel [het] [1] ⟨voorbeeld⟩ example, exemplar [2] ⟨lett⟩ exemplum
exemplaar [het] [1] ⟨afzonderlijke zaak⟩ specimen, sample ♦ ***eerste** exemplaar* original, prototype; *een **mooi** exemplaar* a fine specimen; *een **ongestempeld** exemplaar van een oude postzegel* an uncancelled specimen of an old stamp [2] ⟨afdruk⟩ copy ♦ *van dat boek is nog maar één exemplaar **bewaard gebleven*** only one copy of that book has survived/is extant; *exemplaar ter inzage* inspection copy [3] ⟨m.b.t. per-

sonen⟩ specimen ♦ *hij is me een **mooi** exemplaar* he's a fine specimen

exemplarisch [bn, bw] [1] ⟨als voorbeeld dienend⟩ exemplary ⟨bw: exemplarily⟩, illustrative [2] ⟨tot voorbeeld strekkend⟩ exemplary ⟨bw: exemplarily⟩, commendable

exempt [bn] ⟨form⟩ exempt (from)

exequatur [het] ⟨pol⟩ exequatur

exerceren [onov ww] drill, exercise

exercitie [de^{v}] exercise, drill

exercitieveld [het] parade ground

exhalatie [de^{v}] exhalation, emanation

exhaustief [bn, bw] exhaustive ⟨bw: ~ly⟩, thorough, comprehensive

exhaustor [de^{m}] exhaust

exhiberen [ov ww] [1] ⟨uitstallen⟩ exhibit [2] ⟨overleggen⟩ exhibit, produce, display

exhibitie [de^{v}] [1] ⟨uitstalling⟩ exhibition [2] ⟨overlegging⟩ exhibition, production, display [3] ⟨het voorbrengen van bewijsmiddelen⟩ submission (of exhibits/an exhibit)

exhibitioneren [ov ww, ook abs] [1] ⟨de geslachtsdelen tonen⟩ flash, expose o.s. indecently [2] ⟨zichzelf in het middelpunt plaatsen⟩ make an exhibition of o.s.

exhibitionisme [het] exhibitionism, ⟨jur⟩ indecent exposure

exhibitionist [de^{m}] exhibitionist

^{1}**exhibitionistisch** [bn] ⟨van het exhibitionisme⟩ exhibitionistic

^{2}**exhibitionistisch** [bw] ⟨als een exhibitionist⟩ exhibitionistically ♦ ⟨psych⟩ *zich exhibitionistisch **gedragen*** expose o.s.

exhibitum [het] exhibit

exhumatie [de^{v}] exhumation

exil [het], **exilium** [het] [1] ⟨verbanning⟩ exile [2] ⟨ballingsoord⟩ place of exile

exilium [het] → **exil**

existent [bn] existent, existing, ⟨documenten ook⟩ extant

existentialisme [het] existentialism

existentialist [de^{m}], **existentialiste** [de^{v}] existentialist

existentialiste [de^{v}] → **existentialist**

existentie [de^{v}] [1] ⟨het bestaan⟩ existence, being [2] ⟨levensbestaan⟩ existence, life [3] ⟨theol⟩ nature

^{1}**existentieel** [bn] ⟨m.b.t. existentie⟩ existential

^{2}**existentieel** [bw] ⟨uit een oogpunt van existentie⟩ existentially (speaking)

existentiefilosofie [de^{v}] existential philosophy, philosophy of existence, ⟨ook; in filos zelf niet gebruikt⟩ existentialist philosophy, existentialism

existeren [onov ww] exist

exit [1] ⟨dram; af⟩ exit, ⟨mv ook⟩ exeunt ♦ ⟨fig⟩ *exit **John*** exit John, farewell (to) John, that's the end of John; ⟨inf⟩ that's curtains for John [2] ⟨uitgang⟩ exit

exitinterview [het] exit interview

exitpoll [de^{m}] exit poll

exitregeling [de^{v}] severance package

exitus [de^{m}] outcome, end(ing) ♦ *exitus infelix* unhappy ending; *exitus lethalis* fatal outcome

ex libris [het] ex libris, bookplate

ex-minister [de^{m}] ex-minister, former minister

exobiologie [de^{v}] exobiology, astrobiology

exobioloog [de^{m}] exobiologist, astrobiologist

exocetraket [de] Exocet (rocket/missile)

exodus [de^{m}] exodus

ex officio ex officio, by one's office, in virtue of one's office, in one's official capacity, by office

exogamie [de^{v}] exogamy

exogeen [bn] exogenous

exoot [de^{m}] [1] ⟨uitheemse plant of dier⟩ exotic (species) [2] ⟨fig⟩ exotic (person)

exorbitant [bn, bw] exorbitant ⟨bw: ~ly⟩, excessive, extravagant, unconscionable ♦ *exorbitante **prijzen*** exorbitant prices, ⟨onbetaalbaar⟩ prohibitive prices

exorciseren [ov ww, ook abs] exorcize

exorcisme [het] exorcism

exorcist [de^{m}] exorcist

exordium [het] exordium

exosfeer [de] exosphere

exoterisch [bn] exoteric

exotherm [bn] ⟨scheik⟩ [•] *exotherme **reactie*** exothermic reaction

exotisch [bn] [1] ⟨door een ander klimaat voortgebracht⟩ exotic [2] ⟨zoals men vindt in verre landen⟩ exotic

exotisme [het] exoticism

exotoxine [de] ⟨med⟩ exotoxin

expander [de^{m}] (chest-)expander

^{1}**expanderen** [onov ww] ⟨zich uitbreiden⟩ expand

^{2}**expanderen** [ov ww] ⟨uitbreiden⟩ expand

expansie [de^{v}] [1] ⟨uitzetting, uitbreiding⟩ expansion ♦ ***industriële** expansie* industrial expansion [2] ⟨vergroting van grondgebied⟩ expansion [3] ⟨taalk⟩ expansion

expansiedrang [de^{m}] urge for expansion, imperialism

expansief [bn] [1] ⟨m.b.t. expansie⟩ expansive ♦ *expansieve **kracht*** expansive force [2] ⟨geneigd tot expansie⟩ expansive, ⟨ec⟩ expansionary [3] ⟨mededeelzaam⟩ expansive

expansiepolitiek [de^{v}] expansionist policy, policy of expansion, expansionism

expansievat [het] expansion tank

expansiezucht [de] expansionism

expansionisme [het] expansionism

expansionistisch [bn] expansionist(ic)

expat [de] expat

expatriate [de] expatriate

^{1}**expatriëren** [onov ww] ⟨het vaderland verlaten⟩ expatriate o.s., emigrate

^{2}**expatriëren** [ov ww] ⟨uit het land verdrijven⟩ expatriate, deport

expectatief [bn] [1] ⟨afwachtend⟩ expectant [2] ⟨med⟩ expectative

^{1}**expediënt** [de^{m}] [1] ⟨assistent van een bevrachter⟩ dispatch clerk, forwarding agent, dispatcher [2] ⟨autobevrachter⟩ car shipper, ⟨AE⟩ automobile shipper

^{2}**expediënt** [het] ⟨uitweg⟩ expedient

expediëren [ov ww] [1] ⟨af-, verzenden⟩ dispatch, ship, forward [2] ⟨fig; wegsturen⟩ send (s.o.) packing, send (s.o.) on his way [3] ⟨van kant maken⟩ dispose of, liquidate, ⟨inf⟩ do away with

expediteur [de^{m}] [1] ⟨vervoerder⟩ shipping/forwarding/dispatching agent, ⟨vnl. per schip⟩ shipper, carrier [2] ⟨sorteerder bij de PTT⟩ sorter

expeditie [de^{v}] [1] ⟨verzending van goederen⟩ dispatch, shipping, forwarding ♦ *de koper **betaalt** de expeditie* delivery/transport costs will be paid by the purchaser; *voor een **snelle** expeditie van de goederen **zorgen*** ensure that the goods are forwarded rapidly [2] ⟨afdeling⟩ dispatch/shipping/forwarding department, dispatch/shipping/forwarding section ♦ *hij zit/werkt **op** de expeditie* he is in dispatch [3] ⟨ontdekkingstocht⟩ expedition ♦ *de expeditie **naar** Spitsbergen* the expedition to Spitzbergen, the Spitzbergen expedition; ***op** expeditie **gaan*** set off on/go on an expedition [4] ⟨personen op ontdekkingstocht⟩ expedition [5] ⟨inf; onderneming⟩ venture, undertaking ♦ *dat is een **hele** expeditie* that's quite a venture/an undertaking [6] ⟨militaire actie⟩ expedition ♦ *de expeditie **tegen** Atjeh* the Atjeh expedition [7] ⟨afschrift van een vonnis e.d.⟩ (authenticated) copy

expeditiebedrijf [het] forwarding/shipping business, forwarding/shipping agency, carrying business/trade, ⟨transportzaak⟩ delivery company/service

expeditiekantoor [het] forwarding/shipping office

expeditieleger [het] expeditionary force/army
expeditielid [het] member of an/the expedition
expeditiestraat [de] delivery road, ⟨steeg⟩ delivery lane
expensief [bn] expensive, dear, costly
experiëntie [de^v] experience
experiment [het] experiment ♦ *een (wetenschappelijk) experiment **doen/uitvoeren** (op)* do/carry out/perform a(n) (scientific) experiment (on)
¹**experimenteel** [bn] ⟨gemaakt voor proefnemingen⟩ experimental ♦ *in een experimenteel **stadium** verkeren* be in an experimental stage; *experimenteel **theater*** experimental theatre; *een experimenteel **vliegtuig*** an experimental aircraft
²**experimenteel** [bn, bw] ⟨proefondervindelijk⟩ experimental ⟨bw: ~ly⟩ ♦ *experimentele **bewijzen*** experimental evidence; *experimentele **fonetiek*** experimental phonetics; *een experimentele **methode*** an experimental method; *experimentele **natuurkunde*** experimental physics; *de theorie **werd** experimenteel **bewezen*** the theory was proved experimentally/by experiment
experimentelen [de^mv] experimental/avant-garde artists
experimenteren [onov ww] experiment ♦ *experimenteren **met** chemische stoffen* experiment with chemicals; ***met** verschillende onderwijsvormen experimenteren* experiment with various types of education; *experimenteren **op** mensen/dieren* experiment on humans/animals
expert [de^m] expert, ⟨schade-expert ook⟩ (claims/loss) assessor ♦ ***gerechtelijk** expert* court-appointed expert; *een expert zijn **in** het vak* be an expert in the field/on the subject; ⟨scherts⟩ *een expert zijn **in** het verzinnen van smoezen* be an expert/a past master/a genius in/at finding excuses; *een **medisch** expert* a medical expert; *expert zijn **op** een bepaald gebied* be an expert in a given field/area; *hij probeert hier de expert **uit te hangen*** he's trying to play the expert, he's pontificating; *een werkje/karwei **voor** een expert* a job for an expert, an expert's job
expertise [de^v] 1 ⟨onderzoek⟩ (expert's) appraisal/assessment/examination ♦ *een gerechtelijk **geneeskundige** expertise* a forensic/medico-legal report; *een **gerechtelijke** expertise* an assessment by a court-appointed expert; *een expertise **houden*** make/carry out an (expert's) assessment/appraisal; *aan een expertise **onderwerpen*** appraise, subject to (expert/an expert's) assessment/appraisal 2 ⟨verslag⟩ (expert's) report/appraisal/assessment 3 ⟨deskundigheid⟩ expertise
expertisecentrum [het] expertise centre
expertiserapport [het] assessor's/valuer's/expert's report, expertise
expertsysteem [het] expert system
expiratie [de^v] 1 ⟨uitademing⟩ expiration 2 ⟨dood⟩ decease 3 ⟨afloop⟩ expiry, expiration
¹**expireren** [onov ww] 1 ⟨sterven⟩ expire ♦ *de **termijn** expireert op ...* the term expires on ... 2 ⟨aflopen⟩ ⟨m.b.t. datum⟩ expire, ⟨m.b.t. periode⟩ elapse
²**expireren** [ov ww] ⟨uitademen⟩ expire
expletief [bn] ⟨taalk⟩ expletive
explicatie [de^v] explanation, elucidation, clarification ♦ *een explicatie **bij** iets geven* give an explanation of sth.
expliceren [ov ww] explain, elucidate, clarify
expliciet [bn, bw] explicit ⟨bw: ~ly⟩
explicitatie [de^v] explicit formulation/statement
expliciteren [ov ww] make (more) explicit
exploderen [onov ww] explode ♦ *iets **laten** exploderen* explode sth.; ⟨inf⟩ blow sth. up; *exploderende **stoffen*** explosives
exploitabel [bn] exploitable, paying, remunerative
exploitant [de^m] operator, developer, ⟨vergunninghouder⟩ licensee, ⟨eigenaar⟩ proprietor, owner
exploitatie [de^v] 1 ⟨het exploiteren⟩ exploitation, utilization, ⟨bouwterreinen enz.⟩ development ♦ *in **eigen** exploitatie hebben/nemen* run/operate ... o.s., take control of; ***in** exploitatie zijn* be running/operating/working; *iets **in** exploitatie geven* lease sth. (out); *iets **in** exploitatie nemen/brengen* open/start sth. up; *de exploitatie van een **mijn*** the exploitation/working of a mine; *maatschappij **tot** exploitatie van ... ...* development company 2 ⟨uitbuiting⟩ exploitation ♦ *de exploitatie van de **arbeiders*** the exploitation of the workers
exploitatiekosten [de^mv] running/operating costs, overhead
exploitatiemaatschappij [de^v] operating/working company, ⟨van diensten⟩ company for the operation of the service, ⟨van spoorlijn ook⟩ leasing company, ⟨olievelden, bossen e.d.⟩ development company, ⟨vastgoed⟩ land and property company
exploiteerbaar [bn] exploitable, workable, developable, usable, utilizable ♦ ***moeilijk** exploiteerbaar* hard to exploit; ***niet** exploiteerbaar* unusable, nonutilizable
exploiteren [ov ww] 1 ⟨winstgevend maken⟩ exploit, work, utilize, ⟨bouwterreinen enz.⟩ develop ♦ *een stuk **grond** exploiteren* develop/utilize a plot of land; *zijn goede **naam** exploiteren* trade on one's reputation; *een **schouwburg** exploiteren* operate/run a theatre 2 ⟨uitbuiten⟩ exploit ♦ *een **cliënt** exploiteren* exploit a client/customer
exploot [het] 1 ⟨aanzegging⟩ service (of a writ) ♦ *beslag leggen **bij** exploot* serve a writ of attachment; *exploten **doen*** serve writs; *exploot **doende** en **sprekende met*** having duly served a writ (up)on ... by delivering it to him/her personally 2 ⟨akte⟩ writ ♦ *iemand een exploot **betekenen*** serve a writ (up)on s.o.; *exploot van **dagvaarding*** summons, subpoena; *exploot van **executie/gijzeling*** writ of execution/attachment
exploratie [de^v] 1 ⟨verkenning⟩ exploration 2 ⟨opsporing van delfstoffen⟩ prospecting, exploration
exploreren [ov ww] 1 ⟨verkennen⟩ explore 2 ⟨op bodemschatten onderzoeken⟩ prospect, explore
explosie [de^v] 1 ⟨ontploffing⟩ explosion 2 ⟨sterke uitbreiding⟩ explosion, boom
¹**explosief** [het, de^m] 1 ⟨ontplofbare stof⟩ explosive 2 ⟨taalk⟩ plosive, ⟨oneig⟩ stop
²**explosief** [bn] 1 ⟨ontplofbaar⟩ explosive ♦ *explosieve **stoffen*** explosives 2 ⟨fig⟩ explosive ♦ *een explosieve **groei*** an explosive growth, an explosion; *een explosief **karakter hebben*** have an explosive character; ⟨inf⟩ have a short fuse; *een explosieve **situatie*** an explosive situation
³**explosief** [bw] ⟨fig⟩ explosively
explosiegevaar [het] danger/risk of explosion, explosion hazard
explosiemotor [de^m] internal-combustion engine
Explosievenopruimingsdienst [de^m] ⟨in Nederland⟩ bomb squad, bomb removal team, bomb disposal squad, explosive disposal team
expo [de] exhibition, exposition, ⟨in titel⟩ Expo
exponent [de^m] 1 ⟨wisk⟩ exponent 2 ⟨vertegenwoordigend persoon⟩ exponent
exponentieel [bn, bw] exponential ⟨bw: ~ly⟩ ♦ *exponentiële **vergelijking/functie*** exponential equation/function
exponeren [ov ww] 1 ⟨blootstellen⟩ expose 2 ⟨uiteenzetten⟩ expound 3 ⟨foto⟩ expose
export [de^m] export ♦ *de export **van melk*** milk exports, the export of milk; *goederen **voor** de export* goods for export, export commodities/goods
exportartikel [het] export article, article for export, ⟨mv ook⟩ goods/commodities/items for export, export goods/commodities/items, exports
exportbepaling [de^v] export regulation
exportbeperkingen [de^mv] export restrictions
exportcijfer [het] export figure(s) ♦ ***toenemend** exportcijfer* growing/increasing exports

exporteren [ov ww, ook abs] [1] ⟨(goederen) uitvoeren⟩ export [2] ⟨comp⟩ export
exporteur [de^{m}] exporter
exportfirma [de] export firm/business/company, (firm of) exporters, ⟨scheepv⟩ shipping firm/merchants'
exporthandel [de^{m}] export trade
exportkrediet [het] export credit ◆ *exportkrediet geven/krijgen* give/grant export credit, get/receive export credit
exportland [het] exporting country, country of export
exportorder [de^{m}] export order, order for export, indent, ⟨scheepv⟩ shipping order
exportoverschot [het] export surplus
exportproduct [het] export product, product for export, ⟨mv ook⟩ goods/commodities for export
exportvergunning [de^{v}] export permit ◆ *een exportvergunning verstrekken* grant an export permit
exposant [de^{m}] exhibitor
exposé [het] account, statement, survey ◆ *een exposé geven* give a talk/survey
[1]**exposeren** [ov ww] ⟨blootstellen⟩ expose
[2]**exposeren** [ov ww, ook abs] ⟨tentoonstellen⟩ exhibit, display, show
expositie [de^{v}] [1] ⟨tentoonstelling⟩ exhibition, exposition, show [2] ⟨uiteenzetting⟩ exposition [3] ⟨lit⟩ exposition [4] ⟨muz⟩ exposition [5] ⟨blootstelling⟩ exposure
expositieruimte [de^{v}] exhibition space, show floor ◆ *expositieruimte bespreken* reserve exhibition space/space for a stand
exposure [de^{m}] exposure
[1]**expres** [de^{m}] express (train)
[2]**expres** [bw] [1] ⟨met opzet⟩ on purpose, deliberately, purposely, intentionally ◆ *hij deed dat expres* he did that on purpose/deliberately; *iets niet expres doen* not mean to do sth., not do sth. on purpose, do sth. by accident [2] ⟨met de bepaalde bedoeling⟩ expressly, for the very/express purpose (of), specially, specifically ◆ *ik kom expres om hem te spreken* I have come expressly/specially/specifically (in order) to speak to him/for the express purpose of speaking to him
expresbrief [de^{m}] express letter
[1]**expresse** [de^{m}] ⟨bode⟩ special messenger, courier ◆ *per expresse sturen* send sth. by express delivery/by courier/special messenger
[2]**expresse** [de^{v}] ⟨poststuk⟩ express (delivery)
expressebestelling [de^{v}] ⟨brief⟩ express/special delivery, ⟨goederen ook⟩ delivery by special messenger(s)
expressie [de^{v}] [1] ⟨gelaatsuitdrukking⟩ expression [2] ⟨gezegde⟩ expression [3] ⟨gevoelsuitdrukking⟩ expression ◆ *een stijl zonder veel expressie* a style lacking in expression, an inexpressive style
expressief [bn, bw] [1] ⟨veelzeggend⟩ expressive ⟨bw: ~ly⟩ ◆ *expressieve gebaren* expressive gestures [2] ⟨veel expressie hebbend⟩ expressive ⟨bw: ~ly⟩ ◆ *een expressief gezichtje* an expressive face
expressievak [het] (one of the) creative arts, art and music (subjects)
expressionisme [het] expressionism
expressionist [de^{m}] expressionist
expressionistisch [bn, bw] expressionist(ic) ⟨bw: expressionistically⟩ ◆ *een expressionistisch schilderij* an expressionist painting
expressis verbis expressis verbis, explicitly
expressiviteit [de^{v}] expressiveness, expressivity
exprestrein [de^{m}] express (train)
expresweg [de^{m}] ⟨in België⟩ express way
expulsie [de^{v}] [1] ⟨verjaging⟩ expulsion [2] ⟨med⟩ induced abortion
expulsiegebied [het] ± emigrant/emigration area
exquis [bn, bw] exquisite ⟨bw: ~ly⟩
extase [de^{v}] ecstasy, rapture ◆ *in extase raken* go into ecstasies/raptures; *in extase brengen* send into ecstasies/raptures; *in extase (zijn) over* (be) in ecstasies/raptures about, (be) ecstatic about
[1]**extatisch** [bn] ⟨van de aard van een extase⟩ ecstatic ◆ *een extatische ervaring* an ecstatic experience, ⟨inf⟩ a mind-blowing experience; *de extatische roes* ecstasy
[2]**extatisch** [bw] ⟨(als) in extase⟩ ecstatically, in ecstasy/raptures
[1]**ex tempore** [het] extempore/impromptu speech, ⟨inf⟩ off-the-cuff speech
[2]**ex tempore** [bw] extempore, impromptu, ⟨inf⟩ off the cuff
extensie [de^{v}] [1] ⟨uitrekking⟩ extension [2] ⟨uitbreiding, omvang⟩ extent [3] ⟨comp⟩ (file) extension
extensief [bn] extensive ⟨ook landbouw⟩ ◆ *extensieve uitlegging van een wetsartikel* extensive interpretation of a section of a law
extension [de] extension, hair extension
extensiveren [ov ww] expand, extend
extensivering [de^{v}] expansion
[1]**exterieur** [het] exterior
[2]**exterieur** [bn] exterior, external, outside
extern [bn] [1] ⟨uitwonend⟩ nonresident, ⟨personeel⟩ living-out ◆ *externe leerlingen* day students, nonresidents; ⟨vnl BE⟩ day pupils, nonboarders, day-boys, day-girls; *extern zijn* be nonresident, live out [2] ⟨buiten iets liggend⟩ external, outside, extraneous ◆ *externe oorzaken* outside/external causes [3] ⟨het uitwendige, de vorm betreffend⟩ external ◆ *externe kritiek* formal criticism [4] ⟨naar buiten voerend⟩ outward, external ◆ *een gebied met externe afwatering* an area with external drainage; *externe secretie* excretion, external secretion
externaliseren [ov ww] externalize
externen [de^{mv}] nonresidents, ⟨scholieren⟩ day students, ⟨vnl BE⟩ day pupils, nonboarders, day-boys, day-girls
externering [de^{v}] banishment, exclusion
exteroceptief [bn] ⟨biol⟩ exteroceptive
exterritoriaal [bn] ex(tra)territorial
exterritorialiteit [de^{v}] ex(tra)territoriality
extincteur [de^{m}] (fire) extinguisher
extinctie [de^{v}] [1] ⟨uitblussing⟩ extinction [2] ⟨m.b.t. een lichtbundel⟩ extinction
extirpatie [de^{v}] [1] ⟨het uitroeien met wortel en tak⟩ extirpation, eradication, uprooting [2] ⟨med⟩ extirpation
extirpator [de^{m}] cultivator, extirpator, grubber
[1]**extra** [bn] ⟨nog een⟩ extra, additional ◆ *extra belasting* surtax; *iets extra's* sth. extra, an extra; *er zijn geen extra kosten aan verbonden* there are no extras (involved); *een extra moeilijkheid* an added/a further/an extra difficulty; *extra moeite doen* make an extra/a special effort, take extra/special trouble; *een extra nieuwsuitzending* an extra/a special news bulletin; *extra nummer* special edition/issue; *extra telefoontoestel* extension telephone; ⟨sport⟩ *extra tijd* ⟨voor spelonderbrekingen⟩ stoppage time; *een extra trein/bus/... inzetten* put on an extra/a relief/a special train/bus/...
[2]**extra** [bw] [1] ⟨boven het gewone, normale⟩ extra ◆ *hij kreeg 20 euro extra* he got 20 euros extra; *iemand extra nemen in het vakantieseizoen* take on s.o. extra in the holiday season [2] ⟨bijzonder⟩ (e)specially ◆ *extra grote maat* outsize, oversize; *extra lang/groot* especially long/big, kingsize(d); *extra voordelig* on special offer; *de leerlingen hadden extra hun best gedaan* the pupils had made a special effort/had done their level best
extraatje [het] bonus, boon, ⟨onverwacht⟩ windfall ◆ *als extraatje* for good measure, on the side, into the bargain; *een van de extraatjes van deze baan* one of the perks of this job; *dat was een extraatje* that was a bonus/boon; *een welkom extraatje* a welcome bonus
extract [het] [1] ⟨aftreksel⟩ extract [2] ⟨uittreksel⟩ extract, excerpt, ⟨samenvatting⟩ abstract

extractie [de^{v}] [1] ⟨med⟩ extraction [2] ⟨het maken van een extract⟩ extraction, excerption
extractief [bn] extractive ◆ *extractieve* ***bedrijven*** extractive industries
extradividend [het] bonus
extra-editie [de^{v}] special edition/issue
extraheren [ov ww] [1] ⟨med⟩ extract [2] ⟨een uittreksel maken van⟩ extract, excerpt, ⟨samenvatten⟩ abstract [3] ⟨techn⟩ extract
extrajudicieel [bn] extrajudicial
extra large [bn] extra large
extralegaal [bn] ⟨in België⟩ extralegal
extramuraal [bn, bw] extramural ⟨bw: ~ly⟩, ⟨bijwoord ook⟩ on an extramural basis ◆ *extramurale* ***gezondheidszorg*** extramural health care
extraneus [de^{m}] external candidate/student ◆ *extraneus zijn, als extraneus* ***studeren*** be an external candidate/student
extraordinair [bn, bw] extraordinary ⟨bw: extraordinarily⟩, out of the ordinary
extraparlementair [bn] without a parliamentary majority ◆ *een extraparlementair* ***kabinet*** a government without a parliamentary majority
extrapolatie [de^{v}] extrapolation, projection ◆ ⟨ec⟩ *extrapolatie van het* ***overheidsbeleid*** extrapolation of government policy/policies
extrapoleren [ov ww] [1] ⟨wisk⟩ extrapolate [2] ⟨fig⟩ extrapolate
extrapositie [de^{v}] ⟨taalk⟩ extraposition
extra's [de^{mv}] [1] ⟨giften, inkomsten⟩ bonuses, ⟨onverwacht⟩ windfalls, ⟨verdiensten ook⟩ perquisites, ⟨inf⟩ perks ◆ *we hebben* ***enkele*** *extra's dit jaar* we've had a few windfalls this year [2] ⟨uitgaven⟩ extras
extrasystole [de] ⟨med⟩ extrasystole
extraterritoriaal [bn] extraterritorial
extra-uterien [bn] ⟨med⟩ extrauterine ◆ *extra-uteriene* ***zwangerschap*** extrauterine pregnancy
extravagant [bn, bw] extravagant ⟨bw: ~ly⟩, outrageous, excessive, ⟨prijzen ook⟩ exorbitant ◆ *een extravagant* ***feest*** a wild party
extravagantie [de^{v}] extravagance, outrageousness, ⟨m.b.t. prijzen ook⟩ exorbitance
extravert [bn] extrovert(ed), outgoing
^{1}**extreem** [bn] ⟨uiterst⟩ extreme ◆ *een extreem* ***geval*** an extreme case; *hij is extreem* ***in*** *zijn opvattingen* he is extreme in his views/has extreme views; *extreem* ***nationalisme*** extreme nationalism, flag-waving, jingoism, chauvinism; ***niets*** *extreems* nothing out of the way
^{2}**extreem** [bw] [1] ⟨uiterst⟩ extremely [2] ⟨in de hoogste graad⟩ extremely, ultra-, far ◆ *extreem* ***autoritair*** extremely authoritarian, ultra-authoritarian; *extreem* ***conservatief*** extremely conservative, ultra-conservative, ⟨pej⟩ arch-conservative
^{1}**extreemlinks** [het] (the) far left, (the) extreme left, (the) militant left, (the) ultra-left
^{2}**extreemlinks** [bn] far left, extreme left, ultra-left, militant(ly) left
^{1}**extreemrechts** [het] (the) extreme right, (the) far right, (the) ultra-right
^{2}**extreemrechts** [bn] extreme right, far right, ultra-right ◆ *een extreemrechtse* ***regering*** an extreme/ultra-right-wing government, a government of the far right
extremisme [het] extremism
extremist [de^{m}], **extremiste** [de^{v}] extremist
extremiste [de^{v}] → **extremist**
extremistisch [bn] extremist ◆ *het extremistische* ***deel*** *(van een groep)* the extremist wing (of a group), ⟨scherts⟩ the lunatic fringe (of a group); *extremistische* ***groepe(ringe)n*** extremist/fringe groups
extremiteit [de^{v}] [1] ⟨verst afgelegen deel⟩ extremity [2] ⟨laatste toevlucht⟩ extremity [3] ⟨mv; ledematen⟩ extremities
extremofiel [de^{m}] extremophile
extrinsiek [bn] [1] ⟨uiterlijk⟩ extrinsic ◆ *extrinsieke* ***waarde*** extrinsic value [2] ⟨handel⟩ extrinsic
extrusie [de^{v}] extrusion
exuberant [bn] [1] ⟨overdadig⟩ exuberant [2] ⟨overvloeiend van gemoed⟩ exuberant, effusive ⟨ook pejoratief⟩
ex voto [het, de^{m}] ex voto, votive offering
eyecatcher [de^{m}] eye-catcher
eyeliner [de^{m}] eyeliner
eyeopener [de^{m}] eye opener
^{1}**ezel** [de^{m}], **ezelin** [de^{v}] [1] ⟨dier⟩ ⟨man & vrouw⟩ donkey, ⟨wet, Bijb; man & vrouw⟩ ass, ⟨vrouw ook⟩ she-ass ◆ *zo dom* ***als*** *een ezel* be a real numbskull/dolt; *zo koppig* ***als*** *een ezel* be (as) stubborn/obstinate as a mule; *die jongen lijkt* ***Bileams*** *ezel* ***wel*** that guy/^{B}chap answers before he has even been asked; ***Kaapse*** *ezel* zebra; ⟨fig⟩ *van de os* ***op*** *de ezel springen* jump/skip/flit from one subject to another [2] ⟨persoon⟩ numbskull, dolt, ⟨BE⟩ ↓ clot, ⟨AE⟩ clod, nitwit, ⟨vulg⟩ ass, ⟨vnl AE⟩ jackass ⊡ ⟨sprw⟩ *een ezel stoot zich geen tweemaal aan dezelfde steen* once bitten, twice shy; wherever an ass falls, there will he never fall again

ezel		
dier	ezel	donkey, ass
mannetje	ezel, hengst	jack
vrouwtje	ezelin, merrie	jennet
jong	veulen	foal
groep	kudde	herd
roep	balken	bray
geluid	ia	hee-haw

^{2}**ezel** [de^{m}] easel
ezelachtig [bn, bw] [1] ⟨als (van) een ezel⟩ asinine, donkey-like ◆ *zich ezelachtig* ***gedragen*** behave in an asinine manner/stupidly [2] ⟨zeer dom⟩ asinine, stupid
ezelachtigheid [de^{v}] (piece of) asinine behaviour, (piece of) stupidity
ezelin [de^{v}] → **ezel**^{1} **bet 2**
ezelinnenmelk [de] asses'/ass's milk
ezelsbruggetje [het] study/memory aid, mnemonic (aid)
ezelshoofd [het] ⟨scheepv⟩ cap (of mast)
ezelsoor [het] [1] ⟨oor (als) van een ezel⟩ donkey's/ass's ear ◆ *een muts* ***met*** *ezelsoren* a cap with earflaps [2] ⟨omgekruld blad in een boek⟩ dog-ear ◆ *ezelsoren* ***maken in*** make dog-ears in, dog-ear; *het nieuwe boek zit nu al* ***vol*** *ezelsoren* the new book is already all dog-eared
ezelsoren [de^{mv}] lamb's lettuce/ears
ezelsrug [de^{m}] [1] ⟨rug van een ezel⟩ donkey's/ass's back, back of a donkey, back of an ass [2] ⟨bouwk; accoladeboog⟩ ogee (arch) [3] ⟨schuine vlechting bij metselwerken⟩ capping
ezelsveulen [het] [1] ⟨jong van een ezel⟩ donkey('s)/ass's foal [2] ⟨domoor⟩ → **ezel**^{1}
ezeltje-prik [het] pin the tail on the donkey
e-zine [het] e-zine

f

¹f [de] 1 ⟨letter, klank⟩ f, F 2 ⟨toon⟩ f, F

²f [afk] (gulden) Dfl, Hfl, DFl, HFl, ⟨ISO⟩ NLG

f. [afk] 1 (folio) f 2 (fecit) f 3 (femininum) f, fem 4 (forte) f

F [afk] 1 (Fahrenheit) F 2 (farad) F 3 (fluor) F

F. [afk] (frank) F

fa [de] ⟨muz⟩ fa(h)

fa. [afk] (firma) Messrs

faag [de^m] ⟨med⟩ phage

faalangst [de^m] fear of failure

faalangstig [bn] afraid/terrified of failing

faalfactor [de^m] failure factor

faam [de] 1 ⟨reputatie⟩ reputation, repute, name ♦ *te goeder **naam** en faam **bekendstaan*** be of good report 2 ⟨roem⟩ fame, reputation, renown, glory ♦ ***grote** faam **genieten*** have/enjoy great fame/renown; *de atleet **kon** zijn faam niet **waarmaken*** the athlete could not live up to his reputation 3 ⟨myth⟩ Fame

fabel [de] 1 ⟨moraliserende vertelling⟩ fable 2 ⟨verzinsel⟩ fable, fairy tale, fabrication, old wives' tale, fiction ♦ *de jongen **vertelt** fabeltjes* the boy is telling fairy tales/fibs 3 ⟨lit⟩ plot

¹fabelachtig [bn] ⟨legendarisch, mythisch⟩ fabulous, fabled, mythical, legendary

²fabelachtig [bn, bw] 1 ⟨ongelofelijk⟩ fantastic ⟨bw: ~ally⟩, incredible ♦ *een fabelachtig(e) **geschiedenis/verhaal*** a fabulous tale 2 ⟨geweldig⟩ fantastic ⟨bw: ~ally⟩, fabulous ⟨bw: ~ly⟩, marvellous ⟨bw: ~ly⟩, terrific ⟨bw: ~ally⟩ ♦ *een fabelachtig **bedrag*** a fantastic/fabulous amount; *fabelachtige **prijzen*** fantastic/fabulous prizes/prices; *de violiste **speelde** fabelachtig (goed)* the violinist played marvellously/fantastically

fabeldichter [de^m], **fabeldichteres** [de^v] writer of fables, ↑fabulist

fabeldichteres [de^v] → **fabeldichter**

fabeldier [het] mythical creature/animal/beast, fabulous creature/animal/beast, legendary creature/animal/beast

fabelleer [de^v] mythology

fabricaat [het] 1 ⟨product⟩ product, article, ⟨mv⟩ (manufactured) goods ♦ *een **nieuw** fabricaat in de handel brengen* launch a new product 2 ⟨voortbrenging, maaksel⟩ manufacture, make ♦ *goederen van **binnenlands/buitenlands** fabricaat* home-made/foreign-made goods; *worst van **eigen** fabricaat* our own make of sausage; ⟨van particulier⟩ home-made sausage; ***Nederlands** fabricaat* Dutch make, made in Holland; *schoenen van **slecht** fabricaat* badly made shoes

fabricage [de^v], **fabricatie** [de^v] manufacture, production

fabricageafdeling [de^v] production/manufacturing department, ⟨werkplaats⟩ shop

fabricagekosten [de^mv] ⟨alg⟩ cost(s), manufacturing cost(s), ⟨materiaal- en arbeidskosten⟩ prime cost, ⟨materiaal-, arbeids- en overheadkosten⟩ production cost

fabricatie [de^v] → **fabricage**

fabriceren [ov ww] 1 ⟨bewerken, vervaardigen⟩ manufacture, produce, ⟨vero⟩ fabricate 2 ⟨in elkaar zetten⟩ make, construct 3 ⟨verzinnen⟩ fabricate, invent, concoct, make/cook up

fabriek [de^v] 1 ⟨industrieel bedrijf⟩ factory, ⟨vnl AE⟩ plant, ⟨complex⟩ works, ⟨i.h.b. voor papier/text⟩ mill ♦ ***af** fabriek* ex works; *een **chemische** fabriek* a chemical plant; ***op/in** de fabriek werken* work in/at a factory; *een fabriek **sluiten*** close/shut down a factory 2 ⟨gebouw⟩ factory, ⟨vnl AE⟩ plant, ⟨complex⟩ works, ⟨i.h.b. voor papier/text⟩ mill ♦ *er is nog maar één fabriek in bedrijf* there is only one plant in operation

fabrieken [ov ww] ⟨inf; scherts⟩ knock together/up, run up ♦ *van een laken een **jurk** fabrieken* fashion a sheet into a dress, fashion a dress from/out of a sheet

fabrieksaardappel [de^m] industrial potato

fabrieksarbeider [de^m], **fabrieksarbeidster** [de^v] ⟨man & vrouw⟩ factory worker, ⟨vrouw⟩ woman factory worker, ⟨vrouw⟩ female factory worker, ⟨ook pej; vrouw⟩ factory girl

fabrieksarbeidster [de^v] → **fabrieksarbeider**

fabrieksartikel [het] factory product/article, manufactured/factory(-made) product, ⟨mv; in tegenstelling tot handwerk⟩ manufactured goods/products/articles

fabrieksbaas [de^m] 1 ⟨directeur, eigenaar⟩ factory manager/owner 2 ⟨ploegbaas⟩ foreman

fabrieksboter [de] creamery/factory butter

fabrieksdirecteur [de^m] factory/works/mill manager

fabriekseigenaar [de^m] factory/mill owner

fabrieksfluit [de] factory hooter/whistle/horn

fabrieksfout [de] manufacturing fault

fabrieksgebouw [het] factory building

fabrieksgeheim [het] trade secret, manufacturing secret

fabrieksgoederen [de^mv] manufactured goods, ⟨in tegenstelling tot handwerk⟩ factory(-made) goods/articles/products

fabriekshal [de] 1 ⟨gebouw⟩ factory (building) 2 ⟨ruim-

te⟩ workshop, shop floor
fabrieksmerk [het] manufacturer's (registered) trade mark
fabrieksnijverheid [de^v] manufacturing industry
fabrieksnummer [het] (manufacturer's) serial number
fabriekspoort [de] factory gate(s)
fabrieksprijs [de^m] factory price, cost price, maker's (list) price, manufacturer's price ♦ ***tegen fabrieksprijzen uitverkopen*** sell off at cost (price)
fabrieksrijder [de^m] ⟨sport⟩ commercially-sponsored driver
fabrieksschip [het] factory ship
fabrieksschoorsteen [de^m] factory chimney/stack
fabriekssluiting [de^v] shut-down
fabrieksstad [de] manufacturing/industrial town
fabrieksstreek [de] industrial region/area
fabrieksteam [het] factory team, works team
fabrieksterrein [het] factory site
fabrieksvoorlichter [de^m], **fabrieksvoorlichtster** [de^v] ⟨man⟩ factory spokesman, ⟨vrouw⟩ factory spokeswoman
fabrieksvoorlichtster [de^v] → **fabrieksvoorlichter**
fabrikant [de^m], **fabrikante** [de^v] manufacturer, producer, maker, ⟨eigenaar van fabriek⟩ mill/factory owner, industrialist ♦ *fabrikant van **landbouwwerktuigen*** agricultural engineer, manufacturer of agricultural machinery/equipment; *fabrikant van **vliegtuigen/oorlogstuig*** aircraft/armaments manufacturer
fabrikante [de^v] → **fabrikant**
fabuleus [bn, bw] 1 ⟨fabelachtig⟩ fabulous ⟨bw: ~ly⟩, fabled, legendary, mythical 2 ⟨buitengewoon⟩ fantastic ⟨bw: ~ally⟩, fabulous ⟨bw: ~ly⟩, marvellous ⟨bw: ~ly⟩, terrific ⟨bw: ~ally⟩
façade [de^v] 1 ⟨voorgevel⟩ façade, front(age) 2 ⟨schijn⟩ façade, front, pretence, sham ♦ ***als façade dienen (voor)*** serve as a façade/front (for); *dat **is alleen maar façade*** that is merely a front; *een façade **optrekken*** throw/put up a façade
face-à-main [de^m] lorgnette, lorgnon
facelift [de^m] 1 ⟨chirurgische ingreep⟩ face-lift 2 ⟨verfraaiing⟩ face-lift ♦ *het bedrijf **heeft** een facelift **ondergaan*** the company has had a face-lift
face-off [de] face-off
facet [het] 1 ⟨aspect⟩ facet, aspect ♦ ***alle** facetten van een probleem bekijken* look at a problem from all angles/sides; *een **ander** facet van de zaak belichten* throw/shed light upon another aspect of the matter 2 ⟨geslepen vlak⟩ facet ♦ ***in/met** facetten slijpen* facet, cut facets (on) 3 ⟨biol⟩ facet, ocellus, stemma
facetoog [het] ⟨biol⟩ compound eye
faciaal [bn] facial
facie [het, de^v] ⟨inf⟩ ⟨ogm⟩ face, ↓ phiz(og), ⟨sl⟩ mug, puss, ⟨sl; BE⟩ mush
facilitair [bn] ♦ *facilitair **bedrijf*** general and technical services (company/department), facilities company; *facilitaire **diensten*** general and technical support services
facilitator [de^m] facilitator
faciliteit [de^v] 1 ⟨gemak, comfort⟩ facility, convenience, amenity ♦ *van alle **moderne** faciliteiten voorzien* be equipped with all modern conveniences, ↓ be equipped with all mod cons 2 ⟨mv; voorzieningen voor taalminderheden⟩ (linguistic) facilities 3 ⟨in België; extra middelen op de begroting⟩ provisions ⟨mv⟩
faciliteitengemeente [de^v] ⟨in België⟩ municipality with (linguistic) facilities
[1]**faciliteren** [ov ww] ⟨vereenvoudigen⟩ facilitate
[2]**faciliteren** [ov ww, ook abs] ⟨voorzieningen aanbieden⟩ provide technical assistance/facilities
facing [de] ⟨tandh⟩ tooth facing, dental facing
facsimile [het] facsimile
facsimile-uitgave [de] facsimile edition
factfinding [de^m] fact-finding mission
factie [de^v] faction
factitief [het] factitive
factoor [de^m] factor, agent
factor [de^m] 1 ⟨wisk⟩ factor ♦ *een factor **drie groter zijn*** exceed by a factor of three; *een getal **in** factoren ontbinden* resolve a number into factors, factorize a number 2 ⟨medebepalend deel, omstandigheid⟩ factor, circumstance, influence ♦ *de **beslissende/doorslaggevende** factor* the determining/determinant factor; *een factor van **betekenis**, een belangrijke factor* an important factor; *een factor zijn **in*** play a part in, contribute to; *er zijn nog wat **onzekere** factoren* there are still some unknowns/imponderables 3 ⟨factoor⟩ factor, agent
factoranalyse [de^v] ⟨stat⟩ factor analysis
factorij [de^v] factory, trading post/station
factoring [de] factoring
factorkrediet [het] ⟨fin⟩ factor('s) credit
factoryoutlet [de^m] factory outlet
factotum [het, de^m] factotum, odd-jobman, handyman, jack-of-all-trades, ⟨inf⟩ head cook and bottle-washer
factsheet [het, de] fact sheet
factueel [bn] factual
factum illicitum [het] ⟨jur⟩ unlawful act
factureermachine [de^v] invoicing machine, billing machine
factureren [ov ww] invoice, bill, charge (to s.o.'s account)
facturist [de^m] invoice/invoicing clerk, ⟨AE⟩ billing clerk
factuur [de^v] invoice, bill ♦ *vijftien dagen na **dato** factuur* fifteen days from date of invoice; *een factuur **indienen/opmaken*** present/make an invoice; *betaling na **ontvangst** factuur* payment upon receipt of invoice; *een factuur **sturen** naar* invoice, bill; *pro-formafactuur* pro forma invoice
factuurboek [het] invoice book
factuurnummer [het] invoice number
factuurprijs [de^m] invoice price
facultatief [bn] optional, elective, ⟨parasiet⟩ facultative ♦ *een facultatief **leervak*** an optional subject, an elective course of study; *iets facultatief **stellen*** make/render sth. optional
faculteit [de^v] 1 ⟨hoofdafdeling aan een universiteit, hogeschool⟩ faculty ♦ *de faculteit der **geneeskunde*** the Medical School, the Faculty of Medicine; *de faculteit der **letteren/letteren en wijsbegeerte*** ⟨BE⟩ ± the Faculty of Arts, ⟨AE⟩ ± the Arts College; *de faculteit der **rechtsgeleerdheid*** the Faculty of Law, the Law Faculty, ⟨AE⟩ the Law School 2 ⟨college van hoogleraren, personeel, studenten⟩ faculty ♦ *een proefschrift **voor** de faculteit verdedigen* defend a thesis (before members of the Faculty) 3 ⟨r-k; instelling⟩ faculty ♦ ***kerkelijke** faculteiten* (church) faculties 4 ⟨wisk⟩ factorial ♦ ***drie** faculteit* factorial three
faculteitskring [de^m] ⟨in België⟩ department/faculty circle
faculteitsraad [de^m] Faculty Board/Council
fade-in [de^m] fade-in
faden [ww] ⟨film; video⟩ fade
fade-out [de^m] fade-out
fader [de] fader
fading [de^m] fading
fadista [de] fadista, fado singer
Faerøer [de] Fa(e)roe Islands
Faerøerder [de^m], **Faerøerse** [de^v] ⟨man & vrouw⟩ Fa(e)roese, ⟨vrouw ook⟩ Fa(e)roese woman/girl
Faerøerse [de^v] → **Faerøerder**
fagen [de^{mv}] ⟨med⟩ phages
fagocyt [de^m] ⟨med⟩ phagocyte
fagocytose [de^v] ⟨med⟩ phagocytosis
fagot [de^m] bassoon

fagottist [de^m] bassoonist, bassoon player
Fahrenheit [de^m] Fahrenheit ◆ *63 **graden** Fahrenheit* 63 degrees Fahrenheit
faience [de] faience
failleren [onov ww] go bankrupt, ⟨i.h.b. van bedrijf⟩ fail, go into (compulsory) liquidation
¹**failliet** [de^m] ⟨persoon⟩ bankrupt
²**failliet** [het] ⟨volslagen mislukking⟩ failure, collapse ◆ *de devaluatie betekende het failliet van zijn **politiek*** the devaluation signified the collapse of his policy
³**failliet** [bn, bw] bankrupt ◆ *een failliete **boedel*** a bankrupt's estate, bankrupt's assets; *failliet **doen gaan*** bankrupt, make bankrupt; ⟨bedrijf⟩ put into liquidation; *failliet **gaan*** go/become bankrupt; ⟨i.h.b. van bedrijf⟩ fail, go into (compulsory) liquidation; *de zaak **is** failliet* the business is bankrupt/has gone into liquidation/has been wound up; *failliet **verklaard worden*** be declared/adjudged bankrupt; *iemand failliet **verklaren*** declare/adjudicate s.o. bankrupt; *een failliete **winkelier*** a bankrupt shopkeeper/ ^A storekeeper
faillietverklaring [de^v] declaration of bankruptcy ◆ *faillietverklaring **aanvragen*** file a petition in bankruptcy/a bankruptcy petition, ⟨bedrijf⟩ file a petition for winding up; ***vonnis** van faillietverklaring* adjudication order; ⟨bedrijf⟩ winding up order, receiving order
faillissement [het] [1] ⟨toestand⟩ bankruptcy ◆ *zijn faillissement **aanvragen*** file one's petition (in bankruptcy); *faillissement **aanvragende** crediteur/schuldeiser* petitioning creditor; *een faillissement **beëindigen*** terminate bankruptcy proceedings; *iemands faillissement **bewerken/uitlokken*** file a petition against s.o., institute bankruptcy proceedings against s.o.; *het faillissement **opheffen*** stay bankruptcy proceedings; *in **staat** van faillissement verkeren* be in a state of bankruptcy/be bankrupt; *het faillissement **uitspreken*** issue an adjudication order [2] ⟨het failliet gaan⟩ bankruptcy, ⟨i.h.b. van bedrijf⟩ failure, (compulsory) liquidation, (compulsory) winding up
faillissementsaanvraag [de] bankruptcy petition, petition in bankruptcy
faillissementsrecht [het] bankruptcy law
faillissementswet [de] bankruptcy law, law relating to bankruptcy
fair [bn, bw] fair, sporting ◆ *iemand fair **behandelen*** treat s.o. fairly; *dat is **niet** fair* that's not playing the game/not cricket; *fair **spelen*** play fair/fairly
fair play [het, de^m] fair play
fairshoppen [onov ww] buy fair-trade products
fairway [de^m] fairway
fait accompli [het] fait accompli, accomplished fact ◆ *iemand **voor** een fait accompli stellen/plaatsen* present s.o. with a fait accompli
fake [de^m] fake
faken [ov ww] fake
faker [de^m] faker
fakir [de^m] [1] ⟨derwisj⟩ fakir [2] ⟨brahmaanse yogi⟩ fakir
fakkel [de] [1] ⟨toorts⟩ torch, ⟨lichtbron bij nachtwerk⟩ flare, ⟨bij optochten ook⟩ flambeau, ⟨astron⟩ facula ◆ *branden **als** een fakkel* burn like a torch [2] ⟨als symbool⟩ torch, flame ◆ *de fakkel der **kennis/wetenschap** overdragen* hand on the torch of knowledge/science; *de fakkel van de **wetenschap** hooghouden* hold high the torch of science
fakkeldans [de^m] torch dance
fakkeldrager [de^m] [1] ⟨iemand die een fakkel draagt⟩ torchbearer [2] ⟨voorvechter⟩ torchbearer, champion ◆ *hij is de fakkeldrager van de **onafhankelijkheid** van zijn land* he is the champion of independence for his country
fakkellicht [het] torch-light
fakkelloop [de^m] torch race
fakkeloptocht [de^m] torchlight procession
falafel [de^m] falafel
falangisme [het] Falangism, Phalangism
falangist [de^m] Falangist, phalangist
falanx [de] [1] ⟨slagorde⟩ phalanx [2] ⟨gesch⟩ phalanx [3] ⟨kootje⟩ phalanx, phalange
falderalderiere [tw] folderol, falderal
falderappes [het] ⟨inf⟩ rabble, riffraff, scum
falen [onov ww] [1] ⟨tekortschieten⟩ fail, fall short, be found wanting, default (in one's payments), ⟨zich vergissen⟩ make an error (of judgment), make a mistake, err (in one's judgment) ◆ *zijn **krachten** falen* his strength is failing him, he lacks the strength [2] ⟨mislukken⟩ fail, be unsuccessful, come to nothing, result in failure, ⟨schot⟩ miss, ⟨plan⟩ miscarry ◆ ***niet/nooit/nimmer** falend* unswerving, unfailing; *al mijn **pogingen** faalden* all my attempts failed/came to nothing, I failed in my attempts; *zijn **schot** faalde nooit* he was a dead/unerring shot
falie [de^v] ⟨inf⟩ ▪ *op zijn falie krijgen/geven* be given/give (s.o.) a (good) beating/thrashing
faliekant [bw] utterly, absolutely, completely, ↓dead ◆ *er faliekant **naast** zitten* get hold of the wrong end of the stick, be way off target; *ergens faliekant **tegen** zijn* be utterly/totally opposed to sth., ↓be dead against sth.; *dat is faliekant **verkeerd*** that is utterly (and completely) wrong; *faliekant **verkeerd** uitkomen* go completely wrong, grave a failure
faling [de^v] ⟨in België⟩ bankruptcy, ⟨van persoon ook⟩ insolvency
Falklandeilanden [de^mv] Falkland Islands, Falklands, Malvinas Islands
fallisch [bn] phallic ◆ *fallische **symbolen*** phallic symbols
fallisme [het] ⟨antr⟩ phalli(ci)sm
fallocratie [de^v] phallocracy, ⟨houding⟩ male chauvinism, ⟨situatie⟩ male domination
fall-out [de^m] fall-out
fallus [de^m] phallus
fallussymbool [het] phallic symbol
falsaris [de^m] forger, falsifier
¹**falset** [de^m] ⟨muz⟩ ⟨zanger⟩ falsetto, (male) alto, countertenor
²**falset** [het, de^m] ⟨muz⟩ ⟨stemregister⟩ falsetto, head voice
³**falset** [bw] ⟨muz⟩ falsetto, head voice ◆ *falset **zingen*** sing (in) falsetto
falsetstem [de] falsetto, head voice
falsificatie [de^v] [1] ⟨vervalsing⟩ forgery, fake, falsification [2] ⟨falsifiëring⟩ falsification, refutation
falsificeren [ov ww] [1] ⟨vervalsen⟩ forge, fake, ⟨geld ook⟩ counterfeit, ⟨boekhouding, feiten⟩ falsify [2] ⟨de onjuistheid aantonen van⟩ falsify, refute
falsifieerbaarheid [de^v] ⟨m.b.t. theorie⟩ falsifiability, ⟨m.b.t. cheque/postzegel⟩ forgeability, ⟨m.b.t. antiek⟩ fakability
falsifiëring [de^v] falsification, refutation
¹**fameus** [bn] ⟨iron; veel besproken⟩ famous, much talked of, much vaunted
²**fameus** [bn, bw] [1] ⟨vermaard⟩ famous ⟨bw: ~ly⟩, celebrated ◆ *een fameus **restaurant*** a famous restaurant [2] ⟨zeer groot⟩ enormous ⟨bw: ~ly⟩, huge ⟨bw: ~ly⟩, fabulous ⟨bw: ~ly⟩
familiaal [bn] [1] ⟨de familie betreffend⟩ familial ⟨ook medisch⟩, family [2] ⟨in België; het gezin betreffend⟩ familial, family ◆ *familiale **helpster*** family helper; *familiaal **leven*** family life; *familiale **verzekering*** family insurance
familiaar [bn, bw] → **familiair**
familiair [bn, bw], **familiaar** [bn, bw] [1] ⟨informeel⟩ familiar ⟨bw: ~ly⟩, ⟨intiem⟩ close, intimate, ⟨ongedwongen⟩ informal, casual ◆ *een familiaire **kerel*** a friendly guy/^B chap; *familiair **met** iemand zijn/**met** iemand omgaan* be on intimate terms to s.o., be intimate to s.o., hobnob with s.o., be close to s.o. [2] ⟨vrijpostig⟩ (over-)familiar ⟨bw: ~ly⟩, hail-fellow-well-met, ↓too chummy, presumptuous ◆ *al te*

familiair ***met*** *iemand omgaan* behave towards/treat s.o. with too much familiarity, take liberties with s.o.; *wees niet* ***zo*** *familiair* don't be so free/presumptuous, don't take liberties

familiariteit [de^v] 1 ⟨ongedwongen omgang⟩ familiarity, closeness, intimacy, informality 2 ⟨vrijpostigheid⟩ (over-)familiarity, presumptuousness, forwardness ◆ *zich familiariteiten* ***veroorloven*** take liberties

familie [de^v] 1 ⟨(huis)gezin⟩ family ◆ ***bij*** *de familie Jansen* at/with the Jansens, at the Jansens' house/home, with the Jansen family; ⟨fig⟩ *het is één* ***grote*** *familie* they are one great big happy family; *de* ***heilige*** *familie* the Holy Family 2 ⟨geheel van bloedverwanten⟩ family, (blood)relations, relatives, ⟨inf⟩ people, folks, ⟨nabestaanden; form⟩ next of kin ◆ *dat komt in de* ***beste*** *families voor* that happens in the best of families; ***bij*** *familie onderbrengen/achterlaten* put up/ leave with relatives; ***geen*** *familie hebben, zonder familie zijn* have no next of kin; *hij is van* ***goede*** *familie* he comes from a good family/background; ⟨in België⟩ *een* ***politieke*** *familie* a political family 3 ⟨een of meer verwanten⟩ relation, relative ◆ ***aangetrouwde*** *familie* in-laws; *het zit* ***in*** *de familie* it runs in the family; ***mijn*** *familie komt op bezoek* my family/ people are coming to visit; ***naaste*** *familie* next of kin; *zij was nog familie* ***van*** *hem* she was family/his flesh and blood, after all; *bent u toevallig familie* ***van*** *...* are you by any chance connected with .../related to ...; *nee, die is geen familie* ***van*** *mij* no, he/she is no kin of mine; *wat voor familie is zij* ***van*** *jou?* what relation is she to you?; ***van*** *je familie moet je 't maar hebben* ⟨pej⟩ nice family I've (you've/...) got; *zeggen dat je familie* ***van*** *iemand bent* claim kindred with s.o.; *wij zijn* ***verre*** *familie (van elkaar)* we are distant relatives (of each other)/distantly related (to each other) 4 ⟨biol⟩ family

familieaangelegenheid [de^v] family affair, domestic matter

familiealbum [het] family album

familieband [de^m] family ties, sense of family

familiebedrijf [het] family business/concern/firm

familiebericht [het] personal announcement ◆ *ik* ***lees*** *familieberichten in de krant altijd het eerst* I always read the (notices of) births, deaths and marriages first, I always turn first to the hatched, matched and dispatched (section)

familiebetrekking [de^v] ⟨persoon⟩ family connection/ relation, ⟨abstr⟩ relationship

familiebezit [het] ⟨onroerend goed⟩ family property/estate, ⟨roerende goederen⟩ family possessions

familiebezoek [het] 1 ⟨bezoek aan familie⟩ visit to relatives 2 ⟨bezoek van familie⟩ visit from relatives

familiedrama [het] family tragedy

familiefeest [het] family party/celebration

familiefilm [de^m] family-film

familiegoed [het] family estate/property, ⟨landgoed⟩ family seat ◆ ***onvervreemdbaar*** *familiegoed* inalienable family property

familiegraf [het] family grave/tomb, ⟨grafkelder⟩ family vault

familiehotel [het] family hotel

familiehuis [het] 1 ⟨huis van een familie⟩ family home 2 ⟨familiewoning⟩ family home 3 ⟨opvanghuis voor familie van patiënt⟩ family residence

familiekring [de^m] family/domestic circle ◆ ***in*** *familiekring* with/in the family, ↑ en famille; ***in*** *de familiekring* in the family circle

familiekunde [de^v] ⟨in België⟩ genealogy

familiekwaal [de] hereditary disease/illness, ⟨ook fig⟩ (a disease) that runs in the family ◆ *sorry dat ik zo nieuwsgierig ben, het* ***is*** *een familiekwaal* I'm sorry for being so nosy, I was born with it

familieleven [het] domestic/family life

familielid [het] member of the family, ⟨bloedverwant⟩ relative, relation, ⟨bij begrafenis⟩ family mourner ◆ *zijn* ***naaste*** *familieleden* his next of kin/kindred/kin(s) folk; *een* ***ver*** *familielid* a distant relative/relation

familienaam [de^m] 1 ⟨achternaam⟩ family name, surname, ⟨vnl AE⟩ last name 2 ⟨biol⟩ family name

familieomstandigheden [de^mv] family circumstances/affairs ◆ *verlof* ***wegens*** *familieomstandigheden* compassionate leave; ***wegens*** *familieomstandigheden niet aanwezig kunnen zijn* not be able to be present owing to family circumstances/for family reasons

familiepark [het] amusement park for all the family

familieportret [het] 1 ⟨van enige familieleden⟩ family portrait 2 ⟨van een familielid⟩ family portrait

familieprogramma [het] family programme, ⟨AE⟩ family program, family show

familieraad [de^m] family council/conference

familiereünie [de^v] family reunion/meeting, ⟨inf⟩ family get-together

familieroman [de^m] family saga, ⟨lit⟩ roman-fleuve

familieruzie [de^v] family quarrel

familieschaak [het] family fork

familiesport [de] family sport

familiestuk [het] 1 ⟨schilderij⟩ family portrait 2 ⟨erfstuk⟩ family heirloom

familietrek [de^m] 1 ⟨m.b.t. gedrag⟩ family trait 2 ⟨m.b.t. uiterlijk⟩ family likeness

familievete [de] family feud

familiewapen [het] family (coat of) arms ◆ *een familiewapen* ***hebben/bezitten*** bear arms, have a coat of arms

familiezaak [de] 1 ⟨zaak die de familie aangaat⟩ family affair/matter 2 ⟨handelszaak⟩ family business/concern/ firm

familieziek [bn] overfond of one's relations, excessively fond of one's relations

familisme [het] familism

fan [de^m] 1 ⟨bewonderaar⟩ fan 2 ⟨ventilator⟩ fan

[1]**fanaat** [de^m; vaak in samenst] fanatic, ⟨i.h.b. m.b.t. rel, pol⟩ zealot, ⟨inf⟩ freak, maniac ◆ ***jazzfanaat*** jazz freak/ fiend; ***voetbalfanaat*** soccer/football fanatic/maniac/fiend

[2]**fanaat** [bn, bw] fanatical ⟨bw: ~ly⟩, crazy, ⟨i.h.b. m.b.t. rel, pol⟩ zealous, ⟨agressief⟩ rabid

fanaticus [de^m] → **fanaat**[1]

fanatiek [bn, bw] 1 ⟨bezeten⟩ fanatical ⟨bw: ~ly⟩ ◆ *een fanatiek* ***schaker*** a chess fanatic; *zeer fanatiek* ***werken*** work (away) like blazes/like nobody's business 2 ⟨dweepziek⟩ fanatical ⟨bw: ~ly⟩ ◆ *een fanatiek* ***geschreeuw*** fanatical/ wildly enthusiastic cries

fanatiekeling [de^m] ⟨iron⟩ fanatic

fanatisme [het] fanaticism, ⟨i.h.b. m.b.t. rel, pol⟩ zealotry ◆ *een* ***blind*** *fanatisme* (a) blind fanaticism

fanboek [het] fan book

fanboy [de^m] fanboy

fancard [de^m] fan card

fanclub [de] fan club

fancyartikel [het] fancy/novelty article, knick-knack, ⟨mv⟩ fancy/novelty goods

fancy fair [de^m] bazaar, sale of work, ⟨BE⟩ jumble sale, ⟨AE⟩ rummage sale

fandango [de^m] fandango

fanerogaam [de] phanerogam

fanerozoïcum [het] Phanerozoic (Eon)

fanfare [de] 1 ⟨muziekkorps⟩ brass band 2 ⟨muziekstuk⟩ flourish 3 ⟨drukte⟩ fuss, commotion, ↓ kerfuffle ▪ *boekband à la fanfare* fanfare binding

fanfareband [de^m] brass band

fanmail [de] fan mail

fanshop [de^m] fan shop

[1]**fantaseren** [onov ww] 1 ⟨dromen, kletsen, onzin vertellen⟩ fantasize (about), dream (about), indulge in fantasies

(about), have fantasies (about), have visions (of), ⟨ijlen⟩ be delirious, ramble ◆ *je fantaseert, man* you're talking nonsense, you're letting your imagination run away with you [2] ⟨muz; improviseren⟩ improvise (on), extemporize (on)
[2]fantaseren [ov ww] ⟨verzinnen, verbeelden⟩ dream/make up, imagine, invent ◆ *de verdachte fantaseerde van alles **erbij*** the suspect indulged in all kinds of fancies/fantasies, there wasn't a word of truth in what the suspect said
fantasie [dev] [1] ⟨verbeeldingskracht⟩ imagination, imaginative powers, ⟨speels, grillig⟩ fancy ◆ *het kan niet waar zijn, hoeveel fantasie men ook moge **hebben*** it cannot be true, by any stretch of the imagination; *beschikken over een **levendige** fantasie* have a vivid imagination; ***ongebreidelde/tomeloze** fantasie* a flight of imagination, unbridled imagination; ***weinig** fantasie **hebben*** have little imagination, be unimaginative [2] ⟨verbeelding⟩ imagination, ⟨speels, grillig⟩ fancy, ⟨onwerkelijk⟩ fantasy ◆ *dat bestaat alleen **in** je fantasie* that's a figment of your imagination, that's pure fantasy, it's all in your imagination [3] ⟨product van de verbeelding⟩ fantasy, (fanciful) idea, flight of fancy, figment of the imagination, ⟨waandenkbeeld⟩ illusion, hallucination, ⟨verhaal⟩ fabrication ◆ *dat **is** fantasie* that is pure fantasy [4] ⟨muz⟩ fantasia, ⟨ook lit⟩ fantasy
fantasieartikelen [demv] fancy/novelty goods, fancy/novelty articles
fantasieloos [bn] unimaginative, uninventive, lacking in imagination
fantasienaam [dem] ⟨pej⟩ fancy name, fantasy name
fantasiepapier [het] fancy/coloured paper
fantasierijk [bn] (highly) imaginative, (highly) inventive, teeming with ideas, creative
fantasiestof [de] fancy cloth/suiting/fabric
fantasievol [bn] (highly) imaginative
fantasmagorie [dev] [1] ⟨het tevoorschijn brengen van figuren⟩ phantasmagoria, phantasmagory [2] ⟨geheel van voorstellingen⟩ phantasmagoria, phantasmagory
fantast [dem] dreamer, visionary, ⟨leugenaar⟩ storyteller, liar
[1]fantastisch [bn] [1] ⟨niet werkelijk⟩ fantastic, fanciful, unreal(istic), incredible ◆ *fantastische **verhalen*** fanciful/wild stories [2] ⟨onwerkelijk mooi, goed enz.⟩ fantastic, great, marvellous, terrific ◆ *het **is iets** fantastisch* it's the greatest thing since sliced bread; *zij **is** fantastisch (als actrice)* she is terrific (as an actress)
[2]fantastisch [bw] ⟨in de hoogste mate⟩ fantastically, terrifically, tremendously, incredibly, terribly ◆ *dat **heb** je werkelijk fantastisch **gedaan*** you did a really fantastic job, you were tremendous; *fantastisch **lelijk/goedkoop*** terribly ugly; incredibly cheap; *de nieuwe zaak **loopt** fantastisch* the new shop is doing fantastically (well)
[3]fantastisch [tw] fantastic, marvellous, great, terrific ◆ *we zijn naar Kreta geweest, fantastisch!* we have been to Crete, marvellous!
fantasy [dev] fantasy
fantoom [het] [1] ⟨schrikwekkend droombeeld⟩ phantom [2] ⟨med⟩ manikin, phantom
fantoompijn [de] phantom limb pain
fanzine [het] fanzine
fanzone [de] [1] ⟨ontmoetingsplaats voor fans⟩ fanzone, fan area, fans' area [2] ⟨op site⟩ fanzone
fappen [onov ww] fap
f.a.q. [afk] (free at quay) faq
FAQ [afk] (Frequently Asked Question) FAQ
farad [dem] farad
farao [dem] [1] ⟨Egyptische koning⟩ pharaoh [2] ⟨kaartspel⟩ faro
faraohond [dem] Pharaoh hound
faraomier [de] ⟨dierk⟩ pharao ant
faraorat [de] ⟨dierk⟩ ichneumon
farce [de] [1] ⟨grap⟩ farce [2] ⟨vulsel⟩ stuffing, forcemeat, farce
farceren [ov ww] stuff
farde [de] ⟨in België⟩ file
farfalle [dem] farfalle
farizeeën [demv] Pharisees
farizeeër [dem] pharisee, hypocrite
farizees [bn, bw] pharisaic(al) ⟨bw: pharisaically⟩, hypocritical ⟨bw: ~ly⟩, holier-than-thou, self-righteous
farizeïsch [bn] Pharisaic(al)
farm [dem] farm
farma [dev] pharmaceuticals
farmaceut [dem], **farmaceute** [dev] [1] ⟨apotheker(es)⟩ pharmacist, ⟨BE⟩ (dispensing) chemist, ⟨AE⟩ druggist [2] ⟨student(e)⟩ pharmacology student
farmaceute [dev] → **farmaceut**
[1]farmaceutica [dev] ⟨kunst van de geneesmiddelenbereiding⟩ pharmacy, pharmaceutics
[2]farmaceutica [het] ⟨producten⟩ pharmaceutics, pharmaceuticals
farmaceutisch [bn] pharmaceutic(al) ◆ *farmaceutische **producten*** pharmaceutics, pharmaceuticals
farmacie [dev] [1] ⟨kennis van de geneesmiddelen⟩ pharmacy, pharmaceutics [2] ⟨apotheek⟩ pharmacy, ⟨BE⟩ chemist's (shop), ⟨AE⟩ drugstore, ⟨in ziekenhuis⟩ dispensary
farmacochemie [dev] pharmacochemistry
farmacodynamisch [bn] pharmacodynamic
farmacognosie [dev] pharmacognosy
farmacologe [dev] → **farmacoloog**
farmacologie [dev] pharmacology
farmacologisch [bn] pharmacological
farmacoloog [dem], **farmacologe** [dev] pharmacologist
farmacon [het] pharmaceutical, substance, chemical
farmacopee [dev] pharmacopoeia
farmacopsychologie [dev] psychopharmacology
farmacotherapie [dev] pharmacotherapy
Farsi [het] Farsi
farus [dem] pharos, lighthouse, beacon
Far West [het, dem] Far West
[1]faryngaal [dem] guttural
[2]faryngaal [bn, bw] guttural ⟨bw: ~ly⟩
farynx [dem] pharynx
fascinatie [dev] fascination
fascineren [ov ww] fascinate, captivate, enthral(l), bewitch, enchant ◆ ***als** gefascineerd* as if fascinated/captivated/spellbound; *een fascinerend **schouwspel/boek/onderwerp*** a fascinating/captivating/gripping spectacle/book/subject; *fascinerend **vertellen*** tell a story in a fascinating/gripping way, hold one's readers/listeners spellbound
fascisme [het] [1] ⟨politiek systeem⟩ Fascism [2] ⟨heerschappij⟩ fascism
fascist [dem], **fasciste** [dev] [1] ⟨lid van de fascistische partij⟩ Fascist, Blackshirt [2] ⟨aanhanger van het fascisme⟩ fascist
fasciste [dev] → **fascist**
fascistengroet [dem] Fascist salute
fascistisch [bn, bw] fascist
fascistoïde [bn] fascistic
fase [dev] [1] ⟨stadium⟩ phase, period, ⟨van ziekte ook⟩ stadium, stage ◆ *de onderhandelingen komen in een **beslissende** fase* the negotiations are entering upon/reaching a critical phase/stage/period; ***in** fasen* in phases/stages, phased [2] ⟨astron⟩ phase [3] ⟨natuurk⟩ phase ◆ ***in** fase, niet **in** fase* in phase, out of phase [4] ⟨scheik⟩ phase
faseren [ov ww] phase
fasering [dev] phasing, planning in phases/stages, organizing in phases/stages
faseverschil [het] phase difference
faseverschuiving [dev] phase shift
fashionista [dev] fashionista

fastback [de^{m}] fastback
fastball [de^{m}] fastball
fastfood [het] fast food
fastfoodrestaurant [het] fast food restaurant
fat [de^{m}] dandy, fop, ⟨inf⟩ fashion plate, clotheshorse
fataal [bn, bw] fatal ⟨bw: ~ly⟩, ⟨ziekte ook⟩ terminal, deadly, ⟨dosis⟩ lethal, ⟨wond⟩ mortal, vital ♦ *een fatale afloop krijgen* end in disaster; *een ongeluk met fatale gevolgen* a fatal accident, a fatality; *een fatale termijn* a deadline/expiration date/statutory limit; *dat zou fataal zijn voor mijn reputatie* that would ruin/be ruinous for my reputation; *die opmerking werd hem fataal* that remark was to prove/proved fatal (to him)
fatalisme [het] fatalism
fatalist [de^{m}] fatalist
fatalistisch [bn, bw] fatalistic ⟨bw: ~ally⟩, fatalist ♦ *een fatalistische levensbeschouwing* a fatalistic outlook/philosophy
fataliteit [de^{v}] fatality, calamity, disaster
fata morgana [de] 1 ⟨luchtspiegeling⟩ fata morgana, mirage 2 ⟨illusie⟩ fata morgana, mirage
fatboy [de^{m}] Fatboy, beanbag
fatisch [bn] ⟨taalk⟩ phatic
fatsoen [het] 1 ⟨goede manieren⟩ decorum, decency, propriety, civility, respectability ♦ *het burgerlijk fatsoen* common decency; *hij kan met goed fatsoen nog geen zaag vasthouden* he cannot even hold a saw properly; *geen enkel fatsoen hebben* lack all (basic) sense of propriety/decency, ⟨inf⟩ have absolutely no idea (how to behave); *hou je fatsoen!* shape up!, none of your cheek!, (mind your) manners!; *zijn fatsoen houden/bewaren* behave (o.s.), observe the decencies/proprieties, preserve decorum; *u zou het fatsoen moeten hebben te zwijgen* you ought to/might have the decency to keep quiet; *zijn fatsoen ophouden* keep up/preserve appearances; *de regels van het fatsoen* the proprieties, the precepts of decorum; *voor je fatsoen kun je niet weggaan* in all decency/conscience you cannot leave, you can't very well leave; *zijn fatsoen te grabbel gooien* throw decorum to the winds 2 ⟨model⟩ shape, form, ⟨kleren, haar⟩ fashion, style, cut ♦ *een hoed weer in zijn fatsoen brengen* ⟨professioneel⟩ (re-)block a hat; ⟨alg⟩ put a hat back into (good) shape; *uit zijn fatsoen (liggen/zijn/gaan)* be/have got out of shape, lose shape; ⟨inf; AE⟩ be/get out of whack
fatsoeneren [ov ww] 1 ⟨in model brengen⟩ (re-)model, shape, fashion, put/lick into shape, style ♦ *een kapsel fatsoeneren* tidy s.o.'s hair, ⟨AE⟩ fix s.o.'s hair 2 ⟨beschaven⟩ lick into shape, civilize
fatsoenlijk [bn, bw] 1 ⟨net(jes)⟩ ⟨persoon, taal, gedrag⟩ decent ⟨bw: ~ly⟩, ⟨meisje ook⟩ good ⟨bw: ~ly⟩, nice ⟨bw: ~ly⟩, ⟨persoon⟩ respectable, ⟨met een goede naam⟩ reputable, ⟨taal⟩ clean ♦ *fatsoenlijke armen* the deserving/honest poor; *fatsoenlijke armoede* genteel/gilded poverty, shabby gentility; *je had zo fatsoenlijk moeten zijn om niet te kijken* you might/ought to have had the decency/grace not to look; *op een fatsoenlijke manier aan de kost komen* earn/make an honest/a respectable living; *iets fatsoenlijk vragen* ask sth. nicely/civilly; *zich fatsoenlijk gedragen* behave (o.s.) 2 ⟨behoorlijk⟩ ⟨maaltijd, inkomen, huis, buurt⟩ decent ⟨bw: ~ly⟩, ⟨kennis van iets⟩ fair ♦ ⟨iron⟩ *je kunt hier geen fatsoenlijke krant kopen* you can't even buy a decent paper in this place; *fatsoenlijk kunnen leven van een pensioen* be able to live decently/respectably on a pension; *een fatsoenlijk stukje muziek* a decent piece of music
fatsoenlijkheid [de^{v}] decency, respectability, gentility
fatsoensgrens [de] limits of propriety, boundaries of propriety, boundaries of taste and decency
fatsoenshalve [bw] for decency's sake, for the sake of decency, in all decency
fatsoensrakker [de^{m}] (self-appointed) moral censor, stickler for (the) proprieties
fatsoensregels [de^{mv}] (rules of) etiquette, decorum, social convention
fatsoensridder [de^{m}] moral crusader
fatterig [bn, bw], **fattig** [bn, bw] dandyish ⟨bw: ~ly⟩, dandified, foppish, ⟨vnl. van homofiel; inf⟩ sissy, sissified
fatterigheid [de^{v}] dandyism, foppishness, foppery
fattig [bn] → **fatterig**
fatum [het] fate
fatwa [de^{m}] fatwa
faun [de^{m}] faun
fauna [de] fauna, animal life, zoology ♦ *de flora en fauna van Nederland* the flora and fauna/the plant and animal life of the Netherlands
fauteuil [de^{m}] 1 ⟨armstoel⟩ armchair, easy/lounge chair 2 ⟨rang in theater⟩ ⟨beneden; BE⟩ (seat in the) stalls, ⟨AE⟩ orchestra seat ♦ *fauteuils de balcon* dress circle, ⟨AE⟩ mezzanine
fauvisme [het] fauvism
faux pas [de^{m}] faux pas, indiscretion
favela [de] favela
faveur [de] favour, ⟨faveurtje⟩ windfall ♦ *een faveurtje van 50 euro van mijn oom* a windfall of 50 euros from my uncle ▪ *ten faveure van* in favour of
favorabel [bn] favourable
^{1}**favoriet** [de^{m}] 1 ⟨gunsteling⟩ favourite, ⟨leerling⟩ (teacher's) pet, blue-eyed boy, darling, idol 2 ⟨als winnaar getipt mens, dier⟩ favourite ♦ *de grote/uitgesproken favoriet* the hot/odds-on/number one favourite 3 ⟨m.b.t. zaken⟩ favourite 4 ⟨bookmark⟩ favourite
^{2}**favoriet** [bn] 1 ⟨meest geliefd⟩ favourite, ⟨persoon⟩ favoured ♦ *stofzuigen is niet bepaald mijn meest favoriete bezigheid* vacuum-cleaning is not exactly my favourite dish/pastime 2 ⟨als winnaar getipt⟩ favourite, fancied
favoriete [de^{v}] 1 ⟨vrouwelijke favoriet⟩ favourite, darling, pet 2 ⟨meest bevoorrechte concubine⟩ favourite
favoriseren [ov ww] favour
favus [de^{m}] favus
favusschimmel [de^{m}] favus (causing) fungus
fax [de^{m}] 1 ⟨toestel⟩ fax (machine) ♦ *over de/per fax* by fax 2 ⟨faxbericht⟩ fax
faxbericht [het] fax message
faxen [ov ww] fax
faxmodem [het] fax modem
faxnummer [het] fax number
faxpost [de] faxpost, faxmail
fazant [de^{m}] 1 ⟨vogel⟩ pheasant 2 ⟨vlees⟩ pheasant
fazantenhaan [de^{m}] cock-pheasant
fazantenhen [de^{v}] hen-pheasant
fazantenjacht [de] pheasant-shooting, pheasant shoot
fazantenpark [het] pheasantry
FBI [de] FBI, ⟨inf⟩ Feds
FBI-agent [de^{m}] FBI agent, G-man
fdc [de^{m}] (first day cover) FDC
FDC [het] (fleur du coin) FDC
feature [de^{m}] 1 ⟨speciaal artikel⟩ feature 2 ⟨taalk⟩ feature
feb → **febr**
febr [afk], **feb** [afk] (februari) Feb
februari [de^{m}] February
fec. [afk] (fecit) fec
fecaal [bn] faecal
fecaliën [de^{mv}] faeces
feces [de^{mv}] faeces, excrement
fecundatie [de^{v}] fecundation, fertilization
fedajien [de^{mv}] fedayeen
federaal [bn] ⟨staat, regering⟩ federal, federated, ⟨systeem ook⟩ federative
federaliseren [ov ww] federalize, (con)federate
federalisme [het] federalism
federalist [de^{m}] federalist, federal

federalistisch [bn] federalist(ic)
federatie [de^{v}] federation, confederation
federatief [bn] federative
federeren [onov ww] federate
fee [de^{v}] fairy, ⟨lit⟩ fay ♦ *de boze fee* the bad/wicked fairy; *de goede fee* the good fairy, the fairy godmother; ⟨huishoudfee⟩ brownie ⊡ *de groene fee* ⟨absint⟩ the Green Fairy
feed [de^{m}] ⟨website⟩ feed
feedback [de^{m}] feedback
feeërie [de^{v}] [1] ⟨voorstelling⟩ enchanting/magical/fairy-tale spectacle, enchanting/magical/fairy-tale performance [2] ⟨sprookjesachtige aanblik⟩ enchanting/fairylike/magical spectacle, enchanting/fairylike/magical sight
feeëriek [bn] enchanting, magic(al), fairylike, fairy-tale, entrancing
feeks [de^{v}] [1] ⟨helleveeg⟩ shrew, vixen, (hell-)cat, she-devil, ⟨groot en sterk⟩ virago, ⟨vnl lit⟩ termagant ♦ *oude feeks* harridan, (old) hag, harpy [2] ⟨bijdehandje⟩ a shrewd/smart/sharp one ♦ *een kleine feeks* a shrewd/smart little girl/kid, a little miss/madam
feeksig [bn, bw] shrewish ⟨bw: ~ly⟩, vixenish
feeling [de^{v}] feel(ing), knack, feeling ♦ *(geen) feeling hebben voor iets* have no/a feel(ing) for sth.
feest [het] [1] ⟨fuif, partij⟩ party, celebration, ⟨banket⟩ feast, ⟨inf⟩ do ♦ *een feestje geven/bouwen* give/have/throw a party; ⟨fig⟩ *het is jouw feestje* it's your party [2] ⟨festijn⟩ feast, treat ♦ *dat feest gaat niet door* that's definitely off, you can put that (idea) right out of your head, you've got another think coming on that one; *het ritje werd een waar feest* the ride was a real treat [3] ⟨viering⟩ celebration, ⟨vnl rel⟩ festival, feast, ⟨officieel⟩ function, ⟨vnl mv⟩ festivity ♦ ⟨in België⟩ *feest van de arbeid* May Day; ⟨buiten USA ook⟩ Labour Day; *het feest van Driekoningen* (the feast of) Epiphany; ⟨in België⟩ *feest van de dynastie* ⟨Groot-Brittannië⟩ King's/Queen's Birthday [4] ⟨menstruatie⟩ (the) curse ♦ *feest hebben* have the curse
feestartikelen [de^{mv}] party goods/toys/gadgets
feestavond [de^{m}] ⟨form⟩ gala night, ⟨inf⟩ social evening, ⟨AE ook⟩ sociable ♦ *een feestavond geven/houden* give/hold a social (evening)/an evening do
feestband [de^{m}] party band
feestboek [het] [1] ⟨boek met feestliederen⟩ party songbook, book of festive songs [2] ⟨herinneringsboek⟩ anniversary/memorial/commemorative volume, anniversary/memorial/commemorative book
feestbundel [de^{m}] festschrift, liber amicorum, celebration book/compilation
feestcommissie [de^{v}] organizing/social committee
feestdag [de^{m}] [1] ⟨dag waarop feest gevierd wordt⟩ holiday, ⟨vnl rel⟩ festival, feast-day, feast, red-letter day [2] ⟨gedenkdag⟩ ⟨m.b.t. naam⟩ name day, ⟨m.b.t. heilige⟩ saint's day, fête(-day), ⟨m.b.t. gebeurtenis⟩ anniversary, celebration, ⟨m.b.t. rel gebeurtenis⟩ feast, festival ♦ *christelijke feestdagen* Christian holy days/holidays/festivals; ⟨form⟩ Holy Days of Observation; *erkende feestdag* legal holiday; *kerkelijke feestdag* feast/festival of the Church, feast-day, holy/high day; *nationale feestdag* national holiday; *officiële feestdag* public holiday; ⟨Groot-Brittannië, op werkdag⟩ bank holiday; *prettige feestdagen* the compliments of the season, season's greetings; ⟨met kerst⟩ merry Xmas; ⟨met Pasen⟩ happy Easter; *vaste en veranderlijke feestdagen* immovable and movable feasts; *verplichte feestdag* day of obligation; *inkopen doen voor de (komende) feestdagen* make (one's) purchases for the (coming) festive season; ⟨in België⟩ *wettelijke feestdag* ⟨BE⟩ bank holiday, ⟨AE⟩ public holiday; *op zon- en feestdagen* on Sundays and public holidays
feestdiner [het] (festive) dinner, feast, banquet, ⟨ter herdenking⟩ celebration dinner
feestdronk [de^{m}] (a) toast, (a) health ♦ *een feestdronk uitbrengen op iemand/iets* drink to s.o./sth., toast s.o., propose a toast to s.o./sth.
feestdrukte [de^{v}] festivities, (festive) celebrations, revelry
feesteigen [het] ⟨r-k⟩ ⊡ *het feesteigen der heiligen* the proper of the saints
feestelijk [bn, bw] festive ⟨bw: ~ly⟩, ⟨form⟩ festal, celebratory, ⟨adnominaal; m.b.t. feestje⟩ party ♦ *feestelijk voor de eer bedanken* decline with thanks; *bij feestelijke gelegenheden* on festive occasions; *de zaal is feestelijk versierd* the room is festively decorated; *een feestelijke jurk* a festive dress; *iemand feestelijk onthalen* entertain s.o. lavishly, fête/fete/regale s.o.; *feestelijke opening* festive/gala/official inauguration/opening; *je ziet er feestelijk uit* you look festive/gorgeous ⊡ ⟨iron⟩ *dank je feestelijk!* thanks a bundle!, no, thank you!, not on your life!
feestelijkheid [de^{v}] [1] ⟨feeststemming⟩ festivity, festive spirit, gaiety, merrymaking [2] ⟨festiviteit⟩ ⟨vnl mv⟩ festivity, celebration, festive affair/occasion, ⟨plechtig, form⟩ (social) function ♦ *de feestelijkheden rond/ter gelegenheid van/in verband met haar jubileum* the celebrations/festivities connected with/in honour of/on the occasion of/attendant on her jubilee/anniversary; *aan het slot van de feestelijkheden* at the end/close of the festivities/celebrations
feesteling [de^{m}] reveller, partygoer, merrymaker, guest
feesten [onov ww] celebrate, make merry, ⟨eten⟩ feast ♦ *uitbundig/flink feesten* revel; ⟨inf⟩ (w)hoop it up; ⟨sl; AE⟩ have a ball/a whale of a time
feestfiguur [het, de^{m}] partygoer, man about town, reveller, convivialist
feestganger [de^{m}] partygoer, merrymaker, reveller, guest
feestgedruis [het] (sound(s) of) revelry/festivities, party hubbub
feestgewaad [het] festive dress/attire/garb
feestgewoel [het] party bustle
feestgezang [het] [1] ⟨lied⟩ festive song [2] ⟨het zingen⟩ festive singing
feestlied [het] celebratory/festive song, ⟨inf⟩ party song/number
feestmaal [het] [1] ⟨feestelijke maaltijd⟩ feast, festive meal/dinner, ⟨groots⟩ banquet ♦ *een feestmaal aanrichten* serve/prepare/lay on/put on a feast [2] ⟨heerlijk maal, festijn⟩ feast, ⟨inf⟩ spread, ⟨BE⟩ slap-up meal
feestmaand [de] ± festive season, Christmas and New Year ♦ *tijdens de feestmaand* over Christmas and New Year
feestneus [de^{m}] [1] ⟨kunstneus⟩ false nose [2] ⟨persoon⟩ partygoer, ⟨grapjas⟩ buffoon
feestnummer [het] [1] ⟨iemand die graag feestviert⟩ merrymaker, (keen) partygoer, ⟨grapjas⟩ buffoon [2] ⟨nummer van een blad, tijdschrift⟩ anniversary issue/number, Christmas/holiday/... issue
feestprogramma [het] festival programme, programme of events
feestrede [de] (official) speech
feestroes [de^{m}] frenzy/flush of excitement, high spirits, ecstasy ♦ *na de overwinning verkeerde het hele land in een feestroes* following the victory the whole country was in ecstasies/a state of wild excitement/a holiday/party mood
feeststemming [de^{v}] [1] ⟨van een mens⟩ festive mood/spirit [2] ⟨sfeer⟩ festive atmosphere
feesttent [de] marquee
feestvarken [het] ⟨scherts⟩ ⟨van kinderen, of scherts⟩ birthday boy/girl ♦ *wie is het feestvarken?* whose party/birthday is it?
feestverlichting [de^{v}] festive lighting, illumination(s), fairy lights, party lights, ⟨van stad ook⟩ (the) lights ♦ *de stad in feestverlichting* the city (brightly) illuminated
feestvierder [de^{m}], **feestvierster** [de^{v}] [1] ⟨deelnemer aan een feest⟩ partygoer, ⟨ook scherts⟩ merrymaker [2] ⟨fuifnummer⟩ partygoer

feestvieren [onov ww] [1] ⟨feesten⟩ celebrate, make merry [2] ⟨gedenkdag vieren⟩ celebrate, ⟨gebeurtenis⟩ commemorate, ⟨rel⟩ observe
feestviering [de^{v}] celebration, feasting, merry-making
feestvierster [de^{v}] → **feestvierder**
feestvreugde [de^{v}] festivity, jollity, rejoicing, gaiety, fun (and games) ♦ *ter verhoging van de feestvreugde* to add to the gaiety/fun; *de feestvreugde verstoren* disturb/spoil the festivity/gaiety/fun, dampen the party spirit
feestweek [de] festive/festival week
feestzaal [de] party/reception room, ⟨groter⟩ party/reception hall, ⟨voor maaltijden⟩ banquet room/hall
fehlleistung [de^{v}] Freudian slip
feil [de] ⟨form⟩ [1] ⟨tekortkoming⟩ failing, flaw, ⟨vnl mv⟩ shortcoming, flaw defect [2] ⟨vergissing⟩ error, mistake, fault
feilbaar [bn] fallible, liable to error
feilbaarheid [de^{v}] fallibility
feilen [onov ww] ⟨form⟩ [1] ⟨zich vergissen⟩ err, ↓ make a mistake [2] ⟨tekortschieten⟩ err, ↓ fail
feilloos [bn, bw] ⟨geheugen, remedie⟩ infallible ⟨bw: infallibly⟩, ⟨oordeel⟩ unerring ⟨bw: ~ly⟩, ⟨regelmaat⟩ unfailing ⟨bw: ~ly⟩, ⟨zonder fouten⟩ faultless ⟨bw: ~ly⟩, flawless ⟨bw: ~ly⟩ ♦ *met feilloos instinct* with unerring instinct; *feilloos de weg terug vinden* find one's way back unerringly
feit [het] fact, ⟨gebeurtenis⟩ circumstance, ⟨nieuwsfeit⟩ feature, event ♦ ⟨fig⟩ *achter de feiten aanlopen* have been overtaken by events/developments, not be up to date/in the picture/abreast of things/events, be behind the times; *alle feiten op een rijtje zetten* get/keep/put/set the facts/record straight, gather the facts; *feiten en cijfers* facts and figures; *ondanks het feit dat* in spite of the fact that, albeit that, although; *gezien het feit dat* ... considering ...; *gegeven het feit dat* ... seeing/given that ..., considering (the fact) that ...; *het feit dat we dat niet deden* the fact that we did not do that, our not having done that; *het feit herdenken* commemorate the event; *in feite* in fact, in effect, in point of fact, as a matter of fact, actually; *het is/blijft een feit dat* it is a fact that, the fact is/remains that, there is no denying that; *een nieuw feit* a new fact, a fresh development; ⟨jur; aanvoeren van⟩ a special plea; *de feiten noemen* give (the) facts, speak/talk straight; *op feiten gebaseerd* based on fact; *de feiten spreken voor zichzelf* the facts speak for themselves/are self-evident; *een strafbaar feit* a legal/penal/criminal offence; *vaststaand/bewezen feit* established fact, matter of record; ⟨inf⟩ sure thing; *een voldongen feit* an accomplished fact, a fait accompli, a foregone conclusion; *zij stond voor het feit dat ze moest verhuizen* she had no alternative but to move; *ten laste gelegd feit* charge
^{1}**feitelijk** [bn] [1] ⟨werkelijk⟩ actual, ⟨de feiten betreffende⟩ of fact, ⟨macht, regering⟩ de facto, virtual, ⟨basis, gegevens, bewijsmateriaal⟩ factual, documentary ♦ *de feitelijke leider van Suriname* the virtual leader of Surinam; *de feitelijke macht/regering* the de facto/real/actual power/government; *de feitelijke toestand* the actual/true situation [2] ⟨daadwerkelijk⟩ ♦ *feitelijk geweld* physical coercion
^{2}**feitelijk** [bw] ⟨in werkelijkheid⟩ actually, practically, in (point of) fact, as a matter of fact, in effect/reality ♦ *feitelijk heeft hij ongelijk* in fact/in point of fact/as a matter of fact he is wrong, he is actually wrong; *feitelijk is hij de schuldige* he is the actual culprit, in fact he is the guilty party; *feitelijk is hij hier de baas* for all practical purposes/to all intents and purposes he is in charge/the boss here; *dat is feitelijk hetzelfde als* ... that is practically/virtually the same as
feitelijkheid [de^{v}] [1] ⟨daad van geweld⟩ act of violence [2] ⟨feit⟩ (matter of) fact [3] ⟨het feitelijk zijn⟩ factuality, factualness ♦ *de feitelijkheid van een gebeurtenis* the fact that an event actually did take place
feitenkennis [de^{v}] knowledge of (the) facts, factual knowledge
feitenmateriaal [het] factual material, facts
feitenrechter [de^{m}] in Belgian law, a judge who determines he facts on which the case is based
feitenrelaas [het] account (of the facts), ⟨jur; vnl. in pleidooi⟩ statement of the case
^{1}**fel** [bn] [•] *dat kind is fel op auto's* that child is (dead) keen on/mad about cars/car mad/car crazy
^{2}**fel** [bn, bw] [1] ⟨de zintuigen sterk treffend⟩ ⟨hitte, wind, stralen⟩ fierce ⟨bw: ~ly⟩, ⟨kou⟩ bitter, ⟨koorts⟩ raging, ⟨pijn, vorst⟩ sharp, ⟨wind⟩ keen, ⟨kleuren⟩ bright, vivid, loud, garish, ⟨licht⟩ blazing, glaring ♦ *een felroze jurk* a bright/brilliant/lurid pink dress, a dress in vivid pink; *de zon schijnt fel* the sun is blazing/beating down [2] ⟨hevig⟩ fierce ⟨bw: ~ly⟩, ⟨gevecht, competitie⟩ sharp, keen, ⟨emotie⟩ violent, ⟨strijd⟩ bitter ♦ *een felle brand* a blazing/raging fire; *fel uithalen* lash/strike out (at) [3] ⟨vurig⟩ fierce ⟨bw: ~ly⟩, ⟨temperament⟩ fiery, ⟨protest⟩ vehement, ⟨persoon⟩ spirited, ⟨woorden, aanval⟩ scathing, biting ♦ *een voorstel fel bestrijden* oppose a proposal vehemently/passionately, fight a proposal tooth and nail; *fel tegen iets zijn* be dead set against sth.
felgekleurd [bn] ⟨levendig⟩ brightly coloured, ⟨opvallend⟩ vividly coloured, ⟨opzichtig, ordinair⟩ garish, gaudy, loud
felheid [de^{v}] [1] ⟨hevigheid⟩ fierceness, intensity, violence [2] ⟨vurigheid⟩ fervour ♦ *haar felheid verraste mij* her fervour surprised me
felicitatie [de^{v}] congratulation(s), felicitation ♦ *brieven met felicitaties* letters of congratulation, congratulatory letters; *zoiets is wel een felicitatie waard* that is a matter for congratulation, that deserves congratulations
felicitatiebrief [de^{m}] (letter of) congratulation(s)
felicitatiedienst [de^{m}] business that sends congratulatory messages, presents, reductions on behalf of a company
feliciteren [ov ww] congratulate ((up)on), ⟨inf⟩ slap/pat s.o. on the back, ⟨form⟩ felicitate (on/upon) ♦ *hartelijk gefeliciteerd met* sincere good/best wishes on/for; *iemand feliciteren met zijn succes* congratulate s.o. on his success; *zich(zelf) feliciteren* congratulate o.s. (for/on/with), pat o.s./give o.s. a pat on the back; *gefeliciteerd en nog vele jaren* happy birthday and many happy returns (of the day)
felien [bn] feline, felid
fellatie [de^{v}] fellatio
fellow [de^{m}] fellow
fellowship [het] fellowship
felonie [de^{v}] ⟨gesch⟩ felony
felrealistisch [bn] blatantly realistic
fels [de^{m}] fold, folded joint hem, folded seam
felsen [ov ww, ook abs] fold
felser [de^{m}] [1] ⟨persoon⟩ folder, sheetmetal worker, seamer (operator) [2] ⟨machine⟩ folder, folding/seaming machine
felsijzer [het] stake
felsmachine [de^{v}] folder, folding/seaming machine
^{1}**femel** [de^{m}] ⟨femelaar(ster)⟩ (canting) hypocrite, sanctimonious person
^{2}**femel** [de] ⟨hennep⟩ fimble (hemp)
femelaar [de^{m}], **femelaarster** [de^{v}] (canting) hypocrite, sanctimonious person
femelaarster [de^{v}] → **femelaar**
femelachtig [bn, bw] canting ⟨bw: ~ly⟩, sanctimonious, pharisaical, hypocritical
femelarij [de^{v}] cant(ing), sanctimoniousness, sanctimony, pharisaism
femelen [onov ww] cant, talk cant
femidom Femidom
feminien [bn] feminine
femininisatie [de^{v}; geen mv] feminization

femininum [het] ⟨taalk⟩ 1 ⟨geslacht⟩ feminine 2 ⟨vorm⟩ feminine 3 ⟨zelfstandig (gebruikt) naamwoord⟩ feminine
[1]**feminiseren** [onov ww] 1 ⟨vrouwvriendelijk worden⟩ become (more) feminist/less sexist 2 ⟨vrouwelijker worden⟩ feminize
[2]**feminiseren** [ov ww] ⟨vrouwvriendelijk maken⟩ make feminist/non-sexist ♦ *de* ***partij*** *moest gefeminiseerd worden* the party had to be brought in line with feminist thinking/to be made non-sexist
feminisering [de^v] feminization
feminisme [het] feminism, Women's Liberation, ⟨inf⟩ Women's Lib
feminist [de^m], **feministe** [de^v] feminist, ⟨inf⟩ Women's Libber
feministe [de^v] → **feminist**
feministisch [bn, bw] feminist(ic) ♦ *de feministische* ***beweging*** the feminist movement, (the) Women's Liberation Movement, Women's Liberation; ⟨inf⟩ Women's Lib
femisch [bn] ⟨geol⟩ femic, ferromagnesian
femme fatale [de^v] femme fatale, vamp
femur [het] ⟨biol⟩ femur
fender [de^m] fender
fenegriek [het, de^m] ⟨plantk⟩ fenugreek
feng shui [het, de^m] feng shui
Fenicië [het] Phoenicia
feniks [de^m] ⟨myth⟩ ph(o)enix ♦ ***als*** *een feniks uit zijn as herrijzen* rise like a ph(o)enix from the ashes
fenobarbital [de^m] phenobarbitol
fenogenetiek [de^v] phenogenetics, developmental genetics
fenogenetisch [bn, bw] phenogenetic ⟨bw: ~ally⟩
fenol [het] ⟨scheik⟩ 1 ⟨carbolzuur⟩ phenol (acid), carbolic acid 2 ⟨aromatische verbinding⟩ phenol
fenologie [de^v] phenology
fenoloplossing [de^v] ⟨scheik, med⟩ phenol/carbolic solution
fenolvergiftiging [de^v] phenol/carbolic poisoning
fenomeen [het] 1 ⟨waarneembaar verschijnsel⟩ phenomenon 2 ⟨uniek verschijnsel⟩ phenomenon 3 ⟨uniek persoon⟩ phenomenon
fenomenaal [bn, bw] 1 ⟨filos⟩ phenomenal ⟨bw: ~ly⟩ 2 ⟨verbazingwekkend⟩ phenomenal ⟨bw: ~ly⟩, extraordinary, prodigious ♦ *een fenomenaal* ***geheugen*** a phenomenal/prodigious memory; *fenomenale* ***winsten*** phenomenal profits
fenomenalisme [het] ⟨filos⟩ phenomenalism
fenomenologie [de^v] phenomenology
fenomenologisch [bn, bw] 1 ⟨m.b.t. de verschijnselen als zodanig⟩ phenomenological ⟨bw: ~ly⟩ 2 ⟨natuurk⟩ phenomenological ⟨bw: ~ly⟩
fenotype [het] ⟨erfelijkheid⟩ phenotype
fenylalcohol [de^m] phenyl (alcohol)
feodaal [bn, bw] 1 ⟨tot het leenstelsel behorend⟩ feudal ⟨bw: ~ly⟩, feudalistic ♦ *een feodale* ***bezitting*** a fief/feoff/fee/feud; *het feodale* ***stelsel*** the feudal system, feudalism 2 ⟨herinnerend aan het oude leenstelsel⟩ feudal ⟨bw: ~ly⟩, feudalistic ♦ *in dat land heersen nog feodale* ***toestanden*** feudal conditions still prevail in that country
feodalisering [de^v] feudalization
feodalisme [het] feudalism, feudal system
feodaliteit [de^v] 1 ⟨leenstelsel⟩ feudalism, feudal system 2 ⟨leenroerigheid⟩ feudality
feppen [onov ww] ⟨inf⟩ booze
ferm [bn, bw] firm ⟨bw: ~ly⟩, ⟨houding⟩ resolute, vigorous, ⟨persoon⟩ stout, robust, ⟨portie⟩ generous ♦ *een ferme* ***houding*** a resolute/firm attitude; *een ferme* ***kerel/knaap*** a smart/strapping fellow; *een ferm* ***pak slaag*** a sound beating; *ferme* ***taal*** *spreken* speak boldly/roundly, speak without equivocation
fermate [de^v] ⟨muz⟩ fermata
ferment [het] ferment, ⟨brood⟩ yeast, leaven, ⟨yoghurt⟩ starter, culture
fermentatie [de^v] 1 ⟨gisting⟩ fermentation, fermenting 2 ⟨opschudding⟩ ferment, agitation, tumult
fermentatieproces [het] fermentative process, (process of) fermentation, ferment
fermenteren [onov ww] ferment, ⟨cul⟩ leaven, ⟨fig⟩ be in (a state of) ferment
fermeteit [de^v] firmness, boldness, resoluteness, resolution
fermette [de] ⟨in België⟩ farm-style house
fermoor [het] ripping chisel
ferriet [het] ferrite
ferrietantenne [de] ferrite-rod antenna/[B]aerial
ferrochroomband [de^m] ⟨audio⟩ ferrochromium tape
ferromagnetisch [bn] ferromagnetic
ferromagnetisme [het] ferromagnetism
ferryboot [de] ferry (boat), ⟨voor auto's ook⟩ car ferry
fertiel [bn] fertile, ⟨in hoge mate⟩ fecund
fertilisatie [de^v] 1 ⟨bevruchting⟩ fertilization ♦ *in-vitro-fertilisatie* in vitro fertilization 2 ⟨landb⟩ fertilization
fertiliteit [de^v] fertility, ⟨in hoge mate⟩ fecundity
fervent [bn, bw] fervent ⟨bw: ~ly⟩, ardent, fervid, passionate ♦ *een fervent* ***aanhanger*** *van het katholicisme* a fervent adherent of Catholicism; *een fervent* ***beoefenaar*** *van tennis* an ardent/keen tennis-player; *een fervent* ***bewonderaar*** a fervent/an ardent admirer
ferventie [de^v] fervour, fervency, ardour, passion, zeal
fes [de] ⟨muz⟩ F flat
festijn [het] 1 ⟨feestmaal⟩ feast, banquet, ⟨inf⟩ junket(ing) 2 ⟨feest⟩ feast, fete, fête ♦ *die tentoonstelling is een waar festijn* ***voor*** *de kunstliefhebber* this exhibition is a real feast/treat for art lovers/the art lover
festival [het] 1 ⟨groot (muziek)feest⟩ festival 2 ⟨reeks uitvoeringen⟩ festival
festiviteit [de^v] 1 ⟨feestelijke gebeurtenis⟩ festivity, celebration 2 ⟨onderdeel van een feestviering⟩ festivity ♦ *festiviteiten* ***organiseren*** organise festivities/festive activities
festoen [het, de^m] 1 ⟨bloemkrans⟩ festoon, garland 2 ⟨ornament⟩ → **feston**
feston [het, de^m] 1 ⟨ornament⟩ festoon, swag 2 ⟨gefestonneerde rand⟩ ⟨vnl mv⟩ scallop
festonneersteek [de^m] buttonhole stitch, blanket stitch
festonneren [ov ww, ook abs] scallop
festonsteek [de^m] blanket stitch
feta [de^m] feta
fêteren [ov ww] fête, lionize
fetisj [de^m] 1 ⟨voorwerp van afgodische verering⟩ fetish, fetich 2 ⟨voorwerp van ziekelijke verering⟩ fetish, fetich
fetisjisme [het] 1 ⟨verering van fetisjen⟩ fetishism, fetichism 2 ⟨seksuele afwijking⟩ fetishism, fetichism
fetisjist [de^m] 1 ⟨vereerder van fetisjen⟩ fetishist, fetichist 2 ⟨lijder aan fetisjisme⟩ fetishist, fetichist
fetisjistisch [bn] fetishistic, fetichistic
fettuccine [de] fettucine
feuilletee [het] puff/flaky pastry
feuilleteren [ov ww] 1 ⟨doorbladeren⟩ leaf through, thumb through 2 ⟨bladerig maken⟩ turn and roll, make flaky
feuilleton [het, de^m] serial ♦ *de derde* ***aflevering*** *van deze feuilleton* the third instalment of this serial; ***als*** *feuilleton uitgeven* publish in serial form; ***als*** *feuilleton verschijnen* appear serially/in serial form, be serialized; *tot feuilleton* ***bewerken*** serialize
feuilletonschrijver [de^m] writer of serials, serial writer
feut [de^m] ⟨stud⟩ ± freshman, ⟨inf⟩ fresher
fez [de^m] fez

fezelen [ov ww, ook abs] whisper, murmur, mutter
ff [afk] ⟨muz⟩ (fortissimo) ff
f-gat [het] f-hole
fiancé [de^m] fiancée
fiasco [het] fiasco, disaster, failure, ⟨inf⟩ flop, wash-out, frost ♦ *op een compleet/groot fiasco* ***uitlopen*** turn out to be/ result in/prove a total/great fiasco/disaster; ⟨inf⟩ fall flat (on its face), misfire (completely); *die student* ***was*** *een echt fiasco* that student was a real wash-out; *het toneelstuk/de fuif* ***was*** *een fiasco* the play/party was a flop/dud/^A bomb/^A turkey; *de hele onderneming* ***werd*** *een fiasco* the whole business was/turned out to be one/a great disaster/fiasco/wash-out
[1]**fiat** [het] fiat, authorization, sanction, approval ♦ *(zijn) fiat* ***geven/verlenen*** authorize, sanction; give/grant one's permission; ↓ give the go-ahead/green light
[2]**fiat** [tw] very well ♦ ⟨jur⟩ *fiat* ***executie*** ± writ of execution
fiatteren [ov ww] authorize, attach/give one's fiat to, ⟨fin⟩ validate, ⟨drukw⟩ mark/pass/sign for press
fiatteur [de^m] ± chief/head cashier
fiber [het, de^m] fibre
fiberglas [het] fibreglass
fiberscoop [de^m] fibrescope
fibonaccireeks [de] Fibonacci sequence
fibreus [bn] 1 ⟨vezelachtig⟩ fibrous 2 ⟨bindweefselachtig⟩ fibrous
fibril [de] ⟨med⟩ fibril
fibrillatie [de^v] ⟨med⟩ fibrillation
[1]**fibrilleren** [onov ww] 1 ⟨trillen⟩ fibrillate 2 ⟨m.b.t. spieren⟩ fibrillate
[2]**fibrilleren** [ov ww] ⟨vezelstructuur geven⟩ fibrillate
fibrine [de] fibrin
fibrinogeen [het] ⟨biol⟩ fibrinogen
fibroom [het] ⟨med⟩ fibroma, ⟨i.h.b. in baarmoederwand⟩ fibroid
fibrose [de^v] fibrosis ♦ ***cystische*** *fibrose* cystic fibrosis
fibula [de] ⟨gesch⟩ fibula
fiche [het, de] 1 ⟨speelmerkje⟩ counter, token, chip 2 ⟨systeemkaart⟩ index/filing card, ⟨bij het lesgeven⟩ flash card, ⟨velletje⟩ slip 3 ⟨van vlooienspel⟩ tiddl(e)ywink
ficheren [ov ww] file, card-index, put on file
fichu [de^m] fichu
fictie [de^v] 1 ⟨niet op werkelijkheid berustende voorstelling⟩ fiction 2 ⟨lit⟩ fiction
fictief [bn, bw] fictitious ⟨bw: ~ly⟩, imaginary, fictive, notional ♦ *een fictief* ***bedrag*** an imaginary sum; *een fictieve* ***naam*** an assumed name, a fictitious name; *een fictieve* ***partner*** a nominal partner; ⟨jur⟩ *een fictieve* ***persoon*** an artificial person, a legal/juridical/juristic person; *een fictieve* ***winst*** an expected profit
fictionaliteit [de^v] fictional nature/character
fictioneel [bn] fictional
ficus [de^m] 1 ⟨plantengeslacht⟩ Ficus, ficus 2 ⟨plant⟩ rubber plant
fideel [bn, bw] 1 ⟨trouw en hartelijk⟩ decent ⟨bw: ~ly⟩, reliable, dependable, good-natured ♦ *hij* ***heeft*** *zich fideel tegenover mij* ***gedragen*** he has been very decent/good to me; *een fidele* ***kerel*** a decent/reliable/dependable fellow; a good sort 2 ⟨van een vrolijke gezelligheid⟩ jovial ⟨bw: ~ly⟩, jolly, genial, merry ♦ *het was een fidele* ***boel*** it was a jolly/merry gathering
fideï-commis [het] 1 ⟨erfstelling⟩ fideicommissum 2 ⟨stam-, familie-erfgoed⟩ fideicommissum
fideï-commissair [bn] fideicommissary ♦ *fideï-commissair* ***erfgenaam*** fideicommissary heir; *fideï-commissaire* ***substitutie*** fideicommissary substitution
fideï-commissaris [de^m] fideicommissary (heir)
fideïsme [het] 1 ⟨opvatting dat religieuze waarheden geloofd moeten worden⟩ fideism 2 ⟨opvatting dat een geloofsleer het subjectieve gevoel intellectueel uitdrukt⟩ fideism
fideliteit [de^v] joviality, conviviality
fiduciair [bn] fiduciary, fiducial ♦ *fiduciair* ***geld*** fiduciary money, fiat money; ⟨jur⟩ *fiduciaire* ***handeling*** fiduciary act; *fiduciaire* ***lening*** fiduciary loan, unsecured loan
fiducie [de^v] ⟨inf⟩ ⟨ogm⟩ faith, confidence ♦ *ik* ***heb*** *er geen fiducie in* I've no faith in it; *ik* ***heb*** *er weinig fiducie in* I haven't got/don't put much faith in it, I've little faith in it
fiedel [de^m] ⟨inf⟩ fiddle
fiedelen [ov ww, ook abs] ⟨inf⟩ fiddle, ⟨pej⟩ tweedle, scrape
fielden [onov ww] ⟨sport⟩ field
fielder [de^m] fielder
fieldgoal [de^m] field goal
fieldwork [het] fieldwork
fielt [de^m] ⟨inf⟩ blackguard, cad, scoundrel, villain
fieltenstreek [de] nasty/underhand trick, despicable/low-down trick, bit/piece of villainy
fielterig [bn] → **fieltig**
fieltig [bn, bw], **fielterig** [bn, bw] blackguardly, despicable, caddish, villainous
fiep [de^m] ⟨van autist⟩ tic
fier [bn, bw] proud ⟨bw: ~ly⟩, (high-)spirited ♦ *een fiere* ***houding*** ⟨voorkomen⟩ a lofty/haughty bearing; ⟨gedrag⟩ a superior/proud attitude; ⟨in België⟩ *fier zijn* ***op*** *zijn afkomst* be proud of/pride o.s. on one's origins/ancestry; *de vlag* ***wappert*** *fier van de toren* the flag flies proudly from the tower
fierheid [de^v] pride, spirit, high spirits
fierljeppen [ww] pole jumping over ditches
fieselemie [de^v] ⟨inf⟩ mug, map, kisser

fietsen

- opstappen: *get on/mount*
- afstappen: *get off/dismount*
- iemand achter op de fiets hebben: *have someone on the back of one's bike/give someone a double*
- achterop springen: *jump/get on the back of a bike*
- mijn band is zacht: *my tyre is deflated/soft*
- ik heb een lekke band: *I've got a puncture*
- mijn band is lek: *I have a flat tyre*
- de band plakken: *repair the puncture*
- een band oppompen: *pump up/inflate a tyre*

fiets [de] ⟨inf⟩ bike, bicycle, ↑ cycle, push-bike ♦ ⟨fig⟩ *wat heb ik nou* ***aan*** *m'n fiets (hangen)?* hey, what's all this?; ***geen*** *fietsen tegen het raam (plaatsen), a.u.b.* no/do not lean (bi)cycles against the window, please; *pas op, daar* ***komt*** *een fiets* look out, there's a bike coming; ***op*** *de fiets stappen* get on one's bike/bicycle; ⟨form⟩ mount one's bicycle; ***op*** *een fiets rijden* ride a bike/bicycle; ***op*** *een fiets zitten* be on a bike/bicycle; ***op*** *de fiets springen* jump on one's bike/bicycle; *ik ga altijd* ***op*** *de fiets* I always go on my/by bike/bicycle, I always cycle/take my bike; *we laten de auto staan, we* ***pakken*** *de fiets* let's leave the car behind and take our bikes/go by bike/on our bikes; ***van*** *zijn fiets afstappen* get off one's bike/bicycle; ⟨form⟩ dismount from one's bicycle ▪ ***op*** *die fiets!* like that, in that way
fietsband [de^m] bike tyre/^A tire, bicycle tyre/^A tire, cycle tyre/^A tire
fietsbel [de] bike/bicycle/cycle bell
fietsblok [het] bike/bicycle/cycle stand
fietsbrug [de] bicycle bridge
fietsbus [de] ⟨BE⟩ bicycle coach, ⟨AE⟩ bicycle bus
fietscomputer [de^m] bicycle computer
fietscross [de^m] cyclo-cross
fietscrossen [onov ww] cyclo-cross
fietsen [onov ww] 1 ⟨op de fiets rijden⟩ ride (a bike/bicycle), cycle ♦ *ik ga nog wat fietsen* I'll go (out) for a ride on my bike; *vroeger fietste ik* ***op*** *een driewieler* I used to ride a

tricycle; *het is een uur fietsen* it takes an hour (to get there) by bike, it is an hour's (bike-)ride/ride by bike; *veel fietsen* cycle a lot, do a lot of cycling; *hij fietst voor een onbekend merk* he rides for an unknown make [2] ⟨zich per fiets begeven⟩ cycle, ⟨inf⟩ bike ♦ *wij zijn naar Den Haag gefietst* we cycled/biked to The Hague [3] ⟨een hoedanigheid hebben m.b.t. fietsen⟩ ♦ *deze weg fietst lekker* this is a good/nice road to cycle/bike on/for cycling/biking; *deze fiets fietst licht* this bike rides easily, this bike is light to ride [4] ⟨snel doorlopen⟩ run, whip (through) ♦ *fiets eens door de Gouden Gids* flip/whip through the Yellow Pages [5] ⟨voor elkaar brengen, krijgen⟩ ♦ *geld bij elkaar fietsen* scrape together/rustle up (the some) money (from somewhere or other); *hoe heb je dat voor elkaar gefietst?* how (on earth) did you manage/wangle that? [•] *ga toch fietsen* get on your bike, push off, go and jump in the lake, take a running jump at yourself, run along/away and play; *dat oude album/die snuiter is fietsen* that old album/that guy has gone/has vanished/disappeared (into thin air/from the face of the earth)

fietsonderdelen (bicycle parts)	**1/2**
achterlicht	rear light/rear lamp
achtervork	fork
achterwiel	back wheel/rear wheel
bagagedrager	(luggage) carrier
bandenplakspullen	puncture repair kit
bel	bell
binnenband	(inner) tube
broekklem	bicycle clips
buitenband	tyre
dameszadel	ladies' saddle
dynamo	dynamo
fietspomp	bicycle pump
fietsslot	bicycle lock
fietstas	pannier
frame	frame
handrem	handbrake
jasbeschermer	dress guard
ketting	chain
kettingkast	chain guard
kinderzitje	baby seat/child's saddle
koplamp	headlight
pedaal	pedal

fietsendief [de^m] bicycle thief
fietsenhandelaar [de^m] bike/bicycle/cycle dealer
fietsenhok [het] bike/bicycle/cycle shed
fietsenmaakster [de^v] → **fietsenmaker**
fietsenmaker [de^m], **fietsenmaakster** [de^v] [1] ⟨fietsenreparateur⟩ ⟨man & vrouw⟩ (bi)cycle repairer/mender, ⟨man ook⟩ (bi)cycle repairman [2] ⟨prutser⟩ tinkerer, amateur ♦ *het zijn maar een stelletje fietsenmakers* they're just a bunch of amateurs
fietsenrek [het] [1] ⟨fietsrek⟩ bike/bicycle/cycle stand, bike/bicycle/cycle rack ♦ *tweezijdig fietsenrek* double-sided cycle stand/rack [2] ⟨scherts; ruimte tussen tanden⟩ ± gappy teeth
fietsenstalling [de^v] bike/bicycle/cycle shed
fietser [de^m], **fietsster** [de^v] (bi)cyclist, bike-rider ♦ *hij is een hartstochtelijk fietser* he's mad/very keen on cycling; ⟨vaak m.b.t. sport en spelbeoefening⟩ he's a keen cyclist; *fietsers oversteken!* ± cyclists cross here!; *je ziet hier veel fietsers* you see a lot of cyclists/people on bikes here
fietsergometer [de^m] bicycle ergometer
fietsflat [de^m] bicycle parking tower
fietskaart [de] cycle map
fietskader [het, de^m] ⟨in België⟩ bicycle frame, bike frame
fietskamperen [onov ww] cycle camping
fietskar [de] bicycle/cycle/bike trailer
fietsketting [de^v] bike/bicycle/cycle chain
fietsklem [de] ± bicycle/cycle rack
fietskluis [de] (bi)cycle locker, ⟨inf⟩ bike locker ♦ *een fietskluis huren* rent a (bi)cycle locker
fietslengte [de^v] cycle length
fietspad [het] (bi)cycle track/path, ⟨AE ook⟩ bike-way
fietspomp [de] bicycle pump
fietsrally [de^m] bike/bicycle/cycle rally
fietsregistratie [de^v] (bi)cycle registration
fietsroute [de] (bi)cycle route
fietssleutel [de^m] [1] ⟨sleuteltje van een fietsslot⟩ bike/bicycle/cycle key [2] ⟨techn⟩ spanner
fietsslot [het] [1] ⟨gemonteerd slot⟩ bicycle/cycle lock [2] ⟨kabelslot⟩ (bicycle) padlock
fietsslotpaal [de] ± post to which to chain one's bike
fietsster [de^v] → **fietser**
fietsstrook [de] bike/bicycle/cycle lane ♦ ***opgeblazen** fietsstrook* full-width (bi)cycle lane
fietstas [de] saddlebag, toolbag, ⟨dubbel⟩ pannier
fietstaxi [de^m] trishaw, pedicab, rickshaw
fietstocht [de^m] bicycle/cycle/bike ride, ⟨langer⟩ bicycle/cycle/bike trip, bicycle/cycle/bike tour, cycling trip/tour ♦ *een fietstocht(je) gaan **maken*** go for a (bi)cycle ride, go for a ride on one's bicycle, ⟨inf⟩ go for a spin on one's bicycle
fietsvakantie [de^v] cycling holiday/^Avacation, biking holiday/^Avacation
fietsvriendelijk [bn] pro-cycling, pro-bicycle ♦ *een fietsvriendelijk **beleid*** a pro-cycling/pro-bicycle policy; *een fietsvriendelijk **land*** a pro-cycling/pro-bicycle country, a country with (good/plenty of) facilities for cyclists/bicycles
fietswiel [het] bicycle/cycle wheel
fietszitje [het] (child's) bicycle/bike seat

fietsonderdelen (bicycle parts)	**2/2**
reflector	reflector
remkabel	brake cable
reparatieset	puncture repair kit
snelbinder	carrier straps
spaak	spoke
spatbord	mudguard
spatlap	mudflap
stang	crossbar
stepjes	footrests
stuur	handlebars
tandwiel	sprocket
terugtraprem	back-pedalling brake
trapper	pedal
trommelrem	drum brake
velg	rim
ventiel	valve
versnelling	gear
versnellingskabel	gear cable
voorvork	fork
voorwiel	front wheel
wiel	wheel
zadel	saddle

FIFA [de^v] (Fédération Internationale de Football Association) FIFA
fiftyfifty [bw] fifty-fifty ♦ ***fiftyfifty doen*** split (sth.)/share fifty-fifty (with s.o.), go halves (with s.o.); *de **kansen** zijn fiftyfifty dat hij niet komt* it's a fifty-fifty/an even chance that he won't come/isn't coming
fig. [afk] [1] (figuur) fig [2] (figuurlijk) fig
figaro [de^m] [1] ⟨barbier⟩ barber [2] ⟨(tussen)persoon⟩ ± artful dodger, go-between [3] ⟨kledingstuk⟩ ± bolero
figuraal [bn, bw] figural, figured ♦ *figurale **muziek*** figural/figured music
figurant [de^m], **figurante** [de^v] [1] ⟨acteur⟩ extra, super-

numerary, walk-on, walker-on, ⟨inf⟩ super, ⟨ballet⟩ figurant(e) 2 ⟨nietszeggend persoon⟩ nonentity, (mere) cipher, puppet 3 ⟨orgelpijp⟩ dummy, mute pipe

figurante [de^{v}] → **figurant**

figurantenrol [de] 1 ⟨dram⟩ walk-on/non-speaking part, walk-on, ⟨film⟩ part as an extra ♦ *een figurantenrol toebedeeld **krijgen*** ⟨lett⟩ have a walk-on part; ⟨fig⟩ be a mere onlooker 2 ⟨onbelangrijke functie⟩ subordinate part

figuratie [de^{v}] 1 ⟨muz⟩ figuration 2 ⟨aangebrachte figuren⟩ figuration 3 ⟨dram⟩ extras, walk-ons, walk-on parts/roles

figuratief [bn, bw] 1 ⟨met beelden werkend, daaruit bestaand⟩ figurative ⟨bw: ~ly⟩ ♦ *de figuratieve **schilderkunst*** figurative painting; *figuratief **schrift*** picture-writing, hieroglyphics, pictography 2 ⟨versierend⟩ decorative ⟨bw: ~ly⟩, ornamental

¹**figureren** [onov ww] 1 ⟨rol vervullen⟩ act, perform, figure ♦ *hij figureert **als** ordebewaarder* he acts as attendant; *dit woord figureert niet **op** de lijst* this word does not figure/appear on the list 2 ⟨optreden als figurant⟩ be an extra, be a supernumerary/walk-on/walker-on, walk on, have a walk-on part

²**figureren** [ov ww] ⟨muz, taalk⟩ ⟨versieren⟩ figure

figuur [het, de^{m}] 1 ⟨lichaamsvorm⟩ figure ♦ *een **goed/mooi** figuur* a good/lovely figure; *geen figuur meer **hebben*** have lost one's figure; *wat een figuurtje **heeft** ze* what a figure; ⟨inf⟩ what a build 2 ⟨bk⟩ figure ♦ *figuurtjes **tekenen*** doodle; *een figuurtje van **was*** a little wax figure, a wax figurine 3 ⟨illustratie⟩ figure 4 ⟨patroon, model⟩ figure ♦ *figuren **borduren/knippen*** embroider/cut (out) figures/designs; *behang met figuren **erop*** patterned wallpaper; *een **meetkundige** figuur* a geometric figure; ⟨patroon ook⟩ a geometric pattern/design 5 ⟨positie, indruk⟩ figure ♦ *een **goed/slecht/behoorlijk/gek** figuur slaan, maken* cut a good/poor/reasonable foolish figure; *iemand een mal/belachelijk figuur **laten slaan*** make s.o. look a fool/look silly/foolish/ridiculous; ***met** zijn figuur geen raad weten* not know what to do with/where to put o.s.; *geen gek figuur **slaan/maken** naast/in vergelijking met* not come off badly compared with, compare quite well with 6 ⟨persoonlijkheid⟩ character, individual, figure ♦ *een **belangrijk** figuur* an important figure/person; *de **centrale** figuur* the central/key figure, the main person, the king pin; *het is een **saai** figuur* he's/she's very dreary/dull/a real drag; *een **zielig** figuur* a pathetic character/figure; *wat is dat voor een figuur?* what sort of person is that? 7 ⟨lett⟩ character 8 ⟨dans⟩ figure ♦ ***verplichte** figuren bij het kunstschaatsen* compulsory figures in figure skating; ***vrije** figuren bij het kunstschaatsen* freestyle (skating) 9 ⟨muz⟩ figure ♦ ***melodische** figuren* melodic figures

figuurdans [de^{m}] figure dance, set dance

figuurlijk [bn, bw] figurative ⟨bw: ~ly⟩, ⟨taalk ook⟩ metaphorical ♦ *figuurlijk **gebruiken*** use figuratively/metaphorically; *figuurlijk **gesproken*** figuratively/metaphorically speaking; *je moet dat figuurlijk **opvatten*** you mustn't take that literally; *figuurlijke **taal*** figurative/metaphorical language; *een figuurlijke **uitdrukking/betekenis/zin*** a figurative/metaphorical expression/meaning/sentence; *in figuurlijke **zin*** figuratively, in a figurative sense ▪ ⟨wisk⟩ *figuurlijke **getallen*** figurate numbers

figuurnaad [de^{m}] dart, tuck

figuuroefening [de^{v}] ⟨sport⟩ compulsory exercise

figuurraadsel [het] rebus

figuurrijden SCHAATSEN [ww] figure skating

figuurstudie [de^{v}] figure study, life drawing/study

figuurtje [het] figurine, statuette

figuurzaag [de] fretsaw, ⟨machinaal⟩ jigsaw

figuurzagen [onov ww] do fretwork, ⟨machinaal⟩ jigsaw

figuurzwemmen [ww] synchronized swimming, water ballet

Fiji [het] Fiji

Fiji-eilanden [de^{mv}] Fiji Islands

Fijiër [de^{m}], **Fijische** [de^{v}] ⟨man & vrouw⟩ Fijian, ⟨vrouw ook⟩ Fijian woman/girl

Fijisch [bn] Fijian

Fijische [de^{v}] → **Fijiër**

¹**fijn** [bn] 1 ⟨uit kleine deeltjes bestaand⟩ fine ♦ *fijne **instrumenten*** precision/delicate instruments; *een fijne **kam*** a fine-tooth comb; *fijne **sneeuw*** fine snow 2 ⟨m.b.t. spijzen, dranken⟩ fine ♦ *de fijne **keuken*** fine cooking, haute cuisine; *fijne **vleeswaren*** (assorted) sliced cold meat; ⟨AE⟩ cold cuts 3 ⟨m.b.t. kledingstukken, stoffen⟩ delicate, fine, thin ♦ *een fijn **bloesje*** a thin/delicate blouse; *de fijne **was*** the delicate fabrics; the delicate wash; ⟨inf⟩ the delicates 4 ⟨(van) eerste kwaliteit⟩ fine ♦ *fijn **afgewerkt*** well-finished; *laten we het fijn **houden*** let's keep things friendly 5 ⟨zuiver, onvermengd⟩ fine ♦ *fijn **goud/zilver*** fine gold/silver 6 ⟨dun⟩ fine ♦ *fijn **schrift*** thin/delicate/spidery hand(writing) 7 ⟨beschaafd⟩ fine, smart, ⟨pej⟩ fancy ♦ ⟨iron⟩ *fijne **manieren** zijn dat* a fine way to behave!; ⟨iron⟩ *een fijne **meneer*** a fine/fancy gent(leman) 8 ⟨m.b.t. lichaamsdelen⟩ delicate, fine, slim ♦ *een fijn **figuurtje*** a delicate/slim figure; *een fijn **gezicht(je)*** fine/delicate features; *fijne **polsen*** fine/delicate/slim wrists ▪ ***het** fijne van de zaak weten* know (all) the ins and outs of the matter

²**fijn** [bn, bw] 1 ⟨aangenaam⟩ nice ⟨bw: ~ly⟩, lovely, fine, great, grand ♦ *we gaan fijn samen **uit*** we're going out for a nice day/evening/... together; *jullie **hebben** fijn **gezongen*** you sang really well/nicely; *dat **is** fijn!* that's great!; *een fijne **meid*** a great/fine/grand girl; *een fijne **tijd*** a good/great time; *er fijn **uitzien*** look smart; *een fijne **vent*** a fine fellow, a great guy; *ik **vind** het heel fijn* I'm delighted; *iets fijn **vinden*** ⟨ook⟩ appreciate sth.; ⟨inf⟩ *laat-ie-fijn-zijn* I like it!, great!; *nou, fijn is anders!* well, that's just great!, that's just made my day! 2 ⟨subtiel⟩ subtle ⟨bw: subtly⟩, fine ♦ *een fijn **gehoor**, een fijne **smaak/neus*** a fine/subtle sense of hearing/of taste, a fine/subtle nose; *met een fijn **gevoel** voor* with a fine/subtle feeling for; *een fijn **lachje*** a subtle smile; *een fijn **onderscheid/verschil*** a subtle distinction/difference; *fijne **scherts/spot*** a subtle joke, subtle mockery 3 ⟨orthodox⟩ strict ⟨bw: ~ly⟩, ⟨iron⟩ holy ♦ ⟨iron⟩ *zo fijn **als** (gemalen) poppenstront* holier-than-thou, (be) a proper little angel/saint, (be) a holy Moses; *de **fijnen*** the godly (people); *ze is fijn **gereformeerd*** she's a strict Protestant

³**fijn** [tw] that's nice, lovely, ⟨inf⟩ (that's) great, super, jolly good ♦ *we gaan op vakantie, fijn!* we're going on holiday, great/that's nice

fijnafstemming [de^{v}] fine tuning

fijnbankwerker [de^{m}], **fijnbankwerkster** [de^{v}] ↑ precision engineer

fijnbankwerkster [de^{v}] → **fijnbankwerker**

fijnbesnaard [bn] highly-strung, delicate(ly balanced), sensitive, refined, subtle

fijndradig [bn] fine, fine-spun, fine-threaded, filamented, filamentous

fijngebouwd [bn] slender, of slender build, small-boned, delicate, ⟨van vrouwen ook⟩ petite

fijngevoelig [bn, bw] 1 ⟨met fijn gevoel⟩ sensitive ⟨bw: ~ly⟩, perceptive 2 ⟨tactvol⟩ tactful ⟨bw: ~ly⟩, delicate

fijngevoeligheid [de^{v}] 1 ⟨fijnbesnaardheid⟩ sensitivity, sensibility 2 ⟨tact⟩ tact(fulness), delicacy

fijngoed [het] delicates, delicate items/garments, fine materials

fijnhakken [ov ww] ⟨groenten enz.⟩ chop/cut (up) fine(ly), ⟨vlees⟩ mince, grind, hash

fijnheid [de^{v}] fineness, thinness, slimness, delicacy

fijnhoutfineer [het] decorative/facing veneer

fijnkauwen [ov ww] chew up (small/fine/well), ⟨form⟩ masticate

fijnknijpen [ov ww] crush, squeeze/press (fine) ♦ ***bijna** fijngeknepen worden* ⟨scherts⟩ almost get beaten to a pulp/

chewed up
fijnkorrelig [bn] fine-grain(ed) ♦ *fijnkorrelige **film*** fine-grained film; *fijnkorrelig **ijzer*** fine-grained iron
fijnmaken [ov ww] crush (fine), pound (fine), pulverize, ⟨groenten, fruit⟩ purée, break up
fijnmalen [ov ww] grind (up/down), crush, ⟨vijzel⟩ bray, reduce (to a powder)
fijnmazig [bn] fine(-mesh(ed)), ⟨kousen⟩ micromesh, ⟨breiwerk⟩ close-knit, finely knitted ♦ *een fijnmazige **structuur*** a finely-woven/an intricate structure
fijnmechanicus [de^m] ↑ precision engineer
fijnproever [de^m] connoisseur, ⟨lett ook⟩ gourmet, gastronome, epicure ♦ *een fijnproever **zijn*** be a connoisseur, have a delicate/fine palate
fijnregelen [ov ww] fine tune
fijnregeling [de^v] fine tuning
fijnregelkraan [de] precision control/regulating cock
fijnschrijver [de^m] fineliner
fijnslaan [ov ww] 1 ⟨door slaan fijnmaken⟩ crush, pound 2 ⟨kort en klein slaan⟩ smash (up), beat up, bash to pieces, shatter
fijnsnijden [ov ww] cut finely, cut (up) small, cut (up) into pieces, slice thinly
fijnspar [de^m] Norway spruce
fijnspinmachine [de^v] ⟨ind⟩ (spinning) mule
fijnstampen [ov ww] crush, pound, pulverize, stamp fine, ⟨aardappels⟩ mash
fijnstraal [de] ⟨plantk⟩ flea-bane
¹fijntjes [bn] ⟨tenger, teer⟩ delicate, slight, ⟨m.b.t. vrouwen ook⟩ petite, dainty
²fijntjes [bw] 1 ⟨op een fijne wijze⟩ nicely, delicately, daintily, neatly ♦ *dat is fijntjes **geregeld*** that's nicely/neatly/satisfactorily arranged/settled; *fijntjes **lachen*** smile coyly/knowingly 2 ⟨op slimme wijze⟩ cleverly, subtly, smartly, acutely ♦ *fijntjes **opmerken*** make a subtle/perceptive/knowing remark, remark cleverly
fijntrappen [ov ww] tread fine, tread to pulp
fijnvoelend [bn] sensitive, feeling
fijnwasmiddel [het] mild(-action) detergent
fijnwrijven [ov ww] crush, pulverize, rub fine
fijnzinnig [bn, bw] discerning ⟨bw: ~ly⟩, discriminating, sensitive, subtle
fijt [het, de] felon
fik [de^m] ⟨inf⟩ 1 ⟨brand, vuur⟩ ⟨ogm⟩ fire ♦ ***in** de fik staan* go up in/be in flames/alight/on fire; ***in** de fik steken* set light/fire to, set (sth.) on fire/alight, send (sth.) up in flames 2 ⟨mv; handen⟩ paws, mitts, ⟨ogm⟩ hands ♦ *blijf er **met** je fikken van af* (keep your) paws/mitts/hands off
fikfakken [onov ww] ⟨in België; inf⟩ lark around/about, fool about/around, play about/around, mess about/around
fikh [de^m] fiqh, fikh
¹fikken [de^mv] ⟨inf⟩ paws, mitts ♦ *blijf af **met** je fikken* keep your paws/mitts off
²fikken [onov ww] ⟨inf⟩ ⟨ogm⟩ burn
fikkie [het] 1 ⟨hond⟩ ⟨kind⟩ pooch, doggy, ⟨AE⟩ mutt, ⟨met hoofdletter; als naam⟩ Fido, Spot 2 ⟨vuurtje⟩ ⟨ogm⟩ fire, bonfire • ⟨sprw⟩ *er zijn meer hondjes die Fikkie heten* there are many people with the same name (as me/him/them/...)
¹fiks [bn] 1 ⟨flink van gestalte⟩ sturdy, strong, vigorous, robust, ⟨ook meisje pej⟩ strapping, ⟨enigszins pej⟩ hefty 2 ⟨krachtig, stevig⟩ firm, hearty, vigorous, hefty ♦ *een fikse **bui*** a heavy shower, hard/heavy rain, a downpour; *een fikse **klap*** smart/firm/hefty blow; *een fikse **rekening*** a hefty/steep bill; *fikse **stappen*** firm steps, ⟨ook⟩ a firm tread; *een fikse **verkoudheid*** a heavy/severe cold 3 ⟨gezond⟩ healthy, strong, robust ♦ *een fikse **wandeling*** a brisk/sharp/long walk
²fiks [bw] ⟨op fikse, flinke wijze⟩ vigorously, soundly, thoroughly ♦ *hij kan fiks **eten*** he is a hearty eater
fiksen [ov ww] ⟨inf⟩ fix (up), manage, organise, get together
fiksheid [de^v] 1 ⟨m.b.t. gestalte⟩ sturdiness, vigour, robustness, strength 2 ⟨m.b.t. handelingen⟩ vigour, spirit, drive, push
fikshond [de^m] keeshond
fil-à-fil [de^m] fil-à-fil
filament [het] 1 ⟨vezel⟩ filament, fibre 2 ⟨helmdraad⟩ filament
filantroop [de^m] philanthropist, humanitarian, ⟨iron; inf⟩ do-gooder
filantropie [de^v] philanthropy, humanitarianism
filantropisch [bn, bw] philanthropical ⟨bw: ~ly⟩, humanitarian
filatelie [de^v] stamp collecting, ↑ philately
filatelist [de^m], **filateliste** [de^v] stamp collector, ↑ philatelist
filateliste [de^v] → **filatelist**
filatelistisch [bn] philatelic(al)
fil d'écosse [het] lisle (thread)
¹file [de] ⟨verk⟩ ⟨BE⟩ queue, ⟨mensen ook⟩ line, row, ⟨auto's ook⟩ traffic-jam, ⟨BE⟩ tailback ♦ *een file **auto's*** a line/queue of cars; *er heeft zich een file **gevormd*** ⟨mensen⟩ a queue has formed; ⟨auto's⟩ a traffic-jam/tailback has developed; ***in** een file staan/raken* be in/get in(to) a traffic-jam; *een file **van** zes kilometer* a four-mile traffic-jam/tailback
²file [het, de] ⟨bestand⟩ file
fileerder [de^m], **fileerster** [de^v] ⟨amb⟩ tracer
fileermes [het] ⟨BE⟩ filleting knife, ⟨AE⟩ fileting knife, boning knife
fileerster [de^v] → **fileerder**
fileleed [het] traffic disruption, traffic hold-ups
filemelder [de^m] traffic announcer
filemelding [de^v] traffic call/update ⟨als item op de radio⟩ ♦ *er is een filemelding **binnengekomen*** there is news of a tailback on the ...
fileparkeren [ww] parallel parking
fileren [ov ww, ook abs] 1 ⟨van bot, graat ontdoen⟩ ⟨vis, vlees⟩ fillet, ⟨gevogelte, vlees⟩ debone 2 ⟨bekritiseren⟩ pick holes in, tear to shreds ♦ *zijn nieuwe roman **werd gefileerd*** they tore his new novel to shreds 3 ⟨muz⟩ hold 4 ⟨kaartsp; wegmoffelen⟩ palm (off) 5 ⟨kaartsp; openleggen⟩ discard a sequence 6 ⟨amb; lijnornamenten schilderen (op)⟩ trace
fileserver [de^m] ⟨comp⟩ file server
filet [het, de^m] 1 ⟨stuk vlees, vis⟩ fillet, ⟨AE⟩ filet, undercut, tenderloin 2 ⟨scheidings-, sierlijn, rand⟩ edging, ⟨voor boek⟩ fillet 3 ⟨boekbindersstempel⟩ fillet 4 ⟨netwerk, kant⟩ filet
filet americain [het, de^m] 1 ⟨met kruiden⟩ raw prepared ^B minced/^A ground beef 2 ⟨in België; niet bereid⟩ ⟨BE⟩ minced beef, ⟨AE⟩ ground beef
fileverkeer [het] traffic jam, ⟨BE⟩ tailback
filevorming [de^v] buildup (of traffic) ♦ *er is filevorming **over** 3 km* traffic is backed up for 3 km; *filevorming en **vertraging*** slow-moving/heavy traffic and delays, traffic jam(s) with delays
filevrij [bn] free of traffic jams/congestion
filharmonisch [bn] philharmonic ♦ *het Koninklijk Filharmonisch **Genootschap*** the Royal Philharmonic Society; *een filharmonisch **orkest*** a philharmonic orchestra
¹filiaal [het] branch, branch-store, branch-establishment, ⟨van grootwinkelbedrijf⟩ chain store, ⟨BE⟩ multiple store/shop ♦ *een filiaal van de **bibliotheek*** a branch library
²filiaal [bn] filial
filiaalbank [de] branch bank, branch-office of a bank
filiaalbedrijf [het] chain, ⟨AE⟩ chain stores, one of a chain, branch, ⟨oneig⟩ chain store
filiaalchef [de^m], **filiaalcheffin** [de^v] ⟨man & vrouw⟩

branch manager, ⟨vrouw ook⟩ branch manageress
filiaalcheffin [de^{v}] → **filiaalchef**
filiaalhouder [de^{m}], **filiaalhoudster** [de^{v}] ⟨man & vrouw⟩ branch manager, ⟨vrouw ook⟩ branch manageress
filiaalhoudster [de^{v}] → **filiaalhouder**
filialiseren [ov ww] subsidiarize
filiatie [de^{v}] filiation, descent, ancestry, lineage ♦ *zijn filiatie **bewijzen*** prove one's filiation/descent/parentage; *de filiatie van **handschriften*** the filiation of manuscripts
filibuster [de^{m}] ⟨vnl AE⟩ filibuster, talkathon
filigraan [het], **filigrein** [het] filigree, filagree, filigrane
filigram [het] water(-)mark, wire-mark
filigrein [het] → **filigraan**
Filippenzen [de^{mv}] ⊡ *brief aan de Filippenzen* Philippians ⟨mv met enkelvoudig ww⟩
filippica [de^{v}] Philippic
Filippijn [de^{m}], **Filippijnse** [de^{v}] ⟨man & vrouw⟩ Filipino, ⟨vrouw ook⟩ Philippine woman/girl
Filippijnen [de^{mv}] (the) Philippines, (the) Philippine Islands

Filippijnen

naam	*Filippijnen* Philippines
officiële naam	*Republiek der Filippijnen* Republic of the Philippines
inwoner	*Filippijn* Filipino
inwoonster	*Filippijnse* Filipino
bijv. naamw.	*Filippijns* Philippine
hoofdstad	*Manilla* Manila
munt	*Filippijnse peso* Philippine peso
werelddeel	*Azië* Asia

int. toegangsnummer 63 www .ph auto RP

[1]**Filippijns** [het] Tagalog, Filipino
[2]**Filippijns** [bn] Philippine, Filipino
Filippijnse [de^{v}] → **Filippijn**
filippine [de^{v}] philippina, ⟨AE⟩ philopena
Filippino [de^{m}] Filipino
Filips Philip ♦ *Filips de Schone* Philip the Fair
filister [de^{m}] philistine, ↓square, bourgeois, old fog(e)y, (Mrs) Grundy
filisterdom [het] [1] ⟨filisterij⟩ → **filisterij** [2] ⟨filisters⟩ (the) philistines, (the) Grundy's, (the) bourgeoisie
filisterij [de^{v}] philistinism, Grundyism, conventionality, stuffiness
filistijnen [de^{mv}] ⊡ ***naar** de filistijnen* ⟨BE⟩ bust, ⟨AE⟩ done for; ***naar** de filistijnen **helpen*** ⟨BE⟩ bust, ⟨AE⟩ do in
film [de^{m}] [1] ⟨dun vliesje, laagje⟩ film ♦ *een film **siliconen** op de bougiekabels spuiten* spray a silicone film on the leads [2] ⟨filmrolletje⟩ film ♦ ***lichtgevoelige** film* light sensitive film; *een film(pje) **ontwikkelen*** develop a film; *een **snelle/langzame** film* a fast/slow film; *een film(pje) in de camera doen/uit de camera halen* load/unload a camera [3] ⟨rolprent⟩ film, ⟨AE vnl⟩ movie, picture, ⟨AE ook⟩ motion/moving picture ♦ *welke film **draait** er in die bioscoop?* what's on at the cinema/pictures/^{A}movies?; *een film **opnemen/draaien/vertonen*** shoot a film/movie, roll/run a film, show a film/movie; *een **stomme** film* a silent film/picture; *een film **voor** 16 jaar en ouder* ⟨BE⟩ ± a Category '15' film, ⟨AE⟩ ± an R-rated film ⟨óf boven de 16, óf boven de 18⟩ [4] ⟨filmvoorstelling⟩ film, ⟨AE vnl⟩ movie, picture, ⟨inf; AE⟩ flick ♦ *wij gaan **naar** de film* we're going to the cinema/the pictures/^{A}the movie(s)/^{A}to catch a movie [5] ⟨filmkunst, -wereld⟩ film, (the) cinema, (the) screen ♦ *hij zit **bij** de film* he works in the film business; ***voor** de film **bewerken*** adapt for the cinema/screen
filmacademie [de^{v}] film academy/school
filmachtig [bn] cinematographic
filmacteur [de^{m}], **filmactrice** [de^{v}] ⟨man⟩ film actor, ⟨vrouw⟩ film actress, ⟨man⟩ screen actor, ⟨vrouw⟩ screen actress, ⟨inf; man⟩ ^{A}movie actor, ⟨vrouw⟩ ^{A}movie actress
filmactrice [de^{v}] → **filmacteur**
filmapparatuur [de^{v}] film equipment
filmarchief [het] film archives
filmbeeld [het] (film) picture, film image ♦ ***stilstaand** filmbeeld* still
filmbewerking [de^{v}] film/screen version, ⟨inf; AE⟩ movie version, screen adaptation
filmbreedte [de^{v}], **filmformaat** [het] film gauge
filmcamera [de] ⟨smalfilm; BE⟩ (cine)camera, ⟨professioneel⟩ (film)camera, motion-picture/^{A}movie camera
filmcensuur [de^{v}] → **filmkeuring**
filmclub [de] film club, cineclub
filmcriticus [de^{m}] film critic
Filmdagen [de^{mv}] film festival
filmdebuut [het] film debut, ⟨AE ook⟩ motion-picture debut, movie debut
filmdiva [de^{v}] screen goddess
filmdoek [het] (film) screen
filmdroger [de^{m}] ⟨foto⟩ blower
filmdruk [de^{m}] ⟨ind⟩ silk-screen process, silk-screen printing
filmeditie [de^{v}] film edition
filmen [ov ww, ook abs] film, make (a film), ↓shoot (a film) ♦ *niet te filmen!* ⟨fig⟩ indescribable!, unbelievable!
filmer [de^{m}], **filmster** [de^{v}] filmmaker
filmfan [de^{m}] film fan, ⟨AE ook⟩ movie fan/buff
filmfanaat [de^{m}] film fan/enthusiast/buff, ⟨vnl AE⟩ movie freak
filmfestival [het] film festival
filmformaat [het] → **filmbreedte**
filmhuis [het] art cinema, cinema club, ⟨AE⟩ film club
filmhuisfilm [de^{m}] art film, classic film
filmindustrie [de^{v}] film/^{A}motion-picture industry
filmisch [bn, bw] cinematic ⟨bw: ~ally⟩
filmjournaal [het] newsreel
filmjournalist [de^{m}] film/cinema/^{A}movie reporter, film/cinema/^{A}movie correspondent, film/cinema/^{A}movie critic
filmkanaal [het] film channel
filmkeuring [de^{v}], **filmcensuur** [de^{v}] film censorship, ⟨AE⟩ movie rating system, ⟨commissie⟩ film commission, film censorship board, board of film censors
filmklassieker [de^{m}] classic film
filmkritiek [de^{v}] [1] ⟨kritiek op of m.b.t. een film⟩ film criticism, criticism of a/the film, ⟨AE⟩ criticism of a/the movie [2] ⟨filmrecensie⟩ film review, ⟨AE⟩ movie review
filmkunde [de^{v}] film studies ⟨meervoud⟩
filmkunst [de^{v}] [1] ⟨kunstonderdeel⟩ cinema(tography) [2] ⟨vaardigheid van het filmen⟩ (film) technique ♦ *hij beheerst de filmkunst al aardig* his film technique has improved considerably
filmlas [de] splice
filmliga [de] film society
filmmaakster [de^{v}] → **filmmaker**
filmmaker [de^{m}], **filmmaakster** [de^{v}] filmmaker, ⟨AE⟩ moviemaker
filmmuseum [het] film museum
filmmuziek [de^{v}] soundtrack, score, incidental music
filmologie [de^{v}] cinematography, film studies
filmoperateur [de^{m}], **filmoperatrice** [de^{v}] ⟨man & vrouw⟩ film operator, ⟨opnemer ook; man⟩ cameraman, ⟨vrouw⟩ camerawoman, ⟨afdraaier ook; man & vrouw⟩ projectionist
filmoperatrice [de^{v}] → **filmoperateur**
filmopname [de] shot, sequence, take, scene ♦ *een filmopname **maken** van* make a film of, ↓shoot a film of
filmotheek [de^{v}] [1] ⟨verzameling films⟩ film library [2] ⟨verhuurkantoor⟩ film library, film hire firm
filmpers [de] film press

filmploeg [de] film crew

filmproducent [de^{m}] film/^{A}motion-picture/^{A}movie producer

filmproductie [de^{v}] film production

filmprojector [de^{m}] ⟨smalfilm⟩ (cine)projector, ⟨professioneel⟩ (film) projector

filmquiz [de^{m}] film quiz

filmrechten [de^{mv}] [1] ⟨rechten om iets te mogen verfilmen⟩ film rights, ⟨inf; AE⟩ movie rights [2] ⟨vergoeding van de genoemde rechten⟩ film rights, ⟨inf; AE⟩ movie rights

filmregisseur [de^{m}], **filmregisseuse** [de^{v}] film director, ⟨inf; AE⟩ movie director

filmregisseuse [de^{v}] → **filmregisseur**

filmreportage [de^{v}] film report

filmrol [de] [1] ⟨rol als filmacteur, -actrice⟩ rôle in a film/picture, part in a film/picture, film rôle/part [2] ⟨filmband⟩ reel of film

filmrolletje [het] (roll of) film

filmscenario [het] film scenario, film script, ⟨inf; AE⟩ movie script, ⟨AE⟩ screenplay

filmscript [het] film/^{A}movie script

filmspotter [de^{m}] caption(s) editor

[1]**filmster** [de^{v}] → **filmer**

[2]**filmster** [de] ⟨acteur, actrice⟩ (film) star, movie star ♦ *eruitzien als een filmster* look like a movie star

filmstrip [de^{m}] film strip

filmstrook [de] film strip

filmstrookprojector [de^{m}] film strip projector

filmstudio [de^{m}] (film) studio

filmtape [de] film tape

filmtheater [het] ⟨BE⟩ cinema, ⟨AE⟩ movie theatre

filmtijdschrift [het] film/cinema/^{A}movie magazine

filmtoestel [het] ⟨smalfilm⟩ cinécamera, ⟨professioneel⟩ film camera, ⟨AE⟩ movie camera

filmtrommel [de] can

filmverhuur [de^{m}] film distribution, film distributors

filmversie [de^{v}] film/screen/cinema/^{A}movie version

filmviewer [de^{m}] film viewer

filmvoorstelling [de^{v}] film/^{A}movie showing, film/^{A}movie performance

filmwereld [de] film/^{A}movie world

filmzaal [de] cinema, (film) theatre, auditorium

filmzon [de] camera floodlight

filodeeg [het] filo pastry

filodendron [de^{m}] philodendron

filofax [de^{m}] filofax

filologe [de^{v}] → **filoloog**

filologie [de^{v}] philology

filologisch [bn, bw] philological ⟨bw: ~ly⟩

filoloog [de^{m}], **filologe** [de^{v}] philologist

filopedisch [bn] p(a)edophile

filosoferen [onov ww] [1] ⟨wijsgerig beschouwen⟩ philosophize [2] ⟨(diep) nadenken⟩ philosophize, muse, ponder, ruminate

filosofie [de^{v}] [1] ⟨wijsbegeerte⟩ philosophy, metaphysics ♦ *filosofie van de **wetenschap*** the philosophy of science [2] ⟨wijsgerig stelsel⟩ philosophy ♦ *de filosofie van **Kant*** the philosophy of Kant, Kant's philosophy; ***kritische** filosofie* analytic philosophy [3] ⟨levensbeschouwing, opvatting⟩ philosophy, thinking ♦ *de filosofie **achter** het nieuwe regeringsprogramma* the philosophy/thinking behind the new government programme

filosofisch [bn, bw] [1] ⟨wijsgerig⟩ philosophic(al) ⟨bw: philosophically⟩, metaphysical [2] ⟨stoïcijns⟩ philosophic(al) ⟨bw: philosophically⟩, stoical ♦ *hij **neemt** alles nogal filosofisch **op*** he takes things rather philosophically/stoically

filosoof [de^{m}] [1] ⟨wijsgeer⟩ philosopher [2] ⟨iemand die de alledaagse dingen wijsgerig beschouwt⟩ philosopher ♦ ⟨iron⟩ *wat **ben** jij een filosoof, zeg!* aren't you the philosopher!, you are a deep thinker, aren't you?, aren't we being profound today! [3] ⟨vleesgerecht⟩ ± shepherd's pie

filou [de^{m}] ⟨in België⟩ villain

filter [het, de^{m}] [1] ⟨zuiveringstoestel⟩ filter [2] ⟨bakje dat alleen vloeistoffen doorlaat⟩ filter, colander [3] ⟨foto⟩ filter [4] ⟨stelsel van condensatoren, spoelen⟩ filter [5] ⟨(mondstuk van een) sigaret⟩ filter (tip) ♦ *sigaretten **zonder** filter* plain cigarettes, non-filters

[1]**filteren** [onov ww] ⟨doorsijpelen⟩ filter through/into, strain, come through, ⟨koffie⟩ percolate (through), ⟨inf⟩ perk ♦ *een flauw licht filterde **door** de gesloten gordijnen* a faint light filtered through the drawn curtains

[2]**filteren** [ov ww] ⟨doen doorsijpelen⟩ filter, filtrate, strain, sieve, ⟨koffie⟩ percolate, ⟨inf⟩ perk

filterkaars [de] top-filter, ⟨AE⟩ faucet filter

filterkoffie [de^{m}] percolated coffee, filter coffee, ⟨in restaurant⟩ café filtre

filterpot [de^{m}] percolator

filtersigaret [de] filter (tip), filter-tipped cigarette

filtertank [de^{m}] filter(ing) basin, filter(ing tank)

filterzakje [het] (coffee) filter

filtraat [het] filtrate ♦ *een **kiemvrij** filtraat* a germ-free filtrate

filtratie [de^{v}] filtration, filtering

filtreerbeker [de^{m}] filter(ing) beaker, filtrate receiver

filtreerdoek [het, de^{m}] filtering cloth, straining cloth

filtreerkan [de] ± percolator

filtreerkolf [de] filter(ing) flask, filtrate receiver

filtreerpapier [het] filter paper

filtreersteen [het, de^{m}] porous/permeable rock

filtrum [het] philtre, love potion

Fin [de^{m}], **Finse** [de^{v}] ⟨man & vrouw⟩ Finn, ⟨vrouw ook⟩ Finnish woman/girl

[1]**finaal** [bn] [1] ⟨uiteindelijk⟩ final ♦ *de finale **toewijzing*** the final allocation [2] ⟨algeheel⟩ complete, full, total, absolute ♦ *finale **kwijting*** full receipt, ⟨ook⟩ quietus; *finale **opruiming*** clearance sale, clearance; ⟨bij sluiting van zaak⟩ closing-down/^{A}final sale [3] ⟨taalk⟩ final ♦ *finale **bijzinnen*** final clauses, clauses of purpose

[2]**finaal** [bw] ⟨volkomen⟩ completely, totally, absolutely, utterly, quite ♦ *ik ben het finaal **vergeten*** I clean/^{A}plumb forgot (it); *het is mij finaal onmogelijk dit te doen* it's absolutely/utterly/completely impossible for me to do this

finale [de] [1] ⟨muz⟩ finale [2] ⟨sport⟩ final(s) ♦ *de achtste/kwart-/halve finale **bereiken*** reach the round of the last sixteen/quarter finals/semifinal(s); ***in** de finale komen* get to the finals; ***in** de finale zitten* be/appear in the finals

finaleplaats [de] place in the final

finalist [de^{m}], **finaliste** [de^{v}] finalist

finaliste [de^{v}] → **finalist**

finaliteit [de^{v}] finality

finance [de^{m}] finance

financials [de^{mv}] financials

financieel [bn, bw] financial ⟨bw: ~ly⟩, pecuniary, monetary ♦ *financieel **artikel**, financiële **pagina*** ⟨BE⟩ city column/page, ⟨AE⟩ financial column/page; *het financiële **beheer** voeren over* run/manage the finances of; *financiële **commissie*** finance committee; ⟨BE⟩ Treasury Committee, ⟨AE⟩ Committee of Ways and Means; *financieel **directeur*** financial director/manager; *er financieel **goed** voorstaan* ⟨van een bedrijf⟩ be financially sound; *financiële **instelling*** financial house/institution; *iets van de financiële **kant** bekijken* ⟨ook⟩ look at the money side of sth.; *financiële **middelen*** financial means; *in financiële **moeilijkheden** komen* get into financial difficulties/trouble; *in financiële **moeilijkheden** verkeren* be in financial trouble; ⟨inf; BE⟩ be down on one's uppers; *een financieel **overzicht*** a financial statement; *de financiële **positie** van dit land is gezond* this country's financial position is good/sound; *iemand financieel **steunen*** aid/

support s.o. financially/with money, ↑give financial aid to s.o., ⟨AE⟩ stake s.o.; ⟨op lange termijn, ook⟩ underwrite/back s.o.; *een financiële **transactie*** a financial transaction/a deal; *zijn financiële **verplichtingen** nakomen* meet/fulfil(l) one's financial responsibilities; *de financiële **wereld*** ⟨ook⟩ the world of finance

financiën [de^{mv}] [1] ⟨het openbare geldwezen⟩ finance ◆ *het **departement** van Financiën* the Treasury, the Finance Department; *de **minister** van Financiën* the Minister of Finance/Finance Minister; ⟨Groot-Brittannië⟩ the Chancellor of the Exchequer; ⟨USA⟩ the Secretary of the Treasury/Treasury Secretary [2] ⟨geldmiddelen⟩ finances, funds ◆ *het staat er slecht voor met mijn financiën* my finances are in a bad state/condition/way

financier [de^{m}] [1] ⟨m.b.t. het beheer van geld⟩ financier, manager ◆ *hij is een **goed** financier* he knows how to manage his money, he is good with money [2] ⟨m.b.t. het verschaffen van geld⟩ financier, ⟨leningen⟩ moneylender, ⟨onderneming⟩ backer, promoter, ⟨evenementen, media⟩ sponsor ◆ ***grote** financiers* big bankers

financieren [ov ww] finance, fund, defray the costs of, ⟨onderneming⟩ back, ⟨vnl AE; pej⟩ financier ◆ *gefinancierd **door*** ⟨ook⟩ with funding of

financiering [de^{v}] financing, funding ◆ ***actieve** financiering* investment financing; ***monetaire** financiering* (financing by) printing new money

financieringsbank [de] finance company/^{B}house, merchant bank

financieringsbehoefte [de^{v}] ⟨BE⟩ public sector borrowing requirement

financieringskosten [de^{mv}] financing expenses/costs

financieringsmaatschappij [de^{v}] finance company/corporation, ⟨BE⟩ finance house

financieringsplan [het] financing schedule/scheme, finance plan

financieringssaldo [het] ⟨ec⟩ balance of payments

financieringstekort [het] ⟨in Nederland⟩ financing deficit, ± budget deficit, ⟨BE⟩ ± public sector borrowing requirement

financiewezen [het] finance, financing, financial world

finasteride [de] finasteride

fin de siècle fin de siècle, ⟨attributief⟩ decadent

fineer [het] veneer, finish, veneering

fineerplaat [de] sheet of veneer, veneering

fineerzaag [de] coping saw, panel saw, fretsaw

fine fleur [de] (the) flower/cream/pick/prime, (the) pick of the bunch/basket

fineliner [de] fineliner

fineren [ov ww, ook abs] [1] ⟨met fineer beleggen⟩ veneer, finish, overlay, face ◆ *gefineerd **triplex*** veneered/faced threeply [2] ⟨in dunne laagjes op elkaar lijmen⟩ laminate [3] ⟨(van goud, zilver) zuiveren⟩ refine

finesse [de^{v}] nicety, subtlety ◆ *de finesses van het **bridgen*** the finer points of bridge; *iets **in** (de) finesses kennen* know the ins and outs of sth., know sth. inside out; *hij heeft het tot **in** de finesses uitgelegd* he explained it down to the minutest detail

finetunen [ww] [1] ⟨precies afstellen⟩ finetune [2] ⟨tot in detail regelen⟩ finetune, arrange the final details

finetuning [de^{v}] finetuning

finger [de^{m}] ⟨comp⟩ finger

fingeren [ov ww] [1] ⟨doen alsof⟩ feign, sham, simulate, put on, ↓fake, ⟨ensceneren⟩ stage ◆ *een gefingeerde **overval*** a staged robbery, a set-up; *gefingeerde **winst*** fictitious profit [2] ⟨verzinnen⟩ invent, make/dream up ◆ *een gefingeerde **naam*** a fictitious/an invented/an assumed/a feigned name

fingerpicking [de^{m}] fingerpicking

fingerspitzengefühl [het] sensitivity

fini [bn] ↑finished, ⟨inf⟩ finito

finish [de^{m}] [1] ⟨sport; eindstreep⟩ finish, finishing line/point/post, ⟨ook⟩ home [2] ⟨sport; laatste deel van een wedstrijd(baan)⟩ finish [3] ⟨afwerking, laklaag⟩ finish, polish

finishdoek [de^{m}] finish sign

finishen [onov ww] ⟨sport⟩ [1] ⟨over de eindstreep gaan⟩ finish, cross the line, breast the tape ◆ ***als tweede** finishen* finish second, come (in) second [2] ⟨het laatste deel voor de finish afleggen⟩ finish

finishfoto [de] ⟨sport⟩ photo(graph of the finish)

finishing touch [de^{m}] finishing touch(es), finishing stroke(s), final touch ◆ *hij **gaf** de finishing touch aan zijn schilderij* he put the finishing touches to his painting; *die sjaal **gaf** de finishing touch aan haar pakje* that scarf lent the finishing touch to her suit

finishlint [het] tape

finishplaats [de] finish, finishing point

^{1}**finito** [bn] finito

^{2}**finito** [tw] finito

Finland [het] Finland

Finland	
naam	*Finland* **Finland**
officiële naam	*Republiek Finland* **Republic of Finland**
inwoner	*Fin* **Finn**
inwoonster	*Finse* **Finn**
bijv. naamw.	*Fins* **Finnish**
hoofdstad	*Helsinki* **Helsinki**
munt	*euro* **euro**
werelddeel	*Europa* **Europe**
int. toegangsnummer **358** www.fi auto **FIN**	

finlandiseren [ov ww] Finlandize

finlandisering [de^{v}] ⟨pol⟩ Finlandization

finoegristiek [de^{v}] Finno-Ugrian/Finno-Ugric studies

^{1}**Fins** [het] ⟨taal⟩ Finnish

^{2}**Fins** [bn] Finnish

Finse [de^{v}] → **Fin**

fint [de^{m}] ⟨dierk⟩ t(h)waite (shad)

FIOD [de^{m}] (Fiscale Inlichtingen- en Opsporingsdienst) ⟨BE⟩ tax inspectors of the Inland Revenue, tax inspectors of the ^{A}Internal Revenue Service

Fiom [de^{v}] bureau for the assistance of pregnant women and single parents

fiool [de] phial ◆ ⟨fig⟩ *de fiolen van zijn **toorn** over iemand uitgieten* pour out the vials of (one's) wrath/pour out vials of wrath over/upon s.o.

fiorituren [de^{mv}] ⟨muz⟩ graces, grace-notes

firewall [de^{m}] fire wall

firma [de] [1] ⟨handelsnaam⟩ trading name, firm (name), style ◆ ***onder** de firma **van*** under the firm/style/firm and style/style and title/firm name of; *de firma Smith & Jones* the firm of Smith and Jones; ⟨briefaanhef⟩ Messrs Smith and Jones [2] ⟨vennootschap met hoofdelijke aansprakelijkheid⟩ firm, partnership ◆ *iets **bij** een firma bestellen* place an order for sth. with a firm, order sth. from a firm [3] ⟨bedrijf, zaak⟩ firm, company, concern, house, enterprise ◆ *hij werd in de firma **opgenomen*** he was taken/admitted into partnership

firmament [het] ⟨form⟩ firmament, heaven(s), sky, skies

firmanaam [de^{m}] company name, name of a business/firm

firmant [de^{m}] (business) partner, member of the firm ◆ *enig firmant* (sole) proprietor; ***oudste/jongste** firmant* senior/junior partner

firn [de^{m}] firn, névé

firnveld [het] névé

first lady [de^{v}] First Lady

fis [de] ⟨muz⟩ F sharp

^{1}**fiscaal** [de^{m}] ⟨BE⟩ ± prosecuting counsel, ⟨AE⟩ public prosecutor, ⟨buiten Engeland⟩ fiscal, ⟨SchE⟩ procurator-fiscal

[2]**fiscaal** [bn, bw] fiscal ⟨bw: ~ly⟩, tax(-) ♦ *fiscaal aftrekbaar* tax-deductible; *fiscale balans* fiscal balance sheet; *een fiscale executie* distraint for arrears of taxes/tax arrears; *fiscaal jaar* tax year; *fiscaal jurist* ⟨AE⟩ tax lawyer; *fiscale kinderen* (fiscally) dependant children; *fiscaal loon* salary for tax purposes; *fiscaal recht* tax law; *fiscale rechten* revenue duties/tax/tariff(s)

fiscaalnummer [het] tax identification number, ⟨in USA⟩ social security number

fiscalisering [de^v] public funding

fiscalist [de^m] tax specialist

fiscaliteit [de^v] [1] ⟨wetten en reglementen⟩ tax law, tax system [2] ⟨het onderworpen zijn aan belastingheffing⟩ taxability, ⟨onroerend goed⟩ rat(e)ability, ⟨douane⟩ dutiability

fischerklok [de] Fischer clock

fiscus [de^m] [1] ⟨staat als belastingheffer⟩ Treasury, ⟨BE⟩ Exchequer ♦ *het merendeel van onze winst gaat naar de fiscus* most of our profit goes in taxes/to the taxman/is mopped up by taxation/is taken up in taxes [2] ⟨belastingdienst⟩ treasury, ⟨BE⟩ (HM) Inland Revenue, ⟨AE⟩ Internal Revenue Service, ⟨inf⟩ taxman

fissuur [de^v] fissure, rift, crack, crevice, chink, cleft

fistel [de] ⟨med⟩ fistula, sinus

fisten [ov ww] fist, fistfuck

fistfucken [ov ww] fist fuck, fist

fistuleus [bn] fistular, fistulous

[1]**fit** [de^m] [1] ⟨fithaak⟩ calliper/[A]caliper rule [2] ⟨scheepv⟩ fid

[2]**fit** [bn] fit, well, healthy, ⟨persoon op leeftijd⟩ hale and hearty, ⟨uitgerust⟩ fresh ♦ *fit blijven* keep/stay fit; *niet fit zijn* be unfit/out of condition; ⟨niet lekker⟩ be off colour/under the weather; *ik voel me nog niet helemaal fit* I'm still not (feeling) quite up to scratch/par/the mark

fithaak [de^m] calliper/[A]caliper rule

fitis [de^m] willow warbler

fitness [de] fitness training, keep-fit exercises ⟨mv⟩ ♦ *aan fitness doen* do one's fitness training, work out; ⟨in fitnesscentrum⟩ go to a health club/gym(nasium)/fitness centre

fitnesscentrum [het] fitness/health club, fitness centre

fitnessruimte [de^v] gym(nasium), health club

fitnesstraining [de] fitness training, keep-fit exercises ⟨mv⟩

fits [de] [1] ⟨scharnier⟩ hook-and-eye hinge [2] ⟨scharnierpen⟩ hinge pin

fitster [de^v] → **fitter**

fitten [ov ww] [1] ⟨in elkaar passen⟩ (make) fit [2] ⟨meten⟩ gauge (with a calliper rule) [3] ⟨diepte van boorgaten meten⟩ sound

fitter [de^m], **fitster** [de^v] fitter, ⟨gasleiding⟩ gas fitter, ⟨waterleiding⟩ plumber

fitterij [de^v] fitting shop

fitting [de^m] [1] ⟨m.b.t. gloeilampen⟩ ⟨waar men lamp indraait⟩ socket, lamp-holder, ⟨van lamp zelf⟩ screw(cap), fitting [2] ⟨m.b.t. buisleidingen⟩ fitting [3] ⟨mv; onderdelen voor machines⟩ parts, fittings, ⟨permanent⟩ fixtures

fitting station [de] (car) assembly plant

FIV [het] ⟨in België⟩ (Fonds voor Industriële Vernieuwing) Fund for Industrial (Re)development

fix [de] fix

fixatie [de^v] [1] ⟨het fixeren, vastlegging⟩ fixing, determining [2] ⟨het gefixeerd zijn⟩ fixation, obsession ♦ *orale fixatie* oral fixation

fixatief [het] fixative, fixer

fixeer [het] ⟨foto⟩ fixer, fixative, hypo

fixeerbad [het] fixing bath

fixeerspuitje [het] fixative spray

fixeerstang [de] fastener (fastening) rod

fixeerzout [het] ⟨foto⟩ fixing salt, hyposulphite

fixeren [ov ww] [1] ⟨onbeweeglijk bevestigen⟩ fix, fasten, secure, make fast, fixate, ⟨met riemen⟩ strap down ♦ *een gebroken been fixeren* set a broken leg; *op iemand gefixeerd zijn* be stuck on s.o. [2] ⟨vaststellen⟩ fix, determine, appoint, establish, settle [3] ⟨onuitwisbaar maken⟩ fix [4] ⟨(iemand) voortdurend aankijken⟩ stare (fixedly/pointedly) at [5] ⟨foto⟩ fix [6] ⟨biol⟩ fix ♦ *aangetaste weefsels fixeren* fix damaged tissue(s)

fixum [het] fixed sum/amount

fjord [de^m] fjord, fiord

fl [afk] [1] (florijn(en)) fl, Fl, ⟨ISO⟩ NLG [2] (fles) bot

flacon [de^m] [1] ⟨sierlijke fles⟩ bottle, flask, ⟨wijn⟩ flagon [2] ⟨klein flesje⟩ bottle, ⟨BE⟩ scent bottle, ⟨AE⟩ perfume bottle, ⟨reukwater⟩ flacon, ⟨medicijnen⟩ phial, ⟨heupflacon⟩ canteen, flask [·] ⟨iron⟩ *op de flacon gaan* go to the wall, go broke/bust

fladderak [de^m] brandy punch/cup

fladderen [onov ww] [1] ⟨onregelmatig vliegen⟩ flap about, ⟨vogeltje, vlinder⟩ flutter, ⟨vleermuis⟩ flit(ter) ♦ *het eendje fladdert in de lucht* the duckling is flapping about in the air [2] ⟨heen en weer bewegen⟩ flutter, ⟨vlag, zeil⟩ flap, ⟨baard, haar⟩ stream, flow [3] ⟨onbekommerd leven⟩ gallivant, gad about ♦ *hij fladdert maar wat (rond/aan)* he leads a free and easy/happy-go-lucky sort of life [4] ⟨med⟩ flutter, murmur

flagellant [de^m] ⟨gesch⟩ flagellant, flagellator, ⟨i.h.b. in Spanje ook⟩ disciplinant

flagellantisch [bn] flagellant

flagellantisme [het] flagellantism

flagellatie [de^v] flagellation, scourging, whipping, discipline, mortification (of the flesh)

flagelleren [ov ww] flagellate, scourge, whip, discipline

flageolet [de^m] [1] ⟨fluit⟩ flageolet [2] ⟨orgelregister⟩ flageolet [3] ⟨flageolettoon⟩ flageolet tone, harmonic tone [4] ⟨peulvrucht⟩ flageolet

flageolettoon [de^m] flageolet tone, harmonic tone

flagrant [bn] flagrant, blatant, glaring, gross, shameless ♦ *dat is een flagrante leugen* that is a blatant/bald/barefaced lie; *in flagrante tegenspraak met* in flat contradiction to/with

flagstone [de^m] flag(stone)

flair [het, de^m] flair, feel(ing) (for), head (for) ♦ *voor zoiets heeft men flair nodig* that takes flair, you have to have a feel for it; *hij heeft flair voor zaken* he has got business acumen/a head for business

flakkeren [onov ww] flicker, flutter, waver, ⟨groot vuur⟩ flare

flambard [de^m] slouch (hat), wide-awake (hat), wide-brimmed hat

flambé [bn] ⟨hout⟩ veined, grained, ⟨stof⟩ noiré

flamberen [ov ww, ook abs] [1] ⟨zengen, roosten⟩ singe, ⟨cul⟩ flambé [2] ⟨opdienen met brandende alcohol⟩ flambé, serve flambé [3] ⟨med⟩ flame

flambouw [de] torch, flambeau, flare

flamboyant [bn] ⟨fig⟩ flamboyant ♦ *flamboyante gotiek* flamboyant gothic

flame [de] ⟨comp⟩ flame

flamelamp [de] flame bulb

flamen [onov ww] ⟨comp⟩ flame

flamenco [de^m] flamenco

flamencogitaar [de] flamenco guitar

flamingant [de^m] supporter of the Flemish Movement, Flemish radical/militant

flamingantisme [het] (sympathy for) the Flemish Movement

flamingo [de^m] (greater) flamingo

flamingoplant [de] flamingo flower/plant

flammé [het] watered silk, moiré

flamoes [de] ⟨vulg⟩ cunt, pussy, ⟨AE⟩ crack, ⟨AE⟩ slit

flan [de^m] [1] ⟨(papieren) matrijs⟩ flong, mould [2] ⟨eier-

taart⟩ egg-custard (tart)
flandrien [de^m] tough veteran Belgian cyclist
flanel [het] [1] ⟨stof⟩ flannel, ⟨katoen⟩ flannelette [2] ⟨kledingstuk⟩ flannel shirt/^{B}singlet/^{B}vest/^{A}undershirt, ⟨AE⟩ flannels
flanelbord [het] flannelboard, ⟨ondergoed⟩ flannelgraph
flanellen [bn] flannel ◆ *een flanellen **pantalon*** a pair of flannel trousers/of flannels
flanelsteek [de^m] ⟨amb⟩ herring-bone stitch
flaneren [onov ww] parade
flaneur [de^m] s.o. who likes to parade, s.o. who is parading
flank [de] [1] ⟨zijde⟩ flank, side, ⟨gebouw ook⟩ wing ◆ ***van-uit/in** de flank* broadways, broadwise; ⟨scheepv⟩ broadside [2] ⟨mil⟩ flank ◆ *de vijand **in** de flank aanvallen* attack the enemy in/on the flank, take the enemy in flank; *met vieren **uit** de flank* in columns of four; *rechts/links **uit** de flank* to the right/left about, by the right/left [3] ⟨heral⟩ flank
flankaanval [de^m] flank attack
flankdekking [de^v] flank guard, flank defence(s), ⟨AE⟩ flank defense(s)
¹**flankeren** [onov ww] ⟨jacht⟩ quarter
²**flankeren** [ov ww] ⟨aanvullen met, laten vergezellen door⟩ flank ◆ *links en rechts **door** een agent geflankeerd* flanked by two policemen
³**flankeren** [ov ww, ook abs] ⟨mil⟩ flank, cover ◆ *onze **artillerie** flankeerde ons bij de aanval* our artillery flanked/covered us during the attack
flankering [de^v] flanking, cover
flankeur [de^m] ⟨mil⟩ flanker, guide
flankspeler [de^m] wing player
flankverdediger [de^m] wing defender
¹**flannel** [de] flannel
²**flannel** [bn] flannel
¹**flansen** [onov ww] ⟨de school verzuimen⟩ play truant, ⟨inf; BE⟩ bunk off, ⟨AE⟩ play hook(e)y, ⟨AE⟩ skip school
²**flansen** [ov ww] ⟨haastig in elkaar zetten, aanbrengen⟩ knock together, ⟨verhaal⟩ throw together, ⟨BE⟩ knock up, concoct, ⟨typewerk⟩ bang out, ⟨brief⟩ rush/tear off, ⟨maaltijd⟩ whip/rustle/scramble up ◆ *hij heeft dat boek haastig **in** elkaar geflanst* he knocked/threw that book together in a hurry
flantaart [de^v] ⟨in België⟩ flan
¹**flap** [de^m] ⟨klep aan vleugel⟩ flap
²**flap** [de^m] [1] ⟨deel van een boekomslag⟩ flap [2] ⟨bankbiljet⟩ (bank) note, ⟨AE⟩ bill ◆ *flappen **tappen*** get money out of the hole in the wall [3] ⟨stuk van een doek⟩ flap ◆ *de flap van het **grondzeil** vasthouden* hold the flap of the groundsheet [4] ⟨aan een bord bevestigd vel papier⟩ flysheet ◆ *de lerares had de uitkomsten **op** een flap genoteerd* the teacher had written the answers on a flysheet/covering sheet [5] ⟨soldaten(taal); veldfles⟩ canteen
flapdrol [de^m] ⟨inf⟩ wally, ⟨BE ook⟩ wet, ⟨AE ook⟩ jerk, dud, ↓lemon, ↓crumb, ⟨lafaard ook⟩ namby-pamby, ⟨AE ook⟩ idiot, lamebrain
flaphoed [de^m] slouch (hat), wide-awake (hat), wide-brimmed hat
flapje [het] [1] ⟨klein lapje⟩ tab, lappet [2] ⟨bankbiljet⟩ (bank) note/^{A}bill
flapkan [de] lidded tankard/jug
¹**flapoor** [de^m] ⟨persoon⟩ ⟨beled⟩ flap-eared moron
²**flapoor** [het] ⟨grote oorschelp⟩ protruding ear, elephant ear, flap-ear, ⟨inf; BE⟩ sticky-out ear ◆ *die jongen **heeft** flaporen* that boy's ears stick out
flapoperatie [de^v] flap operation
flap-over [de^m] flip-chart
flappen [ov ww] blab(ber), blurt out, blunder ◆ *hij flapt er maar alles **uit*** he blurts out anything that comes into his head/to mind
flappentap [de^m] ⟨scherts⟩ ⟨BE⟩ hole in the wall
flapperen [onov ww] flap
flapschoen [de^m] clown's outsize shoe
flaptekst [de^m] (jacket) blurb
flapuit [de^m] blab, blabber(mouth)
flapuitkaart [de] pop-up card
flard [de] [1] ⟨afgescheurde lap⟩ shred, tatter, rag, ribbon ◆ ***aan** flarden* in tatters/rags, ⟨ook fig⟩ in shreds; ***aan** flarden scheuren* shred, tear to shreds/rags/tatters/ribbons; ⟨prooi⟩ maul; *een **aan** flarden gescheurde doek* a tattered (piece of) cloth; *het zeil werd **aan** flarden geschoten* the sail was shot to rags/ribbons/tatters/pieces [2] ⟨los gedeelte⟩ fragment, ⟨klein deeltje⟩ scrap, snippet ◆ *ik heb slechts enkele flarden van hun gesprek kunnen opvangen* I managed to catch only a few fragments/snatches/snippets of their conversation
flare [de^m] [1] ⟨fakkel⟩ flare [2] ⟨uitbarsting zonneoppervlak⟩ solar flare [3] ⟨lichtvlek⟩ flare [4] ⟨weerkaatsing van zonlicht op satelliet⟩ flare [5] ⟨manoeuvre bij parachutespringen⟩ flare
flash [de] flashlight, flash
flashback [de^m] flashback
flashen [ov ww] [1] ⟨comp; bijwerken, updaten⟩ flash [2] ⟨in de maling nemen⟩ kid
flashgeheugen [het] flash memory
flashkaart [de] flash card
flashmob [de^m] flash mob
flat [de^m] [1] ⟨flatgebouw⟩ ⟨BE⟩ block of flats, ⟨AE⟩ apartment (building/complex), ⟨hoog; AE⟩ high-rise (apartment/complex), ⟨van geringe kwaliteit⟩ tenement building, ⟨BE; koopflats⟩ condominium, ⟨inf⟩ condo, ⟨groter⟩ block of apartments [2] ⟨appartement⟩ flat, ⟨AE⟩ apartment, ⟨van geringe kwaliteit⟩ tenement ◆ ***op** een flat* in a flat [3] ⟨damesschoen⟩ flat(tie)
flatbedscanner [de^m] flatbed scanner
flatbewoner [de^m], **flatbewoonster** [de^v] flat-dweller, ⟨AE⟩ apartment-dweller, tenant of a flat
flatbewoonster [de^v] → **flatbewoner**
flatcoated retriever [de^m] flatcoated retriever
flater [de^m] blunder, howler, gaffe, ⟨inf⟩ bloomer, boob, ⟨AE⟩ blooper ◆ *een lelijke flater **begaan*** drop a brick/^{B}clanger, put one's foot in it/one's mouth, ⟨AE⟩ drop one's cookies; *een **geweldige** flater* a prize blunder; *een flater **slaan*** blunder, make a blunder; ⟨inf⟩ boob, make a bloomer, ⟨AE⟩ goof
flatgebouw [het] → **flat**
flatje [het] [1] ⟨kleine flat⟩ flatlet, small flat [2] ⟨schoen⟩ flat(tie)
flatland [het] flatland
flatneurose [de^v] flat neurosis, ⟨AE⟩ apartment neurosis
flatscreen [de^m] flat screen
flatscreentelevisie [de^v] flat screen television
flatsquare [bn] flat square
¹**flatteren** [ov ww] ⟨fraaier voorstellen dan de werkelijkheid is⟩ flatter ◆ *een geflatteerd **portret*** a flattering portrait; *een geflatteerde **voorstelling** van iets geven* paint/present a rosy picture of sth.
²**flatteren** [ov ww, ook abs] ⟨iemands uiterlijk gunstig doen uitkomen⟩ flatter, suit, become ◆ *die **muts** flatteert (je)* that bonnet suits/becomes you, that bonnet does sth. for you
flatteus [bn] [1] ⟨flatterend⟩ becoming, flattering [2] ⟨vleiend⟩ flattering
flatulentie [de^v] flatulence, flatulency
flatus [de^m] flatus
flatwoning [de^v] → **flat**
flauw [bn, bw] [1] ⟨niet hartig⟩ bland, insipid, flavourless, tasteless, mild, ⟨drank⟩ washy, watery ◆ *flauwe **aardappels*** tasteless potatoes; *een flauw **drankje*** a tasteless/an insipid drink; *flauwe **soep*** tasteless/washy soup [2] ⟨niet krachtig, sterk⟩ faint, feeble, weak, ⟨herinnering/licht ook⟩ dim, ⟨glimlach ook⟩ wan ◆ *geen flauw **benul** van iets hebben* have

not a glimmer of understanding of sth., not know the first thing about sth., not have a clue/the faintest notion of sth.; *een flauwe **gelijkenis** vertonen met* show/display a remote/vague resemblance to; *ik heb geen flauw **idee*** I haven't the least/slightest/foggiest/faintest/vaguest idea; ⟨inf⟩ I haven't the foggiest; *ik ben flauw **van de honger*** I'm faint with hunger; *een flauw **vermoeden** van iets hebben* have an/some inkling of sth.; *geen flauw **vermoeden** ergens van hebben* have not the slightest/no idea/inkling of sth. ③ ⟨niet geestig⟩ silly, corny, feeble, ⟨BE⟩ wet, poor ♦ *een flauwe **grap*** a feeble/poor/silly/corny joke ④ ⟨nietszeggend⟩ vapid, dull, insipid, pointless ♦ *flauwe **praatjes*** meaningless/pointless talk, tittle-tattle ⑤ ⟨kinderachtig⟩ silly, ⟨bang⟩ chicken-livered, lily-livered, ⟨onsportief⟩ mean, unsporting, faint-hearted, weak-kneed ♦ ***doe** niet zo flauw* don't be (so) silly/^{B}wet!; ⟨inf⟩ don't be such a sissy!, ⟨AE⟩ don't be so chicken; ⟨onsportief⟩ don't be such a spoilsport/wet blanket!, be a sport!; *een flauwe **vent*** a silly fellow; ⟨bang⟩ a milksop/chicken; ⟨onsportief⟩ a spoilsport, a wet blanket ⑥ ⟨niet sterk gebogen⟩ gentle, slight ♦ *een flauwe **glooiing*** a gentle slope ⑦ ⟨handel⟩ dull, flat, weak, inactive

flauwekul [de^{m}] ⟨inf⟩ rubbish, nonsense, humbug, eyewash, ⟨vulg⟩ horseshit, ⟨AE⟩ baloney, ⟨vulg; AE⟩ (a crock/load of) bull(shit) ♦ *dat **is** flauwekul* that's rubbish/nonsense/bull(shit)/a lot of baloney/fiddle-faddle; *flauwekul **verkopen*** talk rubbish/nonsense

flauwerd [de^{m}], **flauwerik** [de^{m}] silly/^{B}wet person, ⟨bangerd⟩ milksop, chicken, ⟨onsportief⟩ spoilsport, wet blanket

flauwerik [de^{m}] → **flauwerd**

flauwheid [de^{v}] ⟨meligheid⟩ silliness, ⟨zwakte⟩ weakness, faintness, ⟨onsportiviteit⟩ meanness, ⟨smakeloosheid⟩ blandness, insipidity, tastelessness

flauwigheid [de^{v}] ① ⟨flauwe smaak⟩ blandness, insipidity, tastelessness ② ⟨flauwe opmerking⟩ → **flauwiteit**

flauwiteit [de^{v}] silly/wet remark, silly/wet comment, corny/feeble/poor joke, inanity

flauwte [de^{v}] ① ⟨katzwijm⟩ faint, fainting fit, ⟨form⟩ swoon ♦ ***van een flauwte bijkomen*** come round/to, recover/regain consciousness ② ⟨windstilte⟩ calm

flauwtjes [bn, bw] faint ⟨bw: ~ly⟩, ⟨licht⟩ dim, ⟨smakeloos⟩ bland, insipid, tasteless, ⟨zaken⟩ dull, ⟨melig⟩ silly ♦ *flauwtjes **glimlachen*** smile faintly/wanly/weakly; *de soep is flauwtjes* the soup is somewhat tasteless/washy/watery

flauwvallen [onov ww] faint, pass out, have a fainting fit, fall in a faint, ⟨form⟩ swoon, ⟨inf⟩ conk (out) ♦ *flauwvallen van de pijn* faint with/from pain

flavanolen [de^{mv}] flavanols

flavonoïden [de^{mv}] flavonoids, bioflavonoids

flebile [bw] ⟨muz⟩ flebile

flebografie [de^{v}] phlebography

flebogram [het] ⟨med⟩ phlebogram

flebologie [de^{v}] ⟨med⟩ phlebology

flebotomie [de^{v}] ⟨med⟩ phlebotomy

¹flecteren [onov ww] ⟨taalk⟩ ⟨flexie bezitten⟩ be inflectional/inflecting, have inflections ♦ *flecterende **talen*** inflectional/inflecting/inflected languages

²flecteren [ov ww] ⟨taalk⟩ ⟨verbuigen⟩ inflect, decline

¹fleece [de^{m}] ⟨trui⟩ fleece

²fleece [het, de^{m}] ⟨stof⟩ fleece

fleemkous [de^{m}] → **flemer**

fleemster [de^{v}] → **flemer**

fleemtong [de^{m}] → **flemer**

fleetowner [de^{m}] ⟨ec⟩ bulk store owner, bulk trader

fleetracen [ww] fleet racing

fleetsales [de^{mv}] ⟨ec⟩ bulk sales/trade

flegma [het] phlegm, ⟨ongevoeligheid⟩ stolidity, ⟨onverstoorbaarheid⟩ equanimity, ⟨kalmte⟩ composure, sang-froid, ⟨inf⟩ cool ♦ *in het grootste gevaar **verliet** zijn flegma hem niet* in the greatest danger his composure/sang-froid never left him/he never lost his composure/sang-froid

flegmasie [de^{v}] ⟨med⟩ phlegmasia alba dolens, ⟨ogm⟩ milk-leg, white-leg

flegmaticus [de^{m}] stoic, ⟨inf⟩ cool customer

flegmatiek [bn, bw] → **flegmatisch**

flegmatisch [bn, bw], **flegmatiek** [bn, bw] phlegmatic ⟨bw: ~ally⟩, composed, cool, collected, self-possessed ♦ ⟨astrol⟩ *flegmatische **tekens*** the phlegmatic signs; *het flegmatisch **temperament*** the phlegmatic temperament

flegmone [de] ⟨med⟩ phlegmon

flemen [onov ww] coax, cajole, wheedle, fawn (on), blarney

flemer [de^{m}], **fleemster** [de^{v}], **fleemkous** [de^{m}], **fleemtong** [de^{m}] coaxer, cajoler, wheedler, ⟨pej⟩ toady, time-server

flemerig [bn] coaxing, cajoling, ⟨pej⟩ oily

flemerij [de^{v}] ① ⟨vleierij⟩ coaxing, cajoling, wheedling, blarney ② ⟨geflikflooi⟩ flattery, blarney, time-serving

flens [de^{m}] ⟨techn⟩ flange

¹flensen [onov ww] ⟨neuken⟩ screw, fuck

²flensen [ov ww, ook abs] ⟨m.b.t. de walvisvangst⟩ flense, flench

flensje [het] crêpe, flapjack, (small) pancake

fleppen [onov ww] ① ⟨neuken⟩ screw, fuck ② ⟨drinken⟩ nip, sip

fles [de] ① ⟨langwerpig vat⟩ bottle, ⟨medicijnen ook⟩ phial, ⟨met brede hals⟩ jar, ⟨aardewerk, drank⟩ crock ♦ *een fles **melk*** a bottle of milk; *een **melkfles*** a milk-bottle; *een fles **met zuurstof*** a cylinder of oxygen; *wijn **op flessen*** bottled wine; ***op flessen doen/trekken*** bottle; *een fles **opentrekken*** open/uncork/unstop a bottle; ***uit de fles drinken*** drink out of/from the bottle ② ⟨fles voor een speciaal doel⟩ bottle ♦ *de verpleegster **brengt** de zieke de fles* the nurse brings the patient the bottle/urinal; *een baby de fles **geven*** bottle-feed a baby, give a baby his/her bottle; *de baby **krijgt** de fles* the baby is having his/her bottle; the baby is bottle-fed; ***met** de fles grootgebracht* reared on the bottle, bottle-fed, bottle-reared ③ ⟨inhoud⟩ bottle, bottleful, jar(ful), crock(ful), phial ♦ *zij is behoorlijk **aan** de fles* she's on the bottle/(really) hitting the bottle; *een fles **drinken*** drink a bottle(ful) ④ ⟨vat bij proeven⟩ bottle, flask, receiver ♦ ***Florentijnse fles*** Florence flask; ***Leidse fles*** Leyden jar ▪ ***magnetische fles*** magnetic bottle; ***op de fles zijn/gaan*** be ruined/broke/wrecked, crash, go to pot/to the dogs/to the wall, go broke/bust

flesje [het] ① ⟨glazen buisje met vloeistof⟩ tube ② ⟨(inhoud van) een flesje⟩ bottle, ⟨medicijnen ook⟩ phial ♦ *een flesje **aspirinetabletten*** a bottle of aspirins; *ik heb zojuist drie flesjes **cola** (leeg)gedronken* I have just drunk three bottles of coke

flesjeswaterpas [het] spirit-level, ⟨AE⟩ level

fleskind [het], **fleskindje** [het], **flessenkind** [het], **flessenkindje** [het] bottle-fed baby, bottle baby

fleskindje [het] → **fleskind**

flesopener [de^{m}] bottle-opener

¹flessen [onov ww] ⟨in België; inf⟩ fail, ⟨AE⟩ flunk

²flessen [ov ww] ① ⟨afzetten⟩ swindle, con, cheat, rip off, take in, diddle ② ⟨bedotten⟩ fool, have (s.o.) on, pull s.o.'s leg, take (s.o.) for a ride ♦ *je **bent** geflest!* you've been had, you've been taken for a ride; *volgens mij zit jij de **zaak** te flessen* I think you're having us on/^{A}putting us on/pulling our leg

flessenbier [het] bottled beer

flessenborstel [de^{m}] bottle-brush

flessendrager [de^{m}] bottle carrier

flesseneiland [het] jack-up rig

flessengas [het] bottled gas, bottle-gas

flessenhals [de^{m}] ① ⟨hals van een fles⟩ neck of a bottle ② ⟨nauwe opening⟩ bottleneck

flessenkind [het] bottle-fed baby, bottle baby

flessenkindje [het] → **fleskind**
flessenmelk [de] bottled milk
flessenpost [de] ⟨scheepv⟩ message/letter in a bottle
flessenrek [het] bottle-rack
flessentrekker [de^m] swindler, cheat, crook, con(fidence) man
flessentrekkerij [de^v] swindle, con(fidence trick), con(fidence) game, fraud, ramp, swindling
flessenwarmer [de^m] bottle-warmer
flesvoeding [de^v] 1 ⟨voeding van baby's met een zuigfles⟩ bottle-feeding 2 ⟨babyvoeding⟩ formula
flets [bn, bw] 1 ⟨niet gezond⟩ pale, wan, pallid, pasty(-faced), washed-out ♦ *er flets **uitzien*** look pale/off-colour/washed-out 2 ⟨niet helder⟩ pale, dull, dim, pallid, faded ♦ *flets uit zijn ogen **kijken*** have dull/lacklustre eyes; *fletse **kleuren*** pale/pallid/faded/dull colours; *flets **worden*** fade; *een flets **zonnetje*** a watery/pale sun
fletsheid [de^v] 1 ⟨bleekheid⟩ pallor, wanness, pastiness 2 ⟨vaalheid⟩ paleness, dullness, dimness, washiness
fleur [de] 1 ⟨frisse glans⟩ bloom, flower, blossom ♦ *de fleur is eraf* the bloom is off/gone, it has lost its bloom/colour/freshness 2 ⟨kleurigheid⟩ colour, gayness, brightness, cheerfulness ♦ *bloemen geven een kamer fleur* flowers cheer a room up/lend colour to a room 3 ⟨heng⟩ (fishing-)rod, reel and line ▪ *de fine fleur* the flower/cream/pick/prime, the pick of the bunch/basket
¹**fleuren** [onov ww] ⟨heng⟩ fish with rod, reel and line
²**fleuren** [ov ww] ⟨fig⟩ ⟨overhalen tot iets⟩ rope (s.o.) in
fleuret [het, de] 1 ⟨schermdegen⟩ foil, fleuret(te) 2 ⟨floretzijde⟩ floss(-silk), flox-silk, filoselle, spun silk, (embroidery) silk
fleurig [bn, bw] 1 ⟨bloeiend⟩ blooming, fresh, ⟨meisje⟩ strapping 2 ⟨vrolijk⟩ ⟨ook fig⟩ colourful, cheerful, bright, gay ♦ *een fleurige **kamer*** a cheerful room
fleurigheid [de^v] 1 ⟨bloei⟩ bloom, freshness 2 ⟨vrolijkheid⟩ ⟨ook fig⟩ liveliness, cheerfulness, brightness, gaiety
fleuron [het, de^m] 1 ⟨bloemvormig ornament⟩ fleuron 2 ⟨boek; versiering⟩ fleuron 3 ⟨gebakje⟩ fleuron
flex [bn] ⟨sl⟩ flex
flexcontract [het] flex contract
flexibel [bn] 1 ⟨buigzaam⟩ flexible, pliable, bendable, elastic ♦ *een flexibele **band*** an elastic band; ⟨techn⟩ *een flexibele **koppeling*** a flexible coupling 2 ⟨gedwee⟩ flexible, pliable, tractable, (com)pliant, complaisant ♦ *een flexibel **persoon*** a flexible person 3 ⟨fig; zich gemakkelijk aanpassend⟩ flexible, pliable, (com)pliant, supple, elastic ♦ *een woning met flexibele **indeling*** a house with movable partitions; *flexibele **werktijden*** flexible hours, ⟨BE⟩ flex(i)time, ⟨AE⟩ flextime; *flexibele **wisselkoersen*** flexible/floating exchange rates
flexibiliseren [ov ww] make flexible/pliable
flexibilisering [de^v] making flexible, loosening up ♦ *deze regering werkt aan flexibilisering van de **arbeidssituatie*** this government is striving to achieve a more flexible labour market situation
flexibiliteit [de^v] 1 ⟨buigzaamheid⟩ flexibility, pliability, pliancy, elasticity 2 ⟨fig; mogelijkheid tot aanpassing⟩ flexibility, (com)pliability, (com)pliancy, elasticity
flexie [de^v] ⟨taalk⟩ inflection, declension, accidence
flexiecirkel [de^m] ⟨wisk⟩ centre of curvature
flexiemorfeem [het] ⟨taalk⟩ inflectional morpheme
flexiestraal [de] ⟨wisk⟩ radius of curvature
flexkantoor [de^m] flex office
flexkracht [de] flex worker
flexplek [de] hot desk
flexuur [de^v] 1 ⟨buiging⟩ flexure 2 ⟨geol⟩ flexure
flexwerk [het] flexible work (practises), flexiwork
flexwerken [ww] ⟨met flexibele werktijden⟩ work flexibly, ⟨als uitzendkracht⟩ work as a temporary employee
flexwerker [de^m] flexiworker
flic [de^m] ⟨in België⟩ cop, ⟨sl; BE⟩ min
flierefluiter [de^m] loafer, ⟨BE⟩ layabout, idler, ⟨nietsnut⟩ good-for-nothing, wastrel
flight [de^m] flight
flightcase [de^m] flight case
flik [de^m] 1 ⟨chocolaatje⟩ chocolate drop 2 ⟨agent⟩ cop, copper, fuzz, ↓ pig
flikflak [de^m] ⟨sport⟩ backflip
flikflooien [onov ww] 1 ⟨vleien⟩ coax, wheedle, cajole, fawn (on s.o.), suck up (to), ⟨AE⟩ apple-polish ♦ *zij flikflooide net zo **lang** tot ik erin toestemde* she wheedled/cajoled me into agreeing to it 2 ⟨aanhalerig zijn⟩ pet, cuddle, neck ♦ ***met** iemand flikflooien* get off/neck/snog with s.o.
flikflooier [de^m], **flikflooister** [de^v] coaxer, wheedler, cajoler, toady, ⟨AE⟩ apple-polisher
flikflooierij [de^v] coaxing, wheedling, cajoling, fawning, toadying
flikflooister [de^v] → **flikflooier**
flikken [ov ww] 1 ⟨handig doen, leveren⟩ manage, bring/pull off, ⟨iets ontoelaatbaars⟩ get away with ♦ *iemand een **kunstje** flikken* play a trick on s.o., take s.o. for a ride, put it over on s.o., ⟨AE⟩ hype s.o.; *wie heeft **me** dat geflikt?* who let me in for this?; *dat moet je **me** niet meer flikken* don't you dare try that one on me again; *dat zullen ze **mij** niet meer flikken* they won't pull that one on me again; *dat heeft hij **netjes** geflikt* he pulled/brought that off all right, he managed that all right 2 ⟨belazeren⟩ trick, cheat, shit on
flikker [de^m] 1 ⟨homoseksuele man⟩ ⟨BE⟩ poof(ter), ⟨AE⟩ fag, ⟨AE⟩ faggot, ⟨verwijfd⟩ fairy, queen, ⟨positief⟩ gay 2 ⟨gemeen persoon⟩ bastard, son of a bitch, ⟨BE⟩ bum 3 ⟨lijf⟩ hide, ⟨AE⟩ ass ♦ *iemand **op** zijn flikker geven* give s.o. a good hiding; ⟨ook mondeling⟩ give s.o. a proper dressing-down ▪ *het kan hem **geen** flikker schelen* he doesn't give a damn, ↑ he doesn't care/give a hoot/two hoots/a toss; *hij weet/kan er **geen** flikker van* he doesn't know a damned thing about it, ↑ he doesn't know the first thing about it; he's hopeless/no good at it; *hij heeft **geen** flikker uitgevoerd* he hasn't done a fucking thing, ⟨BE⟩ he hasn't done a bloody thing, ↑ he hasn't done a stitch, ↑ he hasn't done a stroke (of work)
flikkerbuis [de] ⟨natuurk⟩ ± scintillator
flikkercultuur [de] gay culture, ⟨inf⟩ gay scene
¹**flikkeren** [onov ww] 1 ⟨flakkeren⟩ flicker, twinkle, waver, ⟨elektrisch licht ook⟩ blink, ⟨bliksem, lamp⟩ flash ♦ *het flikkerende **licht** van een kaars* the flickering/wavering light of a candle, the flicker/glimmer of candlelight; ⟨fig⟩ *zijn **ogen** flikkeren* his eyes glitter; *de **sterren** flikkeren* the stars twinkle 2 ⟨met onderbreking teruggekaatst worden⟩ glitter, sparkle, shimmer 3 ⟨vallen⟩ fall, drop, tumble, topple ♦ *de flessen zijn **uit** mijn poten geflikkerd* the bottles slipped/fell out of my hands; ***van** de trap flikkeren* fall/tumble down the stairs 4 ⟨geslachtsverkeer hebben⟩ ↑ practice sodomy
²**flikkeren** [ov ww] ⟨inf⟩ ⟨laten vallen⟩ chuck, hurl, fling ♦ *de buren hebben hun afval **in** de gracht geflikkerd* the neighbours have dumped their rubbish/^Agarbage in the canal
flikkering [de^v] flicker, twinkle, shimmer, flare, ⟨lamp, bliksem⟩ flash
flikkerlicht [het] 1 ⟨flikkerend licht⟩ unsteady/flickering light, flicker, twinkle, ⟨zwakjes⟩ glimmer 2 ⟨met tussenpozen stralend licht⟩ flashing/blinking light, flashlight, intermittent light, ⟨van vuurtoren⟩ occulting light
flikkertent [de] ⟨niet pej⟩ gay bar/club, ⟨pej; AE⟩ fag joint
¹**flink** [bn] 1 ⟨fors⟩ robust, stout, sturdy, stalwart, ⟨vrouw⟩ comely, ⟨meisje⟩ strapping ♦ *flinke **benen** hebben* have stout/sturdy legs; *het meisje is flink **voor** haar leeftijd* the girl is big for her age 2 ⟨groot van afmeting, hoeveelheid⟩ considerable, substantial, goodly, siz(e)able, generous ♦ *een flink **aantal*** a siz(e)able/substantial/fair number, a good few/many, quite a few, a considerable amount; *een*

flinke ***bijdrage*** a handsome/substantial/liberal/generous contribution; *een flinke* ***bries*** a stiff/spanking breeze; *een flinke* ***dosis*** a stiff/generous dose; *een flink* ***inkomen*** a siz(e) able/substantial income; *een flinke* ***klap*** a firm/solid blow; *een flink* ***pak*** *slaag* a sound thrashing, a good hiding/ ᴮdrubbing; *een flinke* ***portie*** a generous portion/helping; *een flinke* ***slok*** a good mouthful/swallow; *een flinke* ***smak*** *maken* come a cropper, ⟨BE⟩ come/take a purler; *een flinke* ***som*** a considerable sum, ⟨inf⟩ a tidy sum; *een flink* ***stuk*** *grond* a good-sized/siz(e)able piece/plot of land; *een flinke* ***wandeling*** a good (long) walk [3] ⟨sterk van karakter⟩ firm, energetic, stalwart, vigorous, ⟨dapper⟩ plucky, ⟨energiek ook⟩ spirited, ⟨inf⟩ with (lots of) gumption, with get-up-and-go ◆ *zich flink* ***houden*** keep a stiff upper lip, put on a brave/bold front/face, put a brave face on it, bear it well; *een flinke* ***huisvrouw*** a capable housewife; *een flinke* ***meid*** a big girl; *een flinke* ***vent*** a fine/staunch fellow, a great guy; ⟨BE ook⟩ a good bloke; ***wees*** *toch wat flinker!* pull yourself together!; *een flinke* ***werker*** a hard worker; *nog flink* ***zijn*** ⟨van oude mensen⟩ still be hale and hearty/going strong

²**flink** [bw] ⟨in sterke mate⟩ considerably, thoroughly, soundly, well, generously, ⟨krachtig⟩ vigorously ◆ *flink* ***aanpakken*** do one's share, go (at) it, work hard; *iets flink* ***bestrooien*** *met* sprinkle sth. liberally with; *flink* ***doorstappen*** walk along briskly, walk at a brisk pace, step on it; *flink* ***doorwerken*** push on (vigorously); *er flink* ***op los slaan*** give s.o. a good hiding/drubbing, let fly at s.o.; *er flink* ***tegenaan*** *gaan* go (at) it; *iemand* ***er flink van langs*** *geven* give s.o. what for/a hot time of it, give it s.o. hot (and strong); *hij kan flink* ***eten*** he is a hearty eater, he can eat heartily/ well, he can put it away; *flink* ***groeien/schuren*** grow well/ considerably, scrub vigorously/energetically; *zich flink* ***laten betalen*** get paid handsomely; *flink* ***optreden*** act firmly, take a strong/firm line, deal firmly (with); *flink* ***spoelen*** rinse thoroughly; *flink* ***veel*** *water* plenty of water; *flink* ***vooruitgaan*** make good progress/great strides; *flink* ***wat*** *meer* considerably/substantially/appreciably more, ⟨inf⟩ a good deal more; *flink* ***wat*** *mensen* quite a number of/quite a few people; *flink* ***wat*** *verdienen* make/earn good money; *flink* ***zo!*** that's the way!, well done!

flinkerd [deᵐ] [1] ⟨flink persoon⟩ fine fellow, ⟨fors⟩ stocky fellow [2] ⟨iets dat flink, groot is in zijn soort⟩ big one, sturdy/fine one, ⟨inf⟩ whopper

flinkgebouwd [bn] strongly built, ⟨jonge mensen⟩ strapping, stalwart, robust, sturdy

flinkheid [deᵛ] [1] ⟨stevigheid⟩ sturdiness, robustness, strength, heartiness [2] ⟨moed⟩ courage, pluck(iness), vigour, mettle, ⟨inf⟩ spunk ◆ *de flinkheid* ***hebben*** *om nee te zeggen* have the courage/nerve to say no, ⟨inf⟩ have the guts to say no [•] *zijn flinkheid bij tegenslag* his courage/fortitude in adversity

flinkigheid [deᵛ] boldness, bluff

flinks [bn] hardline/tough left-wing

flinter [deᵐ] [1] ⟨dun schijfje⟩ wafer, thin slice, shaving, paring [2] ⟨lap, reepje⟩ rag, tatter, ⟨zeer klein⟩ shred

flinterdun [bn] wafer-thin, paper-thin, flimsy, ⟨stof⟩ filmy ◆ *flinterdunne* ***flensjes*** wafer-thin pancakes

flinterig [bn] wafer-thin, paper-thin, flimsy ◆ *een flinterig* ***stukje*** *vlees* a sliver of meat

flinterrevolutie [deᵛ] microchip revolution

flintglas [het] ⟨natuurk⟩ flint (glass)

flipflop [de] [1] ⟨sport⟩ flip-flop [2] ⟨comp⟩ flip-flop

flip-over [deᵐ] flip-chart

flippen [onov ww] [1] ⟨ongunstig reageren op drugs⟩ have a bad trip, freak out, have a bummer ◆ *de kans op flippen vergroten* increase the risk of a bad trip [2] ⟨afknappen, teleurgesteld zijn⟩ feel let down, be disappointed ◆ *zij is* ***op*** *hem geflipt* she's fed up with him; *ik ben* ***op*** *die zaak geflipt* the whole thing was a real let-down [3] ⟨mislukken⟩ fail, break down ◆ *een geflipte* ***onderwijzer*** a failed teacher [4] ⟨plotseling heel boos worden⟩ flip, go ballistic, explode (with anger)

flipper [deᵐ] [1] ⟨flipperkast⟩ pinball machine, ⟨BE⟩ pintable [2] ⟨bedieningsknop van 1⟩ button [3] ⟨m.b.t. drugsgebruiker⟩ tripper

flipperautomaat [deᵐ], **flipperkast** [de] pinball machine, ⟨BE⟩ pintable

flipperen [onov ww] play pinball

flipperkast [de] → **flipperautomaat**

flippermethode [deᵛ] opening a locked door by sliding a thin, hard material between the door and the doorframe

¹**flippo** [deᵐ] ⟨jongerentaal⟩ ⟨raar persoon⟩ nutcase, loony, ⟨vero behalve in AE⟩ weirdo

²**flippo** [de] ⟨speelgoed⟩ pog, tazo

flipside [de] flip side

fliptelefoon [deᵐ] ⟨inf⟩ drug hotline

flirt [deᵐ] [1] ⟨vrijblijvende hofmakerij⟩ flirtation, dallying, dalliance ◆ *een* ***onschuldige*** *flirt* an innocent flirtation [2] ⟨persoon⟩ flirt, ⟨vrouw ook⟩ coquette, ⟨man ook⟩ philanderer, gallant

flirtation [deᵛ] flirtation

flirten [onov ww] flirt, philander, dally, gallivant, toy

flit [deᵐ] flit

flits [deᵐ] [1] ⟨foto⟩ ⟨flitslamp⟩ flash (bulb), ⟨flitslicht⟩ flash, ⟨BE ook⟩ flashlight, ⟨blokje⟩ flashcube [2] ⟨bliksemschicht⟩ flash, streak, bolt (of lightning) [3] ⟨glimp⟩ flash, ⟨korte tijd⟩ split second ◆ ***in*** *een flits ging die gedachte door hem heen* that thought crossed his mind in a flash, that thought flashed into/across/through his mind [4] ⟨fragment van een opname⟩ clip, flash ◆ *flitsen van een* ***voetbalwedstrijd*** highlights of a football match

flitsaccumulator [deᵐ] flash-light battery

flitsbel [de] alert light

flitsblokje [het] flashcube

flitscamera [de] [1] ⟨fotocamera⟩ flash camera [2] ⟨flitslamp⟩ speed control camera

¹**flitsen** [onov ww] [1] ⟨zich snel voortbewegen⟩ flash, streak, zip, zap, zing, rocket ◆ *zij flitste* ***voorbij*** she flashed by [2] ⟨kort, fel licht geven⟩ flash ◆ *er flitste een* ***bliksemstraal*** *in de lucht* (a bolt of) lightning flashed through the sky [3] ⟨streaken⟩ streak [•] *een flitsend nieuw* ***pak*** a flashy/ snazzy new suit

²**flitsen** [ov ww, ook abs] ⟨foto⟩ flash

flitsend [bn] [1] ⟨modieus vlot⟩ stylish, fashionable, snappy, snazzy ◆ *een flitsend* ***uiterlijk*** a stylish appearance, fashionable looks [2] ⟨wervelend⟩ brilliant, dazzling, breathtaking ◆ *een flitsende* ***show*** a dazzling show

flitser [deᵐ] [1] ⟨flitslamp⟩ flash, flash bulb, ⟨toestel⟩ flash gun [2] ⟨streaker⟩ streaker

flitsfotografie [deᵛ] flash photography, ⟨inf⟩ flash

flitsgeheugen [het] flash memory

flitskapitaal [het] hot money

flitslamp [de] flash, flash bulb

flitslicht [het] ⟨foto⟩ flash, ⟨BE ook⟩ flashlight ◆ ***elektronisch*** *flitslicht* electronic flash

flitspaal [deᵐ] speed camera, speed trap camera, camera speed trap

flitsrichtgetal [het] guide number

flitstijd [deᵐ] flash (time)

flitstoestel [het] flash, flash-gun

flitstrein [deᵐ] high-speed train

flitswerk [het] ⟨amb⟩ basket-work, wicker-work, wattle-work

floaten [onov ww] float

flobert [deᵐ] ⟨geweer⟩ saloon-rifle, ⟨pistool⟩ saloon-pistol

flocculator [deᵐ] flocculator

¹**flocculeren** [onov ww] ⟨zich afscheiden⟩ flocculate

²**flocculeren** [ov ww] ⟨reinigen⟩ purify

¹**flodder** [deᵐ] slob, messy person [•] *losse flodders* dummy/

blank cartridges, dummies, blanks; ⟨fig⟩ empty talk

^{2}**flodder** [de] ⟨kledingstuk⟩ rag, ⟨mv⟩ tatters, ⟨loszittend, mv⟩ baggy/floppy clothes

flodderaar [de^{m}] [1] ⟨iemand die slordig gekleed is⟩ slob, mess, ⟨vrouw⟩ frump [2] ⟨sloddervos⟩ slob, sloven, ⟨vrouw⟩ slattern

flodderbroek [de] [1] ⟨broek⟩ baggy/floppy trousers, ⟨AE⟩ baggy pants [2] ⟨flodderaar⟩ slob, mess, ⟨vrouw⟩ frump

flodderen [onov ww] [1] ⟨m.b.t. kleren⟩ flap, sag, bag, flop [2] ⟨knoeien⟩ mess (about), do sloppy/shoddy work [3] ⟨vleien⟩ coax, wheedle, cajole

flodderig [bn, bw] [1] ⟨m.b.t. kleren⟩ baggy ⟨bw: baggily⟩, floppy ♦ *wat zit die broek flodderig* how baggy those trousers are [2] ⟨slonzig⟩ shabby ⟨bw: shabbily⟩, slovenly, ⟨vrouw⟩ frumpy, dowdy, slatternly ♦ *een flodderig kind* a slovenly child [3] ⟨knoeierig, slordig⟩ messy ⟨bw: messily⟩, sloppy, shoddy, untidy ♦ *flodderig werken* mess about, work carelessly/sloppily/shoddily

flodderjurk [de] sloppy dress

floddermadam [de^{v}] gaudily dressed woman, tarted-up woman, dolled-up woman

floddermijn [de] fougasse

flodderwerk [het] bungling, bungle, botch, messy/sloppy/shoddy (piece of) work

floëem [het] ⟨biol⟩ phloem, bast

floep [tw] ⟨fles⟩ pop, ⟨plons⟩ flop, plop

floepen [onov ww] ⟨glijden⟩ slip, whip, lash ♦ *dat floepte er zomaar uit* ⟨van een opmerking⟩ it just slipped out; *de tak floepte in zijn gezicht* the branch lashed/whipped into his face; *het touw floepte uit haar handen* the rope slipped out of her hands; *elk ogenblik floepte zij de deur uit* she was always/forever in and out/coming and going

floers [het] [1] ⟨fig; waas⟩ veil, shroud, ⟨vóór ogen⟩ mist ♦ *een floers van tranen* a mist of tears [2] ⟨m.b.t. fluweel⟩ pile [3] ⟨stof⟩ crepe, crêpe, ⟨zwart⟩ (black) crape

flonkeren [onov ww] ⟨vnl. van ster⟩ twinkle, ⟨vnl. van edelsteen⟩ sparkle, glitter ⟨ook pejoratief⟩ ♦ *flonkerende edelstenen* sparkling/glittering gems; *flonkerende ogen* sparkling eyes, ⟨pej⟩ glittering eyes; *flonkerende sterren* twinkling stars; ⟨fig⟩ *een flonkerende stijl* a sparkling/scintillating style

flonkering [de^{v}] sparkle, ⟨vnl. van edelsteen⟩ sparkling, ⟨vnl. van ster⟩ twinkling

flonkerster [de] [1] ⟨schitterende ster⟩ twinkling star [2] ⟨fig; iemand van schitterende hoedanigheden⟩ luminary

floodlight [het] floodlight

floorbroker [de^{m}] floor broker

floormanager [de^{m}] floor manager

floorshow [de^{m}] floor show

^{1}**flop** [de^{m}] ⟨mislukking⟩ flop

^{2}**flop** [de] → **floppy**

floppen [onov ww] flop, misfire, ⟨speech ook⟩ fall flat, ⟨AE⟩ lay an egg, ⟨AE⟩ lay a bomb ♦ *onze tournee is geflopt* our tour was a flop/fiasco

floppy [de], **floppydisk** [de], **flop** [de] ⟨comp⟩ floppy disk, diskette, flexible disk

floppydisk [de] → **floppy**

floppydrive [de] ⟨comp⟩ (floppy) disk drive

flora [de] [1] ⟨vegetatie⟩ flora ♦ *de flora van Ecuador bestuderen* study the flora of Ecuador, botanize Ecuador; *de rijke flora van dat eiland* the rich flora of that island [2] ⟨beschrijving, boek⟩ flora [3] ⟨myth⟩ flora

floraal [bn] floral

floralia [de^{mv}] flower show

Florentijn [de^{m}], **Florentijnse** [de^{v}] ⟨man & vrouw⟩ Florentine, ⟨vrouw ook⟩ Florentine woman/girl

Florentijns [bn] Florentine ♦ *Florentijnse fles* Florence flask

Florentijnse [de^{v}] → **Florentijn**

florentine [de] ± taffeta, ± sarsenet

floreren [onov ww] ⟨fig⟩ flourish, prosper, bloom, thrive, ⟨persoon ook⟩ do well for o.s. ♦ *de zaken floreren* business is flourishing

^{1}**floret** [het] ⟨afvalzijde⟩ floss silk, flox-silk, filoselle, spun silk

^{2}**floret** [het, de] ⟨schermdegen⟩ foil, fleuret(te), sabre, épée

floretband [het] ferret(ing), silk tape/ribbon

floretschermen [het] fencing (with foils), foil-fencing

florettist [de^{m}] foilsman, épéeist

Florida [het] Florida ♦ *Straat van Florida* Straits of Florida

florijn [de^{m}] florin, guilder

florissant [bn] flourishing, prosperous, blooming, thriving, ⟨gezond⟩ well, healthy ♦ *dat ziet er niet zo florissant uit* that doesn't look very good/bright

florist [de^{m}] florist

floristiek [de^{v}] floristics

flosdraad [het, de^{m}] (dental) floss

floss [de^{m}] floss

flossen [onov ww] floss one's teeth

flotatie [de^{v}] ⟨scheik⟩ flo(a)tation

floteren [ww] ⟨scheik⟩ flotation

flotteerdraden [de^{mv}] loose threads

flotteren [onov ww] [1] ⟨m.b.t. draden⟩ float [2] ⟨vlotten⟩ float, rock, ⟨fig ook⟩ drift

flottielje [de] ⟨mil, scheepv⟩ flotilla

flou [bn] hazy, ⟨kleur⟩ soft, ⟨contouren⟩ blurred

flowboard [het] flowboard

flowchart [de] flow chart

flowen [ov ww] [1] ⟨technisch; uitfrezen⟩ mill [2] ⟨inf; versieren⟩ flirt

flowerpower [de] flower power

flox [de^{m}] phlox

fluctuatie [de^{v}] fluctuation, drift, change, instability, ⟨sterk⟩ swing ♦ *na enige fluctuaties bleef de koers stabiel* after some fluctuation the rate remained stable

fluctueren [onov ww] fluctuate, drift, change, ⟨sterk⟩ swing ♦ *de beurs heeft sterk gefluctueerd* the Stock Exchange has fluctuated wildly, there has been strong fluctuation on the Stock Exchange

fluffy [bn] [1] ⟨donzig⟩ fluffy [2] ⟨(van puree) zeer luchtig⟩ light and fluffy [3] ⟨golf⟩ in the rough

flügelhorn [de^{m}] flugelhorn

fluïde [het] fluid

^{1}**fluïdiseren** [onov ww] ⟨het karakter van een vloeistof krijgen⟩ liquefy, ⟨vaste stof⟩ melt, ⟨gas⟩ condense

^{2}**fluïdiseren** [ov ww] ⟨het karakter van een vloeistof geven⟩ liquefy, fluidize, fluidify, ⟨vaste stof⟩ melt, ⟨gas⟩ condense

fluïditeit [de^{v}] fluidity, liquidity, liquidness

fluïdum [het] [1] ⟨uitvloeiende stof⟩ fluid, ⟨spiritisme⟩ aura ♦ *magnetisch fluïdum* magnetic fluid [2] ⟨natuurk⟩ fluid [3] ⟨vloeibare make-up⟩ foundation (cream), cream

fluim [de] [1] ⟨slijmachtige stof⟩ phlegm, mucus, sputum, ⟨inf⟩ gob [2] ⟨mispunt⟩ drip, ⟨BE⟩ wet, squirt

fluimen [onov ww] expectorate, throw up phlegm

fluisterasfalt [het] porous-tar macadam, noise-reducing (road) surface

fluisterbroek [de] leggings ⟨mv⟩

fluistercampagne [de] [1] ⟨ondergrondse propaganda-actie⟩ grapevine [2] ⟨heimelijke kwaadsprekerij⟩ whispering campaign ♦ *een fluistercampagne voeren* conduct a whispering campaign

fluisteren [ov ww, ook abs] [1] ⟨zacht zeggen⟩ whisper, breathe ♦ *beginnen te fluisteren* drop one's voice to a whisper; *iemand iets in het oor fluisteren* whisper sth. in s.o.'s ear; *zoete woordjes fluisteren* whisper sweet nothings; *iets fluisterend zeggen/uitspreken* say sth. in a whisper/in an undertone/in whispers/under one's breath [2] ⟨op bedekte wijze

zeggen⟩ whisper, breathe, ↓ buzz
fluistergewelf [het] whispering gallery/dome
fluistering [de^{v}] whisper(ing)
fluisterstem [de] whisper(ing voice) ◆ *met een fluisterstem iets zeggen* say sth. in a whisper
fluistertoon [de^{m}] undertone, whisper ◆ *op een fluistertoon spreken* speak in a whisper/in whispers; *spreek slechts op een fluistertoon* do not speak above a whisper
fluisterwal [de^{m}] noise barrier
fluit [de] ① ⟨blaasinstrument⟩ flute, ⟨in drumkorps⟩ fife, pipe ◆ *op een fluit spelen* play a flute ② ⟨geluid⟩ whistle ◆ *de fluit van een merel/locomotief* the song of a blackbird, the whistle of a railway engine ③ ⟨vulg; pik⟩ prick, dick, ⟨BE⟩ willy, ⟨AE⟩ peter ④ ⟨drinkglas⟩ flute ⑤ ⟨brood⟩ long French loaf ⊡ *hij weet er geen fluit van* he doesn't know the first thing about it; *er is geen fluit te beleven* there is absolutely nothing to do; ⟨inf⟩ *het kan me geen fluit schelen* I don't care/give a hoot/two hoots, ↓ I don't give a damn; *hij heeft geen fluit uitgevoerd* he hasn't done a stitch/a stroke/a stroke of work
fluitboei [de] whistling buoy
fluitconcert [het] ① ⟨concertstuk⟩ flute concerto, concerto for flute, ⟨uitvoering⟩ flute recital/concert ② ⟨(afkeurend) gefluit⟩ catcalls, hissing ◆ *op een fluitconcert onthaald worden* be catcalled/hissed (off)
[1]**fluiten** [onov ww] ① ⟨op een fluitje blazen⟩ whistle, blow a whistle ② ⟨fluitinstrument bespelen⟩ play the flute ③ ⟨fluitend geluid voortbrengen⟩ whistle, ⟨vogel⟩ sing, warble, ⟨vogel, schip⟩ pipe, ⟨sirene⟩ blow, ⟨ter afkeuring⟩ hiss, ⟨fluitketel ook⟩ sing, ⟨kogel ook⟩ whizz, zip ◆ *fluitend ademhalen* wheeze; *de merels fluiten* the blackbirds are singing; *de kogels floten om mijn oren* bullets whistled/whizzed/zipped past/around my ears; *op zijn vingers fluiten* whistle through one's fingers; ⟨fig⟩ *daar kun je naar fluiten* ⟨krijg je nooit⟩ you can whistle for it; ⟨zie je niet weer⟩ you can say goodbye to that/kiss that goodbye ④ ⟨met een fluit een signaal geven⟩ whistle ◆ *de scheidsrechter floot voor buitenspel* the referee blew/whistled for off-side
[2]**fluiten** [ov ww] ① ⟨ten gehore brengen⟩ whistle, ⟨op fluit⟩ play, ⟨vogel⟩ sing, warble ◆ *een deuntje fluiten* whistle a tune ② ⟨door fluiten tot zich roepen⟩ whistle ◆ *zijn hondje fluiten* whistle one's dog
[3]**fluiten** [ov ww, ook abs] ⟨sport⟩ ⟨als scheidsrechter leiden⟩ referee, act as referee (in), officiate, ⟨inf⟩ ref ◆ *Jan floot negen internationale wedstrijden* John refereed nine international matches/games; *hij floot erg zwak* his refereeing was very weak
fluitenkruid [het] cow parsley
fluiter [de^{m}] ① ⟨persoon⟩ whistler ② ⟨vogel⟩ wood-warbler ③ ⟨witte kaas⟩ curds
fluitist [de^{m}], **fluitiste** [de^{v}] ① ⟨fluitspeler⟩ flautist, flute(-player), ⟨AE⟩ flutist ② ⟨scheidsrechter⟩ ref, referee
fluitiste [de^{v}] → **fluitist**
fluitje [het] ① ⟨kleine fluit⟩ whistle, penny/tin whistle, ⟨van vogelvanger⟩ bird-call ◆ *op een fluitje blazen* blow a whistle ② ⟨fluitsignaal⟩ whistle, blow of a/the whistle, ⟨op schip⟩ pipe ◆ *ik hoorde zijn fluitje* I heard his whistle ⊡ *een fluitje van een cent* a piece of cake, a push-over, a picnic; ⟨sl; BE⟩ a doddle
fluitjesbier [het] ⟨in België⟩ small beer
fluitketel [de^{m}] singing teakettle
fluitregister [het] ⟨muz⟩ flute(-stop)
fluitsignaal [het] whistle(-signal)
fluitspeelster [de^{v}] → **fluitspeler**
fluitspel [het] flute-playing
fluitspeler [de^{m}], **fluitspeelster** [de^{v}] flute-player, ⟨BE⟩ ↑ flautist, ⟨AE⟩ ↑ flutist
fluittoon [de^{m}] whistle, whistling, ⟨radio⟩ whine, interference, ⟨kort⟩ b(l)eep
fluitwerk [het] ⟨muz⟩ flutes
fluks [bw] ⟨form⟩ swiftly, ↓ quickly, ⟨terstond⟩ forthwith, ↓ immediately
fluor [het] ⟨scheik⟩ fluorine
fluorbehandeling [de^{v}] fluoride treatment
fluoresceïne [de] fluorescein
fluorescent [bn] fluorescent
fluorescentie [de^{v}] ⟨natuurk⟩ fluorescence
fluorescentiebuis [de] fluorescent tube, discharge tube
fluorescentielamp [de] fluorescent lamp, discharge lamp
fluoresceren [onov ww] fluoresce
fluorescoop [de^{m}] ① ⟨m.b.t. ultraviolette bestraling⟩ fluorometer ② ⟨m.b.t. röntgendoorlichting⟩ fluoroscope
fluorhoudend [bn] containing fluorine
fluoride [het] fluoride
fluorideren [ov ww] fluoridate
fluoridering [de^{v}] fluoridation
fluoriet [het] fluorspar, fluor, ⟨AE⟩ fluorite
fluorosis [de^{v}] fluorosis
fluortablet [het, de] fluoride tablet
fluorvergiftiging [de^{v}] fluorosis, fluoride poisoning
fluorwaterstof [de] hydrogen fluoride
fluostift [de] ⟨in België⟩ marker
fluoxetine [het] fluoxetine
flut [bn] ⟨inf⟩ rubbishy, trashy ◆ *ik vind het maar flut* I think it's rubbish/(a piece of) trash/a dud
flut- ⟨inf⟩ crummy ◆ *een flutbedrag* measly sum; *een flutblaadje* a rag
flûte [de] flute, flute-glass
flutter [de^{m}] flutter
fluviatiel [bn] ① ⟨door stromend water gevormd⟩ fluvial ◆ *fluviatiele gesteenten* fluvial rock formations ② ⟨m.b.t. rivieren⟩ fluvial, ⟨biol⟩ fluviatile ◆ *men vindt deze planten in het gehele fluviatiele district* these plants are to be found in the entire fluvial region; *fluviatiele planten* fluviatile plants
fluviometer [de^{m}] fluviometer
fluweel [het] ① ⟨stof⟩ velvet, ⟨katoenfluweel⟩ velveteen, ⟨velours⟩ velour(s) ◆ *effen/geschoren fluweel* plain/shorn velvet; *geplet fluweel* panne (velvet); *geribd fluweel* corduroy, ribbed velvet; ⟨fig⟩ *op fluweel zitten* be in clover/on velvet; *een broek van paars fluweel* a pair of purple velvet trousers/^{A}pants ② ⟨fig⟩ velvet ◆ *het fluweel van haar wangen* her soft/downy/velvety cheeks
fluweelachtig [bn] velvety, velveted, velvet-like, ⟨biol⟩ velutinous
fluweelboom [de^{m}] sumac
fluweelpapier [het] flock(ed) paper, velvet paper
fluweelzacht [bn] soft as velvet, velvet soft ◆ *de fluweelzachte smaak van jenever* the velvety/mellow taste of Dutch gin; *haar fluweelzachte wangen* her soft/downy/velvety cheeks
fluwelen [bn], **vloeren** [bn] velvet, velvety ◆ *iemand met fluwelen handschoenen aanpakken* handle s.o. with kid gloves; *een fluwelen jasje* a velvet jacket; *een fluwelen revolutie* a velvet revolution; *een fluwelen stem* a velvety/mellow/soft/gentle voice
fluwelig [bn] velvety, ⟨m.b.t. stem/smaak ook⟩ mellow
fluwijn [het] beech-marten, stone-marten
flux [de^{m}] ⟨natuurk⟩ ① ⟨dichtheid van stroom⟩ flux ② ⟨aantal veldlijnen door een oppervlak⟩ flux
flux de bouche [het] flow of words, glibness of tongue, ⟨inf⟩ gift of the gab, ⟨sl⟩ gift of the blarney
fluxie [de^{v}] ⟨wisk⟩ fluxion
fluxmeter [de^{m}] ⟨natuurk⟩ fluxmeter
Fluxus Fluxus
flyboarden [onov ww] flyboard, go flyboarding
fly-drive [de^{m}] fly-drive holiday
fly-drivevakantie [de^{v}] fly-drive holiday

flyer [de^{m}] flyer

flyeren [onov ww] distribute flyers, hand out flyers

fly-over [de^{m}] overpass, ⟨BE vnl⟩ flyover

FM [de] ⟨radio⟩ ① (frequentiemodulatie) FM, VHF ② (frequentieband) FM, VHF ♦ *op de FM uitzenden* broadcast on FM/VHF

FM-ontvanger [de^{m}] FM receiver

fnazel [de^{m}] fray(ed thread)

fnuiken [ov ww] cripple, put down, destroy, break ♦ *iemands trots/macht fnuiken* break s.o.'s pride/power

fnuikend [bn] fatal, destructive, pernicious, crippling ♦ *fnuikend voor* fatal to

FNV [afk] (Federatie van Nederlandse Vakverenigingen) ± TUC, (Dutch) Trades Union Congress

f° [afk] (folio) fo, fol

foam [het, de^{m}] ① ⟨schuimrubber⟩ foam ② ⟨scheerschuim⟩ shaving foam

f.o.b. [afk] (free on board) fob

fobie [de^{v}] ⟨med⟩ ⟨vaak in samenstellingen⟩ phobia ♦ *ze heeft een fobie voor katten* she has a phobia about cats; *claustrofobie* claustrophobia

fobisch [bn] phobic

focaccia [de^{m}] focaccia

focus [het, de^{m}] focal point, focus

[1]**focussen** [onov ww] ⟨scherp stellen⟩ focus, focalize, bring into focus ♦ *op het gezicht focussen* focus on the face

[2]**focussen** [ov ww] ⟨in het middelpunt, brandpunt plaatsen⟩ focus, focalize, bring into focus ♦ *alle belangstelling was op hem gefocust* all attention was focussed on him

focusseren [ov ww] ⟨natuurk⟩ focus, concentrate, make converge ♦ *zonnestralen focusseren* focus rays of sunlight

FOD [de^{m}] (Federale Overheidsdienst) Federal Public Service

foedraal [het] ① ⟨etui⟩ case, casing, ⟨revolver⟩ holster, ⟨zwaard⟩ sheath ② ⟨overtrek, bekleedsel⟩ cover, ⟨vaandel⟩ sheath, ⟨vislijn⟩ holder

foefelen [onov ww] ⟨in België⟩ ① ⟨niet eerlijk handelen⟩ cheat, ⟨handel⟩ deal secretly, make underhand deals ② ⟨heimelijk verbergen⟩ hide, tuck away ♦ *in je mouw foefelen* hide/tuck/stick up your sleeve ③ ⟨knoeien, slordig werken⟩ make a mess, bungle, tinker ♦ *wat foefel je daar toch?* what are you fiddling/playing around with?

foefje [het] trick, ⟨inf⟩ dodge, ⟨uitvlucht⟩ excuse, pretext, ⟨recl⟩ gimmick ♦ *er is een foefje uitgehaald met de kassa* there's been some monkey business/there have been some shenanigans with the cash register; *de foefjes kennen* know the tricks of the trade, know all the wrinkles; *hij weet wel een foefje om daar aan te komen* he'll have a way of getting that, he'll know how to go about getting that; *een foefje om ergens achter te komen/tijd te winnen* a trick to find sth. out/to win time

foei [tw] ugh!, pooh!, for shame!, shame on you!, phooey!, ⟨tegen kind ook⟩ naughty(, naughty)! ♦ *foei roepen* cry shame (at)

foeilelijk [bn] hideous, ugly as sin/hell, ghastly, awful

foelie [de] ① ⟨vlies van de muskaatnoot als specerij⟩ mace ② ⟨bladmetaal, kunststof⟩ → **folie**

foerage [de^{v}] ① ⟨veevoer⟩ forage, fodder ② ⟨levensmiddelen⟩ fodder, ⟨sl⟩ grub

foerageren [onov ww] forage

foerageur [de^{m}] forager

foerier [de^{m}] quartermaster(-sergeant)

foert [tw] ⟨in België⟩ that's it, I've had enough, ⟨vulg⟩ stick it

foetaal [bn] f(o)etal

foetatie [de^{v}] conception

foeteren [onov ww] ⟨inf⟩ grumble, ⟨razen⟩ rage, bluster, storm, let fly ♦ *foeteren over iets* grumble/mutter at sth.; *tegen iemand foeteren* grumble at s.o., let fly at s.o., throw the book at s.o., give s.o. what for

[1]**foetsie** [de^{m}] ⟨inf⟩ bin(nette)

[2]**foetsie** [bw] ⟨inf⟩ gone, vanished (into thin air) ♦ *ineens was mijn portemonnee foetsie* suddenly my purse was gone/had vanished

foetus [het, de^{m}] fetus ♦ *een onvoldragen foetus* an immature fetus; ⟨niet levensvatbaar⟩ a non-viable fetus; ⟨geaborteerd⟩ an aborted fetus

foetushouding [de^{v}] f(o)etal position

foeyonghai [de] ⟨cul⟩ (egg) foo yong

foezel [de] fusel oil, ⟨jenever⟩ bad gin

foezelen [onov ww] fiddle (with), tamper (with), ⟨verkiezing, markt⟩ rig, ⟨boekhouding⟩ cook ♦ *met de prijzen foezelen* rig/fiddle the prices

foezelig [bn, bw] ⟨m.b.t. persoon⟩ crooked, dishonest, ⟨m.b.t. voorwerp⟩ rigged, set up

foezelolie [de] fusel (oil)

föhn [de^{m}] ① ⟨valwind⟩ föhn ② ⟨haardroger⟩ blow-drier, (electric) hair-drier

föhnen [ov ww, ook abs] blow-dry

foie gras [de^{m}] foie gras

[1]**fok** [de^{m}] ⟨teelt⟩ breeding, ⟨grootbrengen⟩ raising, rearing

[2]**fok** [de] ① ⟨scheepv⟩ jib, foresail ♦ *de fok laten vallen/bijzetten* lower/raise the jib/foresail ② ⟨bril⟩ specs, goggles, ⟨BE ook⟩ bins

[3]**fok** [tw] ⟨uitroep⟩ fuck!

fokdier [het] breeder, stud

fokhengst [de^{m}] (breeding) stallion, stud(horse) ♦ *als fokhengst beschikbaar* at stud

[1]**fokken** [onov ww] ⟨inf⟩ ⟨brillen⟩ wear specs, wear goggles/^{B}bins

[2]**fokken** [ov ww] ⟨aankweken, doen voorttelen⟩ breed, ⟨grootbrengen⟩ rear, raise ♦ ⟨scherts⟩ *een baardje fokken* cultivate a beard; *honden fokken* breed/fancy dogs

[3]**fokken** [ov ww, ook abs] ⟨inf⟩ ⟨kinderen voortbrengen⟩ breed ♦ *dat fokt maar raak* they breed like rabbits

fokkenmaat [de^{m}] foremastman

fokkenmast [de^{m}] foremast

fokkenra [de] foreyard

fokkenschoot [de^{m}] foresheet

fokkenwant [het] fore-rigging

fokker [de^{m}], **fokster** [de^{v}] breeder, ⟨veefokker⟩ stockbreeder, cattle-raiser, ⟨AE⟩ rancher, ⟨m.b.t. huisdieren⟩ fancier

fokkerij [de^{v}] ① ⟨het fokken⟩ (cattle-)breeding, (cattle-)raising, (cattle-)rearing, ⟨m.b.t. vee ook⟩ (live)stock farming, ⟨AE⟩ ranching ② ⟨bedrijf⟩ breeding farm/establishment, stock farm, ⟨varkens⟩ pigfarm, piggery, ⟨honden⟩ breeding kennel(s), ⟨paarden⟩ stud (farm)

[1]**fokking** [aanw bn] fucking

[2]**fokking** [bw] fucking ♦ *een fokking hekel hebben aan iets* fucking

fokpaard [het] breeding horse, ⟨man⟩ stud(horse), ⟨man⟩ stallion, ⟨vrouw⟩ brood/breeding mare

fokpremie [de^{v}] ① ⟨premie op het fokken⟩ breeding bonus ② ⟨inf; kinderbijslag⟩ child benefit/^{A}allowance

fokprogramma [het] breeding programme

fokschaap [het] breeding sheep, pedigree sheep

fokstag [het] forestay

fokstation [het] breeding station; → **fokkerij**

fokster [de^{v}] → **fokker**

fokstier [de^{m}] (breeding) bull

fokvee [het] breeding/brood cattle, breeding/brood stock, stud cattle, breeders

fokzeil [het] foresail

fol. [afk] (folio) fol, fo

folder [de^{m}] leaflet, flyer, flysheet, brochure, handout, folder

foliant [de^{m}] ① ⟨boek in folioformaat⟩ folio (volume) ② ⟨groot boek⟩ folio (volume), outsize volume

folie [de] ⟨aluminium⟩ (tin)foil, ⟨plastic⟩ sheet, film

foliëren [ov ww] foliate
folio [het] [1] ⟨blad papier⟩ folio [2] ⟨boekformaat⟩ folio ◆ *een boek **in folio*** a folio (edition) [3] ⟨bladzijde⟩ folio ◆ ***folio** 5 recto* folio 5 recto; ***folio** 5 verso* folio 5 verso
folioformaat [het] folio size ◆ ***in/op** folioformaat* in folio
foliopapier [het] ⟨vnl BE⟩ foolscap
folio-uitgave [de] folio edition
foliovel [het] sheet of folio, folio sheet, foolscap sheet
foliumzuur [het] folic acid
folk [de] folk
folklore [de] [1] ⟨volkscultuurverschijnselen⟩ folklore [2] ⟨volkskunde⟩ folklore
folklorist [de^{m}] folklorist
folkloristisch [bn] folklor(ist)ic
folkmuziek [de^{m}] folk music
folkpop [de^{m}] folk-pop
folliculair [bn] ⟨med⟩ follicular
follikel [de^{m}] ⟨med⟩ follicle
follow-up [de^{m}] follow-up, sequel ◆ *de follow-up van een medische **behandeling*** the follow-up to medical treatment; *de follow-up van een **gesprek*** the sequel to a conversation; *een gewijzigde verkooptechniek als follow-up van verricht **marktonderzoek*** a different sales technique as a/the follow-up to/result of market research
folteraar [de^{m}], **folteraarster** [de^{v}] torturer, tormentor
folteraarster [de^{v}] → **folteraar**
folterbank [de] rack
folteren [ov ww, ook abs] torture, put to torture, ⟨fig ook⟩ rack, torment ◆ *gefolterd door **angst*** tortured/wrung with anguish/distress; *folterende **hoofdpijn*** a splitting/racking headache; ⟨fig⟩ *een folterende **onzekerheid*** racking/agonizing doubt/uncertainty; ⟨fig⟩ *folterende **pijnen*** excruciating/agonizing pains
foltering [de^{v}] torture, torment, ⟨enkel mentaal⟩ excruciation, ⟨fig ook⟩ agony
folterkamer [de] torture chamber
foltertuig [het] → **folterwerktuig**
folterwerktuig [het], **foltertuig** [het] instrument of torture
FOM [afk] (stichting voor Fundamenteel Onderzoek der Materie) (the Dutch) Foundation for Fundamental Research on Matter
fomenteren [ov ww] [1] ⟨stoven⟩ foment, apply a poultice to [2] ⟨fig; aanstoken⟩ foment, instigate
foncé [bn] dark, dusky
fond [het, de^{m}] [1] ⟨achtergrond⟩ (back)ground, ⟨kantwerk⟩ groundwork, fond ◆ *het patroon van dat behang komt prachtig uit tegen het **lichte** fond* the pattern of that wallpaper comes out splendidly against the light background [2] ⟨make-up⟩ foundation (cream)
fondant [de^{m}] [1] ⟨suikergoed⟩ fondant [2] ⟨borstplaatje⟩ fondant [3] ⟨emailsoort⟩ flux
fondanten [bn, alleen pred] extremely sweet, sickly sweet
fond de teint [het, de^{m}] foundation
fondering [de^{v}] foundation
fonds [het] [1] ⟨kapitaal⟩ ⟨geld voor bepaald doel⟩ fund, ⟨mv; besteedbaar kapitaal⟩ capital, resources, funds ◆ *ge**heime** fondsen* secret funds; ***liefdadig** fonds* charitable funds; *een fonds **stichten*** set up/create/establish/institute a fund; *van fondsen **voorzien*** provide with funds, fund; *fondsen **werven*** raise funds [2] ⟨vereniging⟩ fund, pool, trust ◆ ***Europees Sociaal** Fonds* European Social Fund; *het **Internationaal Monetair** Fonds* the International Monetary Fund [3] ⟨boek⟩ (publisher's) list ◆ *opnemen **in** het fonds* incorporate into/add to the list; *een fonds **opbouwen/veilen*** build up/sell a (publisher's) list; ***vast** fonds* backlist [4] ⟨effect, staatspapier⟩ stock, security, share, ⟨effectenbezit⟩ holding ◆ ***incourante** fondsen* unlisted securities, non-quoted stocks; ***verhandelbaar** fonds* negotiable stock [5] ⟨handel⟩ funds, cover, provision, security ◆ *fonds **bezorgen*** provide/send cover, provide funds, provide (s.o.) with security, make provision; ***geen** fonds **aanwezig*** out of funds
fondsartikel [het] ⟨boek⟩ title/item on a (publisher's) list
fondsbril [de^{m}] [1] ⟨door een ziekenfonds verstrekte bril⟩ ⟨BE⟩ ± NHS glasses [2] ⟨eenvoudige bril⟩ ± granny glasses, ± wire-rimmed glasses/specs
fondscatalogus [de^{m}] ⟨boek⟩ (publisher's) catalogue list
fondsdokter [de^{m}] ⟨BE⟩ ± NHS doctor
fondsenbeurs [de] stock exchange, ⟨buitenlands⟩ bourse
fondsenmarkt [de] stock market, stock and share market ◆ ***buitenlandse** fondsenmarkt* market in foreign securities
fondsenwerver [de^{m}] fund raiser
fondsenwerving [de^{v}] fund-raising
fondsgelden [de^{mv}] funds, capital, resources, means
fondslijst [de] ⟨boek⟩ (publisher's) list/catalogue
fondspatiënt [de^{m}] ⟨Groot-Brittannië⟩ ± National Health (Service) patient, ⟨USA⟩ socialized medicine patient, ⟨USA; onvermogenden⟩ ± Medicaid patient, ⟨bejaarden⟩ ± Medicare patient
fondspel [het] long-distance race
fondsredacteur [de^{m}] fund editor
fondsspreekuur [het] ⟨BE⟩ ± surgery for NHS patients, ⟨BE⟩ surgery for National Health patients
fondstitel [de^{m}] ⟨boek⟩ title on a (publisher's) list
fondsvorming [de^{v}] formation of a fund
fondue [de] fondue
fonduen [onov ww] eat/have fondue
fonduepan [de] fondue pan
fondueset [de^{m}] → **fonduestel**
fonduestel [het], **fondueset** [de^{m}] fondue set
fonduevork [de] fondue fork
fondvlieger [de^{m}] long-distance racing pigeon
foneem [het] ⟨taalk⟩ phoneme
fonematisch [bn] phonemic, phonematic
fonetica [de^{v}] phonetics
foneticus [de^{m}] phonetician, phoneticist
fonetiek [de^{v}] [1] ⟨taalk⟩ phonetics [2] ⟨muz⟩ phonetics
fonetisch [bn, bw] [1] ⟨m.b.t. de spraakklanken⟩ phonetic ⟨bw: ~ally⟩ [2] ⟨volgens de spraakklanken⟩ phonetic ⟨bw: ~ally⟩ ◆ *fonetisch **gedrukte tekst*** text printed in phonotype; *fonetische **leesmethode*** phonics; *fonetisch **letterteken*** phonotype; *fonetisch **lettertype*** phonotype; *fonetisch **opschrijven*** write/take down in phonotype; *fonetisch **schrift*** phonetic transcription; *fonetisch **spellen/maken*** phoneticize; *fonetisch **teken*** phonetic symbol, phonogram
foniatrie [de^{v}] phoniatrics, ⟨verbetering van spraak⟩ speech therapy
fonkelen [onov ww] [1] ⟨flonkeren, schitteren⟩ sparkle, glitter, twinkle, scintillate, ⟨form⟩ coruscate ◆ *het **juweel** fonkelde in het licht van de kaars* the jewel sparkled/glittered in the light of the candle, ⟨form⟩ the jewel coruscated in the light of the candle; *de **sterren** fonkelen* the stars are twinkling; *zijn ogen fonkelden **van vreugde/pret/woede*** his eyes sparkled with joy/gleamed/twinkled with amusement/flashed with anger [2] ⟨m.b.t. dranken⟩ sparkle, effervesce
fonkeling [de^{v}] sparkle, glitter, gleam, glint, sparkling ◆ *een fonkeling van **vreugde/pret/woede** in de ogen* a sparkle of joy/gleam/twinkle of amusement/flash of anger in s.o.'s eyes
fonkelnieuw [bn] brand-new
fonofoor [de^{m}] phonop(h)ore
fonofotografie [de^{v}] phonophotography
fonograaf [de^{m}] phonograph

fonografie [de^{v}] phonography
fonografisch [bn] phonographic
fonogram [het] phonogram
fonoliet [de^{m}] ⟨geol⟩ phonolite, clinkstone
fonologe [de^{v}] → **fonoloog**
fonologie [de^{v}] ⟨taalk⟩ phonology, ⟨structureel, taxonomisch; AE⟩ phonemics
fonologisch [bn, bw] ⟨taalk⟩ phonological ⟨bw: ~ly⟩, ⟨structureel, taxonomisch; AE⟩ phonemic
fonoloog [de^{m}], **fonologe** [de^{v}] phonologist
fonometer [de^{m}] phonometer
fonometrie [de^{v}] phonometry
fonoscoop [de^{m}] phonoscope
fonotypist [de^{m}], **fonotypiste** [de^{v}] audiotypist, dictaphone typist
fonotypiste [de^{v}] → **fonotypist**
font [het] font, typeface
fontanel [de] fontanel(le) ◆ *grote fontanel* anterior fontanelle; ⟨med⟩ bregma; ***kleine** fontanel* posterior fontanelle; ⟨med⟩ lambda
fontein [de] 1 ⟨kunstmatige springbron⟩ fountain ◆ *de fontein **werkt*** the fountain is working/on/is playing 2 ⟨het opspuitende water⟩ fountain ◆ *een fontein van **vuur*** a jet/spurt of flame
fonteinkruid [het] ⟨plantk⟩ 1 ⟨gewas⟩ pondweed ⟨Potamogeton⟩ 2 ⟨salomonszegel⟩ Solomon's seal ⟨Polygonatum⟩ 3 ⟨veenwortel⟩ knot-grass ⟨Polygonum amphibium⟩
fonteintje [het] 1 ⟨kleine fontein⟩ small fountain 2 ⟨wasbakje⟩ washbasin, wash-hand basin, handbasin 3 ⟨drinkflesje aan vogelkooien⟩ fountain
fontina [de^{m}] Fontina
-foob ⟨zelfstandig naamwoord⟩ -phobe, ⟨bijvoeglijk naamwoord⟩ -phobic
foodie [de^{m}] foodie
foodprocessor [de^{m}] food processor
fooi [de] 1 ⟨drinkgeld⟩ tip, gratuity ◆ *ons personeel mag geen fooien **aannemen*** our staff are/is not allowed to accept gratuities; *een **euro** fooi* a euro tip; ***geen** fooien* no tips/gratuities, please; *iemand een fooi **geven*** tip s.o., leave s.o. a gratuity; *tuk zijn op fooien* be keen on earning tips 2 ⟨fig; gering bedrag⟩ pittance, peanuts, ⟨m.b.t. salaris/loon⟩ starvation wages/salary ◆ *die mensen **verdienen** maar een fooi* those people earn a mere pittance, ⟨inf⟩ those people work for peanuts; *de oorlogsslachtoffers **werden** met een fooi **afgescheept*** the war victims were fobbed off with a mere pittance
fooienpot [de^{m}] box/bowl for tips
foor [de] ⟨in België⟩ 1 ⟨kermis⟩ fair, ⟨BE⟩ fun-fair, ⟨AE⟩ carnival 2 ⟨handelsbeurs⟩ commodity/produce exchange, (trade) fair
foorkramer [de^{m}] ⟨in België⟩ carnie
footage [de^{m}] footage
fopbeen [het], **fopbot** [het] dummy(-bone), rubber bone
fopbot [het] → **fopbeen**
fopmiddel [het] placebo, dummy pill
foppen [ov ww] fool, hoax, trick, hoodwink, ⟨inf⟩ pull the wool over s.o.'s eyes, ⟨bedriegen⟩ cheat ◆ *je hebt me **lelijk** gefopt* you've really taken me in; ***weer** gefopt!* had again!; *wij **zijn** gefopt* we've been had/sold
fopper [de^{m}], **fopster** [de^{v}] hoaxer
fopperij [de^{v}] trickery, ⟨bedriegen⟩ cheating, ⟨geval van bedrog⟩ hoax
fopsigaar [de] trick cigar
fopspeen [de] dummy (teat), comforter, ⟨AE⟩ pacifier ◆ ⟨inf, fig⟩ *iemand een fopspeen **voorhouden*** dangle a carrot in front of s.o.
fopspin [de] trick/joke spider
fopster [de^{v}] → **fopper**

fopzwam [de] Laccaria laccata/amethystina
f.o.r. [afk] (free on rail) for
forain [bn] ⟨jur⟩ foreign ◆ *forain **beslag*** attachment of foreign property
force majeure [de] force majeure, ⟨cognossement⟩ Act of God
forceps [de] ⟨med⟩ 1 ⟨(verlos)tang⟩ (pair of) forceps 2 ⟨vezelbundel in de hersenen⟩ forceps
[1]**forceren** [ov ww] 1 ⟨doordrijven⟩ force, ⟨maatregelen⟩ enforce, carry through ◆ *een **huwelijk** forceren* force through a marriage; *een **lachje/doelpunt/doorbraak** forceren* force a smile/goal/breakthrough; *ik hoef de **zaak** niet te forceren* there's no need to force the matter/issue/to force/rush things 2 ⟨beschadigen⟩ force, (over)strain, overtax, overwork ◆ *een **motor** forceren* strain/overtax/overwork an engine; *zijn **stem** forceren* (over)strain one's voice 3 ⟨door geweld openen⟩ force (open), burst (open), break down, prize (open/out/up), prise (open/out/up), ⟨bij inbraak, met breekijzer; BE⟩ jemmy, ⟨BE⟩ jimmy ◆ *een **deur** forceren* force a door (open), burst a door (open), break down a door, ⟨bij inbraak, met breekijzer⟩ jemmy (open) a door; ⟨mil⟩ *een **pas/zeestraat** forceren* take a pass/strait; *een **slot** forceren* force a lock, prize/prise a lock open; ⟨bij inbraak, met breekijzer; BE⟩ jemmy a lock 4 ⟨landb⟩ force ◆ *deze **bloemen** zijn geforceerd* these flowers have been forced 5 ⟨techn; door druk vormen⟩ spin
[2]**zich forceren** [wk ww] 1 ⟨zich dwingen⟩ force o.s. ◆ *zij forceerde zich **tot** een vriendelijk antwoord* she forced herself to answer pleasantly 2 ⟨zich te veel inspannen⟩ force o.s., strain/overtax/overwork o.s.
forehand [de^{v}] forehand
forel [de] trout
forellenkwekerij [de^{v}] trout farm, trout hatchery
forelschimmel [de^{m}] dapple grey, ⟨AE spelling ook⟩ dapple gray
forens [de^{m}] commuter, non-resident
forensenbelasting [de^{v}] commuter tax, ⟨BE⟩ ± non-resident(s) rates, ⟨BE⟩ ± non-residence rates
forensentrein [de^{m}] commuter train, suburban train
forensenverkeer [het] commuter traffic
forensisch [bn] ⟨jur⟩ forensic ◆ *forensische **geneeskunde/psychiatrie*** forensic medicine/medical jurisprudence, forensic psychiatry
forensisme [het] commuting, non-residence, non-residency
forenzen [onov ww] commute
forfait [het] fixed sum/amount/allowance ▪ ⟨in België⟩ *forfait **geven*** ⟨sport; niet komen opdagen⟩ be awarded a walkover, forfeit one's chances/the opportunity; ⟨afhaken⟩ not turn up, not do/manage
forfaitair [bn, bw] agreed, fixed, contract ◆ *een forfaitair bedrag **vaststellen*** fix a lump sum; *een forfaitaire **inhouding/aftrek*** a fixed deduction
forfaitcijfers [de^{mv}] ⟨in België; sport⟩ walkover
forint [de^{m}] forint
forma [de^{v}] ▪ *in forma* in form; *in optima forma* in due form; ⟨inf⟩ in apple-pie order; *pro forma* for form's sake, for appearance's sake; ⟨rekening⟩ pro forma
formaat [het] size, ⟨boek/papier ook⟩ format, ⟨fig⟩ stature, class ◆ *een **gangbaar** formaat* a standard/regular size/format; *een **handzaam** formaat* a handy size/format; ***kleine/grote** formaten* small and large sizes/formats; ⟨papier⟩ note and commercial sizes; ⟨pregn, fig⟩ *een politicus van formaat* a great politician, a man of stature in politics, a politician of (some) stature; ⟨pregn, fig⟩ *een wedstrijd van formaat* a great/quite a match; ⟨fig⟩ *een staatsman **van** uitzonderlijk formaat* a statesman of exceptional stature
formaatwit [het] ⟨drukw⟩ furniture
formaldehyde [het] formaldehyde
formaline [de] formalin

^{1}**formaliseren** [ov ww] ⟨regelen, standaardiseren⟩ formalize, standardize ◆ ***handelsbetrekkingen** formaliseren* formalize commercial relations; *volgens een geformaliseerde **methode** te **werk gaan*** work/operate according to a formalized/standardized method

^{2}**zich formaliseren** [wk ww] ⟨zich gekrenkt tonen⟩ ↓ go/get into a huff, ⟨inf⟩ get huffy

formalisering [de^{v}] formalization, standardization

formalisme [het] formalism, ⟨schoolsheid⟩ academism, ⟨regelgebondenheid⟩ bureaucratism, legalism

formalist [de^{m}] formalist, ⟨pej⟩ legalist, bureaucrat, mandarin, stickler for form(ality)

formalistisch [bn, bw] formalist(ic) ⟨bw: formalistically⟩, legalistic, bureaucratic, pedantic

formaliteit [de^{v}] [1] ⟨uiterlijke vorm⟩ formality, form, ⟨mv⟩ procedure ◆ *de nodige formaliteiten **vervullen*** go through/attend to/perform/accomplish the necessary formalities; *hieraan **zijn** allerlei formaliteiten **verbonden*** there are various formalities attached to this [2] ⟨plichtpleging⟩ formality, matter of form/routine, ⟨mv; inf⟩ red tape ◆ ***dit is** zuiver een formaliteit* this is purely a formality, this is entirely a matter of form; *de formaliteiten achterwege laten* do away with/cut out/leave out the formalities/red tape

formaliter [bw] formally, for form's sake, formaliter

formans [het] ⟨taalk⟩ formative (affix)

formant [de^{m}] ⟨taalk⟩ [1] ⟨geluidsfrequentie⟩ formant [2] ⟨constituent⟩ constituent

format [1] ⟨opmaak⟩ format [2] ⟨formule⟩ format

formateur [de^{m}], **formatrice** [de^{v}] person charged with forming a new government

formatie [de^{v}] [1] ⟨vorming, samenstelling⟩ formation, configuration, composition ◆ *boven de **gewone** formatie* off the strength, supernumary; *de formatie van het nieuwe **kabinet*** the formation of the new cabinet [2] ⟨wijze van opstelling⟩ formation, configuration, line, order, array ◆ ***buiten** de formatie* off the strength; ***in** formatie vliegen* fly in formation; *een formatie van 18 **straaljagers*** a formation of 18 jet fighters [3] ⟨legerafdeling⟩ unit ◆ ***alle** formaties deden een aanval op de dam* all units launched an attack on the dam [4] ⟨geol⟩ formation ◆ ***sedimentaire** en **eruptieve** formaties* sedimentary and eruptive/volcanic formations [5] ⟨popgroep⟩ band, group [6] ⟨personeelsbestand⟩ staff complement

formatief [bn] formative

formatieplaats [de] permanent function/position, job on the strength ◆ ***op** acht formatieplaatsen werken hier dertien, meest parttimemedewerkers* we have thirteen people/employees, mostly part-timers, here filling/for eight (full-time) jobs/posts

formatiepoging [de^{v}] attempt at formation of a government

formatievliegen [ww] fly in formation

formatievlucht [de] ⟨luchtv⟩ formation flight

formatrice [de^{v}] → **formateur**

formatteren [ov ww] format

^{1}**formeel** [het] ⟨bouwk⟩ centring, centre

^{2}**formeel** [bn] [1] ⟨de vorm betreffend⟩ formal ◆ *een formeel **bezwaar*** an objection as to the form/on grounds of form [2] ⟨vormelijk, conventioneel⟩ formal, ceremonious, ⟨inf⟩ stiff ◆ *formeel **gedrag*** formal behaviour [3] ⟨plechtig, officieel⟩ formal, official, ceremonial ◆ *een formeel **aanzoek/bevel*** a formal/official proposal/order; ⟨jur⟩ *de formele **afsluiting** van het vooronderzoek* the formal closure of the preliminary investigation; *formele **herroeping*** formal retraction/recantation; ⟨form⟩ palinode; *formele **nietigverklaring*** formal annulment/nullification [•] *formele **logica*** formal logic; ⟨jur⟩ *het formele **recht*** procedural/adjective law

^{3}**formeel** [bw] [1] ⟨naar de vorm⟩ formally, officially, technically, according to the letter of the law ◆ *formeel **heeft u gelijk*** technically you are right, strictly speaking you are right [2] ⟨plechtig, officieel⟩ formally, officially ◆ *formeel protest **aantekenen*** enter/register/make a formal/official protest, protest formally/officially

formeerder [de^{m}] [1] ⟨vormer, schepper⟩ creator, maker [2] ⟨Bijb; God⟩ Creator

formeren [ov ww] [1] ⟨vormen, samenstellen⟩ form, create, put together, make (up) ◆ *een **drietal** formeren* form a threesome; *een **kabinet** formeren* form a government; *een **trein** formeren* put together/assemble/form a train [2] ⟨mil⟩ form, draw up ◆ ***carré** formeren* form a square, form into a square

formering [de^{v}] formation, creation

^{1}**formica** [het] formica

^{2}**formica** [bn] formica ◆ *een formica **tafelblad*** a formica tabletop

formidabel [bn, bw] formidable ⟨bw: formidably⟩, powerful, mighty, tremendous

formol [het, de^{m}] formalin, ⟨handelsmerk⟩ formol

formulair [bn] formulaic, formulary

formule [de] [1] ⟨geheel van woorden, zinnen⟩ formula, (set) form of words, ⟨pej⟩ cliché ◆ ***empirische** formule* empirical formula; *de **geijkte** formules* the set/accepted/standard formulas; *een **magische** formule* a magic formula/incantation/spell, magic words [2] ⟨vorm van een compromis⟩ formula ◆ *een voor beide partijen **aanvaardbare** formule* a formula agreeable to both parties/sides [3] ⟨grondslag, opzet⟩ formula, pattern, format, idea, line ◆ *een veel **beproefde** formule* a (tried and) tested formula; *de gehanteerde **redactionele** formule* the editorial formula applied [4] ⟨scheik⟩ formula ◆ *de formule van **water** is* H_2O the formula for water is H_2O [5] ⟨wisk⟩ formula ◆ ***algebraïsche** formules* algebraic formulae; ***in** een formule uitdrukken* state/express in a formula, formularize [6] ⟨sport⟩ Formula ◆ ⟨pregn⟩ *rijden in een formule **I*** take part in a Formula One race

formule 1-coureur [de^{m}] Formula 1 driver

^{1}**formuleren** [ov ww] ⟨techn⟩ ⟨in een verwerkbare vorm brengen⟩ formulate

^{2}**formuleren** [ov ww, ook abs] ⟨onder woorden brengen⟩ formulate, phrase, word, put (into words) ◆ *iets **anders** formuleren* rephrase/reword/reformulate sth.; *iets **expliciet** formuleren* formulate sth. explicitly; *zijn **gedachten** formuleren* formulate one's thoughts, put one's thoughts into words; *iets **scherp** formuleren* word sth. sharply/strongly; *hij formuleert **slecht*** he expresses himself badly; *een **vraag**/een **probleem** formuleren* formulate a question/a problem; *zoals hij het **zojuist** formuleerde* as he so aptly put it

formulering [de^{v}] [1] ⟨bewoordingen⟩ formulation, phrasing, wording, expression ◆ *verhuld in **beleefde** formuleringen* shrouded in polite phrases; ***dezelfde** formulering* the same wording/phrasing; *de **juiste** formulering is als volgt* the correct wording is as follows; *een **ongelukkige** formulering* an unfortunate expression, an unfortunate way of putting it; *een **ruime** formulering* general terms, an approximate formulation; *om een formulering te **vinden*** to find a way of putting it [2] ⟨het onder woorden brengen⟩ formulation, phrasing, wording, ⟨van geschreven tekst ook⟩ drafting ◆ *de formulering **van een stelling*** the formulation of a proposition/thesis/theorem

formulewagen [de^{m}] racing car, formula (racing) car

formulier [het] [1] ⟨stuk papier⟩ form ◆ *een **blanco** formulier* a blank form; *een formulier **invullen*** fill ^{B}in a form, ⟨vnl AE⟩ fill out a form, ⟨vnl BE⟩ fill up a form; *de **met** formulieren geplaagde zakenman* the form-ridden businessman; *de gegevens **op** een formulier* the data on a form; *het **voorgeschreven** formulier* the appropriate form [2] ⟨theol⟩ service, ⟨vero⟩ formulary, order ◆ *het formulier van het **Avondmaal*** the service of (Holy) Communion, the Communion service

formuliergebed [het] formulaic prayer

fornuis [het] [1] ⟨kooktoestel⟩ ⟨BE⟩ cooker, stove, range, cooking-range, kitchen-range ♦ *een elektrisch fornuis* an electric cooker/^range/^stove [2] ⟨stookinrichting⟩ furnace [3] ⟨verbrandingsruimte in een raffinaderij⟩ furnace

^{1}**fors** [bn] [1] ⟨stevig, zwaar⟩ sturdy, ⟨mens ook⟩ robust, burly, hefty, ⟨inf⟩ husky, ⟨stem⟩ loud, powerful, strong, ⟨letters, schrift⟩ bold, ⟨taalgebruik, stijl⟩ vigorous, forceful, ⟨gebouw, muren⟩ massive, ⟨nederlaag⟩ heavy ♦ *een forse kerel* a sturdy/robust/hefty/big/burly fellow, ⟨inf⟩ a husky fellow; *een forse lichaamsbouw* a sturdy/robust/hefty build, ↑ a sturdy/robust/hefty physique; *een forse maatregel* a strong/stern measure; ⟨sterker⟩ a drastic/sweeping measure [2] ⟨groot, niet te verwaarlozen⟩ substantial, considerable, sizeable ♦ *een fors bedrag* a substantial/considerable/sizeable sum

^{2}**fors** [bw] ⟨op krachtige wijze⟩ strongly, sturdily, robustly, firmly ♦ *fors ingrijpen* take firm/decisive action/measures; *de prijs van koffie is fors gestegen* the price of coffee has risen sharply/considerably [•] *fors geschapen* ⟨m.b.t. lichaamsbouw⟩ strongly/solidly/heavily/sturdily built; ⟨m.b.t. geslachtsdelen/borsten; man of vrouw; inf⟩ well-endowed, well-hung, ⟨vrouw⟩ well-stacked

forsbal [de^{m}] ⟨in België⟩ bicep

forsgebouwd [bn] sturdily/strongly/solidly built, hefty, burly

forsheid [de^{v}] robustness, sturdiness, strength, vigour

forsythia [de^{v}] forsythia

^{1}**fort** [het] ⟨Frans⟩ strong point/suit, forte ♦ *dat is zijn fort niet* that's not his strong point/his strong suit/his long suit/his forte

^{2}**fort** [het] ⟨vestingwerk⟩ fort(ress), castle, strongpoint

forte [bw] ⟨muz⟩ forte, with force

fortepianist [de^{m}] fortepianist

fortepiano [de] forte-piano, fortepiano

fortificatie [de^{v}] [1] ⟨het fortificeren⟩ fortification [2] ⟨versterking, vestingwerk⟩ fortification, ⟨alleen mv⟩ defences

fortificeren [ov ww] fortify

fortis [de^{m}] ⟨taalk⟩ fortis, tense

^{1}**fortissimo** [het] ⟨muz⟩ fortissimo

^{2}**fortissimo** [bw] ⟨muz⟩ fortissimo

Fortran [het] Fortran

^{1}**fortuin** [het] [1] ⟨geluk, voorspoed⟩ (good) fortune, (good) luck ♦ *je fortuin is gemaakt* your fortune is made, you are a made man; ⟨inf⟩ you've got it made; *fortuin maken* be fortunate/in luck, strike (it) lucky; *zijn fortuin zoeken* seek one's fortune [2] ⟨kapitaal⟩ fortune, riches, ⟨inf⟩ pile, mint, packet ♦ *het heeft me een fortuin gekost* it cost me a (small) fortune; *iemand van fortuin* a wealthy/rich person; ⟨inf⟩ a moneybags; *fortuin maken* make one's/a fortune; ⟨inf⟩ make a pile/mint/packet, strike it rich; ⟨sl⟩ strike oil, hit the jackpot; *er is een fortuin mee te verdienen* there is a fortune to be made out of that/in that [•] ⟨verz⟩ *de fortuinen der zee* the fortunes/perils of the sea

^{2}**fortuin** [de] [1] ⟨fig; het lot⟩ fortune, chance, destiny, fate ♦ *het rad der fortuin* Fortune's wheel, the wheel of fortune [2] ⟨Fortuna de geluksgodin⟩ (Dame) Fortune

fortuinlijk [bn, bw] fortunate ⟨bw: ~ly⟩, lucky ♦ *erg fortuinlijk zijn* be very lucky, have very good luck, have a great stroke of luck, have luck on one's side; *hij is niet fortuinlijk geweest* he has had bad luck, he has not been in luck; *fortuinlijk zijn* be lucky/in luck, have good luck

fortuinzoeker [de^{m}], **fortuinzoekster** [de^{v}] ⟨man & vrouw⟩ fortune hunter, ⟨man⟩ adventurer, ⟨vrouw⟩ adventuress

fortuinzoekster [de^{v}] → **fortuinzoeker**

Fortuna ⟨myth⟩ Fortuna ♦ *Vrouwe Fortuna* Dame Fortuna, lady Luck

fortunecookie [het] fortune cookie

fortuynisme [het] Fortuynism, right-wing political doctrine of Pim Fortuyn, characterized by strict immigration policy

forum [het] [1] ⟨paneldiscussie⟩ forum, panel discussion, ± teach-in ♦ *in het forum zaten voor- en tegenstanders van kernenergie* at the forum there were supporters and opponents of nuclear energy [2] ⟨gezamenlijke geraadpleegde personen⟩ panel, ± brains trust ♦ *iets aan een forum van deskundigen voorleggen* submit sth. to a panel of experts [3] ⟨gesch; plein in Rome⟩ Forum [•] ⟨jur⟩ *het forum van de eiser* the forum of the plaintiff

forumdiscussie [de^{v}] forum, panel discussion, ± teach-in

forumen [onov ww] take part in Internet forums

forward [de^{m}] forward

forwarden [ov ww] forward

forza [tw] go for it!

fosburyflop [de^{m}] Fosbury flop

fosfaat [het] phosphate

fosfaatreiniging [de^{v}] ⟨scheik⟩ elimination of phosphates

fosfaatvrij [bn] phosphate-free, ⟨reclametaal ook⟩ no-phosphate

fosfaturie [de^{v}] ⟨med⟩ phosphaturia

fosfiet [het] ⟨scheik⟩ phosphite

fosfine [de^{v}] ⟨scheik⟩ phosphine, phosphin

fosfolipiden [de^{mv}] ⟨scheik⟩ phospholipids

fosfor [het, de^{m}] phosphorus

fosforbom [de] phosphorus bomb, incendiary (bomb), fire bomb

fosforbrons [het] phosphor bronze

fosforescentie [de^{v}] phosphorescence

fosforesceren [onov ww] phosphoresce

fosforhoudend [bn] phosphoric, phosphorous

fosforiet [het] phosphorite, rock phosphate

fosforisch [bn] phosphorescent, luminescent, luminous

fosforvergiftiging [de^{v}] phosphoric poisoning, phosphorism, ⟨kaakgangreen⟩ phossy jaw

fosforwaterstof [de] ⟨scheik⟩ phosphine

fosforzout [het] ⟨med⟩ microcosmic/phosphorus salt

fosforzuur [het] ⟨scheik⟩ phosphoric acid

fosgeen [het] ⟨scheik⟩ phosgene

^{1}**fossiel** [het] [1] ⟨overblijfsel in versteende vorm⟩ fossil [2] ⟨fig; persoon⟩ (old) fossil, old fog(e)y/fogie, (old) fuddy-duddy ♦ *een levend fossiel* a living fossil

^{2}**fossiel** [bn] fossil, fossilized ♦ *fossiele brandstoffen* fossil fuels; *fossiele overblijfselen* fossil(ized) remains; *fossiele planten* fossilized plants

fossilisatie [de^{v}] [1] ⟨het overgaan in fossiele toestand⟩ fossilization, petrifaction, petrification, lapidification [2] ⟨fig; verstarring⟩ fossilization

fossiliseren [onov ww] [1] ⟨tot fossiel worden⟩ fossilize, be fossilized, petrify [2] ⟨fig; verstarren⟩ fossilize, become fossilized

fot [de^{m}] phot

foto [de] photograph, picture, ⟨inf⟩ photo, snap(shot), shot ♦ *een foto laten inlijsten* have a photograph framed; *foto's nemen* take photographs/pictures/photos/snap(shots)/snaps/shots; *wil je niet op de foto?* don't you want to be on the photo/in the picture?; *een foto van iemand/iets nemen, iemand/iets op de foto zetten* take a picture of s.o./sth.

fotoafdruk [de^{m}] photo print

fotoalbum [het] ⟨inf⟩ photo album, ↑ photograph album

fotoapparatuur [de^{v}] photographic equipment

fotoarchief [het] picture library, photographic archive, ↓ photo archive

fotoartikel [het] photographic attachment/accessory, ⟨mv ook⟩ photographic materials/goods/requisites

fotoautomaat [de^{m}] (passport-)photo booth

fotobacterie [de^{v}] photobacterium

fotobiografie [de^{v}] pictorial biography, photobiography

fotobiologie [de^{v}] photobiology
fotoboek [het] book of photographs, ↓ book of photos ♦ *een fotoboek van **misdadigers*** photographic records; ⟨inf⟩ rogues' gallery
fotobureau [het] photograph agency, ↓ photo agency
fotocamera [de] camera
fotocel [de] photocell, photoelectric cell, ⟨inf⟩ magic eye
fotochemie [de^{v}] photochemistry
fotochemisch [bn] photochemical, actinic ♦ *fotochemische **lichtstralen*** actinic rays
fotochromatisch [bn] photochromatic ♦ *fotochromatische **beelden*** photochromatic images
fotochromisch [bn] photochromic
fotoclub [de] photographic club, camera club, photography club
fotocollage [de^{v}] photomontage
fotodienst [de^{m}] photographic service
fotodiode [de^{v}] photodiode
foto-elektrisch [bn] photoelectric(al) ♦ *foto-elektrische **cel*** photocell, photoelectric cell
foto-elektron [het] photoelectron
foto-element [het] photoelement, photovoltaic element
fotofinish [de^{m}] photo finish
fotofobie [de^{v}] photophobia
fotofoon [de^{m}] photophone
fotofucken [onov ww] digitally manipulate photographs
1fotogeen [het] photogene
2fotogeen [bn] photogenic, luminescent, phosphorescent, luminous ♦ *fotogene **bacteriën*** photogenic bacteria
fotogeniek [bn] photogenic
fotogeologie [de^{v}] photogeology
fotogeoloog [de^{m}] photogeologist
fotogoniometer [de^{m}] photogoniometer
fotograaf [de^{m}] photographer
1fotograferen [onov ww] ⟨als hobby de fotografie beoefenen⟩ take photographs, ⟨inf⟩ take photos/pictures, ↓ take snaps ♦ *zij fotografeert **goed*** ⟨maakt goede foto's⟩ she is a good photographer; ⟨fotogeniek⟩ she photographs well, she comes out well in photographs, ⟨inf⟩ she comes out well in photos; *fotografeer je?* do you take photos?; ± do you like photography?; ⟨vnl AE; inf⟩ are you into photography?
2fotograferen [ov ww, ook abs] ⟨foto maken (van)⟩ photograph, take a photograph (of), ⟨inf⟩ take a photo/picture (of), ↓ take a snap(shot) (of) ♦ *een **landschap** fotograferen* photograph/take a photograph of a landscape; *zich **laten** fotograferen* have one's photograph taken, ↓ have one's photo/picture taken
fotografie [de^{v}] [1] ⟨de kunst om afbeeldingen te maken⟩ photography [2] ⟨afdruk⟩ photograph, ⟨inf⟩ photo, picture, ↓ shot, snap(shot)
fotografiek [de^{v}] photo-graphics
1fotografisch [bn] [1] ⟨m.b.t. de fotografie⟩ photographic, photographical ♦ *een fotografisch **atelier*** a photographic/photographer's studio; *fotografische **technieken*** photographic techniques [2] ⟨door middel van fotografie vervaardigd, gebeurend⟩ photographic ♦ ⟨fig⟩ *een fotografisch **geheugen*** a photographic memory; *een fotografische **reproductie*** a photographic reproduction [3] ⟨voor de fotografie nodig, geschikt⟩ photographic ♦ *fotografisch **papier*** photographic (printing) paper; *fotografisch **zetsel*** ⟨BE⟩ film setting, ⟨BE⟩ photosetting; ⟨AE⟩ photocomposition, ⟨AE⟩ phototypesetting
2fotografisch [bw] ⟨door middel van fotografie⟩ photographically ♦ *iets fotografisch **vastleggen*** record/document sth. photographically
fotogram [het] photogram
fotogrammetrie [de^{v}] photogrammetry, aerial surveying, phototopography
fotogrammetrisch [bn, bw] photogrammetric(al) ⟨bw: photogrammetrically⟩
fotogravure [de] [1] ⟨reproductiemethode⟩ photogravure [2] ⟨gravure⟩ photogravure
fotohandel [de^{m}] photographic/photography/camera shop, photographic dealer's/supplier's
fotohandelaar [de^{m}] photographic dealer/supplier
fotoheliograaf [de^{m}] photoheliograph
fotohoekje [het] mount, (phot-)corner
fotojournalist [de^{m}] photojournalist, press photographer
fotokaart [de] photomap
fotokathode [de^{v}] photocathode
fotokeramiek [de^{v}] photoceramics
fotokopie [de^{v}] photocopy, xerox, photostat(ic) copy, photostat ♦ *een fotokopie **maken** van iets* photocopy/xerox sth., make a photocopy/xerox of sth.
fotokopieerapparaat [het] photocopier, xerox(-machine), photostat
fotokopiëren [ov ww, ook abs] photocopy, xerox, photostat
fotolamp [de] photographic lamp, flood lamp, floodlight
fotolithografie [de^{v}] [1] ⟨lichtsteendruk⟩ photolithography [2] ⟨afbeelding⟩ photolithograph, photolithoprint, ⟨verkorting⟩ photolitho
fotoluminescentie [de^{v}] photoluminescence
fotomechanisch [bn] photomechanical
fotometeoren [de^{mv}] photometeors
fotometer [de^{m}] photometer
fotometrie [de^{v}] photometry
fotomobieltje [het] camera phone
fotomodel [het] (photographic/photographer's) model, cover girl
fotomontage [de^{v}] [1] ⟨resultaat⟩ photomontage, composite photograph/picture [2] ⟨handeling⟩ photomontage
fotomorfose [de^{v}] photomorphosis
foton [het] ⟨natuurk⟩ photon
fotonastie [de^{v}] ⟨biol⟩ photonasty
fotonegatief [bn] ⟨biol⟩ photonegative
fotonica [de^{v}] photonics
fotopaal [de^{m}] ⟨verk⟩ roadside (mounted) camera
fotopapier [het] photographic paper
fotoperiodiciteit [de^{v}] photoperiodism, photoperiodicity
fotopersbureau [het] photo press agency
fotoprint [de^{m}] photo print
fotoreceptor [de^{m}] photoreceptor
fotoredactie [de^{v}] [1] ⟨activiteit⟩ photo editing [2] ⟨personen⟩ photo editors
fotoreportage [de^{v}] photo-reportage, photoreport
fotorolletje [het] (roll of) film, film
fotosafari [de^{m}] photo safari
fotoscoop [de^{m}] photoscope
fotoserie [de^{v}] series of photographs
fotosfeer [de] photosphere
fotoshoot [de^{m}] photo shoot
fotoshoppen [onov ww] photoshop
fotostatisch [bn] photostatic ♦ *een fotostatische **herdruk*** a photostatic/photographic reprint
fotostencil [het] photo-stencil
fotosynthese [de^{v}] ⟨biol⟩ photosynthesis
fototas [de] photo(graphic) case, ERC ⟨ever ready case⟩
fototaxis [de^{v}] phototaxis, phototaxy
fototechnisch [bn] phototechnical ♦ *fototechnische **dienst*** aerial photography/survey service
fototelefoon [de^{m}] camera phone
fototelegrafie [de^{v}] phototelegraphy, picture telegraphy, telephotography

fototheodoliet [de^{m}] phototheodolite
fototherapie [de^{v}] phototherapy, phototherapeutics
fototoestel [het] camera
fototransistor [de^{m}] phototransistor
fototroop [bn] phototropic, ⟨bij planten ook⟩ heliotropic ♦ *een fototrope* ***vloeistof*** a phototropic fluid
fototropie [de^{v}] [1] ⟨het veranderen onder invloed van het licht⟩ phototropism, phototropy [2] ⟨biol⟩ phototropism, phototropy, heliotropism
fototypie [de^{v}] [1] ⟨reproductiemethode⟩ phototype, collotype [2] ⟨afbeelding⟩ phototype, collotype
fototypografie [de^{v}] ⟨BE⟩ film setting, ⟨BE⟩ photosetting, ⟨AE⟩ photocomposition, ⟨AE⟩ phototypesetting
fotoverkenning [de^{v}] photoreconnaissance, ± aerial reconnaissance
fotowedstrijd [de^{m}] photo(graphic) competition
fotozetmachine [de^{v}] ⟨BE⟩ filmsetter, ⟨BE⟩ photosetter, ⟨AE⟩ photocomposer, ⟨AE⟩ phototypesetter
fotozetsel [het] ⟨BE⟩ film setting, ⟨BE⟩ photosetting, ⟨AE⟩ photocomposition, ⟨AE⟩ phototypesetting
fotozetten [ww] ⟨BE⟩ film setting, ⟨BE⟩ photosetting, ⟨AE⟩ photocomposition, ⟨AE⟩ phototypesetting
fotozuil [de] ⟨in winkels⟩ digital print(ing) kiosk
foudroyant [bn] fulminating, fulminant, lightning ♦ ⟨med⟩ *foudroyant* ***gangreen*** fulminant/fulminating gangrene
fouilleren [ov ww] (body-)search, ⟨inf⟩ frisk ♦ *gefouilleerd* ***worden*** be (body-)searched/frisked
fouillering [de^{v}] (body) search, ⟨inf⟩ frisk
^{1}**foulard** [de^{m}] [1] ⟨halsdoek van foulard⟩ foulard, silk scarf [2] ⟨wollen halsdoek⟩ scarf, muffler
^{2}**foulard** [het] ⟨stof⟩ foulard (silk)
foundation [de^{v}] [1] ⟨lingerie⟩ foundation (garment) [2] ⟨crème⟩ foundation (cream)
fourballs [het] fourballs
fourneren [ov ww] [1] ⟨fin⟩ furnish, provide, ↓ put up ♦ ***fonds*** *fourneren voor* ***wissels*** send cover/provide funds for bills of exchange; ***het*** *te laat fourneren van gekochte effecten* the late delivery of stocks purchased [2] ⟨verschaffen, voorzien⟩ furnish, supply, provide ♦ ⟨jur⟩ ***stukken*** *fourneren* submit documents
fournissement [het] [1] ⟨storting, inleg⟩ call ♦ ***bij*** *fournissement uit de winst* when calls are paid out of profits; *fournissementen* ***worden opgevraagd*** *van en* ***gestort*** *door aandeelhouders* calls are made on and paid by shareholders [2] ⟨bijbetaling⟩ ± supplementary payment
fournisseur [de^{m}] supplier, purveyor
fournituren [de^{mv}] ⟨garen, band, knopen enz.; BE⟩ haberdashery, smallwares, ⟨AE⟩ (sewing) notions, ⟨alg⟩ supplies, articles, requisites, ⟨inf⟩ bits and pieces, odds and ends
fourniturenzaak [de] ⟨BE⟩ haberdashery, ⟨BE⟩ haberdasher's (shop), ⟨AE⟩ store selling (sewing) notions and small wares, ⟨AE ook⟩ store selling odds and ends
fourragères [de^{mv}] fourragères, aiguillettes
foursomes [het] foursomes
fourwheeldrive [de^{m}] four-wheel drive
^{1}**fout** [de] [1] ⟨gebrek, slechte eigenschap⟩ fault, weakness, failing, flaw, defect ♦ *zijn fout* ***is*** *dat ...* his weakness/failing/trouble is that ..., the trouble/problem with him is that ...; *een weefsel* ***met*** ***foutjes*** a flawed fabric; *iemand* ***op*** *zijn fouten* ***wijzen*** point out s.o.'s faults/weaknesses, correct s.o.; ⟨op een beledigende manier; inf⟩ rub s.o.'s nose in it; *niemand is* ***zonder*** *fouten* no one/nobody is perfect [2] ⟨verkeerde handeling⟩ mistake, error, ⟨grove fout⟩ blunder, ⟨overtreding bij sport⟩ foul, ⟨i.h.b. bij tennis, paardsp enz.⟩ fault ♦ ⟨tennis⟩ ***dubbele*** *fout* double fault; *een* ***ernstige*** *fout begaan* make a serious/grave mistake, make/commit a serious/grave error/blunder; *zijn fout* ***goedmaken*** make good one's mistake, ↑ redeem one's mistake; ***in*** *de fout gaan* make a mistake, ⟨inf⟩ slip up; ⟨drafsport⟩ foul; *een* ***medische*** *fout* medical malpractice; ***menselijke*** *fout* human error; *de* ***oude*** *fout* ***maken*** fall/lapse into the (same) old mistakes/errors; ***persoonlijke*** *fout* human error; ⟨wet⟩ personal equation; ⟨sport⟩ personal foul [3] ⟨onjuistheden in een werk⟩ mistake, error, fault, defect, flaw ♦ *er is geen systeem waarmee geen fouten* ***gemaakt*** *kunnen* ***worden*** no system is foolproof; *een fout* ***in*** *de redenering* a flaw in the argument; *een fout* ***in*** *de constructie* a fault in the construction; *een fout* ***in*** *een berekening* a miscalculation; *fouten* ***maken*** make mistakes; ⟨inf⟩ go wrong, slip up; *een proefwerk* ***met*** *tien fouten* an exam(ination)-paper with ten mistakes/errors in it; *iets* ***nalezen*** *op fouten* proofread; ***zonder*** *fouten schrijven* spell correctly; *een foutje* an error, ↓ a slip-up [4] ⟨wisk⟩ error ♦ *een fout van tien* ***procent*** an error of ten per cent
^{2}**fout** [bn] ⟨heulend met de vijand⟩ ↑ collaborationist, ⟨euf⟩ on the wrong side ♦ *zij* ***waren*** *fout in de oorlog* they collaborated (with the Nazis)/they were collaborators/Nazi sympathizers/they sided with/collaborated with/helped the Nazis during the war
^{3}**fout** [bn, bw] [1] ⟨mis(lukt)⟩ wrong ⟨bw: ~ly⟩ ♦ *je* ***bent*** *fout* ***geweest*** you were wrong/at fault; *de boel* ***ging*** *fout* everything/the whole lot went wrong [2] ⟨niet juist⟩ wrong ⟨bw: ~ly⟩, incorrect, erroneous, mistaken, inaccurate, faulty ♦ *een fout* ***antwoord*** a wrong/an incorrect answer; *je* ***hebt*** *drie sommen fout* you have got three sums wrong; *wat* ***is*** *er fout aan ...?* what's wrong with ...?; *iets fout* ***rekenen*** fault sth., count wrong/consider sth. wrong, ↓ go wrong, ↓ slip up; *iets fout* ***schatten*** miscalculate sth.; *iets fout* ***spellen*** misspell sth., spell sth. wrong(ly)/incorrectly
foutenanalyse [de^{v}] error analysis
foutenfestival [het] cluster fuck
foutenmarge [de] margin of error, ⟨na berekening⟩ error rate
foutief [bn, bw] wrong ⟨bw: ~ly⟩, incorrect, erroneous, inaccurate, faulty ♦ *een foutief* ***antwoord*** a wrong/incorrect answer; *foutief* ***denken*** think wrongly/erroneously/incorrectly; ⟨inf⟩ get (sth.) wrong; *een foutieve* ***mening*** a misapprehension
foutlijn [de] ⟨sport⟩ ⟨honkb⟩ foul/base line, ⟨squash⟩ out-of-court line
foutloos [bn, bw] faultless ⟨bw: ~ly⟩, perfect, impeccable, ⟨AE ook⟩ letter-perfect ♦ ⟨paardsp⟩ *een foutloos* ***parcours*** a clear round
foutmelding [de^{v}] ⟨comp⟩ error message
foutparkeerder [de^{m}] illegal parker
foutparkeren [ww] park illegally
foutslag [de^{m}] ⟨sport⟩ ⟨vnl. tennis, squash⟩ fault, ⟨honkb⟩ foul (ball)
foutsprong [de^{m}] ⟨paardsp⟩ fault, ⟨atl⟩ no jump
fox [de^{m}] → **foxterriër**
foxterriër [de^{m}], **fox** [de^{m}] fox terrier
foxtrot [de^{m}] foxtrot
foxtrotten [onov ww] foxtrot
foyer [de^{m}] foyer, refreshment room, ⟨vnl BE⟩ crush-room, crush-bar, ⟨voor artiesten⟩ greenroom
FPU [het] (flexibel pensioen en uittreden) flexible early retirement scheme
fr. [afk] [1] (franco) franco [2] (frank) fr [3] (frater) Br, Fr
fraai [bn, bw] [1] ⟨mooi, schoon⟩ pretty ⟨bw: prettily⟩, fine, beautiful, handsome, lovely, charming ♦ *een fraai* ***exemplaar*** a fine/splendid specimen, ⟨boek⟩ a fine/splendid copy; *een fraaie* ***gestalte*** a fine figure; ⟨van man ook⟩ a handsome figure; *een fraaie* ***tuin*** a pretty/fine/charming/lovely garden; ⟨iron⟩ *een fraaie* ***vertoning*** a fine sight; ⟨iron⟩ *dat is me ook* ***wat*** *fraais* (that's) a nice business/a pretty kettle of fish; *een* ***weinig*** *fraaie behandeling ondergaan* be less than handsomely treated [2] ⟨tot eer, lof strekkend⟩ fine ⟨bw: ~ly⟩, splendid, distinguished ♦ *een fraaie* ***carrière*** a

distinguished/successful career; *een fraaie* ***prestatie*** a fine performance/achievement; ⟨iron⟩ *dat* ***staat*** *je fraai* you can/should be proud of that, I must say that becomes you

fraaiheid [de^{v}] [1] ⟨schoonheid⟩ prettiness, fineness, beauty, loveliness, charm [2] ⟨fraai ding⟩ beauty, work of art, picture, jewel

fractal [de^{m}] fractal

fractie [de^{v}] [1] ⟨onderdeel, deeltje⟩ fraction ♦ *de koersen* ***brokkelden*** *een fractie* ***af*** the rates dropped a fraction/little; ***in*** *een fractie van een* ***seconde*** in a fraction of a second, in a split second [2] ⟨pol⟩ ⟨vertegenwoordigers van een partij⟩ ± party, ± group, ⟨BE⟩ parliamentary party, ⟨AE⟩ congressional party, ⟨AE, NZE⟩ caucus, ⟨groepering binnen partij⟩ faction, section ♦ *de* ***liberale*** *fractie in de gemeenteraad* ± the liberal group on the council, ± the liberal councillors; *de* ***liberale*** *fractie in de Tweede Kamer* ± the parliamentary liberal party, ± the liberal group in parliament

fractieberaad [het] ⟨pol⟩ ⟨BE⟩ ± discussion within the/a parliamentary party, ↑ deliberation within the/a parliamentary party, ⟨AE, NZE⟩ ± caucus

fractiegenoot [de^{m}], **fractiegenote** [de^{v}] ⟨pol⟩ ± fellow (parliamentary) party-member, ⟨BE⟩ fellow Conservative/Labour/... MP, ⟨AE⟩ fellow Republican/Democratic/... representative

fractiegenote [de^{v}] → **fractiegenoot**

fractieleider [de^{m}] ⟨pol⟩ ⟨BE⟩ ± leader of the/a parliamentary party, ⟨AE⟩ ± floor leader

fractielid [het] ⟨pol⟩ ± party member, ± member of a (political) party

fractieloze [de] ⟨pol⟩ independent

fractievergadering [de^{v}] ⟨pol⟩ ⟨BE⟩ ± meeting of a/the parliamentary party, ⟨AE⟩ ± committee meeting

fractievoorzitster [de^{v}] → **fractievoorzitter**

fractievoorzitter [de^{m}], **fractievoorzitster** [de^{v}] ⟨pol⟩ ⟨man⟩ ± ^{B}chairman of a/the parliamentary party, ⟨vrouw⟩ ± ^{B}chairwoman of a/the parliamentary party, ⟨man & vrouw; AE⟩ floor leader, ⟨BE⟩ Whip, ⟨BE⟩ Leader of the House, ⟨m.b.t. oppositie; BE⟩ Shadow Leader of the House, ⟨AE⟩ Senate Minority/Majority Leader, ⟨AE⟩ House Minority/Majority Leader

fractioneel [bn] fractional ♦ *fractionele* ***verschillen*** fractional differences

fractioneren [ov ww] [1] ⟨in fracties verdelen⟩ fraction(al)ize, fractionate [2] ⟨trapsgewijze distilleren⟩ fractionate, fractionalize ⊡ *gefractioneerd* ***maagonderzoek*** fractional gastric juice collection

fractuur [de^{v}] [1] ⟨breuk⟩ fracture, ⟨inf⟩ break ♦ *een* ***enkelvoudige*** *fractuur* a simple fracture; *een* ***gecompliceerde*** *fractuur* a compound/an open fracture; *een* ***gesloten*** *fractuur* a closed fracture [2] ⟨drukletter⟩ Fraktur, Gothic, (German) black-letter

fragiel [bn] fragile, ⟨mens ook⟩ feeble, frail, ⟨broos⟩ brittle, ⟨gammel⟩ rickety

fragiele-X-syndroom [het] Fragile X syndrome

fragiliteit [de^{v}] [1] ⟨breekbaarheid⟩ fragility [2] ⟨fig; vergankelijkheid⟩ fragility, transience

fragment [het] [1] ⟨gedeelte⟩ fragment, section, part, ⟨van lied⟩ scrap, snatch ♦ *hij* ***droeg*** *fragmenten* ***voor*** *uit Gorters Mei* he recited passages/excerpts/extracts from Gorter's 'Mei'; *wij laten u enkele fragmenten* ***zien*** *uit de hoofdfilm van vanavond* we are going to show you excerpts/extracts from this evening's main film [2] ⟨brokstuk, overgebleven stuk⟩ fragment, scrap, bit, morsel, ⟨knipsel⟩ snippet

^{1}**fragmentarisch** [bn] ⟨niet samenhangend⟩ fragmentary, fragmented, ⟨inf⟩ patchy, sketchy ♦ *een fragmentarisch* ***boek*** a fragmented book; *fragmentarische* ***kennis*** patchy knowledge; *fragmentarische* ***overblijfselen*** fragmentary remains; *een fragmentarisch* ***verslag*** a fragmented/scrappy account/report

^{2}**fragmentarisch** [bw] ⟨gedeeltelijk⟩ fragmentarily, fragmentedly, ⟨inf⟩ sketchily, patchily ♦ *iets fragmentarisch* ***behandelen*** deal with/treat sth. sketchily

fragmentatie [de^{v}] fragmentation, disintegration, ↓ splintering, ↓ shattering

fragmentatiebom [de] fragmentation bomb, cluster bomb, ⟨mil; sl⟩ daisy-cutter

fragmentatiegranaat [de] fragmentation grenade

fragmenteren [ov ww, ook abs] fragment, split into fragments

fraîcheur [de] freshness, bloom

fraise [bn] strawberry

frak [de^{m}] [1] ⟨herenjas⟩ dress coat, tailcoat, ⟨inf⟩ tails, swallowtail [2] ⟨in België; jas⟩ coat, overcoat

^{1}**framboos** [de^{m}] ⟨struik⟩ raspberry, raspberry cane/bush

^{2}**framboos** [de] ⟨vrucht⟩ raspberry

frambozengelei [de] raspberry jelly, raspberry jam

frambozenjam [de] raspberry jam

frambozenlimonade [de] raspberry drink, ⟨met prik⟩ raspberry pop, ⟨AE ook⟩ raspberry soda

frambozensap [het] raspberry juice

frambozensiroop [de] raspberry syrup

frame [het] frame

Française [de^{v}] Frenchwoman, French woman/girl

franchement [bw] frankly, candidly, readily, plainly

franchise [de^{v}] [1] ⟨vrijdom van vracht⟩ exemption [2] ⟨vrijdom van rechten bij invoer van goederen⟩ freedom/exemption from (customs) duties [3] ⟨verz⟩ franchise [4] ⟨prijsaftrek voor geleverde waren⟩ deductible franchise [5] ⟨deel van het inkomen⟩ tax-free allowance [6] ⟨franchising⟩ franchise [7] ⟨openhartigheid⟩ frankness, candour, plainness

franchisegever [de^{m}] franchisor, franchiser

franchisen [ov ww] ⟨franchisegever⟩ grant a franchise, ⟨franchisenemer⟩ take a franchise

franchisenemer [de^{m}] franchisee

franchiseovereenkomst [de^{v}] franchise agreement

franchising [de] franchise

franciscaan [de^{m}] Franciscan, Grey Friar, ⟨i.h.b.⟩ Minoriti ♦ *de franciscanen* the Franciscans, the Grey Friars, the Minorites, the (Order of the) Friars Minor

franciscaans [bn] Franciscan

franciscaner [bn] Franciscan ♦ *een franciscaner* ***monnik*** a Franciscan friar, a Grey Friar; *een franciscaner* ***non*** a Franciscan nun

franciscanessen [de^{mv}] Franciscan nuns, Poor Clares

francium [het] ⟨scheik⟩ francium

franco [bw] ⟨poststukken⟩ post-paid, post-free, prepaid, postage paid, ⟨goederen; niet nader bepaald⟩ carriage paid, ⟨goederen; nader bepaald⟩ free ... ♦ *franco* ***boord*** free on board, fob; *franco* ***emballage*** packing free, free of packing; *franco* ***hier*** delivered here; *franco (aan)* ***huis****/franco thuis* free domicile/destination; *de zending* ***is*** *franco* the shipment is free of charge/gratis; *franco* ***kosten*** free of charge; *franco* ***losplaats*** ex ship; ***niet*** *franco* ⟨vracht⟩ carriage forward; ⟨poststukken⟩ postage extra; *franco* ***pakhuis*** free (at) warehouse; *franco* ***spoor*** free (on) rail, for; *franco* ***station*** free (at) station, delivered to station; *franco* ***station/fabriek*** free (at) station/works, delivered to station/buyer's works; *iets franco* ***thuisbezorgen*** deliver sth. domicile/domicilium; *franco* ***vracht*** carriage paid/free, free freight, freight paid; *franco (op de)* ***wal*** free (on) quay, ex quay, landed terms; *franco voor de wal* ex ship/steamer, free overside

^{1}**francofiel** [de^{m}] Francophil(e), Gallophile

^{2}**francofiel** [bn] Francophil(e), Gallophile

francofonie [de^{v}] Francophones, French-speakers

francofoon [bn] Francophone, French-speaking

francoprijs [de^{m}] franco price

franc-tireur [de^{m}] franc tireur, sniper

frangipane [de^{v}] frangipane

franje [de] [1] ⟨boord met draden(bundels)⟩ fringe, fringing, edging, trimming, thrum ♦ *de franjes **hangen** eraan* it is frayed; *een gordijn **met** franje* a fringed curtain; *met franje(s) **versieren*** fringe, thrum [2] ⟨fig; overbodige opsiering⟩ frill, frippery, furbelow, trimmings ♦ *iets van alle franje **ontdoen*** strip sth. of all its frills, cut out the frills; ***zonder** (overbodige) franje* stripped/shorn of all its frills/trimmings, straight(forward)

franjeachtig [bn] [1] ⟨op franje lijkend⟩ fringy [2] ⟨biol⟩ laciniate(d)

franjepoot [de^{m}] ⟨dierk⟩ phalarope ♦ *grauwe franjepoot* red-necked phalarope; *rosse franjepoot* grey phalarope

franjerif [het] fringing reef

franjevleugeligen [de^{mv}] thysanoptera

^{1}**frank** [de^{m}] franc ♦ ⟨gesch⟩ *Franse frank* French franc [•] ⟨in België⟩ *een frank in tweeën **bijten*** be tight/mean; ⟨positief⟩ be thrifty; ⟨in België⟩ *zijn frank is **gevallen*** the penny has dropped

^{2}**frank** [bn, bw] [1] ⟨openhartig, vrij⟩ frank ⟨bw: ~ly⟩, candid, outspoken, open(-hearted), honest ♦ *frank en **vrij*** free as air/a bird/the wind [2] ⟨vrijpostig⟩ blunt ⟨bw: ~ly⟩, forward, ⟨brutaal⟩ impudent, brash, cheeky

frankeerkosten [de^{mv}] ⟨van brief enz.⟩ postage, ⟨van goederen⟩ carriage

frankeermachine [de^{v}] ⟨BE⟩ franking machine, ⟨AE⟩ postage meter

frankeerstempel [het, de^{m}] [1] ⟨stempelafdruk⟩ frank, charge postmark, ⟨AE⟩ indicia, ± postmark [2] ⟨gereedschap⟩ stamp

frankeerzegel [de^{m}] postage stamp

frankenstein [de^{m}] [1] ⟨wetenschapper⟩ Frankenstein [2] ⟨gedrocht⟩ frankenstein, Frankenstein's monster

frankeren [ov ww] ⟨concr; met machine; BE⟩ frank, ⟨AE⟩ meter, ⟨concr; met postzegel⟩ stamp, ⟨betalen⟩ prepay ♦ *frankeren **als brief/drukwerk*** prepay/stamp at the letter post rate/at the printed paper rate; *gefrankeerde **brieven*** prepaid letters; *een gefrankeerde **enveloppe*** a stamped envelope; ***machinaal** frankeren* ⟨BE⟩ machine-frank, ⟨AE⟩ meter; ***onvoldoende** gefrankeerd* underpaid, underfranked, understamped, insufficiently (pre)paid/stamped; ⟨op envelop-pe⟩ postage due; ***volledig** frankeren* fully prepaid

frankering [de^{v}] ⟨concr; met machine; BE⟩ franking, ⟨AE⟩ metering, ⟨concr; met postzegel⟩ stamping, ⟨het betalen⟩ prepayment ♦ *frankering **bij abonnement*** (postage) paid; ***onvoldoende** frankering* underpayment, understamping

Frankfurt [het] Frankfurt, Frankfort

frankfurter [de^{m}] frankfurter, hot dog, ⟨inf⟩ frank

^{1}**Frankisch** [het] Frankish, ⟨taalk ook⟩ Franconian

^{2}**Frankisch** [bn] Frankish, ⟨taalk ook⟩ Franconian ♦ *de Frankische **koningen*** the Frankish kings; ⟨lit⟩ *Frankische **romans*** Frankish romances

Frankrijk [het] France

Frankrijk	
naam	*Frankrijk* France
officiële naam	*Franse Republiek* French Republic
inwoner	*Fransman* Frenchman
inwoonster	*Française* Frenchwoman
bijv. naamw.	*Frans* French
hoofdstad	*Parijs* Paris
munt	*euro* euro
werelddeel	*Europa* Europe
int. toegangsnummer 33 www.fr auto F	

franquisme [het] Francoism

franquist [de^{m}] Francoist

^{1}**Frans** [de^{m}] [•] *iets met de Franse **slag** doen* do sth. in a slapdash manner/way, give sth. a lick and a promise; *een **vrolijke** frans* ⟨BE⟩ quite a/a bit of a lad, ⟨BE⟩ a happy-go-lucky fellow

^{2}**Frans** [het] ⟨taal⟩ French, ⟨scherts⟩ Frog, parley-voo ♦ ***in** het Frans* in French; ⟨zeldz, form⟩ gallice; ⟨fig⟩ *daar is geen **woord** Frans bij* that is plain English/speaking

^{3}**Frans** [bn] French, ⟨vaak scherts⟩ Gallic, ⟨scherts, pej⟩ Frog, froggy ♦ ***de** Fransen* the French; *manie voor (alles) wat Frans **is*** Gallomania, Francomania, passion for everything/all things French; *voorliefde voor (alles) wat Frans **is*** predilection for/partiality to everything/all things French, Francophilia; ⟨heral⟩ *de Franse **lelie*** the fleur-de-lis; *een Frans **schip*** a French ship, a Frenchman; ***twee** Fransen* two French people; two Frenchmen ⟨m⟩ [•] *een Frans **slot*** a double-sided lock; *Franse **toer/een nummertje** Frans* a bit of French; ⟨fellatio⟩ a blow-job

Frans-Duits [bn] Franco-German

fransen [onov ww] walk like a duck

Fransgezind [bn] pro-French, Francophile

Frans-Guyaan [de^{m}], **Frans-Guyaanse** [de^{v}] ⟨man & vrouw⟩ inhabitant/native of French Guiana, ⟨vrouw ook⟩ woman/girl from French Guiana, French Guianese woman/girl

Frans-Guyaans [bn], **Frans-Guyanees** [bn] French Guianese

Frans-Guyaanse [de^{v}] → **Frans-Guyaan**

Frans-Guyana [het] French Guiana

Frans-Guyanees [bn] → **Frans-Guyaans**

fransje [het] [1] ⟨Frans broodje⟩ French roll [2] ⟨Goudse kaas⟩ 'fransje', 9 to 10 pounds Gouda cheese

franskiljon [de^{m}] ⟨in België⟩ pro-French Fleming, Gallicized Fleming

Fransman [de^{m}] Frenchman

fransoos [de^{m}] ⟨pej⟩ Frenchy, Frog(gy), frogeater, Gaul

Franssprekend [bn] French-speaking, Francophone ♦ *het Franssprekend **deel** van België* the French-speaking part of Belgium

Franstalig [bn] [1] ⟨met het Frans als moedertaal⟩ French-speaking, Francophone [2] ⟨het Frans als hoofdtaal gebruikend⟩ French-speaking, Francophone ♦ *een Franstalige **Canadees*** a French-speaking Canadian, a French-Canadian; ⟨CanE; beled⟩ a pea-souper [3] ⟨in het Frans gesteld⟩ French, French-language ♦ *het Franstalige **exemplaar** van het verdrag* the French text of the treaty

frappant [bn, bw] striking ⟨bw: ~ly⟩, remarkable, conspicuous ♦ *een frappant **detail*** a conspicuous/striking detail; *een frappante **gelijkenis*** a striking resemblance

frapperen [ov ww] [1] ⟨treffen, opvallen⟩ strike ♦ *wat **mij** altijd frappeert bij hem* what always strikes me about him, what I always find striking/remarkable about him [2] ⟨in, met ijs afkoelen⟩ ice, chill, cool

frase [de^{v}] [1] ⟨spreekwijze, volzin⟩ phrase ♦ *de **geijkte** frase* the set phrase/expression [2] ⟨pej⟩ hollow phrase ♦ *het zijn **holle** frasen* they're just hollow phrases, that's just (idle/empty) talk/just rhetoric/nothing but hot air [3] ⟨muz⟩ phrase

fraseologie [de^{v}] [1] ⟨woordkeus, zinsbouw⟩ phraseology [2] ⟨pej⟩ rhetoric, verbiage, ↓(idle) talk, hot air ♦ *wat hij zegt, is niets dan fraseologie* what he says is pure verbiage/is just/mere rhetoric/is just/all hot air/idle talk

fraseren [ov ww] phrase

frasering [de^{v}] [1] ⟨het waarneembaar maken van de opbouw van de zin⟩ phrasing [2] ⟨muz⟩ phrasing

frater [de^{m}] [1] ⟨kloosterling⟩ friar, brother, ⟨Italië⟩ Fra, frate [2] ⟨in het onderwijs werkzame kloosterling⟩ (lay) brother [3] ⟨dierk; vogel⟩ twite

fraterniseren [onov ww] fraternize

fraterniteit [de^{v}] fraternity, ⟨vnl. rel, charitatief⟩ confraternity, ⟨kloostergemeenschap⟩ friary

fraterschool [de] ±(Christian) Brother's school

frats [de] [1] ⟨grimas, koddig gebaar⟩ (funny) face, ↑grimace ♦ *fratsen **maken*** pull (funny) faces, ↑grimace [2] ⟨mv;

grillen⟩ whims, fads, caprices ♦ ***nieuwe** fratsen* ± newfangled ideas, ± fads; ***rare** fratsen* strange quirks/whims [3] ⟨mv; streken⟩ antics, pranks ♦ *fratsen **maken*** play pranks/tricks

fratsel [de^{m}] frill

fratsenmaakster [de^{v}] → **fratsenmaker**

fratsenmaker [de^{m}], **fratsenmaakster** [de^{v}] buffoon, clown

fraude [de] fraud, ⟨malversatie⟩ malversation, ⟨verduistering⟩ embezzlement, misappropriation (of funds), ⟨inf⟩ fiddle ♦ *fraude **plegen*** commit/practise/perpetrate fraud; ⟨m.b.t. een bepaald geval⟩ commit/perpetrate a fraud; ***wegens** fraude veroordeeld worden* be convicted of fraud

fraudebestendig [bn] fraud-proof, tamper-proof, secure ♦ *fraudebestendig **paspoort*** a fraud-proof passport

fraudebestrijding [de^{v}] combating of fraud, ± efforts/measures to combat fraud

frauderen [onov ww] commit/practise/perpetrate fraud ♦ *frauderende **employés*** fraudulent/dishonest employees

fraudeur [de^{m}] fraud, cheat, ↓ swindler, ⟨inf⟩ fiddler

frauduleus [bn, bw] fraudulent ⟨bw: ~ly⟩, ⟨inf⟩ crooked ♦ *frauduleus **bankroet*** fraudulent/culpable bankruptcy; *bij frauduleuze **invoer*** in case of smuggling

frazelen [onov ww] ⟨in België⟩ prattle, chatter

freak [de] [1] ⟨ook in samenstellingen; fanaat⟩ freak, nut, ↑ fanatic, ↑ fan, ↑ buff ♦ *een **filmfreak*** a film freak/nut/fan/buff [2] ⟨gebruiker van harddrugs⟩ freak, junkie, head [3] ⟨tot de underground behorend persoon⟩ freak, dropout, hippie

freaken [onov ww] freak out, go wild

freakshow [de^{m}] freakshow

freaky [bn] freaky

freatisch [bn] [·] *freatisch **vlak*** water table

freecard [de^{m}] freecard

freediving [het] free-diving

freefighten [ww] free fight

free kick [de^{m}] free kick

freelance [bn, bw] freelance ♦ *freelance **ontwerper*** freelance designer; ***hij werkt** freelance* he works freelance

freelancebasis [de^{v}] [·] ***op** freelancebasis* freelance

freelancemedewerker [de^{m}] freelance(r)

freelancer [de^{m}] freelance(r) ♦ ***als** freelancer werken* freelance, work freelance

free publicity [de^{v}] free publicity

freeriden [ww] freeride

freerider [de^{m}] free rider

frees [de] [1] ⟨ind⟩ fraise, (milling) cutter [2] ⟨landb⟩ rotary cultivator/tiller

freesbank [de] milling machine, miller

freesheet [de] free paper, freebie

freesmachine [de^{v}] milling machine, milling cutter, miller

freestyleklimmen [ww] free style climbing

freestylen [ww] [1] ⟨sport⟩ freestyle [2] ⟨improviserend rappen⟩ freestyle

freestyleskiën [ww] freestyle

freetrade [de] free trade

freetrader [de^{m}] free trader

freeware [de^{m}] freeware

freewheel [het] freewheel

freewheelen [onov ww] [1] ⟨m.b.t. een fiets⟩ freewheel, coast [2] ⟨fig; zijn gemak ervan nemen⟩ freewheel, coast (along), take it/things easy

freezebeweging [de^{v}] freeze movement

fregat [het] frigate

fregatvogel [de^{m}] frigate bird, man-of-war bird

freinetonderwijs [het] Freinet education

freinetschool [de] Freinet school

frêle [bn, bw] frail, delicate, brittle

frenesie [de^{v}] frenzy

frenetiek [bn, bw] frenetic ⟨bw: ~ally⟩, frenzied, frantic

frenologie [de^{v}] phrenology

frenologisch [bn, bw] phrenologic(al) ⟨bw: phrenologically⟩ ♦ *frenologische **onderzoekingen*** phrenological investigations

freon [de^{m}] Freon

frequent [bn, bw] frequent ⟨bw: ~ly⟩

^{1}**frequentatief** [het] ⟨taalk⟩ frequentative

^{2}**frequentatief** [bn] ⟨taalk⟩ frequentative, iterative ♦ *frequentatieve **betekenis*** frequentative meaning

frequenteren [ov ww] ⟨zaak, café enz.⟩ frequent, visit frequently, patronize, ⟨iemand⟩ associate with

frequentie [de^{v}] [1] ⟨het veelvuldig voorkomen⟩ frequency ♦ *uit de frequentie van zijn **bezoeken** kun je afleiden dat ...* from the frequency of his visits you can infer/deduce that ...; *een **opvallende** frequentie* a remarkable frequency [2] ⟨aantal malen dat een verschijnsel zich voordoet⟩ frequency, incidence ♦ ***met toenemende** frequentie* with increasing frequency; ***relatieve** frequentie* relative frequency [3] ⟨aantal malen dat een beweging plaatsheeft⟩ frequency, rate ♦ *de frequentie van zijn **ademhalingsbewegingen*** his breath rate, the frequency of his breathing; *de frequentie van zijn **hartslag*** his pulse (rate), the frequency/rate of his pulse [4] ⟨aantal perioden per seconde van een wisselstroom⟩ frequency ♦ ⟨radio⟩ ***op** een frequentie* on a frequency

frequentieband [de^{m}] frequency band, ↓ band

frequentiebereik [het] frequency range

frequentiecijfer [het] frequency number

frequentielijst [de] frequency list

frequentiemeter [de^{m}] frequency meter

frequentiemodulatie [de^{v}] frequency modulation, FM

fresco [het] fresco, ± mural, ± wall-painting ♦ ***al** fresco, **in** fresco* in fresco

fresia [de] [1] ⟨plant⟩ freesia [2] ⟨stengel met bloemen⟩ freesia

^{1}**fret** [de^{m}] ⟨amb⟩ [1] ⟨schroefboor⟩ gimlet [2] ⟨m.b.t. snaarinstrumenten⟩ fret

^{2}**fret** [het] ⟨dier⟩ ferret, ⟨mannetje⟩ hob

fretloos [bn] unfretted, fretless

fretten [onov ww] ferret, go ferreting

frettenjacht [de] ferreting

fretzaag [de] fretsaw

freudiaans [bn] Freudian ♦ *een freudiaanse **vergissing/verspreking*** a Freudian slip

freudianisme [het] [1] ⟨leer van Freud⟩ Freudianism [2] ⟨fehlleistung⟩ Freudian slip

freule [de^{v}] ± gentlewoman, ± lady ♦ *freule A.* ± the Lady A., ± the Honourable Miss A.

frezen [ov ww] [1] ⟨met de frees bewerken⟩ mill [2] ⟨landb⟩ work with a/the rotary cultivator

fricandeau [de^{m}] fricandeau

fricassee [de^{v}] fricassee

fricatief [de^{m}] ⟨taalk⟩ fricative

frictie [de^{v}] [1] ⟨wrijving⟩ friction [2] ⟨onenigheid⟩ friction

frictiekoppeling [de^{v}] friction clutch

frictieplaat [de] friction disc

frictiewerkloosheid [de^{v}] frictional unemployment

friction [de^{v}] [1] ⟨hoofdwassing⟩ friction, scalp massage [2] ⟨haarwater⟩ friction, hair lotion

frictioneren [ov ww] [1] ⟨met een friction behandelen⟩ give s.o. a scalp massage, massage s.o.'s scalp [2] ⟨een weke stof persen⟩ ♦ ***het** frictioneren* friction glazing

friemel [de^{m}] [1] ⟨voorwerp waarmee iemand friemelt⟩ stress reliever, thing to fiddle with [2] ⟨dingetje⟩ thingy

friemelaar [de^{m}] ⟨inf⟩ fidget

friemelen [onov ww] fiddle, twiddle, fidget ♦ *friemelen **aan/met*** fiddle/fidget with; *ergens in **zitten** te friemelen* fiddle about in sth.

friendly [de^m] friendly game, friendly match
friendly fire [het] ⟨mil⟩ friendly fire
¹**fries** [het] ⟨wollen stof⟩ frieze
²**fries** [het, de] ⟨bouwk⟩ 1 ⟨gestel⟩ frieze 2 ⟨versierde strook⟩ frieze
¹**Fries** [de^m] ⟨persoon⟩ Fri(e)sian
²**Fries** [het] ⟨taal⟩ Fri(e)sian
³**Fries** [bn] Fri(e)sian ♦ *Fries **bont*** Frisian (cotton) prints; *een Friese **klok*** a Frisian clock; *Fries **rund*** Friesian, ⟨AE⟩ Holstein(-Friesian); *Friese **steen*** 'Friese steen', type of yellow brick; *Fries **vee*** Friesians, ⟨AE⟩ Holsteins ⊡ *er zit een Friese **kop** op* ± he/she is as stubborn as a mule
Friese [de^v], **Friezin** [de^v] Frisian (woman)
Friesland [het] Friesland
friet [de] ⟨BE⟩ chips, ⟨AE⟩ (French) fries, ⟨AE⟩ ↑ French fried potatoes ♦ *friet **mét/met mayonaise*** chips/French fries with/and mayonnaise, ⟨BE⟩ ± chips with sauce; *friet **speciaal*** chips with mayonnaise, tomato sauce and chopped onions; *een **zakje/portie** friet* a bag/portion of chips/French fries; *friet **zonder*** chips with salt only; ↓ chips with just salt; *voor drie euro friet* three euros worth of chips
frietje [het] 1 ⟨patatje⟩ ⟨BE⟩ chip, ⟨AE⟩ French fry ♦ ***dunne** frietjes* ⟨BE⟩ thin chips, ⟨AE⟩ thin French fries 2 ⟨zakje friet⟩ ⟨BE⟩ bag of chips, ⟨AE⟩ bag of French fries, ↑ portion of chips, portion of French fries
frietketel [de^m] ⟨in België⟩ deep fryer
frietkraam [het, de] ⟨BE⟩ ± fish and chips stand, ⟨AE⟩ ± hot dog stand
frietsaus [de] mayonnaise-like sauce for ^B chips/^A French fries
friettent [de] ⟨BE⟩ fish and chips stand, ⟨BE⟩ ± chippy, ⟨AE⟩ ± hamburger joint
Friezin [de^v] → **Friese**
frigidaire [de] Frigidaire, fridge, ↑ refrigerator, ⟨AE⟩ icebox
frigide [bn] frigid, undersexed
frigiditeit [de^v] frigidity, ⟨med⟩ anaphrodisia
frigo [de^m] ⟨in België⟩ fridge, ⟨iets formeler⟩ refrigerator, ⟨inf; AE⟩ icebox
frigorie [de^v] frigory
frijnen [ov ww] drove, stripe
frik [de^m] ⟨AE; vrouw⟩ schoolmarm, ⟨AE; vrouw⟩ schoolma'am, ⟨BE, AE; man⟩ ↑ schoolmaster, ⟨vrouw⟩ ↑ schoolmistress, ⟨man & vrouw⟩ ↑ schoolteacher
frikandel [de] minced-meat hot dog
frikkerig [bn] ⟨van man⟩ schoolmasterish, schoolmistressy, ⟨AE ook; van vrouw⟩ schoolmarmish, ↑ pedantic
¹**fris** [het, de^m] soft drink, ⟨vnl mv; BE⟩ mineral, ⟨inf⟩ pop ♦ *een **glaasje** fris* a soft drink, a glass of pop
²**fris** [bn] 1 ⟨fit, gezond, vers⟩ fresh, ⟨m.b.t. lichamelijke toestand ook⟩ fit, lively, brisk, sprightly ♦ *zo fris **als** een hoentje* as fresh as a rose/daisy, as fit as a fiddle, as chirpy/lively as a cricket; *fris en **gezond*** fit and well, hale and hearty; *frisse **kleuren*** fresh colours; *met frisse **moed*** with fresh courage/heart; ⟨scherts⟩ *met frisse **tegenzin*** ± not exactly bursting with enthusiasm; *zich fris **voelen*** feel fresh/fit, ⟨inf⟩ feel full of beans 2 ⟨onbevangen⟩ fresh ♦ *een frisse **kijk** op de zaak hebben* have a fresh view of the matter 3 ⟨niet benauw(en)d⟩ fresh, airy, breezy ♦ *een frisse **adem*** fresh breath; *een frisse **kamer*** an airy room; *frisse **lucht*** fresh air; *een frisse **neus** halen* get a breath of fresh air; *het **ruikt** hier niet fris* it's stuffy (in) here; ⟨fig⟩ *dat is geen fris **zaakje*** that's a bit fishy, there's sth. fishy about that (business); it's a shady business 4 ⟨schoon, hygiënisch⟩ fresh, clean, bright ♦ *dat is weer **lekker** fris* now it's clean and bright again; *de keuken **ziet** er niet zo fris **uit*** the kitchen doesn't look very clean 5 ⟨verfrissend⟩ refreshing ♦ *een fris **drankje*** a refreshing drink; *fris en **fruitig*** ⟨met fruitsmaak⟩ fruity; ⟨(van personen) vol energie⟩ bright-eyed and bushy-tailed, full of beans, raring to go 6 ⟨tamelijk koel⟩ fresh, cool(ish), chilly, nippy, ⟨inf; BE⟩ parky ♦ *een frisse **bries/wind*** a fresh breeze/wind ⊡ *dat is niet **van** de frisse* that's pretty nasty/revolting; ⟨sprw⟩ *gasten en vis blijven maar drie dagen fris* fish and guests smell in three days; ± a constant guest is never welcome
frisbee [het] frisbee
frisbeeën [onov ww] frisbee
frisdrank [de^m] soft drink, ⟨vnl mv; form; BE⟩ mineral, ⟨zoet, met prik; inf⟩ pop, ⟨frisdrank om andere dranken mee aan te lengen; AE⟩ mixer
frisee [de] frisée lettuce, curly endive
friseerijzer [het] curling/crimping iron
friseren [ov ww] 1 ⟨doen krullen⟩ curl, crimp, crisp, frizz, frizzle 2 ⟨ind; m.b.t. stoffen⟩ frizz
frisgroen [bn] light/pale green
frisheid [de^v] freshness, ⟨m.b.t. temperatuur ook⟩ coolness, chilliness
frisisme [het] 1 ⟨taaleigenaardigheid⟩ Frisian term/expression/construction, Frisianism 2 ⟨Fries woord in het Nederlands⟩ Frisian word, Frisianism
frisist [de^m] linguist/philologist of Frisian
frisjes [bn] chilly, nippy, ↑ cool, ↑ fresh, ⟨inf; BE⟩ parky ♦ *het is frisjes vandaag* it's chilly today, there is a nip in the air today; ⟨inf; BE⟩ it's (a mite) parky today
frisket [het] ⟨drukw⟩ frisket
frisling [de^m] young wild boar
frisuur [de^v] ⟨van een vrouw⟩ hair-style, coiffure, ⟨inf⟩ hair-do, ⟨van een man⟩ hair-cut
friteuse [de^v] deep-frying pan, deep fryer, ⟨BE ook⟩ chip pan
frituren [ov ww] deep-fry
frituur [de^v] 1 ⟨spijs⟩ fry 2 ⟨in België; kraam⟩ ⟨BE⟩ chip stall/stand, ⟨AE⟩ French fries stand, ⟨BE⟩ ± (fish and) chip shop, ⟨BE, gew⟩ chippy 3 ⟨in België; frituurpan⟩ deep frying pan, ⟨elektrisch⟩ deep fryer/frier, ⟨BE⟩ chip pan
frituurmand [de] ⟨BE⟩ chip basket, ⟨AE⟩ basket (for the deep (fat) fryer)
frituurpan [de] deep frying pan, ⟨elektrisch⟩ deep fryer/frier, ⟨BE⟩ chip pan
frituurvet [het] frying fat, fat for deep-frying
fritvlieg [de] fritfly
¹**Friulisch** [het] Friulian
²**Friulisch** [bn] Friulian
frivolité [het] 1 ⟨knoopwerk⟩ tatting 2 ⟨hapje bij de borrel⟩ canapé, cocktail snack
frivoliteit [de^v] frivolity, levity
frivool [bn, bw] frivolous ⟨bw: ~ly⟩ ♦ *frivool **vermaak*** dissipation
fröbelen [onov ww] ± play around/about, ± mess around/about
fröbelschool [de] kindergarten, playschool
froisseren [ov ww] ⟨form⟩ hurt (s.o.'s) feelings, offend (s.o.)
frommelen [ov ww] 1 ⟨verkreukelen⟩ crumple (up), screw up, ⟨ineendrukken⟩ rumple, ⟨kreukels maken in⟩ crease ♦ *iets **in elkaar** frommelen* crumple/screw sth. up; *papier **tot een prop** frommelen* screw paper (up) into a wad/ball 2 ⟨(weg)stoppen⟩ stuff away ♦ *iets **onder** zijn kleren frommelen* stuff sth. away under one's clothing
frommelig [bn, bw] (c)rumpled
fronde [de^v] opposition party/faction
frondeel [het] browband, front band
fronderen [onov ww] oppose, revolt
frondeur [de^m] frondeur
frons [de] 1 ⟨rimpel⟩ wrinkle, furrow 2 ⟨gelaatsuitdrukking⟩ frown, ⟨boos, dreigend⟩ scowl
fronsel [de] flounce
fronselen [ov ww] flounce
fronsen [ov ww] 1 ⟨tot rimpels samentrekken⟩ frown, ⟨boos, dreigend⟩ scowl ♦ *het **voorhoofd/de wenkbrauwen***

fronsen frown, pucker (up) one's brow(s); ↑ knit/knot one's brow(s); *met gefronste **wenkbrauwen*** with a frown [2] ⟨in België; fronsels maken aan een kledingstuk⟩ flounce, gather

front [het] [1] ⟨voorzijde, voorkant⟩ front, ⟨van gebouw ook⟩ façade, frontage ♦ *het front van de **auto** was beschadigd* the front of the car was damaged; ***met** het front naar de straat* fronting the street [2] ⟨mil; voorste gevechtslinie, gebied waar gevochten wordt⟩ front, ⟨vnl fig⟩ forefront ♦ *aan het front **sneuvelen*** fall/die/be killed at the front; ***door** het front **breken*** break through the front(line); ***naar** het front **gaan*** go to the front; *winnen **op** alle fronten* ⟨ook fig⟩ win/be victorious on all fronts; ***op** twee fronten actief zijn* be active on two fronts; *het **vijandelijke/oostelijke** front* the enemy/eastern front [3] ⟨mil; eerste gelid van een troepenopstelling⟩ front ♦ *over een **breed** front optrekken* advance on a broad front; *front **maken*** ⟨mil⟩ take up battle positions, form a front; ⟨fig⟩ form a (united) front (against), make a stand (against); ***voor** het front **komen*** ⟨fig⟩ come out (into the open) (with sth.); ***voor** het front van de troepen* in front of the troops [4] ⟨gesteven kledingstuk⟩ front, ⟨halfhemdje ook⟩ dick(e)y, dickie [5] ⟨meteo⟩ front

¹frontaal [het] frontal, antependium

²frontaal [bn] [1] ⟨naar, tegen het front gericht⟩ frontal, ⟨m.b.t. botsingen, confrontaties ook⟩ head-on, ⟨ingang⟩ front, main ♦ *een frontale **aanval*** a frontal attack [2] ⟨zich in het front bevindend⟩ frontal ♦ ⟨onderw⟩ *frontaal **onderwijs*** ± (formal) lecturing; ⟨inf⟩ chalk 'n talk; *de frontale **zone*** the frontal zone; ⟨bij veldslag⟩ the front

³frontaal [bw] ⟨van voren⟩ frontally, ⟨m.b.t. botsingen, confrontaties ook⟩ head-on ♦ *frontaal **botsen*** collide head-on, have a frontal/head-on collision/crash; ⟨onderw⟩ *frontaal **lesgeven*** ± lecture (at)

frontaanval [de^m] frontal attack

frontbalkon [het] dress circle

frontbui [de] ⟨meteo⟩ frontal shower

frontcorrectie [de^v] ⟨mil⟩ narrowing of the frontline, ⟨euf⟩ strategic withdrawal

frontend [de^m] front-end

frontispice [het] [1] ⟨titelblad van een boek⟩ decorated title-page [2] ⟨illustratie⟩ frontispiece [3] ⟨deel van een gevel⟩ frontispiece, fronton

frontje [het] front

frontlijn [de], **frontlinie** [de^v] frontline

frontlijnstaat [de^m] ⟨pol⟩ front-line state

frontlinie [de^v] → **frontlijn**

frontloading [de^v] frontloading

frontloge [de] front box

frontman [de^m] frontman

frontmuur [de^m] [1] ⟨voormuur⟩ facing/face wall [2] ⟨dwarsmuur⟩ frontwall

frontoffice [de^m] front office

frontogenese [de^v] ⟨meteo⟩ frontogenesis

fronton [het] fronton, pediment, tympan(um)

frontpagina [de] front page

frontpaneel [het] front panel, face panel

frontpijp [de] ⟨muz⟩ case pipe, ⟨figurant, stomme pijp⟩ dummy (case) pipe, ⟨inf⟩ dummy

frontplaat [de] front panel

frontspoiler [de^m] front spoiler

frontstuk [het] browband, front band

frontstuurcabine [de^v] cab-over(-engine), ⟨BE⟩ forward control cab

frontvorming [de^v] [1] ⟨meteo⟩ frontogenesis [2] ⟨pol⟩ formation of a front

frotteren [ov ww] rub (in), ⟨bk⟩ make a rubbing of

frottéweefsel [het] terry (cloth), ± towelling

¹froufrou^MERK [de^m] ⟨koekje⟩ ± Viennese shortbread, ± wafer

²froufrou [het] [1] ⟨vertoon van ritselende onderkleren⟩ frou-frou [2] ⟨ponyhaar⟩ fringe, bang

fructificren [onov ww] fructify

fructivoor [de^m] herbivore, ⟨alleen vruchten⟩ frugivore

fructose [de] ⟨scheik⟩ fructose, l(a)evulose

fructuarius [de^m] ⟨jur⟩ usufructuary

frugaliteit [de^v] frugality

fruit [het] fruit ♦ *fruit **als dessert*** fruit as dessert; ***hard** fruit* firm fruit, apples and pears; ***klein** fruit* small fruit; ***zacht** fruit* soft fruit [·] ***Turks** fruit* Turkish delight

fruitareaal [het] acreage under fruit-cultivation, fruit-growing acreage

fruitariër [de^m] fruitarian

fruitautomaat [de^m] fruit/^A slot machine, ⟨inf⟩ one-armed bandit

fruitboom [de^m] fruit tree, fruiter

fruitcorso [het] fruit parade

fruiten [ov ww] fry, sauté ♦ ***uien** fruiten* fry onions

fruithandel [de^m] [1] ⟨alg⟩ fruit trade [2] ⟨zaak, winkel⟩ fruiterer's

fruithandelaar [de^m] ⟨winkelier⟩ fruiterer, ⟨groothandelaar⟩ fruit merchant/trader/dealer

fruithapje [het] fruit purée

fruitig [bn] fruity ♦ *fris en **fruitig*** ⟨met fruitsmaak⟩ fruity; ⟨(van personen) vol energie⟩ bright-eyed and bushy-tailed, full of beans, raring to go; *een fruitige **wijn*** a fruity wine

fruitisme [het] fruitism

fruitjaar [het] [·] *het is een **goed/slecht** fruitjaar* it is a good/bad year for fruit

fruitkweker [de^m], **fruitteler** [de^m] fruit grower, ⟨iemand die op fruitkwekerij werkt⟩ orchardman, ⟨AE ook⟩ orchardist

fruitmand [de] basket of fruit

fruitmes [het] fruit knife

fruitsalade [de] fruit salad

fruitsap [het] ⟨in België⟩ fruit juice

fruitschaal [de] fruit bowl, ⟨vlak⟩ fruit dish

fruitstalletje [het] fruit stall, fruit stand, applecart, ⟨BE ook⟩ (fruit) barrow

fruitteelt [de] fruit growing/farming/culture, ⟨wet⟩ pomology

fruitteler [de^m] → **fruitkweker**

fruitveiling [de^v] fruit auction

fruitventer [de^m] fruit seller, ⟨BE ook⟩ barrow boy, ⟨zeldz⟩ coster(monger)

fruitverkoper [de^m] fruit seller, fruiterer

fruitvlieg [de] fruit fly

fruitwinkel [de^m] fruit shop, fruiterer's (shop)

fruitzuur [het] glycolic acid

¹frul [de^m] ⟨in België⟩ ⟨waardeloos iemand⟩ (a) nobody, ↑ non-entity

²frul [de] ⟨in België⟩ ⟨prul, nietigheid⟩ bauble, trinket, frill, knick-knack

frullen [onov ww] ⟨in België⟩ fiddle, tinker (with)

frunniken [onov ww] [1] ⟨peuterachtig werk doen⟩ fiddle, tinker, potter (about) [2] ⟨friemelen⟩ fiddle, fidget ♦ ***aan** iemand frunniken* pull at s.o.

frustraat [de^m] frustrated person

frustratie [de^v] [1] ⟨teleurstelling⟩ frustration [2] ⟨het frustreren⟩ frustration

frustratoir [bn] ⟨jur⟩ frustratory

frustreren [ov ww] [1] ⟨teleurstellen, ontzeggen⟩ frustrate ♦ *dat **werkt** frustrerend* that is frustrating [2] ⟨dwarsbomen, verijdelen⟩ frustrate, thwart, foil

frutsel [het] knick-knack, trinket ♦ ***frutsels en fratsels*** frills, bibs and bobs, (k)nick(k)nacks; *een **kamer** met veel frutseltjes* a room full of bric-à-brac/knick-knacks

frutselaar [de^m] fiddler, tinkerer

frutselen [onov ww] fiddle, tinker

frutselwerk [het] fiddling, tinkering, pottering (about)

f-sleutel [de^{m}] ⟨muz⟩ bass clef, F clef

ft [afk] (foot, feet) ft

ftaalzuur [het] phthalic acid

FTC-norm [de] ⟨audio⟩ FTC standard

fte [de^{v}] FTE

ftisis [de^{v}] phthisis, tuberculosis

f2f [afk] f2f

fuchsia [de] [1] ⟨plant⟩ fuchsia [2] ⟨kleurstof⟩ fuchsin(e), magenta

fuchsine [de] fuchsin(e), magenta

fuck [tw] fuck, fucking hell, shit, damn

fuck off [tw] ⟨inf⟩ fuck off, go to hell, piss off

fuga [de] ⟨muz⟩ fugue

fugatisch [bn, bw] ⟨muz⟩ fugal ⟨bw: ~ly⟩, fuguing, fugued

fugato [het] ⟨muz⟩ fugato

fuif [de] party, ⟨BE ook⟩ do, ⟨inf⟩ bash ♦ *een **Amerikaanse** fuif* a BYO party, a bring-a-bottle party, a pot-luck party, a bottle party; *een fuif **geven/houden*** have/throw/give a party

fuifnummer [het] partygoer, merrymaker, reveller, man about town ♦ *het **is** een echt fuifnummer* (s)he's a great/real one for parties, (s)he's a/the party-going type, (s)he's quite a/a real/a regular partygoer

fuifroeien [ww] row for pleasure/fun

fuik [de] fyke (net), hoop net, ⟨fig⟩ snare, trap ♦ *een **dubbele** fuik* double trap; ⟨fig⟩ ***in** de fuik **lopen*** walk/fall into a/the trap; ⟨i.h.b. in discussie⟩ rise to the bait; ⟨scherts; fig⟩ *hij zit **in**/is **in** de fuik (gelopen)* he is/has been/got hooked/caught/spliced; *een fuik **lichten*** empty a net; *een fuik **uitzetten*** ⟨fig⟩ set/lay a trap; ⟨lett⟩ put out a fyke net

fuikhoorn [de^{m}] dog whelk

fuiknet [het] fyke net

^{1}**fuiven** [onov ww] ⟨feestvieren⟩ have a party, party, go on the binge, make merry, ↑ celebrate ♦ *we hebben **tot** diep in de nacht (door) gefuifd* the party went on into the small hours, we were merrymaking till the small hours

^{2}**fuiven** [ov ww, ook abs] ⟨trakteren⟩ treat ♦ *iemand **op** gebak fuiven* treat s.o. to cakes/a cake; *ik fuif* it's my treat

fullback [de^{m}] fullback

full colour [het] full-colour

fulldress [de^{m}] full-dress

fullprof [de^{m}] full-time professional, full professional

full speed [bw] full speed

fulltime [bn, bw] full-time ♦ *fulltime **prof*** full-time professional, ⟨inf⟩ full-time pro; *fulltime **werken*** work full-time

fulltimebaan [de] full-time job

fulltimejob [de^{m}] full-time job ♦ *hij **heeft** een fulltimejob* he has a full-time job, he works full-time

fulltimer [de^{m}] full-timer

fulminant [bn] fulminant, fulminating, fulminatory

fulmineren [onov ww] fulminate, thunder, inveigh (against) ♦ *zij fulmineerde **tegen** de pers* she fulminated against the press, ⟨inf⟩ she lashed out at/against the press

fumarole [de] ⟨geol⟩ fumarole

fumigatie [de^{v}] fumigation

fumigeren [ov ww] fumigate

fumonisine [het, de] fumonisin

functie [de^{v}] [1] ⟨taak⟩ position, post, duties, job ♦ *zijn functie **aanvaarden*** take up one's duties; *een hoge functie **bekleden*** hold an important position/post; *zolang hij zijn functie **bekleedt**/in functie is* during his term of office/duty, while he is in office; ***in** zijn functie **van*** in his capacity/function as; *iemand **in** een functie benoemen* appoint s.o. to a position/post; ***in** functie treden/blijven/zijn* take up/remain in/be in office; *iemand **in** zijn functie herstellen* reinstate s.o., restore s.o. to his/her former position; *zijn functie (als penningmeester) **neerleggen*** resign one's position/post/job (as treasurer); *de functie **van** secretaris* the position/post/job/duties of secretary; *iemand **van** zijn functie **ontheffen*** relieve s.o. of his/her duties, depose s.o.; *de functie **vervullen** van boekhouder* hold the position/office of bookkeeper; *de functie **vervullen** van voorzitter* act as chairman; *zijn functie tot ieders tevredenheid **vervullen/uitoefenen*** perform/discharge one's duties to the satisfaction of all concerned [2] ⟨werking, activiteit⟩ function ♦ *belediging van een ambtenaar **in** functie* disrespect to a public servant in the execution of his duties; ⟨psych⟩ ***secundaire** functie* secondary function; *dit apparaatje **vervult/heeft** zeer zeker een functie* this gadget definitely has a useful function/serves a useful purpose [3] ⟨taalk⟩ function [4] ⟨wisk⟩ function ♦ ***afgeleide** functie* differential coefficient, derivative; *x is een functie **van** y* x is a function of y

functieanalyse [de^{v}] job analysis

functiebeoordeling [de^{v}] job evaluation/rating

functiebeschrijving [de^{v}] job description, job specification

functie-eis [de^{m}] job requirement

functieleer [de] theory of functions ♦ ***psychologische** functieleer* ± experimental psychology

functieloon [het] rate for the job

functieprofiel [het] job profile

functiepsychologie [de^{v}] ± experimental psychology

functiestoornis [de^{v}] functional disorder

functietheorie [de^{v}] theory of functions

functietoets [de] function key

functiewaardering [de^{v}] job evaluation/rating

functiewisseling [de^{v}] job rotation

functiewoord [het] function word

functionalisme [het] [1] ⟨bouwk⟩ functionalism [2] ⟨antr⟩ functionalism [3] ⟨pol⟩ functionalism [4] ⟨psych⟩ functionalism, functional psychology

functionaliteit [de^{v}] [1] ⟨het functioneel zijn⟩ functionality [2] ⟨psych⟩ function ♦ ***primaire** functionaliteit* primary function [3] ⟨comp⟩ functionality ♦ *welke functionaliteiten heeft dit pakket?* what functionalities does this package have?

functionaris [de^{m}] official, functionary, officer ♦ *de **tegenwoordige/nieuwe** functionaris* the present incumbent, the new holder of the office/occupant of the position

functioneel [bn] [1] ⟨een functie, taak hebbend⟩ functional ♦ *die **balken** zijn niet functioneel* those beams are not functional/non-functional; *functionele **vormgeving*** functional design [2] ⟨wisk, psych, taalk⟩ functional ♦ *functionele **grammatica*** functional grammar; *functionele **stoornissen*** functional disorders; *er bestaat een functioneel **verband** tussen ...* there is/exists a functional relation/connection between ...

functioneren [onov ww] [1] ⟨in functie zijn⟩ act, function, operate, serve ♦ *functioneren **als** zitkamer* function/do duty/serve as (a) sitting-room; *functioneren **als** secretaris* act as secretary [2] ⟨werken⟩ work, function, perform ♦ ***niet/goed** functionerend* ⟨machine⟩ out of order, (in) working (order); *de nieren functioneren **normaal*** the kidneys are functioning/working normally; *zij functioneert het best **onder** grote druk* she operates/functions/performs best under great pressure; *de ontsteking functioneert **slecht*** the ignition is not working/operating/functioning properly

functioneringsgesprek [het] performance interview

functor [de^{m}] functor

fund [het] fund

fundament [het] [1] ⟨bouwk; fundering⟩ foundation, base(ment) ♦ *de fundamenten **leggen** (voor)* lay the foundations (for/of) [2] ⟨fig; grondslag⟩ foundation, base, basis, fundamental(s) ♦ *de fundamenten van de **welvaartsstaat*** the foundations of the welfare state [3] ⟨zitvlak⟩ bottom, ⟨scherts⟩ fundament

fundamentalisme [het] fundamentalism

fundamentalist [de^{m}] fundamentalist

fundamentalistisch [bn, bw] fundamentalist(ic) ⟨bw: fundamentalistically⟩
fundamenteel [bn, bw] fundamental ⟨bw: ~ly⟩, basic ♦ *fundamentele **begrippen*** fundamental/basic concepts, fundamentals, essentials; *van fundamenteel **belang** zijn voor* be of vital/fundamental/profound importance for/to; *fundamenteel **onderzoek*** basic/fundamental research; *wij verschillen fundamenteel van mening* we hold fundamentally/radically/profoundly different views; our views are radically opposed; *fundamentele **zwakte*** fundamental/basic weakness
fundatie [de^v] 1 ⟨stichting⟩ foundation 2 ⟨voetstuk van een machine⟩ bedplate, foundation, seat
funderen [ov ww] 1 ⟨(van) grondvesten (voorzien)⟩ found, build, underpin ♦ *huizen worden vaak **op** palen gefundeerd* houses are often built on piles 2 ⟨fig⟩ found, base, ground, establish ♦ *een **goed** gefundeerd artikel* a well-founded/sound article; *die voorstelling is nergens **op** gefundeerd* that notion is completely without foundation/has no basis in reality/is completely groundless/unfounded; *een standpunt **theoretisch** funderen* back up one's views by theory, give a sound/solid theoretical basis/ground for one's opinions ▪ *een gefundeerde **schuld*** a funded/permanent debt/liability; *een ongefundeerde **schuld*** an unfunded/a floating debt/liability
fundering [de^v] 1 ⟨grondslag⟩ ⟨ook fig⟩ foundation(s), base(ment), ⟨fig ook⟩ basis, footing, groundwork, grounds ♦ *de fundering(en) **leggen*** lay the foundation(s)/base; *fundering **op palen*** foundations on piles, pile foundations; *een **zwakke** fundering* weak/poor foundations 2 ⟨het funderen⟩ founding, underpinning, ⟨schuld⟩ funding
funderingsput [de^m] foundation pit/trench, building excavation
funderingswerker [de^m] foundation(s) worker
fundraiser [de^m] fund raiser
fundraising [de] fund-raising
fundus [de^m] ⟨med⟩ fundus
funest [bn] fatal, disastrous, pernicious, dire, calamitous, ⟨form⟩ baneful ♦ *funeste **gevolgen*** dire/fatal/disastrous consequences; *een funeste **invloed** hebben* have a fatal/disastrous effect/influence; *dat **is** funest* that's fatal/disastrous; *de droogte is funest **voor** de tuin* (the) drought is fatal/disastrous for the garden; *deze schoenen zijn funest **voor** mijn voeten* these shoes are ruining/killing my feet/murder for my feet
fungeren [onov ww] 1 ⟨de dienst verrichten van⟩ act as, function as ♦ *deze woordgroep fungeert **als** onderwerp* this word group functions as subject; *zij fungeert voorlopig **als** voorzitster* she is (provisionally) acting (as) chairwoman 2 ⟨in functie zijn⟩ be the present/acting/officiating ... ♦ *de fungerende **president*** the (present) incumbent
fungibel [bn] ⟨ec⟩ fungible ♦ *fungibele **zaken*** fungibles, fungible goods
fungibiliteit [de^v] fungibility
fungicide [het] ⟨med⟩ fungicide
fungus [de^m] fungus
funiculaire [de] ⟨spoorw⟩ funicular (railway), funiculaire, cable railway, ⟨inf⟩ cable-car
funk [de] funk
funkritme [het] funk(y rhythm)
funshoppen [ww] fun shop
funsport [de] extreme sport
furie [de^v] 1 ⟨razernij⟩ (a) fury, (a) passion, (fit of) rage, raging ♦ *de **Franse** furie* fury of the French soldiery 2 ⟨myth⟩ Fury, Erinys, ⟨mv⟩ Eumenides 3 ⟨feeks, helleveeg⟩ fury, shrew, bitch, vixen, virago, hellcat, wildcat ♦ *tekeergaan **als een furie*** rave like a fury, go raving mad, be in a vicious/towering/furious rage/temper, behave like a mad-man
furieus [bn, bw] furious ⟨bw: ~ly⟩, livid, raving, infuriated, enraged, in a rage/fury, ⟨sterk⟩ rabid
furiositeit [de^v] furiousness, furiosity, raging, raving
furioso [bw] ⟨muz⟩ furioso
furore [de] furore, ⟨AE⟩ furor ♦ *furore **maken*** cause/create a furore, cause/create a ^furor; ⟨rage⟩ be(come) a craze; ⟨mode⟩ be all the rage, be the thing; ⟨theat⟩ bring the house down, be a (smash) hit/the talk of the town
furunkel [de^m] ⟨med⟩ furuncle, ⟨ogm⟩ boil
fusain [de^m] ⟨bk⟩ fusain
fusarium [het] fusarium
fusee [de^v] stub axle
fuselage [de^v] fuselage
fuselier [de^m] fusilier
fuseren [onov ww] 1 ⟨samengaan (van bedrijven)⟩ merge (with), amalgamate (with), incorporate ♦ *de twee **scheepvaartmaatschappijen** zijn gefuseerd* the two shipping companies have (been) merged 2 ⟨natuurk⟩ fuse (together) ♦ *waterstofkernen fuseren **bij** zeer hoge temperatuur* hydrogen nuclei fuse at (a) very high temperature(s)
fusie [de^v] 1 ⟨het samengaan van bedrijven⟩ merger, amalgamation, combine ♦ *een fusie **aangaan** (met)* merge/amalgamate (with); ***bij** de fusie van de twee banken zullen geen gedwongen ontslagen plaatsvinden* no jobs will be lost when the two banks merge/amalgamate; *de fusie van de progressieve liberalen **met** de radicalen* the alliance/coalition of the progressive liberals and the radicals 2 ⟨natuurk; versmelting⟩ fusion, blending, fusing, amalgamating
fusiegemeente [de^v] ⟨in België⟩ amalgamated municipality
fusiekeuken [de] fusion cuisine
fusiepartij [de^v] 1 ⟨pol; gefuseerde partij⟩ merged party 2 ⟨bij fusie betrokken partij⟩ merger party
fusieschool [de^v] school merger
fusillade [de^v] fusillade, (a) shooting, (an outbreak/a volley of) gunfire, ⟨mil⟩ execution by shooting/firing squad
fusilleren [ov ww] shoot (dead), fusillade, bring before a firing squad, execute by firing squad
fusilli [de^{mv}] fusilli
fusion [de] fusion
[1]**fusioneren** [onov ww] ⟨een fusie aangaan⟩ → **fuseren**
[2]**fusioneren** [ov ww] ⟨een fusie doen aangaan⟩ merge, amalgamate, effect a merger (between), effect the amalgamation (of), cause to merge/amalgate
fusionkeuken [de] fusion cuisine
fust [het] 1 ⟨houten vat⟩ cask, barrel, butt ♦ *een fust **aanslaan*** broach a cask; ***uit** het fust tappen* draw from the wood; *een fust **wijn*** a cask/barrel of wine 2 ⟨collectivum; vaten als verpakking, berging⟩ wood, cask ♦ ***op** fust doen* cask, barrel; *wijn **op** fust* wine in the wood/in casks
fustage [de^v] 1 ⟨emballage⟩ pack(ag)ing 2 ⟨emballageprijs⟩ pack(ag)ing/container charge(s)
fustbier [het] keg beer
fustein [het] fustian
fut [de] energy, strength, go, zip, kick, drive, life ♦ *er zit geen fut **in** hem* there's no go/drive/zip in him, he's run out of steam, all the stuffing/fight has gone out of him; *er zit nog genoeg fut **in** haar, de fut is **er** nog lang niet uit bij haar* there's still plenty of kick (left) in her, there's life in the old dog yet, she's still got plenty of spirit/go; *geen fut **hebben** om iets te doen* not have the energy/strength to do sth., be unable to get up the enthusiasm to do sth.
futiel [bn] futile, trifling, insignificant
futiliteit [de^v] trifle, trifling affair/point/matter, futility
futloos [bn, bw] ⟨toestand⟩ washed-out, ⟨karakter⟩ spineless, lifeless ♦ *het is een futloos **figuur*** he hasn't got much go/drive/zip in him, he's got no guts, he's a (pretty) feeble/spineless/wet individual/type; *zich futloos **voelen*** feel washed-out/drained/low, not feel up to much/very energetic
futloosheid [de^v] lack of energy, languor, lethargy, apa-

thy ◆ *gevoel van futloosheid* ⟨inf⟩ (the) blue devils
futsal [het] futsal, indoor football
futselaar [de^m], **futselaarster** [de^v] 1 ⟨prutser⟩ bungler, botcher 2 ⟨beuzelaar⟩ trifler
futselaarster [de^v] → **futselaar**
futselarij [de^v] 1 ⟨beuzelarij⟩ ⟨tijd, geld, energie⟩ frittering away, trifling 2 ⟨gepruts⟩ playing/messing/fiddling (about), tinkering (with)
[1]**futselen** [onov ww] ⟨friemelen⟩ fiddle (with), play/trifle (with), ⟨motoren e.d.⟩ tinker (with), toy/fiddle-faddle (with)
[2]**futselen** [ov ww] • *iets in elkaar futselen* roughly put sth. together; ⟨inf⟩ cobble sth.
futselwerk [het] shoddy work
future [de^v] futures contract
futurisme [het] futurism
futurist [de^m] 1 ⟨iemand die bespiegelingen houdt over het toekomstige⟩ futurist 2 ⟨aanhanger van het futurisme⟩ futurist
futuristisch [bn, bw] 1 ⟨op de toekomst gericht⟩ futurist(ic) ⟨bw: futuristically⟩ 2 ⟨van de futuristen⟩ futurist(ic) ⟨bw: futuristically⟩
futurologe [de^v] → **futuroloog**
futurologie [de^v] futurology
futurologisch [bn] futurological
futuroloog [de^m], **futurologe** [de^v] futurologist
futurum [het] ⟨taalk⟩ future (tense)
[1]**fuut** [de^m] (great crested) grebe ◆ *geoorde fuut* black-necked grebe
[2]**fuut** [tw] toot, beep, whew
FWO [het] ⟨in België⟩ (Fonds voor Wetenschappelijk Onderzoek) Research Fund (of the Flemish government)
f-woord [het] f-word
fylacterion [het] phylactery, frontlet
fyle [de] ⟨gesch⟩ phylum
fylliet [de^m] phyllite
fylogenese [de^v] phylogeny, phylogenesis
fysiater [de^m] naturopath, natural therapist
fysiatrie [de^v] physiatry, naturopathy, nature cure, natural therapy
fysiatrisch [bn] naturopathic ◆ *fysiatrische geneeswijze* naturopathy, nature cure
fysica [de^v] 1 ⟨natuurwetenschap⟩ physics 2 ⟨les in natuurkunde⟩ physics ◆ *wij hebben vanmiddag fysica* we've got physics today
fysicalisme [het] physicalism
fysicochemicus [de^m] physical chemist
fysicochemie [de^v] physical chemistry
fysicomathematisch [bn] physicomathematical
fysicus [de^m] physicist
[1]**fysiek** PSYCHOLOGISCH [het] ⟨alg⟩ constitution, ⟨uiterlijk⟩ physique
[2]**fysiek** [bn, bw] 1 ⟨van, volgens de natuur⟩ physical ⟨bw: ~ly⟩ ◆ *dat is fysiek **onmogelijk**/niet op te brengen* that is a physical impossibility/physically impossible; *fysieke **oorzaken*** physical causes; *fysieke **symptomen*** physical symptoms, ⟨zichtbaar⟩ physical signs 2 ⟨lichamelijk⟩ physical ⟨bw: ~ly⟩ ◆ *zijn fysieke **kracht(en)*** one's physical strength; ⟨jur⟩ *een fysiek **persoon*** a natural person, a private individual; *(iemand) fysieke **schade** berokkenen* cause physical damage (to s.o.)
fysiocraat [de^m] 1 ⟨aanhanger van de leer van de natuurkracht⟩ vitalist 2 ⟨aanhanger van de fysiocratisme⟩ physiocrat
fysiocratie [de^v] physiocracy
fysiocratisch [bn] physiocratic ◆ *de fysiocratische **school*** the physiocratic school
fysiocratisme [het] physiocracy, physiocratism
fysiogenie [de^v] physiogeny, physiogenesis
fysiognomiek [de^v] physiognomy
fysiografie [de^v] physiography
fysiologe [de^v] → **fysioloog**
fysiologie [de^v] physiology ◆ *de fysiologie van de **mens*** human physiology
fysiologisch [bn, bw] physiological ⟨bw: ~ly⟩ ◆ *fysiologische **dood*** physiological death; *fysiologische **verschijnselen/wetten*** physiological phenomena/laws; *fysiologische **zoutoplossing*** physiological saline/salt solution, physiological/isotonic saline
fysioloog [de^m], **fysiologe** [de^v] physiologist
fysionomie [de^v] physiognomy
fysionomist [de^m], **fysionomiste** [de^v] physiognomist
fysionomiste [de^v] → **fysionomist**
fysioplastisch [bn] physioplastic
fysiotherapeut [de^m] physiotherapist, ⟨AE⟩ physical therapist, ⟨inf; BE⟩ physio
fysiotherapie [de^v] physiotherapy, ⟨AE ook⟩ physical therapy, physiatrics
fysisch [bn, bw] physical ⟨bw: ~ly⟩ ◆ ***fysisch-chemisch*** physicochemical; *fysische **geografie*** physical geography, physiography; *fysisch **laboratorium*** physics lab(oratory); *fysische **scheikunde*** physical chemistry; *fysische **technologie*** physical technology
fytine [het] Phytin
fytinezuur [het] phytic acid
fytochemie [de^v] phytochemistry
fytocide [het] phytocide
fytofaag [de^m] phytophagous animal/insect, phytophagan
fytoftora [de^v] late blight
fytogeografie [de^v] phytogeography
fytografie [de^v] 1 ⟨leer⟩ phytography 2 ⟨boek⟩ phytographic study
fytologie [de^v] phytology, botany
fyto-oestrogeen [het] phytoestrogens
fytopathologe [de^v] → **fytopatholoog**
fytopathologie [de^v] phytopathology, plant pathology
fytopathologisch [bn] phytopathologic(al)
fytopatholoog [de^m], **fytopathologe** [de^v] phytopathologist
fytoplankton [het] phytoplankton
fytotherapeuticum [het] phytotherapuetic
fytotomie [de^v] phytotomy
fytotoxine [de] phytotoxin

g

^{1}**g** [de] [1] ⟨letter, klank⟩ g, G [2] ⟨toon⟩ g, G [3] ⟨400⟩ G
^{2}**g** (gram) g
^{1}**gaaf** [bn] [1] ⟨onbeschadigd⟩ whole, intact, ⟨hout, fruit, tanden enz.⟩ sound, ⟨techn, kunstwerk enz.⟩ perfect, flawless, ⟨glas, postzegel enz.⟩ undamaged ♦ *een gave* ***appel*** a sound/an unblemished apple; *gaaf* ***porselein*** intact/undamaged porcelain [2] ⟨volledig⟩ complete, full, entire, whole ♦ *een gaaf* ***gebit*** a perfect set of teeth; *een gaaf* ***servies*** a complete service [3] ⟨ontzettend goed⟩ great, super, fantastic, fab(ulous), terrific ♦ *ik vind het* ***hartstikke*** *gaaf* I think it's absolutely fantastic/terrific/great; *gave* ***muziek*** fabulous/fantastic music; *Connors speelde een gave* ***partij*** Connors played a perfect game; *wat een gaaf* ***wijf!*** what a stunner/looker/gorgeous piece (of stuff) [4] ⟨biol; zonder insnijdingen⟩ entire [•] ⟨sprw⟩ *één rotte appel in de mand maakt al het gave fruit te schand* one rotten apple can spoil the whole barrel; the rotten apple injures its neighbours
^{2}**gaaf** [bw] ⟨geheel en al⟩ completely, entirely
gaafheid [de^{v}] soundness, ⟨van karakter⟩ integrity, ⟨fig⟩ flawlessness
gaafrandig [bn] ⟨biol⟩ entire
gaai [de^{m}] [1] ⟨vogel⟩ jay ♦ ***Vlaamse*** *gaai* jay [2] ⟨sport⟩ popinjay
^{1}**gaan** [onov ww] [1] ⟨zich verplaatsen⟩ go, move, ↑travel ♦ ⟨sport⟩ ***diep*** *gaan* go deep; ⟨fig⟩ *een huivering ging* ***door*** *zijn leden* a shiver ran/went through his limbs; *pas op, alles gaat* ***er overheen!*** look out, it's all going/spilling over!; ⟨fig⟩ *er gaan hier allerlei* ***geruchten*** there are all kinds of rumours going around/^{B}round here, ⟨BE ook⟩ there are all kinds of rumours circulating here; *een kopie gaat* ***hierbij*** a copy is attached, ⟨bijgesloten⟩ a copy is enclosed; ***hoe*** *ga je?* ⟨met welk vervoermiddel⟩ how are you going?, ⟨langs welke weg⟩ which way are you going?; ***hoe*** *gaat het met de zaken?* how's business (doing/going)?; ⟨fig⟩ ***hoe*** *gaat dat liedje ook weer?* how does that song go (again)?; ***in*** *de rondte gaan* go round/^{A}around; *hé, waar ga jij* ***naartoe?*** where are you going/are you off to?; ⟨achterdochtig⟩ where do you think you're going/you're off to?; *het gaat* ***niet zo best/slecht*** *met de patiënt* the patient isn't doing so well/so badly; the patient is unstable/stable; ***over*** *straat gaan* go out; ⟨fig⟩ *zijn gedachten* ***over*** *iets laten gaan* give a matter some thought, think sth. over; *we gaan* ***scheef*** we're going crooked; *de tijd gaat* ***snel*** time goes fast; *het licht gaat* ***sneller*** *dan het geluid* light travels faster than sound; *waar ik ook ga of* ***sta*** wherever I go [2] ⟨vertrekken, weggaan⟩ go, leave, ↑depart, ⟨inf⟩ be off ♦ *ik geloof dat ik wel* ***kan*** *gaan* I think it's time I went/was going; *ze zien hem liever gaan dan* ***komen*** they're glad to see the back of him; *ik* ***moet*** *(nu) gaan* I must go/be going/off (now), I've got to go/to be going/off (now); *hij kan gaan en* ***staan*** *waar hij wil* he can do as he pleases; *hoe laat gaat de* ***trein?*** what time does the train go/leave?; *mijn* ***trein*** *gaat om 2 uur* my train goes/leaves/is due to go at 2 o'clock; *die twee gaan* ***uit*** *elkaar* those two are splitting up/breaking up; ***van*** *tafel gaan* leave the/get up from the table; *er* ***vandoor*** *gaan* go (off); *ik ga er* ***vandoor*** I'm going/off; *dat boek ging* ***voor*** *€ 20* that book went for 20 euros; *ik ga!* I'm going!; ⟨inf⟩ I'm off!; *ga nu maar* off you go now; *en daar ging ze* and off she went; *daar gaan we dan* (t)here we go then [3] ⟨zich begeven⟩ go ♦ ***aan*** *de kant gaan* step/move aside/to one side/out of the way; *we gaan* ***aan*** *tafel!* lunch/dinner/... 's ready!, food's ready!; ⟨inf⟩ come and get it!; ⟨BE ook⟩ grub's up!; ⟨fig⟩ *er gaat niets* ***boven*** ... nothing beats ...; *dat gaat* ***boven*** *mijn vermogen* that's too much for me, I can't manage that; ⟨fig⟩ *dat gaat* ***boven*** *mijn begroting* ⟨ook⟩ that's more than I budgeted for; *zijn gezin gaat bij hem* ***boven*** *alles* his family comes first (with him), he puts his family first; ⟨fig⟩ *dat schip gaat* ***diep*** that ship has a heavy ^{B}draught/^{A}draft; ***in*** *de oppositie gaan* go into opposition; ***in*** *de handel/muziek gaan* go into trade/music; *daar gaat het wel* ***naartoe*** it's coming to that; *iemand* ***te*** *lijf gaan* set about s.o., pitch into s.o.; ⟨inf⟩ have a go at s.o.; ***uit*** *de/zijn bol gaan* be nuts/crackers/potty/wild (about sth.); ***van*** *hand* ***tot*** *hand gaan* be passed/handed round/^{A}around, go from hand to hand; *dat praatje ging* ***van*** *mond* ***tot*** *mond* that tale was passed on/that tale spread from mouth to mouth; ⟨fig⟩ *dat gaat (veel) te* ***ver*** that's going (much/far) too far; ⟨fig⟩ *dat gaat mij (veel) te* ***ver*** I think that's going (much/far) too far; ⟨fig⟩ ***verder*** *dan honderd euro ga ik niet* I won't go over/above/beyond 100 euros, 100 euros is my limit; *zaken gaan* ***voor*** *het meisje* business before pleasure [4] ⟨+ onbepaalde wijs: beginnen te⟩ go, be going to ♦ ***aan*** *het werk gaan* set to work; *een boodschap gaan* ***doen*** go on an errand; *hij wil medicijnen/Nederlands gaan* ***doen*** he wants to do/study medicine/Dutch, ⟨BE ook⟩ he wants to read medicine/Dutch; *gaan* ***fietsen*** go for a ride on one's bicycle; ⟨in plaats van bijvoorbeeld auto⟩ take the bicycle, ⟨inf⟩ take the bike; *gaan* ***kijken*** go and (have a) look; *dat gaat u een hoop geld* ***kosten*** it's going to cost you (a lot of money); *gaan* ***liggen/staan/zitten*** lie down, stand up, sit down; *als je erover gaat* ***nadenken*** if you (start to/stop and) think about it; *het gaat* ***regenen*** it's going to rain; *gaan* ***rentenieren*** retire; *een brief gaan* ***schrijven*** go and write a letter; *gaan* ***slapen*** go (off) to bed; *ga er maar eens aan* ***staan*** it's no picnic, it's not the easiest thing in the world; *gaan* ***stappen*** go out

(for the evening), have an evening out; *ze gaan* ***trouwen*** they're getting/going to get married; ***uit*** *eten gaan* eat out, go (out) for a meal; *ze gaan* ***verhuizen*** they're going to move (house), they're moving (house); *iets gaan* ***waarderen*** come to appreciate sth.; *gaan* ***wandelen/zwemmen*** go for a walk/swim, go walking/swimming; ⟨fig⟩ *iets anders gaan* ***zien*** take a different view, see sth. in a different light; *ik wou net in de zon gaan* ***zitten*** I was just going to sit in the sun; ⟨iron⟩ *ik ga (me) daar een beetje in mijn blootje lopen/in de rij staan* I am (definitely) not going to strip off/join that queue/^{A}stand in line [5] ⟨in beweging zijn, functioneren⟩ go, run ♦ *de* ***bel/telefoon*** *gaat* the bell/telephone rings/goes/is ringing; *de* ***trein*** *gaat al* the train's (already) going/moving; *hé, we gaan* hello, we're moving [6] ⟨losraken⟩ come ♦ *die stop gaat niet* ***van*** *de fles* the stopper won't come out of the bottle [7] ⟨plaatshebben⟩ go, be, run ♦ *de zaken gaan* ***goed*** business is going/doing well; *als alles* ***goed*** *gaat* if all goes well; *zolang alles* ***goed*** *gaat* as long as everything is going fine; *tot zover ging alles* ***goed*** things were (going) all right so far, so far so good; *dat kon toch nooit* ***goed*** *gaan* that was bound to go wrong/to fail; ***hoe*** *is het gegaan?* how was it? how did it/things go?; *het gaat* ***lekker*** *zo hè* it's nice like this, isn't it?; *alles gaat* ***naar*** *wens* everything's as it should be/going according to plan; *dat gaat* ***vanzelf*** that's no trouble at all; *het ging niet erg* ***vlot*** it/things didn't go very smoothly; ***zo*** *gaat het wel* that'll do; *nou, dat ging* ***zo*** well, it was like this; *hand in hand gaan* ⟨fig⟩ go hand in hand [8] ⟨in een bepaalde toestand raken⟩ go, get ♦ ***aan*** *flarden gaan* be left in/be reduced to shreds/tatters; ***in*** *de fout gaan* slip up/make a slip; *zich* ***laten*** *gaan* let o.s. go; ***uit*** *de kleren gaan* strip off; ***verloren*** *gaan* get/be lost, go astray/missing [9] ⟨lopen⟩ walk ♦ ***langs*** *de straat gaan* go along/up/down the street; *een* ***uur*** *gaans* an hour's walk [10] ⟨verdwijnen⟩ go ♦ *daar gaat je goede* ***naam*** there goes your reputation, that's your reputation gone [11] ⟨m.b.t. kleding⟩ be, go around, ⟨BE ook⟩ go about ♦ ***in*** *uniform gaan* be in uniform; ***in*** *het zwart gekleed gaan* be dressed in black [12] ⟨haalbaar, redelijk zijn⟩ be all right, ⟨lukken⟩ work ♦ ***daar*** *gaat het niet* ***mee*** you can't do it with that; *lijdt hij veel pijn?* ***dat*** *gaat* is he in much pain? it's not so bad; *als het* ***even*** *gaat* if at all possible; *het ging nog* ***net*** it was only just all right; ⟨m.b.t. tijd⟩ it was only just in time; *dat gaat zomaar* ***niet*** you can't just do that; *ik heb het al zo vaak geprobeerd, maar het gaat* ***niet*** I've tried it so often, but it won't work; *eerst ons nieuwsgierig maken en dan niets vertellen, dat gaat toch* ***niet*** you can't make us all curious and then not tell us anything; *dat* ***zal*** *niet gaan* it won't work; ⟨kan niet⟩ I'm afraid that's not on; *of dat* ***zal*** *gaan weet ik niet* I don't know if it'll be all right/work; ***zo*** *gaat het niet langer* things/it can't go on this way/like this [13] ⟨begrepen zijn in⟩ go, fit ♦ *er gingen precies 3 koffers* ***in*** it took just 3 cases, just 3 cases would fit; *er gaan 24* ***flesjes*** *in een kratje* a crate holds 24 bottles; *er gaat een liter* ***in*** *die fles* that bottle will take a litre; *er gaan met gemak 5 volwassenen* ***in*** it'll seat/take 5 adults, 5 adults will fit/go (in) easily; *er gaan zestien lettertekens* ***op*** *het beeldscherm* sixteen characters will go/fit on(to) the screen; *er gaan zes glazen* ***uit*** *een fles* you can get six glasses out of a bottle; *er gaat best een jurk* ***uit*** *die lap* you can easily make a dress out of that piece [14] (+ over; beheren⟩ run, be in charge (of) ♦ ***daar*** *ga ik niet* ***over*** I'm not in charge of that, that's not my responsibility, ⟨inf⟩ that's not my pigeon; *zij gaat* ***over*** *de typekamer* she's in charge of/she runs the typing-pool [15] ⟨+ over; tot onderwerp hebben⟩ be (about) ♦ *dat gaat (helemaal)* ***nergens over*** that's a load of bullshit; ***waar*** *gaat die film* ***over?*** what's that film about? [•] ***er aan*** *gaan* have had it; ⟨persoon ook⟩ be (in) for it; *het gaat* ***er*** *niet* ***uit*** it won't come out; *jij gaat* ***er*** *als eerste* ***uit*** you'll be the first to go; *zo gaat de lol (voor mij)* ***er*** *wel* ***af*** that takes (all) the fun out of it (as far as I'm concerned); *zijn verhaal gaat* ***er*** *wel* ***in*** *bij de stakers* his speech went down (well) with the strikers; *de verf ging* ***eraf*** the paint came off, ⟨langzaam⟩ the paint wore off; *dit type gaat* ***eruit*** this model's on the way out; *het gaat allemaal* ***langs*** *haar heen* it all goes (right) over her head; ***met*** *iemand gaan* go out with s.o.; *we hebben nog een kleine twee uur* ***te*** *gaan* we've got just under two hours to go; ⟨sport⟩ ***voluit*** *gaan* go flat out, make an all-out effort, go/run/move like the clappers; ***vrijuit*** *gaan* get off/go scot-free; *daar gaan we* ***weer*** (t)here we go again; *daar ga je!* cheers!, your health!, here's to you!; *om kort te gaan* to cut a long story short, (to put it) in a nutshell; *zich te buiten gaan aan* overindulge in; ⟨sprw⟩ *geweld gaat boven recht* might is right; ⟨sprw⟩ *het bloed kruipt waar het niet gaan kan* ± breeding will out; ± blood will tell; ⟨sprw⟩ *de kost gaat voor de baat (uit)* ± throw out a sprat to catch a mackerel; ± you must lose a fly to catch a trout; ± nothing venture, nothing gain/have

²gaan [onpers ww] [1] ⟨gesteld zijn⟩ be, go ♦ *het ga je* ***goed*** all the best; ***hoe*** *gaat het (met u)?* how are you?, how are things with you?; ***hoe*** *gaat het nu thuis?* how are things at home these days?; ***hoe*** *gaat het met de baby?* how's the baby (doing)?; ***hoe*** *gaat het op het werk?* how's (your) work (going)?, how are things (going) at work?; ⟨form⟩ *het gaat hem* ***naar*** *den vleze* he's prospering; *het gaat hem niet* ***slecht*** he's not doing badly; *het gaat hem* ***voor*** *de wind* he's doing well/flying high/flourishing/prospering; *het gaat* it's all right; ⟨inf⟩ it's OK [2] ⟨geschieden⟩ be, go, happen ♦ *het is toch nog* ***gauw*** *gegaan* things went pretty fast (after all); *je weet* ***hoe*** *dat gaat* you know how/the way it is/things are/it goes; ***hoe*** *gaat dat eigenlijk, zo'n sollicitatiegesprek/rijexamen?* what's a job interview/driving test actually like?; ***zo*** *gaat dat* that's the way/that's how it is/things are, that's the way the cookie crumbles; *gaat dat* ***zo?*** is that how/the way you do it?; ***zo*** *gaat het nu altijd* it's always like that/the same; *het is mij net* ***zo*** *gegaan* the same thing happened to me, it was just the same with me; ***zo*** *gaat dat in het leven* that's life [3] ⟨m.b.t. beweging⟩ go ♦ ***stroomafwaarts*** *ging het* it went downstream [4] ⟨+ om; te doen zijn⟩ be (about) ♦ ***daar*** *gaat het niet* ***om*** that's not the point, it's (got) nothing to do with that; ***daar*** *gaat het juist* ***om*** that's the whole point; *het gaat hem er alleen* ***om*** *dat ...* all (that) he's concerned about is that ..., ⟨inf⟩ all (that) he's bothered about is that ...; *het gaat* ***erom*** *of ...* the point/question is whether ...; *we gaan* ***ervoor!*** we're going for it; ⟨als aanmoediging ook⟩ go for it; *het gaat hem* ***om*** *het geld* he's in for the money; *het gaat* ***om*** *het principe* it's a matter of principle, it's the principle that matters; *het ging* ***om*** *het volgende* it was like this, the point was this; *het gaat maar* ***om*** *10 mensen* it only involves 10 people, we're only talking about 10 people; *als het* ***om*** *kwaliteit gaat ...* if it's quality you want/you're looking for quality ...; *het gaat* ***om*** *je baan/toekomst* your job/future is at stake/is involved; *het gaat hier* ***om*** *een nieuw type* we're talking about a new type/model, it involves a new type/model [•] *het gaat* ***tussen*** *jullie tweeën* the choice is between you two, it's one of you two

gaande [bn] [1] ⟨in beweging⟩ going, running ♦ *gaande* ***houden*** keep going; ↑ sustain; ⟨aandacht⟩ hold, keep (alive); ⟨agitatie, beweging enz.⟩ keep alive; ⟨belangstelling⟩ keep alive/up/from flagging, ↑ maintain; *de zaken gaande* ***houden*** keep things going; ⟨inf⟩ keep the ball rolling; ⟨scheepv⟩ *het lood gaande* ***houden*** keep taking soundings; *de pompen gaande* ***houden*** keep the pumps going/running; *een bedrijf gaande* ***houden*** keep a business going; ⟨met moeite⟩ prop up a business; *een gesprek gaande* ***houden*** keep a conversation going/alive/from flagging, keep up a conversation; ↑ sustain a conversation [2] ⟨aan de hand⟩ going on, up, afoot, ↑ in progress ♦ *er* ***is*** *iets gaande* there's sth. going on, there's sth. up/the matter/afoot; *gaande* ***zijn*** be going on/in progress; ⟨onderzoek, onderhandelingen ook⟩ be being held; ⟨oorlog, staking, uitverkoop ook⟩ be on [3] ⟨zich te voet bewegend⟩ afoot, ambulatory, ⟨heral⟩

passant ♦ *de gaande en komende man* all comers; *gaande en staande zijn* be up and about [4] ⟨m.b.t. emoties⟩ aroused, roused, excited, moved

gaanderij [de^{v}] gallery

gaandeweg [bw] gradually, by degrees, ⟨inf⟩ bit by bit, little by little ♦ *gaandeweg vonden zijn opvattingen ingang* his ideas gradually came to be accepted/found acceptance; *haar stijl werd gaandeweg beter* ⟨langzamerhand⟩ her style gradually improved; ⟨afdoende⟩ her style improved as she went along

gaans walk ♦ *nog geen tien minuten gaans van* within ten minutes walk from/of; *een uur gaans* an hour's walk

[1]**gaap** [de^{m}] ⟨geeuw⟩ yawn

[2]**gaap** [tw] ⟨uitroep⟩ yawn!, boring!

gaapster [de^{v}] → **gaper**[2]

gaapziekte [de^{v}] (the) gapes

gaar [bn] [1] ⟨m.b.t. spijzen⟩ ⟨vnl. m.b.t. vlees, gebak, ovengerechten⟩ done, ⟨vnl. gekookt⟩ cooked ♦ *de aardappels zijn gaar* the potatoes are cooked/ready/done; *de aardappels/groente zijn/is gaar/niet (helemaal) gaar/halfgaar/goed gaar/precies gaar/(een beetje) te gaar* the potatoes/vegetables are cooked/not (quite) cooked/half cooked/well cooked/just right/(a bit) overcooked; *deze rijst is gaar in acht minuten* this rice takes eight minutes/cooks in eight minutes; *iets zachtjes gaar koken* ⟨in oven⟩ cook sth. slowly; ⟨op fornuis⟩ simmer sth. gently; *iets gaar/niet gaar/goed gaar/te gaar koken* cook sth./not cook sth. enough/cook sth. well/overcook sth.; *iets gaar stomen/stoven* steam/braise sth.; *het vlees is gaar/niet (helemaal) gaar/halfgaar/goed gaar/precies gaar/(een beetje) te gaar* the meat is done/not (quite) done/(only) half done/well done/done to a turn/(slightly) overdone [2] ⟨moe⟩ done, tired (out) ♦ *ik ben/werd helemaal gaar van die reis* that journey really did for me/did me in/tired me out [3] ⟨voldoende toebereid⟩ done, ready, finished ♦ *het porselein is gaar gebakken* the porcelain is ready/has finished being fired; *koper dat nog niet voldoende gaar is* insufficiently alloyed brass; *leer gaar maken* treat/prepare leather

gaard [de^{m}] ⟨form⟩ ⟨ogm⟩ garden

gaarheid [de^{v}] readiness (to eat/serve/...)

gaarkeuken [de] soup kitchen

[1]**gaarkoken** [onov ww] ⟨gaar worden⟩ cook until done

[2]**gaarkoken** [ov ww] ⟨gaar maken⟩ cook until done

gaarne [bw] ⟨form⟩ [1] ⟨graag⟩ gladly, with pleasure ♦ *een gaarne geziene gast* a welcome guest; *Clarissa zou gaarne de kamer verlaten* Clarissa would like to leave the room; *wij zullen gaarne vernemen* we should be glad to hear, we would be grateful if you would inform us; *gaarne zagen wij de som nu spoedig overgemaakt* we should be grateful if you would transfer the sum at your earliest convenience; *zeer gaarne* with the greatest (of) pleasure; *iets gaarne zien* like to see sth., be glad/pleased to see sth. [2] ⟨bereidwillig⟩ willingly, readily ♦ *ik beken het gaarne* I willingly/readily admit, I am quite ready to admit it

gaarton [de], **gaarvat** [het] [1] ⟨vat voor vloeistoffen⟩ vat, barrel [2] ⟨m.b.t. de kaasbereiding⟩ cheese-vat

gaarvat [het] → **gaarton**

gaas [het] [1] ⟨weefsel⟩ gauze, ⟨vitrage enz.⟩ net(ting), ⟨erg fijn en licht⟩ gossamer ♦ *fijn/grof gaas* fine-meshed/large-meshed gauze/netting; *gordijnen van gaas* net curtains [2] ⟨vlechtwerk van metaaldraad⟩ wire mesh, ⟨grof⟩ (wire) netting, ⟨fijn⟩ (wire) gauze ♦ *het gaas van een hor* the wire gauze of an insect screen

gaasachtig [bn] gauzy ♦ *gaasachtige stoffen* gauzy materials

gaashor [de] wire/gauze screen, insect screen

gaasje [het] piece of gauze ♦ *leg een gaasje op de wond* put a gauze dressing on the wound

gaaslinnen [het] ± sacking

gaasvleugeligen [de^{mv}] neuroptera, neuropteroidea

gaasvlieg [de] lacewing, ⟨zeldz⟩ lacewing(ed) fly

gaasweefsel [het] gauze, ⟨vitrage enz.⟩ net(ting)

gaatje [het] [1] ⟨klein gat⟩ (little/small) hole, ⟨in luchtband⟩ puncture, ⟨blaasinstrument⟩ (finger-)hole, ⟨in spoorwegkaartje, oor van koe enz.⟩ punch-mark ♦ *ik had gelukkig geen gaatjes* ⟨bij tandarts⟩ fortunately I had no cavities; *gaatjes in iets maken* make holes in/perforate sth.; *gaatjes in de oren laten prikken* have/get one's ears pierced; *zijn riem/ceintuur een gaatje losser doen* loosen one's belt a hole; *vol gaatjes* full of holes; ⟨geperforeerd⟩ perforated [2] ⟨mogelijkheid⟩ ♦ *ik zal eens kijken of ik voor u nog een gaatje kan vinden* I'll see if I can fit you in; *als ik een gaatje zie, kom ik* if I have the chance/half a chance I'll come [•] *die man heeft een gaatje in zijn hoofd* that man is a bit cracked; ⟨sprw⟩ *praatjes vullen geen gaatjes* fine words butter no parsnips; ± the greatest talkers are the least doers; ± actions speak louder than words

gaatjeszwam [de] pore fungus/mushroom, polypore

GAB [het] (Gewestelijk Arbeidsbureau) district employment office

[1]**gabardine** [de^{v}] ⟨regenjas⟩ gabardine

[2]**gabardine** [de] ⟨stof⟩ gabardine

[3]**gabardine** [bn] gabardine ♦ *een gabardine jas* a gabardine coat

gabber [de^{m}] ⟨inf⟩ [1] ⟨persoon⟩ ± geezer, ⟨BE⟩ bloke, ⟨vnl AE⟩ guy ♦ *die ouwe gabber* the old bloke/geezer; *een rare gabber* ⟨BE⟩ a funny bloke, ⟨AE⟩ a rare bird [2] ⟨kameraad⟩ mate, pal, chum, buddy

gabberhouse [de] gabba, gabber, Dutch core

Gabon [het] Gabon

Gabon	
naam	*Gabon* Gabon
officiële naam	*Republiek Gabon* Gabonese Republic
inwoner	*Gabonees* Gabonese
inwoonster	*Gabonese* Gabonese
bijv. naamw.	*Gabonees* Gabonese
hoofdstad	*Libreville* Libreville
munt	*CFA-frank* CFA franc
werelddeel	*Afrika* Africa
int. toegangsnummer 241 www .ga auto GAB	

[1]**Gabonees** [de^{m}], **Gabonese** [de^{v}] ⟨man & vrouw⟩ Gabonese, ⟨vrouw ook⟩ Gabonese woman/girl

[2]**Gabonees** [bn] Gabonese

Gabonese [de^{v}] → **Gabonees**[1]

G8 [de^{mv}] ⟨pol⟩ G8

gade [de] ⟨form⟩ spouse, consort ♦ *gade en kroost*↓ wife and children

gadeslaan [ov ww] [1] ⟨observeren⟩ observe, watch [2] ⟨aandachtig de ontwikkeling volgen van⟩ follow, watch (closely) ♦ *ik heb hem van kind af gadegeslagen* I have followed his development since he was a child; *iets met zorg gadeslaan* follow sth. with concern [3] ⟨in het oog houden⟩ watch, ⟨inf⟩ keep an eye on

gadget [het, de^{m}] gadget

gading [de^{v}] [1] ⟨zin⟩ taste ♦ *was er iets van je gading bij?* was there anything you fancied there?; *iedereen vindt hier wel iets van zijn gading* everyone can find sth. here to suit him/his taste [2] ⟨wat iemand bevalt, gelegen komt⟩ liking, line ♦ *hij kon niets van zijn gading vinden* he couldn't find anything to suit him/to his liking/he wanted/in his line

gadogado [de^{m}] gado gado

gadsie [tw], **getsie** [tw], **getver** [tw] ⟨inf⟩ yu(c)k, yech, ⟨AE⟩ ech

gadverdamme [tw] darn, blast, drat, ⟨sterker⟩ damn

gaffel [de] [1] ⟨riek⟩ (two-pronged) fork, ⟨voor het opsteken⟩ pitchfork, ⟨hooivork⟩ hay fork, ⟨drietand van Neptunus⟩ trident [2] ⟨rondhout⟩ gaff [3] ⟨mond⟩ gob, trap

gaffeldissel [de^{m}] (pair of) shafts/shaves

¹gaffelen [onov ww] 1 ⟨met de gaffel werken⟩ fork 2 ⟨snel eten⟩ gobble

²gaffelen [ov ww] ⟨met de gaffel opsteken⟩ pitchfork, pitch

gaffelkruis [het] Y-cross

gaffelschoener [de^m] fore-and-aft schooner

gaffelsleutel [de^m] open-end(ed) spanner

gaffeltopzeil [het] ⟨scheepv⟩ gaff-topsail

gaffeltuig [het] gaff-rig ♦ *een schip **met** gaffeltuig* a gaff-rigged ship

gaffelverbinding [de^v] forked joint/connection

¹gaffelvormig [bn] ⟨met de vorm van een gaffel⟩ forked, ↑ bifurcated, ↑ bifurcate ♦ *een gaffelvormige **vertakking** van een twijg* a fork, ↑ a bifurcation of a twig; *een gaffelvormig **werktuig*** a forked tool

²gaffelvormig [bw] ⟨in de vorm van een gaffel⟩ bifurcately ♦ ⟨biol⟩ *gaffelvormig **gedeeld*** bifurcate(d), dichotomous; *een gaffelvormig **uitgesneden stok*** a forked stick

gaffelzeil [het] gaffsail, fore-and-aft sail, ⟨kleiner⟩ trysail, spencer

gag [de^m] gag

gaga [bn] gaga, dotty, ⟨enkel predicatief⟩ ↑ in one's dotage

gagaat [het] jet

gage [de] pay, ⟨artiesten ook⟩ fee ♦ *matroos **onder** de gage* ship's boy

gagel [de^m] bog myrtle, (sweet) gale

gajes [het] rabble, riffraff

gak [tw] honk

GAK [het] (Gemeenschappelijk Administratiekantoor) Industrial Insurance Administration Office

gakken [onov ww] cackle, gaggle

gal [de] 1 ⟨door de lever afgescheiden vloeistof⟩ ⟨bij mensen⟩ bile, ⟨bij dieren, en ook gesch⟩ gall, ⟨gesch ook⟩ choler, spleen ♦ *het aan de gal hebben* be bilious; *zo bitter **als** gal* as bitter as gall; ⟨fig⟩ *zijn pen **in** gal dopen* dip one's pen in gall, write in gall; *zijn gal **spuwen*** vent one's gall/spleen (on) 2 ⟨uitwas aan bomen, planten⟩ gall, gall-nut, nutgall, ⟨aan eik ook⟩ oak apple 3 ⟨blaasachtig gezwel⟩ (wind-)gall 4 ⟨gif⟩ venom 5 ⟨holte in voorwerpen⟩ ⟨in metaal⟩ flaw, ⟨in glas⟩ blister, bubble ▪ ***zwarte** gal* ⟨gesch; één van de vier levenssappen⟩ melancholy, black bile

gala [het] 1 ⟨partij⟩ gala ♦ ***groot** gala* ± splendid gala occasion 2 ⟨hoffeest⟩ ± court function, ± court occasion 3 ⟨kleding⟩ full dress, ceremonial dress, ⟨hofkleding⟩ court dress ♦ ***in** gala zijn* be in full dress

gala-avond [de^m] gala night

galabal [het] grand ball, ⟨hofbal⟩ state ball

galabanket [het] gala dinner, ⟨hoffeest⟩ state banquet

galachtig [bn] 1 ⟨op gal lijkend⟩ bilious 2 ⟨te veel gal hebbend⟩ bilious, liverish 3 ⟨knorrig⟩ choleric, splenetic, cantankerous, irritable

¹galactiet [de^m] ⟨als voorwerpsnaam⟩ galactite, milkstone

²galactiet [het] ⟨als stofnaam⟩ galactite, milkstone

galactisch [bn] galactic

galactometer [de^m] galactometer

galactorroe [de^v] ⟨med⟩ galactorrhoea, ⟨AE⟩ galactorrhea

galactose [de] galactose, milk sugar

galadiner [het] state banquet/dinner, gala dinner, formal diner

galajurk [de] gala dress

galakleding [de^v], **galakostuum** [het] full dress, state/ceremonial dress, robes of state, formal dress, ⟨hofkleding⟩ court dress ♦ *in galakleding **dineren*** dine in full dress/state, sit down to a (formal) banquet

galakostuum [het] → **galakleding**

galanga [de^m] galangal, galanga

¹galant [bn] 1 ⟨hoffelijk⟩ chivalrous, courteous, courtly, gallant ♦ *een galant **complimentje*** a chivalrous compliment; *de galante **man/ridder** uithangen* play the cavalier; *galante **manieren*** chivalrous manners, elegant manners; *een galante **ridder*** a cavalier, a ladies' man; *galante **woorden** spreken* speak courteously 2 ⟨m.b.t. vrijerij⟩ ♦ *een galant **avontuurtje*** casual affair; *de galante **wereld*** the demimonde

²galant [bw] ⟨op hoffelijke wijze⟩ chivalrously, courteously ♦ *hij weet zich altijd galant te **gedragen*** he always knows how to behave chivalrously/courteously

galanterie [de^v] 1 ⟨mv; artikelen⟩ fancy goods, fancy articles 2 ⟨hoffelijkheid⟩ gallantry, courtliness, courtesy 3 ⟨uitdrukking⟩ gallantry 4 ⟨liefdesavontuurtje⟩ gallantry, intrigue

galappel [de^m] oak apple, oak gall, gallnut, nutgall

galapremière [de] gala première

Galaten [de^mv] Galatians

gala-uniform [het, de] full dress (uniform), dress uniform, ceremonial uniform

galavoorstelling [de^v] gala performance

galbak [de^m] ⟨inf⟩ bastard, son-of-a-bitch

galblaas [de] gallbladder ♦ *een operatie **aan** de galblaas* a gallbladder operation, an operation on one's gallbladder; *röntgenonderzoek **van** de galblaas* cholecystography

galbult [de^m] hives ♦ ***onder** de galbulten zitten* have hives

galei [de] 1 ⟨vaartuig⟩ galley ♦ *iemand **tot** de galeien **veroordelen*** condemn/send/sentence s.o. to the galleys 2 ⟨drukw⟩ galley

galeiboef [de^m] galley slave

galeislaaf [de^m] galley slave ♦ *werken **als** een galeislaaf* work like a galley slave, be chained to the oar

galerie [de^v] gallery

galeriehouder [de^m], **galeriehoudster** [de^v] ⟨eigenaar⟩ gallery owner, ⟨exploitant⟩ manager of a/the gallery

galeriehoudster [de^v] → **galeriehouder**

galerij [de^v] 1 ⟨gang buiten langs, door een gebouw⟩ gallery, ⟨van flat⟩ walkway, ⟨winkelgalerij⟩ (shopping-)arcade, ⟨kloostergang, galerij om abside van kerk⟩ ambulatory ♦ *ze woont bij mij **op** de galerij* ± she lives on my level/on the same level as me 2 ⟨museum-, tentoonstellingszaal⟩ gallery, ⟨voor schilderijen ook⟩ picture gallery ♦ *de galerijen van het **Louvre*** the galleries/rooms of the Louvre 3 ⟨tribune, plaatsen⟩ gallery, ⟨in kerk ook⟩ loft, ⟨engelenbak ook⟩ gods ♦ *acteren/spelen **voor** de galerij* ⟨fig⟩ play to the gallery 4 ⟨mijnb⟩ gallery, heading, level

galerijflat [de^m] gallery ^B flats/^A apartments, galleried ^B flats/^A apartments

galerijhouder [de^m] ⟨in België⟩ gallery owner

galerijwoning [de^v] gallery ^B flat/^A apartment

galg [de] 1 ⟨strafwerktuig⟩ gallows, gibbet, gallows-tree, ± scaffold ♦ *aan de galg **ophangen*** hang on the gallows; ⟨inf⟩ string up; *galgje **spelen*** play hangman; *opgroeien **voor** galg en rad* ⟨ook⟩ run wild; *hij groeit **voor** de galg/**voor** galg en rad op* he'll come to no good 2 ⟨toestel waaraan iets kan worden opgehangen⟩ ⟨bij sommige ambachten⟩ gallows, ⟨voor microfoon⟩ stand, boom, ⟨scheepv⟩ gallows bitt, gallows frame 3 ⟨staak boven een put⟩ hoist 4 ⟨bretel⟩ ⟨alleen mv; BE⟩ braces, ⟨AE⟩ suspenders 5 ⟨stellage⟩ gallows ▪ *het/dat is boter **aan** de galg (gesmeerd)* it/that is wasted effort/a waste of time/to no purpose; ⟨sprw⟩ *wie geboren is om te hangen/voor de galg verdrinkt niet* he that is born to be hanged shall never be drowned

galgenaas [het] gallows-bird, rogue

galgenbrok [de^m] gallows-bird

galgenhumor [de^m] gallows humour

galgenmaal [het] 1 ⟨afscheidsmaal van een veroordeelde⟩ last meal ♦ *het galgenmaal **nuttigen*** eat one's last meal 2 ⟨het laatste maal⟩ ± farewell meal/dinner

galgentronie [de^v] gallows/hangdog face

galgenveld [het] gallows-lee, gallows-field

galgje [het] hangman

Galicië [het] Galicia
Galiciër [de^{m}] Galician
[1]**Galicisch** [het] Galician
[2]**Galicisch** [bn] Galician
galigaan [de] ⟨plantk⟩ [1] ⟨Cladium mariscus⟩ saw sedge, (fen) sedge [2] ⟨Carex acuta⟩ tufted sedge [3] ⟨Aegopodium podagraria⟩ goutweed, bishop's weed [4] ⟨Galega officinalis⟩ goat's rue, French lilac
galigaangras [het] → **galigaan**
Galilea [het] Galilee ◆ *het **meer** van Galilea* the Sea of Galilee, Lake Tiberias
Galileeër [de^{m}] Galilean
Galilees [bn] Galilean
galjoen [het] [1] ⟨zeilschip⟩ galleon [2] ⟨uitbouwing aan de boeg⟩ headknee
galkanaal [het] bile-duct, gall-duct, biliary duct
galkoliek [het, de^{v}] biliary colic
[1]**gallen** [onov ww] [1] ⟨vervelend doen⟩ be galling/vexing/irritating [2] ⟨zwaarmoedig zijn⟩ be melancholic
[2]**gallen** [ov ww] [1] ⟨m.b.t. vis⟩ remove the gallbladder [2] ⟨m.b.t. leer⟩ gall
gallicaans [bn] [•] *de gallicaanse **kerk*** the Gallican Church
gallicisme [het] gallicism
Gallië [het] Gaul
Galliër [de^{m}] Gaul
gallig [bn] [1] ⟨vitterig⟩ choleric, splenetic, irascible, cantankerous, irritable [2] ⟨te veel gal hebbend⟩ bilious, liverish
galligheid [de^{v}] [1] ⟨galachtigheid⟩ biliousness [2] ⟨leverbotziekte⟩ liver rot
gallisch [bn] [•] *ik **word** er helemaal gallisch van* ⟨BE ook⟩ it gives me the hump; ⟨inf⟩ *helemaal gallisch van iets **worden*** get totally fed up with sth.
Gallisch [bn] Gaulish, ⟨m.b.t. Fr vaak scherts⟩ Gallic, ⟨vnl. m.b.t. kerk⟩ Gallican ◆ *de Gallische **haan*** the Gallic cock/cockerel; *de Gallische **oorlog*** the Gallic war; *de Gallische **taal*** Gaulish, the Gaulish language
gallofiel [de^{m}] Gallophil(e), Francophil(e)
gallofobie [de^{v}] Gallophobia, Francophobia
gallomaan [de^{m}] Gallomaniac
gallomanie [de^{v}] Gallomania, Francomania
gallon [het, de^{m}] gallon
Gallo-Romaans [het] Gallo-Roman, Gallo-Romance
galm [de^{m}] [1] ⟨weerklinkende toon⟩ sound, ⟨van klokken⟩ peal(ing) ◆ *de galm van een **hoorn** schalde in de verte* the sound of a horn rang out in the distance [2] ⟨volle klank⟩ booming/resonant voice, booming/resonant sound ◆ *de **luide** galm van zijn stem vulde het hele huis* his booming voice reverberated throughout the house [3] ⟨klankweerkaatsing⟩ resonance, reverberation, ⟨van slechte akoestiek⟩ echo ◆ ***wat** een galm heeft dit vertrek* this room has bad acoustics
galmbak [de^{m}] performance venue with poor acoustics
galmbord [het] [1] ⟨klankbord⟩ soundboard, sounding board [2] ⟨bord in de galmgaten van een toren⟩ louver(-board), louvre
galmei [het] calamine
[1]**galmen** [onov ww] [1] ⟨luid klinken⟩ resound, ⟨orgel, klok⟩ boom, clang, ring, peal ◆ *de **klokken** galmen* the bells peal/chime/ring [2] ⟨klankweerkaatsing voortbrengen⟩ resound, echo, reverberate ◆ *deze zaal galmt **sterk*** this hall resounds/echoes loudly/has a lot of echo; *de gangen galmden **van** het geroep van de kinderen* the corridors resounded with the cries of the children [3] ⟨als een galm voortgebracht worden⟩ (re-)echo, resound ◆ *een galmend **lied*** a resounding song; ⟨fig⟩ *zijn **naam** galmde nog lang door Europa* his name echoed/resounded throughout Europe for a long time
[2]**galmen** [ov ww] [1] ⟨luidkeels uitroepen, zingen⟩ boom, bellow [2] ⟨met een volle klank produceren⟩ resound, ring
galmgat [het] belfry window
galmijt [de] gall mite
galmug [de] gallfly, gall midge/gnat
galnoot [de] gallnut, gall apple, gall, oak apple
galnotenzuur [het] gallic acid
galoche [de] galosh ⟨meestal mv⟩, overshoe ◆ *ik **heb** een galoche **verloren*** I've lost one of my galoshes
galon [het, de^{m}] [1] ⟨lint-, koordvormig weefsel⟩ braid, lace, facing, ribbon ◆ ***gevlochten** galon* braid [2] ⟨stukje weefsel als boordsel⟩ braid, lace, trimming, ⟨uniform ook⟩ facings [3] ⟨band als belegsel⟩ braid, binding, facing, piping, ⟨op broek⟩ stripe ◆ *een lichtblauwe broek met een **geel** galon* light blue trousers with yellow piping/a yellow stripe [4] ⟨bouwk⟩ (ornamental) ribbon
galonneren [ov ww] lace, trim (with braid/piping/lace)
galop [de^{m}] [1] ⟨gang van het paard⟩ gallop ◆ ***gebroken** galop* broken gallop; ***in** galop* at a gallop; ***in** galop **overgaan*** break into a gallop; *een paard **in** galop **brengen*** gallop a horse, put/set a horse galloping/at a gallop; *een **korte** galop* a canter; *in **volle** galop* at a full gallop [2] ⟨m.b.t. personen⟩ gallop ◆ *hij liep **in** galop om vlug terug te zijn* he ran at a gallop (in order) to be back quickly [3] ⟨dans⟩ galop, gal(l)opade [4] ⟨muziekstuk⟩ galop, gal(l)opade
galoppade [de^{v}] [1] ⟨het galopperen⟩ gallop, galloping [2] ⟨dans⟩ galop, gal(l)opade
galoppas [de^{m}] [1] ⟨pas in galop⟩ gallop/galloping step ◆ *een galoppas **maken*** take a galloping step [2] ⟨danspas⟩ galop step
galopperen [onov ww] [1] ⟨in galop gaan⟩ gallop ◆ ***gaan** galopperen* break into a gallop; *een paard **laten** galopperen* gallop/race a horse [2] ⟨zeer snel lopen⟩ gallop, race, run, rush [3] ⟨de galop dansen⟩ galop, gal(l)opade [4] ⟨m.b.t. mechanische voertuigen⟩ hiccup, stamp, pound
galspat [de] bog spavin
galsteen [de^{m}] gallstone, bilestone
galsteenkoliek [het, de^{v}] gallstone/biliary colic, gallstone attack
galstoornis [de^{v}] bilious attack/disorder, trouble with one's gallbladder
galvanisatie [de^{v}] galvanization
[1]**galvanisch** [bn] ⟨van de aard van galvanisme⟩ galvanic, voltaic ◆ *galvanische **elektriciteit*** galvanic electricity, galvanism; *galvanische **stroom/batterij*** galvanic current, voltaic/galvanic battery
[2]**galvanisch** [bw] ⟨met behulp van galvanische stroom⟩ galvanically ◆ *metalen galvanisch **overtrekken*** coat metals galvanically/by galvanization, galvanize/electroplate metals; *ijzer galvanisch **verzinken*** galvanize/zincify iron
galvaniseren [ov ww] [1] ⟨aan galvanische stroom onderwerpen⟩ galvanize [2] ⟨met een laag metaal bedekken⟩ electroplate ◆ *gegalvaniseerd **ijzerdraad/plaatijzer*** galvanized wire/sheet iron [3] ⟨verzinken⟩ galvanize, ⟨elektrolytisch ook⟩ electrogalvanize, ⟨zeldz⟩ zincify
galvanisme [het] galvanism
galvano [de^{m}] ⟨drukw⟩ electrotype
galvanometer [de^{m}] galvanometer
galvanoplastiek [de^{v}] ⟨techn⟩ galvanoplastics, galvanoplasty, electroforming, ⟨drukw⟩ electrotyping, electrotype
galvanoscoop [de^{m}] galvanoscope
galvanotechniek [de^{v}] electroplating
galvanotropisme [het] ⟨natuurk⟩ galvanotropism
galvanotypie [de^{v}] electrotype, electrotyping
galvet [het] cholesterol
galvocht [het] bile, gall
galweg [de^{m}] bile duct, biliary duct/canal, tract, gall duct
galwesp [de] gall wasp
galziekte [de^{v}] [1] ⟨bij de mens⟩ bilious complaint [2] ⟨runderziekte⟩ anaplasmosis

gamander [de] [1] ⟨lipbloemige plant⟩ germander [2] ⟨ereprijs⟩ germander speedwell, ⟨AE vnl⟩ bird's eye speedwell
gamba [de] (jumbo) shrimp
gambe [de] [1] ⟨muziekinstrument⟩ viola da gamba, gamba [2] ⟨orgelregister⟩ gamba bass
Gambia [het] (The) Gambia

Gambia	
naam	*Gambia* The Gambia
officiële naam	*Republiek Gambia* Republic of The Gambia
inwoner	*Gambiaan* Gambian
inwoonster	*Gambiaanse* Gambian
bijv. naamw.	*Gambiaans* Gambian
hoofdstad	*Banjul* Banjul
munt	*dalasi* dalasi
werelddeel	*Afrika* Africa
int. toegangsnummer 220 www .gm auto WAG	

Gambiaan [de^{m}], **Gambiaanse** [de^{v}] ⟨man & vrouw⟩ Gambian, ⟨vrouw ook⟩ Gambian woman/girl
Gambiaans [bn] Gambian
Gambiaanse [de^{v}] → **Gambiaan**
gambiet [het] gambit
game [de^{m}] game
gameboy [de^{m}] ⟨comp⟩ gameboy
gameet [de] gamete
gamel [de] messtin
gamelan [de^{m}] gamelan
gamepad [de^{m}] game pad
gamer [de^{m}] gamer
gaming [de] gaming
gamma [het, de] [1] ⟨Griekse letter⟩ gamma [2] ⟨0,001 mg⟩ gamma, microgram [3] ⟨toonladder⟩ gamut, scale [4] ⟨geordende reeks⟩ gamut, spectrum ◆ *het **hele** gamma van menselijke ervaringen* the entire gamut of human experience
gammadeeltje [het] gamma particle
gammaflitser [de^{m}] gamma flash
gammaglobuline [het] gamma globulin
gammastralen [de^{mv}] gamma rays, gamma radiation ◆ *een onderzoek **met** gammastralen* examination/research using gamma rays/radiation; gamma ray research/examination
gammastraling [de^{v}] gamma radiation
gammawetenschappen [de^{mv}] social sciences, social studies
gammel [bn] ⟨inf⟩ [1] ⟨oud en vervallen⟩ rickety, wobbly, ramshackle, ⟨gebouw⟩ tumbledown, cranky, game, ⟨BE⟩ gammy, ⟨AE⟩ gimpy, ⟨oude mensen⟩ tottery ◆ *een gammele **auto*** a crock; ⟨BE⟩ a clapped-out car; a bomb; *een gammele **brug*** a rickety bridge; *een gammele **constructie*** a ramshackle/shaky/teetering/tumbledown construction; *een gammele **stoel*** a rickety/wobbly chair [2] ⟨lusteloos⟩ rickety, ↑ shaky, ↑ languid, ↑ faint, wonky ◆ *ik **ben** een beetje gammel* I don't feel/am not up to much; I feel a bit the worse for wear
gander [de^{m}] gander
[1]**gang** [de^{m}] ⟨Engels⟩ ⟨groep⟩ gang
[2]**gang** [de^{m}] [1] ⟨doorloop binnen een gebouw⟩ passage(way), corridor, hall(way) ◆ *de gang **dweilen*** mop the floor in the passage/hall(way); *voor straf **op** de gang moeten staan* be sent out into the corridor [2] ⟨pad⟩ passage(way), ⟨tunnel⟩ tunnel ◆ *een gang **graven*** dig a passage/tunnel; *een **ondergrondse** gang* an underground passage(way) [3] ⟨manier van lopen⟩ walk, gait ◆ *de gangen van het **paard*** the horse's gaits; *herkenbaar aan zijn **trage** gang* recognizable by his slow gait [4] ⟨gedraging, handeling⟩ movement ⟨altijd mv⟩, doing ⟨altijd mv⟩ ◆ ***ga** je gang **maar*** ⟨begin maar⟩ (just/do) go ahead; ⟨ga maar verder⟩ (just/do) carry on; ⟨na jou⟩ after you; *zijn eigen gang **gaan*** go one's own way; ⟨inf⟩ do one's own thing, suit o.s.; *stilletjes zijn gang **gaan*** go one's own sweet way; *iemand zijn gang laten **gaan*** ⟨ook⟩ leave s.o. to his own devices; *iemands gangen **nagaan*** watch s.o.'s movements; ⟨inf⟩ tail s.o. [5] ⟨beweging, werking⟩ movement, ⟨snelheid⟩ speed ◆ *ben je weer **aan** de gang?* at it again, are you?; *de les was al **aan** de gang* the lesson had already got going/(got) started; *de zaak **aan** de gang houden* keep the business running/going; *hij bleef maar **aan** de gang* he kept on going/kept on at it; *hé, blijf jij **aan** de gang!* hallo, haven't you finished yet?; *kunnen we **aan** de gang gaan?* can we get going/get to work/ get started?; *een motor **aan** de gang krijgen* get an engine started/going; *zijn jullie allang **aan** de gang?* have you been at it long?; *zo kan ik wel **aan** de gang blijven!* at this rate I'm never going to get finished!; *je moet er niet over **aan** de gang blijven* don't carry/keep on about it; *een proces **in** gang zetten* start a process off, get a process going; ⟨jur⟩ start proceedings; ***op** gang brengen* ⟨lett en fig⟩ prime; *goed **op** gang komen* ⟨ook fig⟩ get into one's stride; *iemand **op** gang helpen* help s.o. to get going, give s.o. a start; *een gesprek weer **op** gang brengen* get a conversation going again; *hij komt altijd wat moeilijk **op** gang* he's a (bit of a) slow starter, he always takes a while/some time to get going; *er gang achter **zetten*** put a spurt on it, speed it up [6] ⟨geleidelijke voortgang, ontwikkeling⟩ course, run ◆ *alles **gaat** zijn gewone gang* everything's running/going normally/(just) as usual; *alles **gaat** weer zijn gewone gang* everything's back to normal; *het leven **hernam** zijn gewone gang* life resumed its normal course; *het feest is in **volle** gang* the party is in full swing; *de voorbereidingen zijn in **volle** gang* the preparations are in full swing/well under way; *de gang van **zaken*** the course of events; *de dagelijkse gang van **zaken*** the daily routine; *de gang van **zaken** is als volgt* the procedure is as follows; *wij betreuren deze gang van **zaken*** we regret this state of affairs; *de verdere gang van **zaken** afwachten* await further developments; *verantwoordelijk zijn voor de goede gang van **zaken*** be responsible for the smooth running of things; *de normale gang van **zaken** is dat ieder voorstel wordt rondgestuurd* the normal procedure is for every proposal to be circulated [7] ⟨m.b.t. spijzen⟩ course ◆ *het diner bestond uit **vijf** gangen* ⟨ook⟩ it was a five-course dinner [8] ⟨loop, tocht ergens heen⟩ trip, journey ◆ *iemand op zijn **laatste** gang begeleiden* accompany s.o. on his last journey; *de (dagelijkse) gang **naar** het werk/**naar** school* the (daily) trip/journey to work/ school; *u kunt zich de gang **naar** het loket besparen door ...* you can save yourself a trip to the ticket-office by ... [9] ⟨in samenstellingen⟩ ◆ ***gehoorgang*** auditory duct/channel/passage/canal, ⟨med ook⟩ auditory meatus [10] ⟨draad, groef van een schroef, bout⟩ thread [11] ⟨plank⟩ strake
gangbaar [bn] [1] ⟨m.b.t. geld⟩ accepted, valid, passable, ⟨wissel⟩ negotiable ◆ *gangbare **munt*** passable/accepted currency [2] ⟨m.b.t. woorden, taal⟩ current, contemporary, ⟨frequent gebruikt⟩ common, usual ◆ *deze uitdrukking is **algemeen** gangbaar* this expression has general currency; *een **minder** gangbare uitdrukking* an uncommon/a less than common/a rarely used expression; *is dat nu gangbaar **Nederlands**?* is that widely used in Dutch?, is that current/ contemporary Dutch?; *een gangbare **uitdrukking*** a current/ standard expression [3] ⟨m.b.t. koop-, handelswaren⟩ popular, in demand, saleable ◆ *weinig gangbare **artikelen*** articles which are not much in demand/not very saleable/ popular; *een gangbare **maat*** a common size [4] ⟨m.b.t. gevoelens, denkbeelden⟩ prevailing, current, prevalent, common, fashionable ◆ *de gangbare **mening** over deze kwestie* the current/prevailing opinion; present-day thinking on this question; *een gangbare **overtuiging/opvatting*** a current/prevailing/common conviction/view [5] ⟨m.b.t. werkwijzen⟩ accepted, usual, common, widespread ◆ *een gangbare **methode*** an accepted method [6] ⟨m.b.t. schroeven, instrumenten⟩ ◆ *vastgeroeste bouten met kruipolie gangbaar*

maken loosen rusted bolts with oil

gangbaarheid [de^v] [1] ⟨geldigheid⟩ (general) acceptance, validity ♦ *de gangbaarheid van* ***bankpapier*** the acceptance of bank notes [2] ⟨het in gebruik zijn⟩ currency, usualness, popularity ♦ *de gangbaarheid van een* ***uitdrukking*** the currency/common usage of an expression [3] ⟨het algemeen aanvaard zijn⟩ commonness, acceptance, prevalence ♦ *de gangbaarheid van een* ***opvatting*** the prevalence of a view [4] ⟨het algemeen toegepast worden⟩ commonness, usualness, acceptance ♦ *de gangbaarheid van deze* ***methode*** the commonness/acceptance of this method

gangbang [de^m] gang bang

gangbangen [onov ww] gang bang

gangboord [het, de^m] gangway

gangdeur [de] door to hall(way)/corridor, passage door

gangenstelsel [het] complex/network/system of corridors, maze ♦ *een* ***onderaards*** *gangenstelsel* underground network; catacomb

Ganges [de^m] the (River) Ganges

gangetje [het] [1] ⟨snelheid⟩ pace, speed, rate ♦ *een* ***flink*** *gangetje hebben* go at a brisk/rapid clip; *een* ***kalm*** *gangetje* an easy/a calm unhurried pace; ***met*** *een gangetje van 150 de bocht door* round the bend/curve at (a speed of) 150 [2] ⟨voortgang⟩ ♦ *alles* ***gaat*** *z'n gangetje* things are going well enough/OK/all right [3] ⟨nauwe doorgang⟩ ⟨steeg⟩ alley(way), lane(way), passage(way), ⟨gang⟩ (narrow) corridor/passage

ganggesteente [het] gang(ue)

gangkast [de] hall cupboard, hall closet

ganglion [het, de^m] ganglion

gangmaakster [de^v] → **gangmaker**

gangmaken [ov ww, ook abs] set the pace ♦ *gegangmaakt* ***door*** paced by, the pace set by; ⟨achter motor⟩ motor-paced by; *zich* ***laten*** *gangmaken* let the pace be set (for one)

gangmaker [de^m], **gangmaakster** [de^v] [1] ⟨iemand die de aanzet geeft tot feestvreugde⟩ (the) life and soul (of a party) ♦ *Jan is een* ***echte*** *gangmaker* Jan is always the life and soul of the party [2] ⟨wielersp⟩ pacesetter, pacemaker, pacer ♦ *rijden* ***met/zonder*** *gangmaker* ride with/without a pacesetter

gangpad [het] aisle, ⟨BE ook⟩ gangway

gangreen [het] ⟨med⟩ gangrene, canker, mortification ♦ ***droog*** *gangreen* dry gangrene; *gangreen* ***krijgen*** get gangrene; ⟨lichaamsdeel⟩ become gangrenous; ***vochtig*** *gangreen* moist gangrene

gangreneus [bn] [1] ⟨van de aard van gangreen⟩ gangrenous ♦ *gangreneuze* ***ontbinding*** decay, decomposition, gangrene [2] ⟨door gangreen aangetast⟩ gangrenous

gangspil [het] capstan

gangster [de^m] gangster, racketeer

gangsterbende [de] gang (of criminals), ⟨sl⟩ mob

gangstereconomie [de^v] gangster economy

gangsterfilm [de^m] gangster film

gangsterliefje [het] ⟨AE; sl⟩ gangster's/gun moll

gangstermethoden [de^mv], **gangsterpraktijken** [de^mv] [1] ⟨van georganiseerde bende⟩ gangster/mob/underworld methods, racketeering, the rackets ♦ *dat zijn je* ***reinste*** *gangstermethoden* that is pure gangsterism, that's the real Chicago touch [2] ⟨alg⟩ shady practices, ↑ unscrupulous practices, ⟨m.b.t. woekerprijzen⟩ daylight robbery

gangsterpraktijken [de^mv] → **gangstermethoden**

gangway [de] [1] ⟨scheepv; gangboord⟩ gangway [2] ⟨loopplank⟩ gangway

gangwissel [de^m] gear-box, transmission

gannef [de^m] [1] ⟨dief⟩ crook, thief [2] ⟨scherts; boef⟩ ⟨vnl. m.b.t. kind⟩ rascal, rogue

[1]**gans** [de] [1] ⟨zwemvogel⟩ goose ♦ *zo dom* ***als*** *een gans* dumb as an ox/thick as a brick; *zij lopen* ***als*** *ganzen achter elkaar* they walk/march in single/Indian file; ***Canadese*** *gans* Canada goose, honker; ***grauwe*** *gans* greylag/^Agraylag (goose); *de sprookjes van* ***Moeder*** *de Gans* the (fairy) tales of Mother Goose [2] ⟨onnozel persoon⟩ goose, twit, ninny ♦ *een* ***domme*** *gans* a silly goose [•] ⟨sprw⟩ *een vette gans bedruipt zichzelf* ± good wine needs no bush; ± nothing succeeds like success

[2]**gans** [bn] ⟨form⟩ ⟨geheel⟩ ⟨ogm⟩ entire, all, whole ♦ *van ganser* ***harte*** ⟨dank, medelijden⟩ with all one's heart; ⟨enthousiasme⟩ wholehearted(ly); *iets van ganser* ***harte*** *doen* do sth. wholeheartedly; *het ganse* ***land*** the whole country; *de ganse* ***wereld*** the entire/whole world [•] ⟨sprw⟩ *met de hoed in de hand komt men door het ganse land* ± there's nothing lost by civility; ± manners maketh man

[3]**gans** [bw] ⟨form⟩ [1] ⟨volstrekt⟩ wholly, entirely, ↓ all, fully, completely [2] ⟨geheel en al⟩ wholly, entirely, ↓ quite, completely

gansje [het] [1] ⟨lett⟩ gosling, little goose, ⟨vnl cul⟩ green goose [2] ⟨fig⟩ goose, twit, ninny ♦ *een* ***dom*** *gansje* a silly goose; ± a dumb blonde; *ik ben niet zomaar een* ***dom*** *gansje* I'm not just a pretty face, you know

gansvogel [de^m] [1] ⟨vogel⟩ goose [2] ⟨mv; vogelfamilie⟩ geese

ganzenbek [de^m] goose bill

ganzenbloem [de] chrysanthemum ♦ ***gele*** *ganzenbloem* corn marigold; ***witte*** *ganzenbloem* moon-daisy, ox-eye/white daisy, marguerite

ganzenbord [het] [1] ⟨spel⟩ (game of) goose [2] ⟨speelbord⟩ goose board

ganzenborden [onov ww] play (the game of) goose

ganzenbout [de^m] goose-leg

ganzendistel [de] ⟨plantk⟩ [1] ⟨melkdistel (Sonchus oleraceus)⟩ milk/sow thistle [2] ⟨akkermelkdistel (Sonchus arvensis)⟩ milk thistle

ganzendons [het] goose down

ganzenei [het] goose egg

ganzenhoeder [de^m], **ganzenhoedster** [de^v] ⟨man & vrouw⟩ gooseherd, ⟨vrouw⟩ goosegirl

ganzenhoedster [de^v] → **ganzenhoeder**

ganzenjacht [de] ⟨handeling⟩ goose-shooting, ⟨jachtpartij⟩ goose shoot ♦ *hij is* ***op*** *ganzenjacht* he's out goose-shooting/on a goose shoot

ganzenlever [de] goose liver, ⟨cul⟩ foie gras

ganzenleverpastei [de] pàté de foie gras, goose liver pàté

ganzenmars [de] ⟨scherts⟩ ⟨ogm⟩ single/Indian file ♦ ***in*** *ganzenmars* in single/Indian file

ganzenoog [het] [1] ⟨oog van een gans⟩ goose eye [2] ⟨tafellinnen⟩ ± broderie anglaise, eyelet embroidery

ganzenoogjes [de^mv] ± eyelets

ganzenpas [de^m] goose step, parade step

ganzenpastei [de] pâté de foie gras, goose liver pâté

ganzenpen [de] (goose) quill (pen)

ganzenpeper [de^m] jugged goose

ganzenspel [het] [1] ⟨spel⟩ (game of) goose [2] ⟨speelbord met toebehoren⟩ (game-of-)goose set

ganzenveer [de] (goose) quill (pen)

ganzenvoet [de^m] ⟨plantk⟩ goosefoot ⟨mv regelmatig⟩ ♦ ***algoede*** *ganzenvoet* Good (King) Henry

[1]**ganzerik** [de^m] ⟨mannetjesgans⟩ gander

[2]**ganzerik** [de] ⟨plantengeslacht⟩ cinquefoil, tormentil ♦ ***kruipende*** *ganzerik* trailing tormentil

gapen [onov ww] [1] ⟨geeuwen⟩ yawn ♦ *gapen* ***van*** *verveling* yawn with boredom; ⟨inf ook⟩ catch flies; *ik* ***zat*** *voortdurend te gapen onder die film* I yawned my way through that film [2] ⟨met open mond staan staren⟩ gape, gawk (at), gawp (at) ♦ *de gapende* ***menigte*** the gaping crowd; *hé, joh,* ***sta*** *niet zo te gapen* don't (just) stand there gawping; *naar iets* ***staan*** *gapen* stand gaping/gawking at sth., stand agape; *zij bleven maar* ***staan*** *gapen* they stood agape [3] ⟨wijde opening hebben⟩ yawn, gape ♦ *een gapende* ***afgrond*** ⟨ook fig⟩ a yawning abyss; *een gapende* ***bres*** a gaping breach; *een gapend* ***gat*** a gaping hole; *het gapend* ***graf*** ⟨lett⟩ the yawning/open grave; ⟨fig⟩ ± the jaws of death; *een gapend* ***hol*** the open mouth of a cave; *een gapende* ***kloof*** a gaping cleft/rift; *er gaapt een diepe* ***kloof*** *tussen de twee partijen* there is a wide gap/a yawning gulf between the two parties/sides; *een gapende* ***wond*** a gaping wound, a gash ⊡ ⟨sprw⟩ *die te wijd gaapt, verstuikt de mond* grasp all, lose all

^{1}**gaper** [de^{m}] ① ⟨houten beeld⟩ (sign outside) chemist's shop ② ⟨schelpdier⟩ gaper, (gaping) clam, mollusk

^{2}**gaper** [de^{m}], **gaapster** [de^{v}] ⟨iemand die gaapt⟩ yawner

gaperig [bn] yawny

gaping [de^{v}] ① ⟨wijde opening⟩ gap, chasm, ⟨het wijd open staan⟩ yawning ② ⟨gat, scheur⟩ gap, slit, ⟨scheur⟩ rent, ⟨gat⟩ hole ♦ *een* ***wijde*** *gaping was in de slagorde gemaakt* a wide breach had been made in the ranks

gapkoers [de^{m}] ⟨handel⟩ nominal rate, made-up price

gappen [ov ww] ⟨inf⟩ pinch, swipe, filch, pilfer, collar, lift, make off with ♦ *ze hebben/iemand heeft mijn* ***fiets*** *gegapt* they've/somebody's (gone and) pinched/lifted my bike

gapper [de^{m}] pilferer, lifter, filcher, snatcher

garage [de^{v}] ① ⟨autostalling⟩ garage ② ⟨bedrijf⟩ garage, service station ♦ *de auto moet* ***naar*** *de garage* the car has to go to the garage/be serviced

garagebox [de^{m}] garage

garagedeur [de] garage door

garagehouder [de^{m}] ⟨eigenaar⟩ garage owner, ⟨exploitant⟩ garage manager, ⟨inf⟩ garageman

garagist [de^{m}] ⟨in België⟩ ① ⟨garagehouder⟩ ⟨eigenaar⟩ garage owner, ⟨exploitant⟩ garage manager, ⟨inf⟩ garageman ② ⟨automonteur⟩ car mechanic, motor mechanic

garanderen [ov ww] guarantee, warrant, vouch for, underwrite ♦ *gegarandeerd echt* ***goud*** hallmarked gold; *dat garandeer ik* ***je*** I guarantee you that; *ik* ***kan*** *niet garanderen dat je slaagt* I cannot guarantee that you will succeed; *gegarandeerd* ***krimpvrij*** guaranteed non-shrinkable/shrink resistant; *een gegarandeerde* ***lening*** a guaranteed loan; *alle* ***onderdelen*** *worden één jaar gegarandeerd* all parts are guaranteed/under guarantee for one year/have one year's guarantee; *gegarandeerd!* yes sir/madam!; *gegarandeerd de beste/de laagste prijzen* rock bottom prices, you can't beat our prices, lowest prices anywhere; ⟨BE ook⟩ never knowingly undersold

garant [de^{m}] guarantor, guarantee underwriter ⟨bijvoorbeeld van emissie⟩, ⟨jur⟩ surety ♦ *garant* ***staan*** *voor de schulden van zijn vrouw* stand surety for one's wife's debts; *zijn aanwezigheid* ***staat*** *garant voor een gezellige avond* his presence ensures/guarantees a pleasant/enjoyable evening; *zich garant* ***stellen*** *voor* act as guarantor/stand surety for, underwrite, vouch for

garantie [de^{v}] guarantee, ⟨m.b.t. emissies⟩ warranty, surety, underwriting ♦ *ik heb* ***geen*** *garantie meer* I no longer have any/a guarantee; *iemand garanties* ***geven*** guarantee s.o. (sth.); *iemand de garantie* ***geven*** *dat ...* guarantee s.o. that ...; ***levenslange*** *garantie* lifetime guarantee; ***met*** *volledige garantie* fully guaranteed; *dat valt niet* ***onder*** *de garantie* that is not covered by the guarantee; *een lening* ***onder*** *garantie van de gemeente* ± a (local) government backed loan; *drie jaar garantie* ***op*** *iets krijgen* get/obtain a three year guarantee on/for sth.; *er zit een vol jaar garantie* ***op*** *dit apparaat* this appliance carries/comes with a full year's guarantee; *een* ***schriftelijke*** *garantie geven* give a written guarantee/a warranty; *dat is een garantie* ***voor*** *succes* that is a guarantee for success, success guaranteed

garantieaandeel [het] qualification share

garantiebaan [de] guaranteed job, guaranteed employment for youngsters after finishing a course

garantiebewijs [het], **garantiekaart** [de] guarantee (card), warranty, certificate of guarantee, ⟨aan artikel gehecht, ook⟩ guarantee label/tag

garantiefonds [het] guarantee fund, contingency fund

garantiekaart [de] → **garantiebewijs**

garantiekrediet [het] credit guarantee

garantieprijs [de^{m}] guaranteed price, support price

garantietermijn [de^{m}] period/term of guarantee, warranty period ♦ *de garantietermijn* ***is verlopen*** the period/term of guarantee has expired/is up

garantieverdrag [het] treaty of guarantee

garantieverklaring [de^{v}] guarantee, warranty

garantieverlener [de^{m}] guarantor, ⟨bij obligaties e.d.⟩ bond(sman), surety, obligator

garantievermogen [het] capital case, guarantee capital/funds

garantievoorwaarden [de^{mv}] guarantee conditions, terms of guarantee

garbanzo [de^{m}] garbanzo, chick pea

garçon [de^{m}] ⟨in België⟩ waiter

gard [de] ① ⟨keukengereedschap⟩ whisk, beater ② ⟨roede⟩ rod, birch

Gardameer [het] Lake Garda

^{1}**garde** [de^{m}] ⟨keukengereedschap⟩ whisk, beater

^{2}**garde** [de] ① ⟨lijfwacht⟩ guard(s) ♦ *de* ***pauselijke*** *garde* the papal/Swiss guard ② ⟨keurbende⟩ guard ♦ *de* ***nationale*** *garde* the national guard ⊡ *(iemand van) de* ***oude*** *garde* (one/a member of) the Old Guard

gardenia [de] ① ⟨plantengeslacht⟩ Gardenia ② ⟨bloem⟩ gardenia

garderegiment [het] Guards regiment, regiment of Guards ♦ *garderegiment van* ***infanteristen*** Foot Guards

garderobe [de] ① ⟨kledingstukken⟩ wardrobe ♦ *een* ***uitgebreide*** *garderobe bezitten* own/possess an extensive wardrobe ② ⟨vestiaire⟩ cloakroom ③ ⟨kleerkast⟩ wardrobe, ⟨AE alleen⟩ closet

garderobejuffrouw [de^{v}] cloakroom/^{A}checkroom attendant, hatcheck girl

gardiaan [de^{m}] guardian, superior

gardist [de^{m}] guard

gareel [het] (horse)collar, harness, gear, tackling ♦ ***in*** *het gareel lopen/blijven* toe the line; ⟨fig⟩ *de boel* ***in*** *het gareel houden* keep the place under control/in order; ⟨fig⟩ *iemand (weer)* ***in*** *het gareel brengen* bring s.o. to heel, make s.o. toe the line, subdue s.o.; *kinderen stevig* ***in*** *het gareel houden* keep children (firmly) in line; *een paard* ***in*** *het gareel slaan/spannen* put a horse in harness, harness a horse

^{1}**garen** [het] ① ⟨draad⟩ thread, yarn, ⟨naaigaren⟩ cotton, ⟨van wol⟩ wool(len yarn) ♦ *garen* ***afwinden*** wind/reel (off) yarn/wool; *in garen en* ***band*** *doen* sell ^{B}haberdashery/^{A}notions; ***enkel*** *garen* single-ply yarn; ***getwijnd*** *garen* twine, twist; ⟨fig⟩ *geen* ***goed*** *garen van iets kunnen spinnen* not be able to make anything of sth.; *een* ***klosje*** *garen* a reel/spool of thread, a reel of yarn; *een* ***kluwen*** *garen* a ball of yarn, a cop; ⟨fig⟩ *garen* ***spinnen*** *bij* reap profit from; *je zult er garen bij* ***spinnen*** there is money in it for you; ⟨fig⟩ *met hem is het moeilijk garen te* ***spinnen*** he is difficult/hard to deal with, you don't get very far with him; ***tweedraads/driedraads*** *garen* two-ply/three-ply yarn; *garen* ***tweernen/twijnen*** twine/twist thread(s)/yarn; ⟨fig⟩ ***zuiver*** *garen spinnen* be on the level; *het is goed spinnen van andermans garen* it's easy to be generous when you're not paying for it ② ⟨touw voor netten, strikken⟩ string, twine

^{2}**garen** [bn] thread ♦ *garen* ***handschoenen*** lace/lisle gloves

garen-en-bandwinkel [de^{m}] ⟨BE⟩ haberdashery, ⟨BE⟩ haberdasher's (shop)

garenhaspel [de^{m}] (yarn-)reel, cop

garenklos [de^{m}] spool, reel, cop

garennummer [het] count

garenspinnerij [de^{v}] ① ⟨het spinnen⟩ (yarn-)spinning ② ⟨werkplaats⟩ (yarn-)spinning mill, mill

garentwijnder [de^{m}], **garentwijnster** [de^{v}] thread-twister

garentwijnster [de^{v}] → **garentwijnder**
garf [de] sheaf
gargouille [de] gargoyle, waterspout
garibaldi [de^{m}] ⟨BE⟩ bowler (hat), ⟨AE⟩ derby
garnaal [de^{m}] [1] ⟨schaaldier⟩ shrimp, ⟨steur⟩ prawn ♦ *een broodje garnaal* a shrimp/prawn roll/sandwich; ⟨inf ook; BE⟩ shrimp butty; *garnalen eten* eat shrimp/prawns; *de gewone garnaal wordt in Nederland veel gegeten* the common shrimp is eaten a lot in the Netherlands; *Hollandse garnalen* Dutch shrimps; *Noorse garnalen* ⟨als gerecht⟩ scampi; *op garnalen vissen* shrimp, prawn, fish for shrimp/prawn; *garnalen pellen* peel/shell shrimps [2] ⟨mv; onderorde van de tienpotigen⟩ prawn, ⟨AE vnl⟩ shrimp [3] ⟨persoon⟩ shrimp, runt, ⟨AE ook⟩ peewee
garnaalkruien [ww] ⟨in België⟩ shrimping
garnalencocktail [de^{m}] shrimp/prawn cocktail
garnalenkroket [de] shrimp croquette/fritter/rissole, prawn croquette/fritter/rissole
garnalenpeller [de^{m}], **garnalenpelster** [de^{v}] shrimp-peeler
garnalenpelster [de^{v}] → **garnalenpeller**
garnalenplant [de] shrimp plant
garnalenvangst [de] shrimping, shrimp fishing, prawning ♦ *op garnalenvangst gaan* go shrimping, fish for shrimp
garnalenverstand [het] bird-brain, pea-brain, pinhead, feather-brain
garnalenvingertje [het] ± baby's finger, ± tiny finger (of baby)
garnalenvisser [de^{m}] shrimper, ⟨boot ook⟩ prawner
garnalenvisserij [de^{v}] shrimping, prawning, shrimp/prawn fishing
garnalenvloot [de] [1] ⟨vissersscheepjes⟩ shrimp fleet, shrimp boats ⟨mv⟩, shrimpers ⟨mv⟩ [2] ⟨kleine vaartuigen⟩ (bunch of) toy boats
garneerband [het] (band of) trim ♦ *afzetten met garneerband* embellish/finish with trim, trim
garneersel [het] → **garnituur**
garneerspuit [de] piping nozzle
garneren [ov ww] [1] ⟨versieren⟩ ⟨vnl. gerechten⟩ garnish, ⟨kleding⟩ trim, decorate, ⟨afwerken⟩ finish ♦ *een met kant gegarneerde jurk* a dress trimmed/finished with lace; *een salade garneren met een schijfje tomaat* garnish a salad with a slice of tomato; *een taart garneren* decorate a cake [2] ⟨m.b.t. scheepslading⟩ dunnage [3] ⟨m.b.t. aardewerk⟩ finish
garnering [de^{v}] [1] ⟨het garneren, beleggen⟩ ⟨m.b.t. gerechten⟩ garnishing, ⟨kleding⟩ trimming, decoration, embellishment [2] ⟨garneersel⟩ → **garnituur** [3] ⟨scheepv; losse beplanking⟩ dunnage
garnituur [het] [1] ⟨garneersel⟩ garnish(ing), trim(ming(s)), decoration(s), garniture, ornament, detail ♦ *een garnituur van zijde* a silk trim [2] ⟨stel voorwerpen ter versiering⟩ accessories ⟨mv⟩, accountrements ⟨mv⟩, ⟨inf⟩ gear, ⟨stel⟩ set, ensemble ♦ *de vorstin droeg een prachtig diamanten garnituur* the princess wore a magnificent set of diamonds [3] ⟨keuze⟩ rate, class, choice ♦ *van het tweede garnituur* second rate/class; *een speler van het tweede garnituur* ⟨bijvoorbeeld voetb⟩ a second-string player, ⟨bijvoorbeeld instrument⟩ a second-rate player
garnizoen [het] garrison ♦ *het garnizoen van Den Bosch* the garrison at/in Den Bosch, the Den Bosch garrison; *garnizoen houden* be in garrison/be garrisoned (at/in), be stationed (at/in); ⟨fig⟩ *grote parade en klein garnizoen* much ado about nothing, big song and dance about nothing; *een garnizoen leggen in* garrison (at/in); *zich naar zijn garnizoen begeven* report/withdraw/retire/return to (one's) garrison/quarters
garnizoenscommandant [de^{m}] garrison commander, ⟨gesch⟩ town major
garnizoensplaats [de] garrison (town)
garnizoensstad [de] garrison town
garoeda [de^{m}] garuda
garstig [bn, bw] rancid, rotten, bad, ⟨vlees⟩ measty
garstigheid [de^{v}] [1] ⟨garstige smaak⟩ rancidity, rancidness [2] ⟨gortigheid⟩ rancidity, rancidness, rottenness
^{1}**garven** [onov ww] ⟨garven van het land voeren⟩ gather sheaves
^{2}**garven** [ov ww] ⟨in garven binden⟩ sheaf, gather sheaves, bind into sheaves
gas [het] [1] ⟨stof in luchtvormige toestand⟩ gas ♦ *chloor is bij gewone temperatuur en druk een groengeel gas* at normal temperatures and (under normal) pressure, chlorine is a greenish-yellow gas; ⟨natuurk⟩ *een ideaal gas* a(n) perfect/ideal gas; *een inert gas* a(n) inert/noble/rare/indifferent gas; *in de dikke darm kan zich veel gas ophopen* a lot of gas/wind can build up in the large intestine; *vloeibaar gas* liquid gas [2] ⟨motorgas⟩ mixture, ⟨inf⟩ gas ♦ *een dot gas geven* give the gun; *gas geven* accelerate, step on the gas, step on it, put one's foot down; *de auto rijdt op gas* the car runs on LPG/gas; *gas terugnemen* ⟨lett⟩ throttle back/down; ⟨fig⟩ cool it/off, let up, go easy, take things easy; ⟨beide⟩ ease off/up, slow down; *vol gas geven* give full throttle, ⟨BE⟩ put (one's) foot right down, ⟨BE⟩ go flat out, ⟨AE⟩ floor it; *vol gas de bocht door* (round the bend) at full speed [3] ⟨gifgas⟩ (poison) gas [4] ⟨brandbaar mengsel⟩ gas, ⟨voor auto's i.h.b.⟩ LPG ♦ *op gas koken* cook with/by gas; *niet op het gas aangesloten zijn* not piped for gas, not have gas (laid on); *het gas opnemen* read the gas meter; *ik ruik gas, staat er een kraantje open?* I (can) smell gas, is there a tap on?; *wij stoken gas* our central heating is gas-fired, our heating system runs on gas, we have gas(-fired) (central) heating; *voorzien van gas en waterleiding* connect/link to the gas and water supply/main; *gas, water en elektra* gas, water and electricity [5] ⟨gasfornuis⟩ gas (cooker/stove/oven) ♦ *het gas aansteken/uitdraaien* light/turn off the gas; *het gas hoger/lager draaien* turn up/down the gas, turn the gas up/down; *iets op het gas zetten* put sth. on (the gas)
gasaanleg [de^{m}] gas fitting/installation
gasaansteker [de^{m}] [1] ⟨apparaatje om het gas aan te steken⟩ gas lighter [2] ⟨aansteker⟩ gas lighter
gasaanval [de^{m}] gas attack
gasachtig [bn] gaseous, gassy, gasiform
gasafsluiting [de^{v}] turning off the gas, disconnecting the gas, ⟨als strafmaatregel⟩ cutting off the gas
gasanalyse [de^{v}] gas analysis
gasarm [bn] ⟨kolen⟩ lean, ⟨alg⟩ poor in gas, with a low gas content
gasautomaat [de^{m}] (coin-operated/pre-payment) gas meter
gasbalans [de] gas balance
gasbedrijf [het] ⟨productie⟩ gasworks, ⟨levering⟩ gas company, ⟨BE⟩ gasboard
gasbek [de^{m}] gas jet/burner
gasbel [de] [1] ⟨in een vloeistof⟩ gas bubble/pocket [2] ⟨in de aardschors⟩ gasfield, gas deposit ♦ *de gasbel van Slochteren* the natural gas deposit(s) of Slochteren
gasbenzine [de] gasoline
gasbeton [het] aerated/cellular concrete
gasboei [de] gas buoy
gasboiler [de^{m}] gas boiler, hot-water heater
gasboring [de^{v}] gas drilling
gasbrander [de^{m}] [1] ⟨gaspit⟩ gas jet/burner [2] ⟨toestel⟩ gas burner, gas ring
gasbron [de] gas well, gasser
gasbuis [de] [1] ⟨waardoor (aard)gas geleid wordt⟩ gas pipe(line), ⟨huisaansluiting⟩ service pipe, ⟨hoofdleiding⟩ gas main(s) [2] ⟨op een geweer⟩ gascheck
Gascogne [het] Gascony
gascogner [de^{m}] gascon, braggart, show-off
Gascogner [de^{m}] Gascon

gascokes [de] gas coke
gasconnade [de^v] bravado, boasting, gasconnade, bragging, braggadocio
gasconstante [de] ⟨natuurk⟩ gas constant
gasconvector [de^m] gas convector (heater)
gasdampen [de^mv] gas fumes/vapours
gasdetector [de^m] gas detector
gasdicht [bn, bw] gasproof, gastight ◆ *iets gasdicht **afsluiten*** make sth. gasproof; *een gasdichte **verbinding*** a gastight connection
gasdiffusie [de^v] gas diffusion, diffusion of gases
gasdistributie [de^v] gas distribution
gasdruk [de^m] gas pressure
gaseruptie [de^v] gas blow-out
gasexplosie [de^v] gas explosion
gasfabriek [de^v] gasworks, gas plant
gasfitter [de^m] gas fitter, gasman, ⟨tevens loodgieter⟩ plumber
gasfles [de] gas cylinder/cannister
gasfornuis [het] ⟨vnl BE⟩ gas cooker, ⟨vnl AE⟩ gas stove, ⟨AE ook⟩ gasrange
gasgeiser [de^m] gas water-heater/boiler, ⟨BE ook⟩ geyser
gasgenerator [de^m] (gas) generator, (gas) producer
gasgloeilamp [de] (incandescent) gas-lamp, (incandescent) gas-light
gashaard [de^m] → **gaskachel**
gashendel [het, de^m] throttle (lever)
gashond [de^m] sniffer dog
gashouder [de^m] gasholder, gastank, gasometer
gasinstallatie [de^v] gas piping/pipework
gasje [het] gas ring, gas burner
gaskachel [de], **gashaard** [de^m] gas heater/fire
gaskamer [de] [1] ⟨kamer waarin levende wezens vergast worden⟩ gas chamber, gas oven, lethal chamber, ⟨voor ongedierte⟩ fumatorium, fumigation chambre [2] ⟨gasdichte kamer⟩ airtight/gastight chamber, airtight/gastight room [3] ⟨ruimte waarin fruit lang bewaard kan worden⟩ gas storage room
gasketel [de^m] gasholder, gasometer
gaskoeling [de^v] [•] *met gaskoeling* gas-cooled
gaskomfoor [het] ⟨vnl BE; fornuis⟩ gas cooker, ⟨vnl AE⟩ gas stove, ⟨pit⟩ gas ring, gas burner
gaskool [de] [1] ⟨retortenkool⟩ gas coal [2] ⟨steenkolen die zeer lichtgevend gas leveren⟩ gas coal, cannel (coal)
gaskraan [de] gas tap ◆ *de gaskraan **open/dichtdraaien*** turn on/off the gas (tap)
gaslamp [de], **gaslantaarn** [de] gas lamp, gaslight
gaslantaarn [de] → **gaslamp**
gasleiding [de^v] gas pipe(s), ⟨huisaansluiting⟩ service pipe, ⟨hoofdleiding⟩ gas main(s) ◆ *een gasleiding **aanleggen*** install/lay on gas, connect to the gas supply, lay/put down gas pipes
gaslek [het] gas leak(age)/escape ◆ ***naar** een gaslek **zoeken*** look for/investigate the source of a gas leak/escape
gaslevering [de^v] supply of gas, gas supply ◆ *de gaslevering **staken*** cut-off the gas supply
gaslicht [het] gaslight
gaslucht [de] gas smell, smell of gas
gasman [de^m] gasman
gasmasker [het] gas mask, gas helmet
gasmengsel [het] gas mixture, gas compound
gasmeter [de^m] gasmeter ◆ *de gasmeter **opnemen*** read the gasmeter
gasmotor [de^m] gas engine/motor, vapour engine
gasnet [het] (gas) main(s), (gas) grid ◆ *iemand **op** het gasnet **aansluiten*** connect s.o. to the mains
gasolie [de] gas oil
gasoline [de] [1] ⟨vluchtige benzine⟩ benzin(e) [2] ⟨petroleumether⟩ petroleum ether [3] ⟨mengsel⟩ ligroin
gasontlading [de^v] corona discharge
gasontladingslamp [de] gas discharge lamp
gasontwikkeling [de^v] generation of gas ◆ *als er gasontwikkeling **optreedt*** if gas is generated
gasoorlog [de^m] gas warfare
gasopnemer [de^m] gasmeter reader, ⟨inf⟩ gasman
gasoven [de^m] ⟨in keuken⟩ gas oven, ⟨ind⟩ gas furnace, ⟨in dierenasiel⟩ gas/lethal chamber
gaspatroon [de] gas cartridge
gaspedaal [het, de^m] accelerator (pedal), ⟨AE ook⟩ gas pedal, throttle (lever) ◆ *het gaspedaal **indrukken/intrappen*** step on/press down the accelerator/the gas pedal
gaspeldoorn [de^m] furze, gorse, whin
gaspenning [de^m] gasmeter coin/token
gaspijp [de] gaspipe(-line), gas fitting
gaspit [de] gas ring/burner
gasprijs [de^m] gas price/tariff
gasradiator [de^m] gas radiator
gasregulateur [de^m] gas (pressure) regulator/control
gasrekening [de^v] gas bill
gasreserve [de] gas reserves, gas deposit(s)
gasretort [de] gas retort
gassen [ov ww] fumigate, gas
gasslang [de] gas hose/tube
gasstel [het] gas ring/burner/range
gast [de^m] [1] ⟨logé, eter⟩ guest, visitor, ⟨blijft slapen⟩ lodger ◆ *zij **hebben** vaak gasten* they entertain a lot/often; *een **hoge** gast* an important guest/visitor; ***ongenode** gasten* uninvited/unwelcome guests; ⟨inf⟩ gatecrashers; *gasten **ontvangen/hebben*** entertain (guests); *bij iemand **te** gast zijn* be s.o.'s guest, be put up/entertained by/stay with s.o.; *gasten **uitnodigen/ontvangen/hebben*** invite/receive/have guests; *een **welkome** gast* a welcome guest [2] ⟨persoon m.b.t. degene die hem vrijhoudt⟩ guest ◆ *je **bent** vanavond mijn gast* you're my guest this evening, the/this evening is on me [3] ⟨m.b.t. de horeca⟩ guest, visitor, customer ◆ ***vaste** gasten* ⟨hotel⟩ regular guests; ⟨restaurant, café⟩ regular customers/clients, ⟨inf⟩ regulars; *er **zijn** dit jaar veel gasten in de badplaatsen* there are a lot of visitors at the seaside resorts/seaside visitors this year [4] ⟨(toneel)speler⟩ guest, guest artist/actor/actress ⟨enz.⟩ ◆ *met N. **als** gast* with N. as guest (artist/performer/star) [5] ⟨sport; mv⟩ guests, visiting/guest team, visiting/guest players, visitors [6] ⟨inf; persoon⟩ customer, chap, ⟨BE⟩ bloke, ⟨AE⟩ guy, fellow ◆ *wat een **rare** gast ben je toch!* you're/you certainly are a strange/an odd customer/a very odd customer indeed!; *die gasten **zijn** altijd te laat* that bunch/crowd are always late [•] ⟨sprw⟩ *zoals de waard is, vertrouwt hij zijn gasten* ± ill doers are ill deemers; ± evil doers are evil dreaders; ⟨sprw⟩ *gasten en vis blijven maar drie dagen fris* fish and guests smell in three days; ± a constant guest is never welcome
gastank [de^m] gastank
gastanker [de^m] gas tanker
gastarbeid [de^m] foreign labour, guest workers
gastarbeider [de^m] immigrant/migrant/foreign worker, guest worker ◆ *de **bijdrage** van gastarbeiders aan de nationale economie* the contribution of foreign labour to the national economy
gastarief [het] gas rate/tariff
gastcollege [het] guest lecture ◆ *een serie gastcolleges **geven*** deliver/give/hold a series/course of guest lectures
gastdirigent [de^m] guest conductor ◆ ***als** gastdirigent **optreden*** appear as guest conductor; *met **als** gastdirigent K.B.* with K.B. as guest conductor
gastdocent [de^m] visiting lecturer
gastdocentschap [het] visiting lectureship ◆ *een gastdocentschap **vervullen*** hold a visiting lectureship, be (a) visiting lecturer
gasteler [de^m] market-gardener using gas to heat his hothouse(s), ⟨AE⟩ truck farmer using gas to heat his hothouse(s)

gastenboek [het] [1] ⟨in een hotel⟩ hotel register, visitors'/guest book [2] ⟨m.b.t. een instelling, receptie⟩ ⟨begrafenis⟩ (mourners'/attendants') register, ⟨pensioen⟩ register of guests, guest book, ⟨receptie, kerk enz.⟩ visitors' book [3] ⟨van website⟩ guest book
gastendoekje [het] guest towel
gastenkamer [de] [1] ⟨logeerkamer⟩ spare room, guest room [2] ⟨ontvangstkamer⟩ parlour
gastenkwartier [het] guest/visitors' rooms, guest/visitors' wing
gastenverblijf [het] guest/visitors' rooms, guest/visitors' wing ♦ *in het gastenverblijf onderbrengen* put (s.o.) up in the guest rooms
gasteren [onov ww] appear/perform as guest artist, star
gastgezin [het] [1] ⟨gezin dat tijdelijk gastvrijheid biedt⟩ host family ♦ *buitenlandse bezoekers **bij** gastgezinnen onderbrengen* arrange accommodation of foreign visitors with host families [2] ⟨pleeggezin⟩ foster family
gastheer [de^m] [1] ⟨heer des huizes⟩ host ♦ ***als** gastheer optreden* act as host [2] ⟨sport⟩ host, home team/players/club [3] ⟨biol⟩ host [4] ⟨radio/tv⟩ host
gastheorie [de^v] theory of gases ♦ ***kinetische** gastheorie* kinetic theory of gases
gasthermometer [de^m] gas thermometer
gasthoogleraar [de^m] visiting professor
gasthoogleraarschap [het] visiting professorship
gasthuis [het] hospital, ⟨voor arme/terminale patiënten ook; AE⟩ hospice ♦ ***in** het gasthuis liggen* be in hospital, ⟨AE⟩ be in the hospital
gastland [het] [1] ⟨m.b.t. wedstrijden, festivals⟩ host country ♦ ***als** gastland optreden voor het Eurovisie songfestival* host the Eurovision song contest [2] ⟨m.b.t. vluchtelingen⟩ host country
gastmaal [het] banquet, feast
gastmoeder [de^v] guest parent
gastoestel [het] gas appliance
gastoeter [de^m] air horn
gastoevoer [de^m] gas supply ♦ *de gastoevoer **afsluiten*** cut/shut off the gas supply
gastoptreden [het] guest appearance/performance
gastouder [de^m] host mother/father, ⟨mv⟩ host family
gastplant [de] epiphyte
gastrilogie [de^v] ventriloquism
gastriloog [de^m] ventriloquist, gastriloquist
gastrisch [bn] gastric ♦ *gastrische **koortsen*** gastric fever/flu
gastritis [de^v] ⟨med⟩ gastritis
gastro-enteritis [de^v] ⟨med⟩ gastroenteritis
gastro-enterologie [de^v] ⟨med⟩ gastroenterology
gastrol [de] guest appearance, ⟨belangrijke gastrol⟩ star role/part, (co-)star ♦ *met B.B. **in** een gastrol* with B.B. as a special guest; *een gastrol **spelen/vervullen*** appear as guest artist, (co-)star
gastrologie [de^v] ⟨med⟩ gastrology
gastroloog [de^m] ⟨med⟩ gastrologist
gastromanie [de^v] (epicurian) gluttony/gulosity
gastronomie [de^v] gastronomy
gastronomisch [bn, bw] gastronomic ⟨bw: ~ally⟩, gastronomical, convivial ♦ *gastronomische **bijeenkomsten*** convivial gatherings; *een gastronomisch **festijn*** a gastronomic feast
gastronoom [de^m] gastronome, gourmet, epicure
gastropathie [de^v] gastropathy
gastroscoop [de^m] ⟨med⟩ gastroscope
gastroscopie [de^v] gastroscopy
gastspeler [de^m] visiting player
gastspreekster [de^v] → **gastspreker**
gastspreker [de^m], **gastspreekster** [de^v] guest speaker
gasturbine [de^v] gas turbine
gastvoorstelling [de^v] guest performance, guest production ♦ *een gastvoorstelling **geven*** star, appear as a guest star
gastvrij [bn, bw] hospitable, welcoming ♦ ⟨fig⟩ *een gastvrij **huis*** an open house; *hij **is** voor vreemden en bekenden steeds even gastvrij* he welcomes/opens his doors to strangers and acquaintances alike; *een gastvrij **onthaal** vinden* receive a warm welcome; *iemand een gastvrij **onthaal** bereiden* give s.o. a warm welcome; *onze studenten vinden er altijd een gastvrij **onthaal*** our students are always welcomed there; *iemand gastvrij **onthalen*** entertain/treat s.o. well, ⟨inf⟩ do s.o. well; ⟨inf⟩ give s.o. a good time; *iemand gastvrij **ontvangen/opnemen*** welcome s.o. (warmly), extend a warm welcome to s.o.
gastvrijheid [de^v] [1] ⟨gulheid in het onthalen⟩ hospitality ♦ *bedankt **voor** de gastvrijheid* thank you for having me/for your hospitality; *misbruik maken van iemands gastvrijheid* impose upon s.o.'s hospitality [2] ⟨het opnemen, opgenomen worden als gast⟩ hospitality ♦ *bij iemand gastvrijheid **genieten*** enjoy/be given s.o.'s hospitality; *gastvrijheid **verlenen*** offer/extend hospitality
gastvrouw [de^v] [1] ⟨vrouw des huizes⟩ hostess [2] ⟨hostess⟩ hostess
gasuitlaat [de^m] fume extractor
gasveer [de] damper, gas spring
gasveld [het] gasfield
gasverbruik [het] gas consumption
gasverbruiker [de^m] gas consumer/user, consumer of gas
gasverdichter [de^m] gas condenser
gasvergiftiging [de^v] gas poisoning
gasverlichting [de^v] gas light(ing)
gasverwarming [de^v] gas heating, gas-fired central heating ♦ ***met** gasverwarming* gas-heated
gasvlam [de] gas flame, gas jet
gasvondst [de^v] discovery of gas, gas discovery
gasvormig [bn] gaseous, gassy, gasiform, aeriform
gasvorming [de^v] gasification, formation/generation of gas, ⟨in buik⟩ tympanites, tympany ♦ *indien gasvorming **optreedt*** in the event of gasification
gasvrij [bn] gas free, free of gas
gasvulling [de^v] gas-filled cartridge
gaswolk [de] [1] ⟨opeenhoping van gas⟩ gas cloud, concentration of gas ♦ *raketten die gaswolken **uitstoten*** rockets/missiles emitting gas trails/clouds; *een **verstikkende** gaswolk* an asphyxiating gas cloud [2] ⟨opeenhoping van deeltjes⟩ cloud of gas/dust, nebula ♦ ***interstellaire** gaswolken* interstellar clouds of gas/dust
gat [het] [1] ⟨door geweld, slijtage, bederf ontstane opening⟩ hole, gap, ⟨dijk, muur ook⟩ breach ♦ *een gat **dichten*** fill/stop a hole/gap; ⟨fig⟩ ***in** een gat vallen* ⟨bijvoorbeeld na eindexamen/pensioen⟩ fall into a sort of limbo; ⟨fig⟩ *een gat **in** de dag slapen* sleep far into the day/oversleep for hours; ⟨fig⟩ *een gat **in** de lucht springen* jump for joy, throw one's hat in the air; *hij heeft een gat **in** z'n hand* ⟨lett⟩ he has a cut on his hand; ⟨fig⟩ he has a hole in his pocket; *een gat **in** zijn/haar hand hebben* ⟨fig ook⟩ spend money like water, throw/fling one's money about, ↓ chuck one's money about; *een gat **maken** in* make a hole in (sth.); *een kous **met** een gat* a sock with a hole (in (it)); a holey sock; *het gat in de **ozonlaag*** the hole in the ozone layer; *zo'n oud jasje, de gaten **vallen** erin* this coat's so old, it's nothing but holes/one big hole; ⟨astron⟩ ***zwart** gat* black hole [2] ⟨met opzet gemaakte opening⟩ hole, gap, aperture, opening ♦ *daar is het gat van de **deur*** there's the door, the door is that way; *iemand het gat van de **deur** wijzen* show s.o. the door; *een zeef met **fijne** gaatjes* a fine(-mesh) sieve; *ergens **geen** gat meer in zien* not see any way ahead/out, be up against a brick wall; ⟨fig⟩ *een gat **in** de markt ontdekken* discover a gap/hole in the market [3] ⟨uitholling⟩ hole, cavity ♦ *een gat **in** je kies* a hole/cavity

in your tooth; *een weg vol **kuilen** en gaten* a road full of potholes; *een gat **slaan** in het budget/de voorraden/het inkomen* make inroads upon/a hole in the budget/the supplies/one's income; *de golven **sloegen** een gat in de dijk* the waves made a breach in the dike [4] ⟨verborgen plaats⟩ hole ♦ *alle **hoeken** en gaten doorzoeken* search (in) every nook and cranny [5] ⟨afgelegen stadje, dorp⟩ hole, dive, dump ♦ ***achterlijk** gat* backwater [6] ⟨kont⟩ bottom, butt, ⟨BE⟩ arse, ⟨BE⟩ ↓ bum, ⟨AE⟩ ass, ⟨AE⟩ rear (end), ⟨AE⟩ fanny ♦ *geen hemd/broek **aan** zijn gat hebben* not have a shirt on one's back, not have a shirt to one's name; *alles **achter** zijn gat laten liggen* leave everything lying around, be untidy; *iemand (steeds) **achter** zijn luie gat (moeten) zitten* (have to) breathe down s.o.'s neck, keep on at s.o.; ⟨vulg⟩ *zijn gat aan iemand **afvegen*** treat s.o. like shit, ↑ treat s.o. like dirt; *hij liep in z'n **blote** gat* he walked around naked/(in the) nude/in his birthday suit; *zij wil alleen maar in haar **blote** gatje lopen* she just wants to run around with her bare bottom/fanny hanging out; ⟨vulg⟩ *iemand z'n gat **likken*** lick s.o.'s arse/^{A}ass, ↑ suck up to s.o.; ***met** zijn gat in de boter vallen* be in luck, strike lucky; *ze zouden het **onder** je gat vandaan stelen* they'd steal the fillings from your teeth; ***op** z'n gat vallen* fall on one's bottom; ⟨fig⟩ *dat ligt **op** zijn gat* that's on its last legs, that's had it; that's the end of that; ***op** z'n (luie) gat zitten* sit (back) on one's butt/^{A}ass; *iemand een schop **voor** zijn gat geven* kick s.o. in the backside/^{A}ass; *geen rust in zijn gat hebben* be very restless; ⟨inf; AE⟩ have ants in one's pants [7] ⟨opening in het lichaam⟩ hole, ⟨form⟩ orifice [8] ⟨mv; ogen⟩ ♦ ***in** de gaten lopen* attract (too much) attention; *hou hem **in** de gaten* keep an eye on/watch him; *dat loopt **in** de gaten* it's too obvious, it's attracting attention; *iets **in** de gaten krijgen* realize/become aware of sth.; ⟨inf⟩ cop/cotton on to sth., ⟨AE⟩ wise up (to); *niets **in** de gaten hebben* be quite unaware of sth./anything; *iemand **in** de gaten hebben* see through s.o.; *iemand **in** de gaten houden* keep an eye on s.o.; ⟨tegenstander bij voetb enz.⟩ mark/key s.o.; *hij kreeg **in** de gaten dat ...* it dawned on him/he realized that ...; *iets **in** de gaten hebben/houden* realize/be aware of sth.; ⟨inf⟩ cop/cotton on to sth./keep an eye on/watch sth.; *ik heb je wel **in** de gaten, Jansen* I've got your number/I'm watching you, Jansen; *de tijd/je gewicht **in** de gaten houden* watch the clock/time/one's weight; *je moet hem dag en nacht **in** de gaten houden* you have to keep him under watch and ward; *iemand scherp/nauwlettend **in** de gaten houden* watch s.o. closely/narrowly, ↓ keep tabs on s.o.; *het begon behoorlijk/lelijk **in** de gaten te lopen* it became (bloody/^{A}damned) obvious [9] ⟨verwonding⟩ cut, gash ♦ *iemand een gat in het hoofd **slaan*** cut s.o. in the head, break s.o.'s head; *zij **viel** een gat in haar hoofd* she fell and cut her head [10] ⟨fin⟩ deficit, dustfall ♦ *het ene gat met het andere **stoppen*** rob Peter to pay Paul, throw good money after bad; *er is een gat **van** enige tonnen* there is a deficit/shortfall of several hundred thousand/several hundred ^{A}grand [11] ⟨opening van een konijnen-, dassengang⟩ hole ♦ ⟨fig⟩ *hij is niet **voor** één gat te vangen* there are no flies on him, you can't catch him out ⊡ ⟨wielersp⟩ *een gat **dichtrijden*** close a gap; ⟨sport⟩ *een gat **laten vallen*** open up a gap, deliberately drop back; ⟨sport⟩ *er **vielen** steeds meer gaten in de verdediging* there were more and more gaps in the defence; ⟨sprw⟩ *de kop moet het gat verkopen* ± a fair face is half a portion

gate [de^{m}] gate

gaten [ov ww] punch (a hole/holes in), ⟨veelvuldige (kleine) gaten⟩ perforate, riddle ⟨bijvoorbeeld met kogels⟩

gatenkaas [de^{m}] cheese with holes, ⟨inf⟩ holey cheese

gatenplant [de] Swiss cheese plant, monstera

gatentekst [de^{m}] cloze test, cloze deletion test

gatenvuller [de^{m}] ⟨AE⟩ spackle, ⟨BE⟩ Polyfilla

gatenzaag [de] hole saw, cylinder saw, crown saw

gaterig [bn] riddled (with holes), full of holes, in holes/tatters

gateway [de^{m}] gateway

gatlikken [onov ww] lick s.o.'s arse/^{A}ass, ↑ suck up to s.o.

gatlikker [de^{m}] arse-licker, ⟨AE⟩ ass-licker, ⟨BE⟩ bum-sucker, ⟨inf⟩ creep, toad

gatlikkerij [de^{v}] arse-licking, ⟨AE⟩ ass-licking, ⟨inf⟩ oil, toadying

gatsometer [de^{m}] speedometer

GATT [het, de] (General Agreement on Tariffs and Trade) GATT

gaucherie [de^{v}] gaucherie, clumsiness, awkwardness, tactlessness

gauchisme [het] ⟨pej⟩ leftism

gauchist [de^{m}] leftie

gaucho [de^{m}] gaucho

gaufreertang [de] goffering tongs

gaufreren [ov ww] goffer, crimp ♦ *gegaufreerd **papier*** embossed paper

gaullisme [het] Gaullism

gaullist [de^{m}] Gaullist

gaultheria [de] gaultheria

[1]**gauw** [bn, bw] ⟨snel⟩ quick ⟨bw: ~ly⟩, fast, rapid, ⟨te snel⟩ hasty ♦ *ga zitten en gauw een **beetje**!* sit down and hurry up about it!/and make it snappy!; ***ga** nu maar gauw* off you go now!; *dat heb je gauw **gedaan**, dat **is** gauw* that was quick (work); *als ze er gauw **genoeg** bij zijn* if they spot it/get to it in time, if it's diagnosed early enough; *ze **hebben** dat even gauw **gedaan*** they've rushed (over) it, they've been a bit hasty (over it); *hij wist niet **hoe** gauw hij er vandoor moest gaan* he couldn't get away quick enough; *ik zei **maar** gauw dat ik het niet wist* I just said that I didn't know; *te gauw **oordelen*** be (too) hasty (in one's judgement); *iemand **te** gauw af zijn* be too quick/be one too many for s.o.; *ik **zal** maar gauw even **gaan*** I'll just/I'd better go quickly; *als je nog wilt bellen, mag je wel/moet je wel gauw **zijn*** if you want to ring, you'd better be quick about it; *ik **zou** maar gauw een jurk **aantrekken*** (if I were you) I'd just slip into a dress; *iets gauw in orde maken* tidy sth. up quickly/fast

[2]**gauw** [bw] [1] ⟨over niet al te lange tijd⟩ soon, before long ♦ *het is weer gauw **Kerstmis*** Christmas will be here soon [2] ⟨binnen kort tijdsbestek⟩ soon ♦ *hij had er **al** gauw genoeg van* he had soon had enough (of it); *dat zie ik niet gauw **gebeuren*** I can't/don't see that happening soon, ⟨inf⟩ I can't/don't see that happening in a hurry; *dat kun je gauw **genoeg** zien* you can tell soon enough; *hij zal nu wel gauw **hier** zijn* he'll be here before long, he won't be long now; *ik **merkte** al gauw dat ...* I soon noticed that ...; *we zullen dat gauw even **regelen*** we'll fix that up soon; ***tot** gauw!* see you soon!; *dat zou ik **zo** gauw niet weten* I couldn't say offhand/just like that; *ik kan **zo** gauw geen pen/suiker vinden* I can't find a pen/any sugar right now; *ik wist **zo** gauw niet wat ik zeggen moest* I didn't know what to say offhand, I was lost for words/sth. to say [3] ⟨gemakkelijk⟩ easily ♦ *ik ben niet gauw **bang**, maar ...* I'm not easily scared, but ...; *gauw **dik** worden* put on weight easily; *dat **duurt** al gauw een week* that can easily take a week; *hij **huilt** gauw* he cries easily; *dat **kost** al gauw € 100* that can easily cost 100 euros; *een betere zal je **niet** gauw vinden* you won't easily find a better one; *hij is niet gauw **tevreden*** he's not easily satisfied; *gauw **vuil** worden* get dirty easily/quickly; *die zal ik ook **zo** gauw niet meer uitnodigen* I won't invite him/her again (in a hurry); *daar gaat gauw een hoop tijd/geld in zitten* that can easily involve a lot of time/money ⊡ ⟨fig⟩ ***kom/ga** nou gauw* get away!; ***zo** gauw ik iets weet, zal ik je bellen* as soon as I hear anything I'll ring you

gauwdief [de^{m}] cunning/sly thief, ⟨tasjesdief⟩ snatcher, ⟨zakkenroller⟩ pickpocket, ⟨bij uitbreiding⟩ swindler, crook, rogue

gauwigheid [de^{v}] hurriedness, hurry, rush, haste ♦ ***in** de gauwigheid vergat hij haar te feliciteren* in his haste he forgot to congratulate her

gave [de] 1 ⟨geschenk⟩ gift, ⟨gift⟩ donation, endowment ♦ *Bacchus' gave* (the gift of) Bacchus; *een gave **Gods*** a gift of God; *hartelijk dank voor uw **gulle** gave* many thanks for your generous gifts/donations; ***milde** gaven **offeren*** offer generous gifts/donations 2 ⟨talent⟩ gift, talent, faculty, endowment ♦ *hij **bezat** de gave der welsprekendheid* he had the gift of eloquence/oratory; *een man van **grote** gaven* a man of great gifts/talents, a highly gifted man; *zij **heeft** de gave goed te kunnen improviseren* she has the art of improvisation, ↓ she has the knack of improvisation
gaviaal [de^m] gavial, gharial
gavotte [de] gavotte
gaybar [de] gay bar
gaydar [de^m] gaydar
Gaygames [de^mv] Gay Games
gaykrant [de] gay newspaper/magazine
gayparade [de] gay pride parade, gay parade
gaypride [de^m] gay pride
Gazastrook [de] Gaza strip
gazelle [de] gazelle
gazelleoog [het] 1 ⟨oog van een gazelle⟩ gazelle's eye 2 ⟨donker (vrouwen)oog⟩ ± doe-eye ♦ ***met** gazelleogen* doe-eyed
gazen [bn] gauze, net ♦ *een gazen **sluier/zeef*** a net veil/ gauze sieve
gazet [de] ⟨in België⟩ newspaper, paper, daily
gazeus [bn] abrated, ⟨frisdrank; inf⟩ fizzy, sparkling
gazeuse [de] fizzy soft drink
gazon [het] lawn ♦ *een **mooi** gazonnetje* a beautiful lawn
gazonsproeier [de^m] lawn sprinkler
gazpacho [de^m] gazpacho
gcv [de^v] ⟨in België⟩ (gewone commanditaire vennootschap) ordinary limited partnership
ge [pers vnw] ⟨gew⟩ you, ⟨Bijb⟩ thou
geaard [bn] 1 ⟨met de aarde verbonden⟩ ⟨BE⟩ earthed, ⟨AE⟩ grounded ♦ *een geaard **stopcontact*** an earthed/a grounded socket/power-point 2 ⟨met een bepaalde aard⟩ natured, disposed, tempered ♦ ***anders** geaard* otherwise inclined/disposed; *hij is **zó** geaard dat ...* his nature/disposition is such that ...
geaardheid [de^v] disposition, nature, make-up, inclination, proclivity ♦ *een **beminnelijke** geaardheid* an amiable disposition; *openlijk uitkomen voor zijn **homoseksuele** geaardheid* openly admit one's homosexual nature/proclivity; ***innerlijke** geaardheid* inner nature; ***seksuele** geaardheid* sexual inclination
geaarzel [het] dithering, ⟨inf⟩ hums and haws, humming and hawing ♦ ***hou op met** dat geaarzel* stop dithering!
geabonneerd [bn] ▪ *wij zijn geabonneerd **op** de Times* we take the Times; *geabonneerd **zijn*** have a subscription, be a subscriber; *zij die niet geabonneerd **zijn*** those who are not (regular) subscribers
geabsorbeerd [bn] absorbed (in/by)
geaccepteerd [bn] 1 ⟨aangenomen⟩ accepted, recognized ♦ *een geaccepteerde **cheque*** an accepted cheque 2 ⟨algemeen aanvaard⟩ accepted, ⟨inf⟩ U ♦ *een geaccepteerd **gebruik*** an accepted custom
geaccidenteerd [bn] hilly, broken, uneven ♦ *een rit over geaccidenteerd **terrein*** a ride over hilly terrain/broken ground
geaccrediteerd [bn] credit-worthy, reliable, solvent, ⟨diplomaat, waarnemer⟩ accredited ♦ *een geaccrediteerd **huis*** a credit-worthy/reliable house/firm
geacheveerd [bn] finished, accomplished, sophisticated, perfected ♦ ⟨zelfstandig (gebruikt)⟩ *gevoel voor **het** geacheveerde* a feeling for perfection; *geacheveerd **spel*** sophisticated technique
geacht [bn] respected, esteemed, well thought of ♦ *de geachte **afgevaardigde** de heer/mevrouw* the honourable member (for ...), ⟨AE⟩ Congressman/woman; *een geacht **burger*** a (well-)respected citizen; ⟨jur⟩ *(mijn) geachte **collega*** my learned friend; *geacht **forum*** dear panel; *Geachte **Heer/Mevrouw*** Dear Sir/Madam; *geachte **toehoorders/luisteraars*** Ladies and Gentlemen; *onze geachte **vriend** en **collega*** our esteemed friend and colleague; *algemeen geacht **zijn*** be held in general esteem
geaderd [bn] 1 ⟨bepaalde aderen hebbend⟩ veined, venose, venous, veiny ♦ ***blauw** geaderd* blue-veined 2 ⟨voorzien van bochtige strepen⟩ grainy, veined
geadopteerd [bn] adopted, adoptive ♦ *een geadopteerd **kind*** an adopted child/^Aadoptee; *de twee jongsten **zijn** geadopteerd* the youngest two were adopted/are adoptees
geadresseerde [de] addressee, ⟨m.b.t. goederen⟩ consignee
geaffecteerd [bn, bw] affected ⟨bw: ~ly⟩, mannered, precious, ⟨i.h.b. spraak⟩ mincing, la(h)-di-da(h) ♦ *haar uitspraak is een **beetje** geaffecteerd* her speech is a bit la-di-da; *geaffecteerd **Engels spreken*** mince one's English; *een geaffecteerd **persoon*** a mincer/mannered person; *geaffecteerd **spreken*** talk posh; *een geaffecteerde **uitspraak*** a mincing pronunciation
geaffecteerdheid [de^v] affectation, affectedness, preciosity
geaggregeerd [bn] authorized
geaggregeerde [de] ⟨in België⟩ ± qualified teacher, ± qualified secondary schoolteacher, ± qualified highschoolteacher
geagiteerd [bn, bw] excited ⟨bw: ~ly⟩, agitated, flushed, (all) in a flutter, overwrought ♦ ⟨handel⟩ *de **markt** was geagiteerd* trade was nervous; *kom nou toch! **riep** hij geagiteerd* Oh, come on! he shouted irritably; *zij leek **zeer** geagiteerd* she seemed very jittery/excited/all in a flutter; *geagiteerd **zijn/raken*** be in/go into a flutter
geallieerden [de^mv] allied persons/institutions ♦ ***de** geallieerden* the Allied Powers, the Allies
gealtereerd [bn] 1 ⟨muz⟩ altered 2 ⟨m.b.t. gevoelens⟩ confused, upset, put out
geamuseerd [bn, bw] amused ♦ *geamuseerd naar iets **kijken*** watch sth. in amusement/smiling(ly); *geamuseerd **knipogen*** give an amused wink
geanimeerd [bn] animated, lively, spirited, warm, ⟨debat⟩ heated ♦ *een geanimeerd **gesprek*** an animated/lively conversation; *een geanimeerde **wedstrijd*** a lively match
¹**geankerd** [bn] 1 ⟨van ankers voorzien⟩ (equipped) with anchors 2 ⟨heral⟩ anchored
²**geankerd** [bw] ⟨voor anker⟩ at anchor, moored ♦ *geankerd **liggen*** lie/ride/be at anchor
gearing [de^m] sprocket-wheel, chain gear(ing)
gearmd [bn, bw] arm in arm, with arms linked/locked ♦ *gearmd **gaan/lopen/wandelen*** walk arm in arm; ⟨scherts⟩ *gearmd **naar de brand*** hand in hand, side by side; ***stijf** gearmd* with arms linked/locked tightly
gearresteerde [de] 1 ⟨iemand die gearresteerd is⟩ prisoner, detainee, arrested person, ⟨jur⟩ defendant in attachment 2 ⟨gestrafte militair⟩ soldier placed under arrest, soldier under military arrest
gearriveerd [bn] ⟨vaak pej⟩ settled, well-to-do, bourgeois, arrived ♦ *gearriveerd **gedrag*** nouveau-riche behaviour; *er gearriveerd **uitzien*** look well-to-do
gearticuleerd [bn, bw] articulate ⟨bw: ~ly⟩
geaspireerd [bn] ⟨taalk⟩ aspirated ♦ *een geaspireerde **medeklinker*** ⟨ook⟩ an aspirate
geassocieerde [de] partner, (business) associate
geassorteerd [bn] ⟨form⟩ 1 ⟨voorzien van allerlei soorten⟩ (well) stocked 2 ⟨in soorten bij elkaar gevoegd⟩ assorted, mixed
geautomatiseerd [bn] automated, automatized, computerized ♦ *geautomatiseerde **boekhouding*** computer-based accountancy
geautoriseerd [bn] authorized ♦ *hij **is** daartoe niet geau-*

toriseerd he is not authorized/does not have the authority to do that; *een (niet) geautoriseerde **vertaling*** an (un)authorized translation
geavanceerd [bn] [1] ⟨vooruitstrevend⟩ progressive, forward, advanced ♦ *geavanceerd **in** zijn denkbeelden* with progressive ideas [2] ⟨het meest gevorderd⟩ advanced, latest, sophisticated, modern, hi-tech ♦ *een uiterst geavanceerde **indruk** maken* look/sound ultra modern; *geavanceerde **technieken*** advanced techniques
geb. [afk] [1] (geboren) b [2] (gebonden) hardb, hard-cover
GEB [het] (Gemeentelijk Energiebedrijf) ⟨BE⟩ local gas and electricity board, ^A^public utilities
gebaand [bn] beaten, smoothed, levelled ♦ ⟨fig⟩ *gebaande **wegen** gaan/bewandelen* keep to/walk the beaten track
gebaar [het] [1] ⟨beweging van lichaamsdelen⟩ gesture, sign(al) ♦ ***door** een gebaar beduidde zij hem bij haar te komen* she motioned/beckoned him to come over; ***houding** en gebaar* bearing, mien and gestures; ***levendige/driftige** gebaren* animated/abrupt gestures; *wilde gebaren **maken*** gesticulate wildly; *allerlei gebaren **maken*** gesticulate; ***met** gebaren iets duidelijk maken* signal/gesture sth.; *iets **met/door** gebaren uitdrukken* express sth. by signs, mime sth.; *een **protesterend** gebaar maken* gesture in protest; ***sprekende** gebaren* expressive gestures; *een **vaag** gebaar maken* gesture vaguely; *expressie in **woord** en gebaar* expression in word and gesture; *met een **zwierig** gebaar* with a flourish [2] ⟨handeling⟩ gesture, move ♦ *een **breed/mooi** gebaar* a large/gracious gesture, a beau geste; *een gebaar **maken*** make a gesture; *de betogers wilden een gebaar **maken*** the protestors wanted to make a gesture; *met een **royaal** gebaar verdubbelde hij het prijzengeld* he generously doubled the prize money; *dat is alleen maar een **symbolisch** gebaar* it's only a symbolic/token gesture; *een **vriendelijk** gebaar aan zijn adres* a gesture of friendliness towards him
gebaard [bn] [1] ⟨een baard hebbend⟩ bearded [2] ⟨biol⟩ fimbriate
gebabbel [het] chat(ter), chit-chat, babble, ⟨van kind⟩ prattle ♦ *onder **genoeglijk** gebabbel vervloog de avond* the evening was passed in pleasant chat
gebak [het] [1] ⟨uit deeg bereide lekkernijen⟩ pastry, confectionery, patisserie, cake(s), gateaus ♦ *gebak van **bladerdeeg*** puff (pastry); *koffie **met** gebak* coffee and cake(s); ***Moskovisch** gebak* ± Madeira cake (with currants), ± sponge cake; ***vers/overheerlijk** gebak* fresh/delicious pastry/confectionery [2] ⟨zoveel als tegelijk gebakken wordt⟩ batch
gebakbodem [de^m^] flan case, pastry base
gebakje [het] (fancy) cake, pastry, tart(let) ♦ ***Moskovisch** gebakje* ± queen cake, ± madeleine; ***op** gebakjes **trakteren*** treat (s.o.) to cake(s)
gebakken [bn] ⟨in oven⟩ baked, ⟨in pan⟩ fried, ⟨aardewerk⟩ fired, ⟨licht⟩ sauté(d) ♦ *gebakken **aardappelen/vis*** fried potatoes/fish; *gebakken **steen*** (baked/fired) brick [•] *het **is/zit** gebakken* it's in the bag/it's all (been) arranged, ⟨AE⟩ everything's hunky-dory; *je **zit** (daar) gebakken* you're sitting pretty/you're on to a good thing (there)/in clover, you've got it made (there)
gebakschoteltje [het] tea/side plate
gebakstel [het] cake/tea plates
gebaren [onov ww] [1] ⟨gebaren maken⟩ gesture, gesticulate, ⟨wenken⟩ beckon, ⟨om iets duidelijk te maken⟩ signal, motion ♦ ***met** armen en benen gebaren* gesticulate wildly; *hij gebaarde me te gaan zitten/door te lopen* he motioned me to sit down, he waved me on [2] ⟨in België; veinzen⟩ pretend, simulate, go through the motions (of) ♦ *van **niets** gebaren* play/act dumb
gebarenkunst [de^v^] mimic art, mime
gebarenpostzegel [de^m^] picture-in-picture with a sign language translator, ⟨het in beeld simultaantolken⟩ in-vision signing
gebarenspel [het] [1] ⟨mimiek van een toneelspeler⟩ mime, miming, gesture(s) ♦ ***stom** gebarenspel* dumb show, pantomime [2] ⟨gebaren⟩ gesture(s), gesticulation ♦ *iets weergeven **door** gebarenspel* signal sth. (by means of gestures); ***veelbetekenend** gebarenspel* significant gestures
gebarentaal [de] sign language ♦ *de gebarentaal van de **doofstommen*** the sign language of deaf and dumb people, the deaf-and-dumb language; *zich **in** gebarentaal uitdrukken* express o.s. through sign language, mime
gebarentolk [de^m^] sign language interpreter
gebarsten [bn] cracked, ⟨in stukken⟩ broken, burst ♦ *gebarsten **lippen*** chapped/chappy lips; *een gebarsten **schaal*** a cracked dish; ⟨fig⟩ *een gebarsten **stem*** a creaky voice
gebastaardeerd [bn] hybrid(ized)
gebazel [het] drivel, ⟨BE⟩ drivelling, ⟨AE⟩ driveling, twaddle, balderdash, gibberish, ⟨AE⟩ hogwash, ⟨AE⟩ bullshit, ⟨AE⟩ crap
gebbetje [het] ⟨inf⟩ (little) joke, bit of fun ♦ *gebbetjes **maken*** joke
gebed [het] [1] ⟨het bidden⟩ prayer, devotions, ⟨aan tafel⟩ grace ♦ *een gebed **bidden*** say a prayer; *hardop een gebed **doen*** pray out loud; *het gebed des **Heren*** The Lord's Prayer; ***in** gebed zijn* be at one's prayers/devotions; ***in** gebed voorgaan* lead in prayer; ***in** gebed neerknielen* kneel down in prayer; *iemand **in** zijn gebed gedenken* remember s.o. in one's prayers, pray for s.o.; ***stil** gebed* silent prayer; *mijn gebeden **werden verhoord*** my prayers were answered; ⟨fig⟩ *dat is een gebed zonder einde* it's a never-ending story [2] ⟨vastgestelde vorm van een gebed⟩ prayer ♦ *een **gemeenschappelijk** gebed* a communal prayer; ***gezongen** gebed* chanted prayers; *de **liturgische** gebeden* the liturgy/liturgical prayers; *een boek **met** gebeden* a prayer book; *het gebed **vóór** de maaltijd* (saying) grace
gebedel [het] begging
gebedenboek [het] prayer book, ⟨anglic⟩ Book of Common Prayer
gebedsboek [het] prayer book
gebedsdienst [de^m^] prayer service/meeting, service of prayer (and worship)
gebedsgenezer [de^m^] faith healer
gebedsgenezing [de^v^] faith healing, faith cure
gebedsgroep [de] prayer group
gebedshouding [de^v^] attitude/posture of prayer ♦ *de gebedshouding **aannemen*** assume an attitude/posture of prayer; ***in** de gebedshouding* in an attitude/a posture of prayer
gebedsketting [de^v^] prayer beads
gebedskleed [het] prayer rug
gebedsmolen [de^m^] ⟨rel⟩ prayer wheel
gebedsriem [de^m^] ⟨judaïsme⟩ phylactery, tefillin
gebeeldhouwd [bn] [1] ⟨met beeldhouwwerk versierd⟩ sculptured, ⟨in hout⟩ carved, ⟨BE⟩ chiselled, ⟨AE⟩ chiseled, sculpted ♦ *een gebeeldhouwde **stoel*** a carved chair [2] ⟨fig⟩ carved, ⟨BE⟩ chiselled, ⟨AE⟩ chiseled ♦ *gebeeldhouwde **gelaatstrekken*** (finely) carved/chisel(l)ed/sculpt(ur)ed features; *gebeeldhouwd **proza*** chisel(l)ed prose
gebeente [het] [1] ⟨beendergestel⟩ bones ♦ *wee je gebeente!* woe betide you!, don't you dare! [2] ⟨skelet⟩ skeleton [3] ⟨Bijb; nauwe verwant⟩ ♦ *gij zijt mijn gebeente en mijn **vlees*** ⟨Genesis 29:14⟩ you are my bone and my flesh
gebeiteld [bn] ⟨inf⟩ [•] *dat **zit** gebeiteld* that's in the bag/all been arranged, ⟨AE⟩ everything's hunky-dory; *hij **zit** gebeiteld* he's sitting pretty, he's got it made, he's on to a good thing/in clover
gebekt [bn] -billed, -beaked [•] *(goed) gebekt **zijn*** have the gift of the gab; have a ready wit; ⟨sprw⟩ *elk vogeltje zingt zoals het gebekt is* a bird is known by its note and a man by his talk; ± you cannot make a silk purse out of a sow's ear
gebelgd [bn] → **verbolgen**
gebenedijd [bn] blessed, heavenly, divine, hallowed ♦ *een gebenedijd **oord*** a heavenly place

gebeneficieerde [de] [1] ⟨begunstigde⟩ beneficiary, payee [2] ⟨erfgenaam⟩ ⟨man⟩ (in)heritor, ⟨vrouw⟩ (in)heritress, heir(ess), beneficiary, devisee

gebergte [het] [1] ⟨groep van bergen⟩ mountains, hills, ⟨streek⟩ uplands, highlands ◆ *de gebergten van* ***Azië*** the mountains/uplands of Asia; ***in*** *het gebergte* in the mountains/highlands; ⟨geol⟩ ***oud/jong*** *gebergte* old/young mountains [2] ⟨bergketen⟩ mountain range, chain of mountains

gebergtevorming [de^v] formation of mountains, formation of mountain ranges, ↑orogenesis, ↑orogeny

gebeten [bn] bearing a grudge, embittered ◆ *gebeten zijn* ***op*** *iemand* bear a grudge against s.o.; *fel* ***op*** *iemand gebeten zijn* be forever/always picking on s.o.

gebeuk [het] battering, beating, hammering, ⟨i.h.b. golven⟩ pounding, buffeting ◆ *het gebeuk van de* ***golven*** *op de kust* the pounding of the waves on the shore; *de deur bezweek* ***onder*** *het gebeuk* the door gave way under the battering/was battered down

gebeurde [het] occurrence, incident, event ◆ ***het*** *gebeurde* ⟨ook⟩ what (has) happened; *hij wist zich niets* ***van*** *het gebeurde te herinneren* he couldn't remember anything of what had happened

¹**gebeuren** [het] event, occurrence, incident, happening ◆ *een* ***eenmalig*** *gebeuren* a one-off/unique event; *het* ***hele*** *gebeuren* the whole business; *een* ***historisch*** *gebeuren* a historic event; *een* ***opmerkelijk*** *gebeuren* a remarkable event; *het gebeuren heeft hem in het gelijk gesteld* he was justified in the event

²**gebeuren** [onov ww] [1] ⟨plaatsvinden⟩ happen, occur, take place, go on, come about ◆ ***dat*** *gebeurt elke dag* it happens every day/all the time; *het gebeurt weleens* ***dat***... it sometimes happens that ...; *het gebeurt tegenwoordig vaak* ***dat*** *mensen ontslagen worden* people are always sacked/dismissed/getting the sack these days; *er gebeuren daar rare* ***dingen*** funny things go on there; *voor ze (goed) wist wat* ***er*** *gebeurde* (the) next thing she knew; ***hoe*** *is het (ongeluk) gebeurd?* how did it/the accident come about?; ⟨pregn⟩ *is er* ***iets*** *gebeurd?* are you all right?, what(ever/on earth)'s happened?; *er gebeurt hier nooit* ***iets*** nothing ever happens here; *en zo* ***kon*** *het gebeuren* and so it came to pass; ***laat*** *dit niet meer gebeuren* no more of this; *wat is er* ***met*** *jou gebeurd?* what's happened to you?; *dat* ***moest*** *wel gebeuren* it was bound to happen, it had to be; *er* ***moet*** *heel wat gebeuren, wil A. geen kampioen worden* it would be a miracle if A. didn't win the title; *wat (er) ook gebeuren* ***moge*** come what may; *dat gebeurt* ***niet meer****, begrepen?* I won't have any more of that, understand?; ⟨pregn⟩ *alsof er* ***niets*** *gebeurd was* as if nothing had happened, cool as a cucumber; *dat zal* ***nooit*** *gebeuren* we won't allow that (to happen); ⟨inf⟩ over my dead body; *er is een* ***ongeluk*** *gebeurd* there's been an accident; *zij voelden dat er iets* ***stond te*** *gebeuren* there was a feeling of things about to happen; ***wat*** *gebeurd is, is gebeurd* what's done is done, it's no use crying over spilt milk; *hij kwam kijken* ***wat*** *er gebeurde* he came to see what was going on; *het drong niet tot me door* ***wat*** *er gebeurde* I just couldn't take it in/make out what was happening/going on, I never knew what hit me; *gebrek aan belangstelling voor* ***wat*** *er gebeurt* lack of interest in what is going on; *voor als er iets gebeurt* just in case; *het is net of het gisteren gebeurd* ***is*** it seems like yesterday [2] ⟨gedaan worden⟩ be done, happen, be effected ◆ *er moet nog het een en ander* ***aan*** *gebeuren* it needs a bit more work/a few finishing touches/one or two things done/doing to it; *wat* ***gaat*** *er met mij gebeuren?* what's to become of me?; *maar het moet wel* ***goed/voorzichtig*** *gebeuren* but it must be done properly/with care; ***het*** *is gebeurd* it's finished/done; *het was* ***in*** *een paar minuten gebeurd* it took only/it was over in (just) a few minutes; *dat* ***kan*** *gebeuren* I'll see it's done, certainly; ⟨inf⟩ no problem; *wat* ***moet*** *er met die boeken/meubels gebeuren* what's to be done with these books/this furniture; *er* ***moet*** *iets gebeuren, zo kan het niet blijven* sth. will have to be done about it; *er* ***moet*** *nog heel wat gebeuren, voor het zover is* we have a long way to go yet; *(het/dat) gebeurt* ***niet****!* I won't have it, you'll do nothing of the kind; *het is* ***zó*** *gebeurd* it'll only take a second/minute; ⟨inf⟩ it'll be done in a jiffy; *als het maar gebeurt* as long as it's done; *dat gebeurt wel meer* these/such things do/can happen, it does happen; *wat zij zegt, gebeurt* ***ook*** what she says, goes [3] ⟨overkomen⟩ happen, occur, ⟨form⟩ befall ◆ *het zal* ***je*** *gebeuren!* imagine (sth. like that happening to you)!; *dat* ***kan*** *de beste gebeuren* it could happen to anyone, these things happen, it's just one of those things; *daar* ***kan*** *niets mee gebeuren* it's safe (as a house); *het zou u ook* ***kunnen*** *gebeuren* it could happen to you (too); *zorg dat er niets* ***met*** *haar gebeurt* keep her out of harm's way, see that no harm comes to her/that she comes to no harm, make sure nothing happens to her; *er kan* ***niets*** *(mee) gebeuren* don't worry, no harm can come to it/nothing's going to happen to it; *dat* ***zal*** *me niet meer gebeuren* I'm not going to let that happen again, I'll see to it/I'll make (darned) sure that doesn't happen again [•] *in A., dáár gebeurt* ***het*** in A., that's where it's at/all happening; *het is* ***met*** *hem gebeurd* he's had it, he's done for

¹**gebeurlijk** [bn, bw] ⟨in België⟩ ⟨mogelijk⟩ possible ⟨bw: possibly⟩, contingent ◆ *er wordt rekening gehouden met gebeurlijke* ***klachten*** complaints, if any, will be taken into consideration; *een ramp die zich gebeurlijk in deze stad* ***voor*** *zou* ***doen*** a disaster which could possibly happen in this town

²**gebeurlijk** [bw] ⟨in België⟩ ⟨in voorkomend geval⟩ if such is the case, as the case may be ◆ *u kunt gebeurlijk met dollars* ***betalen*** you may, if necessary, pay in dollars

gebeurlijkheid [de^v] eventuality, contingency

gebeurtenis [de^v] [1] ⟨voorval⟩ event, occurrence, incident, occasion, ⟨form⟩ contingency ◆ *dat is een* ***belangrijke*** *gebeurtenis* that's a major event; *de* ***belangrijkste*** *gebeurtenis van het jaar/de week* the event of the year/week; ***bijzondere*** *gebeurtenissen* big/important events/occasions; *de* ***grote/blijde*** *gebeurtenis* the happy event; *de* ***jongste*** *gebeurtenissen in A.* the latest developments/happenings in A.; ***komende*** *gebeurtenissen werpen hun schaduw vooruit* coming events cast their shadow before; ***latere*** *gebeurtenissen* later/subsequent events/developments; *de* ***loop*** *der gebeurtenissen afwachten* await the course of events; *een* ***nationale*** *gebeurtenis* an event of national importance; *een* ***onvoorziene*** *gebeurtenis* an unforeseen occurrence; *een plan voor* ***onvoorziene*** *gebeurtenissen* a contingency plan; *een* ***toevallige*** *gebeurtenis* a chance occurrence; *een* ***verrassende/belangrijke/droevige/onbeduidende*** *gebeurtenis* a(n) surprise/important/sad/insignificant event [2] ⟨evenement⟩ event, ⟨vnl AE; inf⟩ happening ◆ *een* ***artistieke*** *gebeurtenis* an artistic event; *een* ***eenmalige*** *gebeurtenis* a one-off/unique occasion; *het openluchtconcert* ***was*** *een (hele) gebeurtenis* the open-air concert was quite an event

gebeuzel [het] trifling, fiddle-faddle, dawdling, ⟨prietpraat⟩ twaddle, piffle, rubbish, ↑perfect nonsense ◆ ***intellectueel*** *gebeuzel* intellectual pap

gebied [het] [1] ⟨streek, land waarover men heerst⟩ territory, domain, dominion, (home) ground ◆ *het gebied der* ***Romeinen*** the Roman territory; *het gebied van een* ***stad*** the territory of a city; *het gebied van een* ***vorst*** the domain/territory of a sovereign [2] ⟨terrein⟩ area, district, region, zone, ground ◆ ***beschermd*** *gebied* protected area, (nature) reserve; *op* ***bezet/vijandelijk*** *gebied* on occupied/enemy territory; *een* ***groot*** *gebied bestrijken* cover a lot of ground; ***ingesloten*** *gebied* enclosed area, pocket; ***onontgonnen/onderontwikkelde/achtergebleven*** *gebieden* unreclaimed/underdeveloped/depressed areas/regions; ***onveilig*** *gebied* unsafe ground/territory; *het gebied van een* ***rivier*** the catchment area of a river; ***territoriaal*** *gebied* territory; *in de* ***uiterste*** *gebieden van China* in the remotest areas of China; *een gebied*

van** lage luchtdruk* a trough, a low; *tot **verboden** gebied verklaren* declare an area (to be) off-limits; ⟨vnl sport⟩ declare/put out of bounds; *gebied waar niet gejaagd/gevist mag worden* reserved shooting/fishing area [3] ⟨afdeling⟩ field, sphere, department, domain, province ◆ *een **autoriteit/deskundige/specialist** op dat gebied* an authority/expert/specialist in this field; *op **ecologisch** gebied* ecological, in the field/sphere of ecology; *vragen op **financieel/fiscaal/juridisch/medisch** gebied* financial/tax/legal/medical problems; ***op** het gebied van ...* in the field/sphere of ...; *dat ligt niet **op** mijn gebied* that's not my department/province; *zijn verrichtingen **op** dat gebied* his achievements in this field; *wij verkopen alles **op** het gebied van ...* we sell everything (which has) to do with ...; ***op** het gebied van de geschiedenis/letteren* in the field of history/literature; *het laatste snufje **op** het gebied van computers* the latest (thing) in computers; *er is hier niet veel **op** het gebied van amusement* there's little in the way of entertainment here; *mensen die actief zijn op **velerlei** gebied* people active in many fields/areas [4] ⟨grondgebied⟩ territory, soil, land ◆ *het **Franse** gebied* French territory; *het gebied der **Nederlanden Dutch territory/soil [5] ⟨wisk⟩ domain [6] ⟨heerschappij⟩ command, sway, authority, rule ◆ ***onder** iemands gebied komen/staan/stellen/brengen* come/be/place/put under s.o.'s command/rule

¹gebieden [onov ww] [1] ⟨heersen⟩ rule (over), command, control [2] ⟨beheersen⟩ control, check

²gebieden [ov ww] [1] ⟨gelasten⟩ order, make, command, dictate, prescribe ◆ *iemand gebieden **door te lopen*** order s.o. to move on; ***stilte** gebieden* demand silence; *iemand gebieden **te zwijgen*** bind s.o. to secrecy; *zij deed wat haar geboden **was*** she did what/as she was told [2] ⟨m.b.t. onstoffelijke zaken⟩ compel, force, dictate, necessitate ◆ *het **fatsoen** gebiedt mij te zwijgen* decency compels/forces me to remain silent; *doen wat je **geweten/plicht** gebiedt* follow one's conscience, do one's duty; *als de **omstandigheden** zulks gebieden* if circumstances necessitate this; *de grootste **voorzichtigheid** is geboden* the situation calls for the utmost caution, great caution is required; *de **zorgvuldigheid** die in zulke gevallen geboden is* the care required in these cases [3] ⟨Bijb; heersen over⟩ rule, sway, command ◆ *Hij die het **al** gebiedt* He who rules all

gebiedend [bn, bw] [1] ⟨m.b.t. woorden, gebaren⟩ authoritative ⟨bw: ~ly⟩, commanding, ⟨geen tegenspraak duldend⟩ peremptory, ⟨aanmatigend⟩ imperious ◆ *hij heeft in houding en manieren **iets** gebiedends* he has a commanding air/a certain air of authority; *een gebiedend **teken*** a peremptory gesture; *op gebiedende **toon** spreken* speak with a voice of command/in a peremptory tone; *gebiedend naar iets **wijzen*** gesture peremptorily in the direction of/at sth.; *iets gebiedend **zeggen/toeroepen*** say/call out sth. in a commanding tone [2] ⟨dwingend⟩ imperative ⟨bw: ~ly⟩, compelling, necessary, vital, compulsive ◆ *een gebiedende **eis*** an imperative demand; *een gebiedend **voorschrift*** a binding instruction [3] ⟨taalk⟩ imperative ⟨bw: ~ly⟩, ⟨vero⟩ jussive ◆ *gebiedende **wijs*** imperative mood, imperative

gebieder [de^m], **gebiedster** [de^v] ⟨man & vrouw⟩ ruler, ⟨man⟩ lord, ⟨vrouw⟩ lady, ⟨form; man & vrouw⟩ commander

gebiedsaanduiding [de^v] demarcation line, line of demarcation

gebiedsdeel [het] territory, dependency, sector ◆ *de **overzeese** gebiedsdelen* the overseas territories/dependencies

gebiedsontzegging [de^v] exclusion order

gebiedster [de^v] → **gebieder**

gebiedsuitbreiding [de^v] territorial expansion/extension, enlargement/aggrandizement/increase of territory

gebiesd [bn] piped, trimmed, faced ◆ *een met goud gebiesde **kraag*** a collar piped/trimmed with gold; *een **rood** gebiesde auto* a car with red trim; ***wit** gebiesd* with white piping, piped with white

gebint [het], **gebinte** [het] truss ◆ *het gebouw is stevig **in** zijn gebint* the roof is structurally sound, the main roof-supports are in good condition

gebintbalk [de^m] purlin, collar beam

gebinte [het] → **gebint**

gebit [het] [1] ⟨tanden en kiezen⟩ (set of) teeth, ⟨scherts⟩ ivories, pearly whites ◆ ***blijvend** gebit* second teeth; *een **goed** gebit hebben* have a good set of teeth; *een **regelmatig/onregelmatig** gebit* regular/irregular teeth; *een **sterk/zwak/fraai** gebit* strong/bad/fine teeth [2] ⟨bit⟩ bit ◆ *een paard **aan** het gebit **wennen**/het gebit **aandoen*** bit a horse [3] ⟨kunstgebit⟩ (set of) dentures, (set of) false teeth ◆ *zij **kreeg** op haar twintigste een gebit* she had dentures at twenty

gebitplaat [de] (dental) plate, denture, false teeth

gebitsbeschermer [de^m] gum-shield, mouthpiece

gebitsprothese [de^v] → **gebit**

gebitsregulatie [de^v] straightening of the teeth, orthodontics

gebitsverzorging [de^v] dental care

gebitumineerd [bn] bituminized ◆ *gebitumineerd **zand*** bituminized sand

geblaard [bn] black-and-white-faced

geblaas [het] [1] ⟨het spelen op een blaasinstrument⟩ blaring, ⟨op hoorn⟩ blowing, sounding, winding, ⟨op houten instrumenten⟩ piping ◆ *dat getoeter en geblaas van de **straatmuzikanten** maakt me dol* the blaring of that street band is driving me mad [2] ⟨het blazen⟩ blowing, ⟨hijgend⟩ puffing, ⟨kat⟩ spitting, hissing, swearing, ⟨sl⟩ hissing ◆ *het geblaas van de **noordenwind*** the blowing/whistling of the north wind; ***onder** geblaas en gesteun sleepte hij zijn last voort* puffing and panting/huffing and puffing he dragged on his load

gebladerte [het] leaves, foliage, leafage, ⟨plantk⟩ frondage ◆ *met **dicht** gebladerte* thick-leaved

geblaf [het] barking, ⟨diep, vnl. kind⟩ woofing, ⟨diep, vnl. jachthond⟩ baying, ⟨schril⟩ yapping

geblameerd [bn] defamed

geblaseerd [bn] blasé, sated/satiated/surfeited/cloyed with pleasures, jaded

geblesseerd [bn] [1] ⟨gewond⟩ wounded, hurt, injured [2] ⟨sport⟩ injured

geblesseerde [de] [1] ⟨gewonde⟩ wounded/injured person ◆ ***de** geblesseerden* the wounded/injured [2] ⟨sport⟩ injured player

gebliksem [het] [1] ⟨gezanik⟩ fuss, bother(ation), racket, squabbling ◆ *is **dat** gebliksem nu uit* have you (quite) finished fussing [2] ⟨het bliksemen, flikkeren⟩ lightning, flashing

geblindeerd [bn] ⟨raam⟩ shuttered, blacked out, ⟨voert⟩ armoured, camouflaged

gebloemd [bn] [1] ⟨met bloemmotief⟩ floral (patterned), flowered ◆ *gebloemd **behang*** floral (patterned) wallpaper; *een gebloemde **stof*** a floral (patterned) fabric [2] ⟨met bloemen⟩ bearing flowers, flowered, flowering

geblokkeerd [bn] [1] ⟨m.b.t. havens⟩ blockaded, ⟨door ijs⟩ ice-bound [2] ⟨m.b.t. wegen⟩ blocked [3] ⟨m.b.t. gelden⟩ blocked, frozen ◆ *een geblokkeerde **rekening*** a frozen account [4] ⟨psych⟩ blocked, inhibited ◆ *geblokkeerde **emoties*** blocked/pent-up emotions [•] *de wielen **raakten** geblokkeerd* the wheels locked

geblokt [bn] [1] ⟨met blokjes⟩ chequered, check(ed) ◆ *geblokte **servetten*** chequered serviettes; *geblokte **verkeersstrepen*** broken white/yellow lines (on road) [2] ⟨stevig⟩ square(-shouldered), sturdy, burly, compactly built ◆ *een geblokte **vent/kerel*** a hulk of a fellow, a hulking fellow

gebluf [het] bragging, boasting, ⟨BE⟩ bluffing

geblust [bn] [•] *gebluste **kalk*** slaked lime

gebocheld [bn] hunchbacked, humpbacked, ⟨form⟩ gibbous, ⟨med⟩ kyphotic ◆ *van voren en van achteren gebocheld **zijn*** be hunchbacked and pigeon-breasted

gebochelde [de] hunchback, humpback ◆ *de gebochelde van de Notre-Dame* the hunchback of the Notre-Dame

gebod [het] [1] ⟨bevel⟩ order, command, precept, ⟨jur⟩ injunction ◆ *een gebod van Christus* one of Christ's commandments; *Gods geboden, de geboden Gods* God's commandments; *een heilig gebod* a holy commandment; *een koninklijk gebod* a royal command; *iemands gebod naleven/overtreden* obey/disobey s.o.'s command/order; *een onvoorwaardelijk gebod* a categorical imperative; *op iemands gebod* on orders from s.o.; *tegen iemands gebod* against s.o.'s orders/bidding; *de tien geboden* the Ten Commandments, the Decalogue; *een gebod uitvaardigen* issue an order; *van God noch gebod weten* be godless; ⟨ook⟩ be a law unto o.s.; *geboden en verboden* ⟨inf⟩ do's and don'ts [2] ⟨mv; huwelijksafkondiging⟩ banns ◆ *de geboden aflezen* call/read/publish the banns [•] ⟨scherts⟩ *met zijn tien geboden eten* eat with one's fingers

geboden [bn] [•] *voorzichtigheid is geboden* prudence is called for, prudence is in order

gebodsbepaling [de^{v}] ± order, as opposed to prohibition

gebodsbord [het] ± road/traffic sign, giving an order, as opposed to a prohibition

geboefte [het] rabble, riff-raff, scum (of the earth) ◆ *stuk geboefte* rascal; ⟨BE ook⟩ blighter, bleeder

gebogen [bn] bent, curved, bowed, arched, ⟨biol⟩ arcuate ◆ *een kast met gebogen deuren* a cupboard with bowed doors; *met gebogen hoofd* with head bowed; *gebogen lopen* walk with a stoop; *een gebogen neus* an aquiline/arched/a Roman nose; *een gebogen rug* a crooked/bent back

gebonden [bn] [1] ⟨niet vrij⟩ bound, tied (up), attached (to), committed, restrained ◆ *aan huis gebonden* housebound; *aan één plaats gebonden* tied to one place; local; *niet aan regels gebonden* not bound by rules; *niet aan een kerk gebonden* non-denominational; *niet aan een partij gebonden* non-party, neutral; *ik ben niet aan tijd gebonden* I'm not pressed for time, my time is my own; *aan handen en voeten gebonden zijn* be tied/bound hand and foot; *je bent in dat baantje altijd gebonden* in that job your hands are always tied/restricted/you never have a free moment; *niet contractueel gebonden* not bound by contract; uncovenanted; *een gebonden leven* a busy life; *man, 40'er, gebonden, zoekt ...* man, fortyish, in relationship, seeks ... [2] ⟨boek⟩ bound ◆ *een gebonden boek* a hardback/hardcover; a bound book [3] ⟨niet dun vloeibaar⟩ thick, creamy ◆ *gebonden aspergesoep* cream of asparagus (soup) [4] ⟨aan voorschriften onderhevig⟩ regulated, ⟨stijl⟩ poetic, metrical ◆ *aan strenge regels gebonden zijn* be bound by strict rules; *gebonden verzen* metrical verse/lines [5] ⟨muz⟩ legato ◆ *gebonden noten* ⟨in muziekschrift⟩ slurred notes; *gebonden spel* legato [•] ⟨natuurk⟩ *gebonden elektriciteit* bound electricity

gebondenheid [de^{v}] [1] ⟨het onvrij-zijn⟩ lack of freedom, lack of spare time, restraint, bondage, restriction ◆ *vrijheid in gebondenheid* freedom in restraint [2] ⟨verbondenheid⟩ consistency, alignment [3] ⟨m.b.t. soepen, sauzen⟩ thickness

geboomte [het] [1] ⟨een aantal bomen⟩ trees [2] ⟨bomen van een veld, bos⟩ trees, ⟨voor hout⟩ timber ◆ *dicht/fris/hoog/laag/zwaar geboomte* dense/green/tall/low/heavy trees

geboorte [de^{v}] [1] ⟨het geboren worden⟩ birth, ⟨med⟩ delivery, parturition, ⟨Bijb⟩ nativity ◆ *een geboorte aangeven* register a birth; *bij de geboorte woog het kind ...* the child weighed ... at birth; *de moeder stierf bij de geboorte van het kind* the mother died in childbirth/giving birth to the child; *voor/na Christus' geboorte* before/after (the birth of) Christ; BC, AD; *de geboorte van een kind/Christus* the birth of a child; the birth of Christ, Christ's Nativity; *(van) na de geboorte* (post)natal; *van zijn geboorte af* from birth; *een Limburger van geboorte* a Limburger by birth; *vóór de geboorte* antenatal, prenatal [2] ⟨afkomst⟩ birth, descent, ancestry, parentage ◆ *iemand van aanzienlijke/lage geboorte* a high-born/low-born person; *van twijfelachtige geboorte* of doubtful descent/ancestry/origin; *iemand van geboorte* s.o. of high/noble birth [3] ⟨m.b.t. gewelf⟩ skewback

geboorteaangifte [de^{v}] registration of birth

geboorteakte [de] birth-certificate, certificate of birth

geboortebeperking [de^{v}] birth control, family planning

geboortebewijs [het] (copy of) birth-certificate

geboortecijfer [het] birth rate, natality ◆ *een daling van het geboortecijfer* a decline in the birth rate; *de geboortecijfers van de afgelopen tien jaar* the birth figures over the past ten years

geboortedag [de^{m}] [1] ⟨verjaardag⟩ birthday, anniversary (of the birth) ◆ *de honderdste/tweehonderdste/driehonderdste geboortedag* the centenary/bicentenary/tercentenary of s.o.'s birth [2] ⟨de dag van iemands geboorte⟩ birthday, day of birth

geboortedaling [de^{v}] drop/fall/decline in the birth rate

geboortedatum [de^{m}] date of birth, birth date

geboortedorp [het] native village, village of one's birth

geboortegewicht [het] weight at birth

geboortegolf [de] baby boom

geboortegrond [de^{m}] [1] ⟨geboortestreek⟩ native soil/ground/region/heath, home (ground) [2] ⟨vaderland⟩ native soil/country

geboorteheilige [de] ⟨r-k⟩ patron saint

geboortehotel [het] maternity hotel

geboortehuis [het] birthplace, house of one's birth

geboortejaar [het] year of birth

geboortekaartje [het] birth announcement card

geboorteland [het] native country, homeland, country of origin, country of one's birth ◆ *zijn geboorteland België* his native Belgium

geboortelijst [de] ⟨in België⟩ wish list of babygifts

geboorteoverschot [het] excess (of) births (over deaths), (natural) increase in population

geboortepijn [de; vaak mv] ⟨ook fig⟩ birth pang

geboorteplaats [de] place of birth, birthplace

geboorteplanning [de^{m}] family planning

geboorterecht [het] birthright, right of birth ◆ *krachtens geboorterecht* by (right of) birth

geboorteregeling [de^{v}] birth control, family planning

geboorteregister [het] birth register, register of births

geboortestaat [de^{m}] country of birth

geboortestad [de] native city/town, hometown, town/city of one's birth

geboortestreek [de] native region/area/district

geboortetegel [de^{m}] commemorative tile, tile commemorating a/s.o.'s birth

geboortetrauma [het] birth trauma

geboortewinkel [de^{m}] baby ^{B}shop/^{A}store

geboortig [bn] native, born, natural-born ◆ *geboortig van/uit Rotterdam* a native of Rotterdam

geboren [bn] [1] ⟨gebaard⟩ born ◆ *waar/wanneer bent u geboren?* where/when were you born?; *een dichter wordt niet gemaakt, maar geboren* poets are born, not made; *dood geboren* still-born; *ergens geboren en getogen zijn* be born and bred somewhere; *ik ben in Londen geboren en getogen* I'm a Londoner, born and bred; *hij is in/te Almelo geboren* he was born in Almelo; *zo iemand moet nog geboren worden* such a person has yet to be born; ⟨Bijb⟩ *uit God geboren zijn* be born of God; *uit dit huwelijk werd geboren ...* from this marriage was born ...; *uit een Engelse moeder geboren zijn* be born of/have an English mother; *een te vroeg geboren kind* a premature baby; ⟨fig; rel⟩ *wederom geboren worden* be born again/reborn; *mij is een zoon geboren* a son has been born (un)to me [2] ⟨al bij, door geboorte zijnde⟩ born, native, original, natural(-born) ◆ *blind/doofstom geboren zijn* be born blind/deaf and dumb; *een geboren dichter* a born/natural poet; *een geboren Nederlander* a native Dutchman; *mevrouw Jansen, geboren Smit* Mrs Jansen née Smit, ⟨form⟩ Mrs Jansen formerly Miss Smit; *geboren zijn voor iets/om te* be destined/born to [3] ⟨ontstaan⟩ born, originated, arisen, arrived ◆ *de scheikunde is uit de alchemie geboren* chemistry had its origins in alchemy ⊡ ⟨sprw⟩ *wie voor een dubbeltje geboren is, wordt nooit een kwartje* ± if you are born poor you will remain poor all your life; ⟨sprw⟩ *wie geboren is om te hangen/voor de galg verdrinkt niet* he that is born to be hanged shall never be drowned

geborgen [bn] safe, secure ◆ *zich geborgen voelen* feel safe/secure; *zich geborgen weten* know o.s. (to be)/that one is safe

geborgenheid [de^v] security, safety ◆ *iemand een gevoel van geborgenheid geven* give s.o. a sense of security

geborneerd [bn] ⟨karakter⟩ narrow-minded, bigoted, ⟨verstand⟩ limited, ⟨ideeën⟩ narrow, insular, borné ◆ *geborneerd zijn* be narrow-minded

geborrel [het] [1] ⟨het borrelen, opbruisen⟩ bubbling, effervescing, fizzing ◆ *het geborrel in mijn buik* the rumbling/gurgling in my stomach, ↓the rumbling/gurgling in my tummy [2] ⟨het borrels drinken⟩ tippling, have a drink/dram/drop, ↓boozing ◆ *om 3 uur begint het geborrel al* ↑(the) drinks will be served from 3 o'clock, ↓the booze-up starts at 3 o'clock; *dat geborrel is zijn ongeluk* his drinking will be the ruin of him, ↓his boozing will be the ruin of him

geborsteld [bn] [1] ⟨van borstels voorzien⟩ bristly, bristled, bushy, hairy, ⟨biol⟩ hispid ◆ *de geborstelde huid van het wilde zwijn* the bristly hide of the wild boar [2] ⟨met een borstel bewerkt⟩ brushed ◆ *naar achteren geborsteld* swept/brushed back

gebouw [het] building, structure, construction, ⟨pand⟩ premises, ⟨in namen⟩ hall, house ◆ *een deftig/vrolijk/somber gebouw* a stately/pretty/gloomy building; ⟨fig⟩ *het gebouw van de godsdienst* the edifice of religion; *een groot/ruim gebouw* a large/roomy building; *een houten gebouw(tje)* a wooden structure; *in het gebouw aanwezig* on the premises; *de gebouwen van een stad* the buildings of a city

gebouwd [bn] [1] ⟨met een bepaalde bouw⟩ ⟨ook in samenstellingen⟩ built, constructed, structured, framed ◆ *forsgebouwd* solidly built; *hij is fors/stevig gebouwd* he is of solid/sturdy build, he is well-built; *goedgebouwd* well-built; *lichtgebouwd, rankgebouwd* ⟨m.b.t. schip⟩ lightly built, with sleek/slender lines; *mooi gebouwd zijn* have a fine figure, be well-proportioned [2] ⟨onderscheiding onroerendgoedbelasting⟩ developed ◆ *gebouwde eigendommen* developed land/estates

gebouwencomplex [het] block/group/complex of buildings

gebr. [afk] (gebroeders) bros ◆ *gebr. X* X Bros

gebraad [het] [1] ⟨(stuk) gebraden vlees⟩ roast (meat), joint ◆ *de geur van gebraad* the smell of the roast; *overheerlijk gebraad* delicious roast [2] ⟨het braden⟩ ⟨in oven⟩ roasting, ⟨in pan⟩ broiling, frying, ⟨grillen⟩ grilling

gebrabbel [het] jabber, drivel, gibberish, ⟨van kind⟩ prattle, ⟨sl⟩ bull(shit) ◆ *wat een gebrabbel slaat hij uit* what a load of drivel/bull he's talking

gebral [het] bragging, bluster, tubthumping, ranting

gebrand [bn] roasted, burnt ◆ *gebrande amandelen* burnt/roasted almonds; *gebrand glas* stained glass; *gebrand paarlemoer* smoked pearl; *gebrande stroop* caramel(ized)/burnt sugar syrup; ⟨koffiestroop⟩ (black) treacle/^{A}molasses ⊡ *erop gebrand zijn te* ⟨gesteld op⟩ be keen/hot on/be crazy about; ⟨verlangend naar⟩ be burning/dying to

gebreid [bn] knitted ◆ *gebreide goederen/kleding* knitted goods, knitwear; *gebreide handschoenen* knitted/woollen gloves; ⟨zeldz⟩ Berlin gloves, berlins; *gebreid kledingstuk* knit; *met de hand gebreid* hand-knitted, ⟨AE⟩ handknit

gebrek [het] [1] ⟨het niet genoeg aanwezig zijn⟩ lack, want, shortage, deficiency ◆ *gebrek aan eetlust* lack/loss of appetite; *gebrek aan stof hebben* be short of material; *gebrek aan ruimte hebben* lack room, be cramped for room; *gebrek aan arbeidskrachten/personeel hebben* be short-handed; *gebrek aan water/geld/verstand/ondervinding hebben* be lacking in/lack (for) water/money/intelligence/experience; *bij gebrek aan* for want/lack of, in the absence of; *bij gebreke van* failing, in the absence of, ⟨form⟩ in default of; *bij gebrek aan tijd* for want/lack of time; *bij gebrek aan beter* for want of anything/sth. better, ↑faute de mieux; *bij gebrek aan bewijs* for lack of evidence, in the absence of proof; *aan geld/zorgen/vrienden geen gebrek* no lack/shortage of money/worries/woes/friends; *groot gebrek hebben aan* be greatly lacking in, be greatly in want of, be/go short of, ⟨sterker⟩ be in desperate need of; *de bodem heeft gebrek aan kalk* the soil is deficient in lime; *gebrek krijgen aan iets* run short of sth. [2] ⟨armoede, gemis⟩ want, need, hardship, (de)privation ◆ *gebrek hebben/lijden* be in want/need, go short; *daar heerst gebrek* there is great hardship/want/need there; *het nijpendste gebrek* the most acute hardship; *van gebrek omkomen* die from deprivation/hardship [3] ⟨kwaal⟩ ailment, infirmity ◆ *de gebreken van de ouderdom* the ailments of old age; *een uitwendig/inwendig/heimelijk gebrek* an external/internal/insidious ailment [4] ⟨geestelijke onvolkomenheid⟩ failing, shortcoming, weakness ◆ *grove gebreken* serious failings; *maar één gebrek hebben* have only one failing/weakness; *alle mensen hebben hun gebreken* everyone has his/we all have our faults, no one's perfect; *een menselijk gebrek* a human failing/weakness; *een natuurlijk gebrek* ⟨ook fig⟩ an inherent weakness, an innate/inborn failing; *iemand zijn gebreken onder ogen brengen* point s.o.'s failings out to him [5] ⟨m.b.t. zaken⟩ flaw, fault, defect, shortcoming, failing ◆ *de gebreken van een gedicht/schilderij opmerken* notice the flaws/faults/defects in a poem/painting; *een verborgen gebrek* a hidden flaw/fault/defect; *een gebrek verhelpen* correct/remedy a flaw/fault/failing/defect/shortcoming; *(ernstige) gebreken vertonen* ⟨ook⟩ be (seriously) defective ⊡ *in gebreke blijven* fail (to do sth.), ⟨schulden te betalen⟩ (be in) default; *in gebreke stellen/zijn* declare/be in default, hold/declare/be liable; *zonder gebreken* flawless, faultless, perfect; ⟨sprw⟩ *de ouderdom komt met gebreken* ± age is a heavy burden; ± old churches have dim windows; ⟨sprw⟩ *elke gek heeft zijn gebrek* ± every man has his faults

gebrekig [bn] defaulting ◆ ⟨jur⟩ *gebrekige getuige* defaulting witness; *gebrekige koper* defaulting purchaser

[1]**gebrekkig** [bn, bw] [1] ⟨met lichamelijke gebreken⟩ infirm ⟨bw: ~ly⟩, ailing, ⟨dier ook⟩ lame ◆ *een gebrekkig mens/paard* an infirm/ailing person, ⟨inf⟩ a lame duck; a lame horse [2] ⟨m.b.t. zaken⟩ faulty ⟨bw: faultily⟩, defective, ⟨ontoereikend⟩ inadequate, poor, imperfect, deficient ◆ *een gebrekkig beeld* a faulty/an inadequate picture; *een gebrekkig betoog/plan* an inadequate/a poor/faulty/deficient argument/plan; *een gebrekkig excuus* a poor/lame/paltry excuse; *een gebrekkige gang* lameness, a limp, an imperfect gait; *gebrekkig gereedschap* faulty/defective equipment; *gebrekkige huisvesting* poor/primitive housing; *een gebrekkige kennis van het Engels* poor/imperfect/inadequate (knowledge of) English; *een gebrekkige organisatie* poor/imperfect/inadequate organization; *taal en stijl waren zeer gebrekkig* language and style were very poor; *een gebrekkige voordracht/uitspraak* poor delivery/pronunciation, ⟨haperend⟩ halting delivery/pronunciation

[2]**gebrekkig** [bw] ⟨op een gebrekkige wijze⟩ poorly, imperfectly, inadequately, ⟨haperend⟩ haltingly, brokenly ◆ *hij spreekt gebrekkig Frans* he speaks poor/broken French, his French is poor; *een taal gebrekkig spreken* speak a language poorly; *zich gebrekkig uitdrukken* express o.s. imperfectly/haltingly

gebrekkigheid [de^v] [1] ⟨m.b.t. personen⟩ infirmity [2] ⟨m.b.t. zaken⟩ defectiveness, faultiness, ⟨ontoereikendheid⟩ inadequacy, poorness, imperfection, deficiency

gebrild [bn] (be)spectacled ▪ *gebrilde **zeekoet*** bridled guillemot
gebroddel [het] bungling, botch
gebroed [het] 1 ⟨schadelijke dieren⟩ vermin 2 ⟨gespuis⟩ rabble, scum
gebroeders [de^{mv}] brothers ♦ *de gebroeders **De Witt*** the De Witt brothers; ⟨form⟩ the brothers De Witt; *de gebroeders **X**, handelaren in wijnen* X Brothers/Bros, wine merchants
gebroken [bn] 1 ⟨stuk⟩ broken, ⟨med, wet ook⟩ fractured ♦ *een gebroken **bordje*** a broken plate; *het gebroken **geweertje*** the broken gun, (symbol of) pacifist movement in the 1930s; ⟨drukw⟩ *een gebroken **letter*** a damaged/battered letter; *gebroken **lijn*** broken line; *een gebroken **rib*** a broken/fractured rib 2 ⟨lichamelijk of geestelijk uitgeput⟩ broken ♦ *hij is **innerlijk** gebroken* he is broken-hearted, his spirit is broken; *een gebroken **man*** a broken man; *gebroken **van smart*** prostrate with grief, grief-stricken; *zich gebroken **voelen*** feel broken, be a broken (wo)man 3 ⟨stamelend, gebrekkig⟩ broken ♦ *hij sprak haar in gebroken **Frans** aan* he addressed her in broken French; *een gebroken **stem*** a broken voice 4 ⟨m.b.t. kleuren⟩ broken ♦ *gebroken **wit*** off-white 5 ⟨onderbroken⟩ interrupted, broken ♦ ⟨muz⟩ *gebroken **akkoorden*** broken chords; *een gebroken **dak*** a mansard/curb roof; *gebroken **vers*** ± verse with a heavy caesura; *een gebroken **week/maand*** an incomplete week/month 6 ⟨een breuk hebbend⟩ ruptured
gebrom [het] 1 ⟨het brommen⟩ hum(ming), ⟨van insecten enz.⟩ buzz(ing), ⟨van dieren⟩ growl(ing), ⟨van mensen, dieren ook⟩ grunt(ing), ⟨van vliegtuig enz.⟩ drone, droning ♦ *een **goedkeurend/tevreden** gebrom* a grunt of approval/satisfaction 2 ⟨gemopper⟩ grumbling
gebronsd [bn] bronzed, (sun-)tanned
gebrouilleerd [bn] on bad terms ♦ ***met** iemand gebrouilleerd zijn* be on bad terms/have fallen out with s.o.; *zij **zijn** (met elkaar) gebrouilleerd* they're on bad terms/they've fallen out (with each other)
gebruik [het] 1 ⟨het zich bedienen van iets⟩ use, ↑application, ⟨eten, drank⟩ consumption, ⟨pillen enz.⟩ taking ♦ *voor **algemeen** gebruik* for general use; *het gebruik van **aspirine*** (the) taking of aspirin; *servies voor **dagelijks** gebruik* crockery for everyday/daily use; ***door** het gebruik afslijten* wear away/down with/through/from use; *voor **eigen** gebruik* for (one's own) personal/private use; *een **goed/verkeerd/gepast** gebruik* a good/wrong/an appropriate use/application; *het **ijdel** gebruik van Gods naam is ongepast* it is wrong to take God's name in vain; *iets **in** gebruik stellen* put/bring sth. into use; ***in** gebruik hebben/nemen* have in use, put/bring into use; *meevallen **in** het gebruik* be not so bad once you get used to him/her/..., get better with use, be better than one expects; *het gebruik van **lompen** om papier te vervaardigen* the use of rags to make paper; ***na** gebruik* after use, when it has/they have served their purpose; *het gebruik van **olie** in de sla* the use of oil in salad; *het gebruik van **sterkedrank*** (the) consumption of spirits/^{A}liquor; ***tot/voor** iemands gebruik* for s.o.'s use, for use by/for the use of s.o.; *het gebruik van de **tuin** was hem toegestaan* he was allowed the use of/allowed to use the garden; *alleen voor **uitwendig** gebruik* for external use/application only, to be used externally; *een geneesmiddel voor **uitwendig** gebruik* (a) medicine/medication for external use/that is not to be taken; *schudden **voor** het gebruik* shake before use; *deze kast hou ik **voor** mijn gebruik* I'm keeping this cupboard for my own use 2 ⟨gewoonte⟩ custom, habit, practice, usage ♦ *een gebruik **afschaffen/wijzigen*** abolish/modify/alter a custom; ***buiten** gebruik zijn/raken* be/fall/go out of use, be in/fall into disuse, be/become disused; *een door de wet **erkend** gebruik* a legally recognised custom/practice; *het is een **goed** gebruik dat ...* ... is a good custom; ***in** gebruik zijn/raken* be in/come into use; *de gebruiken van een **land*** the customs of a country; *een **oud/een eerbiedwaardig** gebruik* an ancient/honourable/a laudable custom; ***volgens** plaatselijk gebruik* in accordance with local custom/practice; *zo **is** het gebruik* such is the custom
gebruikelijk [bn] usual, customary, habitual, ⟨alg gebruikt⟩ common ♦ *hij legde de gebruikelijke **eed** af* he took the customary oath; *zoals (te doen) gebruikelijk **is*** as is usual/customary; *de gebruikelijke **naam** van een plant* the common name of a plant; *het is gebruikelijk **om** ...* it is usual/customary/common practice to ...; *de gebruikelijke **plichtplegingen*** the usual/customary ceremonies; *op het gebruikelijke **uur*** at the usual time; *op de gebruikelijke **wijze*** in the usual way ▪ ⟨wisk⟩ *een gebruikelijke **breuk*** a proper fraction
[1]**gebruiken** [ov ww] 1 ⟨gebruikmaken van⟩ use, ⟨form⟩ employ, apply, utilize, ⟨pillen enz.⟩ take ♦ *een **argument** gebruiken* use an argument; *de auto gebruikt veel **benzine*** the car uses (up)/consumes a lot of petrol/^{A}gas; *iemands **diensten/hulp** gebruiken* make use of/avail o.s. of/take advantage of s.o.'s services/help; *een **geneesmiddel** inwendig/uitwendig gebruiken* take/use a medicine internally; use/apply a medicament/medication externally; ***geweld/list** gebruiken* use violence/cunning; *zijn tijd **goed/slecht** gebruiken* make good/bad use of one's time, put one's time to good/bad use, use one's time well/badly; *hij heeft zijn vakantie **goed** gebruikt* he made good use of his holiday/^{A}vacation; *Gods naam **ijdel** gebruiken* take God's name in vain; *dat **kan** ik goed gebruiken* that comes in handy; *zij **kan** van alles gebruiken* it's all grist to her mill, nothing's wasted with/on her; *dat **kan** ik net goed gebruiken* I can/could just use/make good use of that, ⟨inf⟩ I can/could just do with that; *ik **kan** dat later misschien wel gebruiken* I may find a use for it later on; ***kinine/slaapmiddelen** gebruiken* take quinine/sleeping pills/tablets; *hij vroeg ons of we niets **konden** gebruiken* he asked us whether we needed anything; *iets/iemand niet **kunnen** gebruiken* ⟨ook fig⟩ have no use for sth./s.o.; ⟨fig⟩ *slecht weer **kunnen** we niet gebruiken* we can do without bad weather; *ik zou best wat extra geld **kunnen** gebruiken* I could do with some extra money; *zich voor alles **laten** gebruiken* be a dogsbody/willing horse, be at everyone's beck and call; *(geen) gebruik van iets **maken*** (not) make use of sth., (not) avail o.s. of sth., (not) take advantage of sth., (not) exploit/utilize sth.; *het juiste gebruik **maken** van iets* put sth. to the right/to its proper use; *een **paraplu/een mantel** gebruiken voor de regen* use an umbrella/a coat to keep off the rain; *zijn **verstand** gebruiken* use one's common sense/intelligence; *zich gebruikt **voelen*** feel used; *hij **weet** zijn handen **te** gebruiken* he's good with his hands, he knows how to use his hands, he uses his hands well, he is handy; *iets **weten te** gebruiken* know how to use sth.; *iemand **weten te** gebruiken* know how to use s.o., (be able to) put s.o. to good use; *zijn pen **weten te** gebruiken* have a way with words, be handy with a pen, use a pen well, know how to use/handle a pen; *zijn tong **weten te** gebruiken* have a way with words, be capable of using one's tongue; *iemands **woorden** gebruiken* use s.o.'s words 2 ⟨nuttigen⟩ have, take, eat, drink, ↑consume ♦ *wilt u ook **iets** gebruiken?* can I get you anything?, would you like sth. (to eat/drink)?; *een **maaltijd** gebruiken* take/eat a meal; *gebruikt u **suiker** in de thee?* do you take/have sugar in your tea?; ***te** gebruiken **tot*** use by/before, best by/before; *een beetje **te veel** gebruiken* regularly have a bit/drop too much (to drink), over-indulge; ***wat** gebruiken* eat/drink/have sth., have sth. to eat/drink
[2]**gebruiken** [ov ww, ook abs] ⟨harddrugs innemen⟩ ⟨onovergankelijk werkwoord⟩ be on drugs, take drugs, ⟨overgankelijk werkwoord⟩ be on, take
gebruiker [de^{m}] 1 ⟨iemand die iets gebruikt⟩ user, ⟨verbruiker⟩ consumer ♦ *de gebruikers van een **computer*** computer users 2 ⟨jur⟩ usufructuary, occupier, occupant 3 ⟨drugsgebruiker⟩ drug taker, drugs user, ⟨verslaafde⟩ drug addict, ⟨sl⟩ junkie, ⟨AE⟩ hophead

gebruikersinterface [de] ⟨comp⟩ user interface
gebruikersnaam [de^m] user name
gebruikersonvriendelijk [bn] user-unfriendly
gebruikersruimte [de^v] supervised area where drug users may use drugs
gebruikersvriendelijk [bn, bw] user-friendly, easy to use, easy to get on with, ⟨handig⟩ practical, convenient
gebruikmaken [onov ww] ⟨+ van⟩ use, make use of ♦ *druk gebruikmaken **van iets*** use sth. a lot, make frequent use of sth.; ***van de gelegenheid** gebruikmaken* take/seize the opportunity; *gebruikmaken **van een mogelijkheid*** use a possibility; *het gebruikmaken **van een tolk/gids*** the use of an interpreter/a guide; ***van iemands aanbod/uitnodiging/gastvrijheid** gebruikmaken* take advantage of/avail o.s. of s.o.'s offer/invitation/hospitality
gebruikmaking [de^v] use, ⟨form⟩ utilization ♦ ***met** gebruikmaking **van*** (by) using, with the benefit of
gebruiksaanwijzing [de^v] directions (for use), ⟨m.b.t. toestel enz.⟩ instructions (for use), operation instructions ♦ ***met** gebruiksaanwijzing* directions/instructions enclosed, directions/instructions attached; ⟨iron⟩ *dat is er een **met** een gebruiksaanwijzing* ⟨persoon⟩ you have to tread carefully/mind your p's and q's/watch your step with him/her, you need to treat him/her with kid gloves
gebruiksartikel [het] consumer item/article, item/article of (everyday) use
gebruiksgemak [het] ease of use, user-friendliness
gebruiksgoederen [de^mv] consumer goods/durables/commodities ♦ ***duurzame** gebruiksgoederen* durable consumer goods, consumer durables
gebruiksgroen [het] public green space
gebruiksklaar [bn] ready for use ⟨attributief: ready-for-use⟩ ♦ *het weer gebruiksklaar **maken van oud papier*** recycling of waste paper; *gebruiksklaar **voedsel*** ready-to-eat/convenience/take-away food(s)
gebruiksmogelijkheid [de^v] application (possibility) ♦ *pvc **heeft** enorm veel gebruiksmogelijkheden* PVC has a thousand uses
gebruiksrecht [het] usufruct, right of use
gebruikssfeer [de] register, area/sphere of use
gebruiksvoorschrift [het] user's/operating instructions, directions/instructions (for use), ⟨handleiding⟩ user's/owner's manual
gebruiksvoorwerp [het] ⟨gereedschap⟩ implement, ⟨toestel⟩ appliance, ⟨keukengerei enz.⟩ utensil
gebruiksvriendelijk [bn, bw] user-friendly
gebruikswaarde [de^v] practical value, utility value
gebruind [bn] tanned, sunburnt, ⟨AE⟩ sunburned
gebruis [het] ⟨van waterval, bergstroom enz.⟩ roar(ing), seething, ⟨form⟩ gurgitation, ⟨zacht⟩ fizz, ⟨van koolzuurhoudende dranken⟩ effervescence, fizzing
gebrul [het] roar(ing), howling, howls, bellowing, ⟨van mens ook⟩ yelling ♦ *het deed een **luidruchtig** gebrul opgaan onder het publiek* ⟨van het lachen ook⟩ it drew boisterous guffaws/loud roars of laughter from the audience
gebuild [bn] bo(u)lted ♦ *gebuild **meel*** bo(u)lted flour
gebukt [bn] ⊡ *gebukt **gaan** onder zorgen* be weighed down/burdened/laden/bowed down with worries
gebulder [het] boom(ing), roar(ing)
gebulk [het] low(ing), bellow(ing), mooing
gebuur [de] ⟨in België⟩ neighbour
gecanneleerd [bn] grooved, ⟨kolommen enz. ook⟩ fluted ♦ *gecanneleerde **kolommen*** fluted columns
gecentraliseerd [bn] centralized, ⟨van overh ook⟩ unitary
gecentreerd [bn] ⟨m.b.t. één lens en lenshouder⟩ centred, ⟨m.b.t. lenzen onderling⟩ aligned
gecharmeerd [bn] ⊡ *gecharmeerd zijn **van** iemand/iets* be taken with/captivated/charmed by s.o./sth.
gechloreerd [bn] chlorinated
geciviliseerd [bn] civilized
geclausuleerd [bn] with an added clause/proviso ♦ ⟨jur⟩ *geclausuleerde **bekentenis*** confession hedged with (an) added proviso(s)
geco [de^m] ⟨in België⟩ temp(orary employee) of a/the town, temp(orary employee) of a/the province
gecombineerd [bn] combined, ⟨inf⟩ all-in-one ♦ *een gecombineerde **meter*** multi-meter; *een gecombineerd **toegangsbewijs*** a combined/an all-in-one ticket
gecommitteerde [de] [1] ⟨gemachtigd toeziener⟩ external/assistant/second examiner [2] ⟨gevolmachtigde⟩ delegate, representative, deputy
gecompliceerd [bn] complicated, involved, complex, intricate ♦ *een gecompliceerde **aanrijding*** a multiple collision; *een gecompliceerde **breuk*** a compound fracture; *een gecompliceerd **geval*** a complicated case; *een gecompliceerd **karakter*** a complex character; *gecompliceerd **maken*** complicate
gecompliceerdheid [de^v] complexity, intricacy, involution, complicatedness
gecompromitteerd [bn] compromised
geconcentreerd [bn, bw] [1] ⟨van sterk gehalte⟩ concentrated ♦ *geconcentreerd **zwavelzuur*** (oil of) vitriol, concentrated sulphuric acid [2] ⟨ingespannen⟩ concentrated, intent, ⟨bijwoord ook⟩ with concentration ♦ ***erg** geconcentreerd zijn* be concentrating hard/very concentrated; *geconcentreerd **werken*** work with (great) concentration/concentratedly/intently
gecondenseerd [bn] condensed ♦ *gecondenseerde **melk*** condensed/evaporated milk
geconditioneerd [bn] [1] ⟨afhankelijk van voorwaarde(n)⟩ conditioned ♦ *een geconditioneerde **reflex*** a conditioned reflex [2] ⟨zich bevindend in een toestand⟩ in ... condition ♦ ***goed** geconditioneerd* in good condition, ⟨personen ook⟩ fit
geconfedereerden [de^mv] confederates, ⟨USA, gesch⟩ the Confederacy, the Confederate States of America
geconfirmeerd [bn] confirmed ♦ *geconfirmeerde **kredietbrief*** confirmed letter of credit
geconjugeerd [bn] [1] ⟨wisk⟩ conjugate [2] ⟨taalk⟩ conjugated ⊡ ⟨scheik⟩ *geconjugeerd **systeem*** conjugate(d) system
geconserveerd [bn] preserved, ⟨in blik ook⟩ canned, ⟨BE ook⟩ tinned ♦ ***goed** geconserveerd zijn* be well-preserved; *geconserveerde **sardientjes*** canned/tinned sardines
geconsigneerde [de] consignee, ⟨ruimer ook⟩ addressee
geconsolideerd [bn] consolidated ⊡ *geconsolideerde **balans*** consolidated balance; *geconsolideerde **schuld*** consolidated debt
geconstipeerd [bn] constipated
gecontinueerd [bn] continued
gecorseerd [bn] full-bodied, strong-bodied, robust
gecrispeerd [bn] ⟨in België⟩ → **gespannen**[1] **bet 2**
gecultiveerd [bn] [1] ⟨ontgonnen⟩ cultivated [2] ⟨verfijnd⟩ cultivated, cultured ♦ *een gecultiveerde **smaak*** cultivated/cultured taste
gedaagde [de] defendant, ⟨bij echtscheidingsproces⟩ respondent
gedaan [bn] [1] ⟨geëindigd⟩ done, finished, over ♦ *het is **met hem** gedaan* he's finished, ⟨inf⟩ he's had it, he's done for, that's the end of him, it's all over as far as he's concerned; *dan is het met je/de **rust** gedaan* then you won't get/there won't be any peace and quiet, then it's goodbye to peace and quiet; ⟨in België⟩ *gedaan **maken met*** have done with, put an end to [2] ⟨klaar⟩ done, finished, over (with) ♦ *iets gedaan **krijgen*** get sth. done; *ik kan het niet gedaan **krijgen*** I can't get it done/finished/get it over with; *van iemand iets gedaan **krijgen*** get sth. out of s.o., get somewhere with s.o.; *ik kan alles van hem gedaan **krijgen*** ⟨ook⟩ he'll do anything for me; *van iemand niets gedaan kunnen **krijgen***

not (be able to) get anything out s.o., not (be able to) get anywhere with s.o. [3] ⟨fin⟩ done ♦ *gedaan en **bieden**/en **laten*** done and bid/and asked [•] *dat is **niks** gedaan* it's a dead loss/a wash-out/no go; *het is **niks** gedaan met hem* he's a dead loss/useless/a wet week no good; ⟨sprw⟩ *na gedane arbeid is het goed rusten* when work is over rest is sweet; after the work is done repose is sweet; ⟨sprw⟩ *gedane zaken nemen geen keer* what's done is done; what's done cannot be undone; it's no use crying over spilt milk

gedaante [de^v] [1] ⟨uiterlijk⟩ form, figure, shape, appearance, ⟨fig vnl⟩ guise ♦ *een **andere** gedaante aannemen* take on another form/change (its) shape; ⟨rel⟩ *onder **beide** gedaanten communiceren* communicate/receive in both kinds; *de **eerste** gedaante van de insecten is de larve* the first form that insects take is the larva; *in zijn **eigen** gedaante* as one's true self/in one's own form; ***in** de gedaante van* in the shape/form/guise of; *in **menselijke** gedaante* in human form/shape; *in zijn **natuurlijke** gedaante* in one's natural form; *het kwaad verschijnt **onder** vele gedaanten* evil appears in many guises; *hij had een **reusachtige** gedaante* he was an enormous/a giant (figure); ***van** gedaante (doen) **veranderen*** change (one's/in) shape/form, change the shape/form of; ⟨form⟩ metamorphose; *zijn **ware** gedaante tonen* show (o.s. in) one's true colours, show one's true self/face/appearance [2] ⟨verschijning, beeld⟩ shape, figure ♦ *zij onderscheidden flauw de gedaanten van **schepen** en **masten*** they could vaguely make out the shapes of ships and masts; *een **spookachtige** gedaante* a ghostly shape/figure

gedaanteverandering [de^v] → **gedaanteverwisseling**

gedaanteverwisseling [de^v], **gedaanteverandering** [de^v] [1] ⟨metamorfose⟩ transformation, metamorphosis, change of form ♦ *een gedaanteverwisseling **ondergaan*** be(come) transformed, undergo (a) transformation/metamorphosis, change (one's) form [2] ⟨biol⟩ metamorphosis ♦ ***volkomen** gedaanteverwisseling* complete metamorphosis

gedaas [het] ⟨inf⟩ twaddle, hot air, ⟨BE ook⟩ blather(ing)

gedachte [de^v] [1] ⟨het denken aan iets⟩ thought ♦ *de gedachte **aan** vrouw en kind sterkte hem* the thought of his wife and child gave him strength; *iemands gedachten ergens van **afleiden*** take s.o.'s mind off sth.; *iets **in** gedachten doen* do sth. absent-mindedly, do sth. with one's mind/thoughts elsewhere, do sth. with one's mind/thoughts on sth. else; *verzonken **in** gedachten* deep in thought; *iets **in** gedachten nemen* give thought/consideration to sth.; *(diep) **in** gedachten zijn* be lost/deep in thought; *iets **in** gedachten houden* keep one's thoughts/mind on sth.; ⟨rekening houden met⟩ bear/keep sth. in mind; *zich **in** zijn gedachten verliezen* lose o.s./become lost in thought; *de gedachte **koesteren*** entertain/cherish the thought; *zijn gedachten de vrije loop **laten*** give one's thoughts free rein [2] ⟨denkbeeld⟩ thought, idea, ⟨form⟩ notion ♦ *zich verheugen bij de gedachte **aan** iets* be delighted at the idea/thought of sth.; ⟨zich verheugen op⟩ look forward to sth.; *een **aangename/sombere/goede** gedachte* a pleasant/gloomy/good idea/thought; *de **achterliggende** gedachte is dat ...* the underlying idea/thought is that/the idea/thought behind it is that ...; *hij kan de gedachte eraan niet van zich **afzetten*** he can't help thinking about it, he can't get rid of the idea, he can't get/put the thought/idea out of his head; *de gedachte **alleen** al ...* the very thought/idea ...; *een gedachte onder woorden **brengen*** voice/express a thought/an idea; *dit lied geeft de gedachten van de **dichter** goed weer* this song reflects the poet's thoughts/ideas well; *zijn **eerste** gedachte was* his first thought was; *een gedachte van **hoop/liefde/troost*** a hopeful/loving/consoling thought; *zijn gedachten bij iets **houden*** keep one's thoughts/mind on sth.; *zijn gedachten bij elkaar **houden*** keep concentrating, keep one's thoughts together/on the job; ***in** zijn gedachte(n)* in his mind('s eye); ***in** gedachten ben ik bij je* I am with you (in thought), my thoughts are with you; *hoe **kan** zo'n gedachte bij u **opkomen**?* whatever gave/gives you that idea?, how can you think such a thing?; *de gedachte niet **kunnen verdragen** dat ...* not be able to bear the thought/bear the idea/bear to think that ...; *zijn gedachten over iets **laten gaan*** give/turn one's thoughts/mind to sth., give thought to sth.; *de **leidende** gedachte* the main idea, the chief consideration, the guiding thought; *er niet bij zijn **met** zijn gedachten* have one's mind/thoughts elsewhere, have one's mind/thoughts on sth. else, be absent-minded; *(iemand) **op** de gedachte brengen* give (s.o.) the idea, suggest the idea to (s.o.), put the idea into (s.o.'s) head; *de **rijkdom** van zijn gedachten* the wealth/breadth of his ideas/thoughts; *een **treffende/juiste/belangrijke** gedachte* a striking/right/an important idea; *nooit **uit** iemands gedachten zijn* never be far from s.o.'s thoughts, never be out of/be off s.o.'s mind; *een gedachte **uiten*** express a thought; ***van** gedachten **wisselen*** exchange ideas; *een gedachte **vormen/opwekken*** form/raise/rouse/put an idea; *zet die gedachte uit je hoofd* put that idea out of your head/mind [3] ⟨mening⟩ opinion, view ♦ *tot **andere** gedachten komen* change one's mind, think again; *iemand tot **andere/betere** gedachten brengen* change s.o.'s mind, make s.o. change his mind/think again, bring s.o. round; ***bij** zijn gedachten blijven* stick to one's opinion(s)/views; ***goede/slechte/ongunstige** gedachten over iets/iemand hebben* have a good/poor/an adverse opinion of sth./s.o., take a good/poor/an adverse view of sth./s.o.; ***op** twee gedachten hinken* be in two minds (about sth.), be torn between two ideas/alternatives [4] ⟨voornemen, plan⟩ idea ♦ *wij kwamen **op** de gedachte om* ... it occurred to us to ..., we hit on the idea of ...(-ing); ***van** gedachten veranderen* change one's mind/plans, think again [•] ⟨sprw⟩ *de wens is de vader van de gedachte* the wish is father to the thought; ⟨sprw⟩ *gedachten zijn tolvrij* thought is free

gedachteflits [de^m] sudden thought/idea, ⟨slimme inval⟩ brain wave, ⟨AE⟩ brainstorm

gedachtegang [de^m] train/line of thought, ⟨redenering⟩ (line of) reasoning ♦ *iemands gedachtegang **onderbreken*** interrupt s.o.'s train of thought; *zijn gedachtegang was **onjuist*** his reasoning was faulty; ***volgens** deze gedachtegang, deze gedachtegang volgende, **in** deze gedachtegang (doorgaand)* according to this line of thought/of reasoning/of argument; *deze gedachtegang ligt aan zijn betoog ten grondslag* this line of thought is the basis of his argument

gedachtegoed [het] body of thought/ideas, range of thought/ideas, mental legacy

gedachtekronkel [de^m] nutty thought/idea/way of thinking, funny thought/idea/way of thinking

gedachteleven [het] (one's) thoughts, realm of thought/ideas

gedachtelezen [ww] mind-reading, thought-reading, telepathy

gedachtelezer [de^m] mind-reader, thought-reader, telepath(ist)

gedachteloop [de^m] train/current of thought ♦ *een andere richting geven aan zijn gedachteloop* send/turn one's thoughts/mind in a different direction/elsewhere

gedachteloos [bn, bw] [1] ⟨onnadenkend⟩ unthinking ⟨bw: ~ly⟩, thoughtless ♦ *iemand gedachteloos **napraten*** repeat s.o.'s words unthinkingly, repeat s.o.'s words parrot-fashion [2] ⟨werktuiglijk⟩ absent(-minded) ⟨bw: ~ly⟩, idle ♦ *gedachteloos in een boek **bladeren*** leaf idly/absent(-minded)ly through a book [3] ⟨zonder heldere gedachten⟩ absent(-minded) ⟨bw: ~ly⟩ ♦ *zij **staarde** gedachteloos voor zich uit* she stared absent(-minded)ly into the distance

gedachteloosheid [de^v] ⟨lichtvaardigheid, onnadenkendheid⟩ thoughtlessness, lack of thought, ⟨werktuiglijkheid, gebrek aan heldere gedachten⟩ absent-mindedness

gedachtenis [de^v] 1 ⟨herinnering⟩ memory, ⟨form⟩ remembrance ♦ ⟨Bijb⟩ *in* ***eeuwige*** *gedachtenis zijn* be held/kept in everlasting/perpetual remembrance; ***in*** *iemands gedachtenis leven* live on in s.o.'s memory; ***ter*** *gedachtenis* ***van*** *iemand/iets* in memory/remembrance of s.o./sth.; *mijn vader/moeder* ***zaliger*** *gedachtenis* my (late) father/mother, bless his/her soul; my father/mother of blessed memory 2 ⟨voorwerp als aandenken⟩ keepsake, memento, souvenir ♦ *ik geef u dit* ***tot*** *een gedachtenis* I am giving you this as a keepsake/memento
gedachtepolitie [de^v] thought police
gedachtesprong [de^m] mental leap/jump ♦ *een gedachtesprong* ***maken*** make a mental leap/jump, jump from one idea to another; ⟨naar een heel ander onderwerp⟩ fly off at/go off at a tangent
gedachtestreep [de] dash
gedachtestroom [de^m] stream/flow of ideas, stream/flow of thought(s)
gedachtevlucht [de] 1 ⟨het afdwalen van de gedachten⟩ wool-gathering, day-dream(ing) 2 ⟨psych⟩ flight of ideas
gedachtewending [de^v] turn of thought
gedachtewereld [de] way of thinking, realm of thought/ideas
gedachtewisseling [de^v] exchange of ideas/thoughts, ⟨meningen⟩ exchange of views/opinions ♦ *een gedachtewisseling* ***hebben*** *over* exchange ideas/views on; *een* ***vruchtbare*** *gedachtewisseling over* a fruitful exchange of ideas/views on
gedachtig [bn] ⟨form⟩ mindful ♦ ***aan*** *iemand/iets gedachtig worden* be mindful of s.o./sth.; *(aan) iemand* ***in*** *zijn gebeden gedachtig zijn* remember s.o. in one's prayers
gedag [tw] ⟨inf⟩ ⟨hallo⟩ hello, ⟨tot ziens⟩ bye(-bye), ⟨vnl AE; hallo⟩ ↓ hi, ⟨BE ook⟩ cheerio, ↓ ta-ta ♦ *gedag* ***zeggen*** say hello/goodbye
gedagvaarde [de] defendant
gedateerd [bn] (out)dated, archaic, vintage ♦ *een gedateerd* ***toneelstuk*** a dated play
gedaver [het] 1 ⟨het daveren⟩ boom(ing), thunder(ing) 2 ⟨het rillen⟩ shuddering
gedebaucheerd [bn] debauched, depraved
gedecideerd [bn, bw] decisive ⟨bw: ~ly⟩, resolute, decided ♦ *iets gedecideerd* ***ontkennen/weigeren*** deny/refuse sth. categorically/firmly/utterly; *een gedecideerd* ***optreden*** a resolute attitude/action
gedecideerdheid [de^v] resolution, resoluteness, decisiveness, decision
gedecolleteerd [bn] 1 ⟨een laag uitgesneden japon dragend⟩ wearing/in a low-necked dress, wearing/in a low-cut dress, ↑ wearing/in a décolleté dress, ⟨inf⟩ exposed, ↑ décolletée 2 ⟨met laag uitgesneden hals⟩ low-necked, low-cut, ↑ décolleté ♦ *een gedecolleteerde* ***jurk*** a low-necked dress
gedecoreerd [bn] decorated, wearing/with decorations
gedeeld [bn] 1 ⟨waarin een ander deelt⟩ shared 2 ⟨in delen gescheiden⟩ divided, split ♦ ⟨biol⟩ *gedeelde* ***bladeren*** parted leaves 3 ⟨heral⟩ party (per pale), per pale ⊡ ⟨sprw⟩ *gedeelde smart is halve smart* a trouble/sorrow shared is a trouble/sorrow halved; company in distress makes sorrow less
gedeelte [het] part, section, portion, segment, ⟨afbetaling enz.⟩ instalment ♦ *het* ***beste/slechtste*** *gedeelte van iets* the best/worst part of sth.; ***bij/in*** *gedeelten* in stages/segments/sections; ***bij*** *gedeelten/****in*** *gedeeltes afbetalen* pay in/by instalments, ⟨inf⟩ pay on the never-never; *het* ***bovenste/middelste/onderste/voorste/achterste*** *gedeelte* the top/middle/bottom/front/back (part); *voor het* ***grootste*** *gedeelte* for the most/greater part; *het* ***grootste*** *gedeelte van het jaar* most of/the greater/better part of the year; *het* ***grootste*** *gedeelte van zijn tijd doorbrengen met ...* spend most of/the greater/better part of one's time ...(-ing); *hij weet niet het* ***honderdste*** *gedeelte van wat jij weet* he doesn't know one-hundredth of what you know; *bepaalde gedeelten van een* ***rivier*** certain reaches/stretches of a river; ***voor*** *een gedeelte* partly, in part; *per uur of gedeelte daarvan* per hour or fraction/part thereof
¹gedeeltelijk [bn] ⟨niet geheel⟩ partial ♦ *een gedeeltelijke* ***aflossing*** (a) partial repayment; *een gedeeltelijke* ***vergoeding*** *voor geleden schade* partial compensation for damage sustained; *een gedeeltelijke* ***vrijspraak*** *van schuld* partial acquittal; *een gedeeltelijke* ***zonsverduistering*** a partial eclipse of the sun
²gedeeltelijk [bw] ⟨deels⟩ partly, in part, partially ♦ *geheel* ***of*** *gedeeltelijk* wholly or partly/partially, in whole or in part; *zijn voorbeeld* ***vond*** *slechts gedeeltelijk navolging* his example was only partially followed; *dat is slechts gedeeltelijk* ***waar*** that is only partly/partially true
gedegen [bn] 1 ⟨grondig⟩ thorough ♦ *een gedegen* ***studie*** a thorough study 2 ⟨m.b.t. metalen⟩ native, pure, unadulterated ♦ *gedegen* ***goud/zilver/kwik*** native/pure gold/silver/mercury; *metalen in gedegen* ***toestand*** native/unadulterated metals
gedegradeerd [bn] 1 ⟨uit een ambt, waardigheid ontzet⟩ demoted, ⟨mil ook⟩ reduced in rank 2 ⟨in aanzien verminderd⟩ down-graded, reduced in standing, degraded
gedeisd [bn, bw] ⟨inf⟩ quiet ⟨bw: ~ly⟩, calm ♦ *zich gedeisd* ***houden*** ⟨BE⟩ keep quiet, ↑ lie low; ⟨ook⟩ keep a low profile; *wil je je gedeisd* ***houden!*** will you shut up/keep quiet!, will you hold your silence!
gedekt [bn] 1 ⟨met een bedekking⟩ covered ♦ *met gedekt* ***hoofd*** with one's head covered 2 ⟨muz⟩ stopped 3 ⟨beschut⟩ covered ♦ *als je zo doet* ***ben*** *je altijd gedekt* if you do that, (then) you'll always be covered; *zich gedekt* ***houden*** lie low, keep a low profile, keep one's head down 4 ⟨niet fel⟩ subdued, sedate, sober ♦ *een gedekte* ***kleur/tint*** a subdued/sedate/sober colour/shade 5 ⟨gevrijwaard tegen risico⟩ covered ♦ *een gedekte* ***cheque*** a covered cheque/^Acheck 6 ⟨kaartspel⟩ covered ⊡ *een gedekt* ***kapsel*** ± short back and sides; *een gedekte* ***tafel*** a laid/set table
gedelegeerde [de] 1 ⟨afgevaardigde⟩ delegate, representative, ↑ appointee ♦ *een gedelegeerde* ***bij*** *de VN* a delegate to the UN 2 ⟨persoon aan wie taken worden gedelegeerd⟩ delegated person, agent 3 ⟨aangewezen schuldenaar⟩ (declared) debtor
gedemilitariseerd [bn] demilitarized ♦ *de gedemilitariseerde* ***zone*** the demilitarized zone
gedemotiveerd [bn] demoralized, dispirited ♦ *gedemotiveerd* ***raken*** lose one's motivation; *ze zijn* ***volkomen*** *gedemotiveerd* they have lost all motivation, they have become completely unmotivated
gedempt [bn] 1 ⟨niet fel, luid⟩ subdued, faint, muted, ⟨stem ook, omfloerst⟩ muffled, hushed ♦ *gedempt* ***licht*** subdued/faint light; *op gedempte* ***toon*** in a subdued/faint/muffled voice 2 ⟨dichtgegooid⟩ filled-in ♦ *een gedempte* ***gracht*** a filled-in canal
gedender [het] rattling, clanking, ⟨van verk⟩ roar(ing)
gedenkboek [het] 1 ⟨jubileumboek⟩ memorial/commemorative volume, memorial/commemorative book 2 ⟨vnl fig; boek waarin gebeurtenissen opgetekend zijn⟩ memorial book, ⟨fig⟩ annals ⟨mv⟩, chronicle(s), record(s) ♦ *het gedenkboek/de gedenkboeken der* ***geschiedenis*** the annals/chronicle(s)/record(s) of history, the historical record
gedenkdag [de^m] anniversary ♦ *de* ***driehonderdjarige*** *gedenkdag* the three-hundredth anniversary, ↑ the tricentenary, ⟨vnl AE⟩ the tricentennial; *de gedenkdag van de* ***wapenstilstand*** Armistice Day
gedenken [ov ww] 1 ⟨eraan terugdenken⟩ remember, recall 2 ⟨in gedachtenis houden⟩ commemorate, ⟨testament⟩ remember ♦ *iemand* ***in*** *zijn gebeden gedenken* remem-

ber s.o. in one's prayers; *iemand* ***in*** *zijn testament gedenken* remember s.o. in one's will; ***liefdevol*** *gedenken/in liefde gedenken* keep s.o.'s memory alive, hold in loving memory; *op de 3e oktober gedenkt men Leidens* ***ontzet*** the relief of Leiden is commemorated on the 3rd of October [3] ⟨nooit vergeten⟩ remember, think ♦ ⟨Bijb⟩ *gedenk de* ***sabbat*** remember that thou keep holy the Sabbath day, remember the Sabbath day, to keep it holy; *gedenk* ***te sterven*** remember you must die, be prepared for death, memento mori

gedenkjaar [het] memorial year, ⟨i.h.b. na 25, 50, 60 of 75 jaar⟩ jubilee (year)

gedenknaald [de] obelisk, memorial/commemorative column, memorial/commemorative pillar, needle

gedenkoffer [het] ⟨Bijb⟩ peace/burnt offering

gedenkpenning [de^m] commemorative medal

gedenkplaat [de] commemorative plaque/plate, ⟨steen ook⟩ commemorative tablet

gedenkrede [de] memorial speech

gedenkrol [de] commemorative roll/scroll

gedenkschrift [het] [1] ⟨memoires m.b.t. een belangrijke gebeurtenis⟩ memoir(s) [2] ⟨geschrift⟩ commemorative text

gedenkspreuk [de] motto, maxim, ⟨form⟩ aphorism, apophthegm

gedenksteen [de^m] memorial/commemorative stone, ⟨plaat⟩ memorial/commemorative tablet

gedenkteken [het] memorial, monument ♦ *een gedenkteken* ***voor*** a memorial/monument to

gedenkwaardig [bn] memorable, momentous ♦ *een gedenkwaardige* ***gebeurtenis/dag*** a memorable/momentous event/day, a(n) event/day to remember

gedenkwaardigheid [de^v] memorableness, memorability, ⟨in mv⟩ memorabilia

gedenkzuil [de] memorial/commemorative column, memorial/commemorative pillar

gedeporteerde [de] deportee, ⟨gesch; m.b.t. misdadigers⟩ transport

gedeprimeerd [bn] depressed

gedepriveerde [de] deprived person ♦ *de gedepriveerden* the deprived

gedeputeerd [bn] representative, deputed ♦ *Gedeputeerde Staten* ± the Provincial Executive

gedeputeerde [de] [1] ⟨afgevaardigde⟩ delegate, representative, deputy [2] ⟨volksafgevaardigde⟩ member of parliament, member of the legislature ⟨enz.⟩, ⟨AE⟩ representative, ⟨Zuid-Europese landen ook⟩ deputy [3] ⟨lid van Gedeputeerde Staten⟩ ± member of the Provincial Executive

gederangeerd [bn] [1] ⟨in de war⟩ confused [2] ⟨gestoord⟩ deranged, (mentally) disturbed, not in one's right mind [3] ⟨financiële moeilijkheden hebbend⟩ (financially) unsound, in financial difficulties/trouble

gedesillusioneerd [bn] disillusioned

gedesinteresseerd [bn] ⟨zonder belangstelling voor iets⟩ uninterested, ⟨zonder belang bij iets⟩ disinterested, unaffected, neutral ♦ *gedesinteresseerd* ***raken*** lose interest

gedesoriënteerd [bn] [1] ⟨het spoor bijster⟩ disorient(at)ed [2] ⟨in de war⟩ disorient(at)ed

gedetailleerd [bn, bw] ⟨bijvoeglijk naamwoord⟩ detailed, ⟨bijwoord⟩ in detail ♦ *een gedetailleerde* ***kaart*** a detailed map; *een gedetailleerd* ***verslag*** a detailed report; *gedetailleerd* ***vertellen*** tell in detail; ***zeer*** *gedetailleerd* very/highly detailed, in great/much detail

gedetermineerd [bn] prescribed, laid-down

gedetineerd [bn] detained, arrested

gedetineerde [de] detainee, ⟨in gevangenis ook⟩ prisoner, inmate

gedicht [het] [1] ⟨vers⟩ poem, ⟨mv ook⟩ poetry, verse(s) ♦ ***berijmd*** *gedicht* rhyming verse/poetry, rhyme; ***elegische*** *gedichten* elegiac poetry/verses, elegiacs; ***episch*** *gedicht* epic poem, ⟨Oud-Grieks ook⟩ rhapsody; ⟨fig⟩ *dat park in de lente* ***is een gedicht*** in spring that park is a poem/sheer poetry; ***macaronische*** *gedichten* macaronics; *een gedicht* ***maken/voordragen****/aan iemand* ***opdragen*** write/recite a poem, dedicate a poem to s.o. [2] ⟨het dichten⟩ versifying ♦ ***gerijmel*** *en gedicht* versifying

gedichtenbundel [de^m] volume of poetry/verse, collection of poems, ⟨van verschillende dichters⟩ anthology of poetry/verse

gedienstig [bn, bw] [1] ⟨dienstwillig⟩ obliging ⟨bw: ~ly⟩, helpful, attentive ♦ ***al te*** *gedienstig* officious; ⟨slaafs⟩ obsequious, servile, fawning; *gedienstige* ***(geest)*** servant, maid, abigail; *gedienstig* ***hielp*** *hij een handje* he obligingly gave/lent a hand [2] ⟨getuigend van dienstvaardigheid⟩ obliging ⟨bw: ~ly⟩, accommodating ♦ *mijn vraag werd met een gedienstig* ***ja*** *beantwoord* my question was answered with an obliging/accommodating affirmative

gedienstigheid [de^v] [1] ⟨dienstvaardigheid⟩ attentiveness, helpfulness, obligingness ♦ *de gedienstigheid* ***zelf*** *zijn* be attentiveness/helpfulness itself [2] ⟨dienstvaardige handeling⟩ (piece of) obliging/helpful behaviour, attention

gedierte [het] [1] ⟨de dieren⟩ animals, ⟨ook Bijb⟩ beasts, creatures ♦ ***schadelijk*** *gedierte* vermin, pests; *het gedierte des* ***velds*** the beasts of the field [2] ⟨één dier⟩ beast, creature, animal ♦ *wat een* ***raar*** *gedierte* what a strange creature/beast

gedifferentieerd [bn, bw] differentiated ♦ *gedifferentieerd* ***onderwijs*** individual tuition, one to one teaching

gedijen [onov ww] [1] ⟨voorspoedig groeien⟩ thrive, flourish, ⟨inf⟩ do well ♦ ***doen*** *gedijen* make prosper/flourish/thrive; ⟨plant ook⟩ bring along/on; ***goed*** *gedijend* prosperous, flourishing, thriving, doing well; *het graan gedijt hier* ***goed*** corn thrives/flourishes/does well here; ***niet*** *gedijend* unprosperous, unhealthy; ⟨plant⟩ sickly; *de varkens gedijen* ***slecht*** *op dat voer* the pigs don't thrive/flourish/do well on that kind of feed [2] ⟨voorspoed hebben⟩ prosper, thrive, ⟨inf⟩ do well [3] ⟨in omvang, waarde toenemen⟩ prosper, flourish, thrive [·] ⟨sprw⟩ *gestolen goed gedijt niet* ill-gotten gains never prosper; ± crime doesn't pay

geding [het] [1] ⟨jur⟩ (law)suit, (legal) action, case, (legal) proceedings ♦ *een geding* ***aanspannen/beginnen*** *tegen* bring a case/an action against, start/institute proceedings against; ***kort*** *geding* summary proceedings, application for a temporary injunction; ***in kort*** *geding behandelen* settle/discuss in summary proceedings; *een geding* ***voeren*** carry on a suit, ⟨advocaat⟩ conduct a suit [2] ⟨voorwerp van bespreking⟩ issue ♦ *dit punt blijft* ***buiten*** *het geding* this point may be left aside/put on one side/disregarded; ***in*** *het geding brengen* bring into (the) discussion; ⟨inf⟩ bring up/in; ***in*** *het geding zijn/komen* be at issue, come into play

gediplomeerd [bn] qualified, certified, ⟨verple(e)g(st)er ook⟩ registered ♦ *gediplomeerd* ***zijn*** be qualified, hold a certificate/certificates

gedisciplineerd [bn] disciplined

gedisponeerd [bn] in ... form, ⟨humeur⟩ in a ... mood ♦ ***goed/slecht*** *gedisponeerd* in good/bad form, in a good/bad mood; *de solist* ***scheen*** *die avond niet gedisponeerd* ***te zijn*** that evening the soloist did not appear to be in good form

[1]**gedistilleerd** [het] spirits, ⟨vnl AE⟩ liquor ♦ *handel* ***in*** *gedistilleerd en wijnen* trade in wines and spirits; *belasting* ***op*** *het gedistilleerd* duty on spirits

[2]**gedistilleerd** [bn] distilled ♦ *gedistilleerde* ***dranken*** spirits; ⟨vnl AE⟩ liquor(s)

gedistingeerd [bn, bw] distinguished ♦ *hij* ***is*** *niet gedistingeerd* he lacks distinction, he has no style; *een gedistingeerde* ***smaak*** a refined/sophisticated taste; *dat* ***staat*** *heel gedistingeerd* it looks most distinguished; *een gedistingeerd* ***voorkomen*** a distinguished appearance

gedistingeerdheid [de^v] distinction (of manner)

gedobbel [het] dicing, ⟨speculaties⟩ gambling
gedocumenteerd [bn] documented ♦ *een goed gedocumenteerd **rapport*** a well-documented report
gedoe [het] [1] ⟨gehannes⟩ business, stuff, thing, show, ⟨pej⟩ carry-on, performance, fiddling about/^{A}around ♦ ***dwaas/mal** gedoe* tomfoolery, (a) carry-on, goings-on; *het **hele** gedoe* the whole business/thing/(bang)show, ⟨pej⟩ the whole lot/shooting match/carry-on/performance; *wat een **kinderachtig** gedoe* what a childish carry-on/performance; ***opgewonden** gedoe* (a) carry-on, (a) performance; ***sentimenteel** gedoe* ⟨ook⟩ corn; ***theatraal** gedoe* theatric(al)s, histrionics, play-acting; ***zenuwachtig** gedoe* fussing (about/^{A}around); ***zinloos** gedoe* (a) farce, (a) circus [2] ⟨drukte⟩ goings-on, fuss, bustle ♦ *het was me daar een gedoe vanjewelste!* you should have seen the goings-on!; ⟨pej ook⟩ what a lot of fuss (and bother)!
gedogen [ov ww] tolerate, put up with, stand, ⟨form⟩ brook ♦ *hij gedoogt niemand **bij/aan** zijn ziekbed* he will not tolerate/cannot stand anyone by his sickbed; *een aantal kamerleden gedoogt deze **regering*** a number of members of the house are tolerating this government
gedomicilieerd [bn] resident, ⟨jur⟩ domiciled
gedonder [het] [1] ⟨geluid van de donder⟩ thunder(ing), ⟨fig ook⟩ rumble, rumbling, boom(ing) ♦ *het gedonder van het zware **geschut*** the thunder(ing)/rumble/rumbling/boom(ing) of heavy artillery; *het gedonder **weerklonk** door het gebergte* the thunder rolled through the mountains [2] ⟨narigheid⟩ trouble, hassle, ⟨BE ook⟩ aggro ♦ *daar heb je het gedonder **in de glazen*** that's put the cat among the pigeons, now we're (in) for it!; *daar **kun** je groot/een hoop gedonder mee **krijgen*** that can land you in a lot/a good deal of trouble, that can give you a lot of hassle/aggro [3] ⟨gezanik, geduvel⟩ messing about/^{A}around, hassle, ⟨BE ook⟩ aggro, ⟨vulg⟩ crap, ⟨BE⟩ buggering about, ⟨AE⟩ screwing around ♦ *denk erom, **geen** gedonder!* remember, no messing about!; *is het gedonder nu nog niet uit/afgelopen!* that's enough messing about, that's enough (of that) crap/buggering about/screwing around
gedonderjaag [het] → **gedonder**
gedoodverfd [bn] [•] *een gedoodverfde **winnaar*** a hot favourite, a dead cert(ainty); *de gedoodverfde **winnaar** zijn* be tipped to win
gedoogbeleid [het] policy of tolerance
gedoogbeschikking [de^{v}] ± temporary exemption order
gedoogstatus [de^{m}] exemption status
gedoogzone [de] area of town where the authorities allow certain (illegal) activities to take place, esp. prostitution, ± red-light district, ⟨AE⟩ ± tenderloin district
gedraaf [het] trotting (about), running, hurrying
gedraai [het] [1] ⟨het draaien⟩ turning, twisting, spinning ♦ ***laat** dat gedraai* stop that twisting and turning/that fidgeting; *ik word duizelig **van** dat gedraai* I get dizzy from spinning (around); *het gedraai van een **wiel*** the turning/spinning of a wheel [2] ⟨het veranderen van mening, partij⟩ twisting, swinging back and forth ♦ *het gedraai en **gekonkel** in de politiek* political weaving and dealing, political twisting and turning [3] ⟨het om de waarheid heendraaien⟩ beating about/^{A}around the bush, hedging ♦ ***met** gedraai kom je er niet* you won't get anywhere (with/by) beating about the bush/hedging the issue
gedraaid [bn] turned ♦ *een stoel met gedraaide **poten*** a chair with turned legs
gedraal [het] lingering, delay, tarrying, loitering
gedrag [het] [1] ⟨handelwijze⟩ behaviour, conduct ♦ ***afwijkend** gedrag vertonen* display abnormal behaviour; ***afwijkend/abnormaal** gedrag* abnormal behaviour, ↑ aberrant behaviour, ⟨psych⟩ deviant behaviour; *iemands gedrag **billijken/prijzen/afkeuren*** approve of/praise/disapprove of s.o.'s behaviour; *een bewijs van **goed** gedrag* evidence of good behaviour; ⟨getuigschrift⟩ certificate of good character; *een **goed/slecht/wonderlijk** gedrag* good/bad/odd behaviour; *wegens **slecht** gedrag* for bad behaviour/misconduct; *hij is onbesproken **van** gedrag* his behaviour is blameless/cannot be faulted; *een voldoende **voor** gedrag en vlijt* satisfactory for behaviour and effort; *zijn gedrag ten opzichte van haar* his behaviour towards her; *daar sta je dan met je goeie gedrag* so much for trying to help!, look what I/you get for all my/your efforts!, that's all the thanks you get!, I could have saved myself the effort!/trouble!/saved my breath! [2] ⟨wijze van reageren op de omgeving⟩ behaviour ♦ *het gedrag van een **auto** op een nat wegdek* the behaviour of a car on a wet road surface
^{1}**gedragen** [bn] ⟨tweedehands⟩ worn
^{2}**gedragen** [bn, bw] ⟨plechtstatig⟩ lofty ⟨bw: loftily⟩, stately, solemn ♦ *op gedragen **toon*** in a lofty/solemn voice
^{3}**zich gedragen** [wk ww] [1] ⟨handelen⟩ behave, ⟨netjes ook⟩ behave o.s., ↑ conduct o.s. ♦ *zich gedragen **als** een heer* behave like a gentleman; *hij beloofde zich voortaan **beter** te zullen gedragen* he promised to behave better in future; *zich **goed/slecht/netjes** gedragen* behave well/badly/nicely; *zich **merkwaardig/vreemd** gedragen* behave curiously/strangely; *zich **niet/slecht** gedragen* misbehave (o.s.); *zich **voorbeeldig** gedragen* behave in an exemplary manner, show exemplary behaviour, be a model of good behaviour; *die jongen **weet** zich **te** gedragen* that lad knows how to behave; ⟨pregn⟩ *gedraag je!* behave (yourself)! [2] ⟨op de omgeving reageren⟩ behave ♦ *kwik gedraagt zich **vreemd** in de buitenlucht* mercury behaves strangely in the open air
gedraging [de^{v}] behaviour, conduct
gedragsbiologie [de^{v}] behavioral biology
gedragscode [de^{m}] code of behaviour/conduct
gedragsleer [de] ⟨psych⟩ behavioural studies
gedragslijn [de] course (of action/behaviour), line of conduct/action ♦ *van een gedragslijn **afwijken*** deviate from a course (of action); *een gedragslijn **volgen/kiezen/bepalen*** follow/choose/decide on a course of action
gedragspatroon [het] pattern of behaviour, behaviour(al) pattern
gedragspsychologie [de^{v}] behaviourism, behavioural psychology
gedragsregel [de^{m}] rule of conduct/behaviour ♦ *gedragsregels in acht nemen* abide by/observe rules of conduct
gedragsstoornis [de^{v}] behavioural disturbance
gedragstherapie [de^{v}] ⟨psych⟩ behaviour therapy
gedragswetenschappen [de^{mv}] behavioural sciences
gedrang [het] [1] ⟨het opeen, samendringen⟩ jostling, pushing ♦ *er ontstond een **geweldig/wild** gedrang* people began jostling/pushing violently; ***in** het gedrang komen* ⟨lett⟩ end up/find o.s. in a crush/jostling crowd; ⟨fig; m.b.t. personen⟩ get into a (tight) corner; ⟨fig; m.b.t. zaken⟩ be liable to be pushed aside/to be postponed/to suffer [2] ⟨menigte⟩ crowd, crush, squash, throng
gedresseerd [bn] [1] ⟨van dieren⟩ trained, ⟨kunstjes ook⟩ performing ♦ *een gedresseerde **hond*** a performing dog, a dog that can do tricks; ⟨AE ook⟩ a trick dog [2] ⟨van soldaten⟩ trained, drilled
gedreun [het] ⟨van stemmen enz.⟩ drone, ⟨van kanonnen, golven enz.⟩ roar, boom(ing), ⟨van grond⟩ shaking, ⟨van machine⟩ thud, din
gedreven [bn] [1] ⟨m.b.t. personen⟩ passionate, enthusiastic, ⟨ook pej⟩ fanatic(al), possessed, single-minded ♦ ***een** gedrevene* an enthusiast; ⟨ook pej⟩ a fanatic; *een gedreven **kunstenaar*** s.o. who lives for their art [2] ⟨m.b.t. metaalwerk⟩ raised, embossed, chased
gedrevenheid [de^{v}] [1] ⟨het door een macht gedreven worden⟩ passion, enthusiasm, ⟨ook pej⟩ fanaticism, single-mindedness [2] ⟨het gevoel daarvan⟩ passion, enthusiasm, ⟨ook pej⟩ fanaticism, single-mindedness
gedribbel [het] ⟨voetb⟩ dribble, dribbling, ⟨van kind⟩

toddling

gedrieën [telw] (the) three (of ...) ♦ *ons gedrieën* the three of us, we three; *zij **zaten** gedrieën op de bank* the three of them sat on the bench

gedrocht [het] 1 ⟨monster⟩ monster 2 ⟨misvormd dier⟩ monster, freak, misshapen animal 3 ⟨mismaakt mens⟩ monster, freak, misshapen/deformed person

gedrochtelijk [bn] 1 ⟨misvormd⟩ monstrous, misshapen, deformed 2 ⟨fig⟩ distorted, twisted, monstrous

gedrochtelijkheid [de^v] monstrousness, monstrosity, misshapenness, deformity

gedrongen [bn] 1 ⟨kort en breed gebouwd⟩ stocky, thickset, ⟨pej⟩ squat ♦ *een gedrongen **gestalte*** a stocky/thickset/squat figure 2 ⟨te beknopt⟩ terse ♦ *een gedrongen **stijl*** a terse style

gedrongenheid [de^v] ⟨van lichaamsbouw⟩ compact build, stockiness, ⟨van stijl⟩ terseness, conciseness

gedruis [het] noise, ⟨van machine ook⟩ buzz(ing), hum(ming), ⟨van stemmen ook⟩ hubbub, ⟨van water enz. ook⟩ murmur(ing), rushing

gedrukt [bn] 1 ⟨m.b.t. boek enz.⟩ printed 2 ⟨zwaarmoedig⟩ dejected, depressed ♦ *een gedrukte **stemming*** a dejected mood 3 ⟨handel⟩ depressed, dull ♦ *de **markt** was gedrukt* the market was depressed 4 ⟨gedrongen⟩ ⟨niet ruim⟩ small, ⟨niet hoog⟩ low, ⟨niet breed⟩ narrow ♦ *een gedrukt **gewelf*** a flat/low vault ▪ ⟨voetb⟩ *een gedrukt **schot*** a suppressed shot

geducht [bn, bw] 1 ⟨vreeswekkend⟩ formidable ⟨bw: formidably⟩, fearsome, ⟨soms⟩ terrible, awful ♦ *een geduchte **tegenstander*** a formidable/fearsome adversary/opponent; *geduchte **wapenen*** formidable/fearsome weapons 2 ⟨hevig⟩ tremendous ⟨bw: ~ly⟩, huge, terrible, awful ♦ *een geduchte **afstand*** a huge/tremendous distance; *een geducht **pak** slaag krijgen* take/get a terrible/tremendous/an awful beating; *iemand geducht **slaan*** give s.o. a terrible/tremendous/an awful beating/thrashing

geduld [het] 1 ⟨berusting⟩ patience ♦ ***met** geduld kwellingen dragen* patiently put up with torment(s) 2 ⟨kalme volharding⟩ patience ♦ *zijn geduld **bewaren*** keep one's patience, remain patient; ⟨inf⟩ keep one's cool; ***eindeloos** geduld hebben* have infinite patience/the patience of a saint; ***even** geduld a.u.b.* one moment, please; *geduld **hebben** met iemand* be patient with s.o., have patience with s.o., show patience towards/with s.o.; *geduld **hebben/oefenen/betrachten*** have/exercise/show patience; *zijn geduld **kwijtraken/verliezen*** lose (one's) patience; ⟨inf⟩ lose one's cool; *een **onuitputtelijk** geduld* inexhaustible (reserves of) patience; *mijn geduld **raakt op*** my patience is wearing thin, I'm losing my patience; ***veel van** iemands geduld vergen* try s.o.'s patience, put a strain on s.o.'s patience; ***veel/weinig** geduld* great/little patience; *mijn geduld is **op*** my patience is exhausted, I'm at the end of my patience; *iemands geduld op de **proef** stellen* try s.o.'s patience, put s.o.'s patience to the test ▪ ⟨sprw⟩ *geduld is een schone zaak* patience is a virtue; ⟨sprw⟩ *geduld overwint alles* everything comes to him who waits

geduldig [bn, bw] 1 ⟨kalm berustend⟩ patient ⟨bw: ~ly⟩ ♦ *een geduldig **gedragen** lijden* patiently borne suffering 2 ⟨kalm volhardend⟩ patient ⟨bw: ~ly⟩ ♦ *geduldig **afwachten*** wait patiently; *geduldige **arbeid*** patient work

geduldoefening [de^v] 1 ⟨het oefenen van geduld⟩ exercising/practising patience 2 ⟨handeling, werk⟩ exercise in patience

geduldwerkje [het] close work

gedupeerd [bn] duped

gedupeerde [de] dupe, victim

gedurende [vz] during, ⟨een bepaalde tijd lang⟩ for, over, ⟨in de loop van⟩ in the course of ♦ *gedurende de hele **dag*** all through the day; *gedurende het hele **jaar*** throughout the year; *hij heeft er gedurende twee **jaar** gewoond* he lived there for two years; *gedurende het **onderzoek*** during the enquiry; *gedurende de **reis*** in the course of/during the voyage; *gedurende het **transport*** during/in transit; *gedurende de **wandeling** keek hij meer dan eens om* during the walk he looked back more than once; *gedurende de laatste drie **weken/het weekeinde*** over the past three weeks/the weekend

gedurfd [bn] daring, ⟨uitdagend⟩ provocative, ⟨avontuurlijk⟩ adventurous, ⟨grap⟩ risqué ♦ *die brug is van een zeer gedurfde **constructie*** that bridge has a very bold design/construction; *gedurfde **kleding*** daring attire; *een zeer gedurfd **optreden*** a highly provocative performance

gedurig [bn, bw] 1 ⟨telkens herhaald⟩ continual ⟨bw: ~ly⟩, repeated, recurrent, perpetual ♦ *zijn gedurige **bezoeken** vervelen mij* I'm getting fed up with his visiting me all the time; *een gedurige **pijn*** a recurrent pain 2 ⟨aanhoudend⟩ continuous ⟨bw: ~ly⟩, incessant, ceaseless ♦ *er **kwamen** er gedurig meer* more of them kept coming in/on ▪ ⟨wisk⟩ *een gedurige **evenredigheid*** a continued proportion; ⟨wisk⟩ *een gedurig **product*** an infinite/a continued product

geduvel [het] → **gedonder, gedonder**

geduw [het] push(ing), jostling, elbowing, jostle

gedwarrel [het] whirl(ing)

gedwee [bn, bw] meek ⟨bw: ~ly⟩, docile, submissive, humble, ⟨meegaand⟩ pliable ♦ *een gedwee **kind*** a docile child; *zich gedwee **onderwerpen** aan het noodlot* submit (o.s.) (meekly) to one's fate

gedweep [het] fanaticism ⟨ook godsdienstig⟩, exaggerated enthusiasm ♦ *het gedweep **met** Jimi Hendrix* the Jimi Hendrix cult; *zijn gedweep **met** sport/de gedichten van Blake* his excessive enthusiasm for sports/Blake's poems

gedwongen [bn, bw] 1 ⟨onvermijdelijk⟩ (en)forced, forcible, compulsory, involuntary ♦ *een gedwongen **huwelijk*** a forced marriage/wedding; ⟨inf⟩ a shotgun wedding; *een gedwongen **lening*** a forced loan; *gedwongen **ontslag*** compulsory redundancy 2 ⟨gekunsteld⟩ forced, strained, affected, artificial, unnatural ♦ *de **figuren** op dat schilderij zijn wat gedwongen* the figures in that painting are slightly unnatural/artificial/stiff/posed; *een gedwongen **glimlach*** a forced/affected/unnatural smile; *gedwongen **kalmte*** forced calm; *gedwongen **lachen*** laugh in a(n) forced/affected/unnatural way; *een redevoering in gedwongen **stijl*** a speech in a forced/affected/unnatural style; *hij sprak op een gedwongen **vriendelijke** toon* he spoke with affected friendliness

geëchauffeerd [bn] heated, angry, flushed (with anger), hot

geëerd [bn] honoured, esteemed, respected, ⟨eerbiedwaardig⟩ venerable ♦ *een algemeen geëerd **man*** a man held in general esteem/respected by everyone

geef [de^m] ▪ *dat is te geef!* it's a gift/a give-away!, it's dirt-cheap!; *dat is ook niet **te** geef!* that's not exactly giving it away!; *deze artikelen zijn praktisch **te** geef* we're/they're practically giving them/these things away

geefachtig [bn] generous, liberal, open-handed

geëigend [bn] appropriate, fit, right ♦ *die houtsoort **is** ertoe/ervoor geëigend* that wood is right for the job; *met de (daartoe) geëigende **middelen*** using the appropriate means/channels; *zij is daarvoor niet de geëigende **persoon*** she's not the (right) person for that

[1]geel [het] 1 ⟨kleur⟩ yellow ♦ *zich **in** het geel kleden* dress in yellow; ⟨sport⟩ *(in de Tour de France) **in** het geel rijden* be wearing the yellow jersey (in the Tour de France); *geel **kleedt** haar bijzonder goed* yellow suits her very well 2 ⟨kleur-, verfstof⟩ yellow ♦ ***Indisch** geel* Indian yellow 3 ⟨dooier⟩ yellow ♦ *het geel van een **ei*** the yellow/yolk of an egg 4 ⟨gele kaart⟩ yellow card ♦ *hij **kreeg** geel* he was shown the yellow card; *de scheidsrechter **toonde** hem het geel* the referee showed him the yellow card

[2]geel [bn] yellow, golden ♦ *de **bladeren** worden geel* the leaves are turning brown; *het gele **gevaar*** the yellow peril; ⟨sport⟩ *de gele **kaart** krijgen* be shown the yellow card, be booked, receive a booking; *de gele koorts* yellow fever; ⟨med⟩ *geel lichaam* corpus luteum, yellow body; ⟨gesch; Barg⟩ *een gele prent* ± a 25 guilder note; *het gele ras* the yellow/mongoloid race; *een geel (verkeers)licht* an amber (traffic) light; *de gele vlek in het oog* the macula lutea/yellow spot of the eye

geelachtig [bn] yellowish, yellowy

geelbek [de^{m}] [1] ⟨jonge vogel⟩ fledg(e)ling [2] ⟨persoon⟩↑ sallow-complexioned person

geelbruin [bn] yellowish brown, tan, amber, tawny, ⟨licht⟩ fawn(-coloured), ⟨donker⟩ sepia

geëlektriseerd [bn] ⟨fig⟩ electrified, galvanized, thrilled

geelfilter [het, de^{m}] ⟨foto⟩ yellow filter/glass

geelgeschorst [bn] suspended for getting a yellow card

geelgieterij [de^{v}] [1] ⟨handeling⟩ brass founding/casting [2] ⟨bedrijf⟩ brass foundry

geelgors [de] yellowhammer

geelhout [het] fustic, yellowwood, ⟨AE⟩ gopherwood

geelijzersteen [het, de^{m}] yellow iron ore

geelkoper [KOPER] [het] brass

geelkoperen [bn] brass

geelsel [het] yellow (dye)

geeltje [het] ⟨gesch; Barg⟩ 25-guilder note, ± fiver

geelwortel [de^{m}] [1] ⟨wortelstok⟩ turmeric, curcuma [2] ⟨kleurstof⟩ curcumin, turmeric yellow

geelzucht [de] jaundice, ⟨med⟩ icterus

geelzuchtig [bn] jaundiced, ⟨med⟩ icteric

geëmancipeerd [bn] [1] ⟨los van maatschappelijke belemmeringen⟩ liberated, emancipated [2] ⟨mondig⟩ emancipated

geëmancipeerdheid [de^{v}] [1] ⟨het los zijn van maatschappelijke belemmeringen⟩ emancipation, ⟨i.h.b. van vrouwen⟩ liberation [2] ⟨mondigheid⟩ emancipation

geëmmer [het] fuss, bull(shit), bother(ation), ⟨onzin⟩ crap, yak, yammer

geëmotioneerd [bn, bw] emotional ⟨bw: ~ly⟩, ⟨alleen predicatief⟩ touched, moved ◆ *geëmotioneerd spreken* speak with great emotion

geëmployeerde [de] employee

^{1}**geen** [lidw] [1] ⟨niet 'n⟩ not a, ⟨vnl form⟩ no ◆ *geen aanvang nemen* not get started; *hij is in geen drie jaar met vakantie geweest* he hasn't been on/had a holiday/^{A}vacation for three years; *geen enkele reden hebben om te* have no reason whatsoever to; *geen groot geheim maken van* make no secret of; *nog geen twee jaar geleden* not two years ago, less than two years ago; *nog geen tien minuten later* not ten minutes later; *een kind van nog geen drie jaren* a child (of) no more than three years old/less than three years old; *hij is geen psycholoog/student* he isn't a psychologist/student, ⟨spottend⟩ he's no psychologist/student; *dat is geen echte Rembrandt* that isn't a genuine Rembrandt; *de walvis is geen vis* the whale is not a fish [2] ⟨als ontkenning zonder meer⟩ not a(ny), ⟨vnl form⟩ no ◆ *dat is toch geen boksen meer* that's not boxing any more; *geen één* not (a single) one; *dat is geen Engels* that isn't English, that's not English; *hij kent/spreekt geen Engels* he doesn't know/speak (any) English; *hoelang ik ook wachtte, er kwam geen Jan* I waited and waited, but there was no sign of Jan; *daar is geen praten tegen* there's no talking to him/her; *ze heet geen Vanessa* her name isn't Vanessa; *van geen wijken weten* not budge (an inch), stick to one's guns, stand one's ground

^{2}**geen** [hoofdtelw] [1] ⟨niet één enkele⟩ none, ⟨+ zelfstandig naamwoord⟩ not a/any, ⟨vnl form⟩ no ◆ *hij zwemt als geen ander* he's second to none at swimming; *ik wil geen andere jas dan deze* I don't want any coat apart from this one, I want this coat and no other; *hij heeft geen auto* he doesn't have a car, ⟨BE ook⟩ he hasn't got a car; *geen cent waard zijn* not be worth a penny/^{A}cent; *in genen dele* by no means, not in the least; ⟨inf⟩ *dat gaat je geen donder/lor/reet aan* that's none of your damn/bloody/fucking business; *er is geen sterveling te zien* there isn't a soul (to be seen); *geen van die boeken/van alle/beide* none of those books, none of them, neither of them; *geen van die jongens/van allen/beiden* none of those lads, none of them, neither (of them); *van nul en gener waarde* (utterly) worthless; *géén was aanwezig* there wasn't a soul around, ⟨thuis⟩ there wasn't a soul in; *geen woord of …!* not a word, or else …!; *daar heb ik geen goed woord voor over* I haven't got a good word to say about that [2] ⟨niet de geringste hoeveelheid⟩ none, ⟨+ zelfstandig naamwoord⟩ not a/any, ⟨vnl form⟩ no ◆ *hij heeft geen geld* he doesn't have any/he has no money, ⟨BE ook⟩ he hasn't got any money; *geen geld meer hebben* have no money left; *geen gevaar zien* not see any danger, see no danger; *geen moeite sparen* spare no effort; *geen rust of duur hebben* be restless; *geen wijn kunnen verdragen* not be able to take wine; *geen zin in iets hebben* not feel like sth. [3] ⟨niet het geringste aantal⟩ none, ⟨+ zelfstandig naamwoord⟩ not a/any, ⟨vnl form⟩ no ◆ *zogoed als geen* practically none, few if any; *bijna geen* almost none, hardly any; *er zijn bijna geen sigaretten meer* we're nearly out of cigarettes; *je moet geen smoesjes verkopen* don't make (any) excuses; *ik maak me daar volstrekt geen illusies over* I have no illusions whatsoever on that score/about that [•] ⟨sprw⟩ *gezelligheid kent geen tijd* ± pleasant hours fly fast; ⟨sprw⟩ *geen nieuws, goed nieuws* no news is good news; ⟨sprw⟩ *alle hout is geen timmerhout* every reed will not make a pipe; ⟨sprw⟩ *geen geld, geen Zwitsers* no pay, no play; no penny, no paternoster; you can't get sth. for nothing; ⟨sprw⟩ *geen koren zonder kaf* there is no wheat without chaff

geëndosseerde [de] endorsee

geeneens [bw] ⟨inf⟩ not even, not so much as, never even

geënerveerd [bn] nervous, excited, agitated, ⟨ongedurig⟩ restless, ⟨van slag⟩ shaky

geëngageerd [bn] [1] ⟨bij de tijdsproblemen betrokken⟩ ⟨van man⟩ engagé, ⟨van vrouw⟩ engagée, committed [2] ⟨verloofd⟩ betrothed, engaged (to be married)

geënquêteerde [de] interviewee

geenszins [bw] ⟨form⟩ by no means, not at all, in no way, ⟨sterker⟩ not by any manner or means ◆ *de waarheid geenszins geweld aandoen* not deviate in any way from the truth, be entirely truthful; *ik wilde dit geenszins ontkennen* I had no wish to deny this

geep [de] gar, garfish, garpike, needlefish

geer [de] gusset, ⟨in rok⟩ gore, godet ◆ *een rok met smalle/brede geren* a narrow-gored/wide-gored skirt, a skirt with narrow/wide gores; *een geer zetten in een nauw armsgat* put a gusset in a narrow armhole

geest [de^{m}] [1] ⟨datgene in de mens wat denkt, voelt en wil⟩ mind, consciousness [2] ⟨ziel⟩ soul ◆ ⟨scherts⟩ *zijn auto gaf de geest* his car gave up the ghost [3] ⟨verstand⟩ mind, wit(s), genius ◆ *zijn geest is helder/verward* his mind/head is clear/dim; *de geest inspannen/verstrooien/benevelen* exercise/relax/cloud the mind; *naar lichaam en geest* in body and (in) mind; *prikkeling van de geest* stimulation of the mind; *een scherpe geest* a vigorous/sharp mind; *de tegenwoordigheid van geest hebben om* have the presence of mind to, be alert enough to; *voor de geest komen* come to mind; *iets voor de geest halen* call sth. to mind; *de geest bezighouden* exercise the mind [4] ⟨gedachten⟩ mind, spirit ◆ *iemand met de geest volgen* follow s.o. with one's mind's eye [5] ⟨het voelende in de mens⟩ mind, spirit, soul ◆ *een blijde/kalme/kinderlijke geest* a cheerful/calm/childish spirit/soul/mind [6] ⟨aard, karakter⟩ mind, soul, spirit, character ◆ *zalig zijn de armen/nederigen van geest* blessed are the poor in spirit; *frisheid van geest* freshness of mind; *een onafhankelijke geest* an independent mind; *een simpele geest* ⟨persoon⟩ a simple soul; ⟨verstand⟩ a simple mind; *jong van geest zijn* be young in spirit/at heart [7] ⟨God⟩ ghost, spirit ◆ *de Geest*

Gods the Spirit of God; *de **Heilige** Geest* the Holy Ghost/Spirit; *de geest **krijgen*** be moved by the spirit; ⟨fig⟩ receive/get inspiration [8] ⟨bezielende kracht⟩ spirit [9] ⟨bezieling⟩ spirit, ⟨van een plaats⟩ atmosphere ♦ *er heerst een **goede** geest in het team* there's a great spirit in the team; *een geest van **onverschilligheid*** an atmosphere of indifference; *de geest van de **tijd*** the spirit of the age [10] ⟨meningen, denkwijzen⟩ spirit, vein, line, intention ♦ *de geest van een **bevel/wet*** the spirit/intention of a(n) order/law; ***in** iemands geest handelen* act in s.o.'s spirit/along s.o.'s lines; *dit stuk is **in** de geest van Vondel geschreven* this play is written in a Vondelian vein; *naar **letter** en geest* in letter and spirit [11] ⟨onstoffelijk persoonlijk wezen⟩ ghost, spirit [12] ⟨schim, verschijning⟩ ghost, spirit, apparition, phantom, spectre ♦ ***aan** geesten geloven* believe in ghosts/spirits; *eruitzien **als** een geest* look like a ghost; *een **kwade** geest* an evil spirit, a demon, an elf, a bogey(man) [13] ⟨wezen van hogere orde⟩ spirit, demon, genius ♦ *een **goede** geest* a friendly/benevolent spirit, a good genius [14] ⟨geleerde⟩ mind ♦ *een **grote** geest* a great mind; *een **onderzoekende/werkzame** geest* an inquisitive/active mind [•] *zij zei iets **in** de geest van: ...* she said sth., along the lines of/to the effect that ...; ***vliegende** geest* ammonia; *geest van **zout*** spirits of salt; ⟨sprw⟩ *de geest is gewillig, maar het vlees is zwak* the spirit is willing, but the flesh is weak; ⟨sprw⟩ *hoe groter geest, hoe groter beest* great men have great faults; ± the greater the man, the greater the crime

geestdodend [bn] stultifying, ⟨eentonig⟩ monotonous, ⟨saai⟩ dull ♦ *geestdodend **werk*** drudgery

geestdrift [de] enthusiasm, passion, verve, ⟨ijver⟩ zeal ♦ *de geestdrift **bekoelen/uitdoven*** dampen/kill enthusiasm; ***in** geestdrift geraken/komen* become enthusiastic; ⟨inf⟩ warm up (to); *de geestdrift **opwekken**/ten top **voeren*** arouse/stir up enthusiasm, bring to ecstasy; *een **sterke/levendige** geestdrift* a powerful/lively passion/enthusiasm; ***uit** geestdrift* out of enthusiasm; ***vol** geestdrift* full of enthusiasm, bubbling with enthusiasm; *geestdrift **voor** de kunst/wetenschap* enthusiasm for art(s)/science

geestdriftig [bn, bw] enthusiastic ⟨bw: ~ally⟩, eager, glowing, passionate, zealous ♦ *iets geestdriftig **bewonderen*** admire sth. passionately; *geestdriftige **toejuiching*** enthusiastic/rousing cheers; *een geestdriftige **toespraak*** a glowing speech; *hij **was** niet erg geestdriftig* he showed little enthusiasm

geestdrijver [de^{m}] fanatic, zealot, sectarian

geestdrijverij [de^{v}] fanaticism, zealotry, sectarianism

geestelijk [bn, bw] [1] ⟨mentaal⟩ mental ⟨bw: ~ly⟩, intellectual, ⟨psychisch⟩ psychological, ⟨tegenover stoffelijk⟩ spiritual ♦ *geestelijke **aandoeningen*** mental illness; *geestelijke **aftakeling*** mental deterioration/decay; *geestelijke **arbeid*** mental/intellectual work; ⟨inf⟩ brainwork; *geestelijke **armoede*** intellectual/spiritual poverty; *geestelijke **concentratie*** mental concentration; *geestelijke **erfgenaam*** spiritual heir/inheritor; *geestelijk **evenwicht*** mental balance/equilibrium, balance of (the) mind; *een geestelijk **gehandicapte*** a mentally handicapped person, a mental patient; *geestelijk **gestoord*** mentally disturbed/deranged; *geestelijke **gezondheid*** mental health; *geestelijke **inspanning*** mental/intellectual exertion/effort/strain; *geestelijke **kwellingen*** mental cruelty/torture; *het geestelijk **leven*** intellectual life; ⟨m.b.t. volk ook⟩ cultural life; *geestelijke **mishandeling*** psychological abuse; *geestelijk **onvolwaardig*** mentally deficient; *geestelijk **overwicht*** intellectual superiority; *een geestelijk **samenzijn*** a spiritual union; *geestelijke **schade*** psychological damage; *de geestelijke **vader** van dit belastingsysteem* the author/originator of this tax system; *de geestelijke **vader** van het moderne socialisme* the spiritual father of modern socialism; *geestelijke **vermogens*** mental/intellectual ability/faculties; ⟨fig⟩ *geestelijk **voedsel*** mental pabulum, nourishment for the mind; *geestelijke **volwassenheid*** intellectual maturity [2] ⟨godsdienstig⟩ spiritual ⟨bw: ~ly⟩ ♦ *geestelijke **bijstand/hulp*** spiritual assistance/help, ↑ministrations; *geestelijke **bijstand** verlenen aan iemand* give spiritual assistance to s.o.; ⟨rel⟩ minister to s.o.; ***het** geestelijke en het wereldlijke* the sacred and the profane; *geestelijke **lectuur*** spiritual/devotional reading; *geestelijk **leidsman*** spiritual adviser/guide/director, mentor; *het geestelijk **leven*** spiritual/religious life; *geestelijke **liederen/gezangen*** sacred songs; *geestelijke **muziek*** sacred music; ⟨mil⟩ *geestelijk **verzorger*** chaplain, padre; *iemands geestelijk **welzijn*** s.o.'s spiritual well-being/welfare [3] ⟨m.b.t. de geest van het christendom⟩ spiritual ⟨bw: ~ly⟩ [4] ⟨kerkelijk⟩ ecclesiastic(al) ⟨bw: ecclesiastically⟩, clerical ♦ *een geestelijk **ambt*** an ecclesiastical/a clerical office; *het geestelijk **recht*** canon/church/ecclesiastical law; *de geestelijke **staat/stand*** the clerical state/order

geestelijke [de] clergyman, ⟨prot⟩ minister, ⟨vnl r-k⟩ priest ♦ *de **reguliere/seculiere** geestelijken* the regular/secular clergy; *een **wereldlijk** geestelijke* a worldly priest; ***wijding** tot geestelijke* ordination (to the priesthood), priestly ordination; *geestelijke **worden*** become a clergyman/priest, go into/enter the church, ⟨r-k ook⟩ go into/enter the priesthood, ⟨prot⟩ go into/enter the ministry; ⟨r-k⟩ take holy orders

geestelijkheid [de^{v}] [1] ⟨geestelijken⟩ clergy, ⟨form⟩ cloth ♦ *de **hogere/lagere** geestelijkheid* the higher/lower clergy; *de **protestantse** geestelijkheid* the Protestant clergy; *de **roomse** geestelijkheid* the (Roman) Catholic clergy [2] ⟨hoedanigheid⟩ spirituality

geesteloos [bn, bw] [1] ⟨saai⟩ insipid ⟨bw: ~ly⟩, vapid, dull, spiritless ♦ *een geesteloos **boek*** a(n) insipid/vapid/dull book; *geesteloze **lectuur*** insipid/vapid/dull reading; *een geesteloos **schrijver*** a mindless/vapid/an empty-headed writer; *een geesteloze **sleur*** a boring rut; *geesteloze **trekken*** blank features [2] ⟨geen geestelijke inspanning vereisend⟩ mindless ⟨bw: ~ly⟩, dull ♦ *geesteloze **arbeid*** mindless/dull work

geesteloosheid [de^{v}] [1] ⟨saaiheid⟩ insipidity, vapidity, dullness [2] ⟨gebrek aan geestelijke inspanning⟩ mindlessness

geestenbanner [de^{m}] exorcist

geestenbezweerder [de^{m}] [1] ⟨uitdrijver⟩ exorcist [2] ⟨oproeper⟩ necromancer, spirit(ual)ist, medium

geestenbezwering [de^{v}] [1] ⟨uitdrijving⟩ exorcism [2] ⟨oproeping⟩ necromancy, conjuring up of spirits

geestenleer [de] spirit(ual)ism

geestenuur [het] witching hour

geestenziener [de^{m}] medium

geestesarbeid [de^{m}] mental/intellectual work, ⟨inf⟩ brainwork

geestesbeschaving [de^{v}] culture, civilization

geestesgaven [de^{mv}] intellectual gifts/power(s), mental power(s), intellectual ability

geestesgesteldheid [de^{v}] [1] ⟨mentaliteit⟩ mentality, mental make-up, ⟨psych⟩ mind-set [2] ⟨stemming⟩ state/frame of mind ♦ *een **sombere/vrolijke** geestesgesteldheid* a gloomy/cheerful state/frame of mind

geesteshouding [de^{v}] attitude of mind, mental attitude, mentality

geesteskind [het] brainchild

geestesleven [het] intellectual life, ⟨m.b.t. volk ook⟩ cultural life

geestesoog [het] mind's eye ♦ *iets **voor** zijn geestesoog laten passeren* see sth. in one's mind's eye

geestesproduct [het] brainchild, product of one's mind/thinking

geestesrichting [de^{v}] intellectual current/propensity/trend

geestesstoornis [de^{v}] mental disturbance/derangement/disorder, aberration, derangement of mind ♦ *aan* *geestesstoornis(sen)* ***lijden*** be mentally disturbed

geestestoestand [de^{m}] state of mind, mental state/condition ♦ ***haar*** *geestestoestand* the state/condition of her mind

geesteswereld [de] world of the mind, ⟨form⟩ world of thought

geesteswetenschappen [de^{mv}] humanities, arts

geestesziek [bn] mentally ill, insane ♦ *een geesteszieke* a mentally ill person, a mental patient; *een* ***inrichting*** *voor geesteszieken* a mental home/hospital

geestesziekte [de^{v}] mental illness, insanity

geesteszwakte [de^{v}] mental deficiency

geestgrond [de^{m}] 'geest', sandy soil between the dunes and the polder

geestig [bn, bw] 1 ⟨gevat⟩ witty ⟨bw: wittily⟩ ♦ ⟨iron⟩ *wat* ***ben*** *je weer geestig* very funny (, I don't think), what a wit!; *ik zie er* ***het*** *geestige niet van in* I fail to see what's so funny about it; *het verhaal* ***is*** *geestig* ***bedacht*** the story is based on a witty idea; *een geestig* ***man*** a wit(ty) man; *een geestig* ***schrijver*** a witty writer; *iets geestig* ***vertellen*** tell sth. wittily/with great wit 2 ⟨van het bezit van geest getuigend⟩ bright ⟨bw: ~ly⟩, lively, sparkling ♦ *om haar mond speelde een geestig* ***lachje*** a bright/lively smile played on her lips; *geestige* ***ogen*** sparkling eyes 3 ⟨vol humor, komisch⟩ witty ⟨bw: wittily⟩, humorous, funny ♦ *een geestige* ***inval*** a flash of wit, a witty/funny thought; *een geestige* ***mop*** a funny joke; ***niet*** *erg geestig zijn* not be particularly funny; *een geestige* ***opmerking*** a witty/funny/humorous remark, a witticism

geestigheid [de^{v}] 1 ⟨grapje⟩ witticism, quip, ⟨inf⟩ wisecrack ♦ ***gewaagde/ongepaste*** *geestigheid* risqué/inappropriate jokes; ***om*** *een geestigheid* ***lachen*** laugh at a witticism/quip 2 ⟨esprit⟩ wit(tiness), humour(ousness) ♦ *de geestigheid van een* ***gezegde*** the wittiness of a saying; *de geestigheid van* ***Voltaire*** Voltaire's wit

geestkracht [de] strength of mind, fortitude ♦ *geestkracht* ***hebben*** have (great) strength of mind; ***van*** *geestkracht getuigen* testify to (great) strength of mind; *geestkracht aan de dag leggen* display/demonstrate (great) strength of mind

[1]**geestkrachtig** [bn] ⟨geestkracht bezittend⟩ strong-minded, energetic

[2]**geestkrachtig** [bw] ⟨met geestkracht⟩ with (great) strength of mind

geestrijk [bn] 1 ⟨met veel alcohol⟩ strong, ardent, hard ♦ *geestrijk* ***vocht*** hard liquor, strong drink, spirits; ⟨inf⟩ strong/hard stuff 2 ⟨vol oorspronkelijke gedachten⟩ ingenious, original, imaginative ♦ *een geestrijk* ***betoog*** an original/ingenious argument; *een geestrijk* ***boek/gedicht*** an original/imaginative book/poem

geestverheffend [bn] uplifting, elevating ♦ *een geestverheffend* ***schouwspel*** an uplifting spectacle

geestvermogen [het] (mental) faculties, mental capacity/capabilities ♦ *iemand van* ***beperkte/zwakke*** *geestvermogens* s.o. with/of limited/diminished (mental) faculties/mental capacity/capabilities; *de geestvermogens* ***ontwikkelen*** develop one's mental faculties/capacity; *niet* ***over*** *al zijn geestvermogens* ***beschikken*** not be in full possession of one's senses/(mental) faculties, not be in possession of all one's faculties

geestverruimend [bn] mind-expanding, ⟨m.b.t. drugs ook⟩ hallucinogenic, psychedelic ♦ *geestverruimende* ***middelen*** mind-expanding/hallucinogenic/psychedelic drugs

geestverrukking [de^{v}] ecstasy, exaltation, rapture

geestverschijning [de^{v}] apparition, phantom, spectre, ghost, ⟨even voor of na de dood⟩ wraith ♦ *het geloof* ***aan*** *geestverschijningen* belief in apparitions/phantoms/ghosts

geestvervoerend [bn] exalting

geestvervoering [de^{v}] ecstasy, rapture, exaltation, trance ♦ *in geestvervoering* ***geraken*** *(door)* be transported/entranced (with)/enraptured (at/by); *iemand* ***in*** *geestvervoering brengen* put s.o. into raptures/ecstasy, have s.o. in raptures

geestverwant [de^{m}] kindred spirit/soul, ⟨pol⟩ sympathizer, ⟨inf⟩ soul mate ♦ *zijn* ***politieke*** *geestverwanten* his political friends/sympathizers

geestverwantschap [de^{v}] like-mindedness, congeniality

geestverwarring [de^{v}] insanity, lunacy, madness

geeuw [de^{m}] yawn ♦ *een geeuw* ***onderdrukken/bedwingen*** suppress/check a yawn

geeuwen [onov ww] yawn ♦ ***bij*** *iets geeuwen* yawn at sth.; *geeuwen* ***van*** *slaap/vermoeidheid* yawn from sleepiness/tiredness

geeuwerig [bn] 1 ⟨telkens geeuwend⟩ yawny ♦ *in een geeuwerige* ***stemming*** *zijn* be in a yawny/yawning mood 2 ⟨vervelend⟩ yawny

geeuwhonger [de^{m}] ravenous hunger ♦ ⟨scherts⟩ *de geeuwhonger van iets* ***krijgen*** get a craving for sth., water at the mouth over sth.

geëvacueerde [de] evacuee

geëxalteerd [bn] 1 ⟨overdreven⟩ exalted, overwrought, exaggerated, overexcited 2 ⟨opgewonden⟩ exalted, enraptured, in raptures, excited

geëxalteerdheid [de^{v}] 1 ⟨overspannenheid⟩ overstrung/overwrought condition, exaggeration, tenseness 2 ⟨vervoering⟩ exaltation, elevation

geëxecuteerde [de] executed person, person put to death ♦ *de geëxecuteerden* those/the executed

geëxponeerd [bn] exposed

gefailleerde [de] bankrupt

gefantaseer [het] fantasizing, romancing, indulging in fancies

gefaseerd [bn] phased, in phases

gefemel [het] (sanctimonious) cant

gefingeerd [bn] fictitious, fake(d), made-up, ⟨inf⟩ bogus, ⟨geveinsd⟩ feigned ♦ *een gefingeerd* ***adres*** a fictitious/false/fake/bogus/made-up address; *een gefingeerde* ***declaratie*** a fake/pro forma declaration; *een gefingeerde* ***factuur/rekening*** a fake(d)/pro forma invoice/bill; *een gefingeerde* ***inbraak*** a faked burglary; *een gefingeerde* ***naam*** a fictitious name; *een gefingeerd* ***personage/verhaal*** a fictitious character/story; *een gefingeerde* ***verkoop*** a pro forma/washed sale; *een gefingeerde* ***ziekte*** a feigned sickness

gefladder [het] flutter(ing), flitting

geflatteerd [bn] flattering ♦ *een geflatteerde* ***balans*** a cooked/doctored balance sheet, doctored books; *een geflatteerd* ***beeld*** *van de situatie* a flattering picture of the situation; *een geflatteerde* ***overwinning*** a flattering victory/win/result/score; *een geflatteerd* ***portret*** a flattering portrait; *de zaak geflatteerd* ***voorstellen*** give a flattering picture of the situation

gefleem [het] ⟨pej⟩ wheedling, sweet talk, unctuousness, ⟨vnl BE⟩ smarminess

geflikflooi [het] fawning, coaxing, wheedling, ⟨seksueel⟩ fondling, caressing, ⟨inf⟩ groping, petting

geflikker [het] 1 ⟨het aanhoudend flikkeren; flikkerend schijnsel⟩ ⟨van sterren, lichtjes⟩ twinkling, twinkle, glittering, ⟨van diamanten enz.⟩ sparkling, flash(ing), sparkle, ⟨van vlam, film⟩ flickering 2 ⟨inf; gedrein, getreiter, gezeur⟩ bother(ation), ↑ disturbance, racket ♦ ***is*** *dat geflikker nou afgelopen!* will you stop messing/mucking/buggering about!

geflipt [bn] flipped, ⟨BE⟩ gone loopy/doolally

geflirt [het] flirtation(s), flirting, coquetry, courtship, ⟨ook fig⟩ dalliance, trifling ♦ *het meisje* ***stelde*** *al dat geflirt niet erg* ***op prijs*** the girl didn't like being made up to at all

gefluister [het] whisper(ing)(s), murmur, ⟨form⟩ susurration, ⟨van bladeren ook⟩ rustling

gefluit [het] ⟨van personen, locomotieven enz.⟩ whistling, ⟨bij optredens, in theat⟩ catcalls, hissing, ⟨van vogels⟩ warbling, singing, ⟨van merel⟩ fluting ♦ *een langgerekt gefluit laten horen* give a long whistle

gefoeter [het] ⟨mopperend⟩ grumbling, ⟨flink uitvarend⟩ rage

gefokt [bn] arrogant

gefonkel [het] sparkle, twinkling, glint(ing), glitter(ing), gleam(ing)

geforceerd [bn, bw] 1 ⟨gemaakt⟩ forced ⟨bw: ~ly⟩, contrived ⟨bw: ~ly⟩, artificial ♦ *zijn gedrag **deed** nogal geforceerd **aan*** his behaviour was rather forced; *een geforceerde **glimlach*** a forced smile; *een geforceerde **stemming*** a strained atmosphere; *een geforceerde **vergelijking*** a forced/strained comparison; *geforceerde **vriendelijkheid*** artificial/studied/forced friendliness; *geforceerde **vrolijkheid*** forced cheerfulness, contrived gaiety 2 ⟨bovenmatige inspanning vereisend⟩ forced ⟨bw: ~ly⟩, strained ♦ *geforceerde **marsen*** forced marches; *geforceerd **studeren*** cram, swot

gefortuneerd [bn] moneyed, monied, well-to-do, well-off, wealthy ♦ *een gefortuneerd **man*** a man of means

gefragmenteerd [bn] fragmented ♦ *de roman is gefragmenteerd **overgeleverd*** the novel has come down to us in fragments/fragmentary form; *een gefragmenteerde politieke **partij*** a fragmented political party

gefriemel [het] fiddling, fumbling ♦ *hou op met dat gefriemel **aan** je haar* stop fiddling/messing about with your hair

gefrustreerd [bn] frustrated, ⟨sl⟩ hung-up

gefumeerd [bn] ⟨in België⟩ → **getint**

gefundeerd [bn] (well-)founded, well-grounded ♦ *die **gevolgtrekking** is niet gefundeerd* that is an unfounded conclusion; *een **slecht** gefundeerde theorie* an ill-founded theory ▪ *een gefundeerde **lening*** a guaranteed loan

gegadigde [de] ⟨m.b.t. vacature⟩ applicant, candidate, ⟨m.b.t. koop⟩ intending/would-be/prospective buyer, ⟨m.b.t. veiling ook⟩ bidder, ⟨belanghebbende⟩ interested party ♦ *gegadigden **oproepen*** ⟨bij vacature⟩ invite applications; ⟨voor gesprek⟩ call applicants up for an interview; *een gegadigde voor iets **vinden*** find a (potential) buyer for sth.

gegaffeld [bn] 1 ⟨met de gaffelvorm⟩ forked 2 ⟨biol⟩ forked

gegalm [het] sound(ing), resounding, ⟨van klokken⟩ pealing, bawling, ⟨monotoon⟩ chant

gegalonneerd [bn] dressed in braided suits

gegalvaniseerd [bn] galvanized

¹**gegarandeerd** [bn, bw] ⟨waarvoor garantie gegeven is⟩ guaranteed ♦ *dat horloge is gegarandeerd **echt** zilver* that watch is guaranteed pure silver; *gegarandeerde **kwaliteit*** guaranteed quality; *het gegarandeerd **minimumloon*** the guaranteed minimum wage; ***niet** gegarandeerd* not guaranteed, unvouched (for); ***schriftelijk** gegarandeerd* with a written guarantee

²**gegarandeerd** [bw] ⟨fig⟩ ⟨stellig⟩ assuredly, definitely, without a doubt, surely ♦ *dat **gaat** gegarandeerd **mis*** that's bound to go wrong; *houd je vast, anders **val** je gegarandeerd van de trap* hold on, otherwise you're sure to fall down the stairs; *of ik je morgen opbel? gegarandeerd!* will I call you tomorrow? you can count on it!

gegeerd [bn] 1 ⟨in België; begeerd, gewild⟩ in demand, much sought after 2 ⟨heral⟩ gyronny ▪ *een gegeerd **wapenschild*** a coat of arms with a gyron

gegeeuw [het] yawning, ⟨form⟩ oscitation

gegeneerd [bn] embarrassed, ill-at-ease, uncomfortable ♦ *zich gegeneerd **voelen*** feel embarrassed/ill at ease/uncomfortable

¹**gegeven** [het] 1 ⟨geval, feit⟩ data ⟨enk of mv⟩, datum, fact, information, ⟨mv ook⟩ details, particulars, ⟨comp⟩ data, entry, item ♦ *(gebrek aan) **feitelijke** gegevens* (lack of) factual information/facts; ***nadere** gegevens* further details/information/particulars; *het ontbrak ons aan de **nodige** gegevens om dat te beslissen* we lacked the necessary data/information/facts to make a decision about that; ⟨comp⟩ *gegevens **opslaan/invoeren/opvragen*** store/input/retrieve data; *de **verwerking** van de gegevens* the processing of the data 2 ⟨onderwerp⟩ theme, subject, central idea ♦ *het gegeven was onvoldoende **uitgewerkt*** the theme wasn't worked out sufficiently/in sufficient detail 3 ⟨wisk⟩ given ♦ *een vraagstuk **met** drie gegevens en een onbekende* a problem with three givens and an unknown factor; *een **vast** gegeven* an invariable, a constant; ⟨fig⟩ a constant factor 4 ⟨constructieve bijzonderheid⟩ specification, detail ♦ *de **technische** gegevens van een schip* the (technical) specifications of a ship

²**gegeven** [bn] 1 ⟨bepaald⟩ given, certain ♦ *op een gegeven **moment*** at a certain point (in the proceedings); *op een gegeven **moment** moet je toch kiezen* sooner or later/at some stage you'll have to choose anyway; ⟨inf⟩ *dat moet ie op een gegeven **moment** zelf weten* that's up to him/his look out, isn't it; *hij is op een gegeven **moment** naar huis gegaan* he left after a while; *op een gegeven **moment** komt er een kerel binnen* and then all of a sudden in comes this guy; *... trekt ie op een gegeven **moment** aan de noodrem ...* and then he suddenly goes and pulls the communication cord/^emergency brake; *op een gegeven **moment** begin je je af te vragen ...* there comes a time when you begin to wonder ...; *op een gegeven **moment** kan het je niets meer schelen* you reach a stage where you no longer care; *op een gegeven **moment** stonden ze allemaal in hun blootje* at one stage they were all in the buff; ⟨inf⟩ *daar kan ik hem op een gegeven **moment** ook geen ongelijk in geven* I can't really blame him either; *op een gegeven **ogenblik** iets doen* do sth. at a certain moment 2 ⟨zich voordoend⟩ given ♦ *in het gegeven **geval*** in such a case, in this particular case; *in de gegeven **omstandigheden*** under/in the circumstances, as things are 3 ⟨wisk⟩ given ♦ *een gegeven **getal** in de tweede macht verheffen* raise a given number to the second power ▪ *zich aan zijn gegeven **woord** houden* keep/stick to one's word

gegevensbank [de] data bank

gegevensbeheer [het] data management ♦ *de **afdeling** gegevensbeheer* the data management department

gegevensbeheerder [de^m] data manager

gegevensbestand [het] database, data content, data file

gegevensbus [de] ⟨comp⟩ data bus

gegevensdrager [de^m] data carrier

gegevensverwerking [de^v] data processing ♦ ***machine** voor gegevensverwerking* computer, data processor

gegiechel [het] giggle(s), giggling, ⟨onderdrukt⟩ titter(ing), ⟨spottend⟩ snigger(ing) ♦ ***onderdrukt** gegiechel* suppressed/smothered/stifled giggling, subdued/stifled titters/giggles; *een **zwak** gegiechel* a faint giggle

gegijzelde [de] hostage

gegil [het] screaming, screams, yelling, yells, shrieking, shriek(s), ⟨ook van uil⟩ screeching, ⟨varken ook⟩ squeal(ing) ♦ *een **doordringend** gegil laten horen* let out a piercing shriek/yell/scream/screech

geglansd [bn] glossy, glazed ♦ *een voering van geglansd **katoen*** a lining of glazed cotton; *geglansd **papier*** glossy paper, ⟨AE ook⟩ slick paper

geglazuurd [bn] glazed ♦ *geglazuurd **aardewerk*** glazed pottery; *geglazuurde **baksteen*** enamelled brick

gegleufd [bn] 1 ⟨gegroefd⟩ grooved, fluted, furrowed 2 ⟨m.b.t. vuurwapens⟩ rifled

gegniffel [het] sniggering, ⟨AE⟩ snickering

gegoed [bn] well-to-do, well-off, moneyed, monied, wealthy ♦ *de gegoede **burgerij*** the upper middle class, the well-to-do/moneyed class; *een gegoed **man*** a man of means; *de **meer** gegoeden* the better off; *haar **minder** gegoede familieleden* her less well-off/well-to-do relatives; *de gegoede **stand*** the well-to-do, the upper-middle class

gegolfd [bn] wavy, ⟨haar, stof⟩ crimpy, ⟨grond⟩ undulating, ⟨plaatijzer⟩ corrugated, ⟨glas⟩ fluted, ⟨bladrand⟩ sinuate

gegomd [bn] adhesive, gummed ◆ *gegomde* ***enveloppen*** adhesive/ᴮgummed envelopes; *gegomd* ***papier*** adhesive/gummed paper; ⟨voor foto's⟩ passe-partout

gegons [het] ⟨insecten⟩ buzz(ing), hum(ming), ⟨machines⟩ hum(ming), ⟨wielen, vleugels⟩ whirr(ing), ⟨vliegtuig⟩ drone ◆ *er was een* ***druk*** *gegons van stemmen in de zaal* the hall was filled with an animated hum/murmur of voices, the hall hummed with talk

gegoochel [het] ⟨ook fig⟩ juggling, hocus-pocus ◆ *gegoochel* ***met*** ***cijfers*** juggling with figures, statistical legerdemain; *gegoochel* ***met*** *woorden* conjuring/juggling with words

gegoten [bn] cast, founded ◆ *een gegoten* ***beeld*** a cast/molten image, a cast (statue); *gegoten* ***voorwerp/vorm*** cast(ing) ⊡ *die jurk zit* ***als*** *gegoten* that dress fits you like a glove

gegrabbel [het] grabbling, scramble, scrambling, ⟨naar geld enz.⟩ scrabble

gegradueerd [bn] [1] ⟨een graad bezittend⟩ graduated [2] ⟨graden vertonend⟩ graded, gradated

gegradueerde [de] ⟨in België⟩ ⟨aan hogeschool⟩ graduate

gegriefd [bn] hurt, offended, ⟨form⟩ aggrieved ◆ *zich gegriefd* ***voelen*** feel hurt/offended/aggrieved

gegrinnik [het] chuckle(s), chuckling, chortle(s), grinning, snigger

gegroefd [bn] grooved, ⟨gelaat⟩ lined, furrowed, ⟨biol⟩ striate(d), sulcate ◆ *een gegroefd* ***gezicht/voorhoofd*** a furrowed face/forehead; *gegroefde* ***planken*** tongue-and-groove boards; *gegroefde* ***ring*** ⟨als vatting⟩ bezel; *een gegroefde* ***zuil*** a fluted/channelled column

gegrom [het] growl(s), growling, snarl(ing), grumbling, ⟨afkeurend⟩ groan, grunt(ing) ◆ *een* ***dof*** *gegrom* low growls; *een* ***woest*** *gegrom* a savage snarl

gegrond [bn] (well-)founded, valid, legitimate, ⟨redenen⟩ sound, solid ◆ *om gegronde* ***redenen*** for valid/sound reasons; *gegronde* ***vrees*** reasonable fear

geh. [afk] [1] (gehuwd) m [2] (gehoor) hearing

gehaaid [bn, bw] ⟨inf⟩ smart ⟨bw: ~ly⟩, sharp, crafty, cool, wily ◆ *een gehaaide* ***kerel*** a cool customer

gehaakt [bn] crochet(ed)

¹**gehaast** [het] hurry(ing), running, haste ◆ *dat* ***was*** *me een gehaast om bijtijds thuis te komen* did I have to hurry to be home in time!

²**gehaast** [bn, bw] hurried ⟨bw: ~ly⟩, hasty, in a hurry ◆ *gehaast* ***werken/eten/vertrekken*** work hurriedly, eat/leave in a hurry; *gehaast* ***zijn*** be in a hurry

gehaat [bn] hated, hateful, detested, odious, obnoxious ◆ *een gehaat* ***iemand/iets*** a pet hate, a bête noir; *zich (bij iemand) gehaat* ***maken*** incur s.o.'s hatred, rub s.o. up the wrong way

gehakkel [het] stammering, staccato, stuttering

gehakketak [het] squabbling, bickering, argy-bargy ◆ *dat* ***eeuwige*** *gehakketak* this eternal bickering

gehakt [het; geen mv] ⟨BE⟩ minced meat, ⟨AE⟩ hamburger (meat), ⟨AE ook; rundergehakt⟩ ground round, ⟨BE ook⟩ mince ◆ ⟨fig⟩ *gehakt van iemand* ***maken*** make mincemeat of s.o., have s.o. for breakfast

gehaktbal [deᵐ] [1] ⟨bal gehakt⟩ meatball [2] ⟨mispunt, slapjanus⟩ ⟨BE⟩ pillock, ⟨AE⟩ meatball

gehaktmolen [deᵐ] (meat) mincer, mincing machine

gehalte [het] [1] ⟨innerlijke waarde⟩ calibre, quality, standard, value ◆ *gehalte aan iets* ***geven*** give value to/upgrade sth.; *een onderzoek van* ***laag/hoog*** *gehalte* low-quality/high-quality research; *een blad van* ***twijfelachtig*** *gehalte* a magazine of dubious quality [2] ⟨betrekkelijke hoeveelheid⟩ content, percentage, proportion, ⟨erts, olie⟩ grade, ⟨alcohol⟩ proof ◆ *het gehalte* ***aan*** *zuurstof in de lucht bepalen* determine the oxygen content of the air; *het gehalte* ***bepalen*** *(van)* assay, determine the percentage (of); *een* ***hoog/laag*** *gehalte aan* a high/low content of; *het gehalte van* ***sterkedrank*** the proof/strength of spirits/ᴬliquor

gehamerd [bn] [1] ⟨door hameren bewerkt⟩ hammered, beaten ◆ *gehamerd* ***glas*** hammered glass [2] ⟨als door een hamer ingedreven⟩ hammered (in), driven, rammed ◆ *het* ***zit*** *erin gehamerd* it's been hammered home

gehandicapt [bn] [1] ⟨invalide⟩ handicapped, ⟨lichamelijk ook⟩ disabled, invalid ◆ ***geestelijk*** *gehandicapt* mentally disabled/handicapped/challenged; ***lichamelijk*** *gehandicapt* physically disabled/handicapped/challenged; ***visueel*** *gehandicapt* visually impaired/handicapped/disabled/challenged [2] ⟨onthand⟩ handicapped ◆ *zonder auto* ***voel*** *ik me gehandicapt* I feel lost without my car [3] ⟨sport⟩ handicapped

gehandicapte [de] handicapped person, ⟨geestelijk⟩ mentally handicapped person ◆ *de (lichamelijk) gehandicapten* the (physically) handicapped, the disabled

gehandicaptensport [de] disability/disabled sports

gehandschoend [bn] gloved

gehangene [de] hanged person ⊡ ⟨sprw⟩ *in 't huis van de gehangene spreekt men niet over de strop* name not a rope in the house of him that hanged himself

gehannes [het] fumbling, clumsiness

gehard [bn] [1] ⟨m.b.t. personen⟩ tough, hardened, seasoned, hardy, ⟨ongevoelig⟩ steeled ◆ *geharde* ***soldaten*** weathered soldiers/troops; *gehard* ***tegen*** *de kou/vermoeienissen* hardened against cold/fatigue; *een gehard* ***zeeman*** a seasoned sailor [2] ⟨m.b.t. staal⟩ tempered

gehardheid [deᵛ] [1] ⟨m.b.t. staal⟩ temper [2] ⟨m.b.t. personen⟩ toughness, hardiness, inurement, hardihood, induration

geharnast [bn] [1] ⟨een harnas dragend⟩ armoured, in armour [2] ⟨strijdbaar⟩ militant, strong ◆ *een geharnast* ***betoog*** a watertight argument

geharrewar [het] squabble(s), bickering(s), squabbling, commotion, hubble-bubble

gehaspel [het] [1] ⟨onhandig gesukkel, geknoei⟩ bungling, botching [2] ⟨verward getwist, gekrakeel⟩ bickering(s), wrangling [3] ⟨moeite, last⟩ trouble

gehavend [bn] battered, tattered, damaged, dilapidated ◆ *er gehavend* ***uitzien*** ⟨ook⟩ look as though/ᴬlike one has been in the wars, look a sorry sight; *gehavend uit de strijd komen* come out the worse for wear/in shreds

gehecht [bn] attached (to), ⟨sterker⟩ devoted (to)

gehechtheid [deᵛ] attachment, ⟨sterker⟩ devotion

¹**geheel** [het] [1] ⟨eenheid⟩ whole, entity, unit(y) ◆ *de arbeiders* ***als*** *geheel waren ertegen* the workers as a body were against it; ⟨wisk⟩ *het geheel is* ***gelijk*** *aan de som van zijn delen* the whole equals the sum of its parts; *de aardbeien* ***in*** *hun geheel laten koken* boil the strawberries whole; *een machine* ***in*** *haar geheel verplaatsen* move a machine bodily; *een* ***ondeelbaar*** *geheel* an integer; *een* ***samengesteld*** *geheel* a complex; *een geheel* ***splitsen*** *in zijn delen* split up a whole into its constituent parts; ***tot*** *een geheel verbinden/versmelten* fuse (to a whole), integrate; *een geheel* ***vormen*** ***met*** be at one with [2] ⟨som der delen⟩ whole, entirety, aggregate ◆ *het publiek* ***als*** *geheel (beschouwd)* the public at large; *het gedicht* ***in*** *zijn geheel* the poem in its entirety; *een verklaring* ***in*** *haar geheel citeren* quote a statement in its entirety; ***in*** *het geheel heb ik honderd euro schuld* all in all, my debts amount to a hundred euros; *een geheel* ***uitmaken/vormen*** constitute/form a whole/unit/an entity ⊡ ***in*** *het geheel niet bang* not in the least frightened; *hij zei* ***in*** *het geheel niets* he said nothing at all/whatsoever; ***over*** *het geheel genomen* on the whole

²**geheel** [bn] ⟨form⟩ [1] ⟨waaraan niets ontbreekt⟩ entire, whole, complete, full ◆ ⟨wisk⟩ *een geheel* ***getal*** a whole number, an integer; *het gehele* ***jaar*** *door* all (the) year round; *door/over het gehele* ***land*** throughout the land/country; *geheel het* ***land*** *was in rep en roer* the entire/whole coun-

try was up in arms; *hij heeft de gehele* ***Shakespeare*** *vertaald* he has translated all/the whole of Shakespeare/the complete works of Shakespeare; *een gehele* ***week*** a full/whole week; *de gehele* ***wereld*** *weet dat* all the world knows this [2] ⟨werkelijk alles en iedereen⟩ entire, whole [3] ⟨niet stuk⟩ entire, whole

[3]geheel [bw] [1] ⟨in elk opzicht⟩ entirely, fully, completely, totally ♦ *ik voel mij een geheel* ***ander*** *mens* I feel a different person altogether; *geheel* ***anders*** completely/totally different; *ik ben geheel* ***genezen*** I have fully/completely recovered; *geheel* ***niet*** not at all; ***niet*** *geheel* not quite/entirely/fully; ⟨form⟩ *geheel de* ***uwe*** yours, as ever [2] ⟨helemaal⟩ entirely, fully, completely ♦ *geheel en* ***al*** entirely, fully; *de lening mag geheel of* ***gedeeltelijk*** *afgelost worden* the loan can be paid back in one lump sum or in instalments; *geheel* ***gewijzigd*** completely changed; revised; *hij was geheel* ***in 't zwart*** he was dressed all in black

geheelonthouder [de^{m}], **geheelonthoudster** [de^{v}] teetotaller, ⟨AE⟩ teetotaler, total abstainer ♦ *geheelonthouder* ***worden*** become a teetotaller, take the pledge, ↓ go on the wagon; *geheelonthouder* ***zijn*** be a teetotaller, keep the pledge, ↓ be on the wagon

geheelonthouding [de^{v}] total abstinence, temperance

geheelonthoudster [de^{v}] → **geheelonthouder**

geheid [bn, bw] [1] ⟨zeer vast⟩ firm ⟨bw: ~ly⟩, solid, tight, immovable ♦ *het zit er geheid* ***in*** ⟨van leerstof⟩ it's all in there, he/she's got it firmly in his/her head [2] ⟨zeker⟩ certain ⟨bw: ~ly⟩, sure ♦ *die strafschop* ***gaat*** *er geheid in* he can't miss that penalty, that penalty's a (dead) cert; *een geheid* ***geval*** *van zelfmoord* an obvious case of suicide; *dat wordt geheid een* ***succes*** it's bound to be a success; *dat paard* ***wint*** *geheid* that horse is a (dead) cert; *dat is geheid* ***zeker*** that's a (dead) cert

geheiligd [bn] [1] ⟨gewijd⟩ sacred, holy, consecrated ♦ *de geheiligde* ***bomen/paarden*** *van de Germanen* the sacred trees/horses of the Germanic tribes [2] ⟨als heilig erkend, vereerd⟩ hallowed, sacred ♦ *geheiligde* ***relikwieën/rechten*** sacred relics/rights; *uw naam worde geheiligd* hallowed be thy name

[1]geheim [het] [1] ⟨het verborgen zijn⟩ secrecy ♦ *het* ***diepste*** *geheim over iets bewaren* keep sth. under tight cover, maintain the greatest secrecy about sth.; *de operatie was in het* ***diepste*** *geheim voorbereid* the operation had been prepared in all secrecy; ***in*** *het geheim* secretly [2] ⟨zaak die geheim is⟩ secret ♦ *een geheim* ***afluisteren/toevertrouwen/bewaren*** overhear/confide/keep a secret; *een geheim* ***doorvertellen*** give away/divulge a secret; *een* ***groot*** *geheim* a big/closely guarded secret; *(geen) geheimen* ***hebben*** *voor iemand* hold (no) secrets for s.o.; ***in*** *het geheim ingewijd zijn/worden* be in (on) the secret, be let into the secret; *ergens geen geheim van* ***maken*** make no secret of sth.; *hij* ***nam*** *het geheim* ***mee*** *in zijn graf* the mystery died with him; *dat is een* ***publiek*** *geheim* it's an open secret; ⟨fig⟩ *het geheim van de* ***smid*** the tricks of the trade; ⟨scherts⟩ *ja, dát is het geheim van de* ***smid!*** that would be telling!; *een geheim* ***verklappen/verraden*** give away a secret, let the cat out of the bag [3] ⟨mysterie⟩ mystery ♦ *het geheim van het* ***leven****/de* ***toekomst*** the mystery of life/the future; *de geheimen van de* ***natuur*** the mysteries of nature

[2]geheim [bn] [1] ⟨verborgen gehouden⟩ secret, hidden, concealed, undisclosed, hush-hush ♦ *een geheim* ***gehouden*** *overeenkomst* an undisclosed treaty; *iets geheim* ***houden*** keep sth. (a) secret/under cover; *dat* ***moet*** *geheim* ***blijven*** this must remain private/a secret; *een geheime* ***zaak*** a secret business/matter, a matter of secrecy [2] ⟨in het verborgene plaatshebbend⟩ secret, clandestine, illicit, covert ♦ *een geheime* ***bijeenkomst*** a secret meeting, conclave; *geheime* ***handelingen*** hole-and-corner proceedings; *een geheim* ***huwelijk*** a secret/clandestine marriage; *een geheime* ***speelbank/distilleerderij*** a clandestine/an illicit gambling house/still; *geheime* ***stemming*** secret vote, voting by secret ballot [3] ⟨niet voor openbaring bestemd⟩ secret, classified, confidential, private, undisclosed ♦ *uiterst geheime* ***documenten*** top-secret documents; *een geheim* ***plan/verdrag*** a secret/an undisclosed plan/treaty; ⟨jur⟩ *een geheim* ***testament*** a secret will [4] ⟨aan slechts weinigen bekend⟩ secret ♦ *een geheime* ***la*** *in een secretaire* a secret/hidden drawer in a desk; *een geheim* ***telefoonnummer*** an unlisted/ex-directory (telephone) number [5] ⟨in het verborgene werkzaam⟩ secret, hidden, undercover, underground, covert ♦ *geheime* ***invloed*** hidden/backstairs influence; *geheime* ***oorzaken/krachten*** hidden causes/powers; *de geheime* ***politie/dienst*** secret police/service, special branch

[3]geheim [bw] ⟨op geheime wijze⟩ secretly, privately, mysteriously ♦ ⟨jur⟩ *een zaak geheim* ***behandelen*** try a case behind closed doors

geheimdoenerij [de^{v}] secretiveness, secrecy, hugger-mugger, concealment

geheimenis [de^{v}] ⟨form⟩ [1] ⟨verborgenheid⟩ mystery [2] ⟨geheime zaak⟩ mystery

geheimhouden [ov ww] keep (a) secret, keep under cover, keep dark ♦ *iets* ***diep*** *geheimhouden* not breathe a word about sth.

geheimhouding [de^{v}] secrecy, confidentiality, privacy ♦ *iemand geheimhouding* ***beloven/opleggen*** promise secrecy to s.o., swear s.o. to secrecy; *een* ***eed/belofte*** *van geheimhouding* a vow of secrecy; ***onder*** *(het zegel der) geheimhouding* sworn to secrecy; *de geheimhouding* ***opheffen*** *van iets* declassify sth.; ***strikte*** *geheimhouding verzekerd* ⟨in advertenties⟩ strictest privacy assured/guaranteed, in strictest confidence; *geheimhouding* ***zweren*** swear to keep sth. a secret; *geheimhouding in acht nemen* observe secrecy

geheimhoudingsplicht [de] pledge of secrecy, duty/requirement of confidentiality ♦ *als ambtenaar* ***heeft*** *hij geheimhoudingsplicht* ⟨BE⟩ as a civil servant he has signed the Official Secrets Act; *iemand geheimhoudingsplicht* ***opleggen*** swear s.o. to secrecy

geheimpje [het] little secret, confidence

geheimschrift [het] (secret) code, cipher ♦ ***in*** *geheimschrift overzetten* cipher, (en)code; *een boodschap* ***in*** *geheimschrift* a coded message, a message in secret code

geheimschrijver [de^{m}] ⟨gesch⟩ (private) secretary

geheimtaal [de] secret/private language

[1]geheimzinnig [bn] [1] ⟨met verborgen betekenis⟩ mysterious, unexplained, cryptic, arcane, dark ♦ *een geheimzinnige* ***kwaal*** a mysterious disease; *een geheimzinnige* ***mededeling*** a mysterious/cryptic message; *geheimzinnige* ***tekens*** cryptic/unexplained signs; *hij sprak op geheimzinnige* ***toon*** he spoke in a mysterious/conspiratorial tone [2] ⟨de indruk makend iets verborgens te bevatten⟩ mysterious, uncanny ♦ *een geheimzinnige* ***duisternis*** an uncanny/a mysterious darkness [3] ⟨op bedekte wijze geschiedend⟩ secret, stealthy, undercover [4] ⟨zijn identiteit en bedoelingen geheimhoudend⟩ secretive, mysterious, close, deep ♦ *geheimzinnig zijn* ***over*** *iets* be secretive about sth., act mysteriously about sth.; *een geheimzinnige* ***verschijning*** a mysterious apparition

[2]geheimzinnig [bw] ⟨op geheimzinnige wijze⟩ mysteriously, darkly, uncannily, secretly ♦ *erg geheimzinnig* ***doen*** be very secretive (about sth.), act very mysteriously

geheimzinnigdoenerij [de^{v}] secretiveness

geheimzinnigheid [de^{v}] [1] ⟨het heimelijk te werk gaan⟩ secrecy, stealth [2] ⟨raadselachtigheid⟩ mysteriousness, mystery ♦ *er hangt een* ***waas*** *van geheimzinnigheid rond die zaak* a shroud of mystery hangs over/surrounds the case

gehelmd [bn] helmeted, ⟨biol⟩ galeate(d)

gehemelte [het] ⟨med⟩ [1] ⟨bovenwand van de mondholte⟩ palate, roof of the mouth ♦ *een* ***gespleten*** *gehemelte* a cleft palate; *het* ***harde*** *gehemelte* the hard palate; *een* ***vals*** *gehemelte* a plate; *het* ***zachte*** *gehemelte* the velum/soft palate

[2] ⟨smaakorgaan⟩ palate ◆ *het gehemelte **strelen*** tickle the palate; *een **verwend** gehemelte* a refined/sophisticated palate

gehengel [het] rod-fishing, angling, ⟨fig⟩ captation

geheugen [het] [1] ⟨herinneringsvermogen⟩ memory, retention, recall ◆ *een geheugen **als een zeef/garnaal*** a head/memory like a sieve; *een geheugen **als een olifant/een ijzeren pot*** an memory like an elephant's; *als mijn geheugen mij **niet bedriegt*** if my memory serves me well, if I remember well; *zijn geheugen **begint te verzwakken*** his memory is beginning to go/is going; *een **fotografisch** geheugen* a photographic memory; *een **goed/sterk/zwak** geheugen* a good/clear/weak memory; *een **mechanisch** geheugen* a mechanical memory; ⟨fig⟩ *zijn geheugen **pijnigen*** rack one's brains; ***kort van** geheugen zijn* have a short memory; *mijn geheugen **laat me (niet) in de steek*** my memory is letting/doesn't let me down [2] ⟨geest als bewaarplaats van herinneringen⟩ memory, mind ◆ *iets **in** het geheugen bewaren* cherish the memory of sth.; *dat ligt nog vers **in** mijn geheugen* it's still fresh in my memory/mind; *iemands geheugen **opfrissen*** refresh/jog s.o.'s memory; *verder dan mijn geheugen **reikt/strekt*** beyond recall; *een **rijk** geheugen* a rich memory, a great store of memories; ***uit** het geheugen (verdwenen) zijn* have slipped one's mind; *iets/iemand **uit** zijn geheugen bannen* banish sth./s.o. from one's mind [3] ⟨comp⟩ memory, storage, ⟨vnl BE⟩ store ◆ ***centraal/intern** geheugen* main memory/storage; ***dood** geheugen* read-only memory, ROM; ***extern** geheugen* external memory/storage; ***sequentieel** geheugen* sequential memory/access storage

geheugencapaciteit [de^v] ⟨comp⟩ storage capacity, memory space

geheugenchip [de^m] ⟨comp⟩ memory chip

geheugeneenheid [de^v] ⟨comp⟩ memory/storage unit

geheugeneffect [het] memory effect

geheugenkaart [de] memory card

geheugenkunst [de^v] mnemonics, mnemonic art, memory training

geheugenoefening [de^v] memory/mnemonic exercise

geheugenpen [de] memory pen

geheugenplaats [de] ⟨comp⟩ storage location

geheugenruimte [de^v] storage capacity, memory

geheugenspel [het] memory game

geheugensteuntje [het] mnemonic, mnemonic device, reminder, prompt, memoria technica ◆ *een geheugensteuntje **geven*** prompt

geheugenstick [de^m] memory stick

geheugenstoornis [de^v] memory defect, defective memory

geheugenverlies [het] amnesia, loss of memory ◆ ***tijdelijk** geheugenverlies* a black-out

geheugenwerk [het] memory work, memorizing, ⟨inf; BE⟩ swotting

gehijg [het] panting, ⟨zwaar⟩ gasping

gehinnik [het] neighing, whinny(ing) ◆ ***luid** gehinnik* loud neighs; *een **zacht** gehinnik* a low whinny

gehoekt [bn] angular ◆ *een gehoekte **salto*** a jackknife; *gehoekte **steen*** jagged stone

gehoest [het] coughing, coughs ◆ *een spreker **met** gehoest overstemmen* drown out a speaker by coughing

gehoofddoekt [bn] wearing a headscarf

gehoor [het] [1] ⟨het horen⟩ (sense of) hearing, audition ◆ *bij **geen** gehoor* if there's no reply/answer; *ik krijg **geen** gehoor* there's no reply/answer; ⟨bij technisch probleem⟩ I can't get through; *gehoor **krijgen*** be heard, get a hearing, find an audience; ***op** het gehoor iets spelen* play sth. by ear; *een melodie **op** het gehoor noteren* write down a melody from hearing; ***ten** gehore van* before; *iets **ten** gehore brengen* play/render/perform sth. [2] ⟨het vermogen om te horen⟩ (sense/power of) hearing, ear ◆ ***absoluut** gehoor* absolute/perfect pitch; *een **goed/scherp/fijn** gehoor* a good/sharp sense of hearing; *goed/lekker **in** het gehoor liggen* be easy on the ear, be catchy; *een **muzikaal** gehoor hebben* have an ear for music; *geen **muzikaal** gehoor hebben* have no ear for music, be tone-deaf; *scherp **van** gehoor zijn* have a quick/sharp ear, have keen/good hearing; *een **zwak/slecht** gehoor* a poor/bad sense of hearing [3] ⟨gewaarwording, geluid⟩ sound, ⟨onaangenaam⟩ noise ◆ *een **akelig/vreselijk** gehoor* a horrible/dreadful sound/noise; *dat is **geen** gehoor!* that sounds terrible! [4] ⟨zintuig⟩ ear(s) ◆ *het gehoor **treffen/strelen/kwetsen*** strike/be easy on/grate on the ear [5] ⟨publiek⟩ audience, listeners, hearers, ⟨in kerk⟩ congregation ◆ ***onder** iemands gehoor zijn/zitten* be among/in s.o.'s audience; ⟨in kerk⟩ be in s.o.'s congregation; *een **talrijk** gehoor* a large audience [6] ⟨aandacht⟩ ear ◆ *gehoor **geven aan iemand/iets*** answer s.o.'s call; ⟨verzoek, wensen⟩ comply with sth.; *iemand gehoor **geven/verlenen*** lend an ear/give audience to s.o.; *gehoor **krijgen*** find a response, be well received (and acted on); *geen gehoor **vinden*** fall on deaf ears; *bij iemand gehoor **vinden** voor zijn klachten* find s.o. a willing ear for one's complaints [7] ⟨onderhoud⟩ audience, interview ◆ *(om) gehoor **vragen** (bij iemand)* request an interview (with s.o.)

gehoorapparaat [het] hearing aid, ⟨inf ook; BE⟩ deaf-aid

gehoorbeen [het] ⟨med⟩ ossicle

gehoorbeschadiging [de^v] hearing loss/impairment

gehoorcentrum [het] auditory area/centre

gehoordrempel [de^m] threshold of audibility

gehoorgang [de^m] auditory duct/channel/passage/canal, ⟨med⟩ auditory meatus

gehoorgestoord [bn] hearing-impaired, hard of hearing, deaf

gehoorgrens [de] limit of hearing/audibility

gehoormeting [de^v] hearing test, ear test

gehoornd [bn] [1] ⟨hoorns dragend⟩ horned, ⟨plantk⟩ corniculate, ⟨form⟩ cornute(d) ◆ ⟨dierk⟩ *gehoornde **adder*** horned viper; ⟨fig⟩ *de gehoornde **maan*** the horned moon; *het gehoornde **vee*** the horned cattle [2] ⟨fig; scherts; bedrogen⟩ cuckolded ◆ *een gehoornde **echtgenoot*** a cuckolded husband, a cuckold

gehooropening [de^v] ear(hole)

gehoororgaan [het] ear, auditory organ, organ of hearing

gehoorsafstand [de^m] earshot, hearing ◆ ***binnen/op** gehoorsafstand* within earshot; ***buiten** gehoorsafstand* out of earshot; ***buiten** gehoorsafstand **van*** out of hearing of

gehoorscherpte [de^v] keenness/acuteness of hearing, auditory acuity/acuteness

gehoorsteentje [het; meestal mv] otolith, ear stone

gehoorvlies [het] eardrum, ⟨med⟩ tympanum, tympanic membrane

gehoorzaal [de] [1] ⟨openbare zaal⟩ auditorium, (concert)hall [2] ⟨auditorium⟩ auditorium, lecture theatre/hall, ⟨AE⟩ lyceum [3] ⟨audiëntiezaal⟩ audience room/chamber, ⟨rechtbank⟩ courtroom

gehoorzaam [bn, bw] obedient ⟨bw: ~ly⟩, ⟨aan vorst e.d.⟩ subservient ◆ *gehoorzaam **aan de wet*** law-abiding; *een gehoorzaam **kind*** an obedient child; *aan iemand gehoorzaam **zijn*** be subservient to s.o., obey s.o.

gehoorzaamheid [de^v] obedience, compliance, dutifulness, ⟨aan vorst⟩ subservience, allegiance ◆ *gehoorzaamheid **aan** God/de wet* obedience to God, compliance with the law; *gehoorzaamheid **betonen*** obey, show obedience; ***kinderlijke** gehoorzaamheid* filial obedience/dutifulness; *iemand **tot** gehoorzaamheid **dwingen*** force/reduce s.o. to obedience/submission

gehoorzamen [onov ww] obey, ⟨wens, bevel ook⟩ comply (with), serve, heed, follow ◆ ⟨fig⟩ *het schip gehoorzaamde **aan** het roer* the ship answered to the rudder; *iemand **blind** gehoorzamen* obey s.o. unquestioningly; *iemand **in** iets gehoorzamen* obey s.o. in sth.; *zijn **meerderen/ouders** gehoorza-*

men obey one's superiors/parents; *niet gehoorzamen* disobey; *het niet gehoorzamen aan de wet* (wilful) disobedience to the law

gehoorzenuw [de] auditory nerve

gehorig [bn] noisy, thin-walled ◆ *deze huizen zijn erg gehorig* these houses are very noisy/are anything but soundproof/have very thin walls

gehouden [bn] obliged (to), liable (to), bound (to) ◆ *zich gehouden achten* feel obliged/bound to; *gehouden zijn tot* be obliged/liable to

gehoudenheid [de^{v}] ⊡ *onder gehoudenheid (van) iets te doen* under obligation to do sth.

gehucht [het] hamlet, settlement

gehuichel [het] hypocrisy, dissembling

gehuicheld [bn] feigned, sham, make-believe, simulated ◆ *gehuicheld medelijden* feigned compassion, crocodile tears

gehuifd [bn] hooded, ⟨gesch⟩ coifed, ⟨wagen⟩ tilted, covered ◆ *een gehuifde boerenwagen* a coifed/tilted cart/wagon

gehuil [het] [1] ⟨het huilen⟩ crying, wailing ◆ *een verdrietig gehuil* a pitiful crying [2] ⟨fig⟩ moaning, howling, wailing, yowling ◆ *het gehuil van de granaten* the howling/whistling of the grenades; *het gehuil van de wind door de takken* the moaning of the wind through the branches

gehuisvest [bn] housed, lodged, ↓ put up ◆ *goed/slecht gehuisvest zijn* have good housing, be badly/poorly housed

gehumeurd [bn] tempered, humoured ◆ *hoe is hij gehumeurd vandaag?* what sort of humour/temper is he in today?

gehuppel [het] hopping, skipping, frisking, tittup

gehuwd [bn] ⟨form⟩ ⟨ogm⟩ married, wed(ded) ◆ *gelukkig gehuwd zijn* be happily married; *de gehuwde staat* the married/wedded state, wedlock

gei [de] ⟨scheepv⟩ clew line, clew garnet

geiblok [het] ⟨scheepv⟩ clew jigger, clew block

geien [ov ww] ⟨scheepv⟩ clew (up), brail

geigerteller [de^{m}] Geiger(-Müller) counter, GM counter, Geiger

geijkt [bn] [1] ⟨van de ijk voorzien⟩ ± (officially) stamped [2] ⟨algemeen gangbaar⟩ standard, customary, traditional, accepted, common, stock ◆ *hij komt altijd met het geijkte antwoord* he always comes up with the standard reply; *met Kerstmis was er die geijkte kalkoen* at Christmas there was (always) the traditional/standard turkey; *de geijkte opmerking/reactie* the stock remark/response; *het geijkte publiek* the customary crowd; *dat is de geijkte term/uitdrukking daarvoor* that's the standard term/expression for it

^{1}**geil** [het] ⟨inf⟩ [1] ⟨sperma⟩ come, cream, ⟨BE ook⟩ spunk, ⟨AE ook⟩ love juice, ⟨zwart AE⟩ scum [2] ⟨vrouwelijk afscheidingsvocht⟩ ↑ lubrication, ↑ mucus

^{2}**geil** [bn] ⟨vruchtbaar⟩ very rich, over-fertile, rank

^{3}**geil** [bn, bw] [1] ⟨inf; wellustig⟩ randy ⟨bw: randily⟩, ⟨AE⟩ horny ⟨bw: hornily⟩, sexy, hot to trot, lecherous ◆ *zo geil als boter* horny/randy as hell, as horny/randy as an old goat; *geile beer/bok* lecher, ⟨AE⟩ horny bastard; *een geile blik* a leer(ing look), a lecherous look; *daar ben ik geil op* I lust after/for that; *geil dansen/heupwiegen* dance/wiggle one's hips sexily; *geile gedachte/daad* lustful thought/deed; *een geil lichaam* a sexy body; *geile liedjes* bawdy songs; *geil maken* turn/switch on; *geile meid/trut* sexy piece, ⟨BE⟩ randy girl; ⟨AE⟩ hot number, ⟨AE⟩ fox(y chick), ⟨AE⟩ nice piece of ass; ⟨vulg⟩ *hij is geil op die meid* ⟨BE⟩ he fancies that bird, ⟨BE⟩ he has hot pants for that bird; ⟨AE⟩ he's got the hots/he's hot for that chick; *geil worden* become/get horny/randy, get turned on, have the hots; *geil zijn* lust, be lustful/randy/horny [2] ⟨plantk⟩ rank ⟨bw: ~ly⟩, rich, luxuriant

geilaard [de^{m}] lecher, randy one, ⟨ouder persoon⟩ dirty old man

geilen [onov ww] ⟨vulg⟩ lust after, ⟨AE⟩ have the hots (for), lech ◆ *geilen op iets/iemand* lust after sth./s.o., have (got) the hots for sth./s.o., lech after sth./s.o.

geilheid [de^{v}] [1] ⟨het geil zijn⟩ lewdness, horniness, randiness, lecherousness, ⟨AE⟩ (the) hots [2] ⟨m.b.t. de grond⟩ richness, fertility, rankness [3] ⟨te weelderige groei⟩ rankness, luxuriance, richness ◆ *de geilheid van graan* the rank growth of the corn

geïllustreerd [bn] illustrated, pictorial ◆ *een geïllustreerd tijdschrift* an illustrated magazine, a picture paper

geïmponeerd [bn] impressed, overawed

geïmponeerdheid [de^{v}] awe

geïmproviseerd [bn] improvised, ad lib, inpromptu, extempore, offhand ◆ ⟨muz⟩ *geïmproviseerd accompagnement* improvised accompaniment; ⟨eenvoudig⟩ vamp; *een geïmproviseerd maal* an improvised/a makeshift meal

gein [de^{m}] ⟨inf⟩ [1] ⟨lol, plezier⟩ fun, merriment, glee, high jinks ◆ *gein hebben/maken/trappen* have fun, make merry/fun; *gein en ongein* fun and games, high jinks; *voor de gein* (just) for fun/for the hell of it/for a lark/giggle; *zonder gein* seriously (now) [2] ⟨grap(je)⟩ joke ◆ *geen geintjes, jongens* no joking around now, folks; *wat een gein!* big joke!, ha ha!, what a larf

geinig [bn, bw] ⟨inf⟩ funny ⟨bw: funnily⟩, cute, neat ◆ *een geinige vent* a fun guy; *dat vind ik wel geinig* I like that, that's pretty neat

geinlijn [de] jokeline, dial-a-joke

geinponem [de^{m}] ⟨inf⟩ fun guy

geïnsinueerde [de] ⟨jur⟩ person on whom a writ is served

geïnspireerd [bn, bw] ⟨bijvoeglijk naamwoord⟩ inspired, animated, ⟨bijwoord⟩ with (great) inspiration/feeling/gusto ◆ *geïnspireerd raken door iemand/iets* be inspired by s.o./sth.; *hij speelt/vertolkt die rol/sonate geïnspireerd* he plays the part/sonata with great feeling; *geïnspireerde verzen* inspired verses/poetry

geïntegreerd [bn] integrated ◆ ⟨natuurk⟩ *geïntegreerde schakeling* integrated circuit

geïnteresseerd [bn, bw] [1] ⟨belanghebbend⟩ interested ⟨bw: ~ly⟩ [2] ⟨belangstellend⟩ interested ⟨bw: ~ly⟩ ◆ *overal in geïnteresseerd zijn* be interested in a great many things/subjects; *geïnteresseerd toekijken* watch with interest

geïnterneerde [de] detainee, inmate, ⟨vnl mil⟩ internee

geïnterviewde [de] interviewee

geïntimeerde [de] ⟨jur⟩ respondent, defendant

geintje [het] ⟨inf⟩ joke, ⟨onschuldig⟩ lark, prank, (wise) crack, game ◆ *geen geintjes!* no tricks!, no joking around!; *hij houdt wel van een geintje* he's (always) in for a lark, he's a real joker; *hij maakt geen geintjes* he means business; *een rot geintje* a dirty trick; *hij kon niet tegen een geintje* he couldn't take a joke; *geintjes uithalen* play jokes, pull pranks, lark; *het was maar een geintje* (we were) just kidding, it wasn't serious, it was only (meant as) a joke

geïnvolveerdheid [de^{v}] involvement, ⟨deelname⟩ participation

geïrriteerd [bn, bw] ⟨bijvoeglijk naamwoord⟩ irritated, edgy, vexed, fretful, ruffled, ⟨bijwoord⟩ in an irritated way, in irritation, fretfully ◆ *geïrriteerd raken door iemand/iets* be irritated/exasperated by s.o./sth.; *snel geïrriteerd* irritable; *geïrriteerd worden* be vexed; *geïrriteerd zijn* be on edge, be irritated

geiser [de^{m}] [1] ⟨waterverwarmingstoestel⟩ ⟨BE⟩ geyser, ⟨AE⟩ (gas) water heater [2] ⟨warme springbron⟩ geyser, hot spring

geisha [de^{v}] geisha

^{1}**geit** [de^{v}] [1] ⟨vrouwelijk dier⟩ she-goat, nanny-goat [2] ⟨giechelig meisje⟩ giggly female ⊡ *vooruit met de geit!* let's get moving/started!, let's get this show on the road!

^{2}**geit** [de] ⟨dier⟩ goat ◆ *jong geitje* kid

geiten [onov ww] be giggly, show off, ↑ simper

geitenbaard [de^{m}] [1] ⟨baard van een geit⟩ goat's beard, (goat's chin) tuft [2] ⟨plantk⟩ ⟨moerasspirea⟩ mead-

owsweet, ⟨Arunculus sylvester⟩ goatsbeard
geitenblad [het] honeysuckle, woodbine
geitenbok [de^m] billy goat, he-goat
geitenbreier [de^m] (old) duffer, bore, fusspot
geitenhaar [het] goat's wool
geitenharen [bn] goat's wool
geitenkaas [de^m] goat's cheese
geitenleer [het] goatskin, cabretta, kid ♦ ***handschoenen*** *van geitenleer* kid/doeskin gloves
geitenmelk [de] goat's milk
geitenmelker [de^m] nightjar, goatsucker
geitenneuker [de^m] goat fucker
geitenoog [het] 1 ⟨ring⟩ tickler 2 ⟨plantk⟩ Aegilops
geitenpad [het] goat path
geitenvel [het] goatskin
geitenwol [de] goat's wool
geitenwollensokkentype [het] open sandals and woolly socks type, back-to-nature freak

geit		
dier	geit	goat
mannetje	bok	billy goat, he-goat
vrouwtje	geit	nanny goat, she-goat
jong	geitje	kid
groep	kudde	herd
roep	mekkeren	bleat
geluid	bè	beh

gejaagd [bn, bw] hurried ⟨bw: ~ly⟩, agitated, hectic, nervous, flustered ♦ *een gejaagde **ademhaling*** panting; *een gejaagde **blik** in de ogen* a nervous look in one's eyes; *hij heeft **iets** gejaagds* he seems a little nervous/agitated/flustered; *een gejaagde **polsslag*** a racing pulse; *gejaagd **spreken*** talk hurriedly/in a rush/agitatedly; *gejaagd in de weer **zijn*** bustle (about)
gejaagdheid [de^v] agitation, hurry, nervousness, rush, flurry
gejacht [het] hustle, hustling, hurrying, hurry-scurry ♦ *het gejacht van de moderne **tijd*** the hustle and bustle/rush and speed of modern times
gejakker [het] hustling, hustle (and bustle), ⟨in auto⟩ tearing along, road-hogging, rushing along, speeding, scramble
gejammer [het] moaning, lamentation(s), wailing
gejank [het] whining, whine, yelp(ing), ⟨zacht⟩ whimper, ⟨geween⟩ blubber, sob
gejoel [het] shouting, cheering, cheers, mirth, ⟨afkeurend⟩ jeering, catcall
gejouw [het] hooting, booing, boos, jeering ♦ *er ging een **luid** gejouw op* there were loud boos
gejubel [het] cheers, cheering, jubilation, shouting, exultation, rejoicing
gejuich [het] cheer(ing), acclaim, jubilation, ⟨form⟩ exultation ♦ *een gejuich **aanheffen*** raise a cheer; *er **ging** een gejuich **op*** there was a cheer; ***in** gejuich **uitbarsten*** burst out cheering; *iemand **met** gejuich **ontvangen*** receive s.o. with great acclaim; ***onder** gejuich betrad hij de zaal* he entered the hall amid cheers/cheering
[1]**gek** [de^m] 1 ⟨krankzinnige⟩ lunatic, ⟨man⟩ madman, ⟨vrouw⟩ madwoman, ⟨inf⟩ loon(y), nut(case) ♦ ⟨fig⟩ *rijden **als** een gek* ride like a maniac/madman/madwoman/like the devil, ⟨in auto⟩ drive like a maniac/madman/madwoman/like the devil; ⟨fig⟩ *ze repeteerden **als** een gek* they rehearsed like mad; *een **geniale** gek* an eccentric/mad genius 2 ⟨dwaas, onnozel persoon⟩ fool, ass, idiot, dope ♦ *handelen/zich gedragen **als** een gek* act like a fool; *een **oude** gek* ⟨ook fig⟩ an old fool, a silly old man; ***voor** gek **staan*** look (like) a fool; *iemand **voor** gek **zetten*** make a fool of s.o.; *iemand **voor** de gek **houden*** pull s.o.'s leg, make a fool of s.o.; *iemand **voor** gek laten lopen* send s.o. on a fool's errand, send s.o. on a wild goose chase, make s.o. look ridiculous/a fool/foolish; *iemand **voor** gek laten **staan*** make s.o. look a fool 3 ⟨belachelijk persoon⟩ idiot, fool, clown ♦ *een **grote/verwaande/volslagen** gek* a great/arrogant/perfect fool; ***voor** gek **lopen*** look ridiculous/a fool/an idiot, have egg on one's face; ***ik, zei de gek*** yours truly 4 ⟨vaak in samenstellingen; iemand met een bijzondere voorkeur⟩ ♦ *hij is een **boekengek*** he's book-mad/a book nut; *een **modegek** zijn* be fashion-mad/a clothes horse; *het is zoveel waard als een gek ervoor **wil geven*** it's worth whatever you can get for it 5 ⟨draaiende schoorsteenkap⟩ cowl, turn-cap 6 ⟨sluiting aan een klink⟩ latch • *dat is toch **van** de gekke* that's too crazy for words, that's completely loony, ⟨AE⟩ that's real weird; ⟨sprw⟩ *veel beloven en weinig geven doet de gekken in vreugde leven* to promise and give nothing is comfort to a fool; ± it is one thing to promise and another to perform; ⟨sprw⟩ *gekken en dwazen schrijven hun namen op deuren en glazen* a white wall is a fool's paper; ⟨sprw⟩ *al te goed is buurmans gek* ± all lay load on a willing horse; ± submitting to one wrong brings on another; ± he that makes himself a sheep shall be eaten by the wolf; ⟨sprw⟩ *één gek kan meer vragen dan tien wijzen kunnen beantwoorden* a fool may ask more questions in an hour than a wise man can answer in seven years; ⟨sprw⟩ *op de eerste april stuurt men de gekken waar men wil* on the 1st of April, hunt the gowk another mile; on the 1st of April, you may send a fool/gowk whither you will; ⟨sprw⟩ *kinderen en gekken/dronken mensen zeggen de waarheid* children and fools cannot lie; ⟨sprw⟩ *allemans vriend is allemans gek* ± all lay load(s) on a willing horse; ± make yourself all honey and the flies will devour you; ± a friend to all is a friend to none; ⟨sprw⟩ *elke gek heeft zijn gebrek* ± every man has his faults; ⟨sprw⟩ *de gekken krijgen de kaart* fortune favours fools
[2]**gek** [bn] 1 ⟨krankzinnig⟩ mad, crazy (with), insane ♦ ***ik ben** me daar gek* catch me doing that!, I wouldn't be seen dead doing that!; ***ben** je nu helemaal gek **geworden!*** have you gone out of your mind?, ⟨inf⟩ have you gone out of your tiny mind?, have you taken leave of your senses?; *zo gek als een **deur*** as mad as a hatter/March hare, as crazy as a loon; *het is om **gillend** gek van te worden* it's enough to drive you round the bend/twist, it's enough to give you the screaming habdabs; *hij is **hartstikke** gek* he's (stark) raving mad, he's round the bend, he wants locking up, he's (completely) nuts/crackers; *je **lijkt** wel gek* you must be mad/crazy; *gek **van angst/de jeuk*** crazy with fear/the itching; *ik **word** er gek van* it's driving me up the wall; ⟨fig⟩ *het is om gek van te **worden*** it is enough to drive you mad/crazy, ⟨inf⟩ it is enough to drive you up the wall/round the bend; *gek **zijn/worden*** be/go mad/crazy; ⟨fig⟩ *zich gek **zoeken** naar iets* look high and low for sth., run round in circles looking for sth. 2 ⟨onverstandig, dwaas⟩ mad, idiotic, ↓loony, ⟨milder⟩ silly, stupid, foolish, ⟨BE ook⟩ daft ♦ ***ben** je gek!* you're/you must be kidding/joking; *ik **ben** wel goed maar niet gek* pull the other one (it's got bells on!), I'm not that stupid!; ⟨inf⟩ ***die** is gek!* you must be kidding!; *dat is geen gek **idee*** that's not a bad idea; *hij **is** er gek genoeg voor* he's mad enough to (do it), I wouldn't put it past him; *hij **is** zo gek nog niet als hij er (wel) uitziet* he's not as stupid as he looks; *dat lijkt me **niet** gek* that doesn't sound at all bad/bad at all; *nou **nog** gekker!* it's getting worse and worse!; curiouser and curiouser!; *wat een gekke **vent*** what an idiot/a weirdo; *hij deed of hij gek **was*** he pretended not to notice, he played ignorant; *je zou wel gek **zijn** als je het niet deed* you'd be silly not to (do it), ⟨sterker⟩ you'd be crazy/mad not to (do it); *hij was nog **zo** gek om het te doen **ook*** he was crazy enough/was enough of a fool/of an idiot to do it; *het wordt hoe langer hoe gekker* it's going from bad to worse, this is just getting worse (and worse) 3 ⟨vreemd, belachelijk⟩ crazy, ridiculous, odd, ⟨met ontkenning ook⟩

bad ♦ *een gek figuur slaan* look ridiculous, make a bad impression; *geen gek figuur slaan* not look bad, make a good impression; *gek genoeg* oddly/strangely enough; *het gekke van de zaak/kwestie is* the funny thing is; *een gekke inval/gedachte* a crazy idea; *het is gek, maar ...* it's odd, but ...; *wat een gekke kleren draagt ie toch!* look at the crazy clothes he's got on!; *niet gek, hè?* not bad, eh?; *dat is lang niet gek* that's not bad at all; *op de gekste plaatsen/tijden* in the oddest/most unlikely places, at the oddest times/moments; *gekke streken uithalen* play crazy tricks, do crazy things; *dat wordt te gek* that's really taking it too far; *dat is te gek om los te lopen* that's too ridiculous/absurd for words, that's so ridiculous it isn't true; *er gek uitzien* look ridiculous; *ik vind het maar gek* I think it's ridiculous; *is ze kwaad? ja, vind je het gek?* is she angry? yes why, are you surprised?; *dat is nog niet zo gek* that's not so bad; *zoiets geks heb ik nog nooit gezien* I've never seen anything so ridiculous in my life [4] ⟨zeer gesteld (op)⟩ fond (of), keen (on), mad (about), crazy (about) ♦ *zij is gek met die vent van haar* she's crazy about that guy of hers; *hij is gek op die meid* he's crazy about that girl; *zij is gek op haar vader* she thinks no end of her father; *hij is helemaal gek van* Mahler ⟨BE⟩ he's really into Mahler, ⟨AE⟩ he's totally nuts about Mahler [•] ⟨inf⟩ *te gek, zeg!* wow, fantastic!; *een te gekke meid* a fantastic girl; *een te gekke vogel* a fantastic ^{B}bloke/guy; ⟨sprw⟩ *hoe ouder, hoe gekker* there's no fool like an old fool

^{3}**gek** [bw] [1] ⟨op bespottelijke wijze⟩ silly, oddly, ⟨met ontkenning ook⟩ badly ♦ *je kunt het zo gek niet bedenken of hij heeft het wel* you name it, he's got it; *doe niet zo gek* don't act/be so silly; *doe maar gewoon, dan doe je (al) gek genoeg* just be your normal idiotic self; *gek doen* act/be silly; *het moet al gek gaan als hij nu nog buiten de prijzen valt* I'd be surprised if he failed to get among the prizes now; *dat heb je niet gek gedaan* you haven't done that (at all) badly; *dan zit/sta je wel even gek te kijken* it makes you sit up a bit; *ergens gek van opkijken* really be surprised by/really sit up at sth.; *het moet niet (veel) gekker worden* it's going too far, it's (getting) a bit much [2] ⟨+ niet⟩ (not) all that ♦ *hij werkt er nog niet zo gek lang* he hasn't been working there all that long; *dat maakt niet zo gek veel uit* that doesn't make all that much difference

gekabbel [het] ⟨beekje⟩ babbling, babble, ⟨golven⟩ lap(ping), ⟨stroom⟩ murmur, purl(ing)

gekakel [het] [1] ⟨het kakelen⟩ cackle, cackling ♦ *wel gekakel, maar geen eieren* much ado/a lot of fuss about nothing, a storm in a teacup [2] ⟨gebabbel⟩ cackle, chatter, prattle, ⟨AE⟩ ↓ (yackety-)yack

gekamd [bn] crested, ⟨biol⟩ cristate ♦ *een gekamde haan* a crested cock/^{A}rooster

gekanker [het] grousing, grouching, grouses, grumbling, ⟨onder personeel⟩ grievance-mongering

gekant [bn] [•] *tegen iets gekant zijn* be set against/opposed to/down on/ill-disposed toward sth.

gekanteeld [bn] crenel(l)ated, battlemented, castellated, ⟨heral⟩ embattled

gekantrecht [bn] ⟨amb⟩ [•] *gekantrechte delen* planed timber

gekapt [bn] [1] ⟨waarvan het haar opgemaakt is⟩ coiffured [2] ⟨een kap dragend⟩ hooded [3] ⟨heral⟩ crested

gekarteld [bn] serrated, ⟨blad ook⟩ crenated, ⟨munt⟩ milled, ⟨handvat⟩ knurled, ridged ♦ *gekartelde bladeren* serrated/crenated leaves; *een gekartelde dop* a knurled/ridged cap/top; *geldstukken met gekartelde randen* coins with milled rims/edges

gekartonneerd [bn] ⟨amb⟩ [1] ⟨in kartonnen band gebonden⟩ with cardboard covers [2] ⟨ingenaaid met kartonnen platten⟩ with cardboard covers

gekast [bn] set

gekeperd [bn] twilled ♦ *gekeperd katoen* cotton twill

gekerm [het] moans, moaning, lamentation(s), groans

gekeuvel [het] (chit-)chat, chatting, tattle, chatter, gabble

gekheid [de^{v}] [1] ⟨onverstand⟩ madness, idiocy, lunacy, ⟨milder⟩ silliness, stupidity, ⟨BE ook⟩ daftness ♦ *van gekheid niet weten wat men doen zal* do the silliest things [2] ⟨iets grappigs⟩ pleasantry, raillery, joking, banter ♦ *gekheid maken met iemand* joke with s.o., kid s.o., have s.o. on; *uit gekheid* for the fun of it, for a lark/joke; ⟨opmerking⟩ in jest; *zonder gekheid* seriously, no kidding; *alle gekheid op een stokje/terzijde/apart* (all) joking apart/aside, to be serious [3] ⟨dwaasheid⟩ foolishness, madness, folly, idiocy ♦ *schei toch uit met die gekheid* stop that nonsense, cut the funny business, stop fooling around; *hij kan geen gekheid verdragen* he won't stand any nonsense, he can't stand/take a joke [4] ⟨bespottelijk iets⟩ nonsense, rubbish, rot ♦ *wat is dat voor gekheid* what kind of nonsense/rubbish is that?

gekibbel [het] squabbling, bickering(s), squabble(s), argy-bargy, quarrelling ♦ *hun kleingeestig gekibbel over* their petty squabblings/wrangling over

gekietel [het] tickling, tickle, titillation

gekir [het] cooing, ⟨baby⟩ gurgle

gekkekoeienziekte [de^{v}] mad cow disease, ⟨wet⟩ BSE

gekkemanswerk [het] folly, foolishness, madness, lunacy

gekken [onov ww] [1] ⟨bespotten⟩ make fun of, poke fun at ♦ *met iets gekken* make fun of/poke fun at sth.; *met iemand gekken* fool/gull/trick s.o., pull s.o.'s leg [2] ⟨gekheid maken⟩ joke, jest, banter, ↓ josh, ⟨form⟩ jape ♦ *hij gekt maar wat* he's only joking; *met iemand gekken* joke/banter with s.o.; *zonder gekken* (all) joking apart/aside, seriously, no joking/kidding

gekkendag [de^{m}] April Fool's Day, All Fools' Day

gekkengetal [het] ± (number) eleven

gekkenhuis [het] [1] ⟨inrichting⟩ madhouse, nut-house, ↓ loony bin, ↓ funny farm, ⟨AE⟩ booby hatch, ⟨AE⟩ bughouse [2] ⟨fig⟩ madhouse, nut-house, bedlam ♦ *wat is dat hier voor een gekkenhuis?* what kind of a madhouse/nut-house is this?

gekkenmat [het] fool's mate

gekkenpraat [de^{m}] raving(s), gibberish, nonsense

gekkenwerk [het] a mug's game, drudgery ♦ *dat is gekkenwerk!* that's a mug's game/madness

gekkerd [de^{m}] silly (thing/billy)

gekkigheid [de^{v}] folly, foolishness, madness, silliness, lunacy ♦ *ze weten van gekkigheid niet wat ze moeten doen* they're (completely) at a loose end

gekko [de^{m}] gecko

geklaag [het] [1] ⟨gejammer⟩ lamentation, moaning, wailing [2] ⟨het klachten uiten⟩ complaining, moaning, grumbling ♦ *geklaag over slecht bestuur* complaining/grumbling about bad government

geklater [het] splash(ing), splatter(ing), ⟨applaus⟩ rattle, ⟨fontein ook⟩ plash, dash

geklauwd [bn] [1] ⟨met klauwen⟩ clawed, ⟨form⟩ unguiculate [2] ⟨heral⟩ taloned

gekleed [bn] [1] ⟨zijn kleren aan hebbend⟩ dressed ♦ *in het zwart gekleed* dressed in black; *hij is keurig/netjes gekleed* he is well-dressed; *een gekleed kostuum* formal dress; *hij is piekfijn/chic gekleed* he is nattily dressed/well turned out; *hij is slecht/slordig gekleed* he is badly dressed/a ragbag [2] ⟨m.b.t. kleding⟩ formal, smart, dressy, ⟨als voorgeschreven⟩ dressed for the occasion ♦ *een geklede japon* a smart dress; *een geklede jas* a dress/suit coat; ⟨gesch⟩ a frock coat; ⟨vnl BE⟩ a smart coat; *iedereen komt vanavond gekleed* everyone is coming in evening dress tonight; *dit kostuum staat gekleed* this suit looks smart/dressy

geklep [het] ⟨klok⟩ tolling, clanging, clack, ⟨ooievaar⟩ clapping, ⟨van persoon⟩ endless chatter ♦ *hou eens op met dat geklep!* could you stop talking for a minute!

geklepper [het] ⟨hoeven⟩ clatter(ing), clip-clop, ⟨vleugels⟩ clatter, clapping, flapping, ⟨molenwiel⟩ rattling

geklets [het] 1 ⟨geleuter⟩ chatter, babble, jaw, claptrap ♦ *geklets **in** de ruimte* hot air; *geklets **over** de buren* scandal-mongering/gossip about the neighbours; ***slap/zinloos** geklets* twaddle, slipslop, wishwash, blah(-blah) 2 ⟨kletsend geluid maken⟩ smack(ing), whacking, thwack(ing) ♦ *geklets **met water*** sound of splashing water; *het geklets van de **zweep*** the crack of the whip

gekletter [het] clatter(ing), ⟨regen⟩ (pitter-)patter, pelt, ⟨hagel⟩ rattle, ⟨wapens⟩ clanging, rattle, clang(our), ⟨sabels, sporen enz.⟩ clank(ing), clash(ing), rattling

gekleurd [bn] 1 ⟨een bepaalde kleur hebbend⟩ coloured ♦ *iets door een gekleurde **bril** zien* have a coloured view of sth.; *(licht) gekleurd **papier*** toned paper; *de gekleurde **rassen*** the coloured races; *gekleurde **wangen*** rosy/ruddy cheeks 2 ⟨geverfd⟩ coloured ♦ *gekleurd **glas*** coloured glass; *gekleurde **prenten/stoffen*** coloured prints/dyed fabrics 3 ⟨fig⟩ coloured, colourful ♦ *een gekleurd **verhaal*** a biased story; *een gekleurde **voorstelling** van zaken* a biased/one-sided version of the facts ⊡ *er gekleurd **op staan*** look (pretty) silly/a fool, have egg on one's face

geklingel [het] jingle, jingling, tinkle, tinkling, chime, ring(ing), tintinnabulation

gekloft [bn] ⟨inf⟩ 1 ⟨mooi⟩ pretty, nice, cute 2 ⟨fijn gekleed⟩ smart, snazzy, natty ♦ ⟨zelfstandig (gebruikt)⟩ ***het** geklofte* a smart get-up

geklok [het] 1 ⟨hol keelgeluid⟩ gurgle, gurgling, guggle 2 ⟨klank van uitgeschonken vocht⟩ glug-glug, guggle 3 ⟨geluid van kip⟩ clucking

geklonken [bn] riveted, clinched ♦ *geklonken **platen*** riveted plates

gekloofd [bn] 1 ⟨door kloven gescheiden⟩ split, cleft ♦ *gekloofd **hout*** chopped wood 2 ⟨met kloven⟩ chapped ♦ *gekloofde **vingers*** chapped fingers

geklooi [het] fooling around, messing about

gekloot [het] ⟨inf⟩ 1 ⟨geklungel⟩ messing/farting around, ⟨BE ook⟩ messing/farting about, ⟨AE ook⟩ goofing/screwing around 2 ⟨vervelend gedoe⟩ messing/pissing around, ⟨BE ook⟩ messing/pissing about, ⟨BE ook⟩ arsing about/around, ⟨AE ook⟩ screwing around

geklungel [het] fiddling (about), tinkering, bungling, ⟨slordig (naai)werk⟩ botch(ing), cobbling, botched job

gekluns [het] ⟨sl⟩ bungling, botching, clumsiness

gekmakens maddening, infuriating ♦ ***tot** gekmakens **toe*** on and on/over and over (till it's enough to drive you crazy), ad nauseam

geknars [het] gnashing ⟨in het bijzonder tanden⟩, ⟨scharnier, verroest ijzer⟩ grating, creak(ing), ⟨wiel, remmen⟩ grind(ing), ⟨stappen in grind⟩ crunch(ing), jar

geknecht [bn] oppressed, enslaved ♦ *een geknecht **volk*** an oppressed people

geknetter [het] crackle, crackling, ⟨elektrisch apparaat⟩ crepitation, ⟨(machine)geweer⟩ rattle, ⟨donder⟩ crash, boom(ing), ⟨gesmolten boter⟩ sputtering, spatter, sizzle

gekneveld [bn] 1 ⟨gebonden⟩ pinioned, trussed up, tied up 2 ⟨onderdrukt⟩ oppressed, enslaved 3 ⟨een knevel hebbend⟩ moustached

geknikt [bn] ⟨plantk⟩ geniculate

geknipt [bn] ⊡ *ergens **voor** geknipt zijn* be cut out for sth./to be sth.; *hij is **voor** haar geknipt* he was made/meant for her; *die baan is als geknipt **voor mij*** that job is just the thing for me/would suit me down to the ground

geknoei [het] 1 ⟨slordig werk⟩ mess(-up), botch(-up), bungling ♦ *geknoei **aan** een motor* tinkering with/fiddling about with an engine; *geknoei van **beunhazen*** a bungled/botched mess/job; *dat geknoei **kun** je op school niet **inleveren*** you can't hand that mess in at school; ***ondeskundig** geknoei* inexpert bungling 2 ⟨gemors⟩ messing, splashing about ♦ *geknoei **met** water* messing/splashing about with water 3 ⟨het oneerlijk te werk gaan⟩ tampering/fiddling (with), funny business, fraud ♦ *geknoei **bij** de verkiezingen* rigging in the elections, fraudulent practices/funny business in the elections; *geknoei **in/met** de boekhouding* cooked accounts, funny business/juggling with the accounts; *geknoei **met** prijzen* manipulation of prices; *geknoei **met** melk/wijnen* adulteration of milk/wine; ***politiek** geknoei* graft, political intrigue

geknor [het] grunt(ing), grumbling

geknutsel [het] ⟨prutswerk⟩ pottering, niggling (work), ⟨lapwerk⟩ patchwork, ⟨timmerwerk uit liefhebberij⟩ carpentering, ⟨andere liefhebberijen⟩ hobby work

gekoeld [bn] cooled, ⟨onder het vriespunt⟩ frozen ♦ *gekoeld **bier*** refrigerated beer; *met **lucht** gekoeld* air-cooled; *gekoeld **vlees*** chilled meat

gekonfijt [bn] candied

gekonkel [het] intrigue, scheming, plotting, underhand doings

gekoppeld [bn] joined, linked, connected, ⟨honden, wagons⟩ coupled ♦ ⟨muz⟩ *de gekoppelde **klavieren** van een orgel* the coupled manuals of an organ; ***paarsgewijs** gekoppeld* conjugate, paired; ⟨techn⟩ *gekoppelde **stroom/spanning*** coupling

gekorreld [bn] granular

gekostumeerd [bn] costume, fancy dress ♦ *een gekostumeerd **bal*** a fancy dress/costume ball; *een gekostumeerde **optocht*** a fancy dress parade

gekraagd [bn] collared

gekrabbel [het] 1 ⟨gekrab⟩ scratching 2 ⟨geschrijf, schrift⟩ scribble, scribbling, scrawl, ⟨willekeurig⟩ doodle, doodling 3 ⟨m.b.t. schaatsenrijden⟩ scrabbling (along)

gekrakeel [het] squabbling(s), wrangling, bickering(s), squabble(s), haggle, fray, quarreling

gekras [het] 1 ⟨m.b.t. een scherp voorwerp⟩ scratch(ing), scrape, scraping ♦ *het gekras van een **pen** op het papier* the scratching of a pen on paper 2 ⟨m.b.t. een viool⟩ scraping 3 ⟨m.b.t. vogels⟩ screech(ing), ⟨kraai, roek⟩ caw(ing) ♦ *het gekras van een **raaf/uil*** the croaking of a raven, the screech(ing)/hoot(ing) of an owl 4 ⟨slordige afbeelding⟩ scribble ♦ *gekras **met** krijt op de muren* chalking on walls

gekrenkt [bn] hurt, offended, aggrieved ♦ *zich gekrenkt **voelen*** take offence, be hurt

gekreukeld [bn] wrinkled, wrinkly, (c)rumpled, creased, crinkled, crinkly ♦ *een gekreukeld **overhemd*** a creased/(c)rumpled shirt; *een gekreukeld **papier*** a crumpled/creased piece of paper

gekreun [het] groan(s), moan(s), groaning, moaning

gekriebel [het] 1 ⟨gekietel⟩ tickle, tickling, itch(ing) 2 ⟨onduidelijk schrift⟩ scribble, scribbling, scrawl

gekrijs [het] scream(ing), ⟨van vogel⟩ screech(ing) ♦ *een **hartverscheurend** gekrijs* a blood-curdling scream; *het gekrijs van de **zeemeeuwen*** the crying of the seagulls

gekrioel [het] swarming

gekroesd [bn] 1 ⟨m.b.t. haar, wol⟩ frizzy, fuzzy, ⟨kapsel⟩ Afro 2 ⟨m.b.t. bladeren⟩ scalloped, crenated ♦ ⟨plantk⟩ *gekroesde **rolvaren*** parsley fern

gekromd [bn] bent, ⟨lijn⟩ curved, ⟨neus⟩ hooked, aquiline ♦ *gekromd **gaan/lopen*** stoop; *met gekromde **rug*** bent, with a bent back

gekroond [bn] 1 ⟨een kroon dragend⟩ crowned ♦ ***met** lauweren gekroond* laureate 2 ⟨met een kroon afgebeeld⟩ crowned ♦ ⟨heral⟩ *een gekroonde **leeuw*** a crowned lion

gekruid [bn] 1 ⟨pikant⟩ spiced, spicy, seasoned, hot ♦ ***scherp** gekruid* highly seasoned 2 ⟨fig⟩ spicy, juicy, hot, racy ♦ *een gekruide **stijl*** a racy style

gekruist [bn] 1 ⟨kruiselings over elkaar geplaatst⟩ crossed ♦ *met gekruiste **armen*** with arms crossed; *met gekruiste **benen*** with legs crossed, cross-legged; *gekruiste **knekels/beenderen*** crossbones; *gekruist **rijm*** cross/alternating rhyme (scheme); ⟨heral⟩ *gekruiste **sleutels*** crosskeys 2 ⟨ontstaan door kruising⟩ crossed, ⟨dieren⟩ cross-bred, ⟨planten⟩ cross-fertilized, cross-pollinated ♦ ⟨biol⟩ *gekruiste* ***bloemen*** hybrid flowers; *een gekruist* ***ras*** cross-breed ⊡ ⟨fin⟩ *gekruiste* ***cheque*** a crossed cheque

gekruld [bn] 1 ⟨krullend⟩ curly, crinkly, ⟨met krultang⟩ curled, crimped ♦ *gekruld* ***haar*** curly hair; ***sterk*** *gekruld* tightly curled, frizzy 2 ⟨krulsgewijze gebogen⟩ curled, furled ♦ *een gekruld* ***blad*** a curled/crisped/furled leaf; *gekrulde* ***zuring*** curled dock

gekscheren [onov ww] 1 ⟨spotten⟩ poke fun (at), make fun of, ↓ cod, ⟨AE⟩ josh ♦ *niet* ***met*** *iets gekscheren* find sth. no joke/laughing matter, take sth. seriously; *gekscheren* ***met*** *iemand/iets* poke fun at s.o./sth., make fun of s.o./sth.; *hij laat niet* ***met*** *zich gekscheren* he will stand no nonsense, you can't pull the wool over his eyes 2 ⟨schertsen⟩ joke, banter, ⟨AE⟩ josh, ⟨form⟩ jest, jape

gekscherend [bn] joking, bantering ♦ *gekscherend iets* ***zeggen*** say sth. jokingly/in joke/in jest/in fun

gekskap [de] 1 ⟨narrenkap⟩ fool's cap 2 ⟨nar⟩ fool, joker, clown

gekte [de^v] ⟨inf⟩ lunacy, insanity ♦ *een* ***aan*** *gekte grenzende neiging om namen te onthouden* an almost insane ability to remember names

gekuch [het] coughing, hem(ming)

gekuifd [bn] 1 ⟨van een kuif voorzien⟩ crested, cristate, ⟨vogel ook⟩ tufted ♦ *een fraai gekuifd* ***hoofd*** a beautiful head of hair 2 ⟨plantk⟩ tufted

gekuip [het] intrigue, scheming, plotting, machinations ⟨mv⟩

gekuist [bn] 1 ⟨m.b.t. taal, stijl, smaak⟩ sober, pure, cultured 2 ⟨m.b.t. geschriften, films⟩ expurgated, edited, cut, ⟨pej⟩ bowdlerized ♦ *een gekuiste* ***versie*** an expurgated/edited/a cut version

gekunsteld [bn, bw] artificial ⟨bw: ~ly⟩, affected, laboured, elaborate, mannered ♦ *gekunsteld* ***doen/spreken/schrijven*** attitudinize; *gekunstelde* ***eenvoud*** affected simplicity; *een gekunstelde* ***glimlach*** a forced/an affected smile; *een gekunsteld* ***personage*** a cardboard character; *een gekunstelde* ***stijl*** an artificial/affected/elaborate/a laboured/stilted/precious style

gekunsteldheid [de^v] artificiality, affectation, ⟨ook concr⟩ mannerism, preciosity

gekwalificeerd [bn] 1 ⟨gerechtigd⟩ qualified, authorized, regular ♦ *een gekwalificeerd* ***arts*** a qualified doctor; *gekwalificeerde* ***personen*** qualified persons; *gekwalificeerd* ***voor*** qualified for sth. 2 ⟨bekwaam⟩ qualified, skilled, capable, competent, expert ♦ *gekwalificeerd* ***om*** ... qualified to ...; *een gekwalificeerd* ***onderzoeker*** a qualified/competent/capable researcher 3 ⟨van betekenis⟩ qualified, skilled, expert ♦ *gekwalificeerde* ***arbeid*** skilled labour ⊡ ⟨jur⟩ *gekwalificeerde* ***bekentenis*** a qualified confession; *gekwalificeerde* ***meerderheid*** a qualified majority; ⟨jur⟩ *gekwalificeerde* ***straf*** a qualified sentence

gekwebbel [het] chatter, cackling, jabber, gabble, ↓ (yackety-)yack

gekweel [het] ⟨iron⟩ warbling, ⟨weemoedig gezang⟩ crooning

gekweld [bn] tormented, tortured, anguished, harassed ♦ ***door*** *wroeging gekweld* contrite, martyred by remorse; ***door*** *gewetensnood/zijn geweten gekweld* conscience-stricken, conscience-smitten, haunted by one's conscience; *een gekwelde* ***gelaatsuitdrukking*** a pained expression

gekwetst [bn] 1 ⟨gewond⟩ hurt, wounded, injured 2 ⟨beledigd⟩ hurt, offended, aggrieved ♦ *zich gekwetst* ***voelen*** take offence

gekwetste [de] ⟨in België⟩ injured (person), wounded (person), casualty

gekwetstheid [de^v] indignation, annoyance

gekwetter [het] ⟨van mussen bijvoorbeeld⟩ twitter(ing), chatter, chirping

gekwijl [het] drivelling, slobber

gel [het, de^m] gel, jelly, ⟨scheik ook⟩ coacervate

gelaagd [bn] 1 ⟨uit lagen bestaand⟩ layered, laminate(d), stratified, ⟨geol⟩ straticulate, ⟨geol, biol⟩ stratal ♦ *gelaagd* ***gebak*** layer cake; *gelaagd* ***glas*** safety/laminated glass; *gelaagd* ***hout*** bonded/laminated wood, plywood; *een gelaagde* ***maatschappij*** a stratal/stratified society 2 ⟨hiërarchisch⟩ stratified, stratal ♦ *gelaagde* ***vertegenwoordiging*** stratified representation

gelaagdheid [de^v] stratification, ⟨metaal bijvoorbeeld⟩ lamination ♦ ***maatschappelijke*** *gelaagdheid* social stratification

gelaarsd [bn] booted, in boots, with boots on ♦ *gelaarsd en* ***gespoord*** booted and spurred, all set, ready to go; *de Gelaarsde* ***Kat*** Puss in Boots

gelaat [het] ⟨form⟩ countenance, visage, ⟨ogm⟩ face ♦ *een* ***bleek*** *gelaat* a pale/pallid countenance/visage/face; *een* ***blij/bedroefd*** *gelaat* a bright/joyful/sad countenance/visage/face; *het gelaat* ***fronsen*** frown, knit one's brows; ***met*** *een open gelaat* open-faced, open-visaged, open-countenanced; ***met*** *een bleek gelaat* pale-faced, pale-visaged, pale-countenanced

gelaatkunde [de^v] physiognomy

gelaatshoek [de^m] facial angle

gelaatsindex [de^m] facial index

gelaatskleur [de] complexion ♦ *iemand met een* ***lichte/donkere*** *gelaatskleur* s.o. of fair/dark complexion; *een* ***ongezonde*** *gelaatskleur* an unhealthy/a pasty/sallow complexion

gelaatsnet [het] camouflage net

gelaatsscan [de^m] face scan

gelaatstrekken [de^mv] features, lineaments ♦ ***scherpe*** *gelaatstrekken* sharp/chiselled features; *met* ***zachte/delicate*** *gelaatstrekken* with soft/delicate features; ***zonder*** *gelaatstrekken* featureless

gelaatsuitdrukking [de^v] (facial) expression, look, mien

gelaatszenuw [de] facial nerve

gelach [het] laughter, ⟨in zichzelf⟩ chuckling, ⟨in vuistje⟩ sniggering, snickering ♦ *een* ***bulderend*** *gelach* uproarious laughter; *er klonk* ***gesmoord*** *gelach* the sound of subdued/suppressed/stifled laughter could be heard; *in* ***luid*** *gelach uitbarsten* break/burst into a loud laugh, burst out laughing; *een* ***onbedaarlijk*** *gelach* irrepressible/uncontrollable/Homeric laughter

geladen [bn] 1 ⟨van lading voorzien⟩ loaded, charged ♦ *een geladen* ***geweer*** a loaded rifle; ⟨fig⟩ *een geladen* ***verhaal*** a story charged/packed with suspense 2 ⟨elektrische spanning dragend⟩ charged ♦ *een positief/negatief geladen* ***lichaam*** a positively/negatively charged body 3 ⟨op het punt van uitbarsten⟩ charged, strained, pregnant, tense, explosive ♦ *een geladen* ***atmosfeer/stemming*** a charged/strained/tense/an explosive atmosphere; *een* ***emotioneel*** *geladen toespraak* an emotionally charged/a loaded speech; *hij* ***kwam*** *geladen aan de start* ⟨van personen⟩ he was raring to go; *een geladen* ***stilte*** a pregnant pause; *geladen* ***woorden*** words pregnant/charged with meaning

geladenheid [de^v] 1 ⟨innerlijke spanning⟩ tension, explosiveness 2 ⟨rijkdom aan inhoud⟩ pregnancy, import

gelaedeerde [de] ⟨jur⟩ injured/aggrieved party

gelag [het] food and drink ♦ *het gelag* ***betalen*** ⟨ook fig⟩ foot the bill; ⟨fig ook⟩ pay the Piper, carry the can ⊡ *een* ***hard*** *gelag* a bad break, a raw deal; ⟨BE ook⟩ hard lines

gelagerd [bn] running in bearings, carried/supported on bearings ♦ *gelagerde* ***krukassen*** crankshafts carried/supported on bearings, crankshafts running in bearings

gelagkamer [de] bar, ⟨AE⟩ barroom

gelakt [bn] varnished, laquered, shellacked ♦ *gelakte* ***nagels*** varnished/polished nails; *gelakt* ***papier*** laquered paper

gelambriseerd [bn] ⟨amb⟩ wainscoted, panelled
gelamelleerd [bn] laminate(d), bonded ♦ *gelamelleerd **hout*** laminate/bonded wood, plywood
gelardeerd [bn] 1 ⟨met spek doorschoten⟩ larded ♦ *gelardeerde **lever*** ± liver and bacon 2 ⟨vol van⟩ larded, garnished ♦ *een **met** grappen gelardeerde toespraak* a speech larded/garnished with jokes
gelasten [ov ww] order, direct, instruct, charge, ⟨form⟩ bid ♦ *de rechter van instructie gelastte een **onderzoek*** the examining magistrate directed an inquiry to be held; *iemand gelasten het pand **te ontruimen*** order/direct/instruct s.o. to vacate the premises
gelastigde [de] delegate, deputy, proxy
gelaten [bn, bw] resigned ⟨bw: ~ly⟩, uncomplaining, stoical ♦ *iets gelaten **afwachten*** be resigned to the outcome of sth.; *een gelaten **houding/stemming*** a resigned attitude/mood
gelatenheid [de^v] resignation, equanimity, stoicism
gelatine [de] gelatine, ⟨opgelost⟩ gel, jelly ♦ ***plantaardige** gelatine* agar(-agar)
gelatineachtig [bn] gelatinous, gelatinoid ♦ *gelatineachtig **worden*** gelatinize
gelatinepudding [de^m] jelly, gelatin(e), ⟨AE⟩ jello
gelauwerd [bn] 1 ⟨met lauweren versierd⟩ laurelled, laureate, crowned with laurel ♦ *zijn gelauwerd **hoofd*** his laurelled/laureate head 2 ⟨geroemd⟩ laureate ♦ *een gelauwerd **dichter*** a poet laureate
gelazer [het] ⟨inf⟩ 1 ⟨moeilijkheden⟩ load of trouble ♦ *daar **heb** je 't gelazer* that means trouble, here/there we go; *daar **krijg** je gelazer mee* that is going to get you into trouble/hot water, that is going to make trouble for you, ⟨AE⟩ you'll get a lot of nonsense/trouble/crap/hassle from that 2 ⟨gezanik, gedoe⟩ fuss
geld [het] 1 ⟨betaalmiddel⟩ money, currency, cash ♦ *honderd euro **aan** geld* a hundred euros in cash; *geld **als** water verdienen* earn/make big money/a packet/a pile, coin/mint money, coin/rake it in, earn/make money hand over fist; ***baar/contant/gereed** geld* cash, ready money, hard cash, ⟨AE⟩ cold cash; ***bulken van/zwemmen in** het geld* be rolling in money/it, have pots of money, have money to burn; *geld **drukken*** print money; ⟨fig⟩ *(zijn) geld in het water **gooien*** waste/squander (one's) money, throw (one's) money away, pour (one's) money down the drain; ⟨fig⟩ *het geld **groeit** mij niet op de rug* I'm not made of money; ***grof** geld uitgeven* spend money like water; ***grof** geld verdienen* make/earn big money/a pile/a mint; *om **grof** geld spelen* play for high stakes/big money; *er wordt **grof** geld aan verdiend* big money's being made out of it; ⟨inf⟩ s.o.'s making a pile out of it; ***grof** geld voor betalen voor iets* pay a small fortune for sth.; ⟨inf⟩ pay through the nose for sth., pay a pile/^B packet/^A bundle for sth.; ***groot** geld* notes, ⟨AE⟩ bills; *het **grote** geld* (the) big money, ⟨AE⟩ megabucks; *het geld voor het grijpen **hebben*** have money for the asking; *de waarde is niet **in** geld uit te drukken* you can't put a price on it; ⟨fig⟩ *niet op geld **kijken*** not turn over every penny, not watch the pennies; *je hoeft niet op geld te **kijken*** money is no object; ***klein** geld* (small) change; ⟨fig⟩ *iemand geld uit de zak **kloppen*** extort money from s.o., bamboozle s.o. out of his money, con money out of s.o.; *je geld of je **leven**!* your money or your life!; ⟨gesch⟩ stand and deliver; *het is **met** geen geld te betalen* it is priceless, it can't be had for love or money; *iemand **om** geld vragen* touch/ask s.o. for money, tap s.o. for money; ***om** geld verlegen zitten/zijn* be hard up/pressed/pushed for money; ***oud** geld* ⟨geld⟩ old money, ⟨rijke familie(s)⟩ old money; *betalen met **plastic** geld* pay with plastic; *geld moet **rollen*** you must keep money moving; *(het) geld laten **rollen*** make the money fly, spend money freely, ⟨inf⟩ spend money like water; *geld **slaan/(aan)munten*** mint/coin money; ⟨fig⟩ *hij **slaat** overal geld uit* he turns everything to good account, all is grist that comes to his mill; ⟨in België⟩ *geld als **slijk** verdienen* make/earn a packet, rake it in; ***smijten** met geld* ⟨fig⟩ make the money fly, splash (one's) money about/around, squander money, throw one's money about/around, spend one's money right and left; *geld in iets **steken*** invest (money) in sth., sink/pump/pour/put/plough money into sth.; *iets **te** gelde maken* sell off/cash in (shares/gaming chips), realize/capitalize (assets); *geld uit de muur **trekken*** ⟨BE⟩ get money from the hole-in-the-wall; *geld **uitzetten*** invest money, put money out (at an interest); ***vals** geld* forged/counterfeit money; *waar **voor** zijn geld krijgen* have a run for one's money, get value for money, get one's money's worth; ***in/met vreemd** geld betalen* pay in foreign currency; ***vuil** geld* dirty money, ill-gotten gains; *dat is geld **waard*** that is worth a lot of money/is valuable; ⟨fig⟩ that is priceless/beyond price/worth its weight in gold; *geld **wisselen*** change money; ***zwart** geld* money received under the counter; *dat brengt geld in het laatje* that brings money in 2 ⟨(geld)middelen⟩ money, cash, funds, resources ♦ *iemand geld **afpersen*** exact/extort money from s.o.; ***beschikbare** gelden* available monies; *waar **blijft** al dat geld?* where does all that money go (to)?; *geld **dokken/neertellen*** fork out money, dip into one's pocket; *ik had **geen** geld voor een telefoontje* I didn't have the price of a phone-call; *geld en **goed*** property; ***goed** geld verdienen* make good money; ***goed** geld naar **kwaad** geld gooien* throw good money after bad, throw the helve after the hatchet; *geld **hebben*** be in the money, be well-off; *geen geld **hebben*** be broke, be down on one's uppers, be out of money/cash/pocket; *zij **heeft** geld van zichzelf* she has private means/money of her own; *dat experiment **heeft** mij (veel) geld **gekost*** that experiment cost me a pretty penny, I lost over that experiment; *voor **hetzelfde** geld krijg je daar meer* you get more there for the same money/your money; *goed **in** zijn geld zitten* be well off/in the money; *geld **inzetten** op een paard* stake/bet money on a horse; *het geld erdoor **jagen*** splash out, squander the money; *het is een **kwestie** van geld* it is a question/matter of money; *de **macht** van het geld* the power of money/big business; *het zijn mensen **met** geld* they are moneyed people; ***met** zijn geld geen raad weten* have money to burn; *gelden **misbruiken*** misappropriate/misapply funds; ⟨jur⟩ defalcate; *dat huis **moet** (heel wat) geld **gekost hebben*** that house must have cost a pretty penny/a fortune/a king's ransom; *dat zal zijn geld wel **opbrengen*** that will pay (for itself); *een **smak/hoop/berg** geld* oceans/bags/barrels/heaps/oodles/pots/stacks of money, a pot of money; *iemand die veel geld **uitgeeft*** a big spender; *geld **uitgeven** als water* spend money like water; *geld **uittrekken** voor een project* allocate money for a project; ***van** zijn geld leven* live on/off one's money/capital; *daar is een bom geld mee te **verdienen*** there's big money in that; *zijn geld erbij **verliezen/inschieten*** lose (one's money) on sth.; *het project **verslindt** geld* the project eats money; *dat is **voor** geen geld te koop* money will not buy it; *het is **weggegooid** geld!* that's a (sheer) waste of money; *met erg **weinig** geld beginnen* start on a shoestring; *ik zou nu weleens geld **willen zien**!* I should like to see the colour of your money!; ***zonder** geld zitten* be out of pocket, be broke, be down on one's uppers, be penniless; *hij is iemand **zonder** geld* he is penniless/a pauper 3 ⟨bedrag⟩ money, amount, sum, price, rate ♦ *(dat is) **geen** geld!* that's a bargain!; *kinderen betalen **half** geld* children (at) half-price, half-rates for children; *ik zal het geld er gauw weer uit **hebben*** it will soon pay for itself; *ik heb (niet) veel geld **in** mijn portemonnee* I haven't much money/cash in my purse; *het **nodige** geld verzamelen* raise the necessary funds/money; *niet goed? geld **terug*** money refunded/back if not satisfactory, money-back guarantee; *het geld voor een treinkaartje **uitsparen*** save the cost/price of a train ticket; ***voor** geen geld ter wereld* not for love or money, not for (all) the world, not for worlds, not for a million dollars; *het is echt niet duur **voor** dat geld* its a

good buy; *zijn die gelden al* ***verrekend****?* have these amounts been paid? [•] *voor hetzelfde geld was het goed afgelopen* it could just as well/easily have turned out all right; ⟨sprw⟩ *geld dat stom is, maakt recht wat krom is* rich men's spots are covered with money; ± a rich man can do nothing wrong; ⟨sprw⟩ *geld alleen maakt niet gelukkig* riches alone make no man happy; ± money isn't everything; ⟨sprw⟩ *voor geld kan men de duivel laten dansen* ± all things are obedient to money; ⟨sprw⟩ *geld maakt vrienden* he that hath a full purse never wanted a friend; ± success has many friends; ⟨sprw⟩ *geld stinkt niet* money does not smell; ⟨sprw⟩ *geld/bezit is de wortel van alle kwaad* (the love of) money is the root of all evil; ⟨sprw⟩ *veel geld, veel zorgen* much coin, much care; ⟨sprw⟩ *alle waar is naar zijn geld* ± best is cheapest; ± you don't get sth. for nothing; ⟨sprw⟩ *tijd is geld* time is money; ⟨sprw⟩ *voor geld en goede woorden is alles te koop* ± when money speaks the world is silent; ± money talks; ⟨sprw⟩ *geld regeert de wereld* money governs the world; money makes the world go round; ⟨sprw⟩ *beleefdheid kost geen geld* courtesy costs nothing; there is nothing that costs less than civility; ⟨sprw⟩ *geld zoekt geld* money begets/makes money; ⟨sprw⟩ *geld doet alle deuren open* a golden key opens every door; ± money makes the world go round; ⟨sprw⟩ *geld moet rollen* you can't take it with you (when you die/go); money is there to be spent; ⟨sprw⟩ *geld verzoet de arbeid* payment makes work tolerable; ⟨sprw⟩ *geen geld, geen Zwitsers* no pay, no play; no penny, no paternoster; you can't get sth. for nothing; ⟨sprw⟩ *geld vermag alles* money is power; money talks; a golden key opens every door

geldadel [de^m] ± the rich/wealthy

geldafpersing [de^v] extortion (of money), blackmail(ing)

geldaristocratie [de^v] plutocracy

geldauto [de^m] ⟨BE⟩ Securicor van, ⟨AE⟩ Brinks truck

geldautomaat [de^m] cash dispenser, cashpoint, cashomat, automatic/^{A}automated teller machine, ⟨als afkorting⟩ ATM

geldautomaatpasje [het] cashpoint card

geldbelegging [de^v] investment

geldbeugel [de^m] ⟨in België⟩ purse

geldboete [de^v] fine ♦ *strafbaar* ***met*** *(een) geldboete* finable, punishable by fine; ⟨jur⟩ *overtreding waarop een geldboete* ***staat*** pecuniary offence

geldbron [de] source of money

geldbuidel [de^m] moneybag, purse, (money) pouch ♦ *flink met de geldbuidel* ***rammelen*** let the money roll

geldcirculatie [de^v] circulation of money/currency

geldcrisis [de^v] mone(tar)y crisis

gelddorst [de^m] avarice, thirst/lust/hunger for money

gelddrager [de^m] money runner

geldduivel [de^m] [1] ⟨vrek⟩ scrooge, screw, moneygrubber, miser, skinflint [2] ⟨boze geest⟩ Mammon ♦ ***van de*** *geldduivel* ***bezeten zijn*** be a slave to Mammon

geldeenheid [de^v] unit of currency, currency unit

[1]**geldelijk** [bn] ⟨in geld bestaand⟩ financial, pecuniary, monetary ♦ *geldelijke* ***giften*** donations of money; *een geldelijke* ***schadeloosstelling*** a compensation/an indemnification/a restitution in money; *geldelijk* ***voordeel*** *uit iets behalen/genieten* gain pecuniary advantage from sth.

[2]**geldelijk** [bn, bw] ⟨financieel⟩ financial ⟨bw: ~ly⟩, pecuniary, monetary ♦ *geldelijke* ***schade/opofferingen*** financial damage/sacrifices; *geldelijke* ***steun*** financial support/aid/assistance/backing; ⟨van bedrijf vnl.⟩ sponsorship; *iemand/iets geldelijk* ***steunen*** support s.o./sth. financially; *geldelijk* ***vermogen*** capital; *geldelijke* ***verplichtingen*** financial obligations

[1]**gelden** [onov ww] [1] ⟨meetellen⟩ count ♦ *die* ***worp*** *met de bal geldt niet* that throw doesn't count [2] ⟨gewaardeerd worden⟩ count, weigh ♦ *gelden* ***als*** *norm* be the standard; *gelden* ***als*** *onvoldoende* rank as a failure, fall short of the mark; *15 augustus geldt hier* ***als*** *feestdag* August 15th is observed as a holiday here; *dit document geldt niet* ***als*** *betaling* this document is not accepted as payment; *de boycot* ***deed*** *zich gelden* the boycott took/started to take effect; *hij* ***deed*** *zich graag gelden* he liked to throw his weight about/to make himself felt; *zijn rechten* ***doen*** *gelden* assert one's rights; *recht kunnen* ***doen*** *gelden op* be able to claim, be entitled to; *die speler geldt* ***voor*** *twee* that player is worth twice as much as the others [3] ⟨van kracht zijn⟩ apply, hold (good), obtain, prevail, go for ♦ *die wet* ***blijft*** *voorlopig gelden* that law will remain in force/in effect for the time being; *zich* ***doen*** *gelden* assert o.s., make o.s. felt; ⟨pej⟩ throw one's weight about; *zijn macht/gezag* ***doen*** *gelden* assert/exert one's powers/influence, make one's powers/influence felt; *het geldende* ***gebruik*** the (generally) received custom; *de meeste* ***stemmen*** *gelden* the ayes have it; *dit voorschrift zal gelden* ***vanaf*** *1 januari* this rule will come into force/take effect from January 1st; *hetzelfde geldt* ***voor*** *hem* that goes for him too, the same goes for him/is true of him; *deze regeling geldt* ***voor*** *iedereen* this arrangement applies to/holds for/goes for everyone; *die bepaling geldt niet* ***voor*** *landen buiten de EU* that regulation does not apply to countries outside the EU; *deze* ***wet*** *geldt hier niet* that law doesn't apply here [4] ⟨betreffen⟩ concern ♦ *mijn opmerking geldt jouw* ***vriend*** ⟨bestemd voor⟩ my remark is directed toward/meant for your friend; ⟨heeft betrekking op⟩ my remark concerns/refers to your friend

[2]**gelden** [ov ww] ⟨betreffen⟩ concern ♦ ***het*** *geldt hier ons aller belang* the common good is at stake, it's in all our interests; *het gold een* ***zaak*** *van gewicht* it was a matter of importance

geldend [bn] valid, applicable, in force, good, current ♦ *zijn rechten geldend* ***maken*** exercise one's rights; *de thans geldende* ***prijzen*** current prices, the going rates; *die hiervoor geldende* ***vergoeding/termijn*** the appropriate compensation, the period fixed for this purpose; *de geldende* ***voorschriften/wetten*** the statutory regulations/laws, the regulations/laws in force

Gelderland [het] Gelderland, ⟨gesch⟩ Guelderland, Guelders

geldgebrek [het] lack of money, shortage of money/cash/funds, want of money/cash/funds, ⟨op kapitaalmarkt⟩ scarcity/paucity/stringency of money, pecuniary distress, financial difficulties, ⟨form⟩ impecuniousness ♦ *in tijden van* ***algemeen*** *geldgebrek* at times of general financial stringency/shortness of money; *zijn* ***constante*** *geldgebrek* his chronic pennilessness/state of financial penury; *met een* ***groot*** *geldgebrek te kampen hebben* be hard-pressed/straitened/in sore straits for money; *geldgebrek* ***hebben*** be short of money, be in want/need of money, lack money, be hard up/pressed for money; *geldgebrek* ***krijgen*** become pressed for money

geldgeefster [de^v] → **geldgever**

geldgever [de^m], **geldgeefster** [de^v] lender, sponsor, financier

geldhandel [de^m] banking (business), ⟨vreemd geld ook⟩ money/currency dealing

geldhandelaar [de^m] banker, financier, ⟨m.b.t. vreemd geld⟩ dealer, money changer

geldhark [de] rake

geldhervorming [de^v] currency reform

geldig [bn] valid, good, legitimate, ⟨niet verlopen⟩ current ♦ ***algemeen*** *geldig* universal; *dat* ***bewijs*** *is niet geldig* that proof is not valid/won't stand/won't hold (good/water); *geldig* ***bewijsmateriaal*** admissible evidence; *dat* ***biljet*** *is nog geldig* that ticket is still valid; *onze offerte* ***blijft*** *een week geldig* our offer stands/holds (good)/is open for one week, our offer is open for acceptance within one week; *je hebt geen geldig* ***excuus*** you have no excuse; *die vergunning is* *twee jaar geldig* that licence/permit is valid for two years; *zijn paspoort is **niet** meer geldig* his passport has expired/is out of date; *na 15 augustus is het kaartje **niet** meer geldig* the ticket expires after August 15th; *een geldige **reden**/geldig **excuus*** a valid/good/legitimate reason/excuse; *in het bezit zijn van een geldig **rijbewijs*** hold a current driving licence; *de verkiezingen werden geldig **verklaard*** the elections were declared/pronounced valid; *die **wet** is niet meer geldig* that law is no longer in force; *dit **wordt** pas geldig vanaf 1 januari* this won't take effect/come into force until January 1st

geldigheid [de^v] validity, legitimacy, currency ◆ ***algemene** geldigheid* catholicity, universality; ***op** geldigheid **controleren*** verify, ⟨AE⟩ canvass, test the validity of; ⟨kaartjes⟩ examine, inspect; *deze clausule **tast** de geldigheid van mijn rechten niet **aan*** this clause does not invalidate/vitiate my rights; *de geldigheid van de verkiezingen **wordt betwist*** the validity of the elections has been challenged/contested

geldigheidsduur [de^m] (period of) validity, ⟨polis, contract⟩ life, currency, ⟨vergunning⟩ duration ◆ *de geldigheidsduur van een **wet** verlengen* renew the term of operation of an act

geldigverklaring [de^v] validation, declaration of validity

gelding [de^v] validity, legitimacy, currency, force ◆ *die wet **heeft** zijn gelding **verloren*** that law has become inoperative/ineffectual; *de gelding van een **rechtsregel** is beperkt* the force of a rule of law is limited

geldingsdrang [de^m] ⟨psych⟩ assertiveness, push, drive, ambition, aggression

geldinzameling [de^v] fund-raising

geldjaagster [de^v] → **geldjager**

geldjager [de^m], **geldjaagster** [de^v] moneygrubber

geldkas [de] 1 ⟨kas waarin men geld bewaart⟩ cashbox, strong-box, coffer, ⟨kasla⟩ cash register, till 2 ⟨geld(middel)en⟩ cash in hand, cash holdings/resources, till money

geldkist [de] strongbox, coffer, money-chest, money-box ◆ *een **lege** geldkist* an empty box, empty coffers

geldkistje [het] cash box

geldklopperij [de^v] racket, swindle, ↓rip-off, ↓con, ⟨sl; BE⟩ ramp

geldkoe [de^v] cash cow

geldkoers [de^m] 1 ⟨rentestand⟩ interest rate 2 ⟨koers⟩ rate of exchange

geldkraan [de] ▪ *de geldkraan **dichtdraaien*** cut off/stop the flow of money, tighten/draw the purse-strings, cut off funds; ⟨m.b.t. subsidies⟩ cut down/tighten up on grants/funding

geldkwestie [de^v] question of money/finance, money/financial matter ◆ *het **is** een geldkwestie* it's a question of money, it's all a matter of money/cash/pounds, shillings and pence

geldla [de], **geldlade** [de] (cash) till, cashdrawer, ⟨kasregister⟩ cash register

geldlade [de] → **geldla**

geldlening [de^v] (money) loan

geldloper [de^m] collecting clerk

geldmagnaat [de^m] (financial/money) tycoon, magnate ◆ *de **Zwitserse** geldmagnaten* the gnomes of Zurich

geldmakelaar [de^m] financial broker

geldmakerij [de^v] money-making, ⟨pej⟩ money-grubbing, ⟨middel⟩ money-maker, money-spinner, ↓racket, ⟨bedrijf⟩ money-making concern/business ◆ *het **is** louter geldmakerij van hem* he's only in it for the money, he's a money-grubber

geldmarkt [de] 1 ⟨handel⟩ money market ◆ *een beroep **doen** op de geldmarkt* go to the money market 2 ⟨(effecten)-beurs⟩ stock exchange

geldmarktrente [de] ⟨ec⟩ money market interest rate

geldmiddelen [de^mv] funds, (financial) resources, (financial) means, income ◆ *de benodigde geldmiddelen **ontbraken*** the necessary funds were lacking; *het beheer **over** de geldmiddelen* the control of the finances; *een **overzicht** van de geldmiddelen geven* give a statement of ways and means; *hij was **zonder** geldmiddelen* he was out of funds

geldmunt [de] 1 ⟨geldsoort⟩ coin(age) 2 ⟨geldstuk⟩ coin

geldnemer [de^m] borrower, borrowing party

geldnood [de^m] financial trouble/problems/straits/embarrassment, pecuniary trouble/problems/straits/embarrassment ◆ ***in** geldnood zitten/verkeren* be hard up, be pressed for money, suffer from a lack of funds

geldomloop [de^m] circulation of money/currency

geldontwaarding [de^v] currency/monetary depreciation, currency erosion, inflation

geldopname [de] withdrawal

geldpers [de] money/bill/currency press ◆ *de geldpersen laten **draaien*** have currency/money printed

geldpolitiek [de^v] 1 ⟨beleid van een bank⟩ loan policy 2 ⟨regeringsbeleid⟩ monetary/currency policy

geldprijs [de^m] cash prize

geldrente [de] money market interest

geldruimte [de^v] easiness of money, ease in money (supply), situation of easy money

geldsanering [de^v] currency/monetary reform

geldschaarste [de^v] scarcity of money, dearth/paucity/stringency/tightness of money

geldschepping [de^v] ⟨ec⟩ creation of money

geldschieter [de^m] ⟨beroep⟩ moneylender, ⟨voor opzet bedrijf, uitvoering⟩ financier, (financial) backer, ⟨van sportevenement/cultuurevenement ook⟩ sponsor

geldsmijterij [de^v] ◆ *dat **is** pure geldsmijterij* that's just throwing your money down the drain

geldsom [de] sum of money

geldsoort [de] kind of money, coin, (type of) currency ◆ ***vreemde** geldsoorten* foreign currencies/coinages/moneys

geldspecie [de^v] specie, coin(age), metal

geldstandaard [de^m] monetary standard ◆ *de **zilveren** geldstandaard* the silver standard

geldstelsel [het] monetary system

geldstraf [de] fine, monetary/pecuniary penalty

geldstroom [de^m] flow of money ◆ *de geldstroom **afsnijden*** stop the flow of money, draw/tighten the purse-strings; ⟨universiteit⟩ *de **eerste/tweede** geldstroom* direct/indirect (government) funding, the first/second flow of funds

geldstuk [het] coin

geldswaarde [de^v] mone(tar)y value, cash/real/market/pecuniary value ◆ *de geldswaarde van **aandelen*** the real/market value of stocks; *een **brief** met geldswaarde* money letter, letter containing money of any kind

geldswaardig [bn] marketable, negotiable, transferable ◆ *geldswaardige **papieren*** marketable/negotiable/transferable securities

geldtas [de] money-bag

geldtransport [het] money transport

gelduitvoer [de^m] export of money

geldverkeer [het] finance, monetary transactions/dealings/exchange ◆ ***internationaal** geldverkeer* international transfer of funds/transport of capital/monetary exchange

geldverlies [het] loss of money, pecuniary/financial loss

geldvernietiging [de^v] destruction of money

geldverslindend [bn, bw] costly, expensive

geldverspilling [de^v] waste of money, extravagance, ↑dissipation of funds

geldvoorraad [de^m] money supply, supply of money, ⟨inf⟩ wad, ⟨in zaak⟩ cash in/on hand, ⟨bij de banken⟩ holding of cash ◆ *de **beschikbare** geldvoorraad* the available amount of money; *te **grote** geldvoorraad* glut of money; ***mijn** geldvoorraad* my stock/store of money

geldvraag [de] 1 ⟨vraag naar geld⟩ demand for money, money demand 2 ⟨geldkwestie⟩ question of money/finance, matter of money, financial/money matter, financial/money affair

geldwereld [de^v] world of finance, financial world circles/community

geldwezen [het] finance, monetary/financial system, monetary/financial matters, financial economy

geldwinning [de^v] money-maker, ⟨vnl BE; inf⟩ money-spinner, money-making venture/business

geldwisselaar [de^m] money-changer, money-dealer, currency dealer, (foreign) exchange dealer, currency broker, (foreign) exchange broker, cambist

geldwisselapparaat [het] money changer, currency changer, change machine

geldwolf [de^m] money-grubber

geldzaak [de] matter of money, financial/pecuniary/mone(tar)y matter, financial/pecuniary/mone(tar)y affair, financial/pecuniary/mone(tar)y concern ♦ *zijn geldzaken goed **beheren*** manage one's finances/money/financial matters/affairs well; *zij **gaat over** de geldzaken* she is in charge of finances/money matters/in charge of/holds the purse-strings; ***in** geldzaken is hij knap* he is good with money, he is clever where money is concerned/when it comes to money; *dat is meer dan een geldzaak* that is more than just a matter of matter of money

geldzak [de^m] money-bag, purse, pouch

geldzending [de^v] (cash) remittance, funds/money transfer, ⟨m.b.t. specie⟩ consignment/shipment of money

geldzorgen [de^mv] financial worries/problems/difficulties, money troubles, anxieties about money, financial embarrassment/trouble ♦ ***in** geldzorgen zitten* be in financial straits, have financial worries/problems

geldzucht [de] avarice, cupidity, greed for money/gain, love of money, mercenariness

geldzuchtig [bn, bw] avaricious ⟨bw: ~ly⟩, money-hungry, money-mad, money-grubbing, greedy for money/gain, mercenary

geldzuivering [de^v] currency/monetary reform

gelebber [het] lapping, slurping, licking

geleden [bn, alleen pred] 1 ⟨op, vóór een tijdstip plaatsgevonden hebbend⟩ ago, back, since, ⟨van een punt in het verleden gerekend⟩ before, previously, earlier ♦ *het is **eeuwen** geleden dat ik hem gezien heb* I haven't seen him for ages/donkey's years, it has been ages/(donkey's) years since I last saw him; *tot **kort** geleden wist niemand dat ...* until recently no-one knew (that) ...; ***lang, heel lang** geleden* long, long ago, ages ago, way back; *niet **lang** geleden, **kort/pas** geleden* not long ago, the other day, only recently; *het is een hele **tijd** geleden, dat ...* it has been a long time since ..., it's a long time ago, since ...; *ik had het een **week** geleden nog gezegd* I had said so a week before; *het is donderdag drie **weken** geleden gebeurd* it happened three weeks ago this/last Thursday/Thursday three weeks ago 2 ⟨voorbij⟩ over, past, gone (by) ♦ *het leed **is** geleden* the suffering is over, what's done is done

geleding [de^v] 1 ⟨het beweegbaar onderling verbonden zijn⟩ articulation, jointing 2 ⟨plaats van beweegbare verbinding⟩ joint, articulation ♦ *de geledingen van een **helm/harnas*** the joints of a helmet/a suit of armour 3 ⟨elk deel van een geheel⟩ section, part 4 ⟨groep personeelsleden⟩ section, department, branch, ⟨in een hiërarchie⟩ rank, echelon ♦ ***in** alle geledingen van de maatschappij* in all sections of society; *dit voorstel **was** door alle geledingen **aanvaard*** this proposal had been accepted by all parties/all areas of the work force/at all levels 5 ⟨biol; segment, lid⟩ segment, ring ♦ ⟨biol⟩ *de geledingen van een **slang/regenworm*** the segments of a snake/an earthworm 6 ⟨plantk; knoop⟩ articulation 7 ⟨aardr; kustontwikkeling⟩ indentation

gelee [de^v] jelly, gel

geleed [bn] jointed, articulate(d), ⟨biol⟩ segmental, segmentary, ringed, sectional, ⟨kust⟩ indented ♦ *een gelede **bus*** an articulated bus; ⟨dierk⟩ *een geleed **dier*** an articulate animal; *de **kust** is sterk geleed* the coastline is deeply indented; *een gelede **pijp*** a jointed pipe/conduit; *een gelede **radiator*** a sectional radiator; ⟨biol⟩ *een gelede **stengel*** a jointed/an articulate stalk; ⟨taalk⟩ *een geleed **woord*** a (morphologically) complex word

geleedpotig [bn] arthropodal, arthropodous ♦ *de geleedpotigen* the Arthropoda; *geleedpotige **dieren*** arthropods, arthropoda

geleend [bn] borrowed ♦ ***het** geleende terugbetalen* repay the loan; *de geleende **som*** the principal

geleerd [bn] 1 ⟨onderlegd⟩ learned, ⟨i.h.b. m.b.t. de alfawetenschappen⟩ scholarly, ⟨zeer geleerd⟩ erudite ♦ *een geleerd **schrijver*** a man of letters; *de geleerde **wereld*** ⟨i.h.b. m.b.t. de alfawetenschappen⟩ the world of learning; ⟨m.b.t. de bètawetenschappen⟩ the world of science; *hij **ziet** er geleerd **uit*** he looks learned/wise 2 ⟨blijk gevend van kennis⟩ learned, ⟨i.h.b. m.b.t. de alfawetenschappen⟩ scholarly, ⟨zeer geleerd⟩ erudite, ⟨wet⟩ academic ♦ *geleerde **boeken*** learned/scholarly books; *hij **deed/sprak** zeer geleerd* he was very donnish/spoke very learnedly; *een geleerd **onderwerp*** an academic subject 3 ⟨ingewikkeld⟩ learned, scholarly, highbrow, bookish, donnish ♦ *van zulke geleerde **dingen** begrijp ik niets* I'm (way) out of my depth when it comes to this learned stuff, all this learned stuff is beyond me/my ken; *dat **is** mij te geleerd* that's beyond me/a bit above my head; *dat **ziet** er geleerd **uit*** that looks difficult/complicated

geleerddoenerij [de^v] pedantry, intellectualism, donnishness

geleerde [de] scholar, man of learning, ⟨bètawetenschapper⟩ scientist, ⟨alg ook⟩ savant, ⟨vaak scherts⟩ pundit ♦ *een **groot/beroemd** geleerde* a great/famous scholar/scientist/brain/mind, a savant; *van zo'n geleerde moet ik niets hebben* I want nothing to do with an egghead/a highbrow like that!, ⟨vrouw ook⟩ I want nothing to do with a bluestocking like that!; *daarover zijn de geleerden het nog niet eens* authorities do not yet agree on that point

geleerdheid [de^v] 1 ⟨wijsheid⟩ learning, scholarship, erudition ♦ *de geleerdheid **waait** iemand maar zo niet aan* there is no royal/short road to learning/knowledge 2 ⟨geleerde zaken⟩ (book-)learning, ⟨pej⟩ pedantry, donnishness, bookishness ♦ *je hoeft er niet zoveel geleerdheid **bij te halen*** there's no need to bring in all this learning/to be so pedantic; *zijn geleerdheid tentoonspreiden* show off/air one's knowledge; *doe die geleerdheid nu maar eens van tafel* put those learned books down for once

gelegen [bn] 1 ⟨liggend, gesitueerd⟩ situated, lying, ⟨jur ook⟩ situate ♦ *Rotterdam is gelegen **aan** de Maas* Rotterdam is situated/lies on the Maas; ***centraal** gelegen* central, centrally situated, in a central position; ⟨fig⟩ *het probleem is **daarin** gelegen dat ...* the problem is that ...; ***(on)gunstig** gelegen* (in)convenient, (in)conveniently situated/sited; ***op** het zuiden gelegen* facing south; *het huis was **op/tegenover** een heuvel gelegen* the house was situated/stood on/looking on a hill 2 ⟨geschikt⟩ convenient, opportune ♦ ***kom** ik gelegen?* are you busy?, am I disturbing you?; *gelegen **komen** (voor)* suit, be convenient (to); *zijn bezoek **kwam** me niet erg gelegen* his visit was not very convenient, he came at a rather inconvenient/inopportune moment; *dat voordeeltje **kwam** mij zeer gelegen* that windfall came in very handy/came just at the right moment; *te gelegener **ure/tijd*** at a convenient moment/time, at the proper time ▪ *er is (voor) mij veel **aan** gelegen* it matters very much to me, it's of great importance to me; *zich nergens iets **aan** gelegen laten liggen* not care a straw for sth., show no interest in sth., take no notice of sth.; *zich niets gelegen laten liggen **aan** iemand* not care a straw for s.o., show no interest in s.o., take no notice of s.o.

gelegenheid [de^v] 1 ⟨plaats m.b.t. haar geschiktheid⟩ place, site, ⟨ruimte⟩ room ◆ *bij de eerste de beste gelegenheid* any old place, anywhere you like 2 ⟨mogelijkheid, omstandigheid⟩ opportunity, chance, ⟨voor bepaalde handeling of doel⟩ facilities, provision ◆ *de gelegenheid **aangrijpen** om ...* take advantage of/seize the opportunity ...; *de gelegenheid met beide handen **aangrijpen*** take time by the forelock, seize the chance/opportunity with both hands; *die streek **biedt** volop gelegenheid voor fietstochten* that area offers ample opportunity/facilities for cycling; ***bij** gelegenheid zal ik je erover spreken* I will speak to you about this later/when I get the opportunity/when it suits me/you/when it's more convenient; ***bij** de eerste gelegenheid de beste/de eerste de beste gelegenheid* at the first possible/available opportunity; *dat deed hij zomaar op **eigen** gelegenheid* he did it off his own bat/unaided; ⟨pregn⟩ *gelegenheid **geven*** solicit; ⟨zelfstandig (gebruikt)⟩ soliciting; *een **gunstige** gelegenheid **afwachten*** wait/watch for an opportunity/opening, wait for the right moment; ***in** de gelegenheid zijn om ...* be able to, have the opportunity to, be in a position to; *iemand **in** de gelegenheid stellen om* give s.o. an opportunity to, enable s.o. to; *de gelegenheid **krijgen/vinden** om iets te zeggen* get/be given the opportunity to say sth./of saying sth.; *de gelegenheid voorbij **laten gaan*** miss the chance/opportunity, let the opportunity slip (by); *een **mooie/gunstige** gelegenheid* a good/fine opportunity, a favourable/the right moment; *er is gelegenheid **om** te dansen/te slapen* there are dancing facilities/there is sleeping accommodation; *je krijgt **ruim** gelegenheid om je talent te demonstreren* you will be given ample scope to demonstrate your talent; *een **slechte** gelegenheid* a/the wrong moment/time and place; *ik maak **van** de gelegenheid gebruik om ...* I take this opportunity to ...; *de gelegenheid niet **voorbij laten gaan*** not miss the chance/opportunity; *als de gelegenheid zich **voordoet/aanbiedt*** when the opportunity presents itself/when the occasion arises; *wachten tot er zich een gelegenheid **voordoet*** wait for an opportunity/opening/for one's chance; *de gelegenheid te baat nemen* grasp/seize/use the opportunity 3 ⟨reisgelegenheid⟩ means of conveyance/transport, travelling facility ◆ ***met** de eerste gelegenheid reisde hij terug* he travelled back by the first train/boat, he took the first opportunity to travel back; ***op** eigen gelegenheid keerden de feestvierenden naar huis* the party guests travelled home separately/under their own steam 4 ⟨zaak waar men iets kan gebruiken⟩ place, ± restaurant, ± eating house/place ◆ *een **chique** gelegenheid* a posh place/restaurant/establishment; *laten we **in** die gelegenheid iets drinken* let's have a drink in that place/pub/bar; *een **obscure** gelegenheid* a dive; ***openbare** gelegenheden, zoals uitspanningen* public places like pubs 5 ⟨voorkomend geval⟩ occasion ◆ ⟨pregn⟩ *dit draag ik alleen **bij** gelegenheden* I only wear this to/for special occasions; ***bij** zulke/bepaalde/enkele gelegenheden* on such/certain/some occasions; *een **feestelijke** gelegenheid* a festive occasion; ***op** elke gelegenheid voorbereid zijn* be prepared for any eventuality/for whatever comes along; ***ter** gelegenheid **van*** on the occasion of; ***voor** de gelegenheid droeg zij een feestjapon* she wore a gown for the occasion ▪ *hij/zij is even naar een **zekere** gelegenheid* he's just gone to inspect the plumbing/wash his hands, she's just gone to powder her nose; ⟨sprw⟩ *de gelegenheid maakt de dief* opportunity makes the thief

gelegenheidsaanbieding [de^v] special offer

gelegenheidsdichter [de^m] writer of occasional poetry/verse, occasional poet

gelegenheidsdief [de^m] occasional thief, impulse thief

gelegenheidsdrinker [de^m], **gelegenheidsdrinkster** [de^v] occasional drinker

gelegenheidsdrinkster [de^v] → **gelegenheidsdrinker**

gelegenheidsgedicht [het] occasional poem

gelegenheidsgezicht [het] countenance fitting to the occasion, countenance to suit to the occasion, countenance well suited to the occasion, face suited to the occasion ◆ *een gelegenheidsgezicht **zetten*** put on a face suited/fitting to the occasion, compose one's face into the appropriate expression

gelegenheidskleding [de^v] formal/special/full dress

gelegenheidsrede [de] occasional speech

gelegenheidswoord [het] 1 ⟨toespraak⟩ occasional speech 2 ⟨nieuw woord⟩ nonce word, nonce formation

gelegenheidszegel [het] special stamp/issue, ⟨ter herdenking⟩ commemorative stamp/issue

gelei [de] 1 ⟨gekookt sap van dierlijke stoffen⟩ jelly, gelatine, ⟨gekruid⟩ aspic ◆ *ei **in** gelei* eggs in aspic; *paling **in** gelei* jellied eels; ***op** gelei zetten* jelly 2 ⟨vnl in samenstellingen; ingedikt sap van vruchten⟩ jelly, preserve ◆ ***appel**gelei* apple jelly 3 ⟨dikke substantie⟩ jelly

geleiachtig [bn] jelly-like, gelatinous ◆ *geleiachtig **(doen) worden*** gel, jell, jellify

geleibrief [de^m] ⟨vrachtbrief⟩ supply/consignment note, waybill, transit bill, ⟨douanepapier⟩ permit, ⟨vrijgeleide⟩ safe-conduct

geleid [bn] guided, planned, controlled, conducted ◆ *een geleide **bergwandeling*** a guided/conducted mountain walk/walk over the hills; *geleide **economie*** planned economy; ***met** de computer geleid* computer-aided; *geleide **projectielen*** guided missiles, robot bombs; ⟨door straal geleid⟩ beam-riders; *geleide **straal*** beam

geleide [het] 1 ⟨het vergezellen⟩ escort, ⟨begeleiding ook⟩ guidance, ⟨gevolg ook⟩ attendance, ⟨bescherming ook⟩ protection, ⟨bewaking ook⟩ guard ◆ ***onder** iemands geleide* under s.o.'s protection/guidance, accompanied by s.o.; ***onder** militair geleide* under military escort; ⟨med⟩ ***op** geleide van* prompted by; ⟨med⟩ *de medicatie afbouwen **op** geleide van klachten* reduce medication as symptoms subside; ⟨fig⟩ ***ten** geleide* introduction, preface, foreword; *zijn geleide **vrijwaarde** ons voor aanhouding* his presence prevented us from being stopped; *geen toegang voor kinderen **zonder** geleide* unaccompanied children/children not accompanied by an adult will not be admitted 2 ⟨wie, wat begeleidt⟩ escort, ⟨m.b.t. koopvaardijschepen in oorlogstijd⟩ convoy, ⟨gids⟩ guide ◆ *onder **gewapend** geleide* under armed escort; *het gezelschap reisde **met** geleide* the party did a guided/conducted tour

geleidebiljet [het] transire, ⟨m.b.t. luchtvervoer/treinvervoer/wegvervoer⟩ waybill, consignment note, ⟨scheepv; BE⟩ transire

geleidehond [de^m] guide-dog, ⟨AE ook⟩ seeing-eye dog

geleidelijk [bn, bw] gradual ⟨bw: ~ly⟩, ⟨bijwoord ook⟩ by degrees, by/in (gradual) stages, along gradual lines, little by little ◆ *geleidelijk **aan*** little by little, by degrees, gradually, as one goes along, slowly but surely; *geleidelijk **afnemen/verminderen*** decrease, drop off, tail off/away; *het rood **gaat** geleidelijk in oranje **over*** the red (gradually) shades off into orange; *een geleidelijke **hervorming*** a gradual reform, a reform in gradual stages/along gradual lines; *geleidelijk **invoeren*** ⟨ook⟩ phase in; *de geleidelijke **invoering** van een 36-urige werkweek* the phased introduction of a 36-hour week; *geleidelijk **opheffen/stopzetten*** phase down/out; *een geleidelijke **overgang*** a gradual transition; *geleidelijk **verwijderen/vervangen*** fade out/away; *de kernwapens **worden** geleidelijk **teruggetrokken*** the nuclear weapons are being withdrawn in stages; *het weer **wordt** geleidelijk **beter*** the weather is gradually improving

geleidelijkheid [de^v] gradualness, graduality

geleiden [ov ww] 1 ⟨leiden⟩ guide, conduct, accompany, lead, ⟨mil; vrouw⟩ escort, ⟨scheepv⟩ convoy ◆ *iemand **aan** de hand geleiden* lead s.o. by the hand; *een **blinde** geleiden* guide a blind person; *iemand **naar** huis geleiden* lead/accompany/see s.o. home, ⟨vrouw ook⟩ escort s.o. home;

naar buiten/binnen geleiden usher out/in; ⟨Bijb⟩ *geleid mij op de weg* lead me on the way/path; *een onwillig* ***paard*** *geleiden* lead a stubborn horse [2] ⟨natuurk⟩ conduct, transmit ◆ ***geluid*** *geleiden* transmit/carry/convey sound; ***koper*** *geleidt goed* copper is a good conductor; ***warmte/elektriciteit*** *geleiden* conduct/transmit electricity/heat

geleidend [bn] ⟨natuurk⟩ conductive ◆ ***glas*** *is niet geleidend* glass is not conductive/non-conductive/a non-conductor; *koper is een goed geleidend* ***metaal*** copper is a good conductor; *geleidend* ***vermogen*** conductivity

geleider [de^{m}] [1] ⟨gids⟩ guide, leader, conductor, ⟨meisje⟩ chaperon(e), ⟨vrouw; gevangenen⟩ escort [2] ⟨natuurk⟩ conductor ◆ *men verdeelt de* ***elementen*** *in geleiders en niet-geleiders* the elements are divided into conductors and non-conductors; *koper is een* ***goede*** *geleider* copper is a good conductor; *een* ***slechte*** *geleider* a poor/bad conductor [3] ⟨deel van een machine⟩ fence, pilot, guide, ⟨mv⟩ ways

geleidewapen [het] guided missile

geleiding [de^{v}] [1] ⟨natuurk; het geleiden⟩ conduction, conductivity ◆ ***thermische*** *geleiding* thermal conductivity [2] ⟨dat wat geleidt⟩ wire, wiring, line, conductor, cable ◆ ***elektrische*** *geleidingen* electric wires/wiring/lines/conductors/cables [3] ⟨toestel⟩ fence, pilot, guide, conduit, ⟨mv⟩ ways ◆ ***rechte*** *geleiding* straight(-line) guide(way)

geleidingscoëfficiënt [de^{m}] ⟨natuurk⟩ coefficient of conductivity

geleidingshek [het] crash-barrier, guard-rail

geleidingsvermogen [het] ⟨natuurk⟩ ⟨alg⟩ conductance, ⟨specifiek⟩ conductivity ◆ ***magnetisch*** *geleidingsvermogen* permeance; ***soortelijk/specifiek*** *geleidingsvermogen* conductivity

geleidraad [de^{m}] ⟨elek⟩ conducting wire

geleidster [de^{v}] guide, attendant, conductress, ⟨meisje⟩ chaperon(e)

geleischoen [de^{m}] ⟨techn⟩ guide box

geleisuiker [de^{m}] sugar with pectin

gelen [ov ww, ook abs] yellow, make yellow ⟨ov⟩, turn/become/grow/get yellow ⟨onov⟩ ◆ *het gelende* ***lover*** the yellowing foliage

geleng [het] shank

geleren [onov ww] gel, gelatinize, jel(lify)

gelering [de^{v}] ⟨scheik⟩ gelling

geletterd [bn] lettered, learned, scholarly, erudite, literary ◆ *een geletterd* ***man*** a man of letters/learning, a lettered/learned/scholarly/an erudite/a literary man

geletterde [de] man of letters, man of learning, scholar, lettered/literary/learned/scholarly/erudite person ◆ ***de*** *geletterden* ⟨ook⟩ the literati

geleur [het] hawking (about)

geleuter [het] [1] ⟨het aanhoudend leuteren⟩ waffle, waffling, drivel(ling), burble, burbling [2] ⟨onzinnig geschrijf of gepraat⟩ twaddle, piffle, rot, bull(shit), baloney, drivel, ⟨BE ook⟩ waffle

gelezen [bn] [1] ⟨door velen gelezen⟩ widely read, much read ◆ *een gelezen* ***auteur*** a widely read author [2] ⟨veelvuldig gelezen⟩ thumbed, thumbmarked ◆ *gelezen* ***tijdschriften*** thumbed/thumb-marked magazines [3] ⟨niet gezongen⟩ low ◆ *een gelezen* ***mis*** a low mass

gelid [het] [1] ⟨mil⟩ rank, file, line, array, order ◆ *in* ***gesloten*** *gelederen* ⟨mil⟩ in close order, in serried ranks; ***in*** *het gelid staan* stand in line; ***in*** *het gelid blijven* keep rank/ranks; ***in*** *het gelid gaan staan* draw/form/line up, fall in; ***in*** *het gelid marcheren/plaatsen* march/place in order/column/line; *zich* ***in*** *het gelid scharen/stellen* rank; *de gelederen* ***openen/sluiten*** open the ranks, open out/close the ranks; ***uit*** *het gelid lopen* break rank/ranks, leave the ranks, fall out (of line); ⟨fig ook⟩ step out of line; ***uit*** *het gelid treden* break rank/ranks, fall out (of line), leave the ranks; *de gelederen* ***verbreken*** break rank/ranks; *de gelederen* ***versterken*** ⟨ook figuurlijk⟩ swell the ranks; ⟨fig⟩ *in maart kwam Jan onze gelederen* ***versterken*** in March John joined us/our ranks; *in het* ***voorste*** *gelid lopen* ⟨ook fig⟩ be in the front rank, be in/at the forefront; *in de* ***voorste/achterste*** *gelederen* in the front ranks/the forefront, in the rear ranks [2] ⟨mv; groep⟩ rank ◆ *de gelederen van de* ***liberalen*** the ranks of the Liberals, the Liberal ranks [3] ⟨gewricht⟩ → **lid**

gelidbeentje [het] phalanx, ⟨teen⟩ metatarsal

gelidknoop [de^{m}] ⟨plantk⟩ node

gelieerd [bn] allied (to), ⟨instituut, bedrijf ook⟩ affiliated (with/to), connected (with), ⟨van familie⟩ related (to) ◆ *gelieerd zijn* ***aan*** *een familie* be related to a family; ***goed*** *gelieerd* well-connected; *nauw gelieerd* ***zijn*** *met* be closely allied/related to

geliefd [bn] [1] ⟨dierbaar⟩ beloved, ⟨vriend⟩ dear, loved, well-liked ◆ *hij was erg geliefd* ***bij*** *het volk* he was much-beloved/well-beloved/much in favour among the public/people; *mijn geliefde* ***echtgenote*** my beloved wife; *ons innig geliefd* ***kind*** our dearly loved/beloved child; *het geliefde* ***vaderland*** our beloved country [2] ⟨favoriet⟩ favourite, cherished, pet ◆ *dat* ***maakte*** *hem erg geliefd bij hen* that endeared him to them; *zijn geliefd* ***onderwerp*** his conversation piece, his favourite/pet subject, his hobby-horse; *mijn meest geliefde* ***schrijvers*** my favourite authors [3] ⟨gewild⟩ favourite, popular ◆ *een geliefd* ***artikel*** a popular article; *hij is niet erg geliefd* ***bij*** *de leerlingen* he is not very popular with/much liked by the pupils; ***niet*** *geliefd* unpopular

geliefde [de] [1] ⟨beminde⟩ beloved, dearest, darling [2] ⟨minnaar, minnares⟩ sweetheart, ⟨vrouw ook⟩ ladylove, mistress, ⟨man ook⟩ lover ◆ *zij* ***waren*** *geliefden* they were lovers [3] ⟨mv; beminde bloedverwanten⟩ loved ones

geliefkoosd [bn] favourite, pet, cherished ◆ *haar geliefkoosde* ***dichter*** her favourite poet; *zijn geliefkoosde* ***idee*** his fad, his pet/cherished notion/idea, his hobby-horse; *zijn geliefkoosd* ***plekje*** his favourite/cherished spot/haunt

[1]**gelieven** [de^{mv}] lovers

[2]**gelieven** [ov ww] ⟨vaak form⟩ please ◆ *hierbij gelieve u* ***aan te treffen*** ... enclosed please find ...; *kandidaten gelieven hun naam* ***op te geven*** candidates are requested/invited to state their names; *gelieve mij* ***te volgen*** please (to)/kindly follow me, ⟨vero of scherts⟩ pray follow me; *gelieve geen fietsen* ***te plaatsen*** please do not park bicycles here; *gelieve zo spoedig mogelijk* ***te betalen*** please/kindly pay as soon as possible; *ik ga me daar een beetje zitten wachten tot het meneer gelieft* ***te komen*** I'm not going to await his lordship's pleasure/wait till his lordship deigns to come

gelig [bn] yellowish, yellowy, flavescent, ⟨scheik⟩ xanthic, ⟨haarkleur, etnologie⟩ xanthous

geligniet [het] gelignite, ⟨inf⟩ gelly

[1]**gelijk** [het] right ◆ *je hebt groot gelijk* ***dat*** *je het niet doet* you are quite right not to do it; *zeker zijn van zijn* ***eigen*** *gelijk* be convinced of being (in the) right; *hij is altijd zo zeker van zijn* ***eigen*** *gelijk* he's always so bloody/^{A}damn sure of himself; *iemand gelijk* ***geven*** agree with s.o., bear s.o. out, back s.o. up, admit/think s.o. is right; *ik geef je* ***groot*** *gelijk* you're absolutely right, I entirely agree with you; ⟨voor omstreden gedrag⟩ I don't blame you; ⟨fig⟩ *het* ***grootste*** *gelijk van de wereld hebben* be absolutely right; *gelijk* ***heb*** *je* right you are; ⟨vnl AuE⟩ (you're) too right!; *daar* ***heb*** *je gelijk aan/in* you are right there, you are right about that; *(groot/volkomen) gelijk* ***hebben*** be quite/perfectly right; *het gelijk aan zijn kant* ***hebben*** be (in the) right; *iemand* ***in*** *het gelijk stellen* put s.o. in the right, decide in s.o.'s favour, declare/say that s.o. is right; ***in*** *het gelijk gesteld worden* be put in the right, win one's case; *gelijk* ***krijgen*** be proved right; ⟨jur⟩ be put in the right; *hij* ***krijgt*** *altijd gelijk van zijn moeder* his mother always comes down on his side; *altijd gelijk* ***willen hebben*** always want to be right/carry one's point/have the last word; *je moet niet altijd je gelijk* ***willen halen*** you must learn to take no for an answer, ⟨inf⟩ you must learn to know when you're licked; ***in zijn*** *gelijk staan* be (in

the) right; ***zijn** gelijk **willen halen*** want to justify o.s./be justified/put in the right/borne out

[2]**gelijk** [bn] [1] ⟨met elkaar overeenstemmend⟩ equal, like, alike, similar, the same ♦ *gelijk **aan*** equal to; *vrouwen zijn **allemaal** gelijk* women are all alike/the same; *twee mensen een gelijke **behandeling** geven* treat two people equally/(in) the same (way); *dat **blijft** gelijk* that doesn't make any difference; *gelijk **blijven*** remain unchanged, stay the same, remain stationary; *gelijk **blijvend*** constant, steady; *gelijk **blijvende** druk* constant pressure; *van gelijke **datum*** of same date, of even date; ⟨tennis⟩ ***dertig** gelijk* thirty all; *van gelijk **gewicht*** of equal/the same weight; *ze zijn van gelijke **grootte*** they are the same size/of a size; *het water staat op gelijke **hoogte** met de kade* the water is flush/level with the quay/is up to quay level; *gelijk **in** leeftijd* of an age; *het **is** mij gelijk* it's all the same to me, I don't mind/care, I'm not bothered/fussed/fussy; ⟨wisk⟩ *tweemaal twee **is** gelijk vier* twice two is/equals four, two times two is four; *gelijke **kansen*** equal/even odds, even chances; ⟨mogelijkheden⟩ equal opportunities; ⟨gymn⟩ *gelijke **leggers*** parallel bars; *in gelijke **mate*** to the same extent/degree, in equal measure, equally; *iemand met gelijke **munt** betalen* give s.o. tit for tat/a taste of his own medicine/as good as one gets, pay s.o. back in his own/the same coin, repay s.o. in kind, serve s.o. with the same sauce; *onder overigens gelijke **omstandigheden*** all other things being equal, ceteris paribus; ***precies** gelijk* exactly the same, identical; *bij gelijke **prijzen** is product A beter* price for price, product A is superior; *gelijke **tred** met iemand/iets houden* keep abreast of s.o./sth., keep in step with s.o./sth., keep pace/up with s.o./sth.; ⟨tennis⟩ ***veertig** gelijk* deuce; *op gelijke **voet** staan met* be on an equal footing/on a par with; *met gelijke **wapenen** strijden* fight on equal terms; *op gelijke **wijze*** in the same way, similarly, likewise [2] ⟨overeenkomend in rang, macht⟩ equal, equivalent ♦ *gelijke **schuldeisers*** ordinary creditors; *een gelijke **strijd*** an equal battle; *alle burgers zijn **voor** de wet gelijk* all citizens are equal before the law [3] ⟨de juiste tijd aanwijzend⟩ right ♦ *mijn horloge **loopt** gelijk* my watch is right, keeps good time [4] ⟨vrij van oneffenheden⟩ even, smooth, level ♦ *een gelijke **draad*** an even/a smooth thread/strand; *met de grond gelijk **maken*** level, raze, level with/raze to the ground; *een gelijk **terrein*** a level site; *op gelijke **toon*** in a monotone, monotonously; *gelijk **van** humeur* even-tempered, ↑equanimous [·] ⟨sprw⟩ *gelijke monniken, gelijke kappen* what's sauce for the goose is sauce for the gander; ⟨sprw⟩ *alle baksels en brouwsels zijn niet gelijk* you can't win them all, all work does not lead to the same result; ⟨sprw⟩ *edel, arm en rijk maakt de dood gelijk* the end makes all equal; death is the great leveller

[3]**gelijk** [bw] [1] ⟨op dezelfde manier⟩ likewise, alike, in the same way/manner, similarly ♦ *zij **zijn** gelijk **gekleed*** they are dressed alike/the same [2] ⟨gelijkelijk⟩ equally [3] ⟨op hetzelfde punt, even ver⟩ level ♦ *gelijk **op** rijden/studeren/werken* keep up with each other's driving/studying/working; ⟨studeren/werken ook⟩ study/work at the same pace [4] ⟨tegelijk⟩ simultaneously, at the same time, at once ♦ *je moet niet gelijk **eten** en **praten*** you shouldn't eat and talk at the same time; *wilt u gelijk even naar de olie **kijken**?* would you mind checking the oil while you're about it?; *de twee treinen **kwamen** gelijk **aan*** the two trains came in simultaneously/at the same time [5] ⟨meteen⟩ at once, straightaway, immediately, ⟨zo meteen⟩ in a minute ♦ *ik **doe** het morgen gelijk* I'll do it first thing in the morning; *je kunt het net zo goed gelijk **doen*** you might as well do it now/straightaway; *ik **kom** gelijk bij u* I'll be with you in a sec; *hij **zag** gelijk dat ze gehuild had* he saw at a glance/at once that she'd been crying [6] ⟨in België; om het even⟩ no matter ♦ *gelijk **wie*** no matter who

[4]**gelijk** [vw] ⟨form⟩ ⟨ogm⟩ as, ⟨ogm⟩ like ♦ *bleek gelijk de **dood*** pale as death, deathly pale; *leven gelijk de **goden*** live like the gods; ⟨Bijb⟩ *gelijk **in** de hemel, alzo ook op de aarde* on earth as it is in heaven

gelijkaardig [bn] ⟨in België⟩ similar, of the same kind

gelijkbenig [bn] ⟨wisk⟩ isosceles ♦ *gelijkbenig **trapezium*** isosceles [B]trapezium/[A]trapezoid

gelijkberechtiging [de[v]] (granting) equal rights, emancipation ♦ *de gelijkberechtiging van de **vrouw*** the granting of equal rights to/the emancipation of/equal rights for women

gelijkdraads [bn] → **gelijkdradig**

gelijkdradig [bn], **gelijkdraads** [bn] with an equal number of strands

gelijke [de] equal, peer, fellow ♦ ***drie** gelijken* three of a kind; *zijns gelijke niet **hebben/vinden*** not find one's like/peer, be peerless, be unequalled/not to be equalled; *die lui en **huns** gelijken* those folks and the likes of them, them and their likes; ***met** zijn gelijken omgaan* associate with one's equals/peers/fellows; *zijn gelijke **vinden in*** find/meet one's match in; *iemand als **zijn** gelijke behandelen* treat s.o. as an equal/on a footing of equality; ***zonder** gelijke* peerless

gelijkelijk [bw] [1] ⟨in gelijke mate⟩ equally, evenly ♦ *gelijkelijk **delen/verdelen*** ⟨overgankelijk⟩ divide equally/evenly/on a fifty-fifty basis; ⟨onovergankelijk⟩ share and share alike; ⟨2 personen ook⟩ go fifty-fifty, go halves [2] ⟨tegelijk⟩ simultaneously, at once, at the same time

gelijken [onov ww] ⟨form⟩ [1] ⟨lijken⟩ resemble, be/look like ♦ *dat portret gelijkt **goed*** that portrait is a good likeness/is very like; *gelijken **op*** resemble, look like, bear a resemblance/likeness to; *dat portret gelijkt **sprekend** op haar* that portrait is a speaking/excellent/exact likeness of her, that portrait resembles her to the life/has her to a tee [2] ⟨in aard, hoedanigheid overeenkomen⟩ resemble, be like [3] ⟨de schijn hebben van⟩ resemble, be/look like, appear, seem

gelijkend [bn] like, similar, alike, resemblant, resembling ♦ *een **goed** gelijkend portret* a good likeness; *een gelijkende **tekening*** a true-to-life drawing

gelijkenis [de[v]] [1] ⟨overeenkomst⟩ resemblance, similarity, likeness ♦ *zijn handschrift heeft **grote** gelijkenis met dat van zijn vader* his handwriting bears a strong/close resemblance/similarity/likeness to that of his father; *gelijkenis **met** de werkelijkheid* verisimilitude, resemblance to reality; *de mens is **naar** Gods beeld en gelijkenis geschapen* man was created in God's image; *de gelijkenis van dat **portret** is voortreffelijk* the resemblance/likeness in that portrait is excellent; *een **sprekende/sterke** gelijkenis tussen moeder en dochter* a close/strong/speaking/near resemblance/likeness between mother and daughter; *gelijkenis **vertonen met*** bear (a) resemblance/likeness to, look/be like, resemble; ***volmaakte** gelijkenis* identity [2] ⟨Bijb; parabel⟩ parable ♦ *de gelijkenis van de Verloren **Zoon*** the parable of the Prodigal Son

gelijkgerechtigd [bn] equal, having equal rights, ⟨zakenpartners⟩ coequal ♦ *gelijkgerechtigde **aandelen*** shares ranking pari-passu/equally; *alle **burgers** zijn gelijkgerechtigd* all citizens are equal/have equal rights; *gelijkgerechtigde **schuldeisers*** ordinary creditors

gelijkgerechtigdheid [de[v]] equality of rights, equal rights/status, equality before the law

gelijkgericht [bn] common, the same, like, similar ♦ *gelijkgerichte **belangen/belangstelling*** common interests

gelijkgesteld [bn] (made) equal (to), (put) on a par (with) ♦ *gelijkgesteld **aan** een staatsinstelling* parastatal; *vrouwen worden gelijkgesteld **aan** mannen* women are given equal status with men; ***daarmee** gelijkgestelden* those placed on the same footing

gelijkgestemd [bn] like-minded, of one mind, of the same mind, congenial, compatible ♦ *gelijkgestemde **geesten*** kindred spirits; *een gelijkgestemde **groep*** a congenial group; *gelijkgestemd **zijn*** agree, be of one/the same mind

gelijkgezind [bn] like-minded, of the same mind, of one mind, ⟨van hetzelfde geloof⟩ of the same religion/faith ♦ *een gelijkgezinde* ⟨pol⟩ a sympathizer; ⟨rel⟩ a co-religionist, an adherent of the same faith, a fellow Catholic/Protestant/...

gelijkhebberig [bn] insistent on being right (all the time), determined to be right (all the time), ⟨redenerend⟩ argumentative, ⟨dogmatisch⟩ dogmatic

gelijkheid [de^v] 1 ⟨volkomen overeenkomst⟩ equality, identity, uniformity, equalness ♦ ***naar*** *(sociale en politieke) gelijkheid streven* strive/aim for (social and political) equality; *gelijkheid van* ***rang en stand*** equality of classes; ***op voet*** *van gelijkheid met iemand omgaan* treat/deal with s.o. on equal terms/on terms of/a footing of equality/on an equal footing; ***vrijheid,*** *gelijkheid en* ***broederschap*** freedom, equality and brotherhood 2 ⟨wisk⟩ equality, equivalence 3 ⟨gelijkmatigheid⟩ evenness ♦ *gelijkheid* ***van humeur*** evenness of temper, equableness, imperturbability, equanimity 4 ⟨effenheid⟩ evenness, smoothness, levelness

gelijkheidsbeginsel [het] principle of equality

gelijkhoekig [bn] ⟨wisk⟩ 1 ⟨gelijke hoeken hebbend⟩ equiangular 2 ⟨de overeenkomstige hoeken gelijk hebbend⟩ similar ♦ *gelijkhoekige* ***driehoeken*** similar triangles; *gelijkhoekige* ***vierhoeken*** equiangular quadrangles

gelijkklinkend [bn] homophonous, homophonic, sounding alike, sounding the same ♦ *gelijkklinkende* ***letters/woorden*** homophones

gelijkkloppen [ov ww] flatten/straighten/level (out), ⟨zachtjes; een oppervlakte⟩ pat down, ⟨kleed⟩ smooth out

gelijkknippen [ov ww] 1 ⟨oneffenheden wegnemen⟩ trim, pare ♦ ***de heg*** *gelijkknippen* trim the hedge; *zijn* ***nagels*** *gelijkknippen* trim/pare one's nails 2 ⟨dezelfde vorm geven⟩ trim

gelijkkomen [onov ww] 1 ⟨op hetzelfde punt komen⟩ catch up (with), get abreast (of), draw level (with) ♦ *het water kwam gelijk* ***met de dijk*** the water rose level with/to the level of/to the top of the dike; *in twee maanden was ik* ***met hem*** *gelijkgekomen* in two months I had caught up with him 2 ⟨sport⟩ equalize, tie/level the score, draw level (with), knot the game ♦ *Ajax kwam gelijk* ***met*** *Feyenoord* Ajax drew level with Feyenoord

gelijkliggen [onov ww] be (on a) level, lie flush, lie on a level, lie even ♦ ***de roeiers*** *lagen na 100 meter gelijk* after 100 meters the rowers had drawn level; *die* ***stenen/straten*** *liggen niet gelijk* those stones/streets aren't level

gelijklopen [onov ww] 1 ⟨m.b.t. uurwerken⟩ be right, keep (good) time, ⟨met ander uurwerk⟩ be correct with/by ♦ *een gelijklopend* ***horloge*** a reliable watch; *mijn* ***horloge*** *loopt gelijk* my watch is right/keeps good time; *die twee* ***klokken*** *lopen gelijk* those two clocks are right 2 ⟨dezelfde richting volgen⟩ run parallel (to) ♦ *gelijklopende* ***lijnen*** parallel lines; *de weg loopt gelijk* ***met*** *de rivier* the road runs parallel to the river 3 ⟨dezelfde hoogte hebben⟩ be level, be horizontal

gelijkluidend [bn, bw] 1 ⟨gelijk van klank⟩ ⟨taalk⟩ homophonous ⟨bw: ~ly⟩, homophonic, ⟨muz⟩ unisonous, unisonal, unisonant 2 ⟨van gelijke strekking⟩ identical ⟨bw: ~ly⟩, similar, concurrent ♦ *een gelijkluidend(e)* ***antwoord/verklaring*** an identical answer/declaration; *(documenten) in gelijkluidende* ***bewoordingen*** identically worded (documents), (documents) with identical wording; *een gelijkluidende* ***brief*** an identical/similar letter, a letter in the same terms 3 ⟨conform het origineel⟩ identical ⟨bw: ~ly⟩, ⟨m.b.t. afschriften, kopieën⟩ true, verbatim, duplicate ♦ *voor gelijkluidend* ***afschrift*** true copy; *gelijkluidende* ***plaatsen*** identical sections/identically worded sections (of text)

gelijkluidendheid [de^v] 1 ⟨m.b.t. klank⟩ ⟨taalk⟩ homophony, ⟨muz⟩ unison 2 ⟨m.b.t. strekking⟩ identity, similarity 3 ⟨m.b.t. afschriften⟩ identity (in terms/text), conformity

[1]gelijkmaken [onov ww] ⟨sport⟩ equalize, draw level, tie/level the score, knot the game

[2]gelijkmaken [ov ww] 1 ⟨effenen⟩ level, make even, smooth/even (out) ♦ *een huis* ***met de grond*** *gelijkmaken* raze a house to the ground; *een* ***pad*** *gelijkmaken* level a path, make a path level 2 ⟨verschillen wegwerken⟩ equate, make even/equal, even/level up, bring into line (with) ♦ *Britse regelingen gelijkmaken* ***aan*** *die van de EU* bring British regulations into line with those of the EU; *de* ***belastingen/tarieven*** *gelijkmaken (met)* even up taxes/tariffs (with); ***hoeveelheden*** *gelijkmaken* ↓ level up/even up quantities; ***alle standen*** *gelijkmaken* make all classes equal

gelijkmaker [de^m] ⟨sport⟩ equalizer, a game-tying goal ♦ *de gelijkmaker* ***scoren*** equalize, score the equalizer, tie/level the score

gelijkmaking [de^v] 1 ⟨het effenen⟩ levelling 2 ⟨afkanting⟩ levelling, ⟨AE⟩ leveling, making flush

gelijkmatig [bn, bw] 1 ⟨voortdurend, overal gelijk⟩ even ⟨bw: ~ly⟩, equal, constant, ⟨acceleratie, grootte, beweging ook⟩ uniform, ⟨klimaat⟩ equable, ⟨aanvoer, druk⟩ steady, ⟨loop van machine, auto enz.⟩ smooth, regular ♦ *een gelijkmatige* ***aanvoer/toevoer*** a steady supply; *een gelijkmatige* ***draf*** a steady trot; *een gelijkmatige* ***druk*** (a) steady pressure; *een gelijkmatige* ***snelheid*** a constant speed; *een gelijkmatige* ***stijl*** a consistent style; *een gelijkmatig(e)* ***temperatuur/klimaat*** an equable temperature/climate; *(niet) gelijkmatig* ***van kwaliteit*** (not) of uniform quality; *gelijkmatig* ***verdelen*** distribute evenly 2 ⟨evenwichtig⟩ even-tempered, equable, steady, level-headed, composed ♦ *een gelijkmatig* ***karakter*** a steady character; *hij is gelijkmatig* ***van humeur*** he is even-tempered

gelijkmatigheid [de^v] 1 ⟨constantheid⟩ evenness, constancy, uniformity, equableness, equability, steadiness, smoothness, regularity 2 ⟨evenwichtigheid⟩ even(-tempered)ness, steadiness, composure

gelijkmoedig [bn, bw] even-tempered, placid, ↑ of equable temperament, ↑ equanimous, ⟨bijwoord⟩ with equanimity, placidly ♦ *ze bleef er* ***heel*** *gelijkmoedig* ***onder*** she took it with great equanimity; *iets gelijkmoedig* ***verdragen*** bear sth. with equanimity, take sth. philosophically

gelijkmoedigheid [de^v] equanimity, evenness of temper, equability, composure

gelijknamig [bn] 1 ⟨dezelfde naam dragend⟩ of the same name, eponymous, ↑ homonymic, ↑ homonymous ♦ *deze film is gemaakt naar de gelijknamige* ***roman*** this film is based on the novel of the same name 2 ⟨wisk, natuurk⟩ ⟨wisk⟩ with the same denominator, with a common denominator, having the same denominator, having a common denominator, ⟨polen⟩ like, similar ♦ *gelijknamige* ***breuken*** fractions with a common denominator/divisor; *breuken gelijknamig* ***maken*** reduce fractions to the same denominator

gelijkopgaand [bn] concurrent ♦ *een gelijkopgaande* ***strijd*** an equal match (throughout)

gelijkrichten [ov ww] 1 ⟨dezelfde richting laten krijgen⟩ align, ↓ line up ♦ *gelijkgerichte* ***krachten*** aligned forces 2 ⟨in gelijkstroom veranderen⟩ rectify

gelijkrichter [de^m] ⟨elek⟩ 1 ⟨om een wisselstroom te veranderen⟩ rectifier 2 ⟨om accu's op te laden⟩ battery-charger

gelijkschakelen [ov ww] 1 ⟨elek⟩ include in the same circuit, connect to the same circuit 2 ⟨pol⟩ bring/force into line, make (s.o.) toe the (party) line ♦ *de gelijkgeschakelde* ***pers*** the press, which has been brought into line with/made to toe the party line 3 ⟨als gelijken beschouwen (van groepen)⟩ regard as equal(s), regard equally, treat as equal(s), treat equally ♦ ***mannen en vrouwen*** *gelijkschakelen* give equal/the same treatment to/opportunities for men and women, treat men and women equally/the same • ⟨taalk⟩ *gelijkschakelend* ***verband*** parataxis, asyndetic co-ordination

gelijkschakeling [de^v] [1] ⟨pol⟩ bringing/forcing into line, Gleichschaltung [2] ⟨gelijke behandeling⟩ equal treatment

gelijkslachtig [bn] [1] ⟨gelijksoortig⟩ homogeneous ♦ ⟨wisk⟩ *een gelijkslachtige* ***veelterm*** homogeneous polynomial [2] ⟨van hetzelfde geslacht⟩ of the same gender

gelijksoortig [bn] similar, alike, analogous, ⟨wisk⟩ homogeneous, like, ⟨natuurk⟩ conspecific, congeneric ♦ *gelijksoortige* ***grootheden*** like quantities; ***iets*** *gelijksoortigs zoeken* look for sth. similar/a parallel/counterpart; ⟨wisk⟩ *gelijksoortige* ***machten*** homogeneous/like powers; *op gelijksoortige* ***wijze*** in a similar way, similarly; *dat zijn geen gelijksoortige* ***zaken*** they are not the same thing

gelijksoortigheid [de^v] similarity, likeness, analogy, homogeneity, homogeneousness, propinquity

gelijkspel [het] ⟨sport⟩ draw, tie, drawn game ♦ *de wedstrijd eindigde in een 2-2-gelijkspel* the match ended in a two-all draw

gelijkspelen [onov ww] ⟨sport⟩ draw, tie, ⟨golf⟩ halve ♦ ***met*** *0-0 gelijkspelen* draw ^B^nil nil/^A^nothing nothing, the game was a goalless draw; ***met*** *2-2 gelijkspelen* draw two all; *A. speelde gelijk* ***tegen*** *F., A. en F. speelden gelijk* A. drew with F., A. and F. drew (their match/game)

gelijkstaan [onov ww] [1] ⟨overeenkomen⟩ be equal (to), ⟨op hetzelfde neerkomen⟩ be tantamount (to) ♦ *dat staat voor mij vrijwel gelijk* ***aan*** *bedrog/chantage* as far as I'm concerned that's the next thing to/that's next to fraud/blackmail; ***in*** *rang gelijkstaan* ***met*** *hem* be equal to him in rank; ***in*** *aanzien gelijkstaan* ***met*** *een notaris* be equal to a lawyer in standing, of the same standing as a lawyer; *qua kennis gelijkstaan* ***met*** *iemand* be equal to s.o. in knowledge; *dat staat gelijk* ***met*** *een weigering* that is tantamount to a refusal [2] ⟨eenzelfde aantal punten hebben⟩ be level (with), ⟨inf⟩ be all-square (with), be quits (with), be level pegging (with) ♦ ⟨sport⟩ ***bij*** *rust nog gelijkstaan* still be level/all-square at half time/^A^at the half; ⟨sport⟩ ***op*** *punten gelijkstaan* be level (pegging); ⟨sport⟩ ***op*** *de ranglijst gelijkstaan* be level with

gelijkstandig [bn] ⟨wisk, bouwk⟩ homologous

gelijkstellen [ov ww] equate (with), ⟨van gelijke kwaliteit achten⟩ compare (with), ↓ put on a par (with), put level (with), ⟨gelijke rechten geven⟩ emancipate, give equal rights (to), ↓ put on the same footing (as) ♦ *zich* ***met*** *iemand gelijkstellen* compare o.s. with/put o.s. on a par with s.o.; *iemand* ***met*** *een ander gelijkstellen* ⟨van gelijke kwaliteit achten⟩ compare s.o. with s.o. else, ↓ put s.o. on a par with s.o. else; ⟨gelijke rechten geven⟩ give s.o. equal rights/the same rights as s.o. else; *de bijzondere scholen zijn gelijkgesteld* ***met*** *de openbare* private schools have been given the same rights as/have been made subject to the same conditions as/have been put on a par with state schools, ↓ private schools have been put on the same footing as state schools; *buitenlanders worden op dit punt gelijkgesteld* ***met*** *Nederlanders* in this (respect) foreigners and Dutchmen have equal rights/are on the same footing; *kun je de koopkracht van een dollar gelijkstellen* ***met*** *die van een euro?* can you equate/compare the buying power of a dollar with that of a euro?; ***voor*** *de wet gelijkstellen* emancipate, make equal before the law, give equal rights to

gelijkstelling [de^v] equalization, equation (with), equality, equal status, ⟨voor de wet⟩ emancipation ♦ *de gelijkstelling van* ***man en vrouw*** the granting/giving of equal rights to men and women; ± the emancipation of women; *de gelijkstelling van het bijzonder met het openbaar* ***onderwijs*** (the) equal treatment of private and state schools

gelijkstemmen [ov ww] tune (up) ♦ *de viool gelijkstemmen* ***met*** *de piano* tune the violin to the piano; *gelijkgestemd* ***zijn*** be similarly disposed, be in agreement

gelijkstroom [de^m] direct current, continuous current ♦ ***op*** *gelijkstroom werken* work off direct current

gelijkstroommotor [de^m] direct-current/DC motor

gelijkteken [het] equal(s) sign, sign of equality

gelijktijdig [bn, bw] [1] ⟨m.b.t. een tijdstip⟩ simultaneous ⟨bw: ~ly⟩, ⟨bijwoord ook⟩ at the same time ♦ *gelijktijdige* ***gebeurtenissen*** simultaneous events; *gelijktijdig* ***plaatshebben*** coincide; *gelijktijdig* ***vertrekken*** leave at the same time, ↑ leave simultaneously [2] ⟨m.b.t. een tijdvak⟩ simultaneous ⟨bw: ~ly⟩, ⟨bijwoord ook⟩ at the same time ♦ *gelijktijdig (naast elkaar)* ***bestaan*** coexist; *gelijktijdige* ***processen/ontwikkelingen*** simultaneous processes/developments; *gelijktijdig op vakantie* ***zijn*** be on holiday/^A^vacation at the same time

gelijktijdigheid [de^v] simultaneity, simultaneousness, synchronism, concurrence, coincidence, contemporaneity

gelijktrekken [ov ww] [1] ⟨rechttrekken⟩ straighten ♦ *een* ***tafelkleed/rok*** *gelijktrekken* straighten a tablecloth/skirt [2] ⟨de laagste gelijk maken aan de hoogste⟩ level (up), equalize ♦ *de* ***lonen*** *gelijktrekken* bring wages up to the same level, even up/level up wages; ⟨sport⟩ *de* ***stand*** *gelijktrekken* draw level, level/tie the score, equalize

^1^**gelijkvloers** [het] ⟨in België⟩ ground floor, ⟨AE ook⟩ first floor

^2^**gelijkvloers** [bn, bw] ⟨predicatief gebruikt⟩ on the ground, ⟨AE ook⟩ on the first floor, at street level, ⟨bijvoeglijk gebruikt⟩ ground-floor, ⟨AE ook⟩ first-floor ♦ *alle* ***kamers*** *zijn gelijkvloers* all the rooms are on the ground floor; *gelijkvloerse* ***kruising*** ⟨BE⟩ level road-junction; ⟨AE⟩ grade crossing; *gelijkvloers* ***liggen*** be on the ground floor; *gelijkvloerse* ***vertrekken*** ground-floor rooms; rooms on the ground floor

gelijkvormig [bn] [1] ⟨gelijk van vorm, gedaante⟩ identical, identical in shape (to/with), identical in form (to/with), ⟨ook wisk⟩ similar (in shape/form), ⟨scheik, biol enz.⟩ equiform, uniform ♦ *gelijkvormig zijn* ***aan*** be identical in shape to/with; ⟨meetk⟩ *gelijkvormige* ***driehoeken*** similar triangles; ***gelijk*** *en gelijkvormig* congruent [2] ⟨natuurk⟩ uniform

gelijkvormigheid [de^v] identity (of shape), uniformity, ⟨ook wisk⟩ similarity, ⟨scheik, biol enz.⟩ isomorphism, ⟨gelijkheid en gelijkvormigheid, wisk⟩ congruence

gelijkwaardig [bn] [1] ⟨gelijk in waarde, kracht enz.⟩ equal (to/in), equivalent (to), of the same value/quality (as), of equal value/quality (to), of equal standing, equipollent (to), equally/evenly matched ♦ *een gelijkwaardige* ***behandeling*** *eisen* demand equal treatment; *of een gelijkwaardig* ***diploma*** or similar qualifications; *in iemand een gelijkwaardige* ***gesprekspartner*** *vinden* find a worthy interlocutor in s.o.; *twee gelijkwaardige* ***kandidaten*** two candidates of the same quality/of equal merit; *een gelijkwaardige* ***tegenstander*** a well-matched opponent; *gelijkwaardige* ***uitdrukkingen*** equivalent expressions [2] ⟨natuurk⟩ equivalent

gelijkwaardigheid [de^v] equivalence, equality, par(ity) ♦ *negers zullen op* ***basis*** *van gelijkwaardigheid worden toegelaten* ⟨ook⟩ blacks will be admitted on an unsegregated basis

^1^**gelijkwerken** [onov ww] ⟨zo verbonden zijn dat ze vlak aansluiten⟩ be/fit together flush, be in the same plane, form a smooth surface

^2^**gelijkwerken** [ov ww] ⟨zo (be)werken dat ze gelijk komen te liggen⟩ smooth down (flat/flush), plane down (flat/flush)

gelijkzetten [ov ww] [1] ⟨m.b.t. uurwerken⟩ set ♦ *laten we eerst onze* ***horloges*** *(met elkaar) gelijkzetten* let's first synchronize (our) watches; *ik heb mijn horloge* ***met*** *de radio gelijkgezet* I have set my watch by the radio [2] ⟨op de juiste tijd zetten⟩ put right, set, ⟨vnl mil⟩ synchronize

gelijkzijdig [bn] ⟨wisk⟩ equilateral ♦ *een gelijkzijdige* ***drie-***

hoek/veelhoek an equilateral triangle/polygon

gelijkzwevend [bn] ⟨muz⟩ ▪ *gelijkzwevende* ***temperatuur*** equal/even temperament

gelijnd [bn] lined, ⟨m.b.t. papier ook⟩ ruled, ↑lineate(d) ♦ ***strak*** *gelijnd* firm-lined, clean-lined

gelijst [bn] 1 ⟨in een lijst gevat⟩ framed 2 ⟨met lijsten versierd⟩ framed, edged, bordered (with/by)

gelik [het] 1 ⟨het likken⟩ licking, ⟨leppen, oplikken⟩ lapping 2 ⟨het vleien⟩ toadyism, bootlicking, crawling

gelikt [bn] licked, highly finished, polished, ⟨gladjanusachtig⟩ slick ♦ *een gelikte* ***film*** a slick film

gelinieerd [bn] lined, ⟨m.b.t. papier ook⟩ ruled, ↑lineated ♦ *gelinieerd* ***postpapier*** ruled notepaper/stationery/writingpaper

gelispel [het] lisp(ing)

gelobd [bn] ⟨plantk⟩ lobed, lobate, palmate

geloei [het] 1 ⟨geluid van runderen⟩ ⟨koe⟩ lowing, mooing, ⟨stier⟩ bellowing 2 ⟨fig; gejoel, geschreeuw⟩ howling, shrieking, wailing 3 ⟨m.b.t. storm, wind, vuur⟩ roaring, ⟨storm, wind ook⟩ howling 4 ⟨misthoorn⟩ booming 5 ⟨sirene⟩ wailing

gelofte [de^v] 1 ⟨plechtige belofte⟩ vow, oath, pledge, (solemn) promise ♦ *een gelofte* ***doen*** *(om)* vow (to), take/make a vow/an oath (to), pledge (to); *zijn gelofte* ***houden/gestand*** *doen* keep/perform one's vow 2 ⟨rel⟩ vow ♦ *zijn gelofte* ***houden/breken*** keep/break one's vow 3 ⟨m.b.t. de priesterwijding⟩ vow ♦ *de gelofte van* ***armoede, gehoorzaamheid*** *en* ***kuisheid*** *afleggen* take the vows of poverty, obedience and chastity, take monastic vows; ⟨inf⟩ take (one's) vows/the vow; *de* ***eeuwige*** *gelofte doen* take solemn vows; *de drie* ***plechtige*** *geloften* the three solemn vows, (the) monastic vows, holy vows

geloken [bn] ⟨form⟩ ⟨ogm⟩ closed, shut ♦ *met geloken* ***ogen*** with eyes closed

gelokt [bn] with locks/tresses (of hair), ⟨in samenstellingen⟩ -haired, ⟨m.b.t. mens⟩ ± curly-headed, ⟨m.b.t. haar⟩ ± curly, ± curled ♦ *een* ***blondgelokt*** *kind* a child with golden locks/blond curls; ***zwartgelokte*** *schonen* raven-haired beauties

gelonk [het] ogling

geloof [het] 1 ⟨vertrouwen in de waarheid van iets⟩ faith, belief, trust, credence, credit ♦ *ergens geloof aan* ***hechten*** give/attach credence/credit to sth., credit sth., believe sth.; *geen (enkel) geloof* ***hechten*** *aan iets* attach no credence/credit (what(so)ever) to sth.; ⟨ook⟩ discredit sth.; *een* ***onvoorwaardelijk*** *geloof in iemands woorden hebben* have implicit faith/trust in s.o.'s words; *een* ***rotsvast/blind*** *geloof* a rocklike/blind faith/belief; *(geen) geloof* ***vinden*** *(bij)* find (no) credence with 2 ⟨vertrouwen op God(s woord)⟩ faith ♦ *geloof,* ***hoop*** *en* ***liefde*** faith, hope and charity/love; *het geloof* ***in*** *God* faith in God; *het geloof* ***verkondigen/verbreiden*** proclaim/spread the faith; *een* ***vurig*** *geloof* ardent faith; *een geloof dat bergen kan verzetten* a faith that can move mountains 3 ⟨overtuiging⟩ belief, trust, conviction, ⟨m.b.t. waarde of goedheid ook⟩ faith ♦ ***alle*** *geloof in de mensen verliezen* lose all faith in people/humanity; *het geloof* ***in*** *reïncarnatie* belief in reincarnation; *iemand* ***in*** *zijn geloof laten* not want to disillusion s.o.; *het geloof* ***in*** *de vooruitgang* belief in progress; *het geloof* ***in*** *zijn krachten hervinden* regain faith in o.s./one's powers; *geloof* ***in*** *de wetenschap/****in*** *de mensheid hebben* believe in/have faith in science/in humanity; *van zijn geloof* ***vallen*** ⟨niet meer geloven⟩ lose one's faith, ⟨principes opgeven⟩ lose one's moral compass 4 ⟨religie⟩ faith, religion, creed, (religious) belief, (religious) persuasion ♦ *van zijn geloof* ***afvallen*** lose one's faith; *zijn geloof* ***belijden/verzaken/afzweren*** profess/renounce/forswear one's faith/religion; *het geloof* ***hervinden*** return to the faith; *iemands geloof* ***schokken/doen wankelen*** shake s.o.'s faith; *iemand* ***tot*** *het geloof bekeren* convert s.o. to the faith; *het geloof van onze* ***vaderen*** the faith of our fathers; ***verdediger*** *des geloofs* defender of the faith; ⟨als titel van Brits vorst, bijvoorbeeld op munten⟩ Fidei Defensor; ***voor*** *zijn geloof* ***uitkomen*** stand up for one's faith/religion; *het* ***ware*** *geloof* the true faith, the Faith; ***zonder*** *geloof zijn* have no religious belief, have no religion, not be religious

geloofsartikel [het] 1 ⟨rel⟩ article of faith 2 ⟨stelling⟩ article of faith, dogma, tenet

geloofsbelijdenis [de^v] 1 ⟨verklaring omtrent de godsdienstige overtuiging⟩ profession/confession of faith ♦ *zijn geloofsbelijdenis* ***afleggen*** (solemnly) profess one's faith 2 ⟨artikelen⟩ credo, creed ♦ *de* ***anglicaanse*** *geloofsbelijdenis* the Thirty-nine Articles; *de geloofsbelijdenis der* ***apostelen*** the Apostles' Creed; ⟨r-k; inf⟩ the 'I believe'; *geloofsbelijdenis van* ***Nicea*** Nicene Creed 3 ⟨m.b.t. een staatkundige overtuiging⟩ creed, (political) testament/credo ♦ *een* ***politieke*** *geloofsbelijdenis* a political testament/credo

geloofsbeproeving [de^v] test of (one's) faith

geloofsbrief [de^m] credentials, ⟨van gezant ook⟩ Letters of Credence ♦ *het nieuwe kamerlid* ***bood*** *zijn geloofsbrieven* ***aan*** the new Member of Parliament presented his credentials; ⟨pol⟩ *de* ***commissie*** *voor de geloofsbrieven* the credentials committee; ⟨fig⟩ ***naar*** *iemands geloofsbrieven* ***vragen*** ask for/demand s.o.'s credentials; *geloofsbrieven* ***verstrekken*** *aan iemand* accredit s.o., accord credentials to s.o.

geloofscrisis [de^v] crisis of faith, religious crisis ♦ *een ernstige geloofscrisis* ***doormaken*** go through a serious crisis of faith/religious crisis

geloofsdaad [de] act of faith

geloofsdwang [de^m] religious coercion, religious constraint

geloofsformulier [het] confession, creed

geloofsgeheim [het] mystery of faith

geloofsgemeenschap [de^v] community of faith, religious sect/community

geloofsgenoot [de^m] co-religionist, s.o. of the same religious persuasion, fellow believer ♦ ***politiek*** *geloofsgenoot* holder of the same political beliefs, ↓political friend

geloofsgeschil [het] religious controversy

geloofsgetuige [de] martyr (for the faith)

geloofsgetuigenis [het, de^v] confession of faith

geloofsgrond [de^m] basis of (one's) belief

geloofsijver [de^m] religious zeal/fervour ♦ ***uit*** *geloofsijver* from/because of religious zeal

geloofskwestie [de^v] religious matter/question

geloofsleer [de] religious doctrine, dogma, ⟨r-k ook⟩ doctrine of the faith, ⟨wetenschap⟩ dogmatics ♦ *Heilige* ***Congregatie*** *voor de geloofsleer* Sacred Congregation for the Doctrine of the Faith

geloofsleven [het] religious life

geloofsonderzoek [het] examination/investigation of orthodoxy, ⟨gesch⟩ inquisition

geloofsovertuiging [de^v] 1 ⟨overtuiging⟩ religious conviction ♦ *handelen* ***uit*** *geloofsovertuiging* act from religious conviction 2 ⟨leerstellingen⟩ (religious) persuasion, creed, belief, faith ♦ ***ongeacht*** *geloofsovertuiging* regardless of creed/persuasion; *mensen met* ***verschillende*** *geloofsovertuiging* people of different persuasions/beliefs/faiths/creeds

geloofspunt [het] point of doctrine, doctrinal point, tenet, dogma

geloofsstuk [het] article of faith, dogma, tenet

geloofsverdediging [de^v] apologetics

geloofsverdeeldheid [de^v] religious differences/division(s), differences in religion ♦ *een christendom* ***boven*** *geloofsverdeeldheid* a christianity above religious differences

geloofsverkondiger [de^m] preacher/proclaimer of the faith, ± apostle, ± missionary

geloofsverkondiging [de^v] preaching (of) the faith, proclamation of the faith

geloofsvervolging [de^v] religious persecution
geloofsvrijheid [de^v] religious freedom, ⟨soms⟩ religious liberty, freedom of religion, freedom of religious belief, freedom of religious practice
geloofwaardig [bn, bw] ⟨verhaal, verslag⟩ credible ⟨bw: credibly⟩, ⟨verslag, getuige, verslaggever⟩ reliable ⟨bw: reliably⟩, trustworthy ⟨bw: trustworthily⟩, ⟨verslag⟩ plausible ⟨bw: plausibly⟩, believable ◆ *een geloofwaardig* ***getuige*** a reliable witness; *dat* ***klinkt/klinkt*** *niet erg geloofwaardig* that sounds/doesn't sound very credible/convincing, that rings/doesn't ring true; *haar verwondingen* ***maakten*** *haar verhaal geloofwaardiger* her wounds lent credibility to her story; *geloofwaardige* ***schrijvers*** trustworthy/reliable writers; *dat* ***verhaal*** *is zeer geloofwaardig* that story is very plausible/convincing; *geloofwaardiger* ***worden*** gain credit
geloofwaardigheid [de^v] credibility, trustworthiness, reliability, authority ◆ ***aan*** *geloofwaardigheid* ***inboeten*** lose credibility, become less credible; *de geloofwaardigheid van iemand/iets* ***schaden*** damage s.o.'s credibility/the credibility of sth., discredit/throw discredit on s.o./sth.; *een stelling (enige) geloofwaardigheid* ***verlenen*** lend (some) credibility to a thesis; *zijn geloofwaardigheid* ***verliezen*** lose one's credibility
geloop [het] coming and going, walking (to and fro), ⟨hard⟩ running (to and fro) ◆ ***heen-en-weergeloop*** running about/to and fro
[1]**geloven** [onov ww] [1] ⟨+ in⟩ believe (in), have faith (in) ◆ *geloven* ***in*** *God* believe in God; ***in*** *zichzelf geloven* have faith in o.s., believe in o.s.; *ik geloof er niet* ***in*** I have no faith in it; *ergens vast/heilig* ***in*** *geloven* believe firmly in sth. [2] ⟨+ aan⟩ believe (in) ◆ ***aan*** *spiritisme geloven* believe in spiritualism; *je zult* ***eraan*** *moeten geloven* ⟨het toch moeten doen⟩ you'll (just) have to/you're (just) going to have to/you'd better face (up to) it; ⟨moeten sterven⟩ you've had it, your chips are/your number is up [•] *ik geloof* ***van wel*** I think so, ↑I believe so; *ik geloof* ***van niet*** I don't think so, I think not; ⟨sprw⟩ *zien is geloven* seeing is believing
[2]**geloven** [ov ww] [1] ⟨vertrouwen stellen in⟩ believe, ↑credit ◆ *je* ***kunt*** *me geloven of niet* believe it or not; *als men hem* ***moet*** *geloven* if he is to be believed/credited; *zijn* ***ogen/oren*** *niet kunnen/durven geloven* not be able to/not dare to believe one's eyes/ears; *ik geloof je* ***wel*** I (do) believe you, I'll take your word for it; *iemand op zijn woord geloven* take s.o. at his word, take/accept s.o.'s word for it [2] ⟨voor waar houden⟩ believe, ↑credit ◆ *ik geloof die* ***bewering*** *graag* I can well believe such a statement; *geloof* ***dat*** *maar* believe you me!, you can take my word for it; *geloof je* ***dat*** *zelf?* come off it!, a likely story!, (surely) you don't believe that yourself(, do you)?; *hij wilde me* ***doen*** *geloven dat …* he tried to make/have me believe that …; *niet zo gevaarlijk/slecht als men ons wil* ***doen*** *geloven* not as dangerous/bad as they/people would have you believe; *op den duur* ***ga*** *je alles geloven* you'll end up (by) believing anything; *als je het maar vaak genoeg zegt,* ***gaat*** *hij het nog geloven ook* if you say it often enough he'll end up (by) believing it; *geloof maar* ***gerust*** *dat ze er spijt van heeft* you can take it from me that she regrets it/is sorry; ⟨iron⟩ *ik wil dat* ***graag*** *geloven (, maar)* I'd like to believe that (, but); *hij* ***kon*** *maar niet geloven dat …* he just couldn't believe that …; ⟨iron⟩ *dat* ***moet/kun*** *je geloven!* don't you believe it!; *geloof dat maar* ***niet*** don't you believe it!; *geloof maar* ***niet*** *dat hij het doet* you can be sure/you can bet (your money/bottom dollar) (that) he won't do it; *hij geloofde* ***niets*** *van haar verhaal* he didn't believe a word of her story; *niet* ***te*** *geloven!* unbelievable!, incredible!, would you believe it?, it isn't true!; ***wil*** *je wel geloven dat ik het koud heb* you've no idea how cold I am; *ik geloof er geen barst van* I don't believe a bloody word of it; *je moet het zien om het te geloven* it has to be seen to be believed; *ik geloof er geen snars/sikkepit van* I don't believe a (single) word of it [3] ⟨menen⟩ think, ↑believe ◆ *ik voor mij geloof* ***dat …*** personally I think that …; *hij is het er, geloof ik, niet mee eens* I don't think he agrees/he doesn't seem to agree with it [•] *hij gelooft* ***het wel*** he is letting things slide; *ik geloof* ***het*** *verder wel* I think I'll pack it in
gelovig [bn, bw] ⟨kerks, religieus⟩ religious ⟨bw: ~ly⟩, ⟨vroom⟩ pious ⟨bw: ~ly⟩, ⟨vast op God vertrouwend⟩ faithful ⟨bw: ~ly⟩, believing ◆ *een gelovig* ***christen*** a faithful Christian; *met een gelovig* ***hart*** with (a) pious heart; *gelovig* ***zijn*** be religious, believe in God; *niet gelovig* ***zijn*** not be religious, be unbelieving
gelovige [de] believer, ⟨aanwezige bij godsdienst⟩ worshipper, ⟨AE⟩ worshiper, ⟨puritein, mormoon⟩ saint ◆ ***beminde*** *gelovigen!* (dearly) beloved; ***de*** *gelovigen* the faithful; ***een*** *gelovige* a believer/worshipper; ⟨r-k⟩ *de* ***overleden*** *gelovigen* the faithful departed; *de gelovigen* ***verlieten*** *de kerk* the congregation left the church
gelpen [de^m] gel pen
gelubd [bn] [1] ⟨gecastreerd⟩ castrated, ⟨van dieren⟩ gelded, neutered [2] ⟨met lubben versierd⟩ ruffled, frilled ◆ *een gelubde* ***halskraag*** a ruff
gelui [het] [1] ⟨handeling⟩ ringing, ⟨gebeier⟩ pealing, ⟨langzaam en regelmatig, vooral van doodsklok⟩ tolling [2] ⟨keer⟩ ring, peal, toll
geluid [het] [1] ⟨natuurk; trillende beweging⟩ sound ◆ *(met) de* ***snelheid*** *van het geluid* (at) the speed of sound; ⟨natuurk⟩ ***tweede*** *geluid* second sound; *sneller dan het geluid* faster than sound; ⟨wet⟩ supersonic [2] ⟨gelijktijdig klinkende tonen, klank⟩ sound, ⟨vaak met negatieve betekenis⟩ noise ◆ *een* ***afschuwelijk*** *geluid voortbrengen* make an awful noise; *wat een* ***gekke*** *geluiden!* what a funny/strange noise!; *geluid* ***geven/voortbrengen*** make/emit (a) sound; *het geluid van* ***krekels*** the sound of crickets; *de kleine* ***maakt*** *allerlei geluidjes* the little one is making all sorts of noises; *ze kon geen geluid* ***uitbrengen*** *van emotie* she was speechless with emotion; ***verdachte*** *geluiden* suspicious noises; *een* ***zacht/doordringend*** *geluid* a soft/penetrating sound; *het geluid* ***zachter*** *zetten* turn down/lower the volume [3] ⟨toonkleur, timbre⟩ tone, timbre, sound ◆ *uit de radio* ***komt*** *een mooi/fraai geluid* the radio has beautiful/fine reproduction; *er zit in die viool een mooi geluid* that violin has a beautiful tone [4] ⟨klankregistratie⟩ sound ◆ ***beeld*** *en geluid synchroon laten lopen* synchronize vision and sound; ***licht*** *en geluid bedienen* operate light and sound [5] ⟨fig; mening, oordeel⟩ note, voice ◆ *dat is een (heel)* ***ander*** *geluid* that is a (completely) different story; *een heel* ***ander*** *geluid laten horen* strike a completely different note, tell a different tale; *een* ***ander/optimistisch/waarschuwend*** *geluid laten horen* strike a different note/a note of optimism/warning, strike a different note/a warning note/an optimistic note; *dat is een heel* ***eigen*** *geluid* that is a very individual voice; *het* ***eigen*** *geluid van de democraten* the characteristic voice of the democrats; *een* ***eigentijds*** *geluid* a contemporary note; *ik* ***heb*** *zijn geluid nog niet* ***gehoord*** I've not yet heard/I've yet to hear what he thinks; ⟨fig⟩ *een* ***nieuw*** *geluid laten horen* strike a different note; *een* ***positief/optimistisch*** *geluid laten horen* ⟨ook⟩ sound a positive note/a note of optimism; *een* ***waarschuwend*** *geluid tegen iets laten horen* sound/strike a note of warning against sth.
geluidarm [bn] noiseless ⟨bijvoorbeeld motor⟩
geluiddempend [bn], **geluidsisolerend** [bn] sound-insulating, sound-deadening, sound-damping, sound-suppressing, sound-proof(ing), noise-deadening, muffling ◆ *geluiddempend* ***materiaal*** sound-proofing/plugging material; *geluiddempend* ***plafond*** acoustic ceiling
geluiddemper [de^m] [1] ⟨m.b.t. wapens⟩ silencer [2] ⟨m.b.t. muziekinstrumenten⟩ mute, ⟨in partituur ook⟩ sordino, sourdine ◆ ***met*** *geluiddemper* con sordino [3] ⟨m.b.t. motor⟩ ⟨BE⟩ silencer, ⟨AE⟩ muffler
geluiddemping [de^v] soundproofing, deadening of sound/noise(s), sound boarding

geluiddicht [bn] sound-proof ♦ *geluiddicht* ***maken*** sound-proof
geluidloos [bn, bw] silent ⟨bw: ~ly⟩, soundless, noiseless ♦ *geluidloos* ***dook hij weg*** he slipped away silently; *een geluidloos* ***klokje*** a silent clock
geluidmeting [de^v] ⟨mil⟩ sound-ranging
geluidmixer [de^m] 1 ⟨persoon⟩ sound mixer 2 ⟨toestel⟩ sound mixer
geluidnabootser [de^m] sound effects box
geluidsapparatuur [de^v] sound/audio equipment
geluidsarchief [het] sound archives ⟨mv⟩
geluidsband [de^m] (sound) recording tape, magnetic (recording) tape, audiotape ♦ *iets op geluidsband* ***opnemen/registreren*** make a tape(-recording) of sth., record sth. (on tape)
geluidsbarrière [de] sound barrier, sonic barrier ♦ *de geluidsbarrière* ***doorbreken*** break the sound barrier
geluidsbron [de] sound source
geluidscamera [de] sound camera
geluidscapaciteit [de^v] (acoustic) capacity, volume
geluidscassette [de] audio cassette
geluidsdecor [het] sound mix
geluidsdiagram [het] sound spectrogram, acoustic diagram
geluidsdrager [de^m] ⟨audio⟩ sound recording medium
geluidseffect [het] sound effect ♦ *de geluidseffecten* ***verzorgen*** provide the sound effects
geluidsfilm [de^m] sound-film, ⟨gesch; vero, inf⟩ talkie, talking picture
geluidsgolf [de] sound wave, sonic wave
geluidsheffing [de^v] noise nuisance tax
geluidshinder [de^m] noise nuisance, sound pollution ♦ *de* ***bestrijding*** *van geluidshinder* noise abatement/control; *veel last hebben van geluidshinder* have a lot of trouble with noise
geluidsindruk [de^m] acoustic impression
geluidsinstallatie [de^v] sound (reproducing) equipment, recording and playback equipment, ⟨stereo-installatie/hifi-installatie thuis⟩ stereo (set), hi-fi (set), ⟨in stadion, zaal⟩ public address system
geluidsisolatie [de^v] sound insulation, sound proofing
geluidsisolerend [bn] → **geluiddempend**
geluidskaart [de] ⟨comp⟩ sound card
geluidskop [de^m] recording head, ⟨film⟩ sound head, ⟨m.b.t. platenspeler⟩ cartridge, pick-up
geluidskwaliteit [de^v] sound quality ♦ *een* ***uitstekende*** *geluidskwaliteit* excellent sound quality/reproduction
geluidsleer [de] acoustics, phonics
geluidsmontage [de^v] sound-editing
geluidsmuur [de^m] ⟨in België⟩ 1 ⟨geluidsbarrière⟩ → **geluidsbarrière** 2 ⟨geluidswal⟩ noise/sound barrier, acoustic fencing, sound baffles
geluidsniveau [het] sound level/volume, noise level
geluidsopname [de] 1 ⟨het vastleggen van geluid⟩ sound-recording 2 ⟨grammofoonplaat of band⟩ (sound-) recording, ⟨band ook⟩ audiotape
geluidsoverlast [de^m] noise pollution/nuisance ♦ *een* ***klacht*** *wegens geluidsoverlast* a complaint about the noise
geluidsprikkel [de^m] acoustic stimulus ♦ *(niet)* ***reageren op*** *geluidsprikkels* (fail to) respond to acoustic stimuli
geluidsreclame [de] recorded advertisements ⟨mv⟩
geluidsregistratie [de^v] sound recording
geluidsscherm [het] baffle board/plate
geluidssignaal [het] sound signal, audio signal, audible signal
geluidssnelheid [de^v] speed of sound, sonic speed ♦ *de geluidssnelheid* ***evenaren/overschrijden*** reach/exceed the speed of sound
geluidsspectrum [het] sound spectrum
geluidsspoor [het] soundtrack ♦ ***magnetisch*** *geluidsspoor* magnetic soundtrack; *het geluidsspoor* ***wissen*** wipe the soundtrack
geluidssterkte [de^v] sound intensity, ⟨radio, tv; muziekinstrument⟩ volume ♦ *de geluidssterkte* ***verminderen/opvoeren*** lower/raise the volume
geluidstechnicus [de^m] sound engineer, audio engineer, sound mixer, sound technician, sound man
geluidstechniek [de^v] ⟨film, tv, audio⟩ sound (engineering), ↑acoustics
geluidstoren [de^m] stereo/hi-fi stacking system, music centre
geluidstrechter [de^m] megaphone, ⟨van ouderwetse grammofoon⟩ horn
geluidstrilling [de^v] sound vibration, ↑acoustic vibration
geluidsvermogen [het] (acoustic) capacity, volume
geluidsversterker [de^m] (sound) amplifier
geluidsvolume [het] volume ♦ *het geluidsvolume* ***bijstellen/regelen*** adjust the volume
geluidswagen [de^m] sound truck
geluidswal [de^m] noise/sound barrier, acoustic fencing, sound baffles
geluidsweergave [de^v] sound reproduction ♦ *een volkomen* ***natuurgetrouwe*** *geluidsweergave* perfect reproduction
geluidwerend [bn] sound-proofing, sound-deadening, sound-damping
geluidwering [de^v] noise/sound-proof barrier
geluier [het] idling, lazing about/around
geluimd [bn] in a ... mood, ⟨in samenstellingen⟩ -tempered, in a ... humour, -humoured ♦ *hij is weer niet zo* ***best*** *geluimd* he is in one of his moods/one of those moods of his again; *hoe kom je toch zo* ***goedgeluimd/slechtgeluimd?*** why are you in such a good/bad mood/temper?, why are you so good/bad-tempered?; *hoe* ***is*** *hij vandaag geluimd?* what sort of (a) mood is he in today?
geluk [het] 1 ⟨gunstige loop van omstandigheden⟩ (good) luck, (good) fortune, chance ♦ *zijn geluk* ***beproeven*** try one's luck; *zijn geluk nog eens* ***beproeven*** have another go/shot; *dat* ***brengt*** *geluk* that will bring (good) luck; *wat een geluk* ***dat*** *je thuis was* what a piece of luck/a lucky thing you were (at) home; *wat een geluk* ***dat*** *er een dokter in de buurt was!* what a blessing/mercy that a doctor was nearby!; ***door*** *stom geluk* by pure chance/sheer luck, by a (mere) fluke; ***door*** *stom geluk iets vinden/tegenkomen* blunder on sth.; *op* ***goed*** *geluk* on the off-chance, hoping for the best, at random, at a venture, haphazardly, ↓on spec; *een poging wagen op* ***goed*** *geluk* make a hit-or-miss/a haphazard attempt; *hij schoot er op* ***goed*** *geluk op* he took a pot shot at it; *ik zal het op* ***goed*** *geluk proberen te raden* I'll hazard a guess (at it); *hij* ***had*** *(geen) geluk* he was lucky/unlucky, his luck was in/out; *ik* ***heb*** *geluk* ***gehad*** I was lucky/in luck; *probeer het, misschien* ***heb*** *je geluk* try it, you never know your luck; *ik* ***heb*** *nooit het geluk* ***gehad*** *er een te ontmoeten* I've never been fortunate/lucky enough/had the good fortune to meet one; *geluk* ***hebben*** ⟨altijd⟩ be lucky/fortunate; ⟨in een bepaald geval⟩ be in luck; *ze* ***hebben*** *ook niet veel geluk* they are out of luck too; *als ze geluk* ***heeft,*** *haalt ze 't misschien* with (a bit of) luck/if she's lucky she might make it; *geluk hebben* ***in*** *het spel/de liefde* be lucky at cards/in love; *het geluk* ***is*** *met hem* luck is on his side, he's always in luck; *een* ***kwestie*** *van geluk* a matter of luck; ***stom*** *geluk hebben* be dead lucky; *iemand geluk* ***toewensen*** wish s.o. luck; wish s.o. happiness/joy/well; ***tot*** *hun geluk had iemand het gevaar gemerkt* fortunately for them s.o. had noticed the danger; *hij mag* ***van*** *geluk spreken* he can count himself lucky, he can/may thank his lucky stars; *je mag* ***van*** *geluk spreken dat je van deze zaak af bent* you are well out of this affair; ***veel*** *geluk!* good luck!; ***zonder*** *geluk vaart niemand wel* no matter how industrious you are, you will achieve nothing with-

out luck; *nog een geluk dat …* a good thing that …; *dat is meer geluk dan wijsheid* that is more (by) good luck than good management/judgement/skill, that is more through luck than anything else, it's more by hit than by wit (that); ⟨gezegd wanneer een beginner of onkundige slaagt of wint⟩ (that's just) beginner's luck; *het geluk liet hem in de steek* his luck gave out [2] ⟨aangename toestand, welzijn⟩ happiness, good fortune, well-being, ⟨sterker⟩ bliss, joy ♦ ***aards/huiselijk** geluk* worldly/domestic bliss; ***in** iemands geluk delen* share (in) s.o.'s good fortune/happiness; ⟨iron⟩ *ik **wens** je er veel geluk mee* much good may it do you, good luck to you; *hun geluk **werd** wreed **verstoord*** their happiness was cruelly marred/disturbed [3] ⟨prettige toevalligheid, gebeurtenis⟩ lucky thing, piece/slice/bit of luck, ⟨meevaller, mazzel⟩ lucky break ♦ *met een **beetje** geluk* with a bit of luck; *het geluk **hebben*** have the good fortune (to), be fortunate enough (to), be lucky enough (to); *dat is een geluk bij een ongeluk* it could have been a great deal worse, it's a blessing in disguise; *dat was je geluk* that saved you; *er **komt** een beetje geluk **bij*** one needs a bit of luck too; *het **was** zijn geluk dat hij zwemmen kon* it was lucky/fortunate/a good thing for him that he could swim, ↓it was a good job for him that he could swim; *ik **zou** ook weleens zo'n gelukje **willen hebben*** I wish I had your/his/… luck; ⟨vnl AE ook⟩ I should be so lucky; *een gelukje* a stroke/piece of (good) lucky thing, a windfall, a godsend [4] ⟨behaaglijk gevoel⟩ happiness, pleasure, ⟨sterker⟩ bliss, joy ♦ *dat waren **dagen van** geluk* those were the days; *stralen **van** geluk* glow with/exude happiness; *hij kon zijn geluk niet op* he couldn't get over it/was beside himself with joy [•] ⟨sprw⟩ *het geluk is altijd met de sterksten* God/Providence is always on the side of the big battalions; ⟨sprw⟩ *het geluk is met de dommen* fortune favours fools; ⟨sprw⟩ *geen ongeluk zo groot, of er is een gelukje bij* ± it's an ill wind that blows nobody any good; ± every cloud has a silver lining; ⟨sprw⟩ *het geluk helpt de dapperen* fortune favours the bold

gelukaanbrenger [de^m] bringer of (good) luck, ⟨mascotte, geluksppoppetje⟩ mascot, ⟨amulet, talisman⟩ talisman, lucky charm, goodluck charm

gelukbrengend [bn] luck-bringing, bringing luck, lucky, ↑talismanic(al) ♦ *gelukbrengende **munt*** luck(y) penny

[1]**gelukkig** [bn] [1] ⟨fortuinlijk⟩ lucky, ↑fortunate, ⟨form⟩ happy ♦ *de gelukkige **bezitter/winnaar*** the lucky owner/winner [2] ⟨gunstig, goed gekozen⟩ happy, lucky, ⟨form⟩ felicitous ♦ *in niet erg gelukkige **bewoordingen*** in rather infelicitous terms; *onder een gelukkig **gesternte** geboren zijn* have been born under a lucky star; *dat was een gelukkige **greep*** that was a lucky shot; *een gelukkige **keuze/gedachte*** a happy/lucky/felicitous choice/thought; *geen erg gelukkige **keuze/opmerking*** not a very fortunate/felicitous/a rather unfortunate choice/comment; *door een gelukkig **toeval*** by a lucky/fortunate coincidence/a stroke of luck; *een gelukkig **voorteken*** a lucky sign [3] ⟨voorspoedig⟩ fortunate, ⟨in gelukwens vaak⟩ happy, ⟨geslaagd⟩ successful, prosperous ♦ *hij was niet erg gelukkig **in** het kiezen van zijn voorbeelden* he wasn't very fortunate in his choice of examples; *een gelukkig **kerstfeest/nieuwjaar*** a happy/merry Christmas, a happy New Year; *wij verkeren in de gelukkige **omstandigheid** dat …* we're/we find ourselves in the fortunate/lucky position/circumstance that … [4] ⟨geluk genietend⟩ happy, ↑fortunate ♦ *zo gelukkig **als** een kind* (as) happy as a child/sandboy/as a lark/as Larry; *als je dat doet, **ben** je nog niet gelukkig* if you do that you'll be sorry; *gelukkig zijn **met** een voorstel* be happy about/with a proposal; *een gelukkig **paar/leven*** a happy couple/life; *zich/iemand gelukkig **prijzen*** consider o.s./s.o. fortunate; ***volmaakt** gelukkig zijn* be perfectly happy [•] ⟨sprw⟩ *geld alleen maakt niet gelukkig* riches alone make no man happy; ± money isn't everything; ⟨sprw⟩ *hoe minder verstand, hoe gelukkiger hand* fortune favours fools; ⟨sprw⟩ *gelukkig in het spel, ongelukkig in de liefde* lucky at cards, unlucky in love

[2]**gelukkig** [bw] [1] ⟨goed⟩ well, ↑happily ♦ *zijn woorden gelukkig **kiezen*** choose one's words well/happily [2] ⟨tot grote opluchting⟩ luckily, fortunately, ↑happily ♦ *gelukkig!* thank goodness!; *daar zijn we gelukkig van af* ⟨zaak⟩ we're well rid of that, ⟨situatie⟩ we're well out of it; *gelukkig was het nog niet te laat* luckily/fortunately it wasn't too late [3] ⟨blijk gevend dat men zijn geluk geniet⟩ happily ♦ *ze is gelukkig **getrouwd*** she's happily married; *en ze leefden nog **lang** en gelukkig* and they lived happily ever after

gelukkige [de] ⟨iemand in staat van geluk⟩ happy one, ⟨prijswinnaar⟩ lucky one, winner, ⟨bruid(egom)⟩ lucky man/girl ♦ *tot de gelukkigen **behoren*** be one of the lucky ones; *één van de **weinige** gelukkigen* one of the few lucky ones

gelukkigerwijs [bw] fortunately, happily, luckily

geluksbode [de^m] bringer of good news/tidings, bearer of good news/tidings

geluksdag [de^m] [1] ⟨dag die naar men meent geluk brengt⟩ lucky day [2] ⟨dag waarop iemand geluk ten deel valt⟩ happy day, red-letter day ♦ *het is vandaag (niet) **mijn** geluksdag* it's (not) my (lucky) day today

geluksfactor [de^m] luck factor

geluksgetal [het] lucky number

geluksgodin [de^v] goddess of fortune, Fortune, Fortuna, ⟨i.h.b. m.b.t. kansspelen; inf⟩ Lady Luck

gelukskind [het] (spoilt) child of fortune, fortune's favourite, Sunday's child, ⟨inf⟩ lucky dog ♦ *zij is een **echt** gelukskind* she has all the luck; ± she was born with a silver spoon in her mouth

geluksmoraal [de] eudaemonism

geluksnummer [het] lucky number

gelukspop [de] mascot

geluksroes [de^m] euphoria

geluksspel [het] game of chance

geluksstaat [de^m] state of happiness/bliss, blissful/happy state

geluksteken [het] [1] ⟨gelukkig voorteken⟩ good omen [2] ⟨geluk brengend teken⟩ lucky sign

gelukstelegram [het] ⟨bij feestelijke gelegenheid⟩ greetings telegram, ⟨alg⟩ telegram of congratulation, congratulatory telegram ♦ *een gelukstelegram **sturen/ontvangen*** send/receive a greetings telegram

gelukstreffer [de^m] lucky shot, chance hit, ⟨geheel onverwachte treffer⟩ fluke, ⟨fig⟩ stroke of luck, lucky strike

geluksvogel [de^m] lucky devil, lucky dog ♦ *geluksvogel die je bent!* (you) lucky so-and-so!

gelukwens [de^m] congratulation, felicitation, ⟨verjaardag⟩ birthday wish ♦ *iemand zijn gelukwensen **aanbieden** met* congratulate s.o. on, offer s.o. one's congratulations on; ***mijn** gelukwensen* (you have) (my) congratulations (on); *vele **mondelinge en schriftelijke** gelukwensen* (many) congratulations of all kinds; *een gelukwens **tot** iemand **richten*** congratulate s.o.; ⟨form ook⟩ send one's congratulations to s.o.; *een welgemeende gelukwens **uitspreken*** congratulate heartily; *een gelukwens is wel op zijn plaats* it's a matter for congratulation, one ought to congratulate him/her/you/…, congratulations are in order

gelukwensen [ov ww] ⟨+ met⟩ congratulate (on), offer one's congratulations (on), ⟨na een succes, na het slagen, ook⟩ compliment (on) ♦ *het **bruidspaar** gelukwensen* wish the newly-married couple joy/happiness; *dat is nog geen reden om **jezelf** geluk te wensen* that is no reason for self-congratulation/to congratulate yourself/nothing to congratulate yourself on; *iemand **met** zijn verjaardag gelukwensen* wish s.o. many happy returns (of the day), wish s.o. (a) happy birthday; *ze hadden alle reden **zichzelf** geluk te wensen* they had every reason to congratulate themselves/for self-congratulation; ***zich(zelf)** gelukwensen met* congratulate o.s. on

gelukzak [de^{m}] ⟨inf⟩ lucky devil, lucky dog, ↓ lucky bastard, ⟨BE⟩ ↓ lucky sod

gelukzalig [bn] blissful, blessed, beatific ♦ *gelukzalige **geesten*** blessed spirits; *een gelukzalige **glimlach*** a beatific smile

gelukzalige [de] [1] ⟨zalige geest⟩ soul in bliss, one of the blessed, saint, glorified soul ♦ ***de** gelukzaligen* the blessed, the Church triumphant; *het **verblijf** der gelukzaligen* the abode of the blessed [2] ⟨zalig verklaarde⟩ beatified saint [3] ⟨persoon⟩ a blessed one

gelukzaligheid [de^{v}] [1] ⟨de hoogste trap van geluk⟩ bliss, beatitude, felicity, blessedness ♦ *de **eeuwige** gelukzaligheid deelachtig worden* obtain everlasting bliss/glory; ⟨inf⟩ go to heaven; *de **hemelse** gelukzaligheid* heavenly bliss; *in een toestand van **uiterste** gelukzaligheid* in a state of euphoria [2] ⟨iets dat gelukzalig maakt⟩ bliss ♦ *een bron van **eindeloze** gelukzaligheden* an endless source of bliss, a source of endless/innumerable blessings

gelukzoeker [de^{m}], **gelukzoekster** [de^{v}] ⟨man & vrouw⟩ fortune-hunter, ⟨man⟩ adventurer, ⟨vrouw⟩ adventuress, ⟨gesch; man⟩ gentleman/soldier of fortune

gelukzoekster [de^{v}] → **gelukzoeker**

gelul [het] ⟨vulg⟩ (bull)shit, bull(shit), balls, crap, ↑ garbage, ↑ rubbish ♦ *dat is je **reinste** gelul* that's pure (bull)shit/crap; ***slap** gelul* crap, bullshit; ⟨minder vulg⟩ drivel; ⟨BE vnl⟩ twaddle, piffle; *wat een (hoop) gelul* what a load of (bull)shit/crap, ↑ what a load of garbage/rubbish

gem [de] cameo

gem. [afk] [1] (gemiddeld) average, mean [2] (gemeubileerd) furnished

gemaakt [bn, bw] [1] ⟨voorgewend⟩ pretended ⟨bw: ~ly⟩, sham, put-on, forced, fake, artificial ♦ *gemaakte **angst/verwondering*** sham/pretended fear/admiration; *gemaakt **ernstig*** artificially/mock serious; *een gemaakte **glimlach*** an artificial/a forced smile; *gemaakt **grappig*** artificially funny; *gemaakte **vrolijkheid*** sham/forced gaiety [2] ⟨onnatuurlijk⟩ affected ⟨bw: ~ly⟩, pretentious, mannered, ⟨stem, gang⟩ mincing ♦ *gemaakt **lachen*** laugh affectedly; *gemaakt **spreken*** speak affectedly/mincingly; ± speak with a plum in one's mouth; *een gemaakte **stem*** an affected/a mincing voice

gemaaktheid [de^{v}] [1] ⟨onnatuurlijkheid⟩ affectation, pretence, preciosity, artificiality [2] ⟨onoprechtheid⟩ sham

^{1}**gemaal** [de^{m}] ⟨echtgenoot⟩ consort, ↓ spouse ♦ *de **prins-gemaal*** the (Prince) Consort

^{2}**gemaal** [het] [1] ⟨het malen⟩ grinding, milling [2] ⟨inrichting tot bemalen⟩ ⟨machine⟩ pumping-engine, ⟨gebouw⟩ pumping-station [3] ⟨vervelend gezeur⟩ ⟨herrie, overlast⟩ bother, trouble, fuss, ⟨gezanik⟩ whingeing, whining, badgering

gemaar [het] (ifs and) buts ♦ ***geen** gemaar* but me no buts

gemachtigd [bn] competent

gemachtigde [de] deputy, authorized representative, ⟨postwissel enz.⟩ endorsee, ⟨jur⟩ proxy, ⟨jur ook; vooral in rechtszaak⟩ attorney ♦ ***als** iemands gemachtigde optreden* appear as s.o.'s proxy/attorney; ⟨jur⟩ ***bij** gemachtigde(n)* by proxy/attorney; *een vergadering in persoon of **bij** gemachtigde bijwonen* attend a meeting in person or by proxy

gemak [het] [1] ⟨aangename rust⟩ ease, leisure ♦ ***hou** je gemak* ⟨word niet driftig⟩ take it easy, control yourself, ⟨inf⟩ keep your hair/shirt on; ⟨doe geen moeite⟩ don't bother, don't get up; *zijn gemak (ervan) **nemen*** take things easy/easily, take one's ease; ***op** zijn gemak gesteld zijn* be fond of/like taking things easy, be fond of/like one's comforts [2] ⟨bedaardheid⟩ ease, quiet, calm ♦ ***op** zijn gemak zijn* be at (one's) ease, feel at ease, be relaxed; ***op** zijn (dooie) gemak* at (one's) leisure; *doe het maar **op** je gemak* take your time with/over it; *zich **op** zijn gemak voelen* feel at ease; *iemand **op** zijn gemak stellen* put/set s.o. at ease, make s.o. feel at home; *zich niet **op** zijn gemak voelen* feel ill at ease/awkward; ⟨in België⟩ ***op** zijn duizend/zeven gemakken* leisurely, as if one had all the time in the world; *hij doet alles **op** zijn dooie gemak* he takes his time with everything; *iets **op** zijn gemak doorlezen/bestuderen* read through/study sth. at one's leisure; *mijn zoon is niet **op** zijn gemak met meisjes* my son is awkward/ill at ease/selfconscious with/in the presence of girls [3] ⟨vermogen om iets zonder inspanning te verrichten⟩ ease, facility ♦ *gemak dient de **mens*** why do things the hard way?, one of life's little luxuries; ***met** gemak winnen* win easily/comfortably/with ease, be an easy winner; ⟨inf⟩ win hands down, have a walk-over; ⟨vnl. m.b.t. paardenrennen⟩ romp in/home, win at a canter; *dat gaat **met** een gemak* it's done with such ease; ***met** (het grootste) gemak* with (the greatest of) ease; ⟨inf⟩ with one's eyes shut, standing on one's head; *iemand **met** gemak verslaan* beat s.o. easily/comfortably/with ease; ***met** evenveel/hetzelfde gemak* with equal/the same ease; ***met** (een) onvoorstelbaar gemak* with incredible/the greatest of ease; ⟨inf⟩ like a dream; ***voor** het gemak* for convenience's sake, for the sake of convenience, to make matters/things easy/easier; *het gemak **waarmee** hij het doet* the ease with which he does it [4] ⟨iets dat gerief geeft⟩ comfort, convenience, amenity ♦ *zo'n apparaat **geeft** veel gemak* that sort of gadget is very convenient/very handy/a boon/a blessing; *een cv is een **heel** gemak* central heating is a great convenience; ***van** alle (moderne) gemakken **voorzien*** fitted (out) with all modern conveniences/appliances; ⟨verkorting, in advertenties⟩ with all mod cons [5] ⟨toilet⟩ convenience, lavatory, ⟨wc buiten⟩ privy [•] ⟨in België⟩ *gemak van **betaling*** easy terms

^{1}**gemakkelijk** [bn] ⟨m.b.t. personen⟩ easy ♦ *gemakkelijk **in** de omgang* easy to get on with; *hij is erg gemakkelijk **in** die dingen* he's very easy-going about such things; *gemakkelijke **kinderen*** children that/who are no trouble; *hij is geen gemakkelijk **mens*** he's not an easy man/person/easy to get on with, he's (a) difficult (person); *hij is **wat** gemakkelijk* he's rather easy-going, he takes things easy/takes things as they come

^{2}**gemakkelijk** [bn, bw] [1] ⟨zonder moeite, niet moeilijk⟩ easy ⟨bw: easily⟩ ♦ *een **al te** gemakkelijk antwoord* too easy an answer; *zo gemakkelijk **als** wat* (as) easy as pie/as falling off a log; ⟨inf⟩ a cinch, a piece of cake; *een gemakkelijk **baantje*** ⟨inf ook⟩ a cushy job; *dat is al wel heel **erg** gemakkelijk* that's very easy; *dat gaat niet zo gemakkelijk* it's not so easy/as easy as that; *talen leren **gaat** haar gemakkelijk af* she learns languages easily/finds languages easy (to learn); *zij **hebben** het niet gemakkelijk* they don't have an easy time of it, things aren't easy for them; *de schrijver **heeft** het zich niet gemakkelijk **gemaakt*** the writer didn't make/hasn't made things easy for himself; *gemakkelijk **herkenbaar/verkrijgbaar*** easy to recognize/obtain, easily recognizable/obtainable; *dat **is** gemakkelijker **gezegd** dan gedaan* that's easier said than done; *gemakkelijk **leren/winnen*** learn/win easily; *dat is gemakkelijk **te leren*** it's easy to learn, it's easily learned; *dat **maakt** het er niet gemakkelijker op* that doesn't make things/it (any) easier; *het zich te gemakkelijk **maken*** make things too easy for o.s., take things too easy; *het zich zelf gemakkelijk **maken*** make things easy for o.s., take things easy/casually; *iets te gemakkelijk **opnemen*** not take sth. seriously enough; *de dingen gemakkelijk **opnemen*** take things easy, be easy-going; *zij was gemakkelijk **over te halen*** she was easy to convince/easily convinced; *een gemakkelijke **overwinning*** an easy victory; ⟨inf⟩ a walkover; *jij hebt gemakkelijk **praten**!* it's easy/all right/all very well for you to talk!; *gemakkelijk **spreken*** speak easily; *dat is gemakkelijk **te doen*** that's easily done; *gemakkelijk **te bereiken** vanaf* easily accessible from; *het werk **valt** hem gemakkelijk* he finds the work easy, the work comes easy to him; *ergens gemakkelijk (van)af komen* get out of sth. easily; *de gemakkelijkste **weg** kiezen* take the line of least resistance; *gemakkelijk contact maken* make easy contact, make contact easily; *dit detail* *ziet men gemakkelijk over het hoofd* that detail can easily be missed [2] ⟨gerieflijk⟩ comfortable ⟨bw: comfortably⟩, ⟨inf⟩ comfy, ⟨regeling enz.⟩ convenient ♦ *een gemakkelijke **houding*** a comfortable posture/position; ***iets** gemakkelijks **aantrekken*** put on/slip into sth. comfortable/more casual; *gemakkelijk **liggen*** lie comfortably; *het zich gemakkelijk **maken*** make o.s. comfortable; *gemakkelijke **schoenen*** comfortable shoes; *een gemakkelijke **stoel*** ⟨soort stoel⟩ an easy chair; ⟨een die gemakkelijk zit⟩ a comfortable chair; *gemakkelijk **zitten*** be comfortable; ⟨kleren ook⟩ be an easy fit

[3]**gemakkelijk** [bw] ⟨zeer wel mogelijk⟩ well, easily ♦ *dat **had** toch gemakkelijk **gekund*** that would have been easy; ⟨kunnen gebeuren⟩ that could easily have happened; *er **kunnen** gemakkelijk nog mensen onder het puin liggen* there may well/easily be people left under the rubble

gemakkelijkheid [de^{v}] ease, comfortableness, comfort, commodiousness, facility, easiness, ⟨qua bediening⟩ convenience

gemakshalve [bw] for convenience('s sake), for the sake of convenience ♦ *dat **doen** we gemakshalve* we do that for convenience's sake/as a matter of convenience; *laten we hem gemakshalve Piet **noemen*** let's call him Piet for the sake of convenience; *gemakshalve **sluiten** wij een plattegrond **in*** ⟨van stad⟩ for your convenience we enclose a streetmap, ⟨van gebouw⟩ for your convenience we enclose a ground plan; *iemand/iets gemakshalve **vergeten*** conveniently forget s.o./sth.

gemakswinkel [de^{m}] convenience store

gemakzucht [de] laziness ♦ *dat is **louter** gemakzucht* that is sheer laziness; ***uit** (pure) gemakzucht* from/out of (pure) laziness

gemakzuchtig [bn] lazy, ± idle ♦ *dat **vind** ik nogal gemakzuchtig van hem* ± that shows he takes things too easily

gemalied [bn] mailed

gemalin [de^{v}] consort, ↓spouse

gemanierd [bn] [1] ⟨(goede) manieren hebbend⟩ well-mannered, polite, well-behaved ♦ ***welgemanierd, ongemanierd*** well-mannered, ill-mannered [2] ⟨gekunsteld⟩ mannered, affected ♦ *hij heeft **iets** gemanierds* there's sth. mannered/affected about him

gemanierdheid [de^{v}] [1] ⟨manieren⟩ mannerliness ♦ ***haar** gemanierdheid* her good manners [2] ⟨gekunsteldheid⟩ mannerism, affectation

gemaniëreerd [bn, bw] mannered, affected, precious, ⟨inf⟩ la(h)-di-da(h), ⟨m.b.t. stem, gang⟩ mincing ♦ *gemaniëreerd **spreken*** mince, speak affectedly; ± speak with a plum/with marbles in one's mouth

gemaniëreerdheid [de^{v}] mannerism

gemankeerd [bn] failed, broken down ♦ *een gemankeerd **dichter*** a failed/would-be poet, a poet manqué

gemanoeuvreer [het] ⟨BE⟩ manoeuvrings, ⟨AE⟩ maneuverings, ⟨ten opzichte van waarheid⟩ prevarication

gemarchandeer [het] haggle, haggling, bargaining, chaffering

gemarineerd [bn] marinaded, pickled, soused ♦ *gemarineerde **haring*** pickled/soused herring

gemarmerd [bn] marbled, marbly

gemartel [het] [1] ⟨het martelen⟩ torturing [2] ⟨wrede behandeling⟩ tormenting [3] ⟨getob⟩ ♦ ***wat** een gemartel!* it's sheer agony!

gemaskeerd [bn] masked, camouflaged, hidden

gemaskerd [bn] [1] ⟨een masker voorhebbend⟩ masked ♦ *een gemaskerde **overvaller*** a masked robber/gunman [2] ⟨vermomd⟩ masked, in disguise ♦ *een gemaskerd **bal*** a masked/fancy-dress ball, a masquerade

gematigd [bn, bw] [1] ⟨niet overdreven⟩ moderate ⟨bw: ~ly⟩, average ♦ *gematigd **optimisme*** qualified/moderate optimism; *zich gematigd **optimistisch** tonen* show o.s. moderately optimistic [2] ⟨niet tot uitersten vervallend⟩ moderate ⟨bw: ~ly⟩, ⟨m.b.t. woorden, termen ook⟩ measured, ⟨m.b.t. mensen ook⟩ moderate-minded, ⟨inf⟩ middle-of-the-road ♦ *een gematigde **houding*** a moderate attitude; *een gematigde **koers** volgen* follow a moderate course; ⟨inf⟩ keep to the middle (of the road), keep to the middleground; *gematigd **leven*** lead a moderate life, live moderately; *gematigde **politici*** (political) moderates, moderate-minded politicians; ⟨inf⟩ middle-of-the-road politicians, men of the middle; ***zich** gematigd **uitdrukken*** express o.s. in moderate terms

gematigdheid [de^{v}] moderation, ⟨m.b.t. eisen⟩ moderateness, ⟨m.b.t. luchtstreek⟩ temperateness, ⟨m.b.t. gedrag, leefstijl⟩ measure, sobriety, temperance ♦ *zich **met** gematigdheid over iets uitlaten* speak about sth. in moderate/measured terms

gematteerd [bn] [1] ⟨dof⟩ matt, ⟨m.b.t. glas ook⟩ frosted ♦ *gematteerd **goud*** matt gold [2] ⟨m.b.t. sigaren⟩ powdered

gember [de^{m}] [1] ⟨eetbare wortelstok⟩ ginger [2] ⟨plantengeslacht⟩ ginger

gemberbier [het] ginger ale, ⟨inf⟩ ginger pop

gemberkoek [de^{m}] gingerbread

gemberkoekje [het] gingersnap, ginger nut, ginger biscuit

gemberwortel [de^{m}] ⟨BE⟩ ginger-race, ⟨AE⟩ gingerroot

[1]**gemeen** [het] rabble, mob, ↑lower orders, common sort, hoi polloi, ⟨scherts⟩ great unwashed

[2]**gemeen** [bn] [1] ⟨slecht, vals⟩ nasty, mean, ⟨boosaardig⟩ vicious, malicious, ⟨laag, verachtelijk⟩ low, vile ♦ *een gemene **afzetter*** a rotten swindler, ⟨vnl AE; inf⟩ a low-down swindler; *zo gemeen **als de pest*** terribly nasty; *een gemene **hoest*** a nasty cough; *een gemene **hond*** a vicious dog; *een gemene **hoofdpijn*** a nasty/rotten headache; *dat **is** gemeen van je* that's nasty/mean of you, that's a mean/rotten thing (for you) to do; *wat ben jij een gemene **kerel*** aren't you mean/nasty; ⟨vulg⟩ aren't you a (nasty) bastard/sod; ⟨sport⟩ *een gemene **overtreding*** a dirty foul; ⟨sport⟩ *gemeen **spel*** foul/dirty/rough play; *wat een gemeen **spul*** what vile/foul stuff; *een gemene **streek*** a mean/dirty trick; *iemand een gemene **streek leveren*** do the dirty on s.o., give s.o. a raw deal; *een gemene **trap/klap*** a vicious kick/blow; *gemeen **weer*** vile/rotten weather; ⟨sterker⟩ abominable/atrocious/diabolical weather [2] ⟨gemeenschappelijk⟩ common, joint, collective, corporate ♦ ⟨wisk⟩ *de (grootste) gemene **deler*** the (greatest) common divisor/factor; ⟨fig⟩ the (common) denominator; *niets/veel met iemand gemeen **hebben*** have nothing/a lot in common with s.o.; *gemene **zaak** met iemand maken* make common cause with/throw in one's lot with s.o. [3] ⟨openbaar⟩ public, common, general ♦ *gemene **lasten*** public costs [4] ⟨alledaags⟩ common, ordinary, usual, everyday ♦ *het gemene **volk*** the general public, the mass of society, the ordinary people [5] ⟨ordinair⟩ common, vulgar, low, ⟨m.b.t. taal⟩ offensive, indecent, foul ♦ *gemene **taal uitslaan*** ⟨vloeken, vieze woorden gebruiken⟩ use foul/filthy/offensive/indecent language; ⟨schelden; inf; BE⟩ talk billingsgate/like a fishwife

[3]**gemeen** [bw] [1] ⟨op valse, verachtelijke wijze⟩ nastily, meanly, ⟨boosaardig⟩ viciously, maliciously, ⟨m.b.t. behandeling⟩ shabbily ♦ *iemand gemeen **aankijken*** scowl at s.o.; ⟨inf⟩ give s.o. a dirty look; *iemand gemeen **behandelen*** treat s.o. badly/shabbily; ⟨inf⟩ give s.o. a raw deal; ⟨sl⟩ do the dirty on s.o.; ***doe** niet zo gemeen tegen haar* don't be so nasty/mean to her; ⟨sport⟩ *gemeen **spelen*** play rough/dirty [2] ⟨heel erg⟩ awfully, terribly, dreadfully, horribly ♦ *dat **doet** gemeen pijn* that's awfully/terribly painful; *het is gemeen **koud*** it's awfully/beastly cold; ⟨sterker⟩ it's diabolically cold; ⟨sl; BE⟩ it's brass-monkey weather

gemeend [bn] sincere ♦ *gemeende **belangstelling*** sincere interest

gemeengoed [het] common/public property ♦ *iets **tot** gemeengoed maken* make sth. common property; *die denkbeelden **zijn** gemeengoed **geworden*** those ideas have become/

are now widely/generally accepted

gemeenheid [de^v] 1 ⟨hoedanigheid⟩ nastiness, meanness, ⟨boosaardigheid⟩ viciousness, maliciousness, ⟨kwaadaardigheid⟩ wickedness 2 ⟨gemene streek, taal⟩ ⟨streek⟩ mean/dirty/shabby trick, ⟨obscene taal⟩ foul/filthy/offensive/obscene language, ⟨scheldwoorden⟩ abuse, ⟨inf; BE⟩ billingsgate

gemeenkunnig [bn] ⟨taalk⟩ epicene, of common gender

gemeenlijk [bw] habitually, usually, normally, as a rule, generally

gemeenplaats [de] commonplace, cliché, platitude, truism, bromide ♦ ***als** een gemeenplaats klinken* sound like a cliché; *gemeenplaatsen **debiteren*** ⟨inf⟩ trot out/come out with clichés

gemeenschap [de^v] 1 ⟨het gemeenschappelijk hebben⟩ community ♦ *buiten gemeenschap van **goederen*** with a marriage settlement; ⟨jur⟩ *in gemeenschap van **goederen** trouwen* have community of property; ***in** gemeenschap* jointly, communally 2 ⟨geslachtsgemeenschap⟩ intercourse ♦ ⟨form⟩ ***geslachtelijke/vleselijke** gemeenschap (hebben met)* (have) carnal knowledge (of); *gemeenschap met iemand **hebben*** have intercourse/relations with s.o. 3 ⟨m.b.t. personen, instellingen⟩ community ♦ ⟨gesch⟩ *de **Europese Economische** Gemeenschap* the European Economic Community; ⟨rel⟩ *de gemeenschap der **gelovigen*** (the community of) the faithful; *de gemeenschap der **heiligen*** the communion of saints; ***internationale** gemeenschap* international community; *de **Joodse** gemeenschap* the Jewish community; *zij vormen een **kleine/afzonderlijke** gemeenschap* they form a small/separate community; *een (hechte) gemeenschap **vormen*** form a (closely-knit) community 4 ⟨in België; deelstaat⟩ community ♦ *de **Franse** Gemeenschap* the French-speaking/Francophone Community; *de **Vlaamse** Gemeenschap* the Flemish Community 5 ⟨samenleving⟩ community ♦ *op **kosten** van de gemeenschap studeren* study at public expense; *ten **laste** van de gemeenschap* at public expense, chargeable to the community 6 ⟨rel⟩ fellowship ♦ *de gemeenschap van de Heilige **Geest** is met u allen* the fellowship of the Holy Spirit is with you all

¹**gemeenschappelijk** [bn] 1 ⟨aan meer dan één toebehorend⟩ common, communal ♦ *gemeenschappelijk **eigendom*** common/joint property; *een gemeenschappelijke **kamer*** a common room; *een gemeenschappelijk **kenmerk*** a common characteristic/feature; *een gemeenschappelijke **muur*** a party-wall/common wall; *een gemeenschappelijke **rekening*** a joint account; *gemeenschappelijke **voorzieningen*** communal facilities 2 ⟨gezamenlijk⟩ joint, common, communal, shared, ⟨optreden⟩ concerted, united ♦ *gemeenschappelijke **actie** ondernemen* ⟨ook⟩ act in concert; *een gemeenschappelijk **doel** nastreven* work towards a common goal; *voorgaan in gemeenschappelijk **gebed*** lead corporate/community prayer; *een gemeenschappelijke **keuken*** a communal kitchen; *in gemeenschappelijk **overleg*** by mutual agreement; *gemeenschappelijke **pogingen/actie*** joint/concerted attempts/action 3 ⟨tot meer dan één persoon in dezelfde betrekking staand⟩ mutual, common ♦ *onze gemeenschappelijke **kennissen*** our mutual acquaintances

²**gemeenschappelijk** [bw] ⟨met elkaar, samen⟩ jointly, ↓ together ♦ *iets gemeenschappelijk **bezitten*** hold/own sth. jointly/in common; *iets gemeenschappelijk **gebruiken*** share sth.

gemeenschappelijkheid [de^v] ⟨overeenkomstigheid⟩ community, communality, ⟨deelneming⟩ mutuality, communion, ⟨collectiviteit⟩ collectivity

gemeenschapsaangelegenheid [de^v] ⟨in België⟩ community matter

gemeenschapsgeld [het] public funds/money

gemeenschapshuis [het] community centre

gemeenschapsleven [het] community life

gemeenschapsmens [de^m] public spirited person

gemeenschapsminister [de^m] ⟨in België⟩ minister of the Flemish/French/German Community (in Belgium)

gemeenschapsonderwijs [het] ⟨in België⟩ public education, ^{B}state/^{A}public school system (in the Flemish/French/German Community)

gemeenschapsraad [de^m] ⟨in België⟩ community council

gemeenschapsregering [de^v] ⟨in België⟩ community government

gemeenschapsvoorziening [de^v] municipal/city amenity ♦ ***privatiseren** van gemeenschapsvoorzieningen* privatize municipal facilities/services

gemeenschapszin [de^m] community/public spirit ♦ *veel gemeenschapszin **hebben*** have a lot of public/community spirit

gemeenslachtig [bn] ⟨taalk⟩ epicene, of common gender

gemeente [de^v] 1 ⟨bestuurlijke eenheid⟩ ⟨in algemene zin⟩ municipality, ⟨m.b.t. Groot-Brittannië⟩ local authority/council, ⟨afhankelijk van grootte/status⟩ city, town, borough, ⟨het bestuur⟩ city/town/^{B}metropolitan council, ⟨m.b.t. Groot-Brittannië ook⟩ (urban/rural) district council, (municipal) corporation ♦ ***bij** de gemeente werken* work for/be employed by the municipality/^{B}the local authority/council/^{A}the city; ***stedelijke** en plattelandsgemeenten* ⟨BE⟩ ± urban and rural municipalities/boroughs; ⟨AE⟩ ± municipalities and townships/counties; ⟨AuE⟩ ± municipalities and shires 2 ⟨grondgebied⟩ municipality, city, town, borough, ⟨m.b.t. Groot-Brittannië⟩ district ♦ *de gemeente **Mook** en Middelaar* the ^{B}rural district/^{A}township of Mook en Middelaar; *de gemeente **Nijmegen*** the city of Nijmegen 3 ⟨volk⟩ community ♦ *de gemeente **heeft** besloten dat ...* the ^{B}local authority/council/the ^{A}city council has decided that ...; *de **spraakmakende** gemeente* the speech-making community 4 ⟨de gelovigen van een kerkgenootschap⟩ congregation, parish, parishioners, ⟨kudde⟩ flock ♦ *de **hervormde/lutherse** gemeente* the Reformed/Lutheran congregation 5 ⟨de gelovigen op één plaats verenigd⟩ congregation

gemeenteadministratie [de^v] municipal/local administration, local government

gemeenteambtenaar [de^m] municipal official, local government official, ⟨BE⟩ council official

gemeentearbeider [de^m] municipal worker, ⟨BE⟩ local authority worker, council worker, ⟨AE⟩ city employee

gemeentearchief [het] municipal archives, city/county archives, ⟨BE⟩ district archives, local records, ⟨gebouw⟩ municipal record(s) office

gemeentearchitect [de^m] municipal/town/city architect, ⟨BE ook⟩ local authority architect, council architect

gemeentebedrijf [het] ▪ *de gemeentebedrijven* (department of) public works

gemeentebeheer [het] 1 ⟨beheer door de gemeente⟩ municipal management, ⟨BE⟩ local authority management, municipal control, ⟨BE⟩ local authority control ♦ ***in** gemeentebeheer nemen* put/bring under municipal/local authority control; ***in** gemeentebeheer overgaan* pass into municipal/local authority control; *een gasfabriek **onder** gemeentebeheer brengen* put/bring a gasworks under municipal/local authority control 2 ⟨beheer over de gemeente⟩ management/conduct of municipal affairs, management/conduct of ^{B}local authority affairs

gemeentebelasting [de^v] ⟨BE⟩ (local) rates, ⟨AE⟩ local tax, municipal tax

gemeentebeleid [het] municipal policy, ⟨BE⟩ local authority policy, council policy, policy of the city/town

gemeentebestuur [het] city/town council, ⟨BE⟩ district council, ⟨BE ook⟩ local authority/authorities

gemeentebibliotheek [de^v] public library, ⟨vnl AE⟩

municipal library
gemeentebudget [het] ⟨BE⟩ local authority budget, ⟨BE⟩ council budget, ⟨vnl AE⟩ municipal budget
gemeentedienst [de^m] 1 ⟨door de gemeente verzorgde dienst⟩ ⟨BE⟩ local authority service, ⟨BE⟩ council service, ⟨AE⟩ municipal service 2 ⟨dienstbetrekking bij de gemeente⟩ municipal/local government ♦ *in gemeentedienst zijn* work for the ^B local authority/^A city/municipality, have a local government job
gemeentegarantie [de^v] municipal (mortgage) guarantee ♦ *een gemeentegarantie* ***aanvragen*** request a municipal guarantee; *een hypotheek* ***met*** *gemeentegarantie* a mortgage with a municipal guarantee; *bij verkoop* ***vervalt*** *de gemeentegarantie* the municipal guarantee ceases upon sale
gemeentegrens [de] ⟨stedelijke gemeente⟩ municipal boundary, ⟨BE⟩ local authority boundary, ⟨AE⟩ city limits, ⟨plattelandsgemeente; BE⟩ district boundary, ⟨AE⟩ ± county line
gemeentegrond [de^m] municipal land, ⟨BE⟩ local authority land, ⟨BE⟩ council land, ⟨AE⟩ city property
gemeentehuis [het] town hall, ⟨in steden ook⟩ city hall, local government offices
gemeentekas [de] municipal treasury, ⟨BE⟩ borough treasury, ⟨AE⟩ city treasury ♦ *de* ***bodem*** *van de gemeentekas is in zicht* the municipality/town/city/^B council/... is running out of funds; *de gemeentekas is* ***leeg*** the municipality/town/city/^B council/... is out of/has run out of funds
Gemeentekrediet [het] ⟨in België⟩ Credit Communal
gemeenteleven [het] parish life, life of a/the parish
gemeentelid [het] parishioner
gemeentelijk [bn] 1 ⟨een gemeente betreffend⟩ municipal, ⟨BE⟩ local authority/council ♦ *een gemeentelijke* ***herindeling*** a local government reorganization 2 ⟨beheerd door, uitgaande van een gemeente⟩ municipal, ⟨BE⟩ local authority/council ♦ *gemeentelijke* ***instellingen*** municipal institutions, local government/^B authorities; *de gemeentelijke* ***onroerendgoedbelasting*** ⟨BE⟩ rates, ⟨AE⟩ property tax; *een gemeentelijk* ***schrijven*** a ^B local authority/^A local government circular; *de gemeentelijke* ***sociale dienst*** ± the ^B social/^A welfare services; *het gemeentelijk* ***vervoerbedrijf*** municipal/city transport/^A transportation company
gemeenteloket [het] municipal inquiries office
gemeentemuseum [het] municipal/local museum
gemeenteontvanger [de^m] municipal/town/city/^B borough treasurer
gemeenteopzichter [de^m] county surveyor, ⟨BE ook⟩ borough surveyor
gemeentepersoneel [het] municipal employees, local government employees, ⟨BE ook⟩ council workers, ⟨AE ook⟩ city employees
gemeentepils [het, de^m] ⟨scherts⟩ Adam's ale
gemeentepolitie [de^v] municipal/^A city/metropolitan police ⟨niet in Groot-Brittannië⟩, ⟨inf; AE⟩ city cop
gemeenteraad [de^m] 1 ⟨college⟩ (local/town/city/...) council ♦ *in de gemeenteraad zitten* be on the council; *zich kandidaat stellen* ***voor*** *de gemeenteraad* ^B stand/^A run for the council 2 ⟨vergadering⟩ council meeting ♦ *het is* ***in*** *de gemeenteraad geweest* it was dealt with/discussed at a council meeting
gemeenteraadslid [het] municipal/^B local/^A city councillor, member of the council, ⟨BE ook⟩ town councillor, ⟨AE ook⟩ councilman, councilwoman
gemeenteraadsverkiezing [de^v] municipal/local election(s), ⟨BE ook⟩ council election(s), ⟨AE ook⟩ city council election(s)
gemeenteraadszitting [de^v] council meeting, ⟨AE ook⟩ city council meeting
gemeenterecht [het] local government law
gemeentereiniging [de^v] sanitation department ♦ *werken* ***bij*** *de gemeentereiniging* work for the sanitation department, ⟨inf; AE⟩ work for the garbage company
gemeenteschool [de] ⟨BE⟩ municipal school, ⟨BE⟩ council school, ⟨AE⟩ city school
gemeentesecretarie [de^v] town clerk's office, office of the town clerk, city manager's office, ⟨BE⟩ council offices ⟨mv⟩
gemeentesecretaris [de^m] town clerk, city manager, ⟨BE ook⟩ clerk to the council
gemeenteterrein [het] municipal land, ⟨BE⟩ local authority land, ⟨BE⟩ council land, ⟨AE⟩ city property ♦ *zich op gemeenteterrein* ***begeven*** ⟨fig⟩ enter the field/domain of the municipality
gemeenteverordening [de^v] ⟨vnl BE⟩ by(e)law, ⟨AE⟩ city/town ordinance
gemeentewapen [het] municipal (coat of) arms, town/city coat of arms
gemeenteweg [de^m] ⟨in België⟩ local road (kept up by the town/village)
gemeentewege ▪ *van gemeentewege* by the municipality/^B (local)council /^A city
gemeentewerf [de] civic amenity site
gemeentewerken [de^mv] ⟨publieke werken⟩ public works (department)
Gemeentewerken [de^mv] ⟨dienst, kantoor⟩ (department of) public works, public works department
gemeentewerkman [de^m] municipal worker, ⟨BE⟩ local authority worker, council worker, ⟨AE⟩ city employee
gemeentewet [de] local government act(s)/legislation, ⟨AE⟩ ± city and county legislation
gemeentewoning [de^v] ⟨BE⟩ council house/flat, ⟨AE⟩ public housing unit ♦ *een gemeentewoning* ***toegewezen krijgen*** get a council house/a public housing unit; *een* ***wijk*** *gemeentewoningen* ⟨BE⟩ council estate, ⟨AE⟩ a public housing neighborhood, ⟨AE⟩ a project
gemeentezaak [de] 1 ⟨zaak die een gemeente raakt⟩ matter concerning the municipality, matter for the (local) council, matter for the ^A city, matter involving the (local) council, matter involving the ^A city, local government business, ⟨BE⟩ local authority business 2 ⟨aangelegenheid van plaatselijk belang⟩ local issue/matter
gemeentezang [de^m] congregational singing
gemeentezegel [het] municipal seal, ⟨BE ook⟩ corporation seal
gemeenzaam [bn, bw] ⟨form⟩ 1 ⟨vertrouwelijk⟩ familiar ⟨bw: ~ly⟩, intimate ⟨bw: ~ly⟩ 2 ⟨alledaags⟩ familiar ⟨bw: ~ly⟩, ordinary ⟨bw: ordinarily⟩, common ⟨bw: ~ly⟩ 3 ⟨taalk⟩ colloquial ⟨bw: ~ly⟩, informal ⟨bw: ~ly⟩ ♦ *gemeenzaam* ***klinken*** sound familiar; *gemeenzaam* ***taalgebruik*** colloquial/conversational/informal usage, the vernacular; *een gemeenzame* ***uitdrukking*** a colloquial expression, a colloquialism
gemeenzaamheid [de^v] 1 ⟨vertrouwelijkheid⟩ familiarity, intimacy 2 ⟨gemeenzame handeling⟩ ⟨vnl mv⟩ familiarity, ⟨seksueel ook⟩ intimacy
gemeier [het] bother, fuss, going/^B rabbiting on
gemekker [het] 1 ⟨het mekkeren⟩ bleating 2 ⟨gezeur⟩ grumbling, beefing, ⟨AE ook⟩ yammering ♦ ***hou op met*** *je gemekker* stop yammering, stop going on (about it), stop beefing (about it)
gemeld [bn] above(-mentioned), ⟨form; vnl jur⟩ said, afore-mentioned ♦ *gemelde* ***persoon*** the above person, the person previously mentioned, said person
gemêleerd [bn] mixed, blended ♦ *een gemêleerd* ***gezelschap*** a mixed bunch/motley crowd of people, a raggle-taggle group; *gemêleerde* ***wol*** mixture, blend; *heidekleurig gemêleerde* ***wol*** a heather mixture
gemelijk [bn, bw] peevish ⟨bw: ~ly⟩, bad-tempered, sullen, surly, ⟨vnl. m.b.t. oude mensen⟩ crotchety, grumpy ♦ *een gemelijke* ***bui hebben*** be in a bad/fractious mood
gemelijkheid [de^v] peevishness, sullenness, surliness,

grumpiness
gemelk [het] harping on (about), going on and on (about)
gemenebest [het] commonwealth, republic ♦ *het **Britse** Gemenebest* the (British) Commonwealth (of Nations); *het Gemenebest van Onafhankelijke **Staten*** the Commonwealth of Independent States

het Britse Gemenebest

De **British Commonwealth of Nations** (ook wel **Commonwealth**, in het Nederlands het *Britse Gemenebest* of het *Gemenebest van Naties*) is ontstaan in de tijd dat het Britse Rijk (**the British Empire**) zeer uitgebreid was en vele landen omvatte.
Momenteel is het een los verbond van ruim vijftig Engelstalige landen die zich op talige, historische, financiële, commerciële en militaire gronden op het Verenigd Koninkrijk oriënteren. Al deze landen hebben een eigen regering, maar erkennen het staatshoofd van het Verenigd Koninkrijk als het hoofd van het Gemenebest.
Grote landen als Australië, Zuid-Afrika, Mozambique, Canada en Kameroen zijn onderdeel van het Gemenebest, maar ook kleine eilandstaatjes als Tuvalu en Nauru.
Eens in de vier jaar worden de **Commonwealth Games** gehouden, een internationaal sportevenement waaraan alle landen van de British Commonwealth meedoen.

gemenebestland [het] Commonwealth country
gemenerd [de^m] meanie
gemenerik [de^m] snide, nasty character, nasty piece of work
gemengd [bn, bw] mixed, ⟨thee, whisky enz.⟩ blended, ⟨verscheiden, gevarieerd ook⟩ miscellaneous, ⟨m.b.t. koekjes, bonbons enz. ook⟩ assorted ♦ *gemengde **bebouwing*** mixed high- and low-rise development; *een gemengd **bedrijf*** a mixed farm; *van gemengd **bloed*** of mixed blood/descent; ⟨inf; beled⟩ half-breed, half-caste, mongrel; ⟨sport⟩ *het gemengd **dubbel*** the mixed doubles; *een gemengde **economie*** a mixed economy; *een gemengd **getal*** a mixed number; *gemengde **gevoelens** hebben (omtrent iets/iemand)* have mixed feelings (about sth./s.o.); *een gemengd **gezelschap/publiek*** a mixed group/audience; *gemengd **huwelijk*** mixed marriage, intermarriage, cross-cultural marriage; *een boek met gemengde **inhoud*** a miscellany; *een gemengd **koor*** a mixed (voice) choir; *gemengd **nieuws*** (various) news items; ⟨in pers⟩ paragraphs; ⟨als titel ook⟩ miscellanea; *gemengde **salade*** ⟨met gebruik van sla⟩ mixed salad; ⟨in dobbelsteentjes gesneden groente met mayonaise⟩ Russian salad; *een gemengde **sauna*** a mixed sauna; *een gemengde **school*** ⟨voor jongens en meisjes⟩ a mixed/co-ed(ucational) school; ⟨zonder rassenscheiding⟩ a desegregated school; *een gemengde **verzekering*** endowment insurance
gemenigheid [de^v] ⟨eigenschap⟩ meanness, nastiness, ⟨handeling⟩ dirty/shabby trick, ⟨taalgebruik⟩ scurrility, bad language ♦ *gemenigheden **uitslaan*** use bad language
gemerkt [bn] marked, ⟨zakdoeken, briefpapier enz.⟩ personalized, monogrammed ♦ *gemerkte **kaarten*** marked cards; ⟨sl⟩ readers; ⟨sl ook; AE⟩ cheaters; *spel gemerkte **kaarten*** pack/^Adeck of marked cards; ⟨scheik⟩ *gemerkte **verbindingen*** labelled/^Atagged compounds
gemeubileerd [bn] furnished ♦ *gemeubileerde **kamers** te huur* furnished rooms to let
gemiauw [het] me(o)wing, mews, miaowing
[1]**gemiddeld** [bn] [1] ⟨het midden houdend⟩ average ♦ *iemand van gemiddelde **grootte*** s.o. of average/medium height [2] ⟨doorsnee-⟩ average, mean, medium ♦ *de gemiddelde **hoeveelheid** regen per jaar* the average/mean annual rainfall, the average amount of rain per year; *de gemiddelde **levensduur*** the average/mean life; *de gemiddelde **lezer*** the average reader; *de gemiddelde **Nederlander*** the average Dutchman; *de gemiddelde **temperatuur** in die streek bedraagt 30°* ⟨ook⟩ the temperature in that area averages 30°; *de gemiddelde **waarde** van getallen* the average (value) of numbers; *gemiddeld **zeeniveau*** mean sea level
[2]**gemiddeld** [bw] ⟨dooreengenomen⟩ on average, an average (of) ♦ *hij **drinkt** gemiddeld acht glazen per avond* he drinks an average of eight glasses a night; *het **komt** gemiddeld **neer op*** it averages (out at); *het land **stond** gemiddeld een halve meter onder water* the land was under an average of half a metre of water; *zij **werkt** gemiddeld vier dagen per week* she works on average/an average of four days a week, she averages four days' work a week
gemiddelde [het] average, mean, ⟨norm, standaard, regel⟩ norm, standard ♦ ***afwijken van** het gemiddelde* deviate/vary from the norm/mean; *de som van de gekwadrateerde **afwijkingen** van het gemiddelde* the sum of the squared deviations from the mean; *een gemiddelde **bepalen** van deze bedragen* average (out)/strike the average of these amounts; ***boven/onder** het gemiddelde* above/below (the) average/the mean; *het **gewogen** gemiddelde* weighted average; *van een aantal bedragen het gemiddelde **nemen*** take the average of a number of amounts; *het gemiddelde **opvijzelen/drukken*** bump up/lower the average; ***rekenkundig/harmonisch/meetkundig** gemiddelde* arithmetic/harmonic/geometric mean; ***voortschrijdend** gemiddelde* moving average
gemier [het] [1] ⟨geleuter⟩ bother, fuss(ing), niggling [2] ⟨geknoei⟩ muddling, messing, fiddling (about/^Around)
gemieter [het] → **gemier**
gemijmer [het] reverie, musing, meditation, daydreaming ♦ *in gemijmer **verzonken*** lost/sunk in (a) reverie
gemijterd [bn] mitred
gemillimeterd [bn] ⊡ *gemillimeterd **gras*** ± an impeccable lawn; *gemillimeterd **haar*** (close-)cropped/close-cut/crew-cut hair, a crew cut, a butch haircut
geminaat [de^m] ⟨taalk⟩ geminate
geminatie [de^v] [1] ⟨verdubbeling⟩ gemination, doubling [2] ⟨taalk⟩ gemination, doubling [3] ⟨lit⟩ gemination, repetition
gemis [het] [1] ⟨het niet bezitten van iets⟩ lack, want, ⟨m.b.t. het ontbreken van iets⟩ absence, deficiency ♦ ***bij** gemis **van*** in the absence of, in default of, for want of; ***in** een gemis voorzien* fill/supply a want/need/deficiency; *het gemis van een goede **opleiding*** the lack/want of a good education; *een gemis **vergoeden*** make up for a lack/deficiency [2] ⟨verlies⟩ loss, ↑(de)privation ♦ *zijn dood wordt **als** een groot gemis gevoeld* his death is felt as a great loss
gemodder [het] [1] ⟨het modderen⟩ dredging [2] ⟨geknoei⟩ muddling, bungling, messing ♦ *hou nu eens op met **dat** gemodder* just stop that messing (about/^Aaround)
gemodereerd [bn] moderate, ⟨m.b.t. personen⟩ moderate-minded ♦ *een gemodereerd **man*** a moderate(-minded) man; ⟨pol⟩ a moderate, a man of the middle, a centrist
[1]**gemoed** [het] [1] ⟨het binnenste van de mens⟩ mind, heart, ⟨vero⟩ breast ♦ *een zaak die vele gemoederen **bezighoudt*** a matter/problem that exercises many minds; *de gemoederen in beroering **brengen*** stir up feeling(s), rouse the emotions; *ik vraag me **in** gemoede af* I ask myself/wonder in all conscience/honesty/seriousness; *zijn gemoed **luchten*** give vent to/vent one's feelings; ⟨inf⟩ get it off one's chest; ***op** iemands gemoed werken* pluck (at) s.o.'s heart strings; *iets **op** het gemoed hebben* have sth. on one's mind; *met een **opgelucht/bezwaard** gemoed* with an easy mind/a heavy heart; *zijn gemoed **schoot vol*** he was deeply/greatly moved; ± he was filled/overcome with emotion/moved to tears; *de gemoederen **sussen*** calm people's feelings, pour oil on troubled waters, smooth (people's) ruffled feathers; ***tot** het gemoed spreken* appeal to the feelings (of); *de gemoederen raakten/waren **verhit*** feelings became heated/were running high [2] ⟨vnl scherts; boezem⟩ bosom, bust ♦ *een vrouw met*

een flink gemoed a busty woman, ⟨vulg⟩ a well-stacked woman

gemoed [bn] ⟨in samenstellingen⟩ in ... spirits, ...-disposed, ... at heart, ...-humoured ♦ *welgemoed* cheerful, in good spirits

gemoedelijk [bn, bw] agreeable ⟨bw: agreeably⟩, pleasant ⟨bw: ~ly⟩, ⟨m.b.t. mensen ook⟩ genial, jovial, amiable, kind, kindly, kind-hearted, good-natured, easy-going ♦ *het gaat daar gemoedelijk toe* they're such nice people there; *een gemoedelijk gesprek* a pleasant/friendly/cosy chat; *iets gemoedelijk opnemen* take sth. good-humouredly; *een gemoedelijke sfeer* a pleasant atmosphere, ↓ a cosy/homey atmosphere

gemoedelijkheid [de^{v}] geniality, joviality, good-naturedness, kind-heartedness, amiability, good-natured/easy-going disposition ♦ *iemand met een zekere gemoedelijkheid toespreken* address s.o. in a genial manner

gemoedereerd [bw] calmly, coolly, blandly ♦ *in plaats van te werken zaten ze gemoedereerd te kaarten* ⟨ook⟩ instead of working they were playing cards as cool as you like

gemoedsaandoening [de^{v}] emotion, feeling

gemoedsbezwaar [het] scruple ♦ *zonder enig gemoedsbezwaar* without any scruples, unscrupulously

gemoedsgesteldheid [de^{v}] frame/state of mind, temper, disposition, humour

gemoedsleven [het] life of the mind, inner life

gemoedsrust [de] peace/tranquillity of mind, inner peace/calm, ↑ equanimity, ↑ serenity, ↑ composure ♦ *iemands gemoedsrust bedreigen/verstoren* threaten/disturb s.o.'s peace of mind; *iemand van zijn gemoedsrust beroven* destroy s.o.'s peace of mind

gemoedsstemming [de^{v}] mood, frame/state of mind

gemoedstoestand [de^{m}] state/frame of mind, mood, temper, humour ♦ *ik kan me haar gemoedstoestand voorstellen* I can imagine the state/frame of mind she's in/her feelings/how she feels

gemoedsuitstorting [de^{v}] effusion (of feeling(s)), outpouring, ↓ outburst (of emotion)

gemoeid [bn] ⊡ *alsof haar leven er mee gemoeid was* as if her life depended on it/was at stake; *daar is veel geld mee gemoeid* a lot of money is involved, it will take a lot of money; *met de bouw van de brug waren drie jaren gemoeid* the bridge took three years to complete

gemok [het] sulking, nursing a grievance, ± pouting

gemompel [het] murmur, murmuring, muttering ♦ *een dof/onderdrukt/goedkeurend/afkeurend gemompel* a dull/subdued/approving/disapproving murmur/murmuring; *dat eeuwige gemompel van hem* his eternal muttering; *er ging een verontwaardigd gemompel op onder het publiek* an indignant murmur/a murmur of indignation rose from the audience; *er ging/steeg een zacht gemompel op bij zijn binnenkomst* his entrance was greeted by a low murmur; *een gemompel van teleurstelling/afkeuring* a murmur of disappointment/disapproval

gemopper [het] grumbling, grousing, complaints, complaining

gemors [het] [1] ⟨het morsen⟩ messing (about/up), ⟨het knoeien met eten⟩ sloppiness, slovenliness [2] ⟨gerommel⟩ bungling, botching, ⟨oneerlijke handeling⟩ scheming, intriguing, plotting

gemotiveerd [bn] [1] ⟨beargumenteerd⟩ reasoned, well-founded, justifiable, justified ♦ *gemotiveerde aanmerkingen* reasoned/well-founded observations/remarks/criticism(s); *een uitvoerig gemotiveerd oordeel* a well-founded/well-argued judgement; *die verandering in de tekst is niet gemotiveerd* that alteration in the text is unjustifiable/unwarranted; *een verder niet gemotiveerde verdenking/vrees* a groundless/unwarranted/baseless suspicion/fear; *een goed gemotiveerd verzoek* a well-reasoned petition/request [2] ⟨motivatie bezittend⟩ motivated ♦ *een zeer gemotiveerde vrijwilliger* a highly motivated volunteer

gemotoriseerd [bn] motorized, self-driven, power-driven, ⟨m.b.t. kanonnen enz. ook⟩ self-propelled ♦ *een gemotoriseerd vaartuig* a motorized vessel; *gemotoriseerd verkeer* motorized/motor traffic; *een gemotoriseerd voertuig* a motorized vehicle, an automobile

gems [de] chamois, izard

gemsbok [de^{m}] ⟨dierk⟩ [1] ⟨mannetjesgems⟩ chamois buck [2] ⟨Oryx gazelle⟩ gemsbok, gemsbuck

gemsleer [het] → **gemzenleer**

^{1}**gemunt** [bn] coined ♦ *gemunt geld* coin; ⟨form⟩ specie

^{2}**gemunt** ⊡ *het op iemand gemunt hebben* have it in for/have one's knife into/have a down on/be gunning for s.o.; *zij heeft het op zijn geld gemunt* she has designs on/she's after his money; *hij heeft het op mijn leven gemunt* he's out to kill me; *op wie heb je het eigenlijk gemunt?* (just) who are you getting at?; *waarom heb je 't altijd op mij gemunt?* why do you always pick on me?, why have you got it in for me?

gemurmel [het] [1] ⟨het murmelen⟩ babbling, murmuring, gurgling [2] ⟨gemompel⟩ murmur(ing), muttering, buzz/hum of voices

gemutst [bn] ⟨fig⟩ ⊡ *goed/slecht gemutst zijn* be in a good/bad mood/temper/humour

gemzenleer [het], **gemsleer** [het] chamois (leather), ⟨inf⟩ shammy (leather)

gen [het] ⟨biol⟩ gene, factor

gen. [afk] (genitief) gen, g, G

genaai [het] [1] ⟨het naaien⟩ sewing, ⟨van wonden⟩ stitching, suturing [2] ⟨vulg⟩ screwing, balling, fucking

genaamd [bn] [1] ⟨de naam dragend van⟩ named, called ♦ *Jan genaamd* Jan by name/called Jan [2] ⟨bijgenaamd⟩ (also) known as, alias, going by the name of

genade [de] [1] ⟨gratie⟩ mercy, clemency, grace, ⟨kwartier⟩ quarter ♦ *in de genade van Christus staan* be in the grace of Christ; *de genade van God* God's grace/mercy, the grace of God; *geen genade hebben met/kennen voor* have no mercy on/show no mercy (to); *genade voor recht laten gelden* temper justice with mercy; *Gods oneindige genade* God's infinite mercy; *hij is zonder genade* he is merciless/ruthless, he knows no mercy [2] ⟨rel⟩ grace ♦ ⟨prot⟩ *algemene/bijzondere genade* habitual/special grace; *de genade deelachtig zijn* partake of/receive grace; *de werkende/toereikende genade* efficacious/sufficient grace [3] ⟨vergiffenis⟩ mercy, pardon, forgiveness ♦ *aan iemands genade overgeleverd zijn* be left/abandoned to the tender mercies of s.o., be at the mercy of s.o.; *om genade smeken* beg for mercy; ⟨form⟩ cry forgiveness; *genade schenken/tonen/vragen* extend/show/ask mercy/forgiveness; *zonder genade* without mercy, merciless, ruthless [4] ⟨gunst(bewijs)⟩ favour ♦ *iemand (weer) in genade aannemen* restore s.o. to favour; *(geen) genade vinden bij/in de ogen van iemand* find (no) favour in the eyes/sight of s.o., be viewed unfavourably by s.o. ⊡ *goeie/grote genade!* good(ness) gracious (me)!, bless my (heart and) soul!, my goodness!, good grief!; *Uwe Genade* Your Grace

genadebrood [het] ⊡ ⟨fig⟩ *genadebrood eten* eat the bread of charity

genadeklap [de^{m}] → **genadeslag**

genadekruid [het] hedge hyssop

genadeleer [de] doctrine of (divine) grace

genadeloos [bn, bw] merciless ⟨bw: ~ly⟩, pitiless, ruthless, ↑ implacable ♦ *iemand genadeloos afstraffen* punish s.o. mercilessly/without mercy; *genadeloze concurrentie* cut-throat competition, rat race

genademiddel [het] [1] ⟨middel om Gods genade te verwerven⟩ means of grace [2] ⟨rel; prediking en sacramenten⟩ sacraments ♦ ⟨r-k⟩ *de genademiddelen van de kerk* the sacraments; ⟨van de stervenden⟩ the last sacraments

genadeoord [het] place of pilgrimage

genadeschot [het] → **genadeslag**

genadeslag [de^{m}] [1] ⟨dodelijke slag⟩ coup de grâce, finishing stroke, deathblow, quietus [2] ⟨laatste slag⟩ final blow, deathblow, last stroke ♦ *iemand de genadeslag **geven*** give s.o. the coup de grâce, finish off s.o.; ⟨inf⟩ settle s.o.'s hash; dispatch/despatch s.o.; *dat was de genadeslag **voor** zijn bedrijf* that was the final blow/deathblow/death warrant for his firm, that finished off his firm

genadestoot [de^m] coup de grâce, finishing thrust, death-blow, final/fatal blow, quietus

genadeverbond [het] ⟨theol⟩ Covenant (of grace), New Testament

¹**genadig** [bn] [1] ⟨vol genade⟩ merciful, gracious [2] ⟨vergevensgezind⟩ merciful, gracious, lenient, clement ♦ *die **examinator** is genadig geweest* that examiner was lenient; *een genadige **straf*** a light punishment; *een genadig **vorst*** a merciful/gracious ruler; *iemand genadig **zijn*** have mercy on/be merciful to s.o.; *God zij ons genadig!* God/Lord have mercy (up)on us! [3] ⟨neerbuigend vriendelijk⟩ gracious, condescending ♦ *een genadig **knikje*** a gracious/condescending nod

²**genadig** [bw] [1] ⟨op vergevensgezinde wijze⟩ mercifully, leniently ♦ *er genadig (van) **afkomen*** get off/be let off lightly; *iemand genadig **behandelen*** treat s.o. mercifully/show mercy to s.o.; ⟨inf⟩ let s.o. off lightly [2] ⟨uit de hoogte⟩ graciously, condescendingly, patronizingly

genadigheid [de^v] [1] ⟨vergevensgezindheid⟩ mercifulness, lenience, leniency [2] ⟨neerbuigendheid⟩ condescension

genageld [bn] [1] ⟨met nagels⟩ nailed [2] ⟨heral⟩ ungled, unguled, armed [•] ⟨plantk⟩ *een genageld **bloemblad*** a clawed petal

genaken [onov ww] ⟨form⟩ approach, draw near (to) [•] *zij is weer niet te genaken* ⟨ogm⟩ she is being distant/unapproachable/stand offish again; ⟨inf⟩ she's playing Greta Garbo again

gênant [bn] embarrassing, awkward ♦ ⟨fig⟩ *een gênante **vertoning*** an embarrassing business; *haar gedrag **was** bepaald gênant* her behaviour was positively embarrassing

gendarme [de^m] ⟨in België⟩ gendarme, state policeman

gendarmerie [de^v] [1] ⟨korps⟩ gendarmerie, police force/corps [2] ⟨politiepost⟩ gendarmerie, police station/headquarters

gendefect [het] gene defect, genetic defect

gender [de^m] gender

genderstudies [de^mv] gender studies

gendoping [de^m] gene doping

gene [aanw vnw] that, the other, ⟨van twee⟩ the former ♦ ***deze** of gene* somebody (or other), anybody; ***deze man is dom**, gene intelligent* this man is stupid, that man is intelligent; *aan gene **zijde*** in the beyond/hereafter; *aan gene **zijde** van* beyond

gêne [de] embarrassment, discomfiture, awkwardness ♦ *zij moest wel enige gêne **overwinnen*** ⟨ook⟩ she had to put her pride in her pocket; *sans gêne* without embarrassment, unashamedly, without (any) inhibition, sans gêne

genealogie [de^v] [1] ⟨leer⟩ genealogy [2] ⟨stamboom⟩ genealogy

genealogisch [bn, bw] genealogical ⟨bw: ~ly⟩

genealoog [de^m] genealogist

Geneefs [bn] Geneva(n), Genevese ♦ *de Geneefse **Conventie*** the Geneva Convention

geneesheer [de^m] physician, doctor, medical man/practitioner ♦ *de **behandelende** geneesheer* the medical attendant, the doctor treating the case/in charge; *het **beroep** van geneesheer uitoefenen* practise/^A practice medicine, practise/^A practice as a physician/doctor; *een **controlerend** geneesheer* medical officer [•] ⟨sprw⟩ *geneesheer, genees uzelf* physician, heal thyself

geneesheer-directeur [de^m] medical superintendent, senior medical officer

geneeskracht [de] healing/curative power, medicinal/therapeutic property

geneeskrachtig [bn] therapeutic, healing, curative, medicinal ♦ *geneeskrachtige **eigenschappen** hebben* have medicinal/healing properties/qualities; *geneeskrachtige **planten/kruiden*** medicinal/vulnerary plants/herbs; *geneeskrachtige **wateren/bronnen*** medicinal/therapeutic waters/springs; *de geneeskrachtige **werking*** the therapeutic effect

geneeskruiden [de^mv] medicinal/vulnerary herbs

geneeskunde [de^v] medicine, medical science ♦ ***alternatieve** geneeskunde* alternative medicine; *een **beoefenaar** van de geneeskunde* a medical practitioner; *een doctor **in** de geneeskunde* a doctor of medicine, an MD; *een student **in** de geneeskunde* a medical student, a student of medicine; ***interne/nucleaire/tropische** geneeskunde* internal/nuclear/tropical medicine; ***preventieve/sociale** geneeskunde* preventive/social medicine; ***reguliere** geneeskunde* conventional medicine; *geneeskunde **studeren*** study/read medicine; *de geneeskunde **uitoefenen*** practise/^A practice medicine

geneeskundig [bn, bw] medical ⟨bw: ~ly⟩, medicinal, therapeutic ♦ *een arts van de (gemeentelijke) geneeskundige **dienst*** a medical officer (of the local health authority); ⟨mil⟩ *de Geneeskundige **Dienst/troepen*** the (^B Royal) Army Medical Corps; *de Gemeentelijke Geneeskundige **Dienst** (GGD)* ⟨BE⟩ Local/Public Health Authority, ⟨AE⟩ Local/Public Health Board; *alleen voor geneeskundige **doeleinden*** for medical use only, for medicinal purposes only; *geneeskundige **hulp/bijstand/behandeling*** medical aid/treatment; *zich aan een (uitgebreid) geneeskundig **onderzoek** (moeten) onderwerpen* (be required to) undergo a(n) (extensive) medical examination; *een geneeskundige **verklaring** overleggen* produce a doctor's/medical certificate

geneeskundige [de] doctor, physician, medical practitioner ♦ ***sociaal** geneeskundige* ⟨BE⟩ medical officer, ⟨AE⟩ medical examiner

geneeskunst [de^v] medicine ♦ *de Koninklijke Nederlandse Maatschappij tot **bevordering** van de geneeskunst* the Royal Netherlands Medical Association; *de geneeskunst **uitoefenen*** practise/^A practice medicine

geneeslijk [bn] curable, remediable, healable, medicable

geneesmiddel [het] medicine, drug, remedy ♦ ***geregistreerde** geneesmiddelen* registered medicines; *een geneesmiddel **innemen*** take (a) medicine; *een **plantaardig** geneesmiddel* a botanical/galenical (drug); ⟨homeopathie⟩ a herbal remedy; *een geneesmiddel **tegen** hoofdpijn* a remedy for a headache; *een geneesmiddel **tegen** alle kwalen* a cure-all, panacea; ⟨ook fig⟩ catholicon; *rust is een **uitstekend** geneesmiddel* rest is an excellent cure; *een geneesmiddel **voor** uitwendig gebruik* (a) medicine/medication for external use; *een geneesmiddel **voorschrijven/toedienen/bereiden*** prescribe/administer/dispense a medicine/drug; *de **werking** van een geneesmiddel onderzoeken* investigate the effect(s)/action of a drug; *een vrij/algemeen verkrijgbaar geneesmiddel* an over-the-counter drug; *een uitsluitend op recept verkrijgbaar geneesmiddel* a prescription drug; *een geneesmiddel dat de rijvaardigheid kan beïnvloeden* a drug which can affect one's driving ability

geneesmiddelenleer [de] pharmacology

geneeswijze [de] (method/form of) treatment, cure, therapy, remedy ♦ ***alternatieve** geneeswijzen* alternative medicine

genegen [bn] [1] ⟨bereid⟩ willing, prepared ♦ *hij **is** niet genegen toestemming te geven* he is not prepared to give permission; *hij is **tot** medewerking genegen* he is willing/prepared to cooperate; *allesbehalve genegen **zijn** om ...* be loath to ... [2] ⟨welwillend⟩ well-disposed, favourably-disposed, sympathetic ♦ *een genegen **oor** vinden* find a sympathetic/ready ear; *iemand (niet) genegen **zijn*** (not) be favourably disposed towards s.o.

genegenheid [de^v] [1] ⟨gezindheid⟩ affection, fondness, attachment, affinity, inclination ◆ *een **blijk** van genegenheid* a token of affection; *voor iemand genegenheid **opvatten*** take a liking to s.o.; *iemands genegenheid **verwerven*** win s.o.'s favour/regard/affection(s); *voor iemand genegenheid **voelen*** feel affection for s.o., be fond of s.o.; ***wederkerige** genegenheid* mutual/reciprocal affection [2] ⟨vorm, uiting⟩ affection, attachment

geneigd [bn] [1] ⟨neiging hebbend⟩ inclined ⟨in combinatie met 'to'⟩, apt, ⟨vnl. tot iets verkeerds⟩ prone, given (to) ◆ *mocht iemand **daartoe** geneigd zijn* if anybody should be so inclined; *men is zo **licht** geneigd te denken ...* one is (so) easily inclined/apt to think ...; *geneigd **zijn** om fouten te maken* be prone to error [2] ⟨neiging voelend⟩ inclined, disposed, apt, -minded ◆ *ik **ben** geneigd je te geloven* I am inclined to believe you; *weinig geneigd **zijn*** be little disposed/inclined; *min of meer geneigd **zijn*** have half a mind to; *ik **zou** bijna geneigd **zijn** dit te aanvaarden* I am almost tempted to accept this

geneigdheid [de^v] inclination, tendency, propensity

genenbank [de] gene bank

genenpaspoort [het] genetic passport

genenpool [de^m] gene pool

[1]**generaal** [de^m] [1] ⟨opperofficier⟩ general ◆ *de **rang** van generaal bekleden* hold the rank of general [2] ⟨veldheer⟩ general [3] ⟨r-k⟩ general ◆ *de generaal van de **jezuïeten*** the General of the Jesuits

[2]**generaal** [bn] general ◆ ⟨muz⟩ *een generale **bas*** (basso) continuo, figured/thorough/general bass; *het generaal **kapittel*** the General Chapter; *de generale **repetitie*** (the) (full) dress-rehearsal; *de generale **staf*** the general staff, General Headquarters; *de Generale **synode*** the General Synod; ⟨anglic⟩ the Church Assembly

generaal-majoor [de^m] Major General

generaalsbewind [het] ⟨pol⟩ generals'/military regime, junta

generaalschap [het] generalship

generaalsrang [de^m] [1] ⟨rang van generaal⟩ generalship, rank of general [2] ⟨mv; opperofficiersrangen⟩ highest ranking officers

generalaat [het] ⟨r-k⟩ [1] ⟨ambt⟩ generalship [2] ⟨bestuurszetel⟩ generalate

generalisatie [de^v] generalization, sweeping statement ◆ *een **bekende/overhaaste** generalisatie* a known/hasty generalization; ***in** generalisaties **vervallen*** lapse into/make generalizations, generalize

generaliseren [ov ww, ook abs] generalize ◆ *je moet **niet** generaliseren* you shouldn't generalize/make generalizations

generalissimus [de^m] generalissimo

generalist [de^m] generalist

generaliteit [de^v] generality

generaliter [bw] in general, generally (speaking)

generatie [de^v] [1] ⟨geslacht⟩ generation ◆ *zij behoren tot **dezelfde** generatie* they belong to/are of the same generation; *een Amerikaan van de **eerste/tweede** generatie* a first-generation/second-generation American; *de **jonge** generatie* the younger generation; ⟨fig⟩ *een **jongere** generatie academici* a younger generation of academics; ⟨fig⟩ *de **nieuwe** generatie computers* the new generation/breed of computers; ⟨fig⟩ *een **nieuwe** generatie videobanden* a new generation of videotapes; *een generatie **overslaan*** skip/jump a generation; ***van** de ene generatie **op** de andere* from generation to generation [2] ⟨teling⟩ generation ◆ ⟨biol⟩ ***spontane** generatie* abiogenesis, spontaneous generation, heterogenesis

generatieconflict [het] battle/conflict of the generations, generation gap

generatief [bn] [1] ⟨geslachtelijk⟩ generative ◆ ⟨biol⟩ *generatieve **kern*** generative nucleus; *generatieve **voortplanting*** generative reproduction [2] ⟨voortbrengend⟩ generative ◆ ⟨taalk⟩ *generatieve **grammatica*** generative grammar; *generatieve **kracht*** generative power

generatiegenoot [de^m] contemporary

generatiekloof [de] generation gap ◆ *de generatiekloof **overbruggen*** bridge the generation gap

generatiepact [het] generation pact

generatiewisseling [de^v] alternation of generations, metagenesis, heterogenesis

generator [de^m] [1] ⟨toestel tot het verkrijgen van gas⟩ generator [2] ⟨werktuig dat stroom opwekt⟩ generator, dynamo [3] ⟨deel van een ijsmachine⟩ evaporator [4] ⟨telepathie⟩ transmitting agent

generatrice [de^v] ⟨wisk⟩ generatrix

zich generen [wk ww] be/feel embarrassed, be shy, be awkward, be ill at ease, feel shy, feel awkward, feel ill at ease ◆ *geneer je maar niet voor mij* don't mind me; *ik **zou me** dood generen* I'd be mortified, I'd die (of shame); *geneer je **niet*** don't be shy, make yourself at home; *hij geneert **zich** niet geld aan te nemen* it doesn't embarrass him to accept money

[1]**genereren** [onov ww] ⟨comm⟩ ⟨hoogfrequente trillingen voortbrengen⟩ generate

[2]**genereren** [ov ww] ⟨wisk, taalk⟩ ⟨met behulp van een algoritme voortbrengen⟩ generate

genereus [bn, bw] generous, magnanimous ◆ *een genereus **gebaar*** a generous gesture

generfd [bn] ⟨biol⟩ nerved, nervate(d), venous ◆ *generfde **bladeren*** venous leaves

[1]**generiek** [de^v] ⟨in België⟩ credits

[2]**generiek** [bn] generic

generisch [bn] generic [•] ⟨jur⟩ *generische **verbintenis*** generic obligation

generlei [bn] no (... whatever/at all/whatsoever) ◆ *in generlei **opzicht*** in no sense/respect/way (at all); *daartegen baat generlei **tegenspraak*** any objection/opposition would be utterly futile; *van generlei **waarde*** of no value whatever, worthless; *op generlei **wijze*** in no way

generositeit [de^v] generosity, magnanimity

genese [de^v] genesis

Genesis [de^v] genesis

genetica [de^v] genetics ◆ ***moleculaire** genetica* molecular genetics

genetic engineering [de^m] genetic engineering

geneticus [de^m] geneticist

genetisch [bn, bw] [1] ⟨m.b.t. het ontstaan en ontwikkeling van een zaak⟩ genetic ⟨bw: ~ally⟩ ◆ *genetisch **bepaalde** kenmerken* genetic markers/features; *genetische **manipulatie*** genetic engineering; *de genetische **methode*** the genetic method; *genetische **psychologie*** genetic psychology; *genetische **waarde*** genetic value [2] ⟨m.b.t. de erfelijkheid⟩ genetic ⟨bw: ~ally⟩ ◆ *genetisch **materiaal*** genetic material

genetkat [de] genet

geneugte [de^v] pleasure, delight(s), joy ◆ *de geneugten des **levens*** the joys of life; ***vleselijke** geneugten* pleasures of the flesh, carnal/animal pleasures; *de geneugten van deze **wereld*** the pleasures/joys of this world; ⟨inf⟩ creature comforts

geneuk [het] [1] ⟨vulg⟩ screwing, fucking [2] ⟨gezeur⟩ (bull)shit

geneurie [het] humming, crooning ⟨bijvoorbeeld tegen kind⟩

geneuzel [het] twaddele, piffle, nonsense

Genève [het] Geneva ◆ *het meer van Genève* Lake Geneva

[1]**genezen** [onov ww] ⟨beter worden⟩ recover, get well again, mend ⟨bijvoorbeeld bot⟩, ⟨wond⟩ heal ◆ ***van** een ziekte genezen* recover from/be cured of an illness, be on the mend; *hij is weer zogoed als genezen* he has almost completely recovered

[2]**genezen** [ov ww] ⟨beter doen worden⟩ ⟨patiënt⟩ cure, ↑ restore (s.o.) to health, ⟨wond⟩ heal ◆ ⟨fig⟩ *daar ben ik helemaal **van** genezen* I am fully cured of that; *iemand **van** zijn onhebbelijkheden genezen* cure s.o. of his bad/objectionable

habits [•] ⟨sprw⟩ *voorkomen is beter dan genezen* prevention is better than cure; ⟨sprw⟩ *geneesheer, genees uzelf* physician, heal thyself

genezer [de^{m}], **genezeres** [de^{v}] healer, curer, ⟨pej⟩ quack ◆ ***alternatieve** genezer* alternative healer

genezeres [de^{v}] → **genezer**

genezing [de^{v}] cure, ⟨patiënt⟩ recovery, ⟨wond⟩ healing

genezingsproces [het] recovery process, healing (process) ◆ *het genezingsproces **bevorderen/bespoedigen*** aid/speed up/precipitate the recovery process; *het genezingsproces **vertragen*** delay the recovery process

geniaal [bn, bw] [1] ⟨buitengewoon begaafd⟩ brilliant ⟨bw: ~ly⟩, highly-gifted, of genius ◆ *met geniale **blik*** with the look of a genius (about him); *een geniale **gek*** an eccentric/mad genius; ***iets** geniaals hebben* have a touch of genius; *een geniaal **kunstenaar*** a highly-gifted artist; *geniaal **zijn** in iets* be brilliant/highly gifted at sth., have a genius for sth. [2] ⟨blijk gevend van genie⟩ brilliant ⟨bw: ~ly⟩, ingenious ◆ *een geniaal **denkbeeld*** a brilliant idea; ⟨iron⟩ *hij heeft van die geniale **invallen*** he gets (those) brain waves from time to time, that's one of his brain waves/brilliant ideas; *een geniale **oplossing*** an ingenious solution; *een geniale **vondst/zet*** a stroke of genius

genialiteit [de^{v}] [1] ⟨begaafdheid met genie⟩ genius, brilliance, brilliancy [2] ⟨het blijk geven van genie⟩ ingenuity, brilliance, brilliancy, ⟨inf⟩ wizardry

¹genie [de^{v}] ⟨mil⟩ military engineering ◆ *hij is **bij** de genie* he is serving in the Engineering Corps, he is with the (Royal) Engineers, he is a military engineer; *het **korps** van de genie* the Engineering Corps; *het **wapen**/de **dienst** van de genie* the (^{B}Royal) Engineers

²genie [het] [1] ⟨buitengewone begaafdheid⟩ genius, brilliance, brilliancy ◆ *het genie van **Rembrandt*** the genius of Rembrandt [2] ⟨begaafd persoon⟩ genius, ⟨inf⟩ wizard ◆ *een **groot** genie* an absolute/a real/true genius; *een **miskend** genie* a misunderstood/an unappreciated genius

genieofficier [de^{m}] military engineer

geniep [het] [•] ***in** 't geniep* on the sly/quiet; ⟨pej⟩ sneakily; ⟨sl⟩ on the q.t.

¹geniepig [bn] [1] ⟨stiekem⟩ sly, secretive ◆ *op een geniepige **manier*** on the sly [2] ⟨gemeen⟩ sneaky, underhand(ed), sly, dastardly ◆ *een geniepige **streek*** a sneaky/dirty trick; *een geniepig **ventje*** a slyboots, a sneaky character

²geniepig [bw] [1] ⟨stiekem⟩ on the sly/quiet, secretly, stealthily ◆ ***doe** niet zo geniepig* don't be so secretive [2] ⟨gemeen⟩ sneakily, underhandedly, slyly

geniepigerd [de^{m}] sneak, sly dog

genies [het] sneezing

geniesoldaat [de^{m}] engineer, sapper

> **genitief** **1/3**
>
> er zijn twee manieren om een bezitsrelatie aan te geven:
> · de genitief met behulp van 's of de apostrof
> · de of-constructie

¹genieten [onov ww] ⟨plezier beleven⟩ enjoy o.s., ⟨inf⟩ have fun, have a good time, get a lot of pleasure (out of), get a great deal of pleasure (out of), get a lot of pleasure (from), get a great deal of pleasure (from) ◆ ***erg** genieten* really/thoroughly enjoy o.s., have great fun/a great time; ***in stilte** genieten* stand/sit in silent enjoyment; ***intens** van iets genieten* enjoy sth. immensely; ⟨inf⟩ get a (real) kick out of sth.; ***van** het leven genieten* enjoy life; *zij genoten **van** hun kind* they got a lot of pleasure out of their child; ⟨inf⟩ they enjoyed their child; *genieten **van muziek/het uitzicht*** enjoy the music/the view; *probeer er zoveel mogelijk **van** te genieten* try to enjoy it as much as you can; *ze hadden zelden **zo** genoten* ⟨ook⟩ they had the time of their lives; *ik heb genoten!* I really enjoyed myself!, I had great fun/a wonderful time!; *wat heb ik genoten!* I really enjoyed myself/had fun/had a good time!

²genieten [ov ww] ⟨tot gebruik, voordeel ontvangen⟩ enjoy, have the advantage of ◆ *hij genoot grote **faam** als acteur* he enjoyed great fame as an actor; *een goede **gezondheid** genieten* be in/enjoy good health; *een hoog **inkomen** genieten* enjoy a high income; *de **maaltijd** genieten* have dinner/supper/...; *een goede **opleiding** genoten hebben* have received/had the advantage of a good training/education; *iemands **vertrouwen** genieten* have s.o.'s confidence; ***voordelen** genieten* enjoy benefits; *dat geniet zijn **voorkeur*** he prefers that [•] *die film **is niet te** genieten* that film/^{A}movie is absolutely atrocious; *die vent **is niet te** genieten* that guy is unbearable; *hij **is vandaag niet te** genieten* he's in a bad mood today

genieter [de^{m}], **genietster** [de^{v}] [1] ⟨genotzuchtige⟩ sensualist, epicure(an), hedonist ◆ *hij is een **echte** genieter* he really knows how to enjoy life [2] ⟨m.b.t. pensioen, inkomen⟩ recipient, beneficiary

genieting [de^{v}] ⟨form⟩ [1] ⟨het smaken van genot⟩ ⟨ogm⟩ enjoyment [2] ⟨vorm van genot⟩ ⟨ogm⟩ pleasure, enjoyment ◆ *hij is niet vatbaar voor **hogere** genietingen* he is not capable of appreciating the higher pleasures; *de genietingen **des levens*** the pleasures/joys of life; ⟨inf⟩ creature comforts

genietroepen [de^{mv}] (Military/Royal) Engineers

genietster [de^{v}] → **genieter**

genist [de^{m}] (military/army) engineer, ⟨vnl.⟩ engineer officer

genitaal [bn] genital

genitaliën [de^{mv}] genitals

genitief [de^{m}] ⟨taalk⟩ genitive

> **genitief** **2/3**
>
> **de vorm van de genitief is 's:**
>
> · na een enkelvoud
> *Mark's umbrella*
> *Charles's idea* (uitspraak: -iz)
> *my wife's coat*
> *the dog's tail*
> *the man's coat*
> *the lady's hat*
> · na een meervoud niet op -s
> *the children's faces*
> · na een groep woorden
> *John and Mary's mother*
>
> **de vorm van de genitief is apostrof:**
>
> · na een meervoud op -s
> *the ladies' hats*
> *it's a two-hours' walk from here*
> · soms in een vaste uitdrukking op -s
> *for goodness' sake*
> · vaak na eigennamen uit de oudheid op -s
> *Socrates' philosophy*

genius [de^{m}] genius, genie ◆ *de **kwade** genius* the evil genius/demon; *de genius van de **mensheid*** the genius of mankind/humanity

geniza [de] geniza, genizah

genmanipulatie [de^{v}] genetic manipulation

gennaker [de^{m}] gennaker

¹genocidair [de^{m}] genocidaire

²genocidair [bn] genocidal

genocide [de^{v}] genocide ◆ *genocide **plegen*** commit genocide

genodigde [de] (invited) guest, invitee ◆ *alleen **voor** genodigden* only for those invited; *alleen genodigden hebben toegang* admission (is) by invitation only

¹genoeg [bw] [1] ⟨in voldoende mate⟩ enough, sufficiently ◆ *ben ik **duidelijk** genoeg geweest* have I made myself clear;

dat kon niet genoeg ***gezegd/benadrukt worden*** that could not be stressed/emphasized (often) enough; ***handig*** *genoeg zijn om* be handy/smart enough to; ***jammer*** *genoeg* regrettably, unfortunately; more's the pity; ***mans*** *genoeg zijn om iets te doen* be man/game enough for doing sth./to do sth.; ***oud en wijs*** *genoeg zijn* be old and wise enough; *hij is niet* ***precies*** *genoeg* he is not exact/precise enough, he is (too) easygoing; *hij is* ***professioneel*** *genoeg* he is enough of a professional; *hij is* ***realist*** *genoeg* he is realistic enough; *morgen is* ***tijd*** *genoeg* tomorrow will do, it will do/can wait until tomorrow; *men kan niet* ***voorzichtig*** *genoeg zijn* one can't be too careful [2] ⟨meer dan wenselijk, prettig⟩ enough ◆ ***erg*** *genoeg* bad(ly) enough; *het is zo al* ***erg*** *genoeg* it's bad enough as it is; ***vreemd/gek*** *genoeg* strangely/curiously/oddly enough; *er* ***wordt*** *al genoeg* ***gekletst*** there's enough gossip/chatter as it is, ↓ there's enough cackle as it is

²genoeg [telw] [1] ⟨voldoende⟩ enough, plenty, sufficient, ⟨net genoeg⟩ adequate ◆ *heb je genoeg* ***bier/kleren?*** how are you (off/fixed) for beer/clothes?; *er is* ***eten*** *genoeg* there is plenty of food; *genoeg* ***geld*** *hebben voor de hele maand* have enough money to see one through the month; *genoeg* ***gepraat!*** enough said!; ↓ cut the cackle!; ***heb*** *je genoeg* ***gegeten?*** have you had enough (to eat)?; *ik* ***heb*** *genoeg* ***aan*** *een gekookt ei* a boiled egg will do for me; *daar* ***hebben*** *we voorlopig ruim genoeg* ***aan*** that will keep us going for some time; *talent* ***heeft*** *hij genoeg* he is not lacking in talent, he has no shortage of talent; *hij* ***heeft*** *genoeg om van te leven* he has enough to live on/get by; *genoeg* ***hierover!*** enough said (about this/on this subject)!; *zeg maar als het genoeg* ***is*** ⟨bij het inschenken⟩ say when; *hij kan er niet genoeg van* ***krijgen*** he cannot get enough of it; ***plaats*** *genoeg* plenty of room; ⟨inf⟩ bags of room; ***tijd*** *genoeg hebben* have plenty of time; *genoeg* ***voor*** *vier personen* ⟨van recept, menu⟩ will serve four (people); *er is genoeg* ***voor*** *allemaal* there is enough to go round; *ik* ***weet*** *genoeg* I've heard enough; *dat* ***zegt*** *genoeg* that says enough; *het* ***zegt*** *genoeg dat* ... it is enough to say that ...; *aan* ***zichzelf*** *genoeg hebben* be self-sufficient/independent; ⟨m.b.t. problemen⟩ have enough problems of one's own; *laat het genoeg* ***zijn*** *te zeggen* suffice it to say; *(het is) genoeg!* (that's) enough!, that will do!; *er is meer dan genoeg* there's enough and to spare; *dat is meer dan genoeg* that is more than enough [2] ⟨meer dan wenselijk, prettig⟩ enough ◆ *ik* ***heb*** *aan één vrouw genoeg* one wife is enough for me; *er/ergens genoeg van* ***hebben/krijgen*** have/get enough of it/sth., be/get sick of/fed up with it/sth.; *hij had* ***al last*** *genoeg van ons* he had enough to put up with from us (as it was); *er zijn al* ***slachtoffers*** *genoeg* there are too many victims (as it is); *genoeg* ***te doen*** *hebben* have one's work cut out for one; *er schoon genoeg van hebben/krijgen* be fed up to the back teeth (with it), have had it up to here; *zo is het wel genoeg* that's enough, that will do [•] ⟨sprw⟩ *genoeg is genoeg* enough is enough; ⟨sprw⟩ *genoeg is meer dan teveel* ± enough is as good as a feast

genoegdoening [de^v] [1] ⟨eerherstel⟩ satisfaction, atonement ◆ *genoegdoening van iemand* ***eisen/krijgen*** demand satisfaction of/obtain satisfaction from s.o.; ⟨theol⟩ *de genoegdoening van* ***Jezus Christus*** the satisfaction/atonement of Jesus Christ; *zich genoegdoening* ***verschaffen*** obtain satisfaction [2] ⟨schadeloosstelling⟩ redress, restitution, satisfaction, compensation ◆ *genoegdoening van iemand* ***eisen*** *voor iets* claim redress from s.o. for sth.

genoegen [het] [1] ⟨voldoening⟩ satisfaction, gratification, approval ◆ *veel genoegen* ***doen/geven*** give great/much satisfaction, be very satisfactory; *iets* ***met*** *genoegen constateren* note with satisfaction; *en, was het* ***naar*** *genoegen?* well, was it to your liking?; *als het niet* ***naar*** *genoegen is* if it is not satisfactory; *het werk is* ***naar*** *genoegen uitgevoerd* the work has been carried out/completed to satisfaction; *daar neem ik geen genoegen mee* that doesn't/won't do, I won't put up with that/stand for that/settle for that; *genoegen* ***nemen*** *met iets* ⟨tweede keus⟩ content o.s./be satisfied wit[h]

settle for sth.; ⟨minder kwaliteit, slechte omstan[digheden]⟩ agree/consent to sth., accept sth., put up w[ith] *weigeren genoegen te* ***nemen*** *met* refuse to accept/[...] agree to [2] ⟨plezier⟩ pleasure, delight, satisfac[tion] *genoegen aan* ***beleven*** derive pleasure from sth. *genoegen en houd je mond* do me a favour and s[...] a thank you to keep quiet; *iemand een genoegen* favour, oblige s.o.; *dat* ***doet*** *mij (veel) genoege[n]* pleased (about that); *met wie* ***heb*** *ik het genoegen het* whom do I have the pleasure (of speakin[g ... an]nouncing/informing you of ...; *genoegen u kennis te geven van* ... we have p[...] ***leven*** *de genoe[...]rmule⟩* the pleasures of life; ***met*** *genoegen* ⟨bele[...]zeg het with pleasure; ⟨examen⟩ clear pass, b[...]***erdeeld*** *ge-***met** *genoegen* I'm pleased to say; *het win* ***scheppen*** *noegen* it was a mixed blessing; *ergen*[...]sth.; *met alle* take pleasure/delight in sth.; ⟨pej⟩ [...]d be delight-***soorten*** *van genoegen* with pleasure[...]asures/delighted (to); *de genoegens van een grote st*[...]ope we meet lights of the city; ***tot*** *genoegen* au[...] pleasure; ***tot*** *ons* again; ***tot*** *haar groot genoegen* m[...]asure; *het was mij genoegen constateren wij* we note[...]s a real pleasure *een* ***waar*** *genoegen* I was deligh[...]

genitief 3/3

gebruik vooral de genitief

· bij personen, eigennamen[...]eden, en 'hogere' dieren
my aunt's car
our cat's food
· *a boys' book*
a bird's nest
· bij aanduiding van tijd [...]nd
today's news
· in sommige vaste u[...]ngen
to his heart's conten[t]
at a stone's throw
· met end, edge, [...]
at the water's ed[ge]

gebruik vooral de [...]**tructie**

· bij namen va[...]n
the key of the [...]door
· bij 'lagere' [...]s
the honey o[...]

bijzondere [...]**en**

that surf[...] of Susan's
a friend [...]y brother's
whose [...] is this? It's Jerry's
I live a[...] uncle's
he w[...]o the butcher's

gen[...]**glijk** [bn, bw] enjoyable ⟨bw: enjoyably⟩, pleasant, ag[reea]ble, ⟨AE⟩ fun ◆ *een genoeglijk* ***avondje*** an enjoyable/fu[n e]vening; *een genoeglijk* ***leven/boek*** a pleasant life, an e[nj]oyable book; *een genoeglijke* ***stemming*** a pleasant/fun [at]mosphere; *zij* ***zaten*** *genoeglijk bij elkaar* they were sitting [h]appily together

[g]enoegzaam [bn] ⟨voldoende⟩ sufficient, satisfactory, enough, ⟨net voldoende⟩ adequate ◆ *een genoegzaam* ***bewijs*** sufficient proof

²genoegzaam [bw] ⟨in voldoende mate⟩ sufficiently, satisfactorily, enough, adequately ◆ *dat is toch genoegzaam* ***bekend*** that is (surely) sufficiently well known/well enough known; *de zaak* ***is*** *hiermee genoegzaam* ***toegelicht*** the matter has thus been sufficiently/adequately clarified

genoegzaamheid [de^v] sufficiency, satisfaction

genoemd [bn] (above-)mentioned, said, named ◆ *(de) ge-*

no

me e gentlemen mentioned, (the) said gentle-
cus erdachte the named suspect; ⟨jur⟩ the ac-
geno
geno study of (artistic) genres
me beh ken in, fooled, had, taken, done ♦ *ik voel*
genom *en* I feel I've been had
genoom omics
genoot [ne
fellow- ♦ menstellingen⟩ companion, -mate,
panion [2] ⟨ ouse-mate; *tafelgenoot* table com-
genootsch el, gelijke⟩ partner, companion
geleerd genoot iety, association, fellowship ♦ *een*
Genootschap m ned society; *lid van het* ***Historisch***
schap der ***Vriend*** he Historical Society; *het Genoot-*
genopt [bn] na ety of Friends
genot [het] [1] ⟨h balschoen⟩ studded
tage ♦ *(in) het geno* ⟩ enjoyment, benefit, advan-
ing one's freedom *rijheid* in possession of/enjoy-
light, zest ♦ *het is ee* en⟩ enjoyment, pleasure, de-
sight for sore eyes/fo*r het oog* a feast for the eyes, a
haar te horen it's a (rea ; *het is een (waar) genot om*
het leven ***tot*** *een genot* it oy to hear her; *dat* ***maakt***
genot van een glas wijn o e a real pleasure; ***onder*** *het*
give pleasure; ***veel*** *genot* of wine; *genot* ***schenken***
from sth.; *het genot van ie bben* derive satisfaction
ment of sth., give added z *n* increase the enjoy-
ment/zest of sth.; *het* ***was*** *ee* ., add to the enjoy-
see; ***zinnelijk*** *genot* sensual/s *m te zien* it was a joy to
gebruik⟩ use, ⟨vruchtgebruik pleasure(s) [3] ⟨jur;
bezittingen *hebben* have the us ct ♦ *het genot van zijn*
genotmiddel [het] stimulant, s possessions
inf⟩ goodies xury foods, ⟨mv;
genotscultuur [de^v] hedonism,
ure-seeking e based on pleas-
genotsrecht [het] right of enjoyn
genotteren [ww] ⟨scherts⟩ ⟨ogm⟩ e
have a real(ly) good time ♦ ***zitten*** *gen* dulge o.s., ⟨inf⟩
basking in the sunshine; *echt/stilletjes in de zon* be
really/quietly indulge o.s. *genotteren*
genotvol [bn, bw] delightful ⟨bw: ~ly⟩, able, glorious, delicious ♦ *genotvolle* ***ogenblikken*** de ul moments
genotype [het] [1] ⟨biol⟩ genotype [2] ⟨psyc notype
genotypisch [bn, bw] genotypical ⟨bw: ~
genotziek [bn] pleasure-loving, hedonistic laustic,
epicurean, sensual
genotzoeker [de^m], **genotzoekster** [de^v] p ure-
seeker, hedonist, epicure
genotzoekster [de^v] → **genotzoeker**
genotzucht [de] pleasure-seeking, self-indulge hedonism, sensualism
genotzuchtig [bn, bw] pleasure-seeking, self-in
gent, hedonistic, epicurean
genre [het] [1] ⟨soort⟩ genre, style, type, class, catego
het ***komische*** *genre* comedy; *dat is* ***zijn*** *genre niet* that's n
his style [2] ⟨bk⟩ genre (painting)
genreschilder [de^m], **genreschilderes** [de^v] genre
painter
genreschilderes [de^v] → **genreschilder**
genreschilderij [het] genre painting
genrestuk [het] genre painting, subject picture, conversation piece ♦ *dat verhaal is een* ***echt*** *genrestuk* that story is
taken from real life; *zijn schilderijen zijn* ***echte*** *genrestukjes*
his paintings are pure genre
genster [de] ⟨in België⟩ → **vonk**
gent [de^m] gander
Gent [het] Ghent
gentechniek [de^v] gene technology
gentechnologie [de^v] genetic engineering
gentherapie [de^v] gene therapy
gentiaan [de] [1] ⟨plant⟩ gentian [2] ⟨wortel⟩ gentian (root)
gentiaanachtigen [de^mv] gentianaceae, gentiana
gentiaanblauwtje [het] alcon blue butterfly
gentianine [de] gentian bitter
gentleman [de^m] gentleman
gentlemanlike [bn] gentlemanlike
gentlemen's agreement [het] gentleman's agreement, gentlemen's agreement
genua [de] genoa
Genua [het] Genoa
genuanceerd [bn, bw] ± subtle, ± shaded, ⟨afgewogen⟩ balanced, ⟨met verschillen⟩ variegated, differentiating, ⟨zeldz⟩ nuanced ♦ *een genuanceerde* ***benadering*** *van een probleem* a subtle/thoughtful approach to a problem; *genuanceerd* ***denken*** keep an open mind (about), see the pros and cons (of), look (at sth./the matter) from both/all sides, not take an extreme position; *een voorbeeld van genuanceerd* ***denken*** an example of balanced thinking/judgement; *een genuanceerd* ***oordeel*** a balanced/finely tuned judgement
Genuees [de^m], **Genuese** [de^v] Genoese
Genuese [de^v] → **Genuees**
genus [het] [1] ⟨biol⟩ genus ♦ *een plant van het genus X* a plant of the genus X/X genus [2] ⟨taalk⟩ gender
genuskoop [de] purchase of fungibles, purchase of generic goods
genvoedsel [het] genetically modified food
geobotanie [de^v] geobotany, phytogeography
geoccupeerd [bn] ⟨form⟩ ⟨ogm⟩ occupied ♦ *ik* ***ben*** *zeer geoccupeerd* I am very busy
geocentrisch [bn] geocentric ♦ *geocentrische* ***breedte*** geocentric latitude; *het geocentrisch* ***wereldbeeld*** the geocentric worldview, geocentrism
geocentrisme [het] geocentrism
geochemie [de^v] geochemistry
geocoaching [het] geocaching, GPS treasure hunting
geocyclisch [bn] geocyclic ♦ *geocyclische* ***machine*** geocyclic machine
geode [de^v] geode
geodeet [de^m] [1] ⟨persoon⟩ geodesist [2] ⟨wisk⟩ geodesic (line)
geodesie [de^v] geodesy
geodetisch [bn] geodetic, geodesic ♦ *geodetische* ***lijn*** geodesic (line); *geodetische* ***opmetingen*** geodetic surveying; ⟨luchtv⟩ *geodetische* ***romp*** geodetic structure
geodriehoek [de^m] combination of a protractor and a setsquare
geoefend [bn] [1] ⟨ervaren⟩ experienced, trained, drilled, versed ♦ *een geoefend* ***soldaat*** a trained soldier; *een geoefend* ***zwemmer/pianist*** an experienced/expert swimmer, an accomplished pianist [2] ⟨zeer gevoelig⟩ refined ♦ *een geoefend* ***gehoor*** a trained ear
geoefendheid [de^v] experience, proficiency, skill, accomplishment
geofictie [de^v] geofiction
geofoon [de^m] geophone
geofysica [de^v] geophysics
geofysicus [de^m] geophysicist
geofysisch [bn] geophysical ♦ *een geofysisch* ***instituut*** a geophysics/geophysical institute, an institute for geophysical studies
geofyten [de^mv] geophytes
geogenie [de^v] geogony
geograaf [de^m] geographer ♦ ***sociaal*** *geograaf* human-geographer
geografie [de^v] geography ♦ ***fysische*** *geografie* physical geography, physiography; ***sociale*** *geografie* human/social geography
geografisch [bn] geographic(al) ♦ *de geografische* ***breedte***/

lengte** van een plaats* the geographical latitude/longitude of a place; *geografische **namen geographical names; *een geografisch **woordenboek*** a gazetteer
geohydrologisch [bn] geohydrologic
geolied [bn] oiled, ⟨machinerie ook⟩ lubricated ♦ ⟨fig⟩ *een goed geolied **bedrijf*** a well-oiled concern; *geolied **linnen*** oiled linen; *een goed geoliede **machine*** a well-oiled/well-lubricated machine; *geolied **papier*** oiled paper
geologie [de^{v}] geology
geologisch [bn] geological, ⟨soms⟩ geologic ♦ *geologische **kaarten*** geological maps; *de geologische **scheikunde*** geochemistry; *een geologisch **tijdperk*** a geological age
geoloog [de^{m}] geologist
geomagnetisch [bn] geomagnetic
geomagnetisme [het] geomagnetism, terrestrial magnetism
geomantiek [de^{v}] geomancy
geomarketing [de] geomarketing
geometrie [de^{v}] geometry
geometrisch [bn] geometric(al)
geomorfologie [de^{v}] geomorphology
geonomie [de^{v}] [1] ⟨wiskundige aardrijkskunde⟩ mathematical geography [2] ⟨kennis van de groeikracht van de aardsoorten⟩ geonomy
geoogd [bn] [1] ⟨met ogen⟩ eyed [2] ⟨heral⟩ eyed, with eyes ⟨gevolgd door bn⟩
geoord [bn] ⟨heral⟩ eared, with ears ⟨gevolgd door bn⟩
geoorloofd [bn] permitted, permissible, allowed, admissible ♦ ***is** het geoorloofd hier te roken?* is smoking permitted here?; *een geoorloofd **middel*** (a) lawful means/method; *met alle geoorloofde en ongeoorloofde **middelen*** by fair means or foul ⊡ ⟨sprw⟩ *in oorlog en liefde is alles geoorloofd* all's fair in love and war
geopend [bn] open(ed) ♦ *geopend **van** 9 **tot** 5* open from 9 to 5; *een geopend **venster*** an open window; *een vergadering (voor) geopend **verklaren*** call a meeting to order, open a meeting; *een tentoonstelling (voor) geopend **verklaren*** declare an exhibition open, open an exhibition; *geopend **voor** het publiek* open to the public
geoplastiek [de^{v}] geotectonics, global tectonics
^{1}**geopolitiek** [de^{v}] geopolitics
^{2}**geopolitiek** [bn] geopolitical
^{1}**geordend** [bn] ⟨in een orde opgenomen⟩ classified, filed, seriate(d)
^{2}**geordend** [bn, bw] ⟨waarin orde is⟩ (well-)ordered, regulated, orderly, ⟨bijwoord⟩ in an orderly manner ♦ *een goed geordend **bedrijf*** a well-regulated business; *zich geordend **bewegen*** move/walk in an orderly manner/fashion; *een geordende **economie*** a planned economy; *de geordende **samenleving*** a (well-)ordered/orderly society
georeer [het] [1] ⟨het voortdurend oreren⟩ orating, haranguing, declamation, holding forth [2] ⟨hoogdravend gepraat⟩ harangue, oration, ⟨inf⟩ spouting
georefereren [ov ww] georeferencing
georganiseerd [bn] [1] ⟨tot één lichaam verenigd⟩ organized, integrated ♦ *de georganiseerde **misdaad*** organized crime; *het georganiseerd **verzet*** organized resistance [2] ⟨bij een (vak)organisatie aangesloten⟩ organized, unionized ♦ *georganiseerde **werknemers*** organized/unionized labour; *georganiseerd **zijn*** ⟨bedrijf⟩ be unionized, ⟨mens⟩ be a union member; *niet georganiseerd **zijn*** not be unionized, be non-union/outside the union [3] ⟨van organen voorzien⟩ organized ♦ *de georganiseerde **natuur*** organized nature [4] ⟨m.b.t. reizen⟩ package, organized ♦ *een georganiseerde **reis*** a package tour/holiday ⊡ *het Georganiseerd **Overleg*** ± civil service pay review body
georganiseerdheid [de^{v}] organization
Georgië [het] Georgia
Georgiër [de^{m}], **Georgische** [de^{v}] Georgian
^{1}**Georgisch** [het] Georgian
^{2}**Georgisch** [bn] Georgian

Georgië	
naam	*Georgië* **Georgia**
officiële naam	*Republiek Georgië* **Georgia**
inwoner	*Georgiër* **Georgian**
inwoonster	*Georgische* **Georgian**
bijv. naamw.	*Georgisch* **Georgian**
hoofdstad	*Tbilisi* **Tbilisi**
munt	*lari* **lari**
werelddeel	*Azië* **Asia**
int. toegangsnummer **995** www.**ge** auto **GE**	

Georgische [de^{v}] → **Georgiër**
georiënteerd [bn] [1] ⟨gericht op, naar⟩ oriented, orientated ♦ *een **internationaal** georiënteerde krant* a newspaper with an international outlook; ***links** georiënteerd zijn* have leftist tendencies, be leftist; *de export was georiënteerd **op** Europa* exports were oriented/directed towards Europe; *hij is **socialistisch** georiënteerd* he has socialist leanings; ***theoretisch** georiënteerd onderwijs* theoretically oriented/biased education [2] ⟨geïnformeerd⟩ oriented ♦ *hij bleek **goed/slecht** georiënteerd* he appeared to be well/badly oriented
geostatica [de^{v}] geostatics
geostationair [bn] ⟨ruimtev⟩ geostationary, synchronous
geosynclinaal [de^{m}] geosyncline
geosynclinale [de] geosynclinal, geosyncline
geotechniek [de^{v}] geotechnics
geotechnologie [de^{v}] geotechnology
geotektoniek [de^{v}] geotectonics, tectonic/structural geology
geothermie [de^{v}] geothermal/geothermic study, study of geothermal/geothermic conditions
geothermisch [bn] geothermal, geothermic ♦ *geothermische **afstand*** geothermal distance/gradient; *geothermische **gradiënt*** geothermal gradient
geotropie [de^{v}] geotropism
geotropisch [bn] geotropic ♦ *geotropische **krommingen*** geotropic curvature; *geotropische **plantendelen*** parts of the plant responding to (geo)tropic stimuli
geotropisme [het] geotropism
geoutilleerd [bn] equipped, furnished, fitted (out) ♦ *een goed geoutilleerde **keuken*** a well equipped/well appointed kitchen; *een volledig geoutilleerde **werkplaats*** a fully equipped work-shop/work-room
geouwehoer [het] ⟨inf⟩ mush, crap, bull, (idle) chat(ter)/gossip, natter(ing) ♦ ***slap** geouwehoer* mush, crap, bull
geowetenschappen [de^{mv}] earth science(s), geoscience(s)
gep. [afk] (gepensioneerd) ret(d)
gepaard [bn] [1] ⟨in paren verdeeld⟩ paired, in pairs/twos ♦ ⟨plantk⟩ *gepaarde **bladeren*** leaves in opposite pairs; ⟨lit⟩ *gepaard **rijm*** rhyming couplet(s) [2] ⟨vergezeld⟩ coupled (with), accompanied (by), attendant (on), attached (to) ♦ *de risico's die daarmee gepaard **gaan*** the risks involved; *macht en corruptie **gaan** vaak (met elkaar) gepaard* power and corruption often go hand in hand; *de ouderdom en de daarmee gepaard **gaande** gebreken* old age and its attendant/concomitant infirmities; *de daarmee noodzakelijk gepaard **gaande** tariefverhoging* the consequent(ial) rate increase, the rate increase necessitated by this; *de liefde voor de natuur die daarmee gepaard **gaat*** the love of nature that goes with it; *het ging **met** veel lawaai gepaard* it was accompanied by a lot of noise; *dat gaat **met** grote kosten gepaard* that involves considerable expense; *werkloosheid gepaard gaande **met** hoge inflatie* unemployment coupled with high inflation; *de overlast die gepaard gaat **met** een verbouwing* the nuisance associated with/connected with/caused by alterations; *dat gaat gepaard **met** allerlei ongewenste effecten* it has all sorts of un-

desirable effects/consequences; *hij liet zijn woorden gepaard gaan **met** heftige gebaren* he accompanied his words with wild gestures

gepakt [bn] [•] *gepakt en **gezakt*** all ready (and raring) to go

gepalaver [het] ⟨in België⟩ palavering

gepantserd [bn] [1] ⟨geharnast⟩ armoured, in armour ♦ *gepantserde **ruiterij*** armoured cavalry [2] ⟨met een stevige bedekking⟩ armoured, armour-plated, armour-clad ♦ *gepantserd **dier*** loricate (animal); *gepantserd **glas*** bulletproof glass; *een gepantserd **schip*** an armour-plated/armour-clad vessel/ship; ⟨fig⟩ *gepantserd **tegen*** steeled against

geparaffineerd [bn] paraffined, paraffin-treated

gepareld [bn] pearled, beaded ♦ *geparelde **gerst*** pearl barley

geparenteerd [bn] related, connected ♦ *geparenteerd zijn **aan*** be related to, be a relation of

geparfumeerd [bn] [1] ⟨waaraan parfum is toegevoegd⟩ perfumed, scented, fragrant ♦ *geparfumeerde **zeep*** scented/fragrant soap [2] ⟨parfum gebruikt hebbend⟩ perfumed, scented ♦ *geparfumeerde **dames*** perfumed/scented ladies

gepassioneerd [bn] passionate, impassioned ♦ *hij is een gepassioneerd **schaakspeler*** he is a keen chess-player; *gepassioneerd **voor** iets zijn* be passionately fond of sth., have a passion for sth., be keen on sth.

gepassioneerdheid [de^v] passionateness

gepast [bn, bw] [1] ⟨fatsoenlijk, geschikt⟩ fit ⟨bw: ~ly⟩, (be) fitting, becoming, suitable, proper, appropriate ♦ *hij gaf een gepast **antwoord*** he gave an apposite answer/a Roland for an Oliver; *met gepaste **bescheidenheid** antwoorden* answer with becoming/due modesty; *de gepaste **maatregelen** nemen* take the appropriate measures; *(niet) op het gepaste **moment*** (not) at the right moment, in/out of season; *dat is **niet** gepast/**niet** gepast voor een dame* that is not done/is unladylike; *ik **vond** het gepast dat te doen* I saw/thought fit to do that, it seemed only right to do that; *met gepaste **woorden** vertelde hij het verhaal* he found the right words for his story [2] ⟨in de verlangde hoeveelheid⟩ exact ⟨bw: ~ly⟩, apportioned ♦ *met gepaste **eerbied*** with due respect; *met gepast **geld** betalen* pay the exact money, have the exact money ready; pay the right change

gepatenteerd [bn] [1] ⟨met een patent⟩ patent ♦ ⟨fig⟩ *een gepatenteerd **leugenaar*** a patent/an arrant liar [2] ⟨geoctrooieerd⟩ patent(ed), proprietary ♦ *een gepatenteerd(e) **artikel/uitvinding*** a patent, a patent item/invention

gepavoiseerd [bn] hung with flags, decked out with flags ♦ *gepavoiseerde **schepen/molens*** ships/windmills hung with/decked out with flags

gepeesd [bn] [1] ⟨met (krachtige) pezen⟩ sinewy, tendinous, wiry [2] ⟨met een pees gespannen⟩ stringed

gepeins [het] musing(s), meditation(s), pondering ♦ ***in** gepeins verzonken (zijn)* (be) lost in thought

gepekeld [bn] salt, corned

gepeld [bn] peeled, ⟨graan, rijst⟩ hulled, husked, ⟨eieren, noten, garnalen⟩ shelled

gepen [het] writing ♦ *mijn hand is lam **van** al dat gepen* my hand is numb from all that writing

gepend [bn] [1] ⟨met puntige spitsen⟩ spiky, spiked [2] ⟨met pennen bevestigd⟩ pinned, rivetted

gepensioneerd [bn] retired, ⟨ook fig⟩ superannuated ♦ *gepensioneerde **leerkrachten*** retired/pensioned-off teachers

gepensioneerde [de] (old age) pensioner, ⟨AE⟩ retiree, ⟨euf; AE⟩ golden-ager

gepeperd [bn] [1] ⟨met (veel) peper bereid⟩ peppery, peppered ♦ ***flink** gepeperd* very peppery, highly seasoned; *een gepeperd **sausje*** a peppery/highly seasoned sauce [2] ⟨fig⟩ peppery, salted, highly seasoned, spicy ♦ *een gepeperde **rekening*** a steep bill; *gepeperde **taal uitslaan*** use strong language; *gepeperde **verhalen/anekdotes*** spicy stories/anecdotes [3] ⟨gespikkeld⟩ grey-speckled, ⟨AE⟩ gray-speckled

geperforeerd [bn] [1] ⟨doorboord⟩ perforated, ⟨biol ook⟩ perforate ♦ *een geperforeerde **schelp*** a perforate shell [2] ⟨m.b.t. papier⟩ perforated ♦ *geperforeerde **bladen** papier* sheets of perforated paper

gepermitteerd [bn] permitted ♦ ⟨in België; euf⟩ ***niet** gepermitteerd* ⟨BE⟩ not done; ⟨ogm⟩ highly improper/indecent; *het is **niet** gepermitteerd* it's not on

gepersonifieerd [bn] personified, incarnate ♦ *hij is de gepersonifieerde **haat*** he is hatred personified/incarnate; *de gepersonifieerde **Zomer*** Summer personified

gepeupel [het] mob, rabble, ⟨minder pej⟩ riff-raff, populace ♦ *er was een **oploop** van het gepeupel* a mob had gathered; *toen nam het gepeupel het recht in eigen handen* then mob justice/law reigned, there was mob rule then

gepeuter [het] [1] ⟨het peuteren⟩ fiddling, ⟨neus, tanden⟩ picking ♦ *schei uit met dat gepeuter **in** je neus* stop picking your nose [2] ⟨gepriegel⟩ tinkering (at/with), fiddling (with) [3] ⟨zeer klein schrift⟩ tiny writing

gepieker [het] [1] ⟨getob⟩ brooding, worrying [2] ⟨ingespannen denken⟩ puzzling, cudgelling (of) one's brains

gepiep [het] [1] ⟨geknars⟩ squeak(ing) [2] ⟨dierengeluid⟩ ⟨van een jonge vogel⟩ peep(ing), chirp, chirrup, cheep(ing), ⟨van een muis⟩ squeak(ing), ⟨schril⟩ squeal(ing), ⟨van angst/pijn ook⟩ screech(ing)

gepikeerd [bn] piqued, nettled, sore, resentful ♦ *gepikeerd **antwoorden*** answer resentfully; *zich gepikeerd **voelen*** go into a huff; *gauw gepikeerd **zijn*** be touchy/te(t)chy

gepikeerdheid [de^v] pique ♦ ***uit** gepikeerdheid* in a fit of pique

gepikt [bn, bw] ⟨inf⟩ sore, piqued, resentful ♦ *hij **reageerde** gepikt* he was sore (over); *in zijn kuif gepikt **zijn*** be in a huff, have gone into a huff

gepingel [het] [1] ⟨het afdingen⟩ haggling, bargaining, chaffering, higgling [2] ⟨geluid⟩ ⟨tokkelinstrument⟩ thrum(ming), twang(ing), ⟨motor⟩ pinking, knocking

gepit [bn] ⟨van een gulp⟩ button (fly)

geplaatst [bn] [1] ⟨waarvoor een plaats gevonden is⟩ ⟨fin⟩ subscribed, ⟨alg⟩ placed ♦ *geplaatst **kapitaal*** issued/subscribed capital; *die **opmerking** was niet erg geplaatst* your remark was rather out of place; ⟨jur⟩ *niet-geplaatste **schuldbrieven*** non-subscribed debenture bonds [2] ⟨op zijn plaats⟩ appropriate, apposite [3] ⟨sport; naar de volgende ronde⟩ qualified, qualifying ♦ *de geplaatste **clubs*** the qualifying clubs; ***laagst/lager/hoger** geplaatst* junior, senior [4] ⟨sport; rangorde bij tennis⟩ seeded ♦ ***niet** geplaatst* unseeded; *een geplaatste **speler*** ⟨ook, i.h.b. tennis⟩ a seed; *als eerste geplaatste **speler*** ⟨tennissport⟩ top seed [5] ⟨sport; een prijs behaald hebbend⟩ placed ♦ ***niet** geplaatst* unplaced

geplak [het] [1] ⟨het plakken⟩ sticking [2] ⟨het blijven zitten⟩ lingering, staying on

geplas [het] splash(ing)

geplaveid [bn] paved [•] ⟨sprw⟩ *de weg naar de hel is geplaveid met goede voornemens* the road to hell is paved with good intentions

geplekt [bn] spotted, flecked, ⟨met kleine vlekken⟩ dappled, ⟨fruit⟩ specked

geplisseerd [bn] (accordion-)pleated, ⟨met platte plooien⟩ knife-pleated

geploeter [het] [1] ⟨het geplas in water, modder⟩ splashing [2] ⟨gezwoeg⟩ drudgery, toil(ing), slaving, ⟨zonder veel resultaat⟩ plodding

geplogenheid [de^v] ⟨in België⟩ habit, custom

gepluimd [bn] [1] ⟨gevederd⟩ feathered, plumed [2] ⟨met pluimen⟩ feathered, feathery, plumed, plumy ♦ *een gepluimde **muts*** a feathered cap

gepneumatiseerd [bn] ⟨med⟩ pneumatized

gepoch [het] boast(ing(s)), bragging

gepocheerd [bn] [1] ⟨m.b.t. eieren⟩ poached [2] ⟨m.b.t. vis, vlees⟩ poached

gepoft [bn] [1] ⟨eetwaren⟩ ⟨aardappelen, kastanjes⟩ roast, ⟨rijst, tarwe⟩ puffed ♦ *gepofte **maïs*** popcorn [2] ⟨kleding⟩

⟨kledingstuk⟩ full, ⟨mouw ook⟩ puffed

gepokt [bn] ▪ *gepokt en* ***gemazeld*** *zijn* be tried and tested; be an old hand/pro (at sth.)

gepolariseerd [bn] ⟨natuurk⟩ ▪ *gepolariseerde* ***atomen*** polarized atoms; *gepolariseerd* ***licht*** polarized light

geporteerd [bn] ▪ *geporteerd* ***zijn voor*** *iemand/iets* be (very much) taken with s.o./sth., be prejudiced/biased in favour of s.o./sth.; *sterk/weinig geporteerd* ***zijn*** *voor iemand/iets* take a strong/not much interest in s.o./sth.

geportretteerde [de] subject of a/the portrait, (the) person portrayed

geposeerd [bn, bw] ⟨form⟩ sedate ⟨bw: ~ly⟩, steady, staid, composed ♦ *een geposeerd* ***man*** a sedate man; *geposeerd* ***spreken*** speak composedly/with composure

gepraal [het] showing off, flaunt(ing)

gepraat [het] 1 ⟨het praten⟩ talking ♦ *gepraat* ***over*** *het werk* shoptalk; *over en weer gepraat* toing and froing 2 ⟨praatjes⟩ talk, gossip, chat, (tittle-)tattle ♦ *hun huwelijk leidde tot* ***veel*** *gepraat in de buurt* their marriage caused a lot of talk in the neighbourhood

gepredisponeerd [bn] predisposed (to)

geprefabriceerd [bn] prefabricated, ⟨inf⟩ prefab ♦ *geprefabriceerde* ***betonelementen*** precast concrete modules; *geprefabriceerde* ***woningen*** prefabs, prefab houses

gepreoccupeerd [bn] 1 ⟨vooringenomen⟩ biased/prepossessed in favour of 2 ⟨door gedachten in beslag genomen⟩ preoccupied with/by

gepresseerd [bn] pressed (for time), in a hurry ♦ ***ik ben*** *niet gepresseerd* I am not in a hurry

geprevel [het] mumbling, muttering, murmuring, (a) mumble, (a) mutter

gepriegel [het] finicking, finicky work, ⟨schrift⟩ scrawling, scribbling

geprikkeld [bn] irritated, irritable, huffish, huffy ♦ *hij* ***reageerde*** *nogal geprikkeld op ons voorstel* he reacted rather irritably to our proposal; *een geprikkelde* ***sfeer*** a tense atmosphere; *in een geprikkelde* ***stemming*** in an irritable mood; *gauw geprikkeld* ***zijn*** be huffish/huffy

geprikkeldheid [de^{v}] irritation, irritability

geprivilegieerd [bn] privileged ♦ *geprivilegieerde* ***schuld*** preferential/preferred debt

geprofest [bn] ⟨r-k⟩ professed

geprogrammeerd [bn] programmed, ⟨AE⟩ programed ♦ *geprogrammeerde* ***instructie*** programmed instruction/learning

gepromoveerd [bn] 1 ⟨bevorderd⟩ promoted, ⟨tot de doctorsgraad⟩ admitted to the degree of doctor 2 ⟨de doctorsgraad bezittend⟩ holding a doctor's degree, having one's doctorate

gepromoveerde [de] doctor

gepronk [het] ostentation, showing off

[1]**geprononceerd** [bn, bw] ⟨duidelijk uitkomend, sprekend⟩ pronounced ⟨bw: ~ly⟩, marked, unmistakable ♦ *een geprononceerd* ***karakter*** a pronounced character; *een geprononceerde* ***meerderheid*** a strong majority; *een geprononceerde* ***mening*** *hebben (over)* hold strong views on/about, feel strongly about; *geprononceerde* ***trekken*** pronounced features; *een geprononceerd* ***verschil*** a marked difference

[2]**geprononceerd** [bw] ⟨uitgesproken⟩ positively, decidedly ♦ *zij is geprononceerd* ***lelijk*** she is positively/downright ugly

geprononceerdheid [de^{v}] markedness

geproportioneerd [bn] proportioned ♦ ***goed*** *geproportioneerd* well-proportioned; ***slecht*** *geproportioneerd* badly proportioned, out of proportion

geprotesteerd [bn] ▪ ⟨handel⟩ *een geprotesteerde* ***wissel*** a protested bill (of exchange)/draft

gepruikt [bn] (be)wigged

gepruil [het] pouting, sulkiness, sulking, (a) sulk

gepruts [het] mess(ing about), botch-up, fiddle, fiddling

gepruttel [het] 1 ⟨het pruttelend koken⟩ simmer(ing) 2 ⟨gemor, gemopper⟩ grumbling, mutter(ing) 3 ⟨m.b.t. motor⟩ ⟨onregelmatig⟩ sputter(ing), ⟨regelmatig⟩ (soft) purr(ing)

gepuf [het] puffing, blowing

gepunt [bn] 1 ⟨in een punt eindigend⟩ pointed ♦ *gepunte* ***bladeren*** lanceolate/attenuate leaves; *een gepunte* ***lans*** a tapered lance 2 ⟨scherp, spits⟩ pointed

gepunteerd [bn] ⟨muz⟩ ▪ *gepunteerde* ***noten*** dotted notes

gepurperd [bn] purpled

ger [de^{m}] ger, yurt

geraakt [bn] 1 ⟨beledigd⟩ offended, hurt ♦ *geraakt zijn* ***over*** be offended/hurt by; *hij antwoordde op geraakte* ***toon*** he sounded offended/hurt when he answered 2 ⟨ontroerd⟩ moved, touched ♦ ***snel*** *geraakt* touchy

geraaktheid [de^{v}] 1 ⟨verstoordheid⟩ irritation, pique 2 ⟨ontroering⟩ emotion

geraamte [het] 1 ⟨skelet⟩ skeleton ♦ *de* ***structuur*** *van het geraamte* ⟨ook⟩ the skeletal structure; ⟨fig⟩ *een* ***wandelend/levend*** *geraamte* a walking/living skeleton 2 ⟨fig⟩ ⟨alg⟩ frame(-work), ⟨van een schip ook⟩ carcass, shell, ⟨van een vliegtuig ook⟩ body (frame), ⟨van een gebouw ook⟩ shell, ⟨na catastrofe⟩ skeleton ♦ ⟨fig⟩ *het geraamte van een* ***roman*** the plot of a novel; ***zonder*** *geraamte* frameless

geraas [het] 1 ⟨het telkens razen⟩ raging 2 ⟨kabaal, rumoer⟩ din, roar(ing), noise ♦ *het geraas van* ***machines/van de storm*** the roar of machines/of the storm; *met* ***veel*** *geraas de trap afstormen/in elkaar storten* come crashing/thundering down the stairs, come crashing down

geraaskal [het] ravings

gerace [het] racing, speeding ♦ *het gerace* ***op*** *die weg/****in*** *mijn auto* the speeding on that road/in my car

geradbraakt [bn] 1 ⟨(zich) gebroken (voelend)⟩ exhausted, shattered, ↓dead-beat, ↓bushed ♦ ***ik kwam*** *daar geradbraakt* ***aan*** I arrived there dead-beat 2 ⟨verknoeid⟩ broken ♦ *geradbraakt* ***Frans*** broken French

geraden [bn, bw] advisable ⟨bw: advisably⟩, expedient ♦ *dat* ***is*** *je geraden ook!* you'd better!; *het* ***is*** *niet geraden om ...* it is inadvisable/inexpedient to ...; *het* ***is*** *je geraden dat te doen* you'd be well advised to do that; *het geraden* ***vinden/achten*** *om ...* think/deem it advisable/expedient to

geraffel [het] ⟨spreken⟩ gabbling, ⟨schrijven⟩ scrawl

geraffineerd [bn, bw] 1 ⟨gezuiverd⟩ refined ♦ *geraffineerde* ***suiker*** refined sugar 2 ⟨verfijnd⟩ refined, subtle, sophisticated ♦ *geraffineerde* ***martelingen*** refined/exquisite tortures; *een geraffineerd* ***plan*** a subtle/an ingenious plan; *geraffineerde* ***smaak*** refined/sophisticated taste; *een geraffineerd* ***spelletje*** a subtle game 3 ⟨doortrapt⟩ crafty ⟨bw: craftily⟩, cunning, clever, wily ♦ *hij is een geraffineerde* ***bedrieger*** he is a clever cheat; *geraffineerd* ***gemeen*** utterly base/vile

geraffineerdheid [de^{v}] 1 ⟨verfijning⟩ refinement, subtlety, sophistication, ⟨m.b.t. vakmanschap⟩ workmanship, craftsmanship 2 ⟨doortraptheid⟩ craftiness, cunning, cleverness, wiliness

geraken [onov ww] ⟨form⟩ attain

geramd [bn] ▪ *geramd* ***zitten*** have it good; be sitting pretty

gerammel [het] rattle, rattling, clank(ing) jingling, clatter(ing)

gerand [bn] ⟨kleed, borden⟩ bordered, ⟨kant, kraag⟩ edged

geranium [de] ⟨plantk⟩ 1 ⟨ooievaarsbek⟩ geranium ♦ ***achter*** *de geraniums zitten* ⟨oud⟩ be sitting around waiting to die; ⟨werkloos⟩ be sitting around idly 2 ⟨pelargonium⟩ geranium, pelargonium

geraniumachtigen [de^{mv}] geraniaceae

gerant [de^{m}] manager

gerasp [het] 1 ⟨het telkens raspen⟩ grating, rasping 2 ⟨het schrapen van de keel⟩ clearing, hawking

geratel [het] ① ⟨het ratelen⟩ rattle, rattling, clatter, rumble, rumbling ② ⟨het snel spreken⟩ rattle, rattling, chatter(ing)

gerbera [de] gerbera, Transvaal/Barberton daisy

gerbil [de^{m}] gerbil

gerecht [het] ① ⟨eten⟩ ⟨schotel⟩ dish, ⟨deel van een maaltijd⟩ course ◆ *er was een **keur** van gerechten* there was a choice of dishes; *men **krijgt** slechts één gerecht* only one course is offered/given; *als **volgende** gerecht hebben we ...* the next course is ..., as a course to follow we have ... ② ⟨rechtbank⟩ court (of justice), court of law, lawcourt, tribunal ◆ ***voor** het gerecht* on trial; ***voor** het gerecht verschijnen* appear in court; *iemand **voor** het gerecht brengen* bring s.o. to court/to trial; ⟨inf⟩ have s.o. up; ***voor** het gerecht gedaagd worden* be summoned (to appear in court); *een zaak **voor** het gerecht brengen* take a matter into court, submit a case to court ③ ⟨personen die de justitie vertegenwoordigen⟩ judicial authorities, (the) judiciary ◆ *iemand **aan** het gerecht overleveren* hand s.o. over to the judicial authorities; *het gerecht **komt** om de goederen te verzegelen* the bailiffs are coming to put the goods under seal

¹**gerechtelijk** [bn] ① ⟨van het gerecht uitgaand⟩ judicial, legal, court ◆ *het gerechtelijke **apparaat*** the judicial system; *een gerechtelijke **dwaling*** a miscarriage of justice; *een gerechtelijk **onderzoek** instellen* open a judicial inquiry ② ⟨m.b.t. het gerecht⟩ forensic, legal ◆ *gerechtelijke **geneeskunde*** forensic medicine ③ ⟨voor het gerecht geschiedend⟩ judicial, legal, court ◆ *gerechtelijk **bevel/verbod/schrijven*** injunction, interdiction, writ; *gerechtelijke **dagvaarding*** summons, ⟨vnl AE⟩ subpoena; *gerechtelijke **inbeslagneming*** seizure/confiscation/impounding (by the court); *gerechtelijke **procedure*** judicial/legal procedure; *gerechtelijke **stappen** ondernemen* take legal action/proceedings; *een gerechtelijk **verhoor*** a judicial/court hearing; *gerechtelijke **verkoop*** compulsory sale, sale under execution; *gerechtelijke **vervolging*** prosecution, (legal) proceedings, legal action; *een gerechtelijk **vonnis*** a judgment, a (judicial) sentence, findings of a/the court

²**gerechtelijk** [bw] ⟨in recht⟩ legally, judicially, by legal process ◆ *iemands bezittingen/boedel gerechtelijk (laten) **verkopen*** sell s.o.'s goods under execution, sell s.o. up; *iemand gerechtelijk **vervolgen*** take/institute (legal) proceedings/take legal action against s.o., bring an action against s.o.; ⟨vanwege staat⟩ prosecute s.o.

gerechtigd [bn] ① ⟨het recht hebbend, bevoegd⟩ authorized, ⟨bevoegd⟩ qualified, entitled, ⟨jur⟩ empowered ◆ *ik reken mij **daartoe** gerechtigd* I consider myself entitled to (do) that; *hij **is** gerechtigd dat te doen* he is authorized/entitled/empowered to do that; *hij is gerechtigd **om** onderwijs te geven* he is authorized/qualified/entitled to teach; *hij is (niet) gerechtigd **om** te spelen/voor PSV uit te komen* he is (not yet) eligible/entitled to play for PSV; *gerechtigd zijn **tot** het innen van een cheque* be authorized/entitled/empowered to cash a cheque ② ⟨een recht hebbend in, op iets⟩ entitled (to), empowered (to), competent (to)

gerechtigde [de] (duly) authorized person, ⟨bevoegde⟩ qualified person

gerechtigheid [de^{v}] justice ◆ ***eindelijk** gerechtigheid* justice at last!, God's in his heaven; *de gerechtigheid **Gods*** divine justice; ***naar** recht en gerechtigheid* rightfully, in justice; *de **wrekende** gerechtigheid* nemesis; *het **zwaard** van de gerechtigheid* the sword of justice

gerechtsauditeur [de^{m}] ± judge's assistant, ± assistant to the bench

gerechtsbode [de^{m}] usher

gerechtsdag [de^{m}] day on which a/the court is in session, ⟨m.b.t. bepaalde zaak⟩ day/date of a trial, day/date of the trial

gerechtsdeurwaarder [de^{m}] bailiff, process server

gerechtsdienaar [de^{m}] police officer

gerechtsgebouw [het] court(house)

gerechtshof [het] ① ⟨rechterlijk college⟩ court (of justice) ◆ ***Europees** Gerechtshof* European Court of Justice; ***Internationaal** Gerechtshof* International Court of Justice; *Hoog **Militair** Gerechtshof* ± court-martial ② ⟨gebouw⟩ court(house) ③ ⟨in België; rechtbank⟩ court (of law)

gerechtskind [het] ⟨in België⟩ ward of court

gerechtskosten [de^{mv}] ① ⟨proceskosten⟩ (legal) costs ② ⟨vacatiegelden⟩ (legal) fee(s)

gerechtsoefening [de^{v}] administration of justice

gerechtssecretaris [de^{m}] ± clerk of the court, (court) registrar

gerechtvaardigd [bn, bw] justified, warranted, legitimate ◆ *dat vind ik een gerechtvaardigde **afwijzing*** I think the refusal was justified; *gerechtvaardigde **eisen*** just/legitimate claims; *gerechtvaardigd **optimisme*** justifiable optimism; *gerechtvaardigde **trots/twijfel*** justifiable pride/doubt; *gerechtvaardigde **verlangens*** legitimate demands/aspirations; *gerechtvaardigde **verwachtingen*** reasonable expectations

gerechtvaardigdheid [de^{v}] justness, justice, legitimacy

geredeneer [het] arguing, quibbling, ⟨inf⟩ toing-and-froing, ⟨BE⟩ argy-bargy

gereed [bn] ① ⟨klaar voor een handeling⟩ (all) ready, ↑ prepared ◆ *gereed **voor*** ready for ② ⟨klaar, af⟩ (all) ready, finished, ⟨m.b.t. werk; inf⟩ done ③ ⟨contant⟩ ready, cash ◆ *gerede **betaling*** cash payment; *gereed **geld*** ready cash ⊡ *een gerede **aanleiding** om ...* a convenient opportunity to ...; ⟨jur⟩ *de meest gerede **partij*** ± plaintiff, ± complainant; ⟨alg⟩ either party

gereedheid [de^{v}] readiness ◆ *alles is **in** gereedheid* all is in readiness; *alles **in** gereedheid brengen* get everything ready/in readiness; ⟨fig ook⟩ clear the decks for action

gereedhouden [ov ww] hold/keep/have ready (for), hold/keep/have in readiness (for), hold/keep/have prepared (for) ◆ *gepast **geld** gereedhouden, s.v.p.* have the exact fare ready, please; ***plaatsbewijzen** gereedhouden, s.v.p.* (have your) tickets (ready,) please; ***zich** gereedhouden (voor)* ⟨ook⟩ stand by (for)

gereedkomen [onov ww] be ready/finished ◆ *het **werk** komt van de zomer gereed* the work will be ready/finished in the summer; *op tijd gereedkomen* be ready/finished on time

gereedleggen [ov ww] put ready, lay out, put by (for s.o.) ◆ *ik zal de **boeken/kleren** gereedleggen* I'll put the books/clothes ready (for you), I'll lay the books/clothes out (for you)

gereedliggen [onov ww] be/lie ready, be waiting ◆ *de **biljetten** liggen voor u gereed* the tickets are ready/waiting for you

gereedmaken [ov ww] make/get ready, ↑ prepare ◆ *zich gereedmaken **om** er op uit te gaan* get ready to go; ***voor** gebruik gereedmaken* make/get ready/prepare for use

gereedschap [het] ① ⟨vaak in samenstellingen; uitrusting⟩ tools, implements, equipment, apparatus, ⟨keuken⟩ utensils ◆ ***keuken**gereedschap* kitchen utensils; ***schrijf**gereedschap* writing implements/materials ② ⟨bepaald werktuig⟩ ◆ *een **stuk** gereedschap* a tool/an implement, a piece of equipment/apparatus; ***zonder** gereedschap kreeg hij het toch voor elkaar* he managed to get it done bare-handed ⊡ ⟨sprw⟩ *goed gereedschap is het halve werk* you need the right tools for the job

gereedschapskist [de] tool box/case/chest

gereedschapsmolen [de^{m}] revolving tool-rack

gereedschapsstaal [het] tool steel, high-carbon steel

gereedstaan [onov ww] be ready, be prepared, be in readiness, stand ready, stand prepared, stand in readiness, be waiting, ⟨persoon ook⟩ stand by ◆ *de **auto** staat gereed* the car is ready/waiting/ready and waiting; *gereedstaan **om** iets te gaan ondernemen* stand by/be ready to do sth.; *gereedstaan **voor** iemand* be ready/waiting for s.o./at s.o.'s disposal

gereedzetten [ov ww] put ready, lay/put out, put by

gereformeerd [bn] ⟨rel⟩ [1] ⟨kerkelijke groeperingen⟩ (Dutch) Reformed, ± Presbyterian ♦ *van gereformeerden **huize*** of (strict) Reformed upbringing/background; *een gereformeerd **predikant*** a Reformed/Calvinist minister [2] ⟨volgens de calvinistische leer⟩ Calvinist(ic) ♦ *een gereformeerde **opvoeding*** a Calvinist upbringing; *het gereformeerd **protestantisme*** Calvinism

gereformeerde [de] member of (a strict branch of) the Dutch Reformed Church, ± Free Presbyterian

¹geregeld [bn] [1] ⟨geordend⟩ regular, ⟨slag⟩ pitched ♦ *geregelde **troepen*** regular troops [2] ⟨ordelijk⟩ orderly, well-ordered, ⟨leven ook⟩ well-regulated ♦ *een geregeld **huishouden*** an orderly/a well-ordered household; *een geregeld **leven** gaan leiden* start leading an orderly/a well-regulated life, start keeping regular hours, settle down

²geregeld [bn, bw] ⟨regelmatig⟩ regular ⟨bw: ~ly⟩, constant, steady ♦ *een geregelde **aanvoer*** a constant/steady flow/supply; *een geregeld **bezoeker*** a regular visitor; *hij **komt** geregeld te laat* he is often/constantly late; *hij **voorzag** zich geregeld **van** nieuwe drank* he regularly stocked up on drink

geregeldheid [de^v] regularity, orderliness

gereglementeer [het] (over-)regimentation

gereglementeerd [bn] regulated, legalized, ⟨pej ook⟩ regimented ♦ *gereglementeerde **prostitutie*** legalized prostitution

gerei [het] ⟨vaak als 2e lid in samenstellingen⟩ gear, things, ⟨vissen⟩ tackle, ⟨keuken⟩ utensils, kit ♦ ***keuken**gerei* kitchen utensils; ***naai**gerei* sewing kit; ***pak** al dat gerei maar **bij elkaar*** just put all those things/that gear together; ***scheer**gerei* shaving things/kit; ***schrijf**gerei* writing materials; ***vis**gerei* fishing-tackle

gerekestreerde [de] ⟨jur⟩ respondent, opponent

gerekt [bn, bw] lengthy, long-drawn-out, ↑ protracted ♦ *een gerekt **akkoord*** a long-drawn-out/protracted chord; ⟨taalk⟩ *een gerekte **klinker*** a lengthened vowel

gerekwireerde [de] ⟨jur⟩ defendant

geremd [bn, bw] ⟨psych⟩ inhibited ⟨bw: ~ly⟩ ♦ *zich geremd **voelen*** feel inhibited

¹geren [het] running (around/about), rushing (around/about) ♦ *het was er een geren en **gedraaf*** there was a lot of rushing and running around

²geren [onov ww] ⟨schuin lopen⟩ slant ♦ *een gerende **rok*** a gored/flared skirt

³geren [ov ww] ⟨schuin uitlopend afknippen⟩ gore, insert a gore, insert gores

gerenommeerd [bn] renowned, illustrious, ⟨bedrijf⟩ reputable, noted, well-established ♦ *een gerenommeerd **hotel/adres*** a reputable hotel/address

gerepatrieerde [de] repatriate

gereputeerd [bn] renowned, illustrious, ⟨bedrijf enz.⟩ reputable, noted, well-established

gereserveerd [bn, bw] [1] ⟨terughoudend⟩ reserved ⟨bw: ~ly⟩, reticent, distant, aloof ♦ *een gereserveerde **houding** aannemen* keep one's distance, stand aloof; ⟨(nog) niet meedoen; inf⟩ hold back, refuse to commit o.s. [2] ⟨besproken⟩ reserved ⟨bw: ~ly⟩, booked ♦ *gereserveerde **plaatsen*** reserved seats

gereserveerdheid [de^v] reserve(dness), aloofness ♦ *zijn gereserveerdheid **laten varen/overwinnen*** abandon/overcome one's reserve

geresigneerd [bn, bw] resigned ⟨bw: ~ly⟩

gerespecteerd [bn] respected, esteemed

gereutel [het] (death-)rattle

geriater [de^m] geriatrician, geriatrist

geriatrie [de^v] geriatrics

geriatrisch [bn] geriatric ♦ *patiënt op de geriatrische **afdeling*** geriatric (patient)

geribd [bn] ribbed, ⟨stof ook⟩ corded, ⟨karton, plaatijzer enz.⟩ corrugated ♦ ⟨plantk⟩ *geribde **bladen/stengels/vruchten*** ribbed leaves/stalks/fruits; ⟨amb⟩ *een geribde **boekband*** a scored binding; *geribd **katoen*** corduroy; *geribde **moer*** a knurled nut; *geribd **papier*** corrugated paper

¹gericht [het] ⟨form⟩ judgment ♦ *het **jongste** gericht* the Last Judgment, Judgment Day, Doomsday

²gericht [bn, bw] [1] ⟨richting gegeven door te mikken⟩ directed (at/towards), aimed (at/towards), pointed (at/towards), oriented (towards), ⟨microfoon enz.⟩ directional ♦ *gerichte **antenne*** directional antenna; *de raketten staan gericht **op** het oosten* the missiles point east; *gericht **schieten** naar* fire at (s.o./into a crowd); *(niet) gericht **schot*** (un)aimed shot; *een **sociaal** gerichte instelling* a social welfare institution; ***ten hemel/tot** God gericht* heavenward; ⟨bijwoord⟩ heavenwards [2] ⟨fig; met een bepaalde intentie, opzet⟩ directed (at/towards), addressed (to), aimed (at/towards), specific, (goal-)oriented ⟨vaak ook onvertaald in het Engels⟩ ♦ *op de verkoop/toekomst gerichte **activiteiten*** commercial/forward-looking activities; *gerichte **maatregelen*** specific measures; *gericht **onderzoek*** goal-oriented/targeted research; ***op** het grote publiek gericht* aimed at/geared to/tailored to the general public; *sterk gericht zijn **op** de Amerikaanse markt* be primarily oriented/geared to(wards) the American market; *gerichte **vragen*** specific(ally chosen/selected) questions; ⟨die het antwoord suggereren⟩ leading questions; *gericht **zijn op*** be directed/aimed at/towards, be oriented towards, be ...-oriented [•] ⟨onderw⟩ *gericht **schrijven*** writing on set topics, (guided) compositions

gerichtheid [de^v] [1] ⟨oogmerk, intentie⟩ orientation, bias [2] ⟨geaardheid, neiging⟩ tendencies, leanings ♦ ***biseksuele** gerichtheid* bisexual tendencies/leanings

geridderd [bn] knighted

gerief [het] [1] ⟨gemak, genot⟩ convenience(s), comfort(s), ⟨i.h.b. m.b.t. een woonbuurt; form⟩ amenity (value), amenities ♦ *een **groot** gerief* great convenience; *gerief **hebben van*** avail o.s. of, enjoy the convenience of, have the benefit of, derive benefit from; ***ten** gerieve **van*** for the convenience/use/benefit of; ***weinig** gerief hebben* offer few conveniences/amenities/comforts [2] ⟨wat iemand prettig vindt⟩ pleasure, comfort, enjoyment ♦ ***aan** zijn gerief **komen*** be sexually satisfied, find/seek sexual satisfaction [3] ⟨gerei⟩ → **gerei**

geriefbosje [het] trees planted to provide wood for future use

geriefelijk [bn] → **gerieflijk**

geriefelijkheid [de^v] → **gerieflijkheid**

gerieflijk [bn, bw], **geriefelijk** [bn, bw] comfortable ⟨bw: comfortably⟩ ♦ *gerieflijk **ingericht*** comfortably furnished, with all mod cons; *een gerieflijke **woning*** a comfortable house

gerieflijkheid [de^v], **geriefelijkheid** [de^v] [1] ⟨het gemakkelijk zijn⟩ convenience, practicality, comfort [2] ⟨dat wat gemak oplevert⟩ convenience

gerieven [ov ww] ⟨form⟩ assist, be of help/assistance (to), suit/meet the convenience of ♦ *kan ik u soms gerieven **met** iets?* may I be of assistance?; ***om** de klanten **te** gerieven* to suit/meet the convenience of the customers; *hij **zal** u gaarne gerieven, als u zijn hulp nodig hebt* he will be (only too) pleased to assist you should you require his help

gerijm [het] [1] ⟨het voortdurend rijmen⟩ rhyming [2] ⟨rijmelarij⟩ doggerel, versifying

gerijpt [bn] [1] ⟨m.b.t. gewassen, granen enz.⟩ ripe(ned) ♦ *(zon)gerijpte **tomaten*** (sun-)ripe(ned) tomatoes [2] ⟨fig⟩ mature(d)

gerikketik [het] ⟨van horloge⟩ ticking, tick-tick, ⟨van hart⟩ pitapat, pitpat, pattering

gerild [bn] grooved

gerimpeld [bn] wrinkled, wrinkly, ⟨verschrompeld⟩ shrivelled, wizened, ⟨voorhoofd⟩ furrowed ♦ *een gerimpeld* *voorhoofd* a furrowed brow

gering [bn] [1] ⟨klein⟩ small, little ◆ *een gering **aantal*** a small number; *van geringe **afmetingen*** of small dimensions, small (in size); *niet **in** het geringste* not (in) the least/slightest; *(zeer) geringe **kans*** a (very) slim/slender/remote chance, ⟨inf⟩ a cat/snowball in hell's chance; *in geringe **mate*** to a small/limited degree/extent; ***niet** het geringste bewijs* not a shred of evidence; ***niet** het geringste idee/effect hebben* not have the slightest idea, ⟨inf⟩ not have the foggiest idea/the slightest effect; *zonder ook maar de geringste **twijfel*** beyond/without the shadow of a doubt, without a shadow of doubt; *de schade was/de kosten **waren** gering* damage was slight/minor, the cost was slight [2] ⟨onbeduidend⟩ petty, slight, minor, ⟨form⟩ scant ◆ *van geringe **afkomst/kwaliteit/waarde*** of low descent/poor quality/little value; *een gering **bedrag*** a petty/trifling sum; *dat is van geringe **betekenis*** that is of little importance, that matters little, that's a minor matter; ***bij/om** het minste of geringste* at/on the least/slightest provocation, at the slightest excuse; *een geringe **dunk** van iets/iemand hebben* think little/have a low opinion of sth./s.o.; ***het** (minste of) geringste bracht haar al van haar stuk* the slightest thing upset her; *een geringe **hoeveelheid*** a petty/trifling/meagre quantity; *da's **niet** gering/dat is geen geringe prestatie* that's quite sth./that's no mean achievement/feat; *daar **zou** ik niet al te gering **over denken*** I shouldn't make light of that, that's no small/laughing matter

geringd [bn] ringed, ⟨dierk⟩ banded, annulated

geringheid [dev] smallness, slightness, scantiness

geringschatten [ov ww] disparage, have a low/poor opinion of

geringschattend [bn, bw] disparaging ⟨bw: ~ly⟩, derogatory, ⟨m.b.t. personen ook⟩ slighting ◆ *iemand geringschattend **aanzien*** take a disparaging view of s.o.; *iemand geringschattend **bejegenen/behandelen*** slight s.o., be disparaging towards s.o., treat s.o. disparagingly; *niet zo geringschattend **doen*** not be so disparaging; *een geringschattend **oordeel** over* a disparaging opinion of; *zich geringschattend **uitlaten** over iets/iemand* be disparaging/derogatory about sth./s.o., slight s.o.

geringschatting [dev] disdain, contempt, disparagement ◆ ***blijk** van geringschatting* slight; *iemand een **blijk** van geringschatting geven* slight s.o.; ***met** geringschatting spreken over* speak slightingly/disparagingly of

gerinkel [het] ⟨bel, telefoon⟩ ring(ing), ⟨belletjes⟩ tinkle, tinkling, jingle, jingling, ⟨sporen, bestek, kopjes, geld enz.⟩ jingle, jingling, clink(ing), chink(ing), clatter(ing), ⟨cimbalen⟩ clash(ing), ⟨kettingen⟩ rattle, clank(ing), ⟨sabel⟩ rattle, rattling, ⟨bij het breken van glas/porselein⟩ crash

gerist [bn] [1] ⟨aan risten gebonden⟩ in a string ◆ *geriste **uien*** a string/strings of onions, onions in a string/in strings [2] ⟨afgerist⟩ stripped ◆ *geriste **bessen*** stripped (black/red) currants

geritsel [het] [1] ⟨zacht geluid⟩ rustling, rustle, ⟨dieren ook⟩ scuffling, ⟨bladeren ook⟩ stirring ◆ *het geritsel van een **muisje*** the rustling/scuffling of a mouse; *het geritsel van haar **rokken*** the rustling/rustle of her skirts [2] ⟨fig; het handig, slim te werk gaan⟩ fixing(-up), ⟨inf⟩ wangling

Germaan [dem] [1] ⟨mv; gesch⟩ Germans, Teutons [2] ⟨mv; huidige volkeren⟩ Germanic/Teutonic peoples [3] ⟨Duitser⟩ German

1Germaans [het] Germanic, Teutonic

2Germaans [bn] [1] ⟨m.b.t. de Germanen⟩ Germanic, Teutonic [2] ⟨m.b.t. de Germaanse taal⟩ (Proto-)Germanic ◆ *de Germaanse **klankverschuiving*** the Germanic sound shift

germaniseren [ov ww] Germanize, Teutonize

germanisme [het] Germanism

germanist [dem] German(ic) scholar, Germanist

germanistiek [dev] Germanic studies, Germanic philology, ⟨zeldz⟩ Germanics, Germanistics

germanistisch [bn] of Germanic studies, relating to Germanic studies, ⟨zeldz⟩ Germanistic

germanium [het] germanium ◆ *germanium **bevattend*** ⟨ook⟩ germanic

germanomanie [dev] Germanomania

gerochel [het] hawk(ing), ⟨van stervende⟩ (death-)rattle

geroddel [het] gossip(ing), scandalmongering, backbiting, tittle-tattle, talk

geroep [het] [1] ⟨het telkens roepen⟩ calling, shouting, crying, calls, shouts, cries ◆ *het geroep **om** een sterke man* the call for a strong man [2] ⟨het verheffen van de stem, keer dat iemand roept⟩ call, shout, cry ◆ *hij **hoorde** hun geroep niet* he did not hear their call/cry/cries/them calling; ***op** het geroep kwam iemand aanlopen* s.o. came running in response to/on hearing the cry

geroepen [bn] called ◆ *je komt **als** geroepen* you're just the person we need; ⟨inf⟩ you're just what the doctor ordered; *zich niet geroepen **voelen tot/om*** not feel called (upon) to, feel it incumbent (up)on one to; ⟨m.b.t. geestelijk ambt⟩ not have a calling to; *geroepen **zijn*** have a calling [•] ⟨sprw⟩ *velen zijn geroepen, maar weinigen uitverkoren* many are called, but few are chosen

geroepene [de] one with a calling

geroer [het] [1] ⟨het telkens roeren⟩ stirring [2] ⟨moeite⟩ (strenuous) effort

geroerd [bn] touched, affected, moved

geroezemoes [het] buzz(ing), hum, bustle, din ◆ *geroezemoes **in** de klas* the buzz(ing)/hum of voices in the classroom, bustle in the classroom, the classroom din; ***met** al dat geroezemoes kan ik jullie niet verstaan* I can't make out what you're saying over all the din; *een **opgewonden** geroezemoes klonk op uit de menigte* the crowd buzzed with excitement

gerokt [bn, bw] [1] ⟨rokkostuum dragend⟩ in (white tie and) tails, in/wearing evening dress, in a tailcoat, tailcoated [2] ⟨een bepaalde rok dragend⟩ skirted ◆ ***kort**gerokt* short-skirted [3] ⟨plantk⟩ tunicate(d), ⟨bol⟩ coated

gerommel [het] [1] ⟨het rommelen, dof geluid⟩ rumbling, rumble ◆ ⟨toneelaanwijzing⟩ *gerommel en **gestommel*** ⟨ook scherts⟩ alarms and excursions; *gerommel **in** de buik* rumbling in one's stomach, ⟨inf⟩ rumbling in one's belly, ⟨kind⟩ rumbling in one's tummy [2] ⟨het overhoophalen⟩ rummaging (about/around), rooting about/around ◆ *schei uit met dat gerommel **in** de kast* stop rummaging around in that cupboard [3] ⟨geknoei, geritsel⟩ messing about/around, fiddle, fiddling about/around, ⟨inf⟩ hanky-panky ◆ ⟨fig⟩ *gerommel **in** de marge* nibbling at the edge, tinkering; ⟨fig⟩ *dat is toch maar gerommel **in** de marge* ⟨ook⟩ it doesn't get to the heart of the matter/strike at the root of the problem, it's only going to have a marginal effect [4] ⟨het niet helemaal eerlijk handelen⟩ shady dealings

1gerond [bn] [1] ⟨alg⟩ rounded ◆ *fraaie geronde **vormen*** pretty rounded shapes [2] ⟨fonetiek⟩ rounded, labialized

2gerond [bw] ⟨fonetiek⟩ with lip-rounding

geronk [het] [1] ⟨zwaar rollend geluid⟩ droning, drone, ⟨luider⟩ roar(ing) [2] ⟨zwaar gesnurk⟩ snoring

geronnen [bn] ⟨bloed⟩ clotted, ⟨melk⟩ curdled ◆ *geronnen **bloed*** clotted blood; ⟨form⟩ gore [•] ⟨sprw⟩ *zo gewonnen, zo geronnen* easy come, easy go; lightly come, lightly go

gerontisme [het] senility

1gerontofiel [dem] gerontophile

2gerontofiel [bn] gerontophilic, gerontophile

gerontologie [dev] gerontology

gerontologisch [bn, bw] gerontological ⟨bw: ~ly⟩

gerontoloog [dem] gerontologist

gerookt [bn] [1] ⟨door roken geconserveerd⟩ smoked, ⟨haring ook⟩ kippered ◆ *een gerookte **haring*** a smoked herring; ⟨gezouten⟩ a kipper; *gerookt(e) **spek/vlees/worst/vis/paling/***

zalm/ham smoked bacon/meat/sausage/fish/eel/salmon/ham [2] ⟨vaag doorzichtig⟩ tinted ◆ *gerookt* ***glas*** tinted glass

geroutineerd [bn, bw] experienced, practised, ⟨AE⟩ practiced, seasoned ◆ *hij is er heel geroutineerd* ***in*** he's a past master/an old hand at it; *met een geroutineerd* ***gebaar*** with a practised movement; *een geroutineerde* ***kracht*** an experienced worker/employee; *zij* ***sprak*** *geroutineerd* she spoke in a practised/an experienced manner

gerst [de] [1] ⟨graangewas⟩ barley [2] ⟨zaad⟩ barley ◆ ***gepa-relde*** *gerst* pearl barley; ***gepelde*** *gerst* hulled/peeled barley, barley groats

gerstebier [het] barley beer

gerstebrood [het] barley bread

gerstekorrel [de^m], **gerstkorrel** [de^m] [1] ⟨korrel van gerst⟩ grain of barley, barleycorn [2] ⟨patroon in breisteek⟩ moss stitch [3] ⟨witte stof⟩ huckaback [4] ⟨klein gezwel⟩ sty(e)

gerstenat [het] ⟨scherts⟩ ⟨ogm⟩ beer

gerstepap [de] barley porridge, barley gruel

gerstkorrel [de^m] → **gerstekorrel**

gerstpellerij [de^v] pearling/hulling mill

gerubberd [bn] rubberized ◆ *gerubberd* ***katoenweefsel/nylonweefsel*** rubberized cotton/nylon fabric

gerucht [het] [1] ⟨praatje in omloop⟩ rumour ◆ *er* ***bereiken*** *ons geruchten dat* ... (unsubstantiated) reports are coming in that ...; *het gerucht* ***gaat*** *dat* ... there is a rumour/it is rumoured that ..., rumour/word has it that ...; ***hardnekkige*** *geruchten* persistent rumours; *het gerucht* ***kwam*** *van haar/bij haar vandaan* the rumour was spread/started by her; ***losse*** *geruchten* floating/idle rumours, hearsay; *geruchten* ***ontzenuwen/uit de wereld helpen*** squash/scotch/spike rumours; *je hoort de wildste geruchten* ***over*** *zijn dood* you hear the wildest rumours about his death; *er doen* ***tegenstrijdige*** *geruchten de ronde* conflicting rumours are going (a)round/circulating; *een* ***vals*** *gerucht* a false rumour; *toen* ***verspreid-de*** *zich het gerucht/ging het gerucht* ***rond*** *dat* ... then the rumour/it went round/it got about that ...; *geruchten* ***ver-spreiden/rondstrooien*** spread rumours (about); ***volgens*** *(de) geruchten* according to (unsubstantiated) reports, rumour/word has it that ...; *dat* ***zijn*** *maar geruchten* this is only hearsay, they are just rumours; *als de geruchten waar* ***zijn*** *dan* ... if what you hear is true, ... [2] ⟨voortgebracht geluid⟩ noise, sound ◆ *bij het* ***minste*** *gerucht* at the slightest noise/sound [•] ⟨sprw⟩ *wee de wolf die in een kwaad gerucht staat* give a dog a bad name and hang him; a good name is sooner lost than won

geruchtencircuit [het] bush telegraph, grapevine

geruchtenmolen [de^m] gossip factory, grapevine

geruchtenstroom [de^m] ⟨BE⟩ persistent rumours, ⟨AE⟩ rumor mill

geruchtmakend [bn] controversial, sensational, notorious ◆ *een geruchtmakend* ***interview*** a controversial/notorious interview, an interview that caused quite a stir; *een geruchtmakende* ***zaak*** ⟨ook⟩ a cause célèbre

gerugd [bn] ⟨vaak als 2e lid in samenstellingen⟩ -backed ◆ ***breedgerugd*** broad-backed

geruggensteund [bn], **gerugsteund** [bn] [1] ⟨van achteren gestut⟩ supported [2] ⟨bijgestaan⟩ supported (by), backed (up) (by)

gerugsteund [bn] → **geruggensteund**

geruim [bn] considerable ◆ *geruime* ***tijd*** a/some considerable time, a good while, a (good) length of time

geruis [het] [1] ⟨het telkens ruisen⟩ rustling, rustle, ⟨water, hart⟩ murmur, ⟨wind⟩ whispering, soughing [2] ⟨(onduidelijk) geluid⟩ noise [3] ⟨ongewenst (bij)geluid⟩ noise

geruisarm [bn] low-noise

geruisloos [bn, bw] noiseless ⟨bw: ~ly⟩, silent, soundless, ⟨fig; bijwoord⟩ quietly ◆ ⟨fig⟩ *het plan* ***verdween*** *geruisloos onder tafel* the plan was quietly dropped; ⟨fig⟩ *geruisloos van het toneel* ***verdwijnen*** slip out of the picture; *geruisloos* ***weggaan*** leave silently, without a sound, noiselessly; ⟨fig⟩ *iemand geruisloos uit de weg ruimen* quietly dispose of s.o.

geruit [bn] [1] ⟨m.b.t. stoffen⟩ check(ed), ⟨form⟩ chequered, ⟨AE⟩ checkered ◆ *een geruite* ***rok*** a check(ed) skirt; *geruite* ***stof*** check(ed material); *geruite Schotse (wollen)* ***stof*** tartan (material); ***zwart-wit*** *geruite stof* black-and-white check(ed material) [2] ⟨heral⟩ lozengy ◆ *geruit* ***van*** *zilver en rood* lozengy argent and gules

gerundium [het] (Latin) gerund

gerundivum [het] gerundive

[1]**gerust** [bn] [1] ⟨kalm omdat men niet hoeft te vrezen⟩ easy, at ease, unperturbed ◆ ***ik ben*** *niet gerust zolang zij niet thuis is* I can't feel/rest easy/my mind won't be at rest until she's home; *ik ben er (helemaal) niet gerust* ***op*** I am not (at all) happy/easy about it; *een gerust* ***geweten/gemoed*** an easy/a clear conscience/mind; *met een gerust* ***hart*** *de toekomst tegemoet zien* face the future calmly/with confidence, feel secure about one's future; ***wees*** *daar maar gerust op* (you can) set your mind at rest about that; *(****wees*** *maar) gerust, zij komt wel* rest assured that she's coming; ⟨inf⟩ don't worry, she'll come, she'll come all right; *u kunt gerust* ***zijn*** you can set your mind at rest/ease; *gerust* ***zijn*** *op iets* rest easy/feel confident about sth.; *niet gerust* ***zijn*** *op iets* ⟨ook⟩ feel anxious/uneasy about/apprehensive of sth.; *je kunt (er) gerust (op)* ***zijn*** ... you can rest assured ... [2] ⟨rustig⟩ quiet, calm, peaceful, tranquil ◆ ⟨in België⟩ *iemand gerust* ***laten*** leave s.o. in peace/alone, let s.o. alone [3] ⟨door niets verontrust⟩ safe

[2]**gerust** [bw] [1] ⟨zonder bezwaar⟩ safely, with confidence, confidently, without any fear/problem ◆ *je kunt het gerust* ***aan*** *haar* ***overlaten*** you can safely leave that to her; *je kunt het gerust* ***aannemen*** *als hij het zegt* you can rest assured (of it) if he says so, you can rely on what he says; *ik* ***durf*** *gerust te zeggen dat .../die hond* ***aan te raken*** I don't hesitate to say that ..., I'm not afraid to touch that dog; ***ga*** *gerust je gang* (do) go ahead!, feel free to ..., you're welcome!; ***kom*** *gerust eens langs* feel free to drop in/by; *dat had je gerust* ***kunnen zeggen/doen*** it would have been perfectly all right for you to have said/done that; *je had gerust met ons mee* ***kunnen*** *gaan* you could certainly have come with us without any problem; *u* ***kunt*** *hem gerust* ***geloven*** rest assured/don't worry, you can believe him; *je* ***kunt*** *gerust* ***zeggen*** *dat* ... you can safely say/it is safe to say/it may safely be said that ...; *je* ***mag*** *gerust bij mij* ***komen wonen*** you're welcome to come and live at my place; ***vraag*** *gerust om hulp* don't hesitate/don't be afraid to ask for help; *je mag gerust* ***weten*** ... I don't mind telling you ... [2] ⟨niet gejaagd⟩ calmly, peacefully, easily

gerustheid [de^v] peace (of mind), calm(ness) ◆ *iets* ***met*** *gerustheid tegemoet zien* face sth. calmly/confidently/with confidence

geruststellen [ov ww] reassure, put/set (s.o.'s) mind at rest, put/set (s.o.'s) heart at rest, soothe, ease (s.o.'s) mind ◆ ⟨fig⟩ *zijn* ***geweten*** *geruststellen* ease one's conscience, ⟨form⟩ salve one's conscience; ⟨fig⟩ *iemands* ***geweten*** *geruststellen* soothe s.o.'s conscience; *stel* ***u*** *gerust* put/set your mind at rest

geruststellend [bn] reassuring, soothing ◆ *geruststellende* ***berichten*** reassuring reports; *een geruststellende* ***gedachte*** a comforting/reassuring thought; *het is een geruststellend* ***idee*** *dat* ... it's reassuring to know that ...; *op geruststellende* ***toon*** in a reassuring/soothing voice, soothingly

geruststelling [de^v] reassurance, comfort, ⟨opluchting⟩ relief ◆ *tot zijn* ***grote*** *geruststelling* to his great relief; *het was een hele geruststelling* ***voor*** *hun dat* ... it was a great comfort/relief to them that ...

geruzie [het] arguing, quarrelling, ⟨AE⟩ quarreling, bickering ◆ *waar was dat* ***eeuwige*** *geruzie goed voor?* what was the good/use of that incessant arguing/quarrel(l)ing/

bickering?

ges [de] ⟨muz⟩ G flat

gesabbel [het] sucking (at), ⟨m.b.t. vis⟩ nibbling (at)

gesabber [het] [1] ⟨gesabbel⟩ sucking (at) [2] ⟨gezoen⟩ slobbering (over)

gesalarieerd [bn] paid, salaried ◆ *de hoogst gesalarieerden* the best-paid; *te **laag** gesalarieerd zijn* be paid too little, be underpaid

gesar [het] taunting, baiting, harassing

gesatineerd [bn] glossy, ⟨papier ook⟩ satin, ⟨drukw⟩ supercalendered

gesausd [bn] sauced, ⟨tabak⟩ flavoured, ⟨BE⟩ distempered ◆ *een crème gesausde **muur*** a cream-distempered wall

gesch. [afk] [1] (gescheiden) div [2] (geschiedenis) hist

geschaard [bn] [1] ⟨bijeen⟩ gathered (together), ⟨muur⟩ grouped (together) ◆ *de kinderen **zaten** rond de onderwijzeres geschaard* the children were gathered round/sat in a group round the teacher [2] ⟨met inkepingen⟩ chipped, jagged, notched, ⟨regelmatig⟩ serrated

geschakeerd [bn] [1] ⟨bont⟩ many-coloured, multi-coloured, many-hued, multi-hued, parti-coloured, party-coloured, ⟨kakelbont⟩ variegated, ⟨fig⟩ motley [2] ⟨m.b.t. kleur, in vele nuances⟩ gradated [3] ⟨met vlekkenpatroon⟩ mottled

geschal [het] ringing sound, ⟨van koperinstrument ook⟩ flourish, ⟨plots en fel⟩ blast ◆ *het geschal van **trompetten** en **bazuinen*** the blast of trumpets, ⟨ter verwelkoming ook⟩ the flourish of trumpets

geschapen [bn] [1] ⟨zeer voor iets geschikt⟩ born, created, made ◆ ***voor** iets geschapen zijn* be made/born/created for sth. [2] ⟨gemaakt⟩ endowed, made ◆ ⟨inf⟩ ***fors** geschapen* ⟨m.b.t. man⟩ well-endowed; ⟨m.b.t. man; vulg⟩ well-hung; ⟨inf⟩ ***klein** geschapen zijn* be poorly endowed; ⟨inf⟩ ***weelderig** geschapen* ⟨m.b.t. vrouw⟩ well-endowed; ⟨m.b.t. vrouw; vulg⟩ well-hung; ⟨m.b.t. vrouw; sl⟩ well-stacked

geschapene [het] creation

gescharrel [het] [1] ⟨in grond⟩ ⟨kippen enz.⟩ scratching, ⟨grotere dieren⟩ grubbing [2] ⟨zoeken en snuffelen⟩ poking about, ⟨in kast, lade vnl.⟩ rummaging, ⟨in tuin⟩ pottering [3] ⟨om rond te komen⟩ scraping/scratching along [4] ⟨gesjacher⟩ hustling, bartering [5] ⟨met meisjes⟩ playing about/around (with), messing about/around (with), ↓hanky-panky

geschater [het] peals/roars of laughter, ⟨bulderend⟩ belly laugh(s), guffaws

gescheept [bn] shipped, loaded (on board)

gescheiden [bn] [1] ⟨verwijderd van elkaar⟩ separated, apart ◆ *twee zaken strikt gescheiden **houden*** keep two things strictly separate; *gescheiden **leven** (van)* live apart/be separated (from) [2] ⟨niet meer gehuwd⟩ divorced ◆ *gescheiden **familie/gezin/paar*** split-up family, broken home, divorced couple; *een gescheiden **man*** a divorced man/divorcé; *kind van gescheiden **ouders*** child of divorced parents; *een gescheiden **vrouw*** a divorced woman/divorcée

gescheidenheid [de^{v}] dividedness

gescheld [het] abusive language, abuse

geschelpt [bn] [1] ⟨met schelpen bestrooid⟩ shell ◆ *geschelpte **paden, wegen*** shell paths/roads [2] ⟨met schelpvormige vlekjes⟩ scalloped

geschenk [het] present, ↑gift ◆ *een geschenk **aanvaarden*** accept a present/gift; ***als** geschenk verpakken* gift-wrap; ⟨fig⟩ *kinderen zijn een geschenk van de **hemel*** children are heaven-sent/a gift of God; *een tafel vol **met** geschenken* ⟨form⟩ a gift-laden table; *iets **ten** geschenke krijgen* receive sth. as a present/gift; *iemand iets **ten** geschenke geven* make s.o. a present/gift of sth., give s.o. sth. as a present, present s.o. with sth.; *iemand iets **ten** geschenke zenden* send s.o. sth. as a present/gift; ⟨fig⟩ *een geschenk **uit** de hemel* a gift from the gods, manna from heaven; ⟨onverwacht ook⟩ a godsend

geschenkabonnement [het] gift subscription

geschenkbon [de^{m}] gift voucher/token, ⟨AE⟩ gift certificate

geschenkverpakking [de^{v}] gift-wrapping ◆ ***in** geschenkverpakking* gift-wrapped

geschept [bn] hand-made, ⟨met scheprand⟩ deckle-edged ◆ *geschept **papier*** hand-made/vat paper

gescherm [het] fencing ◆ *gescherm **met namen*** ⟨ook⟩ name-dropping; *gescherm **met** woorden* fencing with words, bandying words about; *gescherm **met** dure woorden/**met** zijn naam* bandying big words/one's name about

geschetter [het] [1] ⟨schetterend geluid⟩ ⟨koperinstrumenten⟩ blare, flourish, ⟨kinderstemmen⟩ high chatter, babble [2] ⟨gesnoef, gezwets⟩ ⟨gesnoef⟩ bragging, boasting, blowing one's own trumpet, ⟨gezwets⟩ hot air, bunkum

geschiedbron [de] historical source

geschieden [onov ww] ⟨form⟩ [1] ⟨gebeuren⟩ occur, take place, come about, ↓happen, ⟨Bijb⟩ come to pass ◆ *het **kwaad** was al geschied* the damage had already been done, the mischief had been done [2] ⟨overkomen⟩ befall, ↓happen ◆ *u zal geen **leed** geschieden* you will come to no harm, no harm will come to you [3] ⟨gedaan, verricht worden⟩ be done, ⟨werk ook⟩ be carried out, ⟨transacties ook⟩ be effected ◆ ***aldus** geschiedde* this was done (accordingly); ***betaling** zal geschieden in drie termijnen* payment will be made in three instalments/^{A}installments; *Uw **wil** geschiede* Thy will be done ⊡ ⟨sprw⟩ *wat gij niet wilt dat u geschiedt, doe dat ook een ander niet* do unto others as you would they should do unto you; do as you would be done by

geschiedenis [de^{v}] [1] ⟨gebeurtenis⟩ happening, incident, event, occurrence ◆ *ik zal je de hele geschiedenis **vertellen*** I'll tell you the whole story [2] ⟨verhaal⟩ tale, story ◆ *dat is een **andere** geschiedenis* that's another story/matter; *het is altijd **dezelfde** geschiedenis* it's always the same (old) story; *de geschiedenis van Klein **Duimpje*** the tale of Tom Thumb; *het is een **hele** geschiedenis* it's quite a tale/story; ***in** de geschiedenis vermeld worden* be on record, be recorded; *dat **vermeldt** de geschiedenis niet* the story doesn't say [3] ⟨historie⟩ history ◆ *de **algemene/sociale/vaderlandse/oude/nieuwe** geschiedenis* general/social/national/ancient/modern history; ***in** de geschiedenis vermeld worden* be on record, be recorded; *de geschiedenis **ingaan als** ...* go down in history as ...; *geschiedenis **maken/schrijven*** make/write history; *de geschiedenis van de **mensheid/letterkunde*** the history of the human race/literature; *dat behoort **tot** de geschiedenis* that is history [4] ⟨vak van wetenschap⟩ history ◆ *een hoogleraar **in** de geschiedenis* a professor of history, a history professor [5] ⟨les⟩ history ◆ *wanneer **hebben** we geschiedenis?* when have we got/^{A}do we have history? [6] ⟨toestand, zaak, affaire⟩ business, matter, affair ◆ *een **gekke/mooie/oude/beroerde**/... geschiedenis* a silly/a fine/an old/a nasty/... business/matter/affair; *dat wordt een **kostbare** geschiedenis* that's going to be a costly/an expensive business; *een **langdurige** geschiedenis* a protracted affair ⊡ ⟨sprw⟩ *de geschiedenis herhaalt zich* history repeats itself

geschiedenisboek [het] history book

geschiedenisfilosofie [de^{v}] [1] ⟨wijsgerige beschouwingen⟩ philosophy of history [2] ⟨kennistheorie⟩ historical methodology/hermeneutics

geschiedenisleraar [de^{m}], **geschiedenislerares** [de^{v}] ⟨man & vrouw⟩ history teacher, ⟨BE ook; man⟩ history master, ⟨vrouw⟩ history mistress

geschiedenislerares [de^{v}] → **geschiedenisleraar**

geschiedenisles [de] history lesson/class

geschiedkunde [de^{v}] history

geschiedkundig [bn, bw] historical ⟨bw: ~ly⟩ ◆ *de geschiedkundige **waarde** van dit boek is niet groot* this book is of/has little historical value

geschiedkundige [de] historian

geschiedschrijver [de^{m}] historian, historiographer

geschiedschrijving [de^{v}] historiography

geschiedverhaal [het] history

geschiedvervalsing [de^{v}] falsification/rewriting of history

geschiedvorser [de^{m}] historian, historical researcher

geschiedvorsing [de^{v}] historical investigation/study

geschiedwerk [het] historical work

geschift [bn] [1] ⟨getikt⟩ cracked, nuts, loon(e)y, round the bend, barmy, ⟨AE⟩ balmy, crackers, bonkers, ⟨vnl BE⟩ daft, ⟨toestanden⟩ crazy ♦ *een **beetje** geschift* not all there, rather odd; ⟨vnl AuE⟩ not the full quid; ***volkomen/goed** geschift* completely round the bend, stark raving mad, crackers, completely off one's rocker/nut/head; *geschifte **zaken** en **toestanden*** a crazy state of affairs [2] ⟨uiteengevallen⟩ curdled ♦ *geschifte **melk*** curdled milk

geschikt [bn, bw] [1] ⟨aangenaam in de omgang⟩ pleasant ⟨bw: ~ly⟩, decent ♦ *hij is **heel** geschikt* he's quite a decent guy, ⟨vnl BE⟩ he's quite a decent chap, he's quite all right; ⟨inf; AE⟩ he's an allright guy; *een geschikte **kerel/meid*** a good sort, a decent guy; ⟨vnl BE; man⟩ a decent chap; *tegen een geschikte **prijs*** for/at a reasonable price; *dat is heel geschikt **van je*** that's very decent of you [2] ⟨met de juiste eigenschappen⟩ suitable ⟨bw: suitably⟩, fit, appropriate, right, proper ♦ *geschikt **bevonden worden*** be found suitable; *uiterst geschikt **gelegen*** most conveniently situated; *geschikte **huisvesting** proberen te vinden* try to find suitable housing/accommodation; *probeer er **iets** geschikts bij te vinden, liefst iets dat ook geschikt is voor feestelijke gelegenheden* try to find sth. to match, preferably sth. that will also do for festive occasions; *dit karweitje **is** precies voor hem geschikt* this job is just right/just the thing for him, ⟨inf⟩ this job is right up his street; *een geschikte **kandidaat*** a suitable/an eligible candidate; *iets geschikt **maken** voor* make sth. fit/suitable for, fit sth. for, adapt sth. to suit/for; *ik kon **niets** geschikts vinden* I couldn't find anything suitable/to suit me, ⟨inf⟩ I couldn't find anything that would do; *een geschikt **ogenblik*** a convenient/suitable/an opportune moment; *dat huis is geschikt **om** bewoond te worden* that house is fit for habitation/is habitable; *een geschikte **school** voor zijn kinderen* a suitable school for his children; *is twee uur een geschikte **tijd**?* will two o'clock be convenient?; *niet geschikt **voor** dit werk* unsuitable/unfit for this work; *hij is geschikt **voor** dit karwei* he's the right man for this job, this job is right for him; *(niet) geschikt **voor** consumptie* (un)fit for human consumption; *dat boek is niet geschikt **voor** kinderen* that book is not fit/unfit/not suitable/unsuitable for children; *zeer geschikt **voor** officiële gelegenheden* ⟨m.b.t. kleding⟩ very appropriate/suitable for formal occasions; *jij bent helemaal niet geschikt **voor** zoiets* you're no good at that sort of thing; *het stuk is niet geschikt **voor** opvoering op een groot toneel* the play is not suitable for/does not lend itself to presentation on a large stage; *niet geschikt **voor** de havo/**voor** jeugdige kijkers/**voor** leraar* not fit for higher secondary education/for young viewers/to be a teacher; *ze is **zeer/uitstekend** geschikt voor verpleegster* she will make an excellent nurse; ***zeer/uitstekend** geschikt voor een verpleegster/als studeerkamer* ideal for a nurse/as a study; *geschikt **zijn** voor het doel* serve the purpose; ⟨inf⟩ fill/fit the bill; *niet geschikt **zijn** om soldaat/... te worden/zijn* not be fit/meant/cut out to be a soldier/...

geschiktheid [de^{v}] [1] ⟨neiging, aanleg voor iets⟩ aptitude (for), (cap)ability (at/in), disposition (towards) [2] ⟨hoedanigheid van de juiste eigenschappen te bezitten⟩ suitability, fitness, appropriateness ♦ ***na/bij** gebleken geschiktheid* if found suitable, subject to satisfactory performance [3] ⟨het aangenaam in de omgang zijn⟩ obliging/pleasant nature, decency

geschil [het] dispute, disagreement, quarrel ♦ *er kan geen geschil **bestaan** over ...* there can be no dispute about ...; *een geschil **bijleggen/beslechten*** settle a dispute; *een geschil **hebben** met iemand* be in dispute with s.o., ⟨inf⟩ be at odds with s.o., be at loggerheads with s.o.; *het punt/de zaak **in** geschil* the point at issue, the matter in dispute; ***in** (een) geschil met iemand over iets* in dispute with s.o. about sth.

geschillencommissie [de^{v}] conciliation/arbitration board, conciliation/arbitration service

geschilpunt [het] matter in dispute, point at issue, moot point, point of difference, ⟨mv ook⟩ differences

geschimmeld [bn] grey, ⟨AE⟩ gray

geschitter [het] glitter, brilliance, sparkle

geschoeid [bn] shod ♦ *geschoeide **karmelieten*** calced Carmelites; *fijn geschoeide **voetjes*** finely-shod/well-shod feet

geschoft [bn] ⟨vnl in samenstellingen⟩ -shouldered, ⟨paard⟩ -withered ♦ *een **breedgeschofte** stier* a broad-shouldered bull

geschonden [bn] damaged, ⟨gezicht⟩ disfigured, marked ♦ *een geschonden **exemplaar** van een boek* a damaged copy of a book; *een geschonden **gezicht*** a disfigured face

geschoold [bn] trained, ⟨i.h.b. arbeiders⟩ skilled, schooled/qualified (in) ♦ *geschoolde **arbeid*** skilled work/labour; *geschoolde **arbeiders*** skilled workers/labour; *goed geschoold **in*** well trained/schooled in; *geschoold **personeel*** trained/skilled staff; *een geschoolde **zangeres*** a trained singer

geschouderd [bn] [1] ⟨in samenstellingen⟩ -shouldered ♦ ***breed**geschouderd* broad-shouldered [2] ⟨m.b.t. contouren⟩ lageniform ♦ *geschouderde **vazen/bloemen*** lageniform vases/flowers

geschrans [het] wolfing, gorging, ⟨inf⟩ gobbling and guzzling

geschreeuw [het] shouting, yelling, shouts, cries, yells, screams, ⟨fig⟩ clamour(ing), cries, outcry, uproar ♦ *iemand **met** geschreeuw overstemmen* shout s.o. down; *het/hun geschreeuw **om** ...* the (out)cry/their cries/clamour(ing) for ...; *hou op met dat **vervelende** geschreeuw* stop that dreadful yelling [•] ⟨sprw⟩ *veel geschreeuw maar weinig wol* much cry and little wool; much ado about nothing

geschrei [het] ⟨form⟩ weeping, wailing, ⟨baby⟩ crying

geschrift [het] [1] ⟨geschreven werk⟩ writing, ⟨enkelvoud⟩ piece of writing, text, document ♦ *de **heilige** geschriften* the Scriptures, Holy Scripture/Writ; ***in** woord en geschrift* orally and in written form, orally and in writing, through the spoken and the written word; *een geschrift **over** bouwkunst* a text on architecture; *de **verzamelde** geschriften* the collected writings/works [2] ⟨wat geschreven is⟩ writing ♦ ***bij** geschrifte, **in** geschrift(e)* in writing, written; *valsheid **in** geschrift(e) plegen* commit forgery

geschrijf [het] writing, ⟨briefwisseling⟩ correspondence, ⟨pej⟩ scribbling, ⟨met grote hanenpoten⟩ scrawling

geschrok [het] gobbling, ⟨zeldz⟩ guzzle

geschubd [bn] scaly, scaled, ⟨wet⟩ squamous, squamose, squamate ♦ *geschubde **hagedissen*** scaly lizards; *een geschubd **pantser*** a scale armour

geschuffeld [bn] bonkers, sap-brained, clueless, birdbrained

geschuifel [het] [1] ⟨het telkens schuifelen⟩ shuffling, shuffle, ⟨sukkelend gaan⟩ shambling [2] ⟨gesis van slangen⟩ hissing

geschuind [bn] ⟨heral⟩ parted per bend sinister

geschut [het] artillery ♦ *het geschut **bulderde*** the artillery/guns boomed out/thundered; ***licht/grof/zwaar** geschut* light/heavy artillery/guns; ***met** (zwaar) geschut* (heavily) gunned; *een **stuk** geschut* a gun/cannon, a piece of ordnance

geschutkoepel [de^{m}] (gun-)turret

geschutpark [het] artillery park

geschutskoepel [de^{m}] gun turret

geschutspoort [de] gunport, porthole

geschutstelling [de^{v}] gun position/emplacement/site, ⟨uitgegraven⟩ gunpit, ⟨scheepv⟩ casemate, gunhouse

geschuttoren [de^m] turret
geschutvuur [het] fire, gunfire
gesel [de^m] [1] ⟨strafwerktuig⟩ whip, ⟨gesch⟩ scourge [2] ⟨fig⟩ scourge, lash ♦ *Attila, de gesel **Gods*** Attila, the scourge of God [3] ⟨biol⟩ flagellum
geselaar [de^m] [1] ⟨iemand die zichzelf geselt⟩ flagellant, flagellator [2] ⟨iemand die andermans gebreken hekelt⟩ scourge
geselbroeder [de^m] flagellant
geseldiertje [het] flagellate
geselen [ov ww] [1] ⟨kastijden⟩ whip, flog, lash, ⟨psych⟩ flagellate [2] ⟨slaan op, beuken⟩ lash, pound (at), thrash, hammer ♦ *storm en regen geselden de **strandtenten*** the beach tents were lashed by the wind and the rain [3] ⟨vinnig hekelen⟩ lash, castigate ♦ *de kritiek geselde hem **onbarmhartig*** the critics lashed him mercilessly/^B slated him/hammered him [4] ⟨hevig kwellen⟩ rack ♦ *een door angst gegeseld **gemoed*** a mind racked by fear
geseling [de^v] [1] ⟨tuchtiging⟩ whipping, flogging, lashing, ⟨psych⟩ flagellation [2] ⟨fig⟩ lashing, chastisement, castigation
geselpaal [de^m] whipping post
geselroede [de] [1] ⟨tuchtroede⟩ scourge, rod [2] ⟨fig⟩ lash(ings), scourge ♦ *de geselroede van de **kritiek*** the lashings of/the ^B slating from the critics
geselslag [de^m] [1] ⟨slag van de geselroede⟩ lash [2] ⟨scherp woord, gezegde⟩ lashing ♦ *geselslagen **uitdelen*** give (s.o.) a (tongue-)lashing, lash (s.o.) with one's tongue; ⟨inf⟩ give (s.o.)/let (s.o.) feel the rough side of one's tongue
geselstraf [de] flogging, whipping, (the) lash, lashing
gesepareerd [bn, bw] separate ⟨bw: ~ly⟩, ⟨bijwoord ook⟩ apart
geserreerd [bn, bw] terse ⟨bw: ~ly⟩, succinct, concise ♦ *geserreerd **schrijven*** write tersely/succinctly/concisely
gesetteld [bn] settled ♦ *een gesettelde **vijftiger*** a settled fifty-year-old; *gesetteld **zijn*** be settled
gesignaleerd [bn] [1] ⟨waarschuwend kenbaar gemaakt⟩ described ♦ *een in het politieblad gesignaleerde **misdadiger*** a criminal described/whose description was given in the police gazette [2] ⟨opgemerkt⟩ observed, noticed, seen, ⟨aangegeven⟩ mentioned, indicated, pointed out ♦ *de al eerder door ons gesignaleerde **fouten*** the errors previously indicated/pointed out by us
gesis [het] hiss(ing), sibilation, ⟨gebruis⟩ fizz(le), ⟨geknetter⟩ sizzle
gesitueerd [bn] [1] ⟨m.b.t. de maatschappelijke positie⟩ situated, ⟨in samenstellingen⟩ -off ♦ *de **beter** gesitueerde klassen* the better-off/more affluent/well-to-do classes; *de **minder goed** gesitueerden* the less/not so well-off/affluent; ***goed** gesitueerd zijn* be well situated/well-off; have a good position [2] ⟨met een gevestigde maatschappelijke positie⟩ (well-)established
gesjacher [het] bartering/haggling (over), ⟨knoeierige transacties⟩ shady dealings
gesjochten [bn] ⟨inf⟩ [1] ⟨er slecht aan toe⟩ down-and-out, ⟨inf⟩ (all) washed up, ⟨AE ook⟩ on skid row, ⟨zaak enz.⟩ run-down ♦ *hij **is** totaal gesjochten* he's really down-and-out, he's all washed up; *een gesjochten **jongen*** a down-and-out; *een gesjochten **zaakje*** a run-down business [2] ⟨de sigaar⟩ in a cleft stick, (in) for it ♦ *dan **ben** je gesjochten* ⟨ook⟩ then you've had it, you won't know what's hit you [3] ⟨gek⟩ batty, nutty, loopy, ⟨BE⟩ daft, ⟨AE⟩ meshug(g)a ♦ *ze **is** compleet gesjochten* she's completely off her rocker, she's as nutty as a fruitcake
gesjoemel [het] dirty tricks, trickery, ⟨inf⟩ hanky-panky
geslaagd [bn] [1] ⟨m.b.t. personen⟩ successful ♦ ⟨fig⟩ *een geslaagd **man*** a success, a man who has made it [2] ⟨m.b.t. zaken⟩ successful ♦ *een geslaagde **actie*** a successful operation; *een geslaagd **feest/boek*** a successful party/book, a success; *een geslaagde **poging*** a successful attempt; *niet erg geslaagde **vermomming*** a thin disguise; *hij vindt de grap niet zo geslaagd* he finds the joke rather weak
geslaagde [de] pass, successful candidate ♦ *erg **weinig** geslaagden dit jaar* very few passes this year
¹**geslacht** [het] [1] ⟨stamhuis, familie⟩ family, line, house, ⟨afkomst⟩ descent, stock, ⟨adellijk/vorstelijk ook⟩ lineage ♦ *een **adellijk/oud** geslacht* a noble/an ancient family/line; *het geslacht der **Oranjes**, het geslacht **Oranje*** the house of Orange; ***uit** een nobel/vorstelijk geslacht stammen* be of noble/royal descent/lineage; *van een **voornaam** geslacht zijn* be highborn/of distinguished descent [2] ⟨sekse⟩ sex ♦ *het **andere/vrouwelijke** geslacht* the opposite sex; the female sex, woman(kind/hood); *een kind van het **mannelijk** geslacht* a male child, a child of the male sex; *het **sterke** geslacht* the sterner/stronger sex; *het **zwakke/schone** geslacht* the weaker/fair sex [3] ⟨ras⟩ race ♦ *het **menselijk** geslacht* the human race, mankind [4] ⟨generatie⟩ generation ♦ ***van** geslacht **op** geslacht* from generation to generation [5] ⟨biol⟩ genus ♦ *het geslacht van de **muizen*** the genus Mus [6] ⟨geslachtsorgaan⟩ genitals ⟨mv⟩, ⟨van man⟩ member, ⟨van vrouw⟩ pudendum [7] ⟨taalk⟩ gender ♦ *het **mannelijk/vrouwelijk/onzijdig** geslacht* the masculine/feminine/neuter gender
²**geslacht** [bn] slaughtered, butchered ♦ *de prijs per kg geslacht **gewicht*** the price per kilo of slaughtered meat
geslachtelijk [bn] [1] ⟨seksueel⟩ sexual ♦ *geslachtelijke **gemeenschap*** sexual intercourse/relations, sex; *geslachtelijke **omgang** (hebben met iemand)* (have) sex/(have) sexual intercourse/relations (with s.o.) [2] ⟨onderscheiden naar kunne⟩ sexual ♦ *geslachtelijke **voortplanting*** sexual reproduction [3] ⟨het geslacht betreffend⟩ (con)generic ♦ *geslachtelijke **verwantschap** tussen planten* congeneric relationship between plants
geslachtkunde [de^v] genealogy
geslachtkundige [de] genealogist
geslachtloos [bn] [1] ⟨niet in geslachten onderscheiden⟩ asexual, neuter ♦ *geslachtloos **dier*** neuter (animal); *geslachtloze **plant*** neuter (plant); *geslachtloze **voortplanting*** asexual reproduction [2] ⟨aseksueel⟩ sexless, ⟨form⟩ epicene ♦ *geslachtloos **wezen*** sexless creature, epicene (creature)
geslachtsapparaat [het] sex(ual) organs, sexual apparatus
geslachtsbepaling [de^v] [1] ⟨constateren⟩ sexing [2] ⟨kiezen⟩ sex determination
geslachtsboom [de^m] genealogical tree, ⟨inf⟩ family tree, ⟨adellijk⟩ pedigree
geslachtscel [de] sex cell, reproductive/germ cell, ⟨wet⟩ gamete
geslachtschromosoom [het] sex chromosome
geslachtsdaad [de] sex(ual) act, ⟨med⟩ coitus
geslachtsdelen [de^mv] genitals, sex(ual)/genital organs, ⟨med⟩ genitalia, ⟨mens, i.h.b. vrouwelijk, ook⟩ pudenda, ⟨euf⟩ private/privy parts, privates
geslachtsdimorfisme [het] sexual dimorphism
geslachtsdrift [de] sex(ual) urge, sex(ual) drive, ⟨wet⟩ sex(ual) instinct, libido ♦ *een middel dat de geslachtsdrift **prikkelt/vermindert*** aphrodisiac, anaphrodisiac
geslachtsgebonden [bn] sex-linked, gender-linked
geslachtsgemeenschap [de^v] sexual intercourse/relations, sex ♦ *geslachtsgemeenschap **hebben** (met)* have sex(ual intercourse/relations) (with)
geslachtshaat [de^m] sexual hatred
geslachtshormoon [het] sex hormone
geslachtskenmerk [het] sexual characteristic ♦ ***secundaire** geslachtskenmerken* secondary sexual characteristics
geslachtskeuze [de] gender choice
geslachtsklier [de] sex(ual) gland, gonad
geslachtsleven [het] sex life
geslachtslijst [de] [1] ⟨genealogie⟩ genealogical table, genealogy, ⟨adellijk⟩ pedigree [2] ⟨taalk⟩ gender list
geslachtsnaam [de^m] [1] ⟨familie-, achternaam⟩ family

name, ⟨vnl BE⟩ surname [2] ⟨biol⟩ generic name
geslachtsneiging [de^v] sexual inclination/orientation/propensity
geslachtsonderscheid [het] [1] ⟨verschil in sekse⟩ sexual difference [2] ⟨taalk⟩ difference in gender
geslachtsorgaan [het] sex(ual)/genital organ, ⟨mv ook⟩ genitals, ⟨wet⟩ genitalia, ⟨vrouw ook⟩ pudenda, ⟨man ook⟩ member ◆ *de uitwendige en inwendige geslachtsorganen* the external and internal genitals
geslachtsproduct [het] gonadal secretion
geslachtsregel [de^m] ⟨taalk⟩ gender rule
geslachtsregister [het] genealogical register, genealogy
geslachtsrijp [bn] sexually mature
geslachtstest [de^m] ⟨sport⟩ sex test
geslachtsveranderend [bn] sex change ◆ *een geslachtsveranderende operatie* a sex change operation
geslachtsverandering [de^v] sex change, change of sex
geslachtsverhouding [de^v] sex ratio ◆ *negatieve geslachtsverhouding* negative sex ratio
geslachtsverkeer [het] sexual intercourse/relations, sex, ⟨jur; euf⟩ intimacy
geslachtswapen [het] ⟨genealogie⟩ family (coat-of-)arms
geslachtsziekte [de^v] venereal disease, sexually transmitted disease, ⟨inf⟩ VD ◆ *kliniek voor geslachtsziekten* venereal disease/VD clinic; *specialist voor geslachtsziekten* venereal disease specialist, venereologist
geslagen [bn] [1] ⟨slaag gehad hebbend⟩ beaten ◆ *als een geslagen hond kwam hij terug* he came back with his tail between his legs [2] ⟨geplet⟩ ⟨ijzer⟩ wrought, ⟨goud, zilver⟩ beaten ▪ *een geslagen vijand van iets zijn* be a sworn/an avowed enemy of sth.
geslenter [het] sauntering, lounging
geslepen [bn, bw] sly ⟨bw: ~ly, slily⟩, cunning, sharp, crafty, wily, astute ◆ *hij is zeer geslepen* he is very sly/cunning/sharp/crafty/wily, he's a sly/cunning/sharp/crafty/wily one, he's as sly/cunning/wily as a fox; *een geslepen kerel* a sly old fox
geslepenheid [de^v] slyness, craftiness, wiliness, cunning, astuteness, guile
geslof [het] shuffle, scuffle, shuffling, scuffling
gesloof [het] drudgery, drudging, toil(ing)
gesloten [bn] [1] ⟨niet geopend⟩ closed, shut, ⟨gordijnen⟩ drawn ◆ *een gesloten beroep/bedrijf* a closed profession/shop; ⟨fin⟩ *gesloten bewaargeving/bewaarneming* sealed deposit; *met/achter gesloten deuren* behind closed doors, in private; ⟨jur⟩ in camera; *een gesloten geldkist/enveloppe/goederenwagon* a sealed chest/envelope/goods wagon/^{A}freight car; *een hoog gesloten bloes* a high-necked blouse; ⟨taalk⟩ *een gesloten klinker* a close(d) vowel; ⟨jacht⟩ *gesloten tijd/seizoen* close(d) season; *de vergadering voor gesloten verklaren* declare the meeting closed; *gesloten vragen* ± yes-or-no questions; *de winkels zijn één dag in de week gesloten* the shops close/are closed one day a week [2] ⟨niet openhartig⟩ close(-mouthed), close-lipped, tight-lipped ◆ *dat kind is nogal gesloten* that child is rather close-mouthed/doesn't say much (for himself/herself); *gesloten zijn over* be close-mouthed/close-lipped/tight-lipped about, ↓keep mum about, ↑be secretive about [3] ⟨niet expressief⟩ closed ◆ *een gesloten gezicht* a blank/an expressionless face [4] ⟨zonder tussenruimte⟩ closed(-up), tight ◆ *in gesloten gelederen/formatie* in close formation; *in een gesloten peloton finishen* finish in a closed pack; *springen met gesloten voeten* jump with one's feet together/with closed feet [5] ⟨techn; ononderbroken⟩ closed ◆ *een gesloten circuit* a closed circuit
geslotenheid [de^v] closeness, ⟨zwijgzaamheid⟩ reticence
gesluierd [bn] [1] ⟨met een sluier⟩ veiled, ⟨fig ook⟩ hazy ◆ ⟨fig⟩ *de gesluierde toekomst* the hazy future [2] ⟨nevelig, heiig⟩ foggy, hazy, misty ◆ *een gesluierd landschap* a foggy/misty/hazy landscape [3] ⟨foto⟩ fogged, foggy ◆ *een gesluierde plaat* a fogged plate
gesmak [het] smack(ing), smatch
gesmeed [bn] ⟨ijzer⟩ wrought, ⟨edel metaal⟩ beaten, hammered
^{1}**gesmeerd** [bn] ⟨bedekt, ingewreven met vet, boter⟩ greased, ⟨form⟩ lubricated
^{2}**gesmeerd** [bw] ⟨zonder moeilijkheid⟩ smoothly, without a hitch ◆ *ervoor zorgen dat het gesmeerd gaat* make sure everything goes smoothly/without a hitch; *het ging/liep gesmeerd* it (all) went (off) smoothly/without a hitch, ⟨inf⟩ it (all) went (off) swimmingly; *een gesmeerd lopende organisatie* a smoothly running organization
gesmokt [bn] smocked
gesmoord [bn] [1] ⟨onderdrukt⟩ stifled, smothered ◆ *een gesmoord gelach* stifled/smothered laughter [2] ⟨door smoren bereid⟩ braised, stewed ◆ *in wijn gesmoord* braised in wine; ⟨vlees ook; BE⟩ à la mode
gesmul [het] feasting, banqueting, ⟨inf⟩ blow-out
gesnaard [bn] stringed ◆ *een gesnaard instrument* a stringed instrument; ⟨wet⟩ a chordophone
gesnap [het] [1] ⟨gebabbel⟩ chit-chat, prattling [2] ⟨lasterpraat⟩ tittle-tattle
gesnater [het] [1] ⟨het snateren (van ganzen)⟩ gaggling, gaggle, gabbling, gabble [2] ⟨gebabbel, geschetter⟩ cackle, cackling, prattle
gesnauw [het] [1] ⟨het telkens snauwen⟩ snarling, snapping [2] ⟨bitse, norse bejegening⟩ snarl
gesnik [het] sobbing, sobs
gesnopen [bn] ⟨scherts⟩ got it, ⟨als vraag ook⟩ get it?, see?, ⟨inf ook; BE⟩ penny dropped (yet)?
gesnor [het] whir(r)(ing), hum, drone, ⟨zachtjes⟩ purr
gesnotter [het] ⟨inf⟩ [1] ⟨het snotteren⟩ snivelling, ⟨AE⟩ sniveling, snuffling [2] ⟨gegrien⟩ snivelling, ⟨AE⟩ sniveling, blubbering, whimpering, ⟨zanikend⟩ whining
gesnurk [het] snore, snoring
gesodemieter [het] ⟨inf⟩ pissing around, ⟨BE ook⟩ pissing about, ⟨BE ook⟩ buggering about ◆ *begint dat gesodemieter nou weer?* are you/they/... going to start pissing around again?; *daar heb je het gesodemieter weer!* the same old pissing around again!
gesoebat [het] imploring (for), ↑beseeching (for)
gesoes [het] dozing, drowsing
gesofistikeerd [bn] ⟨in België⟩ [1] ⟨geavanceerd⟩ sophisticated [2] ⟨overdreven subtiel⟩ (over-)sophisticated
gesoigneerd [bn] [1] ⟨persoon⟩ well groomed, well turned out, (very) presentable, soigné, ↓smart [2] ⟨maaltijd⟩ well-prepared, carefully prepared, elegant
gesorteerd [bn] [1] ⟨in soorten bijeengevoegd⟩ sorted ◆ *op maat/kleur gesorteerde artikelen* articles sorted according to size/colour [2] ⟨keuze hebbend⟩ stocked ◆ *hij is goed gesorteerd in lederwaren* he has a good assortment/range of leather goods [3] ⟨van diverse soorten⟩ assorted, mixed ◆ *een pond gesorteerde koekjes* a pound of assorted biscuits
gesp [de] [1] ⟨beugeltje⟩ buckle, clasp ◆ *schoenen met gespen* shoes with buckles, buckled shoes; *met een gesp sluiten/vastzitten* buckle; *de gesp van deze riem wil niet dicht* this belt won't buckle/clasp [2] ⟨biol⟩ clamp connection, clamp (cell), buckle(-joint)
gespan [het] [1] ⟨m.b.t. dieren⟩ team [2] ⟨m.b.t. personen⟩ team
^{1}**gespannen** [bn] [1] ⟨strak getrokken⟩ tense(d), taut, stretched, tight, ⟨boog⟩ bent ◆ *een gespannen gevoel in de buik* tension/a tense/tight feeling in one's abdomen; *gespannen houden* keep under tension, keep tight/taut; *gespannen spieren* tensed muscles [2] ⟨waarin een uitbarsting dreigt⟩ tense, strained, ⟨persoon ook⟩ nervous, ⟨inf⟩ edgy, on edge ◆ *gespannen luisteren* listen intently; *gespannen maken* tighten, tense; ⟨touw enz. ook⟩ ↓tauten; *een gespannen situatie* a tense situation, (a state of) tension; *tot het ui-*

terste gespannen strained/pushed/stretched to the limit; *een gespannen verhouding* strained relations; *te hoog gespannen verwachtingen* exaggerated expectations; *op gespannen voet staan met iemand* be at odds/on bad terms/at loggerheads with s.o., not see eye to eye with s.o.; *gespannen worden* ⟨personen⟩ tense up; ⟨touw enz.⟩ tighten; *gespannen zenuwen* nerves on edge; *gespannen zijn* be tense/(all) keyed up/on edge/nervous

²**gespannen** [bn, bw] ⟨(geestelijk) in beslag genomen⟩ intent ⟨bw: ~ly⟩, rapt ♦ *(met) gespannen aandacht* (with) rapt/avid attention; *in gespannen verwachting* in great/tense anticipation, with bated breath

gespartel [het] floundering (about/around), sprawling, thrashing (about/around), ⟨om los te komen⟩ struggling, squirming

gespecialiseerd [bn] specialized, ⟨+ in⟩ specializing ♦ *een winkel gespecialiseerd in thee* a shop specializing in tea; *een in oncologie gespecialiseerde chirurg* a surgeon specializing in oncology

gespeend [bn] [·] *gespeend van* devoid of, utterly lacking (in)

gespekt [bn] well-filled, well-lined ♦ *een gespekte beurs* a well-lined purse

gespen [ov ww] buckle, ⟨met riem⟩ strap ♦ *een rugzak op zijn rug gespen* strap a rucksack on one's back

gespierd [bn] [1] ⟨krachtig, sterk⟩ muscular, (well-)muscled, brawny, beefy ⟨ook pejoratief⟩ ♦ *(overdreven) gespierde mannen/vrouwen* (over-)muscular/muscled men/women; ⟨overdreven ook⟩ muscle-bound men/women; *gespierd zijn* be muscular/well-muscled [2] ⟨m.b.t. de stijl⟩ vigorous, forceful, sinewy, robust ♦ *een gespierde stijl* a forceful/vigorous/virile style; *gespierde taal* forceful/vigorous language, ⟨inf⟩ tough language; *gespierde verzen* vigorous lines

gespierdheid [de^{v}] [1] ⟨krachtigheid⟩ muscularity, brawn(iness), thew [2] ⟨m.b.t. stijl⟩ vigour

gespikkeld [bn] spotted, speckled, ⟨stof ook⟩ dotted ♦ *een geel gespikkelde das* a yellow-spotted/yellow-dotted tie; *een gespikkelde hond* a spotted dog; *gespikkelde stof* spotted/dotted/polka-dot material

gespin [het] [1] ⟨gesnor van een kat⟩ purr(ing) [2] ⟨het telkens spinnen⟩ spinning

gespitst [bn] [1] ⟨zich gespannen toeleggend⟩ keen ♦ *gespitst zijn op iets* be keen on sth./to do sth.; *met gespitste oren* with one's ears pricked up, all ears [2] ⟨biol⟩ pointed, ⟨blad ook⟩ awl-like, awl-shaped

gespleten [bn] [1] ⟨een spleet hebbend⟩ split, cleft, ⟨hoef⟩ cloven, ⟨ook plantk⟩ fissured ♦ *dieren met gespleten hoeven* cloven-hoofed animals; *een gespleten tong* a forked tongue; ⟨fig; schijnheilig⟩ a double tongue; *een gespleten verhemelte* a cleft palate [2] ⟨psych⟩ split, ↑dissociated ♦ *een gespleten persoonlijkheid* a split personality [3] ⟨m.b.t. bladeren⟩ cleft

gespletenheid [de^{v}] [1] ⟨psych⟩ ⟨persoonlijkheid⟩ split personality, schizophrenia, ⟨van gemoed⟩ schizothymia [2] ⟨verdeeldheid⟩ division, disunity, dissension

gespook [het] [1] ⟨geraas⟩ roar(ing), rush(ing), ⟨storm⟩ raging [2] ⟨het rondwaren⟩ prowling (about/around) ♦ *dat gespook tot laat in de nacht* all that prowling about in the middle of the night

gespoord [bn] [1] ⟨van sporen voorzien⟩ spurred [2] ⟨biol⟩ spurred

gesprek [het] [1] ⟨mondeling onderhoud⟩ talk, ⟨ook telefoon⟩ conversation, ⟨telefoon⟩ call ♦ *met iemand een gesprek aanknopen* strike up a conversation with s.o.; ↑engage s.o. in conversation, enter into conversation with s.o.; *een gesprek aanvragen* ⟨telefoon⟩ place a call, ⟨voor later⟩ book a call; *het gesprek plotseling afbreken* suddenly break off the conversation; *een gesprek beëindigen* ⟨ook telefoon⟩ wind up a conversation; *in het gesprek betrekken* bring/draw into the conversation; *het gesprek brengen op* bring the conversation round to; *het gesprek op iets anders brengen* change the subject; *het gesprek van de dag zijn* be the talk of the town, be on everyone's lips; ⟨inf⟩ be page-one news; *het gesprek ging over/kwam op* the conversation was about/turned to; *een goed gesprek* a good talk/discussion; *hele gesprekken hebben met iemand over* have whole discussions with s.o. about; *de in gesprek toon* ⟨vnl BE⟩ the engaged signal, ⟨vnl AE⟩ the busy signal; *druk in gesprek zijn (met)* be busy talking (to), be deep in conversation (with); *(het nummer is) in gesprek* ⟨vnl BE⟩ (the line's/number's) engaged, ⟨vnl AE⟩ (the line's/number's) busy; *zich in een gesprek mengen* join in a conversation; ⟨pej⟩ butt in on a conversation; *in gesprek raken (met/over)* get (to) talking (to/about), get into conversation (with/about); *een levendig gesprek* a lively talk/conversation; *een gesprek ruw onderbreken* push/barge in(to a conversation); *een onderwerp van gesprek* a topic of conversation; *het gesprek overheersen* dominate the conversation; *25 cent per gesprek* ⟨telefoon⟩ 25 cents per call; *een persoonlijk gesprek* a personal talk, ⟨telefoon⟩ a personal call; *het gesprek stokte* there was a silence, they/we (both) fell silent; *het gesprek terugbrengen op* bring the conversation back to; *een gesprek voeren* have a talk/conversation, carry on/hold a conversation; *het gesprek voortzetten/weer opvatten* continue/resume the conversation; *het gesprek gaande houden* keep the conversation going/alive; *een gesprek onder vier ogen* a private talk/conversation; ⟨vnl. romantisch⟩ a tête-à-tête [2] ⟨overleg, bespreking⟩ discussion, consultation ♦ *inleidende gesprekken* introductory/exploratory talks; *het gesprek leiden* lead the conversation/discussion; *tot een gesprek trachten te komen* try to get a discussion going

gesprekaanvraag [de] placing of a call, ⟨voor later⟩ booking of a call ♦ *we moeten dagelijks ruim 1000 gesprekaanvragen behandelen* we have to handle at least 1000 calls a day

gespreksavond [de^{m}] discussion evening

gespreksbehandeling [de^{v}] ± psychotherapy, counselling, ⟨AE⟩ counseling

gespreksbemiddeling [de^{v}] liaison interpreting

gespreksgenoot [de^{m}], **gespreksgenote** [de^{v}], **gesprekspartner** [de^{m}] person one is/was/... speaking to, ↑discussion/conversation partner, ⟨form⟩ interlocutor

gespreksgenote [de^{v}] → **gespreksgenoot**

gespreksgroep [de] discussion group, ⟨inf⟩ chat group, ⟨vnl AE⟩ rap group

gesprekskosten [de^{mv}] call charge

gespreksleider [de^{m}] panel chairman

gespreksonderwerp [het] subject/topic of conversation, subject for discussion

gesprekspartner [de^{m}] → **gespreksgenoot**

gesprekspunt [het] talking point, ⟨vergadering⟩ item to be discussed, topic

gespreksronde [de] round of talks/discussion

gespreksstof [de] topic(s) of conversation, subject(s) for discussion ♦ *gespreksstof leveren* provide a topic of conversation, give (people) sth. to talk about

gesprekstarief [het] charge rate

gesprekstechniek [de^{v}] conversation/discussion technique

gespreksthema [het] topic of conversation, subject for discussion

gespreksvorm [de^{m}] [·] *in gespreksvorm* in discussion/conversational/dialogue form; *een verhaal in gespreksvorm* a story in dialogue form

gespriem [de^{m}] buckled belt

gesproken [bn] oral, verbal, vocal, ⟨taal⟩ spoken, ⟨boek⟩ talking

gespuis [het] rabble, riffraff, scum

gesputter [het] [1] ⟨het voortdurend sputteren⟩ sp(l)

utter(ing) 2 ⟨het tegenstribbelen⟩ fuming

[1]**gestaag** [bn], **gestadig** [bn] 1 ⟨zonder ophouden, voortdurend⟩ steady ♦ *gestage* ***arbeid*** steady work 2 ⟨bestendig⟩ steady ♦ *de* ***markt*** *was gestaag* the market was steady 3 ⟨telkens herhaald⟩ continual, constant, incessant ♦ *gestadige* ***koortsen*** continual/constant/incessant fevers ▪ ⟨sprw⟩ *de gestadige drup holt de steen* constant dripping wears away the stone

[2]**gestaag** [bw], **gestadig** [bw] 1 ⟨voortdurend⟩ steadily ♦ *het aantal* ***nam*** *gestaag* ***toe*** the number rose steadily; *gestaag* ***vooruitgaand/stijgend*** ⟨ook, inf⟩ on the up-and-up; *het werk* ***vordert*** *gestaag* the work is progressing steadily 2 ⟨telkens⟩ constantly, continually

gestaald [bn] 1 ⟨door stalen gehard⟩ steeled 2 ⟨fig⟩ steeled

gestadig [bn, bw] → **gestaag**[1]

gestalte [de[v]] 1 ⟨figuur⟩ figure, ⟨lichaamsbouw⟩ build ♦ ***fors*** *van gestalte* heavily-built; ***klein*** *van gestalte* small in stature; *een* ***rijzige/slanke*** *gestalte* a tall/slim figure 2 ⟨gedaante⟩ shape, form ▪ *gestalte* ***geven*** *(aan)* give shape (to); *gestalte* ***krijgen*** take shape

gestaltpsychologie [de[v]] gestalt psychology

gestamel [het] 1 ⟨het stamelen⟩ stammer(ing) 2 ⟨het gestamelde⟩ stammering(s)

gestamp [het] ⟨van voeten⟩ stamp(ing)/stump(ing)/tramp(ing) (of feet), ⟨van schip⟩ pitch(ing)

gestampt [bn] crushed, pounded, ⟨aardappelen⟩ mashed ♦ *gestampte* ***muisjes*** aniseed (sugar) crumble; *gestampte* ***pot*** ± hotchpotch; ⟨fig⟩ *jongens van de gestampte* ***pot*** guys made of the right stuff, ⟨BE ook⟩ lads made of the right stuff

gestampvoet [het] stamping (of feet)

gestand [het, de[m]] ▪ *een overeenkomst gestand* ***doen*** fulfil an agreement; *zijn woord/belofte gestand* ***doen*** be as good as one's word, keep one's/live up to one's word/promise, ⟨inf⟩ stick to one's word/promise

Gestapo [de[v]] (Geheime Staatspolizei) (the) Gestapo

gestationeerd [bn] stationed, based ♦ *hij* ***is*** *daar sinds vorig jaar gestationeerd* he has been stationed there since last year; ***op*** *het/****aan*** *land gestationeerd* land-based

geste [de] ⟨ook fig⟩ gesture ♦ ⟨fig⟩ *een geste* ***doen*** make a gesture; *gestes* ***maken*** gesture, gesticulate; ⟨fig⟩ *een* ***vriendelijke*** *geste* a friendly gesture

gesteente [het] 1 ⟨steen(achtige delfstof)⟩ rock, stone ♦ *een zeer* ***hard*** *gesteente* (a) very hard rock; ***natuurlijk/vast*** *gesteente* live rock; *Pas op!* ***Neerstortend*** *gesteente* Danger! Falling rocks!; ***oliehoudend*** *gesteente* oil-bearing rock; ***zacht*** *gesteente* ductile stone, soft rock 2 ⟨edele stenen⟩ stone ♦ ***flonkerende*** *gesteenten* glittering stones

gestel [het] 1 ⟨lichamelijke constitutie van de mens⟩ constitution ♦ *een* ***ijzeren/taai*** *gestel* ***hebben*** have an iron/a tough constitution; *zijn gestel* ***ondermijnen*** undermine one's constitution; *gezond* ***van*** *gestel zijn* have a good/sound constitution; *een* ***zwak*** *gestel* a weak constitution 2 ⟨gemoedsaard⟩ temperament, disposition 3 ⟨vaak in samenstellingen; samenstel van het menselijk lichaam, organen⟩ system ♦ *het* ***zenuwgestel*** the nervous system

[1]**gesteld** [bn] 1 ⟨in een bepaalde gesteldheid⟩ ♦ *met haar is het* ***anders*** *gesteld* she's in a different position, she's differently placed; *het is er droevig* ***mee*** *gesteld* it's a sorry state of affairs, things are none too bright; *hoe is het gesteld* ***met*** *…?* how's …?, what's the news of …?; *het is slecht* ***met*** *hem/dat bedrijf gesteld* he/that company is in a bad way/doing badly 2 ⟨dol op⟩ keen (on), fond (of) ♦ *zij zijn* ***erop*** *gesteld (dat)* they would like it (if), they are set on (…-ing); *gesteld zijn* ***op*** *iets* be keen on/fond of sth.; *gesteld zijn* ***op*** *iemand* be fond of s.o., ⟨vnl. romantisch⟩ be keen on s.o.; *overdreven gesteld zijn* ***op*** ⟨ook⟩ drool over; *erg* ***op*** *comfort gesteld zijn* like one's comfort/home comforts/creature comforts; *erg* ***op*** *etiquette gesteld zijn* be a stickler for etiquette 3 ⟨aangewezen⟩ appointed ♦ *de gestelde* ***machten*** the powers that be; ⟨jur⟩ the constituted authorities; *de boven ons gestelde* ***machten*** the authorities set over us; *binnen de gestelde* ***tijd*** within the time specified/set, ⟨jur⟩ within the time appointed; *beantwoorden aan de gestelde* ***verwachtingen*** come up to expectations

[2]**gesteld** [bw] ⟨aangenomen⟩ suppose, ⟨inf⟩ say, supposing, what if

gestelde [het] 1 ⟨dat wat beweerd is⟩ statement(s) ♦ *het* ***hiervoor*** *gestelde* the above/foregoing (statement(s)) 2 ⟨dat wat bewezen moet worden⟩ postulate

gesteldheid [de[v]] state, condition, ⟨lichaam⟩ constitution ♦ ⟨taalk⟩ ***bepaling*** *van gesteldheid* (object/subject) complement, predicative adjunct; *de gesteldheid van het* ***lichaam*** physical condition/constitution; ***lichamelijke/geestelijke*** *gesteldheid* (physical/mental) constitution

gestemd [bn] disposed, in a/the mood ♦ *hij is* ***goed/gemelijk*** *gestemd* he's in a good/peevish mood; ***gunstig*** *gestemd* favourably disposed (towards); ***weemoedig*** *gestemd zijn* be in a melancholy mood

gestemdheid [de[v]] mood, temper

gesteriliseerd [bn] 1 ⟨steriel gemaakt⟩ sterilized ♦ *gesteriliseerde* ***melk*** sterilized milk; *gesteriliseerd* ***verband*** sterilized dressings 2 ⟨onvruchtbaar gemaakt⟩ sterilized

gesternte [het] 1 ⟨al de sterren⟩ stars 2 ⟨sterrenbeeld⟩ constellation ♦ *het gesternte van de Grote* ***Beer*** the constellation of the Great Bear 3 ⟨constellatie⟩ star(s) ♦ *onder een* ***gelukkig*** *gesternte geboren* born under a lucky star; *dat heeft hij aan zijn* ***goed*** *gesternte te danken* he can thank his lucky stars (for that); *onder een* ***ongunstig*** *gesternte geboren* born under an unlucky star; ⟨van onderneming⟩ ill-starred

gesteun [het] groaning, moaning, groans, moans ♦ *het gesteun van de* ***zieke*** the sick man/woman's groans/groaning

[1]**gesticht** [het] 1 ⟨inrichting voor krankzinnigen⟩ mental home/institution ♦ *hij zit* ***in*** *een gesticht* he's in a mental home/institution; *opsluiten/opbergen* ***in*** *een gesticht* put (away) in a mental home/institution; ⟨jur⟩ institutionalize; *hij is rijp* ***voor*** *het gesticht* he should be certified, he's certifiable 2 ⟨gebouw met een bestemming, stichting⟩ institution

[2]**gesticht** [bn] ▪ *niet gesticht zijn* ***over*** be none too happy about, be put out by

gesticulatie [de[v]] gesticulation

gesticuleren [onov ww] gesticulate

gestikt [bn] stitched ♦ *een gestikte* ***deken*** a quilt

gestileerd [bn] 1 ⟨afgebeeld in hoofdtrekken⟩ stylized 2 ⟨in een stijl vervat⟩ composed, written ♦ *het stuk is* ***goed*** *gestileerd* the piece is well-written, the style of the piece is good; ***overdreven*** *gestileerd* ⟨lit⟩ euphuistic

gestippeld [bn] 1 ⟨uit stippen bestaand⟩ dotted ♦ *een gestippelde* ***lijn*** a dotted line 2 ⟨met stippen bedekt⟩ spotted, speckled, ⟨stof ook⟩ dotted ♦ *gestippelde* ***stof*** spotted/dotted/polka-dot material

gestoef [het] ⟨in België⟩ boasting, bragging, ⟨inf⟩ showing-off

gestoei [het] romp(ing)

gestoelte [het] ⟨form⟩ 1 ⟨openbare zitplaats⟩ ⟨ogm⟩ bench, ⟨kerk⟩ pew 2 ⟨zetel als ereplaats⟩ ⟨ogm⟩ seat (of honour) ♦ *het* ***pauselijk*** *gestoelte* the papal throne

gestoffeerd [bn] 1 ⟨m.b.t. meubels⟩ upholstered ♦ *een stoel met gestoffeerde* ***rug*** a chair with an upholstered back 2 ⟨m.b.t. vertrekken⟩ (fitted) with curtains and carpets ♦ *gestoffeerde* ***kamers*** *te huur* semi-furnished rooms to let

gestommel [het] thumping, bumping

gestoord [bn] 1 ⟨waarin storing is⟩ faulty, defective, ⟨inf⟩ broken(-down) ♦ *hij is* ***motorisch*** *gestoord* he has a motor disability; *de* ***radio*** *is gestoord* there is interference on the radio; ⟨met opzet⟩ the radio is being jammed 2 ⟨psychotisch⟩ disturbed ♦ ⟨zelfstandig (gebruikt)⟩ ***geestelijk*** *gestoorden* mentally disturbed persons, the mentally disturbed; ***geestelijk** gestoord zijn* be mentally disturbed; ***prettig** gestoord* slightly eccentric; ⟨fig⟩ *ergens gestoord van **worden*** be sick to one's back teeth of sth.

gestopt [bn] darned ◆ *gestopt **gat*** darn; *gestopte **sokken*** darned socks

gestort [bn] ⟨lading⟩ in bulk, ⟨kapitaal⟩ paid-up ◆ *gestort **erts*** bulk ore, ore in bulk

gestotter [het] stammer(ing), stutter(ing)

gestraald [bn] ⟨plantk⟩ stellate(d)

gestrafte [de] punished person, ⟨mil⟩ defaulter, ⟨levenslang; inf⟩ lifer

gestreept [bn] 1 ⟨met strepen⟩ striped, ⟨inf⟩ strip(e)y, ⟨dier ook⟩ banded, ↑ striated ◆ *gestreepte **stoffen*** striped/strip(e)y fabrics 2 ⟨muz; vnl in samenstellingen⟩ marked, ⟨AE⟩ line(d) ◆ ***een/twee/drie** gestreept octaaf* once/twice/thrice-marked octave, one/two/three-line octave

gestrekt [bn] (out)stretched ◆ *met gestrekte **armen*** with outstretched arms, with arms outstretched; *in gestrekte **draf/galop*** at full trot/gallop; ⟨wisk⟩ *een gestrekte **hoek*** a straight angle

[1]**gestreng** [bn] ⟨form⟩ 1 ⟨streng⟩ strict, severe, harsh, stern, austere 2 ⟨blijk gevend van strengheid⟩ severe, stern

[2]**gestreng** [bw] ⟨form⟩ ⟨onverbiddelijk⟩ severely ◆ *gestreng **oordelen*** make/pass (a) severe judgment (on); *gestreng **optreden*** be severe, act severely; *gestreng **vonnissen*** hand down a severe/harsh sentence

gestrengheid [de^v] ⟨form⟩ 1 ⟨strengheid, onverbiddelijkheid⟩ strictness, severity, harshness, sternness, austerity 2 ⟨uiting van strengheid⟩ rigour

gestrest [bn] stressed (up to the eyeballs), stressed out

gestroomlijnd [bn] 1 ⟨met vloeiende lijnen, omtrekken⟩ streamlined, aerodynamic ◆ *gestroomlijnde **auto's*** streamlined cars; *een gestroomlijnde **carrosserie*** a streamlined/an aerodynamic body 2 ⟨fig⟩ streamlined ◆ *een gestroomlijnde **organisatie*** a streamlined organization

gestructureerd [bn] structured

gestudeerd [bn] university-educated ◆ *gestudeerde **personen*** (university) graduates, ⟨AE ook⟩ (college) graduates, university-trained/^{A}college people

gestueel [bn] ⟨in België⟩ gestural

gestuikt [bn] ⟨in België⟩ stocky, squat

gestumper [het] 1 ⟨het stumperig te werk gaan⟩ bungling 2 ⟨onbeholpen werk⟩ piece of bungling, botched(-up)/bungled job

gesubordineerd [bn] subordinate(d)

gesuf [het] absent-mindedness, inattentiveness, daydreaming, ⟨slapen⟩ dozing

gesuikerd [bn] sugared, sweetened, ⟨fig⟩ sugary, sugar-sweet, sugar-coated, honey-coated ◆ *gesuikerde **amandelen*** sugared/burnt almonds, dragées; ⟨fig⟩ *een gesuikerde **glimlach*** a sugary smile; *gesuikerde **wijn*** sugared wine

gesuis [het] ⟨van wind⟩ sough(ing), murmur(ing), ⟨van bladeren⟩ rustling, ⟨in oren⟩ ringing, singing, ⟨med⟩ tinnitus, ⟨van bijna kokend water⟩ singing, ⟨van uitstromend gas⟩ whoosh

gesukkel [het] 1 ⟨ziekte⟩ ailing, indifferent health 2 ⟨met taak⟩ difficulties, trouble

gesyndikeerde [de] ⟨in België⟩ unionist

get. [afk] 1 (getekend) signed 2 (getuige) witness

getaand [bn] 1 ⟨taankleurig⟩ tan, tawny, ⟨door de zon⟩ tanned ◆ *een getaand **gezicht*** a tanned/tawny face 2 ⟨in taan gekookt⟩ tanned

getailleerd [bn] waisted, cut in at the waist ◆ *een getailleerde **jas*** a waisted jacket; *een getailleerd **overhemd*** a tailored/^{A}fitted shirt; *die mantel is te **sterk** getailleerd* that coat is cut in too much at the waist

getal [het] 1 ⟨uitdrukking van een veelheid⟩ number ◆ ⟨scheik⟩ *het getal van **Avogadro*** Avogadro's number, Avogadro's constant; *een **benoemd/concreet** getal* a concrete number; *een **complex** getal* a complex number; ***deelbaar/ondeelbaar/oneindig/onmeetbaar** getal* divisible/prime/infinite/irrational number; *een **gebroken** getal* a fraction(al number); *een **heel** getal* a whole number, an integer; *een **imaginair** getal* an imaginary number; *in getallen **uitdrukken*** quantify; *een **onbenoemd, abstract** getal* an abstract number; ***reciproque** getal* reciprocal (number); ***reële** getallen* real numbers; *een **rekenkundig/algebraïsch** getal* an arithmetic/algebraic number 2 ⟨voorstelling van een hoeveelheid⟩ number, figure ◆ *een **rond** getal* a round number/figure; *de getallen **van** 1 tot 10* the numbers (from) 1 to 10; *een getal **van drie cijfers*** a three-digit/three-figure number 3 ⟨veelheid, aantal⟩ number ◆ ***aan** zijn getal komen* make up one's numbers; *zij kwamen in (bij) **groten** getale* they came in large numbers/in force; *drie **in** getal* three in number; ***ten** getale **van** drie* three in number; *om het getal **vol te maken*** to make up (the) numbers

getalenteerd [bn] talented

getalgeheugen [het] memory for figures

get a life [tw] get a life!

getallenkraker [de^m] ⟨comp⟩ number cruncher

getallenleer [de] theory of numbers, number theory

getallenreeks [de] series of numbers

getallensymboliek [de^v] numerology

getallenwaarde [de^v] numerical value

getalm [het] lingering, dawdling

getalmerk [het] figure

getalsmatig [bn] numerical

getalsterkte [de^v] numerical strength ◆ ***door** grotere getalsterkte **winnen*** win by sheer weight of numbers; *onze **geringere** getalsterkte* our numerical inferiority, our inferior numbers/strength; ***grotere** getalsterkte* numerical superiority, superior numbers/strength; *minder zijn **in** getalsterkte* be inferior in numbers; *iemand overtreffen **in** getalsterkte* outnumber s.o.; ***vereiste/volledige** getalsterkte* full complement/strength

getalswaarde [de^v] numerical value

getalvers [het] chronogram

getand [bn] 1 ⟨m.b.t. zaken⟩ toothed, ⟨form⟩ serrated ◆ *een getande **bergkam*** a jagged ridge; ⟨biol⟩ *getande **bladeren*** dentate/serrate leaves, ⟨fijn⟩ denticulate leaves; ***dubbel** getand* ⟨plantk⟩ doubly dentate; *getande **postzegels*** perforated stamps; *een getand **rad*** a toothed/cogged wheel, a cogwheel; *met getande **rand*** with a serrated/an indented edge, saw-edged 2 ⟨m.b.t. mensen, dieren⟩ toothed

getapt [bn] popular (with), a favourite (with) ◆ *hij is erg getapt bij de dames* he's very popular/a great favourite with the ladies

geteem [het] whining

geteerd [bn] tarred ◆ *geteerd **papier*** tarpaper; *geteerd **touwwerk*** tarred rope; *geteerd **zeildoek*** tarpaulin

geteisem [het] riff-raff, scum, vermin

getekend [bn] 1 ⟨m.b.t. mensen⟩ marked, branded ◆ ⟨zelfstandig (gebruikt)⟩ *een getekende* ⟨mismaakt; man & vrouw⟩ a disfigured person, ⟨man⟩ a disfigured man, ⟨vrouw⟩ a disfigured woman; ⟨gemerkt; man & vrouw⟩ a marked/branded person, ⟨man⟩ a marked/branded man, ⟨vrouw⟩ a marked/branded woman; *John **was** getekend door de spanning* the strain told upon John/left its mark upon John; *voor het leven getekend **zijn*** be marked for life 2 ⟨m.b.t. dieren⟩ marked, with ... markings ◆ *een fraai getekende **kat*** a cat with beautiful markings 3 ⟨met lijnen, groeven⟩ lined ◆ *een door vermoeidheid/zorgen getekend **gezicht*** a fatigued/careworn face; *met sterk getekende **trekken*** sharp-featured, chisel-faced, rugged-featured

getemperd [bn] moderate, ⟨licht⟩ subdued

geteut [het] lingering, dawdling

getheoretiseer [het] theorizing

getier [het] howl(ing), roar(ing) ◆ ***gevloek** en getier* cursing and swearing, foul oaths

getierelier [het] warbling, twittering
getij [het] → **getijde**
getijbal [de^m] tide ball
getijde [het], **getij** [het] 1 ⟨tij⟩ tide; zie ook **tij** 2 ⟨mv; r-k⟩ hours ♦ *de getijden **bidden*** say divine office ▪ ⟨sprw⟩ *als het (ge)tij verloopt, verzet men de bakens* trim your sails to the wind; ± circumstances alter cases; ± cut your coat according to your cloth
getijdenbeweging [de^v] tidal movement, movement of the tides
getijdenboek [het] ⟨r-k⟩ book of hours, breviary
getijdencentrale [de] tidal power-station, tidal power-plant
getijdenenergie [de^v] tidal energy/power
getijdengebied [het] tidal waters, tidal area/region, ⟨AE ook⟩ tidewater
getijdenhaven [de] tidal harbour/port/dock
getijdenkracht [de] gravitational pull
getijdenlandschap [het] tidal landscape
getijdenmolen [de^m] ⟨in België⟩ tide generator, tidal generator
getijdenrivier [de] tidal river
getijdenstroom [de^m] tidal current/stream
getijgerd [bn] tiger-striped, ⟨hond⟩ brindled, ⟨kat⟩ tabby
getijlicht [het] tidal light
getijmeter [de^m] 1 ⟨m.b.t. het aflezen van de hoogte van de waterspiegel⟩ tide-gauge, ⟨AE ook⟩ tide-gage 2 ⟨m.b.t. het meten van getijdenbewegingen⟩ tide-gauge, ⟨AE ook⟩ tide-gage
getijsluis [de] tidal lock/gate/sluice, tide lock/gate/sluice
getijtafel [de] tide-table
getik [het] ⟨klok⟩ tick(ing), ⟨met vinger enz.⟩ tapping, rapping, ⟨van breinaalden⟩ click(ing)
getikt [bn] 1 ⟨idioot⟩ crazy, cracked, crackers, nuts, loon(e)y, round the bend ♦ *zij is een **beetje** getikt* she's a bit crazy; *hij is **compleet** getikt* he's completely round the bend/completely off his rocker, he's stark/raving bonkers, he's a case; *van lotje getikt (zijn)* (be) crazy/cracked/... 2 ⟨getypt⟩ typed
getiktak [het] tick(ing), tick-tock, pitapat, pitpat
getimmerte [het] 1 ⟨timmerwerk⟩ (piece of) carpentry 2 ⟨stellage⟩ stage, structure
getingel [het] ⟨op harp, banjo enz.⟩ plunk, plank, ⟨op piano⟩ tinkling
getinkel [het] tinkling, tinkle
getinneerd [bn] crenellated, ⟨AE⟩ crenelated, embattled, battlemented ♦ *een getinneerde **poort*** a crenellated/an embattled/a battlemented gateway
getint [bn] tinted, dark; zie ook **tinten** ♦ *een bril met getinte **glazen*** dark/tinted glasses
getintel [het] 1 ⟨het tintelen van kou⟩ tingling 2 ⟨geflonker⟩ twinkle, twinkling, sparkle, sparkling
getiteld [bn] 1 ⟨boek, film enz.⟩ entitled 2 ⟨van personen, een titel voerend⟩ titled
getjilp [het] chirping, chirrupping, cheep(ing)
getob [het] worry(ing), brooding
getoeter [het] ⟨van claxon⟩ hoot(ing), honk(ing), beep(ing), ⟨van toeter⟩ toot(le)
getogen [bn] ▪ *ergens **geboren** en getogen zijn* be born and bred somewhere; *ik ben in Londen **geboren** en getogen* I'm a Londoner, born and bred
getokkel [het] plucking of (the) strings, ⟨zonder bepaalde melodie⟩ strumming, thrumming, ⟨viool⟩ pizzicato
getortel [het] murmuring sweet nothings, billing and cooing
getourmenteerd [bn] tormented, agonized ♦ *een getourmenteerde **gezichtsuitdrukking*** a tormented expression
getouw [het] loom
getover [het] 1 ⟨het (telkens) toveren⟩ magic (tricks), ⟨goochelen⟩ conjuring (tricks) ♦ ⟨fig⟩ *het is een **heel** getover* it's quite a conjuring trick, there's quite a knack to it 2 ⟨iets toverachtigs⟩ (piece of) magic
getraind [bn] trained ♦ *een **goed** getraind lichaam hebben* have a well-trained body, be very fit; ***in** iets getraind zijn* be trained in sth.; *getrainde **skilopers*** trained skiers
getralied [bn] latticed, grated, ⟨om ontsnapping te voorkomen⟩ barred, ⟨m.b.t. planten⟩ trellised ♦ *een getralied **hek*** a railing/a grating, railings; ⟨vóór toegang⟩ a grated door/gate; ⟨van lift⟩ a grille; *een getralied **venster*** a latticed/grated window; a barred window
getrappel [het] tramp, ⟨van voeten⟩ trample, ⟨van hoeven⟩ patter, clatter
getrapt [bn] ⟨raketten enz.⟩ multi-stage, ⟨verkiezingen⟩ indirect ♦ *getrapte **steekproeftrekking*** multi-stage sampling
getreiter [het] vexation, nagging, teasing, badgering, baiting
getreuzel [het] dawdling, loitering, dilly-dally(ing), foot-dragging, ⟨sl; BE⟩ miking
getrippel [het] tripping, ⟨van hoge hakjes⟩ tittup(ping), ⟨van voetjes⟩ patter, pit(a)pat
getroebleerd [bn] ⟨form⟩ disturbed, deranged
getroffen [bn] 1 ⟨door een schot geraakt⟩ hit, struck ♦ ***dodelijk** getroffen zijn* be fatally hit/wounded; *getroffen **viel** hij **neer*** he fell to the ground, hit by a bullet; a bullet brought him down 2 ⟨ontroerd⟩ moved (by), touched (by), upset (by) ♦ *ik ben getroffen **door** die reactie* I am moved/touched/upset by that response; ***tot** in de ziel getroffen* touched to the depths of one's soul 3 ⟨door een onheil aangetast⟩ stricken, afflicted ♦ ***door** een zonnesteek/(als) **door** de bliksem getroffen* laid low by sunstroke, thunderstruck; *de door bombardementen getroffen **dorpen*** the bombed/blitzed villages; *het getroffen **gebied*** the stricken area; *de getroffen **ouders*** the stricken/afflicted parents, ⟨m.b.t. dood ook⟩ the bereaved parents; ***zwaar** getroffen zijn* be deeply afflicted/grieved
getroffene [de] 1 ⟨door een onheil getroffen iemand⟩ victim ♦ *de getroffenen van de **watersnoodramp*** the flood victims 2 ⟨door een schot geraakt iemand⟩ victim, person hit/shot
getrokken [bn] 1 ⟨door trekken gevormd⟩ drawn ♦ *getrokken **ijzerdraad*** drawn wire 2 ⟨m.b.t. vuurwapens, kanonnen⟩ rifled ▪ *met getrokken **messen*** with knives in their hand, with their knives drawn
getroost [bn, bw] calm ⟨bw: ~ly⟩, resigned ♦ *hij **wachtte** getroost zijn lot **af*** he resigned himself to his fate, he calmly awaited his fate/lot
zich getroosten [wk ww] undergo, suffer, ⟨inf⟩ put up with ♦ *zich veel **moeite** getroosten* take great pains, go to great lengths; *zich (de) **moeite** getroosten (om iets te doen)* take (the) trouble/put o.s. out (to do sth.); *zich de grootst(e) (mogelijke) **moeite** getroosten* go to great lengths/any lengths; *zich **ontberingen** getroosten* undergo/suffer/put up with deprivation; *zich **opofferingen** getroosten* undergo sacrifices
[1]**getrouw** [bn] 1 ⟨nauwkeurig, betrouwbaar⟩ faithful, true ♦ *een getrouwe **kopie** (zijn van)* (be) a faithful/true copy (of); *een getrouw **relaas*** a faithful/true account; *een getrouwe **vertaling*** a faithful translation; *getrouwe **weergave/beschrijving*** faithful representation/description, ⟨ook⟩ mirror image 2 ⟨trouw⟩ faithful, loyal, true, constant, steadfast 3 ⟨zich nauwgezet houdend aan⟩ faithful, true ♦ *zijn afspraak getrouw **blijven*** be faithful/true to one's word
[2]**getrouw** [bw] ⟨met trouw, ijver⟩ faithfully, loyally, ⟨betalingen enz.⟩ reliably ♦ *iemand getrouw **dienen*** serve s.o. faithfully/loyally
getrouwd [bn] married, ⟨form of in samenstellingen⟩ wed(ded) ♦ *hij is **gelukkig** getrouwd* he is happily married; *het getrouwde **leven*** married life; *er met een getrouwde **man**/*

vrouw vandoor gaan run off with a married man/woman; ⟨fig⟩ *hij is getrouwd* ***met*** *zijn werk* he's married to his work; ⟨fig⟩ *zo* ***zijn*** *we niet getrouwd* that wasn't what we said/what we agreed on (at all); ⟨fig⟩ *niet getrouwd* ***zijn*** *met iets/iemand* not be tied to sth./s.o.

getrouwe [de] faithful follower/supporter/servant ⟨enz.⟩ ♦ *een* ***oude*** *getrouwe* an old retainer

getrouwelijk [bw] faithfully, to the letter, strictly ♦ *hij* ***volgde*** *getrouwelijk de bevelen* ***op*** he followed the orders faithfully/to the letter/strictly

getrouwheid [de^v] [1] ⟨betrouwbaarheid, nauwkeurigheid⟩ faithfulness, fidelity ♦ *de vertaling laat* ***aan*** *getrouwheid veel te wensen over* the faithfulness of the translation leaves much to be desired [2] ⟨loyaliteit⟩ loyalty, allegiance ♦ *de* ***eed*** *van getrouwheid afleggen* take the oath of loyalty/allegiance

getrouwheidspremie [de^v] ⟨in België⟩ conversion premium

getruukt [bn] wily, crafty, tricky ♦ *een getruukte* ***voetballer*** a tricky footballer

getsie [tw] → **gadsie**

getto [het] [1] ⟨woonkwartier⟩ ghetto [2] ⟨gesch; Jodenkwartier⟩ ghetto

gettoblaster [de^m] ghetto blaster

gettopositie [de^v] ghetto situation

gettovorming [de^v] ghettoization

getuf [het] chugging, ⟨inf⟩ chug-chug

getuigd [bn] rigged ♦ ***langsscheeps*** *getuigd* fore and aft rigged; ***provisorisch*** *getuigd* jury-rigged; ***vierkant*** *getuigd* square-rigged

[1]**getuige** [het] [1] ⟨getuigenis⟩ (character) reference, testimonial ♦ *iemand van* ***goede*** *getuigen voorzien* give s.o. good references [2] ⟨zaak, omstandigheid die tot bewijs strekt⟩ evidence

[2]**getuige** [de] [1] ⟨iemand die tegenwoordig is bij een handeling, gebeurtenis⟩ (eye-)witness, bystander ♦ *getuigen* ***bij*** *een huwelijk* witnesses at a wedding; ⟨fig⟩ *een* ***stille*** *getuige (van een misdaad)* silent evidence (of a crime); ***ten*** *getuige* ***(waar)van*** in witness (where)of; *getuige zijn* ***van*** witness [2] ⟨jur⟩ witness ♦ ***als*** *getuige toelaten* admit to give evidence; ***als*** *getuige opgeroepen worden* be called as a witness/to witness; ***als*** *getuige verklaren/bevestigen/ondertekenen* witness; *niet* ***door*** *een getuige ondertekend* unwitnessed; *een getuige* ***oproepen*** call a witness; *een getuige* ***uithoren/verhoren*** hear/examine a witness; *getuige à charge* witness for the prosecution; ⟨BE ook⟩ crown witness; *getuige à decharge* witness for the defence/^B defense [3] ⟨iemand die tegenwoordig is zonder erin betrokken te zijn⟩ witness ♦ *zij was getuige* ***van*** *hun geluk* she was witness to/she witnessed their happiness; *getuigen* ***van*** *het ongeluk worden verzocht zich te melden* witnesses of the accident are requested/anyone who saw the accident is requested to get in touch with the police [4] ⟨iemand waarop men zich beroept⟩ witness ♦ *God is* ***mijn*** *getuige dat ik de waarheid spreek* as God is my witness, I am speaking the truth; I am speaking the truth, so help me God; ***tot*** *getuige roepen/nemen* call as a witness/to witness ⊡ *getuige van* ***Jehova*** Jehovah's Witness

[3]**getuige** [vz] witness ♦ *getuige de grote* ***belangstelling*** *is dat televisiestuk zeer populair* judging by the considerable amount of interest, that television play is very popular; *getuige het* ***feit*** *dat* witness the fact that

getuige-deskundige [de] expert witness

[1]**getuigen** [onov ww] [1] ⟨verklaring afleggen⟩ give evidence/testimony, testify (to), bear witness (to), attest (to) ♦ ***naar*** *waarheid getuigen* truthfully say; *getuigen* ***tegen/voor*** *iemand* give evidence against/for s.o.; ***vals*** *getuigen* give false evidence, bear false witness; ***van*** *iets kunnen getuigen* be able to testify/bear witness/attest to sth.; ***voor*** *de rechtbank getuigen* give evidence in court; ***weigeren te*** *getuigen* refuse to give evidence, refuse to ^B go into the witness box/^A take the stand/^A go into the stand; ⟨m.b.t. zichzelf; AE⟩ take/plead the Fifth Amendment [2] ⟨spreken in het nadeel, voordeel van⟩ speak ♦ *alles getuigt* ***voor/tegen*** *haar* everything speaks in her favour/against her [3] ⟨tonen, blijk geven⟩ be evidence (of), be a sign (of), show, indicate, testify/attest (to) ♦ *die daad getuigt* ***van*** *moed* that act shows courage; *dat getuigt* ***van*** *gezond verstand* that's/that shows common sense; *het zou* ***van*** *slechte smaak/weinig kennis getuigen als ...* it would be bad taste/it would be evidence/a sign of ignorance if ...

[2]**getuigen** [ov ww] ⟨als getuige verklaren, bevestigen⟩ testify (to), bear witness (to) ♦ *iedereen kan* ***dat*** *getuigen* everyone can testify/bear witness to this; *getuigen* ***dat*** *men iets gezien heeft* testify/bear witness to having seen sth.

getuigenbank [de] witness box/stand, ⟨AE⟩ stand

getuigenbewijs [het] oral testimony, evidence of witnesses, evidence of a witness, parol/oral evidence ♦ ***aanbod*** *van het getuigenbewijs* tender evidence; *door getuigenbewijs* ***aantonen/bewijzen*** prove by witnesses; ***mondeling/schriftelijk*** *getuigenbewijs* ⟨mondeling⟩ parol evidence; ⟨form⟩ affidavit

getuigengeld [het] witness expenses, ⟨voor reiskosten e.d.⟩ conduct/subpoena money

getuigenis [het, de^v] [1] ⟨kenteken, bewijs⟩ evidence ♦ ***tot*** *getuigenis strekken van* be evidence of, testify/bear witness/attest to [2] ⟨verklaring⟩ testimony, evidence, statement ♦ *getuigenis* ***afleggen*** *van* give testimony/evidence of, attest/bear witness/testify to; *schriftelijk/een valse getuigenis* ***afleggen*** testify in writing/by deposition, give false evidence; *iemands getuigenis* ***afnemen*** take s.o.'s evidence; ***naar/volgens/op*** *getuigenis van* on the testimony of [3] ⟨Bijb⟩ testimony

getuigenverhoor [het] hearing/examination of witnesses ♦ *een getuigenverhoor* ***afnemen*** hear/examine (the) witnesses; ***uit*** *de getuigenverhoren blijkt ...* after hearing all the evidence it appears that ..., it appears from the evidence that ...

getuigenverklaring [de^v] testimony, (statement of) evidence, deposition

getuigschrift DOCUMENT [het] certificate, attestation, testimonial, ⟨rapport⟩ report, ⟨personeel⟩ reference ♦ *getuigschrift van* ***bekwaamheid*** certificate of competence; *getuigschrift van goed* ***gedrag*** certificate of good behaviour/conduct; *de leerlingen* ***krijgen*** *iedere maand een getuigschrift van hun vorderingen* the pupils are given a monthly progress report; *een getuigschrift* ***uitreiken*** present a certificate, graduate; *iemand met* ***uitstekende*** *getuigschriften* s.o. with excellent qualifications, ⟨werkster enz.⟩ s.o. with excellent references/credentials

getuit [bn] ⟨met tuit⟩ spouted, ⟨van lippen⟩ pursed

getut [het] ⟨inf⟩ fuss(ing), ⟨BE ook⟩ worriting

getver [tw] → **gadsie**

getverderrie [tw] ugh!

getweeën [hoofdtelw] (the) two (of ...) ♦ ***wij*** *getweeën* the two of us, we two

geul [de] [1] ⟨smal water, kanaal⟩ channel [2] ⟨diep gedeelte van een vaarwater, doorvaart⟩ channel [3] ⟨greppel, goot⟩ trench, ditch, gully ♦ *geulen* ***maken in*** channel, trench, groove [4] ⟨gleuf in vaste lichamen⟩ groove

geünieerd [bn] united ♦ *geünieerde* ***Grieken*** Uniat Greeks; *lid van een geünieerde* ***kerk*** Uniat, member of a Uniat Church

geüniformeerd [bn] uniformed

geur [de^m] smell, ⟨form⟩ odour, ⟨aangenaam⟩ perfume, scent, aroma ♦ *een* ***aangename*** *geur* a pleasant smell, a perfume/scent/aroma; ***heerlijke/bedwelmende*** *geuren* delicious/intoxicating smells; ⟨fig⟩ *iets in geuren en* ***kleuren*** *vertellen* tell/give all the (gory) details of sth.; *de geur* ***opsnuiven*** *van* sniff, scent; *een kwalijke geur* ***verspreiden/afgeven*** send forth/give off/release an unpleasant smell

geürbaniseerd [bn] urbanized, ⟨scherts⟩ citified, townified

geuren [onov ww] ⟨form⟩ [1] ⟨geur verspreiden⟩ smell ♦ *wat geuren die **bloemen** heerlijk* how lovely those flowers smell; *het geurende **hooi*** the fragrant hay; ***naar** koffie/tijm geuren* smell of coffee, smell thymy/of thyme [2] ⟨pronken⟩ flaunt, ↓show off, ↓flash about/around ♦ ***met** zijn kennis geuren* flaunt/show off one's knowledge; *wat geurt zij **met** haar nieuwe mantel* just look at her showing off her new coat

geurig [bn] fragrant, sweet-smelling, aromatic, ⟨form⟩ odorous ♦ *geurige **bloemen*** fragrant flowers; *geurige **frambozen*** sweet-smelling raspberries; *een geurige **sigaar*** an aromatic cigar

geurigheid [de^{v}] fragrance, fragrancy, perfume, sweet smell

geurloos [bn] odourless, ⟨opzettelijk ook⟩ odour-free

geürm [het] whining, whimpering, wailing

geurmaker [de^{m}] swaggerer, braggart, boaster, bouncer, swank(er)

geurstof [de] aromatic substance, artificial odour

geurtje [het] [1] ⟨luchtje⟩ smell ♦ *hij **heeft** altijd zulke geurtjes bij zich* he always smells; *... verdrijft alle **kwalijke/vieze** geurtjes ...* removes all unpleasant/nasty smells [2] ⟨parfum⟩ scent, perfume ♦ *iemand een geurtje cadeau **geven*** give s.o. some scent; *een geurtje **opdoen*** put (some) perfume/scent on

geurvlag [de] scent, territorial mark

geurvreter [de^{m}] ⟨in schoen⟩ odour-eater

[1]**geus** [de^{m}] [1] ⟨gesch⟩ Beggar [2] ⟨in België; scheldnaam⟩ infidel [3] ⟨techn; gieteling⟩ pig

[2]**geus** [de] ⟨kleine vlag op de voorplecht⟩ jack

[3]**geus** [bn] ⟨gesch⟩ Protestant ♦ ***paaps** of geus* Papist or Protestant

geut [de], **geute** [de] shot, dash

geute [de] → **geut**

geuze [de^{m}] ⟨in België⟩ geuze, a Brussels beer

geuzelambiek [de^{m}] 'geuzelambiek', a type of strong Brussels beer

geuzenlied [het] Beggars' song

geuzennaam [de^{m}] ± (proud/honorary) nickname, ⟨erenaam⟩ title, ⟨bijnaam; form⟩ sobriquet

geuzenpenning [de^{m}] ⟨gesch⟩ Beggars' medal

geuzenvlag [de] Beggars' flag

gevaar [het] [1] ⟨kans op onheil, nadeel⟩ danger, risk, hazard, ↑peril ♦ *zich **aan** gevaren **bloot stellen*** expose o.s. to dangers/hazards/risks; *er bestaat (het) gevaar **dat*** there is a risk that; *er **dreigt** gevaar* danger threatens, there is danger; *er is **geen** gevaar bij* there is no danger/risk; *daar is **geen** enkel gevaar voor* there's no danger/risk/fear of that; *het **gele/rode** gevaar* the yellow/red peril; ***in** gevaar zijn/verkeren* be threatened/jeopardized/in jeopardy/at risk/in danger; *hij **is** een gevaar op de weg* he's a menace on the roads; *gevaar **lopen*** be in danger, run a risk/risks; *geen gevaar **lopen*** run no risk(s); *groot gevaar **lopen*** run great risks/a great risk; *zorg ervoor dat ze geen gevaar **lopen*** keep them out of harm's way; ***met** groot gevaar **voor*** at great risk to; ***met** gevaar **voor** eigen leven* at (the) risk of one's life; *het gevaar **trotseren*** defy danger; *opmerkzaam maken op het gevaar **van*** ⟨ook⟩ caution/warn about, alert s.o. to the danger of; ***verborgen** geva(a)r(en)* hidden danger(s); *gevaar **vermoeden/ruiken/bespeuren*** scent danger, see the red light; *gevaar **voor** brand/infectie* fire hazard, risk of infection; *hij is een gevaar **voor** de maatschappij* he is a public danger/hazard/threat/menace; *gevaar **vormen/opleveren** (voor)* be/constitute a danger/hazard (to); *(geen) gevaar **zien*** see (no) danger; *het is niet **zonder** gevaar* it is not without its dangers/risks; *pas op, gevaar!* beware, danger! [2] ⟨hachelijke toestand⟩ danger, ↑peril ♦ *de zieke is **buiten** gevaar* the patient is out of danger; ***in** gevaar verkeren* be in danger/at risk; *de vrede is **in** gevaar* peace is threatened, there is a threat to peace; *iemand/iets **in** gevaar brengen* endanger/jeopardize s.o./sth.; *het gevaar **is geweken*** all clear [3] ⟨risico⟩ risk ♦ *het gevaar **lopen** te, het gevaar **lopen** dat* run the risk of, run the risk that; ***op** (het) gevaar af* at (the) risk of; *iets doen **op** het gevaar af* risk/chance (doing) sth., take a chance on (doing) sth.

[1]**gevaarlijk** [bn] [1] ⟨m.b.t. zaken⟩ dangerous, hazardous, risky, ↑perilous ♦ *gevaarlijk(e) **gebied/plek*** danger area/spot; ***het** gevaarlijke* the danger/risk, the dangerous thing; *een gevaarlijke **kruising*** dangerous/hazardous crossroads; *de gevaarlijke **leeftijd*** the dangerous age; *een gevaarlijke **reis*** a dangerous/hazardous/risky journey; ⟨sport⟩ *gevaarlijk **spel*** dangerous play; *een gevaarlijk **spelletje** spelen* play a dangerous game, play with fire; *een gevaarlijke **straat** (om over te steken)* a dangerous street (to cross); *zich op gevaarlijk **terrein** begeven* tread on thin ice; *een gevaarlijk **uitziend** mes* a dangerous/vicious-looking knife; *gevaarlijk zijn **voor*** be dangerous/a danger/a hazard/a threat to; *gevaarlijke **woorden*** dangerous/risky words; *wegwezen, het **wordt** gevaarlijk!* get out of here, it's getting dangerous! [2] ⟨m.b.t. personen⟩ dangerous ♦ *een gevaarlijk **sujet*** a dangerous character

[2]**gevaarlijk** [bw] ⟨zó dat er gevaar bij is, ontstaat⟩ dangerously ♦ *gevaarlijk **invoegen*** ⟨ook⟩ cut in; *wat **staat** die vaas daar gevaarlijk* that vase is dangerously placed; *gevaarlijk **ziek** zijn* be dangerously ill

gevaarsbord [het] danger/warning sign

gevaarsignaal [het] danger signal

gevaarte [het] monster, colossus, hulk, ⟨inf⟩ whopper ♦ ***wat** een gevaarte!* what a whopper!, isn't it huge!; ⟨BE ook⟩ what a whacking great thing!

gevaarvol [bn, bw] ⟨form⟩ perilous ⟨bw: ~ly⟩ ♦ *een gevaarvolle **onderneming*** a perilous undertaking/venture

geval [het] [1] ⟨voorval⟩ case, affair ♦ *een **lastig** geval* an awkward case, a tough proposition; ***neem** het geval Jansen* take the Jansen affair/business; *een **treurig/vreemd** geval* a sad/strange case/affair; ***van** geval **tot** geval (iets regelen/bekijken/de bijdrage vaststellen)* (arrange/examine sth./determine the contribution) case by case [2] ⟨omstandigheden waarin iemand verkeert⟩ circumstances, position, situation ♦ *dat **is** met hem ook het geval, hij zit met hetzelfde geval* he's in the same position, it's the same with him; ***in uw** geval zou ik het nooit doen* in your position/if I were you I'd never do that [3] ⟨omstandigheid⟩ case, circumstances ♦ *een geval van **cholera*** a case of cholera; *in het wel erg onwaarschijnlijke geval **dat*** in the extremely unlikely event that; ***ernstige/lichte** gevallen* ⟨zieken, misdadigers⟩ serious/minor cases; *in het **gunstigste** geval* at best, under the most favourable circumstances; ⟨scherts⟩ *hij is een **hopeloos** geval* he's a hopeless case, he's beyond saving; ***in** dat geval* in that case, if it comes to that; ***in** dit geval* in this case/instance; ***in** geen geval* under no circumstances, on no account; ***in** welk geval* in which case, when, whereupon; ***in** allen gevalle* in any event, in any case; ***in** geval van nood* in (the event of) an emergency, in case of emergency; ***in** elk/ieder geval* anyway, anyhow; ***in** enkele gevallen* in some cases, occasionally; *zelfs **in** dat geval* even then, even so; ***in** voorkomende gevallen* as/when the occasion arises; *ik doe het **in** geen geval* I won't do it on any account/under any circumstances; ***in** het eerste/andere geval* in the former case; otherwise; ***in** beide/de meeste gevallen* in either case, either way; in most cases, mostly; ***in** geen geval zal ik toegeven* nothing will induce me to give in; ***in** negen van de tien gevallen* nine times out of ten; *je kunt **in** ieder geval zeggen* it's safe to say; ***in** geval **van** oorlog/brand/ziekte* in the event of war/fire/illness; *daar kun je **in** geen geval onderuit* there's no way round it, you can't get out of it; ***in** elk geval bedankt voor de moeite* thanks all the same, in any case, thanks for the trouble; *wij op jou wachten?, dat **in** geen geval!* us wait for you?, not on your life!; ⟨inf⟩ catch us waiting for you!;

*als dit het geval **is*** if such is the case; *dat **is** meestal niet het geval* that is not usually the case; *een geval **met** dodelijke afloop* a fatal case; *het is een **moeilijk** geval* it's a hard/tough case; ***typisch** geval* typical instance; *in het **uiterste** geval* at worst, if the worst comes to the worst; ***voor** het geval dat* (just) in case [4] ⟨vreemd voorwerp⟩ affair, thing, ⟨techn ook⟩ contraption, device, contrivance ♦ *het **hele** geval lag uit elkaar* the whole affair/contraption was in pieces; *een **ouderwets** geval* ⟨ook⟩ a period piece, sth. out of the ark; *wat heeft zij **voor** geval op haar hoofd?* what sort of thing on her head is that? [5] ⟨toeval⟩ chance, luck ♦ *wat **wil** nou het geval?* guess what?, what do you think about this?; *het geval **wilde*** luck would have it (that), as luck would have it

[1]**gevallen** [bn] fallen ♦ ***de** gevallenen* ⟨soldaten⟩ the soldiers killed in action; ⟨burgers⟩ the dead; ⟨form⟩ the fallen; *een monument voor **de** gevallenen van twee wereldoorlogen* a memorial to the fallen of two world wars; *een gevallen **vrouw*** a fallen woman

[2]**gevallen** [onpers ww] ⟨form⟩ come about, ⟨Bijb⟩ come to pass, happen

gevalletje [het] [1] ⟨vaag omschreven voorwerp⟩ affair, thing(amajig), ⟨techn ook⟩ contraption, device, contrivance ♦ *wat een **raar** gevalletje* what a strange-looking affair/contraption; *wilt u ook **zo'n** gevalletje?* would you like one of these thing(amajigs) too? [2] ⟨penis⟩ willy, ⟨kind⟩ pee pee

gevang [het] prison, jail, ⟨BE spelling ook⟩ gaol, ⟨AE ook⟩ penitentiary ♦ ***in** het gevang* in prison/jail

gevangen [bn] caught, captive, ⟨in gevangenis⟩ imprisoned ♦ *nu is hij (een) gevangen **man*** ⟨fig⟩ now I've/we've got him where I/we want him; ⟨vulg⟩ now I've/we've got him by the short and curlies

gevangenbewaarder [de^{m}], **gevangenbewaarster** [de^{v}] ⟨man⟩ (prison) warder, ⟨vrouw⟩ (prison) wardress, ⟨man & vrouw; AE⟩ prison guard, ⟨sl; man & vrouw⟩ screw

gevangenbewaarster [de^{v}] → **gevangenbewaarder**

gevangene [de] [1] ⟨gevangen genomen persoon⟩ prisoner, arrested person/man/woman, detainee, ⟨niet door politie⟩ captive ♦ *u **bent** mijn gevangene* you are under arrest; *de gevangenen **uitleveren*** turn over the prisoners [2] ⟨gedetineerde⟩ prisoner, inmate, convict ♦ *een **ontsnapte/ontslagen** gevangene* an escaped/a released prisoner/convict; ***politieke** gevangenen* political prisoners, prisoners of conscience

gevangenenkamp [het], **gevangenkamp** [het] prison camp

gevangenhouden [ov ww] imprison, detain, keep in confinement/prison/custody

gevangenhouding [de^{v}] imprisonment, detention, confinement

gevangenis [de^{v}] [1] ⟨gebouw⟩ prison, jail, ⟨BE spelling ook⟩ gaol, ⟨AE ook⟩ penitentiary ♦ ***in** de gevangenis zitten* be in prison/jail; ⟨inf⟩ do time; *iemand **in** de gevangenis gooien* throw s.o. into prison/jail, ⟨form⟩ cast s.o. into prison/jail; *hij belandt nog eens **in** de gevangenis* he'll finish up/end up/land up/wind up in prison/jail; *daarvoor kan je **in** de gevangenis komen* you can go to prison/jail for that, they can send you to prison/to jail/they can jail you for that; *hij heeft tien jaar **in** de gevangenis gezeten* he's served ten years in prison/jail; ⟨inf⟩ he's done ten years(' time), he's been inside for ten years; *de gevangenis **ingaan*** go to prison/jail; ***open** gevangenis* open prison, minimum security prison; ***uit** de gevangenis **ontsnappen*** escape from prison/jail, break out of prison/jail; *iemand **uit** de gevangenis **ontslaan*** release s.o. from prison/jail [2] ⟨gevangenisstraf⟩ (im) prison(ment), prison/jail (sentence) ♦ *er met twee **maanden** gevangenis van afkomen* get off with a two-month prison/jail sentence

gevangenisboef [de^{m}] jailbird

gevangeniscomplex [het] prison complex

gevangeniskleren [de^{mv}] prison clothes/garments

gevangenisoproer [het], **gevangenisopstand** [de^{m}] prison riot

gevangenisopstand [de^{m}] → **gevangenisoproer**

gevangenispredikant [de^{m}] prison chaplain

gevangenisstraf [de] imprisonment, prison/jail sentence, prison term ♦ *tot **één jaar** gevangenisstraf veroordeeld worden* be sentenced to one year's imprisonment; *hij heeft twee **jaar** gevangenisstraf/een **fikse** gevangenisstraf gekregen* he got two years/a two-year sentence; he got sentenced to a stiff term of imprisonment; ***levenslange** gevangenisstraf* life imprisonment; ⟨inf⟩ life; *tien **maanden** gevangenisstraf* ten months' imprisonment, a ten-month (prison) sentence; *gevangenisstraf **opgelegd krijgen*** receive a prison sentence/term; *een gevangenisstraf **stellen op*** make punishable by imprisonment; *een gevangenisstraf **uitzitten*** serve a prison sentence/term

gevangeniswezen [het] prison system, prisons

gevangenkamp [het] → **gevangenenkamp**

gevangennemen [ov ww] arrest, ⟨ook mil⟩ capture, ⟨form⟩ apprehend, ⟨mil⟩ take prisoner/captive ♦ ***opnieuw** gevangennemen* recapture

gevangenneming [de^{v}] arrest, ⟨ook mil⟩ capture, ⟨form⟩ apprehension

gevangenpoort [de] gatehouse

gevangenrol [de] ± charge sheet, prisoner's record

gevangenschap [de^{v}] [1] ⟨het gevangenzitten⟩ imprisonment, captivity ♦ ***in** gevangenschap* in prison, imprisoned, captive [2] ⟨toestand waarin een gevangene verkeert⟩ captivity, ⟨Bijb ook⟩ bondage ♦ *dieren **in** gevangenschap* animals in captivity

gevangenwagen [de^{m}] prison(ers') van, ⟨BE⟩ police van, ⟨AE⟩ patrol wagon, ⟨inf⟩ Black Maria, paddy wagon

gevangenzetten [ov ww] imprison, jail, put into prison, ↑ incarcerate

gevangenzetting [de^{v}] imprisonment, ↑ incarceration

gevangenzitten [onov ww] be in prison/jail

gevankelijk [bw] as a prisoner, in(to) captivity ♦ *hij werd gevankelijk **weggevoerd*** he was led off into captivity

gevarendriehoek [de^{m}] warning/emergency triangle, ⟨AE⟩ ± flares

gevarengeld [het], **gevarentoeslag** [de^{m}] danger money, hazardous duty pay

gevarenklasse [de^{v}] ⟨verz⟩ class of risk

gevarentoeslag [de^{m}] → **gevarengeld**

gevarenzone [de] danger zone/area ♦ ***uit** de gevarenzone* out of the danger area, ⟨fig ook⟩ out of the fire line/the wood(s)

gevarieerd [bn] varied ♦ *de **inzendingen** zijn zeer gevarieerd* the entries are extremely varied; *een gevarieerd **programma*** a varied programme

[1]**gevat** [bn] [1] ⟨ad rem, geestig⟩ quick(-witted), sharp, nimble-minded, nimble(-witted) [2] ⟨blijk gevend van gevatheid⟩ quick, ready, sharp, smart, apt ♦ *een gevat **antwoord*** a witty/clever retort, a riposte/comeback; *een gevatte **opmerking*** an apt comment; ⟨inf; AE⟩ a zinger

[2]**gevat** [bw] ⟨op snedige wijze⟩ sharply, smartly, readily, quickly, nimbly ♦ *gevat **antwoorden*** ⟨ook⟩ give a sharp/smart/... answer, come back (smartly)

gevatheid [de^{v}] quick-wittedness, sharp-wittedness, nimble-mindedness, sharpness, ready wit

gevecht [het] [1] ⟨mil⟩ fight(ing), combat, action, engagement, encounter ♦ *een **bloedig** gevecht* a bloody fight, bloody fighting/combat; *iemand **buiten** gevecht stellen* put/knock s.o. out of action; *een **hevig** gevecht* heavy/fierce fighting, violent combat; ***in** gevecht met de vijand zijn* be in action/combat; *het gevecht **staken/beginnen*** cease/open combat; *een gevecht **van** man **tegen** man* man-to-man combat [2] ⟨tussen personen, dieren⟩ fight(ing), struggle ♦ ***in***

hevig gevecht gewikkeld (met) in close combat (with); *een eerlijk gevecht **leveren*** make a clean fight of it, fight on equal terms; *een gevecht **op** leven en dood* a fight to the death, a life-and-death struggle; *het gevecht **winnen*** ⟨ook⟩ have/get the best of a/the fight/struggle

gevechtsbommenwerper [de^m] fighter bomber

gevechtseenheid [de^v] fighting unit

gevechtservaring [de^v] fighting/combat experience, action ◆ ***heb** je gevechtservaring?* have you seen action/been in action?

gevechtsformatie [de^v] order of battle, battle-array

gevechtsgroep [de] task force/group

gevechtshandeling [de^v] action, ⟨mv⟩ hostilities

gevechtshelikopter [de^m] attack helicopter

gevechtshouding [de^v] fighting attitude

gevechtsklaar [bn] ready for battle/action, ⟨inzetbaar⟩ operational ◆ *een schip gevechtsklaar **maken*** clear a ship for action; *het materieel **werd** gevechtsklaar **gehouden*** the equipment was kept in combat readiness; *gevechtsklaar **zijn*** be at action stations/in combat readiness

gevechtspak [het] ⟨mil⟩ battle dress

gevechtspauze [de] break/lull in the fighting

gevechtspiloot [de^m], **gevechtsvlieger** [de^m] fighter pilot

gevechtssterkte [de^v] fighting strength

gevechtstas [de] haversack, knapsack

gevechtstenue [het, de] battle dress, battle-gear, combat-gear

gevechtsterrein [het] combat/battle/fighting zone, combat/battle/fighting area, battleground

gevechtstoren [de^m] turret

gevechtsuitrusting [de^v] combat equipment, ⟨van soldaat⟩ battle gear/kit

gevechtsvlieger [de^m] → **gevechtspiloot**

gevechtsvliegtuig [het] fighter (plane/aircraft) ◆ ***piloot** van een gevechtsvliegtuig* fighter pilot

gevechtswaarde [de^v] fighting power, ⟨van troepen⟩ effectiveness

gevechtswagen [de^m] [1] ⟨tank⟩ tank [2] ⟨wagen van gemotoriseerde troepen⟩ armoured car

gevechtszone [de] battle/combat/fighting zone, battle/combat/fighting area

gevederd [bn] ⟨form⟩ feathered ◆ *onze gevederde **vrienden*** our feathered friends

gevederte [het] ⟨form⟩ plumage, feathers

geveerd [bn] ⟨biol⟩ pinnate ◆ ***dubbel/drievoudig** geveerd* bipinnate, tripinnate; ***even/oneven** geveerd* abruptly pinnate, odd-pinnate

geveins [het] pretence, ⟨AE⟩ pretense, feigning, dissimulation, ⟨huichelarij⟩ hypocrisy

geveinsd [bn] [1] ⟨voorgewend, gehuicheld⟩ pretended, feigned, assumed, affected, ⟨inf⟩ put-on ◆ *zijn **excuus** klinkt geveinsd/was maar geveinsd* his excuse sounds/rings hollow; *met geveinsde **nederigheid*** with false modesty; *het **was** maar geveinsd* it turned out to be fake [2] ⟨huichelachtig⟩ hypocritical, false ◆ *geveinsde **vrienden*** false friends

geveinsdheid [de^v] hypocrisy, dissimulation

gevel [de^m] [1] ⟨voormuur⟩ (house)front, façade ◆ ***terugspringende** gevel* setback [2] ⟨buitenmuur⟩ outside/outer wall

gevelbeeld [het] façade decoration

gevelbelichting [de^v] illumination of a/the façade

geveldoek [het] outdoor (advertising) banner

geveldriehoek [de^m] gable, ⟨Romeins enz.⟩ pediment, fronton

gevelgrauw [het] smooth brick

gevelhaak [de^m] s-(shaped) anchor

geveling [de^v] shifting board

gevelkachel [de] gas heater/stove (mounted against the outside wall)

gevellijst [de] cornice

gevelspits [de] gable

gevelsteen [de^m] [1] ⟨gedenksteen⟩ (memorial/stone) tablet, plaque [2] ⟨mooie baksteen⟩ facing brick

geveltoerist [de^m] cat burglar

geveltop [de^m] gable

gevelveld [het] tympanum

[1]**geven** [onov ww] [1] ⟨gesteld zijn op⟩ be fond of, be keen on ◆ *hij gaf veel **om** zijn dochter* he was very fond of his daughter; *niets/geen cent **om** iemand/iets geven* not care a thing about s.o./sth. [2] ⟨erg, hinderlijk zijn⟩ matter ◆ *wat geeft **het**?* what does it matter?, who cares?; *dat geeft **niet**, hoor* it doesn't matter, it's all right, I/we don't mind; *dat geeft **niks*** it doesn't matter a bit/at all ▪ *het geeft **niet** welke* it doesn't matter which, any (one) will do

[2]**geven** [ov ww, ook abs] [1] ⟨schenken⟩ give, ⟨geld ook⟩ donate ◆ *een **cadeau** geven* give a present; *iets **cadeau** geven* make a present of sth., give sth. as a present; give sth. away; *dan geef ik **er** nog een autoradio **bij*** I'll throw in a car radio too; ⟨fig⟩ *zij gaf hem haar **hand*** she gave him her hand; ⟨kaartsp⟩ *wie **moet** er geven?* who's deal is it?; *weten te geven en te **nemen*** know how to give and take; *daar geef ik geen cent/geen barst **om*** I couldn't care less/couldn't care/give a damn about that, ⟨BE ook⟩ I couldn't give a tuppenny damn about that; ⟨kaartsp⟩ *er is **verkeerd** gegeven* there's been a misdeal; ***zich** helemaal aan iets geven* give o.s. entirely (over) to sth.; ⟨werk enz.⟩ throw o.s. right into sth.; *geef ons heden ons dagelijks brood* give us this day our daily bread; *het was hem niet gegeven, zijn vader nog levend te zien* it was not (to be) given/granted to him to see his father alive again [2] ⟨aanreiken⟩ give, hand ◆ *iemand te **drinken** geven* give s.o. a drink/sth. to drink; *geef mij maar een **glaasje wijn*** let me have/I'll think I'll have a glass of wine; *geef mij nog een **glas bier*** let me have another beer; *hij gaf **het** aan haar* ⟨BE ook⟩ he gave it her/gave her it; *hij wilde **het** me niet geven* ⟨ook⟩ he wouldn't let me have it; *geef **hier** dat geld* give me that money; *geef mij maar **Parijs*** give me/I'll take Paris (any day); *geef dat **potlood** hier!* give/hand me that pencil!; *kunt u me de **secretaresse** even geven?* could you please let me have/talk to the secretary?; ⟨scherts⟩ *geef die boer een **stoel*** did you speak/say sth.?, I beg your pardon!; *kun je me het **zout** geven?* can/could you give me/let me have/pass me the salt?; *geef **op**!* (come on,) hand it over!; ⟨inf⟩ give it here! [3] ⟨ter beschikking stellen⟩ give ◆ *geef **acht**!* attention!; *zich een **air** geven* give o.s. airs, swank; *iemand een **arm** geven* give s.o. one's arm; *iemand **bericht** geven* notify/inform s.o., send s.o. word; *woorden **bij** een vertaling geven* give words in a translation; *een kind de **borst** geven* nurse/suckle/breast-feed a baby; ⟨fig⟩ *ik geef geen **cent** meer voor zijn leven* I wouldn't give a penny for his life; *iets **er aan** geven* give sth. up; ⟨m.b.t. activiteit, belang; inf⟩ chuck sth. (in), pack sth. in; ⟨m.b.t. activiteit ook⟩ jack sth. in; ⟨m.b.t. een positie⟩ throw sth. in; ⟨activiteit ook⟩ throw sth. up; ⟨ophouden met⟩ pack sth. up; *ik geef er een **euro** voor* I'll give a euro for it; *het spel **gewonnen** geven* concede the game; *iemand een **hand** geven* shake hands with s.o.; *zijn **leven** geven* give one's life; *zich **moeite** geven om* take the trouble over/to; *zijn **stem** geven aan* give one's vote to, vote for; *hij gaf zich de **tijd** niet om te eten* he didn't take time to eat; *het goede **voorbeeld** geven* set a good example; *iemand **vuur** geven* give s.o. a light; *ik zou heel **wat** willen geven om te weten …* I'd give a lot to know …; ***zich** volledig/met tegenzin aan iemand geven* give o.s. to s.o. completely/reluctantly; *de dokter geeft er wel wat voor* the doctor will have sth. for it [4] ⟨toebrengen⟩ give ◆ *iemand **complimentjes** geven* pay s.o. compliments, compliment s.o.; ***Engels/geschiedenis** geven* teach English/history; *iemand **last** geven* instruct s.o., give s.o. instructions; ***les** geven* teach; *iemand een **lesje** geven* teach s.o. a lesson; *de rechter gaf hem vijf **maanden*** the judge gave him five months; ⟨inf⟩ *iemand **op** zijn donder/duvel/lazerij geven*

give s.o. a thumping/walloping; ⟨fig⟩ give s.o. what for, give s.o. sth. to remember; *iemand een pak* ***slaag*** *geven* give s.o. a beating; ⟨in elkaar slaan ook⟩ beat s.o. up; *een paard de* ***sporen*** *geven* spur on a horse; *het huis een* ***verfje*** *geven* give the house a coat/lick of paint; *iemand de* ***verzekering*** *geven dat ...* assure s.o./give s.o. an assurance that ...; ***vorm*** *aan iets geven* give sth. form; *iemand ervan langs geven* let s.o. have it [5] ⟨toekennen⟩ give, ↑grant ♦ *iemand de* ***eer*** *geven die hem toekomt* give s.o. his due; *aan de oproep* ***gehoor*** *geven* respond to the appeal; *iemand* ***gelijk*** *geven* think (that) s.o. is right, agree with s.o.; ⟨inf⟩ back s.o. up, ⟨jur e.d.⟩ decide in s.o.'s favour; *iemand de* ***schuld*** *geven* blame s.o., put the blame on s.o.; ⟨sport⟩ *een vrije* ***trap*** *geven* award a free kick; *je zou hem geen* ***vijftig*** *geven* you'd never think he was fifty [6] ⟨veroorzaken⟩ give ♦ ***aanstoot*** *geven* give offence/^Aoffense; *dat verhaal geeft te* ***denken*** that story makes you think/ gives you food for thought; *de* ***doorslag*** *geven* tip the scales, clinch/settle it/the matter; *een* ***feest*** *geven* ⟨ook⟩ have/throw a party; ***hoop*** *geven* hold out hope, raise hopes; *de kou gaf haar een* ***kleur*** the cold brought colour to her cheeks/face; *dat geeft maar* ***praatjes*** that will only start tongues wagging; *een* ***schreeuw*** *geven* (give a) scream; *de laatste* ***snik*** *geven* give one's last gasp; *de deur gaf* ***toegang*** *tot de tuin* the door gave access to/opened onto the garden; ***vuur*** *geven* fire [7] ⟨opleveren⟩ give, bring ♦ *dat geeft een* ***gemiddelde*** *van 20* that gives/you get an average of 20; *de koe geeft geen* ***melk*** *meer* the cow doesn't give milk any more/any more milk [•] *ik geef het je* ***te doen*** it's no picnic, it's not the easiest thing in the world; ⟨sport⟩ *de bal werd* ***uit*** *gegeven* the ball was given out; ***zich*** *helemaal geven/****alles*** *geven* give it everything one's got, go all out; *hij gaf niet thuis* ⟨niet meewerken⟩ he wouldn't play ball; ⟨niet reageren⟩ he appeared not to notice/not to hear (me/...), he didn't bite; ⟨sprw⟩ *God geeft kracht naar kruis* God shapes/makes/fits the back to the burden; ⟨sprw⟩ *veel beloven en weinig geven doet de gekken in vreugde leven* to promise and give nothing is comfort to a fool; ± it is one thing to promise and another to perform; ⟨sprw⟩ *het is zaliger te geven dan te ontvangen* it is more blessed to give than to receive; ⟨sprw⟩ *eens gegeven blijft gegeven* ± give a thing, and take a thing, to wear the Devil's gold ring; ⟨sprw⟩ *een gegeven paard moet men niet in de bek zien* never look a gift horse in the mouth; ⟨sprw⟩ *wie geeft wat hij heeft, is waard dat hij leeft* you cannot be expected to give more than you have; ⟨sprw⟩ *een vat geeft uit wat het in heeft* what can you expect from a hog but a grunt?; there comes nothing out of the sack but what is in it; ± garbage in, garbage out; ⟨sprw⟩ *als men hem een vinger geeft, neemt hij de hele hand* give him an inch and he'll take a yard/mile; ⟨sprw⟩ *aalmoezen geven verarmt niet* (great) almsgiving lessens no man's living; alms never make poor; he that giveth to the poor shall not lack

gever [de^m] giver, donor, ⟨kaartsp⟩ dealer ♦ *de Gever van alle* ***goeds*** the Giver of all good things; *een* ***gulle*** *gever* a liberal/generous giver; ⟨kaartsp⟩ *wie is de gever?* who is dealing?

gevergeerd [bn] laid ♦ *gevergeerd* ***papier*** laid paper

geverseerd [bn] versed (in), conversant (with), proficient (in/at)

geverseerdheid [de^v] proficiency (at/in), skill (in)

gevest [het] (sword) hilt

gevestigd [bn] [1] ⟨vaststaand⟩ established, settled, fixed ♦ *een gevestigde* ***mening*** a fixed/firm opinion; *een gevestigde* ***reputatie*** a(n) (well-)established reputation; ⟨fin⟩ *een gevestigde* ***schuld*** a funded debt/liability [2] ⟨sinds lange tijd bestaand⟩ established, long-established, old-established, long-standing, of long standing ♦ *gevestigde* ***belangen*** ⟨ook fig⟩ vested interests; *de gevestigde* ***macht*** the Establishment; ⟨vaak scherts⟩ the powers that be; *een gevestigde* ***naam*** an old name; *de gevestigde* ***orde*** the establishment, the established order; *een gevestigde* ***zaak*** a(n) (well-)established business; ⟨fig⟩ a going concern

gevierd [bn] celebrated, honoured, famous, famed ♦ *een gevierd* ***dichter*** an eminent/a celebrated poet; *een gevierde* ***schoonheid*** a famous/celebrated beauty; *een gevierde* ***ster*** a great/celebrated star

gevieren [telw] (the) four (of ...) ♦ ***ons*** *gevieren* the four of us, we four

gevierendeeld [bn] [1] ⟨in vier stukken gehouwen, getrokken⟩ quartered [2] ⟨heral⟩ quartered, ⟨bijwoord⟩ quarterly, per cross ♦ *gevierendeeld* ***van*** *zilver en zwart* quartered of argent and sable

gevijven [telw] (the) five (of ...) ♦ ***ons*** *gevijven* the five of us, we five

gevind [bn] [1] ⟨met vinnen⟩ finned, finny [2] ⟨plantk; m.b.t. blad⟩ pinnate(d) ♦ ***dubbel*** *gevind* bipinnate; ***even*** *gevind* equally pinnate

gevingerd [bn] [1] ⟨met vingers⟩ fingered, digitate(d) [2] ⟨plantk; m.b.t. blad⟩ digitate(d), palmate(d)

gevit [het] fault-finding, cavilling, carping, nitpicking

gevitaminiseerd [bn] vitaminized

gevlag [het] putting the flags out

gevlamd [bn] flamed ♦ *fraai gevlamd* ***hout*** beautifully grained/flamed wood; *gevlamd* ***satijn*** moiré; *gevlamde* ***zijde*** watered silk

gevleesd [bn] fleshy, plump, stout, chubby

gevleid [bn] flattered ♦ *hij* ***betoonde*** *zich zeer gevleid* he was clearly very flattered, he appeared very gratified; ***zich*** *gevleid* ***voelen*** feel flattered

gevlekt [bn] spotted, specked, speckled, ⟨vuil⟩ stained, ⟨bont gevlekt⟩ mottled ♦ *gevlekt* ***fruit*** speck(s), specked fruit; *de gevlekte* ***hyena*** the laughing/spotted hyena; *de gevlekte* ***tijger*** the spotted tiger, the leopard

gevleugeld [bn] winged ♦ *gevleugelde* ***insecten*** winged insects; *gevleugelde* ***mier*** flying/winged ant; *het gevleugelde* ***paard*** the winged horse; ⟨plantk⟩ *gevleugelde* ***stengel*** winged/alate stem; *gevleugeld* ***wild*** game birds

gevlieg [het] [1] ⟨het telkens vliegen⟩ flying [2] ⟨fig⟩ rush(ing about)

gevlij [het] [•] *(bij) iemand* ***in*** *het gevlij proberen te komen* humour s.o., butter s.o. up, play/make/^Ashine up to s.o., toady to s.o.; *erin slagen (bij) iemand* ***in*** *het gevlij te komen* manage to get into s.o.'s good books/graces, wind one's way into s.o.'s friendship/affections

gevloek [het] swearing, cursing, bad/profane/strong language

gevlogen [bn] flown, gone ♦ *de* ***vogel*** *is gevlogen* ⟨fig⟩ the bird has flown (the coop)

gevlokt [bn] flaky

gevoeg [het] ⟨form⟩ [•] *zijn gevoeg* ***doen*** relieve o.s.

gevoegd [bn] ⟨jur⟩ [•] *gevoegde* ***partij*** party joining/joined as co-plaintiff, party joined as co-defendant; *als gevoegde* ***partij*** *optreden* join/be joined as party to an action

gevoeglijk [bw] properly, suitably, decently ♦ *hiermee zouden wij gevoeglijk* ***kunnen eindigen*** this might be a fitting way to end proceedings

gevoeglijkheid [de^v] propriety, decency

gevoel [het] [1] ⟨als zintuig⟩ touch, feel(ing) ♦ ***op*** *het gevoel* ***af*** by feel/touch [2] ⟨lichamelijke gewaarwording⟩ feeling, sensation ♦ *een gevoel hebben* ***alsof*** *je valt/moet overgeven* feel as if/as though you're falling/you're going to be sick, ⟨inf⟩ feel like you're falling/you're going to be sick; *een* ***brandend*** *gevoel in de maag* a burning feeling/sensation in one's stomach, heartburn; *ik* ***heb*** *geen gevoel meer in mijn vinger* my finger's gone numb, I can't feel my finger any more, I've got no feeling left in my finger; *dieren* ***hebben*** *ook gevoel* animals can also feel/have feelings too; *ik vind het wel een* ***lekker*** *gevoel* I like the feeling; *een* ***pijnlijk*** *gevoel* a painful feeling/sensation [3] ⟨innerlijke gewaarwording⟩ feeling, sense ♦ *hij kon zich niet* ***aan*** *het gevoel* ***onttrekken*** *dat ...* he couldn't help feeling that ...; *dat* ***geeft*** *zo'n lekker gevoel* it's such a nice feeling; *iemand het gevoel **geven** dat ...* give s.o. the feeling/make s.o. feel that ...; *een **goed/rot** gevoel over iets hebben* feel good/bad about sth.; *dat gevoel **heb** ik ook vaak* I often feel the same way myself; *ik **heb** zo het gevoel dat ...* I've got a/the feeling that ...; *het gevoel **hebben** dat ...* have a/the feeling that ...; *het gevoel **hebben** erbij te horen* have a sense of belonging, feel one belongs; *met een **katterig** gevoel blijven zitten* be left with a sense of disillusionment; *ik **ken** dat gevoel* I know the feeling; ***ken** jij het gevoel door iedereen uitgelachen te worden?* do you know what it's like/it feels like to be a laughing stock?; *plotseling/steeds vaker het gevoel **krijgen** dat ...* suddenly feel/get the feeling/feel more and more/get more and more of a feeling that ...; *het onbehaaglijke gevoel **krijgen** dat er iets niet klopt* get the unpleasant feeling that sth.'s not right; ***naar** mijn gevoel* to my mind, to my way of thinking, I think (that); *wat voor gevoel is het **om** 80 te zijn?* how does it feel/what is it like/what does it feel like to be 80?; *ik heb zo'n **raar** gevoel van binnen* I feel so odd/I've got such an odd feeling inside; *een gevoel **van spijt*** a feeling/sense of regret [4] ⟨vatbaarheid voor emoties⟩ feeling(s), emotion(s) ♦ *zich **door** zijn gevoel laten leiden* let o.s. be guided by one's feelings; ***op** zijn gevoel afgaan* play it by ear; ***op** iemands gevoel werken* work on s.o.'s feelings; *het gevoel **spreekt** bij haar sterker dan het verstand* she lets her heart rule her head [5] ⟨besef⟩ sense (of), feeling (for) ♦ ***muzikaal** gevoel hebben* have a feeling for music; ⟨inf⟩ be musical; *iemands gevoel **van eigenwaarde*** s.o.'s sense of dignity/of self-worth, s.o.'s self-respect; *gevoel **voor** schoonheid hebben* have a feeling for/a sense of beauty; *gevoel/geen gevoel **voor** verhoudingen/humor hebben* have a/no sense of proportion/humour [6] ⟨gevoeligheid, sentiment⟩ feeling ♦ *geen **greintje** gevoel hebben* not have a spark of feeling/emotion; *hij las de verzen **met** gevoel voor* he read the verses with feeling

[1]**gevoelen** [het] ⟨vnl form⟩ [1] ⟨emotie⟩ feeling, emotion ♦ *gevoelens **onderdrukken*** suppress feelings; ***op** iemands gevoelens **werken*** play upon s.o.'s feelings; *zijn gevoelens **opkroppen*** bottle/cork up one's feelings; ***tegengestelde** gevoelens* ambivalent/contradictory feelings; *zijn gevoelens **tonen*** show one's feelings, act (out) one's emotions; *zijn diepste gevoelens **uiten*** lay bare one's heart/soul; ***vriendelijke** gevoelens voor/jegens iemand koesteren* entertain friendly feelings towards s.o. [2] ⟨gezindheid⟩ feeling, sentiment ♦ *met gevoelens van **hoogachting*** respectfully yours; *gevoelens van **spijt/trouw*** feelings of regret/loyalty [3] ⟨oordeel, mening⟩ feeling, opinion, sense, sentiment ♦ *iemands gevoelens **delen** met betrekking tot/omtrent* share s.o.'s sentiments on; ***gemengde** gevoelens* mixed feelings; *zijn boek werd met **gemengde** gevoelens ontvangen* his book met with a mixed reception/was received with mixed feelings

[2]**gevoelen** [ov ww] ⟨form⟩ [1] ⟨voelen⟩ ⟨ogm⟩ feel [2] ⟨ervaren⟩ ⟨ogm⟩ feel, sense ♦ ***berouw** gevoelen* repent; ***deernis** gevoelen met* feel compassion for/on; *zijn aanwezigheid **doen** gevoelen* make one's presence felt; ***genegenheid** gevoelen voor iemand* feel affection for s.o.

[1]**gevoelig** [bn] [1] ⟨reagerend op indrukken, gewaarwordingen⟩ sensitive (to), ⟨voor pijn⟩ sore, tender, ⟨allergisch⟩ allergic (to) ♦ *een gevoelig **onderwerp** omzeilen* avoid a touchy/sore/emotive subject; ***overdreven** gevoelig zijn* be over-sensitive; *die **plek/wond** is (nog) gevoelig* that spot/wound is (still) tender/sore; ⟨fig⟩ *iemand op zijn gevoelige **plek** raken* touch s.o. in/on a tender place/spot, get s.o. where it hurts; *gevoelig **voor** stof* allergic to dust; *een gevoelig **zenuwgestel*** weak nerves; *erg gevoelig **zijn*** have a thin skin, be very sensitive [2] ⟨ontvankelijk⟩ sensitive (to), susceptible (to), impressionable, ⟨lichtgeraakt⟩ touchy ♦ *een gevoelig **hart*** a susceptible heart; *hij **is** erg gevoelig op dat punt* he is very sensitive/touchy/feels very strongly about that; *een gevoelig **mens*** a sensitive person; *gevoelig **van aard** zijn* have a sensitive nature; *gevoelig **voor** poëzie/vrouwelijk schoon zijn* be susceptible/alive to poetry/beauty; *ik ben zeer gevoelig **voor** uw bereidwilligheid* I much appreciate your willingness [3] ⟨duidelijk voelbaar⟩ tender, sore ♦ *een gevoelige **klap*** a sore/shrewd blow; *haar ego kreeg een gevoelige **knauw*** her ego got badly bruised; *een gevoelige **kou*** a bitter/severe cold; *een gevoelige **nederlaag*** a heavy defeat; *een gevoelige **nederlaag** lijden* be heavily/sorely defeated, be crushed [4] ⟨lichtgevoelig⟩ (light-)sensitive, sensitized ♦ *iets op de gevoelige **plaat** vastleggen* get sth. on film [5] ⟨m.b.t. instrumenten⟩ delicate, sensitive ♦ *een gevoelige **balans*** sensitive scales

[2]**gevoelig** [bw] [1] ⟨op heftige wijze⟩ smartly, sorely, sharply [2] ⟨met veel gevoel⟩ sensitively, with (great) feeling ♦ *dat is heel gevoelig **gezegd*** that was put very delicately

gevoeligheid [de^v] [1] ⟨vatbaarheid voor indrukken, aandoenlijkheid⟩ sensitivity (to), susceptibility (to) ♦ *een **ziekelijke** gevoeligheid voor kou* a pathological sensitivity to cold [2] ⟨m.b.t. instrumenten⟩ sensitivity, delicacy ♦ *de gevoeligheid van het **gehoor*** the sensitivity of the ear [3] ⟨m.b.t. film⟩ sensitivity

gevoeligheidscoëfficiënt [de^m] coefficient of sensitivity

[1]**gevoelloos** [bn] [1] ⟨levenloos⟩ numb, dead, benumbed ♦ *het **been** was/raakte gevoelloos* the leg was/became numb; *gevoelloos **door de kou*** numb/benumbed with cold; *gevoelloos **maken*** ⟨voor pijn⟩ anaesthetize [2] ⟨hardvochtig⟩ insensitive (to), unfeeling, callous, heartless ♦ *een gevoelloos **mens*** an unfeeling/a heartless person; *gevoelloze **naturen*** heartless characters

[2]**gevoelloos** [bw] ⟨hardvochtig⟩ unfeelingly, heartlessly, callously ♦ *hij **spotte** gevoelloos met ons leed* he callously mocked our sorrow/suffering

gevoelloosheid [de^v] [1] ⟨levenloosheid⟩ numbness, deadness [2] ⟨hardvochtigheid⟩ insensitivity, callousness, heartlessness

gevoelsarm [bn] insensitive

gevoelscontact [het] touch, contact

gevoelsleven [het] emotional/inner life

gevoelsmatig [bn, bw] instinctive ⟨bw: ~ly⟩ ♦ *een gevoelsmatige **afkeer*** an instinctive dislike; *iemand gevoelsmatig **afwijzen*** reject s.o. by instinct/instinctively

gevoelsmens [de^m] man/woman of feeling, feeling/emotional person, ⟨sterk⟩ sentimentalist

gevoelsmotief [het] emotional reason/motive

gevoelsoverweging [de^v] sentiment, sentimental reason, sentimental consideration ♦ ***uit** gevoelsoverwegingen* for sentiment(al reasons)

gevoelsreactie [de^v] emotional reaction

gevoelstemperatuur [de^v] windchill (factor)

gevoelstoestand [de^m] state of mind, emotional state

gevoelswaarde [de^v] [1] ⟨affectiewaarde⟩ sentimental/emotional value ♦ *deze dingen **hebben** alleen voor mij een zekere gevoelswaarde* these things are of some sentimental value to me only [2] ⟨taalk⟩ connotation

gevoelswereld [de] (the) emotions

gevoelszaak [de] emotional matter, matter of sentiment, ⟨kwestie van aanvoelen⟩ matter of feeling ♦ *(iets) **tot** een gevoelszaak **maken*** emotionalize (sth.)

gevoelszenuw [de] sensory nerve

gevoelszin [de^m] feeling

gevoelvol [bn, bw] feeling ⟨bw: ~ly⟩, intense, sensitive ♦ *een gevoelvol **dichter*** a sensitive poet; *op gevoelvolle **toon*** feelingly, with much/great feeling

gevogelte [het] [1] ⟨vogels voor consumptie⟩ fowl, poultry ♦ *gevogelte **schoonmaken*** draw/dress fowl; ***wild** en gevogelte* game and fowl [2] ⟨collectivum⟩ poultry, birds, fowl ♦ ⟨Bijb⟩ *het gevogelte des **hemels*** the fowl/birds of the air

gevoileerd [bn] veiled ⟨ook stem⟩, ⟨beeld⟩ dim, hazy, ⟨foto⟩ fogged

gevolg [het] [1] ⟨wat uit iets volgt⟩ ⟨vaak ongunstig⟩ consequence, ⟨vaak gunstig⟩ result, ⟨uitwerking⟩ effect, outcome, ⟨goed⟩ success ♦ *aan de gevolgen van iets overlijden* die from/owing to the effects of sth.; *de gevolgen **aanvaarden*** take the consequences; *met **als** gevolg, met het gevolg **dat*** resulting in, with the result that, the result being that; *de gevolgen **dragen** (van), voor de gevolgen **opdraaien*** pay the penalty (of); ⟨inf; BE⟩ stand the rocket; *heeft het ook **financiële** gevolgen?* will it have financial implications?; *gevolg **geven** aan een bevel* obey an order; *gevolg **geven** aan een advies* act upon (a piece of) an advice; *aan een besluit gevolg **geven*** act upon/carry out a decision, put a decision into effect; *gevolg **geven** aan een verzoek* comply with/grant a request; ⟨jur⟩ *geen gevolg **geven** aan een zaak* not bring a matter before/take a matter (in)to court; *gevolg **geven** aan een uitnodiging* accept an invitation; *gevolg **geven** aan een opdracht/plan* carry out instructions/a plan; *gevolg **gevend** aan de oproep* in response to the appeal; *gevolg **gevend** aan een bevel* in obedience to an order; *gevolg **gevend** aan een opdracht* in pursuance of/according to an instruction; *gevolg **gevend** aan bepaalde wensen* in compliance with certain wishes; *iets doen met **goed** gevolg* do sth. successfully/effectively/with good results; *met **goed** gevolg examen doen* pass an exam(ination); *geen gevolgen **hebben*** have no effect/result, be ineffective/unsuccessful; *die zaak zal nog gevolgen **hebben*** we haven't heard the last of this (matter), this is not the end of the matter; *(geen) nadelige gevolgen **hebben** voor iemands carrière/gezondheid* have (no) ill/adverse effects on s.o.'s career/health; *ik kan niet **instaan voor** de gevolgen* I cannot answer for the consequences; ***met** alle gevolgen van dien* with all its consequences; *geen nadelige gevolgen van iets **ondervinden*** be/feel none the worse (for sth.), suffer no ill effects from sth.; ***oorzaak** en gevolg* cause and effect; *de gevolgen zijn niet te **overzien*** the consequences cannot be estimated/are incalculable; ***ten** gevolge van* as a result of, in consequence of, owing/due to; ***ten** gevolge daarvan* as a consequence/result; *de dood **ten** gevolge hebben* result in death; ***ten** gevolge/**tot** gevolg hebben* result in; ***ten** gevolge van de aanhoudende droogte blijven de druiven klein* the grapes will be/remain small as a result of the continued dry spell; *het gevolg zijn **van*** arise/result from, be the result of; *de gevolgen ondervinden **van*** suffer the consequences of; *met **verstrekkende/onaangename** gevolgen* with far-reaching/unpleasant consequences; *de gevolgen zijn **voor** jou(w rekening)* you must take/face the consequences; ***zonder** verdere gevolgen* without practical effect [2] ⟨personen die iemand begeleiden⟩ retinue, train ♦ *de **koningin** en haar gevolg* the queen and her retinue; ***zonder** gevolg* unattended [3] ⟨wisk⟩ corollary [•] ⟨sprw⟩ *kleine oorzaken hebben grote gevolgen* little sparks kindle great fires; from tiny acorns mighty oaks may grow

gevolgaanduidend [bn] conclusive, illative ⟨ook taalkunde⟩, ⟨taalk⟩ consecutive

gevolglijk [bw] ⟨form⟩ ⟨ogm⟩ hence, consequently ♦ *de termijn is verstreken, gevolglijk is hij verplicht te betalen* the term has expired, consequently he is bound to pay

gevolgschade [de] consequential loss

gevolgtrekking [de^v] conclusion, deduction, inference ♦ *een **gewaagde** gevolgtrekking* a dangerous conclusion; *een **logische** gevolgtrekking is dan om ...* a logical conclusion would be to ...; *zijn gevolgtrekkingen **maken*** draw one's own conclusions; *een **onjuiste** gevolgtrekking* the wrong conclusion/a paralogism; ***overhaaste** gevolgtrekkingen maken* jump to conclusions/a conclusion

gevolmachtigd [bn] authorized, having (full) power of attorney, ⟨vnl pol⟩ plenipotentiary ♦ *een gevolmachtigd **minister*** a minister plenipotentiary, an envoy; *een gevolmachtigd **persoon*** an authorized person/agent/representative

gevolmachtigde [de] ⟨jur⟩ authorized agent/representative, ⟨in diplomatie⟩ ambassador extraordinary, plenipotentiary

gevorderd [bn] advanced ♦ *op gevorderde **leeftijd*** at an advanced age, late in (one's) life; *in gevorderde **staat** van ontbinding verkeren* be in an advanced state of decomposition; *wegens het gevorderde **uur*** because of the late hour; ⟨zelfstandig (gebruikt)⟩ *alleen **voor** gevorderden* for advanced students only; ⟨zelfstandig (gebruikt)⟩ *een cursus **voor** gevorderden* an advanced course

gevorkt [bn] [1] ⟨met de vorm van een vork, gaffel⟩ forked, (bi)furcate(d) ♦ *gevorkte **bliksemstralen*** chain lightning; *een gevorkte **drijfstang/krukas*** a forked connecting rod/crankshaft [2] ⟨plantk⟩ forking, (bi)furcate(d)

gevormd [bn] [1] ⟨met een bepaalde vorm⟩ -formed, (-)shaped, -built, -made ♦ *een stel **fraai** gevormde benen* a pair of/some finely shaped/shapely legs; *een **goed** gevormde neus* a regular nose [2] ⟨volledig ontwikkeld⟩ fully formed ♦ *een gevormd **karakter*** a fully developed character [3] ⟨r-k⟩ confirmed ♦ ***niet** gevormd* unconfirmed

gevraagd [bn] in demand ♦ *'gevraagd' **advertentie*** wanted/^{A}want ad; *een gevraagd **artikel*** an article that is much in demand/for which there is a great demand; *een **veel** gevraagd presentator* a (very) popular presenter/host; *een **weinig** gevraagd artikel* ⟨inf ook; AE⟩ a sleeper; *niet **zeer** gevraagd* not much sought-after

gevreesd [bn] dreaded ♦ *een gevreesd **criticus*** a feared critic; *het gevreesde **ogenblik** nadert* the dreaded moment is coming

gevrij [het] cuddling, petting, necking, ⟨inclusief geslachtsgemeenschap⟩ love-making

gevuld [bn] [1] ⟨mollig, dik⟩ full, plump, filled out ♦ *een gevulde **boezem*** a full bosom [2] ⟨van binnen volgemaakt⟩ stuffed, filled ♦ *gevulde **bonbons*** chocolate creams; *gevulde **chocolade*** chocolates with soft centres, ⟨AE⟩ chocolate(-coated) candy; *een **goed** gevulde beurs* a heavy/well-lined purse; *een gevulde **kies*** a filled tooth; *gevulde **koek*** ± almond paste cake; *een gevulde **roomsoes*** a stuffed cream puff; *gevulde **tomaten*** stuffed tomatoes

gewaad [het] [1] ⟨(opper)kleed⟩ garment, attire, robe, gown, apparel ♦ ⟨fig⟩ *het boek is in een **keurig** gewaad gestoken* the book is produced in a fine style/handsomely; *een **lang** gewaad* a (long) gown, a long robe; *een **plechtig** gewaad* a stately robe/gown [2] ⟨kledij⟩ dress, garb, garment, ⟨kerk⟩ vestment

gewaagd [bn] [1] ⟨gevaarlijk⟩ hazardous, risky, chancy ♦ *een gewaagde **onderneming*** a hazardous/risky/venturesome undertaking; *een gewaagde **sprong*** a daring leap [2] ⟨gedurfd, pikant⟩ daring, suggestive, risqué ♦ *een gewaagde **bak*** a blue/an off-colour/a suggestive joke; *een zeer gewaagde **film*** a very daring/risqué film; *een gewaagd **japon*** a daring dress; *een gewaagde **stelling*** a daring/bold proposition, ⟨vnl BE; inf⟩ a dodgy proposition; *een gewaagde **toespeling*** a suggestive remark, an innuendo [•] *aan elkaar gewaagd zijn* be well matched

gewaagdheid [de^v] [1] ⟨gewaagd iets, dubbelzinnige uiting⟩ ambiguity, equivocation [2] ⟨hoedanigheid⟩ daring, riskiness, hazardousness

gewaand [bn] ⟨vermeend⟩ supposed, ⟨voorgewend⟩ pretended, ostensible, ⟨denkbeeldig⟩ imagined ♦ *een gewaande **vriend*** a pretended/would-be friend

gewaarworden [ov ww] [1] ⟨zien⟩ perceive, observe, notice ♦ *wij werden haar van verre gewaar* we noticed her from afar [2] ⟨merken, beseffen⟩ sense, become aware of, ⟨te weten komen⟩ find out ♦ *hij werd hun gespot met hem **niet** gewaar* he remained oblivious of/to their mockery [3] ⟨ervaren⟩ feel, sense, experience ♦ ⟨vnl in België⟩ ***dat** zal je gewaarworden!* you'll soon find out, ⟨BE⟩ you'll cop it

gewaarwording [de^v] [1] ⟨het gewaarworden van indrukken⟩ perception ♦ *de gewaarwording van een **lichtschijnsel*** the perception of light [2] ⟨indruk⟩ ⟨ogen, oren⟩ perception, ⟨anderszins⟩ sensation, feeling, experience ♦ *een **onaangename** gewaarwording* an unpleasant sensation/

experience; *een gewaarwording van* ***weerzin*** *en* ***spijt*** a feeling of repulsion and remorse; ***zinnelijke*** *gewaarwordingen* sensations, sensual perceptions/experiences
gewafeld [bn] honeycomb(ed)
gewag [het] mention (of), reference (to) ◆ *hij* ***maakte*** *er geen gewag van* he didn't mention it/kept it quiet/kept quiet/silent about it; *gewag* ***maken*** *van* mention, report, make mention of, speak of; *er* ***wordt*** *één keer gewag van* ***gemaakt*** there is one reference to it, it is reported/mentioned once
gewagen [onov ww] mention, speak (of), refer (to), report, make mention (of), make reference (to) ◆ *de geschiedenis gewaagt* ***van*** *zijn heldendaden* history reports/makes mention of his bravery
gewapend [bn] 1 ⟨met wapens⟩ armed, in arms ◆ *gewapend* ***conflict*** armed conflict; *gewapend* ***glas*** armoured glass; ⟨draadglas⟩ wired glass; *de gewapende* ***macht*** the armed forces, the military; ⟨scherts; fig⟩ ***met*** *een fototoestel gewapend* armed with a camera; *gewapende* ***neutraliteit*** armed neutrality; *een gewapende* ***overval*** an armed raid/hold-up/robbery; *gewapend* ***verzet*** armed resistance; *gewapende* ***vrede*** armed peace 2 ⟨met bijzondere versterking⟩ armoured, reinforced, assisted ◆ *een gewapende* ***balk*** a reinforced beam; *gewapend* ***beton*** reinforced/armoured concrete, ferroconcrete; *gewapende* ***kunststof*** reinforced plastic 3 ⟨fig; versterkt, voorbereid⟩ armed, protected, prepared ◆ *gewapend zijn* ***tegen*** *de kou* be protected against the cold
gewapenderhand [bw] by force of arms, militarily ◆ *de stad werd gewapenderhand* ***ingenomen*** the town was taken by force of arms; *gewapenderhand tussenbeide komen* intervene militarily
gewas [het] 1 ⟨bepaalde plant⟩ plant ◆ ***kruipend*** *gewas* creeper; ***uitheemse*** *gewassen* exotic plants 2 ⟨gekweekte planten, vruchten⟩ crop(s), harvest, ⟨wijn⟩ vintage ◆ *groenten van* ***eigen*** *gewas* home produce, home-grown vegetables; *vruchten van* ***eigen*** *gewas* home-grown fruit; *het gewas* ***staat*** *goed* the crops are looking well 3 ⟨al wat er groeit aan planten⟩ growth, vegetation 4 ⟨jacht⟩ burr (rose)
gewasschade [de] crop damage
gewassen [bn] washed ◆ *een gewassen* ***tekening*** a wash drawing
gewast [bn] waxed ◆ *gewast* ***linnen*** wax cloth, oilcloth
gewasveredeling [de^v] crop improvement
gewaterd [bn] 1 ⟨m.b.t. stoffen⟩ watered, moiré ◆ *gewaterd* ***satijn*** moiré satin 2 ⟨m.b.t. diamanten⟩ ◆ *een* ***schoon*** *gewaterde diamant* a diamond of a magnificent water 3 ⟨doortrokken met water⟩ waterlogged ◆ *gewaterd* ***hout*** waterlogged wood ⊡ *dat* ***spiegelglas*** *is gewaterd* that mirror distorts
gewatteerd [bn] quilted ◆ *een gewatteerde* ***deken*** a quilt, ⟨BE⟩ a duvet, ⟨AE⟩ a comforter; ⟨in België⟩ *een gewatteerde* ***omslag*** a jiffy bag, a padded envelope; *gewatteerde* ***stof*** a quilt(ed fabric)
gewauwel [het] claptrap, drivel, twaddle ◆ ***sentimenteel*** *gewauwel* sentimental drivel
geweeklaag [het] wail(ing), lamentation(s), lament(ing)s, complaint(s), jeremiad(s)
geween [het] weeping, crying
geweer [het] 1 ⟨vuurwapen⟩ rifle, gun, ↓piece ◆ *een geweer* ***aanleggen*** aim a rifle/gun; *een* ***enkelloops/dubbelloops*** *geweer* a single-barrelled/double-barrelled rifle; ⟨fig⟩ *naar het geweer* ***grijpen*** take up arms; ⟨mil⟩ ***in*** *'t geweer!* stand to!; ***met*** *een geweer in de nek* at gunpoint; ***over*** *'t geweer!* slope arms!; ***presenteer*** *geweer!* present arms!, at the present!; *het geweer* ***presenteren*** present arms; ***schouder*** *geweer!* shoulder arms!; *het geweer* ***weigert*** the rifle/gun misfires; ⟨mil⟩ ***zet af*** *geweer!* order arms! 2 ⟨jacht; schutter⟩ gun, ⟨AE⟩ gunman ⊡ ***in*** *het geweer zijn/komen* ⟨fig⟩ be up in/take up arms
geweerhaakt [bn] barbed
geweerkogel [de^m] (rifle) bullet
geweerkolf [de] butt (end), (gun) stock, rifle butt
geweerlade [de] (gun) stock
geweerloop [de^m] barrel
geweerrek [het] rifle/gun rack
geweerriem [de^m] rifle/gun sling
geweerschot [het] 1 ⟨het losbranden van de lading, knal⟩ rifleshot, (gun)shot 2 ⟨afgeschoten lading⟩ rifleshot, (gun)shot, bullet ◆ *hij* ***kreeg*** *een geweerschot in de arm* he was shot in the arm, he got a bullet in his arm 3 ⟨afstand die een geweerkogel aflegt⟩ rifleshot, (gun)shot, (rifle-)range
geweerslot [het] bolt
geweervet [het] ⟨mil⟩ rifle grease
geweervuur [het] gunfire ◆ *de politie werd* ***met*** *geweervuur ontvangen* the police was met with gunfire
gewei [het] 1 ⟨hoorns⟩ antlers, attire, horns ◆ ***met*** *een gewei* antlered, beamed; *een gewei* ***met*** *drie takken* three-tined antlers/horns; *het hert* ***schuurt*** *zijn gewei* the deer is fraying its antlers/horns; *een hert met een* ***vol*** *gewei* a beamed/beamy stag; *het hert* ***werpt*** *zijn gewei* ***af*** the deer sheds/casts its antlers/attire/horns 2 ⟨ingewand⟩ gut, entrails, intestines 3 ⟨uitwerpselen⟩ droppings
geweidragend [bn] antlered, beamed
geweifel [het] ⟨aarzeling⟩ hesitation, wavering, vacillation, ⟨besluiteloosheid⟩ indecision, irresoluteness
geweld [het] 1 ⟨dwang, gewelddadigheid⟩ violence, force ◆ *zichzelf geweld* ***aandoen*** ⟨zich beheersen⟩ restrain o.s.; ⟨zich inspannen⟩ force o.s.; ⟨zijn principes verloochenen⟩ act contrary to one's principles; *de waarheid geweld* ***aandoen*** bend/stretch the truth; *zijn geweten geweld* ***aandoen*** violate one's conscience; *geweld met geweld* ***beantwoorden*** answer/meet force with force, retaliate; *geweld* ***gebruiken*** *(tegen)* use force violence (against); ***grof*** *geweld* brute force; ***huiselijk*** *geweld* domestic violence; *iemand* ***met*** *geweld verwijderen* remove s.o. by force; *zich* ***met*** *geweld toegang verschaffen* force one's way in; ⟨inbreker ook⟩ force an entry; ⟨jur⟩ *bedreiging* ***met*** *geweld (tegen personen)* threats with violence, violent threats; *dreigen met* ***militair*** *geweld* threaten military force; *geweld* ***plegen*** use violence; ***psychisch*** *geweld* mental cruelty; ***sporen*** *van geweld dragen* show/bear traces of violence; ***tot*** *geweld* ***overgaan*** use violence, resort to violence; *zijn toevlucht nemen* ***tot*** *geweld* resort to/have recourse to violence; ***zinloos*** *geweld* random/senseless (act(s) of) violence 2 ⟨grote kracht⟩ violence, force, strength ◆ ***fysiek*** *geweld gebruiken* use physical violence; *met* ***groot*** *geweld* with great violence/force; *hij rukte de deur* ***met*** *geweld open* he wrenched the door open; *het geweld van de* ***storm*** the violence of the storm ⊡ *hij wilde* ***met*** *alle geweld naar huis* he wanted to go home at all costs; *als ze/je dat nou* ***met*** *alle geweld wil* if she insists/you insist, if she/you must; ⟨sprw⟩ *geweld gaat boven recht* might is right
gewelddaad [de] (act of) violence, outrage, ferocity ◆ ***openlijke*** *gewelddaden* outright/open violence
¹gewelddadig [bn] 1 ⟨geweld plegend⟩ violent ◆ *een gewelddadige* ***groepering*** a violent organization 2 ⟨met geweld gebeurend⟩ violent, forcible ◆ *een gewelddadige* ***aanslag*** an attack with violence; *een gewelddadige* ***afrekening*** a violent reckoning; ⟨meestal, oneig⟩ a shoot-out; *een gewelddadige* ***dood*** *sterven* die a violent/an unnatural death/by violent means, come to a violent end; *op gewelddadige* ***wijze*** violently, by violence, by force 3 ⟨geneigd tot geweld⟩ violent, prone to violence
²gewelddadig [bw] ⟨met geweld⟩ violently, ⟨breken, openen⟩ forcibly ◆ *gewelddadig* ***openbreken*** open by force/forcibly, force open; *gewelddadig* ***optreden*** take violent/forceful action; ⟨bijvoorbeeld tegen krakers⟩ put down
gewelddadigheid [de^v] violence
geweldelict [het] violent offence
geweldenaar [de^m] 1 ⟨inf; sterk of zeer bekwaam persoon⟩ superman, ⟨bekwaam ook⟩ crack, whiz (kid), wiz-

ard [2] ⟨dwingeland, tiran⟩ tyrant, bully

geweldenarij [de^{v}] [1] ⟨dwingelandij⟩ tyranny, bullying [2] ⟨daad van geweld⟩ → **gewelddaad**

^{1}**geweldig** [bn] [1] ⟨enorm, reusachtig⟩ tremendous, enormous, immense, colossal, vast ♦ *een geweldig **applaus*** a thunderous/furious applause, ↓ a big hand; *een geweldig **bedrag*** ⟨ook⟩ a huge sum/amount; *een geweldige **eetlust*** a tremendous/an enormous/a huge appetite; *een geweldig **gebouw*** a tremendous/an enormous/immense/a colossal building; *tegen een geweldige **overmacht*** ⟨ook⟩ against fearful odds; *een geweldige **persoonlijkheid*** a strong personality; *geweldige **stommiteiten** uithalen* commit tremendous/enormous/immense stupidities/blunders, make stupendous mistakes; *een geweldig **succes*** a tremendous/great/howling success, a smash-hit [2] ⟨bijzonder goed, fijn⟩ terrific, fantastic, wonderful, beautiful, ⟨inf⟩ great, swell ♦ *je **feestje** was geweldig* your party was really sth./a ^{A}humdinger/a knockout; ***iets** geweldigs* ⟨inf⟩ a smasher/honey/knockout/^{B}scorcher/^{A}(bull)dozer; *hij **is** geweldig* ⟨ook⟩ he's really sth., he's some/a swell/great guy; *een geweldige **meid*** ⟨ook⟩ a first-rate/smashing girl; ***niet zo** geweldig* no great shakes, not so hot, nothing/to brag about/to write home about; *een geweldig **verhaal*** a riveting story; *ik **vind** het geweldig* I think it's terrific/great/fantastic/wonderful/fabulous [3] ⟨heftig, onstuimig⟩ tremendous, terrible, vehement, formidable, mighty ♦ *een geweldig **getier*** terrible/hideous ranting/bawling, a tremendous/terrible/raging brawl/uproar; *een geweldige **schok*** a tremendous/terrible/mighty shock; *een geweldige **vete*** a tremendous/terrible/violent feud

^{2}**geweldig** [bw] [1] ⟨in hoge mate⟩ tremendously, enormously, terribly, fearfully, immensely ♦ *geweldig **goed*** terribly/fearfully/awfully good; *zich geweldig **inspannen*** take great/infinite pains, go to great lengths/trouble; *zij is geweldig **slordig*** she is terribly/fearfully/awfully sloppy; *hij **verveelt** mij geweldig* he bores me stiff/to death/to tears [2] ⟨bijzonder goed, fijn⟩ wonderfully, fantastically, beautifully, ⟨inf⟩ swell, great ♦ *je **hebt** me geweldig **geholpen*** you've been a great/enormous/immense help; *die jurk **staat** haar geweldig* that dress looks fantastic/smashing on her, that dress suits her no end; *hij **zingt** geweldig* he sings wonderfully/fantastically/beautifully; *geweldig!* great!, fantastic!, terrific! [3] ⟨hevig⟩ tremendously, vehemently, violently, terribly, formidably

geweldige [de] [1] ⟨iemand die machtig, sterk is⟩ personage, person of distinction/mark/rank, great person, bigwig, big-shot, ⟨mv⟩ the great [2] ⟨Bijb; rijksgrote⟩ satrap, viceroy

geweldinstructie [de^{v}] ⟨theorie⟩ instructions on the use of force, instruction in the use of force

geweldloos [bn, bw] nonviolent ⟨bw: ~ly⟩, without violence, peaceable, peaceful ♦ *geweldloos **verzet*** nonviolent/peaceful resistance; *geweldloze **weerbaarheid*** nonviolent/peaceful resistance

geweldloosheid [de^{v}] nonviolence, nonresistance, peacefulness, peaceability

geweldpleging [de^{v}] (act of) violence, outrage, ⟨jur ook⟩ assault and battery ♦ *diefstal **met** geweldpleging* robbery with violence; ***openbare** geweldpleging* ± (street) vandalism and violence

geweldsdelict [het] violent crime

geweldsfilm [de^{m}] violent film

geweldsinstructie [de^{v}] rules of engagement, rules of combat/warfare

geweldsmisdrijf [het] violent crime

geweldsmonopolie [het] monopoly of violence

geweldsorgie [de^{v}] orgy of violence

geweldsspiraal [de] spiral of violence

geweldsuitbarsting [de^{v}] outburst of violence

gewelf [het] [1] ⟨holgebogen zoldering⟩ vault(ing), arch, dome, arched roof ♦ ⟨form, fig⟩ *het **blauw/azuren** gewelf* the vault/dome/canopy of heaven, the firmament [2] ⟨ruimte, vertrek⟩ vault ♦ *een **onderaards** gewelf* a subterranean/an underground vault, a cellar

gewelfboog [de^{m}] rib, vaulted arch

gewelfd [bn] [1] ⟨boogsgewijze geconstrueerd⟩ vaulted, arched, domed ♦ *een gewelfde **zoldering*** a vaulted/an arched roof/ceiling [2] ⟨met een gewelf⟩ vaulted, arched, domed ♦ *een gewelfde **gang*** a vaulted/an arched corridor [3] ⟨gebogen van lijn, vlak⟩ curved, domed, curvaceous ♦ *een gewelfd **voorhoofd*** a curved/domed forehead

gewelfsel [het] ⟨form⟩ [1] ⟨gewelfde zoldering⟩ vaulting [2] ⟨ruimte met gewelfde zoldering⟩ vault

gewemel [het] swarming, confusion ♦ *een **bont** gewemel van kleuren* a bright/motley confusion of colours

gewend [bn] used (to), accustomed (to), ⟨gewoon; iets onaangenaams⟩ in the habit (of), wont (to), inured (to) ♦ *ik **ben** dat rumoer wel gewend* I'm used/accustomed to that racket; *ik ben het **beter** gewend geweest* I have been accustomed to/have seen better days; ***niet** gewend (aan)* unused/unaccustomed (to); *zij is het hier nog **niet** gewend* she hasn't settled down here yet; *gewend **raken** aan zijn nieuwe woonplaats* settle down in one's new residence; *niet **veel** gewend zijn* be unaccustomed to good living; *wat was hij vriendelijk, dat **zijn** we niet van hem gewend* how friendly he was, that's not like him at all/quite unlike him!

^{1}**gewennen** [onov ww] ⟨form⟩ [1] ⟨gewoon worden, raken⟩ get used to, grow accustomed to, ⟨iets onaangenaams⟩ become inured to [2] ⟨zich thuis gaan voelen⟩ settle down ♦ *ik ben er nog niet gewend* I haven't settled down yet

^{2}**gewennen** [ov ww] ⟨form⟩ ⟨gewoon maken⟩ get/make used (to), accustom (to), ⟨iets onaangenaams⟩ inure (to) ♦ *gewen uw kind **aan** strikte gehoorzaamheid* train your child to strict obedience

gewenning [de^{v}] [1] ⟨het wennen aan iets⟩ habituation, ⟨aan iets onaangenaams⟩ inurement [2] ⟨med⟩ habituation

gewenningsproces [het] adjustment/settling-in (process), ⟨vooral med⟩ (process of) habituation

gewenst [bn] [1] ⟨door een wens bepaald⟩ desired, chosen ♦ *de operatie had (niet) het gewenste **gevolg*** the operation had the desired effect, ⟨inf⟩ the operation did the trick, the operation did not have the desired effect/failed in its purpose; *op ieder gewenst **ogenblik*** at any desired moment [2] ⟨waarnaar verlangd wordt, is⟩ desired, wished for, welcome ♦ *het gewenste **gevolg*** the desired effect [3] ⟨wenselijk⟩ desirable, advisable ♦ *hij **achtte** het niet gewenst het gesprek langer voort te zetten* he deemed it not desirable/undesirable/not advisable/inadvisable to continue the conversation

gewerveld [bn] ⟨biol⟩ vertebrate ♦ *de gewervelde **dieren*** the vertebrates/Vertebrata

gewest [het] [1] ⟨landstreek, oord⟩ district, region ♦ *een **naburig** gewest* a nearby/neighbouring district [2] ⟨bestuurseenheid⟩ district, ⟨AE vnl⟩ county, region ♦ ***in** gewesten **indelen*** divide into districts, regionalize [3] ⟨gedeelte van een land, provincie⟩ province, county, ⟨Fr⟩ department, ⟨onder ander beheer⟩ dependency ♦ ***overzeese** gewesten* overseas territories/possessions [4] ⟨afdeling van een vereniging, departement⟩ district [5] ⟨in België; deelstaat⟩ region (in Belgium)

gewestelijk [bn, bw] [1] ⟨regionaal⟩ regional ⟨bw: ~ly⟩, provincial ♦ *gewestelijk **arbeidsbureau*** district employment office, ⟨AE⟩ city/county employment office; *gewestelijk **plan*** regional plan; *de Gewestelijke **Staten*** ⟨BE⟩ ± the County Council, ⟨AE⟩ ± the County Board [2] ⟨dialectisch⟩ local ⟨bw: ~ly⟩, dialectal ♦ *gewestelijk **gezegd/gebruikt** worden* be in dialectal/local/regional use, be used locally/dialectically/regionally; *een gewestelijke **uitdrukking*** a local/dialectal/regional expression [3] ⟨in België⟩ regional, falling under the competence of the regions (in Belgium)

gewestminister [de^m^] ⟨in België⟩ minister of the French/German Region (in Belgium)
gewestplan [het] ⟨in België⟩ regional zoning plan
gewestraad [de^m^] ⟨in België⟩ regional council
gewestregering [de^v^] ⟨in België⟩ regional government
gewesttaal [de] (local) dialect
gewestvorming [de^v^] [1] ⟨instelling van gewesten⟩ formation of districts, division into districts, regionalization [2] ⟨in België⟩ regionalization
geweten [het] conscience ♦ *tussen **beurs** en geweten geplaatst zijn* be caught between the money and the moral side of a question; *gekweld **door** zijn geweten* conscience-stricken; *met een **gerust** geweten* with a good/clear conscience, in all conscience; *een **goed/rustig/zuiver** geweten hebben* have a good/an easy/a clear/clean/an unspotted conscience; *mijn geweten **knaagde*** my conscience pricked/troubled me; *een **kwaad/slecht/verhard/bezwaard** geweten hebben* have a bad/guilty/an uneasy conscience; *iets niet **met** zijn geweten in overeenstemming kunnen brengen* be unable to reconcile sth. to/square sth. with one's conscience; ***naar** eer en geweten* in good conscience; *veel **op** zijn geweten hebben* have a lot to answer for; *er ligt/drukt iets (zwaar) **op** mijn geweten* sth. lies heavy on me/my conscience; *een **ruim/rekbaar** geweten hebben* have an easy/elastic conscience; ***vrijheid** van geweten* freedom/liberty of conscience; *iemand **zonder** geweten* an unscrupulous person, a person without a conscience; ⟨pej⟩ a moral bankrupt; *zijn geweten in slaap wiegen/sussen* salve one's conscience, ease/lull/soothe one's conscience; *mijn geweten werd wakker/begon te spreken* my conscience was roused/woke up
gewetenloos [bn, bw] unscrupulous, immoral, reprobate, unprincipled ♦ *een gewetenloos **mens*** a reprobate; ⟨pej⟩ a moral bankrupt; *gewetenloze **plichtsverzaking*** unscrupulous shirking/duty dodging; *een gewetenloze **schurk*** a heartless villain/scoundrel/blackguard
gewetenloosheid [de^v^] unscrupulousness, unprincipledness, lack of principle/scruples
gewetensangst [de^m^] agony/anguish of conscience, pangs/prick of conscience, (pangs of) remorse
gewetensbezwaar [het] scruple, conscientious objection, qualm, compunction ♦ *daarover hoef je geen gewetensbezwaar te **hebben*** you need have no qualms about it; *gewetensbezwaar **hebben** om te doden/tegen het doden* have conscientious objections to/be conscientiously opposed to killing; ***zonder** gewetensbezwaar* without scruple/a qualm, with no compunction(s); *vrijstelling van dienstplicht op grond van gewetensbezwaren* exemption from military service on grounds of conscience/on conscientious grounds
gewetensbezwaarde [de] conscientious objector, co, ⟨pej; inf; BE⟩ conchie
gewetensconflict [het] moral conflict
gewetensdwang [de^m^] restraint of conscience, moral restraint
gewetensgeld [het] conscience money
gewetensgevangene [de] prisoner of conscience
gewetensnood [de^m^] moral dilemma
gewetensonderzoek [het] ⟨r-k⟩ examination of conscience, ⟨alg⟩ searching of hearts, soul-searching
gewetensrust [de] peace of mind
gewetensvol [bn, bw] conscientious ⟨bw: ~ly⟩, scrupulous, ⟨werken ook⟩ painstaking
gewetensvraag [de] ♦ *dat **is** een gewetensvraag* now you're asking me one, that's a deep/quite a question, that's a real poser; *waar was je gisteravond - of **is** dat een gewetensvraag?* where were you last night - or would you rather not say?, where were you last night - - or is that a tricky/an indelicate/a rude question?
gewetensvrijheid [de^v^] freedom of conscience, liberty of conscience
gewetenswroeging [de^v^] pangs/qualms/prickings/twitches/twinges of conscience, remorse, compunction, pangs/qualms/twinges of remorse, pangs/qualms/twinges of compunction ♦ *gekweld **door** gewetenswroeging* conscience-stricken, conscience-smitten
gewetenszaak [de] matter of conscience, moral question ♦ *van iets een gewetenszaak **maken*** make sth. a matter of conscience; *van iets geen gewetenszaak **maken*** have no qualms/scruples/compunction about sth., make no bones about sth.
gewettigd [bn] [1] ⟨legitiem, gerechtvaardigd⟩ legitimate, justified, ⟨bewering⟩ well-founded ♦ *het **vermoeden** is gewettigd, dat ...* there are good reasons to suspect that ... [2] ⟨geëcht⟩ legitimated ♦ *een gewettigd **kind*** a legitimated child
gewezen [bn] former, past, late, ex-, ⟨gepensioneerd⟩ retired ♦ *een gewezen **minister*** ⟨ook⟩ a one-time minister

gewicht van dingen 1/2

Engels	omrekenfactor	Nederlands
ounce	x 28,35 =	gram
pound	x 0,453 =	kilo
(AE) (short) ton	x 0,907 =	ton
(BE) (long) ton	x 1,016 =	ton
(metric) tonne	x 1 =	ton
Nederlands		**Engels**
gram	x 0,035 =	ounce
kilo	x 2,205 =	pound
ton	x 1,103 =	(AE) (short) ton
ton	x 0,984 =	(BE) (long) ton
ton	x 1 =	(metric) tonne
voorbeeld		
7 pounds	x 0,453 =	3,2 kilo
500 gram	x 0,035 =	17,5 ounces

gewicht [het] [1] ⟨zwaarte⟩ weight, gravity ♦ ***beneden/boven** het gewicht* under/below weight, over/above weight; ***bij** het gewicht verkopen* sell by weight; ***dood** gewicht* deadweight; ⟨handel⟩ *goed gewicht **geven*** give a generous amount/full/good/weight; ⟨handel⟩ *slecht gewicht **geven*** give short weight; *het **heeft** een gewicht van 2 kg* it weights/has a weight of two kilograms, it is two kilograms in weight; ***in** gewicht toenemen* gain/put on weight; ***leeg** gewicht* kerb weight, tare; ***levend** gewicht* live weight; *in alle **maten** en gewichten* in all shapes and sizes; *weer **op** gewicht komen* regain lost weight; ***op** zijn gewicht **letten*** watch one's weight; ***schoon** gewicht* dressed weight; ⟨natuurk⟩ ***soortelijk/specifiek** gewicht* specific gravity; ⟨fig⟩ *zijn gewicht in goud waard zijn* be worth one's weight in gold [2] ⟨massa, last⟩ weight, burden ♦ *met zijn **hele** gewicht hangen aan* hang with one's entire weight on; *het gewicht der **jaren*** the weight/burden of the years; ***met** gewichten verzwaren* attach weights to, weight [3] ⟨voorwerp om de zwaarte te bepalen⟩ weight ♦ ⟨fig⟩ *dat legt bij haar **geen** gewicht in de schaal* ⟨inf ook⟩ that cuts no ice with her; ⟨fig⟩ *(**geen**) gewicht in de schaal leggen (bij iemand)* carry (no) weight (with s.o.); ***maten** en gewichten* weights and measures; *een gewicht **van** 5 kilo* a five kilogram weight; ⟨fig⟩ ***veel/weinig** gewicht in de schaal leggen* carry much/little weight, be of great/small weight/consequence/importance [4] ⟨voorwerp dat andere lichamen in beweging brengt⟩ weight ♦ *de gewichten **optrekken*** pull up the weights [5] ⟨belang⟩ weight, importance, consequence, moment ♦ *ten volle het gewicht **beseffen** van iets* realize the full import of sth.; *zaken van het **grootste** gewicht* matters of great/the utmost/vast importance/interest/consequence; *van **groter** gewicht zijn dan* outweigh; *weinig gewicht aan iets **hechten*** attach little importance to, make little/light of, set little store by; *te veel* *gewicht* ***hechten*** *aan iets* attach/allow/give undue/overvalue/too great weight/importance to, set too much store by; *een persoon* ***van*** *gewicht* a person of consequence/importance, ⟨inf⟩ a bigwig, ↓a big shot/noise; ***veel*** *gewicht aan iets* ***hechten*** attach much importance to, make much/a great deal of, set much store by

gewicht van dingen **2/2**

1 long ton = 2240 pounds
1 short ton = 2000 pounds
1 pound = 16 ounces
1 metric tonne = 1000 kilos

· als een Engels woord een gewicht aangeeft dat groter is dan 1, wordt het meervoud gebruikt: *one and a half pounds, six metric tonnes*
· de volgende afkortingen worden gebruikt: **oz** = ounce, **lb** = pound, **sh t** = short ton, **l t** = long ton

gewichtheffen [ww] weightlifting, ⟨inf⟩ pumping iron
gewichtheffer [de^m], **gewichthefster** [de^v] weightlifter
gewichthefster [de^v] → **gewichtheffer**

gewicht van mensen **1/2**

Brits-Engels

· in het Brits-Engels wordt het gewicht van mensen in **stones and pounds** uitgedrukt
1 stone = 14 pounds = 6,342 kilo
1 pound = 0,453 kilo
· er zijn verschillende manieren om in het Brits-Engels het gewicht van iemand te zeggen of te schrijven:
he weighs ten stone and five pounds; he weighs ten stone five pounds; he's ten stone five pounds
· bij het gewicht van mensen wordt altijd het enkelvoud **stone** gebruikt
· als men wil zeggen of vragen hoe zwaar iemand is, gebruik dan niet **heavy**, maar **weight** of **how much**:
what is your weight?; how much do you weigh?

omrekenen naar stone and pounds

· neem het gewicht in kilo's
· deel dit aantal door 6,35
· het getal voor de komma is het aantal **stones**
· deel het getal na de komma door 14; dit is het aantal pounds
· u heeft nu het aantal **stone and pounds**

omrekenen naar kilo's

· neem het gewicht in **stone and pounds**
· vermenigvuldig het aantal **stones** met 6,35
· vermenigvuldig het aantal **pounds** met 0,453
· tel deze twee uitkomsten bij elkaar op
· u heeft nu het gewicht in kilo's

¹**gewichtig** [bn] ⟨belangrijk⟩ weighty, important, momentous, significant, ⟨ernstig⟩ grave ♦ *een gewichtig* ***ambt*** an important function/office; *een gewichtige* ***dag*** an eventful day, ⟨pej⟩ a fateful day; *gewichtige* ***gebeurtenissen*** important/significant/grave events; *hij zette een gewichtig* ***gezicht*** he put on a grave/important face; *een gewichtig* ***personage*** a person of weight/importance/consequence, a notable, a notability; ⟨ook scherts⟩ a personage; *zich erg gewichtig* ***voelen*** feel important/one's own importance; *een gewichtig* ***vraagstuk*** a weighty/momentous/an important question, a question of great consequence/importance/weight
²**gewichtig** [bw] ⟨met een sterk besef van eigen belangrijkheid⟩ (self-)importantly, pompously, consequentially, pretentiously ♦ *gewichtig* ***doen*** act important, put on an air of consequence; ⟨inf⟩ throw one's weight about, put it on; *gewichtig* ***kijken*** look important/impressive
gewichtigdoenerig [bn] self-important, pompous, consequential, pretentious, flatulent
gewichtigdoenerij [de^v] self-importance, pomposity, consequentiality, flatulence
gewichtigheid [de^v] [1] ⟨belangrijkheid, gewicht⟩ weight, importance, consequence, ⟨ernst⟩ gravity, seriousness [2] ⟨air van gewichtig te zijn⟩ (self-)importance, pomposity, consequentiality, flatulence, pretentiousness ♦ *hij antwoordde met* ***grote*** *gewichtigheid* he answered with great pomposity/consequence/pretentiousness [3] ⟨scherts; gewichtig persoon⟩ milord, pompous ass ♦ ***zijne*** *gewichtigheid keek zelfvoldaan de kring rond* his highness looked around the circle with satisfaction
gewichtloosheid [de^v] weightlessness, zero-g(ravity) ♦ *in een* ***toestand*** *van gewichtloosheid verkeren* be in a condition of weightlessness/at zero-gravity
gewichtscoëfficiënt [de^m] coefficient of weight
gewichtscontrole [de] weight check, ⟨sport en spel: bokser voor wedstrijd, jockey na race⟩ weigh-in, ⟨jockey voor race⟩ weigh-out
gewichtsdeel [het] part ♦ *neem* ***een*** *gewichtsdeel boter op* ***twee*** *gewichtsdelen suiker* take one part butter and two parts sugar
gewichtseenheid [de^v] unit of weight
gewichtsklasse [de^v] ⟨sport⟩ weight ♦ *ingedeeld bij de* ***zwaarste*** *gewichtsklasse* classified as a heavyweight
gewichtstoename [de] increase in weight
gewichtstraining [de] weight training
gewichtstuk [het] weight
gewichtsverlies [het] loss of weight, weight loss

gewicht van mensen **2/2**

Amerikaans-Engels

· in het Amerikaans-Engels wordt het gewicht van mensen in **pounds** uitgedrukt
1 pound = 0,453 kilo
· er zijn verschillende manieren om in het Amerikaans-Engels het gewicht van iemand te zeggen of te schrijven:
he weighs a hundred and fifty pounds; he's a hundred and fifty pounds
· als men wil zeggen of vragen hoe zwaar iemand is, gebruik dan niet **heavy**, maar **weight** of **how much**:
what is your weight?; how much do you weigh?

omrekenen naar pounds

· neem het gewicht in kilo's
· deel dit aantal door 0,453
· u heeft nu het gewicht in **pounds**

omrekenen naar kilo's

· neem het gewicht in **pounds**
· vermenigvuldig het aantal **pounds** met 0,453
· u heeft nu het gewicht in kilo's

gewiebel [het] wobbling, wiggling, ⟨rusteloos bewegen⟩ wriggling, fidgeting
gewiekst [bn] shrewd, smart, artful, sharp, dodgy ♦ *een gewiekste* ***vent*** a dodger/shark, a sharp hand
gewiekstheid [de^v] shrewdness, smartness, gumption, gamesmanship, sharpness, ⟨sl⟩ savvy, sabe
gewiekt [bn] ⟨form⟩ winged ♦ *de gewiekte* ***zangers*** *van het woud* the winged warblers of the wood(s)
gewijd [bn] [1] ⟨geheiligd⟩ sacred, holy, hallowed ♦ *de gewijde* ***band*** *van het huwelijk* the sacred/holy bond(s) of matrimony; *een gewijde* ***plek*** a hallowed/sacred/holy place; *de*

gewijde ***Schrift/bladen*** Holy Scripture, Holy/Sacred Writ; the Holy Scriptures [2] ⟨wat gezegend is⟩ consecrated, holy ♦ *gewijde* ***aarde/grond*** consecrated ground; *gewijd* ***water*** holy water [3] ⟨met de liturgie in verband staand⟩ sacred, devotional ♦ *een gewijde* ***handeling*** (a) sacred/holy rite(s); ⟨anglic⟩ Holy Service; ⟨r-k⟩ Holy Mass; *gewijde* ***muziek*** sacred music [4] ⟨een wijding ontvangen hebbend⟩ ordained ♦ *een gewijd* ***priester*** an ordained priest

gewijsde [het] ⟨jur⟩ final/absolute/definitive judgment, res judicata ♦ ***kracht*** *van gewijsde hebben* be final (and conclusive)/final and not open to appeal/have the effect of a final judgment/have the force/authority of res judicata; *het vonnis is in* ***kracht*** *van gewijsde* the judgement is final/absolute/definitive/not open to challenge or appeal, the case is res judicata

¹gewild [bn] ⟨in trek⟩ sought-after, popular, favoured, in demand ♦ *dat* ***artikel*** *is gewild* that article is sought after/in demand/in favour/in request, that article sells like hot cakes; *dat* ***artikel*** *is niet gewild* that article is unpopular/not taken/not liked, that article has no sale/finds no buyers; *in gezelschap* ***is*** *hij zeer gewild* his company is much sought after; ⟨handel⟩ *koffie* ***was*** *erg gewild* coffee was in great demand

²gewild [bn, bw] ⟨geforceerd⟩ forced, affected, contrived, laboured ♦ *iemand gewild* ***vriendelijk*** *begroeten* greet s.o. with affected/forced/contrived friendliness

gewildheid [de^v] [1] ⟨het in trek zijn⟩ popularity [2] ⟨het geforceerd zijn⟩ studiedness, constraint, artificiality, affectedness

¹gewillig [bn] [1] ⟨bereidwillig⟩ willing, cooperative, ⟨volgzaam⟩ tractable, docile, ⟨gehoorzaam⟩ obedient ♦ *gewillig* ***haar*** manag(e)able hair; *een gewillig* ***kind*** a tractable/docile child; *zich gewillig* ***tonen*** show (one's) willingness/enthusiasm [2] ⟨niet afgedwongen⟩ willing, ready, free ♦ *een gewillig* ***oor*** *lenen aan iemand* lend a ready ear to s.o.; *een gewillige* ***toestemming*** willing/ready consent [•] ⟨sprw⟩ *de geest is gewillig, maar het vlees is zwak* the spirit is willing, but the flesh is weak

²gewillig [bw] ⟨zonder verzet⟩ willingly, readily, freely, voluntarily, of one's own accord, of one's own (free) will ♦ *hij* ***ging*** *gewillig* ***mee*** he came along willingly/voluntarily/of his own accord/free will

gewilligheid [de^v] willingness, readiness, tractability, obedience

gewimpeld [bn] pennon(e)d

gewimperd [bn] [1] ⟨met wimpers⟩ having eyelashes [2] ⟨plantk⟩ fimbriate(d)

gewin [het] gain, profit, ⟨pej⟩ lucre ♦ *het gewin van de* ***bijen*** the take of the bees; ***om*** *het gewin* for profit; ***vuil/vuig*** *gewin* filthy lucre, ill-gotten gains; *op hoop van gewin* in the hope of a profit [•] ⟨sprw⟩ *het eerste gewin is kattengespin* ± win at first and lose at last

gewinnen [ov ww] ⟨form⟩ [1] ⟨verwerven⟩ win, gain [2] ⟨verwekken, telen⟩ beget ♦ *Abraham gewon* ***Isaäc*** *en Isaäc gewon* ***Jacob*** Abraham begot Isaac and Isaac begot Jacob

gewinziek [bn] greedy, covetous, self-seeking

gewinzucht [de] covetousness, cupidity, greed, love of money/gain

gewip [het] ⟨niet stil zitten⟩ fidgeting, ⟨op stoel⟩ rocking

¹gewis [bn] [1] ⟨onontkoombaar⟩ certain, sure ♦ *een gewisse* ***dood/ondergang*** certain death, certain/sure destruction [2] ⟨vaststaand⟩ certain, sure, definite

²gewis [bw] ⟨form⟩ ⟨stellig⟩ for sure, indeed

gewissel [het] alternation, fluctuation, variation

gewoeker [het] festering, ⟨financieel⟩ usury

gewoel [het] [1] ⟨het voortdurend woelen⟩ tossing (and turning), ⟨gespartel⟩ struggling [2] ⟨menigte⟩ bustle [3] ⟨onrustige beweging⟩ bustle, hustle, jostle, stir, commotion

gewogen [bn] weighted ♦ *gewogen* ***gemiddelde*** weighted average

gewolkt [bn] cloudy, clouded ♦ *gewolkt* ***glas*** clouded/cloudy glass, translucent glass; *gewolkte* ***zijde*** moire silk

gewond [bn] injured, ⟨i.h.b. door wap⟩ wounded, ⟨inf⟩ hurt ♦ *gewond* ***aan*** *het* ***hoofd/been*** injured/wounded in the head/leg; ***dodelijk*** *gewond* fatally injured/wounded; *gewond* ***raken*** be/get injured/wounded/hurt

gewonde [de] injured/wounded person, casualty ♦ *de* ***doden*** *en gewonden* the casualties; *de gewonden* the wounded/injured

gewondentransport [het] transport(ation) of wounded/casualties

gewonemensentaal [de] everyday language ♦ ***iets in*** *gewonemensentaal uitleggen* explain sth. in a way that anybody can understand

gewonnen [bn] [•] *zich gewonnen* ***geven*** give in, admit/acknowledge defeat/one's error, throw in the towel

¹gewoon [bn] [1] ⟨waaraan men gewend is⟩ usual, regular, accustomed, customary, habitual ♦ *in zijn gewone* ***doen*** ***zijn*** be o.s.; *iemand uit zijn gewone* ***doen*** *brengen* put s.o. off his stride/stroke; *zijn gewone* ***gang*** *gaan* go about one's business [2] ⟨gebruikelijk⟩ usual, regular, ordinary, normal, everyday ♦ *de gewone* ***betekenis*** *van een woord* the ordinary/usual/common meaning of a word; *in gewoon* ***Engels*** *wil dat zeggen ...* in plain English it means ...; *de gewone* ***gang*** *van zaken* the usual/run-of-the-mill/customary course (of events)/procedure; *de gewone* ***manier*** *van doen* the usual/ordinary/routine manner/way; *op het gewone* ***tijdstip*** at the usual time; *het gewone* ***woord*** the usual word [3] ⟨van de meest bekende soort⟩ common ⟨biologie vaak onvertaald⟩ ♦ *gewone* ***aandelen*** ordinary/equity shares, equities, ⟨AE⟩ common shares; *gewone* ***breuk*** common fraction; *gewoon* ***brood*** household bread; *gewone* ***pas*** quick march/step/time; *in de gewone* ***pas*** *marcheren* march at the quick; *gewone* ***verkoudheid*** the common cold [4] ⟨in overeenstemming met de regelmatige orde⟩ regular, ordinary ♦ *gewoon* ***hoogleraar*** (full) professor; *dat* ***is*** *gewoon* that's natural/to be expected; *een gewone* ***vergadering*** an ordinary meeting [5] ⟨niet opvallend, alledaags⟩ ordinary, common(place), plain, humdrum, everyday ♦ *meer* ***dan*** *gewoon* uncommon, extraordinary, outstanding; ***hij*** *is verschrikkelijk gewoon* he's nothing out of the ordinary/very ordinary; *radio is nu* ***iets*** *heel gewoons* radio is sth. very ordinary/nothing out of the ordinary/nothing special these days; *het gewone* ***leven*** everyday life; *de gewone* ***lezer*** the general reader; *de gewone* ***man/burger*** the ordinary/common man, the average citizen, the man in the street; *gewoon* ***matroos*** ordinary seaman; *een gewoon* ***mens*** an ordinary/everyday/average/unexceptional person; *het gewone* ***publiek*** the general public; *gewoon* ***schrift*** *en stenografie* longhand and shorthand; *gewoon* ***soldaat*** private (soldier), common soldier, trooper, recruit; ⟨inf; BE⟩ tommy; ⟨inf; AE⟩ GI Joe; *gewone* ***stoelen*** ordinary/plain chairs; *in gewone* ***taal*** *en in code* in clear and in ciphers, in plain and in code language; *het gewone* ***volk*** the common people, the masses; *de gewoonste* ***zaak*** *ter wereld* a very usual thing [6] ⟨gewend aan, vertrouwd met⟩ used to, accustomed to, in the habit of ♦ *ik* ***ben*** *het zo gewoon* that's what I'm used to/accustomed to; *dat* ***was*** *men van hem niet gewoon* that was unlike/not like him, that was not usual with him; *hij* ***was*** *gewoon na het eten een dutje te doen* he used to/was in the habit of/would take an after-dinner/postprandial nap

²gewoon [bw] [1] ⟨op de gebruikelijke wijze⟩ normally ♦ *doe maar gewoon* (do) act normal(ly), behave yourself, do try and behave like a normal human being; *ga alsjeblieft gewoon* ***zitten*** just sit down, won't you? [2] ⟨in de gebruikelijke mate⟩ normally, ordinarily, usually ♦ *zij is meer dan gewoon* ***begaafd*** she is extraordinarily talented [3] ⟨ronduit gezegd⟩ simply, just, fairly ♦ *gewoon* ***heerlijk*** simply delightful; *dat vlees is gewoon* ***niet*** *te eten* that meat is simply/

just inedible [4] ⟨zonder meer⟩ just, simply ◆ *als er zoiets gebeurt kun je toch niet gewoon doorlopen* if sth. like that happens, you can't just/simply walk past, can you?; *hij heet gewoon Smith* he's just plain Smith; *zij praatte er heel gewoon over* she was very casual about it

gewoonheid [de^{v}] commonness, ordinariness, plainness

gewoonlijk [bw] usually, normally, generally, mostly, as a rule ◆ *als gewoonlijk kwam ze te laat* as usual, she was late; *wij eten gewoonlijk om vijf uur* we usually/generally/mostly/normally have dinner at five, as a rule we have dinner at five; *hij gaat gewoonlijk wandelen na de lunch* he takes a walk after lunch; *hij ging gewoonlijk wandelen na de lunch* he would go for a walk after lunch; *Mary was niet zoals ze gewoonlijk is* Mary was not her usual self; *dat boek wordt gewoonlijk verkeerd gelezen* that book is commonly misread

gewoonte [de^{v}] [1] ⟨gebruik⟩ custom, usage, practice, tradition, institution ◆ *het is niet de gewoonte te ...* it is not customary to ..., ⟨inf⟩ it is not the thing to ...; *een oude vaderlandse gewoonte* an old national custom; *het is (de) gewoonte te ...* it is customary/the practice/the custom to ...; *de gewoonte wil dat een maagd geofferd wordt* by custom(s) a virgin must be sacrificed; *zeden en gewoonten* ways, customs [2] ⟨wat men gewoon is te doen⟩ habit, custom, way, use, practice ◆ *het is een gewoonte van haar* that is a habit of hers/a way she has; *dat is anders mijn gewoonte niet* I don't usually do/don't make a habit of that; *de macht der gewoonte* the force of habit; *een gewoonte maken van* make/form a habit/practice of, make it a habit/practice/rule to; *naar/volgens gewoonte* as usual; *in oude gewoonten terugvallen* revert to/relapse into old habits, revert to type; *tegen zijn gewoonte* contrary to his habit, contrary to his usual practice; *hij doet het uit (louter) gewoonte* he does it from/out of/by (sheer) habit; *zoals zijn gewoonte was* as was his way, ⟨form⟩ as was his wont [3] ⟨aanwensel⟩ habit, practice, ⟨pej⟩ trick, way ◆ *de gewoonte aannemen iedereen Sir te noemen* ⟨bewust⟩ get into/take to/form the habit of calling everyone Sir; ⟨onbewust⟩ fall into/drop into/slip into the habit of calling everyone Sir; *een gewoonte afleren/afleggen* break (o.s. of)/get out of/grow out of a habit, kick/overcome a habit; *een eigenaardige gewoonte* an odd/a peculiar habit, a mannerism, a quirk, an idiosyncracy; *een goede/lastige gewoonte* a good/bad habit; *een ingewortelde gewoonte* an unshakeable/engrained habit; *hij heeft de gewoonte om op alles aanmerkingen te maken* he has a habit/way of criticizing everything; *in gewoontes vastgeroest* set in one's ways, in a rut

gewoontedier [het], **gewoontemens** [de^{m}] creature of habit ◆ *de mens is een gewoontedier* man is a creature of habit

gewoontedrinker [de^{m}], **gewoontedrinkster** [de^{v}] habitual drinker, tippler

gewoontedrinkster [de^{v}] → **gewoontedrinker**

gewoontegetrouw [bw] as usual, according to custom, according to previous practice, in accordance with custom, in accordance with previous practice

gewoontemens [de^{m}] → **gewoontedier**

gewoontemisdadiger [de^{m}], **gewoontemisdadigster** [de^{v}] habitual criminal, recidivist

gewoontemisdadigster [de^{v}] → **gewoontemisdadiger**

gewoonterecht [het] customary law, unwritten law, ⟨BE ook⟩ common law

gewoontevorming [de^{v}] habit formation, formation of habits

gewoontjes [bn] ordinary, common, plain, simple, homely ◆ *het is er allemaal maar heel gewoontjes* it's all very plain and simple there

gewoonweg [bw] [1] ⟨als iets gewoons⟩ just like that ◆ *hij zat gewoonweg te liegen* he was telling downright/outright lies; ⟨inf⟩ he was lying ^{B}in/^{A}through his teeth [2] ⟨ronduit, bepaald⟩ simply, just, ⟨AE⟩ plain, outright, downright ◆ *uw handschrift is gewoonweg onleesbaar* your handwriting is simply/downright illegible

geworden [onov ww] ⟨form⟩ come to hand, ↓ reach ◆ *ik zal u het boek doen geworden* I will sent you/let you have the book [•] ⟨in België⟩ *wat zal van hem geworden?* what will become of him?

gewormte [het] worms, maggots, ⟨inf⟩ creepy-crawlies

geworteld [bn] ⟨fig⟩ rooted, ingrained, entrenched

gewraakt [bn] ⟨jur⟩ challenged, out of court ◆ *de gewraakte passage* the contested/challenged passage, the passage declared inadmissible

gewricht [het] [1] ⟨med⟩ joint, articulation ◆ *hij heeft pijn in zijn gewrichten* his joints ache; *met gewricht* articulate(d), jointed; *het gewricht van de schouder* the shoulder joint; *zonder gewricht* unjointed; ⟨med⟩ anarthrous; *door gewricht verbonden zijn met* be jointed/articulate with [2] ⟨verbinding tussen delen van een werktuig⟩ joint, articulation, ⟨scharnier⟩ hinge

gewrichtsband [de^{m}] ligament

gewrichtsholte [de^{v}] socket, joint cavity

gewrichtsknobbel [de^{m}] joint, ⟨vingers⟩ knuckle

gewrichtsmuis [de] loose/free body

gewrichtsneurose [de^{v}] ± neuropathic arthritis

gewrichtsontsteking [de^{v}] arthritis, inflammation of the joints

gewrichtsreuma [het], **gewrichtsreumatiek** [de^{v}] ⟨acuut⟩ rheumatic fever, ⟨chronisch⟩ rheumatoid arthritis

gewrichtsreumatiek [de^{v}] → **gewrichtsreuma**

gewrichtsvlies [het] synovial membrane

gewrichtsziekte [de^{v}] disease of the joint(s), ⟨i.h.b.⟩ arthritis

gewriemel [het] [1] ⟨het telkens door elkaar krioelen⟩ swarming, wriggling [2] ⟨onrustige bedrijvigheid van mensen⟩ jostle, confusion, hustle, bustle [3] ⟨gepeuter aan iets⟩ fiddling (with), twisting

gewrocht [het] product, creation, work ◆ *de grootste gewrochten van dicht- en toonkunst* the greatest works of poetry and music; *een kunstig/voortreffelijk gewrocht* an ingenious/excellent (piece of) work

gewrongen [bn] [1] ⟨(opzettelijk) verdraaid⟩ distorted, crabbed, cramped, ⟨opzettelijk⟩ disguised ◆ *dat is met een gewrongen hand geschreven* that is written in a crabbed/cramped/disguised hand [2] ⟨niet ongedwongen⟩ forced, constrained ◆ *een gewrongen antwoord* a forced/contrived answer [3] ⟨gezocht, onnatuurlijk⟩ strained, laboured, tortuous, contrived ◆ *een gewrongen redenering* a laboured/tortuous/twisted/contrived reasoning; *een gewrongen stijl* a laboured/tortuous/contrived style; *een gewrongen uitleg* a strained/forced/contrived explanation

gewrongenheid [de^{v}] [1] ⟨(opzettelijke) verdraaidheid⟩ distortion [2] ⟨gedwongenheid⟩ forcedness, strainedness [3] ⟨gezochtheid⟩ laboriousness, elaborateness, wryness, byzantinism

gez. [afk] [1] (gezusters) sisters [2] (gezang) hymn

gezaag [het] [1] ⟨het telkens, aanhoudend zagen⟩ sawing (away) [2] ⟨gezeur⟩ harping on, nagging, keeping/going on, moaning [3] ⟨het krassen op een strijkinstrument⟩ scraping, sawing (away)

gezaagd [bn] ⟨plantk⟩ serrate(d), incised ◆ *dubbel gezaagd* biserrate, doubly serrate

gezaaide [het] [1] ⟨wat gezaaid is⟩ seed [2] ⟨het te veld staande gewas⟩ crop(s)

gezag [het] [1] ⟨machtsbevoegdheid⟩ authority, power, ⟨mil⟩ command, ⟨over land⟩ rule, dominion ◆ *op eigen gezag* on one's own authority; *het gezag handhaven* maintain authority/(law and) order; *kerkelijk en wereldlijk gezag* religious and secular authority; *gezag uitoefenen* exercise/

exert authority (over); *vaderlijk/ouderlijk gezag* paternal/parental authority; *het gezag* ***voeren*** *over* command, be in command of; *het* ***wettig*** *gezag over een kind* the legal custody/guardianship of a child; *een volk aan zijn gezag onderwerpen* subject a people to one's rule [2] ⟨overheid⟩ authority, authorities, power, establishment ♦ *het* ***bevoegd*** *gezag* the competent/proper authorities; *het* ***centraal*** *gezag* the central government; *het* ***hoogste*** *gezag* the highest authorities; *het* ***openbaar*** *gezag* the (public) authorities [3] ⟨geestelijk overwicht⟩ authority, weight ♦ *(veel/weinig) gezag* ***hebben*** have (great/not a shred of) authority; ⟨onder collega's⟩ have (great/no) influence; ⟨woord⟩ count (for much/little), carry (much/little) weight; ***met*** *gezag spreken* speak with authority/authoritatively; ***met*** *gezag optreden* act firmly, take authoritative action; ⟨inf⟩ put one's foot down; ***op*** *gezag* ***van*** on the authority of; *iets* ***op*** *iemands (goed) gezag aannemen* take s.o.'s word for sth., take what s.o. says on trust/faith; *op een* ***toon*** *van gezag* in a tone of authority, in an authoritative tone; *het gezag van een* ***uitgave*** the reliability of an edition [4] ⟨van besluit, wet⟩ force, effect

gezagdraagster [de^v] → **gezagdrager**

gezagdrager [de^m], **gezagdraagster** [de^v] person in charge/authority, ⟨mv⟩ authorities

gezaghebbend [bn, bw] [1] ⟨met gezag bekleed⟩ authoritative ⟨bw: ~ly⟩, in authority, authorized ♦ *een gezaghebbend* ***persoon*** an authoritative/authorized person, a person in authority [2] ⟨overwicht, gewicht hebbend⟩ authoritative ⟨bw: ~ly⟩, influential, magisterial ♦ *iets vernemen uit gezaghebbende* ***bron*** have sth. on good authority, learn/have sth. from a reliable source; *in gezaghebbende* ***kringen*** in influential/leading circles; *een gezaghebbend* ***persoon*** an authority; *een gezaghebbend* ***schrijver*** a(n) authoritative/influential/leading writer, a(n) (leading) authority; *het meest gezaghebbende* ***werk*** *over dit onderwerp* the definitive/most authoritative book on this subject

gezaghebber [de^m] person in charge/authority, ⟨mv⟩ authorities

gezagsapparaat [het] (the) authorities, (the) establishment

gezagscrisis [de^v] breakdown of authority, ⟨m.b.t. regering⟩ political crisis

gezagsgetrouw [bn] law-abiding

gezagsorgaan [het] instrument of state, authority ♦ *het* ***hoogste*** *gezagsorgaan* the Supreme/High Authority

gezagspatroon [het] power structure

gezagsvacuüm [het] power vacuum, absence/lack of authority

gezagsverhouding [de^v] power relation(ship)

gezagvoerder [de^m], **gezagvoerster** [de^v] [1] ⟨door een regering met gezag bekleed persoon⟩ person in charge/authority [2] ⟨bevelhebber op een schip⟩ commander, captain, (ship)master, master mariner, ⟨kleinere boot⟩ skipper [3] ⟨bevelhebber van vliegtuig⟩ captain

gezagvoerster [de^v] → **gezagvoerder**

gezagvol [bn] authoritative

gezakt [bn] bagged ♦ *de aflevering geschiedt* ***los*** *of gezakt* delivery is made loose or in bags/sacks ⊡ ***gepakt*** *en gezakt zijn* be (all) ready (and raring) to go

gezalfde [de] anointed ♦ *de gezalfde des* ***Heren*** the Lord's Anointed

¹gezamenlijk [bn] [1] ⟨alle⟩ complete, whole, total ♦ *de gezamenlijke* ***kiezers*** the (whole) electorate [2] ⟨gemeenschappelijk⟩ collective, combined, united, concerted, joint ♦ *de gezamenlijke* ***eigenaars*** the joint owners; *met gezamenlijke* ***krachten*** with joint/united/combined forces, in concert; *een gezamenlijk* ***optreden*** a concerted/joint/united action; *voor gezamenlijke* ***rekening*** for/on joint account

²gezamenlijk [bw] ⟨samen, met elkaar⟩ together, collectively, jointly, en bloc, in a body ♦ *hoofdelijk en gezamenlijk* ***aansprakelijk/verantwoordelijk*** jointly and severally/collectively and individually liable/responsible; *ze* ***gingen*** *gezamenlijk op weg* they set out together; *gezamenlijk* ***reizen*** travel together

gezang [het] [1] ⟨het (geluid van) zingen⟩ song, singing ♦ *het gezang van de* ***vogels*** the song/singing/warbling of the birds [2] ⟨zangstuk, lied⟩ song, ⟨kerk⟩ hymn ♦ ***Evangelische*** *Gezangen* ± Hymns Ancient and Modern; ***psalmen*** *en gezangen* psalms and hymns

gezangboek [het] hymnbook, hymnal

gezangbord [het] hymn board

gezangenbundel [de^m] hymnbook, hymnal

gezanik [het] [1] ⟨gezeur⟩ nagging, moaning, harping/keeping/going on ♦ ***van*** *dat/zijn gezanik* ***ben*** *je nog niet* ***af*** you haven't heard/seen the last of it/him yet [2] ⟨hinderlijk gedoe⟩ trouble, bother ♦ *ik wil geen gezanik* ***hebben*** *met al die paperassen* I don't want to be bothered by/with all that red tape; *dat geeft een* ***hoop*** *gezanik* that causes/creates a lot of trouble/bother

gezant [de^m] [1] ⟨afgevaardigde van vorst, staat⟩ envoy, ambassador, ⟨alg⟩ representative, delegate, emissary ♦ *gezanten* ***afvaardigen*** send/delegate envoys; ***buitengewoon*** *gezant* envoy extraordinary; *de* ***Franse*** *gezant in Engeland/aan het Engelse hof* the French ambassador to the court of St James's; ***geheim*** *gezant* secret emissary; ***pauselijk*** *gezant* papal/apostolic nuncio, legate [2] ⟨diplomatiek ambtenaar⟩ envoy [3] ⟨Bijb; boodschapper⟩ messenger, herald

gezantschap [het] [1] ⟨staatkundige zending⟩ mission, ⟨alg⟩ delegation, deputation [2] ⟨gezant(en) met toegevoegde personen⟩ mission, ⟨alg⟩ delegation, deputation [3] ⟨ambassade (personen)⟩ embassy, ⟨als hoofd geen ambassadeur is⟩ legation, ⟨gemenebestlanden⟩ high commission ♦ ***ons*** *gezantschap te Parijs* our embassy in Paris [4] ⟨ambassade (gebouw)⟩ embassy, ⟨als hoofd geen ambassadeur is⟩ legation, ⟨gemenebestlanden⟩ high commission [5] ⟨ambt van gezant⟩ envoyship

gezantschapsraad [de^m] embassy counsellor

gezantschapssecretaris [de^m] secretary of an embassy, ⟨als hoofd geen ambassadeur is⟩ secretary of a legation

gezapig [bn, bw] [1] ⟨sloom⟩ sluggish ⟨bw: ~ly⟩, languid, indolent, lethargic ♦ *een gezapig* ***mens*** a sluggish/lethargic/languid/an indolent person; *gezapig* ***rondhangen*** just hang/laze/lounge around [2] ⟨zacht, gemoedelijk⟩ soft ⟨bw: ~ly⟩, gentle, mild, ⟨van mensen⟩ easygoing ♦ *een gezapige* ***regen*** a soft/gentle/mild rain, a gentle shower

gezegde [het] [1] ⟨uitdrukking⟩ saying, proverb, maxim, adage, ⟨afgezaagd⟩ saw ♦ *een* ***bekend*** *gezegde* a well-known saying/proverb/adage; ⟨pej⟩ *het* ***oude*** *gezegde* the old saw [2] ⟨wat iemand zegt⟩ saying, utterance, statement, word, ⟨mv ook⟩ talk ♦ ***losse*** *gezegden* chance words; *wat zijn dat voor* ***malle*** *gezegden* what kind of silly talk is that? [3] ⟨taalk⟩ predicate ♦ ***naamwoordelijk*** *gezegde* nominal predicate; ***werkwoordelijk*** *gezegde* verb phrase

gezegdezin [de^m] ⟨taalk⟩ subject complement clause

gezegeld [bn] sealed ♦ *een gezegelde* ***oorkonde*** a sealed charter; *gezegeld* ***papier*** stamped paper ⊡ *gezegelde* ***aarde*** sigillated/lemnian earth, sphragide

¹gezegend [bn] [1] ⟨begenadigd, gelukkig⟩ blessed, fortunate ♦ ⟨iron⟩ *daar* ***ben*** *je (mooi) mee gezegend* I wish you joy (of it); *in gezegende* ***omstandigheden*** *verkeren* be enceinte; *hij overleed in de gezegende* ***ouderdom*** *van tachtig jaren* he died at the ripe old age of eighty; *een gezegende* ***streek*** a prosperous/fortunate region [2] ⟨groot, flink⟩ blessed ♦ *een gezegende* ***eetlust*** a roaring appetite [3] ⟨geloofd, geprezen⟩ blessed ⊡ *gezegende* ***distel*** blessed thistle; *gezegend* ***kruid*** wood avens, Herb Bennett

²gezegend [bw] ⟨gelukkig, voorspoedig⟩ fortunately, luckily ♦ *daar* ***ben*** *je gezegend van* ***afgekomen*** you got off lightly/cheaply/easily

gezeggen [ww] ⊡ *hij* ***laat*** *zich niets gezeggen* he won't obey/take orders, he won't be advised

gezeglijk [bn] reasonable, amenable (to reason/discipline), tractable, obedient, docile ♦ *het **kind** is heel gezeglijk* the child is very obedient/amenable/tractable

gezeik [het] ⟨vulg⟩ load of crap/(bull)shit, bull(shit), crap, ⟨AE⟩ horseshit, ⟨geklets⟩ yackety-yack ♦ *ik moet dat gezeik niet* don't give me that crap/bullshit

gezel [de^{m}] [1] ⟨makker, reisgenoot⟩ companion, mate, comrade [2] ⟨gesch, amb⟩ mate [3] ⟨handwerksman⟩ journeyman, workman, ⟨assistent⟩ mate

gezellig [bn, bw] [1] ⟨omgang aangenaam makend⟩ enjoyable ⟨bw: enjoyably⟩, pleasant, entertaining, ⟨van persoon⟩ sociable, companionable, ⟨feestelijk⟩ convivial ♦ *een gezellige **avond*** a(n) entertaining/pleasant/delightful/enjoyable evening; *een gezellige **babbel*** a cosy/pleasant chat, ⟨BE ook⟩ a good chin-wag/natter; *een gezellig **feest*** a good/an enjoyable party; *een gezellig **glaasje** drinken* have a pleasant drink (with s.o./together); *het samen erg gezellig **hebben*** lead a cosy life together; *een gezellige **huismoeder*** a good homemaker; *het **is** gezellig eens samen thuis te blijven* it's nice and cosy to stay home together once in a while; *een gezellig **mens*** good company, a companionable/sociable person, ↓ a chummy/matey person, a good mixer; *zij zijn helemaal **niet** gezellig* they're precious poor company; *een gezellige **prater*** a good talker, ↑ a good conversationalist; *een gezellig **uurtje*** a pleasant/an enjoyable time [2] ⟨aangenaam voor het verblijf⟩ pleasant ⟨bw: ~ly⟩, enjoyable, comfortable, cheerful, ⟨knus⟩ cosy, snug ♦ *een gezellig **hoekje/plekje*** a snug/cosy/comfy corner/nook, a cubby(-hole); *een gezellig **kamertje/huisje*** a cubby(-hole), a snuggery; *een kamer gezellig **maken*** ⟨knus⟩ make a room cosy/snug/homey; ⟨met bloemen/sprekende kleuren⟩ cheer/brighten a room up; *de kachel **snorde** gezellig* the stove roared cheerfully; *een gezellig **vuur*** a pleasant/welcoming fire [3] ⟨aardig, vlot⟩ companionable ⟨bw: companionably⟩, nice ♦ *een gezellig **boek*** a companionable/an enjoyable book; *een gezellige **brief*** a chatty/nice letter; *gezellig **kletsen*** chat away cosily/merrily/pleasantly [4] ⟨neiging hebbend om met anderen te verkeren⟩ social ⟨bw: ~ly⟩, gregarious, ⟨mens ook⟩ sociable ♦ *gezellige **dieren*** ⟨huisdieren⟩ pets; ⟨in groepen levend⟩ social/gregarious animals

gezelligheid [de^{v}] [1] ⟨genoeglijk samenzijn⟩ sociability, companionableness, ⟨feeststemming⟩ conviviality ♦ *hij **houdt van** gezelligheid* he is fond of company, he is a sociable/gregarious person; *zijn komst **verhoogde** de gezelligheid* his arrival heightened the conviviality; ***voor** de gezelligheid meedoen* join in for (the sake of) company [2] ⟨prettige atmosfeer⟩ cosiness, snugness, cheerfulness ♦ *hun huis **biedt** totaal geen gezelligheid* their house isn't a real home/a bit homey; *ik **houd** veel van gezelligheid in een kamer* I like a room to be cheerful/cosy/snug [•] ⟨sprw⟩ *gezelligheid kent geen tijd* ± pleasant hours fly fast

gezelligheidsdier [het] ⟨inf⟩ companionable/chummy sort, companionable/chummy type

gezelligheidsdrinker [de^{m}] social drinker

gezelligheidsmens [de^{m}] convivialist, sociable/companionable/gregarious person, ⟨iemand die zich bij allerlei verenigingen aansluit⟩ joiner ♦ *hij **is** een gezelligheidsmens* he's good company, he's very sociable/companionable/gregarious

gezelligheidsvereniging [de^{v}] social club

gezellin [de^{v}] companion, partner, mate

gezelschap [het] [1] ⟨het samenzijn met anderen⟩ company, companionship ♦ *met alleen haar dochter **als** gezelschap* with only her daughter to keep her company, with her daughter as her sole companion; *iemand gezelschap **houden*** keep/bear s.o. company; ***in** gezelschap* in company, when company is present; ***in** gezelschap **van*** in the company of; *aan hem heb je **weinig** gezelschap* he's poor company/not much of a companion; *dame gezocht voor huishoudelijk **werk** en gezelschap* wanted, lady for household duties and companionship; *gezelschap **zoeken*** seek companionship/company; *(iemands) gezelschap op prijs stellen* enjoy/value (s.o.'s) company/companionship [2] ⟨personen waarmee men samen is⟩ company, society ♦ *in **goed** gezelschap zijn* ⟨ook figuurlijk⟩ be in good company; ***in** beschaafd gezelschap* in polite society; *dat **is** geen gezelschap voor u* that is not the (right) sort of company for you; *in **slecht** gezelschap geraken* fall into bad company, get into a bad set [3] ⟨aantal personen die bijeen zijn⟩ company, party, gathering, assembly ♦ *zich **bij** het gezelschap voegen* join the party; *de **clown** van het gezelschap* the clown of the company; *een **gemengd** gezelschap* a mixed company, a motley gathering; *hij **heeft** gezelschap aan zijn hond* his dog is a companion to him/keeps him company; *iemand **in** een gezelschap **introduceren*** introduce s.o. to a company; *een **klein/besloten/groot** gezelschap* a small/private/large party; *het **middelpunt** van het gezelschap* the life and soul of the party, the centre of attraction; *een **uitgelezen** gezelschap* a select/well-chosen company, a galaxy; *een **vrolijk** gezelschap* a merry party/company; *deel uitmaken van het gezelschap* make one of the company, be of the party [4] ⟨in samenstellingen; vereniging⟩ company, ⟨toneel⟩ troupe

gezelschapsdame [de^{v}] (lady-)companion, lady-help ♦ *gezelschapsdame **bij*** (lady-help-)companion to

gezelschapsdier [het] household pet, pet, domestic animal

gezelschapsspel [het] party game, round game

gezemel [het] nagging, moaning, harping/keeping/going on

gezessen [telw] (the) six (of ...) ♦ *ons **gezessen*** the six of us, we six

¹gezet [bn] [1] ⟨bepaald⟩ set, definite, fixed, regular ♦ *een gezette **termijn/dag*** a fixed term/day; *op gezette **tijden*** at specified/set times, at (regular) intervals [2] ⟨dik⟩ stout, corpulent, portly, rotund, plump, ⟨fors⟩ thickset

²gezet [bn, bw] ⟨regelmatig, geregeld⟩ regular ♦ *een gezette **lezing** van de Bijbel* a regular reading of the Bible

gezeten [bn] [1] ⟨met een vaste woonplaats⟩ settled, resident ♦ *een gezeten **bevolking*** a settled population [2] ⟨welgesteld⟩ substantial, established ♦ *een gezeten **burger**, de gezeten **burgerij*** a substantial/solid citizen; the prosperous/well-to-do middle class

gezetheid [de^{v}] [1] ⟨zwaarlijvigheid⟩ stoutness, corpulence, portliness, potundity, plumpness [2] ⟨regelmaat, ernst⟩ application, assiduity, diligence

gezeur [het] [1] ⟨gezanik⟩ moaning, harping on, nagging, ⟨gedoe⟩ fussing, bother ♦ *hou nu eens op met dat **eeuwige** gezeur!* do for goodness' sake stop moaning all the time!; ***sentimenteel** gezeur* mush, slush [2] ⟨bedrog in het spel⟩ cheating

gezever [het] [1] ⟨gezeur⟩ drivel, twaddle [2] ⟨gekwijl⟩ slaver, slobber, drool, drivel

gezicht [het] [1] ⟨het zien⟩ sight ♦ ***op** het eerste gezicht* at first sight, at (the) first glance/blush, on the face/surface of it; *liefde **op** het eerste gezicht* love at first sight; ***op** het (eerste) gezicht iets spelen/zingen* play/sing sth. at sight, sight-read sth.; ***op** het eerste gezicht lijkt dat ondoenlijk* on the face of it/on first thoughts it seems impracticable; *met een **stalen** gezicht* with a brazen face, stony-faced, brazen-faced, poker-faced; ⟨inf⟩ deadpan [2] ⟨(object van) gewaarwording⟩ sight, spectacle ♦ *'t was een **aardig/prachtig** gezicht* it was a lovely/pretty sight, it was a magnificent/splendid sight; *dat is **geen** gezicht!* that is a perfect sight/a fright/hideous; ***voor** het gezicht een kleedje over iets leggen* put a cloth over sth. for appearance's sake; *een **vreselijk** gezicht* a ghastly/gruesome sight [3] ⟨gelaat⟩ face ♦ *iemand **in** zijn gezicht uitlachen* laugh in s.o.'s face, laugh at s.o.; *de zon schijnt mij **in** het gezicht* the sun is shining in my face/eyes; *iemand strak **in** het gezicht kijken* look a person straight/full in the face; *'t was alsof ik een klap **in** 't gezicht kreeg* it was like being hit in the face; *iets **in** iemands gezicht zeggen, iemand iets recht **in** zijn gezicht zeggen* say sth. (straight) to s.o.'s face, say sth. straight out to s.o.; *ergens zijn gezicht **laten zien*** show one's face/o.s., put in an appearance; *een **lief** gezicht* a sweet face; ***op** zijn gezicht vallen* ⟨fig⟩ fall flat on one's face, get egg on one's face; ***op** zijn gezicht krijgen* get a licking; *iemand **op** zijn gezicht geven/slaan* punch/slap s.o.'s face, tan s.o.'s hide, give s.o. a thrashing; ⟨fig⟩ *het **tweede** gezicht* the backside, rear-end; *iemand **van** gezicht kennen* know s.o. by sight, know s.o.'s face; *een **vermoeid** gezicht* a haggard face, a tired expression; ***vreemde** gezichten* strange faces, strangers; *met een **zwart/rood/wit** gezicht* black-faced/red-faced/white-faced; *het gezicht in de plooi houden* keep a straight face, compose one's features, set one's face [4] ⟨gelaatsuitdrukking⟩ face, expression, look(s), ⟨form⟩ countenance ♦ *ik zag **aan** zijn gezicht dat* I could tell by his expression/(the look on) his face that; *een gezicht **als** een oorwurm* a face as long as a fiddle; *zijn gezicht **betrok*** his face clouded over, his face/countenance fell; *hij zette een **lang/zuur** gezicht* he pulled a long face, his face fell, he grimaced/made a grimace; *iemand **met** twee gezichten* a two-faced/Janus-faced person; *je had zijn gezicht **moeten zien*** you should have seen (the look on) his face; *met een **onschuldig** gezichtje* with an air of innocence, with an expression as if butter wouldn't melt in one's mouth; ***op** zijn eerlijk gezicht krediet krijgen* be given credit on the strength of one's honest appearance; *de sluwheid staat **op/is van** zijn gezicht te lezen* he has cunning written all over his face; *zijn gezicht **staat** me niet **aan*** I don't like the looks of him; *gezichten **trekken*** make/pull faces, grimace; *met een **verwaand** gezicht* with a conceited air; *een goed geheugen **voor** gezichten hebben* have a good memory for faces, be good at faces; ⟨fig⟩ *zijn **ware** gezicht tonen* show o.s. (in one's true colours); *een gezicht **zetten** alsof* look as if; *een bedrukt gezicht **zetten*** look dejected/downcast, have a long face; *een vrolijk/ernstig/gek gezicht **zetten*** put on a cheerful/grave/funny face, look cheerful/grave/funny [5] ⟨uiterlijk⟩ face ♦ *een organisatie een **ander** gezicht geven* give an organisation a new look; *een **eigen** gezicht hebben* have its own special character, have an identity; *communisme met een **menselijk** gezicht* communism with a human face [6] ⟨gezichtsvermogen⟩ (eye)sight, vision ♦ *het **tweede** gezicht* second sight, clairvoyance; *hij is goed **van** gezicht* he has keen/sharp eyesight/eyes [7] ⟨uitzicht⟩ view, sight, ⟨panorama⟩ prospect, outlook ♦ ***aan** het gezicht onttrekken* remove from sight, conceal; *een gezicht **op** Londen* a view of London; ***uit** het gezicht verloren* lost to sight/view; ***uit** het gezicht verdwijnen* disappear/vanish from sight [·] ***hou** je gezicht!* shut up!, shut your mouth/face!; ⟨inf⟩ ***op** je gezicht!* not on your life!, like hell!; *zijn gezicht **redden*** save (one's) face; *zijn gezicht **verliezen*** lose face

gezichtsafstand [de^m] [1] ⟨ideale oogafstand⟩ focusing distance ♦ *iets **op** gezichtsafstand houden* hold sth. at focusing distance [2] ⟨afstand waarop iets waarneembaar is⟩ view, sight, eyeshot, seeing distance ♦ *zich **op** gezichtsafstand bevinden* be within view/sight/eyeshot/seeing distance [3] ⟨afstand waarop men waarneemt⟩ seeing distance, (range of) sight, range of vision

gezichtsas [de] optic axis, visual axis

gezichtsbedrog [het] optical illusion, trick of vision, trick of the eye, ⟨natuurverschijnsel⟩ mirage, fata morgana, ⟨schilderk⟩ trompe l'oeil

gezichtsbepalend [bn] important/vital to the image (of) ♦ *de fractievoorzitter **is voor** een partij vaak gezichtsbepalend* the leader of the parliamentary party is often vital to the party's image

gezichtsbruiner [de^m] facial solarium

gezichtscel [de] retinal cell

gezichtscentrum [het] visual cortex/centre

gezichtseinder [de^m] horizon, skyline ♦ ***aan** de gezichtseinder zag hij het weerlichten* he saw lightning on the horizon

gezichtshoek [de^m] [1] ⟨door stralen gevormde hoek⟩ optic(al) angle, visual angle [2] ⟨oogpunt⟩ angle, point of view, aspect ♦ *als je het **vanuit** deze gezichtshoek bekijkt* if you look at/consider it from this angle/point of view

gezichtsindruk [de^m] visual perception

gezichtskring [de^m] horizon, range, field of vision, scope ♦ ⟨fig⟩ *dat ligt **buiten** zijn gezichtskring* that is beyond his range/scope; *zijn al te beperkte gezichtskring **uitbreiden*** broaden one's mind/outlook

gezichtslijn [de] [1] ⟨m.b.t. de ogen⟩ line of sight, line of vision, visual line/beam/ray [2] ⟨astron⟩ line of sight, line of collimation

gezichtsmasker [het] [1] ⟨masker voor het gezicht⟩ mask [2] ⟨cosmetisch preparaat⟩ face pack

gezichtsmassage [de^v] facial massage

gezichtsmeter [de^m] optometer

gezichtspunt [het] point of view, angle, aspect, perspective, viewpoint ♦ ***nieuwe** gezichtspunten openen* open up new vistas/prospects/a new perspective; ***uit** dit gezichtspunt had ik de zaak nog niet beschouwd* I had not considered the matter from this point of view/angle/perspective/viewpoint up to now/before [·] *dat is een heel **nieuw** gezichtspunt* that is an entirely fresh/new perspective/viewpoint/angle

gezichtsscan [de^m] face scan

gezichtsscherpte [de^v] sharpness of sight, keenness of sight, acuity of vision, visual acuteness

gezichtssluier [de^m] veil

gezichtsstoornis [de^v] visual disturbance ⟨meestal mv⟩, disorder of sight

gezichtsuitdrukking [de^v] facial expression

gezichtsveld [het] [1] ⟨m.b.t. de ogen⟩ field/range of vision, sight, field of view, visual field/range ♦ ***binnen** zijn gezichtsveld komen* come into sight/view, enter one's field of vision; ***buiten** iemands gezichtsveld liggen/vallen* ⟨fig⟩ be beyond s.o.'s range/scope [2] ⟨m.b.t. optische instrumenten⟩ range, field ♦ *een kijker met een **groot** gezichtsveld* wide-angle binoculars

gezichtsverlies [het] [1] ⟨verlies van het gezichtsvermogen⟩ loss of (eye)sight [2] ⟨verlies van het prestige⟩ loss of face ♦ *gezichtsverlies **lijden*** lose face, suffer a loss of face

gezichtsvermogen [het] (eye)sight, power of vision/seeing, visual faculty/power ♦ ***scherp** gezichtsvermogen* keen (eye)sight, acute powers of vision; *het gezichtsvermogen **verloren hebben*** have lost one's (eye)sight, have gone blind; *een **verminderd** gezichtsvermogen hebben* have impaired vision

gezichtszenuw [de] optic nerve, visual nerve

gezichtszintuig [het] visual organ, organ of sight/vision

gezichtszwakte [de^v] weakness of eyesight, weakness of the eyes, weak sight, weakness of vision/sight

[1]**gezien** [bn] [1] ⟨geacht⟩ esteemed, respected, ⟨populair⟩ popular ♦ *hij is niet gezien **bij** zijn ondergeschikten* he is not esteemed/respected/highly thought of/held in high esteem by/not popular with his subordinates/those who work for him; *een gezien **man*** an esteemed/a respected/popular man [2] ⟨na kennisneming bekrachtigd⟩ seen (by me), endorsed, ⟨vooral paspoort⟩ visaed, ⟨AE⟩ viséed ♦ *gezien en **goedgekeurd*** seen and approved; *een stuk **voor** gezien tekenen* endorse/visa/[A]visé a document [·] *iets/het **voor** gezien houden* pack it in

[2]**gezien** [vz] in view of, given, considering ♦ *gezien de sterke **concurrentie*** given/in view of the strong competition; *gezien zijn slechte **gezondheid**/hun **ervaring*** considering/in view of his poor health/their experience, given their experience; *gezien zijn jeugdige **leeftijd*** given his youth

gezin [het] [1] ⟨ouders en kinderen⟩ family ♦ *het gezin be-*

staat uit vier personen it's a family of four; *een vakantie voor het hele gezin* ⟨ook⟩ a family holiday/ᴬvacation; *het **hoofd** van het gezin* the head of the family; *helemaal **in** het gezin opgenomen worden* be (treated as) one of the family; *een gezin **met kleine kinderen*** a young family; *een **onvolledig** gezin* a single-parent/one-parent family; *een gezin **stichten*** start a family; *het gezin is de hoeksteen van de samenleving* the family is the cornerstone of society ② ⟨partner en kinderen⟩ family ◆ *zij gaat **met** haar gezin **op reis*** she's going away with her family, ⟨inf⟩ she's going away with the family; *een gezin te **onderhouden** hebben* have a family to support

gezind [bn] ① ⟨met bepaalde gevoelens jegens⟩ (pre)disposed (to(wards)), inclined (to) ◆ *hij is **anders** gezind dan zij* his disposition is different from hers; ⟨m.b.t. probleem⟩ his view differs from hers; ⟨m.b.t. geloof⟩ he and she are of different denominations/faiths; *hij is **democratisch/christelijk** gezind* he believes in democracy/Christianity; *iemand **gunstig** gezind zijn* be favourably/kindly disposed to(wards) s.o., regard s.o. with favour, look favourably/with favour on s.o.; *iemand **vijandig** gezind zijn* be hostile toward s.o. ② ⟨in België; gehumeurd⟩ tempered, humoured; zie ook **goedgezind, slechtgezind**

gezindheid [deᵛ] ① ⟨innerlijke houding⟩ inclination, disposition, outlook ◆ *hun **vijandige** gezindheid jegens* their hostility/hostile disposition towards ② ⟨politieke partij⟩ political persuasion, political creed/colour ③ ⟨geloofsovertuiging⟩ conviction, persuasion, faith, creed

gezindte [deᵛ] denomination, sect

gezinsauto [deᵐ] family car

gezinsbedrijf [het] family business

gezinsbeperking [deᵛ] → **gezinsplanning**

gezinsbijslag [deᵐ] ⟨in België⟩ child benefit

gezinsbijstand [deᵐ] ⟨alg⟩ social security/ᴬwelfare, ⟨aanvullend⟩ ± family income supplement

gezinsbudget [het] family budget, housekeeping (money/allowance)

gezinscoach [deᵐ] family coach

gezinsdal [het] decline in disposable income because of having children

gezinsfles [de] jumbo/giant bottle, king-size(d) bottle

gezinshelper [deᵐ], **gezinshelpster** [deᵛ] home help, ⟨AE⟩ homemaker

gezinshelpster [deᵛ] → **gezinshelper**

gezinshereniging [deᵛ] reunification/reuniting of the/a family

gezinshoofd [het] ① ⟨hoofd van het gezin⟩ head of the family, head of the household, householder, ⟨scherts⟩ paterfamilias ② ⟨jur⟩ family guardian, ± foster parent

gezinshulp [de] ① ⟨hulpverlening⟩ home help ② ⟨persoon⟩ home help, ⟨AE⟩ homemaker

gezinsinkomen [het] family income

gezinskaart [de] family ticket

gezinskrediet [het] ⟨euf⟩ easy credit, ⟨ogm⟩ credit terms, instalment/ᴬinstallment plan

gezinsleven [het] family life, home/domestic life, domesticity

gezinslid [het] member of the family, family member

gezinsmanager [deᵐ] family manager

gezinsmoeilijkheden [deᵐᵛ] domestic problems, domestic troubles/difficulties

gezinsplanning [de], **gezinsbeperking** [de] family planning, birth control

gezinssituatie [deᵛ] family situation

gezinssociologie [deᵛ] sociology of the family

gezinstherapie [deᵛ] family therapy

gezinstoelage [de] dependants/ᴬdependents allowance for diplomats stationed abroad

gezinsuitbreiding [deᵛ] addition to the family

gezinsverband [het] ① ⟨relatie tussen de leden van een gezin⟩ family relation(s) ② ⟨het gezin als verband⟩ family ◆ ***in** gezinsverband op vakantie gaan* go on holiday with the whole/entire family

gezinsverpakking [deᵛ] family(-size(d)) pack(age), economy pack, king-size(d)/jumbo pack(age) ◆ ***biscuits in** gezinsverpakking* family-packaged biscuits, biscuits in a family(-size(d)) package

gezinsverpleging [deᵛ] home nursing, nursing at home

gezinsvervangend [bn] ▪ *een gezinsvervangend **tehuis*** ± a surrogate family unit/home

gezinsverzorger [deᵐ], **gezinsverzorgster** [deᵛ] home help, ⟨AE⟩ homemaker

gezinsverzorging [deᵛ] home help

gezinsverzorgster [deᵛ] → **gezinsverzorger**

gezinsvoogd [deᵐ], **gezinsvoogdes** [deᵛ] family guardian

gezinsvoogdes [deᵛ] → **gezinsvoogd**

gezinsvoogdij [deᵛ] family guardianship

gezinsvormer [deᵐ] homemaker, person who wants to start a family

gezinsvorming [deᵛ] family formation

gezinswagen [deᵐ] family car

gezinswoning [deᵛ] family home

gezinszorg [de] ① ⟨zorg die het gezin meebrengt⟩ domestic care/worries, care of the family ② ⟨gereglementeerde zorg⟩ home help

gezocht [bn] ① ⟨gemaakt⟩ strained, contrived, forced, recherché, laboured, ⟨vergezocht⟩ far-fetched ◆ *een gezocht **argument*** a far-fetched/strained/tortuous/contrived argument; *gezochte **beeldspraak*** strained/laboured/far-fetched imagery; *gezochte **complimentjes*** forced compliments; *gezochte **geestigheden*** strained/forced/affected wit ② ⟨opzettelijk bedacht⟩ fabricated ◆ *een gezocht **excuus*** a fabricated excuse ③ ⟨in trek⟩ sought-after, in demand/request/vogue, popular, prized ◆ *een gezocht **artikel*** an article in demand; *een gezocht **boek*** a sought-after/popular book; *gezocht **om** z'n eigenschappen* highly prized for its qualities

gezochtheid [deᵛ] far-fetched nature

gezoem [het] buzz(ing), ⟨bijen ook⟩ hum(ming), drone, droning, zoom(ing), ⟨door snelle beweging veroorzaakt⟩ whirr(ing) ◆ *het gezoem van **muggen*** the buzz of gnats/mosquitoes

¹**gezond** [bn] ① ⟨valide⟩ able-bodied, fit ◆ *op zijn gezonde **been** strompelde hij voort* he limped along on his one good leg; *gezond en **wel*** safe and sound ② ⟨kloek, stevig⟩ robust, ⟨vrouw⟩ buxom, ⟨meisje⟩ strapping ◆ *een gezonde **baby*** a bonny/bouncing baby; *gezond **van lijf en leden*** able-bodied, sound in body and mind/ᴮwind and limb; *een paar gezonde **wangen*** a pair of ruddy/rosy cheeks ③ ⟨m.b.t. zaken⟩ sound, good ◆ *een gezonde **vrucht*** a sound fruit

²**gezond** [bn, bw] ① ⟨niet ziek⟩ healthy ⟨bw: healthily⟩, fit, sound, well ⟨alleen pred⟩ ◆ *zo gezond **als een vis*** as sound as a roach/bell, as fit as a fiddle; ⟨fig⟩ *een gezond **bedrijf*** a healthy/sound business; *een **bedrijf** gezond maken* reorganize/restructure a company; *gezond **blijven*** keep fit, preserve/conserve one's health; *een gezonde **geest** in een gezond **lichaam*** a sound mind in a sound body; ***geestelijk** gezond* mentally sound/well; *hij **is niet** gezond* he is out of health, he is not well; *hij **kan** gezond **eten*** he has a healthy/hearty/good appetite; *een gezonde **kleur** hebben* have a healthy complexion/colour; ***lichamelijk** gezond* in good bodily health, physically fit; *een gezonde **maag** hebben* have a sound stomach; *weer gezond **maken*** bring back to/restore to health, make well; ⟨bedrijf⟩ restore to a healthy state, reconstruct; *gezond **van hoofd en hart*** sound/able in mind and body; *weer gezond **worden*** recover/regain one's health, get well (again); *zij is door en door gezond* she is in the pink of/the best of/perfect health ② ⟨heilzaam⟩ healthy ⟨bw: healthily⟩, wholesome, salutary ◆ *de gezonde **berglucht*** the salubrious/healthy mountain air; *een gezond **klimaat*** a

healthy/salubrious climate; *een gezonde **slaap*** a good/refreshing/sound sleep; *gezond **voedsel*** wholesome/healthy food; ⟨macrobiotisch⟩ health food; *die straf is gezond **voor** hem* the punishment will do him good; *gezond **wonen*** live in a healthy environment [3] ⟨onbedorven, helder⟩ sound ⟨bw: ~ly⟩, good ♦ *gezonde **humor*** a healthy sense of humour; *een gezonde **kijk** hebben op* have sound ideas about; *een gezond **oordeel*** a sound/good/healthy judgement; *gezond **oordelen*** judge soundly; *een gezonde **slaap*** a sound sleep; *dat is geen gezonde **toestand*** that is an unhealthy situation; *gezond **verstand*** common/good/^{A}horse sense ⊡ ⟨sprw⟩ *bitter in de mond maakt het hart gezond* bitter pills may have blessed effects; ⟨sprw⟩ *water is de gezondste drank* adam's ale is the best brew; ⟨sprw⟩ *lachen is gezond* laughter is the best medicine

gezondene [de] messenger, courier, envoy

^{1}**gezondheid** [de^{v}] [1] ⟨toestand van optimaal welzijn⟩ health, fitness, well-being ♦ ***blaken van** gezondheid* bloom/burst with health, be in roaring/the pink of health; ***geestelijke** gezondheid* mental health; *verlof van drie maanden tot **herstel** van gezondheid* three months' leave for rest and recuperation/for convalescence; *gezondheid van **inzicht*** soundness of judgement/opinion; ***kwakkelen met** zijn gezondheid* be ailing, be sickly, be infirm, be in bad health; ***officier** van gezondheid* medical officer; ***op** uw gezondheid!* your health!, here's to you/your health!, cheers!, here's how!; *(een glas wijn) **op** iemands gezondheid drinken* drink (to) s.o.'s health, propose s.o.'s health, pledge s.o.'s health (in a glass of wine); *de **openbare** gezondheid* public health; *je moet nooit **spotten met** je gezondheid* you mustn't gamble with/risk your health; ⟨scherts⟩ you're asking for trouble; *iemand zijn gezondheid **teruggeven*** bring s.o. back to health, restore s.o. to health; *een **toonbeeld** van gezondheid* the (very) picture of health; *hij heeft zijn gezondheid **verwoest*** he has ruined his health; *dat is bevorderlijk/schadelijk **voor** de gezondheid* that is good/bad for one's health [2] ⟨lichaamsgesteldheid⟩ health ♦ *een **goede** gezondheid genieten* have/be in/enjoy good health; ***naar** iemands gezondheid **vragen*** inquire after s.o.('s health); *zijn gezondheid **verliezen*** lose one's (good) health; *zijn gezondheid **gaat achteruit*** his health is failing, he is in failing health; *zijn gezondheid **laat te wensen over*** his health is delicate/indifferent/poor, he is in poor/low health [3] ⟨heilzaamheid⟩ healthiness, wholesomeness, salubrity ♦ *de gezondheid van het **klimaat** daar* the healthiness/salubrity of the climate there ⊡ ⟨sprw⟩ *gezondheid is een grote schat* health is great riches; ± health is better than wealth

^{2}**gezondheid** [tw] (God) bless you!

gezondheidsattest [het] certificate of good health, ⟨inf⟩ doctor's certificate/note of good health

gezondheidscentrum [het] health centre

gezondheidsclaim [de^{m}] health-cure claim ♦ *gezondheidsclaims op etiketten **verbieden*** prohibit health-cure claims on labels

gezondheidscommissie [de^{v}] board of health, ⟨keuringscommissie⟩ medical board

gezondheidsdienst [de^{m}] (public) health service ♦ ⟨in België⟩ *Administratieve Gezondheidsdienst* medical service

gezondheidskunde [de^{v}] (health and) hygiene

gezondheidsleer [de] hygiene, hygienics

gezondheidsmaatregel [de^{m}] sanitary measure

gezondheidsorganisatie [de^{v}] health organization

Gezondheidsraad [de^{m}] (National) Health Council

gezondheidsredenen [de^{mv}] health reasons, reasons/considerations of health ♦ ***om** gezondheidsredenen aftreden* resign because of/for health reasons, resign for reasons/considerations of health, resign on health grounds/on the grounds of ill-health; ***om** gezondheidsredenen naar het platteland verhuizen* move to the country for health reasons/for reasons/considerations of health

gezondheidsregel [de^{m}] regime(n)

gezondheidstoestand [de^{m}] state of health, ⟨algemene toestand⟩ health, ⟨van een bevolking ook⟩ state of public health ♦ *de **algemene** gezondheidstoestand van de bevolking* the general health/state of health of the population; *de **openbare** gezondheidstoestand* the state of public health; *de gezondheidstoestand van de **patiënt** is uitstekend/zorgwekkend* the patient's health is excellent/gives cause for concern/anxiety, the patient is in excellent health/in a worrying state of health; *gezien zijn **zwakke** gezondheidstoestand* considering the weak state of his health/the weakness of his health/his poor health

gezondheidsverklaring [de^{v}] health certificate, ⟨inf⟩ doctor's certificate/note, ⟨specifiek van goede gezondheid; inf⟩ clean bill of health

gezondheidswet [de] Public Health Act

gezondheidswetgeving [de^{v}] public health legislation

gezondheidszorg [de] [1] ⟨zorg voor de gezondheid⟩ health care, medical care ♦ ***geestelijke** gezondheidszorg* ⟨alg⟩ ± mental welfare; ⟨rel⟩ pastoral care [2] ⟨instanties, maatregelen⟩ health service(s), ⟨Groot-Brittannië⟩ National Health Service, ⟨voor bejaarden, in USA⟩ Medicare ♦ ***in** de gezondheidszorg werken* work in the public health sector; ⟨Groot-Brittannië ook⟩ work for the National Health Service; ***openbare** gezondheidszorg* public health service, socialized medicine

gezondmakertje [het] ⟨scherts⟩ (early-morning) pick-me-up/bracer, early-morning libation

gezondmaking [de^{v}] healing, curing, ⟨m.b.t. bedrijf, fin⟩ reorganization, restructuring, reconstruction ♦ *de gezondmaking van de **financiën*** financial reconstruction/reorganization; ↓ putting (the) finances on a healthy basis

gezonken [bn] ⟨scheepv⟩ sunken, sunk ♦ *een gezonken **dek*** a sunken deck; *een gezonken **luik*** a flush cover/cap

gezouten [bn] [1] ⟨gepekeld⟩ salt(ed), salty, ⟨m.b.t. cornedbeef⟩ corned ♦ *gezouten **rundvlees*** salt beef; ⟨cornedbeef⟩ corned beef; ⟨scheepv; inf⟩ salt horse; *gezouten **spek*** salted/salty bacon; *gezouten **vis/kabeljauw*** salt fish/cod [2] ⟨fig⟩ salty, saucy, ⟨attributief ook⟩ choice ♦ *gezouten **taal*** saucy language

gezucht [het] [1] ⟨het telkens zuchten⟩ sighing, moaning [2] ⟨m.b.t. de wind⟩ sighing, moaning, ⟨dichtl⟩ soughing

gezusterlijk [bn] sisterly

gezusters [de^{mv}] sisters ♦ *de gezusters A* the A sisters

gezwam [het] ⟨inf⟩ drivel, hot air, rot, bunk(um), ⟨BE ook⟩ waffle ♦ *gezwam in de ruimte* loose talk

gezwel [het] [1] ⟨plaatselijke ziekelijke opzetting⟩ swelling, ↓ lump, ⟨med⟩ intumescence [2] ⟨woekering van een weefsel⟩ growth, tumour, ⟨med⟩ teratoma ♦ *een **goedaardig** gezwel* a benign tumour; ⟨fig⟩ *de werkloosheid is een **groeiend** gezwel* unemployment is a growing scourge/bane/curse/malady/evil; *een gezwel **in de borst*** a lump in the breast; *een **kwaadaardig** gezwel* a (malignant) tumour, a cancer; ⟨med⟩ a carcinoma, a sarcoma

gezwendel [het] swindling, fraud

gezwenkt [bn] ⟨bouwk⟩ contorted

gezwets [het] [1] ⟨geklets⟩ drivel, twaddle, rot, bunk(um), rubbish, ⟨BE⟩ waffle, ⟨AE⟩ baloney ♦ *gezwets in de ruimte* hot air, loose talk [2] ⟨grootspraak⟩ bragging, boasting (talk)

^{1}**gezwind** [bn, bw] ⟨form⟩ ⟨vlug, snel⟩ swift ⟨bw: ~ly⟩, rapid, ↓ quick, ↓ fast ♦ *hij **liep** er gezwind heen* he walked swiftly towards it; *met gezwinde **pas*** at a brisk/smart pace; *iets met gezwinde **spoed** regelen* arrange sth. with the utmost dispatch/haste/with all possible expedition

^{2}**gezwind** [bw] ⟨form⟩ ⟨spoedig⟩ soon, speedily, before long

gezwindheid [de^{v}] rapidity, swiftness, haste, celerity, ↓ quickness, ↓ speed

gezwoeg [het] ⟨hard⟩ toil(ing), ⟨eentonig⟩ drudgery, drudging, plodding
gezwollen [bn] 1 ⟨m.b.t. lichaamsdelen⟩ swollen, ↑ distended, ⟨vnl med⟩ turgescent, turgid, tumid ♦ ⟨fig⟩ *gezwollen van trots* inflated with pride; *gezwollen* ***voeten*** swollen feet 2 ⟨m.b.t. muzikale tonen⟩ sonorous 3 ⟨m.b.t. stijl⟩ inflated, bombastic, high-flown, turgid, ⟨inf⟩ highfalutin ♦ *gezwollen* ***taalgebruik*** inflated/high-flown/highfalutin language, bombast
gezwollenheid [de^v] 1 ⟨het dik, opgezet zijn⟩ swollenness, distension, ⟨vnl med⟩ turgescence, turgidity, tumidity 2 ⟨hoogdravendheid⟩ bombast, inflation, turgidity, pomposity
gezworen [bn] 1 ⟨met een eed bekrachtigd⟩ sworn, ⟨jur⟩ juratory ♦ *gezworen* ***trouw*** sworn allegiance 2 ⟨fig⟩ sworn, confirmed ♦ *gezworen* ***broeders*** sworn brothers; *gezworen* ***kameraden zijn*** be as thick as thieves, be sworn friends; *gezworen* ***vijanden*** sworn/avowed enemies
gezworene [de] 1 ⟨jur; jurylid⟩ ⟨man & vrouw⟩ juror, ⟨man⟩ juryman, ⟨vrouw⟩ jurywoman ♦ ***rechtbank*** *van gezworenen* jury; *de gezworenen* ***spraken*** *het schuldig* ***uit*** the jury brought in a verdict of guilty 2 ⟨m.b.t. polderbesturen⟩ member of a/the polder authority, member of a/the polder board ♦ ***dijkgraaf*** *en gezworenen* polder authority/board
gft [het] (groente-, fruit- en tuinafval) ± organic waste
gft-afval [het] ± organic waste
gft-container [de^m] bin for organic waste
g.g.d. [afk] (grootste gemene deler) hcf
GGD [de^m] (Gemeentelijke Geneeskundige Dienst) ± Area Health Authority
GG en GD [de^m] (Gemeentelijke Geneeskundige en Gezondheidsdienst) ± Area Health Authority
ggm [het] (genetisch gemodificeerd micro-organisme) GMM (genetically modified micro-organism)
Ghana [het] Ghana

Ghana	
naam	*Ghana* Ghana
officiële naam	*Republiek Ghana* Republic of Ghana
inwoner	*Ghanees* Ghanaian
inwoonster	*Ghanese* Ghanaian
bijv. naamw.	*Ghanees* Ghanaian
hoofdstad	*Accra* Accra
munt	*cedi* cedi
werelddeel	*Afrika* Africa
int. toegangsnummer 233 www.gh auto GH	

[1]**Ghanees** [de^m], **Ghanese** [de^v] ⟨man & vrouw⟩ Ghanaian, ⟨vrouw ook⟩ Ghanaian woman/girl
[2]**Ghanees** [bn] Ghanaian
Ghanese [de^v] → **Ghanees**[1]
GHB [afk] (gammahydroxyboterzuur) GHB ⟨pepdrankje, drug⟩
ghee [de^m] ghee
ghostwriter [de^m] ghostwriter
gibbon [de^m] gibbon
giberne [de] ornamental pouch/purse
Gibraltar [het] Gibraltar
gibus [de^m] gibus (hat), crush hat, opera hat
giclee [de^v] 1 ⟨techniek⟩ giclée 2 ⟨afdruk⟩ giclée
gideonsbende [de] shambles, mess
gids [de] 1 ⟨persoon⟩ guide, ⟨fig ook⟩ pilot, ⟨SchE; bij het jagen of vissen⟩ gillie, ⟨raadsman ook⟩ mentor, guru ♦ ⟨fig⟩ *hij was de gids en* ***raadsman*** *van zijn zoon* he was his son's guide and adviser/his son's mentor; *iemands gids zijn* be s.o.'s guide/mentor/guru/counsellor/^Acounselor 2 ⟨boek, leidraad⟩ guide(book), ⟨handleiding, handboek⟩ handbook, manual, ⟨adresboek⟩ directory ♦ ***alfabetische*** *gids* alphabetical directory; ⟨i.h.b. stadsplattegrond in boekvorm; inf; BE⟩ ABC, ⟨BE⟩ A to Z; *gids* ***voor*** *Arnhem en omstreken* guide(book) to Arnhem and district/surroundings; *een gids* ***voor*** *radio- en televisieprogramma's* a radio and television guide 3 ⟨vrouwelijke scout⟩ ⟨BE⟩ (Girl) Guide, ⟨AE⟩ Girl Scout, ⟨BE ook⟩ Ranger ⟨14-17 jaar⟩ 4 ⟨telefoongids⟩ (telephone) directory, telephone book ♦ *de* ***gouden/gele*** *gids*^MERK the yellow pages ▪ ***onfeilbare*** *gids* infallible/unerring guide, oracle
gidsen [ov ww, ook abs] guide, direct, lead, conduct, act as guide
gidsfossiel [het] ⟨geol⟩ guide/index fossil
gidsland [het] model (country)
giebel [de^m] 1 ⟨giechel⟩ giggler 2 ⟨vis⟩ crucian (carp)
giebelen [onov ww] → **giechelen**
giechel [de^m] 1 ⟨giebel⟩ giggler 2 ⟨grote neus⟩ conk, beak, ⟨vnl AE⟩ schnozzle
giechelen [onov ww], **giebelen** [onov ww] giggle, titter, ⟨grinniken⟩ snigger, ⟨AE⟩ snicker ♦ *giechelen* ***om iets*** giggle at sth.; *zij giechelde* ***van*** *plezier* she giggled with joy; *de hele klas zat te giechelen* ⟨ook⟩ the whole class was in titters/a titter/had a fit of the giggles
giegagen [onov ww] bray, heehan
giek [de^m] 1 ⟨scheepv⟩ boom 2 ⟨boom van een kraan, graafmachine⟩ ⟨van kraan⟩ jib, boom, ⟨van graafmachine⟩ digging bucket arm, dipper stick 3 ⟨dwarshout aan een wegwijzer⟩ arm 4 ⟨roeiboot⟩ gig
[1]**gier** [de^m] 1 ⟨roofvogel⟩ vulture ♦ ***vale*** *gier* griffon vulture, griffon 2 ⟨roofzuchtig mens⟩ vulture, wolf, shark, hy(a)ena
[2]**gier** [de] ⟨mest(vocht)⟩ liquid manure
gieraal [de^m] loach
gierbak [de^m] slurry pit, liquid manure pit/silo
gierbrug [de] cable ferry, chain ferry, floating bridge, ± flying bridge
gieren [onov ww] 1 ⟨brullen, loeien⟩ shriek, scream, screech ♦ *gierend* ***ademhalen*** breathe in gasps; *met gierende* ***banden/remmen*** with screeching tyres/^Atires/brakes; *het was weer* ***lachen,*** *gieren,* ***brullen*** we really had a good laugh again, it was a real scream again; *de wind giert* ***om*** *het huis* the wind whistles/howls around the house; *gieren* ***van*** *het* ***lachen*** shriek/scream with laughter; *dat is om te gieren!* it's a scream! 2 ⟨razend voortgaan⟩ scream, screech ♦ *hij reed gierend* ***door*** *de bocht* he went screaming/screeching round/^Aaround the bend; ⟨fig⟩ *de zenuwen gieren* ***door*** *mijn keel* I feel like a cat on hot bricks/^Aon a hot tin roof 3 ⟨scheepv⟩ yaw, lurch ♦ *het schip giert* ***op*** *het anker* the ship yawed/lurched at anchor 4 ⟨landb⟩ (spread (liquid)) manure
gierig [bn] 1 ⟨inhalig, vrekkig⟩ miserly, stingy, niggardly, mean, ↑ parsimonious 2 ⟨begerig⟩ desirous, eager, longing, avid, hungry (for) ♦ *met gierige* ***ogen*** with eager/longing eyes
gierigaard [de^m] miser, niggard, skinflint, ⟨inf⟩ penny pincher, ⟨vnl AE; sl⟩ cheapskate
gierigheid [de^v] miserliness, stinginess, meanness, niggardliness, ↑ avarice ▪ ⟨sprw⟩ *gierigheid is de wortel van alle kwaad* the love of money is the root of all evil
giering [de^v] sheer, yaw
gierkabel [de^m] ferry cable
gierkar [de] muckspreader
gierkuil [de^m] slurry pit, liquid manure pit
gierpont [de] cable/chain ferry, ⟨met één ketting in rivier verankerd⟩ flying ferry/bridge
gierput [de^m] slurry pit, liquid manure pit
gierst [de] 1 ⟨Panicum miliaceum⟩ millet, broomcorn/broomhog millet 2 ⟨Sorghum vulgare⟩ (grain) sorghum, Indian/pearl millet, guinea corn
gierstgras [het] milium, millet grass ♦ ***ruw*** *gierstgras* Millium Scabrum; ***wijdpluimig*** *gierstgras* millet grass
gierstkoorts [de] miliary fever, sweating sickness
gierstkorrel [de^m] 1 ⟨korrel van gierst⟩ grain of millet

2 ⟨med⟩ sty, hordeolum
gierstroom [de^m] 1 ⟨versterkte getijdenstroom⟩ neap(-tide), spring tide 2 ⟨sterke stroom⟩ rip current
gierstuitslag [de^m] miliaria, heat rash, prickly heat
giertank [de^m] slurry tank, liquid manure tank
giervalk [de] gyrfalcon, gerfalcon
gierwagen [de^m] muck cart, liquid manure tanker
gierzwaluw [de] swift
gietbeton [het] pouring concrete
gietbui [de] downpour, heavy shower
gietcokes [de] foundry coke
gieteling [de^m] 1 ⟨stuk gegoten ruwijzer⟩ pig, ingot 2 ⟨merel⟩ blackbird
¹**gieten** [ov ww] 1 ⟨vocht laten stromen, schenken⟩ pour ♦ *een emmer **leeg** gieten* empty a bucket; ***naar** binnen gieten* toss off/down; pour down one's throat, swig, knock back; ***saus** over een gerecht gieten* pour sauce over a dish; ⟨overvloedig⟩ douse/souse a dish in sauce; *water **uit** een emmer gieten* pour water out of a bucket 2 ⟨in een vorm laten stromen⟩ ⟨vnl. metalen⟩ cast, ⟨kanonnen, klokken, glas⟩ found, ⟨vnl. rubber, plastic, kaarsen enz.⟩ mould, ⟨in metalen gietvorm⟩ die-cast ♦ *die kleren zitten **als** gegoten* his clothes fit (him) like a glove/to a T; ⟨fig⟩ *zijn **gedachten** in een bepaalde vorm gieten* couch one's thoughts in a particular form/way; ⟨fig⟩ *hij weet zijn gedachten **in** een goede vorm te gieten* he is good at putting his thoughts into words/expressing himself; *een gegoten **kachel*** a cast-iron stove 3 ⟨in België; besproeien⟩ water
²**gieten** [onpers ww] ⟨stortregenen⟩ pour (down/with rain), teem/pelt (with rain), rain cats and dogs ♦ *het **begon** te gieten* it started to pour/teem/pelt with rain; ↑ a downpour set in; ***het** giet/**het** regent dat het giet* it's pouring (down/with rain), it's teeming/pelting (with rain)
gieter [de^m] 1 ⟨gietemmer⟩ watering can, watering pot, waterer, ⟨AE ook⟩ sprinkling can ♦ *afgaan **als** een gieter* look (like) a real idiot; ⟨BE ook⟩ look a proper charlie; ⟨in België⟩ *hij is zo **fier** als een gieter* he's as proud as punch 2 ⟨persoon⟩ founder, caster, teemer 3 ⟨werktuig om water te scheppen⟩ bailer
gieterij [de^v] 1 ⟨handeling⟩ founding, casting 2 ⟨bedrijf, werkplaats⟩ foundry, ⟨voor plastic; BE⟩ moulding shop, ⟨AE⟩ molding shop
gietgat [het] 1 ⟨opening aan een smeltoven⟩ taphole, tapping spout 2 ⟨gat aan een gietraam, -vorm⟩ runner (gate/funnel), down-gate, ingate, tedge, sprue
gietgleuf [de] runner
gietijzer [het] ⟨onbewerkt⟩ pig/crude/foundry iron, ⟨bewerkt⟩ cast iron
gietijzeren [bn] cast-iron
gietkanaal [het] runner, gate
gietkroes [de^m] crucible
gietlegering [de^v] casting alley
gietlepel [de^m] 1 ⟨lepel om gesmolten lood in de vorm te gieten⟩ ladle 2 ⟨bak om gesmolten metaal op te vangen⟩ ladle
gietloop [de^m] runner
gietmal [de^m] casting mould/^A mold
gietmodel [het] casting pattern
gietnaad [de^m] fin, burr
gietsel [het] 1 ⟨gegoten voorwerp⟩ casting, ⟨met gebruik van metalen mal⟩ die-casting 2 ⟨vloeibaar gemaakte stof⟩ pour
gietstaal [het] cast steel, crucible steel
gietstuk [het] casting
giettrechter [de^m] rose
gietvorm [de^m] mould, ⟨matrijs⟩ matrix, ⟨uit metaal⟩ die
gietwerk [het] 1 ⟨het gieten⟩ casting, moulding 2 ⟨gegoten voorwerpen⟩ cast work, moulded work
gif [het], **gift** [het] poison, ⟨van dieren en fig⟩ venom, ⟨vero of fig⟩ bane, ⟨van slangen ook⟩ milk, ⟨virus⟩ virus, ⟨plantaardige/dierlijke gifstof⟩ toxin ♦ ⟨fig⟩ *daar kun je gif op (in)nemen!* you can bet your life/(old boots) on it!; you bet!; *een **snelwerkend/langzaamwerkend** gif* a quick-acting/slow poison; ⟨fig⟩ *het gif van de **tweedracht*** the curse of discord
gifangel [de^m] (venomous) sting
gifatlas [de^m] pollution map
gifbeker [de^m] poisoned cup ♦ *de gifbeker **drinken/legen*** drain the poisoned cup
gifbelt [de] (illegal) dump for poisonous/toxic wastes
gifblaas [de] venom bag, venom sac
gifdrank [de^m] poisonous draught
gifgas [het] poison(ous) gas
gifgroen [bn] bilious/fluorescent green
gifgrond [de^m] polluted land ♦ *gifgrond **afgraven*** dig up polluted land
gifkalender [de^m] listed poisons, poison chart/manual
gifkikker [de^m] ⟨man⟩ bad-tempered/mean-tempered bastard, ⟨vrouw⟩ bad-tempered/mean-tempered bitch
gifklier [de] poison gland, venom gland
giflozing [de^v] dumping of toxic waste
gifmenger [de^m], **gifmengster** [de^v] ⟨man & vrouw⟩ poisoner
gifmengster [de^v] → **gifmenger**
gifpil [de] poison pill
giframp [de^m] chemical-leak disaster, pollution disaster
gifschandaal [het] pollution scandal
gifschip [het] toxic waste vessel/ship
gifslang [de] poisonous/venomous snake
gifstorting [de^v] dumping of toxic waste
gifstortplaats [de] toxic waste dump
gifsumak [de^m] poison sumac
¹**gift** [het] → **gif**
²**gift** [de] 1 ⟨geschenk⟩ gift, present, ⟨van donateur⟩ donation, contribution, ⟨in kerk⟩ offering, ⟨fooi, nieuwjaarsfooi⟩ gratuity ♦ *een gift **ineens** of een jaarlijkse bijdrage* a donation in the form of a lump sum or an annual contribution; ***milde/gulle** giften* generous donations/contributions; *giften **worden ingewacht** bij de penningmeester* donations/contributions will be gratefully received by the treasurer; ⟨jur⟩ *giften van hand tot hand* gifts by manual delivery, informal gifts (i.e. not made by deed); *giften in geld of in natura* donations in cash or in kind 2 ⟨dosis⟩ dose
giftand [de^m] poison fang, venom tooth, (poisonous/venomous) fang
giftandigen [de^mv] poisonous snakes
giftcard [de^m] gift card
giftig [bn] 1 ⟨met vergiftigde bestanddelen⟩ poisonous, ⟨van dieren ook⟩ venomous, ⟨in toxicologie⟩ toxic ♦ *giftige **pijlen*** poisoned arrows; ⟨form⟩ envenomed arrows; *giftige **planten/dampen/gassen*** poisonous plants/fumes/gasses; *giftige **slangen/spinnen*** poisonous/venomous snakes/spiders; *een giftige **tong*** a venomous/vicious tongue; *giftig **voor** insecten* insecticidal 2 ⟨m.b.t. mensen⟩ venomous, vicious, ⟨opmerking ook⟩ virulent, ⟨aanval, satire⟩ vitriolic ♦ *een giftige **blik*** a vicious/venomous look; *toen hij dat hoorde, **werd** hij giftig* when he heard that he turned nasty/vicious; *giftige **woorden*** (en)venomed/vitriolic words
giftigheid [de^v] poisonousness, ⟨m.b.t. dieren ook⟩ venomousness, ⟨toxicologie⟩ toxicity, ⟨fig⟩ virulence
gifvrij [bn] non-toxic, non-poisonous ♦ *gifvrije geëmailleerde **pannen/kleurpotloden/viltstiften*** non-toxic enamelware/coloured pencils/felt-tips pens
gifwerend [bn] antidotal, antitoxic
gifwijk [de] residential area containing illegally dumped toxic waste
gifwolk [de] toxic cloud
gifzuiger [de^m] dissatisfied creep, grouch, grouser, bellyacher
gig [de^m] gig

[1]**giga** [bn] ⟨enorm, groot⟩ giga
[2]**giga** [bw] ⟨erg, zeer⟩ very
giga- giga- ◆ *gigameter* gigametre; *gigawatt* gigawatt
gigabyte [de^m] gigabyte
gigant [de^m] 1 ⟨ook in samenstellingen; reusachtige persoon, zaak⟩ giant ◆ *een **autogigant*** a car giant; *een **oliegigant*** an oil giant; *een gigant **van** een bedrijf* a gigantic company; *giganten van de **weg*** juggernauts, kings of the road 2 ⟨myth⟩ Titan, giant
gigantesk [bn, bw] gigantic ⟨bw: ~ally⟩, gigantesque
gigantisch [bn, bw] gigantic ⟨bw: ~ally⟩, huge, immense, enormous, mountainous ◆ *gigantische **hoeveelheden*** gigantic/immense/enormous quantities; *gigantische **kranen*** gigantic cranes; *een gigantische **strijd*** a titanic struggle
gigantisme [het] giantism, gigantism
gigolo [de^m] 1 ⟨beroepsdanser⟩ gigolo 2 ⟨minnaar⟩ gigolo
gigue [de] 1 ⟨dans⟩ ⟨volksdans⟩ jig, ⟨hoofse dans⟩ gigue 2 ⟨muziek⟩ ⟨m.b.t. volksmuziek⟩ jig, ⟨m.b.t. klassieke muz⟩ gigue
gij [pers vnw] 1 ⟨form⟩ thou ◆ ⟨Bijb⟩ *gij **zult** niet doden* thou shalt not kill 2 ⟨in België; jij⟩ you ▪ ⟨sprw⟩ *wat gij niet wilt dat u geschiedt, doe dat ook een ander niet* do unto others as you would they should do unto you; do as you would be done by; ⟨sprw⟩ *heden ik, morgen gij* ± today you, tomorrow me
gijlieden [pers vnw] ⟨form; Bijb⟩ ye
gijn [het] tackle
gijpen [onov ww] ⟨scheepv⟩ gybe, ⟨AE⟩ jibe, jib
Gijs ▪ *een holle bolle Gijs* a fatso, a bucket of lard
gijzelaar [de^m], **gijzelaarster** [de^v] 1 ⟨gegijzelde⟩ hostage, ⟨jur⟩ prisoner for debt 2 ⟨gijzelhouder⟩ → **gijzelhouder**
gijzelaarster [de^v] → **gijzelaar**
gijzelen [ov ww] 1 ⟨iemand als onderpand nemen, vastzetten⟩ take hostage, ⟨voor losgeld⟩ kidnap, ⟨m.b.t. vliegtuigen, treinen enz.⟩ hijack, ⟨m.b.t. vliegtuigen ook⟩ skyjack 2 ⟨jur⟩ ⟨wegens schuld⟩ imprison for debt, commit to prison for debt, ⟨wegens weerspannigheid⟩ imprison for contempt, commit to prison for contempt 3 ⟨iemand als gijzelaar vasthouden⟩ hold hostage
gijzelhouder [de^m] kidnapper, ⟨kaper⟩ hijacker, skyjacker
gijzeling [de^v] 1 ⟨het gijzelen, keer⟩ taking of hostages, ⟨voor losgeld⟩ kidnapping, ⟨m.b.t. vliegtuigen, treinen enz.⟩ hijacking, ⟨m.b.t. vliegtuig ook⟩ skyjacking, ⟨m.b.t. vliegtuigen, treinen enz.; keer; inf⟩ hijack ◆ *iemand **in** gijzeling houden* hold s.o. hostage 2 ⟨jur⟩ imprisonment (for debt/contempt), committal to prison (for debt/contempt) ◆ *iemand **in** gijzeling nemen* imprison s.o. for debt/contempt (of court); ⟨jur⟩ *iemand **in** gijzeling aanbevelen* recommend that s.o. be placed/remanded/held in custody/that s.o. be committed to prison 3 ⟨gevangenis⟩ debtors' prison ◆ ***in** de gijzeling zitten* be imprisoned/in prison for debt/contempt (of court) 4 ⟨het gegijzeld zijn⟩ hostageship ◆ ***tijdens** zijn gijzeling leerde Charles d'Orléans Engels* while he was a hostage Charles of Orleans learned English
gijzelingsactie [de^v] (act of) kidnapping, ⟨kaping⟩ (act of) hijacking
gijzelnemer [de^m] hostage taker, ⟨voor losgeld⟩ kidnapper, ⟨kaper⟩ hijacker
gijzelrecht [het] ⟨jur⟩ right of execution against the person
gil [de^m] 1 ⟨schreeuw⟩ ⟨vnl. m.b.t. pijn of angst; ook m.b.t. vreugde, lachen, trein, sirene⟩ scream, ⟨vnl. m.b.t. krijsen, gieren; ook m.b.t. remmen⟩ screech, ⟨vnl. m.b.t. varkens, kinderen; ook m.b.t. vreugde, opgewondenheid⟩ squeal, ⟨vnl. m.b.t. geschopte hond⟩ yelp, ⟨vnl. m.b.t. schril gekrijs; ook m.b.t. trein en lachen⟩ shriek ◆ *zij gaf een gil van **blijdschap*** she squealed with joy/glee/delight; *als je me nodig hebt, **geef** dan even een gil* if you need me just call out/give (me) a shout/yell; *een **luide/rauwe** gil* a loud scream, raucous shout; ***opgewonden** gilletjes* (little) squeals of excitement; *een gilletje **slaken*** let out/utter/give a squeal/yelp; ↓ yelp 2 ⟨geluid (als) van een stoomfluit⟩ shriek, screech, scream
gilde [het, de] 1 ⟨gesch⟩ guild, craft 2 ⟨vakgenootschap⟩ guild, corporation, ⟨Londen⟩ City company ◆ *het gilde der **advocaten*** the legal fraternity; *het gilde der **inbrekers/dieven*** the light-fingered fraternity/brigade; *het **slagersgilde*** the guild of butchers, the butchers' guild
gildeboek [het] guild's register
gildebroeder [de^m] 1 ⟨gesch⟩ guildsman 2 ⟨vakgenoot⟩ colleague, confrère
[1]**gildebroederschap** [de^v] ⟨gesch⟩ ⟨gildebroeders⟩ guild, guildsmen
[2]**gildebroederschap** [het, de^v] ⟨gesch⟩ ⟨het gildebroeder zijn⟩ guildship
gildehuis [het] guildhall
gildekamer [de] guild-hall
gildekeur [de] ⟨gesch⟩ privilege of a guild, guild's privilege
gildemeester [de^m] ⟨gesch⟩ guild master
gildeproef [de] ⟨gesch⟩ 1 ⟨het vervaardigen van een meesterstuk⟩ (preparation of a/one's) masterpiece 2 ⟨meesterstuk⟩ masterpiece
gildewezen [het] guild system, system of guilds
gilet [het] ⟨BE⟩ waistcoat, ⟨BE⟩ cardigan, ⟨AE⟩ vest
[1]**gillen** [onov ww] 1 ⟨m.b.t. personen, dieren⟩ ⟨vnl. pijn of angst; ook vreugde, lachen⟩ scream, ⟨i.h.b. krijsen, gieren⟩ screech, ⟨vnl. varkens, kinderen; ook vreugde, opgewondenheid⟩ squeal, ⟨vnl.; geschopte hond⟩ yelp, ⟨vnl. schril krijsen; lachen⟩ shriek ◆ *het is **om** te gillen* it's a (perfect) scream, it's screamingly funny, it's enough to make a cat laugh; *zitten te gillen **om iets*** be crying out for sth. 2 ⟨m.b.t. zaken⟩ ⟨trein, sirene, machine⟩ scream, ⟨remmen⟩ screech, ⟨radio ook⟩ squeal, produce (acoustic) feedback, ⟨trein ook⟩ shriek ◆ *het gillen van de **locomotief*** the shriek/screech/scream of the locomotive; *de ambulance **stoof** gillend **voorbij*** the ambulance raced past with its siren screaming
[2]**gillen** [ov ww] ⟨schreeuwen⟩ scream, yell, bawl
giller [de^m] ⟨inf⟩ scream, ⟨AE ook⟩ howl, gas, ⟨i.h.b. domme blunder in taalgebruik⟩ howler ◆ *het **is** een giller!* what a scream/howl/gas!
gillerig [bn] screamy, screechy, ⟨attributief ook⟩ screech-
gilletje [het] 1 ⟨gil⟩ squawk, squeak, titter 2 ⟨dieventaal; inbraak, diefstal⟩ ⟨BE⟩ blag, ⟨AE⟩ job
gilling [de^v] 1 ⟨m.b.t. een zeil⟩ roach 2 ⟨m.b.t. een balk, plank⟩ cant, chamfer 3 ⟨balk⟩ cant beam
gimmick [de^m] gimmick
GIMV [de^v] ⟨in België⟩ (Gewestelijke Investeringsmaatschappij voor Vlaanderen) Flemish Regional Investment Fund
gin [de^m] gin, ⟨jenever⟩ Dutch gin, geneva, ⟨inf⟩ Gordon water, ⟨AE inf⟩ juniper juice
ginder [bw] over there, ⟨m.b.t. hoger/lager gelegen plaats⟩ up/down there, ⟨form of gew⟩ yonder ◆ ***hier** en ginder* here and there; ⟨vooral als uitroep, ter vermijding van vloeken⟩ *wel **hier** en ginder* well I'll be, well I'll be darned; *hij **woont** ginder* he lives over there; *hij **woont** ginder in het dal/op de berg* he lives down there in the valley/up there on the hill; *uw broer is in Australië; hoe bevalt het hem ginder?* your brother is in Australia, how does he like it out there?
[1]**ginds** [bn] ⟨(aan) die (kant), dat⟩ the/that ... over there, ⟨m.b.t. hoger/lager gelegen plaats⟩ the ... up/down there, that ... up/down there, ⟨form of gew⟩ yonder, yon ◆ *aan gindse **kant*** on the other side, over there

²ginds [bw] ⟨ginder⟩ over there, ⟨m.b.t. hoger/lager gelegen plaats⟩ up/down there, ⟨form of gew⟩ yonder ◆ *ginds in het dal/op de berg* down there in the valley/up there on the hill; *wie loopt daar ginds?* who's that over there?; *ginds staat een huis* there's a house over there

gingellikruid [het] gingelly

gingerale [het] ginger ale, ginger beer

ginkgo [de^m] ginkgo, gingko

ginnegappen [onov ww] giggle, snigger, titter ◆ *wat zitten jullie weer te ginnegappen?* (just) what are you sniggering about/at?, what's so funny?

ginseng [de] [1] ⟨wortel⟩ ginseng [2] ⟨drank⟩ ginseng

ginst [de^v] ⟨plantk⟩ ⟨brem⟩ broom, ⟨heidebrem⟩ genista, ⟨gaspeldoorn⟩ furze, gorse, whin

gin-tonic [de^m] gin and tonic

gioer [de] giur

gips [het] [1] ⟨pleister⟩ plaster (of Paris), Paris white ◆ *gips aanmaken* mix plaster (of Paris); *de beeldhouwer vervaardigt eerst een model uit gips* the sculptor first makes a plaster (of Paris) model [2] ⟨afgietsel⟩ plaster cast ◆ *er zijn gipsen van die beelden gemaakt* plaster casts have been made of those sculptures [3] ⟨mineraal⟩ gypsum, plaster of Paris ◆ *gips branden* burn/calcinate gypsum; *gebrand gips* plaster of Paris [4] ⟨gipsverband⟩ plaster cast, plaster, cast ◆ *zijn been zit in het gips* his leg is in plaster/in a cast

gipsaarde [de] selenite

gipsafdruk [de^m] plaster cast

gipsafgietsel [het] plaster cast, ⟨van dode⟩ death mask

gipsbed [het] plaster bed

gipsbeeld [het] plaster figure/figurine, plaster statue(tte)

gipsbeen [het] leg in plaster, leg in a cast ◆ *hij heeft een gipsbeen* his leg's in plaster, he has a leg in plaster

¹gipsen [bn] plaster ◆ *een gipsen beeldje* a plaster figure/piece; *een gipsen masker* a plaster mask; ⟨van dode⟩ a death mask; *hij kwam terug van zijn wintersportvakantie met een gipsen poot* he came back from his skiing holiday with his leg in a cast/in plaster

²gipsen [ov ww] [1] ⟨met gips bestrijken⟩ plaster ◆ *het plafond laten gipsen* have the ceiling plastered [2] ⟨landb⟩ gypsum ◆ *de grond gipsen* gypsum the soil [3] ⟨m.b.t. wijn⟩ plaster [4] ⟨med⟩ put in plaster, put in a cast

gipskalk [de^m] anhydrous gypsum plaster

gipskamer [de] plastering room

gipskartonplaat [de] ⟨in België⟩ plasterboard, ⟨AE⟩ gypsum board

gipskruid [het] gypsophila, soap root

gipsmasker [het] plaster mask, ⟨van dode⟩ death mask

gipsmeel [het] powdered gypsum

gipsmodel [het] plaster model, ⟨afgietsel⟩ plaster cast ◆ *naar gipsmodellen tekenen* draw from casts

gipsplaat [de] plasterboard, gypsum board

gipsverband [het] ⟨med⟩ (plaster) cast ◆ *zijn been zit in een gipsverband* his leg is in plaster/in a cast

gipsvlucht [de] ski special

gipsvorm [de^m] plaster mould/^Amold

gipsy [de^m] [1] ⟨zigeuner⟩ gipsy, ⟨AE spelling ook⟩ gypsy, Romany, ⟨IE, SchE⟩ tinker, ⟨sl; BE⟩ gippo, ⟨BE⟩ gippy [2] ⟨zigeunerachtig type⟩ gipsy, ⟨AE spelling ook⟩ gypsy

giraal [bn] [1] ⟨m.b.t. de giro⟩ giro ◆ *giraal geld* money of account, transferable money [2] ⟨geschiedend door giro-overschrijving⟩ by giro ◆ *girale betaling* payment by giro

giraffe [de] giraffe

giraffenhals [de^m], **giraffennek** [de^m] [1] ⟨nek van de giraffe⟩ giraffe('s) neck [2] ⟨lange hals⟩ giraffe('s) neck, elongated neck

giraffennek [de^m] → **giraffenhals**

girande [de] [1] ⟨springfontein⟩ girandole [2] ⟨bundel vuurpijlen⟩ girandole

girandole [de] [1] ⟨kandelaar⟩ girandole [2] ⟨kaars⟩ girandole candle [3] ⟨oorsieraad⟩ girandole [4] ⟨vuurwerk⟩ girandole

girant [de^m] [1] ⟨iemand die gireert⟩ transferrer [2] ⟨endossant van een gegireerde wissel⟩ endorser

gireren [ov ww] pay by giro, transfer by giro ◆ *mag ik het (op uw rekening) gireren?* may I transfer it (to your account) by giro?, may I pay by giro?

girl next door [de^v] girl next door

giro [de^m] [1] ⟨girodienst⟩ giro, ↑Post Office Giro, ⟨Groot-Brittannië⟩ National Girobank [2] ⟨girorekening⟩ (postal) giro account ◆ *storten op de giro* pay into a/one's giro account [3] ⟨giroafrekening⟩ giro statement ◆ *ik heb deze week drie giro's ontvangen* I have had three giro statements this week [4] ⟨overschrijving⟩ transfer by bank/giro, bank/giro transfer ◆ *per giro* by giro [5] ⟨endossementen van een wissel⟩ endorsement

Giro [de] Giro

giroafrekening [de^v] giro statement

girobank^MERK [de] transfer bank, clearing bank, Girobank

girobetaalkaart [de] giro cheque/^Acheck

girobiljet [het] giro (transfer) slip

giroboekje [het] giro book

girocheque [de^m] giro cheque/^Acheck

girodienst [de^m] ⟨Groot-Brittannië⟩ National Giro, Post Office Giro, Girobank Transcash service, ⟨USA⟩ ± Check Office

giro-enveloppe [de] giro envelope

girofoon [de^m] bank phone (line)

girokaart [de] ⟨betaling⟩ giro transfer slip, ⟨storting⟩ giro deposit slip

girokantoor [het] ⟨Groot-Brittannië⟩ National Girobank

girolle [de] girolle

giromaat [de^m] ± cash dispenser, ± cashpoint, ⟨AE⟩ ± automatic teller (machine), ± automated teller (machine)

giromaatpas [de^m] cashpoint card

gironummer [het] Girobank/giro (account) number ◆ *storten op gironummer ooo* deposit into/transfer to giro number ooo

girootje [het] ⟨fin⟩ giro (transfer slip), ⟨girobetaalkaart⟩ giro cheque/^Acheck ◆ *even een girootje uitschrijven* just write out a giro (transfer slip)

giro-overschrijving [de^v] [1] ⟨het overboeken⟩ giro transfer, payment by giro, ⟨via bank⟩ bank transfer [2] ⟨bedrag⟩ sum paid by giro

giropas [de^m] (giro cheque) guarantee card

girorekening [de^v] ⟨Groot-Brittannië⟩ Girobank/giro account, ⟨USA⟩ Check account ◆ *geld overmaken op een girorekening* transfer money to/pay money into a giro account

girorekeninghouder [de^m] giro account holder

girostrookje [het] giro slip

giroverkeer [het] giro transfer/transactions, ⟨alg⟩ clearing transactions

¹gis [de] ⟨gissing⟩ guess ◆ *op de gis* by guess, at a guess; ⟨vnl BE; inf⟩ by guess and by God(frey)/Gosh/Golly; *hij doet het allemaal op de gis* it's all guesswork with him, he leaves it all to guesswork

²gis [de] ⟨muz⟩ G sharp

³gis [bn] [1] ⟨slim⟩ smart, bright, canny, sharp, ⟨vnl BE; sl⟩ fly ◆ *een gisse jongen* a fly customer; *dat is een heel gis ventje* he's a smart cookie/a fly boy [2] ⟨gevaarlijk⟩ chancy, ↑hazardous, dangerous

gisant [de^m] gisant, tomb effigy

gispen [ov ww] ⟨form⟩ censure, denounce, decry, scarify, castigate ◆ *de spreker gispte ons wegens onze onverschilligheid* the speaker chided us with/for our indifference

gisping [de^v] ⟨form⟩ censure, denunciation, decrial, scarification, castigation

gissen [ov ww, ook abs] [1] ⟨(in het wilde) raden⟩ guess (at), ↑conjecture, ↑surmize, ⟨intuïtief voelen⟩ divine ◆

daar valt zelfs niet ***naar*** *te gissen* that is beyond all conjecture; that's impossible to guess at; ⟨inf⟩ God knows; *wij kunnen slechts gissen* ***naar*** *de oorzaak* we can only guess at the cause, the cause is anybody's guess; ↑ the cause remains/is a matter for conjecture [2] ⟨ramen, schatten⟩ estimate ♦ ⟨scheepv⟩ *gegiste* ***lengte/breedte*** estimated longitude/latitude (by dead reckoning)

gissenderwijs [bw] by guess(work), ⟨vnl BE; inf⟩ by guess and by God(frey)/gosh/Golly

gissing [de^v] guess, ↑ conjecture, ↑ surmise, ⟨mv ook⟩ guesswork, speculation, ⟨schatting⟩ estimate ♦ *zijn gissing bleek* ***juist/verkeerd*** his guess proved to be right/wrong; ***naar*** *gissing* at a guess, at a rough estimate; *dat cijfer berust slechts* ***op*** *gissing(en)* that figure is purely speculative/mere guesswork; *dit zal tot* ***veel*** *gissingen aanleiding geven* this will give rise to a great deal of conjecture; *een gissing* ***wagen*** hazard a guess; *er* ***worden*** *daaromtrent allerlei gissingen* ***gemaakt*** conjecture is rife about that matter; *dit zijn allemaal (maar) gissingen* this is all/just/mere/pure/sheer guesswork

gist [de^m] [1] ⟨stof⟩ yeast, ⟨voor bier ook⟩ barm, ⟨voor brood ook⟩ leaven ♦ ***droge*** *gist* dried yeast [2] ⟨micro-organisme⟩ yeast

gisten [onov ww] [1] ⟨schuimen, opbruisen⟩ ferment, work ♦ *vruchtensap* ***beletten*** *te gisten* stum fruit juice; ***laten/doen*** *gisten* ferment, leaven, turn; *wijn beletten* ***verder*** *te gisten* stum wine [2] ⟨fermenteren⟩ ferment, undergo fermentation [3] ⟨fig; bruisen⟩ ferment, be in a state of ferment, seethe (with) ♦ *haar* ***bloed*** *gistte* her blood was up/started to boil; ***het*** *gistte in de stad* the city was in (a) ferment/in a state of ferment/was seething

gisteravond [bw] → **gisterenavond**

gisteren [bw] yesterday ♦ ⟨fig⟩ *gisteren een geëerd* ***burger,*** *thans een verschoppeling* ± how are the mighty fallen!; *de dag* ***van*** *gisteren* yesterday; ⟨scherts; fig⟩ *hij is niet* ***van*** *gisteren* he wasn't born yesterday, he's not soft, he's a cute one, he's nobody's fool, he knows a thing/trick or two; ⟨sl⟩ there are no flies on him; he's got his head screwed on the right way; *de resultaten/krant* ***van*** *gisteren* yesterday's results/paper; *ik herinner het me nog als de dag* ***van*** *gisteren* I remember it as if it was/happened yesterday; *niet van* ***vandaag*** *of gisteren zijn* ± be quite old/not new/firmly established; *dat plan is niet van* ***vandaag*** *of gisteren* it's not (as if it's) a new plan; *gisteren* ***vóór/over*** *een week/een week geleden* yesterday week, a week from yesterday

gisterenavond [bw], **gisteravond** [bw] yesterday evening, last night

gisterenmiddag [bw], **gistermiddag** [bw] yesterday afternoon

gisterenmorgen [bw], **gistermorgen** [bw], **gisterenochtend** [bw], **gisterochtend** [bw] yesterday morning

gisterennacht [bw], **gisternacht** [bw] yesterday/last night

gisterenochtend [bw] → **gisterenmorgen**

gistermiddag [bw] → **gisterenmiddag**

gistermorgen [bw] → **gisterenmorgen**

gisternacht [bw] → **gisterennacht**

gisterochtend [bw] → **gisterenmorgen**

gisting [de^v] fermentation, ferment, ⟨het bruisen⟩ effervescence, ⟨wet⟩ zymosis, zymolysis ♦ ***alcoholische/melkzure/boterzure/rottende*** *gisting* alcoholic/lactic acid/butyric acid/putrefactive fermentation; *de gisting van* ***wijn*** *doen ophouden* stum wine

gistingsbacteriën [de^mv] fermenting bacteria

gistingsproces [het] (process of) fermentation

gistingsvat [het] fermentation vessel

gistmeter [de^m] ⟨scheik⟩ ⟨BE⟩ zymometer, ⟨AE⟩ zymosismeter

gistmiddel [het] fermenting agent, ferment

gistpoeder [het, de^m] baking powder

gistvlokken [de^mv] yeast flakes

giswerk [het] guesswork, speculation, ↑ conjecture ♦ *dat is* ***puur*** *giswerk* that is pure/just guesswork

1**git** [het] ⟨delfstof⟩ jet

2**git** [de] ⟨sieraad⟩ jet, bugle bead ♦ *een mantel, bezet* ***met*** *gitten* an overcoat trimmed with jet (ornaments)

gitaar [de] guitar ♦ ***elektrische/akoestische*** *gitaar* electric/acoustic guitar; ***op*** *de gitaar tokkelen* strum the guitar

gitaarlick [de^m] guitar lick

gitaarloopje [het] guitar loop

gitaarpop [de^v] guitar pop

gitaarrock [de^m] guitar rock

gitaarspel [het] [1] ⟨(vaardigheid van) spelen⟩ guitar-playing [2] ⟨klanken⟩ guitar-playing

gitarist [de^m] guitarist, ⟨niet m.b.t. klassieke muz⟩ ↓ guitar-player

gitten [bn] [1] ⟨van git⟩ jet [2] ⟨met gitten gegarneerd⟩ jet [3] ⟨als git zo zwart⟩ → **gitzwart**

gitzwart [bn] jet-black, pitch-black, coal-black, jetty, ⟨m.b.t. haar ook⟩ raven

giveaway [de] giveaway

glaasje [het] [1] ⟨stukje glas⟩ (small) glass, ⟨van microscoop⟩ slide [2] ⟨glas drank⟩ drop, drink, nip, ⟨vnl BE; inf⟩ wet, ⟨inf; AE⟩ slug, ⟨AE⟩ belt ♦ *(wat) te diep in het glaasje* ***gekeken hebben*** have had one too many/one over the eight/a drop too much; *een glaasje op* ***hebben*** have had a few; *van een glaasje* ***houden,*** *wel een glaasje* ***lusten*** like a drop, be partial to a drop; *glaasje op, laat je rijden* don't drink and drive

glaasjedraaien [het] ouija board, glass-pushing

1**glacé** [de^m] ⟨handschoen⟩ → **glacéhandschoen**

2**glacé** [het] ⟨geglansd leer⟩ glazed leather, glacé-kid, glacé-buckskin

glacéhandschoen [de] kid glove, ⟨inf⟩ kid

glacéleer [het] → **glacé**2

glacépapier [het] glazed paper

glaceren [ov ww] [1] ⟨glanzend maken⟩ glaze ♦ *geglaceerd* ***papier*** glazed paper [2] ⟨bk⟩ glaze, ⟨schilderij ook⟩ varnish [3] ⟨m.b.t. gebak⟩ glacé, glaze, ⟨niet doorzichtig⟩ ice, frost, candy ♦ ***amandelen*** *glaceren* sugar/glaze almonds [4] ⟨m.b.t. vruchten⟩ candy, crystallize, glacé ♦ *geglaceerde* ***kersen*** glacé cherries

glaciaal [bn] glacial, ⟨met ijs bedekt⟩ glaciated ♦ *een glaciaal* ***dal*** a glacial valley

glaciologe [de^v] → **glacioloog**

glaciologie [de^v] glaciology

glacioloog [de^m], **glaciologe** [de^v] glaciologist

glacis [het] [1] ⟨doorschijnende laag, kleur⟩ glaze [2] ⟨aardglooiing voor een fort⟩ glacis

1**glad** [bn] [1] ⟨glibberig⟩ slippery, ⟨inf⟩ slippy, ⟨door ijs/ijzel ook⟩ icy, ⟨door olie/vet/modder⟩ greasy ♦ *'t* ***is*** *glad op de wegen* the roads are slippery/icy, it's slippery/icy out(side), there is black ice/are icy patches on the roads; *het* ***voetbalveld*** *was glad na de regen* the pitch was greasy after the rain; *een gladde* ***vogel*** a slippery/slick/wily customer, a sharp one; ⟨BE ook⟩ a fly boy [2] ⟨fig; gewiekst⟩ slippery, slick, wily, ⟨inf; BE⟩ fly, ↑ lubricious, ↑ lubricous ♦ *een gladde* ***jongen*** a smooth operator, ⟨BE⟩ a wide/fly boy; ⟨vnl AE⟩ a wheeler-dealer [3] ⟨met een zeer effen, glanzig oppervlak⟩ shiny, ⟨gepolijst⟩ polished, ⟨zacht en glanzend; vnl. haar/vacht⟩ sleek, ⟨glanzend; vnl. stof/verf/papier/foto⟩ glossy ♦ *glad* ***goud*** lustrous gold; *gladde* ***koeien*** sleek cows; *gladde* ***meubels*** polished furniture; *die jas* ***wordt*** *glad aan de ellebogen* this jacket is getting shiny at the elbows [4] ⟨egaal, effen⟩ smooth, even, ⟨water⟩ calm, ⟨zonder uitsteeksels⟩ flush ♦ *gladde* ***banden*** bald tyres; *een glad* ***beslag*** a smooth mixture; *een schip met een glad* ***dek*** a ship with a flush deck, a flush decker; *een gladde* ***deur*** ⟨tegenover paneeldeur⟩ a flush door; *de gladde* ***draad*** ⟨tegenover prikkeldraad⟩ plain wire; *een gladde* ***geweerloop*** an unrifled/a smooth-bored barrel; *zijn **hoofd** is zo glad als een biljartbal* he is as bald as a coot/an egg/a billiard ball, ⟨AuE⟩ he is as bald as a badger; *een gladde **kin*** a clean-shaven chin/face; *een geweer met gladde **loop*** a smooth-bore(d) gun, a smooth-bore, an unrifled shotgun; *een glad **oppervlak*** a smooth/square surface; *een gladde (gouden) **ring*** a plain (gold) ring; *een gladde **schedel*** a bald head; ⟨inf⟩ a nude nut, a chrome dome; *een gladde **snee*** a clean cut; *een gladde **spier*** a smooth/an unstriated muscle; *een gladde **steen/rots*** a smooth stone/rock; *een glad **voorhoofd*** a smooth/an unwrinkled/unfurrowed/a furrowless brow; *zijn haar **was** glad **gekamd*** his hair was smoothly combed; ⟨met water/olie⟩ his hair was sleeked/slicked down (flat); *glad **worden*** become smooth; *de zee was zo glad als een spiegel* the sea was as smooth as a mill-pond/as glass ⊡ *dat is nogal glad!* that goes without saying, that is (pretty) obvious, ↑ that is self-evident

²glad [bn, bw] ⟨vlug⟩ smooth ◆ *dat **gaat** hem glad **af*** he's got the knack/the hang of it, he does it as to the manner born; ⟨als aangeboren⟩ it comes easy to him; *het mes **ging** er glad **door*** the knife went straight through (as if it was butter); *een gladde **pols*** a regular pulse; *hij heeft een gladde **tong*** ⟨vnl pej⟩ he has a glib/ready tongue; ⟨i.h.b. m.b.t. iemand die goed kan liegen/vleien; inf⟩ he has/must have kissed the Blarney Stone ⊡ *dat zal hem niet glad **zitten*** he'll have a (hard) job (doing it), he is not going to/won't get away with that one/it, it won't work/wash

³glad [bw] ⟨geheel⟩ ↑ quite, ↑ altogether, ⟨sterker⟩ ↑ totally, utterly ◆ *je hebt het glad **mis*** ↑ you are quite wrong, you are mistaken, ↑ you are absolutely/totally/completely wrong; *ik ben het glad **vergeten*** I clean forgot it

gladachtig [bn] 1 ⟨enigszins glibberig⟩ (a bit/rather/quite) slippery, ⟨inf⟩ (a bit/rather/quite) slippy, (a bit/rather/quite) icy, (a bit/rather quite) greasy; zie ook **glad** 2 ⟨enigszins gewiekst⟩ (a bit/rather/quite) slippery, (a bit/rather/quite) slick, (a bit/rather/quite) wily, ⟨inf; BE⟩ (a bit/rather) fly 3 ⟨enigszins glanzig⟩ (a bit/rather/quite) shiny, quite highly polished, (rather/quite) glossy; zie ook **glad** 4 ⟨enigszins egaal⟩ (a bit/rather/quite) smooth, smoothish, (rather/quite) even, quite/fairly calm; zie ook **glad**

gladaf [bw] flatly ◆ *hij **weigerde** het gladaf* he flatly refused

gladden [ov ww] 1 ⟨gladmaken⟩ smooth, smoothen 2 ⟨glazig, glimmend maken⟩ polish, shine, ⟨papier⟩ glaze

gladdig [bn] (a bit) slippery, ⟨inf⟩ (a bit) slippy

gladdigheid [de^v] 1 ⟨gladheid⟩ slipperiness, ⟨inf⟩ slippiness, ⟨door ijs/ijzel⟩ iciness 2 ⟨gladde plaats⟩ slippery/slippy patch, ⟨door ijs/ijzel; i.h.b. op wegen⟩ icy patch

gladgeschoren [bn] clean-shaven ◆ *een gladgeschoren **gezicht*** a clean-shaven face; ⟨scherts⟩ a face as smooth as a baby's bottom/botty

gladharig [bn] smooth-haired, ⟨glanzend⟩ sleek-haired, ⟨m.b.t. hond ook⟩ smooth-coated

gladharigen [de^mv] ⟨antr⟩ straight-haired people/races

gladheid [de^v] 1 ⟨glibberigheid⟩ slipperiness, ⟨inf⟩ slippiness, ⟨door ijs/ijzel⟩ iciness ◆ *de politie **waarschuwt voor** gladheid op de wegen* there is a police warning about/there is a possibility of black ice/icy patches on the roads 2 ⟨gewiekstheid⟩ slickness, wiliness, ↑ lubricity 3 ⟨glanzigheid⟩ shine, ⟨door polijsten⟩ polish, ⟨i.h.b. van haar/vacht; zachte glans⟩ sleekness, ⟨glans vnl. m.b.t. stof/verf/papier⟩ gloss, glossiness 4 ⟨vlakheid⟩ smoothness, evenness, ⟨m.b.t. water⟩ calmness, ⟨kaalheid⟩ baldness ◆ *de gladheid **van ivoor*** the smooth texture of ivory

gladhout [het] (French-)polished wood

gladhouten [bn] (French-)polished-wood ◆ *gladhouten **meubelen*** (French-)polished-wood furniture

gladiator [de^m] ⟨gesch⟩ gladiator

gladiool [de] gladiolus, sword lily, ⟨inf⟩ glad(dy)

gladjakker [de^m] → **gladjanus**

gladjanus [de^m], **gladjakker** [de^m] smooth operator/customer, smoothie, ⟨m.b.t. taalgebruik⟩ smoothiechops, ⟨BE ook⟩ fly boy, ⟨AE ook⟩ slicker

gladjes [bn, bw] 1 ⟨nogal glibberig⟩ (a bit/rather) slippery, ⟨inf⟩ (a bit/rather) slippy, ⟨door ijs, ijzel ook⟩ (a bit/rather) icy, ⟨door olie/vet⟩ (a bit/rather) greasy ◆ *'t is gladjes **op straat*** it's (a bit/rather) slippery/slippy out 2 ⟨gewiekst⟩ (a bit/rather) slippery, (a bit/rather) slick, (a bit/rather) wily, ⟨inf; BE⟩ (a bit/rather) fly ◆ *die vent **vind** ik gladjes* I find that fellow rather/a bit slippery/fly, I think he's a bit of a slippery/wily customer/a bit of a fly boy 3 ⟨gemakkelijk⟩ quite smoothly ◆ *gladjes **verlopen*** go (off) quite smoothly, pass off quite smoothly

gladkammen [ov ww] comb smooth

gladmachine [de^v] glazing machine, sizing machine

gladmaken [ov ww] 1 ⟨gelijk, effen maken⟩ smooth(en), even, ⟨polijsten⟩ polish 2 ⟨glanzig, glimmend maken⟩ glaze

gladschaaf [de] smoothing-plane, smooth-plane, coffin plane

gladschaven [ov ww] plane (smooth)

gladscheren [ov ww] shave (clean)

gladschuren [ov ww] sand (down), ⟨met schuurpapier ook⟩ sandpaper, ⟨met schuursteen⟩ stone ◆ *een **plank** gladschuren* sand (down)/sandpaper a plank

gladslaan [ov ww] flatten out, hammer flat

gladslijpen [ov ww] polish, ⟨met slijpschijf/polijstschijf⟩ lap ◆ *gladgeslepen **staal*** polished steel

gladstrijken [ov ww] smooth (out/down), ⟨ook fig; met strijkijzer⟩ iron (out), ⟨foto; afdruk⟩ squeegee ◆ *zijn **haren** gladstrijken* ⟨vnl. met crème/water⟩ smooth/sleek down one's hair; *zijn **kleren**/een **laken** gladstrijken* smooth down one's clothes, smooth out a sheet; ⟨fig⟩ ***moeilijkheden** gladstrijken* iron (out) difficulties; *een vogel zat zijn **veren** glad te strijken* a bird sat preening its feathers

gladvijl [de] smooth-file

gladvijlen [ov ww] file smooth, ⟨uitstekend onderdeel⟩ file flush

gladweg [bw] ⊡ *gladweg **vergeten*** clean forget, ↑ completely forget

gladwrijven [ov ww] polish, buff, burnish, ⟨vnl. m.b.t. appels/cricketbal⟩ shine

glamour [de^m] glamour

glamourgirl [de^v] glamour girl

glanduleus [bn] glandular, glandulous

glans [de^m] 1 ⟨uitstraling, schijnsel⟩ glow, ⟨vnl. m.b.t. maan⟩ radiance, ⟨m.b.t. sterren⟩ glimmer, glittering ◆ *het lampje **verspreidde** een flauwe glans* the lamp gave a faint glow/a weak light 2 ⟨spiegelende reflectie⟩ gleam, lustre, ⟨van foto, verf⟩ gloss, ⟨m.b.t. zijde, haren enz.⟩ sheen ◆ *zijn glans **behouden/verliezen*** retain/lose its lustre; *een **felle/schelle/verblindende** glans* a glare; a strong/glaring/blinding light; *P. geeft uw meubelen een **fraaie** glans* P. gives your furniture a beautiful shine/polish; *de glans van gepolijste **metalen*** the gleam of polished metals; *de glans van **satijn/zijde*** the sheen/lustre of satin/silk; *de glans van gepoetste **schoenen*** the shine of polished shoes; *koper zijn glans **teruggeven*** take the tarnish off brass, rub up/polish brass; *iets **van** zijn glans **beroven*** take the shine off/out of sth.; *zijn glans **verliezen*** become dull; ⟨metalen, ook inf⟩ tarnish, become tarnished; ⟨inf⟩ lose one's/its lustre; *er kwam een **zachte** glans op haar gelaat* a soft/gentle radiance came over her face; *er **zit** geen glansje **op*** it has no shine; *ogen **zonder** glans* lacklustre/lustreless/dull eyes; ***zonder** (enige) glans* lacklustre, dull, drab 3 ⟨praal, wereldse eer⟩ splendour, brilliance, radiance, lustre ◆ *glans **geven/verlenen/bijzetten aan*** add/lend lustre to; *de glans van het **hof**/een **geslacht**/een **naam*** the splendour/brilliance of the court/a family/a name; ***met** glans* with flying colours, with distinction, brilliantly; ⟨iron⟩ ***met** glans **zakken*** fail brilliantly; ⟨BE ook⟩ plough; ⟨inf; AE⟩ flunk; *de glans van **schoonheid/gezondheid***

the glow of beauty/health; *een overwinning* ***zonder*** *glans* an inglorious/a lacklustre victory; ⟨fig⟩ *de glans is eraf* the shine has gone off it, the gilt is off (the gingerbread), the splendour has gone out of it [4] ⟨eikel (van penis, clitoris)⟩ glans, ⟨inf⟩ head

glansapparaat [het] (print) glazer

glansborstel [de^{m}] polishing brush

glanshout [het] sleeking stick, polisher

glanskarton [het] glazed cardboard

glanskop [de^{m}] ⟨dierk⟩ marsh tit

glansloos [bn] [1] ⟨dof, mat⟩ dull, ⟨i.h.b. van ogen⟩ lacklustre, lustreless, ⟨kleur ook⟩ dead, ⟨mat⟩ matt ◆ *zijn* ***ogen*** *waren dof en glansloos* his eyes were dull and lacklustre [2] ⟨saai, eentonig⟩ lacklustre, dull, drab, humdrum, tedious ◆ *langzamerhand begon zij het leven glansloos te* ***vinden*** she gradually began to find life dull

glansmachine [de^{v}] calender(ing machine), glazing-machine

glansmiddel [het] polish, brightener

glanspapier [het] glazed paper

glansperiode [de^{v}] heyday, golden age

glansprestatie [de^{v}] ⟨in België⟩ resounding/huge success

^{1}**glansrijk** [bn] [1] ⟨roemrijk⟩ glorious, splendid, magnificent ◆ *glansrijke* ***daden*** glorious deeds; *een glansrijke* ***overwinning*** ⟨i.h.b. m.b.t. veldslag of sportwedstrijd⟩ a glorious victory; a brilliant/magnificent/signal success [2] ⟨luisterrijk⟩ splendid, brilliant, magnificent, resplendent

^{2}**glansrijk** [bw] ⟨op voortreffelijke wijze⟩ magnificently, gloriously, splendidly, brilliantly ◆ *een proef glansrijk* ***doorstaan*** pass a test with flying colours; *de vergelijking glansrijk* ***doorstaan*** compare very favourably with, bear very favourable comparison with; ⟨iron⟩ *het glansrijk* ***verliezen/afleggen*** lose/fail magnificently/gloriously; *hij is de moeilijkheden glansrijk te boven gekomen* he overcame/surmounted his difficulties magnificently/brilliantly/splendidly

glansrol [de] star part/role

glansverf [de] gloss (paint)

glansvernis [het, de^{m}] (high) gloss varnish

^{1}**glanzen** [onov ww] [1] ⟨glimmen, blinken⟩ gleam, shine, ⟨vnl. m.b.t. juwelen⟩ glitter, sparkle, ⟨alsof vochtig, ook m.b.t. goud⟩ glisten ◆ *de* ***daken*** *glansden in het zonlicht* the roofs gleamed/glowed/shone in the sun(light); ⟨foto⟩ *glanzend* ***papier*** glossy/high-gloss paper; *op glanzend* ***papier*** *gedrukt (tijdschrift)* glossy (magazine); ⟨fig⟩ *zijn gezicht glansde* ***van*** *blijdschap* his face shone/glowed with joy/lit up with joy [2] ⟨stralen⟩ shine, glow, ⟨m.b.t. sterren ook⟩ twinkle ◆ *miljoenen sterren glansden* ***boven*** *de stad* millions of stars twinkled above the town; *glanzend* ***haar*** glossy/lustrous hair; ⟨vnl. door gebruik van water/haarcrème⟩ sleek hair; *de mahonie tafel/haar huid glansde* ***in*** *de vuurgloed* the mahogany table/her skin gleamed in the firelight; *glanzende* ***ogen*** sparkling eyes

^{2}**glanzen** [ov ww] ⟨doen glimmen⟩ ⟨vnl. m.b.t. metalen, stenen, hout, ook rijst⟩ polish, ⟨met kalander⟩ calender, ⟨m.b.t. stof, leer, papier⟩ glaze, ⟨m.b.t. foto, kraag⟩ gloss, ⟨merceriseren⟩ mercerize ◆ ***papier/metaal/katoen*** *glanzen* glaze paper/burnish metal/glaze cotton

glanzig [bn] shiny, shining, glossy ◆ *glanzig* ***haar*** glossy/lustrous hair; ⟨vnl. door gebruik van water/haarcrème⟩ sleek hair; *een glanzige* ***stof*** shiny cloth

glare [het] glare

glas [het] [1] ⟨stof⟩ glass ◆ ***gekleurd*** *glas* coloured glass; *glas* ***gieten*** cast glass; *een asbak* ***van*** *glas* a glass ashtray [2] ⟨drinkglas⟩ glass; zie ook **glaasje** ◆ *een glas* ***bijvullen*** top up a glass/drink; *het glas* ***heffen*** raise one's glass; *laten we het glas* ***heffen*** *op ...* let's drink to ...; *zijn glas* ***leegdrinken*** drink up, drain one's glass; *zijn glas achterover* ***slaan*** knock one's drink back; *de glazen* ***vullen/volschenken*** fill the glasses [3] ⟨inhoud⟩ glass (of), drink; zie ook **glaasje** ◆ *een glas* ***bier/sherry/whisky/cola*** a (glass of) beer/sherry/whisky/coke; *een* ***lekker/goed*** *glas wijn* a lovely/good glass of wine; *wijn* ***per*** *glas* wine by the glass; *een* ***stevig*** *glas* a stiff drink; *laten we het bij een glas* ***wijn*** *bespreken* let's discuss it over a glass of wine [4] ⟨glasplaat⟩ glass, ⟨ruit⟩ (window-)pane, pane of glass ◆ *een ets* ***achter*** *glas* a glazed etching; ***gepantserd*** *glas* bulletproof glass; ***geslepen*** *glas* cut glass; ***gewapend*** *glas* armoured glass; ⟨draadglas⟩ wired glass; ***kogelvrij*** *glas* bulletproof glass; *groente kweken* ***onder/achter*** *glas* grow vegetables under glass; ***op*** *glas schilderen* ⟨met verf⟩ paint on glass; ⟨kleuren inbranden⟩ stain glass, work in stained glass; *glas in lood* leaded glass; ⟨gekleurd⟩ stained glass [5] ⟨voorwerp van glas⟩ glass ◆ ⟨fig⟩ *daar* ***gooi*** *je je eigen glazen mee* ***in*** that's cutting your own throat; *zijn eigen glazen* ***ingooien*** ⟨fig⟩ cut one's own throat, cook one's own goose, be one's own worst enemy, stand in one's own light, act against one's own (best) interests; ⟨door eigen toedoen brodeloos worden⟩ quarrel with one's bread and butter; ⟨in een woedebui⟩ cut off one's nose to spite one's face [6] ⟨scheepv; tijdruimte⟩ bell ◆ ***vier*** *glazen* four bells [•] ⟨sprw⟩ *gekken en dwazen schrijven hun namen op deuren en glazen* a white wall is a fool's paper

wijnglas of glas wijn?

glass of wine – glas wijn (met inhoud)
· *I drink a few glasses of wine every evening*
wine glass – wijnglas (leeg, als voorwerp)
· *he bought four lovely wine glasses yesterday*

glasaaltje [het] elver, glass eel

glasachtig [bn] glassy, glasslike, ↑ vitreous ◆ ⟨med⟩ *het glasachtig* ***lichaam*** vitreous humour/body; ⟨fig⟩ *glasachtige* ***ogen*** glassy/glazed eyes; ⟨med⟩ *het glasachtig* ***vlies*** hyaloid membrane

glasareaal [het] ⟨landb⟩ area/acreage under glass

glasbak [de^{m}] bottle bank

glasblazen [ww] glassblowing

glasblazer [de^{m}] glassblower

glasblazerij [de^{v}] glassworks

glasbreuk [de] ⟨in België⟩ broken windows/glass

glascontainer [de^{m}] bottle bank

glascultuur [de^{v}] → **glastuinbouw**

^{1}**glasdiamant** [de^{m}] ⟨valse diamant⟩ paste (diamond), artificial/imitation/glass diamond

^{2}**glasdiamant** [het] ⟨stofnaam⟩ paste

glasdicht [bn] (fully) glazed ◆ *het* ***huis*** *is glasdicht* the house is fully glazed

^{1}**glasdraad** [de^{m}] ⟨voorwerp, draad⟩ glass filament, glass fibre, glass thread

^{2}**glasdraad** [het, de^{m}] ⟨dun uitgetrokken glas⟩ glass fibre, spun glass, fibreglass

glaselektrode [de^{v}] vitreous electrode

glaserts [het] argentite, silver glance

glasfabricage [de^{v}] glass manufacture/making, glass work(ing)

glasfabriek [de^{v}] glassworks

glasfiber [het, de^{m}] → **glasvezel**

glasfolie [het, de] glass foil

glasgordijn [het] net curtain, lace curtain

glasgroen [bn] bottle green, glass green

glashandel [de^{m}] [1] ⟨handel in glas⟩ glass trade [2] ⟨winkel⟩ glazier's (shop)

^{1}**glashard** [bn] ⟨zeer hard⟩ adamantine, as hard as nails/iron/rock, rock-hard

^{2}**glashard** [bn, bw] ⟨onbewogen⟩ obdurate ⟨bw: ~ly⟩, unfeeling ◆ *hij* ***ontkende*** *glashard* he flatly denied

glasharmonica [de] glass harmonica, (h)armonica, ⟨bestaande uit een aantal drinkglazen⟩ musical glasses

^{1}**glashelder** [bn] ⟨helder, doorzichtig⟩ crystal-clear, (as)

clear as crystal ◆ *glashelder **water*** crystal-clear water

^{2}**glashelder** [bn, bw] [1] ⟨zeer duidelijk⟩ crystal-clear, lucid, clear as crystal/day, clear(-cut) ◆ *dat is glashelder* that is as clear as daylight/abundantly clear/as plain as a pikestaff, ↓ that is as plain as the nose on your face; *hij zette de zaak glashelder **uiteen*** he gave a crystal-clear/lucid explanation of the matter [2] ⟨helderklinkend⟩ crystal-clear, ⟨m.b.t. stem⟩ (as) clear as a bell ◆ *met een glasheldere **stem*** in a crystal-clear voice; *glashelder **zingen*** sing like a nightingale/with great purity

glas-in-loodraam [het] [1] ⟨raam met in lood gevatte ruiten⟩ leaded window/light, lattice window [2] ⟨gebrandschilderd raam⟩ stained-glass window

glasjaloezie [de^{v}] louvred/^{A}louvered window

glaskabel [de^{m}] fibre optic cable

glaskeramiek [de^{v}] [1] ⟨voorwerp⟩ item/article of glass (ware) [2] ⟨tak van kunstnijverheid⟩ glass-ceramics

glaskruid [het] ⟨groot⟩ wallwort, ⟨klein⟩ wall pellitory, pellitory of the wall

glaslichaam [het] ⟨med⟩ vitreous humour/body

glasmassa [de^{v}] ⟨techn⟩ glass metal, ⟨voor glazuur⟩ frit, ⟨halfproduct⟩ par(a)ison

glasmozaïek [het] glass mosaic

glasnost [de] glasnost

glasoog [het] [1] ⟨kunstoog⟩ glass eye [2] ⟨m.b.t. een paard⟩ walleye

glasopstand [de^{m}] glass coverings

glasoven [de^{m}] glass furnace

glaspapier [het] [1] ⟨schuurpapier⟩ glass paper, sandpaper [2] ⟨doorzichtige, papierachtige stof⟩ glassine, ⟨cellofaan⟩ cellophane [3] ⟨doorschijnend, gekleurd papier⟩ coloured glassine

glasparel [de] [1] ⟨valse parel⟩ Venetian pearl, artificial pearl [2] ⟨glazen bolletje⟩ glass pearl/bead

glasplaat [de^{m}] sheet of glass, ⟨bewerkt⟩ glass plate, ⟨als tafelblad⟩ glass top

glasraam [het] [1] ⟨raamwerk van een ruit⟩ window frame, ⟨schuifraam⟩ sash (window), ⟨openslaand⟩ casement [2] ⟨in België; gebrandschilderd raam⟩ stained-glass window

glasroede [de] glazing/sash bar, ⟨AE vnl⟩ muntin

glasschade [de] broken windows/glass ◆ *de ontploffing veroorzaakte veel glasschade* the explosion broke/smashed a lot of windows; ***verzekering** tegen glasschade* glass insurance

glasscherf [de] [1] ⟨stuk glas⟩ fragment of glass, piece of broken glass, ⟨heel dun⟩ splinter of glass [2] ⟨mv; in het bijzonder als afval voor hergebruik⟩ cullet

glasschilder [de^{m}] stained-glass artist

glasschilderij [het] stained-glass window/picture

glasservies [het] set of glasses

glasslijper [de^{m}] glass grinder, glass cutter

glassnijder [de^{m}] glass cutter

glasstralen [ov ww] glass etch

glastoestand [de^{m}] vitreous state

glastuinbouw [de^{m}], **glascultuur** [de^{v}] greenhouse farming, cultivation under glass, ⟨zeldz⟩ glasshouse horticulture

glastuinder [de^{m}] glasshouse/greenhouse grower, ⟨in tuin⟩ greenhouse gardener, ⟨bedrijf⟩ glasshouse/greenhouse market gardener

glasverf [de] transparent enamel

glasverzekering [de^{v}] glass insurance

glasvezel [de], **glasfiber** [het, de^{m}] [1] ⟨stofnaam⟩ glass fibre, spun glass, fibreglass [2] ⟨één filament⟩ glass fibre, glass thread, glass filament, ⟨heel dun⟩ attenuated glass thread

glasvezelkabel [de^{m}] fibre optic(s) cable

glasvlinder [de^{m}] ⟨dierk⟩ clearwing (moth)

glaswaren [de^{mv}] glassware

glaswerk [het] [1] ⟨voorwerpen⟩ glass(ware), ⟨op voet; AE⟩ stemware ◆ *glas- en **aardewerk*** glass- and earthenware, glassware and crockery [2] ⟨ruiten⟩ glazing

glaswol [de] glass wool, glass fibre, spun glass

glaszuiver [bn, bw] perfectly in tune, ↓ dead in tune, ⟨m.b.t. stem ook⟩ (as) clear as a bell

glauberzout [het] Glauber('s) salt(s)

glaucoom [het] ⟨med⟩ glaucoma ◆ *door glaucoom **aangetast*** glaucomatous

glazen [bn] glass, ⟨van ruiten voorzien⟩ glazed ◆ *een glazen **deur*** a glass/glazed door; ⟨fig⟩ *in een glazen **huisje** wonen* live in a glass house; *glazen **kast*** glass case, display cabinet, showcase; *een glazen **oog*** a glass eye; *de glazen **stad*** ± Greenhouse/'Glasshouse City'; *glazen **stolp/klok*** bell jar, glass bell, bell-glass; ⟨m.b.t. tuinb⟩ glass cloche [•] ⟨sprw⟩ *wie in een glazen huis woont, moet niet met stenen gooien* those/people who live in glass houses should not throw stones

glazendoek [de^{m}] glass cloth, ± tea-cloth, ± tea-towel

glazenier [de^{m}], **glazeniersster** [de^{v}] stained-glass artist

glazeniersster [de^{v}] → **glazenier**

glazenkast [de] china cupboard/cabinet, ± dresser, ± sideboard

glazenmaken [ww] glaze, put in windows

glazenmaker [de^{m}] [1] ⟨persoon⟩ glazier [2] ⟨grote libel⟩ dragon-fly

glazenspoeler [de^{m}] dishwasher, washer-up

glazenwasser [de^{m}] [1] ⟨persoon⟩ window-cleaner [2] ⟨bezem, boender⟩ brush and pole [3] ⟨grote libel⟩ dragonfly

glazig [bn] [1] ⟨glasachtig⟩ glassy, ⟨anat, aardewerk⟩ vitreous ◆ *de uien glazig **laten worden*** sauté the onions [2] ⟨m.b.t. ogen⟩ glassy, glazed [3] ⟨m.b.t. aardappelen⟩ waxy, soapy

glazuren [ov ww] glaze, ⟨m.b.t. gebak ook, dik⟩ ice, ⟨dun⟩ frost, ⟨met email(lak)⟩ enamel ◆ *geglazuurd **aardewerk*** glazed pottery, vitreous china

glazuur [het] [1] ⟨glasachtige, glinsterende laag⟩ glaze, glazing, ⟨techn, halfgesmolten glasmassa⟩ frit, ⟨email(lak)⟩ enamel, ⟨vernis⟩ varnish ◆ ***transparante/dekkende** glazuren* transparent/opaque glazes [2] ⟨m.b.t. de tanden⟩ enamel [3] ⟨mengsel van poedersuiker en water⟩ ⟨dikke laag⟩ (sugar)icing, ⟨dunne laag⟩ frosting

glazuurlaag [de] glaze, glazing, ⟨suikerglazuur⟩ icing, frosting ◆ ***bovenste** glazuurlaag* ⟨op aardewerk⟩ overglaze; *een glazuurlaag **vormen*** form a glaze

gld. [afk] (gulden) Gld, gld, g, G, DGld, (D)fl, f

glee [de] thin/worn/threadbare patch

glei [het] → **glui**

gletsjer [de^{m}] glacier ◆ ***met** gletsjers **bedekt*** glaciated; *door gletsjers **uitgeschuurd*** glaciated

gletsjerbaan [de] course of a glacier

gletsjerbeek [de] melt-water stream, subglacial stream

gletsjerdal [het] glaciated valley, U-shaped valley

gletsjerpoort [de] glacier snout

gletsjerpuin [het] glacial detritus, morainic debris, moraine

gletsjerrivier [de] glacier river

gletsjerspleet [de^{m}] crevasse

gletsjertafel [de] glacier table

gletsjertong [de] glacier tongue

gleuf [de] [1] ⟨sleuf, groef⟩ groove, ⟨van automaat, schroefkop⟩ slot, ⟨brievenbus⟩ slit, ⟨in zuilen⟩ flute, ⟨voor horlogeglas⟩ bezel ◆ *in een gleuf plaatsen/passen* ⟨m.b.t. onderdelen⟩ slot into/in; *een gleuf **maken** in* slot, groove [2] ⟨greppel, spleet⟩ trench, ditch, ⟨in rotsen; als gevolg van aardbeving⟩ fissure [3] ⟨vulg; vagina⟩ slit, cunt [4] ⟨vulg; vrouw⟩ slit, snatch, cunt

gliacel [de] glial cell

glibber [de^{m}] slick customer

glibberen [onov ww] 1 ⟨herhaaldelijk uitglijden⟩ slither, slip, slide ♦ *hij glibberde* ***over*** *het modderige pad* he slithered along the muddy path 2 ⟨glijdend voortschuiven⟩ slither ♦ *de slang glibberde* ***door*** *het gras* the snake slithered/slid through the grass
glibberig [bn] slippery, slithery, ⟨slijmerig⟩ slimy, ⟨door vet⟩ greasy, ⟨m.b.t. wegen ook; inf⟩ slippy ♦ *een glibberige* ***aal*** a slippery eel; ⟨fig⟩ *zich op een glibberig* ***pad*** *wagen* head/be headed for trouble; ⟨BE⟩ ± be on a sticky wicket; *glibberige* ***straten*** slippery/slippy roads; ⟨fig⟩ *zich op glibberig* ***terrein*** *bevinden* have got/^A^gotten onto a tricky subject
glider [de] glider
glijbaan [de] 1 ⟨baan op ijs, sneeuw⟩ slide, ⟨AE ook⟩ coast 2 ⟨baan waarlangs men naar beneden kan glijden⟩ slide, chute, ⟨AE ook⟩ shoot, ⟨in zwembad ook⟩ chute-the-chute 3 ⟨gladde baan, gleuf voor transport⟩ slide, ⟨voor hout⟩ log shoot
glijbank [de] sliding seat
glijboot [de] 1 ⟨motorvaartuig voor snelheidswedstrijden⟩ glider, speedboat 2 ⟨door luchtschroeven voortbewogen vaartuig⟩ hydroplane
glijbouw [de^m^] building/construction with sliding forms, building/construction with shuttering
glijcontact [het] ⟨techn⟩ sliding contact
glijcrème [de] lubricant (cream)
glijden [onov ww] 1 ⟨zich langs een oppervlak voortbewegen⟩ slide, glide, skim ♦ ***baantje*** *glijden* slide (on a track); ***doen/laten*** *glijden* pass, slide; ⟨fig⟩ *een schaduw gleed* ***langs*** *de muur* a shadow passed over the wall; *de slee gleed* ***over*** *het ijs* the sleigh was gliding over the ice; *handen die* ***over*** *de toetsen glijden* hands gliding across the keys; *zijn hand gleed* ***over*** *de balustrade* he passed his hand over the banisters; ⟨fig⟩ *een glimlach/schaduw gleed* ***over*** *haar gezicht* a smile/shadow passed/stole over her face; ⟨fig⟩ *zijn blik gleed* ***van*** *het een naar het ander* his eyes travelled from one (thing) to the other 2 ⟨slippen, glippen⟩ slip, slide, slither, skid, skate ♦ *de ladder glijdt* ***weg*** the ladder is slipping (away) 3 ⟨naar beneden schuiven, afzakken⟩ slide, slip ♦ *hij liet het geld* ***in*** *zijn zak glijden* he slipped the money into his pocket; *laat u maar* ***langs*** *het touw naar beneden glijden* (just) slide down the rope; *zich van zijn paard* ***laten*** *glijden* slide down from one's horse; *die spijzen/dranken glijden* ***naar*** *binnen* this food/drink ^B^goes down a treat/^A^slips down real easy; *zich* ***van*** *de trap laten glijden* slide downstairs; *de mantel gleed* ***van*** *haar schouders* the cloak slipped off her shoulders 4 ⟨ontsnappen⟩ slip ♦ *het geld glijdt mij* ***door*** *de vingers* money just slips through my fingers; *het boek was* ***uit*** *haar handen gegleden* the book had slipped from her hands
glijdend [bn] sliding, flexible, gliding ♦ *een glijdende* ***belastingschaal*** a sliding tax scale; *glijdende* ***werktijden*** ⟨BE⟩ flexitime, ⟨AE⟩ flextime, flexible/staggered working hours
glijen [onov ww] slide
glijgoot [de] 1 ⟨transportgoot⟩ chute, shoot, runner, slide(way), spout 2 ⟨scheepv⟩ slipway
glijkoker [de^m^] → **glijgoot**
glijladder [de] chute
glijmiddel [het] lubricant, lubricating jelly
glijpasta [het, de^m^] lubricant
glijvlak [het] 1 ⟨vlak waarover, waarlangs iets glijdt⟩ sliding surface 2 ⟨geol⟩ slickenside
glijvliegtuig [het] glider
glijvlucht [de] 1 ⟨m.b.t. vogels⟩ gliding flight 2 ⟨m.b.t. vliegtuigen⟩ glide(-down), volplane
glimkever [de^m^] glowworm, firefly, firebug
glimlach [de^m^] smile, ⟨breed⟩ grin ♦ *een* ***brede/stralende/innemende*** *glimlach* a broad/radiant/an engaging smile; *een* ***flauwe/zure*** *glimlach* a faint/wry smile; ***met/zonder*** *een glimlach* with/without a smile; smiling(ly), unsmiling(ly); *iemand een glimlach* ***ontlokken*** make s.o. smile; *een* ***vage*** *glimlach* a half-smile; *een glimlach* ***van*** *voldoening* a satisfied smile; *er* ***verscheen*** *een glimlach op zijn gelaat* he began to smile; *een* ***zelfgenoegzame*** *glimlach* a complacent smile, a smirk
glimlachen [onov ww] smile, ⟨breed⟩ grin ♦ *ik glimlachte* ***bij*** *de gedachte dat …* the thought that … made me smile; ***blijven*** *glimlachen* keep (on) smiling; ***flauwtjes*** *glimlachen* show a faint smile, smile faintly; ***goedkeurend/dankend/…*** *glimlachen* smile one's approval/thanks/…; ***naar/tegen*** *iemand glimlachen* smile at s.o.; *ik moest* ***om*** *zijn naïviteit glimlachen* his naiveté made me smile; ***zelfgenoegzaam*** *glimlachen* smirk
glimmen [onov ww] 1 ⟨gloeien⟩ glow, shine 2 ⟨blinken⟩ shine, gleam, ⟨zwak⟩ glimmer ♦ *de tafel glimt* ***als*** *een spiegel* the table shines like a mirror; ***doen*** *glimmen* shine, polish; *een glimmende* ***jas*** a shiny coat; *glimmende* ***knopen/laarzen*** shiny buttons/boots; *een glimmend* ***oppervlak*** a high polish; *die koeien glimmen* ***van*** *het vet* those cows look as healthy as can be 3 ⟨schitteren⟩ shine, glitter, glisten, ⟨zwak⟩ glimmer ♦ *zijn oogjes glommen* ***van*** *blijdschap* his eyes shone with pleasure 4 ⟨zichtbaar genieten⟩ glow, shine, ⟨ogen⟩ sparkle ♦ *hij glimt* ***van*** *trots/plezier* he is glowing with pride/joy
^1^**glimmer** [de^m^] ⟨delfstof⟩ mica, ⟨ruitjes⟩ isinglass
^2^**glimmer** [het] ⟨groep delfstoffen⟩ mica, glimmer
glimmeraarde [de] micaceous sand
glimmerlei [het] mica schist/slate
glimp [de^m^] ⟨vnl fig⟩ glimpse, glimmer, ray, gleam, shimmer ♦ ⟨fig⟩ *een glimp van iemand* ***opvangen/zien*** catch a glimpse of s.o.; *er lag een glimp van* ***tevredenheid*** *op haar gezicht* she looked mildly content
glimpieper [de^m^] ⟨inf⟩ sharp guy, slippery character, ⟨BE⟩ wide boy, ⟨AE⟩ sharpie
glimworm [de^m^] glowworm, firefly, lightning bug
glinsteren [onov ww] 1 ⟨schitteren, blinken⟩ glitter, glint, sparkle, ⟨vocht⟩ glisten ♦ *talloze sterren glinsteren* ***aan*** *de hemel* countless stars sparkle in the sky 2 ⟨m.b.t. de ogen⟩ shine, gleam, glisten, sparkle ♦ *met glinsterende* ***ogen luisteren*** listen with eyes aglow
glinsterend [bn] 1 ⟨schitterend, blinkend⟩ glittering, sparkling, ⟨vocht⟩ glistening ♦ *glinsterende* ***daken*** glistening roofs; *glinsterende* ***sieraden/accessoires*** glittering jewellery; *glinsterend* ***zand*** glittering sand 2 ⟨glinstering veroorzakend⟩ sparkling, gleaming ♦ *glinsterende* ***zonnestralen*** sparkling rays of the sun
glinstering [de^v^] 1 ⟨het glinsteren, glans⟩ shine, sparkle, gleam(ing), glint ♦ *de glinstering van het* ***goud/de ogen*** the gleam of gold, the sparkle in the eyes; *de* ***onheilspellende*** *glinstering van zijn ogen* the ominous gleam/glint in his eyes 2 ⟨iets dat glinstert⟩ sparkle
glioblastoom [het] glioblastoma
glioom [het] ⟨med⟩ glioma
glippen [onov ww] 1 ⟨slippen, wegglijden⟩ slip, slide 2 ⟨voortglijden, voortschieten⟩ slide, run, ⟨stiekem⟩ slip, steal, sneak ♦ ***langs*** *iemand/een obstakel heen glippen* slip/sneak/steal past s.o./an obstacle; ***naar binnen/buiten*** *glippen door de achterdeur* sneak/steal in/out by the backdoor 3 ⟨ontglijden, ontschieten⟩ slip, drop ♦ *het geld glipt hem* ***door*** *de vingers* money slips/runs through his fingers; *iets* ***laten*** *glippen* drop sth.; *iemand* ***laten*** *glippen* let s.o. get away; *de teugel* ***laten*** *glippen* ⟨ook fig⟩ drop the reins; *hij liet het glas* ***uit*** *de handen glippen* he let the glass slip from his hands, he dropped the glass
glissade [de^v^] glissade, (pas) glissé ♦ *een glissade* ***maken*** glissade, perform a glissade
^1^**glissando** [het] ⟨muz⟩ glissando
^2^**glissando** [bw] ⟨muz⟩ 1 ⟨m.b.t. strijkinstrumenten⟩ glissando, glissade, glide, portamento 2 ⟨m.b.t. een piano⟩ glissando 3 ⟨m.b.t. blaasinstrumenten⟩ glissando, glis-

sade, glide, portamento
glit [het] litharge, lead monoxide
glitter [de^m] 1 ⟨iets dat glittert⟩ glitter ♦ *een bloes **met** glitter* a glitterblouse, a sequined blouse 2 ⟨schittering, fonkeling⟩ glitter, sparkle ♦ *glitter en **glamour*** glitter and glamour, tinsel
glitterrock [de] glitter rock
globaal [bn, bw] 1 ⟨algemeen⟩ rough ⟨bw: ~ly⟩, broad, overall, global, outlined ♦ *globale **cijfers*** rough figures; *globaal 3000 **euro*** about/roughly 3000 euros; *globaal **genomen/gesproken** moet je rekenen op 25 euro* all in all, it'll be about 25 euros; *globaal **kan ik zeggen** dat ...* I can roughly say that ...; ⟨fig⟩ *globale **leesmethode*** global method of reading; *een globaal **onderscheid*** a broad distinction; *iets/iemand globaal **opnemen*** glance over sth., give s.o. the once-over; *een globaal **overzicht** geven van iets* outline sth., give a broad outline of sth.; *de globale **prijs*** the rough price; *een globale **schatting*** a rough estimate; *een globale **som*** an overall amount 2 ⟨wereldwijd, mondiaal⟩ worldwide, global, mondial
global economy [de^v] global economy
globaliseren [ov ww] globalize
globalisering [de^v] globalization
global sourcing [de] global sourcing, ⟨productieverplaatsing naar lagelonenlanden⟩ global outsourcing
global warming [de] global warming
globe [de] globe
globetrotter [de^m] globetrotter
globine [de] ⟨biochem⟩ globin
globuleus [bn] globular, globulous
globuline [de] ⟨scheik⟩ globulin
glockenspiel [het] glockenspiel
gloed [de^m] 1 ⟨hitte, warmte⟩ glow, ⟨fel⟩ blaze, heat ♦ *de **felle** gloed van het brandende huis* the fierce heat of the burning house 2 ⟨fig⟩ ardour, fervour, warmth, verve, fire ♦ *de gloed van de **hartstocht*** the fire of passion; ***in** gloed geraken over een onderwerp* warm to/wax enthusiastic about a subject; ***met** gloed spreken* speak with fervour; ***vol** gloed zijn* be full of fire/ardour 3 ⟨schijnsel⟩ glow, ⟨fel⟩ glare, gloss, ⟨wangen⟩ blush ♦ *we zagen de gloed van de **brand*** we saw the glare of the fire; *een gloed van **kleuren*** a blaze of colours; *de gloed van **nieuwigheid** is van dat fluweel verdwenen* this velvet has lost its gloss (of newness); *de vuurrode gloed van een **robijn*** the fiery glow of a ruby
gloednieuw [bn] brand-new ♦ ⟨fig⟩ *dat **denkbeeld** is gloednieuw* that's a brand-new idea
gloedvol [bn, bw] glowing ⟨bw: ~ly⟩, fervent, impassioned, warm, enthusiastic ♦ *hij hield een gloedvol **betoog*** he gave a glowing/an impassioned speech; *in gloedvolle **bewoordingen*** in glowing terms; *gloedvol **spreken*** speak glowingly/with warmth/fervently
gloedwolk [de] glowing cloud
gloeibuisje [het] hot tube
gloeidraad [de^m] ⟨in lamp⟩ (incandescent) filament, ⟨in kacheltje⟩ resistance wire
gloeien [onov ww] 1 ⟨door verhitting stralen⟩ glow, shine, burn, ⟨fel⟩ blaze ♦ ⟨fig⟩ *een koortsig vuur gloeit **door** zijn aderen* a feverish fire is burning through his veins 2 ⟨zonder vlam branden⟩ smoulder, glow 3 ⟨zeer warm zijn⟩ be red-hot, be white-hot, glow, burn ♦ *het zand gloeit **onder** onze voeten* the sand burns beneath our feet; *mijn hele **vinger** gloeit en klopt* my whole finger is burning and throbbing 4 ⟨schitteren, fonkelen⟩ gleam, glint, glow, blaze ♦ *zijn ogen gloeien **in** de holle kassen* his eyes blazed/burned in their sockets
¹gloeiend [bn] 1 ⟨tot gloeiens toe verhit⟩ glowing, red-hot, white-hot, blazing, incandescent ♦ *de kool/soep/steak was gloeiend **heet*** the cabbage/soup/steak was boiling hot; *gloeiend **ijzer*** red-hot iron; *gloeiende **kolen/as*** live coal/embers; *een gloeiende **spijker*** a mere pinpoint of light 2 ⟨brandend heet⟩ red-hot, white-hot, ⟨vloeistof⟩ scalding/boiling/piping hot, ⟨weer⟩ scorching ♦ *een gloeiende **soep/hitte*** boiling/piping hot soup, scorching heat; *gloeiend **van koorts*** burning with fever 3 ⟨m.b.t. kleuren⟩ glowing, radiant, incandescent ♦ *een gloeiende **blos*** a feverish blush; *gloeiende **wangen*** glowing cheeks 4 ⟨hartstochtelijk⟩ glowing, ardent, fiery, fervent ♦ *gloeiende **blikken/bewoordingen*** fiery glances, passionate words/terms; *gloeiende **geestdrift*** fiery passion; *een gloeiende **hekel** aan iemand hebben* hate s.o.'s guts; *een gloeiende **kus*** a burning kiss; *met gloeiende **verontwaardiging*** blazing with anger
²gloeiend [bw] 1 ⟨zo dat het gloeit⟩ aglow, radiantly, ablaze, ardently, burning ♦ *het was gloeiend **heet** vandaag* today was a scorcher 2 ⟨in hoge mate⟩ ♦ *hij was er gloeiend **boos** over* he was hopping mad about it; *het er gloeiend mee **eens zijn*** agree from the bottom of one's heart/wholeheartedly; *er gloeiend **bij zijn*** be in for it, be caught red-handed; *je bent er gloeiend **bij*** ⟨ook⟩ gotcha; *ergens gloeiend de pest over inhebben* be fed up with sth.; ⟨kwaad ook⟩ be mad as hell about sth.
gloeierig [bn] burning, glowing (hot), tingling ♦ *ik **ben** zo gloeierig, ik heb zeker koorts* I'm so hot, I must be running a temperature
gloeihitte [de^v] 1 ⟨techn; warmtegraad⟩ red/white heat ♦ *een metaaldraad **tot** gloeihitte verwarmen* make a wire red-hot 2 ⟨zeer sterke hitte⟩ burning/scorching/stifling heat, intense heat ♦ *de gloeihitte van een **julidag** in New York* the scorching/stifling heat of a July day in New York
gloeiing [de^v] 1 ⟨het gloeien⟩ incandescence, glowing, blazing 2 ⟨gloeiende hitte⟩ burning/scorching (heat), fire, smouldering 3 ⟨gloed⟩ glow, blaze, glare, radiance
gloeikathode [de^m] hot cathode
gloeikousje [het] gas mantle, (incandescent) mantle
gloeilamp [de] (light) bulb, incandescent lamp
gloeilichaam [het] incandescent body, incandescent mantle, glow plug
gloeilicht [het] incandescent light
gloeioven [de^m] ⟨techn⟩ calcining furnace
glokaal [bn] glocal
glooien [onov ww] slope, slant, shelve, incline ♦ *het glooien van de **heuvels*** the rolling of the hills; *de **weg** glooide een beetje* the road sloped gently
glooiend [bn, bw] ⟨bijvoeglijk naamwoord⟩ sloping, ⟨landschap⟩ slanted, inclining, hilly, rolling, ⟨bijwoord⟩ in a slope, slantwise, slantways ♦ *de zitplaatsen **liepen** glooiend **op*** the seats were arranged in tiers
glooiing [de^v] 1 ⟨helling⟩ slope, slant, declivity, inclination 2 ⟨talud⟩ bank(ing), ramp, ⟨mil⟩ glacis, scarp ♦ ⟨wwb⟩ ***stenen** glooiingen aan de zeedijken* pitchings on the sea walls
glooiingshoek [de^m] gradient
gloren [onov ww] gleam, glimmer, glow ♦ *de ochtend **begon** te gloren* day was breaking/dawning; ⟨fig⟩ *er gloorde **iets** van hoop* there was a glimmer of hope
gloria [de^v] 1 ⟨r-k; lofzang in de mis⟩ gloria 2 ⟨r-k; muziek⟩ gloria 3 ⟨glorie⟩ glory, lustre, splendour ♦ *lang zullen ze leven **in** de gloria!* ± hip, hip, hooray!, ⟨BE⟩ ± for they are jolly good fellows; ⟨op verjaardag als liedje⟩ Happy Birthday to you, Happy Birthday to you, Happy Birthday Dear ..., Happy Birthday to you
glorie [de^v] 1 ⟨eer, iets om zich op te beroemen⟩ glory, honour, pride ♦ ***Hollands** glorie* the pride of Holland 2 ⟨pracht, hemelse heerlijkheid⟩ glory, lustre, splendour ♦ ***in** volle/**in** al zijn glorie* in all its glory/splendour, in full glory/splendour; *de resten van **vergane** glorie* the remnants of past glory; *glorie zij de Vader* glory be to the Father 3 ⟨r-k; aureool⟩ gloria, gloriole, nimbus, aureole, halo ♦ *een glorie van gouden **sterren*** a gloria/nimbus of golden stars 4 ⟨meteo⟩ Brocken spectre, Brocken bow, spectre of the Brocken, glory
glorieën [onov ww] glory (in), pride (o.s.) (on)

glorierijk [bn, bw] 1 ⟨roemrijk⟩ glorious ⟨bw: ~ly⟩, splendid, prestigious, honoured 2 ⟨heerlijk, zalig⟩ glorious ⟨bw: ~ly⟩, heavenly, holy
glorietijd [de^m] heyday, golden age ♦ *in zijn/haar glorietijd* in his/her heyday
glorieus [bn, bw] glorious ⟨bw: ~ly⟩, honourable ♦ *een van haar meest glorieuze* ***momenten*** one of her greatest/finest/most glorious moments; ± her finest hour
glorificatie [de^v] glorification
glos [de^v] 1 ⟨verklarende aantekening, vertaling⟩ gloss, annotation 2 ⟨commentaar, aanmerking⟩ comment, annotation, gloss
gloss [de] lip gloss
glossarium [het] 1 ⟨lijst van glossen⟩ glossary, gloss 2 ⟨verklarende woordenlijst⟩ glossary
glosseren [ov ww] gloss, annotate
glossolalie [de^v] ⟨rel⟩ glossolalia, gift of tongues
¹**glossy** [de] glossy
²**glossy** [bn] glossy
glottis [de^v] glottis
glottisslag [de^m] ⟨taalk⟩ glottal stop/catch
gloxinia [de] gloxinia
gluconzuur [het] ⟨scheik⟩ gluconic acid
glucosamine [het, de] glucosamine
glucose [de] glucose, dextrose, grape sugar
glucosinolaat [het] glucosinolate
glühwein [de^m] gluhwein, mulled/spiced wine
glui [het], **glei** [het] thatch
gluipen [onov ww] leer, peer/peek (furtively), steal a glance, spy on
gluiper [de^m] → **gluiperd**
gluiperd [de^m], **gluiper** [de^m] shifty character, sneak
gluiperig [bn, bw] shifty ⟨bw: shiftily⟩, sneaky, underhand ♦ *hij* ***kijkt*** *gluiperig uit zijn ogen* he has a shifty look in his eyes; *valse gluiperige* ***ogen*** nasty, shifty eyes; *een gluiperige* ***streek*** a dirty trick
glunder [bn, bw] contented, pleased, cheerful, blithe ♦ *een glundere* ***trek*** *om de mond* a contented smile on his/her face
glunderen [onov ww] beam, radiate, shine ♦ *glunderend* ***kijken*** *naar iemand/iets* beam at s.o./sth.; *glunderen* ***van*** *trots* beam with pride; *glunderen* ***van*** *blijdschap* radiate joy
gluren [onov ww] peep, peek, pry, spy ♦ ***door*** *het raam naar binnen gluren* peep/peek in through the window; ***naar*** *de meisjes gluren* leer/peep at the girls; ***om*** *een hoekje gluren* peep/peek round a corner
glutamaat [het] 1 ⟨zout⟩ glutamate 2 ⟨smaakversterker⟩ monosodium glutamate (MSG)
gluten [het] gluten
glutenbrood [het] gluten bread
glutine [de] ⟨scheik⟩ gelatin(e)
glutineus [bn] glutinous, viscid, ↓ sticky
gluton [het] gelatin, gluten
gluurder [de^m] peeping Tom, voyeur, peeper
gluurogen [onov ww] peek, peep, spy, pry
glycerine [de] glycerin(e)
glycogeen [het] glycogen
glycol [de^m] 1 ⟨tweewaardige alcohol⟩ glycol 2 ⟨antivries-, desinfectiemiddel⟩ glycol, ethylene glycol
glycolyse [de^v] glycolysis
glycoproteïne [de] ⟨scheik⟩ glycoprotein
glyfografie [de^v] glyphography
glypten [de^mv] carved gems, glyptic stones
glyptiek [de^v] glyptic art, glyptics, glyptography
gnathologie [de^v] gnathology
gnawa [de^m] gnawa
gneis [het] ⟨geol⟩ gneiss
gniffelen [onov ww] snigger, ⟨AE ook⟩ snicker, chuckle, titter ♦ *gniffelen* ***om*** *je eigen gedachten* chuckle to o.s.
gnocchi [de^mv] gnocchi
gnoe [de^m] ⟨dierk⟩ gnu, wildebeest
gnome [de] gnome, aphorism, apophthegm
gnomisch [bn] gnomic
gnomon [de^m] 1 ⟨zonnewijzer⟩ gnomon 2 ⟨wisk; getal⟩ ⟨vero⟩ gnomon 3 ⟨wisk; figuur⟩ gnomon
gnoom [de^m] gnome, hobgoblin, leprechaun
gnosis [de^v] gnosis
gnosticisme [het] gnosticism
¹**gnostiek** [de^v] Gnosticism
²**gnostiek** [bn] gnostic
gnostieken [de^mv] ⟨theol⟩ gnostics
gnostisch [bn] 1 ⟨van het gnosticisme⟩ gnostic 2 ⟨als, van de gnostici⟩ gnostic
gnuiven [onov ww] gloat (over), chuckle, rub one's hands (with glee), ⟨luidruchtig⟩ chortle
go [het] go
goal [de^m] ⟨sport⟩ 1 ⟨doel⟩ goal ♦ *in de goal* ***staan*** be in goal, be the goalkeeper, ⟨inf⟩ be the goalie 2 ⟨doelpunt⟩ goal ♦ *een goal* ***maken*** score a goal
goalbal [het] ⟨sport⟩ ± 'goal ball', ball game for the visually handicapped
goalgetter [de^m] ⟨sport⟩ (top) scorer
goaltjesdief [de^m] ⟨sport⟩ goal-hanger ♦ *het is een* ***echte*** *goaltjesdief* ± he's great at getting snap-goals
goamuziek [de^v] Goa music
goaparty [de^v] Goa party
goatee [de^m] goatee (beard)
gobelin [het, de^m] 1 ⟨wandtapijt⟩ Gobelin (tapestry) 2 ⟨bekledingsstof⟩ type of flowery upholstery fabric
go-between [de^m] go-between
Gobi [de] Gobi (Desert)
Gobiwoestijn [de] Gobi (Desert)
gocart [de^m] go-kart
god [de^m], **godin** [de^v] 1 ⟨(bij polytheïstische volkeren) godheid⟩ ⟨man⟩ god, ⟨vrouw⟩ goddess, ⟨man & vrouw⟩ deity, ⟨man & vrouw⟩ godhead, ⟨man & vrouw⟩ divinity ♦ *zich* ***aan*** *god noch gebod storen* go one's own way; *de goden* ***aanroepen*** invoke the gods; ***bij*** *de goden zweren* swear by the gods; *goden en* ***godinnen*** gods and goddesses; ***grote*** *goden!* ⟨scherts⟩ ye gods (and little fishes)!, Good God/Lord!; *de goden zijn ons gunstig gezind* the gods are with us, the stars are in our favour 2 ⟨filos⟩ god, divinity 3 ⟨godenbeeld⟩ god, idol ♦ *een* ***houten*** *god* a wooden idol/god 4 ⟨mens, zaak⟩ god ♦ *een* ***jonge*** *god* a Greek/young god; *hij verbeeldt zich dat hij een* ***klein*** *godje is* he thinks himself a little god; *de* ***mindere*** *goden* the small fry, the lesser gods
God [de^m] ⟨de Schepper⟩ God ♦ *leven* ***als*** *God in Frankrijk* live/be in (the) clover, live the/a life of Riley, have a place in the sun; *God* ***beware*** *me voor mijn vrienden!* God save me from my friends; *zweren* ***bij*** *God dat ...* swear by God that/to; *ik zou het* ***bij*** *God niet weten* honest to God/for the life of me, I don't know; *God* ***danken*** thank God, give thanks to the Lord; *hij mag God wel (op zijn blote knieën)* ***danken*** he can thank his lucky stars; ***door*** *God gegeven/gezonden* God-given/God-sent; *er is* ***één*** *(enige) God* there is (only) one God; *bij de* ***gratie*** *Gods* by the grace of God; *God de* ***Heer*** the Lord God; *God onze* ***Heer*** our Lord (God); *zo (waarlijk)* ***helpe*** *mij God (almachtig)* so help me God; *help uzelf, zo* ***helpt*** *u God* God helps those who help themselves; *met Gods* ***hulp*** *kunnen wij het volbrengen* with the help of God/God's help we can do it; ***in*** *God* ***geloven*** believe (in God), be religious; *het lam Gods* the Lamb (of God); *God* ***loven/eren*** give praise to God/the Lord; *God* ***mag weten*** *waar hij is* God (alone)/goodness knows where he is; ***mijn*** *God* my God!, good God; *in Gods* ***naam!*** for God's/goodness' sake!; *een* ***na-ijverig/jaloers*** *God* a jealous God; *zijn hoop* ***op*** *God* ***vestigen*** place one's hope in God/the Lord; ***spotten*** *met God en gebod* scoff at everything (and everybody); *God* ***sta*** *me* ***bij*** God help me; *zijn ziel aan God* ***toevertrouwen*** commend one's soul to God; *Gods* ***uitverkorenen*** God's chosen people; *God*

*de **Vader*** God the Father; *voor God en **Vaderland*** ± for King and Country; *van God en iedereen verlaten* godforsaken, (absolutely) desolate; *alles doen wat God **verboden heeft*** indulge o.s. in all that's sinful; *God **verhoede**!* God/Heaven forbid!; *ieder voor zich en God **voor** ons allen* every man for himself and the devil take the hindmost; ⟨fig⟩ *Gods **water** over Gods **akker** laten lopen* let things take/run their (natural) course, leave well alone, let things drift/slide; *God **weet** dat ...* ± as God is my witness, ...; *God **weet** hoe ze daar terecht zijn gekomen!* God/the Lord knows how they got there!; *zich aan God **wijden*** vow/devote o.s. to God; *om Gods **wil**, doe het niet* for the love of God, don't do it; *als God het **wil**, als het Gode **behaagt/belieft*** please God, God willing, DV; *het **woord** Gods* the Word of God/the Lord; *God **zal** me **liefhebben**!* good God!, God/the Lord save us!; *God **zegene** u!* (God) bless you!; *de **Zoon** van God* the Son of God; *God geve dat* God grant that; *Gode zij dank* thank God/heavens/goodness; *God betere het!* God help us!, oh God (no)!; *God zij met ons* God be with us; *o God!, och God!* oh, God/Lord; *God hebbe zijn ziel* (may) the Lord have mercy on his soul; *moge God verhoeden dat ...* God forbid, heaven forfend/forbid that ...; *God beware me!, God vergeve me!* God help me!, God forgive me!; *God allemachtig!, God nog an toe!, goeie God!* Christ (Almighty)!, good God/Lord!, my goodness!; *schipper naast God* master/captain under God ⊡ ⟨sprw⟩ *Gods molens malen langzaam* the mills of God grind slowly, yet they grind exceeding small; ⟨sprw⟩ *God geeft kracht naar kruis* God shapes/makes/fits the back to the burden; ⟨sprw⟩ *Gods wegen zijn ondoorgrondelijk* God moves in a mysterious way; ⟨sprw⟩ *waar God een kerk sticht, bouwt de duivel een kapel* where God builds a church, the Devil will build a chapel; ⟨sprw⟩ *God laat niet met zich spotten* God is not mocked; ⟨sprw⟩ *help u zelf, zo helpt u God* God/Heaven helps those who help themselves; ⟨sprw⟩ *de mens wikt maar God beschikt* man proposes, God disposes; man does what he can, and God what he will; ⟨sprw⟩ *ieder voor zich en God voor ons allen* every man for himself, and God for us all/and the Devil take the hindmost

godallemachtig [tw] (good) God Almighty, by God, the devil, the deuce, ⟨IE⟩ bejabers, bejabbers

godbeleving [de^{m}] personal experience of God/the divine, manner in which a person experiences God

godbetert [tw] ⟨inf⟩ for Chrissake, ⟨BE⟩ bloody hell, ⟨AE⟩ for cryin' out loud

godbeware [tw] (Lord) save us, God forgive me, good gracious

goddank [tw] thank God/goodness/heaven(s) ◆ *het werk is goddank kort* thank goodness the work is not too long; *goddank dat die tijden voorbij zijn* thank God those days are over

¹goddelijk [bn] ⟨de natuur van God of een godheid hebbend⟩ divine, godlike ◆ *goddelijke **natuur*** godhead, godhood, godship, divine nature; *de drie goddelijke **personen*** the Three Persons; *goddelijke **wezens*** deities, godlike beings

²goddelijk [bn, bw] 1 ⟨van God of een godheid uitgaand⟩ divine ⟨bw: ~ly⟩, heavenly, ⟨Grieks⟩ Olympian ◆ *de goddelijke **deugden*** the theological virtues; *goddelijke **inspiratie/ingeving*** divine inspiration; *door goddelijke **openbaring*** by divine revelation; *het goddelijk **Woord*** the Word of God/the Lord 2 ⟨aan God of een godheid eigen⟩ divine ⟨bw: ~ly⟩ ◆ *het goddelijk **recht** van de koning* the divine right of kings; *de goddelijke **voorzienigheid*** (divine) providence 3 ⟨ongelofelijk mooi, lekker⟩ divine ⟨bw: ~ly⟩, heavenly, glorious ◆ *een goddelijk mooie **avond*** a glorious/heavenly evening; *goddelijke **muziek*** heavenly music; *wat een goddelijk **weer*** such glorious/heavenly/divine weather!; *zij **zingt/kookt** goddelijk* she sings/cooks divinely, her singing/cooking is divine

goddelijkheid [de^{v}] 1 ⟨goddelijke natuur⟩ godhead, godhood, divineness, divinity 2 ⟨goddelijke oorsprong⟩ divinity, divine nature/origin ◆ *de goddelijkheid van de **Heilige Schrift*** the divine nature/origin of (Holy) Scripture 3 ⟨goddelijke schoonheid, heerlijkheid⟩ heavenliness, glory, divineness

¹goddeloos [bn] 1 ⟨aan geen god(en) gelovend⟩ irreligious, godless, heathenish, impious, ungodly ◆ ⟨zelfstandig (gebruikt)⟩ ***de** goddelozen* the ungodly; *een goddeloos **mens*** an irreligious person 2 ⟨diep verdorven⟩ wicked, unholy, nefarious, reprobate ◆ *een goddeloos **mens*** a wicked person; *een goddeloze **stad*** a wicked town, a city of vice

²goddeloos [bn, bw] 1 ⟨zondig⟩ wicked ⟨bw: ~ly⟩, godless, sinful ◆ *goddeloos **handelen*** act wickedly; *een goddeloos **leven leiden*** lead a life of vice; *goddeloze **woorden*** wicked/godless words 2 ⟨enorm, ontzettend⟩ unholy ⟨bw: unholily⟩, ungodly, God-awful ◆ *wat een goddeloos **lawaai**!* what an unholy/ungodly racket!

goddeloosheid [de^{v}] godlessness, irreligion, ⟨verdorvenheid⟩ wickedness, sin(fulness)

goddomme [tw] ⟨vulg⟩ (god)damn it, goddammit

godenbeeld [het] idol, image of a god

godendienst [de^{m}] idolatry

godendom [het] pantheon, thearchy ◆ ***heel** het godendom* the entire pantheon

godendrank [de^{m}] 1 ⟨drank van de Olympische goden⟩ nectar 2 ⟨heerlijke drank⟩ nectar

godenleer [de] mythology

godenschemering [de^{v}] twilight of the gods, Götterdämmerung

godenspijs [de] 1 ⟨spijs van de goden⟩ ambrosia 2 ⟨overheerlijk eten⟩ food for the gods

godenzoon [de^{m}] 1 ⟨afstammeling van een god⟩ son of a god, son of the gods, demi-god 2 ⟨vorst, held, dichter⟩ son of the gods

godesnaam [de^{mv}] ⊡ ***in** godesnaam* for heaven's/God's sake

godfather [de^{m}] godfather

godgans [bn] ⟨inf⟩ whole blessed/mortal, entire ◆ *hij voert de godganse **dag** niets uit* he does nothing the livelong day; *ik heb er de godganse **morgen** naar gezocht* I looked for it the whole blessed morning

godgeklaagd [bn] ⟨inf⟩ disgraceful, crying to (high) heaven ◆ *'t is godgeklaagd, zo snel als de prijzen stijgen* it's an outrage/a scandal the way prices are going up/rising

godgeleerd [bn] theological

godgeleerde [de] theologian, divine

godgeleerdheid [de^{v}] theology, divinity ◆ *de **faculteit** van de godgeleerdheid* the faculty/department of theology/divinity

godgevloekt [bn] goddamned, blasted, cursed ◆ *godgevloekt **gespuis*** blasted scum

godheid [de^{v}] 1 ⟨goddelijk wezen⟩ deity, god(head) ◆ ***de** Godheid* the Godhead; ***heidense** godheden* pagan deities 2 ⟨goddelijkheid⟩ godhead, godhood, divinity ◆ *de godheid van **Jezus** loochenen* deny the divinity of Jesus

godin [de^{v}] → **god**

god-is-doodtheologie [de^{v}] God-is-dead theology

godlasterend [bn] blasphemous, profane ◆ *godlasterende **aanroepingen*** blasphemous invocations

godlievend [bn] devout, pious, godly ◆ *een godlievend **gezin*** a devout/religious family

godlof [tw] praise (be to) God, God/Heaven be praised ◆ *godlof! hij is gered* he's safe, thank God!

godloochenaar [de^{m}], **godloochenares** [de^{v}] ⟨man & vrouw⟩ atheist

godloochenares [de^{v}] → **godloochenaar**

godloochening [de^{v}] atheism

godmens [de^{m}] god-man

Godmens [de^{m}] Godman

godmiljaar [tw] goddamn

godmother [de^v] godmother
godonterend [bn] blasphemous, sacrilegious ◆ *een godonterende **voorstelling*** a blasphemous performance
godsaanschouwing [de^v] mystic/beatific vision
godsadvocaat [de^m] 1 ⟨pleiter vóór de canonisatie⟩ postulator, God's advocate 2 ⟨iemand die het goede van een zaak bepleit⟩ advocate, pleader
godsamme [tw] dammit, blast, Jesus, damn, ⟨BE ook⟩ (cor) blimey ◆ *godsamme, wat is het hier een klerezooi* Jesus, what a ^Bbloody/God-awful mess!
godsbeeld [het] image of God
godsbegrip [het] concept(ion)/notion of God
godsbelofte [de^v] divine pledge/promise
godsbesef [het] notion of God
godsbestel [het] God's disposition/dispensation, divine disposition/dispensation
godsbetrouwen [het] trust/faith in God
godsbewijs [het] argument/proof for the existence of God
godsbewustzijn [het] awareness/consciousness of God
godsdienst [de^m] 1 ⟨leerstellingen, plechtigheden⟩ religion, faith, persuasion ◆ *een andere godsdienst **aannemen*** change one's religion/faith, convert/be converted to another religion/faith; ⟨vnl. Groot-Brittannië onder katholieken; inf⟩ turn; *hij **behoort tot** geen godsdienst* he does not belong to any religion/church; *de **christelijke** godsdienst* the Christian religion, Christianity; *godsdienst **geven*** teach religion/religious education; *de **heersende** godsdienst* the prevailing religion; ⟨staatsgodsdienst⟩ the official/national religion; *wat is uw godsdienst?* what is your religion?, what religion are you? 2 ⟨het dienen van een god⟩ (divine) worship ◆ *de zondag is **gewijd aan** de godsdienst* Sunday is devoted to worship; ***vrijheid** van godsdienst* freedom of religion, religious freedom
godsdienstfanaat [de^m] religious fanatic, ⟨AuE; sl⟩ wowser
godsdienstfanatisme [het] religious fanaticism
godsdiensthaat [de^m] hatred, intolerance, enmity
godsdienstig [bn, bw] 1 ⟨god dienend⟩ religious ⟨bw: ~ly⟩, devout ◆ *godsdienstige **lectuur*** devotional literature; *deugdzaam en godsdienstig **leven*** live virtuously and devoutly; *hij heeft een godsdienstige **moeder*** he has a religious mother; *godsdienstige **overdenkingen*** spiritual reflection/meditation 2 ⟨m.b.t. de godsdienst⟩ religious ⟨bw: ~ly⟩ ◆ *dat mag niet volgens hun godsdienstige **overtuiging*** their religious convictions/persuasions don't allow it; *godsdienstige **plechtigheden*** religious rites/ceremonies; *godsdienstige **plichten/handelingen*** religious obligations/acts; *een godsdienstige **samenkomst*** a religious service/assembly, worship; *een godsdienstige **tegenstander*** a religious adversary/opponent
godsdienstigheid [de^v] religiousness, devoutness, piety, ⟨dweperig of voorgewend⟩ religiosity
godsdienstijver [de^m] religious zeal/fervour, fanaticism, religionism, phylactery
godsdienstleer [de] 1 ⟨geloofsleer⟩ religious doctrine/teaching 2 ⟨in België; onderricht⟩ religious education
godsdienstleraar [de^m], **godsdienstlerares** [de^v] ⟨geestelijke⟩ minister of religion, cleric, ⟨op school⟩ teacher of religion
godsdienstlerares [de^v] → **godsdienstleraar**
godsdienstles [de] religious instruction, catechism
godsdienstloos [bn, bw] irreligious ⟨bw: ~ly⟩, religionless
godsdienstoefening [de^v] 1 ⟨het verrichten van, deelnemen aan plechtigheden⟩ religious practice, practice of religion, worship ◆ ***vrijheid** van godsdienstoefening* freedom of worship/religion 2 ⟨kerkdienst⟩ (religious/divine) service, worship ◆ *de godsdienstoefening **leiden*** take the service
godsdienstonderwijs [het] religious education/teaching, religious instruction, catechism
godsdienstoorlog [de^m] religious war, war of religion, sectarian war
godsdienstplechtigheid [de^v] religious ceremony/rite
godsdienstplicht [de] 1 ⟨plicht door het geloof voorgeschreven⟩ religious/church obligation, religious/church duty 2 ⟨verplichte godsdienstige verrichting⟩ religious observance ◆ *zijn godsdienstplichten **waarnemen*** observe/do ones religious duties
godsdienstvrijheid [de^v] freedom of religion, religious freedom, freedom of worship
godsdienstwaanzin [de^m] religious mania, theomania ◆ ***lijden** aan godsdienstwaanzin* suffer from religious mania, be a religious maniac; ***lijder** aan godsdienstwaanzin* religious maniac
godsdienstwetenschap [de^v] religious studies, study of religion
godsdienstzin [de^m] piety, religiousness, devoutness
godsgebouw [het] place of worship, house of God
godsgemeenschap [de^v] fellowship with God
godsgemeente [de^v] God's church/people, the Church
godsgenadig [bw] ⟨zeer⟩ ⟨BE⟩ bloody, ⟨AE⟩ goddam ◆ *hij was godsgenadig **dronken*** he was roaring drunk
godsgericht [het] 1 ⟨oordeel van God⟩ (divine) judgement 2 ⟨plaag, bezoeking van Godswege⟩ (God's) judgement 3 ⟨gesch; godsoordeel⟩ trial by ordeal, judicial combat
godsgeschenk [het] 1 ⟨geschenk van de goden, God⟩ gift of/from God, gift of/from the gods, God's gift, blessing 2 ⟨fig; groot geluk, dankbaar bezit⟩ godsend, blessing
godsgetuige [de] witness to God
Godsgezant [de^m] divine messenger, prophet, apostle
godsgruwelijk [bn, bw] God-awful, (god) damned, ⟨vnl AE⟩ goddam(n) ◆ *ik heb er een godsgruwelijke **hekel** aan* it really gets my goat; *ik heb een godsgruwelijke **hekel** aan hem* he really gets my goat, I can't stand his guts; *het is godsgruwelijk **vervelend*** it's a ^Bbloody/^Agoddam nuisance, it's ^Bbloody/ruddy annoying
godshuis [het] house of God, place of worship
^1**godsjammerlijk** [bn] ⟨zeer droevig, ellendig⟩ dire, wretched, miserable, dreadful, atrocious ◆ *een godsjammerlijke **vent*** a miserable wretch; *godsjammerlijke **wreedheden*** ghastly/dreadful savageries, atrocities
^2**godsjammerlijk** [bw] ⟨allerverschrikkelijkst⟩ appallingly, atrociously, direly ◆ *wij hebben godsjammerlijk **hard** gelopen* we killed ourselves running
godslam [het] Lamb of God
godslamp [de] ⟨r-k⟩ sanctuary lamp, light before the blessed sacrament
godslasteraar [de^m], **godslasteraarster** [de^v] blasphemer
godslasteraarster [de^v] → **godslasteraar**
godslastering [de^v] 1 ⟨blasfemie⟩ blasphemy, profanity 2 ⟨vloekwoord⟩ curse, profanity
godslasterlijk [bn, bw] blasphemous ⟨bw: ~ly⟩, profane ◆ *er godslasterlijke **taal uitslaan** (over)* blaspheme (about)
^1**godsliederlijk** [bn] ⟨in hoge mate liederlijk⟩ debauched, obscene ◆ *godsliederlijke **taal*** obscene/foul language
^2**godsliederlijk** [bw] ⟨allerverschrikkelijkst⟩ excruciatingly, appallingly, horrifically ◆ *godsliederlijk **gemeen*** utterly revolting; *zich godsliederlijk **vervelen*** be bored to death
godsmogelijk [bn, bw] ◆ *hoe is het nu toch godsmogelijk* how in God's name/in the name of God/the hell is it possible
godsnaam ▪ ***in** godsnaam* ⟨onder aanroeping van Gods hulp⟩ in the name of God; in God's name!, for God's/heav-

en's/Pete's/pity's sake; *ik hoop **in** godsnaam dat ...* I hope to God that ...; *word toch **in** godsnaam wakker* wake up for God's/Christ's sake; *wat heb je **in** godsnaam gedaan?* what the hell/in the name of God have you done/been doing?; *hoe is het **in** godsnaam mogelijk* how on earth/in God's name is it possible; ***in** godsnaam, ik zal het dan maar doen* I'll do it then for God's/Christ's sake

godsonmogelijk [bn, bw] ⟨bijvoeglijk naamwoord⟩ ruddy impossible, out of the question, ⟨bijwoord⟩ no way, out of the question ◆ *'t **is** godsonmogelijk, dat jij dat **krijgt*** there's no way/it's out of the question (that) you'll get that; *ik **kan** godsonmogelijk zo vroeg klaar zijn* there's no way I'll be ready so early

godsoordeel [het] [1] ⟨ceremonie waarbij de godheid de schuldige aanwijst⟩ trial by ordeal [2] ⟨gesch; godsgericht⟩ (trial by) ordeal

godsopenbaring [de^{v}] divine Revelation

Godsrijk [het] the kingdom of God ◆ *het **duizendjarig** Godsrijk* the Millenium, the thousand-year reign

godsspraak [de] [1] ⟨orakelspreuk⟩ oracle [2] ⟨orakel⟩ oracle [3] ⟨profetie, openbaring⟩ oracle, divine prophecy/revelation ◆ *de godsspraken van de **profeten*** the prophecies/revelation/oracles of the prophets

godsstad [de] [1] ⟨Jeruzalem⟩ city of God, Zion [2] ⟨de hemel⟩ city of God, heaven, Zion

godsverering [de^{v}] worship of God, worship of a god, cult, theolatry

godsvertrouwen [het] trust/faith in God, faith

godsvolk [het] the people of God, God's (chosen) people

godsvoorstelling [de^{v}] conception of God

godsvrede [de] ⟨gesch⟩ truce of God, ⟨pol⟩ political truce

godsvrucht [de] godliness, devoutness, piety

Godswege [·] *van Godswege* (by) divine (providence), in the name of God

godswil [·] *om godswil* for (the love of) God; for God's/Christ's/heaven's sake!; *hoe is het **om** godswil mogelijk* how on earth is it possible?; *ga er toch **om** godswil niet heen!* don't go there for God's sake!

godswonder [het] (divine) miracle ◆ *het **is** een godswonder dat hij nog leeft* it's a miracle that he's still alive

godswoord [het] [1] ⟨woord van God, goddelijke uitspraak⟩ word of God, God's word [2] ⟨Bijbeltekst⟩ word of God, God's word

godtergend [bn] ± unholy ◆ *'t is godtergend **ongeloof*** it's utter/unholy lack of faith

godver [tw] damn/dang it

godverdomme [tw] (God) damn (it), goddamn(ed), ⟨AE⟩ goddam(n), ⟨BE⟩ bloody hell

godverdommes [bn] goddam, bloody

^{1}**godvergeten** [bn] [1] ⟨goddeloos, snood⟩ wicked, damned, vile, godless ◆ *godvergeten **onrecht*** rank injustice; *een godvergeten **schooier*** a miserable wretch [2] ⟨zeer eenzaam⟩ godforsaken ◆ *in een of ander godvergeten **gat*** in some godforsaken hole/backwater, in the middle of nowhere

^{2}**godvergeten** [bw] ⟨inf⟩ ⟨in zeer hoge mate, gruwelijk⟩ damned, ⟨BE⟩ bloody, ⟨AE⟩ goddam(n) ◆ *hij heeft mij godvergeten **slecht** behandeld* he treated me dam(med) badly; *die jongen is zo godvergeten **stom*** that boy is so ^{B}bloody/^{A}goddam stupid

godverlaten [bn] ⟨vnl. m.b.t. plaats⟩ godforsaken, ⟨mens⟩ wretched ◆ *een godverlaten **oord*** a godforsaken place, a hole; *een godverlaten **schoft*** a miserable wretch

godvrezend [bn] God-fearing, godly ◆ *een godvrezend **gedrag*** God-fearing/Godly behaviour/conduct

godvruchtig [bn] godly, God-fearing, devout, pious

^{1}**godzalig** [bn] ⟨godvruchtig, vroom⟩ godly, God-fearing, devout, pious ◆ *een godzalige **blik** in de ogen* a look of bliss in one's eyes; *een godzalige **broeder*** ⟨ook iron⟩ a holy Joe; *een godzalige **levenswandel*** a God-fearing/pious life(style)/way of life

^{2}**godzalig** [bw] ⟨op vrome wijze⟩ devoutly, piously

godzilla [de^{m}] godzilla

^{1}**goed** [het; geen mv] [1] ⟨wat goed is⟩ good ◆ *dat zal hem goed **doen*** that'll do him good, it'll be good for him; ⟨sterker⟩ that'll do him the world/a power of good; *hij meende er goed aan te **doen*** he meant well by it, he did it for the best; *een beetje frisse lucht zal je goed **doen*** a bit/breath of fresh air will do you good, you'll feel much better for a bit/breath of fresh air; ⟨sterker⟩ a bit/breath of fresh air will do you the world/no end of good; *zulke taal **doet** meer kwaad dan goed* that sort of language does more harm than good; *ik denk dat je daar goed aan **gedaan hebt*** I think you were right to do so, I think you did the right thing; *dat heeft me **geen** goed gedaan* it didn't do me any good; *er is bij hem **geen** goed te doen* there's no pleasing him; *ze kan bij hem **geen** goed meer doen* she can do no good in his eyes/he hasn't got a good word to say for her any more, she can do nothing/can't do anything right any more as far as he's concerned, she can't do anything to please/suit him any more; *daar zul je de zaak **geen** goed mee doen* you won't do things any good/you'll do things no good if you do that; *arme kerel! hij kan **geen** goed meer doen* poor chap! he can't do a thing right; *het **hoogste** goed* the highest/supreme good; ⟨form⟩ the summum bonum; *goed en **kwaad*** good and evil, right and wrong; *de boom der kennis van goed en **kwaad*** the tree of the knowledge of good and evil; *men moet kwaad **met** goed vergelden* one should requite evil with good, ↓ one should meet evil with good; *niet **veel** goeds in de zin hebben* be up to no good, mean mischief/trouble; ⟨in België⟩ ***voor** je (eigen) goed* for your own good [2] ⟨gezamenlijke goederen, artikelen⟩ goods, ware(s), ⟨inf⟩ stuff, things ◆ ***onverkoopbaar** goed* unsaleable goods [3] ⟨bezit⟩ goods, property, effects, ⟨rijkdom⟩ wealth, ⟨boedel, nalatenschap, landbezit, landgoed⟩ estate ◆ *het **aardse** goed* worldly goods; *hij **gaf** al zijn goed aan de armen* he gave all his property/wealth to the poor; *hij heeft veel **geld** en goed* he has a lot of money and property; ***gestolen** goed* stolen goods/property; ***have** en goed* goods and chattels, possessions, worldly goods; ***onroerend** goed* immovable property, immovables, real estate, ⟨jur⟩ real property; ***roerend** goed* moveable/personal property; personal estate/effects, moveables; ***vast**goed* real property/estate; ⟨jur ook⟩ realty [4] ⟨één of meer voorwerpen, materiaal⟩ stuff, things ◆ ⟨fig⟩ *het **jonge** goed* the youngsters; *er zat heel wat **klein** goed bij de aardappels* the potatoes included a lot of small ones; ⟨fig⟩ *is het **kleine** goed al naar bed?* have the kids/kiddies/little ones gone to bed yet? [5] ⟨kleding⟩ clothes, ↓ things ◆ *zij heeft haar **goeie** goed aan* she's got her Sunday best on; ***schoon** goed aantrekken* change one's clothes, put on clean clothes/things; *het **vuile** goed in de was doen* put the dirty clothes in the wash [6] ⟨textiel⟩ material, fabric, cloth ◆ ***bont**goed* coloured wash; coloureds; *het goed **hangt** op de vliering te drogen* the washing is hanging up to dry in the loft; ***wit**goed* white wash; whites [7] ⟨in België; stuk land⟩ (plot of) land, estate ◆ ⟨gesch⟩ ***zwart** goed* confiscated land (by the French revolutionary government, from the church) [·] ⟨sprw⟩ *gestolen goed gedijt niet* ill-gotten gains never prosper; ± crime doesn't pay; ⟨sprw⟩ *wie goed doet, goed ontmoet* ± do as you would be done by

^{2}**goed** [bn] [1] ⟨vriendelijk⟩ good, ⟨aardig⟩ kind(ly), kind-hearted, good-natured, nice ◆ *ik **ben** wel goed maar niet gek* I'm not as ^{B}soft/stupid/^{B}daft as you think; *het is niet veel, maar het komt uit een goed **hart*** it's not much, but the intention is good/it's well-meant; *de Goede **Herder*** the Good Shepherd; *hij is een goeie **sul*** he wouldn't say boo to a goose; *u bent al **te** goed* you're too kind; *hij was **te** goed voor deze wereld* he was too good for this world; *hij is te goed **van** vertrouwen* he is too naive/gullible; *ik voel me heel goed* I feel fine/great; *ze is goed **voor** haar personeel* she is good/nice to her employees; *zou u zo goed* ***willen zijn*** ... would/could you please ..., would you be so kind as to ..., do/would you mind ... [2] ⟨gezond⟩ well, fine ◆ ⟨fig⟩ *ik jou beetnemen? je* ***bent*** *niet goed!* me put one over on you? you must be crazy/kidding/joking!; *ben je wel goed* ***bij*** *je hoofd?* are you mad/crazy?; *ze is onderweg* ***niet*** *goed geworden* on the way she started to feel ill, ⟨misselijk⟩ on the way she started to feel sick; *zich niet goed* ***voelen*** not feel well, feel ill; *daar* ***word*** *ik niet goed van* ⟨ook fig⟩ that makes me (feel) sick [·] ⟨sprw⟩ *al te goed is buurmans gek* ± all lay load on a willing horse; ± submitting to one wrong brings on another; ± he that makes himself a sheep shall be eaten by the wolf; ⟨sprw⟩ *voor geld en goede woorden is alles te koop* ± when money speaks the world is silent; ± money talks; ⟨sprw⟩ *beter een goede buur dan een verre vriend* a good neighbour is worth more than a far friend

³goed [bn, bw] [1] ⟨juist⟩ ⟨bijvoeglijk naamwoord⟩ good, ⟨bijwoord⟩ well, right, correct ◆ *hij* ***bedoelt/meent*** *het goed* he means well; ***begrijp*** *me goed* don't get me wrong, make no mistake (about it); *ik* ***begrijp*** *niet goed ...* I don't quite/really understand ...; *alle* ***berekeningen*** *zijn goed* all the calculations are correct; *als hij iets doet,* ***doet*** *hij het goed* everything he does he does well; *een goed* ***gebruik*** *van iets maken* make good use of sth.; *iemand van goed* ***gedrag*** s.o. without a (criminal) record/with a clean record; *tussen die twee is het nooit meer goed* ***gekomen*** they never made it up; *in goed* ***gekozen*** *bewoordingen* in well-chosen words; *als ik 't goed* ***heb*** if I'm not mistaken; *dat* ***heb*** *je goed* ***onthouden*** you've got a good memory (to remember that); so you remembered, did you?; *je* ***hebt*** *die som goed* ***opgelost*** you've got the sum right/correct; *zo* ***is*** *'t goed* ⟨m.b.t. fooi⟩ (you can) keep the change; ⟨iron⟩ ***is*** *het nou goed?* satisfied?; *dat* ***kan*** *niet goed* ***zijn*** that is obviously wrong; *met de goede* ***kant*** *naar boven* the right way up; *als je goed* ***kijkt*** if you look closely; ⟨inf⟩ *het gaat helemaal goed* ***komen*** everything's going to turn out just fine; *dat* ***komt*** *wel weer goed* it'll turn out all right; *op het goede* ***moment*** at the right moment; ***net*** *goed!* serve(s) you/him/them/... right!, and a good thing/job too!; ***niet*** *goed geld terug* money-back guarantee; *dat zou* ***niet*** *goed zijn* that would be a bad thing; *het is ook* ***nooit*** *goed* I give up; you're never satisfied, are you?; *het is ook* ***nooit/niet gauw*** *goed bij hem* nothing's ever good enough for him; ***ook*** *goed* all right, see if I care; *nu ben ik weer goed* ***op*** *je* I'm not angry with you any longer; *het goed* ***opnemen*** take it well; ***precies*** *goed* just/exactly right; ⟨inf⟩ spot/dead on; *dat is zijn goed* ***recht*** he has every/a perfect right to it/to do so/...; *de goede* ***toon*** *te pakken hebben* ⟨fig⟩ have struck/hit the right note; *ik* ***vind*** *dat niet goed* ⟨keur het niet goed⟩ I don't approve of that, I don't think that's a good idea; ⟨ben het er niet mee eens⟩ I don't agree; *alles goed en* ***wel*** *maar ...* all well and good but ..., that's all very well but ...; ⟨inf⟩ *dat* ***zit*** *wel goed* that's all right, don't worry about it [2] ⟨voortreffelijk⟩ ⟨bijvoeglijk naamwoord⟩ good, ⟨bijwoord⟩ well ◆ ***alles*** *goed thuis?* (is) everything all right at home?; *hij* ***bridget/schaakt*** *goed* he's a good bridge-player/chess-player, he's good at bridge/chess; *in zijn goede* ***dagen*** in his better days; *hij is in goeden* ***doen*** he's well off; *dat* ***doet*** *het altijd goed* that always works (well); *dat is* ***een*** *goeie!* that's a good one!; *hier kun je goed* ***eten*** you can eat well here, the food's good here; *hij is van goede* ***familie*** he comes from a good family/background; *goed* ***gedaan,*** *jochie!* well done, kid!; *dit is niet goed* ***genoeg*** this isn't good enough, this will never do, ↓ this is not on; *ik* ***heb*** *mij goed* ***vermaakt*** I('ve) had a good time; *wij* ***hebben*** *het goed* we're well off/all right; *we* ***hebben*** *het nog nooit zo goed* ***gehad*** we've never had it so good; ⟨zelfstandig (gebruikt)⟩ *dat is te veel van* ***het*** *goede* that is too much of a good thing; *van* ***het*** *goede der aarde genieten* enjoy the good things of life, live off the fat of the land; ***hou*** *je goed!* look after yourself!, take care (of yourself); ***iets*** *goeds* sth. good; *zij is goed* ***in*** *wiskunde* she is good at mathematics; *dat* ***kan*** *ze erg goed* she is very good at it; *goed* ***katholiek*** *zijn* be a good Catholic; *je* ***kon*** *goed* ***merken*** *dat hij nerveus was* you could easily tell that he was nervous; *goed* ***kunnen leren*** be a good learner; *je* ***kunt*** *goed* ***zien*** *dat ...* it is obvious that ...; *goed op de weg* ***liggen*** ⟨auto⟩ hold the road well; ⟨inf⟩ *het is goed* ***met*** *je!* yeah, right!; ⟨iron⟩ *het is wel goed* ***met*** *jou* you can go to hell, ↓ go fuck/screw yourself; *een goeie* ***mop*** a good joke; ⟨inf⟩ a good one; *is dat je goeie* ***pak?*** is that your best suit?; ⟨sport⟩ *goed* ***spelen*** play well, play a good game; ⟨sport⟩ *minder goed* ***spelen*** play poorly, not have much of a game; *(heel) goed Engels* ***spreken*** speak English (very) well, speak (very) good English; *die jas* ***staat*** *je goed* that coat suits you/looks good on you; *daar voelt ze zich* ***te*** *goed voor* she thinks she's too good for that; *de goeie, ouwe* ***tijd*** the good old days; ⟨sport⟩ *als goede* ***tweede*** *aankomen* come a good second; *er goed* ***uitzien*** ⟨aantrekkelijk⟩ look good; ⟨gezond⟩ look well; *een goed* ***verliezer*** a good loser; *hij* ***vindt*** *alles goed* he's very easy-going; ⟨iron⟩ *hij* ***vindt*** *het allang goed zo* he's quite happy with things as they are, he couldn't care less; *en God zag dat het goed* ***was*** and God saw that it was good; *ik* ***wens*** *je alle goeds* all the very best, I wish you the very best; ⟨iron⟩ *nee, nou* ***wordt*** *ie goed!* that's rich!; *de banden* ***zijn*** *niet zo goed meer* the tyres are rather worn; *goed* ***zo!*** good!, that's right!; ⟨als compliment⟩ well done!, that's the way!, ⟨vnl AE⟩ alright!; *er goed bij kunnen* be able to get at/reach sth. (easily) [3] ⟨geschikt⟩ good ◆ *die peren* ***blijven*** *lang goed* those pears keep for a long time; ***daar*** *is de verzekering goed* ***voor*** the insurance will cover it; *dat kun je met goed* ***fatsoen*** *niet doen* it's not good manners/it's bad manners to do that; *ik weet het goed* ***gemaakt*** ... I know, this is what we'll do; *een goed* ***huisvader*** a good father; *het* ***is*** *mij goed* I don't mind, it's all right/all very well by me; *de soep* ***is*** *niet goed meer* the soup has gone off/is off; *dan* ***is*** *het toch nog ergens goed voor* ***geweest*** then it was of some use after all; ***kort*** *en goed* ⟨direct⟩ not to mince matters; ⟨kortom⟩ to cut a long story short, in a nutshell; ***ook*** *goed* very well, all right; *in goed* ***overleg*** in concert; *dat touw is* ***precies*** *goed* that string is just right (for the job); *goede* ***raad*** *was duur* I/he/... was at a loss; *daar heeft hij goede* ***redenen*** *voor* he's got good reason(s) for it; *katten zijn goed* ***tegen*** *muizen* cats are good for getting rid of mice; *whisky is goed* ***tegen*** *verkoudheid* whisky is good for a cold; *hij heeft er niet* ***veel*** *goeds geleerd* it hasn't done him much good; *goed* ***voor*** *€ 1000* worth 1,000 euros; *waar is dat goed* ***voor?*** what good is that?, what good will that do?; *hij is nergens goed* ***voor*** he is good for nothing, he is a good-for-nothing; *goed* ***voor*** *één consumptie* valid for one drink/meal/snack/...; *hij is goed* ***voor*** *zijn werk* he does his work well; *hij is goed* ***voor*** *een paar ton* he is worth a few hundred thousand; *de motor is goed* ***voor*** *180 km/u* the motor-bike can get up to/do 180 kph; *weer goede* ***vrienden*** *worden* kiss and make up; *hij kon geen goede* ***vrouw*** *vinden* he couldn't find a (suitable) wife; *wie weet* ***waar*** *het goed* ***voor*** *is* you never know what will come out of it; *ik* ***zal*** *het goed met je* ***maken*** we can make a deal; *het* ***zal*** *wel ergens goed voor* ***zijn*** it must be of some use, there must be some reason for it [4] ⟨gunstig⟩ good, fine ◆ *bij iemand in een goed* ***blaadje*** *staan* be in s.o.'s good books/graces, be/stand high in s.o.'s favour; *als/zolang het weer goed* ***blijft*** if the weather stays good/holds; *op een goede* ***dag*** ... one fine day ...; *als hij een goede* ***dag*** *heeft* when he's having one of his better days; *goed* ***dat*** *ik 't weet* thanks for telling me; *goed* ***dat*** *je 't zegt* that reminds me; *goed* ***dat*** *er politie is* where would we be without the police?; *het is maar goed* ***dat*** ... it's a good thing that ...; *het is weleens goed* ***dat*** *dat gezegd wordt* that bears saying, that needs to be said; *zich te goed* ***doen*** *aan* feast on, tuck into; ⟨sl⟩ get stuck into; *als het goed* ***gaat*** if everything works out all right; *op goed* ***geluk*** on the off-chance, hoping for the best, at random, at a venture, haphazardly, ↓ on spec; *met goed* ***gevolg*** *examen doen* pass an exam(ination); *hij **heeft** het er goed **afgebracht*** he has come out of it well, ⟨inf⟩ he has come out on top; *het huwelijk heeft ook zijn goede **kanten*** marriage has also got its good points/compensations; *dat **komt** goed **uit*** that's (very) convenient; *hij **maakt** het goed* he's doing well/all right; *het goed met iemand **menen*** mean well with s.o., have s.o.'s best interests at heart; *goeie **morgen**!* ⟨groet⟩ good morning!; ⟨als het kwartje is gevallen⟩ bingo!; ⟨bij verbazing⟩ my goodness!, goodness gracious!; *iemands goede **naam*** s.o.'s good name; *de zieke heeft een goede **nacht** gehad* the patient had a good night; *dat is goed **nieuws*** that's good news; *dat is goed **om** te weten* that's a good thing to know; *zij is een goede **partij*** she is a good match; *het is weer een goed **perenjaar*** it's good year for pears again; *goede **reis**!* have a good journey, ↓ have a good trip; ⟨fig⟩ *hij **staat** er goed **voor*** his prospects are good; *te goed* in store; *iets **te** goed hebben* have sth. owing (to) one; *iets **te** goed houden* ⟨inf⟩ take a rain check on sth.; *dat hebben we nog **te** goed* that's still in store for us/to come our way; *de rest hou je nog **te** goed* I'll owe you the rest; *dat heb je nog van me **te** goed* ⟨belofte⟩ I (still) owe you one; ⟨dreigement⟩ you've got it coming (to you), I'll get you one day, I'll pay you back; *dat geld heb ik nog van hem **te** goed* he still owes me that money; *hij heeft nog € 100 van mij **te** goed* I still owe him € 100; *ik heb nog vier vakantiedagen **te** goed* I've still got four holidays owing to me/outstanding; *ik heb nog twee maanden salaris **te** goed* I'm owed two months' salary, I've got two months' salary owing/outstanding; *hou me dat **ten** goede* don't hold it against me; *een verandering **ten** goede* a change for the better; *het komt zijn prestaties niet **ten** goede* it doesn't help his performance; *de opbrengst komt geheel **ten** goede aan het Rode Kruis* all the proceeds go to the Red Cross; *hij weet/weet niet wat goed **voor** hem is* he knows/doesn't know what's good for him; *een goed **woordje** voor iemand doen* put in a good word for s.o.; *hij doet goede **zaken*** he's doing good business; ***zo** goed en zo kwaad als het gaat* as best I/you/he can; *het **zou** goed **zijn**, als je ...* it would be a good thing if you ...; *dat is maar goed ook!* and a good thing too! [5] ⟨deugdzaam⟩ good ◆ ***de** goeden moeten onder de kwaden lijden* the innocent will suffer/will have to take the consequences; *het is voor een goed **doel*** it's for a good cause; ***het** goede doen* do the good thing; *goed **leven*** live a good life; *een goed **mens*** a good (sort of) person; ⟨inf⟩ a good sort; *te goeder **trouw** handelen* act in good faith; *goed **volk*** good people; ⟨tegen hond⟩ down boy!, they're friends; *hij is er niet te goed **voor*** I wouldn't put it past him, he's not above doing it/that/...; ⟨r-k⟩ *goede **werken*** good works [6] ⟨behoorlijk⟩ good ◆ *goed **balen*** be heartily fed up; *het **betaalt** goed* it pays well; *goed **bij** zijn* be a clever one; *hij is goed **bij** kas* he is (very) well off; *maak de deur goed **dicht*** close the door properly; *hij kan het er goed van **doen*** he is well off; *een goede 1000 **euro*** a good thousand euros; *hij zat goed **fout*** he was totally wrong; *een goed **jaar** geleden* a good year ago, well over a year ago; *hij **kan** nog niet eens goed **schrijven*** he can't even write properly; *dat zal een goeie **klap** geven* that'll make quite a noise; *het er goed van **nemen*** lead the good life; *hij was goed **nijdig*** he was really annoyed; ***pas** goed **op** je tellen* watch it/out; *ik heb er een goede **stuiver** mee verdiend* I've made a pretty penny/done well out of it; *hij is een goede **veertiger*** he is in his forties; ⟨scherts⟩ he is (on) the wrong side of forty; *hij **verdient** goed* he's earning a good wage/salary/...; ⟨inf⟩ he's making good money; *goed en **wel*** just; *toen ik goed en **wel** in bed lag* ⟨nog maar pas⟩ when I'd only just got into bed; ⟨eindelijk⟩ when I'd finally/at last got into bed; *ik was net goed en **wel** thuis of ...* I'd only just come in/got home when ...; *ik ben het goed **zat*** I'm (absolutely) fed up with it; *goed op de hoogte **zijn*** be well-informed; *doe maar goed wat **zout** in de soep* salt the soup well [•] *zij is er goed **mee*** good (luck) for her; ***maar** goed* (well) anyway; *zij zijn weer goed **met** elkaar* they've made it up, they're on good terms again; *we hadden het **net zo** goed niet kunnen doen* we might/could just as well not have done it; *hij kon **niet** goed weigeren* he could hardly refuse; *op een goed **ogenblik** merk je dat ...* there comes a time when you notice that ...; *dat **was** maar goed ook* it was just as well; ⟨sprw⟩ *het is goed riemen snijden van andermans leer* men cut long thongs of other men's leather; ⟨sprw⟩ *alle goede dingen bestaan in drieën* all good things go by/come in threes; ⟨sprw⟩ *haast en spoed/haastige spoed (is) zelden goed* (the) more haste, (the) less speed; haste makes waste; make haste slowly; ⟨sprw⟩ *goede wijn behoeft geen krans* good wine needs no bush; ⟨sprw⟩ *het beste is de vijand van het goede* the best is the enemy of the good; ⟨sprw⟩ *van de doden niets dan goeds* never speak ill of the dead; speak well of the dead; ⟨sprw⟩ *een goede verstaander heeft maar een half woord nodig* a word is enough to the wise; verb sap; a nod is as good as a wink (to a blind horse); ⟨sprw⟩ *de weg naar de hel is geplaveid met goede voornemens* the road to hell is paved with good intentions; ⟨sprw⟩ *goed gereedschap is het halve werk* you need the right tools for the job; ⟨sprw⟩ *goede raad is duur* it is difficult to give good advice to s.o. who is in difficulty; ⟨sprw⟩ *goede raad komt nooit te laat* good advice never comes too late; good counsel is never out of date; ⟨sprw⟩ *geen nieuws, goed nieuws* no news is good news; ⟨sprw⟩ *eind goed, al goed* all's well that ends well; ⟨sprw⟩ *ook de goede wil is te prijzen* take the will for the deed; ⟨sprw⟩ *na gedane arbeid is het goed rusten* when work is over rest is sweet; after the work is done repose is sweet; ⟨sprw⟩ *een goed begin is het halve werk* well begun is half done; the first blow is half the battle

[1]**goedaardig** [bn] ⟨med⟩ mild, ⟨tumor⟩ benign(ant) ◆ *goedaardige **droes*** strangles

[2]**goedaardig** [bn, bw] ⟨goedig, vriendelijk⟩ good-natured, good-tempered, kind(ly), kind-hearted, benevolent, gentle, mild ◆ *een goedaardige **hond*** a good-natured/good-tempered dog; *goedaardig **spottend*** gently mocking

goedaardigheid [de^v] [1] ⟨vriendelijkheid⟩ good nature, kind-heartedness [2] ⟨med⟩ mildness, benignity

goedachten [ov ww] think fit/proper, see fit/proper, regard as useful

goedbedoeld [bn] well-intended

goedbloed [de^m] softy

goeddeels [bw] largely, for the greater/most part, in large part

goeddoen [onov ww] [1] ⟨weldoen⟩ do good [2] ⟨aangenaam aandoen⟩ do good, help ◆ *de berglucht zal hem **enorm veel** goeddoen* the mountain air will do him a world of good; *zo'n **glas** water doet goed* ± I needed that!, ± that's better!; *het zal je **hart** goeddoen* it will do your heart (some/a lot of) good, it's good for your heart; *dat **woord** van bemoediging heeft haar goedgedaan* that word of encouragement has cheered her up

[1]**goeddunken** [het] [1] ⟨welbehagen, believen⟩ pleasure, discretion, will ◆ ***naar/volgens** (eigen) goeddunken handelen* act on one's own discretion/as one sees fit [2] ⟨toestemming⟩ discretion, consent ◆ *dat **hangt af van** haar goeddunken* that is at her discretion

[2]**goeddunken** [onov ww] [1] ⟨nodig, nuttig voorkomen⟩ see fit/proper, think fit/proper ◆ *zij kunnen doen **wat** hun goeddunkt* they can do as they think fit [2] ⟨behagen, aanstaan⟩ like, please ◆ *doe **wat** je goeddunkt* do as you please, suit yourself

goedemiddag [tw] good afternoon ◆ *iemand goedemiddag **wensen/zeggen*** wish s.o. good afternoon

goedemorgen [tw] good morning

goedemorgenzeggen [onov ww] say good morning, give (s.o.) good morning

goedenacht [tw] good night

goedenachtkussen [onov ww] kiss good night

goedenachtzeggen [onov ww] say/wish good night

goedenavond [tw] [1] ⟨begroetingsformule⟩ good evening [2] ⟨afscheidsgroet⟩ good night

^{1}**goedendag** [de^{m}] ⟨gesch⟩ mace

^{2}**goedendag** [tw] [1] ⟨begroetingsformule⟩ good day, hello [2] ⟨uitroep van verbazing⟩ hello!, well now!, goodness (gracious)!, good Lord! [3] ⟨afscheidsgroet⟩ goodbye, good day

goedendagzeggen [onov ww] [1] ⟨iemand een goede dag toewensen⟩ wish/give (s.o.) good day, say hello, pass the time of day (with), ⟨ten afscheid⟩ say goodbye [2] ⟨afscheid van iets nemen, er de brui aan geven⟩ say goodbye (to)

goederen [de^{mv}] [1] ⟨artikelen, waren⟩ goods, ⟨ec⟩ commodities, ⟨koopwaar ook⟩ merchandise, ⟨producten⟩ produce ♦ *goederen **laden/lossen*** load/unload goods/merchandise; *een **partij** goederen* a consignment of goods/merchandise; ***verbeurdverklaarde** goederen* confiscated goods [2] ⟨bezittingen⟩ goods, property, effects, things, ⟨inf⟩ stuff ♦ ***aardse** goederen* earthly/worldly goods; ***onroerende** goederen* real estate, immovable property, immovables; ***roerende** goederen* moveable/personal property, personal estate/effects, moveables; *gemeenschap **van** goederen* community of property

goederenafgifte [de^{v}] [1] ⟨het overhandigen van goederen⟩ delivering of parcels/goods, handing in of parcels/goods [2] ⟨loket⟩ (goods) delivery, parcels office, ⟨bagage; BE⟩ left luggage

goederenbeurs [de] goods/commodity/produce exchange

goederendepot [het] goods depot/storage, ⟨voor bagage; BE⟩ left luggage (office), ⟨AE⟩ checkroom

goederenemplacement [het] ⟨BE⟩ goods yard, ⟨AE⟩ freight yard

goederenhandel [de^{m}] goods/commodity/produce trade

goederenhotel [het] storage space

goederenkantoor [het] goods/parcels/^{A}freight office, ⟨BE ook⟩ goods department, forwarding office

goederenkrediet [het] consumer credit

goederenlift [de^{m}] ⟨BE⟩ goods lift, ⟨AE⟩ service elevator, ⟨vnl BE⟩ hoist

goederenloods [de] ⟨BE⟩ goods shed, ⟨AE⟩ freight depot, warehouse

goederenstation [het] ⟨BE⟩ goods station, ⟨AE⟩ freight station

goederentrein [de^{m}] ⟨BE⟩ goods train, ⟨AE⟩ freight train, ⟨i.h.b. voor containers⟩ liner train

goederenverkeer [het] exchange/movement of ^{B}goods, exchange/movement of ^{A}freight, ⟨vervoer; BE⟩ goods transport, ⟨AE⟩ freight transport, ⟨BE⟩ goods conveyance, ⟨AE⟩ freight conveyance, ⟨BE⟩ goods traffic, ⟨AE⟩ freight traffic, ⟨m.b.t. wegverkeer⟩ long/short distance haulage, long/short road haulage

goederenvervoer [het] [1] ⟨transport⟩ transport(ation)/conveyance/carriage of goods, ⟨wegvervoer⟩ road haulage, ⟨zeevervoer⟩ shipment of goods [2] ⟨bedrijfstak⟩ ⟨BE⟩ goods traffic, ⟨AE⟩ freight transport/trade

goederenvoorraad [de^{m}] stock, goods in stock, stock in hand

goederenwagen [de^{m}] [1] ⟨vrachtauto⟩ ⟨BE⟩ lorry, ⟨AE⟩ truck [2] ⟨trein(wagon)⟩ ⟨BE⟩ goods carriage/van/waggon, ⟨AE⟩ freight car, freighter ♦ *een **platte/lage** goederenwagen* a railway truck/^{A}flatcar

goederenwagon [de^{m}] → **goederenwagen**

goedertieren [bn, bw] ⟨form⟩ merciful ⟨bw: ~ly⟩, benevolent, clement ♦ *goedertieren **Vader*** merciful Father; *een rechtvaardig en goedertieren **vorst*** a just and clement ruler/monarch

goedertierenheid [de^{v}] mercy, benevolence, clemency, loving kindness, ⟨vnl. m.b.t. God⟩ grace

goedgebekt [bn] ↑eloquent, ↑fluent ♦ *goedgebekt **zijn*** have the gift of the gab, be a good talker

goedgebouwd [bn] well-built

goedgeefs [bn] generous, liberal, open-handed, munificent

goedgeefsheid [de^{v}] generosity, liberality, openhandedness, munificence, largess(e)

goedgehumeurd [bn] good-humoured, good-natured, ⟨alleen predicatief⟩ in high spirits, in a good humour/temper/mood

goedgelovig [bn] credulous, gullible, ⟨onnozel⟩ green, naïve, ⟨vertrouwend⟩ trusting ♦ *alleen **de** goedgelovigen tuinden erin* only the credulous ones fell for it; *een goedgelovig **sukkel*** a dupe, a simple Simon; ⟨sl⟩ a (real) sucker

goedgelovigheid [de^{v}] credulity, gullibility

goedgeluimd [bn] good-natured, good-humoured, in good/high spirits ⟨alleen pred⟩

goedgemutst [bn] good-humoured, good-tempered, ⟨alleen predicatief⟩ in high spirits, in a good temper/humour/mood, in great form

goedgevormd [bn] shapely, well-made, well-built ♦ *goedgevormde **benen*** shapely legs; *een goedgevormde **schaal*** a well-potted bowl

goedgewicht [het] draft

goedgezind [bn] [1] ⟨het wel menen⟩ well-meaning, benevolent ♦ *iemand goedgezind **zijn*** be well-disposed towards s.o. [2] ⟨in een goede stemming⟩ good-humoured, good-tempered, ⟨alleen predicatief⟩ in high spirits, in great form

goedgunstig [bn, bw] well-disposed, favourable, sympathetic, gracious, kind, benevolent ♦ *hij **hoorde** haar verzoek goedgunstig **aan*** he lent a favourable/sympathetic ear to her request; *goedgunstige **lezer*** gentle reader

goedgunstigheid [de^{v}] grace, sympathy, benevolence, kindness, graciousness ♦ ***Gods** goedgunstigheid* God's grace

goedhartig [bn, bw] [1] ⟨een goed hart hebbend⟩ kind-hearted ⟨bw: ~ly⟩, good-natured, kind(ly), benevolent, mild ♦ *een goedhartige **jongen*** a good-natured boy [2] ⟨vriendelijk, goedig⟩ kind(ly) ⟨bw: kindly⟩, friendly, genial, gentle, amiable ♦ *een goedhartig **gezicht*** a friendly/kind face; *goedhartige **scherts*** friendly/good-natured joking; *op goedhartige **toon spreken*** speak in a friendly/amiable tone (of voice)

goedhartigheid [de^{v}] [1] ⟨goed hart⟩ kind-heartedness, good nature, good-naturedness [2] ⟨vriendelijkheid⟩ kindness, friendliness, amiability

goedheid [de^{v}] [1] ⟨braafheid, rechtschapenheid⟩ goodness ♦ *goedheid **van hart*** goodheartedness; *hij is de goedheid **zelve*** he is goodness personified [2] ⟨zachtheid⟩ gentleness, amiability, kindness [3] ⟨mv; blijk van welwillendheid, vriendelijkheid⟩ kindness, good turn [4] ⟨toegeeflijkheid⟩ benevolence, indulgence, goodwill, kindness [5] ⟨genade (van God)⟩ grace, mercy ♦ *door **Gods** goedheid zijn wij allen gezond* thanks be to God/by the grace of God we are all in good health; *(als uitroep) **grote/hemelse** goedheid!* goodness gracious! [6] ⟨welwillendheid, vriendelijke voorkomendheid⟩ kindness, benevolence ♦ ***heb** de goedheid* be so good/kind (as to)

goedheilig [bn] saintly

^{1}**goedhouden** [ov ww] keep, preserve ♦ *die **melk** kun je niet zo lang goedhouden* you can't keep that milk very long

^{2}**zich goedhouden** [wk ww] control o.s., ⟨niet lachen⟩ keep a straight face, keep one's countenance, ⟨zich flink houden⟩ keep a stiff upper lip, ⟨na persoonlijk verlies, bij grote emoties⟩ bear up (well), not break down, restrain o.s. ♦ *hij kon zich **niet** goedhouden* he couldn't help/he couldn't stop himself laughing/crying/...

goedig [bn, bw] ⟨zachtaardig⟩ gentle ⟨bw: gently⟩, amiable, mild, good-natured, ⟨bijvoeglijk naamwoord ook⟩ kindly, ⟨inschikkelijk⟩ meek, indulgent ♦ *goedig **kijken***

have a meek/amiable look/air

goedigheid [de^v] gentleness, amiability, mildness, meekness, indulgence ♦ *iets **uit** goedigheid doen* do sth. out of (sheer) benevolence

goedje [het] [1] ⟨stof⟩ stuff ♦ *hoe heet **dat** goedje?* what's the name of that stuff?; ***dat** goedje lust ik niet!* I can't eat that stuff!; *het is (een) **gevaarlijk** goedje* it's dangerous stuff [2] ⟨levende wezens⟩ ♦ *het **jonge** goedje* the small fry, the young ones [3] ⟨spullen⟩ stuff, things ♦ *zij is zuinig **op** haar goedje* she takes care of her things

goedkeuren [ov ww] [1] ⟨verklaren dat iemand, iets goed is⟩ approve (of), ⟨als geschikt⟩ pass, ⟨handelingen⟩ endorse, ⟨bevestigen⟩ confirm ♦ ***gezien** en goedgekeurd* seen and approved; ***iets** goedkeuren* look with favour on sth., take a favourable view of sth.; *een rapport door de autoriteiten **laten** goedkeuren* clear a report with the authorities; *een **patiënt** medisch goedkeuren* declare a patient fit; *iets **unaniem** goedkeuren* endorse sth. by general consent; *hij is goedgekeurd **voor de dienst*** he's been passed for military service; *het opgeleverde **werk** is door de rijksopzichter goedgekeurd* the work (as) delivered was approved by the government surveyor; *een **wetsvoorstel** goedkeuren* pass a bill; ⟨med⟩ *goedgekeurd **worden*** ⟨inf⟩ pass one's medical [2] ⟨ermee instemmen⟩ ⟨plan⟩ approve, adopt, ⟨verdrag, besluit⟩ ratify, sanction, ⟨voorstel⟩ accept ♦ *uw **gedrag** is niet goed te keuren* your conduct is unacceptable; *het **handelsverdrag** met Frankrijk is door de Staten-Generaal goedgekeurd* the States-General have/the Dutch Parliament has ratified the commercial treaty with France; *een **regeringsplan** goedkeuren* agree (to) a government plan

goedkeurend [bn, bw] approving ⟨bw: ~ly⟩, favourable, approbatory ♦ *ze **glimlachte** goedkeurend* she smiled her approval; *een goedkeurend **knikje/gemompel*** a nod/murmur of approval/assent/approbation; *goedkeurend **knikken*** nod (one's) approval; *een goedkeurend **oordeel** over iets uitspreken* pass a favourable judgement on sth., view sth. with favour

goedkeuring [de^v] [1] ⟨het goedkeuren, goedgekeurd worden⟩ approval, consent, sanctioning, ⟨officieel⟩ approbation, ⟨goedgekeurd worden ook⟩ endorsement ♦ *een plan onderwerpen **aan** de goedkeuring van* submit a plan to ... for approval; *dit voorstel **droeg** aller goedkeuring **weg*** this proposition met with general approval; *zijn goedkeuring **geven*** give one's consent/approval; ***Koninklijke** goedkeuring* royal assent; *iemands goedkeuring **krijgen*** find favour in s.o.'s eyes; ***met** goedkeuring van de synode gedrukt* printing approved by the Synod; *behoudens **nadere** goedkeuring* pending further endorsement/approval; *zijn goedkeuring **onthouden (aan)*** withhold/refuse one's consent (to); ***stilzwijgende** goedkeuring* tacit agreement/consent, acquiescence; *de vergadering **gaf tekenen** van goedkeuring* the meeting signalled/gave signs of approval; ***ter** goedkeuring voorleggen* submit for approval; *goedkeuring van een **testament** verlenen* grant probate of a will; *goedkeuring **wegdragen*** meet with approval [2] ⟨betuiging van tevredenheid⟩ approval, ⟨officieel⟩ approbation, satisfaction ♦ *een **woord/teken** van goedkeuring* a word/sign of approval

goedkeuringstermijn [de^m] [1] ⟨waarbinnen een goedkeuring moet plaatshebben⟩ term for approval/endorsement, deadline [2] ⟨waarin de goedkeuring geldig is⟩ duration of approval/approbation, term of approval/approbation

¹goedkoop [bn] ⟨fig; van weinig waarde⟩ cheap, shoddy, twopenny-halfpenny ♦ *een goedkoop **argument*** a cheap argument; *goedkope **eettent*** cheap café; ⟨sl⟩ greasy spoon; ⟨inf⟩ beanery; *een goedkoop **effect*** a cheap effect; *een goedkope **grap*** a cheap joke; *goedkoop **trucje*** a paltry/cheap trick; *goedkope **wijn*** cheap wine; ⟨BE ook⟩ plonk

²goedkoop [bn, bw] ⟨voordelig⟩ cheap ⟨bw: ~ly⟩, inexpensive, low-priced, ⟨beneden de vaste prijs⟩ cut-price, cut-rate, economy ♦ *er goedkoop **afkomen*** get off cheap(ly); *goedkope **benzine*** cut-price/economy petrol; *het leven op een dorp **is** goedkoper dan in de stad* it is cheaper to live in the country than in the town; *goedkoop **kopen en verkopen*** buy and sell cheap(ly); *goedkoop **maken*** cheapen; *goedkoop **tarief*** cheap rate; ⟨vanwege seizoen/tijd van de dag⟩ off-peak tariff; *goedkoop **verkocht worden**/de deur **uitgaan*** go/sell cheap; *goedkoop **voor** een auto* cheap as cars go; *goedkoop **werken*** work cheap/at low wages; *die **winkel** is goedkoop* that shop charges reasonable prices; *goedkope **zondagen** (in de dierentuin)* reduced Sunday rates (at the zoo) [•] ⟨sprw⟩ *goedkoop is duurkoop* best is cheapest; a good bargain is a pickpurse

goedkoopte [de^v] [1] ⟨het goedkoop zijn⟩ cheapness, inexpensiveness, low price(s) ♦ *de goedkoopte van de **appels** dit jaar verbaast menigeen* many people are surprised how cheap apples are this year [2] ⟨besparing van kosten, zuinigheid⟩ economy ♦ ***voor** de goedkoopte zet ik de thermostaat laag* I keep the thermostat low to save money/for the sake of economy

goedlachs [bn] ready to laugh, fond of laughing ♦ *zij is **erg** goedlachs* it doesn't take much to make her laugh, she's quick to laugh

goedleers [bn] teachable, quick-witted, easy to teach, eager to learn

goedleggen [ov ww] put right, straighten (out), ⟨patiënt⟩ put in a comfortable position

goedlopend [bn] [1] ⟨m.b.t. zinnen⟩ well written ♦ *een goedlopende **zin*** a well-written sentence; a sentence that reads/flows well [2] ⟨m.b.t. winkel, handel⟩ successful

goedmaken [ov ww] [1] ⟨m.b.t. bedreven kwaad⟩ make up/amends for, redeem, redress ♦ *iets weer goedmaken **bij** iemand* make up/amends to s.o. for sth.; *hij probeerde zijn **onbeleefdheid** weer goed te maken* he tried to make amends for his rudeness [2] ⟨m.b.t. een gebrek, tekortkoming⟩ make up for, compensate (for), redeem, ⟨neutraliseren⟩ cancel out ♦ *dat maakt mijn **dag** goed* that saves my day; *zijn **fouten** goedmaken* redeem one's mistakes; *de warme soep **kon** veel van de geleden ontberingen goedmaken* the hot soup made up for a lot of the hardships; *hoe kan ik mijn **vergeetachtigheid** goedmaken?* how can I make up for/atone for my forgetfulness? [3] ⟨m.b.t. verkeerde handelingen⟩ atone for, make amends for, redeem ♦ *hij kan zijn **gedrag** niet goedmaken* he cannot amend for his behaviour [4] ⟨m.b.t. onkosten, uitgaven⟩ cover, make good, meet ♦ *de ontvangsten kunnen de **kosten** niet goedmaken* the receipts do not cover the expenses; *een **verlies** goedmaken* compensate/supply/make good a loss

goedmaker [de^m] peace-offering

goedmaking [de^v] coverage, compensation, payment

goedmoedig [bn, bw] good-natured ⟨bw: ~ly⟩, good-humoured ⟨bw: ~ly⟩, good-hearted, ⟨onschuldig⟩ innocent, unsuspecting, kindhearted ♦ *hij **liep** goedmoedig zijn ondergang tegemoet* unsuspectingly he walked towards his doom; *goedmoedige **scherts*** good-natured fun/raillery

goedpraten [ov ww] explain away, justify, defend, ⟨vergoelijken⟩ gloss over ♦ *die **handelwijze** is/valt nooit goed te praten* those actions can never be justified; *zijn **wangedrag** goedpraten* excuse/(seek to) justify one's misbehaviour

goedschiks [bw] [1] ⟨gewillig⟩ willingly, readily, of one's own free will, with a good grace ♦ *goedschiks **accepteren*** take in good part; *hij ging goedschiks **mee*** he went along of his own free will; *goedschiks of **kwaadschiks*** willing or unwilling, willy-nilly [2] ⟨behoorlijk, betamelijk⟩ in decency ♦ *dat **kun** je niet goedschiks **doen*** you cannot in decency do that; *zo goedschiks **mogelijk*** as best I/you/we/... can

goedsmoeds [bn, bw] [1] ⟨opgeruimd⟩ ⟨bijvoeglijk naamwoord⟩ cheery, cheerful, spirited, ⟨bijwoord⟩ cheerily, in high spirits [2] ⟨onbevreesd⟩ ⟨bijvoeglijk naamwoord⟩ undismayed, unalarmed, of good cheer, ⟨bijwoord⟩ without dismay/fear/alarm, with good cheer, nothing daunted ◆ ***wees** goedsmoeds, u zal geen leed geschieden* take heart, you will not be harmed

^{1}**goedvinden** [het] [1] ⟨toestemming⟩ permission, consent, approval, ⟨instemming⟩ agreement, ⟨verlof⟩ leave ◆ ***met/zonder** uw goedvinden* with/without your permission/leave; *met **rechterlijk** goedvinden* with the consent of (the) court; *met **wederzijds/onderling** goedvinden* by mutual consent; *ik heb het **zonder** uw goedvinden niet willen doen* I didn't want to do it without your consent [2] ⟨goeddunken⟩ discretion, pleasure, will ◆ *naar **eigen** goedvinden handelen* act at one's own (pleasure and) discretion

^{2}**goedvinden** [ov ww] [1] ⟨goedkeuren⟩ approve (of), consent (to), endorse, sanction, ⟨plan⟩ adopt ◆ *zeg maar, hoe je het hebben wilt, ik vind **alles** goed* just say what you want: I don't care one way or the other/everything's all right with me; *als jij het goedvindt* if you agree/are agreeable, with your permission, if you don't mind; *vindt je vader dat goed?* does your father approve of this?/know you're doing this? [2] ⟨dienstig, nuttig achten⟩ see/think fit, think proper ◆ *de **gemeenteraad** heeft goedgevonden de kermis af te schaffen* the municipal council has seen fit to abolish the fair

goedwillend [bn, bw] ⟨bijvoeglijk naamwoord⟩ well-meaning, well-intentioned, benevolent, benign, amiable, ⟨bijwoord⟩ with good intention(s), with a good will

goedzak [de^{m}] softy, soft touch, kind soul ◆ *'t is een **echte** goedzak* he's soft as butter

goegemeente [de^{v}] the ordinary man in the street, the public at large

^{1}**goeie** [bn] ⟨inf⟩ good ◆ *ik **weet** een goeie* ⟨m.b.t. mop⟩ have you heard this one/the one about the ...?; *goeie **genade*** (goodness) gracious (me)!, good God!; *goeie **grutten*** good grief!, man alive!; *goeie **help*** dear me!, oh, dear!; *goeie **hemel*** good heavens!; ⟨AE⟩ holy cow/smoke/mackerel/Moses!

^{2}**goeie** [tw] ⟨inf⟩ ⟨begroeting⟩ morning!, afternoon!, evening!, ⟨afscheid⟩ 'bye!

goeierd [de^{m}] kind soul, lamb ◆ *het is toch **zo'n** goeierd* he's as meek as a lamb, he's meek and mild, he's such a sweet man

goeiig [bn] goodish

goelag [de^{m}] gulag

goelagarchipel [de^{m}] gulag archipelago

goelijk [bn, bw] good-natured ⟨bw: ~ly⟩, kindly, benevolent, amiable

goeroe [de^{m}] [1] ⟨leermeester⟩ guru [2] ⟨inlands godsdienstonderwijzer⟩ guru, maharishi [3] ⟨leider⟩ guru

goesting [de^{v}] ⟨in België⟩ liking, mind, fancy, desire, appetite ◆ *zijn goesting **doen*** do as one pleases; *als ik mijn goesting kon **doen*** if I could have it my way; *goesting **hebben in*** feel like; *goesting **hebben om*** have a mind to; ***ieder** zijn goesting* to each his own, there's no accounting for taste; ***is** alles naar uw goesting?* is everything to your liking?; *goesting **krijgen** voor iets* take a fancy to sth.; *hij deed het **tegen** zijn goesting* he did it with a bad grace, ↑he did it reluctantly; *ik heb geen goesting **voor** zulke zware kost* I have no stomach for such heavy food

gogogirl [de^{v}] go-go girl

goh [tw] ⟨sl; BE⟩ cor, ⟨vnl AE; inf⟩ gee (whiz), golly

goj [de^{m}] goy

gojs [bn] goyish

gok [de^{m}] [1] ⟨het gokken⟩ gamble, lottery, wager ◆ *een gok **doen** naar* (make a) guess at; *een gokje **doen/wagen*** place/make a small bet, ⟨BE⟩ have a flutter, ⟨BE⟩ take a punt; ⟨fig⟩ take a chance, ⟨AE⟩ take a flier/flyer; ***op** de gok* on the off-chance, at a gamble; *een **slechte/goede** gok* a bad shot, a lucky venture [2] ⟨waagstuk⟩ gamble, venture, (long) shot ◆ *het **is** een gok* it's a gamble [3] ⟨grote neus⟩ conk, beezer, hooter, schnozzle

gokautomaat [de^{m}], **gokkast** [de] gambling/gaming machine, ⟨fruitautomaat⟩ one-armed bandit, ⟨BE⟩ fruit machine, ⟨AE⟩ slot machine

gokbaas [de^{m}] ↑gambling/casino operator

gokhuis [het] gambling joint

gokkast [de] → **gokautomaat**

gokken [onov ww] [1] ⟨spelen om geld⟩ gamble, (place a) bet (on), game ◆ *gokken **op** een paard* (place a) bet on a horse [2] ⟨speculeren⟩ guess, gamble, speculate, take a chance (on) ◆ *ik gok **erop** dat we om zes uur thuis zijn* my guess is we'll be home by six; *daar gokt hij **op*** that's what he is taking a chance on; ***verkeerd** gokken* back the wrong horse [3] ⟨zijn geluk beproeven⟩ gamble, take a risk, venture ◆ *je moet **durven** gokken* you must be able to take a risk, nothing ventured, nothing gained

gokker [de^{m}], **gokster** [de^{v}] gambler, punter

goklust [de^{m}] compulsion to gamble, compulsive gambling, gambling fever

goklustig [bn] (fond of) gambling ◆ ⟨zelfstandig (gebruikt)⟩ ***de** goklustigen verdrongen zich voor de speeltafels* the gamblers crowded around the (card-/gaming-)tables

gokpaleis [het] casino

gokspel [het] game of chance, gambling (game)

gokster [de^{v}] → **gokker**

goktent [de] gambling den/hell/house

gokverslaafd [bn] addicted to gambling

gokverslaafde [de] gambling addict

gokverslaving [de^{v}] gambling addiction, addiction to gambling

Golanhoogte [de^{v}] Golan Heights

golddigger [de^{m}] [1] ⟨vrouw op zoek naar rijke man⟩ golddigger [2] ⟨premiejager⟩ bounty hunter

golden goal [de^{m}] golden goal

golden retriever [de^{m}] golden retriever

golem [de^{m}] golem

^{1}**golf** [het] ⟨Engels⟩ ⟨balspel⟩ golf

^{2}**golf** [de] [1] ⟨verheffing van de waterspiegel⟩ wave, ⟨groot⟩ breaker, ⟨form⟩ billow, ⟨klein⟩ ripple ◆ *een golf **binnenkrijgen*** ship water; *er waren **hoge** golven* the waves were high, it was a high/rough sea; ***met** de golven meedeinen* ride on the waves; ***olie** op de golven gooien* pour/spread oil on troubled waters; ***rollende** golven* rolling/surging waves [2] ⟨wat zich als golven voordoet⟩ wave, ⟨in plaatijzer⟩ corrugation, ⟨klein⟩ crimp, wrinkle ◆ *golven in het haar **maken*** wave the hair [3] ⟨baai⟩ gulf, bay ◆ *de Golf van **Bengalen*** the Bay of Bengal; *de Golf van **Biskaje*** the Bay of Biscay; *de Golf van **Mexico*** the Gulf of Mexico; *de Golf van **Napels*** the Bay of Naples [4] ⟨natuurk⟩ wave, undulation ◆ *de golven van het **licht*** light waves, the waves of the light [5] ⟨elektromagnetische trilling⟩ wave ◆ ⟨comm⟩ ***korte** golf* short wave; ⟨comm⟩ ***lange** golf* long wave [6] ⟨straal van een vloeistof⟩ stream, flood ◆ *een golf van **bloed*** a stream of blood; ⟨fig⟩ *een golf van **kritiek/verontwaardiging*** an avalanche of criticism, a wave/an upsurge of indignation, a general outcry; ⟨fig⟩ *een **plotselinge** golf van kritiek* a flood of criticism [7] ⟨toeneming in het voorkomen⟩ wave, surge, boom, avalanche, peak ◆ *een golf van **terrorisme/geweld/misdadigheid*** a wave of terrorism/violence, a crime wave [8] ⟨mv; zee⟩ waves, sea, ⟨form⟩ (watery) deep, brine ◆ *het schip verdween **in** de golven* the ship went down/disappeared in the waves [•] ⟨verk⟩ *een **groene** golf* phased traffic lights; *er is een **groene** golf bij 60 km/u* the lights are phased for 60 kph

golfachtig [bn] [1] ⟨op golven lijkend⟩ wavelike, wavy, undulating, curving, rolling [2] ⟨m.b.t. weefsels⟩ wavy

golfagaat [het] veined agate

golfbaan [de] golf course/links

golfbad [het], **golfslagbad** [het] swimming pool with a wave generator

golfbal [de^{m}] golf ball

golfband [de^{m}] ⟨comm, natuurk⟩ waveband

golfbereik [het] wave range ◆ *een tuner-versterker **met** een groot golfbereik* a tuner-amplifier with an extensive wave

range
golfberg [de^{m}] ⟨natuurk⟩ crest, peak (of a wave), ⟨geol⟩ anticline
golfbeweging [de^{v}] [1] ⟨m.b.t. zee⟩ wave motion, undulation, waves [2] ⟨natuurk⟩ wave motion ◆ *peristaltische golfbeweging* peristaltic wave/movement, peristalsis [3] ⟨fig⟩ wave-like motion/movement, fluctuation ◆ *de koffieprijzen geven de laatste jaren een golfbeweging te zien* coffee prices have shown fluctuations/have fluctuated in recent years
golfbreker [de^{m}] breakwater, mole, groyne, ⟨AE⟩ groin ◆ *van golfbrekers voorzien* groyne, ⟨AE⟩ groin
golfcentrum [het] ⟨natuurk⟩ wave centre
golfclub [de] golf club
golfcourse [de^{m}] golf course
golfdak [het] [1] ⟨dak met een golflijn⟩ wavy roof [2] ⟨dak van golfplaten⟩ corrugated roof
golfdal [het] ⟨natuurk⟩ trough
golfelleboog [de^{m}] golf elbow, tennis elbow
golfen [onov ww] play golf, golf
golfijzer [het] corrugated iron
golfkarton [het] corrugated (card)board/paper
golflengte [de^{v}] [1] ⟨natuurk⟩ wavelength [2] ⟨comm⟩ wavelength, frequency ◆ *(niet) op dezelfde golflengte zitten* ⟨ook fig⟩ (not) be on the same wavelength
golflijn [de] [1] ⟨golvende lijn⟩ wave, curve, wavy line [2] ⟨natuurk⟩ waveform
golflinks [de^{mv}] golf links
Golfoorlog [de^{m}] Gulf War
golfplaat [de] sheet of corrugated material, ⟨bijvoorbeeld ijzer⟩ (sheet of) corrugated iron, ⟨bijvoorbeeld karton⟩ (sheet of) corrugated board
golfsgewijs [bw] in waves, by an undulatory movement ◆ *zich golfsgewijs voortplanten* ⟨natuurk⟩ be transmitted/propagated as/by/in waves, travel in waves
golfslag [de^{m}] [1] ⟨het slaan van de golven⟩ beating of the waves, wash, alluvion [2] ⟨deining⟩ surge, swell, sea undulation, wash, ⟨scheepv⟩ s(c)end ◆ *korte golfslag* choppy sea/water; *matige golfslag* moderate sea; *sterke golfslag* heavy sea, rough/swell sea/water
golfslagbad [het] → **golfbad**
golfspel [het] (game of) golf
golfspeler [de^{m}] golfer, golf player
golfstaat [de^{m}] Gulf state
golfstok [de^{m}] golf club
golfstoring [de^{v}] ⟨meteo⟩ frontal depression
Golfstroom [de^{m}] Gulf Stream, North Atlantic Drift/Current
golfswijs [bw] [•] ⟨plantk⟩ *golfswijs ingesneden bladeren* sinuate leaves
Golfsyndroom [het] Gulf War syndrome
golfterrein [het] golf course/links
golftheorie [de^{v}] wave theory, undulatory theory ⟨ook taalkunde⟩
golftop [de^{m}] crest, top/ridge/peak (of a wave)
golfveld [het] golf course/links
goliath [de^{m}] Goliath, giant ◆ *het is een echte goliath* he's a real brute
golven [onov ww] [1] ⟨rijzend en dalend oppervlak vertonen⟩ undulate, wave, billow ⟨ook wolken⟩, ⟨water, menigte⟩ heave, surge ◆ *de wind deed het water golven* the wind made the water ripple, the wind ruffled/rippled the surface of the water [2] ⟨in een golflijn voortlopen⟩ wave, undulate, fluctuate [3] ⟨met, (als) in golven stromen⟩ gush, flow ◆ *het bloed golfde uit haar mond* (the) blood gushed from her mouth
golvend [bn] [1] ⟨rijzend en dalend⟩ undulating, wavy, waving ◆ *een golvende beweging* a wavy/an undulating motion/movement, a fluctuating movement; ⟨plantk⟩ *een golvend blad* a sinuate leaf; *het golvend graan* the wavy/waving/undulating wheat, ⟨BE ook⟩ the wavy/waving/undulating corn; *de golvende zee* the billowing/undulating/heaving sea [2] ⟨in een golflijn⟩ wavy ◆ ⟨heral⟩ *een golvende faas* chevron; *golvend haar* wavy hair; *een golvend terrein* (an) undulating/rolling terrain
golving [de^{v}] [1] ⟨het golven⟩ undulation, wave, surge, ⟨deining⟩ heave ◆ *lichte golving* ⟨van watervlak⟩ ripple, dimple; *zware golving* ground swell [2] ⟨plaats⟩ curve, ⟨in haar⟩ wave
[1]**gom** [het] ⟨vlakgom⟩ ⟨vnl BE⟩ rubber, ⟨vnl AE⟩ eraser
[2]**gom** [het, de^{m}] [1] ⟨boomhars⟩ gum (resin) ◆ *gom afscheiden* gum; *Arabische gom* gum arabic; *plantaardige gom* mucilage [2] ⟨kleefstof⟩ gum, glue, adhesive (paste/glue), ⟨vnl AE⟩ mucilage [3] ⟨gomlaag⟩ gum
GOM [de^{v}] ⟨in België⟩ (Gewestelijke Ontwikkelingsmaatschappij) Flemish Regional Development Fund
gomachtig [bn] gum-like, gummy, mucilaginous
gombal [de^{m}] gumdrop, pastille, lozenge, ⟨vnl BE⟩ gum
gombo [de^{m}] okra, ⟨AE ook⟩ gumbo, ⟨in Indiase gerechten⟩ lady's fingers
gomboom [de^{m}] gum(-tree), eucalyptus (tree), ⟨Australische eucalyptus⟩ mountain ash
gomelastiek [het] [1] ⟨gummi⟩ (India) rubber ◆ *een pop van gomelastiek* a rubber doll [2] ⟨vlakgom⟩ → **gom[1] bet 1**
gomhars [het, de^{m}] gum resin
gomhoudend [bn] gummy
[1]**gommen** [onov ww] [1] ⟨gom laten uitvloeien⟩ gum ◆ *het gommen van de kersenbomen* the gumming of the cherry trees [2] ⟨gummen⟩ rub out, erase
[2]**gommen** [ov ww] ⟨met gom bestrijken⟩ gum
gommetje [het] → **gom[1] bet 1**
gompapier [het] gummed paper
gompie [tw] golly!, gosh!
gonade [de^{v}] ⟨biol⟩ gonad
gondel [de] [1] ⟨Venetiaans vaartuig⟩ gondola [2] ⟨licht vaartuig dat geroeid wordt⟩ small boat, gondola [3] ⟨cabine van een kabelbaan⟩ (cable) car, gondola [4] ⟨aan een dakrand hangende werkbak⟩ cradle [5] ⟨schuitje onder een luchtschip, ballon⟩ gondola, ⟨m.b.t. luchtschip ook⟩ nacelle, ⟨m.b.t. ballon ook⟩ basket
gondelen [onov ww] go/travel by gondola
gondelier [de^{m}] gondolier
gondellied [het] barcarole
gondellift [de^{m}] cable-car railway
gondelstad [de] gondola city
gondola [de] gondola
gong [de^{m}] gong, tam-tam, ⟨huisbel⟩ chime ◆ *door de gong gered* saved by the bell; *de gong gaat* there's the gong; *op de gong slaan* gong, beat/sound the gong
gongorisme [het] ⟨lit⟩ Gongorism
gongslag [de^{m}] gong-stroke, gong-beat
goniometer [de^{m}] goniometer
goniometrie [de^{v}] ⟨wisk⟩ goniometry
goniometrisch [bn] goniometric(al)
gonje [de^{m}] ⟨vnl AE⟩ gunny, burlap, sacking
gonorroe [de^{v}] gonorrhoea
gonzen [onov ww] [1] ⟨snorren, zoemen⟩ buzz, hum, drone, ring, ⟨machine⟩ whir(r), purr ◆ *zijn oren gonsden* his ears were ringing/singing/buzzing [2] ⟨snorrend geluid maken⟩ buzz, hum, ring ◆ *het gonst van de geruchten* there are rumours buzzing about; *een gonzende menigte* a buzzing crowd; *gonzen van de bedrijvigheid* hum/buzz with activity, be a hive of activity/industry
goochelaar [de^{m}] conjurer, magician
goochelarij [de^{v}] [1] ⟨ook fig; het goochelen⟩ magic, conjuring, jugglery, hocus-pocus [2] ⟨goocheltoer⟩ conjuring/conjurer's/magic trick, piece of jugglery
goocheldoos [de] conjurer's box, box of tricks
[1]**goochelen** [onov ww] [1] ⟨toveren⟩ conjure, do (conjuring/magic) tricks, perform (conjuring/magic) tricks, use

magic ♦ *goochelen **met** kaarten* conjure with cards, do/perform card tricks [2] ⟨handig, bedrieglijk met iets omspringen⟩ juggle (with) ♦ *goochelen **met** cijfers/woorden* juggle with figures/words

²**goochelen** [ov ww] ⟨door goochelen op een plaats, in een toestand brengen⟩ conjure, magic (away), spirit (away) ♦ *iemands portefeuille **uit** z'n zak goochelen* magic/spirit s.o.'s wallet from his pocket

goochelkunst [de^v] [1] ⟨bedrevenheid⟩ art of conjuring/magic [2] ⟨goocheltoer⟩ conjuring/conjurer's/magic trick, piece of jugglery ♦ *goochelkunstjes **doen*** do/perform (conjuring/magic) tricks

goocheltoer [de^m] conjuring/conjurer's/magic trick, piece of jugglery ♦ *goocheltoeren **uithalen** met cijfers/definities* juggle with figures/definitions

goocheltruc [de^m] conjuring/magic trick

goochem [bn] ⟨inf⟩ smart, crafty, shrewd, canny, wily, ⟨geslepen⟩ sly, cunning; zie ook **goochemerd** ♦ *een goocheme **kerel*** a smart fellow

goochemerd [de^m] smart customer, sly fox, ⟨AuE⟩ smartie, ⟨pej⟩ slyboots

goodgirl [de^v] good girl

goodie [de^m] goodie

good old [bn] good old

goodwill [de^m] goodwill

goodwillreis [de] goodwill tour/trip/journey, public relations tour, PR tour, public relations trip, PR trip, public relations journey, PR journey

goog [de^m] ⟨iron⟩ ologist

googelen^MERK [ov ww] google

gooi [de^m] [1] ⟨worp⟩ throw, ⟨net, dobbelstenen⟩ fling, toss, cast, ⟨steen enz.; inf⟩ shy ♦ *hij heeft een **gelukkige** gooi gedaan* he had a lucky throw; ⟨ook fig⟩ he struck lucky; ⟨fig⟩ *een gooi **naar** iets doen* have a shot/crack/stab/try/go/bash at sth.; ⟨raden⟩ have/make a guess at sth.; ⟨fig⟩ *een gooi doen **naar** het presidentschap* make a bid for the Presidency [2] ⟨scheepv⟩ kedge (anchor), kedger

gooien [ov ww] throw, cast, toss, ⟨inf⟩ chuck, ⟨met geweld⟩ fling/hurl/fire (at) ♦ ***door** elkaar gooien* ⟨ook fig⟩ mix/muddle up, ↓ muck up; jumble up/together; ⟨fig ook⟩ confuse; *er alles **uit** gooien* spill/blurt/blat everything out; *er een grapje **tussendoor** gooien* throw in the odd joke/a few jokes/a joke/a wisecrack; *geld **ertegenaan** gooien* splash out on (sth.), spend a lot of money on (sth.), ↑ go to considerable expense; *iemand **eruit** gooien* throw/kick/pitch/turf/chuck s.o. out; ⟨ontslaan⟩ give s.o. the push/boot; *een steen **in** de vijver gooien* ⟨fig⟩ drop a brick/clanger; *iets **in** de prullenmand gooien* throw sth. into the ^Bwaste-paper basket/^Awaste basket/bin, ↓ chuck sth. into the ^Bwaste-paper basket/^Awaste basket/bin; ***met** dingen gooien* throw things (about); ***met** de deur gooien* slam/bang the door; ***met** rotte eieren gooien naar iemand* pelt s.o. with rotten eggs, pelt rotten eggs at s.o.; ⟨spel⟩ *jij **moet** gooien* it's your throw/turn; ***om** iets gooien* flip/toss a coin, toss (s.o.) for sth., toss up for sth.; *iets **op** de markt gooien* flood the market with sth., throw sth. on the market; *iemand **op** de grond gooien* knock/push s.o. down/over, send s.o. sprawling; *iets **op** het papier gooien* dash sth. off, scribble sth. down, throw a few words together; *het **op** een akkoordje gooien (met iemand)* strike a bargain (with s.o.); *alles **overboord** gooien* ⟨ook fig⟩ throw/pitch/cast everything overboard; ***sneeuwballen** gooien* throw snowballs; *iets **van** zich af gooien* cast sth. off, discard sth.; *hij heeft twee **zessen** gegooid* he threw two sixes [•] ⟨sprw⟩ *men moet geen olie op het vuur gooien* pouring oil on the fire is not the way to quench it; ⟨sprw⟩ *wie in een glazen huis woont, moet niet met stenen gooien* those/people who live in glass houses should not throw stones

gooi-en-smijtfilm [de^m] slapstick film/^Amovie, knockabout film/^Amovie, custard-pie film/^Amovie

gooi-en-smijtwerk [het] knockabout, slapstick, pie-throwing, arm-waving

Goois [bn] of/from the Gooi (area) [•] *de/het Gooise **matras*** the Hollywood (director's) couch

goor [bn, bw] [1] ⟨groezelig⟩ filthy, foul, vile, disgusting ♦ ⟨fig⟩ *gore **taal** uitslaan* use obscene/foul/filthy language; ⟨fig⟩ *een gore **tint** hebben* be off-colour, look sallow; ⟨fig⟩ *een gore **vent*** a dirty bastard; a scum; ⟨vnl AE⟩ a crud [2] ⟨m.b.t. eten, drinken⟩ rank, rancid, bad, off, ⟨onsmakelijk⟩ unsavoury, loathsome, nasty, ⟨inf⟩ beastly ♦ *goor **smaken/ruiken*** taste/smell bad/off/unpleasant/rank [•] ⟨vulg⟩ *heb het gore **lef** eens!* just you sodding well try!, ↓ just you fucking well try!

goorheid [de^v] [1] ⟨groezeligheid⟩ grubbiness, grime, dinginess, ⟨inf⟩ grottiness [2] ⟨zuur-, ranzigheid⟩ rankness, rancidity, rancidness

goorlap [de^m] [1] ⟨viezerik⟩ pig, slob [2] ⟨gemeen mens⟩ shitbag, ⟨BE ook⟩ dirty sod, ⟨AE ook⟩ rat

goot [de] [1] ⟨afvoerbuis⟩ wastepipe, drain(pipe), ⟨dakgoot⟩ gutter, ⟨fabriek⟩ chute [2] ⟨afvoerkanaal⟩ gutter, drain, gully, sewer ♦ *honden graag **in** de goot* dogs must not foul the pavement; ⟨fig⟩ ***in** de goot terechtkomen* end up in the gutter; ⟨fig⟩ *iemand **uit** de goot halen* pull/drag s.o. (up) out of the gutter; *hij is **uit** de goot opgeraapt* he has been picked up out of/he's from/he was raised in the gutter [3] ⟨het gieten⟩ ♦ ⟨boek⟩ ***besloten/dichte** goot* closed groove; ⟨boek⟩ ***holle** goot* hollow groove; ⟨boek⟩ ***open** goot* open groove [4] ⟨uitholling, gleuf⟩ groove, funnel, channel, gully

gootje [het] groove, runnel, duct ♦ ⟨boek⟩ ***het** gootje* the groove

gootsteen [de^m] (kitchen) sink ♦ *iets **in/door** de gootsteen gooien/spoelen* throw/pour sth. down the sink

gootsteenbakje [het] sink tidy

gootsteenontstopper [de^m] plunger, ⟨inf⟩ plumber's helper

gootsteenvergiet [het, de] sink strainer

gootvormig [bn] gutter-shaped, grooved ♦ ⟨biol⟩ *gootvormige **bladsteel*** canaliculate(d)/channelled stem

gootwater [het] [1] ⟨water uit de goot(steen)⟩ gutter water [2] ⟨slappe thee, koffie⟩ slops

gordel [de^m] [1] ⟨riem, ceintuur⟩ belt ♦ *een **leren** gordel* a leather belt [2] ⟨aardr⟩ belt, zone [•] *de gordel van **smaragd*** the Indonesian archipelago

gordeldier [het] armadillo

gordelpantser [het] ⟨scheepv⟩ armour-belt

gordelriem [de^m] belt, girdle

gordelrif [het] fringing reef

gordelroos [de] ⟨med⟩ shingles, ↑ (herpes) zoster

gordelspanner [de^m] seat belt retractor

gordelwervel [de^m] ⟨med⟩ ± twelfth vertebra

gorden [ov ww] [1] ⟨met een gordel vastmaken⟩ belt (on) [2] ⟨een gordel doen om⟩ gird, girdle ♦ ⟨Bijb⟩ *zijn **lendenen** gorden* gird one's loins; ⟨fig⟩ ***zich** ten strijde gorden* gird o.s. for battle [3] ⟨scheepv⟩ spill ♦ *een **zeil** gorden* spill a sail

gordiaans [bn] [•] *een gordiaanse **knoop*** the Gordian knot; *de gordiaanse **knoop** doorhakken* cut the Gordian knot

gordijn [het, de] [1] ⟨voorhangsel⟩ curtain, ⟨AE⟩ drape, ⟨op rollen⟩ blind, ⟨AE⟩ window shade, ⟨bed ook⟩ hangings ⟨mv⟩ ♦ ⟨fig⟩ *het **bamboe** gordijn* the Bamboo Curtain; ⟨fig⟩ *achter het **IJzeren** Gordijn* behind the Iron Curtain; *iemand de gordijnen **in jagen*** drive s.o. up the wall; *de gordijnen **open/dichttrekken*** draw the curtains; *een gordijn **ophalen/laten zakken*** pull up a blind, let down/lower a blind; *een raam **zonder** gordijnen* an uncurtained window [2] ⟨toneel; doek⟩ curtain [3] ⟨biol⟩ veil, ⟨wet⟩ velum

gordijngevel [de^m] ⟨bouwk⟩ curtain wall

gordijnkoord [het] curtain/blind cord

gordijnlat [de] curtain rod/pole

gordijnrail [de^m] curtain rail/track

gordijnring [de^m] curtain ring

gordijnroede [de] curtain rod, curtain pole

gordijnstof [de] curtain material, curtaining
gordijnvuur [het] ⟨mil⟩ curtain fire
gording [de^v] 1 ⟨bouwk; dwarshout⟩ purlin(e) 2 ⟨gebogen stuk hout, ijzeren ring⟩ clamp, ring 3 ⟨scheepv; lopend touw⟩ buntline
[1]**gore-tex** [het, de^m] Gore-Tex
[2]**gore-tex** [aanw bn] gore-tex
gorgel [de^m] ⟨lit⟩ throttle, throat
gorgeldrank [de^m] gargle
gorgelen [onov ww] gargle
gorgonisch [bn] gorgonian
gorgonzola [de^m] Gorgonzola (cheese)
gorig [bn] dirty, grimy
gorilla [de^m] 1 ⟨mensaap⟩ gorilla 2 ⟨lelijk persoon⟩ gorilla 3 ⟨lijfwacht⟩ gorilla
[1]**gors** [de] ⟨vogel⟩ bunting ♦ *grauwe gors* corn bunting; *grijze gors* rock bunting
[2]**gors** [het, de] ⟨aangeslibd land⟩ salting(s), salt marsh, mud flat
gorsland [het] mud flats
gort [de^m] 1 ⟨gepelde gerst⟩ pearl barley ♦ *zo droog **als** gort* as dry as dust 2 ⟨gebroken gerst⟩ groats ♦ ***fijne** gort* grits ▪ *iets **aan** gort **slaan*** smash sth. to smithereens
gortdroog [bn] ⟨fig⟩ dry as dust
gortepap [de], **gortpap** [de] barley gruel
gortig [bn] 1 ⟨vuil, grof⟩ dirty, filthy, sordid ♦ *hij **maakt** het al te gortig* he's going too far; *dat is (me) **te** gortig* it's too much (for me)/more than I can take 2 ⟨met lintwormlarven⟩ measly
gortpap [de] → **gortepap**
gos [tw] gosh!, golly!, ⟨vnl AE⟩ gee (whiz)
GOS [het] (Gemenebest van Onafhankelijke Staten) CIS ⟨Commonwealth of Independent States⟩
gospel [de^m] gospel (song)
gospelsinger [de^m] gospel singer
gospelsong [de^m] gospel song, ⟨inf⟩ gospel, spiritual
gospelzanger [de^m] gospel singer
gossip [de] gossip
goteling [de^m] 1 ⟨gietijzer⟩ cast iron 2 ⟨voorwerp van gegoten ijzer⟩ casting 3 ⟨gieteling⟩ pig (of iron)
Goten [de^mv] Goths
goth [de^m] Goth
gothic [bn] Gothic
gotiek [de^v] 1 ⟨de bouwstijl⟩ Gothic ♦ *de **vroege/late/hoge** gotiek* Early/Late/High Gothic 2 ⟨stijl, cultuur⟩ (the) Gothic age ♦ *de **geest** van de gotiek* the spirit of the Gothic age
gotisch [bn] 1 ⟨m.b.t. de stijl⟩ Gothic ♦ *een kerk in gotische **stijl*** a Gothic church 2 ⟨m.b.t. letters⟩ Gothic ♦ *een bijbel met gotische **letters*** a Bible in Gothic type; *gotisch **schrift*** Gothic script
[1]**Gotisch** [het] Gothic ♦ *de **klankleer** van het Gotisch* the phonology of Gothic
[2]**Gotisch** [bn] ⟨van de Goten⟩ Gothic
gotspe [de] (c)hutzpa(h), audacity, cheek, ↓nerve
gottegot [tw] oh dear!, dear me!
gouache [de] 1 ⟨waterverf⟩ gouache 2 ⟨schilderij⟩ gouache
[1]**goud** [het] 1 ⟨edelmetaal⟩ gold ♦ ***14-karaats** goud* 14-carat gold; ***fijn/goed/louter** goud* fine/pure gold; ***gedegen** goud* solid gold; ⟨onvermengd natuurlijk voorkomend⟩ native gold; ***geel** goud* yellow gold; ***gemunt** goud* gold coin; ***geslagen** goud* beaten gold; *het **golvende** goud* ± the golden grain; *goud **graven*** dig gold; *het **groene** goud* green gold; ***in** goud **werken*** work in gold; *(iets) **in** goud **vatten/zetten*** set/mount (sth.) in gold; *een **klomp/baar/staaf** goud* a nugget/bar/ingot of gold; *een kies **met** goud **vullen*** fill a molar with gold; *goud **op snee*** gilt-edged; ***rood** goud* red gold; *zulke kennis is goud **waard*** such knowledge is invaluable; *goud **wassen*** wash gold; *het **zwarte** goud* black gold 2 ⟨geld⟩ gold ♦ ***met** geen goud te betalen* priceless; ***voor** geen goud* not for all the tea in China; *ik zou me daar **voor** geen goud vertonen* I wouldn't be seen dead (in) there 3 ⟨gouden medaille⟩ gold (medal) ▪ *zo eerlijk **als** goud* (as) honest as the day is long; ⟨sprw⟩ *eigen haard is goud waard* be it (n)ever so humble, there's no place like home; home is where the heart is; east, west, home's best; ⟨sprw⟩ *de morgenstond heeft goud in de mond* the early bird catches/gets the worm; ⟨sprw⟩ *spreken is zilver, zwijgen is goud* speech is silver, silence is golden; ⟨sprw⟩ *het is niet al goud wat er blinkt* all that glitters/glisters is not gold
[2]**goud** [bn] gold ♦ *een goud **randje*** a gold rim/border/edge
goudachtig [bn] golden ♦ *een goudachtige **glans*** a golden lustre/sheen
goudader [de] gold vein, gold-lode, ⟨dun⟩ thread, ⟨in oude rivierbedding⟩ lead
goudagio [het] ⟨fin⟩ gold premium
goudbaar [de] bar/ingot of gold
goudbad [het] ⟨foto⟩ gold (toning) bath
goudblad [het] gold leaf, gold foil
goudblok [het] ⟨fin⟩ gold bloc
goudblond [bn] golden ♦ *goudblond **haar*** golden hair
goudbrasem [de^m] gilthead
goudbrokaat [het] gold brocade, gold cloth, cloth of gold
goudbrons [het] ormolu
[1]**goudbruin** [het] golden brown, auburn
[2]**goudbruin** [bn] golden brown, auburn ♦ *een goudbruin **paard*** a chestnut horse
gouddekking [de^v] gold reserve
gouddelver [de^m] gold-digger
[1]**gouddraad** [de^m] ⟨een draad van goud⟩ gold thread ♦ ***met** gouddraad doorweven/geborduurd* interwoven/embroidered with gold thread
[2]**gouddraad** [het, de^m] ⟨tot draad getrokken goud⟩ gold wire ♦ *gouddraad **trekken*** draw gold wire
goudeerlijk [bn] honest through and through ⟨alleen pred⟩, ⟨inf⟩ on the level, straight as a die ⟨alleen pred⟩
gouden [bn] 1 ⟨van goud⟩ gold, ⟨vnl fig⟩ golden ♦ *een gouden **bril*** gold-rimmed spectacles; ⟨fig⟩ *gouden **handen** hebben* be good with one's hands; *de gouden **koets*** the gilded/golden coach; *een gouden **plaat*** a gold disc/record; *een gouden **ring*** a gold ring; ⟨sport⟩ *gouden **schoen*** golden shoe; ⟨gesch⟩ *een gouden **tientje*** a gold ten-guilder piece/coin 2 ⟨met goud doorweven⟩ gold ♦ *gouden **tressen*** gold braids 3 ⟨heral⟩ gold ♦ *een zwarte leeuw in een gouden **veld** voeren* have a black lion in/on a gold field 4 ⟨goudkleurig⟩ golden, aureate ♦ *de gouden **gids**^MERK* the yellow pages; *een gouden **weerschijn*** a golden lustre 5 ⟨m.b.t. een tijdperk⟩ golden ♦ *de gouden **eeuw*** the Golden Age; *een gouden **tijd*** a golden era, golden years, palmy years 6 ⟨m.b.t. een jubileum⟩ golden ♦ *zij vieren hun gouden **bruiloft*** they are celebrating their golden wedding 7 ⟨verguld⟩ gilt, gilded, aureate ♦ *een schilderij in gouden **lijst*** a gilt-framed/gold-framed picture ▪ ⟨gesch⟩ *de gouden **bul*** the Golden Bull; ⟨r-k⟩ *de gouden **roos*** the golden rose; *een gouden **stem*** a golden voice; ⟨sprw⟩ *al draagt een aap een gouden ring, het is en blijft een lelijk ding* an ape's an ape, a varlet's a varlet, though they be clad in silk or scarlet; ⟨sprw⟩ *men moet de kip met de gouden eieren niet slachten* kill not the goose that lays the golden eggs
goudenregen [de^m] laburnum, golden chain/rain
gouderts [het] gold ore
goudfazant [de^m] golden pheasant
goudforel [de] golden trout
goudgalon [het, de^m] gold braid
[1]**goudgeel** [het] golden yellow
[2]**goudgeel** [bn] golden ♦ *het goudgele **graan*** the golden corn; *bak de uien totdat ze goudgeel **zijn*** fry the onions until they are lightly browned

goudgehalte [het] gold content, ⟨munten ook⟩ fineness
goudgeld [het] gold coin, gold specie ♦ *hij verdient er goudgeld mee* he's got a gold mine there, ⟨BE⟩ he's on to a winner
goudgerand [bn] gilt-edged
goudglans [de^m] golden lustre/sheen
goudgroeve [de] gold mine
goudhaantje [het] ⟨dierk⟩ 1 ⟨vogel⟩ goldcrest 2 ⟨bladkever⟩ ⟨Cetonia⟩ rose-chafer, rose-beetle, ⟨Chrysomelida⟩ leaf beetle
goudhamster [de^m] golden hamster
goudhoudend [bn] auriferous, aurous, gold-bearing
goudkever [de^m] rose chafer/beetle/bug
goudkleur [de] gold colour
goudkleurig [bn] gold-coloured, golden
goudklomp [de^m] nugget (of gold), gold nugget
goudkoorts [de] 1 ⟨opgewondenheid bij goudzoekers, beursspeculanten⟩ gold fever 2 ⟨zucht om snel rijk te worden⟩ gold rush, gold fever
goudkust [de] ⟨straat, woonwijk⟩ ⟨AE⟩ gold coast, ⟨BE⟩ millionaires' row, Stockbroker Belt
Goudkust [de] ⟨kuststreek, met name de westkust van Afrika⟩ Gold Coast
goudlaag [de] 1 ⟨laag van goud waarmee iets wordt of is bedekt⟩ gold plate, layer of gold 2 ⟨geol⟩ auriferous formation/deposit
goudleder [het] → **goudleer**
goudleer [het], **goudleder** [het] gold leather
goudlegering [de^v] gold alloy
goudmarkt [de] gold trade
goudmerk [het, de^m] gold-label (coffee blend)
goudmijn [de] 1 ⟨goudertsmijn⟩ gold mine ♦ *een goudmijn **ontdekken*** ⟨fig⟩ strike oil, strike lucky 2 ⟨iets dat voordeel, winst oplevert⟩ gold mine 3 ⟨fig; schatkamer⟩ gold mine, mine of information ♦ *dat boek **is** een goudmijn voor wie citaten **zoekt*** that book is a gold mine for anyone who is looking for quotations
goudmijntje [het] ⟨fig⟩ gold mine, money-maker, money spinner
goudomrand [bn] 1 ⟨met gouden rand⟩ gold-fringed, gilt 2 ⟨fig; voortreffelijk⟩ golden
goudoogdaas [de] horse fly
goudpapier [het] gold paper ♦ ***lovertjes** van goudpapier* (gold paper) spangles
goudplevier [de^m] golden plover
goudpoeder [het, de^m] gold dust
goudprijs [de^m] gold price, price of gold
goudrenet [de] rennet (apple), ⟨BE⟩ ± Bramley, ⟨AE⟩ ± Rome Beauty
goudreserve [de] gold reserve
Gouds [bn] (from) Gouda ♦ *Goudse **kaas*** Gouda (cheese); *Goudse **pijp*** (long) clay (pipe), church warden
goudsbloem [de] marigold, calendula ♦ ***wilde** goudsbloem* corn marigold
goudschaal [de] gold balance, gold scales
goudschuim [het] Dutch gold, gold crust
goudslager [de^m] ⟨amb⟩ goldbeater
goudsmederij [de^v] goldsmithery, goldsmith's shop
goudsmid [de^m] goldsmith
goudstaaf [de] gold ingot/bar
goudsteen [het, de^m] chrysolite, peridot
goudstuk [het] gold coin/piece, ⟨sl; BE⟩ yellowboy
goudveld [het] goldfield
goudverf [de] 1 ⟨tot poeder gewreven tombak⟩ groundtombac, tambac 2 ⟨grond om het bladgoud te doen hechten⟩ gold-leaf undercoat 3 ⟨goudkleurige verf⟩ gold paint/varnish
goudvink [de] 1 ⟨vink⟩ bullfinch 2 ⟨goudstuk⟩ ⟨sl; BE⟩ yellowboy 3 ⟨iemand die veel geluk heeft⟩ lucky devil/dog
goudvis [de^m] goldfish
goudviskom [de] 1 ⟨glas⟩ (gold)fish bowl, goldfish globe 2 ⟨goudvisvijver⟩ → **goudvisvijver**
goudvisvijver [de^m] goldfish pond
goudvlies [het] goldbeater's skin
goudvoorraad [de^m] 1 ⟨fin⟩ gold stock(s), gold holding(s) 2 ⟨van een land⟩ gold stock/supply
goudwaarde [de^v] gold value
goudwesp [de] ruby-tail, ruby-wasp, cuckoo wasp
goudwinning [de^v] gold mining, gold extraction/recovery
goudzoeker [de^m], **goudzoekster** [de^v] 1 ⟨goudgraver⟩ gold digger, gold seeker 2 ⟨fortuinzoeker⟩ ⟨man & vrouw⟩ fortune hunter, ⟨man⟩ gold digger, ⟨man⟩ adventurer, ⟨vrouw⟩ adventuress
goudzoekster [de^v] → **goudzoeker**
goulash [de^m] goulash
gourmand [de^m] go(u)rmand, ⟨pej ook⟩ glutton
gourmet [de^m] gourmet, epicure, gastronome(r), gastronomist
gourmetstel [het] gourmet/raclette set
gourmetten [onov ww] ± have a fondue Bourguignonne
goût [de^m] taste
gouvernante [de^v] 1 ⟨particuliere onderwijzeres⟩ ⟨nursery⟩ governess, ⟨inf ook⟩ nanny 2 ⟨landvoogdes⟩ governess
gouvernement [het] 1 ⟨regering over de gebiedsdelen overzee⟩ colonial administration/government 2 ⟨door een gouverneur bestuurd gebied⟩ government
gouvernementeel [bn] 1 ⟨uitgaand van het gouvernement⟩ governmental ♦ *gouvernementele **besluiten*** government(al) decrees/orders 2 ⟨loyaal aan de regering⟩ pro-government, loyal to the government ♦ *een gouvernementele **partij*** a pro-government party
gouvernementsapparaat [het] government(al) machine(ry)
gouvernementsgebouw [het] government building
gouverneur [de^m] 1 ⟨gesch; titel in Oost-Indië, op Curaçao⟩ governor 2 ⟨gesch; landvoogd⟩ governor 3 ⟨in de USA⟩ governor 4 ⟨(in Limburg) Commissaris van de Koningin; (in België) provinciegouverneur⟩ provincial governor, ⟨Groot-Brittannië⟩ Lord Lieutenant 5 ⟨particulier onderwijzer, opvoeder⟩ tutor
gouverneur-generaal [de^m] ⟨gesch⟩ governor-general
gouverneurschap [het] 1 ⟨m.b.t. bestuur⟩ governorship, office of governor, term as governor 2 ⟨m.b.t. opvoeding⟩ tutorship
gouw [de] 1 ⟨gesch⟩ 'gau', administrative unit in the Frankish empire, ⟨Latijn⟩ pagus, ± county 2 ⟨landstreek⟩ district, region
gouwe [de] ⟨plantk; volks⟩ • ***(kleine)** gouwe* ⟨speenkruid⟩ lesser celandine; ***stinkende/grote** gouwe* greater celandine
gouwenaar [de^m] (long) clay (pipe), church warden
gozer [de^m] ⟨inf⟩ guy, ⟨vnl BE⟩ bloke, chap, fellow ♦ *een **leuke** gozer* a nice guy/fellow; *een **rare** gozer* a strange fellow; ⟨vnl AE⟩ a weird guy/^B chap; ⟨BE ook⟩ an odd fish; ⟨AE ook⟩ an odd ball; *een **toffe** gozer* a great guy
g-plek [de] g-spot
gps [het] (global positioning system) gps
gr [afk] (graad) degree
gr. [afk] (gram) gr
graad TEMPERATUUR [de^m] 1 ⟨deel van een schaalverdeling⟩ degree ♦ *18° **Celsius*** 18 degrees Celsius/centigrade; *temperaturen boven de **dertig** graden* ⟨in het Engels vaak in Fahrenheit⟩ temperatures in the nineties; *bij **nul** graden* at zero; ***tien** graden onder nul* ten degrees below zero, minus ten degrees (centigrade) 2 ⟨wisk; deel van een cirkelomtrek, rechte hoek⟩ degree ♦ *een hoek van **45** graden* an angle of 45 degrees; *een draai van **180** graden maken* make a turn

of 180 degrees, make a U-turn [3] ⟨aardr⟩ degree ◆ *Amsterdam ligt op 52° noorderbreedte en 4° oosterlengte van Greenwich* the latitude of Amsterdam is 52N and the longitude is 4E from Greenwich [4] ⟨stadium, trap⟩ stage [5] ⟨trap van bloedverwantschap, zwagerschap⟩ degree, remove ◆ *verwanten in de **eerste/tweede/derde** graad* relatives/relations in the first/second/third remove, relatives once/twice/three times removed [6] ⟨rang die aan een studerende wordt toegekend⟩ degree ◆ *een **academische** graad* a university/an academic degree; *de graad van **doctor*** the/a doctor's degree; *een graad **halen*** graduate, get/^{B}take one's degree [7] ⟨in België; onderw⟩ level (consisting of two or three years) [8] ⟨hoogte, mate⟩ degree, state, level ◆ *de vader is pedant, maar de zoon is het nog een graadje **erger*** the father is conceited, but the son is even worse; *in de **hoogste** graad* to the last degree; *de **hoogste** graad van roem* the highest degree/level of fame; *zuinigheid en gierigheid verschillen slechts **in** graad, niet in wezen* economy and avarice differ only in degree, not in essence, there is a fine line between economy and avarice; *graad van **ontwikkeling*** degree/state of development [9] ⟨taalk⟩ degree ◆ *een **bijwoord** van graad* an adverb of degree [10] ⟨wisk; macht⟩ power [11] ⟨rang, trap⟩ degree, rank, ⟨ook mil⟩ grade ◆ *de vrijmetselaars onderscheiden **drie** graden, die van leerling, gezel en meester* freemasonry distinguishes three ranks, apprentice, mate and master

graadboog [de^{m}], **gradenboog** [de^{m}] protractor, graduated arc, quadrant

graadmeter [de^{m}] ⟨ook fig⟩ graduator, ⟨fig⟩ gauge, criterion, ⟨van markttendensen⟩ indicator ◆ *het aantal gasten op haar verjaardag is nog geen graadmeter **voor** haar populariteit* the number of guests at her birthday party is no measure of her popularity

graadverdeling [de^{v}] graduation

graaf [de^{m}] [1] ⟨gesch⟩ count [2] ⟨adellijke titel⟩ count, ⟨Groot-Brittannië⟩ earl [3] ⟨wisk⟩ graph

graafarm [de^{m}] digging bucket arm, dipper stick

graafmachine [de^{v}] excavator, (trench) digger, mechanical/power shovel, ⟨voor geulen⟩ trencher, dragline (excavator/crane)

graafschap [het] [1] ⟨gebied dat onder een graaf staat⟩ county [2] ⟨bestuursgewest in Groot-Brittannië⟩ county, shire ◆ *de graafschappen **om** Londen* the Home Counties

graafwerk [het] digging, excavation(s), excavation work ◆ *er **is** voor de aanleg van de metro veel graafwerk **verricht*** a great deal of excavation has been done for the construction of the underground (railway)

graafwerktuig [het] digging/excavating machine

graafwesp [de] ⟨dierk⟩ digger wasp, mud dauber

^{1}**graag** [bn, bw] ⟨hongerig, gretig⟩ hungry ⟨bw: hungrily⟩, ⟨ook fig⟩ eager

^{2}**graag** [bw] [1] ⟨gaarne⟩ gladly, with pleasure ◆ *ober, **afrekenen** graag!* waiter! bill please!; *ik zou zoiets niet graag **doen*** I wouldn't like to do such a thing, I wouldn't do that gladly; *hij **doet** graag een ander plezier* he likes doing s.o. else a favour; *graag **gedaan*** don't mention it, you're welcome; *ik **heb** graag/niet graag dat je ...* I would/don't like you to ...; *ik wil je graag **helpen*** I'll be glad to help (you); ***hoe** graag ik het ook zou doen* however much I'd like to do it, much as I would like to do it; *iets graag **lusten*** be fond of sth., love sth.; *ik **mag** hem graag (lijden)* I like him, I am very fond of him; *graag of **niet*** (you may) take it or leave it; *ik ga **ontzettend** graag naar de film* I love going to the cinema/pictures; *hij **overdrijft** graag* he likes to lay it on a bit; *twee **pils**, graag!* two lagers, please!; *zij doet het (maar) al **te** graag* she'd be/is only too happy to do it, she is/would be delighted to do it; *zij ging er (maar) **wat** graag heen* she was only too glad/too anxious to go there; *hij **wil** graag **weten** waar hij aan toe is* he would like to know where he stands; *de organisatoren **zien** zulke deelnemers niet graag* the organizers are not anxious to see such participants; *zij zou **zo** graag ...* she would so love to ...; *die opmerking **zou** ik niet graag voor mijn rekening **willen nemen*** I don't subscribe to that at all; *(heel) graag!* (okay) thank you very much!, yes please! [2] ⟨zonder tegenstreven⟩ willingly, readily ◆ *ik **erken** graag dat ik me heb vergist* I readily/willingly admit (that) I was mistaken, I don't mind saying (that) I was wrong; *zij **praat** niet graag **over** die tijd* she dislikes talking about that time; *dat **wil** ik graag **geloven*** I am willing to believe that, I can quite believe that, I'm not surprised

graagheid [de^{v}] appetite

graagte [de^{v}] [1] ⟨graagheid⟩ appetite ◆ *eten **met** graagte* eat with (great) appetite [2] ⟨gretig genoegen, ijver⟩ eagerness, zeal ◆ *zijn romans werden **met** graagte gelezen* his novels were eagerly read/read with eagerness

graai [de^{m}] grab ◆ *een graai in de kassa **doen*** put one's hand in the till

graaicultuur [de^{v}] ± me-culture, grab culture

^{1}**graaien** [onov ww] ⟨grabbelen⟩ grope about/around, rummage about/around, scrabble ◆ *wat zit je **in** die kist te graaien?* why are you groping about in that case/box?; *graaien **naar** iets* rummage about for sth.; *hij graaide wat spullen bij elkaar en vertrok* he grabbed a few things and left

^{2}**graaien** [ov ww] ⟨wegkapen⟩ grab ◆ *hij zoekt altijd **iets** te graaien* he always tries/is always trying to get his hands on sth.

graaitaks [de] surtax (on the super rich), ⟨BE⟩ ± super tax, ⟨BE⟩ ± capital gains tax

graal [de^{m}] the (Holy) Grail ◆ *het zoeken naar de **heilige** graal* the quest for the Holy Grail

graalridder [de^{m}] Knight of the Holy Grail

graalroman [de^{m}] ⟨lit⟩ romance of the Holy Grail, Grail romance

graan [het] [1] ⟨koren⟩ grain, ⟨BE vnl⟩ corn ◆ ***marktschoon** graan* grain/corn ready for the market; *alle graan heeft zijn zemelen* there are drawbacks to everything, nothing's perfect [2] ⟨gewas, gemaaid koren⟩ grain, ⟨BE vnl⟩ corn [3] ⟨graansoort⟩ grain, cereal

graanbeurs [de] grain exchange, ⟨BE vnl⟩ corn exchange

graanboer [de^{m}] grain farmer/grower, ⟨BE ook⟩ corn farmer/grower

graanbouw [de^{m}] grain growing, ⟨BE vnl⟩ corn growing, grain cultivation, ⟨BE vnl⟩ corn cultivation, cultivation of grain, cultivation of corn

graanembargo [het] grain embargo, ⟨BE vnl⟩ corn embargo

graangewas [het] grain/cereal crop, ⟨BE vnl⟩ corn crop

graanhandel [de^{m}] grain trade, ⟨BE vnl⟩ corn trade

graanhandelaar [de^{m}], **graanhandelaarster** [de^{v}] grain dealer/merchant, ⟨BE vnl⟩ corn dealer/merchant

graanhandelaarster [de^{v}] → **graanhandelaar**

graanjenever [de^{m}] Dutch gin, Geneva ◆ ***dubbelgestookte** graanjenever* double-distilled Dutch gin

graankever [de^{m}] grain/corn/granary weevil, grain beetle

graankorrel [de^{m}] grain of corn, corn grain

graanmarkt [de] grain/cereal market, ⟨BE vnl⟩ corn market

graanoogst [de^{m}] [1] ⟨het geoogste graan⟩ grain/cereal crop, grain/cereal harvest, ⟨BE vnl⟩ corn crop/harvest [2] ⟨het oogsten van graan⟩ grain/cereal harvest, ⟨BE vnl⟩ corn harvest

graanoverschot [het] grain surplus, ⟨concr⟩ surplus grain

graanpakhuis [het] granary, (grain)silo, ⟨AE⟩ elevator

graanprijs [de^{m}] grain price, ⟨BE vnl⟩ corn price

graanproduct [het] grain/cereal product, ⟨vnl. bij het ontbijt⟩ cereal

graanproductie [de^{v}] grain/cereal production, ⟨BE vnl⟩ corn production

graanschuur [de] 1 ⟨schuur⟩ granary 2 ⟨gewest⟩ granary ♦ *de Oekraïne was de graanschuur van **Rusland*** the Ukraine was the granary of Russia
graansilo [de^m] (grain)silo, ⟨AE⟩ elevator, grain warehouse
graansoort [de] grain, cereal
graantje [het] grain, corn ♦ ⟨fig⟩ *een graantje **meepikken*** get one's share, get one's/a piece of the pie
graanvrucht [de] ⟨plantk⟩ caryopsis
graanvruchten [de^{mv}] ⟨plantk⟩ cereals
graanzolder [de^m] cornloft, granary
graanzuiger [de^m] (grain) elevator
graanzuiveringsmachine [de^v] corn-sifting machine
graat [de] 1 ⟨been(tje) van een vis⟩ (fish) bone ♦ *de graten **halen uit*** bone; *een graat in de keel **hebben*** ⟨fig⟩ have a frog in one's throat; ⟨in België⟩ *zo **mager** als een graat zijn* be all skin and bones; ⟨in België; fig⟩ *geen graten in iets **vinden/zien**↑* see nothing wrong with/in; ⟨in België; fig⟩ *overal graten in **zoeken*** split hairs, be cagey 2 ⟨geraamte van een vis⟩ bones ⟨mv⟩ ♦ *niet zuiver **op** de graat* not quite fresh; ⟨fig⟩ unreliable, not altogether reliable; ***van** de graat vallen* faint from hunger, be faint with hunger 3 ⟨kant van bekapt hout, behouwen steen⟩ arris 4 ⟨bovenkant van een bergrug⟩ crest 5 ⟨braam, draad op een beitel, mes⟩ burr, wire-edge 6 ⟨bouwk⟩ herringbone work
graatachtig [bn] 1 ⟨op een graat lijkend⟩ bony 2 ⟨zeer mager⟩ bony, skinny, emaciated 3 ⟨met veel graten⟩ bony 4 ⟨m.b.t. het beendergestel⟩ cartilaginous
graatvormig [bn] herringbone ♦ *graatvormig **verband*** herringbone bond/pattern
grabbel ▪ *iets **te grabbel** gooien* throw sth. to be scrambled for/for a scramble; *zijn goede naam **te grabbel** gooien* throw away one's reputation
grabbelaar [de^m], **grabbelaarster** [de^v] grabbler
grabbelaarster [de^v] → **grabbelaar**
[1]**grabbelen** [onov ww] 1 ⟨grijpen⟩ scramble ♦ *de kinderen grabbelen **naar** de pepernoten* the children scramble/are scrambling for the ginger nuts 2 ⟨rondtasten, in iets woelen⟩ rummage (about/around), grope (about/around)
[2]**grabbelen** [ov ww, ook abs] ⟨uit een grabbelton halen⟩ ⟨overgankelijk werkwoord⟩ win (in the [B]lucky dip/[A]grab bag), ⟨onovergankelijk werkwoord⟩ grabble (in the [B]lucky dip/[A]grab bag), grope (in the [B]lucky dip/[A]grab bag), dip (in the [B]lucky dip/[A]grab bag)
grabbelton [de] ⟨BE⟩ lucky bag, ⟨BE⟩ lucky dip/tub, ⟨BE⟩ bran tub, ⟨AE⟩ grab bag
gracht [de] 1 ⟨(ring)kanaal⟩ ⟨in stad⟩ canal, ⟨rondom vesting⟩ moat, ditch ♦ ***aan** de Amsterdamse grachten* along/on the Amsterdam canals; ***gedempte** grachten* filled-in canals 2 ⟨de straat erlangs⟩ canal(side) street, street along a canal ♦ *een grachtje **omgaan*** go for a canalside stroll, go for a stroll along a/the canal; ***op** een gracht wonen* live on a canal 3 ⟨bewoners⟩ people living by a canal ♦ *de **hele** gracht liep uit* everybody living on/by the canal came outside 4 ⟨in België; sloot in het land of langs de weg⟩ dike, ditch, trench ▪ ⟨sprw⟩ *als de blinde de blinde leidt, dan vallen ze beiden in de gracht* when/if the blind lead the blind, both shall fall into the ditch
grachtengordel [de^m] ⟨in Amsterdam⟩ ring of canals ♦ *binnen de **Amsterdamse** grachtengordel wonen* live in the old centre of Amsterdam
grachtengroen [bn] canal green
grachtenhuis [het], **grachtenpand** [het] canalside house, house on a canal
grachtenpand [het] → **grachtenhuis**
grachtenparade [de^v] canal parade
grachtenwoning [de^m] canal house, canalside house
grachtwater [het] canal water
gracieus [bn, bw] graceful ⟨bw: ~ly⟩, elegant ⟨bw: ~ly⟩, comely, dainty ♦ *gracieuze **bewegingen*** graceful movements; *gracieus **buigen*** bow gracefully; *een gracieuze **dans*** a graceful/an elegant dance; *een gracieus **meisje*** a graceful/an elegant girl ▪ ⟨jur⟩ *gracieuze **procedure*** voluntary/non-contentious procedure
gradatie [de^v] 1 ⟨trapsgewijs verloop⟩ gradation ♦ ⟨foto⟩ *gradatie van **toonwaarden** bij fotografische negatieven* gradation of tone in photographic negatives 2 ⟨graad⟩ degree, level ♦ *cursussen in **verschillende** gradaties van moeilijkheid* courses with different steps/stages/levels of difficulty
gradatim [bw] by degrees, gradatim
gradeerwerk [het] 1 ⟨gebouwen, pompwerktuigen⟩ refining works 2 ⟨werk⟩ refining, refinement, ⟨bk⟩ fluting
gradenboog [de^m] → **graadboog**
gradennet [het] grid
graderen [ov ww] 1 ⟨het gehalte verhogen⟩ refine, upgrade ♦ ***goud** graderen* refine gold 2 ⟨m.b.t. zeewater⟩ refine, graduate 3 ⟨bk⟩ flute
gradering [de^v] 1 ⟨het graderen⟩ refining, refinement, upgrading, ⟨bk⟩ fluting ♦ *een nieuwe gradering van het **zegelrecht*** a revaluation of stamp duty 2 ⟨ec⟩ grading
gradiënt [de^m] gradient ♦ *de **barometrische** gradiënt* the barometric gradient
graduaat [het] ⟨in België⟩ degree, diploma (of certain two- or three-year colleges in Belgium)
graduale [het] ⟨r-k⟩ 1 ⟨tussenzang⟩ gradual(e) 2 ⟨boek⟩ gradual(e)
graduatie [de^v] 1 ⟨verdeling in graden⟩ graduation, grading, calibration 2 ⟨verlening van een graad⟩ ± graduation
gradueel [bn, bw] 1 ⟨bij opklimming, daling⟩ gradual ⟨bw: ~ly⟩, progressive, ⟨na zelfstandig naamwoord⟩ by degrees ♦ *een graduele **overgang*** a gradual transition, an intergradation 2 ⟨m.b.t. de graad, mate⟩ of/in degree, gradual ♦ *er is slechts een gradueel **verschil*** there is only a difference of/in degree
gradueren [ov ww] 1 ⟨in graden verdelen⟩ graduate, grade, calibrate 2 ⟨een graad verlenen⟩ award a degree (to), ⟨AE⟩ graduate
graeciseren [ov ww, ook abs] 1 ⟨onder de invloed brengen, komen van de Griekse beschaving, taal⟩ Hellenize, Gr(a)ecize 2 ⟨Grieks maken, worden⟩ Hellenize, Gr(a)ecize
graecisme [het] 1 ⟨Griekse uitdrukking, zinswending⟩ Hellenism, Gr(a)ecism 2 ⟨in een andere taal overgenomen Grieks woord⟩ Hellenism, Gr(a)ecism
graecist [de^m] Hellenist, Greek scholar
graecomaan [de^m] Gr(a)ecomaniac
graecomanie [de^v] Gr(a)ecomania
graecus [de^m] Grecian, Greek scholar
graf [het] 1 ⟨ruimte waarin iemand begraven wordt⟩ grave, tomb, ⟨Bijb⟩ sepulchre ♦ ***aan** het graf* ⟨ook⟩ at the graveside; *een graf **delven*** dig a grave; *zijn **eigen** graf graven* ⟨ook fig⟩ dig one's own grave; *een **enkel/dubbel** graf* a single/joint grave; *hij ligt **in** het graf* he is (lying) in his grave; ⟨inf⟩ he's six foot under; *iemand het graf **in** prijzen* praise s.o. to the skies; *zij zou zich **in** haar graf omkeren/omdraaien* she would turn in her grave; *uit het graf **opstaan*** arise from the grave, awake from the dead; ⟨fig⟩ ***over** het graf heen regeren* rule from the (other side of the) grave; *een graf **ruimen*** dig up/excavate a grave; ⟨fig⟩ *aan gene **zijde** van het graf* beyond the grave 2 ⟨plaats waar iemand begraven ligt⟩ grave, burial place, tomb, ⟨Bijb⟩ sepulchre ♦ *het **Heilige** Graf* the Holy Sepulchre; ⟨fig⟩ *er loopt iemand/een hond **over** mijn graf* an angel just passed over my grave, s.o. is walking on my grave 3 ⟨zichtbaar deel van een graf⟩ grave, tomb, ⟨Bijb⟩ sepulchre 4 ⟨laatste rustplaats⟩ grave, resting-place ♦ ⟨fig⟩ *het graf **alleen** kan ons scheiden* only the grave can separate/part us; *iemand **in** het graf volgen* follow s.o. to the grave; *iemand **in** het graf voorgaan* be the first to go, go to one's grave before s.o.; *een geheim **in** het graf mee-*

nemen take a secret (with one) to the grave; *aan de **rand** van het graf* halfway to the/one's grave, hovering over the/one's grave; ⟨inf⟩ just hanging on; *iemand **ten grave/naar** het graf **dragen*** carry s.o. to his grave; *een graf in de golven **vinden*** go to a watery grave, ↓ go to Davy Jones's locker ⊡ ⟨fig⟩ *stil **als** het graf* as quiet/silent as the grave/a tomb; ⟨fig⟩ *zwijgen **als** het graf* be quiet/silent as the grave; ⟨sprw⟩ *in het graf kun je niets meenemen* you can't take it with you when you go/die

grafbeeldje [het] [1] ⟨beeld op een grafmonument⟩ memorial statue/statuette [2] ⟨in een graf meegegeven beeld⟩ memorial

grafbloem [de] [1] ⟨bloem op, bij een graf⟩ flower on a grave [2] ⟨grijze haar⟩ grey hair

grafcultuur [de^v] grave culture

grafdelver [de^m] gravedigger

grafdicht [het] elegy

grafeem [het] ⟨taalk⟩ [1] ⟨de letters die één foneem aanduiden⟩ grapheme [2] ⟨schriftteken, letter⟩ grapheme

grafelijk [bn] ⟨gesch⟩ [1] ⟨van een graaf, graven⟩ count's, ⟨bij Engelse adel⟩ earl's ◆ *het grafelijk **bewind*** the counts's/earl's rule [2] ⟨door een graaf uitgevaardigd⟩ of/from a count, ⟨bij Engelse adel⟩ of/from an earl ◆ *een grafelijke **vrijbrief*** a letter of authority from a count/an earl, a count's/an earl's warrant

grafelijkheid [de^v] [1] ⟨grafelijke macht⟩ authority of a count, ⟨bij Engelse adel⟩ authority of an earl [2] ⟨grafelijk bewind⟩ rule of a count, ⟨bij Engelse adel⟩ rule of an earl

graffiti [de] graffiti

graffitikunstenaar [de^m] graffiti artist

graffito [het] [1] ⟨versieringstechniek⟩ graffito, scratchwork [2] ⟨mv; muuropschriften-, schilderingen⟩ graffiti

grafgewelf [het] funeral/sepulchral/burial vault, sepulchre, tomb, repository, ⟨onder kerk⟩ crypt

grafheuvel [de^m] (grave/burial/sepulchral) mound, ⟨archeol ook⟩ barrow, tumulus

graficus [de^m] [1] ⟨grafisch kunstenaar⟩ graphic artist [2] ⟨grafisch ontwerper⟩ graphic designer

grafiek [de^v] [1] ⟨schrijf-, tekenkunst⟩ graphic art, graphics, design [2] ⟨prentkunst⟩ graphics [3] ⟨prenten⟩ prints ◆ *een veiling van **boeken** en grafiek* an auction of books and prints [4] ⟨stat; grafische voorstelling⟩ diagram, chart, graph, curve ◆ *iets **in** grafiek brengen* plot sth., diagrammatize sth., make a graph of sth.

grafiet [het] graphite, plumbago, black lead

grafisch [bn, bw] [1] ⟨m.b.t. de grafiek⟩ graphic ⟨bw: ~ally⟩ ◆ *de grafische **industrie*** the printing/graphic(s) industry/trade, the printing and allied trades; *de grafische **kunsten*** the graphic arts; *grafisch **kunstenaar*** graphic artist; *een grafisch **ontwerper*** a graphic designer; *grafische **vormgeving*** graphic design [2] ⟨stat; in tekening⟩ graphic(al) ⟨bw: graphically⟩, diagrammatic ◆ *grafische **berekening*** graphics; *grafische **curve*** graph, (diagrammatic) curve; *een grafische **voorstelling*** a diagram/chart/graph, a graphic (representation)

grafkamer [de] burial chamber

grafkapel [de] burial chapel

grafkelder [de^m] ⟨voor één dode⟩ tomb, ⟨voor meerdere doden⟩ vault, crypt

grafkerk [de] crypt church

grafkist [de] coffin, ⟨AE ook⟩ casket

grafkrans [de^m] ⟨bij begrafenis⟩ (funeral) wreath, ⟨bij herdenking⟩ memorial wreath

grafkuil [de^m] burial pit

graflegging [de^v] [1] ⟨teraardebestelling⟩ interment, entombment, sepulture [2] ⟨schilderstuk⟩ entombment (scene) [3] ⟨r-k⟩ entombment

graflucht [de] smell of the grave, funeral/sepulchral smell, graveyard smell/must

grafmonument [het] monument, ⟨steen, zerk⟩ memorial stone, gravestone

grafnis [de] burial niche

grafologe [de^v] → **grafoloog**

grafologie [de^v] graphology

grafologisch [bn, bw] graphologic(al)

grafoloog [de^m], **grafologe** [de^v] graphologist

grafostatica [de^v] ⟨natuurk⟩ graphostatics

grafplaat [de] ⟨klein⟩ memorial plaque/tablet, ⟨groot⟩ memorial slab

grafrede [de] funeral oration ◆ *een grafrede **houden*** make/deliver a funeral oration

grafroof [de^m] grave theft

grafschender [de^m] desecrator/defiler/violator of a grave, desecrator/defiler/violator of a tomb, desecrator/defiler/violator of graves, desecrator/defiler/violator of tombs, ghoul

grafschennis [de] desecration/defilement/violation of a grave, desecration/defilement/violation of a tomb, desecration/defilement/violation of graves, desecration/defilement/violation of tombs

grafschrift [het] epitaph

grafsteen [de^m] ⟨liggend⟩ gravestone, tombstone, ⟨staand⟩ headstone

grafstem [de] sepulchral voice ◆ *hij sprak met een **akelige** grafstem* ⟨ook⟩ he spoke in ghostly/sepulchral tones

grafstemming [de^v] somber atmosphere

grafteken [het] memorial, monument

grafterp [de] grave-mound, ⟨archeol⟩ tumulus, barrow

graftombe [de] tomb, sepulchre, monumental/memorial grave, monumental/memorial tomb

grafurn [de] funeral urn

grafwerk [het] [1] ⟨het maken van zerken op graven⟩ monumental masonry [2] ⟨grafzerk enz.⟩ monumental masonry

grafzerk [de] gravestone, tombstone, (grave/tomb) slab, ledger

grafzet [de^m] ⟨schaak, damsp⟩ fatal move

grafzuil [de] grave-pillar, tomb-pillar, ⟨archeol⟩ stela, stele

¹gram [de^m] ⊡ *zijn gram **halen*** get one's own back, get square/even (with); *zijn gram niet **halen*** lose out, not get square/even (with)

²gram [het] ⟨gewichtseenheid⟩ gram(me) ◆ ***vijf** gram kinine* five gram(me)s of quinine

³gram [bn, bw] ⟨form⟩ wroth ⟨bw: ~ly⟩, wrathful ⟨bw: ~ly⟩

gramatoom [het] ⟨scheik⟩ gram atom

gramcalorie [de^v] ⟨natuurk⟩ gram calorie, small calorie

gramequivalent [het] ⟨scheik⟩ gram equivalent

graminologie [de^v] graminology

grammatica [de^v] [1] ⟨spraakkunst⟩ grammar ◆ *de **regels** van de grammatica* the rules of grammar; ***transformatio-neel-generatieve** grammatica* transformational generative grammar; ⟨inf⟩ TGG; ***vergelijkende** grammatica* comparative grammar [2] ⟨boek⟩ grammar (book)

grammaticaal [bn, bw] grammatical ⟨bw: ~ly⟩ ◆ *grammaticale **fout*** grammatical error/mistake; *die zin is grammaticaal **juist*** that sentence is grammatically correct; *grammaticaal **onderwerp*** grammatical subject

grammaticaliteit [de^v] ⟨taalk⟩ grammaticality

grammaticus [de^m] grammarian

grammenjager [de^m] hiker or cyclist obsessed with reducing the weight of his/her gear

grammofoon [de^m] gramophone, ⟨AE vnl⟩ phonograph, ↓ record-player

grammofoonnaald [de] ⟨moderne⟩ stylus, diamond, ⟨ouderwetse⟩ gramophone needle

grammofoonplaat [de] (gramophone) record, disc ◆ *een grammofoonplaat **maken*** make a record, record/cut a disc; *een pas **uitgekomen** grammofoonplaat* a new release

grammolecule [het, de] gram molecule

gramschap [de^v] ⟨form⟩ wrath, ire ◆ *zijn gramschap **was geweken*** his wrath had abated

gramstorig [bn, bw] [1] ⟨korzelig⟩ irascible ⟨bw: irascibly⟩, ireful, ⟨AE⟩ wrathy ◆ *iemand gramstorig **maken*** move s.o. to wrath [2] ⟨grimmig⟩ wrathful ⟨bw: ~ly⟩, wroth ⟨bw: ~ly⟩, irate ◆ *een gramstorige **blik*** an irate look

^{1}**granaat** [de^m] [1] ⟨plant⟩ pomegranate [2] ⟨mineraal⟩ garnet ◆ ***boheemse** granaat* pyrope; ***edele** granaat* almandine

^{2}**granaat** [de] [1] ⟨mil⟩ grenade, ⟨artillerie⟩ shell, ⟨mortier⟩ mortar-shell ◆ *de stelling werd **bestookt** met granaten* the position was shelled [2] ⟨granaatappel⟩ pomegranate

granaatappel [de^m] [1] ⟨vrucht⟩ pomegranate [2] ⟨boom⟩ pomegranate

granaatinslag [de^m] shell burst

granaatscherf [de] piece of shrapnel, shell fragment/splinter, ⟨mv⟩ shrapnel

granaatsteen [de^m] garnet

granaattrechter [de^m] shell hole, (shell)crater

granaatvuur [het] shellfire ◆ ***onder** granaatvuur leggen* subject/submit to shellfire, bombard, shell; *onder **zwaar** granaatvuur liggen* be under heavy shellfire/shelling

granaatwerper [de^m] grenade launcher

granaten [bn] garnet ◆ *een granaten **halsketting*** a garnet necklace

grand café [het] grand café

grand cru [de^m] grand cru

grande [de^m] grandee, magnifico ◆ *de zwier/pracht van een **Spaanse** grande* the dash/pomp of a Spanish grandee

grandeur [de^m] grandeur, magnificence, ⟨praal⟩ pomp

grandezza [de] grandness, grandeur, grand air, ⟨vero⟩ grandezza

grand finale [de^m] grand finale

grandioos [bn, bw] [1] ⟨prachtig⟩ grandiose ⟨bw: ~ly⟩, grand, magnificent, superb, ⟨inf⟩ swell [2] ⟨enorm⟩ monumental ⟨bw: ~ly⟩, mighty, first-rate, ⟨inf⟩ terrific ◆ *een grandioze **daad*** a mighty deed/act; *een grandioze **flater*** a monumental blunder/gaffe; *het **is** grandioos **mislukt*** it was a monumental failure; *een grandioze **prestatie*** a monumental/first-rate achievement; *het grandioos voor iemand **verpesten*** louse things up for s.o. in a big way

grand prix [de^m] grand prix

grand seigneur [de^m] grand seigneur

grand slam [het] grand slam

graniet [het] granite ◆ *een **blok** graniet* a block/lump of granite; *een **zuil** van graniet* a granite column

granietachtig [bn] granitic, granite-like, granitoid

granietblok [het] granite block

granieten [bn] granite, granitic ◆ *een granieten **aanrecht*** a granite (work-)top/^{B}drainingboard/^{A}drainboard/sink; *een standbeeld op granieten **voetstuk*** a statue on a granite pedestal

granietmarmer [het] granito

granietrots [de] granitic rock

^{1}**granietsteen** [de^m] ⟨stuk, brok graniet⟩ piece/lump of granite, ⟨groot⟩ hunk of granite

^{2}**granietsteen** [het] ⟨gesteente⟩ granite

^{1}**granito** [het] artificial stone composite (of marble and cement)

^{2}**granito** [bn] granito

granny [de^m] Granny Smith apple

granulaat [het] granules, granulated material, granulation

granulatie [de^v] [1] ⟨korrelige structuur⟩ granulation, granular surface, ⟨op zonneoppervlak⟩ granulation [2] ⟨het granuleren⟩ granulation

^{1}**granuleren** [onov ww] ⟨med⟩ granulate

^{2}**granuleren** [ov ww] [1] ⟨korrelen⟩ granulate, corn [2] ⟨oppervlakte ruw maken⟩ granulate [3] ⟨farm⟩ granulate, mill

granuleus [bn] granular, granulous, granulose, granulate ◆ *granuleuze **ontsteking** van de ogen* granular conjunctivitis

granuliet [het] granulite

grap [de] [1] ⟨mop⟩ joke, gag, jest, quip, crack ◆ *grappen **maken*** joke, jest, make jokes; *ergens een grap van **maken*** make a mockery of sth.; *hij probeerde zich er **met** een grap van af te maken* he tried to laugh it off; *een **oude** grap* an old joke; *grappen **vertellen*** tell/crack jokes, tell gags/funny stories [2] ⟨iets vermakelijks⟩ joke, laugh, ↓caper, ↓lark, prank ◆ ⟨iron⟩ *dat wordt een **dure** grap* that will be an expensive business; *de grap is **eraf*** the joke is over/has worn off, it has got/gone beyond a joke; *een **flauwe** grap* a feeble/poor/silly/corny joke; *dat is één **grote** grap* that's a laugh/joke; ⟨iron⟩ *die grap **kost al gauw** € 200* that little matter/affair will make short work of € 200; *grap **met** een nare bijsmaak* sick joke; *dat is een **mooie** grap* ⟨iron⟩ a fine how d'you do that is, a right to do/business, that is; *ze kan wel/niet **tegen** een grap* she can/can't take a joke; *grappen **uithalen*** play jokes/pranks; *een grap met iemand **uithalen*** play a joke/prank on s.o.; ***voor** de grap* for fun/a laugh/a giggle; *ze zei het maar **voor** de grap* she only said it in jest, she was only joking; *hij is altijd te vinden **voor** een grap* he is always game for a laugh; *de grap van de **zaak** is* the great thing about it is; *ik **zie** daar de grap niet van **in*** I don't get it/the joke, I can't see the joke [3] ⟨uiting van vrolijkheid⟩ fun, drollery ◆ ***geen** grappen!* no nonsense/funny stuff, cut the nonsense/funny stuff; ⟨pej⟩ ***schei** nu **uit met** die grappen* cut that silly nonsense (out); *hij zit **vol** grappen* he's a laugh (a minute), he's always joking around; ⟨pej⟩ *we **zullen** je die grappen wel **afleren*** we'll put an end to your sort of nonsense [•] ⟨inf⟩ *dat is de **hele** grap* that's all there's to it

grapefruit [de^m] grapefruit

graphic [de^m] graphic

grapjas [de^m] → **grappenmaker**

grapjassen [ww] joke, crack jokes

grapje [het] (little) joke, pleasantry ◆ *dat is **geen** grapje meer* that is beyond/past a joke; *'t is **maar** een grapje!* it's just a (little) joke; *het leven **is** geen grapje* life is no joke; *ik **maak** geen grapje* I'm not being funny; ***maak** er maar een grapje van* ⟨lett⟩ just treat it as a joke; ⟨terechtwijzing⟩ this is no laughing matter; *ze **maakte** maar een grapje* she was only joking/kidding; *grapjes **maken*** joke, make (little) jokes/pleasantries; *iets **met** een grapje **afdoen*** shrug sth. off with a joke, laugh sth. off; *grapjes **over** iemand/iets* jokes about s.o./sth.; *kun je niet **tegen** een grapje?* can't you take a joke?; *wel van een grapje **houden*** be fond of/like a joke; *dat **was** geen grapje* that was no joke; *grapje!* you're/you must be joking!

grappa [de^m] grappa

grappen [ov ww, ook abs] joke, jest ◆ *'je neus krult', grapte zij* 'your nose is curling up', she joked

grappenmaakster [de^v] → **grappenmaker**

grappenmaker [de^m], **grappenmaakster** [de^v], **grapjas** [de^m] ⟨man & vrouw⟩ joker, ⟨man & vrouw⟩ comedian, ⟨man & vrouw⟩ comic, ⟨man⟩ funnyman, ⟨vrouw⟩ funny lady, ⟨man & vrouw⟩ wag ◆ *hij is een **echte** grappenmaker* he's full of fun

grappenmakerij [de^v] [1] ⟨het maken van grappen⟩ joking, banter, drollery, waggery [2] ⟨iets hinderlijks, ergerlijks⟩ mischief, ragging, playing the fool ◆ ***schei** nu maar **uit met** die grappenmakerij* now just stop playing the fool/fooling

grappig [bn, bw] [1] ⟨m.b.t. personen⟩ funny ⟨bw: funnily⟩, amusing, droll, ⟨snaaks⟩ facetious ◆ *hij is altijd zo grappig* he is always so funny/amusing; ⟨iron⟩ he's (so) very droll; *zij **probeerden** grappig **te zijn*** ⟨ook iron⟩ they were trying to be funny [2] ⟨m.b.t. zaken⟩ funny ⟨bw: funnily⟩, comic(al), amusing, ⟨opzettelijk⟩ humorous, jocular, ⟨zeer⟩ hilarious ◆ *'t was een grappig **gezicht*** it was a funny/comical sight; ***het** grappige is ...* the funny thing is, what's so funny is; *ik zie **het** grappige er niet van in* I don't see where the joke comes in; *dat **is** niet grappig meer* that is beyond/past a joke; *een grappige **opmerking*** a humorous/jocular remark; *ik kan dat niet grappig **vinden*** I don't think that's funny, I am not amused; *hij **vindt** het niet grappig* ⟨ook⟩ he doesn't/cannot see the joke; *ik neem aan dat je dat grappig **vindt*** I suppose you think that's funny; *een grappig **voorval*** an amusing incident/occurrence; ***wat** grappig!* what a laugh!, how amusing!, ⟨iron⟩ very droll!; *wat is daar nou **zo** grappig aan?* what's so funny about that? [3] ⟨aardig om te zien⟩ cute ⟨bw: ~ly⟩, amusing, sweet ◆ *wat een grappige **diertjes*** what cuties/sweeties

grappigheid [de^v] drollery, amusingness, comedy, ⟨van personen⟩ jocularity, ⟨snaaksheid⟩ facetiousness

gras [het] [1] ⟨gewas⟩ grass ◆ *zo groen **als** gras* ⟨fig⟩ as green as grass; ⟨fig⟩ ± very green/raw; *verboden het gras te **betreden*** keep off the grass; ⟨fig⟩ *er **geen** gras over laten groeien* lose no time (over it/in doing it); ⟨fig⟩ *ze hebben er **geen** gras over laten groeien* they did not let the grass grow under their feet; ⟨scherts; fig⟩ *hij luistert of het gras **groeit*** ± he is lounging/lazing around; *het gras **groeit** er in de straten* ⟨fig⟩ it is a sleepy place; ⟨iron; fig⟩ *hij kan het gras **horen groeien*** (he thinks) he can walk on water, ± he think's he's magic/wonderful; ⟨fig⟩ *nu kan men het gras **horen groeien*** ± that will nourish the plants, ± that will perk the plants up; *het gras **maaien*** cut the grass; ⟨grasperk⟩ mow the lawn; ***met** gras begroeid* grassy, grass-covered; ***met** gras overdekte parkeergarage* grassed over car park; ***naar** gras smaken* ± taste insipid, ± be tasteless; ⟨fig⟩ *iemand het gras voor de voeten **wegmaaien*** cut the ground from under s.o.'s feet, steal s.o.'s thunder [2] ⟨plantengeslacht⟩ grass ◆ ***Engels** gras* thrift, sea pink; ⟨gew⟩ sea-grass, gillyflower, ladies' cushion

grasachtig [bn] [1] ⟨op gras lijkend⟩ grassy [2] ⟨tot de grassen behorend⟩ graminaceous, gramineous

grasbaan [de] ⟨renbaan⟩ grass track, ⟨tennisbaan⟩ grass court, ⟨rolbaan⟩ green, ⟨cricketbaan⟩ wicket

grasbloem [de] [1] ⟨veldbloem⟩ daisy [2] ⟨bloem van grassen⟩ grass flower

grasblok [het] grass paver, grass block, perforated tile

grasboter [de] grass-butter

grasbouw [de^m] grass cultivation/growing

grasbuik [de^m] ± grain sickness, ± pendulous belly

grasdijk [de^m] ⟨BE⟩ grassy dyke, ⟨AE⟩ grassy levee

grasdroger [de^m] grass-drier

grasduiker [de^m] ⟨dierk⟩ greenfinch, green linnet

grasduinen [onov ww] browse (through), ⟨boek⟩ browse among ⟨boeken in uitverkoop enz.⟩, ⟨zich bezighouden⟩ potter about/around, dabble (in) ◆ ***in** geschiedenis grasduinen* dabble in history; *hij **zit** weer in die kist met boeken **te** grasduinen* he is browsing through that chest of books again

grasetend [bn] herbivorous, graminivorous

grasgewas [het] [1] ⟨het te velde staand gras⟩ grass (crop) ◆ ***verpachting** van grasgewas* grazing lease [2] ⟨tot de grassen behorende plant⟩ gramineous plant, grass

grasgroen [bn] [1] ⟨zo groen als gras⟩ grass-green, verdant [2] ⟨fig; nieuwbakken⟩ very green/raw ◆ *een grasgroen **luitenantje*** a very green/raw (young) lieutenant

grasgrond [de^m] [1] ⟨voor grasteelt geschikte grond⟩ land for grass, ⟨om op te grazen⟩ pastureland ◆ ***goede** grasgronden* good land for grass [2] ⟨met gras begroeide grond⟩ grassland, meadow, ⟨om op te grazen⟩ pasture

grashalm [de^m] grass-stalk, grass-stem, culm, ⟨vnl BE⟩ grass-haulm, ⟨lange⟩ grass-spire

grashooi [het] grass-hay

grasjaar [het] year for grass ◆ *een **goed/schraal** grasjaar* a good/lean year for grass

grasje [het] blade of grass

graskaas [de^m] spring cheese

graskalf [het] grass-fed calf

graskamp [de^m] enclosed meadow, field of grass

graskant [de^m] [1] ⟨walkant⟩ grassy bank [2] ⟨kant van een gazon⟩ lawn-edge

graskantmaaier [de^m] lawn edger

grasklokje [het] harebell, ⟨vnl. Schotland/Noord-Engeland ook⟩ bluebell

grasland [het] [1] ⟨voor grasteelt geschikte grond⟩ land for grass, ⟨om op te grazen⟩ pasture-land [2] ⟨weiland⟩ grassland, meadow, ⟨om op te grazen⟩ pasture ◆ *land tot grasland **maken*** lay down land to grass

[1]**graslinnen** [het] [1] ⟨weefsel van de vezels van Chinees gras⟩ grass-linen, grass-cloth [2] ⟨weefsel van gebeukt katoen⟩ (cotton) grass-cloth

[2]**graslinnen** [bn] grass-linen, grass-cloth

graslook [het] ⟨plantk⟩ chives ⟨mv; Allium schoenoprasum⟩

grasmaaien [ww] mowing (the), ⟨van een grasperk⟩ mowing the lawn, lawnmowing

grasmaaier [de^m] [1] ⟨maaimachine⟩ ⟨voor hoog gras⟩ mowing-machine, grass-cutter, ⟨voor grasperk⟩ (lawn) mower [2] ⟨persoon⟩ mower of grass, grass-mower

grasmaand [de] April, ⟨lett⟩ grass-month

grasmachine [de^v] lawn mower

grasmat [de] [1] ⟨begroeiing met gras⟩ grass cover [2] ⟨met gras begroeid stuk grond⟩ grass, turf, ⟨scherts; form⟩ (green)sward, ⟨gazon⟩ lawn(s), ⟨vliegveld⟩ grass strip, ⟨sportveld⟩ field, pitch ◆ *de grasmat lag er **prachtig** bij* the grass looked fantastic

grasmus [de] ⟨dierk⟩ whitethroat

grasoogst [de^m] grass crop

grasparkiet [de^m] ⟨dierk⟩ budgerigar

grasperk [het] lawn, ⟨klein⟩ grass-patch, grass-plot

graspieper [de^m] ⟨dierk⟩ meadow pipit

grasplant [de] [1] ⟨plantje van een grassoort⟩ grass [2] ⟨mv; de gramineeën⟩ gramineous plants, gramineae

grasrand [de^m] grass border/edging, ⟨langs weg⟩ grass verge

grasrijk [bn] lush, grassy, verdant

grasrol [de] lawn roller

grasroller [de^m] roller

grassavanne [de] ⟨lett⟩ grass savannah, ⟨alg⟩ (grass-) prairie

grasschaar [de] (pair of) (garden-)shears, ⟨met lange stelen⟩ long-handle shears, ⟨kromme voor grasranden⟩ edging-shears ◆ ***twee** grasscharen* two pairs of (garden-) shears

grasseren [onov ww] rage, be rampant

grassoort [de] (type of) grass

grasspriet [de^m] blade of grass, grass-stalk ◆ ***kauwend** op een grasspriet lag hij in het weiland* he lay in a meadow chewing (on) a stalk/piece of grass

grassproeier [de^m] lawn sprinkler, garden spinkler

grassteppe [de] (grassy/grass-covered) steppe, grass(y) plain

grastapijt [het] turf, ⟨form⟩ (green) sward, swarth

grastetanie [de^v] grass tetany/staggers, lactation tetany, Hertfordshire disease

grastoernooi [het] tournament on grass, grass tournament

grasveld [het] field, field/stretch of grass, lawn ◆ *grasveldje* patch of grass, grass-plot, lawn

grasvlakte [de^v] grassy plain, stretch/expanse of grass, ⟨USA⟩ prairie(s)

grasweer [het] ± good weather for grass

graswicket [het] grass wicket

graswortel [de^m] [1] ⟨wortel van een grasplant⟩ grass-root [2] ⟨wortelstuk van het tarwegras, kweekgras⟩ couch/quitch/scutch/twitch rootstock, couch/quitch/scutch/twitch rhizome

graszaad [het] grass seed

graszode [de] turf, sod

graterig [bn] bony

gratie [de^{v}] 1 ⟨bevalligheid⟩ grace, charm ♦ *zij **mist** alle gratie* she lacks the graces, she is quite lacking in charm 2 ⟨gunst⟩ favour, good grace, benevolence ♦ *slechts bestaan **bij** de gratie van* exist merely by the grace of; *bij iemand **in** de gratie zijn/komen* be in/come into favour with s.o.; ***uit** de gratie zijn* be out of favour/in disfavour/in bad grace; ***uit** de gratie raken* go out of favour, lose favour, get in s.o.'s bad books; *bij iemand **uit** de gratie raken* fall out of favour/into disfavour with s.o. 3 ⟨genade⟩ mercy, grace, clemency ♦ *koning bij de gratie **Gods*** King by the grace of God; *een kunstenaar bij de gratie **Gods*** ⟨ook⟩ a heaven-sent artist 4 ⟨myth⟩ Grace ♦ *de **drie** gratiën* the three Graces 5 ⟨kwijtschelding⟩ pardon, reprieve ♦ *gratie **krijgen*** be pardoned; ⟨totale kwijtschelding⟩ receive/obtain a free pardon; ⟨voor doodstraf⟩ be reprieved; *de koning heeft het **recht** van gratie* the king has the prerogative of mercy; *gratie **verlenen*** show/grant mercy, show clemency; ⟨jur⟩ give a pardon; ⟨aan ter dood veroordeelde⟩ grant/give/award a reprieve; *gratie **verlenen aan iemand*** show s.o. mercy; ⟨ook jur⟩ pardon s.o.; ⟨voor doodstraf⟩ reprieve s.o.; *een **verzoek** om gratie indienen* sue/enter a petition for mercy, request a pardon; *gratie **vragen*** ask for mercy, ask/request pardon

gratiëren [ov ww] show (s.o.) mercy, pardon (s.o.), ⟨voor doodstraf⟩ reprieve (s.o.)

gratieverlening [de^{v}] ⟨jur⟩ (free) pardon

gratieverzoek [het] petition for clemency, petition for (a) pardon, petition for (an) amnesty, petition for (a) reprieve ♦ *een gratieverzoek **indienen*** put in a petition for clemency/(a) pardon/(a) reprieve, sue for clemency/(a) pardon

gratificatie [de^{v}] gratuity, bonus, emolument, donation, ex gratia payment

gratificeren [ov ww], **gratifiëren** [ov ww] 1 ⟨genade schenken⟩ show/grant (s.o.) mercy 2 ⟨schenken⟩ ♦ ***iemand** gratificeren* give s.o. a gratuity/bonus; *iemand gratificeren **met iets*** grant s.o. sth., donate sth. to s.o., bestow sth. on s.o.

gratifiëren [ov ww] → **gratificeren**

gratig [bn] bony

gratineren [ov ww] cover with breadcrumbs/cheese ♦ *gegratineerde **schotel*** dish au gratin

gratis [bn, bw] free (of charge) ⟨bn, bw⟩, for nothing, complimentary, ⟨inf⟩ buckshee ⟨bn⟩, gratis ⟨bw⟩ ♦ ⟨jur⟩ *gratis **admissie** verlenen/verkrijgen* grant/receive legal aid; *gratis **consumptie*** free/complimentary drink; *gratis **entree*** free admission/entry; *iets er gratis bij **krijgen*** get sth. thrown in (for free); *gratis **monster*** free sample; *gratis **telefoonnummer*** free phone number; ⟨vnl AE⟩ toll-free phone number; *het boek is gratis **verkrijgbaar*** the book is available free (of charge); *inclusief gratis **vervoer** naar het vliegveld* free transport to the airport included; *gratis **voorstelling*** free show/performance/display; ⟨scherts⟩ free display/entertainment; free act; *gratis en voor niks* gratis, free and for nothing; *gratis met de bus mee mogen* be allowed to travel free on the buses

gratuit [bn] uncalled-for, gratuitous ♦ *een gratuite **bewering*** an uncalled-for remark

^{1}**grauw** [de^{m}] 1 ⟨snauw⟩ snarl, growl, ⟨kort⟩ snap ♦ *een grauw en een **snauw*** a snap and a snarl 2 ⟨paard, ezel⟩ ⟨paard⟩ dun, ⟨ezel⟩ donkey

^{2}**grauw** [het] 1 ⟨grauwe kleur⟩ greyness, ⟨AE⟩ grayness, dul(l)ness, drabness 2 ⟨gepeupel⟩ mob, rabble, ⟨mv⟩ masses

^{3}**grauw** [bn] 1 ⟨vaal van tint⟩ (ash-)grey, ⟨AE⟩ (ash-)gray, ashen, drab, dull ♦ ⟨fig⟩ *het grauwe **bestaan*** the drab existence; *grauwe **erwten*** yellow peas; ⟨dierk⟩ *de grauwe **hagedis*** the wall lizard; *een grauwe **lucht*** a grey/leaden sky; *de grauwe **massa*** the faceless masses; *grauwe **monniken*** greyfriars; *grauw **papier*** (dark) wrapping paper; ⟨med⟩ *de grauwe **staar*** cataract; ⟨fig⟩ *de grauwe **werkelijkheid*** the cold light of reality; *grauw **zien*** look ashen; *grauwe **zusters*** Poor Clares 2 ⟨groezelig⟩ grubby, grimy, soiled, ⟨met stof⟩ dusty, ⟨net niet wit⟩ off-white ♦ *dat wasgoed **ziet** grauw* that washing looks grey/grubby ⊡ ⟨sprw⟩ *bij nacht zijn alle katjes grauw* all cats are grey in the dark

grauwachtig [bn] greyish, ⟨AE⟩ grayish, dullish

grauwbruin [bn] dun, greyish/^{A}grayish brown, dull brown

grauwen [onov ww] 1 ⟨grijs, grauw worden⟩ grow dull, grey, ⟨AE⟩ gray 2 ⟨op snauwende toon spreken⟩ snarl, growl, ⟨kortaf⟩ snap ♦ *grauw niet zo **tegen** me* don't snarl/growl/snap at me like that

grauwerig [bn] grumpy, crabby, snappish

grauwgeel [bn] sallow

grauwheid [de^{v}] greyness, ⟨AE⟩ grayness, dul(l)ness, drabness

grauwschildering [de^{v}] 1 ⟨wijze van schilderen⟩ monochrome, monochromy, grisaille 2 ⟨schilderstuk⟩ monochrome, grisaille

grauwschimmel [de^{m}] grey/^{A}gray (horse)

grauwsluier [de^{m}] haze, grime

grauwtje [het] 1 ⟨ezel, grijs paardje⟩ ⟨ezel⟩ neddy, donkey, ass, ⟨AE⟩ burro, ⟨paard⟩ dun 2 ⟨schilderij⟩ (small) monochrome/grisaille

grauwvuur [het] (fire-)damp explosion, (fire-)damp blast

grauwwit [bn] dull(ish) white, off-white

grauwzwart [bn] deep grey/^{A}gray

gravamen [het] ⟨jur⟩ gravamen, grievance

^{1}**grave** [het] ⟨muz⟩ grave movement

^{2}**grave** [bw] ⟨muz⟩ grave

graveel [het] ⟨med⟩ gravel, stones, calculi

graveelzand [het] ⟨med⟩ gravel

graveerder [de^{m}], **graveerster** [de^{v}] engraver, chaser

graveerijzer [het] 1 ⟨gereedschap van stempel, plaatsnijder⟩ (engraving) style, burin, graver 2 ⟨werktuig van smeden⟩ diamond cold chisel

graveerkunst [de^{v}] (art of) engraving

graveernaald [de] (engraving) style, burin, graver

graveersel [het] engraving

graveerstaal [het] (engraving) style, burin, graver, scooper

graveerster [de^{v}] → **graveerder**

gravel [het] gravel ♦ *hij speelt liever **op** gravel dan op gras* he prefers (playing on) clay to (playing on) grass

gravelbaan [de] ⟨sport⟩ clay court

gravelbijter [de^{m}] tennis player who thrives on gravel

gravelspecialist [de^{m}] gravel specialist

graven [ov ww, ook abs] 1 ⟨met graafwerktuig (een opening) delven⟩ dig, ⟨op grote schaal⟩ excavate, ⟨fig, om iets te zoeken⟩ delve, ⟨sloot, turf ook⟩ cut, ⟨naar delfstoffen onder de grond⟩ mine, ⟨uit steengroeve⟩ quarry, ⟨geul, loopgraaf⟩ trench ♦ *niet **diep** graven* ⟨ook fig⟩ not dig too deep; ⟨fig ook⟩ not delve too deep; *een tunnel graven **door** een berg* ⟨ook⟩ tunnel through a mountain; ***goud** graven* mine gold; dig up gold; ⟨fig⟩ ***in** iemands verleden graven* dig/delve/probe/burrow into s.o.'s past/history; *een **kuil** graven* dig a hole; ⟨diep, ook⟩ sink a pit; ***naar** iets graven* dig/burrow for sth.; *een **put/schacht** graven* sink a well/shaft; *een **tunnel** graven* dig a tunnel, tunnel 2 ⟨met handen, snuit enz. (de grond) loswroeten⟩ dig, ⟨van dieren, insecten ook⟩ burrow, ⟨overgankelijk⟩ scoop/hollow/claw out, ⟨mol⟩ tunnel ♦ ***gangen** graven* ⟨mollen⟩ tunnel passages; ⟨konijnen⟩ burrow holes, dig burrows ⊡ ⟨sprw⟩ *die een kuil/put graaft voor een ander valt er zelf in* ± whoso diggeth a pit shall fall therein

gravenhuis [het] ⟨in Europa⟩ house/line of counts,

⟨Groot-Brittannië⟩ house/line of earls

graver [de^m] 1 ⟨grondwerker⟩ digger, excavator, ⟨inf⟩ navvy 2 ⟨dierk⟩ burrower

graveren [ov ww] 1 ⟨figuren griffen⟩ engrave, incise, ⟨woorden⟩ inscribe (on) ♦ *een naam in glas **laten** graveren* have a name engraved/inscribed on glass; *een **munt/stempel** graveren* sink a die; *een **wapen** graveren* engrave a coat of arms 2 ⟨bk⟩ engrave, incise, ⟨woorden⟩ inscribe (on), ⟨metaal⟩ chase ♦ *het boek is versierd met fraai gegraveerde **prenten*** the book is illustrated with beautifully engraved prints/pictures/beautiful engravings

graverij [de^v] 1 ⟨het (ver)graven⟩ digging, ⟨m.b.t. veen ook⟩ cutting 2 ⟨plaats waar vergraven wordt⟩ ⟨m.b.t. zand, mergel e.d.⟩ quarry

gravering [de^v] engraving, incising, ⟨van woorden⟩ inscription, ⟨van metaal⟩ chasing

graveur [de^m] 1 ⟨plaat-, zegel-, stempelsnijder⟩ engraver, chaser, ⟨stempelsnijder ook⟩ die-sinker 2 ⟨etser⟩ engraver, chaser

graviditeit [de^v] gravidity, pregnancy

gravimeter [de^m] gravimeter

gravimetrie [de^v] 1 ⟨zwaartekrachtmeting⟩ gravimetry 2 ⟨scheik; analysemethode⟩ gravimetry

gravin [de^v] 1 ⟨gesch; grafelijke landsvrouwe⟩ countess 2 ⟨echtgenote, weduwe van een graaf⟩ countess 3 ⟨nakomelinge van een graaf⟩ countess

gravitatie [de^v] ⟨natuurk⟩ gravity, gravitation(al pull)

gravitatieveld [het] ⟨natuurk⟩ field of gravity, gravitational field

gravitatiewet [de] ⟨natuurk⟩ law of gravitation

graviteit [de^v] solemnity, gravity

graviteren [onov ww] ⟨ook fig⟩ gravitate (to/towards)

gravure [de] 1 ⟨gegraveerd werk⟩ engraving, print 2 ⟨het graveren⟩ engraving, incising, ⟨van woorden⟩ inscription

grawitztumor [de^v] Grawitz's tumour

gray [de^m] gray

grazen [onov ww] graze, (be at) pasture ♦ *het vee **laten** grazen* put/lead the cattle (out) to pasture, pasture the cattle; *grazende **schapen*** grazing sheep, sheep at pasture ▪ *iemand **te** grazen nemen* ⟨bedotten⟩ take s.o. for a ride, take s.o. in; ⟨pak slaag geven⟩ give s.o. a dressing down, give s.o. hell; ***te** grazen genomen worden* be had, be taken in

grazig [bn] 1 ⟨grasrijk⟩ lush, grassy ♦ *grazige **weiden*** lush pastures, grassy meadows 2 ⟨m.b.t. zuivel⟩ grassy

grazioso [bw] ⟨muz⟩ grazioso

greb [de] ditch, french, ⟨greppel⟩ channel, gull(e)y

1**green** [de^m] ⟨boom⟩ pine, ⟨BE ook⟩ Scots pine

2**green** [de] ⟨m.b.t. golf⟩ green

greenback [de^m] greenback

greencard [de^m] work permit, ⟨in de VS⟩ green card, ⟨in de EU⟩ blue card

greenkeeper [de^m] greenkeeper

greenport [de^m] greenport

greenshoeoptie [de^v] greenshoe option

Greenwichtijd [de^m] Greenwich Mean Time, GMT

1**greep** [de^m] 1 ⟨het grijpen, grijpende beweging⟩ grasp, grip, grab, clutch, ⟨met een ruk⟩ snatch ♦ *in de greep van de **angst*** ⟨ook⟩ in the embrace of terror; *een **blinde** greep, een greep in het wilde weg* a shot in the dark, a wild stab; *een greep **doen** naar* ⟨reiken⟩ reach for; ⟨proberen⟩ make a grab for; ⟨vastgrijpen⟩ clutch at; *een greep **doen** in zijn zak/de winkella/het vat* dip into one's pocket/the till/the barrel; *zij **hadden** geen greep meer op de situatie* they had lost their grip of the situation; *een **ijzeren** greep* an iron grip; ⟨fig⟩ ***in** de greep van de angst* seized with/by fear; ***in** de greep van de vijand* in the grasp of the enemy, in the enemy's clutches; *vast **in** zijn greep hebben* have firmly in one's grasp; ⟨fig⟩ *Europa **in** de greep van de winter* Europe in grip of winter; *greep **krijgen** op iets* get a grip on sth.; ***met** één/een enkele greep* in one go/fell swoop; ⟨fig⟩ *een greep **naar** de macht* a grab/dash for power; *hij begon de greep op zijn volgelingen te **verliezen*** he began to lose his hold on his followers; *God **zegene** de greep* ± here's hoping (for the best), ± here goes! 2 ⟨muz⟩ ⟨m.b.t. snaarinstrumenten⟩ finger arrangement, ⟨m.b.t. gitaar, piano⟩ chord ♦ ***in** de greep liggen* be easily playable; *een **makkelijke/moeilijke** greep* easy/difficult fingering, an easy/a difficult finger arrangement 3 ⟨onopzettelijke keuze⟩ random selection/pick/choice, snatch(es) ♦ *de redenaar **deed** slechts hier en daar een greep in/uit de rijke stof* the speaker only dipped at random into the wealth of material; ***doe** maar een greep* ⟨ook⟩ take your pick; *een greep **doen uit** de mogelijkheden* pick at random from the various possibilities; *dat was een **gelukkige** greep* that was a lucky shot 4 ⟨manier van pakken⟩ grip, hold ♦ *de greep **leren*** learn the grip/how to grip

2**greep** [de] 1 ⟨hoeveelheid⟩ handful 2 ⟨handvat, heft⟩ handle, ⟨van gereedschap⟩ haft, ⟨van geweer⟩ butt, ⟨van zwaard/dolk⟩ hilt 3 ⟨gereedschap⟩ fork

gregoriaans [bn] Gregorian ♦ *gregoriaanse **kalender*** Gregorian calendar; *gregoriaanse **kerkgezangen*** (Gregorian) plainsong, Gregorian chant; *gregoriaanse **stijl*** Gregorian/new style

grein [het] 1 ⟨gewichtseenheid⟩ grain 2 ⟨weefsel⟩ camlet 3 ⟨korrel⟩ grain ♦ *het marmer was grof **van** grein* the marble was coarse-grained

1**greinen** [bn] camlet

2**greinen** [onov ww] ⟨oneffen worden⟩ roughen (up), become/get grained

3**greinen** [ov ww] ⟨greineren⟩ → **greineren**

greineren [ov ww] granulate, roughen, grain, ⟨leer⟩ pebble ♦ *een lithografische **steen** greineren* grain a lithographic stone

greinig [bn] grained, granulated, ⟨ruw⟩ rough ♦ *greinig **tekenpapier*** grained drawing paper

greintje [het] ⟨vaak voorafgegaan door 'geen'⟩ (not) a bit (of), (not) the least bit (of), (not) a spark/grain/scrap (of) ♦ *geen greintje **hoop*** not a spark/ray of hope; *dat maakt geen greintje **verschil*** that doesn't make a bit/scrap of difference; *geen greintje gezond **verstand*** not a grain/an ounce of common sense; *hij heeft er geen greintje **verstand** van* he hasn't got the tiniest understanding of it; *met een greintje **verstand**/als hij nog een greintje **verstand** bezat* with a modicum of intelligence/if he had a modicum of sense

gremium [het] committee, body

Grenada [het] Grenada

grenadier [de^m] grenadier

1**grenadine** [het] ⟨weefsel⟩ grenadine

2**grenadine** [de] ⟨limonade⟩ grenadine

grendel [de^m] bolt, bar ♦ *de grendel op de deur **schuiven*** draw/shoot the bolt on the door; *achter **slot** en grendel zetten* ⟨veilig opbergen, ook in gevangenis⟩ put under lock and key; ⟨in gevangenis⟩ put behind bars; *achter **slot** en grendel zitten* be under lock and key ▪ *de grendel van een **geweer*** the bolt of a rifle, the gunlock

grendelen [ov ww] bolt, bar

grenen [bn] pine(wood), ⟨vnl BE⟩ deal, ⟨BE ook⟩ Scots pine/fir

grenenhout [het] pine(wood), ⟨vnl BE⟩ deal, ⟨BE ook⟩ Scots pine/fir

grenenhouten [bn] pine, pinewood, deal, ⟨BE ook⟩ Scots pine

grens [de] ⟨rand, staatsgrens⟩ border, ⟨rand, scheidingslijn⟩ boundary, ⟨limiet⟩ limit, ⟨rand van gebied ook⟩ frontier, ⟨perken ook⟩ bounds ⟨mv⟩, ⟨rand, limiet ook⟩ verge, ⟨marge⟩ margin ♦ ***aan** de grens* at the border; ⟨fig⟩ ***binnen** redelijke grenzen* within reason; ⟨fig⟩ ***binnen** de grenzen van het mogelijke* within the bounds of possibility; *de grens van het **bos*** the border/edge of the wood; *hij is beroemd tot ver **buiten** de grenzen* his fame stretches far abroad; *de **Duitse***

grens the border with Germany, the German border; ⟨fig⟩ *alles **heeft** zijn grenzen* there is a limit to everything; ⟨fig⟩ *geen grenzen **kennen*** know no bounds; ⟨fig⟩ *haar hulpvaardigheid **kent** geen grenzen* her helpfulness knows no bounds, there's no end to her helpfulness; *op de grens van **leven en dood*** on the verge of life and death; *een **natuurlijke** grens* a natural boundary; ⟨fig⟩ ***op** de grens* ⟨tussen een of andere toestand⟩ on the borderline; ***over** de grens gaan* cross the border/frontier; ***over** de grens kijken* go abroad (for sth.); *iemand **over** de grenzen/de grens zetten* deport s.o.; *een aardig mondje/woordje **over** de grens praten/spreken* be quite a linguist, be multi-lingual; *de grens **overgaan*** cross the border/frontier; ⟨fig⟩ *een grens **overschrijden*** pass/overstep a limit/mark; *een **politieke** grens* a political boundary; ⟨fig⟩ *we moeten ergens een grens **trekken*** we have to draw the line somewhere; *een grens **trekken** tussen twee begrippen* draw a line/boundary between two notions; *de grens **tussen** Nederland en Duitsland* The Dutch-German border/frontier; ⟨fig⟩ *grenzen **verleggen*** push out/back frontiers; ⟨fig⟩ *er **zijn** grenzen!* there is a limit!

grensarbeider [de^m^] cross-border worker

grensbedrijf [het] ⟨ec⟩ marginal/borderline firm, marginal/borderline business

grensbewaking [de^v^] guarding of the frontier, ⟨grenswacht⟩ border patrol

grensbewoner [de^m^], **grensbewoonster** [de^v^] inhabitant of the border area, inhabitant of the frontier zone, ⟨i.h.b. bij de grens tussen Engeland en Schotland; BE⟩ borderer

grensbewoonster [de^v^] → **grensbewoner**

grensconflict [het] border conflict, ⟨afzonderlijk incident⟩ border incident/clash

grenscontrole [de] border/customs check, ⟨inf⟩ customs

grenscorrectie [de^v^] border adjustment/realignment

grensdocument [het] travel document, ⟨m.b.t. douane⟩ customs papers ⟨mv⟩

grensgebied [het] 1 ⟨landstreek⟩ border region, borderland ◆ *een grensgebied, grensgebieden* ⟨ook⟩ border territory 2 ⟨fig⟩ grey area, ⟨AE⟩ gray area, marginal area, borderland, ⟨randgebied⟩ fringe (area) ◆ *grensgebieden van de **literatuur*** literary fringes; *het grensgebied **tussen** spreektaal en Bargoens* somewhere on the borderline between colloquial speech and slang

grensgemeente [de^v^] border community

grensgeval [het] borderline/marginal case

grenshandel [de^m^] cross-border trade

grenshospitium [het] asylum seekers' centre, refugee centre

grensincident [het] border incident/clash

grenskantoor [het] (border) customs post/office

grenslijn [de] 1 ⟨grens⟩ boundary line/mark, demarcation/dividing line, ⟨langs rand⟩ perimeter, ⟨van sportveld⟩ by-line 2 ⟨fig⟩ dividing line

grensoorlog [de^m^] border war

grensovergang [de^m^] 1 ⟨het overschrijden van een grens⟩ crossing of a/the border, border-crossing 2 ⟨grenspost⟩ → **grenspost**

grensoverschrijdend [bn] cross-border, trans-border ◆ *grensoverschrijdende **conflicten*** cross-border conflicts; *grensoverschrijdend **vervoer*** international transport

grenspaal [de^m^] boundary/border post, boundary marker

grensplaats [de] border town

grenspost [de^m^] border crossing(-point)

grensrechter [de^m^] ⟨sport⟩ ⟨voetb⟩ linesman, ⟨rugby⟩ touch-judge, ⟨tennis⟩ line judge

grensrivier [de] boundary/border river

grensstation [het] border/frontier station

grenssteen [de^m^] boundary stone/marker, terminus

grensstreek [de] border, borderland, border region

grensverkeer [het] (regular) border traffic

grensverleggend [bn] pushing back frontiers, opening up new horizons ⟨na zn⟩, revealing, mind-broadening, revelatory, pioneering ◆ *een grensverleggend **onderzoek*** ⟨ook⟩ an investigation breaking/which is breaking fresh/new ground; *een grensverleggende **ontdekking*** a discovery breaking up fresh/new ground/which opens up new horizons, a revealing discovery

grensvlak [het] ⟨natuurk⟩ interface

grenswaarde [de^v^] ⟨ec⟩ marginal value, ⟨techn⟩ limit, limiting value

grenswacht [de] 1 ⟨personen die de landsgrens bewaken⟩ border patrol 2 ⟨grenswachter⟩ → **grenswachter**

grenswachter [de^m^] 1 ⟨bewaker van de landsgrens⟩ border guard/patrolman/police 2 ⟨douaneambtenaar⟩ (border) customs officer

grenswisselkantoor [het] border exchange office

grenszuil [de^v^] ⟨bouwk⟩ term, terminal (figure), terminus

grenzeloos [bn, bw] infinite ⟨bw: ~ly⟩, vast, boundless, limitless, unbounded, unlimited ◆ *een grenzeloze **ambitie** bezitten* be filled with boundless ambition; *grenzeloze **ellende*** unbounded misery; *zich grenzeloos **ergeren*** be infinitely/extremely/no end annoyed; *in iemand een grenzeloos **vertrouwen** stellen* place infinite trust in s.o.; *ik vond het grenzeloos **vervelend*** I was bored stiff/to tears/out of my mind

grenzen [onov ww] 1 ⟨tegenaan gelegen zijn⟩ border (on), ⟨grenzen aan⟩ adjoin, be adjacent to, abut ◆ *hun tuinen grenzen **aan** elkaar* their gardens border on one another/are adjacent to one another; *Nederland grenst in het zuiden **aan** België* Holland borders on/is bounded by Belgium to the south; *aan de achterkant grenst het huis **aan** een sportveld* the house backs on to a playing field 2 ⟨fig⟩ border/verge (on), ⟨grenzen aan⟩ approach ◆ *dat grenst **aan** het belachelijke* that is verging on the ridiculous; *dat grenst **aan** het ongelofelijke* that verges on the incredible; *met **aan** zekerheid grenzende waarschijnlijkheid* in all probability/likelihood

greppel [de] channel, gull(e)y, drain, ⟨meestal diep⟩ trench, ditch ◆ *greppels **graven*** dig/cut channels

greppelen [ov ww, ook abs] ⟨onovergankelijk⟩ channel, cut channels, trench, ditch, cut trenches/ditches, ⟨overgankelijk⟩ cut channels in, trench, ditch, cut trenches/ditches in ◆ ***polderland** greppelen* trench/ditch a polder/polders; ± trench/ditch fenland

greppelploeg [de] trench-plough, ditcher

gres [het] 1 ⟨aardewerk⟩ glazed stoneware 2 ⟨kiezelzandsteen⟩ sandstone

gresbuis [de] glazed stoneware pipe

gretig [bn, bw] eager ⟨bw: ~ly⟩, keen, avid, ⟨begerig⟩ greedy, rapacious ◆ *een gretige **blik*** an eager look/glance; *hij **greep** de hem aangeboden gelegenheid gretig **aan*** he seized the opportunity presented to him eagerly/with both hands; *ergens gretig op **ingaan*** take up/react to sth. eagerly, jump at sth.; *met gretig **oor** toeluisteren* listen with rapt attention; *hij **tastte** gretig **toe*** he tucked in greedily/ravenously; *gretige **toehoorders*** eager listeners, a keen audience; *het boek **werd** gretig **gekocht** en **gelezen*** the book was avidly bought and read; *gretig aftrek vinden* sell like wildfire/hot cakes, be snapped up; *gretig gebruikmaken van* make full use of, take full advantage of

gretigheid [de^v^] eagerness, keenness, alacrity, avidity, gusto ◆ *een voorstel **met** gretigheid aannemen* accept a proposal eagerly; ***met** gretigheid op het eten aanvallen* tuck into the meal with alacrity, dig in

greyhound [de^m^] greyhound

gribus [de^m^] 1 ⟨krot⟩ slum, ⟨inf⟩ dump 2 ⟨sloppenwijk⟩ slum area, slums

grid [de] 1 ⟨rooster⟩ grid 2 ⟨auto; startplaats⟩ starting grid
gridcomputing [de] grid computing
grief [de] 1 ⟨bezwaar⟩ objection (to), complaint (about) ◆ ⟨jur⟩ *memorie van grieven* statement of grounds of appeal; *grieven uiten* raise objections, issue complaints 2 ⟨krenking⟩ hurt, offence, blow 3 ⟨reden tot ontevredenheid⟩ grievance, grudge, ⟨inf⟩ gripe ◆ *een persoonlijke grief* a personal grievance/grudge; *wezenlijke en vermeende grieven* grievances real and imagined 4 ⟨verdriet⟩ grief, anguish, distress, misery
¹**Griek** [de^m] ⟨restaurant⟩ Greek restaurant
²**Griek** [de^m], **Griekse** [de^v] ⟨inwoner van Griekenland⟩ ⟨man & vrouw⟩ Greek, ⟨vrouw ook⟩ Greek woman/girl
Griekenland [het] Greece

Griekenland	
naam	*Griekenland* Greece
officiële naam	*Helleense Republiek* Hellenic Republic
inwoner	*Griek* Greek
inwoonster	*Griekse* Greek
bijv. naamw.	*Grieks* Greek
hoofdstad	*Athene* Athens
munt	*euro* euro
werelddeel	*Europa* Europe
int. toegangsnummer 30 www.gr auto GR	

¹**Grieks** [het] Greek ◆ ⟨fig⟩ *dat was Grieks voor hem* it was all Greek/double Dutch to him
²**Grieks** [bn] 1 ⟨van de (oude) Grieken⟩ Greek, ⟨bk ook⟩ Grecian, Hellenic ◆ *de Griekse beschaving* Greek/Hellenic civilization; *een Griekse Bijbel* a Greek Bible; *de Griekse bouwkunst* Greek architecture; *Griekse ij* wye, Y; *een Griekse neus* a Grecian nose 2 ⟨uit Griekenland afkomstig⟩ Greek 3 ⟨Byzantijns⟩ (Byzantine) Greek, Byzantine, ⟨rel⟩ Greek Orthodox ◆ *de Griekse kalender* the Julian calendar; *de Griekse kerk* the Greek Orthodox Church; *Grieks kruis* Greek cross; *Griekse rand* Greek braid/fret
Griekse [de^v] → **Griek²**
Grieks-orthodox [bn] Greek Orthodox
griel [de] ⟨dierk⟩ stone curlew, (common) thick-knee, stone plover
griend [de] 1 ⟨waard⟩ ⟨van rijs⟩ osier-bed, withy-bed, bank, mud-bank, sand-bank, shingle-bank, holm(e), ⟨bedding⟩ bed 2 ⟨bos van rijshout⟩ osier-thicket, withy-thicket 3 ⟨rijshout⟩ wicker, ⟨wilgentenen⟩ osier, ⟨wilgentenen⟩ osiers, withies ⟨mv⟩
griendhout [het] wicker, ⟨wilgentenen⟩ osier, ⟨wilgentenen⟩ osiers, withies ⟨mv⟩
griendland [het] osier-ground, withy-ground, osier-land, withy-land
griendwaard [de] osier-bank, withy-bank
grienen [onov ww] ⟨inf⟩ snivel, wail, whine, blub(ber), boohoo, ⟨BE ook⟩ grizzle
griener [de^m] ⟨inf⟩ cry-baby, grizzler, wailer, whiner
grienerig [bn] ⟨inf⟩ weepy, whining, ⟨ogm⟩ tearful, quick to tears
griep [de] (the) flu, ⟨form⟩ influenza ◆ *griep hebben/krijgen* have got/get (the) flu; *griep oplopen* go down with flu; ⟨inf⟩ *een griepje* a touch of (the) flu
griepepidemie [de^v] influenza epidemic, epidemic of influenza, ⟨inf⟩ flu epidemic
grieperig [bn] ill with flu ⟨na zn of pred⟩ ◆ *ik ben wat grieperig* I've got a touch of flu
grieppatiënt [de^m], **grieppatiënte** [de^v] a sufferer from flu, flu-patient
grieppatiënte [de^v] → **grieppatiënt**
griepprik [de^m] ⟨med⟩ influenza vaccination, ⟨inf⟩ flu jab
griepvaccin [het] ⟨med⟩ influenza vaccine, ⟨inf⟩ flu vaccine
gries [het] 1 ⟨gebroken graan⟩ grits ⟨mv⟩, sharps ⟨mv⟩ ◆ *een paar balen gries* a few sacks of grits 2 ⟨kiezelzand⟩ gravel, grit
griesmeel [het] 1 ⟨gepelde tarwe, spelt⟩ semolina 2 ⟨gerecht⟩ semolina
griesmeelpudding [de^m] semolina pudding
¹**griet** [de^m] ⟨vogel⟩ godwit
²**griet** [de^v] ⟨inf; meid⟩ bird, chick, doll, ⟨vaak pej⟩ tart ◆ *een boze griet* a bitch, a bitchy tart; *een leuk grietje* a nice(-looking) chick, a tasty bit of stuff, a dishy number; *een rare griet* a rum bird
³**griet** [de] ⟨platvis⟩ brill
grieven [ov ww] hurt, offend, ⟨alleen in lijdende vorm⟩ aggrieve ◆ *hij heeft mij diep gegriefd* he has hurt me deeply; *zich gegriefd voelen* feel aggrieved
grievend [bn, bw] 1 ⟨krenkend, beledigend⟩ hurtful ⟨bw: ~ly⟩, offensive, cutting, grievous ◆ *een grievende opmerking* a cutting remark; *een grievende verdenking* a hurtful suspicion; *grievende woorden* hurtful words 2 ⟨smartelijk, pijnlijk⟩ hurtful ⟨bw: ~ly⟩, bitter, grievous, painful ◆ *grievende gebeurtenissen* painful/grievous occurrences/events; *grievend zelfverwijt* bitter self-reproach
griezel [de^m] 1 ⟨engerd⟩ horror, terror, ogre, ⟨persoon⟩ creep, ugly customer, weirdo ◆ *wat een griezel!* what an ogre!; ⟨persoon⟩ what a weirdo! 2 ⟨rilling⟩ shudder, shiver, ⟨inf⟩ the creeps ⟨mv⟩ ◆ *de griezels lopen mij over de rug* it sends shivers down my spine, it gives me the creeps ▪ *grote griezels* blow me down, I'll be blowed/darned; ⟨vero⟩ shiver me timbers
griezelen [onov ww] shudder, shiver, get the creeps ◆ *ik griezel ervan* it gives me the shivers/shudders/creeps, it makes my flesh creep; ⟨bijvoorbeeld bij het geluid van tandartsboor⟩ it sets my teeth on edge; *het is om van te griezelen* it is enough to make you shiver/give you the creeps
griezelfilm [de^m] horror film, ⟨op video⟩ video nasty
griezelig [bn, bw] gruesome ⟨bw: ~ly⟩, grisly, ghastly, creepy, spine-chilling ◆ *een griezelig gezicht* a gruesome sight; *een griezelige kreet* a blood-curdling cry; *een griezelige wond* a ghastly wound
griezelverhaal [het] horror story, spine-chiller
grif [bn, bw] ready ⟨bw: readily⟩, ⟨vaardig⟩ adept, ⟨vlug⟩ rapid, prompt, instant ◆ *ik geef grif toe dat ...* I readily admit to ... (-ing); *grif op een aanbod ingaan* jump at an offer; *zij stemde grif toe* she readily agreed; *de gehele partij werd grif verkocht* the whole lot sold out fast, ⟨inf⟩ the whole lot sold like hot cakes, the whole lot were snapped up; *grif van de hand gaan* ⟨verkocht worden⟩ sell fast/like hot cakes, be fast-selling
griffe [de^v] (name-)tab, label, signature, stamp
griffel [de] 1 ⟨schrijfstift⟩ slate-pencil ◆ *de Gouden Griffel* 'de Gouden Griffel'; annual prize for author of best children's book; *een tien met een griffel krijgen* ⟨ook fig⟩ get ten out of ten (and a bonus mark) 2 ⟨landb⟩ graft, scion
griffelen [ov ww] 1 ⟨griffen⟩ engrave, inscribe (on), ⟨inkrassen⟩ incise/score (in) 2 ⟨enten⟩ graft, engraft, ingraft ◆ *appelbomen griffelen* (en/in)graft apple-trees; *peren op appelen griffelen* graft pears onto apples, engraft apples with pears
griffeling [de^v] ⟨landb⟩ grafting
griffelmes [het] ⟨landb⟩ grafting knife
griffen [ov ww] 1 ⟨griffelen⟩ engrave, incise/score (in), ⟨woorden⟩ inscribe (on) ◆ *er waren letters in gegrift* there were letters inscribed on it 2 ⟨schrijven⟩ (in)scribe (on) 3 ⟨fig⟩ engrave, stamp, (im)print, impress ◆ *die gebeurtenis is onuitwisbaar in zijn geheugen gegrift* that event is indelibly printed in/stamped on his memory 4 ⟨enten (op)⟩ graft (on(to)), engraft/ingraft (sth. with sth.)
griffie [de^v] ± registry, (government) secretariat, ⟨rechtbank⟩ registry, clerk of the court's office, Clerk's Department ⟨Engels Lagerhuis⟩ ◆ *de Provinciale Griffie in Utrecht*

the provincial registry/council offices in Utrecht; *klerk/commies ter griffie* ± registry clerk; *een verzoekschrift ter griffie neerleggen/deponeren, ter inzage van de leden* ± petition parliament; ⟨fig⟩ file a petition away somewhere, pigeonhole a petition

griffiegeld [het] court registry fee

griffier [de^{m}] [1] ⟨secretaris⟩ ± registrar, clerk [2] ⟨chef van de griffie⟩ ⟨Internationaal Hof van Justitie, Europees Hof van Justitie⟩ ± registrar, ⟨rechtbank⟩ clerk of the court, ⟨Engels Lagerhuis⟩ clerk of the House, ⟨Engels Hogerhuis⟩ clerk of the Parliaments

griffierecht [het] court fee/levy, legal charges/dues ⟨mv⟩

griffierschap [het] ± registrarship, clerkship

griffioen [de^{m}] griffin, griffon, gryphon

griffon [de^{m}] griffon

grifheid [de^{v}] readiness, promptness, alacrity, ⟨vaardigheid⟩ skill, adeptness

grijns [de] grin, smirk, grimace, ⟨boosaardig⟩ sneer ♦ *er kwam een **akelige** grijns op zijn gezicht* a wicked sneer/odious grin appeared on/came over his face; *een **brede** grijns* a broad grin; *een **jongensachtige** grijns* a boyish grin; *hij keek ernaar **met** een grijns* he looked at it with a grin/grinned at it; *een **onnozele** grijns* a silly grin/smirk

grijnslach [de^{m}] sneer, smirk

grijnslachen [onov ww] sneer, smirk

grijnzaard [de^{m}] grumbler, grouser, moaner, groaner

grijnzen [onov ww] [1] ⟨vals lachen⟩ smirk, sneer ♦ *hij **begon** te grijnzen* he started to smirk, a smirk appeared on his face [2] ⟨breed lachen⟩ grin ♦ ***breed** grijnzen* grin from ear to ear; *grijnzen **naar*** grin at; ***sta** niet zo dom te grijnzen!* wipe that silly grin off your face!

grijnzend [bn, bw] smirking ⟨bw: ~ly⟩, grinning ♦ *grijnzend **lachen*** smirk, sneer, laugh sardonically

grijp [de^{m}] [1] ⟨vogel⟩ griffin [2] ⟨vrek⟩ tightwad, grasping person, grabber

grijparm [de^{m}] grab

grijpbaar [bn] [1] ⟨te pakken⟩ tangible [2] ⟨te begrijpen⟩ comprehensible ♦ *het verhaal was voor mij **moeilijk** grijpbaar* the story was hard for me to understand/follow

grijpemmer [de^{m}] grab bucket, clamshell, grab

^{1}**grijpen** [onov ww] ⟨een grijpende beweging maken⟩ grab, ⟨hand uitstrekken⟩ reach (for) ♦ *het **anker** grijpt* the anchor bites; ⟨fig⟩ *de **brand** grijpt om zich heen* the fire is spreading; ***ernaast** grijpen* ⟨lett⟩ miss (it); ⟨fig⟩ miss out (on it); ⟨fig⟩ *dat is te **hoog** gegrepen* that is aiming too high; *hij greep **in** de modder* he groped (around) in the mud; ***naar** iets grijpen* reach/make a grab for sth., grasp/clutch at sth.; ***naar** de **fles** grijpen* reach for/turn to the bottle; ***naar** de **wapens** grijpen* reach for one's weapons/arms, take up arms; *de **tanden** van de raderen van een machine grijpen in elkaar* the teeth of the cogs of a machine engage one another/interlock; ⟨fig⟩ *de **ziekte** grijpt steeds verder om zich heen* the disease is spreading like wildfire; *hij greep om zich heen* he groped (a)round

^{2}**grijpen** [ov ww] [1] ⟨beetpakken⟩ grab (hold of), seize, grasp, grip, clasp, ⟨met een ruk⟩ snatch ♦ *de drenkeling greep de **balk** om zich drijvend te houden* the drowning man grabbed hold of the log to keep himself afloat; *iemand **bij** de strot grijpen* grab/seize s.o. by the throat; *plotseling werd ik **bij** de arm gegrepen* I was suddenly gripped by the arm; *de **dief** werd gegrepen* the thief was caught/nabbed/grabbed/seized; ⟨fig⟩ ***door** iets gegrepen zijn* be (deeply) affected/moved by sth.; *iemands **hand** grijpen* clasp s.o.'s hand; *hij greep zijn **kans*** he grabbed/seized his chance; *hij greep het **paard** bij de teugel* he grabbed the horse by the rein; ***voor** het grijpen liggen* be there for the asking/taking; *iets **voor** het grijpen hebben* have sth. for the asking [2] ⟨meesleuren⟩ drag (along) ♦ *de **auto** werd door de trein gegrepen* the car was dragged along by the train

grijper [de^{m}] [1] ⟨deel van een werktuig⟩ bucket, claw, grab, ⟨van robot⟩ gripper [2] ⟨iemand die grijpt, hebzuchtig mens⟩ → **grijp** [3] ⟨mv; vingers⟩ paws, mitts ♦ *hij zit met zijn **kleine** grijpers overal aan* he gets his little paws/mitts into everything

grijperkraan [de] ⟨wwb⟩ grab crane

grijpgraag [bn] grabby, grasping ♦ *grijpgrage **kinderhandjes*** itchy/grabby children's little fingers

grijpstaart [de^{m}] prehensile tail

grijpstuiver [de^{m}] [1] ⟨klein bedrag⟩ ± odd penny ♦ *er is wel een grijpstuiver aan te **verdienen*** ⟨inf⟩ you can earn a bob/^{A}buck or two at/from it; *ik heb het **voor** een grijpstuiver gekocht* I bought it for a song [2] ⟨mv; handen, vingers⟩ paws, mitts

grijptengel [de^{m}] ⟨inf⟩ paw, mitt

grijpvinger [de^{m}] paw, mitt

grijpvogel [de^{m}] [1] ⟨griffioen⟩ griffin [2] ⟨hebzuchtig persoon⟩ → **grijp**

^{1}**grijs** [het] grey, ⟨AE⟩ gray ♦ *zij was **in** 't grijs* she was in grey

^{2}**grijs** [bn] [1] ⟨kleur, tint⟩ grey, ⟨AE⟩ gray, grizzled, grizzly ♦ *een grijze **dag*** ⟨betrokken⟩ an overcast day; ⟨mistig⟩ a misty day; *grijs **van** het **stof*** white/grey with dust; *hij **wordt** al aardig grijs* he is turning/going a nice grey [2] ⟨met grijs haar⟩ grey(-haired), ⟨AE⟩ gray(-haired), white(-haired) ♦ *een grijs **hoofd*** a grey head; *hij **is** in de dienst grijs **geworden*** he grew grey in the job [3] ⟨zeer oud⟩ ancient, hoary ♦ *de grijze **oudheid*** the mists of time, hoary antiquity, the dim distant past; *in een grijs **verleden*** in the dim and distant past [4] ⟨beroerd⟩ miserable, grim, dismal, wretched ♦ *het **is** grijs* ⟨fig⟩ it is grim/dismal; ***maak** het nou niet te grijs* now don't make it too miserable, don't paint too bleak a picture [5] ⟨onwettig⟩ ⟨BE⟩ grey, ⟨AE⟩ gray ♦ *het grijze **circuit*** the grey market/circuit [6] ⟨saai⟩ ⟨BE⟩ grey, ⟨AE⟩ gray, boring, dull [·] *een plaat grijs **draaien*** wear a record out; ⟨bij pluggen⟩ play a record ad nauseam; *grijze **gebieden*** grey areas; ⟨mil⟩ *de grijze **zone*** the grey area

grijsaard [de^{m}] old man, grey-haired old man, ⟨AE⟩ gray-haired old man, greybeard, ⟨AE⟩ graybeard ♦ *een **afgeleefde** grijsaard* a decrepit/worn-out old man; ⟨BE ook; inf⟩ a clapped-out old man; *een **jeugdige** grijsaard* ⟨jong van hart⟩ a spry/sprightly/youthful old man; *een **tachtigjarige** grijsaard* an old man of eighty, an eighty-year-old man

grijsachtig [bn] greyish, ⟨AE⟩ grayish

grijsblauw [bn] grey(ish) blue, ⟨AE⟩ gray(ish) blue, glaucous

grijsbont [bn] dapple-grey, dappled grey, ⟨AE⟩ dapple-gray, ⟨AE⟩ dappled gray

grijsbruin [bn] dun, grey(ish)/^{A}gray(ish) brown, drab ♦ *een grijsbruin **paard*** a dun horse

grijsgeel [bn] flax, ⟨vaak attributief⟩ bisque

grijsgoed [het] computer hardware

grijsgroen [bn] grey(ish)/^{A}gray(ish) green, celadon, sage green, sea-green

grijsharig [bn] grey-haired, ⟨AE⟩ gray-haired, white-haired

grijsheid [de^{v}] [1] ⟨het grijs zijn⟩ greyness, ⟨AE⟩ grayness [2] ⟨hoge ouderdom⟩ old age

grijskop [de^{m}] ± grey-haired man, ⟨AE⟩ ± gray-haired man

grijsrijden [ww] avoid paying the full bus/tram fare, not pay full fare

grijsrijder [de^{m}], **grijsrijdster** [de^{v}] ± fare dodger, s.o. who avoids paying the full fare

grijsrijdster [de^{v}] → **grijsrijder**

grijswit [bn] greyish/^{A}grayish white, dull/dirty white

grijzen [onov ww] grey, go/turn grey, ⟨AE⟩ gray, ⟨AE⟩ go/turn gray ♦ *zijn haar **begint** al aardig te grijzen* his hair is already starting to go/turn grey nicely; *zij **begon** al te grijzen* she was already beginning to go/turn grey; *grijzend **haar*** greying hair, hair flecked with/streaked with grey

grijzig [bn] greyish, ⟨AE⟩ grayish

gril [de] whim, fancy, caprice, vagary ◆ ***aan** al iemands grillen **toegeven*** pander to all s.o.'s whims; ⟨in België⟩ ***aprilse** grillen* April showers; *ik ben niet van plan me **naar** zijn grillen te **schikken*** I don't intend to fit in with/cater to his whims; *een gril van het **noodlot*** a quirk of fate

grill [de^m] grill, gridiron ◆ *kip **van** de grill* grilled/barbecue(d) chicken

grillade [de] grilled meat

grill-bakoven [de^m] oven with built-in grill

grille [de] grill(e)

grillen [ov ww] grill, ⟨AE vnl⟩ broil ◆ *gegrild **vlees*** grilled/broiled meat

grilleren [ov ww] grill, ⟨AE vnl⟩ broil

grillig [bn, bw] 1 ⟨onvoorzien, wispelturig⟩ whimsical ⟨bw: ~ly⟩, fanciful ⟨bw: ~ly⟩, capricious, fitful, flighty ◆ *een grillig **gevormde** kustlijn* a craggy/jagged/rugged coastline; *een grillig **humeur** hebben* be moody; *een grillige **speling** van de natuur* a freak of nature; *grillig **weer*** fickle/changeable weather 2 ⟨onregelmatig van vorm⟩ ± freakish ⟨bw: ~ly⟩, ± surprising ⟨bw: ~ly⟩, ± fantastic ⟨bw: ~ally⟩ ◆ *grillige **lijnen/figuren*** fanciful lines/figures

grilligheid [de^v] 1 ⟨veranderlijkheid van zin⟩ capriciousness, whimsicality, fickleness, fancy 2 ⟨nuk, kuur⟩ whim, caprice, fancy ◆ ***aan** iemands grilligheden toegeven* pander to s.o.'s whims/fancies 3 ⟨onregelmatigheid⟩ fancifulness, grotesqueness, ⟨natuur⟩ freakishness ◆ *de grilligheid van een **gebouw*** the irregular shape of a building

grillpan [de] grill pan

grillroom [de^m] grill(-room)

grillworst [de] grilled sausage

grimas [de] grimace ◆ *grimassen **maken** (tegen)* make/pull faces (at)

grime [de] ⟨dram⟩ make-up, grease paint ◆ ***witte** grime* white grease paint; ***zwarte** grime* blacking

grimeren [ov ww] make up ◆ ***zich** grimeren* make o.s. up

grimeur [de^m] make-up artist

grimlach [de^m] snigger, snicker, sneer

grimlachen [onov ww] snigger, snicker, sneer

[1]**grimmig** [bn, bw] 1 ⟨vreselijk om aan te zien⟩ hideous ⟨bw: ~ly⟩, gruesome, ghastly, grisly ◆ *een grimmig **monster*** a hideous monster 2 ⟨toornig, woedend⟩ furious ⟨bw: ~ly⟩, livid ⟨bw: ~ly⟩, enraged ◆ *een grimmige **beer*** an enraged bear; *een grimmige **blik*** a furious look/glance; *grimmig **kijken*** look angrily/thunderously; *grimmig **lachen*** laugh grimly; *hij zag mij grimmig aan* he looked at me angrily 3 ⟨fel, boosaardig⟩ fierce ⟨bw: ~ly⟩, vicious ⟨bw: ~ly⟩, forbidding ◆ *grimmige **acties*** vicious actions; *een grimmige **kou*** a severe cold; *het grimmige **Noorden*** the forbidding north

[2]**grimmig** [bw] ⟨fel, hevig⟩ fiercely, intensely ◆ *'t is grimmig **koud*** it is intensely/fiercely cold

grimmigheid [de^v] fury, rage, wrath

grind [het] ⟨collectivum⟩ gravel, ⟨grover⟩ shingle, ⟨zeldz⟩ chesil, ⟨voor wegenbouw⟩ (road-)metal, ⟨voor menging ook⟩ aggregate ◆ ***fijn** en grof grind* sharp sand and shingle; *grind in de tuin **laten brengen*** have gravel put down in the garden; *een weg **met** grind bedekken* surface a road with gravel

grindbaan [de] gravel road, metalled/^Ametaled road, metalled/^Ametaled track

grindbak [de^m] gravel

grindbank [de] gravel bank

grindbed [het] (bed of) ballast

[1]**grinden** [onov ww] ⟨grind delven⟩ excavate/quarry gravel, excavate/quarry shingle

[2]**grinden** [ov ww] ⟨met grind bestrooien⟩ lay/put down gravel, gravel, ⟨als oppervlakte⟩ surface with gravel, ⟨m.b.t. wegenbouw⟩ metal ◆ *een **weg** grinden* metal a road

grinderij [de^v] gravel pit

grindfilter [het, de^m] gravel filter(-bed)

grindgroeve [de], **grindkuil** [de^m] gravel pit

grindgrond [de^m] gravel bank(s), stretch of gravel

grindhor [de] riddle

grindhoudend [bn] gravelly, ⟨AE⟩ gravely, shingly

grindkuil [de^m] → **grindgroeve**

grindlaag [de] layer of gravel, ⟨geol⟩ stratum of gravel

grindpad [het] gravel/gravelled path

grindweg [de^m] gravel/gravelled road

grindzand [het] sharp sand

grinniken [onov ww] chuckle, chortle, ⟨sluw of pej⟩ snigger, snicker ◆ *hij grinnikte **over** zijn eigen grap* he chuckled at his own joke; *grinniken **tegen*** chuckle at; *grinniken **van** plezier* chuckle/chortle with glee; ***zit** niet zo dom te grinniken!* stop that silly sniggering!

griotje [het] ± lozenge, ± drop

[1]**griotte** [het] ⟨roodachtig marmer⟩ reddish striated marble

[2]**griotte** [de] 1 ⟨zure kers⟩ sour cherry, morello, ⟨AE⟩ amarelle 2 ⟨snoeperij⟩ ± lozenge, drop

grip [de^m] 1 ⟨houvast, greep⟩ grip, bite, hold, ⟨van wielen ook⟩ traction ◆ *grip **hebben** op* ⟨ook fig⟩ have a grip on; *een goede grip op de weg **hebben*** have good road holding; *met gladde banden **heeft** een auto minder grip op de weg* with bald tyres/^Atires a car has less grip on the road; *geen grip op iets **kunnen krijgen*** ⟨fig⟩ not be able to come/get to grips with sth., ⟨AE⟩ not be able to get a handle on sth. 2 ⟨handvat⟩ grip, handle

gripanker [het] grip anchor

grisaille [het, de] 1 ⟨schilderwerk⟩ grisaille ◆ *grisaille **schilderen*** do grisaille painting 2 ⟨zijden stof⟩ grisaille

grissen [ov ww] snatch, grab, swipe ◆ *hij griste mij het potlood **uit** handen* he snatched the pencil out of my hands

gristen [de^m] derogatory form of the Dutch word for 'Christian'

grit [het] grit

gritstralen [ov ww] sandblast

grivna [de^m] grivna

grizzlybeer [de^m] grizzly (bear)

groef [de] 1 ⟨uitholling, inkerving⟩ groove, furrow, ⟨gleuf⟩ slot, ⟨in een zuil⟩ flute ◆ ⟨fig⟩ *de zorg had **diepe** groeven in haar voorhoofd getekend* worry had deeply furrowed/lined her brow; *de groeven van een **grammofoonplaat*** the grooves in a gramophone record; *een groef in iets **maken*** make/cut a groove in sth.; *een pilaar **met** groeven* a fluted pillar; *de groeven **op** een vijl* the grooves/cuts in a file 2 ⟨m.b.t. planken⟩ groove ◆ *met **messing** en groef* tongued and grooved 3 ⟨greppel, sloot⟩ channel, ditch, gull(e)y

groefrail [de^m] sunk(en) rail

groefschaaf [de] router

groefzaag [de] grooving saw

groei [de^m] 1 ⟨het groeien⟩ growth, development ◆ *hij **heeft** de groei in de benen* he has got growing pains in his legs; *die jongen is **in** de groei* he is a growing lad/boy; *een broek die **op** de groei gemaakt is* trousers which allow for growth; ***persoonlijke** groei* personal growth; *die boom komt niet tot zijn **volle** groei* that tree will not reach its full growth 2 ⟨toename⟩ growth, increase, rise, ⟨uitbreiding⟩ expansion ◆ *de **snelle** groei van de VPRO* the rapid growth/expansion of the VPRO

groeiaandeel [het] ⟨ec⟩ growth share

groeibeleid [het] policy of growth

groeiboek [het] baby's book

groeicapaciteit [de^v] potentiality, growth potential

groeicurve [de] growth/development curve

groeidiamant [de^m] add-a-diamond

groeien [onov ww] 1 ⟨m.b.t. levende wezens, organen⟩ grow, develop ◆ *hij groeit **als** kool* ⟨kind⟩ he is shooting up; ⟨baby⟩ he's coming on well; ⟨fig⟩ *ergens **in** groeien* gloat over sth.; *zijn baard/haar **laten** groeien* grow a beard/one's hair; *het kind **moet** er nog van groeien* the child has got to grow;

⟨fig⟩ ***naar** elkaar toe groeien* grow towards one another; ***scheef** groeien* grow awry/on the slant/crooked; *hij groeit **tegen** de verdrukking **in*** he blossoms in adversity; ***uit** zijn kleren groeien* outgrow/grow out of one's clothes; *die jongen is **uit** zijn kracht gegroeid* that boy has outgrown/overgrown himself; ⟨fig⟩ *zij **voelde** zich groeien* she felt herself growing in stature; ***wat** ben je gegroeid* how you've grown! [2] ⟨m.b.t. gewassen⟩ grow ♦ *groeien en **bloeien*** (blossom and) flourish; *bramen groeien **in** het wild* brambles grow in the wild; *het geld groeit mij niet **op** de rug* I am not made of money; ⟨fig⟩ *er zal een goede lerares **uit** haar groeien* she will develop into/turn into/make a good teacher [3] ⟨toenemen⟩ grow, increase, rise ♦ *mijn **achting** voor u groeit met iedere nieuwe brief* my esteem for you rises with each new letter; *met groeiende **belangstelling*** with increasing/growing interest; *groeiend **ongeduld*** increasing impatience [•] *de acteur groeide **in** zijn rol* the actor grew into his part/warmed to his role

groeifactor [de^{m}] growth factor

groeifonds [het] ⟨handel⟩ stock, growth share ⟨meestal mv⟩

groeigemeente [de^{v}] (targeted) growth community

groeigroep [de] growth group

groeihormoon [het] growth hormone

groeihypotheek [de^{v}] ⟨fin⟩ graduated payment mortgage

groeikern [de] [1] ⟨centraal punt vanwaaruit iets groeit⟩ centre of growth [2] ⟨planologie⟩ centre of urban growth/development/expansion, ± overspill town

groeikoorts [de] growing-pains

groeikracht [de] [1] ⟨kracht van een levend organisme⟩ vitality, viability, vigour, ↑ vegetal/vegetative/vegetive force, ⟨van zaad⟩ seedling vigour, sprouting power [2] ⟨vermogen van de natuur⟩ vital force

groeilaag [de] annual/growth ring

groeimarkt [de] ⟨handel⟩ growth market

groeimiddel [het] growth substance/regulator, growth factor, ⟨voor planten⟩ auxin

groeipercentage [het] growth/increase percentage

groeipijn [de] growing pains

groeipremie [de^{v}] growth incentive premium

groeiproces [het] growth (process)

groeipunt [het] growing point

groeischijf [de] epiphysis

groeisector [de^{m}] ⟨handel⟩ growth sector

groeispurt [de^{m}] [1] ⟨van kinderen⟩ growth spurt [2] ⟨alg⟩ rapid growth spurt ♦ *de economie **maakt** een groeispurt **door*** the economy is booming

groeistad [de] overspill town

groeistof [de] growth regulator/substance, auxin

groeistuip [de] [1] ⟨stuip ten gevolge van de groei⟩ growing pain ⟨meestal mv⟩ [2] ⟨moeilijkheden door (te) snelle ontwikkeling⟩ growing pains, teething troubles, initial problems

groeitaak [de] ⟨planol⟩ designation as a centre of urban growth/development

groeitijd [de^{m}] growing season ♦ *een jongen **in** de groeitijd* a growing boy

groeitop [de^{m}] apical meristem

groeivertraging [de^{v}] ⟨ec⟩ growth recession

groeiverwachting [de^{v}] growth projection

groeizaam [bn, bw] [1] ⟨de groei bevorderend⟩ favourable (to growth), ⟨weer, klimaat, lucht enz.⟩ genial, ⟨ook weer⟩ growing ♦ *groeizaam **weer*** growing weather [2] ⟨vruchtbaar⟩ fertile ♦ *groeizame **akkers*** fertile fields [3] ⟨groeikracht hebbend⟩ vigorous, ⟨zaad⟩ viable

[1]**groen** [het] [1] ⟨kleur⟩ green ♦ *ze was **in** het groen (gekleed)* she was (dressed) in green [2] ⟨loof⟩ green, greenery, ⟨bladeren ook⟩ foliage, ⟨form⟩ verdure ♦ ***openbaar** groen* ± public parks and gardens; ***wilt** u er ook wat groen bij?* ⟨m.b.t. bloemen⟩ would you like some greenery?; *het groen van **wortelen*** the tops of carrots

[2]**groen** [bn] [1] ⟨m.b.t. de kleur⟩ green ♦ *groene **erwten*** green/garden peas; *zich groen en **geel** ergeren* be terribly irritated/annoyed (by); *het werd hem groen en **geel** voor de ogen* his head began to swim, everything began to swim before his eyes; *ik erger me groen en **geel** aan dit programma* this programme gets my goat/makes my blood boil/makes me see red; ⟨verk⟩ *een groene **golf*** phased traffic lights; *hij is nog groen **in** het vak* he's new to/at the job; *een groene **kaart*** ⟨BE⟩ a green card; ± an International Motor Insurance Card; *groene **kaas*** green cheese; *het groene **laken*** the green cloth; *(iemand) het groene **licht** geven (om ...)* give (s.o.) the green light/the go-ahead (to ...); *groene **ogen*** green eyes; *het signaal sprong **op** groen* the signal turned green/changed to green; *de groene **tafel*** the boardroom table, the council board; ⟨sport⟩ the gaming table; *groene **thee*** green tea; ⟨wielersp⟩ *de groene **trui*** the green jersey [2] ⟨onrijp⟩ ⟨ook fig⟩ green, unripe ♦ *dat was in haar groene **jaren*** that was in her salad days; *die **peren** zijn nog groen* the pears are still green/not yet ripe; ***rijp** en groen* the good with the bad [3] ⟨met begroeiing⟩ green, ↑ verdant ♦ *de **bomen** worden groen* the trees are turning green/coming into leaf; ⟨wwb⟩ *groene **duin*** dunes covered with dune grass; *het groene **eiland*** the Emerald Isle; *het groene **hart** (van Holland)* the green heart (of Holland); *groen **land*** ± grassland; *een groene **Pasen*** a late Easter; *een groene **sloot*** a ditch covered in duckweed; *het groene **veld*** the green field, ↑ the sward [4] ⟨milieuvriendelijk⟩ green ♦ ***de groenen*** the Greens; *de groene **partij*** the Green Party, the Greens [•] ⟨in België⟩ *groen **lachen*** laugh on the wrong side of one's face; ⟨sprw⟩ *een oude bok lust nog wel een groen blaadje* ± there's life in the old dog yet

groenbedrijf [het] ⟨BE⟩ market garden, ⟨AE⟩ truck farm/garden

groenbemesting [de^{v}] green manuring

groenblauw [bn] greenish blue, peacock blue

groenblijvend [bn] evergreen

groenbruin [bn] greenish brown, ⟨ook van ogen⟩ hazel, ⟨geelachtig⟩ olive

groene [de] [1] ⟨nieuweling⟩ → **groentje** [2] ⟨pol⟩ Green

groenekool [de] green cabbage

[1]**groenen** [onov ww] ⟨groen zijn, worden⟩ be/grow/get green, show its greenery, ↑ be verdant, ↑ be decked in green ♦ *het **bos** groent al* the woods are already getting green; *het groenend **grastapijt*** the flourishing/verdant turf

[2]**groenen** [ov ww] ⟨groen maken⟩ (make) green

groenfonds [het] green (investment) fund

groengebied [het] greenbelt

groengeel [bn] greenish yellow, chartreuse

groengordel [de^{m}] greenbelt

groenharing [de^{m}] fresh/white herring

groenheid [de^{v}] [1] ⟨groenigheid⟩ greenness, ⟨form⟩ verdancy, viridity, viridescence, virescence [2] ⟨frisheid⟩ greenness, freshness [3] ⟨onervarenheid⟩ greenness, ↑ viridity [4] ⟨m.b.t. fruit⟩ sourness, tartness, acidity, ↑ astringency

groenhout [het] greenwood

groenig [bn] greenish, greeny, ⟨form⟩ virescent, viridescent

groenknolorchis [de] yellow widelip orchid

Groenland [het] Greenland

Groenlander [de^{m}], **Groenlandse** [de^{v}] Greenlander

Groenlands [bn] Greenland(ic) ♦ *Groenlandse **duif*** black guillemot; *de Groenlandse **taal*** Greenlandic; *Groenlandse **walvis*** Greenland (right) whale, bowhead (whale), steepletop

Groenlandse [de^{v}] → **Groenlander**

groenling [de^{m}] ⟨dierk⟩ greenfinch

groenmarkt [de] vegetable market

groenpluk [de^{m}] ⟨ec⟩ employment of students before they finish school

Groenland	
naam	*Groenland* **Greenland**
officiële naam	*Groenland* **Greenland**
inwoner	*Groenlander* **Greenlander**
inwoonster	*Groenlandse* **Greenlander**
bijv. naamw.	*Groenlands* **Greenlandic**
hoofdstad	*Nuuk* **Nuuk**
munt	*Deense kroon* **Danish krone**
werelddeel	*Amerika* **Europe**
int. toegangsnummer **299** www .gl auto **GRO**	

groenpootruiter [de^m] greenshank
groensteen [het, de^m] ⟨geol⟩ greenstone
groenstrook [de] 1 ⟨groengordel⟩ greenbelt, green space/area 2 ⟨middenberm⟩ grass/centre strip, ⟨BE⟩ (central) reservation, ⟨AE⟩ median (strip)
groente [de^v] vegetable, greenstuff, ⟨inf; BE⟩ veg, greens ♦ *geef me de groente eens* ***aan*** please pass (me) the vegetables; ***gesneden*** *groente* sliced vegetables; ***ingemaakte/gedroogde*** *groente* ^B tinned/^A canned vegetables, dehydrated vegetables; ***jonge*** *groenten* young vegetables; *vlees en twee verschillende* ***soorten*** *groente* meat and two vegetables/veg; *zijn eigen groente* ***verbouwen*** grow one's own vegetables, ± live off the land; ***verse/voorgesneden*** *groente* fresh/presliced vegetables; ***zelfgekweekte*** *groenten* home-grown vegetables
groentebed [het] vegetable bed/plot/patch
groenteboer [de^m], **groenteman** [de^m] 1 ⟨verkoper⟩ greengrocer, ⟨straatventer; BE⟩ costermonger, ⟨BE⟩ coster 2 ⟨winkel⟩ greengrocer's (shop), greengrocery
groenteburger [de^m] veggieburger
groentedrogerij [de^v] vegetable drying-plant
groentehal [de] 1 ⟨hal als groentemarkt⟩ vegetable market hall, vegetable mart 2 ⟨goedkope groentewinkel⟩ vegetable mart, cut-price greengrocer's
groentekar [de] greengrocer's barrow/cart, ⟨BE ook⟩ costermonger's barrow/cart
groentekweker [de^m] (vegetable) grower, ⟨BE⟩ market gardener, ⟨AE⟩ truck farmer/gardener, ⟨AE⟩ trucker
groentelade [de] ⟨in koelkast⟩ crisper (compartment)
groenteman [de^m] → **groenteboer**
groentemarkt [de] vegetable market
groentesnijder [de^m] vegetable grater/shredder
groentesoep [de] vegetable soup, ⟨helder⟩ julienne
groentetuin [de^m] vegetable/kitchen garden
groenteveiling [de^v] 1 ⟨veiling van groenten⟩ vegetable auction, vegetable market/mart 2 ⟨veilinggebouw⟩ vegetable auction-hall, vegetable market/mart
groentevrouw [de^v] greengrocer, ⟨straatventer⟩ vegetable-woman, vegetable-seller
groentewinkel [de^m] greengrocer's (shop), greengrocery
groentijd [de^m] 1 ⟨stud; ontgroeningstijd⟩ ⟨m.b.t. student⟩ freshman year, ↑ noviciate 2 ⟨tijd dat een signaal op groen staat⟩ green phase
groentje [het] greenhorn, novice, ⟨op school ook; BE⟩ new boy/girl, ↑ tiro, tyro, ⟨student⟩ freshman, ⟨BE⟩ fresher, ⟨AE⟩ freshie, ⟨mil⟩ new/raw recruit, ⟨mil, honkb; AE⟩ rookie
groenvoeder [het] → **groenvoer**
groenvoer [het], **groenvoeder** [het] 1 ⟨voor vee⟩ soilage, green crop/fodder ♦ *groenvoer* ***geven*** soil; *groenvoer* ***inkuilen*** ensile 2 ⟨scherts; groente⟩ rabbit food
groenvoorziening [de^v] green space/area, ⟨m.b.t. planol⟩ open space planning
groenwerker [de^m] basketmaker
groenzand [het] ⟨geol⟩ greensand
groep [de] 1 ⟨verzameling⟩ group, ⟨van mensen ook⟩ knot, ⟨van toeristen/reizigers⟩ party, ⟨van bomen/huizen/sterren/eilanden ook⟩ cluster, ⟨van nieuwe leerlingen/brieven/rekruten⟩ batch, ⟨van bomen/heesters/planten ook⟩ clump, ⟨van rovers/hervormers/vluchtenden ook⟩ band ♦ *van de groep* ***afraken*** get parted from the group; *een grote groep* ***agenten*** a large body of policemen; *we gaan* ***als*** *groep, of we gaan niet* we'll go in a group or not at all; *een grote groep van de* ***bevolking*** a large section of the population; *we kwamen nog andere groepjes* ***feestgangers*** *tegen* we met other groups/parties of party-goers; *een groepje pratende* ***heren*** a group/knot of gentlemen talking; *bij de groep* ***horen*** be one of the crowd; ***in*** *groepen leven* herd; ***in*** *groepjes van vijf of zes* in groups of five or six; *we gingen* ***in*** *een groep rond de gids staan* we formed a group round/we grouped ourselves round the guide; *ze trokken* ***in*** *grote groepen naar het stadion* they flocked to the stadium; *laten we bij elkaar blijven,* ***in*** *een groep is het veiliger* let's stay together, there's safety in numbers; ***in*** *groepjes van twee/****in*** *kleine groepjes kwamen ze naar buiten* they came out in twos/in small groups; *een grote groep* ***kiezers*** a large body of voters; *een uitgelezen groep* ***mensen*** a picked group of people; *de groep der* ***Molukken*** the Moluccas, the Moluccan Islands; *een groep* ***potvissen*** a school of sperm whales; *een groep* ***wolven*** a pack of wolves 2 ⟨vaak in samenstellingen; onderverdeling⟩ group, section, class, ⟨m.b.t. onderw; BE⟩ year, ⟨AE⟩ grade ♦ ***leeftijds****groep* age group/bracket; *de groep der Indo-Germaanse* ***talen*** the Indo-Germanic family (of languages) 3 ⟨vaak in samenstellingen; m.b.t. personen⟩ group ♦ *iets* ***in*** *de groep gooien* put sth./throw sth. out to the group, start a group discussion on sth.; *ervaring in het* ***omgaan met*** *groepen* experience in dealing with groups; ***studie****groep* study group 4 ⟨bk⟩ group 5 ⟨goot in koestal⟩ manure gutter
groepage [de^v] groupage, grouping, bulking, joint cargo
groepen [ov ww] group
[1]**groeperen** [ov ww] ⟨rangschikken⟩ group, classify, divide ♦ ***anders/opnieuw*** *groeperen* realign, regroup; *de* ***cijfers*** *groeperen* present figures in the best possible light
[2]**zich groeperen** [wk ww] 1 ⟨zich om iemand, iets heen plaatsen⟩ cluster (round), gather (round), ⟨dicht bij elkaar⟩ huddle (round) 2 ⟨zich tot een groep aaneensluiten⟩ group (together), form a group, mass, gather (together) ♦ *de verontruste* ***CPN'ers*** *groepeerden zich* the alarmed CPN members formed a group/began to close (their) ranks
[3]**groeperen** [ov ww, ook abs] ⟨bk⟩ group, arrange
groepering [de^v] 1 ⟨het groeperen⟩ grouping, classification, division 2 ⟨groep⟩ grouping, ⟨pol ook⟩ faction, ⟨losser⟩ alignment ♦ ***politieke*** *groeperingen* political groupings, (political) factions
groepsbelang [het] sectional interest ⟨meestal mv⟩ ♦ ***allerlei*** *groepsbelangen speelden een rol* all sorts of sectional interests were involved
groepscode [de^m] code of a group, group code/ethic
groepscommandant [de^m] ⟨mil⟩ 1 ⟨bevelhebber over een groep forten⟩ ± area commander 2 ⟨commandant van een groep soldaten⟩ ⟨BE⟩ section leader, ⟨AE⟩ squad leader
groepsdier [het] 1 ⟨kuddedier⟩ social animal 2 ⟨fig⟩ social animal
groepsdruk [de^m] group pressure, peer group pressure
groepsdwang [de^m] peer pressure
groepsdynamica [de^v] group dynamics ⟨mv⟩
groepsfoto [de] group photo(graph)
groepsgeest [de^m] team spirit, esprit de corps
groepsgeluid [het] collective sound
groepsgesprek [het] 1 ⟨in een groep gevoerd gesprek⟩ group conversation 2 ⟨telefoongesprek van een groep⟩ conference call
groepsgevoel [het] sense of belonging (to the/a group)

groepsgewijze [bw] in groups, in batches, ⟨in kleine getallen; inf⟩ in dribs and drabs ♦ *de gasten **kwamen** groepsgewijze **binnen*** the guests came in in groups/in dribs and drabs
groepshuwelijk [het] ⟨antr⟩ group/communal marriage
groepsindeling [de^{v}] division into groups
groepskarakter [het] social character
groepskorting [de^{v}] group discount
groepsleider [de^{m}] group leader
groepsnorm [de] norm of a group, group norm/ethic
groepsnummer [het] group number ♦ *ons bedrijf **heeft** een groepsnummer* our firm's number has several lines
groepsportret [het] group portrait, ⟨foto ook⟩ group photo(graph)
groepspraktijk [de] group practice
groepsproces [het] group process
groepsreis [de] group travel
groepsruimte [de^{v}] common room
groepsseks [de^{m}] group sex, ⟨partnerruil⟩ wife-swapping
groepsstart [de^{m}] mass start
groepstaal [de] jargon, ⟨inf⟩ lingo, ⟨taalk; m.b.t. maatschappelijke groep⟩ sociolect
groepstarief [het] group rate, rate for groups/parties
groepstherapie [de^{v}] group therapy
groepsverband [het] ♦ ***in** groepsverband* ⟨m.b.t. één groep⟩ in a group/team; ⟨m.b.t. meerdere groepen⟩ in groups/teams; *werken **in** groepsverband* work as a team, do teamwork
groepsverkrachting [de^{v}] gang rape
groepsvorming [de^{v}] breaking down into smaller groups ♦ *er **trad** al snel groepsvorming **op** in het gezelschap* the party soon broke down into smaller groups
groepswedstrijd [de^{m}] group match
groepswerk [het] 1 ⟨teamwork⟩ group work, teamwork 2 ⟨sociale, sociaal-culturele beïnvloeding⟩ group work
groepswinst [de^{v}] 1 ⟨sport⟩ group phase victory 2 ⟨ec⟩ combined profit
groet [de^{m}] greeting, ↑salutation, ⟨vnl mil⟩ salute ♦ *de groeten **aan** je vrouw!* remember me to your wife, give my (kind) regards to your wife; *hij **beantwoordde** mijn groet **met** 'ook hallo'* he returned/answered/replied to/acknowledged my greetings with 'hello to you (too)'; *een **beleefde/vriendelijke/koele** groet* a polite/cordial/cool greeting; *de militaire groet **brengen*** salute (in military fashion), stand at the salute; ***doe** hem de groeten van mij* give him my best wishes/my (kind) regards, remember me to him; ⟨minder form⟩ say hello to him for me; *de groeten **doen*** remember s.o. to s.o., give s.o.'s regards/love/best to s.o., send s.o. one's love; *de **hartelijke** groeten* kind/best regards, warm(est) greetings; *je moet de groeten van haar **hebben**. o, **doe** haar de groeten terug* she sends (you) her regards/love. oh, the same to her; *een **korte** groet tot afscheid* a parting word; *een **laatste** groet brengen* pay one's last respects (to); *de **militaire** groet* (military) salute; *iemands groeten **overbrengen*** pass on/convey s.o.'s greetings/regards; *iemands groeten aan iemand **overbrengen*** give s.o.'s regards to s.o., remember s.o. to s.o.; *de groeten **thuis*** say hello to/give my love to everyone at home; *groeten **uit** Amsterdam* greetings/all the best/best wishes from Amsterdam; *de groeten, ook **van** mijn man* my husband joins me in wishing you all the best; *met **vriendelijke** groeten* with kind(est) regards, ↑yours sincerely; *een groet **wisselen** met* exchange greetings/a word of greeting with; *de groeten!* ⟨afscheidsgroet⟩ see you!, ⟨BE⟩ cheers!; ⟨vergeet het maar⟩ not on your life!, forget it!, no way!
groeten [ov ww, ook abs] 1 ⟨gedag zeggen⟩ greet, ⟨met woorden⟩ say hello, pass the time of day, ⟨met hoed⟩ take off one's hat (to), raise one's hat (to) ♦ *iemand **eerbiedig** groeten* greet s.o. respectfully; ⟨onderdanig⟩ touch one's forelock to s.o.; ***elkaar** groeten op straat* greet/acknowledge one another in the street; *ik groette **haar**, toen moest ze mij wel groeten* I greeted her/I said hello, so she had to/was forced to acknowledge me/to repay the compliment; *ik groet **je**!, ik **wil** je groeten!* (a very) good day to you; *vader **laat** u groeten* father sends (you) his regards/love/best; *iemand **laten** groeten* ask to be remembered to s.o.; ***met** een buiging groeten* bow to; *wij kennen de buren net goed genoeg **om te** groeten* we only know the neighbours to nod to, we are only on nodding terms with the neighbours; *hij groette mij **vriendelijk*** he greeted me/said hello in a friendly way/manner; ***wees** gegroet* Hail Mary; ⟨vnl. m.b.t. muz⟩ Ave Maria; *ik heb de eer u te groeten* I wish you good-day; ⟨iron⟩ (a very) good day to you!; *in het voorbijgaan groeten* greet in passing 2 ⟨mil⟩ salute ♦ *het **vaandel/de vlag** groeten* salute the colours/flag
groetplicht [de] ⟨mil⟩ duty/obligation/requirement to salute
groeve [de] 1 ⟨ruimte waaruit een delfstof gewonnen wordt⟩ ⟨lei⟩ quarry, ⟨kalk, zand, klei, leem, gips, grind, bruinkool⟩ pit, ⟨i.h.b. deel van groeve⟩ working ♦ *een **open** groeve* an open-pit, ⟨vnl BE⟩ an open-cast, ⟨vnl AE⟩ an open-cut (mine) 2 ⟨grafkuil⟩ grave ♦ *een **geopende** groeve* an open grave
groeven [ov ww] 1 ⟨graveren⟩ groove, ⟨krassen, kerven⟩ score, ⟨zuilen⟩ flute, ⟨met guts⟩ gouge, ⟨insnijden⟩ incise ♦ *de zorg had diepe rimpels **in** zijn voorhoofd gegroefd* worry had deeply furrowed/lined his brow 2 ⟨m.b.t. planken⟩ groove
groezelig [bn] grubby, grimy, ⟨stof, kleren ook⟩ dingy, ⟨ondergoed, hemden ook⟩ soiled, dirty
grof [bn, bw] 1 ⟨groot van stuk⟩ coarse ⟨bw: ~ly⟩, ⟨fors⟩ hefty, robust ♦ *hij heeft grove **botten*** he's got big bones, he's big-boned/heavily built; *grof geschut **gebruiken*** bring up the heavy artillery; *een grove **kam*** a coarse-toothed comb; *grof **schrijven*** write heavily; *een zaag met grove **tanden*** a coarse(-toothed) saw; *hij is grof **van bouw*** he is big-boned/heavily built; *grof **zand*** coarse sand 2 ⟨ruw bewerkt⟩ coarse ⟨bw: ~ly⟩, rough ⟨bw: ~ly⟩, crude ♦ *grof **aardewerk*** coarse earthenware; *grof **brood*** coarse/rough bread; ⟨volkoren⟩ wholemeal bread; *grof **garen*** coarse yarn/thread; *grove **gelaatstrekken*** coarse features; *een grove **houtsnede*** a crude woodcut; ⟨fig⟩ *een eerste, grove **indeling*** a first, rough division; *grof **papier*** coarse paper; *iets grof **schetsen*** ⟨lett⟩ make a sketch of sth., ⟨fig⟩ give a sketch of sth.; ⟨fig ook⟩ sketch sth. in broad outlines; ⟨fig⟩ *een grove **smaak*** vulgar taste; *grove **suiker*** ⟨ongeraffineerd⟩ unrefined sugar; ⟨kristalsuiker⟩ granulated sugar; *een grof **weefsel*** ⟨manier van weven⟩ a coarse weave; ⟨stuk stof⟩ a (piece of) coarsely-woven fabric; *grof **zout*** coarse salt 3 ⟨bijzonder erg⟩ gross ⟨bw: ~ly⟩, flagrant, ⟨beled⟩ rude, ⟨sterker⟩ crass ♦ *grove **beledigingen*** gross insults; *een grove **fout*** a gross/bad/glaring mistake; *grof **geweld*** brute force; *dat **is** al te grof* that's going too far; ⟨euf⟩ that's a bit thick/much; *hij **is** (erg) grof* he is (abominably) rude; *een grove **leugen*** a gross/big lie; *grof **liegen*** lie barefacedly/shamefacedly, ⟨sterker⟩ lie through one's teeth; *grove **manieren*** bad manners; *grove **mop*** broad/dirty/ribald joke; ⟨pej⟩ crass/filthy joke; *(een) grove **nalatigheid*** gross negligence; *het is een grof **schandaal*** it's a crying shame, ↓it's a bloody shame; ⟨euf⟩ it's a bit thick/much; *grof **spelen*** ⟨ook fig⟩ foul, play roughly/unfairly; *grove **taal*** coarse/bad language; *zich grof **vergissen*** make a gross/bad/glaring mistake; *hij **werd** grof* he became abusive; ⟨inf⟩ he cut up rough; *een grof **woord*** a swear word, a curse; *je hoeft niet meteen grof te **worden*** you don't need to/there's no need to be rude/abusive 4 ⟨in 't groot⟩ ♦ *grof **geld** verdienen* make/earn big money/a pile/a mint; *grof **spel** spelen* play for high stakes; *grof **spelen*** play high, play for high stakes;

een werkster voor het grove ***werk*** a cleaner for the heavy work; ⟨BE ook⟩ a charlady/charwoman, ⟨inf⟩ a char; *grove* ***winst*** *maken* make a packet

grofdradig [bn] ⟨hout⟩ coarse-textured, ⟨weefsel⟩ coarse-threaded

grofgebouwd [bn] heavily-built, stocky, hefty, large-limbed, big-boned

grofheid [de^v] [1] ⟨het grof-zijn⟩ ⟨alg⟩ coarseness, ⟨onbeleefdheid, vulgariteit⟩ rudeness, ⟨ruwheid, eenvoud⟩ roughness, ⟨krasheid⟩ grossness, crassness ♦ ***zo'n*** *grofheid kan niet door de beugel* such coarseness (just) will not do [2] ⟨iets grofs, onbeschofte uitlating⟩ rude remark, ↑vulgarity, ↑scurrility, abuse

grofkorrelig [bn] ⟨materiaal, poeder, slijpsteen, structuur⟩ coarse-grain, ⟨film, breukvlak⟩ coarse-grained

grofmazig [bn] coarsely-woven

grofmeel [het] wholemeal, ⟨AE⟩ whole-wheat flour, ⟨met tarwekorrels⟩ granary flour

grofsmederij [de^v] blacksmith's (shop), ⟨fabriek⟩ ironworks

grofte [de^v] gauge, ⟨dikte⟩ thickness, ⟨gewicht⟩ weight, ⟨m.b.t. zijden/kunststof garen⟩ denier ♦ *linnen garens van* ***verschillende*** *grofte(s)* linen threads/cottons of various gauges/thicknesses/numbers

grofvuil [het] (collection of) bulky (household) refuse/rubbish/garbage/trash, (collection of) oversized (household) refuse/rubbish/garbage/trash ♦ *dat kan* ***naar*** *het grofvuil* you can put it out for the ^B^dustmen/^A^garbage men

grofweg [bw] roughly, about, around, ⟨inf⟩ give or take a few ♦ *dat* ***kost*** *je grofweg drieduizend euro* that will cost you about/in the region of three thousand euros ⊡ *dat* ***is*** *grofweg een leugen* that is a downright lie

grofwild [het] big game

grofzinnelijk [bn] lascivious, lewd

grog [de^m] grog, (hot) toddy, ⟨IE ook⟩ hot whiskey ♦ *grog van/met* ***cognac*** cognac grog, hot toddy with cognac; ***neem/drink*** *een grog en duik dan je bed in* drink a hot toddy and then take to your bed

groggy [bn] groggy, dazed, ⟨vnl. bij boksers ook⟩ punch-drunk ♦ *de bokser* ***viel*** *groggy achterover* the boxer fell down punch-drunk

grogstem [de] husky voice

grol [de^m] [1] ⟨grap⟩ (broad) joke, ⟨inf⟩ gag, crack [2] ⟨frats⟩ trick, antic ⟨voornamelijk mv⟩, prank ♦ *hij zit vol* ***grappen*** *en grollen* he's a real joker/bag of laughs

grollen [onov ww] [1] ⟨brommend geluid maken⟩ grunt, ⟨maag, donder⟩ rumble, ⟨hond⟩ growl ♦ *een grollend* ***zwijn*** a grunting pig [2] ⟨grappen verkopen⟩ make/crack jokes

[1]**grom** [de^m] ⟨grommend geluid⟩ growl, snarl ♦ *een grom als/tot antwoord* ***krijgen*** be answered with a snarl

[2]**grom** [het] ⟨ingewand van vis⟩ (fish)guts

[1]**grommen** [onov ww] [1] ⟨dof, brommend geluid maken⟩ growl, ⟨maag, donder⟩ rumble [2] ⟨m.b.t. dieren⟩ growl, ⟨met ontblote tanden⟩ snarl ♦ *een grommende* ***beer*** a growling bear; *de hond begon* ***tegen*** *mij te grommen* the dog began to growl at me

[2]**grommen** [ov ww] ⟨(vis) van ingewanden ontdoen⟩ gut, ↓clean

[3]**grommen** [ov ww, ook abs] ⟨(iets) morrend zeggen, brommen⟩ grumble, mutter, groan, growl, grouse ♦ *hij* ***liep*** *grommend* ***weg*** he walked away grumbling to himself; ***op*** *iemand grommen* grumble/grouse at s.o.; *hij gromde* ***wat*** *tussen de tanden* he muttered sth. under his breath; *hij gromde iets onduidelijks* he muttered sth. indistinct/inaudibly

grompot [de^m] grumbler, grouser, ⟨inf⟩ groaner, moaner, ⟨vnl AE ook⟩ grouch

grond [de^m] [1] ⟨aardoppervlak⟩ ground, ⟨land⟩ land, ⟨grondgebied⟩ territory, ⟨terrein⟩ terrain ♦ ⟨luchtv⟩ ***aan*** *de grond blijven* be grounded; *een vliegtuig veilig* ***aan*** *de grond zetten* land an aeroplane safely; *laag* ***bij*** *de grond* ⟨fig⟩ commonplace, pedestrian, trite; *de mijnwerkers kwamen weer* ***boven*** *de grond* the miners came to the surface again; ***braakliggende*** *grond* waste land; *een huis op* ***eigen*** *grond* a freehold house; *(stukken) grond* ***kopen en verkopen*** buy and sell land; *een flinke* ***lap*** *grond* a substantial piece of land; *iets* ***met*** *de grond gelijk maken* ⟨lett⟩ raze/level sth. to the ground; ⟨gebouw ook⟩ pull/knock sth. down; ⟨ook fig⟩ demolish sth., wipe sth. off the map; ⟨inf⟩ *iemand* ***onder*** *de grond stoppen* put s.o. under; ⟨inf⟩ *hij ligt al tien jaar* ***onder*** *de grond* he's been dead and buried the last ten years; ⟨scherts⟩ he's been pushing up daisies these last ten years; *mollen leven* ***onder*** *de grond maar 's avonds komen ze soms* ***boven*** *de grond* moles live underground but sometimes they come above (the) ground in the evening; *de grond* ***raken*** ⟨vliegtuig⟩ touch down, land; *een* ***stuk*** *grond* a piece/plot of land; ⟨vnl AE⟩ a lot; *er zit een flink* ***stuk*** *grond bij het huis* the house is situated in sizeable grounds, the grounds around the house are quite large; ***tegen*** *de grond gaan* fall over/down; *iemand* ***tegen*** *de grond slaan* knock s.o. down/flat, floor s.o., lay s.o. out; *een gebouw* ***tegen*** *de grond gooien* knock/pull down/demolish/flatten a building; level/raze a building to the ground; *zich plat* ***tegen*** *de grond drukken* throw o.s. flat on the ground; *iemand/iets* ***tegen*** *de grond gooien* throw s.o./sth. to the ground/floor, ↑dash/hurl s.o./sth. to the ground/floor; ***tot*** *de grond toe afbranden* be burnt to the ground; ⟨scherts⟩ *een rij huizen* ***uit*** *de grond stampen* throw up a row of houses; *niet* ***van*** *de grond komen* ⟨luchtv, ook fig⟩ not get off the ground, not get airborne; ⟨fig⟩ *hij heeft zijn bedrijf* ***van*** *de grond af opgebouwd* he built up/set up his firm from scratch/nothing; ⟨fig⟩ *iets van de grond krijgen* get sth. off the ground/going [2] ⟨stof waaruit het aardoppervlak bestaat⟩ ground, ⟨aarde⟩ earth, soil, ⟨AE ook⟩ dirt ♦ ***gewijde*** *grond* consecrated ground; ⟨sport⟩ ***in*** *de grond trappen* kick the turf; ⟨fig⟩ *een stuk de grond* ***in*** *schrijven* pull a work to pieces, slate/thrash/damn a work; *iemand de grond* ***in*** *stampen/trappen* pull s.o. to pieces, destroy s.o.; *iemand nog verder de grond* ***in*** *trappen* kick s.o. when/while he's down; *groente van de* ***koude*** *grond* vegetables grown in the open/outdoors; ⟨scherts⟩ *een filosoof van de* ***koude*** *grond* a homespun philosopher, ⟨AE ook⟩ a cracker-barrel philosopher; ***schrale/onvruchtbare*** *grond* barren/poor soil; *planten* ***uit*** *de grond trekken* pull up plants; *bloembollen* ***uit*** *de grond halen* lift bulbs; *de aardappels zijn al* ***uit*** *de grond* the potatoes have already been lifted/^A^dug; ***vaste*** *grond onder de voeten hebben* ⟨lett⟩ be on dry land/terra firma; ⟨ook fig⟩ be on firm/solid ground; ***vette/vruchtbare*** *grond* rich/fertile soil; ***zware*** *grond* heavy soil [3] ⟨vlak waarop men gaat⟩ ground, ⟨binnen⟩ floor ♦ *als* ***aan*** *de grond genageld staan* be rooted/riveted to the spot, be transfixed; *de* ***begane*** *grond* the ground floor; ⟨AE ook; van gebouw⟩ the first floor; ⟨terrein⟩ ground level; ⟨fig⟩ *ik had wel* ***door*** *de grond kunnen gaan* I wanted the ground to open up and swallow me; ***door*** *de grond (kunnen) gaan/zinken van pijn* be dying of pain, be in agony; ***door*** *de grond (kunnen) gaan/zinken van schaamte* not know where to put o.s./where to look (for embarrassment), cringe with embarrassement, wish the ground would open and swallow one; *toen de grond hem te* ***heet*** *onder de voeten werd* when things got too hot for him; ⟨bokssp⟩ ***naar*** *de grond gaan* be put down, be put on/hit the canvas, be floored; ⟨fig⟩ *hij voelde de grond* ***onder*** *zich wegzinken* he had a sinking feeling (in the pit of his stomach); ***op*** *de grond vallen* fall to the ground/floor; ***op*** *de grond zitten* sit on the ground/floor; *iets* ***op*** *de grond gooien* throw sth. on the ground/floor; *hij ligt* ***tegen*** *de grond* he is down; *iemand* ***tegen*** *de grond werken* wrestle s.o. to the ground [4] ⟨bodem onder water⟩ bottom, ⟨van zee ook⟩ seabed, ⟨van rivier ook⟩ riverbed ♦ ⟨scheepv⟩ ***aan*** *de grond zetten* beach, run aground; ⟨scheepv⟩ ***aan*** *de grond zitten* be aground/stranded, have run/gone aground; ⟨fig⟩ ***aan*** *de* *grond zitten* ⟨er (financieel) beroerd voor staan⟩ be down and out, be on the rocks, be up against it; ⟨vulg; scherts⟩ be up shit creek (without a paddle); ⟨terneergeslagen zijn⟩ be down, be at a loose end, be feeling (really) sorry for o.s.; ⟨scheepv⟩ ***aan** de grond lopen/raken* run aground, be stranded; ⟨fig⟩ *finaal **aan** de grond zitten* ⟨vnl fin⟩ be flat/stony-broke, be down and out/on one's uppers/at rock-bottom; ⟨fig⟩ *iemand de grond **in** boren* ⟨verslaan⟩ crush s.o.; ⟨bekritiseren⟩ crucify s.o., tear/pull s.o. to pieces/shreds; *een schip de grond **in** boren* sink a ship, send a ship to the bottom; ⟨door gaten te maken⟩ scuttle a ship; ⟨BE ook⟩ scupper a ship; ⟨fig⟩ *iemands plannen de grond **in** boren* put paid to/scuttle/wreck s.o.'s plans, shoot s.o.'s plans to pieces, squelch s.o.'s plans, spike s.o.'s guns; ⟨BE ook⟩ scupper s.o.'s plans; ⟨scheepv⟩ *grond **peilen*** take soundings; ***te** gronde gaan* ⟨fig⟩ be ruined, perish, come to nothing/nought, go to (w)rack and ruin, go to pieces, ↓ go to the dogs; *zichzelf **te** gronde richten* dig one's own grave, cut one's own throat; ⟨fig⟩ *iemand/iets **te** gronde richten* ruin s.o./sth., put paid to s.o./sth., wreck sth.; *grond **voelen*** ⟨verzadigd zijn⟩ be full (up); ⟨bespeuren dat men niet verder moet wagen⟩ know when to stop; *geen grond **voelen*** not be able to touch the bottom; ⟨ook fig⟩ be out of one's depth [5] ⟨basis⟩ ground, foundation, base, basis, ⟨reden ook⟩ reason, ⟨oorzaak ook⟩ cause ♦ *gronden **aanvoeren** voor* adduce arguments for; *daar zijn **geen** gronden voor aanwezig* there are no grounds for it; *iets op **goede** gronden verwerpen* reject sth. on good grounds/for good reason/with justification; ***goede** grond hebben iets aan te nemen* have good grounds/cause/reason for sth., have every reason to assume sth.; *op **medische** gronden* for medical/health reasons, on medical/health grounds; *die bewering **mist** alle grond* that assertion is without (any) foundation/is groundless/baseless/unfounded/unwarranted, that is a groundless/unfounded/baseless assertion; ***op** grond waarvan* on the basis of which; ***op** grond van artikel 26* on the basis of/by virtue of/on the strength of/under section 26; ⟨jur⟩ pursuant to article 26; ***op** grond van het feit dat ...* on the basis of/by reason of/because of the fact that ...; ***op** grond van zijn huidskleur* because of/on account of his colour; ***op** grond van aanwijzingen uit het publiek, ging de politie ...* acting on information received from the public, the police went ...; *dit is niet **voldoende** grond om te ...* this isn't sufficient (reason) to warrant ..., this doesn't warrant/justify ...; *gronden **voor** een beslissing* grounds/reasons/justification for a decision; *er zit een grond van **waarheid** in* there's an element of truth in it [6] ⟨diepste, onderste deel⟩ bottom, ⟨wezen, kern⟩ essence, substance ♦ *de grond van de **dingen** begrijpen* understand the essence of things; ***in** de grond van de zaak* at bottom, basically, in essence, essentially, fundamentally; ***in** de grond heeft hij gelijk* basically/fundamentally/essentially he's right; ***in** de grond is hij een goeie jongen* he's a good boy at heart; *dat komt **uit** de grond van zijn hart* that comes from the bottom of his heart [·] ⟨sprw⟩ *stille wateren hebben diepe gronden* still waters run deep

grondaanwinning [de^v] [1] ⟨het verkrijgen van nieuwe (bouw)grond⟩ land reclamation [2] ⟨verkregen stuk grond⟩ (piece/area of) reclaimed land, ⟨m.b.t. Nederland ook⟩ polder

grondaas [het] ground/ledger bait

grondachtig [bn] earthy ⟨ook smaak⟩

grondbedrijf [het] development company

grondbegin [het] very beginning, rudiment, germ

grondbeginsel [het] [1] ⟨principe, uitgangspunt⟩ (basic/fundamental) principle, ⟨dogma⟩ tenet, dogma ♦ *de grondbeginselen van het **protestantisme*** the (basic) tenets/(fundamental) principles of Protestantism [2] ⟨mv; eerste regels, hoofdpunten⟩ (basic/fundamental) principles, (basic/fundamental) elements, rudiments, fundamentals, ground rules, ⟨inf⟩ basics, nuts and bolts ♦ *iemand de grondbeginselen van een wetenschap **bijbrengen*** introduce s.o. to/teach s.o. the (basic) principles/basics of a science; *hij kent niet eens de (eerste) grondbeginselen van de **muziek*** he doesn't even know the rudiments of music; ⟨inf⟩ he doesn't know the first thing about music

grondbegrip [het] [1] ⟨eerste, oudste begrip⟩ basic/initial concept, earliest view [2] ⟨begrip dat aan andere ten grondslag ligt⟩ basic/fundamental idea

grondbelasting [de^v] land tax, ⟨BE⟩ rates ⟨mv⟩

grondbeleid [het] ⟨in België⟩ regional zoning policy

grondbestanddeel [het] basic ingredient/component/constituent, fundamental ingredient/component/constituent

grondbetekenis [de^v] original meaning, ⟨taalk⟩ etymon

grondbewerking [de^v] tillage, cultivation

grondbezit [het] [1] ⟨grondeigendom⟩ landownership, ownership of land, ⟨SchE; bezit van een landjonker ook⟩ lairdship ♦ ***gemeenschappelijk** grondbezit* common ownership of land [2] ⟨erf⟩ landed property, (landed/real) estate ♦ ***gemeentelijk** grondbezit* municipal land, ⟨BE⟩ local council/authority land; *zijn grondbezit **was met hypotheek bezwaard*** his property/land was mortgaged

grondbezitster [de^v] → **grondbezitter**

grondbezitter [de^m], **grondbezitster** [de^v] ⟨man & vrouw⟩ landowner, ⟨man & vrouw⟩ (landed) proprietor, ⟨man & vrouw; AE⟩ landholder, ⟨landjonker; man; BE⟩ squire, ⟨SchE; man⟩ laird ♦ ***kleine** grondbezitter* small landowner; ⟨landjonker⟩ petty squire; *de grondbezitters* landed interests, propertied classes, landowning class, landed gentry

grondbezitting [de^v] (landed) property, ⟨AE⟩ landholding, ⟨i.h.b. landgoed⟩ (landed/real) estate

grondboor [de] earth/soil drill, (ground/soil) auger, ⟨voor grondmonsters⟩ soil core sampler, ⟨voor palen⟩ post hole digger

grondboring [de^v] [1] ⟨onderzoek van de bodem⟩ soil drilling, ⟨proefboring⟩ trial boring ♦ *grondboringen **verrichten/doen*** carry out soil drilling, take sample borings [2] ⟨het maken van putten⟩ drilling, ⟨m.b.t. wellen ook⟩ sinking

gronddenkbeeld [het] basic/fundamental idea

gronddienst [de^m] [1] ⟨werkzaamheden⟩ ground facilities/organization [2] ⟨personeel⟩ ground crew/staff

gronduiker [de^m] ⟨wwb⟩ culvert

grondeigenaar [de^m], **grondeigenares** [de^v] [1] ⟨eigenaar van een stuk grond⟩ (ground) landlord [2] ⟨grondbezitter⟩ → **grondbezitter**

grondeigenares [de^v] → **grondeigenaar**

grondeigendom [het] → **grondbezit**

grondeigenschap [de^v] [1] ⟨axioma⟩ axiom [2] ⟨m.b.t. stoffen⟩ fundamental property

grondel [de^m] ⟨dierk⟩ goby, ⟨i.h.b.⟩ gudgeon

grondeloos [bn] [1] ⟨bodemloos⟩ ⟨put⟩ bottomless, ⟨onpeilbaar; diepte, zee⟩ unfathomable [2] ⟨fig; oneindig groot⟩ unfathomable, ⟨negatieve eigenschappen⟩ abysmal, ⟨verderf, zorgen⟩ endless [3] ⟨ongegrond⟩ baseless, groundless, unfounded, ⟨alleen predicatief⟩ without foundation, ⟨m.b.t. gerucht, speculatie ook⟩ idle

grondeloosheid [de^v] [1] ⟨barmhartigheid Gods⟩ boundlessness [2] ⟨oneindige diepte⟩ unfathomable depth

gronden [ov ww] [1] ⟨vestigen, baseren⟩ found, ⟨baseren ook⟩ base (on), ⟨m.b.t. opinie, hoop ook⟩ ground (on), ⟨een firma vestigen ook⟩ establish, lay the foundations of ♦ *een eis/bewering gronden **op*** base a claim/assertion on; *mijn eis is gegrond **op** vroeger door u gedane beloften* my claim is based on promises previously made by you; *een **rijk/troon** gronden* establish an empire/a throne [2] ⟨grondverven⟩ prime, undercoat [3] ⟨bk; eerste verflaag aanbrengen⟩ prime, dead-colour [4] ⟨de bodem (van water) peilen⟩ take sound-

ings of, sound, fathom, plumb ◆ *diepten die niet te gronden zijn* unfathomable depths
gronderig [bn] 1 ⟨troebel⟩ muddy 2 ⟨naar grond smakend⟩ earthy ◆ *gronderig **smaken*** taste earthy, taste of earth
gronderigheid [de^{v}] earthiness
grondexploitatie [de^{v}] estate/land development
grondgebied [het] 1 ⟨territorium⟩ territory, terrain, ⟨vnl. van een staat⟩ soil, ⟨vnl. van een staat⟩ dominion, domain ⟨voornamelijk mv⟩, ⟨i.h.b. omsloten ruimte om kerk, universiteit⟩ precinct ⟨voornamelijk mv⟩ ◆ ***afstand/ruiling** van grondgebied* cession/exchange of territory; *wij bevonden ons op **Belgisch** grondgebied* we found ourselves on Belgian territory/soil; *hij werd **buiten** het grondgebied van de stad gebracht* he was taken outside the city limits; ***neutraal** grondgebied* neutral territory; ***vreemd** grondgebied* foreign territory 2 ⟨fig⟩ territory, terrain, domain
grondgebruik [het] land use, land utilization, use of the land, ⟨door huurder⟩ occupancy of land ◆ ***hervorming** van het grondgebruik* land reform
grondgedachte [de^{v}] basic/underlying/fundamental idea, basic/underlying/fundamental principle, rationale, keynote ◆ *de grondgedachte **uiteenzetten** van iets* explain the basic principles of sth.
grondhouding [de^{v}] ⟨pol⟩ fundamental attitude ◆ *uit een **positieve** grondhouding* based on a fundamentally positive attitude
grondhout [het] (veneer) grounds
grondig [bn, bw] 1 ⟨niet oppervlakkig⟩ thorough ⟨bw: ~ly⟩, ⟨m.b.t. onderzoek, studie ook⟩ profound, ⟨m.b.t. kuur, verandering ook⟩ radical, ⟨m.b.t. onderzoek, vragen ook⟩ searching, ⟨m.b.t. kennis ook⟩ intimate, sound, valid, solid, substantial ◆ *iets grondig **bespreken*** talk sth. out/through; ⟨inf⟩ thrash a matter out; *iets grondig **doen*** make a good/clean job of sth.; ⟨inf⟩ go the whole hog; *een huis grondig **doorzoeken*** search a house thoroughly/from end to end/from top to bottom; ⟨inf⟩ turn a house upside-down; *een grondige **hekel** aan iemand/iets* loathe s.o./sth., hate s.o./sth. like poison, ↓ hate s.o.'s guts, not be able to stand s.o./sth.; *hij heeft een grondige **kennis** van de letterkunde* he has a thorough/an intimate knowledge of literature; ⟨inf⟩ he is well up in literature; *de wiskunde grondig **leren*** get a thorough grounding in math(ematic)s; *een grondig **onderzoek** verrichten* make a thorough/searching examination; ⟨inf⟩ go over (sth.) with a fine-tooth comb; *iets grondig **onderzoeken*** examine sth. thoroughly, get to the (very) bottom of sth.; *een grondige **verbetering** was daarvan het gevolg* a thoroughgoing/considerable improvement was the result; *zich grondig **voorbereiden*** prepare o.s. thoroughly; ⟨inf⟩ do one's homework, ⟨BE⟩ gen up (on); *een grondige **wasbeurt*** a good wash(ing); ***zeer** grondig* thoroughgoing 2 ⟨deugdelijk⟩ sound ⟨bw: ~ly⟩, valid, solid, substantial 3 ⟨troebel⟩ muddy ⟨bw: muddily⟩ ◆ *de vis **is** wat grondig* the fish tastes a bit earthy
grondigheid [de^{v}] thoroughness, ⟨deugdelijkheid⟩ soundness, validity ◆ *de grondigheid van het **onderzoek** is onomstreden* the thoroughness of the investigation is beyond dispute
grondijs [het] ground-ice, anchorice
gronding [de^{v}] foundation, establishment
grondkamer [de] Land Tenure/Control Board
grondkapitaal [het] 1 ⟨oorspronkelijk, beginkapitaal⟩ initial capital 2 ⟨kapitaal dat in grond bestaat⟩ real estate, landed property 3 ⟨bezitters van dit kapitaal⟩ (the) landed interests
grondkleur [de] 1 ⟨kleur van de achtergrond⟩ ground, basic/principal colour 2 ⟨primaire kleur⟩ primary colour 3 ⟨eerste kleurlaag⟩ undercoat, primer, base, ground colour
grondlaag [de] 1 ⟨onderste laag⟩ bottom/first layer, ⟨van muur⟩ footing 2 ⟨grondverf⟩ priming coat, undercoat, first coat (of paint) ◆ *een grondlaag **aanbrengen** op* prime, undercoat 3 ⟨laag van de aardkorst⟩ layer (of soil), (sub) stratum ◆ ***waterhoudende** grondlaag* aquifer, aquafer
grondlak [het, de^{m}] primer, priming
grondlasten [de^{mv}] land-tax, ⟨BE⟩ rates ⟨mv⟩
grondlegger [de^{m}], **grondlegster** [de^{v}] ⟨man & vrouw⟩ founder, ⟨man⟩ (founding) father, ⟨man & vrouw⟩ originator, ⟨vrouw⟩ foundress ◆ *de grondlegger van de **golfmechanica*** the father of wave mechanics
grondlegging [de^{v}] foundation, establishment, founding
grondlegster [de^{v}] → **grondlegger**
grondlijn [de] 1 ⟨wisk⟩ base, base line 2 ⟨hoofdlijn van een bouwkundig ornament⟩ outline, basic shape/pattern
grond-luchtraket [de] ground-to-air missile
grondmarkt [de] real estate market
grondmonster [het] soil sample
grondnoot [de] peanut, ⟨BE ook⟩ groundnut, monkey nut
grondoefening [de^{v}] floor/free exercise ◆ *grondoefeningen **doen*** do floor/free exercises
grondonderzoek [het] soil testing/analysis, test/trial boring
grondonteigening [de^{v}] expropriation of land
grondoorlog [de^{m}] ground war
grondoorzaak [de] root/basic/underlying/fundamental/primary cause
grondorganisatie [de^{v}] ground facilities/organization
grondpacht [de] ground rent
grondpass [de^{m}] ⟨sport⟩ low pass
grondpersoneel [het] ground crew/staff
grondplaat [de] 1 ⟨fundatieplaat⟩ bedplate, base/sole/ground plate 2 ⟨elek; metalen aardingsplaat⟩ earth/ground plate
grondpolitiek [de^{v}] land(-use) policy
grondprijs [de^{m}] 1 ⟨prijs van grond⟩ land price, price of land, value of land ◆ *de grondprijzen **stijgen*** the price/value of land is/land prices are rising 2 ⟨ten grondslag gelegd bedrag⟩ basic price
grondprincipe [het] basic/fundamental/underlying principle
grondprobleem [het] basic/fundamental problem, basic/fundamental difficulty
grondrecht [het] 1 ⟨recht(sinstellingen) waarop het overige recht steunt⟩ basic law 2 ⟨mensenrechten⟩ basic right, ⟨burgerrechten⟩ civil rights ⟨mv⟩
grondregel [de^{m}] 1 ⟨hoofdregel⟩ basic/fundamental/cardinal rule, maxim, precept ◆ *als **belangrijkste** grondregel op reis geldt, dat men ...* the golden/basic/most important rule when travelling/^{A}traveling is to ... 2 ⟨principe⟩ (basic/fundamental) principle, ⟨dogma⟩ tenet, dogma ◆ *hij is gewoon **naar** grondregels te handelen* he acts according to (his) principles, he sticks to the book 3 ⟨axioma⟩ axiom
grondrente [de] ground rent
grondslag [de^{m}] 1 ⟨fundament⟩ foundation ⟨voornamelijk mv⟩ ◆ *het **leggen** van de grondslagen* the laying of the foundations; *op een **stevige** grondslag rusten* be soundly based, be on a firm foundation 2 ⟨fig⟩ basis, foundation, foundations, fundamentals ⟨mv⟩, groundwork, footing ◆ *de **algemene** grondslagen van een vereniging* the statutes of an association; *op **coöperatieve/niet-commerciële** grondslag* on a cooperative/non-commercial basis; *een vereniging op **gereformeerde** grondslag* an association based on Calvinist principles; *een feitelijke/solide grondslag **hebben*** have a sound basis in/of fact, be founded (up)on fact; *de grondslag(en) **leggen** tot/van/voor iets* lay the foundation(s)/do the groundwork for sth.; *een stevige grondslag **leggen/vormen** voor iets* lay solid foundations for/be the basis of sth.; *elke (feitelijke) grondslag **missen*** have no basis (in fact), have no

factual basis, not be based on (actual) facts; *dit legde de grondslag van/voor/tot zijn **succes*** this was the foundation/cornerstone of his success; ***ten** grondslag liggen aan* ⟨iets negatiefs⟩ lie/be at the bottom of; ⟨neutraal⟩ underlie; *aan het verhaal ligt een ware gebeurtenis **ten** grondslag* the story is based on a true event

grondslagwaarde [de^{v}] basic value

grondsnelheid [de^{v}] ground speed

grondsoort [de] (type/kind of) soil

grondsop [het] [1] ⟨vocht op de bodem⟩ dregs, ⟨vnl. m.b.t. koffie⟩ grounds, lees [2] ⟨iets bitters, onaangenaams⟩ dregs

grondspeculant [de^{m}] land speculator, speculator in land, landjobber

grondspeculatie [de^{v}] land speculation

grondstaal [het] ⟨in België⟩ soil sample

grondstation [het] ⟨verk⟩ ground station, ⟨m.b.t. satelliet⟩ earth station

grondstelling [de^{v}] [1] ⟨fundamentele stelling van een leer⟩ (fundamental) principle, tenet, dogma [2] ⟨stel-, grondregel⟩ (basic) rule/principle, maxim, precept [3] ⟨wisk; axioma⟩ axiom, fundamental, theorem

grondstem [de] [1] ⟨geluid van orgelpijpen⟩ foundation-tone [2] ⟨orgelpijpen⟩ foundation stop, diapason [3] ⟨baspartij⟩ bass(-line), ground (bass)

grondsteward [de^{m}] ground steward

grondstewardess [de^{v}] ground ^{B}hostess/^{A}stewardess

grondstof [de] [1] ⟨onbewerkt, ruw materiaal⟩ (raw/base) material, ⟨landb ook⟩ raw produce, ⟨om te verhandelen⟩ commodity, ⟨voor machine, fabriek⟩ feedstock, stuff ♦ *vlas is de grondstof van **linnen*** flax is the raw material for (making) linen; ***ruwe** grondstoffen* raw materials/produce [2] ⟨hoofdbestanddeel⟩ (starting) material, ingredient, component ♦ *meel, boter en eieren zijn de grondstoffen van het meeste **gebak*** flour, butter and eggs are the ingredients of most pastry [3] ⟨scheik⟩ element

grondstoffenprijzen [de^{mv}] prices of raw materials

grondstofwisseling [de^{v}] [1] ⟨m.b.t. lichaam⟩ (basal) metabolism [2] ⟨m.b.t. teelaarde⟩ soil metabolism

grondstrijdkrachten [de^{mv}], **grondtroepen** [de^{mv}] ground(-combat) forces

grondstroom [de^{m}] ⟨elek⟩ earth current

grondtaal [de] [1] ⟨oorspronkelijke taal⟩ original language [2] ⟨oertaal⟩ parent language, substratum

grondtal [het] ⟨wisk⟩ [1] ⟨getal als grondslag van een talstelsel⟩ base, radix ♦ *het tientallig stelsel werkt met het getal tien **als** grondtal* the decimal system uses base ten [2] ⟨getal dat in een macht wordt verheven⟩ base, radix ♦ ⟨comp⟩ *grondtal van de drijvende **kommavoorstelling*** floating point radix

grondtekst [de^{m}] original text

grondtoon [de^{m}] [1] ⟨natuurk⟩ fundamental [2] ⟨muz; laagste toon van een akkoord⟩ fundamental, root [3] ⟨muz; toon waarvan de schaal de grondslag vormt⟩ tonic, keynote [4] ⟨leidmotief⟩ main theme, prevailing tone, key-note, tendency, leitmotif ♦ *de grondtoon van onze **eeuw*** the (dominant) theme of our century; *de grondtoon van een **gedicht*** the main theme/idea of a poem [5] ⟨hoofdkleur⟩ basic/main colour

grondtrek [de^{m}] main/chief/characteristic feature, ⟨van karakter⟩ characteristic/chief trait, outlines ⟨mv⟩ ♦ *de grondtrekken van iets **aangeven*** outline sth.

grondtroepen [de^{mv}] → **grondstrijdkrachten**

grondverbetering [de^{v}] [1] ⟨versteviging van een bodem⟩ ground/soil consolidation [2] ⟨verbetering van teelgrond⟩ soil/land improvement, soil/land enrichment, melioration

grondverf [de] [1] ⟨bk⟩ primer, priming [2] ⟨eerste verf⟩ primer, undercoat, priming paint, ground ♦ ***in** de grondverf staan* be primed/undercoated; *iets **in** de grondverf zetten* prime/undercoat sth., apply a(n)/the priming coat/undercoat to sth.; ⟨fig⟩ *het blijft in de grondverf **steken*** it will never get off the ground

grondverklikker [de^{m}] ⟨scheepv⟩ echosounder, sonic depth finder, fathometer

grondverschuiving [de^{v}] landslide, ⟨BE ook⟩ landslip

grondverven [ov ww] prime, undercoat, apply a/the priming coat to, apply an/the undercoat to, ⟨schilderij ook⟩ dead-colour

grondverzakking [de^{v}] subsidence

grondverzet [het] earth-moving

grondverzetmachine [de^{v}] earthmover, earthmoving machine, (mechanical) excavator/digger/shovel, bulldozer

grondvest [de] foundation ♦ ***op** zijn grondvesten wankelen/schudden* shake to its foundations; ⟨fig⟩ *een rijk **op** zijn grondvesten doen schudden* shake/rock the foundations of an empire

grondvesten [ov ww] [1] ⟨funderen⟩ lay the foundations of [2] ⟨fig⟩ found, ⟨baseren ook⟩ base (on), ⟨m.b.t. opinie, hoop ook⟩ ground (on), ⟨m.b.t. rijk, firma ook⟩ establish, lay the foundations of ♦ ***op/in** iets gegrondvest zijn* be based on sth.; *een onafhankelijke **staat** grondvesten* found/establish an independent state

grondvester [de^{m}] founder, (founding) father, originator

grondvesting [de^{v}] [1] ⟨het grondvesten⟩ foundation, establishment, founding [2] ⟨grondslag⟩ foundation, base, basis

grondvlak [het] [1] ⟨onder-, bodemvlak⟩ base, basal area [2] ⟨wisk⟩ base

grondvoorwaarde [de^{v}] basic/fundamental condition, ⟨mv ook⟩ basic/fundamental terms

grondvorm [de^{m}] [1] ⟨oudste vorm⟩ primitive/original form [2] ⟨type⟩ basic form/shape, type, ⟨model⟩ pattern, model, exemplar

grondwaarheid [de^{v}] fundamental/basic truth

grondwater [het] groundwater, ⟨diep⟩ (sub)soil water, underground water ♦ ***opstijgend** grondwater* ⟨in kelder enz.⟩ rising damp

grondwaterspiegel [de^{m}] water table, groundwater level

grondwaterstand [de^{m}] groundwater level, level of underground water

grondwerk [het] ⟨ook fig⟩ groundwork ⟨ook sport⟩, ⟨ook fig⟩ spadework, earthwork(s), ⟨BE ook⟩ navvy work ♦ *grondwerk **doen/verrichten*** do/carry out the groundwork/spadework; ⟨BE ook; met de hand⟩ navvy

grondwerker [de^{m}] excavation worker, digger, ⟨BE ook⟩ navvy

grondwerktuigkundige [de] ground(staff) engineer

grondwet [de] (written) constitution ♦ *in strijd **met** de grondwet* unconstitutional; *Grondwet **voor** het Koninkrijk der Nederlanden* the Constitution of the Kingdom of the Netherlands

grondwetgever [de^{m}] constitutioner

grondwetsartikel [het] article/section of the constitution

grondwetsherziening [de^{v}] constitutional revision, revision of the constitution

grondwetsschennis [de^{v}] violation of the constitution

grondwetswijziging [de^{v}] amendment to the constitution, constitutional amendment

grondwettelijk [bn] [1] ⟨van een grondwet⟩ constitutional, organic ♦ *de uitvoering van grondwettelijke **voorschriften*** the implementation of constitutional provisions [2] ⟨op een grondwet gevestigd⟩ constitutional ♦ *een grondwettelijke **monarchie*** a constitutional monarchy

grondwettig [bn] constitutional ♦ *grondwettig **koningschap*** constitutional kingship

grondwettigheid [de^v] constitutionality
grondwoord [het] 1 ⟨taalk⟩ root (word), radical, etymon 2 ⟨woord in de grondtekst⟩ word in the original (text)
grondzee [de] ground sea, breaker
grondzeil [het] groundsheet, ⟨AE ook⟩ ground cloth
Groningen [het] Groningen
[1]**Groninger** [de^m] ◆ *hij is een Groninger* he is/comes from Groningen
[2]**Groninger** [bn], **Gronings** [bn] from Groningen ◆ *Groninger **koek*** ± Groningen spiced cake
Gronings [bn] → **Groninger**[1]
grooming [de] 1 ⟨dierverzorging⟩ grooming 2 ⟨persoonlijke verzorging⟩ grooming, styling
[1]**groot** [bn] 1 ⟨van meer dan gemiddelde afmeting⟩ big, large, ⟨muz⟩ major ◆ *wat is dat **bos** groot!* what a big/large wood!; *op één na **de** grootste* the biggest but one; *in **D-groot*** in (the key of) D major; ***enorm** groot* enormous, huge; ⟨scherts; BE⟩ gynormous; *een **enorm** grote neus* a great big nose, a huge/an enormous nose; *een groot **huis*** a big/large house; *een veel te grote **jas*** a jacket which is/was much too big/large; *kunst met een grote **K*** art with a capital A; *groot **kaliber*** large calibre; *een tamelijk grote **kamer*** quite a big/large room; *een grote **kerel*** a big/hefty fellow; ⟨kind ook⟩ a big boy; *een groot **landgoed*** a large (country) estate; *met grote **letters*** in big letters; ⟨hoofdletters⟩ in capitals; ⟨drukletters⟩ in large type; *de grotere **maten*** bigger/larger sizes; *dat is de grootst **mogelijke** onzin* that is utter/absolute nonsense; *de Grote **Oceaan*** the Pacific (Ocean); *grote **ogen** opzetten* look amazed/astonished; *de Grote **Plas*** the water; ***reusachtig** groot* gigantic, enormous, huge; *de grote **stad*** the (big) city; *grote **stappen** nemen* take big steps; *een zo groot mogelijk **stuk*** a piece as big/large as possible, as big/large a piece as possible; *zijn grote **teen*** his big toe; *grote **terts*** major third; *op te grote **voet** leven* live beyond one's means, overspend; *met die grote **voeten** van hem* with those great big feet of his; ***vrij** groot* quite big, quite a size, a good(ish) size, sizeable; *grote/kleine **wijzer*** minute/hour hand; *groot **wild*** big game; *groter gaan **wonen*** move (in)to a bigger house 2 ⟨lang⟩ ⟨vaak kind⟩ big, tall ◆ *wat **ben** jij groot geworden!* how you've/haven't you grown!; *een grote **boom*** a big/tall tree; *hij is 5 cm groter **dan** zij* he is 5 cm/two inches taller than she is; ***de** grootste van de drie* the biggest of the three; ***de** grootste van de twee* the bigger of the two; ***de** grootsten moesten achteraan lopen* the biggest/tallest had to walk at the back; *zij is **even** groot als haar buurvrouw* she is the same height as her neighbour; ***hoe** groot wordt zo'n hond?* what size are those dogs when they're fully grown?; *hij is groot voor zijn leeftijd* he is big/tall for his age; *een **kop** groter dan John* taller than John by a head; *hij **wordt** groter dan zijn vader* he's going to be taller than his father; *ik ken hem sinds hij zó groot was* I've known him since he was so high 3 ⟨ouder⟩ big, ⟨volwassen⟩ grown-up, ⟨volwassen; niet m.b.t. mensen⟩ full(y)-grown ◆ *als ik groot **ben**, word ik popzanger* I'm going to be a pop singer when I grow up; *zijn grote **broer*** his big brother; ***de** groten mogen langer opblijven* the older ones can stay up later; *hij is groot **genoeg** om laat thuis te komen* he is big/old enough to stay out late; *die jongen is zo lui als hij groot **is*** that boy is as lazy as they come/as they make them; *zij heeft al grote **kinderen*** she's (already) got grown-up children; *een grote **klap*** a heavy blow; *voor groot en **klein*** for young and old; *nu ben je een grote **meid*** you're a big girl now; *de grote **mensen*** the grown-ups; *daar ben je **te** groot voor* you're too big for that (sort of thing); *kleine kinderen **worden** groot* little children grow up 4 ⟨de genoemde afmeting hebbend⟩ in size ◆ *twee keer zo groot **als** deze kamer* twice as big as/twice the size of this room; *het stuk land is twee **hectare** groot* that piece of land is two hectares in area; ⟨inf⟩ ***hoe** groot is de schade?* what is the extent of the damage?; ⟨inf⟩ what's the damage?; *het tekort is tien **miljoen** groot* the size of the deficit is ten million(s) 5 ⟨uitgebreid⟩ great, ↓ big ◆ *een groot **aantal** toeschouwers* a great/large number of spectators; *groot **alarm*** red alert; ***Groot-Brussel**/**Groot-Londen*** Greater Brussels/London; *voor een groot **deel*** in large part, to a large/great extent; *een groot **fortuin*** a great/large fortune; *de voetballer had het grote **geld** geroken* the footballer was attracted by the money; *een groot **gezelschap*** a large group of people; *een groot **gezin*** a large family; *hij doet alles in **het** groot* he does everything on a big/large scale; *in **het** groot handel drijven* be involved in big business, ↓ be a big businessman/businesswoman; *in **het** groot inkopen/verkopen* buy/sell in bulk; *een grote **hoeveelheid** geld* a large amount of money; *de grote **hoop*** the (broad) masses, the crowd, the common herd; *grote **intensiteit*** high intensity; *een grote **kennissenkring** hebben* have a wide circle of acquaintances; *bij mist groot **licht*** use your headlights in fog; *de grote **massa*** the masses; *het grote **publiek*** the general public, the public at large, the millions; *grote **reparaties*** extensive/major repairs; *de grote **schoonmaak*** the spring-cleaning; *met grote **snelheid*** at a high speed; *een **steeds** groter aantal* an increasing/a growing number; *dat moet je groot **zien*** you have to take a broad view of that 6 ⟨belangrijk⟩ great ◆ *de grote **dag*** the great day, ↓ the big day; ***de** groten der aarde* the great of the earth, the rulers of the world; *morgen is het groot **feest*** tomorrow is the great/big day; *de grote **kerk*** the main church; *hij is een groot **man** geworden* he has become a great man; *de grote **mast*** the mainmast; *de grote **mogendheden*** the great powers, the superpowers; *de grote **politiek*** ⟨inf⟩ big-time politics; ⟨AE ook⟩ big-league politics; *de grote **profeten*** the great prophets; *een grote **weg*** a major/main road, a highway; *hij is groot **geworden** in de handel/olie* he made his fortune in trade/oil, he became a big name in trade/oil 7 ⟨intens⟩ great ◆ *met grote **moeite*** with great difficulty; *er heerste grote **stilte** in de zaal* there was a great/deep silence in the hall; *iemand groot **verdriet** doen* hurt s.o. deeply; *tot mijn grote **verrassing/spijt*** ⟨ook⟩ much to my surprise/regret; *daar ben ik een groot **voorstander** van* I'm all for it/all in favour of it; *de **vreugde** was groot* everyone was very happy 8 ⟨uitmuntend⟩ great ◆ *Karel **de** Grote* Charlemagne; *een groot **denker*** a great thinker/mind; *hij is geen groot **denker*** he's not much of a thinker; *een groot **eter*** a big eater; *dat wordt een **hele** grote* that's going to be a big one, he/she is destined for great things; *een groot **kenner** van het Arabisch* a great Arabic scholar/Arabist; *een groot **koning*** a great king; *een grote **schelm*** a great rogue; *een groot **talent*** a great talent 9 ⟨voornaam⟩ great ◆ *grote **gedachten** koesteren* cherish great ideas; ***iets** groots willen verrichten* want to achieve great things; *een groot **man*** a great man; *zich **te** groot voor iets achten* consider o.s. too important for sth. ▪ *zich groot **houden*** keep a stiff upper lip, keep up appearances; *groot **met** iemand zijn* be great friends with s.o., ↓ be well in with s.o.; *de grote **visserij*** deep-sea fishing; ⟨sprw⟩ *gezondheid is een grote schat* health is great riches; ± health is better than wealth; ⟨sprw⟩ *die het kleine niet eert, is het grote niet weerd* ± take care of the pence/pennies and the pounds will take care of themselves; ⟨sprw⟩ *de duivel schijt altijd op de grootste hoop* the devil looks after his own; ± money makes money; ⟨sprw⟩ *hoe groter geest, hoe groter beest* great men have great faults; ± the greater the man, the greater the crime; ⟨sprw⟩ *kleine potjes hebben ook/grote oren* little pitchers/pigs have long/big ears; ⟨sprw⟩ *de grote vissen eten de kleine* the great fish eat up the small; ⟨sprw⟩ *met grote heren is het kwaad kersen eten* ± he who sups with the devil should have a long spoon; those that eat cherries with great persons shall have their eyes squirted out with the stones; ⟨sprw⟩ *vele kleintjes maken een grote* many a little makes a mickle; many a mickle makes a muckle; ⟨sprw⟩ *geen ongeluk zo groot, of er is een gelukje bij* ± it's an ill wind that blows nobody any good; ± every cloud has a silver lining; ⟨sprw⟩ *kleine oorzaken hebben grote gevolgen* little sparks

kindle great fires; from tiny acorns mighty oaks may grow; ⟨sprw⟩ *een kleine vonk ontsteekt weleens een grote brand* little sparks kindle great fires; ⟨sprw⟩ *kleine boompjes worden groot* ± great oaks from little acorns grow

²**groot** [bw] ⟨op grote wijze⟩ ◆ *je hebt groot **gelijk**!* you are quite/perfectly right!, ⟨inf⟩ you are dead right!; ⟨sl⟩ right on!; *groot **schrijven*** write in big handwriting

grootaalmoezenier [de^m] lord almoner, ⟨Groot-Brittannië⟩ Grand/Lord High Almoner

grootaandeelhouder [de^m] large shareholder, ⟨vnl AE⟩ large stockholder

grootayatollah [de^m] grand ayatollah

grootbedrijf [het] large-scale/big enterprise, large-scale/big industry

grootbeeld [het] large screen (television)

grootbladig [bn] large-leaved

grootboek [het] 1 ⟨adm⟩ ledger, ⟨van aandeelhouders ook⟩ register 2 ⟨register met de schulden van de staat⟩ register(s), ⟨Groot-Brittannië⟩ National Debt Office ◆ *kapitaal **op** het grootboek zetten* put money in public funds, buy inscribed Government stocks; *het Grootboek van de nationale **schuld*** the register of (inscribed) Government stocks/of national debt/of public funds

grootbrengen [ov ww] bring up, raise, ⟨lichamelijk⟩ nurse, rear, ⟨opvoeden⟩ educate ◆ ***aan** de borst grootgebracht* breast-fed; *hij was grootgebracht **in** het katholiek geloof* he had been brought up a Catholic; *hij was als het ware **in** het vak/**in** de winkel grootgebracht* he was, as it were, born and bred in the trade/shop; *een **kind** grootbrengen* bring up/raise a child; ***kinderen** grootbrengen* raise a family; *een kind **met** de fles grootbrengen* bottle-feed a child; *jonge katjes **met** de fles grootbrengen* bring up/raise kittens by hand

Groot-Brittannië [het] Great Britain

Groot-Brittannië, Verenigd Koninkrijk 1/2

Groot-Brittannië

- de landen Engeland, Schotland en Wales worden samen *Groot-Brittannië* genoemd (Great Britain)
- de woorden *Brits, Brit,* Britain en British hebben strikt genomen alleen betrekking op Groot-Brittannië, maar worden ook gebruikt voor het Verenigd Koninkrijk

het Verenigd Koninkrijk

- Groot-Brittannië (de landen Engeland, Schotland en Wales) en Noord-Ierland samen worden voluit het *Verenigd Koninkrijk van Groot-Brittannië en Noord-Ierland* genoemd (the United Kingdom of Great Britain and Northern Ireland/the United Kingdom/the UK)
- het Verenigd Koninkrijk is een parlementaire democratie met aan het hoofd een koning of koningin (sinds 1952 Koningin Elisabeth de Tweede) en als regeringsleider een premier (sinds 1997 Tony Blair)
- de vlag van het Verenigd Koninkrijk is de Union Jack: een blauw vlak met rechtstaande en diagonale brede witte kruisen waarbinnen rechtstaande en diagonale smalle rode kruisen

de Britse Eilanden

- het Verenigd Koninkrijk (de landen Engeland, Schotland, Wales en Noord-Ierland) en Ierland worden samen de *Britse Eilanden* genoemd (the British Isles)

Engeland

- de vlag van Engeland is het St George's Cross: een wit vlak met een rechtstaand rood kruis
- het Britse parlement zetelt in Engeland (in Westminster in Londen)

grootdeels [bw] largely

Groot-Brittannië, Verenigd Koninkrijk 2/2

Schotland

- de vlag van Schotland is het St Andrew's Cross: een blauw vlak met een diagonaal wit kruis
- Schotland heeft een eigen parlement dat zetelt in Edinburgh en is vertegenwoordigd in het Britse parlement in Westminster

Wales

- de vlag van Wales is de Welsh Dragon: bovenste helft wit, onderste helft groen met daaroverheen een rode draak
- de tweede taal van Wales is het Welsh
- Wales heeft een gekozen assemblee die zetelt in Cardiff en is vertegenwoordigd in het Britse parlement in Westminster

Noord-Ierland

- de vlag van Noord-Ierland is het St Patrick's Cross: een wit vlak met een diagonaal rood kruis
- Noord-Ierland heeft een eigen parlement dat zetelt in Belfast

Ierland

- het *land* Ierland wordt in het Engels meestal the Republic of Ireland genoemd
- de vlag van Ierland bestaat uit drie verticale banden: van links naar rechts groen, wit en oranje
- het *eiland* Ierland omvat zowel het land Ierland als Noord-Ierland; hiervan behoort het land Ierland niet tot het Verenigd Koninkrijk, maar Noord-Ierland wel
- de tweede taal van Ierland is het Irish (ook wel Gaelic genoemd)
- de hoofdstad van Ierland is Dublin

grootdoen [onov ww] swagger, boast, put on airs, brag, ⟨inf⟩ swank

grootdoener [de^m] swaggerer, boaster, braggart, ⟨vnl BE; inf⟩ swanker, swankpot

grootdoenerij [de^v] swagger(ing), boasting, bragging, putting on airs, ⟨inf⟩ swank

grootfamilie [de^v] ⟨antr⟩ extended family

grootformaatverpakking [de^v] economy-size, family/jumbo/giant size

grootgrondbezit [het] large(-scale) landownership, ⟨pej⟩ landlordism

grootgrondbezitter [de^m] large landowner

grootgrutter [de^m] ⟨BE⟩ big corn chandler, big(-time) grocer

groothandel [de^m] 1 ⟨onderneming⟩ wholesaler's, wholesale business ◆ *een groothandel **in** zeevis* a wholesale business in sea-fish 2 ⟨handelsvorm⟩ wholesale trade ◆ *(iets) **bij** de groothandel kopen* buy (sth.) wholesale; *deze prijzen gelden alleen **voor** de groothandel* these are wholesale prices, these prices are for wholesale only

groothandelaar [de^m] wholesaler, ⟨AE ook⟩ jobber, merchant ◆ *groothandelaar **in** textiel* wholesaler in textiles; *groothandelaar **in** wijnen/kruidenierswaren* wholesale wine merchant/grocer

groothandelsfirma [de] wholesale company

groothandelsonderneming [de^v] wholesale company

groothandelsprijs [de^m] wholesale price ◆ ***voor** groothandelsprijzen* at wholesale (prices)

groothartig [bn] magnanimous, generous, big-hearted, noble(-minded) ◆ *groothartige **zelfverloochening*** noble self-denial

grootheid [de^v] 1 ⟨natuurk, wisk⟩ quantity, ⟨veranderlijke⟩ variable ◆ ***afhankelijke** grootheid* dependent variable; *een **bekende** grootheid* a known quantity; ***gelijk- en ongelijk-***

soortige grootheden equal and unequal quantities; ***een onbekende** grootheid* an unknown quantity; ***veranderlijke** en **onveranderlijke** grootheden* variables and constants [2] ⟨belangrijk personage⟩ celebrity, man/woman of consequence, ⟨inf⟩ big shot, ⟨BE⟩ bigwig, VIP ◆ ***alle** grootheden uit de filmwereld waren aanwezig* all the ᴮfilm/ᴬmovie celebrities were there; ⟨iron⟩ *een **onbekende** grootheid* an unknown quantity [3] ⟨verhevenheid van geest, gemoed⟩ magnanimity, nobility, greatness ◆ ***ware** grootheid bezitten* be truly magnanimous; ***zedelijke** grootheid* moral greatness [4] ⟨voortreffelijkheid, superioriteit⟩ eminence, excellence ◆ *de grootheid **Gods*** God's greatness

grootheidswaan [deᵐ] megalomania, delusions of grandeur, folie de grandeur ◆ ***lijdend** aan grootheidswaan* megalomaniac; ***lijder** aan grootheidswaan* megalomaniac

grootheidswaanzin [deᵐ] megalomania

groothertog [deᵐ] grand duke

groothertogdom [het] grand duchy

groothertogelijk [bn] grand-ducal

groothertogin [deᵛ] [1] ⟨gemalin, weduwe van een groothertog⟩ ⟨gemalin⟩ grand duchess, ⟨weduwe⟩ dowager (grand duchess) [2] ⟨vrouw die over een groothertogdom regeert⟩ grand duchess

groothoeklens [de] ⟨foto, film⟩ wide-angle lens, ⟨visooglens⟩ fish-eye lens

groothoekobjectief [het] wide-angle lens

zich groothouden [wk ww] [1] ⟨zich flink gedragen⟩ bear up (well/bravely) [2] ⟨doen alsof men zich iets niet aantrekt⟩ keep up appearances, keep a stiff upper lip, put a good/brave face on it

grootindustrie [deᵛ] large(-scale) industry/enterprise, ⟨als geheel ook⟩ large(-scale) industries

grootindustrieel [deᵐ] captain of industry, industrial magnate, major industrialist

grootje [het] [1] ⟨grootmoeder⟩ granny, grandma(ma) [2] ⟨oude vrouw⟩ granny [•] *(loop naar) **je grootje!*** forget it!; *(vertel dat maar aan) **je grootje!**, maak dat je grootje **wijs!*** pull the other one!, go tell that to the marines!; *dat is **naar** zijn grootje* you can say goodbye to that; *iets **naar** zijn grootje helpen* wreck sth.

grootkanselier [deᵐ] Lord High Chancellor

grootkapitaal [het] big business, (the world of) high finance, (the) moneyed interests, ⟨m.b.t. personen⟩ the big capitalists

grootkruis [het] grand cross

grootmacht [de] superpower

grootmaken [ov ww] make great/mighty, be the making of, give power to ◆ *de handel heeft **Nederland** grootgemaakt* trade made Holland great

grootmama [deᵛ] grandmam(m)a, grandmother

grootmediaan [het] medium writing paper ⟨47 × 61 cm⟩

grootmeester [deᵐ] [1] ⟨m.b.t. schaken, dammen⟩ Grandmaster [2] ⟨toonaangevend persoon op bepaald gebied⟩ (great/past) master ◆ ⟨fig⟩ *een waar grootmeester **in** iets zijn* be a great/past master at sth.; ⟨inf⟩ have sth. down/off to a fine art; *zij is een grootmeester **op** de viool* she is a great master of the violin; *Vondel, de grootmeester van de Nederlandse **taal*** Vondel, the great master of the Dutch language [3] ⟨titel van opperbestuurder⟩ Grand Master ◆ ⟨vrijmetselarij⟩ *grootmeester-**nationaal*** Grand Master National (of the Grand Lodge of a country) [4] ⟨m.b.t. hofhouding⟩ Officer of the Royal Household

grootmeesteres [deᵛ] [1] ⟨vrouwelijke opperbestuurder⟩ grandmaster [2] ⟨m.b.t. hofhouding⟩ Officer of the Royal Household, ⟨Groot-Brittannië⟩ Mistress of the Robes

grootmeesterschap [het] grandmastership

grootmetaal [deᵐ] iron and steel industry, heavy industry

grootmoeder [deᵛ] grandmother, grandmam(m)a, ⟨van dier⟩ grand(d)am ◆ ***maak** dat je grootmoeder **wijs!*** pull the other one!, go tell that to the marines!; *uit grootmoeders **tijd*** from the old days, from granny's/grandfather's days; *mijn grootmoeder **van** vaderszijde/**van** moederszijde* my paternal/maternal grandmother

grootmoedig [bn, bw] magnanimous ⟨bw: ~ly⟩, generous, big-hearted, noble(-minded), ⟨van gebaar/daad⟩ handsome, grand ◆ *hij **schonk** haar grootmoedig vergiffenis* he magnanimously pardoned her; *dat **was** erg grootmoedig van hem* that was very noble of him, ⟨inf⟩ that was big of him

grootmoedigheid [deᵛ] magnanimity, generosity, big-heartedness, noble-mindedness

grootmogol [deᵐ] Grand/Great Mogul

grootofficier [deᵐ] [1] ⟨iemand, begiftigd met een ereteken⟩ Grand Officer [2] ⟨grootwaardigheidsbekleder bij een vorstelijk persoon⟩ Officer of the Royal Household

grootoom [deᵐ] ⟨in België⟩ great-uncle

grootouderlijk [bn] grandparental

grootouders [deᵐᵛ] grandparents ◆ *zijn grootouders **van** vaderszijde/moederszijde* his paternal/maternal grandparents

grootpapa [deᵐ] grandpa(pa), granddad(dy)

¹**groots** [bn] ⟨trots⟩ proud (of), ⟨pej⟩ haughty, lofty ◆ *'t is groots **volk*** they are a proud/haughty people

²**groots** [bn, bw] [1] ⟨heerlijk, prachtig⟩ grand ⟨bw: ~ly⟩, magnificent, splendid, grandiose, majestic ◆ *groots **leven*** live gloriously; *een grootse **staat** voeren* live in the grand manner/in (grand/great) style [2] ⟨indrukwekkend⟩ spectacular ⟨bw: ~ly⟩, big, large-scale, massive, ambitious ◆ *het groots **aanpakken*** go about it on a large scale; ⟨inf ook⟩ think big; *een grootse **gedachte*** an ambitious thought/idea; *een grootse **onderneming*** a massive/an ambitious undertaking; *groots **opgezette** productie* a large-scale production; *een campagne groots **opzetten*** mount a campaign on a large scale; *grootse **plannen** hebben* have ambitious designs/plans; *een grootse **plechtigheid*** a grand ceremony; *zij **werden** groots **onthaald*** they were entertained/regaled in a grand way

grootschalig [bn, bw] large-scale, ⟨ambitieus⟩ ambitious ◆ *iets grootschalig **aanpakken*** go about sth. on a large/ambitious scale; *grootschalige **bedrijven*** large-scale business/firms; *grootschalig **onderzoek*** large-scale investigation; *grootschalige **plannen** maken* make large-scale plans, make plans on a big scale

grootscheeps [bn, bw] large-scale, great, massive, ⟨met inzet van alle krachten⟩ full-scale, all-out ◆ *een grootscheepse **aanval*** a massive/an all-out attack; *bij hem **gaat** alles grootscheeps* he does everything in grand style; *een grootscheepse **huishouding*** a great state; *een actie grootscheeps **opzetten*** mount a full-scale/an all-out operation/campaign

grootsheid [deᵛ] [1] ⟨het groots zijn, hoge staat⟩ grandeur, magnificence, splendour, glory, grandiosity, majesty [2] ⟨verhevenheid, indrukwekkendheid⟩ grandeur, magnificence, splendour [3] ⟨trots⟩ pride, ⟨pej⟩ haughtiness ◆ *zij doet het **uit** grootsheid* she does it out of pride

grootspraak [deᵛ] [1] ⟨opschepperij⟩ boast(ing), tall/big talk, grandiloquence, bragging ◆ *waar blijf je nu **met** al je grootspraak!* where's all your boasting now?, what's become of all your boasting?; ***zonder** grootspraak mocht hij zeggen dat …* in all modesty/without boasting he could say that … [2] ⟨overdrijving⟩ hyperbole, overstatement, bombast ◆ *de schrijver **vervalt** dikwijls **tot** grootspraak* the author frequently resorts to hyperbole

grootsprakerig [bn] boastful, grandiloquent, ⟨inf⟩ high-falutin(g)

grootspreken [het] boast, talk big, brag, vaunt

grootspreker [deᵐ] boaster, braggart, ⟨AE⟩ tinhorn

grootstad [de] ⟨in België⟩ metropolis

grootstedelijk [bn] metropolitan, of a big/large city ♦ *op grootstedelijk niveau* at metropolitan level
grootsteeds [bn, bw] ⟨bijvoeglijk naamwoord⟩ metropolitan, big-city, ⟨bijwoord⟩ in a big-city way ♦ *het grootsteedse leven* city life
groottante [de^{v}] ⟨in België⟩ great-aunt
grootte [de^{v}] [1] ⟨hoedanigheid⟩ bigness, bulk, magnitude, greatness ♦ *in de orde van grootte* of/in/on the order of; ⟨m.b.t. geld; inf⟩ to the tune of; *naar grootte* in order of/according to size, in order of magnitude [2] ⟨omvang⟩ size, magnitude ⟨ook van sterren⟩, ⟨hoogte; lengte (van persoon)⟩ height, ⟨oppervlakte⟩ area, ⟨dimensies⟩ dimensions ♦ *van behoorlijke/gelijke/middelmatige/... grootte* ⟨ook⟩ fair-/equal-/medium-sized/...; *die twee zijn van ongeveer dezelfde grootte* these two are just about the same size/of a size; *de kamer/het landgoed heeft een grootte van ...* the room measures/the estate covers an area of ...; *de grootte van een hoek* the angle; *onder de normale grootte* undersize(d); *ter grootte van* the size of; *de grootte van een uitkering/van het verlies* the amount of a payment/the extent of the loss(es); *gelijk van grootte* of equal size/magnitude/dimensions; *iemand van mijn grootte* s.o. my (own) size; *van verschillende grootte* differing in size; *een model op ware grootte* a life-size/full-size/full-scale model; *op de helft/een kwart van de ware grootte* half-size(d), at one quarter (of) the full size
grootvader [de^{m}] grandfather, granddad, grandpa(pa), ⟨van dier⟩ grandsire ♦ *in grootvaders tijden* in grandfather's days, in the old days; *grootvader van moederszijde/vaderszijde* maternal/paternal grandfather
grootvaderlijk [bn, bw] [1] ⟨van een grootvader⟩ grandfather's, grandfatherly [2] ⟨zoals een grootvader eigen is⟩ grandfatherly, patriarchal
grootvee [het] cattle
grootverbruik [het] large-scale/bulk consumption ♦ *voor grootverbruik* bulk, for large-scale consumption
grootverbruiker [de^{m}] large-scale/bulk consumer
grootverdiener [de^{m}] top earner, big earner
grootverpakking [de^{v}] wholesale pack
grootvizier [de^{m}] ⟨gesch⟩ grand vizier
grootvorst [de^{m}] [1] ⟨titel van de tsaar⟩ grand duke [2] ⟨titel van prinsen⟩ grand duke
grootvorstendom [het] grand duchy
grootvorstin [de^{v}] [1] ⟨gemalin van een grootvorst⟩ grand duchess [2] ⟨vrouwelijke grootvorst⟩ grand duchess
grootwarenhuis [het] ⟨in België⟩ [1] ⟨warenhuis⟩ (department) store, emporium [2] ⟨supermarkt⟩ supermarket, superstore
grootwinkelbedrijf [het] [1] ⟨winkelketen⟩ chain (store (business)), multiple store/shop business [2] ⟨detailhandel⟩ retail trade/sector
grootzegel [het] Great Seal ♦ *het grootzegel van een staat/stad* the grand seal of a state/city
grootzegelbewaarder [de^{m}] Keeper of the Great Seal
grootzeil [het] ⟨scheepv⟩ [1] ⟨razeil⟩ mainsail, main course [2] ⟨toren-, gaffelzeil⟩ mainsail, gaffsail
groovy [bn] groovy
gros [het] [1] ⟨merendeel⟩ majority, larger part, bulk, ⟨de gewone mensen⟩ rank and file ♦ *zich boven het gros verheffen* rise above the rank and file; *het gros van het publiek/van de mensen* the majority/bulk of the audience/people, the people at large [2] ⟨twaalf dozijn⟩ gross ♦ *een gros pennen* one gross of pens; *per gros* by the gross; *twaalf gros* great gross
groslijst [de] list of candidates/nominees ♦ *op de groslijst voorkomen* be nominated/be a candidate for the appointment
grosprijs [de^{m}] price per gross
grosse [de^{v}] [1] ⟨afschrift van een officieel stuk⟩ counterpart original, executory copy, first authenticated copy ♦ *tweede grosse* second executory/authenticated copy, second counterpart original [2] ⟨afschrift van een vonnis, authentieke akte⟩ counterpart original, executory copy, first authenticated copy
grosseren [ov ww] engross
grossier [de^{m}] wholesaler, wholesale dealer/trader, ⟨inf; AE⟩ jobber ♦ *grossier in tabaksartikelen/levensmiddelen* wholesale tobacconist/grocer
grossierderij [de^{v}] wholesale business/firm
grossieren [onov ww] (sell) wholesale, distribute ♦ *hij grossierde in titels* he collected titles by the dozen
grossiersprijs [de^{m}] trade/wholesale price ♦ *tegen grossiersprijs verkopen* ⟨ook⟩ sell wholesale
grosso modo [bw] roughly (speaking), by and large, on the whole, grosso modo
grot [de] cave, ⟨groot, diep⟩ cavern, ⟨vnl. kunstmatig⟩ grotto ♦ *grotten exploreren/onderzoeken* explore caves, cave; ⟨ondergronds; BE⟩ go potholing; *vol/met grotten* cavernous
grotbewoner [de^{m}], **grotbewoonster** [de^{v}] ⟨man & vrouw⟩ cave-dweller, ⟨man⟩ caveman
grotbewoonster [de^{v}] → **grotbewoner**
grote [de] number two, big job ♦ *een grote doen* do number two, do one's business
Grote Belt [de] Great Belt
grotelijks [bw] ⟨form⟩ greatly, to a large extent, extremely ♦ *het strekt u grotelijks tot eer* it is very much to your credit
grotemensachtig [bn, bw] grown-up ♦ *zij doet al zo grotemensachtig* she acts very grown-up for her age
groten [de^{mv}] [1] ⟨oudere kinderen⟩ (the) big ones, (the) older children [2] ⟨machthebbers⟩ upper ten, VIPs, powers (that be) ♦ *de groten der aarde* the great of the earth, the rulers of the world
grotendeels [bw] largely, to a large extent, for the greater/most part, in large measure ♦ *het ongeluk is grotendeels zijn eigen schuld* the accident was largely his own fault
groterdanteken [het] greater-than sign
grotesk [bn, bw] [1] ⟨zonderling, grillig van vorm⟩ grotesque ⟨bw: ~ly⟩ ♦ *een groteske versiering* a grotesque (decoration) [2] ⟨lachwekkend⟩ grotesque ⟨bw: ~ly⟩, absurd, burlesque ♦ *een groteske figuur* a grotesque/burlesque figure; *groteske ideeën* absurd ideas
groteske [de] [1] ⟨grillige, fantastische figuur⟩ grotesque [2] ⟨blokletter⟩ sans serif, gothic, grotesque
grotestedenbeleid [het] urban policy
grotetertstoonladder [de] major scale
grotonderzoek [het] spel(a)eology, caving, spelunking, ⟨ondergrond; BE⟩ potholing
grotschildering [de^{v}] cave painting
grotwoning [de^{v}] cave dwelling
groundsman [de^{m}] groundsman, groundskeeper
groundstroke [de^{m}] groundstroke
groupie [de^{v}] groupie
groupware [de] groupware
grovelijk [bw] [1] ⟨grof⟩ rudely, coarsely, roughly, vulgarly [2] ⟨schromelijk⟩ grossly, glaringly, crassly
growl [de^{m}] growl
gruis [het] ⟨collectivum⟩ ⟨zand, stenen⟩ grit, ⟨afval⟩ waste ♦ *aan/in/tot gruis slaan* break to pieces/into shivers, smash (in)to smithereens; *stukkolen zonder gruis* coal without dust/slack/smalls
gruiskolen [de^{mv}] slack, coal dust, small coal, small(s)
gruisthee [de^{m}] fannings
gruiten [de^{mv}] vegetables and fruit
gruizig [bn] gravelly, grating ♦ *een gruizige stem* a gravelly voice
grunge [de] [1] ⟨modestijl⟩ grunge (look) [2] ⟨muziek⟩ grunge (music)
grunt [de^{m}] grunt

grupstal [de^{m}] gutter barn

[1]**grut** [het] [1] ⟨waardeloze kleinigheden⟩ trash, ⟨splinters, spaanders⟩ chips, ⟨gruis⟩ dust ♦ ***klein*** *grut* small fry [2] ⟨kleine kinderen⟩ toddlers, small/young fry ♦ ***klein*** *grut* little toddlers, small fry

[2]**grut** [tw] gosh, cor, crumbs ♦ *grote/goeie grutten* bless me!, man alive!, merciful heavens/powers!

grutmolen [de^{m}] hulling/pearling mill

grutten [de^{mv}] [1] ⟨boekweitgort⟩ groats, grits [2] ⟨gort⟩ pearl barley, barley groats

grutter [de^{m}] [1] ⟨kleinzielig iemand⟩ bigot [2] ⟨kruidenier⟩ ⟨BE⟩ corn chandler, grocer

grutterij [de^{v}] [1] ⟨grutmolen⟩ → **grutmolen** [2] ⟨grutterswinkel⟩ ⟨BE⟩ corn chandlery, ⟨BE⟩ corn chandler's shop

gruttterswaren [de^{mv}] ⟨BE⟩ corn chandler's wares, dry goods, groceries

grutto [de^{m}] ⟨biol⟩ black-tailed godwit ♦ *rosse grutto* bar-tailed godwit

gruwel [de^{m}] [1] ⟨iets waarvan men gruwelt⟩ horror, abhorrence, abomination, anathema ♦ *het is mij een gruwel* it is abhorrent to me, it is an abomination to me [2] ⟨afschuw⟩ horror, abhorrence, terror, shock ♦ *een gruwel van iets* ***hebben*** abhor sth., have a horror of sth. [3] ⟨afgrijselijke daad⟩ → **gruweldaad** [4] ⟨watergruwel⟩ (water) gruel

gruweldaad [de] atrocity, gruesome deed, (act of) terror ♦ *gruweldaden* ***bedrijven*** commit atrocities

gruwelen [onov ww] be horrified/shocked (by), abhor ♦ *ergens* ***van*** *gruwelen* abhor sth.

gruwelijk [bn, bw] [1] ⟨afschuwwekkend⟩ horrible ⟨bw: horribly⟩, horrifying, atrocious, gruesome, ghastly, heinous, abominable ♦ *een gruwelijke* ***misdaad*** ⟨ook⟩ an atrocity [2] ⟨geweldig⟩ terrible ⟨bw: terribly⟩, enormous, blatant, unholy, shocking, abominable ♦ *een gruwelijke* ***hekel aan*** *iemand* ***hebben*** hate s.o.'s guts; *een gruwelijk* ***onrecht*** a shocking/blatant injustice; *iemand gruwelijk* ***vervelen*** ⟨inf⟩ bore the pants off s.o.; ***zich*** *gruwelijk* ***vervelen*** be bored stiff/to death/to tears

gruwelkamer [de] chamber of horrors

gruwelverhaal [het] horror story, blood-and-thunder story, tale of terror/^{B}blood

gruwen [onov ww] be horrified/shocked (by), abhor, have a horror of, ⟨angst⟩ have a terror of ♦ *ik gruw* ***bij*** *de gedachte aan al die ellende* I'm horrified by the thought of all this misery; *ergens* ***van*** *gruwen* abhor sth.

[1]**gruwzaam** [bn, bw] ⟨gruwelijk⟩ horrid ⟨bw: ~ly⟩, gruesome, heinous, abominable

[2]**gruwzaam** [bw] ⟨in zeer hoge mate⟩ dreadfully, terribly, shockingly

gruyère [de^{m}], **gruyèrekaas** [de^{m}] gruyère (cheese)

gruyèrekaas [de^{m}] → **gruyère**

gruzelementen [de^{mv}] smithereens, bits (and pieces), fragments, ⟨hout⟩ matchwood ♦ *iets* ***aan*** *gruzelementen* ***slaan*** knock sth. to pieces/matchwood, shatter sth., smash sth. (in)to smithereens; ⟨fig⟩ *hun plan is* ***aan*** *gruzelementen* their plan has shattered/is a wreck; ***aan/in*** *gruzelementen* ***liggen/vallen/gaan*** have fallen/fall to pieces/smithereens

GS [de^{m}] (Gedeputeerde Staten) Provincial Executives

g-sleutel [de^{m}] ⟨muz⟩ G clef, Treble clef

[1]**gsm**^{MERK} [de^{m}] ⟨mobiele telefoon⟩ GSM

[2]**gsm**^{MERK} [het] (global system for mobile communications) GSM

gsm'etje^{MERK} [het] → **gsm-toestel**

gsm-toestel^{MERK} [het], **gsm'etje** [het] GSM phone, cellular phone

g-spot [de^{m}] g-spot, G-spot

g-string [de] G-string

GT [afk] (Greenwichtijd) GMT

guacamole [de] guacamole

Guadeloupe [het] Guadeloupe

Guadelouper [de^{m}], **Guadeloupse** [de^{v}] ⟨man & vrouw⟩ Guadeloupian, inhabitant/native of Guadeloupe, ⟨vrouw ook⟩ Guadeloupian woman/girl

Guadeloups [bn] Guadeloupian

Guadeloupse [de^{v}] → **Guadelouper**

guaguanco [de^{m}] guaguanco

Guam [het] Guam

[1]**Guamees** [de^{m}], **Guamese** [de^{v}] ⟨man & vrouw⟩ Guamanian, ⟨vrouw ook⟩ Guamanian woman/girl

[2]**Guamees** [bn] Guamanian

Guamese [de^{v}] → **Guamees**[1]

guanine [de] ⟨biochem⟩ guanine

guano [de^{m}] guano ♦ *met guano* ***bemesten*** guano

guarana [de] guarana

Guatemala [het] Guatemala

Guatemala	
naam	*Guatemala* Guatemala
officiële naam	*Republiek Guatemala* Republic of Guatemala
inwoner	*Guatemalteek* Guatemalan
inwoonster	*Guatemalteekse* Guatemalan
bijv. naamw.	*Guatemalteeks* Guatemalan
hoofdstad	*Guatemala-Stad* Guatemala City
munt	*quetzal* quetzal
werelddeel	*Amerika* America
int. toegangsnummer 502 www .gt auto GCA	

Guatemalaan [de^{m}], **Guatemalaanse** [de^{v}] ⟨man & vrouw⟩ Guatemalan, ⟨vrouw ook⟩ Guatemalan woman/girl

Guatemalaans [bn], **Guatemalteeks** [bn] Guatemalan

Guatemalaanse [de^{v}] → **Guatemalaan**

Guatemala-Stad [het] Guatemala City

Guatemalteek [de^{m}], **Guatemalteekse** [de^{v}] ⟨man & vrouw⟩ Guatemalan, ⟨vrouw ook⟩ Guatemalan woman/girl

Guatemalteeks [bn] → **Guatemalaans**

Guatemalteekse [de^{v}] → **Guatemalteek**

guave [de^{m}] ⟨vrucht en boom⟩ guava

[1]**guerrilla** [de^{m}] ⟨vorm van strijd⟩ guer(r)illa (warfare), bushfighting

[2]**guerrilla** [de] ⟨strijd(st)er⟩ → **guerrillastrijder**

guerrillaoorlog [de^{m}] guer(r)illa war(fare)

guerrillastrijder [de^{m}], **guerrillastrijdster** [de^{v}], **guerrillero** [de^{m}] guer(r)illa (fighter), guerrillero, irregular, partisan

guerrillastrijdster [de^{v}] → **guerrillastrijder**

guerrillatroepen [de^{mv}] guer(r)illa troops, guerillas

guerrillero [de^{m}] → **guerrillastrijder**

guichelheil [het] pimpernel ♦ *gewone guichelheil* scarlet pimpernel

guillotine [de^{v}] guillotine

guillotineren [ov ww] guillotine

Guinee [het] Guinea

Guinee	
naam	*Guinee* Guinea
officiële naam	*Republiek Guinee* Republic of Guinea
inwoner	*Guineeër* Guinean
inwoonster	*Guineese* Guinean
bijv. naamw.	*Guinees* Guinean
hoofdstad	*Conakry* Conakry
munt	*Guineese frank* Guinean franc
werelddeel	*Afrika* Africa
int. toegangsnummer 224 www .gn auto RG	

Guinee-Bissau [het] Guinea-Bissau

Guinee-Bissauer [de^{m}], **Guinee-Bissause** [de^{v}] ⟨man & vrouw⟩ inhabitant/native of Guinea Bissau,

⟨vrouw ook⟩ woman/girl from Guinea Bissau
Guinee-Bissaus [bn] of/from Guinea Bissau
Guinee-Bissause [de^v] → **Guinee-Bissauer**
Guineeër [de^m], **Guineese** [de^v] ⟨man & vrouw⟩ Guinean, ⟨vrouw ook⟩ Guinean woman/girl
[1]**Guinees** [de^m] ⟨man⟩ Guinean
[2]**Guinees** [bn] Guinean
Guineese [de^v] → **Guineeër**

Guinee-Bissau	
naam	*Guinee-Bissau* Guinea-Bissau
officiële naam	*Republiek Guinee-Bissau* Republic of Guinea-Bissau
inwoner	*Guinee-Bissauer* inhabitant of Guinea-Bissau
inwoonster	*Guinee-Bissause* inhabitant of Guinea-Bissau
bijv. naamw.	*Guinee-Bissaus* from/of Guinea-Bissau
hoofdstad	*Bissau* Bissau
munt	*CFA-frank* CFA franc
werelddeel	*Afrika* Africa
int. toegangsnummer 245 www .gw auto GW, RGB	

guirlande [de] festoon, garland, swag
guit [de^m] rogue, wag ♦ *die **kleine** guit* that little rogue/rascal
guitenstreek [de] prank, roguish trick, mischief ♦ *die jongen **haalt** altijd guitenstreken **uit*** that boy is always up to mischief/pranks/no good/sth./is always getting into mischief
guitig [bn, bw] roguish ⟨bw: ~ly⟩, arch, waggish, mischievous, ⟨form⟩ jocose ♦ *hij heeft zo'n guitig **gezicht*** he has such a roguish face; *hij **kijkt** zo guitig* he has such a mischievous/roguish look in his eyes; *een guitig **kind*** an arch child
guitigheid [de^v] roguishness, archness, waggishness, ⟨form⟩ jocosity
[1]**gul** [de] ⟨vis⟩ codling
[2]**gul** [bn, bw] [1] ⟨hartelijk, ongedwongen⟩ cordial ⟨bw: ~ly⟩, warm, genial, hearty, jovial ♦ *een gulle **lach*** a hearty laugh [2] ⟨vrijgevig⟩ generous, liberal, bountiful, ⟨gastvrij⟩ hospitable, ⟨met geld⟩ munificent ♦ *een gulle **gastheer*** a generous host; *gulle **gave/gever*** generous gifts/donor; *met gulle **hand** (geven)* (give) generously/liberally; *hij **is** gul* he is a generous/hospitable man; *gul zijn **met** iets* be liberal/free with sth.
[1]**gulden** [de^m] [1] ⟨munt⟩ (Dutch) guilder, florin, gulden ♦ *in **harde** guldens* in (hard) cash [2] ⟨bedrag⟩ guilders, florins, gulden ♦ *dat kost **drie** gulden **twintig*** that's three guilders (and) twenty (cents); *(voor) dertig gulden (aan) **dubbeltjes** hebben* have thirty guilders in 10-cent coins; ***één** guldentje maar* only one guilder; *dat is 200 gulden **waard*** that's worth 200 guilders
[2]**gulden** [bn] [1] ⟨gouden⟩ gold(en) ♦ *de slag der gulden **sporen**, Guldensporenslag* the Battle of the Spurs; *het Gulden **Vlies*** the Golden Fleece; *de orde van het Gulden **Vlies*** the order of the Golden Fleece [2] ⟨verguld⟩ gilt, gilded, gold [3] ⟨fig; als goud blinkend⟩ golden ♦ *gulden **aren*** golden corn [4] ⟨fig; heerlijk, voortreffelijk⟩ golden ♦ *de gulden **middenweg** kiezen/nemen* strike the golden mean/happy medium; *de gulden **snede*** the golden section
guldenjaar [het] jubilee year, (year of) jubilee ⟨ook judaïsme, rooms-katholiek⟩, ⟨eeuwjaar⟩ secular year
Guldensporenslag [de^m] Battle of the Spurs
guldenteken [het] guilder symbol
gulhartig [bn, bw] ⟨form⟩ cordial ⟨bw: ~ly⟩, open-hearted, open-handed, generous, genial, ⟨welgemeend⟩ sincere ♦ *gulhartige **vrolijkheid*** openhanded joviality; *gulhartig **zijn*** have a generous heart
gulhartigheid [de^v] [1] ⟨hartelijkheid⟩ cordiality, open-heartedness, geniality, heartiness, joviality [2] ⟨vrijgevigheid⟩ open-handedness, generosity, liberality, bounty
gulheid [de^v] [1] ⟨hartelijkheid⟩ → **gulhartigheid bet 1** [2] ⟨openhartigheid⟩ frankness, openness, sincerity, candour [3] ⟨bewijs van mildheid⟩ generosity [4] ⟨vrijgevigheid⟩ → **gulhartigheid bet 2**
gulp [de] [1] ⟨dikke straal⟩ gush, spurt, issue ♦ *een gulp **water*** a gush of water [2] ⟨voorsluiting in een broek⟩ fly (front), ⟨ritssluiting⟩ zip ♦ *zijn gulp **dichtdoen*** do/button/zip up one's fly; *je gulp **staat open*** your fly is open/undone
gulpen [onov ww] gush, spurt, spout, issue ♦ *het bloed gulpte **uit** de wond* blood gushed from the wound
gulpsluiting [de^v] fly (front)
gulzig [bn, bw] [1] ⟨vraatzuchtig⟩ greedy ⟨bw: greedily⟩, gluttonous, ⟨inf⟩ gutsy, piggish ♦ *gulzig **eten*** eat greedily, gobble; ⟨sl⟩ gorp; *gulzig **naar binnen werken/opschrokken*** wolf down, shovel in, glut o.s. (with); ⟨inf⟩ scoff; ***wees niet** zo gulzig* don't be so greedy; ⟨fig⟩ *de regen **werd** door de droge aarde gulzig **opgeslorpt*** the rain was hungrily swallowed up by the parched earth [2] ⟨begerig⟩ greedy ⟨bw: greedily⟩, covetous, avid ♦ *met gulzige **blikken*** with greedy eyes
gulzigaard [de^m] glutton, ⟨sl⟩ greedyguts, pig
gulzigheid [de^v] greed(iness), gluttony
gum [het, de^m] (india-)rubber, ⟨AE⟩ eraser
gummen [onov ww] rub out, erase
gummetje [het] rubber, ⟨AE⟩ eraser
gummi [het, de^m] [1] ⟨rubber⟩ (india-)rubber ♦ *het gummi is **bros** geworden* the rubber has perished [2] ⟨in samenstellingen⟩ rubber ♦ *gummi**handschoen*** rubber glove
gummiknuppel [de^m] baton, ⟨AE⟩ club, bludgeon, truncheon
gummislang [de] rubber hose/tube, (rubber) tubing
gummistok [de^m] baton, truncheon
gunnen [ov ww] [1] ⟨verlenen, toestaan⟩ grant, concede, allow, permit, give ♦ *ho even, je moet de **anderen** ook wat gunnen* hang on a minute, you must live and let live; *iemand een **blik** op iets gunnen* give s.o./let s.o. have a look at sth.; *iemand de **eer** gunnen* give s.o. credit; *iemand **genade** gunnen* grant s.o. pardon/mercy; *iemand het **genoegen** gunnen van* grant s.o. the pleasure of; *iemand een paar **minuten/woorden** gunnen* spare s.o. a few minutes/words; *het was hem **niet** gegund haar nog te zien* he was not to see her again; *zich geen **rust** gunnen* give o.s. no rest/peace, not allow o.s. any/a moment's rest; *zijn benen wat **rust** gunnen* take the weight off one's legs/feet; *gun je nou eens de **tijd** om ...* take your/allow yourself time to ...; *zonder zich de **tijd** te gunnen* not taking/sparing (the) time to, without allowing o.s. time/leisure to; *hij gunde zich de **tijd** niet om te eten* he would/did not allow/give himself time to eat; *het **woord** gunnen aan de volgende spreker* give the floor/platform to the following speaker [2] ⟨zonder nijd, spijt zien dat een ander iets heeft, ontvangt⟩ not begrudge ♦ *iemand geen **blik** gunnen* not deign to look at s.o., not accord s.o. a look; ***dat** is je gegund!* you're welcome to it!; ⟨iron ook⟩ you got what you deserved, you asked for it; *ik gun hem mijn **ex-vriend**/mijn oude **baantje*** he's welcome to/he can have/I don't envy him my ex-boyfriend/my old job; *iemand alle **goeds** gunnen* wish s.o. well/all the best; ***het** is je van harte gegund* you're quite/fully/absolutely welcome to it; *hij gunt een ander **niets*** he begrudges everything, he is very grudging; ⟨iron⟩ *ik gun je de **pret**!* I wish you joy of it!, good luck to you, rather/sooner you than me, you're welcome (to it) [3] ⟨de uitvoering van het werk aan iemand toewijzen⟩ assign, allot, allocate, give, award ♦ *de **levering** is hem gegund* the supply contract has gone to/been placed with/been awarded to him; *een **order** gunnen aan* place an order with; *het **werk** gunnen aan* give the job/work to
gunning [de^v] allotment, adjudication order, supply contract ♦ *gunning **aan de laagste inschrijver*** allocation to the lowest tender; *de gunning **heeft** reeds **plaatsgehad*** the contract has already been awarded; *de gunning **is aangehouden***

the allotment/contract has been retained

[1]**gunst** [de^{v}] [1] ⟨onverplichte goedheid⟩ favour, grace, goodwill ♦ *bij iemand **in** de gunst komen/raken/zijn/staan* find favour/be in favour with s.o.; ⟨inf⟩ get into/be in s.o.'s good books/graces, get/be on the right side of s.o.; ***dingen** naar de gunsten van een vrouw* court the favours of a woman; *weer **in** de gunst komen bij iemand* return to/be restored to favour with s.o., regain s.o.'s favour; *bij iemand **in** de gunst proberen te komen* curry s.o.'s favour, curry favour with s.o., ingratiate o.s. with s.o., make up to s.o.; ⟨inf⟩ butter up to s.o.; *zeer **in** de gunst/**in** hoge gunst staan bij iemand* be/stand high in s.o.'s favour; ***naar** de gunst van het publiek/de kiezers **dingen*** bid for/solicit/curry the public's/voters' favour; ***uit** de gunst raken/zijn* fall/be out of favour with s.o.; ⟨inf⟩ get into/be in s.o.'s bad books; *de gunst van het publiek **verwerven*** gain/win/secure the public's favour/goodwill; *het moet geen gunst **wezen**, ik leen wel een andere fiets* don't make a special favour/a thing of it, I'll borrow another bike [2] ⟨blijk van gunstige gezindheid⟩ favour, boon ♦ *bij wijze van gunst/**als** bijzondere gunst stond hij het toe* he permitted/allowed it as a (special) favour; *iemand een gunst **bewijzen*** do s.o. a favour; ↑ confer a favour upon s.o., accord s.o. a favour; *hij doet net of het een hele gunst **is*** he makes a big compliment of it; *iemand (om) een gunst **vragen*** ask/beg a favour of s.o.; *het is meer gunst dan kunst* ± it's not what you know, it's who you know [·] *ten gunste **van*** in (the) favour of; ⟨ook bankoverschrijvingen⟩ to the credit of; on behalf of; *getuigen **ten** gunste **van*** (stand) witness in favour of/supporting; *een cheque **ten** gunste **van*** a cheque/^{A}check in favour of, a cheque/^{A}check to; ***ten** gunste **van** iemand spreken* speak (out)/come out in favour of s.o., speak up for s.o.; *de gelden komen **ten** gunste **van*** the money benefits/goes to the credit of; *hij deed afstand **ten** gunste **van** zijn zoon* he signed (the business) over/stepped down/withdrew in favour of his son

[2]**gunst** [tw] (my) goodness, (good) gracious, gosh, flip ♦ *gunst, wat heb jij daar!* goodness (me), what have you got there!; *och gunst! het arme kind* dear oh dear/dear me, the poor child!

gunstbewijs [het] mark of (one's) favour/goodwill, sign of (one's) favour/goodwill, token of (one's) favour/goodwill

gunsteling [de^{m}] favourite, ⟨vaak pej of scherts⟩ darling, pet, minion ♦ ***oma's** gunstelingetje* Granny's pet

gunstig [bn, bw] [1] ⟨welwillend⟩ favourable ⟨bw: favourably⟩, sympathetic, kind, agreeable ♦ *gunstig **adviseren** over* advise in favour of; *een gunstig **antwoord*** a positive answer; *hij was gunstig **gestemd*** he was agreeable/favourably disposed/conciliatory; *hij **is** mij gunstig **gezind*** he is favourably/kindly disposed towards me; *het **lot** was mij gunstig (gezind), het **geluk** was mij gunstig* fate was kind to me/on my side, fortune smiled on me; *een gunstig **onthaal** vinden* meet with a favourable reception; *gunstig **oordelen** over* give a favourable/positive judgement on; *gunstig **reageren*** react favourably; ⟨inf⟩ make sympathetic noises; *gunstig **staan** tegenover* sympathize with; *iemand gunstig **stemmen*** propitiate/placate/conciliate s.o., put s.o. in a good mood; *het boek **werd** gunstig **ontvangen*** the book was well/favourably received/found a favourable reception [2] ⟨tot nut, baat⟩ favourable ⟨bw: favourably⟩, suitable, advantageous, opportune ♦ *gunstig **denken** over* think favourably about, have a good opinion of; *een gunstig **gekozen** tijdstip* an opportune moment; *een gunstige **gelegenheid*** a good/favourable/suitable opportunity; *de **gelegenheid** was gunstig* it was a good moment, the time was right; *het **getijde** is gunstig* the tide is right; *in het gunstigste **geval**, onder de gunstigste **omstandigheden*** at best, ideally, at the best of times; *een gunstig **jaar*** a good year, ⟨financieel⟩ a profitable year; *een gunstige **kritiek**/veel gunstige **publiciteit** krijgen* receive favourable/positive reviews/a lot of good publicity; *het **laat** zich gunstig **aanzien*** it looks good, the situation looks favourable/hopeful; *de gunstige **ligging** van een wijngaard* the favourable location/situation of a vineyard; *de stad **ligt** gunstig (voor/ten opzichte van)* the town is well situated (for); *ons huis **ligt** gunstig ten opzichte van de winkels* our house is convenient for the shops; *het **ogenblik** was niet gunstig* it was an inconvenient/inopportune moment; *in een gunstige **positie**, op een gunstige **plek*** ⟨alg⟩ favourably situated/located; ⟨makkelijk te bereiken⟩ convenient(ly situated); *een gunstige **prijs*** a good/reasonable price, a bargain (price); *gunstig **uitpakken/uitvallen*** work out well/favourably; *met gunstige **uitslag*** with a favourable/satisfactory result, with the desired result, successful(ly); *gunstig **voor** ...* favourable/good/suitable for ..., ↑ conducive to ...; *het weer is gunstig **voor*** it is good weather for; *iets gunstiger **voorstellen** dan het is* show sth. off to its advantage/to be better than it is, present sth./make sth. appear in a good light, dress sth. up; *gunstige **voortekenen*** favourable/hopeful signs/indications/omens; *nu de **voorwaarden** nog gunstig zijn* now that (the) conditions are favourable, while the going is good; *bij gunstig **weer*** in kind/good/favourable weather; ⟨voorwaarde⟩ weather permitting; *de **wind** was gunstig* the wind was in my/our/... favour, there was a favourable/fair wind [3] ⟨aangenaam⟩ favourable ⟨bw: favourably⟩, agreeable ♦ *gunstig **bekendstaan*** have a good reputation

gunstkoopje [het] ⟨in België⟩ special offer

gunstprijs [de^{m}] ⟨in België⟩ cheap price

gunsttarief [het] ⟨in België⟩ reduced tariff/rate(s)/charge(s)

gup [de^{m}] guppy

gut [tw] gosh, golly, goodness ♦ *och gut! dat arme kind* goodness, that poor child; *gut, ik dacht dat hij al weg was* gosh, I thought he was gone

[1]**guts** [de] [1] ⟨plens⟩ gush, splash [2] ⟨beitel⟩ gouge, ⟨van boorijzer⟩ shell-bit

[2]**guts** [de^{mv}] ⟨lef⟩ guts [·] *de guts **hebben** om ...* have the guts to; *de guts **missen**/niet **hebben** om ...* not have the guts to ...

[1]**gutsen** [onov ww] ⟨in stromen neervloeien, storten⟩ gush, pour, stream, course ♦ *het zweet gutst **langs** zijn hoofd* the sweat poured/streamed down his face; *gutsende **regen*** pouring/pelting/streaming rain; *het bloed gutste **uit** zijn hoofd* blood poured from his head, his head was streaming with blood

Guyana	
naam	*Guyana* Guyana
officiële naam	*Coöperatieve Republiek Guyana* Cooperative Republic of Guyana
inwoner	*Guyaan* Guyanese
inwoonster	*Guyaanse* Guyanese
bijv. naamw.	*Guyaans* Guyanese
hoofdstad	*Georgetown* Georgetown
munt	*Guyaanse dollar* Guyanese dollar
werelddeel	*Amerika* America
int. toegangsnummer 592 www .gy auto GUY	

[2]**gutsen** [ov ww] ⟨amb⟩ ⟨met een guts uitsteken⟩ gouge (out)

[3]**gutsen** [onpers ww] ⟨hard regenen⟩ pour (down), pelt/stream (down) ♦ *het heeft hier gegutst van de regen* it has been pouring (with rain) here

guttegut [tw] oh my!, good grief!

[1]**gutturaal** [de] guttural

[2]**gutturaal** [bn] ⟨ook taalk⟩ guttural, throaty

guur [bn, bw] ⟨wind, dag, avond, klimaat⟩ bleak ⟨bw: ~ly⟩, ⟨wind, dag, nacht, weer⟩ raw, ⟨met storm; dag, nacht, weer⟩ rough, wild, ⟨weer, klimaat⟩ ↑ inclement, ⟨wind⟩ cutting, vicious, wintry ♦ *het **is** guur vandaag* it's a bleak/raw/rough day

Guyaan [de^{m}], **Guyaanse** [de^{v}] ⟨man & vrouw⟩ Guyanese, ⟨vrouw ook⟩ Guyanese woman/girl
Guyaans [bn] Guyanese
Guyaanse [de^{v}] → **Guyaan**
Guyana [het] Guyana
¹Guyanees [de^{m}], **Guyanese** [de^{v}] ⟨man & vrouw⟩ Guyanese, ⟨vrouw ook⟩ Guyanese woman/girl
²Guyanees [bn] Guyanese, Guyanan
Guyanese [de^{v}] → **Guyanees¹**
gvd [afk] ⟨euf⟩ (godverdomme) darn it, ⟨BE⟩ bloomin' eck, ⟨AE⟩ shoot
GW [het] (gemeentewerken) municipal/public works
¹gym [de^{v}] 1 ⟨gymnastiek(les)⟩ gym, PE (physical education), PT (physical training) 2 ⟨in samenstellingen⟩ gym
²gym [het] ⟨gymnasium⟩ ⟨BE⟩ ± grammar school, ⟨AE⟩ ± high school, ⟨in Nederland enz.⟩ gymnasium ♦ *Jan zit op het gym* Jan is at (the) grammar school
gymleraar [de^{m}] gym teacher
gymmen [onov ww] 1 ⟨gymnastiek beoefenen⟩ do gym(nastics) 2 ⟨gymnastiekles hebben⟩ have gym/PE
gymn. [afk] 1 (gymnasium, gymnasiaal) ⟨BE⟩ ± grammar school, ⟨AE⟩ ± high school, ⟨in Nederland enz.⟩ gymnasium 2 (gymnastiek, gymnastisch) gym
gymnasiaal [bn] ⟨BE⟩ ± grammar school, ⟨AE⟩ ± high school, ⟨in Nederland enz.⟩ gymnasium
gymnasiast [de^{m}] ⟨BE⟩ ± grammar-school pupil/student, ⟨AE⟩ ± high-school student, ⟨in Nederland enz.⟩ gymnasium pupil/student
gymnasium [het] 1 ⟨onderwijsinstelling⟩ ⟨BE⟩ ± grammar school, ⟨AE⟩ ± high school, ⟨in Nederland enz.⟩ gymnasium 2 ⟨gesch; sportgebouw⟩ gymnasium
gymnast [de^{m}] gymnast
gymnastiek [de^{v}] 1 ⟨lichaamsoefeningen⟩ gymnastics, ⟨scherts; inf⟩ physical jerks, ⟨ochtendgymnastiek⟩ keep-fit exercises, cal(l)isthenics ♦ ⟨sport⟩ *ritmische gymnastiek* rhythmic gymnastics 2 ⟨les in gymnastiek⟩ gymnastics, gym(class), PE (physical education) (class), PT (physical training) (class), keep-fit class, drill
gymnastiekleraar [de^{m}], **gymnastieklerares** [de^{v}] ⟨man & vrouw⟩ gym teacher, ⟨man⟩ gym master, ⟨BE ook; man⟩ games master, ⟨vrouw⟩ gym mistress, ⟨vrouw⟩ games mistress
gymnastieklerares [de^{v}] → **gymnastiekleraar**
gymnastiekles [de] gym(nastics), gym class, PE (physical education) (class), PT (physical training) (class) ♦ *gymnastiekles hebben* have gym/PE
gymnastieklokaal [het] gym, gymnasium
gymnastiekpakje [het] leotard, tunic
gymnastiekschoen [de^{m}] ⟨BE⟩ pump, ⟨AE⟩ sneaker, ⟨BE ook⟩ gym shoe, plimsoll
gymnastiekvereniging [de^{v}] gymnastic club
gymnastisch [bn] gymnastic ♦ *gymnastische oefeningen* gymnastic exercises; ⟨inf; scherts⟩ physical jerks; ⟨ochtendgymnastiek⟩ keep-fit exercises
gymp [de^{m}] ⟨BE⟩ pump, ⟨AE⟩ sneaker, ⟨ogm⟩ gym shoe
gympakje [het] gymnastic(s) suit, gym outfit
gympie [het] ⟨inf⟩ ⟨BE⟩ pump, ⟨AE⟩ sneaker, ⟨ogm⟩ gym shoe, ⟨BE ook; ogm⟩ plimsoll ♦ *op gympies lopen* be wearing pumps/sneakers
gynaecologie [de^{v}] 1 ⟨leer⟩ gynaecology, ⟨AE⟩ gynecology 2 ⟨afdeling⟩ gynaecology, ⟨AE⟩ gynecology ♦ *zij ligt op gynaecologie* she's in gynaecology
gynaecologisch [bn] gynaecological, ⟨AE⟩ gynecological
gynaecoloog [de^{m}] gynaecologist, ⟨AE⟩ gynecologist
gynaecomastie [de^{v}] gynecomastia
gyrokompas [het] gyrocompass, gyro
gyrokopter [de^{m}] gyrocopter, autogyro, gyroplane, rotaplane
gyros [de^{m}] gyros
gyroscoop [de^{m}] gyroscope, gyro
gyroscopisch [bn] gyroscopic
G7 [de^{mv}] ⟨pol⟩ G7

h

h [de] h, H, aitch ◆ *de h* ***weglaten/inslikken/niet uitspreken*** drop one's h's/aitches; *de h in 'honest'* ***wordt niet uitgesproken*** the 'h' in 'honest' is mute/not sounded
h. [afk] 1 (hoogte) ht, h, H 2 (heeft) has
H [afk] 1 ⟨scheik⟩ (hydrogenium) H 2 ⟨natuurk⟩ (henry) H
H. [afk] (heilige) H, St
¹ha [tw] 1 ⟨als uitroep⟩ ah!, ha!, aha!, oh! ◆ *ha! ben je daar?* ah!/oh! so there you are; *ha! dat dacht je maar!* aha! that's what you thought; *ha! kijk eens hoe mooi!* oh! just look, how/that's lovely/wonderful/nice 2 ⟨manier om het lachen uit te drukken⟩ ha, ha ha, he he, ho ◆ *haha, die is goed!* ha, ha that's (a) good (one)!, ha, ha, that's funny!
²ha [afk] (hectare) ha
h.a. [afk] 1 (hoc anno) ha 2 (huius anni) ha
haag [de] 1 ⟨heg⟩ hedge(row) ◆ ***achter*** *hagen en kanten* on the quiet/sly/q.t.; *een* ***dichte*** *haag* a thick hedge 2 ⟨personen, zaken op een rij⟩ row ◆ *een haag* ***vormen*** form a line/row ▪ *de kap* ***over*** *de haag hangen/smijten* throw off the cowl
haagbeuk [de^m] hornbeam
haagbeuken [bn] hornbeam
haagbos [het] thicket, dense undergrowth
haagboterbloem [de] 1 ⟨speenkruid⟩ lesser celandine, pilewort 2 ⟨klimopwaterranonkel⟩ ivy-leaved water-crowfoot
haagdoorn [de^m] hawthorn, quickthorn, ⟨witte ook⟩ whitethorn
haagdoornvlinder [de^m] hawthorn butterfly
haageik [de^m] holm oak
haagje [het] small/little/dwarf hedge ▪ ***in*** *het Haagje wonen* live in the Hague
¹Haags [het] Hague dialect/accent
²Haags [bn] 1 ⟨van, uit 's-Gravenhage⟩ Hague ◆ *het Haagse* ***bos*** the Hague wood; *Haagse* ***hopjes*** Hague toffees; *Haags* ***ontbijt*** continental breakfast; *de Haagse* ***school*** the Hague School 2 ⟨de schijn ophoudend⟩ la-di-da, ⟨BE⟩ 'county' ◆ *Haagse* ***antenne*** 'Haagse antenne', car aerial used without a radio; *Haagse* ***bluf*** ± currant whip/snow; *een Haags* ***kopje*** a half cup
haagschaar [de] (hedge) shears, ⟨mechanisch⟩ (hedge) trimmer(s), hedge clippers
Haagse [de^v] → **Hagenaar**
haagwinde [de] hedge bindweed, bellbind, (wild) morning glory
haai [de^m] 1 ⟨vis⟩ shark ◆ *de* ***blauwe*** *haai* the blue shark; ⟨fig⟩ *naar de haaien gaan* go west/down the drain/up the spout, ⟨AE ook⟩ go down the tube(s); ⟨fig⟩ *die is* ***naar*** *de haaien* he/that has had it/is finished 2 ⟨persoon⟩ shark, wolf 3 ⟨persoon die niet op z'n mondje gevallen is⟩ battle-axe ◆ *zij is een haai* ***van*** *een wijf* she can stand up/look after herself
haaibaai [de^v] shrew, fishwife, termagant
haaien [onov ww] 1 ⟨de baas spelen⟩ domineer, boss (about) 2 ⟨ruzie maken⟩ (pick a) quarrel, bully 3 ⟨m.b.t. paarden⟩ paw
haaienbek [de^m] 1 ⟨bek van een haai⟩ shark's mouth/jaws 2 ⟨persoon⟩ chinless wonder
haaienkraakbeen [het] shark cartilage
haaientand [de^m] ⟨tand van een haai⟩ shark's tooth
haaientanden [de^mv] ⟨verk⟩ give-way road-marking
haaienvin [de] shark-fin
haaienvinnensoep [de] shark-fin soup
haaiig [bn, bw] domineering, bossy, ⟨pestend⟩ bullying
haailuis [de] sharksucker, remora
haairog [de^m] guitar fish
haaivissen [de^mv] sharks
haak [de^m] 1 ⟨gebogen voorwerp⟩ hook, ⟨vierkant⟩ bracket ◆ ⟨handel⟩ *vrij* ***in*** *de haken* free on board, fob; *een touw* ***met*** *een haak* a rope with a hook; ⟨vnl scheepv⟩ a hook rope 2 ⟨ijzer waar vlees aan hangt⟩ hook ◆ ⟨scherts⟩ *schoon* ***aan*** *de haak* in the altogether/nude; *het vlees kost mij schoon* ***aan*** *de haak 30 euro* the meat costs me 30 euros dressed weight/net weight 3 ⟨gebogen voorwerp aan de wand om iets aan op te hangen⟩ hook, hooknail, ⟨voor kleren⟩ peg ◆ ⟨fig⟩ *iets* ***aan*** *de haak hangen* shelve sth.; ⟨fig⟩ *het hangt nog* ***aan*** *de haak* it's still pending; *z'n jas maar* ***aan*** *de haak hangen* just hang one's coat on the hook 4 ⟨vishaak⟩ (fish-)hook ◆ *een worm* ***aan*** *de haak slaan* bait the hook (with a worm); ⟨fig⟩ *een vrijer/een rijke man* ***aan*** *de haak slaan* hook (o.s.) a suitor/a rich man; ⟨fig⟩ *ze liet zich gemakkelijk* ***aan*** *de haak slaan* she let herself be hooked/caught easily; ***met*** *de haak vissen* fish with a hook, hook fishing/angling 5 ⟨plantk⟩ hook 6 ⟨haakje om kledingstuk(ken) te sluiten⟩ hook ◆ ⟨fig⟩ *er zitten veel haken en* ***ogen*** *aan* there are a lot of snags/catches, it's a tricky business; ⟨in België; fig⟩ *dat hangt met haken en* ***ogen*** *aan elkaar* ⟨slordig gemaakt, gedaan zijn⟩ ↑ that's awfully shoddy workmanship; ⟨met leugens en bedrog⟩ that's a pack of lies; ⟨niet kloppen, van een verhaal⟩ that doesn't hang together at all; *die jurk sluit niet met knopen, maar met haken en* ***ogen*** that dress fastens with hooks and eyes, not with buttons 7 ⟨voorwerp om een raam, deur vast te zetten⟩ hook, hasp, clasp ◆ *zet de deur* ***op*** *de haak, anders valt hij dicht* fasten the door back, otherwise it will slam to 8 ⟨stok waaraan een ijzeren haak bevestigd is⟩ crook, hook 9 ⟨werktuig in de vorm

van een rechte hoek⟩ square ◆ ***in/uit** de haak* (on the) square, set true (at right angles)/out of square/true; *het hout **in** de haak schaven* square (up) the wood, plane the wood square [10] ⟨wisk⟩ bracket, parenthesis ◆ *de haken **wegwerken*** eliminate the brackets [11] ⟨zandplaat in zee⟩ sandbank [12] ⟨duim waarop iets draait⟩ pin ◆ *de haken van **scharnieren*** the pins of hinges [•] *dat is niet **in** de haak* that's not quite right/a bit suspicious, ⟨inf⟩ that's a bit off; *daar is iets niet **in** de haak* there's sth. wrong there, there's sth. fishy about that; *en toen gooide ze de hoorn **op** de haak* and then she slammed the phone down/hung up; *de hoorn **van** de haak nemen/**op** de haak leggen* take the phone/receiver off the hook, replace the receiver/phone

haakbeentje [het] ⟨med⟩ hamate bone

haakbek [de^m] pine grosbeak

haakbout [de^m] hook bolt

haakbus [de] ⟨gesch⟩ (h)arquebus, hackbut, hagbut

haakfout [de] ⟨in België⟩ tripping

haakgaren [het] crochet yarn/thread/cotton

haakhang [de^m] lift-off hinge/butt

haakje [het] [1] ⟨teken⟩ bracket, parenthesis ◆ *haakje **openen/sluiten*** open/close (the) brackets; ***ronde** en **vierkante** haakjes* round and square brackets; ***tussen** haakjes staan* be in brackets, be bracketed; ***tussen** (twee) haakjes* ⟨lett⟩ in/between brackets/parentheses; ⟨fig⟩ incidentally, by the way; ***tussen** haakjes plaatsen/zetten* bracket (off), put in brackets [2] ⟨kleine haak⟩ hook ⟨in het bijzonder voor kleding⟩, fastener, peg ⟨bijvoorbeeld van kapstok⟩, hooklet ◆ *deze jurk gaat van achteren **met** haakjes **dicht*** this dress hooks up at the back [3] ⟨gereedschap⟩ cranked lathe tool, crank(ed) boring/turning/recessing tool

haakladder [de] hook ladder, pompier-ladder

haaklas [de] ⟨amb⟩ hook-and-butt (joint)

haaknaald [de] crochet hook/needle

haaknagel [de^m] hook bolt

haakneus [de^m] [1] ⟨sterk gekromde neus⟩ hooknose, hooked nose, beak [2] ⟨persoon⟩ hooknose

haakpatroon [het] ⟨amb⟩ crochet pattern

haakpen [de] crochet hook/needle

haaks [bn, bw] [1] ⟨rechthoekig⟩ square(d), at right angles, hooked ◆ *een balk haaks **afwerken*** square a beam; *haaks **ombuigen*** bend at right angles/a right angle; *de ene plank staat haaks **op** de andere* the two planks are set square/at right angles, one plank is square with the other; *haaks **staan op*** be square to, be at right angles to; ⟨fig⟩ be at odds with [2] ⟨in orde⟩ square(d) up, all square ◆ ***hou** je haaks* (keep your) chin up

haakschroef [de] screw hook

haaksluiting [de^v] ⟨kleding⟩ hooks and eyes, hook (fastener)

haakspijker [de^m] hook nail

haaksteek [de^m] ⟨amb⟩ crochet stitch

haaksteker [de^m] ⟨sport⟩ hook disgorger

haakster [de^v] crocheter

haaktand [de^m] canine (tooth), corner tooth

haakvormig [bn] hook-shaped, hooked, hooky

haakwerk [het] crochet (work), crocheting

haakworm [de^m] hookworm

haakzijde [de] crochet silk

¹haal [de^m] [1] ⟨ruk, teug⟩ tug, pull, haul, heave, ⟨teug⟩ draught ◆ *hij deed een **flinke** haal aan zijn pijp* he drew deeply on his pipe; *met een **flinke** haal trok hij het schip aan de wal* with a good tug he pulled the boat ashore; *hij rookt met **lange** halen* he inhales deeply, he smokes with/in long puffs; *een haal **met** de zaag* a stroke of the saw; *een sigaret in een **paar** halen oproken* finish a cigarette in a few pulls/drags [2] ⟨slag⟩ wallop, crack, clout ◆ *de hond kreeg een haal **over** zijn neus van de kat* the dog took a swipe across the nose from the cat [3] ⟨uithaal bij het spreken, zingen⟩ ⟨bij spreken⟩ drawl, ⟨bij zingen⟩ drawn-out note [4] ⟨trek met een schrijfpen⟩ stroke, ⟨snel⟩ dash ◆ ***met** één haal van de pen* with one stroke of the pen; *ze schrijft met **mooie** halen en krullen* she writes with fine strokes and flourishes [5] ⟨het halen⟩ pulling, tugging, hauling [•] ***aan** de haal gaan* take to one's heels, bolt, abscond; ⟨feestvieren⟩ go on the razzle, live it up, let one's hair down; ***aan** de haal zijn* be on the run; ***aan** de haal gaan met* bolt/run off with, make away/off with; ***met** een idee aan de haal **gaan*** steal an idea

²haal [het, de] ⟨gesch; heugel⟩ chimney crook, (pot)hanger

haalbaar [bn] attainable, achievable, feasible, practicable, practical ◆ ⟨kaartsp⟩ *ik heb geen haalbare **slag** in mijn hand* I haven't got the makings of a single trick in my hand; *dat is geen haalbaar **voorstel*** that's not a practicable/realistic proposition

haalbaarheid [de^v] feasibility, practicability

haalbaarheidsonderzoek [het] feasibility study

haalbaarheidsstudie [de^v] feasibility study

haalbij [de] worker bee

haalketting [de] [1] ⟨haardketting⟩ (pot) hanger [2] ⟨ketting waarmee men een ophaalbrug ophaalt⟩ drawbridge chain

haalmes [het] drawknife, drawshave, ⟨AE⟩ spokeshave

¹haam [de^m] ⟨net⟩ bow-net, lobster-net

²haam [het] [1] ⟨juk, gareel⟩ harness, (breast) collar [2] ⟨paardentuig⟩ hames, horse-collar

³haam [de] ⟨knieholte van een paard⟩ hock

haan [de^m] [1] ⟨dier⟩ cock, ⟨AE⟩ rooster ◆ *een **Engels** haantje* a bantam cock/^Arooster; *de **Gallische** haan* the Gallic cock/cockerel; ⟨fig⟩ *de **gebraden** haan uithangen* make a big splash, splash out/money, paint the town red; *een **gesneden** haan* a capon; *een **kalkoense** haan* a turkey cock; ***vóór** het **kraaien** van de haan* before cock-crow; *zijn haan moet altijd koning **kraaien*** he always wants (to have) it all/things his own way; *daar kraait geen haan naar* no questions are asked, no one will know a thing; *zonder dat er een haan naar kraait* without anyone being (any) the wiser, no questions asked [2] ⟨strijdbaar persoon⟩ leader [3] ⟨windwijzer⟩ (weather)cock, (weather)vane ◆ *de haan van de **toren*** the weathercock [4] ⟨m.b.t. vuurwapens⟩ cock ◆ *met geheel/half **overgehaalde/gespannen** haan* at full/half cock; *de haan **spannen/overhalen*** cock the rifle/gun

haangewicht [het] ⟨in België; sport⟩ bantamweight

haanpal [de^m] safety (catch), sear

haantje [het] [1] ⟨kleine haan⟩ young cock, cockerel, ⟨AE vnl⟩ young rooster, ⟨cul⟩ chicken ◆ *een **half** haantje* half a chicken [2] ⟨bijdehand persoon⟩ sharp one, ⟨onstuimig⟩ hothead [3] ⟨stoere man⟩ macho, he-man

haantje-de-voorste [het] bell-wether, ringleader, cock of the walk ◆ *hij is altijd haantje-de-voorste* he always has to be top dog/first; *haantje-de-voorste **zijn*** be (the) cock of the walk

haantjesgedrag [het] machismo, macho behaviour

¹haar [het] ⟨collectivum⟩ [1] ⟨al de lichaamsharen⟩ hair ◆ ***fijn/grof/stug/zacht** haar* fine/coarse/stiff/smooth hair; *met **huid** en haar verslinden* swallow whole; ⟨fig⟩ *haar **op** de tanden hebben* have a sharp tongue, be a tough customer [2] ⟨het hoofdhaar⟩ hair ◆ ***blond/lang/kort/opgestoken** haar* fair/long/short/put up hair; *zijn haar **doen/opmaken*** do one's hair; *er moet eens een stevige kam **door** zijn haar* his hair needs a good comb(-out); ***grijs** haar* ⟨BE⟩ grey hair, ⟨AE⟩ gray hair; white hair; *goed **in** z'n haar zitten* have a thick head of hair; ⟨fig⟩ *pijn **in** het haar hebben* have a head/hangover; *z'n haar **kammen/borstelen*** comb/brush one's hair; *het haar **kort/lang** dragen* wear one's hair short/long; *met **lang/kort/...** haar* long-/short-/...haired; *z'n haar **laten knippen*** have a haircut, have one's hair cut; ⟨fig⟩ *het haar **op** zolder* the hair put/gathered up, put/gathered up hair; ⟨fig⟩ *het haar **op** zolder dragen* wear/put one's hair up; ***rood** haar* red/ginger hair; ***vals** haar* false/artificial hair; *het haar **verven*** dye the hair [3] ⟨hoeveelheid haar⟩ hair ◆ *een zitting* *met haar* a seat stuffed with hair, a hair-stuffed seat [4] ⟨plantk⟩ hair [•] ⟨in België⟩ *dat is bij het haar* ***getrokken*** that's a gross exaggeration; ⟨in België⟩ *Frans/Engels/...* ***met*** *haar op* broken French/English/...; ⟨in België⟩ *ik ken hem van haar noch* ***pluim(en)*** I don't know him from Adam

[2]**haar** [het, de] [1] ⟨haarvezel⟩ hair ♦ *berouw/spijt hebben* ***als*** *haren op z'n hoofd* be/feel as sorry as could be; *iemand* ***geen*** *haar krenken* not touch a hair of s.o.'s head; ***geen*** *haar op m'n hoofd die eraan denkt* I would not dream of it, I wouldn't touch it with a ten-foot-pole/barge-pole; *iets* ***met*** *de haren erbij slepen/trekken* drag sth. in (by the head and shoulders); *de haren van een* ***rups*** the bristles/hairs of a caterpillar; *zich de haren uit het hoofd* ***trekken*** tear one's hair, kick o.s.; ⟨fig⟩ *hij* ***vindt*** *altijd een haar in de boter* he always finds sth. to quibble about; ⟨fig⟩ *zijn* ***wilde*** *haren kwijtraken, verliezen* sow one's wild oats, settle down [2] ⟨mv; haardos⟩ hair ♦ *ik heb er* ***grijze*** *haren van gekregen* it has turned my hair grey, it has put years on me; *elkaar* ***in*** *de haren vliegen* fly at each other, be at each other's throats; *met* ***loshangende*** *haren lopen* have one's hair hanging down; *iemand* ***tegen*** *de haren in strijken* rub s.o. up the wrong way; *iemand de haren te berge doen rijzen* make s.o.'s hair stand on end; *m'n haren rezen te berge (van schrik)* my hair stood on end (with fear); *een verhaal/film waarvan je de haren te berge rijzen* a hair-raiser, a hair-raising/hair-curling story/film [3] ⟨nagenoeg niets⟩ hair, trifle, nicety ♦ ***geen*** *haar beter zijn* not be a whit/one jot better; *op een haar* ***na*** by a whisker, very nearly, almost, all but; *het* ***scheelde*** *geen haar* that was a near thing/a (pretty) close shave/touch and go; *het* ***scheelde*** *maar een haar of ik had haar geraakt* I just missed hitting her; *het* ***scheelde*** *maar een haar of ik was met hem getrouwd* I was/came within an ace of marrying him; *het* ***scheelde*** *maar een haar of ik was verdronken/dood/gevallen* I had a hair breadth escape from/I came near drowning/being killed/falling [•] *alles* ***op*** *haren en snaren zetten* move heaven and earth, leave no stone unturned; ⟨sprw⟩ *een vos verliest wel zijn haren, maar niet zijn streken* ± the leopard cannot/does not change his spots

[3]**haar** [pers vnw] her, ⟨van dier/ding vnl.⟩ it ♦ *dit* ***boek*** *is van haar* this book is hers; *hij* ***gaf*** *het haar* he gave it to her; *die* ***van*** *haar* ***is wit*** hers is white; ***vrienden*** *van haar* friends of hers

[4]**haar** [bez vnw; v enk] her, ⟨van dieren/dingen vnl.⟩ its ♦ ***de*** *haren* hers; ***de/het*** *hare* hers; *zij doet* ***het*** *hare* she does all she can, she does her share; *Els haar* ***schoenen*** Elsie's shoes

haarachtig [bn] hairlike, hairy

haarbal [de^m] hair ball, ⟨maagsteen ook⟩ bezoar

haarband [de^m] hair-ribbon, headband, fillet

haarborstel [de^m] hairbrush

haarbos [de^m] [1] ⟨handvol haren⟩ tuft of hair [2] ⟨dicht hoofdhaar⟩ mop/shock of hair ♦ *wat* ***heeft*** *hij een haarbos* what a thick mop of hair he has; *een* ***wilde/ruige/verwarde*** *haarbos* a tangle of hair, a shock head

haarbreed [het] [•] *hij week* ***geen*** *haarbreed* he didn't budge (by) a hair('s) breadth, he did not give an inch

haarbuisje [het] capillary (vessel/tube)

haarcilinder [de^m] ⟨med⟩ hair shaft

haarcrème [de] hair cream, pomade

haard [de^m] [1] ⟨kachel⟩ stove, solid fuel stove, slow-combustion stove [2] ⟨open haard⟩ hearth, fireplace, fireside ♦ *de haard* ***aansteken*** light the fire; ***bij*** *de haard* by/at the fireside; *een praatje* ***bij*** *de haard* a fireside chat; ***huis*** *en haard* hearth and home; ⟨fig⟩ *zij keerden terug naar* ***huis*** *en haard* they returned to their homes; *aan de* ***huiselijke*** *haard* at home, by the fireside; *een* ***koude*** *haard* a dead fireplace; *gezellig* ***om*** *de haard zitten* sit cosily/^{A}cozily by the fire(side), sit cosily/^{A}cozily by the hearth; *een* ***open/Engelse*** *haard* a fireplace [3] ⟨amb⟩ furnace [4] ⟨fig; middelpunt⟩ centre, source, focus, nidus ♦ *een haard van* ***besmetting*** a focus/nidus of infection; *de haard van de* ***brand*** the seat of the fire; *een haard van* ***verzet*** a centre/hotbed of resistance; *de haard van een* ***vulkaan*** magma chamber [•] ⟨sprw⟩ *eigen haard is goud waard* be it (n)ever so humble, there's no place like home; home is where the heart is; east, west, home's best

haardijzer [het] [1] ⟨pook⟩ poker [2] ⟨staanders waarop het vuur gebouwd wordt⟩ andiron, firedog, fire-iron

haardinfectie [de^v] focal infection

haardkleedje [het] hearthrug

haardos [de^m] (head of) hair ♦ *een* ***dichte/volle/rijke*** *haardos* a crop/thatch of hair, a thick head of hair, a wealth of hair; *een* ***verwarde*** *haardos* tousled/bushy hair, a shock head

haardot [de] tuft/ball/knot of hair

haardplaat [de] [1] ⟨schoorsteenplaat⟩ ⟨onder vuur⟩ hearth-plate, ⟨achter vuur⟩ fire back [2] ⟨plaat voor een haard⟩ fireplace surround

haardracht [de] hair style, hairdo, coiffure

haardroger [de^m] (hair) drier

haardroogkap [de] ⟨apparaat⟩ (hair) drier, ⟨kap zelf⟩ hood, helmet

haardscherm [het] [1] ⟨om vonken tegen te houden⟩ fire-screen, fireguard [2] ⟨om de gloed te keren⟩ fire-screen, fireguard

haardstede [de] ⟨form⟩ fireplace, ⟨fig⟩ fireside, hearth

haardsteen [de^m] hearthstone

haardstel [het] (set of) fire-irons, fireset

haardvuur [het] (hearth-)fire, fire on the hearth, fire in the grate ♦ ***in*** *het haardvuur staren* stare into the fire; *een* ***knappend*** *haardvuur* a crackling fire; ***open*** *haardvuur* open fire

haarextensie [de^v] hair extension

[1]**haarfijn** [bn] ⟨zo fijn, dun als een haar⟩ as fine as a hair, ⟨fig ook⟩ minute, ⟨fig⟩ subtle, fine-spun ♦ *haarfijne* ***buisjes*** fine/minute tubes

[2]**haarfijn** [bw] ⟨minutieus⟩ minutely, in great/exact detail, down to the minutest detail ♦ *iets haarfijn* ***uitleggen*** explain sth. in great detail/the ins and outs of sth.

haarföhn [de^m] (hair) drier

haargolf [de] (hair) wave

haargolven [ww] wave (hair), set (hair), ⟨permanenten; inf⟩ perm (hair)

haargrens [de] hairline

haargroei [de^m] hair growth, growth of (the) hair, capillary growth ♦ *dit haarwater* ***bevordert*** *de haargroei* this hair lotion stimulates hair growth; ***ongewenste*** *haargroei* excess/unwanted hair

haargroeimiddel [het] hair-restorer, hair tonic

haarhamer [de^m] ⟨landb⟩ whetting hammer

haarhygrometer [de^m] ⟨natuurk⟩ hair hygrometer

haarinplant [de^m] hair implantation ♦ *een* ***dikke*** *haarinplant* thick-set hair, a dense/thick growth of hair

haarkam [de^m] [1] ⟨om de haren in orde te brengen⟩ (hair-)comb [2] ⟨om in het haar te dragen⟩ (hair-)comb

haarkleurmiddel [het] hair-dye

haarkloven [onov ww] split hairs, pettifog, cavil

haarklover [de^m] hairsplitter, quibbler, pettifogger, ↑ casuist, ⟨inf⟩ nitpicker

haarkloverij [de^v] [1] ⟨muggenzifterij⟩ hairsplitting, pettifoggery, cavil, ↑ casuistry, ⟨inf⟩ nitpicking ♦ ***allerlei*** *haarkloverijen* all kinds of hairsplitting subtleties/superfine distinctions [2] ⟨gekibbel⟩ quibbling, quibble

haarknippen [ww] haircutting, haircut ♦ *haarknippen € 10* haircut € 10

haarkroon [de] ⟨plantk⟩ pappus

haarkrul [de] curl (of hair)

haarkruller [de^m] (hair) curling iron(s), curling tongs, hot iron, ⟨krulspeld⟩ curler, curling-pin

haarkrulset [de^m] (set of) heated rollers

haarkwal [de] cyaned ⟨genus⟩ ♦ *de* ***rosse/gewone*** *haarkwal*

the common red stinging jellyfish
haarlak [het, de^m] hair spray, (hair) lacquer
haarlijn [de] hairline
haarlint [het] hair-ribbon
haarlok [de] 1 ⟨bosje haar⟩ lock (of hair) ♦ *een **onwillige** haarlok* an unruly/a rebellious lock of hair 2 ⟨bosje afgeknipte hoofdharen⟩ (hair) clippings
haarloos [bn] hairless, ⟨kaal⟩ bald
haarlotion [de] hair lotion
haarmiddel [het] hair tonic, hair-restorer
haarmode [de] hair fashion, fashion in hairdressing
haarnetje [het] hairnet
haarpapil [de] ⟨med⟩ hair papilla
haarpijn [de] hangover, head, '(that) morning-after feeling' ♦ *haarpijn **hebben*** have a hangover/head
haarpluis [het] ⟨biol⟩ pappus
haarroller [de^m] (hair) roller, curling-pin, (hair) curler
haarscherp [bn, bw] very sharp ⟨bw: ~ly⟩, ⟨beschrijving, weergave⟩ very clear, exact, ⟨onderscheid⟩ very fine, superfine, ⟨argument⟩ clear-cut, ⟨opmerking⟩ trenchant, ⟨verstand⟩ razor-sharp ♦ *een haarscherpe **definitie/indeling*** a crystal-clear definition/clear-cut division; *haarscherpe **negatieven*** pinpoint-sharp negatives
haarscheurtje [het] haircrack, hairline (crack), craze, ⟨in verf, beton ook⟩ hair-check ♦ *haarscheurtjes **in** het glazuur van aardewerk* crazes in the glazing of pottery; *porselein **met** haarscheurtjes* crackle china, crackleware
haarschimmel [de^m] 1 ⟨plant⟩ blue mould 2 ⟨huidziekte⟩ favus
haarsnit [de] hair style, hairdo, haircut
haarspeld [de] 1 ⟨sierspeld⟩ hair slide, ⟨AE⟩ hair clasp, hair clip 2 ⟨voorwerpje om opgestoken haar bijeen te houden⟩ hairpin, ⟨BE⟩ hairgrip, ⟨vnl AE⟩ bobby pin
haarspeldbocht [de] hairpin (bend/curve) ♦ *een weg **vol** haarspeldbochten* ⟨ook⟩ a winding road
haarspit [het] ⟨landb⟩ whetting anvil
haarspleet [de] (hair) crack
haarspoeling [de^v] hair colouring
haarspray [de^m] hair spray
haarsteng [de] ⟨plantk⟩ water starwort
haarstijl [de^m] hair style, haircut, ⟨vrouw⟩ hairdo
haarstilist [de^m] hair stylist
haarstreng [de] tress, plait/braid (of hair)
haarstudio [de^m] hair stylist's (shop/studio)
haarstukje [het] hairpiece, toupee
haartekening [de^v] markings ⟨mv⟩
haartest [de^m] hair test
haartje [het] 1 ⟨kleine haar⟩ hair 2 ⟨zeer kleine mate⟩ hair, hair('s) breadth ♦ *ben je een haartje **betoeterd**?* have you gone off your rocker?; *het **scheelde** maar een haartje* → **haar²** 3 ⟨mv; drukw⟩ hairlines
haartooi [de^m] headdress, coiffure
haartransplantatie [de^v] hair transplant
haaruitval [de^m] hair loss, loss of hair, falling hair, ⟨med⟩ alopecia
haarvat [het] capillary
haarvatennet [het], **haarvatenstelsel** [het] capillary system, ⟨haarvatenkluwen, vnl. in nier⟩ glomerulus
haarvatenstelsel [het] → **haarvatennet**
haarverf [de] hair-dye
haarverlenging [de^v] hair extension
haarversteviger [de^m] ⟨alg⟩ hair conditioner, ⟨om haar in bepaald model te houden⟩ setting-lotion
haarverzorging [de^v] hair care, care of the hair
haarvezel [de] hair (shaft)
haarvilt [het] fur felt
haarvlecht [de] plait (of hair), braid (of hair), tress, ⟨valse⟩ switch ⊡ *Poolse haarvlecht* plica (polonica)
haarvleugeligen [de^{mv}] ⟨dierk⟩ caddis flies, trichoptera
haarwasmiddel [het] shampoo
haarwater [het] 1 ⟨lotion⟩ (hair) lotion, hair wash 2 ⟨slechte jenever⟩ (wish-)wash
haarwerker [de^m], **haarwerkster** [de^v] hair worker
haarwerkster [de^v] → **haarwerker**
haarworm [de^m] hairworm, threadworm, ⟨i.h.b.⟩ thrichina
haarwortel [de^m] 1 ⟨med⟩ hair-root, root of a/the hair ♦ *de haarwortels **masseren*** massage the hair-roots; ⟨fig⟩ *kleuren **tot in** de haarwortels* blush to the roots of one's hair 2 ⟨plantk⟩ root-hair
haarwrong [de^m] knot, bun, chignon, coil
haarzakje [het] (hair) follicle
haarzeef [de] hair sieve, fine sieve
haarzelf [pers vnw] herself
haarziekte [de^v] scalp disease
haarzwam [de] ⟨genus⟩ marasmius
¹**haas** [de^m] 1 ⟨cul⟩ fillet ♦ *een **biefstuk** van de haas* fillet steak 2 ⟨sport⟩ pacemaker, ⟨atl⟩ rabbit
²**haas** [het, de^m] 1 ⟨dier⟩ hare, ⟨jacht; inf⟩ puss ♦ *zo bang **als** een haas* like a frightened rabbit; *er **als** een haas vandoor gaan* take to one's heels, hare off; *een **jonge** haas, een haasje* a leveret, a young hare; ⟨jacht⟩ *een haas uit zijn leger **verjagen*** flush a hare out of its form 2 ⟨vlees van een haas⟩ hare ♦ *haas **vreten*** ⟨fig⟩ be as frightened as a rabbit; ⟨inf⟩ get/have the wind up 3 ⟨lafaard⟩ coward ♦ *wat **ben** jij een (bange) haas!* what a mouse you are! 4 ⟨plek waar het fineer zich niet heeft gehecht⟩ blister ⊡ *het haasje **zijn*** ⟨inf⟩ be for it, have had it; *mijn naam is haas* search me, I don't know anything (about it), it's nothing to do with me; ⟨sprw⟩ *je weet nooit hoe een koe een haas vangt* ± you never know your luck; ± nothing is impossible (to a willing heart); ⟨sprw⟩ *met onwillige honden is het kwaad hazen vangen* ± one volunteer is worth two pressed men; ± you can lead a horse to water, but you can't make him drink
haasachtig [bn] hare-like, leporine
haasachtigen [de^{mv}] lagomorphs
haasje-over [het] ⊡ *haasje-over **springen*** (play) leapfrog, play at leapfrog
haaskarbonade [de^v] loin chop
¹**haast** [de] 1 ⟨(te grote) snelheid⟩ haste, hurry, rush ♦ *in **grote/vliegende** haast* in no end of a hurry, in a great/tearing hurry; ⟨inf⟩ lickety-split; ***in** de(r) haast iets vergeten* forget sth. in the hurry/rush; ***in** der haast genomen beslissingen* rash/hasty decisions; *haast **maken*** make haste, hurry up; ⟨inf ook⟩ buck up; *haast **maken met*** ⟨productief⟩ speed up; ⟨maaltijd⟩ hurry up; ⟨bestelling⟩ press on with; *geen haast **maken** met betalen* be in no hurry to pay, take one's time in paying; *hoe **meer** haast, hoe minder spoed* more haste, less speed; *kun je hem niet **tot** wat meer haast aanzetten?* can't you hurry him up?; *haast **zetten** achter iets* hurry sth. up; ⟨in België⟩ *in **zeven** haasten* in a tearing/great hurry 2 ⟨noodzaak, drang om snel te werk te gaan⟩ hurry ♦ ***er is** haast **bij*** the matter is urgent/pressing/cannot wait; *we hebben helemaal **geen** haast* we are in no particular hurry, we can take our time over it; *haast **hebben*** ⟨van personen⟩ be in a hurry; *dat **heeft** geen haast* there is no hurry/rush, it is not wanted in a hurry, the matter can wait; *die brief **heeft** haast* that letter cannot wait/is urgent; *zij **heeft** nooit haast* she always takes her time; ***in** haast* in a hurry, in haste; *waarom **zo'n** haast?* what's the rush? ⊡ ⟨in België⟩ *haast en spoed is zelden goed* (the) more haste, (the) less speed; haste makes waste; make haste slowly
²**haast** [bw] 1 ⟨bijna⟩ almost, nearly, ⟨in negatieve context⟩ hardly, scarcely, barely ♦ *men zou haast **denken** dat ...* one would/might almost think/believe that ...; *je zou er haast wat van **denken*** you would almost suspect sth.; *hij **durfde** haast niet te komen* he hardly dared (to) come; *haar handschrift **is** haast nooit **te lezen*** her handwriting is nearly always illegible, you can hardly ever read her handwriting; *met een euro **kun** je haast niets meer **doen** tegenwoordig* a

euro doesn't go very far these days; *haast* ***niet*** hardly; *haast* ***niets*** hardly anything, nothing to speak of; *haast* ***nooit*** hardly/scarcely ever; *het* ***regent*** *haast niet* it's hardly raining at all; *hij* ***was*** *haast* ***gevallen*** he nearly fell, he all but fell, he just missed falling; *ik zou haast* ***willen*** *dat ...* I half wish that ...; *ik zou haast* ***zeggen*** *...* indeed, I would even go so far as to say ... [2] ⟨spoedig⟩ soon, before long ◆ ***kom*** *je haast?* are you never coming?; ***komt*** *er haast wat?* are you nearly ready?, now then, are you ready?; *het* ***wordt*** *haast weer lente* spring will be here soon, spring is not far off

[1]**zich haasten** [wk ww] ⟨zich spoeden⟩ hurry, hasten, make haste, rush, ⟨inf⟩ hurry up/along ◆ *we* ***hoeven*** *ons niet te haasten* we needn't hurry, there's no need to hurry; *zij haastte zich* ***met*** *haar werk* she hurried her work; *ik zal me vreselijk* ***moeten*** *haasten om ...* I'll have to work against time to ...; *als je die trein wil halen zul je je* ***moeten*** *haasten* if you want to catch that train you'll have to hurry up/get a move on; *zich* ***naar*** *de deur haasten* hurry/rush to the door; *haast je maar* ***niet!*** don't hurry!, don't be in a hurry!, take your time!; *ik haast me* ***te zeggen*** *dat ...* I hasten to say that ...; ***zonder*** *zich te haasten* unhurried(ly); *haastje-repje!* hurry up!; *haastje-repje oversteken/iets doen* nip/whip across, do sth. double quick

[2]**haasten** [ov ww, ook abs] ⟨opzwepen⟩ hurry, rush ◆ *ik* ***laat*** *me niet haasten* I'm not going to be hurried; *je* ***moet*** *me niet zo haasten, dan kan ik niet werken* don't rush me, or I won't be able to work; *je* ***moet*** *niet zo haasten, we hebben nog tijd genoeg* don't be in such a hurry, we've time enough/ there's still plenty of time; *gehaast zijn* be in a hurry, have no time ⊡ ⟨sprw⟩ *haast u langzaam* make haste slowly

haastig [bn, bw] hasty ⟨bw: hastily⟩, hurried, speedy, rash ◆ *iets haastig* ***afdoen*** hurry through sth.; *je* ***bent*** *wat te haastig* ***geweest*** you've been a bit rash/hasty; *een haastige* ***handdruk/groet*** a hurried handshake/greeting; *hij* ***liep*** *haastig* ***weg*** he went/walked off in a hurry, he strode off/away (hurriedly); ***niet*** *zo haastig!* steady (on)!, (take it) easy!; *met haastige* ***schreden*** with hurried/hurrying steps; *een haastig* ***woord*** *is gauw gezegd* think before you speak; *ik heb nog haastig afscheid van hem genomen* I was able to say a hasty good-bye to him ⊡ ⟨sprw⟩ *haast en spoed/haastige spoed (is) zelden goed* (the) more haste, (the) less speed; haste makes waste; make haste slowly; ⟨sprw⟩ *haastig getrouwd, lang berouwd* marry in haste and repent at leisure

haastigheid [de^{v}] hastiness

haastje-repje [bw] double quick, in a (tearing) hurry ◆ *haastje-repje* ***oversteken/iets doen*** nip/whip across, do sth. double quick; *haastje-repje!* hurry up!

haastklus [de] rush job

haastwerk [het] [1] ⟨in haast verricht werk⟩ hasty/rushed work, rushed job [2] ⟨werk waar haast bij is⟩ urgent/pressing work, rush job

haasvreter [de^{m}] coward, poltroon

haat [de^{m}] hatred, hate ◆ ***bittere/dodelijke*** *haat* bitter/mortal hatred/hate; ***blinde*** *haat* blind hate; *iemand een* ***diepe*** *haat toedragen* hate s.o. deeply; *een enorme haat* ***koesteren*** entertain/bear immense hatred; ***machteloze*** *haat* impotent hatred; *het is altijd haat en* ***nijd*** *tussen die twee* they are continually at each other's throats; ***uit*** *haat handelen* act out of hate/rancour; ***uit*** *haat jegens de regering* out of hatred of/for the government; *haat* ***zaaien*** stir up/sow hatred

haatbrief [de^{m}] hate letter, poison-pen letter

haatdragend [bn] resentful, rancorous, spiteful ◆ *een haatdragend* ***mens*** a spiteful person; *niet haatdragend* ***zijn*** bear no malice

haatdragendheid [de^{v}] resentment, rancour, spite

haatgevoel [het] (feeling of) hatred, grudge, rancour, malice ◆ *diepe haatgevoelens* ***koesteren*** harbour/nurse (feelings of) deep hatred

haat-liefdeverhouding [de^{v}] love-hate relationship

haatmail [de] [1] ⟨e-mailbericht⟩ hate mail [2] ⟨verzamelnaam; elektronische post⟩ hate mail

haatmisdaad [de] hate crime

haatpost [de] hate mail

haatster [de^{v}] → **hater**

habbekrats [de] ⟨inf⟩ (mere) trifle ◆ ***voor*** *een habbekrats* for a song

haberdoedas [de^{m}] ⟨inf⟩ smack, sock ◆ *iemand een haberdoedas* ***geven*** give s.o. a smack in the face/on the head

habibi [de^{m}] habibi

habiel [bn, bw] able ⟨bw: ably⟩, adroit, skilful, ⟨AE⟩ skillful, ⟨form⟩ habile

habijt [het] habit ◆ *het habijt* ***aannemen*** enter/go into a monastery; ***in*** *habijt* wearing a habit

habilitatie [de^{v}] qualification

habiliteit [de^{v}] [1] ⟨vaardigheid⟩ expertness, proficiency, skill, skilfulness, ⟨AE⟩ skillfulness [2] ⟨handelingsbevoegdheid⟩ competence

[1]**habiliteren** [ov ww] ⟨jur⟩ ⟨handelingsbevoegdheid verlenen⟩ qualify

[2]**zich habiliteren** [wk ww] ⟨zich als bevoegde vestigen⟩ habilitate, capacitate

habitat [de] ⟨biol⟩ [1] ⟨woongebied van een organisme, levensgemeenschap⟩ habitat [2] ⟨complex van milieufactoren⟩ habitat

habitué [de^{m}] habitué, regular visitor/customer, frequenter, ⟨inf⟩ regular

habitueel [bn, bw] habitual ⟨bw: ~ly⟩

habitus [de^{m}] habitus, habit ◆ *de habitus van een* ***patiënt*** the habitus of a patient; ***sociale*** *habitus* social habit

hachee [het, de^{m}] hash, stew

hachelen [ov ww] ⟨inf⟩ ⊡ *je kan me de* ***bout*** *hachelen* kiss my ass, go to hell/blazes

hachelijk [bn] precarious, perilous, ⟨inf⟩ dicey ◆ *een hachelijke* ***onderneming*** a perilous undertaking; *zich in een hachelijke* ***positie*** *bevinden* be in a serious predicament; ⟨inf⟩ be in a fix; *een hachelijke* ***situatie*** a tricky situation, a (serious) predicament; ⟨inf ook⟩ a fix, a tight spot; *zich uit een hachelijke* ***situatie*** *redden* get o.s. out of a tricky situation/ tight spot; *de* ***toestand*** *is hachelijk* the situation is precarious/dicey

hachje [het] skin, hide, life ◆ *alleen aan zijn* ***eigen*** *hachje denken* only think of o.s.; *zijn hachje* ***redden*** save one's skin/ life/hide; *hij is bang* ***voor*** *zijn hachje* he fears for his life

haciënda [de] hacienda

hacken [ww] hack

hacker [de^{m}] hacker

hacktivist [de^{m}] hacktivist

Hades [de^{m}] [1] ⟨godheid⟩ Hades [2] ⟨onderwereld⟩ Hades

hadie [tw] bye-bye, ⟨vnl BE; inf⟩ ta-ta

hadj [de^{m}] hadj, haj(j)

hadji [de^{m}] hadji, haj(j)i

haf [het] ⟨aardr⟩ lagoon

hafiz [de^{m}] hafiz

hafnium [het] ⟨scheik⟩ hafnium

[1]**haft** [de^{m}] ⟨stukje staal aan een geweerloop⟩ bayonet sheath

[2]**haft** [het] ⟨insect⟩ mayfly, ephemera

haftara [de] haftarah

hagada [de^{m}] Haggadah

hagedis [de] ⟨dier⟩ lizard

Hagedis [de] ⟨astron⟩ Lacerta

hagel [de^{m}] [1] ⟨vorm van neerslag⟩ hail ◆ *een* ***door*** *hagel geteisterd gebied* an area hit by (a) hail(storm); *de hagel* ***kletterde*** *op het dak* hail rattled on the roof [2] ⟨hagelbui⟩ hail(storm) ◆ ***in*** *de hagel lopen* run in the hail [3] ⟨munitie⟩ (lead/ball) shot ◆ *een* ***schot*** *hagel* a shower of shot [4] ⟨fig⟩ hail, shower, volley

hagelblank [bn] (as) white as snow, snow-white, snowy/ pearly white

hagelbui [de] 1 ⟨regenbui met hagel⟩ hailstorm, shower of hail 2 ⟨fig⟩ shower, volley
¹hagelen [onov ww] ⟨in dichte massa neerkomen⟩ hail, shower, rain down ♦ *de **stenen** hagelden om ons heen* stones were raining down
²hagelen [onpers ww] ⟨vallen (van hagel)⟩ hail ♦ *het hagelt **hard*** it is hailing hard/heavily; ⟨fig⟩ *het hagelde **kogels** op de vijand* volleys of bullets/shot rained down on the enemy; *ik hoor het **op** de ruiten hagelen* I can hear the hail against the windowpanes
hageljacht [de] hailstorm
hagelkorrel [de^{m}] 1 ⟨klompje hagel⟩ hailstone 2 ⟨med⟩ sty(e) 3 ⟨munitie⟩ pellet of shot
hagelnieuw [bn] brand-new
hagelpatroon [de] cartridge
hagelschade [de] hail damage, damage (caused/done) by hail ♦ *een verzekering **tegen** hagelschade* hail(storm) insurance; *er is hagelschade **toegebracht** aan de oogst* the crops have been damaged by hail
hagelschot [het] 1 ⟨schot met hagel⟩ shot 2 ⟨gaatjes als van hagelkorrels⟩ shot-hole disease
hagelslag [de^{m}] 1 ⟨strooisel⟩ ⟨chocolade⟩ chocolate confetti/sprinkles ♦ *een boterham **met** hagelslag* a slice of bread with chocolate confetti 2 ⟨het met kracht neervallen van de hagel⟩ hailstorm ♦ *het land is **door** zware hagelslag getroffen* the country has been swept by (a) heavy hail(storm); *de hagelslag **heeft** grote schade **veroorzaakt*** the hailstorm has caused a lot of damage 3 ⟨door hagel toegebrachte schade⟩ hail damage ♦ *een verzekering **tegen** hagelslag* hail(storm) insurance
hagelsnoer [het] chalaza
hagelsteen [de^{m}] hailstone ♦ *hagelstenen zo groot **als** duiveneieren* hailstones as big as golf balls; *de hagelstenen verbrijzelden de **ramen*** the hailstones shattered the windowpanes
hagelstorm [de^{m}] hailstorm
hageltas [de] ⟨jacht⟩ shot bag
hageltje [het] hailstone
hageltoren [de^{m}] ⟨techn⟩ shot tower
hagelverzekering [de^{v}] hail(storm) insurance
hagelvlaag [de] gust of hail
hagelwit [bn] (as) white as snow, snow-white, pearly/snowy white ♦ *hagelwitte **tanden*** pearly white teeth
Hagenaar [de^{m}], **Haagse** [de^{v}] ⟨man & vrouw⟩ citizen of The Hague
Hagenees [de^{m}] ⟨scherts⟩ 'Hagenees', humorous term for an inhabitant of The Hague
hagenprediker [de^{m}] ⟨gesch⟩ field preacher
hagenpreek [de] ⟨gesch⟩ field preaching, ⟨bijeenkomst⟩ conventicle, field meeting
hagenroos [de] hedge rose, dog rose
haggis [de^{m}] haggis
hagiograaf [de^{m}] 1 ⟨schrijver⟩ hagiographer 2 ⟨mv; Bijbelboeken⟩ Hagiographa, Writings
hagiografie [de^{v}] hagiography
haha [tw] ha ha ⟨ook spottend⟩
hai [tw] hi, hey
haik [de^{m}] hai(c)k
haiku [de] haiku
hairconditioner [de^{m}] hair conditioner
haircut [de^{m}] haircut
hairextension [de] hair extension
hairspray [de^{m}] hair spray
hairstyling [de^{m}] hairstyling
hairstylist [de^{m}] hair stylist
hairweaving [het] hair weaving
Haïti [het] Haiti
Haïtiaan [de^{m}], **Haïtiaanse** [de^{v}] ⟨man & vrouw⟩ Haitian, ⟨vrouw ook⟩ Haitian woman/girl
Haïtiaans [bn] Haitian

Haïti

naam	*Haïti* Haiti
officiële naam	*Republiek Haïti* Republic of Haiti
inwoner	*Haïtiaan* Haitian
inwoonster	*Haïtiaanse* Haitian
bijv. naamw.	*Haïtiaans* Haitian
hoofdstad	*Port-au-Prince* Port-au-Prince
munt	*gourde* gourde
werelddeel	*Amerika* America

int. toegangsnummer 509 www .ht auto RH

Haïtiaanse [de^{v}] → **Haïtiaan**
¹hak [de^{m}] 1 ⟨door hakken ontstane kerf⟩ cut ♦ *er **komen** hakken in de tafel* the table is getting chipped 2 ⟨slag met een bijl⟩ cut, chop ♦ *nog een **paar** hakken met de bijl en het is door* a few more blows and it'll be done 3 ⟨het hakken⟩ cutting (down), felling • *iemand/iets **op** de hak nemen* ridicule s.o./sth.; *van de hak op de tak **springen*** skip/ramble from one subject to another, keep going off at a tangent; *iemand een hak **zetten*** play s.o. a nasty trick, do s.o. a bad turn
²hak [de] 1 ⟨hiel⟩ heel ♦ ⟨sport⟩ *de bal een hakje **geven*** (back) heel the ball; ⟨fig⟩ *de hakken **laten zien*** show a clean pair of heels; ⟨sport⟩ *de bal **met** de hak spelen* (back)heel the ball; ⟨fig⟩ ***met** de hakken over de sloot* by the narrowest margin, by the skin of one's teeth 2 ⟨verhoging onder schoeisel⟩ heel ♦ *een **Franse** hak* a French/Louis heel; *schoenen met **hoge** hakken* high heels, high-heeled shoes; *schoenen met **lage** hakken* flat-heeled shoes, flatties; *ik moet (nieuwe) hakken onder mijn schoenen **laten zetten*** I must have my shoes heeled; *een **platte** hak* a flat heel; *met **scheve/afgesleten** hakken* down at heel, ⟨AE⟩ down at the heel 3 ⟨hiel van een kous⟩ heel 4 ⟨landbouwwerktuig⟩ hoe 5 ⟨houweel⟩ pick (axe), hack ♦ ***dubbele** hak* pick(axe) 6 ⟨spronggewricht van een paard⟩ hock, ⟨BE ook⟩ hough
hakbaar [bn] 1 ⟨gehakt kunnende worden⟩ which can be cut up ♦ *is dit **hout** hakbaar?* can this wood be chopped? 2 ⟨oogstbaar⟩ ready for harvesting/picking
hakballetje [het] ⟨sport⟩ back heel
hakband [de^{m}] heel strap
hakbeitel [de^{m}] ⟨amb⟩ mortise chisel
hakbeschermer [de^{m}] heel tip
hakbijl [de] hatchet, chopper, ⟨slagers⟩ (butcher's) cleaver
hakbijlcomité [het] ⟨in België⟩ budget control committee of ministers (meeting to axe the budget proposals of the various departments)
hakblok [het] chopping-block, ⟨slagers ook⟩ butcher's block ♦ ⟨fig⟩ *zijn **hoofd** op het hakblok leggen* put one's head on the block, stick one's neck out
hakbord [het] chopping-board
hakbouw [de^{m}] hoe farming/cultivation
¹haken [onov ww] 1 ⟨met een haak grijpen, blijven vastzitten⟩ catch ♦ *dat haakt niet goed **in** elkaar* it does not fit together very well; *de doorns haakten **in** de vacht van de schapen* the thorns caught in the fleece of the sheep 2 ⟨aan een haak blijven hangen⟩ catch ♦ *hij **bleef** met zijn jas aan een spijker haken* he caught his coat on a nail, his coat caught on a nail 3 ⟨+ naar; hevig verlangen⟩ crave, yearn for, hanker after, long for
²haken [ov ww] ⟨aan een haak bevestigen⟩ hook (up), hitch (up) • *iemand (pootje) haken* trip s.o. (up)
³haken [ov ww, ook abs] ⟨m.b.t. handwerken⟩ crochet
hakenkruis [het] swastika
hakerig [bn] 1 ⟨vol haken⟩ hooked, full of hooks 2 ⟨vol moeite en bezwaren⟩ knotty, difficult, awkward
hakfreesmachine [de^{v}] ⟨landb⟩ rotary cultivator/hoe
hakguts [de] ⟨amb⟩ mortise chisel
hakhout [het] coppice (wood), copse (wood)
hakig [bn] ⟨biol⟩ hooked

hakje [het] ⟨sport⟩ ◆ ***een hakje geven*** (back)heel
hakkebord [het] [1] ⟨muziekinstrument⟩ dulcimer, cymbalo [2] ⟨slechte piano⟩ tinny piano, honkey-tonk (piano) [3] ⟨scheepv⟩ taffrail
hakkelaar [de^m], **hakkelaarster** [de^v] stammerer, ⟨stotteraar⟩ stutterer
hakkelaarster [de^v] → **hakkelaar**
hakkelbout [de^m] ⟨amb⟩ jag bolt, ragbolt, hacked bolt
¹**hakkelen** [ov ww] ⟨insnijden⟩ jag, notch ◆ *een lap stof met gehakkelde* ***rand*** a piece of cloth with a jagged/notched edge
²**hakkelen** [ov ww, ook abs] ⟨stotteren⟩ stammer (out), ⟨stotteren⟩ stutter, ⟨stuntelen⟩ flounder, stumble (over one's words) ◆ *hij* ***begon*** *te hakkelen* he floundered, he started stumbling over his words, he faltered; *hij* ***stond*** *te hakkelen* he stumbled over his words/through his speech; *zich hakkelend* ***verontschuldigen*** stammer an excuse, stumble through an apology; *de jongen hakkelde enkele* ***woorden*** *en zweeg vervolgens* the boy stammered (out) a few words and then kept silent
hakkelig [bn, bw] halting ⟨bw: ~ly⟩, jerky ⟨bw: jerkily⟩, faltering, ⟨muz⟩ staccato
¹**hakken** [onov ww] [1] ⟨houwen⟩ hack (at), slash (at), hew (at) [2] ⟨onbesuisd inhakken⟩ hack/bash/slash away (at) ◆ ⟨fig⟩ *dat hakt* ***erin*** that costs a packet, that's a costly business/a nasty blow to our budget, that eats into the money [3] ⟨negatieve kritiek leveren⟩ pick holes (in), find fault (with), carp (at) ◆ *zij hakt altijd* ***op*** *me* she is always nagging/carping at me, she is always down on me, she is always getting her knife into me
²**hakken** [ov ww] [1] ⟨in kleine stukken verdelen⟩ chop (up), cut (up), ⟨ruw⟩ hack, ⟨fijn⟩ mince, hash, grind ◆ *uien* ***fijn*** *hakken* chop up onions; ***hout*** *hakken* chop/cleave wood; ***in*** *stukken/stukjes hakken* cut/chop (up); ⟨in blokjes⟩ dice; *gehakte* ***spinazie*** chopped spinach; ***vlees*** *hakken* mince/^grind meat [2] ⟨afhakken⟩ cut (off/away), ⟨kleine stukjes⟩ chip ◆ *een dode* ***tak*** *uit de boom hakken* cut (away) a dead branch from the tree [3] ⟨uithakken⟩ cut (out), hew/hack/carve (out) ◆ *een* ***beeld*** *uit hout hakken* carve a statue out of wood; *een* ***beeld*** *uit de rots hakken* hew a statue out of the rock; *een* ***bijt*** *in het ijs hakken* cut a hole in the ice [4] ⟨met de hak bewerken⟩ hoe [5] ⟨sport en spel⟩ back-heel, heel [•] ⟨sprw⟩ *waar gehakt wordt vallen spaanders* you cannot make an omelette without breaking eggs
hakkenbar [de] heel bar
hakkepoffer [de^m] ⟨iron⟩ ⟨boot⟩ chug-chug, old chugger/tub, ⟨motorfiets⟩ pop-pop, ± boneshaker
hakker [de^m] hacker, cutter, hewer, glasher, ⟨mijnb⟩ face worker, ⟨bomen⟩ feller, lumberjack
hakkerig [bn] [1] ⟨onregelmatig⟩ choppy, intermittent [2] ⟨vitterig⟩ faultfinding, carping [3] ⟨muz⟩ choppy, intermittent
hakketakken [ww] [1] ⟨vitten⟩ pick (on/at), carp/cavil (at), find fault (with), ⟨voortdurend⟩ nag ◆ *hij* ***ligt*** *altijd op mij te hakketakken* he is always picking/nagging at me [2] ⟨kibbelen⟩ bicker, squabble, wrangle
hakketakkerij [de^v] [1] ⟨gevit⟩ fault-finding, cavilling, nit-picking [2] ⟨gekibbel⟩ bickering, squabble(s), squabbling, ⟨inf; BE⟩ argy-bargy
hakleer [het] [1] ⟨amb; leer voor hakken⟩ heel-leather [2] ⟨leren hakband aan een schaats⟩ heel-strap
hakmachine [de^v] [1] ⟨m.b.t. vlees⟩ mincer, mincing machine, ⟨AE⟩ grinder, food chopper [2] ⟨m.b.t. ijzer, hout⟩ chopper, chopping machine, chipper [3] ⟨m.b.t. groenten⟩ (vegetable) chopper
hakmes [het] [1] ⟨kapmes⟩ chopper, machete [2] ⟨slagersmes⟩ (butcher's) cleaver, meat axe
hakmoes [het] [1] ⟨kleingehakte groente⟩ chopped vegetable(s) mix [2] ⟨allegaartje⟩ mishmash, hotchpotch, jumble
hakploeg [de] stubble clearing plough, skim coulter
haksel [het] [1] ⟨fijngehakt iets⟩ chopped/minced food, ⟨vnl. van vlees⟩ mince, ⟨op een gerecht⟩ topping [2] ⟨veevoer⟩ chaff, chopped straw/hay
hakselaar [de^m], **hakselmachine** [de^v] chopper, strow-cutter, chaff-cutter, ⟨voor wortels⟩ root cutter, ⟨voor voedergewas⟩ forage cutter
hakselen [ov ww, ook abs] chop (straw/hay), cut (straw/hay)
hakselmachine [de^v] → **hakselaar**
hakstro [het] chaff, chopped straw/hay
hakstuk [het] ⟨amb⟩ [1] ⟨hielstuk⟩ heel-tap, heel-lining [2] ⟨lapje achter op de schoen⟩ heelpiece
haktijd [de^m] wood-chopping season
hakvlees [het] [1] ⟨vlees voor gehakt⟩ mincing meat/cut, ⟨AE⟩ grinding meat/cut [2] ⟨gehakt vlees⟩ ⟨BE⟩ mince, minced meat, ⟨AE⟩ ground meat
hakvoet [de^m] club-foot
hakvrucht [de] root crop
hakzenuw [de] hamstring, hock-tendon
¹**hal** [de] [1] ⟨zeer hoge ingang⟩ (entrance) hall, ⟨hotel⟩ vestibule, (main) lobby, ⟨hotel, theat⟩ foyer, ⟨station, vliegveld⟩ concourse ◆ ***in*** *de hal van het hotel* in the hotel lobby/lounge/foyer [2] ⟨vaak in samenstellingen; ruimte waar koopwaar wordt geveild, verkocht⟩ (covered) market, market hall ◆ ***veilinghal*** auction hall [3] ⟨in samenstellingen; winkel⟩ market [4] ⟨ook in samenstellingen; hoge zaal⟩ hall(way) ◆ *de hal* ***in*** *een burcht* the (great) hall of a castle; *de* ***montagehal*** *(van een fabriek)* the assembling hall; ***sporthal*** sports hall, gym [5] ⟨klein vertrek achter de voordeur van een huis⟩ hall(way)
²**hal** [het, de] [1] ⟨hardheid van de grond⟩ frost [2] ⟨hardbevroren grond⟩ frozen soil ◆ *het is moeilijk het/de hal te* ***bewerken*** it is hard to work the frozen soil; ***eeuwige*** *hal* permafrost
halachisch [bn] halakhic
halal [bn] halal
halalhypotheek [de^v] halal mortgage
halalvlees [het] halal meat
halatie [de^v] ⟨foto⟩ [1] ⟨het optreden van halo's⟩ halation [2] ⟨vlek⟩ halation
halcyoon [de^m] [1] ⟨ijsvogel⟩ halcyon, ↓kingfisher [2] ⟨zeezwaluw⟩ tern, sea-swallow
haldeur [de] hall door
¹**halen** [onov ww] [•] ***aan*** *een touw halen* pull a rope; *er* ***moest*** *voor haar vier maal gehaald worden* she got/took four curtain calls
²**halen** [ov ww] [1] ⟨naar zich toe, naar boven trekken⟩ pull, draw, ⟨iets zwaars⟩ haul, ⟨over de grond⟩ drag, ⟨uit het water⟩ recover ◆ *netten* ***aan*** *boord halen* haul nets on board; *ervan alles* ***bij*** *halen* drag/lug in everything (but the kitchen sink); *de* ***dekens*** *over zich heen halen* snuggle down (into the bedclothes); *ik kan er mijn kosten niet* ***uit*** *halen* it doesn't cover my expenses; *iemand* ***erin*** *halen* drag/bring s.o. in, involve s.o.; ***eruit*** *halen wat erin zit* get the best/most out of sth.; ***eruit*** *halen wat eruit te halen is* take all one can get; *hij weet nog een aardig* ***geluid*** *uit de piano te halen* he manages to get a decent sound out of/from the piano; *alles* ***naar*** *zich toe halen* ⟨ook fig⟩ grab everything, get one's hands on everything one can; *de vlag* ***naar*** *beneden halen* lower the flag; *al het geld* ***naar*** *zich toe halen* rake in all the money; *een vliegtuig* ***naar*** *beneden halen* (bring) down an aeroplane; *iemand* ***uit*** *zijn bed halen* drag/turn s.o. out of bed; *onkruid* ***uit*** *de grond halen* pull out the weeds; *de bocht* ***uit*** *een kabel halen* straighten a cable; *de waarheid* ***uit*** *iemand halen* elicit/extract/wring the truth from s.o.; *er zoveel mogelijk* ***uit*** *halen* make the most of it; *suiker wordt* ***uit*** *bieten gehaald* sugar is extracted/obtained from beet; *zijn zakdoek* ***uit*** *zijn zak halen* pull out one's handkerchief; *de vechtersbazen* ***uit*** *elkaar halen* separate the fighting boys; *een drenkeling* ***uit***

het water halen recover a drowning person from the water; *iemand **uit** zijn concentratie halen* break s.o.'s concentration; ⟨fig⟩ ***uit** woorden/daden van anderen iets halen* arrogate/attribute (evil) intentions to s.o.'s words/deeds; ⟨sport⟩ *iemand **uit** de wedstrijd/**van** het veld halen* take s.o. out of the game/off the field; *geld **van** de bank halen* (with)draw/collect money from the bank; *waar haal ik het geld **vandaan**?* where shall I find the money?; *iemand onder de wrakstukken **vandaan** halen* recover/pull s.o. from the wreckage; *de **vlag** in top halen* hoist the flag; *zich iets op de hals halen* bring down sth. upon o.s./one's head, let o.s. in for sth.; ⟨schulden, toorn⟩ incur; earn o.s. sth., land o.s. in sth.; *zich iets in het hoofd halen* get/take sth. into one's head [2] ⟨ergens vandaan halen⟩ fetch, get, ⟨ophalen ook⟩ call/come for, collect, pick up, ⟨sport; speler⟩ buy ◆ *kaas haal je **bij** de kruidenier* you get cheese from the grocer; *hij haalt zijn boodschappen **bij** de supermarkt* he does his shopping at the supermarket; ***drie** halen twee betalen* two for the price of one; *de **duivel** hale hem* the devil take him, let him go to hell; *ik zal het **gaan** halen* I'll go for it/go and get it; *mijn kleine zus wordt elke dag gehaald en **gebracht*** my kid sister is fetched and delivered every day; *haal voor hem een **glas** bier!* get him a (glass of) beer!; *wie heeft dat **in** huis gehaald?* who brought that here/home?, what's that doing under my roof?; *ik zal je morgen **komen** halen* I'll call/come for you tomorrow; *de was **naar** binnen halen* bring/get the washing in; *de **post** halen* fetch/collect the mail/post; *iemand **van** de trein halen* meet s.o. at the station, meet s.o.'s train/collect s.o. from the train; *wordt je **zuster** gehaald?* is anybody coming for/meeting/collecting your sister?; *iets tevoorschijn/voor de dag halen* produce sth. [3] ⟨ontbieden⟩ fetch, go for, call (in), ⟨laten halen⟩ send for ◆ *de **dokter** halen* go for/call in the doctor; *ga je vader halen!* go and find/get your father!; ***hulp**/de **politie** halen* fetch/go for help/the police; *iemand/iets **laten** halen* send for/summon s.o./sth.; *iemand iets **laten** halen* send s.o. for sth.; *je moet de **politie** erbij halen* you should call (in) the police; *een **priester** halen* fetch a priest [4] ⟨bemachtigen⟩ get, obtain, ↑ secure, win, ⟨een graad⟩ take, ⟨een examen⟩ pass, ⟨punten⟩ score ◆ *hij heeft de **akte** wiskunde gehaald* he took his maths certificate/diploma; *goede/slechte **cijfers** halen* get good/bad marks/ᴬgrades; *een **dam** halen* crown a man, go to king; *een **graad** halen* take a degree; *is er **iets** voor mij te halen?* are there any pickings for me?; *iets **naar** zich toe halen* ⟨er zich meester van maken⟩ get hold of sth., seize power; ⟨form⟩ arrogate sth. to o.s.; ⟨er zijn stempel opdrukken⟩ set one's mark on sth.; *een **onvoldoende** halen* ⟨voor een examen⟩ fail, ⟨BE⟩ plough, ⟨AE⟩ flunk; *de eerste **prijs** halen* take/win first prize; *zeventig **procent** van de stemmen halen* swing a seventy-percent vote; *daar **valt** niets te halen* there's nothing to be got there, no dice; *maar net een **voldoende** halen voor zijn opstellen* scrape through in essay writing; ***waar** haalt hij het **vandaan*** where does he get it from; ⟨iron⟩ where does he get these ideas/this nonsense from, how did it get into/enter his head, where did he pick that up [5] ⟨erin slagen te bereiken⟩ reach, ⟨trein enz.⟩ catch, ⟨hoge noten, prijzen⟩ get, ⟨het halen⟩ make, manage, ⟨bij iets/iemand⟩ compare, equal, ⟨overleven⟩ pull through ◆ *de zieke zal de **avond** niet halen* the sick man/woman will not last the day/live to see the morning; *daar haalt niets (het) **bij*** nothing can touch/beat/approach/equal/match it; *bier haalt het niet **bij** wijn* beer cannot compare with wine, beer does not come anywhere near to wine; *hij haalt (het) niet **bij** haar* he's nowhere near as good as her; *zij haalt (het) niet **bij** haar broer wat werklust betreft* she's nowhere near her brother in zest for work; ***dat** haal ik niet* I won't/can't make it; *hij heeft de **finish** niet gehaald* he did not make it to the finish; *ik denk niet dat hij (zieke) **het** zal halen* I don't think he will pull through; *de nieuwe dokter haalt **het** niet bij de oude* the new doctor isn't a patch on the old one; *mijn auto haalt nog net de 120 **km*** my car just manages 75 miles an hour; *hun kandidaat heeft het nog **net** gehaald* their candidate scraped/squeezed through; *de **pers/voorpagina's** halen* make the papers/front pages; *hij haalt de honderd **pond** niet* he's no hundred pounds, he doesn't weigh a hundred pounds; *de **post** halen* be in time for/catch the post; *de tomaten hebben een goede **prijs** gehaald* the tomatoes fetched a good price; ⟨kaartsp⟩ *een **slag** halen* win/make a trick; *de **trein**/de **boot** halen* catch the train/the boat; *zijn negentigste **verjaardag** halen* live to be ninety [•] *je haalt twee zaken **door** elkaar* you are mixing up/confusing two things; *het wetsvoorstel **erdoor** halen* carry the bill; *iemand **naar** beneden halen* belittle s.o., cry/run s.o. down; ***uit** elkaar halen* unpick; *vlekken halen **uit** iets* remove stains from sth.; ⟨sprw⟩ *men moet geen oude koeien uit de sloot halen* let bygones be bygones; ± forgive and forget

¹half [het] [•] *een boek **in** half gebonden* half-bound book; *deze klok **slaat** heel en half* this clock strikes the (full) hours and the half hours; ***twee** halven maken een heel* two halves make a whole

²half [bn] [1] ⟨de helft zijnde⟩ half, semi-, demi- ◆ *een halve **appel*** half an apple; *een halve **bol*** a hemisphere; *een halve **cirkel*** a semicircle; *halve **dagen** werken* work half time, have a part-time job; *een half **dozijn*** half a dozen, a half dozen; *een halve **fles*** half a bottle; ⟨een kleine fles ook⟩ a half bottle; *een halve **fout*** half a mark (off), a half mark (off); *voor half **geld**/tegen de halve **prijs*** (for/at) half price/rate; *vier en een halve **mijl*** four and a half miles, four miles and a half; ⟨muz⟩ *een halve **noot*** a minim, ⟨AE⟩ a half note; *een half **pond*** half a pound, a half pound; ⟨handel⟩ *voor halve **rekening*** on joint account; *een halve **toon*** a semitone/half step; ⟨AE ook⟩ a half tone; *de klok slaat hele en halve **uren*** the clock strikes the (full) hours and the half hours [2] ⟨een groot deel uitmakend van⟩ half ◆ *hij zit halve **nachten** te blokken* he swots till far into the night; *de halve **stad** spreekt ervan* half the town is talking about it, it is the talk of the town [3] ⟨niet geheel⟩ half, semi-, demi- ◆ *hij is zo'n halve **geleerde*** he is sth./a bit of a scholar; *het meisje is een halve **jongen*** the girl is a regular tomboy; *halve **kennis*** partial/a little knowledge; *halve **kost*** half/partial board, bed and breakfast; *geen halve **maatregelen*** no half/pretty drastic measures; *ik ben maar een half **mens*** I've just about had it, I'm whacked/dog-tired; *iets met een half **oog** zien* see sth. with half an eye/at a glance; *'t is zo'n halve **timmerman*** he's as near a real carpenter as dammit; *een halve **wees*** a half-orphan; *half **werk*** poor work; *zich met half **werk** tevreden stellen* be too easily satisfied; *halve **wind*** wind on the beam; *iets met een half **woord** aanduiden* (barely) hint at sth.; *hij hoeft maar een half **woord** te zeggen* half a word is enough [4] ⟨m.b.t. het punt waar de andere helft begint⟩ halfway up/down/along/through ◆ *half **april*** mid-April, the middle of/halfway through April; *het is **halfelf*** it is half past ten; ⟨inf⟩ it is half ten; *het is vijf voor **halfelf*** it is twenty-five past ten; *te halver **hoogte*** halfway up/down; *het **is** al half* it is already half past the hour; *er is een bus telkens om 4 minuten vóór het halve **uur**/vóór half* there is a bus every four minutes to the half hour [•] ⟨sprw⟩ *beter ten halve gekeerd, dan ten hele gedwaald* ± a fault confessed is half redressed; ⟨sprw⟩ *beter een half ei dan een lege dop* half a loaf is better than no bread/than none; half an egg is better than an empty shell; better some of a pudding than none of a pie; ⟨sprw⟩ *gedeelde smart is halve smart* a trouble/sorrow shared is a trouble/sorrow halved; company in distress makes sorrow less; ⟨sprw⟩ *brutalen hebben de halve wereld* ± fortune favours the bold; ± faint heart never won fair lady; ⟨sprw⟩ *een goed begin is het halve werk* well begun is half done; the first blow is half the battle; ⟨sprw⟩ *een goede verstaander heeft maar een half woord nodig* a word is enough to the wise; verb sap; a nod is as good as a wink (to a blind horse); ⟨sprw⟩ *goed gereedschap is het halve werk* you need the right tools for the job

half [bw] 1 ⟨voor de helft⟩ half, halfway ◆ *mijn werk is half af* my work is half done, I've not nearly finished (my work); *half en/om half* half and half, half of each, fifty-fifty, halves; *ik hoopte zo half en half ...* I rather hoped/I had sort of hoped ...; *iemand iets half en half beloven* half promise/as good as promise s.o. sth.; *half en half tot iets besloten zijn* have more or less decided; *hij had half en half zin om te weigeren* he had half a mind to/was halfway inclined to refuse; *ik ben er half en half van op de hoogte* I have not yet been fully informed, I don't have all the facts; *een glas half* ***vol*** *schenken* pour half a glass; *je* ***weet*** *niet half hoe erg het is* little do you know how serious it is; *het hek is half* ***wit*** *en half* ***groen*** *geverfd* the fence is painted half white, half green; *half zo groot als ik* half as tall as me; *dat middel helpt niet half zo goed* that remedy is not nearly so good; *niet half zoveel* not half as much/many 2 ⟨voor een deel⟩ half, semi-, demi- ◆ *half* ***afgewerkte*** *producten* semimanufactures, semimanufactured products/goods; *met het raam half* ***dicht*** with the window halfway down/open; *ik* ***kan*** *het maar half* ***geloven*** I can hardly believe it; *half* ***lachend****, half* ***huilend*** torn between laughter/laughing and tears/crying; *het* ***staat*** *mij maar half* ***aan*** that is not altogether to my liking, I only half like it; *iets maar half* ***verstaan*** understand only half of it; *iets half* ***weten*** know sth. partially/by halves, half know sth. ⊡ ⟨in België⟩ *het gaat met hem maar half en half* things don't look good for him

halfambtelijk [bn] unofficial, semiofficial

halfanalfabeet [de^m] semiliterate

halfapen [de^mv] prosimians, half-apes

halfautomaat [de^m] semi-automatic (machine)

halfback [de^m] ⟨sport⟩ halfback, half, ⟨Amerikaans voetb⟩ flank back ◆ ***linker-/rechterhalfback*** left/right half

halfbakken [bn, bw] half-baked, ⟨persoon⟩ half-witted, crackbrained, ⟨sl⟩ half-arsed ◆ *hij* ***deed*** *alles maar halfbakken* he did everything in a half-baked way/by halves; *een halfbakken* ***geleerde*** a half-baked scholar, only half a scholar; *'t is zo'n halfbakken* ***vent*** he is such a crackbrain/halfwit

halfbegrepen [bn] half-understood, half-digested ◆ *halfbegrepen* ***wijsheid*** half-digested ideas, smaltering of knowledge

halfbewolkt [bn] rather cloudy, with some clouds

halfblind [bn] half-blind, ↑purblind

[1]**halfbloed** [de^m] 1 ⟨persoon⟩ half-breed, half-blood, ⟨i.h.b. m.b.t. afstammeling van Europese en Indiase origine⟩ half-caste 2 ⟨paard⟩ half-bred, crossbreed, underbred horse

[2]**halfbloed** [bn] half-bred, half-breed, half-blood(ed), underbred

halfbriljant [de^m] doublet brilliant

halfbroer [de^m] half-brother, ⟨met dezelfde moeder ook⟩ uterine brother

halfcirkelvormig [bn] semicircular

halfdek [het] ⟨scheepv⟩ quarterdeck

[1]**halfdonker** [het] semidarkness, half-dark(ness), ⟨schemering⟩ dusk, twilight, ⟨natuurk⟩ foenumbra

[2]**halfdonker** [bn] dim, dusky, gloomy, ⟨half verduisterd⟩ half-darkened, semi-darkened, ⟨schemerdonker⟩ twilit, ↑crepuscular

halfdood [bn] ⟨fig⟩ half-dead ◆ *ze* ***sloegen*** *hem halfdood* they beat him within an inch of his life; *halfdood* ***van angst/vermoeidheid*** half-dead with fear/fatigue; *ik was halfdood* ***van de kou*** I nearly died of the cold; *ik ben halfdood* ***van de kou*** I'm frozen (half) to death, I'm petrified with cold

halfdoor [bw] in two/half, down the middle

halfdronken [bn] half-drunk, half-intoxicated, ⟨vnl BE⟩ half-seas over, tipsy

[1]**halfduister** [het] semidarkness, twilight, dusk, ⟨form⟩ gloaming ◆ ***in het halfduister*** in the semidarkness/twilight/dusk

[2]**halfduister** [bn] half-dark, twilit

halfedel [bn] ⟨van vaderskant⟩ of noble descent (through father), ⟨van moederskant⟩ of noble descent (through mother)

halfedelsteen [de^m] semiprecious stone

halfezel [de^m] wild ass, onager

halffabricaat [het] semimanufacture, semimanufactured/semifinished product, semimanufactured/semifinished article

halfgaar [bn] 1 ⟨niet helemaal gaar⟩ half-done, half-baked, half-cooked, parboiled ◆ *die* ***aardappels*** *zijn halfgaar* the potatoes are half-done/half-cooked/parboiled 2 ⟨getikt⟩ → **halfgek**

halfgek [bn] half-witted, half-crazy, half-baked, cracked

halfgeleider [de^m] ⟨techn⟩ semiconductor, ⟨in samenstellingen, als bijvoeglijk naamwoord ook⟩ solid-state ◆ ***elektronische*** *halfgeleider* (n/p type) semiconductor

halfgeopend [bn] half-open, ⟨deur⟩ ajar ◆ *hij zat voor het halfgeopende* ***venster*** he was sitting in front of the half-open window

halfgeschoold [bn] semiskilled

halfgesloten [bn] half-closed ◆ *met halfgesloten* ***ogen*** with the eyes half-closed, with batted eyelids; *halfopen en halfgesloten* ***vocalen*** half-open and half-close vowels, mid vowels

halfgod [de^m] 1 ⟨myth⟩ demigod, hero 2 ⟨mens met buitengewone gaven⟩ demigod, ⟨iron⟩ superman

halfgodin [de^v] demigoddess, heroine

halfhalf [bn] so-so

halfhartig [bn, bw] halfhearted ⟨bw: ~ly⟩, lukewarm, ⟨lof⟩ faint, ⟨plan⟩ half-baked, ⟨inspanning⟩ feeble

halfhoevigen [de^mv] cavies

halfhoog [bn] half(-length) ◆ *halfhoge* ***laarzen*** half boots, calf-length boots; ⟨rubber; BE⟩ half Wellingtons

halfhout [het] half-timber, halved log

halfhouts [bn, bw] ⟨amb⟩ halved, half-lap ◆ *een halfhoutse* ***verbinding*** a halved/half-lap joint; *een paar balken halfhouts* ***verkepen*** halve a pair of beams/timbers

halfjaar [het] six months, half a year, ⟨AE⟩ a half year ◆ ***elk*** *halfjaar* every six months; *een halfjaar* ***huur*** six months' rent; ***per*** *halfjaar* ***betalen*** pay twice annually/a year, pay biannually; *het* ***tweede*** *halfjaar* the second half of the year

halfjaarcijfers [de^mv] half-year figures, semi-annual figures, interim figures

halfjaarlijks [bn, bw] half-yearly ⟨ook bw⟩, biannual, semiannual, ⟨bijwoord ook⟩ every six months, twice yearly, twice a year ◆ *te betalen in halfjaarlijkse* ***termijnen*** payable in biannual instalments/every six months

halfjarig [bn] 1 ⟨zes maanden oud⟩ six-month-old, half-year-old 2 ⟨zes maanden durend⟩ six months', six-month, half-year ◆ *een halfjarig* ***contract*** a six-month/half-year contract; *een halfjarig* ***verblijf*** *in 't buitenland* a six months' stay abroad

halfje [het] half a glass/pint ⟨enz.⟩, ⟨vnl AE⟩ a half glass/pint ⟨enz.⟩, ⟨van fles; inf⟩ split ◆ *een halfje* ***cognac*** half a brandy; ⟨vnl AE⟩ a half brandy; *een halfje* ***wit(tebrood)*** a half loaf of white (bread)

halfjes [bw] faintly, ⟨niet van harte⟩ halfheartedly

halfklinker [de^m] ⟨taalk⟩ semivowel

halfkoers [bw] halftime

halfkristal [het] semicrystal

halfkristallijn [bn] semicrystalline

halflang [bn] half-long ◆ *halflange* ***rokken*** mid-length skirts, midis; *een halflange* ***vocaal*** a half-long vowel

halfleeg [bn] half-empty

halfleer [het] half leather

halfleren [bn] (in) half leather, half-bound ◆ *halfleren* ***band*** half(-leather) binding; *een boek, gebonden in halfleren* ***band*** a book bound in half leather, a half-bound book, a book in half binding

halflinie [de^{v}] ⟨sport⟩ halfback line, ⟨tegenwoordig⟩ midfield (players), midfielders
^{1}**halflinnen** [het] half-linen, cotton-linen, mix(ture)
^{2}**halflinnen** [bn] (in) half cloth ◆ *een boek, gebonden in halflinnen* ***band*** a book bound in half cloth
halfluid [bn, bw] ⟨bijvoeglijk naamwoord; geluid⟩ muffled, ⟨bijvoeglijk naamwoord; stem⟩ hushed, subdued, ⟨bijwoord⟩ in a low voice, in an undertone ◆ *iets halfluid* ***zeggen*** ⟨onduidelijk⟩ mumble/mutter sth.; ⟨bescheiden, nederig⟩ say sth. in a subdued voice, ⟨stiekem⟩ say sth. in an undertone
halfmaandelijks [bn, bw] ⟨bijvoeglijk naamwoord, bijwoord⟩ bimonthly, half-monthly, ⟨vnl BE⟩ fortnightly, ⟨bijwoord ook⟩ twice a month, ⟨vnl BE⟩ every fortnight ◆ *een halfmaandelijks* ***tijdschrift*** ⟨vnl BE⟩ a fortnightly
halfnaakt [bn, bw] half-naked, ↑ seminude
halfnomade [de] seminomad
halfom [de^{m}] ⊡ *een* ***broodje*** *halfom* a liver and salt beef sandwich/roll
half-om-half [het, de^{m}] (mixed) beef and pork mince
halfonderstandig [bn] ⟨biol⟩ ⊡ *een halfonderstandig* ***vruchtbeginsel*** a half-inferior ovary
halfopen [bn] half-open, ⟨deur⟩ ajar ◆ *de* ***deur*** *stond halfopen* the door was ajar; *met halfopen* ***mond*** *bleef hij mij aanstaren* he stood gaping at me; *halfopen* ***vocalen*** half-open vowels
halfpension [het] half board, bed and breakfast
halfpijler [de^{m}] → **halfzuil**
halfpipe [de^{m}] halfpipe
halfpond [het] half pound, half a pound
halfporselein [het] (glazed) earthenware
halfproduct [het] [1] ⟨industrieel product dat dient als materiaal voor een eindproduct⟩ semimanufacture, semimanufactured/half-finished product [2] ⟨textielproduct⟩ mixture, blend
halfreliëf [het] half-relief, mezzo-relievo
halfrijm [het] half-rhyme, assonance
halfrijp [bn] [1] ⟨nog niet voldoende rijp⟩ half-ripe [2] ⟨pej; nog niet helemaal volwassen⟩ green, raw, ⟨predicatief⟩ (still) wet behind the ears
^{1}**halfrond** [het] [1] ⟨aardr⟩ hemisphere ◆ *het* ***noordelijk/zuidelijk*** *halfrond* the Northern/Southern Hemisphere [2] ⟨in België; aula van het parlement⟩ hemicycle
^{2}**halfrond** [bn] half-round, ⟨halve cirkel⟩ semicircular, ⟨halve bol⟩ hemispheric(al) ◆ *halfronde* ***torens*** semicircular towers; *een halfronde* ***vijl*** a half-round file
halfschaduw [de] [1] ⟨bk⟩ halftone, halftint, demitint [2] ⟨natuurk⟩ penumbra
halfschild [het] elytron
halfslachtig [bn, bw] [1] ⟨zonder besliste mening⟩ half-hearted ⟨bw: ~ly⟩, half, half-and-half ◆ *een halfslachtig* ***antwoord*** a half answer, only half an/the answer; *een halfslachtige* ***socialist*** a drawing room socialist [2] ⟨niet doelmatig⟩ halfhearted ⟨bw: ~ly⟩, half, half-and-half ◆ *halfslachtige* ***maatregelen*** half/halfway measures; *een halfslachtige* ***poging*** a halfhearted attempt
halfslachtigheid [de^{v}] halfheartedness, dithering, wavering, indecision, ⟨inf⟩ shilly-shallying
halfslag [de^{m}] [1] ⟨wezen van gemengd ras⟩ half-breed, mongrel, ⟨mens ook⟩ half-caste [2] ⟨m.b.t. klok⟩ half-hour chime
halfsluiten [ww] ⟨comm⟩ cutting off (of) outgoing calls
halfspeelster [de^{v}] → **halfspeler**
halfspeler [de^{m}], **halfspeelster** [de^{v}] half, halfback, ⟨tegenwoordig⟩ midfield player, ⟨rugby en Amerikaans voetb ook⟩ flanker
halfstam [de^{m}] half-standard ◆ *halfstam* ***vruchtbomen*** half-fruit trees
halfsteek [de^{m}] ⟨scheepv⟩ half-hitch
halfsteens [bn, bw] ⟨bijvoeglijk naamwoord⟩ half-brick, ⟨bijwoord⟩ in stretcher/stretching bond
halfsteensverband [het] stretcher/stretching bond
halfstijf [bn] semirigid
halfstok [bw] half-mast ◆ *vlaggen halfstok* ***hangen*** fly flags at half-mast/half-mast flags; *de vlaggen* ***hingen*** *halfstok* the flags were (flying/flown) at half-mast
halftij [het] [1] ⟨tijdstip⟩ half-tide [2] ⟨gemiddelde hoogte⟩ mean tide, mean sea level
halftijds [bn] half-time, part-time ◆ *een halftijds* ***baan*** a half-time job; *halftijds* ***werken*** work half-time
halftime [het, de^{m}] half-time
halftimejob [de^{m}] half-time job ◆ *hij* ***heeft*** *een halftimejob* he has a half-time job, he works half-time
halftimer [de^{m}] half-timer
halftint [de] halftone, halftint, demitint
halfuur [het] half (an) hour, (a) half hour ◆ *elk halfuur/****om*** *het halfuur gaat er een trein* a train leaves every half hour/half-hourly; ***op*** *het halfuur slaat de klok maar één keer* the clock strikes only once at the half hours; *ik kom* ***over*** *een halfuurtje bij je* I will be at your place in about half an hour('s time)
halfuurdienst [de^{m}] ⟨verk⟩ half-hourly service
halfuursglas [het] ⟨scheepv⟩ half-hour glass
halfvergeten [bn] half-forgotten ◆ *halfvergeten* ***gebeurtenissen*** *weer oprakelen* dredge/rake up half-forgotten events/stories
halfverhard [bn] half-hardened, ⟨van weg of pad⟩ partly asphalted, semi-asphalted
halfverheven [bn] ⊡ *halfverheven* ***beeldhouwwerk*** bas-relief
halfvers [het] half line
halfvet [bn] [1] ⟨met weinig vet⟩ low-fat, ⟨melk, kaas ook⟩ semi-skimmed ◆ *halfvet* ***vlees*** low-fat meat [2] ⟨drukw⟩ semibold
halfvleugeligen [de^{mv}] ⟨biol⟩ hemiptera
halfvloeibaar [bn] semifluid, semiliquid, ⟨zeep⟩ soft
halfvocaal [de] ⟨taalk⟩ semivowel
halfvol [bn] [1] ⟨voor de helft gevuld⟩ half-full ◆ *een glas halfvol* ***doen*** fill a glass half-full, half-fill a glass [2] ⟨met minder vet⟩ low-fat, semi-skimmed
halfvolley [de^{m}] half-volley
halfvolwassen [bn], **halfwassen** [bn] half-grown, juvenile, adolescent
halfvrijstaand [bn] semi-detached
halfwaardetijd [de^{m}] half-life
^{1}**halfwas** [de^{m}] [1] ⟨pej; puber⟩ juvenile, adolescent [2] ⟨nog niet volleerd vakman⟩ apprentice, trainee [3] ⟨halfvolwassen haas, konijn⟩ leveret, young rabbit
^{2}**halfwas** [bn] [1] ⟨pej; halfvolwassen⟩ green, fresh, ⟨predicatief⟩ still wet behind the ears [2] ⟨nog niet volleerd⟩ apprentice, trainee
halfwassen [bn] → **halfvolwassen**
^{1}**halfweg** [bw] [1] ⟨halverwege⟩ halfway, midway ◆ *ik* ***kwam*** *hem halfweg* ***tegen*** I met him halfway; *wij* ***zijn*** *nog niet halfweg* we are not yet halfway [2] ⟨op de helft van een karwei⟩ halfway (through) ◆ *zij zijn nu halfweg* ***met*** *het bouwen van dat huis* they are now halfway through the building of that house
^{2}**halfweg** [vz] halfway, midway ◆ *halfweg* ***Utrecht*** *en* ***Amersfoort*** *heeft hij een huis gekocht* he has bought a house halfway/midway between Utrecht and Amersfoort
halfwinder [de^{m}] ⟨scheepv⟩ balloon sail
halfwinds [bn, bw] ⟨scheepv⟩ with the wind on the quarter ◆ *een halfwinds* ***rak*** a stretch to be sailed with the wind on the quarter
halfwit [bn] off-white ◆ *halfwit* ***brood*** light-brown bread
halfwoekerplant [de] semiparasite, hemiparasite
halfwollen [bn] half-woollen
halfzacht [bn] [1] ⟨dwaas⟩ soft-headed, soft-witted, half-witted, ⟨inf⟩ soft (in the head) [2] ⟨slap⟩ wishy-washy,

weak, weak-kneed
halfzeven [bw] ▪ *zijn das hing **op** halfzeven* his tie was all awry; *zijn hoed staat **op** halfzeven* he's got his hat on crooked
halfzijde [de] half silk
halfzijden [bn] half-silk
halfzuil [de^m], **halfpijler** [de^m] half/embedded column, pilaster, half pillar
halfzuster [de^v] half sister, ⟨met dezelfde moeder ook⟩ uterine sister
halfzwaar [bn] medium strong ♦ *halfzware **shag*** medium strong (rolling) tobacco
¹**halfzwaargewicht** [de^m] ⟨sport⟩ ⟨persoon⟩ light heavyweight
²**halfzwaargewicht** [het] ⟨sport⟩ ⟨gewichtsklasse⟩ light heavyweight, ⟨BE ook⟩ cruiserweight
halitose [de^v] ⟨med⟩ halitosis
hall [de] hall, ⟨vnl AE⟩ hallway
halleluja [tw] alleluia, halleluja(h)
hallelujahoed [de^m] ⟨scherts⟩ Sally Ally bonnet
hallelujastemming [de^v] ecstatic/elated mood, ecstasy
hallelujazus [de^v] ⟨pej⟩ Sally Ally sister
hallenkerk [de] hall church
halletje [het] 1 ⟨kleine hal⟩ (small) hall, ⟨vnl AE⟩ hallway 2 ⟨koekje⟩ ginger nut ♦ ***Haarlemmer** halletjes* Haarlem ginger nut
¹**hallo** [het] hello, hallo, hullo
²**hallo** [tw] 1 ⟨uitroep om te groeten⟩ hello, hallo, hullo, hoy, ⟨AE⟩ howdy, ⟨AE⟩ hi ♦ *(hé,) hallo* hello there! 2 ⟨oproep, antwoord bij het telefoneren⟩ hello, hallo, hullo ♦ *hallo, met wie spreek ik?* hello, who is speaking, please?; *hallo, Londen, hoort u mij?* come in, London! 3 ⟨uitroep van verbazing⟩ ⟨vnl BE⟩ hello, ⟨inf⟩ wow ♦ *hallo, wat krijgen we nu?* hello, what's happening here/what's this then/what do you think you're doing?
hallofoon [de^m] entryphone
Halloween [het] Halloween
hallucinair [bn] hallucinatory
hallucinant [de^m] victim of hallucinations
hallucinatie [de^v] hallucination ♦ *hij **heeft/krijgt** hallucinaties* he is having hallucinations, he is hallucinating, he is hearing/seeing things
hallucinatorisch [bn] hallucinatory ♦ *hallucinatorische **gewaarwordingen*** hallucinatory sensations/perceptions
hallucineren [onov ww] hallucinate, hear/see things
¹**hallucinogeen** [het] hallucinogen, ⟨sl⟩ mind-bender, mindblower
²**hallucinogeen** [bn] hallucinogenic
halm [de^m] stalk, ⟨BE ook⟩ corn-stalk, culm, ha(u)lm, ⟨van gras ook⟩ blade ♦ *de halmen tot schoven **binden*** sheave, bind/tie into sheaves; *het graan **op** (de) halm(en) verkopen* sell standing grain, ⟨alleen BE⟩ sell standing corn
halma [het] halma
halmeester [de^m] hall attendant
halmstengel [de^m] ⟨biol⟩ culm, ha(u)lm
halmstro [het] threshed stalks, straw
halmvliegen [de^{mv}] ⟨biol⟩ frit-flies, gout-flies, chloropid flies
halo [de^m] 1 ⟨stralenkrans⟩ halo, aureole, aureola, ⟨rond de maan bij een zonsverduistering⟩ corona 2 ⟨foto⟩ halo, halation 3 ⟨kring rondom de tepel⟩ areola
halo-effect [het] 1 ⟨foto⟩ halation 2 ⟨psych⟩ halo-effect
halofyt [de^m] halophyte
halogeen [het] ⟨scheik⟩ halogen
halogeenlamp [de] halogen lamp
halogeneren [ov ww] halogenate ♦ *een organische **verbinding** halogeneren* halogenate an organic compound
haloïde [het] halide
haloscoop [de^m] haloscope
haloumi [de^m] halloumi
hals [de^m] 1 ⟨lichaamsdeel⟩ neck, ⟨med⟩ cervix ♦ *iemand de hals **afsnijden*** cut s.o.'s throat; *iemand **om** de hals vallen/vliegen* fall upon s.o.'s neck, throw one's arms round s.o.'s neck; ***tot aan** de hals* up to the neck; *de hals **uitrekken*** stretch/crane one's neck 2 ⟨keel⟩ throat 3 ⟨nek⟩ nape ♦ ⟨fig⟩ *hij heeft het zichzelf **op** de hals gehaald* he has brought it on himself, he has only himself to blame; ⟨fig⟩ *zich moeilijkheden/problemen **op** de hals halen* let o.s. in for/saddle o.s. with troubles/problems, bring troubles/problems (up)on o.s., lay up troubles/problems for o.s.; ⟨fig⟩ *weet je wat hij zich nu **op** de hals gehaald heeft?* do you know what he's let himself in for now? 4 ⟨sukkel⟩ simple soul, innocent, ⟨inf; BE⟩ mug ♦ *'t is een **onnozele** hals* he/she is a simple soul/an innocent, ⟨inf; BE⟩ he/she is a mug/a Simple Simon 5 ⟨m.b.t. kledingstukken⟩ neck(line) ♦ *een hals **met** een boordje* a neck with a collar; *een laag **uitgesneden/blote** hals* a plunging neckline; *een japon met laag **uitgesneden** hals* a low-necked dress, a dress cut low in the neck, a décolleté(e) dress; *een hemd met een **wijde/lage** hals* a shirt with a wide/low neck 6 ⟨deel van een voorwerp⟩ neck ♦ *de hals van een **anker*** the throat of an anchor; *de hals van een **fles*** the neck of a bottle; *de hals van een **tand*** the neck of a tooth; *de hals van een **viool**/een **gitaar*** the neck of a violin/guitar; *de hals van een **zuil*** the neck of a pillar ▪ ⟨jacht⟩ *hals **geven*** give cry/tongue
halsader [de] ⟨med⟩ jugular (vein)
halsband [de^m] 1 ⟨sieraad⟩ necklace, collar, ⟨bandje⟩ necklet 2 ⟨m.b.t. dieren⟩ collar
halsbel [de] ⟨koe⟩ cow-bell, ⟨schaap⟩ sheep-bell
halsboei [de] (iron) collar
halsboord [het, de^m] collar
halsbrekend [bn] daredevil ♦ *halsbrekende **toeren** verrichten* carry out daredevil feats
halsdoek [de^m] scarf, ⟨voor man ook⟩ cravat
halsgat [het] neck
halsgerecht [het] ⟨gesch⟩ court dealing with capital offences
halsgevel [de^m] neck-gable
halsgewricht [het] ⟨med⟩ neck-joint
halsgezwel [het] tumour in the neck/throat, swelling in the neck/throat, ⟨klier⟩ struma
halsjuk [het] collar, harness
halskarbonade [de^v] pork neck chop
halsketting [de] 1 ⟨sieraad⟩ necklace, collar, ⟨kettinkje⟩ necklet 2 ⟨m.b.t. vee⟩ collar
halskraag [de^m] collar, ⟨geplooid⟩ frill, ⟨gesch⟩ ruff, ⟨harnas⟩ gorget
halskruid [het] ⟨plantk⟩ ⟨Campanula glomerata⟩ clustered bellflower, ⟨Campanula trachelium⟩ bats-in-the-belfry
halskruis [het] 1 ⟨kruisje als sieraad⟩ (necklet)-cross 2 ⟨versiersel van een ridderorde⟩ cross
halskwab [de] ⟨vee⟩ dewlap, ⟨varken⟩ wattle
halslengte [de^v] ⟨sport⟩ neck ♦ *het paard won **met** één halslengte* the horse won by a neck
halslijn [de] neckline
halsmisdaad [de] 1 ⟨misdaad waarop de doodstraf staat⟩ capital crime/offence 2 ⟨zeer ernstig vergrijp⟩ capital error
halsopening [de^v] neck
halsoverkop [bw] in a hurry/rush/panic, precipitately, helter-skelter, ⟨vallen⟩ headlong, head over heels ♦ *halsoverkop naar het ziekenhuis **gebracht** worden* be rushed to hospital; *halsoverkop de trap af **komen*** come tumbling downstairs; *halsoverkop op de vlucht **slaan*** take to one's heels, make a hasty escape; *zich halsoverkop in een avontuur **storten*** rush headlong into an adventure; *halsoverkop **trouwen*** get married in a hurry, rush into marriage; *halsoverkop **vertrekken*** leave in a hurry/precipitately, rush/dash off; *halsoverkop verliefd **worden*** fall head over heels in love

halsreikend [bw] eagerly ♦ *halsreikend naar iets uitzien* look forward eagerly to sth.
halsriem [de^{m}] neck-strap
halssieraad [het] necklace
halsslagader [de] carotid (artery)
halssnoer [het] necklace, ⟨snoertje⟩ necklet ♦ *een halssnoer dragen* wear a necklace
halsstarrig [bn, bw] obstinate ⟨bw: ~ly⟩, stubborn, headstrong, wilful ♦ *hij bleef halsstarrig ontkennen* he kept on obstinately/stubbornly/wilfully denying it
halsstarrigheid [de^{v}] obstinacy, stubbornness, wilfulness, headstrongness
halsstraf [de] capital punishment
halsstuk [het] [1] ⟨amb; deel van een kledingstuk⟩ yoke [2] ⟨stuk vlees⟩ neck, ⟨van schaap ook⟩ scrag(-end)
halstalie [de^{v}] ⟨scheepv⟩ tack
halster [het, de^{m}] halter ♦ *het paard bij de halster leiden* lead/guide a horse by halter
halsteren [ov ww] halter
halstouw [het] neck rope
halsuitsnijding [de^{v}] neckline, ⟨diep⟩ décolleté(e), low neck
halsvlecht [de] ⟨med⟩ neck plexus
halswervel [de^{m}] ⟨med⟩ cervical vertebra
halswervelkolom [de] cervical vertebrae, upper spine
halswijdte [de^{v}] collar-size ♦ *de halswijdte meten* measure the collar-size
halszaak [de] capital crime/offence, ⟨ook fig⟩ hanging-matter ♦ *ik maak er geen halszaak van* I won't treat it as a crime/take it too seriously
halszenuw [de] ⟨med⟩ cervical nerve
^{1}**halt** [het] ⟨kreet⟩ stop, wait ♦ *het terrorisme een halt toeroepen* put a stop to terrorism; *iemand/de inflatie een halt toeroepen* stop s.o./check inflation
^{2}**halt** [de] ⟨onderbreking in het voortgaan⟩ halt ♦ *halt doen houden* halt; *halt houden* halt; *abrupt halt houden* stop short/abruptly, stop dead (in one's tracks)
^{3}**halt** [tw] halt!, stop!, wait! ♦ *halt, of ik schiet!* stop or I'll fire/shoot!
halte [de] [1] ⟨plaats⟩ stop, ⟨trein ook⟩ station ♦ *halte op verzoek* request stop; *een vaste halte instellen* make a compulsory (bus/tram) stop [2] ⟨afstand⟩ stop ♦ *twee haltes verder moet ik eruit* I have to get off in/after two stops; *bij de volgende/laatste halte uitstappen* get off at the next stop/the terminus
haltepaal [de^{m}] bus/tram stop
halter [de^{m}] ⟨kort⟩ dumb-bell, ⟨lang⟩ bar-bell
halterbeha [de^{m}] halter-neck bra
halterjurk [de] halter-neck dress, halter-top dress
haltertruitje [het] halter-neck sweater
halvanaise [de^{v}] low-fat mayonnaise
halvaproduct [het] low-fat product
halvarine [de] low-fat margarine
halvefrank [de^{m}] ⟨in België⟩ a half-franc (piece)
halvegare [de] whacko, half-wit, fool
halvemaan [de] [1] ⟨schijngestalte van de maan⟩ half-moon, crescent [2] ⟨sikkelvormig teken⟩ crescent ♦ *de Rode Halvemaan* the Red Crescent [3] ⟨voorwerp⟩ crescent ♦ *halvemaantjes eten* eat croissants [4] ⟨muziekinstrument⟩ crescent
halvemaanvormig [bn] crescent-shaped
halveren [ov ww] [1] ⟨in tweeën delen⟩ divide into halves, cut in half, ⟨wisk⟩ bisect ♦ *ik zal die appel maar halveren* I'll cut that apple in half; ⟨wisk⟩ *een hoek/een lijn halveren* bisect an angle/a line [2] ⟨tot op de helft verminderen⟩ halve ♦ *zijn inkomen is gehalveerd* his income has been halved
halverhoogte [bw] halfway up
halvering [de^{v}] halving, ⟨wisk⟩ bisection
halveringstijd [de^{m}] ⟨natuurk⟩ half-life
^{1}**halverwege** [bw] [1] ⟨halfweg⟩ halfway, midway ♦ *halverwege terugkeren* go back when you've gone halfway; *halverwege tussen Utrecht en Arnhem* midway/halfway between Utrecht and Arnhem; *we zijn nu halverwege* we are halfway now [2] ⟨midden in wat men bezig is te doen⟩ halfway (through) ♦ *halverwege blijven steken in een boek/in zijn werk* get stuck in the middle of/halfway through a book/one's work
^{2}**halverwege** [vz] halfway, midway ♦ *halverwege de trap bleef hij steken* he got struck halfway up/down the stairs; *halverwege het trimester* halfway through the term
halverwind [bw] wind on the beam ♦ *halverwind zeilen* ⟨fig⟩ approach sth. crabwise
^{1}**halvezool** [de^{m}] ⟨persoon⟩ half-wit, cretin
^{2}**halvezool** [de] ⟨nieuwe, extra zool⟩ half-sole
halzen [ov ww] ⟨scheepv⟩ boxhaul, veer, wear
ham [de] [1] ⟨achterbout van een varken⟩ cushion, ham ♦ ⟨fig⟩ *de houten ham komt daar op tafel* they do their best to keep up appearances [2] ⟨vlees⟩ ham, gammon ♦ *een broodje ham* ⟨broodje⟩ a ham roll; ⟨twee sneetjes brood⟩ a ham sandwich; *gekookte ham* cooked/boiled ham; *gerookte ham* gammon, smoked ham; *een ons ham* 100 grams of ham; *een plakje ham* a slice of ham; *rauwe ham* uncooked ham [3] ⟨m.b.t. een mens⟩ ham
hamadryade [de^{v}] hamadryad
hamam [de^{m}] hamam
hamamelis [de^{m}] ⟨plantk⟩ witch/wych hazel
Hamas [de^{m}] Hamas
Hamasbeweging [de^{v}] Hamas movement
hamburger [de^{m}] [1] ⟨rond stuk gebraden gehakt⟩ hamburger, beefburger, ⟨inf; AE⟩ burger [2] ⟨broodje hamburger⟩ hamburger, beefburger, ⟨inf; AE⟩ burger ♦ *hamburger met kaas* cheeseburger
hamburgercultuur [de^{v}] hamburger culture, fast-food culture
hameibalk [de^{m}] balance beam
hameibrug [de] bascule-bridge, drawbridge
hameigebint [het] portal arch
hamel [de^{m}] wether
hamer [de^{m}] [1] ⟨werktuig⟩ hammer, ⟨houten ook⟩ mallet, ⟨grote houten hamer⟩ maul ♦ ⟨fig⟩ *tussen hamer en aambeeld zijn* be between the devil and the deep (blue) sea [2] ⟨voorwerp als teken en middel van gezag⟩ hammer ♦ *de hamer hanteren* gavel; *met de hamer de vergadering tot stilte manen* bring the meeting to order (with the hammer/gavel); *onder de hamer komen* come/go under the hammer; ⟨fig⟩ *iets onder de hamer brengen* bring sth. under the hammer, put sth. up to auction/for auction/for sale; *de hamer valt* the hammer comes down [3] ⟨hamervormig werktuig⟩ hammer [4] ⟨gehoorbeentje⟩ hammer, malleus [5] ⟨m.b.t. een piano⟩ hammer [6] ⟨m.b.t. een uurwerk, klokkenspel⟩ hammer
hamerbaan [de] face of the hammer
hamerbijl [de] hammer axe, lath hammer, claw/shingling hatchet
hamerbol [de^{m}] ball-pein, ball-peen
hamerbout [de^{m}] [1] ⟨soldeerbout⟩ hatchet bit, soldering iron [2] ⟨schroefbout⟩ coach screw, ⟨AE⟩ lag bolt, screw pike
^{1}**hameren** [onov ww] [1] ⟨met een hamer slaan⟩ hammer, ⟨met voorzittershamer/veilinghamer⟩ rap, gavel, knock ♦ *op een argument hameren* hammer away at an argument/point; ⟨fig⟩ *hij bleef er maar op hameren* he kept hammering (away) at it/he kept going on about it; ⟨fig⟩ *altijd op iets/hetzelfde hameren* always keep harping on sth./the same string; *er bij iemand op blijven hameren* keep going on at s.o. about sth.; *de schoenmaker hamerde er lustig op los* the shoemaker hammered away with a will; *de voorzitter hamerde om de spreker tot de orde te roepen* the chairman called the speaker to order [2] ⟨krachtig kloppen⟩ hammer, ground, bang, thump, drum ♦ *die hoofdpijn blijft maar hameren* I've

still got that pounding/thumping/splitting headache; ***op** de toetsen hameren* pound (away at) the keyboard; *de agent hamerde **op** de voordeur* the policeman hammered/pounded at the front door

²**hameren** [ov ww] 1 ⟨met een hamer slaan⟩ hammer ◆ *iets **bij** iemand **erin** hameren* hammer/drum/din sth. into s.o., hammer/ram sth. home; ***ijzer** hameren* beat/hammer iron; *met één slag hamerde de timmerman de **spijker** in het hout* with one blow/stroke the carpenter drove/hammered the nail home 2 ⟨meermalen slaan⟩ hammer, pound, beat ◆ *de bokser hamerde zijn **tegenstander** op het hoofd* the boxer rained blows on his opponent's head

hamerhaai [de^m] ⟨dierk⟩ hammerhead (shark) ⟨Sphyrna zygaena⟩, shovelhead ⟨Sphyrna tiburo⟩

hamering [de^v] 1 ⟨het hameren⟩ hammering 2 ⟨bewerking met de hamer⟩ hammering 3 ⟨m.b.t. hoofdpijn⟩ pounding, thumping

hamerklap [de^m] hammer blow

hamerkop [de^m] 1 ⟨deel van een hamer⟩ hammer-head 2 ⟨vogel⟩ hammerkop, hammerhead (stork), umbrette

hamermossel [de] hammer-shell, hammer-oyster

hamerplug [de] (masonry) plug

hamerprijs [de^m] hammer price

¹**hamerslag** [de^m] 1 ⟨het slaan⟩ hammering 2 ⟨slag⟩ hammer-blow, hammer-stroke ◆ *iets **bij** hamerslag verkopen* sell sth. by/at auction, auction sth.; *de hamerslagen **dreunden** door de lucht* the air rang with hammer-blows

²**hamerslag** [het] 1 ⟨afspringende schilfers⟩ (hammer-)scale, forge-scale, hammer-slag, hammer-slough 2 ⟨verbrande korst⟩ (hammer-)scale, forge-scale, hammer-slag, hammer-slough

hamerslingeren [ww] ⟨sport, vero behalve in België⟩ throwing the hammer, hammer-throwing

hamerspie [de] ± cotter pin

hamersteel [de^m] handle of a hammer

hamerstuk [het] 1 ⟨agendapunt⟩ formality ◆ *het voorstel werd **als** hamerstuk **afgedaan*** the proposal was dealt with as a formality/(was) passed on the nod 2 ⟨deel van een balk⟩ hammer-beam

hamerteen [de^m] hammertoe

hamertje-tik [het] ± Hammer Peg

hamervormig [bn] hammer-shaped

hamerwerpen [ww] throwing the hammer, hammer-throwing

hamitisch [bn] Hamitic

hamlap [de^m] pork steak

hammenbeen [het] ham bone

hammondorgel [het] Hammond organ

hampijp [de] ham-bone

hamschijf [de] gammon

hamspek [het] shoulder of pork, ⟨AE⟩ picnic ham, shoulder ham

hamster [de^v] hamster

hamsteraar [de^m], **hamsteraarster** [de^v] hoarder, squirrel

hamsteraarster [de^v] → **hamsteraar**

hamsteren [ov ww, ook abs] hoard (up), squirrel/stash away, hive/lay up ◆ *gehamsterd **goud*** hoarded gold; ***koffie** hamsteren* stock up on/with coffee, hoard (up) coffee, hive/lay up coffee, squirrel/stash away coffee

hamstervoorraad [de^m] hoard, stash, stock

hamsterwoede [de] hoarding frenzy

hamstring [de^m] hamstring

hamvraag [de] key question, ⟨AE⟩ sixty-four (thousand) dollar question

hamworst [de] pork and veal sausage

hand [de] 1 ⟨lichaamsdeel⟩ hand ◆ ***aan** de hand lopen* ⟨fig⟩ be led by the nose; *niks **aan** de hand!* there's nothing the matter/wrong; ⟨in België⟩ *wat **aan** de hand hebben* ⟨last, moeilijkheden hebben⟩ have sth. on one's hands, be having a problem; *iets **aan** de hand hebben* ⟨fig; met iets bezig zijn⟩ have sth. doing/going/on; ⟨bij iets betrokken zijn⟩ be involved in sth., be in on sth.; *iemand **aan** de hand hebben* ⟨fig⟩ go/hang around with/associate with s.o.; ⟨fig⟩ *iemand iets **aan** de hand doen* get s.o. sth., put s.o. in the way of sth., put s.o. on to sth., provide/supply/furnish s.o. with sth.; *hij had zijn fiets **aan** de hand* he was wheeling his bicycle; ⟨handel⟩ *goederen die **aan** de hand blijven* goods that are left on one's hands; *nagaan **aan** de hand van steekproeven of …* ascertain from/by means of random samples whether …; *iets controleren **aan** de hand van metingen* check sth. by taking measurements; ***aan** de hand van deze ervaringen concludeer ik …* in view of/in the light of/on the basis of/given these experiences I conclude …; *iemand een middel **aan** de hand doen tegen huiduitslag* put s.o. on to a good remedy for a rash; ***aan** de hand van deze berekeningen, cijfers, feiten, gegevens* on the basis of these calculations, figures, facts, data; *iets **achter** de hand hebben* ⟨fig⟩ have sth. in reserve/to fall back on, have a second string to one's bow; ⟨heimelijk⟩ have sth. up one's sleeve; *iets **achter** de hand houden* ⟨fig⟩ reserve sth., keep sth. in reserve; *wat geld **achter** de hand houden* keep some money, keep some money in reserve/for a rainy day; *de handen van iemand **aftrekken*** ⟨fig⟩ wash one's hands of s.o.; *in **andere** handen komen* change hands, pass into other hands; ⟨fig⟩ *water in de ene en vuur in de **andere** hand dragen* be two-faced/double-faced/a double-dealer/Janus-faced, run with the hare and hunt with the hounds; *de **bal**/de **muis** van de hand* the ball of the hand/thumb; ⟨med⟩ *handen aan het **bed*** nursing staff, bedside carers; ⟨fig⟩ ***bij** de hand blijven* stay/be on hand, remain close at hand; *iemand **bij** de hand leiden* lead s.o. by the hand; *iemand/iets **bij** de hand hebben* have s.o./sth. handy/at hand/on hand/ready to hand; *ik heb dat altijd vlak **bij** de hand* I always have that at my elbow/near at hand/within arm's reach/handy/straight to hand; ⟨fig⟩ *zoiets heb ik wel meer **bij** de hand gehad* I am an old hand at this, I have dealt with this sort of thing before; *heb je toevallig geen rekenmachine **bij** de hand?* don't you have a calculator handy/at hand/on you?; *iemand de handen **binden*** ⟨ook fig⟩ tie s.o.'s hands; ⟨fig⟩ tie s.o. down, be a drag on s.o., be a tie to s.o.; ***blote** handen* bare hands; *zijn handen **branden** (aan iets)* ⟨fig⟩ burn one's fingers (on sth.), get one's fingers burnt (on sth.); ⟨fig⟩ *bang zijn zijn handen aan koud water te **branden*** ⟨bang⟩ be frightened of one's own shadow; ⟨voorzichtig⟩ always play safe, keep on the safe side; ⟨fig⟩ *goederen in de **dode** hand* property in mortmain; *alles gaat **door** zijn handen* everything passes/goes through his hands; *er gaat veel geld **door** zijn handen* large sums pass through his hands, he handles large sums; ⟨fig⟩ *dat huis is al **door** vele handen gegaan* that house has passed/gone through many hands, that house has seen many owners; *ik **draai** er mijn hand niet voor **om*** ⟨fig; ik heb er geen moeite mee⟩ I think nothing of it; ⟨het kan me niet schelen⟩ I don't care a rap/hoot (for it); *(mijn) hand **erop!*** you have/here's my hand on it!; ***geef** mij de hand!* give me your hand; ⟨kring vormen⟩ join hands with me; ***geen** hand voor ogen kunnen zien* ⟨fig⟩ not be able to see one's hand/a hand in front of/before one('s face); ***geen** hand voor iemand/iets uitsteken* not raise/lift/stir a finger for s.o./sth., not hold out/stretch/lift/raise a hand for s.o./sth.; *hij heeft er **geen** hand naar uitgestoken* ⟨niets aan gedaan⟩ he hasn't done a stroke of work/a hand's turn (of work) on it; ⟨niets van gegeten⟩ he hasn't touched it; ⟨fig⟩ ***geen** hand in koud water te steken hebben* not have to lift/raise a finger, be waited on hand and foot; ⟨fig⟩ *een **gelukkige** hand van gooien hebben* be lucky, have luck on one's side; *elkaar de hand **geven*** ⟨om kring te vormen⟩ link hands; *zij kunnen elkaar de hand **geven*** they see eye to eye, they are of the same mind/opinion; *dan kunnen we elkaar de hand **geven*** we're in the same boat, welcome to the club; ⟨fig⟩ ***Gods** hand* the hand of God; *in **goede/slechte** handen* *vallen* ⟨fig⟩ fall/get into the right/wrong hands; *deze zaak is* ***in goede/slechte*** *handen* that matter is in good/bad hands; ⟨fig⟩ *met* ***harde*** *hand opvoeden* bring up/raise the hard way; *de hand in iets* ***hebben*** ⟨fig⟩ have a hand/part/finger in sth., be a party to sth.; *zij* ***heeft*** *overal de hand in* she has a finger in every pie; *de handen ten hemel* ***heffen*** throw up one's hands; *iemand de* ***helpende*** *hand bieden* give/lend s.o. a (helping) hand, offer s.o. a helping hand; *hij* ***hield*** *de hand boven de ogen* he shaded his eyes with his hand; *van* ***hoger*** *hand* from above, from/on higher authority; ⟨fig⟩ *bevelen van* ***hoger*** *hand* orders from above; ⟨fig⟩ *van* ***hoger*** *hand is besloten dat ...* it has been decided by the authorities ...; *de hand op de knip/zak* ***houden*** keep a tight hand on the purse-strings; *de hand aan iets/iemand* ***houden*** ⟨fig⟩ look after sth./s.o., take care of sth./s.o.; *ergens streng de hand aan* ***houden*** adhere strictly to sth., uphold/enforce/maintain sth. strictly/rigidly/with vigour; *je moet er streng de hand aan* ***houden*** you must keep it strictly/firmly in hand; *iemand de hand boven het hoofd* ***houden*** ⟨fig; aan zijn kant staan⟩ stand by/support/screen s.o., back s.o. up; ⟨iemand beschermen die iets misdaan heeft⟩ protect/screen/shield s.o.; ***in*** *de handen spuwen* roll up one's sleeves; ***in*** *de handen klappen* clap one's hands; ***in*** *handen stellen van* consign to; *met de wet* ***in*** *de hand* ⟨fig⟩ waving the rule-book; ⟨fig⟩ *iets* ***in*** *de hand hebben* have sth. under control; *iets* ***in*** *handen krijgen* secure/get hold of/lay hands on sth., obtain sth.; ⟨toevallig⟩ chance/light on sth.; *met de hoed* ***in*** *de hand* hat in hand; *de pen* ***in*** *de hand nemen* ⟨fig⟩ take up one's pen; *iemand* ***in*** *handen vallen* ⟨fig⟩ get/fall into the hands/clutches of s.o.; *de macht* ***in*** *handen hebben* have/hold power, be in power; *de markt* ***in*** *handen hebben* control/have control of the market; *elkaar* ***in*** *de handen slaan* ⟨koper en verkoper⟩ shake hands; *hand* ***in/aan*** *hand gaan met* ⟨ook fig⟩ go hand in hand with; *een bewijs* ***in*** *handen hebben* have/possess evidence; ⟨fig⟩ *iets zelf* ***in*** *de hand hebben* have sth. in one's own hands/power; *zijn geld* ***in*** *handen krijgen* get control of one's money; ⟨erfenis⟩ come into one's money; *hij heeft het geld* ***in*** *handen* he possesses/is in possession of the money, he has the money in hand; *iemand iets* ***in*** *handen spelen* put sth. s.o.'s way; *de toestand* ***in*** *de hand hebben* have the situation in hand; ⟨fig⟩ *een auto goed* ***in*** *de hand hebben* have a good control of a car; ⟨fig⟩ *zijn leven stellen* ***in*** *Gods hand* place one's life in God's hands; *het onderzoek is* ***in*** *handen van N.* the investigation is being conducted by N.; ⟨fig⟩ *zijn toekomst ligt* ***in*** *mijn handen* his future/life is in my hands; *een eed* ***in*** *iemands handen afleggen* take/make an oath before s.o., swear an oath before s.o.; *goed/gemakkelijk* ***in*** *de hand liggen* be handy, have a handy grip; ⟨boek⟩ be nice to hold; *iemand iets* ***in*** *de hand duwen/stoppen* ⟨lett⟩ slip/thrust sth. into s.o.'s hands, put sth. in s.o.'s hands; ⟨fig⟩ palm/fob s.o. off with sth., foist/palm sth. off on s.o.; *zich iets* ***in*** *de handen laten stoppen* ⟨fig⟩ be palmed/fobbed off with sth., have sth. palmed off/fobbed off/foisted (off) onto one; *de politie heeft de zaak nu* ***in*** *handen* the police have the case in hand; *iemand een brief/geld* ***in*** *handen geven* place a letter/money in s.o.'s hands, hand a letter/money to s.o.; *hij heeft de zaak niet meer* ***in*** *de hand* he no longer has the matter under control; *welke advocaat heeft de zaak* ***in*** *handen?* which solicitor has the case in hand?; ***in*** *handen vallen van de politie/de vijand* fall into the hands/clutches of the police/enemy; *hij heeft nog nooit een goed boek* ***in*** *zijn handen gehad* he has never read a good book; *hij mag zich* ***in*** *de handen wrijven, hij mag zijn handen dichtknijpen* ⟨fig⟩ he can count/call himself lucky; *de handen* ***ineenslaan*** ⟨van verbazing⟩ clasp/throw up one's hands; ⟨fig⟩ join hands/forces, link hands, unite; *mijn handen* ***jeuken*** ⟨fig⟩ I'm itching to give (s.o.) a good hiding; *je mag (je) wel in je handen* ***knijpen*** you can thank your lucky stars; ⟨fig⟩ *de handen op elkaar* ***krijgen*** earn/get applause; ⟨fig⟩ *de* ***laatste*** *hand aan iets leggen* put/add the finishing/final touch(es) on sth.; ⟨fig⟩ *iets uit zijn handen* ***laten vallen*** drop sth.; *niet met* ***lege*** *handen komen* not come empty-handed; *de handen in de schoot* ***leggen*** ⟨fig⟩ stand idly by, sit back (and do nothing); ⟨fig⟩ *de hand op iets/iemand* ***leggen*** lay hands on s.o./sth., lay/get hold of s.o./sth.; *op iemands handen* ***letten*** ⟨fig⟩ watch s.o. closely, keep an eye on s.o.; *iemands hand* ***lezen*** read s.o.'s palm; *de hand* ***lichten*** *met het werk* scamp one's work, give the work a lick and a promise, cut corners; *de hand* ***lichten*** *met het reglement* disregard the regulations; ⟨fig⟩ ***losse*** *handen hebben* be spoiling for a fight; ⟨fig⟩ *iets uit de* ***losse*** *hand doen* do sth. impromptu/off the cuff/in an improvised way; ⟨fig⟩ *een tekening uit de* ***losse*** *hand* free composition; ***met*** *de hand wassen* ⟨tegenover in de machine⟩ wash by hand; ***met*** *de handen in de zij* with hands on hips; ***met*** *de hand gemaakt/geschreven* hand-made, handwritten; *zich* ***met*** *hand en tand verzetten* ⟨fig⟩ resist/fight tooth and nail, struggle/resist with might and main; ⟨fig⟩ *iets* ***met*** *beide handen aangrijpen* jump/leap at sth., grasp at/seize sth. with both hands; ⟨aanbod, gelegenheid ook⟩ seize upon/embrace sth.; ⟨fig⟩ ***met*** *de handen in het haar zitten* be at one's wit's/wits' end, be at a (dead) loss (what to do); ***met*** *zijn handen de kost verdienen* earn/make a living with one's hands; ⟨fig⟩ ***met*** *de hand op het hart iets verklaren* swear to sth. faithfully; ***met*** *losse handen/****zonder*** *handen fietsen* ride a bike with no hands; ***met*** *de handen in de zakken staan/zitten/lopen* ⟨fig⟩ lounge/loaf around (with one's hands in one's pockets); ***met*** *de handen over elkaar in zijn schoot zitten* ⟨fig⟩ sit by/look on with folded hands/doing nothing, not lift/raise a finger; ⟨fig⟩ *hij zet alles* ***naar*** *zijn hand* he has it all his own way, he bends things to his will; ⟨fig⟩ *iemand* ***naar*** *zijn hand zetten* force/mould/bend s.o. to one's will, manage s.o., twist s.o. round one's (little) finger; ⟨fig⟩ *zij zet haar man geheel* ***naar*** *haar hand* she knows how to manage her husband, she bends her husband to her will, her husband is like putty in her hands; ⟨fig⟩ *zij kunnen de prijzen geheel* ***naar*** *hun hand zetten* they have complete control of/over the prices; *handen* ***omhoog!*** *(of ik schiet)* hands up! (or I'll shoot), ⟨inf⟩ stick 'em up! (or I'll shoot); ⟨fig⟩ *iets* ***onder*** *handen hebben* have sth. in hand, be at work/engaged on sth.; ⟨fig⟩ *iemand* ***onder*** *handen nemen* take s.o. in hand/to task, give s.o. a good talking-to, haul s.o. over the coals, read s.o. the Riot Act; ***onder*** *dokters handen zijn* be in the doctor's hands/under medical treatment, ↓ be under the doctor; *ik zal je motor morgen* ***onder*** *handen nemen* I shall take your motor/engine in hand tomorrow; *iemand* ***op*** *de handen kijken* ⟨fig⟩ watch s.o. closely, breathe down s.o.'s neck; *iemand* ***op*** *(de) handen dragen* ⟨fig⟩ worship/be devoted to/adore/think the world of/idolize s.o., put s.o. on a pedestal; *de hand(en) tegen iemand* ***opheffen*** ⟨fig⟩ raise/lift one's hand against s.o.; *de hand* ***ophouden*** ⟨fig⟩ hold out one's hand for a tip; beg; *hand* ***over*** *hand toenemen* increase/grow hand over hand/hand over fist/rapidly, become more and more prevalent, become rampant, gain ground rapidly; *hand* ***over*** *hand halen/hijsen* haul in hand over hand/fist; *elkaar de hand* ***reiken*** ⟨lett en fig; ook⟩ hold out a hand to each other; ⟨fig⟩ reach out to each other, offer/hold out an olive branch; *iemand/elkaar de hand* ***reiken/toesteken*** help one another/s.o. out; *de* ***rug*** *van de hand* the back of the hand; *handen* ***schudden*** shake hands; *iemand de hand* ***schudden****, iemand een hand* ***geven*** shake s.o.'s hand, give s.o. one's hand, shake hands with s.o.; *de handen in elkaar* ***slaan*** throw up one's hands (in wonder/horror); ⟨scherts; fig⟩ *de hand aan zichzelf* ***slaan*** ⟨masturberen; BE⟩ toss o.s. off, ⟨AE⟩ jerk off; *de hand aan de ploeg* ***slaan*** put/set one's hand to the plough, set/get to work, take the work in hand; *de handen voor het gezicht* ***slaan*** hide/bury one's face in one's hands; ⟨fig⟩ *de hand aan iemand/zichzelf* ***slaan*** lay violent hands on s.o./o.s., do away with s.o./o.s., take s.o.'s/one's own life; *een* ***slap*** *handje* a limp hand(shake); *de handen* ***staan*** *haar verkeerd, haar handen*

staan *verkeerd* she's all thumbs, her fingers are all thumbs, she has two left hands; *hij* ***steekt*** *geen/nooit een hand* ***uit*** he never lifts a finger, he never does a stroke of work/a hand's turn (of work); ⟨fig⟩ *de hand in eigen boezem* ***steken*** acknowledge blame, search one's own heart/conscience; *zijn handen uit de mouwen* ***steken*** ⟨fig⟩ put one's shoulder to the wheel, put one's back/right hand to the work, roll one's sleeves up, buckle/turn to, use a bit of elbow grease; *de hand over het hart* ***strijken*** ⟨fig⟩ be lenient/soft-hearted; *iets* ***ter*** *hand nemen* take sth. up, take sth. in hand, undertake sth., embark/enter upon sth., engage in sth., set one's hand to sth., address o.s. to sth., attend to sth.; *iemand iets* ***ter*** *hand stellen* hand sth. (over) to s.o.; *handen* ***thuis!*** hands off!, keep your hands to yourself!, lay off (me)!; *hij kan zijn handen niet* ***thuishouden*** he can't keep his hands to himself; ⟨in België; fig⟩ *een hand(je)* ***toesteken*** give/lend a hand; *ik heb maar* ***twee*** *handen!* I have only (got) one pair of hands!; ⟨inf⟩ *het zijn* ***twee*** *handen op één buik* ⟨fig⟩ they are hand in/and glove, they are cheek by jowl; ***uit*** *de hand eten* ⟨ook fig⟩ eat/feed out of s.o.'s hand/palm; ***uit*** *de hand lopen* get out of hand; ⟨fig⟩ ***uit*** *de hand zaaien* sow/scatter seed by hand; ***uit*** *de hand tekenen* draw freehand; *iets* ***uit*** *handen geven* part with sth.; ⟨fig⟩ ***uit*** *iemands hand eten* eat out of s.o.'s hand; *een peer* ***uit*** *de hand eten* eat an eating pear; ⟨fig⟩ *het gezag* ***uit*** *handen geven* let one's authority slide/slip; *er komt niets* ***uit*** *zijn handen* he doesn't get anything done; *er komt weinig* ***uit*** *zijn handen* he's busy doing nothing; ***uit*** *de handen van de politie blijven* ⟨braaf⟩ keep on the right side of the law; ⟨op de vlucht⟩ keep a step ahead of the police; *alles was hem* ***uit*** *de handen geslagen* he had lost everything; *iemand het werk* ***uit*** *(de) handen nemen* take work off s.o.'s hands/shoulders, relieve s.o. of work; ⟨fig⟩ *ik heb die informatie* ***uit*** *de eerste hand* I have this information at first hand/straight from the horse's mouth; *zijn hand* ***uitsteken*** ⟨in het verk⟩ indicate; *iets* ***van*** *de hand doen* sell/part with/dispose of sth.; *gift* ***van*** *hand* ***tot*** *hand* ⟨jur⟩ gift by manual delivery, informal gift; ***van*** *hand* ***tot*** *hand gaan* be passed from hand to hand; *goed/duur* ***van*** *de hand gaan* sell well/at high prices; ⟨in België⟩ *als* ***van*** *de hand Gods geslagen* thunderstruck, dumbstruck; *die koopwaren gaan vlug* ***van*** *de hand* these products sell readily/quickly/rapidly/like hotcakes, these products find ready buyers/a ready market, these products are readily disposed of/meet with a brisk sale; *iets met* ***vaste*** *hand doen* do sth. with a steady/firm/sure hand, do sth. with a sure touch; ⟨fig⟩ *met* ***vaste/krachtige*** *hand regeren* rule with a firm/heavy/strong/stern/iron hand, rule with a rod of iron; *hij is in* ***veilige*** *handen* he is in safe hands/keeping; ***vereelte*** *handen* calloused/horny hands; *in* ***verkeerde/andere*** *handen vallen* fall into the wrong/strange hands; *de* ***vlakke/platte*** *hand* the flat of the hand, the open hand; *handen en* ***voeten*** ⟨ook⟩ extremities; *handen en* ***voeten*** *roeren* ⟨fig⟩ do one's utmost/darnedest, give everything one's got; ⟨fig⟩ *iets handen en* ***voeten*** *geven* ⟨theorie, principe, beleid⟩ put flesh on sth.; *op handen en* ***voeten*** *kruipen* go/crawl on all fours/on hands and feet; *zich met handen en* ***voeten*** *verweren* ⟨fig⟩ defend o.s. tooth and nail/with might and main; *aan/met handen en* ***voeten*** *gebonden zijn* ⟨ook fig⟩ be bound/tied hand and foot, have one's hands tied; *zich met handen en* ***voeten*** *verstaanbaar maken* make o.s. understood with hand gestures; *iemand (de) handen* ***vol*** *werk geven* cause/give s.o. no end of work/trouble; *dat ligt* ***voor*** *de hand* ⟨fig⟩ that speaks for itself/goes without saying/is obvious; *dat is de meest* ***voor*** *de hand liggende conclusie* that is the most obvious/natural conclusion; *de handen* ***vouwen*** clasp/fold one's hands; *de hand van een meisje* ***vragen*** ⟨fig⟩ ask for a girl's hand (in marriage), propose to a girl; *hij heeft de handen niet* ***vrij*** he does not have a free hand/his hands free, he is not a free agent, he has his hands tied; *hij wenst de handen* ***vrij*** *te houden* he wishes to keep his hands free/to keep a free hand; *hij heeft de handen niet geheel* ***vrij*** ⟨fig⟩ he has one hand tied behind his back; ⟨fig⟩ *iemand de* ***vrije*** *hand laten* give s.o. carte blanche/a blank cheque, give/allow s.o. a free hand/(full) discretion; ⟨fig⟩ *de* ***vrije*** *hand hebben/krijgen* have/acquire a free hand; *ergens zijn handen niet aan* ***vuil*** *willen maken* refuse/not want to soil/dirty one's hands on/with sth./doing sth., leave/let sth. severely alone; *zijn handen aan iets* ***vuilmaken*** ⟨fig⟩ soil/dirty one's hands with sth.; ⟨fig⟩ *met de* ***warme*** *hand schenken* give during life, make a donation inter vivos; ⟨fig⟩ *zijn handen in onschuld* ***wassen*** wash one's hands of sth./a matter/an affair; ⟨fig⟩ *misbruik in de hand* ***werken*** pave the way to misuse/abuse; *daar* ***wordt*** *vaak de hand mee* ***gelicht*** that is often skimped/not taken seriously; *een* ***zachte*** *hand* a gentle touch/hand; ⟨fig⟩ *met* ***zachte*** *hand* with a light touch/hand; ⟨fig⟩ *niet op zijn handen willen blijven* ***zitten*** want to roll one's sleeves up, want to get stuck in; ⟨fig⟩ *handen tekortkomen* not have enough hands [2] ⟨maat⟩ handbreadth, palm, ⟨om paarden te meten⟩ hand ◆ *het is een hand* ***breed*** it is a hand('s)-breadth; *hij heeft de handen meer dan* ***vol*** he has enough/too much on his plate; *ik had er de handen aan* ***vol*** *om ...* I had my work cut out to ..., I was hard put to it to ...; *de handen* ***vol*** *hebben aan iemand/iets* have one's hands full with s.o./sth., have one's work cut out for one; *dat kost een hand* ***vol/****handen* ***vol*** *geld* that costs lots/pots/piles of money [3] ⟨handschrift, stijl⟩ hand, (hand)writing ◆ *iemands hand* ***(her)kennen*** recognize s.o.'s hand/(hand)writing; *een moeilijk* ***leesbare*** *hand hebben* have barely legible (hand)writing/a barely legible hand; *hij schrijft met een* ***mooie*** *hand* he writes a fine hand, he has good handwriting; *een brief* ***van*** *dezelfde hand* a letter from the same hand; *een verhaal van de hand* ***van*** a story (written) by/from the pen of; *zijn hand* ***veranderen/verdraaien*** disguise one's hand/(hand)writing [4] ⟨fig; kant⟩ hand, side ◆ *de zieke is aan de* ***beterende*** *hand* the patient is on the mend/getting better/on the way to recovery; *ik heb haar/zij is* ***op*** *mijn hand* I have her/she is on my side, she sides with me; *ik kreeg haar niet* ***op*** *mijn hand* I couldn't win/bring her over/round to my side; ⟨fig⟩ *iemand* ***op*** *zijn hand hebben/krijgen* ⟨hebben⟩ have s.o. on one's side, be supported/backed up by s.o.; ⟨krijgen⟩ get s.o. on one's side, win s.o. over/round; *aan mijn* ***rechterhand/linkerhand*** on my right/left (hand/side); *aan de* ***winnende*** *hand zijn* be winning, be gaining ground [5] ⟨m.b.t. dieren⟩ hand [•] *er is iets* ***aan*** *de hand* there's sth./sth.'s the matter/up/doing/going on/in the wind; *wat is er daar* ***aan*** *de hand?* what's up/going on there?; ⟨fig⟩ *alsof er niets* ***aan*** *de hand was* as if nothing had happened/was wrong/was the matter; *elkaar* ***in*** *de hand werken* ⟨van dingen/situaties⟩ reinforce one another; *iets/iemand* ***in*** *de hand werken* promote/encourage sth./s.o.; ⟨iets ook⟩ breed/make for/facilitate sth.; ⟨iemand ook⟩ play into s.o.'s hands; ***op*** *handen zijn* be (near) at hand/setting near/approaching/(im)pending/imminent/forthcoming/in the offing/drawing near; *zwaar* ***op*** *de hand zijn* ⟨van personen⟩ be heavy/ponderous; ***van*** *de hand in de tand leven* live from hand to mouth, lead a hand-to-mouth existence; *een verzoek/voorstel* ***van*** *de hand wijzen* ⟨verzoek⟩ refuse/decline a request; ⟨voorstel⟩ turn down/reject a proposal; ⟨sprw⟩ *één vogel in de hand is beter dan tien in de lucht* a bird in the hand is worth two in the bush; ± better an egg today than a hen tomorrow; ⟨sprw⟩ *hoe minder verstand, hoe gelukkiger hand* fortune favours fools; ⟨sprw⟩ *als de ene hand de andere wast, worden ze beide schoon* one hand washes the other; you scratch my back and I'll scratch yours; ⟨sprw⟩ *vele handen maken licht werk* many hands make light work; ⟨sprw⟩ *als men hem een vinger geeft, neemt hij de hele hand* give him an inch and he'll take a yard/mile; ⟨sprw⟩ *met de hoed in de hand komt men door het ganse land* ± there's nothing lost by civility; ± manners maketh man

handaambeeld [het] hand-anvil
handappel [de^{m}] eating apple, dessert apple, ↓ eater
handarbeider [de^{m}] (manual) labourer, (manual) worker, blue-collar worker
handbagage [de^{v}] ⟨BE⟩ hand-luggage, ⟨AE⟩ hand-baggage
¹**handbal** [de^{m}] ⟨kleine bal⟩ handball
²**handbal** [het] ⟨balsport⟩ handball
handballen [ww] ⟨sport⟩ play handball ♦ *een* ***partijtje*** *handballen* play a game of handball
handbediening [de^{v}] hand/manual operation, hand/manual control, hand-driven mechanism ♦ ***met*** *handbediening* operated manually/by hand, hand-operated, hand-
handbeen [het] ⟨handwortelbeentje⟩ carpal (bone), ⟨middenhandsbeentje⟩ metacarpal (bone), ⟨vingerkootje⟩ phalanx, phalange
handbeitel [de^{m}] hand-chisel
handbel [de] handbell
handbereik [het] ⊡ ***buiten*** *handbereik* beyond one's/out of reach; ***onder/in/binnen*** *handbereik* within reach, ready to/close at hand; ⟨informatie⟩ at one's fingertips
handbeschermer [de^{m}] ① ⟨handschoen(deel)⟩ (hand) guard ② ⟨op (vuur)wapen, degen⟩ (hand)guard
handbeugel [de^{m}] handdredge(r)
handbeweging [de^{v}] movement of the hand, ⟨gebaar ook⟩ gesture, wave/sweep of the hand, ⟨van goochelaar⟩ pass ♦ ***met*** *een simpele/****met één*** *handbeweging kunt u dit apparaat in werking stellen* you turn this piece of equipment on in one single operation/with/by a simple/single movement of the hand
handbibliotheek [de^{v}] reference library/books
handbijbel [de^{m}] pocket Bible
handbijl [de] hatchet, chopper, ⟨slagersbijl⟩ cleaver
handblusser [de^{m}] hand(fire) extinguisher
handboei [de] handcuffs ⟨meestal mv⟩, ⟨kluister⟩ manacle, fetter, ⟨sl⟩ bracelets ⟨mv⟩, darbies ⟨mv⟩ ♦ *iemand de handboeien* ***omdoen*** handcuff/manacle s.o., put/slip the handcuffs on s.o., ↓ put/slip the cuffs on s.o., ⟨sl; AE⟩ put/slip the mitt(en)s on s.o.
handboek [het] ① ⟨beknopte verhandeling⟩ handbook, companion, guide(book), ⟨handleiding⟩ (instruction) manual ♦ *handboek* ***voor*** *de letterkunde* companion/guide to literature, literary companion/guide; *handboek* ***voor*** *de amateurfotograaf* the amateur photographer's handbook/companion/manual/guide(book) ② ⟨naslagwerk⟩ reference book
handboog [de^{m}] (hand-)bow, longbow
handboogschieten [ww] archery
handboogschutter [de^{m}], **handboogschutteres** [de^{v}] archer, ⟨gesch⟩ bowman
handboogschutteres [de^{v}] → **handboogschutter**
handboom [de^{m}] barge-pole, boat hook/staff
handboor [de] ① ⟨kleine boor⟩ hand drill, gimlet, auger, wimble ② ⟨grondboor⟩ auger, wimble
handboord [het] cuff
handboormachine [de^{v}] handdrilling machine
handboring [de^{v}] hand drilling, drilling with a gimlet, drilling with an auger, drilling with a wimble, boring with a gimlet, boring with an auger, boring with a wimble
handborstel [de^{m}] ⟨in België⟩ brush
handbreed [het] hand('s-)breadth
handbreedte [de^{v}] hand('s-)breadth
handbuiger [de^{m}] flexor muscle of the hand
handcamera [de] hand-held camera
handclap [de^{m}] hand clap
handcomputer [de^{m}] palmtop, PDA, handheld computer, pocket computer
handcrème [de] hand cream
handdelig [bn] ⟨plantk⟩ palmate, palmatifid
handdik [het] layer as thick as your hand
handdoek [de^{m}] ① ⟨om zich af te drogen⟩ towel ♦ *de handdoek in de ring* ***werpen*** ⟨ook fig⟩ throw in the towel/sponge ② ⟨in België; theedoek⟩ ⟨BE⟩ tea towel, ⟨AE⟩ dish-towel
handdoekdroog [bn] towel dry
handdoekenrekje [het] towel rack/rail/horse
handdoekenstof [de] towelling, terry(cloth)
handdoekrekje [het] towel rack
handdoekrol [de] roller towel
handdouche [de] hand shower, shower attachment
handdraaier [de^{m}] turner
handdroog [bn] hand-dry
handdruk [de^{m}] ① ⟨het drukken, schudden van de hand⟩ ⟨schudden⟩ handshake, ⟨als teken van genegenheid enz.⟩ squeeze of the hand, ⟨krachtig⟩ hand-grasp, hand-clasp ♦ *iets met een handdruk* ***bezegelen*** shake hands on sth.; ⟨fig⟩ *een* ***gouden*** *handdruk* a golden handshake; *een* ***hartelijke*** *handdruk* a cordial/warm handshake ② ⟨afdruk⟩ block-print, ⟨procedé⟩ block printing
handdrum [de^{m}] hand drum
handdynamo [de^{m}] hand-dynamo torch/ᴬflashlight
handel [de^{m}] ① ⟨het kopen en verkopen⟩ trade, trading, business, ⟨i.h.b. m.b.t. internationale handel⟩ commerce, ⟨i.h.b. m.b.t. illegale waren⟩ traffic(king) ♦ *zijn eigen handel* ***bederven*** spoil one's own nest; ***binnenlandse*** *handel* internal/domestic trade; *de handel* ***bloeit/kwijnt*** trade/business is flourishing/declining; ***buitenlandse*** *handel* foreign/external commerce/trade; ***distribuerende*** *handel* distributive trades; *handel* ***drijven*** trade (with), do/transact business (with), carry on/conduct trade/business (with), have commercial dealings (with); ***eerlijke*** *handel* fair trade, honest business; ***effectieve*** *handel* effective trade; *handel* ***gaan drijven*** engage in trade; ***in*** *de handel gaan* go into/engage in/enter (in/upon) business, go into commerce, take up a commercial career; *de handel* ***in*** *graan* the corn-trade, corn-trading; ***in*** *de handel komen* come on(to) the market; ***in*** *de handel zijn/zitten* ⟨personen⟩ be in business; *de handel* ***in*** *blanke slavinnen* the white slave trade, trafficking/trading in white slaves; *handel* ***in*** *verdovende middelen* drug trafficking; ***overzeese*** *handel* oversea(s)/ocean commerce/trade; ***speculatieve*** *handel* speculative trade/dealings/trading; *de handel* ***vrijlaten/vrijgeven*** decontrol trade; ***zwarte*** *handel* black market; ***zwarte*** *handel drijven in* profiteer in ② ⟨handelszaak⟩ business, trade, ⟨transactie⟩ transaction, deal ♦ *je moet er geen handel van* ***maken*** don't turn/reduce everything to a business transaction; *een uitvinding waar handel in* ***zit*** an invention with commercial possibilities ③ ⟨handelswaar⟩ merchandise, goods ♦ ⟨fig⟩ *hij bracht de* ***hele*** *handel mee* he brought the whole shoot(ing match)/everything but the kitchen sink/the whole caboodle; *hij* ***nam*** *wat handel* ***mee*** he took along some merchandise ④ ⟨handelsverkeer⟩ trade, business, ⟨markt⟩ market, ⟨m.b.t. de beurs⟩ trading, dealing ♦ *de handel is* ***flauw*** business/the market is slow/quiet/slack/sheggish; *niet* ***in*** *de handel* ⟨titel⟩ Not for Sale, for Private circulation; *iets* ***in*** *de handel brengen* put/place/introduce/launch sth. on(to) the market; *een artikel dat niet meer* ***in*** *de handel is* an article that is no longer on/has been taken off the market; *een* ***levendige*** *handel* brisk/lively trade; *de handel* ***op*** *Rusland* the Russian trade, the trade to/with Russia; *een boek* ***uit*** *de handel nemen* take a book off/withdraw a book from the market, remove/scrap a book from the publisher's list/catalogue; *dat is goed* ***voor*** *de handel* that is good for trade/business; ***vrije*** *handel* free trade ⑤ ⟨handelaars⟩ trade, traders dealers, ↑ commercial/business community ♦ *de handel was tegen tariefsverhoging* business interests/the trade/the trading community opposed a rise in tariffs ⑥ ⟨vaak in samenstellingen; onderneming die handel

drijft⟩ business, ⟨winkel⟩ shop, ⟨AE⟩ store ◆ ***boekhandel*** bookshop, ⟨AE⟩ bookstore; ⟨het handelen in boeken⟩ the book trade/business; *een handel **in** lompen en oude metalen* a rag and bone business, a scrap merchant's; ***melkhandel*** dairy ⊡ ⟨jur⟩ *zaken **buiten** de handel* things that cannot be objects of ownership/subjects of commerce, things/res extra commercium; ⟨jur⟩ *zaken **in** de handel* ownable things, things/res in commercio; *iemands handel en **wandel*** s.o.'s conduct/behaviour, ⟨los, luidruchtig; inf⟩ s.o.'s carryings-on; ⟨inf; pej⟩ s.o.'s wheeling and dealing; *iemands handel en **wandel** nagaan* investigate/look into/examine s.o.'s conduct/life/doings and dealings

handelaar [de^{m}] trader, ⟨m.b.t. groothandel, handel op buitenland⟩ merchant, ⟨in bepaald artikel⟩ dealer, ⟨pej⟩ trafficker ◆ *een handelaar **in** tweedehandsboeken* dealer in second-hand books, a second-hand bookseller

handelbaar [bn] [1] ⟨gemakkelijk te hanteren⟩ handy, ⟨iets zwaars/groots⟩ easy to manage/handle, ⟨auto, schip⟩ manoeuvrable [2] ⟨m.b.t. stoffen⟩ workable, ⟨buigzaam⟩ pliant, flexible, ⟨zacht metaal, klei enz.⟩ ductile, ⟨haar⟩ manageable [3] ⟨m.b.t. personen, dieren⟩ manageable, tractable, (com)pliant, ⟨gedwee⟩ docile, ⟨beheersbaar⟩ governable, controllable

handelbaarheid [de^{v}] [1] ⟨gemakkelijke hanteerbaarheid⟩ handiness, manageability, ease of handling, manoeuvrability [2] ⟨m.b.t. stoffen⟩ workability, ⟨buigzaam⟩ flexibility, pliancy, pliability, tractability, ⟨zacht metaal, klei enz.⟩ malleability, ductility [3] ⟨m.b.t. personen, dieren⟩ manageability, tractability, (com)pliancy, ⟨gedwee⟩ docility, amenability, ⟨beheersbaar⟩ governability

handeldrijven [ww] trading, dealing, conduction of trade, ⟨pej⟩ trafficking

handelen [onov ww] [1] ⟨handel drijven⟩ trade, do/transact business, carry on trade/business, conduct trade/business, deal, ⟨pej⟩ traffic ◆ *hij handelt **in** drugs* he traffics in drugs; ⟨sl⟩ he pushes drugs; ***in** een artikel handelen* trade in/deal in/sell an article; ⟨pej⟩ traffic in an article; *onze firma handelt vooral **op** Engeland* our firm trades principally to/with England [2] ⟨daad verrichten⟩ act, take action, proceed ◆ ***consequent** handelen* be consistent; ***in drift/uit** wraak handelen* act out of/in passion, act out of/in revenge; *hij dacht **juist/verstandig** te handelen* he thought he was acting wisely, he thought he was doing the right thing; *er **moet** gehandeld worden* action is called for, sth. must be done; *ze handelde **naar** zijn advies* she acted on his advice; ***naar** eigen goeddunken handelen* act/do as one thinks fit, use one's discretion; ⟨pej⟩ be a law unto o.s.; *ik zal **naar** eer en geweten handelen* I shall act in all conscience; *handelend **optreden*** take action; ***overijld**/zonder overleg handelen* act hastily/without thought/on impulse, rush one's fences; *we moeten **snel** handelen* we must take prompt/immediate action; *ze handelden **volgens** zijn instructies* they acted/proceeded according to/as per his instructions; ***vrijheid** van handelen* freedom/liberty of action, ↓ a free hand; *zonder aanzien des persoons handelen* act irrespective/without respect of persons, be no respecter of persons; *handelen overeenkomstig/in overeenkomst met zijn principes* act/live up to one's principles [3] ⟨behandelen⟩ treat (of), deal (with), be (on) ◆ *de redevoering zal handelen **over** een onderwerp uit de sterrenkunde* the speech will deal with/treat (of)/be on a subject from the field of astronomy [4] ⟨dram⟩ act, perform ◆ *de handelende **personen*** the characters, the dramatis personae

handeling [de^{v}] [1] ⟨daad⟩ act, deed, ⟨mv ook⟩ dealings, doings, manoeuvre, operation ◆ *met een paar **eenvoudige** handelingen is de fiets uit elkaar te halen* only a few simple operations are needed to take the bicycle apart; *een **onrechtmatige** handeling* an unlawful act; ***ontuchtige** handelingen* lewd acts; ***onzedelijke** handelingen plegen* commit immoral/indecent/obscene acts; *de **vaste** handelingen bij het naar bed gaan* bedtime routine; *handelingen **verrichten*** perform actions/acts, ↓ do things [2] ⟨verslag van een vergadering⟩ proceedings, transactions, report, ⟨notulen⟩ minutes ◆ ⟨Bijb⟩ *de Handelingen der **Apostelen*** (the) Acts (of the Apostles); *de Handelingen van het **Congres*** the Congressional Record; *de Handelingen van het filologisch **Genootschap*** the Transactions of the Philological Society; *Handelingen van de Tweede **Kamer** der Staten-Generaal* ± Proceedings of the Dutch Lower House of the States-General; ***parlementaire** handelingen* parliamentary proceedings/record [3] ⟨beraadslaging⟩ discussion, deliberation, consultation ◆ *handelingen **over** de herziening van de grondwet* debates/discussions/negotiations on the amendment of the constitution [4] ⟨lit⟩ action, plot ◆ ***eenheid** van handeling* unity of action; *de **plaats** van handeling* the scene (of the action); *de handeling **valt** in de zomer* the action takes place in the summer

handelingsbekwaam [bn] ⟨jur⟩ having capacity/competence to act, capable of contracting, of (full) legal capacity

handelingsbekwaamheid [de^{v}] ⟨jur⟩ (full) legal capacity, contractual capacity, legal competence

handelingsbevoegd [bn] having authority to act

handelingsdeel [het] assignment

handelingsimpuls [de^{m}] impulse to act

handelingsmotief [het] motive to act ◆ *onderzoek naar gedrags- en handelingsmotieven* an investigation into motives of behaviour and action

handelmaatschappij [de^{v}] trading/commercial company

handelsaangelegenheid [de^{v}] business affair/matter

handelsactiviteiten [de^{mv}] trade/business/commercial activity

handelsadresboek [het] business/trade directory

handelsagent [de^{m}] commercial agent, business/mercantile agent, commission merchant

handelsakkoord [het] trade agreement, commercial treaty/accord

handelsartikel [het] commodity, article of commerce/trade/merchandise, ⟨mv ook⟩ goods, merchandise

handelsattaché [de^{m}] commercial attaché, trade commissioner

handelsbalans [de] [1] ⟨ec⟩ balance of trade, trade balance ◆ *een **actieve** handelsbalans* a favourable balance of trade, balance of trade surplus; *een **passieve** handelsbalans* an unfavourable/adverse/a passive balance of trade/trade balance, balance of trade deficit [2] ⟨balans van een koopman⟩ balance sheet

handelsbank [de] commercial/trade bank, ⟨BE⟩ merchant bank, ⟨voor buitenlandse handel⟩ foreign trade bank

handelsbarrière [de] trade barrier

handelsbediende [de] mercantile/merchant's clerk, commercial employee

handelsbelang [het] business/trade/trading/commercial interest

handelsbericht [het] market/commercial/trade report, ⟨in krant⟩ commercial/business news, market/commercial intelligence

handelsbetrekkingen [de^{mv}] trading/trade/commercial relations, trading/trade/commercial ties ◆ *zij hebben veel handelsbetrekkingen **met** Rusland* they have many commercial ties with Russia; *handelsbetrekkingen **onderhouden** met iemand* maintain trade/commercial relations with s.o.

handelsbeurs [de] commodity/produce exchange

handelsblad [het] trade journal, trade/commercial (news)paper

handelsblok [het] trade bloc

handelsbrief [de^{m}] business/commercial letter

handelsbureau [het] trade information office, ⟨m.b.t. kredietwaardigheid⟩ status inquiry agency

handelscentrum [het] trade centre, trading/commercial centre, centre of trade/commerce
handelscommissaris [de] trade commissioner
handelscompagnie [de^v] trading company, commercial company
handelsconflict [het] trade conflict/disagreement
handelscorrespondent [de^m] business/commercial correspondent, correspondence clerk
handelscorrespondentie [de^v] commercial/business/mercantile correspondence ♦ ***een cursus in handelscorrespondentie*** a course in commercial/business/mercantile correspondence
handelscrisis [de^v] commercial/economic/trade crisis
handelsdelegatie [de^v] trade delegation/mission
handelseditie [de^v] commercial edition
handelseffect [het] commercial instrument, commercial paper
handelsembargo [het] trade embargo
handelsfirma [de] trading/business/commercial firm, trading/business/commercial house, firm of traders
handelsgebruik [het] business/commercial/mercantile/trade custom, business/commercial/mercantile/trade practice, business/commercial/mercantile/trade usage
handelsgeest [de^m] spirit of commerce, mercantile spirit, ⟨zakeninstinct⟩ business instinct/acumen ♦ ***handelsgeest bezitten*** ⟨zakeninstinct⟩ have a good business instinct, ↓ have a knack/nose/flair/good head for business
handelsgeld [het] trade capital
handelsgewas [het] commercial crop, ⟨vnl AE⟩ cash crop
handelsgezant [de^m] trade ambassador
handelsgoederen [de^mv] commodities
handelshaven [de] trading/commercial/mercantile port
handelshuis [het] business/mercantile house, firm, commercial establishment
handelsingenieur [de^m] ⟨in België⟩ commercial engineer
handelsjargon [het] commercial/business jargon, commercialese
handelskamer [de] [1] ⟨coöperatieve vereniging⟩ producers' cooperative [2] ⟨jur⟩ Commercial Court
handelskantoor [het] business/merchant's office
handelskapitaal [het] trading capital, business capital
handelskapitalisme [het] commercial capitalism
handelskennis [de^v] commercial/business knowledge, knowledge of commerce/business, business methods/technique, theory/technique/machinery of business, commercial practice, practice of commerce
handelskolonie [de^v] trading colony
handelskrediet [het] [1] ⟨krediet voor geld- en goederenverkeer⟩ commercial credit, business/trade credit, business/trade loan [2] ⟨krediet geopend door een handelaar⟩ supplier's credit
handelskringen [de^mv] trade/business circles, the commercial/business community ♦ ***in handelskringen*** in/among trade circles
handelsluchtvaart [de] commercial aviation
handelsmaat [de] trade size
handelsmacht [de] trading nation/power
handelsmagnaat [de^m] business tycoon/magnate, merchant prince
handelsman [de^m] businessman, commercialist, ⟨vnl BE⟩ City man
handelsmerk [het] trademark, ⟨benaming⟩ brand name, proprietary name/term ♦ ***gedeponeerd handelsmerk*** registered trademark
handelsmissie [de^v] trade mission/delegation
handelsmonopolie [het] trade monopoly
handelsnaam [de^m] [1] ⟨m.b.t. handelaar⟩ (trading) name, business name, style [2] ⟨m.b.t. een artikel⟩ trade name, ⟨merk⟩ brand name
handelsnatie [de^v] → **handelsmacht**
handelsnederzetting [de^v] trading post/station, trade settlement
handelsonderneming [de^v] commercial/business enterprise
handelsonderwijs [het] commercial/business education, commercial/business training
handelsoorlog [de^m] trade war
handelsovereenkomst [de^v] trade agreement/pact
handelsoverschot [het] trade surplus
handelspapier [het] commercial/mercantile paper, commercial instruments/documents ⟨mv⟩, ⟨wissels ook⟩ trade paper
handelspartner [de^m] business/trading partner
handelsplatform [het] trade platform
¹**handelspolitiek** [de^v] commercial/trading/trade policy
²**handelspolitiek** [bn] relating to trade/commercial policy
handelsportefeuille [de^m] trading portfolio
handelsprijs [de^m] trade price
handelsproduct [het] commercial/trading product, commercial/trading item
handelsrecht [het] commercial law, mercantile law, law merchant
handelsrechtbank [de] ⟨in België⟩ commercial court
handelsregister [het] company/commercial/trade register, ± Registry of Companies, ⟨AE⟩ ± Registry of Corporations
handelsreiziger [de^m] sales representative, ⟨BE⟩ commercial traveller, ⟨AE⟩ traveling salesman, ⟨inf⟩ rep, ⟨vnl AE; inf⟩ drummer
handelsrekenen [ww] commercial arithmetic
handelsrelatie [de^v] [1] ⟨persoon⟩ correspondent, business acquaintance [2] ⟨vnl mv; handelsbetrekkingen⟩ → **handelsbetrekkingen**
handelsschool [de] commercial school/college, ⟨AE⟩ trade school
handelsstad [de] commercial/mercantile/trading town, commercial/mercantile/trading centre
handelsstelsel [het] trade system
handelstaal [de] business language, language of commerce, ⟨jargon⟩ commercialese, business slang
handelstekort [het] trade deficit
handelsterm [de^m] business term, trade/commercial/mercantile term
handelstransactie [de^v] business/commercial/trading/trade transaction, business deal, ⟨mv ook⟩ business/commercial dealings
handelsusance [de^v] commercial/trade practice, commercial/trade custom, commercial/trade code
handelsvennootschap [de^v] commercial/trading company, ⟨AE⟩ commercial/trading corporation
handelsverdrag [het] commercial treaty/contract, trade treaty/agreement/alliance
handelsvereniging [de^v] trading association, commercial/trading company, ⟨AE⟩ commercial/trading corporation
handelsverkeer [het] trade, business, commercial/trade intercourse, business transactions/dealings/traffic
handelsvlag [de] merchant flag, ⟨BE⟩ Red ensign
handelsvloer [de^m] trading floor
handelsvloot [de] merchant/trading fleet, merchant/mercantile marine, merchant navy
handelsvolk [het] mercantile/trading nation
handelsvrijheid [de^v] freedom of trade
handelswaar [de] commodity, article, ⟨niet-telbaar⟩ merchandise, ⟨enkel mv⟩ goods

handelswaarde [de^{v}] commercial/economic value, market/salable/street value
handelsweg [de^{m}] trade route, ⟨i.h.b. m.b.t. scheepv⟩ shipping route
handelswereld [de] business/commercial world, commercial/business/mercantile/trading community
handelswetenschap [de^{v}] commercial science
handelswetgeving [de^{v}] commercial legislation
handelszaak [de] [1] ⟨m.b.t. de handel⟩ business affair, business matter, trade/commercial matter [2] ⟨firma⟩ business (concern), firm
handeltje [het] [1] ⟨het verhandelen⟩ deal, job [2] ⟨goederen⟩ lot
handelwijs [de] [1] ⟨wijze van handelen⟩ procedure, method, policy, course (of action) ♦ *een handelwijs* ***volgen*** follow/adopt/pursue a procedure/course of action [2] ⟨gedrag⟩ conduct, behaviour, way of behaving ♦ *een* ***slinkse*** *handelwijs* underhand dealings, a deceitful way of going about things
handenarbeid [de^{m}] [1] ⟨met de handen verricht werk⟩ manual labour/work, ⟨handvaardig⟩ handiwork, hand(i) craft [2] ⟨bezigheden m.b.t. de handvaardigheid⟩ hand(i) craft, industrial art, manual training/instruction, ⟨vnl. met hout⟩ sloyd, slojd, sloid
handenbinder [de^{m}] tie, ⟨kind; AuE; inf⟩ ankle biter ♦ *kleine kinderen* ***zijn*** *handenbinders* little children are a tie
hand-en-spandiensten [de^{mv}] assistance, services, odd jobs, errands ⟨ook pejoratief⟩ ♦ *hand-en-spandiensten* ***verrichten*** lend a helping hand
handenwrijven [ww] rub one's hands (together)
handenwringend [bn] wringing one's hands, ⟨fig⟩ beside o.s. with sorrow/despair, imploring
handexemplaar [het] author's desk/copy
handfout [de] hands ♦ *overtreding* ***wegens*** *handfout* hands
handgaren [het] [1] ⟨naaigaren voor handgebruik⟩ sewing thread, sewing cotton [2] ⟨uit de hand gesponnen garen⟩ handspun yarn
handgebaar [het] [1] ⟨geste⟩ gesture, motion/movement/wave/sweep of the hand, ⟨in plaats van spraak⟩ gesticulation, ⟨van goochelaar⟩ pass [2] ⟨bewegingen met de handen⟩ gesticulation
handgeklap [het] clapping, applause
handgeklokt [bn] hand-timed
handgeknoopt [bn] hand-knotted
handgeld [het] [1] ⟨geld als onderpand bij een overeenkomst⟩ earnest (money), han(d)sel, ⟨premie betaald aan nieuwe rekruut⟩ bounty, King's/Queen's shilling [2] ⟨eerste geld ontvangen door winkelier⟩ first money of the day, start ♦ *iemand wat handgeld* ***geven*** give s.o. a start [3] ⟨kleingeld⟩ loose change, (small) change
[1]**handgemeen** [het] (hand-to-hand) fight, scuffle, scrap, set-to, ⟨sl⟩ punch-up
[2]**handgemeen** [bn] [•] *handgemeen* ***raken*** come to blows, fall/resort to fisticuffs, join (in) the fray, get involved in a scuffle/scrap; *handgemeen* ***zijn*** ⟨met vijand⟩ be at grips/at close quarters; grapple, scuffle
handgereedschap [het] (trademan's) tools
handgeschakeld [bn] hand-change
handgevormd [bn] handmade, hand-formed, hand-worked, hand-moulded
handgewricht [het] [1] ⟨gewricht tussen onderarm en hand⟩ wrist(-joint) [2] ⟨gewricht in de hand⟩ hand joint
handgift [de] [1] ⟨geschenk van hand tot hand⟩ earnest (money), han(d)sel [2] ⟨eerste geld door winkelier ontvangen⟩ first money of the day, start
handgranaat [de] (hand) grenade, Mills bomb, ⟨sl⟩ (pine)apple
[1]**handgreep** [de^{m}] ⟨listige handeling⟩ trick, dodge, manoeuvre, wrinkle
[2]**handgreep** [de] ⟨handvat⟩ handle, ⟨van gereedschap⟩ haft, ⟨van zwaard⟩ hilt, ⟨van stuur/camera⟩ grip, ⟨trapleuning⟩ handrail, grabrail, banister
handhaafster [de^{v}] → **handhaver**
[1]**handhaven** [ov ww] [1] ⟨in stand houden⟩ maintain, ⟨kwaliteit, peil ook⟩ keep up, ⟨orde ook⟩ keep, preserve, ⟨een traditie, de wet, een besluit⟩ uphold, ⟨reputatie⟩ live up to, make good, ⟨onafhankelijkheid⟩ assert, ⟨rechten⟩ vindicate, ⟨een reglement, verbod⟩ enforce ♦ *de* ***orde****/een* ***beginsel****/de* ***Grondwet*** *handhaven* maintain order, live up to a principle, uphold the Constitution [2] ⟨niet terugnemen⟩ maintain, stand by, continue, not retract, ⟨een beslissing⟩ sustain, confirm, ⟨niet ontslaan; personeel⟩ retain/continue (in office), keep on ♦ *zijn* ***bezwaren*** *handhaven* stand by one's objections; *het oorspronkelijke vonnis* ***blijft*** *gehandhaafd* the original verdict remains in force; *mijn bezwaren* ***blijven*** *gehandhaafd* my objections still stand
[2]**zich handhaven** [wk ww] ⟨zich staande houden⟩ hold one's own, stand/hold one's ground, maintain o.s., maintain one's position, keep up one's end ♦ *vele kleine ondernemers konden zich* ***moeilijk*** *handhaven* many small businessmen found it hard to hold their own/keep their heads above water; *de euro heeft zich niet kunnen handhaven* ***tegen*** *de dollar* the euro could not hold up against the dollar/lost ground against the dollar
handhaver [de^{m}], **handhaafster** [de^{v}] maintainer, ⟨van de wet/een besluit⟩ upholder, ⟨van rechten, claims⟩ vindicator, ⟨van een verbod⟩ enforcer ♦ *handhaver van het* ***recht*** upholder of justice
handhaving [de^{v}] maintenance, ⟨in stand houden⟩ upholding, preservation, ⟨aanhouden⟩ retention, continuance, ⟨van rechten, claims⟩ assertion, ⟨van een wet, verbod⟩ enforcement, ⟨rechtvaardiging⟩ vindication
[1]**handheld** [de^{m}] handheld (device)
[2]**handheld** [bn, alleen attr] handheld
handicap [de^{m}] [1] ⟨gebrek⟩ handicap, disability ♦ *speciale voorzieningen voor mensen* ***met*** *een handicap* special facilities for the disabled/handicapped [2] ⟨belemmering, hindernis⟩ handicap, impediment ♦ *een* ***ernstige*** *handicap* a serious handicap/impediment, a millstone round one's neck; *zijn vliegangst is een handicap* ***in*** *zijn carrière* his fear of flying is a handicap in his career [3] ⟨sport⟩ handicap ♦ *een paard een handicap* ***geven*** handicap/penalize a horse
handicappen [ov ww] handicap, penalize
handicaprace [de^{m}] handicap (race)
handig [bn, bw] [1] ⟨behendig⟩ skilful ⟨bw: ~ly⟩, ⟨vaardig met de handen⟩ deft, dext(e)rous, clever (with one's hands), ⟨i.h.b. m.b.t. een manusje-van-alles⟩ handy, ⟨snel⟩ nimble, nimble-fingered, nimble-footed ♦ *iets handig* ***doen*** do sth. dexterously/deftly/neatly; *handig* ***gedaan!*** neatly done!, good/nice job!; *handig* ***in/met*** *iets zijn* be a good/dab hand at sth., be good/handy at sth., be no slouch at sth., be clever/adroit/skilful at/in sth. [2] ⟨gewiekst⟩ clever ⟨bw: ~ly⟩, adroit, ↓slick, ⟨prater⟩ glib, smart, ⟨tactisch⟩ tactful ♦ *een handige* ***jongen*** a slick/smart/smooth customer/operator, ⟨AE⟩ a clip; *hij* ***legde*** *het handig* ***aan*** he set about it cleverly, he was very clever/smart about it; *het handig* ***spelen/ aanpakken*** play it smart; *toch* ***was*** *dit niet zo handig van haar* that wasn't very clever/tactful of her, all the same [3] ⟨gemakkelijk te hanteren⟩ handy ⟨bw: handily⟩, convenient, ⟨nuttig⟩ practical, useful, ↓nifty ♦ *een handig* ***apparaatje*** a handy doodad, a neat/nifty gadget; ⟨sl⟩ a wheeze; *zo'n ding is heel handig in huis* a thing like that comes in very handy in the home; *een handig* ***formaat*** a handy size; *dat* ***gaat*** *handig met zo'n machine* it's a cinch/^{A}breeze with a machine like that
handigheid [de^{v}] [1] ⟨behendigheid⟩ skill, dexterity, deftness ♦ *het is allemaal een* ***kwestie*** *van handigheid* it's all a matter of skill, you've got to have the knack (for it) [2] ⟨foefje⟩ knack, trick, wrinkle, dodge ♦ *zich* ***met*** *een han-*

digheidje weten te redden manage to wriggle out of sth. [3] ⟨hanteerbaarheid⟩ handiness, convenience

handje [het] [1] ⟨kleine hand⟩ (little) hand ♦ ***aan** het handje lopen van iemand* ⟨fig⟩ be tied to s.o.'s apron-strings; *schoon **in** 't handje* net; ⟨m.b.t. loon(zakje)⟩ after deductions; *zeg maar dag **met** je handje* you can say/kiss goodbye to it, you can kiss it goodbye, you can forget it [2] ⟨handdruk⟩ hand(shake) ♦ *handjes **geven*** shake/pump hands [•] *ergens een handje van **hebben*** have a tendency to do sth.; *een handje **helpen*** give/lend a (helping) hand, ↑bear a (helping) hand; ⟨om over iets heen te klimmen⟩ give s.o. a boost/bunk-up/leg-up; *de handjes **laten wapperen*** get busy/cracking, show a leg, buckle down; *hij is **van** het handje* ⟨homofiel⟩ he is one of them/gay/queer/a fairy; ⟨inf⟩ *handje contantje betalen* pay cash on the nail/cash down

handjeklap [het] [1] ⟨m.b.t. het loven en bieden⟩ clapping hands, striking of a bargain ♦ *handjeklap **spelen*** clap hands, dicker [2] ⟨spelletje⟩ pat-a-cake [•] *handjeklap **spelen met*** be hand in glove with, be in league with

handjevol [het] (a mere/only a) handful, smattering ♦ *een handjevol **mensen*** a mere handful of people

handkar [de] handcart, ⟨tweewielig⟩ barrow

handkoffer [de^m] (small) travelling case, ⟨gemaakt van stof of zacht leer⟩ hold-all

handkracht [de] manual/hand power ♦ *handkracht **gebruiken** voor de graafwerkzaamheden* use manpower for the excavation

handkus [de^m] [1] ⟨kus op de hand⟩ kiss on the hand ♦ *iemand een handkus **geven*** kiss s.o.'s hand; ***tot** de handkus worden toegelaten* ⟨bij vorst(in)⟩ kiss hands, kiss the king's/queen's hand [2] ⟨kushand⟩ hand(-blown) kiss ♦ *iemand handkusjes **geven*** blow/throw/send/waft kisses to s.o., kiss one's hand to s.o.

handlanger [de^m], **handlangster** [de^v] [1] ⟨medeplichtige⟩ accomplice, confederate, ⟨persoon als werktuig⟩ tool, creature, ⟨trawant⟩ henchman, stooge [2] ⟨helper⟩ assistant, helper, ⟨van een vakman; BE⟩ mate, ⟨opperman; BE⟩ bricklayer's labourer, ⟨BE⟩↓brickie's labourer, ⟨pej⟩ dogsbody, skivvy, ⟨ongeschoolde arbeider; AE⟩ roustabout

handlangersdienst [de^m] aiding and abetting, ⟨werk verricht voor een ander⟩ fetching and carrying, donkey work, ⟨pej⟩ dirty work

handlangster [de^v] → **handlanger**

handleiding [de^v] [1] ⟨hulp(middel)⟩ manual, guide(book), handbook, ⟨studieboek⟩ textbook, primer [2] ⟨gebruiksaanwijzing⟩ manual, directions/instructions (for use), instruction (operating) booklet/leaflet ♦ *een volledige handleiding* full instructions

handlezen [ww] palmistry, palm-reading, chiromancy

handlezer [de^m] palmist, palm reader, chiromancer

handlichting [de^v] [1] ⟨jur⟩ emancipation ♦ ***beperkte/algehele** handlichting* restricted/total emancipation; *iemand handlichting **verlenen*** declare/pronounce s.o. of age, declare a major, emancipate s.o. [2] ⟨opheffing van beslag⟩ removal/lifting/raising of a distraint

handlier [de] hand-winch

handlijn [de] line in the hand

handlijnkunde [de^v] palmistry, chiromancy

handlijst [de] ⟨amb⟩ handrail, banister(s)

handlobbig [bn] ⟨biol⟩ palmately lobed

handloep [de] magnifying glass, hand/pocket lens

handmatig [bn] manual

handmixer [de^m] portable/hand mixer

handmof [de] muff

handmolen [de^m] hand-mill, ⟨van steen voor graan⟩ quern

handnervig [bn] ⟨biol⟩ palmate(ly)-veined, with palmate venation

handomdraai [de^m] [•] ***in** een handomdraai* in a trice/(less than) no time, in two shakes/(half) a shake

handoplegger [de^m] layer on of hands, ⟨genezer ook⟩ faith healer

handoplegging [de^v] laying on hands, imposition of hands, ⟨genezing ook⟩ faith healing

handopsteken [ww] show of hands ♦ ***met/bij** handopsteken stemmen* vote by show of hands

hand-out [de^m] hand-out

handpalm [de^m] palm (of the hand), flat of the hand

handpeer [de] eating pear, dessert pear, eater

handpenning [de^m] ⟨jur⟩ earnest money

handpers [de] [1] ⟨apparaat om iets uit te persen⟩ hand-press, ⟨citruspers⟩ hand-squeezer [2] ⟨drukw⟩ hand-press

handpomp [de] [1] ⟨kleine pomp⟩ hand-pump, hand force pump [2] ⟨luchtpomp⟩ bicycle pump

handrasp [de] ⟨keukenapparaat⟩ hand-grater, ⟨houtrasp, metaalrasp⟩ hand-rasp

handreiking [de^v] [1] ⟨hulp⟩ help(ing hand), assistance [2] ⟨het toereiken van de hand⟩ extension of the hand, reaching/extending one's hand

handrem [de] handbrake

handrug [de^m] back of the/one's hand

¹hands [het] ⟨sport⟩ hands, handling (the ball), handball ♦ ***aangeschoten** hands* unintentional hands; *hands **maken*** handle the ball

²hands [bn] ⟨sport⟩ hands

handsbal [de^m] handball

handscanner [de^m] [1] ⟨barcodelezer⟩ hand scanner [2] ⟨fotoscanner⟩ handheld scanner [3] ⟨leespen⟩ handheld scanner [4] ⟨metaaldetector⟩ handheld metal detector [5] ⟨scantoestel voor radiofrequenties⟩ handheld scanner

handschaaf [de] ⟨amb⟩ (hand) plane

handschakelaar [de^m] hand/manual switch, lever switch

handscherm [het] hand fire screen

handschoen [de] glove, ⟨pantserhandschoen, rijhandschoen, motorhandschoen, werkhandschoen⟩ gauntlet ♦ ⟨fig⟩ ***met** de handschoen trouwen* marry by proxy; ⟨fig⟩ *de handschoen **opnemen*** take up the gauntlet/the challenge, accept the challenge; *een **paar** handschoenen* a pair of gloves; *het **past** als een handschoen* ⟨van kleding, schoeisel⟩ it fits like a glove; ⟨fig⟩ it's just the thing; ⟨fig⟩ *iemand de handschoen **toewerpen*** throw/fling down the gauntlet; *iemand met **zijden/fluwelen** handschoenen aanpakken* handle s.o. with kid/velvet gloves

handschoenenkastje [het] glove compartment, glove-locker, ⟨BE⟩ glove box

handschrift [het] [1] ⟨eigenhandig schrift⟩ handwriting, ↑hand, writing ♦ *een sollicitatiebrief **in** handschrift* a handwritten letter of application [2] ⟨manier van schrijven⟩ handwriting, ↑hand, writing, ⟨mooi⟩ penmanship ♦ *een **duidelijk/onleesbaar/verdraaid** handschrift* a good/legible hand, an illegible hand, a disguised hand; *een **leesbaar** handschrift hebben* write legibly, have legible handwriting, ↑have a legible hand [3] ⟨geschreven tekst⟩ manuscript, ⟨door auteur zelf geschreven⟩ autograph, holograph ♦ *een bundel gedichten **in** handschrift* a collection of poems in manuscript [4] ⟨kopij⟩ manuscript

handschriftenafdeling [de^v] manuscript department/section

handschriftkunde [de^v] [1] ⟨paleografie⟩ palaeography, ⟨AE⟩ paleography [2] ⟨codicologie⟩ codicology [3] ⟨grafologie⟩ graphology

handschroef [de] ⟨techn⟩ hand vice/^{A}vise, ⟨van spanklem⟩ hand screw

handsfree [bn, bw] handsfree

handsfreekit [de^m] hands-free kit

handsfreetelefoon [de^m] handsfree telephone

handshake [de^m] handshake

handsinaasappel [de^m] orange

handslag [de^m] slapping of hands, hand-slapping, ⟨fig⟩

handshake ♦ *iets op handslag verkopen* sell sth. by slapping hands
hands-off [bn] hands-off
hands-on [bw] hands-on
handspaak [de] handspike, crowbar
handspel [het] ⟨in België⟩ hands, handling (the ball), handball
handspiegel [de^m] hand-mirror, hand glass
handspier [de] hand muscle
handspletig [bn] ⟨biol⟩ palmatifid
handstand [de^m] ⟨sport⟩ handstand ♦ *een handstand* ***doen*** do a handstand
handstoffer [de^m] (hand) brush
handstrekker [de^m] ⟨anat⟩ hand extensor, muscle of the hand
handtam [bn] tame, trained to the hand ♦ *handtamme* ***parkieten*** tame parakeets
handtas [de] (hand)bag, ⟨AE⟩ pocketbook, ⟨AE⟩ purse
handtastelijk [bn] 1 ⟨handgemeen⟩ (physically) violent ♦ *handtastelijk* ***worden*** become/get violent, start throwing punches 2 ⟨vrijpostig aanrakend⟩ free, (over-)familiar, intimate ♦ *handtastelijk* ***worden*** get intimate, paw s.o.; ⟨vulg⟩ feel s.o. up; *handtastelijk* ***zijn*** be unable to keep one's hands to o.s.
handtastelijkheid [de^v] 1 ⟨handgemeen⟩ (physical) violence, scuffle ♦ *het* ***kwam tot*** *handtastelijkheden* a fight broke out, a scuffle started/ensued, they fell to blows 2 ⟨vrijpostige aanraking⟩ pawing, ↑familiarity, ↑intimacy
handtekenen [ww] freehand drawing
handtekening [de^v] 1 ⟨signatuur⟩ signature, ⟨i.h.b. van beroemdheden⟩ autograph, ⟨inf; AE⟩ John Hancock ♦ ***elektronische*** *handtekening* electronic signature; *zijn handtekening onder een stuk* ***plaatsen*** sign sth., put one's signature on sth., subscribe/affix/append one's signature to sth., set/put up one's hand to sth., set one's name to sth.; *handtekeningen* ***verzamelen*** collect/gather signatures, organize a petition 2 ⟨tekening⟩ freehand drawing
handtekeningenactie [de^v] petition
handtekeningenverzamelaar [de^m] autograph hunter
handvaardigheid [de^v] 1 ⟨behendigheid⟩ manual skill, dexterity, craftsmanship ♦ *voor dat werk* ***is*** *handvaardigheid* ***niet vereist*** the work requires no manual skill 2 ⟨schoolvak⟩ (handi)craft(s), ⟨inf; AE⟩ shop
handvat [het] handle, ⟨van zaag⟩ (hand)grip, ⟨van zwaard, steekmes⟩ hilt, ⟨van bijl⟩ haft, ⟨van geweer⟩ butt ♦ ⟨fig⟩ *iets dat* ***als*** *handvat* ***dient*** sth. that serves as a handle; *met* ***gouden*** *handvat* gold-handled; *het handvat van een* ***koffer*** the handle of a suitcase; *het handvat van een* ***lade*** the handle of a drawer, ⟨rond⟩ the knob of a drawer; ***van*** *een handvat* ***voorzien*** ⟨bijl, pikhouweel⟩ haft, hilt, helve
handvergroting [de^v] ⟨foto⟩ hand enlargement
handvest [het] charter ♦ *het handvest van de Verenigde* ***Naties*** the charter of the United Nations, the United Nations' charter
handvleugeligen [de^mv] Chiroptera
handvol [de] 1 ⟨greep⟩ handful, fistful, palmful ♦ *een handvol* ***noten/zout*** a handful of nuts/salt 2 ⟨geringe hoeveelheid⟩ handful ♦ ⟨pej⟩ *zijn eer verkopen voor een handvol* ***geld*** sell one's honour for a handful of money; *een handvol* ***mensen*** a (mere) handful of people ▪ *het heeft me een handvol* ***geld*** *gekost* it cost me pots/a handful (of money), it cost me an arm and a leg
handvormer [de^m] ⟨amb⟩ hand-moulder
handvormig [bn] ⟨biol⟩ palmate(d), digitate(d), ⟨ogm⟩ hand-shaped
handvuurwapen [het] hand-gun, ⟨mv meestal⟩ small arms
handwapen [het] 1 ⟨vrij mee te voeren wapen⟩ hand weapon 2 ⟨als wapen dienstdoend voorwerp⟩ hand weapon
handwarm [bn] lukewarm, moderately warm, tepid
handwas [de^m] hand-wash(ing), washing by hand
handweefstof [de] hand-woven fabric
handwerk [het] 1 ⟨wat met de hand gemaakt is⟩ handiwork, work done by hand, article made by hand, handmade article ♦ *dit tapijt* ***is*** *handwerk* this carpet is handmade/was made by hand 2 ⟨borduur-, brei-, haakwerk⟩ (piece of) fancywork, ⟨naaiwerk, borduurwerk⟩ needlework, ⟨borduurwerk ook⟩ embroidery, ⟨breiwerk⟩ knitting, ⟨haakwerk⟩ crochet(ing) 3 ⟨handarbeid⟩ manual work, ⟨i.h.b. als beroep⟩ trade, craft 4 ⟨mv; naaldvakken⟩ handicrafts, ⟨naaien, borduren⟩ needlework ♦ ***fraaie*** *handwerken* fancywork, fancy/art needlework; ***nuttige*** *handwerken* plain (needle)work
handwerken [onov ww] do fancywork, ⟨naaien, borduren⟩ do needlework, ⟨borduren ook⟩ embroider ♦ *zij* ***zat te*** *handwerken* she was doing some/her needlework/doing some/her embroidering
handwerkje [het] (piece of) fancywork, ⟨naaiwerk, borduurwerk⟩ needlework, ⟨borduurwerk ook⟩ embroidery ♦ ***met*** *een handwerkje* ***bezig zijn*** be engaged on a piece of fancywork, do some needlework/embroidery
handwerksman [de^m] (handi)craftsman, ⟨werkman⟩ artificer, artisan, (skilled) manual worker
handwerkster [de^v] 1 ⟨m.b.t. naaldkunst⟩ needlewoman, craftswoman 2 ⟨arbeidster⟩ (skilled) manual worker
handwijzer [de^m] finger post
handwissel [de^m] 1 ⟨spoorw⟩ manual points/^A switch 2 ⟨jur⟩ change of hands, change of ownership
handwoordenboek [het] desk dictionary, concise dictionary
handwortel [de^m] wrist, ⟨med⟩ carpus
handwortelbeentje [het] wrist-bone, ⟨med⟩ carpal bone
handycam [de^m] handycam
handzaag [de] handsaw
handzaam [bn] 1 ⟨handelbaar⟩ manageable, tractable, ⟨voegzaam⟩ (com)pliant, ⟨gedwee⟩ docile 2 ⟨praktisch⟩ handy, practical, convenient, easy to use ♦ *een handzame* ***beitel*** a handy chisel; *in handzaam* ***formaat*** handy-size(d)
handzetten [ww] ⟨amb⟩ setting/composing by hand, hand-setting, hand-composing
handzetter [de^v] ⟨amb⟩ hand typesetter/compositor
handzij [de] sewing silk
hanenbalk [de^m] ⟨amb⟩ collar beam ♦ *hij woont* ***onder*** *de hanenbalken* he lives up in the garret/^A attic, he lives right under the slates
hanenei [het] yolkless egg
hanengedrag [het] cockiness
hanengekraai [het] crowing of a cock/^A rooster ♦ ***met*** *het hanengekraai* at cock-crow
hanengevecht [het] cockfight, ⟨sport⟩ cockfighting, main
hanenkam [de^m] 1 ⟨kam van een haan⟩ cockscomb, comb, crest 2 ⟨deel van het zeefbeen⟩ ⟨med⟩ crista galli 3 ⟨eetbare zwam⟩ chanterelle 4 ⟨plant⟩ cockscomb, celosia 5 ⟨kapsel⟩ Mohawk haircut
hanenkot [het] walk
hanenmat [de] (cock)pit
hanenpoot [de^m] 1 ⟨poot van een haan⟩ cock's foot, foot of a cock/^A rooster 2 ⟨gekrabbel⟩ scrawl, scribble, ⟨kinderlijk schrift⟩ (pot)hook ♦ *hanenpoten* ***schrijven*** scrawl, scribble
hanenspoor [de] cockspur
hanenstap [de^m] stone's throw, short distance (away from)
hanentred [de] 1 ⟨korte afstand⟩ stone's throw 2 ⟨gebrek aan het achterbeen van een paard⟩ springhalt,

stringhalt [3] ⟨m.b.t. eieren⟩ cicatricle

hanenveer [de] cock's feather, ⟨uit de staart⟩ sickle feather

hanenvoet [de^m] [1] ⟨plantengeslacht⟩ crowfoot ⟨regelmatig mv⟩ [2] ⟨grassoort⟩ barnyard grass

hang [de^m] ⟨voorliefde⟩ bent (for), leaning (toward), penchant (for), predilection (for), ⟨m.b.t. ongunstige eigenschappen⟩ proclivity (for) ♦ *de hang **naar** vrijheid* the longing/itch for freedom; *een hang **naar** het verleden* a predilection for the past; ⟨ook⟩ nostalgia; *zij heeft een sterke hang **naar** luxe* she has a strong craving for luxury

hangaar [de^m] hangar, ⟨luchtv ook⟩ shed

hangboog [de^m] ⟨bouwk⟩ pendentivae

hangborst [de] hanging/drooping/sagging breast, ↑ pendulous breast, ↓ dug

hangbrug [de] [1] ⟨met aan kabels of stangen opgehangen dek⟩ suspension bridge, wire bridge [2] ⟨voor werk aan gevels⟩ cradle, suspended scaffold

hangbuik [de^m] potbelly, sagging paunch, ⟨vnl BE; sl⟩ corporation, ⟨van vrouwen na bevalling⟩ sagging waist

hangbuikzwijn [het] potbellied pig

hangconstructie [de^v] suspended structure

[1]**hangen** [onov ww] [1] ⟨neerwaarts gestrekt gehouden worden⟩ hang, ↑ be suspended, ⟨bengelen⟩ dangle ♦ ***aan** het plafond hangen* hang/swing/be suspended from the ceiling; ⟨fig⟩ *uren **aan** de telefoon hangen* be (stuck) on the telephone for hours, spend hours on the telephone; *de sleutel hangt **aan** de spijker* the key is (hanging) on the nail; *zijn **haren** hingen hem voor de ogen* his hair was hanging in his eyes; *het schilderij hangt **scheef*** the painting is crooked/not (hanging) straight; ⟨scherts⟩ the picture's got a list; *de zeilen hangen **slap*** the sails are slack/hanging (loose); *zijn kamer hangt **vol** posters* his room is hung with posters [2] ⟨in neerwaartse richting afwijken⟩ hang, ⟨slap hangen⟩ sag, droop, ⟨bloemen ook⟩ wilt ♦ *zijn hoofd niet **laten** hangen* hold one's head high/up, buck/cheer up, ↓ keep one's pecker up; ⟨fig⟩ *zijn **oren** naar iets/iemand laten hangen* incline one's ear to sth./s.o., hang on s.o.'s lips/on s.o.'s every word; *de hond liet zijn **staart** hangen* the dog hung its tail; *de **tulpen** hangen* the tulips are drooping (their heads)/wilting/flagging [3] ⟨met een bocht verlopen⟩ sag ♦ *de teugels **laten** hangen* loosen/drop the reins; *het koord hangt **slap*** the rope is sagging/slack [4] ⟨boven de grond gehouden worden⟩ hang, ↑ be suspended, ⟨bengelen⟩ dangle ♦ ***aan** het spit hangen* be on the spit; *de bak van de wagen hangt **op** veren* the body of the car rests/is on springs [5] ⟨overhellen⟩ lean (over), hang (over), ⟨m.b.t. lusteloze persoon⟩ loll, slouch, ⟨niets doen⟩ hang around ♦ *hij hangt ieder weekend **aan/in** de bar* he hangs out [B]at the pub/in bars every weekend; *het kind **loopt** te hangen* the child is moping about; *hij hing **op** zijn stoel* he lay/sat slouched/sprawled in his chair, he lolled in his chair; ***over** iemand/iets hangen* ⟨van personen⟩ lean over s.o./sth.; *hang niet zo **tegen** de kast* stop leaning against the cupboard [6] ⟨tot straf opgehangen zijn⟩ hang, be hanged, ⟨inf⟩ swing ♦ ⟨fig⟩ *ik **mag** hangen als het niet waar is* I'll be hanged/damned if it isn't true; ⟨inf⟩ if it isn't true I'm a Dutchman/a monkey's uncle; ***met** hangen en wurgen* by the skin of one's teeth; *daarvoor zal hij hangen!* he'll hang/swing for it!, we'll/they'll get him for it!; ⟨fig⟩ *als hij niet meewerkt, hang je* if he doesn't cooperate, you've had it/you're for it/you'll be in (dead) trouble/you'll be for the high jump [7] ⟨vast (blijven) zitten⟩ stick/cling (to), ⟨met kleding⟩ be/get stuck (in), be caught by one's clothes/..., get caught by one's clothes/... ♦ ⟨scheepv⟩ ***aan** de wind hangen* sail close to the wind; ***aan** iets blijven hangen* ⟨fig⟩ get/be stuck with sth., ↓ get/be lumbered with sth., have sth. left on one's hands; ⟨fig⟩ *hij hangt overal **aan** hem* he follows him around like a shadow/dog; ⟨fig⟩ *ze hangen erg **aan** elkaar* they are devoted to/wrapped up in each other; ⟨fig⟩ ***aan** iemand blijven hangen* get/be stuck with s.o., ↓ get/be lumbered with s.o.; *de melk hangt **aan** het glas* the milk clings/sticks to the glass; ⟨fig⟩ ***aan** vrouw en kinderen hangen* be devoted to one's wife and children; ⟨fig⟩ *dat hangt van leugens **aan** elkaar* that is pure fabrication/a pack of lies, it's all lies; ⟨fig⟩ *hij hangt erg **aan** zijn oudste zoon* he's very fond of/attached to his eldest son; *dat hangt als droog/los zand **aan** elkaar* it's very unconnected/incoherent/disjointed/rambling; *iemand als een klit **aan** het lijf hangen* cling/hang on/stick to s.o. like a burr/leech/limpet; ⟨sl⟩ freeze onto s.o.; ⟨fig⟩ ***aan** woorden moet men niet blijven hangen* one shouldn't stick to the letter/be too literal; *ze bleef met haar japon **aan** een spijker hangen* her dress caught/snagged on a nail; *de naald **blijft** hangen* the needle is stuck; ⟨fig⟩ ***blijven** hangen* linger/stay/hang (on); ⟨onvrijwillig⟩ get hung up/stuck; *er is niet veel van mijn Latijn **blijven** hangen* very little of my Latin has stuck (to me), I remember little of my Latin; *zij hangt altijd **om** hem heen* she's always hanging/hovering about him; *hij bleef in de vierde klas hangen **op** zijn wiskunde* ⟨BE⟩ he was kept down in the fourth form because of his maths, ⟨AE⟩ he was kept back in the fourth grade because of his maths; ⟨fig⟩ *zijn betoog hing **van** platheden aan elkaar* his argument was full of platitudes/was one platitude after another [8] ⟨bepaald worden door⟩ depend (on), be involved (in) [9] ⟨zweven⟩ hang, ⟨drijven⟩ float, ⟨zweven⟩ hover, be suspended ♦ *de rook **bleef** hangen* the smoke lingered/clung; *het stof **blijft** hangen* the dust is still in the air/hasn't settled yet; ***in** de lucht hangen* ⟨zonder grond, steun⟩ be built on sand, be a castle in the air/in Spain; ⟨(nog) onzeker⟩ be (left (hanging)) (up) in the air; *de wolken hangen **laag*** the clouds are (hanging) low; *ik **zie** de bui al hangen* I can see the storm clouds gathering, I smell trouble (coming) [10] ⟨onbeslist zijn⟩ hang, dangle, be up in the air, be undecided ♦ ***het** hangt erom* it's in mid air, it's (up) in the air, it's a cliffhanger, it hangs in the balance; *de rechtbank voor welke de **zaak** hangt* the court before which the case is pending [11] ⟨verlangen⟩ crave (for), have a passion/craving (for), ⟨tradities⟩ cling (to), ⟨persoon, ding⟩ be (very) attached (to), ⟨belangrijk achten⟩ care (about), set great store (by) [12] ⟨sport; zitten⟩ be in the net, be home ♦ *de **bal** hangt!* he's scored!, he's netted it! [13] ⟨sport; in teruggetrokken positie spelen⟩ hang back [•] *hij zal **moeten** hangen* he's in the cart/for it/for the high jump/in (dead) trouble; *hij hangt* he's lumbered/stuck (with it); ⟨sprw⟩ *wie geboren is om te hangen/voor de galg verdrinkt niet* he that is born to be hanged shall never be drowned

[2]**hangen** [ov ww] [1] ⟨bevestigen⟩ hang (up), ↑ suspend ♦ ⟨pej⟩ *veel goud **aan** zijn lijf hangen* bedeck o.s. with jewelry/gold, walk around like a chandelier; *zijn jas **aan** de kapstok hangen* hang one's coat on the peg; *de was **buiten** hangen* hang out the washing (to dry) [2] ⟨m.b.t. personen, ophangen⟩ hang [•] ⟨sprw⟩ *wie het breed heeft, laat het breed hangen* they that have plenty of butter can lay it on thick

hangend [bn] [1] ⟨niet staand⟩ hanging, pendulous, ⟨slap⟩ drooping ♦ *hangende **oren/borsten*** hanging/drooping/droopy ears, drop-ears, lop-ears; hanging/drooping/sagging breasts, ↑ pendulous breasts; *hond met hangende **oren*** flap-eared/lop-eared dog; *met hangende **pootjes** bij iemand komen* come to s.o. with one's tail between one's legs; ⟨gesch⟩ *de hangende **tuinen** van Babylon/Semiramis* the hanging gardens of Babylon/Semiramis [2] ⟨onbeslist⟩ pending, ⟨onopgelost⟩ outstanding, ⟨slepende⟩ dragging on ♦ *de **onderhandelingen** zijn nog hangende* the negotiations are still under way/going on; *het **proces** is hangend* the case is pending/sub judice; *het **proces** bleef maar hangende* the suit dragged on/hung fire [3] ⟨plantk⟩ pendulous

hangende [vz] pending ♦ *hangende het **onderzoek*** pending the inquiry

hang-en-sluitwerk [het] fastenings, hinges and locks,

door and window furniture
hanger [de^m] [1] ⟨datgene waaraan, waarin iets hangt⟩ (clothes/coat) hanger [2] ⟨iets dat hangt⟩ ⟨aan halssnoer⟩ pendant, pendent, bangle, ⟨aan oren⟩ ear-drop, pendant/drop earring ◆ *hangers van een **kandelaar*** the lustres/drops of a chandelier; *een ketting **met** een hangertje* a chain with a pendant
hangerig [bn] listless, drooping, limp, ↑ languid ◆ *hangerig **worden/maken*** become/make listless, wilt/(make) wilt
hanggeranium [de] ivy(-leaved) geranium
hanggliden [ww] hang gliding
hangglider [de^m] hangglider
hanggliding [de^v] hang-gliding
hangijzer [het] pot-hook ◆ ⟨fig⟩ *een **heet** hangijzer* a controversial issue, a hot potato, a ticklish/tricky matter/affair, a vexed question
hanging basket [de^m] hanging basket
hangjongere [de^m] loitering teen, ⟨in winkelcentrum⟩ mallrat
hangkamer [de] mezzanine room
hangkast [de] (hanging) wardrobe
hangketting [de] suspension (bridge) cable
hangklok [de] hanging/wall clock
hangladder [de] hook ladder
hanglamp [de] hanging lamp
hang-legkast [de] (fitted) wardrobe
hanglip [de] hanging lip, ⟨van bloedhond⟩ flews ⟨mv⟩
hangmand [de^m] hanging basket
hangmap [de] suspension file
hangmat [de] hammock, ⟨scheepv ook⟩ cot ◆ ***in** een hangmat liggen lezen* lie in a hammock reading; *een hangmat **ophangen*** swing a hammock
[1]**hangoor** [de^m] ⟨dier⟩ lop-ear
[2]**hangoor** [het] ⟨neerhangende oorschelp⟩ floppy/drooping ear, ⟨alleen mv⟩ lop-ears
hangop [de^m] ± curds
hangoudere [de] elderly person who hangs around in public places, elderly nuisance
hangpartij [de^v] ⟨schaak⟩ adjourned game
hangplaats [de] hangout
hangplant [de] hanging plant
hangplek [de] hangout
hangslot [het] padlock
hangsnor [de] drooping moustache, walrus moustache, ± zapata moustache
hangtiet [de] hanging/drooping/sagging tit, ↑ pendulous tit, dug
hang-up [de^v] hang-up
hangwang [de] baggy/pendulous cheek, baggy/pendulous jowl ⟨meestal mv⟩
hanig [bn] macho, ⟨geil; sl⟩ horny, ± cocky
hankido [de^m] hankido
hannes [de^m] oaf, dolt, ⟨BE ook⟩ twit, clot
hannesen [onov ww] ⟨inf⟩ mess about/around, muck about/around, fiddle about/around, fool about/around, ⟨knoeien⟩ make a mess (of sth.), ⟨vulg⟩ fart(-arse) about/around ◆ *wat zit je toch te hannesen* you aren't half making a mess of it
Hans Jack [•] ***domme** Hans* Simple Simon; *Hans en **Grietje*** Hansel and Gretel
hansaplast [de^m] (adhesive) plaster, band-aid
hansje-in-de-kelder [het] [1] ⟨plantk⟩ bun in the oven [2] ⟨likeur⟩ hansje-in-de-kelder
hansop [de^m] sleeping suit
hansworst [de^m] [1] ⟨potsenmaker⟩ buffoon, clown, ⟨harlekijn⟩ harlequin [2] ⟨pop⟩ jumping jack [3] ⟨aanstellerig persoon⟩ buffoon, clown, fool, tomfool, ⟨BE⟩ ↓ twit ◆ *de hansworst **uithangen*** clown/fool around/about
hansworsterij [de^v] buffoonery, clownery, zanyism
hanteerbaar [bn] manageable, ⟨manoeuvreerbaar⟩ manoeuvrable, ⟨AE⟩ maneuverable ◆ ***gemakkelijk** hanteerbaar* easily manageable, easy to handle/manage; ***moeilijk** hanteerbaar* unwieldy, difficult/awkward to handle/manage, unmanageable
hanteren [ov ww] [1] ⟨omgaan met⟩ handle, work, operate, employ, ⟨bijvoorbeeld instrument, wap; form⟩ ply, ⟨bijvoorbeeld pen, wap⟩ wield ◆ *de botte **bijl** hanteren* take heavy-handed measures; ***gemakkelijk** te hanteren* easy to handle, easily manageable; ***moeilijk** te hanteren* unwieldy, difficult/awkward to handle, unmanageable; *de **naald** hanteren* ply the needle; *de **pen** goed hanteren* ⟨fig⟩ have a ready pen, write well; *het **penseel** hanteren* wield the brush; *een **regel/normen** hanteren* apply/follow a rule/norms; *de **wapens** goed weten te hanteren* be skilled at handling arms/weapons; *een ... goed **weten** te hanteren* be handy/a dab hand with a ...; *het **zwaard** hanteren* wield/ply the sword [2] ⟨in de hand nemen⟩ manage, manipulate, ⟨manoeuvreren⟩ manoeuvre, ⟨AE spelling⟩ maneuver
hanze [de] hanseatic league
Hanze [de] ⟨gesch⟩ Hanse, ⟨i.h.b.⟩ Hanseatic League
hanzeaat [de^m] Hanseatic (merchant)
Hanzestad [de] Hansa/Hanse(atic) town
hap [de^m] [1] ⟨beet⟩ bite, ⟨ook fig; vnl. m.b.t. honden⟩ snap, ⟨met snavel⟩ peck ◆ ***in één** hap was het op* in one/in a single bite it was finished [2] ⟨afgehapt stuk⟩ bite, mouthful, morsel ◆ *je hebt nog **geen** hap gegeten* you haven't touched your plate/meal (yet); *een hap frisse **lucht** halen* get a breath of fresh air; *een hap **nemen*** take a bite/mouthful; *een **snelle** hap* a quick bite; *zij nam een hap **uit** de appel* she took a bite out of the apple; *ik heb trek in een **warme** hap* I feel like a bite of sth. warm (to eat)/a warm snack [3] ⟨stuk⟩ bit, chunk ◆ *de **hele** hap gaat mee* the whole lot is/are going too, the whole bang/shoot/caboodle is going too; ⟨fig⟩ *wat een **slappe** hap* what a pathetic lot; *dat is een (hele) hap **uit** mijn inkomen* that's quite a slice (out) of my income [•] *de **ouwe** hap* the old guard
hapax [de^m] hapax legomenon, ↓ nonce word
haperen [onov ww] [1] ⟨blijven steken⟩ stick, get stuck, ⟨van stem⟩ falter, stammer, waver ◆ *de **conversatie** haperde* the conversation flagged; *hij haperde **even** voor hij verder sprak* he hesitated before he went on; *de **motor** hapert* the engine is missing/misfiring, there's sth. wrong/up with the engine; *mijn **pen** hapert* my pen's acting up/[B]playing up; *zijn **stem** haperde* his voice faltered/wavered; *alles ging **zonder** haperen* everything went without a hitch; *hij zei dat vers **zonder** haperen op* he recited the poem without stumbling/faltering/without a stumble [2] ⟨mankeren⟩ have sth. wrong with o.s., have sth. the matter with o.s., be out of order, not work properly, ⟨inf; BE⟩ have sth. up with o.s., ↑ not function properly
hapering [de^v] ⟨onder andere van stem/adem/machine⟩ catch, ⟨storing⟩ hitch, ⟨bij het spreken⟩ hesitation, ⟨stem, geluid⟩ wobble, wabble
hapje [het] [1] ⟨kleine hoeveelheid⟩ bite, mouthful, morsel, bit ◆ ⟨kind⟩ *hapjes **doen*** have/eat your din-din; *een hapje **eten*** have/get a bite/sth. to eat, have a snack; ⟨m.b.t. lunch; inf; BE⟩ have a spot of lunch; *wil je ook een hapje **mee-eten?*** would you like to join us (for a bite/meal)? [2] ⟨bijgerecht⟩ snack, bite to eat, ⟨hors-d'oeuvre⟩ hors d'oeuvre, appetizer ◆ *een **lekker/koud** hapje* a (nice) titbit/[A]tidbit/a cold snack; ***voor** (lekkere) hapjes **zorgen** op een kaartavondje* serve refreshments at a card party; *een hapje **vooraf*** an appetizer
hapjespan [de] frying pan, sauté pan, ⟨AE ook⟩ skillet
hapkido [de^m] hapkido
hapklaar [bn] ready-to-eat, oven-ready ◆ *hapklare **brokken** voor de hond* bite-size chunks for the dog; *de stof in hapklare **brokken** aanbieden* present the subject matter in easily manageable/digestible chunks
haplografie [de^v] haplography

[1]**happen** [onov ww] [1] ⟨met de mond grijpen⟩ bite (at), snap (at), ⟨niet doorbijten, speels happen⟩ nip (at) ♦ naar lucht happen gasp for air; die hond hapt naar alles that dog snaps at everyone [2] ⟨gretige beet doen⟩ bite (into), take a bite (out of) ♦ in een koek happen bite into a cake [3] ⟨ernstig reageren⟩ take ... seriously, ⟨m.b.t. plagen/provoceren⟩ rise to the bait, take the bait ♦ hij hapt niet/hij wou niet happen he did/would not rise (to the bait)/take the bait; hap toch niet zo! don't take everything so seriously!, you always take things/everything so seriously!

[2]**happen** [ov ww, ook abs] ⟨gretig eten⟩ take a bite ♦ stof happen breathe in dust; hij hapte een stuk uit de koek he took a bite out of the cake

happening [de] happening

happig [bn] keen (on), eager (for) ♦ ik ben er niet happig op I'm none too keen/not very keen on it; erg happig op iets zijn be very keen on sth., ⟨inf⟩ be dead keen on sth.; eerst was hij niet erg happig at first he was none too keen, he hung/held back at first; happig op iets zijn be keen on sth.

happy [bn] happy ♦ zich niet happy voelen not feel happy, feel unhappy/uneasy; ergens (niet) happy mee zijn (not) be happy with sth.

happy end [het] happy ending

happy few [de[m]] select/happy few, créme de la créme, elite

happy hour [het] happy hour

happy slapping [de[m]] happy slapping

hapsnap [bn] uncoordinated, incoherent, arbitrary, random, bitty ♦ iets hapsnap lezen skim/glance through sth./a book

hapsnapbeleid [het] ad hoc policy

haptonomie [de[v]] haptonomy

haptonoom [de[m]] haptonomist

har [de] pintle

hara [de[v]] hara

harakiri [het] hara-kiri, seppuku ♦ harakiri plegen commit hara-kiri

haram [bn] haram

[1]**hard** [bn] [1] ⟨niet zacht, week⟩ hard, ⟨vast, stevig ook⟩ firm, ⟨vast, dicht, solide ook⟩ solid, ⟨m.b.t. vlees, baard⟩ tough ♦ hij is zo hard als een spijker ⟨onvermurwbaar⟩ he is as hard as nails; ⟨geeft niets⟩ you won't get anything out of him; een harde bank ⟨op school, in trein⟩ a hard seat; een harde diamant a hard diamond; een hard ei a hard-boiled egg; hard fruit firm fruit, apples and pears; op de harde grond slapen sleep on the ground, ⟨in huis⟩ sleep on the floor; met harde hand opvoeden bring up/raise the hard way; een harde korst a hard crust; harder maken make harder; ⟨fig⟩ toughen (up); een hard potlood a hard pencil; het gaat er hard tegen hard the gloves are off, it's a fight to the finish; ⟨fig⟩ een harde vent/kerel, een harde a tough (guy), a hard case; ⟨AE ook⟩ a tough cookie; hard worden harden, become hard; ⟨m.b.t. cement, lijm, gelei enz.⟩ set [2] ⟨niet meegevend⟩ stiff, rigid ♦ ⟨fig⟩ harde afspraken firm agreements; een harde borstel a stiff brush; hard leer stiff leather [3] ⟨moeilijk te verduren⟩ hard, ⟨m.b.t. woorden ook⟩ harsh, severe, ⟨m.b.t. feiten/gegevens ook⟩ concrete ♦ harde bewijzen firm proof, hard evidence; harde cijfers hard figures; harde gegevens/feiten hard/concrete data/facts; een hard gelag a bad break, a raw deal; ⟨BE ook⟩ hard lines; zoiets is wel hard/valt hard that sort of thing is certainly hard(lines)/tough/rough (on s.o.); de harde lijn the hard line; een harde lijn volgen take a hard line; een harde noodzaak a sore/dire need; een harde politiek a tough policy; het was een harde slag voor haar it was a heavy/bitter blow for her; 't zijn harde tijden these are hard/trying times; 't zal me niet hard vallen Maastricht te verlaten I won't shed any tears about leaving Maastricht; 't valt me hard het oude huis te verlaten it's hard for me/it's a great wrench to leave our old house; een harde waarheid a harsh/stern truth [4] ⟨niet-vrijblijvend⟩ mandatory, required, non-discretionary ♦ een harde regel a hard and fast rule; harde vereisten strict requirements; ⟨comp⟩ een harde return a hard return [5] ⟨hevig, krachtig⟩ hard ♦ ⟨sport⟩ een harde bal a hard ball; een harde klap/stoot/trap a hard blow/push/kick; een harde strijd a hard/tough fight; harde wind strong/high/stiff wind [6] ⟨luid⟩ hard ♦ harde muziek loud music; met een harde stem spreken speak in a hard voice [7] ⟨hardvochtig⟩ hard, ⟨ruw, wrang, wreed ook⟩ harsh ♦ harde acties hard action; hij heeft een harde kop he is obstinate/stubborn/self-willed, ↓ he is pig-headed; het was een harde leerschool voor hem he had a hard/tough time of it there, he had to learn the hard way; een harde les a hard/tough lesson; harde maatregelen harsh measures; een hard oordeel/vonnis a harsh judgement/severe sentence; hij is hard voor zijn vrouw he is hard on his wife, he is nasty to his wife; iemand harde woorden toevoegen say harsh words to s.o.; ⟨inf⟩ show s.o. the rough edge of one's tongue [8] ⟨onaangenaam m.b.t. zintuiglijke waarneming⟩ harsh, ⟨m.b.t. kleuren ook⟩ garish, lurid ♦ harde klanken/lijnen harsh sounds/lines; een hard portret a hard portrait; harde trekken harsh features [9] ⟨waardevast⟩ hard ♦ harde valuta hard currency [10] ⟨kalkrijk⟩ ⟨water⟩ hard [·] een harde afdruk van een foto a hard print; ⟨muz⟩ harde drieklank major third; ⟨muz⟩ de harde toonschaal the major scale; ⟨sprw⟩ lege/holle vaten klinken het hardst empty vessels/barrels make the most sound/noise

[2]**hard** [bw] [1] ⟨op onzachte wijze⟩ hard ♦ hard liggen/neerkomen lie hard, come down hard [2] ⟨luid⟩ loudly ♦ niet zo hard praten! keep your voice down!; hard roepen shout loudly; ⟨inf⟩ shout at the top of one's voice, shout like anything/mad, shout one's head off; harder spreken! speak up!; zeg dat maar niet te hard don't speak too soon, don't jump to conclusions, you never know, I wouldn't be too/so sure; de tv/radio/muziek harder zetten turn up the TV/radio/music [3] ⟨snel⟩ fast, quickly, rapidly ♦ de zieke gaat hard achteruit the patient is deteriorating rapidly/fast; hard lopen/rijden walk/drive fast; om het hardst rennen/fietsen/rijden race one another; te hard rijden drive/ride too fast, speed; loop zo hard als je kan! run for all you're worth/for your life; hij reed zo hard mogelijk he drove/rode as hard as he could/at full/top speed/at full pelt/flat out [4] ⟨met inspanning⟩ hard ♦ hard roeien row hard; hard studeren study hard; ⟨inf⟩ bone up on sth., hit the books; ⟨inf ook; BE⟩ gen up on sth.; hard werken work hard; ⟨inf⟩ have/keep one's nose to the grindstone, put one's back into it/one's shoulder to the wheel; te hard werken work too hard; ⟨inf⟩ overdo it/things [5] ⟨meedogenloos⟩ hard, harshly, severely ♦ iemand hard aanpakken be hard on s.o., get tough with s.o.; ⟨inf⟩ wade into/clobber s.o., come down on s.o. like a ton of bricks; hard toeslaan ⟨ook fig⟩ strike hard [6] ⟨onaangenaam⟩ harshly, ⟨m.b.t. kleuren ook⟩ garishly, flashily, luridly ♦ een hard groene deur a garish/lurid green door [7] ⟨hevig⟩ hard ♦ wat brandt de kachel hard isn't the stove burning fiercely; hard lachen laugh heartily; hij ging er nogal hard tegenaan he went rather hard at it; om het hardst roepen shout at the top of one's voice; een band hard oppompen blow/pump a tyre up hard/up to full pressure; het regent/waait hard it's raining/blowing hard; ⟨ook⟩ it's raining heavily; hard vriezen freeze hard; ik had mijn geld hard nodig I badly needed my money; ↓ I needed every penny I had; dit onderdeel is hard aan vervanging toe this part is in urgent need of replacement/badly needs to be replaced; zijn rust hard nodig hebben sorely/badly need one's/a rest [·] ⟨sprw⟩ hoe meer men in de stront roert, hoe harder dat het stinkt don't wash your dirty linen in public; ± least said, soonest mended; ⟨sprw⟩ beter hard geblazen dan de mond gebrand better (be) safe/sure than sorry

hardachtig [bn] quite hard, hardish

hardback [de[m]] hardback

hardblauw [bn] ± bright blue
hardboard [het] (standard) hardboard
hardbop [de^{m}] hard bop
hardbox [de^{m}] hard box
hardcore [de] hardcore
hardcoremuziek [de^{v}] hard-core music
hardcourt [het] hard court
hardcover [de^{m}] hard cover
harddisk [de^{m}] hard disk
harddiskrecorder [de^{m}] hard disk recorder
^{1}**harddraven** [het] trotting, ⟨alg⟩ harness racing, ⟨voor telgangers⟩ pacing
^{2}**harddraven** [onov ww] trot, ⟨in de telgang⟩ pace
harddraver [de^{m}] [1] ⟨paard⟩ standardbred, ⟨draver⟩ trotter, trotting-horse, ⟨telganger⟩ pacer, pacing-horse [2] ⟨persoon⟩ high-flyer, ⟨inf⟩ whiz(-kid) [3] ⟨jockey⟩ driver
harddraverij [de^{v}] [1] ⟨het harddraven⟩ harness (horse) racing, ⟨voor dravers⟩ trotting, ⟨voor telgangers⟩ pacing [2] ⟨een wedloop van harddravende paarden⟩ harness race, ⟨voor dravers⟩ trotting-race, ⟨voor telgangers⟩ pacing-race
harddrug [de^{m}] hard drug
^{1}**harden** [onov ww] ⟨drogen⟩ harden, become hard, ⟨m.b.t. vloeistoffen⟩ dry, ⟨m.b.t. cement, gelatine enz.⟩ set, ⟨m.b.t. plastic/rubber⟩ cure ♦ *deze **lak** hardt in zes uur* this varnish dries in six hours
^{2}**harden** [ov ww] [1] ⟨hard maken⟩ harden, ⟨temperen⟩ temper ♦ ***staal** harden* harden/temper steel [2] ⟨m.b.t. het lichaam⟩ toughen (up), season, steel ♦ *hij is gehard door **weer en wind*** he has been hardened/seasoned by wind and weather; ***zich** harden **tegen** iets* train o.s./toughen o.s. up/harden o.s. to stand sth.; ↑ inure o.s. to sth. [3] ⟨uithouden⟩ bear, stand, ⟨inf⟩ take, stick ♦ ⟨scherts⟩ *hij kan **het** in die betrekking best harden* he's not so badly off in that job; *deze hitte **is** niet te harden* this heat is unbearable/insupportable; *hij **kan** het niet meer harden* he can't stand/bear/take it any more/longer
harder [de^{m}] [1] ⟨metaalarbeider⟩ temperer [2] ⟨vis⟩ ⟨familie der Mugilidae⟩ grey/^{A}gray mullet, ⟨Mugil ramada⟩ (lesser) grey/^{A}gray mullet [3] ⟨stollingscomponent⟩ hardener, ⟨droogmiddel⟩ siccative
hardgebakken [bn] crisp-fried, crispy, crusty
hardgeel [bn] ⟨schel⟩ screaming yellow, ± bright yellow
hardgekookt [bn] hard-boiled ♦ *hardgekookte **eieren*** hard-boiled eggs
hardglas [het] safety glass, shatter-proof/toughened glass
hardgroen [bn] ± bright green
hardhandig [bn, bw] hard-handed, rough, harsh, violent, ⟨drastisch ook⟩ drastic, ⟨onnodig hard/wreed⟩ heavy-handed, ⟨als bijwoord ook⟩ in a heavy-handed way ♦ *iemand hardhandig **aanpakken*** seize s.o. roughly; ⟨inf⟩ strong-arm s.o.; *een hardhandige **onderwijzer*** a hard-handed/harsh/heavy-handed teacher; *hardhandig **optreden*** hard-handed/violent/harsh/drastic action, strong-arm tactics
hardhandigheid [de^{v}] harshness, rough handling, roughness, violence, ⟨onnodig hard/wreed optreden⟩ heavy-handedness
hardheid [de^{v}] [1] ⟨hoedanigheid⟩ hardness, ⟨ook fig; taaiheid, ruwheid, ook⟩ toughness, ⟨wreedheid, hardvochtigheid, scherpheid⟩ harshness, severity, sternness, ⟨ook fig; soliditeit, dichtheid⟩ solidity ♦ *de hardheid van **metalen*** the hardness of metals; *de hardheid van het **politieoptreden*** the severity/brutality of the police actions; *de hardheid van het **spel*** the roughness of the game; *de hardheid van het **veld*** the hardness/firmness of the field/ground; *hardheid van **water*** the (degree of) hardness of water [2] ⟨hard woord⟩ hard/harsh word ⟨meestal mv⟩
hardheidsclausule [de] ⟨jur⟩ hardship clause
hardheidsgraad [de^{m}] (degree of) hardness, temper
hardhoofdig [bn] obstinate, stubborn, wilfull, headstrong, obdurate, ⟨inf⟩ pig-headed
hardhorend [bn] hard of hearing, ± deaf ♦ *hardhorend **zijn*** be hard of hearing
hardhouse [de^{m}] hard house
hardhout [het] hardwood
hardhouten [bn] hardwood ♦ *hardhouten **meubelen*** hardwood furniture
hardleers [bn] [1] ⟨moeilijk lerend⟩ dull, dense, slow, unteachable, ⟨inf; BE⟩ thick(-skulled), ⟨AE⟩ thick-headed [2] ⟨eigenwijs⟩ headstrong, obstinate, stubborn, ⟨inf⟩ pig-headed
hardleersheid [de^{v}] [1] ⟨domheid⟩ dullness, denseness, slowness [2] ⟨eigenwijsheid⟩ obstinacy, stubbornness, ⟨inf⟩ pig-headedness
hardlijvig [bn] constipated
hardlijvigheid [de^{v}] constipation
hardliner [de^{m}] hard liner
hardloopster [de^{v}] → **hardloper**
hardlopen [ww] [1] ⟨om het hardst lopen⟩ race, run a race [2] ⟨snel en lang achtereen lopen⟩ run, ⟨joggen, trimmen⟩ jog, ⟨draven⟩ trot
hardloper [de^{m}], **hardloopster** [de^{v}] [1] ⟨iemand die hard loopt⟩ runner ⟨ook paard⟩, ⟨korteafstandsloper⟩ sprinter, ⟨wedstrijdloper⟩ racer, jogger [2] ⟨goed verkopend artikel⟩ (good) runner, goer, ⟨inf⟩ soft-sell [3] ⟨fig; vluggerd⟩ a fast one ♦ *'t is **geen** hardloper* he/she is a bit slow/is a slow one [4] ⟨mv; schaatsen⟩ speed skates [•] ⟨sprw⟩ *hardlopers zijn doodlopers* ± haste trips over its own heels; ± more haste, less speed
hardloperij [de^{v}] running, sprinting, racing, jogging
hardmaken [ov ww] prove, ⟨beschuldiging, aanklacht, bewering⟩ substantiate, ⟨opinie, bericht⟩ confirm, ⟨beschuldiging, eis, bewering, ook⟩ make good, ⟨door onderzoek de waarheid van iets bewijzen⟩ verify ♦ ⟨fig⟩ *maak dat maar eens hard of hou je mond!* put up or shut up!; *kun je dat ook hardmaken?* have you got any proof for that?, can you prove that (with figures)?
hardmetaal [het] hardmetal, tungsten carbide, cemented carbide(s)
hardnekkig [bn, bw] [1] ⟨koppig⟩ stubborn ⟨bw: ~ly⟩, obstinate ⟨bw: ~ly⟩, ⟨inf⟩ pig-headed ♦ *hardnekkig **ontkennen*** persistently deny; *een hardnekkig **stilzwijgen*** a stubborn silence; *hardnekkig **volhouden*** stubbornly insist, persist [2] ⟨onverzettelijk⟩ stubborn ⟨bw: ~ly⟩, dogged, tenacious, ⟨m.b.t. geruchten/regen/pijn/pogingen ook⟩ persistent, ⟨m.b.t. ziekte ook⟩ obstinate ♦ *een hardnekkig **gerucht*** a persistent/stubborn rumour; *een hardnekkige **hoest*** a persistent cough; *een hardnekkige **koorts/verkoudheid*** a(n) intractable/refractory fever, a(n) obstinate/persistent cold; *hardnekkige **tegenstand*** stubborn/stiff resistance
hardnekkigheid [de^{v}] obstinacy, stubbornness, persistency, persistence, doggedness, tenacity
hardop [bw] aloud, out loud ♦ *hardop **denken*** think aloud/out loud, ⟨theat⟩ soliloquize; *hardop **dromen*** dream aloud; *hardop **lachen*** laugh aloud/out loud; *hij **praat** hardop in zijn slaap* he talks (aloud) in his sleep; *iets hardop **zeggen*** say sth. out loud; *dat mag je niet hardop **zeggen*** you can't/shouldn't say that in public
hardporno [de^{v}] hard(-core) porn, hard core
hardrijden [onov ww] ⟨sport⟩ race, ⟨schaatsen⟩ speedskate
hardrijder [de^{m}], **hardrijdster** [de^{v}] racer, ⟨schaatser⟩ speedskater, ⟨wielrenner⟩ racing cyclist
hardrijderij [de^{v}] racing, ⟨schaatsen⟩ speedskating, ⟨wielrennen⟩ (bi)cycle racing
hardrijdster [de^{v}] → **hardrijder**
hardrock [de] hard rock
hardrood [bn] bright red

hardsteen [het, de^{m}] bluestone, freestone, ⟨steenblok⟩ ashlar, ashler
hardstenen [bn] bluestone, freestone, ashlar, ashler
hardstyle [de] hard style
hardtop [de^{m}] hardtop
hardtrance [de] hardtrance
hardvochtig [bn, bw] heartless ⟨bw: ~ly⟩, hard(-hearted) ⟨bw: ~ly⟩, ⟨wreed, koudbloedig⟩ cold-blooded, ⟨ruw, gevoelloos⟩ callous, unfeeling, ⟨ruw, genadeloos⟩ harsh ◆ *hardvochtig **optreden*** act harshly
hardvoer [het] solid feed/fodder, mixed grain feed
hardware [de^{m}] hardware
hardwerkend [bn] hard-working
hardwired [bn, alleen attr] ⟨comp⟩ hard-wired
hardzeilerij [de^{v}] yacht-racing
harem [de^{m}] ① ⟨vrouwenverblijf⟩ harem, hareem, seraglio, serail, ⟨in India en Perzië⟩ zenana, ⟨in de klassieke oudh⟩ gynaeceum ② ⟨vrouwen en bijzitten⟩ harem, hareem, seraglio, serail ③ ⟨scherts; vriendinnen⟩ harem
harembroek [de] ⟨gesch⟩ chalwar, ⟨modern⟩ harem trousers
haremwachter [de^{m}] harem guard, eunuch
[1]**haren** [bn] hair ◆ *een haren **boetekleed*** a hair shirt
[2]**haren** [onov ww] ⟨haar verliezen⟩ lose (one's) hair, ⟨m.b.t. dieren⟩ shed (one's hair/coat), lose one's coat, moult, ⟨AE⟩ molt ◆ *de **borstel** haart* the brush is losing hairs; *de **kat** haart* the cat is shedding (its coat)/moulting, the cat is losing its coat
[3]**haren** [ov ww] ⟨landb⟩ ⟨scherpen⟩ whet, sharpen, feather
harentwege [bw] ⟨form⟩ ① ⟨namens haar⟩ ⟨ogm⟩ on her behalf, in her name ◆ ***ik heb** u harentwege een boodschap **te doen*** I have a message for you on her behalf ② ⟨wat haar betreft⟩ ⟨ogm⟩ as for her, as far as she is/was/... concerned ◆ *harentwege **kon hij gaan*** as far as she was concerned he could go
harentwil, harentwille ⟨form⟩ ⊡ ***om** harentwil* ⟨ogm⟩ for her sake
harentwille → **harentwil**
harerzijds [bw] ⟨ogm⟩ on her part
haricots verts [de^{mv}] ⟨BE⟩ French beans, ⟨AE⟩ green/string beans
harig [bn] ① ⟨met haren⟩ hairy, ⟨bontachtig⟩ furry, ⟨behaard, langharig, met een woeste baard⟩ hirsute, ⟨ruigbehaard, ruwharig; ook verwaarloosd m.b.t. baard/haren⟩ shaggy ◆ *een harig(e) **bloem/blad*** a hairy/pilose flower/leaf; *harige **handen*** hairy hands; *harige **zaden*** comose seeds ② ⟨draderig⟩ hairy ◆ *harige **peen*** a hairy carrot
haring [de^{m}] ① ⟨vis⟩ herring, ⟨gedroogde/gerookte (zoute) haring⟩ kipper, ⟨licht gerookte en gezouten haring⟩ bloater ◆ ***als** haring(en) in een ton* (packed) like sardines (in a tin), cheek by jowl; *haring **drogen*** bloat herring, cure herring; *een **gedroogde** haring,* ⟨in België⟩ *een **droge** haring* a bloater/kipper/kippered herring/red herring; ***groene** haring* green herring; ***ijle/lege** haring* shotten/spent herring; *haring **kaken*** gut herring(s); *ik zal er haring of **kuit** van hebben* I'll get to the bottom of it, I'll find out how matters stand/how the land lies/which way the wind blows, I want to know what is what; ***naar** haring **schieten*** cast the herring nets; ***nieuwe** haring* new herring; *een **school** haringen* a school/shoal of herring; ***verse** haring* wet herring; ***volle** haring* roed herring; ***zure** haring* pickled herring, rollmop(s) ② ⟨m.b.t. tenten⟩ tent peg/stake, tent pin
haringachtigen [de^{mv}] ⟨dierk⟩ clupeidae
haringbuis [de] ⟨scheepv⟩ buss
haringfilet [het, de^{m}] filleted/^{A}fileted herring(s)
haringgrond [de^{m}] herring ground
haringhaai [de^{m}] porbeagle (shark)
haringhappen [ww] eat herring by holding it in the air by the tail
haringkaken [het] gutting of herring(s)
haringkoning [de^{m}] ⟨dierk⟩ herring king, king of the herrings, oarfish
haringlogger [de^{m}] herringdrifter, herringlugger
haringnet [het] herring net, ⟨drijfnet⟩ herring drift-net
haringoorlog [de^{v}] herring war
haringrace [de^{m}] traditional herring-boat race in Holland for being the first herring boat to return with new herring
haringsalade [de] herring salad
haringschool [de] shoal/school of herring
haringteelt [de] ⟨vangst⟩ herring fishing/fishery, ⟨vangsttijd⟩ herring season
haringtijd [de^{m}] ① ⟨waarin haring gevangen wordt⟩ herring season ② ⟨waarin er verse haring is⟩ herring season
harington [de] herring barrel, ⟨vnl SchE; als maat⟩ cran ⟨ongeveer 170 liter⟩
haringvaart [de] herring fishing
haringvangst [de^{v}] herring fishing/fishery, ⟨vangst in een seizoen⟩ herring harvest/catch, ⟨vangst van één keer⟩ herring catch, catch of herring(s)
haringvijver [de^{m}] ⟨scherts⟩ herring pond
haringvisserij [de^{v}] herring fishing/fishery/fishing industry
haringvleet [de] herring nets
haringvloot [de] herring fleet
haringworm [de^{m}] herring worm
haringwormziekte [de^{v}] anisakiasis
harira [de] harira
harissa [de] harissa
hark [de] ① ⟨tuingereedschap⟩ rake ◆ *zo stijf **als** een hark* as stiff as a poker ② ⟨persoon⟩ stick ◆ *hij is een **stijve** hark* ⟨sport⟩ he has two left feet; ⟨niet avontuurlijk⟩ he is a stick-in-the-mud; *een hark **van** een vent* a stick of a fellow/chap; *een hark **van** een meisje* a gawky girl ③ ⟨sport⟩ ⟨van croupier⟩ rake
[1]**harken** [onov ww] ① ⟨met de hark werken⟩ rake ② ⟨op grove, onbeholpen wijze iets doen⟩ get to in a lumbering style, reach in a lumbering style ◆ *de wielrenner harkte **naar** de **finish*** the rider reached the finish in a lumbering style; ***op** een **gitaar** harken* strum (around) on a guitar
[2]**harken** [ov ww] ⟨met een hark bijeenbrengen⟩ rake (up/together) ◆ ***bladeren** op een hoop harken* rake leaves into a heap; *het **grindpad** harken* rake the gravel (path)
harkerig [bn, bw] stiff ⟨bw: ~ly⟩, wooden ⟨bw: ~ly⟩ ◆ *harkerig **lopen*** walk stiffly; *een harkerig **persoon*** a stiff person
harkkeerder [de^{m}] (hay-)tedder, ⟨m.b.t. zwaden⟩ side-delivery rake
harksel [het] rakings
harlekijn [de^{m}] ① ⟨toneelfiguur⟩ harlequin ② ⟨pop⟩ jumping jack ③ ⟨grappenmaker⟩ buffoon, clown, merry-andrew, joker ④ ⟨bloem⟩ dead man's/men's fingers ⑤ ⟨vlinder⟩ magpie moth
harlekijneend [de] harlequin duck
harlekijnspak [het] motley, harlequin('s) costume
harlekijntje [het] ① ⟨kleine harlekijn⟩ little harlequin ⟨enz.⟩; → **harlekijn** ② ⟨spinnetje⟩ zebra spider
harlekinade [de^{v}] ① ⟨kluchtspel⟩ harlequinade ② ⟨dwaze vertoning⟩ harlequinade, buffoonery, tomfoolery, clowning
harmattan [de^{m}] harmattan
harmonica [de^{v}] ① ⟨accordeon⟩ accordion, ⟨diatonische knopaccordeon⟩ melodeon, melodion, ⟨zeshoekige knopaccordeon⟩ concertina, ⟨inf⟩ squeeze-box ② ⟨mondharmonica⟩ harmonica, mouth organ ③ ⟨verbindingsstuk⟩ ⟨van trein⟩ concertina vestibule/passage
harmonicabed [het] folding bed, fold-up bed
harmonicabus [de^{m}] articulated bus
harmonicadeur [de] accordion door, folding/articulated door
harmonicagaas [het] diamond mesh wire netting,

chain link mesh
harmonicaplooi [de] accordion pleat
harmonicaspeelster [de^{v}] → **harmonicaspeler**
harmonicaspel [het] harmonica playing, accordion playing, ⟨op mondharmonica⟩ mouth-organ playing
harmonicaspeler [de^{m}], **harmonicaspeelster** [de^{v}] harmonica player, ⟨op mondharmonica⟩ accordion player, accordionist, mouth-organ player
harmonicatrein [de^{m}] corridor/vestibule train
harmonicawand [de^{m}] folding partition, concertina doors
harmonie [de^{v}] [1] ⟨overeenstemming⟩ harmony, concord, agreement ◆ *in/niet in harmonie zijn met* be in/out of harmony/keeping with; *zij leven in volmaakte/de beste harmonie* they live in complete/perfect harmony [2] ⟨muz⟩ harmony, concord ◆ *de harmonie der sferen* the harmony/music of the spheres [3] ⟨blaas- en slaginstrumenten, bespelers⟩ wind and percussion sections [4] ⟨muziekvereniging⟩ (brass) band
harmonieconcours [het, de^{m}] (brass) band competition
harmoniegezelschap [het], **harmoniekapel** [de] (brass) band
harmoniekapel [de] → **harmoniegezelschap**
harmonieleer [de] ⟨muz⟩ (theory of) harmony
harmoniemodel [het] conflict avoidance strategy ◆ *het harmoniemodel hanteren* adopt a strategy of conflict avoidance
harmoniemuziek [de^{v}] [1] ⟨compositie(s)⟩ music for wind and percussion instruments [2] ⟨uitvoering⟩ music for wind and percussion instruments
harmonieorkest [het] (brass) band
harmoniëren [onov ww] harmonize (with), accord (with), ⟨m.b.t. kleuren/kleren/meubels enz. ook⟩ go (well) together, ⟨m.b.t. kleuren/meubels ook; bij elkaar passen m.b.t. kleur⟩ blend (in) (with), ⟨m.b.t. kleuren ook⟩ tone (in) (with) ◆ *goed met iemand harmoniëren* go well with s.o.; *ze harmoniëren niet met elkaar* they don't harmonize, they don't go (well) together
harmonieus [bn, bw] harmonious ⟨bw: ~ly⟩, melodious, sweet-sounding; → **harmonisch** ◆ *een harmonieuze stem* a harmonious/pleasant voice
harmonisatie [de^{v}] harmonization, ⟨fig ook⟩ bringing into harmony/line ◆ *de harmonisatie van de belangen van beide partijen* the harmonization of both parties' interests; *harmonisatie van de huurprijzen* rationalization/bringing into line of rents, rent harmonization
harmonisatiewet [de] Harmonisation Act, restricting the right to a student grant to 6 years of study
harmonisch [bn, bw] [1] ⟨blijk gevend van harmonie⟩ harmonic ⟨bw: ~ally⟩ ◆ *harmonisch bij elkaar aansluiten* fit together harmoniously; ⟨wisk, natuurk⟩ *harmonische analyse* harmonic analysis; ⟨wisk⟩ *harmonische evenredigheid* harmonic proportion; *een harmonisch geheel vormen* blend (in) well (together), go well (together); *dit gebouw vormt één harmonisch geheel met het landschap* this building blends into the landscape; *harmonische reeks* harmonic progression; *harmonisch met iemand samenwerken* work well (together) with s.o., work in harmony with s.o.; *harmonische tonen* harmonics, harmonic tones, overtones, partials [2] ⟨kalm⟩ harmonious ⟨bw: ~ly⟩ [3] ⟨welluidend⟩ harmonious ⟨bw: ~ly⟩, melodious, sweet-sounding ◆ *harmonische drieklank* common chord
[1]**harmoniseren** [onov ww] ⟨harmoniëren⟩ → **harmoniëren**
[2]**harmoniseren** [ov ww] ⟨harmonisch maken⟩ harmonize ◆ *de belastingen in Europa harmoniseren* harmonize taxes within Europe
harmonium [het] harmonium, reed organ
harnas [het] ⟨gesch⟩ (suit of) armour, ⟨kuras⟩ cuirass ◆ *in het harnas* (up) in arms; *in het harnas sterven* die in harness/in one's boots/with one's boots on; *iemand tegen zich in het harnas jagen* get/put s.o.'s back up, antagonize/exasperate s.o., incur s.o.'s wrath; ⟨inf⟩ rile s.o.; *iemand tegen een ander in het harnas jagen* set s.o. against another person; *een stalen/zilveren harnas* a suit of steel/silvered armour
zich harnassen [wk ww] ⟨fig⟩ gird o.s. (for), arm o.s. (against)
harp [de] [1] ⟨muziekinstrument⟩ harp ◆ *de Ierse harp* the Irish harp; *de harp slaan* strike the harp/lyre [2] ⟨scheepv⟩ shackle, ⟨in ketting⟩ coupling link [3] ⟨zeef⟩ riddle, sieve
harpconcert [het] harp concerto, concerto for harp
harpenist [de^{m}] harpist, harper, harp player
harpij [de^{v}] [1] ⟨godin⟩ harpy [2] ⟨bloeddorstig monster⟩ harpy, hag [3] ⟨form; feeks⟩ harpy, virago, battleaxe, witch, ⟨zeldz⟩ termagant [4] ⟨arend⟩ harpy (eagle)
harpist [de^{m}], **harpiste** [de^{v}] harpist, harp player, ⟨gesch⟩ harper
harpiste [de^{v}] → **harpist**
harpoen [de^{m}] [1] ⟨m.b.t. de walvisvangst⟩ harpoon ◆ *de harpoen schieten/werpen* shoot/cast the harpoon [2] ⟨m.b.t. de zoetwatervisserij⟩ harpoon, fish-spear, ⟨aalschaar⟩ gig
harpoeneren [ov ww] harpoon, ⟨aalprikken⟩ gig, ⟨met visspeer⟩ spear
harpoengeweer [het] harpoon gun
harpoenier [de^{m}] harpooner, harpooneer, striker, ⟨eerste harpoenier op walvisvaarder⟩ specktioneer, specksioneer
harpoenkanon [het] harpoon gun, whale/whaling gun
harpspeelster [de^{v}] → **harpspeler**
harpspel [het] harp-playing
harpspeler [de^{m}], **harpspeelster** [de^{v}] harpist, harp player, ⟨gesch⟩ harper
harrewarren [onov ww] squabble, quarrel, wrangle, bicker ◆ *met iemand harrewarren* squabble/quarrel with s.o., have a tiff with s.o.; *ze liggen altijd met elkaar te harrewarren* they are always squabbling/quarrelling/[A]quarreling/bickering, they are always at loggerheads; *we hoeven niet over de details van het schema te harrewarren* we don't have to quibble about the details of the scheme
harrier [de^{m}] harrier
hars [het, de^{m}] resin, ⟨colofonium⟩ rosin, colophony, colophonium ◆ *gewone/gele hars* common/yellow rosin; *vloeibare harsen* liquid resins
harsachtig [bn] [1] ⟨op hars lijkend⟩ resinous [2] ⟨naar hars ruikend⟩ resinous [3] ⟨hars producerend⟩ resiniferous
harsbehandeling [de^{v}] treatment with prewaxed strips
harsen [ov ww] wax
harses [de^{mv}] ⟨inf⟩ nut, conk, skull, block, ⟨BE ook⟩ bonce, ⟨AE ook⟩ bean ◆ *gebruik je harses!* use your loaf/noddle!; *hou je harses!* shut your trap/[B]cakehole!; *hoe haal je het in je harses* how did you get that idea into your fat skull?; *iemand de harses inslaan* smash s.o.'s head in; *iemand een dreun voor z'n harses geven* clobber s.o., punch s.o. in the head; ⟨AE⟩ bean/brain s.o.
harsgom [het, de^{m}] gum resin
harshoudend [bn] resinous, ⟨hars voortbrengend⟩ resiniferous
harslak [het, de^{m}] resin varnish
harsolie [de] resin/rosin oil
harspleister [de] prewaxed strip, ± depilatory
harst [de^{m}] sirloin
harsvloed [de^{m}] resinosis, resin flux
harszwam [de] ⟨plantk⟩ corticium
hart [het] [1] ⟨spier⟩ heart, ⟨inf⟩ ticker ◆ *het aan het hart hebben* have a heart condition; ⟨fig⟩ *met bloedend hart* with a bleeding/heavy heart; ⟨fig⟩ *mijn hart bloedt* ⟨vaak iron⟩ my heart bleeds; ⟨fig⟩ *mijn hart draaide (me) om in mijn lijf* it turned my stomach, I was sick at heart; ⟨fig⟩ *zijn/het hart*

op zijn tong ***dragen*** wear one's heart on one's sleeve; ⟨fig⟩ *het hart op de juiste plaats* ***dragen/hebben*** wear one's heart in the right place; ⟨fig⟩ ***geen*** *hart hebben* have no heart/be heartless; ⟨fig⟩ *een hart van* ***goud*** *hebben* have a heart of gold; *het* ***heilig*** *hart* the Sacred Heart; ⟨fig⟩ *ik* ***hield*** *mijn hart* ***vast*** my heart missed a beat, I had my heart in my mouth/throat; ⟨fig⟩ *je* ***houdt*** *je hart* ***vast*** *bij de gedachte dat* it's just too awful to think what might happen if; *met* ***kloppend*** *hart* with pounding heart; ⟨fig⟩ *het hart* ***klopte*** *hem in de keel* his heart was (beating) in his throat/mouth; ⟨in België⟩ *laat het niet aan je hart* ***komen!*** don't let it break your heart, don't take it to heart; ⟨fig⟩ *mijn hart* ***kromp ineen/samen*** *van medelijden* my heart shrank with pity; ⟨fig⟩ *zijn hart* ***ligt*** *hem op de tong* he wears his heart on his sleeve; ⟨fig⟩ *iemand* ***op*** *het hart trappen* tear s.o.'s heart out, trample on s.o.'s feelings; ⟨fig⟩ *iemand in zijn hart* ***sluiten*** take s.o. to one's heart; ⟨fig⟩ *een hart van* ***steen*** *hebben* have a heart of stone/steel/flint; *haar hart* ***stond*** *even* ***stil/sloeg over*** her heart missed/skipped a beat; *een* ***zwak*** *hart hebben* have a weak heart/a heart condition [2] ⟨hartstreek⟩heart, bosom, breast ◆ *iemand* ***aan*** *het hart drukken* embrace s.o., clasp/press s.o. to one's heart/breast/bosom; *iemand iets met de hand* ***op*** *het hart verzekeren* declare sth. (with) hand on heart; *met de hand* ***over*** *het hart strijken* have a heart, show mercy [3] ⟨innerlijk, gemoed⟩heart ◆ *iemand na* ***aan*** *het hart liggen* be very dear to s.o., be near s.o.'s heart; *het gaat mij toch* ***aan*** *het hart* it really touches/affects/hurts/grieves/pains me; *iemands hart* ***breken*** break s.o.'s heart; *aan een* ***gebroken*** *hart lijden* suffer from a broken heart; *met een* ***gerust*** *hart* with an easy mind/conscience, without qualms; *hij heeft een* ***goed*** *hart* he is good at heart, there is much good in him; *het is niet veel, maar het komt uit een* ***goed*** *hart* it's not much, but the intention is good/it's well-meant; *uit de* ***grond*** *van zijn hart iets beamen* agree with sth. with all one's heart/from the bottom of one's heart; *een* ***groot*** *hart hebben* have a big heart; *met de dood* ***in*** *het hart* trembling with fear; ***in*** *zijn hart hield hij nog steeds van haar* deep down/in his heart (of hearts) he still loved her; *dat is een man* ***naar*** *mijn hart* he's a man after my heart; *hij is een jager in hart en* ***nieren*** he is a hunter in heart and soul, he is every inch a hunter; *iets* ***op*** *zijn hart hebben* have sth. in mind/on one's mind; *zeg maar wat je* ***op*** *het hart hebt* get it off your chest; *iemand iets* ***op*** *het hart drukken/binden* impress sth. on s.o.('s mind), urge s.o. to do sth., enjoin sth. (up)on s.o.; *zijn hart aan iets* ***ophalen*** have (great) fun doing sth., indulge o.s. (in sth.); *nu kun je echt je hart(je)* ***ophalen*** now you can really let yourself go; ⟨in België⟩ *van zijn hart een* ***steen*** *maken* harden one's heart; *de* ***stem*** *van zijn hart volgen* follow (the voice of) one's heart, follow one's inclination; ⟨in België⟩ *zij doet het* ***tegen*** *haar hart* her heart is not in it; *(bij iemand) zijn hart* ***uitstorten/luchten*** pour out/unburden/open one's heart to s.o.; *jong* ***van*** *hart* young at heart; *dat moet mij toch* ***van*** *het hart* I can't help saying this, I just have to get this off my chest; ***van*** *zijn hart geen moordkuil maken* make no disguise of one's feelings, be frank, speak one's mind; *zijn hart aan iets* ***verloren hebben*** have set one's heart/mind on sth., have fallen in love with sth.; *zijn hart aan iemand* ***verloren hebben*** have lost one's heart to s.o., have fallen in love with s.o.; *zijn hart aan iets* ***verpanden*** lose one's heart to sth.; *met hart en* ***ziel*** with all one's heart, with heart and soul; *zich met hart en* ***ziel*** *wijden aan iets* put one's heart and soul into sth., devote one's heart and soul to sth. [4] ⟨gezindheid, vriendschap⟩heart ◆ *iemand een* ***goed*** *hart toedragen* be kindly/well disposed towards s.o.; *hij* ***had*** *geen hart voor de zaak* his heart wasn't in the matter/business; *hart voor een zaak* ***hebben*** have one's heart in a matter; *iemand een* ***kwaad*** *hart toedragen* have/bear a grudge against s.o., bear s.o. ill-will/malice/a grudge; *iemand geen* ***kwaad*** *hart toedragen* bear s.o. no ill will, have no ill feelings for s.o.; *iemands hart* ***stelen*** steal s.o.'s heart; *de harten van de mensen* ***veroveren*** capture/conquer/win one's way into people's hearts, endear o.s. to the public; *iets een* ***warm*** *hart toedragen* be well disposed towards sth.; *slecht nieuws voor iedereen die het voetbal een* ***warm*** *hart toedraagt* bad news for those who are keen on football; *iemands hart* ***winnen*** win/conquer s.o.'s heart [5] ⟨moed⟩heart, nerve, guts, pluck ◆ ***heb*** *het hart eens!* don't you dare!, you just try it!; *de schrik sloeg hem* ***om*** *het hart* his heart missed a beat/was in his mouth; *iemand een hart onder de riem* ***steken*** hearten s.o., buck s.o. up, give s.o. heart; *het hart* ***zonk*** *hem in de schoenen* he lost heart, his heart sank into his boots [6] ⟨als voedsel⟩heart [7] ⟨iets met hartvorm⟩heart ◆ *een* ***marsepeinen*** *hart* a marzipan heart [8] ⟨midden, kern⟩heart, core, centre ◆ *het hart van een* ***bloem*** the heart of a flower; *het* ***groene*** *hart van Holland* Holland's green centre/heart; ***in*** *het hart(je) van de stad wonen* live in the heart/centre of the city [•] *van* ***ganser*** *harte* ⟨dank, medelijden⟩ with all one's heart; ⟨enthousiasme⟩ wholehearted(ly); *iets van* ***ganser*** *harte doen* do sth. wholeheartedly; *het ging niet van* ***ganser*** *harte* it was only halfhearted(ly); *iets niet* ***over*** *zijn hart kunnen verkrijgen* not find it in one's heart to do sth., not be able to do sth.; *iets* ***ter*** *harte nemen* take sth. to heart, heed sth.; ⟨in België⟩ *iets* ***ter*** *harte trekken* take sth. to heart; *dat gaat mij zeer* ***ter*** *harte* I am greatly concerned about that, I have that very much at heart; ***van*** *harte gefeliciteerd* my warmest congratulations; *hij deed het, maar het ging niet* ***van*** *harte* he did it, but his heart wasn't in it; ⟨in België⟩ *er het hart van in zijn* be heart-broken (over it); ⟨sprw⟩ *bitter in de mond maakt het hart gezond* bitter pills may have blessed effects; ⟨sprw⟩ *waar het hart vol van is, vloeit de mond van over* out of the abundance of the heart the mouth speaketh; ⟨sprw⟩ *edel van hart is beter dan hoog van afkomst* kind hearts are more than coronets; ⟨sprw⟩ *uit het oog, uit het hart* out of sight, out of mind

hartaandoening [de^v] heart condition/ailment/problem/disease/complaint/disorder/dysfunction, ⟨inf⟩ heart-trouble ◆ *hij* ***heeft*** *een hartaandoening* he has a heart condition; ⟨inf⟩ he has heart-trouble

hartaanval [de^m] heart attack, ⟨hartinfarct; inf⟩ coronary ◆ *hij* ***heeft*** *een hartaanval* ***gehad/gekregen*** he has had a heart attack

hartader [de] [1] ⟨med⟩cardiac/coronary artery, cardiac/coronary vein, aorta [2] ⟨fig⟩artery

hartafwijking [de^v] heart condition, ⟨form⟩ cardiac abnormality

hartambulance [de] ⟨med⟩heart ambulance

hartbeklemming [de^v] [1] ⟨hartstoornis⟩angina, ⟨med⟩ angina pectoris [2] ⟨fig⟩agony (of mind)

hartbewaking [de^v] [1] ⟨controle van de hartwerking⟩ coronary care, ± intensive care [2] ⟨afdeling in een ziekenhuis⟩coronary care, ± intensive care

hartblok [het] ⟨med⟩heart block, Adams-Stokes syndrome, atrioventricular block

hartboezem [de^m] ⟨med⟩ ↑atrium, auricle (of the heart) ◆ *de* ***rechter-/linker****hartboezem* the right/left atrium

hartbrekend [bn] heartbreaking, ⟨sterker⟩ heart-rending

hartcentrum [het] heart centre/clinic, ↑cardiac clinic

hartchirurg [de^m] cardiac/heart surgeon

hartchirurgie [de^v] cardiac/heart surgery

[1]**hartelijk** [bn] [1] ⟨innig, welgemeend⟩hearty, warm, affectionate, cordial ◆ *een hartelijke* ***brief*** a friendly/cordial letter; *hartelijk* ***dank*** *voor uw brief* many thanks for your letter; *met hartelijke* ***groeten*** ⟨in toenemende maat van formaliteit⟩ with kind regards, affectionately yours, yours (very) sincerely; *hartelijke* ***groeten*** *aan je vrouw* remember me/kind(est) regards to your wife; *een hartelijke* ***ontvangst*** a warm/welcoming reception, a hearty welcome [2] ⟨m.b.t. personen⟩warm-hearted, open-hearted, genial, amica-

ble, cordial ♦ *hartelijk tegen iemand **zijn*** be friendly/cordial towards s.o.

[2]**hartelijk** [bw] 1 ⟨van harte⟩ heartily, warmly, cordially ♦ *hartelijk **bedankt** voor* ... thank you very much for ..., thank you kindly for ...; ⟨iron⟩ *daar **dank** ik hartelijk voor* thank you very much ⟨nadruk op very⟩, not for me, not on your [B]nelly/life; *hartelijk **gefeliciteerd*** (you have my) hearty/warmest/sincerest congratulations; ⟨inf⟩ happy birthday; *zij **laat** u hartelijk **groeten*** she sends her kindest/best regards/her love/her warmest greetings; *iemand hartelijk de hand **schudden*** shake s.o. warmly by the hand; *ik heet u allen hartelijk **welkom*** I (wish to) extend a warm/hearty welcome to you all 2 ⟨oprecht, gul⟩ heartily ♦ *hartelijk **lachen*** laugh heartily

hartelijkheid [de[v]] 1 ⟨het hartelijk zijn⟩ cordiality, geniality, warm-heartedness, open-heartedness ♦ *zijn **overdreven** hartelijkheid* his excessive friendliness/amity 2 ⟨bejegening⟩ cordiality, hospitality

harteloos [bn] heartless, callous, cold-blooded, ⟨wreed⟩ cruel ♦ *een harteloze **daad*** a cruel deed

harten [de] hearts, ⟨attributief⟩ of hearts ♦ *hartenaas/-heer/-tien/-vrouw* ace/king/ten/queen of hearts; *hartenboer* jack/knave of hearts; ***één** harten* one heart

hartenbloed [het] heart('s) blood, lifeblood

hartenbreekster [de[v]] → **hartenbreker**

hartenbreker [de[m]], **hartenbreekster** [de[v]] ⟨man & vrouw⟩ heartbreaker, ⟨man⟩ lady-killer, ⟨man⟩ Lothario, ⟨man⟩ Don Juan, ⟨vrouw⟩ flirt, ⟨vrouw⟩ coquette

hartendiefje [het] darling, treasure, sweetheart, ⟨AE⟩ honey, ⟨AE⟩ honey-bunch, ⟨AE⟩ honey-bun

hartenjagen [ww] play hearts ♦ ***het** hartenjagen* hearts

hartenklop [de[m]] heartbeat, beat (of the heart), ⟨mv; het bonzen⟩ palpitations

hartenkreet [de[m]] cry from the heart, heartfelt cry, cri de coeur

hartenleed [het] (heartfelt) grief, (heartfelt) sorrow, heartbreak, heartache ♦ *hij wordt **verteerd** door hartenleed* he is consumed with grief

hartenlust [de[m]] ▪ ***naar** hartenlust* to one's heart's content; *de kinderen zongen **naar** hartenlust* the children sang their hearts out

hartenpijn [de] heartache, ⟨hartzeer⟩ heartbreak ♦ *dat **bezorgt** me hartenpijn* that causes me a lot of heartache

hartensnit [de] heart trick

hart- en vaatziekten [de[mv]] cardiovascular diseases

hartenvreter [de[m]] pest, ⟨inf⟩ pain in the neck/back(side)

hartenwens [de[m]] heart's desire, fondest wish ♦ *zijn hartenwens **werd vervuld*** his fondest wish was fulfilled

hartfilmpje [het] ⟨inf⟩ ↑ ECG, ⟨AE ook⟩ ↑ EKG

hartfrequentie [de[v]] heart frequency, pulse (rate)

hartgebrek [het] ↑ cardiac defect/dysfunction

hartgeruis [het] ⟨med⟩ heart murmur, ↑ cardiac murmur

hartgrondig [bn, bw] whole-hearted ⟨bw: ~ly⟩, heartfelt, hearty, sincere, ⟨bijwoord ook⟩ from the bottom of one's heart ♦ *een hartgrondige **hekel** aan iemand/iets hebben* whole-heartedly/heartily dislike/detest s.o./sth.; dislike/detest s.o. from the bottom of one's heart

harthout [het] ⟨amb⟩ heartwood, ⟨plantk⟩ duramen

hartig [bn, bw] 1 ⟨pittig⟩ tasty ⟨bw: tastily⟩, ⟨goed gekruid⟩ well-seasoned, ⟨pikant⟩ piquant, highly-seasoned, ⟨stevig⟩ hearty 2 ⟨zout⟩ salt ⟨bw: ~ly⟩, salty ⟨bw: saltily⟩, ⟨BE ook⟩ savoury ♦ *ik heb trek in **iets** hartigs* I feel like a snack/[B]fancy sth. savoury

hartigheid [de[v]] 1 ⟨het hartig zijn⟩ savouriness, piquancy, pungency 2 ⟨dat wat hartig is⟩ ⟨BE⟩ savoury (dish), ⟨beleg⟩ savoury topping/filling ♦ *hartigheid op **brood*** open sandwich

hartigheidje [het] tasty snack, ⟨vnl BE ook⟩ savoury

hartinfarct [het] coronary, ↑ myocardial infarction, heart infarct, ↓ ± heart attack

hartje [het] 1 ⟨klein hart⟩ (little) heart ♦ *met een **klein** hartje* soft-hearted, soft-centered; *hij heeft een grote mond, maar een **klein** hartje* ± his bark is worse than his bite; *hij heeft alles wat zijn hartje begeert* he has everything he could possibly wish for; ⟨m.b.t. luxe/weelde ook⟩ he is living in the lap of luxury, he is (living) in clover 2 ⟨hartvormig iets⟩ (little) heart ♦ ⟨plantk⟩ ***gebroken/druipende** hartjes* bleeding-heart, lyreflower; *een hartje van chocolade* a chocolate heart 3 ⟨het binnenste⟩ heart, centre ♦ ***in** het hartje van de stad* in the heart/centre of the city; ***in** het hartje van de zomer* in the height of summer, in midsummer; ***in** het hartje van de winter* in the dead/depth(s) of winter; *hartje **winter*** the dead of winter; *hartje **zomer*** the height of summer 4 ⟨vleinaam⟩ sweetheart, darling, ⟨AE⟩ honey, ⟨AE⟩ honey-bunch, ⟨AE⟩ honey-bun, treasure, pet, ⟨scherts⟩ sweetie-pie

hartkamer [de] ⟨med⟩ ventricle (of the heart) ♦ ***linker/rechter** hartkamer* left/right ventricle

hartkatheter [de[m]] cardiac/heart catheter

hartklacht [de] heart complaint/condition/disorder ♦ *hartklachten **hebben*** have a heart condition

hartklep [de] ⟨med⟩ heart valve, valve (of the heart), ↑ cardiac valve

hartklop [de[m]] heartbeat

hartklopping [de[v]] palpitation (of the heart), heart palpitation, ⟨mv; med⟩ tachycardia ♦ ***aan** hartkloppingen **lijden*** suffer from palpitations; *hartklopping **hebben** van angst* get palpitations of/with fear; *ik **kreeg** er hartkloppingen van* it gave me palpitations

hartknaging [de[v]] pangs of conscience, remorse, compunction

hartkramp [de] spasm of the heart, angina, ⟨med⟩ angina pectoris

hartkransslagader [de] coronary artery

hartkuiltje [het] pit of the stomach

hartkwaal [de] heart condition/ailment/problem/disease/complaint/disorder, ⟨inf⟩ heart/cardiac trouble

hartland [de] heartland

hartlijder [de[m]] heart patient, ↑ cardiac patient

hartlijn [de] 1 ⟨lijn in de handpalm⟩ heart line, line of heart, mensal line 2 ⟨bouwk⟩ centre line, (central) axis

hart-longmachine [de[v]] heart-lung machine

hartmassage [de[v]] heart massage, ↑ cardiac massage, heart resuscitation ♦ ***uitwendige/inwendige** hartmassage* external/internal heart massage, ⟨med⟩ external/internal cardiac compression

hartminuutvolume [het] cardiac output

hartneurose [de[v]] ↑ cardiac neurosis, ⟨med ook⟩ effort syndrome, irritable heart, soldier's heart, neurocirculatory asthenia

hartoor [het] auricle (of the heart)

hartoperatie [de[v]] heart operation/surgery

hartpaal [de[m]] ⟨bouwk⟩ core pile

hartpatiënt [de[m]] cardiac (patient), heart patient ♦ *hartpatiënt **zijn*** have a heart condition; ⟨inf⟩ have heart trouble

hartpunctie [de[v]] heart puncture

hartpunt [de] ↑ apex (of the heart)

hartritmestoornis [de[v]] cardiac arrhythmia

hartroerend [bn, bw] moving ⟨bw: ~ly⟩, touching ⟨bw: ~ly⟩, poignant ⟨bw: ~ly⟩, ⟨sterker⟩ heartbreaking, heartrending, ⟨meelijwekkend⟩ pathetic ♦ *het is een hartroerend **gezicht*** it is a pathetic sight

hartrot [het] heartrot

hartscheur [de] 1 ⟨med⟩ rupture (of the heart) 2 ⟨in hout⟩ heartshake

hartsgeheim [het] 1 ⟨diep geheim⟩ (most) intimate secret ⟨vaak mv⟩ ♦ *iemand zijn hartsgeheimen **toevertrouwen*** confide one's most intimate secrets to s.o. 2 ⟨liefdesge-

heim⟩ secret of the heart ♦ *dat is **mijn** hartsgeheim* that's a secret of my heart
hartsgrondig [bn, bw] ⟨in België⟩ whole-hearted ⟨bw: ~ly⟩, heartfelt, hearty, sincere, ⟨bijwoord ook⟩ from the bottom of one's heart
hartslag [de^m] 1 ⟨klop van het hart⟩ heartbeat, beat (of the heart), ↑pulsation of the heart 2 ⟨polsslag⟩ heartbeat, pulse, ⟨snelheid van de hartslag⟩ heart rate ♦ *een **langzame** hartslag* a slow pulse (rate); *de hartslag **opnemen** van iemand* take s.o.'s pulse; ⟨fig⟩ *de hartslag van de **stad*** the heartbeat of the city
hartspecialist [de^m] heart specialist, ↑cardiologist
hartspier [de] heart muscle, ↑cardiac muscle, ⟨med⟩ myocardium
hartsterfte [de^v] cardiac arrest
hartsterkend [bn, bw] 1 ⟨opwekkend⟩ cordial ⟨bw: ~ly⟩, tonic ⟨bw: ~ally⟩, stimulant, invigorating ⟨bw: ~ly⟩, fortifying 2 ⟨bemoedigend⟩ heartwarming, cheering ⟨bw: ~ly⟩, heartening ⟨bw: ~ly⟩, uplifting
hartsterking [de^v] 1 ⟨borrel⟩ ↓bracer, ↓pick-me-up, ↓stiffener, tonic ⟨ook medicijn⟩, ⟨medicijn, voedsel, niet-alcoholische drank⟩ cordial 2 ⟨fig; bemoediging⟩ tonic, encouragement, comfort, relief, cheer
hartstikke [bw] ⟨inf⟩ awfully, terribly, fantastically, enormously, ⟨helemaal⟩ ↑completely, ↑altogether, ↑totally, ↑utterly ♦ *hartstikke **bedankt!*** thanks ever so much!, thanks awfully/a million!; *'t is hartstikke **donker/vol*** it's awfully dark/full; *hartstikke **dood*** stone-dead, as dead as a doornail/dodo; *hij is hartstikke **doof*** he is stone-deaf/as deaf as a post; *hartstikke **gek*** ⟨lett⟩ stark raving mad; ⟨fig⟩ crazy; *hartstikke **goed*** fantastic, terrific, smashing; ⟨sl⟩ way out, too much; ⟨vnl BE⟩ bloody good; *hij kan hartstikke **goed** zingen* he's a fantastic/terrific singer; *hoe gaat het? hartstikke **goed!*** how are you? great!/fantastic!; *hartstikke **leuk*** awfully/terribly nice; *u **wordt** hartstikke **bedankt*** thank you ever so much, thank you very much indeed
hartstilstand [de^m] cardiac arrest, ⟨med⟩ asystole ♦ ⟨fig⟩ *ik **kreeg** bijna een hartstilstand* I nearly died, my heart nearly stopped/gave out
hartstimulator [de^m] pacemaker
hartstocht [de^m] 1 ⟨begeerte⟩ passion, ⟨meestal m.b.t. seksuele of lagere gevoelens⟩ desire, lust, emotion ⟨voornamelijk mv⟩, ardour, fervour ♦ *zijn hartstochten **bedwingen/beteugelen*** subdue/bridle one's passions; *zich **door** zijn hartstochten laten **meeslepen*** let o.s. be swayed by emotion, give way/rein to emotion/one's emotions; ***met/zonder** hartstocht (iets doen)* (do sth.) passionately/dispassionately 2 ⟨heftige liefde⟩ passion, ⟨tijdelijk⟩ craze, ⟨manie⟩ mania
[1]**hartstochtelijk** [bn] ⟨onderhevig aan hartstochten⟩ passionate, warm-blooded, hot-blooded, emotional, ⟨snel opgewonden⟩ excitable ♦ *een hartstochtelijk **man*** a passionate/excitable man
[2]**hartstochtelijk** [bn, bw] 1 ⟨vurig, met hartstocht⟩ passionate ⟨bw: ~ly⟩, spirited, ardent, fervent, impassioned ♦ *een hartstochtelijke **liefde*** a passion, a fervent/an ardent love; *hartstochtelijk **verliefd*** passionately in love; *hartstochtelijke **woorden/gebaren*** impassioned words/gestures 2 ⟨gedreven, fanatiek⟩ ardent ⟨bw: ~ly⟩, fervent ⟨bw: ~ly⟩, keen ⟨bw: ~ly⟩, passionate, ⟨meestal m.b.t. negatieve gevoelens⟩ vehement ♦ *een hartstochtelijk **aanhanger/liefhebber** zijn van ...* be a fervent/an enthusiastic/ardent supporter/lover of ...; *iets hartstochtelijk **bestrijden/aanhangen*** oppose/support sth. fanatically; ⟨ook⟩ oppose sth. vehemently; *hij is een hartstochtelijk **jager/golfer/skiër*** he is a keen/an ardent hunter/golfer/skier, he has (got) a passion for hunting/golf/skiing; *hij houdt hartstochtelijk **veel van muziek*** he has a passion for music, music is his (one great) passion/a great passion of his
hartstochtelijkheid [de^v] passion(ateness), ardency, burning enthusiasm
hartstoornis [de^v] heart disorder
hartstreek [de] heart region, region of the heart, ↑cardiac region
hartsvanger [de^m] ± double-edged hunting knife
hartsverlangen [het] heart's desire, fondest wish
hartsvriend [de^m], **hartsvriendin** [de^v] ⟨man & vrouw⟩ bosom friend, ⟨man & vrouw⟩ dear/good/close friend, ⟨man⟩ confidant, ⟨vrouw⟩ confidante
hartsvriendin [de^v] → **hartsvriend**
harttoon [de^m] heart sound, ↑cardiac sound
harttransplantatie [de^v] heart transplant (operation)
hartvergroting [de^v] dilation of the heart, heart enlargement, ↑cardiac dilation, ⟨med⟩ megalocardia, cardiomegaly, ⟨door veel sport ook⟩ athlete's heart
hartverheffend [bn] uplifting, elevating, ennobling, exalting, ⟨subliem⟩ sublime ♦ *het was geen hartverheffend **schouwspel*** it was a disgraceful exhibition/not an uplifting scene/not an edifying spectacle
hartverlamming [de^v] heart failure, heart seizure, paralysis of the heart (muscle) ♦ *hij is **aan** een hartverlamming gestorven* he died of heart failure
hartveroverend [bn] enchanting, ravishing, entrancing ♦ *een hartveroverend **schouwspel*** an entrancing play
hartverscheurend [bn, bw] heartbreaking ⟨bw: ~ly⟩, heartrending ⟨bw: ~ly⟩, agonizing, distressing ♦ *een hartverscheurende **aanblik*** a heartbreaking/heartrending scene; *een hartverscheurende **kreet*** a heartrending/an agonizing cry; *hartverscheurend **snikken*** sob one's heart out
hartversterkend [bn] ⟨opwekkend⟩ stimulating, invigorating, ⟨bemoedigend⟩ heartwarming, cheering, heartening
hartversterkertje [het] ⟨borrel⟩ ↓bracer, ↓pick-me-up, ↓stiffener
hartversterking [de^v] ⟨bemoediging⟩ tonic, encouragement, comfort
hartvervetting [de^v] fatty degeneration/infiltration of the heart
hartverwarmend [bn, bw] heartwarming ⟨bw: ~ly⟩
hartverzakking [de^v] ▪ *een hartverzakking **krijgen*** be scared out of one's wits, be scared silly
hartvlies [het] ⟨med⟩ endocardium
hartvormig [bn] heart-shaped, ↑cordiform, ↑cordate ♦ *hartvormige **bladen*** cordate leaves
hartwerking [de^v] heart function/action
hartzakje [het] pericardium
hartzeer [het] heartache, heartbreak, anguish, (heartfelt) grief ♦ ***ik heb** er geen hartzeer van* I won't break my heart over/about it, it won't break my heart; *hartzeer van iets **hebben*** be anguished about sth., break one's heart about/over sth., grieve over sth.; ***zonder** hartzeer vertrekken* leave without a qualm
hartziekte [de^v] heart disease/condition/ailment/complaint/disorder, ⟨inf⟩ heart trouble
hartzwakte [de^v] heart weakness, ↑cardiac weakness
hasj [de^m] hash, ⟨sl⟩ shit, pot, dope
hasjcake [de^m] hash cake, space cake
hasjhond [de^m] sniffer dog
hasjiesj [de^m] hashish
hasjpijp [de] hash pipe, hash monster
hasjroker [de^m] hashish/pot smoker
hasjvangst [de] hash catch/haul ♦ *de politie heeft een grote hasjvangst **gedaan*** the police have seized/intercepted a large amount of hash
haskala [de] Haskalah
haspel [de^m] 1 ⟨m.b.t. garens⟩ reel 2 ⟨m.b.t. slangen, snoeren⟩ reel, ⟨spoel⟩ spool, ⟨windas, ankerspil⟩ windlass, winch, ⟨kaapstander⟩ capstan ▪ *dat is een haspel **in** een fles* that's a mystery
haspelaar [de^m] bungler, blunderer
[1]**haspelen** [onov ww] 1 ⟨stuntelen⟩ bungle, blunder,

flounder, make a mess, be all at sea ◆ ***wat zit je daar te haspelen!*** what a mess you're making!, you're all at sea! [2] ⟨kibbelen⟩ quarrel, wrangle, bicker

²**haspelen** [ov ww] [1] ⟨tot een warboel maken⟩ mix up, jumble (up), mess (up) ◆ *alles door elkaar haspelen* mix/jumble everything up [2] ⟨met de haspel opwinden⟩ reel (in), wind (up)

haspelwerk [het] [1] ⟨gangspil⟩ capstan [2] ⟨gewurm⟩ bungling, bungle, mess

hassebasje [het] ⟨inf⟩ ± brandy fix, ± drink

hateenheid [de^v] 'hateenheid', apartment for single people or two-person households

hatelijk [bn, bw] [1] ⟨haat opwekkend⟩ hateful ⟨bw: ~ly⟩, nasty, odious, obnoxious, unspeakable ◆ ⟨sport⟩ *van de hatelijke **nul** afwillen* need to get off the mark, need to get on the scoreboard [2] ⟨opzettelijk grievend⟩ nasty ⟨bw: nastily⟩, spiteful, malicious, vicious, ⟨vnl. m.b.t. opmerkingen⟩ snide, ⟨inf⟩ bitchy, invidious ◆ *hatelijk **doen/zijn** tegen iemand* be nasty to s.o.; ⟨inf⟩ bitch at s.o.; *iemand **iets** hatelijks zeggen* say sth. nasty to s.o.; *hatelijk **lachen*** laugh nastily/spitefully; *hatelijke **opmerkingen** maken* make nasty/spiteful/vicious/snide remarks, jeer (at s.o.); ⟨inf⟩ bitch (about sth.); *een hatelijke **toespeling*** a nasty/spiteful quip, a (nasty) innuendo; *hatelijk **worden*** turn/get nasty

hatelijkheid [de^v] [1] ⟨opmerking⟩ nasty/spiteful/snide remark, gibe, (nasty) quip/crack ◆ *hatelijkheden **spuien*** spit out nasty/spiteful/snide remarks [2] ⟨hoedanigheid⟩ nastiness, spitefulness, maliciousness

hatemail [de] hate mail

haten [ov ww] [1] ⟨haat toedragen⟩ hate, detest, despise, ↑ execrate ◆ *iemand/iets haten **als de pest*** hate s.o./sth. like poison/like the plague; ***elkaar/zichzelf** haten* hate each other/o.s.; *iemand **gaan** haten* start to hate s.o., come to the point of hating s.o. [2] ⟨verfoeien⟩ hate, loathe, not be able to stand, ⟨verafschuwen⟩ detest, abhor ◆ *sommige mensen haten **sigarenrook*** some people can't stand cigar smoke [•] ⟨sprw⟩ *die kwaad doet haat het licht* ± he that does ill hates the light

hater [de^m], **haatster** [de^v] hater

hatsiekadee [tw] crash, smash, bang ◆ *hatsiekadee, daar ging de ruit* crash, that was the window

hatsjie [tw] atishoo, atchoo, achoo

hattrick [de^m] ⟨sport⟩ hat trick ◆ *een **zuivere** hattrick (scoren)* (score/make) a pure hat trick

hausmacher [de] ± (coarse kind of) liver sausage, ⟨AE ook⟩ liverwurst

hausse [de^v] [1] ⟨fin, handel⟩ boom, ⟨BE⟩ rise, ⟨AE⟩ raise, bull market/movement ◆ *een **wilde** hausse aan de beurs* a wild rise/sudden boom on the stock market; *à la hausse speculeren* speculate for a rise, bull the market; *à la hausse speculeren in een fonds* bull a stock [2] ⟨opleving⟩ boom, boost ◆ *een hausse **in** de scheepsbouw* a boom in shipbuilding

haussemarkt [de] bull market

hausseposítie [de^v] bull (position), long position

haussier [de^m] bull, long

hautain [bn, bw] haughty ⟨bw: haughtily⟩, lofty, lordly, arrogant, supercilious ◆ *een hautaine **houding*** a haughty/an arrogant/a supercilious/lofty/lordly air; *hij heeft **iets** hautains (over zich)* he has an air of arrogance (about him); *het is belachelijk zo hautain als hij **optreedt*** his supercilious behaviour is ridiculous

haute couture [de^v] haute couture, high fashion

haute cuisine [de] ⟨cul⟩ haute cuisine

haute finance [de^v] high finance

haute nouveauté [de^v] ⟨form⟩ ⟨ogm⟩ the (very) latest fashion

haut-reliëf [het] high relief, alto-relievo

hauw [de] ⟨plantk⟩ siliqua, silique

Havana [het] Havana

havanna [de] ⟨tabak, sigaar⟩ Havana (cigar)

havdala [de] Havdalah

have [de] property, goods, belongings, possessions, (personal) effects ◆ *have en **goed*** goods and chattels, possessions, worldly goods; *have en **goed** verliezen* lose everything/all one's got; ***grote** have* extensive property; ***levende/dode** have* live/deadstock; ***liggende** have* immovable property, immovables; ⟨jur⟩ realty; ***tilbare** have* mov(e)able property, mov(e)ables; ⟨jur⟩ personalty

haveloos [bn] shabby, scruffy, ⟨m.b.t. huis, meubels, auto enz. ook⟩ delapidated, ⟨gescheurd, gerafeld⟩ ragged, tattered, ⟨versleten, vervallen⟩ decrepit, ↓ tatty ◆ *haveloze **kledij*** threadbare/ragged/tattered clothing; *wat **ziet** hij er haveloos **uit*** how scruffy he looks, doesn't he look down at heel/out at elbow(s)

haven [de] [1] ⟨ligplaats voor schepen⟩ harbour, ⟨grote haven ook⟩ port, ⟨dokken⟩ docks, ⟨havengebied ook⟩ dockland ◆ *de haven van **Antwerpen*** the port/harbour of Antwerp; *de haven veilig **bereiken*** make/reach port safely; *haven van **bestemming*** port of destination; *een haven **binnenvallen/binnenlopen/aandoen*** put into/in at a port; *de haven van **Harlingen*** Harlingen harbour; *haven van **herkomst*** ⟨van goederen⟩ port of origin; ⟨thuishaven van schip⟩ port of registry, home port; ***in** (het zicht van) de haven schipbreuk lijden/vergaan* ⟨fig⟩ come to grief/fail at the last minute; ***naar** de haven terugvaren* sail back to/return to port; ***op/aan** de haven wonen* live on the quayside/by the harbour; *een **open** haven* an open access harbour/port; *de haven **uit** zeilen* sail out of harbour/port, clear the harbour [2] ⟨havenstad⟩ port [3] ⟨in samenstellingen⟩ port [4] ⟨fig; toevluchtsoord⟩ (safe) haven, (place/haven of) safety, (place/haven of) refuge, sanctuary ◆ *hij is in **behouden** haven* he is safe and sound/home and dry, he is in safe haven; *een **veilige** haven vinden* find a safe haven, find refuge

havenaanleg [de^m] harbour construction

havenaccommodatie [de^v] harbourage, port accommodation

havenanker [het] mooring (anchor)

havenarbeider [de^m] dockworker, docklabourer, docker, ⟨AE ook⟩ longshoreman

havenbeambte [de] port official, ⟨m.b.t. dok⟩ dock official

havenbedrijf [het] ⟨inrichting⟩ dock/harbour/port installations, ⟨bedrijfstak⟩ dock industry

havenbekken [het] harbour basin, ⟨van dok⟩ dock basin

havenbestuur [het] [1] ⟨het besturen⟩ harbour management [2] ⟨personen⟩ harbour board, harbour authority/authorities, port authority/authorities

havenbootje [het] harbour launch

havencomplex [het] harbour/dock/port system, harbour/dock/port complex

havendam [de^m] mole, jetty, breakwater, ⟨vnl. waar schepen aanleggen⟩ pier

havendienst [de^m] harbour service

havenen [ov ww] batter, mangle, ⟨aan flarden scheuren⟩ tatter, ⟨verfomfaaien⟩ bedraggle ◆ *wat is dat **boek** gehavend* isn't that book battered/tattered/the worse for wear, ⟨met ezelsoren⟩ isn't that book dog-eared; *wat **ziet** hij er gehavend **uit*** doesn't he look bedraggled/a right/real mess; ⟨scherts⟩ he looks like he's been dragged through a hedge backwards

havenfaciliteiten [de^mv] harbour facilities

havengebied [het] harbour/dock area

havengebouw [het] harbour master's office, port warden's office

havengeld [het] harbour/port dues, ⟨BE ook⟩ groundage, ⟨ankergeld⟩ anchorage, ⟨m.b.t. dokken⟩ dock dues, dockage

havengezicht [het] harbour view, view of a/the harbour

havenhoofd [het] mole, jetty, breakwater, pier

havenkant [de^{m}] [1] ⟨rand van een havenbekken⟩ quayside, ⟨van dok⟩ dockside [2] ⟨stadsdeel⟩ harbour, ⟨BE m.b.t. dokken⟩ dockland ♦ ***aan** de havenkant wonen* live by the harbour/docks

havenkantoor [het] harbour/port office, harbour master's office

havenkosten [de^{mv}] port dues/charges, harbour/dock dues

havenkraan [de] wharf/dock(-side)/harbour crane

havenkwartier [het] harbour/dock area, ⟨BE⟩ dockland

^{1}**havenloods** [de^{m}] ⟨persoon⟩ harbour pilot

^{2}**havenloods** [de] ⟨gebouw⟩ harbourshed

havenmeester [de^{m}] harbour master, ⟨AE⟩ port warden, port master/director, ⟨van vliegveld⟩ airport manager

havenmond [de^{m}] harbour/dock entrance

havenots [de^{mv}] have-nots

havenpakhuis [het] dock warehouse

havenpier [de^{m}] jetty, harbour wall

havenplaats [de] port, ⟨aan zee⟩ seaport (town)

havenpolitie [de^{v}] harbour police

havenpool [de^{m}] harbor workers

havenradar [de^{m}] harbour radar

havenrecht [het] port/harbour dues, port/harbour charges

havenreglement [het] harbour/port regulations

havenschap [het] ± port authority, ± harbour commission

havenstad [de] port, ⟨aan zee⟩ seaport (town)

havenstaking [de^{v}] dock strike

havenwerken [de^{mv}] harbour works, ⟨havengebied⟩ docks

havenwerker [de^{m}] docker, ⟨AE⟩ longshoreman, dock worker/labourer

havenwijk [de] harbour/dock area, ⟨BE⟩ dockland

haver [de] [1] ⟨plantengeslacht⟩ oat ♦ *gewone haver* common oat; *een veld **met** haver* an oat field; *haver **verbouwen*** grow/cultivate oats; ***wilde** haver* wild oat, oat-grass, ⟨BE⟩ haver [2] ⟨voedsel⟩ oats ♦ *de paarden **met** haver voeren* feed the horses with oats, corn the horses; *een **mud/zak** haver* a sack/bag of oats, a hectolitre of oats; ⟨fig⟩ *de haver niet waard zijn* no longer be worth one's keep, have outlived one's usefulness ⊡ *iemand **van** haver **tot** gort kennen* know s.o. inside out/like the back of one's hand; ⟨sprw⟩ *de paarden die de haver verdienen krijgen ze niet* one beats the bush and another catches the birds; one man sows and another reaps; desert and reward seldom keep company

haverbrood [het] oaten bread, ⟨in Schotland en Noord-Engeland⟩ cake

havergort [de^{m}] (oat) groats, hulled oats ♦ ***dunne** havergort* gruel

havergras [het] tall oat grass, ⟨BE⟩ haver

haverkist [de] oat bin ♦ *erop zitten als de bok **op** de haverkist* be as keen as mustard on doing/to do sth., jump at sth.; ⟨uitslover zijn⟩ be an eager beaver

haverklap [de^{m}] ⊡ ***om** de haverklap* ⟨ieder ogenblik⟩ every other minute/day, continually; ⟨bij de geringste aanleiding⟩ at the drop of a hat; *ze belde **om** de haverklap om te weten of ...* ⟨ook⟩ she kept (on) ringing to ask whether ...

haverkorrel [de^{m}] oat grain

havermeel [het] oatmeal

havermout [de^{m}] [1] ⟨gepelde haver⟩ rolled oats, oatmeal [2] ⟨pap⟩ ⟨BE⟩ (oatmeal) porridge, ⟨AE⟩ oatmeal ♦ *een **bord** havermout* a plate of porridge

haverstro [het] oat straw ♦ ⟨fig⟩ *twisten **om** een haverstro* argue/fight at the drop of a hat/over nothing

haverveld [het] oat field, field of oats

havervlokken [de^{mv}] oat flakes

haverzak [de^{m}] fodder bag, feedbag, oatbag, oatsack, ⟨van paarden⟩ nosebag

havezate [de] [1] ⟨ridderlijk goed, kasteel⟩ ± manorial farm, ± manor (house) [2] ⟨grote hofstede⟩ homestead, farmstead

havik [de^{m}] [1] ⟨vogel⟩ goshawk [2] ⟨begerig mens⟩ vulture, vampire, harpy, leech, shylock [3] ⟨pol; oorlogszuchtig mens⟩ hawk

havikachtigen [de^{mv}] Accipitridae

havikarend [de^{m}] Bonelli's eagle

haviksbek [de^{m}] hawk's bill/beak ♦ ***met** een haviksbek* hawk-billed

haviksborst [de] pigeon/chicken breast

haviksklauw [de] hawk's talon/claw

havikskruid [het] hawkweed ♦ ***langharig** havikskruid* mouse-ear hawkweed

haviksneus [de^{m}] hooked nose, hooknose, aquiline/hawk nose

haviksoog [het] hawkeye

havist [de^{m}] secondary school pupil, ⟨BE⟩ secondary modern pupil, ⟨AE⟩ high school student

^{1}**havo** [het] (hoger algemeen voortgezet onderwijs) Senior/Higher General Secondary Education

^{2}**havo** [de] school of higher/senior general secondary education, ⟨BE⟩ ± secondary modern school

hawala [de^{m}] hawala

hazard [de^{m}] (lucky) chance, windfall, ⟨koopje⟩ bargain ♦ *par hazard* by chance/hazard

hazardspel [het] game of hazard/chance

hazelaar [de^{m}] hazel

hazelaarshout [het] hazel(wood)

hazelaren [bn] hazel

hazelhoen [het] hazel hen, hazel grouse

^{1}**hazelnoot** [de^{m}] ⟨struik⟩ → **hazelaar**

^{2}**hazelnoot** [de] ⟨noot⟩ hazelnut, ⟨van variëteit Corylus avellana grandis⟩ cob(-nut)

hazelnootreep [de^{m}] bar of hazelnut (chocolate), bar of chocolate with hazelnuts

hazelnotenboom [de^{m}] hazel (bush)

hazelnotenstruik [de^{m}] hazel (bush)

hazelworm [de^{m}] blindworm, slowworm

hazenbloed [het] chicken-heartedness, timidity, timorousness

hazendistel [de] hare's lettuce, sow/milk thistle

hazenhart [het] [1] ⟨bange aard⟩ ♦ *een hazenhart **hebben*** be chicken-hearted [2] ⟨persoon⟩ chicken, coward, funk, milksop, ⟨AE⟩ milquetoast

hazenjacht [de] hare-shoot(ing), hare-hunt(ing), ⟨met windhonden⟩ (hare) coursing, ⟨met brakken⟩ beagling

hazenleger [het] form, hare lair/cover

hazenlip [de] harelip

hazenpad [het] ♦ ⟨fig⟩ *het hazenpad **kiezen*** take to one's heels, ↓ skedaddle, clear off

hazenpastei [de] hare pie

hazenpeper [de^{m}] ± jugged hare

hazenrug [de^{m}] saddle of hare

hazenslaapje [het] ⟨fig⟩ forty winks, catnap, (bit of/some) shuteye ♦ *een hazenslaapje **doen*** have/take forty winks/a catnap/some shuteye

hazensprong [de^{m}] hare leap

hazenvlees [het] hare, hare('s) meat, hare's flesh ♦ *hazenvlees **gegeten hebben*** be chicken(-hearted), ↓ be windy/yellow, be a milksop/yellow belly/^{A}milquetoast, have a yellow streak

hazewind [de^{m}] greyhound, ⟨klein soort⟩ whippet ♦ ***Afghaanse** hazewind* Afghan (hound); ***Russische** hazewind* borzoi, Russian wolfhound

hbo [het, de] (hoger beroepsonderwijs) (School for) Higher Vocational Education

hbo'er [de^{m}] college student, professional education student

H-bom [de] H-bomb, hydrogen bomb
hbs [de] ⟨gesch⟩ (hogereburgerschool) former Dutch High School for the 12-18 year age group
h.c. [afk] (honoris causa) hc
Hd. [afk] (Hoogduits) HG
hdtv [de] HDTV
h.e. [afk] (hoc est) i.e.
hé [tw] ⟨uitroep om de aandacht te trekken, of van verwondering⟩ ⟨aanroep⟩ hey!, hello!, say!, hoy!, 'oy!, ⟨verbazing⟩ oh (really)? ♦ *hé, is dat waar?* oh (really), is that true/so?; *hé, kom eens hier* hey (you)!, come here!
hè [tw] 1 ⟨uiting van pijn, bewondering enz.⟩ ⟨onprettig⟩ oh (dear), ⟨onprettig, sterker⟩ bother, damn, ⟨prettig⟩ ah, ⟨vermoeienis⟩ whew, phew ♦ *hè ja!* ah yes!; *hè nee!* oh no!; *hè, dat is pech* say/but that's rotten luck; *hè, dat doet zeer!* oh/ouch/damn, that hurts!; *hè, blij dat ik zit!* whew/phew, glad I can take the weight off my feet!; *hè, ben je daar eindelijk?* well (now)/[B]I say, are you there at last?; ⟨schamper⟩ look who's here! 2 ⟨uitroep om te kennen te geven dat men een bevestigend oordeel verwacht⟩ what?, right?, eh?, isn't it? ♦ *mooi, hè?* lovely, isn't it?/don't you think?; *lekker weertje, hè?* nice day, isn't it?; *dat wist je niet, hè?* you didn't know that, did you/eh/right?; *je komt toch ook, hè?* you'll come (too), won't you?; *wat wil je nou eigenlijk, hè?* (so) what do you want, eh?, what is it that you want then? 3 ⟨uitroep achter een ongeduldige of schampere vraag⟩ eh?, what?
headbangen [ww] headbanging
header [de[m]] ⟨comp⟩ header
headhunten [ov ww] headhunt
headhunter [de[m]] headhunter
headline [de[m]] headline
headset [de[m]] headset
headspin [de[m]] head spin
healen [ov ww] heal
healing [de] healing
heao [het, de] (hoger economisch en administratief onderwijs) School/Institute for Business Administration and Economics
hearing [de[v]] hearing
hearsay [de[m]] hearsay
heat [de[m]] heat
heavy [bn] heavy
heavy metal [de] heavy metal
heavy user [de[m]] heavy user
heb [de[m]] ⟨inf⟩ ⟨ogm⟩ greed ♦ *het is allemaal **om** de heb* it's pure greed, it's just for the sake of raking it in; *hij is **voor** de heb* he's only in it for what he can get out of it, he's one for stuffing his pockets ▪ ***voor** de heb* out of greed
hebbeding [het] thingummy, thingy, gadget
[1]**hebbelijk** [bn] ⟨door gewoonte of karakter eigen⟩ characteristic ♦ *een hebbelijke **eigenschap*** a characteristic, an idiosyncrasy; *een hebbelijke **gewoonte** hebben om ...* have a way/habit of ..., ↓ have a trick of ...
[2]**hebbelijk** [bn, bw] ⟨fatsoenlijk⟩ decent ⟨bw: ~ly⟩, proper ⟨bw: ~ly⟩, seemly
hebbelijkheid [de[v]] habit, idiosyncrasy, peculiarity ♦ *de hebbelijkheid **hebben** om* have a/the (nasty/annoying) habit of ..., have a way of ..., ↓ have a trick of ...; *hij **heeft** allerlei hebbelijkheden* he has all sorts of funny little ways; ***iemands** hebbelijkheden* s.o.'s (funny/annoying) ways, s.o.'s idiosyncrasies; *kuchen **is** een hebbelijkheid van hem* that cough is one of his (little) mannerisms
[1]**hebben** [ov ww] 1 ⟨bezitten⟩ have (got), own, possess, keep ♦ *je kunt niet **alles** hebben* you can't have everything/win them all; *heb jij een **auto**?* have you got a car?, ⟨AE⟩ do you have a car?; *hij heeft geen **auto/geld*** he hasn't got a car/any money, ⟨AE⟩ he doesn't have a car/any money; *ze heeft een **boetiekje/reclamebureau*** she has a boutique/an advertising agency; *ik heb **er** drie* I've got three; ***gelijk/ongelijk** hebben* be right/wrong; ⟨zelfstandig (gebruikt)⟩ *iemands hele hebben en **houden*** all s.o.'s belongings; *hij heeft een eigen **huis*** he owns a house/has a house of his own; ***mag** ik dat hebben?* may/can I have that?; *iets **moeten** hebben* need sth.; *ik heb geen **suiker** meer* I'm right/clean out of sugar; *iets **willen** hebben* want sth. 2 ⟨toegerust zijn met⟩ have (got) ♦ *iets **bij** zich hebben* be carrying sth., have sth. with one; *het heeft **er** veel **van** dat ...* it looks very much as if ...; *hij heeft veel **haar*** he has a lot of hair, he's very hairy; *hoe laat heb je **het**?* what time do you make it?; *dat mag geen **naam** hebben* it's not worth mentioning; *iets vrolijks **over** zich hebben* make a cheerful impression, have a certain cheer; *het heeft er de **schijn** van dat ...* it looks as if ...; ***schoenen** aan de voeten hebben* be wearing shoes, have shoes on one's feet; ***van** wie heeft hij dat?* who/where has he got that from?; *ik heb het niet **van** mezelf* I haven't thought/[B]dreamt/[A]dreamed that up myself; *veel **van** iemand/iets hebben* be very like s.o./sth., look very much like s.o./sth.; *zij heeft het niet **van** een vreemde* it's obvious who/where she got it from 3 ⟨m.b.t. een (verwantschaps)betrekking⟩ have, be ♦ *iemand **als** vriend hebben* be friends with s.o.; *ze hebben **elkaar** gelukkig nog* fortunately, they still have each other 4 ⟨getroffen zijn door⟩ have, be, suffer ♦ *iets **aan** de voet hebben* have sth. wrong with one's foot; *ik heb niets **aan** die troep* that stuff is useless to me; *het **in** zijn rug hebben* have back-trouble; *ze heeft geen/veel **pijn*** she's not in pain/in a lot of pain; *ergens **spijt** van hebben* be sorry about sth.; ***verdriet** hebben* be sad; ***wat** heb je?* what's the matter/wrong with you?, what ails you?; ***wat** heb je toch?* what's come over you?; *ik **wil** het niet hebben* ⟨verbieden⟩ I won't have it 5 ⟨in genoemde omstandigheden verkeren⟩ have, be ♦ ***het** druk hebben* be busy; ***het** goed hebben* be well off; *hoe heb ik **het** nu?* what's this?, what's going on here?; *hoe heb ik **het** nu met je?* what's up with you?, what do you think you're doing?; ***het** er moeilijk mee hebben* have problems with sth.; *ze hebben **het** goed voor elkaar* they've really got it made; ⟨goed geregeld⟩ they have it all figured out; ***hoe** heb je het gehad?* did you have a good time?, how did you get on?; *ik wist niet **hoe** ik het had* I didn't know what to make of it, I was puzzled, ⟨sterker⟩ I was baffled; *het **koud/warm** hebben* be cold/hot; *ik hoop dat je mooi **weer** hebt* I hope you'll have good weather/the weather will be fine (for you) 6 ⟨(gevoelens) koesteren⟩ have, be ♦ ***geduld** hebben* be patient; ***genoeg** van iemand/iets hebben* be fed up with/have had enough of s.o./sth.; *een **hekel** hebben aan iets* have a dislike for sth., hate sth.; *hij heeft **iets**, maar hij wil niet zeggen wat* there's sth. up with him/bothering him, but he won't say what it is; *zij hebben iets **met** elkaar* there's sth. (going on) between them; *hij heeft iets **tegen** mij* he has sth./some grudge against me; *hij heeft er niets **op** tegen* he has no objections 7 ⟨beschikken over⟩ have (got) ♦ *ik heb nog altijd een **boek** van u* I still have one of your books; *ze hebben geen **brood** in huis* they are (right) out of bread; *ze hebben de **dief*** they've caught the thief; *de **goedheid** hebben* be good enough; *ze heeft **het** helemaal* she's really got it, she's terrific/perfect; *ik heb niks **in** huis* there's nothing in the house; *de **tijd** hebben* have (enough) time, not be in a hurry; *hoe **wilt** u het hebben?* ⟨bijvoorbeeld bij bank, m.b.t. geld⟩ how would you like it?; *het **woord** hebben* have the floor; *God hebbe zijn **ziel*** God rest his soul 8 ⟨in het genot gesteld zijn van⟩ have, enjoy ♦ *iemand **aan** de lijn hebben* have s.o. on the phone/line; ***bezoek** hebben* have company/visitors; *ik heb **het*** I've got it; *die **pantoffels** heb ik van mijn vrouw* my wife gave me those slippers; *ik heb veel **plezier** van dat ding* I'm very pleased with that gadget, that thing comes in very handy; *mag ik dat **potlood** even van je hebben?* can I borrow your pencil for a moment?; ***van** wie heb je dat?* who told/gave you that? 9 ⟨deelachtig worden⟩ have, get ♦ *dat heb je **ervan*** you've asked for it, that's what you get; *die les hebben we al gehad* we've already done that lesson; *iets lie-*

ver hebben prefer sth.; *ik* ***moet*** *er niets van hebben* I want nothing to do with it; ⟨beled⟩ *wat* ***moet*** *je (van me) hebben?* what do you want (from me)?; *dat heb ik* ***op*** *school gehad* I('ve) learned that in school, they('ve) told me that in school; *ik heb nooit* ***Spaans*** *gehad* I've never learned Spanish; *ik moet nog een* ***tientje*** *van hem hebben* he still owes me ten euros; *hij heeft een* ***trap*** *van een paard gehad* he was kicked by a horse; ⟨iron⟩ ***van*** *je familie/je vrienden moet je 't maar hebben* well, that's/there's relatives/friends for you; *ik verdien er weinig mee, maar ik moet het er gelukkig niet* ***van*** *hebben* it doesn't pay very well, but fortunately I don't have to depend on it; *ik* ***wil*** *(niet) hebben dat je het doet* I (don't) want you to do it; *wat had u gehad* ***willen*** *hebben?* ⟨in winkel⟩ what can I do for you?, can I help you?, what would you like?; *zo, dat hebben we ook weer gehad* well, that's that/that's settled/so much for that [10] ⟨m.b.t. iets dat gedaan kan, moet worden⟩ have ◆ *ik heb geen* ***klagen*** I can't complain; *jij hebt goed* ***praten*** it's easy for you (to talk/ say); *met iemand* ***te doen*** *hebben* be/feel sorry for s.o.; *als je iets* ***te zeggen*** *hebt* if there's anything you want to say; *het heeft niets* ***te betekenen*** it's nothing, it doesn't matter; *hij heeft niets* ***te vertellen*** ⟨gaat hem niet aan⟩ it's none of his business; ⟨geen macht⟩ he has no authority/say in this; *wat heb je daarop* ***te zeggen?*** what's your answer to that?, what have you to say to that?; *daar heb ik niets mee* ***te maken*** that's no concern of mine, don't look at me!; *dat heeft er niets mee* ***te maken*** that's got nothing to do with it; *hij heeft duizend euro* ***te verteren*** he has a thousand euros to spend; *dagelijks met iemand* ***te doen*** *hebben* see s.o. every day; *daar wil ik niets mee* ***te maken*** *hebben* I('ll) keep well clear of that; *heb je weleens met hem* ***te maken*** *gehad?* have you had any dealings with him before?; *je hebt alleen maar* ***te luisteren*** *en te doen wat ik zeg* all you have to do is to listen and do as I tell you, just listen and do as I tell you [11] ⟨aantreffen⟩ be, have ◆ ***daar*** *heb je Jan* ah, there's John (now); *(kijk eens) wie we* ***daar*** *hebben* look who's here!; *dan heb je* ***dat*** that's what you get; *daar heb je* ***het*** *al* I told you so/this would happen, just as I said; *daar zullen we/zul je* ***het*** *hebben* there we go; *daar hebben we* ***het*** *(het gedonder/het gegooi in de glazen)* this is it, now we're in for it; ⟨als inleiding tot een reeks voorbeelden en in opsommingen⟩ *daar heb je ...* there's ..., you have ...; *je hebt ook groene druiven* there are/you get green grapes as well; ***men*** *heeft/je hebt* there are; ⟨inf⟩ you get, they come in (green and red); *vlak bij Den Haag heeft* ***men*** *het zeebad Scheveningen* near The Hague you'll find the seaside resort of Scheveningen; *wat zullen we nu hebben?* hey, what's this?; *de hoeveelste hebben we, wanneer hebben we Pasen?* what day is it?, when is Easter? [12] ⟨in genoemde toestand houden⟩ have, hold ◆ ***daar*** *heb ik je* (I've) got you there; ***daar*** *heb je hem lelijk* ***mee*** that will hurt him badly; *zo* ***wil*** *ik het hebben* that's how I want it; *waar* ***wil*** *je me hebben?* where do you want me (to stand)?; *nu kom je waar ik je hebben* ***wil*** now you're coming to where I want you to be; *hoe had u het gehad* ***willen*** *hebben?* how would you like it (done)?; *iets zus of zo (gedaan)* ***willen*** *hebben* want (to see) sth. done in this or that way; *ik heb hem* ***zover*** I've managed to persuade him; *een klap van heb ik jou daar* a stunning blow/mighty thump [13] ⟨verdragen⟩ stand, take ◆ *hij* ***kan*** *niet veel hebben* he cannot take much, he's easily shaken/beaten; *ik* ***kan*** *veel hebben maar ...* I can take a lot, but ...; *iemand* ***kunnen*** *hebben* be able to beat s.o. [14] ⟨+ aan; nut ondervinden van⟩ be of use (to) ◆ ⟨iron⟩ *nou, daar heb ik veel* ***aan!*** oh, a lot of good that will do me, a fat lot of use that is; *je weet niet wat je* ***aan*** *hem hebt* you never know where you're at/you are with him; *een cadeau waar je jaren wat* ***aan*** *hebt* a gift which will give you years of service/pleasure for years; *nu weten we tenminste wat we* ***aan*** *elkaar hebben* at least now we know where we stand; *wat heb je* ***aan*** *een mooie auto als je niet kunt rijden?* what's the use of a beautiful car if you can't drive?; *wat heb je* ***eraan?*** what's the use of it?, what good is it to you? [•] *iedereen heeft het* ***erover*** everybody's talking about it; *daar heb je* ***hem*** *weer!* there he is again; ⟨afkeurend⟩ oh no, not him again!; *zij* ***kan*** *dat jurkje absoluut niet hebben* that dress doesn't suit her at all; ⟨euf⟩ *die* ***kun*** *je er wel bij hebben* he's a good man to have around; ⟨sport⟩ *die had je* ***makkelijk kunnen*** *hebben* ⟨m.b.t. bal terugslaan/stoppen enz.⟩ that one should have been yours; *ik* ***moest*** *je net hebben* you're just the man/woman I want; *dan* ***moet*** *je Jan hebben* (then) John is the man for you; ***moet*** *je net Freek hebben* you can imagine Freek's reaction!; *hij had het* ***niet meer*** he was really in bad shape, he was at his wit's end, it was all just too much for him; *wel heb ik* ***ooit*** well, I'll be ...!; *heb je* ***ooit*** *van je leven!* would you believe this!, good Lord!; ↓ well I never!; *ik heb het niet* ***op*** *hem* I don't like/trust him; *ze hadden het* ***over*** *verhuizen* they were talking/thinking of moving; *waar had ik het ook weer* ***over?*** what was I saying/ talking about?, where was I?; *daar heb ik het straks nog* ***over*** I'll come (back) to that later on/in a moment; *nu we het daar toch* ***over*** *hebben* since you raise the point/matter, now that you mention it, talking about ...; *ik zal het er met hem* ***over*** *hebben* I'll talk to him about it; *daar hebben we het niet* ***over*** *gehad* we haven't discussed/talked about that; *ik weet niet waar je het* ***over*** *hebt* I don't know what you're talking about, ⟨inf⟩ I don't know what you're talking on; *daar wil ik het nu niet* ***over*** *hebben* I won't go into that now; *ik heb het* ***tegen jou*** I'm talking to you; *dat heb ik* ***weer*** that's all I need, that's just what I was hoping for; ⟨sprw⟩ *wie de jeugd heeft, heeft de toekomst* ± the hand that rocks the cradle rules the world; ⟨sprw⟩ *wie geeft wat hij heeft, is waard dat hij leeft* you cannot be expected to give more than you have; ⟨sprw⟩ *hebben is hebben en krijgen is de kunst* ± possession is nine points of the law; ± have is have; ⟨sprw⟩ *wie wat bewaart heeft wat* ± waste not, want not; ± of saving comes having; ⟨sprw⟩ *wie het breed heeft, laat het breed hangen* they that have plenty of butter can lay it on thick

²hebben [hulpww] ⟨ter aanduiding van de voltooide tijd bij werkwoord⟩ have ◆ ***gelachen/gelopen*** *dat we hebben* did we have a laugh/walk!; *heb je vannacht goed* ***geslapen?*** did you sleep well last night?; *had ik dat maar* ***geweten*** if (only) I had known (that); *had dat maar* ***gezegd*** you should have told me so/that, if only you'd told me (that); *ik heb met hem op school* ***gezeten*** I went to school with him; *ik heb hem gisteren (nog)* ***gezien*** I saw him (only) yesterday; *hij had* ***gezwommen*** he had been swimming

hebber [de^m] vulture, harpy, vampire, money-grubber, ⟨vrek⟩ miser, skinflint

hebberig [bn] greedy, grasping, moneygrubbing, ↓ grabby, ↑ rapacious, ↑ acquisitive, ⟨vrekachtig⟩ stingy, miserly ◆ *hij is nogal hebberig van aard* he's a bit of a vulture/money-grubber; ***wees*** *niet zo hebberig* don't be so greedy

hebberigheid [de^v] greediness, avarice, ⟨m.b.t. geld⟩ moneygrubbing

hebbes [tw] ⟨inf⟩ ⟨iemand⟩ got you!, gotcha!, ⟨iets⟩ got it!

hebraïsme [het] [1] ⟨godsdienst⟩ Hebraism [2] ⟨uitdrukking⟩ Hebraism

hebraïst [de^m] Hebraist

Hebreeër [de^m] Hebrew

¹Hebreeuws [het] Hebrew ◆ ⟨fig⟩ *dat* ***is*** *Hebreeuws voor mij* it's (all) Greek to me

²Hebreeuws [bn] Hebrew ◆ *het Hebreeuwse* ***volk*** the Hebrew people, the Hebrews

Hebriden [de^mv] Hebrides

hebzucht [de] greed, avarice, acquisitiveness, cupidity, covetousness, rapacity ◆ ***uit*** *hebzucht* out of greed; *de hebzucht* ***zelf*** the embodiment/personification of greed

hebzuchtig [bn] greedy, avaricious, acquisitive, rapacious, grasping ◆ *een hebzuchtig* ***mens*** a greedy/an avaricious/a grasping person, a money-grubber, a vulture

hecatombe [de] [1] ⟨offer⟩ hecatomb [2] ⟨slachting⟩ hecatomb

[1]**hecht** [het] → **heft**

[2]**hecht** [bn, bw] 1 ⟨solide, vast⟩ solid ⟨bw: ~ly⟩, strong, sound, firm, well-built ◆ *het rust op hechte **grondslagen*** ⟨ook fig⟩ it is based/built on solid foundations 2 ⟨fig⟩ strong ⟨bw: ~ly⟩, tight, firm, ⟨saamhorig⟩ tightly-knit, close(ly)-knit ◆ *een hechte **familieband*** a close-knit family, strong family ties; *een hechte **samenwerking*** close cooperation; *een hechte **vriendschap*** a close/staunch friendship

hechtdraad [de^m; als stofnaam het] 1 ⟨med⟩ suture 2 ⟨plantk⟩ tendril, cirrus

[1]**hechten** [onov ww] 1 ⟨vast blijven zitten⟩ adhere, stick, hold, ⟨van lijm ook⟩ bond ◆ *die **pleister** hecht niet* this ^{B}elastoplast/^{A}band-aid won't stick 2 ⟨waarde toekennen aan⟩ be attached/devoted (to), value, hold dear, adhere (to), cling (to) ◆ ***aan** iets/iemand gehecht zijn* be attached/devoted to sth./s.o.; *hij hecht zeer **aan** traditie/vormen* he's a stickler for/he's strong on tradition/the proprieties; *wij hechten niet **aan** plichtplegingen* we don't stand on formalities

[2]**hechten** [ov ww] 1 ⟨med⟩ stitch, suture, ⟨inf⟩ stitch up, sew up ◆ *een **wond**/een **scheur** hechten* suture/sew up a wound, stitch/sew up a tear 2 ⟨vastmaken⟩ attach, fasten, (af)fix, stick, bind ◆ ***met** nietjes (aan elkaar) hechten* staple (together); *het is **met** draden aan elkaar gehecht* it is held together by wire/thread/stitches; *een **prijskaartje** aan iets hechten* attach/fasten/fix a price tag to sth. 3 ⟨toekennen⟩ attach ◆ *een bepaalde **betekenis** aan iets hechten* attach/give a certain meaning to sth.; ***geloof** aan iets hechten* give credit/credence to sth., credit sth.; ***waarde/belang/gewicht** aan iets hechten* attach (a certain) value/importance/weight to sth.; *grote **waarde**/veel **belang** aan iets hechten* set great store by sth.

[3]**zich hechten** [wk ww] 1 ⟨zich vastzetten⟩ become attached, cling, stick, attach (itself) 2 ⟨gesteld raken op⟩ become attached, attach (o.s.) ◆ *hij hecht zich gemakkelijk **aan** mensen* he gets attached to people easily

hechtenis [de^v] 1 ⟨verzekerde bewaring als maatregel⟩ custody, detention ◆ ***administratieve** hechtenis* administrative custody; *iemand **in** hechtenis nemen* apprehend/arrest s.o., take s.o. into custody, put/place s.o. under arrest; *iemand **in** hechtenis houden* detain s.o./keep s.o. in custody; ***in** hechtenis blijven/zitten* remain/be in custody; *iemand **in** hechtenis laten nemen* have s.o. arrested, give s.o. into custody; ***in** hechtenis zijn/zich **in** hechtenis bevinden* be detained/in custody/under arrest; ***preventieve/voorlopige** hechtenis* preventive custody, detention on remand; *iemand **uit** de hechtenis ontslaan* release s.o. (from custody), discharge s.o. (from prison); *de **voorlopige** hechtenis met 6 dagen verlengen* grant a six-day remand, order further detention by six days 2 ⟨als straf⟩ imprisonment, detention, prison ◆ *iemand tot twaalf **dagen** hechtenis veroordelen* sentence s.o. to twelve days imprisonment/in prison; ***met** hechtenis **van** ten hoogste twaalf dagen wordt gestraft* ... punishment of up to twelve days imprisonment is given

hechtheid [de^v] 1 ⟨stevigheid⟩ solidity, strength, firmness, soundness, substantiality ◆ *de hechtheid van een **constructie*** the solidity of a construction 2 ⟨fig⟩ durability, strength, closeness

hechthout [het] plywood, laminated wood

hechting [de^v] ⟨med⟩ 1 ⟨handeling⟩ suture, suturing, sewing up, stitching up 2 ⟨materiaal⟩ suture(s), stitches ◆ *de hechtingen **verwijderen*** take out the stitches/sutures

hechtkram [de] meta clip, agrafe

hechtmiddel [het] adhesive, adhesive agent

hechtnaald [de] ⟨med⟩ surgical needle, suture needle, stitching needle

hechtpleister [de] adhesive plaster, sticking plaster, ⟨BE⟩ elastoplast, ⟨AE⟩ band-aid

hechtrankje [het] tendril, cirrus

hechtsel [het] ⟨med⟩ sutures, stitches

hechtvezel [de] ⟨plantk⟩ tendril, cirrus

hechtwortel [de^m] ⟨plantk⟩ adhesive root

heckler [de^m] heckler

heckrund [het] Heck cow

hectare [de] hectare

hectiek [de^v] agitation, commotion

hectisch [bn, bw] 1 ⟨druk⟩ hectic ⟨bw: ~ally⟩, frantic, furious ◆ *een hectische **periode*** a hectic period/time 2 ⟨hardnekkig⟩ hectic ⟨bw: ~ally⟩ ◆ *hectische **koortsen*** hectic fevers

hectograaf [de^m] ⟨drukw⟩ hectograph, copygraph

hectograferen [ov ww] ⟨drukw⟩ hectograph

hectogram [het] hectogram(me)

hectoliter [de^m] hectolitre

hectolitergewicht [het] weight per hectolitre

hectometer [de^m] hectometre

hectopascal [de^m] hectopascal

hectowatt [de^m] ⟨techn⟩ hundred watt

[1]**heden** [het] present (day)

[2]**heden** [bw] ⟨form⟩ ⟨ogm⟩ today, now(adays), at present ◆ ***tot op** heden* up to/up till/until now, to date, as yet, to this day; ***vanaf/met ingang van** heden* as of/from today/now; *heden ten dage, op heden* nowadays, these days, today ▪ ⟨sprw⟩ *heden ik, morgen gij* ± today you, tomorrow me; ⟨sprw⟩ *heden rood, morgen dood* here today and gone tomorrow; ⟨sprw⟩ *stel niet uit tot morgen, wat gij heden doen **kunt*** never put off till tomorrow what you can do today

hedenavond [bw] ⟨form⟩ ⟨ogm⟩ this evening, tonight

hedendaags [bn] contemporary, present-day, modern, current, new ◆ *woordenboeken voor hedendaags **taalgebruik*** dictionaries of current usage

Hedenlands [het] contemporary Dutch

hedenmiddag [bw] ⟨form⟩ ⟨ogm⟩ this afternoon

hedenmorgen [bw] ⟨form⟩ ⟨ogm⟩ this morning

hedennacht [bw] ⟨form⟩ ⟨ogm⟩ tonight

hedenochtend [bw] ⟨form⟩ ⟨ogm⟩ this morning

hedgefonds [het] hedge fund

hedonisme [het] hedonism, ± epicur(ean)ism

hedonist [de^m] hedonist, sensualist, Cyrenaic

hedonistisch [bn] hedonic, hedonistic, Cyrenaic

heek [de^m] hake

[1]**heel** [bn] 1 ⟨gaaf⟩ intact, whole, undamaged, ⟨m.b.t. kledingstukken ook⟩ decent, respectable ◆ *die **ham** is nog heel* that ham is still intact/untouched/in one piece; *een paar hele **kousen*** a decent/whole/an intact pair of stockings; *niets heel **laten aan*** tear to shreds, pull to pieces 2 ⟨niet in stukken⟩ whole, entire, unbroken ◆ *iets weer heel **maken*** fix sth., mend sth., repair sth.; *hele **peper*** whole pepper(corn); ⟨scherts⟩ *de stukken (scherven) **zijn** nog heel* you can say goodbye to that (one)! 3 ⟨volledig⟩ whole, entire, complete, full ◆ *zij werkt hele **dagen*** she works full time; *een heel **dozijn*** a round dozen; *heel **Engeland*** all England, the whole of England; *hele **getallen*** whole numbers, integers; *een heel **huis*** a whole house; *een heel **jaar*** a whole/an entire year; *een hele **liter*** a whole/full litre; *hele **zinnen** overslaan* skip whole/entire sentences 4 ⟨groot⟩ quite a/some, some, ↓a/one hell of a ◆ *ze is een hele **dame** geworden* she's become quite a (young) lady; *zo'n linnenkast is 'n heel **ding*** that's some/quite a linen cupboard, ↓that's one hell of a linen cupboard; *het is een heel **eind** (weg)* it's a good way/distance (off); *hij is een heel **eind** in de tachtig* he is well into his eighties; *een hele **som*** (quite) a large sum of money, an awful lot of money; *een hele **tijd*** quite some time; *dat is een heel **verhaal*** that's a long/quite a story 5 ⟨m.b.t. een zaak in zijn geheel⟩ whole, entire, all ◆ *langs de hele **grens*** all along the frontier; ⟨geringschattend⟩ *ik zou me met die hele **jongen** niet inlaten* I'd stay away from that chap, I wouldn't touch that fellow with a ^{B}barge-pole/^{A}ten-foot-pole; *over heel het **land*** throughout the country/land; *heel zijn **leven*** all/throughout his life, his whole life; *m'n hele*

lijf ziet bont en blauw my whole body is black and blue, I'm bruised all over; *de hele* ***stad/wereld*** the whole town/world; *de hele* ***tijd*** all the time, the whole time; *de hele* ***zomer/winter*** *lang* throughout the summer/winter ⊡ ⟨sprw⟩ *beter ten halve gekeerd, dan ten hele gedwaald* ± a fault confessed is half redressed

[2]**heel** [bw] [1] ⟨zeer⟩ very (much), really, ↑ most ◆ *heel* ***erg*** *moe* dead tired; *heel* ***erg*** *sluw/moeilijk/koud* sly as a fox, extremely difficult/cold; *dat is heel* ***gewoon*** that's common enough/not unusual/quite normal; *je weet het heel* ***goed!*** you know perfectly well!; *een heel* ***grote*** *neus* a huge/very large nose; *een heel* ***klein*** *beetje/aantal* a tiny bit/number; *heel* ***lang*** *geleden* ages/donkey's years ago; *heel* ***vaak*** very often/frequently; *heel* ***veel*** a great deal of/a great many, ↓ heaps/tons/hundreds of; *dat is al heel* ***vreemd*** that is most/quite extraordinary; *heel* ***vroeg*** *opstaan* get up with the lark/really early; *heel* ***wat*** *minder/meer* a good deal less/more, quite a lot less/more; *dat heeft heel* ***wat*** *gekost* that cost a pretty penny; *dat kostte heel* ***wat*** *moeite/inspanning* that took a great deal of trouble/effort; *heel* ***weinig*** *betekenen/waard zijn* be of/have very little importance/value; *heel* ***zeker*** most certainly; *heel af en toe* once in a blue moon; *heel in de verte* way in the distance [2] ⟨geheel en al⟩ completely, entirely, wholly, altogether, absolutely ◆ *dat is iets heel* ***anders****/heel wat* ***anders*** that's a different story altogether, that's a different kettle of fish; *ik weet het heel* ***zeker*** I'm dead sure, I'm absolutely positive

heelal [het] universe, cosmos, (deep/outer) space

heelbaar [bn] curable, healable ◆ *heelbare* ***wonden*** curable wounds

heelhuids [bw] unharmed, unscathed, uninjured, whole ◆ *er heelhuids (van)* ***afkomen*** escape unharmed/with one's life/in one piece/without a scratch/with a whole skin; *er financieel heelhuids vanaf* ***komen*** ⟨inf⟩ save one's economic bacon; *wij* ***komen*** *niet heelhuids door de crisis* we won't get through the crisis unscathed; *hij* ***kwam*** *er heelhuids doorheen* he came through unscathed/without breaking any bones, he managed to ride it out; *heelhuids* ***terugkomen*** return safe and sound

heelkruid [het] [1] ⟨geneeskrachtige plant⟩ healing herb, medicinal herb, selfheal, allheal, heal-all [2] ⟨plantk; Sanicula europaea⟩ sanicle

heelkunde [de^{v}] surgery

heelkundig [bn, bw] surgical ⟨bw: ~ly⟩, operative, operating ◆ *onder heelkundige* ***behandeling*** *zijn* undergo surgical treatment; *heelkundige* ***behandelingen*** surgical/operative treatment, surgery; *een heelkundig* ***ingrijpen*** an operative intervention, an operation

heelkundige [de] surgeon

heelmeester [de^{m}] ⟨gesch⟩ surgeon ⊡ ⟨sprw⟩ *zachte heelmeesters maken stinkende wonden* ± desperate diseases need/must have/require desperate remedies

heelvak [het] standard subject, school subject that is allocated the normal number of hours

heelvlees [het] ◆ ***goed*** *heelvlees hebben* heal easily

heem [het] (farm)yard ◆ ***huis*** *en heem* house and home, hearth and home

heemkring [de^{m}] local history club

heemkunde [de^{v}] ± local history, study of local customs and (folk)lore

heemkundekring [de^{m}] local history club

heemraad [de^{m}] member of a polder/dike board, ± dike reeve

heemraadschap [het] [1] ⟨college⟩ polder/dike board [2] ⟨ambt⟩ membership in a polder/dike board, ± office of dike reeve [3] ⟨gebied⟩ polder (district)

heemst [de] mallow ◆ ***gewone*** *heemst* marsh mallow

heemtuin [de^{m}] botanical garden

heen [bw] [1] ⟨weg⟩ gone, away ◆ ⟨fig⟩ ***ver*** *heen zijn* be far gone; ⟨fig⟩ *je moet* ***ver*** *heen zijn om zoiets te kunnen doen* you have to be pretty far gone to do sth. like that; *heen en* ***weer*** *lopen* walk/pace up and down/back and forth/to and fro; ⟨fig⟩ *heen en* ***weer*** *praten* discuss, palaver; *heen en* ***weer*** *reizen* travel/shunt/shuttle (back and forth); ⟨fig⟩ *na lang heen en* ***weer*** *praten* after considerable discussion; *heen en* ***weer*** *geslingerd worden tussen hoop en vrees* be torn between hope and fear; ⟨form⟩ *heen* ***zijn*** ⟨fig⟩ be departed, have departed this life [2] ⟨op de heenweg⟩ (on the way/going) out(ward), going ◆ *wie* ***rijdt*** *er heen?* who's going to drive (us) there?; *heen en* ***terug*** ⟨reizen⟩ there and back; *heen neem ik de tram, terug loop ik* I'll take the tram going (out) and then walk back [3] ⟨in een bepaalde richting⟩ ◆ *je kunt* ***daar*** *niet heen* you cannot go there; ***ergens/nergens*** *heen gaan* be going somewhere/nowhere; ***overal*** *heen gaan* go everywhere, travel in all directions; ***waar*** *wil je heen?* ⟨fig⟩ what are you driving at?; ***waar*** *gaat dat heen?* where do you think you're going?; ***waar*** *moet dat heen?* ⟨fig⟩ where will it (all) end?, what's to be the end of it? [4] ⟨ter versterking⟩ ◆ ***door*** *de jaren heen* over/through the years, in the course of the years; *dwars* ***door*** *alles heen* straight through everything; ***door*** *elkaar heen praten* all talk at the same time; *ik ben helemaal* ***door*** *mijn voorraad heen* I've run right through my stock, I'm right/clean out of it; ***langs*** *elkaar heen praten* talk at cross-purposes; *je kunt niet* ***om*** *hem heen* you can't ignore him/pass him by; ***over*** *de berg heen* across the mountain; ***over*** *de teleurstelling heen zijn* have got over one's disappointment

heen- en terugreis [de] round trip

[1]**heen-en-weer** [de^{m}] [1] ⟨boot⟩ ferry(-boat) [2] ⟨retourkaartje⟩ ⟨BE⟩ return ticket, ⟨AE⟩ round-trip ticket

[2]**heen-en-weer** [het] ⟨inf⟩ ⊡ ***krijg*** *(nou) het heen-en-weer* ⟨verbazing⟩ well, I'll be damned; ⟨ergernis⟩ get lost, up yours (and twist it); *ik* ***krijg*** *er het heen-en-weer van* it gets in my hair/on my nerves, it gives me the heebie-jeebies

heen-en-weerdienst [de^{m}] shuttle service, ⟨boot⟩ ferry service

[1]**heengaan** [het] [1] ⟨dood⟩ passing away/on, demise ◆ ***bij*** *zijn heengaan* upon his demise [2] ⟨vertrek⟩ departure, going away, leaving ◆ ***haar*** *heengaan* her departure; ⟨aftreden⟩ her resignation

[2]**heengaan** [onov ww] [1] ⟨vertrekken⟩ depart, leave, go (off/on one's way), ⟨ontslag nemen⟩ resign, make one's exit ◆ *ga heen in* ***vrede*** depart in peace [2] ⟨sterven⟩ pass away/on, depart (this life), go, die ◆ *hij is* ***van*** *ons heengegaan* he has passed away; ***vredig*** *heengaan* pass away peacefully [3] ⟨voorbijgaan⟩ be taken up (with), be absorbed (by) ◆ *de hele zomer gaat* ***ermee*** *heen* it will take all summer ⊡ ⟨fig⟩ ***waar*** *gaat dat heen?* where will it all end?, what's the world coming to?

heenkomen [het] ⊡ *een* ***goed*** *heenkomen zoeken* seek safety in flight, run to/fly for safety, seek shelter/refuge

heenlopen [onov ww] walk away/off ◆ *dwars heenlopen* ***door*** cut across; *niet over zich heen* ***laten*** *lopen* not let o.s. get walked over

heenmatch [de] ⟨in België⟩ first game, first match

heenreis [de] journey/way there, outward journey, journey out, ⟨scheepv⟩ passage/voyage out, outward passage/voyage ◆ *het schip was* ***op*** *de heenreis* the ship was outward bound/on the way out

heenrit [de^{m}] drive/ride/way there

heenronde [de] ⟨in België⟩ first round

heenvlucht [de] outward flight

heenwedstrijd [de^{m}] ⟨in België⟩ first game/match

heenweg [de^{m}] way there/out

heenzenden [ov ww] send away, banish

[1]**heer** [de^{m}] [1] ⟨ook in samenstellingen; mannelijk persoon⟩ man, gentleman, ⟨dansen⟩ partner, ⟨inf⟩ gent ◆ ⟨inf⟩ *is dit* ***de heren?*** is this the men's?, ⟨vnl BE⟩ is this the Gents?; *het* ***team*** *van de heren* the men's team; ***de zangpartij*** *van de heren* the male choir's part, the male voices [2] ⟨als

beleefdheidstitel⟩ Mr ⟨gevolgd door naam⟩, Sir ⟨zonder naam⟩, ⟨mv⟩ gentlemen, ⟨handel; mv⟩ Messrs, Master ⟨voor voornaam van jongen⟩, ⟨sl⟩ mister, squire ⟨zonder naam⟩ ♦ *aan de heer Van Dale* to Mr Van Dale; *(mijne) dames en heren!* ladies and gentlemen!; *de jonge heer Smith* Master Smith; *mijne heren!* Gentlemen!; *heren professoren* the professors, the professorial body; *Weledele/Geachte Heer* Dear Sir; *wat wensen de heren?* what can I do for you gentlemen?; *de heren Weston & co.* Messrs Weston & Co [3] ⟨beschaafde man⟩ gentleman, ⟨inf⟩ gent, ⟨tegenover vrouwen⟩ cavalier, gallant ♦ *wees een heer in het verkeer* don't be a road-hog, be civil to other road-users; *een voornaam heer* a notable; ⟨inf⟩ a great swell/nob [4] ⟨God⟩ Lord ♦ *de dag des Heren* the Lord's Day; *het gebed des Heren* the/our Lord's prayer; ⟨in België⟩ *Ons Heer moet zijn getal hebben* there's nowt so queer as folk, it takes all sorts to make a world; *God de heer/de Here God* the Lord God; *het huis des Heren* the house of the Lord; *in het jaar onzes Heren 1672* in the year of our Lord 1672; *als de Heer het wil* God/the Lord willing, DV [5] ⟨aanzienlijk man⟩ gentleman, patrician, ⟨vaak iron⟩ worthy, ⟨inf⟩ bigwig, VIP, tin god, nob ♦ ⟨iron⟩ *deze heer/heren* this worthy gentleman/these worthy gentlemen/gentry; ⟨iron⟩ *de heren dieven/oplichters/gangsters* the light-fingered/swindling/gangster fraternity; ⟨fig⟩ *de grote heer uithangen* play the grand seigneur, play god almighty; *de hoge heren* the top brass, the bigwigs, our lords and masters [6] ⟨meester, gebieder⟩ lord, master ♦ *de heer des huizes* the master of the house; *ergens heer en meester zijn* hold absolute sway somewhere, lord it over sth./s.o.; *zijn eigen heer en meester zijn* be one's own master/boss; ⟨inf⟩ *de/mijn oude heer* the/my old man; ⟨BE ook⟩ the governor, his nibs; ⟨vero of scherts; van schooljongen; BE⟩ the pater; *de heren der schepping* the lords of creation [7] ⟨kaartsp⟩ king [8] ⟨gesch; magistraat⟩ lord, magistrate ♦ *de heren van de stad* the lords of the city [9] ⟨gesch; bezitter van een heerlijkheid⟩ lord, squire, seigneur ♦ *Huygens was Heer van Zuilichem* Huygens was lord of Zuilichem [10] ⟨gesch; landsheer⟩ lord, ruler ♦ *Heer der Nederlanden* Lord of the Netherlands

[2]**heer** [het] [1] ⟨leger⟩ host [2] ⟨menigte⟩ host ♦ *het heer der sterren* the starry host [•] ⟨sprw⟩ *zo heer, zo knecht* like master, like man; ⟨sprw⟩ *niemand kan twee heren dienen* no man can serve two masters; ⟨sprw⟩ *nieuwe heren, nieuwe wetten* new lords, new laws; ⟨sprw⟩ *met grote heren is het kwaad kersen eten* ± he who sups with the devil should have a long spoon; those that eat cherries with great persons shall have their eyes squirted out with the stones

heerbaan [de] ⟨gesch⟩ military/strategic highway, main communication route, ± Roman road

heerban [de^{m}] ⟨gesch⟩ [1] ⟨oproeping tot de krijgsdienst⟩ arrière-ban [2] ⟨de dienstplichtigen⟩ arrière-ban [3] ⟨opkomstplicht⟩ arrière-ban, conscription

heerkracht [de] ⟨in België⟩ → **overmacht**

[1]**heerlijk** [bn] [1] ⟨verheven⟩ glorious, majestic ♦ *Gods heerlijke naam* God's glorious name [2] ⟨gesch; van de heer⟩ seigniorial, manorial, lordly ♦ *een heerlijk goed* a manor, a seigniory; *heerlijk jachtrecht* manorial hunting rights; *heerlijke rechten* seigniorial/manorial rights, seigniory, droits du seigneur

[2]**heerlijk** [bn, bw] [1] ⟨aangenaam⟩ delightful ⟨bw: ~ly⟩, lovely, wonderful, ⟨schitterend⟩ splendid, glorious, magnificent, marvellous ♦ *het heerlijk avondje* ± Christmas Eve; *het is een heerlijk gevoel* it feels great; *het vlees is heerlijk mals* the meat is lovely and tender; *een heerlijk malse biefstuk* a succulent steak; *heerlijke muziek* beautiful/heavenly music; *het was een heerlijke tijd* we had a gay old time/the time of our lives; *dat vind ik heerlijk!* I love it!; *het is heerlijk warm* it's lovely and warm; *het was een heerlijk weekend* it was a peach of a/a great weekend; *dat zou heerlijk zijn!* that would be wonderful/great; *een heerlijke zomeravond* a lovely/magnificent summer's evening [2] ⟨lekker⟩ delicious ⟨bw: ~ly⟩, delectable, ⟨inf⟩ yummy, scrumptious, moreish ♦ *een heerlijk maal* a delicious/delectable meal; *dat smaakt heerlijk* that is delicious, it's very tasty, it tastes gorgeous/delicious; *een heerlijk toetje* a bonne bouche

heerlijkheid [de^{v}] [1] ⟨mv; lekkernij⟩ delicacies, delicious things (to eat), ⟨vaak scherts⟩ dainties, the choicest morsels [2] ⟨gelukzaligheid⟩ bliss ♦ *de eeuwige/hemelse heerlijkheid* eternal/heavenly glory/bliss [3] ⟨pracht, glans⟩ glory, lustre, splendour ♦ *de heerlijkheid der sterren* the splendour of the stars [4] ⟨verhevenheid⟩ magnificence, majesty, greatness, glory [5] ⟨gebied waaraan een titel en rechten verbonden zijn⟩ manor, domain ♦ *de heerlijkheid van Kortenhoef* the manor of Kortenhoef, Kortenhoef manor [6] ⟨gesch; gebied van een heer⟩ seigniory, domain, dominion [7] ⟨gesch; aan de heer toekomende rechten en bevoegdheden⟩ seigniorial/manorial/lordly rights, seigniory

heeroom [de^{m}] ⟨r-k⟩ uncle in orders, reverend uncle

heerschaar [de] ⟨form⟩ host, legion, army ♦ *Heer der heerscharen* Lord (God) of Hosts

heerschap [het] [1] ⟨figuur⟩ gent, ⟨BE⟩ chap, fellow, ⟨BE⟩↓ bloke, ↓ guy ♦ *een fraai/vreemd/verwaand/vervelend heerschap* a precious fellow/an oddball/a popinjay/an awkward customer; *wat denkt zo'n heerschap wel?* who does that fellow think he is?, ↓ who does that guy think he is? [2] ⟨gesch; het heer zijn⟩ seigniory, lordship

heerschappij [de^{v}] dominion, mastery, rule, power, control, sway ♦ *de heerschappij betwisten/bezitten/verkrijgen* contest/have/gain dominion/control; *onder heerschappij van iemand staan/komen* be dominated by s.o./pass under the domination of s.o.; *de heerschappij op zee voeren* have command of/command the sea(s), rule the waves, have naval supremacy; *hij voert heerschappij over vele volkeren* he rules over many peoples/tribes; *onder vreemde heerschappij* subject to/under foreign rule; *zich van de heerschappij meester maken* come to power, gain sway; ⟨wederrechtelijk⟩ usurp power

heersen [onov ww] [1] ⟨regeren⟩ rule (over), ⟨m.b.t. vorst(in)⟩ reign, ⟨form⟩ hold sway/dominion, bear sway/dominion ♦ *God heerst over al het geschapene* God rules all creation; *verdeel en heers* divide and rule [2] ⟨de overhand hebben⟩ dominate, be prevalent [3] ⟨vóórkomen⟩ be, be prevalent, ⟨van ernstige ziekten ook⟩ rage, be rampant/rife, prevail ♦ *er heerst griep* there's a lot of flu about/around, there's a flu epidemic; *er heerste een grote hongersnood* there was a great famine, a great famine afflicted the country; *de mazelen heersen in het dorp* there is an outbreak/epidemic of measles in the village, measles is rife in the village; *er heerste rijkdom en voorspoed* wealth and prosperity reigned; *een dodelijke stilte heerste alom* there was deadly silence all around, silence reigned

heersend [bn] ruling, prevailing, dominant, current, existing ♦ *de heersende godsdienst* the prevailing religion; ⟨staatsgodsdienst⟩ the official/national religion; *de heersende klassen* the ruling class(es); *de heersende mode* the current/prevailing fashion; *de heersende opvatting* the prevailing view, current ideas; *de heersende partij* the party (currently) in power; *de heersende wind* the prevailing wind

heerser [de^{m}], **heerseres** [de^{v}] ruler, lord, master, sovereign, ⟨heerseres⟩ mistress ♦ *heerser over …* ruler of …

heerseres [de^{v}] → **heerser**

heersersblik [de^{m}] imperious/lordly look, imperious/lordly glance

heerszucht [de] lust/thirst for power, imperiousness, domineeringness ♦ *zijn heerszucht kent geen grenzen* his lust for power is unlimited, he's (quite) the most ambitious person I know

heerszuchtig [bn] imperious, domineering, (over-)ambitious ♦ *hij is zeer heerszuchtig* he's a very domineering/

imperious man, he's very dictatorial

heertje [het] ⟨iron⟩ customer, fellow, type, johnny, ⟨AE⟩ john ♦ *een driftig/ongemakkelijk heertje* a nasty-tempered/quick-tempered/troublesome customer/little man ▪ *het heertje zijn* ⟨er netjes uitzien⟩ look tiptop, look like a real gentleman; ⟨van alle zorg bevrijd⟩ have it made; ⟨in zijn nopjes⟩ be in fine/full/high feather, be as pleased as Punch

hees [bn] 1 ⟨m.b.t. personen⟩ hoarse ♦ *ik ben hees* my voice is gone, I'm hoarse; *zich hees schreeuwen* shout o.s. hoarse 2 ⟨m.b.t. stem⟩ hoarse, croaky, throaty, ⟨minder sterk⟩ husky ♦ *hese geluiden* rasping/throaty sounds; *met een hese stem spreken* speak in a hoarse/husky/throaty voice

heesheid [de^{v}] hoarseness, throatiness, ⟨minder sterk⟩ huskiness

heester [de^{m}] shrub

heesterachtig [bn] shrubby, shrub-like ♦ *een heesterachtig gewas* a shrubby growth/plant

heesterbosje [het] thicket, ⟨zeldz⟩ thickset

[1]**heet** [bn] 1 ⟨brandend gevoel veroorzakend⟩ hot, ⟨scherp ook⟩ spicy, peppery ♦ *hete kost* spicy food; *hete peper* hot pepper 2 ⟨hitsig⟩ hot, horny, randy, worked/sexed up ♦ *een hete meid* a hot bird/^chick, a real goer, hot stuff

[2]**heet** [bn, bw] 1 ⟨zeer warm⟩ hot ⟨bw: ~ly⟩, ⟨luchtstreek⟩ torrid ♦ *een hete adem* ⟨ook fig⟩ a fiery breath; ⟨fig⟩ *heet bloed hebben* be hot-blooded, have hot blood; *de zon brandde heet* the sun was beating down/burning hot; *gloeiend heet* burning/red hot; ⟨weer⟩ sweltering, boiling hot; *het heet hebben* be hot; *in het heetst van de strijd* in the thick/heat of the battle; *ik kreeg het heet* I got hot; *het is altijd te heet of te koud* ⟨fig⟩ things are never right, he/she is never satisfied; *nieuws heet van de naald* hot/up-to-the-minute news; *heet water* hot water 2 ⟨hevig⟩ hot ⟨bw: ~ly⟩, ⟨strijd⟩ fierce, ⟨discussie⟩ heated, ⟨drift⟩ fiery ♦ *het ging er heet toe* it was a heated affair, things got pretty hot/heated ▪ ⟨techn⟩ *een heet laboratorium* a hot lab(oratory); ⟨sprw⟩ *de soep wordt nooit zo heet gegeten als ze wordt opgediend* things are never as black/bad as they seem/look; ⟨sprw⟩ *men moet het ijzer smeden als het heet is* strike while the iron is hot; make hay while the sun shines; hoist your sail when the wind is fair

heetbloedig [bn] quick-tempered, hot-tempered, peppery, ↑irascible

heetgebakerd [bn] hot-tempered, quick-tempered, peppery, ↑irascible, ⟨ongeduldig⟩ hasty, impetuous

heethoofd [de^{m}] hot-head, hot-heated person

heethoofdig [bn] hot-headed, impetuous, excitable, hasty

heethoofdigheid [de^{v}] hot-headedness, impetuosity, excitability, hastiness

heetlopen [onov ww] run/get hot, get/become overheated ♦ *de as loopt heet* the axle is getting overheated

heetwaterbron [de] hot/thermal spring

heetwaterketel [de^{m}] water heater, (hot-water) boiler

heetwaterproef [de] ⟨gesch⟩ trial by hot water, ordeal by (hot) water

heetwaterverwarming [de^{v}] hot-water heating

hef [de] 1 ⟨droesem⟩ dregs, lees 2 ⟨uitschot⟩ dregs, scum ♦ *de heffe des volks* the scum of the earth, the dregs of the nation, the riffraff

hefboom [de^{m}] 1 ⟨staaf, stang⟩ lever, crowbar ♦ *gebroken hefboom* crowbar; *hefboom van de eerste, tweede of derde soort* lever of the first, second or third order 2 ⟨werktuig⟩ lever 3 ⟨fig⟩ leverage, driving force, power

hefboomfonds [het] hedge fund

hefboomsarm [de^{m}] (lever) arm

hefboomschakelaar [de^{m}] lever switch

hefbrug [de] 1 ⟨brug over een scheepvaartweg⟩ (vertical) lift bridge, lifting bridge 2 ⟨laadbrug voor auto's⟩ tail lift 3 ⟨platform om auto's op te onderzoeken⟩ (hydraulic) ramp/lift, inspection/lifting ramp

hefdak [de^{m}] pop-up roof, lifting roof

hefeiland [het] floating crane

heffen [ov ww] 1 ⟨omhoog brengen⟩ lift, raise, hoist ♦ *de armen/handen ten hemel heffen* throw up one's arms/hands; ⟨sport⟩ *het been heffen* lift one's leg (up); *het glas heffen* raise one's glass (to), drink (to); *de vuisten heffen* raise one's fists; ⟨scheepv⟩ *het want heffen* hoist sail, hoist the rigging 2 ⟨vorderen, opleggen⟩ levy, impose, charge ♦ *belasting heffen (van iemand)* levy taxes (on s.o.); *schoolgeld/boete/rente heffen* charge school fees, impose a fine, charge interest

heffing [de^{v}] 1 ⟨het heffen⟩ lifting, raising, hoisting 2 ⟨het vorderen⟩ levy(ing), assessment, imposition, charge, raising ♦ *afzien van heffing van belasting* exempt from taxes/taxation 3 ⟨gevorderd bedrag⟩ levy, charge, impost, duty, tax ♦ *met een heffing belasten* impose a levy on, levy tax on, tax 4 ⟨lit⟩ ictus, arsis, stressed/accented syllable ♦ *een versregel met vier heffingen* a verse line with four stresses/beats

heffingsgrondslag [de^{m}] tax base, rateable value

heffingskorting [de^{v}] tax credit(s)

heffingsrente [de] default interest, interest on overdue tax

hefhoogte [de^{v}] (maximum) lift(ing height), height of lift

hefmagneet [de^{m}] lifting magnet

hefschroef [de] rotor, helicopter screw

hefschroefvliegtuig [het] helicopter

hefspier [de] ⟨med⟩ levator

heft [het], **hecht** [het] handle, ⟨van gereedschap⟩ grip, haft, ⟨van zwaard⟩ hilt ♦ *het heft uit handen geven* abandon/relinquish control/power, hand over control/the reins; *een mes met een hoornen heft* a bone-handled knife; *het heft in handen krijgen* gain control/command; *iemand het heft uit handen nemen* seize power/control from s.o.; *het heft in handen nemen/hebben/houden* take/be in/remain in control/power/command, take/be at/hold on to the helm

heftang [de] crampon, ⟨med; van chirurg⟩ elevator, levator

heftig [bn, bw] 1 ⟨onstuimig⟩ violent ⟨bw: ~ly⟩, ⟨m.b.t. taal/protest/verlangen⟩ vehement, ↑intemperate, ⟨aanval ook⟩ fierce, ⟨driftig⟩ furious, ⟨sfeer, bijeenkomst⟩ stormy ♦ *heftige gebaren* furious gestures; *heftig spreken* speak hotly, ↑be intemperate with one's words; *hij voer heftig tegen mij uit* ⟨plotseling⟩ he lashed out against me; he gave me a broadside, ↓he bent my ears 2 ⟨hevig⟩ fierce ⟨bw: ~ly⟩, furious, violent, vehement, ⟨gevoelens⟩ intense, ⟨pijn, ziekte⟩ severe, ⟨ruzie, debat⟩ heated, passionate ♦ *iemand heftig bekritiseren* criticize s.o. fiercely; ⟨inf⟩ tear s.o. to pieces; *heftig protesteren* protest violently/fiercely; *heftig reageren* react violently; *een heftige toespraak houden* deliver/make an impassioned speech; *een heftige woordenwisseling/ruzie* a heated argument, a fierce altercation; ⟨inf⟩ a ding-dong; *het voorstel wordt heftig bestreden* it is a hotly debated proposal, the proposal is (coming) up against fierce opposition; *heftig tekeergaan tegen iemand/iets* carry/take on against s.o./sth., tear/lay into s.o., inveigh/rail against s.o./sth. 3 ⟨geweldig⟩ wild, wicked, too much

heftigheid [de^{v}] 1 ⟨onstuimigheid, hartstocht⟩ violence, ⟨van karakter ook⟩ vehemence, ⟨van karakter/protest⟩ fierceness, fervour, ⟨m.b.t. taal/protest/verlangen⟩ ↑intemperance 2 ⟨hevigheid⟩ fierceness, ⟨van onweer/pijn⟩ violence, vehemence, ⟨van pijn/ziekte⟩ severeness, ⟨van ruzie/debat⟩ heat

heftoren [de^{m}] control portal

heftruck [de^{m}] fork-lift truck

hefvermogen [het] lift, lifting power/capacity ♦ *het hefvermogen van die kraan is 75.000 kg* that crane has a lift of/can lift 75,000 kg

hefvloer [de^m] ⟨amb⟩ lift-slab
hefwagen [de^m] lift truck
hefwerktuig [het] lifting device, hoisting engine/apparatus
heg [de] 1 ⟨haag⟩ hedge, ⟨als afscheiding ook⟩ hedgerow ♦ *de heg **snoeien*** trim/clip the hedge 2 ⟨kreupelhout⟩ ⟨bosje⟩ copse, coppice, ⟨dicht, laaggroeiend kreupelhout⟩ thicket, brushwood, undergrowth ♦ ⟨fig⟩ *hij loopt **door** heggen en struiken* he will spare man nor beast, he is ruthless (in his methods) ▪ *ergens heg noch **steg** weten* be a complete stranger somewhere, be completely lost
hegeliaan [de^m] ⟨filos⟩ Hegelian
hegemoniaal [bn] hegemonial
hegemonie [de^v] hegemony, supremacy
hegemonisme [het] hegemonism
¹**hegemoon** [de^m] hegemon
²**hegemoon** [bn] hegemonic
he-gezin [het] ⟨inf⟩ single-parent family with heterosexual mother
heggenkruid [het] fine-leaved sandwort
heggenlandschap [het] hedgerow landscape
heggenmus [de] hedge sparrow, dunnock
heggenrank [de] bryony ⟨geslacht Bryonia⟩, ⟨plant⟩ white/red bryony (Bryonia dioica)
heggenschaar MEERVOUD [de] hedge-clippers, hedge-shears, hedge-trimmer
¹**hei** [de] ⟨amb⟩ 1 ⟨heiblok⟩ (pile-driver) monkey, ram(mer), pile/drop hammer, tup 2 ⟨toestel om te heien⟩ pile-driver, pile engine, pile frame ♦ ***Hollandse** hei* manual pile-driver
²**hei** [de] → **heide**
³**hei** [tw] 1 ⟨om de aandacht te trekken⟩ hey!, hi!, hello!, hallo!, hullo!, cooee! 2 ⟨om te waarschuwen⟩ hey!, stop!, hoy! 3 ⟨van vreugde⟩ hey!, wow! ▪ ⟨sprw⟩ *men moet geen hei roepen voor men over de brug is* don't halloo/whistle before you are out of the wood
heibaas [de^m] foreman of a pile-driving gang
heibel [de^m] ⟨inf⟩ 1 ⟨herrie⟩ row, racket, din, hubbub, rumpus ♦ *waarom al **die** heibel!* what's all the fuss/rumpus about?, where's the fire?; *een **enorme** heibel* a dreadful row, a(n) (un)holy row, ↓ one/a hell of a row; *heibel **maken*** kick up a row/fuss, make a fuss 2 ⟨onenigheid⟩ row, ⟨sl⟩ shindig, shindy ♦ *heibel **hebben*** have a row; *heibel **krijgen** met iemand* have trouble/a row with s.o., get into a wrangle with s.o.
heiblok [het] 1 ⟨zwaar blok⟩ ram(mer), monkey, pile/drop hammer, tup 2 ⟨stamper van de stratenmakers⟩ hand tamp/rammer, paving beetle
heibrem [de^m] ⟨genus Genista⟩ genista, ⟨Genista anglica⟩ needlefurze, needle/petty whin
heide [de], **hei** [de] 1 ⟨met heidekruid begroeide zandgrond⟩ heath(land), ⟨vnl BE⟩ moor(land) ♦ *de **Lüneburger** heide* the Luneburg Heath 2 ⟨heidekruid⟩ heather, heath ♦ *als de heide **bloeit*** when the heather blooms/flowers; ***gewone** heide* heather, ling, Scotch heather
heideachtig [bn] heathy, heathery, ⟨plantk⟩ ericaceous ♦ ⟨zelfstandig (gebruikt)⟩ ***de** heideachtigen* Ericaceae
heidebloem [de] 1 ⟨bloem die op de heide groeit⟩ heath flower 2 ⟨bloem van het heidekruid⟩ heath bell
heidebrand [de^m] heath/heathland fire
heidedag [de^m] away-day, one-day strategy session
heidegrond [de^m] heathland, moorland, heather-moor
heidehoning [de^v] heather honey
heidekruid [het] heather, heath
heidelibel [de] vagrant darter
heidemaatschappij [de^v] heathland/moorland reclamation society
heiden [de^m], **heidin** [de^v] 1 ⟨ongelovige⟩ heathen, pagan, infidel, unbeliever ♦ ⟨fig⟩ ***aan** de heidenen **overgeleverd** zijn* be abandoned to the tender mercies of s.o., ↓ be in hot water/dead trouble; *zending **onder** de heidenen* mission among the heathen; ***voor** de heidenen **prediken*** preach to the heathen; ⟨fig⟩ ↓ bang your head against a brick wall, talk to yourself 2 ⟨Bijb; niet-Jood⟩ gentile, infidel
heidendom [het] 1 ⟨(on)geloof⟩ heathenism, heathendom, paganism, heathenry 2 ⟨volkeren⟩ heathendom, heathen ⟨mv⟩, heathenry
heidens [bn, bw] 1 ⟨als (van) de heidenen⟩ heathen ⟨bw: ~ly⟩, pagan(ish), ⟨Bijb⟩ gentile ♦ *heidense **gebruiken/voorstellingen*** heathen/pagan customs/ideas 2 ⟨niet-christelijk⟩ pagan, heathen, infidel ♦ *heidens **gebied*** pagan territory; *de heidense **volken*** the pagans/unbelievers 3 ⟨enorm⟩ ⟨slecht⟩ atrocious ⟨bw: ~ly⟩, abominable ⟨bw: abominably⟩, ⟨lawaai⟩ unholy ⟨bw: unholily⟩, infernal ⟨bw: ~ly⟩, ⟨karwei⟩ rotten ⟨bw: ~ly⟩ ♦ *een heidens **geweld/leven/lawaai** maken* make an infernal noise/din; *een heidens **karwei*** a hell of a job, a real slog; *'t is een heidens **weer*** the weather's atrocious, it's beastly/rotten weather
heideontginning [de^v] heathland/moorland reclamation
heidereservaat [het] heathland reserve, protected moorland
heideschaap [het] moorland sheep
heidesessie [de^v] business retreat, away day
heideslak [de] sandhill snail
heideveld [het] heath, ⟨vnl BE⟩ moor
heideviooltje [het] dog violet, heath violet
heidin [de^v] → **heiden**
heien [ov ww, ook abs] drive/ram/sink (piles), pile ♦ *op **stuit** heien* drive (piles) home; ***palen** in de grond heien* drive/ram piles into the ground, pile the ground; *heien **voor** een nieuw huis* sink piles for a new house/building
heier [de^m] pile driver
heihaantje [het] black grouse, heath bird
heiig [bn] hazy
heikel [bn] tricky, thorny, ticklish, ⟨probleem⟩ knotty ♦ *een heikele **kwestie*** a tricky business/problem
heikneuter [de^m] 1 ⟨persoon⟩ heath-dweller, heath-farmer, ⟨scherts, pej ook⟩ yokel, (country) bumpkin, clod(hopper) 2 ⟨vogeltje⟩ linnet
heikraan [de] pile-driver frame
heil [het] 1 ⟨welzijn⟩ welfare, well-being ♦ *hij zorgt voor het heil van de **staat*** he takes care of the welfare of the state; *iemand veel heil en **zegen** wensen* ⟨met nieuwjaar⟩ wish s.o. a happy New Year 2 ⟨voordeel⟩ good, benefit, advantage ♦ *ik zie er **geen** heil **in*** I see no good in it, I do not see the good/point of it; *ik verwacht **geen** heil van deze maatregelen* I don't expect any good to come of these measures, I don't pin much faith on these measures 3 ⟨behoudenis⟩ safety, salvation, refuge ♦ *zijn heil in de vlucht **zoeken*** seek safety/refuge/one's salvation in flight, flee for one's life 4 ⟨rel⟩ salvation, (spiritual) welfare ♦ *het **Leger** des Heils* the Salvation Army, ⟨sl⟩ the Sally Ann; *God is **mijn** heil* God is my salvation; *voor het heil van zijn **ziel** zorgen* take care of the salvation/welfare of one's soul
Heiland [de^m] Saviour, Messiah, Redeemer ♦ *Jezus Christus, **onze** Heiland* Jesus Christ, our Saviour
heilbot [de^m] halibut
heilbrengend [bn] ⟨rel⟩ redeeming, ⟨werking⟩ beneficial
heildronk [de^m] toast ♦ *een heildronk **instellen/uitbrengen** (op iemand)* drink a toast (to s.o.), drink (to) s.o.'s health
heilgymnastiek [de^v] remedial gymnastics, physiotherapy
¹**heilig** [bn] ⟨rel⟩ 1 ⟨m.b.t. God, Christus⟩ holy ♦ *de Heilige **Familie*** the Holy Family; *de Vader, de Zoon en de Heilige **Geest*** the Father, the Son and the Holy Ghost/Spirit; *de Heilige **God*** the Holy God 2 ⟨m.b.t. de dienst, een plaats⟩ holy, sacred, ⟨onschendbaar, onaantastbaar⟩ sacrosanct ♦ *het heilig **ambt*** holy office; *het heilige **der** heiligen* the holy of

holies/sanctuary; *het heilig* ***getal*** the sacred number; *het Heilige* ***Graf*** the Holy Sepulchre; *het Heilig* ***Hart*** *(van Jezus)* the Sacred Heart (of Jesus); *de zondag heilig* ***houden*** observe the Lord's Day, keep Sundays holy, observe the Sabbath; *een heilig* ***huisje*** ⟨fig⟩ a sacred cow; ⟨lett⟩ a chapel; *heilig* ***jaar*** holy year; *de Heilige* ***Kerk*** The Holy Church; *het Heilige* ***Land*** the Holy Land; *de heilige* ***Mis*** Holy Mass; *Gods heilige* ***naam*** God's holy name; *de heilige* ***olie*** chrism/holy oil; *het heilig* ***oliesel*** extreme/holy unction; *de heilige* ***oorlog*** the Jihad/Jehad/Holy War; *de heilige* ***sacramenten*** the holy sacraments; *de Heilige* ***Schrift*** (Holy) Scripture, Holy Writ, the Scriptures; *de Heilige* ***Stad*** the Holy City; *de Heilige* ***Stoel*** the Holy See; *de Heilige* ***Vader*** the Holy Father; *heilige* ***vaten*** sacred/holy vessels [3] ⟨m.b.t. personen⟩ holy ◆ *de heilige* ***apostelen*** the holy apostles; ⟨fig⟩ *hij is een boef, maar nog heilig* ***bij*** *zijn broer vergeleken* he is a villain, but he is a saint compared with his brother; ⟨fig⟩ *het weer is slecht vandaag, maar het is nog heilig* ***bij*** *gisteren* the weather is bad today, but still a lot better compared with yesterday; *de Heilige* ***David*** Saint David; *de Heilige* ***Maagd*** the Blessed Virgin; *iemand heilig* ***verklaren*** canonize s.o.

[2]**heilig** [bn, bw] [1] ⟨vroom⟩ holy ⟨bw: holily⟩, saintly, pious, devout ◆ *een heilig* ***leven*** *leiden* lead a holy/saintly/devout life, lead a life of devotion [2] ⟨eerbied(waard)ig⟩ sacred ⟨bw: ~ly⟩, venerable, holy, ⟨gewijd, onaantastbaar⟩ sacrosanct ◆ *de heilige* ***band*** *van het huwelijk* the sacred bond of marriage, the holy bond of matrimony; *de nagedachtenis van haar moeder* ***bewaarde*** *zij heilig* she cherished the memory of her mother; *hem* ***is*** *niets heilig* nothing is sacred to him; *een heilige* ***koe*** ⟨ook fig⟩ a sacred cow; ⟨scherts⟩ *het heilige* ***moeten*** a case of must, the inevitable; *een heilig* ***ontzag*** *voor iemand hebben* stand in great awe of s.o.; *een heilige* ***plaats*** a sacred/holy place, a sanctuary; *hij zwoer bij alles wat hem heilig* ***was*** he swore by all that was sacred to him/that was holy [3] ⟨oprecht, echt, zeker⟩ sacred ⟨bw: ~ly⟩, solemn, ⟨zeker⟩ firm, ⟨diep⟩ profound, great ◆ *ik* ***heb*** *het me heilig* ***voorgenomen*** *(om ...)* I am firmly determined (to ...); *ik was in de heilige* ***overtuiging*** *dat zij nog leefde* I was firmly convinced that she was still alive; *heilige* ***verontwaardiging*** profound/great indignation; *ik* ***verzeker*** *je heilig dat het waar is* I solemnly promise (you) that it is true, I solemnly declare that ...

heiligavond [de^{m}] eve

heiligbeen [het] ⟨med⟩ sacrum, sacred bone

heiligdom [het] [1] ⟨plaats⟩ sanctuary, shrine, sanctum ◆ ⟨fig⟩ *zijn bibliotheek* ***is*** *zijn heiligdom* his library is his (inner) sanctum/is sacrosanct to him [2] ⟨voorwerp⟩ relic ◆ *hij bewaart het* ***als*** *een heiligdom* he keeps it as a relic

heilige [de] [1] ⟨iemand die heilig verklaard is⟩ saint [2] ⟨iemand die een vroom leven leidt⟩ saint ◆ *hij leeft* ***als*** *een heilige* he leads a saintly life; *met een gezicht* ***als*** *van een heilige* with a saintly face, (looking) as if butter wouldn't melt in his/her mouth; *hij zou een heilige in verzoeking* ***brengen*** he'd provoke a saint/try the patience of a saint; *hij* ***is*** *ook geen heilige* he is no saint; ⟨fig⟩ *de heilige* ***uithangen*** play the saint; *de heiligen der laatste dagen* the Latter Day Saints/Mormons [3] ⟨iemand die Christus toebehoort⟩ saint ◆ *de* ***gemeenschap*** *der heiligen* the communion of saints

heiligedag [de^{m}] [1] ⟨kerkelijke feestdag⟩ holy day ◆ *een* ***verplichte*** *heiligedag* a holy day of obligation [2] ⟨bij het verven overgeslagen plek⟩ unpainted spot, ⟨AE⟩ holiday

heiligen [ov ww] [1] ⟨wijden⟩ consecrate, bless, sanctify, hallow ◆ *een* ***kerk/een altaar*** *heiligen* consecrate a church/an altar; *een geheiligde* ***plaats*** a sanctuary; *geheiligde* ***vaten*** sacred vessels; ***zich*** *heiligen* sanctify o.s. [2] ⟨van zonden reinigen, louteren⟩ sanctify, purify [3] ⟨wijden aan⟩ dedicate (to) ◆ *heiligt mij alle* ***eerstgeborenen*** sanctify unto me all the firstborn [4] ⟨eren⟩ hallow ◆ *Uw* ***naam*** *worde geheiligd* hallowed be thy name; *de* ***sabbat*** *heiligen* observe the Sabbath, keep the Sabbath day holy ⊡ ⟨sprw⟩ *het doel heiligt de middelen* the end justifies the means

heiligenbeeld [het] image of a saint, holy/saint's figure, holy/saint's picture, ⟨oosterse kerk⟩ icon, ikon

heiligenleven [het] life/story of a saint, saint's life, ↑ hagiography, ↑ hagiology

heiligennaam [de^{m}] saint's name, name of a saint

heiligenverering [de^{v}] ⟨r-k⟩ hagiolatry, worship/veneration of saints

heiligheid [de^{v}] holiness, sanctity, sacredness, ⟨m.b.t. een persoon⟩ saintliness, sainthood ◆ *een* ***aureool*** *van heiligheid* an aura of sainthood; *de heiligheid* ***Gods*** the holiness of God; *de heiligheid van het* ***huwelijk*** the sanctity of marriage; *de Heer dienen* ***in*** *heiligheid en gerechtigheid* serve the Lord in holiness and righteousness, ⟨vnl r-k⟩ serve the Lord in holiness and justice; *ik was onder de indruk van de heiligheid van de* ***plaats*** I was impressed by the sacredness of the place; ***Zijne*** *Heiligheid* His Holiness/Sanctity

heiliging [de^{v}] [1] ⟨wijding⟩ consecration, sanctification, hallowing [2] ⟨reiniging van zonden⟩ sanctification, purification [3] ⟨viering⟩ observance ◆ *de heiliging van de* ***zondag*** the observance of the Sabbath, Sunday/Lord's day observance

heiligmaker [de^{m}] sanctifier

heiligschennend [bn] sacrilegious, profane, impious, blasphemous

heiligschenner [de^{m}] profaner, desecrator

heiligschennis [de^{v}] sacrilege, desecration, profanation, blasphemy ◆ *heiligschennis* ***plegen*** commit sacrilege

heiligverklaring [de^{v}] canonization

heilloos [bn, bw] [1] ⟨goddeloos⟩ sinful, wicked, evil, impious ◆ *een heilloze* ***daad*** a wicked deed; *een heilloos* ***leven*** *leiden* lead a sinful life [2] ⟨geen geluk brengend⟩ fatal, disastrous ◆ *een heilloze* ***onderneming*** a disastrous undertaking; *een heilloos* ***plan*** a disastrous plan

heilsgebeuren [het] ⟨rel; form⟩ Birth of Christ

heilsleger [het] Salvation Army

heilsofficier [de^{m}] officer in the Salvation Army, Salvationist

heilsoldaat [de^{m}] soldier in the Salvation Army, Salvationist

heilsorde [de] order of salvation

heilstaat [de^{m}] ideal state, utopia

heilsverwachting [de^{v}] messianism

heilwens [de^{m}] congratulation, felicitation, benediction

heilzaam [bn] [1] ⟨geneeskrachtig, gezond (makend)⟩ curative, healing, ⟨gezond⟩ wholesome, healthful, ⟨m.b.t. klimaat/lucht ook⟩ salubrious ◆ *een heilzame* ***drank*** a medicinal draught/potion, a drink that's good for one; *een heilzaam* ***middel*** a remedy/cure/medicine [2] ⟨tot heil, baat strekkende⟩ salutary, beneficial, therapeutic, wholesome ◆ *dat is een heilzame* ***les*** *voor hem* that is a salutary lesson for him; *een heilzame* ***raad*** beneficial/salutary advice, a salutary piece of advice; *een heilzame* ***werking/invloed*** *hebben* have a salutary/wholesome effect/influence

heilzaamheid [de^{v}] [1] ⟨m.b.t. gezondheid⟩ wholesomeness, ⟨m.b.t. lucht/klimaat ook⟩ salubriousness, salubrity [2] ⟨m.b.t. heil, baat⟩ salutariness, salutary/beneficial effect, salutary/beneficial influence

heimachine [de^{v}] pile driver, pile(-driving) engine

heimatfilm [de^{m}] heimat film

[1]**heimelijk** [bn] ⟨verborgen gehouden, niet geopenbaard⟩ secret, ⟨van bijeenkomst, organisatie ook⟩ clandestine, ⟨van blik, beweging ook⟩ surreptitious, stealthy, furtive, ⟨vermoeden, verlangen⟩ sneaking ◆ *een heimelijk* ***genoegen*** a secret pleasure; *heimelijke* ***jaloezie*** covert jealousy; *ik had een heimelijk* ***verlangen*** *weer thuis te zijn* I had a secret/sneaking desire to be back home

[2]**heimelijk** [bw] ⟨stiekem⟩ secretly, in secret, on the sly/quiet, clandestinely, surreptitiously, furtively ◆ *ergens heimelijk* ***binnendringen*** break into (a house) surreptitiously,

slip/steal/sneak in(side) unnoticed; *hij **is** heimelijk **gevlucht*** he fled in secret; *hij **nam/deed** heimelijk een trekje* he sneaked a smoke/took a sly drag

heimelijkheid [de^{v}] secrecy, secretiveness, furtiveness ♦ *een **in** alle heimelijkheid verrichte handeling* an action performed in complete secrecy

heimwee [het] homesickness, ⟨naar verleden⟩ nostalgia ♦ *ik **kreeg** heimwee* I got/became homesick; *zij had heimwee **naar** huis* she was homesick/sick for home; *hij had heimwee **naar** zijn kinderen* he felt homesick for his children; *hij had heimwee **naar** de dagen van weleer* he was filled with nostalgia for the days of yore/times gone by

Hein Harry ▪ ***Magere** Hein* the Grim Reaper; *Heintje **Pik*** Old Nick

heinde [bw] ▪ *van heinde en **verre*** from far and near/wide

heining [de^{v}] fence, enclosure, ⟨tijdelijke schutting⟩ hoarding

heiningdraad [het] fencing-wire

heipaal [de^{m}] pile

heiploeg [de] pile-driving team/gang, team/gang of pile drivers

¹heisa [de^{m}] ⟨inf⟩ 1 ⟨drukte⟩ to-do, fuss, ⟨BE⟩ carry-on, ⟨AE⟩ carrying-on ♦ *heisa **geven*** kick up/raise a dust; ***maak** toch niet zo'n heisa* don't make such a fuss 2 ⟨gedoe⟩ business ♦ *verhuizen is een **hele** heisa* moving (house) is such a business/drag/rotten job

²heisa [tw] whoop(ee), upadaisy ♦ ***hopsa** heisa* (wh)oops-a-daisy, up(s)-a-daisy, upsy-daisy

heistelling [de^{v}] pile frame

heisteren [onov ww] make a to-do/fuss, rush around

heitje [het] ⟨inf⟩ ♦ *een heitje **voor** een karweitje* a bob a job

heitoestel [het] pile-driver, pile(-driving) engine

heiwerk [het] 1 ⟨het heien⟩ piling, pile-driving 2 ⟨ingeslagen palen⟩ piling, pilework, piles

hek [het] 1 ⟨omheining, afscheiding⟩ fence, ⟨versperring⟩ barrier, ⟨van houten palen⟩ paling, ⟨van ijzer⟩ rail(s), railing(s), ⟨in kerk⟩ (choir-)screen, ⟨bij wedrennen⟩ hurdle ♦ *een hek **plaatsen*** put up a barrier/fence; *nu is het hek van de dam* now it's every man for himself/it's Liberty Hall, there's no stopping him/them now, now things are getting out of hand 2 ⟨draaibare afsluiting⟩ gate, ⟨klein hekje⟩ wicket(-gate) ♦ *de hekken **gaan om** vijf uur **dicht*** the gates will be closed at five; *het hek **openmaken*** open the gate; *het hek **sluiten*** close the gate; ⟨fig⟩ bring up the rear, turn out the light 3 ⟨raamwerk aan een molenwiek⟩ frame 4 ⟨bovenachterzijde van een vaartuig⟩ stern 5 ⟨achterkant van een sloep⟩ stern ▪ ⟨sprw⟩ *als 't hek van de dam is, lopen de schapen overal* ± when the cat's away the mice will play

hekanker [het] ⟨scheepv⟩ stern anchor

hekel [de^{m}] 1 ⟨vlaskam⟩ hackle, heckle, hatchel ♦ *vlas **over** de hekel halen* hackle/dress/comb flax; ⟨fig⟩ *iemand/iets **over** de hekel halen* censure/criticize s.o./sth. mercilessly; ⟨in gedicht⟩ satirize, lampoon 2 ⟨werktuig van borstelmakers⟩ hackle, heckle, hatchel ▪ *ik heb een **gruwelijke** hekel aan koken* I detest/loathe cooking; *een hekel aan iemand/iets **hebben*** hate/dislike s.o./sth.; *een hekel **krijgen** aan* take a dislike to

hekelaar [de^{m}], **hekelaarster** [de^{v}] 1 ⟨m.b.t. vlas, hennep⟩ heckler, hackler 2 ⟨fig; gisper⟩ heckler, severe critic, vituperator, caviller

hekelaarster [de^{v}] → **hekelaar**

hekeldicht [het] satire, epigram

hekeldichter [de^{m}], **hekeldichteres** [de^{v}] satirist, epigrammatist

hekeldichteres [de^{v}] → **hekeldichter**

hekelen [ov ww] 1 ⟨bekritiseren⟩ criticize, censure, denounce, flay, ⟨inf; BE⟩ slate ♦ *hij hekelde de **gebreken** van zijn tijd* he denounced the faults/shortcomings of his time/age 2 ⟨m.b.t. vlas⟩ hackle, comb

hekelrijm [het] epigram

hekelschrift [het] satire, lampoon

hekgolf [de] ⟨scheepv⟩ sternwave

hekje [het] 1 ⟨klein hek⟩ small gate/door, wicket, wicket-door, wicket-gate 2 ⟨in kerk⟩ (choir/rood) screen 3 ⟨het teken #⟩ hash (symbol), number/pound symbol

hekkensluiter [de^{m}], **heksluiter** [de^{m}] last comer, ⟨vaak scherts⟩ tail-end Charlie ♦ *hij **is** de hekkensluiter op de ranglijst* he is last on the list/at the bottom of the list; *hekkensluiter **zijn*** be/come last, bring up the rear

heklicht [het] ⟨scheepv⟩ sternlight

hekpaal [de^{m}] 1 ⟨stijl waar een hek om draait⟩ gatepost 2 ⟨paal van een hek⟩ fence post, fencing stake

¹heks [de^{m}] ⟨iemand die met toverij omgaat⟩ witch, sorceress ♦ *de heks van Hans en Grietje* the witch in Hansel and Gretel

²heks [de^{v}] 1 ⟨feeks⟩ shrew, scold, termagant, vixen, harridan, ↓bitch 2 ⟨lelijke vrouw⟩ witch, (old) hag, (old) crone ♦ *zo'n **oude** heks* silly old hag! 3 ⟨bijdehand meisje⟩ (little) minx/hussy/vixen ♦ *die **kleine** heks heeft dat handig gedaan* that little minx has made a good job of it

heksen [onov ww] practise/^{A}practice witchcraft ♦ *ik kan niet heksen* I can't work miracles, I'm not a magician, I'm doing it/coming as fast as I can, I've only got two hands/legs

heksenbezem [de^{m}] witches'-broom, witches'-besom, witch broom

heksenbol [de^{m}] crystal ball

heksendans [de^{m}] 1 ⟨dans van heksen⟩ witches' dance 2 ⟨plant⟩ club-moss, ground pine/fir

heksenjacht [de] 1 ⟨heksenvervolging⟩ witch hunt, ⟨handeling⟩ witch-hunting 2 ⟨fig; hetze⟩ witch hunt

heksenjager [de^{m}] 1 ⟨heksenvervolger⟩ witch hunter 2 ⟨fig⟩ witch hunter

heksenketel [de^{m}] 1 ⟨ketel van een heks⟩ witches' cauldron 2 ⟨warboel⟩ bedlam, pandemonium, chaos ♦ *het was een **echte** heksenketel* it was bedlam

heksenkrans [de^{m}] club-moss, ground pine/fir

heksenkring [de^{m}] fairy ring

heksenkruid [het] enchanter's nightshade

heksenmeester [de^{m}] wizard, sorcerer, magician, warlock

heksenmelk [de] 1 ⟨plant⟩ wolf's-milk, leafy spurge 2 ⟨m.b.t. baby's⟩ witch's/witches' milk

heksenproces [het] ⟨gesch⟩ witch trial

heksenproef [de] ⟨gesch⟩ ordeal by (cold) water, cold-water test

heksensabbat [de^{m}] 1 ⟨feest van heksen⟩ witches' sabbath 2 ⟨heidens kabaal⟩ pandemonium, bedlam, chaos

heksensteek [de^{m}] herringbone stitch

heksentoer [de^{m}] tough/ticklish/complicated job ♦ *dat **is geen** heksentoer* it's as easy as pie/as falling off a log, there's nothing to it; *het **is** een heksentoer hem te spreken te krijgen* it's a devil of a job to get hold of him

heksenwaag [de] ⟨gesch⟩ witch's stool

hekserig [bn] witchy

hekserij [de^{v}] sorcery, witchcraft, witchery, magic ♦ *er is zeker hekserij (bij) in het spel* there must be/there's a jinx on it

heksloep [de] stern boat

heksluiter [de^{m}] → **hekkensluiter**

hektreiler [de^{m}] stern trawler

hekwerk [het] 1 ⟨raster(ing)⟩ fencing, railings, ⟨i.h.b. voor klimplanten⟩ trellis-work 2 ⟨scheepv⟩ stern

¹hel [de] 1 ⟨rel⟩ hell ♦ *het stinkt er **als** de hel* it stinks to high heaven, ↑there is an abominable stench; ⟨inf⟩ it doesn't half pong; *het is hier zo donker **als** de hel* it's like the Black Hole of Calcutta here, it's as black as your hat here; ⟨fig⟩ *de hel van het **concentratiekamp*** the hell of the concentration camp; ⟨fig⟩ *de **groene** hel* the jungle; *zondaars komen **in** de hel* sinners go to hell; ⟨fig⟩ *de hel **is** er **losgebroken*** all hell has broken loose/been let loose; *een monster dat door de hel **is uitgebraakt*** an infernal monster, a devil; *loop **naar** de hel!* go to hell/blazes!; *iemand **naar** de hel wensen* wish s.o. to hell; *al moest ik ervoor **naar** de hel lopen* even if I had to go to hell for it; ⟨fig⟩ *iemand het leven **tot** een hel maken* make s.o.'s life (a) hell; ⟨fig⟩ ***uit** de hel in de hemel komen* be reborn, breathe again; ⟨fig⟩ *alle duivels **uit** de hel vloeken* swear like a bargee/trooper/like nobody's business; *zijn leven **was** een hel op aarde* his life was a hell (up)on earth; ⟨fig⟩ *de **witte** hel* the white hell; ± the Arctic [2] ⟨dodenrijk⟩ hell, inferno, Hades [3] ⟨zolder in molens⟩ mill loft [4] ⟨drukw⟩ hell(box) [•] ⟨sprw⟩ *de weg naar de hel is geplaveid met goede voornemens* the road to hell is paved with good intentions

^{2}**hel** [bn, bw] [1] ⟨schel⟩ shrill ⟨bw: ~y⟩, piercing, strident [2] ⟨fel⟩ vivid ⟨bw: ~ly⟩, bright, glaring, dazzling, ⟨m.b.t. kleuren ook⟩ violent ◆ *hel **gekleurd*** brightly/highly coloured; *een helle **gloed*** a blaze; *hel **rood*** glaring/bright/violent red; *de kamer was hel **verlicht*** the room was a blaze of/blazing/ablaze with light; *in de helle **zonneschijn*** in the glaring/dazzling sunlight, in the glare of the sun

hela [tw] hey, hallo(a)

^{1}**helaas** [bw] unfortunately, sadly, ↑ regrettably, ↑ alas ◆ *nee, helaas **kan** ik niet blijven* no, I can't stay, more's the pity/worse luck, ↑ I regret to say I can't stay; *ik **kan** dat helaas niet **toestaan*** I'm afraid I can't allow that; *helaas **kunnen** wij u niet helpen* I'm afraid we can't help you; *helaas **wel*** I'm afraid so

^{2}**helaas** [tw] alas ◆ *helaas, het is niet anders* alas, that's the way it is

helblauw [bn] bright blue

held [de^{m}] [1] ⟨iemand die uitzonderlijk dapper is⟩ hero ◆ *hij is **geen** held* he is no hero; ⟨iron⟩ *hij is een **hele** held, als het op lopen aankomt* he is quite a hero when it comes to running (away), he's a fine hero; *een held op sokken* a coward, a yellowbelly; *zij is geen held op het water* she is not at ease on the water, she is no water-dog [2] ⟨dapper krijgsman⟩ hero [3] ⟨iemand die uitblinkt⟩ ◆ *hij voelt zich weer een **hele** held* he's back on his feet and raring to go, he thinks he can take on all and sundry again; *hij is geen held **in** rekenen* he is bad/no good at figures, ↓ he is lousy at figures [4] ⟨hoofdpersoon⟩ hero, protagonist [•] *hij is de held van de **dag**/van het **feest*** the hero of the hour/celebrations

heldencultus [de^{m}] hero worship

heldendaad [de] heroic deed/feat, act of heroism/valour, ⟨vaak iron⟩ exploit ◆ *zijn heldendaad **werd** met een onderscheiding **beloond*** his heroic deed/heroism/valour was rewarded with a decoration

heldendicht [het] heroic/epic poem, epic, epopee

heldendichter [de^{m}] epic poet

heldendood [de] heroic death, hero's death, death in battle ◆ *de heldendood **sterven*** die a hero, die a hero's death, die in battle/action

heldendrama [het] heroic drama

heldenepos [het] heroic epic

heldenmoed [de^{m}] heroism, valour, heroic courage ◆ ***met** heldenmoed droeg hij zijn lot* he bore his fate heroically/with heroism

heldenrol [de] hero's part/role, part of a/the hero, role of a/the hero, heroic part

heldensage [de] heroic legend/saga

heldenschaar [de] band of heroes

heldentenor [de^{m}] heroic tenor, heldentenor

heldenverering [de^{v}] hero worship

helder [bn, bw] [1] ⟨m.b.t. geluid⟩ clear ⟨bw: ~ly⟩, sonorous, ⟨m.b.t. lach ook⟩ ringing ◆ *helder **klinken*** sound clearly as a bell; *zij heeft een heldere **stem/lach*** she has a clear voice/a ringing laugh [2] ⟨m.b.t. licht, kleur⟩ bright ⟨bw: ~ly⟩, ⟨m.b.t. licht ook⟩ clear, vivid ◆ ⟨fig⟩ *iets in een helder **licht** plaatsen* put sth. in a clear light, highlight sth.; *heldere **ogen*** bright eyes; *de zon **schijnt** helder* the sun shines brightly; *een heldere **vlam*** a bright flame; *helder **wit/groen*** ⟨ook aaneengeschreven⟩ brilliant white/bright green [3] ⟨onbewolkt⟩ clear ⟨bw: ~ly⟩, bright ◆ *een heldere **hemel*** a clear sky; *een heldere **plek** aan de hemel* a clear/bright spot in the sky; *bij helder **weer*** in clear weather; *het **wordt** wat helderder* it/the sky is getting a little bit brighter/is brightening a bit [4] ⟨transparant⟩ clear ⟨bw: ~ly⟩, transparent, ⟨m.b.t. water ook⟩ limpid ◆ *dat water is zo helder **als** kristal* that water is as clear as crystal/crystal-clear; *helder **glas*** clear glass; *heldere **soep*** clear soup [5] ⟨met goed verstand⟩ bright ⟨bw: ~ly⟩, intelligent, ⟨helder van geest⟩ clear-headed, lucid, clear ◆ *de krankzinnige heeft van tijd tot tijd heldere **ogenblikken*** the lunatic has the odd lucid moment [6] ⟨duidelijk⟩ clear ⟨bw: ~ly⟩, lucid, ⟨van betoog ook⟩ ↑ perspicuous ◆ *zo helder **als glas*** crystal-clear; *een helder **betoog*** a clear/perspicuous argument; *iets helder **inzien*** see sth. clearly [7] ⟨schoon⟩ clean ⟨bw: ~ly⟩, bright ◆ *helder **linnengoed*** clean linen

helderheid [de^{v}] [1] ⟨m.b.t. geluid⟩ clearness, clarity, ⟨van stem/klok ook⟩ sonority [2] ⟨m.b.t. licht, kleur⟩ brightness, brilliance, ⟨m.b.t. licht ook⟩ clearness, vividness, clarity, ⟨m.b.t. kleur ook⟩ lightness, ⟨astron⟩ luminosity, magnitude [3] ⟨onbewolktheid⟩ clearness, brightness [4] ⟨transparantheid⟩ clearness, transparency, ⟨m.b.t. water/vloeistof ook⟩ limpidity [5] ⟨m.b.t. verstand⟩ brightness, clarity, clearness, ⟨helderheid van geest⟩ clear-headedness, lucidity [6] ⟨duidelijkheid⟩ clarity, lucidity, ⟨van betoog ook⟩ ↑ perspicuity, ↑ pellucidness ◆ *helderheid **brengen** in iets* clarify sth., clear sth. up [7] ⟨zindelijk, properheid⟩ cleanness

helderhorend [bn] clairaudient

helderziend [bn] clairvoyant

helderziende [de] clairvoyant ◆ *ik **ben** toch geen helderziende* I can't see into the future, I'm not a mindreader

helderziendheid [de^{v}] clairvoyance, second sight

heldhaftig [bn, bw] heroic ⟨bw: ~ally⟩, valiant ◆ *een heldhaftig **man*** a heroic man

heldhaftigheid [de^{v}] heroism, valour

heldin [de^{v}] [1] ⟨uitzonderlijk dappere vrouw⟩ heroine [2] ⟨hoofdpersoon⟩ heroine, (female) protagonist ◆ *zij was de heldin van de **avond*** she was the heroine of the evening; *de heldin van het **boek*** the heroine/protagonist of the book

heleboel [de^{m}] (quite) a lot, a whole lot, ⟨inf⟩ lots, tons, hundreds, piles ◆ ***een** heleboel kinderen* a lot/lots of children; *ik heb er **een** heleboel van* I've got quite a lot of them/hundreds of them; *dat gaat je **een** heleboel kosten* that'll cost you piles (of money); *vind je dat weinig? ik vind het **een** heleboel* don't you think it's sufficient? I think it's quite a lot; ***een** heleboel mensen zouden het niet met je eens zijn* an awful lot of people wouldn't agree with you, ↓ a hell of a lot of people wouldn't agree with you

helemaal [bw] [1] ⟨geheel en al⟩ completely, entirely, totally, absolutely, thoroughly, quite ◆ *ik heb het helemaal **alleen** gedaan* I did it all by myself; ***ben** je nu helemaal?* are you completely out of your mind?; are you completely nuts/nutty?, have you gone off your rocker?; *helemaal **blauw*** blue all over, entirely blue; *hij **draaide** zich helemaal **om*** he turned completely/right round/around; *helemaal **fout*** completely/absolutely/utterly wrong; *ik heb helemaal **geen** zin* I don't feel like it at all; *die speler **heeft** het helemaal* that player has really got it/got what it takes; *helemaal **in** het begin* right at the (very) beginning/(very) start; *de bruid was helemaal **in het wit*** the bride was all in white; *dat **is** het helemaal* that's the top/the works; *een boek helemaal **lezen*** read a book from cover to cover/right through/right to the end/from beginning to end; *helemaal **nat** zijn* be wet through, be drenched/soaked to the skin/dripping wet; *helemaal **niet*** absolutely not, not at all, not in the least; ***niet** helemaal juist* not quite right/correct; *ik ben helemaal **niet** ziek* I'm not ill at all; *ik voel me **niet** helemaal fit* I don't feel a hundred percent/quite up to the mark; *ik ben nog **niet** helemaal overtuigd* I'm not altogether/absolutely convinced yet; *ik heb het nog **niet** helemaal gelezen* I haven't read it all yet, I haven't finished reading it yet; *helemaal **niets*** nothing at all; *hij begrijpt helemaal **niets*** he doesn't understand a/one single thing, he doesn't understand anything at all; *het kan mij helemaal **niets** schelen* I couldn't care less, it's all the same to me; *iemand helemaal **onderzoeken*** give s.o. a complete/thorough examination; *nu zal ik helemaal **opnieuw** moeten beginnen* now I shall have to start all over again; *armbanden helemaal **van** goud* all-gold bracelets; *helemaal **vol*** full up; *zij **waren** helemaal weg van het concert* they were absolutely thrilled with the concert, they were wild/crazy/in a rave about the concert; *dit huis **was** het helemaal voor ons* this house was just what we wanted/just what we were looking for; *korte rokken **zijn** het helemaal* short skirts are all the rage/the in thing ② ⟨m.b.t. een plaatsaanduiding⟩ ⟨m.b.t. plaats⟩ right, ⟨m.b.t. afstand⟩ all the way ◆ *helemaal **aan** het eind van de zaal* right at the back of the hall/at the far end of the hall; *helemaal **bovenaan*** right at the top; *helemaal **in** het verre noorden* right/way up in the far North; *wij gaan helemaal **naar** Spanje* we're going all the way to Spain; *u moet helemaal **tot** het eind van deze weg rijden en dan rechtsaf* you must/have to go on right to the (very) end of this road and then turn right; *dat pakje komt helemaal **uit** Amerika* that parcel has come all the way from America

[1]**helen** [onov ww] ⟨genezen⟩ heal ◆ *de **wond** heelt langzaam* the wound is healing slowly

[2]**helen** [ov ww] ① ⟨jur⟩ receive, ⟨sl⟩ fence ② ⟨genezen⟩ heal, cure ◆ *helende **eigenschappen*** healing properties ⊡ ⟨sprw⟩ *de tijd heelt alle wonden* time cures all things; time is the great healer

heler [de^{m}] receiver, ⟨sl⟩ fence

helft [de] ① ⟨elk van beide gelijke delen⟩ half ◆ *ieder de helft **betalen*** pay half each, go halves, ⟨inf⟩ go fifty-fifty, go Dutch; ⟨fig⟩ *mijn **betere** helft* my better half; ***door** de helft* in two, in half; ***meer** dan de helft* more than half; *bij mij krijgt u de helft **meer** voor hetzelfde geld* I give half as much/many again for the same price; *de helft **minder*** half as much/many, fifty per cent less/fewer; *we zijn nu **op** de helft van de roman* we are now halfway through the novel; ***over** de helft zijn* be more than halfway through, be past the halfway mark; ***tegen/voor** de helft van de prijs* at/for half the price, at/for half-price; *de **tweede** helft van een wedstrijd* the second half of a match; *de helft **van** tien is vijf* half of ten is five; *geef mij de helft **van** die appel* give me half (of) that apple; *de helft te **veel*** fifty per cent too much/many; *de fles is **voor** de helft gevuld* the bottle is half full ② ⟨een (groot) deel⟩ half, part ◆ *hij kiest altijd de **grootste** helft* he always chooses the bigger half, he always takes the lion's share; *de helft **is gelogen*** half of it is lies; *de helft **van** wat hij zegt is niet waar* half (of) what he says isn't true

helhond [de^{m}] ⟨kwaadaardig persoon⟩ hell-hound

Helhond [de^{m}] ⟨myth⟩ hell-hound

heli [de^{m}] chopper

helicopterview [de] helicopter view

helidak [het] helipad

helihaven [de] heliport

helikopter [de^{m}] helicopter, ⟨inf⟩ chopper, copter ◆ ***per** helikopter vervoerd* transported/carried/taken by helicopter; ⟨ook⟩ airlifted

helikopterdek [het] helicopter landing platform

helikopterdekschip [het] helicopter carrier

helikoptervisie [de^{v}] helicopter view

heling [de^{v}] ① ⟨het genezen⟩ healing ② ⟨m.b.t. gestolen goed⟩ handling stolen goods, ⟨sl⟩ fencing, receiving of unlawfully obtained goods

heliocentrisch [bn] heliocentric ◆ *de heliocentrische **lengte/breedte*** the heliocentric longitude/latitude

heliocentrisme [het] heliocentrism

heliochromie [de^{v}] ⟨foto⟩ heliochromy

heliograaf [de^{m}] ① ⟨instrument voor fotografische opnamen⟩ heliograph, photoheliograph ② ⟨seintoestel⟩ heliograph

heliograferen [ov ww] heliograph

heliogram [het] heliogram

heliogravure [de] heliogravure, photogravure

heliometer [de^{m}] heliometer

helioscoop [de^{m}] ① ⟨waarnemings-, projectie-instrument⟩ helioscope ② ⟨voorziening om de ogen te beschermen⟩ helioscope

heliostaat [de^{m}] heliostat

heliotherapie [de^{v}] heliotherapy

[1]**heliotroop** [de^{m}] ① ⟨toestel⟩ heliotrope ② ⟨gesteente⟩ heliotrope, bloodstone

[2]**heliotroop** [de] ⟨plant⟩ heliotrope

heliotropisch [bn] ⟨plantk⟩ heliotropic ◆ *heliotropische **krommingen*** heliotropic curvature

heliotropisme [het] ⟨plantk⟩ heliotropism

heliplat [het] helipad

heliport [de^{m}] heliport

heliskiën [ww] heli-skiing

helium [het] ⟨scheik⟩ helium

heliumkern [de] ⟨scheik⟩ helium nucleus, alpha particle

heliumstem [de] helium voice

helix [de] ① ⟨schroef, spiraal⟩ helix, spiral ◆ *de **dubbele** helix* the double helix ② ⟨med⟩ helix

hellebaard [de] ⟨gesch⟩ halberd

hellebaardier [de^{m}] ⟨gesch⟩ halberdier

helleborus [de^{m}] Christmas rose

Helleen [de^{m}] Hellene

Helleens [bn] Hellenic

hellekrocht [de] hellfire

hellen [onov ww] ① ⟨afwijken van de loodlijn⟩ slope, lean (over), slant ◆ ***achterover** hellen* lean backward; ⟨gebouw ook⟩ tilt backward; ⟨schip⟩ tilt up; ***doen** hellen* incline, slant, tilt; ⟨vliegtuig, auto⟩ bank; *de **muur** helt naar links* the wall slopes/leans/slants to the left; *die paal helt **naar** links* that pole is tilted to the left; ***voorover** hellen* lean forward; ⟨gebouw ook⟩ tilt forward; ⟨schip⟩ dip up; *dat schip helt **zwaar*** ⟨bij wind, ongelijke belasting⟩ that ship is heeling over badly; ⟨bij lek, werkende lading⟩ that ship is listing badly ② ⟨schuin aflopen⟩ slope ◆ ⟨natuurk⟩ *een hellend **vlak*** an inclined plane ③ ⟨neigen⟩ tend, incline ◆ *het helt **naar** het groene* it has a greenish hue, it tinges of green

[1]**helleniseren** [onov ww] ⟨gesch⟩ ⟨Griekse beschaving volgen⟩ Hellenize

[2]**helleniseren** [ov ww] ⟨gesch⟩ ⟨Grieks maken⟩ Hellenize

hellenisme [het] ⟨gesch⟩ Hellenism

hellenist [de^{m}] Hellenist

hellepijn [de] torments of hell, ⟨fig⟩ agony

hellepoort [de] (the) gates of hell, hell-gate

helletocht [de^{m}] ① ⟨tocht naar de hel⟩ road to hell ② ⟨fig⟩ hellish ordeal

hellevaart [de] ① ⟨afdaling van Jezus⟩ descent into hell ② ⟨het ter helle gaan⟩ going to hell

helleveeg [de^{v}] shrew, hellcat

hellevorst [de^{m}] prince of darkness

hellevuur [het] hell-fire, fire(s) of hell, fire and brimstone ◆ ***in** het hellevuur branden* burn in hell

helling [de^{v}] ① ⟨talud⟩ slope, incline, hill ◆ *een **aflopende/oplopende** helling* a(n) descending/ascending slope, a(n) descent/ascent; ⟨form of techn⟩ a declivity, ⟨zelden⟩ an acclivity; *de helling **afrennen*** run down the hill; ***op** de hellingen van de bergen groeide de wijnstok* vines grew on the slopes of the mountains; *een **steile** helling* a steep slope/hill; ⟨m.b.t. weg⟩ a steep incline ② ⟨glooiing⟩ slope, incline, ⟨m.b.t. weg ook⟩ ramp, ⟨hellingsgraad van (spoor)weg⟩ gradient, ⟨AE vnl⟩ grade ◆ ***gevaarlijke** helling* ⟨verkeersbord⟩ steep hill; *een helling* ***van*** *30°* a gradient of 30°, ⟨AE⟩ a 30° grade; *de helling van de* ***weg*** *is 1 op 100* the road has a gradient of 1 in 100 [3] ⟨het overhellen⟩ inclination ⟨ook astronomie⟩, ⟨m.b.t. schip⟩ list, ⟨m.b.t. magneetnaald⟩ dip ◆ *de helling van de* ***aardas*** the inclination of the earth's axis; *we moeten aan die plank een* ***grotere*** *helling geven* we must tilt that plank more [4] ⟨scheepv⟩ slip(s), slipway ◆ ***op*** *de helling* on the slip(s); ⟨fig⟩ *iets* ***op*** *de helling zetten* put (the future of) sth. at risk; *het schip gaat* ***op*** *de helling* the ship is going in for a refit/to be overhauled; ⟨fig⟩ *dat plan kwam* ***op*** *de helling te staan* that plan was under review again

hellingbos [het] hillside/mountainside forest

hellingmeter [de^{m}] [1] ⟨meettoestel⟩ (in)clinometer [2] ⟨verk⟩ inclinometer

hellingproef [de] hill-start

hellingshoek [de^{m}] angle of inclination, slope, ⟨m.b.t. schip⟩ angle of heel, ⟨m.b.t. weg⟩ gradient, ⟨m.b.t. dak⟩ pitch

hellmanngetal [het] Hellmann index

hell of a job [de^{m}] hell of a job

hell's angel [de^{m}] hell's angel

¹**helm** [de^{m}] [1] ⟨hoofddeksel⟩ helmet, headpiece, ⟨sport en spel, werk ook⟩ hard hat, ⟨gesch ook⟩ casque, ⟨mil; sl⟩ tin hat ◆ ***gesloten*** *helm* helmet with closed visor; ***open*** *helm* open(-faced)/barred/grilled helmet [2] ⟨heral⟩ helmet, helm [3] ⟨vlies⟩ caul ◆ ⟨in België; fig⟩ ***met*** *de helm geboren* born with a caul

²**helm** [de] ⟨duinplant⟩ marram (grass), beach grass, sand reed

helmbeplanting [de^{v}] ⟨het beplanten⟩ planting with marram (grass), ⟨begroeiing⟩ (plantation/planting of) marram (grass)

helmbindsel [het] ⟨plantk⟩ connective

helmbloem [de] ⟨plantk⟩ [1] ⟨plantengeslacht⟩ fumitory, corydalis [2] ⟨monnikskap⟩ monkshood

helmdak [het] ⟨bouwk⟩ cupola roof, dome-shaped roof

helmdraad [de^{m}] [1] ⟨steel van een meeldraad⟩ filament [2] ⟨zandzegge⟩ sand sedge, sea bent

helmgras [het], **helmriet** [het] marram (grass), beach grass, sand reed

helmknop [de^{m}] [1] ⟨plantk⟩ anther [2] ⟨knop op een helm⟩ (helmet) peak

helmkruid [het] figwort, pilewort

helmplicht [de] ◆ ***motorrijders*** *hebben helmplicht* motorcyclists are required by law to wear a helmet

helmriet [het] → **helmgras**

helmstijligen [de^{mv}] ⟨plantk⟩ gynandrous plants

helmstok [de^{m}] ⟨scheepv⟩ tiller, helm

heloot [de^{m}] ⟨gesch⟩ [1] ⟨oorspronkelijke bewoner van Sparta⟩ helot [2] ⟨slaaf⟩ helot ◆ *een* ***volk*** *van heloten* a nation of helots/serfs

help [tw] [•] ***lieve help, goeie help!*** oh, Lord/dear!, heavens above!, good heavens!, dear me!

helpdesk [de^{m}] help desk

helpen [ov ww, ook abs] [1] ⟨bijstaan⟩ help, ↑aid ◆ *kun je mij* ***aan*** *honderd euro helpen?* can you let me have a hundred euros?; *zo waarlijk helpe mij* ***God*** *almachtig* so help me God; ***zich(zelf)*** *helpen* look after/fend for o.s.; *help! help!* help! help! [2] ⟨verzorgen⟩ ⟨zieke, gewonde⟩ attend to ◆ *een* ***kind*** *helpen* attend to a baby/small child; *welke* ***specialist*** *heeft u geholpen?* which specialist did you see/have?; *u* ***wordt*** *morgen geholpen* ⟨in ziekenhuis⟩ you are having your operation tomorrow [3] ⟨assisteren⟩ help, ↑assist ◆ *wil je me helpen* ***afdrogen?*** will you help me (to) wipe up/help me with the wiping-up?; *helpen* ***bij*** *een operatie* assist at an operation; *hij hielp mij* ***bij*** *deze moeilijke opgave* he helped/assisted me with this difficult task; *iemand iets helpen* ***dragen*** help s.o. (to) carry sth.; *iemand een* ***handje*** *helpen* give/lend s.o. a hand; *ik help het je* ***hopen*** I'll keep my fingers crossed for you; *als ik jullie* ***kan*** *helpen ...* if I can be of assistance to you, ...; *help* ***me*** *eraan denken, wil je?* remind me, will you?; will you remind me?; *iemand* ***uit/in*** *zijn jas helpen* help s.o. off/on with his coat, help s.o. out of/into his coat; *ze helpt me* ***uitstekend*** she's a great help to me [4] ⟨zijn dienst verlenen⟩ help, help out ◆ *iemand* ***aan*** *iets helpen* get sth. for s.o., help s.o. get sth.; *iemand* ***aan*** *een baan helpen* get s.o. fixed up with a job; *ik kan u niet* ***aan*** *kaarsen helpen* I can't oblige you with candles; *wie helpt mij* ***aan*** *een tweedehands fiets?* who can help me get hold of a second-hand bike?; *ik zal hem* ***er*** *wel* ***door*** *helpen* I'll see him through it; *wacht eens, ik zal je* ***even*** *helpen* ⟨iron⟩ just wait, I'll give it you/let you have it; ⟨lett⟩ I'll give you a hand; *mijn vader heeft me* ***financieel*** *geholpen* my father has helped me financially/helped me out with money; ***jammeren*** *helpt niet* it's no use moaning; *iemand* ***naar*** *de andere wereld helpen* send s.o. to kingdom come; ⟨sl⟩ bump s.o. off; *iemand* ***op*** *weg/****op*** *dreef helpen* help s.o. get going/started; *iemand weer* ***op*** *de been helpen, iemand er weer bovenop helpen* put/set s.o. back on his feet again; *iemand* ***over*** *de grens helpen* help s.o. across the border; *iemand* ***uit*** *de droom helpen* open s.o.'s eyes for him, put s.o. wise; *iemand/een dier* ***uit*** *zijn lijden helpen* put s.o./an animal out of his/its misery; *iemand* ***uit*** *de brand/****uit*** *de nood helpen* help s.o. out; *iemand ergens* ***vanaf*** *helpen* help s.o. get rid of sth. [5] ⟨behulpzaam, werkzaam zijn tot verbetering⟩ help ◆ ***daar*** *helpt geen lievemoederen* ***aan, daar*** *is geen helpen* ***aan*** there's (absolutely) nothing that can be done about it; *hij* ***is*** *niet te helpen* he is past/beyond help; *ik* ***kan*** *het niet helpen* I can't help it, it's not my fault; ***kan*** *ik 't helpen dat hij zich zo gedraagt?* is it my fault if he behaves like that?; *ik* ***kan*** *het niet helpen, maar ik vind het verkeerd* I can't help feeling it's wrong, I'm sorry, but I think it's wrong [6] ⟨baten⟩ help ◆ *het* ***drankje*** *heeft geholpen* the mixture has helped; *die vitaminen hielpen* ***echt*** those vitamins really worked wonders/did the trick; ***het*** *helpt niet, je moet mee* it's no use/there's nothing for it, you'll have to come too; *die vakantie heeft* ***mij*** *geholpen* that holiday did me good; *huilen zal haar* ***niet*** *helpen* crying will not help her; *protesteren zal heus* ***niet*** *helpen* protesting won't do any good; *die vakantie heeft mij* ***niets*** *geholpen* I am none the better for that holiday, that holiday hasn't done me the least/slightest bit of good; *wat ik ook doe, het helpt allemaal* ***niets*** whatever I do, it is all to no purpose/avail; *ik deed mijn best, maar het hielp* ***niet(s)*** I did my best, but it was (of) no use, ↑I did my best, but it was (of) no avail; *dat helpt* ***tegen*** *hoofdpijn* that's good for a headache; *deze tabletten helpen* ***uitstekend*** these tablets are extremely effective; *al kom je maar een uur, het zou* ***veel*** *helpen* even if you only came for an hour, it would be of great help; ***wat*** *helpt het?* what good would it do?, what's the use?, what's the point? [7] ⟨bedienen⟩ help, serve, attend to ◆ *wordt u* ***al*** *geholpen?* are you being served/waited on/attended to?; ***kan*** *ik u helpen?* can I help you? [8] ⟨castreren, steriliseren⟩ fix, neuter, ⟨vnl AE ook⟩ alter ◆ *wij hebben onze kat* ***laten*** *helpen* we have had our cat fixed/neutered/altered [•] ⟨sprw⟩ *alle beetjes helpen* every little helps; ⟨sprw⟩ *het geluk helpt de dapperen* fortune favours the bold; ⟨sprw⟩ *help u zelf, zo helpt u God* God/Heaven helps those who help themselves

helper [de^{m}], **helpster** [de^{v}] helper, ↑assistant ◆ *de timmerman kwam met een* ***paar*** *helpers* the carpenter came with a couple of assistants

helpfunctie [de^{v}] help function

helpscherm [het] ⟨comp⟩ help screen

helpster [de^{v}] → **helper**

hels [bn, bw] [1] ⟨zoals in de hel⟩ infernal ⟨bw: ~ly⟩, hellish, devilish, diabolical ◆ *een hels* ***karwei*** a/the devil of a job; *een hels* ***lawaai/kabaal*** an infernal din/noise; *helse pijnen* ***uitstaan*** suffer excruciating pain(s)/torment(s)/agony/agonies [2] ⟨woedend⟩ furious ⟨bw: ~ly⟩, livid ◆ *hij* ***was*** *er hels over* he was furious/livid about it; *hij* ***werd*** *hels* he became furious, he went into a fury/rage; *het is om hels van te* ***worden*** it's absolutely infuriating/maddening [3] ⟨uit, van de hel⟩ infernal ⟨bw: ~ly⟩ ♦ *de helse* ***machten*** the infernal powers [•] *een helse* ***machine*** an infernal machine; ⟨med⟩ *helse* ***steen*** lunar caustic

Helsinki [het] Helsinki

hem [pers vnw] him, ⟨van dier/ding vnl.⟩ it ♦ *zij opende de brief en* ***las*** *hem* she opened the letter and read it; *vrienden* ***van*** *hem* friends of his; *die van hem is wit* his is white; *dit boek is van hem* this book is his [•] *hem* ***gesmeerd zijn*** have cleared off/hopped it/done a bunk/skedaddled; *zij* ***was*** *hem, nu* ***ben*** *jij hem* she was it, now you're it; *daar zit het hem niet (in)* that's not the reason; *dat is het hem nu juist, daar gaat het hem om* that's just it/the point, that's (just) what it's all about; *hem om hebben* have had a few (too many)/a drop too much

he-man [de^{m}] he-man

hemangioom [het] haemangioma

hemartrose [de^{v}] haemarthrosis

hematiet [het] haematite

hematocriet [het] hematocryte

hematogeen [bn] haematogenic, haematogenous

hematologie [de^{v}] haematology

hematologisch [bn, bw] haematologic(al) ⟨bw: haematologically⟩

hematoma [het] haematoma

hematoom [het] haematoma

hematozoën [de^{mv}] haematozoa

hematurie [de^{v}] haematuria

hemd [het] [1] ⟨onderkledingstuk⟩ ⟨BE⟩ vest, ⟨AE⟩ undershirt, ⟨als bovenkleding⟩ T-shirt ♦ ⟨fig⟩ *hij heeft geen hemd* ***aan het lijf*** he hasn't got a shirt to his back; *een* ***flanellen*** *hemd* a flanel vest; ***in*** *zijn hemd staan* ⟨fig; beroofd⟩ be stripped of everything/cleaned out; ⟨fig; voor gek⟩ look a fool/foolish; ⟨lett⟩ be in one's vest/undershirt; ⟨fig⟩ *iemand* ***in*** *zijn hemd laten staan/zetten* make s.o. look a fool/foolish; ⟨fig⟩ *iemand tot* ***op*** *het hemd uitschudden/uitkleden* strip/fleece s.o., take the shirt off s.o.'s back, clean s.o. out; ***tot op*** *het hemd nat zijn* be wet through/soaked to the skin/drenched/dripping wet; ⟨fig⟩ *iemand het hemd van zijn lijf/gat* ***vragen*** want to know the ins and outs of sth./everything (from s.o.); ⟨lastig⟩ pester s.o. with questions; *hij zou het hemd van zijn gat* ***weggeven*** he'd give (you) the shirt off his back [2] ⟨overhemd⟩ shirt ♦ *een* ***schoon*** *hemd aantrekken* change one's shirt; *zijn hemd in zijn broek* ***stoppen*** tuck one's shirt into one's trousers [•] ⟨sprw⟩ *het hemd is nader dan de rok* near is my shirt, but nearer is my skin; near is my kirtle, but nearer is my smock; ± charity begins at home; ⟨sprw⟩ *een doodshemd/het laatste hemd heeft geen zakken* shrouds have no pockets; you can't take it with you (when you go)

hemdje [het] ⟨BE⟩ vest, ⟨AE⟩ undershirt

hemdjurk [de] chemise, shift, ⟨inf⟩ shimmy

hemdsboord [het, de^{m}] shirt-collar

hemdsknoop [de^{m}] shirt-button

hemdskraag [de^{m}] shirt-collar

hemdsmouw [de] shirt-sleeve ♦ ***in*** *(zijn) hemdsmouwen* in one's shirt-sleeves

hemel [de^{m}] [1] ⟨uitspansel⟩ heaven(s), sky ♦ *de sterren* ***aan*** *de hemel* the stars in the sky; *de zon staat al hoog* ***aan*** *de hemel* the sun is already high in the sky; *tussen hemel en* ***aarde*** in mid-air; *tussen hemel en* ***aarde*** *zweven* be (left) in suspense, be unsure/wavering; ⟨fig⟩ *hij heeft er hemel en* ***aarde*** *om bewogen* he moved heaven and earth for it; *zij zijn zo ver van elkaar als hemel en* ***aarde*** they are poles apart; *onder de* ***blote*** *hemel slapen* sleep under the open sky/in the open (air); *de* ***hoge*** *hemel* the high heavens; ⟨fig⟩ *iemand/iets de hemel* ***in*** *prijzen* praise s.o./sth. to the skies; *de ogen* ***ten*** *hemel slaan* raise one's eyes to heaven; ***uit*** *de hemel* from on high, out of the sky; ⟨Bijb⟩ *de* ***vogelen*** *des hemels* the birds of the air [2] ⟨zichtbaar deel van de hemel⟩ sky ♦ *als een donderslag uit een/bij* ***heldere*** *hemel* like a bolt from the blue, out of the blue/the clear blue sky; *een* ***heldere/bedekte/blauwe/grauwe/bewolkte*** *hemel* a clear/overcast/blue/grey/cloudy sky; ⟨fig⟩ *donkere wolken vertoonden zich aan de* ***politieke*** *hemel* dark clouds appeared on the political horizon/sky; *het water kwam met bakken* ***uit*** *de hemel* the heavens opened (up) [3] ⟨verblijf van de goden, van God⟩ heaven ♦ *(grote) God* ***in*** *de hemel!* God in heaven, my God, good God, oh God; *Onze Vader die* ***in*** *de hemelen zijt* Our Father who/which art in heaven; ⟨fig⟩ *hij was in de* ***zevende*** *hemel* he was on cloud nine, he was in seventh heaven (of delight), he was over the moon [4] ⟨oord, toestand van gelukzaligheid⟩ heaven ♦ *hij* ***heeft*** *de hemel* ***verdiend*** he deserves a place in heaven; ***in*** *de hemel komen/zijn* go to/be in heaven; *de heiligen* ***in*** *de hemel* the saints above; ***in*** *de hemel/****ten*** *hemel opnemen* ⟨heilige⟩ assume; ***ten*** *hemel varen* ascend into heaven; *hij heeft een hemel op aarde* he's got heaven on earth [5] ⟨God, goden⟩ Heaven ♦ *de hemel* ***beware*** *me* Heaven forbid, may Heaven preserve me; *je mag de hemel wel* ***danken*** you can thank your lucky stars; *je bent (als)* ***door*** *de hemel gezonden* you are a sight for sore eyes/for the gods, you are heaven-sent; *lieve/goeie hemel, mijn hemel* Heavens above, my goodness, good gracious/heavens, goodness gracious; *de* ***Olympische*** *hemel* the Olympic gods; *de hemel* ***sta*** *je* ***bij*** Heaven help you; *de* ***wil****/de* ***wraak*** *des hemels* the will/vengeance of Heaven; *de hemel* ***zij*** *dank, de hemel* ***zij*** *geprezen!* thank heaven(s), Heaven be praised; *de hemel is mijn getuige* (as) Heaven is my witness [6] ⟨overkapping⟩ canopy, ⟨van bed ook⟩ tester, ⟨van troon/altaar ook⟩ baldachin [7] ⟨beeldende kunst⟩ sky [•] ⟨sprw⟩ *huwelijken worden in de hemel gesloten* marriages are made in heaven

hemelas [de] celestial axis

hemelbed [het] canopy/four-poster bed

hemelbestormer [de^{m}] (romantic) idealist, revolutionary

hemelbewoner [de^{m}], **hemelbewoonster** [de^{v}] celestial

hemelbewoonster [de^{v}] → **hemelbewoner**

hemelblauw [het] ⟨form⟩ azure

hemelbol [de^{m}] [1] ⟨dichtl; hemellichaam⟩ orb, celestial/heavenly body [2] ⟨hemelglobe⟩ celestial globe/sphere, ⟨halve hemelbol⟩ hemisphere

hemelboog [de^{m}], **hemeldak** [het], **hemelgewelf** [het] vault/canopy/arch of heaven, firmament

hemelboom [de^{m}] [1] ⟨plantk⟩ tree of heaven, ailanthus [2] ⟨bouwk; nokbalk⟩ ridge-beam, ridge-piece

hemelbruidje [het] ⟨r-k⟩ girl on the day of her First Communion

hemeldak [het] → **hemelboog**

hemelfotografie [de^{v}] astrophotography

hemelgewelf [het] → **hemelboog**

hemelglobe [de] celestial globe

hemelgod [de^{m}], **hemelgodin** [de^{v}] god/goddess of the heavens

hemelgodin [de^{v}] → **hemelgod**

hemelhoog [bn, bw] sky-high, towering, ⟨bijwoord⟩ high into the sky ♦ *hemelhoge* ***bergen*** lofty mountains; *iemand hemelhoog* ***prijzen*** praise s.o. to the skies; *hemelhoog* ***uittorenen/uitsteken*** *boven de anderen* stand head and shoulders above the rest; *de golven* ***werden*** *hemelhoog* ***opgezweept*** the waves became mountainous

hemelkaart [de] celestial map, star map

hemellichaam [het] heavenly/celestial body ♦ ***lichtgevend*** *hemellichaam* luminary

hemellicht [het] [1] ⟨licht aan, van de hemel⟩ heavenly light [2] ⟨lichtend hemellichaam⟩ luminary

hemelpoort [de] heavenly gate, (the) pearly gate

hemelrijk [het] kingdom of heaven

hemelruim [het] heaven(s), space, cosmos

^{1}**hemels** [bn] [1] ⟨te vinden in de hemel⟩ heavenly, celestial ♦ *de hemelse **gelukzaligheid*** heavenly bliss; *het hemelse **Jeruzalem*** the New Jerusalem, the City of God; *de hemelse **Vader*** the heavenly Father [2] ⟨uit de hemel afkomstig⟩ heavenly ♦ *een hemelse **gave*** a gift of/from heaven

^{2}**hemels** [bn, bw] ⟨goddelijk⟩ sublime ⟨bw: ~ly⟩, divine, heavenly ♦ *het is hemels **mooi*** it is sublimely beautiful; *het **smaakt** hemels* it tastes divine, it's out of this world; *zij heeft een hemelse **stem*** her voice is out of this world ⊡ *hemels **kijken*** look sublimely/blissfully happy

^{1}**hemelsblauw** [het] sky blue, celestial/ethereal blue

^{2}**hemelsblauw** [bn] sky-blue, ↑azure ♦ *hemelsblauwe **zijde*** sky-blue silk

hemelsbreed [bn, bw] [1] ⟨zeer groot, wijd⟩ vast, enormous, ⟨inf⟩ tremendous ♦ *de meningen **liepen** hemelsbreed **uiteen*** the opinions were poles apart; *dat is/maakt een hemelsbreed **verschil*** that makes all the difference/a world of difference; *(er is) een hemelsbreed **verschil** (tussen)* (there is) a world of difference (between); *hemelsbreed **verschillen*** ⟨m.b.t. karakter⟩ be as different as chalk and/from cheese; ⟨m.b.t. standpunt, karakter⟩ be poles apart [2] ⟨in rechte lijn gemeten⟩ as the crow flies, in a straight line

hemelsbreedte [de^{v}] celestial latitude

hemelschokkend [bn] horrific

hemelschreiend [bn] horrendous

hemelsgroot [bn] ⟨in België⟩ huge, enormous, ⟨sl⟩ humungous

hemelsluis [de] ⊡ *de hemelsluizen **gingen** open* the heavens opened

hemelsmooi [bn] divine, stunning, gorgeous

hemelsnaam [de^{m}] ⊡ ***in** ('s) hemelsnaam* for Heaven's/pity's sake, in the name of Heaven/goodness; ⟨inf⟩ for Pete's sake; *hoe **in** 's hemelsnaam?* however?; *wanneer **in** 's hemelsnaam?* whenever?; *waar **in** 's hemelsnaam mag hij wel wezen?* wherever/where on earth can he be?; *waarom heb je dat **in** 's hemelsnaam gedaan?* why in the world/on earth did you do that?; *wat heb je hem **in** 's hemelsnaam aangedaan?* whatever/what on earth did you do to him?

hemelstreek [de] [1] ⟨windstreek⟩ point (of the compass) [2] ⟨luchtstreek m.b.t. klimaat⟩ area, region, clime

hemelswil [de^{m}] ⊡ ***om** 's hemelswil* for Heaven's/pity's sake, in the name of Heaven/goodness; ⟨inf⟩ for Pete's sake

hemelteken [het] sign of the zodiac

hemeltergend [bn, bw] outrageous ⟨bw: ~ly⟩, appalling, scandalous, shameful ♦ *het is hemeltergend* it's a crying shame; *een hemeltergend **onrecht*** an outrageous/appalling injustice

hemeltje [tw], **hemeltjelief** [tw] gracious me, goodness gracious, oh dear, dearie me

hemeltjelief [tw] → **hemeltje**

hemelvaart [de] ⟨het ten hemel stijgen⟩ Ascension

Hemelvaart [de] ⟨feest⟩ Ascension

Hemelvaartsdag [de^{m}] Ascension Day

hemelvuur [het] ⟨form⟩ [1] ⟨bliksem⟩ ⟨ogm⟩ lightning [2] ⟨hemelse bezieling⟩ divine inspiration

hemelwaarts [bw] ⟨form⟩ heavenward(s)

Hemelwagen [de^{m}] Big Dipper, ⟨AE⟩ Great Bear

hemelwater [het] ⟨form⟩ ⟨ogm⟩ rain(-water), ⟨techn⟩ precipitation

hemeralopie [de^{v}] ⟨med⟩ hemeralopia, nyctalopia

hemerotheek [de^{v}] periodicals collection

hemianopsie [de^{v}] hemianopsia

hemicyclus [de^{m}] hemicycle

hemiplegie [de^{v}] hemiplegia

hemisfeer [de] hemisphere

hemisferisch [bn] hemispheric(al)

hemochromatose [de^{v}] hemochromatosis

hemodialyse [de^{v}] haemodialysis

hemofilie [de^{v}] haemophilia

hemofiliepatiënt [de^{m}], **hemofiliepatiënte** [de^{v}] haemophiliac

hemofiliepatiënte [de^{v}] → **hemofiliepatiënt**

hemoglobine [de] haemoglobin

hemoglobinemeter [de^{m}] haemoglobinometer

hemolyse [de^{v}] haemolysis

hemorragie [de^{v}] haemorrhage

hemorroïdaal [bn] haemorrhoidal

hemorroïden [de^{mv}] haemorrhoids

hemostase [de^{v}] haemostasis

hemostatica [de^{mv}] haemostatics, styptics

hemzelf [pers vnw] himself

^{1}**hen** [de^{v}] [1] ⟨wijfje van hoenderachtige vogels⟩ hen ♦ *hennetje* pullet [2] ⟨kip⟩ hen, chicken ⊡ ⟨sprw⟩ *het ei wil wijzer zijn dan de kip/hen* don't teach your grandmother to suck eggs

^{2}**hen** [pers vnw] them ♦ *hij **gaf** het hen* he gave it to them; *vrienden **van hen*** friends of theirs; *die **van hen is wit*** theirs is white; *dit boek **is van hen*** this book is theirs; *droevig was het lot **van hen** die bleven* sad was their fate who stayed, sad was the fate of those who stayed

hendel [het, de^{m}] handle, lever ♦ *een hendel **overhalen/verzetten*** pull/throw a handle/lever

hendiadys [de] hendiadys

Hendrik Henry ⊡ *een **brave** hendrik* a goody-goody, ↑a paragon of virtue; ⟨plantk⟩ ***brave/goede** hendrik* fat hen, goosefoot

Henegouwen [het] Hainaut

henen [bw] ⟨form⟩ hence, ⟨ogm⟩ away

hengel [de^{m}] fishing rod/pole ♦ ⟨fig⟩ *met de **gouden** hengel vissen* bait with a silver hook; ***met** de hengel vissen* fish with hook and line; *zijn hengel **uitwerpen*** cast (one's fishing line); *een hengeltje **uitwerpen*** ⟨gaan vissen⟩ go and cast a line, go on a fishing expedition; ⟨fig⟩ float an idea, bait a line

hengelaar [de^{m}], **hengelaarster** [de^{v}] [1] ⟨visser⟩ angler [2] ⟨assistent-geluidstechnicus⟩ boom operator/swinger

hengelaarster [de^{v}] → **hengelaar**

hengelen [onov ww] [1] ⟨vissen⟩ angle, fish, ⟨in tegenstelling tot vissen met net⟩ fish with hook and line ♦ ***het** hengelen heeft hij moeten opgeven* he has had to give up angling, ⟨in tegenstelling tot vissen met net⟩ he has had to give up line-fishing [2] ⟨proberen te krijgen of te vernemen⟩ fish, angle ♦ *hengel er niet zo **naar**, ik vertel het je toch niet* you needn't keep on fishing, I'm not going to tell you; ***naar** een baantje hengelen* fish/angle for a job [3] ⟨rondhangen⟩ hang about/around

hengelmicrofoon [de^{m}] boom microphone

hengelsnoer [het] fishing line

hengelsport [de] angling, fishing

hengelsteun [de^{m}] ⟨heng⟩ rod rest

hengelwedstrijd [de^{m}] fishing match

hengsel [het] [1] ⟨beugel⟩ handle [2] ⟨scharnier⟩ hinge ♦ *een deur **uit** zijn hengsels **lichten*** lift a door off its hinges, unhinge a door

hengselmand [de] ⟨met één hengsel⟩ one-handled basket, ⟨met twee hengsels⟩ two-handled basket

hengst [de^{m}] [1] ⟨mannelijk paard⟩ stallion, ⟨dekhengst⟩ stud (horse) ♦ *een **Arabische/vurige** hengst* an Arabian/a fiery stallion [2] ⟨oplawaai⟩ thump, biff ♦ *iemand een hengst **verkopen*** thump/biff s.o.

^{1}**hengsten** [onov ww] [1] ⟨hard slaan⟩ thump, bash ♦ *sta niet zo **op** de deur te hengsten* don't thump/bash on the door like that [2] ⟨hard studeren⟩ ⟨BE⟩ swot, ⟨AE⟩ grind ♦ *hij zit te hengsten voor zijn examen* he is swotting for/grinding away for his exam [3] ⟨hengstig zijn⟩ be on/in heat

^{2}**hengsten** [ov ww] ⟨dekken⟩ cover ♦ *een merrie **laten** hengsten* put a mare out to stud

hengstenbal [het] ⟨inf; scherts⟩ [1] ⟨mannenfeestje⟩ stag

party [2] ⟨vrijgezellenavond⟩ stag night
hengstenkeuring [de^{v}] stud test/inspection
hengstig [bn] [1] ⟨m.b.t. merries⟩ in/on heat [2] ⟨m.b.t. mensen⟩ randy, sexy, hot, worked up
henna [de] henna
hennatatoeage [de^{v}] henna tattoo
hennengat [het] [1] ⟨ronde opening in de scheepshuid⟩ rudder hole [2] ⟨achterste gedeelte in een officierssloep⟩ helm port [3] ⟨cockpit⟩ cockpit
hennep [de^{m}] [1] ⟨plant⟩ hemp, cannabis ♦ ***Indische/Bengaalse/Bombay** hennep* Indian/Madras/Sunn hemp [2] ⟨vezels⟩ hemp ♦ ***schoongetrokken** hennep* pure-drawn hemp
hennepen [bn] hempen
hennepgaren [het] hemp yarn, hempen thread, spun hemp
henneplinnen [het] hemp cloth, hempen canvas
hennepnetel [de] hemp nettle
hennepolie [de] hempseed oil
hennepplant [de] hemp/cannabis (plant)
hennepproduct [het] hemp product
hennepteelt [de] hemp growing/cultivation/culture
hennepvezel [de] hemp fibre
hennepzaad [het] hempseed
henotheïsme [het] henotheism
henry [de^{m}] ⟨techn⟩ henry
hens [de^{mv}] ⊡ ***alle** hens aan **dek**!* all hands on deck, sound the alarm; ***in** de hens **staan/vliegen/zetten*** ↑ be on/catch/set on fire
henzelf [pers vnw] themselves
heparine [de] heparin
hepatitis [de^{v}] hepatitis
heptameter [de^{m}] ⟨lett⟩ heptameter
^{1}**her** [het] ⟨inf⟩ re-examination, ⟨vnl BE⟩ resit; zie ook **herexamen**
^{2}**her** [bw] [1] ⟨hierheen⟩ hither, here ♦ *her en **der*** ⟨overal⟩ here and there; ⟨naar alle kanten⟩ hither and thither; *her en **der** verspreid liggen* lie scattered all over the place; *van **hot naar** her lopen/reizen* walk/travel here, there and everywhere/all over the place, go from pillar to post [2] ⟨sedert⟩ ago ♦ *van jaren/eeuwen her dateren* be of many years standing/from the immemorial ⊡ *hot en her door elkaar leggen* lay out higgeldy-piggeldy
her- re-, again
herademen [onov ww] breathe again, breathe (more) freely
herademing [de^{v}] ⟨fig⟩ relief
heraldica [de^{v}] → **heraldicus**
heraldicus [de^{m}], **heraldica** [de^{v}] heraldist, armorist, blazoner
^{1}**heraldiek** [de^{v}] heraldry, blazonry
^{2}**heraldiek** [bn] heraldic, armorial, (em)blazoned ♦ *heraldieke **figuren*** ⟨ook⟩ emblazonments, emblazonry; *de heraldieke **kleuren*** the heraldic colours
heraldisch [bn] → **heraldiek^{2}**
herassurantie [de^{v}] re-insurance
heraut [de^{m}] herald ♦ *heraut van **wapenen*** herald, herald/king of/at arms
herbarist [de^{m}] herbalist
herbarium [het] herbarium
herbebossen [ov ww] reafforest, ⟨vnl AE⟩ reforest
herbebossing [de^{v}] reafforestation, ⟨vnl AE⟩ reforestation
herbeginnen [ov ww, ook abs] recommence
herbeleggen [ov ww, ook abs] reinvest
herbelegging [de^{v}] reinvestment
herbenoembaar [bn] eligible for reappointment
herbenoemen [ov ww] reappoint
herbenoeming [de^{v}] reappointment
herberg [de] [1] ⟨logement⟩ inn, ⟨vero⟩ hostelry ♦ *de herberg 'de Woeste **Hoogte**'* the Wuthering Heights (Inn); *er is voor mij geen plaats meer **in** de herberg* ⟨fig⟩ standing room only; ***in** de herberg 'het Witte Paard' logeren/verblijven* stay at (the sign of) the White Horse [2] ⟨kroeg⟩ tavern, inn, ⟨vnl BE⟩ public house, pub
herbergen [ov ww] [1] ⟨huisvesten⟩ accommodate, house, lodge, ↓ put up, ↓ take, ⟨vluchteling⟩ harbour ♦ *ik kan zoveel **mensen** niet herbergen* I cannot accommodate/take so many people [2] ⟨tot verblijf dienen⟩ house, accommodate, ⟨aantal mensen in een ruimte⟩ ↓ take seat ♦ *een hok dat twee **konijnen** herbergt* a hutch that houses two rabbits; *de zaal kan 2000 **mensen** herbergen* the hall seats 2000 people [3] ⟨bevatten⟩ contain, hold
herbergier [de^{m}], **herbergierster** [de^{v}] innkeeper, ⟨man & vrouw; BE⟩ publican, ⟨man & vrouw⟩ victualler, ⟨man⟩ landlord, ⟨man⟩ host, ⟨vrouw⟩ landlady, ⟨vrouw⟩ hostess ♦ *herbergier **met vergunning*** licensed victualler
herbergierster [de^{v}] → **herbergier**
herbergmoeder [de^{v}] warden
herbergvader [de^{m}] warden
herbesteding [de^{v}] new/fresh call for tenders, new/fresh invitation for tenders
herbestemming [de^{v}] new use
herbevestiging [de^{v}] ⟨van reservering⟩ reconfirmation, ⟨inf⟩ double-check
^{1}**herbewapenen** [onov ww] ⟨opnieuw wapens aanschaffen⟩ rearm, remilitarize
^{2}**herbewapenen** [ov ww] ⟨opnieuw wapens verschaffen aan⟩ rearm ♦ *onder Hitler herbewapende Duitsland **zich*** under Hitler Germany rearmed
herbewapening [de^{v}] rearmament, remilitarization, rearming ♦ ***geestelijke** en **morele** herbewapening* spiritual and moral rearmament
zich herbezinnen [wk ww] reconsider, review ♦ *het parlement herbezint zich **op/over** de bezuinigingsvoorstellen* Parliament is reconsidering/reviewing the proposed expenditure cuts
herbicide [het] herbicide
herbivoor [de^{m}] herbivore, herbivorous animal ♦ *de herbivoren* ⟨als groep⟩ the herbivora
herboren [bn] reborn, born again, ↑ regenerate ♦ ⟨fig⟩ ***in** Christus herboren worden* be reborn in Christ; ⟨fig⟩ *wij **voelden** ons (als) herboren* we felt reborn/like new men
herbouw [de^{m}] rebuilding, reconstruction ♦ ⟨jur⟩ ***beding** van herbouw* rebuilding restrictions
herbouwen [ov ww] rebuild, reconstruct
herbruikbaar [bn] reusable
hercirculatie [de^{v}] recycling
hercules [de^{m}] ⟨fig⟩ Hercules ⊡ ⟨myth⟩ *de twaalf **werken** van Hercules* the Twelve Labours of Hercules
herculeswerk [het] Herculean task
herculisch [bn] Herculean ♦ *een herculische **gestalte*** a Herculean figure, a man of Herculean powers/strength; *daar is herculische **kracht** voor nodig* you need the strength of Hercules to do that
^{1}**herdenken** [ov ww] [1] ⟨de herinnering vieren⟩ commemorate, celebrate/mark (the occasion of) ♦ *de **wapenstilstand**/de **gevallenen** herdenken* commemorate the armistice/the fallen [2] ⟨in herinnering brengen⟩ recall, bring to mind [3] ⟨zich weer in gedachten brengen⟩ recall (to mind), recollect, remember ♦ *zij herdacht het **gebeurde*** she recalled the event
^{2}**herdenken** [ov ww, ook abs] ⟨opnieuw denken over⟩ rethink, review, reconsider
herdenking [de^{v}] [1] ⟨viering⟩ commemoration, celebration (of the occasion of), remembrance ♦ ***feestelijke** herdenking van de stichting(sdag)* (festive) commemoration of Founder's Day; *ter herdenking van* in commemoration of, to commemorate [2] ⟨het opnieuw overdenken⟩ rethinking, review(ing), reconsideration
herdenkingsbijeenkomst [de] commemoration/me-

morial service

herdenkingsdag [de^m] commemoration day, ⟨dodenherdenking; BE⟩ remembrance day, ⟨AE⟩ memorial day ♦ ***nationale** herdenkingsdagen* national days of commemoration

herdenkingsdienst [de^m] memorial service, service of remembrance/commemoration, ⟨gesch⟩ obit ⟨zielenmis voor dood van stichter of weldoener⟩

herdenkingsplechtigheid [de^v] commemorative/memorial ceremony, ceremony of commemoration

herdenkingszegel [de^m] commemorative (stamp)

herder [de^m] ① ⟨bewaker, hoeder⟩ ⟨BE⟩ herdsman, ⟨AE⟩ herder, ⟨koeien⟩ cowherd, ⟨schapen⟩ shepherd, ⟨varkens⟩ swineherd ② ⟨geestelijke leidsman⟩ pastor, shepherd ♦ *de **Goede** Herder* the Good Shepherd; ⟨fig⟩ *schapen **zonder** herder* sheep without a shepherd; *de Heer is mijn Herder* the Lord is my Shepherd ③ ⟨hond⟩ ⟨Duitse herder; BE⟩ Alsatian, ⟨AE⟩ German shepherd; zie ook **herdershond**

herderin [de^v] shepherdess

herderlijk [bn] ① ⟨van een geestelijk leidsman⟩ pastoral ♦ *een herderlijke **brief**, een herderlijk **schrijven*** a pastoral letter; ⟨fig⟩ *een herderlijke **raadgeving*** pastoral advice ② ⟨m.b.t. een herder⟩ pastoral, bucolic, Arcadian

herdersambt [het] pastorate, pastoral office, pastorship

herdersdicht [het] ⟨lett⟩ eclogue, bucolic/pastoral poem

herdersfluit [de] shepherd's pipe/reed, oaten pipe, ⟨dichtl⟩ oat

herdershond [de^m] ⟨alg⟩ sheepdog, ⟨Duitse herdershond; BE⟩ Alsatian, ⟨AE⟩ German shepherd (dog), ⟨Schotse herdershond⟩ Shetland sheepdog, sheltie

herdershut [de] shepherd's hut, ⟨SchE⟩ shieling, shealing

herdersjongen [de^m] shepherd('s) boy, ⟨form⟩ swain

herdersmat [het] ⟨schaak⟩ scholar's mate

herderspoëzie [de^v] ⟨lit⟩ pastoral/bucolic/Arcadian poetry

herdersroman [de^m] pastoral/bucolic romance

herdersspel [het] ⟨lit⟩ pastoral play

herdersstaf [de^m] ① ⟨herdersstok⟩ shepherd's crook, sheep-hook ② ⟨bisschopsstaf⟩ crosier, pastoral staff

herderstasje [het] ⟨plantk⟩ shepherd's purse

herdersverhaal [het] pastoral

herdersvolk [het] pastoral people/race, pastoralists, herdsmen

herdopen [ov ww] ① ⟨omdopen⟩ rechristen, rename ② ⟨wederdopen⟩ rebaptize

herdruk [de^m] ① ⟨nieuwe oplage⟩ ⟨gewijzigd⟩ (new) edition, ⟨ongewijzigd⟩ reprint, reissue ♦ *zijn romans **hebben** verschillende herdrukken **beleefd*** his novels have gone through/run into several editions ② ⟨exemplaar⟩ (new) impression ③ ⟨het opnieuw drukken⟩ reprint(ing) ♦ *het boek is **in** herdruk* the book is being reprinted/is reprinting

herdrukken [ov ww] reprint, reissue

hereditair [bn, bw] hereditary ♦ *hereditair **belast** zijn* be a victim of heredity, come of tainted stock; *hij is hereditair **belast*** ⟨ook scherts⟩ it runs in his family; *hij is hereditair belast, ook zijn vader ...* it is inherited, his father too ...; *hereditaire **kwalen*** hereditary diseases, diseases that run in the family

herediteit [de^v] heredity

hereditie [de^v] ① ⟨het opnieuw uitgeven⟩ republication, reissue, reprint(ing) ② ⟨nieuwe uitgave⟩ (new) edition

heremiet [de^m] ① ⟨kluizenaar⟩ hermit, recluse, solitary, anchorite ② ⟨fig⟩ hermit, recluse ③ ⟨kreeft⟩ hermit (crab)

heremietibis [de^m] ⟨dierk⟩ bald ibis, waldrapp

heremietkreeft [de] hermit crab

herenafdeling [de^v] men's (wear) department, menswear department

herenakkoord [het] gentleman's/gentlemen's agreement

herenboer [de^m] gentleman farmer

herenconfectie [de^v] men's wear, gentlemen's/men's ready-made clothing, gentlemen's/men's ready-made clothes

herendienst [de^m] ⟨gesch⟩ corvée, forced/statute labour

herendubbel [het] ⟨sport⟩ men's doubles

herenenkelspel [het] men's singles

herenfiets [de] men's bicycle, gents' bike

herenhuis [het] ⟨ook scherts; groot woonhuis in stad⟩ mansion, town house, ⟨groot woonhuis met landerijen⟩ manor (house), ⟨makelaarsjargon⟩ (desirable) residence, villa ♦ *te koop aangeboden een **kapitaal** herenhuis* for sale - a splendid residence/villa

herenigen [ov ww] ① ⟨weer bijeenbrengen⟩ reunite, ⟨kerk, land⟩ reunify ♦ *de **dood** herenigde hen* death reunited them; ***zich** herenigen* reunite, come together again ② ⟨verzoenen⟩ reconcile, bring together (again) ♦ *hij wil de **tegenstanders** herenigen* he wants to reconcile the opponents

hereniging [de^v] ① ⟨het opnieuw bijeenbrengen, -komen⟩ reunification, reunion ♦ *de hereniging van **Duitsland*** the reunification of Germany ② ⟨verzoening⟩ reconciliation

herenkapper [de^m] men's hairdresser's, barber's

herenkleding [de^v] menswear, gentlemen's/men's clothes, gentlemen's/men's clothing

herenleventje [het] life of a gentleman

herenliefde [de^v] preference for men, male love

herenmode [de] ① ⟨mode van herenkleding⟩ men's fashion ② ⟨artikelen⟩ menswear ♦ *zij staat/is verkoopster **op** de herenmode* she works in men's wear/the men's wear department

herenondergoed [het] men's underwear/underclothing, ⟨AE⟩ skivvies, ⟨inf; AE⟩ BVD's

herenploeg [de] men's team

herensalon [de^m] men's hairdresser's, barber's

herenstof [de] suiting

herentoilet [het] men's toilet/lavatory, ⟨vnl BE⟩ Gentlemen's, ⟨AE⟩ men's room, ⟨inf; BE⟩ Gents, ⟨inf; AE⟩ john

herenvlieger [de^m] ⟨verz⟩ weekend pilot

herenzadel [het] ⟨op paard⟩ cross-saddle, ⟨op fiets⟩ men's saddle

heresie [de^v] ⟨form⟩ heresy

herexamen [het] re-examination, ⟨vnl BE⟩ resit ♦ *herexamens **afnemen*** take resits; *hij **heeft** drie herexamens* he has three resits; *hij heeft een herexamen **voor** Frans* he has to take the French exam again; ⟨BE ook⟩ he has to resit French/take a resit in French/do a French resit

herfinancieren [ov ww] refinance

herformuleren [ov ww] reformulate, rephrase, restate

herfst [de^m] autumn, ⟨AE⟩ fall ♦ *de **Duitse** herfst* ⟨het najaar van 1977⟩ German autumn, the autumn of terror; ***in** de herfst* in (the) autumn, in the fall; ***in** de herfst **van** '67* in the autumn/fall of '67; ⟨fig⟩ *de herfst van het **leven*** the autumn of (one's) life; *het **wordt** alweer herfst* autumn/fall is coming round again/is nearly upon us again

herfstachtig [bn] autumnal, ⟨AE⟩ fall-like

herfstaster [de] Michaelmas daisy

herfstblad [het] autumn leaf

herfstbloei [de^m] autumn/^{A}fall bloom, autumn/^{A}fall flower

herfstbloem [de] autumn/^{A}fall/autumnal flower

herfstbock [de^m] autumn bock beer

herfstbos [het] autumnal wood, ⟨AE⟩ fall woods

herfstcollectie [de^v] autumn/^{A}fall collection

herfstdag [de^m] autumn/^{A}fall day

herfstdraad [de^m] (thread of) gossamer, air thread

herfstgevoel [het] autumn mood

herfstig [bn] autumnal ♦ *het begint herfstig te **worden*** autumn is starting to set in, autumn/^{A}fall is in the air

herfstkleur [de], **herfsttint** [de] ⟨vnl mv⟩ autumn(al)/

^A^fall colour, ⟨vnl mv⟩ autumn tint ◆ *met **vlammende** herfstkleuren* aflame with autumn colours
herfstkleurig [bn] autumn-coloured
herfstmaand [de] 1 ⟨september⟩ September 2 ⟨maand(en) waarin het herfst is⟩ autumn month
herfstnachtevening [de^v] autumnal equinox
herfstpunt [het] ⟨aardr⟩ autumnal equinoctial point, autumnal equinox
herfststorm [de^m] autumn/^A^fall storm
herfsttij [het] autumn ◆ *herfsttij der **middeleeuwen*** (the) waning of the Middle Ages, (the) late Middle Ages
herfsttijloos [de] autumn crocus, meadow saffron
herfsttint [de] → **herfstkleur**
herfstvakantie [de^v] ⟨BE⟩ autumn half-term (holiday), ⟨AE⟩ fall break, ⟨AE⟩ mid-term break
herfstweer [het] autumn(al)/^A^fall weather
hergeboorte [de^v] rebirth, regeneration, regenesis
hergebruik [het] 1 ⟨het opnieuw gebruiken⟩ reuse 2 ⟨recycling⟩ recycling, salvage ◆ *(afval) **voor** hergebruik verzamelen* collect (waste) for recycling
hergebruiken [ov ww] 1 ⟨opnieuw gebruiken⟩ reuse, use again 2 ⟨recycleren⟩ recycle
hergroeperen [ov ww] regroup, re-form, rally, ⟨zaken⟩ rearrange, ⟨troepen⟩ redeploy, ⟨pol; partijen⟩ realign, ⟨vnl BE; regering⟩ reshuffle
hergroepering [de^v] regrouping, re-formation, ⟨zaken⟩ rearrangement, ⟨mil⟩ redeployment, ⟨pol⟩ realignment, reshuffle ◆ ⟨wielersp⟩ *na 100 kilometer vond er een **algehele** hergroepering plaats* after 60 miles there was a complete regrouping
herhaalbaar [bn] repeatable, reproducible ◆ *een niet herhaalbaar **experiment*** a non-reproducible experiment
herhaald [bn] repeated, frequent, recurrent, ⟨form⟩ iterative ◆ *een herhaalde **aanmaning/aanzegging*** a repeated demand/notice, a repeat announcement; *een herhaald **geklop** op de deur* a repeated knocking on the door; *herhaalde **malen*** on multiple/repeated/many occasions, time/again and again; *door herhaalde **oefening** heeft hij het zover gebracht* he has got this far through frequent practice; *herhaalde **pogingen** doen* make repeated attempts; *op herhaald **verzoek*** on repeated request
herhaaldelijk [bw] repeatedly, time/again and again, over and over again, on repeated occasions ◆ *hij is herhaaldelijk **gewaarschuwd*** he has been repeatedly warned; *ik **heb** het herhaaldelijk **gezegd*** I have said it time and again; *dat **komt** herhaaldelijk **voor*** that happens time and again; *hij moet herhaaldelijk **schoolblijven*** he is always having to stay in detention
^1herhalen [ov ww] 1 ⟨opnieuw doen⟩ repeat, redo, ⟨m.b.t. leerstof; BE⟩ revise, ⟨AE⟩ review, ⟨inf; BE⟩ swot up ◆ *een **recept** herhalen* repeat a prescription; *een **tv-programma** herhalen* repeat/rerun a television programme 2 ⟨opnieuw zeggen⟩ repeat, reiterate ◆ ***kun** je dat nog een keer herhalen?* could you repeat that (just) once more?; *zo'n opmerking **laat** zich niet herhalen/is te erg om te herhalen* that kind of remark can't/shouldn't be repeated/doesn't bear repeating; *iets een paar keer **laten** herhalen* have sth. repeated a few times; *iets **slaafs/als een papegaai** herhalen* regurgitate sth., parrot sth.; *iets in het kort herhalen* summarize/recapitulate sth.; *iets tot vervelens toe/iets uitentreuren herhalen* ⟨inf⟩ flog sth. to death, run sth. into the ground 3 ⟨nazeggen⟩ repeat, echo ▪ ⟨sprw⟩ *de geschiedenis herhaalt zich* history repeats itself
^2zich herhalen [wk ww] 1 ⟨terugkomen⟩ repeat o.s., ⟨thema, gebeurtenis⟩ recur ◆ *zich herhalend* recurring, recurrent 2 ⟨in herhaling vervallen⟩ repeat o.s. ◆ *deze **dichter** herhaalt zich steeds vaker* this poet is becoming increasingly repetitive
herhaling [de^v] 1 ⟨het nogmaals plaatsvinden⟩ recurrence, repetition, ⟨m.b.t. tv-beelden⟩ (action) replay, ⟨m.b.t. radioprogramma/tv-programma⟩ rerun, repeat, ⟨in schouwburg⟩ repeat (performance) ◆ ***bij** herhaling* repeatedly, time/again and again; ***bij** herhaling volgt inbeslagname van het rijbewijs* repetition of this offence will lead to confiscation of the driving licence; *de eerste keer is de boete 25 euro, maar **bij** herhaling 75 euro* the fine is 25 euros for the first offence, but 75 euros for subsequent offences; *om niet **in** herhalingen te vallen* to avoid repetition; *bekijkt u het nog eens **in** de herhaling* look at it again in the (action) replay; ⟨jur⟩ *herhaling van **misdrijf*** recidivism; *(niet) voor herhaling **vatbaar** zijn* (not) bear repetition/repeating; *dat is volgens mij voor herhaling **vatbaar*** I wouldn't mind repeating the experience, ↓I reckon that's worth doing again 2 ⟨het nogmaals doen, zeggen⟩ repetition, reiteration, ⟨m.b.t. leerstof; BE⟩ revision, ⟨AE⟩ review, ⟨samenvatting⟩ recapitulation ◆ *in herhalingen **vervallen*** repeat o.s. 3 ⟨oefening⟩ ⟨m.b.t. leerstof; BE⟩ revision (exercise), ⟨AE⟩ review (exercise), ⟨mil⟩ retraining (exercise) ◆ ⟨mil⟩ ***op** herhaling zijn* be on retraining exercises
herhalingscursus [de^m] refresher/^B^revision course
herhalingsles [de] ⟨BE⟩ revision lesson, ⟨AE⟩ review lesson
herhalingsoefening [de^v] ⟨m.b.t. leerstof; BE⟩ revision exercise, ⟨AE⟩ review exercise, ⟨mil⟩ retraining exercise
herhalingsoverbelasting [de^v] repetitive strain (injury), RSI
herhalingsrecept [het] repeat prescription
herhalingsteken [het] ⟨muz⟩ repeat (mark)
herig [bn, bw] gentlemanly, genteel, ⟨bijwoord⟩ like a gentleman
herijken [ov ww] 1 ⟨opnieuw ijken⟩ regauge, reverify, recalibrate 2 ⟨herwaarderen⟩ re-evaluate, reassess
herijking [de^v] 1 ⟨het opnieuw ijken⟩ reverification, recalibration 2 ⟨herwaardering⟩ re-evaluation, reassessment
herindelen [ov ww] redivide, regroup, rearrange, reclassify ◆ *het land herindelen **in** provincies* redraw the boundaries of the provinces/the provincial boundaries
herindeling [de^v] redivision, regrouping, rearrangement, reclassification
^1herinneren [ov ww] 1 ⟨doen terugdenken aan⟩ remind, recall, put in mind, be reminiscent ◆ *die geur herinnerde mij **aan** het huis van mijn grootvader* that smell reminded me of my grandfather's house 2 ⟨attenderen op⟩ remind, prompt, ⟨tot betaling⟩ jog, dun, put in mind ◆ *wij herinneren u nogmaals **aan** het feit dat ...* we would remind you once more of the fact that ...; *herinner mij **eraan** dat ...* remind me that/to ...
^2zich herinneren [wk ww] 1 ⟨nog weten⟩ remember, recall, recollect ◆ *als ik (het) me **goed** herinner* if I remember correctly/rightly, ⟨inf⟩ if I remember right, if my memory serves me well/right; *ik herinner me nog **goed** dat je het niet leuk vond/wat je toen zei* I can well remember you didn't like it/still know/remember exactly what you said then; *ik herinner me **hoe** wij vroeger ...* I remember how we used to ...; *ik **kan** me dat nog levendig herinneren* I have a vivid recollection of that; *ik **kan** me er niets meer van herinneren* I've forgotten all about it, I don't remember it any more; ***kun** je je die Ier nog herinneren?* do you remember this/that Irishman?; *ik **meen** me te herinneren dat ...* I seem to recollect/remember that ...; *herinner je je **plicht**!* remember your duty!; *zich iets **vaag** herinneren* have a vague recollection of sth.; *voor zover ik mij herinner* as far as I can remember, to the best of my recollection/memory; *voor zover ik mij herinner, niet* not as far as I can remember 2 ⟨ingegeven krijgen⟩ remember, come back to, come to mind, be reminded ◆ *ik herinner me opeens **dat** ...* I suddenly remember that ..., I am suddenly reminded that ...; *nu herinner ik het me **weer*** it (all) comes back to me now; *ze **wist** zich niets meer **te herinneren*** her mind was a blank

herinnering [de^v] [1] ⟨het herinneren⟩ recollection, remembrance, recall ◆ *in herinnering roepen* bring/call to mind; *iets in herinnering brengen* recollect/recall sth., call sth. to mind [2] ⟨bijgebleven indruk, beeld⟩ memory, reminiscence, recollection ◆ *de herinnering* ***aan*** *iets levendig houden* keep the memory of sth. alive, cherish the memory of sth.; ***bij*** *de herinnering aan die dagen, zat hij weer te lachen* at the thought of those days, he began to laugh again; ***droevige/dierbare/gelukkige*** *herinneringen hebben aan zijn jeugd/iemand* have sad/cherished/happy memories of one's youth/s.o.; ***goede*** *herinneringen bewaren aan* retain good memories of; *ik* ***heb*** *van/aan die gebeurtenis een vage/geen enkele herinnering* I have a vague/not the slightest recollection of the event; *hij zal* ***in*** *de herinnering blijven voortleven* he will live on in memory; ⟨form⟩ *zij heeft haar vader* ***in*** *dankbare herinnering* she cherishes her father's memory; *oude herinneringen* ***kwamen*** *weer* ***boven****/weer bij hem* ***op*** old memories were stirred up/came back to him; *de herinnering* ***leeft voort*** the memory lingers on; *een* ***onuitwisbare*** *herinnering achterlaten* leave an indelible/ineffaceable memory (behind); *herinneringen* ***opwekken/oproepen*** *aan/van* bring back/arouse memories of, call to mind; ***oude*** *herinneringen ophalen* reminisce; ***persoonlijke*** *herinneringen* personal recollections/reminiscences; ***ter*** *herinnering aan* in memory of, in remembrance of; *voor zijn kinderen* ***waren*** *er aan die plek geen herinneringen* ***verbonden*** this place held no memories/had no associations for his children [3] ⟨geheugen⟩ memory ◆ *iets* ***in*** *zijn herinnering voor zich zien* see sth. in one's mind's eye; ***in*** *mijn herinnering gebeurde het heel anders* as I remember it, it happened quite differently; *zover mijn herinnering* ***reikt*** as far as I can remember [4] ⟨zaak, voorwerp⟩ souvenir, keepsake, memorial, token, reminder ◆ *herinneringen* ***aan*** *betere tijden* reminders of better times; *als een herinnering* ***aan*** *ons/het verleden/(je verblijf in) Amsterdam* as a reminder of us/the past/a souvenir of (your stay in) Amsterdam [5] ⟨datgene waarmee iemand herinnerd wordt⟩ reminder ◆ *een* ***tweede*** *herinnering van de bibliotheek* a second reminder from the library

herinneringsbeeld [het] mental picture

herinneringsvermogen [het] (faculty of) memory

herinrichting [de^v] [1] ⟨van huis⟩ redecoration, ⟨met nieuw meubilair⟩ refurnishing [2] ⟨van landschap⟩ renovation, reorganization, ⟨inf⟩ makeover ◆ *de herinrichting van een* ***winkelgebied*** the renovation of a shopping area

herintegratie [de^v] reintegration

herinterpretatie [de^v] [1] ⟨het herinterpreteren⟩ reinterpretation [2] ⟨andere interpretatie⟩ reinterpretation

herinterpreteren [ov ww] reinterpret

herintreden [onov ww] return to work, go back to work after a career break ◆ *herintredende* ***vrouwen*** women returners, women returning to work after having a family

herintredend [bn] ◆ *een herintredende* ***vrouw*** a (woman) returner, a returnee, a woman who has had a career break

herintreder [de^m], **herintreedster** [de^v] (woman) returner

herintreedster [de^v] → **herintreder**

herinventarisatie [de^v] reinventory, repeat stock-taking

herinvestering [de^v] reinvestment

herinvoering [de^v] reintroduction

herkamp [de^m] extension, ⟨BE⟩ extra time, ⟨AE⟩ overtime

herkansen [ov ww, ook abs] repeat, do over ◆ *hij moet* ***Frans*** *herkansen* he has to take the French exam again; ⟨BE ook⟩ he has to resit French/take a resit in French

herkansing [de^v] [1] ⟨sport⟩ ⟨roeien⟩ repêchage, ⟨wielersp⟩ extra heat ◆ ***in/via*** *de herkansing plaatste zij zich alsnog* in the repêchage she qualified/placed herself [2] ⟨herexamen⟩ re-examination, ⟨vnl BE⟩ resit

herkapitalisatie [de^v] capitalization of reserves

herkapitaliseren [onov ww] capitalize the reserves

[1]**herkauwen** [ov ww] ⟨fig⟩ go/keep on about, work into the ground, ⟨inf⟩ flog to death ◆ *de* ***zaak*** *is nu wel genoeg herkauwd* the matter has really been worked into the ground

[2]**herkauwen** [ov ww, ook abs] ⟨nog eens kauwen⟩ ruminate, chew the cud ◆ *de herkauwende* ***dieren*** ruminating animals, ruminants; *het* ***gras*** *herkauwen* chew the cud

herkauwer [de^m] ruminant

herkenbaar [bn] [1] ⟨te herkennen⟩ recognizable ◆ *je bent* ***nauwelijks*** *herkenbaar met die baard* you're scarcely recognizable with that beard; *een herkenbare* ***situatie*** a familiar situation [2] ⟨te onderscheiden⟩ recognizable, identifiable, discernible, distinguishable ◆ *de mannetjes zijn herkenbaar* ***aan*** *hun fellere kleuren* the males are recognizable/identifiable by their vivid colours, the males can be recognized/identified by their vivid colours

herkennen [ov ww] [1] ⟨weer (terug)kennen⟩ recognize, know, acknowledge ◆ *ik herkende hem* ***aan*** *zijn gang* I recognized/knew him by his walk; *(heel) gemakkelijk te herkennen* ***aan*** *zijn rode pet* (very) easy to recognize by his red cap; *ik zou hen* ***niet*** *meer herkennen* I should no longer recognize them, I would not know them again; *een* ***stem*** *herkennen* recognize a voice; *een held/film waarin iedereen* ***zich*** *kan herkennen* a hero/film everyone can identify with [2] ⟨onderscheiden⟩ recognize, identify, make out, discern, spot, place ◆ *men herkent deze vlinder* ***aan*** *zijn tekening* this butterfly can be recognized/identified by its markings; *iemand herkennen* ***als de dader*** identify s.o. as the perpetrator; *om de* ***kisten*** *gemakkelijker te herkennen* in order to identify the cases more readily; *ik kan de* ***man*** *die ik zoek herkennen* I shall (be able to) recognize/spot the man I am looking for

herkenning [de^v] recognition, identification, acknowledgement ◆ *u hoeft niet* ***bang*** *te zijn voor herkenning* you need not be afraid of being recognized; ***tekens*** *van herkenning geven* show signs of recognition

herkenningsmelodie [de^v] (signature) tune, theme tune/song, ⟨radio, tv⟩ sign-on

herkenningsplaatje [het] ⟨mil⟩ ⟨BE⟩ identification disc, ⟨vnl AE⟩ identification disk, ⟨AE ook⟩ identification tag, ⟨AE inf ook⟩ dog tag

herkenningsteken [het] distinguishing/identifying mark, identification, ⟨luchtv⟩ markings, ⟨insigne⟩ badge ◆ ***als*** *herkenningsteken droeg hij een anjer* he wore a carnation so that he would be recognized; *dit* ***is*** *mijn herkenningsteken* this is what you'll recognize me by; ***van*** *herkenningstekens* ***voorzien*** marked for identification

herkeuren [ov ww] re-examine, retest, reinspect

herkeuring [de^v] re-examination, retest, reinspection ◆ *herkeuring* ***aanvragen*** apply for re-examination

herkiesbaar [bn] eligible for re-election ◆ *zich niet herkiesbaar* ***stellen*** not stand for/put o.s. up for re-election; *de aftredenden* ***zijn*** *na twee jaar herkiesbaar* after a period of two years the outgoing officers are eligible for re-election

herkiesbaarheid [de^v] re-eligibility, eligibility for re-election

herkiezen [ov ww] re-elect, return to office ◆ ***niet*** *herkozen worden (voor het parlement)* lose one's seat, be unseated

herkomst [de^v] origin, source, ⟨form of techn⟩ provenance ◆ *van* ***Britse*** *herkomst* ⟨goederen⟩ of British origin, made in Britain; ⟨persoon⟩ of British extraction/descent; ***bron*** *van herkomst* source of supply; ***certificaat*** *van herkomst* certificate of origin; ***haven*** *van herkomst* ⟨thuishaven⟩ home port, port of registry; ⟨haven van vertrek⟩ port of departure; *het* ***land****/de* ***plaats*** *van herkomst* ⟨ook m.b.t. personen⟩ the country/place of origin; *de herkomst van dit* ***verhaal*** the source of this story; *van* ***verschillende*** *herkomst* from various sources; *de herkomst van* ***waren*** the origin of goods

herkomstverklaring [de^v] declaration of origin

herkrijgen [ov ww] regain, recover, retrieve ◆ *zijn gezichtsvermogen herkrijgen* regain/recover one's eyesight; *zijn* ***rechten*** *herkrijgen* regain one's rights; *zijn (oude)* ***vorm*** *herkrijgen* regain its (original) shape; *hij heeft zijn* ***vrijheid*** *herkregen* he regained his freedom

herladen [ov ww] ⟨schip, wap⟩ reload, ⟨goederen ook⟩ reship, ⟨accu⟩ recharge

herleidbaar [bn] reducible (to), convertible (into), resolvable/resoluble (into), transformable (into) ◆ ⟨wisk⟩ *die* ***breuk*** *is niet herleidbaar* that fraction is irreducible

herleidbaarheid [de^v] reducibility, convertibility

herleiden [ov ww] reduce (to), convert (into), transform (into), resolve (into) ◆ ⟨wisk⟩ *een* ***breuk/een algebraïsche formule*** *herleiden* reduce a fraction, reduce/simplify an algebraic formula; ***maten/gewichten/munten*** *herleiden* convert measures/weights/currencies; *het hele probleem laat zich gemakkelijk herleiden* ***tot*** *...* the whole problem can be easily reduced to ...; *kilo's* ***tot*** *ponden herleiden, euro's* ***tot*** *ponden herleiden* convert kilos into pounds, convert euros into pounds

herleiding [de^v] [1] ⟨het herleiden⟩ conversion, reduction ⟨ook astronomie⟩, transformation, resolution ◆ *de herleiding van dollars* ***tot*** *euro's* conversion from dollars into euros [2] ⟨vraagstuk⟩ conversion, reduction

herleidingstabel [de] conversion table

herleven [onov ww] [1] ⟨opnieuw gaan leven⟩ revive, regenerate ◆ *de lentezon* ***deed*** *de natuur herleven* the spring sunshine revived nature [2] ⟨opnieuw belichaamd worden⟩ live again, regenerate, resurrect ◆ *de ouders herleven* ***in hun kinderen*** the parents live again in their children [3] ⟨terugkeren⟩ revive, resurge, ↓ make a comeback ◆ *het verleden* ***doen*** *herleven* make the past live, bring the past to life; *herlevend* ***fascisme*** resurgent fascism [4] ⟨weer krachtig worden⟩ revive ◆ *een herleefde* ***belangstelling*** *voor* a revival of interest in; ***doen*** *herleven* revive, resuscitate; ⟨het verleden⟩ resurrect; *de* ***handel*** *herleeft* trade has revived

herleving [de^v] revival, resurgence, regeneration, rebirth, renaissance

herlezen [ov ww] reread ◆ ***bij*** *het herlezen van zijn opstel* on rereading his essay

[1]**hermafrodiet** [de^m] hermaphrodite, androgyne

[2]**hermafrodiet** [bn] hermaphrodite, hermaphroditic(al), androgynous

hermandad [de^v] ▪ ⟨scherts⟩ *de (heilige) hermandad* the police, ⟨inf⟩ the law

[1]**hermelijn** [de^m] ⟨roofdier⟩ ⟨wit⟩ ermine, ⟨bruin⟩ stoat

[2]**hermelijn** [het] ⟨bont⟩ ermine ◆ *hermelijn* ***dragen*** wear ermine; ***in*** *hermelijn* ***gehuld*** draped in ermine

hermelijnen [bn] ermine

hermelijnvlinder [de^m] puss moth

hermeneutiek [de^v] hermeneutics

hermeneutisch [bn] hermeneutic(al)

hermesstaf [de^m] caduceus

hermetisch [bn, bw] hermetic(al) ⟨bw: hermetically⟩, air-tight ◆ *hermetisch* ***gesloten*** hermetically sealed; *hermetische* ***sluiting*** hermetic seal

hermitage [de^v] hermitage

hermunten [ov ww] [1] ⟨opnieuw munten⟩ remint, recoin [2] ⟨fig⟩ revalue

[1]**hernemen** [onov ww] ⟨het spreken voortzetten⟩ resume, go on ◆ *'waarom niet?' hernam ze na een pauze* 'why not?' she went on after a pause

[2]**hernemen** [ov ww] [1] ⟨herwinnen⟩ recapture, retake, regain, ⟨hervatten⟩ resume, regain ◆ *het leven herneemt zijn gewone* ***gang*** life resumed its normal course; *haar gezicht hernam zijn gewone* ***uitdrukking*** her face regained its normal expression; *de* ***vesting*** *werd hernomen* the fortress was recaptured/retaken; *de* ***vrijheid*** *hernemen* regain freedom, burst one's bonds [2] ⟨in België; weer beginnen⟩ start over again, do once more [3] ⟨in België; weer opvoeren⟩ put on again

[1]**hernhutter** [de] Moravian (Brother)

[2]**hernhutter** [bn] Moravian

hernia [de] ⟨med⟩ [1] ⟨uitstulping van een tussenwervelschijf⟩ slipped disc/^{A}disk [2] ⟨ingewandsbreuk⟩ hernia, rupture

hernieuwbaar [bn] [1] ⟨geschikt voor recycling⟩ durable ◆ *hernieuwbare* ***energie*** renewable energy [2] ⟨in België; waarvan de termijn kan hernieuwd worden⟩ renewable

hernieuwen [ov ww] [1] ⟨weer doen ontstaan⟩ renew, revive, resume, regenerate ◆ *een hernieuwde* ***belangstelling*** *voor rock-'n-roll* a renewed interest in rock 'n' roll; *de* ***kennismaking*** *hernieuwen* renew the acquaintance; ***zich*** *hernieuwen* regenerate o.s. [2] ⟨van nieuwe kracht voorzien⟩ renew, revive, renovate, reinvigorate ◆ *met hernieuwde* ***kracht*** with renewed strength [3] ⟨opnieuw doen⟩ renew, refresh ◆ *hernieuwde* ***doopbeloften*** confirmation; *hernieuwde* ***doopgeloften*** renewal of baptismal vows

hernoemen [ov ww] rename

[1]**heroïek** [de^v] heroism

[2]**heroïek** [bn, bw] heroic ⟨bw: ~ally⟩, heroical

heroïne [de] heroin, ⟨sl⟩ smack, junk, shit

heroïnebaby [de^m] heroin baby

heroïnehandel [de^m] heroin trade

heroïnehoer [de^v] heroin/junkie prostitute

heroïnehond [de^m] sniffer dog

heroïnelijn [de] heroin line

heroïnespuit [de] ⟨inf⟩ fix, shot

heroïnevangst [de] heroin catch/haul

heroïsch [bn, bw] heroic ⟨bw: ~ally⟩ ▪ *heroïsch* ***vers*** heroic verse

heroïsme [het] heroism, valiancy

herontdekken [ov ww] rediscover

herontginnen [ov ww] rework

heropenen [ov ww] ⟨winkel, discussie⟩ reopen

heropening [de^v] reopening ◆ ⟨jur⟩ *heropening van het* ***faillissement*** reopening of bankruptcy proceedings; ***na*** *heropening van de vergadering* after reopening the meeting

heropleving [de^v] revival, resurgence

heropvoeding [de^v] re-education

heropvoedingskamp [het] re-education camp

heroriënteren [ov ww] reorient(ate)

heros [de^m] hero, demigod

heroveren [ov ww] ⟨gebied, stad, fort⟩ reconquer, recapture, ⟨stad⟩ retake, regain, win back ◆ *hij wilde zijn oude* ***plaats*** *heroveren* he wanted to regain his old seat/place; *het verloren* ***terrein*** *op de vijand heroveren* recover the lost ground/territory from the enemy

herovering [de^v] recapture, reconquest, recovery

heroverwegen [ov ww] reconsider, rethink, ⟨herzien⟩ revise ◆ *zijn* ***kandidatuur/standpunt*** *heroverwegen* reconsider one's nomination/point of view

heroverweging [de^v] reconsideration, review ◆ *iets* ***in*** *heroverweging nemen* reconsider sth.

herpes [de^m] ⟨med⟩ herpes ◆ *herpes zoster* herpes zoster, shingles; *herpes simplex* herpes simplex

herpes genitalis [de^m] genital herpes

herpes labialis [de^m] herpes labialis, cold sore, fever blister

herplaatsen [ov ww] ⟨terugzetten⟩ replace, ⟨ambtenaar, in functie⟩ reappoint, reinstate, ⟨advertentie⟩ reinsert

herplaatsing [de^v] replacement, reappointment, reinstatement, reinsertion

herpositioneren [ov ww] reposition

herprofileren [ov ww, ook abs] create a new image (for), change the image (of)

herrie [de] [1] ⟨lawaai⟩ noise, din, racket, row, ⟨van door elkaar pratende mensen⟩ hullabaloo ◆ ***maak*** *niet zo'n herrie* don't make such a racket/row; *een* ***vreselijke*** *herrie* an infernal din [2] ⟨drukte⟩ ⟨in stad⟩ bustle, ⟨wanorde⟩ commotion, turmoil, tumult, ⟨koude drukte⟩ fuss, ado ♦ *waarom al **die** herrie?* what's all the fuss about?; *wat **is** er een herrie op straat* what a commotion/row outside; *herrie **schoppen*** kick up a row, raise hell 3 ⟨ruzie⟩ row, ⟨verbaal⟩ shindy, squabble, ⟨vechtpartij⟩ brawl, fray, ⟨problemen⟩ bother, trouble ♦ *stil, anders **komt** er herrie/**hebben** we herrie* quiet, otherwise there will be a trouble; *herrie met iemand **krijgen*** quarrel/fall out with s.o.

herriemaker [de^m], **herrieschopper** [de^m] 1 ⟨lawaaimaker⟩ ⟨voorwerp⟩ noisemaker 2 ⟨ruziezoeker⟩ troublemaker, rowdy, fire-eater, hooligan, ⟨inf; BE⟩ tearaway, ⟨inf; AE⟩ hell raiser, ⟨AuE⟩ larrikin, ⟨vnl. kind; inf⟩ terror

herrieschopper [de^m] → **herriemaker**

herrijzen [onov ww] rise again, rise (from the dead) ♦ ***uit** zijn as herrijzen* rise again from the ashes; *hij is als **uit** de dood herrezen* it is as if he has come back/risen from the dead; ***Vlaanderen** herrijst* Flanders is rising from its ashes; *de dagen van vroeger herrijzen **voor** mijn verbeelding* I relive the days of old in my imagination

herrijzenis [de^v] ⟨rel⟩ resurrection

herroepelijk [bn] revocable, repealable, rescindable ♦ *herroepelijk **krediet*** revocable (letter of) credit

herroepen [ov ww] ⟨besluit, order, wet, belofte⟩ revoke, ⟨wet, maatregel⟩ repeal, ⟨besluit, wet, contract⟩ rescind, ⟨verklaring, belofte⟩ retract, ⟨order, besluit⟩ recall, reverse, ⟨bevel⟩ countermand ♦ *een **eed** herroepen* unswear/retract/revoke an oath; *zij heeft haar **woorden** herroepen* she retracted her words

herroeping [de^v] revocation, repeal, rescission, retraction, recall(ing), recantation ♦ ***onder** herroeping van* while revoking/retracting

herschatten [ov ww] ⟨schade, kosten⟩ reassess, re-estimate, ⟨huis⟩ revalue

herscheppen [ov ww] 1 ⟨veranderen⟩ transform, convert, transfigure ♦ *zij herschiep de zaal **in** een bloementuin* she transformed the room into a flower garden 2 ⟨verjongen⟩ regenerate, rejuvenate, refresh, re-create

herschepping [de^v] 1 ⟨gedaanteverandering⟩ transformation, transfiguration, conversion, metamorphosis 2 ⟨het opnieuw tot leven doen komen⟩ regeneration, rejuvenation, re-creation

herschikken [ov ww] rearrange, reorder, ⟨troepen⟩ redeploy, ⟨regering⟩ reshuffle

herschikking [de^v] rearrangement, reordering, redeployment, reshuffle ♦ *een herschikking **in** het kabinet* a reshuffle of the Cabinet, a Cabinet reshuffle

herscholen [ov ww] retrain

herscholing [de^v] (vocational) retraining

herschrijven [ov ww] ⟨ook taalk⟩ rewrite ♦ *een **toneelstuk** herschrijven* rewrite a play

hersenaanhangsel [het] pituitary (body/gland), ↑ hypophysis

hersenactiviteit [de^v] brain activity

hersenaneurysma [het] brain aneurysm

hersenarbeid [de^m] brainwork

hersenbalk [de^m] corpus callosum

hersenbloeding [de^v] cerebral/brain haemorrhage

hersenbreker [de^m] brainteaser, braintwister

1**hersendood** [de] brain/cerebral death

2**hersendood** [bn] brain dead

hersendruk [de^m] intracranial pressure

hersenembolie [de^v] cerebral embolism

hersenemigratie [de^v] brain drain

hersenen [de^mv] 1 ⟨orgaan⟩ brain, ⟨cul⟩ brains ♦ *de grote en de **kleine** hersenen* the great and the little brain; ↑ the cerebrum and the cerebellum 2 ⟨schedel⟩ skull ⊡ *de hersenen **zijn gesloten*** the fontanels are closed

hersenfunctie [de^v] brain/cerebral function

hersengebied [het] brain area, region of the brain

hersengroef [de] sulcus

hersengymnastiek [de^v] ⟨puzzels e.d.⟩ puzzle(s), brain-teaser(s), quiz, ⟨training⟩ mental/intellectual training, mental/intellectual exercise

hersenhelft [de] (cerebral) hemisphere, half of the brain

hersenholte [de^v] 1 ⟨holte van de schedel⟩ cerebral/brain cavity 2 ⟨holte in de grote hersenen⟩ ventricle

herseninfarct [het] cerebral infarction, CVA, cerebrovascular accident

hersenkamer [de] ventricle

hersenklier [de] pineal gland/body, ↑ epiphysis

hersenkraker [de^m] brainteaser

hersenkronkel [de^m] 1 ⟨hersenwinding⟩ convolution of the brain, ↑ gyrus 2 ⟨fig⟩ strange idea, brainstorm

hersenkwab [de] lobe of the brain

hersenletsel [het] brain damage

hersenloos [bn, bw] brainless ⟨bw: ~ly⟩, dense, ⟨BE⟩ thick, witless, nonsensical ♦ *hersenloze **politici*** brainless politicians; *hersenloos **redeneren*** reason nonsensically

hersenmantel [de^m] pallium, mantle

hersenmassa [de] brain matter

hersenoedeem [het] cerebral oedema

hersenonderzoek [het] brain research, brain tests

hersenontsteking [de^v] ↑ encephalitis, brain fever

hersenpan [de] brainpan, braincase, skull, ↑ cranium ♦ *iemands hersenpan **inslaan*** beat/knock s.o.'s brains out, bash s.o.'s brains in, brain s.o.

hersens [de^mv] 1 ⟨verstand⟩ brain(s), mind, wits, head ♦ *zijn hersens **(af)pijnigen** (**over**)* rack/cudgel/beat one's brains (about); *hersens **als** een garnaal* pea brain; *het **drong** niet **tot** zijn hersens door dat* it didn't occur to him that; ***gebruik** toch je hersens!* use your brain!, ⟨inf⟩ use your loaf!; *hoe haal je het **in** je hersens!* have you gone off your rocker/taken leave of your senses?; *de hersens **inspannen/laten werken*** put one's mind to work; *iemand **met/zonder** hersens* s.o. with (a lot of) brains/without brains; *een goed **stel** hersens/goede hersens hebben* have a good head on one's shoulders, have a good mind 2 ⟨schedel⟩ skull, brains ♦ *iemand de hersens **inslaan*** beat/knock s.o.'s brains out, bash s.o.'s brains in, brain s.o.

hersenscan [de^m] brain scan

hersenschim [de] chim(a)era, phantasm, fantasy, illusion, will o' the wisp ♦ *het **is** een hersenschim* it's a fantasy; *hersenschimmen **najagen*** catch at shadows, run after/chase a shadow

hersenschimmig [bn] chimerical, fanciful, unreal

hersenschors [de] cerebral cortex

hersenschudding [de^v] concussion ♦ *een hersenschudding **hebben*** suffer from concussion; *met een **lichte/zware** hersenschudding* with a light/severe concussion, slightly/severely concussed; *een hersenschudding **oplopen*** get concussion

hersensclerose [de^v] cerebral sclerosis

hersenspinsel [het] 1 ⟨hersenschim⟩ chim(a)era, phantasm, fantasy, illusion 2 ⟨verzinsel⟩ concoction, fabrication

hersenspoelen [ov ww] brainwash

hersenspoeling [de^v] brainwashing

hersenstam [de^m] brainstem

hersentjes [de^mv] brains

hersentumor [de^m] brain tumour

hersenvat [het] cerebral blood vessel

hersenverweking [de^v] softening of the brain

hersenvlies [het] cerebral membrane, meninx ♦ *het **harde** hersenvlies* dura mater; *het **zachte** hersenvlies* pia mater

hersenvliesontsteking [de^v] meningitis

hersenwaterzucht [de] hydrocephalus, water on the brain

hersenwerk [het] brainwork, headwork, mental effort(s), ⟨form of scherts⟩ cerebration

hersenwerking [de^v] cerebration
hersenwinding [de^v] convolution of the brain, ↑ gyrus
hersenzenuw [de] cranial nerve
herspellen [ov ww] 1 ⟨opnieuw spellen⟩ respell 2 ⟨in andere spelling weergeven⟩ respell, transliterate
herstart [de^m] restart
herstel [het] 1 ⟨het weer gezond worden⟩ ⟨gezondheid, ec⟩ recovery, ⟨gezondheid⟩ recuperation, restoration (to health), convalescence, ⟨handel⟩ rally ◆ ⟨handel⟩ *het herstel van de **dollar*** the rallying of the dollar; *het herstel van de **economie*** the recovery of the economy; *voor herstel van zijn **gezondheid*** to recuperate/convalesce; *hij is voor herstel van zijn **gezondheid** in Zwitserland* he is convalescing in Switzerland; ⟨handel⟩ *de beurs is **in** herstel* the Stock Exchange is rallying; *er is weinig hoop **op** herstel* there is little hope of recovery; *hopen op een **spoedig** herstel* hope for a speedy recovery 2 ⟨reparatie⟩ repair, mending, ⟨fout⟩ rectification, correction, ⟨restauratie⟩ restoration 3 ⟨het weer instellen⟩ ⟨monarchie, orde⟩ restoration, restitution ◆ *herstel van de onderlinge **betrekkingen*** restoration of mutual relations, rapprochement; *herstel van **eer*** rehabilitation; *herstel van de **vrede*** restoration of peace 4 ⟨vergoeding⟩ ⟨oorlogsschade⟩ reparation, ⟨grief⟩ redress, ⟨schade⟩ compensation, restitution ◆ *herstel van **grieven*** redress (of grievances); *zij vroegen om herstel van de **schade*** they asked for compensation for the damage, they asked for the damage to be repaired 5 ⟨het weer plaatsen⟩ reinstatement, re-establishment, restoration ◆ *herstel **in** het ambt* reinstatement in office
herstelbaar [bn] ⟨schade, verlies⟩ reparable, repairable, restorable, retrievable
herstelbeleid [het] recovery/rapproachement policy
herstelbetaling [de^v] ⟨oorlogsschade⟩ reparation, compensation, indemnity
hersteldrank [de^m] recovery drink
herstelgarnituur [het] repair kit
[1]**herstellen** [onov ww] ⟨weer gezond worden⟩ recover, recuperate, get better, convalesce ◆ *hij is nu al **flink** hersteld* he is much better now; *ze is weer **geheel** hersteld* she has made a complete recovery; *snel/goed herstellen **van** een ziekte* recover quickly/well from an illness; *herstellende **zijn*** be convalescent
[2]**herstellen** [ov ww] 1 ⟨repareren⟩ repair, mend, ⟨restaureren⟩ restore ◆ *het **dak**/een **jas** herstellen* mend the roof/a jacket; *dit hemd **kan** niet meer hersteld **worden*** this shirt can't be mended; *dit **moet** nodig eens hersteld **worden*** this is in great need of repair; *men is hier bezig de **weg** te herstellen* this road is under repair 2 ⟨m.b.t. wat verstoord is⟩ ⟨orde, monarchie⟩ restore, ⟨orde⟩ re-establish, ⟨evenwicht⟩ recover, ⟨geloof⟩ reaffirm ◆ *de **vrede**/de **rust** herstellen* restore peace/quiet; ⟨mil⟩ *herstellen!* as you were! 3 ⟨goedmaken⟩ ⟨onrecht, misstand⟩ right, repair, redress, ⟨onrecht, fout⟩ remedy, ⟨fout⟩ rectify, correct, ⟨fout, verlies⟩ retrieve, ⟨schade⟩ make good, repair ◆ *een **fout**/een **onrecht** herstellen* correct a mistake, right a wrong; *de **schade** herstellen* repair the damage; *de Heer Blaak, herstel: Braak* Mr Blaak, correction: Braak 4 ⟨weer in de vorige toestand brengen⟩ reinstate, re-establish, restore ◆ *een gebruik **in** ere herstellen* re-establish a custom; ***in** de ouderlijke macht herstellen* restore to the parental power; *alles werd **in** de oude staat hersteld* everything was restored to its original state; *iemand **in** zijn eer/zijn ambt herstellen* rehabilitate s.o., reinstate s.o. in his office
[3]**zich herstellen** [wk ww] 1 ⟨m.b.t. zaken⟩ rally, recover ◆ *de **dollar** herstelde zich (snel/enigszins)* the dollar rallied (quickly/slightly); *het **evenwicht** herstelt zich* the balance is recovering itself; *de **markt** heeft zich hersteld* the market has picked up 2 ⟨m.b.t. personen⟩ recover (o.s.), recuperate, rally, pull (o.s.) together, get a hold of (o.s.) ◆ *zich van een **tegenslag** herstellen* bounce back after a setback
hersteller [de^m] 1 ⟨m.b.t. een toestand⟩ restorer ◆ *hersteller van de **vrijheid*** restorer of liberty 2 ⟨vnl in samenstellingen; reparateur⟩ repairer, repairman, renovator ◆ ***rijwielhersteller*** (bi)cycle repairman/repairer
herstellingsoord [het] convalescent/nursing home, after-care hospital, sanatorium, ⟨AE⟩ sanitarium
herstellingsteken [het] ⟨muz⟩ natural (sign)
herstellingsvermogen [het] recuperative power, power of recovery
herstellingswerk [het] repair work, ⟨restauratie⟩ restoration work, repairs
hersteloperatie [de^v] reversal operation/procedure
herstelperiode [de^v] 1 ⟨med⟩ convalescence, period of recovery, recovery period 2 ⟨ec⟩ reconstruction period, period of recovery
herstelplan [het] recovery plan ◆ *het **economisch** herstelplan* the economic recovery plan, the plan to reflate the economy
herstelprogramma [het] recovery/reconstruction/rehabilitation programme, ⟨AE⟩ recovery/reconstruction/rehabilitation program
herstelrecht [het] restorative justice
hersteltrainer [de^m] rehabilitation trainer
herstelwerkzaamheden [de^mv] repairs ◆ *gesloten **wegens** herstelwerkzaamheden* closed for/due to repairs
[1]**herstemmen** [onov ww] ⟨opnieuw zijn stem uitbrengen⟩ vote again, have a second ballot
[2]**herstemmen** [ov ww] ⟨muz⟩ retune
herstemming [de^v] second ballot ◆ *onze kandidaat komt **in** herstemming* our candidate is through to the second ballot
herstructureren [ov ww] restructure, remodel, reorganize ◆ *een **opstel** herstructureren* restructure an essay
herstructurering [de^v] restructuring, reorganization ◆ *de herstructurering van de **economie**/van het universitair **onderwijs*** the restructuring of the economy/of university education
hert [het] 1 ⟨dier⟩ deer ◆ ***jong** hertje* spitter 2 ⟨edelhert⟩ ⟨man & vrouw⟩ red deer, ⟨man⟩ stag, ⟨vnl. ouder dan 5 jaar; man⟩ hart ▪ ***vliegend** hert* stag beetle

hert		
dier	hert	deer (mv: deer)
mannetje	stier	stag
vrouwtje	koe	doe
jong	kalf	fawn
groep	kudde	herd
roep	burlen	troat
vlees	hertenvlees	venison

hertaxatie [de^v] ⟨huis⟩ revaluation, ⟨schade, kosten⟩ reassessment
hertellen [ov ww] recount
hertenbok [de^m] stag ⟨in het bijzonder edelhert⟩, ⟨damhert⟩ buck, ⟨eenjarig⟩ brocket, ⟨ouder dan 5 jaar⟩ hart
hertenbout [de^m] haunch of venison
hertenjacht [de] deer/stag hunting, deerstalking ◆ ***op** de hertenjacht gaan* go deer/stag hunting, go deerstalking
hertenkamp [de^m] deerpark, deer forest
hertenleer [het] deerskin, buckskin
hertenogen [de^mv] 1 ⟨van hert⟩ deer's eyes 2 ⟨van mens⟩ doe-like eyes
hertenpad [het] ⟨jacht⟩ slot
hertenpastei [de] venison pie
hertentamen [het] resit
hertentruffel [de] hart's truffle
hertenvlees [het] venison
hertenzwijn [het] → **hertzwijn**
hertog [de^m] 1 ⟨gesch; bestuurder⟩ duke ◆ *de **ijzeren** hertog* the Duke of Alva 2 ⟨(man met) adellijke titel⟩ duke

hertogdom [het] duchy, dukedom
hertogelijk [bn] [1] ⟨van een hertog⟩ ducal ♦ *het hertogelijk **slot*** the ducal residence/estate [2] ⟨van een hertog afkomstig⟩ ducal ♦ *een hertogelijk **besluit*** a ducal decision
hertogin [de^v] [1] ⟨gemalin, dochter van een hertog⟩ duchess [2] ⟨(vrouw met) adellijke titel⟩ duchess
hertrouw [de^m] remarriage
hertrouwen [onov ww] remarry, marry again, contract a second marriage
hertshooi [het] St John's wort, Aaron's beard
¹**hertshoorn** [de^m] [1] ⟨hoorn van een hert⟩ deerhorn, hartshorn, buckhorn, antler [2] ⟨plantk; weegbree⟩ hartshorn/buckhorn (plantain) [3] ⟨plantk; wolfsklauw⟩ club moss ⟨genus Lycopodium⟩, staghorn (moss) ⟨clavatum⟩
²**hertshoorn** [het, de^m] ⟨stof⟩ staghorn, deerhorn, hartshorn, buckhorn
hertshoornvaren [de] staghorn (fern)
hertshoornweegbree [de] hartshorn/buckhorn (plantain)
hertstong [de] ⟨adderwortel⟩ snake-root, easter-ledges, bistorf, ⟨tongvaren⟩ hart's-tongue fern
hertz [de^m] hertz, ⟨vero⟩ cycles per second, cps
hertzgolf [de] Hertzian wave
hertzwijn [het], **hertenzwijn** [het] babiroussa
heruitbrengen [ov ww] reissue, republish
heruitgave [de] reissue, republication
heruitvoer [de^m] re-export
heruitvoering [de^v] renewed performance, ⟨toneelstuk e.d.⟩ repeat performance, rerun, ⟨oud stuk⟩ revival
heruitzenden [ov ww] [1] ⟨verder zenden⟩ relay [2] ⟨opnieuw uitzenden⟩ rebroadcast, ⟨tv-programma ook⟩ rerun
heruitzending [de^v] [1] ⟨het verder uitzenden⟩ relay [2] ⟨het opnieuw uitzenden⟩ rebroadcast, rerun, repeat
herv. [afk] (hervormd) Reformed
hervaccinatie [de^v] revaccination
¹**hervatten** [ov ww] [1] ⟨weer opvatten⟩ resume, continue, restart, renew, ⟨form⟩ recommence ♦ *laten wij ons **gesprek** hervatten* let us resume (our discussion), let us continue the discussion, let's pick up where we left off; ***onderhandelingen** hervatten* resume/reopen negotiations; *het **spel** hervatten* resume/continue the game; *de **veerdiensten** hervatten* resume/restart the ferry service; *het **werk** hervatten* return to/go back to work, resume/restart work [2] ⟨herhalen⟩ repeat
²**hervatten** [ov ww, ook abs] ⟨het spreken voortzetten⟩ resume, continue, go on
hervatting [de^v] resumption, continuation, ↑recommencement, ⟨herhaling⟩ repetition, renewal ♦ *(gedeeltelijke) hervatting van het **werk*** (partial) return to/resumption of work
herverdelen [ov ww] ⟨rijkdom, inkomen⟩ redistribute, ⟨werk, functies⟩ rearrange, reorganize, ⟨pol, kaartsp⟩ reshuffle, ⟨jur; eigendom⟩ repartition ♦ *de **regeringsportefeuilles** herverdelen* reshuffle the Cabinet; *de **rollen** herverdelen* shuffle the cards
herverdeling [de^v] redistribution, rearrangement, reorganization, reshuffle, reshuffling, repartition
herverfransing [de^v] renewed/repeated gallicisation
herverkavelen [ov ww, ook abs] reallocate (land), reallot/redistribute (land)
herverkaveling [de^v] reallocation (of land), reallotment/redistribution (of land)
herverkiezing [de^v] re-election
herverwerking [de^v] reprocessing
herverzekeren [ov ww] reinsure, reassure
herverzekering [de^v] reinsurance
¹**hervinden** [ov ww] ⟨terugvinden⟩ recover, regain, find again ♦ *het **geluk** hervinden* find happiness again
²**zich hervinden** [wk ww] ⟨zijn zelfbeheersing terugkrijgen⟩ ⟨na verwarrende periode⟩ be o.s. again, ⟨na ruzie, schrik⟩ regain control of o.s., regain/recover one's composure, pull o.s. together
hervormd [bn] [1] ⟨van vorm vernieuwd⟩ reformed, renewed, amended, remodelled, reshaped [2] ⟨rel⟩ Reformed ⟨tegenover andere protestantse kerken⟩, Protestant ⟨tegenover katholicisme⟩ ♦ *de hervormde **gemeente*** the Reformed congregation; *hij **is** hervormd* he is (a) Protestant; *de hervormde **kerk*** the Reformed/Protestant Church; *de hervormde **leer*** Protestant doctrine; ***Nederlands-hervormd*** Dutch Reformed; *een hervormd **predikant*** a Protestant minister (of the church)
hervormde [de] ⟨alg⟩ Protestant, ⟨i.h.b.⟩ member of the Dutch Reformed Church, ± Presbyterian
hervormen [ov ww] [1] ⟨reorganiseren⟩ reform, remodel, reshape ♦ *het **onderwijs** hervormen* reform education [2] ⟨tot een betere staat brengen⟩ reform, amend, improve ♦ *de **kerk** hervormen* reform the church; *hervormende **maatregelen*** reformative/reformatory measures; *de **maatschappij** willen hervormen* want to reform society
hervormer [de^m] reformer
hervorming [de^v] [1] ⟨het hervormen⟩ reformation [2] ⟨reorganisatie⟩ reform ♦ *hervorming van het **onderwijs*** educational reform; ***sociale** hervormingen doorvoeren* carry through social reforms
Hervorming [de^v] [1] ⟨de Reformatie⟩ Reformation [2] ⟨het protestantisme⟩ Protestantism
hervormingsbeleid [het] policy of reform
hervormingsbeweging [de^v] reformism, reform(atory) movement
Hervormingsdag [de^m] Reformation day
hervormingsgezind [bn] reformist, reform-minded, favouring reform, in favour of reform ♦ ***een** hervormingsgezinde* a reformist
hervormingsmaatregel [de^v] reform(ative) measure
hervormingsplan [het] plan for reform, blueprint for reform, scheme/project for reform
hervormingszin [de^m] reformism
herwaarderen [ov ww] ⟨valuta⟩ revalue, ⟨fig; taxeren⟩ reassess
herwaardering [de^v] revaluation, reassessment
herwaarts [bw] ⟨form⟩ hither
herweging [de^v] reweighing, ⟨fig⟩ reconsideration
herwerken [ov ww] ⟨in België⟩ revise
¹**herwinnen** [ov ww] [1] ⟨heroveren⟩ recover, regain, retrieve, redeem, win back ♦ *de **stad** werd herwonnen* the town was recaptured/reconquered; *verloren **terrein** herwinnen* recover/regain/make up lost ground [2] ⟨techn⟩ recycle ♦ *papier herwinnen **uit** oude kranten* recycle old newspapers
²**zich herwinnen** [wk ww] ⟨zijn kalmte herkrijgen⟩ recover (o.s.), regain one's self-control, get a hold of (o.s.), pull (o.s.) together
herzien [ov ww] [1] ⟨nauwkeurig bekijken⟩ revise ♦ *dit **boek** is geheel herzien* this book has been completely revised; *een nieuwe, herziene **uitgave*** a new, revised edition [2] ⟨na heroverweging wijzigen⟩ revise, review, (re)adjust, amend, reconsider, alter ♦ *een **beslissing/standpunt** herzien* reconsider a decision/point of view; *het **contract** wordt (elke tien jaar) herzien* the contract is subject to revision/review (every ten years/tenth year); *een tekst **grondig** herzien* revise a text thoroughly, overhaul a text; *zijn **ideeën** herzien (over)* revise one's ideas (about); *de **lonen** herzien* (re)adjust salaries/wages; *een **wet** herzien* revise/review/amend a law
herziening [de^v] [1] ⟨het herzien⟩ revision, review, reconsideration [2] ⟨wijziging⟩ revision, review, (re)adjustment, amendment, reform ♦ *een herziening van de **grondwet*** an amendment to the constitution; *herziening van de **lonen*** the (re)adjustment of salaries/wages; *herziening van het middelbaar **onderwijs*** reform of secondary education
hes [de] smock, blouse

hesp [de] [1] ⟨deel van een ham⟩ hock [2] ⟨in België; ham⟩ ham, ⟨gerookt, gezouten, rauw⟩ gammon

Hessisch [bn] Hessian ♦ *Hessische mug* Hessian fly

^{1}**het** [pers vnw] ⟨onzijdig naamwoord⟩ it ♦ *ik denk/hoop het* I think/hope so; *ik doe het, als jij het wilt* I'll do it, if you want me to; *het ging allemaal goed* it all/things went well; *het is Jan, het is een zoon van Jan* it's/he's John, it's/he's a son of John's; *wie is het? ben jij het? ja, ik ben het* who is it? is that you? yes, it's me; *klopt het?* is it right?, does it add up?; *lukt/gaat het?* (is it) going all right?; *zij was het die ...* it was she who ...; *ik weet het* I know; *als jij het zegt* if you say so; *het zijn Engelsen* they're English; *wij/zij zijn het, hij is het* it's us/them/him; *het is uit* it's over; *het is nu eenmaal zo* that's just the way it is; *het waren moeilijke dagen* they were hard times/days; *wat is het toch, dat geluid?* what can it be, that sound?; *het kind heeft honger, geef het een boterham* the child is hungry, give him/her a sandwich

^{2}**het** [onbep vnw] [1] ⟨loos onderwerp⟩ it ♦ *hoe gaat het? het gaat* how are you? I'm all right/OK; how are things going? they're going all right/OK; *wat geeft het?, wat zou het?* what does it matter?, who cares?, what's the difference?; *hoe laat is het?* what time is it?, what's the time?; *het is over tweeën* it's after two (o'clock); *morgen is het zaterdag* tomorrow is Saturday; *dat is het hem nu juist* that's just it; *de hoeveelste is het vandaag?* what's the date today?; *het regent* it's raining; *het zij zo* so be it; *het voorzichtig aandoen* ⟨bij bepaalde handeling⟩ do it/go about it carefully; ⟨altijd⟩ be careful [2] ⟨loos lijdend voorwerp⟩ it ♦ *hij zal het bezuren* he'll be sorry, he'll suffer/pay for it; *de machine doet het* the machine works; *het erbij laten* leave it at that [3] ⟨geslachtsgemeenschap⟩ it ♦ *het doen* do it, go all the way; *het met zichzelf doen* play with o.s. ⊡ ⟨met nadruk⟩ *dat is je van het!* it's the bees knees, it's the pick of the bunch

^{3}**het** [lidw] [1] ⟨bepalend onzijdig lidwoord⟩ the ♦ *van het begin tot het eind* from beginning to end, from start to finish; *het huidige Engeland* present(-day)/modern England; *het hare/zijne/onze/...* hers/his/ours/...; *dat kost drie euro het ons* that costs three euros an/per ounce; *het roken* smoking; *in het zwart gekleed* dressed in black [2] ⟨het beste, belangrijkste⟩ the ⟨met nadruk⟩ ♦ *Nederland is het land van de tulpen* Holland is the country for tulips [3] ⟨in de overtreffende trap⟩ the ⟨vaak onvertaald⟩ ♦ *zij was er het eerst* she was there first, she was the first there; *die vind ik het leukst* that's the one I like best; *wie van hen is het snelst?* which of them is the fastest?

heteluchtballon [de^{m}] hot-air balloon

heteluchtkachel [de] convector (heater)

heteluchtkanon [het] hot-air blower

heteluchtmotor [de^{m}] hot-air engine, caloric engine, thermomotor, heat engine

heteluchtoven [de^{m}] hot-air oven, convection oven

heteluchtverwarming [de^{v}] hot-air heating (system)

^{1}**heten** [onov ww] [1] ⟨de naam dragen⟩ be called, be named, bear the name of ♦ *zij heet anders* she has a different name; *een jongen, David geheten* a boy, David by name/by the name of David/called David; *hij zei Dekker te heten* he gave his name as Dekker; *eigenlijk heet die acteur Jansen* that actor's real name is Jansen; *hoe heet hij/zij/het ook alweer?* what's his/her/its name again?; *zij kwam met hoe heet hij ook weer* she came with what's-his-name; *hij heet Jan en hoe heet jij?* his name is John, and what's yours?; *hij heet naar zijn vader* he is called/named after his father; *zo waar als ik ... heet* as sure as my name is ..., or my name isn't ... [2] ⟨met een naam aangeduid worden⟩ be called, be named ♦ *weet je hoe die bloem heet?* do you know what that flower is called?; *het boek heet ...* the book is entitled ...; *hoe heet dat?, hoe heet dat in het Zweeds?* what is that called?, what is that in Swedish?/the Swedish for that?; *zo iemand heet nu een ...* he/she is what they call a .../what is known as a ...; *het mag een wonder heten* it may be called a miracle [3] ⟨doorgaan voor⟩ be called, be said/reported/reputed to be ♦ *het heet dat hij gezeten heeft* it is said/reported/rumoured that he has done time, rumour has it that he has done time; *heten die aardappels gaar?* do you call those potatoes done?; *naar het heette uit geloofsovertuiging* under the pretence of religious conviction; *hij heet rijk (te zijn)* he is said/reported/reputed/rumoured to be rich ⊡ *Jan een driftkop? wat heet!* Jan a hothead? that's putting it mildly; *wat heet rommelig? het is hier één grote puinhoop!* messy would be an understatement! this is chaos!; ⟨sprw⟩ *er zijn meer hondjes die Fikkie heten* there are many people with the same name (as me/him/them/...)

^{2}**heten** [ov ww] [1] ⟨met nadruk zeggen⟩ bid ♦ *ik heet u welkom* I bid you welcome; *de gasten hartelijk welkom heten* give a warm welcome to the guests [2] ⟨form; betitelen als⟩ ⟨ogm⟩ call ♦ *zich gelukkig heten* call/count o.s. lucky [3] ⟨met een bepaalde naam aanduiden⟩ call ♦ *zoals het heet* as the phrase/saying goes

heterdaad ⊡ *iemand op heterdaad betrappen* catch/surprise s.o. in the act, catch s.o. red-handed; ⟨inf; AE⟩ catch s.o. dead to rights; ⟨jur⟩ catch s.o. in flagrante delicto

heterdaadje [het] caught in the act, caught red-handed

^{1}**hetero** [de] hetero

^{2}**hetero** [bn] hetero, straight

heterochtoon [bn] ⟨flora, gesteente⟩ heterochthonous, ⟨flora ook⟩ foreign, ⟨gesteente ook⟩ transported, exotic

heterodox [bn] [1] ⟨rel⟩ heterodox [2] ⟨afwijkend⟩ heterodox

^{1}**heterofiel** [de^{m}] heterosexual, ↓hetero

^{2}**heterofiel** [bn] heterosexual

heterofilie [de^{v}] heterosexuality

heterofyllie [de^{v}] ⟨biol⟩ heterophylly

heterofyt [de^{m}] heterophyte, parasite

heterogeen [bn] heterogeneous, hybrid, ⟨pej⟩ mongrel, motley, piebald ♦ ⟨scheik, techn⟩ *heterogene katalyse* heterogeneous catalysis; *van heterogene oorsprong* hybrid, of heterogeneous origin

heterogenesis [de^{v}] heterogenesis

heterogeniteit [de^{v}] heterogeneity, heterogeneousness

heterohuwelijk [het] hetero marriage

heteroloog [bn] heterologous

heteromorf [bn] heteromorphic, heteromorphous

heteroniem [het] ⟨taalk⟩ heteronym

heteronomie [de^{v}] heteronomy

heteronoom [bn] heteronomous

heteroseks [de] hetero sex, straight sex

heteroseksualiteit [de^{v}] heterosexuality

heteroseksueel [bn] heterosexual, ↓hetero ♦ *een heteroseksueel* a heterosexual/hetero

heterosyllabisch [bn] heterosyllabic

heterotoop [bn] heterotopic, heterotopous

heterozygoot [bn] ⟨biol⟩ heterozygous ♦ *een heterozygoot* a heterozygote

^{1}**hetgeen** [aanw vnw] ⟨form⟩ ⟨datgene wat⟩ that which, what ♦ *ik blijf bij hetgeen ik gezegd heb* I stand by what I said

^{2}**hetgeen** [betr vnw] ⟨form⟩ ⟨wat⟩ ⟨ogm⟩ which ♦ *hij kon niet komen, hetgeen hij betreurde* he could not come, which he regretted

Hettiet [de^{m}], **Hittiet** [de^{m}] Hittite

Hettitisch [bn], **Hittitisch** [bn] Hittite

hetwelk [betr vnw] ⟨form⟩ ⟨ogm⟩ which ♦ *zijn mening werd door niemand gedeeld, hetwelk hem zeer ontstemde* none shared his opinion, which displeased him greatly

het-woord [het] neuter

hetze [de^{v}] witch hunt, ⟨pesterij⟩ baiting, ⟨laster⟩ mudslinging, ⟨in krant⟩ smear campaign ♦ *een hetze voeren tegen* conduct a witch hunt/smear campaign against, crucify

hetzelfde [aanw vnw] the same ♦ *dat is hetzelfde als wat* *wij gisteren zagen* that is the same (as) we saw yesterday; *wie zou niet hetzelfde **doen**?* who wouldn't (do the same)?; *wij wonen in hetzelfde **huis*** we live in the same house; *het **is/blijft** mij hetzelfde* it's all/just the same to me, it's all one to me, it doesn't matter to me; *haar toestand **is** nog steeds hetzelfde* her condition is still the same/unchanged; *het **komt op** hetzelfde **neer*** it's/it boils down to the same thing; ***precies** hetzelfde* ⟨bijvoeglijk naamwoord⟩ the very same, exactly the same; ⟨zelfstandig naamwoord⟩ one and the same thing; ***(van)** hetzelfde* (the) same to you; *mannen **zijn** (ook) allemaal hetzelfde* men are all the same/of a kind; *ober, hetzelfde a.u.b.* barman, same again please

hetzij [vw] ⟨nevenschikkend⟩ either, ⟨onderschikkend; hoe dan ook⟩ whether ♦ *hetzij **dit**, hetzij **dat*** either this or that; *hetzij **warm** of **koud*** either hot or cold; *hetzij het goed of slecht is* be it good or bad

heug [de^{m}] ⊡ *tegen heug en **meug*** reluctantly, against one's will

heugel [de^{m}] rack, ⟨in schoorsteen⟩ pot-hanger

heugelhaak [de^{m}] pothook, chimney hook, hanger, ⟨AE⟩ trammel

heugelijk [bn] → **heuglijk**

heugen [onov ww] be remembered, remain in one's memory ♦ *ik zal hem iets geven dat **hem** zal heugen* I'll give him sth. to remember me by; *ik kan het **me** niet heugen* I can't remember; *zolang **mij** heugt* as far as I can remember, as far as I recollect; *het heugt **mij** nog als de dag van gisteren* I remember it as clearly as if it were yesterday; *dat zal **u** heugen* you won't forget that in a hurry

heugenis [de^{v}] remembrance, memory, recollection

heuglijk [bn], **heugelijk** [bn] [1] ⟨verheugend⟩ happy, glad, joyful, good, pleasant ♦ *een heuglijke **gebeurtenis*** a happy/joyful event; *het heuglijke **nieuws*** the good/happy/joyful/glad news, the glad tidings [2] ⟨gedenkwaardig⟩ memorable, unforgettable ♦ *op deze heuglijke **avond*** on this memorable evening; *een heuglijke **dag** in de geschiedenis van de popmuziek* a red-letter day in the history of pop; *een heuglijk **feit*** a memorable fact

heul [de] culvert

heulen [onov ww] collaborate, be in league with ♦ ***met** de vijand heulen* collaborate/be in league with the enemy, make common cause with the enemy

heup [de] [1] ⟨lichaamsdeel⟩ hip ♦ *een **ontwrichte** heup* a dislocated hip [2] ⟨mv; het zichtbare gedeelte⟩ hips, ⟨dier of pej⟩ haunches ♦ ***zwaar** van/**breed** in de heupen zijn* be broad-hipped, be broad in the beam, be hippy ⊡ *als hij het **op** zijn heupen krijgt, is het in drie dagen af/berg je dan maar* once he gets going, it'll be finished in three days/you'd better keep out of his way; he's got the pip, he's having a tantrum/one of his tantrums; ***vanuit** de heup schieten* shoot from the hip ⟨ook figuurlijk⟩

heupbeen [het] ⟨med⟩ hipbone, innominate bone, ⟨dier⟩ hucklebone

heupbroek [de] hipsters, ⟨strak⟩ hip-huggers, ⟨wijd⟩ peg-top(ped) trousers

heupfles [de] hip flask

heupgewricht [het] ⟨med⟩ hip joint, coxa

heupgordel [de^{m}] [1] ⟨veiligheidsriem⟩ lap belt [2] ⟨gordel om de heup⟩ hip-belt

heupjicht [de] sciatica, hip gout

heuptasje [het] bum bag, belt bag/pouch, waist wallet, ⟨AE⟩ fanny pack

heupwiegen [ww] sway/wiggle one's hips, waggle, ⟨dansen; sl⟩ grind, shake ♦ *heupwiegend **liep** hij langs* he came swinging along/by/past

heupwijdte [de^{v}] hip measurement

heupworp [de^{m}] ⟨judo⟩ hip throw, hiplock, ⟨vrije stijl worstelen ook⟩ (cross-)buttock

heupzenuw [de] sciatic nerve

heuristiek [de^{v}] heuristics

heuristisch [bn] heuristic

heus [bn, bw] [1] ⟨echt⟩ real ⟨bw: ~ly⟩, genuine, true, actual ♦ *heus **niet**!* not at all!, certainly not!; ⟨scherts⟩ *maar **niet** heus!* but not really!; *hij doet het heus **niet/wel*** he is sure (not) to do that, honestly, he won't/will do that; *hij kwam binnen op een heus **paard*** he came in on a real live horse; *het is heus **waar*** it is really/honestly true, it is the honest(-to-goodness) truth; *heus, ik moet gaan* really, I must go [2] ⟨beleefd⟩ courteous ⟨bw: ~ly⟩, polite, obliging, kind

heusheid [de^{v}] courtesy, courteousness, kindness

heuvel [de^{m}] hill, rise, swell, ⟨klein⟩ hillock, ⟨opgeworpen ook⟩ mound ♦ *langs de **hellingen** van een heuvel* along hillsides; *een **lastig** heuveltje* a difficult/hard/steep climb; *de **Palatijnse** heuvel* Palatine (Hill); ***tegen** een heuvel **op** fietsen* cycle uphill; ⟨sport⟩ *aanwerpen **vanaf** de heuvel* pitch from the mound; *de stad der **zeven** heuvelen* City of the Seven Hills

heuvelachtig [bn] hilly

heuvelig [bn] hilly ♦ *een heuvelig **landschap*** a hilly landscape; *een heuvelige **weg*** a hilly road, ⟨BE⟩ a switchback

heuvelland [het], **heuvellandschap** [het] hills, hilly country ♦ *het **Limburgse** heuvelland* the hills of Limburg

heuvellandschap [het] → **heuvelland**

heuvelrug [de^{m}] [1] ⟨bovenrand van een heuvel⟩ ridge, crest (of a hill) [2] ⟨reeks heuvels⟩ range (of hills), chain (of hills)

heuveltje [het] hillock, hummock, hump, knoll, mound

hevea [de] hevea, seringa

hevel [de^{m}] [1] ⟨omgebogen buis⟩ siphon, syphon [2] ⟨toestel⟩ siphon, syphon

hevelbarometer [de^{m}] ⟨meteo⟩ siphon barometer

hevelen [ov ww] siphon, syphon

[1]**hevig** [bn] [1] ⟨m.b.t. de zintuigen⟩ violent, intense, severe, fierce, strong ♦ *hevige **angst*** acute/mortal terror; *een hevige **brand*** a fierce/raging fire; *een hevige **discussie*** a vehement discussion, a hot dispute; *een hevige **knal*** a tremendous bang, a thunderous explosion; *een hevige **koorts*** a raging/strong/an intense fever; *een hevige **kou*** a severe/sharp/an intense cold; *heviger **maken*** intensify; ***op** zijn hevigst* at its height/worst; *hevige **pijnen*** severe/acute pains; *een hevige **wind*** a violent/heavy/strong wind, a gale; *heviger **worden*** intensify [2] ⟨m.b.t. personen of uitingen⟩ violent, vehement, fierce, sharp, strong ♦ *in een hevig **gevecht** gewikkeld* engaged in close/violent combat; *onder hevig **protest*** under strong/vehement protest; *hevige **uitvallen*** violent outbursts

[2]**hevig** [bw] ⟨in hoge mate⟩ violently, fiercely, intensely, acutely, keenly ♦ *hevig **bekritiseren*** criticize strongly/vehemently/fiercely, pan; *hevig **bloeden*** bleed profusely/abundantly; *hevig **lijden*** suffer acutely/keenly, be on the racks; *zij **snikte** hevig* she sobbed loudly, she cried her eyes out; *hevig **verlangen** naar* yearn/ache for, crave, hunger/thirst after/for; *hij was hevig **verontwaardigd*** he was highly indignant; *hevig tekeergaan* rant (and rage)

hevigheid [de^{v}] violence, vehemence, intensity, fierceness, acuteness ♦ *in **alle** hevigheid* with great violence/vehemence/intensity/fierceness; ***in** hevigheid afnemen* abate; *de wind nam **in** hevigheid toe/af* the wind rose, the wind fell/abated; *de storm nam nog **in** hevigheid toe* the storm became more violent/raged more fiercely; *de hevigheid van de **koorts*** the strength/intensity of the fever

hexadecimaal [bn] hexadecimal

hexagonaal [bn] ⟨wisk⟩ hexagonal ♦ *hexagonaal **stelsel*** hexagonal system

hexagoon [de^{m}] ⟨wisk⟩ hexagon

hexameron [het] hexa(h)emeron

hexameter [de^{m}] ⟨lit⟩ hexameter

Hezbollah [de^{v}] Hezbollah

HH. [afk] [1] (Heren) Messrs [2] (Heiligen) SS

H.H. [afk] (Hare Hoogheid) HH

HHK [de] (Hersteld Hervormde Kerk) Dutch Restored Reformed Church

h.i. [afk] (haars/huns inziens) in her/their opinion

1**hiaat** [de^m] ⟨lit⟩ hiatus

2**hiaat** [het, de^m] ⟨lacune⟩ gap, hiatus, lacuna ◆ *een hiaat **in** zijn kennis* a gap in one's knowledge; *een hiaat **in** het handschrift* a lacuna in the manuscript; ***vol** hiaten* lacunal; *een hiaat **vullen*** bridge/fill/stop a gap

hibiscus [de^m] hibiscus, rose mallow, ⟨althea⟩ rose of Sharon, althaea

hidjab [de^m] hijab

hidjra [de] ⟨begin van mohammedaanse tijdrekening⟩ hegira, hejira

hidrotica [de^{mv}] hidrotics

hiel [de^m] 1 ⟨deel van de voet⟩ heel ◆ ⟨fig⟩ *zij **had** haar hielen nog niet **gelicht** of ...* she had hardly turned her back when ..., no sooner had she turned her back than ...; ⟨fig⟩ *de hielen **lichten*** take to one's heels; ⟨fig⟩ *iemands hielen **likken*** lick s.o.'s boots, crawl to s.o., bootlick s.o., bow and scrape; *iemand **op** de hielen zitten* be (close) on s.o.'s heels, follow s.o.'s heels, breathe down s.o.'s neck, be close behind s.o.; ⟨aanzetten tot werk⟩ keep after s.o.; *de winnaar dicht **op** de hielen zitten* run the winner a close/good second, follow hard after the winner; *hé, je trapt constant **op** mijn hielen* goodness, you keep treading on my heels; ***op** de hielen gezeten door de politie, met de politie **op** zijn hielen* with the police hard/hot on one's trail, with the police close/hot on one's heels, with the police in hot pursuit; *schoenen met een **open** hiel* sling-backs, open-heeled shoes 2 ⟨deel van een kous, schoen⟩ heel ◆ *kousen met **dubbele** hielen* stockings with reinforced heels

hielband [de^m] heel-strap

hielbeen [het] ⟨med⟩ heel bone, calcaneum

hielenlikker [de^m], **hielenlikster** [de^v] bootlick(er), toady, spaniel, ↑ sycophant

hielenlikster [de^v] → **hielenlikker**

hielprik [de^m] ⟨med⟩ heel prick, PKU test

hielstuk [het] heelpiece, stiffener, quarter

hiep [tw] hip ◆ *laten we even hiep, hiep, hoera **roepen** voor de jarige* let's have three cheers for/give three times three to the birthday boy/girl; *hiep, hiep, hiep, hoera!* hip, hip, hurray!

hiephoi [tw] whoopee

hier [bw] 1 ⟨op deze plaats⟩ here ◆ *hij **is** hier* ⟨gek⟩ he's not all there; ⟨achterbaks⟩ he's a sly dog; *hier **is** het **gebeurd*** it happened here, this is where it happened, it's here where it happened; *hier achter **langs*** round the back here; *hier **staat** dat ...* it says here that ...; *hier schuin **tegenover*** diagonally opposite to here; *het zit me **tot** hier* ⟨met een gebaar naar de keel⟩ I'm fed up (to the back teeth) with it/sick and tired of it, I've had it up to here, I've had my bellyful of it; ***tot** hier toe (en niet verder)* up to here (and no further); *wie **woont** hier?* who lives here? 2 ⟨op de plaats waar de spreker zich bevindt⟩ here ◆ *ik **ben** hier nieuw* ⟨op kantoor, in het dorp⟩ I'm new to the job/the place/here; *hier **beneden*** (here) below, in this world; *ik **blijf** hier* I'm staying here; *hier en **daar*** here and there, in places/spots; *met hier en **daar** een bui* with showers in places, with scattered showers; *hier of **daar** vinden wij wel wat* we'll find sth. somewhere or other; ⟨vloek⟩ *wel hier en **ginder**!* well I'll be hanged!; *wat/wie **hebben** we hier!* hello, hello, hello!, what have we here, look who's here; *hier en **hiernamaals*** now and in the hereafter, in this world and the next; *je **kunt** hier/van hier om twee uur **vertrekken*** you can leave here at two o'clock; *dat ik je hier tegen het lijf **loop*** that I should bump into you here/in this place!, imagine bumping into you here/in this place; *dit **meisje** hier, de mensen hier, **deze** hier* this girl, ↓ this here girl, this girl here, these people here, this one; *hij is niet **van** hier* he isn't from these parts, he's not a native/local; ***van** hier **naar/tot** Londen, **van** Londen **naar** hier* from here to/from this to/up to London, down from London; ⟨fig⟩ *hier **zweeg** de spreker **stil*** here the speaker paused; *hier te **lande*** over here, (here) in this country; *hier in de **buurt*** round here, nearby, in the neighbourhood; ⟨fig⟩ *dat doet hier niets ter **zake*** that is neither here nor there, that is beside the point 3 ⟨waarbij de spreker iets overhandigt⟩ here ◆ *ik **heb** hier iets speciaals* I have sth. special here; *hier **is** de **krant*** here's the newspaper; *hier **is** je vader, hier **heb** je vader* ⟨aan de telefoon⟩ here's father; *hier, **pak aan*** here, take it; *hier de **VPRO*** this is the VPRO; *hier!* here (you are)! 4 ⟨hierheen⟩ here ◆ ***breng** dat boek even **hier*** just bring that book over here; ***kom** eens **hier**!* come here!; *hier!* come here! 5 ⟨als voornaamwoordelijk bijwoord⟩ this ◆ *hier moet je het **mee doen*** you'll have to make do with this; *hier **zit** kopij **in*** this will make good copy

hieraan [bw] to this, at/on/by/from this ◆ *hieraan **is** niets **gelegen*** this is of no consequence; *hieraan **valt** niet **te twijfelen*** there is no doubt about this

hierachter [bw] behind this, ⟨tijd⟩ after this, ⟨in boek; form⟩ here(in)after ◆ *hierachter **ligt** een grote tuin* there is a large garden at the back/out back/in back; ⟨fig⟩ *wat **steekt** hierachter* what is behind this?

hiërarch [de^m] hierarch

hiërarchie [de^v] 1 ⟨van waardigheidsbekleders⟩ hierarchy 2 ⟨in volgorde van belangrijkheid⟩ hierarchy ◆ *een hiërarchie **in** de argumenten* a hierarchy in the arguments

hiërarchisch [bn, bw] hierarchic(al) ⟨bw: hierarchically⟩ ◆ *een hiërarchische **structuur/reeks*** a hierarchic structure/series; *langs hiërarchische **weg** iets verzoeken* petition for sth. through hierarchic channels

hierbeneden [bw] down here, ⟨op aarde⟩ (here) below ◆ *hierbeneden **is** de kelder* down here is the cellar, the cellar is downstairs

hierbij [bw] at this, with this, ⟨in brief⟩ herewith, ⟨verklaren⟩ hereby ◆ *hierbij **bericht** ik u, dat ...* I hereby inform you that ...; *hierbij **komt** nog dat hij ...* moreover, he ...; in addition (to this), he ...; besides, he ...; *ik zal het hierbij **laten*** I will leave it at that; *hierbij **treft** u **aan*** herewith/enclosed/attached you will find; *hierbij **verklaar** ik de Spelen voor geopend* I hereby declare the Games opened; *hierbij **wilde** ik u **vragen** of ...* I am writing to ask you if ...

hierbinnen [bw] in here, inside, within

hierboven [bw] 1 ⟨boven deze plaats⟩ up here, overhead, ⟨verwijzing in tekst⟩ above, aforesaid ◆ *zoals hierboven **vermeld*** as mentioned above; *hierboven **woont** een officier* an officer lives upstairs; ***zie** hierboven* see above 2 ⟨in de hemel⟩ on high ◆ *de **Heer** hierboven* the One above/on high; *zij **is** nu bij de engelen hierboven* she is with the angels on high now

hierbuiten [bw] outside ◆ ***hou** je hierbuiten* keep out of this; *hierbuiten **kan** hij niet* he can't do without this

hierdoor [bw] 1 ⟨door deze zaak⟩ through here, through this, by doing so ◆ *hierdoor **loopt** een buisje* a tube goes/runs through this; *hierdoor wil hij ervoor **zorgen** dat ...* by doing so he wants to ensure that ... 2 ⟨dientengevolge⟩ because of this, owing to this, due to this ◆ ***juist** hierdoor werd ik opgehouden* this is what held me up; *hierdoor **werd** ik **opgehouden*** this held me up

hierheen [bw] (over) here, this way, ⟨form⟩ hither ◆ *ik **ga** hierheen* I'm going here; *hierheen, **graag*** (step) this way please; *dan **kom** ik direct weer hierheen* then I'll come right back (here); *hé, kun je even hierheen **komen*** hey, could you come over here (a minute)?; *hij **kwam** helemaal hierheen om een radio te kopen* he came all this way to buy a radio; *op de **weg** hierheen* on the way here; *hierheen!* come here!

hierin [bw] in here, within, ⟨niet plaatsbepaling⟩ in this, ⟨form⟩ herein ◆ ⟨fig⟩ *hierin **kan** ik niet met u **meegaan*** I cannot go along with you in this; *hierin **kun** je alles **vinden*** you can find everything in here; *de namen hierin **vermeld*** the names stated within, the names mentioned herein; ⟨fig⟩

hierin heeft zij gelijk she is right about this

hierlangs [bw] past here, along/by here ♦ *zij komt elke dag hierlangs* she passes this way/along here every day

hiermee [bw] with this, by this, ⟨in brief⟩ herewith, ⟨bijgesloten⟩ enclosed ♦ *wat moet ik hiermee doen?* what am I to do with this; *hiermee is de zaak voldoende toegelicht* with this the matter has been sufficiently explained; *wat suggereert u hiermee?* what are you suggesting with this?; *in verband hiermee* in this connection

hierna [bw] [1] ⟨tijd⟩ after this, ⟨form⟩ hereafter ♦ *de dag hierna* the day after (this); *hierna werden wij thuisgebracht* after this we were taken home [2] ⟨plaats⟩ below, ⟨vnl jur⟩ hereinafter ♦ *Van Dale Lexicografie bv, hierna te noemen 'de uitgever'* Van Dale Lexicography bv, hereinafter called 'the publisher'; *in de hierna opgesomde gevallen* in the undermentioned cases

hiernaast [bw] ⟨m.b.t. woning⟩ next door, ⟨anders⟩ alongside ♦ *de illustratie op de bladzijde hiernaast* the illustration opposite/on the facing page; *de grafiek hiernaast* the adjoining diagram; *hiernaast hebben ze ook twee auto's* the next-door neighbours also have two cars; *de buurman van hiernaast* the next-door neighbour, the man next door; *hij woont hiernaast* he lives next door

hiernamaals [het] hereafter, next world, life to come, (great) beyond, future life ♦ *niet in het hiernamaals geloven* not believe in the hereafter/next world

hiero [bw] ↑ over here

hiëroglief [de] [1] ⟨gesch⟩ hieroglyph, ⟨mv ook⟩ hieroglyphics [2] ⟨mv; onleesbaar schrift⟩ hieroglyph, ⟨mv ook⟩ hieroglyphics

hiëroglifisch [bn, bw] [1] ⟨in hiërogliefen⟩ hieroglyphic(al) ⟨bw: hieroglyphically⟩ ♦ *hiëroglifisch schrift* hieroglyph(ic)s [2] ⟨onleesbaar⟩ hieroglyphic(al) ⟨bw: hieroglyphically⟩

hierom [bw] [1] ⟨om deze zaak⟩ (a)round this ♦ *dat ringetje moet hierom* that ring belongs around this [2] ⟨om deze reden⟩ because of this, for this reason ♦ *hierom blijf ik thuis* for this reason I'm staying ^{B}at home/^{A}home, this is why I'm staying ^{B}at home/^{A}home; *hierom en daarom* for several reasons

hieromheen [bw] (a)round this ♦ *hieromheen loopt een gracht* there is a canal surrounding this

hieromtrent [bw] [1] ⟨hier in de buurt⟩ around here, hereabouts ♦ *hij moet hieromtrent wonen* he must live somewhere hereabouts/around here [2] ⟨omtrent deze zaak⟩ about this, with regard to this, concerning this, on this subject ♦ *kunt u mij hieromtrent inlichten?* can you inform me about this matter?

hieronder [bw] [1] ⟨onder deze plaats⟩ under here, underneath, below ♦ *hieronder zijn de kelders* under here/below/downstairs are the cellars [2] ⟨verderop⟩ below ♦ *zoals hieronder aangegeven* as stated below; *de hieronder genoemde* the undermentioned/undernamed; *zie de toelichting hieronder* see explanation below; *wij zullen hieronder nog op deze kwestie ingaan* we will go into this matter later on [3] ⟨onder het genoemde⟩ by this ♦ *hieronder versta ik ...* by this I understand ... [4] ⟨zich erbij bevindend⟩ among these ♦ *hieronder zijn veel personen van naam* among them there are many people of note

hierop [bw] [1] ⟨op de genoemde zaak⟩ (up)on this ♦ *hierop stond een kruis* on this stood a cross [2] ⟨op deze zaak⟩ (up) on this ♦ *het komt hierop neer* it comes/boils down to this; *met het oog hierop* with a view to this; *hierop verlaat ik mij* in this I put my trust; I rely/depend on this [3] ⟨hierna⟩ after this, then, ⟨form⟩ hereupon ♦ *hierop kwamen wij in een bos* we then went into a forest

hierover [bw] [1] ⟨over het genoemde⟩ over this [2] ⟨aangaande het genoemde⟩ about this, regarding this, on this ♦ *genoeg hierover* enough about this/on this matter; *hierover zullen wij u zo spoedig mogelijk informeren* we shall inform you hereof at the earliest possible date; *ik zal hierover maar zwijgen* I will not speak of/about this

hiertegen [bw] against this ♦ *ik wil mij hiertegen niet verzetten* I do not want to resist/oppose this, I do not want to offer resistance to this

hiertegenover [bw] [1] ⟨tegenover deze plaats⟩ opposite, ⟨gebouw ook⟩ across the street, over the way ♦ *de huizen hiertegenover* the houses opposite/facing us/across the road; *hiertegenover is de vismarkt* across the street/over the way is the fish-market; *hij woont hiertegenover* he lives across the street/opposite/over the way [2] ⟨tegenover deze zaak⟩ against this ♦ *hiertegenover staat, dat ...* on the other hand, ...

hiertoe [bw] [1] ⟨tot deze plaats⟩ (up to) here ♦ *tot hiertoe* so far, up to/till now, thus far; *tot hiertoe en niet verder* this/thus far and no further, up to here and no further, this is where I/we draw the line [2] ⟨tot het genoemde⟩ to this, for this ♦ *hiertoe had hij geen moed* he didn't have/lacked the courage for this/to do this; *wat heeft u hiertoe gebracht?* what made you do this? [3] ⟨voor dit doel⟩ for this purpose, to this end

hiertussen [bw] (in) between, between these/them, ⟨hieronder⟩ among these/them ♦ *hiertussen raakte hij bekneld* he got stuck in between; *hiertussen bevond zich ook zijn rijbewijs* his driving licence/^{A}driver's license was also among them

hieruit [bw] [1] ⟨uit deze plaats⟩ out of here ♦ *van hieruit vertrekken* depart from here [2] ⟨uit het genoemde⟩ from this ♦ *hieruit volgt, dat ...* it follows (from this) that ..., from this we can deduce/conclude that ...; *ik kan hieruit niet wijs worden* I can't make head or tail/make sense of this

hiervan [bw] of this ♦ *hiervan ben ik overspannen geraakt* this is what caused my breakdown; *ik weet niet wat ik hiervan denken moet* I don't know what to think of this

hiervandaan [bw] from here, away ♦ *het is tien minuten hiervandaan* it's ten minutes from here; *hiervandaan naar Arnhem is het vijftien kilometer* Arnhem is fifteen kilometres from here/away

hiervoor [bw] [1] ⟨vóór het genoemde⟩ in front (of this), ⟨fig; tijd⟩ before this ♦ *het hiervoor gestelde* the above [2] ⟨voor, wat betreft het genoemde⟩ of this ♦ *hiervoor is geen equivalent* there is no equivalent for this; *hiervoor behoeft u niet te vrezen* you needn't fear this/be afraid of this [3] ⟨tot dit doel⟩ for this purpose, to this end ♦ *hiervoor is het noodzakelijk dat ...* for this purpose/for this to happen it is necessary that ... [4] ⟨in ruil voor het genoemde⟩ (in exchange/return) for this ♦ *(in ruil) hiervoor krijg je heel wat* you get quite a bit in return for this

hiervoormaals [het] herebefore

hierzo [bw] ⟨inf⟩ here

hierzonder [bw] without this

hieuwen [ov ww] heave ♦ *het anker hieuwen* heave the/weigh anchor

hifi [bn] hi-fi, high fidelity

hifi-installatie [de^{v}] hi-fi (set)

high [bn] high (on), stoned, hyped up, spaced out, goofed (on) ♦ *hier word je hartstikke high van* this really blows your mind

highbrow [bn] highbrow

high care [de] post-intensive care

high culture [de^{v}] high culture

high-definition television [de^{v}] high-definition TV

high fidelity [de] high-fidelity

high five [de^{m}] high-five

highlight [het, de] ⟨hoogtepunt⟩ highlight ♦ *de highlights van de rondreis* the highlights of the trip

highlighten [ov ww] highlight

highlighter [de^{m}] highlighter

highlights [de^{mv}] ⟨lichtgeverfde haarplukjes⟩ highlights

highscore [de^m] high score
high society [de^v] (high) society, top/best people, upper crust
1**hightech** [de] high-tech
2**hightech** [bn] high-tech, hi-tech
1**hij** [de^m] he ◆ *het is een hij* it's a he
2**hij** [pers vnw] he, ⟨op voorwerp slaand⟩ it ◆ *net **als** hij* just like him; *hij **daar*** him over there; *ik kan beter koken **dan** hij* I can cook better than he can, ⟨inf⟩ I can cook better than him; *hij **die** ...* he who ..., whoever ...; *iedereen is trots op het werk dat hij zelf **doet*** everyone is proud of the work they do themselves; *hij **heeft** het **gedaan*** he did it; *hij **is het*** it's him; ⟨form⟩ it is he; *kijk, daar **is** hij* look, there he is/it's him; ***hij staat** scheef, die toren* it's leaning, that tower is

het, hij en zij

- in het Nederlands kan men *hij* of *zij* gebruiken om te verwijzen naar voorwerpen of zaken (waar is mijn tas? *hij* staat op tafel; de regering heeft in *haar* wijsheid anders besloten)
- voorwerpen en zaken zijn in het Engels altijd onzijdig en worden aangeduid met **it** *(where's my bag? it's on the table; the government in its wisdom decided otherwise)*
- in het Engels gebruikt men **he** alleen voor mannen of jongens (en soms huisdieren)
- er is een bijzondere uitzondering: grote machines zoals schepen, auto's, treinen, boten en vliegtuigen worden soms met **she** aangeduid; meestal zijn het mannen die dit doen, en dan vooral als ze onder de indruk zijn van de betreffende machine *(look at that tall ship, she's a real beauty, isn't she?)*

hijacken [ov ww] hijack
hijgen [onov ww] [1] ⟨hoorbaar ademhalen⟩ pant, gasp, wheeze, ⟨spottend⟩ puff, blow ◆ *hijgen **als** een (post)paard* wheeze like a grampus; *zijn **borst** hijgde* his chest heaved; *zij **kwam** hijgend **aangelopen*** she came panting/puffing along; ***puffend** en hijgend* puffing and blowing/panting, heaving and groaning; *hijgend een paar woorden **uitbrengen*** pant/gasp out a few words; *hij hijgde **van** vermoeidheid* he gasped/panted with exhaustion [2] ⟨m.b.t. een machine⟩ pant, puff, blow
hijger [de^m] heavy breather ◆ *ik **had** weer een hijger vandaag* I had another obscene phone-call today
1**hijgerig** [bn] [1] ⟨buiten adem⟩ panting, puffing, wheezing, blowing, gasping [2] ⟨opgewonden⟩ breathless ◆ *een hijgerige **stijl*** a staccato style [3] ⟨kortademig⟩ wheezy
2**hijgerig** [bw] ⟨met onderbrekingen door hijgen⟩ in gasps
hijglijn [de] dial-a-heavy-breath
hijs [de^m] [1] ⟨handeling⟩ hoist(ing), heave, haul ◆ ⟨fig⟩ *'t is een **hele** hijs* it's quite a haul, it's a tough job [2] ⟨hoeveelheid⟩ hoist, haul [3] ⟨werktuig⟩ hoist, lift, lifting tackle [4] ⟨oplawaai⟩ whack
hijsbalk [de^m] ± hoisting hook
hijsblok [het] pulley block
hijsbok [de^m] gin, lifting tackle, shears
1**hijsen** [ov ww] [1] ⟨naar boven trekken⟩ hoist, lift, haul, heave ◆ *het **anker** hijsen* heave the/weigh anchor; *een **kist** naar boven hijsen* ⟨beneden staand⟩ hoist up a crate; ⟨boven staand⟩ haul up a crate; *de **vlag** (in top) hijsen* hoist/run up/put up the flag (to the top); *de **zeilen** hijsen* hoist the sails, set/hoist sail [2] ⟨met moeite naar boven brengen⟩ haul, heave ◆ ⟨fig⟩ *iemand **in** een jas hijsen* help s.o. into his coat; *zich **uit** een stoel hijsen* heave/haul o.s. out of a chair
2**hijsen** [ov ww, ook abs] ⟨(veel) drinken⟩ booze, soak, tank, crook one's little finger ◆ ***bier** hijsen* guzzle/swill beer, get tanked up on beer; ***stevig** hijsen* have a booze-up
hijskraan [de] (hoisting-)crane, ⟨gebruikt op schepen, in dok/mijn⟩ shears, shearlegs
hijslier [de] (hoisting-)winch
hijstoestel [het] hoist, lift, derrick, hoisting/lifting apparatus, shears
hijsvermogen [het] lifting capacity
hijsvloer [de^m] hoist platform
hijswerktuig [het] hoist, hoisting apparatus, lift, lifting tackle
hij-vorm [de^m] third-person narrative
hijzelf [pers vnw] he himself
H-ijzer [het] H-iron, H-beam
hik [de^m] [1] ⟨samentrekking van het middenrif⟩ hiccup [2] ⟨reeks daarvan⟩ hiccups ◆ *ik **heb** de **hik*** I've got the hiccups; ***krijg** de hik!* get lost!; ⟨vnl AE; sl⟩ nuts to you
hikikomori [het] hikikomori
hiking [de^v] hike
hikken [onov ww] [1] ⟨hikkend geluid maken⟩ hiccup ◆ *ik **moet** telkens hikken* I keep hiccupping [2] ⟨de hik hebben⟩ hiccup [•] ⟨inf⟩ ***tegen** iets aan hikken* not look forward to sth., have trouble getting started on sth., shrink from sth.
hikkerig [bn] hiccuppy
hilarisch [bn] hilarious, uproarious
hilariteit [de^v] hilarity, amusement, mirth, merriment, laughter ◆ *onder **algemene** hilariteit zei hij ...* to general laughter he said ...; *tot **grote** hilariteit van het publiek* to the great amusement/much to the amusement of the audience; *(grote) hilariteit **veroorzaken*** create/cause (great) amusement, cause/provoke (great) hilarity/merriment/mirth
Himalaya [de^m] (the) Himalayas
hinde [de^v] hind, ⟨damhert⟩ doe
hindekalf [het] fawn
hinder [de^m] nuisance, bother, trouble, ⟨minder ernstig⟩ discomfort, ⟨belemmering⟩ hindrance, obstacle ◆ *het verkeer **ondervindt** veel hinder van de sneeuw* traffic is severely disrupted by the snow; *zij **ondervond** hinder van haar voeten* she was troubled by her feet, her feet troubled her; *hij **ondervond** hinder van luidruchtige buren* he was bothered/annoyed by noisy neighbours; *iemand **tot** hinder zijn* bother s.o., trouble s.o.
hinderen [ov ww, ook abs] [1] ⟨belemmeren in de bewegingsvrijheid⟩ impede, hamper, hinder, obstruct ◆ *zijn lange jas hinderde hem **bij** het lopen* his long coat hampered him/got in his way as he walked; ⟨fig⟩ *niet gehinderd **door** enige kennis* undeterred by any specialist knowledge; *ik hinder jullie toch **niet*** I'm not in your way, am I?; ⟨sport⟩ *de **tegenstander** opzettelijk hinderen* obstruct one's opponent; *dat obstakel hindert het **verkeer*** that obstacle impedes traffic/is an impediment to traffic [2] ⟨bezwaarlijk zijn⟩ matter ◆ ***wat** hindert dat nu?* what's the odds?, what does that matter? [3] ⟨beperken⟩ impede, hamper, hinder [4] ⟨storen⟩ bother, interfere with, interrupt ◆ *iemand hinderen **bij/in** zijn werk* hinder s.o. in one's work; *hindert **het** u als ik rook?* do you mind if I smoke?; *hij hindert me **niet*** I don't mind him; *al dit gepraat hindert de **zieke*** the patient is finding all this talking a strain [5] ⟨dwarszitten, irriteren⟩ bother, annoy, ⟨bezorgd maken⟩ trouble, worry, distress ◆ *de lage zon hindert de **automobilisten*** the low sun is a nuisance to motorists; *allerlei **dingen** hinderen hem* there are all sorts of things bothering/worrying him, he's got all sorts of things on his mind
hinderlaag [de] ambush, ⟨fig ook⟩ trap, noose, snare ◆ ***in** een hinderlaag vallen* fall into/walk into/enter an ambush, be caught in ambush, be ambushed; *de vijand **in** een hinderlaag lokken* ambush/^{A}bushwack the enemy, lure the enemy into an ambush; ***in** (een) hinderlaag liggen, zich **in** hinderlaag leggen* lie/wait in ambush, lie in wait, ambush, ambuscade; *(iemand) een hinderlaag **leggen*** ambush s.o., lay snares/an ambush for s.o.; ***vanuit** een hinderlaag schieten (op)* snipe (at), fire from ambush (at); ***(van)uit** een hinderlaag aanvallen* ambush, ambuscade, attack from (an)/by ambush, ⟨AE⟩ bushwack
1**hinderlijk** [bn] [1] ⟨irritant⟩ annoying, irritating, bother-

some, irksome ♦ *zijn gedrag is hinderlijk* ⟨ook⟩ he is a nuisance, he makes a nuisance of himself; *hij heeft de hinderlijke gewoonte om ...* he has an annoying/a nasty trick of ... 2 ⟨storend⟩ objectionable, disturbing ♦ *het geluid is niet hinderlijk (voor anderen)* the noise is not disturbing (to others) 3 ⟨onbehaaglijk⟩ unpleasant, disagreeable ♦ *de warmte is niet hinderlijk* the heat is not unpleasant/disagreeable, ⟨sterker⟩ the heat is not oppressive 4 ⟨belemmerend⟩ inconvenient, impeding, hampering ♦ *een hinderlijk obstakel* an obstacle, an impediment, a hindrance; *die bepaling is hinderlijk voor de handel* that regulation is an impediment/an obstacle/a hindrance to trade

2**hinderlijk** [bw] ⟨ergerlijk⟩ annoyingly, blatantly ♦ ⟨fig⟩ *iemand hinderlijk volgen* keep close tabs on s.o., watch s.o.'s every step, watchdog s.o.

hindernis [de^v] obstacle, barrier, bar, ⟨fig ook⟩ hindrance, impediment ♦ *de enige hindernis die hen scheidt* the only barrier between them; ⟨fig⟩ *een reis met hindernissen* an eventful journey; *een wedren met hindernissen* an obstacle race, a steeplechase; *een hindernis nemen* ⟨ook fig⟩ take/negotiate an obstacle; take/leap a fence/hurdle; *een wedren zonder hindernissen* a flat race; ⟨fig⟩ *hindernissen uit de weg ruimen* clear away/remove obstacles

hindernisbaan [de] 1 ⟨sport⟩ obstacle course, steeplechase course/track 2 ⟨mil⟩ assault course

hindernisloop [de^m] ⟨sport⟩ steeplechase, ⟨m.b.t. paarden ook⟩ obstacle/hurdle race

hinderpaal [de^m] obstacle, impediment, barrier, bar, obstruction

Hinderwet [de] ± Nuisance Act

hinderwetvergunning [de^v] ± licence under the Nuisance Act

Hindi [het] Hindi

hindipop [de^m] hindi pop

hindoe [de^m] Hindu

hindoeïsme [het] Hinduism

hindoes [bn] Hindu

Hindoestaan [de^m], **Hindoestaanse** [de^v] Hindu(stani)

Hindoestaanse [de^v] → **Hindoestaan**

hinkebaan [de] → **hinkelbaan**

hinkelbaan [de], **hinkebaan** [de] hopscotch diagram

hinkelblokje [het] hopscotch stone

hinkelen [onov ww] hop, ⟨op hinkelbaan⟩ play hopscotch

hinkelspel [het] hopscotch

hinken [onov ww] 1 ⟨mank lopen⟩ limp, have a limp, walk with a limp, hobble, be lame 2 ⟨hinkelen⟩ hop ⊡ ⟨sprw⟩ *niemand hinkt van/gaat mank aan andermans zeer* it is easy to bear the misfortunes of others

hinkepinken [onov ww] dot and carry (one), walk cloppety-clop

hinkepoot [de^m] ⟨pej⟩ peg leg, hobbler, ⟨inf; BE⟩ dot and carry one, ⟨inf; AE⟩ gimp

hinkspel [het] hopscotch

hink-stap-springer [de^m] triple jumper

hink-stap-sprong [de^m] triple jump, hop, step and jump

hinkvers [het] ⟨lit⟩ choliambus, scazon

hinniken [onov ww] 1 ⟨m.b.t. paarden⟩ neigh, whinny, ⟨zacht⟩ snicker 2 ⟨lachen⟩ bray (with laughter)

hint [de^m] hint, clue, cue, tip(-off), pointer ♦ *(iemand) een hint geven* drop (s.o.) a hint, clue (s.o.) in, tip (s.o.) off/the wink; *een goeie hint* a good tip; *een hint krijgen* receive a hint/clue/tip(-off)/pointer, be tipped (off), be clued in

hinten [ov ww] hint (at), drop a hint

hip [bn, bw] hip, trendy, nifty, snazzy ♦ *hippe kleren* trendy clothes; *een hippe vogel* a trendy/swinger; *het hippe volkje* the in-crowd; *hip zijn* be trendy

hiphop [de] hip-hop

hiphoppen [onov ww] hip-hop

hiphopper [de^m] 1 ⟨artiest⟩ hip-hopper 2 ⟨hiphopliefhebber⟩ hip-hopper

hippeastrum [de^m] hippeastrum

hippel [de^m] punch

hippelen [onov ww] hop

hippen [onov ww] hop

hippiatrie [de^v] ⟨med⟩ hippiatrico

hippie [de^m] hippie, flower child

hippisch [bn] equestrian ♦ *hippische sport* equitation

hippocratisch [bn] Hippocratic ♦ *de hippocratische eed* the Hippocratic oath ⊡ *hippocratisch gezicht* Hippocratic facies

hippodroom [het, de^m] hippodrome

hips [tw] hiccup

hipster [de^m] hipster

hire-and-fire [ww] hire-and-fire

hirudine [de^v] hirudin

hispanisme [het] hispanicism

hispanologe [de^v] → **hispanoloog**

hispanoloog [de^m], **hispanologe** [de^v] hispanicist, Spanish scholar

histamine [het] ⟨med⟩ histamine

histodiagnose [de^v] histological diagnosis

histogram [het] histogram

histologie [de^v] histology

histologisch [bn] histological

histopathologie [de^v] histopathology

histoplasmose [de^v] histoplasmosis

historica [de^v] → **historicus**

historiciteit [de^v] historicity

historicus [de^m], **historica** [de^v] 1 ⟨geschiedkundige⟩ historian ♦ *literair historicus/historica* literary historian, historian of literature 2 ⟨student⟩ historian, student of history

historie [de^v] 1 ⟨verleden⟩ history ♦ *die zaak behoort al lang tot de historie* that matter is (past/ancient) history/dead and buried now; *de vaderlandse historie* national history 2 ⟨geschiedverhaal⟩ history ♦ *de historie gewaagt van* history makes mention of 3 ⟨verhaal⟩ story, anecdote ♦ *de historie van Reintje de Vos* the story/fable of Reynard the Fox; *een vermakelijke historie* an amusing story/anecdote; *dat vermeldt de historie niet* (that) the story does not tell 4 ⟨affaire⟩ affair, business ♦ *het is een rare historie* it is a strange affair/business ⊡ *natuurlijke historie* natural history

historiebeeld [het] historical view

historieprent [de] historical print

historieschilder [de^m] historical painter

historiestuk [het] 1 ⟨schilderij⟩ historical painting, historical piece/picture 2 ⟨toneelstuk⟩ historical play, historical piece, history (play)

historietje [het] story, anecdote, tale

historikerstreit [de^m] historikerstreit

historiograaf [de^m], **historiografe** [de^v] historiographer, historian

historiografe [de^v] → **historiograaf**

historiografie [de^v] historiography

historiografisch [bn] historiographic(al)

historiologie [de^v] historiology

1**historisch** [bn] 1 ⟨van historische betekenis⟩ historic ♦ *wij beleven een historisch moment* we are witnessing a historic moment; *een historische plaats* a historic place/spot 2 ⟨met geschiedkundige achtergrond⟩ historical, ⟨toneelstuk, kleding⟩ period ♦ *een historisch monument* an ancient monument; *een historische optocht* a (historical) pageant; *een historische roman* a historical novel 3 ⟨werkelijk gebeurd⟩ historical, true ♦ *dat is historisch* that's a historical fact/a fact of history/a true story ⊡ *historische infinitief* historic infinitive

2**historisch** [bn, bw] 1 ⟨m.b.t. opeenvolging in de tijd⟩

historical ⟨bw: ~ly⟩ ♦ *dat is historisch* ***gegroeid*** that is a result of historical factors; *de historische* ***methode*** the historical method; *de historische* ***ontwikkeling*** the historical development, the development in time; *de historische* ***school*** the historical school [2] ⟨m.b.t. de bestudering van de geschiedenis⟩ historical ⟨bw: ~ly⟩ ♦ *iets historisch* ***bewijzen*** prove sth. by means of historical research; *het* ***Historisch Genootschap*** the Historical Society; *historisch* ***onderzoek*** historical investigation(s)/research/studies

historic of historical?

historic – belangrijk, met grote betekenis
- *this city has many historic buildings*
- *the president's historic speech is still remembered today*

historical – met betrekking tot de geschiedenis
- *historical monuments tell us something about the past*
- *our historical evidence suggests that there was once a city here*

historiseren [ov ww] historicize
historisme [het] [1] ⟨wereldbeschouwing⟩ historicism, historism [2] ⟨geschiedbeschouwing⟩ historicism, historism
historistisch [bn, bw] historicistic
[1]**hit** [de^{m}] [1] ⟨muz; tophit⟩ hit (record) ♦ *een hit* ***hebben*** *(met het nummer 'Relax')* score/have a (big) hit (with the song 'Relax') [2] ⟨comp; treffer⟩ hit [3] ⟨paard⟩ cob, ⟨i.h.b.⟩ (Shetland) pony, Sheltie
[2]**hit** [de^{v}] ⟨dienstmeisje⟩ maid, ⟨pej⟩ skivvy
hit-and-run [de^{m}] [1] ⟨mil⟩ hit-and-run [2] ⟨alg⟩ hit-and-run
hitgevoelig [bn] with hit potential ♦ *een hitgevoelig* ***nummer*** a potential/potentially a hit (record)
Hitlergroet [de^{m}] Hitler/Nazi salute
hitleriaans [bn] Hitlerite, Hitlerist
hitlersnor [de] Hitler moustache, toothbrush moustache
hitlijst [de] chart(s), hit parade
hitlist [de] hit list
hitman [het] hitman
hitparade [de^{v}] hit parade, charts ♦ *nummer één* ***op*** *de hitparade* number one in the charts/the top 40/50/..., ⟨USA ook⟩ the (all American) hot one hundred/hot 100
hitsen [ov ww] incite
hitsig [bn, bw] [1] ⟨vurig⟩ hot-blooded ♦ *hitsig* ***bloed*** *hebben* be hot-blooded; *hitsig van aard* ***zijn*** have a (quick) temper [2] ⟨geil⟩ hot, ⟨mensen ook⟩ randy, horny
hitsingle [de^{m}] hit single
hitte [de^{v}] [1] ⟨sterke warmte⟩ heat ♦ ***door*** *de hitte bevangen* overcome by the heat; *door te* ***grote*** *hitte verschroeit het vlees* if the heat is too high, the meat will burn; *een* ***moordende/gloeiende/drukkende*** *hitte* (a) murderous heat, (a) burning/boiling heat, (an) oppressive/(a) stifling heat; *een* ***ondraaglijke*** *hitte* (an) unbearable/intolerable heat; *zweten/barsten* ***van*** *de hitte* be sweltering [2] ⟨fig⟩ heat ♦ ***in*** *de hitte van de strijd* in the heat of battle, ⟨fig ook⟩ in the heat of the moment
hittebarrière [de] heat barrier, thermal barrier
hitteberoerte [de^{v}] heat stroke
hittebestendig [bn] heat-resistant, heat-proof
hitteblaar [de] heat rash/spot
hittebron [de] heat source
hittedraadmeter [de^{m}] hot wire ammeter
hittegolf [de] heat wave ♦ ***tijdens*** *de hittegolf van vorige zomer* during last summer's heat wave/the heat wave of last summer
hittepit [de] cherry stone pillow, thermal pillow
hittepuistjes [de^{mv}] heat spots/pimples
hitteschild [het] heat shield, ablation shield
hitteslag [de^{m}] heat stroke
hittestraling [de^{v}] heat radiation
hittestuwing [de^{v}] heat exhaustion
Hittiet [de^{m}] → **Hettiet**
Hittitisch [bn] → **Hettitisch**
hiv [het] (human immunodeficiency virus) HIV
hiv-besmetting [de^{v}], **hiv-infectie** [de^{v}] HIV infection
hiv-infectie [de^{v}] → **hiv-besmetting**
hiv-negatief [bn] HIV negative
hiv-positief [bn] HIV positive
hiv-test [de^{m}] hiv test
hiv-virus [het] HIV virus
hiziki [de^{m}] hijiki
H.K.H. [afk] (Hare Koninklijke Hoogheid) HRH
hl [afk] (hectoliter) hl
hls [de] (hogere landbouwschool) ± Higher Agricultural College
[1]**hm** [tw] [1] ⟨brommend geluid⟩ (a)hem [2] ⟨uiting van twijfel⟩ hmm, h'm, hum, um, huh ♦ *hm! is dat uw mening!* hmm! is that what you think!; *hm! dat verandert de zaak* hmm! that makes matters different
[2]**hm** [afk] (hectometer) hm
H.M. [afk] (Hare Majesteit) HM
hno [het] (huishoud- en nijverheidsonderwijs) Domestic Science Education
ho [tw] [1] ⟨om te laten ophouden⟩ stop, ⟨bij inschenken⟩ when!, ⟨tegen paard⟩ whoa ♦ *ho* ***maar!*** all right, that's enough/that will do; *ho* ***nou!*** stop!, hold your horses!; ⟨inf⟩ ***zeg*** *maar 'ho'* say when [2] ⟨terechtwijzing⟩ come on!, that's not fair! ♦ *ho een* ***beetje*** (go/take it) easy! [•] *ho* ***maar!*** forget it!, hold it, (now) just a minute; *het ene feestje/meisje na het andere, maar werken ho* ***maar*** one party/girl after another, but when it comes to doing some work, forget it!/nothing doing!
h.o. [het] (hoger onderwijs) Higher Education
hoatzin [de^{m}] hoatzin
hoax [de^{m}] hoax
hobbel [de^{m}] bump ♦ ⟨inf, fig⟩ *er* ***moet*** *nog één hobbel* ***genomen worden*** there's just one more hurdle ahead; ***vol*** *hobbels en bobbels* full of bumps (and potholes); *de weg is hier* ***vol*** *hobbels* the road is full of bumps/is very bumpy here
hobbelachtig [bn] bumpy, uneven
hobbeldebobbel [bw] ⟨inf⟩ bumpety-bump ♦ *de weg* ***gaat*** *daar van hobbeldebobbel* the road is all bumpy there
hobbelen [onov ww] [1] ⟨schuddend voortgaan⟩ bump, jolt, lurch ♦ *het beestje hobbelde* ***achter*** *ons* ***aan*** the creature lurched along/came trailing (along) behind us; ***over*** *een weg/****over*** *de keien hobbelen* bump/jolt along the road/cobblestones [2] ⟨schommelend, schuddend op en neer gaan⟩ ⟨schommelend⟩ rock, ⟨schuddend⟩ bump/bounce up and down ♦ *hobbelen* ***op*** *een hobbelpaard* ride (on) a rocking horse [3] ⟨hobbelig zijn⟩ be bumpy, be rough/uneven ♦ *de* ***weg*** *hobbelt hier nogal* the road is rather bumpy here
hobbelig [bn] bumpy, rough, uneven, irregular ♦ *hobbelig* ***ijs*** hummocky ice; *een hobbelige* ***weg*** a bumpy road
hobbelpaard [het] rocking horse ♦ *mag ik* ***op*** *het hobbelpaard?* can I ride (on) the rocking horse?; ***op*** *een hobbelpaard zitten/rijden* ride (on) a rocking horse
hobbelweg [de^{m}] bumpy road
hobbezak [de^{m}] [1] ⟨kledingstuk⟩ ⟨jurk, jas⟩ sack, ⟨broek⟩ baggy pants [2] ⟨persoon⟩ ⟨een te ruime broek dragend⟩ baggy pants, ⟨m.b.t. vrouw⟩ frump
hobbezakkerig [bn] ⟨te wijd⟩ baggy, ⟨uit model⟩ saggy, shapeless
hobby [de^{m}] hobby
hobbybeurs [de] DIY exhibition/fair
hobbyblad [het] hobby magazine
hobbyboer [de^{m}] hobby farmer
hobbycomputer [de^{v}] hobby computer
hobbyhouder [de^{m}] hobby farmer

hobbyisme [het] [1] ⟨het beoefenen van een hobby⟩ indulging in/pursuing a hobby, indulging in leisure activities [2] ⟨amateurisme⟩ dilettantism, amateurism
hobbyist [de^{m}] [1] ⟨knutselaar⟩ hobbyist, amateur painter/carpenter ⟨enz.⟩ [2] ⟨pej; amateur⟩ amateur, dabbler
hobbykip [de^{v}] chicken kept as a hobby
hobbymes [het] hobby knife
hobbyruimte [de^{v}] hobby room, work room, den, ⟨AE⟩ rumpus room
hobbyzolder [de^{m}] attic used as hobby room
hobo [de^{m}] ⟨muz⟩ oboe
hoboïst [de^{m}] oboist, ⟨lid van orkest⟩ oboe
hobu [het] ⟨in België⟩ (hoger onderwijs buiten de universiteit) non-university higher education
hocker [de^{m}] ottoman
hockey [het] hockey, ⟨AE⟩ field hockey

hockey

- met **hockey** wordt in het Amerikaans-Engels *ijshockey* bedoeld; *veldhockey* heet in het Amerikaans-Engels **field hockey**
- met **hockey** wordt in het Brits-Engels *veldhockey* bedoeld; *ijshockey* noemt men in het Brits-Engels **ice hockey**
- *zaalhockey* heet in beide varianten **indoor hockey**

hockeybal [de^{m}] ⟨sport⟩ hockey ball
hockeyclub [de] ⟨sport⟩ hockey club, ⟨AE vnl⟩ field hockey club
hockeyelftal [het] ⟨sport⟩ hockey team, ⟨AE vnl⟩ field hockey team
hockeyen [onov ww] play hockey, play ^{A}field hockey
hockeyer [de^{m}], **hockeyster** [de^{v}] hockey player
hockeyster [de^{v}] → **hockeyer**
hockeystick [de^{m}] hockey stick
hockeyteam [het] hockey team, ⟨AE vnl⟩ field hockey team
hockeyveld [het] hockey field
^{1}hocus pocus [het, de^{m}] ⟨tovenarij⟩ hocus-pocus, jiggery-pokery, ⟨geheimzinnig gepraat⟩ mumbo jumbo ♦ *er komt **allerlei** hocus pocus bij te pas* it involves a lot of hocus-pocus/mumbo jumbo
^{2}hocus pocus [tw] ⟨toverformule⟩ hocus-pocus, abracadabra, hey presto ♦ *hocus pocus (pilatus) pas* abracadabra-hey presto!; *hocus pocus! en de zakdoek was weg* hey presto/abracadabra! the handkerchief was gone!
hodgkin [de^{m}] Hodgkin's disease
Hodgkin [de^{m}] [•] *de ziekte van Hodgkin* Hodgkin's disease
hodometer [de^{m}] odometer
hoe [bw] [1] ⟨op welke wijze⟩ how ♦ *hoe **fietst** zij naar school?* what road does she take to school?; *hoe **gaat** het ermee?* how are you?, how are/how's things?, how are things going?; *hij wist niet hoe hij het **had*** he didn't know what had come over him/what to think; *ik zal u zeggen hoe u **handelen** moet* I will tell you what to do; ***het** hoe en waarom* the whys and wherefores; ***het** hoe en het wat* what's what, the ins and the outs; *hoe **is** het (toch/in hemelsnaam) mogelijk?* well I never!, strike me pink!, well I'll be blowed!, how on earth!; *hoe **kan** ik u genoeg **danken**?* how can I thank you enough?; *hoe **maakt** u het?* how do you do?; *hoe **moet** dat nu verder?* where do we go from here?; *hoe dat met jou **moet**, als het echt gevaarlijk wordt ...* what is to become of you when things get really dangerous ...; *niet meer weten hoe **of** wat* not know which way to turn; *hoe dan **ook*** anyway, anyhow; no matter how, ⟨op welke wijze ook⟩ by hook or by crook; ⟨wat er ook gebeurt⟩ no matter what; *hoe het **ook** zij* be that as it may, in any event/case, whatever the case may be; *hoe je het **ook** bekijkt* whichever way you look at it; *zij wil nu weleens weten hoe of **wat*** she wants to know where she stands [2] ⟨waarom⟩ how ♦ *hoe **kom** je erbij?* how can you think such a thing?, the idea!, what makes you think so/that?; *hoe **kun** je dat van mij **denken**?* how can you think such a thing of me?; *hoezo?, hoe dat **zo**?* how/why so?, how/what do you mean?, why do you ask? [3] ⟨hoedanig⟩ how ♦ *hoe **is** het weer?* what is the weather like?, how's the weather?; *hoe **vind** je mijn kamer?* what do you think of my room?; *hoe **voelt** het om 80 te worden?* what is it like/how does it feel to be 80? [4] ⟨welk(e)⟩ what ♦ *hoe **is** uw naam?* what is your name?; ⟨telefonist⟩ what name (shall I give)?; *je weet niet hoe 'n pijn dat doet* you have no idea how that hurts/what pain I suffer [5] ⟨met welke naam⟩ what ♦ *hoe **heet** zij ook alweer?* what's her name?; *hoe **noemen** jullie de baby?* what are you going to call the baby?; *kunst, kitsch of hoe je het **ook** maar noemen wilt* art, kitsch, or whatever you want to call it [6] ⟨als voegwoordelijk bijwoord⟩ how ♦ *hij **vertelde**, hoe zij één voor één tevoorschijn kwamen* he related how they came out one by one [7] ⟨in welke graad, mate⟩ how ♦ *je kunt wel nagaan hoe **blij** zij was* you can imagine how happy she was; *hoe **dikwijls** heb ik je dat nu al gezegd?* how many times have I told you that?; *hoe **eerder** hoe **liever/beter*** the sooner the better; *ze weet niet hoe **gelukkig** ze is* she doesn't know when she's well off/how lucky she is; *hoe **jammer*** what a shame/pity; *hoe **laat** is het?* what time is it?; *hoe **lang** is hij hier al?* how long/since when has he been here?; *het gaat hoe **langer** hoe **beter*** it is getting better all the time; *het wordt hoe **langer** hoe **moeilijker*** it's becoming/getting increasingly difficult; *hoe graag hij **ook** was gegaan* much as he would have liked to come; *hoe ik **ook** probeer, het lukt niet* no matter how I try, it won't work; *hoe vreemd het **ook** lijkt, hoe duur het **ook** is* strange as it may seem, expensive though it is; *hoe **oud** ben jij?* how old are you?; *hoe **ouder** ze wordt, des te minder ziet ze/hoe minder ze ziet* the older she gets, the less she sees; *hoe **ver** bent u?* how are you getting on? [8] ⟨waardoor⟩ how ♦ *ik weet niet hoe het **komt*** I don't know why (this is happening); *hoe **komt** het dat je zo laat bent?* ⟨inf⟩ how come you're so late? [•] *zij danste, **en** hoe!* she danced, and how!, she danced all right
hoed [de^{m}] [1] ⟨hoofddeksel⟩ hat ♦ ⟨fig⟩ *hoed **af** voor dit besluit* hats off to this decision; *de hoed **afnemen*** raise/lift/take off/doff one's hat; *zijn hoed **afzetten*** take one's hat off, remove one's hat, bare one's head; *een **breedgerande** hoed* a broad-brimmed/wide-brimmed hat; *ze **heeft** een rare hoed **op*** she is wearing a funny hat, she has a funny hat on; *een **hoge** hoed* a top hat; ⟨inf⟩ a topper; *een **lichte/fluwelen** hoed* a summer/velours hat; ***met** de hoed in de hand* hat in hand, ⟨fig⟩ cap in hand; ***met** een (hoge) hoed op* wearing a (top) hat; ⟨fig⟩ *daar **neem** ik mijn hoed voor **af*** I take my hat off/to that; *zijn hoed **opzetten/ophouden*** put on/keep on one's hat; ⟨fig⟩ *van de hoed en de **rand** weten* know what's what; *zijn hoed **staat** op halfzeven* he's got his hat on crooked; *een **strooien/slappe** hoed* a straw hat/a slouch/squash hat; ⟨fig⟩ *iets **uit** zijn (hoge) hoed toveren* conjure sth. out of a hat; ***wuiven/zwaaien** met zijn hoed* wave (with) one's hat; *de hoed diep in de ogen **zetten*** pull one's hat down over one's eyes; *je kwam hier **zonder** hoed* you came here without a hat/hatless, you weren't wearing a hat when you came here [2] ⟨wat op een hoed lijkt⟩ ⟨van paddenstoel, orgelpijp⟩ cap, ⟨van champignon⟩ button [•] ⟨sprw⟩ *met de hoed in de hand komt men door het ganse land* ± there's nothing lost by civility; ± manners maketh man
hoedanig [vr vnw] ⟨form⟩ ⟨ogm⟩ how, ⟨ogm⟩ what ... like
hoedanigheid [de^{v}] [1] ⟨aard⟩ quality ♦ *deze stoffen zijn van **dezelfde** hoedanigheid* these materials are of the same quality [2] ⟨functie⟩ capacity ♦ ***in** de hoedanigheid **van** getuige* in one's capacity as/in the capacity of witness [3] ⟨eigenschap⟩ quality, trait ♦ *hij heeft vele **goede** hoedanigheden* he has many good points/qualities
hoede [de] [1] ⟨bescherming⟩ care, protection, ⟨voogdij⟩ custody, charge, ⟨m.b.t. zaak⟩ (safe) keeping ♦ ***onder** iemands hoede* under s.o.'s umbrella; *iemand **onder** zijn hoede nemen* take charge of s.o., take a person under one's care/

protection/wing; *ik heb het kind **onder** mijn hoede* the child is in my care, I am in charge of the child, the child is in my charge/custody; *aan iemands hoede **toevertrouwd(e)** persoon/zaak/vermogen* ⟨persoon⟩ charge; ⟨zaak, vermogen⟩ trust; *ik **vertrouw** haar **aan** jouw hoede **toe*** I place her in your care/charge/custody/under your protection/charge [2] ⟨behoedzaamheid⟩ guard ◆ *wees **op** uw hoede* beware, be careful, watch out, be on your guard; ***op** zijn hoede blijven* keep one's guard up, remain on one's guard; *niet **op** zijn hoede (zijn)* (be) off guard; ***op** zijn hoede (voor), **op** zijn hoede zijn (voor)* be on the alert (for)/on one's guard (against)/wary (of)/watchful (against), keep a weather eye open (for), beware (of)

1**hoeden** [ov ww] ⟨(vee) bewaken⟩ tend, keep watch over, look after ◆ *een **kudde** hoeden* ⟨vee⟩ tend a herd; ⟨schapen, ganzen⟩ tend a flock; ***schapen/vee/ganzen** hoeden* tend/keep watch over/look after sheep/cattle/geese

2**zich hoeden** [wk ww] ⟨+ voor; zich in acht nemen⟩ guard (against), beware (of), be on one's guard (against) ◆ *zich **ervoor** hoeden te laat te beginnen* be careful not to begin late; *hoedt u **voor** te grote uitvoerigheid* beware of going into too much detail

hoedenatelier [het] hatter's shop, ⟨dameshoeden ook⟩ milliner's shop

hoedendoos [de] hatbox, ⟨dames ook⟩ bandbox

hoedenlint [het] hatband

hoedenmaakster [de^{v}] → **hoedenmaker**

hoedenmaker [de^{m}], **hoedenmaakster** [de^{v}] hatter, ⟨dameshoeden ook⟩ milliner

hoedenplank [de] shelf, ⟨auto⟩ rear/parcel/back shelf

hoedenspeld [de] hatpin

hoedenvilt [het] hat felt

hoedenvorm [de^{m}] (hat) block

hoedenwinkel [de^{m}] hat/hatter's shop, ⟨dameshoeden ook⟩ milliner's (shop)

hoeder [de^{m}], **hoedster** [de^{v}] [1] ⟨meestal in samenstellingen; bewaker⟩ herd ◆ ***ganzen**hoeder* gooseherd; ***schapen**hoeder* shepherd; ***zwijnen**hoeder* swineherd [2] ⟨beschermer(st)er⟩ guardian, keeper ◆ *ben ik mijns **broeders** hoeder?* am I my brother's keeper?

hoedje [het] (little) hat, kiss-me-quick ◆ ⟨fig⟩ ***onder één** hoedje spelen (met)* be in league (with), ⟨vnl AE⟩ be in cahoots (with), be/work hand in glove (with); ⟨fig⟩ ***onder** een hoedje te vangen zijn* be subdued/like a lamb [•] *zich een hoedje **schrikken*** jump out of one's skin, be frightened to death/out of one's wits

hoedkwal [de] chrysaora

hoedoed [de^{m}] hudud

hoedslak [de] limpet

hoedster [de^{v}] → **hoeder**

hoef [de^{m}] [1] ⟨hoornschoen⟩ hoof, ⟨dierk⟩ ungula ◆ ***met gespleten** hoeven* cloven-hoofed, cloven-footed; ***gespleten** en **ongespleten** hoeven* cloven and solid hoofs; *een **platte**/een **weke** hoef* a flat/soft hoof [2] ⟨hoefijzer⟩ horseshoe [3] ⟨plant⟩ → **hoefblad**

hoefachtig [bn] hooflike ◆ *hoefachtige **dieren*** hoofed animals; ↑ ungulates

hoefbeen [het] ⟨biol⟩ coffin bone

hoefbeslag [het] [1] ⟨het beslaan⟩ horse-shoeing, farriery [2] ⟨ijzeren beslag⟩ horseshoes

hoefblad [het], **hoefkruid** [het] ⟨groot⟩ butterbur, ⟨klein⟩ coltsfoot

hoefdieren [de^{mv}] hoofed animals, ↑ ungulates

hoefgangers [de^{mv}] ↑ unguligrades

hoefgetrappel [het] pounding of hoofs, ⟨op harde grond⟩ clatter of hoofs, hoofbeat(s) ◆ *ik **hoorde** hoefgetrappel* I heard the sound of hoofs; *in de verte **hoorde** men hoefgetrappel* there was the distant sound of horses

hoefhamer [de^{m}] shoeing hammer

hoefijzer [het] (horse)shoe, ⟨rondom gesloten⟩ bar shoe, ⟨voor renpaard⟩ plate ◆ *van hoefijzers **ontdoen*** unshoe; *een hoefijzer **verliezen*** cast/throw/lose a shoe; ⟨sport⟩ *het **werpen** van hoefijzers* horseshoe pitching; ***zonder** hoefijzers* unshod, barefoot(ed); *hoefijzers **brengen geluk*** horseshoes bring (good) luck

hoefijzernier [de] ⟨med⟩ horseshoe kidney

hoefijzervormig [bn] horseshoe(-shaped)

hoefkanker [de^{m}] ⟨med⟩ (foot) canker

hoefkrabber [de^{m}] hoof-pick

hoefkruid [het] → **hoefblad**

hoefmagneet [de^{m}] horseshoe magnet

hoefmes [het] hoof-paring knife, farrier's knife

hoefnagel [de^{m}] horseshoe nail, ⟨ijsnagel⟩ rough

hoefschoen [de^{m}] hoof shoe

hoefslag [de^{m}] [1] ⟨slag(en) met de hoef⟩ hoofbeat [2] ⟨geluid⟩ hoofbeat [3] ⟨spoor⟩ (horse)track

hoefsmederij [de^{v}] smithy, (shoeing-)forge

hoefsmid [de^{m}] farrier, blacksmith, shoeing-smith, shoer, ⟨m.b.t. renpaarden ook⟩ plater

hoefspoor [het] hoofprint

hoefstal [de^{m}] stocks, trave

hoefstempel [de^{m}] farrier's punch

hoeftang [de] (farrier's) tongs, pincers

hoefzool [de] hoof cushion

hoegenaamd [bw] [1] ⟨in welk opzicht ook, nagenoeg, vrijwel, helemaal, volstrekt⟩ at all, absolutely, completely ◆ *hij heeft hoegenaamd **alle** boeken van Vestdijk gelezen* he has read every (single) one of Vestdijk's books; *er is hoegenaamd **geen twijfel*** there is no doubt whatsoever, there's no question of doubt, there's not the slightest (shadow of a) doubt; *zij is hoegenaamd **niet** verlegen* she isn't at all shy/shy at all/in the least shy; *er is hoegenaamd **niets** van waar* it is absolutely/completely untrue, it is not true at all [2] ⟨+ niet of geen; niet noemenswaardig, nauwelijks⟩ hardly, scarcely ◆ *er is hoegenaamd **geen** twijfel* there's hardly any doubt; *er was hoegenaamd **niemand*** there was hardly anybody; *zij is hoegenaamd **niet** verlegen* she is hardly shy at all; *er is hoegenaamd **niets** van waar* there is hardly a word of truth/any truth in it

hoegrootheid [de^{v}] quantity, amount

hoek [de^{m}] [1] ⟨wisk⟩ angle ◆ *hoek van **inval/uitval*** angle of incidence/reflection; ⟨fig⟩ *iets vanuit de **juiste/verkeerde**/een **andere** hoek bekijken* look at/view sth. in its/the right/in its/the wrong/from a different perspective; ***met een** ... hoek* ...-angled; *die lijnen snijden elkaar **onder** een hoek van 45°* those lines meet at an angle of 45°; *in een **rechte** hoek* at right angles, at 90°; *een **scherpe**/een **stompe** hoek* an acute/obtuse angle; *een **uitspringende/inspringende** hoek* salient/re-entrant angle [2] ⟨deel van een ruimte, vertrek⟩ corner ◆ ***in** de hoek **staan/zetten*** stand/put in the corner; *iemand **in** een hoek **duwen*** ⟨ook fig⟩ drive s.o. into a corner; ⟨fig⟩ push s.o. aside, put s.o. in the shade, give s.o. the brush-off/a back seat; *zich niet **in** een hoek laten **drukken*** not let o.s. be cornered/driven/forced into a corner/be put upon/pushed around; *iemand alle hoeken van de **kamer** laten zien* ⟨fig⟩ beat the living daylights out of s.o.; *een **verloren** hoek* a useless/an out-of-the-way corner/bit of space [3] ⟨handel⟩ pit [4] ⟨verborgen plaats⟩ nook; zie ook **hoekje** ◆ *een **gunstige** hoek* a vantage point; *hij woont al tien jaar **in** die hoek* he has lived over there/over that way for ten years now; *zij zochten **in** alle hoeken/**in** alle hoekjes en gaatjes* they searched (in) every nook and cranny; ⟨in België⟩ *achter hoeken en **kanten*** in every nook and cranny; *de **stille**/de **drukke** hoek* the quiet/lively groups; ***flink/aardig/raak uit** de hoek komen* come up with a good/nice/telling remark, (can) be very witty [5] ⟨windstreek⟩ quarter, point of the compass ◆ *de wind zat in de **goede/verkeerde** hoek* the wind was in the right/wrong quarter; ***uit/naar** alle hoeken van de aarde* from/to every corner/all the four corners of the world; ⟨fig⟩ *kijken **uit** welke hoek de wind waait* see how the wind blows/how the land lies, see/find out the lie of the land, feel a situation out; ⟨fig⟩ *uit die hoek valt niets te verwachten* nothing can be expected from that quarter; *uit welke hoek van het land komt hij?* which part of the country/whereabouts does he come from?; ⟨fig⟩ *nu weet ik uit wat voor hoek de wind waait* now I know how/which way the wind's blowing/how things stand [6] ⟨uitstekende puntige zijde, kant⟩ ⟨van tafel, oog, mond, straat enz.⟩ corner ♦ *met afgeronde hoeken* with rounded corners; *met hoeken en kanten* rough and ready; *(vlak) om de hoek (van de straat)* (just) round/around the corner; *daar komt hij net de hoek (van de straat) om* he's just coming round the corner; ⟨fig⟩ *daarbij komen allerlei problemen om de hoek kijken* that involves all kinds of problems; *de hoek omslaan* turn the corner; *op de hoek (van de straat)* at/on the corner of the street; *de bakker/winkel/het café op de hoek* the baker's/shop/pub on the corner; *dat kom je niet op elke hoek van een straat tegen* you don't see that every day (of the week); *het vijfde huis van de hoek* the fifth house from the corner [7] ⟨landtong, kaap⟩ point, head, cape ♦ *Hoek (van Holland)* the Hook (of Holland); *om de hoek zeilen* sail round the cape/head [8] ⟨(afgescheiden) stuk (grond)⟩ corner [9] ⟨bokssp⟩ hook ♦ *linkse/rechtse hoek op de kaak* left/right hook to the jaw [10] ⟨heng⟩ (fish-)hook [•] *dode hoek* blind spot

hoeken en kanten

driehoek	triangle
gelijkzijdige driehoek	equilateral triangle
gelijkbenige driehoek	isosceles triangle
vierkant	square
vierhoek	quadrangle
rechthoek	rectangle
vijfhoek, vijfkant	pentagon
zeshoek, zeskant	hexagon
zevenhoek, zevenkant	heptagon
achthoek, achtkant	octagon
negenhoek, negenkant	nonagon
een scherpe hoek	an acute angle
een rechte hoek/ een hoek van 90°	a right angle/ an angle of 90°
een stompe hoek	an obtuse angle
de overstaande hoek	the opposite angle
linkerbovenhoek	top left-hand corner
rechteronderhoek	bottom right-hand corner

hoekbalk [de^m] corner post, hip/angle rafter
hoekbank [de] corner seat
hoekbeslag [het] corner(s), corner piece(s)
hoekboor [de] corner brace, gear frame brace
hoekbuffet [het] corner sideboard
hoekdeel [het] ⟨muz⟩ outer movement ⟨meestal mv⟩
hoekdeellijn [de] ⟨wisk⟩ bisector
hoekdek [het] angled flight deck
hoeker [de^m] ⟨scheepv⟩ hooker
hoekerker [de^m] corner bay window, corner oriel (window)
hoekfrequentie [de^v] ⟨natuurk⟩ angular frequency
hoekgraad [de^m] ⟨wisk⟩ degree (of angle)
hoekhaard [de^m] [1] ⟨haard in een hoek⟩ corner fireplace [2] ⟨aan een zijkant open haard⟩ corner fireplace
hoekhuis [het] ⟨op hoek van een straat⟩ corner house, ⟨van een huizenrij⟩ end house
hoekig [bn, bw] [1] ⟨met veel, scherpe hoeken⟩ angular ⟨bw: ~ly⟩, ⟨m.b.t. gezicht⟩ craggy, rugged, ⟨m.b.t. rotsen enz.⟩ jagged, ⟨m.b.t. karakter/persoonlijkheid⟩ difficult, awkward ♦ *een hoekig gelaat* a sharp-featured/hatchet face; ⟨fig⟩ *hij is nogal hoekig* he is rather stiff/awkward, he's hard going; *hoekig worden/maken* become/make jagged/rough [2] ⟨stuntelig⟩ awkward ⟨bw: ~ly⟩ ♦ *zij schaatst hoekig* she skates awkwardly, she's all arms and legs (on ice)
hoekigheid [de^v] angularity
hoekijzer [het] [1] ⟨gegoten ijzer⟩ angle iron [2] ⟨ter versterking van hoekverbindingen⟩ (right) angle bracket/plate
hoekje [het] [1] ⟨deel van ruimte, vertrek⟩ corner [2] ⟨plekje⟩ nook ♦ *het hoekje bij de haard* the chimney-corner/inglenook/fireside; *in een hoekje met een boekje* snuggled up with a book; *een rustig/gezellig hoekje* a quiet/cosy nook/corner [3] ⟨van tafel, straat e.d.⟩ corner ♦ ⟨fig⟩ *ik zou weleens om het hoekje willen kijken* I'd like to have a peep/be a fly on the wall [4] ⟨afgebroken, afgescheurd stukje⟩ ⟨uit bord/steen e.d.⟩ chip, ⟨papier⟩ scrap ♦ *een bord waar een hoekje uit is* a chipped plate [•] *het hoekje omgaan* kick the bucket, peg/conk out, snuff it, pop off; *hij is het hoekje omgegaan* ⟨ook⟩ he's a goner; ⟨sprw⟩ *een ongeluk zit in een klein hoekje* accidents will happen; ± it's the unexpected that always happens; ± mischief comes without calling for
hoekkamer [de] corner room
hoekkast [de] corner cupboard, ⟨kabinet⟩ corner cabinet
hoekkeper [de^m] ⟨bouwk⟩ hip/angle rafter, angle ridge
hoeklieden [de^mv] ⟨beurs⟩ (market/stock) specialists, jobbers
hoeklijn [de] ⟨wisk⟩ diagonal
hoekman [de^m] ⟨fin⟩ (stock)jobber, specialist ♦ *de hoekman voor KLM-aandelen* the jobber for KLM shares
hoekmansbedrijf [het] jobbing/specialist firm ⟨op beurs⟩
hoekmeetinstrument [het] angle measuring instrument
hoekmeter [de^m] [1] ⟨gradenboog⟩ protractor [2] ⟨landmeetk⟩ ⟨astrolabium⟩ astrolabe, ⟨goniometer⟩ goniometer, ⟨sextant⟩ sextant, ⟨kwadrant⟩ quadrant, ⟨theodoliet⟩ theodolite ♦ *tweebenige hoekmeter* sector [3] ⟨techn⟩ honing guide, sharpening jig
hoekmeting [de^v] goniometry
hoekmuur [de^m] [1] ⟨muur in, op een hoek⟩ corner wall, return wall [2] ⟨grote hoeksteen⟩ (bridgehead) fortification wall
hoeknaad [de^m] angle weld/fillet
hoeknippel [de^m] ⟨techn⟩ swivel/elbow nipple
hoekpaal [de^m] cornerpost
hoekpand [het] corner premises/property/building
hoekplaat [de] angle plate/strap
hoekplaats [de] corner seat
hoekprisma [het] 90° prism
hoekprofiel [het] angle (cross-)section
hoekpunt [het] ⟨wisk⟩ vertex, angular point
hoeks [bn, bw] corner, housed ♦ *hoeks op elkaar staan* ⟨rechthoekig⟩ be at right-angles, ⟨niet rechthoekig⟩ be splayed; *een hoekse verbinding* a corner/housed point
hoekschop [de^m] ⟨sport⟩ corner (kick) ♦ *een hoekschop nemen* take a corner
hoeksein [het] tail/rear light
hoeksgewijs [bw] diagonally, cornerwise, cornerways
hoekslag [de^m] ⟨hockey⟩ corner (hit) ♦ *korte/lange hoekslag* short/long corner
hoeksnelheid [de^v] ⟨natuurk⟩ angular velocity
hoeksofa [de^m] corner sofa/couch
hoekspar [de] ⟨bouwk⟩ hip/angle rafter, angle ridge
hoekspiegel [de^m] [1] ⟨spiegel in een hoek⟩ corner mirror [2] ⟨mv; onder een hoek tegen elkaar sluitende spiegels⟩ ± three-way mirror [3] ⟨landmeetk⟩ surveyor's square
hoekstandig [bn] ⟨plantk⟩ axillary ♦ *hoekstandige bloemen* axillary flowers
hoeksteek [de^m] ⟨text⟩ corner stitch
hoeksteen [de^m] [1] ⟨steen op een hoek⟩ cornerstone, headstone, keystone, quoin [2] ⟨fig⟩ cornerstone, keystone, mainstay, linchpin, ⟨van persoon ook⟩ pillar ♦ *dat is*

een hoeksteen om op te bouwen that is a foundation on which to build; *het gezin als de hoeksteen van de* ***maatschappij*** *beschouwen* regard the family as the cornerstone/mainstay of society
hoeksteun [de^{m}] angle/hanging bracket, corner bracket
hoekstijl [de^{m}] corner post
hoekstoot [de^{m}] ⟨sport⟩ hook ◆ *een hoekstoot* ***geven*** hook
hoektand [de^{m}] canine (tooth), eyetooth, dogtooth, ↑ laniary, ⟨van hond/wolf/sl⟩ fang, ⟨van paard⟩ tush
hoektoren [de^{m}] corner tower, ⟨klein⟩ corner turret
hoektransporteur [de^{m}] bevel
hoekverbinding [de^{v}] corner joint
hoekversnelling [de^{v}] ⟨natuurk⟩ angular acceleration
hoekvisserij [de^{v}] long-line fishing, longlining
hoekvlag [de] ⟨sport⟩ corner flag
hoekvormig [bn] angular
hoekwant [het] longline
hoekwinkel [de^{m}] corner shop
hoekwoning [de^{v}] corner house, end house (of a terrace), end-of-terrace
hoekworp [de^{m}] ⟨handbal; waterpolo⟩ corner (throw)
hoekzak [de^{m}] ⟨bilj⟩ corner pocket
hoela [de^{m}] hula(-hula) ⊡ ⟨inf⟩ ***aan*** *m'n hoela!* not likely/on your life!, forget it!
hoelahoep [de^{m}] hula-hoop
hoelameisje [het] hula(-hula) girl
hoelang [bw] how long ◆ *hoelang* ***nog****?* how much longer?; *tot hoelang blijft hij weg?* how long will he be away?; *voor hoelang is hij de stad uit?* how long will he be away from town (for)
hoe-langer-hoe-liever [het] ⟨inf⟩ ⟨porseleinbloempje⟩ London pride ⟨Saxifraga umbrosa⟩, ⟨bitterzoet⟩ bittersweet, woody nightshade ⟨Solanum dulcamara⟩
hoempaorkest [het] German band
hoen [het] [1] ⟨kip⟩ hen, ⟨AE⟩ chicken, ⟨mv ook⟩ poultry, (domestic) fowl ◆ *een* ***jong*** *hoen* a young hen, a chicken; ⟨vnl. beginnende legkip⟩ a pullet [2] ⟨mv; familie⟩ fowl, ⟨dierk⟩ Phasianidae
hoenderachtigen [de^{mv}] ⟨dierk⟩ Galliformes, gallinaceous birds
hoenderbeet [de^{m}] henbit
hoenderei [het] hen's egg, ⟨AE⟩ chicken's egg
hoenderfokkerij [de^{v}] poultry farm, hennery
hoenderhof [de^{m}] poultry/fowl yard, hennery
hoenderhok [het] hencoop, henhouse, ⟨AE⟩ chicken coop, poultry-house, hennery
hoendermarkt [de] poultry market
hoendermelk [de] eggnog, eggflip
hoendermelker [de^{m}], **hoendermelkster** [de^{v}] poultry farmer
hoendermelkster [de^{v}] → **hoendermelker**
hoendermest [de^{m}] ⟨uitwerpselen⟩ poultry droppings, ⟨als mest⟩ poultry manure
hoenderpark [het] poultry farm
hoenderpest [de] fowl pest, fowl plague, roup
hoenderrek [het] hen-roost, ⟨AE⟩ chicken-roost
hoentje [het] [1] ⟨kleine kip⟩ chicken, ⟨kuikentje⟩ chick, ⟨beginnende legkip⟩ pullet ◆ *zo fris* ***als*** *een hoentje* as fresh as a rose/daisy, as fit as a fiddle, as chirpy/lively as a cricket [2] ⟨kleine patrijs⟩ chick(en)
hoep [de^{m}] hoop, ⟨van vat ook⟩ band
hoepel [de^{m}] hoop, ring, curb, ⟨om wagenwiel⟩ tyre ◆ *zo krom* ***als*** *een hoepel* as bent as a corkscrew; *door een* ***brandende*** *hoepel springen* jump through a ring of fire/burning hoop; *de hoepels* ***rond*** *een vat* the hoops round a barrel
hoepelen [onov ww] play with a hoop, trundle/bowl a hoop, ⟨m.b.t. hoelahoep⟩ hulahoop
hoepelrok [de^{m}] hoop skirt, ⟨crinoline⟩ crinoline, ⟨panier⟩ pannier(ed) skirt, ⟨hoepelpetticoat⟩ hoop petticoat, farthingale
hoepelstok [de^{m}] hoopstick
hoephout [het] hooping wood, hoop-ash
hoepla [tw] ⟨bij ongecontroleerde beweging, bijvoorbeeld val⟩ whoops, oops(-a-daisy), ⟨bij gecontroleerde beweging, bijvoorbeeld sprong⟩ ups-a-daisy, here we go
hoepnet [het] [1] ⟨viss⟩ hoop-net [2] ⟨jacht⟩ hoop-net
hoepring [de^{m}] plain ring/band
hoepsa [tw], **hoepsasa** [tw] ups-a-daisy
hoepsasa [tw] → **hoepsa**
hoer [de^{v}] whore, ↑ prostitute, ⟨sl; AE⟩ hooker, ⟨AE⟩ hustler, ⟨sl; BE⟩ tart ◆ *een* ***goedkoop*** *hoertje* a cheap whore/hooker/tart/floozie; ***naar*** *de hoeren gaan* go to/visit prostitutes, whore; *een hoertje* ***regelen*** *voor iemand* fix s.o. up (with a girl/tart/prostitute); *de hoer* ***spelen****, zich als een hoer* ***gedragen*** act like a whore/prostitute; ***voor*** *hoer zitten* be on the game, whore ⊡ ⟨Bijb⟩ *de grote hoer, de hoer van Babylon* the Whore of Babylon, the Scarlet Woman; ***vuile*** *hoer!* dirty/filthy bitch/slut
^{1}**hoera** [het] hurray, hooray, hurrah, yippee ◆ *een* ***donderend*** *hoera* a rousing cheer; *een* ***driewerf*** *hoera* three cheers (for); *hoera* ***roepen*** *(voor)* (shout) hurray for, cheer (on)
^{2}**hoera** [tw] hurray, hooray, hurrah ◆ *hoera* ***voor*** *de revolutie/de koningin!* three cheers for/long live the revolution/the Queen!; ⟨ook⟩ up the revolution!; *hiep, hiep, hiep, hoera!* hip, hip hurray/hooray/hurrah!
hoeraatje [het] hurray, hooray, hurrah ◆ *er ging een hoeraatje* ***op*** a cheer went up; *drie hoeraatjes* ***voor*** *de koningin* three cheers for the Queen
hoerachtig [bn, bw] whorish ⟨bw: ~ly⟩, sluttish, tarty, slatternly, trollopish ◆ *zich hoerachtig* ***kleden*** dress like a whore/tart/trollop, ⟨AE ook⟩ dress like a hooker
hoerageroep [het] cheers, hurrays, hoorays, hoorahs
hoerastemming [de^{v}] jubilant mood ◆ ***in*** *een hoerastemming verkeren* be over the moon/on top of the world
hoeratenen [de^{mv}] ⟨scherts⟩ turned-up toes
hoereerder [de^{m}] ⟨form; Bijb⟩ whoremonger, whoremaster, fornicator
hoeren [onov ww] whore, ↑ fornicate, visit prostitutes, go to prostitutes ◆ *hoeren en* ***snoeren*** screw around, go on the razzle
hoerenbaas [de^{m}] pimp, ⟨BE ook⟩ ponce, ⟨sl ook⟩ fancyman, ⟨hoerenwaard⟩ brothel-keeper
hoerenbuurt [de] red-light district
hoerendochter [de^{v}] bastard (daughter)
hoerenhuis [het] whorehouse, ⟨vnl AE ook⟩ cathouse, ⟨sl; BE⟩ knocking-shop, ⟨vero of scherts⟩ bawdyhouse, ↑ brothel
hoerenjong [het] [1] ⟨oneerlijk, listig persoon⟩ bastard, son of a bitch [2] ⟨onwettig kind⟩ bastard, ↑ natural child [3] ⟨drukw⟩ widow
hoerenkast [de] whorehouse, ⟨vnl AE ook⟩ cathouse, ⟨sl; BE⟩ knocking-shop, ⟨vero of scherts⟩ bawdyhouse
hoerenkind [het] [1] ⟨onwettig kind⟩ bastard, ↑ natural child [2] ⟨drukw⟩ widow
hoerenloon [het] dirty/shady money
hoerenloper [de^{m}] ⟨AE⟩ ±john, ⟨AE⟩ ±trick, ⟨sl⟩ whorehopper
hoerenmadam [de^{v}] madam(e), ⟨vero⟩ bawd
hoerensloep [de] pimpmobile
hoerenwaard [de^{m}], **hoerenwaardin** [de^{v}] ⟨man & vrouw⟩ brothel-keeper, ⟨ook; vrouw⟩ madam(e)
hoerenwaardin [de^{v}] → **hoerenwaard**
hoerenzoon [de^{m}] bastard (son), ⟨vero⟩ whoreson, ↑ natural son
hoereren [onov ww] whore, ↑ fornicate, go to prostitutes, visit prostitutes
hoererij [de^{v}] whoring, ↑ fornication ◆ *hoererij* ***plegen****, zich aan hoererij* ***overgeven*** whore; ↑ fornicate, go to/visit prostitutes; ⟨scherts; Bijb⟩ give o.s. over to prostitutes
hoerig [bn, bw] whorish ⟨bw: ~ly⟩, sluttish, slutty, tarty,

slatternly, trollopish, trollopy ♦ *hoerig **kijken*** give a whorish look; *die jurk/make-up **staat/maakt** je erg hoerig* that dress/make-up looks so whorish, ↑ that dress/make-up looks so vulgar, ↓ that dress/make-up makes you look like a (French) whore/tart

hoes [de] cover(ing), ⟨voor plaat⟩ (record) sleeve, ⟨stoflaken voor stoel ook⟩ dust cover/sheet, ⟨voor meubels ook; BE⟩ loose cover, ⟨AE⟩ slipcover ♦ *een plaat/viool/racket **in** een hoes stoppen* put a record in its sleeve/a violin in its case/racket in its cover

hoeslaken [het] fitted sheet

hoest [de^m] cough ♦ *een **droge/schorre** hoest* a dry/hoarse cough; *een **gemene** hoest* a nasty cough; *ik **heb** de hoest/een lelijke hoest* I've got a cough/a nasty cough; *een **losse** hoest* a free/loose cough

hoestballetje [het] cough drop/lozenge/sweet

hoestbonbon [de^m] cough drop/sweet

hoestbui [de] fit of coughing, coughing fit, cough ♦ *zij kreeg een **hevige** hoestbui* she had a bad fit of coughing

hoestdrank [de^m] cough mixture/medicine/syrup, (cough) linctus, ⟨med⟩ antitussive, cough suppressant

hoestdruppels [de^mv] cough drops

hoestekst [de^m] sleeve note(s)

¹hoesten [onov ww] 1 ⟨de hoest hebben⟩ cough ♦ *zodra ik naar buiten ga, **ga** ik weer hoesten* as soon as I go outside I'll get a cough/I'll start to cough/it'll bring on a cough; ***lelijk** hoesten* have a bad/nasty cough 2 ⟨kuchen⟩ cough, ⟨de keel schrapen⟩ clear one's throat ♦ *ik moest hoesten **van** al dat stof* all that dust gave me a cough/made me cough/got in my throat

²hoesten [ov ww] 1 ⟨bij een hoestaanval opgeven⟩ cough (up/out) ♦ *zijn longen uit zijn lijf hoesten* cough one's head off 2 ⟨door de hoest teweegbrengen⟩ cough ♦ *zijn keel **kapot** hoesten* cough o.s. hoarse

³hoesten [ov ww, ook abs] ⟨een hoest uitstoten⟩ cough

hoestmiddel [het] cough medicine/remedy/syrup, (cough) linctus, ⟨med⟩ antitussive, cough suppressant

hoestpastille [de] cough drop/pastille

hoestprikkel [de^m] a tickle in the throat, irritation of the throat

hoestsiroop [de] cough syrup, (cough) linctus

hoeststillend [bn] cough-relieving, antitussive, cough-suppressant

hoesttablet [het, de^m] cough drop/lozenge/pastille

hoeve [de] farm(stead), ⟨alleen woning van hoeve⟩ farmhouse, homestead, ⟨in Noord-Amerika⟩ ranch, ⟨haciënda⟩ hacienda

hoeveboter [de] ⟨in België⟩ dairy butter

hoeveel [hoofdtelw] how much/many ♦ *hoeveel **appelen** zijn er?* how many apples are there?; *hoeveel **fantasie** je ook hebt, dit is onmogelijk* this is impossible by any stretch of the imagination; *hoeveel **geld** heb je bij je?* how much money do you have on you?; *hoeveel **is** het?* how much (is it)?; ⟨scherts⟩ what's the damage?; ⟨in bus/tram enz.⟩ what's the fare?; *hoeveel **is** vier plus vier?* what do four plus/and four make?, how much is four plus four?; *hoeveel **is** achttien gedeeld door drie?* what's eighteen divided by three?; *hoeveel **kinderen** zijn er niet die blij zouden zijn met ...* think of all the children who would be glad of ...; *hoeveel **kolen** heb je nog?* ⟨ook⟩ how are you off for coal?; *hoeveel **kost** dat boek?* how much is that book?, how much/what does that book cost?; ***met** hoevelen waren jullie?* how many of you were there?; ***om** hoeveel wedden we?* what do you want to/how much shall we bet?; how much are you prepared to bet (on it)?; *ik weet niet hoeveel **paarden** ze wel niet hebben* they've got any number of horses; God knows how many horses they have; *hoeveel **schelen** zij?* how many years are there between them?, what's the difference in their ages?; *hoeveel **staat** het?* ⟨bij wedstrijd⟩ what's the score?; *hoeveel **tegenspoed** hij ook heeft, hij blijft opgeruimd* however much bad luck/however many setbacks he has he stays cheerful; *zeg maar **voor** hoeveel je het wilt verkopen* how much/what will you sell it for?, ⟨inf⟩ (just) name your price?; ***zeg** maar hoeveel* ⟨melk in de koffie enz.⟩ say when

hoeveelheid [de^v] 1 ⟨aantal⟩ amount, quantity, ⟨volume⟩ volume ♦ *een **grote** hoeveelheid* a large amount/quantity; *afnemers van **grote** hoeveelheden* quantity buyers, bulk buyers; *een **kleine** hoeveelheid* a small amount/quantity 2 ⟨portie, dosis⟩ quantity, amount, ⟨dosis⟩ dose ♦ ***in** even grote hoeveelheden* in even quantities/equal proportions; *dit middel moet bij **kleine** hoeveelheden gebruikt worden* this medicine must be taken in small doses; *een **zekere** hoeveelheid water* a certain amount of water 3 ⟨wisk⟩ amount, quantity

hoeveelste [rangtelw] 1 ⟨m.b.t. een rangorde⟩ ♦ *de hoeveelste **ben** je?* what's your number?, where(abouts) are you?; *de hoeveelste **hebben** we/**is** het vandaag?* what day of the month is it today?, what's the date today?; *de hoeveelste **juli** ben je jarig?* when/what date in July is your birthday?; ⟨inf⟩ your birthday is July the what?; *de hoeveelste **keer** is dit nu?* how many times is this/does this make?; *voor de hoeveelste **keer** vraag ik het je nu?* how many times have I asked you? 2 ⟨m.b.t. een verhouding⟩ what part ♦ *het hoeveelste **deel** van een liter is 10 cm³?* what part/fraction of a litre is 10cc?

hoevelandschap [het] farming landscape, landscape with farmsteads

¹hoeven [onov ww] ⟨nodig zijn⟩ matter, be necessary ♦ ***het** had niet gehoeven* you didn't have to do that, you shouldn't have done that; *blijf maar, **het** hoeft niet meer* stay where you are, it doesn't matter; *het mag wel, maar **het** hoeft niet* all right, but it's really not necessary, you can but you don't have to; ***het** hoeft zo mooi niet, als het maar vastzit* it doesn't matter what it looks like so long as it's secure; ⟨inf⟩ ***van/voor** mij hoeft het niet* I'd sooner not, I'm not bothered/I don't care (about it), (I) couldn't care less; ⟨sl⟩ I don't give a damn/toss about it

²hoeven [ov ww] ⟨moeten⟩ need (to), have to ♦ *dat had je niet hoeven (te) **doen*** you didn't need/have to do that, there was no need for you to do that; ⟨bij ontvangst van geschenk⟩ you shouldn't have done that; *je hoeft je **niet** om te kleden* don't bother changing, you need not change, there is no need for you to change; *nee dank je, ik hoef het **niet*** no thanks, I don't need it, ⟨sterker afwijzend⟩ no thanks, you can keep it; *daar hoef je **niet** op te rekenen* don't reckon/bet on it, I wouldn't reckon/bet on it, I wouldn't hold my breath, don't hold your breath; *dat hoeft nog **niet** waar te zijn* that is not necessarily true; *jij hoeft **niets**?* ⟨drankje, gebakje⟩ are you all right (for a drink/cake/...)?, are you sure you wouldn't like another (drink/cake/...)?; *je hoeft niet zo'n keel **op te zetten*** you don't need to/there's no need to yell; *dat hoef ik je niet te **vertellen*** I don't need to/needn't tell you, there's no need for me to tell you, I don't have to tell you; *als je me weg wilt hebben, hoef je het alleen maar te **zeggen*** if you want me to go away just say so/the word; *daar hoef je niet bang voor te **zijn*** never fear, you don't need to/needn't worry about that; *ik hoef niet **zo nodig*** I'm not very interested/keen; I'm not dying (to ...); ⟨m.b.t. wc⟩ I don't need to go ⊡ *het hoeft geen **betoog*** it goes without saying

hoever [bw], **hoeverre** [bw] how far, ⟨tot op welke hoogte⟩ to what extent ♦ *hoever **ben** je met je huiswerk?* how far have you got with your homework?; *vertel eens hoever je al **bent** (gevorderd)* tell me how far you are/how you're getting on; ***in** hoeverre hij gelijk heeft, weet ik niet* I don't know to what extent he's right; *ze **keken** hoever ze met me konden gaan* they were trying to see how far they could go with me; ⟨BE ook⟩ they were trying it on with me; *hoever **zijn** jullie met Engels?* ⟨ook⟩ what level/stage are you at with English?

hoeverre [bw] → **hoever**
hoewel [vw] [1] ⟨ofschoon⟩ (al)though, even though ♦ *hoewel **aarzelend,** deed hij het toch* (even) though he was hesitant he still did it; *hoewel het pas maart is, zijn de bomen al groen* even though/although it's only March the trees are already in leaf [2] ⟨bij twijfel⟩ although, however, yet ♦ *ze gelooft niet in spoken, hoewel ...* she doesn't believe in ghosts, but then again ...
hoezee [tw] hurray, hooray, hurrah, yippee
[1]**hoezeer** [bw] how much ♦ *ik kan je niet zeggen hoezeer het mij **spijt*** I can't tell you how much I regret it
[2]**hoezeer** [vw] ⟨meestal met 'ook'⟩ however much, much as/though ♦ *hoezeer ik het **ook** probeerde* try as I would/did, however much I tried; *hoezeer ik **ook** met haar te doen heb* however much/much though I feel sorry for her; *hoezeer ik hem **ook** waardeer, dit kan ik niet goedkeuren* much as/however much I admire him I can't approve of this
hoezo [tw] what/how do you mean?, in what way/respect?, how's that? ♦ ⟨scherts⟩ *hoezo **crisis?*** crisis? what crisis?
[1]**hof** [de[m]] ⟨tuin⟩ garden, ⟨binnenhof⟩ court(yard), ⟨binnenhof, binnenplaats⟩ quad(rangle) ⟨bijvoorbeeld van universiteitsgebouwen in Oxford, Cambridge⟩ ♦ ⟨Bijb⟩ *de hof van **Eden*** the Garden of Eden, (the Earthly) Paradise; ⟨fig⟩ *een hof van **Eden*** a paradise, an eden; ⟨fig⟩ *hij heeft in zijn **eigen** hof genoeg te wieden* he's got enough fish of his own to fry
[2]**hof** [het] [1] ⟨omgeving van een vorst⟩ court [2] ⟨eerbiedige opwachting⟩ court ♦ *iemand het hof **maken*** pay court/one's addresses/one's attentions to s.o.; ⟨m.b.t. vrouw⟩ court; *zij laat zich het hof **maken*** she lets/allows herself to be courted [3] ⟨hofhouding⟩ court, royal household ♦ ***aan** het hof verbonden* connected with the court; *hij heeft vele relaties **aan** het hof* he has numerous contacts at court; *het **Engelse** hof* the English court, the Court of St James's; *ergens hof **houden*** hold court somewhere [4] ⟨gerechtshof⟩ court ♦ *het hof van **appel/arbitrage/justitie*** the court of appeal/arbitration/justice; ⟨in België⟩ *hof van **assisen*** Assize Court; ⟨Groot-Brittannië⟩ ± Crown Court; ⟨in USA⟩ ± District Court; ⟨in België⟩ *Hof van **Beroep*** Court of Appeal(s); *tegen iets beroep **bij** het hof instellen* challenge a measure in proceedings before the Court; *het hof is **bijeen*** the court has assembled; ⟨in België⟩ *hof van **cassatie*** Court of Cassation; ⟨Groot-Brittannië⟩ ± House of Lords (and Supreme Court of Judicature); ⟨USA⟩ Supreme Court; *het Europese **Hof** (van Justitie)* the European Court of Justice; *het Europese **Hof** voor de Rechten van de Mens/Mensenrechten* the European Court of Human Rights [5] ⟨in België; erf⟩ yard
hofadel [de[m]] court nobility
hofarts [de[m]] royal doctor, court physician, ⟨Groot-Brittannië ook⟩ King's/Queen's Doctor
hofauto [de[m]] court/royal limousine, court/royal car
hofbal [het] court/state ball
hofceremonieel [het] court ceremonial/protocol
hofcultuur [de[v]] court culture
hofdame [de[v]] ⟨BE⟩ lady-in-waiting, ⟨BE ook⟩ lady-of-the-bedchamber, ⟨ongehuwd⟩ maid of honour
hofdans [de[m]] court dance
hofdichter [de[m]] court poet, (Poet) Laureate ⟨in Engeland⟩
hofdignitaris [de[m]] court dignitary
hofetiquette [de] court etiquette, etiquette at court
hoffelijk [bn, bw] courteous ⟨bw: ~ly⟩, ⟨beleefd⟩ polite, ⟨hoofs⟩ courtly ♦ *iemand hoffelijk **bejegenen*** treat s.o. courteously
hoffelijkheid [de[v]] [1] ⟨het hoffelijk zijn⟩ courtesy ♦ ***uit** hoffelijkheid (voor)* out of courtesy (to) [2] ⟨uiting, vorm⟩ (act of) courtesy, courteous act(ion)
hofgebruik [het] (the) custom at court, court etiquette
hofhouding [de[v]] (royal) household, court
hofjacht [de] royal hunt
hofjachtmeester [de[m]] ⟨Groot-Brittannië⟩ Master of the Royal Hunt
hofje [het] [1] ⟨om een binnenplein gelegen huisjes⟩ ± (court of) almshouses, ± retirement village [2] ⟨gemeenschappelijke binnenplaats, tuin⟩ courtyard [3] ⟨kleine tuin⟩ garden
hofkapel [de] [1] ⟨kerkje⟩ court chapel [2] ⟨korps muzikanten⟩ court chapel, ⟨van koning⟩ royal chapel, ⟨orkest⟩ court orchestra, ⟨Groot-Brittannië⟩ Chapel Royal
hofkapelaan [de[m]] court chaplain, ⟨van koning(in)⟩ chaplain to the King/Queen, ⟨Groot-Brittannië⟩ Clerk of the Closet
hofkoets [de] royal coach/carriage
hofkomijn [de] caraway
hofkring [de[m]] court(ly) circle ♦ ***in** hofkringen* in court(ly) circles
hofkroniek [de[v]] court circular
hofleven [het] court(ly) life, life at court
hofleverancier [de[m]] purveyor to the Royal Household, purveyor to His Majesty the King, purveyor to Her Majesty the Queen, Royal Warrant Holder ♦ *iemand tot hofleverancier **aanstellen*** issue a Royal Warrant to s.o.; *Martin bv is hofleverancier **geworden*** Martin and Co have been granted a Royal Warrant; *Hyams en Zn., hofleverancier **van** wijn/auto's/...* Hyams and Son, (by Appointment) Purveyor of Wines/Motors/... to Her Majesty the Queen
hofmaarschalk [de[m]] ⟨Groot-Brittannië⟩ Lord Chamberlain
hofmeester [de[m]], **hofmeesteres** [de[v]] ⟨man⟩ steward, ⟨vrouw⟩ stewardess
hofmeesteres [de[v]] → **hofmeester**
hofmeier [de[m]] ⟨gesch⟩ mayor of the palace, ⟨ogm⟩ major-domo
hofmuziek [de[v]] court music
hofnar [de[m]] ⟨gesch⟩ court jester, fool
hofpartij [de[v]] [1] ⟨feest aan het hof⟩ court party, gala [2] ⟨staatspartij⟩ court party
hofreis [de] official visit to Japanese emperor by Dutch trade envoy (17th/18th century)
hofstad [de] court-capital, royal residence
hofstede [de], **hofstee** [de] homestead, farm(stead), ⟨groot⟩ manor
hofstee [de] → **hofstede**
hofstijl [de[m]] court(ly) style

although en though

aan elkaar geschreven en met één *l*: although	hoewel, ondanks het feit dat	· *although he earns a lot of money, he is still spending too much*
informele variant van although: though	hoewel, ondanks het feit dat	· *though he earns a lot of money, he is still spending too much* · *he came to see me even though he told me he wouldn't*
aan het eind van een zin: though	toch wel, niettemin	· *I agree she can be a bit strange, but I still like her though*

hofstoet [de^m] royal/imperial/... retinue, royal/imperial/... entourage, ⟨reizend⟩ royal progress
hoftaal [de] court(ly) language
hofwereld [de] (the) court, ⟨hofkringen⟩ court(ly) circles, ⟨inf⟩ court scene
hoge [de^m] 1 ⟨duikplank⟩ high (diving) board ♦ *van de hoge springen* jump from the high (diving) board 2 ⟨gewichtig persoon⟩ high-up, ⟨inf⟩ a big gum/noise/shot/wheel/cheese, a high-up
hogedrukcilinder [de^m] high-pressure cylinder
hogedrukgebied [het] high-pressure area, area of high pressure, anticyclone, ⟨inf⟩ high
hogedrukpan [de] pressure cooker
hogedrukreactor [de^m] high-pressure reactor
hogedrukreiniger [de^m] high pressure cleaner
hogedrukspuit [de] high-pressure spraying pistol, high-pressure paint spray
hogefluxreactor [de^m] high-flux reactor
hogehoed [de^m] top hat
hogelonenland [het] high wage country
hogepriester [de^m] ⟨Bijb⟩ high priest
hogepriesterlijk [bn] ⟨Bijb⟩ high-priestly ♦ *het hogepriesterlijk **gebed*** the (high-priestly) prayer of Christ/Jesus
hogepriesterschap [het] high-priesthood
hoger [bn] higher ♦ *hij heeft geen belangstelling voor hogere **dingen*** he is not interested in higher things; ⟨zelfstandig (gebruikt)⟩ ***het** hogere* higher things
hogeremachtsvergelijking [de^v] ⟨wisk⟩ higher-degree equation
hogerhand [de] ▪ *op **bevel** van hogerhand* by superior order, by order of the powers that be/authorities; ***van** hogerhand* ⟨ook iron⟩ by the powers that be; from the authorities/government/state/...; ⟨m.b.t. God⟩ from above/on high; ***van** hogerhand **opgelegd*** imposed by the authorities
Hogerhuis [het] House of Lords, Upper House
Hogerhuislid [het] member of the House of Lords, member of the Upper House
hogerop [bw] 1 ⟨naar een hogere stand⟩ higher up ♦ *hij **wil** hogerop* he wants to get on/is ambitious/has (higher) aspirations; he is a social climber 2 ⟨in hoger beroep⟩ higher up ♦ *hogerop **gaan*** take it further/higher up; *'t hogerop **zoeken*** ⟨omhoog gaan⟩ go higher up; ⟨fig⟩ take it higher up, ↑ take it to/appeal to a higher authority; ⟨m.b.t. gerechtshof⟩ ↑ appeal to a higher court 3 ⟨stroomopwaarts⟩ upstream
hogerwal [de^m] windward (shore/side), wind-side, weather-side ♦ *het schip probeerde **aan** hogerwal te komen* the ship tried to get on the windward side
hogeschool [de] 1 ⟨academie⟩ college (of advanced/higher education), polytechnic, academy, school ♦ ***Economische** Hogeschool* School of Economics; ⟨in België⟩ ***industriële** hogeschool* ± polytechnic, ± engineering college; ⟨fig⟩ *de hogeschool van de **popmuziek*** the higher echelons of pop music; ***Technische** Hogeschool* College/Institute of Technology; ⟨BE ook⟩ Polytechnic (College); ***Theologische** Hogeschool* Theological College, ± Seminary 2 ⟨dressuur van paarden⟩ high school (riding), dressage, ↑ haute école
hogeschoolraad [de^m] ± college/university council
hogeschoolrijden [ww] high school (riding), dressage, ↑ haute école
hogesnelheidslijn [de] high-speed train (line), high-speed rail-link
hogesnelheidstrein [de^m] high-speed train
hogetonenluidspreker [de^m] tweeter
Hoge Venen [de^mv] Hautes Fagnes
ho-gezin [het] ⟨inf⟩ single-parent family with homosexual mother
hoging [de^v] raise, increase, ⟨hoger bod⟩ increased/higher bid
hoho [tw] ▪ *hoho! nu overdrijf je* come on! now you're overdoing it/exaggerating
hohouwer [de^m] ⟨scherts⟩ brake pedal
hoi [tw] ⟨als begroeting⟩ hi, hello, ⟨om aandacht te trekken⟩ hey, ⟨vnl AE; begroeting ook⟩ howdy, ⟨begroeting; sl; BE⟩ wotcher, ⟨uiting van vreugde⟩ hurray, whoopee
hok [het] 1 ⟨ruimte voor opslag, berging⟩ ⟨schuurtje⟩ shed, ⟨(berg)kast, bergruimte⟩ closet, storeroom, ⟨voor kolen⟩ coal-hole, coal-shed, ⟨keet⟩ hut 2 ⟨verblijf voor dieren⟩ pen, ⟨hond⟩ (dog-)kennel, ⟨varken⟩ (pig-)sty, ⟨konijnen⟩ (rabbit-)hutch, ⟨duiven⟩ dovecot(e), ⟨kippen⟩ henhouse, hen-coop, ⟨wilde dieren⟩ cage ♦ ***in** een hok stoppen* pen (up), kennel; ⟨fig⟩ *een hok **vol** kinderen* a brood/tribe of kids 3 ⟨krot⟩ dump, hole, shanty, hovel, ⟨studentenkamer⟩ digs, ⟨studeerkamer⟩ den 4 ⟨sport; inf; doel⟩ ± goal, net 5 ⟨schoven graan, vlas⟩ shock, shook, ⟨BE ook⟩ stook ♦ ***in** hokken staan* be stooked; ***in** hokken zetten* shock, stook
hokduif [de] domestic pigeon
høken [onov ww] rock, rave
hoki [de^m] hoki
hokje [het] 1 ⟨cabine⟩ ⟨verk⟩ cabin, ⟨schildwacht⟩ (sentry-)box, ⟨kleedhokje, slaapkamertje⟩ cubicle, ⟨kamertje⟩ cubby-hole, ⟨stemhokje, in platenwinkel enz.⟩ booth ♦ *een **knus/benauwd** hokje* ⟨van kamer⟩ a cosy/poky little room 2 ⟨afdeling⟩ compartment, ⟨ook fig; in bureau, voor brieven⟩ pigeon-hole, ⟨op formulier/speelbord⟩ square, ⟨op formulier ook⟩ space, box, ⟨puzzel⟩ space ♦ *het hokje **aankruisen/invullen*** put a tick against, tick off, ⟨AE⟩ check off; ***in** hokjes verdelen* compartmentalize; *iemand **in** een hokje plaatsen/zetten* ⟨fig⟩ pigeon-hole s.o., place s.o.; *papier **met** hokjes* squared paper 3 ⟨plantk⟩ ovarian cell, loculus
hokjesgeest [de^m], **hokjesmentaliteit** [de^v] parochialism, prejudice, narrow-mindedness, petty-mindedness
hokjesmentaliteit [de^v] → **hokjesgeest**
hokjespeul [de] milk vetch, tragacanth
hokkeling [de^m] yearling (heifer/calf)
¹**hokken** [onov ww] 1 ⟨op één plek blijven⟩ stay (put) ♦ *bij elkaar hokken* huddle together 2 ⟨samenwonen⟩ shack up (with), ↑ live with (s.o.), ⟨form⟩ cohabit, ⟨pej⟩ live in sin ♦ ***het** hokken* shacking up together; ↑ living together; ⟨form⟩ cohabitation; *zij hokken **samen*** they are shacked/shacking up (together), ↓ they are living together 3 ⟨stokken⟩ catch, stick, come to a standstill
²**hokken** [ov ww] 1 ⟨in een hok sluiten⟩ pen (up), cage 2 ⟨aan hokken zetten⟩ stook, shock, ⟨schoven⟩ shook
hokkerig [bn] poky ♦ *een hokkerig **huis*** a poky little house
hokkig [bn] poky
hokvast [bn] home-loving, stay-at-home, ⟨vnl. m.b.t. duiven⟩ homing
¹**hol** [de^m] ⟨het hollen⟩ ♦ ***op** hol slaan* ⟨paard⟩ bolt; ⟨kudde⟩ stampede; ⟨ook fig; paard ook⟩ take/have/get the bit between its/one's teeth; ⟨ook fig⟩ run wild/amuck; ⟨fig⟩ run riot; ⟨fig, sl⟩ flip one's lid, go overboard; *een **op** hol geslagen kudde* a stampede; ⟨AuE ook⟩ a breakaway; *een **op** hol geslagen paard* a runaway (horse); *zijn verbeelding was **op** hol geslagen* his imagination had run away with him; *hij liet zich het hoofd **op** hol brengen door haar* he let her turn his head, he lost his head over her
²**hol** [het] 1 ⟨grot⟩ cave, cavern, grotto ♦ ⟨fig⟩ *een **donker** hol* ⟨kamer⟩ a dark hole; *deze volksstam woonde **in** holen* this tribe lived in caves/were cave-dwellers/was cave-dwelling 2 ⟨verblijf, schuilplaats van een dier⟩ hole ⟨ook van vos⟩, ⟨vnl. van grote carnivoren⟩ lair, den, ⟨van konijn⟩ burrow, ⟨van bever⟩ lodge, ⟨van vos, das ook⟩ earth ♦ *de vijand **in** zijn hol opzoeken* beard the lion in his den, venture into the lion's den; *zich wagen **in** het hol van de leeuw* ⟨fig⟩ put one's head in(to) the lion's mouth, beard/brave the lion in his den; *zijn hol **inkruipen/invluchten*** run to/go to ground/earth; ***uit** zijn hol jagen* chase out, ferret out, draw (out), unearth; ***uit** zijn hol komen* ⟨vnl. van vos, ook fig⟩ break

cover [3] ⟨bergplaats⟩ hole, ⟨van dieren, rovers enz.⟩ den, haunt, hangout [4] ⟨uitholling⟩ hollow, ⟨van voet⟩ arch, ⟨van schoen⟩ instep, ⟨van lijst⟩ flute [5] ⟨scheepsruim⟩ ⟨romp⟩ hull, ⟨ruim⟩ hold [6] ⟨vulg; achterste⟩ arse, ⟨AE⟩ ass, bum ◆ *ik heb jeuk **aan** m'n hol,* ⟨kind⟩ *ik heb jeuk **aan** m'n holletje* I've got an itchy arse/ᴬass/bum, ⟨kind⟩ I've got an itchy botty [•] ⟨vulg⟩ *het kan hem **geen** hol **schelen*** he doesn't give/care a damn/fuck

³hol [bn, bw] [1] ⟨niet massief⟩ hollow ◆ ⟨med⟩ *de holle **aders*** venae cavae [2] ⟨niet bol⟩ hollow, ⟨concaaf⟩ concave, ⟨techn ook; ontvangend⟩ female, ⟨bloembodem⟩ inflated, ⟨weg, ogen, wangen⟩ sunken, ⟨blik⟩ gaunt ◆ *een hol **geslepen** brillenglas* a concave lens; *holle **knieën*** calf knees/legs, knock-knees; *een paard met een holle **rug*** a swayback(ed horse); *holle **weg*** sunken road, cutting; *de schaatsen **zijn** hol **geslepen*** the skates are hollow-ground; *holle **lenzen*** concave lenses [3] ⟨ook fig; waar niets inzit⟩ hollow, empty ⟨ook belofte, woorden, frasen, maag⟩, ⟨vertrek⟩ gaunt, cavernous, ⟨belofte ook⟩ airy, idle ◆ *hol **klinkende** woorden* hollow-sounding/empty-sounding words; ⟨fig⟩ *holle **woorden/frasen*** ⟨ook⟩ idle/mere talk, (mere) wind/rhetoric, hot air, ↓ claptrap [4] ⟨m.b.t. geluiden⟩ hollow, cavernous ◆ *hol **klinken*** sound hollow/empty [5] ⟨naargeestig⟩ cavernous, ⟨van nacht⟩ dead, depth ◆ *in **het** holst van de nacht* in the/at dead of (the) night [6] ⟨m.b.t. de zee⟩ heavy, high, rough ◆ *de zee **staat** hol* the sea is running (very) high/is (very) rough, there's a rough/heavy sea on/running [•] ⟨sprw⟩ *lege/holle vaten klinken het hardst* empty vessels/barrels make the most sound/noise

hola [tw] ⟨om aandacht te trekken⟩ hallo, ⟨om tegen te houden/tot matiging aan te sporen⟩ hang/hold on (a minute), (just) wait a minute/moment, ⟨inf⟩ just a mo, half a tick, wait a sec ◆ *hola, niet te ver* hang/hold on, don't go too far; *hola vriend, dat gaat zomaar niet* hold/hang on mate, that's not on/you can't do that, (just) wait a minute/moment mate, that's not on/you can't do that

holadijee [tw] holadiyay

holarctis [deᵛ] holarctic

holbeinwerk [het] Holbein embroidery

holbeitel [deᵐ] ⟨amb⟩ gonge, hollow chisel

holbewoner [deᵐ] [1] ⟨persoon⟩ cave-dweller, troglodyte, caveman [2] ⟨dier⟩ troglodyte, cave animal

holbol [bn] convexo-concave, concavo-convex

holbroeder [deᵐ] hole-nesting bird

holderdebolder [bw] ⟨val m.b.t. personen⟩ head over heels, ⟨val m.b.t. voorwerpen⟩ higgledy-piggledy, ⟨zeer snelle beweging⟩ helter-skelter, hurry-scurry, pell-mell, harum-scarum, ⟨statisch⟩ upside down, topsy-turvy ◆ *alles **vloog** holderdebolder de trap af* everything fell higgledy-piggledy down the stairs; *holderdebolder door elkaar* topsy-turvy, all anyhow, upside down

holding [de] [1] ⟨onderneming⟩ holding [2] ⟨overtreding⟩ holding

holdingcompany [de] holding company

hold-up [deᵐ] ⟨in België⟩ robbery, hold-up, stick-up ⟨waarbij mensen bedreigd worden⟩, ⟨diefstal; sl; AE⟩ heist, ⟨AE⟩ raid

hole [deᵐ] ⟨sport⟩ [1] ⟨kuiltje⟩ hole, cup, can [2] ⟨punt⟩ hole ◆ *een hole **in** één slag (maken)* (score) a hole in one/an ace

holebi [afk] ⟨in België⟩ (homo, lesbienne of biseksueel) s.o. who is homosexual, lesbian or bisexual

hole-in-one [deᵐ] hole-in-one

holen [ov ww] score

holenbeer [deᵐ] cave-bear

holenduif [de] stock dove

holenkunde [deᵛ] speleology, ⟨sport ook⟩ potholing, caving, ⟨AE ook⟩ spelunking

holenkundig [bn] speleological

holenkunst [deᵛ] cave art

holheid [deᵛ] [1] ⟨het hol zijn⟩ hollowness, ⟨concaafheid⟩ concavity [2] ⟨onbeduidendheid⟩ emptiness

holhoornig [bn] cavicorn, tubicorn ⟨familie Bovidae⟩

holifeest [deᵐ] Holi festival

holijzer [het] ⟨amb⟩ gouge, hollow chisel

holisme [het] holism

holistisch [bn, bw] holistic ⟨bw: ~ally⟩

Holland [het] [1] ⟨Noord- en Zuid-Holland⟩ Holland [2] ⟨Nederland⟩ Holland, the Netherlands [•] *dat is Holland op zijn smalst* that's typical Dutch narrowmindedness, Holland at it's most blinkered/narrowminded; how petty(-minded) can you get!

hollandaisesaus [de] hollandaise sauce

hollander [deᵛ] [1] ⟨papierbereiding⟩ Hollander (beater), pulper [2] ⟨konijn⟩ Dutch

Hollander [deᵐ], **Hollandse** [deᵛ] [1] ⟨bewoner van Noord- of Zuid-Holland⟩ inhabitant of North/South Holland [2] ⟨bewoner van Nederland⟩ ⟨man⟩ Dutchman, ⟨vrouw⟩ Dutchwoman, ⟨vrouw⟩ Dutch woman/girl ◆ *hij is een Hollander* he is Dutch/a Dutchman/from Holland/the Netherlands; *de Hollanders* the Dutch, the people of Holland [3] ⟨schip⟩ Dutchman, Hollander [•] ***de Vliegende** Hollander* the Flying Dutchman

hollandisme [het] Dutchism

hollanditis [deᵛ] Dutch disease

¹Hollands [het] (High) Dutch ◆ ⟨inf⟩ *dat is **goed** Hollands* that's plain speaking; ⟨inf⟩ *iemand in **goed** Hollands iets zeggen* tell s.o. straight, not mince one's words with s.o.

²Hollands [bn] [1] ⟨van het gewest Holland⟩ from (the province of) North/South Holland ◆ *de Hollandse **steden*** the towns of Holland [2] ⟨(Noord-)Nederlands⟩ Dutch, Netherlands ◆ *Hollandse **nieuwe*** Dutch/salted herring; *iets **op** zijn Hollands doen* do sth. Dutch style; *de Hollandse **schilderschool*** the Dutch School (of painting); *(er uitzien als) Hollands **welvaren*** look like a million dollars [•] *Hollandse **biefstuk*** → **kogelbiefstuk;** *Hollandse **kap*** Dutch-gabled roof; *de Hollandse **kijker*** Galilean telescope; ⟨ind⟩ *Hollands **papier*** hand-made/mould-made paper; *Hollandse **saus*** hollandaise (sauce)

Hollandse [deᵛ] → **Hollander**

¹hollen [onov ww] [1] ⟨m.b.t. paarden⟩ bolt, run away ◆ ***aan** het hollen gaan/slaan* bolt, runaway; *een hollend **paard*** a runaway horse [2] ⟨rennen⟩ run, race, pelt ◆ ***achter** iemand aan hollen* run after s.o.; ⟨fig⟩ *de zieke/zaak holt **achteruit*** the patient/business is rapidly going downhill; ⟨fig⟩ *het is met hem hollen of **stilstaan*** he is always running to extremes, it's always all or nothing with him; *ik moet **van** het ene karwei **naar** het andere hollen* I have to run/dash from one chore to the next

²hollen [ov ww] ⟨uithollen⟩ hollow (out) [•] ⟨sprw⟩ *de gestadige drup holt de steen* constant dripping wears away the stone

hollend [bn, bw] racing, galloping ◆ *de zieke/de zaak **gaat** hollend **achteruit*** the patient/business is rapidly going downhill; *hollende **inflatie*** galloping inflation

holletje [het] [•] ***op** een holletje* at a run/gallop; *hij **liep** op een holletje naar de bushalte* he dashed off to the bus stop

holligheid [deᵛ] hollow

hollijst [de] ⟨bouwk⟩ concave/hollow moulding

holmeslicht [het] holmes light/signal

holmium [het] ⟨scheik⟩ holmium

holmunt [de] bracteate

holocaust [deᵐ] holocaust

¹holoceen [het] ⟨geol⟩ Holocene, Recent

²holoceen [bn] Holocene, recent

hologig [bn] hollow-eyed, ⟨uitgemergeld, schraal⟩ gaunt, ⟨van zorg enz.⟩ haggard

holografie [deᵛ] ⟨foto⟩ holography, holographic recording

holografisch [bn, bw] [1] ⟨eigenhandig uitgeschreven⟩ holograph(ic) ⟨bw: holographically⟩ [2] ⟨foto⟩ holographic

⟨bw: ~ally⟩
hologram [het] hologram
holokristallijn [bn] holocrystalline
holpasser [de^m] (pair of) inside callipers/^Acalipers
holpenning [de^m] bracteate
holpijp [de] hollow punch, dinking/wad/arch punch, washer cutter, ⟨voor gleuf voor gesp⟩ crew/oblong punch, ⟨voor gaatjes in riem⟩ belt punch
holpijptang [de] revolving (head) punch, six/... way punch pliers, rotary punch
holrond [bn] concave
holrug [de^m] swayback(ed horse)
holsblok [het] clog, wooden shoe
holschaaf [de] rouding plane, ⟨voor kralen⟩ beading plane
holspaat [het] macle
holstaand [bn] heavy, rough
holster [de^m] holster
holte [de^v] 1 ⟨lege ruimte⟩ cavity, hollow, hole, ⟨nis⟩ niche, ⟨in gietwerk⟩ blowhole 2 ⟨uitholling, kom⟩ hollow, ⟨van oogholte/gewrichtsholte⟩ socket, ⟨kuil(tje)⟩ pit ⟨ook van maag⟩, ⟨van elleboog⟩ crook ◆ *de holte onder de arm* the armpit 3 ⟨diepte⟩ draught, ⟨AE⟩ draft, depth
holtedieren [de^mv] ⟨biol⟩ coelenterates
holwangig [bn] hollow-cheeked, gaunt, haggard, emaciated
holwit [het] ⟨drukw⟩ quotation, furniture
holwoning [de^v] cave dwelling, ⟨in kuil⟩ pit dwelling/house
hom [de] 1 ⟨klier, teelvocht⟩ milt, ⟨klier ook⟩ soft roe ◆ ⟨fig⟩ *met hom en kuit* bones and all, whole; *heb je baars met een hom of met kuit?* do you have perch with soft roe or hard roe? 2 ⟨mannetjesvis⟩ milter 3 ⟨strook aan een overhemd⟩ frill
homarium [het] lobster tank
hombaars [de^m] soft-roed perch, male perch
home [het] 1 ⟨thuis⟩ home 2 ⟨in België; inrichting⟩ → **tehuis**
homecomputer [de^m] home computer
homemovie [de^m] home movie
homeopaat [de^m] homoeopath(ist), ⟨AE⟩ homeopath(ist)
homeopathica [de^mv] homeopathics, homeopathic remedies
homeopathie [de^v] homoeopathy, ⟨AE⟩ homeopathy
homeopathisch [bn, bw] homoeopathic ⟨bw: ~ally⟩, ⟨AE⟩ homeopathic ⟨bw: ~ally⟩ ◆ *de homeopathische geneeswijze* homoeopathic medicine; ⟨behandeling⟩ homoeopathic treatment
homeostase [de^v] homoeostasis, ⟨AE⟩ homeostasis
homeostatisch [bn] homoeostatic, ⟨AE⟩ homeostatic
homeotherm [bn] homoiothermic, ↓warm-blooded
homepage [de^m] ⟨comp⟩ home page
homer [de^m] homer
homereferee [de^m] home referee
homerisch [bn] Homeric, Homerian, Homerical ◆ *een homerisch gelach* Homeric laughter; *een homerische strijd* an Homeric/heroic struggle; *homerische vergelijking* Homeric/epic simile
homerun [de^m] home run
Homerus Homer
hometrainer [de^m] ⟨standaard voor normale fiets om binnen te trainen⟩ home trainer, ⟨trimmachine⟩ exercise bicycle
homevideo [de^m] home video
homiletiek [de^v] homiletics
homilie [de^v] homily, ⟨preek⟩ sermon
Hominidae [de^mv] Hominidae, ↓hominids
hommage [de^v] homage ◆ *een hommage brengen aan iemand* pay (a) tribute to s.o., do/pay homage to s.o.
hommel [de] 1 ⟨mannetjesbij⟩ drone 2 ⟨onderfamilie van de bijen⟩ bumblebee, humblebee
hommelbij [de] drone
hommeles ▪ *hommeles hebben (met)* have a row (with); *'t is weer hommeles (tussen hen)* they are at each other's throats/at it again; *daar komt hommeles van* that'll cause ructions/a row/a bust-up/a (right) brouhaha
hommelkoningin [de^v] queen (bumble) bee
hommer [de^m] 1 ⟨mannetjesvis⟩ milter 2 ⟨zeekreeft⟩ lobster
[1]**homo** [de^m] 1 ⟨mens⟩ homo ◆ ⟨biol⟩ *homo sapiens* homo sapiens 2 ⟨homoseksueel⟩ gay, ⟨pej; sl; AE⟩ fag, ⟨AE⟩ faggot, ⟨AE⟩ fruit, ⟨pej; sl; BE⟩ poof(ter), ⟨verwijfd⟩ fairy, queen ◆ *het aftuigen van homo's* queer-bashing; *hij is een homo* he is gay, ⟨sl⟩ he is a poof, ⟨vnl AE⟩ he is a fag(got)/a fruit; *een paar homo's* a couple of gays, ⟨sl⟩ a couple of queens/poofs, ⟨vnl AE⟩ a couple of fags/fruits; *verwijfd(e) homo/homootje* queen, twink; ⟨beled⟩ *vuile homo!* dirty fag(got)/poof(ter)!
[2]**homo** [bn] gay, homosexual, ⟨sl⟩ camp
homobar [de] gay bar
homobeweging [de^v] gay (rights) movement, ⟨militant⟩ Gay Power
homo-erotiek [de^v] homoeroticism
[1]**homofiel** [de^m] homosexual, gay, ⟨zeldz⟩ homophile
[2]**homofiel** [bn] homosexual, gay, ⟨zeldz⟩ homophile
homofilie [de^v] homosexuality
homofobie [de^v] homophobia
homofonie [de^v] homophony, ⟨muz ook⟩ monophony
[1]**homofoob** [de^m] homophobe
[2]**homofoob** [bn] homophobic
[1]**homofoon** [de^m] ⟨taalk⟩ homophone
[2]**homofoon** [bn] homophonous, homophonic, ⟨muz ook⟩ monophonic
homogaam [bn] ⟨biol⟩ homogamous
homogamie [de^v] homogamy
homogedrag [het] homosexual behaviour
homogeen [bn] homogeneous, uniform ◆ ⟨wisk⟩ *homogene grootheden* homogeneous quantities; *homogene katalyse* homogeneous catalysis; ⟨natuurk⟩ *homogeen licht* homogeneous light; *een homogene massa* a homogeneous mass; *een homogene ploeg* a well-balanced team
homogenisator [de^m] homogenizer
homogeniseren [ov ww] homogenize
homogeniteit [de^v] homogeneity
[1]**homograaf** [de^m] homograph
[2]**homograaf** [bn] homographic
homohaat [de^m] homophobia
homohuwelijk [het] same-sex/homosexual marriage, gay marriage, ⟨niet wettelijk⟩ (gay) blessing
homojongen [de^m] gay (boy)
homokinetisch [bn, bw] ⟨natuurk⟩ homokinetic
homologatie [de^v] homologation, ⟨m.b.t. sport en spel, records ook⟩ ratification, ⟨rechtbank⟩ approval, sanction, ⟨testament⟩ probate, ⟨diploma⟩ official recognition (of a degree)
homologatiecommissie [de^v] ⟨in België⟩ homologation committee
homologeren [ov ww] homologate, ⟨m.b.t. sport en spel, records ook⟩ ratify, ⟨rechtbank⟩ approve, sanction, ⟨testament⟩ give probate ◆ *het akkoord is door de rechtbank gehomologeerd* the agreement has been ratified/approved/sanctioned by the court
homologie [de^v] homology
homoloog [bn] 1 ⟨overeenstemmend⟩ homologous ◆ ⟨scheik⟩ *homologe reeks* homologous series 2 ⟨wisk⟩ homologous 3 ⟨biol⟩ homologous ◆ *homoloog chromosoom* homolog(ue), autosome 4 ⟨taalk⟩ homologous
homomoeder [de^v] a woman who homosexual men admire
[1]**homoniem** [het] ⟨taalk⟩ homonym

²homoniem [bn] ⟨taalk⟩ homonymous, homonymic
homonymie [de^{v}] ⟨taalk⟩ homonymy
homopaar [het] gay couple
homoparade [de^{v}] gay parade
homoscene [de] gay/homo(sexual) scene
homoseks [de] gay sex
homoseksualiteit [de^{v}] homosexuality, ⟨m.b.t. vrouwen ook⟩ lesbianism
¹homoseksueel [de] homosexual, ⟨inf⟩ gay
²homoseksueel [bn] homosexual, ⟨inf⟩ gay
homosfeer [de] gay/homo(sexual) atmosphere
homotent [de] homo bar
homozygoot [bn] ⟨biol⟩ homozygous, homozygotic
homp [de] chunk, ⟨groot⟩ hunk, huge lump ♦ *een homp **brood/vlees/kaas*** a chunk/hunk of bread/meat/cheese
hompelen [onov ww] hobble, ⟨trekkebenen ook⟩ limp, walk with a limp ♦ *hompelen en **strompelen*** stumble, stagger, lurch
homunculus [de^{m}] 1 ⟨kunstmens⟩ homuncule, homunculus 2 ⟨klein mens⟩ homunculus, dwarf
homziek [bn] ± soft-roed
hond [de^{m}] 1 ⟨huisdier⟩ dog, ⟨jachthond⟩ hound, ⟨pej⟩ cur, ⟨sl; AE⟩ pooch(y) ♦ *honden **aan** de lijn!* dogs must be kept on the leash!; *creperen **als** een hond* die like a dog; *zo moe zijn **als** een hond* be dog-tired; *hij was zo ziek **als** een hond* he was as sick as a dog/cat; *behandeld worden **als** een hond* be treated like a dog; *Jan loopt mij achterna **als** een hond(je)* Jan follows at my heels like a dog/dogs my footsteps; ⟨iron⟩ ***commandeer** je hond en blaf zelf* buy/keep a dog and bark yourself, you needn't think you can order/boss me about (the place); ⟨fig⟩ *hij is (altijd) de **gebeten** hond* he always gets the blame/is always blamed (for everything), he always cops it, he can never do anything right there; ⟨fig⟩ ***geen** hond* not a soul/single person; *eruitzien als een **geslagen** hond* have one's tail between one's legs, look chastened; *zij **hebben** een hond* they have (got)/keep a dog; *zo speels als een **jonge** hond* as playful as a pup(py); *zij leven als **kat** en hond* they are/live like cat and dog, they lead a cat-and-dog life; *daar zouden de honden geen brood van **lusten*** even a dog would turn up its nose at that, it's disgusting/a disgrace; ***pas op/wacht** u voor de hond* beware of the dog; *een **staande** hond* a pointer; ***tamme** hond* pet/domesticated dog; *honden niet **toegelaten*** no dogs (allowed); *een **trouwe** hond* a faithful dog; ⟨fig⟩ a faithful follower/person; *de hond **uitlaten*** take the dog (out) for a walk/out; ⟨zonder zelf mee te gaan⟩ let the dog out; ⟨fig⟩ *de hond in de pot **vinden*** miss one's/come too late for/have to go without one's dinner 2 ⟨scheldwoord⟩ dog, cur ♦ ***ondankbare** hond!* ungrateful swine!; ***stomme** hond* stupid fool/idiot ▪ *als de **bonte** hond bekendstaan* have a bad reputation, be notorious; *hond in de **goot*** kerb your dog!, dogs use the gutter; ⟨astron⟩ *de **Grote** en de **Kleine** Hond* Canis Major/Minor; ⟨in België⟩ *ik was zo welkom als een hond in een **kegelspel*** they needed me like they needed a hole in the head; ⟨comm⟩ ***Mexicaanse** hond* feedback, howling, yowling; ⟨biol⟩ ***vliegende** hond* flying fox, fruit/fox bat; kalong ⟨Pteropus vampyrus⟩; ⟨sprw⟩ *met onwillige honden is het kwaad hazen vangen* ± one volunteer is worth two pressed men; ± you can lead a horse to water, but you can't make him drink; ⟨sprw⟩ *als twee honden vechten om een been, loopt de derde ermee heen* two dogs fight for a bone, and a third runs away with it; ⟨sprw⟩ *men moet geen slapende honden wakker maken* let sleeping dogs lie; ⟨sprw⟩ *blaffende honden bijten niet* ± his bark is worse than his bite; ⟨sprw⟩ *als men een hond wil slaan, kan men licht een stok vinden* a staff is quickly found to beat a dog; any stick will do to beat a dog; ± give a dog a bad name (and hang him)
hondachtigen [de^{mv}] canines
hondenasiel [het] dog kennel, ⟨BE⟩ dogs' home, ⟨AE⟩ dog pound, RSPCA, ⟨AE ook⟩ Humane Society, SPCA
hondenbaan [de] lousy/rotten/awful job
hondenbeet [de^{m}] dogbite
hondenbelasting [de^{v}] dog-licence fee, ⟨AE⟩ dog tax
hondenbezitster [de^{v}] → **hondenbezitter**
hondenbezitter [de^{m}], **hondenbezitster** [de^{v}] dog owner
hondenbrigade [de^{v}] dog (handling) unit
hondenbrokken [de^{mv}] dry dog food ⟨enk⟩
hondenbrood [het] dog meal, ± dog food
hondenfluitje [het] dog whistle
hondenfokkerij [de^{v}] 1 ⟨het fokken⟩ dog breeding 2 ⟨fokbedrijf⟩ breeding kennels, ⟨AE⟩ kennels
hondenhok [het] 1 ⟨verblijf van een waakhond⟩ (dog) kennel, ⟨AE ook⟩ doghouse 2 ⟨slecht verblijf⟩ dump, hole, hovel, ⟨vulg⟩ shithole

hond		
dier	hond	dog
mannetje	reu	male dog
vrouwtje	teef	bitch
jong	puppy	puppy, pup
groep	roedel	pack
roep	blaffen; keffen	bark; yelp
geluid	waf; woef	woof; bow-wow

hondenjong [het] pup(py)
hondenkar [de] dogcart, trap
hondenkenner [de^{m}] dog expert, connoisseur of dogs
hondenkop [de^{m}] 1 ⟨kop van een hond⟩ dog's head 2 ⟨treinstel⟩ streamlined Dutch engine which resembles a dog's head
hondenleven [het] dog's life ♦ *zij **had** een hondenleven bij hem* he led her a dog's life, she had a dog's life with him; *hij **heeft** een hondenleven* he has a dog's life of it, he leads a dog's life
hondenliefhebber [de^{m}] dog lover
hondenlijn [de] lead, leash
hondenlul [de^{m}] ⟨vulg⟩ prick ♦ *hi, ha, hondenlul* ⟨op voetbaltribune⟩ ± where's your/buy a pair of/you need glasses, y' prick/ref
hondenneus [de^{m}] dog's nose ♦ ⟨fig⟩ *hij **heeft** een hondenneus* he has a good/keen nose (for)
hondenogen [de^{mv}] dog's eyes, dog(gy) eyes, ⟨fig⟩ sad/drooping eyes ♦ *hij keek haar met zijn **trouwe** hondenogen aan* he looked at her with the trusting eyes of a dog
hondenpenning [de^{m}] 1 ⟨belastingpenning⟩ dog license disc 2 ⟨mil; herkenningsplaatje⟩ identification disc, ⟨vnl AE⟩ identification disk, ⟨vnl AE⟩ dog tag
hondenpension [het] (boarding) kennel(s)
hondenpoep [de^{m}] dog dirt, ⟨vulg⟩ dogshit, ⟨inf⟩ dog's do ♦ *in de hondenpoep **trappen*** step in dog dirt/a dog's mess, step in dogshit
hondenpoepschep [de] → **hondenpoepschopje**
hondenpoepschopje [het], **hondenpoepschep** [de] poop scoop, pooper scooper
hondenras [het] breed of dog
hondenren [de^{m}] dog/greyhound race
hondenroep [de^{m}] ⟨jacht⟩ calling off of the hounds
hondensalon [het, de^{m}] dog/doggy trimming parlour
hondenscheerder [de^{m}] dog-trimmer
hondenschool [de] dog school
hondenstamboek [het] dog pedigree
hondenteek [de] dog tick
hondententoonstelling [de^{v}] dog show
hondentoilet [het] dogs' toilet/lavatory
hondentrimmer [de^{m}], **hondentrimster** [de^{v}] dog trimmer
hondentrimster [de^{v}] → **hondentrimmer**
hondentrouw [de] doglike devotion
hondenvlees [het] 1 ⟨van een hond⟩ dog meat, dog's

meat [2] ⟨voor een hond⟩ dog meat, dog's meat

hondenvlo [de] dog flea

hondenvoer [het] dog food

hondenwacht [de] ⟨scheepv⟩ middle watch, midwatch, mid-to-four watch, graveyard watch

hondenweer [het] beastly/vile/foul/filthy weather ◆ *wat een hondenweer vanavond!* what a beastly/dirty night!

hondenziekte [de^v] (canine) distemper ◆ ⟨fig⟩ *hij **heeft** de hondenziekte* he's had a drop too much

¹**honderd** [het] [1] ⟨honderd stuks⟩ hundred ◆ *deze eieren kosten twintig euro **de** honderd* these eggs are twenty euros a hundred [2] ⟨mv; honderdtal⟩ hundred(s) ◆ *zij sneuvelden **bij** honderden* they died by the hundreds/in their hundreds; *honderden **en** honderden (boeken)* hundreds and hundreds (of books); ***enige** honderden (boeken)* a few hundred (books); *zijn verlies loopt **in** de honderden* his losses run into the hundreds; *honderden **jaren** oud* centuries-old; *honderden **jaren/keren*** hundreds of years/times [•] ***in** het honderd laten lopen* ⟨plan, vergadering⟩ upset; ⟨sl⟩ cock/bitch up; ⟨vulg⟩ ball(ock)s up, ⟨AE⟩ ball/bollix up; *de boel **in** het honderd sturen* mess everything/things up, make a (complete) mess(-up) of things; *alles/de boel loopt **in** het honderd* everything is going haywire/going wrong/at sixes and sevens; ⟨in België⟩ ***ten** honderd* per cent, percent

²**honderd** [hoofdtelw] hundred ◆ *honderd **dagen*** first 100 days; *een bankbiljet van honderd **euro*** a hundred-euro ^B(bank)note/^Abill; *een **grote/dikke** honderd* a good hundred; ⟨geld, afstand; inf ook⟩ a cool hundred; *hij **is** honderd **geworden*** ⟨voordat hij stierf⟩ he lived to be a hundred; *hij **is** gisteren honderd **geworden*** he turned/was a hundred yesterday; *in geen honderd **jaar**!* not on your (sweet) life/in a million years!; ⟨sl; BE⟩ not on your nelly!, ⟨BE⟩ never in a month of Sundays!; ⟨beled⟩ not (bloody) likely!; *dat doet ie in geen honderd **jaar*** he'd sooner die (than do that), you'll never get him to do that, wild horses couldn't get him to do that; *dat heb ik nu al (minstens) honderd **keer** gezegd* (if I've said it once) I've said it a hundred times; *honderd **kilometer** per uur rijden* do a hundred/drive at a speed of a hundred (kilometres an hour); *de honderd **meter** (sprint)* the hundred metres (sprint), ⟨AE ook⟩ the hundred metres dash; *er zijn er **over** de honderd* there are over/more than a hundred; *een **paar** honderd boeken* a few hundred/some hundreds of books, ⟨inf⟩ a couple of hundred books; *honderd **procent** zeker zijn (van)* be absolutely positive (about/of)/certain (of), be dead certain/sure (of), be a hundred per cent sure/certain (of); *ik voel me niet helemaal honderd **procent*** I'm not feeling one hundred per cent/up to the mark, ⟨vnl BE⟩ I'm not feeling too bright; *(het is) honderd **tegen** één* (it is) a hundred to one; *hij loopt **tegen** de honderd (jaar)* he's getting on for a hundred; *die **wordt** nog honderd* he'll live to be a hundred; ***zowat**/zo'n honderd boeken* about a/some hundred books

³**honderd** [rangtelw] one/a hundred, 100 ◆ *het **jaar** honderd* the year one hundred; ***psalm** honderd* Psalm one hundred/100; ⟨hymne⟩ Old Hundredth; ***Rapenburg** honderd* number one hundred/100, Rapenburg

honderddelig [bn] centesimal, hundredfold, ⟨thermometerschaal⟩ centigrade

honderdduizend [hoofdtelw] a/one hundred thousand ◆ ⟨zelfstandig (gebruikt)⟩ *de honderdduizend trekken* ± draw first prize (in the Dutch State Lottery); win the pools; *de schade loopt in de honderdduizenden **euro's*** the damage runs into six figures; *(enige) honderdduizenden **(mensen)*** (some) hundreds of thousands (of people); *een **paar** honderdduizend* a few hundred thousand, ⟨inf⟩ a couple of hundred thousand

honderdduizendste [rangtelw] (one) hundred thousandth

honderdjarig [bn] [1] ⟨honderd jaar oud, durende⟩ centenarian, hundred-year-old ◆ *het honderdjarig **bestaan** vieren* celebrate the hundredth anniversary/the centenary, ⟨vnl AE⟩ celebrate the centennial; *een honderdjarige **boom*** a hundred-year-old tree; *de Honderdjarige **Oorlog*** the Hundred Years' War [2] ⟨om de eeuw plaatsvindend⟩ centenary, ⟨vnl AE⟩ centennial

honderdjarige [de] centenarian

honderdje [het] hundred-euro ^Bnote/^Abill

honderdmaal [bw] a hundred times ◆ *dat is honderdmaal **beter*** that's a hundred times/a lot better; *dat **heb** ik je nu al honderdmaal **gezegd*** (if I've told you once,) I've told you a hundred times; *dat **heb** ik je nu al honderdmaal **verboden*** I've told you a hundred times/how often have I told you not to ...; *honderdmaal op een dag **vergist** hij zich* he makes mistakes a hundred times a day

honderdman [de^m] ⟨gesch⟩ centurion

¹**honderdste** [het] hundredth

²**honderdste** [rangtelw] [1] ⟨verdelingsgetal⟩ hundredth ◆ *ik probeer het nu al voor de honderdste **maal*** I've tried it a hundred times; *de honderdste **psalm*** Psalm 100, the hundredth psalm [2] ⟨als bepaling van grootte⟩ (one) hundredth ◆ *het honderdste **deel*** the (one) hundredth part, a hundredth; *niet een honderdste **van** wat hij zegt, is waar* not even the hundredth part of what he says is true

honderdtal [het] [1] ⟨aantal van honderd⟩ (a/one) hundred, century ◆ ***bij** honderdtallen* by the/in their hundreds; *een honderdtal **platen*** about a/some hundred records [2] ⟨wisk⟩ hundred

honderduit [bw] [•] *honderduit **praten*** talk nineteen to the dozen; *honderduit **vragen*** never stop asking questions

¹**honderdvoud** [het] multiple of one hundred, centuple ◆ ***in** honderdvoud* in centuplicate/hundredfold

²**honderdvoud** [bn, bw] hundredfold, centuplicate

honderdvoudig [bn, bw] ⟨bijvoeglijk naamwoord⟩ hundredfold, centuplicate, ⟨bijwoord⟩ a hundredfold ◆ *een honderdvoudige **oogst*** a hundredfold harvest

hondje [het] [1] ⟨kleine hond⟩ doggy, little dog, ⟨kind⟩ bowwow ◆ ***als** een hondje iemand achterna lopen* run after s.o. like a dog; *een **jong** hondje* a pup/pup(py), a puppy dog; ***op** zijn hondjes* dog(gy) fashion; ***op** zijn hondjes zwemmen* (swim) dog paddle, swim like a dog; ⟨fig⟩ ***van** het hondje gebeten zijn* give o.s. airs, like to lord/queen it [2] ⟨schatje⟩ pet, darling, sweetie, ⟨BE⟩ duckie, ⟨AE⟩ honey-pie, ⟨AE⟩ chickadee ◆ ***mijn** hondje!* my (little) pet/darling! [•] ⟨sprw⟩ *er zijn meer hondjes die Fikkie heten* there are many people with the same name (as me/him/them/...)

honds [bn, bw] despicable ⟨bw: despicably⟩, shameful, scandalous ◆ *iemand honds **behandelen*** treat s.o. like a dog/like dirt; *honds **gedrag*** doggery

hondsaap [de^m] baboon, cynocephalus

hondsberoerd [bn] sick as a dog

hondsbrutaal [bn, bw] brazen ⟨bw: ~ly⟩, shameless, (as) bold as brass, brash ◆ *die kinderen **zijn** werkelijk hondsbrutaal* those kids are really lost to shame/incredibly impudent/incredibly cheeky; *hondsbrutaal te werk gaan* be overbold, be as bold as brass

hondsdagen [de^mv] dog days

hondsdol [bn] rabid, mad, ⟨med⟩ hydrophobic ◆ ⟨zelfstandig (gebruikt)⟩ *hij gedroeg zich als **een** hondsdolle* he behaved as if he was mad/crazy

hondsdolheid [de^v] rabies, hydrophobia, canine madness ◆ *inenting **tegen** hondsdolheid* rabies shot

hondsdraf [de] ground ivy

hondshaai [de^m] dogfish, huss, sea dog, rough-hound

hondskers [de] [1] ⟨vogelkers⟩ bird-cherry [2] ⟨bes van het bitterzoet⟩ bittersweet berry

hondskruid [het] ⟨plantk⟩ [1] ⟨hondstong⟩ hound's/dog's tongue [2] ⟨duinorchidee⟩ pyramidal orchid

hondsmoe [bn] dog-tired, tired to death

hondsmoeilijk [bn, bw] ⟨BE⟩ bloody hard/difficult, ⟨AE⟩ (god)damned hard/difficult

hondsnetel [de] white nettle
hondspeterselie [de] fool's parsley
hondsroos [de] briar/brier (rose), dog/canker rose, hip tree
hondstong [de] hound's/dog's tongue
hondsviooltje [het] heath violet, dog violet
hondsvlieg [de] gall wasp
hondsvot [het, de] 1 ⟨als scheldwoord⟩ cur, scoundrel, blackguard 2 ⟨schaamdeel van een teef⟩ bitch's genitals
Honduras [het] Honduras

Honduras

naam	*Honduras* Honduras
officiële naam	*Republiek Honduras* Republic of Honduras
inwoner	*Hondurees* Honduran
inwoonster	*Hondurese* Honduran
bijv. naamw.	*Hondurees* Honduran
hoofdstad	*Tegucigalpa* Tegucigalpa
munt	*lempira* lempira
werelddeel	*Amerika* America

int. toegangsnummer 504 www .hn auto HN

1**Hondurees** [de^m], **Hondurese** [de^v] ⟨man & vrouw⟩ Honduran, ⟨vrouw ook⟩ Honduran woman/girl
2**Hondurees** [bn] Honduran
Hondurese [de^v] → **Hondurees**1
1**honen** [onov ww] ⟨honend spreken⟩ jeer, sneer, scoff
2**honen** [ov ww] ⟨smaden⟩ deride, revile, sneer (at), jeer (at), scoff (at)
honend [bn, bw] derisive ⟨bw: ~ly⟩, sneering, jeering, taunting ♦ *honend* ***gejoel*** cries of derision, jeering; *hij* ***lachte*** *honend* he laughed derisively; *..., zei hij honend ...*, he sneered
Hongaar [de^m], **Hongaarse** [de^v] ⟨man & vrouw⟩ Hungarian, ⟨vrouw ook⟩ Hungarian woman/girl
1**Hongaars** [het] ⟨taal⟩ Hungarian
2**Hongaars** [bn] Hungarian
Hongaarse [de^v] → **Hongaar**
Hongarije [het] Hungary

Hongarije

naam	*Hongarije* Hungary
officiële naam	*Republiek Hongarije* Republic of Hungary
inwoner	*Hongaar* Hungarian
inwoonster	*Hongaarse* Hungarian
bijv. naamw.	*Hongaars* Hungarian
hoofdstad	*Boedapest* Budapest
munt	*forint* forint
werelddeel	*Europa* Europe

int. toegangsnummer 36 www .hu auto H

honger [de^m] 1 ⟨eetlust⟩ appetite, hunger ♦ *ik heb een honger* ***als een paard*** I'm starving, I'm so hungry I could eat a horse, I'm as hungry as a hunter; ***door*** *honger* ***dwingen/brengen tot*** starve into; *ik* ***heb*** *toch een honger!* I'm starving!; *van die wandeling* ***heb*** *ik honger* ***gekregen*** that walk has made me hungry/has given me an appetite; *honger* ***hebben*** be/feel hungry; ⟨vnl BE; inf⟩ feel peckish; *ik begin honger te* ***krijgen*** I'm getting hungry; *werk waar je honger van* ***krijgt*** hungry work; *honger* ***lijden*** go hungry, starve; *deze baan betekent honger* ***lijden*** this job means starvation; *een* ***razende/nijpende/knagende*** *honger* raging/ravenous/gnawing hunger, pangs of hunger; *zijn honger* ***stillen*** satisfy/appease/check one's appetite; ***van*** *honger* ***sterven*** ⟨fig⟩ be dying for sth. to eat; ⟨lett⟩ die of hunger, starve to death; *ik* ***rammel/verga van*** *de honger* I'm starving; ***scheel/zwart/grauw zien van*** *de honger* be perished/weak/faint with hunger, be starving/famished 2 ⟨begeerte⟩ lust, appetite, ⟨fig⟩ hunger ♦ *honger* ***naar*** *geld en goed* lust for material things, greed 3 ⟨hongersnood⟩ famine, hunger, starvation ⊡ ⟨sprw⟩ *honger maakt rauwe bonen zoet* hunger is the best sauce
hongerbaantje [het] starvation job
hongerblokkade [de^v] starvation blockade
hongerdieet [het] starvation diet
hongerdood [de^m] death by/from starvation ♦ *de hongerdood* ***sterven*** starve to death, die of starvation
hongeren [onov ww] 1 ⟨honger lijden⟩ starve, hunger 2 ⟨sterk verlangen⟩ hunger, be hungry, ⟨form⟩ crave ♦ *hongeren en* ***dorsten*** *naar gerechtigheid* hunger and thirst after justice; *hongeren* ***naar*** ⟨vakantie, rijkdom⟩ hanker after; ⟨gesprek, gezelschap, kennis⟩ hunger/be hungry for
hongerig [bn, bw] hungry ⟨bw: hungrily⟩, starving, famished, ⟨beetje⟩ peckish, ⟨maag⟩ empty ♦ ⟨zelfstandig (gebruikt)⟩ *de hongerigen* ***voeden*** feed the hungry; *zij vielen als hongerige* ***wolven*** *op het middagmaal aan* they fell upon their supper like hungry wolves; *hongerig* ***worden*** get hungry
hongerklop [de^m] hunger pang
hongerkuur [de] starvation/fasting cure, starvation/fasting therapy, hunger-cure, hunger-therapy ♦ *een ziekte* ***door*** *een hongerkuur genezen* starve an illness; *een hongerkuur* ***ondergaan*** take a starvation/fasting cure, starve o.s.
hongerlijder [de^m], **hongerlijdster** [de^v] 1 ⟨iemand die honger lijdt⟩ starveling 2 ⟨iemand die altijd honger heeft⟩ glutton, pig 3 ⟨iemand met een zeer gering inkomen⟩ s.o. on the breadline
hongerlijdster [de^v] → **hongerlijder**
hongerloon [het] starvation wages, pittance, subsistence wages ♦ *een hongerloontje* ***hebben/verduren*** work for a pittance; *iemand* ***voor*** *een hongerloontje laten werken* exploit s.o.
hongeroedeem [het] hunger oedema
hongeroproer [het] hunger/food riots
hongerpijn [de] pangs of hunger, hunger pain
hongersnood [de^m] famine, hunger, starvation, ⟨schaarste⟩ dearth ♦ *door hongersnood* ***geteisterd*** *(worden)* (be) famine-stricken; *in al die landen* ***heerst*** *hongersnood* there is a famine in all these countries
hongerstaken [ww] go on hunger strike
hongerstaker [de^m] hunger striker
hongerstaking [de^v] hunger strike ♦ ***in*** *hongerstaking (gaan/zijn)* (go/be) on (a) hunger strike
hongerstiller [de^m] appetite depressant, anoretic, ⟨tussendoortje⟩ sth. between meals
hongerwinter [de^m] winter of starvation, hungry winter
Hongkong [het] Hong Kong
honing [de^m] honey ♦ *zo zoet* ***als*** *honing* as sweet as honey, honey-sweet; *het smaakt* ***als*** *honing* it tastes like honey; ***gepijnde*** *honing* strained honey; *honing* ***maken*** make honey; ***met*** *honing gezoet* honeyed; *een boterham* ***met*** *honing* a honey sandwich; ***ongepijnde*** *honing* virgin honey; ⟨fig⟩ *iemand honing om de mond* ***smeren*** butter s.o. up, butter up to s.o., flatter s.o.; ***wilde*** *honing* wild honey; *honing* ***winnen*** harvest/produce honey ⊡ ⟨sprw⟩ *men vangt meer vliegen met een lepel honing/stroop dan met een vat azijn* honey catches more flies than vinegar
honingbeer [de^m] sun bear, malay(an) bear
honingbereiding [de^v] honey making, production of honey
honingbij [de] honeybee
honingbloem [de] honeyflower
honingblond [bn] honey blonde, ⟨haar⟩ honey-coloured
honingcel [de] honey(comb) cell, alveolus
honingdas [de^m] honey badger
honingdauw [de^m] honeydew
honingdrank [de^m] mead, metheglin, ⟨ongefermenteerd⟩ hydromel
honinggeel [bn] honey (yellow), honey-coloured ♦ ***het***

honinggeel honey (yellow)
honingheide [het, de^m] cross-leaved heath
honingkelk [de^m] ⟨plantk⟩ nectariferous calyx
honingklaver [de] melilot, sweet clover ♦ *de **gele/gewone** honingklaver* the tall melilot
honingkliertje [het] ⟨plantk⟩ nectary, honey gland
honingkoek [de^m] ± honey cake
honingmerk [het] honey guide
honingpers [de] honey extractor
honingpot [de^m] honey pot/jar
honingraat [de] honeycomb
honingraatflat [de^m] honeycomb housing
honingraatmotief [het] honeycomb (pattern)
honingslinger [de^m] honey extractor
honingsmaak [de^m] honey flavour, taste of honey ♦ ***met** honingsmaak* honey-flavour(ed)
honingsuiker [de^m] invert sugar
honingzeem [het, de^m] virgin honey
honingzoet [bn, bw] honey-sweet, honeyed, sweet as honey, ⟨vnl fig⟩ ↑ mellifluous ♦ *op honingzoete **toon*** with honeyed tongue; *honingzoete **woorden*** honeyed/mellifluous words
honk [het] [1] ⟨kinderspel⟩ home (base) [2] ⟨sport en spel⟩ base, cushion, pillow ♦ *het **eerste** honk bereiken, op het **eerste** honk komen* get to/reach first base; *een **gestolen** honk* a stolen base; *een honk **stelen*** steal a base [3] ⟨thuis⟩ home
honkbal [het] ⟨sport⟩ baseball, ⟨inf; AE⟩ ball
honkbalknuppel [de^m] (baseball) bat, ⟨sl; AE⟩ mace
honkballen [onov ww] ⟨sport⟩ play baseball, ⟨inf; AE⟩ play ball
honkballer [de^m] ⟨sport⟩ baseball player, ⟨inf; AE⟩ ballplayer
honkloopster [de^v] → **honkloper**
honklopen [ww] ⟨sport⟩ be baserunning, be a baserunner
honkloper [de^m], **honkloopster** [de^v] ⟨sport⟩ baserunner
honkman [de^m] ⟨sport⟩ baseman
honkslag [de^m] ⟨sport⟩ (one-)base hit, single, one-bagger
honkvast [bn] stay-at-home, home-loving ♦ *een honkvaste **werknemer*** a fixture; *honkvast **zijn*** be a stay-at-home, be home-loving/a home-lover
honneponnie [de] pet, sweetheart, ⟨AE⟩ little chickadee
honneponnig [bn, bw] cute ⟨bw: ~ly⟩, lovely, sweet ♦ *ze **ziet** er altijd zo honneponnig **uit*** she always looks so cute/sweet
honneurs [de^mv] [1] ⟨eerbewijzen⟩ honours ♦ *de honneurs **waarnemen*** do the honours [2] ⟨kaartsp⟩ honour cards
honorabel [bn, bw] honourable ⟨bw: honourably⟩, admirable
honorair [bn] [•] *een honorair **ambt*** an honorary post; *een honorair **lid*** an honorary member
honorarium [het] ⟨dokter, advocaat⟩ fee, ⟨commissarissen, bijbaantjes⟩ remuneration, ⟨salaris⟩ salary, ⟨van boekverkoop⟩ royalty, honorarium
honoreren [ov ww] [1] ⟨honorarium geven voor⟩ pay, remunerate, ⟨advocaat ook⟩ fee ♦ ***daarvoor** wordt hij goed gehonoreerd* he is well paid/remunerated for it; ⟨fig⟩ *een opstel **met** een zeven honoreren* give/award an essay seven out of ten [2] ⟨als geldig erkennen⟩ ⟨wissel, schuld⟩ honour, meet, ⟨wissel ook⟩ protect, give due protection/honour, ⟨diploma⟩ recognize, accept ♦ *een wissel **niet** honoreren* refuse to honour/not honour a draft/cheque [3] ⟨opnemen⟩ accept, include
honorering [de^v] [1] ⟨betaling⟩ payment, remuneration, ⟨advocaat, dokter⟩ fee [2] ⟨erkenning⟩ ⟨van wissel⟩ honouring, protecting, ⟨diploma⟩ recognition, acceptance
honoris causa honorary ♦ *zij is **doctor** honoris causa* she has an honorary doctorate; *hij **is tot doctor** honoris causa bevorderd* he has been given an honorary doctorate
hoody [de^m] hoodie
hoofd [het] [1] ⟨lichaamsdeel⟩ head, ⟨sl⟩ egg, ⟨sl; AE⟩ bean ♦ *het hoofd **afwenden** van* turn (one's head) away from; *een hoofd hebben **als** een **boei*** have a face as red as a beetroot; ⟨fig⟩ *iets het hoofd **bieden*** ⟨moeilijkheden, gevaren, tegenstand⟩ face/withstand/cope with/stand up to/face up to sth.; ⟨concurrentie, aanvallen⟩ meet, defy; ⟨fig⟩ *krachtig het hoofd **bieden** aan* oppose strongly, offer stubborn resistance to, put up a stubborn defence against; ⟨fig⟩ *hij groeit mij **boven** het hoofd* he's leaving me behind/standing; *iemand **boven** het hoofd groeien* outgrow/outstrip s.o.; *wat hangt ons nu weer **boven** het hoofd?* ⟨fig⟩ what's hanging over our heads/in store for us now?, what have we let ourselves in for now?; ⟨fig⟩ *het werk is hem **boven** het hoofd gegroeid* he can't cope with his work anymore; ⟨fig⟩ *die onderneming is mij **boven/over** het hoofd gegroeid* this task has become too much for me; *het hoofd **buigen*** ⟨fig⟩ bow one's head, bow down (to), give in/submit (to); *zich een kogel **door** het hoofd jagen* put a bullet through one's head/brains; ⟨fig⟩ *het hoofd hoog **dragen*** hold one's head high; ⟨fig⟩ *hun daden zullen op hun **eigen** hoofd neerkomen* their actions will recoil on them; ⟨fig⟩ *iemands hoofd **eisen*** ⟨aftreden, val⟩ demand s.o.'s head/scalp; *hoofd **front/links/rechts!*** eyes front/left/right!; *met **gebogen** hoofd* with head bowed; *het hoofd in de nek **gooien*** ⟨lett⟩ fling/throw/toss back one's head; ⟨fig⟩ bristle/bridle up (with anger/rage); *een hoofd **groter/kleiner** zijn (dan)* be a head taller/shorter (than); ⟨fig⟩ *het hoofd laten **hangen*** hang one's head, be downcast/crestfallen; ⟨fig⟩ *het hoofd niet laten **hangen*** hold one's head high; *hij **heeft** zijn hoofd **gestoten*** ⟨fig⟩ he has been put in his place, he has had/met with a rebuff; *het hoofd boven water **houden*** ⟨fig⟩ keep one's head above water, keep afloat; *het hoofd net boven water kunnen **houden*** ⟨fig ook⟩ scrape/scratch a living; *licht **in** het hoofd zijn* be light-headed; *heb je geen ogen **in** je hoofd!* use your eyes!/can't you look where you're going?; *zich een gat **in** het (z'n) hoofd vallen* fall and cut one's head; *met een **kaal/rood/rond** hoofd* bald-headed/red-faced/round-faced; ⟨fig⟩ *het hoofd in de schoot **leggen*** give up the fight, surrender, knuckle under; ***met** twee hoofden* bicephalic, bicephalous, two-headed; ⟨fig⟩ ***met** zijn hoofd in de wolken lopen* have one's head in the clouds; ⟨gelukkig zijn⟩ walk on air; ⟨fig⟩ ***met** zijn hoofd tegen de muur lopen* bang/run one's head against a brick wall; ***met** zijn hoofd tegen de muur knallen/lopen* bang/knock one's head against the wall; ***naar** zijn (voor)hoofd wijzen* ⟨als teken dat iemand gek is⟩ tap one's forehead; ⟨fig⟩ *hij kreeg van alles **naar** zijn hoofd* he had all kinds of abuse thrown/flung at him; *het succes is hem **naar** het hoofd gestegen* the success has gone to his head/has turned his head; *iemand een verwijt/beschuldiging/belediging **naar** het hoofd slingeren* hurl a reproach/an accusation/abuse at s.o.('s head); ⟨in België; fig⟩ *het hoofd erbij **neerleggen*** resign/reconcile o.s. to sth., put up with sth.; ⟨fig⟩ *het (moede) hoofd **neerleggen*** ⟨sterven⟩ lay down one's (weary) head, lie down and die; *het hoofd **ontbloten*** bare/uncover one's head, doff one's hat; ***op** zijn hoofd staan* stand on one's head; *al ga je **op** je hoofd staan* whatever you may say or do; *ze kreeg de lamp **op** haar hoofd* the lamp fell on her head; *een beloning **op** iemands hoofd zetten* put a price on s.o.'s head; *spijt hebben als haren **op** zijn hoofd* regret infinitely, be very sorry; *met **opgeheven** hoofd* ⟨fig⟩ with head held high; *iets **over** het hoofd zien* ⟨fig⟩ overlook sth.; ⟨fig⟩ *dat moet je maar **over** het hoofd zien* let that go by, take no notice of that; *men kon er wel **over** de hoofden lopen* it was choc-a-bloc with people; *zijn hoofd wordt **rood** van schaamte* his face goes/turns red with shame; *het hoofd **schudden** bij/over* shake one's head at/over; ⟨fig⟩ *de hoofden bij elkaar **steken*** put our/your/their heads together; ⟨inf⟩ go into a huddle; ⟨vaak scherts⟩ powwow; ⟨fig⟩ *overal het hoofd **stoten*** be up against a brick/blank wall; *iemand **van** het hoofd tot de voeten opnemen/bekijken/meten* look s.o. up and down;

⟨fig⟩ *zijn hoofd eronder durven **verwedden*** bet/stake one's life (on), bet one's bottom dollar; *iemand **voor** het hoofd stoten* offend/affront/hurt/injure/wound s.o.'s feelings; ⟨sterker⟩ cut s.o. to the quick, touch s.o. on the raw; *met het hoofd **voorover*** headlong; *(met) het hoofd **vooruit*** headfirst, head-on; ***zonder** hoofd* ⟨onthoofde⟩ headless; ⟨dierk⟩ acephalous; ⟨fig⟩ *een **zwaar**/een **hard** hoofd in iets hebben* have grave doubts/misgivings about sth. [2] ⟨als zetel van het verstand, de wil⟩ head, mind, brain(s) ◆ *zeur me niet **aan** het hoofd* stop nagging, don't bother me; *hij heeft veel **aan** zijn hoofd* he has a lot of things on his mind; *ik heb al genoeg **aan** mijn hoofd* I've got enough to worry about/ enough on my plate as it is; *ik heb wel wat anders **aan** mijn hoofd* I've got other/more important things on my mind/ to think about, I've got other fish to fry; *een hoofd **als** een ijzeren pot* the memory of an elephant; *je bent niet goed **bij** je hoofd!* you're out of your (tiny) mind; *niet goed **bij/in** het/ zijn hoofd zijn* not be all there, be a bit mental/soft in the head; ⟨fig⟩ *zich het hoofd (niet) over iets **breken*** (not) rack one's brains/puzzle one's head over sth., (not) agonize over sth.; *dat is mij **door** het hoofd gegaan/geschoten* it slipped my mind, I clean forgot; *die gedachte/melodie maalt/speelt mij **door** het hoofd* that thought/tune keeps running through my mind; *zijn hoofd **gebruiken*** ⟨nadenken⟩ use one's head, ⟨inf⟩ use one's loaf; ⟨fig⟩ *het hoofd er niet bij **hebben*** have one's mind on other things; *feiten **in** zijn hoofd stampen* cram; *zich iets **in** het hoofd zetten* get sth. in(to) one's head, have sth. in one's mind; *zij kreeg het **in** haar hoofd om* she took/got it into her head to; *precies wat ik **in** mijn hoofd heb* exactly what I had in mind; *hoe haalt hij het **in** zijn hoofd?* where does he get such an idea?, what's come over him?, what is he thinking of?; *zoiets komt niet **in** mijn hoofd op* it would never enter my head/mind to do such a thing; *dat heb ik niet allemaal zo **in** mijn hoofd* I don't know it all off the top of my head, I haven't got it all at my finger tips; *als zij zich eenmaal iets **in** het hoofd heeft gezet* when she's got an idea into her head; ⟨fig⟩ *het hoofd **loopt** mij **om*** my head is going round/is in a spin/whirl, my head's reeling/going around in circles; *de drank stijgt/vliegt hem **naar** het hoofd* the drink is going to his head; ⟨fig⟩ *mijn hoofd **staat** er niet naar* I'm not in the mood for it, I can't keep my mind on it; ***uit** het hoofd rekenen* do sums in one's head, do mental arithmetic; *uit het **blote** hoofd spreken* speak ad lib/off the cuff; *iets **uit** het hoofd leren/kennen* learn/know sth. by heart/rote; *iemand iets **uit** zijn hoofd praten* talk s.o. out of sth.; ***uit** het hoofd aanhalen/spelen/zingen* quote/play/ sing from memory; *dat zou ik maar **uit** mijn hoofd zetten* I'd forget it if I were you; *dat laat ik mij niet **uit** mijn hoofd praten* I won't be talked out of this; *ik zal die gekheid wel **uit** mijn hoofd laten* I know better than to do sth. crazy like that; ⟨fig⟩ *het hoofd **verliezen/niet verliezen*** lose/keep one's head; *het hoofd koel houden* keep one's head, keep a cool/ level head, keep one's cool, stay level-headed; ⟨fig⟩ *iemand het hoofd op hol brengen* turn s.o.'s head [3] ⟨persoon⟩ head ◆ ***per** hoofd* per head/capita, each; *het verbruik **per** hoofd* the per capita consumption; ***per** hoofd van de bevolking* per head of (the) population; *wij betaalden € 30 **per** hoofd* we paid € 30 each/per head; *we moeten de hoofden **tellen*** we must count heads [4] ⟨het bovenste, hoogste gedeelte⟩ ⟨tafel⟩ head, top, ⟨brief e.d.⟩ head(ing), caption ◆ ⟨boekh⟩ *iets onder een **apart** hoofd boeken* book sth. under a separate heading; *met **gedrukt** hoofd* ⟨van formulier⟩ with printed heading [5] ⟨het voorste gedeelte⟩ head, front, vanguard ◆ ***aan** het hoofd staan van* be at the head of; ⟨mil⟩ be in command of; ⟨bedrijf, departement⟩ be in charge of; *hij ging **aan** het hoofd van de troepen* he led/was at the head of the troops; ⟨fig⟩ *hij stelde zich **aan** het hoofd van de beweging* he assumed the leadership of the movement [6] ⟨(van personen) leider, meerdere⟩ head, chief, leader, ⟨school; man⟩ principal (teacher), ⟨man⟩ headmaster, ⟨vrouw⟩ headmistress ◆ *hoofd van **dienst*** commissioner, person in charge; *een **gekroond** hoofd* a crowned head; *het hoofd van de **school*** ⟨man⟩ the headmaster, ⟨vrouw⟩ the headmistress; ⟨man & vrouw⟩ the head [7] ⟨in samenstellingen; (van zaken) (het) de voornaamste⟩ main, head, chief, cardinal, major ◆ *hoofd**bureau*** head/main office; *hoofd**ingang*** main entrance [•] ***uit** hoofde van* ⟨het weer, zijn leeftijd⟩ on account of, by reason of, in consideration of; ⟨zijn ambt⟩ by virtue of; ***uit** dien hoofde* for that reason, on that account; ***uit** hoofde van zijn functie/beroep van/als* in his capacity as; ⟨sprw⟩ *wie boter op zijn hoofd heeft, moet niet in de zon lopen* those who live in glass houses should not throw stones; ± be not a baker if your head be of butter; ⟨sprw⟩ *zoveel hoofden, zoveel zinnen* so many men, so many opinions

hoofdaccent [het] main/primary stress, main/primary accent

hoofdactiviteit [de^v] main/principal/primary activity

hoofdader [de] main artery ◆ *een hoofdader van het **verkeer*** a main traffic artery, a trunk road

hoofdafdeling [de^v] (main/principal) department, (main/principal) section, (main/principal) division, (main/principal) office, ⟨biol⟩ phylum, subkingdom ◆ *de hoofdafdeling **studentenzaken** van de universiteit* the university department of student affairs, the university's student affairs office

hoofdafmetingen [de^mv] (overall/main) dimensions

hoofdagent [de^m] [1] ⟨politieagent⟩ senior police officer [2] ⟨vertegenwoordiger⟩ general/main/principal agent, distributor

hoofdagentschap [het] [1] ⟨(politie)taak⟩ senior office [2] ⟨handel; taak⟩ main agency, distributorship [3] ⟨kantoor⟩ main agency

hoofdakte [de] teaching certificate

hoofdaltaar [het, de^m] high altar, main altar

hoofdambtenaar [de^m] senior/chief/principal officer, senior/chief/principal official, commissioner, executive (officer)

hoofdarbeid [de^m] brainwork

hoofdarbeider [de^m], **hoofdarbeidster** [de^v] white-collar worker, brain worker, intellectual

hoofdarbeidster [de^v] → **hoofdarbeider**

hoofdartikel [het] [1] ⟨redactioneel stuk⟩ editorial, leading article, leader [2] ⟨handel⟩ main/chief/leading article, main/chief/leading merchandise, main/chief/leading item ◆ *koffie is mijn hoofdartikel* coffee is my (main) line/ my speciality [3] ⟨bepaling in een verdrag, contract⟩ main provision/clause

hoofdas [de] [1] ⟨voornaamste as⟩ main axle, arbor [2] ⟨wisk⟩ main axis [3] ⟨plantk⟩ peduncle

hoofdassistent [de^m] senior assistant, top aide

hoofdband [de^m] headband, fillet, bandeau

hoofdbank [de] mainbranch of a bank, head office of a bank

hoofdbedrijf [het] [1] ⟨handel⟩ chief/main (line of) business, main occupation [2] ⟨dram⟩ main act

hoofdbedrijfschap [het] Trades Council

hoofdbeginsel [het] chief/fundamental principle

hoofdberoep [het] main/chief occupation

hoofdbestanddeel [het] main/primary/principal ingredient, main/primary/principal constituent, basis

hoofdbestuur [het] ⟨vereniging⟩ general/executive/central board, general/executive/central committee, general council, ⟨bedrijf⟩ board (of directors)

hoofdbestuurder [de^m] ⟨bedrijf⟩ general manager, director-in-chief, director-general, ⟨vereniging⟩ chief officer/commissioner

hoofdbewerking [de^v] [1] ⟨wisk⟩ basic/fundamental operation [2] ⟨techn⟩ ⟨alg⟩ general/essential work, ⟨inf⟩ basics, ⟨pleisterwerk e.d.⟩ roughing-in, ⟨timmerwerk⟩ roughing-out

hoofdbewoner [de^m], **hoofdbewoonster** [de^v] principal occupier, main tenant
hoofdbewoonster [de^v] → **hoofdbewoner**
hoofdboekhouder [de^m] chief/head bookkeeper, chief accountant
hoofdbreken [het] thinking, thought, worry ◆ *dat zal mij heel wat hoofdbreken(s)* ***kosten*** I shall have to rack my brains over that, that's going to take a lot of thought
hoofdbrekend [bn] perplexing, mind-bending
hoofdbrok [de^m] main/chief part, main/chief portion, (the) better part
hoofdbuis [de] ⟨van gasleiding/waterleiding⟩ main
hoofdbureau [het] head/main office ⟨ook van krant⟩, headquarters ◆ *hoofdbureau van* ***politie*** police headquarters, central police station
hoofdcijfer [het] main figure
hoofdcommies [de^m] principal clerk
hoofdcommissariaat [het] police headquarters
hoofdcommissaris [de^m] (chief) superintendent (of police), commissioner
hoofddader [de^m] chief offender/culprit, chief instigator, principal wrong doer, ⟨jur⟩ principal in the first degree
hoofddek [het] ⟨scheepv⟩ main deck
hoofddeksel [het] headgear, head covering, ⟨mv ook⟩ headwear
hoofddeugd [de] 1 ⟨voornaamste deugd⟩ principal virtue 2 ⟨r-k⟩ natural virtue
hoofddirecteur [de^m] managing director, CEO
hoofddirectie [de^v] general management
hoofddirectory [de^m] ⟨comp⟩ main directory
hoofddocent [de^m] ⟨universiteit⟩ senior lecturer
hoofddoek [de^m] headscarf, headdress, shawl
hoofddoekje [het] 1 ⟨kledingstuk⟩ headscarf 2 ⟨moslima⟩ headscarf
hoofddoel [het] principal/main/chief purpose, principal/main/chief aim
hoofdeigenschap [de^v] principal/main/chief characteristic, principal/main/chief quality, ⟨wisk⟩ fundamental theorem
hoofdeinde [het] head, ⟨tafel ook⟩ top
hoofdelijk [bn, bw] 1 ⟨iedere persoon afzonderlijk betreffend⟩ ⟨belasting⟩ poll, ⟨stemmen⟩ by call/division, ⟨onderw⟩ individual ◆ *hoofdelijk* ***laten stemmen*** take the roll-call; *hoofdelijke* ***omslag*** capitation, head money/tax, poll tax; *hoofdelijk* ***onderwijs*** individual/personal tuition; *hoofdelijke* ***stemming*** poll, voting by call; *zonder hoofdelijke* ***stemming*** *aangenomen worden* ⟨parlement⟩ ± be carried without a division 2 ⟨jur⟩ several ◆ ⟨jur⟩ ***hoofdelijk aansprakelijk*** *zijn* be severally liable/responsible; ⟨jur⟩ *een hoofdelijke* ***verbintenis*** a several obligation
hoofdfeit [het] 1 ⟨voornaamste feit⟩ principal/main fact 2 ⟨jur⟩ principal/main charge
hoofdfiguur [de] ⟨van tijdperk; man & vrouw⟩ leading figure, ⟨van roman, toneelstuk, film; man & vrouw⟩ main/chief character, ⟨man⟩ hero, ⟨vrouw⟩ heroine, ⟨man & vrouw⟩ protagonist, ⟨van schilderij; man & vrouw⟩ central figure
hoofdfilm [de^m] feature (film), main film
hoofdgebouw [het] main/central building
hoofdgedachte [de^v] principal/leading idea, essence, gist, keynote, main line of thought
hoofdgeld [het] ⟨gesch⟩ capitation, poll/head tax, head money
hoofdgerecht [het] main course/dish, ⟨AE⟩ entrée
hoofdgetal [het] cardinal (number)
hoofdgroep [de] division, main group
hoofdhaar [het, de^m] hair (of the head) ▪ *hoofdhaar van* ***Berenice*** Berenice's Hair, Coma Berenices
hoofdhuid [de] scalp
hoofdhuis [het] main house
hoofdig [bn, bw] ⟨form⟩ stubborn ⟨bw: ~ly⟩, obstinate, headstrong
hoofdijzer [het] (ornamental) headpiece
hoofding [de^v] ⟨in België⟩ → **briefhoofd**
hoofdingang [de^m] main entrance
hoofdingeland [de^m] member of a polder board, chief landholder in a polder
hoofdinhoud [de^m] 1 ⟨korte samenvatting⟩ summary, abstract, argument 2 ⟨essentie⟩ gist, purport, sum, substance
hoofdinspecteur [de^m], **hoofdinspectrice** [de^v] chief/senior/general inspector, ⟨scheepv⟩ principal ship surveyor, ⟨van volksgezondheid⟩ chief medical officer, ⟨van belasting⟩ inspector general ◆ *hoofdinspecteur van* ***politie*** chief inspector
hoofdinspectrice [de^v] → **hoofdinspecteur**
hoofdje [het] 1 ⟨klein hoofd⟩ (little/small) head 2 ⟨opschrift⟩ heading, caption 3 ⟨bloeiwijze⟩ (flowering) head 4 ⟨randje aan een gordijn⟩ flounce, gather
hoofdkaas [de^m] brawn, ⟨AE⟩ headcheese
hoofdkabel [de^m] main (cable)
hoofdkanaal [het] main canal
hoofdkantoor [het] head/main office, headquarters
hoofdkenmerk [het] chief/main/principal characteristic
hoofdkerk [de] cathedral
hoofdklasse [de^v] ⟨sport⟩ first division, ⟨SchE ook⟩ premier division, ⟨AE⟩ major league
hoofdklasser [de^m] first-division player, ⟨SchE ook⟩ premier-division player
hoofdklemtoon [de^m] ⟨taalk⟩ primary/main stress, primary/main accent
hoofdkleur [de] 1 ⟨regenboogkleur⟩ primary colour 2 ⟨de meest voorkomende kleur⟩ principal colour, key colour
hoofdknik [de^m] nod ◆ *iemand groeten met een* ***vriendelijk hoofdknikje*** greet s.o. with a friendly nod
hoofdkraan [de] ⟨vnl BE⟩ mains(tap), ⟨om af te sluiten⟩ mainscock ◆ *de hoofdkraan* ***dichtdraaien*** ⟨bijvoorbeeld van het gas⟩ turn off (the gas) at the mains
hoofdkromming [de^v] ⟨wisk⟩ principal curvature
hoofdkussen [het] pillow
hoofdkwaal [de] 1 ⟨kwaal aan, in het hoofd⟩ ailment of the head 2 ⟨ook fig; voornaamste kwaal⟩ main problem
hoofdkwartier [het] 1 ⟨mil⟩ headquarters ◆ *het* ***grote*** *hoofdkwartier is …* the general headquarters are/is …; ***in*** *het hoofdkwartier* at headquarters 2 ⟨belangrijkste vestiging⟩ headquarters, base
hoofdlading [de^v] bursting charge
hoofdleider [de^m], **hoofdleidster** [de^v] (team)leader, ⟨op kleuterschool⟩ head
hoofdleiding [de^v] 1 ⟨toevoerbuis⟩ ⟨vnl BE⟩ mains, mains supply 2 ⟨opperste leiding⟩ directorate, management
hoofdleidster [de^v] → **hoofdleider**
hoofdletsel [het] head injury
hoofdletter [de] capital (letter), ⟨aan het begin ook⟩ initial, ⟨in oude handschriften ook⟩ majuscule ◆ ***in*** *hoofdletters* in capitals; ***kunst met*** *een hoofdletter* art with a capital letter
hoofdlettergevoelig [bn] case-sensitive
hoofdligger [de^m] main girder
hoofdligging [de^v] head/cephalic presentation
hoofdlijn [de] 1 ⟨mv; trekken⟩ outline(s), main lines/features ◆ *de hoofdlijnen* ***aangeven*** sketch the outlines; *de hoofdlijnen* ***aangeven*** *van iets* outline sth.; *iets* ***in*** *hoofdlijnen* ***kennen*** know the basic idea of sth.; *iets* ***in*** *hoofdlijnen* ***aangeven*** outline sth.; *de hoofdlijnen van het advies* ***volgen*** follow the basic ideas of the advice 2 ⟨lijn in de hand⟩ line of

head [3] ⟨spoor-, boot-, luchtlijn⟩ trunkline, mainline
hoofdluis [de] head louse [•] *er **heerst** op het ogenblik hoofdluis op die school* at the moment there is a plague of head lice at that school
hoofdmaaltijd [de^{m}] main/principal meal ◆ *de hoofdmaaltijd **gebruiken*** have one's main meal
hoofdmacht [de] [1] ⟨mil⟩ main body/force [2] ⟨wielersp⟩ pack, field, bunch
hoofdman [de^{m}] [1] ⟨mil⟩ captain, chief, ⟨gesch⟩ centurion [2] ⟨deken van een gilde⟩ dean (of a guild) [3] ⟨van een partij, beweging⟩ leader
hoofdmast [de^{m}] mainmast, principal mast
hoofdmedewerker [de^{m}], **hoofdmedewerkster** [de^{v}] ⟨universiteit⟩ senior lecturer ◆ ***wetenschappelijk** hoofdmedewerker* senior lecturer
hoofdmedewerkster [de^{v}] → **hoofdmedewerker**
hoofdmenu [het] main menu
hoofdmeting [de^{v}] measurement of the head, ⟨wetenschap van hoofdmeting⟩ cephalometry
hoofdmiddel [het] chief means ◆ *hoofdmiddel van **bestaan*** chief means of support/subsistence
hoofdmoot [de] ⟨fig⟩ principal part
hoofdmotief [het] [1] ⟨beweegreden⟩ principal/main/primary motive [2] ⟨muz, lit⟩ principal motif
hoofdnerf [de] midrib
hoofdofficier [de^{m}] field officer
hoofdonderwerp [het] main theme/topic, central theme
hoofdonderwijzer [de^{m}], **hoofdonderwijzeres** [de^{v}] ⟨vnl BE; man⟩ headmaster, ⟨vrouw⟩ headmistress, ⟨man & vrouw⟩ head teacher
hoofdonderwijzeres [de^{v}] → **hoofdonderwijzer**
hoofdoorzaak [de] primary/principal/main/chief/root cause
hoofdopzichter [de^{m}] chief inspector
hoofdorgaan [het] ⟨ook fig⟩ main organ
hoofdpersoon [de^{m}] principal person, central figure, ⟨in boek enz. ook⟩ principal/leading character, ⟨in toneel ook⟩ protagonist, hero
hoofdpijn [de] headache, ⟨verkorting; inf⟩ head ◆ ***barstende** hoofdpijn* raging/splitting headache; *ze **had** hoofdpijn* she had a headache; *ik **krijg** er hoofdpijn van* it gives me a headache; ***schele** hoofdpijn* migraine
hoofdpijnpoeder [de] powder for headaches, ⟨BE⟩ Beecham's powder, ⟨merknaam⟩ painkiller
hoofdpijnportefeuille [de^{m}] problem portfolio
hoofdplaat [de] gold/silver (head) ornaments worn with coif
hoofdplaats [de] chief/principal town, chief/principal place, ⟨hoofdstad⟩ capital
hoofdplaneet [de] ⟨astron⟩ primary planet
hoofdpostkantoor [het] head/main/central post office, ⟨BE⟩ General Post Office, ⟨BE⟩ GPO
hoofdprijs [de^{m}] first prize
hoofdpunt [het] main point, chief point, most essential point ◆ *de hoofdpunten **aangeven** van iets* list the main/essential points; *de hoofdpunten van het **nieuws*** the (news) headlines
hoofdraadsman [de^{m}] chief counsellor/^{A}counselor
hoofdredacteur [de^{m}], **hoofdredactrice** [de^{v}] editor (in chief), general editor
hoofdredactie [de^{v}] [1] ⟨de hoofdredacteuren⟩ chief editors, general editors [2] ⟨functie⟩ chief/general editorship
hoofdredactioneel [bn] (top-level/senior) editorial, of/by/concerning the editor(s)-in-chief
hoofdredactrice [de^{v}] → **hoofdredacteur**
hoofdregel [de^{m}] [1] ⟨grondregel⟩ general/basic/principal rule [2] ⟨wisk⟩ basic/fundamental operation ◆ *de **vier** hoofdregels* the four basic/fundamental operations [3] ⟨drukw⟩ headline
hoofdregister [het] (principal) register
hoofdrekenen [het] mental arithmetic
hoofdrivier [de] principal river
hoofdrol [de] [1] ⟨dram⟩ principal part/role, leading part/role, ⟨als persoon; man⟩ leading actor/man, ⟨vrouw⟩ leading actress/lady, ⟨man & vrouw⟩ lead ◆ *een hoofdrol **hebben/spelen** (in)* play a leading part (in), feature as a star (in); *een film met X **in** de hoofdrol* a film starring/featuring X; *de hoofdrol **spelen*** play the leading part, be the leading man/lady [2] ⟨fig⟩ ◆ *de hoofdrol **spelen*** play first fiddle, call the tune
hoofdrolspeelster [de^{v}] → **hoofdrolspeler**
hoofdrolspeler [de^{m}], **hoofdrolspeelster** [de^{v}] ⟨man⟩ leading man/actor, ⟨man⟩ male lead, ⟨vrouw⟩ leading lady/actress, ⟨vrouw⟩ female lead, ⟨ster; man & vrouw⟩ star, ⟨fig⟩ leading/main figure ◆ *de hoofdrolspeler **in** een politiek drama* the leading/main figure in a political drama/affair
hoofdroos [de] dandruff
hoofdschakelaar [de^{m}] main switch, masterswitch
hoofdschotel [de] [1] ⟨gerecht⟩ main/principal dish, pièce de résistance [2] ⟨fig⟩ main item, pièce de résistance ◆ *de hoofdschotel **vormen** van het programma* be the main item/the pièce de résistance of the programme
hoofdschudden [het] shake of the head
hoofdschuddend [bw] shaking one's head
hoofdschuld [de] principal debt, ⟨fig⟩ chief fault, main blame
hoofdschuldenaar [de^{m}], **hoofdschuldenares** [de^{v}] ⟨jur⟩ principal debtor
hoofdschuldenares [de^{v}] → **hoofdschuldenaar**
hoofdschuldige [de] chief offender, main culprit, ⟨jur⟩ principal (in the first degree)
hoofdseinpaal [de^{m}] ⟨spoorw⟩ main signal post
hoofdsieraad [het] head ornament
hoofdslagader [de] aorta
hoofdsom [de] [1] ⟨te leen gegeven geldsom⟩ principal (money) [2] ⟨kapitaal⟩ capital [3] ⟨totaal⟩ sum total [4] ⟨belasting zonder opcenten⟩ principal amount of the tax
hoofdspil [de] ⟨ook fig⟩ pivot
hoofdspoor [het] main track
hoofdstad [de] [1] ⟨hoofdplaats⟩ capital (city), metropolis, ⟨van provincie⟩ provincial capital, ⟨van provincie in Engeland⟩ county town, ⟨in USA⟩ county seat/site [2] ⟨voornaam centrum⟩ capital, metropolis ◆ *de hoofdsteden van de **beschaving*** the capitals of civilization
hoofdstation [het] [1] ⟨centraal station⟩ central station [2] ⟨belangrijk(ste) station⟩ main/central railway station
hoofdstedelijk [bn] metropolitan
hoofdstel [het] bridle
hoofdstelling [de^{v}] chief principle, ⟨van leer⟩ tenet, ⟨wisk⟩ axiom
hoofdstembureau [het] ⟨vnl BE⟩ chief polling station, ⟨AE⟩ chief polling place
hoofdsteun [de^{m}] head rest/restraint
hoofdstraat [de] ⟨vaak als benaming van oude hoofdstraat in dorp/stadje; BE⟩ high street, ⟨ten opzichte van zijstraten⟩ main street
hoofdstraf [de] ⟨jur⟩ main/major penalty, main/major punishment
hoofdstreek [de] cardinal point
hoofdstudie [de^{v}] principal study, main subject, ⟨AE⟩ major
hoofdstuk [het] chapter ◆ ⟨fig⟩ *een hoofdstuk **afsluiten*** close a chapter; ⟨fig⟩ *dat is een hoofdstuk **apart*** that is a matter to be discussed separately; ⟨fig⟩ *dat **is** een **afgesloten** hoofdstuk* that's all over; *een hoofdstuk **uit** dit boek* a chapter from this book
hoofdtaak [de] main/chief task, main/chief duties
hoofdtak [de^{m}] [1] ⟨handel⟩ main branch [2] ⟨m.b.t. een

boom, rivier⟩ main branch
hoofdtelefoon [de^m] headphone(s), ⟨bij radio ook⟩ earphone(s)
hoofdtelwoord TELWOORD [het] cardinal (number)
hoofdthema [het] main/central theme, main/central topic, ⟨van speech⟩ burden, key issue, ⟨muz⟩ principal theme
hoofdtijdvak [het] ⟨geol⟩ era
hoofdtitel [de^m] main title
hoofdtooi [de^m] headdress
hoofdtoon [de^m] 1 ⟨kleur, schakering⟩ principal colour 2 ⟨klemtoon⟩ main/primary stress, main/primary accent
hoofdtrainer [de^m] main/senior trainer, head coach
hoofdtrap [de^m] main staircase/stairs
hoofdtrek [de^m] main/chief feature, ⟨van persoon⟩ main/principal trait, main/principal characteristic ♦ *iets **in** hoofdtrekken meedelen* state sth. in outline
hoofdtribune [de] grandstand
hoofduitgang [de^m] main/principal exit
hoofdvak [het] 1 ⟨belangrijk vak⟩ main subject, ⟨AE⟩ major ♦ *zij heeft taalkunde **als** hoofdvak* her main subject is linguistics, ⟨AE⟩ she is majoring in linguistics 2 ⟨hoofdberoep⟩ chief occupation
hoofdvakstudent [de^m] ⟨AE⟩ major, student specializing in ...
hoofd-van-jut [het] high striker
hoofdverdachte [de] main/chief suspect
hoofdverkeersader [de] main (traffic) artery, ⟨AE⟩ highway
hoofdverkeersweg [de^m] ⟨stad⟩ (main) thoroughfare, ⟨buiten⟩ main/trunk road, ⟨AE⟩ highway
hoofdverkoudheid [de^v] head cold, cold in the head
hoofdverpleegster [de^v] → **hoofdverpleger**
hoofdverpleger [de^m], **hoofdverpleegster** [de^v] ⟨man & vrouw⟩ senior nurse, ⟨man & vrouw; BE⟩ charge nurse, ⟨vrouw; BE⟩ charge sister, ⟨man & vrouw; AE⟩ head nurse
hoofdvlies [het] ⟨med⟩ caul
hoofdvoedsel [het] staple diet/food
hoofdvogel [de^m] ⟨in België⟩ main prize, jackpot ▪ *de hoofdvogel **afschieten*** ⟨ook iron⟩ take the cake/^Bbiscuit
hoofdvoorwaarde [de^v] main condition ♦ *hoofdvoorwaarde **voor*** main condition of
hoofdwacht [de] ⟨mil⟩ 1 ⟨personen⟩ main guard 2 ⟨gebouw⟩ main guardhouse
hoofdwapen [het] main arm
hoofdwas [de^m] main wash cycle
hoofdwater [het] hair lotion
hoofdweg [de^m] main/principal/trunk road, ⟨AE⟩ highway
hoofdwerk [het] 1 ⟨denkwerk⟩ headwork, mental labour/work 2 ⟨voornaamste bezigheid⟩ chief/principal occupation 3 ⟨voornaamste voortbrengsel⟩ main/principal work
hoofdwond [de] head wound/injury
hoofdwoord [het] 1 ⟨lemma⟩ ⟨vnl BE⟩ headword, ⟨vnl AE⟩ entry, lemma 2 ⟨woord waarop een boek gecatalogiseerd wordt⟩ headword
hoofdwortel [de^m] ⟨verticaal groeiend⟩ main/tap root
hoofdzaak [de] main point/thing, ⟨mv⟩ essentials ♦ *men moet hoofdzaken en **bijzaken** gescheiden houden* one must separate essentials/main issues from side-issues; *dat is **in** hoofdzaak juist* that is, in the main, correct; ***in** hoofdzaak ben ik het met u eens* I agree with you in the main/basically; *hoofdzaak **is**, dat we slagen* what matters is that we succeed; *dat **is** voor mij de hoofdzaak* that is the principal thing/main consideration as far as I am concerned; ***tot** de hoofdzaak komen* come to the main matter; *zich **tot** de hoofdzaken **beperken*** confine o.s. to the main issues/facts
hoofdzakelijk [bw] mainly, chiefly, principally, in essence
hoofdzeil [het] mainsail
hoofdzetel [de^m] principal seat, headquarters, headoffice
hoofdzin [de^m] ⟨taalk⟩ main/principal sentence, main/principal clause
hoofdzonde [de] 1 ⟨r-k⟩ cardinal sin ♦ *de **zeven** hoofdzonden* the seven cardinal/deadly sins 2 ⟨gebrek, zwakte⟩ principal/chief fault
hoofdzuster [de^v] ⟨vnl BE⟩ senior nurse, ⟨BE⟩ charge nurse/sister, ⟨AE⟩ head nurse
hoofs [bn, bw] 1 ⟨hoffelijk⟩ courtly ♦ *iemand hoofs **groeten*** greet s.o. politely 2 ⟨lit⟩ courtly ♦ *de hoofse **minne/liefde*** courtly love
hoofsheid [de^v] courtliness
^1**hoog** [het] high, heaven ♦ *ere zij God **in** den hoge(n)* glory to God in the highest/on high; *bij hoog en **laag** zweren* swear by all that is holy ▪ *bij hoog en **laag** volhouden/blijven beweren* stand firm, stick to one's guns/opinion
^2**hoog** [bn, bw] 1 ⟨niet laag⟩ high ⟨bw: ~ly⟩, tall, ↑lofty ♦ *de zon staat al hoog **aan** de hemel* the sun is already high in the sky; *een hoge **bal*** a high ball; ⟨golf; korte, hoge slag⟩ chip (shot); *hoge **bomen/glazen/schoorstenen*** tall trees/glasses/chimneys; *een hoge **C*** a high/top C; *ere zij God in **den** hoge* glory to God in the highest; ⟨fig⟩ *het hart hoog **dragen*** hold one's head (up) high; *wij zitten hier hoog en **droog*** ⟨fig⟩ we're high and dry here, we're safe here, we're out of harm's way here; *hoge **gebouwen*** high/tall buildings; *een hoog **gelegen huis*** a house on a hill; *de hoge **hemel*** the high heavens; *een hoge **hoed*** a top hat; ⟨inf⟩ a topper; *hoog **in** de lucht* high up in the air; *hoog **in** de bergen woonde hij* he lived high up in the mountains; *hoge **jukbeenderen*** high/prominent cheekbones; *dat land **ligt** hoog* that land is high above sea-level; *een hoge **rug*** ⟨van poes⟩ arched back; ⟨van mens⟩ a (slight) stoop; *hoge **schoenen*** (ankle) boots; *hoge **sprongen*** ⟨fig⟩ high jinks; *de Maas **staat** hoog* the Maas is (running) high/is up/is in flood; *het water **staat** hoog* the water is high/up; ⟨het is vloed⟩ it's high tide; *dat paard **staat** hoog op de benen* that horse has (got) long legs/is tall; *de hoogste **verdieping*** the top floor; *een hoog **voorhoofd*** a high forehead; *een hoge **zee*** a heavy sea 2 ⟨zover reikend als in de bepaling genoemd wordt⟩ high ⟨bw: ~ly⟩ ♦ *hij woont **drie** hoog* he lives on the ^Bthird/^Asecond floor; *de kisten staan **drie** hoog* the boxes are piled (up) three on top of one another; *wordt 3 **meter** hoog* ⟨van boom⟩ grows to (a height of) three metres; *de honderd **meter** hoge toren* the hundred-metre high tower; *een stapel van drie **voet** hoog* a pile three foot/feet high, a three-foot high pile; *ik kende hem toen hij nog maar tot zó hoog kwam* I knew him when he was only knee-high to a grasshopper 3 ⟨vergevorderd in een rang-, volgorde⟩ high ⟨bw: ~ly⟩ ♦ *een hoge **ambtenaar*** a high-ranking/senior official; ⟨BE ook⟩ a higher-grade/senior civil servant; *het hoogste **goed*** the highest/supreme good; ⟨form⟩ the summum bonum; *hoge **kaarten*** high cards; *naar een hogere **klas** overgaan* go up (to a higher class), move up/be moved up to a higher class/^Agrade; *een hogere **macht*** a higher power; *de Hoge **Raad** (der Nederlanden)* the Supreme Court of the Netherlands; *een hoge **waarde** hebben* have a high value, be (very) valuable; *dat is hogere **wiskunde** voor mij* ⟨iron⟩ that's Greek to me 4 ⟨boven een bepaalde norm, maat⟩ high ⟨bw: ~ly⟩, ⟨m.b.t. prijs ook⟩ stiff, steep, ⟨muz, te hoog⟩ sharp ♦ *iemand hoog **aanslaan*** give s.o. a high tax-assessment; ⟨fig⟩ have a high opinion of s.o., think highly of s.o.; rate s.o. highly; ⟨sterker⟩ think the world of s.o.; *de prijzen **bleven** de hele zomer hoog* prices remained high all summer; *10 % hoger **dan** vorig jaar* 10 % higher than/up on last year; *de temperatuur mag niet hoger zijn **dan** 60°* the temperature must not go above/exceed 60°; *een hoge **dunk** van zichzelf hebben* have a high opinion of o.s.; ⟨inf⟩ have a

swelled head; *de prijzen zijn 1000 euro* ***en hoger*** prices start at 1000 euros, the prices are a thousand euros and above/more; *hoger* ***gaan*** *dan 1000 euro* go above/beyond a thousand euros; ⟨bieden ook⟩ bid more than a thousand euros; ⟨fig⟩ *te hoog* ***grijpen*** aim too high; ⟨inf⟩ bite off more than one can chew; *iemand hoog* ***hebben zitten*** have a high opinion of s.o., think much of s.o.; *die viool* ***is*** *te hoog* ***gestemd*** the violin is (tuned (too)) sharp; *hoe hoog* ***is*** *dat huis* ***getaxeerd***? what is the value/valuation of that house?; *zij had een hoge* ***kleur*** she had a high colour, her face/she (looked) flushed; *hoge* ***koorts*** *hebben* have a high fever/temperature; ⟨med⟩ have hyperthermia/hyperpyrexia; *zelfs op hogere* ***leeftijd*** *kon hij nog ...* even in (his) old age he could still ...; *de twist* ***liep*** *hoog* ***op*** the quarrel became heated/was hotting up; *hoog* ***opgeven*** *van iemand* praise s.o.; *niet hoog tegen iemand* ***opkijken****/iemand niet hoog* ***hebben*** not have a very high opinion of s.o.; *iets hoog* ***opnemen*** take sth. seriously; *een hoge* ***ouderdom*** *bereiken* attain/reach a great/an advanced age; *Shellaandelen waren 10* ***punten*** *hoger* Shell shares were 10 points higher/moved up/gained/put on 10 points; *een hoge* ***rekening*** a big/steep bill; *met hoge* ***snelheid*** at (a) high speed; *de aandelen/fondsen* ***staan*** *hoog* share prices are high; *de verwarming* ***staat*** *hoog* the heating is on high; *een hoog* ***stemmetje/geluid*** a high-pitched voice/sound; *ze spelen in hoge* ***stemming*** they play at high pitch; *je bloeddruk is een beetje* ***te*** *hoog* your blood-pressure is up a bit/is a bit on the high side; *de prijs is een beetje* ***te*** *hoog voor mij* the price is a bit too high/steep for me, I find the price a bit on the high side; *de hoge* ***tonen*** the high notes; *het hoogste* ***woord*** *voeren* do most of the talking, dominate/monopolize the conversation; *het hoge* ***woord*** *moest eruit* the truth had to be told/come out; *de prijzen* ***zijn*** *hoger* ***geworden*** prices have gone up/risen/increased; *het* ***zit*** *hem hoog* it rankles him, it sticks in his throat [5] ⟨niet tot het gewone beperkt⟩ high ⟨bw: ~ly⟩, ⟨verheven⟩ lofty, elevated, exalted ◆ ***het*** *hogere* higher things; *een hoog* ***ideaal*** a high/lofty ideal; *hij was gezien bij hoog en* ***laag*** he was liked by everyone; *het hogere* ***leven*** higher things [6] ⟨aanzienlijk⟩ high ⟨bw: ~ly⟩ ◆ *de hoge* ***adel/geestelijkheid*** the leading aristocracy/clergy; ⟨graven en hertogen, maar niet baronnen⟩ the high nobility; *hij heeft een hoge* ***betrekking*** he has a high position, ↓ he has a good job; *op hoog* ***bevel/verzoek*** by order of the authorities, by order; *hoge* ***gasten*** distinguished/illustrious guests; *hij is van hoge* ***geboorte*** he is of noble birth/origin, he comes from a noble/an aristocratic family; ⟨inf⟩ *een hoge* ***ome/piet*** a VIP/bigshot/bigwig/high-up, a big noise/wheel/gun; ⟨mil⟩ a brass hat; ⟨vnl mil⟩ top brass ⟨mv⟩; *een hoge* ***waardigheid*** great dignity [7] ⟨noordelijk⟩ high ⟨bw: ~ly⟩, northerly ◆ *in het hoge* ***Noorden*** in the high/extreme North; ⟨noordpoolgebied ook⟩ in the Arctic [•] *hoog* ***aan*** *de wind zeilen* sail close to the wind; *je kunt hoog of* ***laag*** *springen maar ik doe het toch niet* I'm not going to do it whether you like it or not/whatever you do; ⟨sprw⟩ *als de nood 't hoogst is, is de redding nabij* the darkest hour is just/that before the dawn; ⟨sprw⟩ *hoge bomen vangen veel wind* the bigger they are, the harder they fall; great winds blow upon high hills; a great tree attracts the wind; ⟨sprw⟩ *edel van hart is beter dan hoog van afkomst* kind hearts are more than coronets

hoogachten [ov ww] esteem highly, hold in great esteem, respect/regard highly, have a high regard for ◆ *hoogachtend* ⟨bij Dear Sir⟩ yours faithfully; ⟨bij Dear Mr Smith⟩ yours sincerely

hoogachtend [bw] respectfully

hoogachting [de^v] esteem, respect, regard ◆ *verblijven wij met de* ***meeste*** *hoogachting* we remain yours faithfully/sincerely

hoogaltaar [het, de^m] high altar

hoogbegaafd [bn] highly gifted/talented

hoogbejaard [bn] very old, aged, advanced in years

Hoog-België [het] (the) Ardennes

hoogbloei [de^m] heyday

hoogblond [bn] blond, fair, golden, ⟨ook scherts voor rood⟩ reddish

hoogbouw [de^m] high-rise block(s)/building(s)/flats

hoogconjunctuur [de^v] [1] ⟨ec⟩ (period of) boom ◆ *dat kan alleen in een* ***tijd*** *van hoogconjunctuur* this is only possible in times of boom/when the economy is booming [2] ⟨periode waarin iets grote opgang maakt⟩ boom

hoogdag [de^m] ⟨in België; r-k⟩ high day

hoogdekker [de^m] ⟨luchtv⟩ high-wing aeroplane

hoogdravend [bn, bw] high-flown, stilted, swollen, bombastic, pompous, grandiloquent, magniloquent ◆ *een hoogdravende* ***rede*** a grandiloquent speech; *een hoogdravende* ***stijl*** a high-flown style; *(op) een hoogdravende* ***toon*** in a rhetorical manner

hoogdruk [de^m] ⟨drukw⟩ [1] ⟨druktechniek⟩ relief printing, letterpress (printing) [2] ⟨lithografie⟩ relief lithography

[1]**Hoogduits** [het] (standard) German, ⟨taalk⟩ High German

[2]**Hoogduits** [bn] (standard) German, ⟨taalk⟩ High German

hoogeerwaarde [de] ⟨in titel⟩ the Very Rev(erend), the Rev

hoogfeest [het] high feast(day), ⟨vero⟩ high day ◆ *het hoogfeest van* ***Pasen*** the high feast of Easter

hoogfrequent [bn] high-frequency ◆ *hoogfrequente* ***versterkers*** high-frequency amplifiers

hooggaand [bn] [1] ⟨hoog golvend⟩ heavy, (running) high [2] ⟨hooglopend⟩ violent, flaming

hooggeacht [bn] highly/much/greatly esteemed ◆ *hooggeachte* ***heer*** ⟨aanhef brief⟩ Dear Sir

hooggebergte [het] ⟨aardr⟩ high mountains

hooggeboren [bn] ⟨in titel⟩ count(ess)

hooggeëerd [bn] highly honoured ◆ *hooggeëerd* ***publiek!*** Ladies and Gentlemen!

hooggekwalificeerd [bn] [1] ⟨van personen⟩ highly qualified [2] ⟨van werkzaamheden⟩ high-ranking, highly-skilled

hooggeleerd [bn] ◆ *de hooggeleerde* ***heer/professor*** *X* ⟨titel⟩ Professor X

hooggelegen [bn] high, elevated ◆ *een hooggelegen* ***oord*** *in de Rocky Mountains* a place situated high up in the Rocky Mountains

hooggeplaatst [bn] highplaced, highly placed, high-ranking ◆ *hooggeplaatste* ***ambtenaren*** highly placed/senior officials; *hooggeplaatste* ***personen*** highplaced/highly placed persons

hooggerechtshof [het] Supreme Court

hooggeschat [bn] highly esteemed ◆ *onze hooggeschatte* ***vrijheid*** our much-prized freedom/liberty

hooggeschoold [bn] highly skilled

hooggeschoolde [de^m] well-educated person

hooggesloten [bn] high-necked

hooggespannen [bn] [•] *hooggespannen* ***verwachtingen*** high hopes

hooggestemd [bn] high ◆ *hooggestemde* ***verwachtingen*** high/great expectations, high hopes; *hooggestemd* ***zijn*** be on a high

hooggestreng [bn] ⟨m.b.t. hogere officieren⟩ Colonel, Captain ⟨enz.⟩, ⟨m.b.t. hogere ambtenaren⟩ ..., Esq

hooggewaardeerd [bn] highly valued/appreciated ◆ *de hooggewaardeerde* ***medewerking*** the highly valued assistance

hoogglans [de^m] (high-)gloss paint

hoogglanslak [de^m] (high-)gloss paint

hooggradig [bn] high-grade

hooghartig [bn, bw] haughty ⟨bw: haughtily⟩, proud, supercilious, arrogant, ⟨inf⟩ hoity-toity ◆ *hooghartig* ***ant-***

woorden answer haughtily; *een hooghartige **blik*** a supercilious look; *een hooghartige **houding** aannemen* assume a haughty/proud attitude
hooghartigheid [de^{v}] haughtiness, hauteur, condescension, arrogance, ⟨inf⟩ hoity-toity
hoogheemraadschap [het] District water control board
hoogheid [de^{v}] highness ◆ *Uwe **Doorluchtige** Hoogheid* Your Serene Highness; ***Hare/Zijne** (Koninklijke) Hoogheid* Her/His (Royal) Highness
hooghouden [ov ww] honour, ⟨vnl. traditie⟩ keep up ◆ *de **eer** hooghouden* keep one's honour
hoogkoor [het] presbytery, sanctuary
Hoogl. [afk] (Hoogleraar) Prof
hoogland [het] [1] ⟨hoog gelegen land⟩ highland [2] ⟨aardr⟩ highland, plateau ◆ *de **Schotse** Hooglanden* the Scottish Highlands
hooglandbaan [de] high altitude track
hooglander [de^{m}] Highlander ◆ ***Schotse** hooglander* Scottish Highlander
hooglands [bn] highland
hoogleraar [de^{m}] professor ◆ *hoogleraar **aan** de Universiteit van Amsterdam* professor in the University of Amsterdam; ***buitengewoon** hoogleraar* extraordinary professor; ***gewoon** hoogleraar* (full) professor; *hij is benoemd tot hoogleraar **in** de informatica* he has been appointed professor of computer science; ***kerkelijk** hoogleraar* denominational professor
hoogleraarschap [het] professorship ◆ *het hoogleraarschap **bekleden*** hold a professorship; *een **bijzonder** hoogleraarschap* a named professorship/chair
hooglicht [het] [1] ⟨bk⟩ highlights [2] ⟨foto⟩ highlight area
Hooglied [het] Song of Songs, Canticles ◆ *het Hooglied van **Salomo*** the Song of Solomon
hooglijk [bw] highly, greatly ◆ *hooglijk **verbaasd** zijn* be highly surprised
hooglopend [bn] high, violent ◆ *zij hebben hooglopende **ruzie*** they are having a violent quarrel/flaming row
hoogmis [de] ⟨r-k⟩ high mass ◆ *de hoogmis **opdragen*** celebrate high mass; ⟨fig⟩ *de hoogmis **van** de politiek* the mecca/holy shrine of politics
hoogmoed [de^{m}] pride, haughtiness ⊡ ⟨sprw⟩ *hoogmoed komt voor de val* pride goes before a fall
hoogmoedig [bn, bw] proud ⟨bw: ~ly⟩, haughty, arrogant ◆ *hoogmoedig **gedrag*** arrogance
hoogmoedswaan [de^{m}] → **hoogmoedswaanzin**
hoogmoedswaanzin [de^{m}], **hoogmoedswaan** [de^{m}] megalomania, delusions of grandeur
hoogmogend [bn] ⟨gesch⟩ high and mighty ◆ *hoogmogende **heren*** lofty members of the States-General
hoogmoleculair [bn] (being) of high molecular weight/value
hoognodig [bn, bw] highly necessary, much/urgently needed ◆ ⟨zelfstandig (gebruikt)⟩ *hij doet/koopt alleen **het** hoognodige/hoogstnodige* he only does/buys the bare necessities/what is strictly necessary; *het **is** hoognodig dat er een onderzoek ingesteld wordt* an investigation is urgently needed/highly necessary; *hij **moest** hoognodig* he was dying to go (to the lavatory); ⟨inf; BE⟩ he was taken/caught short; *er **moet** hoognodig iets **gebeuren/gedaan worden*** sth. needs to be done urgently; *een hoognodige **reparatie*** an urgently needed repair
hoogopgeleid [bn] highly-educated
hoogoplopend [bn] ⊡ *een hoogoplopende **ruzie*** a screaming/blinding row; ⟨inf⟩ a right old row
hoogoven [de^{m}] blast-furnace
hoogovenslakken [de^{mv}] furnace slag
hoogpolig [bn] deep-pile
hoogrendementsketel [de^{m}] high efficiency boiler
hoogrood [bn] bright/deep red, scarlet ◆ *een hoogrode **kleur** krijgen* turn scarlet, go bright red; *(van nature) een hoogrode **kleur** hebben* have a florid complexion/face
hoogschatten [ov ww] esteem/value highly
hoogseizoen [het] high season ◆ ***buiten** het hoogseizoen* out of season; ***in/tijdens** het hoogseizoen* in/during the high season
hoogsensitief [bn] highly sensitive
hoogslaper [de^{m}] high/raised bed
hoogspanning [de^{v}] high tension/voltage ◆ ⟨fig⟩ ***onder** hoogspanning staan* be under stress/subjected to great stress; ⟨fig⟩ *op het ministerie werd **onder** hoogspanning gewerkt* people worked under high pressure at the ministry
hoogspanningskabel [de^{m}] high-voltage cable, high-tension cable, power (transmission) line
hoogspanningsmast [de^{m}] ⟨elek⟩ power pylon
hoogspanningsnet [het] high-tension network, ⟨landelijk⟩ national grid
hoogspringen [ww] high jump(ing)
hoogspringer [de^{m}], **hoogspringster** [de^{v}] high-jumper
hoogspringster [de^{v}] → **hoogspringer**
[1]**hoogst** [het] [1] ⟨bovenkant, top⟩ top, highest ◆ ⟨in België⟩ ***op** het hoogste* on the top floor [2] ⟨het meeste, uiterst mogelijke⟩ utmost ◆ ***op** zijn hoogst* ⟨op het hoogste punt⟩ at its height/highest; ⟨maximaal⟩ at (the) most/the utmost; *je krijgt **op** zijn hoogst wat strafwerk* at the very worst you'll be given some lines; ***ten** hoogste* ⟨ten zeerste⟩ highly, greatly; ⟨maximaal⟩ not exceeding, at (the) most; *een boete van **ten** hoogste dertig euro* a fine of up to/not exceeding thirty euros, a maximum fine of thirty euros
[2]**hoogst** [bw] highly, extremely, most ◆ *hoogst **onbeleefd*** most/extremely rude; *hoogst **ongebruikelijk*** highly/most/extremely unusual; *hoogst **(on)waarschijnlijk*** highly (un)likely; *hij was hoogst **verbaasd*** he was most/extremely surprised; *hoogst **zelden*** extremely rarely, very seldom/occasionally; ⟨inf⟩ once in a blue moon
hoogstaand [bn] high-minded, (high-)principled, ⟨aangelegenheid⟩ edifying ◆ *een hoogstaand **mens*** a high-minded person, a person of good character/of high moral standing; *een man met hoogstaande **principes*** a man of high principles; *het was geen hoogstaand **schouwspel*** it was a rather unedifying spectacle
hoogstam [de^{m}] standard (tree)
hoogstammig [bn] tall, ⟨heester, vruchtboom⟩ standard, ⟨bosb⟩ timber ◆ *hoogstammig **hout*** forest/straight timber; *een hoogstammige **roos*** a standard/long-stemmed rose
hoogstandje [het] tour de force ◆ *een **intellectueel** hoogstandje* an intellectual tour de force, intellectual fireworks
hoogstbiedende [de] highest bidder
hoogsteigen [bn] ⊡ *de Koningin in hoogsteigen **persoon*** the Queen, no less; no less a person than the Queen
hoogstens [bw] [1] ⟨ten hoogste⟩ at the most, at (the very) most, up to, no(t) more than, at the outside, ⟨form⟩ not exceeding ◆ *hoogstens **twaalf*** twelve at the (very) most, up to twelve, no(t) more than twelve; *in tien of hoogstens **veertien** dagen* in 10 days, two weeks at the outside; *bedragen van hoogstens **zestig** euro* amounts not exceeding/(of) up to 60 euros [2] ⟨in het ergste geval⟩ at worst, at the outside ◆ *hoogstens **kan** hij u de deur wijzen* the worst he can do is show you the door [3] ⟨in het gunstigste geval⟩ at best
hoogstnodig [bn] absolutely/strictly necessary ◆ *alleen **het** hoogstnodige kopen* buy only the bare necessities; *alleen **het** hoogstnodige meebrengen* bring only what is absolutely/strictly necessary; *de hoogstnodige **reparaties*** the most urgent repairs
hoogstonschuldig [bn] utterly/absolutely harmless
hoogstpersoonlijk [bw] in person, personally, myself, yourself, himself ⟨enz.⟩
hoogstwaarschijnlijk [bn, bw] most likely/probable,

⟨bijwoord ook⟩ in all probability ◆ *hoogstwaarschijnlijk **komt** hij niet* most likely/probably he won't come, (the) chances/the odds are he won't come, ten/hundred to one he won't come

hoogte [de^{v}] 1 ⟨verticale afmeting⟩ height ◆ *een hoogte **bereiken** van* reach/rise to a height/level/altitude of, ↑ attain a height/level/altitude of; ⟨boom, plant, dier ook⟩ grow to a height of; *de hoogte van die **berg** is 1500 m* ⟨van voet tot top⟩ the height of that mountain is 1500 m, that mountain is 1500 m high; *de hoogte van de **kamer*** the height of the room; *de hoogte van de **toren*** the height of the tower; *wat een hoogte!* what a height!, isn't it high! 2 ⟨afstand⟩ height, ⟨peil, niveau⟩ level, altitude ◆ *de hoogte van die **berg** is 1500 m* ⟨boven zeeniveau⟩ the height of that mountain is 1500 m, that mountain is 1500 m high; *op **gelijke** hoogte met de vloer* level/flush with the floor, on a level with/on the same level as the floor; *op **geringe/grote** hoogte vliegen* fly at (a) high/low altitude; ⟨luchtv⟩ *hoogte **krijgen/verliezen*** gain/lose height; ⟨fig⟩ *tot **op** welke hoogte?* to what extent?, how high/far?; ***op** een hoogte van 7000 m* at a height/altitude of 7000 m; ***ter** hoogte **van** zijn schouders* at shoulder height; *de hoogte van de **waterspiegel*** the level of the water, the water level; ⟨fig⟩ *tot op **zekere** hoogte hebt u gelijk* you're right up to a point, to some/a certain extent you're right; ⟨fig⟩ *Nederland is leuk tot op **zekere** hoogte* Holland is nice as/so far as it goes 3 ⟨vrije ruimte boven iets anders⟩ height ◆ ⟨fig⟩ *zich op **eenzame** hoogte bevinden* be unique; *op **gelijke** hoogte staan met* be (on a) level with, be up to the level of; ⟨fig ook⟩ be on a par with, be square with; ⟨fig⟩ *de prijzen **gingen** de hoogte **in*** prices went up/rose; ⟨sterker⟩ prices rocketed/went way up/went sky-high/soared; *tot **grote** hoogte stijgen* ⟨ook fig⟩ rise to a great height; ***in** de hoogte/de hoogte **in*** up(wards); *de hoogte **ingaan*** go up, rise; ⟨vliegtuig ook⟩ ascend; ⟨fig⟩ *hij deed erg **uit** de hoogte* he was very supercilious/superior, ⟨inf⟩ he was very snooty/uppish; ⟨fig⟩ ***uit** de hoogte doen tegen iemand* treat s.o. high-handedly; ⟨fig⟩ ***uit** de hoogte op iemand neerzien* look down (up)on s.o. 4 ⟨verheffing van de bodem⟩ height, rise, ↑ elevation, ↑ eminence ◆ *de vijand **bezette** de hoogte* the enemy occupied the high ground 5 ⟨m.b.t. klanken⟩ pitch ◆ *tonen van **gelijke** hoogte* notes of the same pitch 6 ⟨wisk⟩ height ◆ ***lengte, breedte** en hoogte* length, breadth and height 7 ⟨aardr⟩ level, ⟨latitude⟩ latitude, ⟨m.b.t. hemellichaam⟩ elevation, altitude ◆ *hoogte **nemen*** take the sun, ⟨sl⟩ shoot the sun, determine one's position/latitude; ⟨fig⟩ take/have a look, see how the land lies; ***op** de hoogte van/**op** dezelfde hoogte als* on the same level as, on/at the same latitude as; ⟨fig⟩ on a level/par with; *de vloot kruiste **ter** hoogte **van** Texel* the fleet was cruising off Texel; *er staat een file **ter** hoogte **van** Woerden* there is a traffic jam/tailback near Woerden 8 ⟨register van stem, instrument⟩ high register ▪ *hij kan er **geen** hoogte van krijgen* he can't make it out, he doesn't get it, it's beyond him; *ik kan **geen** hoogte van hem krijgen* I don't understand him, I find him puzzling; ⟨inf⟩ I can't make/figure him out; *de hoogte **hebben*** be merry/tipsy; ***op** de hoogte blijven* keep o.s. informed, keep o.s. abreast of things; ⟨inf⟩ keep in touch/up to date; *bent u al **op** de hoogte?* have you heard (about) what's going on?, are you in the know?; *slecht **op** de hoogte zijn* be ill-informed, ⟨inf⟩ be out of touch; *zover ik **op** de hoogte ben* to the best of my knowledge; *iemand **op** de hoogte houden* keep s.o. informed (of things), keep s.o. abreast of things; ⟨inf⟩ keep s.o. posted/up to date; *zich van iets **op** de hoogte stellen* acquaint o.s. with sth., make o.s. acquainted/au fait with sth., ascertain sth., inform o.s. about/of sth.; *volledig van iets **op** de hoogte zijn* be well informed about/acquainted with sth.; ⟨inf⟩ be well up on sth.; *iemand **op** de hoogte brengen/stellen van iets* acquaint s.o. with sth., make s.o. acquainted/au fait with sth., inform s.o. about/of sth.; ⟨inf⟩ fill s.o. in on sth., put s.o. in the picture about sth.; *indien u verhinderd bent wordt u verzocht ons hiervan **op** de hoogte te stellen* please let us know if you are unable to come

hoogtebalk [de^{m}] height sign

hoogtecirkel [de^{m}] 1 ⟨verticaalcirkel⟩ vertical circle 2 ⟨instrument⟩ almucantar, almacantar

hoogtefront [het] ⟨meteo⟩ high front

hoogtefrontvlak [het] ⟨meteo⟩ front

hoogtegraad [de^{m}] ⟨aardr⟩ latitude

hoogtegrens [de] ⟨luchtv⟩ ceiling

hoogtekaart [de] contour map, ⟨met reliëf⟩ relief map

hoogtelat [de] ⟨amb⟩ gauge rod

hoogtelijn [de] 1 ⟨wisk⟩ altitude 2 ⟨niveaulijn⟩ contour (line)

hoogtemerk [het] benchmark

hoogtemeter [de^{m}] altimeter, ⟨door middel van bepaling van kookpunt van vloeistoffen⟩ hypsometer

hoogtemeting [de^{v}] altimetry, hypsometry

hoogteparallel [de] ⟨scheepv⟩ altitude parallel, circle of altitude

hoogtepunt [het] 1 ⟨fig⟩ height, peak, high(est) point, climax, highlight, high point, apex, apogee ◆ *het hoogtepunt van de **avond*** ⟨ook⟩ the highlight of the evening; *zijn/haar hoogtepunt **bereiken in*** culminate in; *de crisis **heeft** haar hoogtepunt **bereikt*** the crisis has come to a head; *een hoogtepunt **in** de moderne schilderkunst* a high point/a milestone in modern painting; ***naar** een hoogtepunt **voeren,** een hoogtepunt **doen bereiken*** bring to a climax/peak; *de dollar steeg tot een **nieuw** hoogtepunt* the dollar rose to a new high/reached a record level; *toen de storm **op** het hoogtepunt was* when the storm was at its height; ***op** het (absolute) hoogtepunt van zijn roem/carrière* at the (very) height/peak/pinnacle of his fame/glory; at the (very) height/peak/zenith/apex of his career; *hij is **over** zijn hoogtepunt **heen*** he is over the hill/spent, he has shot his bolt, he is past his peak; *dit is het hoogtepunt **van/in** zijn carrière* this is the high point of/in his career, this is the peak/culmination/apex of his career 2 ⟨wisk⟩ orthocentre 3 ⟨orgasme⟩ orgasm, climax

hoogterecord [het] record height, ⟨inf⟩ all-time high, ⟨luchtv⟩ altitude record

hoogteroer [het] elevator

hoogtestage [de] high altitude training

hoogtestraling [de^{v}] cosmic radiation

hoogtestroming [de^{v}] high-altitude air current

hoogtetraining [de] (high-)altitude training

hoogtetrog [de^{m}] high-altitude trough

hoogteverlies [het] 1 ⟨luchtv⟩ loss of altitude 2 ⟨ruimtev⟩ decay

hoogteverschil [het] difference in height/level/altitude ◆ *een hoogteverschil van 300 meter **overbruggen*** bridge a 300 metre difference in height/altitude, bridge a 300 metre gap

hoogtevlucht [de^{m}] high-altitude flight

hoogtevrees [de] fear of heights, ⟨med⟩ acrophobia ◆ *last/geen **last** van hoogtevrees hebben* suffer from/not suffer from a fear of heights, have no/a (good) head for heights

hoogtewerker [de^{m}] steeplejack

hoogteziekte [de^{v}] altitude sickness

hoogtezon [de] sun lamp, sunray lamp ◆ ***onder** de hoogtezon liggen* lie under the sun lamp

hoogtij [het] 1 ⟨bloeiperiode⟩ heyday, acme ◆ *het **is** hoogtij* the tide is in, it's high tide; *toen het fascisme hoogtij **vierde*** when fascism was/ran rampant/reigned supreme; *hoogtij **vieren*** be/run rampant, be rife, reign supreme 2 ⟨hoogwater⟩ high tide

hoogtijd [de^{m}] ⟨r-k⟩ feast(day) ◆ *de hoogtijd van **Kerstmis*** the feast of Christmas

hoogtijdag [de^{m}] feast(day) ◆ ⟨fig⟩ *het zijn hoogtijdagen voor de sportliefhebbers* this week/... is a feast/treat for sports fans

hooguit [bw] at the most, at (the very) most, no(t) more than, at the outside ♦ *hooguit **twintig** boeken* at most/no(t) more than 20 books, 20 books at the (very) most/at the outside

hoogveen [het] [1] ⟨boven de grondwaterspiegel gevormd veen⟩ (high) moorland, peat moor, ⟨grondsoort⟩ high moor peat [2] ⟨streek⟩ moor(s)

hoogverheven [bn] [1] ⟨zeer verheven⟩ lofty, exalted, sublime [2] ⟨in hoog reliëf⟩ raised, in (high) relief, ⟨letters⟩ embossed

hoogverraad [het] high treason

hoogvlakte [de^{v}] ⟨aardr⟩ plateau, tableland, upland plain

hoogvlieger [de^{m}] ⟨fig⟩ highflyer, ⟨inf⟩ whizz kid ♦ *'t is **geen** hoogvlieger* he's no genius, he won't set the world on fire, ⟨BE ook⟩ he won't set the Thames on fire, ⟨vnl BE⟩ he's not what you'd call a bright spark/a whizz kid

hoogwaardig [bn] [1] ⟨van hoge waarde⟩ high-quality, ⟨ind ook⟩ high-grade ♦ *hoogwaardig **erts/staal*** high-grade/high-quality ore/steel [2] ⟨r-k⟩ eminent, venerable ♦ *(Zijne) Hoogwaardige **Excellentie*** (His) Excellency; ⟨anglic⟩ the Right Reverend; ⟨aartsbisschop⟩ (His) Grace; ⟨kardinaal⟩ (His) Eminence; ⟨zelfstandig (gebruikt)⟩ ***het** hoogwaardig(e)* the host; *het Hoogwaardige **Sacrament*** the host

hoogwaardigheid [de^{v}] [1] ⟨hoedanigheid⟩ eminence, venerability, ⟨ind⟩ high quality [2] ⟨hoog ambt⟩ high/eminent office, high/eminent post, high/eminent position [3] ⟨aanspreektitel⟩ Your Excellency, ⟨anglic bisschop⟩ Right Reverend Sir, ⟨anglic aartsbisschop⟩ Your Grace, ⟨kardinaal⟩ Your Eminence ♦ ***Zijne** Hoogwaardigheid de bisschop van Haarlem* The Most Reverend Bishop of Haarlem ⟨naam⟩ [4] ⟨titel⟩ the Most Reverend, ⟨anglic bisschop⟩ the Right Reverend, ⟨anglic aartsbisschop⟩ His Grace, ⟨kardinaal⟩ His Eminence

hoogwaardigheidsbekleder [de^{m}] dignitary

hoogwater [het] [1] ⟨ogenblik dat de vloed op zijn hoogst is⟩ high tide ♦ ***bij/met** hoogwater* at high tide/water, at the flood (tide); *het **is/wordt** hoogwater* the tide is in/is coming in [2] ⟨hoge waterstand⟩ high water [3] ⟨hevige aandrang tot urineren⟩ (a) bursting bladder, ⟨inf⟩ (a) desperate need to go [•] ⟨fig⟩ *hij **heeft** hoogwater, het **is** bij hem hoogwater* his trousers are at half-mast

hoogwaterlijn [de] high-water mark, ⟨zee⟩ high-tide mark

hoogwaterpeil [het] high-water level, ⟨zee⟩ high-tide level

hoogwelgeboren [bn] ± Right Honourable

hoogwerker [de^{m}] tower waggon/^{A}wagon, cherry picker, hydraulic arm

hoogzwanger [bn] heavily pregnant

hooi [het] hay ♦ *het hooi **binnenhalen/mennen*** bring/fetch in the hay; ⟨fig⟩ *het hooi over de balk **gooien*** burn money, throw/splash/money about; ***in** het hooi slapen* sleep in/on the hay; *hooi **keren/luchten*** turn over/toss/ventilate hay; ⟨fig⟩ *het hooi **sparen*** count the pennies; *te **veel** hooi op zijn vork nemen* ⟨fig⟩ bite off more than one can chew, have too much on one's plate; *hooi **winnen*** make hay; *het hooi aan/in oppers **zetten*** cock the hay [•] ***te** hooi en te gras* haphazardly, in snatches, at odd moments

hooibeestje [het] [1] ⟨vlinder⟩ small heath (butterfly) [2] ⟨donderbeestje⟩ gnat, ⟨vnl BE⟩ thrips

hooiberg [de^{m}] [1] ⟨stapel hooi⟩ haystack, hayrick [2] ⟨stellage⟩ rickstand, stackstand

hooiblazer [de^{m}] pneumatic hay conveyor

hooiboer [de^{m}] hay-farmer

hooiboter [de] winter butter

hooibouw [de^{m}] hay crop/harvest

hooibroei [de^{m}] hay heating, hay/mow burn, (over)heating of hay ♦ *bedorven **door** hooibroei* mowburnt

[1]**hooien** [onov ww] ⟨hooi winnen⟩ make hay, ⟨AE ook⟩ hay ♦ ***aan** het hooien zijn* be haymaking; ***het** hooien is weer begonnen* (the) haymaking has started again; *het **is** hooien en weerom hooien* ⟨fig⟩ you scratch my back and I'll scratch yours, one good turn deserves another; *wij gaan niet **uit** hooien* ⟨fig⟩ slow down, the place isn't on fire! [•] ⟨sprw⟩ *men moet hooien als de zon schijnt* make hay while the sun shines; strike while the iron is hot

[2]**hooien** [ov ww] ⟨hooi winnen van⟩ put under hay, hay ♦ *een stuk **land** hooien* put a piece of land under hay, hay a piece of land

hooier [de^{m}], **hooister** [de^{v}] haymaker

hooigraaf [de] hay knife

hooigras [het] mowing-grass

hooihaak [de^{m}] hay hook

hooihark [de] hay rake

hooihotel [het] hay hotel

hooikaas [de^{m}] ± winter cheese

hooikanon [het] (pneumatic) hay conveyor (with suction hose)

hooikist [de] haybox

hooikoorts [de] hay fever, ⟨med⟩ pollinosis ♦ *(veel last van) hooikoorts **hebben*** suffer (badly) from hay fever, have/get hay fever (badly)

hooiland [het] meadowland, meadows, ⟨met hooi erop⟩ hayfields ♦ *land **als** hooiland gebruiken* put land under hay, hay land

hooimaand [de] ⟨juli⟩ haymaking/^{A}haying month

hooimachine [de^{v}] haymaking machine, hay loader

hooimijt [de] haystack, hayrick

hooioogst [de^{m}] [1] ⟨het inzamelen⟩ haymaking ♦ *de hooioogst **is begonnen*** (the) haymaking has started [2] ⟨verkregen hooi⟩ hay crop/harvest

hooiopper [de^{m}] haycock

hooipers [de] hay press, ⟨rijdend⟩ hay baler

hooirook [de] haycock

hooiruiter [de^{m}] fence rack, rickstand, drying rack for hay

hooischelf [de] haystack, hayrick

hooischudder [de^{m}] haytedder

hooischuur [de] (hay-)barn

hooister [de^{v}] → **hooier**

hooitas [de^{m}] [1] ⟨hooistapel⟩ haystack, hayrick [2] ⟨hooischuur⟩ (hay-)barn

hooitel [het] hay hotel

hooitijd [de^{m}] haymaking season/time, haying time ♦ ***in** de hooitijd* during/in the haymaking season, at haymaking time, during/at haying time

hooivlinder [de^{m}] yellow/sulphur (butterfly) ♦ ***gele** hooivlinder* pale clouded yellow/sulphur (butterfly)

hooivork [de] pitchfork, hay fork

hooiwagen [de^{m}] [1] ⟨wagen⟩ haycart, hay-wagon [2] ⟨spinachtig dier⟩ harvestman, harvest, spider, ⟨inf; AE⟩ daddy long-legs

hooiweer [het] haymaking weather ♦ *het is **goed** hooiweer* it's good/fine haymaking weather

hooizolder [de^{m}] hayloft

hooked [bn] hooked

hooligan [de^{m}] hooligan

hooliganisme [het] hooliganism

hoon [de^{m}] scorn, derision, taunts, jeers, sneers ♦ *spot die **tot** hoon wordt* mockery that borders on derision

hoongelach [het], **hoonlach** [de^{m}] jeering, jeers, howls of derision ♦ ***op** hoongelach **onthalen*** greet with jeers/with howls of derision

hoonlach [de^{m}] → **hoongelach**

[1]**hoop** [de^{m}] [1] ⟨opeenhoping⟩ heap, pile ♦ ⟨in België⟩ *hoop **en al*** at the most; ***op** een hoop leggen* pile/stack up; ***op** een hoop(je) vegen* sweep (together) into a heap/pile; *gooi het hout maar **op** de hoop* just throw the wood on the pile; *je kunt niet alles/iedereen **op** één hoop/**op** de grote hoop gooien* ⟨fig⟩ you can't tar everyone with the same brush/put eve-

rything/everyone in one, you can't throw/box/lump everything/everyone together; *een hoop **stenen/zand*** a heap/pile of stones/sand; *een hoop **stof*** a heap/pile of dust [2] ⟨(m.b.t. zaken) grote hoeveelheid⟩ great/good deal, lot, ⟨inf⟩ load, heaps ◆ ***bij** hopen* in dozens/scores, ⟨mensen ook⟩ in droves, ⟨zaken ook⟩ in heaps/piles; *een hoop/hopen **brieven*** a pile/piles/tons of letters; *een hoop **gelul*** a load of bullshit/crap/^{B}old cock; *het gaat hier niet van de **grote** hoop* money doesn't grow on trees, you know!; *ik **heb** er hopen van* I've got heaps/lots/tons (of it/them); *ik **heb** een hoop **gegeten*** I've eaten a lot/lots/heaps/a great deal/a good deal; *ik **heb** nog een hoop **te doen*** I've still got a lot/lots/plenty/tons/a great deal/a good deal to do; *een **hele** hoop (boeken)* a good many (books); ⟨boeken⟩ a whole pile of books; *dat **kost** een hoop (geld)* that'll cost a bundle/^{B}packet, that'll set you back (a fair bit); *een hoop **last/narigheid*** a (whole) lot of trouble, a packet/load of trouble; *een hoop **leugens*** a pack of lies; *er een hoop **rijker/beter** op worden* be a lot better off; *een hoop **tegenslag(en)/tegenwerking*** a great/good deal/a lot of set-backs/opposition; *er is van de week een hoop **water** gevallen* it has rained a lot this week [3] ⟨uitwerpselen⟩ muck, ⟨inf⟩ business, job, mess ◆ *het kind **heeft** een hoop(je) **gedaan*** the child has done its business [4] ⟨(m.b.t. personen en dieren) menigte⟩ crowd, mass, ⟨form⟩ throng, ⟨inf⟩ bunch, ⟨dieren⟩ herd, flock ◆ *de **grote** hoop* the (broad) masses, the crowd, the common herd; *een hoop **kinderen/koeien*** a crowd/troop/herd of children, a herd of cows, ↓ a load of cows ⊡ ***op** een hoop **staan*** be in a huddle, be crowded/huddled together; ***te** hoop **lopen*** gather/crowd/flock/huddle together; ⟨sprw⟩ *de duivel schijt altijd op de grootste hoop* the devil looks after his own; ± money makes money

^{2}**hoop** [de] [1] ⟨verwachting⟩ hope ◆ *onze hoop in bange **dagen*** the one we're pinning our hopes on; *ze is mijn **enige/laatste** hoop* she's my only/last hope; *er is **geen** hoop meer* there is no longer any hope, it's hopeless, all hope is lost; ***geen/weinig/alle** hoop geven dat* hold out no/little/every hope that; ***geloof,** hoop en **liefde*** faith, hope and charity; *hoop **geven*** give/offer/hold out hope; *weer hoop **geven*** rebuild/restore one's hopes; ***goede** hoop hebben* have high hopes, be hopeful; *nog/geen/**goede** hoop hebben (op iets)* still have hopes/have no hope/have every hope (of sth.); *ik **heb** hoop dat het lukken zal* I have hopes/every hope that it will succeed; ***ijdele** hoop* vain hope; ⟨als uitroep⟩ some hope!; ***in** de hoop op* in hopes/the hope of; ***in** de hoop dat ...* in the hope/in hopes that ...; ***in** de hoop verkeren dat* live in hope(s) that; ***in** de hoop dat ik u spoedig weerzie* in the hope of seeing/hoping to see you soon; *zolang er leven is, **is** er hoop* while there's life there's hope; *al onze hoop **is op** u **gevestigd*** we place all our hope in you; *zijn hoop **is** in rook **vervlogen*** his hopes have evaporated/gone up in smoke/faded to nothing; *hoop **koesteren*** entertain/cherish a hope; *weer/nieuwe hoop **krijgen*** regain hope, hope again; *de/alle hoop **laten varen*** abandon (all) hope; *hij had niet de **minste** hoop* he hadn't the least/slightest hope; ⟨inf; AE⟩ he hadn't a prayer (of hope); ***op** hoop van zegen* in (good) hope, ... and hope/hoping for the best; ⟨inf⟩ with one's fingers crossed; ⟨viss⟩ *varen **op** hoop van zegen* be paid by the catch; *met weinig hoop **op** succes* with little hope of success; *zijn hoop **op** God vestigen* place one's hope in God; *dat geeft (hem) hoop **op/dat*** that raises hopes/gives him the hope that; *weinig hoop **op** verandering geven* bring little promise/hold out little hope of change; *niet veel hoop hebben **op** een geslaagde afloop* have little hope/not be very hopeful of success; *de hoop niet **opgeven/verliezen*** not give up/lose hope, keep (on) hoping; *de hoop **opgeven/verliezen** dat ...* give up/lose hope that ...; *de hoop **opwekken*** raise/arouse/awaken hopes; *een **sprankje/vleugje** hoop* a flicker/flash/gleam/glimmer of hope; *hij had een/de **stille** hoop dat* he silently/secretly hoped that; ***tussen** hoop en vrees leven* be poised between hope and fear; ***tussen** hoop en vrees zweven* hover/waver between hope(s) and fear(s); *de hoop **uitspreken,** dat ...* express the hope that ...; ***valse** hoop **wekken*** arouse/awaken/raise false hopes; *zijn hoop op iemand/iets **vestigen*** pin one's hopes on/place one's hope in s.o./sth.; ***vol** hoop* full of hope; *alle hoop de bodem in slaan* dash/be a blow to/shatter one's hopes [2] ⟨persoon⟩ hope ◆ *de hoop van het **vaderland*** the nation's hope (for the future) ⊡ ⟨sprw⟩ *hoop doet leven* if it were not for hope, the heart would break; ± hope springs eternal in the human breast; ± while there is life there is hope

hoopgevend [bn] hopeful, ⟨veelbelovend ook⟩ promising ◆ *hoopgevend **klinken*** sound hopeful/promising; *dat is een hoopgevend **teken*** that is a hopeful sign; ***weinig** hoopgevend* discouraging, not very promising; *hoopgevende **woorden*** hopeful words, words of hope

hoopje [het] [1] ⟨stapeltje⟩ (little) heap/pile ◆ *een hoopje **as*** a (little) heap/pile of ash; *zijn kleren lagen **in** een hoopje op de grond* his clothes were (lying) in a heap on the ground; ⟨fig⟩ *een (zielig/ellendig) hoopje **mens*** a (pitiful/wretched) little creature/thing; ***op** een hoopje vegen* sweep (together) into a heap/pile; ***op** een hoopje bij elkaar staan/zitten* be huddled together [2] ⟨uitwerpselen⟩ ⟨inf⟩ business ◆ *een hoopje **doen*** do (one's) business, do a job

hoopvol [bn] [1] ⟨van hoop vervuld⟩ hopeful, optimistic, sanguine ◆ *hoopvolle **blikken*** hopeful looks; *iemand hoopvol **stemmen*** put s.o. in a hopeful/optimistic mood; *het **stemt** hoopvol* it's encouraging; *ze **waren** zeer hoopvol **gestemd*** (their) hopes were running high, they were in a very hopeful/optimistic/sanguine mood [2] ⟨veelbelovend⟩ hopeful, promising ◆ *een hoopvolle **opbloei/ontwikkeling*** a hopeful/promising upturn/development; *de toekomst **zag** er niet erg hoopvol **uit*** the future did not look very hopeful/promising/bright

^{1}**hoor** [de^{m}] ⊡ *het (recht van) hoor en **wederhoor** toepassen* listen to both sides/the other side (of the argument), hear both sides/the other side (of the argument)

^{2}**hoor** [tw] ⟨meestal onvertaald⟩ ◆ *leuk hoor!* very funny! ⟨met nadruk op very⟩; ha-ha!; *ja, hoor, ik kom!* oh yes/^{A}sure I'm coming!; *'t was fijn hoor!* it was really great; *niet vergeten, hoor!* don't forget now!, mind you don't forget!; *goed hoor, mooi gedaan!* great, well done!; *hij is erg aardig, hoor!* he's really nice!; *goed, hoor, doe dat maar!* fine, go ahead!; *ik jou geld lenen? nee hoor* me, lend you money? no chance/no way/fat chance/some chance/catch me doing that!; *ik jou oplichten? nee hoor/ik niet hoor* me, swindle you? perish the thought/wouldn't dream of it!; *ik dacht dat jij zou helpen, maar nee, hoor* I thought you'd help, but oh no/but no such luck/but not a bit of it!; *nou hoor, ik vond het maar een matige vertoning* well, (you know,) I must say I thought it was a rather mediocre performance

hoorapparaat [het], **hoortoestel** [het] hearing aid, ⟨inf⟩ deaf-aid

^{1}**hoorbaar** [bn] ⟨te horen⟩ audible ◆ ***duidelijk** hoorbaar zijn* be clearly audible; *haar Engelse accent is nog **goed** hoorbaar* you can still hear her English accent, ↑ her English accent is still quite/clearly audible; *het geluid was **nauwelijks** hoorbaar* the sound was barely audible; *een hoorbare **stilte*** an audible silence, ⟨scherts⟩ a deafening silence; *zijn stem **was** tot achterin hoorbaar* his voice carried (right/all the way) to the back; ***zich** hoorbaar **maken*** make o.s. heard

^{2}**hoorbaar** [bw] ⟨op waarneembare wijze⟩ audibly ◆ *mijn hart **klopte** hoorbaar* my heart was beating audibly, you could hear my heart beating

hoorbaarheid [de^{v}] audibility

hoorbril [de^{m}] hearing aid glasses, eyeglass hearing aid

hoorcollege [het] (formal) lecture

hoorcommissie [de^{v}] appeals commission/board

hoorder [de^{m}] ⟨form⟩ listener, hearer, ⟨mv ook⟩ audience

^{1}**hoorn** [de^{m}] [1] ⟨uitsteeksel aan de kop⟩ horn ⟨ook m.b.t. slak, insect⟩ ◆ *iemand koeien met **gouden** hoorns beloven* promise s.o. the moon/the earth; ⟨fig⟩ *zij **heeft** haar man hoorns **opgezet*** she's been unfaithful (to her husband); ⟨vero⟩ she's cuckolded/made a cuckold of her husband; *de stier nam hem **op** zijn hoorns* the bull tossed him (on his horns); ⟨fig⟩ *de hoorns **opsteken** tegen iemand* show s.o. one's teeth 2 ⟨uitwas⟩ horn ⟨ook m.b.t. maan, aambeeld, grammofoon⟩ 3 ⟨m.b.t. een telefoon⟩ receiver, mouthpiece ♦ *de hoorn erop **gooien*** slam the receiver down, ⟨inf⟩ slam the phone down; *de hoorn **neerleggen*** put the receiver down; ⟨inf⟩ hang up; *de hoorn van de haak **nemen*** pick up/lift the receiver 4 ⟨blaasinstrument⟩ horn, ⟨mil; signaalhoorn⟩ bugle ♦ ***Engelse** hoorn* English horn, cor anglais; ***op** de hoorn blazen* blow the horn 5 ⟨slakkenhuis⟩ conch, shell • *Hoorn van **Afrika*** Horn of Africa; *de hoorn des **overvloeds*** the horn of plenty, the cornucopia

²hoorn [het] horn ♦ *knopen worden **uit** hoorn gedraaid* buttons are made out of/from horn; *een heft **van** hoorn* a horn handle, a handle of horn

hoornaar [de^m] ⟨dierk⟩ hornet

hoornachtig [bn] horny, hornlike

hoornblad [het] 1 ⟨plaat van hoorn⟩ plate of horn 2 ⟨waterplant⟩ hornwort

hoornblazer [de^m] horn player, ⟨mil⟩ bugler, ⟨gesch⟩ hornblower

hoornblende [de] hornblende

hoornbloem [de] mouse-ear (chickweed), satinflower

hoorndol [bn] nuts, crazy, ⟨BE ook⟩ potty, ⟨vnl BE ook⟩ crackers, barmy ♦ *hij **werd** hoorndol van het lawaai* the noise drove him nuts/crazy/crackers/barmy/to distraction/round the bend

hoorndrager [de^m] 1 ⟨gehoornd dier, wezen⟩ horned creature 2 ⟨bedrogen echtgenoot⟩ deceived husband, ⟨vero⟩ cuckold

hoornen [bn] horn ♦ *een hoornen **heft*** a horn handle; *bril met een hoornen **montuur*** hornrimmed glasses

hoorngeschal [het] sound/blowing of horns, ⟨mil⟩ sound/blowing of bugles, sound/blowing of trumpets

hoornist [de^m] horn player, ⟨gesch⟩ hornblower, ⟨mv, in orkest ook⟩ horns, horn section

hoornklaver [de] bird('s)-foot

hoornlaag [de] epidermis, cuticle

hoornloos [bn] poll, polled, hornless

hoornschil [de] ⟨van koffieboon⟩ parchment

hoornsignaal [het] hornblast, blast on a horn, ⟨mil⟩ bugle-call, trumpet-call

hoornsteen [het] whin, whinsill, whinstone, hornstone

hoorntje [het] 1 ⟨kleine hoorn⟩ buglet 2 ⟨gebak⟩ cream horn 3 ⟨halvemaanvormig broodje⟩ croissant 4 ⟨ijsje⟩ cone, ⟨BE ook⟩ cornet 5 ⟨wesp⟩ hornet

hoornuil [de^m] horned owl, ⟨i.h.b. ransuil⟩ long-eared owl

hoornvee [het] horned cattle

hoornvlies [het] cornea

hoornvliescentrum [het] cornea bank

hoornvliesontsteking [de^v] keratitis, inflammation of the cornea

hoornvliestransplantatie [de^v] corneal grafting/transplant

hoornweefsel [het] horny tissue, ⟨form⟩ corneous tissue

hoorspel [het] radio play

hoortoestel [het] → **hoorapparaat**

hoorzitting [de^v] hearing ♦ *een **openbare** hoorzitting houden* hold a public hearing

hoos [de] 1 ⟨hevige wervelwind⟩ whirlwind, tornado 2 ⟨(van zeevissers) laars⟩ wader 3 ⟨hoes⟩ cover

hoosbak [de^m] Dutch scoop

hoosbui [de] heavy shower, downpour

hoosgat [het] sink, well

hoosvat [het] ba(i)ler, scoop

¹hop [de^m] 1 ⟨trekvogel⟩ hoopoe 2 ⟨mv; vogelfamilie⟩ Upupidae

²hop [de] 1 ⟨klimplant⟩ hop(plant) 2 ⟨vruchtkegels⟩ hops ♦ *hop **plukken*** pick hops, go hop-picking

³hop [tw] 1 ⟨om tot springen, dansen aan te zetten⟩ come on!, ⟨dansen⟩ on your feet! ♦ *hop, paardje, hop* giddy-up 2 ⟨jacht⟩ tally-ho

hopachtig [bn] hoplike, ⟨smaak ook⟩ hoppy

hopakker [de^m] hop field/garden/yard

hopbel [de] hop

hopbitter [het] ⟨scheik⟩ lupulin

hopbouw [de^m] hop growing, ↑hop cultivation

hope [de] ⟨form⟩ hope(s)

hopelijk [bw] I/let's hope, ⟨inf⟩ hopefully ♦ *hopelijk **komt** hij morgen* hopefully/I hope/let's hope he's coming tomorrow; *hopelijk **niet/wel!*** I hope so/not!, let's hope so/not!

¹hopeloos [bn] 1 ⟨wanhopig⟩ hopeless, desperate, despairing 2 ⟨uitzichtloos⟩ hopeless, desperate ♦ *je **bent** hopeloos* you're hopeless, I give up on you, I wash my hands of you; *een hopeloos **geval**/hopeloze **zaak*** a hopeless case/business; *het/de situatie **is** hopeloos* it/the situation is hopeless/desperate; *hopeloze **liefde*** hopeless/desperate love; *een hopeloze **onderneming*** a hopeless venture/undertaking; ⟨inf⟩ a dead loss; *een hopeloze **poging*** a hopeless/desperate attempt; *een hopeloze **strijd** voeren* fight a losing battle

²hopeloos [bw] ⟨op wanhopig makende wijze⟩ hopelessly, desperately ♦ *het gaat hopeloos **langzaam*** it's going desperately/painfully slowly; *hij is hopeloos **verliefd** op* he's hopelessly/desperately in love with, he's besotted with; *er hopeloos voor staan* be past praying for; ⟨inf⟩ have had it, be a goner

hopeloosheid [de^v] hopelessness, ⟨m.b.t. personen ook⟩ desperation

¹hopen [onov ww] 1 ⟨van hoop vervuld zijn⟩ hope (for) ♦ *de gehoopte **erfenis** kwam niet* the hoped-for inheritance failed to materialize; *half hopend **op** ...* half hoping (for) ..., in the half-hope that ...; *hopen **op** een spoedig einde van de oorlog/**op** een rustige oude dag* hope for a rapid end to the war/a peaceful old age 2 ⟨zijn vertrouwen stellen op⟩ hope (in) ♦ *hopen **op** God* hope in God, trust in God

²hopen [ov ww] 1 ⟨wensen⟩ hope (for), trust ♦ *we zullen het **beste** er maar van hopen* all we can do is hope (for the best)/keep our fingers crossed, we'll (just) hope for the best/keep our fingers crossed; *men hoopt **dat** ...* it is hoped that ...; *ik hoop wel **dat** ...* I do hope that ...; *ik hoop **dat** het goed met u gaat* I hope you are well, ↑I trust you are well; *ik hoop **het** voor je* I hope so for your sake; *met ons gaat het goed en wij hopen van/met u **hetzelfde*** we are well and we hope you are too, ↑we are well and we trust you are too; *het **is** te hopen* let's hope so, I hope so; *dat **is** niet te hopen* let's hope not, I hope not; *het **is** te hopen dat hij komt* it is to be hoped that he's coming; ⟨inf⟩ hopefully he's coming; *wij hopen u spoedig **te zien*** we hope to see/look forward to seeing you soon; *ik hoop **van** wel/**van** niet* I hope so/not; *tegen beter weten in (blijven) hopen* hope against hope 2 ⟨verwachten⟩ hope ♦ ***blijven** hopen* keep (on) hoping; *je kunt niet echt hopen **dat** het lukken zal* it's really too much hope/expect that it'll work; *men **kan** niet hopen hem nog tijdig te bereiken* there is no hope of reaching him in time; *ik hoop je daar **te zien*** I hope/expect to see you there; ↑I trust I'll see you there; *dat **zou** ik hopen* I should hope so; ⟨inf; BE⟩ I should jolly well hope so 3 ⟨opstapelen⟩ pile (up), heap (up) ♦ ***op** elkaar gehoopt* heaped together, ⟨mensen⟩ huddled together

hopje [het] coffee caramel/toffee ♦ ***Haagse** hopjes* Hague toffees

hopklaver [de] black medic, yellow trefoil, nonesuch (clover)

hopman [de^m] 1 ⟨padvinderij⟩ Scoutmaster 2 ⟨gesch⟩ captain

hopoogst [de^m] hop harvest

hoppekeest [de] ⟨in België⟩ hop shoot
hoppen [ov ww] hop
hopper [de^m] 1 ⟨voorraadruimte⟩ hopper 2 ⟨vaartuig⟩ hopper
hopperzuiger [de^m] pump dredger
hopsa [tw] → **hopsasa**
hopsasa [tw], **hopsa** [tw] ⟨tegen kind⟩ upsy-daisy, up you go
hopsen [onov ww] galumph
hopspruit [de] hop shoot
hopstaak [de^m] ⟨in België⟩ hop-pole
hopvrouw [de^v] ⟨BE⟩ Guider, ⟨AE⟩ Scout leader
hor [de] (insect) screen ◆ *horren* ***voor/in*** *ramen zetten* fit (insect) screens in windows
horde [de] 1 ⟨troep⟩ horde ◆ *de* ***hele*** *horde komt hierheen* the whole horde (of them) is coming here; *horden* ***mensen*** hordes of people; *ze kwamen* ***met*** *horden tegelijk* they came in hordes 2 ⟨nomadenstam⟩ horde ◆ ***in*** *horden rondtrekken* go around in hordes 3 ⟨sport⟩ ⟨ook fig⟩ hurdle ◆ *de 400* ***meter*** *horden voor mannen* the men's 400-metre hurdles; *een horde* ***nemen*** ⟨ook fig⟩ take/clear a hurdle 4 ⟨plat vlechtwerk⟩ hurdle, wattle 5 ⟨landb⟩ clod-crusher 6 ⟨padvinderij⟩ troop, patrol
hordeloop [de^m] ⟨sport⟩ hurdle race
hordeloopster [de^v] → **hordeloper**
hordelopen [ww] ⟨sport⟩ hurdle
hordeloper [de^m], **hordeloopster** [de^v] ⟨sport⟩ hurdler
hordewerk [het] wattle (work)
horeca [de^m] (hotel and) catering (industry) ◆ *hij werkt* ***in*** *de horeca* he works in the catering industry
horecabedrijf [het] catering establishment, hotel, restaurant, café ⟨enz.⟩
[1]**horen** [onov ww] 1 ⟨geluiden kunnen waarnemen⟩ hear ◆ *horend* ***doof*** *zijn* pretend not to hear, sham deafness; ↑ turn a deaf ear; *hij hoort* ***scherp*** his hearing is acute; *hij hoort* ***slecht*** he is hard of hearing; *het was een leven dat horen en* ***zien*** *je verging* the noise was fit to wake/raise the dead, the noise was deafening, the noise was enough to drive you barmy/crackers/round the bend 2 ⟨zijn plaats hebben⟩ belong ◆ ***bij*** *elkaar horen* belong together; *ergens* ***bij*** *horen* ⟨pregn⟩ belong; *dit deksel hoort* ***bij*** *die pot* this lid belongs to/goes with that pot; *hij hoort niet* ***bij/tot*** *de vlugsten* he's not one of the quickest; *hoort u* ***bij*** *elkaar? wij horen* ***bij*** *elkaar* ⟨in winkel⟩ are you together? we are together; *iemand het gevoel geven dat hij* ***erbij*** *hoort* give s.o. a feeling/sense of belonging; *wij horen* ***hier*** *niet* we don't belong here, we're out of place here; *de kopjes horen* ***hier*** the cups go here; *die stoel hoort hier* ***niet*** that chair doesn't belong here; *leerlingen horen* ***niet*** *in de docentenkamer* pupils have no business to be in the staff room; *dat land hoort* ***onder*** *Delfgauw* that piece of land belongs to/is part of Delfgauw; *hij hoort* ***tot*** *de genodigden* he is one of the guests 3 ⟨gepast zijn⟩ be right/proper/fitting ◆ *dat hoort er zo* ***bij*** ⟨het is lastig maar niet te vermijden⟩ it's all in a day's work, it's all part of the game; ⟨m.b.t. baan ook⟩ it goes with the job; that's the way the cookie crumbles; *ze weet niet* ***hoe*** *het hoort* she doesn't know how to behave; *dat hoort* ***niet*** it's not done/the done thing; *je hoort* ***niet*** *te fluisteren in gezelschap* you oughtn't to/shouldn't whisper in company; *dat hoor je te* ***weten*** you ought to/you should know that; *dat hoort* ***zo*** that's how it should be, that's how it's done; *en* ***zo*** *hoort het ook* and that's how it ought to/should be too; *ze weten niet beter of het hoort* ***zo*** they don't know any better; ***zoals*** *het hoort* properly; *dat is niet* ***zoals*** *het hoort* that's not good manners, that's not how it should be, that's not right/not the way to do it 4 ⟨toebehoren⟩ belong (to) ◆ *dit huis hoort* ***aan*** *mijn vader* this house belongs to my father/is my father's (property)
[2]**horen** [ov ww] 1 ⟨met het gehoor waarnemen⟩ hear ◆ *ze kromp ineen* ***bij*** *het horen van zijn stem* she winced at the sound of his voice; *we hoorden de baby* ***huilen*** we heard the baby crying, we could hear the baby crying; *nu kun je het me vertellen, hij* ***kan*** *ons niet meer horen* you can tell me now, he is/we are out of earshot/no longer within hearing distance; *zo* ***mag*** *ik het horen* that's what I like to hear, now you're talking, that's the stuff; *hij deed alsof hij het* ***niet*** *hoorde* he pretended not to hear (it); ↑ he turned a deaf ear to it; *zijn naam horen* ***noemen*** hear one's name mentioned; *je kunt de* ***stilte*** *horen* you can hear the silence; *ik hoor je* ***wel!*** ⟨m.b.t. schreeuwen⟩ you don't need to shout!; ⟨m.b.t. herhaling⟩ I heard you the first time; *ik hoor het hem nog* ***zeggen*** I remember him saying it; *je hoorde opa vaak* ***zeggen*** *dat ...* grandpa was often heard to say that ...; *ik heb het alleen van horen* ***zeggen*** I only have it on/from hearsay; ***zichzelf*** *graag horen praten* like to hear o.s. talk, like (to hear) the sound of one's own voice; *wij hoorden* ***zingen/schreeuwen/...*** we heard singing/shouting/...; *heb je haar weleens horen* ***zingen?*** have you ever heard her sing? 2 ⟨uit het gehoorde opmaken⟩ hear, tell ◆ *ik kon* ***aan*** *zijn stem horen dat hij zenuwachtig was* I could tell by his voice that he was nervous; *zij kon* ***aan*** *zijn stem/accent horen waar hij vandaan kwam* she could tell from his voice/accent where he came from; *ik hoorde direct* ***dat*** *hij uit zijn humeur was* I could tell immediately that he was in a bad temper; *het* ***is*** *wel te horen dat je verkouden bent* one/you can hear that you've got a cold 3 ⟨luisteren naar⟩ listen to, ⟨vnl jur⟩ hear ⟨ook m.b.t. biecht⟩ ◆ ***biecht*** *horen* take/hear confession(s); *iemands* ***biecht****/iemand de* ***biecht*** *horen* take/hear s.o.'s confession, confess s.o.; ***getuigen*** *horen* hear/examine/interrogate witnesses, take evidence; *een* ***lezing*** *horen* listen to/attend a lecture; *beide* ***partijen*** *horen* listen to/hear both sides; *de* ***Raad*** *van State horen* consult the Council of State; *gehoord de* ***Raad*** *van State* on the advice of the Council of State ▪ ⟨sprw⟩ *horen, zien en zwijgen* hear all, see all, say nowt/nothing; ⟨sprw⟩ *wie niet horen wil, moet voelen* ± advice when most needed is least heeded; ± he that will not be counselled cannot be helped; ⟨sprw⟩ *er zijn geen erger doven dan die niet horen willen* there's none so deaf as those who won't hear
[3]**horen** [ov ww, ook abs] 1 ⟨vernemen⟩ hear, learn, be told, get to know ◆ *ik hoor het* ***al*** I know what's coming; *heb je* ***al*** *iets gehoord (over je sollicitatie)?* have you heard anything (from them) yet (about your application)?; ***bij*** *het horen van het nieuws* on hearing the news; *iets* ***doen, laten*** *horen* make sth. heard; *dat verhaal heb ik al eens* ***eerder*** *gehoord* I've heard that one before; ***ga*** *maar eens horen hoe het met haar is* go round/around and find out/see how she's doing; *ik* ***kreeg*** *te horen dat het zo niet langer kon* I've been told/been given to understand that it can't go on like that; *wij* ***kregen*** *heel wat te horen* ⟨m.b.t. kritiek⟩ we were given/had a rough/hard time of it, we came in for a good deal of criticism, ⟨inf⟩ we came in for a good deal of flak; ***laat*** *eens horen!* let's hear what you have to say!, let's have it; ***laat*** *maar eens (wat) horen* let's hear (a bit); ***laat*** *zijn vrouw het maar niet horen* don't let his wife (get to) know (about it); ***laat*** *(af en toe) eens iets van je horen* keep in touch (with me/us/...), write/phone/... now and again/then; *een heel ander geluid* ***laten*** *horen* be completely original, do sth. completely new; *hij heeft niets van zich* ***laten*** *horen* he hasn't been in touch, I/we/... haven't heard (anything) from him/had any news from him, I/we/... have had no news/word from him, he hasn't written/phoned/...; *dat hoef je haar nu niet telkens te* ***laten*** *horen* you don't need to go on about it; ⟨vnl. m.b.t. verwijt⟩ you don't need to rub it in; *hij was de enige bij de vergadering die een ander geluid* ***liet*** *horen* he was the only one at the meeting who had anything new to say; *dat* ***moet*** *je dan nog jaren horen* you'll never hear the last/end of it; *ik* ***moet*** *altijd horen dat ik vergeetachtig ben* I'm constantly being told/reminded that I'm forgetful, he/she/... is con-

stantly telling me that I'm forgetful; *heb je het **nieuwtje** al gehoord?* have you heard the latest (news)?; *hij wilde er niets meer **over** horen* he didn't want to hear any more about it; *ik hoop dat wij er niet meer **over** (zullen) horen* I hope we've (now) heard the last of it; ***toevallig** horen* overhear; *u hoort nog **van** ons* ⟨neutraal⟩ you'll be hearing from us; ⟨als bedreiging⟩ you've not heard the last of this, you'll hear more of/about this; ⟨scherts⟩ don't call us, we'll call you; *daar hoor je nog meer **van*** you've not heard the last of this; *hij wil er niet **van** horen* he won't hear of it, he will have none of it; ⟨inf⟩ he's not having any; *daar heb ik nooit **van** gehoord* I've never heard of it/that; *ik hoor niets dan goeds **van** hem* I've heard nothing but good of/about him; *nou hoor je het ook eens **van** een ander* so I'm not the only one who says so; *daarna hebben we niets meer **van** hem gehoord* since then we haven't heard (anything) from him/he hasn't been in touch; *dat hoor ik **voor** het eerst* that's the first I've heard of it, that's news to me; ***wat** hoor ik?* what's (all) this I hear?, what's that?; *ik hoor nog weleens **wat*** I hear of things now and again; *ik wist niet **wat** ik hoorde* I could hardly believe my ears; *zij **wil** geen nee horen* she won't take no for an answer; *zij **wil** geen kwaad van hem horen* she won't hear a word said against him; *hij vertelde het aan iedereen die het maar horen **wilde*** he told it to everyone who cared to/would listen; *ik hoor het nog wel* let me know (about it), we'll talk later; *zo te horen gaat het goed met hem* it sounds like he's doing well; *naar alles wat men hoort is het heel leuk daar* it's very pleasant there, by all accounts [2] ⟨in aanmerking nemen⟩ listen (to), ⟨form⟩ harken (to) ◆ *hoor **eens*** listen, (I) say; ⟨protest⟩ see/look here!, (just (you)) listen here; *moet je **hem** horen!, hoor **hem**!* (just) listen to him!; ↓ hark at him!; *als je **hem** hoort zou je denken dat* if you listen(ed) to/believe(d) him you'd think that, you'd think to hear him talk that, (from) the way he talks you'd think that; ***moet** je horen!* just (you) listen (here); ***moet** je horen wie het zegt!* ⟨iron⟩ listen to who's talking!, you/he/... can('t) talk; you're/he is/... hardly one to talk [•] ⟨sprw⟩ *voor wat hoort wat* you scratch my back and I'll scratch yours; ± one good turn deserves another

horig [bn] [1] ⟨gesch⟩ predial [2] ⟨afhankelijk⟩ tied, bound, in bondage/servitude

horige [de] ⟨gesch⟩ (predial) serf

horigheid [de^{v}] [1] ⟨gesch⟩ serfdom [2] ⟨afhankelijkheid⟩ bondage, servitude [3] ⟨plantk⟩ fidelity

horizon [de^{m}] [1] ⟨gezichtseinder⟩ horizon ◆ ***aan** de horizon* on the horizon; *half **achter** de horizon* ⟨m.b.t. schip⟩ hull down; *de zon verdwijnt **achter** de horizon* the sun disappears below/beneath the horizon; ***kunstmatige** horizon* artificial/false horizon; ***schijnbare/zichtbare** horizon* apparent/sensible/visible horizon; *de **ware/astronomische** horizon* the true/rational/celestial horizon [2] ⟨fig⟩ horizon ◆ *de **politieke** horizon* the political horizon; *zijn horizon **verruimen*** broaden/extend one's horizon(s) [3] ⟨horizontale aardlaag⟩ horizon

horizontaal [bn] [1] ⟨waterpas⟩ horizontal, ⟨in kruiswoordraadsel⟩ across ◆ ⟨scherts⟩ *horizontaal **blijven*** spend the morning/day/... in bed, stay horizontal/flat out/flat on one's back; *horizontale **doorsnede*** horizontal (cross) section; *horizontaal **hangen/richten/plaatsen** met* hang level/level/put level with, hang/put on a level with; *een horizontale **lijn*** a horizontal (line); *verticale en horizontale **lijnen*** ⟨ook⟩ lines down and across; *horizontale **stand*** horizontality; ⟨luchtv⟩ *horizontaal **trekken/gaan liggen*** flatten out; *een horizontaal **vlak*** a horizontal (plane) [2] ⟨fig⟩ horizontal ◆ ⟨scherts⟩ *het horizontale **beroep*** the oldest profession; *flat in horizontaal **eigendom*** owner-occupied flat, ⟨AE⟩ condominium; *horizontale **organisatie/concentratie*** horizontal organization/integration

horizontalen [de^{mv}] ⟨pol⟩ ± orthodox Moscow-oriented communists

horizontalisme [het] ⟨rel⟩ horizontalism

horizontalisten [de^{mv}] ⟨rel⟩ horizontalists

horizontalistisch [bn, bw] ⟨rel⟩ horizontalistic

horizonvervuiling [de^{v}] destruction of the landscape/skyline

hork [de^{m}] boor, lout, oaf

horkenlijn [de] telephone line for reporting boorish behavior

horlepiep [de], **horlepijp** [de] hornpipe, jig

horlepijp [de] → **horlepiep**

horloge [het] watch, ⟨staand⟩ clock ◆ *een **digitaal** horloge* a digital watch; *hun horloges **gelijkzetten*** synchronize their watches; *zijn horloge **gelijkzetten*** put/set one's watch right; *je horloge **loopt voor*** your watch is fast/is gaining time; *je horloge **loopt achter*** your watch is slow/is losing time; *je horloge **loopt** vijf minuten **voor/achter*** your watch is five minutes fast/slow; ***op** zijn horloge kijken* look at one's watch, ↑ consult one's watch; *het is acht uur **op** mijn horloge* it's eight o'clock by my watch, I make it eight o'clock; *hoe laat is het **op** jouw horloge?* what time is it by your watch?, what time does your watch/do you make it?; *een **staand** horloge* a grandfather clock

horlogebandje [het] watch-strap, watchband

horlogeglas [het] [1] ⟨dekplaat⟩ watch glass [2] ⟨in een laboratorium⟩ watch glass

horlogekast [de] watchcase

horlogeketting [de] watch chain

horlogemaker [de^{m}] [1] ⟨iemand die horloges vervaardigt⟩ watchmaker [2] ⟨iemand die horloges herstelt⟩ watchmaker, watch repairer/mender

horlogerie [de^{v}] watch(maker's) shop

horlogesleutel [de^{m}] watch key

horlogezakje [het] watch pocket, fob (pocket)

hormonaal [bn] hormonal

hormonenstorm [de^{m}] hormone storm, hormone peak, hormone surge

hormoon [het] hormone

hormoonbalans [de^{m}] hormone balance

hormoonbehandeling [de^{v}] hormone treatment

hormoonhuishouding [de^{v}] hormone/hormonal regulation

hormoonpreparaat [het] hormone preparation

hormoonproductie [de^{v}] hormone production, production of hormones

hormoonspiegel [de^{m}] ⟨med⟩ hormone level

hormoontherapie [de^{v}] hormone replacement therapy

hormoonvlees [het] hormone-treated meat

horoscoop [de^{m}] horoscope ◆ *een horoscoop **trekken/opmaken*** make out/cast a horoscope

horoscooptrekker [de^{m}] horoscoper

horrelvoet [de^{m}] [1] ⟨misvormde voet⟩ clubfoot, ⟨med⟩ talipes ◆ ***met** een horrelvoet* clubfooted [2] ⟨persoon⟩ clubfoot, clubfooted person, person with a clubfoot

horreur [de] ⟨form⟩ ⟨ogm⟩ horror

horribel [bn, bw] ⟨form⟩ ⟨ogm⟩ horrible ⟨bw: horribly⟩, horrid, dreadful

horror [de^{m}] horror

horrorfilm [de] horror film/^{A}movie, (spine) chiller, ⟨op video⟩ (video) nasty

horrorkabinet [het] chamber of horrors

[1]**hors** [de^{m}] ⟨horsmakreel⟩ scad, horse mackerel

[2]**hors** [het, de] ⟨zandplaat in zee⟩ shoal, mud flat

hors concours hors concours

hors-d'oeuvre [het, de^{m}] hors d'oeuvre

horse [de] horse

horst [de^{m}] [1] ⟨stuk grond⟩ hurst [2] ⟨geol⟩ horst [3] ⟨nest van een roofvogel⟩ eyrie

[1]**hort** [de^{m}] jerk, jolt ◆ ***met** horten en stoten spreken* speak haltingly/falteringly; *het gaat **met** horten en stoten* it goes

by/in fits and starts/jerkily; *met horten en stoten iets uitbrengen* stutter sth. out; *met horten en stoten tot stilstand komen* jerk/ᴮjudder to a halt ▪ *de hort op zijn/gaan* be/go on a spree, be on the loose; *weer de hort op zijn* be off/away again

²**hort** [tw], **hortsik** [tw] giddy-up, gee-up

horten [onov ww] 1 ⟨schokken⟩ jerk, jolt ♦ *wij kwamen hortend en stotend vooruit/tot stilstand* we jerked along/to a halt, we ᴮjuddered to a halt; *hortend en stotend wegrijden* drive off jerkily; ⟨BE ook⟩ do a kangaroo start 2 ⟨haperend spreken⟩ falter, stammer ♦ *hortend spreken* speak haltingly/falteringly; *hortende stijl/zinnen* jerky/faltering style/sentences

hortensia [de] hydrangea

horticultureel [bn] horticultural

horticultuur [deᵛ] horticulture

hortologie [deᵛ] horticulture

hortoloog [deᵐ] horticulturist

hortsik [tw] → **hort¹**

hortus [deᵐ] botanical garden(s) ♦ *hortus botanicus* botanical garden(s)

horzel [de] 1 ⟨vlieg⟩ warble fly ⟨familie Oestridae⟩, ⟨oneig voor steekvlieg: daas⟩ horsefly, gadfly ⟨familie Tabanidae⟩, ⟨fig⟩ gadfly ♦ ⟨fig⟩ *de horzel in de kop hebben* have bats in the belfry 2 ⟨soort wesp⟩ hornet

horzelfunctie [deᵛ] ▪ *een horzelfunctie hebben/vervullen* be a gadfly, have a watchdog function, be/form a ginger group

¹**hosanna** [het] hosanna

²**hosanna** [tw] hosanna

hospes [deᵐ] 1 ⟨kamerverhuurder⟩ landlord 2 ⟨gastheer⟩ host 3 ⟨dier waarop parasieten leven⟩ host

hospicehuis [het] hospice

hospik [deᵐ], **hospitaalsoldaat** [deᵐ] ⟨mil⟩ medical orderly, ⟨AE⟩ medic, ⟨AE⟩ corpsman

hospita [deᵛ] 1 ⟨kamerverhuurster⟩ landlady 2 ⟨gastvrouw⟩ hostess

hospitaal [het] 1 ⟨ziekenhuis⟩ hospital, infirmary ♦ *in het hospitaal liggen* ⟨BE⟩ be in hospital, ⟨AE⟩ be in the hospital, be hospitalized; *het hospitaal ingaan* ⟨BE⟩ go into hospital, be put in hospital, ⟨AE⟩ be put in the hospital, be hospitalized; *naar het hospitaal brengen* ⟨BE⟩ take to hospital, ⟨AE⟩ take to the hospital, hospitalize 2 ⟨oesterkweekplaats⟩ oyster bed/farm

hospitaalkerkschip [het], **hospitaalschip** [het] hospital ship/vessel

hospitaallinnen [het] rubber sheet

hospitaalridder [deᵐ] ⟨gesch⟩ (Knight) Hospital(l)er

hospitaalschip [het] → **hospitaalkerkschip**

hospitaalsoldaat [deᵐ] → **hospik**

hospitaaltrein [deᵐ] hospital/ambulance train

hospitalisatie [deᵛ] 1 ⟨afhankelijkheid ten gevolge van ziekenhuisverblijf⟩ institutionalization 2 ⟨in België; verblijf, opname in ziekenhuis⟩ hospitalization

hospitalisatiekosten [deᵐᵛ] ⟨in België⟩ hospitalization costs

hospitalisatieverzekering [deᵛ] ⟨in België⟩ hospitalization insurance

¹**hospitaliseren** [onov ww] ⟨afhankelijk worden ten gevolge van ziekenhuisverblijf⟩ get institutionalized

²**hospitaliseren** [ov ww] ⟨in België; opnemen in ziekenhuis⟩ hospitalize

hospitaliteit [deᵛ] hospitality

hospitality [deᵛ] hospitality

hospitant [deᵐ] student teacher, practice teacher

hospiteren [onov ww] do one's teaching practice ♦ *hospiteren op een school/bij een leraar* do one's teaching practice at a school/under a teacher

hospitium [het] 1 ⟨stage⟩ practice-teaching 2 ⟨klooster⟩ hospice 3 ⟨gastenverblijf in klooster⟩ hospice 4 ⟨stichting die een tehuis biedt⟩ hostel 5 ⟨herstellingsoord⟩ convalescent home

hosselen [onov ww] ⟨inf⟩ 1 ⟨scharrelen om aan eten, geld te komen⟩ hustle 2 ⟨aan geld zien te komen voor harddrugs⟩ hustle

hossen [onov ww] jig/leap about (arm in arm) ♦ *een hossende massa* a crowd of singing and dancing people, a crowd of people swaying back and forth

host [deᵐ], **hostcomputer** [deᵐ] host computer

hostcomputer [deᵐ] → **host**

hostel [het] hostel

hostellerie [deᵛ] country hotel

hosten [ov ww] host

hostess [deᵛ] hostess

hostie [deᵛ] ⟨r-k⟩ host, Eucharist ♦ *de heilige/gewijde hostie* the sacred/consecrated host, the consecrated wafer, the Eucharist

hostiekelk [deᵐ] ciborium

hostieschoteltje [het] paten

hostiliteit [deᵛ] 1 ⟨vijandigheid⟩ hostility, enmity, animosity 2 ⟨vijandelijkheid⟩ hostility

hosting [deᵛ] hosting

hostnaam [deᵐ] host name

¹**hot** [bn, alleen pred] hot, in, all the rage

²**hot** [bw] ▪ ⟨fig⟩ *van hot naar haar lopen/rennen* run from pillar to post/to and fro/back and forth/hither and thither

hotdog [deᵐ] hot dog

hotel [het] hotel ♦ *een hotel hebben* run/keep a hotel; *in een hotel logeren* stay in/at a hotel; *aankomen in een hotel* check/book in at a hotel; *in hotel het Rooie Hert* at the Red Hart Hotel; *vertrekken uit een hotel* check/book out of a hotel; *een hotelletje voor de nacht vinden* find a place/somewhere to stay overnight/for the night; *hotel garni* ⟨BE⟩ ± bed-and-breakfast (hotel), ⟨inf⟩ B-and-B (hotel), ⟨AE⟩ ± European plan hotel

hotelaccommodatie [deᵛ] hotel accommodation ⟨AE meestal mv⟩, hotel

hotelbedrijf [het] ⟨bedrijfstak⟩ hotel business, hotel trade/industry

hoteldebotel [bn] ⟨inf⟩ 1 ⟨stapelgek⟩ round the bend, nuts, crackers, mad, ⟨van streek⟩ in a state ♦ *zij raakte helemaal hoteldebotel toen ...* she got into an absolute state when ...; *ik word hoteldebotel van die vent* that guy's driving me round the bend/nuts/crackers/mad 2 ⟨verrukt van⟩ crazy, nuts, mad ♦ *ze is hoteldebotel van hem* she's crazy/nuts/mad about him

hotelgroep [de] hotel group

hotelhouder [deᵐ], **hotelhoudster** [deᵛ] hotelkeeper, hotel-owner, ↑ hotelier

hotelhoudster [deᵛ] → **hotelhouder**

hôtelier [deᵐ] hotelier

hotelkamer [de] hotel room

hotelketen [de] hotel chain, chain of hotels

hotellerie [deᵛ] hotel business, hotels

hotellinnen [het] hotel linen

hotelprijs [deᵐ] hotel price

hotelrat [deᵐ] hotel thief

hotelregister [het] hotel register

hotel-restaurant [het] hotel (with public restaurant)

hotelruimte [deᵛ] hotel room/beds/accommodation ♦ *die stad heeft voldoende hotelruimte* that town has enough hotel room/beds/accommodation

hotelrunner [deᵐ] hotel runner

hotelschakelaar [deᵐ] two-way switch

hotelschool [de] hotel and catering school ♦ *hogere hotelschool* hotel management school/college

hotelsluiting [deᵛ] housewife closure

hotelwinkel [deᵐ] hotel shop/ᴬstore

hotelzilver [het] nickel silver, argentine

hotemetoot [deᵐ] bigwig, big gun, big cheese

hot item [het] hot item
hotjazz [de^{m}] hot jazz
hotline [de^{m}] hot line
hot money [de] hot money
hot news [het] hot news
hot or not [bn] hot or not
hotpants [de^{mv}] hot pants
hotsen [onov ww] jolt, jerk, bump, jog, joggle
hotshot [de^{m}] hot shot
Ho-Tsji-Minhstad [het] Ho Chi Minh City
hotspot [de^{m}] hot spot
hotten [onov ww] curdle
hottentot [de^{m}] ⟨onbeschaafd mens⟩ Hottentot
Hottentot [de^{m}] ⟨inboorling in Afrika⟩ Hottentot
^{1}**Hottentots** [het] Hottentot ♦ *het **lijkt** wel Hottentots* it looks/sounds like double Dutch
^{2}**Hottentots** [bn] Hottentot
houdadvies [het] hold recommendation
houdbaar [bn] [1] ⟨bewaard kunnende worden⟩ not perishable, which keep(s) well ♦ ***beperkt** houdbare levensmiddelen* perishable food, perishables; *deze melk is **lang** houdbaar* this is long-life milk, this milk will keep for a long time/ is not perishable; *houdbare **levensmiddelen*** food which keeps (well), non-perishables; *ten minste houdbaar **tot*** best before, use by [2] ⟨verdedigbaar⟩ tenable ♦ *die **bewering** is niet houdbaar* that assertion is not tenable; ⟨sport⟩ *een houdbaar **schot*** a stoppable/savable shot [3] ⟨draaglijk⟩ bearable, tolerable, endurable ♦ *de toestand thuis is niet **langer** houdbaar* the situation at home is no longer bearable
houdbaarheid [de^{v}] ⟨van bewering/vesting⟩ tenability, ⟨van levensmiddelen/chemicaliën⟩ shelf/storage life ♦ *een **beperkte/lange** houdbaarheid hebben* be perishable/non-perishable
houdbaarheidsdatum [de^{m}] [1] ⟨van levenswaren⟩ best-before date, use-by date ♦ *de **uiterste** houdbaarheidsdatum overschrijden* pass the best-before/use-by date [2] ⟨fig; van personen⟩ sell-by date
^{1}**houden** [onov ww] [1] ⟨+ van; liefhebben⟩ love, ⟨sterker⟩ adore, idolize ♦ *wij houden **van** elkaar* we love each other, we are in love (with each other); ***van** iemand gaan houden* fall in love with s.o.; *veel **van** iemand houden* love s.o. a lot/ very much, ↑love s.o. dearly, really love s.o. [2] ⟨+ van; geven om⟩ like, be fond of, be partial to, care for, have a liking for, ⟨sterker⟩ love ♦ *hij houdt wel **van** een grapje* he likes a bit of joke; *niet **van** dansen/cognac houden* not like dancing/cognac, not care for/be fond of dancing/cognac; *ik hou(d) niet **van** al dat gezoen* I don't like/hold with all that kissing stuff; *persoonlijk hou ik meer **van** wijn* personally, I prefer wine; *ik hou meer **van** bier dan **van** wijn* I prefer beer to wine, I like beer better than wine; *hij houdt niet **van** uiterlijk vertoon* he's not one for show; *zij houdt niet **van** dat soort grapjes* she doesn't like those sorts of jokes; *hij houdt niet zo **van** feestjes/toespraken* he's not (much of a) one for parties/speeches [3] ⟨niet loslaten⟩ hold, ⟨m.b.t. lijm ook⟩ stick ♦ *het **anker** houdt* the anchor is holding (firm); *het **anker** houdt niet* the anchor is dragging/won't hold; *die **knoop** houdt niet* that knot won't hold; *de **lijm** houdt niet* the glue won't hold/stick; *de **verf** houdt niet* the paint won't adhere/ stick/is peeling [4] ⟨het niet begeven⟩ hold ♦ *het **ijs** houdt nog niet* the ice isn't yet strong enough to hold/bear/take your/one's/his/... weight [•] *het zal **erom** houden* it remains to be seen, I'm not sure
^{2}**houden** [ov ww] [1] ⟨behouden⟩ keep, ↑retain ♦ *je **mag** het houden* you can keep/have it, it's yours, it's for you; *die **naam** heeft ze sindsdien gehouden* the name has stuck (to her ever since); *iets **voor** zichzelf houden* keep sth. for o.s. [2] ⟨niet loslaten⟩ keep, ↑retain, ↑preserve ♦ *zijn **geur/kleur/smaak** houden* keep one's aroma/colour/taste; *zijn **kracht/waarde** houden* keep its strength/dignity [3] ⟨vast-, tegenhouden⟩ hold ♦ *iemand **bij** de hand houden* hold s.o.'s hand; ⟨vnl. m.b.t. kind⟩ hold s.o. by the hand; *houd de **dief**!* stop thief!; *er was **geen** houden meer aan* it could no longer be prevented; *het heft stevig **in** handen houden* keep a good/ tight hold of the handle; *als ze eenmaal begint, dan **is** ze niet meer te houden* once she starts, there's no holding/stopping her; *hou je **kop/mond**!* shut up/it!, shut your mouth/ gob/trap!, button it!; ⟨sport⟩ *die had hij gemakkelijk **kunnen** houden* he could have stopped/saved that one easily; *zijn **mond** houden* keep quiet, shut up; ↑hold one's tongue; *de **teugel** houden* hold the reins; *hij **was** niet te houden* there was no holding/stopping him [4] ⟨niet laten vallen⟩ hold ♦ *ik **kon** hem niet meer houden* I could no longer hold him; ***kun** je mij wel houden?* can you hold me?; *de **balk/plank** hield het **niet*** the beam/plank couldn't take it/the weight/the strain/..., the beam/plank gave way; *hij kon zijn **water** niet meer houden* he had become incontinent [5] ⟨niet laten vertrekken⟩ keep, ⟨in dienst houden ook⟩ keep on, ↑retain ♦ *geen **personeel** kunnen houden* ⟨zich niet kunnen veroorloven⟩ not be able to keep servants; ⟨slechte werkgever zijn⟩ not be able to keep servants on/retain servants [6] ⟨tot zijn gebruik, genoegen in huis hebben⟩ keep ♦ ***kippen/duiven** houden* keep hens/pigeons; *vreemde ideeën/gewoonten eropna houden* have funny ideas/habits [7] ⟨niet opgeven, niet verlaten⟩ hold, keep ♦ *(door griep) het **bed** moeten houden* be confined to bed (with (the) flu); *een **bruggenhoofd** houden* hold a bridgehead; ⟨scheepv⟩ *de **kust** houden* keep to/hug the coast; *het **midden** houden tussen* keep to the middle between; ***moed** houden* keep one's spirits up, ⟨inf; BE⟩ keep one's pecker up; ***rechts** houden* keep (to the) right; *hij kan geen **wijs** houden* he can't hold a tune [8] ⟨niet schenden, niet verbreken⟩ keep ♦ *een **belofte/zijn woord** houden* keep one's promise/word, be as good as one's word; *hou je **fatsoen**!* behave yourself!; *zijn **fatsoen** houden* behave (o.s.); *zijn **gemak** houden* take it easy; ***maat** houden* keep (in) time; *zijn **woord/een belofte** niet houden* not live up to one's word/ promise, break one's word/promise, not keep (to) one's word/promise, go back on one's word/promise [9] ⟨in een stand laten blijven⟩ keep ♦ *de **armen** langs het lichaam houden* keep one's arms close to one's body; *ergens een lucifer **bij** houden* put a match to sth.; *hij kon er zijn gedachten niet **bij** houden* he couldn't keep his mind on it; *de **blik** op iets gericht houden* keep looking at sth.; ↑keep one's gaze/eyes fixed on sth.; *er de moed **in** houden* keep one's spirits/^{B}pecker up; *hij kan er niets **in** houden* he can't keep anything down; *een kopje **scheef** houden* hold a cup at a slant; *iets **tegen** het licht houden* hold sth. up to the light [10] ⟨in een toestand laten blijven⟩ keep, ↑maintain, ↑preserve ♦ *iemand **aan** de praat houden* keep s.o. talking; *iemand **aan** het werk houden* keep s.o. busy; ↓keep s.o. at it; *iemand **aan** zijn woord houden* keep s.o. to his/her word; *hou je jas maar **bij** je* hang on to your coat; *kan ik je **daaraan** houden?* can I take you up on/hold you to that?; *ik denk niet dat we het **droog** houden* it looks like rain/like it's going to rain, I don't think we're going to keep it dry; *iemand **eronder** houden* keep s.o. down; ⟨sport⟩ *de ballen **eruit** houden* keep the balls out, make saves; *laten we het **gezellig** houden* let's keep it/ things nice/friendly/pleasant; *iets **in** stand houden* keep sth. up, maintain/preserve sth.; *iemand **in** leven houden* keep s.o. alive; *ik zal het **kort** houden* I'll keep it short; *de prijzen **laag** houden* keep prices down/low; *laten we het **netjes** houden* let's keep it clean; *iemand **tegen** zich aan houden* hug s.o., clasp s.o. to o.s.; *iemand **van** zijn werk houden* keep s.o. from his work; *zich iemand **van** het lijf houden* keep/ fend/ward s.o. off; *houd dat 'schatje' maar **voor** je!* don't (you) 'darling' me!; ⟨fig⟩ *iets **vóór** zich houden* keep sth. to o.s., keep quiet about sth.; *hou je commentaar/grapjes maar **vóór** je* keep your remarks/funny remarks to yourself; *houden zo!* ⟨ophouden met halen/vieren⟩ keep/hold it like that!, hold it!; ⟨zo doorgaan⟩ keep up/carry on the good

work!, keep it up!; *ik kan ze niet uit elkaar houden* I can't tell them apart, I can't tell which is which; *ik kon hun namen niet uit elkaar houden* I kept getting their names mixed up; *twee mensen/zaken niet uit elkaar kunnen houden* not be able to tell two people/things apart, not be able to tell which of the two people/things is which [11] ⟨onderhouden⟩ keep, ↑maintain, ⟨feestdag naleven ook⟩ celebrate, observe ◆ ***contact*** *met iemand houden* keep in contact/touch with s.o.; ***orde*** *houden* keep order; *hij kan geen* ***orde*** *houden* he can't keep order, he's not a good/he's not much of a disciplinarian, he has a discipline problem; *de* ***sabbat*** *houden* keep/observe/celebrate the Sabbath; ***toezicht*** *houden* exercise control (of); ⟨bij examen⟩ invigilate [12] ⟨geven⟩ hold, ⟨organiseren⟩ organize, ⟨geven⟩ give ◆ ***bruiloft*** *houden* celebrate a wedding; *een* ***kerkdienst*** *houden* hold a (church) service; *een* ***lezing*** *houden* give/deliver a lecture; ***spreekuur*** *houden* be available for consultation; ⟨vnl. arts; inf ook parlementslid, advocaat⟩ hold a surgery; *een* ***toespraak*** *houden* make/deliver a speech, ↑give an address [13] ⟨tot stand brengen⟩ hold ◆ ***halt*** *houden* come to a halt/stop; ***schoonmaak*** *houden* clean up, have a clean-up; ***uitverkoop*** *houden* hold/have a sale; *ergens* ***verblijf*** *houden* reside somewhere [14] ⟨beheren⟩ keep ◆ ***café/winkel*** *houden* keep/run a pub/shop; *ergens* ***kantoor*** *houden* have an/one's office somewhere, be established somewhere, have one's seat somewhere, operate from somewhere [15] ⟨+ voor; achten⟩ hold/take to be, regard as, consider to be, consider as ◆ *iets* ***voor*** *gezien houden* leave it at that, call it a day; *ik houd het* ***voor*** *bewezen* I consider it (to have been) proved/proven; *iemand* ***voor*** *zijn broer houden* mistake s.o. for his brother; *men houdt hem* ***voor*** *een expert* he's held/taken/considered/supposed to be an expert, he's regarded as an expert [16] ⟨uithouden⟩ take, stand, ↑endure ◆ *ik hou het* ***niet*** *meer* I can't take/stand it any more; *hij kan het* ***tegen*** *hem niet houden* he is no match for him [•] *het* ***bij*** *frisdrank houden* stick to soft drinks; *laten we het* ***daar*** *maar* ***op*** *houden* let's leave it at that; *ik hou(d) het* ***erop*** *dat hij onschuldig* ***is*** I take him to be innocent, I consider him (to be) innocent; *het* ***met*** *iemand houden* ⟨onder één hoedje spelen⟩ be in with s.o.; ⟨m.b.t. seksuele relatie⟩ be carrying on (an affair) with s.o.; *het* ***met*** *de vijand houden* side with/be in with the enemy, be on the side of the enemy; *ik hou het* ***op*** *Ajax* it's Ajax for me, I'm betting on/backing Ajax; *we houden het* ***op*** *de 15e* we'll/let's make it the 15th, then; *waar gaan jullie met vakantie? wij houden het (weer)* ***op*** *Málaga* where are you going for your holidays? we're sticking to Malaga (again (this year)); *wat voor politieke ideeën houdt hij erop na?* what are his political ideas?; ⟨sprw⟩ *trouwen is houwen* ± wedlock is a padlock

[3]**zich houden** [wk ww] [1] ⟨+ aan; niet afwijken van⟩ ⟨regels, dieet, verdrag, termijn, programma, afspraak⟩ keep to, ⟨overeenkomst, instructies⟩ adhere to, ⟨beslissing, vonnis⟩ abide by, ⟨regels, voorwaarden, regel van de wet⟩ comply with, observe, ↓stick to ◆ *zich* ***aan*** *zijn woord houden* keep to one's word/promise, be as good as one's word, live up to/keep one's promise/word; *weten waaraan men zich te houden heeft* know what one has to do/where one stands/is/what one's position is [2] ⟨blijven⟩ keep ◆ *ik zou me er maar* ***buiten*** *houden* I'd stay/keep out of it (if I were you); *hou je* ***erbuiten!*** (you) keep out of it!, mind your own business!, don't interfere!; *houd je* ***taai!*** take care (of yourself), ⟨BE⟩ keep your pecker up [3] ⟨schijn aannemen⟩ pretend to be ⟨met bn⟩, sham ⟨voornamelijk met zn⟩ ◆ *zich* ***doof/dom/ziek*** *houden* pretend to be deaf/stupid/sick, sham deafness/stupidity/sickness; *zich* ***groot*** *houden* keep control of o.s.; *zich* ***van den domme*** *houden* pretend to be/play ignorant, sham ignorance; *hij houdt zich maar* ***zo*** he's only/just pretending/shamming, he's just putting it on [•] *hij wist niet hoe hij zich* ***moest*** *houden* he didn't know what to do/how to behave

houdend [bn] ⟨handel⟩ steady, stable ◆ *de* ***markt*** *is houdend* the market is steady

houder [de^m] ⟨vaak in samenstellingen⟩ [1] ⟨bezitter⟩ ⟨van aandeel, wissel, rekening, vergunning, patent, paspoort, kaart, ambt, record, titel, beker⟩ holder, ⟨van paspoort, aandeel, brief⟩ bearer, ⟨van wissel: nemer⟩ payee ◆ *een* ***aandeel/recordhouder*** a shareholder/record-holder; *de houder van het* ***wereldrecord****/van de* ***wereldtitel*** the holder of the world record/of the world title [2] ⟨jur⟩ keeper, holder ⟨bijvoorbeeld huurder⟩ [3] ⟨beheerder⟩ keeper, manager, ⟨eigenaar⟩ proprietor ◆ ***caféhouder*** proprietor/owner/^B licensee of a café [4] ⟨iemand die bijhoudt⟩ ⟨van dagboek, kasboek⟩ keeper [5] ⟨om iets in te bewaren⟩ holder, container ◆ ***gashouder*** gas-holder, gasometer; *een houder* ***voor*** *patronen* ⟨in vuurwapen⟩ a cartridge clip; ⟨aan riem⟩ a cartridge box [6] ⟨om iets mee vast te klemmen⟩ holder ◆ ***penhouder*** penholder; *een houder* ***voor*** *reageerbuisjes* a test-tube holder

houderschapsbelasting [de^v] holder's tax

houdgreep [de^m] hold ◆ *iemand* ***in*** *de houdgreep nemen* put s.o. in a hold; *iemand* ***in*** *de houdgreep hebben/houden* ⟨ook fig⟩ have s.o. in a hold

houding [de^v] [1] ⟨stand⟩ position, attitude, pose, bearing, posture, carriage ◆ *de houding van haar* ***hoofd*** the way she holds her head; ⟨mil⟩ ***in*** *de houding!* (stand to) attention!; ***in*** *een andere houding gaan liggen/zitten* assume a different position; *een uur* ***in*** *dezelfde houding blijven staan* remain an hour in the same position; ⟨mil⟩ ***in*** *de houding staan/laten staan/zetten/springen/gaan staan* stand to/leave standing at/bring to/jump/come to attention; *de* ***natuurlijke*** *houding* the natural position; *een* ***onbevallige*** *houding* an ungraceful pose; *in een* ***ongemakkelijke*** *houding* in an uncomfortable position; *in* ***zittende*** *houding* seated, sitting [2] ⟨gespeeld gedrag⟩ pose, attitude, air ◆ *zich een houding* ***aanmeten*** give o.s. airs and graces; *de houding* ***aannemen*** *van/alsof* ... adopt the air of ..., carry o.s. as though ...; *zijn* ***arrogante*** *houding* his overbearing manner; *zich een houding* ***geven*** conceal one's uneasiness; *dat* ***is*** *maar een houding* that is just a pose; *haar houding* ***van*** *dat-kan-ik-ook* her attitude of not wanting to be outdone; *zich geen houding* ***weten te geven*** feel awkward, be self-conscious [3] ⟨gedrag(slijn)⟩ attitude, manner, ↑demeanour ◆ ⟨jur⟩ *de in rechte* ***aangenomen*** *houding* the position taken up in law; *een* ***afwachtende*** *houding aannemen* wait and see, play a waiting game; *zijn houding* ***bepalen tot*** decide on one's attitude to; *een* ***dreigende/krachtige*** *houding aannemen* adopt a threatening/forceful attitude; *zijn houding* ***herzien*** reconsider/revise one's attitude; ***met*** *zijn houding verlegen zijn* feel awkward/embarrassed, not know what to do with o.s.; ***met*** *een houding van het zal mijn tijd wel duren* like there's no tomorrow; *een* ***passieve*** *houding* a passive stand; *de houding van de rijke landen* ***tegenover*** *de ontwikkelingslanden* the attitude of the rich countries towards the developing countries; ***uit*** *zijn houding maak ik op dat* ... from his manner I understand that ...; *de houding* ***van*** *een soldaat hebben* bear o.s. like a soldier; *haar houding ten opzichte van het probleem* her attitude towards the problem

houdiniact [de^m] Houdini act, feat of escapology

houdster [de^v] [1] ⟨bezitster⟩ holder, bearer; → **houder** [2] ⟨beheerster⟩ keeper, manageress, ⟨eigenares⟩ proprietress

houdstermaatschappij [de^v] holding company

houpost [de^m] loss

house [de^m], **housemuziek** [de^v] ⟨muz⟩ house (music)

housebroek [de] lounging ^B trousers/^A pants

housefeest [het] house party

housemuziek [de^v] → **house**

housen [onov ww] dance to house (music), go to a house-party

houseparty [de] house party

housewarmingparty [de] housewarming party

hout [het] [1] ⟨stof waaruit bomen bestaan⟩ wood, ⟨vnl BE⟩ timber, ⟨vnl AE⟩ lumber ◆ ⟨fig⟩ *(het ging) van **dik** hout zaagt men planken* ⟨m.b.t. overdrijven⟩ he/she/... is laying it on thick; ⟨m.b.t. botheid⟩ not very subtle, is he/she/...; ***fout** hout* non-FSC-certified wood; ***gaaf** hout* sound timber; ⟨fig⟩ *hij is uit het **goede** hout gesneden* he is made of the right stuff; ***groen/dor/dood/belegen/blank** hout* green/dry/dead/seasoned/plain wood; *hout **hakken/zagen*** chop/saw wood; ***in** hout graveren* engrave in wood; ***in** het hout schieten* make new wood/growth; *een **lading/stuk** hout* a load/piece of wood/timber; ***met** hout beschieten* panel, wainscot; *hout **sprokkelen*** gather wood; ⟨fig⟩ ***uit** hetzelfde hout gesneden zijn* be cast in the same mould; ⟨pej⟩ be tarred with the same brush; ***van** hout* made of wood, wooden; ⟨fig⟩ *hij is **van** het hout waarvan men helden maakt* he is of the stuff of which heroes are made; *hout op **stam*** timber on the tree [2] ⟨houtgewas, bos⟩ timber, trees ◆ ***vruchten op** het hout verkopen* sell fruit on the tree; ***opgaand** hout* timber; *met (veel) **opgaand** hout begroeid* (well) timbered [3] ⟨stuk hout⟩ piece of wood [4] ⟨muz⟩ woodwind, woods ⊡ *ik begrijp er **geen** hout van* I haven't got a clue; ⟨in België⟩ *niet weten van welk/wat hout **pijlen** te maken* be at one's wit's end/at a complete loss (what to do), no longer know which way to turn; *die redenering **snijdt** geen hout* that line of reasoning will not wash/cuts no ice; ***vloeibaar** hout* plastic wood; ⟨sprw⟩ *alle hout is geen timmerhout* every reed will not make a pipe

houtachtig [bn] woody, lign(e)ous

houtakker [de^{m}] (timber) plantation

houtarm [bn] [1] ⟨zonder veel bos⟩ sparsely wooded [2] ⟨waarin weinig hout is gebruikt⟩ with (a) low wood content

houtazijn [de^{m}] wood vinegar, pyroligneous acid

houtbeeldhouwer [de^{m}] sculptor in wood, woodcarver

houtbeurs [de] conference of timber/lumber merchants, ⟨AE⟩ lumber conference

houtbewerker [de^{m}] woodworker, carpenter, joiner

houtbewerking [de^{v}] woodworking, woodwork, woodcraft, carpentry

houtbij [de] carpenter bee

houtblazers [de^{mv}] woodwinds, woods

houtblok [het] ⟨i.h.b. als brandhout⟩ woodblock, log, chump

houtboard [het] fibreboard

houtbok [de^{m}] ⟨amb⟩ sawhorse, ⟨AE⟩ sawbuck

houtboor [de] ⟨snel⟩ drill, hand-drill, breast-drill, ⟨langzaam⟩ (brace and) bit, ⟨boorstuk⟩ (twist/auger/centre) bit

houtbouw [de^{m}] [1] ⟨het bouwen met hout⟩ timber/wood/lumber construction [2] ⟨het aankweken van hout⟩ tree farming [3] ⟨van hout gebouwde ruimte⟩ wooden building/structure

houtbranden [ww] poker work, pyrography

houtcel [de] ⟨biol⟩ wood/xylem/ligneous cell

houtcellulose [de] lignocellulose

houtconstructie [de^{v}] timber/wood/lumber construction

houtdraaier [de^{m}] wood turner

houtdruk [de^{m}] xylography

houtduif [de] wood pigeon

houten [bn] [1] ⟨van hout gemaakt⟩ wooden, timber(ed) ◆ *een houten **been*** a wooden leg; *een houten **hamer*** a mallet; *een houten **huisje*** a timber cottage; *houten **spullen/keukengerei*** wood(en) ware; *een houten **vloer*** a wooden floor [2] ⟨stijf⟩ wooden, stiff ◆ *een houten **Klaas*** a dry stick; *een houten **kont*** a sore bum

houterig [bn, bw] wooden ⟨bw: ~ly⟩, stiff ◆ *zich houterig **bewegen*** move/walk woodenly; *houterige **bewegingen*** wooden movements; *een houterig **mens*** a stiff person; *een houterige **stijl*** a wooden style

houtfretje [het] (small) lip-ring auger, gimlet

houtgas [het] woodgas

houtgeest [de^{m}] wood spirit, wood alcohol

houtgewas [het] wood, timber

houtgraveerkunst [de^{v}] wood engraving, woodcutting

houtgraveur [de^{m}] wood engraver, woodcutter

houtgravure [de] [1] ⟨het graveren in hout⟩ wood engraving, woodcutting [2] ⟨gegraveerde houten plaat⟩ woodcut, wood engraving [3] ⟨afdruk⟩ woodcut, wood engraving

houthakken [ww] ⟨bomen omhakken⟩ tree felling, ⟨houtjes hakken⟩ chopping wood

houthakker [de^{m}] ⟨vnl AE⟩ lumberjack, lumberman

houthakkersbijl [de] broadaxe, woodman's/felling axe

houthandel [de^{m}] [1] ⟨winkel⟩ ⟨BE⟩ timber yard, ⟨AE⟩ lumber yard [2] ⟨de handel in hout⟩ wood/^{B}timber/^{A}lumber trade, wood industry

houthandelaar [de^{m}] ⟨BE⟩ timber merchant, ⟨AE⟩ lumber merchant, ⟨BE⟩ timber dealer, ⟨AE⟩ lumber dealer

houthaven [de] timber/lumber port, ⟨onderdeel van haven⟩ timber dock

houthoudend [bn] containing wood, woody ◆ *houthoudend **papier*** woody paper

houtig [bn] woody, lign(e)ous

houtindustrie [de^{v}] wood industry

houting [de^{m}] ⟨dierk⟩ houting, whitefish

houtje [het] [1] ⟨stukje hout⟩ (small) piece of wood, ⟨van houtje-touwtjejas⟩ toggle ◆ ⟨fig⟩ *iets op **eigen** houtje doen* do sth. on one's own (initiative); ⟨fig⟩ *op **eigen** houtje naar Engeland vertrekken* go off to England all by o.s.; ⟨fig⟩ ***op** een houtje bijten* have difficulty keeping body and soul together [2] ⟨klerenhanger⟩ coat-hanger ⊡ *is hij **van** het houtje?* is he a Papist?

houtje-touwtje [het] duffle coat

houtje-touwtjejas [de] toggle coat

houtkachel [de] wood-burning stove

houtkap [de^{m}] logging

houtkever [de^{m}] ⟨m.b.t. bewerkt hout⟩ furniture/deathwatch beetle, ⟨m.b.t. (dode) bomen⟩ timber/ambrosia beetle

houtkit [het] wood filler

houtkrullen [de^{mv}] wood shavings

houtlijm [de^{m}] woodworker's/joiner's/wood glue

houtluis [de] [1] ⟨insect dat in hout leeft⟩ wood louse, deathwatch [2] ⟨termiet⟩ wood louse, termite, white ant

houtmaat [de] [1] ⟨om hout te meten⟩ timber/lumber measure [2] ⟨handelsafmetingen van gezaagd hout⟩ timber/lumber size

houtmarkt [de] timber/lumber market

houtmeel [het] [1] ⟨poeder dat door houtworm ontstaat⟩ wood dust [2] ⟨zeer fijn zaagsel⟩ wood flour

houtmijt [de] [1] ⟨stapel hout⟩ woodpile [2] ⟨brandstapel⟩ (funeral) pile, pyre

houtmolm [het, de^{m}] mouldered wood, ⟨droogrot⟩ dry rot

houtnerf [de] woodgrain

houtopstand [de^{m}] timber

houtpapier [het] wood paper

houtpulp [de] wood pulp

houtrasp [de] (wood) rasp

houtrijk [bn] ⟨stuk land⟩ well-timbered, ⟨bosrijk⟩ wooded, woody, forested ◆ *een houtrijk **land*** a country rich in timber

houtring [de^{m}] tree-ring

houtschroef [de] woodscrew

houtsculptuur [de^{v}] wood sculpture, woodcarving

houtsingel [de^{m}] windbreak, shelter belt

houtskelet [het] timber frame

houtskeletbouw [de^{m}] ⟨BE⟩ timber frame construction/building, ⟨AE⟩ wood frame construction/building

houtskool [de] [1] ⟨verkoold hout⟩ charcoal ◆ ***gemalen/ge-***

stampte houtskool ground/crushed charcoal; ***op** houtskool **roosteren*** barbecue [2] ⟨tekenmateriaal⟩ charcoal ◆ ***met** houtskool **schetsen*** sketch in charcoal; *een **staafje** houtskool* a stick of charcoal
houtskooltekening [de^v] charcoal (drawing/sketch)
houtslijp [het] wood pulp
houtsnede [de] [1] ⟨voorstelling in reliëf⟩ woodcut [2] ⟨afdruk⟩ woodcut
houtsnijder [de^m] woodcutter, wood engraver
houtsnijkunst [de^v] woodcutting, wood engraving
houtsnijwerk [het] woodcarving
houtsnip [de] [1] ⟨vogel⟩ woodcock [2] ⟨boterham met kaas en roggebrood⟩ rye bread and cheese sandwich
houtsoort [de] (kind/sort/type of) wood, (kind/sort/type of) timber ◆ ***tropische** houtsoorten* tropical woods; ***welke** houtsoort is dat?* what (kind/sort/type of) wood is that?
houtspaan [de] → **houtspaander**
houtspaander [de^m], **houtspaan** [de] wood chip/shaving
houtsprokkelen [het] wood picking/gathering
houtstand [de^m] amount of timber
houtstapel [de^m] [1] ⟨stapel hout⟩ woodpile, stack of wood [2] ⟨brandstapel⟩ (funeral) pile, pyre
[1]**houtsteen** [de^m] ⟨stuk versteend hout⟩ piece of woodstone
[2]**houtsteen** [het, de^m] ⟨versteend hout⟩ woodstone, silicified/petrified wood
houtstof [de] [1] ⟨fijngemaakt hout⟩ wood dust/pulp [2] ⟨bestanddeel van houtcellen⟩ lignose, lignin
houtteelt [de] silviculture
houtteer [het, de^m] wood tar
houttuin [de^m] wood yard, timber/lumber yard
houtvat [het] ⟨plantk⟩ trachea, vessel
houtverband [het] timber framing/truss
houtvester [de^m] forester, (forest) ranger
houtvesterij [de^v] [1] ⟨toezicht⟩ forestry [2] ⟨woning⟩ forester's residence/house
houtvezel [de] woodfibre
houtvezelplaat [de] fibreboard, hardboard
houtvijl [de] (wood) file
houtvlot [het] (timber) raft
houtvlotter [de^m] raftsman, rafter
houtvrij [bn] wood-free
houtvuur [het] wood/log fire
houtwal [de^m] wooded bank
houtwaren [de^{mv}] [1] ⟨voorwerpen⟩ wooden articles [2] ⟨hout⟩ ⟨BE⟩ timber, ⟨AE⟩ lumber
houtweefsel [het] xylem, woody tissue
houtwerf [de] ⟨BE⟩ timber yard, ⟨AE⟩ lumber yard
houtwerk [het] woodwork, carpentry, joinery ◆ ***ingelegd** houtwerk* inlay, marquetry
houtwerker [de^m] woodworker, carpenter, joiner
houtwesp [de] woodwasp, horntail
houtwol [de] woodwool, wood shavings, excelsior
houtworm [de^m] [1] ⟨larve van de houtkever⟩ woodworm ◆ *daar **zit** houtworm **in*** it's got/that has woodworm [2] ⟨paalworm⟩ shipworm, pileworm
houtzaagmolen [de^m] sawmill, lumber mill
houtzager [de^m] sawyer
houtzagerij [de^v] [1] ⟨bedrijf⟩ sawmill, lumber mill [2] ⟨werkplaats⟩ sawmill, lumberyard
houvast [het] hold, grip, footing, purchase ◆ *iemand houvast **bieden*** ⟨ook fig⟩ give s.o. sth. to hold on to; *dit berichtje/dit artikel biedt ons **enig/weinig** houvast* this news item gives us sth./nothing to go on; *niet veel/geen enkel houvast **geven*** give little/no hold/grip; *nergens houvast aan **hebben*** ⟨fig⟩ have nothing to go by/on; *het is tenminste iemand waar je houvast aan **hebt*** with him/her there is at least sth. to grasp hold of; *zijn houvast **verliezen*** lose one's hold/footing; *houvast **zoeken*** ⟨ook fig⟩ look for sth. to hold on to
houw [de^m] [1] ⟨slag met een scherp voorwerp⟩ gash, slash ◆ *iemand een houw **geven*** gash s.o.; *een houw **krijgen*** be gashed [2] ⟨wond⟩ gash, slash ◆ *hij had een houw **over** zijn rechterwang* he had a gash on his right cheek
houwbijl [de] axe, ⟨AE⟩ ax
houwdegen [de^m] [1] ⟨degen om mee te houwen⟩ backsword, broadsword [2] ⟨fig; persoon⟩ old war-horse
houweel [het] pickaxe, ⟨AE⟩ pickax, pick, mattock
[1]**houwen** [onov ww] ⟨hakken⟩ chop, hew, hack
[2]**houwen** [ov ww] [1] ⟨delen⟩ chop, hack ◆ *iets **in stukken** houwen* chop/hack sth. to pieces [2] ⟨afhakken⟩ lop/chop off ◆ ***takken van de bomen** houwen* lop branches off the trees [3] ⟨omhakken⟩ chop down, cut down, ⟨bomen⟩ fell [4] ⟨door hakken vormen⟩ hew, carve ◆ ***steen** houwen* hew stone; *gehouwen **steen*** hewn stone; ***uit** marmer gehouwen* carved from/out of marble [•] *er op **in** houwen* lay about one; *op iets **in** houwen* hack away at sth.
houwer [de^m] [1] ⟨steenhouwer⟩ hewer, stonemason [2] ⟨werktuig⟩ ⟨kapmes⟩ chopper, ⟨degen⟩ backsword [3] ⟨mijnb⟩ hewer [4] ⟨slagtand van een ever⟩ tusk
houwhamer [de^m] ⟨voor loodgieters e.d.⟩ geologist's hammer
houwitser [de^m] ⟨mil⟩ howitzer
houwmes [het] chopping-knife
houwtouw [het] key cord
hovaardig [bn, bw] proud ⟨bw: ~ly⟩, haughty ⟨bw: haughtily⟩
hovaardigheid [de^v] pride, haughtiness
hovaardij [de^v] pride, haughtiness
hoveling [de^m], **hovelinge** [de^v] courtier
hovelinge [de^v] → **hoveling**
hovenier [de^m] horticulturist, gardener
hovenieren [onov ww] garden
hoveniersbedrijf [het] landscaping company/firm
hovercraft [de] hovercraft
[1]**hozen** [onpers ww] ⟨stortregenen⟩ pour down, pour with rain ◆ ***het** hoost* it's pouring
[2]**hozen** [ov ww, ook abs] ⟨(water) uit een vaartuig scheppen⟩ bail/bale (out)
hr. [afk] (heer) Mr
HR [de^m] (Hoge Raad) Supreme Court
hr-ketel [de^m] (hoogrendementsketel) high efficiency boiler
hs. [afk] (handschrift) MS, ms
h.s. [afk] [1] (hoc sensu) in this sense [2] (hic situs) HS
hsl [de] (hogesnelheidslijn) high-speed rail link
hst [de^m] (hogesnelheidstrein) high-speed train, Eurostar
h.t. [afk] (hoc tempore) at this time
h.t.l. [afk] (hier te lande) in this country
HTML [het] (Hypertext Markup Language) HTML
hts [de] (hogere technische school) Technical College
hu [tw] [1] ⟨uitroep van afschuw⟩ ugh, yuk ◆ *hu wat is het koud* ugh! it's cold; *hu! wat een lelijk schilderij* ugh! what an ugly painting [2] ⟨uitroep om aan te sporen, te laten stoppen⟩ ⟨vort⟩ gee (up), ⟨stoppen⟩ whoa
hub [de^m] hub
hufter [de^m] ⟨inf⟩ shithead, asshole
hufterig [bn] loutish ◆ *hufterig **gedrag*** loutish behaviour; *zich hufterig **opstellen*** act like a clod(hopper)/lout; be ill-mannered/bad-mannered
hufterigheid [de^v] [1] ⟨het hufterig-zijn⟩ assholeishness [2] ⟨als maatschappelijk verschijnsel⟩ assholeishness
hufterproof [bn, alleen pred] vandal-proof
hugenoot [de^m] Huguenot
huh [tw] huh, eh
hui [de] whey
huichelaar [de^m], **huichelaarster** [de^v] hypocrite, dissembler
huichelaarster [de^v] → **huichelaar**

huichelachtig [bn, bw] hypocritical ⟨bw: ~ly⟩, insincere, twofaced, ⟨schijnheilig⟩ sanctimonious
huichelarij [de^v] hypocrisy, insincerity, ⟨form⟩ dissimulation, ⟨schijnheiligheid⟩ sanctimoniousness
¹**huichelen** [onov ww] ⟨zich beter voordoen dan men is⟩ dissemble, feign, sham, play the hypocrite, ⟨form⟩ dissimulate
²**huichelen** [ov ww] ⟨veinzen⟩ feign, dissemble, simulate, affect, sham, ⟨form⟩ dissimulate ◆ ***vriendschap** huichelen* feign friendship; *gehuichelde **woorden*** hypocritical/insincere words
huid [de] 1 ⟨vel⟩ skin ◆ *de huid **afstropen*** skin, flay; ⟨fig⟩ *hij heeft een **dikke** huid* he is thick-skinned, he has a thick skin; *met een **donkere/lichte** huid* dark-skinned/fair-skinned; ***droge/vette/gave** huid* dry/greasy/clear skin; *iets met huid en **haar** opeten* eat up every scrap of sth.; ⟨fig⟩ ***in** iemands huid kruipen* put o.s. in s.o. else's position/shoes/place; *een nieuwe huid **krijgen**, zijn huid **afwerpen*** ⟨m.b.t. sl⟩ grow a new skin, cast/shed its skin; *iemand **op** zijn huid geven* tan s.o.'s hide; ***op** de (blote) huid dragen* wear next to the skin; ⟨fig⟩ *iemand **op** zijn huid zitten* keep after s.o.; *om zijn huid te **redden*** to save his skin/hide; ***tot op** de huid nat worden* become/get soaked to the skin; ⟨fig⟩ *zijn huid duur **verkopen*** sell one's life dearly, fight to the bitter end; ⟨fig⟩ *iemand de huid **vol** schelden* call s.o. everything under the sun; *een **zachte/donkere/naakte** huid* a soft/dark/bare skin; ⟨fig⟩ *bang zijn voor zijn huid* be afraid for one's life 2 ⟨afgestroopt vel⟩ ⟨grote dieren⟩ hide, ⟨kleine dieren⟩ skin ◆ ***gedroogde/gelooide** huid* dried/tanned hide 3 ⟨m.b.t. planten⟩ skin, membrane 4 ⟨buitenbekleding van een schip⟩ skin, shell ⊡ ⟨sprw⟩ *men moet de huid van de beer niet verkopen eer men hem geschoten heeft* don't count your chickens before they're hatched; don't sell the skin till you've caught the bear
huidaandoening [de^v] skin disorder/disease
huidademhaling [de^v] skin/cutaneous respiration
huidarts [de^m] dermatologist, skin specialist
huidcrème [de] skin cream
huidig [bn] present, current ◆ *tot op de huidige **dag*** to this very day; *het huidige **geslacht*** the present generation; *de huidige **kampioen/huurder*** the current/reigning champion, the present tenant; *onder de huidige **omstandigheden**, in de huidige **situatie*** under the present circumstances, with the situation as it stands; *de huidig economische **toestand*** the current economic situation
huidkanker [de^m] skin cancer
huidkleur [de] skin colour, ⟨m.b.t. gezicht⟩ complexion
huidklier [de] cutaneous gland
huidlijm [de^m] 1 ⟨voor nepbaarden enz.⟩ moustache glue 2 ⟨geneeskunde⟩ skin adhesive
huidmondje [het] ⟨biol⟩ stoma ◆ ***zonder** huidmondje* astomatous
huidontsteking [de^v] dermatitis, inflammation of the skin
huidplaat [de] ⟨scheepv⟩ shell plating
huidplooi [de] skin crease, fold of the skin, plica, ⟨dikke plooi⟩ collop
huidreactie [de^v] skin reaction
huidschilfer [de^m] scale, flake of skin
huidskleur [de] complexion, (skin) colour
huidsmeer [het, de^m] sebum, skin oil
huidspecialist [de^m] skin specialist, dermatologist
huidstrak [bn] skintight
huidtransplantatie [de^v] skin-grafting, skin-transplantation
huiduitslag [de^m] rash ◆ *huiduitslag **hebben/krijgen*** have/develop a rash
huidverzorging [de^v] skin care, care of the skin
huidvlek [de] macula, macule, ⟨van dier⟩ patch, ⟨moedervlek⟩ birthmark, mole
huidvraat [de^m] leprosy
huidworm [de^m] Guinea worm
huidzenuw [de] cutaneous nerve
huidziekte [de^v] skin disease ◆ ***leer** der huidziekten* dermatology
huif [de] 1 ⟨overdekking van een wagen⟩ hood, tilt 2 ⟨netmaag⟩ reticulum
huifkar [de] covered wagon, tilt-cart, ⟨AE⟩ prairie schooner
huifschip [het] covered ship/boat
huig [de] uvula
huig-r [de] ursular r, guttural r
huik [de] hooded cloak ⊡ *de huik naar de wind **hangen*** set one's sail according to the wind, swing with the wind
huilbaby [de^m] whiny baby
huilbui [de] crying fit, fit of weeping ◆ *huilbuien **hebben*** be weepy
huilebalk [de^m] crybaby, blubberer, howler
huilebalken [onov ww] blubber, howl
huilen [onov ww] 1 ⟨m.b.t. mensen⟩ cry, ↑weep, ⟨snikken⟩ sob, ⟨pej⟩ blubber, howl, whine, snivel, whinge, ⟨iron of scherts; vnl. opzettelijk om sympathie te krijgen⟩ turn on the waterworks ◆ *de man huilde **als** een kind* the man broke down and cried; ⟨pej⟩ the man cried like a woman/(little) baby; ***gaan** huilen, in huilen **uitbarsten*** start to cry/weep, burst out crying/into tears, turn on the waterworks; *eens **goed** huilen zou je goed doen* ((you) go ahead and) have a good cry, it'll do you good; *half lachend, **half** huilend* between laughing and crying; *ze **kon** wel huilen* she could have cried, she felt like crying, she was on the verge of tears, she was near/close to tears; *het is huilen **met** de pet op* it's (a/one hell of) a mess; ⟨fig⟩ *hij **moest** huilen van de uienlucht* the onions made him cry; *huilen **om** iets* cry over/about sth.; *het is **om** (van) te huilen* it's enough to make you weep; ⟨sterk⟩ Jesus wept!; ***tranen** met tuiten huilen* cry/weep bitterly, cry one's eyes/heart out; *huilen **van** blijdschap/pijn* cry/weep with/for joy/with pain; *het huilen stond hem nader dan het lachen* he was on the verge of tears, he was near/close to tears 2 ⟨janken, loeien⟩ howl ⟨ook wind⟩, ⟨sirene ook⟩ wail ◆ *de **hond** huilt* the dog is howling; *huilende **indianen*** (war-)whooping Indians
huiler [de^m] orphan seal-pup
¹**huilerig** [bn] ⟨vaak huilend⟩ tearful, ⟨inf⟩ weepy, ⟨form⟩ lachrymose
²**huilerig** [bn, bw] ⟨(als) van iemand die huilt⟩ tearful ⟨bw: ~ly⟩, ⟨inf⟩ weepy, ⟨form⟩ lachrymose ◆ *met huilerige **stem*** with a tearful voice; *op huilerige **toon*** in a whimpering tone of voice, tearfully
huilfilm [de^m] tear-jerker
huilpartij [de^v] crying binge/jag ◆ *op een huilpartij **uitdraaien*** end in tears
huiltje [het] cry
huiltoon [de^m] 1 ⟨van iemand die huilt⟩ whimpering, howling, wailing 2 ⟨van sirene, wind⟩ howling, wailing, roaring
huis [het] 1 ⟨gebouw als woning⟩ house ◆ *huis **aan** huis (verkopen)* (sell) door-to-door; *een huis **als** een kasteel/paleis* a house like a castle/palace; *dat is/staat zo vast **als** een huis* (as) sure as hell/fate, as sure as eggs (is eggs); ⟨fig⟩ *huizen op iemand **bouwen*** have total faith in s.o.; ⟨fig⟩ *men zou huizen op hem **bouwen*** he's as solid as a rock; *hij **doet in/bezit** huizen* he deals in/owns property; *een **eigen** huis hebben* own one's own house; *huis en **erf*** premises; *huis en **haard*** hearth and home; ***halfvrijstaand** huis* ⟨vnl BE⟩ semi(-detached); ⟨AE⟩ duplex; *de **heer** des huizes* the man of the house, ⟨form; scherts⟩ the master of the house; *een **houten** huis* a frame house; *huis **in** de stad* town house; *je moet **in** huis gaan* you must go into the house; *huizen **kijken*** look at/view houses; ***twee** huizen onder één kap* ⟨vnl BE⟩ semis, semidetached houses; ⟨AE⟩ duplexes; *een **tweede** huis* a coun-

try house/cottage, a second home; ***van** huis **tot** huis (gaan)* make house to house calls; *een huis **van** drie verdiepingen* a three-storeyed/ᴬthree-storied house; *de **vrouw** des huizes* the lady of the house, ⟨form; scherts⟩ the mistress of the house; *Lauriergracht 78 huis* ᴮground-floor/downstairs flat/ ᴬfirst-floor apartment, 78 Lauriergracht [2] ⟨iemands woning⟩ house, residence, domicile ◆ ***aan** huis gebonden* housebound; ***aan** huis bezorgen* deliver to the door; *bezorging **aan** huis* door-to-door/home delivery; *hij is er kind **aan** huis* he is treated as/like one of the family, he's a regular/ frequent visitor; *bij iemand **aan** huis komen* be on visiting terms with s.o.; *het huis **alleen** hebben* have the house to o.s.; *dicht **bij** huis* near home; *om wat dichter **bij** huis te blijven* ⟨fig⟩ to take an example close(r) to home/an example we're all familiar with; *huis noch **haard** hebben* have nothing to one's name; *ergens **in** huis* somewhere about the house; ***in** huis zijn bij* lodge with; *niets **in** huis hebben* have no food/drinks in the house, not have a thing to eat/ drink, not have anything on hand; *zij is de baas **in** huis* she wears the trousers; *heel wat **in** huis hebben* ⟨fig⟩ have a lot going for one; *pantoffels voor **in** huis* slippers for indoors; ***in** huis (moeten) blijven* ⟨van zieke⟩ (have to) stay indoors, be confined to the house; ***in** huis is het veel warmer* it's much warmer inside; *iemand **in** huis hebben/nemen* have/ take a boarder, take s.o. in; ⟨fig⟩ *dan is het huis te **klein*** then all hell will break loose; ***naar** huis sturen* send home; ⟨arbeiders ook⟩ lay off; ⟨patiënten⟩ discharge; ⟨Tweede Kamer⟩ dissolve; ⟨soldaten⟩ dismiss, demobilize; *mee **naar** huis nemen* take home; *ik ga/moet **naar** huis* I am off (home), I must be getting back/home; *met iemand mee **naar** huis gaan* go home with s.o.; *iemand/een meisje **naar** huis brengen* see/take/walk s.o./a girl home; *iemand **uit** zijn huis zetten* turn s.o. out (of his house); ⟨huurder ook⟩ evict s.o.; *nu de kinderen het huis **uit** zijn* now that the children have all left; *ik kom **van** huis* I have come from home; *niet **van** huis kunnen* be housebound; *zich verder **van** huis wagen* venture further afield; *dan zijn we nog verder **van** huis* ⟨fig⟩ then we will be even worse off, that's not going to get us anywhere, then we'll be going from bad to worse; *het ouderlijk huis **verlaten, uit** huis **gaan*** leave the parental home, leave home; *een huis **vol** hebben* have a houseful (of guests); *tuin **vóór** het huis* front garden [3] ⟨ander gebouw⟩ house, building, premises, theatre ◆ *het Huis des **Heren*** the house of God; ***open** huis houden* have an open ᴮday/ᴬhouse; *een **uitverkocht** huis* a full house; *huis **van** ontucht* house of ill-repute; *huis **van** bewaring* house of detention [4] ⟨huisgezin⟩ home ◆ ***naar** huis schrijven* write home; ⟨fig⟩ *het is niet om over **naar** huis te schrijven* it is nothing to write home about; ⟨fig⟩ ***van** huis uit* originally, by birth; ***van** huis weglopen* run away from home [5] ⟨firma⟩ establishment, firm, concern, house ◆ *(op kosten) **van** het huis* on the house; ⟨in België⟩ *huis van **vertrouwen*** old established firm [6] ⟨omhulsel⟩ case, casing, shell, house ◆ ⟨fig⟩ *ons **aardse** huis* our earthly house; *het huis van een **bijl/houweel*** the case of an axe/a hatchet; *het huis van een **kompas*** the case of a compass [7] ⟨(vorstelijk) geslacht⟩ House, Family, dynasty ◆ ***van goeden** huize komen* ⟨van goede familie⟩ be of good birth/of (a) good family; ⟨erg goed zijn⟩ have what it takes; *het **Koninklijk** Huis* the Royal Family; *het Huis van **Oranje*** the House of Orange [8] ⟨leden van een hofhouding⟩ court, household ◆ *het **Civiele** en het **Militaire** Huis van Hare Majesteit de Koningin* the Civil and Military Court of Her Majesty the Queen [·] ⟨in België⟩ *daar **komt** niets van in huis* ⟨niets van terecht⟩ they'll never do it/get it done/pull that one off; ⟨dat mag niet⟩ over my dead body, no way (and that's final); ⟨sprw⟩ *wie in een glazen huis woont, moet niet met stenen gooien* those/people who live in glass houses should not throw stones; ⟨sprw⟩ *als de kat van huis is, dansen de muizen (op tafel)* when the cat's away the mice will play; ⟨sprw⟩ *in 't huis van de gehangene spreekt men niet over de strop* name not a rope in the house of him that hanged himself

huis-aan-huisblad [het] free local paper

huis-aan-huisverkoop [deᵐ] door-to-door sales(manship)/selling

huisaansluiting [deᵛ] service pipe, ⟨elek⟩ service line

huisadres [het] home/private address

huisafval [het, deᵐ] domestic/household waste

huisaltaar [het, deᵐ] family/house altar

huisapotheek [deᵛ] medicine chest

huisarbeid [deᵐ] [1] ⟨werk⟩ outwork [2] ⟨stelsel⟩ home industry

huisarchief [het] private archives

huisarrest [het] house arrest ◆ *huisarrest **hebben*** ⟨jur⟩ be under house arrest; ⟨m.b.t. kinderen⟩ be kept in

huisarts [deᵐ] family doctor, ⟨form⟩ general practitioner, ⟨inf⟩ GP

huisartsenpost [deᵐ] ± doctor's surgery

huisbaas [deᵐ] ⟨man⟩ landlord, ⟨vrouw⟩ landlady

huisbakken [bn] [1] ⟨thuis gebakken⟩ home-made, home-baked [2] ⟨alledaags⟩ trivial, trite, banal, pedestrian

huisbar [deᵐ] home bar

huisbediende [de] domestic (servant)

huisbewaarder [deᵐ], **huisbewaarster** [deᵛ] [1] ⟨iemand die huis betrekt tijdens afwezigheid van bewoners⟩ caretaker [2] ⟨in België; conciërge⟩ caretaker, doorkeeper

huisbewaarster [deᵛ] → **huisbewaarder**

huisbezoek [het] house call/visit ◆ *huisbezoeken **afleggen*** visit at home; ***op** huisbezoek gaan/zijn* go/be visiting

huisbijbel [deᵐ] family Bible

huisbraak [de] housebreaking, burglary, breaking-and-entering

huisbrandolie [de] domestic fuel oil

huiscollecte [de] house-to-house/door-to-door collection

huiscomputer [deᵐ] home computer

huiscorrectie [deᵛ] ⟨drukw⟩ proofreading (carried out by the publishers)

huisdealer [deᵐ] licensed dealer in soft drugs

huisdeur [de] front door

huisdier [het] pet (animal) ◆ *een kat **als** huisdier hebben/ houden* have/keep a cat as a pet; ***tot** huisdier **maken*** domesticate

huisduif [de] [1] ⟨tamme duif⟩ domestic pigeon [2] ⟨fig⟩ → **huismus**

huiseigenaar [deᵐ], **huiseigenares** [deᵛ] ⟨man & vrouw⟩ home-owner, ⟨verhuurder; man⟩ landlord, ⟨vrouw⟩ landlady, ⟨alg ook; man & vrouw⟩ proprietor

huiseigenares [deᵛ] → **huiseigenaar**

huiselijk [bn] [1] ⟨m.b.t. huisgezin, huishouden⟩ domestic, ⟨attributief⟩ home, household, ⟨m.b.t. familie ook⟩ family ◆ *huiselijke **beslommeringen*** domestic worries; *huiselijk **geluk*** domestic happiness; *de huiselijke **haard*** the fireside; ⟨thuis⟩ the home; *in de huiselijke **kring*** in the family circle; *het huiselijk **leven*** private/family/domestic life; *wegens huiselijke **omstandigheden*** for family reasons; ⟨form⟩ owing to domestic circumstances; *kost en inwoning met huiselijk **verkeer*** room and board as one of the family/in a family atmosphere; *de huiselijke **vrede** weten te bewaren* know how to keep the peace in the family [2] ⟨intiem⟩ homelike, homely, ⟨inf⟩ hom(e)y, ⟨knus, gezellig⟩ cosy ◆ *een huiselijk **dinertje*** a nice cosy dinner; *een huiselijk **feestje*** an informal get-together, a little celebration [3] ⟨graag thuis zijnd⟩ home-loving, ⟨inf⟩ hom(e)y, ⟨vnl pej⟩ domesticated, ⟨thuisblijvend⟩ stay-at-home ◆ *een huiselijk **type*** a hom(e)y/home-loving type; ⟨man ook⟩ a family man

huiselijkheid [deᵛ] [1] ⟨vertrouwelijkheid⟩ hominess, ⟨AE⟩ homeyness [2] ⟨gehechtheid aan huis⟩ domesticity

huisgemaakt [bn, alleen attr] homemade

huisgenoot [deᵐ], **huisgenote** [deᵛ] ⟨medebewoner⟩

housemate, ⟨gezinslid⟩ inmate, member of the family

huisgenote [de^{v}] → **huisgenoot**

huisgewaad [het] housecoat

huisgezin [het] family, household ◆ ***in** elk huisgezin* in every household/home; ***voor** het hele huisgezin* for the whole family

huisgoden [de^{mv}] household gods, ⟨Romeinse myth⟩ lares and penates

huisheer [de^{m}] [1] ⟨huiseigenaar⟩ landlord [2] ⟨heer des huizes⟩ master of the house

huishoudbeurs [de] ⟨BE⟩ (ideal) home exhibition, ⟨AE⟩ home fair

huishoudboek [het] housekeeping book ◆ *een huishoudboekje **bijhouden*** keep a housekeeping book

huishoudelijk [bn] [1] ⟨m.b.t. de huishouding⟩ domestic, household ◆ *huishoudelijke **apparaten*** home appliances; *huishoudelijke **artikelen*** household goods/items; *voor huishoudelijk **gebruik*** for household use; *huishoudelijk **personeel*** domestic staff; *huishoudelijke **uitgaven*** housekeeping expenses; *huishoudelijk **werk/karweitje*** household work/chore [2] ⟨met aanleg voor het huishouden⟩ domestic ◆ *(niet) huishoudelijk **aangelegd*** (not) domestic/the domestic type [3] ⟨behorend tot de dagelijkse aangelegenheden⟩ domestic ◆ *een huishoudelijke **vergadering*** business/private meeting; *de huishoudelijke **zaken** (afhandelen/behandelen)* (settle/deal with) everyday/routine business

huishoudelijkheid [de^{v}] domesticity

^{1}**huishouden** [het] [1] ⟨huishouding⟩ housekeeping ◆ *het huishouden **doen*** run a/the home, do the housekeeping; ⟨vnl. voor iemand anders⟩ keep house; *ze is erg goed **in** het huishouden* she's very good in the house/at housekeeping, she's a very good housekeeper; *een huishouden van **Jan Steen*** a real/perfect shambles, a pigsty, a(n) (untidy/real/right) mess; *geen idee hebben **van** het huishouden* be no good/use at housekeeping, be no good in the home, be quite undomesticated; *de ouders delen de zorg **voor** het huishouden* the parents share the housekeeping, ⟨inf⟩ the parents share the chores [2] ⟨persoon of groep personen⟩ household, family ◆ *dat huis wordt door **drie** huishoudens bewoond* that house houses three families; *nieuwe woningen voor **een- en tweepersoonshuishoudens*** new houses for single people and couples, new one and two person residences [3] ⟨huisraad⟩ household goods, ⟨meubels⟩ furniture, house contents

^{2}**huishouden** [ww] ⟨de huishouding doen⟩ run the home/house, ⟨vnl. voor iemand anders⟩ keep house

^{3}**huishouden** [onov ww] ⟨tekeergaan⟩ carry on, wreak havoc (in/among), cause havoc/damage ◆ *ze hebben flink huisgehouden **in** onze drankvoorraad* they made great inroads into our drink supply; *de voetbalsupporters hebben weer verschrikkelijk huisgehouden **in** de binnenstad van A.* the football fans went on the rampage/went berserk again in A.'s city centre; *de **soldaten** hebben flink huisgehouden (onder hen)* the soldiers raised hell (among them)

huishoudfolie [de] cling film

huishoudgeld [het] housekeeping (money), housekeeping allowance

huishoudhulp [de] ⟨persoon⟩ domestic help, ⟨apparaat⟩ domestic appliance

huishouding [de^{v}] [1] ⟨regeling van het huishouden⟩ housekeeping, household management, ⟨m.b.t. staat⟩ economy ◆ *de huishouding voor iemand **doen*** keep house/do the housekeeping for s.o.; ***hoofd** van de huishouding* matron ⟨v⟩; head housekeeper; *een hulp **in** de huishouding* a home help; *een gemeenschappelijke huishouding **voeren*** have a joint household [2] ⟨leven als huisgenoten⟩ household, home, family ◆ *we hebben vandaag een **klein** huishoudinkje* there are just a few of us today

huishoudjam [de] ± factory-made jam, ± ordinary industrial jam

huishoudkunde [de^{v}] home economics, domestic science

huishoudkundige [de] home economist

huishoudonderwijs [het] domestic science education, teaching of domestic science, teaching of home economics

huishoudrol [de] kitchen towels

huishoudschool [de] domestic science school

huishoudster [de^{v}] housekeeper

huishoudstroop [de] ± factory-made black treacle

huishoudtrap [de] stepladder, ⟨BE⟩ steps

huishoudweegschaal [de] (set/pair of) kitchen scales

huishoudwetenschappen [de^{mv}] domestic science, home economics, household management

huishoudzeep [de] household soap

huishuur [de] rent

huisindustrie [de^{v}] ⟨BE⟩ cottage industry, ⟨AE⟩ home industry, domestic industry

huisjasje [het] [1] ⟨jas voor in huis⟩ housecoat, indoor coat [2] ⟨korte kamerjas⟩ smoking-jacket, after-dinner jacket

huisje [het] [1] ⟨klein huis⟩ bungalow, cottage, small/little house ◆ ***heilige** huisjes omverschoppen* attack sacred cows, break taboos, be an iconoclast; *een huisje aan zee **huren/bespreken*** rent/reserve a cottage by the sea; *een **leuk/lief** huisje* a quaint/charming little house [2] ⟨afdak⟩ cover, ⟨voor iconen⟩ screen ◆ *een **heilig** huisje* ⟨fig⟩ a sacred cow; ⟨lett⟩ a chapel [3] ⟨slakkenhuis⟩ shell [4] ⟨cocon⟩ cocoon [•] ⟨fig⟩ *huisje, **boompje, beestje*** suburban bliss, marital bliss in the suburbs; ⟨pej⟩ a boring suburban existence; *huisjes **melken*** live off rented property, be a slum landlord; ⟨sprw⟩ *elk huisje heeft zijn kruisje* ± every man has his cross to bear

huisje-boompje-beestje [bn] suburban bliss, marital bliss in the suburbs, ⟨pej⟩ a boring suburban existence

huisjesmelker [de^{m}] ⟨BE⟩ rack-renter, ⟨vnl AE⟩ slumlord

huisjesslak [de] snail, helix

huiskamer [de] living room, sitting-room

huiskapel [de] [1] ⟨kapel in huis⟩ private chapel [2] ⟨orkest⟩ resident band/orchestra

huiskapelaan [de^{m}] private chaplain

huiskip [de^{v}] [1] ⟨gewone kip⟩ domestic chicken [2] ⟨hobbykip⟩ chicken kept as a hobby

huiskleur [de] [1] ⟨bleke huidkleur⟩ pasty [2] ⟨herkenningskleur⟩ colour trade mark, brand colour

huisknecht [de^{m}] manservant, butler, valet, houseman

huiskrekel [de^{m}] house cricket

huislook [het, de^{m}] houseleek

huisman [de^{m}] househusband

huismarter [de^{m}] stone/beech marten

huismeester [de^{m}] [1] ⟨persoon aan het hoofd van de huishouding⟩ head of the household, steward, butler [2] ⟨conciërge in een flatgebouw⟩ caretaker, doorkeeper, warden

huismerk [het] own/^{A}generic brand ◆ *wij hebben ook wijn/koelkasten van ons **eigen** huismerk* we also have our own brand of wine/refrigerators

huismiddeltje [het] [1] ⟨geneesmiddel⟩ home/domestic/household remedy [2] ⟨fig; redmiddel⟩ panacea, cure-all, (universal) remedy

huismijt [de] ⟨biol⟩ house dust mite

huismoeder [de^{v}] [1] ⟨huisvrouw⟩ housewife, mother ◆ *een **gezellige** huismoeder* a good homemaker [2] ⟨vlinder⟩ common yellow underwing (moth)

huismuis [de] house mouse

huismus [de] [1] ⟨vogel⟩ house sparrow [2] ⟨persoon⟩ stay-at-home, homebird, homebody ◆ *een huismus **zijn*** ⟨ook⟩ keep (o.s.) to o.s.

huismuziek [de^{v}] domestic/family music-making, music at home

huisnijverheid [de^v] ⟨BE⟩ cottage industry, ⟨AE⟩ home industry, domestic industry
huisnummer [het] number (of a/the house), house number
huisonderwijs [het] private/home tuition, education at home
huisonderwijzer [de^m], **huisonderwijzeres** [de^v] ⟨man & vrouw⟩ tutor, ⟨vrouw⟩ governess, ⟨vrouw⟩ tutoress, ⟨man & vrouw⟩ home/private teacher
huisonderwijzeres [de^v] → **huisonderwijzer**
huisorde [de] 1 ⟨huisregels⟩ house rules/regulations 2 ⟨ridderorde⟩ order of knighthood conferred by a/the monarch
huisorgaan [het] (in)house organ/magazine
huisorgel [het] home organ, ⟨harmonium⟩ harmonium
huisorkest [het] private/resident orchestra
huispost [de] ⟨in België⟩ internal post
huispraktijk [de] general practice/^A practise
huisraad [het] household goods/effects, ⟨meubels⟩ (household) furniture, ⟨inf⟩ stuff, gear ◆ *(stuk)* ***schamele*** *huisraad* paltry (piece of) furniture; ***stuk*** *huisraad* piece of furniture; *al het huisraad* ***werd vernield*** the entire contents of the house were/every stick of furniture was destroyed
huisrat [de] house rat, black rat
huisrecht [het] inviolability of the home
huisregels [de^mv] house rules/regulations, ⟨van drukkerij m.b.t. spelling en interpunctie⟩ house style
huisschilder [de^m] house painter, ⟨vnl BE ook⟩ decorator, ⟨als beroepsbenaming; BE⟩ painter and decorator
huissleutel [de^m] latchkey, house key, front-door key, passkey
huissloof [de^v] household/domestic drudge, skivvy
huissok [de] house sock
huisspin [de] house spider
huisspook [het] resident ghost
huisstijl [de^m] ⟨logo⟩ company logo, ⟨eigen identiteit⟩ corporate identity, ⟨eigen stijl⟩ house style
huisstof [het] household dust/dirt
huisstofmijt [de] house dust mite
huisteelt [de] growing marijuana privately
huistelefoon [de^m] internal telephone (system)
huistiran [de^m] domestic/household tyrant, ↑ petty tyrant
huis-tuin-en-keuken- household, common-or-garden, ⟨AE⟩ common-or-garden variety ◆ *een boormachine voor huis-tuin-en-keuken****gebruik****, een huis-tuin-en-keuken****boormachine*** a drill for use around the house; *een huis-tuin-en-keuken****middeltje*** *tegen griep* a household remedy for flu; *een huis-tuin-en-keuken****roman/uitdrukking/onderwerp/verkoudheid(je)*** a common-or-garden novel/expression/topic/cold
huisvader [de^m] family man, father (of a/the family) ◆ ⟨jur⟩ *iets met de zorg van een* ***goed*** *huisvader beheren* administer sth. in a tenant-like way/with the care of a prudent/reasonable man/with due diligence
huisvergadering [de^v] house meeting, ⟨inf⟩ get-together
huisvesten [ov ww] ⟨tijdelijk⟩ find/provide accommodation (for), accommodate, ⟨definitief⟩ house, ↓ put up, ⟨in eigen huis⟩ take in, take into the/one's house, ⟨in iemand anders huis⟩ lodge ◆ *er zijn* ***in*** *dat pand 10 mensen gehuisvest* that building houses 10 people
huisvesting [de^v] 1 ⟨het verschaffen van verblijf⟩ housing 2 ⟨verblijf⟩ accommodation, housing, quarters, ⟨tijdelijk⟩ lodging ◆ *huisvesting* ***bieden aan*** offer accommodation to; ***geschikte*** *huisvesting zoeken* look for suitable housing/accommodation/quarters; *de huisvesting van gepensioneerden* ***verbeteren*** improve pensioners' housing; *ergens huisvesting* ***vinden*** find accommodation somewhere 3 ⟨huisvestingsbureau⟩ housing department
huisvestingsbureau [het] (city) housing department
huisvestingscommissie [de^v] housing commission, house/allocation committee
huisvestingsvraagstuk [het] housing problem
huisvlieg [de] ⟨dierk⟩ housefly
huisvlijt [de] 1 ⟨thuiswerk⟩ home industry/crafts, cottage industry 2 ⟨knutselwerk⟩ pottering around in the house
huisvrede [de] 1 ⟨rust in huis⟩ domestic peace (and quiet) 2 ⟨onschendbaarheid van een woning⟩ inviolability of the home
huisvredebreuk [de] ⟨jur⟩ unlawful entry, trespass (in s.o.'s house), violation of (the privacy of) s.o.'s house/home
huisvriend [de^m], **huisvriendin** [de^v] family friend, friend of the family
huisvriendin [de^v] → **huisvriend**
huisvrouw [de^v] housewife
huisvuil [het] household refuse, (household) rubbish, ⟨vnl AE⟩ trash, garbage ◆ *het* ***ophalen van*** *huisvuil* refuse/^A garbage collection; *stortplaats* ***voor*** *huisvuil* ⟨BE⟩ refuse/rubbish dump/tip; ⟨AE⟩ city/town dump, ⟨AE⟩ garbage dump
huisvuilscheiding [de^v] sorting of household waste/^A trash, sorted waste disposal
huisvuilzak [de^m] dustbin liner/bag, ⟨AE⟩ garbage bag
huiswaarts [bw] homeward(s) ◆ *huiswaarts* ***keren****, zich huiswaarts* ***begeven*** return/go home, start/head for home, make one's way home(ward(s))
huiswerk [het] 1 ⟨schoolwerk⟩ homework, ⟨BE ook; vnl. op 'betere' scholen⟩ prep(aration), ⟨AE ook; afzonderlijke opdracht⟩ assignment ◆ *zijn huiswerk niet* ***gedaan hebben*** not have done one's homework; *huiswerk* ***maken*** do one's homework/prep(aration)/assignment; *huiswerk* ***opgeven*** assign homework/prep(aration); ⟨BE ook⟩ set homework; *zijn huiswerk* ***overdoen*** do one's homework again 2 ⟨werk in huis⟩ housework, household work, ↑ household/domestic duties, household/domestic chores
huiswerkhulp [de] 1 ⟨hulp⟩ homework assistance 2 ⟨helper⟩ homework tutor
huiswerkvrij [bn] ▪ *we* ***hebben*** *huiswerkvrij* we don't have any homework
huiswijn [de^m] house wine
huiszoeking [de^v] (house) search, ⟨jur⟩ domiciliary visit ◆ *huiszoeking bij iemand* ***doen*** conduct a search of/search s.o.'s house/home/premises; ⟨inf⟩ turn over s.o.'s house; ***machtiging/verlof/bevel(schrift)*** *tot huiszoeking* search warrant; *in de hele straat* ***werden*** *huiszoekingen* ***gedaan*** there was a house-to-house search of the street, every house in the street was searched
huiszwaluw [de] house martin
huiven [ov ww] 1 ⟨een huif opzetten⟩ hood 2 ⟨omhullen⟩ envelop (in), shroud (in/with), wreathe (in)
huiver [de^m] shudder, frisson, shiver, chill ◆ *hij* ***heeft*** *een huiver voor vage beloften* he can't stand vague promises
huiveren [onov ww] 1 ⟨beven⟩ ⟨van kou⟩ shiver, ⟨van angst enz.⟩ shudder, tremble ◆ ***doen*** *huiveren* make s.o. shiver/shudder/tremble; ⟨met afschuw/walging⟩ make s.o.'s flesh creep, ⟨inf⟩ give s.o. the creeps; *huiveren* ***van*** *de kou* shiver with cold 2 ⟨terugschrikken⟩ recoil/shrink (from) ◆ *ik huiveren* ***bij*** *de gedachte* I shudder/tremble at the thought; *hij huiverde* ***ervoor*** *om de feiten te onthullen* he shrank from revealing the facts; *huiveren* ***voor*** *de gevolgen* shudder/tremble to think of the consequences
huiverig [bn] 1 ⟨terugdeinzend, aarzelend⟩ hesitant, wary, charry ◆ *ik ben er nogal huiverig* ***voor*** I am/feel hesitant about/wary of/chary of (doing) it 2 ⟨rillerig⟩ shivery, ⟨van de kou ook⟩ chilly ◆ *huiverig* ***zijn*** be chilly, have the shivers
huiverigheid [de^v] 1 ⟨aarzeling⟩ hesitation, wariness,

chariness [2] ⟨rillerig gevoel⟩ shiveriness, ⟨van de kou ook⟩ chilliness

huivering [de^{v}] [1] ⟨rilling⟩ shiver, shudder, tremor ◆ *er voer een lichte huivering door haar lichaam* a shiver went through her, she shivered, she went cold all over [2] ⟨aarzeling⟩ hesitation

huiveringwekkend [bn, bw] horrible ⟨bw: horribly⟩, terrifying, horrifying, ↓hair-raising

huizen [onov ww] [1] ⟨wonen⟩ live, be housed, ⟨tijdelijk⟩ lodge ◆ *wij huizen nu **in** de voorkamer* we live in the front room now, we use the front room as the living room now; *er huizen **ratten** in de schuur* there are rats in the shed [2] ⟨aanwezig zijn⟩ be (present) ◆ *er huist onrust **in** zijn binnenste* deep down inside (him)/in his heart of hearts he is uneasy

huizenbezit [het] ⟨het bezit⟩ property, ⟨het bezitten⟩ ownership of houses

huizenblok [het] row of houses, ⟨BE⟩ terrace, ⟨AE⟩ block (of houses)

huizenbouw [de^{m}] house-building, housing construction

huizenbouwer [de^{m}] (house-)builder, housing contractor

huizenhoog [bn, bw] towering ⟨bw: ~ly⟩, mountainous ◆ *huizenhoge **favoriet*** (red-)hot/overwhelming favourite; ⟨tennissport ook⟩ top seed; *huizenhoge **golven*** mountainous waves; *huizenhoog tegen iemand **opzien*** look up to s.o., put s.o. on a pedestal; *iemand huizenhoog **prijzen*** praise s.o. to the skies; *huizenhoog **springen*** jump for joy; *huizenhoog **uitsteken** boven de concurrentie* rise head and shoulders above one's competitors/the competition

huizenkant [de^{m}] (the) inside of the ^{B}pavement/^{A}sidewalk ◆ ***aan** de huizenkant (gaan) lopen* walk on the inside, take the inside of the ^{B}pavement/^{A}sidewalk; *iemand **aan** de huizenkant laten lopen* let s.o. walk on the inside; *(vlak) **langs** de huizenkant lopen* keep close to/hug the houses

huizenmarkt [de] housing market

huizing [de^{v}] [1] ⟨scheepstouw⟩ houseline, marlin(e), marling [2] ⟨woning⟩ housing, house, premises

hulde [de^{v}] ⟨eerbetoon⟩ homage, ⟨lofprijzing⟩ tribute ◆ *hulde **aan** deze vrouw!* all honour to her!; *een hulde **aan** zijn nagedachtenis* to his memory; *iemand hulde **brengen/bewijzen*** pay homage/tribute to s.o.; *hulde!* bravo!; ⟨als teken van instemming met redenaar⟩ hear!, hear!

huldebetoon [het] homage

huldeblijk [het] tribute, token of regard, testimonial

huldigen [ov ww] [1] ⟨hulde bewijzen⟩ honour, pay tribute (to), pay/render homage (to) ◆ *een **jubilaris** huldigen* celebrate s.o.'s jubilee [2] ⟨erkennen⟩ hold, believe in ◆ *een **standpunt** huldigen* hold a point of view; *een **stelsel** huldigen* believe in/hold a certain philosophy; *de **waarheid** huldigen* respect/have respect for/recognize the truth

huldiging [de^{v}] honouring, homage, tribute

hulk [de] [1] ⟨schip⟩ hulk, vessel [2] ⟨onttakeld schip⟩ hulk

[1]**hullen** [ov ww] ⟨omhullen met⟩ wrap (up) in, envelop (in), swathe (in), ⟨fig ook⟩ veil/cloak/shroud (in) ◆ *gehuld **in** de mist* blanketed in fog; ***in** nevelen gehuld zijn* be shrouded/veiled in mist; *hij was **in** een deken gehuld* he was wrapped (up) in a blanket; *de stad werd plotseling **in** duisternis gehuld* the town was suddenly plunged into darkness

[2]**zich hullen** [wk ww] ⟨zich omhullen met⟩ wrap o.s. ((up) in), envelop o.s. (in), swathe o.s. (in), ⟨fig ook⟩ veil/cloak/shroud o.s. (in) ◆ ⟨fig⟩ *zich **in** stilzwijgen hullen* veil/cloak o.s. in silence

hullie [pers vnw] ⟨inf⟩ them, ↑they ◆ *hullie **hebben** het gedaan* ± it was them as/what done it

hulp [de] [1] ⟨daad⟩ help, assistance, aid ◆ *hulp en **bijstand*** aid and assistance; ***eerste** hulp (bij ongelukken)* first aid; *hem **kon geen** hulp meer **baten*** he was beyond (human) aid/past human aid/beyond help; *de hulp **inroepen** van* summon the help/aid/assistance of, enlist the help/aid (of s.o.), call in (s.o.); ***medische** hulp* medical aid/assistance, ⟨behandeling⟩ medical treatment; ***met** Gods hulp* with God's help, by the grace of God; ***om** hulp **roepen*** call/cry (out) for help; *iemand **te** hulp **komen*** come to s.o.'s aid/help/assistance/rescue; *iemand **te** hulp **roepen*** call for s.o.'s help/aid/assistance; ⟨m.b.t. brandweer/kustwacht/reddingsteam enz.⟩ call out; ***te** hulp **snellen/schieten*** hasten to help/assist; ⟨redden⟩ hasten/come to the rescue (of); *hij had (niet) **veel** hulp aan de pastoor* the priest was (not) much/a great help to him; *hulp **verlenen*** render assistance, assist, lend aid/assistance; *de reddingsboot hield zich gereed om hulp te **verlenen*** the lifeboat was standing by (to render emergency assistance); *hulp **vragen*** ask for help/assistance; *iets **zonder** hulp doen* do sth. without anybody's help/aid/assistance, do sth. unaided/singlehanded [2] ⟨persoon⟩ helper, assistant, aide ◆ ***huishoudelijke** hulp* ⟨thuiszorg⟩ home help; ⟨dienstmeisje, kok e.d.⟩ (one of the) domestic staff; *hulp **in** de huishouding* home/household/domestic help; ⟨schoonmaakster; BE⟩ char(lady/woman), ⟨AE⟩ cleaning lady; *een **tijdelijke** hulp* a temporary helper/assistant; ***zonder** hulp **zitten*** have no servants [3] ⟨middel⟩ help, aid ◆ *het is een **handige** hulp in de keuken* it is a useful aid in the kitchen [4] ⟨paardsp⟩ aid ⟨vaak mv⟩

hulpactie [de^{v}] relief action/measures

hulpaggregaat [het] auxiliary/emergency generator

hulpapparaat [het] auxiliary apparatus, ↓standby equipment

hulpapparatuur [de^{v}] auxiliary equipment, ↓standby equipment

hulpbehoevend [bn] in need of help, needing help, requiring help, ⟨oud, gebrekkig⟩ infirm, ⟨ziek⟩ invalid, ⟨arm⟩ needy, in need, indigent, ⟨berooid⟩ destitute ◆ ***de** hulpbehoevenden* those in need, the needy, the infirm, invalids, the destitute; *zij verzorgt haar hulpbehoevende **moeder*** she looks after her invalid mother

hulpbehoevendheid [de^{v}] ⟨ouderdom, gebrekkigheid⟩ infirmity, ⟨ziekte⟩ invalidity, helplessness, ⟨armoede⟩ neediness, indigence, ⟨berooidheid⟩ destitution

hulpbetoon [het] assistance, aid, ⟨aan armen ook⟩ relief ◆ ***maatschappelijk** hulpbetoon* public assistance, ⟨AE⟩ welfare

hulpbisschop [de^{m}] ⟨anglic⟩ suffragan (bishop), assistant bishop, ⟨r-k⟩ auxiliary bishop

hulpboek [het] [1] ⟨ec⟩ auxiliary book [2] ⟨onderw⟩ workbook, book of exercises

hulpboer [de^{m}] assistant farmer

hulpbron [de] resource ◆ *de **natuurlijke** hulpbronnen van een land* the natural resources of a country

hulpbrug [de] temporary bridge, ⟨baileybrug⟩ Bailey bridge

hulpdienst [de^{m}] auxiliary service(s), ⟨nooddienst⟩ emergency service(s), ⟨serviceafdeling⟩ service (department) ◆ ***telefonische** hulpdienst* helpline

hulpeloos [bn, bw] helpless ⟨bw: ~ly⟩, ⟨machteloos⟩ powerless, impotent, ⟨form⟩ impuissant ◆ *hulpeloos **staan** tegenover een ramp* be helpless/powerless in the face of a disaster

hulpexpeditie [de^{v}] relief expedition

hulpfonds [het] relief fund

hulpgeroep [het] (a) cry/call for help

hulpgoederen [de^{mv}] (emergency) aid, (emergency) relief supplies

hulphond [de^{m}] guide dog, assistance dog

hulpje [het] [1] ⟨persoon⟩ help, ⟨dienstmeisje/meid ook⟩ maid, ↑assistant ◆ *een hulpje **voor** de kinderen* ↑a ^{B}nanny, s.o./a girl to look after the children [2] ⟨toestel⟩ ↑appliance, ↑device, ⟨snufje, apparaatje⟩ gadget, ⟨inf⟩ contraption

hulpkantoor [het] branch (office), sub-office ◆ *een hulp-*

*kantoor van een **bank*** a branch (office) of a bank; *een hulpkantoor van de **posterijen*** sub(post)-office
hulpkas [de] ⟨in België⟩ Belgian social security agency that provides unemployment and sick benefits for those who do not wish to join one of the parochial organizations that provide most of these benefits
hulpkerk [de] succursal(e), chapel of ease
hulpkracht [de] 1 ⟨persoon die bij iets assisteert⟩ helper, aid(e), ↑assistant 2 ⟨tijdelijke kracht⟩ temporary worker, ⟨i.h.b. uitzendkracht, vnl. typiste, administratieve medewerkster enz.; inf⟩ temp
hulpkreet [de^m] cry/shout/scream for help
hulplijn [de] 1 ⟨muz⟩ ledger line 2 ⟨wisk⟩ construction line 3 ⟨m.b.t. een tekening⟩ construction line 4 ⟨tijdelijke spoorlijn⟩ temporary line
hulpmiddel [het] 1 ⟨om een doel sneller te bereiken⟩ aid, help, means, tool, ⟨toestel, apparaat⟩ appliance, device, aid, ⟨gereedschap⟩ tool ◆ ***audiovisuele** hulpmiddelen* audio-visual aids; *een **laatste** hulpmiddel* a last resort; ***verboden/kunstmatige** hulpmiddelen* forbidden/artificial aids; *een hulpmiddel **voor** iets* an aid for/to sth. 2 ⟨dat uitkomst brengt⟩ expedient, remedy, ⟨noodoplossing⟩ makeshift 3 ⟨hulpbron⟩ resource ◆ ***personele** hulpmiddelen* personnel
hulpmotor [de^m] auxiliary motor/engine ◆ ⟨form⟩ *een rijwiel **met** hulpmotor* motor-assisted pedal cycle; ⟨brommer⟩ ↓moped
hulpofficier [de^m] ⟨jur⟩ ± assistant prosecutor
hulponderwijzer [de^m], **hulponderwijzeres** [de^v] assistant teacher
hulponderwijzeres [de^v] → **hulponderwijzer**
hulporganisatie [de^v] relief organization
hulpploeg [de] 1 ⟨voor vervanging van werkers⟩ relief crew 2 ⟨bij spoorweg- of verkeersongevallen⟩ breakdown gang/crew
hulppost [de] 1 ⟨post ter ondersteuning van andere posten⟩ aid station 2 ⟨post van een hulpdienst⟩ aid station ⟨ook bij marathon⟩, ⟨EHBO-post⟩ first-aid post ◆ *een **medische** hulppost* a (medical) aid station; ⟨in fabriek/school enz.⟩ dispensary, infirmary; *een hulppost van het **Rode Kruis*** a Red-Cross first-aid post
hulppostkantoor [het] sub-post-office
hulppredikant [de^m] 1 ⟨iemand die een predikant bijstaat, vervangt⟩ ⟨r-k, anglic⟩ curate, assistant minister 2 ⟨kandidaat op een plaats zonder eigen predikant⟩ assistant minister
hulpprogramma [het] 1 ⟨m.b.t. hulpverlening⟩ aid programme/^Aprogram, ⟨reddingsprogramma⟩ rescue programme/^Aprogram 2 ⟨comp⟩ help (program)
hulpraket [de] booster (rocket)
hulprelatie [de^v] aid relationship
hulpsignaal [het] signal for help, ⟨noodsignaal⟩ signal ◆ *een hulpsignaal **geven*** signal for help, send out a distress signal
hulpstelling [de^v] ⟨wisk⟩ lemma
hulpstof [de] 1 ⟨bij de productie gebruikte stof⟩ auxiliary material/substance, catalyst 2 ⟨bij de productie toegevoegde stof⟩ additive
hulpstuk [het] accessory, attachment, ⟨tussenstuk, overgangsstuk⟩ adapter, ⟨vnl. elek, gas⟩ fitting, ⟨vnl elek⟩ fitment
hulptaal [de] artificial language
hulptoestel [het] auxiliary appliance/device, accessory, ⟨noodtoestel⟩ emergency appliance/device, ⟨inf⟩ back-up appliance/device
hulptrainer [de^m] assistant trainer
hulptroepen [de^mv] auxiliary troops/forces, auxiliaries, ⟨versterkingen⟩ reinforcements, ⟨ontzettingsleger⟩ relief troops/forces
hulpvaardig [bn] helpful, ready/willing to help, ready/willing to assist, ⟨form⟩ complaisant ◆ ***niet** hulpvaardig* unhelpful
hulpvaardigheid [de^v] helpfulness, readiness/willingness to help, ⟨form⟩ complaisance
hulpverleenster [de^v] → **hulpverlener**
hulpverlener [de^m], **hulpverleenster** [de^v] social worker, relief worker
hulpverlening [de^v] 1 ⟨het verlenen van hulp⟩ assistance, aid, ⟨vnl. bij ramp/hongersnood enz.⟩ relief ◆ *de **internationale** hulpverlening komt langzaam op gang* international aid/relief is slowly getting under way 2 ⟨geïnstitutionaliseerde zorg⟩ assistance ◆ *de hulpverlening **inschakelen*** call in assistance
hulpvermogen [het] power ◆ *een **zeilschip** met hulpvermogen* a sailing-ship with an auxiliary motor
hulpwerkwoord [het] ⟨taalk⟩ auxiliary (verb) ◆ *hulpwerkwoorden **van tijd*** tense auxiliaries; *hulpwerkwoorden **van de lijdende vorm*** passive auxiliaries; *hulpwerkwoorden **van wijze, modale hulpwerkwoorden*** modal auxiliaries
hulpwetenschap [de^v] auxiliary science
huls [de] 1 ⟨koker, omhulsel⟩ case, cover, container, ⟨soepel⟩ wrapper, sleeve 2 ⟨vrucht, peul⟩ pod, cod, husk 3 ⟨mil⟩ cartridge case, shell ◆ ***lege** huls* spent/empty cartridge, cartridge case, shell
hulsel [het] cover(ing), casing, wrapping, wrapper, ⟨van ballon⟩ envelope
hulst [de^m] holly, ilex
hulsttak [de^m] holly spray/sprig, spray/sprig of holly
hum [het] humour, temper, mood ◆ ***in** zijn hum* in a good humour/mood/temper; *hij is **uit** zijn hum* he's in a bad humour/mood/temper, he's out of sorts
¹**humaan** [bn] ⟨med⟩ ⟨van de mens afkomstig⟩ human
²**humaan** [bn, bw] ⟨menslievend⟩ humane ⟨bw: ~ly⟩, ⟨filantropisch⟩ philanthropic ◆ *hij **heeft** mij humaan **behandeld*** he treated me humanely/like a human being; *een humaan **man*** a humane man; *humaan **worden*** become humane
human beatbox [de^m] 1 ⟨menselijke stem⟩ human beatbox 2 ⟨muziekstijl⟩ human beatbox 3 ⟨persoon⟩ human beatbox
humaniora [de^mv] 1 ⟨Griekse en Latijnse taal- en letterkunde⟩ classics, humanities, ⟨BE ook⟩ ↑literae humaniores 2 ⟨in België; soort middelbaar onderwijs⟩ ± grammar school
humaniseren [ov ww] 1 ⟨tot een beschaafd mens maken⟩ civilize, humanize 2 ⟨menselijker maken⟩ humanize
humanisme [het] 1 ⟨wereldbeschouwing⟩ humanism 2 ⟨menslievende zedenleer⟩ humanism 3 ⟨gesch⟩ Humanism, New Learning
humanist [de^m] 1 ⟨aanhanger van de humanistische wereldbeschouwing⟩ humanist 2 ⟨gesch; iemand die de humaniora beoefent en onderwijst⟩ humanist
humanistisch [bn] humanist(ic) ◆ *het Humanistisch **Verbond*** Humanist Society
humanitair [bn, bw] humanitarian ◆ *humanitair **recht*** humanitarian rights
humaniteit [de^v] humanity, humaneness, ⟨filantropie⟩ philanthropy, humanitarianism
human resources [de^mv] human resources
humbug [de^m] humbug
humeraal [het] ⟨r-k⟩ 1 ⟨amict⟩ amice 2 ⟨schoudervelum⟩ humeral veil
humeur [het] 1 ⟨stemming⟩ humour, temper, mood ◆ *in een **goed/slecht** humeur zijn* be in a good/bad humour/temper/mood; *in een bijzonder **goed/prima** humeur zijn* be in a very good temper/humour/mood, be in high spirits/fine fettle; *een **stralend** humeur hebben* be bright and breezy, have a cheerful disposition 2 ⟨goede luim⟩ good humour/temper/mood ◆ ***in/uit** zijn humeur zijn* be in a good/bad humour/temper/mood; *dat bracht hem **uit** zijn humeur*

that put him in a bad humour/temper/mood; *iemand uit zijn humeur brengen* put s.o. in a bad mood/out, annoy s.o.; ⟨inf⟩ rub s.o. up the wrong way

humeurig [bn, bw] moody ⟨bw: moodily⟩, ill-tempered ⟨bw: ~ly⟩, bad-tempered, ill-humoured ⟨bw: ~ly⟩, bad-humoured, ↓grumpy, ↓crabby ◆ *ze is erg humeurig* she is very moody/ill-tempered/ill-humoured/bad-tempered

humeurigheid [de^{v}] moodiness, petulance

humiliant [bn] humiliating

humiliatie [de^{v}] humiliation

humiliëren [ov ww] humiliate

hummel [de^{m}] toddler, (tiny) tot, little mite/chit, ⟨inf⟩ nipper ◆ *een kleine hummel* a (little) toddler, a tiny tot

hummen [onov ww] (a)hem

hummus [de] hummus

humor [de^{m}] [1] ⟨gevoel voor vrolijk makende tegenstrijdigheden⟩ humour ◆ *zwarte humor* black humour [2] ⟨het vrolijkmakende, uiting⟩ humour, comedy, fun ◆ *er de humor (niet) van inzien* (not) (be able to) see the joke (of it), fail to see the humour in sth.; *platte humor* vulgar/crude/broad/coarse humour; *de humor van de situatie* the humour of the situation; *gevoel voor humor* sense of humour; *een vreemd/apart gevoel voor humor hebben* have a warped sense of humour

humoraal [bn] humoral ◆ *humorale pathologie* humoral pathology

humoreske [de] humorous sketch/tale/piece/story, ⟨muz⟩ humoresque

humorist [de^{m}] humorist, ⟨komiek⟩ comic

humoristisch [bn, bw] humorous ⟨bw: ~ly⟩, ↓funny ⟨bw: funnily⟩, humoristic, jocular, comic(al) ◆ *iets humoristisch inkleden* put sth. in a humorous way; *een humoristische opmerking* a humorous/jocular remark

humorloos [bn, bw] humourless ⟨bw: ~ly⟩, ⟨m.b.t. mensen ook⟩ lacking/without a sense of humour

humus [de^{m}] humus, vegetable mould, ⟨bladaarde⟩ leaf mould, ⟨compost⟩ compost, ⟨potgrond⟩ potting compost/mixture

humusgesteente [het] bituminous rock

humusgrond [de^{m}] hum(o)us soil/earth

humusrijk [bn] humous, rich in humus

humusvorming [de^{v}] formation of humus, humification

humuszuur [het] humic/humus/humous acid

^{1}**hun** [pers vnw] [1] ⟨indirecte objectsvorm⟩ them ◆ *ik zal het hun geven* I'll give it (to) them [2] ⟨inf; directe objectsvorm⟩ them [3] ⟨inf; subject (foutief)⟩ them ◆ *hun hebben het gedaan* it was them what/as done it

^{2}**hun** [bez vnw] their ◆ *de hunnen* theirs; *één van de hunnen* one of them; *dat zijn onze boeken niet, maar de hunne* those are not our books but theirs; *het hunne* theirs; *hun kinderen* their children; *één van hun vrienden* one of their friends, a friend of theirs

Hun [de^{m}] Hun

hunebed [het] megalith, megalithic tomb, megalithic monument, megalithic grave, ⟨inf⟩ giant's grave, ⟨dolmen⟩ dolmen, cromlech

hunebedbouwers [de^{mv}] ± megalith builders

hunk [de^{m}] hunk

hunkeren [onov ww] hanker (after/for), yearn (for/after), long (for/after), hunger (for/after), ache (for/after) ◆ *naar liefde hunkeren* yearn for/long for/be aching for love; *naar vrijheid hunkeren* yearn for/long for freedom; *ik hunker naar de vakantie* I'm longing for/I can't wait for the holidays; *hij hunkert naar roem en eer* he is yearning for/after/longing for/after fame and honour; *naar een bakje koffie hunkeren* be dying for a cup of coffee; *(ernaar) hunkeren om te gaan zwemmen* be longing to/itching to go swimming

hunnent ⟨form⟩ ⊡ *te hunnent* at their home/house

hunnenthalve [bw] ⟨form⟩ for their sake(s) ◆ *hunnenthalve wil ik het doen* I'll do it for their sake(s)

hunnentwege [bw] ⟨form⟩ on their behalf, in their name

hunnentwil, hunnentwille ⟨form⟩ ⊡ *om hunnentwil* for their sake(s)

hunnentwille → **hunnentwil**

hunner [pers vnw] ⟨form⟩ ⟨2e naamval meervoud van 'hun'⟩ them

hunnerzijds [bw] ⟨form⟩ for/on their part, as far as they are concerned, on their side ◆ *hunnerzijds is er geen bezwaar tegen* there is no objection to it on their part/as far as they are concerned

^{1}**hup** [de^{m}] hop, skip

^{2}**hup** [tw], **hupsakee** [tw] [1] ⟨aanmoedigingskreet⟩ come on, go (to it), ⟨BE ook⟩ go it ◆ *hup Holland/Oxford/Liverpool hup!* come on/go (to) it/get going Holland/Oxford/Liverpool! [2] ⟨aansporing, commando⟩ hup, oops-a-daisy, ⟨m.b.t. trekken/tillen van iets zwaars⟩ heave (ho)! ◆ *een, twee, ... hup!* one, two, ... up you go!

hupla [tw] [1] ⟨aansporing⟩ come on [2] ⟨m.b.t. een snelle beweging⟩ ups-a-daisy, here we go

huppeldepup what's-his-name, what's-her-name, what's-...-name, thingummy, thingamajig, thingamabob, whatsit, so-and-so ◆ *daar is die meneer huppeldepup alweer* there's that mister what's-his-name/thingamajig/whatsit again

huppelen [onov ww] hop, skip, frolic, frisk, gambol, prance ◆ *de lammeren huppelen in de weide* the lambs are frolicking/frisking/gambolling in the meadow; *vrolijk huppelende kinderen* happily frolicking children; ⟨fig⟩ *het bootje huppelde over de golven* the little boat skipped over the waves

huppelkutje [het] dozy mare, silly cow, airhead

huppelpasje [het] skip

huppeltje [het] skip

huppelwater [het] ⟨scherts⟩ ± firewater, ± hardstuff

huppen [onov ww] hop

hups [bn, bw] nice ⟨bw: ~ly⟩, obliging ⟨bw: ~ly⟩, kind ⟨bw: ~ly⟩, pleasant ⟨bw: ~ly⟩, ⟨hoffelijk, beleefd⟩ courteous

hupsakee [tw] → **hup**^{2}

huren [ov ww] [1] ⟨m.b.t. een zaak⟩ hire, ⟨m.b.t. huis/kamer/grond⟩ rent, ⟨m.b.t. schip/bus/vliegtuig⟩ charter, ⟨pachten; op contract⟩ lease, take on a lease ◆ *een auto huren* rent/hire a car; *gehuurde grond* leasehold land; *een huis huren* rent a house; *kamers huren* live in rooms, ⟨met hospita⟩ live in ^{B}digs; *een huis per jaar huren* take a house on a yearly tenancy; *een vliegtuig huren* charter an aeroplane [2] ⟨m.b.t. een persoon⟩ hire, take on, ↑engage ◆ ⟨fig⟩ *daar ben ik niet op gehuurd* that's not part of my job; *een kok huren* hire/take on/engage a cook

^{1}**hurken** [de^{mv}] ⊡ *op zijn hurken (gaan) zitten* squat (on one's haunches/down), crouch (down), sit on one's heels; ⟨fig⟩ dumb down

^{2}**hurken** [onov ww] squat (on one's haunches/down), crouch (down), sit on one's heels ◆ *zij zaten gehurkt op de grond* they were squatting on the ground

hurksprong [de^{m}] squat jump

hurktoilet [het] seatless lavatory, ⟨inf⟩ Turkish loo

hurkzit [de^{m}] crouch, squat

hut [de] [1] ⟨primitieve woning⟩ hut, ⟨i.h.b. uit hout⟩ cabin, shack, ⟨barak⟩ shanty ◆ *een lemen hut* a mud hut [2] ⟨scheepv⟩ cabin, ⟨luxehut⟩ stateroom, ± berth ◆ *een hut voor twee personen* a two-berth cabin

hutbagage [de^{v}] cabin luggage

hutbewoner [de^{m}], **hutbewoonster** [de^{v}] hut-dweller

hutbewoonster [de^{v}] → **hutbewoner**

hutchinson-gilfordsyndroom [het] Hutchinson-Gilford progeria syndrome

hutje [het] ⊡ *hutje bij mutje leggen* club together, pool

(one's) funds/resources; *hutje en mutje* the whole lot/show/caboodle; *met hutje en mutje* with bag and baggage, lock, stock and barrel
hutjongen [de^{m}] cabin-boy
hutkoffer [de^{m}] cabin trunk
hutong [de^{m}] [1] ⟨steegje⟩ hutong [2] ⟨buurt⟩ hutong
hutsefluts [de^{m}] [1] ⟨mengelmoes⟩ hodge-podge [2] ⟨zaak waarvan men de naam niet weet⟩ whatchamacallit [3] ⟨vrouwelijk geslachtsdeel⟩ hoochie
hutselbeker [de^{m}] dice cup, dicebox
hutselen [ov ww] mix (up), shake (up), ⟨m.b.t. kaarten⟩ shuffle ◆ *de gekookte aardappelen hutselen* mash the potatoes; *dominostenen door elkaar hutselen* shuffle dominoes; *zaken door elkaar hutselen* ⟨fig⟩ mix things up
hutsepot [de^{m}] ⟨in België⟩ hotch-potch, hodge-podge ◆ *het is me daar een hutsepot* it's a real hodge-podge over there
hutspot [de^{m}] [1] ⟨gerecht⟩ hot(ch)-pot(ch), hodge-podge, ± stew ◆ *hutspot met klapstuk eten* eat (Irish) stew with skirt [2] ⟨fig; mengelmoes⟩ hotch-potch, hodge-podge, mish-mash, jumble, farrago
hüttenkäse^{MERK} [de^{m}] cottage cheese
huttenplan [het] cabin plan
huttentocht [de^{m}] hut-to-hut hike
huttentut [de] ⟨plantk⟩ gold-of-pleasure
huur [de] [1] ⟨het huren, verbintenis⟩ hire, rent, ⟨pacht⟩ lease ◆ *achterstallige huur* rent in arrears, back rent; *een huis dat een hoge huur doet/opbrengt* a house which lets at a/commands a high rent; *de huur gaat met november in* the tenancy commences on the first of November; *de huur is ons met drie maanden opgezegd* we have had/are under three months notice (to quit); *de kale huur* the basic rent; *iemand de huur opzeggen* give s.o. notice (to leave/quit); *te huur staan* be to let; *auto's te huur* cars for hire; *dit huis is te huur* this house is to let/is ^{A}for rent; *een huis te huur aanbieden* put a house up for rent; *het huis/de winkel is vrij van huur* vacant possession of the house/shop may be had; the house/shop is vacant possession; *een vaste huur betalen* pay a fixed rent [2] ⟨prijs⟩ rent, rental, ⟨loon⟩ wages, pay ◆ *de huur moet de eerste van de maand betaald worden* the rent falls due on the first of the month; *hij betaalt € 800 huur voor dit huis* he pays 800 euros rent for this house, his rent (for this house) is 800 euros
huurachterstand [de^{m}] arrears of rent, ⟨de som zelf ook⟩ rent in arrears, back rent ◆ *hij heeft een huurachterstand van € 1000* he owes 1000 euros rent in arrears/(in) back rent
huuradviescommissie [de^{v}] rent tribunal
huurauto [de^{m}] rented car, ⟨BE ook⟩ hire(d) car
huurbaas [de^{m}] landlord
huurbeding [het] stipulation in a mortgage contract forbidding rental without permission
huurbeleid [het] rent(s) policy
huurbescherming [de^{v}] rent protection/control ◆ *huurbescherming genieten* ⟨Groot-Brittannië⟩ be protected by the Rent Act, have a controlled rent
huurbevriezing [de^{v}] rent freeze
huurceel [het, de] lease, tenancy agreement, rental agreement/contract
huurcommissie [de^{v}] rent tribunal
huurcompensatie [de^{v}] rent subsidy/rebate
huurconditie [de^{v}] condition(s) of rental/leasing
huurcontract [het] ⟨onroerende goederen⟩ lease, tenancy agreement, ⟨roerende goederen⟩ leasing/hire agreement, ⟨BE⟩ contract of hire ◆ *een huurcontract aangaan* enter into a lease; *een huurcontract opzeggen* terminate a lease/a leasing agreement
huurcorrectie [de^{v}] (indexed) rent adjustment
huurder [de^{m}] tenant, renter, ⟨jur⟩ lessee, ⟨pachter ook⟩ leaseholder, ⟨m.b.t. auto; BE⟩ hirer ◆ *de huidige huurders* the sitting tenants; *de oude en de nieuwe huurders* the outgoing and incoming tenants
huurderving [de^{v}] loss of rent
huurflat [de^{m}] rented flat/^{A}apartment, tenement
huurgewenning [de^{v}] ± graduated rent rebate/subsidy
huurgewenningsbijdrage [de] ± graduated rent rebate/subsidy
huurharmonisatie [de^{v}] rent harmonization, rationalization of rents, bringing into line of rents
huurhuis [het] rented house
huurindexering [de^{v}] rent indexation/indexing
huurinkomsten [de^{mv}] rental income
huurkazerne [de] tenement house/block, block of tenements, ⟨vnl SchE⟩ tenement, ⟨inf⟩ warren, rookery
huurkoop [de^{m}] ⟨BE⟩ hire purchase (system), ⟨AE⟩ credit, ⟨adm; inf; BE⟩ hp, buying in instalments/^{A}installments ◆ *iets in huurkoop hebben* have sth. on the installment plan/on hire purchase/(the) hire purchase; *een piano in huurkoop nemen/geven* rent a piano on hire purchase/(the) hire purchase
huurkoopovereenkomst [de^{v}] hire purchase contract, hp contract, hire purchase agreement, hp agreement
huurlast [de^{m}] rent ◆ *op hoge huurlasten zitten* be paying a high rent
huurleger [het] army of mercenaries, mercenary army
huurling [de^{m}] hireling, ⟨huursoldaat⟩ mercenary, soldier of fortune
huurmoeder [de^{v}] surrogate mother
huurmoord [de] assassination, ⟨sl⟩ hit
huurmoordenaar [de^{m}] (hired) assassin, ⟨sl⟩ hitman, hired gun, contract (killer)
huuropbrengst [de^{v}] rental (income), rent-roll
huurovereenkomst [de^{v}] ⟨onroerende goederen⟩ lease, tenacy agreement, ⟨roerende goederen⟩ leasing/hire agreement, ⟨BE⟩ contract of hire ◆ *een huurovereenkomst aangaan* enter into a lease; *een huurovereenkomst opzeggen* terminate a lease/a leasing agreement
huurpeil [het] rent level(s)
huurpolitiek [de^{v}] rent(s) policy
huurprijs [de^{m}] rent, ⟨van auto, tv enz.⟩ rental (price), cost of hire/hiring ◆ *de huurprijs van dit huis is € 1000* the rent of this house is/this house rents at 1000 euros
huurquote [de] portion of income spent on rent
huurrecht [het] rent law
huurrijtuig [het] hackney cab/carriage, cab
huurronde [de] (controlled) general rent increase
huurschade [de] damage to property through letting, ⟨huurderving⟩ loss of rent
huurschuld [de] rent arrears, arrears of rent ◆ *de huurschuld bedraagt € 5000* the rent arrears amount to € 5000; *vijfduizend euro huurschuld hebben* be five thousand euros in arrears with the rent, owe five thousand euros rent; *wegens huurschuld* for non-payment of rent
huursoldaat [de^{m}] mercenary, soldier of fortune
huursom [de] rent, ⟨auto, tv enz. vnl.⟩ rental (price)
huurstaker [de^{m}] tenant withholding the rent, tenant refusing to pay the rent
huurstaking [de^{v}] rent strike
huursubsidie [het, de^{v}] rent subsidy, ⟨BE⟩ rent rebate, ⟨BE⟩ housing benefit
huurtermijn [de^{m}] instalment, ⟨AE⟩ installment, tenancy (period), term of lease
huurtroepen [de^{mv}] mercenary troops, mercenaries, mercenary forces
huurverhoging [de^{v}] rent increase, increase in rent
huurverlaging [de^{v}] rent reduction, decrease in rent
huurwaarde [de^{v}] rental/lettable/rentable value
huurwaardeforfait [het] ⟨ec⟩ ± rateable value
huurwagen [de^{m}] rented car, ⟨BE ook⟩ hire(d) car

huurwet [de] Rent Act
huurwoning [de^v] rented house/home, rental home, rented accommodation
huwbaar [bn] marriageable, ⟨form of scherts; m.b.t. meisjes ook⟩ nubile ♦ *de huwbare **leeftijd** bereiken* reach marriageable age; ⟨van man⟩ reach the age of manhood
huwelijk [het] [1] ⟨echtverbintenis⟩ marriage ♦ *een huwelijk (kerkelijk) **afkondigen*** publish/proclaim the banns (of marriage); ⟨jur⟩ *kind uit een **ander** huwelijk* child of another marriage; *huwelijk **bij** volmacht/**bij** procuratie/**met** de handschoen* marriage by proxy; *een kind, **buiten** huwelijk geboren* an illegitimate child, a child born out of wedlock, ⟨inf⟩ a child born on the wrong side of the blanket; *een **gearrangeerd** huwelijk* an arranged marriage; ***gemengd** huwelijk* mixed marriage, intermarriage, cross-cultural marriage; *een **gemengd** huwelijk aangaan* ⟨m.b.t. geloof⟩ marry out of one's faith; ⟨m.b.t. ras⟩ intermarry; ***gemengde** huwelijken waren in Zuid-Afrika verboden* intermarriage was/(racially) mixed marriages were forbidden in South Africa; *een **goed** huwelijk doen/sluiten* marry well, make a good marriage; *een huwelijk **inzegenen*** solemnize a marriage, perform a marriage service; *een **islamitisch** huwelijk* an Islamic marriage; *zijn huwelijk **met*** his marriage to; *een **nieuw** huwelijk aangaan* remarry, marry again/for the second time; ***ontbinding** van een huwelijk* dissolution of a marriage, divorce; *een huwelijk **over** de puthaak* a common-law marriage; *het **sacrament** des huwelijks* the sacrament of (holy) matrimony, (the sacrament of) holy matrimony; *een huwelijk **sluiten/aangaan** met ...* contract a marriage with, get married to; ⟨jur⟩ *een huwelijk **stuiten*** prevent a marriage, show (an) impediment to a marriage; *een meisje **ten** huwelijk vragen* propose to a girl; ↑ ask (for) a girl's hand in marriage; ⟨inf⟩ pop the question; *zijn dochter **ten** huwelijk geven/schenken* give one's daughter in marriage, give away one's daughter; *een **tweede** huwelijk* a second marriage, digamy; *een huwelijk **uit** liefde* a love match; *een huwelijk **uit** berekening* a marriage of convenience; *de kinderen **uit** dat huwelijk* the children of that marriage; ⟨r-k⟩ *hun huwelijk **werd geannuleerd**/ongeldig verklaard* their marriage was annulled; *een **wettig** huwelijk* a lawful marriage; *huwelijk **zonder** toestemming* run away marriage, elopement; ⟨Engeland; inf⟩ Gretna Green marriage; *een huwelijk tot stand brengen* arrange a marriage, make/arrange a match [2] ⟨plechtigheid⟩ marriage, wedding, ⟨form⟩ nuptials ♦ *een **burgerlijk** huwelijk* a civil wedding/marriage; ⟨Groot-Brittannië ook⟩ a registry-office wedding; *een **gedwongen** huwelijk* a forced marriage/wedding; ⟨inf⟩ a shotgun wedding; ***in** het huwelijk treden met* enter into matrimony with; ↓ marry, ↓ get married to; *een **kerkelijk** huwelijk* a church wedding/marriage; *een huwelijk **voltrekken*** perform a marriage service, celebrate a marriage; *het huwelijk **voltrekken** tussen X en Y* marry X and Y [3] ⟨toestand⟩ marriage, matrimony, ↑ wedlock, ⟨huwelijksleven⟩ married life ♦ ***dubbel** huwelijk* bigamy; *een **gelukkig/ongelukkig** huwelijk* a happy/unhappy marriage; *zijn huwelijk **met*** his marriage with; *goederen **staande** het huwelijk verkregen* property acquired during the marriage; *een **vrij/open** huwelijk* an open marriage [•] ⟨sprw⟩ *huwelijken worden in de hemel gesloten* marriages are made in heaven
huwelijks [bn] marital, matrimonial, married, conjugal, nuptial ♦ *huwelijkse **voorwaarden*** → **huwelijksvoorwaarden**
huwelijksaangifte [de^v] notice/notification of (intended) marriage ♦ *huwelijksaangifte **doen*** give notice of (an intended) marriage; ⟨kerk⟩ apply for the publication of the banns
huwelijksaankondiging [de^v] wedding invitation, ⟨in krant⟩ announcement of forthcoming marriage(s)
huwelijksaanzoek [het] proposal (of marriage), offer of marriage ♦ *een huwelijksaanzoek **doen*** propose (to s.o.); ⟨inf⟩ pop the question; *een huwelijksaanzoek **krijgen*** receive a proposal (of marriage), be proposed to
huwelijksadvertentie [de^v] ⟨inf⟩ (advertisement in the) lonely hearts column
huwelijksafkondiging [de^v] (public) notice of (intended) marriage, ⟨kerk⟩ publication/proclamation of the (marriage) banns ♦ *de huwelijksafkondiging **voorlezen*** ⟨kerk⟩ read/proclaim the banns
huwelijksakte [de] marriage certificate, certificate of marriage, ⟨inf⟩ marriage lines
huwelijksband [de^m] marriage/marital bond(s), bond(s) of marriage/matrimony, nuptial bond(s)/tie, ⟨inf⟩ knot, ⟨scherts⟩ noose ♦ *zij zijn door de huwelijksband **verenigd*** they are united in the bond(s) of marriage/matrimony
huwelijksbed [het] [1] ⟨bed van een echtpaar⟩ marriage bed, ⟨form⟩ nuptial bed [2] ⟨bed waarin de huwelijksnacht wordt doorgebracht⟩ bridal bed, ⟨form⟩ nuptial bed
huwelijksbeletsel [het] impediment to (a) marriage
huwelijksbelofte [de^v] marriage/nuptial vow
huwelijksbemiddeling [de^v] ± matchmaking, ⟨per comp⟩ ± computer dating ♦ ***bureau** voor huwelijksbemiddeling* → **huwelijksbureau**
huwelijksbijbel [de^m] wedding/marriage Bible
huwelijksbootje [het] [•] ***in** het huwelijksbootje stappen* get married; ⟨inf⟩ tie the knot; ⟨sl⟩ get hitched/spliced
huwelijksbureau [het] marriage bureau, dating agency, matrimonial agency, ⟨inf⟩ lonely hearts bureau/agency
huwelijkscadeau [het], **huwelijksgeschenk** [het] wedding present/gift
huwelijksconsulent [de^m], **huwelijksconsulente** [de^v] marriage (guidance) counsellor/^{A}counselor
huwelijksconsulente [de^v] → **huwelijksconsulent**
huwelijkscontract [het], **huwelijksovereenkomst** [de^v] [1] ⟨overeenkomst aangaande huwelijkse voorwaarden⟩ marriage settlement/articles, ↑ antenuptial contract [2] ⟨huwelijk als een overeenkomst beschouwd⟩ marriage contract, contract of marriage
huwelijksfeest [het] wedding (party/feast)
huwelijksgebruik [het] marriage custom(s)
huwelijksgeluk [het] conjugal/married/marital/wedded bliss, conjugal/married/marital/wedded happiness
huwelijksgemeenschap [de^v] [1] ⟨door het huwelijk ontstane gemeenschap⟩ marital union, ⟨van goederen⟩ marital community of property/goods ♦ *goederen die **in** de huwelijksgemeenschap vallen* property/goods belonging to the (marital) community, community property [2] ⟨seksuele omgang⟩ marital intercourse, intercourse within marriage, ⟨voltrekking⟩ consummation (of marriage)
huwelijksgeschenk [het] wedding present/gift
huwelijksgoed [het] dowry, (marriage) portion, ⟨jur⟩ dot
huwelijksinzegening [de^v] solemnization/consecration of (a) marriage, wedding ceremony/service ♦ *de huwelijksinzegening **vindt plaats op/zal geschieden door*** the wedding will take place on, the marriage service will be conducted by
huwelijkskandidaat [de^m] possible partner, potential husband/wife, ⟨form⟩ suitor ♦ *hij/zij zou een **uitstekende** huwelijkskandidaat zijn* he/she would be an excellent match
huwelijksleven [het] married life, marriage ♦ *een **gelukkig** huwelijksleven* a happy married life/marriage
huwelijkslijst [de] ⟨in België⟩ wedding list
huwelijksmakelaar [de^m] marriage broker, ± matchmaker
huwelijksmarkt [de] marriage/matrimonial market
huwelijksmigratie [de^v] marriage migration
huwelijksmis [de] ⟨r-k⟩ nuptial mass
huwelijksmoeilijkheden [de^{mv}] marriage problems,

matrimonial problems/troubles/difficulties, marital problems/troubles/difficulties
huwelijksmoraal [de] conjugal ethics
huwelijksnacht [de^{m}] wedding night ◆ *de eerste huwelijksnacht* the wedding night
huwelijksontbinding [de^{v}] dissolution of a marriage
huwelijksovereenkomst [de^{v}] → **huwelijkscontract**
huwelijksplanner [de^{m}] wedding organizer
huwelijksplechtigheid [de^{v}] wedding, marriage/wedding ceremony
huwelijksplicht [de] conjugal/marital duty ⟨vaak mv⟩, ⟨bijslaap⟩ conjugal/marital rights
huwelijkspremie [de^{v}] ⟨in België⟩ marriage bonus
huwelijksrecht [het] marriage/matrimonial law
huwelijksregister [het] register of marriages, marriage register
huwelijksreis [de] honeymoon (trip/journey) ◆ ***op** huwelijksreis **gaan*** (go/leave on (one's)) honeymoon, go away; *zij zijn **op** huwelijksreis* they are on (their) honeymoon, they are honeymooning/honeymooners; *zij gaan **op** huwelijksreis naar Parijs* they are going to Paris for their honeymoon, they are honeymooning in Paris
huwelijkstrouw [de] conjugal/marital fidelity
huwelijksvoltrekking [de^{v}] celebration of (a) marriage, ⟨in kerk ook⟩ solemnization of a marriage, ↓ wedding
huwelijksvoorwaarden [de^{mv}] marriage settlement/articles, ↑ antenuptial contract ◆ *trouwen **onder/op** huwelijksvoorwaarden* marry with a marriage settlement/marriage articles
huwelijkszaken [de^{mv}] marital affairs
huwelijkszegen [de^{m}] [1] ⟨bruidszegen⟩ nuptial blessing [2] ⟨fig; kinderen⟩ ± offspring, issue, progeny
huwelijkszwendel [de^{m}] marriage fraud
huwelijkszwendelaar [de^{m}] marriage swindler, ± s.o. who commits (a) breach of promise
[1]**huwen** [onov ww] ⟨form⟩ ⟨trouwen⟩ ⟨ogm⟩ marry, be/get married (to), ⟨lit of krantentaal⟩ wed, ⟨sl⟩ get spliced/hitched ◆ *onder elkaar huwen* intermarry, marry among themselves
[2]**huwen** [ov ww] ⟨form⟩ ⟨tot echtgeno(o)t(e) nemen⟩ ⟨ogm⟩ marry, be/get married to, ⟨lit of krantentaal⟩ wed, ⟨dichtl⟩ espouse
huzaar [de^{m}] [1] ⟨soldaat van de tanks⟩ cavalry man/soldier, trooper [2] ⟨gesch⟩ hussar
huzarenmuts [de] [1] ⟨muts zoals huzaren die dragen⟩ busby [2] ⟨lekkernij⟩ ± chocolate almond
huzarensalade [de] ± Russian salad
huzarenstukje [het] dashing/daring exploit, deed of valour, gallant/courageous deed, gallant/courageous act ◆ *een huzarenstukje **uithalen*** pull off a difficult feat
[1]**hyacint** [de^{m}] ⟨halfedelgesteente⟩ hyacinth, jacinth, jargon
[2]**hyacint** [de] ⟨bolplant⟩ hyacinth ◆ ***wilde** hyacint* bluebell, wild/wood hyacinth
hyacintenglas [het] hyacinth glass
hyaliet [het] ⟨geol⟩ hyalite
hyalietglas [het] hyalit(h)e
hybride [de^{m}] hybrid, cross ◆ *hybriden **kweken/produceren*** produce hybrids, hybridize, cross(breed)
hybrideauto [de^{m}] hybrid car
hybridefiets [de^{m}] hybrid bike
hybridisatie [de^{v}] hybridization
hybridisch [bn] hybrid, crossbred ◆ *een hybridisch **woord*** a hybrid (word)
hybridiseren [ov ww] hybridize
hybris [de] hubris
hydra [de] [1] ⟨myth⟩ Hydra [2] ⟨biol⟩ hydra
hydraat [het] ⟨scheik⟩ hydrate
hydractief [bn] hydractive
hydrant [de^{m}] hydrant
hydrateren [ov ww] ⟨scheik⟩ hydrate
hydraulica [de^{v}] ⟨natuurk⟩ hydraulics
hydrauliciteit [de^{v}] hydraulicity
hydraulisch [bn, bw] hydraulic ⟨bw: ~ally⟩ ◆ *hydraulische **kalk/cement/mortel*** hydraulic lime/cement/mortar; *hydraulische **kracht*** hydraulic power; *hydraulische **pers/ram/remmen*** hydraulic press/ram/brakes; *hydraulische **vloeistof*** hydraulic fluid
hydrazine [de] ⟨scheik⟩ hydrazine
hydreren [ov ww] hydrogenate
hydria [de] ⟨archeol⟩ hydria
hydride [het] hydride
hydrobiologie [de^{v}] hydrobiology
hydrobiologisch [bn] hydrobiological
[1]**hydrocefaal** [de] hydrocephalic/hydrocephalous person
[2]**hydrocefaal** [bn] hydrocephalic, ⟨lijdend aan hydrocephalus⟩ hydrocephalous
hydrocultuur [de^{v}] hydroponics, aquiculture, water/sand culture
hydrodynamica [de^{v}] ⟨natuurk⟩ hydrodynamics
hydrodynamisch [bn] hydrodynamic(al)
hydro-elektrisch [bn] hydroelectric
hydrofiel [bn] hydrophilic
hydrofobie [de^{v}] hydrophobia, ↓ rabies
hydrofoorinstallatie [de^{v}] ⟨m.b.t. bluswater⟩ fire hydrant booster
hydrofyt [de^{m}] hydrophyte, aquatic (plant)
hydrogeen [het] hydrogen
hydrogeneren [ov ww] hydrogenate
hydrogenium [het] ⟨scheik⟩ hydrogenium, hydrogen
hydrogeologie [de^{v}] hydrogeology
hydrograaf [de^{m}] [1] ⟨persoon⟩ hydrographer [2] ⟨toestel⟩ hydrograph
hydrografie [de^{v}] hydrography
hydrografisch [bn] hydrographic(al)
hydrojetmassage [de^{v}] hydrojet massage
hydrologe [de^{v}] → **hydroloog**
hydrologie [de^{v}] [1] ⟨wetenschap⟩ hydrology [2] ⟨med⟩ hydrotherapy
hydroloog [de^{m}], **hydrologe** [de^{v}] hydrologist
hydrolyse [de^{v}] hydrolysis
hydrolytisch [bn] hydrolytic
hydromassage [de^{v}] hydro massage
hydromechanica [de^{v}] hydromechanics
hydromechanisch [bn] hydrantic
hydrometer [de^{m}] [1] ⟨vochtweger⟩ hydrometer, areometer, ⟨om zwaarte van oliën te meten⟩ oil gauge/^{A}gage [2] ⟨snelheidsmeter van stromend water⟩ water-flow meter
hydrometrie [de^{v}] hydrometry
hydronefrose [de^{v}] hydronephrosis
hydropneumatisch [bn] hydropneumatic ◆ *hydropneumatische **vering*** hydropneumatic suspension
hydropsie [de^{v}] ⟨med⟩ dropsy, hydrops(y)
hydrosfeer [de] hydrosphere
hydrosol [het, de^{m}] ⟨scheik⟩ hydrosol
hydrospeed [de^{m}] [1] ⟨plank⟩ hydrospeed [2] ⟨sport⟩ hydrospeed
hydrospinning [de] hydrospinning
hydrostatica [de^{v}] ⟨natuurk⟩ hydrostatics
hydrostatisch [bn] hydrostatic(al) ◆ *hydrostatische **pers*** hydrostatic/hydraulic press
hydrotechniek [de^{v}] hydraulic engineering
hydrotherapie [de^{v}] ⟨med⟩ hydrotherapy
hydrothermaal [bn] ⟨geol⟩ hydrothermal
hydrothorax [de^{m}] ⟨med⟩ hydrothorax
hydrotropisme [het] ⟨biol⟩ hydrotropism
hydroxide [het] ⟨scheik⟩ hydroxide

hydroxylgroep [de] ⟨scheik⟩ hydroxyl group/radical
hyena [de] [1] ⟨dier⟩ hy(a)ena ♦ ***bruine** hyena* brown hy(a) ena, strand wolf; ***gestreepte** hyena* striped hy(a)ena; ***gevlekte** hyena* laughing/spotted hy(a)ena [2] ⟨persoon⟩ hy(a)ena, vulture, jackal ♦ *de hyena's van de **slagvelden*** the hyenas/ scavengers of the battlefields
hyena-achtig [bn] hy(a)ena-like ♦ *de **hyena-achtigen*** the Hyaenidae
hyenahond [de^{m}] hyena dog
hyetometer [de^{m}] hyetometer, pluviometer, ombrometer, ↓ rain gauge/^{A}gage
hygiëne [de] [1] ⟨leer van de gezondheidszorg⟩ hygiene, hygienics [2] ⟨zindelijkheid⟩ hygiene ♦ ***persoonlijke/intieme** hygiëne* personal hygiene
[1]**hygiënisch** [bn] ⟨conform de gezondheidsleer⟩ hygienic, sanitary ♦ *hygiënische **omstandigheden*** sanitary conditions; *hygiënische **voorschriften*** hygiene/sanitary regulations; *hygiënische **voorzieningen*** sanitary facilities
[2]**hygiënisch** [bn, bw] ⟨zindelijk, proper⟩ hygienic ⟨bw: ~ally⟩ ♦ *hygiënisch **verpakt*** hygienically packed/wrapped; *hygiënisch te **werk gaan*** be hygienic
hygiënist [de^{m}] hygienist, sanitationist, sanitarian
hygrofyt [de^{m}] hygrophyte
hygrologie [de^{v}] hygrology
hygrometer [de^{m}] hygrometer
hygrometrie [de^{v}] hygrometry
hygroscoop [de^{m}] hygroscope
hygroscopisch [bn] hygroscopic
hymen [het] ⟨med⟩ hymen, maidenhead
hymeneeën [de^{mv}] [1] ⟨bruiloftsliederen⟩ hymeneals, epithalamiums, epithalamia, prothalamia [2] ⟨bruiloftsfeesten⟩ hymeneals, nuptials
hymne [de] hymn
hymnisch [bn] hymnal, hymnic
hymnologisch [bn] hymnologic(al)
hypallage [de] ⟨lit⟩ hypallage
hype [de^{m}] hype
hypen [ov ww] hype
hyper- hyper-, ultra-, super-
hyperactief [bn] hyperactive
hyperbaar [bn] hyperbaric
hyperbolisch [bn, bw] [1] ⟨met de vorm van een hyperbool⟩ hyperbolic(al) ⟨bw: hyperbolically⟩ [2] ⟨lit⟩ hyperbolic(al) ⟨bw: hyperbolically⟩
hyperboliseren [ov ww, ook abs] hyperbolize
hyperbolisering [de^{v}] hyperbole, hyperbolism
hyperboloïde [de^{v}] ⟨wisk⟩ hyperboloid
hyperbool [de] [1] ⟨wisk⟩ hyperbola ♦ ***gelijkzijdige** hyperbool* equilateral hyperbola [2] ⟨lit⟩ hyperbole
hypercorrect [bn] ⟨taalk⟩ hypercorrect
hypercorrectie [de^{v}] ⟨taalk⟩ hypercorrection
hyperemie [de^{v}] ⟨med⟩ hyperaemia
hyperen [onov ww] [1] ⟨hyperactief zijn⟩ be hyperactive, be hyped up [2] ⟨hyperventileren⟩ hyperventilate [3] ⟨een hyperglykemie doormaken⟩ go hyper, get/have hyperglycaemia
hyperesthesie [de^{v}] hyperaesthesia
hyperforine [de] hyperforin
hyperglykemie [de^{v}] hyperglycaemia
hyperhidrosis [de^{v}] hyperhidrosis
hypericum [het] hypericum
hyperkritiek [de^{v}] hypercriticism
hyperkritisch [bn, bw] hypercritical ⟨bw: ~ly⟩
hyperlink [de^{m}] hyperlink
hypermarkt [de] ⟨BE⟩ hypermarket
hypermetamorfose [de^{v}] hypermetamorphosis
hypermetroop [bn] ⟨med⟩ hyperopic, hypermetropic(al), ⟨ogm⟩ long-sighted
hypermetropie [de^{v}] ⟨med⟩ hyper(metr)opia
hypermodern [bn, bw] ultramodern, ⟨modieus ook⟩ super-fashionable ♦ *een hypermodern **interieur*** an ultramodern interior; *hypermoderne **uitdrukkingen*** ultramodern expressions
hypernerveus [bn] really/terribly/extremely nervous, really/terribly/extremely tense, jittery, on edge
hypernova [de^{v}] hypernova
hyperplasie [de^{v}] ⟨med⟩ hyperplasia
hypersomnie [de^{v}] hypersomnia
hypersoon [bn] hypersonic
hypertekst [de^{m}], **hypertext** [de^{m}] ⟨comp⟩ hypertext
hypertensie [de^{v}] ⟨med⟩ hypertension, ⟨ogm⟩ high blood pressure
hypertext [de^{m}] → **hypertekst**
hypertonisch [bn] ⟨med⟩ hypertonic
hypertrofie [de^{v}] hypertrophy
hypertrofisch [bn, bw] hypertrophic
hypertroof [bn] hypertrophic
hyperventilant [de^{m}] hyperventilation patient
hyperventilatie [de^{v}] hyperventilation
hyperventileren [onov ww] hyperventilate
hypnopedie [de^{v}] hypnopaedia, ⟨ogm⟩ sleep-learning
hypnose [de^{v}] [1] ⟨het teweegbrengen van een kunstmatige slaap⟩ hypnosis [2] ⟨kunstmatige slaap⟩ hypnosis, (hypnotic) trance, hypnotic state ♦ ***onder** hypnose zijn/verkeren* be under hypnosis/be in a state of hypnosis; *iemand **onder** hypnose brengen* put s.o. under hypnosis, hypnotize s.o.
hypnotherapie [de^{v}] ⟨med⟩ hypnotherapy
hypnoticum [het] hypnotic, soporific
hypnotisch [bn, bw] hypnotic ⟨bw: ~ally⟩, ⟨fig ook⟩ mesmeric ♦ *hypnotische **blik*** hypnotic gaze; *hypnotische **slaap/toestand*** state of hypnosis, trance
hypnotiseren [ov ww] [1] ⟨in hypnotische toestand brengen⟩ hypnotize [2] ⟨fig⟩ mesmerize, entrance, cast a spell on/over ♦ *zijn woorden hadden een hypnotiserend **effect*** his words had a hypnotic effect; *hij hypnotiseert zijn gehele **omgeving*** he entrances everyone/casts his/a spell all around him
hypnotiseur [de^{m}] hypnotist, ⟨therapeut⟩ hypnotherapist
hypo [het] ⟨foto⟩ hypo, fixer, ↑ sodium thiosulphate
hypoallergeen [bn] hypoallergenic
hypobaar [bn] hypobaric
[1]**hypochonder** [de^{m}] hypochondriac, valetudinarian
[2]**hypochonder** [bn, bw] → **hypochondrisch**
hypochondrie [de^{v}] hypochondria, valetudinarianism
hypochondrisch [bn, bw] hypochondriac ⟨bw: ~ally⟩, valetudinarian
hypochondrist [de^{m}] → **hypochonder**[1]
[1]**hypocriet** [de^{m}] hypocrite, ⟨farizeeër⟩ pharisee, ↓ sham
[2]**hypocriet** [bn, bw] hypocritical ⟨bw: ~ly⟩, ⟨farizees⟩ pharisaic(al), ⟨schijnheilig/vroom ook⟩ sanctimonious, ⟨onoprecht⟩ insincere, ↓ sham, two-faced
hypocrisie [de^{v}] hypocrisy, ⟨schijnheiligheid, vroomheid⟩ sanctimoniousness, ⟨onoprechtheid⟩ insincerity, ↓ shamming
hypocritisch [bn, bw] → **hypocriet**[2]
hypodermis [de] ⟨biol⟩ hypodermis, hypoderm
hypofyse [de^{v}] hypophysis, pituitary (body/gland)
hypoglykemie [de^{v}] hypoglycaemia
hypomnesie [de^{v}] hypomnesia
hyponatriëmie [de^{v}] hyponatremia
hyponiem [het] ⟨taalk⟩ hyponym
hyponymie [de^{v}] ⟨taalk⟩ hyponymy
hypoplasie [de^{v}] ⟨med⟩ hypoplasia, hypoplasty
hyposensibilisatie [de^{v}] ⟨med⟩ hyposensitization
hypostase [de^{v}] [1] ⟨filos⟩ hypostasis [2] ⟨theol⟩ hypostasis [3] ⟨med⟩ hypostasis
hypostaseren [ov ww] hypostatize
hypotactisch [bn] ⟨taalk⟩ hypotactic, subordinate
hypotaxis [de^{v}] ⟨taalk⟩ hypotaxis, subordination

hypotensie [de^v] ⟨med⟩ hypotension, ⟨ogm⟩ low blood pressure

hypotenusa [de] ⟨wisk⟩ hypotenuse

hypothecair [bn] mortgage ♦ *hypothecaire **akte*** mortgage deed; *hypothecaire **lening*** mortgage (loan), loan on mortgage; *hypothecaire **schuld*** mortgage debt; *hypothecaire **schuldeiser*** mortgagee, loanholder, encumbrancer, mortgage lender; *hypothecaire **schuldenaar*** mortgagor, mortgager; *lening onder hypothecair **verband*** loan on the security of a mortgage; *goederen onder hypothecair **verband*** mortgaged property

hypotheek [de^v] [1] ⟨zakelijk recht op een onroerend goed⟩ mortgage, ⟨jur ook⟩ hypothec, ⟨scherts⟩ monkey with a long tail ♦ *een hypotheek **afsluiten*** take out/negotiate a mortgage; *een **eerste/tweede** hypotheek hebben **op*** hold/have a first/second mortgage on; ***met** een (zware/drukkende) hypotheek belast* (heavily) mortgaged, encumbered with a (heavy) mortgage; ⟨sterker⟩ mortgaged up to the hilt; *geld **op** hypotheek geven* advance/lend money/make a loan on mortgage; *vrij van hypotheek* unencumbered [2] ⟨geldsom, -lening⟩ mortgage, home loan ♦ *een hypotheek **aflossen*** pay off/redeem/discharge a mortgage; *een hypotheek **nemen** op een huis* take out/raise a mortgage on a house, mortgage a house; *hypotheek **op** roerend goed* chattel mortgage; ⟨fig⟩ *een zware hypotheek **op** iets leggen* be a (heavy) burden on sth.; *er drukt/ligt/rust/staat een hypotheek **op** zijn huis, er is een hypotheek **op** zijn huis gevestigd* there is/he has a mortgage on his house, his house is mortgaged; *een hypotheek **verlenen/verstrekken*** grant a mortgage

hypotheekaftrek [de^m] mortgage deduction

hypotheekakte [de] mortgage (deed)

hypotheekbank [de] mortgage bank/company, ⟨BE⟩ ± building society, ⟨AE⟩ ± building and loan association

hypotheekbewaarder [de^m] registrar of mortgages

hypotheekgarantie [de^v] [·] ***nationale** hypotheekgarantie* mortgage guarantee

hypotheekgever [de^m] ⟨geldnemer⟩ mortgagor, mortgager

hypotheekhouder [de^m] mortgagee, loanholder, encumbrancer

hypotheekkantoor [het] mortgage registry office

hypotheeknemer [de^m] ⟨geldgever⟩ mortgagee, loanholder, encumbrancer, mortgage lender

hypotheekrecht [het] [1] ⟨recht van de hypotheekhouder⟩ mortgage right, right of the mortgagee [2] ⟨recht betreffende hypotheken⟩ mortgage law, law relating to mortgages [3] ⟨hypotheek⟩ mortgage

hypotheekregister [het] register of mortgages

hypotheekrente [de] mortgage (interest), interest on one's mortgage

hypotheekrenteaftrek [de^m] mortgage interest relief

hypotheekverklaring [de^v] mortgage declaration

hypotheekverlening [de^v] mortgage approval

hypotheekverstrekker [de^m] mortgage lender

hypotheekverzekering [de^v] mortgage insurance

hypotheker [de^m] mortgage bank/company, ⟨BE⟩ ± building society, ⟨AE⟩ ± building and loan association

hypothekeren [ov ww] mortgage, ⟨jur ook⟩ hypothecate ♦ *het gehypothekeerd **goed*** the mortgaged property

hypothermie [de^v] ⟨med⟩ [1] ⟨te lage lichaamstemperatuur⟩ hypothermia [2] ⟨kunstmatige verlaging van de lichaamstemperatuur⟩ hypothermia

hypothese [de^v] [1] ⟨aangenomen veronderstelling⟩ hypothesis, supposition, theory ♦ ***als** hypothese aannemen* accept as a hypothesis, hypothesize; *een hypothese **opstellen*** formulate/set up a hypothesis, hypothesize [2] ⟨wetenschappelijke stelling⟩ hypothesis, thesis, proposition

hypothetisch [bn, bw] [1] ⟨op veronderstelling berustend⟩ hypothetical ⟨bw: ~ly⟩, speculative, putative ♦ *hypothetisch **gesproken*** hypothetically speaking [2] ⟨op een wetenschappelijke stelling berustend⟩ hypothetical ⟨bw: ~ly⟩, theoretical

hypothymie [de^v] ⟨med⟩ hypothymia

hypothyreoïdie [de^v] ⟨med⟩ hypothyroidism

hypotonisch [bn] hypotonic

hypoxemie [de^v] ⟨med⟩ hypoxaemia, ⟨AE⟩ hypoxemia

hypoxie [de^v] ⟨med⟩ hypoxia

hypsometer [de^m] ⟨natuurk⟩ hypsometer

hysop [de^m] hyssop

hysterica [de^v] → **hystericus**

hystericus [de^m], **hysterica** [de^v] hysteric(al person)

hysterie [de^v] ⟨med⟩ hysteria

[1]**hysterisch** [bn] [1] ⟨aan hysterie lijdend⟩ hysterical [2] ⟨van de aard van hysterie⟩ hysterical ♦ *hysterische **toevallen/aanvallen** (krijgen)* (have) hysterical fits/attacks, (go into/have) (fits of) hysterics

[2]**hysterisch** [bn, bw] ⟨als van een hystericus⟩ hysterical ⟨bw: ~ly⟩ ♦ ***doe** niet zo hysterisch!* don't be/get hysterical!; *zij **gedroegen** zich hysterisch* they behaved hysterically, were hysterical; *hysterisch **gekrijs*** hysterical screaming/screams; *de popster **maakte** het publiek hysterisch* the pop star made his audience hysterical, ⟨inf⟩ the pop star drove his audience wild, ⟨sl⟩ the pop star freaked out his audience; *hysterisch **worden*** go into/have hysterics, become/get hysterical

hysteron proteron [het] ⟨lit⟩ hysteron proteron

hyven [onov ww] hyve

Hz [afk] (hertz) Hz, cps ♦ *dit orkest stemt op A = **440** Hz* this orchestra tunes to A four-forty

i

i [de] i, I
I ① ⟨adm; Italië⟩ I ② ⟨Romeins cijfer⟩ I, i
ia [tw] heehaw
iaën [onov ww] heehaw
IAO [de^{v}] (Internationale Arbeidsorganisatie) ILO, International Labour Organization
I-balk [de^{m}] I-beam
i.b.d. [afk] (in buitengewone dienst) extraordinary ♦ ***gezant** i.b.d.* ambassador extraordinary
Iberiër [de^{m}] Iberian
Iberisch [bn] Iberian ♦ *het Iberisch **Schiereiland*** the Iberian Peninsula
ibid. [afk], **id.** [afk] (ibidem) ib(id)
ibidem [bw] ibidem
ibis [de^{m}] ibis ♦ ***heilige** ibis* sacred ibis; ***zwarte** ibis* glossy ibis
ibogaïne [de] ibogaine
i.b.v. [afk] (in bezit van) in possession of
ic [de] (intensive care) ICU, IC
i.c. [afk] (in casu) in (this) case
IC [het] (integrated circuit) IC
ice [de^{m}] ice
ICE [afk] (Intercity Express) ICE
icetea [de^{m}] ice tea
ichneumon [de^{m}] ① ⟨civetkat⟩ ichneumon ② ⟨wesp⟩ ichneumon fly
ichtyofagen [de^{mv}] ichthyophagi
ichtyografie [de^{v}] ichthyography
ichtyologie [de^{v}] ichthyology
ichtyosaurus [de^{m}] ichthyosaur(us)
ichtyosis [de^{v}] ⟨med⟩ ichthyosis
icing [het] icing
iconisch [bn] iconic
iconoclasme [het] iconoclasm
iconoclast [de^{m}] iconoclast
iconografie [de^{v}] ① ⟨wetenschap⟩ iconography ② ⟨beeldbeschrijving⟩ iconography
iconologie [de^{v}] iconology, symbolism
icoon [de] icon
ICT [afk] (informatie- en communicatietechnologie) ICT
ICT'er [de^{m}] (informatie- en communicatietechnoloog) IT worker
ICTO [het] (Interkerkelijk Comité voor Tweezijdige Ontwapening) Interdenominational Committee for Bilateral Disarmament
id. [afk] (idem) do, id
IDA [de] (International Development Association) IDA
^{1}**ideaal** [het] ① ⟨modelbeeld⟩ ideal, beau ideal ♦ *zij **benaderde** het ideaal van vrouwelijke schoonheid* she approached the ideal of female beauty ② ⟨streven⟩ ideal, ambition, goal, dream ♦ *een ideaal **bereiken/verwezenlijken*** achieve/realize an ideal/ambition, attain/reach a goal, make a dream come true; *haar **hoogste** ideaal* her loftiest ambition; *het ideaal van zijn **jeugd** was arts te worden* the ambition/dream of his youth was to become a doctor; *een ideaal **nastreven*** pursue an ideal/ambition/a goal, follow a dream; *het verkeerde ideaal **nastreven*** pursue a mistaken ideal; ⟨roeping⟩ mistake one's vocation; ***prijzenswaardige** idealen koesteren* cherish laudable ambitions; *iemand **zonder** idealen* s.o. without ideals/ambition(s)/dreams ③ ⟨persoon, zaak⟩ ideal, model, pattern ♦ *zij had haar ideaal **gevonden*** she had found her ideal ④ ⟨het hogere⟩ ideal ⑤ ⟨wisk⟩ ideal
^{2}**ideaal** [bn, bw] ① ⟨volmaakt⟩ ideal ⟨bw: ~ly⟩, perfect ♦ *filosoferen over de ideale **staat*** philosophize about the ideal state; *een ideaal **voorbeeld** van iets* a perfect example of sth. ② ⟨zoals men zich niet beter kan wensen⟩ ideal ⟨bw: ~ly⟩, perfect, ⟨voorbeeldig⟩ model, exemplary ♦ *ideaal **gereedschap*** ideal/perfect tools; *een ideale **omgeving*** a(n) ideal/perfect environment; *onder ideale **omstandigheden*** under ideal circumstances/conditions; *een ideale **partner*** a(n) ideal/perfect/model partner/mate
ideaalbeeld [het] ideal(ized) picture/image ♦ *een ideaalbeeld **creëren*** create an ideal(ized) picture/image
idealiseren [ov ww] ① ⟨beter voorstellen⟩ idealize, glamorize ② ⟨bk⟩ idealize
idealisering [de^{v}] ① ⟨verheerlijking⟩ idealization, glamorization ② ⟨bk⟩ idealization
idealisme [het] ① ⟨geloof aan een zedelijk ideaal⟩ idealism ② ⟨kunst⟩ idealism ③ ⟨filos⟩ idealism
idealist [de^{m}] ① ⟨iemand van een idealiserende levensopvatting⟩ idealist, ⟨pej⟩ visionary, ⟨scherts⟩ stargazer, quixote ② ⟨iemand die idealen nastreeft⟩ idealist ③ ⟨filos; kunst⟩ idealist
^{1}**idealistisch** [bn] ⟨filos; van het idealisme⟩ idealistic
^{2}**idealistisch** [bn, bw] ⟨als (van) een idealist⟩ idealistic ⟨bw: ~ally⟩, ⟨pej⟩ visionary, starry-eyed ♦ *idealistische **bedoelingen*** idealistic intentions; *een idealistische **levensopvatting*** an idealistic outlook on life; *iets idealistisch **opvatten*** regard/conceive/view sth. idealistically
idealiteit [de^{v}] ① ⟨het ideaal zijn⟩ ideality ② ⟨concreet⟩ ideality
idealiter [bw] ideally, theoretically, in theory
idee [het, de^{v}] ① ⟨gedachtevoorstelling⟩ idea, conception,

notion ◆ *zij kon het **nare** idee maar niet van zich afzetten* she just couldn't shake off/escape the strange idea/notion; *een idee **overnemen*** adopt an idea, borrow an idea; ***sombere** ideeën* gloomy ideas/thoughts; *zich een idee **vormen** van iets* form an idea of sth.; ***wat** een idee! het idee (alleen al)!* what an idea! the (very) idea! [2] ⟨ideaal, streven⟩ idea, ideal, view, principle ◆ *bedenkelijke ideeën **aanhangen*** hold questionable views/opinions; ***met** het idee om* with the idea of (...ing), with a view to (...ing); *zijn eigen ideeën **volgen*** go one's own way [3] ⟨begrip⟩ idea, notion, concept(ion) ◆ *ik heb zo'n/zo het idee **dat*** I rather have the idea/the notion/the feeling that, I have half an idea that, I rather imagine that, sth. tells me that; *hij had **geen** idee meer van de tijd* he had lost all count/track of time; *je hebt **geen** idee hoe vervelend dat is* you have no idea/cannot think/cannot imagine how annoying that is; *een **globaal** idee* a broad/general idea; *ze **had** geen idee van grammatica* she had no idea/notion/conception of grammar; *ik **had** er geen idee van dat hij getrouwd was* I had no idea/never dreamt he was married; *ik **heb** geen (flauw) idee* I have no idea, I haven't the faintest/foggiest/vaguest/slightest/remotest/least idea/notion, I couldn't think/imagine, I haven't a clue; *om een idee te geven* as a suggestion/an indication, to give an idea/impression [4] ⟨mening⟩ idea, view, opinion ◆ *een man met **bekrompen** ideeën* a narrow-minded man, a man of narrow/contracted/parochial views; *er **extreme** ideeën op na houden* be extreme in one's opinions, hold extreme opinions; ***helemaal** mijn idee!* just what I was thinking!; *van idee **veranderen*** change one's mind, have second thoughts, think again; ***volgens/naar** mijn idee* in my opinion/view, to my mind/way of thinking [5] ⟨ingeving⟩ idea ◆ *een **gelukkig/goed** idee* a happy/good idea; *ik **heb** een idee* I've got an idea; ⟨oplossing⟩ I've got it; *het idee **krijgen*** get the idea; *het idee **kwam** bij haar **op*** the idea occurred to/came to/suggested itself to/struck her, it occurred to her, she was struck by the idea; *een **lumineus** idee* a brilliant/bright idea, a brainwave, ⟨AE⟩ a brainstorm; *een vrouw **met** ideeën* a woman of ideas; ***nuttige** ideeën zijn altijd welkom* useful suggestions are always welcome; *een **onmogelijk** idee* ⟨hersenschim; inf⟩ a pipe dream; ***op** een idee komen* think of sth., hit upon/conceive an idea; *zij kwam **op** het idee om* it occurred to her to, she hit upon the idea of; *hoe kwam zij **op** het idee?* how did she come up with the idea?, who put that idea into her head?, what made her think/do that?; *iemand **op** een idee brengen* suggest sth. to s.o., put an idea into s.o.'s head, give s.o. an idea/suggestion; *ik heb zo'n **vaag** idee* I have a vague/hazy idea; ***vol** ideeën* full of ideas, brimming with ideas, brimfull of ideas; *iemand een idee aan de hand doen* suggest sth. to s.o. [6] ⟨ontwerp⟩ idea, conception, plan, scheme ◆ ***grootse** ideeën hebben* think great thoughts, think big; *een **uitgewerkt** idee* an elaborate scheme [7] ⟨filos⟩ idea, concept ◆ *de idee van het **recht*** the idea/concept of justice

ideëel [bn] [1] ⟨denkbeeldig⟩ ideal, theoretical, imaginary, imagined ◆ *ideëel **geld*** standard of value; *ideëel **gewicht*** standard weight; *ideële **goederen*** higher/better/the best things (of life) [2] ⟨gericht op de verwezenlijking van een idee⟩ idealistic ◆ *ideële **reclame*** non-commercial advertising, public service advertising/announcements; *een ideële **strekking*** an idealistic tendency

ideeëloos [bn] idealess, lacking ideas

ideeënbus [de] suggestion box

ideeëngoed [het] (stock of) ideas

ideeënleer [de] ⟨filos⟩ idealism

ideeënroman [de^{m}] novel of ideas

idee-fixe [het, de^{v}] [1] ⟨dwanggedachte⟩ obsession, fixed idea, idée fixe ◆ *een idee-fixe **hebben*** ⟨ook inf⟩ have a bee in one's bonnet (about) [2] ⟨muz; terugkerend thema⟩ idée fixe

idem [bw] ditto, idem ◆ ⟨scherts⟩ *idem dito* same here, join the club

identiek [bn] identical (with/to) ◆ *die **gevallen** zijn identiek* these cases are identical; *een identieke **tweeling*** identical twins

identificateur [de^{m}] specification writer

identificatie [de^{v}] [1] ⟨vereenzelviging⟩ identification [2] ⟨vaststelling van de identiteit⟩ identification

identificatienummer [het] identification number ◆ ***persoonlijk** identificatienummer* personal identification number

identificatieplicht [de] obligation to carry identification/ID papers, requirement to carry identification/ID papers

identificatieproces [het] identification process ◆ *het identificatieproces van peuters **met** de moeder* the process by which toddlers identify with their mothers

identificeren [ov ww] [1] ⟨de identiteit vaststellen⟩ identify ◆ ***het** identificeren van honden* the identification of dogs; ***zich** identificeren* identify o.s., give evidence of/prove/establish one's identity [2] ⟨vereenzelvigen⟩ identify ◆ ***zich** identificeren met* identify (o.s.) with

identiteit [de^{v}] [1] ⟨persoonsgelijkheid⟩ identity ◆ *zijn identiteit **bewijzen*** give evidence of/prove/establish one's identity; *de identiteit **vaststellen** van* establish/ascertain the identity of, identify; *het **vaststellen** van de identiteit* the identification [2] ⟨gelijkheid⟩ identity ◆ *de identiteit van beide **handschriften** was treffend* the likeness of the two hands was striking [3] ⟨specifiek karakter⟩ identity, individuality, character ◆ *hij heeft geen **eigen** identiteit* he has no character [4] ⟨wisk⟩ identity

identiteitsbewijs [het] [1] ⟨persoonsbewijs⟩ identity card, identity certificate, ID card, identification (card) [2] ⟨bewijs van gelijkheid⟩ proof of identity, evidence of identity

identiteitscrisis [de^{v}] identity crisis

identiteitskaart [de] identity card, ⟨inf⟩ ID (card)

identiteitspapieren [de^{mv}] identity/identification papers, papers of identification

identiteitsplaatje [het] identification disc, identification plate

identiteitsverlies [het] loss of identity

ideografie [de^{v}] ideography

ideogram [het] ideogram, ideograph

ideologie [de^{v}] ideology

ideologisch [bn, bw] ideological ⟨bw: ~ly⟩ ◆ *ideologische **beïnvloeding*** indoctrination; *een ideologisch **conflict*** an ideological conflict, a conflict of ideologies

ideologiseren [ov ww] ideologize

ideoloog [de^{m}] [1] ⟨iemand die een ideologie opstelt⟩ ideologist, ideologue [2] ⟨aanhanger van een ideologie⟩ ideologist, ideologue

idiofoon [bn] ⟨muz⟩ idiophonic

idiografisch [bn] ideographic

idiolect [het] ideolect

idiomatisch [bn] idiomatic ◆ *idiomatische **uitdrukkingen*** idioms, idiomatic expressions

idioom [het] idiom

[1]**idioot** [de^{m}] [1] ⟨geesteszieke⟩ idiot [2] ⟨als scheldwoord⟩ idiot, fool, moron, ⟨AE vaak vulg⟩ ass, nitwit ◆ *zich **als** een idioot gedragen* make a (perfect) idiot/fool/ass of o.s., behave idiotically; *een **geboren** idioot* a born idiot/fool; *een **stelletje** idioten* a bunch/parcel of idiots, a pack of fools; *een **volslagen** idioot* a(n) utter/out-and-out/complete fool/idiot/moron [3] ⟨iemand met overdreven aandacht voor iets⟩ ⟨als tweede deel in samenstellingen⟩ freak, nut

[2]**idioot** [bn, bw] [1] ⟨zwakzinnig⟩ idiotic ⟨bw: ~ally⟩ ◆ *een idiote **patiënt*** a mentally handicapped patient [2] ⟨bespottelijk⟩ idiotic ⟨bw: ~ally⟩, foolish, silly, asinine, crazy ◆ ***doe** niet zo idioot* don't be so silly/foolish, don't be such a(n) fool/idiot/ass; *een idiote **vraag*** a(n) idiotic/silly/foolish

question

idiopathisch [bn] ⟨med⟩ idiopathic

idiosyncrasie [de^v] 1 ⟨eigenaardigheid⟩ idiosyncrasy 2 ⟨med⟩ idiosyncrasy

idiosyncratisch [bn] 1 ⟨van de aard van idiosyncrasie⟩ idiosyncratic 2 ⟨eigen⟩ idiosyncratic

idioterie [de^v] 1 ⟨onzinnigheid⟩ idiocy, foolishness, folly, madness, insanity 2 ⟨uiting, handeling⟩ idiocy, foolishness, folly, madness, insanity

idioticon [het] idioticon

idiotie [de^v] 1 ⟨zwakzinnigheid⟩ idiocy 2 ⟨dwaasheid⟩ idiocy, foolishness, folly, madness, insanity

idiotisme [het] 1 ⟨spreekwijze, woord van een idioom⟩ idiotism, idiom 2 ⟨toestand van geestelijke zwakte⟩ idiotism, idiocy 3 ⟨stommiteit⟩ idiotism, idiocy, folly, madness, foolishness

idiotproof [bn, alleen pred] idiot-proof

ID-kaart [de] ID, ID card

idol [het, de^m] 1 ⟨deelnemer aan talentenjacht⟩ idol 2 ⟨fig; idool⟩ idol

idolaat [bn, bw] idolatrous ♦ *idolaat van iemand/iets zijn* be infatuated with s.o./sth., be mad/wild about s.o./sth.; ⟨inf⟩ be nuts about/on s.o./sth.

idolatie [de^v] adulation

idolatrie [de^v] idolatry

idool [het] 1 ⟨afgod⟩ idol, image 2 ⟨fig; aanbeden figuur⟩ idol, ⟨pej⟩ little tin god, holy cow

idylle [de] 1 ⟨dichterlijke schildering⟩ idyl(l), pastoral, romance 2 ⟨omstandigheden⟩ idyl(l), paradise 3 ⟨liefdesverhouding⟩ idyl(l)

idyllisch [bn, bw] 1 ⟨bekoorlijk⟩ idyllic ⟨bw: ~ally⟩, pastoral ♦ *idyllisch **gelegen*** idyllically situated; *een idyllisch **plekje*** an idyllic spot; *een idyllisch **tafereel*** a(n) idyllic/pastoral scene 2 ⟨in de trant van een idylle⟩ idyllic ⟨bw: ~ally⟩, romantic ♦ *een idyllisch **verhaal*** a(n) idyllic/romantic story

ie [pers vnw] ⟨inf⟩ he, ⟨ding⟩ it ♦ *daar **gaat** ie!* there he goes!; ⟨drankje⟩ (t)here goes!, bottoms up!

i.e. [afk] (id est) i.e.

iebel [bn] ⟨inf⟩ edgy ♦ *je **wordt** iebel van die vent/herrie* that guy/racket sets my teeth on edge

Ied-al-Fitr [de^m] Eid ul-Fitr, Id-Ul-Fitr

ieder [onbep vnw] 1 ⟨bijvoeglijk⟩ ⟨tezamen; meer dan twee⟩ every, ⟨afzonderlijk; twee of meer⟩ each, ⟨welk dan ook⟩ any ♦ *ze komt iedere **dag*** she comes every day; *werkelijk iedere **dag*** every single day, each and every day; *het kan iedere dag **afgelopen zijn*** it may be over/finish any day (now); *in iedere **hand*** in each hand; *ieder **mens** moet sterven* everyone must die 2 ⟨zelfstandig (gebruikt)⟩ everyone, everybody, each (one), anyone, anybody ♦ *het is ieders **belang*** it is in everyone's/everybody's/the general interest; *ieder **bereidde zich voor*** everyone prepared themselves; *we **kregen** ieder honderd euro* we received one hundred euros each, each of us/we each received one hundred euros; *ieder **van ons*** each of us, every one of us; *tot ieders **verbazing*** to everyone's/everybody's surprise, to the surprise of everyone/everybody; *ieder het zijne* (give) everyone his due, to each his own; *ieder voor zich* every man for himself ⊡ ⟨sprw⟩ *ieder weet het best waar hem de schoen wringt* only the wearer knows where the shoe pinches; ⟨sprw⟩ *ieder voor zich en God voor ons allen* every man for himself, and God for us all/and the Devil take the hindmost

iedereen [onbep vnw] everyone, everybody, all, ⟨wie dan ook⟩ anybody, anyone ♦ *jij **bent** niet iedereen* you're not just anybody; *iedereen een hand **geven*** shake everyone's/everybody's hand; *iedereen **kent** er iedereen* everybody knows everybody there; *iedereen **spreekt** erover* everyone/everybody is talking about it, it's the talk of the town; *ik wil dit **tegenover** iedereen verdedigen* I'm prepared to defend this against all comers; *genoeg **voor** iedereen* enough for everybody/to go round; *een loonsverhoging **voor** iedereen* a wage increase across the board; *dat is niet iedereen z'n **werk*** that is no job for just anybody/anyone

iederwijs [het] everycation

iegelijk [onbep vnw] ⟨form; arch⟩ ⟨ogm⟩ every, each, any

iel [bn, bw] thin ⟨bw: ~ly⟩, puny, scrawny, meagre ♦ *een iel **kind*** a thin/puny child; *iele **ledematen*** thin/puny limbs; *een iel **mannetje*** a scrawny/puny fellow, a weakling; *hij **zag** er wat iel **uit*** ⟨ongezond⟩ he looked a bit off-colour

iemand [onbep vnw] 1 ⟨deze of gene⟩ someone, somebody, ⟨in ontkennende/neutraal vragende zinnen⟩ anyone, anybody ♦ *iemand **belde*** somebody/s.o. rang; *iemand, **die** zo rijk is* s.o. so rich; *zij maakte de indruk van iemand **die*** she gave the impression of being s.o./a woman who; *hij is niet iemand **die** makkelijk opgeeft* he is not one to give up easily; ***is** daar iemand?* is (there) anybody there?; *is er iemand **onder** u, die* is there anyone here who; *iemand **van** het publiek/het personeel* a member of the audience/the staff; *hij wilde niet dat iemand het **wist*** he didn't want anyone/anybody to know; *ik ken nog **zo** iemand* he/she's not the only one 2 ⟨eenieder⟩ someone, somebody, ⟨in ontkennende/neutraal vragende zinnen⟩ anyone, anybody, everyone, everybody ♦ *iemand **anders*** s.o./somebody else; ***zo** iemand doet dat niet* s.o. like that/somebody like that wouldn't do

any of some?

iets	· een bepaald iets dat (min of meer) bekend is bij de spreker: something · wat dan ook: anything	· *I have something to tell you* · *there is something strange about this house* · *I'm really hungry – can't you give me anything?* · *anything is better than nothing*
iemand	· een bepaald iemand of iemand die onderdeel uitmaakt van een groep: someone · wie dan ook: anyone	· *someone came into my room and stole my bag* · *can someone please give me a hand with these boxes?* · *hello? is there anyone there?* · *can anyone tell me what this is?*
een beetje, enkele (in een vraag of verzoek)	· als u zeker weet dat men het heeft: some · als u niet zeker weet of men het heeft: any	· *I'd like some mustard on my hotdog please* · *can you give me some money?* · *are there any tickets left for the concert tonight?* · *can you give me any money?*

such a thing; *wat maken ze het iemand toch lastig* they do like to make things difficult (for everyone) [3] ⟨persoon met invloed⟩ somebody, ⟨in ontkennende/neutraal vragende zinnen⟩ anybody ♦ *hij is niet zomaar iemand* he's not just anybody [4] ⟨persoon(lijkheid)⟩ someone, somebody, person, man, woman ♦ *een **belangrijk** iemand in die kringen* a big name/a big noise in those circles; *een **onbeduidend** iemand* a nobody; *een **speciaal** iemand* s.o. special, a special s.o.; *een **sympathiek** iemand* a likable person; *(een) **zeker** iemand vertrouwde mij dat toe* a certain s.o./somebody confided this to me

iep [de^m] elm

iepen [bn] elm

iepziekte [de^v] Dutch elm disease

ier [de^m] ⟨paard⟩ Irish horse

Ier [de^m] ⟨persoon⟩ Irishman ♦ ***de** Ieren* the Irish; ***tien** Ieren* ten Irishmen

Ierland GROOT-BRITTANNIË [het] [1] ⟨eiland⟩ (island of) Ireland, ⟨lit⟩ Erin, The Emerald Isle, Hibernia [2] ⟨republiek⟩ (The Republic of) Ireland, Eire

Ierland

naam	*Ierland* Ireland
officiële naam	*Ierland* Republic of Ireland
inwoner	*Ier* Irishman
inwoonster	*Ierse* Irishwoman
bijv. naamw.	*Iers* Irish
hoofdstad	*Dublin* Dublin
munt	*euro* euro
werelddeel	*Europa* Europe

int. toegangsnummer 353 www .ie auto IRL

Ierland

county	afkorting	hoofdstad
Carlow	CAR	Carlow
Cavan	CAV	Cavan
Clare	CLA	Ennis
Cork	COR	Cork
Donegal	DON	Lifford
Dublin	DUB	Dublin
Galway	GAL	Galway
Kerry	KER	Tralee
Kildare	KID	Naas
Kilkenny	KIK	Kilkenny
Laois (Leix)	LEX	Portlaoise
Leitrim	LET	Carrick-on-Shannon
Limerick	LIM	Limerick
Longford	LOG	Longford
Louth	LOU	Dundalk
Mayo	MAY	Castlebar
Meath	MEA	Navan
Monaghan	MOG	Monaghan
Offaly	OFF	Tullamore
Roscommon	ROS	Roscommon
Sligo	SLI	Sligo
Tipperary	TIP	Clonmel
Waterford	WAT	Waterford
Westmeath	WEM	Mullingar
Wexford	WEX	Wexford
Wicklow	WIC	Wicklow

¹Iers [het] Irish

²Iers [bn] Irish ♦ *Ierse **setter*** Irish setter

Ierse [de^v] Irishwoman, Irish woman/girl

¹iets IEMAND [het] something ♦ *een **mysterieus** iets* sth. mysterious, a mysterious sth.; *dat is een **vervelend** iets* that is a nuisance/bother

²iets [onbep vnw] [1] ⟨enig ding⟩ something, ⟨in ontkennende/neutraal vragende zinnen⟩ anything ♦ *wij **hebben** met Kerstmis voor 't laatst iets van haar **gehoord*** we last heard from her at Christmas; *hij **heeft** iets* ⟨ondefinieerbare kwaliteit⟩ he has sth. about him [2] ⟨een ding in meer bepaalde opvatting⟩ something, ⟨in ontkennende/neutraal vragende zinnen⟩ anything ♦ *dat is iets **anders*** that's sth. else/different; ⟨fig⟩ that's another/a different matter/case; *zijn houding heeft iets **brutaals*** there is a touch of insolence in his manner; *dat is iets **dat** ik niet kan zetten* that is sth./one thing I can't stand; *iets **dergelijks*** sth. like that/of the sort/of the kind, such a thing, that sort of thing; *het heeft iets **gezelligs*** it has a(n) touch/air of cosiness; *ze **heeft** iets met hem* she's got sth. going with him; *als er iets **is** dat ik haat* if there's one thing I hate; *iets **lekkers/moois*** sth. tasty/beautiful; ***met** iets van verbazing in zijn stem* with sth. like/a touch of surprise in his voice; *en dan (is er) **nog** iets* and another thing; *iets **omdoen/aantrekken*** put sth. on; *dat is iets **van** later zorg* we'll cross that bridge when we come to it; *(echt) iets **voor** jou* ⟨ook scherts; het zal je aanstaan⟩ that would suit you (down to the ground), that would appeal to you, that's (right) up your street/^A alley/in your line; ⟨van jou te verwachten⟩ that's (just) like you, that's you all over, you would; *daar **zit** iets **in*** there's sth. in/to that, there's some truth in that, you've got sth. there [3] ⟨een beetje⟩ something, a little/bit ♦ *iets van iemand (weg) **hebben*** be rather like s.o., bear a remote likeness to s.o.; *dat **heeft** er al iets van* that's more like it, that's better; *beter iets dan niets* sth. is better than nothing [4] ⟨heel wat⟩ something, quite a bit ♦ *zij **bezit** nogal iets* she's worth quite a bit; *zij **kan** iets* she's good [5] ⟨zaak, persoon van betekenis⟩ something, ⟨persoon ook⟩ somebody ♦ *iedereen die iets **is*** everybody who is anybody; *van niets iets **maken*** ⟨fig⟩ make sth. out of nothing, make a mountain out of a molehill; *dat wil zeker wel iets **zeggen*** that is saying a good deal, that is no mean thing; *iets **zijn*** be somebody

³iets [bw] a bit, a little, slightly, a shade, ↑somewhat ♦ *als zij er iets om **gaf*** if she cared at all; *ben je hier iets **gelukkiger**?* are you any happier here?; *we moeten iets **vroeger** weggaan* we must leave a bit/a little/slightly earlier; *die muur **wijkt** iets* that wall leans a bit/slightly

ietsje [het] a bit (of), a little, ⟨voor bijvoeglijk naamwoord ook⟩ a trifle, a shade ♦ *een ietsje **beter*** a bit/a little better; *een ietsje te **gaar*** a tiny bit overdone, ⟨inf⟩ a wee bit overdone, a trifle/shade overdone; *een ietsje **zout*** a pinch of/a bit of/a little salt

ietsjes [bw] a bit, a little, slightly, a shade ♦ *zij was er ietsjes **eerder*** she was there a bit/a little/slightly earlier; *het is ietsjes **zout*** it's a bit/a little/slightly salty

ietwat [bw] somewhat, slightly ♦ *de zieke is ietwat **beter*** the patient is somewhat/slightly better

iezegrim [de^m] grump, grouser, grouch

IFC [de] (International Finance Corporation) IFC

iftar [de^m] iftar

iglo [de^m] igloo

¹ignorant [de^m] ignoramus

²ignorant [bn] ignorant

ignorantie [de^v] ignorance

ignoreren [ov ww] [1] ⟨negeren⟩ ignore, disregard [2] ⟨niet weten⟩ be ignorant of

i-grec [de] y

i.g.st. [afk] (in goede staat) in good condition

i.g.z. [afk] (in geheime zitting) in secret session, ⟨jur⟩ in camera

i.h.a. [afk] (in het algemeen) generally

i.h.b. [afk] (in het bijzonder) specifically, especially

ij [de] (Dutch) 'ij' ♦ ***lange** ij* (Dutch) 'ij'

ijdel [bn, bw] [1] ⟨behaagziek⟩ vain ⟨bw: ~ly⟩, conceited ♦ *een ijdel **meisje*** a vain girl, a coquette; *ijdel **vertoon*** showing off [2] ⟨zonder enige grond⟩ vain ⟨bw: ~ly⟩, groundless, idle ♦ *Gods naam ijdel **gebruiken*** take God's name in vain; *ijdele **hoop*** vain hope; ⟨als uitroep⟩ some hope!; *een ijdele **vrees*** a(n) unfounded/groundless fear [3] ⟨onbetekenend⟩ vain ⟨bw: ~ly⟩, empty, idle ♦ *een ijdele **poging*** a vain attempt; *ijdele **woorden*** idle/empty talk

ijdelheid [de^{v}] [1] ⟨pronkzucht⟩ vanity ♦ ***gekrenkte** ijdelheid* injured vanity/pride [2] ⟨verwaandheid⟩ vanity, conceit(edness), self-esteem ♦ *ijdelheid der **ijdelheden*** vanity of vanities; *het **streelde** zijn ijdelheid* it flattered his vanity [3] ⟨vergankelijkheid⟩ vanity ♦ *de ijdelheden van deze **wereld*** the vanity/vanities of this world [4] ⟨nietigheid⟩ vanity, futility

ijdeltuit [de] [1] ⟨iemand die erg ijdel is⟩ vain creature, ⟨man ook⟩ coxcomb, dandy, ⟨vrouw ook⟩ coquette [2] ⟨iemand die met zichzelf ingenomen is⟩ conceited/stuck-up person, stuck-up/self-important fool, conceited/pompous ass

ijdeltuiterij [de^{v}] [1] ⟨pronk⟩ vanity, show [2] ⟨handelingen⟩ showing off, ⟨behaagziek gedrag⟩ coquetry

ijk [de^{m}] stamp ♦ *een ijk **zetten** op* stamp

ijken [ov ww] [1] ⟨merken⟩ calibrate, gauge, ⟨AE⟩ gage, verify (and stamp) ♦ *een **thermometer** ijken* calibrate a thermometer [2] ⟨als gangbaar erkennen⟩ → **geijkt**

ijker [de^{m}] inspector of weights and measures, gauger, ⟨AE⟩ gager

ijkgeld [het] charge for testing weights and measures

ijkgewicht [het] standard weight

ijking [de^{v}] [1] ⟨handeling⟩ calibration, gauging, ⟨AE⟩ gagging, verifying (and stamping) [2] ⟨keer⟩ calibration, gauging, ⟨AE⟩ gaging, verifying (and stamping)

ijkkantoor [het] assay office, gauging office, ⟨AE⟩ gaging office, weights and measures office

ijkmaat [de] standard measure

ijkmeester [de^{m}] inspector of weights and measures, gauger, ⟨AE⟩ gager

ijkmerk [het] stamp, ⟨brandmerk⟩ brand

ijkprijs [de^{m}] recommended price, list price, sticker price

ijkpunt [het] [1] ⟨standaardmaat⟩ benchmark (figure), standard (measure) [2] ⟨fig⟩ benchmark, gauge, standard, reference point

ijkwezen [het] (the department of) weights and measures

^{1}**ijl** [de] ⟨form⟩ haste, speed

^{2}**ijl** [bn] [1] ⟨van geringe dichtheid⟩ rarefied, rare ♦ *ijle **lucht*** thin/rare/tenuous/rarefied air [2] ⟨leeg⟩ empty, void ♦ *ijle **haring*** spent/shotten herring; *de ijle **ruimte*** the void, the empty space [3] ⟨met veel tussenruimte⟩ thin ♦ *ijl **linnen*** loosely woven/loose-weave linen; *de ijle, doorzichtige **wolken*** the thin/wispy, transparent clouds

ijlbode [de^{m}] [1] ⟨koerier⟩ courier, express (messenger) [2] ⟨expresse⟩ courier, express (messenger)

ijlen [onov ww] [1] ⟨haasten⟩ hasten, make haste, ↓ hurry [2] ⟨verward spreken door koorts⟩ be delirious, ramble, ⟨wild⟩ rave [3] ⟨onzin uitslaan⟩ rave ♦ ⟨inf⟩ *je ijlt!* you're talking nonsense!, (stuff and) nonsense!; ⟨vulg⟩ bullshit!

ijlgoed [het] express goods

ijlheid [de^{v}] [1] ⟨geringe dichtheid⟩ rareness, rarity [2] ⟨losheid, dunheid⟩ thinness

ijlhoofdig [bn] lightheaded, ⟨door koorts⟩ delirious, confused, ⟨onnadenkend⟩ empty-headed, thoughtless

ijlings [bw] posthaste, with all speed, in great haste ♦ *iemand ijlings naar het ziekenhuis **brengen*** rush s.o. to hospital; *ijlings **komen aanstormen*** come tearing along/in

ijlkoorts [de] delirium

ijltempo [het] top speed, great haste ♦ ***in** ijltempo* at top speed, with all speed, in great haste

ijs [het] [1] ⟨bevroren water⟩ ice ♦ *een **met** ijs gekoelde drank* an iced drink, a drink on the rocks; *ik drink m'n whisky **zonder** ijs of water* I drink my whisk(e)y neat/straight [2] ⟨bevroren laag van een watervlak⟩ ice ♦ *het ijs **breken*** ⟨ook fig⟩ break the ice; *veel ijs **gebruiken*** ⟨sport⟩ ± use a wide gliding stride; ⟨fig⟩ *zich op **glad** ijs begeven/wagen* skate/walk on thin ice, go beyond/out of one's depth, tread on dangerous ground, get/venture onto thin ice; ⟨fig⟩ *op **glad** ijs staan, zich op **glad** ijs bevinden* skate/walk on thin ice, be out of one's depth, be on dangerous/slippery ground; *het ijs **houdt/houdt** nog niet* the ice is/is not yet thick enough (to bear one's weight); ***kruiend** ijs* drift(ing) ice; *jong en oud begaf zich **op** het ijs* young and old took to the ice; ***over** het ijs lopen* walk across the ice; ⟨fig⟩ *(goed) beslagen **ten** ijs komen* be/come fully/well prepared (for), have done one's homework; *de haven is vrij **van** ijs* the port is clear of ice; *de haven **was** door ijs **gesloten*** the port was icebound/closed off by ice; ⟨fig⟩ *door het ijs **zakken*** fall (flat) on one's face [3] ⟨lekkernij⟩ ice cream ♦ *een **portie** ijs* a(n) (serving/helping of) ice cream; ⟨BE⟩ an ice [•] *ijs en **weder dienende*** (wind and) weather permitting

ijsaanzetting [de^{v}] icing up/over, ⟨vliegtuig⟩ ice accretion

ijsafzetting [de^{v}] icing up/over, ⟨vliegtuig⟩ ice accretion

ijsbaan [de] skating rink, ice(-skating) rink

ijsbad [het] ice bath

ijsbal [de^{m}] hard snowball

ijsbank [de] ice pack, ⟨grote ijsschots⟩ ice-floe

ijsbeeld [het] ice sculpture

ijsbeentje [het] ⟨med⟩ ⟨BE⟩ dead leg, ⟨AE⟩ charley horse

ijsbeer [de^{m}] polar bear, white bear

ijsberen [onov ww] pace up and down, pace to and fro ♦ *hij **liep** te ijsberen door de kamer* he paced up and down the room; *op het dek **lopen** te ijsberen* pace the deck

ijsberg [de^{m}] iceberg

ijsbergsla [de] iceberg lettuce, cabbage lettuce ⟨Lactuca sativa var. capitata⟩

ijsbericht [het] ice report (for waterways)

ijsbestrijder [de^{m}] ⟨luchtv⟩ de-icer

ijsbloemen [de^{mv}] frostwork, frost flowers

ijsblokje [het] ice cube

ijsbok [de^{m}] ice-apron

ijsbreker [de^{m}] icebreaker, iceboat

ijsclub [de] [1] ⟨vereniging tot beoefening van de ijssport⟩ skating club [2] ⟨vereniging die ijsbanen onderhoudt⟩ skating club [3] ⟨ijsbaan⟩ skating club (rink)

ijsco [de^{m}] ice cream (cone), ⟨BE⟩ ice, ⟨waterijsje; BE⟩ ice lolly, ⟨AE⟩ pop(sicle)

ijscokar [de] ice-cream (vendor's) barrow/cart/wagon

ijscoman [de^{m}] ice-cream man, ice-cream vendor

ijsdag [de^{m}] 24-hour period whereby maximum temperature is below 0 degrees C

ijsdam [de^{m}] ice dam/jam

ijsdansen [ww] ⟨sport⟩ ice dancing

ijsduiker [de^{m}] great northern diver

ijseend [de] long-tailed duck

ijselijk [bn, bw] [1] ⟨afgrijselijk⟩ hideous ⟨bw: ~ly⟩, dreadful, terrible, horrible, ghastly ♦ *een ijselijke **daad*** a(n) hideous/horrible/gruesome/atrocious deed; *een ijselijke **gil*** a blood-curdling scream [2] ⟨hevig⟩ dreadful ⟨bw: ~ly⟩, terrible, horrible, fearful, frightful ♦ *ijselijk **koud*** freezing, dreadfully/terribly/horribly/frightfully/fearfully cold; *ijselijk **lelijk*** hideously/terribly ugly, hideous, repulsive

ijsemmer [de^{m}] ice bucket

ijsfabriek [de^{v}] ice factory, ⟨consumptie-ijs⟩ ice-cream factory

ijsgang [de^{m}] floating ice, debacle, break-up of ice

ijsglas [het] frosted glass

ijsgors [de] Lapland bunting

ijshanden [de^{mv}] ⟨inf⟩ freezing hands, frozen/ice-cold/icy(-cold) hands, ⟨winterhanden⟩ frostbitten hands

ijsheilige [de] ⟨lett⟩ Ice Saint, ⟨mv; fig⟩ late spring

ijshockey [HOCKEY] [het] ice hockey, ⟨AE vnl⟩ hockey

ijshockeyschaats [de] ice hockey skate

ijshockeyspeelster [de^v] → **ijshockeyspeler**
ijshockeyspeler [de^m], **ijshockeyspeelster** [de^v] ice hockey player, ⟨AE vnl⟩ hockey player
ijshoorntje [het] ice-cream cone, ⟨BE ook⟩ ice-cream cornet
ijshut [de] igloo
ijsje [het] ice cream, ⟨BE⟩ ice, ⟨waterijsje; BE⟩ ice lolly, ⟨AE⟩ pop(sicle)
ijskap [de] ice cap
ijskar [de] ice-cream cart/wagon
ijskast [de] [1] ⟨koelkast⟩ fridge, ⟨iets formeler⟩ refrigerator, ⟨AE ook⟩ icebox ◆ *iets **in** de ijskast zetten* ⟨ook fig⟩ put sth. in the fridge/cold storage; ⟨fig⟩ shelve sth., put sth. on ice; ⟨fig⟩ *de plannen zijn **in** de ijskast gezet* the plans have been mothballed [2] ⟨frigide vrouw⟩ frigid
ijskegel [de^m] icicle
ijskelder [de^m] [1] ⟨kelder⟩ icehouse [2] ⟨fig; zeer koud vertrek⟩ icehouse, icebox
ijskern [de] [1] ⟨m.b.t. een hemellichaam⟩ ice core [2] ⟨boormonster⟩ ice core sample
ijskist [de] icebox
ijsklimmen [ww] ice climbing
ijsklomp [de^m] lump of ice, ⟨gevoelloos iemand⟩ iceberg ◆ *ik **ben** net een ijsklomp* I'm frozen stiff/to the bone
ijskompres [het] ice bag/pack
ijskonijn [het] ⟨scherts⟩ iceberg, marble statue, cold fish
ijskorst [de] crust of ice
ijskou [de^v] freezing cold
ijskoud [bn, bw] [1] ⟨zo koud als ijs⟩ ice-cold, icy(-cold), freezing, frozen, ⟨door kou aangetast⟩ frostbitten ◆ *ze **kreeg** het er ijskoud van* it sent shivers down her back/spine, it made her shiver; *een ijskoude **wind*** a(n) icy/keen wind; *het liep hem ijskoud over de rug* cold shivers ran up and down his spine [2] ⟨fig⟩ icy ⟨bw: icily⟩, stony, cold as ice/marble ◆ *hij **bleef** ijskoud* he remained as cold as ice, he remained as cool as a cucumber, he didn't bat an eyelid; *hij **bleef** ijskoud **zitten*** he calmly sat there, he sat there as cool as a cucumber; ⟨zelfstandig (gebruikt)⟩ *'t is **een** ijskouwe* he's an iceberg/a cold fish; *zij **keek** hem ijskoud **aan*** she gave him a stony stare; *een ijskoude **ontvangst*** an icy/a frosty/wintry welcome; *ze **zetten** je ijskoud op straat* they turn you out into the streets just like that/without batting an eyelid/turning a hair
ijskristal [het] ice-crystal, ⟨bloemvormig⟩ frost flower
ijslaag [de] layer of ice
IJsland [het] Iceland

IJsland

naam	*IJsland* Iceland
officiële naam	*Republiek IJsland* Republic of Iceland
inwoner	*IJslander* Icelander
inwoonster	*IJslandse* Icelander
bijv. naamw.	*IJslands* Icelandic
hoofdstad	*Reykjavik* Reykjavik
munt	*IJslandse kroon* Icelandic króna
werelddeel	*Europa* Europe

int. toegangsnummer 354 www .is auto IS

IJslander [de^m], **IJslandse** [de^v] ⟨man & vrouw⟩ Icelander, ⟨vrouw ook⟩ Icelandic woman/girl
[1]**IJslands** [het] Icelandic
[2]**IJslands** [bn] Icelandic ◆ *IJslands **mos*** Iceland moss/lichen
IJslandse [de^v] → **IJslander**
ijslepeltje [het] ice-cream spoon
ijslolly [de^m] ⟨BE⟩ ice lolly, ⟨AE⟩ pop(sicle)
ijsmaan [de] icy moon
ijsmachine [de^v] [1] ⟨m.b.t. kunstijs⟩ ice machine [2] ⟨m.b.t. consumptie-ijs⟩ ice-cream maker
ijsmuts [de] woolly/woollen hat, winter hat, ski hat

ijspegel [de^m] icicle
ijsplaneet [de] ice planet
ijspret [de] ice sport(s), fun on the ice
ijsprinses [de^v] [1] ⟨hooghartige vrouw⟩ ice princess [2] ⟨kunstschaatsster⟩ ice princess
ijsracen [onov ww] ice racing
ijsregen [de^m] sleet, frozen rain
ijsrevue [de] ice show
ijssalon [de^m] ice-cream parlour
ijsschep [de] ice-cream scoop
ijsschol [de] (ice) floe
ijsschots [de] (ice) floe, pan, growler
ijssculptuur [de^v] ice sculpture
IJssel [de^m] IJssel, Yssel
ijssla [de] iceberg lettuce
ijsspeedway [het] ice speedway, ice racing
ijsstadion [het] ice rink
ijssteen [het, de^m] ⟨geol⟩ ice-stone, cryolite, Greenland spa
ijsstorm [de^m] ice storm
ijssurfen [ww] ice-surfing
ijstaart [de] ice-cream cake, ice pudding
ijstang [de] (pair of) ice tongs
ijstent [de] ice-cream parlour
ijsthee [de^m] ice(d) tea
ijstijd [de^m] ice age, glacial period/epoch ◆ ***tussen** twee ijstijden (gelegen)* interglacial
ijstop [de] [1] ⟨met ijs bedekte bergtop⟩ ice peak [2] ⟨top van een ijsberg⟩ tip of the iceberg
ijsveld [het] ice field, expanse of ice
ijsventer [de^m] ice(-cream) vendor/vender/seller
ijsvermaak [het] ice sport(s)
ijsvissen [ww] ice fishing
ijsvlakte [de^v] ice sheet, ice field, expanse of ice
ijsvogel [de^m] kingfisher
ijsvorming [de^v] ⟨luchtv⟩ ice formation, ice forming, icing, ice accretion, icing up
[1]**ijsvrij** [het] day(s) off to go skating ◆ *ijsvrij **hebben van** school* have (got) the day off from school to go skating
[2]**ijsvrij** [bn] clear of ice, free from ice, ice-free ◆ *een ijsvrije **haven*** an ice-free port; *ijsvrij **zijn*** be clear of ice/free from ice
ijswafel [de] (ice-cream) wafer
ijswal [de^m] wall/sheet of ice
ijswater [het] [1] ⟨van gesmolten ijs⟩ ice water [2] ⟨waarin smeltend ijs ligt⟩ ice water
ijswijn [de^m] Eiswein
ijswinter [de^m] ⟨meteo⟩ persistent frost, ⟨inf⟩ long/big freeze
ijszak [de^m] ice pack, ice bag
ijszee [de] frozen sea/ocean ◆ *de **Noordelijke/Zuidelijke** IJszee* the Arctic/Antarctic Ocean
ijszeilen [ww] ice sailing, ice-boating, ice-yachting
ijver [de^m] [1] ⟨vlijt⟩ diligence, application, assiduity, sedulity, industry ◆ ***met** ijver aan iets **werken*** work diligently/assiduously/industriously at sth.; *zich **met** ijver **toeleggen op*** apply o.s. diligently to sth.; ***onverdroten** ijver* sheer hard work; *zich **vol** ijver van zijn taak kwijten* apply o.s. diligently to one's task [2] ⟨geestdrift⟩ zeal, fervour, ardour, enthusiasm ◆ ***blinde** ijver* blind fanaticism, over-zeal; ***vurige** ijver* ardent/fervent zeal
ijveraar [de^m] advocate (of) zealot, devotee (to/of), ⟨m.b.t. wetten⟩ stickler (for)
ijveren [onov ww] devote o.s. (to), work (for) ◆ ***tegen** iets ijveren* work hard against sth., oppose sth. ardently/fervently; ***voor** iets ijveren* devote o.s. to/work hard for/be a zealous advocate of sth.; *zij ijveren **nu voor** een nieuwe eis* they are now devoting themselves to a new demand
ijverig [bn, bw] [1] ⟨vlijtig⟩ diligent ⟨bw: ~ly⟩, painstaking, industrious, assiduous, sedulous ◆ *ze is zo ijverig **als***

een bij she is as busy as a bee; *men **deed** ijverig onderzoek* assiduous inquiries were made/research was carried out; *een ijverig **scholier*** a(n) studious/industrious/diligent pupil; *ijverig **werken** aan zijn taak* apply o.s. to one's task, work hard at the job in hand; *altijd ijverig bezig zijn met* beaver away at [2] ⟨fervent⟩ zealous ⟨bw: ~ly⟩, ardent, fervent, enthusiastic ◆ *een ijverig **christen*** a zealous Christian; ***al te** ijverig* overzealous

ijverzucht [de] jealousy, envy

ijverzuchtig [bn, bw] jealous (of) ⟨bw: jealously⟩, envious (of)

ijzel [de^{m}] ⟨op wegen⟩ black ice, ⟨BE⟩ glazed frost, ⟨BE⟩ glaze ice, ⟨AE⟩ glaze, ⟨AE⟩ glare (ice), ⟨CanE⟩ glitter ice, ⟨vnl. op bomen e.d.⟩ silver thaw

ijzelen [onpers ww] freeze over, ice over ◆ ***het** ijzelt* it is freezing over

ijzen [onov ww] shudder, shiver ◆ *ijzen **bij** de gedachte* shudder at the thought; *die gedachte **doet** mij ijzen* that thought makes me shudder/shiver/my flesh creep, that thought sends shivers down my back/gives me the creeps; *ijzen **van/voor** iets* shudder at sth.; *het is om **van** te ijzen* it makes you shudder/makes your flesh creep, it gives you the creeps

ijzer [het] [1] ⟨metaal⟩ iron ◆ ⟨fig⟩ *men kan geen ijzer met handen **breken*** one can't do the impossible; *ijzer **delven*** mine iron; ⟨fig⟩ *iemand **in** de ijzers slaan/sluiten, iemand de ijzers aanleggen* put s.o. in/clap s.o. in(to) irons, handcuff/manacle s.o.; ***met** ijzer beslagen* ⟨kist⟩ ironbound; ⟨paal⟩ ironshod; ⟨met spijkerkoppen⟩ iron-studded; *ijzer **smeden/gieten*** forge/cast iron [2] ⟨voorwerpen van ijzer⟩ iron ◆ ***oud** ijzer* scrap (iron/metal), old/refuse iron [3] ⟨stuk ijzer⟩ iron, ⟨schaats⟩ blade, ⟨van slee⟩ runner ◆ ⟨fig⟩ *meer ijzers in het vuur **hebben*** have several irons in the fire; ⟨fig⟩ *de ijzers **onderbinden*** put one's skates on; *ijzer van een **paard*** horseshoe [•] ⟨sprw⟩ *men moet het ijzer smeden als het heet is* strike while the iron is hot; make hay while the sun shines; hoist your sail when the wind is fair

ijzeraarde [de] [1] ⟨ijzeroxide bevattende aarde⟩ ferruginous earth [2] ⟨soort potten- en steenbakkersklei⟩ ice clay

ijzerachtig [bn] iron-like, irony

ijzerader [de] iron vein

ijzeraluin [de^{m}] iron alum

ijzerarm [bn] deficient in iron, low-iron

IJzerbedevaart [de] ⟨in België⟩ Pilgrimage to the Yser, pacifist and nationalist commemoration of the dead in WWI and WW II

ijzerbeslag [het] ⟨sier⟩ iron mount(ing), ⟨om kist⟩ iron bands/binding, ⟨spijkerkoppen⟩ iron studs, ⟨paal⟩ iron shoe

ijzerboor [de] iron/steel drill

ijzercarbonaat [het] iron carbonate

[1]**ijzerdraad** [het] ⟨tot draad getrokken ijzer⟩ (iron) wire

[2]**ijzerdraad** [het, de^{m}] ⟨stuk daarvan⟩ (iron) wire ◆ ***met** ijzerdraad afsluiten* wire in/off

ijzeren [bn] [1] ⟨van ijzer⟩ iron ◆ *met ijzeren **hand/roede/vuist** regeren* rule with an iron hand/a rod of iron/a mailed fist; *een ijzeren **long*** an iron lung; *hij heeft een hoofd als een ijzeren **pot*** he has an excellent memory, he never forgets a thing; *een ijzeren **staaf*** an iron rod, a length of iron [2] ⟨fig; zeer sterk⟩ iron, steel ◆ *een ijzeren **gezondheid/maag*** a (cast-)iron constitution, a strong stomach; *een ijzeren **Hein*** a man of iron/steel [3] ⟨fig; onvermurwbaar⟩ iron, steely, ⟨predicatief⟩ of stone/steel/flint ◆ *een ijzeren **tucht/discipline*** iron discipline; *een ijzeren **wil*** an iron will, a will of iron [•] *de ijzeren **hertog*** the Duke of Alva

ijzererts [het] iron ore

ijzergaas [het] ⟨fijn⟩ iron wire gauze, ⟨grof⟩ iron wire netting

ijzergaren [het] button thread, patent-strong yarn

ijzergieten [ww] casting/founding of iron

ijzergieter [de^{m}] iron founder

ijzergieterij [de^{v}] iron foundry, iron works

ijzerhandel [de^{m}] [1] ⟨winkel⟩ hardware shop/^{A}store, ⟨BE ook⟩ ironmonger's (shop) [2] ⟨handel in ijzerwaren⟩ iron/hardware trade

[1]**ijzerhard** [het, de] ⟨plantk⟩ verbena, vervain

[2]**ijzerhard** [bn] irony, (as) hard as iron

ijzerhoudend [bn] ferriferous, ferruginous, chalybeate, ⟨mineraalwater⟩ ferrous ◆ *ijzerhoudend **water**, ijzerhoudende **drank*** chalybeate

ijzerhout [het] ironwood

ijzerindustrie [de^{v}] iron (manufacturing) industry

ijzerkies [het] pyrite

ijzerkit [het, de] iron cement

ijzerkleurig [bn] iron-coloured

ijzermijn [de] iron mine

ijzeroer [het] bog ore

ijzeroxide [het] iron oxide

ijzerpreparaat [het] iron tonic

ijzerrijk [bn] rich in iron

ijzerroest [het, de^{m}] (iron) rust

ijzerslag [het] iron-scale, hammer scale

ijzerslakken [de^{mv}] iron slag(s)

ijzersmaak [de^{m}] irony taste ◆ *hier **zit** een ijzersmaak **aan*** this has an irony taste to it, this tastes of iron

ijzersmelterij [de^{v}] iron foundry, iron (melting/smelting) works

ijzerspaat [het] spathic iron, siderite, chalybite

ijzerstapelingsziekte [de^{v}] hemochromatosis

ijzersteen [het, de^{m}] ironstone

ijzersterk [bn] iron, cast-iron ◆ *hij kwam met ijzersterke **argumenten*** he produced very strong/incontestable/overwhelming arguments; *een ijzersterk **geheugen*** an excellent/infallible memory; *een ijzersterk **gestel*** an iron/a cast-iron constitution; *een ijzersterke **grap*** a classic (joke); *zij **is** ijzersterk* ⟨gezond⟩ she has a(n) (cast-)iron constitution; ⟨krachtig⟩ she's as strong as an ox; *ijzersterke **kousen*** hardwearing/sturdy/durable stockings; *een ijzersterk **lied*** an evergreen, a classic

ijzertijdperk [het] Iron Age

ijzerverbinding [de^{v}] iron compound

ijzervijlsel [het] iron filings

ijzervlechter [de^{m}] bar/steel bender

ijzervreter [de^{m}] [1] ⟨gehard militair⟩ war-horse [2] ⟨iemand die moeilijkheden niet schuwt⟩ ironside ⟨meestal mv⟩, swashbuckler, fire-eater [3] ⟨vechtersbaas⟩ troublemaker, hooligan, lager lout

ijzerwaren [de^{mv}] ironmongery, hardware

ijzerwerk [het] ironwork

ijzerwinkel [de^{m}] hardware shop/^{A}store, ⟨BE ook⟩ ironmonger's (shop)

ijzerzaag [de] metal saw, ⟨met beugel⟩ hacksaw

ijzerzout [het] ⟨scheik⟩ iron salt

[1]**ijzig** [bn, bw] [1] ⟨ijskoud⟩ icy ⟨bw: icily⟩, freezing ◆ *ijzige **wind/weersomstandigheden*** an icy wind, icy/freezing weather conditions [2] ⟨fig⟩ icy ⟨bw: icily⟩, steely, frosty, wintry, stony ◆ *hij **bleef** er ijzig **onder*** it left him stone cold; *een ijzige **blik*** an icy/a steely/stony stare; *ijzige **kalmte*** icy calm, steely composure; *ijzige **nauwkeurigheid*** chilling accuracy

[2]**ijzig** [bw] ⟨in hoge mate⟩ awfully, terribly, fearfully, frightfully, dreadfully

ijzingwekkend [bn, bw] horrifying, gruesome, appalling, macabre, ghastly ◆ *een ijzingwekkende **gil*** a bloodcurdling scream; *een ijzingwekkend **verhaal*** a horrifying/gruesome/macabre/ghastly/hair-raising tale

[1]**ik** [het] self, ⟨psych⟩ ego ◆ *iemands **betere** ik* s.o.'s better self; *een beroep doen op iemands **betere** ik* appeal to s.o.'s finer feelings/nobler impulses; *m'n **tweede** ik* my second/other self, my alter ego

[2]ik [pers vnw] I ♦ *enkel en alleen ik* myself and me alone; *arme ik* poor me; *ik ben het* it's me; *ik ben er ook nog!* don't forget me!; *ze is beter dan ik* she's better than I am; *als ik er niet geweest was ...* if it hadn't been for me ...; *ik voor mij* I for one; *wie, ik?* who, me?; *ik zelf* (I) myself [·] ⟨sprw⟩ *heden ik, morgen gij* ± today you, tomorrow me

ikebana [het] ikebana

ik-figuur [de] first-person narrator

ik-generatie [de^{v}] me-generation

ikke [pers vnw] me, me ♦ *ikke, ikke en de rest kan stikken* it's always self, self, self with him/her

ik-roman [de^{m}] first-person novel

ik-tijdperk [het] individualist(ic) age, ⟨inf⟩ (time/age of the) me-generation

IKV [het] (Interkerkelijk Vredesberaad) Interdenominational Peace Council/Forum

ik-verteller [de^{m}] first-person narrator

ik-vorm [de^{m}] first person ♦ *in de ik-vorm geschreven* written in the first person

ikzelf (I) myself

ik-zucht [de] ⟨inf⟩ selfishness

Ilias [de] Iliad

[1]illegaal [de^{m}] [1] ⟨verzetsstrijder⟩ member of the resistance (movement), underground/resistance worker [2] ⟨buitenlander⟩ illegal alien

[2]illegaal [bn, bw] [1] ⟨onwettig⟩ illegal, unlawful ♦ *een illegale abortus* a back-street/an illegal abortion; *illegaal gestookte/ingevoerde sterkedrank* moonshine; *illegale gifstortingen* illegal dumping of toxic waste; *illegale invoer* smuggling; *illegale kopie* ⟨bijvoorbeeld van computerprogramma, videoband⟩ pirate copy; *illegale praktijken* illegal practices; *zich illegaal vestigen* squat; *illegaal vissen/jagen* poach [2] ⟨strijdend tegen overweldiger⟩ underground ♦ *een blad illegaal verspreiden* distribute a paper through the underground network; *illegaal werk* underground/resistance work

illegaliteit [de^{v}] [1] ⟨onwettigheid⟩ illegality, unlawfulness [2] ⟨illegaal werk⟩ resistance (movement), underground (movement) [3] ⟨personen⟩ resistance (movement), underground (movement)

illegitiem [bn] illegitimate, unlawful

illocutie [de^{v}] illocution

illuminatie [de^{v}] ⟨form⟩ [1] ⟨feestelijke verlichting⟩ illuminations ⟨mv⟩ [2] ⟨het verkrijgen van geestelijk inzicht⟩ illumination

illuminator [de^{m}] [1] ⟨persoon⟩ illuminator [2] ⟨toestel⟩ illuminator

illumineren [ov ww] [1] ⟨feestelijk verlichten⟩ illuminate [2] ⟨met ornamenten versieren⟩ illuminate [3] ⟨met doorschijnende kleuren opwerken⟩ illuminate

illusie [de^{v}] [1] ⟨zinsbegoocheling⟩ illusion [2] ⟨droombeeld⟩ illusion, (pipe-)dream, fancy (notion), ⟨als slachtoffer het niet doorziet⟩ delusion ♦ *een illusie armer zijn* be robbed of an illusion, be disillusioned, have one's eyes opened; *iemand geen illusies laten omtrent* leave s.o. under no illusion as to; *maakt u zich (daarover/daaromtrent) geen illusies* you need have no illusions about that; *zich illusies maken over* entertain/cherish/harbour illusions about; ⟨zonder het te weten⟩ labour under a delusion about; *zich valse illusies maken, zich aan dwaze illusies overgeven* live in a fool's paradise; *zonder illusies* without illusions, disillusioned, disenchanted [3] ⟨kunstmatige voorstelling⟩ illusion ♦ *een illusie verstoren* shatter an illusion; *een illusie wekken* create an illusion

illusiepolitiek [de^{v}] politics of illusion

illusionair [bn] illusory, illusive, phantasmal, phantasmic

illusioneren [ov ww] delude

illusionisme [het] [1] ⟨leer, opvatting⟩ illusionism [2] ⟨goochelkunst⟩ conjuring, illusionism [3] ⟨stijlvorm⟩ illusionism

illusionist [de^{m}] [1] ⟨goochelaar⟩ illusionist, conjurer, magician [2] ⟨iemand die zich overgeeft aan illusies⟩ dreamer, visionary, fantast

illusoir [bn] illusory, illusive, phantasmal, phantasmic ♦ *een illusoir voordeel* an illusory advantage

illuster [bn] illustrious, distinguished ♦ *in het illustere gezelschap van de minister-president* in the illustrious/distinguished company of the Prime Minister

illustratie [de^{v}] [1] ⟨het illustreren⟩ illustration [2] ⟨afbeelding⟩ illustration, ⟨in mv ook⟩ artwork, graphics ♦ *met illustraties doorschieten* inlay with illustrations [3] ⟨voorbeeld⟩ illustration, example ♦ *ter illustratie van* to illustrate; *ter illustratie liet hij er een paar zien* by way of illustration/for (the purpose of) illustration, he displayed a few [4] ⟨tijdschrift⟩ illustrated (paper), pictorial (paper), picture paper

illustratief [bn] illustrative ♦ *illustratieve voorbeelden* illustrative examples; *illustratief in dit verband is ...* a case in point is ...

illustrator [de^{m}] illustrator

illustreren [ov ww] [1] ⟨van afbeeldingen voorzien⟩ illustrate ♦ *geïllustreerde bladen* colour magazines; *fraai/rijk geïllustreerd* handsomely/lavishly illustrated [2] ⟨toelichten⟩ illustrate, ⟨met voorbeeld⟩ exemplify ♦ *een zaak duidelijk illustreren* illustrate/exemplify sth. clearly, provide a clear illustration/example of sth.; *een bewering met een voorbeeld illustreren* give an example to illustrate an argument; *dat werd treffend geïllustreerd door ...* ⟨ook⟩ a striking case in point was ...

illuvium [het] ⟨geol⟩ illuvium

i.m. [afk] ⟨Latijn⟩ [1] (in margine) in margin [2] (in memoriam) in memoriam

image [het, de] image

imagebuilding [de] image-building

imaginair [bn, bw] imaginary ♦ *een imaginair getal* an imaginary number

imaginatie [de^{v}] [1] ⟨verbeeldingskracht⟩ imagination, fancy [2] ⟨droombeeld⟩ figment of one's imagination, imagining

zich imagineren [wk ww] imagine, fancy

imago [het, de] [1] ⟨image⟩ image [2] ⟨insect⟩ imago [3] ⟨psych⟩ imago

imagoschade [de] image damage

imam [de^{m}] [1] ⟨titel van kalief⟩ imam [2] ⟨hoofd van een moskee⟩ imam

IMAP [het] IMAP

[1]imbeciel [de^{m}] [1] ⟨zwakzinnige⟩ imbecile [2] ⟨stommeling⟩ imbecile

[2]imbeciel [bn, bw] [1] ⟨zwakzinnig⟩ imbecile ⟨bw: ~ly⟩, imbecilic [2] ⟨onnozel⟩ imbecile ⟨bw: ~ly⟩, imbecilic

imbeciliteit [de^{v}] [1] ⟨zwakzinnigheid⟩ imbecility [2] ⟨iets imbeciels⟩ imbecility

IMF [het] (Internationaal Monetair Fonds) IMF

imitatie [de^{v}] [1] ⟨nabootsing⟩ imitation, copying, ⟨persoon ook⟩ impersonation, ⟨onrechtmatig⟩ counterfeiting ♦ *een perfecte imitatie geven van Thatcher* do a perfect take-off/imitation/impersonation of Thatcher, imitate/take off/impersonate Thatcher to perfection [2] ⟨het nagemaakte⟩ imitation, copy, ⟨persoon ook⟩ impersonation, ⟨onrechtmatig⟩ counterfeit, ⟨schilderij⟩ reproduction ♦ *een slechte imitatie* a poor/bad imitation

imitatio [de^{v}] [1] ⟨navolging⟩ imitation [2] ⟨lit, muz⟩ imitation

imitator [de^{m}] [1] ⟨navolger⟩ imitator [2] ⟨nabootser⟩ imitator, impersonator

imiteren [ov ww] imitate, copy, ⟨persoon ook⟩ impersonate, take off, ⟨onrechtmatig⟩ counterfeit

imker [de^{m}] bee-keeper, bee-master, ⟨wet⟩ apiarist

imkeren [onov ww] keep bees

imkerij [de^{v}] bee-keeping, apiculture
imkerskap [de] bee-keeper's hood
immanent [bn] ① ⟨filos; niet bovenzinnelijk⟩ immanent ② ⟨in zichzelf besloten, inherent⟩ immanent
immanentie [de^{v}] immanence
immaterialisme [het] ⟨filos⟩ immaterialism
immaterieel [bn] immaterial, incorporeal, ⟨jur⟩ intangible ♦ *immateriële **activa*** intangible assets, intangibles; *immateriële **goederen*** intellectual property; *immaterieel **maken*** immaterialize; *vergoeding van immateriële **schade*** compensation for emotional damage/injury
immatriculatienummer [het] ⟨in België⟩ registration number
immatriculeren [ov ww] enrol, ⟨AE⟩ enroll, ⟨student⟩ matriculate, ⟨in kerkgenootschap⟩ receive, admit
immaturiteit [de^{v}] immaturity
immatuur [bn] ⟨form⟩ ① ⟨onrijp⟩ ⟨ogm⟩ immature ② ⟨ontijdig⟩ ⟨ogm⟩ immature, premature
immens [bn, bw] immense ⟨bw: ~ly⟩, enormous, huge, vast
immensiteit [de^{v}] immensity, enormity, vastness
immer [bw] ① ⟨altijd⟩ ever, for aye, ↓for ever, ↓always ♦ *het immer **aanwezige** gevaar* the ever-present danger; ***voor** immer* for ever, for aye ② ⟨eeuwig⟩ ever, for aye, ↓for ever, ↓always ③ ⟨ooit⟩ ever
immers [bw] ① ⟨toch⟩ after all, now, indeed ♦ *hij komt immers morgen* after all, he's coming tomorrow; he's coming tomorrow, isn't he?; *ik was immers weg gisteren* I was out yesterday, as you know/you know that; *dat kon hij immers niet weten!* how was he to know?; *het was immers niet mijn schuld!* it wasn't my fault, was it? ② ⟨namelijk⟩ for, since, seeing, as ♦ *Jan is immers geen onhebbelijk mens* it isn't as if Jan's a rude sort of person; *eet die vis niet, de mogelijkheid bestaat immers dat je er ziek van wordt* don't eat that fish, for there is a possibility that it will make you ill ③ ⟨althans⟩ or at least, or in any case
immigrant [de^{m}] immigrant
immigratie [de^{v}] immigration
immigratiebeperking [de^{v}] immigration restriction/control
immigratiecontingent [het] immigration quota
immigratiedienst [de^{m}] immigration service
immigratiesamenleving [de^{v}] immigration society
immigreren [onov ww] immigrate
imminent [bn] ⟨form⟩ imminent ♦ *een imminent **gevaar*** an imminent danger
immissie [de^{v}] immission
immissiewaarde [de^{v}] immission level
immobiel [bn] immobile, immovable
immobilia [de^{mv}] immovables
immobiliën [de^{mv}] ⟨in België⟩ real estate/property, ⟨jur⟩ realty, immov(e)able property, immov(e)ables
immobiliseren [ov ww] ① ⟨onbeweeglijk maken⟩ immobilize ② ⟨fig⟩ immobilize, hamstring, paralyse, ⟨in afwachting⟩ leave (s.o.) dangling
immobiliteit [de^{v}] ① ⟨onbeweeglijkheid⟩ immobility, immovability, fixedness ② ⟨fig⟩ immobility, paralysis ♦ ***functionele** immobiliteit* occupational immobility (of labour); ***geografische** immobiliteit* geographical immobility (of labour)
immoralisme [het] immoralism
immoraliteit [de^{v}] immorality
immoreel [bn, bw] immoral ⟨bw: ~ly⟩
immortaliteit [de^{v}] immortality
immortelle [de] immortelle, everlasting
immuniseren [ov ww] immunize ♦ *immuniseren **tegen** griep* immunize against influenza
immunisering [de^{v}] immunization
immuniteit [de^{v}] ① ⟨onschendbaarheid⟩ immunity, exemption ♦ ***parlementaire/diplomatieke** immuniteit* parliamentary/diplomatic immunity ② ⟨gebied⟩ immunity ③ ⟨weerstandsvermogen⟩ immunity ♦ ***cellulaire** immuniteit* cellular immunity; ***humorale** immuniteit* humoral immunity; ⟨med⟩ *onderzoeken **op** immuniteit* challenge
immuniteitsleer [de] immunology
immuniteitsreactie [de^{v}] immune reaction/response
immunochemie [de^{v}] immunochemistry
immunogeen [bn] immunogenic
immunogenetica [de^{v}] immunogenetics
immunologe [de^{v}] → **immunoloog**
immunologie [de^{v}] immunology
immunoloog [de^{m}], **immunologe** [de^{v}] immunologist
immunosuppressief [bn, bw] ⟨med⟩ ⟨bijvoeglijk naamwoord⟩ immunosuppressant, immunosuppressive, ⟨bijwoord⟩ in an immunosuppressant/immunosuppressive way ♦ *immunosuppressieve **medicamenten*** immunosuppressants
immuun [bn] ① ⟨onvatbaar⟩ immune ♦ *iemand immuun **maken*** immunize s.o., render s.o. immune; *immuun **tegen** ziektes* immune to diseases; *immuun **voor** DDT* resistant to DDT ② ⟨onaangedaan⟩ immune, hardened ♦ *iemand voor iets immuun **maken*** render s.o. immune to sth., harden s.o. against sth.; *immuun **voor kritiek*** immune to criticism ③ ⟨onschendbaar⟩ immune, exempt(ed)
immuunreactie [de^{v}] ⟨med⟩ immunoreaction, immune response/reaction
immuunsysteem [het] ⟨med⟩ immune system
immuuntherapie [de^{v}] immunotherapy
i-mode [het, de^{m}] i-mode
imp. [afk] ① (imperator) Imp ② (imperatief) imp, imper
impact [de] impact, effect, influence
impactor [de^{m}] impactor
impala [de] impala
impasse [de^{v}] impasse, deadlock, stalemate ♦ ***in** een impasse **raken*** reach/arrive at an impasse; *de onderhandelingen **raakten in** een impasse* ⟨ook⟩ the negotiations/talks bogged down; *zich **in** een impasse **bevinden**, **in** een impasse **zitten*** be in an impasse; ⟨zaken⟩ be in a deadlock; *de onderhandelingen **uit** de impasse **halen*** overcome the deadlock in the negotiations
impedantie [de^{v}] impedance
impediëren [ov ww] ⟨form⟩ impede
impediment [het] ⟨form⟩ impediment
impenetrabel [bn] ① ⟨ondoordringbaar⟩ impenetrable, impervious, impermeable, ⟨ondoorgrondelijk⟩ unfathomable, inscrutable ② ⟨waterdicht⟩ waterproof, watertight
[1]**imperatief** [de^{m}] ① ⟨gebiedende wijs⟩ imperative (mood) ② ⟨filos; gebod⟩ imperative ♦ ***categorische** imperatief* categorical imperative
[2]**imperatief** [bn, bw] imperative ⟨bw: ~ly⟩, mandatory ♦ *een imperatief **mandaat*** ⟨BE⟩ three-line whip, ⟨AE⟩ instructions (to a representative); ⟨jur⟩ *een imperatief **voorschrift*** a mandate
imperator [de^{m}] ⟨Romeinse gesch⟩ ① ⟨opperbevelhebber⟩ imperator ② ⟨titel van zegevierende veldheren; keizer⟩ imperator
imperfect [bn, bw] imperfect ⟨bw: ~ly⟩
imperfectie [de^{v}] imperfection, defect, shortcoming
imperfectum [het] imperfect (tense)
[1]**imperiaal** [het, de] ① ⟨bagagerek⟩ roof rack, ⟨AE ook⟩ luggage rack ② ⟨bovenste verdieping van een dubbeldekker⟩ top deck
[2]**imperiaal** [bn] imperial ⊡ *imperiaal **papier*** imperial paper
imperialisme [het] imperialism
imperialist [de^{m}] imperialist
imperialistisch [bn, bw] imperialist(ic) ⟨bw: imperialistically⟩
imperium [het] ① ⟨(keizer)rijk⟩ empire ② ⟨wereldrijk⟩

empire ♦ ⟨fig⟩ *een* ***industrieel*** *imperium* an industrial empire [3] ⟨oppermacht⟩ imperium
impersonale [het] ⟨taalk⟩ impersonal verb
impertinent [bn, bw] impertinent ⟨bw: ~ly⟩, insolent, impudent ♦ *impertinente* ***blikken*** impertinent/bold looks; *impertinent* ***gedrag*** impertinence, insolence, impudence, effrontery; *impertinente* ***opmerkingen*** impertinent remarks; ⟨inf; BE⟩ cheek, ⟨BE⟩ backchat; ⟨inf; AE⟩ sauce, ⟨AE⟩ sass, ⟨AE⟩ backtalk; *impertinent* ***optreden*** be impertinent/insolent/impudent, brazen it out
impertinentie [de^v] impertinence, insolence, impudence, effrontery
impetuoso [bn] ⟨muz⟩ impetuoso
implantaat [het] ⟨med⟩ implant
implantatie [de^v] implant(ation), insert(ion)
implanteren [ov ww] ⟨med⟩ implant
implantologie [de^v] implantology
implementeren [ov ww] implement
implementering [de^v] implementation
implicatie [de^v] [1] ⟨verwikkeling⟩ implication, complication ♦ *dit heeft* ***politieke*** *implicaties* this has political implications [2] ⟨wat in iets opgesloten ligt⟩ implication [3] ⟨het geïmpliceerd zijn⟩ implication ♦ ***bij*** *implicatie* by implication
impliceren [ov ww] imply ♦ *dat impliceert* ***dat*** *hij ervan op de hoogte was* that implies that he knew of it
impliciet [bn, bw] implicit ⟨bw: ~ly⟩, implied, understood ♦ *iets impliciet* ***bedoelen*** imply sth.; *dat is impliciet door hem* ***erkend*** that has been implicitly acknowledged by him
imploderen [onov ww] implode
implosie [de^v] implosion
imponderabilia [de^mv] [1] ⟨natuurk; onweegbare zaken⟩ imponderables, imponderabilia [2] ⟨fig⟩ imponderables, imponderabilia
imponeren [ov ww, ook abs] impress, ⟨ontzag inboezemen⟩ overawe ♦ *hij imponeerde de tegenspelers* ***door*** *zijn gestalte* he impressed his opponents by his stature; *een imponerende* ***figuur*** an impressive/imposing/a commanding figure; *een imponerende* ***houding*** *aannemen* draw o.s. up; ***laat*** *je niet imponeren door die deftige omgeving* don't be overawed by the grand surroundings; *zijn* ***zelfverzekerdheid*** *imponeert* his confidence is impressive/overawes you
impopulair [bn] unpopular
impopulariteit [de^v] unpopularity
import [de^m] [1] ⟨invoer van koopwaren⟩ import, importation ♦ *de import van* ***fruit*** *en* ***groente*** the import/importation of fruit and vegetables, (the) fruit and vegetable imports [2] ⟨ingevoerde koopwaar⟩ import(s) ♦ *de import moet de export niet* ***overtreffen*** imports should not exceed exports [3] ⟨pej; fig⟩ foreign elements/customs/ideas/products ⟨enz.⟩ ♦ *in deze wijk* ***woont*** *bijna allemaal import* this neighbourhood is full of foreign elements
important [bn] important, of importance/consequence
importantie [de^v] importance, consequence ♦ *een zaak van de* ***grootste*** *importantie* a matter of the greatest importance/consequence
importbruid [de^v] import bride
importeren [ov ww] [1] ⟨(goederen) invoeren⟩ import [2] ⟨comp⟩ import
importeur [de^m] importer
importgoederen [de^mv] imports
importhuwelijk [het] import marriage
importkrediet [het] import credit
importuun [bn] ⟨form⟩ importunate, inopportune, inappropriate, untoward
imposant [bn, bw] impressive ⟨bw: ~ly⟩, imposing, commanding, stately ♦ *een imposante* ***rij*** *titels* an impressive list of titles; *een imposante* ***stijl*** an impressive style
impost [de^m] [1] ⟨accijns⟩ impost, (excise) duty, imposition [2] ⟨bouwk⟩ impost
impotent [bn] [1] ⟨onmachtig tot geslachtsgemeenschap⟩ impotent ♦ *impotent* ***maken*** make/render impotent [2] ⟨geestelijk onbekwaam⟩ incompetent
impotentie [de^v] [1] ⟨geslachtelijke onmacht⟩ impotence [2] ⟨geestelijke onbekwaamheid⟩ incompetence
impr. [afk] ⟨Latijn⟩ (imprimatur) imprimatur
impregnatie [de^v] [1] ⟨het impregneren⟩ impregnation [2] ⟨het doordringen in de eicel⟩ impregnation
impregneermiddel [het] impregnating agent
impregneren [ov ww] impregnate ♦ *hout* ***met*** *creosootolie impregneren* impregnate wood with creosote
impresariaat [het] [1] ⟨het impresario zijn⟩ ± managership, management [2] ⟨kantoor⟩ agency
impresario [de^m] impresario
impressie [de^v] [1] ⟨indruk⟩ impression [2] ⟨weergave van zulke indrukken⟩ impression
impressief [bn] impressive, imposing, commanding
impressiefractuur [de^v] ⟨med⟩ impression fracture (of the skull)
impressionisme [het] impressionism
impressionist [de^m] impressionist
impressionistisch [bn, bw] [1] ⟨zoals bij het impressionisme⟩ impressionistic ⟨bw: ~ally⟩ [2] ⟨van de impressionisten⟩ impressionist
impressum [het] ⟨boek⟩ imprint, ⟨krant⟩ masthead
imprimatur [het] imprimatur
[1]**imprimé** [het] ⟨weefsel⟩ print, ⟨AE⟩ calico
[2]**imprimé** [bn] print(ed)
improductief [bn] [1] ⟨niet productief⟩ unproductive [2] ⟨taalk⟩ unproductive
improductiviteit [de^v] unproductiveness
impromptu [het, de^m] impromptu performance/speech/composition, extempore performance/speech/composition, ⟨muziekstuk⟩ impromptu
improvisatie [de^v] [1] ⟨voordracht⟩ improvisation, extemporization [2] ⟨muz⟩ improvisation, variation, ⟨vnl. jazz ook⟩ jam session
improvisator [de^m] improvisator, improviser
improvisatorisch [bn, bw] improvisatory ⟨bw: improvisatorily⟩, improvisatorial, improvisational, impromptu, extempore
improviseren [ov ww, ook abs] [1] ⟨onvoorbereid een voordracht houden⟩ improvise, extemporize, give an impromptu speech/performance [2] ⟨met beschikbare middelen werken⟩ improvise, rig (up), make do ♦ *een geïmproviseerde* ***slaapplaats*** an improvised/a makeshift bed [3] ⟨muz⟩ improvise, ⟨vnl. jazz ook⟩ jam ♦ *een* ***begeleiding*** *improviseren (bij)* improvise an accompaniment (to), ⟨inf⟩ vamp an accompaniment (to)
improviste [·] *à l'improviste* impromptu, ex tempore, off the cuff, on the spur of the moment
impuls [de^m] [1] ⟨eerste stoot⟩ impulse [2] ⟨fig⟩ impulse, impetus, stimulus, incentive, spur, boost ♦ *een* ***nieuwe*** *impuls krijgen* receive a new impulse/impetus, be spurred on; ***onder*** *de impuls van* stimulated/spurred on/by [3] ⟨opwelling⟩ impulse, urge ♦ *hij handelde* ***in*** *een impuls* he acted on (an) impulse [4] ⟨med⟩ impulse [5] ⟨natuurk⟩ linear momentum [6] ⟨radiotechniek⟩ pulse
impulsaankoop [de^m] impulse buy(ing), impulse purchase
[1]**impulsief** [bn] ⟨form⟩ ⟨opwekkend⟩ impulsive, impelling, driving, motive
[2]**impulsief** [bn, bw] ⟨spontaan⟩ impulsive ⟨bw: ~ly⟩, impetuous, madcap ♦ *een impulsieve* ***beslissing*** a(n) impulsive/snap/snatch/spur-of-the-moment/madcap decision; *iets impulsief* ***doen*** do sth. on (an) impulse/on the spur of the moment; *impulsief* ***gedrag*** impulsive/impetuous behaviour, impulsiveness, impetuousity; *zich impulsief* ***gedragen*** act/behave impulsively/impetuously; *een impulsie-*

ve koper an impulse buyer; *een impulsief persoon* ⟨ook⟩ a madcap

impulsiviteit [de^v] impulsiveness, impetuosity

impulsmoment [het] ⟨natuurk⟩ angular momentum, moment of momentum

imputatie [de^v] 1 ⟨beschuldiging⟩ imputation, charge, accusation 2 ⟨verrekening⟩ settlement

imputeren [ov ww] impute, charge, accuse

¹in [bn] 1 ⟨binnen⟩ in ◆ *de **bal** was in* the ball was in 2 ⟨populair⟩ in, trendy, the in thing ◆ *dat **liedje** was in* that song was very popular/a hit; *lange rokken **waren/raakten** in* long skirts were in, long skirts were the in thing

²in [bw] 1 ⟨van richting⟩ in, into, inside ◆ *ergens in en **uit** lopen* run in and out of a place; *dat **wil** er bij mij niet in* ⟨fig⟩ I find that hard to believe/understand/grasp 2 ⟨van tijd⟩ in ◆ ***dag** in dag uit* day in (and) day out 3 ⟨van plaats⟩ in, inside ◆ ***tussen** twee huizen in* (in) between two houses 4 ⟨van toestand⟩ in, inside 5 ⟨als versterking van 'tegen'⟩ ◆ ***tegen** het verbod in* in defiance of the ban/prohibition; ***tegen** de gewoonte in* against/contrary to custom/practice; ***tegen** de wind/stroom in* against the wind/current; ***tegen** alle verwachtingen in* contrary to/against all expectations, after all ▪ *in zijn **voor*** be in/up/game for

³in [vz] 1 ⟨m.b.t. een plaats⟩ in, at ◆ *een vertegenwoordiger in het **bestuur*** a representative on the board; *hij stond in de **deur*** he stood in the doorway; *puistjes in het **gezicht*** pimples on one's face; *hij is in **huis*** he's inside; *in heel het **land*** throughout/all over the country, everywhere in the country; *Dickens werd in **Landport**, niet in **Londen** geboren* Dickens was born at Landport, not in London; *je staat in het **licht*** you're standing in the/my light; *in heel de **stad*** in the whole/entire town, everywhere in the town, all over the town; *hij woont in de **stad*** he lives in town, ⟨AE⟩ he lives downtown; *in '**The** King's Arms' logeren* stay at 'The King's Arms'; *hij zat niet in die **trein**/dat **vliegtuig*** he wasn't on that train/plane; *in iemands **weg** gaan staan* step into s.o.'s path; *in (volle) **zee*** at sea, on the high seas, on the open sea; *iets in **zich** hebben* have sth. in one 2 ⟨m.b.t. een richting⟩ into ◆ *verder in het **dal*** up the valley; *in de **hoogte** kijken* look up; *hij is nog nooit in **Londen** geweest* he's never been to London; *hij is/moet de **stad** in* he has gone/has to go to/into town 3 ⟨m.b.t. een tijdsduur⟩ in, during ◆ *in 1992* in 1992; *in de **afdaling*** during the descent; *in het **begin*** at/in the beginning, at the start; *ik heb hem in **eeuwen** niet meer gezien* I haven't seen him for ages, it's been ages since I last saw him; *het is in geen tien **jaar** zo warm geweest* it hasn't been as warm as this/this warm in ten years; *diep in de **nacht*** deep/far into the night; *in de **pauze*** in/during the break/interval; *in een **uur*** in an hour; *een keer in de **week*** once a week 4 ⟨m.b.t. een hoeveelheid⟩ in ◆ *in de **twintig*** twenty-odd, twenty-something; ⟨leeftijd⟩ in one's twenties 5 ⟨m.b.t. een omvang⟩ in ◆ *in drie **delen*** in three parts; ⟨boek⟩ in three volumes; *twaalf in een **dozijn*** twelve in/to a dozen; *er gaan 100 cm in een **meter*** there are 100 centimetres in/to a metre; *twee meter in **omtrek*** two metres in circumference, two metres round; *in **tweeën** snijden* cut in two 6 ⟨m.b.t. een mate, graad⟩ in ◆ *in hoge **mate*** highly; greatly, to a (high) degree, in a great/large measure 7 ⟨m.b.t. een snelheid⟩ in, at ◆ *in rustig **tempo*** at an easy pace 8 ⟨m.b.t. een toestand, omstandigheden⟩ in ◆ *hij wil in de **elektronica*** he wants to go into electronics; *in het **Japans** vertalen* translate into Japanese; *handelen in **koffie*** deal in coffee; *berusten in het **lot*** resign o.s. to one's fate; *professor in de **natuurkunde*** professor of physics; *in **slaap*** asleep; *zij is goed in **wiskunde*** she's good at mathematics 9 ⟨m.b.t. een verandering, gevolg⟩ in, to, into ◆ ***uitbarsten** in gelach* burst into laughter, burst out laughing

inacceptabel [bn, bw] unacceptable ⟨bw: unacceptably⟩

inaccessibel [bn] ⟨form⟩ inaccessible, ⟨persoon⟩ unapproachable

inaccuraat [bn, bw] inaccurate ⟨bw: ~ly⟩

inachtneming [de^v] 1 ⟨oplettendheid⟩ regard, consideration, observation, notice, attention ◆ ***met** inachtneming van uw belangen* with due regard for your interests; ***met** inachtneming **van** uw goede raad* mindful of your good advice; ***met** inachtneming **van** de moeilijke omstandigheden* having regard to/considering/taking into account/making due allowance for the difficult circumstances 2 ⟨nakoming⟩ regard, observance, compliance ◆ ***met** inachtneming **van** de voorschriften* in compliance with the regulations; *verkopen **met** inachtneming **van** de voorwaarden* ... sell subject to the conditions ...; *iemand ontslaan **met** inachtneming **van** een opzeggingstermijn* dismiss s.o. in accordance with the terms of notice

inactief [bn] inactive, ⟨ongewenst⟩ idle, ⟨tijdelijk⟩ dormant

inactiveren [ov ww] inactivate, deactivate, immobilize

inactiviteit [de^v] inactivity, inaction, ⟨ongewenst⟩ idleness, ⟨tijdelijk⟩ dormancy

¹inademen [onov ww] ⟨de adem inhalen⟩ inhale, breathe in, take/draw breath ◆ ***diep** inademen* take/draw a deep breath

²inademen [ov ww] ⟨inhaleren⟩ inhale, breathe in ◆ ***frisse lucht** inademen* inhale/breathe in fresh air, take a breath of fresh air

inademing [de^v] 1 ⟨handeling⟩ inhalation, (intake of) breath 2 ⟨keer⟩ inhalation, (intake of) breath

inadequaat [bn, bw] inadequate ⟨bw: ~ly⟩, insufficient, ⟨voor taak⟩ incompetent

in a nutshell [bn, bw] in a nutshell

inas [de^v] residential assistant (in a nursing home)

inauguraal [bn] inaugural, inauguratory

inauguratie [de^v] 1 ⟨inwijding⟩ inauguration 2 ⟨intrede als hoogleraar⟩ inauguration 3 ⟨intreerede⟩ inaugural, inaugural lecture/speech, ⟨president USA⟩ inaugural address

inaugureel [bn, alleen attr] inaugural, inauguratory ◆ *een inaugurele **rede*** an inaugural lecture/speech; ⟨president USA⟩ an inaugural address

inaugureren [ov ww] inaugurate, ⟨met eed⟩ swear in

inbaar [bn] collectable, collectible, ⟨inwisselbaar⟩ cashable, ⟨schuld⟩ recoverable, ⟨belasting, contributie⟩ leviable ◆ *die heffing **wordt** vanaf 1 januari inbaar* this tax will be levied from 1 January, this tax will take effect from 1 January; *de huur **wordt** de eerste van de maand inbaar* the rent falls/becomes due on the first of the month

inbakeren [ov ww] 1 ⟨in doeken wikkelen⟩ swaddle (up), wrap in swaddling clothes/bands 2 ⟨warm kleden, instoppen⟩ wrap up, bundle/muffle up

¹inbakken [onov ww] ⟨inkrimpen⟩ reduce (in baking)

²inbakken [ov ww] ⟨meebakken⟩ bake in ◆ ⟨fig⟩ *de ingebakken **aard*** the inborn nature, the innate character; ⟨fig⟩ ***conflicten** zijn bij een dergelijke regeling ingebakken* conflicts are inherent in such an arrangement, an arrangement like that is structured to produce conflict; ⟨fig⟩ *die **gewoonte** zit er bij hem nu eenmaal ingebakken* that habit's ingrained with him, it's become an ingrained habit with him; ⟨fig⟩ *ingebakken **vuil*** ingrained dirt

inbedden [ov ww] bed, embed, imbed ◆ ⟨fig⟩ *ingebed **in** de bossen/heuvels* nestling among the woods/hills; ⟨taalk⟩ *een ingebedde **zin*** an embedded sentence/clause

inbedrijfstelling [de^v] commencement of operation(s), ⟨inf⟩ start-up

inbedroefd [bn, bw] grief-stricken, stricken with grief, filled with grief/sorrow, deeply grieved/afflicted

zich inbeelden [wk ww] 1 ⟨als werkelijk bestaand voorstellen⟩ imagine, fancy, dream up ◆ *zij beeldt zich in **dat** ...* she's got hold of the idea that ...; *hij beeldt zich in, **dat** hij ziek is* he imagines that he is ill; *een ingebeelde **ziekte*** an imaginary illness; *dat beeld je je maar **in*** that's just your imag-

ination [2] ⟨verbeelding hebben⟩ fancy o.s., think much of o.s. ♦ *wat beeldt hij zich wel in?* who does he think he is?
inbeelding [de^v] [1] ⟨visioen⟩ imagination, illusion, flight of fancy ♦ *komkom, je bent niet ziek, het is maar inbeelding* come, come, you're not ill, it's just (your) imagination [2] ⟨verbeelding⟩ conceit, vanity ♦ *wat **heeft** die man een inbeelding* that man really thinks the world of/really fancies himself
inbegrepen [bn, alleen pred] included, including, inclusive of ♦ ***alles** inbegrepen* including everything, inclusive, no extras, all found; *een prijs waar **alles** inbegrepen is* an all-in/inclusive price; ***bediening** inbegrepen* service included, the price includes service; ***kosten** inbegrepen* inclusive of charges, charges included; *verpakking **niet** inbegrepen* packing/packaging extra/not included, exclusive of packing
inbegrip [het] [•] ***met** inbegrip **van*** including, inclusive of, included; *een hifi-installatie **met** inbegrip **van** luidsprekers* a hi-fi set including speakers
inbeitelen [ov ww] chisel/carve/cut (into)
Inbel [het] ⟨in België⟩ Belgian Government Information Service
inbellen [ov ww, ook abs] dial up
inbelnummer [het] dial-in number
inbelpunt [het] ⟨comp⟩ dial-up access (account)
inberekenen [ov ww] reckon in, calculate in
inbeslagname [de] seizure, ⟨roerende goederen⟩ confiscation, attachment, sequestration, ⟨wegens huurschuld/belastingschuld⟩ distraint, distress, ⟨onroerende goederen⟩ sequestration, ⟨schip⟩ arrest, embargo
inbeslagneming [de^v] seizure, ⟨roerende goederen⟩ confiscation, attachment, sequestration, ⟨wegens huurschuld/belastingschuld⟩ distraint, distress, ⟨onroerende goederen⟩ sequestration, ⟨schip⟩ arrest, embargo
¹inbeuken [onov ww] ⟨hard inslaan (op)⟩ lam (into), let fly (at), lay/pitch (into) ♦ *inbeuken **op*** lam into, let fly at, lay/pitch into
²inbeuken [ov ww] ⟨openbeuken⟩ batter open/down
inbewaringstelling [de^v] arrest, taking into custody ♦ ***gerechtelijke** inbewaringstelling* (judicial) sequestration (of property); *inbewaringstelling van **verdachten*** arrest of suspects, taking suspects into custody
inbezitneming [de^v] taking possession of, entering into possession of ♦ *de inbezitneming van de veroverde **gebieden*** the occupation of the captured territories; ⟨jur⟩ ***wederrechtelijke** inbezitneming* illegal appropriation, conversion, intrusion, usurpation
¹inbijten [onov ww] ⟨bijtend inwerken⟩ bite, burn ♦ ***het** inbijten* ⟨vnl. bij het etsen⟩ the bite; *inbijten **op/in*** bite/burn into, corrode, macerate, fret; *pas op, dit **zuur** bijt in* careful, that acid can give you a burn
²inbijten [ov ww] [1] ⟨met een bijtend middel bewerken⟩ bite, etch, stain [2] ⟨door drijfijs leiden⟩ pilot (a ship) through ice
¹inbinden [ov ww] [1] ⟨boek⟩ bind [2] ⟨met iets omgeven⟩ bind, tie up, ⟨gevogelte⟩ truss up [3] ⟨scheepv⟩ shorten, take in, reef ♦ *een **zeil** inbinden* take in (a) sail, shorten sail, take in a reef of sail
²inbinden [ov ww, ook abs] ⟨bedwingen⟩ restrain, (keep in) check, control ♦ ***moeten** inbinden* be forced to back down/eat humble pie/climb down/swallow one's words; *inbinden **voor*** knuckle/concede to
¹inblazen [onov ww] ⟨door blazen inkomen⟩ blow in(to) ♦ *de wind blies de **schoorsteen** in* the wind blew down the chimney
²inblazen [ov ww] ⟨ook fig; door blazen doen komen in⟩ blow into, ⟨fig⟩ breathe/infuse/inject/inspire into ♦ *iets nieuw **leven** inblazen* breathe new life into sth., bring sth. back to life, reanimate/regenerate/enliven sth.; *God blies Adam de **levensadem** in* God breathed (the breath of) life into Adam
¹inblikken [onov ww] ⟨de blik keren in, naar⟩ look into, gaze into ♦ *de **toekomst** inblikken* look/gaze into the future; *de **zaal** inblikken* look into/out at the audience
²inblikken [ov ww] ⟨in blik conserveren⟩ can, ⟨BE⟩ tin ♦ *ingeblikte **groente*** canned vegetables
inboedel [de^m] moveables, furniture, furnishings, household furniture, ⟨form⟩ household effects, ⟨verz⟩ home contents ♦ *een **schamele** inboedel* a few sticks of furniture; *een inboedel **verzekeren*** ± insure one's house against fire and theft
inboedelverzekering [de^v] ± fire and theft insurance
inboeken [ov ww] book, enter (up), register ♦ *de **rekeningen** inboeken* enter up the invoices, enter the invoices into the books
inboeten [ov ww] [1] ⟨verliezen⟩ lose ♦ ***aan** kracht inboeten* be robbed of one's strength, lose strength, weaken; ***aan** waarde inboeten* lose value, devaluate [2] ⟨bosb⟩ fill up, refill
inboezemen [ov ww] inspire, infuse, incite, instil, ⟨AE⟩ instill ♦ *iemand **afkeer** inboezemen* inspire aversion in s.o., inspire/fill s.o. with aversion, disgust s.o.; *iemand **eerbied/vertrouwen** inboezemen* inspire respect/confidence in(to) s.o., infuse/instil/breathe respect/confidence into s.o., command s.o.'s respect/confidence; *iemand **ontzag** inboezemen* inspire/fill s.o. with awe, inspire awe in s.o., (over) awe s.o., instil awe into s.o.; *iemand **vrees** inboezemen* inspire/fill s.o. with dread, inspire fear in s.o., strike terror into s.o.('s heart/soul), strike s.o. with terror, frighten/scare/terrify s.o.
inboorling [de^m] [1] ⟨inlander⟩ native, aborigine, aboriginal ⟨vnl van Australië⟩, ⟨AuE; beled⟩ abo, ⟨vrouw⟩ gin [2] ⟨autochtoon⟩ native, local
¹inboren [onov ww] ⟨doordringen in⟩ penetrate ♦ *de kogel boorde een heel eind de **grond** in* the bullet penetrated deep into the ground
²inboren [ov ww] ⟨een gat maken in⟩ drill into, bore into
inborst [de] disposition, character, heart, mind, soul
inbouw [de^m] [1] ⟨het inbouwen⟩ building-in, installation [2] ⟨de ingebouwde onderdelen⟩ built-in components
inbouwelement [het] built-in element
inbouwen [ov ww] [1] ⟨ook fig; met andere gebouwen omgeven⟩ build in ♦ ⟨fig⟩ *ze hebben mijn **auto** ingebouwd* my car has been completely boxed in; *het **park** is al aardig ingebouwd* the park has been built in/round quite extensively; *erg ingebouwd **zitten*** ⟨fig⟩ be boxed/hemmed in [2] ⟨zo bouwen dat iets zich in iets anders bevindt⟩ build in ♦ *die **toren** is ingebouwd* that tower is an integral part of the building [3] ⟨in de constructie opnemen⟩ build in ♦ *een ingebouwde **antenne*** a built-in aerial; *de safe is **in** de muur ingebouwd* the safe is built/let/recessed into the wall; *een ingebouwde **kast*** a built-in/fitted cupboard; *een radio met ingebouwde **luidspreker*** a radio with a built-in speaker [4] ⟨rekening houden met⟩ build in ♦ ***veiligheidsmaatregelen** inbouwen* build in safety measures
inbouwkastje [het] built-in cupboard/^Acloset
inbouwkeuken [de] built-in kitchen
inbouwpakket [het] built-in assembly kit, DIY/do-it-yourself built-in furniture (kit)
inbox [de^m] inbox
inbraak [de] [1] ⟨handeling⟩ breaking in, ⟨vnl. 's nachts⟩ burglary, ⟨vnl. overdag⟩ housebreaking ♦ ⟨jur⟩ *inbraak en **insluiping*** breaking and entering; *inbraak **plegen** in* break into, burgle; *beveiligd **tegen** inbraak* burglarproof [2] ⟨keer⟩ break-in, burglary, (case of) house-breaking, ⟨sl; AE⟩ heist, ⟨AE⟩ raid
inbraakalarm [het] burglar/intrusion alarm
inbraakbeveiliging [de^v] alarm/security system, burglar alarm, protection against burglary
inbraakpoging [de^v] attempt at burglary, attempted burglary
inbraakpolis [de] burglary policy

inbraakpreventie [de^v] prevention of burglary
inbraakverzekering [de^v] theft insurance
inbraakvrij [bn] burglarproof
^{1}**inbranden** [onov ww] ⟨niet gelijkmatig afbranden⟩ not burn evenly, burn unevenly ♦ *deze* ***sigaar*** *brandt in* this cigar doesn't burn evenly
^{2}**inbranden** [ov ww] [1] ⟨merkteken aanbrengen⟩ brand ♦ *een ingebrand* ***merk*** a brand (mark) [2] ⟨verf vastleggen⟩ anneal [3] ⟨fotografisch vastleggen⟩ burn in(to) ♦ ***letters*** *in papier/hout inbranden* burn letters into paper/wood
inbranding [de^v] [1] ⟨handeling⟩ burning in, branding [2] ⟨merk⟩ brand
inbreekster [de^v] → **inbreker**
inbreiden [ov ww, ook abs] extend (a city) by using existing open spaces instead of adding new construction at the fringes
inbreien [ov ww] knit in
inbreken [onov ww] [1] ⟨inbraak plegen⟩ break in(to) (a house), ⟨vnl. 's nachts⟩ burgle (a house), ⟨vnl. 's nachts⟩ commit burglary, ⟨vnl. overdag⟩ commit housebreaking ♦ *er is alweer* ***bij*** *ons ingebroken* we have been burgled again, our house has been broken into/burgled again, there has been another burglary/break-in at our house; *de* ***dieven*** *hebben hier ingebroken* there has been a burglary here; ⟨binnengedrongen⟩ this is where the burglers broke in; *inbreken* ***in*** *een computersysteem* break into a computer system, hack [2] ⟨fig; schenden, verbreken⟩ break in(to), encroach/impinge on ♦ ***bij*** *een der partijen werd met succes ingebroken* they succeeded in splitting one of the parties
inbreker [de^m], **inbreekster** [de^v] ⟨vnl. 's nachts⟩ burglar, ⟨vnl. overdag⟩ housebreaker, picklock, ⟨in comp⟩ hacker
inbrekersgilde [het] burglars, light-fingered gentry
inbrekerspad [het] ♦ *het inbrekerspad op* ***gaan*** take to burglary/housebreaking
inbreng [de^m] [1] ⟨inleg⟩ deposit [2] ⟨financiële bijdrage⟩ contribution ♦ *de inbreng* ***in*** *een huwelijk* the marriage portion, the dowry; *de inbreng van een vennoot* ***in*** *een zaak* the capital contributed/brought in/paid in/put in by a partner in a business; *inbreng in natura* contribution in kind [3] ⟨aandeel⟩ contribution ♦ *hij heeft weinig inbreng* ***in*** *de discussie* he contributes little/makes few contributions to the discussion [4] ⟨jur⟩ collation, hotchpot, return of advancements to an estate
inbrengen [ov ww] [1] ⟨naar binnen brengen⟩ bring in(to), ⟨thermometer, muntstuk⟩ insert, ⟨inspuiten⟩ inject, introduce ♦ *het inbrengen van een* ***spiraaltje*** the insertion of an IUD [2] ⟨inleggen⟩ deposit [3] ⟨afstaan voor de handelszaak⟩ bring in, contribute, pay/put in, introduce, invest ♦ ***kapitaal*** *inbrengen in een zaak* bring/put capital into a business, contribute capital to a business [4] ⟨meebrengen in een huwelijk⟩ bring in(to), contribute [5] ⟨opleveren⟩ bring in, yield, produce [6] ⟨voorstellen⟩ contribute, suggest, put/bring forward ♦ ***heel wat*** *in te brengen hebben* ⟨veel invloed⟩ pull considerable weight; ⟨veel suggesties⟩ have a good deal to contribute/say; ***niets*** *in te brengen hebben* ⟨geen invloed⟩ have no say/voice; ⟨geen suggesties⟩ have nothing to contribute/say [7] ⟨aanvoeren⟩ bring (forward), put forward, raise, ⟨bewijs⟩ furnish ♦ ***bezwaren*** *inbrengen tegen* raise objections to/against, bring objections against, take objection to; ***kritiek*** *inbrengen tegen* bring/level criticism against; *daar is/valt niets* ***tegen*** *in te brengen* there is nothing to be said against this; this is unobjectionable/perfectly sound/unassailable/indisputable/unanswerable; *wat hebt u* ***tegen*** *die beschuldiging in te brengen?* what do you have to say to these charges?; *daar is* ***veel*** *tegen in te brengen* that is open to many objections [8] ⟨m.b.t. meststoffen⟩ dig in, plough in
inbrenger [de^m] ⟨van kapitaal in zaak⟩ contributor, ⟨van zaak in vennootschap⟩ vendor, ⟨van geld in spaarbank⟩ depositor
inbrenghuls [de] applicator
inbreuk [de] ⟨fig⟩ infringement, invasion, transgression, violation, breach ♦ *inbreuk* ***maken*** *op iemands rechten* infringe (on)/encroach on/trespass on/transgress/make an inroad upon/violate s.o.'s rights; *een inbreuk* ***op*** *de privacy* an invasion of/intrusion on/incursion on one's privacy; *een inbreuk* ***op*** *de openbare zeden* an offence against public decency; *dat is een inbreuk* ***op*** *onze afspraak* that is a violation/breach of our agreement
^{1}**inbuigen** [onov ww] ⟨doorbuigen⟩ bend, sag
^{2}**inbuigen** [ov ww] ⟨naar binnen buigen⟩ bend in(ward), curve in(ward), incurve, inflect
inbuiging [de^v] incurvation, inflection, curve, bend
inburgeren [onov ww] [1] ⟨m.b.t. personen⟩ naturalize, settle down/in ♦ *hij is hier al* ***aardig*** *ingeburgerd* he's already quite at home here; ***in*** *een nieuwe omgeving ingeburgerd raken* settle down in new surroundings [2] ⟨m.b.t. zaken⟩ naturalize, take/strike root, become current/established ♦ *die* ***bastaardwoorden*** *zijn bij ons ingeburgerd* these loanwords have (become) naturalized/become current/become established here; *die* ***gewoonte*** *is hier goed ingeburgerd* that custom has been generally adopted here
inburgeringscontract [het] assimilation contract
inburgeringscursus [de^m] assimilation course, citizenship course
inburgeringsplicht [de^v] civic integration requirement
inbusbout [de^m] socket cap/head screw, Allen screw
inbussleutel [de^m] socket head wrench, socket screw key, hex key, Allen key
Inca [de^m] [1] ⟨titel⟩ Inca [2] ⟨volk⟩ Inca
incalculeren [ov ww] [1] ⟨begroten⟩ calculate in, reckon in, ⟨vnl AE⟩ factor in ♦ *niet* ***goed*** *incalculeren* miscalculate; ***overhead*** *incalculeren (in de begroting)* factor in overhead expenses, factor overhead expenses into the budget [2] ⟨voorzien⟩ calculate in, reckon in, ⟨vnl AE⟩ factor in
incapabel [bn, bw] incompetent ⟨bw: ~ly⟩
incarnatie [de^v] [1] ⟨theol⟩ Incarnation [2] ⟨belichaming⟩ incarnation, embodiment, personification
incarneren [ov ww] incarnate, embody ♦ *hij is de geïncarneerde* ***gierigheid*** he is avarice incarnate/personified, he is the epitome of avarice
incassatie [de^v] collection
incasseerder [de^m] collector, debt collector
incasseren [ov ww] [1] ⟨innen⟩ collect, receive, ⟨verzilveren⟩ cash (in) [2] ⟨opvangen⟩ accept, receive, take ♦ *een* ***belediging*** *incasseren* accept/take/put up with/swallow an insult; *de bokser moest een rechtse* ***hoek*** *incasseren* the boxer took a right hook; *hij moest al de* ***klachten*** *incasseren* he was at/on the receiving end of all the complaints; *een* ***klap/belediging*** *kunnen incasseren* be able to take a blow/an insult, soak up a blow/an insult; ***klappen*** *incasseren* take/accept blows, take a beating
incasseringsvermogen [het] stamina, resilience ♦ *hij* ***heeft*** *een groot incasseringsvermogen* ⟨sport⟩ he can take a lot
incasso [het] [1] ⟨het incasseren⟩ collection ♦ ***automatische*** *incasso* ⟨BE⟩ direct debit; *incasso's* ***bezorgen,*** *zich* ***met*** *incasso's* ***belasten*** ⟨bank⟩ make/undertake collections; ⟨incassobureau⟩ undertake the collection of accounts, undertake debt collection(s), undertake to collect accounts; *cheques* ***ter*** *incasso geven* pay cheques into the bank [2] ⟨kassiersloon⟩ collection (charges), collecting commission/fee [3] ⟨te incasseren bedrag⟩ collection, sum to be collected
incassoagent [de^m] collecting agent
incassobank [de], **incassobureau** [het] (debt-)collection agency, debt-recovery agency/office
incassobureau [het] → **incassobank**
incassoprovisie [de^v] collection fee

incassotarief [het] collecting rate(s)
incassowissel [de^m] bill for collection
in casu [bw] in this case
incentive [de] incentive
incest [de^m] incest
incestpleger [de^m] person who commits incest, person who has committed incest
incestueus [bn] incestuous
inch [het, de^m] inch
incheckbalie [de^v] check-in counter/desk
[1]**inchecken** [onov ww] ⟨door passagiers⟩ check in
[2]**inchecken** [ov ww] ⟨door baliepersoneel⟩ check in
[1]**inchoatief** [het] ⟨taalk⟩ inchoative/inceptive (verb), verb of inception
[2]**inchoatief** [bn] inchoative, inceptive
incident [het] [1] ⟨storend voorval⟩ incident ◆ *het incident is gesloten* the matter/case is closed; *zonder incidenten verlopen* pass without incident, take place without mishap, be uneventful [2] ⟨onvoorziene gebeurtenis⟩ incident, accident, coincidence, ⟨grappig⟩ interlude [3] ⟨jur⟩ incident
[1]**incidenteel** [bn] [1] ⟨bijkomstig⟩ incidental, subordinate, accessory [2] ⟨jur⟩ incident ◆ *incidenteel **beroep/appel*** appeal
[2]**incidenteel** [bn, bw] [1] ⟨nu en dan⟩ incidental ⟨bw: ~ly⟩, occasional ◆ *een incidenteel **bezoekje*** an occasional visit; ⟨toevallig⟩ a chance visit; *dit verschijnsel **doet** zich incidenteel voor* this is an incidental/occasional phenomenon, this happens occasionally; *incidentele **gevallen*** random occurrences [2] ⟨terloops⟩ incidental ⟨bw: ~ly⟩ ◆ *dat kreeg slechts incidentele **aandacht*** that received only incidental/casual attention; *die kwestie **is** slechts incidenteel **besproken*** that question/issue was only discussed in passing
incidentenpolitiek [de^v] incident-driven politics
incisie [de^v] incision
[1]**inciviek** [de^m] ⟨in België⟩ subversive, ⟨Tweede Wereldoorlog⟩ collaborator
[2]**inciviek** [bn] ⟨in België⟩ subversive, unpatriotic, ⟨Tweede Wereldoorlog⟩ collaborationist
incivisme [het] ⟨in België⟩ [1] ⟨gebrek aan burgerzin⟩ lack of public spirit [2] ⟨collaboratie⟩ collaborationism
incl. [afk] (inclusief) incl
inclinatie [de^v] [1] ⟨natuurk⟩ (magnetic) dip, (magnetic) inclination [2] ⟨aardr⟩ inclination [3] ⟨geneigdheid⟩ inclination
inclinatiehoek [de^m] angle of inclination
inclinatiekompas [het] inclination compass
inclinatienaald [de] dip(ping) needle
inclineren [onov ww] ⟨form⟩ incline (towards)
includeren [ov ww] include, comprise
incluis [bw] included ◆ *iedereen, de kinderen incluis* including the children, kids and all
inclusie [de^v] inclusion
inclusief [bw] including, inclusive (of) ◆ *vijf euro, inclusief **btw*** five euros, including VAT; *de prijs is inclusief **btw*** the price is inclusive of VAT, the price includes VAT; *45 **euro** inclusief (bedieningsgeld)* 45 euros, including service/service charges included; *inclusief **rente*** cum dividend; *de prijs inclusief **rente*** the cum price; *prijs inclusief **statiegeld*** price including deposit; *de prijs is 200 euro, inclusief **transportkosten*** the price is/it costs 200 euros, including transport
[1]**incognito** [het] incognito ◆ *het incognito **bewaren*** keep up/maintain one's incognito
[2]**incognito** [bw] incognito, ⟨inf⟩ incog ◆ *hij **reist** incognito* he is travelling incognito; ***strikt** incognito* strictly incognito
incoherent [bn, bw] incoherent ⟨bw: ~ly⟩ ◆ ⟨natuurk⟩ *incoherente **verstrooiing*** compton scattering/effect
incoherentie [de^v] incoherence
incommunicado [bn, alleen pred] incommunicado
incompatibel [bn] incompatible, inconsistent, irreconcilable, ⟨form⟩ repugnant
incompatibiliteit [de^v] incompatibility, inconsistency, irreconcilability, ⟨form⟩ repugnance ◆ *incompatibiliteit van **karakter*** incompatibility of temper(ament)
incompetent [bn] [1] ⟨onbevoegd⟩ incompetent, unqualified, unauthorized [2] ⟨onbekwaam⟩ incompetent
incompetentie [de^v] [1] ⟨onbevoegdheid⟩ incompetence [2] ⟨ongeschiktheid⟩ incompetence
incompleet [bn] incomplete, imperfect ◆ *de **vergadering** was incompleet* the meeting was not fully attended; ⟨geen quorum⟩ there wasn't a quorum (at the meeting)
in concreto in the concrete, in this particular case, ⟨feitelijk⟩ in reality, actually, in point of fact, as a matter of fact
incongruent [bn] [1] ⟨niet gelijkvormig⟩ incongruent [2] ⟨niet overeenstemmend⟩ incongruous
incongruentie [de^v] [1] ⟨onderlinge ongelijkvormigheid⟩ incongruence [2] ⟨gebrek aan overeenstemming⟩ incongruity, incongruousness
inconsequent [bn, bw] inconsistent ⟨bw: ~ly⟩, inconsequent
inconsequentie [de^v] [1] ⟨gebrek aan consequentie⟩ inconsistency, inconsequence, contradiction [2] ⟨geval daarvan⟩ inconsistency, inconsequence, contradiction
inconsistent [bn] ⟨weinig samenhangend⟩ inconsistent, incoherent, ⟨onvast⟩ unstable, unsteady, inconstant
inconsistentie [de^v] inconsistency, incoherence, ⟨veranderlijkheid⟩ instability
inconstitutioneel [bn, bw] unconstitutional ⟨bw: ~ly⟩
incontinent [bn] incontinent
incontinentie [de^v] incontinence
inconveniëren [onov ww] be inconvenient, inconvenience, incommode, put out
incorporatie [de^v] [1] ⟨inlijving bij⟩ incorporation [2] ⟨rel⟩ Incarnation [3] ⟨farm⟩ incorporation [4] ⟨taalk⟩ incorporation
incorporeren [ov ww] incorporate ◆ ⟨taalk⟩ *incorporerende **talen*** polysynthetic/incorporating languages
incorrect [bn, bw] [1] ⟨onnauwkeurig⟩ incorrect ⟨bw: ~ly⟩, wrong, inaccurate ◆ *incorrect **citeren*** misquote; *incorrect **spreken*** speak incorrectly; *incorrect **taalgebruik*** ⟨in tekst⟩ misusage [2] ⟨ongepast⟩ incorrect ⟨bw: ~ly⟩, improper, unseemly ◆ *zich incorrect **gedragen** tegenover iemand* behave incorrectly towards s.o.; *een incorrecte **handeling*** an incorrect/improper/unseemly action
incourant [bn] unsaleable, unmarketable ◆ *incourante **artikelen*** unsaleable/unmarketable articles; *incourante **fondsen*** unlisted securities, non-quoted stocks; *incourante **maten*** off-sizes
increment [het] increment
incrimineren [ov ww] [1] ⟨als strafbaar beschouwen⟩ incriminate ◆ *de geïncrimineerde **woorden/feiten*** the incriminating words/evidence [2] ⟨als laakbaar beschouwen⟩ incriminate, condemn, denounce, object to, take exception to
incrowd [de^m] in-crowd
incrustatie [de^v] [1] ⟨omkorsting⟩ incrustation, encrustation [2] ⟨invatting van edelstenen⟩ incrustation, encrustation [3] ⟨bouwk⟩ incrustation, encrustation
incrusteren [ov ww] encrust, incrust
incubatie [de^v] incubation
incubatietijd [de^m] incubation period, period of incubation, latent/latency period
incubator [de^m] incubator, hatcher
inculperen [ov ww] inculpate, incriminate, accuse, blame
incunabel [de^m] incunabulum, incunable
incunabelistiek [de^v] study of incunabula
incunabulist [de^m] incunabulist
IND [de^m] (Immigratie- en Naturalisatiedienst) Immigration and Naturalization Service

indachtig [bn] mindful (of), heedful (of) ♦ *iets **niet** indachtig zijn* be heedless of sth.; *zijn **plichten** indachtig* mindful of one's duties; ***wees** mij indachtig* remember me; *iemand indachtig **zijn*** bear s.o. in mind
indagen [ov ww] summon, cite
indaging [de^{v}] [1] ⟨handeling⟩ summoning, citation [2] ⟨dagvaarding⟩ summons, citation
indalen [onov ww] ⟨med⟩ engage
indammen [ov ww] [1] ⟨tussen dijken insluiten⟩ dam (up), dike, embank [2] ⟨fig⟩ dam, contain, confine, keep/hold back ♦ *een **conflict** indammen* keep a conflict under control
indampen [ov ww] evaporate, condense, concentrate
indecent [bn, bw] indecent ⟨bw: ~ly⟩, ⟨vnl. m.b.t. vrouw⟩ immodest
indecentie [de^{v}] indecency, immodesty
indeclinabel [bn] ⟨taalk⟩ indeclinable
zich indekken [wk ww] cover o.s. (against), safeguard (against), hedge (one's bets) ♦ *zich indekken **tegen** de inflatie* hedge (against) inflation
indelen [ov ww] [1] ⟨rangschikken⟩ divide, order, class(ify), group, arrange ♦ *zijn **dag** indelen* plan one's day; *de deelnemers **in** groepjes indelen* divide the participants into groups; *zijn klanten **in** vier groepen indelen* class(ify) one's customers into four groups; *een **kamer** rationeel indelen* arrange a room rationally; ***opnieuw** indelen* rearrange, reclassify, redistribute, re-form [2] ⟨onderbrengen bij⟩ group, class(ify), range, assign to a group/class, attach to a group/class ♦ *het konijn **bij** de knaagdieren indelen* class(ify) the rabbit as a rodent/among the rodents; *hij werd **bij** de gevorderden ingedeeld* he was assigned to/attached to/placed in the advanced group; *een soldaat **bij** een tankeenheid indelen* assign a soldier to a tank unit; *een gemeente **bij** een andere provincie indelen* incorporate a municipality into another province
indelicaat [bn, bw] indelicate ⟨bw: ~ly⟩, indiscreet
indeling [de^{v}] [1] ⟨handeling⟩ division, arrangement, classification, ⟨onderbrenging⟩ assignment, incorporation ♦ *de indeling van een gebied **in** districten* the division/zoning of a region into districts [2] ⟨resultaat⟩ division, arrangement, classification, ⟨van tuin, gebouw⟩ lay-out ♦ *een **alfabetische** indeling* an alphabetical order/arrangement; *een indeling **in** categorieën* a division/classification into categories, a categorization; *een **overzichtelijke** indeling* a clear/well-ordered arrangement/lay-out
indelingsraad [de^{m}] ⟨mil⟩ ⟨BE⟩ conscription board, ⟨AE⟩ draft board
indemnisatie [de^{v}] indemnification
indemniseren [ov ww] [1] ⟨schadeloosstellen⟩ indemnify [2] ⟨vrijwaren⟩ indemnify, safeguard
indemniteit [de^{v}] [1] ⟨schadevergoeding⟩ indemnity [2] ⟨bekrachtiging achteraf⟩ indemnity ♦ *een **akte** van indemniteit* an act of indemnity
indemniteitswet [de] law of indemnity
zich indenken [wk ww] imagine, realize, conceive, think, understand ♦ *denk je **dat** eens even in* imagine!, fancy that!; *ik kan mij indenken **dat** ...* I can imagine/understand/conceive that ...; *zich **in** iemands situatie indenken* put o.s. in s.o.'s place/position/shoes, enter into/imagine o.s. in/realize s.o.'s position; *je **kunt** je niet indenken hoe woedend ik was* you cannot imagine/think/conceive how angry I was
independent [bn] ⟨form⟩ ⟨ogm⟩ independent
independentie [de^{v}] ⟨form⟩ ⟨ogm⟩ independence
inderdaad [bw] indeed, ⟨werkelijk⟩ really, actually, in (point of) fact, ⟨zoals verwacht⟩ sure enough ♦ *ik **heb** dat inderdaad **gezegd**, maar ...* (it's true) I did say that, but ...; *het **lijkt** er inderdaad op dat het helpt* it really does seem to help, it does seem to help after all; *ze voorspelden regen, en inderdaad later **regende** het* they forecast rain and, sure enough, it rained later on; *ik betaal slechts nadat het werk inderdaad **uitgevoerd** is* I shall not pay until the work has actually been completed; *dat is inderdaad het geval* that is indeed/in fact the case; *inderdaad, ik ken zulke mensen* I certainly do know people like that, ⟨AE⟩ sure, I know people like that; *inderdaad, dat dacht ik nu ook!* exactly/precisely, that's what I thought, too!; *geloof je dat nu werkelijk? inderdaad!* do you really believe that? I (certainly/jolly well) do!/^{A}you bet (I do)!/^{A}(I) sure do!; *zij is de grootste! dat is ze inderdaad!* she's the biggest! so she is!/she certainly is!/she is indeed!; *je gelooft het niet, maar hij heeft inderdaad gelijk* you don't believe it, but he is (in fact) right
inderhaast [bw] hurriedly, hastily, in haste, in a hurry ♦ *iets inderhaast **afmaken*** finish sth. in a hurry, polish sth. off; *ze **had** inderhaast haar portemonnee **vergeten*** in her haste she had forgotten her purse
indertijd [bw] at the time, ⟨vroeger⟩ way back when ♦ *toen ik dat indertijd **beloofde** ...* at the time I promised that ...; *indertijd was zij ...* ⟨ook⟩ she used to be ...; *dat was indertijd niet te voorzien* it could not have been foreseen at the time; *dit hotel was indertijd een school* at one time this hotel was a school; *hij was indertijd een goede voetballer* in his day/time he was a good football player
indeterminisme [het] ⟨filos⟩ indeterminism
1**indeuken** [onov ww] ⟨een deuk krijgen⟩ be dented, be crushed
2**indeuken** [ov ww] ⟨een deuk maken (in)⟩ dent, crush
index [de^{m}] [1] ⟨inhoudsopgave⟩ index [2] ⟨verhoudingscijfer⟩ index [3] ⟨toegevoegd cijfertje, lettertje⟩ index, subscript, ⟨wisk ook⟩ exponent [4] ⟨r-k; zwarte lijst⟩ Index ♦ ⟨fig⟩ *iemand/iets **op** de index zetten* backlist s.o./sth.; *deze werken zijn **op** de index geplaatst* these works have been placed on the Index [5] ⟨kristallografie⟩ Miller index [6] ⟨wijsvinger⟩ index (finger) [7] ⟨in België⟩ (consumer) price index, ⟨voor de gezinsconsumptie⟩ cost-of-living index
indexaanpassing [de^{v}] ⟨in België⟩ wage indexation
indexatie [de^{v}] [1] ⟨het indexeren⟩ indexing [2] ⟨fin; het bepalen van het prijsindexcijfer⟩ indexing
indexcijfer [het] index (number), ⟨m.b.t. koopkracht⟩ price index
indexeren [ov ww] [1] ⟨een index maken op⟩ index ♦ *het boek **is** slecht geïndexeerd* the book has been badly indexed [2] ⟨in een index opnemen⟩ index ♦ *het is geïndexeerd **onder** 'Europa'* it has been indexed under 'Europe' [3] ⟨binden aan een index⟩ index ♦ *geïndexeerd **loon*** indexed/index-linked wages [4] ⟨m.b.t. computerbestanden⟩ index
indexering [de^{v}] indexation, indexing, index-linking
indexlening [de^{v}] ⟨fin⟩ index-linked loan
indexloon [het] indexed/index-linked wages
indexmanipulatie [de^{v}] ⟨in België⟩ manipulation of the consumer price index
indexpolis [de] index-linked/indexed policy
India [het] India

India	
naam	*India* India
officiële naam	*Republiek India* Republic of India
inwoner	*Indiër* Indian
inwoonster	*Indiase* Indian
bijv. naamw.	*Indiaas* Indian
hoofdstad	*New Delhi* New Delhi
munt	*Indiase roepie* Indian rupee
werelddeel	*Azië* Asia
int. toegangsnummer **91** www .in auto **IND**	

indiaan [de^{m}] (American) Indian, ⟨pej⟩ Injun ♦ ***Amerikaanse** indiaan* American Indian, Native American, Amerind(ian); ⟨BE⟩ Red Indian
indiaans [bn] ⟨m.b.t. de indianen⟩ Indian, ⟨in USA⟩ Amerindian, Amerindic

[1]**Indiaans** [het] ⟨taal⟩ Indian
[2]**Indiaans** [bn] ⟨m.b.t. de taal⟩ Indian
indiaanse [de^v] (American) Indian (woman/girl)
indiaantje [het] ▪ *indiaantje **spelen*** play cowboys and Indians
Indiaas [bn] Indian
indiaca [de^m] indiaca
indianenboek [het] storybook about (cowboys and) Indians
indianendans [de^m] ⟨fig⟩ dance of joy
indianengehuil [het] (Indian) warcries
indianenkreet [de] Indian war cry
indianenverhaal [het] 1 ⟨verhaal over indianen⟩ story about (cowboys and) Indians 2 ⟨ongeloofwaardig verhaal⟩ tall story
indicatie [de^v] 1 ⟨aanwijzing⟩ indication, sign, symptom ♦ *op **medische** indicatie* on medical grounds; *ter indicatie* as an indication 2 ⟨jur⟩ evidence
[1]**indicatief** [de^m] ⟨taalk⟩ indicative (mood) ♦ *dit werkwoord **staat** in de indicatief* this verb is in the indicative (mood)
[2]**indicatief** [bn] indicative
indicatiegebied [het] indication area
indicator [de^m] 1 ⟨wisk⟩ indicator 2 ⟨scheik⟩ indicator
indiceren [ov ww] indicate
indicering [de^v] 1 ⟨het aanwijzing zijn voor⟩ indication 2 ⟨het plaatsen op de index⟩ indexation, indexing, index-linking
indicie [de^v], **indicium** [het] indicia ⟨ook mv⟩, indicium, index, indication, sign, piece of evidence
indicium [het] → **indicie**
indictie [de^v] 1 ⟨bijeenroeping tot een kerkvergadering⟩ convocation 2 ⟨tijdkring van vijftien jaar⟩ indiction ♦ *de **Romeinse** indictie* the Roman indiction
indie [de] 1 ⟨platenlabel⟩ indie 2 ⟨filmmaatschappij⟩ indie 3 ⟨song of film⟩ indie
Indië [het] ⟨gesch⟩ the Dutch East Indies, ⟨tegenwoordig⟩ Indonesia, ⟨India⟩ India
indien ALS [vw] if, in case, in the event of, ⟨verondersteld dat⟩ supposing ♦ *indien **al** mocht blijken dat er onderdelen ontbreken* should parts prove to be missing; *indien **niet*** if not; ⟨om niet te zeggen⟩ not to say
indienen [ov ww] submit, put/bring forward, introduce, hand/send/put in ♦ *een **aanvraag** indienen* make/file an application; *een **aanvraag** tot echtscheiding indienen* file a petition for divorce; *de **begroting** indienen* present, bring in/introduce the budget/estimates; *een rapport indienen **bij*** submit/present/hand in/make/send in/render a report to, lay a report before; *een **klacht** indienen tegen* lodge/bring/file a complaint against, inform against; *een **motie** indienen* bring forward/put forward/introduce/put down/propose/make/move a motion; ⟨form⟩ hand in/table/put down/give notice of a motion; *een **onkostennota** indienen* submit/send in an expense account; *zijn **ontslag** indienen* tender/hand in/send in/submit/give (in)/offer one's resignation, ⟨inf⟩ tender/hand in/send in/submit/give (in)/offer one's notice; *een **protest** indienen tegen iets* enter/lodge/make a protest against sth.; *een aanklacht indienen **tegen** iemand* ⟨strafrecht⟩ bring an accusation/a charge against s.o., prefer a charge against s.o.; ⟨burgerlijk recht⟩ bring a suit/[A]complaint against s.o.; *een **verzoekschrift** indienen* present/hand in a petition/memorial, petition, memorialize; *een **wetsontwerp** indienen bij het parlement* introduce a bill into Parliament, bring/lay/place/put a bill before Parliament
indiening [de^v] submission, ⟨klacht, aanvraag⟩ filing, lodg(e)ment, ⟨motie; mondeling⟩ proposing, ⟨schriftelijk⟩ tabling, ⟨wetsvoorstel⟩ introduction (into Parliament)
indienstneming [de^v] engagement, taking on, ⟨knecht, losse arbeider⟩ hiring
indiensttreding [de^v] entrance (up)on one's duties, taking up one's duties, entrance into office, commencement of employment
Indiër [de^m], **Indische** [de^v] 1 ⟨bewoner van India⟩ ⟨man & vrouw⟩ Indian, ⟨vrouw ook⟩ Indian woman/girl 2 ⟨bewoner van voormalig Nederlands-Indië⟩ inhabitant of the former Dutch East Indies, ⟨tegenwoordig⟩ Indonesian
indifferent [bn] indifferent ♦ *indifferent **evenwicht*** neutral equilibrium
indifferentisme [het] 1 ⟨onverschilligheid⟩ indifferentism 2 ⟨rel⟩ indifferentism
indigestie [de^v] indigestion ♦ *zich ergens een indigestie aan **eten*** ± overeat (o.s.)
indignatie [de^v] indignation
[1]**indigo** [de^m] 1 ⟨kleurstof⟩ indigo 2 ⟨plant⟩ indigo
[2]**indigo** [het] ⟨kleur⟩ indigo (blue)
[3]**indigo** [bn] indigo
indigoplant [de] indigo (plant)
indigoverf [de] indigo dye
indijken [ov ww] dike (in), ⟨vnl. rivier⟩ dam (in), embank, ⟨land⟩ reclaim ♦ *een **polder** indijken* dike (in)/enclose/reclaim a polder; *een **rivier** indijken* embank a river
indijking [de^v] 1 ⟨handeling⟩ diking in, damming in, embankment, reclamation, enclosure 2 ⟨ingedijkt land⟩ reclaimed land, polder
indikken [ov ww, ook abs] thicken, condense, ⟨form⟩ inspissate ♦ *ingedikt **vruchtensap*** concentrated fruit juice
indirect [bn, bw] indirect ⟨bw: ~ly⟩, ⟨spreken ook⟩ roundabout, oblique, circuitious ♦ ⟨jur⟩ *indirect **bewijs*** circumstantial evidence; *op indirecte **manier*** in a(n) indirect/roundabout way, indirectly, circuitiously, obliquely; ⟨taalk⟩ *indirect **object*** indirect object; *indirecte **schade*** consequential damage; *iemand indirect **schaden*** harm s.o. indirectly, do s.o. consequential damage; ⟨sport⟩ *indirecte vrije **trap*** indirect free kick; *een indirecte **verbinding*** an indirect connection, no through connection; *indirecte **verlichting*** indirect/concealed lighting; *indirect **verzekerde*** secondary insured (party); ⟨taalk⟩ *indirecte **vraag*** indirect/oblique question
[1]**Indisch** [het] Dutch with a heavy Indonesian influence
[2]**Indisch** [bn] 1 ⟨m.b.t. het voormalig Nederlands-Indië⟩ of the former Dutch East Indies, ⟨tegenwoordig⟩ Indonesian 2 ⟨m.b.t. (Voor-)Indië⟩ (East) Indian, ⟨vnl taalk⟩ Indic ♦ *de Indische **archipel*** the Malay Archipelago; *de Indische **Oceaan*** the Indian Ocean
Indische [de^v] → **Indiër**
Indisch-Engels [het] Anglo-Indian
indiscreet [bn, bw] indiscreet ⟨bw: ~ly⟩, indelicate ♦ *zonder indiscreet te **zijn*** without being indiscreet
indiscretie [de^v] indiscretion, indelicacy, ⟨geval hiervan ook⟩ faux pas
indiscutabel [bn] indisputable
indisponibel [bn] unavailable
indispositie [de^v] 1 ⟨ongesteldheid⟩ indisposition, ill-health, ailment 2 ⟨ontstemdheid⟩ indisposition, bad temper, low spirits
indium [het] ⟨scheik⟩ indium
individu [het, de^m] 1 ⟨mens, dier op zichzelf beschouwd⟩ individual 2 ⟨pej; persoon⟩ individual, person, character, customer, ⟨man⟩ fellow ♦ *een of **ander** individu heeft mijn fiets gestolen* some wretch or other has stolen my bicycle; ⟨iron⟩ some kind person has stolen my bicycle; *hij was een **raar** individu* he was a strange/queer/an odd individual/character/customer/chap/fellow, he was an odd fish; ⟨inf; AE⟩ he was an oddball
individualiseren [ov ww] 1 ⟨een op het individu gericht karakter geven⟩ individualize ♦ *geïndividualiseerd **onderwijs*** individual/personal tuition 2 ⟨op zichzelf beschouwen⟩ view in isolation 3 ⟨jur⟩ identify
individualisering [de^v] individualization

individualisme [het] [1] ⟨leer⟩ individualism [2] ⟨levenshouding⟩ individualism
individualist [de^{m}] individualist
individualistisch [bn, bw] individualistic ⟨bw: ~ally⟩
individualiteit [de^{v}] [1] ⟨persoonlijkheid⟩ individuality, personality, particularity, peculiarity, selfhood [2] ⟨als individu te onderscheiden wezen⟩ individual
individuatie [de^{v}] ⟨psych⟩ individuation
1**individueel** [bn] [1] ⟨ieder afzonderlijk persoon betreffend⟩ individual ♦ *individuele* ***verantwoordelijkheid*** individual responsibility [2] ⟨persoonlijk⟩ individual, particular, peculiar, special, idiosyncratic ♦ *individuele* ***afwijkingen*** individual defects
2**individueel** [bw] ⟨afzonderlijk⟩ individually, singly, alone, in isolation, on one's own ♦ ***ieder*** *van ons individueel* each of us individually/viewed in isolation; *individueel* ***optreden*** act alone/on one's own, take independent action
indo [de^{m}] Eurasian, ⟨pej⟩ half-caste, Indo
Indochinees [bn] Indo-Chinese
indoctrinatie [de^{v}] indoctrination
indoctrineren [ov ww] indoctrinate
Indo-Europeaan [de^{m}] Eurasian, ⟨m.b.t. Brits-Indië⟩ Anglo-Indian
1**Indo-Europees** [het] [1] ⟨de Indo-Europese talen⟩ Indo-European [2] ⟨gereconstrueerde grondvorm⟩ Indo-European
2**Indo-Europees** [bn] [1] ⟨m.b.t. personen⟩ Eurasian, ⟨m.b.t. Brits-Indië⟩ Anglo-Indian [2] ⟨m.b.t. talen⟩ Indo-European
Indo-Germaan [de^{m}] Indo-European, Aryan
1**Indo-Germaans** [het] Indo-Germanic, Indo-European
2**Indo-Germaans** [bn] Indo-Germanic, Indo-European
indogermanistiek [de^{v}] Indo-Germanic/Indo-European linguistics
Indo-Iraans [bn] Indo-Iranian, Indo-Aryan
indolent [bn] indolent, slothful, inert, sluggish, supine
indolentie [de^{v}] indolence, slothfulness, inertia, sluggishness
indologe [de^{v}] → **indoloog**
indologie [de^{v}] Indology
indoloog [de^{m}], **indologe** [de^{v}] Indologist
indom [bn] dense, ↑obtuse, ⟨pej⟩ moronic, dull-witted, ⟨inf⟩ thick as a brick, addle-brained, thick(-skulled)
Indo-Maleis [bn] Indo-Malayan
indommelen [onov ww] [1] ⟨in slaap vallen⟩ doze off, drop/nod off, drowse (off) [2] ⟨fig; de aandacht verliezen⟩ doze off, drop/nod off, drowse (off), go to sleep
indompelen [ov ww] immerse (in), ⟨kort, gedeeltelijk⟩ dip (in(to)), ⟨krachtig⟩ plunge in(to)
indompeling [de^{v}] [1] ⟨handeling⟩ immersion, dipping, plunging (in) [2] ⟨toestand⟩ immersion, ⟨diepgang van schip⟩ dip
1**indonderen** [onov ww] ⟨inf⟩ [1] ⟨instorten⟩ tumble down, fall in/down, cave in, collapse [2] ⟨met veel geraas binnenkomen⟩ barge in, crash in
2**indonderen** [ov ww] ⟨inf⟩ [1] ⟨naar binnen, beneden gooien⟩ hurl in/down, fling in/down, pitch in/down, chuck in/down, dash in/down [2] ⟨met geweld inslaan⟩ smash (in)
Indonesië [het] Indonesia
Indonesiër [de^{m}], **Indonesische** [de^{v}] ⟨man & vrouw⟩ Indonesian, ⟨vrouw ook⟩ Indonesian woman/girl
1**Indonesisch** [het] Indonesian, Bahasa Indonesia
2**Indonesisch** [bn] Indonesian
Indonesische [de^{v}] → **Indonesiër**
indoor- indoor
indooratletiek [de^{v}] indoor athletics, indoor track (and field) events
indoorbaan [de] indoor track
indoorkampioenschappen [de^{mv}] indoor championships
indoortennis [het] indoor tennis

Indonesië

naam	*Indonesië* Indonesia
officiële naam	*Republiek Indonesië* Republic of Indonesia
inwoner	*Indonesiër* Indonesian
inwoonster	*Indonesische* Indonesian
bijv. naamw.	*Indonesisch* Indonesian
hoofdstad	*Jakarta* Jakarta
munt	*Indonesische roepia* Indonesian rupiah
werelddeel	*Azië* Asia

int. toegangsnummer 62 www .id auto RI

indoortraining [de] indoor training
indopen [ov ww] dip (in)
1**indraaien** [onov ww] ⟨draaiend in iets terecht komen⟩ turn in(to) ♦ ⟨fig⟩ *de* ***nor***/*de* ***kast*** *indraaien* go to quod/jug/prison, go into clink, get time/a stretch; *de auto draaide de* ***straat*** *in* the car turned into the street
2**indraaien** [ov ww] [1] ⟨door draaien in iets brengen⟩ screw in(to), drive in(to) ♦ *een* ***schroef*** *indraaien* drive in a screw [2] ⟨met een draai terecht laten komen⟩ turn in(to) ♦ *hij draaide de wagen heel handig de* ***garage*** *in* he manoeuvred the car expertly/neatly into the garage; ⟨fig⟩ ***zich*** *ergens indraaien* worm o.s./worm one's way into a place
indragen [ov ww] [1] ⟨in iets dragen⟩ carry in(to), bring in(to) [2] ⟨inleveren⟩ hand in, give in, turn in
1**indrijven** [onov ww] ⟨drijvend komen in⟩ float in(to), drift in(to)
2**indrijven** [ov ww] [1] ⟨binnendrijven⟩ drive in(to) ♦ *een* ***wig*** *indrijven* drive a wedge in [2] ⟨beitelen⟩ engrave into/onto, ⟨beitelen⟩ chisel into ♦ *een opschrift* ***in*** *koper indrijven* engrave an inscription on(to) copper
1**indringen** [onov ww] ⟨binnendringen⟩ penetrate (into), intrude (into), break (into), ⟨gewelddadig⟩ enter by force, ⟨vloeistof⟩ soak (into), ⟨andermans zaken⟩ pry (into)
2**indringen** [ov ww] ⟨indrijven⟩ push into, thrust into
3**zich indringen** [wk ww] ⟨zich opdringen⟩ thrust o.s. in(to), worm o.s. in(to), worm one's way in(to), intrude into ♦ *zich* ***bij*** *iemand indringen* thrust o.s./intrude on s.o.; *zich* ***in*** *iemands gunst indringen* worm o.s./worm one's way/insinuate o.s. into s.o.'s favour, ingratiate/insinuate o.s. with s.o.
indringend [bn] [1] ⟨doordringend⟩ penetrating, probing ♦ *een indringende* ***blik*** a penetrating gaze/stare; *een indringende* ***geur*** a penetrating smell, a tang; *een indringende* ***reportage*** a penetrating/probing report [2] ⟨opdringerig⟩ intrusive, obtrusive, insistent, insinuative ♦ *die* ***man*** *is erg indringend* that man is very insistent/intrusive
indringer [de^{m}] [1] ⟨iemand die zich met geweld toegang verschaft⟩ intruder, invader, trespasser [2] ⟨iemand die zich ergens een positie veroverd heeft⟩ intruder, interloper, usurper [3] ⟨iemand die zich in een gezelschap indringt⟩ intruder, insinuator, infiltrator, cuckoo in the nest, ⟨feestje⟩ gatecrasher
indringerig [bn, bw] intrusive ⟨bw: ~ly⟩, obtrusive, insistent, insinuative, ⟨inf⟩ pushy
indrinken [ov ww] [1] ⟨door drinken in zich opnemen⟩ drink in ♦ *zich* ***moed*** *indrinken* take Dutch courage [2] ⟨in zich opnemen⟩ drink in, imbibe ♦ ***klanken/schoonheid*** *indrinken* drink in sounds/beauty; *de* ***lucht*** *die wij indrinken* the air we breathe; *iemands* ***woorden*** *indrinken* drink in/lap up s.o.'s words [3] ⟨opzuigen⟩ absorb ♦ *de aarde drinkt de* ***regen*** ***in*** the earth absorbs/soaks up the rain
indroevig [bn] tragic, heart-breaking, grievous
indrogen [onov ww] [1] ⟨droog wordend intrekken⟩ dry in ♦ *veeg het gauw af, voor het indroogt* wipe it off quickly, before it dries in [2] ⟨door opdrogen inkrimpen⟩ shrink, reduce ♦ *die* ***kaas*** *is 10 % ingedroogd* that cheese has reduced

by 10 % through evaporation

indroging [de^v] 1 ⟨het inkrimpen⟩ shrinkage, loss in weight 2 ⟨verlies door indrogen⟩ shrinkage, loss in weight

indruisen [onov ww] ⟨tegen⟩ go against, conflict/clash with, run counter to, be opposed/contrary to ◆ *dat druist* ***tegen*** *de waarheid* ***in*** this conflicts with/is at variance with the truth; *dat druist in* ***tegen*** *de goede smaak* this goes against good taste; *dit druist in* ***tegen*** *hun principes/de wet* ⟨ook⟩ this contravenes their principles/the law; *dat druist lijnrecht in* ***tegen*** *zijn vaders wens* ⟨ook⟩ this flies in the face of/goes right into the teeth of/is in defiance of his father's wishes

indruk [de^m] 1 ⟨gewaarwording⟩ impression, suggestion, ⟨sfeer⟩ air, ⟨idee⟩ idea ◆ *ik kon niet* ***aan*** *de indruk* ***ontkomen*** *dat* I could not escape/avoid the impression that; *een* ***comfortabele*** *indruk maken* have an air of comfort; *(een)* ***diepe/grote*** *indruk maken* make a profound/deep impression; *een* ***eenzame*** *indruk maken* have an air of loneliness, seem/look lonely; *dat* ***geeft/wekt*** *de indruk ...* that gives/creates/conveys the impression/idea that ..., that suggests that ..., that has a suggestion of/is suggestive of ...(ing); *een* ***goede/slechte/onaangename*** *indruk achterlaten* leave (behind)/make a good/favourable/bad/an unpleasant impression; ⟨goed ook⟩ give a good account of o.s., make a good show; *ik* ***heb*** *de indruk dat* I am under the impression that, I have an/the impression that, I gather that, I have an idea that, I incline to think that; *ik* ***kreeg*** *de indruk dat* I received/got/gained/was left with/obtained the impression that; *een indruk van iets* ***krijgen*** get an impression/idea of sth.; *iets doen om indruk te* ***maken*** do sth. to make an impression/for effect; *op reis gaan om* ***nieuwe*** *indrukken op te doen* travel to gain/get/gather new impressions; ***onder*** *de indruk komen/raken van* be impressed by/with; *een* ***onuitwisbare*** *indruk* an indelible impression; *een* ***slechte*** *indruk op iemand maken* make a bad impression on s.o., impress s.o. unfavourably; *een* ***vage*** *indruk van iets* a vague impression/inkling of sth.; *een* ***valse/verkeerde*** *indruk geven* give a false/wrong impression; *vatbaar* ***voor*** *indrukken* impressionable; ***weinig*** *indruk maken op iemand* fail to impress s.o., make little impression on s.o., leave s.o. unimpressed, cut no ice with s.o.; ⟨opmerking⟩ fall flat; meet with no response 2 ⟨merk⟩ impression, imprint, impress, print ◆ ***op*** *de sneeuw waren indrukken van vogelpootjes zichtbaar* in the snow the prints/imprints of birds' feet were visible

indrukken [ov ww] 1 ⟨verbrijzelen, induwen⟩ crush, smash, stave (in) ◆ *een* ***ruit*** *indrukken* push a pane of glass out/in 2 ⟨door drukken als vorm achterlaten⟩ impress, imprint 3 ⟨door drukken naar binnen brengen⟩ push in, press ◆ *het* ***gaspedaal*** *indrukken* step on the ^B accelerator/^A gas (pedal); *een* ***knop*** *indrukken* press a button

indrukwekkend [bn, bw] impressive ⟨bw: ~ly⟩, imposing, striking ◆ *het was een indrukwekkende* ***betoging*** it was an impressive/overwhelming demonstration; ⟨inf⟩ it was some demonstration; ***er*** *indrukwekkend* ***uitzien*** look impressive; *indrukwekkend* ***geleerd*** really scholarly/professorial, unbelievably learned; ***het*** *indrukwekkende* ***van*** *...* the impressiveness of ...; *de indrukwekkende* ***pracht*** *van de Alpen* the grandeur of the Alps, the awesome beauty of the Alps; *een indrukwekkend* ***schouwspel*** an impressive scene/performance, quite a spectacle; *een indrukwekkende* ***toespraak*** a striking/an effective speech; *een indrukwekkende* ***verschijning*** a commanding/an imposing presence

¹indruppelen [onov ww], **indruppen** [onov ww] ⟨druppelsgewijs inlopen⟩ drip in, dribble in

²indruppelen [ov ww], **indruppen** [ov ww] 1 ⟨druppelsgewijs inbrengen⟩ drip in, pour in drop by drop 2 ⟨druppels inbrengen in⟩ put drops in ◆ *een* ***oog*** *indruppelen* put/drip eyedrops in an eye

indruppen [onov + ov ww] → **indruppelen¹**

indubben [ov ww] ⟨audio⟩ dub in ◆ *zijn tweede stem is* ***later*** *ingedubd* his second voice/part was dubbed in afterwards, he double-tracked the record

in dubio ▪ *in dubio* ***staan*** waver, vacillate, be in/of two minds/in doubt/undecided, hesitate (between)

induceren [ov ww] 1 ⟨afleiden⟩ induce, infer, prove/demonstrate by induction 2 ⟨natuurk⟩ induct, induce ◆ *inducerende* ***stromen*** inductive currents; *geïnduceerde* ***stromen*** induced currents

inductie [de^v] 1 ⟨wijze van redeneren⟩ induction 2 ⟨natuurk⟩ induction, inductance, inference 3 ⟨opwekking door een uitwendige prikkel⟩ induction 4 ⟨invloed van een deel van een organisme op een ander⟩ induction 5 ⟨psych⟩ induction

inductief [bn, bw] 1 ⟨uit het bijzondere tot het algemene besluitend⟩ inductive ⟨bw: ~ly⟩, inferential ◆ *de inductieve* ***methode*** the inductive method, the method of induction; *inductieve* ***redenering*** inductive/inferential reasoning 2 ⟨uit proefondervindelijk onderzoek afleidend⟩ inductive ⟨bw: ~ly⟩ ◆ *inductief te* ***werk gaan*** set about it/sth. inductively/experimentally 3 ⟨m.b.t. magnetische inductie⟩ inductive ⟨bw: ~ly⟩ ◆ *inductieve* ***koppeling*** inductive coupling

inductieklos [de^v] (induction) coil

inductiekookplaat [de] induction hob

inductiemeter [de^m] induction meter

inductiemotor [de^m] induction motor

inductieoven [de^m] induction furnace

inductiespoel [de] induction/secondary coil

inductiestroom [de^m] induced current

inductor [de^m] 1 ⟨m.b.t. het opwekken van inductiestroom⟩ inductance, inductor, induction coil 2 ⟨m.b.t. het meten van isolatieweerstand⟩ ohmmeter

zich induffelen [wk ww] ⟨in België⟩ wrap up

induiken [onov ww] 1 ⟨duikend in iets gaan⟩ dive in(to) ◆ *een vreemd* ***bed*** *induiken* be unfaithful; ⟨inf⟩ *zijn* ***nest****/de* ***koffer*** *induiken* turn in, hit the sack; ⟨sl⟩ flop (down) 2 ⟨zich verdiepen in⟩ plunge in(to), become engrossed in, become absorbed by ◆ *ergens* ***dieper*** *induiken* delve deeper into sth.

indulgent [bn] indulgent, tolerant, lenient

indulgentie [de^v] 1 ⟨toegevendheid⟩ indulgence, leniency, tolerance 2 ⟨ontheffing van straf⟩ pardon, ⟨r-k ook⟩ indulgence

indult [het] 1 ⟨handel⟩ indulgence 2 ⟨r-k⟩ indult

industrialisatie [de^v] industrialization

industrialiseren [ov ww, ook abs] industrialize ◆ *de geïndustrialiseerde* ***landen*** the industrialized countries

industrialisering [de^v] industrialization, industrial development

industrie [de^v] 1 ⟨nijverheid⟩ (manufacturing) industry ◆ *werknemer* ***in*** *de industrie* industrial worker; *de* ***zware*** *industrie* heavy industry, smoke-stack industries 2 ⟨ook in samenstellingen; tak van nijverheid⟩ sector/branch (of industry), industry, branch of industrial manufacture ◆ *de* ***vleesverwerkende*** *industrie* the meat-packing/meat-processing industry 3 ⟨vnl in samenstellingen; onderneming⟩ industry, sector, business ◆ *de* ***filmindustrie*** the cinematic industry, the film industry/trade; ⟨AE ook⟩ the movie business; ⟨pej⟩ *dat is een* ***hele/ware*** *industrie geworden* that has become a whole/real industry/been totally commercialized

industriearbeider [de^m] industrial worker

industriebeleid [het] industrial policy

industriebond [de^m] industrial union

industriecentrum [het] industrial centre, centre of industry

industriecomplex [het] industrial complex/estate/plant

industriediamant [het, de^m] industrial diamond

[1]**industrieel** [de^m] [1] ⟨fabrikant⟩ industrialist [2] ⟨aandeel⟩ industrial share, ⟨mv⟩ industrials

[2]**industrieel** [bn] industrial ♦ *industriële **aandelen/fondsen*** industrial shares/stocks; ⟨effecten⟩ industrial securities; *industriële **archeologie*** industrial archaeology; *de industriële **beschaving*** industrial culture; *industriële **bouw*** prefabricated building/construction; *voor industrieel **gebruik*** for use in factories, for industrial use; *industriële **onderneming*** industrial enterprise/establishment/concern, manufacturing enterprise; *industrieel **ontwerpen*** design engineering; *industriële **revolutie*** industrial revolution; *industriële **vormgeving*** industrial design

industriegaren [het] industrial yarn

industriegebied [het] ⟨streek⟩ industrial area/zone, ⟨binnen gemeente⟩ industrial ^B^estate/^A^park, ⟨BE ook⟩ trading estate

industriehaven [de] industrial harbour/docks

industrieland [het] industrial/industrialized nation, industrial/industrialized country

industriepark [het] industrial ^B^estate/^A^park

industriepolitiek [de^v] ⟨ec⟩ industrial policy

industrieproduct [het] industrial/manufacturing product

industrieschap [het] (statutory) industrial board

industriespreiding [de^v] industrial relocation

industriestad [de] industrial/manufacturing town

industrietak [de^m] branch of industry ♦ *een **kwijnende/opbloeiende** industrietak* a flagging/flourishing branch of industry

industrieterrein [het] industrial zone/^B^estate/^A^park, ⟨BE ook⟩ trading estate

industriewater [het] [1] ⟨water voor industrieel gebruik⟩ gray water [2] ⟨industrieel afvalwater⟩ industrial waste water

indutten [onov ww] doze off, ⟨inf⟩ nod off

induwen [ov ww] [1] ⟨door duwen naar binnen brengen⟩ push in(to), bundle in(to) [2] ⟨door duwen stukmaken⟩ push in, break (in) ♦ *in het gedrang zijn heel wat **ruiten** ingeduwd* a lot of windows got pushed in in the scramble

indycar [de^m] indy car

ineen [bw] [1] ⟨in elkaar⟩ together [2] ⟨dichter naar elkaar toe⟩ (closer) together [3] ⟨stuk⟩ in pieces

ineenflansen [ov ww] ⟨vnl. huizen⟩ botch together/up, knock up/together/^B^out, patch up/together/^B^out, jerry-build

ineengedoken [bn] crouched, huddled/hunched (up) ♦ *een ineengedoken **dier*** a crouching animal; *hij **zat** ineengedoken in een hoekje* he was crouching in a corner

ineengedrongen [bn] close/packed together

ineengrijpen [onov ww] interlock, (inter)connect

ineenkrimpen [onov ww] [1] ⟨zich samentrekken⟩ curl/double/huddle up, ⟨fig⟩ flinch, blench, wince ♦ *ineenkrimpen **bij** een onverwachte opmerking* flinch/wince at an unexpected comment; *de klap **deed** hem ineenkrimpen* the punch doubled him (up); *ineenkrimpen **onder** beledigende opmerkingen* writhe under insulting comments; *ineenkrimpen **van** angst* cower/cringe in fear, shrink with fear, be terror-stricken; *ineenkrimpen **van de pijn*** wince with (the) pain [2] ⟨heftig aangedaan worden⟩ tighten ♦ *als ik dat zie, krimpt mijn **hart** ineen* my heart sinks whenever I see that

ineenkronkelen [onov ww] coil up, convolve

ineens [bw] [1] ⟨tegelijk⟩ (all) at once, in one fell swoop ♦ *een **bedrag** ineens* a lump sum; *men hoeft de belasting niet ineens te **betalen*** tax does not have to be paid in one go; *bij **betaling** ineens krijg je korting* you get a reduction if you settle directly/pay outright, you get a discount for cash payment; *aflossing **geschiedt** in termijnen of ineens* repayment takes place by instalments/^A^installments or as a/by lump sum; *het ineens **raden*** guess it right off, guess it at one/the first go; *een **uitkering** ineens bij overlijden van de verzekerde* a lump sum on the death of the insured [2] ⟨abrupt⟩ all at once, all of a sudden, suddenly ♦ *iemand ineens **aanvliegen*** jump on s.o./down s.o.'s throat; *hij **begon** ineens te huilen* ⟨ook⟩ he burst into tears; *wat **heb** je ineens?* what's bitten you?; *hij **kwam** ineens op mij **af*** he suddenly went for me; *zoiets **verander** je niet (zomaar) ineens* such a thing cannot be altered overnight/at the drop of a hat; *hij **vertelde** het ons ineens wel* suddenly he did tell us; ***zomaar** ineens* slap, just like that, overnight; ⟨vertellen⟩ off-hand; *ineens schoot het hem te binnen* he saw it in a flash, suddenly he realized

ineenschrompelen [onov ww] shrivel (up), ⟨markt, winsten⟩ shrink, dwindle

ineenschuiven [ov ww] telescope, slide into each other

ineenslaan [ov ww] ▪ *de **handen** ineenslaan* ⟨van verbazing⟩ clasp/throw up one's hands; ⟨fig⟩ join hands/forces, link hands, unite

ineenstorten [onov ww] collapse, topple down, ⟨dak ook⟩ crash to the ground, ⟨theorie⟩ explode ♦ ⟨fig⟩ *de **huizenmarkt** stortte ineen* the housing sector/market collapsed/slumped/caved in; ⟨fig⟩ *het **rijk** stortte ineen* the empire collapsed/disintegrated

ineenstorting [de^v] collapse, break(-up), breakdown, downfall, crash

ineenvloeien [onov ww] flow together, ⟨kleuren⟩ merge

ineenvouwen [ov ww] fold together, ⟨handen⟩ fold, clasp

ineenzakken [onov ww] [1] ⟨ineenstorten⟩ collapse, give way, crumple, ⟨van grond⟩ cave in [2] ⟨flauwvallen⟩ collapse, faint

ineffectief [bn, bw] ineffective, ineffectual, ⟨methode enz.⟩ inefficient, ⟨remedie, medicijn⟩ inefficacious

inefficiënt [bn, bw] inefficient ⟨bw: ~ly⟩ ♦ *inefficiënt **bezig zijn*** be working inefficiently

inenten [ov ww] [1] ⟨vaccineren⟩ vaccinate, inoculate ♦ *iemand inenten **tegen** cholera/hondsdolheid* inoculate/vaccinate s.o. against cholera/rabies [2] ⟨als ent inzetten⟩ graft (onto)

inenting [de^v] vaccination, inoculation ♦ *inenting **tegen** cholera* vaccination against cholera

inentingsbewijs [het], **inentingsbriefje** [het] vaccination certificate/papers, certificate of vaccination

inentingsbriefje [het] → **inentingsbewijs**

inept [bn, bw] inept ⟨bw: ~ly⟩

ineptie [de^v] ineptitude

inert [bn, bw] inert ⟨bw: ~ly⟩, powerless, languid ♦ *oude inerte **ideeën*** old sluggish ideas; *de inerte **massa*** inert matter; *inert **reageren*** react passively/without resistance ▪ ***chemisch** inert* chemically inert

inertie [de^v] [1] ⟨natuurk; traagheid⟩ inertia [2] ⟨daadloosheid⟩ inertia, passivity, languor [3] ⟨scheik; het moeilijk in reactie treden⟩ inertness

inetsen [ov ww] etch, engrave

inevitabel [bn] inevitable, unavoidable, inescapable

inexact [bn, bw] inexact ⟨bw: ~ly⟩, inaccurate ⟨bw: ~ly⟩, ⟨definitie enz.⟩ loose

inexplicabel [bn] inexplicable, unexplainable, ⟨onoplosbaar⟩ insoluble

in extenso in extenso, in full ♦ *iets in extenso **weergeven*** give a full account of sth.

in extremis [bw] in extremis, ⟨lett ook⟩ at the point of death

inf. [afk] [1] (infra) inf [2] (infinitief) inf [3] (infanterie) Inf, inf [4] (informeel) fam

infaam [bn, bw] infamous ⟨bw: ~ly⟩, shameful ⟨bw: ~ly⟩, ignominious ⟨bw: ~ly⟩

infanterie [de^v] ⟨mil⟩ infantry, ⟨gesch; BE⟩ foot ♦ ***lichte** infanterie* light infantry; *een **regiment** infanterie* an infantry regiment

infanterist [de^m] ⟨mil⟩ infantryman, foot soldier

infanticide [de^{v}] infanticide
infantiel [bn, bw] [1] ⟨kinderachtig⟩ infantile, puerile, childish, ⟨bijwoord⟩ in an infantile way, like an infant [2] ⟨stom, achterlijk⟩ babyish, ⟨bijwoord⟩ babyishly ◆ *doe niet zo infantiel* don't act so babyish(ly), don't be such a baby, stop acting like a baby
infantiliseren [ov ww, ook abs] ⟨onovergankelijk werkwoord⟩ become infantile, ⟨overgankelijk werkwoord⟩ render infantile
infantilisme [het] [1] ⟨het blijven staan in de ontwikkeling⟩ infantilism [2] ⟨symptoom daarvan⟩ infantilism
infantiliteit [de^{v}] infantility, ⟨psych⟩ infantilism
infantpsychiatrie [de^{v}] pediatric psychiatry
infarct [het] infarct(ion), ⟨van hart⟩ heart attack
infatsoenlijk [bn] utterly/highly respectable
infatuatie [de^{v}] [1] ⟨verwaandheid⟩ (self-)conceit, vanity [2] ⟨overdreven voorliefde⟩ infatuation (with)
infecteren [ov ww] infect, contaminate, ⟨vlees, geest⟩ taint ◆ *de wond is geïnfecteerd* the wound is/has been infected; ⟨fig⟩ *iemand infecteren **met** verwerpelijke ideeën* infect/taint s.o. with reprehensible ideas
infectie [de^{v}] infection, contamination
infectiedruk [de^{m}] infection risk, risk of infection
infectiegevaar [het] risk of infection
infectiehaard [de^{m}] focus of infection, nidus
infectieus [bn] infectious, infective, ⟨door contact⟩ contagious
infectieziekte [de^{v}] infection, infectious/contagious illness, infectious/contagious disease, ⟨med⟩ zymotic disease, zymosis
infectiologie [de^{v}] infectiology
infereren [ov ww] infer
[1]**inferieur** [de^{m}] inferior, subordinate, underling
[2]**inferieur** [bn] [1] ⟨minderwaardig⟩ inferior, low-grade, poor (quality) ◆ *inferieur **aan*** secondary to; *van inferieure **kwaliteit*** of poor/inferior quality, second-rate; ⟨zeer⟩ tenth-rate; *een inferieur **product*** an inferior/a second-rate/second-class product; *inferieur **werk*** inferior work [2] ⟨ondergeschikt⟩ inferior, subordinate ◆ *een inferieure **betrekking*** a subordinate position
inferioriteit [de^{v}] [1] ⟨minderwaardigheid⟩ inferiority [2] ⟨ondergeschiktheid⟩ inferiority, subordination
infernaal [bn] infernal, hellish
inferno [het] inferno, hell, ⟨chaos⟩ pandemonium
infertiliteit [de^{v}] infertility, ⟨van grond⟩ barrenness
infesteren [ov ww] ⟨form⟩ infect, contaminate, ⟨lucht, water⟩ pollute
infibulatie [de^{v}] ⟨zeldz⟩ infibulation
infideel [bn, bw] unfaithful, disloyal
infielder [de^{m}] infielder
infighting [de] [1] ⟨bokssp⟩ infighting [2] ⟨machtsstrijd⟩ infighting
infiltraat [het] [1] ⟨geïnfiltreerde stof⟩ infiltrate [2] ⟨vochtophoping⟩ infiltrate
infiltrant [de^{m}] infiltrator
infiltratie [de^{v}] [1] ⟨m.b.t. personen⟩ infiltration [2] ⟨m.b.t. vloeistoffen⟩ infiltration [3] ⟨jur⟩ infiltration [4] ⟨med⟩ infiltration
infiltreren [onov ww] [1] ⟨m.b.t. personen⟩ infiltrate ◆ *infiltreren **in** een gebied/een beweging* infiltrate (into) an area/a movement [2] ⟨m.b.t. vloeistoffen⟩ infiltrate
infiniteit [de^{v}] infinity, infiniteness
infinitesimaalrekening [de^{v}] (infinitesimal) calculus
infinitief [de^{m}] ⟨taalk⟩ [1] ⟨vorm van het werkwoord⟩ infinitive [2] ⟨werkwoord⟩ infinitive
infix [het] ⟨taalk⟩ infix
inflatie [de^{v}] [1] ⟨fin⟩ inflation, money/currency inflation ◆ *de inflatie **beteugelen*** curb inflation; *inflatie **van** 10 % en meer/van meer dan 100 %* double-digit/triple-digit inflation; ***vermindering** van inflatie* disinflation; *inflatie **veroorzaken** (van)* cause inflation, be inflationary, inflate; *een **voorstander** van inflatie* an inflationist [2] ⟨med⟩ inflation
inflatiebestrijding [de^{v}] fighting inflation
inflatiecijfer [het] inflation rate
inflatiecorrectie [de^{v}] inflation correction
inflatiedruk [de^{m}] inflationary pressure
inflatiegevaar [het] danger/risk of inflation
inflatiegolf [de] wave of inflation
inflatiepercentage [het] inflation rate
inflatiepolitiek [de^{v}] anti-inflation policy
inflatiespiraal [de] inflationary spiral
inflationistisch [bn] inflationary, ⟨bewust⟩ inflationist
inflatoir [bn] inflationary ◆ *inflatoire **krachten*** inflationary forces
[1]**inflecteren** [onov ww] ⟨taalk⟩ ⟨buiging bezitten⟩ inflect
[2]**inflecteren** [ov ww] ⟨taalk⟩ ⟨verbuigen⟩ inflect
inflexibel [bn] inflexible, rigid
inflexie [de^{v}] [1] ⟨afwijking⟩ inflection [2] ⟨m.b.t. de stem⟩ inflection
inflictie [de^{v}] infliction, ⟨straf⟩ imposition
inflorescentie [de^{v}] inflorescence
influenceren [ov ww] influence, affect
influentie [de^{v}] [1] ⟨invloed⟩ influence [2] ⟨natuurk⟩ induction, influence
influenza [de] ⟨med⟩ influenza
influisteren [ov ww] [1] ⟨fluisterend zeggen⟩ whisper (in s.o.'s ear) ◆ ⟨fig⟩ *mijn **geweten** fluistert me in dat ...* my conscience tells me that ... [2] ⟨met arglistige bedoeling meedelen⟩ suggest [3] ⟨souffleren⟩ prompt
influistering [de^{v}] [1] ⟨handeling⟩ whispering [2] ⟨suggestie⟩ suggestion, prompting
info [de^{v}] ⟨inf⟩ info, ↑information, ↑data
infobalie [de^{v}] info desk
infobox [de] ⟨comm⟩ infobar
infohighway [de^{m}] information superhighway
infolijn [de] info line
infomarkt [de] infomart
infomercial [de^{m}] infomercial
infonomie [de^{v}] [1] ⟨m.b.t. de digitalisering van de samenleving⟩ infonomics [2] ⟨informatie-economie⟩ information economy
infonummer [het] info number
informal investment [het] informal investment
informalisering [de^{v}] informalization
informaliteit [de^{v}] [1] ⟨informeel karakter⟩ informality [2] ⟨afwijking van voorgeschreven vorm⟩ informality
informant [de^{m}] informant, intelligencer, ⟨op bepaald gebied⟩ informer
informateur [de^{m}] politician who investigates on behalf of the crown, whether a proposed cabinet formation will succeed
informatica [de^{v}] information science, computer science, informatics, information technology, IT
informaticus [de^{m}] information scientist, computer scientist, IT specialist/engineer
informatie [de^{v}] [1] ⟨wat als bericht, gegeven iemand, iets bereikt⟩ information, ⟨m.b.t. computers enz.⟩ data, ⟨inf⟩ material, ⟨van iemand⟩ particulars ◆ *informatie **doorgeven*** relay information; ⟨biol⟩ ***genetische** informatie* genetic information; *een overstelpende **hoeveelheid** informatie* an overwhelming amount of information/data/material; ***nuttige/waardevolle** informatie* useful/valuable information; ⟨belangrijk⟩ a nugget of information [2] ⟨inlichtingen⟩ information, ⟨inf⟩ info, ⟨geheim⟩ intelligence ◆ *informatie **geven/verstrekken/verschaffen** (over iemand/iets)* give/provide/supply information (about/on s.o./sth.); *informatie(s) **inwinnen** (bij ...)* make inquiries (of ...), obtain information (from ...); *om **nadere** informatie verzoeken* request further information; ***nadere** informatie(s) is/(zijn) te verkrijgen bij ...* further information can/may be obtained from ...; ***ver-***

keerde informatie misinformation; ***vertrouwelijke*** *informatie* confidential information, inside information/knowledge [3] ⟨het verschaffen van kennis, inzicht⟩ information ♦ ***ter*** *informatie* for your information

informatiebalie [de^{v}] inquiry counter/desk/office, information counter/desk

informatiebank [de^{v}] ⟨comp⟩ data bank

informatiebron [de] source of information

informatiebureau [het] information bureau/office

informatiedrager [de^{m}] data carrier

informatie-economie [de^{v}] information economy

informatief [bn] [1] ⟨tot voorlichting dienend⟩ exploratory, explorative, informatory ♦ *een informatief* ***gesprek*** an exploratory talk/discussion [2] ⟨veel informatie bevattend⟩ informative, instructive ♦ *een informatief* ***artikel*** an informative article

informatie-industrie [de^{v}] information technology industry, IT industry, software industry, data (processing) industry

informatiekanaal [het] information channel

informatiekunde [de^{v}] computer science, informatics

informatielijn [de] information line

informatiemaatschappij [de^{v}] information society

informatiemap [de] dossier, info(rmation) file/folder

informatiemarkt [de] data market

informatiemechanica [de^{v}] data processing

informatienummer [het] information number

informatieoverdracht [de] data transmission, transfer of information

informatieplicht [de] obligation/requirement to provide information

informatierecht [het] right to information, right to be informed, right to have access to information ♦ *het informatierecht van de* ***ondernemingsraad*** the works council's right to information/to be informed

informatiesamenleving [de^{v}] information society

informatiesnelweg [de^{m}] information (super) highway

informatiestand [de^{m}] information stand

informatiestop [de^{m}] information freeze, freeze/blackout on information ♦ *een informatiestop* ***afkondigen*** announce an information freeze

informatiestroom [de^{m}] data flow

informatiesysteem [het] ⟨comp⟩ data system

informatietechnologie [de^{v}] information technology, ⟨adm⟩ IT

informatietheorie [de^{v}] information theory

informatietijdperk [het] information era

informatietoon [de^{m}] ⟨comm⟩ number unobtainable signal/tone

informatieverspreiding [de^{v}] information dissemination, dissemination of information

informatieverwerkend [bn] data-processing

informatieverwerker [de^{m}] data processor

informatieverwerking [de^{v}] ⟨techn⟩ data processing/handling

informatievoorsprong [de^{m}] information edge ♦ *een informatievoorsprong* ***hebben*** *op iemand* have an information edge over s.o.

informatiezuil [de] information pillar

informationeel [bn] informational

informatisering [de^{v}] computerization

Informatiseringsbank [de] ⟨BE⟩ ± student loan company, student grants bank

informatrice [de^{v}] inquiries/information desk assistant ♦ *zij is informatrice bij het verkeersbureau* she works at (the inquiry desk of) the tourist information office

informeel [bn, bw] [1] ⟨onvormelijk⟩ informal ⟨bw: ~ly⟩, unofficial, unceremonious, ⟨taal ook⟩ familiar, colloquial, ⟨wijze⟩ casual ♦ *een informeel* ***etentje*** a quiet dinner party; *een informele* ***ontvangst*** an informal reception; *een informeel* ***partijtje*** *houden* have/invite a few friends round; *een informeel* ***partijtje/avondje*** a little party [2] ⟨vrijblijvend⟩ informal ⟨bw: ~ly⟩, unofficial ♦ *informele* ***besprekingen*** informal/unofficial talks; *een informele* ***nota*** a memorandum; ⟨inf⟩ a memo

[1]**informeren** [onov ww] ⟨inlichtingen inwinnen⟩ inquire, enquire, ask, find out ♦ *informeren* ***bij*** *iemand* ask s.o., inquire of s.o., make inquiries of s.o.; *ik heb* ***ernaar*** *geïnformeerd* I have made inquiries about it; *informeren* ***hoe*** *iemand het maakt* ask how s.o. is doing; *informeren* ***naar*** *ene Julia* in/enquire after a certain Julia; *informeren* ***naar*** *een boek over ...* ask for a book about ...; ***naar*** *iemands gezondheid informeren* ask/inquire after s.o.'s health; ***naar*** *de prijs/de aanvangstijden informeren* in/enquire about the price/opening times; *informeer eens waar je wezen moet* ask/find out where you have to be

[2]**informeren** [ov ww] ⟨inlichten⟩ inform, advise, notify, enlighten ♦ *iemand grondig informeren* ***over*** *iets* ⟨inf⟩ gen s.o. up on/about sth.; ***verkeerd*** *informeren* misinform; ***zich*** *grondig laten informeren over iets* ⟨inf⟩ gen up on/about sth.; *zij heeft* ***zich*** *daarover terdege geïnformeerd* she has made a thorough inquiry into it

infostress [de^{m}] info-stress

infosysteem [het] info(rmation) system

infotainment [het] infotainment

infotelefoon [de^{m}] info line

infotheek [de^{m}] information centre

infotorial [de^{m}] infotorial

infozuil [de] information column, advertizing column

infractie [de^{v}] [1] ⟨inbreuk⟩ infraction [2] ⟨beenbreuk⟩ infraction

infraheffing [de^{v}] infrastructure tax

infrarood [bn] infrared ♦ *een infrarode* ***lamp*** an infrared lamp; *infrarode* ***stralen/fotografie*** infrared rays/photography

infraroodcamera [de] infrared camera

infrasoon [bn] infrasonic

infrastructureel [bn, bw] concerning the infrastructure ♦ *belangrijke infrastructurele* ***werken*** works significantly affecting/developing the infrastructure

infrastructuur [de^{v}] infrastructure ♦ *de* ***economische*** *infrastructuur* the economic infrastructure; *de infrastructuur van een* ***streek*** the local/regional infrastructure

infrastructuurfonds [het] infrastructure fund

infunderen [ov ww] infuse (with)

infusie [de^{v}] [1] ⟨het maken van een aftreksel⟩ infusion [2] ⟨aftreksel⟩ infusion, ⟨van planten⟩ tisane, ⟨van kruiden⟩ herb(al) tea [3] ⟨med⟩ drip, infusion

infusiediertje [het] infusorian, monad

infusoriën [de^{mv}] infusoria

infuus [het] [1] ⟨med⟩ drip, infusion ♦ *aan het infuus* ***liggen*** be on a drip [2] ⟨aftreksel⟩ infusion

ing. [afk] [1] (ingenieur) ± B Eng, M Eng, ICE ⟨geplaatst na naam⟩ [2] (ingenaaid) stitched

ingaan [onov ww] [1] ⟨binnengaan⟩ go in(to), walk/step in(to), enter ♦ *de* ***bak/nor*** *ingaan* go to gaol, be sent down, go down; *een* ***deur*** *ingaan* go through a door; *de* ***wereld*** *ingaan* set/go out into the world [2] ⟨komen in⟩ go/come in(to), enter ♦ *een* ***bocht*** *ingaan* take a curve; *de* ***diepte/het land*** *ingaan* go to the bottom/country; *wij gingen de* ***duinen*** *verder in* we went further into the dunes; *de* ***geschiedenis*** *ingaan als ...* go down in history as ...; *zijn vijftigste* ***jaar*** *ingaan* ⟨van persoon, krant enz.⟩ enter one's fiftieth year; ⟨comm⟩ *de* ***lucht*** *ingaan* be transmitted, go on the air; *niet gerust de* ***nacht*** *ingaan* be anxious as night falls; *de* ***prullenmand*** *ingaan* be consigned to the wastepaperbasket; *de* ***stad*** *ingaan* go into town; *de nieuwe* ***week*** *ingaan* start the new week [3] ⟨aandacht besteden aan⟩ examine, go into ♦ ***nader*** *ingaan op een kwestie* examine a matter further, pursue a question (in greater depth); *er dieper* ***op*** *ingaan* go more deeply into it; *uitgebreid ingaan* ***op*** enter at length into, go into a full consideration of, dilate upon; *niet verder* ***op*** *een zaak ingaan* let a matter drop; *niet ingaan* ***op*** *iemands bezwaren* brush/wave aside s.o.'s objections; *ik ging er maar niet verder* ***op*** *in* I didn't pursue the matter, I didn't press the point; *niet ingaan* ***op*** *(een vraag/probleem)* take no notice of (a question/problem); *het was een rot opmerking, maar hij ging er niet* ***op*** *in* it was a nasty comment, but he let it pass [4] ⟨positief reageren⟩ agree with/to, comply with ◆ ***op*** *een aanbod ingaan* respond to/accept an offer; *ingaan* ***op*** *een verzoek* comply with a request; *niet ingaan* ***op*** *een klacht* ignore/not consider a complaint; *niet ingaan* ***op*** *een verzoek/suggestie* refuse a request, not fall in with a suggestion; ***op*** *een uitnodiging/weddenschap ingaan* accept an invitation/a bet; *gretig/dadelijk ingaan* ***op*** *(een voorstel/idee)* snap/snatch/jump at a proposal/an idea [5] ⟨beginnen⟩ take effect ◆ *mijn nieuwe* ***baan*** *gaat volgende week in* I start my new job next week; *de* ***huur*** *gaat de 1e van de maand in* the rent will run from the first of the month; *de vakantie gaat in* ***op*** *12 juli* the holidays begin on 12th July; *de verlaging zal ingaan* ***op*** *1 juni* the decrease/reduction dates from June 1st; *de* ***regeling*** *gaat 1 juli in* the regulation takes effect from 1 July, the regulation is effective as of/from 1 July, the regulation comes into effect on 1 July; *de* ***verlaging*** *is al ingegaan* the decrease is already in effect [•] ⟨inf⟩ *er wel ingaan* go down well; *ingaan* ***tegen*** run counter to, cut across; go/act counter to; *dat gaat* ***tegen*** *zijn principes in* that goes against his principles; ***tegen*** *de wensen ingaan van iemand* disoblige s.o.

ingaand [bn] [•] ⟨handel⟩ *ingaande* ***balans*** balance carried/brought over; *in- en uitgaande* ***rechten*** import and export duty

ingaande [vz] dating from, as from, (as) per, as of ◆ *ingaande* ***mei*** *is hij ontslagen* his dismissal is effective as from May

ingang [de^m] [1] ⟨opening⟩ entrance, entry (way), doorway, gateway, ⟨opschrift⟩ way in, ⟨van een hol enz.⟩ mouth, ⟨fig; (contactpersoon) bij organisatie e.d.⟩ connection, contact, ⟨van comp⟩ port, ⟨van versterker⟩ input ◆ *het station* ***heeft*** *twee ingangen* the station has two entrances; *de ingang van het* ***Kanaal*** the entrance to the Channel; *een* ***nauwe/wijde*** *ingang* a narrow/wide entrance [2] ⟨m.b.t. informatie⟩ entry [3] ⟨toegang⟩ entrance, entry, access, ingress ◆ *iets ingang* ***doen vinden*** get sth. adopted/accepted; ⟨product⟩ push/sell/introduce sth.; *ingang* ***vinden*** find acceptance; ⟨inf⟩ go down/over, catch on; *steeds meer ingang* ***vinden*** become more and more prevalent, gain increasing acceptance; *deze theorieën* ***vinden*** *langzamerhand ingang* these theories are gradually winning acceptance, these theories are winning through; *de nieuwe ideeën* ***vonden*** *gemakkelijk ingang bij het publiek* the new ideas found a ready reception with the public [4] ⟨aanvang⟩ commencement ◆ ***met*** *ingang van heden* from today, ⟨AE⟩ as of today; ***met*** *ingang* ***van*** *gisteren* as of yesterday, beginning from yesterday; ***met*** *onmiddellijke ingang* to take effect at once, starting immediately; *hij werd tot chef verkoop benoemd* ***met*** *ingang* ***van*** *1 april* he was appointed sales manager as of/from April 1st [5] ⟨het binnengaan⟩ entrance, ⟨form⟩ ingress

ingangsdatum [de^m] commencing date

ingebakken [bn] ⟨inf⟩ ingrained, deep-seated ◆ *een ingebakken* ***gewoonte*** an ingrained habit

ingebed [bn] [•] *ingebed* ***in*** embedded; *ingebed* ***in*** *de bossen, heuvels* embedded in the woods, hills

ingebeeld [bn] [1] ⟨imaginair⟩ imaginary, fancied, supposed ◆ *ingebeelde* ***kwalen*** imaginary complaints; *een ingebeelde* ***zieke*** a hypochondriac [2] ⟨verwaand⟩ (self-)conceited, bumptious, blown-up ◆ *een ingebeelde* ***kwast*** a pompous ass

ingeblikt [bn] canned, ⟨BE⟩ tinned, ⟨fig⟩ canned ◆ *ingeblikte* ***muziek*** canned music

ingebonden [bn] ⟨boek⟩ bound ◆ *een ingebonden* ***boek*** a bound book

ingeboren [bn] [1] ⟨aangeboren⟩ innate, inborn, native ◆ *een ingeboren* ***afkeer*** *hebben van* have an inborn/inbred dislike of; *de* ***liefde*** *tot zijn land is ieder ingeboren* love for/of one's country is inherent in everybody [2] ⟨inheems⟩ native ◆ ⟨gesch⟩ *ingeboren* ***poorter*** native citizen

ingeborene [de] native, ⟨m.b.t. primitieve bevolking ook⟩ aborigine, aboriginal ◆ *een ingeborene van dit* ***land*** a native of this country

ingebouwd [bn] built-in, in-built ◆ *een ingebouwde* ***kast*** a built-in cupboard; ⟨BE ook⟩ a fitted cupboard

ingebrand [bn] [1] ⟨ingeprent⟩ ⟨fig⟩ ingrained, deep-rooted, deep-seated, ⟨lett⟩ burnt-in [2] ⟨m.b.t. kleur⟩ encaustic

ingebrekestelling [de^v] proof of default ◆ ***na*** *ingebrekestelling* ***van de debiteur*** after serving notice upon the debtor

ingebruikgeving [de^v] ⟨meestal niet tegen betaling⟩ loan, ⟨tegen betaling⟩ rental, ⟨BE⟩ hire

ingebruikname [de] ⟨van pand⟩ occupation, ⟨van machine⟩ put into operation

ingebruikneming [de^v] ⟨van nieuwe producten enz.⟩ introduction, ⟨van pand⟩ occupation ◆ ***na*** *ingebruikneming* ***van de nieuwe machine*** after the new machine came into operation/use/service

ingeburgerd [bn] [1] ⟨als burger opgenomen⟩ naturalized, established [2] ⟨algemeen aanvaard⟩ established ◆ *ingeburgerd* ***raken*** take hold; *een ingeburgerde* ***uitdrukking*** an established expression

ingehouden [bn] [1] ⟨m.b.t. emotie⟩ restrained, ⟨boosheid⟩ pent-up, bottled-up [2] ⟨m.b.t. kracht⟩ subdued [3] ⟨m.b.t. adem⟩ bated

ingekankerd [bn] inveterate, deep-rooted, deep-seated

ingekeerd [bn] inward-looking, introverted

ingekleurd [bn] coloured

ingekort [bn] ⟨kledingstuk, tekst, touw⟩ shortened

ingeland [de^m] landholder (in a polder) ◆ *de* ***gemene*** *ingelanden* the joint landholders

ingelegd [bn] [1] ⟨uit ingepaste stukjes bestaand⟩ inlaid ◆ *hout* ***met*** *zilver ingelegd* wood inlaid with silver; *een ingelegde* ***vloer*** a woodblock floor, a parquet (inlaid) floor [2] ⟨ingemaakt⟩ preserved, ⟨in het zuur, pekel enz.⟩ pickled, ⟨in glas⟩ bottled, ⟨in potten⟩ potted ◆ *ingelegde* ***augurken/haring*** pickled gherkins/herring; ***in*** *suiker ingelegde vruchten* candied fruit(s); *ingelegde* ***snijbonen*** bottled beans; *ingelegde* ***vruchten*** preserved fruit(s)

ingeleide [het] reception

ingemaakt [bn] preserved, ⟨in glas⟩ bottled, ⟨in potten⟩ potted, ⟨in het zuur, pekel enz.⟩ pickled ◆ *ingemaakte* ***groenten/vruchten*** preserved vegetables/fruit; *ingemaakte* ***haring*** pickled herring

ingemeen [bn, bw] vile ⟨bw: ~ly⟩, utterly base ◆ *in- en ingemeen* rotten to the core

ingenaaid [bn] stitched

ingenieur [de^m] [1] ⟨aan een hogeschool gevormd technicus⟩ (graduate/professional/chartered) engineer, science/engineering graduate ◆ ⟨in België⟩ ***burgerlijk*** *ingenieur* civil engineer; ⟨in België⟩ ***industrieel*** *ingenieur* ± engineer (educated in a polytechnic); ***werktuigkundig/bouwkundig/civiel/scheikundig/elektrotechnisch/scheepsbouwkundig/landbouwkundig*** *ingenieur enz.* mechanical/constructional/chemical/civil/electrical/marine/agricultural engineer; *ingenieur* ***zijn****, als ingenieur werkzaam* ***zijn*** be an/work as an engineer [2] ⟨afgestudeerde aan een hts, hogere textiel, landbouwschool⟩ ± engineer

ingenieursbedrijf [het] engineering firm

ingenieursbureau [het] [1] ⟨algemeen⟩ engineering office/firm [2] ⟨raadgevend⟩ firm of consulting engineers

ingenieursopleiding [de^v] [1] ⟨het opleiden⟩ education of engineers, university training of engineers [2] ⟨instituut⟩ polytechnic
ingenieursstudie [de^v] study of engineering
ingenieurstitel [de^m] engineering degree
ingenieus [bn, bw] ingenious ⟨bw: ~ly⟩, inventive ♦ *een ingenieuze* ***uitvinding*** an ingenious invention
ingenomen [bn] [1] ⟨+ met⟩ pleased/satisfied (with) ♦ ***met*** *zichzelf ingenomen zijn* be pleased with o.s.; ⟨overdreven⟩ be conceited; *hij is zeer ingenomen* ***met*** *zijn nieuwe betrekking* he is highly pleased with his new position [2] ⟨+ tegen⟩ unfavourably disposed (towards), dissatisfied (with)
ingenomenheid [de^v] satisfaction, ⟨tegen iemand/iets⟩ dissatisfaction
ingénu [bn] ingenuous, artless, naïve
ingénue [de^v] ingénue, innocent
ingeroest [bn] entrenched, ingrained ♦ *ingeroeste gewoontes* ingrained habits
ingeschapen [bn] innate, inborn ♦ *ingeschapen* ***denkbeelden*** innate ideas
ingeschreven [bn] [1] ⟨geregistreerd⟩ registered ♦ ⟨zelfstandig (gebruikt)⟩ ***een*** *ingeschrevene* a participant, a registered person, ⟨inf⟩ a signed-up person; ⟨wedstrijd⟩ an entrant; ⟨tentamen⟩ a candidate; *ingeschreven* ***merk*** (registered) trademark [2] ⟨wisk⟩ inscribed ♦ *ingeschreven* ***cirkel*** inscribed circle; *ingeschreven* ***veelhoeken*** inscribed polygons
ingesloten [bn, bw] [1] ⟨bijgaand⟩ enclosed ♦ *de ingesloten* ***brief*** the enclosed letter [2] ⟨ingebouwd⟩ enclosed, ⟨tuin⟩ walled, ⟨hoek⟩ contained ♦ *door* ***bergen*** *ingesloten* shut in by mountains; *door* ***land*** *ingesloten* ⟨zee enz.⟩ mediterranean; ⟨land⟩ landlocked; *door* ***rotsen*** *ingesloten* ***kust*** ironbound coast; *door* ***water/ijs*** *ingesloten* water/icebound; *door de zee ingesloten* surrounded by the sea; *je* ***zit*** *hier erg ingesloten* you're really shut in here [3] ⟨inclusief⟩ included, including
ingesneden [bn] indented, cut, scored ♦ ⟨plantk⟩ *ingesneden* ***bladeren*** laciniate leaves
ingesnoerd [bn] [1] ⟨plaatselijk vernauwd⟩ nipped in [2] ⟨bouwk⟩ contracted, constricted
ingespannen [bn, bw] [1] ⟨geconcentreerd⟩ intensive ⟨bw: ~ly⟩, intense ♦ *ingespannen* ***luisteren*** listen intently, strain one's ears; *ingespannen* ***nadenken*** consider/reflect/ponder deeply; *hij zat ingespannen te* ***studeren*** he was studying intently [2] ⟨met inspanning geschiedend⟩ arduous ⟨bw: ~ly⟩, tense, strenuous ♦ *na drie dagen van ingespannen* ***arbeid*** after three strenuous days; *ingespannen* ***bezig*** *zijn* be on the grind, be hard at it
ingesprektoon [de^m] ⟨vnl BE⟩ engaged signal/tone, ⟨AE⟩ busy signal
ingesteld [bn] [•] ***op*** *iemand/iets ingesteld zijn* be/have adjusted to s.o./sth., be geared to sth.
ingetogen [bn, bw] modest ⟨bw: ~ly⟩, retiring ♦ *een ingetogen* ***leven*** *leiden* lead a quiet/retired life; ***overdreven*** *ingetogen* prudish; *een ingetogen* ***schoonheid*** a modest beauty; *ingetogen* ***spelen*** ⟨van acteur⟩ underact; *ingetogen* ***stemming*** subdued mood
ingetogenheid [de^v] modesty, retiring character/nature
ingeval [vw] in case, in the event of/that ♦ *ingeval u iets overkomt, mag u zich altijd op mij beroepen* in case anything happens to you, you may always use my name
ingevallen [bn] ⟨wangen, ogen⟩ hollow, sunken, ⟨gezicht⟩ hollow-cheeked, fallen-in, ⟨huis⟩ collapsed, fallen-in
ingeven [ov ww] inspire, prompt, suggest, dictate, infuse ♦ *ik weet niet wat hem ingaf zoiets te* ***doen*** I don't know what prompted him to such an act, I don't know what made him do such a thing; *maatregelen, ingegeven* ***door*** *angst* measures dictated/motivated/inspired by fear; *al naar zijn* ***gril*** *hem ingaf* as the whimsy took him, as his caprice dictated; *alsof het* ***mij*** *zo werd ingegeven* ⟨goede macht⟩ as if I was divinely inspired, ⟨kwade macht⟩ as if I was prompted by the devil; *doe wat uw hart* ***u*** *ingeeft* follow the dictates of your heart, follow your own inclination, do what you feel is right, trust your own instincts
ingeving [de^v] [1] ⟨het inspireren⟩ inspiration, prompting, suggestion, infusion ♦ *als* ***bij*** *ingeving* intuitively, ⟨goedaardig⟩ as if by divine inspiration, ⟨kwaadaardig⟩ as if by diabolical inspiration, as if divinely/diabolically inspired; *een* ***plotselinge*** *ingeving* a flash (of intuition), ⟨gevoel⟩ a sudden hunch, ⟨aandrang⟩ a sudden impulse [2] ⟨inspiratie⟩ inspiration, intuition, prompting, suggestion, dictate ♦ *ingevingen van de* ***Boze*** inspirations/promptings of the Evil One; *een ingeving* ***krijgen*** ⟨goed idee⟩ have a flash of inspiration, have a brainstorm/a brain wave, be struck by a bright idea; ⟨intuïtie⟩ have a flash of intuition/hunch; ⟨aandrang⟩ have an impulse; *de ingevingen van zijn hart* ***volgen*** follow the dictates of one's heart; *aan een ingeving gehoor geven/weerstand bieden* yield to/resist an impulse
ingevoerd [bn] informed, well-up ♦ *hij is* ***in*** *deze materie goed ingevoerd* he is well-informed about/well-up in this subject, he is an old hand, he knows the ropes
ingevolge [vz] ⟨form⟩ in accordance with, ⟨wet, plan ook⟩ pursuant to, in pursuance of, ⟨op grond van⟩ under, by virtue of ♦ *hij is ingevolge dit* ***arrestatiebevel*** *bevoegd u te arresteren* by virtue of/under this warrant he is authorized to arrest you; *ingevolge* ***hiervan*** hereunder; *ingevolge uw* ***uitnodiging*** in response to your invitation; *ingevolge uw* ***verzoek*** in accordance/compliance with your request; *ingevolge de* ***wet*** in accordance with/in pursuance of/pursuant to the law
ingevroren [bn] ⟨haven, schip⟩ icebound, ⟨voedsel⟩ frozen
ingewanden [de^{mv}] [1] ⟨inwendige delen van het lichaam⟩ intestines, bowels, ⟨dier⟩ entrails, ⟨inf⟩ guts, ⟨van varken, als gerecht⟩ chit(ter)lings ♦ *de ingewanden uit een kip* ***halen*** draw a chicken; *de ingewanden* ***verwijderen*** (dis)embowel, draw, eviscerate; ⟨hert enz.⟩ gralloch [2] ⟨het binnenste⟩ bowels ♦ *de ingewanden van de* ***aarde*** the bowels of the earth
ingewandsstoornis [de^v] intestinal disorder, intestinal/bowel trouble, diarrh(o)ea
ingewandswormen [de^{mv}] intestinal worms
ingewandsziekte [de^v] intestinal disease, intestinal trouble, bowel trouble/disease/complaint
ingewijd [bn] initiated (in), ⟨alle kneepjes wetend⟩ adept (at), expert (in/at), ⟨op de hoogte van⟩ privy (to), au fait (with)
ingewijde [de] initiate, ⟨fig ook⟩ insider, ⟨die alle kneepjes weet⟩ adept, expert ♦ *tot de ingewijden* ***behoren*** be in on sth., be in the know, be privy to sth.; *alleen* ***voor*** *ingewijden* for insiders only
ingewikkeld [bn, bw] complicated ⟨bw: ~ly⟩, complex, intricate, involved, sophisticated ♦ *een ingewikkeld* ***argument*** a complicated/complex/sophisticated/convoluted/an elaborate argument; *ingewikkeld* ***maken*** complicate, entangle, perplex; *een ingewikkelde* ***manier*** *van vertellen* a roundabout way of telling sth.; *een ingewikkeld* ***proces*** a complex/complicated/an elaborate process; *een ingewikkelde* ***techniek*** a sophisticated technique; *het is een ingewikkeld* ***verhaal*** there are wheels within wheels, it's a complicated story; ⟨hiertegen protesterend⟩ it's a lot of double-talk; *een ingewikkelde* ***zinsbouw*** an involved/a complex sentence construction
ingewikkeldheid [de^v] complexity, intricacy, complication, sophistication, complicated nature
ingeworteld [bn] (deep-)rooted, deep-seated, ingrained, ingrown, inveterate ♦ *een ingewortelde* ***gewoonte*** an unshakeable/engrained habit; *een ingewortelde* ***haat*** inveter-

ate hate, rancour, a deep-rooted hatred; *een ingeworteld vooroordeel* a deep-rooted prejudice

ingezet [bn] ⟨van mouwen⟩ set-in

ingezetene [de] resident, inhabitant, citizen, native ◆ *ingezetenen van een gemeente* residents/inhabitants of the municipality, townsfolk, townspeople; *ingezetenen van een provincie* inhabitants of a province; *ingezetenen van een staat* citizens/subjects of a state; *vreemde ingezetenen* aliens, foreign nationals

ingezonden [bn] sent in ◆ *ingezonden mededelingen* advertisements; *ingezonden stukken* letters to the editor

ingezonken [bn] 1 ⟨diep liggend⟩ sunken, hollow, ⟨gezicht ook⟩ fallen-in ◆ *ingezonken ogen* sunken/hollow eyes 2 ⟨verzonken⟩ sunken, ⟨bout enz.⟩ countersunk ◆ ⟨mil⟩ *ingezonken geschutopstelling/batterij* a gun-pit, a sunken battery; *bouten en schroeven met ingezonken kop* nuts and screws with countersunk heads, countersunk nuts and screws

ingieten [ov ww] 1 ⟨gietend naar binnen laten stromen⟩ pour in(to), pour down (s.o.'s throat), ⟨fig⟩ instil, ⟨AE⟩ instill, infuse, imbue ◆ *door een trechter ingieten* pour in through a funnel; ⟨fig⟩ drum in; ⟨fig⟩ *iemand iets met de paplepel ingieten* bring s.o. up/raise s.o. on sth.; ⟨fig⟩ *het is hem met de paplepel ingegoten* he learned it at his mother's knee, he took it in with his mother's milk, he was brought up on that 2 ⟨in iets bevestigen⟩ cast in ◆ *in de steen ingegoten ijzeren krammen* cramp-irons cast in the stone/brick

ingoed [bn] very kind/good, excellent, sterling, noble ◆ *het is een in- en ingoed mens* (s)he's a thoroughly/exceedingly kind person, (s)he's kindness itself

ingooi [de^m] ⟨sport⟩ throw-in

^{1}**ingooien** [onov ww] ⟨sport⟩ throw in

^{2}**ingooien** [ov ww] 1 ⟨gooiend binnen doen komen⟩ throw in(to), cast in(to) ◆ *iemand een cel ingooien* throw s.o. into a cell 2 ⟨door een worp breken⟩ smash ◆ *de ruiten ingooien* smash the windows

ingraven [ov ww] 1 ⟨begraven⟩ bury ◆ *een schat ingraven* bury a treasure; *zich (in de grond) ingraven* ⟨soldaat⟩ entrench o.s., dig (o.s.) in; ⟨dier tijdens jacht⟩ earth, go to ground/earth; ⟨konijn⟩ burrow 2 ⟨door graven doen ontstaan⟩ dig in(to), ⟨met handen of klauwen⟩ burrow in(to) ◆ *een weg ingraven* dig a road

ingraveren [ov ww] engrave ◆ *een ingegraveerde naam* an engraved name

ingrediënt [het] ⟨ook fig⟩ ingredient

ingreep [de^m] intervention, ⟨pej⟩ interference ◆ *bij één ingreep is men gezakt voor het rijexamen* you fail your driving test if the examiner has to take over the controls at any point; *een chirurgische ingreep* an operation, surgery; *een ingreep van de Voorzienigheid* a dispensation, an Act of God/Providence

ingressief [bn] ⟨taalk⟩ inceptive, inchoative

ingrijpen [onov ww] 1 ⟨zich bemoeien met, sterk merkbaar zijn⟩ interfere, encroach upon, take action ◆ *dat grijpt diep in in het maatschappelijk leven* that encroaches deeply/makes deep inroads on social life; *ingrijpen in de verhouding tussen vraag en aanbod* interfere with the balance between demand and supply 2 ⟨optreden⟩ intervene, interfere, step in, take action ◆ *autoriteiten moesten in die misstanden ingrijpen* authorities should take action/take active measures/take the matter in hand; *nog niet ingrijpen, zich van ingrijpen onthouden* refrain from action/interference, hold/stay one's hand; *onmiddellijk/dadelijk ingrijpen* take instant/prompt/immediate action 3 ⟨techn⟩ mesh

ingrijpend [bn, bw] radical ⟨bw: ~ly⟩, fundamental, sweeping, drastic, far-reaching ◆ *ingrijpende bezuinigingen/maatregelen* drastic/far-reaching cutbacks, radical/drastic/sweeping/far-reaching measures; *een ingrijpende operatie* a major operation; *ingrijpend veranderen* change radically/fundamentally/drastically/thoroughly

ingroeien [onov ww] grow in(to) ◆ *een ingegroeide nagel* an ingrown nail; *een ingroeiende nagel* an ingrowing (toe) nail

ingroeven [ov ww] 1 ⟨van groeven voorzien⟩ groove ◆ *een plank diep ingroeven* make deep grooves in a board 2 ⟨ingraveren⟩ engrave

inhaalcursus [de^m] refresher course

inhaaldag [de^m] day for catching up

inhaalmanoeuvre [de] ⟨BE⟩ overtaking manoeuvre, ⟨AE⟩ passing maneuver

inhaaloperatie [de^v] catch-up operation

inhaalrace [de^m] race to recover lost ground/catch up ◆ ⟨fig⟩ *met een inhaalrace bezig zijn* be working to make up lost ground, be busy catching up

inhaalrust [de] ⟨in België⟩ compensatory time off

inhaalslag [de^m] catch-up effort

inhaalstrook [de] ⟨BE⟩ overtaking lane, ⟨AE⟩ passing lane

inhaalverbod [het] ⟨BE⟩ overtaking prohibition, ⟨AE⟩ passing restriction, ⟨bord⟩ no ^{B}overtaking/^{A}passing

inhaalwedstrijd [de^m] rearranged fixture, postponed match

^{1}**inhaken** [onov ww] 1 ⟨aanknopen bij⟩ take up ◆ *inhaken op een nieuwe markt* zero in on a new market; *de spreker haakte in op een opmerking uit de zaal* the speaker took up a remark from the audience 2 ⟨de arm steken door andermans arm⟩ link arms

^{2}**inhaken** [ov ww] 1 ⟨met een haak slaan⟩ hook in(to), hitch in(to) 2 ⟨handwerken⟩ crochet in(to) ◆ *rozen inhaken in gordijnen* crochet roses into curtains

inhaker [de^m] 1 ⟨lied⟩ song intended to get the audience linking arms 2 ⟨reclame-uiting⟩ advertisement that links in with a topical event

^{1}**inhakken** [onov ww] ⟨+ op; met woede aanvallen⟩ pitch into, hit out at, let fly at, slash at ◆ *op de vijand inhakken* pitch into/hit out at/let fly at the enemy; *de politie hakte (geducht) in op de betogers* the police laid about/laid into/waded into the demonstrators ▪ *dat hakt er flink in* that makes a considerable hole in my pocket/purse/savings, that eats into the money/my income

^{2}**inhakken** [ov ww] 1 ⟨door hakken aanbrengen⟩ cut (in(to)), carve, ⟨steen ook⟩ hew (in(to)) 2 ⟨al hakkend inslaan⟩ break down ◆ *de deur inhakken* break down the door

inhalatie [de^v] ⟨med⟩ inhalation

inhalatieapparaat [het] inhaler, inspirator

^{1}**inhalen** [ov ww] 1 ⟨verwelkomen⟩ welcome, receive in state ◆ *de burgemeester inhalen* welcome the mayor, receive the mayor in state 2 ⟨intrekken⟩ draw in, take in, ⟨iets zwaars⟩ haul in/home, ⟨zeil, vlag⟩ strike, lower ◆ *de netten inhalen* draw in/haul in the nets; *de riemen inhalen* take in the oars; *de vlag inhalen* strike/lower the flag; ⟨scheepv⟩ *de zeilen inhalen* strike/lower the sails 3 ⟨(weer) bereiken⟩ catch up with, come up with/to, draw up to, draw level with, get abreast of/with, ⟨én voorbijrennen⟩ outrun, outstrip, ⟨schip⟩ overhaul ◆ *iemand langzaam maar zeker inhalen* slowly but surely gain (up)on s.o. 4 ⟨alsnog doen, maken⟩ make up (for), ⟨verlies⟩ recover ◆ *zijn achterstand inhalen* make up/clear one's arrears; *zijn schade inhalen* make up for lost time; *de verloren tijd inhalen* make up for lost time, make up leeway; *er is heel wat in te halen* there is a great deal of leeway/a great backlog/much lost ground to make up; *de afgelaste wedstrijd op zaterdag inhalen* reschedule the cancelled/^{A}canceled game for Saturday; *het werk dat is blijven liggen moet ingehaald worden* one must catch up on the work that hasn't been done 5 ⟨binnenbrengen⟩ bring in, ⟨oogst ook⟩ get/gather in, reap

^{2}**inhalen** [ov ww, ook abs] ⟨verk⟩ ⟨voorbijgaan⟩ overtake, pass ◆ *veel ongelukken gebeuren* ***bij*** *het inhalen* overtaking gives rise to a great number of accidents; *je mag hier niet inhalen* overtaking/passing is prohibited/not allowed here; *een* ***vrachtwagen/tractor*** *inhalen* overtake/pass a [B]lorry/[A]truck/tractor

inhaler [de[m]] inhaler

inhaleren [ov ww, ook abs] ⟨overgankelijk en onovergankelijk werkwoord⟩ inhale, ⟨alleen overgankelijk werkwoord⟩ draw in, ⟨door neus ook⟩ sniff

inhalig [bn] greedy, grasping, hoggish, covetous, rapacious ◆ *een inhalig* ***persoon*** ⟨ook⟩ a shark, a hog; *inhalig* ***zijn*** have an itching palm

inhaligheid [de[v]] greed, avarice, cupidity, covetousness, rapacity

inham [de[m]] 1 ⟨baai⟩ bay, cove, ⟨dieper⟩ inlet, creek, ⟨groot⟩ gulf 2 ⟨insnijding⟩ indentation, recess 3 ⟨kale plek boven de slaap⟩ receding hairline

inhameren [ov ww] 1 ⟨m.b.t. spijker⟩ drive/hammer/knock (into) 2 ⟨fig; erin stampen⟩ implant (in), pound home (to), hammer/beat into s.o.'s head, ram (into)

inhebben [ov ww] • ⟨fig⟩ *de* ***pest/pee/schurft/smoor*** *inhebben* have the hump/the pip

inhechtenisneming [de[v]] arrest, apprehension, committal ◆ *een* ***bevel*** *tot inhechtenisneming tegen iemand* a warrant of arrest (against s.o.), a warrant for the arrest of s.o.

inheems [bn] native, indigenous, endemic, ⟨geproduceerd in het binnenland⟩ home ◆ *een inheems* ***gebruik*** a native/national custom; *inheemse* ***planten*** indigenous/native/endemic plants; *inheemse* ***producten*** home-made products; ⟨gewas⟩ home produce, home-grown products; *inheemse* ***volkeren*** aboriginal/native peoples; *inheemse* ***woorden*** native/indigenous words; *die* ***ziekte*** *is in dat land inheems* that disease is endemic in that country

inherent [bn] inherent (in), subsistent (in), part and parcel of, intrinsic (to)

inherentie [de[v]] inherence, inhesion

inhibitie [de[v]] 1 ⟨scheik⟩ inhibition 2 ⟨med⟩ inhibition 3 ⟨jur⟩ injunction, prohibition

inhibitor [de[m]] ⟨scheik⟩ inhibitor

inhoud STOF VLOEISTOF [de[m]] 1 ⟨grootte⟩ content, capacity, volume ◆ *de inhoud van een* ***bol*** the volume of a sphere; *van* ***geringe*** *inhoud* of small capacity/size/content 2 ⟨volume⟩ content, capacity, volume ◆ ***kubieke*** *inhoud* cubic/solid content, cubic measurements/capacity, volume; *dit schip heeft tweehonderd* ***ton*** *inhoud* this ship measures two hundred tons 3 ⟨dat waarmee iets gevuld is⟩ contents ◆ *een enveloppe* ***met*** *inhoud* an envelope with money in it; *een portemonnee* ***met*** *inhoud* a purse with money in it; *de inhoud van iemands* ***zakken*** the contents of s.o.'s pockets 4 ⟨dat waarover iets handelt⟩ content(s), substance, (subject) matter ◆ *de inhoud van een* ***brief/boek*** the content(s)/substance/(subject) matter of a letter/book; *van (ongeveer)* ***gelijke*** *inhoud* to (about) the same effect; ***korte*** *inhoud* summary, abstract, argument, précis, résumé; *een telegram met de* ***volgende*** *inhoud* a telegram to the following effect/that reads as follows/with the following text; ***vorm*** *en inhoud* form and content 5 ⟨overzicht⟩ (table of) contents 6 ⟨betekenis⟩ import, purport, tenor, meaning, implication ◆ *een* ***nieuwe*** *inhoud geven aan* give a new meaning to

inhoudelijk [bn, bw] as regards content, with respect to content, concerning content, intrinsic ◆ *inhoudelijke* ***gesprekken*** substantive talks; *inhoudelijke* ***opmerkingen*** remarks as regards/with respect to/concerning content

¹inhouden [ov ww] 1 ⟨bedwingen, beheersen⟩ restrain, check, control, hold (in/back), refrain ◆ *de* ***adem*** *inhouden* hold one's breath; *hij kan (er)* ***niets*** *meer inhouden* ⟨voedsel⟩ he can't keep anything down/retain anything; *een* ***paard*** *inhouden* slow down/check/restrain a horse, draw bit/bridle/rein; ⟨doen stoppen⟩ rein in/up a horse; *hij schreef op ingehouden* ***toon*** he wrote in a subdued/restrained/measured tone; *zijn* ***vaart*** *inhouden* slow down, reduce speed, pull up, stop short 2 ⟨niet uitbetalen, innemen⟩ stop, dock, deduct, cancel, ⟨vakbondsbijdrage⟩ check off, ⟨winst⟩ retain ◆ *een zeker* ***percentage*** *van het loon inhouden* deduct/dock a certain percentage of the wages, ⟨m.b.t. belasting⟩ withhold a certain percentage of the wages 3 ⟨bevatten⟩ contain, hold 4 ⟨behelzen⟩ imply, import, mean, signify, carry (with it) ◆ *een* ***belofte*** *inhouden* hold a promise; *ik wist wat de* ***brief*** *inhield* I knew the content(s) of the letter; *zijn beloften houden* ***niets*** *in* his promises are meaningless; *wat houdt dit in voor onze klanten?* what does this mean for our customers?; *Taal en Bedrijf, wat houdt dat eigenlijk in?* 'Language and Business Studies', what does that involve actually? 5 ⟨ingetrokken houden⟩ pull in ◆ *zijn* ***buik*** *inhouden* hold one's stomach in • *een* ***paspoort*** *inhouden* impound/withhold a passport

²zich inhouden [wk ww] ⟨zich bedwingen⟩ control o.s., restrain o.s., check o.s., contain o.s., hold o.s. in ◆ *zich inhouden* ***om*** *niet in lachen uit te barsten* keep a straight face; *zij kon* ***zich*** *niet langer inhouden en barstte in tranen uit* she broke down and cried; *ik heb me maar ingehouden* ⟨zei niets⟩ I checked myself; ⟨ondernam niets⟩ I held/stayed my hand

inhouding [de[v]] 1 ⟨handeling⟩ deduction, ⟨m.b.t. belasting/premies⟩ withholding ◆ ***onder*** *inhouding* ***van*** (while) deducting/retaining/withholding 2 ⟨bedrag⟩ deduction, ⟨m.b.t. belasting/premies⟩ amount withheld

inhoudingsplichtige [de] person subject to deductions from salary

inhoudsbepaling [de[v]] 1 ⟨het berekenen van de inhoud⟩ determination of the content/volume, ⟨vat⟩ gauging 2 ⟨bepaling van de inhoud van een term⟩ definition, determination of meaning

inhoudsloos [bn] having/with/of little substance, empty

inhoudsmaat [de] measure of capacity, measure of volume ◆ *inhoudsmaat* ***voor*** *droge/natte waren* ⟨droog⟩ dry measure, ⟨nat⟩ liquid measure

inhoudsopgave [de] (table of) contents ◆ *een* ***alfabetische*** *inhoudsopgave* an index

inhouse [bn] in-house

inhout [het] frame-timber

inhouten [de[mv]] timbers

inhouwen [ov ww] hew in(to), cut in(to), carve

inhuldigen [ov ww] 1 ⟨plechtig bevestigen in ambt⟩ inaugurate, install, ⟨vnl. geestelijke⟩ induct ◆ *een* ***burgemeester*** *inhuldigen* install/inaugurate a mayor 2 ⟨in België; plechtig openen, onthullen enz.⟩ inaugurate

inhuldiging [de[v]] inauguration, installation, investiture, ⟨vnl. geestelijke⟩ induction

inhuldigingsfeest [het] inauguration party

inhuldigingsplechtigheid [de[v]] inauguration ceremony

inhumaan [bn, bw] inhumane ⟨bw: ~ly⟩

inhuren [ov ww] 1 ⟨huren⟩ engage, hire, take on, employ ◆ ⟨inf⟩ *daar ben ik niet* ***voor*** *ingehuurd* I'm not paid to do that; ***voor*** *die klus kunnen we iemand inhuren* we can hire s.o. to do that job 2 ⟨opnieuw in huur, pacht nemen⟩ renew one's lease of, renew the lease of, ⟨weer in dienst nemen⟩ re-engage, re-employ

inhuwen [onov ww] marry into

¹initiaal [de] 1 ⟨m.b.t. namen⟩ initial 2 ⟨m.b.t. handschriften, teksten⟩ initial

²initiaal [bn] initial ◆ *initiaal* ***accent*** initial stress/emphasis

initiaalwoord [het] acronym

initialiseren [ov ww, ook abs] initialize

initiatie [de[v]] initiation

initiatiecursus [de[m]] ⟨in België⟩ introductory course

initiatief [het] initiative, ⟨als eigenschap⟩ enterprise, ⟨inf⟩ gumption ◆ *op* ***eigen*** *initiatief* on one's own initiative, of one's own accord, in one's own name; *het initiatief **gaat uit van*** the initiative was taken by; *absoluut **geen initiatief*** ⟨inf⟩ no drive at all; *initiatief aan de dag **leggen/tonen*** show initiative/enterprise; *iemand **met** initiatief* s.o. with/showing initiative/enterprise; *het initiatief **nemen*** take the initiative, make the first move; *het initiatief **nemen tot*** take the first step towards; *het **particulier** initiatief* private enterprise; *het **recht** van initiatief* the power of initiative; *op initiatief **van*** on the initiative of; *gebrek aan initiatief hebben* lack initiative/enterprise

initiatiefneemster [de^v] → **initiatiefnemer**

initiatiefnemer [de^m], **initiatiefneemster** [de^v] initiator, originator

initiatiefrecht [het] ⟨pol⟩ right of initiative

initiatiefrijk [bn] enterprising

initiatiefvoorstel [het] ⟨BE⟩ private member's bill

initiatiefwet [de] private member's bill

initiatiefwetsvoorstel [het] private member's bill

initiatierite [de] initiation rite

initiator [de^m] initiator, originator

initieel [bn] initial, first, inceptive ◆ ⟨ec⟩ *initiële **kosten*** initial costs

initiëren [ov ww] [1] ⟨inwijden⟩ initiate (into), inaugurate [2] ⟨invoeren⟩ set, start (off), initiate ◆ *een nieuwe **stijl** initiëren* set/start (off) a new style

injagen [ov ww] [1] ⟨ergens in, naar binnen jagen⟩ drive/send into, ⟨fig⟩ drive/send to ◆ *jaag de hond de **tuin** in* chase/send the dog into the garden [2] ⟨africhten voor de jacht⟩ train

injecteren [ov ww] [1] ⟨injectie geven⟩ inject (s.o. with) [2] ⟨fig⟩ inject, inspire

injectie [de^v] [1] ⟨prik⟩ injection, ⟨inf⟩ shot ◆ *een injectie **geven/krijgen*** give (s.o.)/get an injection/a shot; *een **intraveneuze** injectie* an intravenous injection; *ik moet een injectie **krijgen*** I must get an injection; *een **onderhuidse/subcutane** injectie* a hypodermic/subcutaneous injection [2] ⟨materiële hulp, stimulering⟩ injection, boost ◆ *een **financiële** injectie* a financial injection/boost; *de economie een injectie **geven*** boost (up) the economy, give the economy a shot in the arm [3] ⟨m.b.t. brandstof⟩ fuel injection

injectiegeweer [het] tranquillizer gun

injectiemotor [de^m] fuel-injection engine

injectienaald [de] (hypodermic) needle

injectiepistool [het] injection gun

injectiespuitje [het] hypodermic (syringe)

injector [de^m] [1] ⟨inspuittoestel⟩ injector [2] ⟨deel van een motor⟩ fuel injector

injiciëren [ov ww] inject

injunctie [de^v] injunction, court order

inkaderen [ov ww] frame, embed/place/consider in a framework/context, contextualize ◆ *de literatuur **sociaal** inkaderen* place/examine (the) literature in its social framework/context

inkakken [onov ww] doze off, ↑ fall asleep

inkalven [onov ww] cave in

inkankeren [onov ww] [1] ⟨invreten⟩ eat in(to), corrode ◆ *inkankerend **roest*** spreading corrosion [2] ⟨door kanker ingevreten worden⟩ cancerate, canker ◆ *die **boom** kankert hoe langer hoe meer in* that tree is becoming more and more cankered

inkappen [ov ww] [1] ⟨uitholling aanbrengen in⟩ cut (into), notch [2] ⟨toppen⟩ top, head

inkapselen [ov ww] encase, enclose, wrap up/round, enwrap, ⟨in een capsule/bolster⟩ encapsulate ◆ ⟨fig⟩ *hij zit helemaal ingekapseld **in** zijn eigen denkwereld* he is completely wrapped up in his own thoughts; ⟨fig⟩ *de radicalen hebben zich door de politici **laten** inkapselen* the radicals have been hedged in by the politicians; *de rupsen gaan **zich** nu inkapselen* the caterpillars now begin to encapsulate

inkarnaat [bn] incarnadine, flesh-coloured, rosy pink ◆ *inkarnate **wangen*** rosy cheeks

inkassen [ov ww] set

inkeep [de] notch, (s)nick, indentation, ⟨langwerpig⟩ score, groove

inkeer [de^m] repentance ◆ ***tot** inkeer komen* (start to) see the error of s.o.'s ways, think better of it; *iemand **tot** inkeer brengen* make s.o. see the error of s.o.'s ways, reform s.o.

inkepen [ov ww] [1] ⟨kepen maken in⟩ notch, (s)nick, jag, ⟨langwerpig⟩ score, ⟨diep⟩ groove [2] ⟨in elkaar doen sluiten⟩ fit (the matchboards)

inkeping [de^v] [1] ⟨handeling⟩ notching, (s)nicking, indentation, ⟨langwerpig⟩ scoring, ⟨diep⟩ grooving [2] ⟨resultaat⟩ notch, (s)nick, indentation, ⟨langwerpig⟩ score, ⟨diep⟩ groove ◆ *de inkeping **in** een scheepsblok* the score in a pulley-block; *de inkeping(en) **in** een sleutelbaard* the wards in a key-bit; *een inkeping **maken** in* cut a notch in, notch; *de inkeping van een **vizier*** the sights of a visor

inkeren [onov ww] [•] *tot zichzelf inkeren* think/mull things over, contemplate

[1]**inkerven** [onov ww] ⟨barsten⟩ split, crack ◆ *die **zijde** kerft helemaal in* this silk is coming apart

[2]**inkerven** [ov ww] [1] ⟨kerven snijden in⟩ notch, (s)nick, ⟨langwerpig⟩ score, ⟨diep⟩ groove [2] ⟨kervend insnijden⟩ carve (in(to)/on) ◆ ***initialen** diep in het hout ingekorven* initials carved deep into the wood; *op bomen ingekerfde **namen*** names carved on trees

inkiesnummer [het] direct-dialling number

inkiessysteem [het] direct-dialling system

inkijk [de^m] [1] ⟨het naar binnen kijken⟩ looking (in) ◆ *vitrage **tegen** de inkijk* (net) curtains to prevent people from looking in [2] ⟨gelegenheid om in iets te kijken⟩ view (of the inside), ⟨oneig; bij jurk⟩ cleavage ◆ *inkijk **hebben*** be exposing o.s.; *een jurk **met** een behoorlijke inkijk* a low-plunging dress

[1]**inkijken** [onov ww] [1] ⟨naar binnen kijken⟩ look in [2] ⟨kijken in iets⟩ look in, have a look (at) ◆ *de **wereld** inkijken met ogen vol pret* look out into the world with twinkling eyes

[2]**inkijken** [ov ww] ⟨vluchtig kennisnemen van de inhoud⟩ take a look at, glance through, peruse ◆ ***vluchtig/even** inkijken* glance at, skim through; ⟨boek ook⟩ leaf through

inkjet [de^m] ink jet

inkjetprinter [de^m] inkjet printer

inklapbaar [bn] folding, collapsible

[1]**inklappen** [onov ww] ⟨mentaal instorten⟩ break down, collapse ◆ *na een druk weekend inklappen* break down after a busy weekend

[2]**inklappen** [ov ww] ⟨naar binnen vouwen⟩ fold in/up, collapse ◆ *de **poten** van een klaptafel inklappen* fold in/up the legs of a folding table

inklaren [ov ww] ⟨goederen⟩ enter, ⟨scheepv⟩ clear (inwards), clear through Customs ◆ *ingeklaarde **bagage*** cleared baggage; *een **schip** inklaren* clear (in) a ship

inklaring [de^v] ⟨goederen⟩ entering, entry, ⟨scheepv⟩ clearance, clearing (inwards) ◆ ***bewijs** van inklaring* clearance certificate; ⟨scheepv⟩ certificate of inward clearance, jerque note; ***bij** de inklaring* at Customs clearance

inklaringskantoor [het] custom(s) house

inkleden [ov ww] [1] ⟨in een vorm gieten⟩ frame, put, express ◆ *hij wist zijn **smoes** aardig in te kleden* he managed to make his excuse sound pretty plausible; *hoe zal ik mijn **verzoek** inkleden?* how shall I put my request? [2] ⟨r-k; in een orde opnemen⟩ receive the habit, ⟨non⟩ take the veil, ⟨monnik⟩ receive the cowl

inkleding [de^v] [1] ⟨bewoording⟩ wording, presentation, phrasing [2] ⟨r-k⟩ ± ceremony of taking the habit

inklemmen [ov ww] stick/jam in, ⟨met klem⟩ clamp, ⟨met wig⟩ wedge ◆ *ingeklemd **in** de file* stuck in the (traffic) jam

inkleuren [ov ww] colour (in) ◆ *een **gebied** inkleuren* col-

our (in) an area (on the map)
¹**inklinken** [onov ww] ⟨lager worden⟩ settle, bed down, ⟨vast worden⟩ set
²**inklinken** [ov ww] ⟨inhameren⟩ clinch ♦ ***spijkers/bouten** inklinken* clinch nails/bolts
inklinking [de^v] settlement, soil compaction
inklokken [ov ww] clock (in/on)
inkloppen [ov ww] ⟨comp⟩ bash in, type in, enter
inknikken [ov ww] head (the ball) in(to the goal)
inknippen [ov ww] [1] ⟨knippend maken⟩ cut/snip/clip out ♦ ***knoopsgaten** inknippen* cut out buttonholes [2] ⟨med⟩ carry out an episiotomy, perform an episiotomy
inknipping [de^v] ⟨med⟩ episiotomy
¹**inkoken** [onov ww] ⟨dikker worden⟩ reduce, boil down ♦ *de soep **laten** inkoken* reduce the soup; *inkoken **tot** de helft van het volume* reduce/boil down to half its volume
²**inkoken** [ov ww] ⟨dikker doen worden⟩ reduce, boil down ♦ *de **saus** is ingekookt* the sauce is reduced; *we hebben **vruchten** ingekookt* we've been boiling down fruit
inkom [de^m] ⟨in België⟩ [1] ⟨hal⟩ (entrance) hall, ⟨hotel⟩ vestibule, (main) lobby, ⟨hotel, theat⟩ foyer, ⟨station, vliegveld⟩ concourse, ⟨halletje in huis⟩ (small) hall, ⟨vnl AE; halletje in huis⟩ hallway ♦ *inkom **gratis*** free admission/entrance/entry [2] ⟨toegang⟩ entrance [3] ⟨toegangsprijs⟩ entrance fee, price of admission [4] ⟨het binnengaan⟩ entrance
¹**inkomen** [het] income, wages, resources, ⟨grote instellingen⟩ revenue ♦ ***afgeleid** inkomen* derived income; ⟨mv⟩ transfer incomes; *het **belastbaar** inkomen* the taxable/assessable income; *een groep met een **laag** inkomen* a low-income group; *het **maatschappelijk/nationaal** inkomen* the national income; *een **modaal** inkomen* an average income; *het **nominale** inkomen* the nominal income/wages; *zijn inkomen voor de belasting **opgeven*** do one's tax returns; *het **reële** inkomen* the real income; *inkomen **uit** arbeid* earnings, wages; *inkomen **uit** vermogen* income from capital; *een **vast** inkomen* a steady/fixed/regular income; *iemand met een **vast** inkomen* s.o. with/drawing a fixed income
²**inkomen** [onov ww] [1] ⟨binnenkomen⟩ enter, come in(to) ♦ ⟨fig⟩ *zij begint **er** juist in te komen* she's just beginning to get the hang of it; *de **stad** inkomen* enter the town [2] ⟨in-, aangebracht worden⟩ come in, be received, be handed in ♦ *inkomende **goederen*** incoming goods; *ingekomen **stukken/brieven/mededelingen*** incoming correspondence/letters/messages [•] *daar **komt** niets **van** in* that's out of the question, you'll do no such thing, I won't have it; *daar **kan** ik inkomen* I (can) appreciate that, I quite understand that
inkomensafhankelijk [bn] income-related, income-linked, ⟨uitkering⟩ means-tested, ⟨alleen na zelfstandig naamwoord⟩ subject to income, dependent on (one's) income, determined by (one's) income
inkomensaftrek [de^m] ⟨fiscus⟩ (tax) allowance, untaxed/untaxable income, tax-free sum
inkomensbeleid [het] income(s)/wages policy
inkomensgrens [de] (means-tested) income limit
inkomensheffing [de^v] ⟨in Nederland⟩ ⟨BE⟩ income tax and national insurance levy
inkomensklasse [de^v] income bracket
inkomenskloof [de] wage gap
inkomensnivellering [de^v] levelling/^Aleveling (of incomes), redistribution of wealth
inkomensonderzoek [het] means test
inkomensontwikkeling [de^v] income (change)
inkomensplaatje [het] general income situation ♦ *het inkomensplaatje van **Nederland*** the outline of incomes in Holland
inkomenspolitiek [de^v] income(s)/wages policy
inkomenssteun [de] income support
inkomenstoets [de^m] means test
inkomensverdeling [de^v] distribution of incomes
inkomgeld [het] ⟨in België⟩ admission (charge), entrance charge/fee
inkomkaart [de] ⟨in België⟩ (admission) ticket
inkomprijs [de] ⟨in België⟩ entrance fee, price of admission
inkomst [de^v] [1] ⟨intocht⟩ entry, entrance, arrival ♦ ***blijde** inkomst* entry in state [2] ⟨mv; wat aan geld ontvangen wordt⟩ ⟨dram⟩ (box-office) takings, receipts, ⟨loon⟩ income, earnings, ⟨bij grote instellingen⟩ revenue(s) ♦ *inkomsten **uit** beleggingen* unearned income; *inkomsten en **uitgaven*** receipts and expenditure; *zijn inkomsten **zijn** belangrijk **gestegen*** his earnings have gone up considerably
inkomstenbelasting [de^v] income tax
inkomstenbron [de] source of income
inkomstenderving [de^v] loss in/of income
inkoop [de^m] [1] ⟨handeling⟩ purchase, purchasing, buying ♦ *inkopen **doen*** go shopping; *hij is belast **met** de inkoop* he is in charge of purchasing; *in- en **verkoop** van tweedehands goederen* ⟨opschrift⟩ secondhand goods bought and sold [2] ⟨waar⟩ purchase, ⟨mv⟩ shopping ♦ *zijn **hele** inkoop zo spoedig mogelijk van de hand doen* sell off one's stock as fast as possible [3] ⟨prijs⟩ purchase/cost price ♦ *hoeveel **bedraagt** de inkoop daarvan?* what is the purchase price of that?; *zij **kostten** mij al zoveel inkoop* I paid as much for them myself
inkoopboek [het] purchase(s) book, bought book/journal, invoice book
inkoopcombinatie [de^v] buyers' combine/cooperative, purchasing cooperative
inkoopfactuur [de^v] account of goods purchased
inkooporder [het, de] buying order
inkooporganisatie [de^v] purchasing organization/consortium
inkoopprijs [de^m] purchase/cost price ♦ *iets **beneden/onder** de inkoopprijs verkopen* sell sth. below cost price
inkoopsom [de] sum required to buy o.s. into a firm, sum required to buy in years of service for one's pension, sum required for admission into a home
inkoopster [de^v] → **inkoper**
inkopen [ov ww] [1] ⟨voor zich kopen⟩ buy, purchase [2] ⟨kopen met het doel te verkopen⟩ buy, purchase ♦ *hij heeft zijn **waren** te duur ingekocht* he has paid too much for his goods, he has bought his goods too dear; *in het groot inkopen* buy in bulk [3] ⟨rechten verwerven⟩ purchase ♦ *(een bepaalde) **tijd** inkopen voor pensioen* buy in (a certain) time/a number of years for one's pension; ***zich** inkopen (in een zaak/genootschap)* buy o.s. into (a company/society)
inkoper [de^m], **inkoopster** [de^v] buyer, purchaser, buying/purchasing agent
inkoppen [ov ww, ook abs] ⟨sport⟩ [1] ⟨een doelpunt maken⟩ head (the ball) in(to the goal) ♦ *de **bal** werd ingekopt* the ball was headed in/home [2] ⟨in de richting van het doel koppen⟩ head (the ball) towards the goal
inkopper [de^m] obvious/easy question
inkorten [ov ww, ook abs] [1] ⟨korter maken, bekorten⟩ shorten, cut down, abbreviate, ⟨boek, film⟩ abridge ♦ ***takken** inkorten* trim/cut back branches; *een **touw** inkorten* shorten a piece of rope; *een **verhaal** inkorten* shorten/cut down/abridge a story [2] ⟨verminderen⟩ ⟨termijn, uitkering⟩ reduce, cut (down/back), ⟨macht⟩ curtail ♦ *iemands **straftijd** inkorten* reduce s.o.'s term (of imprisonment)
inkorting [de^v] shortening, ⟨termijn, uitkering⟩ reduction, cut(-back), ⟨macht⟩ curtailment ♦ ⟨jur⟩ *inkorting van **giften*** recovery/revocation of gifts
inkorven [ov ww] put into a basket, ⟨bijen⟩ hive
inkoud [bn] bitterly cold, ice-cold, stone-cold
inkrassen [ov ww] scratch in, cut in, carve in, ⟨afstrepen⟩ score ♦ *ingekraste **initialen*** initials scratched on, ⟨dieper⟩ initials carved in; *een **zoom** inkrassen* score/scratch/mark a seam

[1]**inkrimpen** [onov ww] [1] ⟨zich samentrekken⟩ ⟨stof⟩ shrink, ⟨verschrompelen⟩ shrivel ◆ *dit **materiaal** zal nog inkrimpen* this material will shrink [2] ⟨afnemen⟩ be reduced, decrease, remit, ⟨in formaat⟩ shrink, ⟨in duur⟩ get/grow shorter ◆ *zijn **straftijd** is al aardig ingekrompen* his term (of imprisonment) has been reduced/remitted quite a bit

[2]**inkrimpen** [ov ww] ⟨kleiner maken⟩ reduce, cut (down/back (on)), ⟨plan⟩ scale down, ⟨kracht, straf⟩ remit, ⟨gezag⟩ lower ◆ *het **personeel** inkrimpen* cut back/down (on) one's staff; *zijn **uitgaven** inkrimpen* reduce/cut down on/cut back one's expenditure, economize

inkrimping [de^{v}] [1] ⟨samentrekking⟩ ⟨stof⟩ shrinking, shrinkage [2] ⟨vermindering⟩ reduction, decrease, ⟨uitgaven⟩ cut(s), ⟨macht⟩ curtailment, ⟨kracht, straf⟩ remission

inkruipen [onov ww] [1] ⟨kruipend binnenkomen⟩ creep/crawl into ◆ *op handen en voeten kroop hij de **kamer** in* he crawled into the room on all fours [2] ⟨ook fig; ongemerkt binnenkomen⟩ creep/steal in(to) ◆ *hij **weet** overal in te kruipen* he manages to steal in everywhere

inkruisen [ov ww] cross/breed in

inkt [de^{m}] [1] ⟨vloeistof waarmee men schrijft⟩ ink ◆ *zo zwart **als** inkt* as black as ink, pitch-black; ⟨in België⟩ ***Chinese** inkt* India(n) ink; ⟨zeldz⟩ China ink; *een **flesje** inkt* a bottle of ink; ***met** inkt schrijven* write in ink; ***met** inkt overschrijven* ink in; ***onzichtbare/sympathetische** inkt* invisible/sympathetic/secret ink; ***Oost-Indische** inkt* India(n) ink; ⟨zeldz⟩ China ink; ⟨in België⟩ *veel inkt doen **vloeien*** set a lot of tongues wagging [2] ⟨drukinkt⟩ (printer's) ink [3] ⟨vocht dat de inktvis uitspuit⟩ ink, sepia

inktachtig [bn, bw] inky ⟨bw: inkily⟩, inklike

inktcartridge [de] ink cartridge

inkten [ov ww] ink (up), bray/roll ink

inktfles [de] inkbottle

inktgom [het, de^{m}] ink eraser/rubber

inktkoelie [de^{m}] ⟨beled⟩ pen-pusher

inktkoker [de^{m}] inkwell, inkpot

inktkussen [het] inking-pad

inktlap [de^{m}] penwiper

inktlint [het] (typewriter) ribbon

inktmop [de] inkblot, inkstain

inktpatroon [de] (ink) cartridge

inktpot [de^{m}] inkpot

inktpotlood [het] indelible pencil, copying (ink) pencil

inktreservoir [het] ink barrel/fount/container/reservoir

inktrol [de] ⟨drukw⟩ ink roller

inktstel [het] inkstand

inktvis [de^{m}] ⟨dierk⟩ [1] ⟨koppotig weekdier⟩ ⟨alg⟩ cephalopod, ⟨achtarmig⟩ octopus, ⟨tienarmig⟩ cuttlefish, squid, inkfish [2] ⟨mv; geslacht⟩ cephalopoda

inktvlek [de] inkblot, inkstain

inktzwam [de] inky cap, ink mushroom

inktzwart [bn] ink-black, pitch-black

inkuilen [ov ww] ⟨vnl. m.b.t. groenvoer⟩ ensile, ensilage, silo, ⟨vnl. m.b.t. aardappelen⟩ (store in a) pit, ⟨BE⟩ clamp

inkuiling [de^{v}] (en)silage

inkwakken [ov ww] ⟨inf⟩ chuck, hurl

inkwartieren [ov ww] [1] ⟨mil⟩ billet (with/on), quarter (on) ◆ *soldaten inkwartieren **bij*** billet troops on; *ingekwartierd **worden*** be billeted [2] ⟨logies verschaffen⟩ lodge, provide with lodging

inkwartiering [de^{v}] billet(ing), quarter(ing) ◆ ***biljet** van inkwartiering* billet; *inkwartiering **hebben*** have troops billeted on one

inl. [afk] [1] (inleiding) intr [2] (inlichting(en)) inf(o)

inlaag [de] deposit ◆ *de winst naar **verhouding** van de inlagen verdelen* divide the profit in proportion to the stakes

inlaat [de^{m}] inlet, intake

inlaatduiker [de^{m}] inlet, sluice

inlaatklep [de] ⟨techn⟩ inlet/intake valve

inlaatsluis [de] inlet, sluice

inladen [ov ww] [1] ⟨bevrachten⟩ load, ⟨m.b.t. schip ook⟩ ship ◆ ***opnieuw** inladen* re-load [2] ⟨zich volstoppen⟩ stuff o.s., shovel in one's food

inlander [de^{m}], **inlandse** [de^{v}] native

inlands [bn] [1] ⟨van, in het land zelf⟩ native, ⟨m.b.t. vreemd land⟩ autochthonous, ⟨m.b.t. eigen land⟩ internal, domestic, homegrown ◆ *inlandse **gewassen*** native/indigenous crops; ⟨in eigen land⟩ homegrown crops; *inlandse **onlusten*** internal/domestic riots [2] ⟨m.b.t. de inheemse bevolking⟩ native, autochthonous ◆ ⟨zelfstandig (gebruikt)⟩ *een inlandse* a native woman; *een inlandse **huisbediende*** a boy; *een inlands **meisje*** a native girl; *inlands **recht*** local (customary) law; ⟨m.b.t. kolonies⟩ colonial law; ⟨m.b.t. Indonesië⟩ adat law

inlandse [de^{v}] → **inlander**

inlappen [ov ww] ⟨in België⟩ take in, fool, trick

inlas [de^{m}] [1] ⟨las⟩ weld, joint, seam [2] ⟨ingevoegd stuk⟩ insertion, ⟨in krant⟩ stop-press news, fudge, ⟨in tekst van ander⟩ interpolation, intercalation ◆ *in het toneelstuk **heeft** een inlas **plaatsgevonden*** some new material has been inserted into the play

inlassen [ov ww] [1] ⟨invoegen⟩ insert, introduce, put in, ⟨in tekst van ander⟩ interpolate ◆ ***citaten** inlassen in zijn redevoering* punctuate one's speech with quotations; *een **trein/boot** inlassen* put on/run an extra train/boat [2] ⟨met een las invoegen⟩ let in, mortise, mortice

inlassing [de^{v}] [1] ⟨het invoegen⟩ insertion, introduction, putting in, interpolation [2] ⟨het ingevoegde⟩ insert(ion), inset, interpolation, parenthesis

[1]**zich inlaten** [wk ww] ⟨zich bemoeien⟩ meddle (with/in), concern o.s. (with), become involved (with) ◆ ***daar** kun je je beter niet **mee** inlaten* that is best left alone; *zich **met** niemand inlaten* keep (o.s.) to o.s.; *zich **met** politiek inlaten* meddle in politics; *zich inlaten **met** speculeren* embark on/engage in speculation; *laat je vooral niet in **met** ...* leave ... severely/strictly alone, steer clear of ...; *niemand wou zich **met** haar inlaten* nobody would have anything to do with her, they all fought shy of her; *zich inlaten **met** dergelijke mensen* consort/associate with such people; *zich **met** een gevaarlijke zaak inlaten* get mixed up in a dangerous affair/business; *zich niet inlaten **met** zijn medestudenten* keep aloof from one's fellow students; ***met** zulke kleinigheden laat ik mij niet in* I'm not interested in such trivialities, I won't concern myself with such trivialities

[2]**inlaten** [ov ww, ook abs] [1] ⟨binnenlaten⟩ let in, show/allow in, admit ◆ *na tien uur worden geen **bezoekers** meer ingelaten* no visitors after ten o'clock [2] ⟨in laten stromen⟩ let in ◆ *vers **water** inlaten* let in fresh water

inlaut [de^{m}] ⟨taalk⟩ inlaut

inleg [de^{m}] [1] ⟨het inleggen van geld⟩ deposit(ing) [2] ⟨inzet⟩ ⟨bank⟩ deposit, ⟨weddenschap⟩ stake ◆ *de hele inleg **winnen*** win all the stakes [3] ⟨m.b.t. een sigaar⟩ filler [4] ⟨zoom⟩ hem, tuck, seam

inlegblad [het] [1] ⟨inlegvel⟩ insert, supplementary sheet ◆ *een inlegblad **in de boekjes*** a supplementary sheet in the booklets [2] ⟨los tafelblad⟩ (table) leaf

inlegboekje [het] liner

inlegeren [ov ww] billet, quarter

inlegering [de^{v}] billeting, quartering

inleggeld [het] deposit, ⟨weddenschap, aandelen⟩ stake

inleggen [ov ww] [1] ⟨geld inbrengen⟩ deposit, ⟨bij weddenschap/spel⟩ stake, ⟨in firma⟩ invest, subscribe ◆ ***spaargelden** inleggen* deposit savings [2] ⟨m.b.t. kledingstuk⟩ take in [3] ⟨in, binnen, tussen iets leggen⟩ put in/down, throw in/down ◆ ***aardappelen** inleggen* plant potatoes; *een **net** inleggen* throw out a net [4] ⟨conserveren⟩ preserve, ⟨in suiker⟩ conserve, ⟨in zuur⟩ pickle [5] ⟨tussenvoegen⟩ insert [6] ⟨in een groef voegen⟩ let in, mortise, mortice [7] ⟨anders gekleurde stukjes inzetten⟩ inlay, ⟨met diamanten⟩ encrust, set, ⟨met stukjes glas⟩ tessellate ◆ *met diamanten ingelegde broche* a brooch set with diamonds; *een tafel/een doos inleggen* inlay a table/box ⊡ *ergens eer mee inleggen* derive great honour from sth.

inlegger [de^{m}], **inlegster** [de^{v}] depositor

inlegkapitaal [het] invested/subscribed capital

inlegkruisje [het] panty shield, (press-on) pantyliner

inlegluier [de] ⟨BE⟩ nappy liner, ⟨AE⟩ diaper pad/liner

inlegraampje [het] ⟨foto⟩ (plate-)carrier

inlegster [de^{v}] → **inlegger**

inlegvel [het] insert, supplementary sheet ◆ *losse inlegvellen in brochures* supplementary sheets in brochures

inlegwerk [het] inlay, inlaid work, ⟨mozaïek⟩ mosaic, tessellation, marquetry, ⟨hout⟩ parquetry

inlegzool [de] insole, innersole

inleiden [ov ww] [1] ⟨binnenleiden⟩ lead in, usher in [2] ⟨introduceren⟩ introduce ◆ *een spreker bij het publiek/een kandidaat bij de kiezers inleiden* introduce a speaker to an audience/a candidate to the electorate [3] ⟨voorlopig behandelen⟩ introduce, preface ◆ *zijn toespraak met enkele opmerkingen inleiden* introduce/preface one's talk with a few remarks [4] ⟨ingang doen vinden⟩ introduce, initiate, usher in, prepare ⊡ *een bevalling inleiden* induce labour/a pregnant woman

inleidend [bn] introductory, ⟨opmerkingen ook⟩ prefatory, ⟨werkzaamheden⟩ preliminary, ⟨stappen⟩ initiatory, preparatory ◆ *een inleidend artikel* an introductory/a lead-in article, a prolusion; *inleidende besprekingen* preliminary/exploratory talks; *een inleidende cursus* an introductory course, a survey; ⟨jur⟩ *inleidende dagvaarding* initiatory summons; ⟨mil⟩ *inleidende gevechten* preliminary fighting; *een inleidend praatje* an introductory talk; *een inleidende spreker* an introductory speaker; ⟨jur⟩ *inleidend verzoekschrift* initiatory application/summons; *een inleidend woord* a word of introduction

inleider [de^{m}], **inleidster** [de^{v}] speaker ◆ *als inleider uitgenodigd zijn* be invited to speak

inleiding [de^{v}] [1] ⟨woorden vóór het eigenlijke onderwerp⟩ introductory remarks, ⟨form⟩ prefatory remarks, preamble ◆ *ter inleiding van* as/by way of introduction to; *dat verhaal was de inleiding tot haar verzoek* that story just served to prepare me for her request [2] ⟨voorwoord, introductie⟩ introduction, preface, foreword ◆ *inleiding tot/in/op* introduction to [3] ⟨causerie⟩ speech, address, lecture ◆ *een inleiding houden over iets voor een groot publiek* read/present a paper/deliver an address on sth. before a large audience [4] ⟨voorbereiding tot kennis, begrip van iets⟩ introduction

inleidster [de^{v}] → **inleider**

inlelijk [bn] hideous

zich inleven [wk ww] put/imagine o.s. (in), empathize (with) ◆ *zich in een boek inleven* immerse o.s. in a book; *zich in een situatie/rol inleven* imagine o.s. in a situation, enter into/project o.s. into a role

^{1}**inleveren** [ov ww] ⟨(verplicht) doen toekomen aan iemand⟩ hand in, turn in, ⟨onder dwang⟩ surrender, give up, ⟨jur⟩ forfeit ◆ *inleveren bij* hand in to; ⟨officiële instantie⟩ lodge with; *boeken/een verslag/strafwerk inleveren* hand/turn in books/a report/lines; *een verzoekschrift inleveren* submit a request; *wapens inleveren* give up/surrender arms; *weer inleveren* return, hand back

^{2}**inleveren** [ov ww, ook abs] ⟨afstand doen van koopkracht⟩ sacrifice, give (sth.) up, make a sacrifice ◆ *loon voor werk inleveren* sacrifice pay for more work/jobs; *we moeten allemaal wat inleveren* we must all tighten our belts

inlevingsvermogen [het] empathy, sympathy

^{1}**zich inlezen** [wk ww] ⟨door lezen thuisraken in een vakgebied⟩ read up (on), study the literature

^{2}**inlezen** [ov ww, ook abs] ⟨comp⟩ read in ◆ *gegevens inlezen* read in data

inlichten [ov ww] inform, enlighten, brief ◆ *uit wel ingelichte bron vernemen wij ...* we have heard from reliable sources ...; *meestal goed ingelichte mensen* usually well-informed/knowledgeable people; *inlichten omtrent* inform about; *verkeerd inlichten* misinform; *zich laten inlichten* acquaint/familiarize o.s. with the facts

inlichting [de^{v}] [1] ⟨informatie⟩ (piece of) information, tip ◆ *enkele nuttige inlichtingen* some valuable information; *voor nadere inlichtingen* for further particulars/information; *verkeerde inlichtingen* misinformation; *inlichtingen verstrekken* give information, inform; *inlichtingen verzameld door een detective* the intelligence collected by a detective/an investigator; *inlichtingen vragen/inwinnen* inquire, make inquiries, ask for information [2] ⟨mv; informatiedienst⟩ ⟨voorlichting⟩ information (office), inquiries, ⟨spionage⟩ intelligence (service) [3] ⟨het inlichten⟩ information, enlightenment

inlichtingenbureau [het] information/inquiry/inquiries office

inlichtingendienst [de^{m}] [1] ⟨informatiedienst⟩ information/inquiries office ◆ *militaire inlichtingendienst* military intelligence [2] ⟨geheime dienst⟩ intelligence (service), secret service

inlichtingenwerk [het] intelligence work

inlichtingsofficier [de^{m}] intelligence officer

inlijsten [ov ww, ook abs] frame

inlijven [ov ww] [1] ⟨m.b.t. personen⟩ incorporate (in/with), ⟨rekruten⟩ attest, conscript, draft, ⟨AE⟩ induct [2] ⟨m.b.t. grondgebied⟩ annex, conquer [3] ⟨m.b.t. zaken⟩ incorporate, merge, absorb

inlinen [onov ww] inline

inliners [de^{mv}] in-line skates

inlineskate [de^{m}] inline skate

inlineskaten [onov ww] inline skate

inlineskates [de^{mv}] in-line skates

in loco on the spot

inloggen [ww] ⟨comp⟩ log on, log in (on)

inlognaam [de^{m}] log-in name

inloodsen [ov ww] pilot in, ⟨fig ook⟩ steer in

inloop [de^{m}] [1] ⟨handeling⟩ entering, walking in, entrance, running/passing in [2] ⟨plaats⟩ open house ◆ *'t is hier een inloop voor iedereen* it is always open house here

inloopbaan [de] [1] ⟨atl⟩ warm-up track [2] ⟨fig; stagebaan⟩ starter job

inloopcentrum [het] walk-in office

inloophuis [het] ⟨BE⟩ drop-in centre

inloopkast [de] walk-in closet

inloopspreekuur [het] consultation without appointment, ⟨arts; BE⟩ open surgery, ⟨AE⟩ walk-in clinic

inlooptijd [de^{v}] apprentice/training period

inloopzaak [de] walk-in shop/^{A}store

^{1}**inlopen** [onov ww] [1] ⟨lopend ingaan⟩ walk/step into, ⟨gebouw⟩ enter, ⟨straat⟩ turn into ◆ ⟨fig⟩ *daar loopt niemand in* no one will fall for/buy that; ⟨fig⟩ *zij zal daar niet inlopen* she won't fall for/swallow that; ⟨fig⟩ *er iemand laten inlopen* fool s.o., take s.o. in; *ergens in- en uitlopen* walk in and out (of) somewhere, come and go; ⟨fig⟩ *wat ben je er ingelopen!* what a sell! [2] ⟨invaren⟩ put/run/sail into ◆ *de haven inlopen* put into port [3] ⟨inhalen⟩ catch up, gain (on), overtake, ⟨schip⟩ forereach ◆ *op iemand inlopen* catch up/gain on s.o. [4] ⟨met vaart en kracht afkomen (op)⟩ run/head into ◆ *op iemand inlopen* run into s.o.; *tegen/op elkaar inlopen* ⟨van schepen⟩ run into each other, collide/meet (head on) [5] ⟨door lopen uitslijten⟩ wear out ⊡ *die beide meningen lopen lijnrecht tegen elkaar in* these two opinions are diametrically opposed

^{2}**inlopen** [ov ww] [1] ⟨schoenen, kleding gemakkelijker doen zitten⟩ wear in [2] ⟨vuil in huis brengen⟩ track in, ⟨in tapijt⟩ tread in, walk in ◆ *ingelopen vuil* tracked-in/in-

trodden dirt [3] ⟨door lopen breken⟩ kick in ◆ *een **deur/ruit** inlopen* kick down/in a door, knock in a window [4] ⟨lopend binnenboord trekken⟩ ± pull in [5] ⟨inhalen⟩ make up ◆ ***achterstand** inlopen* make up arrears
inlossen [ov ww] ⟨belofte⟩ redeem, ⟨schuld⟩ (re-)pay, pay off, meet, ⟨pand⟩ take out of pawn
inlossing [de^v] [1] ⟨m.b.t. belofte⟩ redemption, fulfilment, ⟨AE spelling ook⟩ fulfillment [2] ⟨m.b.t. effecten⟩ repayment
inloten [onov ww] draw a place (by lot), ⟨mil⟩ ± be drafted ◆ *hij is ingeloot **voor medicijnen*** he has drawn a place in the school of medicine
inlui [bn] bone idle, as lazy as can be
inluiden [ov ww] mark, herald, usher in ◆ *een nieuw **tijdperk** inluiden* mark/herald a new era
inmaak [de^m] [1] ⟨handeling⟩ preservation, bottling, ⟨in zuur⟩ pickling, ⟨met suiker⟩ conserving ◆ *een **boek** over de inmaak* a book about preserving [2] ⟨resultaat⟩ preserve, pickle, conserve, canned food
inmaakazijn [de^m] pickling vinegar
inmaakbrandewijn [de^m] brandy for preserving
inmaakfles [de] preserving bottle
inmaakfruit [het] preserving fruit
inmaakglas [het] preserving jar/bottle
inmaakgroente [de^v] [1] ⟨groente om in te maken⟩ preserving/pickling vegetables, vegetables (fit) for preservation [2] ⟨ingemaakte groente⟩ preserved/pickled/canned vegetables
inmaakpot [de^m] preserving jar
inmaakuitjes [de^mv] ⟨in te maken⟩ pickling onions, ⟨ingemaakt⟩ pickled onions
[1]**inmaken** [ov ww] ⟨fig; sport⟩ slaughter, murder, hammer, thrash, crush, butcher ◆ *ze werden ingemaakt **met** 7-0* they were slaughtered, 7-0
[2]**inmaken** [ov ww, ook abs] ⟨wecken⟩ preserve, ⟨in zuur ook⟩ pickle, ⟨met suiker ook⟩ conserve, ⟨in pekel ook⟩ brine, ⟨in fles ook⟩ bottle, ⟨in pot ook⟩ pot
in medias res in medias res
in medio in the middle/centre
[1]**in memoriam** [het] in memoriam
[2]**in memoriam** [bw] in memoriam
[1]**inmengen** [ov ww] ⟨door mengen in-, bijdoen⟩ mix in (with), add (to)
[2]**zich inmengen** [wk ww] ⟨zich bemoeien⟩ interfere (in/with), intervene (in), ↓meddle (in/with)
inmenging [de^v] interference (in/with), ↓meddling (in/with) ◆ *inmenging **in de binnenlandse aangelegenheden** van een land* interference in a country's internal affairs
inmeten [ov ww] [1] ⟨minder uitmeten dan er is⟩ give short measure ◆ ***op** dat stuk heeft hij 3 % ingemeten* he has given 3 % short on that sale [2] ⟨landmeetk⟩ measure
inmetselen [ov ww] [1] ⟨door metselen invoegen⟩ brick in, build in(to) ◆ *een ingemetseld **bad*** a built-in bath; *een ingemetselde **brandkast/kluis*** a built-in safe, a wall-safe; *een koperen **plaat** inmetselen* insert/build in a brass plate [2] ⟨met metselwerk omringen⟩ brick up/in, wall up/in, ⟨form⟩ immure ◆ *hij werd **levend** ingemetseld* he was walled in alive; *hij had zijn **schat** ingemetseld* he had walled up/incarcerated his treasure
inmiddels [bw] meanwhile, in the meantime, by now/then ◆ *ik **ben** zijn naam inmiddels **vergeten*** I'm afraid I've forgotten/I can't remember his name; *ik **ben** er inmiddels al drie keer **geweest*** since then I've been there (no less than) three times, I've already been there three times; *dat **is** inmiddels **bevestigd*** this has since/now been confirmed; *inmiddels **verblijf** ik* ⟨in brief⟩ Yours sincerely; *hij **was** inmiddels opnieuw **getrouwd*** he had remarried by then/in the meantime; *zij **weet** het inmiddels ook* she's heard about it as well by now; *hij **werkt** daar inmiddels alweer een jaar* he's already been working there for a year (now), it's already a year that he's been working there
inmoffelen [ov ww] [1] ⟨warm toedekken⟩ wrap up warm(ly), muffle up [2] ⟨wegmoffelen⟩ smuggle/spirit away
in-morastelling [de^v] ⟨jur⟩ declaration (of s.o.) in default
innaaien [ov ww] [1] ⟨naaiend sluiten in⟩ sew/stitch in(to) ◆ *smokkelwaar innaaien **in de kleding*** sew contraband into one's clothes [2] ⟨boek⟩ stitch, sew ◆ *ingenaaid **boek*** sewn book [3] ⟨korter, nauwer maken⟩ ⟨korter⟩ take up, ⟨nauwer⟩ take in ◆ ***hemdsmouwen** innaaien* take up/in shirtsleeves
inname [de] [1] ⟨verovering⟩ taking, capture, seizure [2] ⟨inzameling⟩ collection ◆ *inname lege **flessen*** bottle collection
in natura in kind ◆ ***betalen** in natura* pay in kind
innemen [ov ww] [1] ⟨m.b.t. geneesmiddelen⟩ take, swallow, ⟨med⟩ ingest, ⟨iron; stevig drinken⟩ get tanked up ◆ *innemen **met** wat water* take with a little water; *iets **tegen** reisziekte innemen* take sth. for travel sickness; ⟨iron⟩ *hij is goed **van** innemen* ⟨voedsel⟩ he's fond of his food, ⟨inf⟩ he's fond of his grub; ⟨drank⟩ he's fond of his drink, ⟨inf⟩ he's fond of a drop, he can really/he (really) knows how to knock it back; *daar durf ik **vergif** op in te nemen* I'll bet my boots/my bottom dollar on that [2] ⟨m.b.t. een plaatsruimte⟩ take up, occupy ⟨ook post enz.⟩ ◆ *veel **plaats** innemen* take up/occupy a lot of room/space; *zijn **plaats** innemen* take one's seat; *een bijzondere **plaats** innemen* occupy a special place; *een belangrijke **plaats** innemen* hold/occupy an important position; feature (conspicuously); *een vooraanstaande **plaats** innemen* take a prominent position, be prominent(ly placed); ⟨fig⟩ *een bepaalde **positie** ter opzichte van elkaar innemen* take up a particular position/take a particular stand relative to one another; ⟨fig⟩ *een **post** gaan innemen* take up a post; ⟨fig⟩ *het **standpunt** innemen* take the view [3] ⟨veroveren⟩ take, capture, seize [4] ⟨vertrouwen, genegenheid winnen⟩ captivate, fascinate, charm ◆ *iemand **tegen** zich innemen* antagonize s.o., ↓get on the wrong side of s.o., ↓put/get s.o.'s back up, rub s.o. up the wrong way; *iemand **voor** zich innemen* win s.o. over, get on the right side of s.o.; *hij weet mensen **voor** zich in te nemen* he has a way with him, he has a winning manner [5] ⟨binnenhalen⟩ bring/take/fetch in ◆ *de **zeilen** innemen* furl the sails [6] ⟨aan boord nemen⟩ take on ◆ *het schip moet **brandstof/water** innemen* the ship has to take in fuel/water [7] ⟨inkorten⟩ ⟨korter⟩ take up, ⟨nauwer⟩ take in ◆ *een **jurk** van voren/achteren innemen* take a dress in/up at the front/back [8] ⟨verzamelen⟩ collect
innemend [bn, bw] captivating ⟨bw: ~ly⟩, ⟨vnl. kinderen/dieren⟩ engaging, winning, prepossessing, appealing ◆ *niet **erg** innemend* rather unprepossessing; *met een innemende **glimlach*** with an engaging/ingratiating/a winning smile; *hij is een erg innemend **iemand*** he really has a way with him/a captivating/an engaging personality; *een innemend **uiterlijk*** a captivating/prepossessing/an engaging appearance; *op innemende **wijze*** in a captivating/prepossessing/an engaging/appealing manner, captivatingly/engagingly/appealingly/...
innemendheid [de^v] charm, winning manner/ways, ingratiating manner/ways
innen [ov ww] collect ⟨ook belastingen, schulden⟩, ⟨cheque⟩ cash, ⟨contributie⟩ receive ◆ *een **cheque** innen* cash a cheque/^A check; ***contributies** innen* collect contributions; ***kwitanties** innen* collect payment, settle accounts; *te innen **wissels*** bills receivable
[1]**innerlijk** [het] (one's) inner self, (one's) nature ◆ *het innerlijk van de **mens*** the inner self/man
[2]**innerlijk** [bn, bw] [1] ⟨zich bevindend in de geest⟩ inner, inward ⟨bw: ~ly⟩ ◆ *haar meest innerlijke **gevoelens*** her innermost/deepest feelings; *innerlijke **rust*** inner calm; *inner-*

lijke ***strijd*** inner struggle/conflict [2] ⟨wat in het wezen ligt⟩ intrinsic ⟨bw: ~ally⟩, inherent, essential ♦ *innerlijke* ***beschaving*** innate refinement; *innerlijke* ***kracht*** inherent force/power; *innerlijk* ***samenhang*** intrinsic connection; *in innerlijke* ***tegenspraak*** self-contradictory [•] *innerlijk* ***overtuigd*** convinced deep-down

zich innestelen [wk ww] [1] ⟨zich ergens vestigen⟩ become rooted/implanted [2] ⟨m.b.t. eicel⟩ become implanted ♦ *de eicel moet zich innestelen* ***in*** *de baarmoederwand* the ovum must become implanted in the wall of the uterus

innesteling [de^{v}] implantation, ⟨med⟩ nidation

innestelingsbloed [het] first-trimester bleeding

^{1}**innig** [bn] [1] ⟨diep⟩ profound, deep(est) ♦ *met innige* ***deelneming*** with deepest condolences/sympathy; *zijn innige* ***deelneming*** *betuigen met iemands verlies* express one's deepest condolences/sympathy; *dat is mijn innige* ***overtuiging*** I am profoundly convinced of it, it is my profound conviction; *het is haar innige* ***wens*** it is her fervent/deepest wish [2] ⟨warm, waar⟩ ardent, fervent, heartfelt, fond ♦ *een innige* ***kus*** an ardent kiss [3] ⟨intiem⟩ close, deep, intimate ♦ *innige* ***contacten*** close/intimate contacts; *innige* ***vriendschap*** deep/intimate friendship [4] ⟨rel⟩ fervent

^{2}**innig** [bw] [1] ⟨in het binnenste plaatsvindend⟩ profoundly, (most) deeply [2] ⟨hartelijk⟩ dearly, fondly ♦ *iemand innig* ***liefhebben*** love s.o. very dearly; *innig met elkaar* ***omgaan*** be on very close terms [3] ⟨zeer dicht⟩ closely, deeply, intimately

innigheid [de^{v}] [1] ⟨het innig zijn⟩ closeness, intimacy, ⟨diepte⟩ profundity, depth, ⟨warmte⟩ ardour, fervour [2] ⟨rel⟩ fervour

^{1}**inning** [de^{m}] ⟨sport⟩ ⟨cricket⟩ innings, ⟨honkb⟩ inning

^{2}**inning** [de^{v}] ⟨invordering⟩ collection, ⟨belast, schulden⟩ recovery, ⟨cheque⟩ cashing, ⟨form⟩ encashment

innings [de^{m}] innings

in no time [bw] in no time, quickly

innovatie [de^{v}] innovation ♦ *innovatie* ***in*** *het onderwijs* educational innovation

innovatief [bn, bw] innovative ⟨bw: ~ly⟩, innovatory ♦ *innovatief* ***bezig*** *zijn* be making changes

innovatieprogramma [het] innovation programme/ ^{A}program

innovator [de^{m}] innovator

innoveren [ov ww] innovate ♦ *innoveren innoverend* ***werken*** introduce innovations

inoculatie [de^{v}] inoculation, vaccination

inoculeren [ov ww, ook abs] [1] ⟨ook fig; inenten⟩ ⟨ook fig⟩ inoculate, vaccinate [2] ⟨oculeren⟩ inoculate, graft

inoefenen [ov ww] learn/master (by practice), ⟨in België; m.b.t. gedicht/toneelstuk⟩ rehearse, study

inofficieel [bn, bw] unofficial ⟨bw: ~ly⟩

inopportuun [bn] inopportune ♦ *een inopportune* ***opmerking*** an inopportune/inappropriate remark

in optima forma [1] ⟨in de vereiste vorm⟩ in the proper form/manner [2] ⟨in de beste vorm⟩ perfect, in perfect condition, in top form

^{1}**inpakken** [onov ww] ⟨ophouden⟩ pack in, give it a rest ♦ *hij* ***kan*** *wel inpakken* he may as well pack it in/forget about it/give up; *inpakken en* ***wegwezen*** pack up and go, get packing

^{2}**inpakken** [ov ww] [1] ⟨in een koffer bergen⟩ pack (up), ⟨in krat⟩ crate, ⟨in balen⟩ bale ♦ *een* ***koffer*** *inpakken* pack a suitcase, ⟨BE ook⟩ pack a case [2] ⟨tot een pak maken⟩ pack up, ⟨in papier enz.⟩ wrap (up) ♦ ⟨bouwk⟩ *een* ***perceel*** *inpakken* fence off a plot of land (with a hoarding); *een* ***postpakket*** *inpakken* pack/wrap up a parcel [3] ⟨in dikke kleren, doeken hullen⟩ wrap up ♦ *een* ***kind*** *warm inpakken* wrap a child up warmly [4] ⟨inpalmen⟩ win over ♦ *zich* ***laten*** *inpakken door iemand/iets* fall for/let o.s. be taken in by s.o./sth. [5] ⟨verslaan⟩ trounce, ⟨inf⟩ walk all over ♦ *zich* ***laten*** *inpakken* come off worst; ⟨inf⟩ be taken to the cleaners, be taken in, ↓ get screwed; ⟨sport⟩ *de* ***tegenstander*** *inpakken* have/put one's opponent in one's pocket, walk all over one's opponent

inpakker [de^{m}] packer

inpakpapier [het] wrapping paper

inpaktafel [de] packing/packaging table

inpalmen [ov ww] [1] ⟨voor zich winnen⟩ charm, win over, ⟨bedrog⟩ take in ♦ ***iemand*** *inpalmen* win s.o. over; ⟨door vleierij⟩ get round s.o., butter s.o. up; ⟨bedriegen⟩ take s.o. in; *zij* ***laat*** *zich door iedere man inpalmen* she falls for/she's a push-over for any man; *zich door iemand* ***laten*** *inpalmen* fall for s.o.'s tricks/line, get taken in (by s.o.); *zij* ***probeerde*** *hem in te palmen* she made a dead set at him [2] ⟨toe-eigenen⟩ grab, nab, ⟨geld ook⟩ pocket [3] ⟨naar zich toehalen⟩ haul/gather/pull in

inpandig [bn, bw] walled-in ♦ *een inpandige* ***garage*** a built-in garage

inpassen [ov ww] [1] ⟨invoegen in een bestaand geheel⟩ fit in ♦ *iemand inpassen* ***in*** *een salarisschaal* place s.o. in a wage scale [2] ⟨juist passend maken⟩ fit in

inpekelen [ov ww] pickle, souse, salt (down)

inpeperen [ov ww] [1] ⟨betaald zetten⟩ get even with (s.o.) (for) ♦ *dat zal ik* ***hem*** *inpeperen* I'll get even with him, I'll fix him; *ik heb 't* ***hem*** *behoorlijk ingepeperd* I got good and even with him, I got (some of) my own back on him, I fixed him good and proper [2] ⟨zeer duidelijk maken⟩ make (s.o.) understand sth. good and proper [3] ⟨in België; afranselen⟩ thrash, wallop, let (s.o.) have it

inperken [ov ww] restrict, curtail ♦ *de* ***uitgaven*** *inperken* cut down/back (on)/restrict/curtail expenditure(s); *iemands* ***vrijheid*** *inperken* restrict/curtail s.o.'s freedom

inperking [de^{v}] curtailment ♦ *borgstelling ad ... met een* ***jaarlijkse*** *inperking* surety bond for ..., reducing annually

in persona [bn] in person

in petto in store/reserve, ⟨inf⟩ up one's sleeve ♦ *ik* ***heb*** *voor jou nog iets in petto* I've got sth. else in store for you; *zij* ***hebben*** *nog iets in petto* they've got sth. else up their sleeve, they're keeping sth. back; *dat* ***houden*** *we nog in petto* we'll keep that in reserve, we'll keep that to fall back on

inpik [de^{m}] ⟨sport⟩ entry

^{1}**inpikken** [onov ww] ⟨in België⟩ ⟨inhaken⟩ take up

^{2}**inpikken** [ov ww] [1] ⟨pakken⟩ grab, ⟨snel, handig⟩ bag, snap up, ⟨stelen⟩ nab, pinch ♦ *iemands* ***plaats*** *inpikken* pinch/grab/nab s.o.'s seat; *de beste* ***plaatsen*** *inpikken* snap up the best seats; *alles* ***proberen*** *in te pikken* try to hog the lot/walk off with everything; *pik in, 't is winter* grab it while the going's good, snap it up while it's there [2] ⟨aanleggen⟩ fix (up), ⟨inf⟩ wangle ♦ *iets* ***handig*** *inpikken* wangle/fix sth. neatly; *dat heb je* ***handig*** *ingepikt* you fixed/wangled that neatly [3] ⟨een roeispaan in het water steken⟩ enter

inplakken [ov ww] stick/glue/paste in ♦ ***foto's*** *inplakken in een album* stick photos in an album

inplannen [ov ww] plan for

inplant [de^{m}] [1] ⟨jonge aanplant⟩ (new) plantation [2] ⟨implantatie⟩ implant(ation), insert(ion)

inplanten [ov ww] [1] ⟨in de grond zetten⟩ plant [2] ⟨passief: ingezet zijn⟩ be situated ♦ *zijn haar is* ***laag*** *ingeplant* he has a low hairline [3] ⟨med⟩ implant, insert [4] ⟨in België; vestigen⟩ locate, set up, establish

inplanting [de^{v}] [1] ⟨handeling, toestand⟩ (im)planting, implantation, ⟨med ook⟩ insertion, ⟨van ideeën ook⟩ inculcation [2] ⟨wijze⟩ → **haarinplant** [3] ⟨in België; vestiging⟩ location, site

inplantingsplaats [de] ⟨in België⟩ location

in pleno in plenary/full session, at plenary level ♦ *in pleno* ***vergaderen*** hold a plenary meeting/session; *een* ***vergadering*** *in pleno* a plenary (meeting/session)

inpluggen [ov ww] ⟨audio⟩ plug in

inpolderen [ov ww] drain, ⟨vnl. m.b.t. Nederland⟩ impolder

inpoldering [de^{v}] [1] ⟨handeling⟩ (land) reclamation, ⟨vnl. m.b.t. Nederland⟩ impoldering [2] ⟨resultaat⟩ (piece of) reclaimed land, ⟨vnl. m.b.t. Nederland⟩ polder

inpompen [ov ww] [1] ⟨iemand iets leren⟩ drill/drum in(to) ◆ *ik heb het er **bij** hem moeten inpompen* I had to drill/drum it into him [2] ⟨door middel van een pomp inbrengen⟩ pump in(to)

inponsen [ov ww] put on punchcards/tape

^{1}**inpraten** [onov ww] [1] ⟨overreden⟩ talk (s.o.) into (sth.), talk round, work on ◆ ***op** iemand inpraten* work on s.o., try to talk s.o. round [2] ⟨zichzelf verraden⟩ give o.s. away ◆ *hij heeft zich er **lelijk** ingepraat* he has talked himself into a real corner

^{2}**inpraten** [ov ww] ⟨iemand (iets) wijsmaken⟩ make (s.o.) believe

inprenten [ov ww] impress ((up)on), instil/^{A}instill (into), ↑ inculcate (into), ⟨in geheugen⟩ imprint, ⟨inf⟩ drill/drum into ◆ *dat heb ik hem **terdege** ingeprent* I really drummed it into him; *dat was haar **voortdurend** ingeprent* that had always been drummed into her; ***zich** iets (goed) inprenten* get sth. (firmly) into one's head/mind

inprijzen [ov ww] factor in

in print [bw] in print

inproppen [ov ww] cram (into)

input [de^{m}] input

inquisiteur [de^{m}] ⟨gesch⟩ inquisitor

inquisitie [de^{v}] [1] ⟨onderzoek naar misdrijven⟩ (Government) inquiry [2] ⟨gesch; rechtbank⟩ inquisition [3] ⟨ketterjacht⟩ inquisition

inquisitiedemocratie [de^{v}] inquisition democracy

inquisitoir [bn] ⟨jur⟩ prosecuting

inquisitoriaal [bn] [1] ⟨m.b.t. het ambt van inquisiteur⟩ inquisitorial [2] ⟨als van een inquisiteur⟩ inquisitorial

inramen [ov ww] frame ◆ ***dia's** inramen* mount slides

inregenen [onov ww] rain in ◆ ***het** regent hier in* the rain's coming in/through

inreisvergunning [de^{v}] entry permit

inreisvisum [het] entry visa

inrekenen [ov ww] pull/haul in, ⟨inf⟩ run in, ⟨meer mensen ook⟩ round up ◆ *zich **laten** inrekenen* give o.s. up, turn o.s. in

inrichten [ov ww] [1] ⟨iets in orde brengen⟩ arrange, organize [2] ⟨gereed maken voor gebruik, bewoning⟩ equip, fit up/out, ⟨meubelen⟩ furnish, ⟨inf⟩ fix up ◆ ***als** slaapkamer ingericht* fixed up/equipped as a bedroom; *een vertrek was ingericht **als** wachtkamer* one room was made into a waiting room; *de huiskamer **anders** inrichten* rearrange the living room; *een **compleet** ingerichte keuken* a fully-equipped kitchen; *een **goed** ingericht huis* a well-appointed house; *zij hebben hun **huis** laten inrichten* they've had their house furnished; *een **modern** ingerichte woning* a modern flat/^{A}apartment; ***op** logés zijn wij niet ingericht* we're not (really) equipped for guests; *een **volledig** ingerichte bar* a fully-equipped bar; *ergens speciaal **voor** ingericht zijn* be specially fixed up/equipped for sth.; ***zich** inrichten* set up house, settle in; *een modern ingericht **ziekenhuis*** a modern hospital [3] ⟨regelen, ordenen⟩ arrange, organize, ⟨inf⟩ fix ◆ *het onderwijs **anders** inrichten* re-organize education; ***zijn leven** op een bepaalde manier inrichten* organize/arrange one's life in a particular way; *je moet het zo **zien** in te richten, dat ik naast je kom te zitten* you must arrange/fix it so that I (can) sit next to you [4] ⟨in België; organiseren⟩ organize, set up

inrichter [de^{m}] ⟨in België⟩ organizer

inrichting [de^{v}] [1] ⟨aankleding⟩ design, ⟨indeling ook⟩ layout ◆ *de inrichting van een **huis*** the design/interior of a house [2] ⟨niet-commerciële instelling⟩ institute, institution, establishment [3] ⟨gesticht⟩ institution ◆ ***halfopen** inrichting* half-open institution; ***in** een inrichting zitten* be in an institution; *iemand **in** een inrichting plaatsen/opnemen* admit s.o. to/put s.o. in an institution, institutionalize s.o.; *iemand in een **open** inrichting plaatsen* admit s.o. to an open institution; ⟨scherts⟩ *hij is rijp voor een inrichting* he's certifiable, he's a suitable case for treatment, he's one for the madhouse [4] ⟨wijze van organisatie⟩ organization, arrangement, ⟨inf⟩ set-up ◆ *de inrichting van de **staat*** the organization of the State, ⟨form⟩ the polity of the State [5] ⟨constructie⟩ construction, design

inrichtingsassistent [de^{m}], **inrichtingsassistente** [de^{v}] ⟨BE⟩ (hospital/psychiatric) social work aide, ⟨AE⟩ (nurse's) aide

inrichtingsassistente [de^{v}] → **inrichtingsassistent**

inrichtingskosten [de^{mv}] ⟨huis⟩ settling-in expenses, ⟨bedrijf⟩ starting-up costs/expenses

inrichtingswerk [het] ⟨in ziekenhuis; BE⟩ hospital social work, ⟨AE⟩ medical social work, ⟨in psychiatrische inrichting⟩ psychiatric social work, ⟨in tehuis; BE⟩ residential social work, ⟨AE⟩ geriatric social work

inrichtingswerker [de^{m}], **inrichtingswerkster** [de^{v}] ⟨in ziekenhuis; BE⟩ hospital social worker, ⟨AE⟩ medical social worker, ⟨in psychiatrische inrichting⟩ psychiatric social worker, ⟨in tehuis; BE⟩ residential social worker, ⟨AE⟩ geriatric social worker

inrichtingswerkster [de^{v}] → **inrichtingswerker**

inrijbaan [de] warm-up track

^{1}**inrijden** [onov ww] [1] ⟨naar binnen rijden⟩ ride in(to), ⟨auto⟩ drive in(to) ◆ *hij reed de **straat** in* he turned into the street [2] ⟨rijdend raken⟩ run/drive into, collide (with) ◆ *recht **op** iemand inrijden* ride/drive right into s.o.; *de auto's reden **op** elkaar in* the cars collided, the cars ran into each other

^{2}**inrijden** [ov ww] [1] ⟨rijdend binnenbrengen⟩ ride in(to), ⟨auto⟩ drive in(to) ◆ *zijn auto **achteruit** de garage inrijden* back (one's car) into the garage; *hij reed zijn **auto** de garage in* he drove his car into the garage [2] ⟨geschikt maken voor gebruik⟩ ⟨auto⟩ run in, ⟨paard, schaatsen⟩ break in ◆ *ik ben **hem** nog aan het inrijden* I'm still running (it) in

inrijgen [ov ww] [1] ⟨in iets anders rijgen⟩ string, thread ◆ *nieuwe **veters** inrijgen* thread new laces [2] ⟨nauwer maken⟩ lace up (more tightly) ◆ ***zich** inrijgen* lace o.s. up (more tightly)

inrijperiode [de^{v}] [1] ⟨m.b.t. auto's⟩ running-in/^{A}breaking-in period ◆ ***gedurende** de inrijperiode* while running-in [2] ⟨beginperiode⟩ running-in period

inrit [de^{m}] [1] ⟨plaats⟩ entry, entrance, way in [2] ⟨oprijlaan⟩ drive(way) [3] ⟨het inrijden⟩ entry ◆ ***geen** inrit* no entry/entrance

inroepen [ov ww] call in/(up)on, enlist, appeal to, invoke ◆ *iemands **diensten** inroepen* call (up)on s.o.'s services, avail o.s. of s.o.'s services; *iemands **hulp** inroepen* call in/enlist s.o.'s help, call (up)on s.o. for help; *de **hulp** van de politie inroepen* call (in) the police, call (up)on the police for help, enlist the help of the police

inroesten [onov ww] [1] ⟨door de roest ingevreten worden⟩ rust, go rusty ◆ *de **auto** roest in* the car is going rusty [2] ⟨door roesten vastklemmen⟩ rust solid/up ◆ *het **slot** is ingeroest* the lock has rusted solid [•] *ingeroeste **vooroordelen*** (deeply) ingrained/deep-rooted prejudices

^{1}**inrollen** [ov ww] [1] ⟨tot een rol maken⟩ roll up [2] ⟨inwikkelen⟩ wrap up ◆ ***zich** warmpjes inrollen* wrap (o.s.) up warmly [3] ⟨met een rol in de akker persen⟩ roll in

^{2}**inrollen** [ov ww, ook abs] ⟨rollende komen, brengen in⟩ roll in(to) ◆ *de bal rolde het **doel** in* the ball rolled into the goal

inroosteren [ov ww] ⟨onderw⟩ schedule ◆ *vrije **dagen** inroosteren* schedule some days off

inruil [de^{m}] [1] ⟨het inwisselen⟩ exchange [2] ⟨inlevering van een oud product⟩ trading-in, ⟨BE⟩ part exchange ◆ *wij* *bieden nu minimaal € 2000 bij inruil van uw oude auto* we are now offering no less than 2,000 euros in part exchange for your old/used car/as a trade-in price; *door inruil verkregen* obtained in part exchange

inruilactie [de^{v}] trade-in/part-exchange offer

inruilauto [de^{m}] trade-in (car) ◆ *de inruilauto bracht weinig op* we didn't get much for our old car

inruilen [ov ww] [1] ⟨inwisselen⟩ exchange ◆ *goud inruilen* ⟨tegen geld⟩ cash in gold; ⟨tegen iets anders⟩ trade in gold [2] ⟨een oud product inleveren⟩ trade in, ⟨BE⟩ part-exchange ◆ *een auto inruilen* trade in a car [3] ⟨door ruiling verkrijgen⟩ exchange, ⟨vnl AE⟩ trade, ⟨inf⟩ swap ◆ *postzegels inruilen voor/tegen knikkers* swap stamps for marbles; *de prijscompensatie inruilen voor nieuwe arbeidsplaatsen* exchange/sacrifice indexing of wages for new jobs

inruiler [de^{m}] trade-in

inruilobject [het] trade-in/^{B}part-exchange item, trade-in/^{B}part-exchange article, ⟨inf⟩ trade-in

inruilpremie [de^{v}] trade-in/^{B}part-exchange bonus

inruilprijs [de^{m}] trade-in price

inruilwaarde [de^{v}] trade-in/^{B}part-exchange value

inruimen [ov ww] clear (out) ◆ *een kamer inruimen* clear out a room; *voor iemand een plaats inruimen* make room/clear a space for s.o., give s.o. room; *een belangrijke plaats inruimen voor iets* give sth. plenty of room, devote a lot of space to sth.; *in het wetsontwerp is een belangrijke plaats ingeruimd voor de rechten van minderheden* the bill gives a great deal of prominence to minority rights; a lot of space is devoted to the right of minority groups in the bill

inrukken [onov ww] ⟨mil⟩ [1] ⟨binnenrukken⟩ march in(to), enter ◆ *de vijand is de stad ingerukt* the enemy marched into/entered the town [2] ⟨in de kwartieren terugkeren⟩ dismiss, withdraw ◆ *de brandweer kon spoedig weer inrukken* the fire brigade/^{A}fire department was soon able to withdraw; ⟨fig⟩ *ik kon weer inrukken* I was able to clear off again; *ingerukt mars!* dismiss!; *de troepen laten inrukken* dismiss (the troops); *de troepen zijn weer ingerukt* the troops have returned to quarters

inscannen [ov ww] scan into a document

inschakelen [ov ww] [1] ⟨techn⟩ switch on, ⟨circuit⟩ connect ◆ *de stroom inschakelen* switch/turn on the current [2] ⟨doen meewerken⟩ call/bring in, involve ◆ *een adviesbureau inschakelen* call in a consultancy bureau; *een advocaat inschakelen* call in a lawyer; *de brandweer werd ingeschakeld bij de hulpverlening* the fire brigade/^{A}fire department was called in to assist; *slachtoffers van een ongeval weer in het arbeidsproces inschakelen* re-employ persons disabled as a result of an accident; *het leger inschakelen bij de oogst* call in the army to help with the harvest; *de ouders inschakelen bij het onderwijs* involve parents in education; *zijn invloedrijke vrienden inschakelen* pull strings

inschakeling [de^{v}] [1] ⟨van stroom⟩ switching-on [2] ⟨van mensen voor speciale dienst⟩ calling in, mobilization

inschalen [ov ww] put on a/the scale, rank ◆ *iemand te laag/te hoog inschalen* put s.o. too low/too high on the scale; *iemand opnieuw inschalen* put s.o. back on the scale

inschaling [de^{v}] (wage/pay) classification

inscharen [onov ww] erode

inschatten [ov ww] assess, estimate, evaluate, judge ◆ *de situatie volledig fout inschatten* completely misjudge the situation, assess the situation quite wrongly; *iets te laag/te hoog inschatten* underestimate/overestimate sth.; *iemand verkeerd inschatten* misjudge s.o., assess s.o. wrongly

inschatting [de^{v}] assessment, appraisal, evaluation

inschenken [ov ww, ook abs] pour (out) ◆ *iemand een drankje inschenken* pour s.o. (out) a drink; *zijn glas inschenken* fill one's glass; *schenk haar nog maar eens in* give her another drink; ⟨inf⟩ fill her up again; *zal ik iets inschenken?* would anyone like anything to drink?; *wat mag ik u inschenken?* what would you like to drink?, what are you drinking/having?; *de koffie staat ingeschonken* the coffee's poured; *hij schonk zich nog eens in* he poured himself another drink/helped himself to another drink/filled (up) his glass again

inschepen [ov ww] embark ◆ *troepen inschepen* embark troops; *zich inschepen* embark, go aboard/on board

inscheping [de^{v}] embarkation

inscheppen [ov ww] ⟨lepel⟩ spoon in(to), ⟨grote soeplepel⟩ ladle in(to), ⟨schop⟩ shovel in(to)

inscherpen [ov ww] ⟨fig⟩ impress ((up)on), drill/drum/din (into) ◆ *iemand zijn plichten inscherpen* drum/din s.o.'s duties into him, drill s.o. in his duties

¹inscheuren [onov ww] ⟨uitscheuren⟩ tear, rip ◆ *inscheuren bij de bevalling* tear/suffer tearing during childbirth; *dit laken scheurt overal in* this sheet is torn/ripped all over; *mijn nagel is ingescheurd* my nail is torn

²inscheuren [ov ww] ⟨naar binnen scheuren⟩ tear ◆ *een blaadje papier inscheuren* tear a sheet of paper

¹inschieten [onov ww] [1] ⟨mislopen⟩ go by the board, ⟨plannen ook⟩ fall through, ⟨inf⟩ go west ◆ *dat zal er wel bij inschieten* looks like I've had that/can say goodbye to that; *mijn lunch zal er wel bij inschieten* that's the end of my lunch, that's my lunch down the drain/gone for a burton, bang goes my lunch, looks as if I can forget my lunch; *het jaarlijkse uitstapje schoot erbij in* bang went the annual outing, the annual outing went down the drain/up the spout [2] ⟨vallen in⟩ land in, go/fall in(to) ◆ *voorover de sloot inschieten* land head first in/go head first into the ditch [3] ⟨ergens snel binnengaan⟩ dash/shoot in(to) ◆ *een zijstraat inschieten* dash/shoot into a sidestreet

²inschieten [ov ww] [1] ⟨iets van betekenis kwijtraken⟩ lose ◆ *er honderd euro bij inschieten* lose 100 euros on it, be 100 euros down (on it); *dan zou hij er geld bij ingeschoten hebben* then he'd have been the loser/have been out of pocket; *zijn leven erbij inschieten* lose one's life (doing sth.), pay (for sth.) with one's life [2] ⟨verbrijzelen⟩ smash, shatter ◆ *een ruit inschieten* smash/shatter a window [3] ⟨wapens e.d. testen, het afschieten voorbereiden⟩ find the range of ◆ *geweren/kanonnen inschieten* find the gun range; *zich inschieten* get one's eye in, find one's/the range

³inschieten [ov ww, ook abs] ⟨sport⟩ [1] ⟨inspelen⟩ warm up ◆ *bij het inschieten* during practice, while knocking the ball around; *zich inschieten* warm up, knock the ball about/^{A}around [2] ⟨in het doel schieten⟩ ⟨onovergankelijk werkwoord⟩ score, ⟨overgankelijk werkwoord⟩ shoot into the net, net ◆ *(de bal) keihard/onhoudbaar inschieten* rocket the ball into the net; *waarna X kon inschieten* whereupon X scored; *de bal voor het inschieten hebben* have an open goal

inschijnen [onov ww] shine in(to) ◆ *de zon scheen de kamer in* the sun shone into the room

inschikkelijk [bn, bw] accommodating ⟨bw: ~ly⟩, obliging, willing (to please), eager to please ◆ *niet erg inschikkelijk* rather uncompromising/unbending/unwilling; *zich zeer inschikkelijk tonen* be most accommodating/obliging/willing (to please), eager to please

inschikkelijkheid [de^{v}] obligingness, willingness (to please)

inschikken [ov ww] move up, move/sit closer (together) ◆ *als iedereen even wat inschikt* if everyone can just move up a bit/sit a bit closer (together)

inschoppen [ov ww] [1] ⟨ook fig; naar binnen schoppen⟩ kick in(to) ◆ *een bal de tuin inschoppen* kick a ball into the garden; ⟨sport⟩ *hij kon de bal zo inschoppen* he was able to just kick the ball in [2] ⟨door schoppen breken⟩ kick in/down ◆ *de deur inschoppen* kick the door in/down

inschrift [het] inscription

inschrijfformulier [het] registration form, ⟨wedstrijd ook⟩ entry form, ⟨sollicitatie⟩ application form, ⟨onderw⟩ enrolment/^{A}enrollment form ◆ *een inschrijfformulier invullen* fill in an entry/a registration/an enrolment/an application form, ⟨AE vnl⟩ fill out an entry/a registration/an enrolment/an application form

inschrijfgeld [het] registration fee, ⟨wedstrijd ook⟩ entry fee, ⟨onderw⟩ enrolment/^{A}enrollment fee ♦ *het inschrijfgeld **bedraagt** honderd euro* the registration/entry/enrolment fee is 100 euros

[1]**inschrijven** [onov ww] [1] ⟨zich verbinden tot het betalen van een bedrag⟩ put one's name down, subscribe ♦ *de donateurs schrijven **in voor** € 25* the donors put their names down for 25 euros [2] ⟨opgeven voor welke prijs men wil leveren⟩ tender, submit a tender ♦ *men kan zich inschrijven **bij** het secretariaat* you can sign up/put your name down at the office; ***hoog/laag** inschrijven* submit a high/low tender; ***lager/hoger** inschrijven dan een ander* submit a lower/higher tender than s.o. else; ***op** een werk laten inschrijven* put work out to tender [3] ⟨intekenen⟩ sign up, put one's name down ♦ *er werd voor 1 **miljard** ingeschreven op de staatslening* subscriptions to the government loan amounted to 1,000 million; *inschrijven **op** aandelen* subscribe for shares; *inschrijven **op** een boek* sign up for/put one's name down for a book; ***op** een lening inschrijven* subscribe to/sign for a loan

[2]**inschrijven** [ov ww] [1] ⟨m.b.t. zaken⟩ register, record, enter ♦ ⟨jur⟩ *een **hypotheek** inschrijven* register a mortgage; *is deze **post** al ingeschreven?* has this mail been registered/recorded yet? [2] ⟨m.b.t. personen⟩ register, ⟨wedstrijd ook⟩ enter, ⟨onderw⟩ enrol, ⟨AE⟩ enroll, ⟨inf⟩ sign up ♦ *een **deelnemer/lid** inschrijven* register/enrol/sign up a participant/member; ***gasten** in het hotelregister inschrijven* register hotel guests; ***iemand** als cursist inschrijven* enrol s.o. for a course; *ingeschreven **staan** bij een woningbouwvereniging* be registered with a housing association; *het aantal ingeschreven **studenten*** the number of students enrolled/registered; ***zich** (laten) inschrijven* sign up, enter, register, apply, enrol; ***zich** als student inschrijven* enrol/register as a student; ***zich** als kiezer laten inschrijven* register as a voter; ***zich** inschrijven bij het arbeidsbureau* sign on at the employment office; *er hebben **zich** 50 deelnemers ingeschreven* 50 participants have signed up/entered/registered [3] ⟨wisk⟩ inscribe ♦ *de ingeschreven **cirkel*** the inscribed circle

inschrijver [de^{m}] ⟨op bouwwerk/leverantie⟩ tenderer, tendering firm, ⟨m.b.t. lening⟩ subscriber

inschrijving [de^{v}] [1] ⟨het opnemen in een register⟩ registration, ⟨wedstrijd, boek⟩ entry, ⟨onderw⟩ enrolment, ⟨AE⟩ enrollment ♦ *het **aantal** inschrijvingen voor de cursus* the number of enrolments for the course; *inschrijving **in** het handelsregister* entry in the register of business names; *de inschrijving **moet** vóór 1 juli **plaatsvinden*** entries must be received by July 1st, you must have registered/enrolled by July 1st [2] ⟨intekening⟩ subscription, ⟨aanbesteding⟩ tender ♦ *verkopen **bij** inschrijving* sell by subscription; *de **laagste** inschrijving* the lowest tender; *inschrijvingen **op** naam* inscribed/registered stock; *een inschrijving **openen/openstellen*** call for bids/tenders; *de inschrijving **sluit** op 1 mei* the offer closes on 1 May

inschrijvingsbewijs [het] certificate of registration, ⟨onderw⟩ certificate of enrolment/^{A}enrollment

inschrijvingsdatum [de^{m}] ⟨m.b.t. uitboeking⟩ date of entry, ⟨m.b.t. een emissie⟩ subscription/offering date, ⟨m.b.t. een aanbesteding⟩ date for submitting tenders, date for sending in tenders

inschrijvingsformulier [het] ⟨m.b.t. een aanbesteding⟩ tender, ⟨m.b.t. aandelen/obligaties⟩ application form, ⟨m.b.t. onderw⟩ enrolment/^{A}enrollment/registration form

inschrijvingstermijn [de^{m}] registration/entry/application/enrolment/^{A}enrollment period, registration/entry/application/enrolment/^{A}enrollment date ♦ *de inschrijvingstermijn **loopt** op 1 mei **af*** registrations/entries must be received by May 1st; *de inschrijvingstermijn **verlengen*** extend the registration period

inschrijvingsvoorwaarden [de^{mv}] ⟨studenten, leden enz.⟩ conditions of/for registration, ⟨BE⟩ conditions of/for enrolment, ⟨AE⟩ conditions of/for enrollment, ⟨wedstrijd⟩ conditions of/for entry, ⟨aanvraging⟩ conditions of/for application

inschuifbaar [bn] collapsible, ⟨telescopisch⟩ telescopic, ⟨deur⟩ sliding ♦ *een inschuifbare **antenne*** a telescopic aerial/^{A}antenna; *een inschuifbare **deur*** a sliding door

inschuifladder [de] extendable ladder

inschuiftafel [de] extending table, table with extending leaves

[1]**inschuiven** [onov ww] ⟨met een schuivende beweging binnengaan⟩ slide/slip in(to), ⟨steels⟩ sidle in(to) ♦ *aarzelend de **kamer** inschuiven* slide/sidle hesitantly into the room

[2]**inschuiven** [ov ww] [1] ⟨naar binnen schuiven⟩ push/slide in ♦ *een **laatje** inschuiven* push/slide a drawer in; *het **tafelblad** inschuiven* slide the table-leaf (back) in [2] ⟨opschuiven⟩ push up/along, move up/along, shift up/along ♦ *de **stoelen** nog wat inschuiven* push/move/shift the chairs up/along a bit further

inscriptie [de^{v}] inscription, ⟨op munt/medaille⟩ legend ♦ *een pen **met** inscriptie* an inscribed pen

insect [het] insect ♦ ***schadelijke** insecten* insect pests, infurious insects

insectarium [het] [1] ⟨insectenhuisje⟩ insectary, insectarium [2] ⟨afdeling in een dierentuin⟩ insect house

insectenbeet [de] insect bite

insectenbestrijding [de^{v}] insect/pest control

insectenbestuiving [de^{v}] insect pollination

insectenbloem [de] entomophilous flower

insectenbloemig [bn] entomophilous

insectendodend [bn] insecticidal, pesticide

insectendoders [de^{mv}] carnivorous fungi

insectenetend [bn] insect-eating, insectivorous, entomophagous ♦ *insectenetende **dieren/planten*** insectivorous animals/plants; ⟨dieren ook⟩ insectivores

insecteneters [de^{mv}] insectivores, ⟨orde⟩ insectivora

insectenkenner [de^{m}] entomologist

insectenkunde [de^{v}] entomology

insectenlarve [de^{v}] larva, ⟨m.b.t. vlinder⟩ caterpillar, ⟨schadelijk⟩ armyworm, ⟨in koker levend⟩ caseworm

insectenplaag [de] plague of insects

insectenpoeder [het, de^{m}] insect powder

insecticide [het] insecticide

insectie [de^{v}] incision

[1]**insectivoor** [de^{m}] insectivore

[2]**insectivoor** [bn] insectivorous ♦ *insectivore **planten*** insectivorous plants

insectologie [de^{v}] entomology

insectoloog [de^{m}] entomologist

inseinen [ov ww] ⟨inf⟩ tip off, tip the wink, put wise (to sth.) ♦ *ze hebben **hem** kennelijk ingeseind* they've obviously tipped him off/tipped him the wink/put him wise (to it)

inseminatie [de^{v}] insemination ♦ ***kunstmatige** inseminatie* artificial insemination

insemineren [ov ww] (artificially) inseminate

ins en outs [de^{mv}] ins and outs, twists and turns ♦ *ik ken niet **alle** ins en outs van die **zaak*** I don't know all the ins and outs/twists and turns of the affair

inseraat [het] [1] ⟨bijlage⟩ supplement, ⟨brief⟩ enclosure [2] ⟨tussengevoegde mededeling⟩ insert

insereren [ov ww] insert

insert [de^{m}] [1] ⟨los blad⟩ insert [2] ⟨filmscène⟩ insert

insertie [de^{v}] insertion

inservicetraining [de] in-service training

insgelijks [bw] likewise, ⟨bij wensen⟩ (and) the same to you ♦ *gelukkig nieuwjaar! insgelijks* Happy New Year! (and) the same to you!

inside-information [de^{v}] inside information

insider [de^m] insider
insidertrading [de] insider trading
insigne [het] badge, ⟨ambtelijk, mv⟩ insignia ♦ *een insigne van de **padvinderij*** a scout's/scouting badge
insinuatie [de^v] 1 ⟨bedekte aantijging⟩ insinuation, innuendo ♦ *een **smerige/grove** insinuatie* a nasty/crude insinuation; *hou je insinuaties voor je* keep your insinuations to yourself 2 ⟨gerechtelijke aanzegging⟩ summons, warrant, writ
insinueren [ov ww] 1 ⟨op een bedekte manier aantijgen⟩ insinuate ♦ *insinuerende **woorden*** insinuating words, insinuations, innuendoes 2 ⟨gerechtelijk aanzeggen⟩ serve a writ/summons/warrant on
insisteren [onov ww] insist
¹**inslaan** [onov ww] 1 ⟨een richting nemen⟩ take, ⟨vnl. straat⟩ turn into ♦ *hij sloeg de verkeerde **straat** in* he turned into the wrong street; ⟨fig⟩ *een verkeerde **weg** inslaan* take the wrong path/turning, go the wrong way, go astray; ⟨fig⟩ *ze zijn daarmee de verkeerde **weg** ingeslagen* they're barking up the wrong tree/they've taken a wrong turning there; *nieuwe **wegen** inslaan* break new ground, blaze a (new) trail, be a pioneer; ⟨fig⟩ *je kunt hier twee **wegen** inslaan* there are two courses open to you; *een **zijstraat** inslaan* turn into/up/down a side-street 2 ⟨met een slag in iets doordringen⟩ strike, hit, ⟨bom⟩ land ♦ *de **bliksem** is hier ingeslagen* lightning has struck here; ***op** iemand blijven inslaan* hit s.o. repeatedly; *met de wapenstok **op** iemand inslaan* hit s.o. with one's truncheon 3 ⟨fig⟩ strike home, go down well, catch on, be a hit ♦ *het nieuws sloeg in **als** een bom* the news was/came as a bombshell; *de lezing sloeg in **bij** het publiek* the lecture went down well with the audience; *die **opmerking** sloeg in* the comment struck home; *zijn nieuwe **plaat** sloeg enorm in* his new record was a smash hit • ⟨boek⟩ *het **zetsel** inslaan* print the text, go to press
²**inslaan** [ov ww] 1 ⟨door slaan breken⟩ smash (in), bash (in), beat (in) ♦ *een **deur** inslaan* smash/bash a door down/in; *iemand de **hersens** inslaan* bash/beat s.o.'s brains in; *een **ruit** inslaan* smash a window 2 ⟨in voorraad nemen⟩ stock (up on/with), store, lay in (a stock of) ♦ ***drank** inslaan* stock up on/lay in (a stock of) drink; *te **veel**/te **weinig** van iets inslaan* overstock/understock sth. 3 ⟨omslaan⟩ turn/fold/tuck in 4 ⟨indrijven⟩ drive/knock in, ⟨spijker ook⟩ hammer in ♦ *een paal de **grond** inslaan* drive/knock a stake into the ground; *een **kram/spijker** inslaan* drive/knock in a staple/nail, hammer in a nail
³**inslaan** [ov ww, ook abs] ⟨inspelen⟩ practise, ⟨AE⟩ practice, warm up, ⟨tennis⟩ have a knock-up ♦ ***bij** het inslaan* during practice/the knock-up; *ik moet **me** eerst even inslaan* I've just got to practise/warm up first
inslachten [onov ww] lose weight (during slaughter)
inslag [de^m] 1 ⟨inweefsel⟩ weft, ⟨minder gebruikelijk⟩ woof ♦ *gemaakt met inslag van katoenen **garens*** with a cotton weft 2 ⟨ingeslagen deel⟩ ± seam, ± hem 3 ⟨het met een slag doordringen⟩ impact, landing, strike ♦ *de inslag van **meteorieten*** the impact of meteorites; *de **plaats** van inslag* the point/site of impact 4 ⟨strekking, tendens⟩ ⟨persoon⟩ streak, ⟨informatie⟩ slant, bias ♦ *een artikel met een duidelijk **commerciële** inslag* an article with an obvious commercial bias/slant (to it); *een partij met een **fascistische** inslag* a party with fascist leanings; *een **sadistische/sarcastische** inslag hebben* have a sadistic/sarcastic streak; *een theorie met een sterk **sociologische** inslag* a theory with a strong sociological bias/slant (to it)
inslagdraad [de^m] weft/woof (thread)
inslaggaren [het] weft, ⟨zijde⟩ tram
inslagkrater [de^m] impact crater
inslagpunt [het] impact point
inslagspoel [de] shuttle
inslagtheorie [de^v] impact theory
inslagzijde [de] tram
inslapen [onov ww] 1 ⟨indutten⟩ fall asleep, drop off to sleep, go to sleep 2 ⟨sterven⟩ fall asleep, pass away/on ♦ *jonge katjes **laten** inslapen* have kittens put to sleep/put down; ***vredig** inslapen* pass away peacefully, fall asleep 3 ⟨onverschillig worden⟩ be off (one's) guard, not be alert ♦ *omdat er geen concurrentie was, **dreigde** de directie in te slapen* since there was no competition, the management was in danger of being caught off guard; the lack of competition lulled the management into a false sense of security
inslapertje [het] ⟨inf⟩ 1 ⟨middel om in te slapen⟩ soporific 2 ⟨fantasiegedachte⟩ bedtime fantasy/thought, going-to-sleep thought
inslecht [bn] rotten (to the core) ♦ *in- en inslecht* bad through and through
inslijpen [ov ww] 1 ⟨door slijpen aanbrengen⟩ engrave ♦ *een glas met ingeslepen **figuren*** a glass with patterns engraved on it 2 ⟨passend slijpen⟩ grind ♦ *een fles met een ingeslepen **stop*** a bottle with a ground-glass stopper
inslijten [onov ww] wear/grind down ♦ *een ingesleten **drempel*** a worn doorstep
inslikken [ov ww] 1 ⟨naar binnen slikken⟩ swallow 2 ⟨niet helemaal uitspreken⟩ swallow ♦ ***woorden/klanken** inslikken* swallow words/sounds 3 ⟨niet uiten⟩ swallow ♦ *een **compliment** inslikken* swallow a compliment; *een **opmerking** inslikken* bite back a remark; *zijn **tranen** inslikken* swallow one's tears • *een **belofte** weer haastig inslikken* take back a promise
insluimeren [onov ww] 1 ⟨onvast in slaap vallen⟩ doze off 2 ⟨overlijden⟩ fall asleep, pass away/on 3 ⟨tot rust en kalmte komen⟩ slumber 4 ⟨onverschillig, vadsig worden⟩ be off (one's) guard, not be alert
insluipen [onov ww] 1 ⟨ongemerkt indringen⟩ steal/creep/sneak (one's way) in 2 ⟨fig⟩ creep in ♦ *er is helaas een kleine **fout** ingeslopen* unfortunately a small error has crept in
insluiper [de^m] sneak thief, intruder
insluiping [de^v] stealing/creeping/sneaking in ♦ ***diefstal** met insluiping* breaking and entering
insluipsel [het] abuse/habit/... that has developed, abuse/habit/... that has crept in
insluiten [ov ww] 1 ⟨bijsluiten⟩ enclose ♦ *een **antwoordformulier** insluiten* enclose an answer form; *ik sluit hierbij een **kopie** in* I enclose a copy 2 ⟨omgeven, omsingelen⟩ surround, enclose, close in, hem in, envelop, ⟨mil ook⟩ invest ♦ *we zijn **helemaal** ingesloten* we are completely surrounded; *het **plein** wordt geheel ingesloten door kantoorflats* the square is completely surrounded by office blocks; ⟨sport⟩ *een **tegenstander** insluiten* surround/hem in an opponent, ⟨hardlopen ook⟩ box in an opponent 3 ⟨opsluiten⟩ shut in, ⟨op slot⟩ lock in, ⟨wet⟩ enclose, entrap, encase ♦ ⟨bouwk⟩ *de **bodem** insluiten* encase/shutter the soil; ***in** een vloeistof ingesloten gasbellen* gas bubbles entrapped in a liquid; *de inbreker **liet** zich insluiten* the burglar let himself be shut/locked in; *ingesloten **worden*** be shut/locked in 4 ⟨impliceren⟩ imply
insluiting [de^v] 1 ⟨omsingeling⟩ surrounding, ⟨mil ook⟩ investment 2 ⟨het bijsluiten⟩ enclosure ♦ ***onder** insluiting **van*** enclosing
insluizen [ov ww, ook abs] pass in
¹**insmelten** [onov ww] 1 ⟨in volume verminderen⟩ melt down/away 2 ⟨slinken⟩ melt down/away 3 ⟨smeltend vervloeien in⟩ melt (into)
²**insmelten** [ov ww] 1 ⟨smeltend invoegen⟩ melt in(to) 2 ⟨door smelten bevestigen in⟩ melt in(to)
insmeren [ov + wk ww] ⟨overgankelijk werkwoord⟩ rub (with), ⟨met ...⟩ put ... on, ⟨wederkerend werkwoord⟩ put oil on ♦ *je moet je wel insmeren* rub o.s. with body lotion; *als je je niet insmeert, verbrand je* you'd better put some oil on; *iemand met **teer** insmeren* tar s.o.; *insmeren **met** vaseline/olie*

put some vaseline/oil on; *zal ik even je **rug** insmeren?* shall I put some oil on your back?; ***zich** insmeren met bodylotion* rub o.s. with body lotion

insmijten [ov ww] fling/hurl in(to)

^{1}**insneeuwen** [onov ww] ⟨door sneeuw ingesloten worden⟩ snow in/up ◆ ⟨fig⟩ *ingesneeuwd worden **in** een discussie* be overwhelmed in a discussion; *de **trein/het dorp** was ingesneeuwd* the train/village was snowed in/up/snowbound

^{2}**insneeuwen** [onpers ww] ⟨naar binnen sneeuwen⟩ ◆ *het sneeuwt in **op** zolder* the snow's coming into the attic/coming in through the roof

insnijden [ov ww] [1] ⟨een snee maken in⟩ cut into, make an incision in, ⟨med⟩ lance ◆ *de **bast** van een boom insnijden* cut into the bark of a tree; *een **boom** voor harswinning insnijden* make an incision in a tree to obtain resin; ⟨fig⟩ *die opmerking sneed diep in **in** haar ziel* that remark cut her deeply/cut her to the quick; *een **wond** insnijden* lance/make an incision in a wound [2] ⟨door snijden aanbrengen in⟩ carve (on), cut (into), engrave, intaglio [3] ⟨besnoeien⟩ cut back, prune

insnijding [de^{v}] [1] ⟨handeling⟩ cut, incision ⟨in het bijzonder wond⟩ [2] ⟨resultaat⟩ cut, incision, indentation ⟨in het bijzonder kust, blad⟩, ⟨klein⟩ notch, snick, nick, ⟨nauw⟩ slit

insnoeren [ov ww] constrict, make narrower/tighter, ⟨inrijgen⟩ lace (up) ◆ *een **bloedvat** insnoeren* constrict a blood vessel; ***zich** insnoeren* lace o.s. up

insnoering [de^{v}] [1] ⟨handeling⟩ constriction, ⟨inrijgen⟩ lacing-up [2] ⟨plaats⟩ constriction

insnuiven [ov ww] sniff in/up

insolide [bn, bw] [1] ⟨onvast⟩ unsteady ⟨bw: unsteadily⟩, ⟨inf⟩ shaky ⟨bw: shakily⟩, ⟨niet sterk⟩ frail ⟨bw: ~ly⟩, flimsy ⟨bw: flimsily⟩ [2] ⟨onbetrouwbaar⟩ unsound ⟨bw: ~ly⟩

insolvabel [bn] insolvent

insolvabiliteit [de^{v}] insolvency

insolvent [bn] [1] ⟨insolvabel⟩ insolvent ◆ *iemand/zich insolvent **verklaren*** declare s.o./o.s. insolvent [2] ⟨niet opwegend tegen de schuldenlast⟩ bankrupt

insolventie [de^{v}] insolvency ◆ ***staat** van insolventie* insolvency, bankruptcy

insomnia [de^{v}] insomnia

insourcen [ov ww] insource

insp. [afk] [1] (inspectie) inspectorate [2] (inspecteur) ⟨politie⟩ Insp, inspector

inspannen [ov ww] [1] ⟨zijn kracht aanwenden⟩ use, ⟨krachten ook⟩ exert ◆ *al zijn **krachten** inspannen* make every effort; *zijn **ogen/stem** inspannen* strain one's eyes/voice; ***zich** dubbel inspannen* redouble one's efforts; ***zich** overmatig inspannen* overstrain/overexert o.s.; *hoe zij **zich** ook inspande* try as she might, despite all her efforts; ***zich** volstrekt niet inspannen* not strain o.s. at all, make no effort at all/what(so)ever; ***zich** inspannen voor iets/iemand* exert o.s./put o.s. out/make an effort for sth./s.o.; ***zich** moeten inspannen om wakker te blijven* have to make an effort/have to struggle to stay awake; ***zich** werkelijk/zeer/tot het uiterste inspannen* make a real/great/supreme effort; *hij moet **zich** inspannen om de deur open te krijgen* it's an effort for him to get the door open; ***zich** bovenmatig moeten inspannen om iets te zeggen* have to struggle to say sth./speak [2] ⟨m.b.t. trekdieren⟩ harness to cart ⟨enz.⟩, ⟨os enz.⟩ yoke (to) ◆ *een **paard** inspannen* ⟨voor een wagen⟩ harness a horse to a cart [3] ⟨m.b.t. voertuigen⟩ harness the horses/... to, yoke the oxen/... to

inspannend [bn] ⟨fysiek⟩ strenuous, laborious, ⟨geestelijk⟩ exacting ◆ *inspannende **arbeid*** strenuous/exacting work; *zware, inspannende **oefeningen*** hard, strenuous exercises; *dat is zeer inspannend **voor** de ogen* that is very hard on the eyes, that strains the eyes; *corrigeren is inspannend **werk*** correcting is exacting work

inspanning [de^{v}] [1] ⟨het aanwenden van kracht⟩ effort, exertion, ⟨overmatig⟩ strain ◆ ***alle** inspanningen bleken tevergeefs* all efforts proved to be in vain; *een inspanning **belonen*** reward effort; *met **bovenmenselijke** inspanning* with superhuman efforts; *iets geheel door **eigen** inspanning bereiken* achieve sth. entirely by one's own efforts; ***geestelijke** inspanning* mental/intellectual exertion/effort/strain; *dat **kost** inspanning* it's an effort/a strain; *dat **kost** hem geen inspanning* he does it effortlessly; *elke beweging **kostte** hem inspanning* every movement was an effort (for him); *het **kostte** haar zichtbaar inspanning te spreken* it was a visible effort for her to speak; *met een laatste inspanning van zijn **krachten*** with a final/with one last effort; *uitrusten na een **langdurige** inspanning* rest from prolonged exertions; *een zware inspanning **leveren*** put in a great effort; ***lichamelijke** inspanning* physical exertion/strain; ***met** inspanning **van** alle krachten* with a supreme effort; *hijgen **van** de inspanning* pant from the exertion; *veel inspanning **vergen*** require a great deal of effort/quite an effort; *u moet elke inspanning **vermijden*** you must avoid exertion of any kind; *schijnbaar **zonder** inspanning* without apparent effort; ***zonder** al te veel inspanning* without much effort [2] ⟨het voor de wagen spannen⟩ harnessing, ⟨os enz.⟩ yoking

inspanningsastma [het, de] exercise-induced asthma

inspanningsverplichting [de^{v}] obligation to perform to the best of one's ability

in spe future, prospective, -to-be ⟨na zn⟩ ◆ *zijn **schoondochter** in spe* his future/prospective daughter-in-law, his daughter-in-law-to-be

^{1}**inspecteren** [onov ww] ⟨inspectie houden⟩ inspect

^{2}**inspecteren** [ov ww] [1] ⟨controleren⟩ inspect, examine, survey, visit ◆ *de **slaapzalen** inspecteren* inspect the dormitories [2] ⟨monsteren⟩ inspect, review ◆ *de **troepen** inspecteren* inspect/review the troops

inspecteur [de^{m}], **inspectrice** [de^{v}] inspector, examiner, surveyor ◆ *inspecteur **bij** de belastingen* tax inspector; *inspecteur **bij** een verzekeringsmaatschappij* insurance surveyor/inspector; *inspecteur **bij** het middelbaar/lager onderwijs* secondary/primary school inspector; *de inspecteur van de fiscale **opsporingsdienst*** tax inspector; *inspecteur van **politie*** police inspector; *inspecteur van de **volksgezondheid*** public health inspector/officer

inspecteur-generaal [de^{m}] inspector general

inspecteurschap [het] → **inspectoraat**

inspectie [de^{v}] [1] ⟨controle⟩ inspection, examination, survey ◆ ***bij** nadere inspectie* on closer inspection; *een **grondige** inspectie* a thorough inspection; *inspectie **houden*** hold an inspection; ***op** inspectie gaan/zijn* go/be on a tour of inspection; *een **vluchtige** inspectie* a fleeting/cursory inspection, a glance-over/look-over [2] ⟨med⟩ examination, inspection [3] ⟨wapenschouwing⟩ inspection, review ◆ *de soldaten **hebben** inspectie* the soldiers are being inspected/reviewed [4] ⟨dienst van het op, toezicht⟩ inspectorate

inspectiebezoek [het] inspection/inspector's visit

inspectieluik [het] ⟨in vloer⟩ inspection trap, ⟨in rookkanaal⟩ inspection door/flap

inspectietocht [de^{m}] tour of inspection

inspectoraal [bn] inspectorial

inspectoraat [het] [1] ⟨ambt⟩ inspectorship, inspectorate [2] ⟨ambtsgebied⟩ inspectorate

inspectrice [de^{v}] → **inspecteur**

inspelden [ov ww] [1] ⟨met spelden in iets hechten⟩ pin in [2] ⟨met spelden op de juiste maat brengen⟩ pin up/together ◆ *een **mouw** inspelden* pin a sleeve in

^{1}**inspelen** [onov ww] [1] ⟨vooruitlopen op⟩ anticipate ◆ *inspelen **op** wat komen gaat* anticipate what is coming [2] ⟨reageren op⟩ go/play along with, ⟨handig⟩ capitalize on, take advantage of, ⟨begrip hebben voor⟩ feel for ◆ *inspelen **op** een behoefte/rage* respond to/take advantage of a need/craze; ⟨inf⟩ jump on the bandwagon, ride a trend; *inspelen **op** iemands problemen* feel for s.o.'s problems

^{2}**inspelen** [ov ww, ook abs] [1] ⟨geschikt maken voor gebruik⟩ play in ♦ *de nieuwe **snaren** van een gitaar inspelen* play in new guitar strings [2] ⟨sport⟩ practise, ⟨AE⟩ practice, warm up ♦ *het team is nog niet **goed** ingespeeld* the team hasn't played itself in properly yet/hasn't got into its stride yet; *goed **op** elkaar ingespeeld zijn* make/be a good team; ⟨fig ook⟩ be on the same wavelength; ***zich** inspelen* practise, knock the ball around, play o.s. in, warm up; ⟨na competitieonderbreking⟩ get into practice; ⟨tennissport⟩ (have a) knock-up

inspiciënt [de^{m}] ⟨toneel⟩ stage manager, ⟨radio, tv⟩ property man

inspinnen [ov ww] spin thread around ♦ *de spin had het **vliegje** ingesponnen* the spider had spin its web around the fly; ***zich** inspinnen* spin a cocoon

inspiratie [de^{v}] inspiration ♦ *een voortdurende **bron** van inspiratie* a constant source of inspiration; ***goddelijke** inspiratie* divine inspiration; *ik **heb** geen inspiratie* I don't have any inspiration, I don't feel inspired; *inspiratie **krijgen/opdoen*** be inspired, have an inspiration; *inspiratie **opdoen uit/ontlenen aan*** be inspired by, get/draw inspiration from; ***wachten** op inspiratie* wait for inspiration

inspiratiebron [de] source of inspiration, ⟨dichtl ook⟩ Pierian Spring

inspirator [de^{m}] (source of) inspiration

inspiratorisch [bn, bw] inspiratory ⟨bw: inspiratorily⟩, ⟨taalk⟩ ingressive ⟨bw: ~ly⟩ ♦ *een inspiratorische **medeklinker*** an ingressive consonant

inspireren [ov ww] [1] ⟨bezielen⟩ inspire ♦ *geïnspireerd worden door **iets/iemand*** be inspired by/draw one's inspiration from sth./s.o.; *een geïnspireerd **kunstenaar*** an inspired artist; *geïnspireerd **pianospelen*** play the piano like s.o. inspired, be an inspired piano player; *iemand **tot** deelname/dapperheid inspireren* inspire/incite s.o. to take part/to be brave; ⟨sport⟩ *geïnspireerd door hun **voorsprong*** inspired by their lead [2] ⟨modelleren naar⟩ base (on) ♦ *een film geïnspireerd **op** de gelijknamige roman* a film based on the book of the same name; ⟨inf⟩ the film of the book

inspirerend [bn, bw] inspiring, stimulating, rousing, stirring ♦ *een inspirerend **betoog*** an inspiring/a stimulating/rousing/stirring speech; ***weinig** inspirerend* uninspiring, unstimulating, tedious, humdrum; *inspirerend **werken*** be inspiring/stimulating, inspire, stir, stimulate

inspraak [de] participation, involvement, ⟨inf⟩ say (in sth.) ♦ *inspraak **bevorderen*** encourage participation; *inspraak **eisen*** demand an opportunity to comment, insist on (having) one's say; *de werknemers inspraak **geven** bij een benoeming* allow employees to have a say in an appointment; *inspraak **hebben** bij een zaak* have a say in a matter; *een beleid dat gericht is op meer inspraak van het **personeel*** a policy of increased staff participation/involvement

inspraakbegeleider [de^{m}], **inspraakbegeleidster** [de^{v}] ⟨officieel; man⟩ chairman of a public inquiry, ⟨vrouw⟩ chairwoman of a public inquiry, ⟨man & vrouw⟩ chairperson of a public inquiry, ⟨onofficieel; man⟩ chairman of an open forum, ⟨vrouw⟩ chairwoman of an open forum, ⟨man & vrouw⟩ chairperson of an open forum

inspraakbegeleidster [de^{v}] → **inspraakbegeleider**

inspraakprocedure [de] (public) inquiry procedure

inspraakronde [de] opportunity for (public) comment ♦ *drie inspraakrondes **houden*** provide three opportunities for (public) comment/for the public to comment

inspreken [ov ww] [1] ⟨inboezemen⟩ talk (sth.) into (s.o.), inspire (s.o.) with (sth.) ♦ *iemand **moed** inspreken* put heart into s.o.; ⟨form⟩ inspire s.o. with courage [2] ⟨spreken in⟩ record ♦ *het **bandmateriaal** is ingesproken door twee Amerikanen* the tape material was recorded by two Americans; ***boeken** inspreken voor een blindenbibliotheek* record books for a Braille library; *u kunt nu uw **boodschap** inspreken* you may leave/record your message now

inspreker [de^{m}] [1] ⟨m.b.t. inspraakprocedure⟩ speaker [2] ⟨voor geluidsopname⟩ voice actor

inspringen [onov ww] [1] ⟨invallen⟩ stand in, step in ♦ *voor een zieke collega inspringen* stand in for a colleague who is ill [2] ⟨zich meer naar binnen uitstrekken⟩ be set back, ⟨in een nis⟩ be recessed ♦ *de **gevel** springt daar wat in* that part of the housefront is slightly set back [3] ⟨boek⟩ be indented ♦ *deze **regel** moet een beetje inspringen* this line needs to be indented slightly [4] ⟨met een sprong inkomen⟩ jump/leap in(to) [5] ⟨inhaken op⟩ jump/leap on(to), seize (up)on ♦ *meteen **op** een nieuwe markt inspringen* break into a new market; *zij zijn meteen **op** die ontwikkeling ingesprongen* they immediately jumped on/leapt on/seized (up) on that development

inspringend [bn] receding, set back, ⟨hoek⟩ reflex, ⟨regel⟩ indented ♦ *een inspringende **hoek*** ⟨groter dan 180°⟩ a reflex angle; ⟨met hoekpunt naar binnen⟩ a re-entering/reentrant angle; ⟨bouwk⟩ *een inspringende **muur*** a recessed wall

inspringing [de^{v}] [1] ⟨van een regel⟩ indentation, indention [2] ⟨van een gebouw, akker⟩ recess, recession [3] ⟨wisk; van hoek⟩ re-entrance

^{1}**inspuiten** [onov ww] ⟨naar binnen spuiten⟩ squirt/gush/spout/spurt in(to) ♦ *het water spoot de **kamer** in* the water gushed into the room

^{2}**inspuiten** [ov ww] ⟨(vloeistof) met een spuit inbrengen⟩ inject, ⟨m.b.t. drugs ook⟩ fix ♦ *serum **bij** iemand inspuiten* inject s.o. with a serum, give s.o. a shot of serum; ***heroïne** inspuiten* have a fix; ***koelwater** inspuiten* inject coolant; *het **oor** inspuiten* syringe the ear; ***zichzelf** met insuline inspuiten* inject o.s. with insulin

inspuiting [de^{v}] [1] ⟨handeling⟩ injection, hypodermic ♦ ***onderhuidse** inspuitingen* subcutaneous injections, hypodermics [2] ⟨dat wat ingespoten wordt⟩ injection, hypodermic, ⟨inf⟩ shot

instaan [onov ww] ⟨verantwoordelijk zijn⟩ answer, be answerable/responsible, ⟨garanderen⟩ warrant, guarantee, vouch ♦ *daar sta ik **voor** in* I will answer for it, you may take my word for it; ***voor** iemand instaan* vouch for s.o.; *nergens **voor** instaan* give no guarantees; *ik sta niet **voor** de gevolgen in* I can't answer for the consequences; *met zijn leven **voor** iets instaan* answer for sth. with one's life; *instaan **voor** de juistheid van een bericht* vouch for/guarantee the correctness of a report; *als je niet ophoudt, sta ik **voor** mezelf niet in* if you don't stop that, you'll have to answer for the consequences

instabiel [bn] ⟨gebouwen, structuren⟩ unstable, insecure, ⟨systemen, situaties⟩ fluid, inconstant

instabiliteit [de^{v}] ⟨gebouwen, structuren⟩ instability, insecurity, ⟨systemen, situaties⟩ fluidity, inconstancy

installateur [de^{m}] fitter, installer, contractor, ⟨elek⟩ electrician ♦ ***erkend** installateur* recognized/registered fitter/installer/electrician; *de installateur van onze centrale **verwarming*** the person who installed our central heating

installatie [de^{v}] [1] ⟨audio; video⟩ stereo, video, VCR [2] ⟨het plaatsen van technische toestellen⟩ installation, ⟨licht, gas⟩ fitting, ⟨machines⟩ setting up, ⟨leiding⟩ laying [3] ⟨technische toestellen⟩ installation, system, plant, unit, equipment, machinery, ⟨sanitair e.d.⟩ fittings ♦ ***elektrische** installaties* electrical equipment; *een **nieuwe** installatie in bedrijf nemen* put a new plant into operation [4] ⟨inauguratie⟩ installation, inauguration, ⟨van geestelijke⟩ induction, investiture, ⟨van padvinders⟩ initiation ♦ *bij de installatie van de **commissie*** at the committee's inaugural meeting [5] ⟨officiële inwerkingstelling⟩ establishment, setting up [6] ⟨vestiging⟩ setting up (shop/house), installation, settling (in) [7] ⟨kunstwerk⟩ (artistic) installation

installatiebedrijf [het] installation company

installatiebureau [het] contractors, fitters, installers ♦ ***elektrotechnisch** installatiebureau* electrical contractors

installatiekosten [de^{mv}] 1 ⟨m.b.t. het installeren van een apparaat⟩ installation costs 2 ⟨m.b.t. een verhuizing of vestiging⟩ installation costs

installatiekunst [de^{v}] installation art

installeren [ov ww] 1 ⟨voor het gebruik gereedmaken⟩ install, ⟨gas, licht⟩ fit, ⟨machines⟩ set up, ⟨leiding e.d.⟩ deploy, lay, ⟨zwembad⟩ put in ♦ *een **wasmachine** installeren* install a washing machine 2 ⟨meubileren en stofferen⟩ furnish, fit up ♦ *zodra je geïnstalleerd bent* as soon as you're settled in 3 ⟨plaatsen, vestigen⟩ install, establish, set up, settle ♦ ***zich** in Utrecht installeren* settle in Utrecht, set up shop/house in Utrecht; ⟨scherts⟩ ***zich** uitgebreid installeren* make o.s. at home; ***zich** voor de tv installeren* settle down in front of the TV; ⟨scherts⟩ ***zich** met een boek op de bank installeren* install o.s. on the sofa with a book 4 ⟨inaugureren⟩ install, inaugurate, ⟨van geestelijken⟩ invest, induct, ⟨van padvinders⟩ initiate ♦ *iemand **als** lid installeren* install/initiate s.o. as a member

instampen [ov ww] 1 ⟨door stampen indrijven⟩ ram/pound/hammer in ♦ ⟨fig⟩ *iemand de **grond** instampen* ⟨inf⟩ put s.o. down; ***palen** instampen* ram/drive in piles; *de **straatstenen** dieper instampen* ram down the paving stones 2 ⟨door stampen doen breken⟩ kick/hammer/bash in 3 ⟨aanstampen⟩ stamp down 4 ⟨met moeite leren⟩ drum, din, drill, ⟨form⟩ inculcate ♦ *je moet **het** er bij hem echt instampen* you really have to din/drill it into him; *er een rijtje **woorden** instampen* drum in a list of words

instandhouding [de^{v}] ⟨gebouwen, dijken⟩ upkeep, maintenance, ⟨natuur, monumenten⟩ conservation, preservation ♦ *instandhouding van de bestaande **orde/van tradities*** maintaining the established order, preserving tradition; *instandhouding van de **soort*** preservation of the species; *de instandhouding van het **verenigingsleven*** the preservation of clubs and societies; *de instandhouding van de **zeewering*** the upkeep/maintenance of the sea walls

instant- instant

instantie [de^{v}] 1 ⟨orgaan⟩ body, authority, (government) agency, department ♦ *de **betrokken** instanties op de hoogte brengen* inform the authorities concerned; *de **bevoegde** instantie* the authorities; *zich tot een **hogere** instantie wenden* appeal to a higher authority; *de **officiële** instanties* the government agencies, the official bodies; ***openbare** instanties* public bodies/authorities/agencies; *iets bij de **verantwoordelijke** instanties melden* report sth. to the authorities in charge 2 ⟨jur⟩ instance, court, ⟨fig⟩ resort ♦ ⟨fig⟩ ***in** laatste instantie* in the last resort; ⟨uiteindelijk⟩ in the final analysis; ⟨fig⟩ ***in** eerste en laatste instantie* from first to last; *rechtspraak **in** eerste instantie* court of first instance; *een zaak **in** hoogste instantie winnen* win a case in the final instance; *een zaak **in** laatste instantie beslissen* ⟨ook figuurlijk⟩ make a final decision; ⟨fig⟩ ***in** eerste instantie dachten we dat het waar was* at first/initially we thought it was true; ⟨fig⟩ ***in** eerste instantie leek de schade mee te vallen* at first sight the damage didn't look too bad; ⟨fig⟩ *zij kwamen pas **in** tweede instantie in aanmerking* they could only be considered at a later stage; ⟨fig⟩ *zijn vrouw en, **in** tweede instantie, zijn dochter* his wife and after her his daughter; ⟨fig⟩ ***in** eerste instantie hebben we met de portier te maken* to begin with/first of all there's the porter to contend with

instant messaging [de] instant messaging

instantpudding [de^{m}] instant pudding

instapkaart [de] ⟨verk⟩ boarding pass/card

instappen [onov ww] 1 ⟨m.b.t. een voertuig⟩ ⟨auto, trein⟩ get in, ⟨bus⟩ get on, ⟨vliegtuig⟩ board, ⟨mil⟩ embus, entrain, emplane ♦ ***achteraan** instappen* ⟨in de trein, bus⟩ get in/on at the back; ***vlug** instappen* jump in; *reizigers voor Parijs, instappen!* passengers for Paris, boarding now 2 ⟨binnenstappen⟩ enter, go/step in(to) ♦ *parmantig de **kamer** komen instappen* strut into the room; *een **winkel** instappen* enter a shop, step into a shop 3 ⟨meedoen aan⟩ join (in on), get in (on), jump onto the bandwagon

instapper [de^{m}] loafer

instaptoets [de^{m}] entry test

in statu nascendi in statu nascendi

insteek [de^{m}] (line of) approach, point of view

insteekalbum [het] ⟨filatelie⟩ stockbook

insteekblad [het] leaf

insteekhaven [de] (long-term) mooring/dock

insteekhoes [de^{m}] folder

insteekkaart [de] ⟨comp⟩ ⟨bij processor- of geheugenuitbreiding⟩ expansion board, ⟨bij andere uitbreidingen⟩ interface card

insteekmap [de^{m}] folder

¹insteken [ov ww] 1 ⟨ergens in steken⟩ put in, ⟨form⟩ introduce, insert ♦ *je kunt je **auto** er achteruit insteken* you can back/reverse your car into it; ***bomen** insteken* plant trees; *een **draad** insteken* thread a needle; *de **stekker** insteken* plug in, put in the plug 2 ⟨met iets scherps ergens in steken⟩ cut up ♦ ***veengrond** insteken* cut (up) peatland; ***weiland** insteken* plough/break up a meadow/grassland 3 ⟨boek⟩ sew

²insteken [ov ww, ook abs] 1 ⟨een arm geven⟩ link arms ♦ ***bij** elkaar insteken* link arms 2 ⟨m.b.t. breien⟩ insert ♦ *insteken, omslaan, doorhalen, af laten gaan* insert, yarn forward, pull through, slip (off)

instelbaar [bn] adjustable, adaptable ♦ ***vooraf** instelbaar* to be preset, adjustable in advance

instellen [ov ww] 1 ⟨oprichten⟩ establish, create, institute, found ♦ *een **avondklok/uitgaansverbod** instellen* impose/introduce a curfew; *nieuwe **bisdommen** instellen* institute new bishoprics; *een **commissie** instellen* set up a committee; *vanaf het moment dat de **commissie** werd ingesteld* (right) from the committee's inception 2 ⟨beginnen⟩ set up, start, begin, open, put into operation ♦ *een **onderzoek** instellen* start/open/set up/begin an investigation, investigate; *een **vervolging** tegen iemand instellen* bring an action against s.o. 3 ⟨(voor gebruik) geschikt maken⟩ adjust, ⟨lenzen⟩ focus, ⟨radio, motor⟩ tune, ⟨klok⟩ regulate ♦ *een **camera (scherp)** instellen* focus a camera; *de tv is niet **goed** ingesteld* the TV needs re-tuning/adjusting; *een **microscoop** instellen* focus/adjust a microscope; ⟨fig⟩ *ergens niet **op** ingesteld zijn* be unprepared/not equipped for sth.; ⟨fig⟩ *helemaal **op** toeristen ingesteld zijn* be entirely geared towards tourism; *een **oven** van tevoren instellen* preset an oven; *de camera was **verkeerd** ingesteld* the camera had been set wrong/was out of focus; ⟨fig⟩ ***zakelijk** ingesteld zijn* have a businesslike attitude; ⟨fig⟩ ***zich** instellen **op*** prepare (o.s.) for; ⟨fig⟩ *ze had er **zich** al helemaal op ingesteld* she had really got herself geared up for it 4 ⟨in België; eerste bod doen op⟩ make the first bid for, open the bidding for

instelling [de^{v}] 1 ⟨het instellen⟩ ⟨instituut⟩ establishment, creation, ⟨lens⟩ focus(s)ing, adjustment, ⟨radio, motor⟩ tuning ♦ ⟨techn⟩ ***automatische** instelling* ⟨motor⟩ automatic tuning; ⟨camera⟩ automatic focus, self-regulation; *de instelling **van** een camera* the focus(sing) of a camera; *de instelling **van** de Olympische Spelen* the founding of the Olympic Games 2 ⟨organisatie, instituut⟩ institute, institution, agency, organization ♦ *een **liefdadige** instelling* a charitable institution, a charity; ***openbare** instellingen* public institutions; *een **politieke** instelling* a political institution; *een instelling **voor** hoger onderwijs* an institute of higher education 3 ⟨mentaliteit⟩ attitude, bent, disposition, mentality, outlook ♦ *(niet) de **juiste** instelling voor iets hebben* (not) have the right mentality for sth., (not) be the right person for sth.; *een **materialistische** instelling hebben* have a materialistic mentality/disposition; *een **negatieve** instelling* a negative attitude/mentality; *een **zakelijke** instelling hebben* have a businesslike attitude/mentality 4 ⟨Bijb; verordening⟩ ordinance

instelschaal [de] ⟨foto⟩ distance/focusing scale

instemmen [onov ww] agree (with/to), ⟨mening⟩ endorse, concur (with), ⟨plan⟩ approve, assent to, ⟨wetsvoorstel⟩ accept ♦ *geheel met iemand instemmen* be in full/complete agreement with s.o.; *van harte met iets instemmen* give one's unqualified assent to sth.; *met iemands bezwaren instemmen* support s.o.'s objections; *ik kan met dat streven instemmen* I can endorse this purpose; *(zwijgend) met een plan instemmen* acquiesce in a plan

instemmend [bn, bw] assenting ⟨bw: ~ly⟩, approving ♦ *er ging een instemmend gemompel op* there was a murmur of approval/assent; *instemmend knikken* nod in assent/approval

instemming [de^{v}] assent, approval, acceptance, endorsement, consent ♦ *zijn instemming aan een plan onthouden* not approve/pass a plan; *met algemene instemming* by common consent; *zijn instemming betuigen met iets/aan iemand* express one's approval of sth./to s.o.; *bewijzen van instemming ontvangen* receive letters of approval; *iemands instemming hebben* have s.o.'s consent/approval; *met instemming van* with (the) consent/approval of; *met aller instemming* with general assent; *iets met instemming vernemen/begroeten* hear/greet sth. with approval, be pleased to hear sth.; *hij knikte ten teken van instemming* he nodded his assent/approval; *tekenen van instemming geven* give signs of approval; *iemands instemming verwerven* win s.o.'s approval; *geen instemming vinden bij de leden* be disapproved by the members; *de motie vond algemene instemming* the motion was generally approved of/applauded/endorsed; *zijn voorstel vond veel instemming bij de andere leden* his proposition met with the assent/approval of the other members

instigatie [de^{v}] instigation, initiative, encouragement ♦ *op instigatie van* at the instigation of, on the initiative of

instigeren [ov ww] instigate, initiate, stimulate, incite

instikken [ov ww] take in

instinct [het] [1] ⟨natuurlijke aandrift⟩ instinct ♦ *het instinct van dieren* animal instinct; *een instinct hebben om op het juiste moment aan te vallen* have an instinct for attacking at the right time; *de laagste instincten bij iemand wakker roepen* bring out s.o.'s basest instincts; *lage instincten* animal/base instincts; *het instinct tot zelfbehoud* the instinct for self-preservation; *vertrouw op je instinct* trust your instinct [2] ⟨intuïtie⟩ instinct, intuition ♦ *zij heeft een instinct voor voordeeltjes* she's got a nose for bargains; *het vrouwelijk instinct* the female/feminine intuition

instinctief [bn, bw] instinctive ⟨bw: ~ly⟩, intuitive ♦ *iets instinctief aanvoelen* feel sth. in one's bones, have a gut feeling about sth.; *een instinctieve beweging* an instinctive/intuitive movement; *instinctief terugdeinzen* recoil, flinch

instinctmatig [bn, bw] instinctive ⟨bw: ~ly⟩, intuitive, ⟨m.b.t. natuurlijke aandrift⟩ instinctual ♦ *zij voelde een instinctmatige afkeer voor hem* she disliked him instinctively; *een instinctmatig gebaar/besef* an instinctive movement, an intuitive/a gut feeling; *instinctmatig gedrag* instinctual behaviour; *instinctmatig handelen* act on one's instinct(s); *een instinctmatige handeling* an instinctive/intuitive action

instinken [onov ww] ⟨inf⟩ [1] ⟨in de val lopen⟩ fall for (it), buy a pup, be duped, bite, be caught out ♦ *is ie er ingestonken?* did he fall for for it?; *iemand ergens laten instinken* take s.o. in, sell s.o. a pup; *ze lieten hem er mooi instinken* they caught him out nicely [2] ⟨opgelicht worden⟩ be had, be conned, be taken in, be bamboozled ♦ *zij is er voor € 300 ingestonken* she was had for/to the tune of € 300

instinker [de^{m}] tricky question

instituеren [ov ww] found, institute, establish, create, set up

institutie [de^{v}] institution, organization

institutionaliseren [ov ww] [1] ⟨tot een formele regeling maken⟩ institutionalize, formalize [2] ⟨tot een officiële instelling maken⟩ institutionalize

institutionalisering [de^{v}] institutionalization

institutioneel [bn] [1] ⟨m.b.t. de staatsinstellingen⟩ institutional ♦ *de institutionele geschiedenis* the history of institutions [2] ⟨m.b.t. instituten⟩ institutional, corporate ♦ *institutionele beleggers* institutional/corporate investors; *institutionele fondsen* institutional/corporate funds

instituut [het] [1] ⟨instelling⟩ institution, institute, agency ♦ *het instituut van het huwelijk* the institution of marriage; *het Koninklijk Instituut van Ingenieurs* the Royal Institute of Engineers; ⟨fig⟩ *een instituut op zichzelf zijn/worden* be/become an institution [2] ⟨instelling van onderwijs, verpleging⟩ institute, ⟨binnen universiteit⟩ department ♦ *het biologisch instituut* the biological institute; ⟨binnen universiteit⟩ the biology department; *een meteorologisch instituut* a met(eorological) office, a weather bureau; *een universitair instituut* a university department, a School; *het instituut voor gehoorgestoorden* the institute for the deaf; *het Instituut voor Toegepaste Taalkunde* the Institute of Applied Linguistics [3] ⟨mv; jur⟩ Institutes

instituutsbibliotheek [de^{v}] institute/departmental library

instomen [onov ww] steam into

instoppen [ov ww] [1] ⟨induwen⟩ put in, ⟨opvullen⟩ stuff/cram in ♦ *je moet er een euro instoppen* you have to put in a euro [2] ⟨toedekken⟩ ⟨bed⟩ tuck in, ⟨kleding⟩ wrap (up) ♦ *iemand lekker instoppen* tuck s.o. in nice and warm; *zich warm instoppen* wrap up well, muffle o.s. up

instopstrook [de] tuck-in flap

instormen [onov ww] rush/tear/dash/burst into ♦ *de gang instormen* dash into the hall

instorten [onov ww] [1] ⟨neerstorten⟩ collapse, ⟨gebouw, brug e.d.⟩ fall/come down, ⟨dak⟩ fall in, ⟨kuil, oever⟩ cave in ♦ *het dak stortte boven zijn hoofd in* the roof fell/came down about his ears; *met een oorverdovend lawaai stortte het dak in* the roof came crashing/thundering down; ⟨fig⟩ *de huizenmarkt is ingestort* the housing market has collapsed; ⟨fig⟩ *het instorten van de koersen* the collapse of the stock market; *iets laten instorten* blow up sth.; *de zaak staat op instorten* the business is about to collapse; *ze zei dat haar hele wereld was ingestort* she said her whole world had collapsed [2] ⟨een inzinking krijgen⟩ collapse, break down, ⟨inf⟩ crack up ♦ *hij is finaal ingestort* he has broken down completely; *geestelijk instorten* have a nervous breakdown, break/crack up; *op instorten staan* be about to collapse/have a (nervous) breakdown; *de volgende dag stortte de patiënt weer in* the next day the patient had/suffered a relapse

instorting [de^{v}] collapse, ⟨gebouw, zieke, firma⟩ falling/breaking down, ⟨aarde, oever⟩ caving in, cave-in

instoten [ov ww] break, smash, go through, knock in/down, stave in ♦ *een ruitje instoten* break a window(pane)

instrijken [ov ww] [1] ⟨strijkend aanbrengen in⟩ press/iron in ♦ *plooien instrijken* press pleats in(to a skirt) [2] ⟨strijkend volmaken⟩ fill in, point ♦ *de voegen instrijken* point up the brickwork

instroom [de^{m}] influx, inflow, flood, intake ♦ *de instroom van eerstejaars studenten* the intake of first-year students

instructeur [de^{m}], **instructrice** [de^{v}] instructor, teacher, tutor, ⟨mil⟩ drillsergeant

instructie [de^{v}] [1] ⟨onderw⟩ instruction, tuition, training, teaching ♦ *geprogrammeerde instructie* programmed instruction/learning [2] ⟨aanwijzing⟩ instruction, ⟨aan advocaat⟩ order, direction, brief, ⟨aan piloot⟩ briefing ♦ ⟨form⟩ *conform de instructies* pursuant to your instructions; *iemand instructies geven* instruct/brief s.o., give s.o. instructions/orders; *piloten (hun laatste) instructies geven* give pilots their final briefing; *ik heb instructie(s) om niemand binnen te laten* I have instructions/have been instructed to let no one in; *op instructie van* by order of; *de instructies opvolgen* follow instructions, obey orders; *strenge instructies hebben* have strict orders; *nieuwe instructies*

uitvaardigen give new instructions/orders [3] ⟨jur⟩ preliminary inquiry/examination/investigation ♦ *de **rechter** van instructie* ⟨BE⟩ the examining magistrate; ⟨bij moordzaken⟩ the coroner
instructiebad [het] instruction pool, learners' pool
instructieboekje [het] workbook
instructief [bn, bw] instructive ⟨bw: ~ly⟩, informative, illuminating, educative
instructiefilm [de^m^] training film
instructiemateriaal [het] teaching aids
instructieschip [het] training ship/vessel
instructieverpleegkundige [de] nursing/clinical tutor
instructievlucht [de] ⟨verk⟩ training flight
instructrice [de^v^] → **instructeur**
instrueren [ov ww] [1] ⟨onderrichten⟩ instruct, train, tutor, teach [2] ⟨instructie(s) geven⟩ instruct, prime, direct, ⟨aan piloot/advocaat⟩ brief ♦ *zij worden door de **CIA** geïnstrueerd* they take their instructions from the CIA; *iemand **goed** instrueren* instruct/prime s.o. well; *de **kinderen** waren duidelijk goed geïnstrueerd* the children were obviously well-primed; *iemand **verkeerd** instrueren* misdirect s.o. [3] ⟨jur⟩ prepare (for trial)
instrument [het] [1] ⟨apparaat⟩ instrument, apparatus ♦ *instrumenten **aflezen*** read instruments/dials; ***gevoelige** instrumenten* ⟨gevoelig voor invloeden⟩ delicate instruments; ⟨nauwkeurig⟩ sensitive instruments; ***op** de instrumenten vliegen* fly blind, fly on the instruments [2] ⟨(hulp)middel⟩ instrument, tool, device, contraption, ⟨fig⟩ agent ♦ *een enquête is vaak een heel **bruikbaar** instrument* a questionnaire can often be a very useful tool; *een instrument **in** Gods hand* an instrument in God's hand [3] ⟨muziekinstrument⟩ (musical) instrument ♦ *een instrument **bespelen*** play an instrument
instrumentaal [bn] instrumental ♦ *een instrumentaal **ensemble*** an ensemble; ⟨i.h.b. oude muz⟩ a consort; *instrumentale **muziek*** instrumental music; *een instrumentaal **nummer*** an instrumental
instrumentaaltje [het] instrumental
instrumentair [bn] ⟨jur⟩ instrumentary
instrumentalis [de^m^] ⟨taalk⟩ instrumental (case) ♦ ***in** de instrumentalis* in the instrumental (case)
instrumentaliseren [ov ww] instrumentalize
instrumentalisme [het] ⟨filos⟩ instrumentalism
instrumentalist [de^m^] [1] ⟨muz⟩ instrumentalist [2] ⟨filos⟩ instrumentalist
instrumentarium [het] armamentarium, set of instruments, ⟨med⟩ instrumentarium
instrumentatie [de^v^] [1] ⟨muz⟩ instrumentation, orchestration [2] ⟨techn⟩ instrumentation
instrumenteel [bn] ⟨pol⟩ instrumental, concentrating on the means rather than the end
instrumentenbord [het] instrument panel/board, ⟨auto, vliegtuig⟩ dashboard
instrumentenlanding [de^v^] ⟨verk⟩ blind/instrument landing
instrumenteren [ov ww, ook abs] [1] ⟨muz⟩ instrument, orchestrate [2] ⟨jur⟩ draw up (deeds) ♦ *de instrumenterende **notaris/deurwaarder*** the executing notary/bailiff [3] ⟨med⟩ instrumentate
instrumentmaker [de^m^] instrument maker/builder
instuderen [ov ww] practise, ⟨AE⟩ practice, learn, rehearse ♦ *een **muziekstuk** instuderen* practise a piece of music; *een **rol** instuderen* learn a part; *een nieuw **stuk** instuderen* rehearse a new play; ⟨sport⟩ *een ingestudeerde vrije **trap*** a well-practised/rehearsed free kick, a set piece, a set-piece play
instuif [de^m^] [1] ⟨fuif⟩ informal party/gathering [2] ⟨vorm van jeugdwerk⟩ open (youth) centre, drop-in centre
instuiven [onov ww] [1] ⟨naar binnen stuiven⟩ get in ♦ ***het** stuift hier erg in* the dust gets in here, it is very dusty here [2] ⟨landwaarts verstuiven⟩ be blown inland, drift inland ♦ *de **duinen** stuiven in* the dunes are drifting inland [3] ⟨m.b.t. personen⟩ rush/tear/dash in(to) ♦ *zij stoof de **kamer** in* she rushed/dashed into the room
instulping [de^v^] ⟨biol, med⟩ invagination, ⟨van darm⟩ intussusception
insturen [ov ww] [1] ⟨inzenden⟩ send in, submit ♦ *voor wanneer **moet** je dat insturen?* by what date is this supposed to be in?; *een schilderij **voor** een tentoonstelling insturen* enter a painting for an exhibition; *een **wedstrijdformulier** insturen* send in an entry form [2] ⟨naar binnen sturen⟩ steer/manoeuvre/^A^maneuver into, ⟨schip⟩ sail into ♦ *een schip de **haven** insturen* steer/sail a ship into the harbour; *recht **op** elkaar insturen* meet end/head on, head straight for one another [3] ⟨zenden naar een plaats⟩ send into ♦ *iemand de **dood** insturen* send s.o. to his/her death; *een kind de **stad** insturen* send a child into town; *het vee de **wei** insturen* put/send/turn the cattle out to grass; *een bericht de **wereld** insturen* launch a rumour/report; *zijn kinderen de **wereld** insturen* send one's children out into the world
instuwen [ov ww] [1] ⟨stuwend ergens in brengen⟩ push/thrust/propel into [2] ⟨op de juiste plaats opstellen⟩ stow (in)
insubordinatie [de^v^] insubordination, wilful disobedience ♦ *insubordinatie **plegen*** commit (an act of) insubordination, wilfully disobey an order; *dat is je **reinste** insubordinatie* that's sheer insubordination
insuffen [onov ww] doze, drowse ♦ *insuffen **boven** een boek* drowse over a book
insufficiënt [bn, bw] insufficient ⟨bw: ~ly⟩
insufficiëntie [de^v^] insufficiency, ⟨van orgaan⟩ failure
insulair [bn] insular, isolated, island ⟨attr⟩ ♦ *Engelands insulaire **positie*** England's insular/isolated position; *een insulair **rijk*** an insular/island kingdom
insuline [de] ⟨med⟩ insulin
insult [het] [1] ⟨belediging⟩ insult [2] ⟨med⟩ insult, stroke ♦ ***epileptisch** insult* epileptic seizure
insultatie [de^v^] insult
insulteren [ov ww] insult, affront
in summa [1] ⟨alles bij elkaar genomen⟩ (all) in all, on the whole [2] ⟨om kort te gaan⟩ in short, to sum up
in suspenso in doubt, undecided
inswinger [de^m^] inswinger
int. → **intr.**
intabuleren [ov ww] [1] ⟨tafelwerk⟩ frame [2] ⟨in een register⟩ register
intact [bn] intact, undamaged ♦ *het lijk was geheel intact **gebleven*** the body had remained entirely intact; ***iets** intact laten* leave sth. intact/as it is; *die oude **molen** is nog geheel intact* that old mill is still in perfect condition
intake [de] [1] ⟨lijst met gegevens⟩ register ♦ *de intake **doen*** register a patient [2] ⟨lijst van ontvangen goederen⟩ list of goods received [3] ⟨intakegesprek⟩ → **intakegesprek**
intakegesprek [het] interview on admission to hospital
intapen [ww] ⟨med, sport⟩ tape
inteelt [de] inbreeding ♦ ***aan** inteelt doen* go in for inbreeding
integendeel [bw] on the contrary, quite the reverse/contrary ♦ *ik lui? integendeel!* me lazy? quite the contrary!; *het wilde maar niet droog worden; integendeel, het ging eerder nog harder regenen* the rain would not stop; if anything it began to rain even harder
integer [bn, bw] sound ⟨bw: ~ly⟩, honest, honourable, incorruptible
[1]**integraal** [de] [1] ⟨wisk⟩ integral ♦ *de integraal **berekenen** van* calculate the integral of, integrate; *de **(on)bepaalde** integraal* the (in)definite integral [2] ⟨ec⟩ ± Netherlands 2½% Government Inscribed Stock

2integraal [bn, bw] [1] ⟨volledig⟩ integral ⟨bw: ~ly⟩, complete, entire ♦ *integrale **betaling*** payment in full; *integrale **geneeskunde*** integrated medicine; *een tekst integraal **overnemen*** copy a text in its entirety/in full; *een integrale **uitgave*** a complete and unabridged edition; *een tekst integraal **uitgeven*** publish a complete/unabridged edition of a text; *een integrale **uitvoering*** a performance of the full work [2] ⟨op zichzelf bestaande⟩ integral ⟨bw: ~ly⟩, integrated ♦ *een integraal **deel** van het geheel* an integral/integrated/organic part of the whole; *integrale **teelt** van gewassen* integrated/biological agriculture

integraalband [de^m] ⟨boek⟩ integral cover, self-cover

integraalhelm [de^m] regulation (crash-)helmet

integraalrekening [de^v] ⟨wisk⟩ integral calculus

integrand [de^m] ⟨wisk⟩ integrand

integratie [de^v] [1] ⟨het maken tot, opnemen in een geheel⟩ integration, unification ♦ *de **Europese** integratie* (the) European unification [2] ⟨m.b.t. bevolkingsgroepen⟩ integration ♦ *de integratie van **minderheden** in de maatschappij* the integration of minority groups in society; *een **voorstander** van integratie* an integrationist; *de integratie op gang **brengen*** stimulate integration [3] ⟨ec⟩ integration [4] ⟨psych; fysiologie⟩ integration, coordination [5] ⟨wisk⟩ integration ♦ ***grafische** integratie* graphic integration

integratiebeleid [het] integration policy ♦ *een actief integratiebeleid **voeren*** pursue an active integration policy

integratiekaart [de] integration map

integrator [de^m] ⟨wisk⟩ integrator

1integreren [onov ww] ⟨tot één geheel worden⟩ integrate, amalgamate, be unified ♦ *de nieuwe bewoners integreerden snel **met** de autochtone bevolking* the new settlers quickly integrated with the original population

2integreren [ov ww] [1] ⟨tot een geheel samenvoegen⟩ integrate, unify, ⟨rassen⟩ desegregate ♦ ⟨ec⟩ *geïntegreerd **bedrijf*** integrated company [2] ⟨wisk⟩ integrate

integrerend [bn] integral, ⟨onderdelen ook⟩ integrant

integriteit [de^v] [1] ⟨onkreukbaarheid⟩ integrity, incorruptibility, sincerity, honesty ♦ *dat is een **aantasting** van mijn integriteit* that is an attack on my integrity; *zijn integriteit **bewaren*** preserve/maintain one's integrity; *zijn integriteit staat op het spel* his integrity/honour is at stake; *iemands integriteit in twijfel trekken* doubt s.o.'s integrity [2] ⟨ongeschonden toestand⟩ integrity, intactness, unimpairedness [3] ⟨onschendbaarheid⟩ integrity, inviolability

integriteitscode [de^m] ethics code, code of ethics

integument [het] [1] ⟨omhulsel⟩ integument, covering, ⟨van boek⟩ box [2] ⟨biol⟩ integument, skin, dermis, cutis

intekenaar [de^m] [1] ⟨subscribent⟩ subscriber, participant [2] ⟨confectie⟩ ± patternmaker

intekenbiljet [het] ⟨boek⟩ subscription form

1intekenen [onov ww] ⟨subscriberen⟩ subscribe, sign up, put one's name down ♦ *u **kunt** nu intekenen* you can subscribe now, the subscription is open now; *intekenen **op** een nieuwe druk van een woordenboek* subscribe to a new edition of a dictionary; *intekenen **voor** een som van € 100* subscribe/put one's name down for (a sum of) € 100

2intekenen [ov ww] [1] ⟨inschrijven⟩ register, enter ♦ *een aanstaand bruidspaar intekenen **in** het register* ± issue a marriage licence to a couple [2] ⟨tekenend aanbrengen⟩ sketch/draw in, ⟨op kaart⟩ plot ♦ ***details** op een kaart intekenen* plot/sketch in details on a map

intekening [de^v] [1] ⟨handeling⟩ subscribing, subscription, registration ♦ *prijs **bij** intekening op de hele serie* price on subscription to the entire series; ***bij** intekening op de gehele reeks ontvangt u een waardevol geschenk* if you subscribe to the entire series you will receive a valuable gift [2] ⟨geval⟩ subscription, registration, participation, booking

intekenlijst [de] signing up list, subscription list ♦ *een intekenlijst **laten rondgaan*** pass round a subscription list

intekenprijs [de^m] subscription price ♦ *intekenprijs vóór verschijnen* pre-publication price

intellect [het] [1] ⟨verstand⟩ intellect, intelligence, understanding, reason [2] ⟨de intellectuelen⟩ intelligentsia ⟨ww ook mv⟩, intellectuals [3] ⟨persoon m.b.t. zijn verstand⟩ intellect, brain ♦ ⟨iron⟩ *jij bent zeker het intellect van de **familie*** you must be the bright/brainy one of the family

intellectualiseren [ov ww, ook abs] [1] ⟨verstandelijk benaderen⟩ intellectualize [2] ⟨duiden⟩ intellectualize

intellectualisme [het] [1] ⟨wereldbeschouwing⟩ intellectualism, rationalism [2] ⟨verstandelijkheid⟩ intellectualism

intellectualist [de^m] [1] ⟨aanhanger van het intellectualisme⟩ intellectualist, rationalist [2] ⟨nuchter verstandsmens⟩ intellectualist

intellectualistisch [bn, bw] intellectualistic ⟨bw: ~ally⟩, rationalistic, ⟨pej⟩ sophisticated

1intellectueel [de^m] [1] ⟨iemand met hoge ontwikkeling⟩ intellectual [2] ⟨mv; intelligentsia⟩ intelligentsia ⟨ww ook mv⟩, intellectuals

2intellectueel [bn, bw] intellectual ⟨bw: ~ly⟩ ♦ *intellectuele **arbeid*** brainwork; *intellectueel **begaafd*** intelligent, intellectually gifted; *intellectuele **begaafdheid*** intellect(ual capacities); *intellectuele **gaven*** intellectual gifts; *het intellectuele **leven*** the intellectual life; *intellectuele **ontwikkeling*** intellectual/mental development; *intellectuele **vorming*** intellectual training/education [•] ⟨jur⟩ *intellectuele **valsheid** van een akte* false authentication of a document

intelligent [bn, bw] intelligent ⟨bw: ~ly⟩, clever, ⟨persoon⟩ smart, bright, ⟨beslissing e.d.⟩ wise ♦ ***buitengewoon** intelligent* brilliant, as sharp as a razor; *een intelligent **dier*** an intelligent/a clever animal; *een intelligent **gezicht*** an intelligent face; ⟨sport⟩ *een intelligent **opgezette** aanval* a clever attack

intelligent design [het] intelligent design

intelligentie [de^v] intelligence, cleverness ♦ *mensen met een **hoge** intelligentie* people with a high IQ; ***kunstmatige** intelligentie* artificial intelligence; ***sociale** intelligentie* social insight

intelligentieleeftijd [de^m] mental age

intelligentieonderzoek [het] → **intelligentietest**

intelligentiequotiënt [het] intelligence quotient, IQ

intelligentietest [de^m], **intelligentieonderzoek** [het] [1] ⟨onderzoek⟩ intelligence test [2] ⟨vragen⟩ intelligence test

intelligentsia [de^v] intelligentsia

intendance [de] [1] ⟨rentmeesterschap⟩ intendancy [2] ⟨korps ambtenaren⟩ intendancy [3] ⟨mil⟩ commissariat, Army Service Corps, supply corps

intendant [de^m] [1] ⟨ambtenaar⟩ intendant, ⟨paleis⟩ house steward, ⟨theat⟩ manager ♦ *intendant van het **paleis*** house steward at the palace [2] ⟨mil⟩ quartermaster, supply officer, commissary

intenderen [ov ww] intend, purpose

intens [bn, bw] intense ⟨bw: ~ly⟩, keen, intensive, ⟨zorgen⟩ acute ♦ *intense **afkeer*** intense/fierce dislike; *intens **bezorgd*** acutely worried; *intens **blauw*** deep blue; *intens **gelukkig*** intensely happy; *intens **genieten*** get a kick out of, enjoy immensely; *hoe intens **laag** en **gemeen**!* what an intensely vile and mean thing to do!; *intens **studeren*** study very hard/intensively; *een intens **verlangen/plezier*** an intense desire/joy, keen pleasure; *intens **vervelend*** intensely annoying; ***zich** intens **vervelen*** be bored to death

1intensief [het] ⟨taalk⟩ intensive verb

2intensief [bn, bw] [1] ⟨diepgaand, krachtig⟩ intensive ⟨bw: ~ly⟩, intense ♦ *intensieve **bemesting*** intensive manuring; *een intensieve **campagne*** an intensive campaign; *intensief **contact** onderhouden* keep in close contact; ⟨landb⟩ *intensieve **cultuur*** intensive cultivation; *intensief **gebruikmaken** van iets* use sth. intensively; *intensieve **propaganda*** intensive propaganda campaign; *intensieve **veehouderij*** factory farming; *intensief verkeer* busy traffic; ⟨med⟩ *intensieve verpleging* intensive care; *een intensieve werking* a profound effect; *intensief werkzaam/bezig zijn* be working intensively/intensely [2] ⟨taalk⟩ intensive ⟨bw: ~ly⟩

intensifiëren [ov ww, ook abs] intensify

intensiteit [de^{v}] [1] ⟨mate van kracht⟩ intensity ♦ *grote intensiteit* high intensity; ⟨natuurk⟩ *de intensiteit van een magnetisch veld* the intensity of a magnetic field [2] ⟨hoedanigheid⟩ intensity, intenseness

intensive care [de] ⟨med⟩ [1] ⟨verpleging⟩ intensive care ♦ *op de intensive care liggen* be in intensive care [2] ⟨afdeling⟩ intensive care (unit), ICU ♦ *op de intensive care werken* work in the intensive care unit, work in intensive care

intensiveren [ov ww] intensify, step up, heighten

intentie [de^{v}] intention, purpose ♦ *de intentie hebben om* have it in mind to, intend to; *oprechte intenties* sincere intentions; ⟨r-k⟩ *een mis opdragen tot zekere intentie* celebrate mass for a particular intention; ⟨r-k⟩ *een mis opdragen tot intentie van iemand* celebrate mass to the remembrance of s.o.

intentieverklaring [de^{v}] declaration of intent

intentionaliteit [de^{v}] intentionality, purpose (fulness), directedness

intentioneel [bn, bw] intentional ⟨bw: ~ly⟩, ⟨alleen predicatief⟩ by design, on purpose

interacademiaal [bn, bw] interacademic ⟨bw: ~ally⟩, ⟨universiteit ook⟩ interuniversity

interacteren [onov ww] interact

interactie [de^{v}] interaction, interplay

interactief [bn, bw] ⟨comp⟩ interactive ⟨bw: ~ly⟩ ♦ *interactief werken* work interactively

interactionisme [het] interactionism

interageren [onov ww] interact

interbancair [bn] inter-bank

interbellum [het] interbellum period, period between (two) wars

intercalatie [de^{v}] intercalation, insertion, interpolation

intercedent [de^{m}], **intercedente** [de^{v}] interagent, intermediary, mediator, go-between ♦ *als intercedent(e) werken bij een uitzendbureau* be employed as an intermediary by an employment agency/^{A}bureau

intercedente [de^{v}] → **intercedent**

intercederen [onov ww] intercede, mediate

intercellulair [bn] ⟨med⟩ intercellular ♦ *intercellulair vocht* intercellular fluid

interceptie [de^{v}] interception

interceptiemiddel [het] ⟨med⟩ contraceptive (device/pill)

interceptor [de^{m}] [1] ⟨radartoestel⟩ interceptor [2] ⟨jachtvliegtuig⟩ interceptor (fighter)

intercity [de^{m}] ⟨BE⟩ intercity train, ⟨AE⟩ ± limited train ♦ *de intercity nemen, met de intercity reizen* go by intercity (train)

intercitylijn [de] intercity line

intercitynet [het] intercity network

intercom [de^{m}] intercom ♦ *iets over de intercom omroepen* announce sth. over/on the intercom; *iemand via de intercom oproepen* call s.o. via the intercom

intercommunaal [bn, bw] ⟨verk e.d.⟩ interurban ♦ *intercommunale gesprekken* ⟨vnl BE⟩ trunk calls, ⟨vnl AE⟩ long distance calls

intercommunale [de^{v}] ⟨in België⟩ ± intermunicipal (utility) company (perhaps with state and/or private participation) ♦ *gemengde intercommunale* intermunicipal (utility) company with private participation; *zuivere intercommunale* intermunicipal (utility) company without private participation

intercommunie [de^{v}] intercommunion

interconfessioneel [bn, bw] interdenominational ⟨bw: ~ly⟩ ♦ *een interconfessioneel ziekenhuis* an interdenominational hospital

intercontinentaal [bn, bw] intercontinental ⟨bw: ~ly⟩ ♦ *intercontinentale raketten* intercontinental missiles

^{1}**interculturaliseren** [ov ww] ⟨intercultureel worden⟩ interculturalize

^{2}**interculturaliseren** [ov ww] ⟨intercultureel maken⟩ interculturalize

interculturaliteit [de^{v}] interculturality

intercultureel [bn] intercultural

intercurrent [bn] [1] ⟨bijkomend⟩ intercurrent ♦ *intercurrente ziekten* intercurrent diseases [2] ⟨onregelmatig⟩ intercurrent ♦ *een intercurrente hartslag* an intercurrent heart-beat

interdepartementaal [bn, bw] interdepartmental ⟨bw: ~ly⟩

interdependent [bn] interdependent

interdependentie [de^{v}] interdependence

interdict [het] [1] ⟨verbod⟩ interdict, prohibition [2] ⟨r-k⟩ interdict ♦ *een interdict uitspreken over een stad* lay a town under an interdict

interdictie [de^{v}] interdiction, prohibition

interdiocesaan [bn, bw] interdiocesan ♦ *interdiocesaan beraad* interdiocesan consultation(s)

interdisciplinair [bn, bw] interdisciplinary ♦ *het interdisciplinaire karakter van het onderzoek* the interdisciplinary character of the research

interen [ov ww, ook abs] ⟨onovergankelijk werkwoord⟩ eat into (one's capital), live on one's fat, ⟨overgankelijk werkwoord⟩ use up ♦ *tienduizend euro interen* use up ten thousand euros; *interen op zijn spaargeld/vermogen* eat into one's savings

^{1}**interessant** [bn] [1] ⟨m.b.t. personen⟩ interesting [2] ⟨de indruk gevend van belangrijkheid⟩ important, interesting ♦ *ze zit gewoon een beetje interessant te doen* she's just trying to attract attention; *interessant willen zijn* show off [3] ⟨voordelig⟩ advantageous, profitable ♦ *dit zaakje is niet interessant voor ons* this isn't a good/profitable deal for us

^{2}**interessant** [bn, bw] ⟨boeiend⟩ interesting ⟨bw: ~ly⟩, intriguing ♦ *het interessante is ...* the interesting thing is ...; *hij kan heel interessant vertellen* he is very good at storytelling; *iets (hoogst) interessant vinden* find sth. (highly) interesting; *iets niet langer interessant vinden* lose one's interest in sth.

interesse [het, de^{v}] [1] ⟨belangstelling⟩ interest ♦ *een brede interesse hebben* have wide interests; *het heeft haar interesse niet* it does not interest her; *bij leerlingen interesse kweken voor een vak* interest one's pupils in a subject; *interesse tonen voor iemand* show interest in s.o.; *zijn interesse voor iets verliezen* lose interest (in sth.); ⟨inf⟩ get turned off sth.; *vol interesse zijn* be highly interested; *(geen) interesse hebben voor iets* be interested in sth., have no interest in sth.; *iemands interesse weten te wekken voor iets* arouse s.o.'s interest in sth. [2] ⟨belang⟩ interest [3] ⟨lust om te kopen⟩ interest ♦ *hebt u interesse voor deze kast?* are you interested in this cupboard? [4] ⟨voorwerp van belangstelling⟩ interest ♦ *allerlei/weinig interesses hebben* have many/few interests

interessegebied [het], **interessesfeer** [de] field/sphere of interest, line ♦ *dat valt buiten/binnen zijn interessegebied* that is outside/out of/in his line

^{1}**interesseren** [ov ww] ⟨nieuwsgierig maken⟩ interest ♦ *het zal je misschien interesseren te horen ...* you may be interested to hear ..., it may interest you to hear ...; *geld interesseert me niet zo* money doesn't interest me much; *wie het gedaan heeft interesseert me niet* I am not interested in who did it; *dat interesseert me niet* ⟨ook⟩ I don't care; *zij wist hem te interesseren voor een avondje uit* she was able to interest him in a night out; *dat interesseert me zeer* I am greatly interested in it; *het interesseert hem geen zier* he couldn't care less; *het interesseert hem geen barst/moer* he doesn't give/care a damn

[2]**zich interesseren** [wk ww] ⟨belangstelling tonen voor⟩ be interested, interest o.s., ⟨inf⟩ be into sth. ♦ *zich **voor** niets interesseren* be interested in nothing; *zij schijnt zich te interesseren **voor** de buurman* she seems to have taken a fancy to the neighbour; *hij interesseert zich tegenwoordig zeer **voor** reggae* he's into reggae these days; ***zich** voor iets gaan interesseren* become interested in sth., begin to interest o.s. in sth.

interessesfeer [de] → **interessegebied**

interest [de^{m}] interest ♦ *interest **geven*** bear/yield interest; *drie **maanden** interest* three months' interest; *interest **op** interest* (at) compound interest; *geld **op** interest uitzetten* put out money at interest; ***samengestelde** interest* compound interest; ***tegen** 9 % interest* at the rate of 9 %

interestberekening [de^{v}] calculation of interest, charging interest

interestrekening [de^{v}] [1] ⟨bank⟩ deposit account [2] ⟨rekenmethode⟩ calculation of interest

inter-Europees [bn] inter-European ♦ *inter-Europese **commissie*** inter-European commission; *(de) inter-Europese **samenwerking*** inter-European co-operation

interface [de] interface

interfacultair [bn, bw] [1] ⟨m.b.t. een interfaculteit⟩ of/from the combined faculty, of/from the joint faculty [2] ⟨m.b.t. faculteiten onderling⟩ interfaculty ♦ *een interfacultaire **vakgroep*** an interfaculty department

interfaculteit [de^{v}] combined/joined faculty ♦ *de interfaculteit van **aardrijkskunde** en **prehistorie*** the combined/joint faculty of geography and prehistory

interfase [de^{v}] ⟨biol⟩ interphase, interkinesis

interferentie [de^{v}] [1] ⟨inmenging⟩ interference ♦ *interferentie van de **moedertaal*** native language interference [2] ⟨gelijktijdige werking van twee bewegingen⟩ interference [3] ⟨taalk⟩ interference ♦ *interferentie van **standaardtaal** en **dialect*** interference between standard language and dialect [4] ⟨med⟩ interference

interferentieverschijnsel [het] interference phenomenon

interfereren [onov ww] [1] ⟨tussenbeide komen⟩ interfere, intervene [2] ⟨samentreffen⟩ interfere

interferometrie [de^{v}] interferometry

interferon [het] ⟨med⟩ [1] ⟨eiwit⟩ interferon [2] ⟨geneesmiddel⟩ interferon

intergalactisch [bn] intergalactic

intergemeentelijk [bn, bw] intermunicipal ⟨bw: ~ly⟩, intercommunal ♦ *intergemeentelijk **huisvestingsbeleid*** intermunicipal housing policy

intergenerationeel [bn] intergenerational ♦ *intergenerationele **belangenconflicten*** intergenerational conflicts of interest

[1]**interglaciaal** [het] interglacial

[2]**interglaciaal** [bn] interglacial ♦ *interglaciale **tijdvakken*** interglacial eras

intergouvernementeel [bn] intergovernmental

interieur [het] [1] ⟨het inwendige⟩ interior, inside ♦ *een **smakeloos** interieur* a tasteless interior [2] ⟨binnenwerk van matrassen⟩ stuffing [3] ⟨vulling van bonbons⟩ stuffing [4] ⟨pak papiervellen⟩ file sheets

interieurverlichting [de^{v}] interior light(ing), ⟨van een auto⟩ courtesy light, interior lamp

interieurverzorger [de^{m}], **interieurverzorgster** [de^{v}] ⟨euf⟩ ⟨man & vrouw⟩ cleaner, ⟨vrouw ook⟩ cleaning-lady

interieurverzorgster [de^{v}] → **interieurverzorger**

interieurzaak [de] interior design/decoration

[1]**interim** [de^{m}] ⟨tijdelijke werkkracht⟩ temporary (employee)

[2]**interim** [het] [1] ⟨tussentijd⟩ interim, interval, meantime ♦ *minister ad interim* (ad) interim/temporary minister; *de directeur ad interim* the acting manager [2] ⟨in België; tussentijds ambt⟩ temporary job/occupation/post, ⟨i.h.b. ter vervanging⟩ temporary fill-in job ♦ *een interim **doen*** substitute

[3]**interim** [bn] ⟨in België⟩ temporary, interim

interim-aandeel [het] ⟨handel⟩ scrip (certificate)

interimaat [het] [1] ⟨periode⟩ interim (period) [2] ⟨bestuur⟩ interim government ♦ ***onder** het interimaat **van*** during the interim government of

interim-advies [het] interim advice ♦ *een interim-advies **uitbrengen** (over iets)* give interim advice (on sth.)

interimaris [de^{m}] ⟨in België⟩ [1] ⟨tijdelijke werkkracht⟩ temporary employee [2] ⟨vervanger⟩ substitute, supply, acting ⟨+ functie⟩, ⟨onderwijzer⟩ supply teacher

interimbedrijf [het] ⟨in België⟩ (temporary) employment agency

interim-bestuur [het] interim/temporary government

interimbureau [het] ⟨in België⟩ (temporary) employment agency

interim-dividend [het] ⟨handel⟩ interim dividend

interim-manager [de^{m}] interim manager

interim-rapport [het] interim report

interim-regeling [de^{v}] interim measure

interim-regering [de^{v}] caretaker/interim/provisional government

interinsulair [bn, bw] interinsular

interjectie [de^{v}] ⟨taalk⟩ interjection

interkerkelijk [bn] interdenominational ♦ *het interkerkelijk **overleg*** the interchurch talks; *het Interkerkelijk **Vredesberaad** (IKV)* the Interdenominational Peace Council/Forum

interland [de^{m}] ⟨sport⟩ international (match), ⟨cricket⟩ test match ♦ *een interland **fluiten/leiden*** referee an international (match); *zijn eerste interland **spelen*** play one's first international match; ⟨vnl voetb⟩ receive one's first cap; ***tien** interlands op zijn naam hebben staan* ⟨vnl voetb⟩ have ten caps, have been capped ten times

interlineair [bn] interlinear

interliner [de^{m}] express ^{B}coach/^{A}bus, intercity ^{B}coach/^{A}bus, ⟨AE ook⟩ Greyhound

interlinguïstiek [de^{v}] interlinguistics

interlinie [de^{v}] ⟨drukw⟩ [1] ⟨ruimte tussen opeenvolgende regels⟩ spacing ♦ *interlinie **aanbrengen*** leave (wider) spaces/spacing between the lines, type in wider spacing, space the lines; ***zonder** interlinie **typen*** type in single spacing [2] ⟨onderdeel van de maat voor het letterkorps⟩ lead

interliniëren [ov ww] leave spaces/spacing in, ⟨drukw⟩ lead (matter)

interlock [het, de^{m}] [1] ⟨dubbel breigoed⟩ interlock/lock-knit fabric [2] ⟨ondergoed⟩ interlock/lock-knit underwear ♦ ***in** zijn/haar interlockje* in his/her ^{B}vest/^{A}undershirt

interlocutie [de^{v}] ⟨jur⟩ interlocutory judg(e)ment/decree, interlocution

interlocutoir [bn] interlocutory ♦ *een interlocutoire **beschikking*** an interlocutory decree; *een interlocutoir **vonnis*** an interlocutory judg(e)ment

interlokaal [bn, bw] [1] ⟨verkeer⟩ intercity, interurban [2] ⟨telefoongesprek⟩ long-distance, ⟨vnl BE; vero⟩ trunk ♦ *een interlokaal **gesprek*** a long-distance call/conversation; *een interlokaal **gesprek** voeren* put in a long-distance call; *interlokaal **telefoneren*** make a long-distance (tele)phone call

interludium [het] ⟨muz⟩ interlude

[1]**intermediair** [de^{m}] ⟨bemiddelaar⟩ intermediary, mediator, interagent, go-between ♦ ***als** intermediair optreden* act as intermediary

[2]**intermediair** [het] [1] ⟨bemiddeling⟩ intermediary [2] ⟨intermedium⟩ intermediary, medium

[3]**intermediair** [bn] [1] ⟨tussenliggend⟩ intermediary, intermediate [2] ⟨bemiddelend⟩ intermediary ♦ *intermediair **onderwijs*** remedial teaching

intermediëren [onov ww] mediate

intermedium [het] 1 ⟨tijd⟩ interval 2 ⟨persoon, zaak⟩ (inter)medium, intermediary
intermenselijk [bn] interpersonal, human ◆ *(de) intermenselijke* ***verhoudingen*** *(waren ernstig verstoord)* (the) human relations (were seriously upset)
intermezzo [het] 1 ⟨dram, muz⟩ intermezzo 2 ⟨fig⟩ interlude
intermissie [de^v] 1 ⟨het uitblijven⟩ omission 2 ⟨tussentijd⟩ intermission, interval
intermitterend [bn, bw] intermittent ⟨bw: ~ally⟩, periodic, recurrent ◆ *een intermitterende* ***koorts*** intermittent fever
intern [bn, bw] 1 ⟨inwonend⟩ resident ◆ *interne* ***leerlingen*** boarders, resident pupils; *interne* ***patiënten*** in-patients; ⟨onderw⟩ *was je daar intern?* were you a boarder? 2 ⟨m.b.t. een staat, organisatie⟩ internal ⟨bw: ~ly⟩, domestic ◆ *interne* ***aangelegenheden*** internal/domestic affairs; *uitsluitend voor interne* ***doeleinden****/voor intern* ***gebruik*** for private purposes/use only, confidential; *vacatures opvullen door interne* ***verschuivingen*** fill vacancies by means of internal relocation 3 ⟨m.b.t. het lichaam⟩ internal ⟨bw: ~ly⟩ ◆ *interne* ***geneeskunde*** internal medicine; ***op*** *(de afdeling) interne (geneeskunde) liggen* be in the internal medicine ward
internaat [het] boarding school
internaliseren [ov ww] internalize
internalisering [de^v] internalization
internationaal [bn, bw] international ⟨bw: ~ly⟩ ◆ *het Internationaal Olympisch* ***Comité*** *(IOC)* the International Olympic Committee; *internationaal* ***geldig*** internationally valid; *het Internationaal* ***Gerechtshof*** the International Court of Justice; *een discussie op internationaal* ***niveau*** *voeren* carry on a discussion at an international level; *de internationale* ***politiek*** international politics; *een gebied onder internationaal* ***toezicht*** *plaatsen* place an area under international supervision/control, internationalize an area; *het internationaal* ***verkeer/privaatrecht*** international traffic/civil law; *internationaal* ***werken*** operate internationally/on an international basis
international [de^m] 1 ⟨sport⟩ international 2 ⟨handel; aandeel⟩ international (stock) 3 ⟨handel; concern⟩ international/multinational company
Internationale [de] 1 ⟨arbeidersverbond⟩ International 2 ⟨strijdlied⟩ International
internationalisatie [de^v] internationalization
internationaliseren [ov ww] internationalize
internationalisering [de^v] internationalization
internationalisme [het] 1 ⟨wereldbeschouwing⟩ internationalism ◆ ***aanhanger*** *van het internationalisme* internationalist 2 ⟨samenwerking⟩ internationalism
internationalistisch [bn, bw] internationalist(ic) ⟨bw: internationalistically⟩
interneren [ov ww] intern
internering [de^v] 1 ⟨het interneren, geïnterneerd worden⟩ internment 2 ⟨op gronden van algemeen belang⟩ internment
interneringskamp [het] internment camp
internet [het] ⟨comp⟩ Internet, Net ◆ *op (het) internet* ***surfen*** surf the Net
internetaanbieder [de^m] Internet (service) provider
internetadres [het] Internet address
internetbank [de] Internet bank
internetbankieren [onov ww] Internet bank
internetbellen [onov ww] Internet telephony
internetburger [de^m] netizen
internetcafé [het] Internet café, cybercafé
interneteconomie [de^v] Internet economy
internetfilter [het, de^m] Internet filter
internetforum [het] Internet forum
internetkunst [de^v] Internet art
internetpagina [de] web page
internetportaal [het] Internet portal
internetprovider [de^m] Internet (service) provider
internetrevolutie [de^v] Internet revolution
internetserver [de^m] Internet/web server
internetsite [de] Internet/web site
internettelefonie [de^v] Internet telephony
internettelefoon [de^m] 1 ⟨mobiele telefoon⟩ Internet telephone 2 ⟨voor bellen via internet⟩ Internet telephone
internettelevisie [de^v] Internet television
internetten [onov ww] surf (the Net)
internetter [de^m] netter, nettie, nethead
internetveiling [de^v] Internet auction
internetverkeer [het] Internet traffic
internetvirus [het] Internet virus
internetwinkel [de^m] online shop, Internet shop
internetzuil [de] Internet kiosk
internist [de^m] internist
internodiaal [bn] ⟨biol⟩ internodal, internodial
internodium [de^v] ⟨biol⟩ internode
internuntiatuur [de^v] 1 ⟨ambt⟩ internunciature 2 ⟨residentie⟩ internuncial residence
internuntius [de^m] internuncio
interoceanisch [bn] interoceanic
interparlementair [bn, bw] interparliamentary ◆ *de Interparlementaire* ***Unie*** the Interparliamentary Union
interpellant [de^m] interpellator, ⟨Groot-Brittannië⟩ questioner
interpellatie [de^v] interpellation, ⟨Groot-Brittannië⟩ questioning, ⟨onderbreking van rede ook⟩ interruption ◆ ⟨pol⟩ ***recht*** *van interpellatie* right of interpellation
interpelleren [ov ww] 1 ⟨zich met een interpellatie richten tot⟩ interpellate, ⟨Groot-Brittannië⟩ question ◆ *de minister interpelleren* ***over*** interpellate the minister about 2 ⟨om opheldering vragen⟩ demand an explanation from
interplanetair [bn] interplanetary ◆ *de interplanetaire* ***ruimte*** interplanetary space; *interplanetair* ***verkeer*** interplanetary travel
Interpol [de^v] Interpol
interpolatie [de^v] 1 ⟨inlassing in een tekst⟩ interpolation, insertion 2 ⟨wisk⟩ interpolation
interpoleren [ov ww] interpolate, insert
interpolitiek [bn] interparty ◆ *een interpolitiek* ***debat*** an interparty debate
interpreet [de^m] 1 ⟨uitlegger⟩ interpreter ◆ *een interpreet van* ***orakels*** an interpreter of oracles 2 ⟨vertolker⟩ interpreter ◆ *een goed interpreet van de* ***muziek*** *van Bach* a fine interpreter of (the music of) Bach
interpretabel [bn] interpretable
interpretatie [de^v] 1 ⟨uitlegging⟩ interpretation, reading, ⟨explicatie⟩ explication ◆ ***foute/verkeerde*** *interpretatie* misinterpretation; *de interpretatie van Middelnederlandse* ***gedichten*** the interpretation of Middle Dutch poetry; *zijn eigen interpretatie aan iets* ***geven*** place one's own interpretation on sth.; *een interpretatie die de feiten geweld aandoet/****verdraait*** an interpretation which flies in the face of the facts; *de interpretatie van een* ***wetsartikel*** the interpretation of an article of law; *zijn verklaring is voor meer dan één interpretatie vatbaar* his explanation is open to/admits of more than one interpretation 2 ⟨vertolking⟩ interpretation ◆ *een* ***fraaie*** *interpretatie* a fine interpretation
interpretatief [bn] 1 ⟨verklarend⟩ interpretative 2 ⟨afgeleid, indirect⟩ constructive, constructional
interpreteren [ov ww] 1 ⟨uitleggen⟩ interpret, construe, read ◆ *dit* ***gedicht*** *kun je zo niet interpreteren* you can't interpret this poem like that, this poem can't be interpreted like that; *hoe zou jij deze* ***passage*** *interpreteren?* how would you interpret this passage?; *de wet* ***ruim*** *interpreteren* give a broad/wide interpretation of the law; *iets ver-*

keerd interpreteren misinterpret sth., interpret sth. wrongly; *de regels vrij interpreteren* bend the rules [2] ⟨vertolken⟩ interpret ♦ *een muziekstuk interpreteren* interpret a piece of music

interprovinciaal [bn, bw] interprovincial ⟨bw: ~ly⟩

interpunctie [de^{v}] [1] ⟨(leer van) de plaatsing van leestekens⟩ punctuation, pointing [2] ⟨leestekens⟩ punctuation ♦ *interpunctie aanbrengen in een tekst* punctuate a text; *zonder interpunctie* without punctuation, unpointed

interpunctieteken [het] punctuation mark

interpungeren [ov ww, ook abs] punctuate, point

interregio [de] border region

interregnum [het] interregnum

interrogatie [de^{v}] interrogation

[1]**interrogatief** [het] ⟨taalk⟩ [1] ⟨vragend voornaamwoord⟩ interrogative [2] ⟨vragende vorm⟩ interrogative

[2]**interrogatief** [bn, bw] interrogative ⟨bw: ~ly⟩

interrogeren [ov ww] interrogate

interrumperen [ov ww] interrupt ♦ *interrumperen met lastige vragen* ⟨ook⟩ heckle; *telkens interrumperen* interrupt repeatedly, keep on interrupting

interruptie [de^{v}] [1] ⟨onderbreking⟩ interruption [2] ⟨uitroep, opmerking⟩ interruption, interjection

interruptiemicrofoon [de^{m}] intervention microphone

interruptor [de^{m}] ⟨natuurk⟩ contact breaker, interrupter

interscolair [bn] interschool, ⟨sport; AE⟩ extramural

intersectie [de^{v}] [1] ⟨doorsnijding, kruising⟩ intersection [2] ⟨snij(dings)punt⟩ intersection [3] ⟨doorsnede⟩ section

interseks [de^{m}] intersex, hermaphrodite

interseksualiteit [de^{v}] [1] ⟨het zich kunnen ontwikkelen naar het mannelijke of vrouwelijke geslacht⟩ intersexuality, intersex [2] ⟨hermafroditisme⟩ intersexuality, hermaphroditism

interstellair [bn] interstellar ♦ *interstellair gas* interstellar gas

intersubjectief [bn] intersubjective, widely applicable, generally valid

intersubjectiviteit [de^{v}] [1] ⟨relatie van subject tot subject⟩ intersubjectivity, relationship between subjects [2] ⟨onderlinge geldigheid van betrekkingen⟩ intersubjectivity, mutual relationship, reciprocal validity

interuniversitair [bn, bw] interuniversity ♦ *interuniversitaire sportwedstrijden* interuniversity sport competitions; *interuniversitair voorgestelde maatregelen* measures proposed by the universities

interval [het] [1] ⟨tussenruimte, -tijd⟩ interval, space, gap ♦ *met regelmatige intervallen* at regular intervals [2] ⟨muz⟩ interval ♦ *overmatig interval* augmented interval; *rein interval* perfect interval [3] ⟨wisk⟩ interval ♦ *open/gesloten interval* open/closed interval

intervalschakeling [de^{v}] interval(-selector) circuit

intervaltraining [de] interval training

interveniëren [onov ww] [1] ⟨tussenbeide komen⟩ intervene [2] ⟨bemiddelen⟩ intervene [3] ⟨m.b.t. een staat⟩ intervene

interventie [de^{v}] [1] ⟨tussenkomst⟩ intervention [2] ⟨m.b.t. een staat⟩ intervention ♦ *de Russische interventie in Afghanistan* the Russian intervention in Afghanistan

interventiemacht [de^{v}] intervention force

interventieprijs [de^{m}] intervention price

interventieteam [het] intervention team

interventionisme [het] [1] ⟨politiek streven⟩ interventionism [2] ⟨economisch stelsel⟩ interventionism

interversie [de^{v}] ⟨jur⟩ reversal ♦ *interversie van bewijslast* reversal/shifting of the burden/onus of proof

interview [het] interview ♦ *iemand een interview afnemen* interview s.o.; *iemand een interview toestaan* grant/give an interview to s.o.; *een interview (weg)geven* give an interview, be interviewed

interviewen [ov ww] interview ♦ *de geïnterviewde* the person being interviewed, the interviewee

interviewer [de^{m}], **interviewster** [de^{v}] interviewer

interviewster [de^{v}] → **interviewer**

interviewtechniek [de^{v}] interview(ing) technique

interzonaal [bn, bw] interzonal ⟨bw: ~ly⟩, between zones, ⟨meer dan 2 zones⟩ across zones ♦ ⟨in België⟩ *interzonaal bellen/telefoneren* make a long-distance call, ⟨vnl BE; vero⟩ make a trunk call

[1]**intestaat** [de^{m}] ⟨jur⟩ intestate

[2]**intestaat** [bn] ⟨jur⟩ intestate ♦ *een intestaat erfgenaam* heir ab intestato; *intestaat erfrecht* the law of intestate succession; *intestaat overlijden* die intestate

intestinaal [bn] intestinal

intestinum [het] intestine

[1]**intiem** [bn] [1] ⟨in het diepste gelegen⟩ intimate ♦ *haar intiemste gedachten* her most intimate thoughts, her inmost thoughts [2] ⟨gezellig, knus⟩ cosy, snug

[2]**intiem** [bn, bw] [1] ⟨persoonlijk, zeer vertrouwelijk⟩ intimate ⟨bw: ~ly⟩ ♦ *zij gaan nogal intiem met elkaar om* they are on quite intimate terms (with one another), they are quite close friends; *intiem gesprek in bed* pillow talk; *een intiem gesprek/etentje* an intimate conversation/meal; *in intieme kring* in the circle of one's (most) intimate friends, with one's closest friends; *intiem worden met* become intimate with s.o., get on intimate/familiar terms with s.o.; *intiem zijn met iemand* be on (very) intimate terms with s.o., be very close to s.o.; *zij/het zijn intieme vrienden* they are intimate/(very) close/(very) good friends, they are very close [2] ⟨seksueel⟩ intimate ⟨bw: ~ly⟩ ♦ *intieme hygiëne* personal hygiene; *intieme omgang* intimacy; *intieme omgang hebben met iemand* be intimate with s.o.

intiemspray [de^{m}] intimate spray

intifada [de] intifada

intijds [bw] ⟨form⟩ in good time/season

intikken [ov ww] [1] ⟨inslaan⟩ ⟨ruit⟩ smash, break [2] ⟨intypen⟩ type in [3] ⟨intoetsen⟩ key in, ⟨kassa⟩ ring up [4] ⟨naar binnen plaatsen, deponeren in⟩ tap in(to) ♦ ⟨sport⟩ *de bal (het doel) intikken* flick the ball in(to the net)/home

intikker [de^{m}] easy goal

intikkertje [het] [1] ⟨sport; niet te missen kans⟩ easy goal [2] ⟨fig⟩ open goal

intimatie [de^{v}] ⟨jur⟩ summons

intimidatie [de^{v}] intimidation ♦ *door intimidatie zorgen dat iemand zijn mond houdt* intimidate s.o. into silence; *iemand met intimidaties/door intimidatie brengen tot* intimidate s.o. into; *seksuele intimidatie* sexual harassment

intimideren [ov ww] [1] ⟨schrik aanjagen⟩ intimidate, overawe [2] ⟨afschrikken⟩ intimidate, bully, browbeat ♦ *zich niet laten intimideren door iemand* stand up to s.o., refuse to be intimidated by s.o.

intimiteit [de^{v}] [1] ⟨het intiem zijn⟩ intimacy, familiarity [2] ⟨vrijpostige handeling⟩ intimacy, ⟨ongewenst⟩ liberty ♦ *hebben er intimiteiten plaatsgevonden?* was there some intimacy?; *ongewenste intimiteiten* sexual harassment; *zich intimiteiten veroorloven* take liberties [3] ⟨mv; vertrouwelijke mededelingen⟩ intimacies ♦ *intimiteiten uitwisselen* exchange intimacies [4] ⟨vertrouwde sfeer⟩ intimacy, cosiness

intimmeren [ov ww] ⟨inf⟩ bash/smash in

intimus [de^{m}] bosom friend

intituleren [ov ww] entitle

into [vz] into

intocht [de^{m}] entry, entrance ♦ *zijn intocht houden in* make one's entry into; *de intocht van St.-Nicolaas* the entry of St Nicholas

intoetsen [ov ww] ⟨comp⟩ key in, enter

intolerabel [bn] intolerable

intolerant [bn] [1] ⟨onverdraagzaam⟩ intolerant ♦ *intolerant tegenover buitenlanders* intolerant of foreigners [2] ⟨med⟩ intolerant

intolerantie [de^v] 1 ⟨onverdraagzaamheid⟩ intolerance 2 ⟨med⟩ intolerance
intomen [ov ww] 1 ⟨van personen, emoties⟩ curb, restrain, check, moderate ♦ *zijn **geestdrift** intomen* curb/restrain/check one's enthusiasm 2 ⟨m.b.t. rij, trekdier⟩ curb, rein in, check, restrain
intonatie [de^v] 1 ⟨stembuiging⟩ intonation ♦ ***zangerige** intonatie* sing-song intonation 2 ⟨muz; het juist stemmen⟩ tuning 3 ⟨muz; het inzetten van de toon⟩ ⟨orkest en koor⟩ ± attack, ⟨orkest of koor⟩ entry
intoneren [ov ww, ook abs] 1 ⟨een bepaalde stembuiging volgen⟩ intone 2 ⟨muz; beginnen te zingen, spelen, de toon aangeven⟩ ⟨lied, muziekstuk⟩ strike up, ⟨toon⟩ ± attack 3 ⟨muz; juist stemmen⟩ tune
intoneur [de^m] tuner
intoxicatie [de^v] 1 ⟨vergiftiging⟩ poisoning 2 ⟨bedwelming⟩ intoxication
intr. [afk], **int.** [afk] (int(e)rest) int
intracellulair [bn] intracellular
intramuraal [bn, bw] intramural ⟨bw: ~ly⟩ ♦ *intramurale **gezondheidszorg*** ± hospital health care
intramusculair [bn, bw] intramuscular ⟨bw: ~ly⟩
intranet [het] ⟨comp⟩ intranet
[1]**intransigent** [de^m] intransigent, ⟨inf⟩ die-hard
[2]**intransigent** [bn] intransigent, uncompromising, ⟨inf⟩ die-hard
[1]**intransitief** [het] ⟨taalk⟩ intransitive
[2]**intransitief** [bn, bw] intransitive ⟨bw: ~ly⟩ ♦ *een intransitief **werkwoord*** an intransitive verb
intrappen [ov ww] 1 ⟨trappend breken, forceren⟩ kick in/down ♦ *de **deur** intrappen* kick the door in/down 2 ⟨door trappen ergens in brengen⟩ kick in(to) ♦ ⟨sport⟩ *de **bal** (het doel) intrappen* kick the ball in(to the net), put the ball in(to) the net, score (a goal); *iemand nog verder de **grond** intrappen* kick s.o. when he is down 3 ⟨inlopen, -stampen⟩ ⟨kruimels, aarde⟩ tread in, ⟨aarde ook⟩ tread/stamp/trample down
intra-uterien [bn] ⟨med⟩ intrauterine ♦ *intra-uteriene **voorbehoedmiddelen*** intrauterine devices
intraveneus [bn, bw] intravenous ⟨bw: ~ly⟩ ♦ *intraveneus **inspuiten*** inject intravenously; *intraveneuze **voeding*** intravenous alimentation
intrede [de] 1 ⟨binnenkomst⟩ entry, entrance, ingress(ion), ⟨opneming⟩ reception 2 ⟨ambtsaanvaarding⟩ inauguration, entrance ♦ *zijn intrede **doen*** ⟨ambtenaar⟩ take up office, enter upon one's duties; ⟨professor⟩ deliver one's inaugural lecture; *zondag a.s. zal de nieuwe dominee zijn intrede **doen*** ⟨door middel van preek⟩ the new vicar will preach his first sermon next Sunday 3 ⟨het in gebruik komen⟩ appearance, arrival, advent ♦ *voordat de fiets zijn intrede **deed*** before the advent of the bicycle 4 ⟨aanvang⟩ commencement, coming, entrance ♦ *zijn intrede **doen*** ⟨van winter enz.⟩ set in 5 ⟨debuut⟩ entry, entrée, debut ♦ *zijn intrede **doen** in de wereld der grote cineasten* make one's entry as one of the great film-makers
intreden [onov ww] 1 ⟨binnengaan in, door⟩ enter (upon/into) ♦ ⟨fig⟩ *de **maatschappij** intreden* enter into society; *hiermee zijn we een nieuw **tijdperk** (van/voor ...) ingetreden* this marks (the beginning of) a new period/era (of/for) 2 ⟨in een orde treden⟩ enter a(n) convent/order/monastery 3 ⟨m.b.t. tijdruimten⟩ set in, arrive, begin, ↑ commence 4 ⟨m.b.t. toestanden⟩ set in, occur, take place/effect, become operative ♦ *de **dood** trad spoedig in* death occurred soon afterwards; *de **dood** trad onmiddellijk in* death was instantaneous; *de **dood** was nog niet ingetreden* death had not yet occurred
intreegeld [het] admission (fee), entrance fee
intreerede [de] inaugural lecture/speech
intrek [de^m] residence, abode, quarter(s), lodgings ♦ *bij iemand zijn intrek **nemen*** move in with/take up residence with s.o.; *zijn intrek **nemen** in een hotel/riante bungalow* put up at a hotel; move into a splendid bungalow
intrekbaar [bn] ⟨landingsgestel, antenne⟩ retractable, ⟨kattennagels⟩ retractile, ⟨vergunning⟩ withdrawable, revocable
[1]**intrekken** [onov ww] 1 ⟨gaan inwonen (bij)⟩ move in (with), put up (with), take up residence (with), take up one's abode (with) ♦ *bij zijn **vriendin** intrekken* move in with one's girlfriend; *een **klooster** intrekken* enter a convent 2 ⟨binnentrekken⟩ enter, move/march into, make for, penetrate (into) ♦ *de betogers trokken de **binnenstad** in* the demonstrators marched into the city centre; *verder het **land** intrekken* go/penetrate further into the country; *de wijde **wereld** intrekken* set forth/go out into the world 3 ⟨opgezogen worden door⟩ be absorbed, soak in, dry up ♦ *de **verf** moet nog intrekken* the paint must soak in first 4 ⟨krimpen⟩ shrink
[2]**intrekken** [ov ww] 1 ⟨achteruit, naar binnen brengen⟩ draw in/up, retract, withdraw, pull/haul in ♦ *zijn **benen**/de **voelhoorns** intrekken* draw up one's legs; retract/draw in the feelers; *een **draad/touw** intrekken* pull in a wire; pull/haul in a rope; *snel zijn **hoofd** intrekken* duck (one's head); *de **loopplank** intrekken* draw up the gangboard 2 ⟨terugnemen, afschaffen⟩ withdraw, ⟨opdracht⟩ cancel, ⟨rechten⟩ abolish, ⟨aanklacht⟩ drop ♦ ***bankbiljetten** intrekken* call in/recall bank notes; *een **belofte** intrekken* go back on/retract/renegue on a promise; *een **benoeming** (weer) intrekken* cancel/revoke an appointment; *een vorig **besluit** intrekken* revoke/reverse an earlier decision; *een **bevel** intrekken* ⟨ook⟩ countermand an order; *zijn **kandidatuur** intrekken* withdraw one's candidacy; *een **toelage** intrekken* stop/discontinue an allowance; *een **vergunning**/iemands **rijbewijs** intrekken/tijdelijk intrekken* withdraw/suspend a licence/s.o.'s driving licence; *een **verlof** intrekken* cancel a leave; *een **wet/verordening** intrekken* repeal/rescind/revoke a law/by-law; *een **wetsvoorstel** intrekken* withdraw a bill; *zijn **woorden** intrekken* take back/retract one's words; ⟨inf⟩ eat/swallow one's words 3 ⟨binnen een ruimte trekken⟩ pull/draw into 4 ⟨mil⟩ withdraw
intrekking [de^v] 1 ⟨herroeping, afschaffing⟩ ⟨plan⟩ withdrawal, abolition ⟨bijvoorbeeld doodstraf⟩, ⟨afspraak⟩ cancellation, ⟨wet⟩ repeal ♦ *intrekking van een **aanklacht*** withdrawal of a charge; ⟨jur ook⟩ nolle prosequi 2 ⟨inzuiging⟩ absorption, soaking/taking up 3 ⟨samentrekking⟩ retraction, drawing up/in
intrigant [de^m], **intrigante** [de^v] ⟨man & vrouw⟩ intriguer, ⟨man & vrouw⟩ schemer, ⟨man & vrouw⟩ plotter, ⟨man & vrouw⟩ machinator, ⟨man⟩ intrigant, ⟨vrouw⟩ intrigante
intrigante [de^v] → **intrigant**
intrige [de] 1 ⟨complot⟩ intrigue, machination, cabal ♦ *een verhaal **vol** intriges* a cloak-and-dagger story 2 ⟨verwikkeling, plot⟩ plot, intrigue, story(line) ♦ ***ondergeschikte** intrige* subplot, underplot; ***zonder** intrige* plotless
intrigeren [onov ww] 1 ⟨konkelen, samenzweren⟩ plot, scheme, intrigue, contrive ♦ *hij intrigeert **graag*** he loves scheming; *een intrigerend **persoon*** a designing/scheming person; *intrigeren **tegen*** plot/scheme against 2 ⟨boeien⟩ intrigue, fascinate, captivate, enchant ♦ *dat gedicht intrigeert **mij*** that poem fascinates/intrigues me
intrigestuk [het] ⟨lit⟩ comedy of intrigue, cloak-and-dagger play
intrinsiek [bn, bw] intrinsic ⟨bw: ~ally⟩, inherent, innate, immanent, essential ♦ *de intrinsieke **waarde** (van munten)* the intrinsic value (of coins); *de intrinsieke **waarde** (van aandelen)* the assets value (of shares)
intro [het, de] intro
introducé [de^m], **introducee** [de^v] guest, friend, visitor ♦ ***avond** voor introducés* guest night
introducee [de^v] → **introducé**

introduceren [ov ww] [1] ⟨inleiden, voorstellen⟩ introduce, bring (in/along), present, ⟨in vereniging⟩ induct, initiate ♦ *iemand introduceren bij het bestuur/de vereniging* present s.o. to the committee/society; *iemand introduceren in invloedrijke kringen* introduce s.o. into influential circles [2] ⟨invoeren⟩ introduce, launch, ⟨geleidelijk⟩ phase in ♦ *aandelen op de beurs introduceren* introduce stocks onto the Exchange; *een artikel/nieuwe ideeën introduceren* introduce/write an introduction to an article; introduce new ideas

introductie [de^{v}] [1] ⟨bemiddeling⟩ introduction, presentation ♦ *ik kwam met hen in contact door introductie van X* I was introduced to them by X; *introductie van personeel* working in/initiation of (new) staff members [2] ⟨middel⟩ introduction, passport, letter of introduction/recommendation ♦ *deze actrice behoeft geen (nadere) introductie* this actress needs no further introduction; *iemand een introductie meegeven* give s.o. a letter of introduction/recommendation; *een introductie ontvangen* be given an introduction [3] ⟨muz⟩ introduction, opening bars [4] ⟨het in zwang, op de markt brengen⟩ introduction, launching ♦ *ter introductie voor de helft van de prijs* half price introductory offer [5] ⟨fin⟩ introduction, ⟨nieuw aandeel⟩ new listing

introductiedag [de^{m}] orientation (day), open day

introductieprijs [de^{m}] introductory price

introductieweek [de] orientation week

introeven [onov ww] ⟨kaartsp⟩ trump, ruff

introïtus [het, de^{m}] [1] ⟨r-k⟩ Introit [2] ⟨med⟩ introitus ♦ *introitus vaginae* introitus (vaginae)

introspectie [de^{v}] introspection

introspectief [bn, bw] introspective ⟨bw: ~ly⟩, meditative, reflective

introuwen [onov ww] set up home with (s.o.) (after one's wedding), move in with (s.o.) (after one's wedding)

^{1}**introvert** [de^{m}] introvert

^{2}**introvert** [bn] introverted, introvert(ive), shut in, turned in (upon s.o.)

intrusie [de^{v}] [1] ⟨het binnendringen, (zich) indringen⟩ intrusion [2] ⟨geol⟩ intrusion

intrusiegesteente [het] ⟨geol⟩ intrusive rock

intuberen [ov ww] intubate

intuïtie [de^{v}] intuition, instinct ♦ *op zijn intuïtie afgaan* act on a hunch/on one's intuition/on instinct; *tegen de intuïtie indruisend* going against instinct/intuition, counterintuitive; *vrouwelijke intuïtie* feminine intuition

intuïtief [bn, bw] intuitive ⟨bw: ~ly⟩, instinctive, intuitional ♦ *intuïtief aanvoelen/inzien* know intuitively, intuit; *intuïtief juist reageren* do the right thing instinctively, know instinctively how to act; *intuïtieve kennis* ⟨ook⟩ immediate knowledge; *zij wist intuïtief dat de zaak fout zat* she had an intuition/a hunch that sth. was wrong

intussen [bw] [1] ⟨inmiddels⟩ meanwhile, in the meantime/interim ♦ *het eten was intussen koud geworden* meanwhile the dinner had gone cold [2] ⟨desondanks⟩ nevertheless, all the same, for all that, yet ♦ *het vriest, maar intussen loopt zij nog zonder jas!* it's freezing, and yet she is still walking about without a coat

intypen [ov ww] type in, enter ♦ *tekst/gegevens intypen* enter text/data

Inuit [de^{mv}] Inuit, ⟨vrouw ook⟩ Inuit women/girls

Inuk [de^{m}] Inuk

Inuktitut [het] Inuktitut

inundatie [de^{v}] [1] ⟨het onder water zetten⟩ inundation, flooding [2] ⟨terrein⟩ inundated/flooded area

inunderen [ov ww] inundate, flood, drown

in usu [1] ⟨gewoon(lijk)⟩ usually, ordinarily, normally [2] ⟨in gebruik⟩ in use, being used

invaginatie [de^{v}] [1] ⟨ineenschuiving⟩ invagination, sheathing [2] ⟨med⟩ intussusception, invagination (of the intestine)

inval [de^{m}] [1] ⟨invasie⟩ raid, incursion, inroad, foray, invasion ♦ *een inval doen in* ⟨gebouw⟩ raid; ⟨land⟩ invade/foray into; *een inval doen in een café* raid a club/pub, ⟨inf⟩ bust a club/pub [2] ⟨ingeving, idee⟩ (bright) idea, thought, flash, brain wave ♦ *dwaze inval* a silly whim; *een goede/geestige/geniale inval* a bright idea; a flash of wit; a brain wave; *hij kreeg de inval zijn huis te verkopen* it suddenly occurred to him to sell his house [3] ⟨(plotseling) begin⟩ setting in, (sudden) descent ♦ *de inval van de dooi* the setting in of the thaw [4] ⟨muz⟩ joining in [•] *het lijkt daar wel de zoete inval* it's always open house there

invalidatie [de^{v}] ⟨jur⟩ invalidation, nullification, annulment

^{1}**invalide** [de^{m}] invalid, disabled/handicapped/incapacitated person, ⟨mv⟩ disabled ♦ *als invalide naar huis gezonden worden* be invalided home; *een blijvend invalide* a chronic/lifelong invalid

^{2}**invalide** [bn] [1] ⟨gehandicapt⟩ invalid, handicapped, ⟨i.h.b. soldaten en arbeiders⟩ disabled, infirm ♦ *gedeeltelijk invalide* partially disabled, semi-invalid; *invalide maken* lame, invalid; *invalide verklaren* declare disabled, declare unfit for work, ⟨mil⟩ declare unfit for active service; *invalide worden* be(come) disabled/an invalid [2] ⟨jur⟩ invalid, nullified, null (and void)

invalidenbrug [de] wheelchair ramp

invalidenhuis [het] nursing-home (for the disabled)

invalidenparkeerplaats [de] disabled parking

invalidentoilet [het] disabled toilet

invalidenwagentje [het] invalid chair, wheelchair

invalidenwoning [de^{v}] flat/house specially adapted for the disabled

invalideren [ov ww] ⟨jur⟩ invalidate, nullify, annul

invaliditeit [de^{v}] [1] ⟨het invalide zijn⟩ invalidity, infirmity, ⟨BE⟩ disablement, ⟨AE⟩ disability ♦ *blijvende invaliditeit* permanent invalidity/^{B}disablement/^{A}disability [2] ⟨arbeidsongeschiktheid⟩ disability, inability to work, incapacity (for work) [3] ⟨jur⟩ invalidity

invaliditeitspensioen [het] ⟨BE⟩ disablement pension, ⟨AE⟩ disability pension

invaliditeitsuitkering [de^{v}] ⟨BE⟩ disablement benefit, ⟨AE⟩ disability benefit

invaliditeitsverzekering [de^{v}] ⟨BE⟩ disablement insurance, ⟨AE⟩ disability insurance

invaliditeitswet [de] ⟨BE⟩ Disablement Act, ⟨AE⟩ Disability Act

invalkracht [de] substitute, replacement

invallen [onov ww] [1] ⟨naar binnen vallen, in iets vallen⟩ enter, drop/fall in(to), come in ♦ *schuin invallend licht* slanting light; *invallend(e) licht(stralen)* incident (rays of) light; *het licht moet van links invallen* the light must come (in) from the left [2] ⟨binnenvallen⟩ raid, invade, foray [3] ⟨(plotseling) beginnen⟩ ⟨vorst, lente⟩ set in, ⟨stilte, nacht⟩ fall, ⟨nacht, winter⟩ close in ♦ *de dooi is ingevallen* it has started to thaw; *bij invallende duisternis* at nightfall, at lighting-up time; *voor/bij het invallen van de nacht* at nightfall; *de invallende stilte* the silence that fell [4] ⟨vervangen⟩ stand in (for), deputize, cover (for), fill in (for), (act as a) substitute (for), replace ♦ *voor de keeper/een collega invallen* stand in for the goalkeeper/a colleague; substitute for the goalkeeper, be the substitute goalkeeper [5] ⟨te binnen schieten⟩ occur to, cross one's mind, strike, come to (s.o.) [6] ⟨muz⟩ join in, come in ♦ *invallen bij de derde tel* join/come in on the count of three; *invallen met het refrein* join in the chorus [7] ⟨instorten, inzakken⟩ fall/come down, collapse, cave in ♦ *ingevallen wangen* hollow/sunken cheeks [8] ⟨scheepv⟩ put in(to port)

invaller [de^{m}], **invalster** [de^{v}] [1] ⟨plaatsvervanger⟩ ⟨ook sport⟩ substitute, deputy, replacement, reserve, ⟨onderw⟩ supply teacher ♦ *dit/zij is mijn invaller* this/she is my deputy [2] ⟨iemand die een inval doet⟩ invader, raider

Inventarisatieafstand — listing distance — appraisal distance — assessment distance — (stock-taking) — itemisation distance.

invalshoek [de^m] [1] ⟨hoek van inval⟩ ⟨van licht⟩ angle of incidence, ⟨van projectiel⟩ angle/line of descent [2] ⟨gezichtshoek⟩ (line of) approach, point of view ♦ *dit onderzoek heeft een **brede** invalshoek* this research has a wide angle/scope; ***vanuit** deze invalshoek* from this perspective
invalster [de^v] → **invaller**
invalsweg [de^m] approach road
invaren [onov ww] sail in(to), enter, put in(to)
invariabel [bn] invariable, unchanging, fixed, unvarying, constant
^{1}**invariant** [de^m] invariant
^{2}**invariant** [bn] ⟨vnl wisk⟩ invariant, invariable, unchanging, fixed, constant, unvarying
invasie [de^v] [1] ⟨vijandelijke inval⟩ invasion, inroad, incursion, raid, foray [2] ⟨massale intocht⟩ invasion, flood, deluge, influx ♦ *een invasie van **toeristen*** a tourist invasion
invasiemacht [de] invasion force
invechten [ww] ⟨sport⟩ infighting, fighting inside, fighting at close quarters
invectief [het] invective
invegen [ov ww] [1] ⟨door vegen vullen⟩ ♦ *de **voegen** van een bestrating invegen* sweep sand into the gaps between the bricks [2] ⟨naar binnen vegen⟩ sweep in(to)
inventaris [de^m] [1] ⟨lijst van aanwezige voorwerpen⟩ inventory, list (of contents) [2] ⟨handel⟩ inventory, statement of affairs, statement of assets and liabilities ♦ *de inventaris **opmaken*** ⟨ook fig⟩ take stock; *de inventaris **opmaken** van iets* ⟨ook⟩ inventory sth.; *jaarlijks de inventaris **opmaken*** do annual stock-taking, do an annual stocktake; *de inventaris **opmaken** van een archief* calendar archives [3] ⟨jur; lijst van dossierstukken⟩ bordereau [4] ⟨aanwezige voorwerpen, goederen⟩ stock (in trade), inventory, contents, ⟨van gebouw⟩ fittings, ⟨van huis⟩ furniture
inventarisatie [de^v] ⟨ook fig⟩ stock-taking, making an inventory, making a statement of affairs, drawing up an inventory, drawing up a statement of affairs ♦ *gesloten **wegens** inventarisatie* closed for stock-taking
inventariseren [ov ww] [1] ⟨inventaris opmaken van⟩ (make an) inventory, take stock (of), draw up a statement of affairs, draw up a statement of assets and liabilities ♦ *de **winkel(voorraad)** inventariseren* take stock of/inventory the shop [2] ⟨lijst opmaken van wat men aantreft⟩ list, survey, inventory ♦ *de **problemen**/de **antwoorden** inventariseren* list the problems/answers
inventie [de^v] [1] ⟨(uit)vinding⟩ invention, discovery [2] ⟨verdichtsel⟩ fabrication, invention, fiction [3] ⟨vindingrijkheid⟩ inventiveness, (creative) imagination, invention
inventief [bn] inventive, ingenious, resourceful, creative
inventiviteit [de^v] inventiveness, ingenuity, resourcefulness, creativity
inverdienen [ov ww] work off, make up
invers [bn] inverse, inverted, reverse, opposite
inversie [de^v] [1] ⟨omkering⟩ inversion [2] ⟨taalk⟩ inversion [3] ⟨muz⟩ inversion [4] ⟨wisk⟩ inversion [5] ⟨scheik⟩ inversion [6] ⟨med⟩ inversion [7] ⟨meteo⟩ inversion
inversielaag [de] ⟨meteo⟩ inversion layer
invert [bn] inverted, reverse(d)
invertebrata [de^{mv}] invertebrates, invertebrata
inverzekeringstelling [de^v] (taking into) custody, imprisonment
investeerder [de^m] investor
investeren [ov ww] [1] ⟨beleggen⟩ invest, place ♦ *winsten **in** apparatuur investeren* plough back profits into equipment; *geld **in** een onderneming investeren* invest money in a business (venture) [2] ⟨fig⟩ invest, put in ♦ *tijd investeren **in** iets* invest time in sth.
investering [de^v] [1] ⟨handeling⟩ investing, investment, capital expenditure, ⟨ter stimulering; inf⟩ pump priming [2] ⟨wat geïnvesteerd wordt, is⟩ investment ♦ *een investering **terugverdienen*** recoup an investment
investeringsaftrek [de^m] investment allowance
investeringsbank [de] investment bank ♦ ***Europese** Investeringsbank* European Investment Bank, EIB
investeringsbijdrage [de] contribution to investment
investeringsfonds [het] investment fund
investeringsklimaat [het] climate for investment
investeringskosten [de^{mv}] ⟨in bedrijf⟩ capital outlay
investeringspremie [de^v] investment premium/subsidy/grant
investeringsstop [de^m] investment freeze
investituur [de^v] investiture, ⟨in ambt ook⟩ induction, inauguration, ⟨van bisschop⟩ instalment
Investituurstrijd [de^m] ⟨gesch⟩ Investiture Controversy
investmenttrust [de^m] investment trust
invetten [ov ww] grease
invitatie [de^v] invitation
invitatiewedstrijd [de^m] ⟨sport⟩ invitation race, ⟨i.h.b. atl⟩ invitation meet
invite [de] [1] ⟨kaartsp⟩ signal, ± peter [2] ⟨indirecte uitnodiging⟩ (indirect) invitation
invité [de^m] invitee, guest
inviteren [ov ww] [1] ⟨uitnodigen⟩ invite, ⟨tekst op kaartjes ook⟩ request the company of ♦ *we waren geïnviteerd **voor** het diner* we were invited to dinner [2] ⟨kaartsp⟩ signal, ± peter [3] ⟨schermsp⟩ invite
in-vitrofertilisatie [de^v] in vitro fertilization
invlechten [ov ww] [1] ⟨door vlechten in, tussenbrengen⟩ plait in(to), braid in(to) [2] ⟨fig⟩ work in(to), weave in(to) ♦ *de spreker vlocht **in** zijn rede enkele anekdotes **in*** the speaker worked/wove a few anecdotes into his speech
^{1}**invliegen** [onov ww] [1] ⟨zich vliegend begeven in, naar⟩ fly into ♦ *de **dampkring** invliegen* enter the earth's atmosphere [2] ⟨met grote snelheid binnengaan⟩ fly into, rush/shoot/tear/dash into ♦ *een **boom** invliegen* shoot up a tree; ***op** een tegenstander invliegen* tear/lay/lam into an opponent; *met volle snelheid vloog de trein de **tunnel** in* the train rushed/shot into the tunnel at full speed [•] ***er** invliegen* be had/caught (out)/fooled
^{2}**invliegen** [ov ww] ⟨testen⟩ test-fly, ⟨de eerste kilometers maken met⟩ break in
invlieger [de^m] test pilot
invloed [de^m] [1] ⟨inwerking⟩ influence, effect, ⟨groot⟩ impact, ⟨overheersend⟩ domination ♦ ***door** invloeden **van** buitenaf* by outside influences; ***geen** invloed hebben **op*** have no influence on, have no bearing on, carry no weight with, not affect; *dit beleid heeft **grote** invloed op de resultaten* this policy strongly influences the results; *welke invloed zal de nieuwe wet op onze situatie **hebben**?* how will the new law affect our situation?; *van **nadelige** invloed zijn op* have a(n) adverse/detrimental/harmful effect on, affect detrimentally/unfavourably/adversely; ***onder** invloed zijn* be under the influence/the worse for drink; ⟨pregn⟩ *rijden **onder** invloed* ⟨BE⟩ drink and drive, ⟨AE⟩ be driving while intoxicated; ***onder** de invloed **van*** under the influence of; ***weinig**/geen invloed **ondervinden** van* be hardly affected/unaffected by; *zijn buitensporige leefwijze zal er ook wel op **van** invloed geweest zijn* his extravagant lifestyle will also have had sth. to do with it/played a part in it; *de invloed van het **verkeer** op het **milieu*** the environmental impact of road traffic [2] ⟨morele inwerking⟩ influence, ⟨grote⟩ impact ♦ *een **goede**/**verkeerde** invloed hebben* have a good/bad influence, be an influence for good/bad; *zijn invloed **laten gelden**/**aanwenden*** assert/exercise/exert/use one's influence, make one's influence felt; *als vriend heb je misschien nog invloed **op** hem* as a friend you may have some influence over/on him; *een **overheersende** invloed hebben **op*** have a controlling influence on, have ascendancy over, dominate; *invloed **uit**-*

oefenen op iemand influence s.o., exert/exercise (an) influence on s.o. [3] ⟨gezag⟩ influence, weight, authority ♦ *zijn invloed **aanwenden** bij iemand (om ...)* bring one's influence to bear on s.o./use one's influence with s.o. (to ...), pull some strings; ***grote** invloed hebben op* have a strong hold on/over, carry much weight with; *invloed **krijgen** bij* secure influence/get a hold over; ***onder** iemands invloed staan* be influenced by s.o., be in s.o.'s pocket; *een man **van** invloed* a man of influence, an influential man; ***veel** invloed hebben* have a long arm, carry much weight [4] ⟨natuurk; inductie⟩ influence, induction

invloedrijk [bn] influential, of influence ♦ *een invloedrijke **bankier*** a big banker, a gnome; *een invloedrijk **man*** an influential man, a man of influence; *een invloedrijke **naam*** a big name, a name to conjure with; *hij heeft veel invloedrijke **vrienden*** he has many influential friends

invloedssfeer [de] sphere of influence, range of influence

invloeier [de^{m}] ⟨film⟩ fade in

invluchten [onov ww] escape into, run away into, flee into, make one's escape into

invocatie [de^{v}] invocation

in voce under the word

invochten [ov ww] ⟨was⟩ damp (down), ⟨tabak⟩ moisten

^{1}**invoegen** [onov ww] ⟨verk⟩ join the traffic, filter/feed in, merge ♦ ***gevaarlijk** invoegen* cut in; *ik vind het altijd eng om in te voegen **op** de snelweg* it's always scary trying to join the traffic/filter in when you drive onto the motorway

^{2}**invoegen** [ov ww] [1] ⟨inlassen⟩ insert (into), fit/put in(to) ♦ *wilt u dat **in** uw brief nog even invoegen?* could you insert/put that into your letter?; ***tussen** de regels invoegen* interline, insert/put between the lines; ***tussen** twee bladzijden invoegen* interpage, insert/put in between two pages [2] ⟨m.b.t. metselwerk⟩ point, joint

invoeging [de^{v}] [1] ⟨handeling⟩ insertion, interpolation, ⟨extra dag in jaar⟩ intercalation, ⟨verk⟩ merging, ⟨metselen⟩ pointing, jointing [2] ⟨invoegsel⟩ insertion, interpolation

invoegstrook [de] acceleration lane, ⟨BE oneig ook⟩ slip road

invoegwerknemer [de^{m}] ⟨in België⟩ person from a social subgroup with poor employment prospects

invoelbaar [bn] understandable, recognizable ♦ *een invoelbaar **probleem*** ⟨ook⟩ a problem easily sympathized with

invoelen [ov ww] feel, get the feeling of

invoer [de^{m}] [1] ⟨het invoeren⟩ import, importation [2] ⟨goederen⟩ imports [3] ⟨comp⟩ input

invoerbelasting [de^{v}] import duty

invoerbepaling [de^{v}] import regulation

invoerbeperking [de^{v}] import restriction, restriction on the import of ...

invoerbuis [de] ⟨elek⟩ lead-in tube

invoercontingent [het] import quota

invoerder [de^{m}] ⟨in België⟩ importer

invoerdraad [de^{m}] ⟨radio⟩ lead-in (wire)

invoeren [ov ww] [1] ⟨importeren⟩ import ♦ *iets **clandestien** invoeren* smuggle sth. in; *iets **vrij** mogen invoeren* be allowed to bring sth. into the country/to import sth. duty-free [2] ⟨instellen⟩ introduce, bring into force/operation, adopt ♦ *de **doodstraf** weer invoeren* bring back/restore capital punishment/the death penalty; *een **wet/belastingen** invoeren* introduce a law/taxes, bring a law/taxes into force/operation [3] ⟨introduceren⟩ introduce, establish ♦ *nieuwe **denkbeelden/methodes** invoeren* introduce new ideas/methods; ***geleidelijk** invoeren* phase in [4] ⟨vnl techn; ergens inbrengen⟩ introduce, feed in(to), lead in, ⟨comp⟩ enter, input (to), ⟨van band/schijf naar comp⟩ read in(to) ♦ ***gegevens** invoeren* input data; *papier **in** een kopieermachine invoeren* feed paper into a copier; *koude **lucht** invoeren* introduce cold air; ⟨wisk⟩ *een **waarde** invoeren* substitute

invoerhandel [de^{m}] import trade

invoerhaven [de] port of import(ation), importing port

invoerheffing [de^{v}] levy on imports

invoering [de^{v}] [1] ⟨het in werking stellen⟩ introduction, institution [2] ⟨het in gebruik nemen, introductie⟩ introduction, adoption [3] ⟨het inbrengen, plaatsen⟩ introduction, ⟨comp⟩ input [4] ⟨het ten tonele voeren⟩ presentation, introduction [5] ⟨het importeren⟩ import(ation)

invoerpremie [de^{v}] import bounty, bounty on imports

invoerrecht [het] import duty, customs (duty) ♦ ***vrij** van invoerrechten* duty-free

invoertarief [het] import tariff/duty

invoerverbod [het] import ban, ban on imports, import embargo

invoervergunning [de^{v}] import licence/permit

involveren [ov ww] ⟨form⟩ [1] ⟨met zich meebrengen⟩ ⟨ogm⟩ involve [2] ⟨betrekken bij⟩ ⟨ogm⟩ involve

invorderbaar [bn] collectable, ⟨jur⟩ recoverable, ⟨belasting ook⟩ leviable

invorderen [ov ww] demand payment of, claim (payment of)

invordering [de^{v}] collection, ⟨jur⟩ recovery, ⟨belasting ook⟩ levy

invorderingskosten [de^{mv}] collection charges

invorderingsrecht [het] collecting/collection fee, collecting/collection charge

^{1}**invreten** [onov ww] [1] ⟨inbijten⟩ corrode, be corrosive, ⟨zuren ook⟩ bite, ⟨land⟩ erode, ⟨ook fig⟩ gnaw (at), fret ♦ ⟨fig⟩ *dergelijke frustrerende ervaringen vreten **diep** in* such frustrating experiences gnaw at one/you; ⟨fig⟩ *een invretend **kwaad*** a spreading evil; ***roest** vreet in* rust corrodes/is corrosive [2] ⟨ingebeten worden⟩ corrode, ⟨land⟩ erode

^{2}**invreten** [ov ww] ⟨door zijn inwerking verteren⟩ eat away, eat into, fret, gnaw at, corrode, ⟨zuur ook⟩ bite into ♦ *ingevreten **ijzerwerk*** corroded/rusty/rusted ironwork

^{3}**zich invreten** [wk ww] ⟨door vreten gaten maken⟩ eat one's way into/through

^{1}**invriezen** [onov ww] [1] ⟨in een vaarwater vast komen te zitten⟩ be frozen in/up, become icebound ♦ *het eiland **is** ingevroren* the island is icebound [2] ⟨gedeeltelijk stukvriezen⟩ catch the frost, be frost-damaged

^{2}**invriezen** [ov ww] ⟨m.b.t. conserveren⟩ freeze, quick-freeze, deep-freeze ♦ *kun je aardbeien **goed** invriezen?* do strawberries freeze well?

invrijheidstelling [de^{v}] release, discharge

invulformulier [het] form (for completion)

invullen [ov ww] [1] ⟨wat ontbreekt erbij schrijven⟩ fill in, ↓fill up, ⟨vnl AE⟩ fill out, make out, complete, ⟨stembiljet⟩ mark ♦ *de **antwoorden**/de weggelaten **woorden** invullen* fill in the answers/omitted words; ***belastingbiljetten** invullen* fill in/fill out/complete tax returns; *vul de **bon** in voor een gratis catalogus* complete the coupon for a free catalogue; *de **cijfers** naast de namen invullen* enter the marks against the names; *het **formulier** ingevuld terugzenden aan ...* please return completed form to ...; ***gegevens** invullen op een kaart* enter data up on a card; *vul **maar** in* ⟨fig⟩ and so on/forth, and the like, and all that jazz; *in het hotelregister vulde hij de **naam** 'Jansen' in* in the hotel register he put himself down as 'Jansen', in the hotel he registered as 'Jansen' [2] ⟨(een leeg vlak) vullen⟩ fill up, fill in, ⟨fig; van beleid, plan⟩ flesh out ♦ ⟨fig⟩ *het **voorstel** eerst schetsmatig invullen, en later de **details** invullen* first give a rough outline of the proposal, and put in the details later [3] ⟨voegen⟩ point, joint

invulling [de^{v}] [1] ⟨het invullen⟩ filling-in, ⟨AE ook; m.b.t. formulier⟩ filling-out, ⟨m.b.t. formulier⟩ ↑completion [2] ⟨interpretatie⟩ interpretation ♦ *een geheel eigen invulling **geven** aan een opdracht* give a task a highly personal interpretation

invuloefening [de^v] blanks exercise
[1]**inwaaien** [onov ww] [1] ⟨stukwaaien⟩ be blown in ♦ *de ruiten zijn ingewaaid* the windows were blown in [2] ⟨naar binnen waaien⟩ be blown in
[2]**inwaaien** [onpers ww] ⟨m.b.t. de wind⟩ blow in ♦ *het waait hier nogal in* quite a draught comes in here
[1]**inwaarts** [bn] ⟨naar binnen gericht⟩ inward
[2]**inwaarts** [bw] ⟨naar binnen⟩ inward(s)
inwachten [ov ww] ⟨form⟩ await, ⟨antwoord brief ook⟩ look forward to, ⟨aanbiedingen⟩ invite ♦ ***aanbiedingen/sollicitaties** worden ingewacht onder letter N, bureau van dit blad* offers/applications to be sent/submitted to the editor's office, box number N
[1]**inwalsen** [onov ww] ⟨al walsende ingaan⟩ waltz into
[2]**inwalsen** [ov ww] [1] ⟨met een wals in elkaar drukken⟩ roll [2] ⟨met een wals aanbrengen⟩ roll in
inwandelen [onov ww] walk into, stroll into
inwassen [ov ww] ⟨bijvoorbeeld voegen van een bestrating met zand⟩ wash in
[1]**inwateren** [onov ww] ⟨van water doortrokken worden⟩ become damp, become soaked
[2]**inwateren** [ov ww] ⟨doen dichttrekken⟩ soak
[3]**inwateren** [onpers ww] ⟨water doorlaten⟩ let the water in, rain in
inwegen [ov ww] give extra weight
inweken [ov ww, ook abs] [1] ⟨zacht maken⟩ soak, soften [2] ⟨m.b.t. vuile was⟩ soak ♦ *de was **laten** inweken* soak the washing
[1]**inwendig** [bn] [1] ⟨van binnen zittend⟩ internal, inner, inward ♦ ⟨natuurk⟩ *inwendige **energie*** latent energy; *voor inwendig **gebruik*** for internal use; *inwendige **kneuzingen*** internal bruising/injuries; ⟨scherts⟩ *de inwendige **mens** versterken* fortify the inner man; ⟨prot⟩ *inwendige **zending*** home mission; ⟨anglic⟩ Church Army [2] ⟨niet naar buiten blijkend⟩ internal, inner ♦ *met inwendige **voldoening** iets opmerken* notice sth. with an inner sense of satisfaction
[2]**inwendig** [bw] ⟨in zichzelf⟩ inside ♦ *inwendig **kookte** hij van woede* inside he was boiling with rage, he was simmering with rage; *inwendig **moest ik lachen*** I had to laugh to myself
[1]**inwerken** [onov ww] ⟨+ op; (uit)werking hebben op⟩ act on, operate on, influence, affect, ⟨zuur⟩ corrode ♦ ***op** elkaar inwerken* interact; ***op** elkaar inwerkend* interactive; *A laten inwerken **op** B* ⟨ook⟩ expose B to A; *ongunstig inwerken **op*** affect unfavourably, have an unfavourable effect on; *een film **op** zich laten inwerken* let a film sink in
[2]**inwerken** [ov ww] [1] ⟨in een materie thuis laten worden⟩ break in, settle in, show the ropes ♦ *zich **in** een onderwerp inwerken* work up a subject; *hij is (**in** die functie) nog niet ingewerkt* he hasn't settled in(to that job) yet; ***zich** ergens inwerken* (get) settle(d) into a place, learn the ropes/the tricks of the trade in a place; ⟨pej⟩ worm one's way in(to); *hij zal **zich** eerst moeten inwerken* he'll have to get used to the work first; *je zal eerst een halfjaar worden ingewerkt* you will first be given six months' induction/training [2] ⟨indrukken, indrijven⟩ work in(to) ♦ *een **paal** inwerken in de harde grond* drive a pile into the hard ground; *de **voegen** van een metselwerk inwerken* point the joints of a piece of masonry [3] ⟨aanbrengen in⟩ work in(to), fit/piece/dovetail in(to) ♦ *ingewerkte **motieven/versieringen*** inwrought patterns/ornaments [4] ⟨amb, bouwk⟩ ⟨muur⟩ taper
inwerking [de^v] action, effect, influence, impact ♦ *de inwerking **van** het ene **op** het andere* the effect/influence of one on the other; *de inwerking van **weer en wind*** weather action
inwerkingtreding [de^v] coming into force/operation, taking effect ♦ *de **datum** van inwerkingtreding* the date of commencement
inwerkperiode [de^v] → **inwerktijd**
inwerktijd [de^m], **inwerkperiode** [de^v] training period, initial period

[1]**inwerpen** [ov ww] [1] ⟨ingooien, stukgooien⟩ break, smash [2] ⟨naar binnen werpen⟩ throw in, hurl/fling in, ⟨munt in automaat⟩ insert [3] ⟨+ tegen; inbrengen tegen⟩ raise an objection (to) ♦ *iets **tegen** een plan inwerpen* raise objections/an objection to a plan
[2]**inwerpen** [ov ww, ook abs] ⟨sport⟩ throw in ♦ *de **rechtsbuiten** wierp in* the right-winger took the throw-in
inwerper [de^m] player taking the throw-in, player throwing in (the ball)
[1]**inweven** [onov ww] ⟨onder het weven korter worden⟩ shorten during weaving, get shorter during weaving
[2]**inweven** [ov ww] [1] ⟨(m.b.t. weven) inwerken, aanbrengen in⟩ weave in(to) ♦ ***bloemen** inweven* weave in flowers [2] ⟨fig; invoegen⟩ weave in(to), fit/work in(to) ♦ *hij wist **in** zijn rede vermakelijke anekdotes in te weven* he succeeded in weaving/working amusing anecdotes into his speech
inwijden [ov ww] [1] ⟨plechtig in gebruik nemen⟩ inaugurate, ⟨kerk⟩ dedicate, consecrate, ⟨iets voor het eerst gebruiken; inf⟩ christen ♦ *een **huis** inwijden* give a house-warming (party) [2] ⟨deelgenoot maken⟩ initiate, show the ropes ♦ *iemand **helemaal** inwijden* show s.o. the ropes, teach s.o. the tricks of the trade; *ingewijd worden **in*** become initiated in; ⟨steeds beter worden in⟩ become adept in; *iemand inwijden **in** een plan* let s.o. in on a plan; *iemand inwijden **in** een geheim* let s.o. into a secret; *iemand inwijden **in** de kunst van iets* initiate s.o. into the art of sth.; *(goed) ingewijd **zijn*** be in the swim/know/picture
inwijding [de^v] [1] ⟨plechtige ingebruikneming⟩ inauguration, ⟨kerk⟩ dedication, consecration [2] ⟨m.b.t. personen⟩ initiation, inauguration
inwijdingsfeest [het] inauguration, ⟨kerk⟩ consecratory celebration/ceremony, ⟨huis in gebruik nemen⟩ house-warming, ⟨personen⟩ initiation party/celebrations
inwijdingsrede [de] inaugural address, inaugural speech
inwijkeling [de^m] ⟨in België⟩ [1] ⟨iemand uit een andere gemeente of ander landsdeel⟩ stranger (who has come to live here) [2] ⟨immigrant⟩ immigrant
inwijken [onov ww] ⟨in België⟩ immigrate
inwikkelen [ov ww] wrap (up), envelop ♦ *iets **in** papier inwikkelen* wrap sth. (up) in paper; ***zich** inwikkelen* wrap o.s. up
inwilligen [ov ww] grant, comply with, accede/consent/agree to ♦ *zijn **eisen** inwilligen* comply with/agree to his demands; *hij heeft mijn **verzoek** ingewilligd* he has granted/complied with/acceded to/agreed to my request
inwilliging [de^v] granting (of), consent (to), concession (to), compliance (with), agreement (to) ♦ *uw verzoek is niet **voor** inwilliging vatbaar* your request cannot be granted
inwinden [ov ww] [1] ⟨inwikkelen⟩ wrap (up), envelop, ⟨in zwachtels⟩ bandage, swathe [2] ⟨m.b.t. ankertouw⟩ wind in
inwinnen [ov ww] [1] ⟨(trachten te) krijgen⟩ obtain, gather, collect, seek ♦ *het **advies** inwinnen van* consult (with), obtain/seek the advice of; *bijkomend **advies** inwinnen* get a second opinion; ***bij** iemand informatie inwinnen* go to s.o. for information; *ik zal **informatie** inwinnen* I shall gather/collect/obtain information, I shall make inquiries; ***inlichtingen** inwinnen over* ⟨ook⟩ get a line on [2] ⟨drukw⟩ ⟨ruimte⟩ save, gain
[1]**inwippen** [onov ww] ⟨snel binnengaan⟩ pop into, whisk/whip/^Bnip into
[2]**inwippen** [ov ww] ⟨inbrengen⟩ pop into ♦ *de midvoor wipte de bal het **doel** in* the centre forward popped the ball into the net
inwisselbaar [bn] exchangeable, ⟨cheques/waardepapieren ook⟩ convertible, negotiable, commutable, ⟨coupons⟩ redeemable ♦ *soortgelijke, haast inwisselbare **voetballers*** similar, almost interchangeable soccer players
inwisselen [ov ww] exchange, ⟨in goud/dollars⟩ convert,

⟨cheque⟩ cash, ⟨valuta⟩ change, ⟨coupons⟩ redeem ♦ *inwisselen **voor/tegen*** exchange for, convert/turn/change into; ***voor contanten** inwisselen* cash (in), ⟨BE⟩ encash
inwisseling [de^v] exchange, conversion, cashing ♦ ***tegen/bij** inwisseling **van*** in exchange for
inwit [bn] ⟨van gezicht⟩ white as a sheet, ⟨alg⟩ snow-white
inwoekeren [onov ww] spread
inwonen [onov ww] live, ⟨kostganger⟩ lodge, ⟨AE⟩ room (in), ⟨bediende, stagiair(e)⟩ live in ♦ *inwonen **bij*** ⟨partner, ouders⟩ live with; lodge with, live in with; *gaan inwonen **bij*** go to live with; ***bij** zijn **ouders** inwonen* live with one's parents, live at home; *de **man** woonde al jaren **in*** the man had been a lodger for years
inwonend [bn] [1] ⟨in een huis⟩ resident, ⟨bediende⟩ living in, living as a member of the household ♦ *inwonend **arts/chirurg*** resident (doctor); resident surgeon; *inwonend **assistent*** intern, house officer; *inwonend **bediende** zijn* live in; *inwonende **kinderen*** children living at home; *inwonend **personeel*** staff living in, resident/living-in staff [2] ⟨in een gebied⟩ resident
inwoner [de^m] inhabitant, resident ♦ *voor de belasting **als** inwoner gelden* be a resident for purposes of taxation; *Nederland heeft ruim 14 **miljoen** inwoner* the Netherlands has a population of over 14 million
inwoneraantal [het] → **inwonertal**
inwonertal [het], **inwoneraantal** [het] population
inwoning [de^v] [1] ⟨het inwonen⟩ living together, ⟨bediende⟩ living in, ⟨kostganger⟩ lodging, ⟨onderhuurder⟩ subtenancy, ⟨arts⟩ residence ♦ ***kost** en inwoning* board and lodging, room/bed and board; *ze krijgt 150 euro per week en **kost** en inwoning* she gets 150 euros a week and all found [2] ⟨het wonen binnen een bepaald gebied⟩ residence, inhabitancy [3] ⟨fig; van Heilige Geest⟩ indwelling [4] ⟨fig; inwonend persoon, gezin⟩ lodger(s), ⟨onderhuurders⟩ subtenant(s)
inworp [de^m] [1] ⟨handeling⟩ throwing in, ⟨geld in automaat⟩ insertion [2] ⟨wat ingeworpen wordt⟩ ⟨geld in automaat⟩ money inserted ♦ *de inworp **is** drie euro* insert 3 euros [3] ⟨sport⟩ throw-in ♦ *een **verkeerde/foute** inworp* a foul throw
inwortelen [onov ww] take root, ⟨ook fig⟩ strike root
inwrijven [ov ww] [1] ⟨in-, op-, aanbrengen⟩ rub in(to) ♦ *een vloer **met** was inwrijven* wax a floor; *elkaar **met** sneeuw inwrijven* rub snow into each other's faces; ***zich** met zalf inwrijven* rub ointment into one's skin, rub o.s. with ointment, apply ointment to o.s./one's skin [2] ⟨hevig verwijten⟩ rub in(to) ♦ *dat zal ik **hem** eens inwrijven* I'll rub his nose in it
inwroeten [ov ww] burrow (one's way) in(to)
inz. [afk] (inzonderheid) esp
inzaaien [ov ww] [1] ⟨uitzaaien⟩ sow [2] ⟨met iets bezaaien⟩ sow, crop, seed ♦ *een **gazon** inzaaien* seed a lawn; ***met** gras inzaaien* sow grass on [3] ⟨tussen ander gewas zaaien⟩ sow (sth.) between (sth.)
inzage [de] inspection, perusal ♦ *inzage verlenen **in** de stukken* give inspection of/grant inspection of/allow access to/grant leave to inspect the documents; *s.v.p. retourneren **na** inzage* please return after perusal; ***ter** inzage* for inspection/perusal; ***ter** inzage leggen* deposit for inspection; *een exemplaar **ter** inzage* an inspection copy; *de notulen liggen **ter** inzage* the minutes are available (for perusal); *een boek **ter** inzage ontvangen* receive a book on approval; *iemand een brief **ter** inzage geven* submit a letter to s.o.'s inspection/to s.o. for inspection; *hierbij zenden wij u een kopie **ter** inzage* we hereby send you a copy for (your kind) perusal/inspection; *het ligt (voor iedereen) **ter** inzage op het gemeentehuis* it is open to public/general inspection at the town hall; *inzage **vragen*** demand access/inspection, ask leave to inspect
inzagen [ov ww] [1] ⟨snee, kerf maken⟩ make a cut in [2] ⟨door zagen aanbrengen⟩ cut out ♦ *ingezaagde **openingen*** cut-out holes
inzake [vz] concerning, with regard to, in respect of, in the matter of, on the subject of ♦ *inzake uw verdere **opmerkingen**, verwijzen wij u naar ...* as far as your other remarks are concerned, we refer you to ...; *zijn standpunt inzake het **racisme*** his attitude towards racism
inzakken [onov ww] [1] ⟨door zijn gewicht dringen in⟩ sag, ⟨fundament, grond⟩ settle, subside ♦ *de **grond** laten inzakken* allow the soil to settle [2] ⟨invallen⟩ collapse, cave in, ⟨vloer, grond⟩ give way ♦ *de **grond** zakte onder ons **in*** the ground gave away beneath us [3] ⟨handel⟩ collapse, ⟨handel⟩ slump, fall off [4] ⟨m.b.t. personen⟩ relapse
inzamelaar [de^m] collector
inzamelbak [de^m] recycling bin
inzamelen [ov ww, ook abs] [1] ⟨ophalen, collecteren⟩ collect, get together, ⟨geld ook⟩ raise ♦ ***geld** inzamelen (voor)* raise money/funds (for); ⟨op kleine schaal⟩ pass/send/take round the hat (for); ***giften/bijdragen** inzamelen* collect donations/contributions [2] ⟨oogsten, vergaren⟩ gather (in), bring/get in ♦ ***honing** inzamelen* collect honey; *de **oogst** inzamelen* bring/get/gather in the crops, reap the harvest
inzameling [de^v] collection, ⟨oogst⟩ (in)gathering ♦ *gescheiden inzameling van **afval*** separated refuse collection; *een inzameling **houden*** make a collection; ⟨op kleine schaal⟩ send/pass/take the hat round
inzamelingsactie [de^v] collection, ⟨geld vnl.⟩ (fund-raising) drive
inzegenen [ov ww] consecrate, ⟨kerkgebouw ook⟩ dedicate, ⟨huwelijk⟩ solemnize, celebrate
inzegening [de^v] [1] ⟨handeling⟩ consecration, ⟨kerkgebouw ook⟩ dedication, ⟨huwelijk⟩ solemnization, celebration [2] ⟨plechtigheid⟩ consecration, ⟨kerk ook⟩ dedication, ⟨huwelijk⟩ celebration, solemnization, ceremony
inzenden [ov ww] [1] ⟨binnen een ruimte, plaats zenden⟩ send in(to) ♦ *iemand/een boek de **wereld** inzenden* send s.o./a book out into the world [2] ⟨insturen, indienen⟩ send in, ⟨bij prijsvraag ook⟩ enter, submit, ⟨stuk in krant⟩ contribute ♦ *een **offerte** inzenden* make an offer/a bid; *een **verzoekschrift** inzenden* send in/present a petition; ⟨voor scheiding⟩ file a petition; *goederen inzenden **voor** een tentoonstelling* send in/enter goods for an exhibition
inzender [de^m] ⟨bij prijsvraag⟩ competitor, entrant, sender, ⟨op tentoonstelling⟩ exhibitor, ⟨in krant⟩ contributor
inzending [de^v] [1] ⟨handeling⟩ submission, ⟨bij prijsvraag ook⟩ entry, ⟨stuk in krant⟩ contribution [2] ⟨het ingezondene⟩ entry, contribution, ⟨op tentoonstelling⟩ exhibit
inzepen [ov ww, ook abs] soap, ⟨bij scheren⟩ lather ♦ ***boorden** inzepen* soap collars; *we zullen **hem** even inzepen* ⟨fig⟩ we'll rub his face in the snow
inzet [de^m] [1] ⟨inspanning⟩ effort, dedication, application, devotion, commitment, drive ♦ *geheel door **eigen** inzet* entirely by one's own efforts/on one's own; *de spelers vochten met **enorme** inzet* the players gave it all they'd got/gave their all; ***met** inzet **van** alles/iedereen* making an all-out effort; ***met** inzet **van** alle krachten, **met** volledige inzet* with one's whole heart, giving one's all [2] ⟨tekening, foto⟩ inset [3] ⟨spel; inleg⟩ stake, bet, wager, ⟨poker⟩ ante ♦ *hij **had** de hele inzet **gewonnen*** he had swept the board/table, he had won the (jack)pot/pool, ⟨kaarten⟩ he had won the kitty; *de inzet **verhogen*** raise one's bet/the ante/the stakes [4] ⟨dat wat op het spel staat⟩ ♦ ***met** inzet **van** alles* staking everything; *Antwerpen was de inzet **van** de strijd* Antwerp was at stake in the battle; *zijn inzet **verliezen*** lose everything that was at stake; *ontwapening **werd** de inzet van de verkiezing* disarmament became the main issue in the elections [5] ⟨eerste bod⟩ ⟨gevraagd⟩ starting price, ⟨gedaan⟩ opening bid [6] ⟨sport; schot, kopbal op het doel⟩ shot [7] ⟨muz⟩ attack, entry ♦ *een **ongelijke** inzet* a ragged

attack/entry

inzetbaar [bn] usable, employable, ⟨beschikbaar⟩ available ♦ *een agent* ***dient*** *op verschillende fronten inzetbaar te* ***zijn*** a policeman needs to be versatile

inzetbaarheid [deᵛ] availability, usability ♦ *de inzetbaarheid van extra* ***personeel*** the availability of extra staff/personnel

inzetstuk [het] insert, ⟨als versiering in naaiwerk⟩ insertion, panel, ⟨bij verstellen⟩ patch, ⟨ter opvulling⟩ packing

¹**inzetten** [onov ww] ⟨beginnen⟩ set in ♦ *de* ***winter*** *zet stevig in* winter is really setting in

²**inzetten** [ov ww] 1 ⟨aanbrengen in, tussen⟩ put in, ⟨mouw⟩ set in, ⟨edelsteen⟩ set ♦ *een* ***ruit*** *inzetten* put in a pane of glass; ⟨herstellen⟩ replace a broken pane; ***tanden*** *laten inzetten* ⟨losse tanden⟩ have implants; ⟨kunstgebit⟩ have dentures fitted 2 ⟨beginnen te doen⟩ start, launch ♦ *een* ***aanval*** *inzetten* launch/mount an attack, go into action; *de* ***achtervolging*** *inzetten* pursue, set off in pursuit (of), give chase; *er de* ***pas*** *inzetten* go a good pace, walk at a stiff/brisk pace; *een* ***sprint*** *inzetten* put on a spurt, break into a sprint 3 ⟨in actie laten komen⟩ bring into action, put into action/service, deploy, mobilize ♦ ***bulldozers*** *werden ingezet om* bulldozers were brought into action to; *duizenden* ***soldaten*** *werden ingezet om* thousands of soldiers were deployed to; ***troepen*** *inzetten* bring/put troops into action, commit troops to battle; *al zijn* ***vakmanschap*** *inzetten* call forth all one's skill; *de trainer zette beide* ***wisselspelers*** *in* the coach put in both substitutes 4 ⟨op zijn plaats zetten⟩ ⟨gebroken ledemaat⟩ set, ⟨mast⟩ set up, step

³**zich inzetten** [wk ww] ⟨zijn best doen⟩ do one's best, devote/dedicate o.s., labour ♦ *alle* ***deelnemers*** *hebben zich volledig ingezet* all participants did their very best/gave their all; *zich* ***voor*** *een zaak inzetten* dedicate/devote o.s. to a cause, labour for a cause

⁴**inzetten** [ov ww, ook abs] 1 ⟨spel⟩ stake, gamble, bet ♦ *ik zet een* ***euro*** *in* I stake/bet a euro; *zijn geld inzetten* ***op*** *(rood/een paard)* stake/put one's money on (red/a horse); ***wie*** *heeft nog niet ingezet?* who hasn't placed his bet yet? 2 ⟨m.b.t. een veiling⟩ start ♦ *ik heb het* ***huis*** *ingezet op 210.000 euro* I started the house at 210,000 euros, the starting-price of the house was 210,000 euros; *de veilingmeester zette in* ***op*** *vijftig euro* the auctioneer started the bidding at fifty euros; *een* ***schilderij*** *te hoog inzetten* put too high a starting-price on a painting 3 ⟨muz⟩ start, break into, ⟨met instrumenten ook⟩ strike up ♦ *te* ***hoog****/te* ***laag*** *inzetten* start too high/low; *de vrouwen zetten een* ***lied*** *in* the women broke into a song; *het* ***orkest*** *zette (een wals) in* the band struck up (a waltz); *het* ***volkslied*** *inzetten* strike up the national anthem

inzetting [deᵛ] 1 ⟨het aanbrengen, plaatsen⟩ ⟨tussenzetten⟩ insertion, ⟨edelstenen, gebroken ledemaat⟩ setting, ⟨beginnen⟩ start, ⟨in actie doen komen⟩ deployment, ⟨gokken⟩ betting 2 ⟨Bijb, prot⟩ ordinance

inzicht [het] 1 ⟨begrip, visie⟩ insight, understanding, perception ♦ *een* ***beter*** *inzicht krijgen in* gain an insight into; ***commercieel/technisch*** *inzicht hebben* have an understanding of commercial/technical matters; *een* ***duidelijk*** *inzicht krijgen in* gain a clear understanding of, gain a clear insight into; ***geen*** *inzicht hebben* lack insight/sense/understanding, have no perception (of); *een* ***goed*** *inzicht hebben in* have a sound grasp of; *we hebben iemand* ***met*** *inzicht nodig* we need s.o. with acumen/insight; ***zakelijk*** *inzicht* business acumen, commercial insight; ⟨inf⟩ nose for business 2 ⟨opvatting, mening⟩ view, opinion ♦ *naar* ***eigen*** *inzicht handelen/beslissen* act/decide according to/in accordance with one's own views/opinion/judgement, act/decide at one's own discretion; *geleid door een* ***juist*** *inzicht* led by a correct judgement; *iemands inzichten* ***kennen/delen*** know/share s.o.'s views/opinions; ***naar*** *zijn inzicht* in his view/opinion, to his mind; ***tot*** *het inzicht* ***komen****, dat* come to see that, recognize that, realize that, wake up to the fact that; *verschil* ***van*** *inzicht* difference of opinion, disagreement; *er bestaat enig* ***verschil*** *van inzicht over ...* ⟨ook⟩ there is a certain amount of controversy about ... 3 ⟨moreel besef⟩ ♦ *tot inzicht* ***komen*** see the light/error of one's ways 4 ⟨in België; opzet⟩ intention, purpose, aim, intent

inzichtelijk [bn] ⟨alleen na zelfstandig naamwoord⟩ providing/allowing/requiring insight (into)

inzichtkaart [de] insight card

¹**inzien** [het] ▪ ***mijns/ons*** *inziens* in my/our view/opinion, to my/our mind; *bij* ***nader*** *inzien geef ik hem gelijk* on (further) consideration/on second thoughts/on reflection I agree with him

²**inzien** [ov ww] 1 ⟨een blik in iets slaan⟩ have a look at, glance over ♦ ***stukken*** *inzien* inspect/examine documents; *een boek* ***vluchtig*** *inzien* leaf/thumb through a book 2 ⟨beseffen⟩ see, recognize, realize, understand, appreciate ♦ *iemand iets* ***doen*** *inzien* make s.o. see sth., open s.o.'s eyes to sth., get s.o. to understand sth.; *een* ***dwaling*** *inzien* see an error; *iets* ***gaan*** *inzien* wake up to sth., come to see/realize/recognize/understand sth.; *het* ***geestige*** *van iets inzien* see the funny side of sth.; *zij zien heel* ***goed*** *in dat ze fout waren* they clearly recognize/are fully aware that they were wrong; *dat zie ik* ***niet*** *in* I don't see that; *de* ***noodzaak*** *gaan inzien van* come to recognize/wake up to the necessity of; *de* ***waarde*** *niet inzien van* fail to realize/appreciate/recognize/see the value of sth. 3 ⟨houden voor⟩ take a ... view of, consider, regard ♦ *hij ziet de toekomst* ***donker*** *in* he takes a gloomy/black view of the future; *ik zie het* ***somber*** *in* I have little hope on that score, I'm pessimistic/none too optimistic about that, I cherish no illusions as to that; *ik zie het niet zo* ***somber*** *in* I'm not all that pessimistic about it

inzinken [onov ww] 1 ⟨(weg)zakken in⟩ sink (down), ⟨dieper gaan liggen van schip ook⟩ subside ♦ *het schip zonk de* ***diepte*** *in* the ship sank to the bottom 2 ⟨lager komen te liggen⟩ subside, ⟨grond ook⟩ sink (in) 3 ⟨m.b.t. fondsen⟩ go down, slump

inzinking [deᵛ] 1 ⟨instorting, depressie⟩ breakdown, collapse, ⟨inf⟩ crackup ♦ *ik had een* ***kleine*** *inzinking* it was one of my off moments 2 ⟨handel; achteruitgang⟩ slump, ⟨ec⟩ depression, recession 3 ⟨het (weg)zakken in⟩ sinking, ⟨in water⟩ submersion, ⟨grond, gebouw⟩ subsidence

inzitten [onov ww] 1 ⟨zitten in iets⟩ sit in ♦ ⟨fig⟩ *dat zit er* ***niet*** *in* there's no chance of that 2 ⟨+ over; bezorgd zijn⟩ worry about/over, fret about/over, brood about/over ♦ *hij zit* ***erover*** *in dat hij zijn auto moet verkopen* he's bothered/upset about having to sell his car; *hij zit* ***over*** *die kwestie in* he's worried about that matter; *ik heb erg* ***over*** *je ingezeten* I've been worried sick about you; *ergens zwaar/diep* ***over*** *inzitten* brood/fret over sth., be greatly/deeply troubled about sth.

inzittende [de] occupant, passenger

inzonderheid [bw] ⟨form⟩ ⟨ogm⟩ especially

inzoomen [onov ww] zoom in (on)

inzouten [ov ww] salt (down), brine, pickle ♦ ***vlees/haring*** *inzouten* salt (down) meat/herring

inzuigen [ov ww] 1 ⟨door inademen⟩ breathe in, inhale 2 ⟨met de mond⟩ suck up 3 ⟨door capillaire werking opslurpen⟩ suck up, soak up, absorb 4 ⟨fig; in zich opnemen⟩ pick up, absorb

inzwachtelen [ov ww] bandage, swathe

inzwemmen [onov ww] 1 ⟨naar binnen zwemmen⟩ swim into 2 ⟨vooraf zwemmen⟩ swim a few laps to warm up

inzweren [ov ww] swear in

i.o. [afk] 1 (in oprichting) being established, in formation 2 (in opdracht) pp, per pro

IOC [het] (Internationaal Olympisch Comité) IOC

ion [het] ion

ionenbuis [de] ionic valve

ionenmotor [de^{m}] ion drive
ionenpomp [de] ionic pump
ionenraket [de] ion rocket, ion engine
ionentheorie [de^{v}] ionic theory
ionisatie [de^{v}] ionization
ionisator [de^{m}] ionizing agent
[1]**Ionisch** [het] Ionic
[2]**Ionisch** [bn] Ionic, Ionian ♦ *Ionische **bouworde/stijl*** Ionic order [•] *Ionische **toonladder*** Ionian mode
[1]**ioniseren** [onov ww] ⟨in ionen gesplitst worden⟩ ionize
[2]**ioniseren** [ov ww] ⟨in ionen splitsen⟩ ionize
ionosfeer [de] ionosphere
iontoforese [de^{v}] iontophoresis
IP-adres [het] ⟨comp⟩ IP address
i.pl.v. → **i.p.v.**
ipod [de^{m}] iPod
ipso facto ipso facto
ipso jure ipso jure
i.p.v. [afk], **i.pl.v.** [afk] (in plaats van) instead of
IQ [het] IQ
ir. [afk] (ingenieur) ± M Sc ⟨na de naam⟩
IRA [de] (Irish Republican Army) IRA
Iraaks [bn] Iraqi
Iraakse [de^{v}] → **Irakees**
Iraans [bn] Iranian
Iraanse [de^{v}] → **Iraniër**
Irak [het] Iraq

Irak	
naam	*Irak* Iraq
officiële naam	*Republiek Irak* Republic of Iraq
inwoner	*Irakees* Iraqi
inwoonster	*Irakese* Iraqi
bijv. naamw.	*Irakees* Iraqi
hoofdstad	*Bagdad* Baghdad
munt	*Iraakse dinar* Iraqi dinar
werelddeel	*Azië* Asia
int. toegangsnummer 964 www .iq auto IRQ	

Irakees [de^{m}], **Iraakse** [de^{v}] ⟨man & vrouw⟩ Iraqi, ⟨vrouw ook⟩ Iraqi woman/girl
Iran [het] Iran

Iran	
naam	*Iran* Iran
officiële naam	*Islamitische Republiek Iran* Islamic Republic of Iran
inwoner	*Iraniër* Iranian
inwoonster	*Iraanse* Iranian
bijv. naamw.	*Iraans* Iranian
hoofdstad	*Teheran* Tehran
munt	*Iraanse rial* Iranian rial
werelddeel	*Azië* Asia
int. toegangsnummer 98 www .ir auto IR	

Iraniër [de^{m}], **Iraanse** [de^{v}] ⟨man & vrouw⟩ Iranian, ⟨vrouw ook⟩ Iranian woman/girl
irene [de^{m}] irene
irenisch [bn] irenic(al)
irenologie [de^{v}] peace studies
[1]**iridium** [het] ⟨scheik⟩ iridium
[2]**iridium** [bn] ⟨scheik⟩ iridium
iris [de] [1] ⟨plant⟩ iris ♦ ***Florentijnse** iris/lis* orris [2] ⟨vlies in het oog⟩ iris [3] ⟨regenboog⟩ rainbow, ⟨zeldz⟩ iris
iriscopie [de^{v}] iridology
iriscopist [de^{m}] iridologist
irisdiafragma [het] iris diaphragm, iris
[1]**iriseren** [onov ww] ⟨de kleuren van de regenboog vertonen⟩ be iridescent/irised
[2]**iriseren** [ov ww, ook abs] ⟨in elkaar opvolgende tinten kleuren⟩ iris
Irish coffee [de^{m}] Irish coffee
irisherkenning [de^{v}] iris recognition
irisscan [de^{m}] iris scan
[1]**Irokees** [de^{m}] Iroquois, Iroquoian
[2]**Irokees** [bn] Iroquoian, Iroquois
ironie [de^{v}] irony ♦ ***bittere** ironie* bitter irony; *hij zei dat **met** lichte ironie* he said it with a touch of irony; ⟨fig⟩ *de ironie van het lot* the irony of fate
ironieteken [het] irony mark, irony point, snark, zing
ironisch [bn, bw] ironic(al) ⟨bw: ironically⟩ ♦ *de brief was ironisch **bedoeld*** he wrote the letter tongue-in-cheek, the letter was meant ironically; *ironisch **genoeg** werd hij gearresteerd door zijn beste vriend* ironically, he was arrested by his best friend; *ironisch **glimlachen*** smile ironically; *een ironisch **iemand*** an ironist; *ironische **opmerkingen*** ironic remarks; *in ironische **zin*** in an ironical sense
[1]**ironiseren** [onov ww] ⟨in ironie spreken⟩ ironize
[2]**ironiseren** [ov ww] ⟨tot voorwerp van ironie maken⟩ ± mock, ridicule
iron lady [de^{v}] iron lady
irradiatie [de^{v}] [1] ⟨optisch bedrog⟩ irradiation [2] ⟨uitstraling van pijn⟩ radiation [3] ⟨natuurk, med; bestraling⟩ irradiation, radiation [4] ⟨fig⟩ irradiation
irrationaal [bn] ⟨wisk⟩ irrational
irrationaliteit [de^{v}] irrationality
[1]**irrationeel** [bn] [1] ⟨onberedeneerbaar⟩ irrational ♦ ***het** irrationele* the irrational [2] ⟨wisk⟩ irrational
[2]**irrationeel** [bw] ⟨op onberedeneerbare wijze⟩ irrationally
irrealis [de^{m}] ⟨taalk⟩ counterfactual (meaning)
irrealiteit [de^{v}] unreality
irredentisme [het] irredentism
irreëel [bn] unreal, imaginary
irregulariteit [de^{v}] irregularity
irregulier [bn] [1] ⟨onregelmatig⟩ irregular ♦ *op irreguliere **tijden*** at irregular intervals [2] ⟨ongeregeld⟩ irregular ♦ *irreguliere **troepen*** irregular forces/troops, the irregulars
irrelevant [bn] irrelevant, extraneous, immaterial ♦ *een irrelevant **feit*** an irrelevant fact, an irrelevance/irrelevancy; *dat is irrelevant* that's not/beside the point, that's wide of the mark/purpose; *die **opmerking** is irrelevant* that remark is not to the point
irreversibel [bn] irreversible
irrigatie [de^{v}] [1] ⟨kunstmatige bevloeiing⟩ irrigation ♦ ***ondergrondse** irrigatie* subirrigation [2] ⟨med; uitspoeling⟩ ⟨van wond⟩ irrigation, ⟨van de schede⟩ douche, ⟨van de dikke darm⟩ enema
irrigatiekanaal [het] irrigation channel/canal
irrigatiesluis [de] irrigation sluice
irrigatiewerken [de^{mv}] irrigation system/works
irrigator [de^{m}] ⟨med⟩ irrigator, syringe, ⟨schede ook⟩ douche, ⟨dikke darm⟩ enema
irrigeren [ov ww, ook abs] [1] ⟨landb⟩ irrigate [2] ⟨med⟩ irrigate, douche
irritant [bn, bw] irritating, bothersome, annoying, ⟨van een substantie⟩ irritant, irritative ♦ *wat een irritant **mannetje** is dat, zeg!* he's a real pain (in the neck), that guy!
irritatie [de^{v}] [1] ⟨het prikkelen⟩ irritation [2] ⟨ergernis⟩ irritation, vexation [3] ⟨med⟩ irritation
irritatiegrens [de] irritation threshold
irriteren [ov ww, ook abs] [1] ⟨ergeren⟩ irritate, aggravate, provoke, annoy ♦ *het irriteert **mij*** that's getting on my nerves/under my skin [2] ⟨sterk prikkelen⟩ irritate, chafe ♦ *deze zeep irriteert de **huid*** this soap causes irritation of the skin; *die nieuwe kraag irriteert de **nek*** that new collar chafes the neck
IRT [het] (Interregionaal Rechercheteam) interregional police force
ISBN [het] (internationaal standaardboeknummer) ISBN

ischias [de] sciatica
ISDN [het] (Integrated Services Digital Network) ISDN
isgelijkteken [het] equal(s) sign
islam [de^{m}] Islam ◆ *de **politieke** islam* political Islam, Islamism
islamiet [de^{m}] Islamite
islamiseren [ov ww] islamize
islamisme [het] Islamism
islamitisch [bn] Islamic, Islamitic
islamofobie [de^{v}] Islamophobia
islamologie [de^{v}] Islamic studies
islamschool [de] Islamic school
i.s.m. [afk] (in samenwerking met) in collaboration with
isme [het] ⟨inf⟩ ism, ology
ISO [de^{v}] (International Standardization Organization) ISO
isobaar [de^{m}] **1** ⟨m.b.t. luchtdruk⟩ isobar **2** ⟨m.b.t. thermodynamica⟩ isobar **3** ⟨m.b.t. kernfysica⟩ isobar
isobaat [de^{m}] isobath
isobarometrisch [bn] ⟨meteo⟩ ▪ *isobarometrische **lijnen*** isobars
isobase [de^{v}] isobase
isochromatisch [bn] ⟨foto⟩ isochromatic, orthochromatic
isochronie [de^{v}] isochronism
isochroon [bn] ⟨natuurk⟩ isochronous, isochronal
isocline [de^{v}] isoclinic/isoclinal (line)
isodynaam [de^{m}] isodynamic line
isofoot [de^{m}] ⟨fotometrie⟩ isophote
isogamie [de^{v}] isogamy
isoglosse [de^{v}] ⟨taalk⟩ isogloss
isoglucose [de] isoglucose
isogonaal [bn] ⟨wisk⟩ isogonic, isogonal
isogonisch [bn] isogonic, isogonal
isogoon [de^{m}] isogonal/isogonic line
isohypse [de^{v}] contour line, surface contour (line), isohypse
isolatie [de^{v}] **1** ⟨afzondering, isolement⟩ isolation **2** ⟨m.b.t. kou, geluid⟩ insulation ◆ *isolatie van een **spouwmuur*** cavity wall insulation **3** ⟨materiaal⟩ insulation **4** ⟨m.b.t. elektriciteit⟩ insulation
isolatieband [het] ⟨BE⟩ insulating tape, ⟨AE⟩ friction tape
isolatiebuis [de] insulating casing/^{B}sleeve, ⟨AE⟩ jacket, ⟨elek⟩ insulating/insulation conduit
isolatiefolter [de^{m}] isolation torture, white torture
isolatiekamer [de] isolation room
isolatielaag [de] insulating/insulation layer
isolatiemateriaal [het] ⟨elek⟩ insulating material, insulant, ⟨tegen warmteverlies, om cv-buizen, boiler e.d.⟩ lag, lagging (material)
isolationisme [het] isolationism
isolationistisch [bn] isolationist
isolator [de^{m}] insulator
isoleercel [de] isolation cell, ⟨voor psychiatrische patiënten ook⟩ padded cell
isoleerkamer [de] isolation room, ⟨zaal, alleen m.b.t. besmettelijke ziektes⟩ isolation ward
isoleerkan [de] thermos (flask/jug)
isolement [het] isolation ◆ ***in** mijn isolement ligt mijn **kracht*** my isolation is my strength
^{1}**isoleren** [ov ww] **1** ⟨afzonderen⟩ isolate, ⟨m.b.t. zieken ook⟩ quarantine, ⟨door storm, overstroming, sneeuw ook⟩ cut off ◆ *de **boeren** waren door de overstroming volkomen geïsoleerd* the farmers were cut off/marooned by the floods; *de **gevangene** werd geïsoleerd gehouden* the prisoner was held incommunicado/in solitary confinement; ***iemand** isoleren* ⟨in quarantaine⟩ isolate/quarantine s.o.; ⟨in sociaal isolement⟩ cut s.o.; *hij isoleert **zich** te veel* he isolates himself too much **2** ⟨uit een geheel halen⟩ isolate ◆ *je mag dat niet geïsoleerd **bekijken*** you mustn't look at that out of its context; ⟨taalk⟩ *isolerende **talen*** isolating languages
^{2}**isoleren** [ov ww, ook abs] ⟨van afscherming voorzien⟩ insulate (from/against) ◆ *geïsoleerd **elektriciteitsdraad*** insulated (electric) wire
isolering [de^{v}] **1** ⟨afzondering, isolement⟩ isolation (from) **2** ⟨afscherming tegen kou, geluid⟩ insulation (from/against) **3** ⟨materiaal⟩ insulation
isomeer [de^{m}] ⟨natuurk, scheik⟩ isomer
isomeriseren [ov ww] ⟨scheik⟩ isomerize
isometrie [de^{v}] isometry
isometrisch [bn] ⟨wisk⟩ isometric(al)
^{1}**isomo** [de^{m}] styrofoam
^{2}**isomo** [aanw bn] ⟨in België⟩ styrofoam, isomo
isomorf [bn] isomorphic, isomorphous
isostasie [de^{v}] ⟨geol⟩ isostasy
isosyllabisme [het] isosyllabism
^{1}**isotherm** [de^{m}] **1** ⟨meteo⟩ isotherm **2** ⟨natuurk⟩ isotherm
^{2}**isotherm** [bn] isothermal
isotoon [bn] isotonic, isosmotic
isotoop [het, de^{m}] ⟨scheik, natuurk⟩ isotope
isotroop [bn] isotropic
isp [de^{m}] (internetserviceprovider) ISP
Israël [het] Israel

Israël

naam	*Israël* Israel
officiële naam	*Staat Israël* State of Israel
inwoner	*Israëliër* Israeli
inwoonster	*Israëlische* Israeli
bijv. naamw.	*Israëlisch* Israeli
hoofdstad	*Jeruzalem* Jerusalem
munt	*nieuwe sjekel* new shekel
werelddeel	*Azië* Asia

int. toegangsnummer 972 www .il auto IL

Israëli [de^{m}], **Israëlische** [de^{v}] ⟨man & vrouw⟩ Israeli, ⟨vrouw ook⟩ Israeli woman/girl
Israëliër [de^{m}] Israeli
Israëliet [de^{m}] ⟨Bijb⟩ Israelite, Jew
^{1}**Israëlisch** [het] (modern) Hebrew, Israeli Hebrew
^{2}**Israëlisch** [bn] Israeli
Israëlische [de^{v}] → **Israëli**
israëlitisch [bn] Jewish
Israëlitisch [bn] Israelite, Jewish
issue [het, de^{m}] issue ◆ *een **hot** issue* a burning issue
Istrië [het] Istria
it. [afk] (item) id
IT [afk] (informatietechnologie) IT

Italië

naam	*Italië* Italy
officiële naam	*Italiaanse Republiek* Italian Republic
inwoner	*Italiaan* Italian
inwoonster	*Italiaanse* Italian
bijv. naamw.	*Italiaans* Italian
hoofdstad	*Rome* Rome
munt	*euro* euro
werelddeel	*Europa* Europe

int. toegangsnummer 39 www .it auto I

^{1}**Italiaan** [de^{m}], **Italiaanse** [de^{v}] ⟨bewoner van Italië⟩ ⟨man & vrouw⟩ Italian, ⟨vrouw ook⟩ Italian woman/girl
^{2}**Italiaan** [de^{m}] ⟨restaurant⟩ Italian restaurant
^{1}**Italiaans** [het] Italian
^{2}**Italiaans** [bn] Italian ◆ *het Italiaans **boekhouden*** double-entry bookkeeping; *van Italiaans-**Duitse** afkomst* of Italo-German descent
Italiaanse [de^{v}] → **Italiaan**^{1}

italiaantje [het] brief run-through
italianiseren [onov ww] ⟨bk⟩ Italianize
italianisme [het] [1] ⟨typisch Italiaanse trek, uitdrukking⟩ Italianism [2] ⟨bk⟩ Italianism
italic [de^m] italic
Italië [het] Italy
italiek [de^v] ⟨drukw⟩ italic type, italics
Italisch [bn] ⟨gesch⟩ Italic
IT-branche [de] IT branch
¹**item** [het] [1] ⟨nieuwsbericht, onderwerp⟩ item, news item, topic ♦ *een **hot** item* a burning issue; *een itempje* a small point/issue [2] ⟨punt, post⟩ item
²**item** [bw] item, the same, ditto
IT'er [de^m] IT worker
iteratie [de^v] (re)iteration, repetition
¹**iteratief** [het] ⟨taalk⟩ iterative, frequentative
²**iteratief** [bn] iterative, ⟨taalk ook⟩ frequentative ♦ *een iteratieve **bewerking*** an iterative operation
itereren [ov ww] (re)iterate, repeat
itinerarium [het] itinerary
I Tjing [de^v] I Ching
i.t.t. [afk] (in tegenstelling tot) in contrast with, as opposed to, in contradistinction to
i.v. [afk] (in voce) iv
ivbo [het] (individueel voorbereidend beroepsonderwijs) individual prepatory vocational education
ivf [de^v] (in-vitrofertilisatie) IVF
ivf-et [de] IVF-ET treatment
i.v.m. [afk] (in verband met) in connection with, with respect to
ivo [het] (individueel voortgezet onderwijs) Individual Secondary Education
¹**ivoor** [het] [1] ⟨materiaal⟩ ivory ♦ *ivoor **bewerken*** carve ivory, ⟨draaien⟩ turn ivory; ⟨insnijden⟩ engrave/incise ivory; ⟨op balein ook⟩ scrimshaw; ***bewerkt** ivoor* carved ivory; ⟨ingesneden⟩ incised/engraved ivory; ⟨ook op balein⟩ scrimshawed ivory, scrimshaw; ⟨gesch; fig⟩ ***zwart** ivoor* black ivory [2] ⟨kleur⟩ ivory, cream
²**ivoor** [het, de^m] ⟨kunstvoorwerp⟩ ivory
ivoorkarton [het] ivory (card) board
ivoorkleurig [bn] ivory(-coloured)
Ivoorkust [het] Ivory Coast, Côte d'Ivoire

Ivoorkust	
naam	*Ivoorkust* Côte d'Ivoire
officiële naam	*Republiek Ivoorkust* Republic of Côte d'Ivoire
inwoner	*Ivoriaan* Ivorian
inwoonster	*Ivoriaanse* Ivorian
bijv. naamw.	*Ivoriaans* Ivorian
hoofdstad	*Yamoussoukro* Yamoussoukro
munt	*CFA-frank* CFA franc
werelddeel	*Afrika* Africa
int. toegangsnummer **225** www**.ci** auto **CI**	

ivoormeeuw [de] ivory gull
ivoorpapier [het] ivory paper
ivoren [bn] ivory ♦ ⟨myth⟩ *ivoren **poort*** gate of ivory
Ivoriaan [de^m], **Ivoriaanse** [de^v] ⟨man & vrouw⟩ Ivory Coaster, ⟨vrouw ook⟩ Ivory Coast woman/girl
Ivoriaanse [de^v] → **Ivoriaan**
Ivriet [het] (modern) Hebrew
ixia [de] ⟨plantk⟩ ixia
izabel [de^m] Isabella-coloured horse
i.z.g.st. [afk] (in zeer goede staat) in very good condition, in v. g. cond.

j

j [de] j, J
j. [afk] (jaar) y(r)
[1]**ja** [het] yes, ⟨bij stemprocedures ook⟩ yea, ⟨AE⟩ ay(e), ⟨bij stemming in House of Lords⟩ content, ⟨scheepv⟩ ay ay ◆ *het antwoord was een* ***duidelijk*** *ja* the answer was a clear affirmative/a wholehearted 'yes'; *nee heb je, ja* ***kun*** *je* ***krijgen*** you never know until you ask; you never know your luck; nothing ventured, nothing gained; *de vraag* ***met*** *ja* ***beantwoorden*** answer in the affirmative, say yes; *laat* ***uw*** *ja ja zijn, en uw nee nee* let your yea be yea, and your nay, nay; ***zijn*** *ja is/tegen mijn nee* it's his word against mine/my word against his
[2]**ja** [tw] 1 ⟨m.b.t. bevestiging, toestemming⟩ yes, ⟨inf⟩ yeah, yeh, ⟨AE⟩ yah, ⟨bevestiging, inwilliging ook⟩ all right, OK, ⟨bij stemprocedures ook⟩ yea, ⟨AE⟩ ay(e), ⟨bij stemming in House of Lords⟩ content ◆ *ja en* ***amen*** *zeggen* agree with everything (that is said), not have a mind of one's own; *nog wat thee? ja* ***graag*** more tea? yes, please, ⟨AuE⟩ more tea? yes, thank you; *ik was al bang dat het op zou zijn, en ja* ***hoor*** I was afraid there would be none left, and sure enough; *ja* ***knikken*** nod; *geen ja en geen* ***nee*** *zeggen* not commit o.s. (one way or the other); ⟨weifelen⟩ shilly-shally, hum and ho(w), yea and nay; *zal ik het kopen, ja of* ***nee****?* shall I buy it, yes or no?, shall I buy it or not?; *heb je het al gedaan? ja en* ***nee*** have you done it? yes and no/sort of/I have and I haven't; *ja* ***zeggen*** *tegen iets* say yes to sth.; ⟨fig⟩ *ja* ***zeggen*** *tegen het leven* be/think positive; *heeft zij dat gezegd?, ja****zeker****!/o ja!* did she say that? oh yes!, yes indeed!, she did indeed!, did she say that? ^you bet, did she say that? ^she sure did; *en* ***zo*** *ja* and if so; *ja!* ⟨na klop op de deur⟩ come in!; *ja, wat is* ***er****?* what is it?, what's the matter?; ⟨iron⟩ *ja, dat kun je denken!* oh yes, ⟨AE⟩ sure; no chance/^way; *ja? wie? o, kom binnen* yes? who is it? oh, come (on) in; *kan ik binnenkomen? ja* may I come in? yes, you may/yes, do!; *is hij al weg? ja, ik denk/geloof van wel* has he gone (already)? I think so, yes 2 ⟨m.b.t. berusting, toegeving⟩ oh, well ◆ *ja,* ***maar*** *...* yes, but ..., true/fair enough, but ...; *het is niet leuk,* ***maar*** *ja* it's no joke, but there it is; *het is niet geweldig,* ***maar*** *ja, wat wil je voor een tientje?* it's not fantastic/no great shakes, but then what do you expect for ten euros?; ***nou*** *ja, als ze van hem houdt* (oh) well, if she loves him; *och ja, zo gaat dat* ⟨vnl AE⟩ oh, well, that's the way the cookie crumbles, you can't win 'em all 3 ⟨als aanknoping⟩ oh, yes ◆ *o ja, nu ik je toch spreek ...* oh, yes, by the way ...; incidentally ... 4 ⟨als versterking⟩ yes, indeed, even ◆ *mannen, vrouwen, kinderen ja* ***zelfs*** *ouden van dagen* men, women, children, even the elderly; *ja nog mooier, hij wilde niet meer naar huis* what's more/worse, he didn't want to go home any more 5 ⟨m.b.t. verwondering, verbazing⟩ really, indeed, ⟨inf⟩ yeah, yeh, yah ◆ *o ja?* oh yes?, ⟨inf⟩ oh yeah?, ⟨iron⟩ (oh) really?, indeed?, is that so/a fact?; *ja, weet u dat zeker?* really, are you sure of that?; *je zei het net zelf! ja?* you just said it/so yourself! did I? 6 ⟨m.b.t. ergernis, ongeduld⟩ well, so ◆ *ja, wat schieten we daar nu mee op?* well, what use/good is that?; what good does that do us?; *doe me een lol, ja!* knock it off, will you! ▪ *ja!* ⟨ik kom eraan⟩ coming!
jaaglijn [de] ⟨gesch⟩ towline, towrope, towing line/rope
jaagpaard [het] ⟨gesch⟩ towing horse
jaagpad [het] towpath, towing path
jaap [de[m]] ⟨inf⟩ cut, ⟨diep⟩ gash, ⟨lang⟩ slash ◆ *een jaap* ***in*** *zijn vinger* a cut/gash in his finger
jaar [het] 1 ⟨tijd van 12 maanden⟩ year ◆ *zij is 2 jaar ouder dan ik* she is two years older than I am/older than me/my senior, she is my elder/senior by two years; *dit bedrijf bestaat 10 jaar* this company is celebrating its tenth anniversary, this company is ten years old; ***anderhalf*** *jaar* a year and a half, eighteen months; ***astronomisch*** *jaar* astronomical/solar/tropical year; ***burgerlijk*** *jaar* civil/calendar year; *ik zit in het* ***derde*** *jaar van mijn studie* I'm in my third year of college; *een* ***dik*** *jaar* a good year; ⟨in België⟩ *jaren van (****discretie en****)* ***verstand*** years of discretion; *zoiets* ***duurt*** *jaren* sth. like that takes years (and years)/ages; *jaren* ***en*** *jaren* years and years, years on end, ages; *zij* ***heeft*** *er de jaren voor* she is old enough for it; *wel* ***honderd*** *jaar worden* live to be a hundred; ⟨fig⟩ *ik doe het* ***in*** *geen honderd jaar* I'm damned if I'll do it, you won't catch me doing it; *het* ***is*** *nu zes jaar (geleden) dat* it has been/is six years now since; *in zijn* ***jonge*** *jaren* in his youth, in his younger years; ⟨r-k⟩ ***kerkelijk*** *jaar* Church/ecclesiastical/Christian/liturgical year; *een* ***klein*** *jaar* a little under a year, nearly a year; *hij* ***kreeg*** *drie jaar* ⟨gevangenisstraf⟩ he was sent down for three years; ⟨fig⟩ *dat was in* ***lange*** *jaren niet meer voorgekomen* that hadn't happened/occurred in years/for many a long year/for ages, ⟨inf⟩ that hadn't happened/occurred for donkey's years; *de* ***last*** *van de jaren* the burden of years; *zes jaar* ***later*** six years later; ***magere en vette*** *jaren* good and bad years; ⟨magere ook⟩ lean years; ***met*** *de jaren werd hij rustiger/werd het beter* over the years/as he grew older/with the years he became calmer; with the years/as years went on/as the years passed/in course of time things got better; *verboden (toegang) voor personen* ***onder*** *(de) achttien jaar* persons under eighteen (years of age) not admitted/allowed; *de jaren des* ***onderscheids*** the years/age of discretion; ***op*** *jaren zijn* be

well on/advanced in years; *een slecht jaar voor de tuinders* a bad year/season for the market-gardeners; *de jaren tachtig/negentig* the eighties/nineties; *verleden week dinsdag is ze twaalf jaar geworden* she was twelve last Tuesday; *hij is twee jaar jonger dan ik* he is two years younger than I am, he is two years my junior; *oud/jong van jaren* young/old in years; *een kind van zes jaar* a child aged six, a child of six, a six-year-old (child); *vanaf zijn derde jaar* from the age of three (onwards), from his third year onwards; *bijna vijftien jaar (oud)* nearly/almost fifteen (years old), going on fifteen; *hij is groot voor zijn jaren* he's big for his years/age; *zijn contract was steeds voor een jaar verlengbaar* his contract was renewable from year to year; *in vroeger jaren* in years gone by [2] ⟨kalenderjaar⟩ year ◆ *ik lig nu al een jaar/al jaren in het ziekenhuis* I have been in hospital for a year/for years now; *binnen het jaar, nog geen jaar na ...* within a year (of ...), less than a year after ...; *jaar en dag* a year and a day; *sinds jaar en dag* for years (and years), for ages; ⟨inf⟩ for donkey's years; *hij had haar dertig jaar lang niet/de laatste dertig jaar niet/in geen dertig jaar gezien* he hadn't seen her for/in (the last) thirty years; *dit jaar* this year, the present year; *door de jaren heen* through/over the years; *het hele jaar door* all (the) year round, throughout the year; ⟨attributief⟩ perennial; *precies drie jaar geleden* exactly three years ago, three years ago to the day; *elk jaar* every/each year; *deze rok gaat nog wel een jaar(tje) mee* this skirt will do for another year/season; *jaar in, jaar uit* year after year, year in, year out, year in and year out; *in de afgelopen tien jaar* in the past ten years/past decade; *in het jaar onzes Heren 1990* in the year of our Lord/our redemption/grace 1990; *in de laatste paar jaar, de laatste jaren* in the last few years, in recent years; *het jaar van het kind/de vrouw* the year of the child, women's year; *komend/volgend jaar* next year; *in latere jaren* in later years; *het lopend jaar* the present/current year; *van het jaar nul* ⟨BE⟩ from the year dot, ⟨AE⟩ horse-and-buggy; *om de twee jaar* every other year; *om de vier jaar* every four years, every fourth year; *jaar op jaar* year after/by year, every year; *over vijf jaar* five years from now/in five years' time, five years hence; *vandaag over een jaar* a year from today; *een paar jaar geleden/terug* a few/some years ago/back/past; *per jaar* yearly, a year; ⟨geldzaken ook⟩ per annum/year; *jaren terug* years ago/back; *ik zie nog vaak mensen uit mijn/ons jaar* I often meet people of my/our year/^{A}class, I often meet classfellows/classmates; *van jaar tot jaar* year after/by year; *een wijn van een goed jaar* wine from a good year, wine of a good vintage; *een wijn van het jaar 1979* a wine of 1979 vintage; *een vriend van jaren her/terug* a friend of many years' standing, an old friend; *iets van jaar tot jaar uitstellen* put sth. off year after year/from year to year; *van 't jaar komt het er niet meer van* we won't get round to it this year, it won't be for this year, it won't happen this year; *de politicus/de voetballer/de auto van het jaar* the politician/the footballer/the car of the year; *(en) nog vele jaren* many happy returns (of the day); *er zit een vol jaar garantie op* it carries a year's guarantee; *dit baantje is voor een jaar* this job is (tenable) for a year; *in de loop van vorig jaar* in the course of last year, sometime last year; *de jaren zestig* the Sixties [3] ⟨omlooptijd van een planeet rond de zon⟩ year [•] ⟨sprw⟩ *verstand komt met de jaren* the longer we live the more we learn

jaarabonnement [het] annual subscription, yearly subscription, ⟨voor een jaar⟩ year's subscription, ⟨trein e.d.⟩ annual season ticket, ⟨AE⟩ commutation ticket

jaarbalans [de] ⟨handel, fin⟩ annual balance sheet

jaarbasis [de^{v}] [•] *op jaarbasis* on an annual/a yearly basis

jaarbericht [het] annual report

jaarbeurs [de] [1] ⟨tentoonstelling⟩ (annual) fair, trade fair [2] ⟨gebouw⟩ exhibition centre

jaarbeursgebouw [het] trade fair centre

jaarboek [het] [1] ⟨kroniek⟩ yearbook, annual ◆ *meteorologisch jaarboek* almanac(k); *statistisch jaarboek* statistical abstract [2] ⟨mv; annalen⟩ annals, chronicles [3] ⟨almanak⟩ yearbook, annual

jaarcapaciteit [de^{v}] yearly capacity

jaarcijfer [het] [1] ⟨jaartal⟩ year, date, ⟨wijn⟩ year, vintage [2] ⟨mv; statistische cijfers⟩ annual returns, yearly returns, annual/yearly statistics, annual/yearly figures

jaarcijfers [de^{mv}] annual figures

jaarclub [de] society of students of the same year/^{A}class

jaarcontract [het] annual contract, ⟨van huur⟩ annual lease

jaardicht [het] chronogram

jaarfeest [het] anniversary, annual celebration/feast, ⟨geboortefeest⟩ birthday

jaargang [de^{m}] [1] ⟨alle afleveringen van een periodiek werk⟩ volume, year (of publication) ◆ *de derde jaargang ontbreekt* the third volume/volume three/the third year (of publication) is missing; *zijn tweede jaargang ingaan/beleven* go into one's second year of publication; *oude jaargangen* back volumes, ⟨van krant⟩ back file(s); *prijs per jaargang € 135* annual/yearly subscription 135 euros [2] ⟨al die afleveringen bij elkaar⟩ volume, set, series ◆ *een ingebonden jaargang van een tijdschrift* a bound volume of a periodical [3] ⟨wijnsoort⟩ vintage ◆ *de kelder is voorzien van uitsluitend beste jaargangen* the cellar is supplied with only the best vintages

jaargeld [het] annuity, annual allowance, ⟨ouderen, weduwen, kunstenaar, geleerde; wegens bewezen diensten⟩ pension ◆ *iemand een jaargeld toekennen/uitkeren* grant s.o. an annuity, give s.o. an annual allowance; ⟨pensioen⟩ pension s.o.; ⟨geleerde, kunstenaar⟩ bestow a pension on s.o.

jaargemiddelde [het] annual/yearly average

jaargenoot [de^{m}], **jaargenote** [de^{v}] [1] ⟨medestudent⟩ fellow student, contemporary, ⟨leerling⟩ classmate, ⟨man ook⟩ classfellow [2] ⟨leeftijdgenoot⟩ contemporary

jaargenote [de^{v}] → **jaargenoot**

jaargetijde [het] [1] ⟨seizoen⟩ season [2] ⟨r-k; mis⟩ annual mass

jaarhelft [de] six months

jaarhuur [de] [1] ⟨geldbedrag van huishuur of pacht⟩ annual/yearly rent [2] ⟨huishuur-, pachttermijn⟩ annual/yearly tenancy [3] ⟨huurtermijn van goederen, pachttermijn⟩ annual/yearly lease

jaarinkomen [het] annual income, yearly income

jaarinkomsten [de^{mv}] income for the year

jaarkaart [de] ⟨trein e.d.⟩ annual season ticket, ⟨AE⟩ commutation ticket

jaarkalender [de^{m}] calendar

jaarkring [de^{m}] [1] ⟨twaalf maanden⟩ annual cycle [2] ⟨jaarring⟩ annual ring, growth/tree ring

jaarlijks [bn, bw] [1] ⟨ieder jaar (weer)⟩ annual ⟨bw: ~ly⟩, yearly, ⟨bijwoord ook⟩ every/each year, once a year ◆ *de jaarlijkse draaiing van de aarde om de zon* the annual/yearly revolution of the earth around the sun; *jaarlijkse volkstellingen* annual/yearly censuses; *dit feest wordt jaarlijks gevierd* this celebration takes place yearly/annually/every year/once a year [2] ⟨per jaar, over het gehele jaar⟩ annual ⟨bw: ~ly⟩, yearly, ⟨over het gehele jaar ook⟩ over the year, ⟨geldzaken ook⟩ per annum/year ◆ *een jaarlijks inkomen* an annual/a yearly income; *jaarlijks komen hier duizenden bezoekers* thousands of visitors come here every year

jaarling [de^{m}] yearling

jaarloon [het] annual pay, year's/yearly/annual wages

jaarmarkt [de] (annual) fair

jaarmis [de] ⟨r-k⟩ [1] ⟨mis op iemands sterfdag⟩ annual mass [2] ⟨dagelijkse zielenmis⟩ mass said daily for one year

jaaromzet [de^{m}] annual turnover/sales, annual volume/amount of business

jaaropening [de^{v}] ceremony at the start of the academic

year
jaaropgave [de] annual statement
jaaroverzicht [het] annual survey, yearly survey, annual/yearly report, annual/yearly review
jaarrapport [het] annual/yearly report
jaarrekening [de^v] 1 ⟨rekening-courant⟩ annual/yearly account ♦ *op jaarrekening kopen/verkopen* run up an annual/yearly account 2 ⟨financieel overzicht⟩ annual accounts, annual statement of account(s)
jaarrente [de] annuity
jaarring [de^m] annual ring, growth/tree ring
jaars [bn] one-year-old
jaarsalaris [het] annual/yearly salary
jaarstaat [de^m] annual returns/statement
jaarstukken [de^mv] annual accounts, annual statement of account(s)
jaartal [het] 1 ⟨getal van het jaar⟩ year, date ♦ *een boek met het jaartal 1932* a book dated 1932; *jaartallen* ***opschrijven/leren*** take down/learn dates; *er* ***staat*** *geen jaartal in het boek* the book has no date in it/bears no date/is undated 2 ⟨leeftijd⟩ age, years
jaartalvers [het] chronogram
jaartelling [de^v] era ♦ *de* ***christelijke*** *jaartelling* the Christian/Common Era
jaartermijn [de^m] 1 ⟨periode⟩ annual/yearly period 2 ⟨afbetaling⟩ annual/yearly instalment
jaarultimo [het, de^m] last day of the financial year
jaarvergadering [de^v] annual meeting ♦ ***algemene*** *jaarvergadering* annual general meeting, ⟨afkorting⟩ AGM
jaarverslag [het] annual report
jaarwedde [de] ⟨in België⟩ (annual) salary, ⟨geestelijke⟩ stipend
jaarwinst [de^v] annual profit, ⟨vaak mv; rendement⟩ annual return, ⟨van bedrijf ook⟩ annual earning(s)
jaarwisseling [de^v] turn of the year ♦ ***goede/prettige*** *jaarwisseling!* happy New Year!
jabot [het, de^m] 1 ⟨gesch; kanten plooi aan mannenoverhemd⟩ jabot, frill 2 ⟨idem op damesjapon⟩ jabot, tucker, frill
jabroer [de^m] yes-man
JAC [het] (Jongerenadviescentrum) Young People's Advisory Centre
[1]**jacht** [het] 1 ⟨zeilboot⟩ yacht 2 ⟨motorjacht⟩ yacht
[2]**jacht** [de] 1 ⟨het jagen⟩ hunting, ⟨op kleinwild; BE⟩ shooting ♦ ***korte*** *jacht* shooting; ***lange*** *jacht* coursing; *jacht* ***maken*** *op* ⟨wild⟩ hunt; ⟨kleinwild⟩ shoot; ⟨persoon⟩ hunt (for); ⟨eer, rijkdom⟩ pursue; ⟨van roofdier⟩ hunt, prey on; ***op*** *jacht* ***gaan*** go (out) hunting; ⟨kleinwild; BE⟩ go (out) shooting; ⟨vnl. op vossen⟩ ride to hounds; ⟨op de lange jacht⟩ go coursing; ⟨van roofdier⟩ go hunting, prowl; ***op*** *jacht* ***zijn*** be (at) hunting, ⟨kleinwild⟩ be (at) ^Bshooting, be out with the hounds/guns; ⟨van roofdier⟩ hunt, prowl; *de jacht* ***op*** ***grofwild*** big game hunting; ***van*** *de jacht* ***leven*** live by hunting/by the chase 2 ⟨jachtpartij⟩ hunt, ⟨op kleinwild⟩ shoot ♦ *de jacht* ***beginnen*** throw off; *een* ***goede*** *jacht* ***hebben*** have a good run, make a bag; ***mee op*** *jacht* ***gaan*** follow the guns/chase; *een* ***slechte*** *jacht* a bad hunt/shoot 3 ⟨jachttijd⟩ (open) season, gaming/hunting season, ⟨op kleinwild; BE⟩ shooting season ♦ ***gesloten/verboden*** *jacht* ⟨BE⟩ the close season, ⟨AE⟩ the closed season, ⟨BE⟩ close time, fence month/time/season; *de jacht* ***op*** *wilde zwijnen is* ***open*** the hunting/shooting/gaming season has opened for wild boar; *de jacht is* ***open*** the hunting/shooting season has opened; ⟨op vluchteling⟩ the hunt is on; ⟨fig⟩ the gloves are off 4 ⟨achtervolging⟩ hunt, chase, pursuit ♦ *jacht* ***maken*** *op de meiden* chase (around after) girls, go after a piece of skirt; *jacht* ***maken*** *op een man/een vrouw* be after/chase (after)/pursue a man/a woman; *jacht* ***maken*** *op oorlogsmisdadigers* hunt/track down war criminals; *jacht* ***maken*** *op een partij heroïne* hunt for a consignment of heroine; *de jacht* ***met*** *de camera* the great picture hunt; ***op*** *jacht* *zijn* ***naar*** *iets* be hunting/on the hunt for sth., smell about/around for sth.; ***op*** *jacht (naar man/vrouw)* ⟨inf⟩ on the make 5 ⟨het nastreven⟩ hunt, pursuit ♦ *jacht* ***naar*** *roem/succes* the pursuit of fame/success; ⟨handel⟩ *de jacht* ***op*** *koper/goud* the run on copper/gold; *de jacht* ***op*** *koopjes/baantjes* bargain-hunting, job-hunting 6 ⟨jachtterrein⟩ hunt(ing ground), ⟨BE⟩ chase, ⟨voor kleinwild; BE⟩ shoot(ing), ⟨BE⟩ shooting ground ♦ *de jacht* ***verpachten*** rent/hire out the shoot(ing)
jachtakte [de], **jachtvergunning** [de^v] hunting licence/^Alicense, game licence, ⟨klei wild; BE⟩ shooting licence/permit ♦ ***grote*** *jachtakte* full hunting/shooting licence; ***kleine*** *jachtakte* limited hunting/shooting licence
jachtbommenwerper [de^m] fighter-bomber
jachtclub [de] yacht-club, sailing club
[1]**jachten** [onov ww] 1 ⟨zich haasten⟩ hurry, rush, (make) haste, hustle, tear along ♦ *je* ***hoeft*** *niet zo te jachten* there's no need to hurry/rush; *ze loopt de hele tijd te jachten en te* ***jagen*** she has been hustling and bustling all the time 2 ⟨m.b.t. wolken⟩ fleet, ↓scurry
[2]**jachten** [ov ww] ⟨haasten⟩ hurry, rush, drive, hustle ♦ *als je* ***hem*** *zo jacht, wordt hij zenuwachtig* if you keep after him like that you'll make him nervous
jachteskader [het] fighter-squadron
jachtexpeditie [de^v] shoot, hunting/shooting expedition
jachtgebied [het] hunt(ing ground), chase, ⟨voor kleinwild; BE⟩ shoot(ing), ⟨BE⟩ shooting ground, ⟨fig⟩ field (of interest)
jachtgenot [het] hunting rights, shooting rights ♦ ***verhuring*** *van het jachtgenot* renting/hiring/leasing of the hunting rights
jachtgeweer [het] shotgun, sporting-gun, sporting-rifle
jachtgezelschap [het] hunt, meet, shooting/hunting party
jachtgoed [het] ⟨in België⟩ hunting-seat
jachtgrond [de^m] hunt(ing ground), chase, ⟨voor kleinwild; BE⟩ shoot(ing), ⟨BE⟩ shooting ground
jachthaven [de] yacht-basin, marina
jachthond [de^m] hound, gun/sporting dog ♦ ***met*** *jachthonden jagen* ***op*** hound; ***troep*** *jachthonden* a pack of hounds, the hounds
jachthoorn [de^m] 1 ⟨instrument op de jacht⟩ hunting horn, bugle (horn) 2 ⟨muziekinstrument⟩ (hunting) horn
jachthuis [het] (shooting/hunting) lodge, ⟨klein⟩ box
jachtig [bn, bw] hurried ⟨bw: ~ly⟩, hectic, hasty, hurry-scurry ♦ *de jachtige* ***dagen/tijd*** *voor Kerstmis* the hectic days/the (hustle and) bustle before Christmas; *de jachtige* ***mensen*** the madding crowd; *mijn nieuwe baan is tenminste niet meer zo'n jachtige* ***toestand*** at least my new job is less hectic; *jachtig in de weer zijn* hurry/bustle (about)
jachtlak [het, de^m] yacht/marine varnish
jachtliefhebber [de^m] sportsman, lover of sport, lover of the chase
jachtluipaard [de^m] cheetah
jachtmes [het] hunting knife, ⟨lang⟩ bowie (knife)
jachtopzichter [de^m] → **jachtopziener**
jachtopziener [de^m], **jachtopzichter** [de^m] game warden, gamekeeper
jachtpaard [het] hunter
jachtpartij [de^v] hunt(ing party), ⟨met geweren⟩ shoot(ing party)
jachtrecht [het] 1 ⟨voor de jacht geldend recht⟩ game laws ⟨mv⟩ 2 ⟨jachtvergunning⟩ hunting/shooting rights, hunting/shooting permit
jachtrevier [het] hunting ground/area, ⟨met geweer⟩ shoot

jachtsaus [de] ⟨cul⟩ sauce chasseur
jachtschotel [de] ± hotpot
jachtseizoen [het] hunting/shooting season
jachtslot [het] hunting seat/lodge
jachtsneeuw [de] driving snow
jachtspin [de] wolf spider, hunting spider
jachtstoet [de^{m}] hunting/shooting party, ⟨bereden vossenjacht ook⟩ field
jachttafereel [het] hunting scene
jachtterrein [het] ⟨vnl fig⟩ hunting ground(s)
jachttijd [de^{m}] hunting/shooting season ◆ ***open/gesloten** jachttijd* open/closed season
jachttrofee [de^{v}] hunting trophy
jachtveld [het] hunting ground ◆ ⟨fig⟩ *naar de **eeuwige** jachtvelden gaan* go (on) to the happy hunting grounds; ***particulier** jachtveld* preserve, private hunting grounds, ⟨met geweer⟩ private shoot
jachtverbod [het] hunting prohibition
jachtvereniging [de^{v}] hunt, hunting association
jachtvergunning [de^{v}] → **jachtakte**
jachtvlieger [de^{m}] fighter pilot
jachtvliegtuig [het] fighter, pursuit plane
jachtvogel [de^{m}] bird of prey trained to hunt small game, falcon, hawk
jachtwachter [de^{m}] ⟨in België⟩ game warden, gamekeeper
jachtwet [de] game act/law
jack [het] jacket, coat
jacket [het] [1] ⟨m.b.t. boeken⟩ (dust) jacket, dust cover [2] ⟨m.b.t. het gebit⟩ crown
jacketkroon [de] ⟨med⟩ crown ◆ *tanden/kiezen **met** jacketkronen* crown teeth/molars
jackpot [de^{m}] jackpot, ⟨inf⟩ jack
jackrussellterriër [de^{m}] Jack Russell terrier
Jacobus James, ⟨heilige⟩ St James
jaconnet [het] jaconet
jacquardmachine [de^{v}] ⟨weven⟩ jacquard/Jacquard (loom)
jacquet [het, de] [1] ⟨kledingstuk⟩ morning coat, ⟨inf⟩ tails, ⟨dames⟩ jacket ◆ ***in** jacquet* in morning dress; ⟨inf⟩ in tails [2] ⟨spel⟩ ± backgammon
jacuzziMERK [de] jacuzzi
jad [de] [1] ⟨bladwijzer⟩ yad [2] ⟨gedenkteken⟩ yad
jade [het, de^{m}] jade ◆ ***van** jade, **uit** jade vervaardigd* jade
j'adoube [tw] j'adoube
jaeger [het] jaeger
¹jagen [onov ww] [1] ⟨op jacht zijn⟩ hunt, be/go (out) hunting, ⟨met geweer⟩ shoot, be/go (out) shooting ◆ ***met** honden jagen (op)* hunt with hounds; ⟨op vossen⟩ ride to hounds; ***met** pijl en boog jagen* hunt with bow and arrow; *jagen **op*** → **jagen² bet 1**; ***op** patrijs jagen* hunt (for)/be/go (out) hunting (for) partridge, be/go (out) partridge-shooting; ***op** ratten/korhoenders/walvis/... jagen* rat/grouse/whale, go ratting/grousing/whaling/... [2] ⟨rusteloos streven⟩ pursue, seek (after) ◆ ***naar** eer en roem jagen* pursue/seek (after) honour and fame; ***op** effect jagen* be after/look for effects [3] ⟨snel gaan⟩ race, rush ◆ *je **hoeft** niet zo te jagen* slow down!, what's the hurry?; *zijn **pols** jaagt* his pulse is racing; *de wolken joegen **voorbij** de maan* the clouds scudded/scurried/raced across the moon
²jagen [ov ww] [1] ⟨(wild) vervolgen⟩ hunt, ⟨ook⟩ hunt for, ⟨m.b.t. kleinwild⟩ shoot, ⟨herten ook⟩ stalk, ⟨hazen ook⟩ course ◆ ***herten** jagen* hunt (for)/stalk deer, go deer-hunting/deer-stalking [2] ⟨drijven⟩ drive, send, ⟨in clichés vaak⟩ put, ⟨snel⟩ race, rush ◆ *zich een kogel **door** het hoofd jagen* put a bullet through one's brain/head, blow one's brains out; *die wet werd **door** de Tweede Kamer gejaagd* the bill was railroaded/rushed/hastened through parliament; *zijn geld **erdoor** jagen* go through one's money (fast); *prijzen/koersen **omhoog/omlaag** jagen* drive/send prices/rates up/down; *iemand **op** kosten jagen* put s.o. to (great) expense; *iemand **op** de vlucht jagen* put s.o. to flight; ⟨mil ook⟩ rout s.o.; ⟨scherts ook⟩ send s.o. flying; ***uit** bed jagen* rout out of bed, ⟨AE ook⟩ roust out of bed; ***uit** zijn hol jagen* chase/drive/ferret (sth.) from its lair, ⟨met vuur⟩ smoke (sth.) from its lair; ***uit** huis/**van** het erf jagen* drive out of the house/off the premises; *de Russen **uit** Afghanistan jagen* drive the Russians out of Afghanistan; *een gevluchte misdadiger **uit** zijn schuilplaats jagen* smoke out a runaway criminal; ***uiteen** jagen* scatter; ***van** school jagen* expel from school; ***voor** zich uit jagen* drive before one [3] ⟨nalopen⟩ chase [4] ⟨dwingen tot snel(ler) gaan⟩ drive (on), rush, urge on
jager [de^{m}] [1] ⟨iemand die op jacht gaat⟩ hunter ◆ *een jager **op** groot wild* a big-game hunter; *een **slechte** jager* a poor shot; *een **voortreffelijk** jager* an excellent shot [2] ⟨soldaat⟩ rifleman ◆ *het tweede **regiment** jagers* the 2nd (regiment of) chasseurs; *de jagers **te paard*** the cavalry [3] ⟨jachtvliegtuig⟩ fighter, pursuit plane [4] ⟨bepaald schip⟩ hunter [5] ⟨vogel⟩ skua, ⟨AE⟩ jaeger ◆ *de **grote/kleine** jager* the great/arctic skua, ⟨AE⟩ the skua/parasitic jaeger; ***kleinste/middelste** jager* long-tailed/pomarine skua/ᴬjaeger [6] ⟨snoek⟩ (male) pike [7] ⟨in samenstellingen⟩ hunter, chaser ◆ ***premiejager*** bounty-hunter [8] ⟨haringjager⟩ carrier
jagermeester [de^{m}] huntsman, master of the hunt, Master of (the) (fox) hounds
jagershond [de^{m}] hunting dog
jagersjas [de^{m}] riding coat
jagerslatijn [het] sportsman's yarn(s), tall story/stories, ⟨inf⟩ story/stories about the one that got away
jagerssaus [de] ⟨cul⟩ sauce chasseur
jagerstaal [de] hunting talk/jargon
jagerstas [de] game-bag
jager-verzamelaar [de^{m}] hunter-gatherer
jaguar [de^{m}] jaguar
jahilia [de^{m}] Jahiliyyah
Jahwe [de^{m}] → **Jahweh**
Jahweh [de^{m}], **Jahwe** [de^{m}] Yahweh
jaja [tw] [•] ⟨iron⟩ *jaja, eerst zulke verhalen en nu ...* well, well, first all this big talk and now ...
jajem [de^{m}] ⟨inf⟩ mother's/blue ruin, schnapps
¹jak [de^{m}] ⟨rund⟩ yak
²jak [het] [1] ⟨bloesachtig kledingstuk⟩ smock [2] ⟨kort jasje⟩ jacket
Jakarta [het] Jakarta, Djakarta
jakhals [de^{m}] [1] ⟨roofdier⟩ jackal ◆ *de jongens vielen **als** jakhalzen aan op de gedekte tafel* the boys set about/fell on the laden table like locusts [2] ⟨scheldwoord⟩ ⟨lafaard⟩ yellow-belly, ⟨minder sterk⟩ chicken, ⟨berooide kerel; sl; BE⟩ poor bugger
¹jakkeren [onov ww] ⟨onbehoorlijk hard rijden, lopen, werken (enz.)⟩ ⟨rijden⟩ ride hard, ⟨lopen⟩ rear/rush/pelt along, ⟨werken⟩ work o.s. to death, slave away
²jakkeren [ov ww] ⟨aandrijven, voortjagen⟩ ⟨rijden⟩ ride to death, ride into the ground, ⟨doen werken⟩ work to death, work into the ground, slave-drive
jakkes [tw] ugh!, ⟨AE ook⟩ yuck!, bah!
jaknikken [ww] nod (agreement)
jaknikker [de^{m}] [1] ⟨persoon⟩ ⟨man⟩ yes-man, nodder [2] ⟨(olie)pomp⟩ nodding donkey (pump), beam-type (oil) pumping unit, ⟨olie; AE⟩ grasshopper
Jakob James, Jacob ◆ *de **ware** jakob* Mister Right
jakobiet [de^{m}] Jacobite
jakobijn [de^{m}] Jacobin
jakobijnenmuts [de] Phrygian cap/bonnet, cap of liberty ⟨symbool van de Franse revolutie⟩
jakobijns [bn] Jacobin
jakobinisme [het] Jacobinism
jakobitisch [bn] Jacobite, Jacobitical
jakobskruiskruid [het] ragwort, ragweed, groundsel
jakobsladder [de] [1] ⟨Bijb⟩ Jacob's ladder [2] ⟨werktuig⟩

Jacob's ladder, bucket elevator [3] ⟨speerkruid⟩ Jacob's ladder

jakobsschelp [de] scallop, ⟨heral⟩ escallop

jakobsvlinder [de^m] cinnabar (moth)

jaloers [bn, bw] [1] ⟨afgunstig⟩ jealous (of) ⟨bw: jealously⟩, envious (of) ♦ *iemand jaloers* ***maken*** make s.o. jealous/envious; ⟨vnl BE; inf⟩ put s.o.'s nose out of joint; *om jaloers* ***op*** *te worden/zijn* enviable, to be envious about; *Jan was jaloers* ***op*** *de mooie tekening van Piet* Jan was jealous/envious of Piet's beautiful drawing; *hij heeft een huis waar iedereen jaloers* ***op*** *is* his house is the envy of the neighbourhood; *hij is jaloers* ***van aard*** he's jealous by nature, he's of a jealous nature; *er is geen enkele reden om jaloers te* ***zijn*** there's no reason whatever for jealousy/envy/to be jealous/envious [2] ⟨m.b.t. liefde⟩ jealous (of) ⟨bw: jealously⟩

jaloersheid [de^v] → **jaloezie**

jaloezie [de^v] [1] ⟨jaloersheid⟩ envy, ⟨m.b.t. liefde ook⟩ jealousy ♦ *verteerd worden* ***door/van*** *jaloezie* be eaten up with jealousy/envy; *iemands jaloezie* ***opwekken*** arouse s.o.'s jealousy/envy; ***uit*** *jaloezie* out of jealousy, out of/in envy [2] ⟨zonnescherm⟩ venetian blind ♦ *de jaloezie(ën)* ***neerlaten*** let the (venetian) blind(s) down

jaloezielat [de] slat, lath

jalon [de^m] ⟨landmeetk⟩ surveyor's staff, levelling rod/pole/staff, sighting mark

jalousie de métier [de^v] professional jealousy

jam [de] jam ♦ *jam* ***maken*** *van* make jam out of ...; *een beschuit* ***met*** *jam* a dried biscuit with jam on; *het kind zat* ***onder*** *de jam* the child was covered in jam; *een* ***potje*** *jam* a jar of jam, a jam pot; *jam* ***smeren*** *op* put/spread jam on; ⟨inf⟩ jam; ***zelfgemaakte*** *jam* home-made jam

Jamaica [het] Jamaica

Jamaica	
naam	*Jamaica* Jamaica
officiële naam	*Jamaica* Jamaica
inwoner	*Jamaicaan* Jamaican
inwoonster	*Jamaicaanse* Jamaican
bijv. naamw.	*Jamaicaans* Jamaican
hoofdstad	*Kingston* Kingston
munt	*Jamaicaanse dollar* Jamaican dollar
werelddeel	*Amerika* America
int. toegangsnummer 1 www .jm auto JA	

Jamaicaan [de^m], **Jamaicaanse** [de^v] ⟨man & vrouw⟩ Jamaican, ⟨vrouw ook⟩ Jamaican woman/girl

Jamaicaans [bn] Jamaican

Jamaicaanse [de^v] → **Jamaicaan**

jamaren [ov ww, ook abs] say 'yes, but...'

jambe [de] ⟨lit⟩ [1] ⟨versvoet⟩ iamb(us) [2] ⟨dichtstuk, -regel⟩ piece/line of iambic verse

jambisch [bn] iambic ♦ *jambische* ***versmaat*** iambic metre; *jambische vijfvoetige* ***verzen*** iambic pentameters

jamboree [de^m] jamboree

jamfabrikant [de^m] jam-maker, jam-manufacturer

jammen [onov ww] gig, jam

¹jammer [het, de^m] ⟨rampspoed⟩ misery, distress, wretchedness, ⟨ramp⟩ disaster, calamity, adversity

²jammer [bn] a pity, a shame, ⟨inf; AE⟩ too bad ♦ *het is wel/erg jammer* ***dat*** *je niet kon komen* it really is (such) a shame/(such) a pity/too bad that you couldn't come; *we vonden het jammer* ***dat*** *ze er niet bij was* we were sorry she wasn't there; *het is (zo) jammer* ***dat*** *..., het is alleen jammer* ***dat*** *...* the pity of it is that ...; *jammer* ***genoeg*** unfortunately, sad to say, more's the pity; *dat* ***is*** *jammer* ⟨ook iron⟩ that's (just) too bad, bad luck; *het* ***is*** *jammer dat* it's a pity/shame that ..., ⟨inf⟩ too bad that ...; *jammer* ***van*** *hen* it's/what a shame, they were so nice; *het is jammer* ***van*** *het mooie cadeau* it's such a shame/pity to see that lovely present damaged/wasted; *'t is jammer* ***van*** *al die tijd en moeite* it's a pity (about) all that time and effort; *het is* ***verschrikkelijk/ontzettend*** *jammer* it's an awful/a terrible shame/pity; *al* ***vind*** *ik het erg jammer* much to my regret; *dat is dan jammer* ***voor*** *hem* ⟨iron⟩ stiff cheddar; that's his hard/bad luck; ⟨meevoelend⟩ that's hard/tough on him; *het is erg jammer* ***voor*** *hem* it's very hard on him, ⟨inf⟩ it's tough on him; *hij vond het jammer* ***voor*** *me* he was/felt sorry for me; ***wat*** *jammer!* what a pity!/shame!; *het zou jammer* ***zijn*** *er niet van te profiteren* it would be a shame/pity not to take advantage of it

³jammer [tw] (a) pity, too bad, bad luck ♦ *jammer* ***dan!*** oh well, too bad!; *jammer, hij is net weg* (a) pity/bad luck, he's just left

jammeraar [de^m] whiner, complainer

jammeren [onov ww] moan, whine, whimper, wail, ⟨form⟩ lament ♦ ***erbarmelijk*** *jammeren* whine/wail pitifully; *jammerende* ***gewonden*** moaning wounded; *jammeren* ***om/over*** *zijn ongeluk* moan/whine about/lament one's misfortune

jammerhout [het] ⟨iron⟩ fiddle

jammerklacht [de] lament(ation), ⟨form⟩ (com)plaint, ⟨bij begrafenis⟩ wailing, ⟨in Ierland⟩ keening

jammerkreet [de^m] wail, cry of pain/anguish, ⟨form⟩ lament(ation) ♦ *een jammerkreet laten* ***horen*** give a cry of pain/anguish

jammerlijk [bn, bw] pitiful ⟨bw: ~ly⟩, miserable, woeful, ⟨form⟩ piteous, wretched, pathetic, heartrending, ⟨bedroevend slecht⟩ pathetic ♦ *een jammerlijk* ***fiasco*** a miserable/woeful failure, a fiasco; *een jammerlijk* ***gehuil*** pitiful weeping; *het* ***is*** *jammerlijk* it's pitiful, heartrending; *jammerlijk* ***mislukken*** fail miserably; *de jammerlijke* ***resten*** ⟨ook scherts⟩ the sad remains; the ruins; *op jammerlijke* ***toon*** pitifully, in a pitiful/heartrending tone; *op een jammerlijke* ***wijze*** *om het leven komen* die a miserable/wretched death; *zij* ***zingt*** *jammerlijk* her singing is woeful/pathetic

jammertoon [de^m] wailing tone, tone of lamentation

jampot [de^m] jam jar/pot

jamsession [de^v] jam session

jamu [de^m] jamu

¹jan [de^m] [•] ***boven*** *jan zijn* have broken the back of the game, have turned the corner, be out of the wood/over the hump; ⟨binnen zijn⟩ be set up for life

²jan [afk] (januari) Jan

Jan [de^m] John ♦ *Jan met de korte* ***achternaam*** asshole, idiot, fool; *Jan en* ***alleman*** everyone and his dog; every Tom, Dick and Harry; *Jan* ***Boezeroen*** the worker(s); ⟨iron; mv⟩ the horny handed sons of labour; the working class(es); *Jan* ***Kordaat/Soldaat*** ± Tommy, ⟨AE⟩ ± GI Joe; ⟨AuE⟩ Anzac; *Jan* ***Krediet*** Mr Reliable, Honest Joe; *Jan* ***met*** *de pet* the (average/ordinary) man in the street; *Jan* ***Modaal*** Mr Average Income/Earnings; ***Ome*** *Jan* uncle (three balls), the hockshop/^{B}popshop; *Jan,* ***Piet*** *en* ***Klaas*** Tom, Dick and Harry; *Jan* ***Publiek*** John Q. (Public/Citizen), the man in the street, the man on the Clapham omnibus, Joe Bloggs, ⟨AE⟩ John Doe; *Jan* ***Rap*** *en zijn maat* ragtag and bobtail, the rabble/riff-raff/scum; *Jan zonder* ***Land*** John Lackland; *Jan zonder* ***Vrees*** John the Fearless [•] ⟨sprw⟩ *beter blo Jan dan do Jan* better a live coward/dog than a dead lion; he that fights and runs away may live to fight another day; discretion is the better part of valour; ⟨sprw⟩ *wat Jantje niet leert, zal Jan nooit kennen* ± the child is father of the man; ± as the twig is bent, so is the tree inclined

janboel [de^m] shambles, mess, muddle ♦ *'t is hier een* ***echte*** *janboel* it's a real shambles (in) here; *er een* ***vreselijke*** *janboel van maken* make a terrible/an awful shambles of it/things, get things in a terrible/an awful muddle

janboerenfluitjes [•] ***op*** *zijn janboerenfluitjes* anyhow, any old how, in a slaphappy/slapdash/slipshod way

jan-contant [de^m] ⟨die altijd contant betaalt⟩ Mr Cash, the cash-payer, ⟨solide koopman⟩ the good/sound businessman

jandoedel [de^{m}] nitwit, cretin, halfwit, simpleton
jandomme [tw] → **jandorie**
jandorie [tw], **jandomme** [tw] gosh!, by gum!, ⟨BE ook⟩ crikey!, cripes!, ⟨AE ook⟩ gee (whiz)!
janet [de^{m}] ⟨in België⟩ homo, poof(ter), pansy
jangat [de^{m}] Joe Soap
^{1}**janhagel** [de^{m}] ⟨koekje⟩ Nice biscuit
^{2}**janhagel** [het] ⟨het gepeupel⟩ riffraff, rabble, hoi polloi, plebs, mob, ⟨inf⟩ ragtag and bobtail
janhen [de^{m}] milksop, sissy, ⟨AE ook⟩ pantywaist, milquetoast, henpecked husband
jan-in-de-zak [de^{m}] ± plumduff
janjoker [de^{m}] stupid prick, booby, dope, sap, dill, ⟨sterker⟩ moron, ⟨AuE⟩ drongo
janken [onov ww] [1] ⟨klaaglijk schreeuwen (van honden, vossen)⟩ whine, yowl, howl [2] ⟨schreeuwen, huilen (voornamelijk van kinderen)⟩ whine, howl, yell, ⟨inf⟩ blubber ♦ *ze **kon** wel janken* she was almost in tears/close to tears/on the verge of tears; *janken **om niets*** cry/blubber over/about nothing [3] ⟨m.b.t. platenspeler⟩ wow
janker [de^{m}], **jankerd** [de^{m}] whiner, grizzler, ⟨zanik⟩ pest, bind, ⟨klager⟩ moaner
jankerd [de^{m}] → **janker**
jankerig [bn, bw] whining ⟨bw: ~ly⟩, whiny, whimpering, ⟨klagend⟩ moaning
janklaassen [de^{m}] [1] ⟨grappenmaker⟩ tomfool, funnyman, buffoon, dunce, clown, fool [2] ⟨schijnvertoning⟩ show [3] ⟨mal gedoe⟩ silly business
Jan Klaassen Punch ♦ *Jan Klaassen en **Katrijn/Trijn*** Punch and Judy
jankrent [de^{m}] scrooge
janlul [de^{m}] stupid prick, booby, dope, sap, dill, ⟨sterker⟩ moron, ⟨AuE⟩ drongo ♦ *sta daar nou niet als een janlul, maar doe wat!* don't just stand there like an ass, do sth.!
janmaat [de^{m}] ⟨gesch⟩ (jack-)tar, bluejacket
janplezier [de^{m}] break, brake, wagonette, ⟨lange⟩ charabanc, ⟨alg; rijtuig⟩ (horse-drawn) carriage
jansalie [de^{m}] drip, ninny, nincompoop
jansenisme [het] Jansenism
jansenist [de^{m}] Jansenist
jansenistisch [bn, bw] [1] ⟨van zeer strenge godsdienstige, ethische principes⟩ Jansenistic [2] ⟨van het jansenisme⟩ Jansenist(ic)
jansul [de^{m}] ⟨inf; pej⟩ booby, ninny, ⟨AE⟩ sucker, ⟨BE⟩ mug, ⟨BE⟩ clot
jantje [het] ⟨gesch⟩ (jack-)tar, bluejacket ⊡ *(een) Jantje **lacht** Jantje **huilt*** he/she('s s.o. who)'ll be crying one minute and laughing the next
jantje-contrarie [het] contrary/uncooperative/obstructive/argumentative person
jantje-van-leiden [het] ⊡ *zich **met** een jantje-van-leiden ergens van **afmaken*** talk one's way/get out of sth.; ⟨niet ernstig opvatten⟩ brush sth. aside, make light of sth., treat/dismiss sth. lightly; ⟨slordig doen⟩ skimp sth.
jantje-zonder-erg [het] simpleton, Simple Simon, sucker, dupe
januari [de^{m}] January ♦ *1/2/3/4 januari* ⟨geschreven⟩ 1/2/3/4 January; ⟨gesproken⟩ the first/second/third/fourth of January; *de **maand** januari* the month of January
januari-effect [het] January effect
janusgezicht [het] → **januskop**
januskop [de^{m}], **janusgezicht** [het] [1] ⟨kop met twee gezichten⟩ head with two faces, double-faced head, ⟨form⟩ Janus face ♦ ⟨fig⟩ *een januskop **hebben*** be two-faced, face both ways; ⟨form⟩ be Janus-faced; ⟨inf⟩ be a Mr Facing-Both-Ways [2] ⟨dubbelhartig mens⟩ two-faced person, ⟨form⟩ Janus face
jan-van-gent [de^{m}] gannet
jap [de^{m}] ⟨pej⟩ Jap, Nip
Japan [het] Japan

Japan

naam	*Japan* Japan
officiële naam	*Japan* Japan
inwoner	*Japanner* Japanese
inwoonster	*Japanse* Japanese
bijv. naamw.	*Japans* Japanese
hoofdstad	*Tokio* Tokyo
munt	*yen* yen
werelddeel	*Azië* Asia

int. toegangsnummer **81** www.jp auto J

japanner [de^{m}] [1] ⟨betonstortkar⟩ ± wheelbarrow for concrete [2] ⟨inf; auto uit Japan⟩ Japanese car, ↓Jap
Japanner [de^{m}] ⟨man uit Japan⟩ Japanese
japanoloog [de^{m}] scholar of Japanese studies
^{1}**Japans** [het] ⟨taal⟩ Japanese
^{2}**Japans** [bn] Japanese ♦ *de Japanse **Zee*** the Sea of Japan
Japanse [de^{v}] Japanese, Japanese woman/girl
japen [ov ww] gash, cut open ♦ *ik heb me **flink in** mijn vinger gejaapt* I've given myself a nasty gash in my finger, I've gashed my finger
japon [de^{m}] dress, ⟨vnl BE⟩ frock, ⟨AE ook, BE, form; lange (avond)japon⟩ gown ♦ *een **eenvoudige**/een **geklede** japon* a simple/an elegant dress; *een **gedecolleteerde** japon* a décolleté/low-cut dress/gown; a dress with a plunging neckline; *dames **in** prachtige lange japonnen* ladies in magnificent gowns
japonisme [het] japonism
japonstof [de] dress material
jappenkamp [het] Japanese (POW) camp
jaquemart [de^{m}] jack
jardinière [de] [1] ⟨bloemenvaas, -bak⟩ jardinière [2] ⟨gerecht⟩ jardinière ♦ *à la jardinière* jardinière
jarenlang [bn, bw] many years', ⟨bijwoord⟩ for years on end, for years and years ♦ *na jarenlange **afwezigheid*** after many years' absence, after (many) years of absence; *hij **heeft** jarenlang zijn plicht trouw **vervuld*** he faithfully carried out his duty for years/year after year; *een jarenlange **vriendschap*** a friendship of many years' standing
jargon [het] [1] ⟨vak-, groepstaal⟩ jargon, ⟨scherts; in samenstellingen⟩ -ese ♦ ***academisch** jargon* academic jargon; ***ambtelijk** jargon* officialese, gobbledygook; *jargon **bezigen**, zich bedienen van jargon* use jargon; ***journalistiek** jargon* journalese; *een artikel **met** jargon doorspekken* fill an article with jargon; *jargon van **onderwijskundigen*** educationese, educational jargon; *het jargon van de **rechtsgeleerden*** legal jargon [2] ⟨brabbeltaal⟩ gibberish, gobbledygook
jarig [bn] ♦ *ik **ben** vandaag jarig* today's my birthday, it's my birthday today; *ik **ben** al jarig **geweest*** I've had my birthday, my birthday's passed; ⟨inf, fig⟩ *(als dat gebeurt) dan **ben** je nog niet jarig* it won't be the happiest day of your life; *wanneer **ben** je jarig, ik ben de dertiende jarig/op een zondag jarig* when's your birthday? it's my birthday/my birthday falls on the thirteenth/on a Sunday; *de jarige **Job/Jet*** the birthday boy/girl
jarige [de] person whose birthday it is, ⟨inf⟩ birthday boy/girl
jarretelle [de] suspender, ⟨AE⟩ garter
jarretellengordel [de^{m}] ⟨BE⟩ suspender belt, ⟨AE⟩ garter belt
^{1}**jas** [de^{m}] ⟨kaartsp⟩ ⟨kaart⟩ jack/knave of trumps ♦ *jas en **nel*** all the trumps
^{2}**jas** [de] [1] ⟨mantel⟩ coat, overcoat ♦ ⟨fig⟩ *iemand **aan** zijn jas(je) trekken* buttonhole s.o.; *zijn/haar jas **aantrekken/uitdoen*** put on/take off one's coat; *een **geklede** jas* a dress/suit coat; ⟨gesch⟩ a frock coat; ⟨vnl BE⟩ a smart coat; *iemand **in/uit** zijn jas helpen* help s.o. into/out of his coat; *een **lichte/warme** jas* a light/warm coat; *een **waterdichte** jas* a waterproof (coat) [2] ⟨deel van een kostuum⟩ jacket ♦ *jas, broek*

en vest jacket, trousers/^{A}pants and waistcoat/^{A}vest; *een jas met slippen* a tailcoat
jasbeschermer [de^m] dress guard
jasje [het] [1] ⟨kleine jas⟩ (short/little) coat ◆ *een **gebreid** jasje* a cardigan; ⟨fig⟩ *hij **heeft** een jasje **uitgetrokken*** he's lost/dropped a few pounds/quite a bit of weight, he has slimmed down quite a lot; ⟨fig⟩ *iets in een **nieuw/ander** jasje **steken*** give sth. a new look/a face-lift [2] ⟨colbertjas⟩ jacket [3] ⟨aardappelschil⟩ jacket [•] ⟨sprw⟩ *zoals de wind waait, waait mijn jasje* ± it is as well to know which way the wind blows
jasmijn [de] [1] ⟨heester, Jasminum⟩ jasmine, jessamine [2] ⟨steenbreekachtige plant, Philadelphus⟩ mock orange, ⟨wet⟩ philadelphus
jasmijnolie [de] frangipani
jasmijnrijst [de^m] jasmine rice
jaspand [het] coat tail
jaspis [de^m] jasper
jaspisporselein [het] jasperware
jasschort [het, de] overall
jassen [onov ww] [1] ⟨kaartsp⟩ play (a game of) 'jas' [2] ⟨schillen⟩ ↑ peel, ⟨in mil jargon, m.b.t. aardappels ook⟩ bash ◆ ***piepers** jassen* do some spud-bashing, bash spuds [•] ***erdoor** jassen* ⟨bijvoorbeeld wetswijziging⟩ rush through
jasses [tw] ugh!, ⟨AE ook⟩ yuck!
ja-stem [de] aye-vote, yes vote
jaszak [de^m] jacket/coat pocket
jat [de] ⟨inf⟩ paw ◆ *je blijft er **met** je jatten vanaf* (keep your) paws off!
^{1}**jatmoos** [de^m] ⟨inf, Barg⟩ ⟨dief, zwendelaar⟩ ⟨dief⟩ pincher, swiper, nabber, ⟨kruimeldief ook⟩ pilferer, filcher, ⟨zwendelaar⟩ fiddler, nicker
^{2}**jatmoos** [het] ⟨inf⟩ ⟨handgeld⟩ han(d)sel, ↑ earnest (money)
jatten [ov ww, ook abs] ⟨inf⟩ pinch, swipe, lift, filch, pilfer, ⟨BE ook⟩ nick, ⟨vnl AE⟩ rip off ◆ ***geld** jatten uit moeders portemonnee* pinch money out of mother's purse; *beter **goed** gejat dan slecht bedacht* ± better to be a good copycat than a bad inventor
jatter [de^m] ⟨inf⟩ pincher, swiper, filcher, pilferer ◆ *Jan is een **vreselijke** jatter* Jan is a born pilferer
Java [het] Java
Javaan [de^m], **Javaanse** [de^v] ⟨man & vrouw⟩ Javan(ese), ⟨vrouw ook⟩ Javan(ese) woman/girl
^{1}**Javaans** [het] Javanese
^{2}**Javaans** [bn], **Javaas** [bn] Javan(ese) ◆ *Javaanse **thee*** Java tea
Javaanse [de^v] → **Javaan**
Javaas [bn] → **Javaans^1**
jawel [tw] (oh) yes, sure (enough), ⟨beleefde instemming⟩ certainly, ↑ very good/well ◆ *jawel meneer* certainly/very good/very well, sir; *en/maar jawel hoor!* and/but sure enough!, just as you might expect!, wouldn't you know!; *jawel, het was te laat* (oh) yes, it was too late!; ⟨inf⟩ sure, it was too late!; *jawel, hij doet het wel degelijk* sure/oh yes, he'll do it all right!, he'll do it sure/right enough!; *wat is er aan de hand? niets! jawel!* what's the matter? nothing! but there is!/(oh) yes, there is!
jawoord [het] ⟨alg⟩ consent, ⟨tijdens huwelijksceremonie⟩ ± 'I will' ◆ *elkaar het jawoord **geven*** say 'I will' to one another; *(iemand) het jawoord **geven*** consent/say yes (to s.o.)
jazeker [tw] oh yes, yes indeed ◆ *heeft zij dat gezegd?, jazeker!* did she say that? oh yes!, yes indeed!, she did indeed!, did she say that? ^{A}you bet, did she say that? ^{A}she sure did
jazz [de^m] jazz ◆ *op jazz **dansen*** dance to jazz; *jazz **spelen*** play jazz
jazzballet [het] jazz ballet
jazzband [de^m] jazz band
jazzcat [de^m] jazz cat
jazzer [de^m] jazzman
jazzfestival [het] jazz festival
jazzfunk [de^m] jazz funk
jazzliefhebber [de^m], **jazzliefhebster** [de^v] jazz fan/enthusiast
jazzliefhebster [de^v] → **jazzliefhebber**
jazzmusicus [de^m] jazzman, jazz musician
jazzmuziek [de^v] jazz (music)
jazzrock [de] jazz-rock
jazzy [bn] jazzy
J.C. [afk] (Jezus Christus) Jesus Christ
^{1}**je** [pers vnw] [1] ⟨niet-nadrukkelijke vorm van 'jij'⟩ you [2] ⟨niet-nadrukkelijke vorm van 'jou'⟩ you [3] ⟨niet-nadrukkelijke vorm van 'jullie'⟩ you ◆ *jullie zouden je moeten **schamen*** you ought to be ashamed of yourselves
^{2}**je** [bez vnw] [1] ⟨niet-nadrukkelijke vorm van 'jouw'⟩ your ◆ *is dit je **boek**?* is this your book?, is this book yours?; *één van je **vrienden*** a friend of yours, one of your friends; *hoe gaat het met je **vrouw**?* how's your wife?, ⟨inf⟩ how's the wife?; ⟨inf⟩ how's the missis? [2] ⟨de, het beste⟩ the very best, first class ◆ *jé van hét* the tops, it, the thing [3] ⟨onbepaald bezittelijk voornaamwoord⟩ ◆ *dat is je **ware*** that's the (real) thing!/the stuff!/the ticket!/the real McCoy!/just what the doctor ordered!; ⟨expletief⟩ *van je hela, hola* ± with a hey and a ho!
^{3}**je** [onbep vnw] ⟨men⟩ you ◆ *zoiets **doe** je niet* you don't do things like that; *je **hebt** van die mensen* that kind of people exist; ⟨als uitdrukking van ongenoegen⟩ some people ...!; *je **kon** er niet mee praten* there was no talking (sense) to him/her/them, you couldn't get any sense out of him/her/them; *je **verandert** er toch niets aan* you can't do anything about it anyway
^{1}**jeans** [de^m] jeans
^{2}**jeans** [de^{mv}] ⟨verzamelnaam⟩ denims
jee [tw] Jesus!, Lord!, ⟨BE ook⟩ ↓ blimey!, ⟨AE ook⟩ gee! ◆ *o jee ja* Lord, yes!; *o jee, nou zullen we het hebben* oh Jesus/Lord/blimey/gee, now we're in for it
jeep [de^m] jeep
jegens [vz] ⟨form⟩ towards, ↓ to, ↓ for ◆ *vriendelijk jegens **mensen** zijn* be kind to(wards) people; *een verplichting jegens **ouders*** a duty to(wards) (one's) parents; *diep **wantrouwen** koesteren jegens iemand* have a deep/profound distrust of s.o.
jehoede [de^m] ⟨mv⟩ Yehudim
Jehova Jehovah ◆ *Jehova's **getuigen*** Jehovah's Witnesses
jekker [de^m] reefer, (reefing/pea/pilot) jacket, ⟨van officier⟩ British warm, ⟨van matroos⟩ monkey jacket, ⟨van werkman; BE⟩ donkey jacket
Jemen [het] (the) Yemen

Jemen

naam	*Jemen* Yemen
officiële naam	*Republiek Jemen* Republic of Yemen
inwoner	*Jemeniet* Yemeni
inwoonster	*Jemenitische* Yemeni
bijv. naamw.	*Jemenitisch* Yemeni
hoofdstad	*Sanaa* San'a
munt	*Jemenitische rial* Yemeni rial
werelddeel	*Azië* Asia

int. toegangsnummer 967 www .ye auto Y

Jemeniet [de^m], **Jemenitische** [de^v] ⟨man & vrouw⟩ Yemeni, ⟨vrouw ook⟩ Yemeni woman/girl
Jemenitisch [bn] Yemeni, Yemenite
Jemenitische [de^v] → **Jemeniet**
jeminee [tw] Lord!, ⟨BE ook⟩ ↓ crumbs!, ↓ blimey!, ⟨AE ook⟩ gee!, gosh!
jen [de^m] ⟨inf⟩ joke, laugh, ⟨inf⟩ giggle ◆ ***voor** de jen* for a laugh/giggle, for fun
jenaplanschool [de] ± Summerhill school
jenever [de^m] (Dutch) gin, jenever, Holland/Schiedam

gin, geneva, Hollands ♦ *jonge/oude jenever* young/matured gin; *jenever stoken* distill gin
jeneverbes [de] ① ⟨bes van de jeneverstruik⟩ juniper berry ② ⟨jeneverstruik⟩ juniper (bush)
jeneverbranderij [de^{v}] ① ⟨plaats⟩ gin distillery ② ⟨bedrijf⟩ gin distilling
jeneverfles [de] (Dutch) gin/geneva bottle, ⟨alg⟩ spirits bottle ♦ *naar de jeneverfles grijpen* drink spirits; ⟨overmatig⟩ hit the bottle
jeneverglas [het] gin glass
jeneverlucht [de] smell of gin
jenevermoed [de^{m}] Dutch courage, pot valour
jeneverneus [de^{m}] grog-blossom, coppernose, bottle nose
jeneverolie [de] juniper oil, oil of juniper
jeneverstoker [de^{m}] gin distiller
jeneverstruik [de^{m}] juniper (bush)
jenevervat [het] gin barrel
jengel [de] ⟨bij laag toerental⟩ wow, ⟨bij hoog toerental⟩ flutter
jengelen [onov ww] ① ⟨dreinen⟩ whine, whimper, moan ♦ *om iets jengelen* cry/whine for sth. ② ⟨eentonig klinken⟩ drone, ⟨vals⟩ jangle, twang ♦ *jengelen op een gitaar* twang (away) on a guitar; *een jengelend orgel* a jangling organ, an organ grinding away
jennen [ov ww] badger, tease, pester, harrass, ⟨inf⟩ be on s.o.'s back
jenzen [onov ww] ⟨inf⟩ fling, strike, tess, throw
jeremiade [de^{v}] lament(ation), ⟨form⟩ jeremiad
Jeremias ⟨Bijb⟩ Jeremiah
jeremiëren [onov ww] lament, complain, ⟨inf⟩ moan, whine ♦ *jeremiëren over iets* lament/complain/moan/whine about sth.
Jerevan [het] Yerevan
jerommeke [het] short, muscular man
jerrycan [de^{m}] jerrycan
jersey [de^{m}] ① ⟨kledingstof⟩ jersey ② ⟨trui als sportkleding⟩ jersey, sweater
Jeruzalem [het] Jerusalem ♦ ⟨fig⟩ *het hemelse Jeruzalem* the New Jerusalem, the City of God; ⟨fig⟩ *een nieuw Jeruzalem* a new Jerusalem, a taste of things to come
Jesaja ⟨Bijb⟩ Isaiah
jesjiva [de^{m}] yeshiva
jesses [tw] ugh!, ⟨AE ook⟩ yuck!, bah!
jet [de^{m}] jet (aircraft), ⟨inf⟩ jet plane
Jet Jet, Harriet ♦ *de jarige Jet* the birthday girl ▫ *'m van jetje geven* give all one's got
jetboot [de^{m}] jet boat
jetlag [de^{m}] jet lag
jetmotor [de^{m}] jet (engine)
jetser [de^{m}] ⟨inf⟩ boob
jetset [de^{m}] jet set
jetskiMERK [de^{m}] jet-ski
jetstream [de^{m}] jet stream
jeu [de^{m}] flavour, gilt, gloss, ⟨van persoon⟩ gusto, relish, ⟨zwier⟩ panache ♦ *extra jeu geven aan* add zest to; *iets met veel jeu vertellen* tell sth. with gusto/great relish; *dat is voor de jeu* that's to give it some flavour/gilt; *de jeu is eraf* the gloss has gone off (it)/worn off, ⟨BE ook⟩ that's taken the gilt off the gingerbread
jeu-de-boulen [onov ww] play jeu de boules
jeu de boules [het] boule, ⟨Engelse versie⟩ (lawn) bowling
jeugd [de] ① ⟨hoedanigheid⟩ youth ♦ *de eeuwige jeugd bezitten* possess eternal youth ② ⟨tijdperk⟩ youth ♦ *hij had zijn jeugd doorgebracht in R.* he had spent his youth in R., R. was his hometown; *in zijn prille jeugd* in one's early/earliest youth/one's early days; *de tweede jeugd* one's prime, (in) the prime of (one's) life; *van zijn jeugd af* since one's youth ③ ⟨personen⟩ youth, young people, the young, youngsters ♦ *de baldadigheid van de jeugd* the wantonness of youth/the young; *de Belgische jeugd* Belgian youth, young people in Belgium; *dat boek is enorm ingeslagen bij de jeugd* that book has really gone down well/been a hit/clicked with the young; *de studerende jeugd* young students; *de jeugd van tegenwoordig* young people nowadays, today's youth/youngsters ▫ ⟨sprw⟩ *wie de jeugd heeft, heeft de toekomst* ± the hand that rocks the cradle rules the world
jeugdafdeling [de^{v}] youth section, young people's section, young persons' section
jeugdatelier [het] ⟨in België⟩ ± youth club/centre (for artistic activities)
jeugdbende [de] gang of youths
jeugdbescherming [de^{v}] ⟨in België⟩ child protection/welfare
jeugdbeweging [de^{v}] youth movement, ± scouting
jeugdbijstand [de^{m}] ⟨in België⟩ child protection/welfare
jeugdblad [het] ① ⟨tijdschrift⟩ youth magazine, magazine for the young people/adults ② ⟨plantk⟩ cotyledon, seed-leaf
jeugdboek [het] juvenile book, book for young people/adults
jeugdcentrum [het] youth club/centre
jeugdcriminaliteit [de^{v}] juvenile delinquency
jeugddroom [de^{m}] childhood dream
jeugdfilm [de^{m}] juvenile film, film for young people
jeugdgevangenis [de^{v}] detention centre, ⟨BE ook⟩ borstal (institution)
jeugdherberg [de] youth hostel ♦ *hij trekt/reist van jeugdherberg naar jeugdherberg* he's hostelling, he's a hosteller
jeugdherbergcentrale [de^{v}] youth hostels association, YHA
jeugdherinnering [de^{v}] reminiscence of childhood, childhood memory
jeugdhonk [het] youth home
jeugdhotel [het] youth hostel
jeugdhuis [het] youth centre/club
¹jeugdig [bn] ① ⟨jong⟩ youthful, young(ish) ♦ *dit programma is niet geschikt voor jeugdige kijkers* this programme is unsuitable for younger viewers; *op jeugdige leeftijd* at an early age, ⟨heel jong⟩ at a tender age; *jeugdige misdadiger* juvenile delinquent; *jeugdige personen* young people, youngsters; ⟨jur⟩ young persons, juveniles ② ⟨eigenschappen van de jeugd vertonend⟩ youthful, young ♦ *een jeugdige grijsaard* ⟨jong van hart⟩ a spry/sprightly/youthful old man ③ ⟨nog niet lang bestaand⟩ youthful, young(ish)
²jeugdig [bn, bw] ⟨zoals bij de jeugd hoort, past⟩ youthful ⟨bw: ~ly⟩, young ♦ *jeugdige gebaren* youthful gestures; *met jeugdige overmoed* with youthful recklessness/the presumptuousness of youth
jeugdigheid [de^{v}] ① ⟨hoedanigheid⟩ youth(fulness) ② ⟨eigenschap⟩ (piece of) youthful behaviour
jeugdindruk [de^{m}] youthful/childhood impression
jeugdjaren [de^{mv}] (years/days of one's) youth
jeugdjournaal [het] news for young people
jeugdkoor [het] youth/young people's choir/chorus
jeugdleider [de^{m}], **jeugdleidster** [de^{v}] youth leader
jeugdleidster [de^{v}] → **jeugdleider**
jeugdliefde [de^{v}] youthful/adolescent love, youthful/adolescent passion, youthful/adolescent affair, calf-love, ⟨persoon⟩ love(rs) of one's youth ♦ *zij is een van zijn jeugdliefdes* she's one of his old loves
jeugdliteratuur [de^{v}] juvenile literature, children's books
jeugdloon [het] juvenile wage
jeugdmisdrijf [het] juvenile offence/crime
jeugdorganisatie [de^{v}] youth organization

jeugdpagina [de] children's page/section
jeugdpuistjes [de^{mv}] acne, ⟨inf⟩ spots, pimples
jeugdrecht [het] ⟨in België⟩ ± law(s) concerning minors
jeugdrechtbank [de] ⟨in België⟩ juvenile court
jeugdrechter [de^{m}] ⟨in België⟩ judge sitting in a juvenile court ♦ *voor de jeugdrechter verschijnen* appear in juvenile court
jeugdselectie [de^{v}] youth selection
jeugdsentiment [het] memories of (one's) youth, youthful/childhood memories, youthful/childhood recollections, nostalgia for one's youth
jeugdserie [de^{v}] children's/juvenile series, series for young people
jeugdspeler [de^{m}] junior
jeugdtaal [de] young people's language
jeugdvereniging [de^{v}] youth association/club
jeugdvriend [de^{m}], **jeugdvriendin** [de^{v}] old (girl) friend
jeugdvriendin [de^{v}] → **jeugdvriend**
jeugdwerk [het] [1] ⟨uit de jeugd daterend werk⟩ (very) early/youthful work [2] ⟨vormings- en cultureel werk⟩ youth work
jeugdwerker [de^{m}], **jeugdwerkster** [de^{v}] youth worker
Jeugdwerkgarantieplan [het] ⟨in Nederland⟩ Youth Employment Guarantee Scheme
jeugdwerkloosheid [de^{v}] youth unemployment
jeugdwerkster [de^{v}] → **jeugdwerker**
jeugdzaken [de^{mv}] [1] ⟨(afdeling voor) overheidsbemoeiingen⟩ juvenile affairs, young people's affairs, ⟨in titel vaak⟩ youth [2] ⟨al wat de jeugd betreft en aangaat⟩ juvenile affairs/matters, young people's affairs
jeugdzonde [de^{v}] [1] ⟨fout, misslag uit de jeugdjaren⟩ sin(s) of one's youth, ⟨inf⟩ wild oats [2] ⟨scherts⟩ sin(s) of one's youth, youthful lapse
jeugdzorg [de] child (and adolescent) welfare, youth welfare work ♦ ***Bureau** Jeugdzorg* Youth Care Office
jeuïg [bn, bw] lively, witty ♦ *een jeuïge **verteltrant*** a lively/witty narrative style
jeuk [de^{m}] itch(ing), ⟨med⟩ pruritus ♦ *ik **heb** overal jeuk* I'm itching all over
jeuken [onov ww] [1] ⟨kriebelen⟩ itch ♦ *mijn **arm** jeukt* my arm's itching; *een jeukende **uitslag*** an itchy/irritating rash; *ik voel dat **wondje** jeuken* I can feel that cut itching [2] ⟨fig⟩ itch ♦ *mijn **handen** jeuken om hem een pak slaag te geven* I'm (just) itching to give him a good thrashing; *mijn **vingers** jeuken om iets te doen* my fingers are itching to do sth.; *mijn **vingers** jeuken om dat stukje te schrijven* my fingers are itching to write that piece
jeukerig [bn] [1] ⟨jeukend⟩ scratchy, itchy [2] ⟨jeuk voelend⟩ itchy
jeukpoeder [het, de^{m}] itching-powder
jeune premier [de^{m}] ⟨dram⟩ juvenile lead, jeune premier ♦ *de **rol** van jeune premier* the juvenile lead
je-weet-wel [de] ⟨m.b.t. personen⟩ what's-his-name, ⟨m.b.t. zaken⟩ you know ...
Jezabel ⟨Bijb⟩ Jezebel
jezelf [pers vnw] yourself ♦ *kijk **naar** jezelf* look at yourself; *je praat nooit **over** jezelf* you never talk about yourself; *koop wat snoep **voor** jezelf* buy yourself some sweets
jezuïet [de^{m}] [1] ⟨lid van een geestelijke orde⟩ Jesuit [2] ⟨pej⟩ Jesuit, intriguer, schemer, plotter, machiavellian character
jezuïetencollege [het] Jesuit college
jezuïetenorde [de] Order of Jesuits, Jesuit Order
jezuïetenstreek [de] rotten/nasty/lousy/machiavellian trick ♦ *jezuïetenstreken **uithalen*** play nasty tricks, be machiavellian/a Machiavelli
jezus [tw] Jesus, Christ (Almighty) ♦ *jezusmina!* Jesus wept!, Christ in Heaven!; *allejezus lelijk/gevaarlijk/mooi* ugly/dangerous/beautiful as Christ knows what; *jezus (christus), wat een troep is het hier!* Jesus (Christ)/Christ (Almighty), what a (bloody) mess!
Jezus [de^{m}] Jesus ♦ *Jezus **Christus*** Jesus Christ; *de **Heer** Jezus* (the) Lord Jesus; *het **kindje/kindeke** Jezus* Baby Jesus; ⟨form⟩ the Christ-child; *Jezus van **Nazareth*** Jesus of Nazareth
jezusfreak [de^{m}] ⟨iron⟩ Jesus-freak
jezusnikes [de^{mv}] Jezus shoes, ± sandals
jg. [afk] (jaargang) ⟨van tijdschrift⟩ Vol
jibben [onov ww] jib
jicht [de] gout
jichtig [bn] gouty ♦ *mijn vader is nu **oud** en jichtig* my father is now old and suffers from gout
jichtknobbel [de^{m}] gout-stone, chalk-stone, ⟨med⟩ tophus
[1]**Jiddisch** [het] Yiddish
[2]**Jiddisch** [bn] Yiddish
[1]**Jiddisj** [het] Yiddish
[2]**Jiddisj** [bn] Yiddish
jiffy [de], **jiffyenveloppe** [de] jiffybag, padded/jiffy envelope
jiffyenveloppe [de] → **jiffy**
jiggen [onov ww] jig
jigger [de^{m}] ⟨golf⟩ jigger
jigging [het] jig fishing
jihad [de] jihad, jehad
jihadi [de^{m}] jihadi
jihadistisch [bn] jihadist
jij [pers vnw] you, ⟨in Noord-Engelse dialecten ook⟩ thou, tha ♦ *hij gebruikt evenveel verf **als** jij* he uses as much paint as you (do); *zeg, jij **daar**!* hey, you!; *jij **hier**?* look who's here?; *wat **kom** jij doen?* what are you doing here?, what brings you here?; *jij (lelijke) **schooier**!* you little brat!; *een meisje **zoals** jij* a girl like you
jijen [onov ww] ± be/get on first-name terms (with s.o.), ± be/get on familiar terms (with s.o.), ↑ use the familiar form of address, ⟨in Noord-Engeland⟩ thou (s.o.), ⟨alg⟩ be/get familiar (with s.o.) ♦ *jijen en **jouen*** be on familiar/christian-name/first-name terms (with s.o.)
jijzelf [pers vnw] (you) yourself
jingle [de^{m}] jingle
jip-en-janneketaal [de] ⟨BE⟩ Janet and John language, ⟨AE⟩ Dick-and-Jane language
jippie [tw] ⟨inf⟩ yippee
jitterbug [de^{m}] jitterbug
jiujitsu [het] j(i)ujitsu
jive [de^{m}] jive
jkvr. [afk] (jonkvrouw) Hon, Lady
jl. [afk] (jongstleden) ⟨vorige maand⟩ ult, ⟨dezelfde/deze maand⟩ inst
job [de^{m}] [1] ⟨baan⟩ job ♦ *hij heeft een fulltimejob/halftimejob* he has a full-time/half-time job, he works full-time/half-time [2] ⟨klus⟩ job ♦ *dat is een **flinke** job* that's quite some job, that's no easy matter
Job [de^{m}] ⟨Bijb⟩ [1] ⟨persoon⟩ Job ♦ *zo arm **als** Job* as poor as a church mouse; *hij is zo geduldig **als** Job* he has the patience of Job [2] ⟨boek⟩ Job
jobber [de] [1] ⟨knoeier⟩ botcher, ⟨inf⟩ cowboy, ⟨amateur⟩ odd-jobman [2] ⟨beurshandelaar⟩ ⟨vnl BE⟩ jobber, stockjobber, dealer
jobdienst [de^{m}] ⟨in België⟩ ± job centre for students
jobhoppen [ww] job hop
jobhopper [de^{m}] job hopper
jobsbode [de^{m}] bearer of bad tidings/news
jobsgeduld [het] patience of Job ♦ ***met** (waar) jobsgeduld* with the patience of Job
jobstijding [de^{v}] bad tidings ⟨mv⟩, bad news
jobstudent [de^{m}] ⟨in België⟩ student working his way through university/^{A}college, student working her way

through university/^{A}college, student with a part-time job
joch [het] ⟨inf⟩ lad, kid, ⟨aanspreekvorm⟩ son
jochie [het] ⟨inf⟩ (little) lad, (little) kid, ⟨aanspreekvorm⟩ sonny ♦ *hij is nog maar een jochie* he's only a kid
jock [de^{m}] jock
jockey [de^{m}] jockey, ⟨inf⟩ jock
jockeypet [de] jockey cap
jodelaar [de^{m}], **jodelaarster** [de^{v}] yodeller, ⟨AE⟩ yodeler
jodelaarster [de^{v}] → **jodelaar**
jodelen [onov ww] yodel
jodenbaard [de^{m}] [1] ⟨baard als van een orthodoxe jood⟩ Jew beard [2] ⟨plant⟩ Aaron's beard
Jodenbuurt [de] Jewish/Jews' quarter
jodendom [het] ⟨godsdienst⟩ Judaism
Jodendom [het] ⟨volk⟩ Jewry, Jews, Judaism
jodenfooi [de] ⟨inf⟩ ⟨ogm⟩ (mere) pittance
Jodenhaat [de^{m}] anti-Semitism
Jodenhater [de^{m}] Jew-hater, anti-semite
jodenkers [de] ⟨plantk⟩ winter cherry, Chinese lantern
jodenkoek [de^{m}] type of large, rich-tasting Dutch cookie
jodenlijm [de^{m}] ⟨inf⟩ ⟨ogm⟩ spittle
jodenneus [de^{m}] ⟨inf⟩ ⟨ogm⟩ Jewish nose
Jodenster [de] [1] ⟨davidster (als symbool)⟩ Star of David [2] ⟨m.b.t. WO II⟩ Star of David
jodenstreek [de] ⟨inf⟩ dirty trick, underhand/low(-down)/filthy trick
Jodenvervolger [de^{m}] persecutor of (the) Jews, Jew-baiter
Jodenvervolging [de^{v}] persecution of the Jews, Jew-baiting, ⟨in Oost-Europese landen⟩ pogrom
jodenvet [het] old-fashioned type of ^{B}sweet/^{A}candy
Jodenvraagstuk [het] Jewish question
jodide [het] ⟨scheik⟩ iodide
jodin [de^{v}] ⟨vrouw die het joodse geloof aanhangt⟩ Jewess
Jodin [de^{v}] ⟨vrouw die tot het Joodse volk behoort⟩ Jewess
jodium [het] ⟨scheik⟩ iodine
jodiumtablet [het, de] iodine tablet
jodiumtinctuur [de] ⟨scheik⟩ tincture of iodine
jodometrie [de^{v}] ⟨scheik⟩ iodometry
joe [tw] ⟨inf⟩ ya(h), yeah, yup
Joegoslaaf [de^{m}], **Joegoslaviër** [de^{m}] ⟨gesch⟩ ⟨man⟩ Yugoslav(ian), ⟨man⟩ Jugoslav(ian), ⟨vrouw⟩ Yugoslav(ian)/Jugoslav(ian) woman
Joegoslavië [het] ⟨gesch⟩ Yugoslavia, Jugoslavia
Joegoslaviër [de^{m}] → **Joegoslaaf**
Joegoslavisch [bn] ⟨gesch⟩ Yugoslav(ian), Jugoslav(ian)
joehoe [tw] yo-ho, yo-ho-ho, yoo-hoo
joekel [de^{m}] ⟨inf⟩ [1] ⟨kanjer⟩ whopper ♦ *wat een joekel **van** een huis!* some palace (that)!, that's a house and a half!, what a whacking great house! [2] ⟨hond⟩ mutt
joelen [onov ww] [1] ⟨luidkeels zijn enthousiasme of afkeuring uiten⟩ whoop, scream, roar ♦ *joelende **kinderen*** screaming/shouting children; *een joelende **menigte*** a roaring crowd; *joelen **van afkeuring*** roar/howl with fury/displeasure, jeer; *joelen **van geestdrift*** whoop with joy/merriment/enthusiasm [2] ⟨gieren⟩ howl, whine, wail
joepie [tw] whoopee, yippee
joetje [het] ⟨inf⟩ tenner
jofel [bn, bw] ⟨inf⟩ great, nice, super ♦ *een jofele **meid*** a bit of the goods, a bit of all right; *een jofel **plekje*** a nice/super spot; *een jofele **vent*** a great guy; ⟨BE ook⟩ a (jolly) good chap/fellow
joggen [onov ww] ⟨sport⟩ jog
jogger [de^{m}] jogger
jogging [de] [1] ⟨het joggen⟩ jogging [2] ⟨in België; joggingpak⟩ track suit
joggingbroek MEERVOUD [de] jogging ^{B}bottoms/^{A}pants
joggingpak [het] track-suit

joh [tw] ⟨inf⟩ you, chappie, missie, mate ♦ *kop op, joh* (come on) cheer up, (chappie/old boy/girl); *hé joh, kijk een beetje uit* hey (you), watch out
Johannes ⟨Bijb⟩ John ♦ *Johannes de **Doper*** John the Baptist; *het evangelie **naar/volgens** Johannes* the Gospel according to St John, the Johannine Gospel
johannesbrood [het] ⟨plantk⟩ carob, locust bean, St John's bread
johannesbroodboom [de^{m}] ⟨plantk⟩ carob/locust tree, St John's bread tree
johanneswormpje [het] glow-worm, firefly
johannieter [de^{m}] knight of St John, knight Hospitaller
joho [tw] yippee, whoopee
joik [de^{m}] yoik
joint [de^{m}] joint, stick ♦ *een joint **draaien*** roll a joint
joint venture [de^{v}] joint venture
jojo [de^{m}] [1] ⟨speelgoed⟩ yo-yo [2] ⟨sufferd⟩ yo-yo
jojobaolie [de^{v}] jojoba oil
jojobastruik [de^{m}] jojoba bush
jojobeleid [het] flip-flop policy, yo-yo policy
jojo-effect [het] yo-yo effect
jojoën [onov ww] yo-yo
joke [de^{m}] joke
joker [de^{m}] [1] ⟨kaartsp⟩ joker [2] ⟨wildcard⟩ wild card ▪ *voor joker staan* look a fool, look foolish; *iemand voor joker zetten* make s.o. look a fool/look foolish, make a fool of s.o.
jokeren [het] ⟨kaartsp⟩ card game in which the joker is important
jokerteken [het] wild card
jokkebrok [de^{m}] ⟨kind⟩ (little) fibber, fibster, storyteller
jokken [onov ww] ⟨kind⟩ fib, tell a fib, tell fibs/stories/untruths/tales/lies
jol [de] yawl, jolly(-boat), ⟨klein⟩ dinghy
jolen [onov ww] make merry, celebrate, revel
jolig [bn, bw] jolly, merry, revelrous, festive ♦ *een jolig **feest*** a jolly/lively party; *een jolige **stemming*** a jolly/merry atmosphere, a mood of gaiety
joligheid [de^{v}] jollity, merriment, merry-making, revelry
Jona → **Jonas**
Jonas, Jona ⟨Bijb⟩ Jonah ♦ *hij is een **echte** jonas* he was born a failure, he is a born loser
jonassen [ov ww] toss in the air, toss in a blanket
¹jong [het] [1] ⟨pasgeboren dier⟩ young (one), ⟨wilde dieren⟩ cub, ⟨hond⟩ pup(py), whelp ♦ *een tijger **met** jongen* a tiger and its young/cubs; *een **vogel** en zijn jong* a bird and its young; *jongen **werpen*** give birth, drop (their) young/calves/..., produce/bear young; ⟨m.b.t. hond/kat/vos enz.⟩ litter [2] ⟨jongen, meisje⟩ kid, child ♦ ***lekker** jong!* little darling, sweetie, poppet; *iemand met jong **schoppen*** knock s.o. up, ⟨BE⟩ put s.o. up the spout/up the stick/in the (pudding) club; *zeg jong, kom eens hier* hey, youngster/you/kid, come here
²jong [bn] [1] ⟨nog niet lang geleefd hebbend⟩ young ♦ *een jonge **boom*** a young tree, a sapling; *jonge **groente*** young vegetables; *een jonge **hond*** a puppy, a young dog; *jong en **oud*** young and old; ***van** jongs af* (right) from childhood; ⟨form⟩ from my/his/... youth up; *jong **van jaren*** young in years; *jong **van hart/van geest*** young at heart/in mind/spirit; *we **zijn** maar eens jong* we are only young once; *ze hebben een jonge **zoon*** they have a baby boy/young/small son [2] ⟨(als) van een jeugdig persoon⟩ young ♦ *jonge **benen** hebben* have young legs; *een jong **gezicht*** a young face; *zij **ziet** er jong **uit** voor haar leeftijd* she looks young for her age/years [3] ⟨(nog) niet oud⟩ young ♦ *jij **bent** toch ook jong **geweest*** you have been young yourself, you were young yourself once; *jong **getrouwd zijn*** be married young; *dat was in mijn jonge **jaren*** that was in my young(er) days; *op jonge **leeftijd*** at an early age; *de jonge **mevrouw** Jansen* young Mrs Jansen; *zij **worden** er niet jonger **op*** they are not getting any young-

er; *we **zijn** niet zo jong meer* we're not as young as we used to be [4] ⟨nog niet lang bestaande⟩ young, immature ◆ *de **dag** is nog jong* the day is still young; *de jonge **doctor*** the new/newly-graduated Ph D [5] ⟨later komend in de tijd⟩ recent, late ◆ *de jongste **berichten*** the latest news; *zijn jongere **broertje/zusje*** ⟨ook⟩ his kid brother/sister; *de jongste **dag*** the latter day, the Last Day, Judgement Day; *hij is twee jaar jonger **dan** ik* he is two years younger than I am, he is two years my junior; *je ziet er jonger uit **dan** je bent* you don't look your age; *van jonge **datum*** of recent date; *de jongste **gebeurtenissen*** recent events; *zij **is** de jongste van de drie* she's the youngest of the three; *zij **is** de jongste (van de twee)* she's the younger (one); ⟨in België⟩ *in de jongste **maanden*** in the last few months, in recent months [6] ⟨nieuw, vers⟩ young, new, immature ◆ *jonge **kaas*** new cheese; *jonge **wijn*** new/young wine; *jonge **worteltjes*** young/spring carrots [7] ⟨geol⟩ recent, Tertiary and Quaternary ◆ *jonge **gesteenten*** recent rocks [•] ⟨sprw⟩ *jong geleerd, oud gedaan* ± learn young, learn fair; ± what's learnt in the cradle lasts till the tomb; ⟨sprw⟩ *jonge takken buigen licht* as the twig is bent, so is the tree inclined; ⟨sprw⟩ *men moet de boom buigen als hij jong is* as the twig is bent, so is the tree inclined

jongbejaard [bn] young elderly

¹jonge [de^m] [1] ⟨jeneversoort⟩ Hollands (gin), Dutch gin [2] ⟨glaasje jonge⟩ glass of Hollands, glass of Dutch gin

²jonge [tw] gosh, ⟨vnl AE⟩ (oh) boy, (oh) my, wow, ⟨vnl BE⟩ ↑ I say, ⟨BE⟩ ↓ cor ◆ *jonge, wat 'n grote!* gosh/boy/my/cor/wow, what a big one!, ↓ gosh/boy/my/cor/wow, what a whopper!; *jonge jonge, wat is dat mooi!* gosh/boy/my, that's beautiful/real pretty!; ⟨iron⟩ *jonge jonge jonge, wat gaat het hier weer snel!* boy oh boy/my oh my/oh oh oh that's really top speed!

jongedame [de^v] ⟨form⟩ young lady ◆ ***welke** jongedame wil mij helpen met ...* young lady required/sought for .../as assistant in/with ...; ⟨iron⟩ *zeg eens, jongedame, een beetje kalm daar!* now, young lady, that's enough of that!

jongeheer [de^m] [1] ⟨jongen, jongeman⟩ young gentleman ◆ *(de) jongeheer **John*** Master John [2] ⟨penis⟩ willie, John Thomas

jongejuffrouw [de^v] ⟨vero⟩ damsel, demoiselle, maid

jongelieden [de^mv] ⟨form⟩ [1] ⟨jongelingen⟩ young men/lads, youths [2] ⟨jongelui⟩ young persons, youngsters, youth

jongeling [de^m] youth, lad, young man

jongelui [de^mv] youngsters, young folk/people, ⟨vnl pej; mannen⟩ youths ◆ *een **troepje** jongelui* a crowd/gang/gaggle of youngsters/young folk; *er komen **veel** jongelui* a lot of young people/folk are coming

jongeman [de^m] young man ◆ ***als** jongeman was hij revolutionair* as a young man he was a revolutionary; *zeg jongeman, een beetje kalm alsjeblieft!* I say/excuse me, young man, not so much/a little less noise please!

¹jongen [de^m] [1] ⟨kind van het mannelijk geslacht⟩ boy ◆ *daar **is/zijn** het nu eenmaal een jongen/jongens voor* boys will be boys; *daar is hij maar een **kleine** jongen bij* he's nothing in comparison, he can't compare [2] ⟨zoon⟩ boy ◆ *is het een jongen of een **meisje**?* is it a he or a she/a boy or a girl? [3] ⟨adolescent⟩ boy, youth, lad ◆ *onze dochter is een **echte** jongen* our daughter is a real tomboy; ***opgeschoten** jongens* youths [4] ⟨volwassen mannelijk persoon⟩ boy, lad, guy ◆ ***deze** jongen wil er niets mee te maken hebben* I don't want anything to do with it; *een **gladde** jongen* a smooth operator, ⟨BE⟩ a wide/fly boy; ⟨vnl AE⟩ a wheeler-dealer; ***onze** jongens hebben zich dapper geweerd* our boys/lads put up a brave defence; ***kom**, ouwe jongen* come on, old boy/man/chap; *jongens van de gestampte **pot*** guys made of the right stuff, common people/folk; *een jongen van Jan de Witt* a tower of strength, a stalwart/real friend; ⟨form⟩ a heart of oak; *een **zware** jongen* a tough (guy)/toughie [5] ⟨mv; jongen(s) en, of meisje(s)⟩ ⟨kinderen⟩ kids, ⟨jongens, mannen; BE⟩ lads, ⟨BE⟩ chaps, ⟨alg⟩ folks, ⟨BE ook⟩ you lot, ⟨AE ook⟩ (you) guys ◆ *zijn dat **jouw** jongens?* are those your kids?; *gaan jullie mee, jongens?* are you coming, you lot/kids/lads/folks?; ⟨AE ook⟩ hey you guys, are you coming? [6] ⟨vrijer⟩ boyfriend, partner ◆ *zij **heeft** al een jongen* she already has a boyfriend/partner [•] *de **kleine** jongen* ⟨penis⟩ willie, John Thomas

²jongen [onov ww] give birth, drop (their) young/calves ⟨enz.⟩, produce/bear young, ⟨m.b.t. hond/kat/vos enz.⟩ litter ◆ *onze **kat** heeft vandaag gejongd* our cat has had kittens today

jongensachtig [bn, bw] boyish ⟨bw: ~ly⟩ ◆ *zich jongensachtig **gedragen*** behave like a boy

jongensboek [het] boys' book

jongensdroom [de^m] boyish dream, ⟨alg⟩ childhood dream

jongensgek [de^v] proper/regular flirt, manhunter ◆ *ze **is** een jongensgek* she's boy-mad/boy-crazy, all she ever thinks about is boys

jongensgroep [de] boy group, ⟨muz⟩ boy band

jongenshoer [de^m] rent boy, catamite

jongenskamer [de] boys' room

jongenskop [de^m] [1] ⟨jongenshoofd⟩ boy's head [2] ⟨haardracht⟩ boyish hair style, Eton crop, close trim

jongensmeisje [het] tomboy

jongensnaam [de^m] boy's name

jongensschool [de] boys' school

jongenssopraan [de] boy soprano

jongensstreek [de] boyish prank/trick ◆ *de jongensstreken zijn er bij hem nog niet **uit*** he still gets up to boyish pranks

jongere [de] young person ◆ ***werkende** jongeren* working youngsters; *de jongeren* young people/persons

jongerejaars [de^m] first or second year student

Jongerenadviescentrum [het] Young People's Advisory Centre

jongerenblad [het] → **jongerentijdschrift**

jongerencentrum [het] youth centre

jongerencircuit [het] youth scene

jongerenhotel [het] youth hostel

jongerenpaspoort [het] [•] *cultureel jongerenpaspoort* ± youth discount card for cultural events

jongerentijdschrift [het], **jongerenblad** [het] magazine for the young

jongerenwerk [het] youth work

jongerenwerker [de^m], **jongerenwerkster** [de^v] youth worker

jongerenwerkster [de^v] → **jongerenwerker**

jongetje [het] [1] ⟨baby⟩ baby boy [2] ⟨kleuter⟩ little boy [3] ⟨7- tot 10-jarige leeftijd⟩ small boy [4] ⟨voornamelijk aanspreekvorm⟩ sonny

jonggeboren [bn] new-born

jonggeborene [de] new-born baby, (new) baby, ⟨inf⟩ new arrival

jonggehuwd [bn] newly-married, ⟨inf⟩ newly-wed

jonggehuwden [de^mv] newly-married couple, ⟨inf⟩ newlyweds

jonggestorven [bn] untimely deceased ◆ *de jonggestorven **dichter** Perk* the poet Perk, who died young

jongleerder [de^m] juggler

jongleren [onov ww] juggle ◆ ⟨fig⟩ *jongleren **met** woorden/met cijfers* conjure with words, juggle with figures

jongleur [de^m] juggler, acrobat

jongmens [het] young man

jongstleden [bn] last ◆ *de 14e jongstleden* ⟨dezer⟩ the 14th of this month, the 14th instant/inst; *de 31e jongstleden* ⟨van vorige maand⟩ the 31st ultimo/ult; *in **januari** jongstleden* in January last, last January; *9 **juni** jongstleden* on June 9th last; *jongstleden **woensdag**, **woensdag** jongstleden* last Wednesday, Wednesday last

jongvolwassene [de^{m}] young adult
jonk [de^{m}] junk
jonker [de^{m}] nobleman, ⟨landedelman⟩ squire ◆ *een **kale** jonker* an impecunious/impoverished nobleman
jonkheer [de^{m}] ① ⟨edelman⟩ esquire ② ⟨in België; adellijke jongeman⟩ 'jonkheer', Belgian title of nobility
jonkie [het] ⟨inf⟩ ① ⟨jong van een dier⟩ young one, baby ② ⟨jong dier, mens⟩ little/young one ③ ⟨jong talent⟩ talented young sportsman/player ④ ⟨glas jonge jenever⟩ Dutch gin, Hollands (gin)
jonkvrouw [de^{v}] ① ⟨titel⟩ ± Lady, ⟨aanspreekvorm⟩ Ma'am ② ⟨form; huwbare jonge vrouw⟩ maid(en) ◆ *o **schone** jonkvrouwe* oh fair maid/damsel
[1]**jood** [de^{m}] ⟨iemand die het joodse geloof aanhangt⟩ Jew
[2]**jood** [het] ⟨scheik⟩ iodine, ⟨in samenstellingen ook⟩ iodic
Jood [de^{m}] ⟨iemand die tot het Joodse volk behoort⟩ Jew ◆ *een **gedoopte** Jood* a Christian Jew; *de **Wandelende** Jood* the Wandering Jew
joods [bn, bw] ⟨m.b.t. de joden of de joodse godsdienst⟩ Jewish ⟨bw: ~ly⟩, Judaic ◆ *het joodse **geloof*** the Jewish faith, Judaism; *de joodse **tijdrekening*** the Jewish calendar
Joods [bn, bw] ⟨m.b.t. het Joodse volk⟩ Jewish ⟨bw: ~ly⟩, Judaic ◆ *het Joodse **land*** the land of the Jews; *het Joodse **volk*** the Jews, the Jewish people, ↑ Judaism; ⟨Bijb⟩ Israelites, Hebrews; *een Joodse **vrouw*** a Jewess, a Jewish woman
joon [het, de] dan (buoy)
Joost [de^{m}] Justus ⊡ *Joost **mag** het **weten*** goodness/heaven (only) knows, God knows, search me, (I'm) hanged/blowed if I know
jopper [de^{m}] pea jacket, ⟨pijjekker⟩ pea coat, ⟨korte duffelse jas⟩ donkey jacket
joppiesaus [de] ± Coronation sauce, curry mayonnaise
Jordaan [de] (the river) Jordan
Jordaanoever [de^{m}] ⊡ *de **westelijke** Jordaanoever* the West Bank
Jordaans [bn] Jordanian
Jordaanse [de^{v}] → **Jordaniër**
Jordanees [de^{m}], **Jordanese** [de^{v}] ⟨man & vrouw⟩ Jordanian, ⟨vrouw ook⟩ Jordanian woman/girl
Jordanese [de^{v}] → **Jordanees**
Jordanië [het] Jordan

Jordanië

naam	*Jordanië* Jordan
officiële naam	*Hasjemitisch Koninkrijk Jordanië* Hashemite Kingdom of Jordan
inwoner	*Jordaniër* Jordanian
inwoonster	*Jordaanse* Jordanian
bijv. naamw.	*Jordaans* Jordanian
hoofdstad	*Amman* Amman
munt	*Jordaanse dollar* Jordanian dinar
werelddeel	*Azië* Asia

int. toegangsnummer 962 www.jo auto HKJ

Jordaniër [de^{m}], **Jordaanse** [de^{v}] ⟨man & vrouw⟩ Jordanian, ⟨vrouw ook⟩ Jordanian woman/girl
Joris George
joris-goedbloed [de^{m}] softy, softie, soft touch, goody-goody
jostabes [de] ① ⟨bessensoort⟩ josta berry ② ⟨struik⟩ josta berry bush
jota [de] iota ⊡ *hij kent/snapt er **geen** jota **van*** he doesn't know/understand the first/a thing about it
jottem [tw] ⟨kind⟩ hurray, hooray
jou [pers vnw] you ◆ *jou moet ik **hebben*** you're just the person I want/am looking for/need; *met mij gaat het goed. en **met** jou?* I'm fine. and you?; *ik heb het **tegen** jou* I'm talking to you, it's you I'm talking to; *is dit boek **van** jou?* is this book yours?; *een kabaal van heb ik jou daar* a terrific/fantastic din (the likes of which you've never heard)
jouen [ov ww, ook abs] ⊡ ***jijen** en jouen* be on familiar/christian-name/first-name terms (with s.o.)
jouïssance [de^{v}] usufruct ⊡ ⟨handel⟩ *action de jouissance* profit-sharing note
jouker [bn] ⟨inf, Barg⟩ pricey
joule [de^{m}] ⟨natuurk⟩ ① ⟨eenheid van energie⟩ joule ② ⟨eenheid van elektrische arbeid⟩ joule
journaal [het] ① ⟨vertoning, bespreking van nieuws en actualiteiten⟩ ⟨tv, radio⟩ news, newscast, ⟨bioscoop⟩ newsreel ◆ *het journaal van **acht uur*** the 8 o'clock news ② ⟨dagboek⟩ journal, diary ③ ⟨boek met reisaantekeningen⟩ log(book) ④ ⟨hoofdboek van een boekhoudkundige administratie⟩ journal ◆ ***in** het journaal **boeken*** enter in the journal, journalize
journaalstudio [de^{m}] news studio, newsroom
journaaluitzending [de^{v}] news broadcast, newscast
journaille [de] press hounds
journalist [de^{m}], **journaliste** [de^{v}] ⟨man & vrouw⟩ journalist, ⟨man⟩ newspaperman, ⟨vrouw⟩ newspaperwoman, ⟨man⟩ pressman, ⟨vrouw⟩ presswoman
journaliste [de^{v}] → **journalist**
[1]**journalistiek** [de^{v}] ① ⟨het verstrekken van in- en voorlichting via de media⟩ journalism ◆ *journalistiek **bedrijven*** work as/be a journalist; ***in** de journalistiek **gaan*** go into/take up journalism, become a journalist ② ⟨genre⟩ journalism ◆ *dat boek is **zuivere** journalistiek* that book is sheer journalism
[2]**journalistiek** [bn, bw] journalistic ⟨bw: ~ally⟩ ◆ *een journalistieke **carrière*** a newspaper career, a career in journalism; *een journalistieke **stijl*** journalese; *journalistieke **werkzaamheden*** journalistic/press/newspaper activities
jouw [bez vnw] your ◆ *dat potlood is **het** jouwe* that pencil is yours; *is dat jouw **werk**?* is that your work?
jouwen [onov ww] jeer, hoot, boo
jouwerzijds [bw] on/for your part
jouzelf [wk vnw] yourself
joviaal [bn, bw] jovial ⟨bw: ~ly⟩, genial, friendly ◆ *een joviale **kerel*** a jovial/very friendly chap; *joviaal met iemand **omgaan*** be on (very) friendly terms/get on very well with s.o.; *een joviale **toon*** a jovial/genial tone
jovialiteit [de^{v}] joviality, geniality
joypad [de^{m}] joypad
joyrider [de^{m}] joyrider
joyriding [het, de] joyriding
joystick [de] ① ⟨hendel, met name van een computerspel⟩ joy stick ② ⟨penis⟩ joy-stick, (joy) knob
Jozef ⟨Bijb⟩ Joseph ⊡ *een **kuise** jozef* a virtuous man; ⟨pej⟩ a holy joe; *de **ware** jozef* Mr Right
jr. [afk] (junior) Jr ⟨ook met j-⟩, Jun(r), ⟨BE⟩ Jnr ⟨ook met j-⟩
ju [tw] gee-up, gee(-ho), gidd(y)ap, giddyup
jubel [de^{m}] ⟨form⟩ (cries of) jubilation
jubelen [onov ww] ① ⟨vreugdekreten aanheffen⟩ shout with joy, cheer ◆ ***van** blijdschap/**van** vreugde jubelen* shout with happiness/joy ② ⟨uiting geven aan zijn vreugde⟩ be jubilant, rejoice/exult (at) ◆ *de jubelende **menigte*** the cheering crowd; *jubelen **over*** be jubilant at/about, rejoice/exult at ③ ⟨jubileren⟩ celebrate one's jubilee/anniversary
jubeljaar [het] ⟨r-k en judaïsme⟩ jubilee, ⟨r-k ook⟩ Holy Year
jubelkreet [de^{m}] shout of joy/jubilation, cheer, cry of delight
jubelstemming [de^{v}] jubilant/rejoicing/exultant mood
jubeltenen [de^{mv}] ⟨scherts⟩ ⟨ogm⟩ upturned toes
jubilaresse [de^{v}] → **jubilaris**
jubilaris [de^{m}], **jubilaresse** [de^{v}] ① ⟨iemand die een jubileum viert⟩ ± person celebrating his/her jubilee, ± person celebrating his/her anniversary ② ⟨feestvarken⟩ ± person in whose honour a party/reception is being held, guest of honour

jubileren [onov ww] celebrate one's jubilee/anniversary
jubileum [het] ⟨m.b.t. belangrijke persoon/instelling⟩ jubilee, ⟨alg⟩ anniversary ◆ *60-jarig jubileum* diamond jubilee, 60th anniversary; *gouden jubileum* golden jubilee, 50th anniversary; *een jubileum vieren* celebrate a jubilee/ an anniversary; *zilveren jubileum* silver jubilee, 25th anniversary
jubileumjaar [het] jubilee year
jubileumnummer [het] jubilee issue
jubileumpostzegel [het, de^{m}], **jubileumzegel** [het, de^{m}] jubilee stamp/issue
jubileumuitgave [de] 1 ⟨boek⟩ jubilee volume/edition 2 ⟨tijdschrift⟩ jubilee number/issue
jubileumzegel [het, de^{m}] → **jubileumpostzegel**
juchtleer [het] Russia (leather)
judaïsme [het] 1 ⟨jodendom, de joodse instellingen en godsdienst⟩ Judaism 2 ⟨Joodse uitdrukking⟩ hebraism
judas [de^{m}] ⟨verraderlijk mens⟩ Judas
Judas ⟨Bijb⟩ Judas
judasboom [de^{m}] Judas tree
judaskus [de^{m}] Judas kiss
judasloon [het] blood money, thirty pieces of silver
judasoor [het] ⟨plantk⟩ jew's ear, Judas's ear
judaspenning [de^{m}] ⟨plantk⟩ honesty, satinflower, satinpod, moonwort
judasrol [de] role of traitor/betrayer
judassen [ov ww, ook abs] needle, tease, annoy, pester, nag, hassle ◆ *hij kan niet anders dan zijn zusje judassen* he just has to tease/annoy his sister
judasstreek [de] Judastrick, act of betrayal/treachery, (piece of) treachery, treacherous act
Judea [het] Judea
Judezmo [het] Judezmo
judicatuur [de^{v}] ⟨jur⟩ 1 ⟨rechtspraak, berechtiging⟩ judicature ◆ *de judicatuur in strafzaken* criminal judicature 2 ⟨bevoegdheid⟩ judicature
judiceren [onov ww] ⟨jur⟩ pass judg(e)ment, adjudicate
judicieel [bn] ⟨jur⟩ 1 ⟨rechterlijk⟩ judicial 2 ⟨in het geding, in rechte⟩ at law, in court ◆ *judiciële houding* case, contentions, position
judicium [het] 1 ⟨jur; vonnis⟩ judg(e)ment, sentence 2 ⟨universiteit; oordeel m.b.t. examens⟩ (degree) class(ification), (examination/degree) result, class(ification)
judo [het] ⟨sport⟩ judo
judoband [de^{m}] judo belt
judoën [onov ww] ⟨sport⟩ practise judo, be a judoka
judogi [de] ⟨sport⟩ judogi, judo suit
judoka [de] ⟨sport⟩ judoka, judoist
juf [de^{v}] ⟨inf⟩ 1 ⟨(school)juffrouw⟩ ⟨ogm⟩ teacher, ⟨aanspreekvorm⟩ Miss, ⟨AE ook⟩ Ma'am 2 ⟨jonge (pedante) vrouw⟩ (proper little) madam/miss(y)
juffer [de^{v}] 1 ⟨dame⟩ damsel, lady 2 ⟨scheepv⟩ deadeye, (e)uphroe 3 ⟨libel⟩ dragonfly 4 ⟨paal⟩ pile 5 ⟨straatstamper⟩ paving beetle, rammer
juffershondje [het] lap dog, toy dog ◆ *beven als een juffershondje* shake like a jelly/leaf
juffertje [het] 1 ⟨iron; kleine, jonge juffrouw⟩ young lady, ⟨vnl iron⟩ missy, madam 2 ⟨biol⟩ damselfly, demoiselle 3 ⟨torentje⟩ (Sanctus) bell-cote
juffertje-in-'t-groen [het] love-in-a-mist
juffrouw [de^{v}] 1 ⟨ongehuwde vrouw⟩ Miss ⟨ook als aanspreekvorm⟩, ↑ madam ⟨ook als aanspreekvorm⟩ 2 ⟨kinderjuffrouw, onderwijzeres⟩ ⟨onderwijzeres⟩ teacher, ⟨aanspreekvorm⟩ Miss, ⟨kindermeisje⟩ nurse(maid), ⟨BE ook⟩ nanny, ⟨gouvernante⟩ governess ◆ *de juffrouw van groep vier* the fourth ^{B}year/^{A}grade teacher 3 ⟨inf; vrouw⟩ lady ◆ *een aardige juffrouw* a nice lady; *die juffrouw kan zich uitstekend redden* that lady is well able to look after herself, ⟨iron⟩ that young lady/madam is well able to look after herself; *goedemiddag, juffrouw* good afternoon, Miss/ Madam/Ma'am/^{A}lady; *juffrouw, twee thee, a.u.b.* two teas, (Miss,) please
jugendstil [de^{m}] ⟨bk⟩ Jugendstil
juggelen [onov ww] juggle
juggernaut [de^{m}] juggernaut
juichen [onov ww] 1 ⟨met uitbundig geluid zijn vreugde te kennen geven⟩ shout with joy, cheer ◆ *de menigte juichte toen het doelpunt werd gemaakt* the crowd cheered when the goal was scored; *juichend* jubilant 2 ⟨uiting geven aan zijn vreugde⟩ be jubilant, rejoice/exult (at) ◆ *juichen over* be jubilant at/about, exult at; *er is nog geen reden tot juichen* there is no cause/reason for jubilation, it's too soon to start cheering; *ik verwacht dat ze me wel aannemen, maar ik moet niet te vroeg juichen* I expect them to ^{B}take me on/^{A}hire me, but I mustn't speak too soon
juichkreet [de^{m}] shout of joy/jubilation, cheer, cry of delight
juichstemming [de^{v}] celebratory mood
juicy [bn] juicy
^{1}**juist** [bn, bw] 1 ⟨waar, gegrond⟩ right ⟨bw: ~ly⟩, correct ◆ *de juiste tijd* the right/correct time; *de juiste uitkomst krijgen* get the sum right; *een juiste voorstelling van zaken* a correct representation of things; *zeer juist!* quite right!, ⟨in vergadering ook⟩ hear, hear!; *juist!* exactly!, precisely!, that's it!; *o, juist!* ⟨als men bijvoorbeeld juist níét begrijpt!⟩ (oh,) I see! 2 ⟨adequaat, geschikt⟩ right ⟨bw: ~ly⟩, proper, correct ◆ *het juiste bedrag overmaken* make over the right amount; *op de juiste manier* in the right way/manner; *juist mikken* aim true/accurately; *het juiste ogenblik kiezen* choose the right moment, choose the moment well; *precies op het juiste ogenblik* at the right/proper moment; *een karakter juist omschrijven/typeren* describe/identify a character correctly; *dat is het juiste woord niet* that's not the (right) word (for it); *de juiste woorden weten te vinden* manage to find the right/proper words 3 ⟨correct⟩ correct ⟨bw: ~ly⟩ ◆ *juist handelen* act correctly; *die deur is niet juist geplaatst* that door is not true; *een juist optreden* correct behaviour; *in de juiste positie* in (the right) position; *niet in de juiste positie* out of position; *is dit de juiste spelling?* is this the right spelling? 4 ⟨gerechtvaardigd, billijk⟩ just ⟨bw: ~ly⟩, fair ◆ *een juiste beloning* a just/fair reward; *juist oordelen* judge fairly; *ik vond het niet meer dan juist u dit te vertellen* it seemed only right to tell you (this)
^{2}**juist** [bw] 1 ⟨precies⟩ just, exactly, of all times/places/ people ⟨enz.⟩, ⟨in tegenstellingen⟩ no, on the contrary ◆ *daar zit nu juist de fout* that's precisely where the mistake lies/comes in; *daarom juist* that's exactly why; *of juister gezegd ...* or rather ..., or (to put it) more correctly ...; *waarom juist hier/vandaag?* why here (of all places)?/today (of all days)?; *dat is juist wat we zoeken* that's just/exactly what/ that's the very thing we're looking for; *u moest ik juist hebben!* you're just/exactly who I wanted to see!, (you're) just the man/woman I want!; *de bal ging juist naast* the ball just missed; *juist op dat ogenblik kwam zij binnen* just/ right at that moment she came in; *ze bedoelde juist het tegendeel* she meant just/exactly the opposite; *juist wat ik zei* just/exactly what I said; *waarom juist zij?* why her (of all people?/rather than anyone else)?; *juist op tijd* ⟨om iets te doen/voorkomen⟩ just in time; ⟨volgens afspraak/tijdschema⟩ exactly on time 2 ⟨zo-even⟩ just ◆ *zij is juist gearriveerd* she's just arrived; *ik zei het juist* I just said it 3 ⟨met name⟩ just, exactly, of all times/places/people ⟨enz.⟩, ⟨in tegenstellingen⟩ no, on the contrary ◆ *gelukkig? ik ben juist diepbedroefd!* happy? no/on the contrary, I'm terribly sad!; *juist nu moeten we het hoofd koel houden* now of all times we need to keep a cool head; *dat is het (hem nu) juist!* that's (just) it!/(just) the point!
juistheid [de^{v}] correctness, accuracy, rightness, ⟨waarheid⟩ truth, ⟨stiptheid⟩ exactitude, preciseness, ⟨toepasse-

lijkheid⟩ propriety, appropriateness ◆ *de juistheid van een bewering **aantonen/staven*** justify/verify a statement; ***ik betwist** de juistheid van die cijfers* I dispute the accuracy of those figures; *de juistheid **nagaan** van* verify the correctness/accuracy/truth of

jujube [de] 1 ⟨vrucht⟩ jujube 2 ⟨dropje⟩ jujube

juk [het] 1 ⟨trektuig⟩ yoke ◆ ***in** het juk **spannen*** (put to the) yoke, harness; *een juk **ossen*** a yoke/team of oxen 2 ⟨fig; dwang, beproeving⟩ yoke ◆ *het juk **afwerpen/afschudden*** cast/throw/shake off the yoke; ***onder** het juk **buigen*** submit to the yoke; ***onder** het juk **brengen*** bring under the yoke; ***onder** het juk **doorgaan*** pass under the yoke 3 ⟨schouderblok om iets aan te dragen⟩ yoke 4 ⟨techn⟩ ⟨dwarsbalk⟩ (cross) beam, ⟨elek⟩ yoke, ⟨bouwk⟩ trestle, ⟨scheepv; van roer⟩ yoke, ⟨van balans⟩ beam ◆ *het juk van een **brug*** the trestlework of a bridge

jukbeen [het] ⟨med⟩ cheekbone ◆ ***uitstekende** jukbeenderen* high/prominent cheekbones

jukboog [de^m^] ⟨med⟩ zygoma, zygomatic arc

jukebox [de^m^] jukebox

jukspier [de] ⟨med⟩ zygomatic muscle

juli [de^m^] July ◆ *de **maand** juli* the month of July

juliaans [bn] Julian ◆ *juliaanse **kalender/stijl*** Julian calendar, Old Style

julienne [de] 1 ⟨fijn gesneden groenten⟩ julienne 2 ⟨groentesoep⟩ julienne

juliennesoep [de] julienne soup

¹jullie [pers vnw] you ◆ *jullie **ellendelingen!*** you villains!; *jullie **hebben** gelijk* you're right

²jullie [bez vnw] your ◆ *is dat jullie **boek?*** is that your book?; *is die auto **van** jullie?* is that car yours?, is that your car?

julliezelf yourselves

jumbo [de^m^] jumbo

jumbojet [de^m^] jumbo jet

jumelage [de^v^] twinning ◆ *onze twee steden **zijn** een jumelage **aangegaan*** our two towns are twinned

jumpen [onov ww] jump

jumper [de^m^] jumper

jump-off [de^m^] (parachute) jump

jumpshot [het] jump shot

jumpstyle [de] jumpstyle music

jumpsuit [de^m^] jump suit

junctie [de^v^] junction

junctis [vz] in conjunction with

juncto [bn] in conjunction with ◆ *art. 3 juncto art. 4* art 3 in conjunction with art 4; *art. 3 junctis artt. 4 en 5* art 3 in conjunction with arts 4 and 5

junctuur [de^v^] 1 ⟨verbinding⟩ juncture 2 ⟨tijdsgewricht, omstandigheid⟩ juncture

jungle [de] 1 ⟨wildernis⟩ jungle 2 ⟨fig⟩ jungle, mishmash, hodge-podge ◆ *een jungle **van** verordeningen* a mishmash of regulations/stipulations

junglecommando [het] ⟨mil⟩ jungle command

junglegeluid [het] jungle sound

junglekapitalisme [het] jungle capitalism

junglemes [het] machete, matchet

junglemuziek [de^v^] jungle music

jungletraining [de^m^] jungle training

jungleziekte [de^v^] jungle disease

juni [de^m^] June ◆ *de **maand** juni* the month of June

junibes [de] juneberry, ⟨AE⟩ service-berry

junikever [de^m^] june beetle/bug, summer chafer, St John's beetle

¹junior [de^m^] junior, ⟨in België⟩ (16 to 18-year-old) junior ◆ *de junioren **hebben** de senioren **verslagen*** the juniors beat the seniors

²junior [bn] junior ◆ *mevrouw M. **Hemels** junior* Mrs M. Hemels Jnr., the younger Mrs M. Hemels; ***Smith** junior* Smith Minor/^A^Junior

juniorkamer [de] junior chamber

junior manager [de^m^] junior manager, trainee manager

junk [de^m^] 1 ⟨persoon⟩ junkie, junky, junker 2 ⟨heroïne⟩ junk, smack

junkbond [de] ⟨beurs⟩ junk bond

junk-DNA [het] 'junk DNA'

junkfood [het] junk food

junkie [de^m^] junkie, junk

junkmail [de] junk mail

junkstatus [de^m^] junk (bond) status

junta [de] junta, junto

Jupiter [de^m^] Jupiter

jupon [de^m^] petticoat, underskirt

jura [de] Jurassic period

jurassisch [bn] Jurassic

jureren [onov ww] adjudicate, act as a judge

jurering [de^v^] adjudication, judging

juridisch [bn, bw] legal ⟨bw: ~ly⟩, juristic(al), judicial, juridic, ⟨attributief⟩ law ◆ *juridisch **aansprakelijk zijn*** be liable (for), be legally responsible (for); *juridisch **adviseur*** legal adviser; *de juridische **afdeling*** the legal department; *juridische **bijstand*** legal aid; *juridische **commissie*** judicial/jurists' committee; *de juridische **faculteit*** the Faculty of Law(s), ⟨AE⟩ the Law School; *juridische **gronden/bezwaren*** legal grounds/objections; *juridische **term*** legal term

juridisering [de^v^] 1 ⟨het maken tot een juridische zaak⟩ making (sth.) into a lawsuit, bringing (sth.) sub judice 2 ⟨het redeneren over juridische zaken⟩ legal discourse

jurisdictie [de^v^] 1 ⟨rechtspraak, rechtsmacht⟩ jurisdiction, ⟨rechtsmacht ook⟩ competence, cognizance ◆ ***buiten** de jurisdictie vallen van* fall/come outside the jurisdiction/competence/cognizance of; ***geestelijke/wereldlijke** jurisdictie* ecclesiastical/secular jurisdiction; ⟨geestelijke ook⟩ obedience; *jurisdictie **hebben*** have jurisdiction (over); ***onder** de jurisdictie vallen van* fall/come within (under) the jurisdiction/competence/cognizance of; *zaken brengen **onder** de jurisdictie van een rechtbank* bring cases within the competence of a court; *jurisdictie **uitoefenen*** exercise legal authority 2 ⟨rechtsgebied⟩ (territorial) jurisdiction ◆ *de jurisdictie van de kantonrechter **in** strafzaken* the jurisdiction of the (local/regional) judge in criminal cases

jurisdictiegeschil [het] dispute over/concerning jurisdiction

jurisprudentie [de^v^] jurisprudence, ± case law, ± law of precedent, ± judge-made law ◆ *deze beslissing **levert** jurisprudentie voor gelijkwaardige zaken* this decision provides a precedent for similar cases; *de jurisprudentie van de **Hoge Raad*** the jurisprudence of the supreme court

jurist [de^m^], **juriste** [de^v^] 1 ⟨rechtsgeleerde⟩ jurist, legist, lawyer 2 ⟨student⟩ law student ◆ *jurist **zijn*** study/read law, study/read for the Bar, go in for law

juriste [de^v^] → **jurist**

jurk [de] dress, ⟨japon ook⟩ frock ◆ *een **blote** jurk* a revealing dress; *een **lange** jurk* a long dress, a gown; *een **schattig** jurkje* a sweet/lovely/charming little dress

jury [de] 1 ⟨commissie van beoordeling⟩ jury, committee of judges, judging-committee, panel (of judges/adjudicators) ◆ ***in** de jury zitten* be on the jury, be/serve on the panel (of judges), be a judge/adjudicator 2 ⟨jur⟩ jury ◆ ***voorzitter/ster** van de jury* foreman/forewoman 3 ⟨in België; examencommissie⟩ examining-board, board of examiners

jurylid [het] ⟨jur⟩ member of the jury, ⟨man & vrouw⟩ juror, ⟨man⟩ juryman, ⟨vrouw⟩ jurywoman, ⟨commissie; man & vrouw⟩ judge, adjudicator, member of the jury/panel ◆ ***als** jurylid optreden* ⟨jur⟩ serve on the jury, be a member of the jury; ⟨commissie⟩ be/serve on the panel (of judges)/jury, be a judge/an adjudicator

juryrapport [het] jury's/judges' report, report of the jury/judges/committee

juryrechtspraak [de] jury law

jurysport [de] sport in which outcome is decided by a jury

¹jus [de^m] 1 ⟨cul⟩ gravy ♦ *vette jus* fat/rich gravy 2 ⟨jur⟩ jus, law

²jus [het] ▪ *jus promovendi* jus promovendi

jusblokje [het] oxo cube, bouillon cube

jus d'orange [de^m] orange juice

juskom [de] gravy boat/dish

juslepel [de^m] gravy spoon

justeren [ov ww] 1 ⟨(een instrument) juist stellen⟩ adjust, set 2 ⟨controleren en tot de juiste maat brengen⟩ adjust, ⟨ijken⟩ gauge

justificatie [de^v] 1 ⟨rechtvaardiging⟩ justification, vindication 2 ⟨verdediging⟩ justification, ⟨verontschuldiging⟩ excuse ♦ *ter justificatie van* in extenuation/mitigation of, as an excuse for

justificeerbaar [bn] justifiable

justificeren [ov ww] justify

Justitia ⟨myth⟩ Justice ♦ ***Vrouwe** Justitia* the figure/symbol of Justice

justitiabel [bn] justiciable

justitie [de^v] 1 ⟨rechtspraak⟩ justice, administration of justice, judicature ♦ ***hof** van justitie* court of justice, law court; ***officier** van justitie* public prosecutor, ⟨AE⟩ state/district attorney; *het **paleis** van justitie* the Palace of Justice, the law court(s) 2 ⟨rechterlijke macht⟩ judiciary, judicature, ⟨inf⟩ the law, the police ♦ *aangifte doen **bij** de justitie* notify the police; *uit de **handen** van de justitie blijven* keep/steer clear of the law; *de zaak is in (de) **handen** van (de) justitie* ± the matter has been put in hands of/is being investigated by the ^B Director of Public Prosecutions/^A District Attorney('s office); *de zaak in de **handen** van (de) justitie geven* go to law, take the matter to court; ***met** de justitie in aanraking komen* collide with/find o.s. up against the law, come into conflict/contact with the law, run/fall foul of the police/the law; *de justitie **stelt** een onderzoek in* the judicial authorities are holding an investigation/are investigating 3 ⟨rechtswezen⟩ justice ♦ ***minister** van Justitie* Minister of Justice; ⟨Groot-Brittannië⟩ ± Lord (High) Chancellor; ⟨USA⟩ ± Attorney General; ***ministerie** van Justitie* Ministry/Department of Justice

justitieel [bn] judicial, juristic(al), juridic(al) ♦ *een justitieel **onderzoek*** a judicial inquiry/investigation

justitiepaleis [het] ⟨in België⟩ court(house)

Jut [de^m] ▪ *Jut en **Jul*** an odd couple; ⟨in België⟩ *de **kop** van Jut zijn* ± be left holding the baby/^A bag, ↑ get the blame; ⟨fig⟩ *als **kop** van Jut dienen* be a sitting target/the scapegoat/^A the fall guy

¹jute [de] jute, sackcloth, burlap, gunny, hopsack(ing)

²jute [bn, alleen attr] jute, gunny-, burlap

juten [bn] jute

jutezak [de^m] gunny(sack), gunny/jute/burlap sack, gunny/jute/burlap bag

Jutland [het] Jutland

Jutlander [de^m] Jute

jutten [ov ww, ook abs] comb the beach

juttepeer [de] yat-pear

jutter [de^m] beachcomber

juut [de^m] ⟨inf⟩ cop(per), ⟨BE⟩ ↑ bobby, ⟨AE⟩ pig, fuzz

juvenaat [het] ⟨r-k⟩ ± seminary

juveniel [bn] 1 ⟨jeugdig⟩ juvenile ♦ *juveniele **paralyse*** juvenile paralysis 2 ⟨geol⟩ juvenile, magmatic ♦ *juveniel **water*** juvenile/magmatic water

juweel [het] 1 ⟨geslepen edelgesteente, vooral diamant⟩ jewel, gem, ⟨inf⟩ sparkler ♦ *bezet **met** juwelen* set with jewels, jewelled 2 ⟨mv; kostbaarheden⟩ jewellery, ⟨AE⟩ jewelry 3 ⟨iets dat, iemand die uitmunt⟩ gem, treasure, jewel ♦ *een juweel **van** een **vrouw*** a gem, a fine woman; *een juweeltje **van** siersmeedkunst* a splendid/fine example of metalwork

juwelen [bn] 1 ⟨uit juwelen samengesteld⟩ jewelled, ⟨AE⟩ jeweled ♦ *een juwelen **armband*** a jewelled bracelet 2 ⟨met een juweel, juwelen bezet⟩ jewelled, ⟨AE⟩ jeweled, set with jewels

juwelendief [de^m] jewel thief

juwelendiefstal [de^m] jewel/jewellery/^A jewelry theft

juwelenkistje [het] jewel case/box

juwelier [de^m], **juwelierster** [de^v] 1 ⟨handelaar in juwelen⟩ jeweller, ⟨AE⟩ jeweler 2 ⟨iemand die edelstenen in goud en zilver zet⟩ jeweller, ⟨AE⟩ jeweler, enchaser

juwelierster [de^v] → **juwelier**

juwelierswinkel [de^m] jeweller's/^A jeweler's (shop), jewellery/^A jewelry shop

juxtapositie [de^v] 1 ⟨het naast elkaar, op dezelfde lijn plaatsen⟩ juxtaposition 2 ⟨toeneming van anorganische lichamen⟩ juxtaposition

k

¹k [de] ⟨letter, klank⟩ k ♦ *Kunst met een **grote** K* Art with a capital A
²k [afk] [1] (kilo) K [2] ⟨euf⟩ (kanker) the big C
K [afk] [1] ⟨scheik⟩ (Kalium) K [2] ⟨natuurk⟩ (kelvin) K [3] ⟨comp⟩ (1024 bytes) K ♦ *een computer van 256 K* a 256K computer [4] ⟨euf⟩ (kanker) the big C
ka [de^v] dragon [•] *een **bijdehante ka*** a forward lass, a pert young thing
kaag [de] [1] ⟨land⟩ ± polder [2] ⟨vaartuig⟩ ± flat-bottomed boat
kaaien [ov ww] ⟨inf⟩ [1] ⟨jatten⟩ pinch, swipe, ⟨BE⟩ nick [2] ⟨gooien⟩ chuck, fling
kaaiman [de^m] [1] ⟨geslacht van krokodillen⟩ caiman [2] ⟨de eigenlijke krokodil⟩ crocodile [3] ⟨mv; familie van de alligators⟩ alligator
kaak [de] [1] ⟨beendergestel⟩ jaw ♦ ***van/met betrekking tot** de kaak* mandibular, maxillary [2] ⟨boven-, onderkaak⟩ jaw, ⟨wet ook, vnl. bovenkaak⟩ maxilla, ⟨wet ook, vnl. onderkaak⟩ mandible ♦ *met **magere/lange** kaken* lantern-jawed; *kaken **op elkaar!*** not a word!, keep your mouth shut, ↓ keep your trap shut, ⟨BE ook⟩ keep your gob; ⟨fig⟩ *zijn kaken **stijf op elkaar houden*** refuse to say a word [3] ⟨in België; wang⟩ cheek ♦ ⟨in Nederland⟩ *met **beschaamde** kaken* shamefaced(ly); ⟨in Nederland⟩ *met **rode** kaken* blushing, with a red face [4] ⟨kieuw⟩ gill [5] ⟨schandpaal⟩ pillory ♦ ⟨fig⟩ *iets **aan de kaak stellen*** expose/denounce sth.
kaakbeen [het] jawbone, ⟨wet ook, vnl. bovenkaak⟩ maxilla, ⟨wet ook, vnl. onderkaak⟩ mandible
kaakchirurg [de^m] oral/dental surgeon
kaakchirurgie [de^v] oral/dental surgery
kaakfractuur [de^v] broken/fractured jaw, fracture of the jaw
kaakgewricht [het] jaw, maxillary joint, ⟨dieren ook⟩ mandibular joint
kaakholte [de^v] ⟨med⟩ maxillary sinus
kaakje [het] biscuit, ⟨AE⟩ cookie
kaakklem [de] lockjaw, trismus
kaakkramp [de] ⟨med⟩ trismus
kaakontsteking [de^v] inflammation of the jaw
kaakslag [de^m] slap in the face, ⟨met vuist⟩ punch in the face, punch on the jaw ♦ *iemand een kaakslag **geven*** slap s.o. in the face, punch s.o. in the face/on the jaw
kaakspier [de] jaw muscle, maxillary/mandibular muscle, ⟨med ook⟩ masseter
kaakstomp [de^m] punch on the jaw, punch in the mouth
kaakstoot [de^m] punch on the jaw, punch in the mouth
kaal [bn] [1] ⟨haarloos⟩ bald, ⟨planten⟩ hairless ♦ *zo kaal **als** een biljartbal/knikker zijn* be (as) bald as a coot/an egg; *een kaal **hoofd*** a bald head; *een kaal **hoofd** hebben* be bald(-headed); *zijn hoofd kaal **laten knippen*** have one's head shaved; *een kale **man*** a bald(-headed) man; *kaal **worden*** go bald [2] ⟨geplukt⟩ featherless [3] ⟨afgesleten⟩ (thread)bare, worn ♦ *een kaal **pak,** een kale **plek*** a threadbare suit, a (thread) bare patch/spot [4] ⟨ontbladerd⟩ bare, ⟨onvruchtbaar ook⟩ barren ♦ *een tak kaal **gevreten** door rupsen* a branch eaten bare by caterpillars; *de bomen **worden** kaal* the trees are losing/shedding their leaves [5] ⟨onbegroeid⟩ bare ♦ *kaal **gevreten** weiden* close-cropped/closely-cropped pastures [6] ⟨onbedekt⟩ bare ♦ *een kale **boterham*** a slice of bread and butter; *een kale **deur*** a stripped door; ⟨fig⟩ *de kale **huur*** the basic rent; *een kale **wand*** a bare wall [7] ⟨arm⟩ penniless ♦ *een kale **juffer*** a genteel young lady; *een kale **neet*** a penniless wretch, a pauper [8] ⟨schraal⟩ meagre, scanty [•] ⟨sprw⟩ *hoe kaler, hoe royaler* the less you've got, the more you spend
kaalheid [de^v] [1] ⟨afwezigheid van haren⟩ baldness [2] ⟨armoe(de)⟩ poverty [3] ⟨zonder versiering⟩ bareness [4] ⟨biol; afwezigheid van uitsteeksels⟩ hairlessness [5] ⟨onbegroeidheid⟩ bareness, ⟨onvruchtbaar ook⟩ barrenness
kaalhoofdig [bn] bald(-headed)
kaalknippen [ov ww] shave bald
kaalkop [de^m] ⟨inf⟩ baldy
kaalplukken [ov ww] ⟨inf⟩ squeeze dry, bleed white, clean out, strip bare
kaalscheren [ov ww] shave ♦ ***schapen** kaalscheren* shear sheep
kaalslaan [ov ww] clear
kaalslag [de^m] [1] ⟨landb; het vellen van alle bomen⟩ deforestation [2] ⟨landb; bedrijfsvorm⟩ clear felling/cutting [3] ⟨woningafbraak⟩ demolition [4] ⟨kale plek in bos⟩ clearing [5] ⟨fig⟩ undermining, erosion, reduction
kaaltjes [bn, bw] meagre ⟨bw: ~ly⟩, scanty
kaam [de] mould
kaan [de] [1] ⟨stukje uitgebraden vet⟩ dripping [2] ⟨stukje hardgebakken spek⟩ crackling [3] ⟨buitenkansje⟩ stroke/bit of luck, godsend, windfall [4] ⟨karweitje⟩ job [•] *de kanen **krijgen*** get a good hiding, be thrashed
kaap [de] cape, headland, promontory ♦ *een kaap **ronden/omzeilen*** round a cape; ***ter** kaap **varen*** go privateering; *de Kaap* the Cape; *Kaap Hoorn* Cape Horn, the Horn; *kaap de Goede Hoop* Cape of Good Hope
Kaapkolonie [de^v] Cape Colony
Kaapprovincie [de^v] (the) Cape Province, the Cape

Kaaps [bn] Cape ♦ *Kaapse* ***duif*** pintado (petrel), Cape pigeon; *Kaapse* ***ezel*** zebra; *Kaaps-Hollandse* ***stijl*** Cape Dutch style; *Kaapse* ***jasmijn*** Cape jasmine; *Kaaps* ***viooltje*** African violet; *Kaapse* ***wolken*** Magellanic clouds
Kaapstad [het] Cape Town
kaapstander [de^m] 1 ⟨scheepv⟩ capstan 2 ⟨mijnb⟩ whim
kaapvaarder [de^m] 1 ⟨schip⟩ privateer, ⟨van zeerover⟩ corsair 2 ⟨persoon⟩ privateer(sman), ⟨zeerover⟩ corsair, pirate
kaapvaart [de] privateering
Kaapverdië [het] Cape Verde (Islands)
Kaapverdiër [de^m], **Kaapverdische** [de^v] ⟨man & vrouw⟩ Cape Verdean, ⟨vrouw ook⟩ Cape Verdean woman/girl
Kaapverdisch [bn] Cape Verdean/Verdian/Verde
Kaapverdische [de^v] → **Kaapverdiër**
Kaapverdische Eilanden [de^{mv}] Cape Verde Islands
[1]**kaar** [het] ⟨bak zonder bodem⟩ (feeding) hopper
[2]**kaar** [het, de] ⟨viskaar⟩ creel
kaard [de] → **kaarde**
kaarde [de], **kaard** [de] 1 ⟨biol⟩ teasel 2 ⟨plantk; bol⟩ teasel 3 ⟨ijzeren gereedschap⟩ card
kaarden [ov ww] card, tease, comb ♦ ***wol*** *kaarden* card/tease/comb wool ⊡ ***laken*** *kaarden* card cloth
kaardenbol [de^m] ⟨plantk⟩ 1 ⟨kop van plantensoort⟩ teasel (head) 2 ⟨plantensoort⟩ teasel, ⟨wild⟩ wild teasel, card thistle, fuller's teasel
kaardendistel [de] card thistle, (fuller's) teasel
kaardenmaker [de^m] card-maker
kaarder [de^m], **kaardster** [de^v] carder, teaser, ⟨in fabriek ook⟩ card-room operative
kaardmachine [de^v] carding machine/^{B}engine, carder
kaardster [de^v] → **kaarder**
kaardwol [de] carding wool
kaars [de] 1 ⟨ronde staaf van stearine, was⟩ candle ♦ *de kaars* ***aansteken*** light the candle; *een* ***dunne*** *kaars* a taper; ⟨fig⟩ *zo iemand moet je* ***met*** *een kaarsje* ***zoeken*** you can count people like that on the fingers of one hand, people like that are like gold dust; *de kaars* ***uitblazen*** be the last to leave 2 ⟨oude eenheid van lichtsterkte⟩ candle(-power), ⟨thans⟩ candela 3 ⟨kaarsvormig voorwerp⟩ candle ♦ *de kaars van een* ***kastanje*** a horse-chestnut candle
kaarsenmaker [de^m] candle maker, chandler
kaarsenpit [de] wick
kaarshouder [de^m] candlestick, ⟨voor kleine kaarsen⟩ taperstick, ⟨holte⟩ (candle) socket, ⟨aan piano⟩ candle bracket
kaarslicht [het] candlelight ♦ ***bij*** *kaarslicht dineren* dine by candlelight, have a candlelit dinner
kaarsrecht [bn, bw] dead straight, (as) straight as an arrow, (as) straight as a die, ⟨rechtop⟩ bolt upright ♦ *kaarsrecht* ***blijven staan*** remain (standing) bolt upright; *kaarsrecht* ***lopen/staan*** walk/stand bolt upright
kaarsvet [het] candle-grease
kaart [de] 1 ⟨speelkaart⟩ card ♦ *zijn kaarten voor/tegen de* ***borst*** *houden* keep sth. close to one's chest; *een spel* ***gemerkte*** *kaarten* a marked pack, ⟨AE ook⟩ a marked deck; ⟨sport⟩ *met een* ***hoge*** *kaart* ***uitkomen*** lead with a high card; ⟨fig⟩ *iemand de kaart* ***leggen*** read s.o.'s cards; *zijn kaarten op tafel* ***leggen*** ⟨ook fig⟩ put/lay all one's cards on the table, show one's cards/hand; *de kaarten* ***liggen*** *nu anders* things are different now, things have changed; ⟨fig⟩ *alles* ***op*** *één kaart zetten* put all one's eggs in one basket, put all one's money on one horse; *een* ***spel*** *kaarten* a pack of cards, ⟨AE ook⟩ a deck of cards; *een kaart* ***trekken*** draw/take a card; *een kaart* ***trekken*** *om te zien wie er betaalt* cut for who pays; *de kaarten* ***zijn geschud*** ⟨fig⟩ the die is cast, decisions have been made; *kaarten van één kleur* suit 2 ⟨toebedeelde speelkaarten⟩ cards, hand ♦ ⟨fig⟩ *dat is* ***doorgestoken*** *kaart* it's been arranged behind our backs, it's fixed/rigged, it's a put-up job; ⟨gearrangeerde beschuldiging⟩ it's a frame-up; ⟨fig⟩ *dat is geen* ***haalbare*** *kaart* it's not (a) practicable/viable/workable (proposition), it's not on; ⟨fig⟩ *iemand* ***in*** *de kaart spelen* play into s.o.'s hands, play s.o.'s game; ⟨fig⟩ *zich* ***in*** *de kaart laten kijken* show one's cards/hand, give one's hand away; ⟨fig⟩ *iemand* ***in*** *de kaart kijken/zien* see through s.o.; ⟨fig⟩ *zich niet* ***in*** *de kaart laten kijken* play one's cards close to one's chest; *een* ***mooie/goede*** *kaart hebben* have nice/good cards, have a nice/good hand; ⟨fig⟩ ***open*** *kaart spelen* put/lay all one's cards on the table, show one's cards/hand, be frank (with s.o.) 3 ⟨stuk met gegevens⟩ card, ⟨spijskaart⟩ menu ♦ *de* ***gele*** *kaart krijgen* be shown the yellow card, be booked, receive a booking; *een* ***groene*** *kaart* ⟨BE⟩ a green card; ± an International Motor Insurance Card; ⟨cul⟩ *de* ***kleine*** *kaart* snacks, snack list; *de kaart van* ***patiënt*** *B.* patient B.'s card, ⟨temperatuur enz.⟩ patient B.'s chart; *de* ***rode*** *kaart krijgen* be shown the red card, be sent off (the field); *mag ik de kaart van u?* may I have the menu, please? 4 ⟨toegangskaart⟩ ticket 5 ⟨ansichtkaart⟩ card 6 ⟨blad met voorstelling van de aarde, hemel⟩ map, ⟨zee, weer⟩ chart ♦ *een* ***blinde*** *kaart* an unmarked map; ***in*** *kaart* ***brengen*** map; ⟨zee⟩ chart; ⟨fig⟩ map out, record; *niet* ***in*** *kaart gebrachte gebieden* uncharted areas; *die plaats staat niet* ***op*** *de kaart* that place isn't on the map; *een* ***topografische/geologische*** *kaart* a topographical/geological map; ⟨fig⟩ *een stad/volk* ***van*** *de kaart* ***vegen*** wipe a city/a people off the map ⊡ ***van*** *de kaart* ***zijn*** be (all) at sea, be out of it/finished; ⟨van streek⟩ be upset; ⟨sprw⟩ *de gekken krijgen de kaart* fortune favours fools
kaartavondje [het] evening for cards
kaartcatalogus [de^m] card catalogue/^{A}catalog, card index
kaartcel [de] phonecard telephone box/kiosk
kaartclub [de] card(-playing) club
kaarten [onov ww] play cards ♦ ***met*** *kaarten een vermogen verdienen* win a fortune at cards; *kaarten* ***om*** *geld* play cards for money; *een* ***spelletje*** *kaarten* play a game of cards
kaartenbak [de^m] card-index box
kaartenhuis [het] 1 ⟨van speelkaarten gemaakt gebouwtje⟩ house of cards ♦ *instorten* ***als*** *een kaartenhuis* collapse like a house of cards 2 ⟨fig⟩ house of cards
kaartenkamer [de] chart-room
kaarter [de^m], **kaartster** [de^v] card player
kaarthouder [de^m] 1 ⟨houder voor kaarten⟩ card-holder 2 ⟨etui voor landkaarten⟩ map-holder 3 ⟨persoon⟩ ticket-holder
kaarting [de^v] match at cards
kaartje [het] 1 ⟨kleine kaart⟩ ticket, card ♦ *de prijs staat* ***op*** *het kaartje* the price is on the ticket 2 ⟨visitekaartje⟩ card, visiting card, ⟨zakenlieden⟩ business card ♦ *zijn kaartje* ***afgeven/achterlaten*** leave one's card 3 ⟨toegangskaartje⟩ ticket ♦ *kaartjes* ***afscheuren*** tear tickets; *een kaartje* ***voor*** *de bioscoop* a ticket for the cinema/^{A}movie theater/^{A}movies 4 ⟨plaatsbewijs⟩ ticket ♦ *een kaartje* ***voor*** *de tram* a tram/^{A}streetcar ticket ⊡ *een kaartje* ***leggen,*** ⟨in België⟩ *een kaartje* ***trekken*** have a game of cards, play (a game of) cards
kaartjesautomaat [de^m] ticket (vending) machine, ⟨apparaat met bel⟩ bell-punch
kaartjesknipper [de^m] ticket collector, ticket inspector
kaartleeslampje [het] maplight
kaartleggen [ww] fortune-telling
kaartlegger [de^m], **kaartlegster** [de^v] fortune teller
kaartlegster [de^v] → **kaartlegger**
kaartlezen [ww] read maps
kaartlezer [de^m] 1 ⟨persoon⟩ map-reader 2 ⟨comp⟩ (punched) card reader
kaartpassen [ww] ⟨scheepv⟩ plot, chart
kaartprojectie [de^v] map projection
kaartregister [het] card index

kaartspel [het] [1] ⟨het kaartspelen⟩ card playing, ⟨inf⟩ cards ♦ *geld verliezen **bij** het kaartspel* lose money at cards [2] ⟨spel met kaarten⟩ card game [3] ⟨een spel kaarten⟩ pack of cards, ⟨AE ook⟩ deck of cards
kaartspelen [onov ww] play cards
kaartster [de^{v}] → **kaarter**
kaartsysteem [het] card index ♦ ***in** het kaartsysteem zitten* be in the card index; ***op** kaartsysteem brengen* card-index
kaarttelefoon [de^{m}] card phone, card(-operated) telephone
kaarttelefooncel [de] card phone
kaartverkoop [de^{m}] ticket sales ♦ *kaartverkoop **aan** de zaal* tickets on sale at the door
kaas [de^{m}] [1] ⟨zuivelproduct⟩ cheese ♦ ***belegen** kaas* matured cheese; *een **broodje** kaas* a cheese roll; ***Edammer** kaas* Edam cheese; ⟨fig⟩ *ergens kaas van **gegeten hebben*** know how to do sth., know all about sth.; ⟨fig⟩ *hij heeft er geen kaas van **gegeten*** he hasn't a clue about (how to do) it, it's beyond him, he's no(t much) good at it/doesn't know the first thing about it; ***geraspte** kaas* grated cheese; ***groene** kaas* green cheese; ***jonge** kaas* new cheese; ⟨fig⟩ *zich de kaas niet van het brood **laten eten*** be able to stand up for o.s., not let o.s. be bullied; ***Limburgse** kaas* Limburger; ***oude** kaas* fully mature cheese; *een **partij** kaas* a batch of cheese; ***zachte** kaas* soft cheese [2] ⟨hoeveelheid kaas⟩ cheese ♦ *een **Goudse** kaas* a Gouda cheese
kaasachtig [bn] cheesy, cheese-like, caseous
kaasbereiding [de^{v}] cheese making
kaasblokje [het] square of cheese, cheese cube
kaasboer [de^{m}] [1] ⟨handelaar in kaas⟩ cheesemonger [2] ⟨boer die vooral kaas maakt⟩ cheese maker, cheese-making farmer
kaasbolletje [het] ± cheese biscuit
kaasboor [de] cheesescoop, cheese taster
kaasbroodje [het] cheese roll
kaasburger [de^{m}] cheeseburger
kaascracker [de^{m}] cheese cracker
^{1}**kaasdoek** [de^{m}] [1] ⟨doek waarin de wei wordt verwijderd⟩ cheesecloth [2] ⟨doek waarin verse kaas onder de pers gelegd wordt⟩ cheesecloth
^{2}**kaasdoek** [het] ⟨kaaslinnen⟩ cheesecloth
kaasdrager [de^{m}] cheese carrier/porter
kaasfabriek [de^{v}] cheese factory
kaasfondue [de] cheese fondue
kaasfonduen [onov ww] have cheese fondue
kaasgerecht [het] cheese dish
kaashandel [de^{m}] cheese trade, ⟨winkel⟩ cheese shop
^{1}**kaasje** [bn, alleen pred], **kaassie** [bn, alleen pred] piece of cake ♦ *het is kaassie (voor hem)* it's a piece of cake (for him), it's like taking candy from a baby
^{2}**kaasje** [tw], **kaassie** [tw] ⟨prima, prachtig⟩ piece of cake, easy-peasy, snap
kaasjeskruid [het] mallow
kaaskamer [de] cheese (store)room
kaaskoekje [het] cheese biscuit, ⟨AE⟩ cheese puff, ⟨AE⟩ cheese ball
kaaskop [de^{m}] 'kaaskop', Belgian nickname for a Dutchman
kaaskorst [de] cheese rind, rind of cheese
kaaslinnen [het] → **kaasdoek^{2}**
kaasmaker [de^{m}] cheese maker
kaasmakerij [de^{v}] [1] ⟨het maken⟩ cheese making [2] ⟨plaats⟩ (cheese) dairy, cheese room
kaasmarkt [de] cheese market
kaasmeisje [het] cheese girl
kaasmes [het] cheese knife
kaasmijt [de] cheesemite
kaaspers [de] cheese press, wring
kaasplank [de] [1] ⟨plank om kaas op te snijden⟩ cheeseboard [2] ⟨plank met blokjes kaas⟩ cheeseboard
kaasplateau [het] cheeseboard
kaassaus [de] cheese sauce
kaasschaaf [de] cheese slicer
kaasschaafmethode [de^{v}] budget method in which small cutbacks are made everywhere
kaasschotel [de] cheese dish
^{1}**kaassie** [bn, alleen pred] → **kaasje^{1}**
^{2}**kaassie** [tw] → **kaasje^{2}**
kaassoort [de] type/variety of cheese
kaassoufflé [de^{m}] [1] ⟨ovenschotel⟩ cheese soufflé [2] ⟨gefrituurde kaasplak⟩ deep-fried cheese
kaasstad [de^{m}] town/city where cheese is made
kaasstengel [de^{m}] cheese straw/stick
kaasstof [de] [1] ⟨eiwitstof⟩ casein [2] ⟨wrongel⟩ curds
kaasstolp [de] [1] ⟨stolp⟩ cheese cover [2] ⟨als symbool⟩ ivory tower ♦ ⟨pol⟩ *de **Haagse** kaasstolp* political ivory tower (in The Hague)
kaasstremsel [het] rennet
kaastaart [de] [1] ⟨hartige taart⟩ ± quiche [2] ⟨in België; kwarktaart⟩ cheesecake
kaasvat [het] cheese mould, chessel
kaasvorm [de^{m}] cheese ^{B}mould/^{A}mold, cheese vat
kaaswaag [de] weighhouse for cheese
kaatsbaan [de] ⟨sport⟩ ⟨BE⟩ ± fives court
kaatsbal [de^{m}] ⟨sport⟩ [1] ⟨harde bal⟩ ⟨BE⟩ ± fives ball [2] ⟨kleine elastieken bal⟩ rubber ball
kaatsclub [de^{m}] ⟨sport⟩ ⟨BE⟩ ± fives club
^{1}**kaatsen** [onov ww] ⟨sport⟩ [1] ⟨het kaatsspel spelen⟩ play an old Frisian ball game that bears some resemblance to cricket, ⟨BE⟩ ± play fives [2] ⟨stuiten⟩ bounce, ⟨form⟩ rebound
^{2}**kaatsen** [ov ww] ⟨weerkaatsen⟩ throw back, ⟨geluid ook⟩ echo, ⟨licht ook⟩ reflect [•] ⟨sprw⟩ *wie kaatst moet de bal verwachten* those who play at bowls must look out for rubbers; ± do as you would be done by
kaatsspel [het] old Frisian ball game that bears some resemblance to cricket, ⟨BE⟩ ± fives
kabaal [het] racket, row, hubbub, rumpus, hullaballoo ♦ *er was een **hels** kabaal* there was pandemonium/an infernal racket/row; *kabaal **maken/schoppen*** make a racket, kick up/make a row/rumpus/din
kabaalmaker [de^{m}] rowdy, troublemaker
kabbala [de] ca(b)bala
kabbalist [de^{m}] cabbalist
kabbelen [onov ww] lap, ⟨ook fig⟩ ripple, babble, murmur ♦ *een kabbelend **gelach*** a ripple of laughter; *een kabbelend **geluid*** ⟨ook⟩ a babble; ⟨fig⟩ *het **gesprek** kabbelt maar voort* the conversation babbles on; *kabbelend **water*** rippling water, ⟨geluid⟩ murmuring water
kabel [de^{m}] [1] ⟨dik touw⟩ cable, rope, ⟨scheepv ook⟩ hawser [2] ⟨staaldraad⟩ cable, (wire) rope, ⟨scheepv ook⟩ hawser [3] ⟨geleidingsdraad⟩ wire, ⟨dikker⟩ cable ♦ ***eenaderige/meeraderige** kabel* single-core/multi-core cable; ***per** kabel overseinen* cable, wire [4] ⟨kabeltelevisie⟩ cable television ♦ *kabel **ontvangen*** receive cable television; *aangesloten zijn **op** de kabel* have cable; *deze wijk zit nog niet **op** de kabel* this area doesn't receive cable television yet [5] ⟨ankertouw⟩ cable ♦ *het schip sloeg los **van** de kabels* the ship parted its/her moorings; *de kabel **vieren/kappen*** pay out/cut the cable [•] ***met/aan** kabels/een kabel vastmaken* ⟨schip⟩ moor
kabelaansluiting [de^{v}] connection to cable television, connection to cable TV ♦ *wij hebben een kabelaansluiting **aangevraagd*** we've asked to be connected to cable TV
kabelabonnee [de^{m}] subscriber to cable television, subscriber to cablevision
kabelabonnement [het] subscription to cable television, subscription to cablevision
kabelbaan [de] funicular (railway), ⟨luchtspoor⟩ (aerial) cableway, cable-lift

kabelballon [de^{m}] captive balloon, ⟨mil; tegen luchtaanval⟩ barrage balloon, ⟨voor waarnemingen⟩ kite-balloon
kabelboer [de^{m}] cable company
kabelboom [de^{m}] wiring harness
kabelbreuk [de] break in a/the cable
kabelbrug [de] (suspended) rope bridge
kabeldraad [de^{m}] strand
kabelen [onov ww] ⟨foto⟩ cause/lead to telegraph lines
kabelexploitant [de^{m}] proprietor/operator of a cable TV system
kabelfabriek [de^{v}] cable-works
kabelgaren [het] [1] ⟨hennepdraad⟩ rope yarn [2] ⟨garen van uitgeplozen kabels⟩ cable yarn
kabelgat [het] ⟨scheepv⟩ cable tier, chain locker
kabelinternet [het] cable Internet
kabeljauw [de^{m}] cod(fish) ♦ *jonge kabeljauw* ⟨ook⟩ codling; ⟨vnl AE⟩ scrod
kabeljauwfilet [het, de^{m}] fillet of cod, filleted cod
kabeljauwvangst [de^{v}] cod fishing/fishery
kabeljauwvisserij [de^{v}] cod fishery/fishing
kabelkanaal [het] [1] ⟨waardoor een kabel geleid wordt⟩ conduit, pipe, duct, channel [2] ⟨van kabeltelevisienet⟩ cable (television) channel
kabelketting [de^{v}] chain-cable
kabelkrant [de] cable TV information service
kabellengte [de^{v}] [1] ⟨lengte van een kabel⟩ length of a/the cable ♦ *op drie kabellengten afstand* ± three cables away/off; *op drie kabellengten afstand van* ± (at a distance of) three cables from [2] ⟨afstandsmaat⟩ ± cable (length)
kabelnet [het] [1] ⟨kabeltelevisienet⟩ cable television network ♦ *aangesloten zijn **op** het **kabelnet*** receive cable television [2] ⟨stelsel van kabels⟩ cable system/network
kabelnetwerk [het] cable network
kabelomroep [de^{m}] rediffusion
kabelpont [de] cable ferry
kabelschip [het] cable(-laying) ship
kabelschoen [de^{m}] cable socket, ⟨aan elektrische leiding⟩ cable eye
kabelslot [het] bicycle lock with a cable
kabelspoorweg [de^{m}] funicular (railway), cable railway
kabelsteek [de^{m}] cable stitch
kabeltelegram [het] cable, wire
kabeltelevisie [de^{v}] cable television
kabeltouw [het] [1] ⟨ankertouw⟩ cable [2] ⟨zwaar touw⟩ cable, rope, ⟨scheepv ook⟩ hawser ♦ *aderen **als kabeltouwen*** bulging veins [3] ⟨staaldraadtouw⟩ steel cable
kabeltram [de^{m}] [1] ⟨tram zonder elektromotor⟩ cable car, funicular [2] ⟨kabelbaan⟩ cable car
kabeltrein [de^{m}] funicular railway
kabeltrui [de] cable sweater, fisherman's sweater/pullover
kabel-tv [de^{v}] cable TV
kabelverbinding [de^{v}] ⟨alg; in huis⟩ (electric) wiring, ⟨aansluiting⟩ cable connection, ⟨transmissie⟩ cable link, ⟨gesprek⟩ cable communication
kabelvoering [de^{v}] cable sheath
kabinet [het] [1] ⟨regering⟩ cabinet, government ♦ *het kabinet is **gevallen*** the government has fallen; *het hele kabinet is **afgetreden*** the entire cabinet has resigned; *het kabinet **Lubbers*** the Lubbers cabinet/government; *een **nationaal** kabinet* a government of national unity; *opdracht krijgen om een kabinet te **vormen*** be instructed to form a government/a cabinet [2] ⟨ambtelijk bureau⟩ office, bureau [3] ⟨werkkamer⟩ study, room [4] ⟨meubelstuk⟩ cabinet [5] ⟨verzameling; vertrek daarvoor⟩ ⟨vertrek⟩ gallery, room, ⟨verzameling⟩ collection ♦ *een kabinet van **schilderijen/penningen*** a collection of paintings/coins [6] ⟨toilet⟩ lavatory, toilet, ⟨AE ook⟩ bathroom [7] ⟨in België; persoonlijke medewerkers en adviseurs van een minister, staatssecretaris⟩ minister's/secretary of state's personal staff and political advisers [8] ⟨in België; praktijkruimte van een (tand)arts⟩ ⟨BE⟩ surgery, ⟨AE⟩ office [•] *het kabinet der **Koningin*** the Queen's Cabinet
kabinetformaat [het] ⟨foto⟩ cabinet (size) ♦ *foto **in** kabinetformaat* cabinet photograph
kabinetsadviseur [de^{m}] ⟨in België⟩ cabinet adviser
kabinetsbeleid [het] cabinet policy
kabinetsberaad [het] cabinet meeting
kabinetsbeslissing [de^{v}] cabinet('s) decision
kabinetsbesluit [het] cabinet decision
kabinetschef [de^{m}] ± principal private secretary
kabinetscrisis [de^{v}] [1] ⟨val van het kabinet⟩ fall of the government [2] ⟨ministeriële crisis⟩ cabinet/ministerial crisis
kabinetsformateur [de^{m}] person charged with forming a new government ♦ *... is tot kabinetsformateur **benoemd*** ... has been asked to form a (new) government/cabinet
kabinetsformatie [de^{v}] formation of a (new) government/cabinet
kabinetskwestie [de^{v}] vote of confidence ♦ ⟨fig⟩ *ergens een kabinetskwestie van **maken*** make a major/a life-or-death issue (out) of sth.; *de kabinetskwestie **stellen*** ask for a vote of confidence
kabinetsorder [het, de] ⟨van minister⟩ ministerial order, ⟨van Koningin⟩ ± order in council, ⟨van B en W⟩ council order
kabinetsperiode [de^{v}] cabinet period/term, life of a/the cabinet
kabinetsstuk [het] ⟨pol⟩ cabinet document
kabinetswijziging [de^{v}] cabinet change, ⟨bij het vervangen van meerdere mensen⟩ cabinet reshuffle
kabinetszitting [de^{v}] cabinet meeting
kabinetwerker [de^{m}] cabinet-maker, joiner
kaboela [de^{m}] kaboela
kaboem [tw] kaboom
kabouter [de^{m}] [1] ⟨sprookjesfiguur⟩ gnome, (hob)goblin, pixie, ⟨mv ook⟩ little people, ⟨IE⟩ leprechaun, ⟨in tuin⟩ garden-gnome ♦ *dat **hebben** de kaboutertjes **gedaan*** it must have been the fairies/little people [2] ⟨klein kind⟩ dwarf, imp [3] ⟨vrouwelijke padvinder⟩ Brownie [4] ⟨mv; politieke groepering⟩ Kabouters
Kabouterpartij [de^{v}] Gnomes Party
kabuki [het] kabuki
^{1}**kachel** [de] stove, ⟨elektrisch, gas⟩ heater, fire, ⟨haard⟩ fire ♦ *is de kachel **aan**?* is the fire/heater on?; ⟨fig⟩ *met iemand de kachel **aanmaken*** ⟨de spot drijven⟩ take the mickey out of s.o.; ⟨gemakkelijk aan kunnen⟩ wipe the floor with s.o.; *achter de kachel **blijven/zitten*** stay (at) home; ⟨pej⟩ be stuck at home; ⟨fig⟩ be a stay-at-home; ⟨AE ook⟩ be a homebody; *een **elektrische** kachel* an electric fire/heater; *wat **op** de kachel doen* put sth. on the fire
^{2}**kachel** [bn] ⟨inf⟩ tight, loaded, ⟨BE⟩ blotto, sozzled, ⟨AE⟩ stinko ♦ *kachel **zijn*** be tight/loaded/...
kachelen [onov ww] [1] ⟨kuieren⟩ potter along/off [2] ⟨rondtuffen⟩ chug along [•] ⟨fig⟩ ***achteruit** kachelen* be on the decline, get worse
kachelglans [de^{m}] stove polish
kachelhoutjes [de^{mv}] firewood
kachelkolen [de^{mv}] stove coal, house(hold)/domestic coal
kachelpijp [de] [1] ⟨pijp van een kachel⟩ stovepipe [2] ⟨hoge hoed⟩ stovepipe hat
kachelplaat [de] floor plate under a stove, floor plate in front of a stove
kachelrooster [het] (stove-)grate
kachelsmid [de^{m}] stove maker, blacksmith
kacheltje [het] (small) heater, ⟨met kolen gestookt⟩ coal pot/burner, ⟨met hout gestookt⟩ wood burner, wood-

burning stove, ⟨met olie gestookt⟩ oil burner, oil-burning stove

kadaster [het] [1] ⟨openbaar register⟩ ± land register ♦ ⟨fig⟩ *het **hele** kadaster is in de war* everything is topsy-turvy; ***in** het kadaster **opnemen*** enter in the land register [2] ⟨dienst⟩ ± land registry ♦ *een **landmeter** van het kadaster* ± a land registry surveyor

kadastraal [bn, bw] cadastral ⟨bw: ~ly⟩ ♦ *kadastraal **boek*** terrier; *kadastrale **kaarten*** cadastral maps; *de kadastrale **omschrijving** van een perceel* the description of a plot of land in the land register; *kadastrale **opmetingen** verrichten* make a cadastral survey; *een kadastraal **recht** betalen* pay land registry duty ⊡ ⟨in België⟩ *kadastraal **inkomen*** → **huurwaardeforfait**

kadastreren [ov ww] survey, make a cadastral survey of

kadaver [het] ⟨kreng⟩ (dead) body, carrion, ⟨lijk⟩ corpse, ⟨med ook⟩ cadaver

kadaverdiscipline [de^{v}] rigid discipline

kaddisj [de] Kaddish

kade [de] quay, wharf ♦ ***lossen** aan de kade* unload onto the quay/wharf, land; *een **ligplaats** aan de kade* a berth; *het schip **ligt** aan de kade* the ship lies by the quay(side)/wharf; ***aanleggen/meren/vastleggen** aan de kade* moor alongside the quay; ***langs** de kade **afmeren*** moor by the quay(side)/wharf

kadelengte [de^{v}] length of a quay/wharf, quayage, quay/wharf frontage

kademuur [de^{m}] [1] ⟨om walkanten te beschermen⟩ quay-wall, embankment [2] ⟨laag muurtje langs een water⟩ embankment

kader [het] [1] ⟨omlijsting⟩ frame(work), ⟨m.b.t. zetsel⟩ box ♦ ⟨fig⟩ ***buiten** het kader van* outside the scope of; ⟨fig⟩ ***in** het kader van* within the framework/scope of, as part of; ⟨verdrag enz.⟩ under the terms of; ⟨fig⟩ *in welk kader moet ik dat **plaatsen**?* where does that come in/fit in? [2] ⟨staf⟩ executives ♦ ***hoger** kader* higher management; ***tot** het kader **toetreden*** become an executive [3] ⟨in België; kaderlid⟩ executive [4] ⟨mil⟩ officers and NCO's [5] ⟨bilj⟩ baulk/^{A}balk lines [6] ⟨in België; omgeving⟩ surroundings [7] ⟨frame⟩ frame(work) [8] ⟨in België; fietsframe⟩ frame

kadercursus [de^{m}] officer/teacher/instructor's/management/... training course

^{1}**kaderen** [onov ww] ⟨in België⟩ ⟨+ in; passen⟩ fit in with

^{2}**kaderen** [ov ww] ⟨in België⟩ ⟨voegen⟩ fit (sth.) in with

kaderfunctie [de^{v}] leadership/leading/key position/role ♦ *een kaderfunctie **bekleden*** be one of the executive staff, be an executive/senior staff member

kaderleger [het] skeleton army, peacetime army

kaderlid [het] [1] ⟨staflid⟩ executive, ⟨mil; officier⟩ officer, ⟨onderofficier⟩ NCO [2] ⟨vakbondslid⟩ trade union official

kaderopleiding [de^{v}] ⟨mil⟩ cadre training, ⟨bedrijfsleven⟩ executive/management training

kaderpersoneel [het] ⟨mil⟩ cadre (personnel), ⟨bedrijfsleven⟩ senior officials, executive staff (members), management ♦ ***tot** het kaderpersoneel **behoren*** be one of the executive staff, be an executive/senior staff member

kaderschool [de] school for officers and NCO's

kaderspel [het] baulk/^{A}balk lines billiards

kaderwet [de] enabling legislation

kadetje [het] (bread) roll

kadi [de^{m}] cadi

kadraaier [de^{m}] [1] ⟨persoon⟩ ⟨man⟩ bumboat-man, ⟨vrouw⟩ bumboat-woman [2] ⟨schip⟩ bumboat

kadreren [ov ww] frame, mount

kadrist [de^{m}] ⟨bilj⟩ balkline billiard player, balkline billiardist

kadushi [de^{m}] kadushi

kaduuk [bn] ⟨inf⟩ broken, ⟨BE ook⟩ in bad nick, ⟨stoel enz. ook⟩ rickety, ⟨tv⟩ on the blink ♦ *een kaduke **stoel*** a rickety chair

kaenozoïcum [het] Cenozoic era

kaf [het] [1] ⟨hulzen van korenaren⟩ chaff ♦ ⟨fig⟩ *er is veel kaf **onder** het koren* there's a lot of dead wood; *het kaf van het koren **scheiden/ziften*** ⟨fig⟩ separate/sift the wheat from the chaff; ⟨m.b.t. prestaties⟩ separate the sheep from the goats/the men from the boys [2] ⟨doppen⟩ husks ⊡ ⟨sprw⟩ *geen koren zonder kaf* there is no wheat without chaff

kaffer [de^{m}] ⟨inf⟩ [1] ⟨lomperik⟩ boor, lout [2] ⟨stommeling⟩ blockhead, nitwit, numbskull, fathead

Kaffer [de^{m}] ⟨Bantoeneger⟩ Kaffir

kafferen [onov ww] let rip/fly (at), cut up rough

kafferkoren [het] ⟨Afrikaanse soort⟩ kaffir (corn), ⟨Europese soort⟩ sorghum, durra, guinea corn, Indian millet

kafir [de^{m}] kafir

kafje [het] [1] ⟨schubvormig blaadje⟩ ⟨kroonkafje⟩ bract, ⟨kelkkafje⟩ glume [2] ⟨kafdeeltje⟩ husk

kafkaësk [bn] Kafkaesque

kaft [het, de] [1] ⟨omslag⟩ cover ♦ *met **harde** kaft* hard-back, hard-bound, hard-cover(ed); *de Bijbel **van** kaft **tot** kaft kennen* know one's Bible, know the Bible from cover to cover [2] ⟨beschermend papier⟩ jacket, ⟨vnl BE⟩ wrapper

kaftan [de^{m}] caftan

kaften [ov ww] cover, ⟨met losse stofomslag⟩ put a jacket on, ⟨vnl BE⟩ put a wrapper on

kaftpapier [het] wrapping-paper, brown paper

kahler [de^{m}] multiple myeloma

Kahler ⊡ *de **ziekte** van Kahler* multiple myeloma

Kaïn Cain

kainiet [het] ⟨scheik⟩ kainite

kaïnsteken [het] [1] ⟨teken van laagheid⟩ mark/brand of Cain [2] ⟨fig; doorlopende wenkbrauwen⟩ unibrow

Kaïnsteken [het] mark/brand of Cain

kaiserbroodje [het] Kaiser roll

kaiserbrötchen [het] round white crusty bread roll common in Austria, Switzerland and Germany

kajak [de^{m}] [1] ⟨vaartuigje van de Eskimo's⟩ kayak [2] ⟨kanosport⟩ kayak

kajotter [de^{m}] ⟨in België⟩ member of KAJ

kajuit [de] saloon

kajuitjacht [het] cabin yacht

kajuitsjongen [de^{m}] cabin-boy, ship('s) boy

kajuitskap [de] companion (hatch)

kajuitspoort [de] (saloon) port-hole

kajuitstrap [de^{m}] companionway, companion ladder

kak [de^{m}] ⟨inf⟩ [1] ⟨poep⟩ shit, crap [2] ⟨bluf, drukte⟩ swank, (fancy) airs ♦ ***kale/kouwe** kak* swank, la-di-da behaviour, (fancy/high-and-mighty) airs

kaka [de^{m}] poo ♦ *kaka **doen*** (do a) poo

kakadoris [de^{m}] quack

kakdoos [de] ⟨inf⟩ ↓ shithouse, ⟨BE ook⟩ bog, ↓ shitter, ⟨AE ook⟩ ↑ can, crapper

kakel [de^{m}] [1] ⟨persoon⟩ chatterer, cackler, babbler, chatterbox ♦ *het zijn **echte** kakels* they're real/proper chatters, they really cackle/chatter/gabble (away) [2] ⟨het gekakel⟩ cackle, chatter, gabble ♦ ***houd** je kakel!* cut the cackle!; ⟨vnl BE⟩ put a sock in it!

kakelaar [de^{m}], **kakelaarster** [de^{v}] chatterer, cackler, babbler, chatterbox

kakelaarster [de^{v}] → **kakelaar**

kakelbont [bn] [1] ⟨met veel kleuren⟩ gaudy, garish [2] ⟨fig; overladen⟩ gaudy, flashy ♦ *een kakelbonte **stijl*** gaudy/flashy style

kakelen [onov ww] [1] ⟨het roepen van de kippen⟩ cackle [2] ⟨fig⟩ cackle, chatter, gabble ⊡ ⟨sprw⟩ *kakelen is nog geen eieren leggen* the greatest talkers are the least doers; ± a man of words and not of deeds is like a garden full of weeds

kakelvers [bn] farm-fresh, fresh from the hen, new-laid

kakement [het] [1] ⟨kaakgestel⟩ jaw(s) [2] ⟨gezicht, mond⟩ chops, ⟨mond ook⟩ kisser

kaken [ov ww] ± gut

kaketoe [de^m] cockatoo
¹kaki [het] ⟨grauwgele katoenen stof⟩ khaki
²kaki [de] ⟨vrucht⟩ kaki, Japanese persimmon
kakikleur [de] khaki (colour)
kakivrucht [de] (Japanese) persimmon
kakkebroek [de^m] ⟨inf⟩ ↑chicken(-liver) ♦ *een kakkebroek zijn* be shit-scared; ↑be chicken(-livered)/yellow
¹kakken [onov ww] ⟨inf⟩ ⟨poepen⟩ crap, shit ♦ *het komt op als (het) kakken* it takes you short, it catches you with your pants down; ⟨fig⟩ *te kakken staan* look a ^Bberk/^Ajerk/^Btwit; ⟨fig⟩ *iemand te kakken zetten* make s.o. look a ^Bberk/^Ajerk/^Btwit
²kakken [ov ww] ⟨inf⟩ ⟨uitpoepen⟩ crap
kakker [de^m] ⟨inf⟩ [1] ⟨bekakt persoon⟩ pompous bastard, ↑stuck-up idiot, ⟨BE⟩ ↑toffee-nose [2] ⟨bangerd⟩ → **kakkebroek**
kakkerig [bn] snobby, stuck-up
kakkerij [de^v] ⟨inf⟩ [1] ⟨diarree⟩ shits, runs [2] ⟨drukte⟩ pissing/farting about
kakkerlak [de^m] cockroach, ⟨inf; AE⟩ roach
kakkies [de^mv] ⟨inf⟩ [•] *op blote kakkies* ⟨ogm⟩ barefoot
kakkineus [bn] ⟨scherts⟩ stuck-up, snooty, ⟨BE⟩ toffee-nosed
kakmadam [de^v] ⟨inf⟩ ↑stuck-up/^Btoffee-nosed woman, ⟨opgedirkt⟩ tarted-up woman
kakofonie [de^v] cacophony ♦ *een kakofonie van **stemmen*** a cacophony of voices
kakstoel [de^m] ⟨inf⟩ potty-chair
kakuro [de^m] kakuro
¹kalander [de^m] ⟨insect⟩ granary weevil
²kalander [de] [1] ⟨mangel om iets glad en glanzig te maken⟩ calender [2] ⟨mangel om iets in stroken te persen⟩ calender
kalanderen [ov ww] calender, beetle, hot-press
kalanderleeuwerik [de^m] calandra lark
kalasjnikov [de^m] Kalashnikov
kalbas [de] → **kalebas**
kalebas [de], **kalbas** [de] [1] ⟨soort pompoen⟩ gourd, calabash, pumpkin, ⟨BE⟩ marrow, ⟨AE⟩ squash [2] ⟨komkommerachtige plant⟩ gourd, calabash [3] ⟨uitgeholde bast⟩ gourd, calabash, bottle gourd
¹kalen [onov ww] ⟨kaal beginnen te worden⟩ be balding ♦ *een kalende **man*** a balding man
²kalen [ov ww] ⟨scheepv⟩ ⟨onttakelen⟩ unrig
kalender [de^m] [1] ⟨wandkalender⟩ calendar ♦ ***op** de kalender **kijken*** look at the calendar [2] ⟨heiligenkalender⟩ calendar [3] ⟨tijdrekening⟩ calendar ♦ ***burgerlijke** kalender* civil calendar; *een **eeuwigdurende** kalender* a perpetual calendar; ***de gregoriaanse/juliaanse/republikeinse/Romeinse/Joodse** kalender* the Gregorian/Julian/Revolutionary/Roman/Jewish calendar; ***kerkelijke** kalender* ecclesiastical/church calendar; ⟨vnl. Grieks-orthodox ook⟩ menology; ***lunisolaire** kalender* lunisolar calendar
kalenderdag [de^m] calendar day
kalenderjaar [het] calendar year
kalendermaand [de] calendar month
kalendermethode [de^v] rhythm method, ⟨inf⟩ Vatican roulette
kalenderspreuk [de] calendar saying/quotation
kalf [het] [1] ⟨dier⟩ calf ⟨ook van hert, walvis enz.⟩ ♦ *het gemeste kalf slachten* kill the fatted calf; ⟨fig⟩ *het **gouden** kalf aanbidden* worship the golden calf; *een kalf **krijgen*** calve; *een **nuchter** kalf* ⟨pasgeboren⟩ a newborn/newly born calf; ⟨jonger dan drie weken⟩ a calf younger than three weeks; ⟨fig⟩ a greenhorn/tenderfoot; *als de kalveren op het ijs dansen* when pigs fly, when two Sundays come together; ⟨AE⟩ when hell freezes over [2] ⟨persoon⟩ wet, willing horse, good soul, softy [3] ⟨bouwk⟩ lintel, ⟨van raam⟩ transom, ⟨dwarsbalk⟩ crossbeam [•] ⟨sprw⟩ *als het kalf verdronken is, dempt men de put* it's too late to lock the stable door after the horse has bolted
kalfkoe [de^v] cow in calf
kalfsbiefstuk [de^m] veal steak
kalfsborst [de] breast of veal
kalfsgehakt [het] minced/^Bground veal, veal mince(meat)
kalfshuid [de] calfskin, ⟨groot⟩ vealskin
kalfskop [de^m] [1] ⟨kop van een kalf⟩ calf's head [2] ⟨domoor⟩ blockhead, nitwit, fathead
kalfskotelet [de] veal cutlet/chop
kalfslapje [het] veal steak
kalfsleer [het] calf, calf leather, calfskin ♦ ***in** kalfsleer gebonden* bound in calf, calfbound
kalfslever [de] calf's liver
kalfsmedaillon [het] medallion of veal
kalfsoester [de] veal escalope/collop
kalfsoog [het] [1] ⟨oog van een kalf⟩ calf's eye [2] ⟨gepocheerd ei⟩ poached egg [3] ⟨koekje⟩ large frosted biscuit/cookie
kalfsperkament [het] vellum
kalfsschenkel [de^m] knuckle of veal, veal knuckle
kalfsschnitzel [de^m] schnitzel, veal cutlet
kalfstand [de^m] [1] ⟨tand van een kalf⟩ calf's tooth [2] ⟨bouwk⟩ dentil
kalfstong [de] calf's tongue
kalfsvlees [het] veal
kalfszwezerik [de^m] (neck/throat) sweetbread
kali [de^m] [1] ⟨scheik⟩ ⟨kalium⟩ potassium, potash, ⟨kaliumhydroxide⟩ potassium hydroxide, (caustic) potash [2] ⟨landb⟩ potash
kaliber [het] [1] ⟨middellijn⟩ calibre, bore ♦ *het kaliber **bepalen van*** gauge, ⟨AE⟩ gage; *een stuk geschut van **groot** kaliber* a large-bore weapon [2] ⟨omvang van een voorwerp⟩ size, grade ♦ *appels van het **grootste** kaliber* apples of the largest grade/size [3] ⟨soort, aard⟩ calibre ♦ *zij zijn van **hetzelfde** kaliber* they are of the same calibre; ⟨inf⟩ they are birds of a feather, they are of the same ilk [4] ⟨m.b.t. personen⟩ calibre ♦ *iemand van **zijn** kaliber kan deze taak zeker aan* s.o. of his calibre can certainly handle this
kaliberpasser [de^m] calibrator
kalibreren [ov ww] ⟨techn⟩ [1] ⟨schaalverdeling aanbrengen⟩ calibrate, graduate [2] ⟨(de doorsnede van buizen) controleren⟩ calibrate, gauge [3] ⟨in een bepaalde vorm walsen of trekken⟩ groove [4] ⟨sorteren naar grootte⟩ size
kalief [de^m] caliph
kalifaat [het] [1] ⟨waardigheid⟩ caliphate [2] ⟨rijk⟩ caliphate
kaliloog [het] caustic potash, potash lye
kalimijn [de] potash/potassium mine
kalium [het] potassium, potash
kaliumzout [het] potassium salt
kalk [de^m] [1] ⟨ongebluste kalk⟩ (quick)lime ♦ *kalk **blussen*** slake lime; *kalk **branden*** burn lime; ***magere/vette** kalk* lean/fat lime [2] ⟨gebluste kalk⟩ slaked lime [3] ⟨metselspecie⟩ (lime) mortar [4] ⟨specie om mee te pleisteren⟩ plaster, ⟨om mee te witten⟩ whitewash, limewash [5] ⟨specie op de muur⟩ plaster, whitewash, limewash [6] ⟨geol⟩ limestone [7] ⟨scheik⟩ calcium, ⟨vero⟩ lime ♦ ***met** kalk bemesten* lime; ***zwavelzure** kalk* calcium sulphate/^Asulfate
kalkaanslag [de^m] scale, fur ♦ *kalkaanslag **verwijderen uit*** descale
kalkachtig [bn] limy, calcareous
kalkafzetting [de^v] calcification, ⟨laag⟩ calcareous/lime deposit(s), ⟨proces⟩ deposition of lime
kalkarm [bn] deficient in lime ♦ *kalkarm **duin*** duneland with a lime deficiency
kalkbak [de^m] ⟨draagbak⟩ hod, ⟨mengbak⟩ mortar trough
kalkbemesting [de^v] lime dressing
kalkbranderij [de^v] [1] ⟨kalkoven⟩ lime-kiln [2] ⟨proces⟩ lime burning

kalkei [het] 1 ⟨in kalk bewaard ei⟩ egg preserved in lime, pickled egg 2 ⟨uit kalk gemaakt ei⟩ plaster egg
[1]**kalken** [bn] 1 ⟨uit witkalk bestaand⟩ ⟨uit pleister bestaand⟩ plaster, ⟨met kalk gewit⟩ whitewashed, limewashed, ⟨met pleister bedekt⟩ plastered 2 ⟨gipsen⟩ gypsum
[2]**kalken** [ov ww] 1 ⟨met kalk bewerken⟩ ⟨grond, huid⟩ lime, ⟨pleisteren⟩ plaster, ⟨witten⟩ whitewash, limewash, ⟨ruw pleisteren⟩ roughcast, ⟨ei⟩ pickle ♦ *een muur **wit** kalken* whitewash/linewash a wall 2 ⟨slordig en snel schrijven⟩ scribble ♦ *tien velletjes **vol** kalken* scribble ten sheets, cover ten sheets with scribbling; *zij kalkt maar **wat*** she's just scribbling 3 ⟨⟨opschriften⟩ op muren aanbrengen⟩ chalk, daub ♦ *zij kalkten teksten **op** de muur van het stadhuis* they chalked/daubed slogans on the wall of the town hall
kalkgebergte [het] limestone mountains/hills
kalkgebrek [het] ⟨med⟩ calcium deficiency, ⟨in grond⟩ deficiency in lime
kalkgroeve [de] limestone quarry
kalkgrond [de^m^] calcareous soil, limy soil
kalkhoudend [bn] calcareous, calciferous, ⟨water⟩ hard ♦ *een kalkhoudende **bodem*** a limy soil, calcareous/calciferous soil
kalklaag [de] 1 ⟨geol⟩ limestone stratum/layer, limestone deposit 2 ⟨op muur enz.⟩ coat of whitewash/limewash, plaster rendering
kalklijn [de^m^] chalkline
kalkminnend [bn] ⟨plantk⟩ alkali-loving
kalkmortel [de^m^] lime mortar
kalknagel [de^m^] fungal nail, nail that is affected by onychomycosis
kalkoen [de^m^] 1 ⟨hoenderachtige vogel⟩ turkey, ⟨inf⟩ gobbler ♦ *een **jonge** kalkoen* a turkey poult 2 ⟨pen in het hoefijzer⟩ calk(in)
kalkoven [de^m^] limekiln
kalkpoot [de^m^] scaly leg
kalkput [de^m^] limepit
kalkrijk [bn] rich in lime, lime-rich, calcareous ♦ *kalkrijke **grond*** limy/calcareous soil
kalkrots [de] limestone rock/cliff
kalksalpeter [het, de^m^] calcium nitrate, nitrate of lime
kalkspaat [het] calcite, calcspar, calcareous spar
kalksteen [het, de^m^] limestone
kalkstikstof [de] (calcium) cyanamide, lime nitrogen, nitrolim
kalktuf [het] ⟨geol⟩ calc-tuff, ⟨AE ook⟩ calc-tufa, calcareous tufa
kalkwater [het] limewater, milk of lime
[1]**kalkzandsteen** [de^m^] ⟨metselsteen⟩ sand-lime brick
[2]**kalkzandsteen** [het] 1 ⟨stof⟩ calcium silicate ♦ ***stenen** van kalkzandsteen* sand-lime bricks 2 ⟨geol⟩ calcareous sandstone
kalligraaf [de^m^] calligrapher
[1]**kalligraferen** [onov ww] ⟨schoonschrijven⟩ practise calligraphy/penmanship, ⟨AE⟩ practice calligraphy/penmanship
[2]**kalligraferen** [ov ww] ⟨in schoonschrift opstellen⟩ write in calligraphy, write in fine handwriting ♦ *een gekalligrafeerde **oorkonde*** a calligraphic document
kalligrafie [de^v^] 1 ⟨schoonschrijfkunst⟩ calligraphy, penmanship 2 ⟨fraai geschreven stuk⟩ piece of calligraphy
kalligrafisch [bn, bw] calligraphic ⟨bw: ~ally⟩
kalm [bn, bw] 1 ⟨(m.b.t. het gemoed) niet opgewonden⟩ calm ⟨bw: ~ly⟩, cool, reposed, composed ♦ *kalm **blijven*** stay/remain calm/cool; *kalm **jij!*** (will you) be quiet!; *iets kalm **opnemen*** take sth. calmly; *kalm **worden*** calm (down) 2 ⟨niet gejaagd⟩ calm ⟨bw: ~ly⟩, peaceful, quiet ♦ *kalm **aan!*** ⟨gemoed⟩ calm down!; ⟨tempo⟩ take it easy!, easy does it!; ⟨woede; sl; BE⟩ steady on!; ⟨inf; AE⟩ cool it!; *kalm **aan** doen* take it easy; ⟨inf⟩ play it cool; *kalm **aan** doen met* go easy on; *kalm **antwoorden*** answer calmly; *met een kalm **gangetje*** at an easy pace; *een kalm **leven*** a calm/peaceful/quiet/an uneventful life; *kalm **spreken*** speak calmly 3 ⟨m.b.t. de natuur⟩ calm ⟨bw: ~ly⟩, still, tranquil ♦ *een kalme **overtocht*** a smooth crossing; *een kalme **rivier*** a calm/peaceful/quiet river; *kalm **weer** met weinig wind* calm weather with little wind; *een kalme **zee*** a calm sea, ⟨form⟩ a tranquil sea ▪ ⟨ec⟩ *een kalme **beurs*** a quiet/dull (stock) market
[1]**kalmeren** [onov ww] ⟨kalm worden⟩ calm (down)
[2]**kalmeren** [ov ww] ⟨kalm maken⟩ calm (down), soothe, tranquillize ♦ *een kalmerend **effect*** a calming/soothing/tranquillizing effect; *de opgewonden **gemoederen** kalmeren* calm/soothe tempers; *een kalmerend **middel*** a sedative, a tranquillizer; *kalmerend **werken** op* have a calming/soothing/tranquillizing effect on
kalmeringsmiddel [het] sedative, tranquillizer
kalmoes [de^m^] sweet flag/sedge/rush, calamus
kalmpjes [bw] 1 ⟨onbewogen⟩ calmly, easily, ⟨sl; AE⟩ real cool ♦ *iets kalmpjes kunnen **aanzien/opnemen*** take sth. calmly, remain unruffled 2 ⟨niet gejaagd⟩ calmly ♦ *kalmpjes **aan!*** ⟨tempo⟩ easy does it!, take your time/it easy!, easy (now)! 3 ⟨ongestoord⟩ calmly, quietly ♦ *kalmpjes **leven*** live a quiet life
kalmte [de^v^] 1 ⟨bedaardheid⟩ calm(ness), composure, self-control, self-possession, ⟨inf⟩ cool ♦ *zijn kalmte **bewaren*** keep one's head/composure/self-control/cool; ***ik hervond** mijn kalmte* I recovered my composure/regained my self-control; ***ijzige** kalmte* icy calm, steely composure; *met **onverstoorbare** kalmte* without turning a hair/blinking an eyelid; *iemand **tot** kalmte brengen* calm s.o. (down), soothe s.o.; *zijn kalmte **verliezen*** lose one's head/composure/self-control; *geen paniek, kalmte alleen kan u redden!* don't panic, you must keep calm!, ⟨levensgevaar⟩ don't panic, your life depends on keeping calm! 2 ⟨staat van rust⟩ calm(ness), tranquillity, quietness ♦ *een **ogenblik** van kalmte* a moment of calm; *kalmte **op** zee* calm at sea 3 ⟨afwezigheid van drukte⟩ calm
kalmtegordel [de^m^] ⟨meteo⟩ doldrums ⟨mv⟩
Kalmukkië [het] Kalmykia
kalmweg [bw] brazenly, blandly, as cool as you please, coolly ♦ *ik verbood het hem, maar hij **ging** kalmweg **door*** I told him not to do it, but he brazenly/coolly went ahead (and did it)
kalong [de^m^] kalong, flying fox, fox/fruit bat
kalot [de] 1 ⟨mutsje van rooms-katholieke priesters⟩ calotte, skull-cap 2 ⟨alpinopetje⟩ beret
kalven [onov ww] calve
kalverachtig [bn, bw] 1 ⟨als (van) een kalf⟩ calf-like 2 ⟨dartel⟩ puppy-like, kitten-like, frisky, puppyish, kittenish, skittish
kalverbox [de^m^] calf pen
kalveren [onov ww] calve
kalverig [bw] in a bovine way
kalverliefde [de^v^] calf love, puppy love
kalverschets [de] calf identification certificate
kam [de^m^] 1 ⟨toiletgereedschap⟩ comb ♦ *een **fijne** kam* a fine-tooth comb; ⟨fig⟩ *iets met de **fijne** kam reinigen/ordenen/nagaan* go over sth. with a fine-tooth comb; *een kam door het haar **halen*** run/draw a comb through one's hair, give one's hair a comb; ⟨fig⟩ *alles/iedereen **over** één kam scheren* put everything/everyone in the same/in one box/category, lump everything/everyone together; ⟨fig⟩ *je moet niet alles/iedereen **over** één kam scheren* don't generalize; *er moet eens een **stevige** kam door zijn haar* his hair needs a good comb 2 ⟨haarspeld⟩ comb 3 ⟨uitwas op kop⟩ ⟨van hoenders⟩ comb, ⟨van hoenders, andere vogels, hagedissen, helm⟩ crest 4 ⟨aantal bananen aan een tros⟩ hand (of bananas) 5 ⟨bergkam⟩ crest, ridge 6 ⟨tand van een rad⟩

cam, cog [7] ⟨muz⟩ bridge [8] ⟨weefkam⟩ reed, sley [9] ⟨schacht aan een weefgetouw⟩ shaft [10] ⟨uitsteeksel op beenderen⟩ crest

kamdragend [bn] crested

kameel [de^m] camel

kameeldrijver [de^m] camel-driver

kameelhaar [het] [1] ⟨haar van kamelen⟩ camel('s) hair [2] ⟨mohair⟩ camelhair

kameelharen [bn] camel-hair

¹**kameleon** [de^m] ⟨persoon⟩ chameleon

²**kameleon** [het, de^m] [1] ⟨dier⟩ chameleon [2] ⟨fig; beeld van veranderlijkheid⟩ chameleon [3] ⟨sterrenbeeld⟩ Chamaeleon

kameleonspin [de] misumena vatia, ⟨AE⟩ goldenrod crab spider

kameleontisch [bn] chameleonic

kamelot [het] ⟨text⟩ camlet

kamen [onov ww] go/turn mouldy

kamenier [de^v], **kamenierster** [de^v] ⟨vero⟩ lady's-maid

kamenierster [de^v] → **kamenier**

kamer [de] [1] ⟨vertrek⟩ room, ⟨klein⟩ closet, ⟨voor speciale doeleinden⟩ chamber ♦ *de kamers* ***doen*** clean the rooms; ***donkere*** *kamer* dark room, darkroom; *kamer* ***honderd*** the smallest room, the 'little (girls'/boys') room', bathroom; *zijn kamer* ***houden*** keep/be confined to one's room; *het* ***kleinste*** *kamertje* the smallest room, 'the little room'; ***mooie/beste*** *kamer* (front) parlour, front room; ***op*** *mijn kamer* in my room; *we hadden een kamer* ***vol*** *(gasten)* we had a roomful (of guests) [2] ⟨huurkamer⟩ room, ⟨BE ook⟩ apartment ♦ *een kamer* ***delen*** ⟨in hotel⟩ share a room; ⟨inf⟩ double up; *kamer* ***met*** *ontbijt* Bed and Breakfast, B & B; *hij woont* ***op*** *kamers* he is/lives in lodgings/rooms, ⟨inf⟩ he is/lives in digs; *ontbijt* ***op*** *de kamer* breakfast in bed; ***op*** *kamers gaan wonen* move into lodgings/rooms, ⟨inf⟩ move into digs; *met iemand* ***op*** *één kamer wonen* share a room with s.o.; *kamers* ***verhuren*** ⟨aan studenten⟩ take in lodgers, ⟨AE ook⟩ take in roomers; *kamers te huur (hebben)* (have) apartments/rooms to let [3] ⟨afdeling van een wetgevend lichaam⟩ chamber, house ♦ *de* ***Eerste*** *Kamer* the (Dutch) Upper Chamber/House; ⟨Groot-Brittannië⟩ the (House of) Lords, the Upper House; ⟨USA⟩ the Senate; ***in*** *beide kamers* in both Houses (of Parliament); ⟨in België⟩ *Kamer van* ***Inbeschuldigingstelling*** (a court's) indictment division; ⟨Groot-Brittannië⟩ ± Magistrates Bench; ⟨USA⟩ ± Grand Jury; *de kamer* ***ontbinden/bijeenroepen*** dissolve/convoke the House/Chamber; *de* ***Tweede*** *Kamer* the (Dutch) Lower Chamber/House; ⟨Groot-Brittannië⟩ the (House of) Commons, the Lower House; ⟨USA⟩ the House (of Representatives); ⟨in België⟩ *Kamer van* ***Volksvertegenwoordigers*** Chamber of Deputies; ⟨(in) Groot-Brittannië⟩ the (House of) Commons, the Lower House; ⟨USA⟩ the House (of Representatives) [4] ⟨vereniging van personen⟩ chamber, board, college, ⟨jur⟩ court ♦ ⟨jur⟩ ***enkelvoudige*** *kamer* magistrate's court; ⟨AE ook⟩ police court; *de Kamer van* ***Koophandel en Fabrieken*** the Chamber of Commerce; ⟨jur⟩ *de kamer* ***voor*** *strafzaken* the criminal court [5] ⟨ruimte in een hol⟩ chamber [6] ⟨med⟩ chamber, cavity, recess, socket, ⟨hart⟩ ventricle ♦ *de kamers van het* ***hart*** *zijn de hartboezem en de hartkamer* the chambers of the heart are the atrium and the ventricle; *de twee kamers van het* ***oog*** the two chambers of the eye [7] ⟨mil⟩ chamber [8] ⟨biol; bijvoorbeeld van zaaddoos⟩ chamber

kameraad [de^m] [1] ⟨makker⟩ comrade, companion, ⟨inf⟩ mate, pal, buddy, chum ♦ ***gezworen*** *kameraden zijn* be as thick as thieves, be sworn friends; *hij is mijn* ***vaste*** *kameraad* he is my buddy; *wacht maar, kameraad* just you wait, matey, ⟨vnl AE⟩ just you wait, buddy [2] ⟨pol⟩ comrade

kameraadschap [de^v] companionship, (good-)fellowship, camaraderie

kameraadschappelijk [bn, bw] companionable ⟨bw: companionably⟩, friendly, comradely, ⟨inf⟩ chummy, pally, mat(e)y ♦ *kameraadschappelijk met iemand* ***omgaan*** fraternize with s.o.; ⟨inf⟩ be pally/mat(e)y with s.o.

kamerantenne [de] indoor aerial

kamerarrest [het] ⟨mil⟩ confinement to barracks, confinement to one's room ♦ ⟨fig⟩ *kamerarrest* ***hebben*** be confined to one's room

kamerbewoner [de^m], **kamerbewoonster** [de^v] lodger, ⟨AE ook⟩ roomer, paying guest

kamerbewoonster [de^v] → **kamerbewoner**

kamerbreed [bn] [1] ⟨m.b.t. breedte⟩ wall-to-wall ♦ *kamerbreed* ***tapijt*** wall-to-wall carpet(ing), fitted carpet [2] ⟨ruim⟩ vast ♦ *een kamerbrede* ***meerderheid*** an overwhelming majority

kamercommissie [de^v] parliamentary committee, ⟨in USA⟩ congressional committee, ⟨jur; in USA⟩ chamber committee

kamerconcert [het] chamber (music) concert

kamerdebat [het] parliamentary debate, ⟨in USA⟩ congressional debate

kamerdeur [de] room door

kamerdienaar [de^m] valet, ⟨plechtig⟩ chamberlain, ⟨scherts⟩ gentleman's gentleman

kamerdoek [het] cambric, lawn

kamerfractie [de^v] parliamentary party/group, ⟨in USA⟩ congressional party/group

kamergeleerde [de] armchair scholar, scholarly recluse, bookish person

kamergenoot [de^m] roommate

kamerheer [de^m] [1] ⟨dienstdoend edelman⟩ chamberlain, lord/gentleman in waiting [2] ⟨dienstdoende geestelijke⟩ chamberlain

kamerhoog [bn] floor-to-ceiling ♦ *kamerhoog* ***behang*** floor-to-ceiling wallpaper

kamerhuur [de] [1] ⟨huurprijs⟩ (room)rent [2] ⟨verbintenis⟩ lease ♦ *mijn kamerhuur* ***loopt af*** *eind 1986* my lease expires at the end of 1986

kamerinrichting [de^v] furnishing and decoration (of the room)

kamerjas [de] dressing gown, ⟨AE ook⟩ bathrobe

kamerjazz [de^m] chamber jazz

kamerkennel [de^m] dog cage

kamerkoor [het] chamber choir

kamerlid [het] Member of Parliament, MP ♦ *het kamerlid* ***voor*** *de PvdA, het PvdA-kamerlid ...* the PvdA Member of Parliament/MP

kamerlidmaatschap [het] membership of the (Dutch) parliament

kamerling [de^m] [1] ⟨r-k; camerlengo⟩ camerlingo [2] ⟨kamerdienaar⟩ chamberlain, ⟨i.h.b.⟩ eunuch

kamerlucht [de] stuffy/stale/close air

kamermeerderheid [de^v] parliamentary majority, majority in the Lower/Upper Chamber

kamermeisje [het] chambermaid, ⟨vnl AE; op schip⟩ cabin girl

kamermuziek [de^v] chamber music, ⟨uitvoering⟩ chamber concert

Kameroen

naam	*Kameroen* Cameroon
officiële naam	*Republiek Kameroen* Republic of Cameroon
inwoner	*Kameroener* Cameroonian
inwoonster	*Kameroense* Cameroonian
bijv. naamw.	*Kameroens* Cameroonian
hoofdstad	*Yaoundé* Yaoundé
munt	*CFA-frank* CFA franc
werelddeel	*Afrika* Africa

int. toegangsnummer 237 www.cm auto CAM

kamernood [de^{m}] student accommodation shortage
kamernummer [het] room number
Kameroen [het] Cameroon
Kameroener [de^{m}], **Kameroense** [de^{v}] ⟨man & vrouw⟩ Cameroonian, ⟨vrouw ook⟩ Cameroonian woman/girl
Kameroens [bn] Cameroonian
Kameroense [de^{v}] → **Kameroener**
kamerolifant [de^{m}] ⟨scherts⟩ butterball, ⟨BE⟩ pudge, ⟨AE⟩ podge
kamerontbinding [de^{v}] ⟨één (of beide)⟩ dissolution of the Chamber(s), ⟨beide⟩ dissolution of Parliament, ⟨in USA⟩ dissolution of Congress
kamerorgel [het] chamber organ
kamerorkest [het] chamber orchestra
kameroverzicht [het] parliamentary report/review, ⟨in USA⟩ congressional report/review, proceedings of the Parliament, ⟨in USA⟩ proceedings of the Congress
kamerplant [de] houseplant, indoor plant
kamerpot [de^{m}] chamber pot, ⟨BE, gew⟩ Jordan
kamerscherm [het] (folding) screen
kamertemperatuur [de^{v}] [1] ⟨normale temperatuur in een woonkamer⟩ room temperature ♦ *deze wijn moet* ***op*** *kamertemperatuur geserveerd worden* this wine should be served at room temperature [2] ⟨scheik, natuurk⟩ room temperature
kamerthermostaat [de^{m}] room thermostat
kamertje [het] [1] ⟨kleine kamer⟩ small/little room, ⟨krap⟩ cubby-hole, pigeon-hole, ⟨beled⟩ cupboard, cuady ♦ *het* ***kleinste*** *kamertje* the smallest room, the 'little (girls'/boys') room', the toilet; ⟨BE ook⟩ the WC [2] ⟨cel in honingraat⟩ cell [3] ⟨hokje⟩ cubicle
kameruitspraak [de] parliamentary pronouncement/statement
kamerverhuurbureau [het] accommodation office/agency
kamerverhuurder [de^{m}], **kamerverhuurster** [de^{v}] lodging-house keeper, ⟨AE ook⟩ rooming-house keeper
kamerverhuurster [de^{v}] → **kamerverhuurder**
kamerverkiezing [de^{v}] parliamentary elections, ⟨in USA⟩ congressional elections
kamerverslag [het] report of parliamentary proceedings, ⟨in USA⟩ report of congressional proceedings, Hansard, ⟨AE⟩ Congressional Record
kamervoorzitter [de^{m}] chairman/president of the House (of Parliament), ⟨in Engeland; vnl. van 2e Kamer/House of Commons⟩ ± Speaker, ⟨1e Kamer/House of Lords⟩ ± Lord Chancellor
kamervotum [het] (the) vote, (the) legislative vote
kamerzetel [de^{m}] seat ♦ *zijn kamerzetel* ***opgeven*** resign one's seat
kamerzitting [de^{v}] session of Parliament, ⟨in USA⟩ session of Congress
kamfer [de^{m}] camphor
kamferachtig [bn] camphoric
kamferballetje [het] camphor ball
kamferen [ov ww] camphorate
kamferkist [de] camphor wood/chest
kamferspiritus [de^{m}] camphorated spirits, spirits of camphor
^{1}**kamgaren** [het] [1] ⟨garen⟩ worsted (yarn) [2] ⟨stof⟩ worsted
^{2}**kamgaren** [bn] worsted
kamgras [het] crested dog's tail, ⟨alg⟩ dog's tail grass ⟨Cynosurus cristatus⟩
kamig [bn] mouldy ♦ *kamig* ***bier*** mouldy beer
kamikaze [de^{m}] → **kamikazepiloot**
kamikazeactie [de^{v}] kamikaze action/attack
kamikazepiloot [de^{m}], **kamikaze** [de^{m}] kamikaze, suicide pilot
kamikazeseks [de^{m}] kamikaze sex
kamille [de] [1] ⟨plantengeslacht⟩ camomile ♦ ***stinkende*** *kamille* stinking camomile, dog fennel, mayweed; ***wilde*** *kamille* corn camomile [2] ⟨aftreksel⟩ camomile extract
kamillethee [de^{m}] camomile tea
kammen [ov ww] comb ♦ *zijn* ***haar*** *strak achterover kammen* comb back one's hair; *een* ***kind*** *kammen* comb a child's hair; *een paard de* ***manen*** *kammen* comb a horse's mane; ***wol*** *kammen* comb/tease wool; ***zich*** *kammen* comb (one's hair), do one's hair
^{1}**kamp** [de^{m}] [1] ⟨strijd⟩ combat, struggle, battle [2] ⟨wedstrijd⟩ match, ⟨vechtsp⟩ fight [3] ⟨afgegrensd veld⟩ lot, parcel, enclosed field, ⟨ZAE⟩ camp
^{2}**kamp** [het] [1] ⟨legerplaats⟩ camp, encampment ♦ *het kamp* ***afbreken*** strike/break camp; *een kamp* ***betrekken*** go into camp; *het kamp* ***opslaan*** pitch camp/the tents; *de strijd tot het* ***vijandige*** *kamp uitbreiden* take/carry the war into the enemy's camp/territory [2] ⟨groepsvakantie⟩ camp ♦ ***op*** *kamp* on a camp, out camping [3] ⟨verblijfplaats in het open veld⟩ camp [4] ⟨aanhangers van een partij, stelsel⟩ camp ♦ ***in*** *twee kampen verdeeld* divided into two camps
kampanje [de] ⟨scheepv⟩ [1] ⟨verhoogd achtergedeelte⟩ poop, island [2] ⟨achterdek⟩ poop (deck)
kampbeheerder [de^{m}], **kampbeheerster** [de^{v}] campsite attendant, camping ground attendant
kampbeheerster [de^{v}] → **kampbeheerder**
kampbeul [de^{m}] camp bully
kampbewoner [de^{m}], **kampbewoonster** [de^{v}] inmate of a camp, camp inmate
kampbewoonster [de^{v}] → **kampbewoner**
kampcommandant [de^{m}] camp commander
kampeerauto [de^{m}] camper, mobile home, ⟨BE ook⟩ dormobile, ⟨AE ook; recreational vehicle⟩ RV
kampeerboerderij [de^{v}] farmyard campsite
kampeerbus [de] camper (bus/van)
kampeerder [de^{m}], **kampeerster** [de^{v}] camper
kampeerkaart [de] camping card
kampeerplaats [de] camping site, campsite
kampeerster [de^{v}] → **kampeerder**
kampeerterrein [het] camping site, campsite, ⟨voor caravans⟩ caravan park/site, ⟨AE⟩ trailer park
kampeeruitrusting [de^{v}] camping equipment, camping outfit
kampeervakantie [de^{v}] camping ^{B}holiday/^{A}vacation
kampeerwagen [de^{m}] [1] ⟨aanhangwagen⟩ caravan, ⟨AE⟩ trailer, camper [2] ⟨kampeerauto⟩ → **kampeerauto**
kampement [het] camp, encampment, ⟨van barakken, kazerne⟩ barracks
kampen [onov ww] ⟨form⟩ contend (with), combat/struggle/fight/wrestle (with) ♦ ***met*** *problemen kampen* contend/wrestle with problems; *met tegenslag* ***te*** *kampen hebben* have to cope with setbacks; ***te*** *kampen hebben met moeilijkheden* have to contend with/labour under difficulties
kamper [de^{m}] trailer trash
kamperen [onov ww] [1] ⟨tijdelijk verblijf opslaan⟩ camp (out), encamp, pitch (one's) tents ♦ ***gaan*** *kamperen* go camping; ***in*** *een tent/caravan kamperen* camp in a tent/caravan; ***vrij/bij*** *de boer kamperen* camp wild/on a farm [2] ⟨bivakkeren⟩ camp, encamp, bivouac
kamperfoelie [de] honeysuckle ♦ ***wilde*** *kamperfoelie* wild honeysuckle, woodbine
kampernoelie [de] ⟨plantk⟩ field mushroom
kampfgeist [de^{m}] kampfgeist
kamphuis [het] (main) lodge
kampioen [de^{m}] [1] ⟨sport; winnaar⟩ champion, ⟨inf⟩ champ, titleholder ♦ *de* ***gedoodverfde*** *kampioen* the certain winner, ⟨inf⟩ the cert; *hij is kampioen* ***op*** *de schaats* he is the skating champion [2] ⟨voorvechter⟩ champion (of), advocate (of) ♦ *kampioen van de* ***vrijheid*** *zijn* be the/a champion of liberty, champion liberty
kampioenschap [het] [1] ⟨wedstrijd⟩ championship,

contest, competition, tournament ◆ *open kampioenschap(pen)* open (tournament) [2] ⟨hoedanigheid⟩ championship, title ◆ *houder van het kampioenschap* holder of the title, titleholder
kampioensploeg [de] championship team
kampioenstitel [de^{m}] (champion's) title
kampkaart [de] camping permit
kamplaat [de] comb-plate
kampleider [de^{m}], **kampleidster** [de^{v}] camp leader
kampleiding [de^{v}] camp leadership/management
kampleidster [de^{v}] → **kampleider**
kamplied [het] camp song
kampong [de^{m}] kampong, compound ◆ *een vrouw uit de kampong* a woman from the kampong
kamprechter [de^{m}] [1] ⟨m.b.t. een tweekamp⟩ umpire [2] ⟨m.b.t. kampspelen, wedstrijden⟩ umpire, referee, ⟨inf⟩ ref
kampsyndroom [het] ⟨psych⟩ concentration-camp syndrome, post-traumatic stress disorder
Kampuchea [het] Kampuchea
kampvechter [de^{m}] champion, fighter
kampvuur [het] campfire, ⟨wachtvuur⟩ watch fire ◆ *om het kampvuur zitten* sit around the campfire
kampwinkel [de^{m}] camp shop
kamrad [het], **kamwiel** [het] cog(wheel), gearwheel
kamschelp [de] ⟨dierk⟩ scallop, Pecten
kamut [de^{m}] kamut
kamvormig [bn] comb-shaped, pectinate(d), ridgy, ctenoid
kamwiel [het] → **kamrad**
kamwol [de] combing wool
kan [de] [1] ⟨vaatwerk⟩ jug, ⟨AE⟩ pitcher ◆ *een kan bier* a tankard of beer; *een kan koffie/stroop* a jug/pitcher of coffee/syrup; ⟨fig⟩ *de zaak is in kannen en kruiken* it's in the bag/all fixed (up)/all settled/cut and dried; *een kan met melk* ⟨kannetje⟩ a jug of milk, ⟨kit⟩ a can of milk; ⟨fig⟩ *het onderste uit de kan willen hebben* want to have one's cake and eat it (too) [2] ⟨oosterse titel⟩ khan [•] ⟨sprw⟩ *als de wijn is in de man, is de wijsheid in de kan* when the wine is in, the wit is out; ⟨sprw⟩ *wie het onderste uit de kan wil hebben, krijgt het lid/deksel op de neus* grasp all, lose all
Kanaak [de^{m}] Kanaka
kanaal [het] [1] ⟨kunstmatige waterweg⟩ canal, channel [2] ⟨natuurlijke zee-engte⟩ channel [3] ⟨weg, middel⟩ channel ◆ *langs diplomatieke kanalen* through diplomatic channels [4] ⟨radio/tv⟩ channel ◆ *een ander kanaal kiezen* select another channel [5] ⟨pijp⟩ channel, duct [6] ⟨med⟩ channel, canal, duct, ⟨spijsvertering⟩ tract
Kanaal [het] the (English) Channel
Kanaaleilanden [de^{mv}] (the) Channel Islands/Isles
kanaalgeld [het], **kanaalgelden** [de^{mv}] canal dues/toll
kanaalgelden [de^{mv}] → **kanaalgeld**
kanaalkiezer [de^{m}] ⟨comm⟩ programme/^{A}program/channel selector
kanaalschip [het] canalboat, narrow boat
kanaalsluis [de] pound-lock, canal-lock
kanaalstralen [de^{mv}] ⟨natuurk⟩ canal rays, positive (ion) rays
Kanaaltunnel [de^{m}] Channel tunnel, tunnel under the Channel
kanaalverbinding [de^{v}] canal communication/link
Kanaalzone [de] (Panama) Canal Zone
Kanaalzwemmer [de^{m}], **Kanaalzwemster** [de^{v}] cross-Channel swimmer
Kanaalzwemster [de^{v}] → **Kanaalzwemmer**
Kanaän [het] Canaan ◆ *het hemels Kanaän* the Kingdom of Heaven; *de tale Kanaäns* ⟨pej⟩ pious/sanctimonious talk, canting
Kanaäniet [de^{m}] Canaanite
kanaat [het] khanate
kanalennet [het] canal system/network
kanalisatie [de^{v}] [1] ⟨aanleg van kanalen⟩ canalization [2] ⟨het geschikt maken voor de scheepvaart⟩ canalization
kanaliseren [ov ww] [1] ⟨fig; in zekere banen leiden⟩ channel [2] ⟨van kanalen voorzien⟩ canalize [3] ⟨tot kanaal maken⟩ canalize
kanarie [de^{m}] canary (bird) ◆ *Europese kanarie* serin
kanariegeel [bn] canary yellow ◆ ⟨zelfstandig (gebruikt)⟩ *het kanariegeel* canary yellow
kanariegras [het] canary grass
kanariekooi [de] canary bird cage
kanariepietje [het] canary (cockbird)
kanarieslag [de^{m}] canary song
kanariezaad [het] [1] ⟨zaad als voedsel voor kanaries⟩ canary seed [2] ⟨plant⟩ canary grass
kand. [afk] (kandidaat) candidate, ± BA, B Sc, LL B
kandeel [de] caudle
kandelaar [de^{m}] candlestick, candleholder ◆ *een grote kandelaar* ⟨ook⟩ a candlestand; *een zevenarmige kandelaar* a menorah [•] ⟨sprw⟩ *omwille van de smeer likt de kat de kandeleer* ± many kiss the hand they wish to cut off; ± full of courtesy, full of craft
kandelaber [de^{m}] candelabrum, ⟨BE vnl⟩ candelabra
kandelaren [ov ww] trim/shape (trees)
kandidaat [de^{m}], **kandidate** [de^{v}] [1] ⟨gegadigde⟩ candidate, ⟨sollicitant⟩ applicant, ⟨voorgedragen kandidaat⟩ nominee ◆ *een geschikte kandidaat* a suitable/an eligible candidate; *(iemand) kandidaat stellen* nominate/put forward (s.o.); *zich kandidaat stellen (voor)* put/^{B}stand (o.s.) up (for); ⟨vnl AE⟩ run (for); *hij is kandidaat voor de gemeenteraad* he's putting himself forward/he's up/he's standing for the municipal council; ⟨scherts⟩ *zijn er nog kandidaten om mee te rijden?* is anyone interested in a lift/ride? [2] ⟨iemand die zich voor een examen aanmeldt⟩ candidate, examinee ◆ *een geslaagde kandidaat* a successful candidate; *de kandidaten zijn geslaagd* the candidates passed [3] ⟨drager van de laagste academische graad⟩ candidate, ± bachelor of arts/science/law ◆ *kandidaat in de letteren/in de rechten* ± Bachelor of Arts/Law
kandidaat-land [het] candidate state
kandidaat-notaris [de^{m}] ± junior notary
kandidaats [het] ± first university examination/degree, bachelor's degree, BA, B Sc, LL B ◆ *zijn kandidaats doen* sit for one's BA examination/first degree; *na zijn kandidaats* after his BA/getting his degree
kandidaatsexamen [het] ± BA/B Sc/LL B examination
kandidaatstelling [de^{v}] nomination, selection ◆ *zij werd verkozen bij enkele kandidaatstelling* she was elected unopposed, her election was uncontested
kandidate [de^{v}] → **kandidaat**
kandidatenlijst [de] list of candidates, ⟨vnl AE⟩ slate
kandidatentoernooi [het] ⟨sport⟩ candidates' tournament
kandidatuur [de^{v}] [1] ⟨het zich kandidaat stellen⟩ candidature, candidacy, nomination ◆ *zijn kandidatuur intrekken* withdraw (one's nomination) as a candidate, resign (from) one's candidature; ⟨in België⟩ *zijn kandidatuur stellen* apply; *voor een kandidatuur bedanken* decline to stand as candidate [2] ⟨in België; graad⟩ candidature, lowest, two- or three-year university degree [3] ⟨in België; studie(jaar)⟩ (year of) study leading to a candidature degree ◆ *in eerste kandidatuur* in the first year (leading to a candidature)
^{1}**kandideren** [onov ww] ⟨zich kandidaat stellen⟩ put/^{B}stand (o.s.) up (for), ⟨vnl AE⟩ run (for) ◆ *zij kandideert voor de gemeenteraad* she is standing for the municipal/local council
^{2}**kandideren** [ov ww] ⟨als kandidaat voorstellen⟩ nominate, put forward, propose

kandij [de] candy
kandijstroop [de] candy/candied syrup
kandijsuiker [de^m] (sugar) candy
kaneel [het, de^m] cinnamon ♦ *fijne kaneel* ground cinnamon, cinnamon powder; *rijst met kaneel* rice (flavoured) with cinnamon, cinnamoned rice; *een pijpje kaneel* a stick of cinnamon, a cinnamon stick
kaneelappel [de^m] 1 ⟨vrucht⟩ sweetsop, custard/sugar/^A cinnamon apple, anon 2 ⟨boom⟩ sweetsop ⟨Annona squamosa⟩
kaneelbeschuitje [het] cinnamon toast
kaneelkleur [de] cinnamon (colour)
kaneelkleurig [bn] cinnamoncoloured, fulvous
kaneelpijp [de] cinnamon stick, stick of cinnamon
kaneelstok [de^m] cinnamon-flavoured Edinburgh rock
kaneelstokje [het] cinnamon stick
¹**kanen** [ww] ⟨inf; met smaak eten⟩ tuck in
²**kanen** [onov ww] ⟨muf worden⟩ become musty/fusty
kangkung [de^m] ⟨cul⟩ kangkung, water spinach, swamp cabbage
kangoeroe [de^m] kangaroo, ⟨kleine soort⟩ wallaby
kangoeroebal [de^m] space-hopper
kangoeroeën [onov ww] kangaroo
kangoeroeschip [het] lash-ship
kanis [de^m] ⟨inf⟩ 1 ⟨kop⟩ block, nut, pate, noggin, ⟨BE ook⟩ nob, bonce ♦ *een kale kanis* a bald pate; *iemand een dreun voor zijn kanis geven* let s.o. have one on the kisser 2 ⟨bek⟩ trap, ⟨sl; BE⟩ gob, ⟨sl; AE⟩ yap, ⟨AE⟩ kisser ♦ *hou je kanis!* belt/shut up!, shut your trap/gob
kanjer [de^m] 1 ⟨iemand die voortreffelijk is in iets⟩ wizard, ↑ topper, ⟨inf⟩ humdinger, whiz kid, ⟨sport⟩ star (player), top player ♦ *een kanjer van een baas* a super boss; *wat een kanjer!* ⟨mooie man/vrouw⟩ some eyeful!, take a load of that! 2 ⟨knots⟩ whopper, colossus ♦ *een kanjer van een boom* a great big/a huge tree; *een kanjer van een huis* a thumping/whopping great house; *een kanjer van een vis/appel* a whopping fish/apple, a whopper
kanker [de^m] 1 ⟨ziekte⟩ cancer, ⟨med⟩ carcinoma ♦ *aan kanker doodgaan* die of cancer; *kanker hebben* have (a) cancer; *kanker in het eerste/in een vroeg stadium* incipient cancer; *aan kanker lijden* suffer from cancer; *kanker van de maag* stomach cancer/carcinoma, cancer of the stomach 2 ⟨fig⟩ cancer, canker ♦ *de enorme werkloosheid is een kanker voor de maatschappij* the enormous rate of unemployment is a cancer/canker in society 3 ⟨ziekte bij dieren, planten, bomen⟩ canker, cankerous growth ♦ *door kanker aangevreten* cankerous
kankeraar [de^m] grouser, grumbler, whiner, ⟨vnl AE; inf⟩ grump, grouch, ⟨sl⟩ bellyacher
kankerachtig [bn, bw] 1 ⟨op kanker lijkend⟩ cancerous ⟨bw: ~ly⟩, cancroid, cankerous ♦ *een kankerachtig gezwel* a cancerous tumour/growth 2 ⟨(als) door kanker aangetast⟩ cancerous ⟨bw: ~ly⟩, ⟨dieren, bomen⟩ cankerous
kankerbestrijding [de^v] fight against cancer, cancer-control, ⟨campagne⟩ anti-cancer campaign
kankercentrum [het] cancer centre
kankeren [onov ww] 1 ⟨mopperen⟩ grouse, grumble, gripe, whine, moan, ⟨sl⟩ bellyache ♦ *kankeren op de maatschappij* grouse about society; *hij loopt altijd over/op iets te kankeren* he is always grousing/moaning about sth., he always has sth. to grouse about 2 ⟨zich woekerend verspreiden⟩ canker
kankergezwel [het] cancerous tumour/growth ♦ *hard kankergezwel* scirrhus
kankerhoer [de^v] bitch, whore
kankerhond [de^m] ⟨BE⟩ bastard, ⟨AE⟩ son of a bitch
kankerinstituut [het] cancer (research) institute/centre
kankerlijer [de^m] ⟨inf⟩ (rotten) bastard, arsehole, ⟨vnl AE⟩ asshole
kankerneurose [de^v] cancer neurosis
kankeronderzoek [het] cancer research
kankerpatiënt [de^m], **kankerpatiënte** [de^v] cancer patient
kankerpatiënte [de^v] → **kankerpatiënt**
kankerpit [de^m] ⟨inf⟩ bellyacher, Jeremiah
kankerspecialist [de^m] cancer specialist, oncologist
kankerstok [de^m] ⟨scherts⟩ cancer stick, ⟨AE⟩ coffin nail
kankerverwekkend [bn] carcinogenic ♦ *kankerverwekkende stof* carcinogen
kankerzooi [de] ⟨inf⟩ • *de hele kankerzooi* the whole bloody mess, ↓ the whole fucking mess
kannibaal [de^m] 1 ⟨menseneter⟩ cannibal, man-eater, anthropophagite, anthropophagus 2 ⟨woesteling⟩ cannibal, savage • ⟨in België⟩ *toast kannibaal* ± steak tartare on toast
kannibalisme [het] 1 ⟨menseneterij⟩ cannibalism, anthropophagy 2 ⟨het eten van vlees van een soortgenoot⟩ cannibalism
kano [de^m] 1 ⟨bootje⟩ canoe ♦ *per kano bevaren/vervoeren* canoe 2 ⟨licht sportvaartuigje⟩ canoe 3 ⟨gebakje⟩ almond boat
kanoën [onov ww] canoe
kanoetstrandloper [de^m] knot
kanon [het] 1 ⟨vuurwapen⟩ gun, cannon ♦ *zo dronken als een kanon* (as) drunk as a lord/skunk; *een kanon laden/afvuren* load/fire a gun; *met kanonnen beschieten* put down a barrage, pound, hammer; ⟨fig⟩ *met een kanon op een mug/vlieg schieten* crack/break a (wal)nut with a sledgehammer, take a sledgehammer to crack/break a (wal)nut; *als de kanonnen spreken* in time of war 2 ⟨persoon, kopstuk⟩ big shot, big name, authority ♦ *de economische en politieke kanonnen* the economic and political big shots/top people/authorities 3 ⟨sport⟩ fast shot
kanongebulder [het] booming/thunder/roar(ing) of cannons, booming/thunder/roar(ing) of guns
kanongieterij [de^v] cannon/gun foundry
kanonloop [de^m] gun barrel
kanonnade [de^v] 1 ⟨het schieten met kanonnen⟩ cannonade, barrage 2 ⟨geschutvuur⟩ cannonade, volley
kanonneerboot [de] gunboat
kanonnenvlees [het], **kanonnenvoer** [het] cannon fodder ♦ *als kanonnenvlees/kanonnenvoer gebruikt worden* be used as cannon fodder
kanonnenvoer [het] → **kanonnenvlees**
kanonneren [ov ww, ook abs] cannon(ade), bombard
kanonnier [de^m] gunner, cannoneer, cannonier
kanonschot [het] 1 ⟨schot met een kanon⟩ gunshot, cannonshot 2 ⟨sport⟩ terrific/cannonball shot, ⟨inf⟩ sizzler, scorcher, cracker
kanonskogel [de^m] 1 ⟨kogel uit een kanon⟩ cannonball, cannonshot, projectile 2 ⟨sport⟩ cannonball, bullet
kanonslag [de^m] thunderflash, banger
kanonvuur [het] gunfire, cannonade, cannonry, barrage
kanopolo [het] canoe polo
kanostoep [de] canoe wharf, canoe landing place
kanovaarder [de^m], **kanovaarster** [de^v] canoeist
kanovaarster [de^v] → **kanovaarder**
kanovaren [ww] canoe
kans [de] 1 ⟨mogelijkheid⟩ chance, possibility, opportunity, ⟨op iets onaangenaams⟩ liability, risk ♦ *je hebt alle kans dat* there's every chance that; *zijn kansen ten volle benutten/waarnemen* make the most of one's chances/opportunities; ⟨inf⟩ *(een) dikke kans dat* ... a good chance that ...; *de artsen gaven hem geen kans meer* the doctors gave him up as hopeless; *daar is geen kans op* that's unlikely; *hun kansen zijn gelijk* it's a toss-up between them; *bijna gelijke kansen* short odds; *iemand de kans geven om* ... give s.o. the opportunity/chance to ...; *de kans is groot dat* ... there's a good chance (that) ...; *de kans is niet groot dat* ... there's not much of a chance that ...; *hij heeft een goede/veel kans te win-*

nen he stands/has a good chance of winning; *er is/bestaat een kans dat ...* there is a chance/possibility that ...; *de kansen keren* the tide/his luck is turning; *de kansen doen keren* turn the tide; *er is een klein kansje dat ...* there's a slight possibility/chance that ...; *de kans krijgen te ...* get/be given the chance/opportunity to ...; *de kans lopen* run the risk, be liable; *kans maken op* stand a chance of (sth./doing sth.); *een/geen kans maken* stand/have a/no chance; *(veel) kans maken op een goede baan* stand a good/fair chance of getting a good job; *morgen is er meer kans* there'll be a better chance tomorrow; *je hebt de meeste kans het in Van Dale te vinden* you're most likely to find it in Van Dale; *er is kans op regen* there's a chance of rain; *vijftig procent kans* even chances; *een redelijke/eerlijke kans* a fair chance; *hij zag zijn kansen stijgen* he saw his chances multiply; *kans van slagen hebben* have a chance of success; *er is niet veel kans dat ...* there's little chance of ...; ⟨inf⟩ *weinig kans!* ⟨BE⟩ not much chance!, ⟨AE⟩ no way!; *weinig kans maken* stand little chance, not stand much chance; *ik zie er wel kans toe* I think I can manage it; *ik zie er geen kans toe* I see no opportunity to do it, I don't think I can manage it; *kans zien te ontkomen* manage to escape; *de kans is honderd tegen één* the odds/chances are a hundred to one [2] ⟨gunstige gelegenheid⟩ opportunity, chance, break, opening ◆ *zijn kansen aangrijpen/waarnemen* seize the opportunity; *zijn kans afwachten* await one's chances; *gelijke kansen voor iedereen* equal opportunities/chances for everyone; *een gemiste kans* a lost/missed opportunity; *iemand een kans geven* give s.o. a chance/break; *grijp je kans!* seize the opportunity!, ⟨AE⟩ go for it!; *de kans van zijn leven* the chance of a/his lifetime; *de kans is verkeken* you've had your chance/opportunity; *wisselende kansen* swaying fortunes, vicissitudes; *zijn kans schoon zien* see one's chance/opportunity, ⟨BE⟩ see one's way clear (to); *geen schijn van kans* not a chance in the world, not a cat in hell's chance [•] *een kans(je) wagen* give it a try

kansarm [bn] underprivileged, deprived ◆ *de kansarmen* the underprivileged

kansberekening [de^v], **kansrekening** [de^v] [1] ⟨het berekenen van een kans⟩ calculation of probability ◆ *volgens iedere kansberekening* by all the laws of probability [2] ⟨wisk, stat⟩ theory of probability/probabilities/chances, probability calculus, ⟨aparte som⟩ calculation of probability

kansel [de^m] pulpit ◆ *(iets) van de kansel verkondigen* announce (sth.) from the pulpit on behalf of the church; ⟨fig⟩ *de kansel verlaten* resign/step down as a minister

kanselarij [de^v] [1] ⟨griffie⟩ chancellery, chancery [2] ⟨kantoor van een gezantschap⟩ chancellery, chancery

kanselarijtaal [de] [1] ⟨de in kanselarijen gebruikelijke taal⟩ official style [2] ⟨dorre schrijftrant⟩ officialese

kanselier [de^m] [1] ⟨ambtenaar⟩ chancellor [2] ⟨hoogwaardigheidsbekleder⟩ chancellor [3] ⟨r-k⟩ chancellor

kanselstijl [de^m] parsonical manner/voice, pulpit style

kanshebber [de^m] likely candidate/winner, probable ◆ *de grootste kanshebber op/voor de 5000 meter* the favourite in/to win the 5000 metres; *kanshebber zijn voor ...* be in line for, be the hot contender/odds on for

kansloos [bn, bw] prospectless, losing ◆ *hij was kansloos tegen hem* he did not stand a chance against him; *volkomen kansloos zijn* not have/stand a (snowball's) chance in hell, not have a cat in hell's chance; *kansloos zijn vanaf het begin* be a non-starter/left at the post

kanspaard [het] ⟨ook fig⟩ favourite, likely candidate, naturel

kansrekening [de^v] → **kansberekening**

kansrijk [bn] [1] ⟨kans op succes hebbend⟩ ⟨kandidaat⟩ likely, favourable [2] ⟨kans hebbend om in de maatschappij te slagen⟩ privileged

kansspel [het] game of chance, lottery, ± gambling game ◆ *de wet op de kansspelen* the law concerning games of chance

kansspelbelasting [de^v] lottery/betting tax, lottery/betting levy

kansverdeling [de^v] ⟨stat⟩ distribution of probability

kant [de^m] [1] ⟨weefsel⟩ lace ◆ *Brussels kant* Brussels lace; *fijne kant* fine lace, mignonette; *gekloste kant* bobbin lace; *linnen/katoenen kant* thread lace; *iets met kant afzetten* edge/trim sth. with lace; *opengewerkte kant* openwork lace [2] ⟨rand, zijkant⟩ edge, side, ⟨kantlijn⟩ margin ◆ *aan de kant!* step aside!, out of my/the way!; *aan de kant van de weg* at the side of the road, by the roadside; ⟨restaurant⟩ wayside; *aan de kant gaan staan* stand/step aside; *aan de kant gaan rijden* pull in; ⟨fig⟩ *iemand aan de kant zetten* push s.o. out; ⟨inf⟩ give s.o. the old heave-ho, give s.o. the push/shove; *iets aan (de) kant leggen* put sth. aside/by; ⟨fig⟩ *zet je zorgen aan de kant* forget your troubles; *aan de kant van de weg staan* stand by the side of the road; *zijn auto aan de kant zetten* pull up/over; ⟨fig⟩ *een zaak aan de kant doen/zetten* close down a business, sell one's business; ⟨inf⟩ put up the shutters; *langs de kant blijven staan* stay on the sideline(s) [3] ⟨oever⟩ bank, edge ◆ *het schip ligt aan/voor de kant* the ship is moored/berthed; *naar de kant komen* swim ashore; *op de kant klimmen* climb ashore; *iemand van de kant afduwen* push s.o. in; ⟨fig⟩ *dat raakt kant noch wal* that's neither here nor there [4] ⟨grensvlak van een lichaam⟩ side, face, surface, ⟨fig⟩ aspect, facet, angle, view ◆ ⟨fig⟩ *aan de ene kant wel, aan de andere kant niet* on the one hand, yes, on the other (hand), no; yes and no; ⟨fig⟩ *de zaak aan/van alle kanten bekijken* look at the matter from all sides/every angle; ⟨fig⟩ *de goede kant van een zaak* the positive side of sth., the best/most of sth.; *zich van zijn goede kant laten zien* show one's good side; *de goede/verkeerde kant van een stof* the right/wrong side of a fabric; ⟨fig⟩ *er zitten meer kanten aan die zaak* there are more sides to this case, this case has several sides/facets; ⟨fig⟩ *iets van de mooie/beste kant bekijken* put a good face on sth., see the bright side of sth.; *de schuine kant van een plank* the bevel of a plank; *iemands sterke/zwakke kanten* s.o.'s strong/weak points; ⟨fig⟩ *van/aan de andere kant* on the other hand; *de vlakke kant van een plank* the face of a plank; ⟨fig⟩ *dat is één kant van de zaak* that's (only) one side of the matter; ⟨fig⟩ *alles van de zonnige kant bekijken* see the bright side of everything; *deze kant boven* this side up [5] ⟨smal zijvlak⟩ side, end, edge ◆ *iets op zijn kant zetten* put sth. on its side; *de smalle kant van een plank* the edge of a plank [6] ⟨plaats waar twee vlakken samenkomen⟩ edge ◆ *scherpe kant* (cutting) edge; ⟨van beitel⟩ bezel; *de scherpe kanten van iets afhalen* take the edge off sth., tone/smooth sth. down (a bit) [7] ⟨richting⟩ way, direction ◆ ⟨fig⟩ *zij kan nog alle kanten op* she has kept her options open, she's still free to do as she pleases, she's got room in which to manoeuvre/^{A}maneuver; ⟨fig⟩ *je kunt met mij alle kanten op* I'm game for anything; ⟨fig⟩ *daar kun je alle kanten mee op/uit* it serves all sorts of purposes, it's open to interpretation, that leaves (plenty of) room for manoeuvring/^{A}maneuvering; *een andere kant op (doen) gaan* veer; *ik keek net de andere kant uit* I was just looking the other way/direction; *deze kant op, alstublieft* this way, please; *dit gaat dezelfde kant uit* this is going the same way/direction; *geen kant meer op kunnen* have nowhere (left) to go; *het gaat met hem de goede kant op* he's improving; ⟨na ziekte⟩ he is on the mend; ⟨inf⟩ *we komen binnenkort jullie kant op* we'll be coming your way soon; *van alle kanten* left and right, from/on all sides; ⟨komen⟩ from all quarters; *dat is de kant van Haarlem op* that's out towards/in the direction of Haarlem, that's out Haarlem way; *het gaat met hem de verkeerde kant op* he's going to the bad; ⟨na ziekte⟩ he's taken a turn for the worse; *welke kant ga jij op?* which way are you going/heading?; *ik weet niet welke kant dit opgaat* I don't know what this is coming to/

where this will end [8] ⟨plaatsbepaling m.b.t. een scheidslijn⟩ side ♦ *aan de **andere** kant van de rivier* on the other side of the river, across the river; ⟨scherts; fig⟩ *aan de **verkeerde** kant van de veertig* (on) the wrong side of forty [9] ⟨deel, uiteinde van een gebied, lichaam⟩ side, end ♦ ***aan** de kant zitten waar de klappen vallen* be on the receiving end; *aan de **andere** kant van het graf* beyond the grave; ⟨fig⟩ *aan de **veilige** kant blijven bij een raming* stay on the safe side with one's estimate, make a conservative estimate [10] ⟨helft van het lichaam⟩ side ♦ *hij is **aan** één kant doof* he is deaf on one side [11] ⟨partij, kamp⟩ side, part(y) ♦ *ik sta **aan** jouw kant* I'm on your side, I'm with you; *iemand **aan** zijn kant krijgen* win s.o. over to one's side; *de kant van de sterkste **kiezen*** side with the winning/strongest party; *dat hoor je **van** alle kanten* that's what you hear on/from all sides; *de liefde kan niet **van** één kant komen* love must be a two-sided affair; ***van** die kant hebben we niets te vrezen* we have nothing to fear from that side/end/quarter; *wantrouwen **van** de kant van de bevolking* distrust on the part of the public [12] ⟨m.b.t. verwantschap⟩ side ♦ *familie van de **koude** kant* in-laws [•] *iets **aan** kant maken* tidy sth. up; *de boel is weer **aan** kant* everything is back in place; ⟨inf⟩ *dat deugt van **geen** kant* it's no good at all, it's quite unsuitable; ⟨inf⟩ *dat klopt van **geen** kanten* that's all/completely wrong; *aan de **hoge/lage** kant* ⟨bijvoorbeeld van prijzen⟩ rather high/low; *hij is aan de **kleine** kant* he is shortish/fairly short/on the short side; *wij van **onze** kant* (we) for our part; *iets **over** zijn kant laten gaan* take sth. (lying down), stand for sth.; *iets niet **over** zijn kant laten gaan* not let sth. pass, not take sth. (lying down), not put up with sth.; *zich/iemand **van** kant maken* do o.s./s.o. in, do away with o.s./s.o.; *van de **verkeerde** kant zijn* be of the other persuasion, be bent

kanteel [de^m] [1] ⟨deel van oude stads- en burchtmuren⟩ merlon ♦ ***met** kantelen* battlemented, crenellated, ⟨AE⟩ crenelated [2] ⟨trans⟩ battlement, gallery

kantelbaar [bn] adjustable

kantelbed [het] tip-up bed

kanteldeur [de] up-and-over door, overhead/swing-up door

[1]**kantelen** [onov ww] [1] ⟨over een kant omvallen⟩ topple/turn over ♦ *pas op, die **kist** gaat kantelen* look out, that crate/chest is going to topple/turn over [2] ⟨kapseizen⟩ capsize

[2]**kantelen** [ov ww] ⟨over een kant wenden⟩ cant, tilt, tip, tip over, tip to one side, turn over, overturn ♦ ***niet** kantelen!* this side up!; ⟨scheepv⟩ *een **schip** kantelen* careen/heave down a ship; *een zware **steen** kantelen* turn over a heavy stone

kanteling [de^v] turning over, toppling

kantelraam [het] swing/cantilever window

[1]**kanten** [bn] (of) lace, lac(e)y ♦ *een kanten **kraagje*** a lace collar; *een kanten **sluier*** a mantilla, lace veil

[2]**kanten** [ov ww] ⟨vlak, recht maken⟩ square

[3]**zich kanten** [wk ww] ⟨verzetten⟩ oppose, resist ♦ *zich **tegen** iets of iemand kanten* oppose sth. or s.o., set one's face against sth. or s.o.

kantengrip [de] ⟨skisport⟩ edge grip

kant-en-klaar [bn] ready-made, ready to hand, ready for use, ⟨recl⟩ instant, ⟨voedsel⟩ ready-to-eat, ⟨kleding⟩ ready-to-wear, off the peg ♦ *een kant-en-klaar geleverde **fabriek*** a turnkey factory; *iets kant-en-klaar (in de winkel) **kopen**/van de fabriek krijgen* buy sth. ready-made (in the shop), get sth. fully assembled/ready to/for use from the factory; *geen kant-en-klare **oplossing** hebben* have no cut-and-dried solution/no quick and easy answer; *kant-en-klare **oplossingen*** cut-and-dried solutions; *een **project** dat kant-en-klaar wordt opgeleverd* a turnkey project; *een kant-en-klaar **rapport*** a report in apple-pie order; *kant-en-klaar **zijn** voor ...* be ready for ...

kant-en-klaarmaaltijd [de^m] ready-made meal, ready meal

kanterkaas [de^m] cum(m)in cheese

kantgaren [het] lace thread

kantianisme [het] kantianism

kantig [bn] [1] ⟨hoekig⟩ angular, sharp-edged, ⟨fig⟩ rugged [2] ⟨naar fust smakend⟩ fusty, musty

kantindustrie [de^v] lace industry

kantine [de^v] canteen

kantinebeheerder [de^m] ⟨mil⟩ canteen manager, ⟨in scholen, bedrijven e.d.⟩ cafeteria manager/supervisor, ⟨BE ook⟩ canteen manager/supervisor

kantinewagen [de^m] mobile canteen

kantje [het] [1] ⟨uiterste rand⟩ edge, verge ♦ ⟨fig⟩ *het was kantje **boord*** it was a close shave/touch and go; ⟨fig⟩ *dat is **op** het kantje* that is pretty close to the wind; ⟨inf⟩ that is near the knuckle; ⟨fig⟩ *dat was **op** het kantje af* that was a near thing/close call/close shave; ⟨fig⟩ *zijn verhalen zijn altijd **op** het kantje af* his stories are always risqué/a little near the knuckle; ⟨fig⟩ ***op** het kantje (af) slagen (voor een examen)* scrape through (an exam); ⟨fig⟩ *de **scherpe** kantjes van iets afhalen* take the edge off sth., tone/smooth sth. down (a bit) [2] ⟨bladzijde⟩ page, side ♦ *een opstel **van** drie kantjes* a three-page essay [3] ⟨kantwerkje⟩ piece of lacework ♦ ***met** kantjes* ⟨bijvoorbeeld lingerie⟩ frilly [4] ⟨vers ingelegde ton haring⟩ ± cran [•] *er de kantjes **aflopen*** cut corners

kantjesharing [de^m] pickled herring

kantklossen [ww] make bobbin lace

kantkoek [de^m] 'kantkoek', pieces trimmed from the side of a cake, cake trimmings

kantkussen [het] lace pillow

kantlaag [de] [1] ⟨stenen⟩ kerb, ⟨AE⟩ curb [2] ⟨zoden⟩ verge

kantlijn [de] [1] ⟨lijn op een blad papier⟩ margin (line) [2] ⟨marge⟩ margin ♦ *iets **in** de kantlijn schrijven* write sth. in the margin; ***in** de kantlijn geschreven opmerkingen* marginal notes/remarks, notes written in the margin, marginals; ⟨fig⟩ *een evenement **in** de kantlijn* a side event; *van een kantlijn **voorzien*** margin(ate) [3] ⟨rib van een kubus⟩ edge

kantnaald [de] lace needle

kanton [het] [1] ⟨m.b.t. een administratieve indeling⟩ canton, district [2] ⟨m.b.t. een weg⟩ section

Kanton [het] Canton

kantongerecht [het] [1] ⟨rechtscollege⟩ cantonal court, ⟨Engeland⟩ ± magistrates' court, ⟨Schotland⟩ ± district court, ⟨USA⟩ ± municipal court, police court, Justice of the Peace court [2] ⟨gebouw⟩ cantonal court(-house)

kantonnaal [bn] [1] ⟨van, bij de kantonrechter⟩ of the cantonal (magistrate's) court ♦ *een kantonnale **procedure*** proceedings in the cantonal (magistrate's) court [2] ⟨van een kanton⟩ cantonal

[1]**kantonneren** [onov ww] ⟨gelegerd worden⟩ be quartered

[2]**kantonneren** [ov ww] ⟨troepen inkwartieren⟩ canton, quarter

kantonnier [de^m] roadman

kantonrechter [de^m] cantonal judge, ± local/regional judge, ⟨Groot-Brittannië⟩ ± magistrate, ± JP, ⟨USA⟩ ± Justice of the Peace

kantonrechtersformule [de] formula used by Dutch courts to determine the extent of dismissal/redundancy compensation to be paid to an ex-employee

kantonzaak [de] subdistrict court case

kantoor [het] [1] ⟨gebouw, vertrekken voor administratieve werkzaamheden⟩ office ♦ *kantoor van **afzending/bestelling/uitbetaling**/...* office of despatch/delivery/payment/...; ***na** kantoor een borrel pakken* have a drink/quick one after office/business hours; ***naar** kantoor gaan* go to the office; *hij is **op** zijn kantoor* he is in his office; ***ten** kantore van de bank* at the offices of the bank [2] ⟨werkvertrek(ken)⟩ office ♦ *hij heeft een **druk** kantoor* he has a busy practice; *een kantoor **houden*** maintain/run an office; *kantoor **houden** in*

Noordeinde have offices in Noordeinde; ***op** kantoor werken* work in an office; *te laat **op** (het) kantoor komen* be late at the office, get to the office late; *overdag ben ik **op** (mijn) kantoor* I am at the office in the daytime
kantoorbaan [de] office/clerical job
kantoorbediende [de] (office-)clerk
kantoorbehoeften [de^mv] office supplies/equipment/appliances/materials
kantoorblok [het] office block
kantoorboek [het] account book, ⟨inf⟩ the books
kantoorboekhandel [de^m] office stationer's
kantoorervaring [de^v] office/clerical experience, experience in office work
kantoorflat [de^m] tall office block
kantoorgebouw [het] office block/building
kantoorhumor [de^m] office joke(s)
kantoorinventaris [de^m] office furniture and equipment
kantoormachine [de^v] business/office machine
kantoorpand [het] office premises ⟨mv⟩, ⟨groot⟩ office block
kantoorpersoneel [het] office staff/employees/workers, deskworkers, white-collar workers
kantoorpik [de^m] ⟨pej⟩ pen-pusher
kantoorruimte [de^v] office space
kantoortijd [de^m] office/business hours ◆ ***na** kantoortijd* after (office) hours; ***onder** kantoortijd* during office/business hours
kantoortje [het] [1] ⟨klein kantoor⟩ (small) office [2] ⟨afgeschoten hokje⟩ office
kantoortuin [de^m] open-plan office
kantooruren [de^mv] office hours, ⟨voor personeel ook⟩ working hours, ⟨voor publiek ook⟩ business hours ◆ ***buiten** (de) (normale) kantooruren* outside ordinary business hours; ***tijdens** (de) kantooruren* during business hours/office hours, from nine to five
kantoorvilla [de] mansion converted into office accommodation
kantoorwerk [het] [1] ⟨werk dat op een kantoor verricht wordt⟩ office/clerical work, desk work [2] ⟨een baan op een kantoor⟩ office/clerical work
kantorencentrum [het] business district/centre
kantrechten [ov ww] square
kantsteek [de^m] [1] ⟨bij het kantwerken⟩ lace stitch [2] ⟨bij het breien⟩ edge stitch
kantsteen [de^m] [1] ⟨aan de buitenkant van een bestrating⟩ kerb/^Acurb stone [2] ⟨om een metsellaag gelijk te maken⟩ edge stone
kanttekening [de^v] [1] ⟨kleine opmerking⟩ (short/marginal) comment ◆ *kanttekeningen **bij** het voorstel* comments/remarks on the proposal/motion; *kanttekeningen **plaatsen** bij iets* comment/give a short comment on sth. [2] ⟨aantekening in de marge⟩ marginal note, ⟨mv ook⟩ marginalia ◆ *kanttekeningen **in** een verslag* marginal notes in a report [3] ⟨verklarende aantekening⟩ annotation, marginal note, gloss ◆ *een uitgave **met** kanttekeningen* an annotated edition
kantwerk [het] lace(work)
kantwerkster [de^v] lace-worker, lace-maker
kanunnik [de^m] canon
kaolien [het] kaolin, china clay
¹**kap** [de^m] [1] ⟨houw⟩ cut, chop [2] ⟨het kappen⟩ cutting, felling [3] ⟨opbrengst van de houtkap⟩ timber cut/felled [4] ⟨hout van een gevelde boom⟩ cuttings, fellings [5] ⟨inhakking⟩ cut
²**kap** [de] [1] ⟨hoofddeksel voor vrouwen⟩ cap, ⟨van klederdracht⟩ casque, ⟨van non⟩ wimple [2] ⟨capuchon⟩ hood ◆ ⟨in België⟩ ***op** iemands kap* ⟨fig; ten koste van iemand⟩ at s.o.'s expense; ⟨in België⟩ ***op** iemands kap leven* ⟨op zijn kosten⟩ ↑ live at s.o.'s expense; ⟨in België⟩ *alles komt **op** zijn kap (neer)* everything is laid at his door/blamed on him [3] ⟨bedekking⟩ ⟨auto, kinderwagen⟩ hood, ⟨motorkap van auto⟩ bonnet, ⟨AE⟩ hood, ⟨van muur⟩ coping, ⟨van handschoen⟩ gauntlet ◆ *het kapje van een **brood*** the heel/crust of a loaf; *de kap van een **huis*** roof timbers; *de kap van een **laars*** the top of a boot; *de kap van de **lamp*** the (lamp-)shade; *een auto **met de kap open*** a car with the roof down/top off; *de kap van een **molen*** the cap of a windmill; *de kap **neerlaten/opzetten*** ⟨van een auto⟩ put down/up the hood; *het huis is **onder** de kap* the roof is on; *twee (huizen) **onder** één kap* two semi-detached houses; ⟨m.b.t. één huis⟩ a semi-detached house; *een auto met **open** kap* an open-topped car; *met **openschuivende** kap* with a sliding roof; ⟨mil⟩ *de kap van een **projectiel*** the hood of a bullet; ⟨amb⟩ *de kap van een **schoorsteen*** the cowl/cap of a chimney; *een auto met **vaste/opvouwbare** kap* a car with a fixed/folding roof/hood; *een lamp **zonder** kap* an unshaded lamp [4] ⟨monnikspij⟩ cowl, hood [•] ⟨sprw⟩ *gelijke monniken, gelijke kappen* what's sauce for the goose is sauce for the gander
kap. [afk] (kapelaan) Chap
kapbal [de^m] ⟨(tafel)tennis⟩ chop, cut shot, sliced shot
kapbalk [de^m] [1] ⟨onbehakte stam⟩ log [2] ⟨balk in een kapconstructie⟩ ba(u)lk
kapbeitel [de^m] cold/chipping chisel
kapblok [het] ⟨in België⟩ chopping block
kapconstructie [de^v] [1] ⟨samenstelling van de kapgebinten⟩ roof timbers [2] ⟨manier waarop een kap geconstrueerd is⟩ roof construction
kapdoos [de] dressing/toilet case
kapel [de] [1] ⟨bedehuisje⟩ chapel [2] ⟨kerk van een klooster⟩ chapel [3] ⟨onderdeel van een kerk⟩ chapel [4] ⟨dakvenster⟩ dormer (window) [5] ⟨muziekgezelschap⟩ band ◆ *een **militaire** kapel* a military band [6] ⟨dagvlinder⟩ butterfly [•] ⟨sprw⟩ *waar God een kerk sticht, bouwt de duivel een kapel* where God builds a church, the Devil will build a chapel
kapelaan [de^m] ⟨r-k⟩ [1] ⟨hulppriester⟩ curate, assistant priest [2] ⟨huisgeestelijke⟩ chaplain
kapelmeester [de^m] bandmaster
¹**kapen** [onov ww] ⟨gesch⟩ privateer
²**kapen** [ov ww] [1] ⟨(een voertuig) overmeesteren en de inzittenden gijzelen⟩ hijack, ⟨m.b.t. vliegtuig ook⟩ skyjack [2] ⟨comp⟩ hijack ◆ *een **website** kapen* hijack a website; *een **internetverkiezing** kapen* hijack an online election [3] ⟨inf; gappen⟩ pinch, sneak
kaper [de^m] [1] ⟨terrorist⟩ hijacker, ⟨m.b.t. vliegtuig ook⟩ skyjacker ◆ *de kapers **dwongen** het vliegtuig naar Cuba te vliegen* the plane was hijacked to Cuba [2] ⟨gesch⟩ privateer, privateersman ◆ ⟨fig⟩ *er zijn kapers **op** de kust* we've got plenty of competitors
kaperbrief [de^m] ⟨gesch⟩ letter of marque (and reprisal)
kaperkapitein [de^m] privateer(sman), captain of a privateer
kaperschip [het] privateer
kapersnest [het] pirates' nest
kapgebint [het] truss
kapgewelf [het] vaulted roof
kaping [de^v] hijack(ing), ⟨m.b.t. vliegtuig ook⟩ skyjack(ing)
¹**kapitaal** [het] [1] ⟨aanzienlijke som geld⟩ fortune ◆ *een kapitaal **aan** boeken* a (small) fortune in books; *het **kost** kapitalen/een kapitaaltje om ...* it costs a fortune/lots of money/a bomb to ... [2] ⟨hoofdsom⟩ capital, principal ◆ *een kapitaal **beleggen/uitzetten*** invest capital; *een kapitaal* a capital sum [3] ⟨vermogen⟩ capital ◆ *dit land trekt **buitenlands** kapitaal aan* this country attracts foreign capital; ***commanditair** kapitaal* capital brought in; ***dood** kapitaal* idle/dead capital; ***eigen** kapitaal* own funds, owner's equity; ***geplaatst** kapitaal* issued/subscribed capital; ***gestort** kapitaal* paid capital; ***risicodragend** kapitaal* risk(-bearing)/venture capital; ***van** zijn kapitaal teren* live on one's capital [4] ⟨ec; fonds

voor een onderneming⟩ capital ♦ *het kapitaal* ***beheren*** *van* control the capital of; ⟨in België⟩ *het* ***maatschappelijk*** *kapitaal* authorized capital/issue/stock, nominal/registered/subscribed capital; ***kapitaal verschaffen,*** *van kapitaal* ***voorzien*** finance, capitalize [5] ⟨ec; productiefactor⟩ capital ♦ ***arbeid*** *en kapitaal* capital and labour [6] ⟨bezitters van de productiemiddelen⟩ capital [7] ⟨boekh⟩ capital

^{2}**kapitaal** [de] ⟨hoofdletter⟩ capital (letter) ♦ ***cursieve*** *kapitalen* italicized capitals; ***in*** *kapitalen* in capital letters

^{3}**kapitaal** [bn] [1] ⟨van de eerste, grootste soort⟩ capital, substantial ♦ *een kapitale* ***boerderij*** a capital farm; *een kapitale* ***fout*** a capital error; *een kapitaal* ***misdrijf*** a capital crime [2] ⟨voortreffelijk⟩ excellent, first-rate, ⟨vnl BE⟩ capital ♦ *een kapitale* ***grap*** a capital joke [3] ⟨aan het hoofd staand⟩ capital ♦ *de kapitale* ***som*** the capital sum

kapitaalaanwas [de^{m}] capital growth

kapitaalbalans [de] capital balance

kapitaalbandje [het] ⟨drukw⟩ ⟨boven⟩ headband, ⟨onder⟩ footband, tailband

kapitaalbehoefte [de^{v}] capital demand

kapitaalbelegging [de^{v}] capital investment

kapitaalbezit [het] capital holding(s)

kapitaaldekking [de^{v}] capital funding

kapitaalgoederen [de^{mv}] capital goods, investment goods

kapitaalheffing [de^{v}] capital levy, levy on capital

kapitaalinjectie [de^{v}] capital injection

kapitaalintensief [bn] capital-intensive

kapitaalkrachtig [bn] wealthy, substantial ♦ *een kapitaalkrachtige* ***firma*** a substantial/cash-rich company; *kapitaalkrachtige* ***mensen*** men of substance, men with capital

kapitaalkrediet [het] variable rate credit, industrial credit where the interest depends on profits

kapitaalmarkt [de] capital market

kapitaalmarktrente [de] capital market (interest) rate

kapitaalrekening [de^{v}] capital account

kapitaalrente [de] interest on capital

kapitaalschaarste [de^{v}] scarcity/dearth of capital

kapitaalstroom [de^{m}] ⟨ec⟩ [1] ⟨toevloed⟩ influx/inflow of capital [2] ⟨kringloop⟩ capital flow

kapitaaluitgave [de] capital expenditure/outlay/spending/appropriations

kapitaalverkeer [het] movement/circulation/exchange of capital, capital transactions

kapitaalverlies [het] loss of capital

kapitaalvernietiging [de^{v}] destruction of capital

kapitaalverschaffer [de^{m}] financier

kapitaalverzekering [de^{v}] endowment insurance, ⟨BE ook⟩ endowment assurance, endowment policy

kapitaalvlucht [de] flight of capital

kapitaalvorming [de^{v}] creation/formation of (new) capital

kapitalisatie [de^{v}] capitalization, realization

kapitalisatiebon [de^{m}] ⟨in België⟩ (type of) savings certificate

kapitaliseren [ov ww] [1] ⟨tot kapitaal aanleggen⟩ capitalize, realize [2] ⟨in kapitaalwaarde uitdrukken⟩ capitalize

kapitalisme [het] [1] ⟨maatschappelijk stelsel⟩ capitalism [2] ⟨overmacht van het geld⟩ capitalism ♦ *de strijd* ***tegen*** *het kapitalisme* the struggle against capitalism

kapitalist [de^{m}], **kapitaliste** [de^{v}] [1] ⟨iemand die kapitaal bezit⟩ capitalist [2] ⟨aanhanger van het kapitalisme⟩ capitalist

kapitaliste [de^{v}] → **kapitalist**

kapitalistisch [bn] [1] ⟨gekenmerkt door kapitalisme⟩ capitalist(ic) ♦ *de kapitalistische* ***landen*** the capitalist countries; *de kapitalistische* ***maatschappij*** capitalist society [2] ⟨van kapitalisten⟩ capitalist(ic)

kapiteel [het] ⟨bouwk⟩ capital, chapiter

kapitein [de^{m}] [1] ⟨scheepsgezagvoerder⟩ captain, master, ⟨van klein schip⟩ skipper ♦ *kapitein* ***op*** *de grote vaart* captain in the merchant navy; ⟨fig⟩ *er kunnen geen* ***twee*** *kapiteins zijn op één schip* you can't have/there isn't room for two captains on one ship, ± if two men ride on a horse, one must ride behind; *kapitein zijn* ***van/op*** ... skipper [2] ⟨mil⟩ captain ♦ *kapitein* ***bij*** *de generale staf/luchtmacht* officer on the general staff, wing commander; *kapitein van de* ***infanterie*** infantry captain

kapitein-ingenieur [de^{m}] captain (in the ^{B}Royal Corps of Engineers/^{A}Engineering Corps)

kapitein-luitenant-ter-zee [de^{m}] commander

kapiteinschap [het] captaincy, captainship

kapiteinskopie [de^{v}] captain's copy

kapitein-ter-zee [de^{m}] (naval) captain

kapitein-vlieger [de^{m}] flight lieutenant

kapittel [het] [1] ⟨hoofdstuk van een boek⟩ chapter [2] ⟨vergadering van kloosterlingen, kanunniken⟩ chapter ♦ *het* ***provinciaal/generaal*** *kapittel* the provincial/general chapter [3] ⟨onderwerp van gesprek⟩ chapter, subject, topic

kapittelen [ov ww] read (s.o.) a lecture, lecture (s.o.), read (s.o.) a lesson

kapittelheer [de^{m}] canon

kapittelkamer [de] ⟨r-k⟩ chapter-house, chapter-room

kapittelkerk [de] ⟨r-k⟩ collegiate church

kapittelstokje [het] [1] ⟨als bladwijzer⟩ bible-marker [2] ⟨sluitstaafje⟩ pin

kapje [het] [1] ⟨kleine kap⟩ cap [2] ⟨stukje van een brood⟩ heel, crust [3] ⟨meteo⟩ cap [4] ⟨accentteken⟩ circumflex (accent) [5] ⟨narcosekapje⟩ (face)mask (for anaesthetic)

kaplaars [de] top boot, jackboot, ⟨van rubber⟩ Wellington (boot), rubber boot

kaplaken [het] ⟨scheepv⟩ primage

kapmantel [de^{m}] hairdressing cape

kapmeeuw [de] ⟨vero⟩ black-headed gull

kapmes [het] chopping-knife, chopper, ⟨slagersmes⟩ cleaver, ⟨machete⟩ machete

kapnaad [de^{m}] back-stitched seam

kapo [de] kapo

kapoen [de^{m}] [1] ⟨gesneden haan⟩ capon [2] ⟨deugniet⟩ rascal

kapoeres [bn] ⟨inf⟩ done for, bust

kapoets [de] fur cap/bonnet/hat

kapok [de^{m}] [1] ⟨zaadpluis⟩ kapok [2] ⟨boomgewas⟩ kapok/silk-cotton trees

kapokboom [de^{m}] kapok tree, silk-cotton tree

^{1}**kapot** [bn] [1] ⟨niet meer heel⟩ broken, in bits ♦ *die* ***jas*** *is kapot* that coat is torn; *dat* ***kopje*** *is kapot* that cup is broken/cracked; ⟨fig⟩ *mijn* ***leven*** *is kapot* my life is in bits/pieces; *het* ***raam*** *was kapot* the window was broken/smashed; *die* ***schoenen*** *zijn kapot* those shoes have had it; *dat boek is niet kapot te krijgen* that book is indestructible/is a classic [2] ⟨niet meer functionerend⟩ broken, ⟨auto⟩ broken down, ⟨gew⟩ bust(ed) ♦ *de* ***radio*** *is kapot* the radio is broken, the radio's had it; *de* ***sigarettenautomaat*** *is kapot* the cigarette machine is broken/out of order [3] ⟨doodmoe⟩ beat, worn out, wrecked, all in, ⟨BE ook⟩ whacked, ⟨BE⟩ knackered, ⟨AE ook⟩ done in, dead tired ♦ *ik ben* ***helemaal*** *kapot* I am completely trashed/bushed/wiped out/knackered; *hij is niet kapot te* ***krijgen*** he goes on forever, he's a tough one, he keeps on bouncing back; *kapot* ***van*** *verdriet* broken(-hearted) with grief; *kapot* ***van*** *vermoeidheid* worn out, exhausted, whacked, all in [4] ⟨ontzet⟩ cut up, broken(-hearted) ♦ *ergens kapot* ***van*** *zijn* be (all) cut up about sth.; *hij was kapot van dat ongeluk* he went to pieces after the accident [5] ⟨verrukt⟩ wild, crazy, mad ♦ *ik ben er niet kapot* ***van*** I'm not gone on it, I'm not mad/wild about it [6] ⟨dood⟩ kaput, ⟨AE ook⟩ had it, done for

^{2}**kapot** [bw] ⟨inf⟩ ⟨zeer⟩ really ♦ *kapot* ***saai*** really lame

kapotgaan [onov ww] 1 ⟨stukgaan⟩ break, fall apart, ⟨auto, machine⟩ break down, ⟨apparaat, machine; inf⟩ pack up, go phut ♦ *zijn zaak/huwelijk is* ***aan*** *de drank kapotgegaan* liquor was the downfall of his business/marriage, his business/marriage broke up because of his drinking; *je broek/overhemd gaat (nu al) kapot* your trousers/^Apants are/your shirt is already worn 2 ⟨doodgaan⟩ pop off, conk out, kick the bucket ♦ *kapotgaan* ***van de honger*** starve, be starving

kapotjas [de] capote

kapotje [het] ⟨inf⟩ rubber, sheath, ⟨BE⟩ French letter, ⟨AE⟩ safe, ⟨sl⟩ rubber johnny ♦ ***zonder*** *kapotje* ⟨ook⟩ bareback

zich kapotlachen [wk ww] split one's sides with laughter, laugh one's head off

kapotmaken [ov ww] 1 ⟨stukmaken⟩ break (up), destroy, wreck, ruin ♦ *met die stuntprijzen maken ze de hele* ***handel*** *kapot* such price slashing will ruin/upset the entire trade; *een goed* ***huwelijk*** *kapotmaken* ruin/destroy/wreck/break up a good marriage; *verdriet maakt* ***iemand*** *kapot* grief destroys/wrecks a person 2 ⟨doodmaken⟩ do (s.o.) in

zich kapotschrikken [wk ww] jump out of one's skin, be scared silly, be scared out of one's wits

kapotslaan [ov ww] 1 ⟨kapotmaken⟩ smash, break (up), bust 2 ⟨doodslaan⟩ do (s.o.) in 3 ⟨een aframmeling geven⟩ beat s.o. up, beat the hell out of s.o.

kapotsmijten [ov ww] smash sth. (to bits)

kapotspelen [ov ww] ⟨kaartsp⟩ capot ♦ *je* ***tegenspeler*** *kapotspelen* capot your opponent, win all the tricks

kapotvallen [onov ww] fall to pieces, (fall and) break/smash

zich kapotvervelen [wk ww] be bored stiff/to tears/to death

zich kapotwerken [wk ww] work one's fingers to the bone

kapotzitten [onov ww] be worn out/knackered/dead tired

kappa [tw] ⟨comm⟩ roger

¹kappen [onov ww] 1 ⟨hakken⟩ chop, cut, axe 2 ⟨inf; ophouden, breken met⟩ quit, leave/knock off, ⟨breken met⟩ break off ♦ *ik kap* ***er mee*** I'm knocking off, I'm going to call it a day; ***met*** *iemand kappen* break off with s.o.; *kappen* ***met die onzin!*** quit talking nonsense! 3 ⟨voornamelijk (tafel)tennis⟩ slice, cut, chop

²kappen [ov ww] 1 ⟨het hoofdhaar opmaken⟩ do one's/s.o.'s hair ♦ *zich* ***laten*** *kappen* have one's hair done 2 ⟨omhouwen⟩ cut down, chop down, fell, lop (off) ♦ ***bomen*** *kappen* cut down/fell trees; *de* ***kabel/het anker*** *kappen* cut the cable/the anchor 3 ⟨in stukken verdelen⟩ chop (up), cut up ♦ *een stok* ***in tweeën*** *kappen* chop a stick in two 4 ⟨door hakken doen ontstaan⟩ cut, hew, hack ♦ ***klompen*** *kappen* hew/cut out clogs/wooden shoes; *een* ***weg*** *door het bos kappen* cut/hack a way through the wood 5 ⟨voornamelijk (tafel)tennis⟩ chop, cut, slice

kapper [de^m], **kapster** [de^v] ⟨dames en heren; man & vrouw⟩ hairdresser, ⟨man & vrouw⟩ hair stylist, ⟨heren; man⟩ barber

kappersschool [de] ⟨dames⟩ hairdressing school, beauty school/college, ⟨heren⟩ barber college

kapperszaak [de] → **kapsalon**

kappertjes [de^mv] capers

kappertjessaus [de] caper sauce

kaprijp [bn] ⟨landb⟩ ready for felling

kapsalon [het, de^m], **kapperszaak** [de] hairdresser's/hairdressing salon, beauty parlour, ⟨voor heren ook⟩ barbershop

kapseizen [onov ww] capsize, keel over, ⟨inf⟩ turn turtle ♦ *het* ***schip*** *kapseisde* the ship capsized

kapsel [het] 1 ⟨wijze van haardracht⟩ hair style, haircut ♦ *een* ***kort*** *kapsel* a short hair style 2 ⟨het opgemaakte haar⟩ hair style, hairdo ♦ *haar kapsel* ***ging los*** her hair(do) came undone 3 ⟨omhulsel⟩ capsule ♦ *het abces was door een* ***sterk*** *kapsel omgeven* the abcess was thickly encapsulated 4 ⟨doosvrucht⟩ capsule

kapsones [de^mv] ⟨inf⟩ ♦ *kapsones* ***hebben*** put on airs, be full of o.s.; *te veel kapsones* ***krijgen*** be cocky, get too big for one's breeches

kapsoneslijer [de^m] showoff, ⟨BE⟩ toffee-nose, ⟨AE⟩ wise guy

kapspant [het] ⟨amb⟩ truss

kapspiegel [de^m] dressing-table mirror

kapster [de^v] → **kapper**

kapstok [de^m] 1 ⟨meubel, plank voor kledingstukken⟩ ⟨staand⟩ hallstand, hatstand, ⟨aan de muur⟩ hat rack, ⟨aan de muur⟩ coathooks ⟨mv⟩ 2 ⟨fig; aanknopingspunt⟩ ♦ *iets als kapstok* ***gebruiken*** use sth. as a steppingstone

kapstokartikel [het] catchall clause

kapstokfunctie [de^v] ♦ *het* ***heeft*** *een kapstokfunctie* it's a convenient heading (to classify sth. under)

kapt. [afk] (kapitein) Capt

kaptafel [de] dressing table, vanity table

kapucijn [de^m] 1 ⟨bedelmonnik⟩ Capuchin 2 ⟨duif⟩ capuchin pigeon

¹kapucijner [de^m] ± marrowfat (pea)

²kapucijner [bn] Capuchin ♦ *een kapucijner* ***monnik*** a Capuchin (monk); *een kapucijner* ***non/klooster*** a Capuchin nun/convent

kapverbod [het] tree-felling ban, ⟨bepaling⟩ tree preservation order

kapvergunning [de^v] cutting permit

kapzaag [de] ⟨amb⟩ tenon saw

kar [de] 1 ⟨voertuig op twee wielen⟩ cart, barrow ♦ *een* ***driewielige*** *kar* a three-wheeled cart; *een kar* ***met*** *een* ***paard*** a horse and cart; *de kar* ***trekken*** ⟨fig⟩ carry the load, do the dirty work 2 ⟨inf; fiets⟩ bike 3 ⟨inf; auto⟩ ↑car ♦ *een* ***oude*** *kar* ⟨BE⟩ a banger, ⟨BE⟩ a crock, ⟨BE⟩ a jalopy; ⟨AE⟩ a clunker 4 ⟨hoeveelheid⟩ cartload, cartful ♦ *een kar* ***zand/grind*** a cartload of sand/gravel

kar. [afk] (karaat) car, ct, ⟨AE⟩ kt

karaat [het] 1 ⟨eenheid van diamant-, parelgewicht⟩ carat ♦ ***metriek*** *karaat* (metric) carat 2 ⟨ook in samenstellingen; eenheid van het goudgehalte⟩ carat, ⟨AE⟩ karat ♦ ⟨fig⟩ *dat is ook geen* ***18-karaats*** that's not the real thing/the real McCoy; ***achttienkaraats*** *goud* eighteen-carat gold

karabijn [de] carbine

karabiner [de^m] carabiner

karabinier [de^m] 1 ⟨soldaat⟩ car(a)bineer, rifleman 2 ⟨in België; infanterist⟩ infantryman

karaf [de] carafe, decanter

karakter [het] 1 ⟨aard, inborst⟩ character, nature, disposition ♦ *een* ***avontuurlijk*** *karakter hebben* have an adventurous nature; *hij heeft een* ***slap*** *karakter* he is weak-natured/spineless; *iemand met een* ***sterk*** *karakter* s.o. with (great) strength of character; *een* ***zacht/vals*** *karakter* a gentle nature, a mean/vicious character 2 ⟨krachtige persoonlijkheid⟩ character, personality, mettle, spirit ♦ *karakter* ***tonen*** show character/spirit/one's mettle; *een man* ***van*** *karakter* a man of character; ***zonder*** *karakter* without character/backbone, spineless 3 ⟨wezen, aard⟩ character, nature, make-up, quality ♦ *een* ***tijdelijk/blijvend*** *karakter dragen, van een* ***tijdelijk/blijvend*** *karakter zijn* be temporary/permanent (in nature) 4 ⟨het kenmerkende van iets⟩ character ♦ *het* ***Hollandse*** *karakter van Kaapstad* the Dutch character of Capetown; *het karakter van een* ***volk/land*** the character of a people/country; *een nieuwbouwwijk* ***zonder*** *karakter* a new housing estate/development with no character 5 ⟨biol⟩ character, characteristics ⟨mv⟩, individuality ♦ *zijn eigen karakter* ***bewaren*** retain one's individuality 6 ⟨letter, figuur⟩ character, symbol ♦ ***algebraïsche*** *karakters* algebraic symbols; ***Chinese*** *karakters* Chinese characters

karaktereigenschap [de^v] character trait

karakterfout [de] defect of/in one's character, fault/blemish/imperfection (in one's character)
karakterieel [bn, bw] ± characteristic
karakteriseren [ov ww] characterize, typify ◆ *een gebeurtenis/situatie karakteriseren* characterize/describe an incident/a situation; *een persoon karakteriseren* characterize a person
karakterisering [de^{v}] ① ⟨het karakteriseren⟩ characterizing, characterization ② ⟨kenschets⟩ characterization, character sketch, profile
[1]**karakteristiek** [de^{v}] ① ⟨schildering van het kenmerkende⟩ characterization, typification, description ◆ *een karakteristiek geven van iets* give a characterization of sth. ② ⟨wisk⟩ characteristic
[2]**karakteristiek** [bn] characteristic, typical ◆ *een karakteristieke geur* a characteristic/distinctive smell; *karakteristieke trekken* characteristic features, characteristics; *karakteristiek zijn voor* be characteristic of
karakterloos [bn] ① ⟨zonder persoonlijkheid, daarvan blijk gevend⟩ characterless, insipid, chinless ◆ *een karakterloos mens* an insipid person; *karakterloze slapheid* insipidness ② ⟨zonder eigen karakter⟩ characterless, without character/individuality, bland ◆ *karakterloze gebouwen* characterless buildings; *karakterloos woordgebruik* colourless use of words
karakterloosheid [de^{v}] ① ⟨zonder persoonlijkheid⟩ lack of character, spinelessness, insipidness ② ⟨zonder eigen karakter⟩ lack of character, blandness
karakterman [de^{m}] man with character
karaktermens [de^{m}] person with character
karaktermoord [de] character assassination
karakterologie [de^{v}] ① ⟨karakterkunde⟩ characterology ② ⟨karakterbeschrijving⟩ characterization, character description/sketch ◆ *de karakterologie van de getuigen* the character description given by the witnesses
karakterrol [de] character part
karakterschets [de] character sketch, profile, vignette, ⟨lit, dram⟩ cameo
karakterschildering [de^{v}] character drawing/painting, characterization, delineation of character, ⟨lit, dram⟩ cameo
karakterspeelster [de^{v}] → **karakterspeler**
karakterspeler [de^{m}], **karakterspeelster** [de^{v}] ⟨man⟩ character actor, ⟨vrouw⟩ character actress
karaktertrek [de^{m}] characteristic, feature, trait, streak ◆ *een beminnelijke karaktertrek* an amiable trait
karaktervastheid [de^{v}] strength of character, firmness/steadiness/steadfastness of character
karaktervol [bn, bw] full of/with character, distinctive, individual ◆ *een karaktervolle inrichting* an interior full of/with character
karaktervormend [bn] character-forming, character-building, edifying
karaktervorming [de^{v}] character formation, formation of character, character building
karakterzwakte [de^{v}] character flaw
karamel [de] ① ⟨gebrande suiker⟩ caramel ② ⟨snoepje⟩ caramel, toffee
karamelliseren [ov ww] caramelize
karamelpudding [de^{m}] caramel pudding, crème caramel
karaoke [het] karaoke
karaokebar [de] karaoke bar/club
karate [het] karate
karateka [de] karateka
karavaan [de] ① ⟨groep reizigers op hun tocht⟩ caravan, train ② ⟨troep⟩ retinue, convoy, troop
karavansera [de^{m}] → **karavanserai**
karavanserai [de^{m}], **karavansera** [de^{m}] caravanserai, ⟨AE⟩ caravansary, serai, khan

karbeel [de^{m}] ⟨bouwk⟩ ① ⟨schoorbalkje⟩ jack-rafter ② ⟨kraagsteen⟩ corbel, truss, bracket
karbies [de] ± straw bag
karbonade [de^{v}] ① ⟨kotelet⟩ chop, cutlet ② ⟨in België; gestoofd vlees in saus⟩ meat for/in a stew
[1]**karbonkel** [de^{m}] ① ⟨edelsteen⟩ carbuncle ◆ *ogen als karbonkels* ± eyes like live coals, ± flashing/fiery eyes ② ⟨steenpuist⟩ carbuncle
[2]**karbonkel** [het] ⟨edelgesteente⟩ carbuncle
karbonkelneus [de^{m}] drinker's nose, ↓ boozer's nose
karbouw [de^{m}] (water-)buffalo
[1]**kardinaal** [de^{m}] ⟨rel⟩ cardinal ◆ *kardinaal worden* be raised to the purple
[2]**kardinaal** [bn] cardinal, chief, principal ◆ *de vier kardinale deugden* the four cardinal virtues; *de kardinale getallen* the cardinal numbers; *het kardinale punt* the principal/crucial point, the crux of the matter
kardinaal-deken [de^{m}] cardinal dean
[1]**kardinaalrood** [het] cardinal (red)
[2]**kardinaalrood** [bn] cardinal (red)
kardinaalschap [het] cardinalate, cardinalship
kardinaalshoed [de^{m}] cardinal's hat, red/scarlet hat ◆ *de kardinaalshoed ontvangen* be raised to the purple
kardinaalsmuts [de] ⟨plantk⟩ spindle tree
kardoes [de] cartouche, cartridge
kardoespapier [het] cartridge paper
karekiet [de^{m}] ⊡ *grote karekiet* great reed warbler; *kleine karekiet* reed warbler
Karel Charles, ⟨bijnaam⟩ Charlie, ⟨AE⟩ Chuck ◆ *Karel de Grote* Charlemagne; *Karel de Stoute/de Kale* Charles the Bold/the Bald; *het tijdperk van Karel I en II* ⟨van Engeland⟩ the Carolean/Caroline Age; *Karel de Vijfde* Charles V
Karelroman [de^{m}] Carolingian romance
karesansui [de^{m}] karesansui, Japanese rock garden
karhengst [de^{m}] oaf, boor, clodhopper
kariatide [de^{v}] ⟨bouwk⟩ caryatid
kariboe [de^{m}] caribou
[1]**karig** [bn] ① ⟨gierig⟩ sparing, parsimonious, mean, frugal ◆ *karig zijn met woorden* be sparing of words/in speech; *karig zijn met complimenten* be sparing of compliments/in giving compliments ② ⟨schraal⟩ meagre, scant(y), frugal, niggardly ◆ *een karig loon* a mere pittance; *een karig maal* a frugal meal ③ ⟨weinig talrijk⟩ scant(y), sparse, scarce ◆ *karige gegevens* scant information
[2]**karig** [bw] ⟨niet royaal⟩ sparingly, frugally ◆ *karig bedeeld zijn* be poorly endowed (with); *karig gebruikmaken van* skimp on, use sparingly
karigheid [de^{v}] ① ⟨grote zuinigheid⟩ parsimony, meanness, frugality, ↓ stinginess ② ⟨schraalheid⟩ meagreness, scantiness, frugality ③ ⟨geringheid in aantal⟩ scantiness, sparseness, scarcity
karikaturaal [bn, bw] caricatural
karikaturiseren [ov ww] ① ⟨in een bespottelijk daglicht stellen⟩ caricature, parody ② ⟨een karikatuur maken⟩ caricature
karikaturist [de^{m}] caricaturist
karikatuur [de^{v}] ① ⟨spotprent⟩ caricature ② ⟨persoon⟩ caricature ③ ⟨bespottelijke voorstelling van zaken⟩ caricature ◆ *een karikatuur maken van* caricature
Karinthië [het] Carinthia
karkas [het, de] ① ⟨geraamte⟩ carcass, ⟨gebouw ook⟩ skeleton, shell ② ⟨gebrekkig gestel⟩ carcass
karma [het] karma
karmeliet [de^{m}] Carmelite, White Friar
karmelietes [de^{v}] Carmelite (nun)
karmijn [het] carmine, lake
karmijnrood [bn] carmine (red)
karmozijn [het] ① ⟨verf, kleur⟩ crimson ② ⟨karmijn⟩ carmine, crimson
karmozijnrood [bn] crimson

karn [de] milk churn
karnemelk [de] buttermilk
karnemelkspap [de] buttermilk porridge/mush
^{1}**karnen** [onov ww] ⟨boterdelen uit melk afzonderen⟩ churn
^{2}**karnen** [ov ww] [1] ⟨boterdelen ontnemen aan⟩ churn ♦ *melk/room karnen* churn milk/cream [2] ⟨doen ontstaan⟩ churn ♦ *boter karnen* churn butter
karnstok [de^{m}] dasher
karnton [de] churn
Karolingisch [bn] Carolingian, Caroline ♦ *Karolingisch schrift, Karolingische minuskels* Carolingian script, Carolingian/Caroline minuscule
karonje [het, de^{v}] [1] ⟨verachtelijke vrouw⟩ cow [2] ⟨feeks⟩ shrew, vixen, hellcat
karos [de] coach, (state) carriage
karoshi [de^{m}] karoshi
Karpaten [de^{mv}] Carpathians
karper [de^{m}] carp
karperachtigen [de^{mv}] cypriniformes, minnows, suckers and loaches
karpet [het] rug
^{1}**karren** [onov ww] [1] ⟨rijden⟩ ride, ⟨inf⟩ trundle, tootle, drive [2] ⟨fietsen⟩ bike, ⟨BE ook⟩ cycle, ride
^{2}**karren** [ov ww] ⟨met een kar vervoeren⟩ cart
karrenpaard [het] [1] ⟨boerenpaard⟩ cart-horse, dobbin, draught-horse [2] ⟨logge vrouw⟩ cart-horse, cow
karrenspoor [het] cart track
karrenvracht [de] cartload ♦ *bij/met karrenvrachten* by the cartload
karrenwiel [het] cartwheel
karretje [het] [1] ⟨wagentje⟩ (little) cart, car, ⟨rijtuigje⟩ trap, ⟨in supermarkt; BE⟩ trolley, ⟨AE⟩ cart, ⟨van kinderen⟩ soapbox ♦ ⟨fig⟩ *iemand voor zijn karretje spannen* get s.o. to do one's dirty work; ⟨fig⟩ *zich voor iemands karretje laten spannen* be a cat's paw, be s.o.'s tool/lackey, be a doormat, dance to s.o. else's tune, do s.o.'s dirty work [2] ⟨fiets⟩ bike
^{1}**kartel** [de^{m}] serration, crenation, notch
^{2}**kartel** [het] [1] ⟨handel⟩ cartel, trust ♦ *in een kartel omzetten* cartelize, trustify; *een kartel vormen/oprichten, zich aansluiten tot een kartel* form a cartel, cartelize [2] ⟨in België; bij verkiezingen⟩ cartel
kartelafspraak [de] cartel agreement
kartelbesluit [het] cartel decision
karteldemocratie [de^{v}] cartel democracy
^{1}**kartelen** [onov ww] ⟨kerven krijgen⟩ serrate
^{2}**kartelen** [ov ww] [1] ⟨kerven⟩ serrate, notch, ⟨munten ook⟩ mill ♦ *gekartelde randen van munten* milled edges of coins [2] ⟨bk⟩ grain [3] ⟨m.b.t. boter⟩ curl
kartelig [bn] [1] ⟨gekarteld⟩ serrated, notched, ⟨blad, schelp⟩ crenated, ⟨munt⟩ milled [2] ⟨geschift⟩ curdled
kartellering [de^{v}] cartelization
kartelmachine [de^{v}] knurling machine/roller, ⟨voor munten⟩ mill(ing machine)
kartelmes [het] serrated knife
kartelrand [de^{m}] [1] ⟨m.b.t. muntstukken⟩ milled edge [2] ⟨m.b.t. brei-, haakwerk⟩ zigzag edge
kartelschaar [de] pinking shears, pinking scissors
kartelsnede [de] serrated edge, sawtoothed edge
kartelvorming [de^{v}] formation of a trust/cartel, formation of trusts/cartels, trust/cartel formation
karten [onov ww] go karting
karteren [ov ww] map, survey, chart ♦ *het karteren van de bodem* soil survey; *het karteren* ⟨Groot-Brittannië⟩ ordnance survey
kartering [de^{v}] mapping ♦ *kartering uit de lucht* aerial survey
karteringsvliegtuig [het] mapping airplane
karteringsvlucht [de] mission
karting [het] karting
karton [het] [1] ⟨bordpapier⟩ cardboard, paperboard, pasteboard [2] ⟨stuk bordpapier⟩ cardboard [3] ⟨doos⟩ tray [4] ⟨doos, verpakking⟩ carton, cardboard box ♦ *melk in karton* milk in a carton
kartonnage [de^{v}] [1] ⟨het maken van kartonwerk⟩ cardboard manufacture [2] ⟨het innaaien van boeken⟩ board binding, binding in boards
kartonnen [bn] cardboard, paperboard ♦ *een kartonnen bekertje* a paper cup; *een kartonnen kaft* a hard back/cover
kartonneren [ov ww] bind in boards ♦ *gekartonneerde boeken* books bound in boards, hardback/hardcover books
kartrekker [de^{m}] leader
^{1}**kartuizer** [de^{m}] Carthusian
^{2}**kartuizer** [bn] Carthusian ♦ *kartuizer klooster* Carthusian monastery/convent, charterhouse; *kartuizer non/monnik* Carthusian (nun/monk)
karveel [het, de] caravel
karveelbouw [de^{m}] carvel-built construction
karwats [de] (riding) crop, (riding) whip ♦ *met de karwats slaan* (horse)whip
karwei [het, de] [1] ⟨werk, taak van een ambachtsman⟩ job, work ♦ *hij heeft een groot karwei aangenomen* he has taken on a big job; he has undertaken a large contract; *op karwei gaan* go out on a job; *de loodgieter is op karwei* the plumber is (out) on a job [2] ⟨tijdelijk werk, klusje⟩ job, odd job, chore ♦ *een huishoudelijk karweitje* a (household) chore; *een makkelijk karwei(tje)* a five-finger exercise, a snip, a snap, a doddle, a cinch; *een (vervelend) karweitje opknappen voor iemand* do a (difficult) job for s.o.; *dat is net een karweitje voor jou* that's just the job for you, that's up your alley, you're the right person for the job [3] ⟨zwaar, veelomvattend werk⟩ job, task, chore ♦ *dat is een heel karwei* that's a tough job/a real chore, that's a hard pull; *een heidens karwei* a hell of a job, a real slog; *een lastig karwei* a tough job, a difficult task, a real chore, a hard row to hoe
karwij [de] [1] ⟨plant⟩ caraway [2] ⟨specerij, geneesmiddel⟩ caraway (seed)
karwijzaad [het] caraway seed
kas [de] [1] ⟨broeikas⟩ greenhouse, glasshouse, hothouse, hotbed ♦ *koude kas* cold frame; *groente uit de kas* greenhouse/glasshouse vegetables, forced vegetables [2] ⟨kassa⟩ cash desk, cashier's office, pay desk [3] ⟨bergplaats voor geld⟩ cashbox, moneybox ♦ *25 euro in kas hebben* have 25 euros in hand/handy [4] ⟨contanten⟩ cash, fund(s) ♦ *de kas beheren/houden* manage/keep the cash; *de beschikking over de/'s lands kas* power(s) of the purse; *goed bij kas zijn* have plenty of cash/money, be flush (with money), be well off/well-heeled; *krap/slecht bij kas zitten* be short of cash/money/funds, be hard up; *de kleine kas* petty cash; *de kas klopt/sluit* the cash balances; *'s lands kas* the Exchequer, the Treasury, state/public coffers/chest; *hij is er met de kas vandoor gegaan* he has run off with the cash; *de openbare kas* the public purse/money/funds, the national coffers; *de kas opmaken* make up the cash (account), write up the cash/accounts; ⟨in België; fig⟩ *de kas spijzen* fill the coffers [5] ⟨in België; fonds⟩ fund [6] ⟨in België; spaarbank⟩ savings (and loan) bank, ⟨inf⟩ S & L [7] ⟨omhulsel⟩ case, casing ♦ *de kas van een horloge* watch-case; *de kas van een orgel* organ-case [8] ⟨holte waarin iets gevat is⟩ ⟨bijvoorbeeld oog, tand⟩ socket ♦ *de kas van een edelsteen* the setting of/for a jewel; *zijn ogen puilen uit de (hun) kassen* his eyes are popping out (of their sockets) [•] ⟨in België⟩ *op zijn kas krijgen* get a beating/a good hiding
kasaantekening [de^{v}] cash entry
kasba [de^{m}] casbah, kasbah
kasbasis [de^{v}] cash basis
kasbediende [de] teller, cashier, ⟨m.b.t. loon⟩ pay clerk
kasbeheer [het] cash management
kasbescheiden [de^{mv}] vouchers

kasbiljet [het] (type of) savings certificate
kasbloem [de] 1 ⟨gekweekte bloem, plant⟩ hothouse plant, hothouse flower/bloom 2 ⟨teer persoon⟩ hothouse plant
kasboek [het] cashbook, account(s) book ◆ *het kasboek* ***bijhouden*** keep the books, enter/write up the (cash)book
kasbon [de^m] ⟨in België⟩ (type of) savings certificate
kascheque [de^m] girocheque
kascommissie [de^v] audit(ing) committee
kascontrole [de] checking the cash, ⟨door accountant⟩ cash audit
kasfruit [het] hothouse fruit
kasgeld [het] cash
kasgroente [de^v] greenhouse vegetables, glasshouse/hothouse vegetables, forced vegetables
kashba [de^m] casbah, kasbah
kasjmier [het] cashmere
Kasjmir [het] Kashmir
kasjroet [het] kashrut
kasklimaat [het] hothouse climate
kaskoe [de^v] cash cow
kaskraker [de^m] ⟨film; inf⟩ (box-office) hit/winner/success
kasloper [de^m] (cash) collector, collecting clerk
kasmiddelen [de^mv] cash (resources)
kasnotitie [de^v] cash entry
kasobligatie [de^v] bearer bond, coupon bond
kasontvangsten [de^mv] cash receipts, ⟨in winkel ook⟩ takings
kasopname [de] cash withdrawal
kasopneming [de^v] examination/inspection/checking of the cash
Kaspische Zee [de] Caspian Sea
kasplant [de] 1 ⟨in een kas gekweekte plant⟩ hothouse plant 2 ⟨persoon met weinig weerstand⟩ hothouse plant
kaspositie [de^v] cash situation, cash resources/supplies
kasregister [het] cash register, check-out register
kasrekening [de^v] ⟨boekh⟩ cash account
kasreserve [de] cash reserve
kasritme [het] financial phasing
[1]**kassa** [de] 1 ⟨telmachine⟩ cash register, till ◆ *geld* ***uit*** *de kassa stelen* ⟨in de winkel waar men werkt⟩ steal money from the till, have one's fingers in the till 2 ⟨plaats waar men betaalt⟩ cash desk, cashpoint, ⟨supermarkt⟩ check-out, ⟨schouwburg, bioscoop⟩ box/booking office ◆ ***bij/aan*** *de kassa betalen/afrekenen* pay at the cash desk
[2]**kassa** [tw] ⟨als iets (te) duur is⟩ what a rip off!, ⟨BE⟩ it's daylight robbery!, ⟨als men voordeel heeft bij iets⟩ bingo!, jackpot!
kassabank [de] point-of-sale terminal/scanner
kassabon [de^m] receipt, ⟨AE ook⟩ sales slip, ⟨vnl BE⟩ docket
kassakoopje [het] ± bargain, sales goods
kassakraker [de^m] box office hit, top-grossing ^B film/^A movie, blockbuster ^B film/^A movie
kassaldo [het] cash balance
kasschuif [de] funds/cash movement
kassei [de] ⟨in België⟩ 1 ⟨straatkei⟩ cobble(stone), paving stone 2 ⟨steenweg⟩ cobbled road
kasseiweg [de^m] paved road, cobbled street
kassen [ov ww] set
kassian [tw] what a pity!, how sad/awful/terrible!
kassier [de^m] 1 ⟨iemand die een kas beheert⟩ cashier, ⟨bank ook⟩ teller 2 ⟨persoon, firma wie men gelden toevertrouwt⟩ banker
kassiersboekje [het] bankbook, passbook
kassiersbriefje [het] bank draft, cash order, cheque
kassierskantoor [het] banking office
kassiersprovisie [de^v] bank commission
kassiewijle [bn] ⟨inf⟩ ◆ ***kassiewijle gaan*** conk out, pop off, kick the bucket; *hij* ***is*** *kassiewijle* he's kicked the bucket, he's gone to kingdom come
kasstelsel [het] ⟨boekh⟩ accounts system/method, accounting
kasstorting [de^v] cash deposit
kasstroom [de^m] ⟨ec⟩ cash flow
kasstuk [het] 1 ⟨toneelstuk⟩ box-office success/draw 2 ⟨boekh⟩ voucher
kassucces [het] box-office success/hit, blockbuster
kast [de] 1 ⟨meubel⟩ cupboard, ⟨vnl. vaste kast⟩ closet, ⟨kleren⟩ wardrobe, ⟨i.h.b. voor sierspulletjes⟩ cabinet ◆ ⟨fig⟩ *uit de kast* ***komen*** ⟨van homo's⟩ come out (of the closet); ***op*** *de kast zitten* ⟨fig⟩ be angry; *iemand* ***op*** *de kast jagen/krijgen* ⟨fig⟩ get a rise out of s.o., needle s.o.; ⟨fig⟩ *alles* ***uit*** *de kast halen* pull out all the stops; ***vaste*** *kasten* fitted/built-in cupboards 2 ⟨afsluitbaar deel van een meubel⟩ compartment, cupboard 3 ⟨ombouw⟩ case, cabinet, casing 4 ⟨groot gebouw, voer-, vaartuig⟩ ⟨huis⟩ barracks, barn, ⟨lelijk ook⟩ monstrosity, ⟨schip⟩ tub, ⟨voert⟩ tank, rattletrap ◆ *een kast* ***van*** *een huis* a barn of a house 5 ⟨Barg; gevangenis⟩ ⟨inf⟩ can, clink ◆ ⟨inf⟩ ***in*** *de kast zitten* be in the can, doing time 6 ⟨bijenkast⟩ (bee-)hive ◆ ***losse*** *en* ***vaste*** *kasten* hives with removable and non-removable honeycombs
kastaar [de^m] 1 ⟨in België; deugniet⟩ sturdily-built man 2 ⟨steviggebouwde kerel⟩ rascal
[1]**kastanje** [de^m] 1 ⟨paardenkastanjeboom⟩ horse chestnut 2 ⟨kastanjeboom⟩ chestnut
[2]**kastanje** [het] ⟨hout⟩ chestnut
[3]**kastanje** [de] 1 ⟨paardenkastanje⟩ (horse) chestnut, ⟨vnl BE; inf⟩ conker 2 ⟨tamme kastanje⟩ (Spanish/sweet) chestnut ◆ ***gepofte/geglaceerde*** *kastanjes* roast chestnuts/marrons glacés; *iemand de kastanjes uit het vuur laten halen* ⟨fig⟩ get s.o. to do one's dirty work (for one); ⟨fig⟩ *de kastanjes voor een ander uit het vuur halen/slepen* do s.o. else's dirty work
kastanjeachtig [bn] chestnut, chestnutty, chestnut-like ◆ ⟨zelfstandig (gebruikt); plantk⟩ *kastanjeachtigen* Hippocastanaceae
kastanjebloesem [de^m] chestnut blossom/bloom
kastanjebolster [de^m] chestnut shell
kastanjeboom [de^m] chestnut (tree)
[1]**kastanjebruin** [het] chestnut (brown), auburn
[2]**kastanjebruin** [bn] chestnut, auburn ◆ *kastanjebruin* ***haar*** chestnut/auburn hair; *een kastanjebruin* ***paard*** a bay (horse)
kastanjechampignon [de^m] chestnut mushroom
kastanjekleurig [bn] chestnut(-coloured), chestnutty
kastbed [het] cabinet bed, cupboard-bed
kastdeur [de] cupboard/cabinet door
kastdroog [bn] cupboard-dry
kaste [de] 1 ⟨stand⟩ caste ◆ *de* ***hoogste*** *kaste is die van de brahmanen* the Brahmans are the highest caste 2 ⟨maatschappelijke kring⟩ caste
kasteel [het] 1 ⟨slot⟩ castle, chateau ◆ *op hem kun je kastelen* ***bouwen*** he's a rock; *een* ***middeleeuws*** *kasteel* a medieval castle; *een kasteel* ***van*** *een huis* a real mansion 2 ⟨burcht⟩ castle, citadel 3 ⟨schaakstuk⟩ castle, rook 4 ⟨landhuis⟩ castle, manor (house), mansion
kasteelheer [de^m], **kasteelvrouwe** [de^v] ⟨man & vrouw⟩ lord of the castle/manor, ⟨man⟩ chatelain, ⟨vrouw⟩ chatelaine
kasteelhotel [het] castle hotel
kasteelroman [de^m], **kasteelromannetje** [het] mawkish/sentimental novel, ↓sloppy novel
kasteelromannetje [het] → **kasteelroman**
kasteelvrouwe [de^v] → **kasteelheer**
kastekort [het] deficit
kastelein [de^m], **kasteleinse** [de^v] ⟨man & vrouw⟩ innkeeper, ⟨man & vrouw; BE⟩ publican, ⟨man⟩ landlord,

⟨vrouw⟩ landlady
kasteleines [de^v] → **kastelein**
kasteleinse [de^v] → **kastelein**
kasteloos [bn] outcaste, ⟨AE ook⟩ casteless
kasteloze [de] outcaste
kastengeest [de^m] caste spirit, elitism, ⟨klassengeest⟩ class spirit/consciousness
kastenmaker [de^m] cabinetmaker
kastenwand [de^m] wall units
kastenwezen [het] caste system
kastie [het] 'kastie', game resembling rounders
kastijden [ov ww] chastise, castigate, punish ◆ ⟨Bijb⟩ *de Heer kastijdt degene die Hij liefheeft* whom the Lord loveth he correcteth; ⟨Bijb⟩ *zijn **vlees** kastijden* chastise one's flesh ▣ ⟨sprw⟩ *wie zijn kinderen liefheeft, kastijdt ze* spare the rod and spoil the child
kastijding [de^v] chastisement, castigation, ⟨inf⟩ dressing down ◆ *iemand een kastijding **toedienen*** chastise s.o.
kastje [het] 1 ⟨kleine kast⟩ cupboard, locker ◆ *een bureau **met** kastjes en laatjes* a desk with cupboards and drawers; ***van** het kastje naar de muur gestuurd worden* ⟨fig⟩ be sent/driven from pillar to post 2 ⟨televisietoestel⟩ box ◆ *de hele avond kastje **kijken*** watch the box all evening 3 ⟨kijkkast⟩ peepshow, raree show
¹**kastoor** [de^m] ⟨hoed van bevervilt⟩ beaver (hat), castor
²**kastoor** [het] ⟨bevervilt⟩ castor
kastpapier [het] shelf paper
kastplank [de] cupboard shelf
kastrandje [het] shelf edging
kastruimte [de^v] cupboard space
kastuinder [de^m] greenhouse gardener, market gardener
kasuaris [de^m] cassowary
kasuitgave [de] cash expenditure
kasverkeer [het] cash transactions/dealings ⟨mv⟩
kasvoorraad [de^m] cash in hand, (ready) cash, ready money, petty cash
kasvoorschot [het] cash advance ◆ *een kasvoorschot **verlenen*** make a cash advance
kat [de] 1 ⟨huisdier⟩ cat ◆ ⟨fig⟩ *zo vals **als** een kat* mean as a dog; ***als** een kat in het nauw* like a cornered rat; ⟨fig⟩ *zich voelen **als** een kat in een vreemd pakhuis* feel like a fish out of water, feel out of place; *de **Gelaarsde** Kat* Puss in Boots; ⟨fig⟩ *leven als kat en **hond*** lead a cat-and-dog life/existence, be at loggerheads; *een kat **in** de zak kopen* ⟨fig⟩ buy a pig in a poke; buy a lemon; ⟨fig⟩ *de kat uit de boom **kijken*** wait to see which way the wind blows/which way the cat jumps; ⟨fig⟩ *de kat in het donker **knijpen*** be sneaky, do things on the sly; ⟨fig⟩ ***maak** dat de kat **wijs*** pull the other one, tell it/that to the marines; *de kat **mauwt/spint/blaast/krolt*** the cat is miaowing/purring/hissing/caterwauling; ⟨fig⟩ *kat en **muis** spelen* play cat and mouse; *eruitzien als een **verzopen** kat* look like a drowned rat/like sth. the cat brought in; ⟨vulg, fig⟩ *iets **voor** de kat z'n kloten/kont doen* piddle/fart/fuck around (for nothing), ↑ do sth. for nothing/for peanuts; ⟨fig⟩ *de kat bij het spek **zetten**/op het spek **binden*** leave/set the fox to watch the geese, trust the cat to keep the cream; ⟨fig⟩ *de kat **zit** in de gordijnen* the fur is flying; ⟨inf⟩ all hell has broken loose; ⟨inf; AE⟩ the shit has hit the fan; ⟨inf⟩ *kat in het bakkie* it's child's play/straightforward/plain sailing/a piece of cake, it's as easy as/like falling off a log; ⟨fig⟩ *de kat de bel **aanbinden*** bell the cat 2 ⟨snibbig meisje⟩ cat ◆ *een **valse** kat* a bitch, ↓ a cow 3 ⟨mv; de katachtigen⟩ cats, felines ◆ ***wilde** kat* European wildcat 4 ⟨snauw⟩ snarl ◆ *iemand een kat **geven*** snarl/snap at s.o.; ⟨inf⟩ bite s.o.'s head off ▣ ⟨in België⟩ *andere katten te **geselen** hebben* ↑ have other fish to fry; ⟨in België⟩ *er **is** geen kat* ↑ there isn't a soul (to be seen); ⟨in België⟩ *nu komt de kat op de **koord*** ↑ now we'll know what's behind all this/what's really cooking, that'll show him/her/... in his/her/... true colours; ⟨in België⟩ *een kat een kat **noemen*** call a spade a spade; ⟨in België⟩ *zijn kat **sturen*** ↑ not show up; *de kat met negen staarten* the cat-o'-nine-tails; ⟨sprw⟩ *als katjes muizen, mauwen ze niet* ± a mewing cat is a bad mouser; ± a bleating sheep loses a bite; ⟨sprw⟩ *een kat in nood maakt rare sprongen* ± a drowning man will clutch at a straw; ± necessity is the mother of invention; ⟨sprw⟩ *een kat komt altijd op zijn pootjes terecht* a cat always lands on its feet; ⟨sprw⟩ *omwille van de smeer likt de kat de kandeleer* ± many kiss the hand they wish to cut off; ± full of courtesy, full of craft; ⟨sprw⟩ *bij nacht zijn alle katjes grauw* all cats are grey in the dark; ⟨sprw⟩ *als de kat van huis is, dansen de muizen (op tafel)* when the cat's away the mice will play

kat		
dier	kat	cat
mannetje	kater	tom, tomcat
vrouwtje	poes	female cat
jong	kitten	kitten
roep	miauwen; spinnen	miaow; purr
geluid	miauw	miaow

katabolie [de^v], **katabolisme** [de^v] catabolism
katabolisme [het] → **katabolie**
katabool [bn] ⟨med⟩ catabolic
katachtig [bn] 1 ⟨als een kat⟩ catlike ◆ *katachtige **lenigheid*** feline sinuosity, catlike litheness/suppleness 2 ⟨tot de katachtigen behorend⟩ feline ◆ *katachtige **roofdieren*** feline predators 3 ⟨vinnig⟩ catty, mean ◆ *een katachtige **vrouw*** a catty/mean woman
katafalk [de] catafalque, bier
katalysator [de^m] 1 ⟨scheik⟩ catalyst, catalytic agent 2 ⟨datgene wat een proces bevordert⟩ catalyst 3 ⟨m.b.t. auto⟩ (catalytic) converter
katalyse [de^v] ⟨scheik⟩ catalysis ◆ ***negatieve** katalyse* (catalyst) poison
katalyseren [ov ww] ⟨scheik⟩ catalyse, catalyze
katalytisch [bn] ⟨scheik⟩ catalytic
katapult [de^m] 1 ⟨speeltuig⟩ ⟨BE⟩ catapult, ⟨AE⟩ slingshot ◆ ***met** een katapult (af/be)schieten* shoot/hit with a catapult 2 ⟨gesch⟩ catapult ◆ ***met** een katapult (af/be)schieten* catapult 3 ⟨inrichting om vliegtuigen te lanceren⟩ catapult ◆ ***met** een katapult afschieten* catapult
Katar [het] Qatar

Katar	
naam	*Katar* Qatar
officiële naam	*Staat Katar* State of Qatar
inwoner	*Katarees* Qatari
inwoonster	*Katarese* Qatari
bijv. naamw.	*Katarees* Qatari
hoofdstad	*Doha* Doha
munt	*Katarese rial* Qatari riyal
werelddeel	*Azië* Asia
int. toegangsnummer 974 www .qa auto QA	

¹**Katarees** [de^m], **Katarese** [de^v] ⟨man & vrouw⟩ Qatari, ⟨vrouw ook⟩ Qatari woman/girl
²**Katarees** [bn] Qatari
Katarese [de^v] → **Katarees¹**
kat-en-muisspel [het] cat-and-mouse game
katenspek [het] ± smoked bacon
kater [de^m] 1 ⟨mannetje van de kat⟩ tomcat ◆ *een **gesneden** kater* a castrated/sterilised tomcat 2 ⟨na alcoholgebruik⟩ hangover ◆ *een kater **hebben*** have a hangover; ***met** een kater* ↓ hung (over) 3 ⟨ontgoocheling⟩ disillusionment ◆ *een **morele** kater* moral qualms
katern [het, de] 1 ⟨aantal gevouwen vellen⟩ quire 2 ⟨amb⟩ section, signature, quire
kath. [afk] (katholiek) Cath

katharisme [het] Catharism
katheder [de^m] 1 ⟨spreekgestoelte⟩ lectern 2 ⟨plaats, ambt⟩ chair 3 ⟨bisschopszetel in een kathedraal⟩ bishop's throne
1**kathedraal** [de] ⟨r-k⟩ 1 ⟨domkerk⟩ cathedral 2 ⟨groot kerkgebouw⟩ large church ♦ *als een kathedraal* colossal; ⟨scherts⟩ *een **nicht** als een kathedraal* a supreme queen, a flamboyant queen
2**kathedraal** [bn] ⟨r-k⟩ cathedral ♦ *kathedrale **basiliek*** cathedral basilica; *kathedrale **kerk*** cathedral church
katheter [de^m] catheter, tube ♦ *een katheter **inbrengen** bij/in* catheterize
katheteriseren [ov ww] catheterize
kathode [de^v] ⟨natuurk⟩ cathode
kathodestraalbuis [de] ⟨natuurk⟩ cathode ray tube
katholicisme [het] 1 ⟨godsdienst⟩ Catholicism ♦ *(zich) **bekeren** tot het katholicisme* convert to (Roman) Catholicism 2 ⟨opvattingen, levensuitingen⟩ Roman Catholicism
katholiciteit [de^v] 1 ⟨het katholiek zijn⟩ Catholicity 2 ⟨het overeenstemmen met de katholieke leer⟩ Catholicity
1**katholiek** [de^m] Roman Catholic
2**katholiek** [bn] 1 ⟨rooms⟩ (Roman) Catholic ♦ *katholieker/roomser zijn **dan de paus*** be holier than the pope; *het katholieke **geloof*** the Catholic faith; *een katholieke **school*** a Catholic school; *katholiek **worden*** become (a) Catholic 2 ⟨deugdelijk⟩ right, proper, (quite) kosher 3 ⟨algemeen⟩ catholic ♦ *de katholiek **brieven*** the Catholic epistles; *de heilige katholieke **kerk*** the holy catholic Church
kation [het] cation
katjang [de] 1 ⟨Indonesische peulvrucht⟩ legume ♦ *katjang idjo* mung bean 2 ⟨apennootje⟩ peanut
katje [het] 1 ⟨jonge, kleine kat⟩ kitten ♦ ⟨fig⟩ *zij is geen katje om zonder handschoenen aan te pakken* she is not to be trifled with; *in het donker zijn alle katjes grauw* all cats are grey/^A gray at night 2 ⟨bloeiwijze⟩ catkin, ament ♦ ***mannelijke/vrouwelijke** katjes* male/female catkins • ⟨sprw⟩ *als katjes muizen, mauwen ze niet* ± a mewing cat is a bad mouser; ± a bleating sheep loses a bite; ⟨sprw⟩ *bij nacht zijn alle katjes grauw* all cats are grey in the dark
katjesdrop [de] 'katjesdrop', liquorice in the shape of a cat
katjesspel [het] kittenish romp ♦ *dat zal katjesspel **worden*** that will (surely) end in ructions/misschief/a free-for-all
katjoesjaraket [de] katyusha rocket
katoen [het, de^m] 1 ⟨draad, garen⟩ cotton ♦ *een **kluwen** katoen* a ball of cotton 2 ⟨stof⟩ cotton ♦ ***ongebleekt/bedrukt** katoen* unbleached/printed cotton 3 ⟨zaadpluis⟩ cotton ♦ ***ruwe/gezuiverde** katoen* raw/refined cotton; ⟨ruw ook⟩ cotton wool; *een draad **van** katoen* cotton thread 4 ⟨plant⟩ cotton(plant) ♦ *katoen **verbouwen*** grow cotton 5 ⟨pit in een olielamp⟩ (cotton-)wick • *'m van katoen **geven**,* ⟨in België⟩ *katoen **geven*** give it all one has got, go for it; *iemand van katoen **geven*** give s.o. what for, let s.o. have it
katoenachtig [bn] cottony, cotton-like ♦ *katoenachtige **stoffen*** cotton-like fabrics
katoenbaal [de] 1 ⟨ruwe katoen⟩ cotton bale, bale of cotton 2 ⟨gedrukte katoenen stoffen⟩ bale of cotton
katoenbatist [het] percale
katoenblekerij [de^v] cotton bleaching plant
katoenbouw [de^m] cotton cultivation/growing, cultivation/growing of cotton
katoendruk [de^m] cotton printing
katoendrukkerij [de^v] 1 ⟨het drukken⟩ cotton/calico printing 2 ⟨fabriek⟩ (calico) print-works, cotton printing mill, printery
katoenen [bn] cotton ♦ *katoenen **garens*** cotton thread/yarn; *katoenen **stoffen*** cotton fabrics, cottons
katoenfabriek [de^v] cotton mill
katoenflanel [het] cotton flannel, flannelette, outing flannel
katoengaren [het] cotton yarn
katoenindustrie [de^v] cotton industry
katoenolie [de] cotton seed oil
katoenplant [de] cotton plant
katoenplantage [de^v] cotton plantation
katoenpluk [de^m] cotton picking
katoenspinnerij [de^v] cotton mill
katoentje [het] 1 ⟨weefsel⟩ cotton (fabric) ♦ *hij handelt **in** katoentjes* he deals in cotton, ⟨inf⟩ he is in cotton 2 ⟨jurk⟩ cotton dress 3 ⟨pit⟩ (oil) wick
katoog [het, de^m] ⟨halfedelgesteente⟩ cat's eye
katrol [de] 1 ⟨heng⟩ (fishing) reel 2 ⟨hijsblok⟩ pulley ♦ ***vaste/losse/dubbele** katrol* fixed/loose/double pulley
katrolblok [het] pulley block
katrolschijf [de] (pulley) sheave
katsjoe [de^m] ⟨verfstof⟩ catechu, cutch, cachou, gambir, ⟨hoestmiddel⟩ cachou, catechou
kattebelletje [het] ⟨briefje⟩ (scribbled) note, memo
Kattegat [het] Kattegat
1**katten** [onov ww] ⟨afsnauwen⟩ snap/snarl (at) ♦ *katten **tegen/op** iemand* crab s.o., bite s.o.'s head off
2**katten** [ov ww] ⟨scheepv⟩ cat ♦ *het **anker** te katten* cat the anchor
kattenbak [de^m] 1 ⟨bak waarin een kat haar behoefte doet⟩ cat('s) box 2 ⟨etensbak⟩ cat's bowl/dish 3 ⟨bagageruimte van personenauto⟩ ⟨BE⟩ dick(e)y seat, ⟨AE⟩ rumble seat
kattenbakkorrels [de^mv] cat litter
kattenbakvulling [de^v] kitty litter
kattenbelletje [het] ⟨belletje⟩ cat bell
kattendarm [de^m] 1 ⟨darm van een kat⟩ cat intestine/gut 2 ⟨snaar⟩ catgut
kattendoorn [de^m] ⟨plantk⟩ 1 ⟨stalkruid⟩ restharrow 2 ⟨duindoorn⟩ sea buckthorn 3 ⟨stekelbrem⟩ needlefurze, needlegorse 4 ⟨gaspeldoorn⟩ furze, gorse
kattendrek [de^m] cat dirt
kattengat [het] 1 ⟨smalle doorgang⟩ alley(way) 2 ⟨kattenluikje⟩ cat door 3 ⟨nauwe doorvaart⟩ narrow passage
kattengejammer [het] 1 ⟨gemiauw⟩ me(o)wing, ⟨van krolse kat⟩ caterwauling 2 ⟨scherts; slecht vioolspel⟩ scraping
kattengejank [het] 1 ⟨gemiauw⟩ me(o)wing, ⟨van krolse kat⟩ caterwauling 2 ⟨scherts; slecht vioolspel⟩ scraping
kattengeslacht [het] cat/feline family
kattengrit [het] cat litter
kattenkop [de^m] 1 ⟨de kop van een kat⟩ cat's head 2 ⟨kattige vrouw⟩ cat, ↓ bitch
kattenkruid [het] catmint, catnip
kattenkwaad [het] mischief, tomfoolery ♦ *kattenkwaad **uithalen*** get into mischief; *waarschuw de kinderen dat zij geen kattenkwaad **uithalen*** warn the children to keep out of mischief
kattenluik [het] cat flap
kattenmepper [de^m] cat snatcher/thief
kattenoog [het] 1 ⟨oog (als) van een kat⟩ cat's eye, cat eye ♦ *kattenogen **hebben*** have eyes like a cat 2 ⟨lichtreflector op de weg⟩ ⟨BE⟩ cat's eye, ⟨AE⟩ reflector
kattenpis [de^m] cat piss ♦ ⟨fig⟩ *dat is geen kattenpis* no kidding, that's going some, ⟨AE⟩ you ain't whistling Dixie; ⟨veel geld; BE⟩ that's not to be sneezed at, ⟨AE⟩ that ain't hay/beans
kattenpoot [de^m] 1 ⟨poot van een kat⟩ cat's paw 2 ⟨onleesbaar handschrift⟩ scrawl, hen scratch/track
kattenpootje [het] 1 ⟨roerkruid⟩ cat's foot 2 ⟨rimpeling van watervlak⟩ cat's paw
kattenras [het] type/breed of cat
kattenrug [de^m] 1 ⟨gekromde rug⟩ arched back ♦ *hij*

heeft al een kattenrug he is already bent down with age [2] ⟨spoorw⟩ uplifting (of rails)

kattensnaar [de] catgut (string)

kattensprong [de^{m}] [1] ⟨sprong⟩ cat's leap [2] ⟨dwaze handeling⟩ caper

kattenstaart [de^{m}] [1] ⟨staart van een kat⟩ cat's tail [2] ⟨plant⟩ purple loosestrife, spiked loosestrife

kattentong [de] [1] ⟨tong van een kat⟩ cat's tongue [2] ⟨koekje, chocolaatje⟩ langue de chat

kattentrap [de^{m}] cat stairs/stairway

kattenvoer [het] cat food

kattenvrouw [de^{v}] [1] ⟨kattenliefhebster⟩ cat lady [2] ⟨op kat lijkende vrouw⟩ catwoman

kattenvrouwtje [het] ⟨scherts⟩ cat lady

kattenwasje [het] [1] ⟨heel klein wasje⟩ small wash [2] ⟨haastige wassing⟩ quick wash, lick and a promise, catlick

kattenziekte [de^{v}] feline distemper, feline panleukemia

kattepul [de^{m}] ⟨BE⟩ catapult, ⟨AE⟩ slingshot

katterig [bn] [1] ⟨licht ziek, verkouden⟩ under the weather ♦ *een katterig **gevoel** hebben, katterig zijn* feel/be under the weather [2] ⟨een kater hebbend⟩ hung over ♦ *katterig **zijn*** have a hangover; ⟨ook alg⟩ feel like the morning after [3] ⟨teleurgesteld⟩ disappointed, disillusioned ♦ *met een katterig **gevoel** blijven zitten* be left with a sense of disillusionment

katterigheid [de^{v}] hangover, ⟨inf⟩ head, ⟨vero⟩ crapulence

kattig [bn, bw] catty ⟨bw: cattily⟩ ♦ *een kattig **antwoord*** a catty reply; *doe niet zo kattig* don't be so catty

kattin [de^{v}] ⟨in België⟩ (female) cat

katuil [de^{m}] ⟨vero⟩ ⟨kerkuil⟩ barn owl, ⟨velduil⟩ short-eared owl, ⟨bosuil⟩ tawny owl, ⟨ransuil⟩ long-eared owl

katvis [de^{m}] [1] ⟨karpervis⟩ catfish [2] ⟨klein visje⟩ ± tiddler, ⟨mv ook⟩ fry

katzwijm [de] faint ♦ *in katzwijm **liggen*** have fainted; ⟨scheepv⟩ *in katzwijm liggen* ⟨windstilte⟩ be becalmed; ⟨motorpech⟩ lay idle; *in katzwijm **vallen*** faint

Kaukasiër [de^{m}] Caucasian

Kaukasisch [bn] Caucasian

Kaukasus [de^{m}] Caucasus

[1]kauri [de^{m}] ⟨schelp⟩ cowrie, ⟨groot⟩ turtle shell/cowrie

[2]kauri [het] ⟨houtsoort⟩ kauri (pine)

kauw [de] jackdaw

kauwbeweging [de^{v}] mastication ♦ *kauw- en **slikbewegingen*** chewing/masticating and swallowing motions

[1]kauwen [onov ww] ⟨bijten⟩ chew ♦ *op een **potlood** kauwen* chew (on) a pencil

[2]kauwen [ov ww, ook abs] ⟨met tanden en kiezen fijnmaken⟩ chew, masticate ♦ *het **eten** kauwen* chew one's food; *goed kauwen is **belangrijk*** it is important to chew (one's food) properly

kauwgom [het, de^{m}] chewing gum

kauwmaag [de^{m}] gizzard

kauwspier [de] masseter, digastric (muscle)

kavalje [het] ⟨huis⟩ tumbledown/ramshackle house, ⟨pej⟩ old barrack, ⟨inf⟩ dump, ⟨schip⟩ old tub, heap, ⟨paard⟩ screw, jade, old crock

kavel [de^{m}] [1] ⟨perceel waarin land verdeeld wordt⟩ lot, parcel, plot [2] ⟨deel van een partij goederen, nalatenschap⟩ lot, ⟨goederen⟩ parcel, ⟨nalatenschap⟩ share, portion

kavelen [ov ww] parcel (out), lot (out), ⟨nalatenschap⟩ divide, apportion

kavelindeling [de^{v}] parcelling (out), lotting (out), ⟨nalatenschap⟩ division, apportionment

kaveling [de^{v}] [1] ⟨het kavelen⟩ parcelling (out), lotting (out), ⟨nalatenschap⟩ division, apportionment [2] ⟨perceel van drooggemaakte landerijen⟩ lot, parcel, plot [3] ⟨jur⟩ share, portion [4] ⟨deel van een partij koopgoederen⟩ lot, parcel, portion ♦ *die koffie zal **bij** kavelingen worden verkocht* that coffee will be sold in lots

kaviaar [de^{m}] caviar(e)

Kazach [de^{m}], **Kazachse** [de^{v}] Kazakh

[1]Kazachs [het] Kazakh

[2]Kazachs [bn] Kazakh

Kazachse [de^{v}] → **Kazach**

Kazachstan [het] Kazakhstan

Kazachstan

naam	*Kazachstan* Kazakhstan
officiële naam	*Republiek Kazachstan* Republic of Kazakhstan
inwoner	*Kazach* Kazakh
inwoonster	*Kazachse* Kazakh
bijv. naamw.	*Kazachs* Kazakh
hoofdstad	*Astana* Astana
munt	*tenge* tenge
werelddeel	*Azië* Asia

int. toegangsnummer 7 www .kz auto KZ

kazemat [de] casemate, bunker, pillbox

kazen [onov ww] make cheese ♦ ***zelf** kazen* make one's own cheese

kazerne [de] [1] ⟨complex voor soldaten, brandweer, marechaussee⟩ ⟨mil⟩ barrack(s), ⟨brandweer⟩ station, ⟨marechaussee⟩ station ♦ ***in** zo'n afschuwelijke kazerne wil ik niet wonen* I don't want to live in a barracks like that; *hun kazerne is een **monstrum*** their barracks is/are ugly; *een kazerne* a barracks [2] ⟨pej; blok woningen⟩ barrack(s), tenement house

kazerneleven [het] life in barracks, barrack(s)-life

kazerneren [ov ww] barrack, house in barracks

kazernewoning [de^{v}] tenement house, barrack(s)

kazoo [de^{m}] kazoo

kazuifel [de^{m}] chasuble, planet

[1]KB [de] ⟨comp⟩ (kilobyte) K, KB

[2]KB [afk] [1] (Koninklijk Besluit) Royal Decree [2] (Koninklijke Bibliotheek) Royal Library

KBVB [de^{m}] ⟨in België⟩ (Koninklijke Belgische Voetbalbond) Royal Belgian Football Association

kca [het] (klein chemisch afval) household chemical waste

kcal [afk] (kilocalorie) kcal

Ke [afk] (Kosteneenheid) cost unit

kebab [de] kebab

kedengkedeng [tw] chug chug chug

[1]keel [het] ⟨heral⟩ gules

[2]keel [de] [1] ⟨deel van de hals, strot⟩ throat ♦ *iemand de keel **afsnijden*** ⟨ook fig⟩ cut s.o.'s throat; *iemand **bij** de keel **grijpen*** seize s.o. by the throat; *iemand de keel **dichtknijpen*** throttle/choke/strangle s.o.; *iemand **naar** de keel **vliegen*** fly at/go for s.o.'s throat [2] ⟨keelgat⟩ throat ♦ *een **dikke** keel hebben* have a swollen throat, ⟨gevoel⟩ have a sore throat; ⟨door emotie⟩ have a lump in one's throat; *dat krijg ik niet **door** mijn keel* I couldn't eat that to save my life; *een **droge** keel hebben* have a dry throat; *het **hangt** me (mijlen ver) de keel **uit*** I'm fed up (to the back teeth) with it, I'm sick (and tired)/sick to death of it, I've had it up to here; *het hart bonsde hem **in** de keel* his heart was in/leapt into his mouth; *de woorden bleven **in** zijn keel steken* the words stuck in his throat; *een **ontstoken** keel hebben* have a sore throat; *zijn keel **schrapen*** clear one's throat; *(zich) de keel **smeren*** wet one's whistle; ⟨fig⟩ *het begint me de keel **uit** te **hangen*** I'm getting fed up with it [3] ⟨stem(geluid)⟩ throat ♦ *een keel **opzetten*** start yelling/to yell; ⟨fig; tekeergaan tegen iets⟩ carry on, scream ^{B}blue/^{A}bloody murder

keelaandoening [de^{v}] throat affection/malady/trouble, affection of the throat

keelamandel [de] tonsil

keelarts [de^{m}] throat specialist, laryngologist ◆ *keel-, neus- en oorarts* ear, nose and throat specialist, ENT specialist, otorhinolaryngologist
keelband [de^{m}] ⟨dameshoed⟩ ribbon, ⟨helm⟩ chin-strap
keelgat [het] gullet ◆ *door het keelgat jagen* send down one's throat; *in het verkeerde keelgat schieten* go down the wrong way; ⟨fig⟩ not go down very well (with s.o.)
keelgeluid [het] [1] ⟨geluid van een keelklank⟩ guttural sound, throaty sound [2] ⟨ongearticuleerd stemgeluid⟩ noise in the throat
keelholte [de^{v}] pharynx
keelkanker [de^{m}] cancer of the throat
keelklank [de^{m}] [1] ⟨diep uit de keel klinkende klank⟩ guttural sound, throaty sound ◆ *keelklanken uitstoten* let out guttural/throaty sounds [2] ⟨taalk⟩ guttural (sound)
keelklepje [het] epiglottis
keelmicrofoon [de^{m}] laryngophone, throat microphone
keelontsteking [de^{v}] (oro-)pharyngitis, ⟨ruimer⟩ laryngitis, quinsy, inflammation of the throat ◆ *een keelontsteking hebben* have laryngitis/quinsy/a sore throat
keelpijn [de] sore throat ◆ *keelpijn hebben* have a sore throat
keelspiegel [de^{m}] laryngoscope
keelstem [de] guttural voice, throaty voice
keeltjes [de^{mv}] young turnip tops
keen [de] chap, crack
¹keep [de^{m}] ⟨vogel⟩ brambling
²keep [de] ⟨inkeping⟩ notch, nick, score ◆ *kepen in een boom hakken* cut notches in a tree; *de keep in een pijl* the nock in an arrow
keepen [onov ww] be in goal, keep goal
keeper [de^{m}] goalkeeper, keeper, ⟨inf⟩ goalie, ⟨AE ook; ijshockey⟩ goal-tender, goal-minder
keepersgeluk [het] ⟨sport⟩ [1] ± a lucky break, ± a stroke of luck [2] ⟨fig; pure mazzel⟩ sheer luck
keer [de^{m}] [1] ⟨maal⟩ time ◆ *(op) een andere keer* another time, some other time; *anderhalf keer zoveel* half as much/many again; *nou vooruit, voor deze keer dan!* all right then, but only/just for this once, mind you!; *deze (ene) keer hield iedereen nu eens zijn mond* for once everybody kept quiet; *een doodenkele keer* once in a blue moon; *drie keer achter elkaar* three times running; *(op) een keer* one day; *een keer te veel* once too often; *dat is nu een keer zo* that's how it is/things are; *je bent maar één keer jong* you're only young once; *(het lukte hem) in één keer* (he did it) in one go; *één keer moet de eerste zijn* there has to be a first time (for everything); *dat is één keer en nooit meer* never again; *één enkele keer, slechts één keer* only once; *nog één keer en dan zwaait er wat!* just let that happen again and you're for it!; *we hebben alles in één keer betaald* we paid for everything outright; *hij dronk zijn glas in één keer leeg* he emptied his glass at a draught/in one go; *hij heeft al zijn geld in één keer opgemaakt* he got rid of all his money in one go; *de eerste keer* the first time; *(meteen) de eerste keer al* right off at the first go; *toen hij daar voor de eerste keer kwam* the first time he came there; *elke/iedere keer* each/every time; *de ene keer ... de andere keer* the one time ... the other; *de ene keer (is het) dit, de andere keer dat* now it's this and then it's that; *geen enkele keer* not/never once; *een keer of wat, een enkele keer, een paar keer* once or twice, a couple of times, two or three times; *voor de laatste keer* for the last time; *nog een keer(tje)* (once) again, once more; *keer om keer* in turn; *keer op keer* time after time, time and again; *nu moet je toch eens een keer ophouden* and now it's about time you stopped; *per keer* a time; *negen van de tien keer* nine times out of ten; *dat heb ik nu al tien/honderd keer gezegd/gehoord* I've already said/heard that I don't know how many times/ten times/a hundred times; *twee keer* twice; *twee keer twee is vier* two times two is four; ⟨tafel⟩ two twos are four; *dat heeft hij wel twee keer gezegd* he has said that twice over; *dat hoef je hem geen twee keer te zeggen* he doesn't need telling twice; *dat zal me geen tweede keer gebeuren!* I'll make sure that doesn't happen again; *voor mijn part is hij twintig keer burgemeester* he can be mayor twenty times over for all I care; *volgende keer beter!* better luck next time!; *voor een keer(tje) kan dat geen kwaad* once in a while/just once it can't do any harm; *de vorige/laatste keer dat hij hier was* when he was last here, (the) last time he was here; *de zoveelste keer* the umpteenth time; *en als hij dan al eens een keer ...* and if for once he ... [2] ⟨wending⟩ turn ◆ *de zaken namen een goede/gunstige keer* things took a favourable turn/changed for the better; *de keer van het water* the turn of the tide ⊡ *in/binnen de kortste keren* in no time (at all); ⟨sprw⟩ *gedane zaken nemen geen keer* what's done is done; what's done cannot be undone; it's no use crying over spilt milk
keerboei [de] buoy (to be rounded)
keerdam [de^{m}] weir, barrage
keerdicht [het] ⟨lit⟩ [1] ⟨keervers⟩ refrain, burden [2] ⟨gedicht als antwoord op een ander⟩ ± echo verse
keerdruk [de^{m}] reverse print
keerkoppeling [de^{v}] ⟨techn⟩ reversing clutch
keerkring [de^{m}] tropic ◆ *onder/tussen de keerkringen* in the tropics
keerkringsgordel [de^{m}] tropical zone, tropics ⟨mv⟩
keerkringsjaar [het] tropical year
keerkromme [de] ⟨wisk⟩ cusp
keerlus [de] terminus loop
keermuur [de^{m}] quay wall, ⟨om stenen tegen te houden⟩ retaining wall, revetment
keerpunt [het] [1] ⟨fig⟩ turning point, watershed ◆ *het keerpunt in zijn leven* the turning point in his life; *een keerpunt in de geschiedenis* a turning point/watershed in history; *op het keerpunt zijn* be on the turn [2] ⟨punt van keren⟩ turning point ◆ ⟨zwemmen⟩ *het keerpunt goed nemen* turn well
keersluis [de] [1] ⟨enkele sluis⟩ sluice, floodgate [2] ⟨stuwsluis⟩ sluice
keerteen [de^{m}] reversible toe
keervers [het] ⟨lit⟩ [1] ⟨keerdicht⟩ refrain, burden [2] ⟨refrein⟩ refrain, burden
keerweer [de^{m}] ⟨ook fig⟩ blind alley, cul-de-sac
keerzang [de^{m}] chorus, refrain
keerzijde [de] other side, ⟨munt, medaille ook⟩ reverse, verso, ⟨bladzijde enz. ook⟩ back, ⟨stof ook⟩ wrong side, reverse, ⟨van het leven⟩ seamy side, ⟨stelling⟩ obverse, ⟨schaduwzijde⟩ downside ◆ *alles heeft zijn keerzijde* there's a drawback to everything, there's always some snag, nothing is perfect; *de keerzijde van de medaille* ⟨fig⟩ the other side of the coin/picture; *op de keerzijde* ⟨bijvoorbeeld van bladzijde⟩ overleaf ⊡ ⟨sprw⟩ *elke medaille heeft een keerzijde* every medal has two sides/its reverse; there are two sides to every question
kees [de^{m}], **keeshond** [de^{m}] keeshond
Kees [de^{m}] ⊡ *klaar is Kees* (and) that's that!, (and) Bob's your uncle!, (and) there you are!
keeshond [de^{m}] → **kees**
keet [de] [1] ⟨loods⟩ hut, shed ◆ *de bouwvakkers schuilden in de keet* the builders sheltered in the hut [2] ⟨herrie⟩ racket, din, row ◆ *keet schoppen/trappen* ⟨de boel op stelten zetten⟩ make a mess; ⟨herrie maken⟩ kick up/make a racket/rumpus; *het was me daar een keet!* there was a hell of a noise going on [3] ⟨pej; gebouw⟩ show, ⟨inf; AE⟩ shebang ◆ *de hele keet is afgebrand* the whole show/shebang burned down
keffen [onov ww] [1] ⟨hoog en schel blaffen⟩ yap, yelp, ⟨AE ook⟩ yip [2] ⟨tekeergaan⟩ yap
keffertje [het] [1] ⟨hond⟩ yapper [2] ⟨persoon⟩ yapper
kefir [de^{m}] kefir
kefta [de] kofta

keg [de] wedge, key, cotter

kegel [de^{m}] [1] ⟨wisk⟩ cone ♦ *afgeknotte kegel* truncated cone, frustum [2] ⟨sport⟩ ⟨kegelspel; met negen kegels⟩ ninepin, pin, ⟨BE ook⟩ skittle (pin), ⟨bowling; met tien kegels⟩ pin, tenpin ♦ *de kegels* ***opzetten*** set up the pins/skittles [3] ⟨op een kegel lijkend iets⟩ cone ♦ *de kegels van de* ***naaldboom*** the cones of a conifer; *de kegel van een* ***vulkaan*** the cone of a volcano [4] ⟨stinkende adem⟩ badly smelling breath ♦ ***met*** *een kegel thuiskomen* come home reeking of alcohol/drink [•] ⟨jacht⟩ *kegel* ***maken*** sit up

kegelas [de] axis of a cone

kegelbaan [de] [1] ⟨baan voor kegelballen⟩ ⟨kegelspel⟩ skittle alley, ⟨met tien kegels⟩ bowling alley [2] ⟨plaats, gebouw⟩ ⟨kegelspel⟩ skittle alley, ⟨met tien kegels⟩ bowling alley

kegelbal [de^{m}] ⟨voor negen kegels⟩ skittle ball, ⟨voor tien kegels⟩ bowling ball, tenpin ball

kegelclub [de] ⟨kegelspel⟩ skittle club, ⟨met tien kegels⟩ bowling club

kegeldragenden [de^{mv}] conifers, coniferous trees

^{1}**kegelen** [onov ww] ⟨het kegelspel spelen⟩ ⟨negen kegels⟩ play skittles/ninepins, ⟨met tien kegels⟩ play tenpins

^{2}**kegelen** [ov ww] ⟨fig⟩ ⟨ergens af, uit gooien⟩ throw out, ⟨inf⟩ chuck out, ⟨vnl BE; inf⟩ turf out ♦ ***eruit*** *kegelen* chuck/throw out, sack; *de uitsmijter heeft de herriemakers* ***eruit*** *gekegeld* the bouncer threw/chucked/turfed out the rowdies; *toen hij* ***eruit*** *gekegeld was, moest hij op zoek naar een nieuwe baan* after he had been sacked/chucked out he had to look for a new job

kegelmantel [de^{m}], **kegelvlak** [het] ⟨wisk⟩ conical surface, conoid

kegelsnede [de] ⟨wisk⟩ conic (section) ♦ *de* ***leer*** *der kegelsneden* conics

kegelspel [het] [1] ⟨het spelen, wijze van spelen⟩ ⟨met negen kegels⟩ (game of) skittles/ninepins, ⟨met tien kegels⟩ (game of) tenpins [2] ⟨benodigdheden⟩ ⟨met negen kegels⟩ skittle set, ninepin set, ⟨met tien kegels⟩ bowling set, tenpinset ♦ ⟨in België⟩ *ontvangen worden/komen als een hond* ***in*** *een kegelspel* be made to feel (very) unwelcome/turn up at an inconvenient moment

kegeltje [het] ⟨anat⟩ (retinal) cone

kegelvlak [het] → **kegelmantel**

kegelvormig [bn] conical, cone-shaped ♦ *een kegelvormige* ***berg*** a conical mountain

kegelvrucht [de] ⟨plantk⟩ cone, strobile, strobilus

keggen [ov ww] wedge (in), key

kehille [de] kehilla

kei [de^{m}] [1] ⟨rolsteen⟩ boulder, ⟨AE sport ook⟩ bowlder [2] ⟨kassei⟩ cobble(-stone) ♦ ***met*** *keien bestraat* cobbled; ⟨fig⟩ ***op*** *de keien staan* be out of a job; ⟨fig⟩ *iemand* ***op*** *de keien zetten* give s.o. the boot; ⟨fig⟩ ***op*** *de keien komen te staan* be out on one's ear [3] ⟨persoon⟩ ♦ *Jan* ***is*** *een kei in wiskunde* John is no slouch at maths/is a crack mathematician [4] ⟨zwerfblok⟩ erratic block ♦ *de* ***Amersfoortse*** *kei* the Amersfoort erratic block

keihard [bn, bw] [1] ⟨zeer hard⟩ rock-hard, as hard as rock, as hard as (a) stone, ↑adamant(ine), ⟨zeer snel⟩ (at) full speed ♦ ⟨fig⟩ *keiharde* ***garanties*** cast-iron guarantees; ⟨sport⟩ *een keihard* ***schot****, een keiharde* ***bal*** a powerful shot, a hard/powerful ball, a bullet; *die* ***stopverf*** *is keihard* that putty is rock-hard; ⟨fig⟩ *keiharde* ***valuta*** hard currency; *keihard* ***weghollen*** run away at full pelt/speed [2] ⟨onaandoenlijk⟩ (rock-)hard, tough, ⟨m.b.t. mensen⟩ hard-boiled, ⟨rigoureus, onbuigzaam⟩ rigorous ♦ *de keiharde* ***deflatiepolitiek*** *van de regering* the government's rigorous policy of deflation; ⟨zelfstandig (gebruikt)⟩ *hij is* ***een*** *keiharde* ⟨uiterst zakelijk⟩ he's a hard/tough one, he's as hard as nails; ⟨hij kan veel pijn verdragen⟩ he's tough; *keiharde* ***feiten*** hard/brutal facts; *keihard* ***onderhandelen*** drive a hard bargain, negotiate heavily; *keiharde* ***onderhandelingen*** hard bargaining; *zich keihard* ***opstellen*** take a hard/firm/strong line; *het keihard* ***spelen*** go all out, play to win; *keiharde* ***zakenlui*** hard-boiled businessmen; *(iemand) keihard* ***zeggen*** *waar het op staat* give it to s.o. straight(out) [3] ⟨zeer luid⟩ ⟨m.b.t. stem; form⟩ stentorian, ⟨bijwoord; radio, installatie e.d.⟩ (at) full volume, (at) full blast ♦ *keihard* ***schreeuwen*** shout at the top of one's voice; *de radio* ***stond*** *keihard* ***aan*** the radio was on full blast/was blaring away

keikop [de^{m}] ⟨in België⟩ pigheaded/bullheaded person, obstinate mule

keil [de^{m}] tot of gin, ± nip, ± drink, ± dram

keilbout [de^{m}] key bolt, wedge bolt, cotter bolt

keileem [het, de^{m}] ⟨geol⟩ boulder clay, till

^{1}**keilen** [ov ww] ⟨werpen⟩ throw, chuck, fling, heave, pitch, hurl ♦ *iemand de deur uit keilen* throw/chuck s.o. out ((of) the door)

^{2}**keilen** [ov ww, ook abs] ⟨kiskassen⟩ skim (stones (on the water)), ⟨alleen onovergankelijk werkwoord⟩ play (at) ducks and drakes, make ducks and drakes

keiler [de^{m}] ⟨jacht⟩ (wild) boar

keinijg [bn] ⟨in België⟩ cool

keiretsu [de^{m}] keiretsu

keirin [de^{m}] ⟨wielersp⟩ keirin (race), devil-take-the-hindmost

keisteen [de^{m}] cobble(-stone)

keizer [de^{m}] emperor ⟨met naam erbij met hoofdletter⟩, ⟨Romeins ook⟩ Caesar, ⟨tsaar⟩ tsar, czar, ⟨van Japan ook⟩ tenno, mikado ♦ *spelen om des keizers* ***baard*** play for fun/love; *keizer* ***Karel*** Charles the Fifth; *de nieuwe* ***kleren*** *van de keizer* the Emperor's new clothes; *gaan waar de keizer te voet gaat* pay a call, spend a penny, see a man about a dog; ⟨Bijb⟩ *geef de keizer wat des keizers is* render unto Caesar the things that are Caesar's [•] ⟨sprw⟩ *waar niet(s) is verliest zelfs de keizer zijn recht(en)* you can't get blood out of a stone

keizerarend [de^{m}] imperial eagle

keizerin [de^{v}] [1] ⟨regerende alleenheerseres⟩ empress ⟨met naam erbij met hoofdletter⟩ ♦ *keizerin-****weduwe*** empress dowager [2] ⟨vrouw van een keizer⟩ empress ⟨met naam erbij met hoofdletter⟩, ⟨tsarina⟩ tsarina, czarina

keizerlijk [bn, bw] imperial ⟨bw: ~ly⟩, ⟨m.b.t. Rome ook⟩ Caesarean ♦ *een keizerlijk* ***decreet*** an imperial decree; *Zijne Keizerlijke* ***Majesteit*** His Imperial Majesty; *het keizerlijk* ***paleis*** the imperial palace, the palace of the emperor

keizerrijk [het] empire

keizerschap [het] emperorship, (imperial) reign/rule ♦ ***onder/tijdens*** *zijn keizerschap* during/under his reign

keizershuis [het] imperial house

keizerskroon [de] [1] ⟨kroon van een keizer⟩ imperial crown [2] ⟨plant⟩ fritillary

keizersnede [de] ⟨med⟩ Caesarean/Caesarian/Cesarean/Cesarian (section), Caesarean/Caesarian/Cesarean/Cesarian (operation)

keizerstitel [de^{m}] imperial title, title of emperor

keizerthee [de^{m}] imperial tea

keizertijd [de^{m}] imperial age/period, time of the emperors

kek [bn] bouncy, sprightly, lively

keker [de] chickpea, garbanzo

kekie [het] nudge

kelder [de^{m}] [1] ⟨deel van een gebouw⟩ cellar, ⟨fraai(er) ingericht⟩ basement, ⟨kluis, bewaarplaats⟩ vault ⟨vnl m.b.t. bank, museum⟩, ⟨in bank ook⟩ strong room ♦ ***in*** *de kelder opslaan/bergen* lay up, cellar, store in a/the cellar; *de trap* ***naar*** *de kelder* the stairs to the cellar, the cellar stairs [2] ⟨grafkelder⟩ ⟨in kerk⟩ crypt, ⟨catacombe⟩ catacomb [3] ⟨wijnvoorraad⟩ cellar ♦ *zijn kelder is goed* ***voorzien*** he has a well-stocked cellar [•] ***naar*** *de kelder gaan* ⟨m.b.t. schip⟩ go to the bottom/to Davy Jones's locker; ⟨te gronde/failliet gaan⟩ go to the dogs/to pot

kelderbier [het] cask-conditioned beer, real ale

kelderbox [de^{m}] storage cellar
kelderdeur [de] cellar door
[1]**kelderen** [onov ww] [1] ⟨sterk in waarde dalen⟩ plummet, slump, topple, tumble, take a (downward) plunge ♦ *de aandelen kelderen* shares are plummeting/toppling/tumbling; *de **euro** is gekelderd* the euro has plummeted/toppled/tumbled/slumped/taken a (downward) plunge; *de **markt** is gekelderd* ⟨ook⟩ the bottom has dropped/fallen out of the market [2] ⟨zinken⟩ go to the bottom, sink, founder
[2]**kelderen** [ov ww] ⟨laten zinken⟩ send to the bottom, sink
kelderfles [de] square bottle
keldergat [het] [1] ⟨luchtopening⟩ air hole, vent hole, ⟨venster⟩ cellar window [2] ⟨toegang tot een kelder⟩ trapdoor, ⟨mangat⟩ manhole, ⟨van kolenkelder⟩ coal-hole
kelderkamer [de] ⟨in kelderverdieping⟩ basement room, ⟨boven kelder⟩ room over a/the cellar
kelderkast [de] cupboard under the stairs
kelderlucht [de] ± damp/musty/fusty smell
kelderluik [het] trapdoor (to a cellar)
keldermeester [de^{m}] ⟨in klooster⟩ cellarer, ⟨in huish⟩ butler
keldermot [de] wood-louse, sow-bug, slater
kelderruimte [de^{v}] cellarage, cellar space
keldertrap [de^{m}] cellar stairs/staircase, ⟨stenen trap⟩ cellar steps
kelderverdieping [de^{v}] basement
kelderwoning [de^{v}] basement ^{B}flat, ⟨vnl AE⟩ basement apartment
kelen [ov ww] [1] ⟨de keel afsnijden⟩ cut (s.o.'s/sth.'s) throat, ⟨varkens⟩ stick [2] ⟨wurgen⟩ strangle, throttle
kelere [de] ⟨vulg⟩ [•] ***krijg** de kelere!* get stuffed!, drop dead!, ↓fuck you!
kelerelijer [de^{m}] ⟨vulg⟩ bastard, shithead, ⟨AE ook⟩ motherfucker, asshole
kelim [de^{m}] kilim
kelk [de^{m}] [1] ⟨drinkglas⟩ (drinking) goblet, ⟨form⟩ beaker ♦ ⟨fig⟩ *de kelk des **lijdens*** the cup of sorrow [2] ⟨bloem(kroon)⟩ calyx [3] ⟨rel⟩ chalice, ⟨form⟩ cup
kelkblad [het] sepal
kelkvormig [bn] cup-shaped, cup-like, ⟨bij bloemen ook⟩ calyx-like, chaliced
kelner [de^{m}], **kelnerin** [de^{v}] ⟨man⟩ waiter, ⟨vrouw⟩ waitress ♦ ***eerste** kelner* head waiter, maître d'hôtel
kelnerin [de^{v}] → **kelner**
kelnersmes [het] waiter(s) corkscrew
kelp [de] kelp, varec, wrack
Kelten [de^{mv}] Celts, Kelts
[1]**Keltisch** [het] Celtic, Keltic
[2]**Keltisch** [bn] Celtic, Keltic
keltist [de^{m}] Celticist, Celtist
keltoloog [de^{m}] Celticist, Celtist
kelvin [de^{m}] Kelvin
Kema [de] ((instituut voor) Keuring van Elektrotechnische Materialen te Arnhem) Dutch quality-control institute for electrical materials and appliances, like the ^{B}British Standards Institution/^{A}National Bureau of Standards
Kema-keur [de] quality-control label, ⟨BE⟩ ± BSI-mark
kemalisme [het] Kemalism
kemelgeit [de] angora goat
kemelsgaren [het] mohair
kemelshaar [het] [1] ⟨haar van kamelen⟩ camel('s) hair [2] ⟨haar van de angorageit⟩ angora, mohair [3] ⟨wol⟩ mohair, angora (wool)
kemphaan [de^{m}] [1] ⟨vogel⟩ ruff, ⟨vrouwtje ook⟩ reeve ♦ *vechten **als** kemphanen* fight like fighting cocks/gamecocks/bantams; *ze stonden **als** kemphanen tegenover elkaar* they were at daggers drawn [2] ⟨ruziezoeker⟩ fighting cock, gamecock, bantam, brawler
kempo [het, de] kempo ♦ ***op** kempo zitten, **aan** kempo doen* practice/^{A}practise kempo
kenau [de^{v}] battle-axe, virago, amazon
kenbaar [bn] [1] ⟨waarvan men kennis kan verkrijgen⟩ knowable, ↑cognizable ♦ *kenbare **waarheden*** knowable/cognizable truths [2] ⟨bekend⟩ known ♦ *kenbaar **maken** dat* let it be known that; *een wens kenbaar **maken*** make one's wish known; *iemand iets kenbaar **maken*** make sth. knowable to s.o., let s.o. know sth., inform s.o. of sth.; *zijn bedoelingen kenbaar **maken*** make known/declare one's intentions; *kenbaar **worden*** become known
kenbaarheid [de^{v}] recognizability, distinguishability
kencijfer [het] → **kengetal**
kendo [het] kendo
kengetal [het] [1] ⟨netnummer⟩ ⟨BE⟩ dialling code, ⟨BE⟩ STD-code, ⟨AE⟩ area code, prefix [2] ⟨stat; kencijfer⟩ index number, indicator
Kenia [het] Kenya

Kenia	
naam	*Kenia* Kenya
officiële naam	*Republiek Kenia* Republic of Kenya
inwoner	*Keniaan* Kenyan
inwoonster	*Keniaanse* Kenyan
bijv. naamw.	*Keniaans* Kenyan
hoofdstad	*Nairobi* Nairobi
munt	*Keniaanse shilling* Kenyan shilling
werelddeel	*Afrika* Africa
int. toegangsnummer 254 www .ke auto EAK	

Keniaan [de^{m}], **Keniaanse** [de^{v}] ⟨man & vrouw⟩ Kenyan, ⟨vrouw ook⟩ Kenyan woman/girl
Keniaans [bn] Kenyan
Keniaanse [de^{v}] → **Keniaan**
kenleer [de] gnoseology, gnosiology
kenmerk [het] [1] ⟨kenteken⟩ (identification/identifying) mark, ⟨ook fig; waarborgstempel⟩ hallmark, ⟨in brief⟩ reference, ⟨als afkorting⟩ ref ♦ *de kenmerken **dragen van*** bear the mark(s)/stamp/hallmark/fingerprint of; ***ons** kenmerk 42/RE312* our ref 42/RE312; *van een kenmerk **voorzien*** mark; ***zonder** bijzondere kenmerken* without (any) special/outstanding/distinguishing features [2] ⟨symptoom⟩ symptom ♦ *de kenmerken van **ondervoeding*** the symptoms of undernourishment [3] ⟨karaktertrek⟩ (distinguishing) characteristic/feature, stamp, earmark, fingerprint, hallmark, trademark ♦ ***erfelijke** kenmerken* hereditary characteristics; *een **typisch** kenmerk van* a peculiarity of, a typical feature of; *het kenmerk **van** ware grootheid* the hallmark of true greatness; *de **voornaamste** kenmerken* the outstanding/chief/leading/distinctive/most striking characteristics/features
kenmerken [ov ww] [1] ⟨karakteriseren⟩ characterize, mark, typify, distinguish ♦ *deze woorden kenmerken **hem*** these words are characteristic/typical of him; *deze woorden kenmerken **hem** als een geleerde* these words mark him out as a scholar; *onze eeuw kenmerkt **zich** door geestelijke verwarring* our century is characterized by spiritual confusion [2] ⟨merken⟩ mark ♦ *alle **boeken** van de bibliotheek zijn door een stempel gekenmerkt* all the library books are marked with a stamp
kenmerkend [bn, bw] characteristic (of) ⟨bw: characteristically⟩, distinctive, typical (of), ⟨specifiek⟩ specific (to), ⟨med ook⟩ diagnostic (of) ♦ *kenmerkende **eigenschappen*** (distinctive) characteristics, distinctive/characteristic/outstanding/salient features; ⟨zelfstandig (gebruikt)⟩ ***het** kenmerkende hiervan is, dat …* the distinctive/characteristic feature of this is that …; *zich kenmerkend **onderscheiden*** be clearly/sharply distinguishable from; *kenmerkend **zijn voor*** be characteristic/typical of
kennel [de^{m}] [1] ⟨hondenhok met ren⟩ kennel [2] ⟨honden-

fokkerij⟩ ⟨BE⟩ kennels, ⟨AE⟩ kennel [3] ⟨troep jachthonden⟩ kennel, pack [4] ⟨kooi voor een kat⟩ cat basket

kennelhoest [de^{m}] ± infectious cough

[1]**kennelijk** [bn] ⟨waarneembaar⟩ evident, apparent, ⟨zichtbaar⟩ visible, ⟨duidelijk⟩ clear, obvious, ⟨onmiskenbaar⟩ unmistakable ◆ *kennelijke* ***gebreken*** obvious defects; *met kennelijk* ***genoegen*** with unmistakable pleasure

[2]**kennelijk** [bw] ⟨klaarblijkelijk⟩ evidently, clearly, obviously ◆ *het is kennelijk zonder opzet* ***gedaan*** it was obviously done unintentionally; *zij* ***vervelen*** *zich kennelijk* they are obviously/clearly bored

kennen [ov ww] [1] ⟨bekend zijn met⟩ know, be acquainted with ◆ *ik ken hem* ***als*** *een goed speler* I know him for a good player; *hij kent de omgeving* ***als*** *zijn broekzak* he knows the area like the back of his hand; *betere* ***dagen*** *gekend hebben* have seen better days; ***dat*** *kennen we* ⟨alg⟩ we know all about that; ⟨iron⟩ we've heard that one before; *ken je* ***deze*** *al?* have you heard this one?; *zich* ***doen*** *kennen als* prove/show o.s. to be; *jullie kennen* ***elkaar*** *al?* you are acquainted?, you've met before?, you know each other?; ⟨fig⟩ *we kennen* ***elkaar*** *(al langer dan vandaag)* we know each other well enough, we know where we stand; *ik wil eerst de* ***feiten*** *kennen* first I want to know/be in possession of the facts; *zij heeft geen* ***geluk*** *gekend in haar leven* she has known no happiness in her life; *geen* ***gevaar*** *kennen* be oblivious to danger; *te kennen* ***geven*** *dat ...* indicate/signal/hint that ...; *een wens te kennen* ***geven*** utter a wish, express a desire; *zijdelings te kennen* ***geven*** insinuate, intimate, hint; *ik ken* ***haar*** *al jaren* I've known her for years; *je kent* ***Jan*** *toch wel!* you must know John!, surely you know John!; *zo ken ik* ***je*** *helemaal niet* I've never known you like this before; *sinds ik* ***jou*** *ken ...* since I met you; ⟨fig⟩ ***laat*** *je niet kennen!* give 'em hell!; ⟨fig⟩ *hij wilde zich niet* ***laten*** *kennen en deed toch mee/ging toch naar het feestje* he didn't want to be a spoilsport, and joined in/went along to the party; ⟨iron⟩ ***leer*** *mij Henk kennen* typical Henk, that's Henk (for you); *elkaar* ***leren*** *kennen* become/get acquainted, get to know each other; *iemand* ***leren*** *kennen* ⟨ook⟩ make the acquaintance of s.o., make s.o.'s acquaintance; *iemand (beter/nader)* ***leren*** *kennen* get/come to know s.o. (better); *geen* ***medelijden*** *kennen* know no pity, be pitiless; *van de* ***mensen*** *die ik ken ...* among my acquaintances/the people of my acquaintance; *hij kent zijn* ***mensen/pappenheimers*** he knows who he is dealing with; *nee, ook niet één whisky, ik ken* ***mezelf*** no, not even one whisky, I know what I'm like, ⟨inf⟩ no, not even one whisky, I know me; *je* ***moet*** *hem kennen om dat te begrijpen* he takes some knowing; *ik ken die* ***naam*** *(goed)* the name is/sounds (very) familiar to me; *dan ken je me nog* ***niet*** you haven't seen anything yet; *dat kennen we hier* ***niet*** we don't have that sort of thing (over) here; *ik ken hem absoluut* ***niet,*** ⟨in België⟩ *ik ken hem van haar* ***noch*** *pluim(en)* I wouldn't know him from Adam; *zijn* ***plicht*** *kennen* know one's duty; *geen* ***schaamte*** *kennen* have no shame; *iemand* ***van*** *gezicht/****van*** *naam kennen* know s.o.'s face/s.o. by name; *de* ***wereld*** *kennen* know the (ways of the) world; *de Engelse* ***wet*** *kent dat onderscheid niet* English law does not make/know this distinction; *hij kent geen* ***zenuwen*** he doesn't know what nerves are; *geen* ***zorgen*** *kennen* be carefree; *iemand door en door kennen* know s.o. inside out [2] ⟨geleerd hebben⟩ know, ⟨taal⟩ understand, have ◆ ***ons*** *kent* ***ons*** we know what to expect/what you're up to/each others ways; *ik ken geen* ***Spaans/fysica*** I don't know any Spanish/anything about physics; *een* ***taal*** *kennen* know/speak a language; *zijn* ***vak*** *kennen* know one's job/business/stuff; *iets van buiten/uit zijn hoofd/op zijn duimpje kennen* know sth. by heart, have sth. off pat [3] ⟨+ in; raadplegen⟩ consult, ask, take counsel ◆ *de directie moet* ***hierin*** *gekend worden* we must consult the management about this; *ik ben* ***in*** *deze zaak niet gekend* I haven't been consulted in this matter [4] ⟨herkennen⟩ recognize, know ◆ *iemand niet* ***willen*** *kennen* cut s.o. (dead), refuse to recognize s.o., disown/ostracize s.o. [•] ⟨sprw⟩ *wat een boer niet kent dat vreet hij niet* some people don't trust anything they don't know; ⟨sprw⟩ *wat Jantje niet leert, zal Jan nooit kennen* ± the child is father of the man; ± as the twig is bent, so is the tree inclined; ⟨sprw⟩ *aan de veren kent men de vogel* ± fine feathers make fine birds; ± the tailor makes the man; ⟨sprw⟩ *gezelligheid kent geen tijd* ± pleasant hours fly fast; ⟨sprw⟩ *ken u zelf* know thyself; ⟨sprw⟩ *aan de vruchten kent men de boom* a tree is known by its fruit; ⟨sprw⟩ *in nood leert men zijn vrienden kennen* a friend in need is a friend indeed; ± prosperity makes friends, adversity tries them; ⟨sprw⟩ *al ziet men de lui, men kent ze niet* ± a fair face may hide a foul heart; ± never judge by appearances; ± appearances are deceiving/deceptive; ⟨sprw⟩ *bij het scheiden van de markt leert men de kooplui kennen* you know who your friends are when the chips are down

kenner [de^{m}] [1] ⟨ook in samenstellingen; fijnproever⟩ connoisseur, (good) judge (of sth.) ◆ *een* ***kunstkenner*** an art connoisseur, a connoisseur of art; *een kenner* ***weet*** *deze wijn* ***te waarderen*** connoisseurs appreciate this wine [2] ⟨deskundige⟩ authority (on), expert (on), ⟨geleerde in geesteswetenschappen ook⟩ scholar, ⟨ware meester, vakman; man & vrouw⟩ past/passed master ◆ *een* ***groot*** *kenner van het Sanskriet* a great Sanskrit scholar/expert/authority on Sanskrit

kennersblik [de^{m}] expert('s) eye, eye of a connoisseur, eye of an expert ◆ ***met*** *kennersblik iets beschouwen* look at sth. with an expert('s) eye/with the eye of a connoisseur/expert

[1]**kennis** [de^{m}] ⟨bekende⟩ acquaintance ◆ *zij waren* ***goede*** *kennissen* they were well acquainted/on good terms (with each other); *een* ***oppervlakkige*** *kennis* a casual acquaintance; *een* ***oude*** *kennis* an old acquaintance; *A: 'Wie was dat?' B: 'Een kennis* ***van*** *mij'* A: 'Who was that?' B: 'An acquaintance/a friend of mine/Someone I know'; *hij heeft veel* ***vrienden*** *en kennissen* he has a lot of friends and acquaintances, he knows a lot of people

[2]**kennis** [de^{v}] [1] ⟨het weten, bekendheid (met)⟩ knowledge (of), ⟨m.b.t. mensen⟩ acquaintance (with) ◆ *de* ***boom*** *der kennis (van goed en kwaad)* the tree of knowledge, the forbidden tree; *dat is* ***buiten*** *mijn kennis gebeurd* that happened without my knowledge/without my knowing (about it); *kennis* ***dragen*** *van iets* have knowledge of/be aware of sth., know sth.; *iemand van iets* ***in*** *kennis stellen* inform/notify s.o. of sth., let s.o. know sth., acquaint s.o. with sth.; *mensen met elkaar* ***in*** *kennis brengen* introduce people to each other, make people acquainted; ***met*** *kennis van zaken* expertly; ***ter*** *kennis komen van iemand* come to the notice of s.o./to s.o.'s notice [2] ⟨besef, bewustzijn⟩ consciousness ◆ *zij is weer* ***bij*** *kennis gekomen* she has regained consciousness, she is conscious again, she has come round; ***buiten*** *kennis zijn/raken* be/become unconscious; ⟨raken ook⟩ lose consciousness [3] ⟨wat men geleerd heeft⟩ knowledge, ⟨informatie⟩ information, ⟨geleerdheid, wetenschappelijke kennis; i.h.b. m.b.t. de alfawetenschappen⟩ learning, ⟨technische kennis ook⟩ know-how, ⟨deskundigheid⟩ expertise ◆ ⟨filos⟩ *de* ***gronden*** *van onze kennis* the bases of our knowledge; *een* ***grondige*** *kennis van het Latijn hebben* have an intimate/a thorough knowledge of Latin; ***halve*** *kennis* partial/a little knowledge; *dorst* ***naar*** *kennis* thirst for knowledge; *kennis der* ***natuur*** natural history; *een* ***oppervlakkige*** *kennis van het Engels hebben* ⟨ook⟩ have a smattering of English; ***parate*** *kennis* ready knowledge; ***technische*** *kennis* ⟨ook⟩ know-how; *kennis* ***van*** *vreemde talen* knowledge of foreign languages; *kennis* ***vergaren*** amass knowledge [4] ⟨verstand⟩ ◆ *dat gaat mijn kennis te boven* that's above/beyond me [•] ⟨in België⟩ *kennis* ***hebben*** ⟨verkering⟩ be courting, have a boyfriend/girlfriend; *ze* ***hebben*** *kennis aan elkaar* they are seeing each other, they

are courting; ⟨inf⟩ *kennis aan iemand **hebben/krijgen*** be seeing/meet s.o.; ⟨sprw⟩ *kennis is macht* knowledge is power

kennisbank [de] ⟨comp⟩ knowledge bank, data bank

kennisbron [de] source (of information)

kennisdomein [het] field of knowledge

kenniseconomie [de^{v}] knowledge economy

kennisengineering [de^{m}] knowledge(-based) engineering

kennisgeven [onov ww] announce, ⟨jur⟩ give notice of ♦ ***zonder** (vooraf) kennis te geven* without (prior) notice

kennisgeving [de^{v}] [1] ⟨mededeling⟩ notification, notice ♦ *kennisgeving **geschiedt** door publicatie in de dagbladen* due notice/notification of ... shall be given via the national press; *tot **nadere** kennisgeving* until further notice; ***onder** kennisgeving aan betrokkenen* notice/notification being given to those concerned; ***schriftelijke** kennisgeving* written notice/notification, notice/notification in writing; *iets **voor** kennisgeving aannemen* (take) note (of) sth.; *afwezig **zonder** kennisgeving* absent without notification [2] ⟨geschrift⟩ announcement, notice, notification ♦ *kennisgeving van **bijschrijving*** advice note

kennisje [het] girl-friend

kennisleer [de] theory of knowledge, epistemology

kennismaatschappij [de^{v}] knowledge society, information society

kennismakelaar [de^{m}] information broker

kennismaken [onov ww] [1] ⟨zich voorstellen⟩ get acquainted (with), meet, get to know, be introduced ♦ ***aangenaam** kennis te maken!* pleased to meet you; *kennismaken **met** de nieuwe buren* get to know the new neighbours; ***persoonlijk** met iemand kennismaken* get to know s.o. personally/in person; *hebben jullie al kennisgemaakt?* have you two met (before)/been introduced? [2] ⟨de eerste beginselen leren kennen⟩ be introduced (to), get/become acquainted (with) ♦ *iemand **laten** kennismaken met ...* introduce s.o. to ...; *kennismaken **met** de middeleeuwse spelling* become acquainted with medieval spelling

kennismaking [de^{v}] [1] ⟨begin van omgang met iemand⟩ acquaintance, getting acquainted (with s.o./sth.), making (s.o.'s) acquaintance ♦ *onze kennismaking **dateert** van die dag* our acquaintance dates from that day; *bij de **eerste** kennismaking* on first acquaintance; ⟨m.b.t. ontmoeting/vergadering⟩ at our first meeting, when we first met; *de kennismaking **hernieuwen/voortzetten*** renew/continue the acquaintance(ship); *bij **nadere** kennismaking* (up)on further/closer acquaintance; *kennismaking **zoeken** met iemand* seek acquaintance with/the acquaintance of s.o. [2] ⟨het bekend worden met iets⟩ introduction (to) ♦ *de eerste kennismaking **met** het Sanskriet* the first introduction to/the first steps in Sanskrit; *speciale aanbieding **ter** kennismaking* special introductory offer; *(wij zenden u dit exemplaar) **ter** kennismaking* (we are sending you this copy) for your (kind) inspection

kennismakingsgesprek [het] introductory interview/talk, preliminary interview/talk

kennismanagement [het] knowledge management

kennismarkt [de] knowledge market

kennisnemen [onov ww] take note/cognizance (of), become acquainted (with)

kennisneming [de^{v}] [1] ⟨het zich op de hoogte stellen van⟩ examination, inspection, perusal, cognizance ♦ ***na** kennisneming van de dossiers/stukken* after examination/perusal of the dossiers/documents; ***na** kennisneming **van** (de inhoud van) de brief* after reading the letter; ***ter** kennisneming* for your information; *exemplaar **ter** kennisneming* inspection/complimentary copy [2] ⟨onderzoek en oordeel⟩ cognizance, jurisdiction (to try an offence) ♦ *deze zaak **staat ter** kennisneming **van** de kantonrechter* this case belongs to/is within/falls within the cognizance/jurisdiction of the magistrate, the magistrate is competent to take cognizance of/has jurisdiction to try this case

kennisniveau [het] level/state of knowledge

kennisonderneming [de^{v}] knowledge company, knowledge-based company

kennisoverdracht [de] transfer of knowledge

kennispark [het] information park

kennisquiz [de^{m}] quiz

kennisrevolutie [de^{v}] information revolution

kennissenkring [de^{m}] (circle of) acquaintances ♦ ***behoren** tot de kennissenkring van ...* be an acquaintance of s.o., be acquainted with s.o., know s.o.; *een **grote** kennissenkring hebben* have a wide circle of acquaintances; *zijn kennissenkring **uitbreiden*** extend one's circle of acquaintances

kennissysteem [het] knowledge system

kennistechnologie [de^{v}] knowledge technology

kennistheoretisch [bn] epistemological

kennistheorie [de^{v}] epistemology

kenschets [de] characterization, ⟨profiel⟩ profile, ± definition, delineation ♦ *een kenschets **geven** van (iemand/iets)* characterize (s.o./sth.)

kenschetsen [ov ww] [1] ⟨karakteriseren⟩ characterize, ⟨schetsen⟩ sketch, profile, ± define, delineate [2] ⟨in zijn aard, hoedanigheid laten zien⟩ characterize, typify, be characteristic/typical of, mark ♦ *dat kenschetst de gehele **man*** that is characteristic/typical of him/gives a good idea of what he's like

kenschetsend [bn] characteristic (of), typical (of), distinctive

kenspreuk [de] motto, slogan

kenteken [het] distinguishing mark ⟨ook lichamelijk⟩, ⟨BE⟩ registration number, ⟨AE⟩ license number, ⟨ordeteken/insigne, ook van rang; van auto⟩ badge, ⟨mil ook; insigne⟩ patch ♦ ***bijzondere** kentekens worden in een paspoort genoteerd* distinguishing marks are noted in a passport; *de kentekenen van iets **dragen*** bear (all) the marks of sth.; ***grijs** kenteken* commercial registration (number (plate)/document)

kentekenbewijs [het] ± (vehicle) registration certificate, ⟨BE ook⟩ logbook

kentekenen [ov ww] characterize, typify, be characteristic/typical (of), distinguish ♦ *zoiets kentekent **hem*** that sort of thing is characteristic/typical of him

kentekenplaat [de] ⟨BE⟩ number plate, ⟨AE⟩ license plate, ⟨BE ook⟩ registration plate, ⟨inf⟩ plate ♦ *een auto met een **Franse** kentekenplaat* a car with a French number/license plate/with French number/license plates/with French plates

kenteren [onov ww] [1] ⟨veranderen⟩ turn, ⟨op het keerpunt zijn⟩ be on the turn, ⟨omlopen, m.b.t. wind⟩ shift ♦ *het kenteren van de **stroom/het tij*** the turn of the current/the tide; *het **tij** kentert* ⟨ook fig⟩ the tide is turning/is on the turn; *het kenteren van de **wind*** the veering/backing of the wind [2] ⟨omslaan⟩ turn over, overturn, ⟨kapseizen⟩ capsize ♦ *het **schip** kentert* the ship turns over/capsizes

kentering [de^{v}] [1] ⟨m.b.t. getij, weer⟩ turn, change ⟨ook m.b.t. moesson⟩ [2] ⟨fig⟩ turn, swing, change ♦ *de kentering **in** de publieke opinie* the turn/change of public opinion; *er komt een kentering **in** de publieke opinie* the tide of public opinion is turning/is on the turn; ***op** de kentering der tijden geboren zijn* be born during a period of unrest/great change; *er **trad** een kentering **in*** the tide turned, a turning-point was reached, a change set in

kentheoretisch [bn] ⟨filos⟩ epistemological

kenvermogen [het] (faculty of) cognition, cognitive power/faculty

kenwijsje [het] ⟨in België⟩ (signature) tune

kepen [ov ww] notch, nick, ⟨in een boog/pijl⟩ nock, ⟨groeven⟩ groove, ⟨lijn(en) trekken/krassen⟩ score

[1]**keper** [de^{m}] [1] ⟨weefpatroon⟩ twill (weave) ♦ *de keper van die **zijde** is **fraai*** that silk has a beautiful twill [2] ⟨heral⟩

chevron ⊡ *op de keper beschouwd* on close(r) inspection/analysis; ⟨uiteindelijk⟩ in the final analysis, when all is said and done; *op de keper beschouwen* look at/examine/scrutinize (sth.) closely

^{2}**keper** [het] ⟨geweven stof⟩ twill, twilled cloth, ⟨dril⟩ drill

keperband [het] twilled ribbon/tape

keperen [ov ww] twill

keperflanel [het] twilled flannel

kepie [de^{m}] [1] ⟨militair hoofddeksel⟩ ⟨i.h.b. van Franse vreemdelingenlegioen⟩ kepi, ⟨sjako⟩ shako [2] ⟨in België; uniformpet⟩ uniform cap

keppeltje [het] yarmulka, yarmulke, yarmelke

keramiek [de^{v}] [1] ⟨pottenbakkerskunst⟩ ceramics ◆ *een prachtig **stuk** keramiek* a beautiful piece of ceramic work [2] ⟨producten⟩ ceramics, pottery

keramisch [bn] ceramic, pottery ◆ *keramische **producten*** ceramics, pottery

keratine [de] ⟨biol⟩ keratin

keratoplastiek [de^{v}] keratoplasty

keratotomie [de^{v}] keratotomy

Kerberus [de^{m}] → **Cerberus**

kerbstone [de^{m}] ⟨BE⟩ kerbstone, ⟨AE⟩ curbstone

kerel [de^{m}] [1] ⟨forse man⟩ big fellow, big guy, ⟨BE ook⟩ big chap/bloke, ⟨AE ook⟩ strapper ◆ *dat jongetje is een **echte** kerel geworden* that little lad has turned into a (fine) big chap [2] ⟨mannetjesputter⟩ he-man, macho (guy) ◆ *kom naar buiten als je een kerel **bent*** come outside if you're man enough; *een **echte** kerel* a real he-man; *een **flinke** kerel* a fine figure of a man; *wees een kerel* be a man [3] ⟨man⟩ fellow, guy, ⟨vnl BE ook⟩ chap, bloke, ⟨vocatief⟩ man ◆ *een **aardige/toffe/gezellige** kerel* a nice/fine/sociable fellow/bloke/chap/guy; ***arme** kerel!* (the) poor fellow/bloke/chap/guy!; ⟨sl⟩ (the) poor sod!; ⟨vulg⟩ (the) poor bastard/bugger; *een **goeie/beste** kerel* a good/fine fellow/chap/bloke/guy; *een **ouwe** kerel* an old fellow/guy; ⟨sl⟩ an old sod; *kerel, wat zie je er goed uit* man, you're looking good [4] ⟨echtgenoot⟩ ⟨old⟩ man, ⟨vnl BE ook⟩ bloke [5] ⟨gesch; kinkel⟩ boor, clodhopper, (country) bumpkin ◆ ⟨gesch⟩ *de kerels van **Vlaanderen*** the 'Kerels' of Flanders, Flemish farmers rebelling against the payment of French fines in the early fourteenth century

kereltje [het] little fellow, little guy/man, ⟨BE ook⟩ little chap/bloke, ⟨jochie, jongen⟩ little lad, youngster, young'un, ⟨AE ook⟩ kid ◆ *een **lief** kereltje* a nice little fellow/chap/lad/guy/bloke; *pas op kereltje!* watch out, little man/lad!

^{1}**keren** [onov ww] [1] ⟨omkeren⟩ turn (round/around), ⟨wind⟩ shift, ⟨wind, met de klok⟩ veer, ⟨wind, tegen de klok⟩ back ◆ *het getijde **doen** keren* ⟨ook fig⟩ turn the tide; ⟨mil⟩ ***rechtsom** keert* right turn; *keren **verboden*** no U-turn [2] ⟨veranderen (van loop)⟩ turn [3] ⟨teruggaan⟩ turn (back), return ◆ *per kerende **post*** by return (of) post ⊡ *in zichzelf gekeerd **zijn*** be introverted/inward-looking, keep to o.s.; ⟨sprw⟩ *beter ten halve gekeerd, dan ten hele gedwaald* ± a fault confessed is half redressed

^{2}**keren** [ov ww] [1] ⟨omdraaien⟩ turn ◆ ***achterstevoren/binnenstebuiten** keren* turn back to front/inside out; *een **blad/kaart/schip** keren* turn a page/card/ship; ***hooi** keren* toss/ted hay; ***ondersteboven** keren* turn upside down [2] ⟨toewenden⟩ turn (towards) ◆ *het hoofd/de rug **naar** iemand keren* turn one's head towards/back on s.o.; *iets **ten goede** keren* make sth. turn out right [3] ⟨doen omwenden⟩ turn (back), ⟨tegenhouden⟩ stem, check, stop, avert ◆ ***grond** keren* support/prop the mound/bank/...; *het kwaad **is** niet meer te keren* the evil cannot be averted; *het **water** keren* stem the (flow of) water

^{3}**zich keren** [wk ww] [1] ⟨zich omdraaien⟩ turn (round) ◆ *zich ergens niet kunnen **wenden** of keren* not have room to move [2] ⟨zich in een richting wenden⟩ turn ◆ *zich keren **tegen** iemand* turn against s.o.; ⟨aanvallen⟩ turn/round on s.o.; *zich **ten** goede keren* ⟨goed aflopen⟩ turn out well, work out for the best; ⟨(iets) beter worden⟩ take a turn for the better; *zich keren **tot** iemand* turn to s.o.

^{4}**keren** [ov ww, ook abs] ⟨in België⟩ → **vegen**^{3}

kerf [de] notch, nick, ⟨groef⟩ groove, ⟨ingesneden lijn⟩ score

kerfmes [het] notching/cutting knife

kerfstok [de^{m}] ⊡ *iets **op** de kerfstok halen* buy sth. on tick, put sth. on the slate; *niets **op** zijn kerfstok hebben* have a clean slate/record; *heel wat **op** zijn kerfstok hebben* have a bad record, have a lot/a good deal on one's slate, have a lot to answer for; *ik wil dat niet **op** mijn kerfstok hebben* I won't be made responsible for that

kerk [de] [1] ⟨kerkgebouw⟩ church, ⟨dissidente kerk, vnl. in Engeland en Wales; BE⟩ chapel, ⟨SchE ook; m.b.t. Schotse nationale kerk⟩ kirk, ⟨van quakers⟩ meeting-house, ⟨Engelse methodisten ook⟩ tabernacle ◆ ***in** de kerk zijn* ⟨voor een kerkdienst⟩ be in/at church; ***in** de kerk trouwen* get married in church, have a church wedding; *het concert is **in** de kerk* the concert is in the church; ⟨fig⟩ *je bent zeker **in** de kerk geboren* were you born in a barn?; ⟨geregeld⟩ ***naar** de kerk gaan* be a regular churchgoer; ⟨fig⟩ *vóór het zingen de kerk **uitgaan*** leave before the gospel, pull out in time; ⟨euf⟩ be careful; ⟨fig⟩ *de kerk op de toren **zetten*** turn things upside down; ⟨fig⟩ *de kerk in het **midden** laten* steer a middle course, keep to the middle of the road [2] ⟨gemeenschap van alle christenen⟩ church ◆ *de kerk van **Christus*** the church of Christ; *de **lijdende** kerk* the church suffering; *de **strijdende/zegepralende** kerk* the church militant/triumphant [3] ⟨kerkgenootschap⟩ church, denomination, communion, ⟨sekte⟩ sect, ⟨SchE ook; m.b.t. Schotse nationale kerk⟩ kirk ◆ *tot welke kerk **behoor** je?* what is your religious affiliation/religion?; ***behoren** tot de Grieks-orthodoxe kerk* belong to the Greek-Orthodox Church, be of the Greek-Orthodox persuasion; *de **christelijk-gereformeerde** kerk* the Christian Reformed Church; *de **hervormde** kerk* the Reformed/Protestant Church; *bij geen enkele kerk **horen*** have no religion, not be religious; ⟨inf⟩ be nothing; ***van** onze kerk zijn* be a member of our church, be of our persuasion [4] ⟨gezagdragend orgaan⟩ church, ⟨SchE ook; m.b.t. Schotse nationale kerk⟩ kirk ◆ *scheiding van kerk en **staat*** separation of church and state, disestablishment; *een **uitspraak** van de kerk* a judgement of the church [5] ⟨kerkdienst⟩ church, (divine) service/worship, ⟨mis⟩ mass, ⟨m.b.t. dissidente kerk, vnl. in Engeland en Wales; BE⟩ chapel ◆ *de kerk **gaat aan/uit*** church is starting/over; *vandaag **is** er geen kerk* there is no church/mass/chapel/service today; ***te** kerk/**ter** kerke gaan* go to/attend church/mass/chapel; *de kerk **is uit** om elf uur* church/mass/chapel is over at eleven o'clock; *als de kerk **uit** is, na de kerk* after church/mass/chapel [6] ⟨kerkelijke corporatie⟩ church, ⟨SchE ook; m.b.t. Schotse nationale kerk⟩ kirk ⊡ ⟨sprw⟩ *waar God een kerk sticht, bouwt de duivel een kapel* where God builds a church, the Devil will build a chapel

> **in church of in the church?**
>
> in church – in de kerk om te bidden of een dienst bij te wonen
> · *my parents are in church at the moment*
> in the church – in het kerkgebouw
> · *they found a mysterious package in the church*

kerkasiel [het] refuge/asylum in a church

kerkban [de^{m}] excommunication, ⟨anathema⟩ anathema ◆ *de **grote/kleine** kerkban* major/minor excommunication, greater/lesser excommunication; ***in** de kerkban doen* excommunicate, anathematize

kerkbank [de] pew ◆ ***gesloten** kerkbank* box pew

kerkbestuur [het] [1] ⟨prot⟩ church council [2] ⟨r-k⟩ church council

kerkbewaarder [de^{m}] sexton, verger, sacristan

kerkbezoek [het] church attendance, churchgoing, attendance at church ◆ *het teruglopend kerkbezoek* the decline in/the declining church attendance/attendance at church

kerkblad [het] church newsletter

kerkboek [het] [1] ⟨boek⟩ prayer book, church book, service book, ⟨missaal⟩ missal [2] ⟨kerkelijk register⟩ church register, parish register

kerkdienst [de^{m}] [1] ⟨godsdienstoefening⟩ (church/religious/divine) service, (divine/religious/public) worship, church, ⟨mis⟩ mass ◆ *een kerkdienst bijwonen* attend divine service/worship, go to mass/church; *een oecumenische kerkdienst* an ecumenical service [2] ⟨het dienen van de kerk⟩ the service of the church

kerkdorp [het] ± parish

^{1}**kerkelijk** [bn] [1] ⟨tot een kerk in betrekking staand⟩ church, ecclesiastical ◆ *een kerkelijk ambt* an ecclesiastical office; ⟨predikantsplaats⟩ incumbency [2] ⟨bij een kerk in gebruik⟩ church, ecclesiastic(al), ⟨religieus⟩ religious, ⟨klerikaal⟩ clerical ◆ *kerkelijke ceremoniën* religious ceremonies; *kerkelijke feesten* church/religious festivals; ⟨r-k⟩ *het kerkelijk jaar* the Christian/Ecclesiastical year; *kerkelijke liederen* hymns [3] ⟨van een kerk uitgaand⟩ church, ecclesiastic(al), ⟨religieus⟩ religious, ⟨m.b.t. recht⟩ canon ◆ *kerkelijke begrafenis* Christian burial; *kerkelijke goedkeuring* approval of the church; *op kerkelijke grondslag* on religious principles; *een kerkelijk huwelijk* a church wedding/marriage; *kerkelijk en burgerlijk recht* canon law and civil law [4] ⟨aan een kerk toebehorend⟩ church, ecclesiastic(al) ◆ *kerkelijke goederen* church property; *de Kerkelijke Staat* the Vatican (State); ⟨vroeger; mv⟩ Papal States, States of the Church [5] ⟨de kerk tot voorwerp hebbend⟩ church, ecclesiastical, ⟨religieus⟩ religious ◆ *de kerkelijke geschiedenis* church/ecclesiastical history [6] ⟨aangesloten bij een kerkgenootschap⟩ churchgoing ◆ *is die man ook kerkelijk?* is he a churchman?; *niet kerkelijk* ⟨persoon⟩ non-churchgoing; ⟨groep⟩ secular

^{2}**kerkelijk** [bw] [1] ⟨volgens de gebruiken van een kerk⟩ religiously ◆ *een huwelijk kerkelijk inzegenen* consecrate a marriage (in church) [2] ⟨vanwege een kerk⟩ ◆ *kerkelijk goedgekeurd* with the approval of the church [3] ⟨voor zover een kerk betreft⟩ ecclesiastically ◆ *Geertruidenberg ressorteerde kerkelijk onder 's-Hertogenbosch* Geertruidenberg came under the jurisdiction of 's-Hertogenbosch in ecclesiastical matters

kerkelijken [de^{mv}] clerical people, ⟨pol⟩ clerical parties/side/group

kerkelijkheid [de^{v}] piety, devotion

kerken [onov ww] go to church, attend church, worship, attend divine service ◆ *zij kerken in Amsterdam* they go to/attend church in Amsterdam

kerkenraad [de^{m}] [1] ⟨vergadering⟩ church council meeting ◆ *kerkenraad houden/beleggen* hold/convene a meeting of the church council [2] ⟨college⟩ (parochial) church council, ⟨calvinistisch ook⟩ consistory ◆ *er is een nieuwe kerkenraad gekozen* a new church council has been chosen; *een lid van de kerkenraad* a member of the church council

kerkenraadskamer [de] vestry (room)

kerkenwerk [het] church/parish work

kerkenzakje [het] offertory bag, ± ladle ◆ *rondgaan met het kerkenzakje* take (up) the collection, ± pass the plate

kerker [de^{m}] ⟨form⟩ dungeon, ⟨ogm⟩ prison, jail ◆ *een donkere kerker* a dark dungeon

kerkeren [ov ww] ⟨ook fig⟩ incarcerate, imprison, dungeon

kerkfabriek [de^{v}] ⟨r-k⟩ [1] ⟨materiële belangen van een kerk⟩ (church-)fabric [2] ⟨beheerders van het kerkvermogen⟩ fabric committee, church wardens

kerkfusie [de^{v}] church merger

kerkgang [de^{m}] churchgoing, going to church, church attendance, attendance at church, ⟨na bevalling/ziekte⟩ churching ◆ *haar kerkgang houden/doen* be churched

kerkganger [de^{m}], **kerkgangster** [de^{v}] churchgoer, ⟨BE m.b.t. dissidente kerk, vnl. in Engeland en Wales⟩ chapelgoer, worshipper, ⟨mv ook; gemeente⟩ congregation ◆ *een trouw kerkganger* a regular churchgoer/attender at church/worshipper

kerkgangster [de^{v}] → **kerkganger**

kerkgebouw [het] church (building), ⟨i.h.b. prot⟩ chapel

kerkgenootschap [het] (religious) denomination, (religious) community/persuasion, ⟨meestal niet r-k⟩ communion

kerkgeschiedenis [de^{v}] [1] ⟨geschiedenis van een kerk⟩ church history, ecclesiastical/sacred history [2] ⟨boek⟩ history of a/the church

kerkgezang [het] [1] ⟨het zingen in de kerk⟩ singing in church [2] ⟨lied⟩ hymn, ⟨psalm⟩ psalm, ⟨koraal⟩ chorale ◆ *gregoriaans kerkgezang* Gregorian chant, plainsong, plainchant

kerkhervorming [de^{v}] Reformation

kerkhof [het] churchyard, graveyard, ⟨begraafplaats⟩ cemetery ⟨meestal niet bij een kerk⟩ ◆ *op het kerkhof liggen* be dead and buried [·] ⟨fig⟩ *sommige kleuters lopen al met een kerkhof rond* some small children have already got a mouthful of tombstones/haven't got a sound tooth in their head

kerkklok [de] [1] ⟨luiklok van een kerk⟩ church bell ◆ *de kerkklokken luiden* ring the church bells [2] ⟨torenuurwerk⟩ church clock

kerkkoor [het] [1] ⟨bouwk⟩ choir, chancel [2] ⟨zangkoor⟩ church choir ◆ *lid van het kerkkoor* member of the church choir

kerkkunst [de^{v}] sacred art, church art, ecclesiastical art

Kerklatijn [het] Church Latin

kerkleer [de] dogma, church/religious doctrine

kerkleraar [de^{m}] ⟨r-k⟩ Doctor of the Church

kerklid [het] church member, member of the church ◆ *iemand als kerklid aanvaarden* receive s.o. into the church, accept s.o. as a church member

kerkmeester [de^{m}] ⟨r-k⟩ church warden

kerkmens [de^{m}] churchgoer

kerkmuziek [de^{v}] church music, religious music, sacred music

kerkorde [de] rules governing church life

kerkordelijk [bn] concerning matters of church order

kerkorgel [het] church organ

kerkpatrones [de^{v}] → **kerkpatroon**

kerkpatroon [de^{m}], **kerkpatrones** [de^{v}] patron saint (of a church)

kerkplein [het] ± village square, ⟨dorpsweide, dorpsveld⟩ ± village green ◆ *op het kerkplein* in the village square, on the village green

kerkportaal [het] vestibule, narthex

kerkprovincie [de^{v}] archdiocese, province

kerkraad [de^{m}] ⟨in België⟩ church council

kerkraam [het] [1] ⟨vensterraam in een kerk⟩ church window [2] ⟨geslepen vlak in een glas⟩ facet

kerkrat [de] [·] *zo arm als een kerkrat* as poor as a church mouse

kerkrecht [het] canon law

kerkrechtelijk [bn, bw] canonic(al) ⟨bw: canonically⟩, canonistic(al)

kerkrentmeester [de^{m}] ± church warden

kerkroof [de^{m}] church robbery, sacrilege

kerks [bn] churchgoing ⟨meestal niet pred⟩, ⟨godsdienstig, religieus⟩ religious, ⟨vroom⟩ devout, pious, ⟨overdreven kerks⟩ churchy ◆ *zij is niet kerks* she is not a churchgoer/a churchgoing person, she does not go to church

kerkscheuring [de^{v}] schism
kerkschip [het] nave
Kerkslavisch [het] ⟨rel, taalk⟩ (Old) Church Slavonic
kerkstoel [de^{m}] prie-dieu (chair)
kerkstrijd [de^{m}] church conflict, ecclesiastical conflict
kerktijd [de^{m}] [1] ⟨tijd en duur van de kerkdienst⟩ church (service) ◆ *onder kerktijd* during church, during the church [2] ⟨tijd om zich naar de kerk te begeven⟩ church-time, time to go to church ◆ *het is kerktijd* it is time to go to church
kerktoren [de^{m}] church tower, ⟨spitse toren, torenspits⟩ steeple, spire ◆ ***klein** kerktorentje* flèche; *de kerktoren **slaat** elf* the church clock is striking eleven
kerktuin [de^{m}] church garden
kerkuil [de^{m}] barn owl
kerkvader [de^{m}] Father (of the Church), Church Father ◆ *de **Latijnse/Apostolische/Griekse** kerkvaders* the Latin/Apostolic/Greek Fathers [•] ***met betrekking tot/van** de kerkvaders* patristic
kerkvergadering [de^{v}] synod, (ecclesiastical) council ◆ ⟨r-k⟩ ***algemene** kerkvergadering* Council
kerkverlater [de^{m}] lapsed churchgoer, ↑ apostate
kerkverlating [de^{v}] people leaving/abandoning the church
kerkvervolging [de^{v}] persecution of a/the church
kerkvisitatie [de^{v}] [1] ⟨r-k⟩ visitation [2] ⟨prot⟩ visitation
kerkvolk [het] [1] ⟨kerkgangers⟩ congregation, churchgoers [2] ⟨mensen die regelmatig ter kerke gaan⟩ churchgoers
kerkvoogd [de^{m}] [1] ⟨r-k⟩ prelate [2] ⟨prot⟩ church warden ◆ ⟨anglic⟩ ***college** van kerkvoogden* Church Commissioners
kerkvoogdij [de^{v}] [1] ⟨gezag van een kerk⟩ ecclesiastical authority [2] ⟨prot⟩ church wardens
kerkvorst [de^{m}] Prince of the Church, prelate
kerkwijding [de^{v}] [1] ⟨inwijding van een kerk⟩ consecration/dedication of a church [2] ⟨herdenking⟩ (the) Feast of the Dedication (of a church)
kerkzesoog [de^{m}] tube-web spider
[1]**kermen** [onov ww] [1] ⟨uiting geven aan lichamelijk leed⟩ moan, groan ◆ *kermen **van** pijn* moan/groan with pain [2] ⟨jammeren⟩ moan, ⟨jengelen⟩ whine, ⟨(wee)klagen⟩ wail, lament ◆ *bij het minste of geringste **begint** hij al te kermen* the slightest little thing starts him moaning, he starts moaning at the slightest little thing; *kermen **over** zijn lot* moan about/lament one's lot, ↑ bewail one's lot
[2]**kermen** [ov ww] ⟨klaaglijk kreunend zeggen⟩ whine, pule, ⟨(wee)klagen⟩ wail ◆ *de verrader kermde **dat** hij onschuldig was* the traitor whined/puled that he was innocent
kermes [de] kermes
kermis [de] [1] ⟨evenement met attracties⟩ fair, ⟨BE ook⟩ fun fair, ⟨AE ook⟩ carnival, ⟨in Nederland/België ook⟩ kermis, kermess, kirmess ◆ *kermis **houden*** have a fair/kermis; ⟨fig⟩ *het **is** niet alle dagen kermis* life is not all beer and skittles, Christmas comes but once a year; ⟨fig⟩ *van een **koude** kermis thuiskomen* have a rude awakening, be brought down to earth with a shock, get more than one bargained for; *het is kermis **te/in** Antwerpen* there is a fair/kermis (on) in Antwerp [2] ⟨terrein⟩ fairground [3] ⟨gezellige drukte⟩ uproar, bustle, ⟨vnl pej⟩ pandemonium ◆ *het was daar een kermis **met** al die kinderen* the place was in an uproar/it was pandemonium with all those children there [•] *kermis der **ijdelheid*** Vanity Fair; ***Vlaamse** kermis* fête; ⟨sprw⟩ *'t is een slecht dorp waar 't nooit kermis is* ± all work and no play makes Jack a dull boy; ± variety is the spice of life
kermisattractie [de^{v}] fairground attraction
kermisbed [het] makeshift bed, shakedown ◆ *slapen **in** een kermisbed* ⟨ook⟩ doss down
kermisexploitant [de^{m}] showman
kermisgast [de^{m}] showman
kermisklant [de^{m}] showman
kermiskoers [de^{m}] kermesse
kermiskraam [het, de] (fairground) booth, fairground attraction
kermiskramer [de^{m}] ⟨in België⟩ carny
kermistent [de] (fairground) booth, fairground attraction, ⟨grote tent⟩ marquee
kermisterrein [het] fair ground(s), ⟨AE ook⟩ lot
kermisvolk [het] [1] ⟨kunstenmakers⟩ show people, ⟨man⟩ showmen [2] ⟨bezoekers⟩ fairgoers, ⟨menigte⟩ fairground crowd/visitors
kermiswagen [de^{m}] caravan
kern [de] [1] ⟨binnenste⟩ core, ⟨van hout/boom⟩ heart, ⟨van stengel⟩ pith ◆ *de kern van de **aarde/zon*** the earth's/sun's core [2] ⟨binnenste van zaad of pit⟩ ⟨met omhulsel⟩ kernel, ⟨van kers/avocado/perzik enz.⟩ stone, ⟨AE ook⟩ pit [3] ⟨fig⟩ core, heart, essence, root, crux ◆ *de kern van de **algebra*** algebra in a nutshell, the essence of algebra; *de **harde** kern van een terroristengroep* the hard core of a terrorist group; ***in** de kern **van** de zaak* in essence; *de kern van een **partij*** the backbone of a party; *de kern van het **probleem*** the core/heart/essence of the problem; ***tot** de kern van een zaak doordringen* get (down) to the (very) root/heart/core/crux/kernel of the matter/of sth.; ⟨inf⟩ get down to essentials; *dat bevat een kern **van** waarheid* that has an element/a germ/grain of truth (in it); *de kern van een **verhaal*** the point/essence/gist/nub of a story [4] ⟨biol⟩ nucleus [5] ⟨natuurk⟩ nucleus [6] ⟨ook in samenstellingen; plaats, dorp⟩ centre, place ◆ ***kleine** kernen* small centres/places; ***plattelandskern*** rural centre, ± market town [7] ⟨in samenstellingen; belangrijkste, hoofd-⟩ central, core ◆ ***kernactiviteiten*** core activities; *kern**idee*** central/main/basic idea; *kern**punt*** central point
kernaandrijving [de^{v}] nuclear propulsion ◆ *een onderzeeër **met** kernaandrijving* a nuclear(-powered) submarine
kernachtig [bn, bw] pithy ⟨bw: pithily⟩, concise, crisp, terse ◆ *een kernachtig **gezegde*** a pithy saying
kernactiviteit [de^{v}] core activity
kernafval [het, de^{m}] nuclear waste
kernbewapening [de^{v}] nuclear armament
kernbom [de] nuclear bomb, ⟨atoombom⟩ atom/fission bomb, ⟨inf⟩ A bomb, ⟨waterstofbom⟩ hydrogen bomb, ⟨inf⟩ H bomb, ⟨vnl AE; inf⟩ nuke
kernboor [de] core drill, ⟨voor bodemmonsters⟩ core tube
kernbrandstof [de] nuclear fuel
kerncentrale [de] nuclear/atomic power station, nuclear/atomic power plant, ↓ nuclear/atomic plant
kernchemie [de^{v}] nuclear chemistry
kerncurriculum [het] core curriculum
kerndeeltje [het] nuclear particle, nucleon
kerndeling [de^{v}] ⟨biol⟩ nuclear division
kerndoel [het] primary objective, primary target/goal
kerndruk [de^{m}] core pressure
kernel [de^{m}] core
kernenergie [de^{v}] nuclear/atomic energy, nuclear/atomic power
kernengeheugen [het] core memory
kernexplosie [de^{v}] nuclear explosion
kernfusie [de^{v}] nuclear fusion
kernfysica [de^{v}] nuclear/atomic physics, nucleonics
kernfysicus [de^{m}] nuclear/atomic physicist, nuclear/atomic scientist
kerngedachte [de^{v}] central/main/basic idea, ⟨boodschap; van een boek/rede enz.⟩ message
kerngeleerde [de] nuclear scientist, nuclear physicist
kerngetal [het] base (figure)
kerngezin [het] nuclear family
kerngezond [bn] ⟨m.b.t. mensen⟩ perfectly healthy, in perfect health, ⟨inf⟩ as fit as a fiddle, ⟨m.b.t. zaken⟩ perfectly/thoroughly sound ◆ ⟨fig⟩ *dat **bedrijf** is kerngezond*

that business is perfectly/thoroughly sound; *hij ziet er kerngezond uit* he looks (to be) in perfect health/as right as rain/as sound as a bell
kernhout [het] heartwood
kernidee [het] central idea/concept/thought
kerninstallatie [de^{v}] nuclear facility/establishment/plant
kernkabinet [het] inner cabinet
kernkop [de^{m}] (nuclear/atomic) warhead ◆ ***met** meerdere kernkoppen* multi-warheaded, with several warheads; *een raket **met** drie kernkoppen* a missile with three (nuclear/atomic) warheads
kernkracht [de] nuclear forces
kernlading [de^{v}] ① ⟨natuurk⟩ nuclear charge ② ⟨lading van een kernbom⟩ nuclear warhead/payload
kernlichaampje [het] ↑ nucleolus, ⟨plasmosoom⟩ plasmosome, ⟨karyosoom⟩ karyosome
kernmacht [de] → **kernmogendheid**
kernmogendheid [de^{v}], **kernmacht** [de] nuclear/atomic power, ⟨inf⟩ nuclear
kernonderzeeër [de^{m}] nuclear/atomic submarine
kernonderzoek [het] nuclear/atomic research
kernongeval [het] nuclear accident
kernontwapening [de^{v}] nuclear disarmament
kernoorlog [de^{m}] nuclear war
kernploeg [de] ⟨sport⟩ squad
kernprobleem [het] key/central/main/basic problem
kernproef [de] nuclear/atomic test
kernpunt [het] central/crucial/essential point, crux, essence, ↓ nub ◆ *het kernpunt van een **betoog/probleem*** the crux of an argument/a problem
kernraket [de] nuclear missile ◆ *een aanval **met** kernraketten* ⟨ook⟩ an air-atomic attack
kernramp [de] nuclear disaster
kernreactie [de^{v}] nuclear reaction
kernreactor [de^{m}] (nuclear/atomic) reactor, ⟨vroegere benaming⟩ atomic pile
kernschaduw [de] umbra
kernsmelting [de^{v}] ⟨natuurk⟩ nuclear fusion
kernspeler [de] core player
kernsplijting [de^{v}] nuclear/atomic fission
kernsplijtstof [de] nuclear/atomic fuel, fissionable matter/material
kernspreuk [de] aphorism, maxim, apo(ph)thegm, (pithy) saying
kernstaat [de^{m}] ① ⟨kernmogendheid⟩ atomic state ② ⟨land vanwaaruit een volk zich heeft verspreid⟩ homeland ③ ⟨centrale staat⟩ core country
kernstop [de^{m}] nuclear freeze, ↑ (nuclear) nonproliferation agreement, ⟨m.b.t. kernproeven⟩ nuclear test ban
kernstopverdrag [het] nonproliferation treaty, ⟨m.b.t. kernproeven⟩ (nuclear) test ban treaty
kernstrijdmacht [de] nuclear (strike) force, ⟨vnl AE⟩ nuclear capability
kernstroom [de^{m}] nuclear-generated electricity
kerntaak [de] nuclear role ◆ *kerntaken **afstoten*** reject nuclear responsibilities
kernvraag [de] key question
kernvrij [bn] nuclear-free, ⟨kernvrij gemaakt; ook⟩ denuclearized
kernwaarde [de^{v}] core value ◆ *de kernwaarden **van** een bedrijf* a company's core values
kernwapen [het] nuclear/atomic weapon, ⟨inf⟩ nuclear, ⟨vnl AE; inf⟩ nuke ◆ ***alle** kernwapens de wereld uit!* ban nuclear weapons!, ban the bomb!; ⟨inf⟩ nukes out!; ⟨vnl AE; inf⟩ no nukes!; *aanvallen **met** kernwapens* attack with nuclear/atomic weapons; ⟨vnl AE; sl⟩ nuke
kernwapenverdrag [het] nuclear arms treaty/accord/agreement
kernwapenvrij [bn] nuclear-free
kernwinkelgebied [het] central commercial district, main shopping area
kerosine [de] kerosene, ⟨vnl AE⟩ kerosine, ⟨BE⟩ paraffin (oil), kerogen, ⟨AE ook⟩ coal-oil, ⟨lampolie⟩ lamp oil
kerrie [de^{m}] curry, currie, ⟨poeder⟩ curry powder
kerriepoeder [het] curry powder
^{1}**kers** [de^{m}] ① ⟨boom⟩ cherry (tree) ◆ ***zoete** kers* wild/black/sweet cherry, merry; ⟨vnl SchE ook⟩ gean; ***zure** kers* sour cherry ② ⟨siergewas⟩ ◆ ***Japanse** kers* Japanese flowering cherry; ***Oost-Indische** kers* (garden) nasturtium
^{2}**kers** [de] ⟨vrucht⟩ cherry ◆ ⟨fig⟩ *de kers op de **taart*** the icing on the cake; ***zoete** kers* wild/black cherry, merry; ⟨vnl SchE ook⟩ gean; ***zure** kers* (sour) cherry ⊡ ⟨sprw⟩ *met grote heren is het kwaad kersen eten* ± he who sups with the devil should have a long spoon; those that eat cherries with great persons shall have their eyes squirted out with the stones
kersenbier [het] cherry beer, cherry lambic
kersenbloesem [de^{m}] ① ⟨bloesem van kersenbomen⟩ cherry blossom ② ⟨kleur, verf⟩ cherry-blossom (pink)
kersenbonbon [de^{m}] cherry liqueur chocolate
kersenboom [de^{m}] cherry tree
kersenbrandewijn [de^{m}] cherry brandy
kersenhout [het] cherry(-wood)
kersenjam [de] cherry jam
kersenlikeur [de] cherry liqueur
kersenpit [de] ① ⟨pit van een kers⟩ cherry stone, ⟨AE ook⟩ pit ② ⟨kop⟩ nut, conk, noddle, ⟨BE ook⟩ bonce
kersenpluk [de^{m}] ① ⟨handeling⟩ cherry-picking ② ⟨tijd⟩ cherry-picking season
kersentijd [de^{m}] cherry season ◆ ***in** de kersentijd* in the cherry season, when cherries are in season; *het **is** kersentijd* it is the cherry season, cherries are in season
kersontpitter [de^{m}] cherry-pitter
kersrood [bn] cherry red, cerise
kerst [de] Christmas, Yule(tide), ⟨inf⟩ Xmas ◆ ***met** de kerst kom ik naar huis* I'll be home for Christmas; *kerst **vieren*** celebrate Christmas; ***voor** de kerst doe ik examen* I have an exam(ination) before Christmas; *een **witte** kerst* a white Christmas
kerstavond [de^{m}] ① ⟨(avond van) de 24e december⟩ (evening of) Christmas Eve ② ⟨avond van een van beide kerstdagen⟩ ⟨25 december⟩ evening of Christmas Day, ⟨26 december⟩ evening of Boxing Day
kerstbal [de^{m}] ⟨BE⟩ bauble, ± Christmas tree decoration
kerstbestand [het] Christmas ceasefire/truce
kerstboodschap [de^{v}] ① ⟨kerstevangelie⟩ Christmas message, message of Christmas, message of the Nativity ② ⟨boodschap aan het volk⟩ Christmas message, ⟨uitzending ook⟩ Christmas broadcast, ⟨Groot-Brittannië ook⟩ the Queen's (Christmas) broadcast
kerstboom [de^{m}] ① ⟨boom⟩ Christmas tree ◆ ⟨fig⟩ *een mopje voor **onder** de kerstboom* a clean/an innocent joke; ⟨fig⟩ *dat is er niet één voor **onder** de kerstboom* that's a bit risqué, that's a bit of an off one; *de kerstboom **optuigen*** decorate/dress the Christmas tree ② ⟨ingewikkeld geheel⟩ christmas tree ◆ *een kerstboom **aan** dochterbedrijven* a maze of subsidiaries
kerstboter [de] ± cheap surplus butter
kerstbrood [het] christmas loaf
kerstconcert [het] ① ⟨concert met Kerstmis⟩ Christmas concert ② ⟨compositie voor Kerstmis⟩ Christmas concerto
kerstdag [de^{m}] ① ⟨de 25e december⟩ Christmas Day ② ⟨een van de dagen van het kerstfeest⟩ ◆ ***eerste** kerstdag* Christmas Day; ***prettige** kerstdagen!* Merry/Happy Christmas!; ⟨op kaarten⟩ compliments of the Season!, Season's Greetings!; ***tijdens** de kerstdagen* at/during Christmas(time), on Christmas Day and Boxing Day; ***tweede** kerstdag* ⟨Groot-Brittannië⟩ Boxing Day
kerstdienst [de^{m}] Christmas service

kerstdiner [het] Christmas dinner
kerstdrukte [de^{v}] Christmas rush
kerstenen [ov ww] christianize, convert
kerstengel [de^{m}] Christmas angel
kerstening [de^{v}] Christianization ◆ *kerstening van* ***heidenen*** conversion of pagans to Christianity
kerstevangelie [het] Christmas message, message of Christmas
kerstfeest [het] (feast/festival of) Christmas, Yule, Yuletide feast, Yuletide festival ◆ ***zalig, gelukkig*** *kerstfeest!* Merry/Happy Christmas!, (the) compliments of the Season!, Season's Greetings!
kerstgedachte [de^{v}] seasonal goodwill, Christmas cheer
kerstgeschenk [het] Christmas present/gift, ⟨aan werknemers; BE⟩ Christmas box, ⟨AE⟩ Christmas bonus
kerstgratificatie [de^{v}] Christmas bonus
kerstgroen [het] Christmas green
kerstgroet [de^{m}] Season's/Yuletide greetings ⟨mv⟩
kerst-in [de^{m}] Christmas (Day) open house
kerstkaart [de] [1] ⟨kerstgroet⟩ Christmas card, Christmas greeting [2] ⟨kaart met een afbeelding in kerstsfeer⟩ Christmas card
Kerstkind [het] Christ-child, infant/baby Jesus
kerstklok [de] [1] ⟨mv; klokken op Kerstmis⟩ Christmas bells [2] ⟨papieren klok⟩ Christmas bell
kerstkrans [de^{m}] (almond) pastry ring
kerstkransje [het] [1] ⟨koekje⟩ Christmas ^{B}biscuit/^{A}cookie [2] ⟨chocolaatje⟩ chocolate wreathe
kerstkribbe [de] crib
kerstlied [het] (Christmas) carol
kerstloop [de^{m}] Christmas marathon/run
kerstmaand [de] December
Kerstman [de^{m}] Santa (Claus), ⟨BE⟩ Father Christmas
kerstmarkt [de] Christmas market, Christmas fair
kerstmenu [het] Christmas menu
kerstmis [de] Christmas mass, ⟨nachtmis⟩ Midnight Mass
Kerstmis [de^{m}] Christmas, the Nativity, Yule(tide), ⟨inf⟩ Xmas, ⟨vnl. in kerstliederen; form⟩ Noel, ⟨25 december⟩ Christmas Day ◆ *Kerstmis* ***vieren*** celebrate Christmas
kerstmuts [de] Santa hat, Santa Claus hat
kerstnacht [de^{m}] [1] ⟨nacht waarin Christus geboren is⟩ Christmas night [2] ⟨nacht waarin Christus' geboorte herdacht wordt⟩ Christmas night
kerstnachtdienst [de^{m}] Christmas eve service, ⟨nachtmis⟩ Midnight Mass
kerstnachtmis [de] Midnight Mass
kerstnummer [het] Christmas number/edition
kerstomaat [de] cherry tomato
kerstpakket [het] Christmas hamper/box
kerstpost [de] Christmas post, ⟨vnl AE⟩ Christmas mail
kerstpot [de^{m}] container for Salvation Army's Christmas collection
kerstreces [het] ⟨pol⟩ Christmas recess/vacation ◆ *de Kamer is op kerstreces* the chamber has recessed/adjourned for Christmas
kerstroos [de] Christmas/winter rose, Christmas flower
kerstsfeer [de] Christmas atmosphere/mood
kerstspel [het] Nativity play ◆ *een kerstspel* ***opvoeren*** put on/perform a Nativity play
kerststaaf [de] (almond) pastry roll
kerststal [de^{m}] crib
kerstster [de] [1] ⟨versiering⟩ Christmas star [2] ⟨sierplant⟩ poinsettia, Christmas flower
Kerstster [de] ⟨de ster van Bethlehem⟩ Star of Bethlehem, ⟨vnl. in kerstliederen⟩ Star in the East, Eastern Star
kerststol [de^{m}] (Christmas) stollen
kerststukje [het] [1] ⟨bloemstukje⟩ Christmas bouquet [2] ⟨kerstspel⟩ Nativity play
kersttijd [de^{m}] [1] ⟨tijd waarin Kerstmis valt⟩ Christmastime, Christmastide, Christmas season/period, Yule(tide), ⟨inf⟩ season of good will/cheer ◆ ***in*** *de kersttijd* at Christmas(time), at the Christmas season, during the Christmas period [2] ⟨r-k⟩ Christmastide, Christmastime
kersttoespraak [de] Christmas speech/address ◆ *de kersttoespraak van de* ***koningin*** the Queen's speech
kerstvakantie [de^{v}] Christmas vacation/^{B}holiday(s)
kerstverhaal [het] [1] ⟨kerstevangelie⟩ Christmas story [2] ⟨verhaal op kerstavond⟩ Christmas story/tale
kerstverkoop [de^{m}] Christmas shopping/turnover
kerstverlichting [de^{v}] Christmas lights/illuminations
kerstversiering [de^{v}] [1] ⟨artikelen⟩ Christmas decorations/ornaments ⟨mv⟩ [2] ⟨versiering in kerstsfeer⟩ Christmas decorations ⟨mv⟩
kerstviering [de^{v}] Christmas service
kerstwake [de] Christmas vigil
kerstweek [de] Christmas week
kerstzegel [de^{m}] Christmas stamp
^{1}**kersvers** [bn] ⟨geheel vers⟩ (quite) fresh/new, ⟨m.b.t. boek⟩ hot from the press, ⟨m.b.t. nieuws/gerucht/tip⟩ red-hot ◆ *kersverse* ***eieren*** new-laid eggs; *het komt zo kersvers* ***uit*** *de winkel* it is fresh/straight from the shop; ⟨fig⟩ *kersvers* ***van school*** fresh/straight from school
^{2}**kersvers** [bw] ⟨zojuist⟩ just (this minute/a minute ago) ◆ *hij is hier kersvers* ***aangekomen*** he has hardly been here five minutes
kervel [de^{m}] [1] ⟨plant⟩ chervil ◆ ***roomse*** *kervel* (sweet) cicely, myrrh [2] ⟨blad van de tuinkervel⟩ chervil
^{1}**kerven** [onov ww] [1] ⟨snijden⟩ gouge (out), cut ◆ *de jongen kerfde met zijn mes* ***in*** *het hout* the boy was gouging the wood with his knife [2] ⟨vezelig worden⟩ ± tear, ± rip ◆ *die zijde is gekerfd* the silk is/has torn/ripped
^{2}**kerven** [ov ww] [1] ⟨inkepen⟩ notch, nick, cut, ⟨m.b.t. groef/lijn⟩ score, ⟨een spleet maken⟩ slash, gash ◆ ***vis*** *kerven* slash/gash fish, cut slashes/gashes in fish [2] ⟨uitsnijden⟩ carve (out), cut (out) ◆ *zij kerfden hun* ***naam*** *in de boom* they carved their names in the (bark of the) tree [3] ⟨m.b.t. tabak⟩ cut
ketan [de^{m}] ketan rice
ketchup [de^{m}] ketchup, ⟨AE ook⟩ catsup
ketel [de^{m}] [1] ⟨metalen vat⟩ kettle, ⟨grote pot⟩ cauldron, ⟨vnl. BE, wasketel⟩ copper ⟨ook in brouwerij⟩, ⟨in brouwerij⟩ brew-kettle, ⟨in distilleerderij⟩ still ◆ *een* ***koperen/elektrische*** *ketel* a copper/electric kettle; *de ketel* ***opzetten*** *(voor de thee)* put the kettle on (for tea) [2] ⟨stoomketel⟩ boiler ◆ *de* ***druk*** *is van de ketel* ⟨fig⟩ the pressure's off; *de ketel van de* ***verwarming*** *is kapot* the (central-heating) boiler is out of order [3] ⟨jacht⟩ (chamber of an) earth [4] ⟨aardr⟩ → **keteldal** [•] ⟨sprw⟩ *de pot verwijt de ketel dat hij zwart ziet* the pot calls the kettle black; ill may the kiln call the oven burnt-tail
ketelbinkie [de^{m}] cabin boy
keteldal [het] basin, bowl, ⟨door gletsjer⟩ cirque, coomb
keteldruk [de^{m}] boiler pressure
ketelhuis [het] boilerhouse
ketelkost [de^{m}] West-Frisian specialty with salted beef
ketellapper [de^{m}] tinker
ketelmuziek [de^{v}] charivari, ⟨AE⟩ chivari, tin-kettling, shivaree
ketelsteen [het, de^{m}] (boiler) scale, scaling, fur(ring) ◆ *ketelsteen* ***verwijderen*** descale, defur
keteltrom [de] kettledrum, timbal
^{1}**keten** [de] [1] ⟨zware ketting⟩ chain ◆ ⟨fig⟩ *zijn ketenen* ***afschudden/verbreken*** shake off/burst/break one's chains; *de keten van de* ***burgemeester*** the mayor's chain of office; *een* ***dubbele*** *keten* a double chain; ***in*** *de ketenen slaan* put/throw into chains, chain (up) [2] ⟨reeks, rij⟩ chain, series, sequence ◆ *een keten* ***van bergen*** a chain of mountains/mountain range; *een keten* ***van*** *snackbars* a chain of snackbars;

*een keten **van** leugens/ongelukken* a chain of lies/accidents ③ ⟨scheik⟩ chain ④ ⟨techn⟩ chain, circuit ▪ ⟨sprw⟩ *de keten is zo sterk als de zwakste schakel* a chain is no stronger than its weakest link; the strength of the chain is in the weakest link

²**keten** [onov ww] ⟨inf⟩ fool/lark/monkey about

ketenaansprakelijkheid [de^v] ± ultimate responsibility (for payment of taxes and social security contributions)

ketenbeheer [het] chain management

ketenen [ov ww] ① ⟨aan een keten bevestigen⟩ chain (up) ② ⟨boeien⟩ chain, fetter, shackle, put in irons ③ ⟨fig⟩ curb, check, restrict, restrain

ketenkaart [de] linked transport ticket (for the disabled)

ketenmanagement [het] process management, chain management

ketenmobiliteit [de^v] linked transport mobility

ketenzorg [de] chain of care

ketjap [de] soy(a) sauce

ketje [het] ⟨in België⟩ ketje, nickname for inhabitants of Brussels, especially for Brussels streetchildren

ketoeba [de] ketubah

ketoembar [de^m] ground coriander

¹**ketsen** [onov ww] ① ⟨afstuiten⟩ glance off, ricochet (off) ♦ ⟨bilj⟩ *de **keu** ketste* the cue glanced off, the player miscued; *het grind ketste **tegen** de achterruit van de auto* the gravel glanced off the rear window of the car ② ⟨niet afgaan⟩ misfire, miss fire, fail to go off, fail to fire, not go off ♦ *het **geweer** ketste* the gun misfired/didn't go off ③ ⟨geslachtsgemeenschap hebben⟩ screw

²**ketsen** [ov ww] ⟨fig; afketsen⟩ turn down, throw out, defeat, reject

ketser [de^m] ① ⟨m.b.t. een vuurwapen⟩ ricochet ② ⟨mislukking⟩ fiasco ③ ⟨inf; joint⟩ joint

ketsschot [het] misfire

ketsstoot [de^m] ⟨bilj⟩ miscue

ketter [de^m] ① ⟨m.b.t. een geloof⟩ heretic, deviationist, ⟨pol ook⟩ revisionist ② ⟨m.b.t. wetenschap, kunst⟩ heretic ▪ *roken **als** een ketter* smoke like a chimney(stack); *zuipen **als** een ketter* drink like a fish; *vloeken **als** een ketter* swear like a trooper/^Bbargee/lord

ketterdom [het] heretics

ketteren [onov ww] rage, storm, rave, rant ♦ ***vloeken** en ketteren* rant and rave, storm and swear

kettergericht [het] ① ⟨inquisitie⟩ inquisition ② ⟨gericht over ketters⟩ inquisition (trial)

ketterij [de^v] ① ⟨het afwijken van de geloofsleer⟩ heresy, heterodoxy, ⟨dwalen⟩ misbelief, ⟨onorthodox ook⟩ unorthodoxy ♦ *naar ketterij **rieken*** smack of heresy ② ⟨afwijkende leer⟩ heresy, ⟨dwaalleer⟩ misbelief ③ ⟨m.b.t. wetenschap, kunst⟩ heresy, unorthodoxy

ketterjacht [de] ⟨ook fig⟩ witch hunt, ⟨inquisitie⟩ inquisition

ketters [bn, bw] ① ⟨m.b.t. een geloof⟩ heretical ⟨bw: ~ly⟩, heterodox, ⟨onorthodox⟩ unorthodox ② ⟨m.b.t. wetenschap, kunst⟩ heretical ⟨bw: ~ly⟩, unorthodox ♦ *dat is ketters **gedacht*** that is a heretical thought/heresy

ketterverbranding [de^v] burning (alive) of a heretic, ⟨gesch ook⟩ auto-da-fé

ketting [de] ① ⟨keten⟩ chain, ⟨boei⟩ fetter ♦ ***aan** de ketting leggen* ⟨m.b.t. dier⟩ chain up, put on the chain; ⟨m.b.t. schip⟩ (hold/keep under) arrest, (put under) embargo; *de ketting van een **fiets/anker/lier*** the chain of a bicycle/an anchor/a winch; *een **gouden** ketting* a gold chain; *doe de deur **op** de ketting* put the chain on the door, put the door on the chain, chain the door; ⟨fig⟩ ***van** de ketting zijn* be wild with joy/jumping for joy/on top of the world/over the moon/overjoyed ② ⟨m.b.t. weefsels⟩ warp, chain ♦ *een **enkele/dubbele** ketting* a single/double chain

kettingbak [de^m] ⟨scheepv⟩ chain locker/well

kettingbeding [het] perpetual clause

kettingbotsing [de^v] multiple collision, multiple (car) crash, ↓ pile-up, ⟨AuE⟩ chain collision

kettingbout [de^m] link pin

kettingbrief [de^m] chain letter

kettingbrug [de] chain(-suspension) bridge, catenary bridge, ± suspension bridge

kettingformulier [het] continuous/fanfold form

kettinghandel [de^m] ± speculative trading, ± profiteering

kettinghond [de^m] bandog, chained (up) dog, ± watchdog

kettingkast [de] chain guard

kettinglijn [de] ⟨wisk⟩ catenary (curve)

kettingpapier [het] continuous stationery, fanfold paper

kettingrad [het] chain-wheel, sprocket/rag (wheel)

kettingreactie [de^v] ⟨natuurk, scheik⟩ chain reaction ♦ *een kettingreactie **teweegbrengen*** set off/start a chain reaction

kettingregel [de^m] ⟨wisk⟩ chain rule, compound rule of three, chain method, conjoined rule of three

kettingrijm [het] chain rhyme

kettingroker [de^m], **kettingrookster** [de^v] chain smoker

kettingrookster [de^v] → **kettingroker**

kettingscherm [het] chain guard

kettingslot [het] chainlock

kettingspanner [de^m] chain tensioner

kettingsteek [de^m] ① ⟨m.b.t. naaien, borduren⟩ chain stitch ② ⟨scheepv⟩ figure of 8 knot

kettingzaag [de] chain saw, flexible/folding saw

keu [de] ① ⟨biljartstok⟩ (billiard) cue ② ⟨jong varken⟩ piglet

keuken [de] ① ⟨vertrek⟩ kitchen, ⟨keukencomplex; in instelling/paleis enz.⟩ kitchens ♦ *een **centrale** keuken* a central kitchen; *ergens **in** de keuken **kijken*** ⟨fig⟩ take a look behind the scenes; *een volledig **ingerichte** keuken* a fully fitted kitchen; *een **moderne** keuken* a modern kitchen; ⟨inf⟩ a kitchen with all mod cons; *een **open** keuken* an open kitchen; *keukentje* kitchenette ② ⟨kookkunst⟩ (art of) cooking, cookery, ↑ cuisine ♦ *de **fijne/Franse** keuken* fine/French cooking/cuisine, haute cuisine ③ ⟨eten⟩ cooking, fare ♦ *een **koude** keuken* cold dishes; ⟨koud buffet⟩ cold buffet; *een **schrale** keuken* scanty fare, short commons; *een **vette** keuken* rich fare/cooking ④ ⟨keukenblok⟩ → **keukenblok**

keukenafval [het, de^m] kitchen refuse/waste, garbage, ⟨vnl. vetresten⟩ kitchen stuff, drippings

keukenblok [het] kitchen unit

keukencentrum [het] kitchen centre

keukendeur [de] ① ⟨binnendeur⟩ kitchen door ② ⟨buitendeur⟩ kitchen door, backdoor

keukendoek [de^m] kitchen towel

keukenfornuis [het] stove, ⟨BE⟩ (gas) cooker, (kitchen) range, ⟨BE ook⟩ kitchener, ⟨AE ook⟩ cookstove

keukengaren [het] kitchen string

keukengeheim [het] culinary/chef's secret

keukengerei [het] kitchenware, kitchen/cooking utensils, ⟨hout⟩ wood(en)ware

keukenhanddoek [de^m] ① ⟨handdoek⟩ hand towel, kitchen towel ② ⟨in België; theedoek⟩ ⟨BE⟩ tea towel, ⟨AE⟩ dishtowel, ⟨BE ook⟩ dishcloth, dishrag, tea-cloth

keukenhulp [de] ① ⟨persoon⟩ kitchen help, ⟨keukenmeisje⟩ kitchen/scullery maid, ⟨bordenwasser⟩ dishwasher, ⟨BE⟩ washer-up ② ⟨apparaat⟩ food processor

keukenkast [de] kitchen cabinet/cupboard, ⟨vnl BE⟩ (kitchen) dresser

keukenkruid [het] kitchen herb, culinary herb

keukenkruiden [de^mv] spices

keukenmachine [de^v] food processor

keukenmeester [de^{m}] ⊡ *schraalhans is er keukenmeester* their cupboard is nearly always bare

keukenmeid [de^{v}] kitchen maid, cook ⊡ *gillende keukenmeid* ± whizzer, ± whizz-bang, ± squib, ± cracker

keukenmeidenroman [de^{m}] pulp novel, ⟨AE ook⟩ dime novel

keukenmixer [de^{m}] (household) mixer

keukenpapier [het] paper towels ⟨mv⟩, kitchen paper

keukenpiet [de^{m}] busybody in the kitchen

keukenprinses [de^{v}] ⟨scherts⟩ queen of the kitchen, lady of the frying-pan, ⟨goede kokkin⟩ (gourmet) cook

keukenraam [het] kitchen window

keukenrobot [de^{m}] food processor

keukenrol [de] kitchen roll

keukenschaar [de] kitchen scissors

keukensnufje [het] kitchen gadget

keukenstoel [de^{m}] kitchen chair

keukenstroop [de] ⟨BE⟩ treacle, ⟨AE⟩ molasses

keukentafel [de] kitchen table

keukentrap [de^{m}] ⟨groot⟩ stepladder, ⟨BE⟩ steps, ⟨klein⟩ step-stool

keukenwagen [de^{m}] mobile canteen, chuck wagon

keukenwekker [de^{m}] kitchen timer

keukenzout [het] cooking/table salt, household/common salt

Keulen [het] Cologne ◆ ⟨fig⟩ *het **in** Keulen horen donderen* be (utterly) staggered/flabbergasted/astounded/astonished; ⟨fig⟩ *staan kijken alsof men het **in** Keulen hoort donderen* ⟨ook⟩ look stunned/flabbergasted/as if one has been poleaxed; ⟨fig⟩ *een mes waarop je **naar** Keulen kunt rijden* a blunt knife ⊡ ⟨sprw⟩ *Aken en Keulen zijn niet op één dag gebouwd* Rome was not built in a day

Keuls [bn] Cologne ◆ *Keuls **aardewerk*** Rhenish pottery, Cologne ware; *een Keulse **pot*** a Cologne pot

keur [de] [1] ⟨stempelmerk⟩ hallmark, plate-mark [2] ⟨selectie⟩ choice (selection), pick, flower, elite ◆ *een keur **van** lekkernijen* a choice/variety of delicacies [3] ⟨gesch; plaatselijke verordening⟩ statute, by(e)-law

keurcollectie [de^{v}] choice collection

keurder [de^{m}] sampler, tester, ⟨m.b.t. thee/whisky/wijn enz.⟩ taster, ⟨bij wedstrijden⟩ judge

keuren [ov ww] test, ⟨edelmetalen⟩ assay, ⟨eetwaren, dieren⟩ inspect, ⟨monsteren, ook voedsel⟩ sample, ⟨m.b.t. thee/whisky/wijn enz.⟩ taste, ⟨med⟩ examine ◆ *iemand geen **blik** waardig keuren* not deign to look at s.o.; ***films** keuren* censor films; ***sieraden** keuren* assay jewellery/^{A}jewelry; ***voor** militaire dienst/een levensverzekering gekeurd worden* be medically examined/have a medical (examination) for military service/a life-insurance company, ⟨inf; BE⟩ be vetted for military service/a life-insurance company

keurgewicht [het] assay weight

keurgroep [de] ⟨in België⟩ elite (group/cast/team/...), ↓ the cream

^{1}keurig [bn] [1] ⟨net, netjes⟩ neat, tidy, smart ◆ *keurige **manieren*** exquisite manners; *het zijn keurige **mensen*** they are nice people; *er keurig **uitzien*** look neat (and tidy)/smart/spruce; *de bruid **zag** er keurig **uit*** the bride looked lovely, she was/made a beautiful bride [2] ⟨smaakvol⟩ smart, nice, ↑ exquisite ◆ *een keurig **kapsel/handschrift**/keurige **blouse*** a nice hair-do/fine hand/nice blouse [3] ⟨zeer goed⟩ fine, choice, exquisite ◆ *een keurig **rapport/opstel*** a fine report/essay

^{2}keurig [bw] ⟨fijntjes⟩ nicely, ⟨netjes⟩ neatly, ⟨bijdehand, slim⟩ smartly, cleverly ◆ *dat **heb** je keurig **gedaan*** you've done that nicely, ↓ nice work!; *dit **past** keurig* this fits you perfectly/beautifully, ⟨inf⟩ this fits you to a T; *keurig!* nice work!; ⟨tegen kind/hond⟩ good boy/girl! ⊡ *keurig **getrouwd*** properly/respectably married; *keurig **netjes*** prim and proper; *keurig **netjes** gekleed* properly dressed

keurijzer [het] assayer's stamp, hallmark

keuring [de^{v}] [1] ⟨het keuren, gekeurd worden⟩ testing, ⟨m.b.t. edelmetalen⟩ assaying, ⟨m.b.t. eetwaren/dieren⟩ inspection, ⟨monsteren, ook m.b.t. voedsel⟩ sampling, ⟨m.b.t. thee/whisky/wijn enz.⟩ tasting, ⟨med⟩ examination ◆ *keuring **van films*** film censorship, censorship of films [2] ⟨onderzoek⟩ test, ⟨m.b.t. edelmetalen⟩ assay, ⟨m.b.t. eetwaren/dieren⟩ inspection, ⟨med⟩ examination ◆ *een **medische** keuring* a medical (examination), a physical; ***naar** de keuring **moeten*** have to have/take a medical/physical; *Algemene **Periodieke** Keuring* (periodic) motor vehicle test, ⟨BE⟩ MOT (test)

keuringsarts [de^{m}] medical examiner

keuringscommissie [de^{v}] committee of inspection, ⟨film⟩ board of (film) censors, ⟨med⟩ medical (examining) board

keuringsdienst [de^{m}] inspection service ◆ *Keuringsdienst van **Waren*** ⟨BE⟩ ± Food Inspection Department, ⟨AE⟩ ± Food and Drug Administration

keuringseis [de^{m}] ⟨techn⟩ test requirement/specification, ⟨landb⟩ certification standard, requirement of the inspection service, ⟨ambtelijk⟩ approval specification ◆ *voldoen **aan** de keuringseisen* come up to the test requirements

keuringsstation [het] car inspection centre/station

keurkamer [de] Assay Office

keurkorps [het] crack troops, (body of) picked men, ⟨regiment⟩ crack regiment, ↑ corps d'élite, ⟨stoottroepen⟩ shock troops

keurmeester [de^{m}] inspector, sampler, ⟨m.b.t. edelmetalen⟩ assay-master, assayer, assayist, ⟨iemand die iets test⟩ tester

keurmerk [het] [1] ⟨stempel⟩ hallmark, plate-mark [2] ⟨kwaliteitsmerk⟩ quality mark, mark of quality, hallmark

keurs [het] bodice, ⟨korset⟩ corset, stays

keurslager^{MERK} [de^{m}] top-quality/top-class/first-class/first-rate butcher

keurslijf [het] straitjacket, shackles, trammels ◆ ***in** een keurslijf zitten* ⟨fig⟩ have one's hands tied; *iemand **in** een keurslijf dwingen* straitjacket/trammel/shackle/curb/cramp s.o.; *het keurslijf van allerlei **regels*** the straitjacket of all sorts of regulations

keursteen [de^{m}] voting stone

keurtroepen [de^{mv}] crack troops, (body of) picked men, ⟨regiment⟩ crack regiment, ⟨stoottroepen⟩ shock troops

keurvorst [de^{m}] ⟨gesch⟩ Elector ◆ *de **Grote** Keurvorst* the Great Elector

keurvorstendom [het] ⟨gesch⟩ electorate

keus [de] [1] ⟨het kiezen⟩ choice, selection, option ◆ *een **makkelijke** keus* an easy choice; ⟨m.b.t. vakken enz.⟩ a soft option; ***naar** keus* as desired; ⟨bijvoorbeeld bijgerechten⟩ optional; ***uit** vrije keus* of one's own free will; *de keus **van** een auto* the choice of a car; ⟨handel⟩ *in **kopers** keus* buyer's option [2] ⟨mogelijkheid om te kiezen⟩ choice, option, alternative ◆ ***aan** u de keus* the choice is yours/lies with you; take your choice; ⟨inf⟩ take your pick; *er is/wij hebben **geen** keus* there is/we have no choice/alternative/option; ⟨inf⟩ it's (a matter/question of) Hobson's choice; *de agent had **geen** (andere) keus* the policeman had no (other) choice/alternative/option; *vrij zijn **in** de keus van zijn huisarts* be free to choose one's (family) doctor; *iemand de keus **laten*** give/leave s.o. the choice, leave the choice up to s.o., let s.o. take his choice; *een keus hebben **tussen*** have a choice from/between; ***voor** een keus staan* be faced with a choice; *iemand **voor** de keus stellen* give s.o. the choice [3] ⟨wat gekozen wordt⟩ choice, selection, ↓ pick ◆ *hij kan maar **geen** keus doen/maken* he can't decide/make up his mind; *een **goede** keus* a good choice; ***heeft** u uw keus al **bepaald**?* have you made your choice?; *zijn keus **laten vallen** op* decide upon, choose; *een keus maken **uit*** choose/select from; *het vak/de* *vrouw van zijn keus* the subject/woman of his choice; *er is volop keus* there's a lot to choose from ④ ⟨sortering⟩ choice, assortment, range, selection ♦ *een uitgebreide keus bieden* offer a wide selection/range (of); *eerste keus* first choice, preference; *een grote keus* a wide/large choice/assortment/selection, a wide range; *tweede keus* second rate, seconds; ⟨goederen in uitverkoop⟩ (export) rejects ⑤ ⟨(uit)verkiezing⟩ election

keutel [de^{m}] ① ⟨drol⟩ droppings ⟨mv⟩, ⟨van dier, klein⟩ pellet, ⟨van mens⟩ ↓ turd ② ⟨klein persoon⟩ titch, ⟨kind⟩ nipper

keutelachtig [bn, bw] ↑ niggling ⟨bw: ~ly⟩, ↑ trivial ⟨bw: ~ly⟩

keutelen [onov ww] ① ⟨beuzelen⟩ trifle, niggle, potter, fiddle, ⟨AE⟩ boondoggle ② ⟨poepen⟩ ↓ crap, ↓ shit

keuterboer [de^{m}] ⟨BE⟩ smallholder, ⟨AE⟩ dirt farmer, small farmer, ⟨BE ook⟩ crofter ♦ *het is een keuterboer* he has to scrape a living off a small plot of land

keuvel [de] hood

keuvelaar [de^{m}], **keuvelaarster** [de^{v}] chatterer, talker

keuvelaarster [de^{v}] → **keuvelaar**

keuvelarij [de^{v}] chat, chit-chat, prattle, ⟨vnl BE⟩ natter

keuvelen [onov ww] (have a) chat, talk

keuzecommissie [de^{v}] selection committee, committee of selectors

keuzemenu [het] ① ⟨cul⟩ set menu, fixed price menu ② ⟨comp⟩ menu

keuzemogelijkheid [de^{v}] option, choice

keuzepakket [het] options ⟨mv⟩, choice of subjects/courses

keuzepensioen [het] optional pension

keuzeschakelaar [de^{m}] selector switch

keuzevak [het] option, optional subject/course, elective (subject)

kevel [de^{m}] jaw(-bone), toothless gum

kever [de^{m}] ① ⟨insect⟩ beetle, ⟨groot⟩ chafer, ⟨AE⟩ bug ② ⟨auto⟩ beetle, Beetle

keveren [onov ww] ⟨inf⟩ (take a) nap

kevlar [het] Kevlar

keyboard [het] ① ⟨muz⟩ keyboard instrument ♦ *keyboard spelen* play keyboards ② ⟨toetsenbord⟩ keyboard

keycard [de^{m}] key card

keycord [de^{m}] key cord

keynesiaans [bn] ⟨ec⟩ Keynesian

keynotespreker [de^{m}] keynote speaker

kezen [onov ww] ⟨vulg⟩ hump, ↑ screw

KG [afk] (korte golf) SW

kga [het] (klein gevaarlijk afval) household hazardous waste

k.g.v. [afk] (kleinste gemene veelvoud) LCM

khimar [de^{m}] khimar

Khmer [de^{m}] Khmer ♦ *de Rode Khmer* the Khmer Rouge

kHz [afk] (kilohertz) kHz, ⟨BE⟩ kc/sec, ⟨AE⟩ kc

ki [de^{v}] ① (kunstmatige inseminatie) AI ② (kunstmatige intelligentie) AI

KIB [de] ⟨in België⟩ (Kamer van Inbeschuldigingstelling) (a court's) indictment division, ⟨Groot-Brittannië⟩ ± Magistrates Bench, ⟨USA⟩ ± Grand Jury

kibbelaar [de^{m}], **kibbelaarster** [de^{v}] squabbler, quibbler, bickerer, wrangler, quareller, ⟨AE⟩ quareler

kibbelaarster [de^{v}] → **kibbelaar**

kibbelachtig [bn] quarrelsome, quibbling, squabbling, bickering

kibbelarij [de^{v}] bickering, squabbling, wrangling

kibbelen [onov ww] bicker, squabble, argue, haggle, wrangle

kibbeling [de^{v}] cod parings

kibbelpartij [de^{v}] bicker, squabble, tiff, wrangle

kibboets [de^{m}] kibbutz

kibboetsnik [de^{m}] kibbutznik

kibla [de] quibla

kick [de^{m}] ⟨inf⟩ kick, ⟨vooral m.b.t. alcohol of drugs⟩ buzz, high ♦ *dat geeft me een kick* I get a kick/bang out of that; *een kick halen uit* get a kick out of/a buzz/high from

kickback [de^{m}] ① ⟨steekpenning⟩ kickback ② ⟨bridge⟩ kickback ③ ⟨terugslag⟩ kickback ④ ⟨bokskussen⟩ punchbag

kickboksen [ww] kickboxing

kickbokser [de^{m}] kickboxer

kicken [onov ww] get a kick (out of), ⟨sl; AE⟩ get off (on), ⟨AE⟩ dig ♦ *dat is kicken!* that's cool!; *zij kickt op artikelen uit de jaren vijftig* she gets a kick out of fifties stuff

kicker [de^{m}] kicker

kickflip [de^{m}] kickflip

kick-off [de^{m}] kick-off

kickstart [de^{m}] ① ⟨het starten van een motor⟩ kick-start ② ⟨fig; aftrap⟩ kick-start

kickstarter [de^{m}] kickstarter

k.i.d. [de^{v}] (kunstmatige inseminatie met behulp van donor) AID

KIDD-syndroom [het] KIDD syndrome

kidhunter [de^{m}] kidhunter

kidnap [de^{m}] kidnap

kidnappen [ov ww] kidnap

kidnapper [de^{m}] kidnapper

kidnapping [de] kidnapping

kidneyboon [de] kidney bean

kids [de^{mv}] kids

kie [de^{v}] (kunstmatige inseminatie met behulp van de echtgenoot) AIH

^{1}**kiekeboe** [tw] peekaboo!

^{2}**kiekeboe** ⊡ *kiekeboe spelen* play (at) peekaboo/^{B}peep-bo

kieken [ov ww] snap, take a snapshot of ♦ *de hele familie kieken* take a snapshot of the whole family

kiekendief [de^{m}] ⟨dierk⟩ harrier ♦ *de blauwe kiekendief* hen harrier; *de bruine kiekendief* marsh harrier; *de grauwe kiekendief* Montagu's harrier

kiekje [het] snap(shot) ♦ *een kiekje nemen (van)* take a snap (of), snap

^{1}**kiel** [de^{m}] ⟨kledingstuk⟩ smock, ⟨zeldz⟩ blouse

^{2}**kiel** [de] ① ⟨scheepv⟩ keel ♦ *de kiel leggen* lay (down) the keel; *een loze kiel* a false keel; *met de kiel over de grond schuren* graze the bottom (with one's keel) ② ⟨schip⟩ keel, bottom ♦ *de vloot telde zestig kielen* the fleet consisted of sixty vessels ③ ⟨plantk⟩ keel

kiele [tw] tickle(-tickle)!

kielekiele ⊡ *het was kielekiele* it was touch and go/a close shave

kielen [ov ww] ① ⟨schip overzij halen⟩ careen, heave down, keel ② ⟨kielhalen⟩ keelhaul

kielhalen [ov ww] keelhaul

kieling [de^{v}] ① ⟨het kielen⟩ careen ② ⟨kielkade⟩ careenage ♦ *een schip op de kieling halen* put a ship on the careen

kielvlak [het] ⟨luchtv⟩ vertical stabilizer, ⟨BE⟩ aerofoil, ⟨AE⟩ airfoil, ⟨inf⟩ (tail) fin

kielwater [het] ⟨ook fig⟩ wake, wash ♦ ⟨fig⟩ *blijf uit zijn kielwater, of je raakt in zijn zog* steer clear of him, or he'll get the better of you

kielzog [het] ① ⟨kielwater⟩ wake, wash ♦ *in iemands kielzog varen* follow in s.o.'s wake/track(s) ② ⟨voorbeeld⟩ wake, track(s) ♦ *in het kielzog van het expressionisme* in the wake of expressionism

kielzwaard [het] ⟨scheepv⟩ centreboard, drop/sliding keel

kiem [de] ① ⟨eerste beginsel⟩ germ, seed, bud ♦ *het kwaad in de kiem smoren* nip evil in the bud; *zijn latere krankzinnigheid was hier al in de kiem aanwezig* the seeds of his later insanity are already present here; *de kiemen van het kwaad/verzet* the germs/seeds of evil/rebellion; *de kiem leggen van* sow the seeds of ② ⟨beginsel van een organisme⟩ germ, embryo [3] ⟨micro-organisme⟩ germ ◆ *de kiemen van veel **ziekten** zijn bekend* the germs of many diseases are known [4] ⟨uitloper van een knol⟩ shoot, chit [5] ⟨natuurk, scheik⟩ seed, nucleus

kiembaantherapie [de^v] germline engineering

kiembak [de^m] propagator

kiemblad [het] cotyledon, seed leaf

kiemcel [de] ⟨biol⟩ [1] ⟨geslachtscel⟩ germ cell [2] ⟨spore⟩ germ

kiemdodend [bn] ⟨med⟩ germicidal

kiemdrager [de^m] ⟨van ziekte⟩ carrier of the germ, ⟨med⟩ carrier of a pathogen(ic organism)

kiemen [onov ww] [1] ⟨ontkiemen⟩ germinate, bud, shoot, sprout [2] ⟨uit de kiem opgroeien⟩ come up/ through, sprout [3] ⟨fig⟩ bud, sprout ◆ *liefde **doen** kiemen in iemands hart* sow the seeds of love in s.o.'s heart

kiemkracht [de] ⟨biol⟩ germinative power/capacity

kiemkrachtig [bn] ⟨plantk⟩ germinative, germinable, capable of germination, ⟨ook fig⟩ seminal, ⟨korrels⟩ viable

kiemplantje [het] seedling

kiemvrij [bn] germfree, aseptic, sterile ◆ *iets kiemvrij **maken*** sterilize sth.; *kiemvrije **melk*** certified/attested milk

kiemwit [het] ⟨dierk⟩ albumen, ⟨plantk; extern⟩ endosperm, perisperm

^{1}**kien** [bn] [•] *kien **op*** keen on, eager for (sth.)/to (do sth.)

^{2}**kien** [bn, bw] ⟨pienter⟩ sharp ⟨bw: ~ly⟩, smart, keen, bright ◆ *zij is **zeer** kien* she's as sharp as a needle

^{3}**kien** [tw] ⟨spel⟩ bingo, lotto, ⟨AE⟩ keno

kiendopje [het] ⟨spel⟩ counter

kienen [onov ww] play bingo/lotto/^{A}keno

kienhout [het] fossil(ized) wood, bog oak

kienkaart [de] bingo/lotto/^{A}keno card

kienspel [het] bingo, lotto, ⟨AE⟩ keno

kiep [de^m] goalie ◆ ***vliegende** kiep* ⟨sport⟩ goal keeper who also plays in the outfield, in desperate last-minute situations or children's football; ⟨fig⟩ maid-of-all-work, head-cook-and-bottle washer

kiepauto [de^m] tip up truck, tipper, ⟨meestal kleiner, met bak voor⟩ dump(er) truck

kiepbak [de^m] tipping body, ⟨AE⟩ dump body

kiepelton [de] cesspit

^{1}**kiepen** [onov ww] ⟨kantelen⟩ topple, tumble, keel over ◆ *het glas is **van** de tafel gekiept* the glass toppled/tumbled off the table

^{2}**kiepen** [ov ww] [1] ⟨doen omslaan⟩ tip over, topple (over), keel over ◆ *hij heeft de **wagen** zand in de tuin gekiept* he tipped a load of sand into the garden [2] ⟨neergooien⟩ dump ◆ *iets **op** de grond kiepen* dump sth. on the ground

kieper [de^m] [1] ⟨laadbak die kan kiepen⟩ dumper [2] ⟨auto⟩ → **kiepauto**

^{1}**kieperen** [onov ww] ⟨inf⟩ ⟨tuimelen⟩ tumble, topple ◆ *hij kieperde **uit** de boot/**uit** de boom/**van** de stoel* he tumbled out of the boat/tree/off chair

^{2}**kieperen** [ov ww] ⟨inf⟩ ⟨gooien⟩ dump, pitch, flop, throw ◆ *hij kieperde alles **in** de sloot* he dumped the whole lot in the ditch; *ze kieperde het hele zaakje **weg*** she threw out the lot

kiepkar [de] [1] ⟨vrachtauto⟩ tip up truck, tipper, ⟨meestal kleiner, met bak voor⟩ dump(er) truck [2] ⟨karretje⟩ tip(ping)/dump cart, tipper, dumper

kiepploeg [de] balance plough/^{A}plow

kiepwagen [de^m] tip up truck, tipper, ⟨meestal kleiner, met bak voor⟩ dump(er) truck

kier [de] chink ⟨ook van gordijnen⟩, slit, ⟨metselwerk, planken⟩ crack ◆ ***door** een kier van de schutting/van het gordijn gluren* peek through a crack in the fence/a chink in the curtains; *de deur **op** een kier zetten* leave the question/ door open, leave a window of opportunity open; ***op** een kier staan/zetten/laten staan* be/set/leave ajar

kieren [onov ww] [1] ⟨kieren vertonen⟩ show cracks [2] ⟨geslachtsverkeer hebben⟩ screw, fuck

kierewiet [bn] ⟨inf⟩ [1] ⟨tureluurs⟩ mad, bananas, frantic, gaga, berserk ◆ *het is om kierewiet **van** te worden!* it's enough to drive me mad/bananas/up the wall [2] ⟨niet helemaal snik⟩ crackers, round the bend, ⟨BE⟩ barmy

^{1}**kies** [het] ⟨natuurlijke zwavelverbinding⟩ pyrite(s)

^{2}**kies** [de] ⟨maaltand⟩ molar, back tooth, ⟨m.b.t. pijn⟩ tooth grinder ◆ ⟨inf⟩ *zijn brood **achter** de kiezen hebben* ⟨gegeten hebben⟩ have one's sandwiches under one's belt; ***echte** kiezen* molars; *een **gat** in een kies* a cavity/hole in a molar/ tooth; *er moeten bij mij twee kiezen **getrokken worden*** I have to have two teeth out; *een **holle** kies* a hollow molar/tooth; ⟨fig⟩ *dat kan ik wel in mijn **holle** kies stoppen* I shan't get fat on that, that's (not even) chicken feed, that isn't enough to keep a bird alive; ⟨fig⟩ *zijn kiezen op elkaar **houden*** keep mum; *de kiezen op elkaar **klemmen*** ⟨ook fig⟩ clench one's teeth; *een **rotte** kies* a bad/decayed molar; *een kies **trekken*** pull out/extract a molar/tooth; ***valse** kiezen* premolars; ⟨fig⟩ *iets **voor** zijn kiezen krijgen* be forced to swallow sth.; *een kies **vullen*** fill a molar/tooth; ⟨fig⟩ *de kiezen op elkaar **zetten*** grit one's teeth, grin and bear it

^{3}**kies** [bn] [1] ⟨kieskeurig⟩ fastidious, particular, delicate, discerning, discriminating ◆ *niet kies zijn **in** de keuze van zijn middelen* not be particular in one's methods [2] ⟨fijngevoelig⟩ delicate, tender, ⟨met tact⟩ discreet, tactful [3] ⟨fatsoenlijk⟩ considerate, discreet, decent, ⟨gebaar⟩ tactful ◆ *een **weinig** kiese uitdrukking* not a very nice/decent expression; *zo kies **zijn om*** have the delicacy to [4] ⟨delicaat⟩ ⟨taak, opdracht⟩ delicate, ⟨gedrag⟩ discreet

^{4}**kies** [bw] ⟨op discrete wijze⟩ considerately, discreetly, tactfully

kiesarrondissement [het] ⟨in België⟩ electoral district, constituency, borough, ⟨voor gemeenteraad⟩ ward

kiesbaar [bn] eligible, qualified for election

kiesbevoegd [bn] → **kiesgerechtigd**

kiesbrief [de^m] ⟨in België⟩ polling card

kiescollege [het] electoral college

kiesdeler [de^m] quota

kiesdistrict [het] electoral district, constituency, ⟨AE⟩ borough ⟨in sommige staten van de USA, bijvoorbeeld New York⟩, ⟨voor gemeenteraad⟩ ward, ⟨AE ook⟩ ward

kiesdrempel [de^m] electoral threshold ◆ *de kiesdrempel (niet) **halen*** (fail to) reach the electoral threshold, ⟨inf⟩ (fail to) make the electoral threshold; *de kiesdrempel **verhogen/ verlagen*** raise/lower the electoral threshold

kiesgang [de^m] voter turnout

kiesgedrag [het] voting behaviour/pattern(s)

kiesgerechtigd [bn], **kiesbevoegd** [bn] entitled to vote, enfranchised ◆ *kiesgerechtigde **burgers*** enfranchised citizens; *kiesgerechtigde **leden*** voting members

kiesgerechtigde [de] s.o. on the electoral roll, voter, member of a constituency

kiesgerechtigdheid [de^v] eligibility to vote

kiesheid [de^v] [1] ⟨gevoeligheid⟩ delicacy, consideration, tactfulness, decency, discretion ◆ *van kiesheid **getuigen*** betray/reveal/show consideration; ***uit** kiesheid handelen* act in consideration [2] ⟨kieskeurigheid⟩ fastidiousness, discrimination, discernment, delicacy

kieskanton [het] ⟨in België⟩ electoral canton, administrative subdivision of an electoral district

kieskauw [de^m] fusspot

kieskauwen [onov ww] dawdle over one's food, pick at one's food, peck at one's food, trifle with one's food ◆ ***zit** niet zo te kieskauwen* stop picking at your food

kieskauwer [de^m], **kieskauwster** [de^v] [1] ⟨kieskauw⟩ fusspot [2] ⟨zeur⟩ bore

kieskauwster [de^v] → **kieskauwer**

kieskeurig [bn] choosy, ⟨voedsel⟩ fussy, finicky, ⟨fijne smaak⟩ fastidious, discerning, ⟨moeilijk te voldoen⟩ particular ◆ *niet kieskeurig **in** de keuze van zijn middelen zijn* not be particular/fussy about one's methods; *hij is een kieskeurig* ***mens*** he is a choosy person; *kieskeurig* ***op*** *het eten zijn* be a fussy eater; *op kieskeurige* ***wijze*** *te werk gaan (bij)* exercize discrimination (in); *kieskeurig* ***zijn*** be choosy/fussy; be fastidious/particular; *(al) te kieskeurig* ***zijn*** be overparticular/ squeamish; *we kunnen niet kieskeurig* ***zijn*** we cannot afford to pick and choose, beggars can't be choosers

kieskeurigheid [de^{v}] fastidiousness, (over)nicety, (over) niceness, daintiness, particularity ♦ *zij koos haar vrienden* ***met*** *grote kieskeurigheid* she chose her friends with a great deal of fastidiousness/discrimination; *zijn kieskeurigheid wat eten betreft was een gevolg van zijn allergieën* his finickiness about food was a consequence of/stemmed from his allergies, ⟨AE⟩↓his persnickitiness about food was a consequence of/stemmed from his allergies, ↑his chariness about food was a consequence of/stemmed from his allergies

kieskring [de^{m}] electoral district, constituency, borough, ⟨voor gemeenteraad⟩ ward

kieslijst [de] list of candidates

kiesman [de^{m}] elector

kiesnummer [het] ⟨BE⟩ dialling code, ⟨BE⟩ STD-code, ⟨AE⟩ area code

kiespijn [de] toothache ♦ *ik kan hem missen* ***als*** *kiespijn* I need him like I need a hole in the head; *kiespijn* ***hebben*** have (a) toothache; ***lachen*** *als een boer met kiespijn* laugh sourly

kiesplatform [het] ⟨in België⟩ (electoral) platform, election/electoral programme, election/electoral ^{A}program

kiesplicht [de] [1] ⟨stemplicht⟩ compulsory voting/suffrage [2] ⟨opkomstplicht⟩ compulsory attendance (at the polls)

kiesquotiënt [het] quota

kiesraad [de^{m}] electoral council

kiesrecht [het] (electoral) suffrage, franchise, right to vote, (the) vote ♦ ***actief*** *kiesrecht* suffrage, franchise, right to vote; ***actief/passief*** *kiesrecht bezitten* be entitled to vote/ be eligible for election; ***algemeen*** *kiesrecht* universal suffrage; *het kiesrecht* ***bezitten/krijgen*** have/be given the vote, be enfranchised; *het kiesrecht* ***ontnemen*** dis(en)franchise; *de* ***ontneming*** *van het kiesrecht* disenfranchisement; ***passief*** *kiesrecht* eligibility (for election); *het kiesrecht* ***verlenen*** enfranchise, give the vote; *de* ***verlening*** *van het kiesrecht* enfranchisement; *burgers* ***zonder*** *kiesrecht* citizens without franchise; *gebruikmaken van het kiesrecht* exercise one's right to vote

kiesrechthervorming [de^{v}] electoral reform

kiesregister [het] list of eligible (political) parties

kiesschijf [de] dial

kiesstelsel [het], **kiessysteem** [het] ⟨pol⟩ electoral/ elective/voting system

kiessysteem [het] → **kiesstelsel**

kiestoon [de^{m}] ⟨comm⟩ dialling tone, ⟨AE⟩ dialing tone

kiesvereniging [de^{v}] electoral/electors' association

kiesvolk [het] electorate

kieswet [de] electoral/franchise law

kieswijzer [de^{m}] voter's guide

kieteldood [de^{m}] tickle to death

kietelen [ov ww, ook abs] [1] ⟨kriebeling opwekken⟩ tickle, ⟨form⟩ titillate ♦ *de das kietelde (hem) in de nek* the scarf felt ticklish in his neck/tickled his neck; *een kietelend* ***gevoel*** a tickle, a ticklish feeling; *iemand* ***onder*** *de kin/voet kietelen* tickle s.o.'s chin/the sole of s.o.'s foot [2] ⟨ook fig; aangenaam prikkelen⟩ tickle, titillate ⟨ook tong, oor, ijdelheid⟩

kietelig [bn] ticklish

kieuw [de] [1] ⟨ademhalingswerktuig⟩ gill, branchia [2] ⟨kieuwdeksel⟩ → **kieuwdeksel**

kieuwboog [de^{m}] gill arch, branchial arch

kieuwdeksel [het] gill cover, ⟨wet⟩ operculum

kieuwspleet [de] gill slit/cleft, branchial cleft

kieuwzeef [de] gill sieve

kievit [de^{m}] lapwing, peewit ♦ *lopen/zo vlug zijn* ***als*** *een kieviet* run like the wind

kievietsbloem [de] [1] ⟨pinksterbloem⟩ lady's smock, cuckooflower [2] ⟨lelieachtige plant⟩ guinea-hen flower, fritillary, snake's head, ⟨AE⟩ checkered lily

kievietsei [het] [1] ⟨ei⟩ lapwing's/plover's egg ♦ *het* ***eerste*** *kievietsei* the first lapwing's/plover's egg (of the year) [2] ⟨bloem⟩ guinea-hen flower, fritillary, snake's head, ⟨AE⟩ checkered lily

kievit [de^{m}] lapwing, peewit

^{1}**kiezel** [de^{m}] ⟨kiezelsteen⟩ pebble(stone)

^{2}**kiezel** [het] [1] ⟨grind⟩ gravel, ⟨fijn⟩ grit, ⟨op strand⟩ shingle [2] ⟨scheik⟩ silicon

kiezelaarde [de] silica, silicon dioxide, siliceous earth

kiezelachtig [bn] [1] ⟨lijkend op kiezel⟩ silica-like, ⟨grindachtig⟩ gravelly, ⟨AE⟩ gravely, pebbly [2] ⟨kiezel bevattend⟩ siliceous, silicic

kiezelbank [de] gravel bank

kiezelbed [het] gravel bed

kiezelgesteente [het] siliceous rock

kiezelhard [bn] rock-hard ♦ ⟨sport⟩ *een kiezelhard* ***schot*** a powerful shot, a bullet shot

kiezelpad [het] gravel(led)/pebbled walk, gravel(led)/ pebbled path

kiezelsteen [de^{m}] pebble(stone)

kiezelstrand [het] shingle (beach), pebble(d) beach

kiezelzuur [het] ⟨scheik⟩ silicic acid

^{1}**kiezen** [onov ww] [1] ⟨een keus doen⟩ choose, make a choice, decide ♦ *het is/je moet kiezen of* ***delen*** you can't have it both ways/have your cake and eat it; *ik had* ***goed*** *gekozen* I had made the right choice/decision; *ik* ***kon*** *niet kiezen* ⟨had geen keus⟩ I had no choice; ⟨kon geen keuze maken⟩ I couldn't decide; *je* ***kunt/moet*** *kiezen (uit/of ... of ...)* you will have to choose/decide (between/whether ... or ...); ***moeten*** *kiezen (tussen)* have to choose (between)/decide/ come to a decision; *kiezen* ***tussen*** choose between/from (among); *je kunt* ***uit*** *drie kandidaten kiezen* you can choose from three candidates; *er* ***valt*** *weinig (aan) te kiezen* there's little to choose (between them); *kiezen* ***voor*** ⟨bepaalde mogelijkheid⟩ opt for; *er wordt* ***voor*** *ons gekozen* the choice is not ours (to make); *zij kozen* ***voor*** *de vrijheid* they chose freedom; *je hebt het* ***voor*** *het kiezen* the choice is yours, it's up to you (to choose); *een baan die ze niet* ***zelf*** *gekozen had* a job not of her own choice/choosing; ***zorgvuldig*** *kiezen* pick and choose [2] ⟨stemmen⟩ vote, cast one's vote ♦ *jullie* ***mogen*** *kiezen* you are entitled to vote; ***voor*** *een vrouwelijke kandidaat kiezen* vote for a woman candidate

^{2}**kiezen** [ov ww] [1] ⟨zijn voorkeur bepalen voor⟩ choose, select, pick (out), single out ♦ *een* ***beroep*** *kiezen* choose a profession; ***goed/gelukkig*** *gekozen woorden* felicitous/well-chosen words; *de* ***kant*** *kiezen van* take the part of; *het juiste* ***ogenblik*** *kiezen* judge the moment well; ***partij*** *kiezen* take sides; *geen* ***partij*** *kiezen* not take sides, sit on the fence; ***partij*** *kiezen voor/tegen* side with/against, take side with/ against; ***positie*** *kiezen* take up position; *een* ***richting*** *kiezen* take a course; ***slecht/ongelukkig*** *gekozen ogenblik* inopportune/ill-timed moment; *zee/het ruime* ***sop*** *kiezen* set/stand out to sea, put forth (to sea); *iemand* ***tot*** *vriend kiezen* choose s.o. for a friend; *zijn* ***woorden*** *goed kiezen* express o.s. with felicity, weigh one's words with care [2] ⟨door te stemmen zijn voorkeur bepalen voor⟩ vote (for), ⟨president, parlement⟩ elect ♦ *iemand* ***in*** *het bestuur kiezen* elect s.o. to the board; *gekozen* ***worden*** *(in/voor het parlement)* be elected/^{B}returned (to parliament) [3] ⟨verkiezen⟩ choose, elect ♦ *een* ***kandidaat*** *kiezen* cast one's vote for a candidate; *gekozen* ***leden*** elective/elected members; *de* ***nieuw*** *gekozen voorzitter/president* the chairman/president-elect; *iemand* ***tot*** *voorzitter kiezen* call s.o. to the chair; *iemand* ***tot*** *presi-*

dent/afgevaardigde kiezen elect s.o. president/as a representative ▫ *een* ***nummer*** *kiezen* dial a number

kiezer [de^m] voter, elector, constituent, ⟨mv⟩ electorate ♦ *de kiezers* ***raadplegen,*** *naar de kiezers gaan* go to the people/country; *40 %* ***van*** *de kiezers bleef thuis* 40 % of the voters/the electorate stayed at home; ***zwevende*** *kiezer* floating voter; ⟨AuE⟩ swinging voter

kiezersbedrog [het] deception of the electorate (through unfulfilled election promises)

kiezerskorps [het] electorate, the people, ⟨in één kiesdistrict⟩ constituency

kiezerslijst [de] register/list of voters, poll, electoral roll/register ♦ *zich* ***op*** *de kiezerslijst laten inschrijven* register (as a voter/an elector/to vote), have one's name added to the register of voters, ⟨Groot-Brittannië ook⟩ have one's name added to the Parliamentary Register, ⟨USA ook⟩ have one's name added to the voter registration list

kif [de] kef

kift [de] ⟨inf⟩ 1 ⟨ruzie⟩ quarrel, ⟨luidruchtig⟩ wrangle, row, ⟨gekibbel⟩ tiff, squabble 2 ⟨jaloezie⟩ envy, heartburn(ing) ♦ *dat is de kift* sour grapes!

kiften [onov ww] quarrel, ⟨luidruchtig⟩ bicker, row, ⟨kibbelen⟩ have a tiff, squabble

kijf [de] ▫ *dat staat* ***buiten*** *kijf* that is beyond dispute/question(ing)

kijfachtig [bn] quarrelsome, argumentative, ⟨karakter⟩ shrewish, cantankerous

kijk [de^m] 1 ⟨het bekijken⟩ view(ing) ♦ ⟨fig⟩ ***te*** *kijk staan* be shown up/in a bad light; ***te*** *kijk zitten* be on view/show; ⟨fig⟩ *iemand* ***te*** *kijk zetten* expose s.o.; *met iets* ***te*** *kijk lopen* parade/show off/make a show of sth. 2 ⟨visie, mening⟩ view, outlook, vision, perspective, ⟨inzicht⟩ insight ♦ *een* ***andere*** *kijk krijgen op* get a different perspective/outlook on; *een* ***goede*** *kijk hebben op de beurs* have a good understanding of the Stock Exchange; *een* ***juiste*** *kijk op iets hebben* see/look at sth. in the right perspective; *ik begin er kijk* ***op te krijgen*** it's slowly dawning on me, I'm beginning to understand (it); *kijk* ***op*** *iets hebben* have a good eye for sth.; *geen kijk* ***op*** *iets hebben* be no judge of sth.; *jouw kijk* ***op*** *het probleem/leven* your view of the matter/vision of/outlook on life ▫ *daar is* ***geen*** *kijk* ***op*** not a chance (in the world); ⟨inf⟩ ***tot*** *kijk!* see you (later)!

kijkbuis [de] ⟨scherts⟩ (goggle-)box, telly, ⟨vnl AE⟩ (boob) tube

kijkcijfer [het] rating, audience rating, viewing figures ♦ *een programma met zeer* ***hoge*** *kijkcijfers* a programme with very high ratings

kijkcijferkanon [het] hit television programme or celebrity

kijkdag [de^m] view day, ⟨voor genodigden⟩ private viewing, ⟨voor pers⟩ press preview

kijkdichtheid [de^v] ratings, viewing figures

kijkdoos [de] peep-show, raree-show, show-box

¹kijken [onov ww] 1 ⟨de ogen gebruiken⟩ look, see, have a look/peep ♦ *kijk eens* ***aan!*** look at that now!, well I'll be!; ***anders*** *tegen iets aan gaan kijken* look at sth. from a different angle; *toen hij* ***beter*** *keek, ...* on a closer look, ...; *kijk* ***eens*** *wie we daar hebben* look who's here!; *kijk maar* ***eens*** *hoe ze het doet* just watch her (doing it); *kijk nou* ***eens*** *wat je gedaan hebt* look what you've done; *ik zal* ***er*** *eens* ***naar*** *kijken* I'll have a look at it; *ik moet* ***er*** *eens* ***naar*** *laten kijken* I must have it seen to/looked at; ***even*** *(naar boven/beneden) kijken* glance (up/down); ***ga*** *eens kijken wie er is* go and see who's there; *we zullen eens* ***gaan*** *kijken* let's go and see/have a look; ***goed*** *kijken* watch closely, have a good look (at sth.); *als je* ***goed*** *kijkt, kun je ons huis zien* you can just make out our house; *kijk (eens)* ***hier*** (have a) look at this; ⟨als inleiding op zin⟩ look here; *ik wist niet* ***hoe*** *ik moest kijken* I didn't know which way to look; ***in*** *de kast/krant kijken* look in the cupboard/at the paper; ***kom*** *eens kijken wie er is* come and look who's here; *jonge katjes* ***kunnen*** *nog niet kijken* young kittens are still blind/cannot see yet; ***laat*** *haar even kijken* let her have a look; *(straal)* ***langs*** *iemand* ***heen*** *kijken* look straight through s.o.; *met open* ***mond*** *staan te kijken* look/stare (at sth.) open-mouthed; *kijken* ***naar*** ⟨schilderij⟩ look at; ⟨film⟩ watch; ⟨omzien naar⟩ look about/out for; ⟨verzorgen⟩ look after; ⟨in orde maken⟩ look/see to; *kijk* ***naar*** *jezelf!* look who's talking!, look at home!; ***naar*** *rechts kijken* look to the right; ⟨fig⟩ *laat* ***naar*** *je kijken* don't be ridiculous/silly!, you should get your head examined; ⟨fig⟩ ***naar*** *iets/iemand kijken* have a look at/see about sth./s.o.; ***naar*** *een wedstrijd gaan kijken* go watch a game; *ik krijg al kippenvel als ik* ***naar*** *je kijk* ⟨van kou⟩ it makes me shiver just to look at you; ⟨van afgrijzen⟩ the mere sight of you makes my flesh crawl; ***niet*** *kijken!* don't look!, look the other way!; *ik zal* ***nog eens*** *kijken* ⟨fig⟩ I'll think about it, I/we'll see; *hij keek* ***of*** *hij water zag branden* he looked flabbergasted; ***op*** *de klok kijken* look at the clock; ***op*** *zijn horloge kijken* consult one's watch; ⟨fig⟩ *zij kijken niet* ***op*** *geld/een paar euro* money is no object with them; *daar* ***sta*** *ik van te kijken* well I'll be!; ⟨fig⟩ *nergens van* ***staan*** *te kijken* not be surprised by anything; *de lammeling* ***staat*** *maar te kijken* that blighter just stands there and watches; *je* ***staat*** *toch even raar te kijken, als je fiets weg is* it does take you aback for a moment to discover your bike is gone; *daar* ***stond*** *ze van te kijken* that made her open her eyes, that came as a surprise to her; ***uit*** *het raam kijken* look out (of) the window; ***uit*** *zijn ogen/doppen kijken* look where one is going, watch what one is doing; *(niet)* ***verder*** *kijken dan je neus lang is* (not) see beyond the end of one's nose; *kijk* ***voor*** *je* ⟨niet naar mij⟩ don't look; ⟨waar je loopt⟩ look where you're going; ***vooruit/achteruit*** *kijken* look ahead/back; *hij is* ***wezen*** *kijken* he's had a look (around); *kijk maar niet* ***zo*** you needn't look like that; *even de andere kant op kijken* look the other way, turn a blind eye; *kijken is gratis/kost geen geld* you/we can always have a look 2 ⟨zoeken⟩ look, search ♦ *iemand* ***in*** *de ogen kijken* look into s.o.'s eyes; *ik keek* ***of*** *je er was* I (just) looked/came to see if you're in; *we zullen kijken* ***of*** *dat verhaal klopt* we shall see whether that story checks out; ⟨fig⟩ *wij kijken niet* ***op*** *vijf minuten* five minutes is neither here nor there; *kijk, daar is Jan ook!* look who's here - John! 3 ⟨zich vertonen⟩ look, appear ♦ *kijken* ***als*** *een oorwurm* make a long face; ***bang*** *kijken* look frightened, have a frightened look/air; *zijn oren komen* ***er*** *net* ***boven uit*** *kijken* his ears just peep out (over it) ▫ *daar* ***komen*** *allerlei dingen bij kijken* all kinds of things enter into this; *die amateur* ***komt*** *pas kijken* that amateur is still wet behind the ears; *voor zo'n examen* ***komt*** *heel wat kijken* an exam like that is no walkover, ⟨vnl BE ook⟩ an exam like that is no piece of cake; ***laat*** *eens kijken, wat hebben we nodig* let's see, what do we need; *niet zo* ***nauw*** *kijken* not be particular

²kijken [ov ww] ⟨bekijken⟩ look at, watch, view, eye, peek at ♦ *kijk* ***dat*** *nou lopen* will you look at the way that one walks!; *etalages* ***gaan*** *kijken* go window-shopping; *kijk* ***haar*** *eens lachen* look at her laughing; *kijk* ***hem*** *eens* look at him!; ***plaatjes*** *kijken* look at (the) pictures; *daar is heel wat* ***te*** *kijken* there's a lot to be seen there; ***televisie*** *kijken* watch television

kijk- en luistergeld [het] radio and television licence fee

¹kijker [de^m], **kijkster** [de^v] ⟨toeschouwer⟩ spectator, onlooker, looker-on, ⟨tv⟩ viewer ♦ *deze film is niet geschikt voor* ***jeugdige*** *kijkers* this film is not suitable for children/younger viewers; *de expositie* ***trok*** *veel kijkers* the exhibition drew a large number of/a great/good many visitors; *alle kijkers* ***zitten*** *voor de buis* everyone's in front of the TV, ⟨BE ook⟩ everyone's in front of the telly/box, ⟨inf⟩ everyone's glued to the TV, ⟨BE ook⟩ everyone's glued to the telly/box

Kikkerplaat = joist clamp.

^{2}**kijker** [de^{m}] [1] ⟨verrekijker⟩ field-glass, telescope, ⟨dubbel⟩ binoculars, ⟨klein⟩ spy-glass, ⟨theat⟩ opera-glass(es) [2] ⟨mv; (kinder)ogen⟩↑ eyes, ↓ peepers ◆ *Jantje met zijn **blauwe** kijkers* blue-eyed little Johnny, little Johnny blue-eyes; *het/hij loopt **in** de kijker(d)* it/he is beginning to attract attention; *iets/iemand **in** de kijker(s) hebben* see sth./s.o., ⟨fig⟩ see through sth./s.o.

kijkersgunst [de^{v}] viewer approval

kijkerspubliek [het] viewing public

kijkfile [de] ⟨in België⟩ traffic jam or slowdown caused by motorists slowing down to look at an accident ◆ *kijkfile op de A2* an accident on the A2 has resulted in congestion due to the curiosity factor

kijkgat [het] spyhole, eyehole, peephole, ⟨in machine⟩ inspection hole, ⟨in celdeur ook⟩ judas(-hole), ⟨in kasteelmuur⟩ loophole

kijkgedrag [het] ⟨tv⟩ viewing habits

kijkgeld [het] television licence/^{A}license fee ◆ *kijk- en luistergeld* radio and television licence fee

kijkgenot [het] viewing pleasure/enjoyment, entertainment (value) ◆ *wij **wensen** u veel kijkgenot* we hope you will enjoy our programme(s)/tonight's viewing

kijkglas [het] sight-glass, window, eyelet, inspection hole

kijkgroen [het] ornamental garden

kijkje [het] look, glance, peep, ⟨glimp⟩ glimpse, ⟨inf; BE⟩ squint ◆ *een kijkje **achter** de schermen* a glimpse behind the scenes; *een kijkje **achter** de schermen nemen* peep behind the scenes, get an inside view; *deze afbeelding geeft een kijkje **in** de machinekamer* this picture gives a glimpse of the engine room; ⟨fig⟩ *ergens een kijkje **nemen*** drop in/have a look somewhere; ⟨sl; BE⟩ have a dekko; *de politie zal een kijkje **nemen*** the police will have a look

kijkkast [de] (goggle-)box, ⟨BE ook⟩ telly, ⟨vnl AE⟩ (boob) tube

kijkonderzoek [het] ⟨tv⟩ audience survey

kijkoperatie [de^{v}] [1] ⟨voor diagnose⟩ exploratory surgery/operation [2] ⟨door kleine incisie(s)⟩ keyhole surgery/operation

kijkrichting [de^{v}] direction of view

kijkspel [het] [1] ⟨(kermis)spel⟩ spectacle, show, ⟨naast hoofdspektakel⟩ side-show [2] ⟨spectaculair schouwspel⟩ spectacle, show(-piece), ⟨grootschalig⟩ extravaganza

kijkster [de^{v}] → **kijker**^{1}

kijkstuk [het] show(-piece), spectacle, spectacular play

kijkuit [de^{m}] [1] ⟨uitkijk⟩ look-out, watch, observation [2] ⟨uitzicht⟩ view, prospect [3] ⟨kleine dakkapel⟩ dormer (window)

kijkvoer [het] eye candy

kijkwijzer [de^{m}] television content rating system, ⟨AE⟩ TV Parental Guidelines

kijkwoning [de^{v}] ⟨in België⟩ show house/flat

kijven [onov ww] scold (at), wrangle/quarrel (with), rail (at) [•] ⟨sprw⟩ *waar twee kijven hebben twee/beiden schuld* it takes two to make a quarrel

kik [de^{m}] sound, peep, sign, whimper [•] *hij **gaf** geen kik* there wasn't a sound out of him, ⟨inf⟩ there wasn't a peep out of him, he gave no sign; *hij **gaf** geen kik meer* there wasn't another sound out of him; *zonder een kik te **geven*** without a sound/whimper

kikken [onov ww] open one's mouth, give a sound/peep/sign, breathe a word ◆ *niet **durven** kikken* not dare open one's mouth/breathe a word; *ik **hoef** maar te kikken en hij komt* I have him/he is at my beck and call; *je **hoeft** maar te kikken en het gebeurt* you only have to say the word (and it happens)

kikker [de^{m}] [1] ⟨dier⟩ frog ◆ *springen **als** een kikker* jump like a frog; ⟨fig⟩ *een kikker **in** zijn keel hebben* have a frog in one's throat; ⟨fig⟩ *een **koele/koude** kikker* a cold fish, an icicle; ⟨fig⟩ *een **opgeblazen** kikker* a windbag/gasbag [2] ⟨apparaat om grond te stampen⟩ (paving) beetle/rammer [3] ⟨wervel om schuiframen vast te zetten⟩ cleat [4] ⟨klamp⟩ belay(ing pin) [•] ⟨sprw⟩ *je kunt van een kikker geen veren plukken* you can't get blood out of a stone

kikkerbad [het] wading pool, (kiddies') paddling pool

kikkerbilletje [het] frog's leg

kikkerbloed [het] [•] ⟨fig⟩ *kikkerbloed **hebben***↑ not/never feel the cold

kikkerdril [de] frogspawn, frog-jelly, frog's eggs

kikkeren [onov ww] hop around like a rabbit

kikkererwt [de] chickpea, garbanzo

kikkerland [het] chilly/damp country ◆ *in ons **koude** kikkerlandje* in this chilly/damp country of ours

kikkerproef [de] Hogben test, ± pregnancy test

kikkervisje [het] tadpole, polliwog

kikvors [de^{m}] frog ◆ *de **bruine** kikvors* the common frog; *de **groene** kikvors* the edible frog

kikvorsachtigen [de^{mv}] Anura, Salientia, toads and frogs

kikvorsman [de^{m}] frogman

kikvorspak [het] wet suit, diving suit

^{1}**kil** [de] [1] ⟨geul⟩ channel [2] ⟨trog⟩ deep, trough

^{2}**kil** [bn, bw] [1] ⟨onaangenaam koel⟩ ⟨bijvoeglijk naamwoord⟩ chilly, cold, ⟨sfeer⟩ bleak, ⟨weer ook⟩ shivery, wintry, ⟨bijwoord⟩ bleakly, in a chilly way ◆ *dat **voelt** kil **aan*** it's cold to the touch [2] ⟨onvriendelijk⟩ ⟨bijvoeglijk naamwoord⟩ chilly, frigid, cold, ⟨houding⟩ impassive, cool, ⟨bijwoord⟩ coldly, in a chilly way [•] *het kille **graf*** the chilly/cold grave

kilheid [de^{v}] [1] ⟨onaangename kou⟩ chill, chilliness, cold(ness), bleakness, wintriness [2] ⟨harteloosheid⟩ chilliness, frigidity, impassiveness, coldness

kille [de^{v}] [1] ⟨joodse gemeente⟩ Jewish community [2] ⟨kleine, exclusieve groep⟩ set, circle, ⟨pej⟩ clique

^{1}**killen** [onov ww] ⟨klapperen⟩ shiver

^{2}**killen** [ov ww] [1] ⟨vermoorden⟩ kill, ↓ bump off, ↓ do in, despatch [2] ⟨meedogenloos optreden tegen⟩ slaughter, wreak havoc on, grind, savage, suppress ruthlessly

killer [de^{m}] killer

killercel [de] killer cell

killersatelliet [de^{m}] ⟨ruimtev⟩ (hunter-)killer satellite

killersinstinct [het] killer instinct

killersmentaliteit [de^{v}] killer instinct

killing [bn] ⟨fig⟩ disastrous ◆ *zo'n fout is killing **voor** je imago* that kind of blunder is disastrous for your image

killingfields [de^{mv}] killing fields

kilo [het, de^{m}] [1] ⟨gewicht⟩ kilo(gram(me)) ◆ *ik **ben** heel wat kilootjes **aangekomen/afgevallen*** I have gained/lost a good few pounds; *de jockey **weegt** 60 kilo* the jockey weighs (in at) 60 kilos [2] ⟨hoeveelheid⟩ kilo(gram(me)) ◆ *een kilo **suiker*** a kilo of sugar

kilobyte [de] kilobyte

kilocalorie [de^{v}] kilocalorie

kilogram [het, de^{m}] [1] ⟨eenheid van gewicht en massa⟩ kilogram(me) [2] ⟨hoeveelheid⟩ kilogram(me)

kilogrammeter [de^{m}] kilogram-meter

kilohertz [de^{m}] ⟨natuurk, radio⟩ kilohertz, kilocycle (per second)

kilojoule [de^{m}] ⟨natuurk⟩ kilojoule

kiloknaller [de^{m}] [1] ⟨prijsvechter⟩ bulk buy shop [2] ⟨prijsknaller⟩ low price

kilometer [de^{m}] kilometre ◆ *op een kilometer **afstand*** at a distance of one kilometre, at a kilometre's distance; *de file was kilometers **lang*** there was a queue/^{A}line of cars stretching for miles; *negentig kilometer **per** uur rijden* do ninety, drive at 90 kilometres an hour; ***vierkante** kilometer* square kilometre, kilometre square; *het is **vijf** kilometer hiervandaan* it is five kilometres/about three miles off/from here; *kilometers **vreten*** burn up (the road), speed

kilometerheffing [de^{v}] mileage tax, ⟨BE⟩ kilometre

tax, ⟨AE⟩ kilometer tax
kilometerpaal [de^{m}] kilometre marker/stone
kilometerprijs [de^{m}] price per kilometre, ⟨los⟩ mileage (rate)
kilometerslang [bn] miles-long, ⟨BE⟩ kilometres-long, ⟨AE⟩ kilometers-long
kilometerstand [de^{m}] mileage, number of kilometres
kilometerteller [de^{m}] ⟨BE⟩ mil(e)ometer, ⟨AE⟩ odometer, mileage indicator/counter, ⟨inf⟩ clock
kilometervergoeding [de^{v}] mileage (allowance)
kilometervreter [de^{m}] ⟨BE⟩ s.o. who knocks up a lot of mileage, ± road maniac
kilometrage [de^{v}] mileage, number of kilometres
kiloprijs [de^{m}] price per kilogramme/^{A}kilogram
kilovolt [de^{m}] kilovolt
kilowatt [de^{m}] kilowatt
kilowattuur [het] kilowatt-hour
kilt [de^{m}] kilt
kilte [de^{v}] chilliness, chill
kim [de] [1] ⟨horizon⟩ horizon, skyline ♦ *de zon verrijst **aan** de kim* the sun appears on the horizon; ***onder** de kim duiken* sink/dip below the horizon [2] ⟨scheepv⟩ bilge
kimduiking [de^{v}] dip/depression (of the horizon)
kimkiel [de] ⟨scheepv⟩ bilge-keel, bilge-piece
kimmen [onov ww] ⟨scheepv⟩ list, heel (over)
kimono [de^{m}] kimono
kin [de] chin ♦ *tot **aan** de kin reiken/staan* come up to s.o.'s chin; *een **dubbele** kin* a double chin; *met de hand **onder** de kin* with one's chin cupped in one's hand; *iemand **onder** de kin strijken* chuck s.o. under the chin; *een **ruige/ongeschoren** kin* a stubbly/stubbled/an unshaven chin; *een **vierkante** kin* a square chin; *met **vooruitgestoken/fier opgeheven** kin* with one's chin forward/up proudly/thrust out/up proudly
kina [de^{m}] [1] ⟨bast⟩ cinchona (bark), Peruvian/calisaya/china bark [2] ⟨boom⟩ cinchona (tree), quina, bark tree
kinabast [de^{m}] cinchona (bark), Peruvian/calisaya/china bark
kinaboom [de^{m}] cinchona (tree), quina, bark tree
kinaplantage [de^{v}] cinchona estate/plantation
kinawijn [de^{m}] ⟨med⟩ quinine/cinchona wine
kinband [de^{m}] chin strap
kinbesturing [de^{v}] chin control ♦ *een rolstoel **met** kinbesturing* a chin-controlled wheelchair
kind [het] [1] ⟨jong mens, baby⟩ child, ⟨zeer jong ook⟩ baby, ⟨form⟩ infant ♦ *blij/gelukkig **als** een kind* over the moon, like a dog with two tails, (as) happy as a sandboy; *zo onschuldig **als** een (pasgeboren) kind* as innocent as a child/a babe-in-arms/a newborn babe; *kinderen **beneden** de zes/**van** zes en ouder/**boven** de zes* children under six, children of six and over/from six years up, children over six; *als een kind zo **blij*** (as) happy as a sandboy/a king/^{A}a clam, over the moon; ⟨fig⟩ *een **dood** kindje met een lam handje* a complete (and utter) dead loss; ⟨fig⟩ *een **doodgeboren** kind* a stillborn child, a stillborn, a non-starter; ***geen** kind (meer) zijn* be no (longer a) child, not be a child (any longer); *je hebt er **geen** kind aan* he's/she's no trouble at all; *nog een **groot** kind zijn* be a big baby/an overgrown child; ***haar** kindertjes* her little ones; *een kind **halen*** deliver a child; *een kind **hebben** bij/van* have a child by; ⟨fig⟩ *dat kind **is** zwaar gehaald* that took some doing, that was a difficult job; *het kindeke **Jezus*** the Infant Jesus, the Christ-Child; ⟨fig⟩ *een kind **kan** de was **doen*** that's child's play, it's as simple as ABC/as easy as pie; *dat **kan** een kind **begrijpen*** a(ny) child can see that, a child of two/three/... could see that; *iemand als een **klein** kind behandelen* ⟨ook⟩ baby s.o.; *een gezin met **kleine** kinderen* a family with small children, a young family; *een kind **krijgen/baren*** have/bear a child/baby; ⟨inf, fig⟩ *een kind **krijgen** van iets/iemand* be fed up (to the (back) teeth) with/sick (to death) of sth./s.o.; *zij kan geen kinderen meer **krijgen*** ⟨wegens ziekte enz.⟩ she can't have any more children; ⟨wegens leeftijd⟩ she's past childbearing age, her childbearing days are over; ⟨scherts⟩ *ik mag een kind **krijgen** als het niet waar is* otherwise I'll eat my hat, ... or I'm a Dutchman/a Chinaman; ⟨fig⟩ *een kind van het **land*** ⟨mannelijk⟩ a son of the soil, a country boy/lad; ⟨vrouwelijk⟩ a country girl/lass; ***lastige/schattige** kinderen* troublesome/delightful children; ⟨inf⟩ *een kind **maken*** start a baby; ⟨fig⟩ *het kind bij zijn naam **noemen*** call a spade a spade, not mince words/matters; *geestelijk zijn het **nog** kinderen* mentally they are still infants/children; *een **ongeboren** kind* an unborn child; *kinderen **opvoeden*** bring up/educate children; ***uit** de (kleine) kinderen zijn* be free of the children, have the children off one's hands; *een kind **van** zes jaar* a child of six, a six-year-old (child); *een kind **verwachten*** be expecting (a child/baby); *het kind met het badwater **weggooien/wegwerpen*** throw out/away the baby with the bathwater; *als kind al* even as a child; *slaap lekker, kindje* sweet dreams, dear/love/little one; *van kind af aan, van kinds af* since/from childhood, since I/he/... was a child; *het kindje Jezus* the Infant Jesus, the Christ-Child [2] ⟨zoon, dochter⟩ child ♦ ***als** (eigen) kind aannemen* adopt as a child; *een **echt/wettig** kind* a legitimate child; *geen kinderen **hebben*** not have any children, be childless; *die mensen **hebben** twee kinderen* those people have got two children; ***hebt** u kinderen?* do you have a family?, do you have any children?; *kind noch **kraai** hebben* have no one/not a soul (in the world), be all alone (in the world); *een **natuurlijk/onwettig/buitenechtelijk** kind* an illegitimate/a natural child; ⟨jur ook⟩ a bastard; *een **vreselijk** kind* a little horror; ⟨form⟩ an enfant terrible; *met zijn **vrouw** en kinderen* with his wife and children/and family, with his family; *kinderen **zijn** kinderen* children will be children; *ergens (als) kind aan huis zijn* be one of the family; ⟨m.b.t. huizen enz.⟩ have the run of a/the place [3] ⟨meisje⟩ child, girl, ⟨inf⟩ thing, lass ♦ ⟨pej⟩ ***dat** kind van hiernaast* that girl next door; *een **lief/knap/sexy** kind* a sweet/pretty/sexy thing; *het kind **trouwde** veel te jong* the poor girl/child/thing (got) married far too young [4] ⟨persoon die men liefdevol kritiseert⟩ ⟨man⟩ dear fellow, ⟨vrouw⟩ dear girl ♦ *mijn **lieve** kind, je weet toch wel beter* for goodness' sake, you should know better (than that); *ach kind, schei toch uit* now, for goodness' sake, stop it!, ah, go on with you!, come on, get away with you! [5] ⟨persoon m.b.t. een ander soort relatie⟩ child ♦ *een kind des **doods** zijn* be a dead man/woman; ⟨inf⟩ be a goner; *de kinderen van het **duister**/van de **vrijheid*** the sons of darkness/of freedom; *een kind van zijn **tijd** zijn* be a child of one's time [6] ⟨fig; voortbrengsel⟩ child ♦ ***papieren** kinderen* ⟨wet⟩ brain children; ⟨lit⟩ literary offspring [•] *het kind van de **rekening** zijn* suffer, be the loser/victim/dupe; ⟨sprw⟩ *kinderen en gekken/dronken mensen zeggen de waarheid* children and fools cannot lie; ⟨sprw⟩ *lieve kinderen mogen wel een potje breken* ± one man may steal a horse, while another may not look over a hedge; ⟨sprw⟩ *kinderen zijn kinderen* ± boys will be boys; ⟨sprw⟩ *wie zijn kinderen liefheeft, kastijdt ze* spare the rod and spoil the child
kinderachtig [bn, bw] [1] ⟨als van, voor een kind⟩ childlike, child(ren)'s ⟨ook kleren enz.⟩ ♦ *de **beloning** is niet kinderachtig* the reward is nothing to sneeze at/is not to be sneezed at/isn't peanuts; *een kinderachtig **hoedje*** a child's hat; *dat is **niet** kinderachtig* that's a tall/large order, that'll take some doing; *een kinderachtige **portie*** a child(ren)'s portion; *dat boek is **te** kinderachtig voor zo'n grote jongen* that book is too young for a boy of his age [2] ⟨pej⟩ childish, ↑infantile, ↑puerile, ↑juvenile ♦ *zich kinderachtig **aanstellen*** be childish, act like a child; ***doe** niet zo kinderachtig* grow up!, be/act your age!, don't be such a baby!; *een kinderachtige **handelwijze*** a childish behaviour; *niet kinderachtig **in** iets zijn* not stint/skimp on sth.; *het **staat** zo kinderachtig* it looks so childish

kinderachtigheid [de^v] 1 ⟨hoedanigheid⟩ childishness, ↑puerility 2 ⟨handelwijze⟩ (piece of) childish behaviour, ↑(piece of) infantile/puerile behaviour
kinderafdeling [de^v] 1 ⟨in een winkel⟩ children's department 2 ⟨in een leeszaal, ziekenhuis⟩ ⟨leeszaal⟩ children's section, ⟨ziekenhuis⟩ paediatric ward/section/department ♦ *op de kinderafdeling liggen* ⟨van ziekenhuis⟩ be in the paediatric ward
kinderaftrek [de^m] child allowance, tax relief for children
kinderangst [de^m] childlike fears
kinderanimatie [de^v] children's animation
kinderarbeid [de^m] child labour
kinderarts [de^m] paediatrician
kinderbad [het] 1 ⟨teil⟩ baby bath 2 ⟨ondiep zwembad⟩ learners'/baby pool
kinderbed [het] 1 ⟨bed voor, van een kind⟩ child's bed, ⟨van baby⟩ cot 2 ⟨in België; kraambed⟩ childbed
kinderbedtijd [de^m] 1 ⟨tijd waarop kinderen naar bed gaan⟩ bedtime, time (for children) to go to bed 2 ⟨laat nachtelijk uur⟩ past bedtime, time (all) little children were in bed, time (all) little children were asleep
kinderbescherming [de^v] child protection/welfare ♦ ***bureau** voor kinderbescherming* child welfare office; ***Raad** voor de Kinderbescherming* Child Welfare Council
kinderbeul [de^m] child-torturer, child-molester, ⟨ouder⟩ cruel parent
kinderbijbel [de^m] children's Bible
kinderbijslag [de^m] child/family allowance, ⟨BE ook⟩ child benefit
kinderbijslagregeling [de^v] family allowance scheme
kinderblok [het] children's programming
kinderboek [het] children's book
Kinderboekenweek[MERK] [de] children's book week
kinderboerderij [de^v] children's farm
kindercola [de^m] caffeine-free coke marketed to children
kinderdagverblijf [het] ⟨BE⟩ crèche, day-care centre, ⟨BE ook⟩ day nursery, ⟨AE ook⟩ day care (center)
kinderdienst [de^m] children's service
kinderdoding [de^v] infanticide
kinderdoop [de^m] infant baptism
kinderdorp [het] children's village
kinderfeest [het] children's party
kinderfiets [de] 1 ⟨driewieler⟩ fairy-cycle, tricycle, trike 2 ⟨kleine fiets⟩ child's/children's bicycle, ⟨inf⟩ child's/children's bike
kinderfilm [de^m] children's film
kindergeld [het] ⟨in België⟩ child/family allowance, ⟨BE ook⟩ child benefit
kindergeneeskunde [de^v] paediatrics
kindergezicht [het] baby/child's face, childish face
kindergoed [het] 1 ⟨luiergoed; kledingstukken⟩ baby clothes/linen 2 ⟨speelgoed⟩ children's toys
kinderhand [de] child(ren)'s hand ▪ ⟨sprw⟩ *een kinderhand is gauw gevuld* children are easily pleased
kinderhandel [de^m] trade/traffic in children
kinderhart [het] ⟨fig⟩ child's heart
kinderhoofd [het] 1 ⟨hoofd van een kind⟩ child's head 2 ⟨mv; bestrating⟩ (large) cobble(stone)s, set(t)s
kinderjaren [de^{mv}] childhood (years), ⟨ook fig⟩ infancy ♦ ⟨fig⟩ *de kinderjaren van de **meteorologie*** the infancy of meteorology; ***mijn** eerste kinderjaren* my earliest childhood; *de kinderjaren **ontgroeid zijn*** have outgrown (one's) childhood; *ik woon hier al **sinds** mijn kinderjaren* I've lived here since I was a child
kinderjuffrouw [de^v] 1 ⟨m.b.t. een familie⟩ nurse(maid), nanny, ⟨vero⟩ governess 2 ⟨m.b.t. een instelling⟩ (child/nursery) nurse
kinderkaart [de] child(ren)'s ticket, half ticket, ⟨inf⟩ half
kinderkamer [de] nursery, playroom, den
kinderkanaal [het] children's channel/station
kinderkleding [de^v] children's clothes, ⟨BE ook⟩ kiddies' clothes, ⟨in winkels ook⟩ children's wear, ⟨BE ook⟩ kiddies' wear
kinderkolonie [de^v] children's holiday-camp, ⟨AE⟩ children's vacation-camp/summer-camp
kinderkoor [het] children's choir
kinderkopje [het] → **kinderhoofd**
kinderkorting [de^v] reduction for children
kinderkost [de^m] children's food, ⟨voor baby's⟩ infant/baby food ♦ ⟨fig⟩ *dat is (geen) kinderkost* that's (not) children's stuff, that's (not) (fit) for children
kinderkribbe [de] ⟨in België⟩ ⟨BE⟩ crèche, day-care centre, ⟨BE ook⟩ day nursery, ⟨AE ook⟩ daycare (center)
Kinderkruistocht [de^m] children's crusade
kinderleed [het] child's grief/sorrow, sorrow of children
kinderlied [het] 1 ⟨dat men kinderen voorzingt⟩ children's song, song for children 2 ⟨dat kinderen zingen⟩ children's song
kinderliefde [de^v] 1 ⟨liefde voor de kinderen⟩ love of (one's) children 2 ⟨liefde van de kinderen⟩ (a) child's/children's love, ⟨form⟩ filial love/affection 3 ⟨kinderlijke verliefdheid⟩ childhood crush, ⟨persoon ook⟩ childhood flame
kinderlijk [bn, bw] 1 ⟨van een kind⟩ childlike, child's ♦ *een woordenboek maken is kinderlijk **eenvoudig*** putting a dictionary together is child's play; *een kinderlijk **geloof*** a child's faith; *een kinderlijke **gestalte/oogopslag*** a childlike figure/glance; ⟨zelfstandig (gebruikt)⟩ *de onderwijzeres heeft **iets** kinderlijks* there is sth. childlike about the teacher 2 ⟨argeloos⟩ childlike, artless, ⟨pej ook⟩ childish ♦ *kinderlijk **geloof/vertrouwen*** childlike faith/trust; *kinderlijk **naïef*** as naïve as a child, with childlike naïveté
kinderlijkheid [de^v] 1 ⟨kinderlijk wezen⟩ childlike nature/qualities 2 ⟨argeloosheid⟩ childlike nature, artlessness
kinderliteratuur [de^v] children's literature
kinderlokker [de^m] child molester, paedophile
kinderloos [bn] childless, ⟨med⟩ nulliparous ♦ *een kinderloos **echtpaar/huwelijk*** a childless couple/marriage; *hun huwelijk is kinderloos **gebleven*** their marriage was (a) childless (one); *kinderloos **sterven*** die childless, ⟨jur⟩ die without issue; *een kinderloze **vrouw*** ⟨med⟩ a nullipara
kindermaat [de] children's size
kindermeel [het] infant cereal, ⟨form⟩ farinaceous infant food
kindermeisje [het] nurse(maid), nanny
kindermenu [het] children's menu
kindermisbruik [het] child abuse/molestation
kindermishandeling [de^v] child abuse/molesting, cruelty to children, mistreatment of children
kindermobieltje [het] child phone
kindermond [de^m] child(ren)'s mouth
kindermoord [de^m] child-murder, murder of a child, murder of children, ⟨jur⟩ infanticide ♦ *de kindermoord te Bethlehem* the Massacre of the Innocent(s)
kindermoordenaar [de^m] child-killer, baby-killer, infanticide
kindermuts [de] child's cap, baby bonnet
kindernet [het] children's network
kindernevendienst [de^m] ⟨rel⟩ simultaneous children's service
kinderoppas [de] 1 ⟨babysit⟩ baby sitter, ⟨vnl BE ook⟩ childminder 2 ⟨crèche⟩ → **kinderopvang**
kinderopvang [de^m] 1 ⟨het opvangen⟩ child care, ⟨AE⟩ day care 2 ⟨plaats⟩ (day) nursery, ⟨AE vnl⟩ day care (center/facilities), ⟨vnl BE ook⟩ crèche
kinderopvanghuis [het] children's/youth shelter
kinderoren [de^{mv}] ▪ *niet **bestemd** voor kinderoren* not meant for children to hear/the ears of babes, ⟨inf⟩ not

meant for little pitchers
kinderpartijtje [het] children's party
kinderpistooltje [het] toy/dummy gun, toy/dummy pistol, popgun
kinderplicht [de] filial duty
kinderpokken [de^{mv}] smallpox
kinderpolitie [de^{v}] juvenile police, juvenile bureau
kinderporno [de^{v}] child pornography, ⟨inf⟩ kiddy porno
kinderportie [de^{v}] child's portion
kinderpostzegel [de^{m}] stamp sold to benefit children, ⟨minder duidelijk⟩ children's stamp
kinderpraat [de^{m}] 1 ⟨het praten van een kind⟩ child(ren)'s talk 2 ⟨kinderachtig gepraat⟩ childish/baby talk
kinderprogramma [het] children's programme/^{A}program, ⟨BE ook; inf⟩ children's hour
kinderpsychologie [de^{v}] child psychology
kinderpsycholoog [de^{m}] child psychologist
kinderrecht [het] 1 ⟨rechtsregels m.b.t. minderjarigen⟩ juvenile law, law governing minors/juveniles 2 ⟨recht van een kind op iets⟩ right(s) of a child, right(s) of children, a child's right(s)
kinderrechtbank [de] children's/juvenile court
kinderrechter [de^{m}] magistrate of/in a juvenile court ♦ *voor de kinderrechter verschijnen* appear in juvenile court
kinderrijk [bn] (blessed) with many children ♦ *een kinderrijk **gezin*** a large family
kinderrijmpje [het] nursery rhyme
kinderroof [de^{m}] kidnapping, child-stealing, ⟨sl; AE⟩ snatch
kinderrubriek [de^{v}] children's page/section
kinderschaar [de] bunch of children, ⟨groter⟩ crowd of children, ⟨scherts⟩ swarm of children
kinderschaats [de] child(ren)'s skate
kinderschoen [de^{m}] child(ren)'s shoe ♦ ⟨fig⟩ *nog **in** de kinderschoenen staan/steken* still be in one's infancy, be scarcely out of the egg; *de kinderschoenen **ontgroeid** zijn* have left one's childhood behind
kinderschrik [de^{m}] bogeyman
kinderserie [de^{v}] children's series, ⟨verhaal in opeenvolgende afleveringen⟩ children's serial
kinderslot [het] childproof lock
kinderspeelgoed [het] children's toys ♦ *een **stuk** kinderspeelgoed* a child's toy/plaything
kinderspeelplaats [de] children's playground
kinderspel [het] 1 ⟨het spelen van kinderen⟩ children's games, children playing, ⟨fig⟩ child's play ♦ *het **is** geen kinderspel* this is no joke, this is not exactly a piece of cake; *dat **is** maar kinderspel voor hem* this is (mere) child's play to him; ⟨vnl BE⟩ this is a piece of cake to him 2 ⟨spel dat kinderen spelen⟩ children's game
kinderstem [de] child's voice, ⟨kinderachtig⟩ baby/childish voice, ⟨Bijb⟩ voice of a child/babe
kindersterfte [de^{v}] child mortality, ⟨zeer jonge kinderen⟩ infant mortality
kinderstoel [de^{m}] baby chair, ⟨aan tafel⟩ highchair
kindertaal [de] child language, infant speech, ⟨inf⟩ baby talk
kindertal [het] number of children ♦ *het **gemiddelde** kindertal per gezin* the average number of children per family, the average size of a family/family size
kindertehuis [het] children's home ♦ *opnemen **in** een kindertehuis* take into care
¹**kindertelefoon** [de^{m}] ⟨speelgoed⟩ child's/toy telephone
²**kindertelefoon**^{MERK} [de^{m}] ⟨hulp- en informatiedienst⟩ children's helpline/switchboard, ⟨BE⟩ childline
kindertijd [de^{m}] childhood (days), infancy
kindertuigje [het] baby/child's harness
kinderveilig [bn, bw] childproof
kinderverhaal [het] children's story/tale, story for children
kinderverlamming [de^{v}] polio(myelitis), ⟨vero⟩ infantile paralysis
kinderverzorging [de^{v}] child care
kinderverzorgster [de^{v}] (qualified) child care worker, ⟨oppas⟩ (qualified) childminder
kindervriend [de^{m}] children's friend, child-lover
kinderwagen [de^{m}] ⟨vnl BE⟩ pram, ⟨AE⟩ baby carriage/buggy, ⟨form; scherts⟩ perambulator ♦ ***achter** de kinderwagen lopen* wheel/push the baby buggy/pram (along)
kinderwelzijn [het] ⟨in België⟩ 1 ⟨kinderwelzijn⟩ child welfare 2 ⟨zuigelingenzorg⟩ infant care
kinderwens [de^{m}] desire to have children
kinderwereld [de] 1 ⟨levenssfeer der kinderen⟩ children's world, world of children 2 ⟨al de kinderen⟩ all the world's children
kinderwerk [het] 1 ⟨beuzelarij⟩ fiddling about, pottering ♦ *dat **is** maar kinderwerk* you can't call that (proper) work, that's just fiddling about/pottering 2 ⟨werk dat een kind kan doen⟩ child(ren)'s work, work for a child, work for children ♦ *dat **is** geen kinderwerk* that's no work for a child 3 ⟨werkstuk⟩ child(ren)'s work, work (done) by a child, work (done) by children
kinderwet [de] child welfare/protection law, ⟨BE⟩ ± Children and Young Persons Act ♦ *de **invoering** van de kinderwetten* the introduction of child welfare/protection legislation, the introduction of legislation to protect children
kinderwoordenboek [het] children's dictionary
kinderzegen [de^{m}] 1 ⟨het krijgen van kinderen⟩ having children 2 ⟨kinderen⟩ children ♦ *een **rijke** kinderzegen* a quiverful of children
kinderziekenhuis [het] child hospital
kinderziekte [de^{v}] childhood/children's/pediatric disease, childhood/children's/pediatric illness, ⟨mv; fig⟩ teething troubles, growing pains ♦ ⟨fig⟩ *de kinderziekten van een **instelling/uitvinding** enz.* the teething troubles/growing pains of an institution/invention/...; ⟨fig⟩ *de kinderziekten (nog niet) te boven zijn* (not yet) be over one's teething troubles
kinderziel [de^{v}] child's soul
kinderzitje [het] 1 ⟨in een auto⟩ baby/child's seat 2 ⟨op een fiets⟩ baby/child's saddle
kinderzorg [de] 1 ⟨zorg om kinderen⟩ care (of children) 2 ⟨zorg voor kinderen; instelling⟩ child care, ⟨van overh⟩ child welfare, ⟨BE ook⟩ infant welfare work
kindgericht [bn] child-centred
kindje [het] baby, babe, infant, young/little/small child ♦ *Hedy **heeft** net een kindje **gekregen*** Hedy has just had a baby
kindlief [het] dear(ie), sweetie, (little) love, darling, my dear child ♦ *maar kindlief, hoe kom je daar bij?* my dear child, what makes you think that?
kindoekje [het] chin cloth/pad
kindplaats [de] child-care place
kinds [bn] doting, senile, in one's second childhood, in one's dotage, ⟨sl⟩ gaga ♦ *kinds **worden/zijn*** enter/be in one's dotage/one's second childhood, go/be gaga
kindsbeen ▪ *van kindsbeen (af)* from childhood (on), since childhood; *ik ken hem **van** kindsbeen af* I've known him from/since childhood
kindsdeel [het] ⟨jur⟩ child's portion, statutory portion
kindsheid [de^{v}] 1 ⟨ook fig; eerste jeugd⟩ childhood, ⟨ook fig⟩ infancy ♦ ***eerste** kindsheid* early childhood 2 ⟨seniliteit⟩ second childhood, dotage
kindskind [het] grandchild ♦ *onze **kinderen** en kindskinderen zullen ervan vertellen* this will (still) be told by our children and our children's children
kindsoldaat [de^{m}] child soldier
kindster [de] child star
kindveilig [bn] childproof

kindvriendelijk [bn] ⟨houding⟩ pro-children, ⟨predicatief⟩ in favour of children, ⟨persoon⟩ child-loving, ⟨predicatief⟩ who/that like(s) children, who/that love(s) children, ⟨predicatief; plaats⟩ safe/pleasant/suitable for children ♦ *een kindvriendelijk **beleid*** a policy that favours/in favour of children, a pro-children policy; *een kindvriendelijk **hotel*** a hotel where children are welcome/with (good/plenty of) facilities for children/that is suitable for children; *een kindvriendelijke **straat*** a street that is safe for children
kindvrouwtje [het] child wife
kinematica [de^v] kinematics
kinesiologie [de^v] kinesiology
kinesist [de^m] ⟨in België⟩ physiotherapist, ⟨AE⟩ physical therapist, ⟨inf; BE⟩ physio
kinesitherapeut [de^m] ⟨in België⟩ physiotherapist, ⟨AE⟩ physical therapist, ⟨inf; BE⟩ physio
kinesitherapie [de^v] ⟨in België⟩ physiotherapy, ⟨AE ook⟩ physical therapy, physiatrics
kinesthesie [de^v] kinaesthesia
kinetica [de^v] kinetics
kinetisch [bn] kinetic ♦ ⟨natuurk⟩ *kinetische **energie*** kinetic energy; *kinetische **kunst*** kinetic art; ⟨natuurk⟩ *de kinetische **theorie** van gassen* the kinetic theory of gases
kingsize [bn] kingsize
kinhin [de^m] kinhin
kinine [de] quinine
kink [de] ⟨scheepv⟩ kink, ⟨ook fig⟩ hitch ♦ ⟨fig⟩ *er zit een kink **in** de kabel* there's a hitch/snag (somewhere); ⟨fig⟩ *er kwam een kink **in** de kabel* there was a hitch; ⟨fig⟩ *zolang er geen kink **in** de kabel komt* as long as there are no hitches, ⟨AE ook⟩ as long as there are no foul ups
kinkel [de^m] lout, oaf, boor
kinkelachtig [bn] loutish, oafish, boorish, uncouth, rustic
kinkelen [ov ww, ook abs] ⟨onovergankelijk werkwoord⟩ smash, fall to pieces, shatter, ⟨overgankelijk werkwoord⟩ smash ♦ *het **glas** kinkelde op de stenen* the glass smashed on the pavement
kinken [onov ww] 1 ⟨op iets stoten, slaan⟩ clink 2 ⟨kinken krijgen⟩ kink
kinketting [de] ⟨voor paard⟩ curb(-chain), ⟨van helm⟩ chain
kinkhoest [de^m] whooping cough, ⟨med⟩ pertussis
kinkhoorn [de^m] 1 ⟨zeehoorn; schelp van een zeeslak⟩ whelk shell 2 ⟨wulk⟩ whelk
kinky [bn, bw] kinky ⟨bw: kinkily⟩, wild, ↑ outré ♦ *een kinky **party*** a kinky party, a sex party
kinnebak [de] lower jaw, jawbone, ⟨wet⟩ mandible
kinnesinne [de^m] envy
kinriem [de^m] chin strap
Kinshasa [het] Kinshasa
kiosk [de] kiosk, booth, ⟨voor kranten, boeken ook⟩ newspaper/book stand
kip [de^v] 1 ⟨hen⟩ chicken, hen ♦ *praten/redeneren **als** een kip zonder kop* talk through one's hat; *het probleem van de kip of het ei* the chicken-and-egg problem; *wat was er het eerst: de kip of het ei?* which came first, the chicken/hen or the egg?; ⟨fig⟩ *er kwam **geen** kip* not a soul turned up; ⟨fig⟩ *er was **geen** kip te zien/te bekennen* there wasn't a (living) soul (around/to be seen); ***jonge** kip* pullet; *van een **kale** kip kun je niet plukken* you can't get blood from a stone; ⟨fig⟩ *de kip **met** de gouden eieren slachten* kill the goose that lays the golden eggs; *eieren zo **van** de kip* farm-fresh eggs 2 ⟨mv; hoenders⟩ chickens, poultry, fowl(s) ♦ *er als de kippen **bij** zijn* be/get there like lightning/like a flash, lose no time in getting there/in ...-ing (sth.); *kippen **fokken*** rear chickens; *kippen **houden*** keep poultry/chickens/fowls; ⟨fig⟩ ***met** de kippen op stok gaan* go to bed with the sun 3 ⟨voedsel⟩ chicken ♦ *kip aan het **spit*** barbecued chicken 4 ⟨vrouw⟩ bird, chick 5 ⟨inf; politie(agent)⟩ cop, ⟨mv; sl; AE⟩ (the) fuzz ▪ *kip, ik heb je!* gotcha!, caught you!; ⟨sprw⟩ *men moet de kip met de gouden eieren niet slachten* kill not the goose that lays the golden eggs; ⟨sprw⟩ *het ei wil wijzer zijn dan de kip/hen* don't teach your grandmother to suck eggs; ⟨sprw⟩ *als de vos de passie preekt, boer pas op je kippen* when the fox preacheth, then beware your geese; ± fear the Greeks when bearing gifts

kip		
dier	kip	chicken
mannetje	haan	cock, rooster
vrouwtje	kip, hen	hen
jong	kuiken	chick, pullet
roep (mannetje)	kraaien	crow
roep (vrouwtje)	tokken, kakelen	cackle
geluid (mannetje)	kukeleku	cock-a-doodle-doo
geluid (vrouwtje)	tok	cluck

kipa [de] kippa
kipcorn [de^m] deep-fried chicken snack
kipfilet [het, de^m] chicken breast(s), fillet of chicken
kipkerriesalade [de] chicken curry salad
kiplekker [bn] as fit as a fiddle, as right as rain, on top of the world, in the pink, ⟨AE ook⟩ like a million dollars ♦ *ik voel me kiplekker* I feel as fit as a fiddle
kippenbil [de] ⟨in België⟩ chicken leg
kippenboer [de^m] chicken farmer, poultryman, poultry farmer
kippenborst [de] 1 ⟨borst van een kip⟩ chicken breast 2 ⟨misvorming van de borstkas⟩ chicken breast, pigeon breast ♦ ***met** een kippenborst* chicken-breasted, pigeon-breasted
kippenboutje [het] chicken leg
kippencholera [de] fowl/chicken cholera
kippendief [de^m] chicken/poultry thief, chicken/poultry stealer
kippendij [de] chicken thigh
kippenei [het] hen's/chicken's egg
kippeneind [het] ⟨inf⟩ ♦ *dat is maar een kippeneind lopen* it's no distance at all to walk
kippenfokkerij [de^v] 1 ⟨het fokken⟩ chicken/poultry farming 2 ⟨bedrijf⟩ chicken/poultry farm
kippengaas [het] chicken wire, wire netting ♦ *afgesloten **met** kippengaas* wire-netted, closed off with chicken wire
kippengriep [de] bird flu, avian flu
kippenhok [het] 1 ⟨verblijf voor kippen⟩ chicken coop, henhouse, hencoop, poultry house 2 ⟨armzalige woning⟩ (rabbit) hutch, box, poky hole 3 ⟨fig⟩ pandemonium, chicken coop, henhouse
kippenkontje [het] ⟨haardracht⟩ ⟨BE⟩ duck's arse, ⟨AE⟩ ducktail, ⟨adm⟩ DA
kippenkoorts [de] 1 ⟨gejaagdheid, nervositeit⟩ butterflies in one's stomach, ⟨inf⟩ (the) heebie-jeebies ♦ *ik **krijg** er de kippenkoorts van* it gives me butterflies in my stomach/the heebie-jeebies 2 ⟨kippenziekte⟩ pip
kippenkuur [de] whim, freak
kippenladder [de] chicken-ladder
kippenlever [de] chicken liver
kippenpest [de] bird flu, avian flu
kippenpoot [de^m] chicken leg
kippenren [de] chicken/fowl run, henrun, coop
kippensoep [de] chicken soup
kippenvel [het] goose flesh/pimples, ⟨AE ook⟩ goose bumps ♦ *ik **had/kreeg** kippenvel* I got goose flesh/pimples/bumps; *ik **krijg** er kippenvel van* it makes my flesh creep/my skin crawl; ⟨inf⟩ it gives me the creeps/the willies; *ik **krijg** al kippenvel als ik naar je kijk* the mere sight of you makes my flesh creep/my skin crawl/gives me the creeps;

met kippenvel goosy
kippenvlees [het] chicken
kippenvoer [het] chicken/poultry feed, chicken/poultry food
kippetje [het] [1] ⟨kleine kip⟩ chick [2] ⟨meisje, vrouw⟩ bird, chick ♦ *een **lekker** kippetje* a tasty-looking bird/chick
kippig [bn] short-sighted, near-sighted
kipptoestel [het] ⟨scheik⟩ Kipp's apparatus
kipschnitzel [het, de^{m}] chicken in bread crumbs
Kirgies [de^{m}], **Kirgizische** [de^{v}] Kyrgyz, Kirghiz
Kirgizië [het] Kyrgyzstan, Kirghizistan

Kirgizië	
naam	*Kirgizië* Kyrgyzstan
officiële naam	*Kirgizische Republiek* Kyrgyz Republic
inwoner	*Kirgies; Kirgiziër* Kyrgyz
inwoonster	*Kirgizische* Kyrgyz
bijv. naamw.	*Kirgizisch* Kyrgyz
hoofdstad	*Bisjkek* Bishkek
munt	*Kirgizische som* Kyrgyz som
werelddeel	*Azië* Asia
int. toegangsnummer 996 www .kg auto KS	

[1]**Kirgizisch** [het] Kyrgyz, Kirghiz
[2]**Kirgizisch** [bn] Kyrgyz, Kirghiz
Kirgizische [de^{v}] → **Kirgies**
Kiribati [het] Kiribati
kirren [onov ww] [1] ⟨m.b.t. duiven⟩ coo [2] ⟨opgewonden lacherige geluidjes maken⟩ coo, ⟨baby⟩ gurgle
kirsch [de^{m}] kirsch
kiskassen [onov ww] make/play at ducks and drakes, skip rocks, dap stones
kiss-and-ride [de^{m}] kiss-and-ride
kissebissen [onov ww] squabble, bicker, wrangle
kissingdisease [de] kissing disease
kissproof [bn] kissproof
kist [de] [1] ⟨meubel om voorwerpen op te bergen⟩ chest [2] ⟨doodkist⟩ coffin, ⟨AE ook⟩ casket ♦ *het lijk **in de kist** leggen* lay the body in the coffin [3] ⟨voorwerp om zaken in te bergen, te vervoeren⟩ box, ⟨voor viool enz.⟩ case, ⟨voor fruit enz.⟩ crate ♦ *een kist **groente/fruit*** a crate of vegetables/fruit; *in kisten **verpakt*** boxed, crated [4] ⟨vliegtuig⟩ bus, ⟨wrakkig; inf⟩ crate, ⟨sl⟩ bird, ⟨sl; BE⟩ kite ♦ *een **oude** kist* an old crate [5] ⟨wwb⟩ coffer [6] ⟨bekisting⟩ formwork, ⟨vnl BE⟩ shuttering [7] ⟨inf; sport; doel⟩ goal
ki-station [het] ⟨veet⟩ AI centre
kistdam [de^{m}] cofferdam
[1]**kisten** [onov ww] ⟨beplanking voor betonwerk maken⟩ put in a form, put in forms, put in formwork, place a form, place forms, place formwork, ⟨vnl BE⟩ put in shuttering, place shuttering
[2]**kisten** [ov ww] ⟨in de doodkist leggen⟩ lay in a/the coffin, ⟨AE ook⟩ lay in a/the casket ♦ ⟨inf, fig⟩ ***laat** je niet kisten* don't let them walk all over you, don't let them grind you down
kisting [de^{v}] [1] ⟨het in de doodskist leggen⟩ laying in a/the coffin, ⟨AE ook⟩ laying in a/the casket [2] ⟨beplanking voor het maken van betonwerk⟩ form(work), ⟨vnl BE⟩ shuttering [3] ⟨wwb⟩ cofferdam
kistje [het] [1] ⟨kleine kist⟩ box, case ♦ *een kistje **sigaren*** a box of cigars; *in een **zilveren** kistje opbergen* store away in a silver box/case; *een EHBO-kistje* a first-aid box/kit [2] ⟨mv; schoen⟩ clodhoppers
kistkalf [het] boxed calf, intensively reared calf
kistwerk [het] formwork
[1]**kit** [de^{m}] ⟨pakket⟩ kit
[2]**kit** [de] [1] ⟨kolenkit⟩ (coal-)scuttle, hod [2] ⟨kan⟩ jug, ⟨AE⟩ pitcher [3] ⟨kroeg, bordeel⟩ joint, dive [4] ⟨wateremmer⟩ bucket, pail [5] ⟨slang; politie⟩ cops, ⟨AE ook⟩ fuzz
[3]**kit** [het, de] ⟨kleef-, bindmiddel⟩ cement, glue, sealant

kitchenette [de] kitchenette
kite [de^{m}] kite
kiteboarden [onov ww] kiteboard
kiten [onov ww] kitesurf, do kite surfing
kiteskaten [onov ww] kiteskate
kitesurfen [onov ww] kitesurf
kitmiddel [het] waterproof cement/glue
[1]**kits** [de] gravel-heap
[2]**kits** [bn] ⟨inf⟩ OK, all right, alright ♦ ***alles** kits?* how are things?, how's things?, everything OK/all right?
kitsch [de^{m}] kitsch
kitscherig [bn, bw] kitschy, tawdry ♦ *een huis kitscherig **inrichten*** furnish one's house in a kitschy style, tart up a house
kitsen [ov ww] ⟨amb⟩ dress (with the trowel)
kittelaar [de^{m}] clitoris, ⟨inf⟩ clit
kittelachtig [bn] [1] ⟨gevoelig voor kitteling⟩ ticklish [2] ⟨lichtgeraakt⟩ touchy, ticklish
kittelachtigheid [de^{v}] ⟨fig⟩ touchiness, ticklishness
kittelig [bn] ticklish
kitteling [de^{v}] [1] ⟨het kittelen⟩ tickling, (a) tickle [2] ⟨tinteling⟩ tingling, tickling, (a) tickle
kittelorig [bn] touchy
kitten [ov ww] ⟨aaneen⟩ cement/glue (together), ⟨dicht⟩ seal (tight)
kittig [bn, bw] spirited ⟨bw: ~ly⟩, alert, sharp, ⟨vnl. beweging⟩ brisk ♦ *een kittig **ding/meisje*** a spirited young thing/girl; *kittige **paardjes*** spirited horses
kitzak [de^{m}] ⟨in België⟩ kit bag, duffle bag, ⟨bij mar ook⟩ ditty bag
kiwi [de^{m}] [1] ⟨vrucht⟩ kiwi (fruit), Chinese gooseberry [2] ⟨loopvogel⟩ kiwi
kJ [de^{m}] ⟨natuurk⟩ (kilojoule) kj
k.k. [afk] (kosten koper) buyer's costs ♦ *1 M k.k.* 1 M plus costs
kl. [afk] [1] (klasse) cl [2] (klein) ⟨maat⟩ S, s
klaagdicht [het] lament(ation)
klaaghuis [het] [1] ⟨sterfhuis⟩ house of mourning [2] ⟨huis van droefenis⟩ house of mourning
klaaglied [het] [1] ⟨treurlied⟩ lament(ation) ♦ *de Klaagliederen van **Jeremia*** the Lamentations of Jeremiah; *klaagliederen **zingen*** sing songs of lamentation [2] ⟨fig⟩ lament(ation) ♦ *je **hoort** van hem niets anders dan klaagliederen* all he ever does is moan/complain
klaaglijk [bn, bw] plaintive ⟨bw: ~ly⟩, piteous
klaaglijn [de] complaints line
Klaagmuur [de^{m}] Wailing Wall
klaagpsalm [de^{m}] penitential psalm
klaagschrift [het] plaint
klaagstem [de] plaintive/whining voice, wail(ing voice)
klaagster [de^{v}] → **klager**
klaagtoon [de^{m}] [1] ⟨klagende toon⟩ plaintive tone ♦ *op een klaagtoon **spreken*** speak in a plaintive tone [2] ⟨klacht⟩ complaint ♦ *onophoudelijk klaagtonen **aanheffen*** be constantly complaining
klaagvrouw [de^{v}] wailer, mourner, wailing woman
klaagzang [de^{m}] lament(ation) ♦ *een klaagzang **aanheffen*** raise one's voice in complaint
[1]**klaar** [het] egg-white
[2]**klaar** [bn, bw] [1] ⟨m.b.t. zien⟩ clear ⟨bw: ~ly⟩ ♦ ⟨fig⟩ *klaar **als** een klontje* as plain as a pikestaff/as the nose on your face [2] ⟨zuiver, onvermengd⟩ pure ⟨bw: ~ly⟩, ⟨drank⟩ neat ⟨bw: ~ly⟩ ♦ *klare **jenever*** raw Dutch gin; ⟨vero⟩ raw Hollands [3] ⟨duidelijk⟩ clear ⟨bw: ~ly⟩ ♦ ***duidelijk** en klaar* ⟨ook⟩ in words of one syllable, in plain English; *klare **nonsens*** pure nonsense [4] ⟨gereed⟩ ready ⟨bw: readily⟩, set ♦ *alles klaar **hebben** voor een feest* have everything ready for a party; *iets klaar **houden*** keep sth. ready/handy/in readiness; *klaar **terwijl** u wacht* ready while you wait; *klaar **voor** gebruik* ready-to-use, ready for use, ⟨huis enz.⟩ ready to oc-

cupy/for occupation; *ik ben er klaar **voor*** I'm (all) ready; *klaar **voor** de strijd* ready for action, fighting fit, ⟨fig ook⟩ ready for the fray; *de boot is klaar **voor** vertrek/**om** te vertrekken* the boat is ready to sail/to go; ⟨sport⟩ *klaar? af!* (get) set? go!; ready, steady, go! 5 ⟨af⟩ finished, done, ⟨AE ook; persoon⟩ through ◆ *ben je klaar?* ⟨om te beginnen/te gaan enz.⟩ are you ready?; ⟨met werk enz.⟩ have/are you finished?, ⟨inf⟩ have/are you done?, ⟨AE ook⟩ are you through?; *ik **ben** zo klaar* I won't be a minute, ⟨vnl BE; inf⟩ I won't be a tick; *zijn antwoord klaar **hebben*** have an/one's answer ready, be ready with an/one's answer; *je moet het voor vanmiddag klaar **hebben*** you must have/get it finished/done/ready by this afternoon; *klaar **is** Kees* (and) that's that!, (and) Bob's your uncle!, (and) there you are!; *het eten **is** klaar* lunch/dinner/supper is ready; *dat **is** (ook weer) klaar* (well,) that's that (done), that's done; *het gebouw **is** bijna klaar* the building is almost finished/is nearing completion; *een lexicograaf **is** eigenlijk nooit klaar* a lexicographer's work is never done; *nog even schoonmaken en klaar **is** Kees/klaar **ben** je* just clean up a bit and Bob's your uncle; *ben je klaar **met** je toilet?* ⟨scherts⟩ have you performed your ablutions?; *hij was zo klaar **met** dat klusje* he wasn't long about that job, he got that job done in no time/in a trice; ***met** haar zul je gauw klaar zijn* she won't take you long, you'll be finished with her pretty fast; *helemaal klaar zijn **met** iemand* be/have finished with s.o., be through with s.o.; ***met** iemand/iets nog niet klaar zijn* not yet be finished/done/through with s.o./sth.; *we zijn klaar **met** eten/opruimen/ons werk/deze kandidaat/uw kamer* we've finished eating/clearing up/our work/with this candidate/with your room, ⟨AE ook⟩ we're through eating/clearing up/with our work/with this candidate/with your room; *klaar **zijn*** be finished/done; *zogoed als klaar **zijn*** be just about/pretty well finished, have just about/pretty well done ▪ *klaar **ben** je, daar **ben** je mooi klaar mee* (now) there's a fine thing!/a fine state of affairs!; ⟨sprw⟩ *eerst het kooitje klaar en dan het vogeltje erin* first thrive and then wive

klaarbak [de^m] settling tank

klaarbassin [het] settling pool/tank, sump

1**klaarblijkelijk** [bn] ⟨duidelijk blijkend⟩ evident, obvious, ↑ manifest ◆ *klaarblijkelijke **bezwaren/tekortkomingen*** evident drawbacks/shortcomings

2**klaarblijkelijk** [bw] ⟨kennelijk, blijkbaar⟩ evidently, obviously ◆ *vandaag is hij klaarblijkelijk **doof*** he seems to be deaf today; *klaarblijkelijk **kan** ik er niets aan **doen*** seemingly there's nothing I can do; *dat is klaarblijkelijk **verkeerd*** that is obviously wrong; *klaarblijkelijk had niemand haar dat verteld* obviously/evidently no one had told her

klaarheid [de^v] 1 ⟨form; licht, glans⟩ clarity, clearness, ↑ limpidity 2 ⟨het niet-bewolkt zijn⟩ clearness 3 ⟨duidelijkheid⟩ clarity ◆ *de klaarheid van een **betoog*** the clarity of an argument; *klaarheid (proberen te) **brengen** in een zaak* (try to) throw/shed light on a matter, ↑ (try to) elucidate a matter; *iets **tot** klaarheid brengen* throw/shed light on sth., ↑ elucidate sth., clear up sth.; *we zijn nog niet **tot** klaarheid gekomen* we are not yet clear (in our minds) about this

klaarkomen [onov ww] 1 ⟨gereedkomen⟩ finish, be finished, complete, be done, ⟨oplossing vinden⟩ get things settled, settle things ◆ ⟨fig⟩ ***daar** kom je nooit **mee** klaar* you'll never get that finished/done; ***met** iemand klaarkomen* settle things/get things settled with s.o.; *op tijd **met** zijn werk klaarkomen* finish/complete one's work/get one's work finished/completed/done on time 2 ⟨orgasme krijgen⟩ come ◆ ***tegelijk** klaarkomen* come together; *te vroeg klaarkomen* come too soon

klaarkrijgen [ov ww] 1 ⟨afkrijgen⟩ get finished/done 2 ⟨voor elkaar krijgen⟩ get done, fix (up), get fixed (up) ◆ *hoe heb je **dat** klaargekregen?* how did you manage to get that done/fixed (up)?

klaarleggen [ov ww] put ready, ⟨kleren ook⟩ lay out ◆ ⟨sport⟩ *de **bal** klaarleggen voor een doeltrap/vrije trap* set up/place the ball for a goal kick/free kick; *ik zal het **boek/het geld** klaarleggen* I'll put the book/money ready; *leg je mijn **kleren** even klaar voor morgen* just lay my clothes out/put my clothes ready for tomorrow

klaarlicht [bn] ▪ *op klaarlichte **dag*** in broad daylight

klaarliggen [onov ww] 1 ⟨gereedliggen⟩ be ready ◆ ***alles** ligt klaar* everything's ready; *iets **hebben** klaarliggen* have sth. ready 2 ⟨m.b.t. schepen⟩ be set to sail

klaarmaken [ov ww] 1 ⟨voorbereiden, in gereedheid brengen⟩ get ready, prepare ◆ *de **tafel** klaarmaken* lay the table; *alles klaarmaken **voor** de reis* get everything ready for the journey; *de auto klaarmaken **voor** de winter* get the car ready for the winter; *iemand klaarmaken **voor** een examen* prepare s.o. for an exam; ***zich** klaarmaken* get (o.s.) ready; ⟨voor de aanval⟩ make ready (to attack); ⟨om te vertrekken⟩ get one's coat; dress (for dinner) 2 ⟨(toe)bereiden⟩ make, ⟨eten ook⟩ get ready, prepare, ⟨warm eten ook⟩ cook, ⟨drankje, sla ook⟩ mix ◆ *de **bestellingen** van vandaag klaarmaken* make up today's orders; ***brood** klaarmaken* make some/the sandwiches; *het **eten/ontbijt** klaarmaken* make lunch/dinner/supper/breakfast; *een **kop** chocolade klaarmaken* make a cup of chocolate; *de hutspot is **lekker** klaargemaakt* the stew is tasty; *een **slaatje** klaarmaken* make/mix a salad 3 ⟨tot een orgasme brengen⟩ bring off 4 ⟨presteren⟩ do, manage ◆ *niet **veel** klaarmaken* not be up to much

klaar-over [de^m] member of the school crossing patrol, ⟨AE⟩ crossing guard, ⟨BE ook⟩ lollipop man/woman/boy/girl

klaarspelen [ov ww] manage (to do), contrive to do, ⟨inf⟩ pull off, wangle ◆ *hoe heb je **dat** klaargespeeld?* how did you manage (to do)/contrive to do/wangle that/manage to pull that off?; *hij heeft 't **weer** klaargespeeld* he's done it/pulled it off again; *zij zal het heus **wel** klaarspelen* I'm sure she'll manage

klaarstaan [onov ww] 1 ⟨(m.b.t. personen) gereedstaan⟩ be ready, be waiting, ⟨militair enz.⟩ stand by ◆ *altijd **met** kritiek klaarstaan* always be ready to criticize; *altijd **met** zijn mening klaarstaan* always have sth. to say, always have an opinion; *iets te gauw **met** zijn vuisten klaarstaan* be a little too ready with one's fists; *klaarstaan **om** te schieten/helpen* have one's finger on the trigger/be ready to help; *altijd **voor** iemand klaarstaan* always be ready/available to help s.o., always be around/there for s.o.; *zij moet altijd **voor** hem klaarstaan* he expects her to be at his beck and call; *altijd **voor** de klanten/leerlingen klaarstaan* always be ready to serve one's customers, always be available to one's students 2 ⟨gereedgezet zijn⟩ be ready, be waiting ◆ *het **eten/de tafel** staat klaar* lunch/dinner/supper is ready; *de trein stond klaar **om** te vertrekken* the train was ready to leave; *er stonden drie ambulances klaar **voor** noodgevallen* three ambulances were standing by for emergencies/to deal with emergencies

klaarstomen [ov ww] cram ◆ *iemand **voor** een examen klaarstomen* cram s.o. for an exam

klaarte [de^v] clarity, clearness, lucidity

klaarwakker [bn] wide awake, ⟨fig⟩ (on the) alert, quick (on the uptake), on the spot

klaarzetten [ov ww] put ready, put out, set out ◆ *de **kopjes** klaarzetten* put the cups ready/out; *het **ontbijt** klaarzetten* make breakfast, put breakfast on the table; *een **stoel voor** iemand klaarzetten* put a chair out for s.o.; *de flessen klaarzetten **voor** de melkboer* put out the bottles for the milkman

klaarziend [bn] 1 ⟨m.b.t. gezichtsvermogen⟩ sharp-eyed 2 ⟨scherpzinnig⟩ clear-sighted

klaarzitten [onov ww] be ready

klaas [de^m] chap, bloke, ⟨AE⟩ guy ◆ *een **houten**/een **stijve** klaas* a dry (old) stick

Klaas Nicholas, ⟨inf⟩ Nick ♦ ***Jan, Piet** en Klaas* Tom, Dick and Harry; *Klaas **Vaak** (komt)* the sandman('s coming)
klabak [de^m] pig, ⟨mv⟩ fuzz
klacht [de] 1 ⟨uiting van ontevredenheid⟩ complaint ♦ *klachten **aanhoren*** listen to complaints; *het regende klachten **over** dat programma* complaints poured in/there was a flood of complaints about that programme; *zijn klachten **uiten*** make complaints, air one's grievances 2 ⟨jur⟩ complaint, ⟨civielrechtelijk⟩ action, suit, ⟨strafrechtelijk⟩ charge ♦ *een klacht **indienen** tegen iemand* institute legal proceedings against s.o., bring an action against s.o.; *een klacht **indienen** bij de politie* report sth. to the police, complain to the police, lodge/file a complaint with the police 3 ⟨grief, grond tot klagen⟩ complaint, ⟨med ook⟩ symptom ♦ *klachten **behandelen*** deal with complaints; *mocht u klachten **krijgen*** should any symptoms develop; *wat zijn de klachten van de **patiënt**?* what are the patient's symptoms?; *en, wat **zijn** de klachten?* what seems to be the matter?, ↑ what are your symptoms? 4 ⟨uiting van smart⟩ lament, complaint ♦ *geen klacht **kwam** over zijn lippen* he uttered not one word of complaint, not a word of complaint passed his lips
klachtdelict [het] offence/^A offense prosecuted only in case of complaint
klachtenboek [het] complaint(s) book
klachtenbureau [het] complaints department
klachtenbus [de] complaint(s) box, suggestions box
klachtencommissie [de^v] complaint/grievance committee
klachtenlijn [de] complaints service
klachtenprocedure [de] complaints procedure
klachtrecht [het] ⟨jur⟩ right of complaint
[1]**klad** [het] 1 ⟨voorlopige vorm⟩ (rough) draft ♦ *een brief **in** (het) klad schrijven* draft a letter, write a letter out in rough/draft 2 ⟨handel⟩ daybook, ledger
[2]**klad** [de] 1 ⟨vuil, vlek⟩ stain, splodge, blotch, ⟨inkt⟩ blot, ⟨olie enz.⟩ smudge 2 ⟨laster⟩ slur, stain, blot 3 ⟨bederf in de prijzen⟩ ruin ♦ *de klad **is** in de huizenmarkt **gekomen*** the bottom's fallen out of the house market; *de klad **komt** erin* business is falling off/is going through a rough patch; ⟨fig⟩ *na een paar dagen **kwam** de klad er in* after a few days it tailed off; ⟨fig⟩ *ik had besloten niet meer te roken, maar daar **kwam** al gauw de klad in* I decided to stop smoking but I didn't get very far/that resolution soon bit the dust/soon went out of the window • *iemand **bij** zijn/de kladden krijgen/grijpen* ⟨fig⟩ catch/grab/seize hold of s.o., grab s.o. by the scruff of the neck
kladblaadje [het] piece of scrap paper
kladblok [het] ⟨vnl BE⟩ scribbling-pad, ⟨vnl AE⟩ scratch-pad, jotter
kladboek [het] 1 ⟨memoriaal⟩ daybook, ledger 2 ⟨werk-, schrijfboek⟩ rough book ♦ *ik heb wel een betere **in** mijn kladboekje staan* I'm sure I know of a better one • *hij staat **in** mijn kladboek* he owes me money
kladbrief [de^m] draft (letter)
[1]**kladden** [onov ww] ⟨knoeien⟩ be messy, ⟨inkt⟩ make stains/smudges/blots
[2]**kladden** [ov ww] 1 ⟨slordig neerschrijven⟩ scribble, scrawl 2 ⟨slecht, slordig schilderen⟩ daub
kladderaar [de^m] 1 ⟨knoeier⟩ smudger, ⟨met verf⟩ dauber 2 ⟨handel⟩ undercutter
kladderen [onov ww] 1 ⟨voortdurend kladden⟩ smudge, splodge, blotch, ⟨inkt⟩ blot, make blots/smudges ⟨enz.⟩ 2 ⟨slecht schilderen⟩ daub
kladderig [bn, bw] 1 ⟨vol kladden⟩ smudgy ⟨bw: smudgily⟩, splodgy, blotchy ♦ *kladderig **schrijven*** write smudgily/blotchily 2 ⟨m.b.t. personen⟩ messy ⟨bw: messily⟩
kladderij [de^v] 1 ⟨slordig geschrijf, schilderwerk⟩ ⟨geschrijf⟩ (smudgy) scrawl, ⟨schilderwerk⟩ daubing 2 ⟨handel⟩ undercutting

kladje [het] (rough) draft, ⟨kladblaadje⟩ piece of scrap paper ♦ *een kladje **maken*** make a (rough) draft; *iets **op** een kladje schrijven* write sth. on a piece of scrap paper
kladpapier [het] scrap paper ♦ *een kladpapiertje* a piece of scrap paper
kladschilder [de^m], **kladschilderes** [de^v] dauber
kladschilderen [ww] daub
kladschilderes [de^v] → **kladschilder**
kladschrift [het] 1 ⟨schrijfboek⟩ ⟨BE⟩ rough(-copy) book, ⟨AE⟩ scratch pad 2 ⟨slordig (hand)schrift⟩ scrawl, scribble
kladschrijfster [de^v] → **kladschrijver**
kladschrijver [de^m], **kladschrijfster** [de^v] scribbler, scrawler
kladschuld [de] petty/trifling debt
kladsel [het] splodge(s), ⟨inkt⟩ blot(s), ⟨olie enz.⟩ smudges, ⟨op papier⟩ scribbling, ⟨op muur/doek⟩ daubing
kladversie [de^v] rough version/copy
kladwerk [het] 1 ⟨knoeiwerk⟩ messy/shoddy/botched work 2 ⟨schoolwerk⟩ ⟨BE⟩ rough work
[1]**klagen** [onov ww] 1 ⟨droefheid, pijn te kennen geven⟩ complain ♦ *klagende **boeren*** complaining farmers; *zij klaagt niet **gauw*** she's not one to complain, she's not the complaining type; *ik **heb** niet te klagen* I can't complain, I'm not complaining; *jij **hebt** niets te klagen* you're in no position to complain, you've got nothing to complain about/of; *hij **heeft** niet over belangstelling te klagen* he can't complain about lack of interest; *je hoeft niet bij mij te **komen** klagen* don't come complaining to me; *hij **loopt** altijd te klagen* he's always complaining, ⟨inf⟩ he's always moaning; ⟨euf⟩ *ik **mag** niet klagen* I can't complain, I mustn't/can't grumble; *er wordt veel **over** geklaagd* there are lots of complaints/there is a good deal of complaint about it; ***over** een moeilijke ontlasting/**over** maagzuur klagen* complain of constipation/heartburn; ***steen** en **been** klagen* complain bitterly; *geen reden **tot** klagen hebben* have no cause for complaint/reason to complain; *de **zieke** klaagt de hele dag* the patient complains all day long; ***zonder** klagen* without complaint, uncomplaining(ly) 2 ⟨jur⟩ complain ♦ ***recht** van klagen* right of complaint
[2]**klagen** [ov ww] ⟨als klacht uiten⟩ complain (of) ♦ *het **is** God geklaagd* it's worse than bad, it's appalling
klagend [bn, bw] plaintive ⟨bw: ~ly⟩, piteous ♦ *op klagende **toon*** in a plaintive tone (of voice)
klager [de^m], **klaagster** [de^v] 1 ⟨iemand die klaagt⟩ complainer, ⟨inf⟩ moaner 2 ⟨iemand die zijn beklag doet⟩ complainant • ⟨sprw⟩ *klagers hebben geen nood* people who complain are not always really in difficulty
klagerig [bn, bw] 1 ⟨geneigd tot klagen⟩ complaining ⟨bw: ~ly⟩, ⟨form⟩ querulous 2 ⟨klagend⟩ plaintive ⟨bw: ~ly⟩ ♦ *op klagerige **toon*** in a plaintive tone (of voice)
klak [de] ⟨in België⟩ 1 ⟨klakkend geluid⟩ click, clack 2 ⟨pet⟩ cap ♦ *er met zijn klak naar **gooien/smijten*** ↑ make a halfhearted attempt at it
klakkeloos [bn, bw] unthinking ⟨bw: ~ly⟩, rash, ⟨onkritisch⟩ indiscriminate, ⟨zonder reden⟩ groundless, unfounded, gratuitous, wild ♦ *iets klakkeloos **aannemen*** ⟨te goeder trouw⟩ accept sth. unquestioningly; ⟨uit naïviteit; inf⟩ swallow sth., fall for sth.; *iemand klakkeloos **beschuldigen*** accuse s.o. groundlessly/wildly; *iets klakkeloos **overnemen*** adopt/copy sth. indiscriminately
klakken [onov ww] click, clack ♦ ***met** de tong klakken* click (one's tongue), clack one's tongue, ⟨inf⟩ go 'tsk!'
klam [bn, bw] clammy ⟨bw: clammily⟩, moist, damp ♦ *met klamme **handen*** with clammy hands, clammy-handed; *die muur **voelt** klam **aan*** the wall feels clammy, the wall is clammy to the touch; *zijn **voorhoofd** was klam **van** het zweet* his forehead was clammy with sweat; *het klamme **zweet** breekt me uit* ⟨fig⟩ I'm in a cold sweat
klamaaien [ov ww, ook abs] caulk

klamaai-ijzer [het] caulking iron
klamboe [de^m] mosquito net
klamheid [de^v] clamminess, moistness, dampness
klammig [bn] clammy, moist, damp ◆ *klammig* ***aanvoelen*** feel clammy
[1]**klamp** [de^m] ⟨stapel⟩ stack, pile, rick
[2]**klamp** [de] 1 ⟨belegstuk, bindlat⟩ cleat, ⟨lat⟩ batten ◆ *een deur* ***met*** *klampen* a battened door 2 ⟨steunlat, klos⟩ cleat, chock, brace 3 ⟨sluithaak voor boeken⟩ clasp 4 ⟨uitsteeksel⟩ cleat ◆ *een touw* ***om*** *een klamp slaan* secure a rope to a cleat
klampen [ov ww] 1 ⟨met een belegstuk vastmaken, versterken⟩ cleat, ⟨met lat⟩ batten 2 ⟨(vast)klemmen⟩ clasp, cling ◆ *iemand* ***tegen*** *zich aan klampen* clasp s.o. to o.s. 3 ⟨enteren⟩ board ◆ *een schip* ***aan*** *boord klampen* board a ship 4 ⟨opstapelen⟩ stack/pile (up)
klamplaag [de] bond/header course
klamplat [de] ± batten
klampspijker [de^m] clamp nail
klampsteen [de^m] ⟨in België⟩ (type of) brick (baked in open ovens)
klandizie [de^v] 1 ⟨klanten⟩ clientele, customers, trade, business, patronage ◆ *hun klandizie* ***breidt zich uit*** their clientele is growing; *(veel) klandizie* ***hebben/krijgen/trekken*** have/attract (plenty of) customers/trade/business; *zich in een* ***toenemende*** *klandizie kunnen verheugen* enjoy an increasing number of customers/a growing clientele; *de klandizie* ***verloopt*** business/trade is falling off 2 ⟨betrekking als klant⟩ custom ◆ *zijn klandizie* ***gunnen*** *aan iemand, iemand met de klandizie begunstigen* give one's custom to s.o.; *de klandizie* ***winnen/behouden*** *van iemand* gain/keep s.o.'s custom
klank [de^m] 1 ⟨toon, galm⟩ sound 2 ⟨datgene waardoor een geluid zich onderscheidt⟩ sound, tone ◆ *een* ***fraaie*** *klank geven* give forth a pretty sound/tone; *de piano heeft een* ***goede/volle/warme*** *klank* the piano has a good/full/warm tone; *de klank van* ***hout/een viool*** the sound of wood/a violin 3 ⟨gearticuleerd spraakgeluid⟩ sound 4 ⟨geluid van gesproken woorden⟩ sound, ring ◆ *haar stem had een* ***eigenaardige/oprechte*** *klank* there was a peculiar/sincere ring to her voice; ⟨fig⟩ *zijn naam heeft een* ***goede*** *klank* he has a good name/reputation; ⟨fig⟩ ***holle*** *klanken* idle/mere talk; *dat woord heeft een* ***lelijke*** *klank* that word has an ugly ring to it; *rijm is* ***overeenkomst*** *van klank* rhyme is a similarity of sounds; ***vreemde/uitheemse*** *klanken* foreign sounds 5 ⟨mv; muziek, zang⟩ sound ◆ ***gewijde*** *klanken* solemn music; ***op*** *de klanken van ...* to the sound of ...
klankanalyse [de^v] sound analysis
klankassociatie [de^v] 1 ⟨abstr⟩ sound association 2 ⟨concreet⟩ sound association
klankbeeld [het] radio commentary/report
klankbeker [de^m] bell
klankbodem [de^m] sounding board, soundboard ◆ ⟨fig⟩ *een goede klankbodem* ***vinden*** touch/strike a responsive chord
klankbord [het] 1 ⟨paneel voor een luidspreker⟩ baffle(-board) 2 ⟨klankbodem⟩ sounding board, soundboard 3 ⟨galmbord⟩ sounding board, soundboard ◆ ⟨fig⟩ *een klankbord* ***vormen*** be/act as a sounding board (for)
klankbordgroep [de] ± brainstorming group, ± feedback group ◆ *die mensen zijn mijn klankbordgroep* I use those people as a sounding board
klankdemper [de^m] ⟨piano⟩ muffler, ⟨viool, trompet enz.⟩ mute
klankdicht [het] nonsense rhyme
klankdichter [de^m] writer of nonsense rhymes
klank- en lichtspel [het] sound-and-light ^B programme/ ^A show, son et lumière
klank-en-lichtspel [het] sound and light show
klankexpressie [de^v] portrayal/expression by means of sound(s), portrayal/expression through sound(s)
klankfiguur [de] Chladni's/sonorous figure ◆ *de klankfiguren van* ***Chladni*** Chladni's/sonorous figures
klankgat [het] ⟨muz⟩ sound hole
klankgedicht [het] sound poem
klankkast [de] 1 ⟨m.b.t. een snaarinstrument⟩ sound box, body 2 ⟨m.b.t. een stemvork⟩ resonance box
klankkleur [de] timbre, tone (colour)
klankleer [de] ⟨taalk⟩ phonetics, phonology, phonetics and phonology ◆ *de* ***Engelse*** *klankleer* English phonetics and phonology, the phonetics/phonology of English
klankloos [bn, bw] toneless ⟨bw: ~ly⟩, dull ◆ *zij antwoordde met klankloze* ***stem*** she answered tonelessly/dully
klankmeter [de^m] 1 ⟨techn⟩ audiometer, sonometer 2 ⟨muz⟩ monochord, sonometer
klankmethode [de^v] phonetic method
klanknabootsend [bn] onomatopoeic, echoic
klanknabootsing [de^v] ⟨taalk⟩ 1 ⟨onomatopee⟩ onomatopoeia, onomatopoeic word 2 ⟨onomatopoësis⟩ onomatopoeia, echoism
klankregisseur [de^m], **klankregisseuse** [de^v] ⟨film, tv⟩ sound engineer/mixer
klankregisseuse [de^v] → **klankregisseur**
klankrijk [bn] sonorous, rich, resonant
klankschaal [de] Tibetan scale
klankschap [het] 1 ⟨geheel van geluiden⟩ soundscape 2 ⟨film; geluidsopname⟩ soundscape
klankschrift [het] 1 ⟨schrift waarvan de tekens klanken voorstellen⟩ phonetic writing/system 2 ⟨fonetisch schrift⟩ phonetic script
klankspoor [het] sound trace
klankstelsel [het] phonetic system, phonetics
klanksymboliek [de^v] sound symbolism
klanksysteem [het] phonetic/sound system
klanktaal [de] 1 ⟨muz⟩ tonal language 2 ⟨rel⟩ tongues
klanktapijt [het] sound tapestry
klankteken [het] ⟨taalk⟩ diacritic
klankverandering [de^v] ⟨alg⟩ sound change, change in sound, ⟨fonetiek ook⟩ phonetic change, sound shift(ing) ⟨wet van Grimm⟩, ⟨om uitspraakgemak⟩ euphony, (phonetic) modification ⟨bijvoorbeeld door umlaut⟩
klankverschuiving [de^v] ⟨taalk⟩ sound shift ◆ *de* ***eerste*** *klankverschuiving* the first sound-shift, Grimm's Law
klankvol [bn, bw] sonorous ⟨bw: ~ly⟩, rich, resonant, ⟨melodieus⟩ melodious ◆ *een klankvolle* ***stem*** a sonorous/melodious/resonant voice
klankvolume [het] volume (of sound)
klankwaarde [de^v] phonetic/sound value
klankweergave [de] sound reproduction
klankwet [de] sound law, phonetic law
klant [de^m] 1 ⟨cliënt⟩ customer, client, shopper, ⟨in horeca⟩ guest ◆ *daar ben ik* ***geen*** *klant* ***meer*** I have withdrawn my custom from them/him, I don't deal with them anymore, I don't do business there any longer; *een* ***goede*** *klant* a good customer; *klanten* ***hebben/winnen/verliezen/werven*** have/gain/lose/canvass customers; *klanten* ***lokken*** *(met stuntprijzen)* bait customers; ***potentiële*** *klanten* prospective customers; ⟨inf⟩ nibblers; *een* ***vaste*** *klant* a regular (customer); ⟨bijvoorbeeld van restaurant⟩ a patron; a habitué; ⟨scherts⟩ ***vaste*** *klanten van de rechter* jailbirds, backsliders; ⟨AE ook⟩ guests of the state; *ergens klant* ***zijn*** be a regular customer/client/patron; *zij zijn daar al jaren klant* they have done business there for years; *de klant is* ***koning*** the customer is always right 2 ⟨persoon, kerel⟩ customer, sort, ⟨BE⟩ bloke, chap, ⟨vnl AE⟩ fellow, guy ◆ *hij is nogal een* ***ruwe*** *klant* he's a rough customer, ⟨sl⟩ he's a roughneck; *een* ***vrolijke/rare*** *klant* a cheerful sort, a strange/queer customer, an odd character
klantenbestand [het] 1 ⟨klantenregister⟩ list/file/data-

base of customers/clients [2] ⟨de klanten van een zaak⟩ customers, clients, clientele

klantenbinding [de^{v}] customer relations ◆ *aan klantenbinding **doen*** work at/be into customer relations

klantenkaart [de] → **klantenpas**

klantenkring [de^{m}] customers, clientele

klantenlokker [de^{m}] [1] ⟨artikel⟩ customer draw, bait [2] ⟨persoon⟩ tout, ⟨circus, kermis⟩ barker

klantenpas [de^{m}], **klantenkaart** [de] loyalty card, charge card, customer card

klantenservice [de^{m}] ⟨BE⟩ after-sales service, ⟨AE⟩ customer service, service department

klantenwerving [de^{v}] canvassing for custom(ers), ⟨pej⟩ touting for custom(ers), ⟨recl⟩ advertising for custom(ers)

klantgericht [bn] customer-oriented

klantvriendelijk [bn] customer-friendly

^{1}**klap** [de^{m}] [1] ⟨geluid⟩ bang, crash, ⟨i.h.b. donder⟩ clap, ⟨van zweep⟩ crack ◆ *dat zal (me) een klap **geven*** that will be a/some blow; ***met** een klap dichtslaan* slam (shut); ⟨fig⟩ *de klap op de vuurpijl* the grand finale, the final flourish; ⟨fig⟩ *als klap op de vuurpijl* to crown/top/cap it all, the crowning touch [2] ⟨slag, tik⟩ slap, smack, blow, stroke ◆ *een **fikse/gemene** klap* a hefty/nasty blow; *iemand een klap **geven*** hit/slap s.o., deal s.o. a blow; *een kind klappen **geven*** smack/slap/spank a child; ⟨fig⟩ ***in** één klap* at one go/stroke, in one fell swoop; *een klap **in** het gezicht (krijgen)* ⟨ook fig⟩ (get) a slap/smack in the face/teeth, (get) a kick in the teeth/pants; ⟨fig⟩ *een klap van de **molen** gehad hebben* have a screw loose (somewhere), have bats in the belfry, be a bit touched/cracked/potty; *iemand een klap **op** zijn kop geven* hit s.o. on the head; *iemand een klap **op** de schouder geven* slap s.o. on the back; *iemand een klap **op** zijn achterste geven* smack s.o. on the bottom; *een lelijke klap **oplopen*** take a bad rap/a nasty blow; *de eerste klap(pen) **opvangen*** ⟨fig⟩ bear/get the brunt of s.o.'s anger/temper; *er vielen **rake** klappen* the blows struck home/fell thick and fast; *een **rake/gevoelige** klap* a telling/sharp blow; ***rake** klappen uitdelen aan* rain blows upon; *er kunnen weleens klappen **vallen*** it may/can come to blows; *een klap **verkopen/uitdelen*** deliver/deal a blow, ↓ whack/wallop (s.o.) [3] ⟨fig⟩ blow, knock ◆ *een **grote** klap* a heavy blow; *een (lelijke/zware) klap **krijgen*** receive/be dealt an ugly/a heavy blow [4] ⟨klep⟩ flap, ⟨van tafel⟩ leaf, ⟨van brug⟩ bascule ⊡ ***geen** klap uitvoeren* not do a stroke of work/lift a finger; *ik vind er **geen** klap aan* it's no good (as far as I'm concerned), I don't like it one bit; *je hebt er **geen** klap aan* it's useless/no good; *dat kan me **geen** klap schelen* I don't care a rap/fig about that, ↓ I don't give a damn/rap/^{A}rip about that, I couldn't care less about that; *daar schiet je **geen** klap mee op* that won't be worth a rap to you, that won't do you any good; ⟨in België⟩ *iemand aan de klap **houden*** ↑ hold s.o. up; ⟨sprw⟩ *de eerste klap is een daalder waard* the first blow is half the battle

^{2}**klap** [tw] smack!, bang!

klapband [de^{m}] blowout, flat, flat/burst tyre, ⟨AE⟩ flat/burst tire ◆ *een klapband **krijgen*** have a blowout, get a flat

klapbank [de] folding seat, ⟨in auto⟩ reversible seat

klapbes [de] [1] ⟨kruisbes⟩ gooseberry, ⟨inf⟩ goosegog [2] ⟨vrucht van de sneeuwbes⟩ snowberry

klapbrug [de] drawbridge, ⟨verticaal omhoog⟩ lift bridge, ⟨met tegenwicht⟩ bascule bridge

klapbus [de] peashooter

klapdeksel [het] (hinged) lid

klapdeur [de] [1] ⟨doordraaiende deur⟩ swing/swinging door [2] ⟨mv; saloondeuren⟩ swing doors, saloon/bar doors

klapekster [de] [1] ⟨vogel⟩ great grey shrike, ⟨AE⟩ Northern shrike ◆ ***kleine** klapekster* lesser grey shrike [2] ⟨persoon⟩ chatterbox, gabber

klaphek [het] [1] ⟨hek, dat door eigen gewicht dichtvalt⟩ swing gate [2] ⟨doordraaiend hek⟩ turnstile

klapkauwgom [het] bubble gum

klaplong [de] ⟨med⟩ pneumothorax ◆ ***spontane** klaplong* spontaneous pneumothorax

klaploopster [de^{v}] → **klaploper**

klaplopen [ww] sponge (on/off), scrounge, ⟨vnl AE⟩ mooch, ⟨AE⟩ ↓ freeload

klaploper [de^{m}], **klaploopster** [de^{v}] sponger, scrounger, ⟨AE⟩ ↓ freeloader

klaploperij [de^{v}] sponging, cadging, ⟨vnl AE⟩ mooching, ⟨AE⟩ ↓ freeloading

klapmechanisme [het] folding mechanism

klapmes [het] clasp knife, ⟨groot⟩ jackknife

klappen [onov ww] [1] ⟨klappend geluid maken met de handen⟩ clap, applaud ◆ *er werd bijna **niet/lang** geklapt* there was hardly any/a long applause; ***voor** iemand klappen* clap for/applaud s.o., give s.o. a hand [2] ⟨uiteenspringen, ontploffen⟩ bang, pop ◆ ***uit** elkaar klappen* burst, explode; *de **voorband** is geklapt* the front tyre has blown out/burst; *in elkaar klappen* ⟨ook fig⟩ collapse; ⟨fig⟩ crock/crack up [3] ⟨klappend geluid geven, maken⟩ bang, ⟨i.h.b. deur⟩ slam, ⟨vleugels⟩ flap, clap ◆ ***in** de handen klappen* clap (one's hands); ***met** een zweep klappen* crack a whip; ***met** de hakken tegen elkaar klappen* click/clack one's heels together; ***tegen** een muur klappen* crash/smash into a wall; *het **zeil** klapt* the sail snaps; *het klappen van de **zweep** kennen* know the ropes/the tricks of the trade, be well up, have been through the mill [4] ⟨klikken⟩ split (on), blab, spill the beans, let the cat out of the bag ◆ ***uit** de school klappen* spill the beans, blow the whistle/tell tales (on s.o.), blow the lid [5] ⟨m.b.t. vogels⟩ talk, parrot, mimic [6] ⟨druk babbelen⟩ gab, chatter, tattle, babble

klapper [de^{m}] [1] ⟨register⟩ index, file, register [2] ⟨ringband⟩ folder, file ◆ *iets **in** een klapper opbergen* put sth. in a folder, file sth. [3] ⟨kokosnoot⟩ coconut [4] ⟨kokospalm⟩ coconut tree/palm [5] ⟨iets dat ontploft⟩ cracker, ⟨speelgoed⟩ banger, ⟨vuurwerk⟩ squib [6] ⟨uitschieter⟩ smasher, ⟨inf; AE⟩ wow, hit, topper ◆ *ergens een klapper mee **maken*** score a hit with sth.; *een (financiële) klapper **maken*** hit the jackpot [7] ⟨film⟩ clapperboard

klapperboom [de^{m}] coconut tree/palm

klapperen [onov ww] [1] ⟨m.b.t. geluid⟩ flap, ⟨tanden⟩ chatter, bang, rattle ◆ *wat klappert de **deur** toch* how the door bangs; *het **zeil** klappert* the sail is flapping [2] ⟨m.b.t. beweging⟩ flap, flutter

klappermelk [de] coconut milk

klapperolie [de] coconut oil

klapperpistool [het] cap pistol/gun

klappertanden [onov ww] ± shiver ◆ *hij **stond** te klappertanden* his teeth were chattering; *klappertandend **toekijken*** look on with teeth chattering, ⟨inf⟩ look on all of a shiver; *klappertanden **van** de kou* shiver with cold

klappertje [het] cap

klappertjespistool [het] cap pistol/gun

klapraam [het] cantilever window

klaproos [de] poppy

klapschaats [de] clap skate

klapsigaar [de] explosive/trick cigar

klapstoel [de^{m}] folding chair, ⟨in theat/bioscoop⟩ tip-up seat, theatre seat

klapstoelwerknemer [de^{m}] temp

klapstuk [het] [1] ⟨stuk rundvlees⟩ rib of beef ◆ *hutspot **met** klapstuk* hotchpotch/stew with rib of beef [2] ⟨hoogtepunt⟩ highlight, pièce de résistance, crowning touch

klaptafel [de] [1] ⟨m.b.t. de poten⟩ folding table [2] ⟨m.b.t. het blad⟩ drop-leaf table, ⟨AE ook⟩ flap table, ⟨hangoortafel⟩ gate-leg(ged) table, butterfly table [3] ⟨die men tegen een wand aan kan klappen⟩ drop-leaf table

klaptelefoon [de^{m}] fold telephone

klapvee [het] ↑ studio audience

klapvoet [de^{m}] stringhalt, springhalt

klapwieken [onov ww] 1 ⟨met vleugels kleppen, slaan⟩ flap (one's/its wings), flutter, ⟨AE⟩ flop 2 ⟨zich zo voortbewegen⟩ flap, flutter
klapzitting [de^v] tip-up seat
klapzoen [de^m] smacking kiss, smack(er), ⟨AE ook⟩ buss
klare [de^m] 1 ⟨klare jenever⟩ jenever, Dutch gin, ⟨vero⟩ Hollands ◆ *een glaasje **oude/jonge** klare* a glass of old/young jenever 2 ⟨glas klare jenever⟩ a (glass of) jenever, a (glass of) Dutch gin, a (glass of) Hollands
¹**klaren** [onov ww] ⟨licht, helder worden⟩ clear (up), brighten, lighten, ⟨dag worden⟩ dawn
²**klaren** [ov ww] 1 ⟨in orde maken⟩ settle, manage ◆ ***kan** hij dat alleen klaren?* can he manage that alone?; *een **schip** klaren* clear a ship 2 ⟨zuiveren⟩ clarify, purify, clear, ⟨bier⟩ fine down ◆ ***drinkwater** klaren* clarify/purify drinking water; ***wijn** klaren* clear/decant wine
klarinet [de] clarinet
klarinettist [de^m] clarinettist, ⟨AE⟩ clarinetist
klaring [de^v] clearance
klaroen [de] clarion ◆ ⟨form⟩ *de klaroen **steken*** ⟨ogm⟩ blow/sound the clarion, give a clarion call
klaroengeschal [het] ⟨form⟩ clarion call
klaroenstoot [de^m] clarion call/blast
klas [de^v] 1 ⟨leslokaal⟩ classroom ◆ *de klas **uitgestuurd worden*** be sent out of the (class)room 2 ⟨leerlingen⟩ class ◆ *de **beste/eerste** van de klas zijn* be (at the) top of the class; *een bepaalde klas **hebben*** have/teach a particular class/^B form; *bij iemand **in de klas zitten*** be in s.o.'s class, be in the same class as s.o.; *de **laatste** van de klas zijn* be bottom of the class; *een klas **schoolkinderen*** a class of schoolchildren; *leerling **uit de tweede klas*** ⟨BE⟩ second-former, ⟨AE⟩ eighth-grader; ⟨fig⟩ ***voor** de klas staan* teach 3 ⟨leerjaar⟩ ⟨voortgezet en lager onderw; BE⟩ form, ⟨AE⟩ grade, ⟨lager onderw; BE⟩ year ◆ *alle klassen **doorlopen*** pass through all the forms/grades; ***lagere/hogere** klassen* ⟨BE⟩ junior/senior forms, ⟨AE⟩ lower/higher grades; *een klas **overslaan*** skip one ^B form/^A grade; *in de **vierde** klas zitten* be in the ^B fourth form/^A tenth grade 4 ⟨afdeling met verschil in prijs en comfort⟩ class ◆ *een kaartje **eerste** klas* a first-class ticket; ***tweede** klas reizen* travel second class 5 ⟨rang, stand⟩ class, grade, ⟨sport⟩ league, division ◆ *sergeant **eerste** klas* sergeant first class; *ambtenaar **eerste** klas* grade I civil servant; ***in** klassen verdelen* classify, group/divide into classes
klasbak [de^m] ⟨inf⟩ great wheels
klasgenoot [de^m], **klasgenote** [de^v] classmate
klasgenote [de^v] → **klasgenoot**
klaslokaal [het] classroom, schoolroom
klasse [de^v] 1 ⟨groepering van de bevolking⟩ class ◆ *de **bezittende/werkende** klasse* the propertied/working classes; *de **laagste/lagere** klassen* the underclasses/lower classes 2 ⟨categorie⟩ class, grade, league ◆ *een klasse **beter** zijn/spelen dan* outclass, be a class/notch/cut above; ***in** een klasse vallen* belong to a class; ⟨taalk⟩ *de klasse van de sterke **werkwoorden*** the class of the strong verbs 3 ⟨hoog niveau⟩ class ◆ ⟨inf⟩ *dat is **grote** klasse!* that's first-rate!; *klasse **hebben*** have (a touch of) class; ***van** klasse* top-class, big-league, classy 4 ⟨biol⟩ class ◆ *de klasse van de **zoogdieren*** the mammalian class, the class of mammalians 5 ⟨stat⟩ class • ⟨wisk⟩ *de klasse van een vlakke **kromme*** the class of a plane curve
klasseloos [bn] classless ◆ *de klasseloze **maatschappij*** the classless society
klassement [het] list of rankings/ratings, ⟨sport⟩ league table ◆ *het **algemeen** klassement* the overall list (of rankings)/score; *hij staat **bovenaan in** het klassement* he is (at the) top of the list/league (table)
klassementsproef [de] heat
klassenassistent [de^m] classroom assistant
klassenavond [de^m] class party
klassenbewust [bn] class-conscious
klassenbewustzijn [het] class-consciousness, class feeling
klassenboek [het] ⟨BE⟩ class book/register, ⟨BE⟩ form book/register, ⟨AE⟩ roll book
klassenbreedte [de^m] ⟨stat⟩ class interval
klassendeler [de^m] minimum pupil-teacher ratio
klassengeest [de^m] class feeling/spirit/consciousness, caste feeling
klassengrens [de] ⟨stat⟩ class boundary
klassenhaat [de^m] class hatred
klassenjustitie [de^v] class justice ◆ *dat is je **reinste** klassenjustitie* that is pure/sheer class justice; *een ernstige **vorm** van klassenjustitie* a serious form/instance of class justice
klassenleraar [de^m], **klassenlerares** [de^v] ⟨man & vrouw; BE⟩ form/class teacher, ⟨man & vrouw; AE⟩ homeroom teacher, ⟨man; AE⟩ homeroom master, ⟨vrouw; AE⟩ homeroom mistress
klassenlerares [de^v] → **klassenleraar**
klassenmaatschappij [de^v] class society
klassenmidden [het] ⟨stat⟩ midmark (of a class)
klassenonderscheid [het] class distinction(s), distinction in class, class difference(s)
klassenonderwijzer [de^m] class/form teacher, class/form tutor
klassenpatiënt [de^m], **klassenpatiënte** [de^v] patient with a private room, ⟨BE⟩ ± private patient
klassenpatiënte [de^v] → **klassenpatiënt**
klassenraad [de^m] ⟨in België⟩ ± council of teachers and headmaster (monitors the educational progress of a class)
klassenstelsel [het] 1 ⟨onderw⟩ class system 2 ⟨m.b.t. een sociale klasse⟩ class system
klassenstrijd [de^m] class struggle, class war(fare)
klassentegenstelling [de^v] class difference ◆ *de klassentegenstellingen **verscherpen*** class differences are growing more apparent
klassenverschil [het] class difference ◆ *het klassenverschil in stand **houden*** maintain the class difference
klassenvertegenwoordiger [de^m], **klassenvertegenwoordigster** [de^v] 1 ⟨onderw⟩ class/form representative, class/form spokesman, class/form captain 2 ⟨m.b.t. een sociale klasse⟩ class representative
klassenvertegenwoordigster [de^v] → **klassenvertegenwoordiger**
klassenvijand [de^m] class enemy
klassenvooroordeel [het] class prejudice
klassenwerk [het] classroom work
¹**klasseren** [ov ww] 1 ⟨in een klasse onderbrengen⟩ classify, divide, sort 2 ⟨geordend opbergen⟩ classify, categorize, file 3 ⟨in België; op de monumentenlijst plaatsen⟩ ⟨BE⟩ list
²**zich klasseren** [wk ww] ⟨sport⟩ qualify, rank ◆ *zich **als** eerste klasseren* rank/come first; *zich klasseren **voor** de **finale*** qualify for the final(s)
klassering [de^v] classification, ⟨in rang⟩ placing ◆ *een **hogere** klassering zit er niet in* there's no chance of a higher placing
klassevoetballer [de^m] a top-class/first-class/top-rate/first-rate footballer, ⟨BE ook, AE vnl⟩ a top-class/first-class/top-rate/first-rate soccer player
klassewagen [de^m] super car
klassewerk [het] super/brilliant/splendid work
¹**klassiek** [bn] 1 ⟨m.b.t. de Griekse, Romeinse oudheid⟩ classical ◆ *klassiek **Latijn*** classical Latin; *de klassieke **letteren*** classical studies/literature; ⟨studie⟩ classics; *de klassieke **oudheid*** classical antiquity 2 ⟨voorbeeldig in zijn soort⟩ classic ◆ *die film/dat boek **is** nu klassiek* that film/book is now a classic/has become a classic; *een klassiek **voorbeeld*** a classic example/instance
²**klassiek** [bn, bw] ⟨(als) van vroeger⟩ classic(al) ⟨bw: classi-

cally), traditional, standard, conventional ◆ *een klassiek **begin*** ⟨toespraak, gesprek, voorstelling⟩ a standard opener; *de klassieke **bewapening*** conventional arms; *een klassiek **kostuum*** a classic suit; *de klassieke **mechanica*** classical mechanics; *klassieke **meubelen*** period furniture; *een fiets van klassiek **model*** a classic/standard/model bicycle; *klassieke **muziek*** classical music; *een probleem klassiek **oplossen*** solve a problem in a/the traditional way; *het klassieke **repertoire*** the classics, the classical repertory

classic of classical?

classic – typisch, een klassieker, stijlvol
- *a classic case of the giggles*
- *that film is a real classic*

classical – volgens oorspronkelijke of traditionele regels, uit de klassieke oudheid
- *my brother only likes classical music*
- *she teaches classical Latin*

klassieken [de^mv] [1] ⟨kunstenaars, schrijvers van de oudheid⟩ classics ◆ *een **leraar** klassieken* a teacher of (the) classics [2] ⟨schrijvers, kunstenaars uit een bloeiperiode⟩ classics

klassieker [de^m] [1] ⟨lied, boek enz.⟩ classic [2] ⟨sport⟩ classic

klassikaal [bn, bw] ⟨attributief⟩ class, ⟨attributief⟩ group ◆ *iets klassikaal **behandelen*** deal with sth. in class; *een klassikale **bespreking*** a class discussion; *voor klassikaal **gebruik*** for class use; *klassikaal **onderwijs*** (whole-)class teaching

klastitularis [de^m] ⟨in België⟩ ⟨man & vrouw; BE⟩ form/class teacher, ⟨man & vrouw; AE⟩ homeroom teacher, ⟨man; AE⟩ homeroom master, ⟨vrouw; AE⟩ homeroom mistress

klateren [onov ww] ⟨water⟩ splash, gurgle ⟨bijvoorbeeld stroom⟩, splatter ◆ *een klaterende **fontein*** a splashing fountain; ⟨fig⟩ *een klaterende **lach*** a loud laugh; ⟨fig⟩ *klaterend **zonlicht*** dancing sunlight

klatergoud [het] [1] ⟨vals bladgoud⟩ Dutch metal/leaf/gold, gilt, tinsel, pinchbeck ◆ *lovertjes **van** klatergoud* gilt spangles/sequins [2] ⟨fig⟩ tinsel, gilt, pinchbeck ◆ *niets **dan** klatergoud* only sham

klats [tw] smack!, crack!, bang! ◆ *klits! klats!* slish! slash!, swish! crack!

klauter [de^m] clamber, scramble, climb

klauteraar [de^m] clamberer, climber

klauteren [onov ww] clamber, scramble, climb, ⟨met gemak⟩ shin ◆ ***in** een boom klauteren* climb a tree; ***over** een muur klauteren* clamber over a wall; ***over** banken heen klauteren* clamber over seats

klauw [de] [1] ⟨nagel van roofdieren⟩ claw, ⟨roofvogel⟩ talon [2] ⟨poot van een roofdier⟩ paw, claw [3] ⟨hand van een mens⟩ claw, paw, ⟨vnl mv⟩ clutch ◆ ***in** iemands klauwen vallen* fall into s.o.'s clutches; *iemand **in** zijn klauwen hebben/krijgen* have s.o. in one's clutches; *blijf **met** je klauwen van mijn auto af* keep your hands/paws off my car; ***uit** de klauw(en) gieren/lopen* get out of hand/control, go too far/overboard; *iemand redden **uit** de klauwen van (de dood)* rescue s.o. from the jaws of death [4] ⟨hoef van een hoefdier⟩ claw [5] ⟨krab, slag met een klauw⟩ claw ◆ *een klauw van de kat **krijgen*** get a claw from/be clawed by the cat [6] ⟨m.b.t. zaken⟩ claw ⟨bijvoorbeeld hamer⟩

klauwanker [de^m] clutch anchor

¹klauwen [onov ww] [1] ⟨de klauwen uitslaan⟩ claw [2] ⟨met korte streken schaatsen⟩ ◆ ***over** het ijs klauwen* ± use a short, catlike stride, ± use short-track stroking

²klauwen [ov ww] [1] ⟨stelen⟩ pinch, knock off, nick [2] ⟨krabben⟩ claw

klauwhamer [de^m] claw hammer

klauwhand [de] claw hand

klauwier [de^m] [1] ⟨haakvormig voorwerp⟩ hook [2] ⟨plantk⟩ tendril [3] ⟨zangvogel⟩ shrike ◆ ***blauwe** klauwier* butcherbird; ***grauwe** klauwier* red-backed shrike

klauwijzer [het] [1] ⟨bevestigingsijzer⟩ clamp [2] ⟨hoefijzer⟩ horseshoe

klauwnagel [de^m] claw nail

klauwplaat [de] chuck

klauwstuk [het] stone scroll

klauwtjesmos [het] hedwig

klauwvormig [bn] claw-shaped

klavecimbel [het, de^m] harpsichord, (clavi)cembalo

klavecimbelspeler [de^m] harpsichordist, harpsichord player

klavecinist [de^m] harpsichordist

klaver [de] [1] ⟨plantengeslacht⟩ clover, trifolium ◆ ***rode/witte** klaver* red/white clover [2] ⟨hierop lijkende gewassen⟩ trefoil, wood sorrel [3] ⟨kaartsp⟩ club ⟨één kaart⟩

klaverachtigen [de^mv] wood sorrel family

klaverblad [het] [1] ⟨blad van een klaverplant⟩ cloverleaf [2] ⟨verk⟩ cloverleaf ◆ *het klaverblad **Oudenrijn*** the cloverleaf at Oudenrijn

klaverbladvormig [bn] trefoiled, cloverleaf

klaverbloem [de] clover-head

klaverbouw [de^m] clover cultivation/growing

klaveren [de] clubs, ⟨attributief⟩ of clubs ◆ *klaver(en) **aas/-heer/-tien/-vrouw*** ace/king/ten/queen of clubs; *kla**ver(en)boer*** jack/knave of clubs; ***één** klaveren* one club

klaverhoning [de^m] clover honey

klaverjassen [onov ww] play (Klaber)jass

klaverjasser [de^m] one who plays (Klaber)jass

klaverkaart [de] ⟨kaartsp⟩ [1] ⟨speelkaart⟩ club [2] ⟨verzamelnaam; alle kaarten van klaver die een speler heeft⟩ hand in clubs, club hand

klavertjevier [het] four-leaf clover

klaverveld [het] field of clover, clover-field

klaverweide [de] clover meadow/pasture

klaverzuring [de] oxalis, ⟨wit⟩ wood sorrel ⟨Oxalis acetosella⟩, ⟨gehoornd⟩ procumbent yellow sorrel ⟨Oxalis corniculata⟩

klavichord [het] clavichord

klavichordium [het] clavichord

¹klavier [de^m] ⟨inf⟩ ⟨hand, klauw⟩ paw, claw, hand ◆ *blijf er **met** je klavieren af* keep your paws/mitts off it

²klavier [het] [1] ⟨toetsenbord⟩ keyboard, fingerboard, clavier [2] ⟨piano, vleugel⟩ piano(forte)

klavierinstrument [het] keyboard instrument

klavierleeuw [de^m] keyboard giant/star

klavierslot [het] tumbler lock

klavierspeelster [de^v] → **klavierspeler**

klavierspeler [de^m], **klavierspeelster** [de^v] pianist, piano player

¹kledder [de^m] spatter, splash, blob, clot ◆ *een kledder **modder*** a mud spatter; *een kledder **water*** a splash of water

²kledder [bn] soaking, sopping, drenched

³kledder [tw] splash! ◆ *pats! kledder!* splish! splash!, plop! plop!

kledderen [onov ww] [1] ⟨met een natte slag op, tegen iets (aan) komen⟩ splash, slop, spatter [2] ⟨kliederen⟩ slop, mess, splash

kleddernat [bn] ⟨inf⟩ ⟨vnl. van dingen⟩ soaking (wet), ⟨van mensen en dingen⟩ soaked, sopping (wet), drenched (to the skin)

¹kleden [onov ww] ⟨goed staan⟩ dress ◆ *zo'n **rok** kleedt dadelijk* you're dressed at once in a skirt like that

²kleden [ov ww] [1] ⟨aankleden⟩ dress, clothe ◆ *de **best** geklede vrouw* the best dressed woman; ***in** het wit gekleed gaan* wear white; *die couturier kleedt de **koningin** al jaren* that designer has been dressing the queen for years; *zij gaat altijd **uitstekend** gekleed* she's always beautifully/very smartly dressed; *zich **vrouwelijk/mannelijk** kleden* have a feminine/masculine style of dressing; ⟨pregn⟩ *zich **weten** te kleden* know how to dress, have a good dress sense; ***zich kleden*** dress (o.s.), get dressed; ***zich kleden voor het diner*** dress for dinner; *zich degelijk/modern kleden* dress conservatively/ fashionably [2] ⟨verwoorden, weergeven⟩ clothe [3] ⟨(van kledingstukken) een bepaald effect hebben⟩ suit, become, flatter ◆ *dat pakje kleedt* ***Sophia*** *goed* that suit suits/becomes Sophia well

klederdracht [de] (traditional/national) costume, (traditional/national) dress, (traditional/national) attire ◆ ***historische*** *klederdrachten* period/historical costumes; *oude mensen* ***in*** *klederdracht* old people in traditional costume

klederpracht [de] gorgeous attire, array (of clothes)

kledij [de^v] [1] ⟨wijze van gekleed te gaan⟩ attire, garb, dress, costume [2] ⟨kleren⟩ attire, clothing, clothes, garb, ⟨AE⟩ apparel

kleding [de^v] [1] ⟨het kleden, be-, omkleden, inkleding⟩ dressing, clothing [2] ⟨kleren⟩ clothing, clothes, garments, attire, garb, ⟨AE⟩ apparel ◆ ***gedragen*** *kleding* second-hand clothes; ***gepaste*** *kleding* suitable/fitting attire; *kleding* ***naar maat*** (clothing) made to measure; ***nette*** *kleding* neat/smart clothing; ***sportieve*** *kleding* casual wear, informal clothes; *gemakkelijk* ***zittende*** *kleding* casual wear, leisure wear

kledingbedrijf [het] clothing firm/business/company

kledingcode [de] dress code

kledingmagazijn [het] [1] ⟨m.b.t. militaire kleding⟩ clothing depot [2] ⟨kledingzaak⟩ → **kledingzaak**

kledingstoffen [de^{mv}] (clothing) fabrics/materials, ⟨vnl. wol⟩ (clothing) stuffs, ⟨voor dameskleding ook⟩ dress fabrics materials

kledingstuk [het] garment, article of clothing

kledingtoelage [de] clothing/clothes/uniform allowance ◆ *een kledingtoelage* ***verstrekken*** provide a clothes allowance

kledingverhuur [de^m] dress rental/^{B}hire

kledingvoorschrift [het] dress code

kledingzaak [de] clothes/dress shop, clothes/dress ^{A}store, ⟨dames⟩ boutique

kledingzak [de^m] clothes bag

kleed [het] [1] ⟨tapijt, vloerkleed⟩ carpet, rug, ⟨tafel⟩ tablecloth, ⟨alg⟩ cloth ◆ *een* ***kanten*** *kleedje* a lace doily/runner/ cloth; *een kleed* ***over*** *de divan* a rug over the sofa; *een* ***Perzisch*** *kleedje* a Persian rug-style table runner [2] ⟨kledingstuk voor mannen⟩ robe, garment ◆ *het* ***geestelijk/priesterlijk*** *kleed aantrekken* ⟨ook fig⟩ put on the clerical garb/ robes/vestments [3] ⟨in België; jurk⟩ dress, frock, ⟨form⟩ gown [•] ⟨in België⟩ *iets in een nieuw kleedje* ***steken*** dress sth. up (as sth. new); ⟨in België⟩ *iets/iemand in zeker kleed* ***steken*** dress sth./s.o. up (as ...)

kleedgeld [het] dress/clothing allowance

kleedhokje [het] changing/dressing cubicle, ⟨sport, vnl. AE⟩ locker room

kleedjesmarkt [de] (children's) flea market

kleedkamer [de] [1] ⟨in het theater⟩ dressing room [2] ⟨sport⟩ ⟨BE⟩ changing room, ⟨AE⟩ changeroom, ⟨AE⟩ locker room ◆ *een speler* ***naar*** *de kleedkamer sturen* send a player off; *hij kon de kleedkamer* ***opzoeken*** he was sent off [3] ⟨m.b.t. rechters⟩ robing room

kleedlokaal [het] → **kleedkamer**

kleedruimte [de^v] → **kleedkamer**

kleedster [de^v] dresser, tirewoman, (dressing) assistant

kleef [de^m] ⟨inf⟩ sticky stuff, goo

kleefband [het, de^m] [1] ⟨plakband⟩ adhesive tape, ⟨inf; BE⟩ sticky tape, sticking plaster [2] ⟨klittenband⟩ adhesive tape

kleefkracht [de] adhesive strength

kleefkruid [het] cleavers, catchweed, goose grass, beggar's lice

kleefmiddel [het] adhesive, glue, agglutinant

kleefmijn [de] limpet mine

kleefpasta [het, de^m] adhesive paste

kleefpleister [de] (sticking) plaster

kleefspecie [de^v] tile cement

kleefstof [de] adhesive, gluten, ⟨lijm⟩ glue, gum

kleefstrip [de^m], **kleefstrook** [de^m] adhesive/gummed strip

kleefstrook [de^m] → **kleefstrip**

kleerborstel [de^m] clothes brush

kleerhaak [de^m] clothes hook, coat hook, peg

kleerhanger [de^m] [1] ⟨knaapje⟩ coat hanger, clothes hanger [2] ⟨kapstok⟩ hatstand, coat stand

kleerkast [de] [1] ⟨bergplaats⟩ wardrobe, ⟨AE⟩ closet [2] ⟨gespierd persoon⟩ he-man, bruiser, hunk (of a man)

kleerkist [de] clothes chest

kleerkoffer [de^m] wardrobe trunk

kleermaker [de^m] [1] ⟨tailleur⟩ tailor, outfitter, clothier, ⟨m.b.t. dameskleding⟩ dressmaker [2] ⟨iemand die een kleermakerszaak heeft⟩ tailor, draper, outfitter, clothier

kleermakerij [de^v] [1] ⟨handeling⟩ tailoring, dressmaking [2] ⟨bedrijf, atelier⟩ tailor's/clothing firm, tailor's/ clothing business

kleermakersbedrijf [het] tailoring firm/business/establishment, tailoring (trade)

kleermakersfournituren [de^{mv}] tailor's requisites/ trimmings

kleermakerskrijt [het] tailor's chalk, French/Venetian chalk

kleermakersvak [het] ⟨vnl. m.b.t. herenkleding⟩ tailoring, tailor's trade, ⟨m.b.t. dameskleding⟩ dressmaking, dressmaker's trade

kleermakerszit [de^m] tailor's posture, lotus position ◆ ***in*** *kleermakerszit zitten* sit cross-legged

kleerscheuren [de^{mv}] [•] *er* ***zonder*** *kleerscheuren* ***afkomen*** ⟨fin ook⟩ get off/away/escape unscathed/unhurt; ⟨zonder straf⟩ get off scot free; *het begin* ***zonder*** *kleerscheuren doorkomen* get through the beginning in one piece

kleertjes [de^{mv}] (baby)clothes, (doll) clothes

klef [bn] [1] ⟨kleverig, plakkend⟩ sticky, gooey, ⟨brood⟩ doughy, sad [2] ⟨klam⟩ sticky, clammy, soggy [3] ⟨bekrompen⟩ sticky, clammy ◆ *een kleffe* ***bedoening*** a sticky business; *kleffe* ***burgerlijkheid*** clammy bourgeoisie [4] ⟨hinderlijk aanhalig⟩ clinging

klefferig [bn] sticky(ish), gooey, soggy, ⟨nat⟩ clammy

klei [de] [1] ⟨organische grond⟩ clay ◆ ***blauwe*** *klei* blue clay, ⟨in Midlands ook⟩ Oxford clay; ***in*** *klei* ***werken*** work clay; ⟨fig⟩ *met zijn voeten/poten* ***in*** *de klei staan* have his sleeves rolled up, put his shoulder to the wheel, keep his nose to the grindstone; ***korte*** *klei* short clay; ***lange*** *klei* plastic clay; ***Limburgse*** *klei* loess; ***magere/lichte*** *klei* light clay; *klei* ***om te boetseren*** modelling clay; ⟨fig⟩ ***uit*** *de klei getrokken zijn* be a (country) yokel/^{A}hillbilly; ***vette/zware*** *klei* rich/heavy clay [2] ⟨bodem⟩ clay soil, clay [3] ⟨streek⟩ clay, clay region/area ◆ *de* ***Friese*** *klei* the Friesian clay

kleiaardappel [de^m] dark soil potato, claysoil potato

kleiaarde [de] clay(ey) soil

kleiachtig [bn] [1] ⟨op klei lijkend⟩ clayey, clayish [2] ⟨klei bevattend⟩ clayey, clayish, argillaceous, ⟨leemachtig⟩ loamy ◆ *kleiachtige* ***grond/laag*** clayey/argillaceous soil/ stratum

kleiboer [de^m] claysoil farmer

kleiduif [de] clay pigeon

kleiduivenschieten [onov ww] skeet(-shooting), claypigeon shooting, trapshooting

[1]**kleien** [bn] clay

[2]**kleien** [ov ww, ook abs] ⟨van kunstenaar, amateur⟩ model in clay, work with clay, ⟨van kinderen⟩ play with clay

kleigebied [het] clay area

kleigrond [de^m] [1] ⟨grondsoort⟩ clay(ey) soil ◆ ***lichte/zware*** *kleigrond* light/heavy clay [2] ⟨stuk grond⟩ clay ground

kleiig [bn] [1] ⟨het voorkomen, de aard van klei hebbend⟩

clayey, clayish [2] ⟨klei bevattend⟩ clayey, clayish, argillaceous
klei-industrie [de^{v}] clay industry
kleilaag [de] clay layer/stratum
kleimasker [het] mudpack
kleimolen [de^{m}] pug/clay mill
[1]**klein** [het] [1] ⟨wat niet groot is⟩ small ◆ ***in** het klein beginnen* begin/start in a small way/on a small scale/from small beginnings; ***in** het klein verkopen* retail, sell (by) retail; *de wereld **in** het klein* the world in a nutshell/in miniature; *een Marilyn Monroe **in** het klein* a mini Marilyn Monroe; *Madurodam is Nederland **in** het klein* Madurodam is Holland in miniature [2] ⟨kinderen⟩ small ◆ *klein en **groot** was op de been* all sorts of people/large and small were about [3] ⟨de gewone man⟩ small ◆ *geëerd door klein en **groot*** honoured/revered by great and small
[2]**klein** [bn] [1] ⟨van minder dan gemiddelde afmeting⟩ small, ⟨met emotionele ondertoon⟩ little ◆ *klein **blijven*** be dwarfed, remain small; *een klein **eindje*** a short distance/little way; *hij is klein **gebouwd*** he is short in stature; ⟨fig⟩ *iemand klein **houden*** keep s.o. down/under/in his place; ***iets** kleins* sth. small, a midget; *er is een klein **kansje** dat het lukt* there is a small chance that it will succeed; *een **kop** kleiner dan …* a head shorter than …; *iemand een **kopje** kleiner maken* do s.o. in, bump/knock s.o. off; *kleine **letters*** small letters; ⟨tegenover hoofdletters⟩ lower case; *kleine **lettertjes*** small print; *het vliegtuig **maakt** afstanden kleiner* the aeroplane makes distances shorter; *klein **maar** fijn* good things come in small packages; *klein **maar** dapper* small but tough/game; *te kleine **schoenen*** tight shoes, shoes that are too small; *kleine **stappen** nemen* take short steps; *in kleine **stukjes** snijden* cut fine/small/into small pieces; *die broek is hem **te** klein* those trousers are too small/tight for him; *de kleine **teen*** the little toe; ***uiterst** klein* minute, tiny, diminutive; *klein **van** stuk* of small stature/build; ⟨fig⟩ *zich klein **voelen*** feel small/dwarfed; *zij is klein **voor** haar leeftijd* she is small for her age; *de kleine **wijzer** van een uurwerk* the hour/little hand of a clock; ⟨fig⟩ *klein **worden*** shrink [2] ⟨jong⟩ little, young, small ◆ *Daniël is **de** kleinste, dan komt Astrid* the smallest is Daniel, and the next is Astrid; *kleine **kinderen** worden groot* young children grow into men and women, the children are growing up; *daar is hij nog **te** klein voor* he is still too young for that [3] ⟨gering in aantal, hoeveelheid⟩ small, slight ◆ *een klein **bedrag/gezelschap*** a small amount/party; *een klein **beetje*** a little bit [4] ⟨minder in waarde, stand⟩ small, minor, little ◆ *kleine **dieven*** small/petty thieves; *een kleine **eter*** a small/poor eater; ***hebt** u het niet kleiner?* have you got/do you have nothing smaller?; *de kleine **man*** the common man, the man in the street; *de kleine **middenstanders*** the small shopkeepers/retailers; *de kleine **profeten*** the minor prophets; *de kleine **spaarders*** the small savers; *een klein **verstand*** a small/narrow intellect [5] ⟨niet voornaam, groots⟩ small, petty ◆ *een kleine **boodschap*** ⟨inf⟩ a pee; ⟨mil⟩ *klein **tenue*** undress (uniform); *de kleine **vaart*** (the) short-haul/home trade [6] ⟨niet helemaal⟩ little ◆ *een kleine **drie** kilometer* close on three kilometres [7] ⟨bang, bekrompen⟩ small, petty, small-minded ◆ *met een klein **stemmetje*** in a timid/small voice; *klein **van** geest* petty, narrow-minded, small-minded [•] ⟨sprw⟩ *kleine potjes hebben ook/grote oren* little pitchers/pigs have long/big ears; ⟨sprw⟩ *de grote vissen eten de kleine* the great fish eat up the small; ⟨sprw⟩ *kleine oorzaken hebben grote gevolgen* little sparks kindle great fires; from tiny acorns mighty oaks may grow; ⟨sprw⟩ *kleine boompjes worden groot* ± great oaks from little acorns grow; ⟨sprw⟩ *kleine mensen, kleine wensen* small/little things please small/little minds; ⟨sprw⟩ *een kleine vonk ontsteekt weleens een grote brand* little sparks kindle great fires; ⟨sprw⟩ *de wereld is klein* it's a small world; ⟨sprw⟩ *die het kleine niet eert, is het grote niet weerd* ± take care of the pence/pennies and the pounds will take care of themselves; ⟨sprw⟩ *een ongeluk zit in een klein hoekje* accidents will happen; ± it's the unexpected that always happens; ± mischief comes without calling for
[3]**klein** [bw] [1] ⟨op kleine wijze⟩ small ◆ *kleiner **gaan wonen*** move into a smaller house/flat; *klein **schrijven*** write small [2] ⟨op gemene wijze⟩ small ◆ *dat was klein **gehandeld*** that was a mean act
Klein-Aziatisch [bn] in/of/from Asia Minor, ↑Anatolian
Klein-Azië [het] Asia Minor
kleinbedrijf [het] ⟨collectivum⟩ small(-scale) business
kleinbeeld [het] 35mm
kleinbeeldcamera [de] 35-mm camera, miniature camera
kleinbehuisd [bn] cramped (for space)
kleinbehuisde [de] s.o. who is cramped for space
kleinburgerlijk [bn] lower middle class, petty/petit bourgeois, ⟨geestelijk bekrompen⟩ narrow-minded, parochial
kleindenkend [bn] petty, small-minded, narrow-minded
kleindochter [de^{v}] granddaughter
kleinduimpje [het] ⟨klein ventje⟩ hop-o'-my-thumb, Tom Thumb
Klein Duimpje ⟨held uit een sprookje⟩ Tom Thumb
kleine [de] baby, little one
kleinerdanteken [het] less-than sign
kleineren [ov ww] belittle, disparage, cry down ◆ *een kleinerende **opmerking*** a belittling/put-down remark
kleinering [de^{v}] belittlement, disparagement, denigration, deprecation, ⟨inf⟩ put-down
kleinetertstoonladder [de] minor (scale) ◆ ***harmonische/melodische** kleinetertstoonladder* harmonic minor/melodic minor
kleinetertstoonsoort [de] minor
kleingeestig [bn] [1] ⟨niet ruim en breed denkend⟩ narrow-minded, small-minded ◆ *wat kleingeestig, om zich zoiets aan te trekken* how petty (of you), to be bothered by such a thing [2] ⟨bekrompen, kleinzielig⟩ petty, narrow-minded, parochial, mean ◆ *een kleingeestig **mannetje*** a narrow-minded/small-minded little man; *kleingeestige **vitterij*** petty/mean cavilling
kleingeestigheid [de^{v}] narrow-mindedness, small-mindedness, pettiness, ⟨vnl. m.b.t. een streek/land⟩ parochialism, insularity
kleingeld [het] (small) change, small coin ◆ *een euro **aan** kleingeld* a euro in change
kleingelovig [bn] of little faith, lacking in faith
kleingelovigheid [de^{v}] little faith, lack of faith
kleingoed [het] [1] ⟨kleine koekjes⟩ ± small assorted [B]biscuits/[A]cookies [2] ⟨kleine exemplaren⟩ small wares [3] ⟨kinderen⟩ young children, ⟨inf⟩ small fry
kleinhandel [de^{m}] retail trade ◆ *verkoop **aan** de kleinhandel* sell to the retail trade; *kleinhandel **drijven*** conduct retail trade
kleinhandelaar [de^{m}] retailer, retail trader
kleinhandelsbedrijf [het] retail business/firm/trade
kleinhandelsprijs [de^{m}] retail price ◆ ***tegen** kleinhandelsprijzen* at retail price(s)
kleinhartig [bn] faint(hearted), pusillanimous ◆ *zich kleinhartig **gedragen*** behave faintheartedly/like a faintheart
kleinhartigheid [de^{v}] faintheartedness, pusillanimity
kleinheid [de^{v}] smallness, ⟨vnl fig⟩ littleness
kleinhoofdig [bn] [1] ⟨klein van hoofd⟩ small-headed, microcephalic, microcephalous [2] ⟨klein van begrip⟩ peabrained, of little intelligence
kleinigheid [de^{v}] [1] ⟨klein geschenk, voorwerp⟩ little thing, ⟨snuisterij⟩ knick-knack, trinket, bauble ◆ *ik heb een kleinigheidje **meegebracht*** I have brought you a little sth. [2] ⟨zaak van weinig belang⟩ trifle, small matter/affair,

little thing ♦ *dat is geen kleinigheid!* that is no small matter, that matter is no trifle; *dat is voor hem maar een kleinigheid* that is nothing to him; *tot in de **kleinste** kleinigheden* down to the minutest detail; *zich **met** kleinigheden **bezighouden*** concern o.s. with mere trifles; *maak je niet druk **om** zo'n kleinigheid!* don't make a fuss about such a little thing/trifle [3] ⟨geringe geldsom⟩ trifle, trifling sum ♦ *een kleinigheid **geven** aan een bedelaar* give a trifle to a beggar

kleinkapitaal [de] small capital

kleinkind [het] grandchild

kleinkrijgen [ov ww] [1] ⟨m.b.t. personen⟩ subdue, bring (s.o.) to his knees, bring (s.o.) to heel, intimidate ♦ *hij is **niet** klein te krijgen* he is indomitable/is not to be intimidated [2] ⟨m.b.t. zaken⟩ conquer, overcome [3] ⟨m.b.t. geld⟩ change, break

kleinkunst [de^v] cabaret

kleinkunstenaar [de^m], **kleinkunstenares** [de^v] cabaret artist(e), variety/vaudeville artist(e)

kleinkunstenares [de^v] → **kleinkunstenaar**

[1]**kleinmaken** [ov ww] [1] ⟨fijnmaken, in stukken slaan⟩ cut small, cut up [2] ⟨m.b.t. geld⟩ → **kleinkrijgen bet 1** [3] ⟨m.b.t. personen⟩ → **kleinkrijgen bet 2**

[2]**zich kleinmaken** [wk ww] [1] ⟨zich deemoedig, nederig tonen, voordoen⟩ humble o.s. [2] ⟨proberen om niet op te vallen⟩ make o.s. small, shrink into o.s., ⟨AE⟩ hunch

kleinmediaan [het] medium printing paper ⟨40 × 53 cm⟩

kleinmetaal [de^m] → **kleinmetaalindustrie**

kleinmetaalindustrie [de^v], **kleinmetaal** [de] light engineering industry

kleinmoedig [bn] faint-hearted, ⟨form⟩ pusillanimous

kleinood [het] [1] ⟨bijou⟩ jewel, gem, bijou ♦ *een **kostbaar** kleinood* a precious trinket [2] ⟨iets waaraan men veel waarde hecht⟩ valuable

kleinschalig [bn] [1] ⟨met kleine schaal⟩ small-scale(d) [2] ⟨op kleine schaal gemaakt, geschiedend⟩ small-scale

kleinschaligheidstoeslag [de^m] ⟨fiscus⟩ ± extra allowance for small scale investment

kleinschrift [het] [1] ⟨schrift⟩ small/tiny/miniscule hand, small/tiny/miniscule writing [2] ⟨schrijfboek⟩ small notebook

kleinseminarie [het] preparatory seminary, junior/minor seminar

kleinsmid [de^m] fine metalworker, ± locks smith

kleinsnijden [ov ww] cut up (into small pieces)

kleinsteeds [bn, bw] provincial ⟨bw: ~ly⟩, suburban ⟨bw: ~ly⟩, small-town ♦ *het plaatsje **deed** zeer kleinsteeds **aan*** the little place looked very suburban; *kleinsteedse **gewoonten/begrippen*** suburban habits/ideas

kleinsteedsheid [de^v] provinciality, provincial manners, parochialism, ⟨fig; AE⟩ Main Street

kleintje [het] [1] ⟨klein persoon⟩ small/short one, ⟨inf⟩ shortie, shorty ♦ *hé, kleintje!* hi, shortie! [2] ⟨jong kind, dier⟩ little/young one, ⟨kind⟩ baby ♦ *de buurvrouw **heeft** pas een kleintje **gekregen*** our neighbour has just had a baby; *de kleintjes* the little ones; ⟨inf ook⟩ the small fry [3] ⟨klein voorwerp⟩ trifle, small/little thing ♦ *een kleintje **koffie*** a small (cup of) coffee; *een kleintje **pils*** a small glass of beer, ⟨BE⟩ a half of lager [4] ⟨iets van weinig waarde, klein bedrag⟩ trifle ♦ ***op** de kleintjes **letten*** watch one's pennies, be penny-wise [•] *hij is **voor** geen kleintje vervaard* he is not easily frightened/shocked/scared; ⟨sprw⟩ *vele kleintjes maken een grote* many a little makes a mickle; many a mickle makes a muckle

[1]**kleintjes** [bn] [1] ⟨klein en zwak⟩ puny ♦ *zich kleintjes **voelen*** feel dwarfed/small [2] ⟨petieterig⟩ tiny, ⟨vnl BE⟩ wee

[2]**kleintjes** [bw] [1] ⟨armetierig⟩ miserably [2] ⟨deemoedig⟩ humbly

kleinvee [het] small (live) stock

kleinverbruik [het] small-scale/private consumption

kleinverbruiker [de^m] small-scale/private consumer

kleinverlofganger [de^m] person on short leave

kleinwild [het] small/ground game

kleinzegel [het] [•] *het kleinzegel van een **staat/stad*** the small seal of a state/city

kleinzen [ov ww] strain

kleinzerig [bn] [1] ⟨angstig voor pijn⟩ frightened of pain, squeamish about pain, easily hurt [2] ⟨lichtgeraakt⟩ touchy, oversensitive

kleinzerigheid [de^v] [1] ⟨angst voor pijn⟩ fear of pain [2] ⟨lichtgeraaktheid⟩ touchiness, oversensitiveness

kleinzielig [bn, bw] petty ⟨bw: pettily⟩, small-minded, petty-minded, narrow-minded ♦ *dat is kleinzielig **van** hem* that is small of him

kleinzoon [de^m] grandson

kleioker [de^m] ochre

kleiplastiek [de^v] sculpture in clay

kleipolder [de^m] clay polder

kleipop [de] clay puppet

kleisteen [de^m] ⟨geol⟩ clay stone

kleistreek [de] clay(ey) area/region

kleitablet [het, de] clay tablet

kleitafeltje [het] clay tablet

[1]**klem** [de] [1] ⟨knellende greep⟩ grip ♦ *zijn vinger zit **in** de klem* his finger is jammed [2] ⟨moeilijke omstandigheden⟩ predicament, ⟨inf⟩ fix, scrape [3] ⟨aandrang, nadruk⟩ emphasis, stress ♦ ***met** klem spreken* speak with great emphasis/emphatically; *iemand **met** klem iets verzoeken* beg sth. of s.o.; *iets **met** klem (van redenen) betogen* argue with forceful arguments/forcibly; *ik zou er **met** klem op aan willen dringen dat ...* I would like to insist with great force that ... [4] ⟨toestel om te vangen⟩ trap, catch ♦ *de klem **opzetten*** set a trap [5] ⟨knijper, paperclip⟩ clip, fastener

[2]**klem** [bn] [1] ⟨vastgeklemd⟩ jammed, stuck ♦ *de agenten slaagden erin de daders klem te **rijden*** the policemen were able to force the offenders into the kerb/off the road; *de kater **zat** klem in het gat* the tom-cat got stuck in the hole [2] ⟨in moeilijkheden⟩ jammed, stuck ♦ *hij **heeft** zich klem **gepraat*** he has talked himself into a corner; *ik **zit** klem* I'm embarrassed/in a spot [•] *zich klem **zuipen*** get smashed

klemband [de^m] clip binding

klembeugel [de^m] clamp

klembord [het] clipboard

klemhaak [de^m] [1] ⟨amb; toestel⟩ cramp [2] ⟨klembout⟩ clamp hook, holdfast

klemmap [de] chip binder

[1]**klemmen** [onov ww] [1] ⟨knellend vastzitten⟩ stick, jam ♦ *de **deur** klemt* the door sticks [2] ⟨benauwen⟩ oppress

[2]**klemmen** [ov ww] ⟨vastzetten, knijpen⟩ clasp, press ♦ *klemmen **aan/op*** clip onto; *de **lippen** op elkaar geklemd* tight-lipped; *een kind **tegen** zich aan/**in** zijn armen klemmen* clasp a child in one's arms; *de dolk **tussen** de tanden geklemd* the dagger clasped (tightly) between the teeth; *zijn vinger(s) **tussen** de deur klemmen* jam one's finger(s) in the door

klemmend [bn, bw] [1] ⟨overtuigend⟩ convincing ⟨bw: ~ly⟩, conclusive, forcible, cogent, persuasive [2] ⟨benauwend⟩ oppressive ⟨bw: ~ly⟩ ♦ *een klemmende **vraag*** a weighty question

klempraten [ov ww] corner

klemrijden [ov ww] [•] *een **auto** klemrijden* force a car into the kerb, force a car off the road

klemschroef [de] clamp(ing) screw

klemspanning [de^v] ⟨techn⟩ terminal voltage

klemtoon [de^m] [1] ⟨accent⟩ stress, accent(uation) ♦ *de klemtoon verkeerd **leggen*** stress wrongly, use the wrong stress [2] ⟨eigen nadruk in een woord⟩ stress, accent ♦ *de klemtoon **ligt** op de eerste lettergreep* the stress/accent is on the first syllable, the first syllable is stressed/accented [3] ⟨fig⟩ emphasis, stress ♦ *de klemtoon **leggen** op iets* lay stress on sth., emphasize/stress sth.

klemvast [bn] [1] ⟨zeer vast⟩ jammed, stuck, tightly wedged [2] ⟨balsport⟩ ♦ *een klemvaste **bal*** a liquid catch; *M. **heeft** de bal klemvast* M. has the ball safely in his hands; *M. is **niet** erg klemvast* M. doesn't have a particularly safe pair of hands

klemzetten [ov ww] jam, stalemate

[1]klep [de^m] ⟨een keer kleppen⟩ peal, toll ♦ ***bij** de eerste klep* on the first peal/toll

[2]klep [de] [1] ⟨klepper⟩ rattle [2] ⟨deksel, sluitstuk⟩ lid, valve ⟨bijvoorbeeld pomp, motor, machine⟩, ⟨blaasinstrument⟩ key ♦ *de klep van een **kan*** the lid of a jug; *de kleppen van een **motor** afstellen* adjust the valves of an engine [3] ⟨med⟩ valve [4] ⟨beweegbaar luik, schot, blad⟩ flap, ⟨veerboot⟩ ramp, ⟨vrachtwagen⟩ board, ⟨bar⟩ trap, ⟨bureau⟩ cover, leaf, ⟨vizier⟩ leaf, ⟨kachelpijp⟩ damper ♦ *de klep van een **duivenslag*** the flap of a pigeon-loft; *de klep van een **mand/brievenbus*** the flap of a basket, ⟨vnl BE⟩ the flap of a letterbox; *de klep van een **secretaire*** the leaf of a secretaire/secretary [5] ⟨plantk⟩ valve [6] ⟨overslaande sluiting⟩ ⟨jaszak, enveloppe enz.⟩ flap, ⟨broek⟩ fly (front) ♦ *de klep van een **tas*** the flap of a bag [7] ⟨deel van een hoofddeksel⟩ peak, bill, visor, vizor ♦ *een **groene** klep tegen te fel licht* a green visor against the dazzling light; *een pet met een **lange** klep* a peaked cap [8] ⟨inf; mond⟩ trap ♦ ***hou** je klep **dicht**!* shut up!, shut your trap! [9] ⟨kletskous⟩ chatterbox

[3]klep [tw] clack

klepafsluiter [de^m] stop valve

klepboor [de] clack bit

klepbrug [de] drawbridge, bascule bridge

klepdeur [de] swing door

klepel [de^m] clapper, tongue

klepelen [onov ww] toll, peal

klephoorn [de^m] ⟨muz⟩ key(ed) bugle

kleppen [onov ww] [1] ⟨kort, helder geluid laten horen⟩ clack ♦ *het **deksel** klept op de kan* the lid is clacking on the can [2] ⟨babbelen⟩ chatter, prattle [3] ⟨m.b.t. een klok⟩ peal, toll [4] ⟨heen-en-weergaande bewegingen maken⟩ flap ♦ *er **staat** een deur te kleppen* there's a door banging [5] ⟨snateren⟩ clatter ♦ *de ooievaar klept **met** zijn snavel* the stork is clattering with its bill

klepper [de^m] [1] ⟨voorwerp⟩ rattle ♦ *kleppers* castanets [2] ⟨rijpaard⟩ steed [3] ⟨houten sandaal⟩ clog

klepperen [onov ww] [1] ⟨klepperend geluid voortbrengen⟩ clatter, rattle ♦ *de **deur/het raam** kleppert* the door/window rattles [2] ⟨heen en weer gaan⟩ flap ♦ ***met** de vleugels klepperen* flap/clap one's wings [3] ⟨met kleppers spelen⟩ rattle [4] ⟨babbelen⟩ chatter

klepstoter [de^m] tappet

kleptocraat [de^m] kleptocrat

kleptocratie [de^v] kleptocracy

kleptomaan [de^m] kleptomaniac, cleptomaniac

kleptomanie [de^v] kleptomania, cleptomania

klere [de] ⟨vulg⟩ ⊡ ***krijg** de klere!* get stuffed!, drop dead!,↓ fuck you!; *die klere**school*** that fucking/bloody school

klerefiets [de] fucking/^{B}bloody/^{B}sodding bike, ⟨AE ook⟩ rotten bike, ⟨BE ook⟩ frigging bike, piece of junk

klerelijer [de^m] ⟨vulg⟩ rotter

kleren [de^{mv}] clothes ♦ *zijn kleren **aandoen/aanschieten*** get dressed, put on one's clothes; ***andere/schone** kleren aantrekken* change (into sth. else/clean clothes); *zijn **beste/zondagse** kleren aantrekken* wear one's (Sunday) best/Sunday clothes; *ze **had** niet meer kleren bij zich dan ze aanhad* she only had the clothes she stood up in; ***in** zijn kleren schieten* climb into one's clothes, throw one's clothes on; *iemand **in** de kleren steken* turn s.o. out, clothe s.o.; *zij stak haar altijd goed **in** de kleren* she always turned her out well; ⟨fig⟩ *iets langs zijn **koude** kleren af laten glijden* remain unaffected by sth.; ⟨fig⟩ *dat gaat je niet in je **koude/kouwe** kleren zitten* a thing like that gets you, such a thing will leave its mark on you; *iets **onder** zijn kleren verbergen* conceal sth. on/about one's person; ***oude** kleren* cast-offs; *iemand de kleren van het lijf **trekken*** strip s.o. of his clothes; *ze wil niet **uit** de kleren* ⟨fig⟩ she won't drop her knickers/won't play ball,↓ she won't spread her legs; *ze gaat vlot **uit** de kleren* ⟨fig⟩ she's an easy lay, she's a push-over, she loves it, she'll drop her knickers for anyone; *ik ben sinds gisteren niet meer **uit** de kleren geweest* I haven't seen my bed since yesterday; *zijn kleren **uitdoen/uittrekken*** undress; *zijn kleren in orde brengen* tidy one's clothes ⊡ ⟨sprw⟩ *(de) kleren maken de man* the tailor makes the man; fine feathers make fine birds; ⟨sprw⟩ *(de) kleren maken de man niet* clothes do not make the man

klerengek [de^m] clothes maniac

klerengeld [het] dress/clothing allowance

klerenstandaard [de^m] hatstand, clothes tree, hallstand

klerewerk [het] ⟨BE⟩ bloody awful job/work, ⟨AE⟩ goddam awful job/work, rotten/bum job, shit work ♦ ***wat** een klerewerk* ⟨ook⟩ what a godawful job/a bastard (of a job) (this is)!, ⟨BE ook⟩ what a bugger (of a job) (this is)!

klerewijf [het] ⟨vulg⟩ fucking cow, bitch

klerezooi [de] ⟨BE⟩ bloody mess, ⟨AE⟩ goddam mess,↓ fucking mess ♦ *de **hele** klerezooi* the whole fucking mess; ***wat** een klerezooi!* ⟨ook⟩ what a balls-up!, ⟨BE ook⟩ what a cock-up!, ⟨AE ook⟩ what a ball-up!

klerikaal [bn] [1] ⟨geestelijk⟩ clerical [2] ⟨pol⟩ clerical ♦ ⟨zelfstandig (gebruikt)⟩ ***de** klerikalen* the clericalists; *de klerikale **partijen*** the clerical parties

klerikalisme [het] clericalism

klerk [de^m] [1] ⟨bediende⟩ clerk, writer, ⟨pej⟩ pen-pusher ♦ *klerk **op** een notariskantoor* notary's clerk [2] ⟨rang⟩ clerk ♦ ***eerste** klerk* chief/head clerk

klerkenwerk [het] ⟨pej⟩ clerical work

klessebes [de] ⟨inf⟩ chatterbox, gossip

klessebessen [onov ww] chatter, gossip, twaddle, tattle ♦ ***ze zaten** maar te klessebessen* they were gossiping away

[1]klets [de^m] ⟨persoon⟩ chatterer, gossip, twaddler

[2]klets [de] [1] ⟨kletspraat⟩ rubbish, piffle, twaddle, tattle ♦ *dat **is** maar klets* that is rubbish, that's just nonsense/tattle [2] ⟨slag⟩ slap, smack, ⟨op achterste ook⟩ spank ♦ *iemand een klets **om** de oren geven* give s.o. a box around the ears, slap s.o. [3] ⟨kwak, scheut⟩ splash ♦ *een klets **water*** a splash of water

[3]klets [bn] → **kletsnat**

[4]klets [tw] [1] ⟨geluidsnabootsing⟩ bang!, smack!, slap! [2] ⟨uitdrukking bij onverwachte gebeurtenis⟩ bang!, smack! ♦ *klets! daar lag **hij*** smack! there he lay on his back/on the ground

kletsbui [de] [1] ⟨plensbui⟩ downpour, drencher [2] ⟨praatgrage stemming⟩ chatty/gossipy mood

kletscollege [het] talkfest, ⟨BE ook⟩ talking-shop

[1]kletsen [onov ww] [1] ⟨praten⟩ chatter, ⟨BE⟩ natter ♦ *en hij **blijft** maar kletsen* he does keep on, doesn't he?; *hij kan **goed** kletsen* he is a good chatterer, he's a talker, he can talk the hind leg off a donkey; *waar kletst ie toch **over**?* what's he babbling on about?; ***voortdurend** kletsen* constant chattering/nattering; *erop los kletsen* chat(ter) away; *iemand de oren van het hoofd kletsen* talk the hind leg off a donkey [2] ⟨met, onder elkaar babbelen⟩ chat, have a chat ♦ *we hebben even **gezellig** gekletst* we have had a good chin-wag [3] ⟨roddelen⟩ gossip ♦ ***laat** ze maar kletsen* let them gossip/talk; *hij kletst **niet*** he is no gossip; *er werd **over** hem gekletst* people gossiped about him [4] ⟨onzin verkopen⟩ talk nonsense, talk rubbish/rot, babble ♦ ***uit** zijn nek kletsen* talk through one's hat, talk through (the back of) one's neck; *hij kletst maar **wat*** he is just talking nonsense/babbling [5] ⟨(door te slaan) het geluid 'klets' laten horen⟩ splash ♦ *de **klompen** kletsen in het slijk* the clogs splash in the mud; *een kletsende **slag*** a smack ⊡ ⟨wielersp⟩ ***er tussenuit** kletsen* break away from the bunch

[2]kletsen [ov ww] ⟨met een kletsend geluid werpen⟩

splash, dash ◆ *een steen **in** het water kletsen* splash a stone into the water; *een klont boter **in** de pan kletsen* dash a pat of butter into the frying pan; *een emmer water **over** de vloer kletsen* splash a bucket of water over the floor

kletser [de^{m}] [1] ⟨praatziek persoon⟩ chatterbox, gossip [2] ⟨iemand die onzin uitslaat⟩ twaddler

kletserig [bn] [1] ⟨babbelziek⟩ talkative, loquacious, garrulous [2] ⟨roddelziek⟩ gossipy

kletserij [de^{v}] [1] ⟨geleuter⟩ twaddle, drivel [2] ⟨roddelpraat⟩ gossip, scandalmongering [3] ⟨onzin⟩ rubbish, nonsense

kletskoek [de^{m}] nonsense, twaddle, piffle, ⟨sl⟩ rot ◆ *kletskoek **verkopen*** talk nonsense; *wat een kletskoek!* stuff and nonsense!

kletskop [de^{m}] [1] ⟨koekje⟩ ± gingersnap [2] ⟨kletskous⟩ chatterbox, garrulous chap, rattle(head) [3] ⟨hoofdzeer⟩ scald head [4] ⟨in België; kaal hoofd⟩ baldhead [5] ⟨in België; persoon met een kaal hoofd⟩ baldy

kletskous [de] chatterbox, garrulous chap, rattle(head), gossip, twaddler ◆ *het is een **echte** kletskous* (s)he's a regular chatterbox

kletsmajoor [de^{m}] → **kletsmeier**

kletsmeier [de^{m}], **kletsmajoor** [de^{m}] twaddler, gossipmonger, blatherer

kletsmeieren [onov ww] twaddle, prate

kletsnat [bn], **klets** [bn] soaking (wet), wet through, soaked to the skin, soaked through ◆ *kletsnat **van** de regen* soaked through by the rain; *kletsnat **worden*** get soaking wet/drenched

kletspartij [de^{v}] gab session, confab, ⟨AE⟩ bull session, ⟨AE⟩ gabfest, ⟨van vrouwen⟩ henparty

kletspraat [de^{m}] [1] ⟨prietpraat⟩ twaddle, small talk ◆ *kletspraat **verkopen*** gossip [2] ⟨roddel⟩ gossip, scandal [3] ⟨onzin, gezwam⟩ nonsense, rubbish

kletspraatje [het] [1] ⟨beuzelpraatje⟩ twaddle, small talk [2] ⟨roddel⟩ gossip ◆ ***stoor** je niet **aan** kletspraatjes* don't listen to gossip, take no notice of gossip

kletstante [de^{v}] chatterbox

kletsverhaal [het] [1] ⟨onzin⟩ rubbish, nonsense [2] ⟨roddel⟩ gossip

kletteraar [de^{m}], **kletteraarster** [de^{v}] mountaineer, mountain climber, alpinist

kletteraarster [de^{v}] → **kletteraar**

kletteren [onov ww] [1] ⟨m.b.t. geluid⟩ ⟨wapens⟩ clash, clang, ⟨regen⟩ patter, pelt, ⟨hagel⟩ rattle ◆ *de borden kletterden **op** de grond* the plates crashed to the floor; *de regen klettert **tegen** de ramen* the rain patters against the windows/beats at the windows; *de zwaarden kletterden **tegen** elkaar* the swords clashed together [2] ⟨bergsport⟩ mountaineer, climb mountains

kleumen [onov ww] be blue with cold, be cold all over, be half frozen

kleumer [de^{m}] shivery type/person

kleumerig [bn] shivery, feeling the cold ◆ *kleumerig op een bankje **zitten*** sit shivering on a bench

kleun [de^{m}] ⟨inf⟩ ⟨in het gezicht⟩ slap, ⟨op de neus⟩ punch, ⟨in de ribben⟩ dig

kleunen [onov ww] ⟨inf⟩ hit out hard ◆ ***ernaast** kleunen* ⟨fig⟩ be wide of the mark

kleur [de] [1] ⟨eigenschap⟩ colour [2] ⟨bestanddeel van licht⟩ colour, ⟨tint⟩ hue ◆ *ze hebben (allemaal) **dezelfde** kleur* they're (all) the same colour/one colour; ***fundamentele** of **primaire** kleuren* primary colours; *een afbeelding **in** kleur* a picture in colour, a colour picture; *een broek **in** dezelfde kleur* a pair of trousers in the same colour; ***nationale** kleuren* national colours; ⟨ind⟩ *kleur **op** kleur* in toning shades, in matching tones; ***opzichtige** kleuren* showy/gaudy colours; *rood **van** kleur* red in colour, of a red colour; *beter **van** kleur* of better colour; ***verschoten** kleuren* faded colours; *die kleuren **vloeken** (met elkaar)* those colours clash (with each other); ***vloekende** kleuren* clashing/discordant colours, colours that do not match; *in **welke** kleur (wilt u het hebben)?* what colour (do you want)?; ***zachte/warme/vrolijke/sprekende/schreeuwende** kleuren* soft/warm/cheerful/vivid/glaring colours [3] ⟨verf-, kleurstof⟩ colour, paint ◆ ⟨sport⟩ *de kleur van je **club** verdedigen* defend the colours of your team; ⟨fig⟩ *kleur **geven** aan een verhaal* lend colour to a story; ***natuurlijke/kunstmatige** kleuren* natural/artificial colours; *de **stukjes** kleur in een waterverfdoos* the paints in a paint-box [4] ⟨als kenmerkende eigenschap⟩ colour, ⟨tint⟩ hue ◆ *wat voor kleur **ogen** heeft ze?* what colour are her eyes?; *zijn kleur **verliezen*** turn pale, lose (one's) colour; ***welke** kleur heeft het?* what colour is it? [5] ⟨gelaatskleur⟩ complexion ◆ *een kleur **als** een boei hebben* be as red as a [B]beetroot/[A]beet, blush like a peony; *hij heeft een **bleke/ongezonde** kleur* he has a pale/unhealthy complexion; *zij heeft een **frisse** kleur* she has a fresh complexion; *een **gezonde** kleur hebben* have a healthy complexion/colour; *een kleur **hebben** van opwinding* be flushed with excitement; *hij voelde dat hij een kleur **kreeg*** he felt himself blushing; *een kleur **krijgen*** flush, go red in the face, blush; *hij **krijgt** er een kleur van* it makes him blush/turn red, it gives him a flush; *de kleur **trok weg** uit zijn gezicht* he turned pale; ***van** kleur **verschieten*** change colour [6] ⟨kaartsp⟩ suit ◆ *kleur **bekennen*** ⟨lett⟩ follow suit; ⟨fig⟩ show one's colours, have the courage of one's convictions, nail one's colours to the mast; *uitkomen **met** een kleur* lead/go off with a suit; ⟨fig⟩ *kleur **moeten bekennen*** have to take sides, have to come down on one side or the other; *kleur **verzaken*** renounce, revoke [7] ⟨partij, politieke mening⟩ persuasion, affiliation ◆ *welke kleur **heeft** dit dagblad?* where does this paper stand politically?, what are this paper's political leanings?; ***van** kleur **veranderen*** change sides [8] ⟨bk⟩ colouring, colouration

kleuren

antraciet	anthracite
beige	beige
blauw	blue
diepblauw	deep blue
donkerblauw	dark blue
felblauw	bright blue
lichtblauw	light blue
pastelblauw	pale blue
bruin	brown
ecru	ecru
geel	yellow
kanariegeel	canary yellow
okergeel	ochre
grijs	grey
groen	green
gifgroen	bilious green/fluorescent green
lila	lilac
oranje	orange
paars	purple
rood	red
bordeauxrood	burgundy
roze	pink
oudroze	old rose
turquoise	turquoise
wit	white
gebroken wit	off-white
zwart	black

kleuraanduiding [de^{v}] colour indication

kleuraanpassing [de^{v}] ⟨biol⟩ protective colouring

kleurafwijking [de^{v}] deviation in colour, chromatic deviation, ⟨verkleuring⟩ discolouration

kleurbad [het] dye-bath, ⟨foto⟩ toning-bath ◆ *een kleurbad **geven*** dye; ⟨foto⟩ tone

kleurbepaling [de^{v}] colour designation, determination of a colour, determination of the colour, determination of (the) colours
kleurboek [het] colouring book, painting book
kleurcontrast [het] colour contrast
kleurdoos [de] paint box, colour box
kleurdragers [de^{mv}] chromatophores
kleurecht [bn] colourfast, fast-dyed ◆ *gegarandeerd kleurecht* fast colours
kleurechtheid [de^{v}] (colour) fastness
[1]**kleuren** [onov ww] 1 ⟨kleur aannemen⟩ colour ◆ *de appels**beginnen** te kleuren* the apples are beginning/begin to ripen 2 ⟨blozen⟩ blush, redden, grow red ◆ *hij kleurde tot achter zijn oren* he blushed/coloured to the roots of his hair, he blushed deeply 3 ⟨passen bij⟩ match ◆ *dat kleurt er niet bij* that doesn't match; *die schoenen kleuren niet **bij** je rok* those shoes don't match your skirt
[2]**kleuren** [ov ww] 1 ⟨kleur geven aan⟩ colour, give colour 2 ⟨overdrijven⟩ overstate ◆ *feiten **sterk** kleuren* overstate facts; *een (sterk) gekleurde **versie** van de feiten* a (highly) coloured version of the facts 3 ⟨laten blozen⟩ blush, give colour ◆ *een lichte blos kleurde haar **wangen*** a light blush/flush gave colour to her cheeks 4 ⟨beschuit weer bakken⟩ bake (rusks) a second time
[3]**kleuren** [ov ww, ook abs] ⟨verven⟩ colour, paint, ⟨stoffen enz.⟩ dye, ⟨vnl. haar⟩ tint, ⟨lichtjes kleuren⟩ tincture, tinge, ⟨microscopie⟩ stain ◆ ⟨fig⟩ ***buiten** de lijnen kleuren* go over the line; *de kinderen **gingen** liever kleuren* the children preferred to paint
kleurenadviseur [de^{m}], **kleurenadviseuse** [de^{v}] colour adviser
kleurenadviseuse [de^{v}] → **kleurenadviseur**
kleurenafdruk [de^{m}] colour print
kleurenbeeld [het] spectrum
kleurenblind [bn] 1 ⟨kleuren niet onderscheiden⟩ colour-blind ◆ ⟨med⟩ ***partieel** kleurenblind* dichromatic; *kleurenblind **voor** groen/rood* green-blind/red-blind 2 ⟨niet discriminerend⟩ colour-blind
kleurenblindheid [de^{v}] colour-blindness ◆ ⟨med⟩ ***partiële** kleurenblindheid* dichromatism
kleurencirkel [de^{m}] colour circle
kleurencombinatie [de^{v}] colour combination, ⟨in kamer⟩ colour scheme
kleurencontrast [het] colour contrast
kleurendia [de^{m}] ⟨gewoonlijk ingeraamd⟩ colour slide, transparency
kleurendriehoek [de^{m}] colour triangle
kleurendruk [de^{m}] 1 ⟨techniek⟩ colour printing ◆ ***in** kleurendruk (uitgevoerd)* (printed) in colour 2 ⟨afdruk⟩ colour printing
kleurenfilm [de^{m}] colour film
kleurenfoto [de] colour photo(graph), colour picture
kleurenfotografie [de^{v}] colour photography
kleurengamma [het, de] colour range, range of colours
kleurenharmonie [de^{v}] colour harmony, harmony of colours
kleurenholografie [de^{v}] colour holography
kleurenkopieerapparaat [het] colour copier
kleurenleer [de] chromatics, theory of colour
kleurennegatief [het] colour negative
kleurenontvanger [de^{m}] colour receiver
kleurenopname [de] 1 ⟨handeling⟩ colour photography 2 ⟨resultaat⟩ colour photo(graph), colour picture
kleurenpracht [de] magnificent display of colour ◆ *de uitbundige kleurenpracht van de herfst* the rich colouring of autumn
kleurenprinter [de^{m}] colour printer
kleurenpsychologie [de^{v}] colour psychology
kleurenreproductie [de^{v}] colour reproduction
kleurenscala [de] colour range, range of colours
kleurenschema [het] colour scheme, ⟨m.b.t. behang e.d.; BE⟩ colourway
kleurenscherm [het] colour monitor/screen
kleurenschijf [de] colour disc
kleurenspectrum [het] ⟨natuurk⟩ colour spectrum
kleurenspel [het] play of colours, ⟨met de kleuren van de regenboog⟩ iridescence
kleurensymboliek [de^{v}] colour symbolism
kleurentekening [de^{v}] colour drawing, drawing in colour
kleurentelevisie [de^{v}] colour television
kleurentoestel [het] colour (TV) set
kleurenvrees [de] chromatophobia
kleurenwies [het] ⟨in België⟩ colour whist
kleurfilter [het, de^{m}] colour filter
kleurfixeerbad [het] ⟨foto⟩ toning and fixing bath
kleurgevoel [het] feeling for colour, sense of colour, colour sense
kleurgevoelig [bn] colour-sensitive, ⟨foto; gevoelig voor alle kleuren behalve rood⟩ orthochromatic ◆ ⟨foto⟩ *kleurgevoelige **platen*** orthochromatic plates
kleurgevoeligheid [de^{v}] ⟨foto⟩ colour sensitivity
kleurgewaarwording [de^{v}] 1 ⟨het gewaarworden van kleur⟩ perception of colour, colour perception 2 ⟨synesthesie⟩ chrom(a)esthesia, colour hearing
kleurhoudend [bn] colourfast
kleurig [bn, bw] 1 ⟨kleurrijk⟩ colourful ⟨bw: ~ly⟩, rich in colour ◆ *er kleurig **uitzien*** look colourful 2 ⟨de juiste kleur vertonend⟩ with a full colour, full-coloured 3 ⟨levendig⟩ colourful ⟨bw: ~ly⟩ ◆ *een kleurig **verhaal*** a colourful story; *iets op kleurige **wijze** vertellen* give a colourful account of sth.
kleurindex [de^{m}] colour index
kleuring [de^{v}] colouring, ⟨microscopie⟩ staining
kleurkaart [de] colour chart
kleurkatern [het, de] ± colour supplement
kleurkrijt [het] coloured chalk
kleurling [de^{m}] coloured, coloured person ⟨mv people⟩, coloured man/woman/... ◆ *de kleurlingen **in** Zuid-Afrika* the coloureds in South Africa
kleurlingenvraagstuk [het] colour problem
kleurloos [bn] 1 ⟨zonder kleur⟩ colourless, clear, ⟨foto, biol; opt⟩ achromatic ◆ *kleurloos **glas*** clear glass; *kleurloos **vocht*** colourless/clear fluid 2 ⟨vaal, bleek⟩ colourless, pale, grey(ish), ⟨AE⟩ gray(ish), drab, dull 3 ⟨saai⟩ colourless, dull, dreary, drab, lifeless ◆ *een kleurloos **figuur*** a colourless/dull/dreary/drab figure 4 ⟨pol⟩ free-floating, neutral, uncommitted ◆ *een kleurloos **dagblad*** a free-floating/neutral newspaper; *het kleurloze **midden*** the free-floating centre; *kleurloze **politici*** free-floating politicians
kleurmenging [de^{v}] colour mixing
kleurontwikkelaar [de^{m}] ⟨foto⟩ colour developer
kleurplaat [de] colouring picture
kleurpotlood [het] coloured pencil, (coloured) crayon
kleurrijk [bn] 1 ⟨met veel kleuren⟩ colourful, rich in colour, brightly-coloured, multicoloured 2 ⟨fig⟩ colourful ◆ *iets kleurrijk **beschrijven*** give a colourful description of sth.; *een kleurrijke **figuur*** a colourful person/figure
kleurschakering [de^{v}] range of colouring, ⟨tint⟩ hue, ⟨lichtere schakering⟩ tint, ⟨donkere schakering⟩ shade ◆ *de **harmonische** kleurschakering van de zaal* the harmonious colour scheme/arrangement of colour in the hall; *een **rijke** kleurschakering* a rich range of colouring
kleurschifting [de^{v}] (chromatic) dispersion
kleursel [het] colouring
kleurshampoo [de^{m}] colour rinse shampoo
kleurspoeling [de^{v}] (colour) rinse ◆ *(haar) een kleurspoeling **geven*** give one's hair a colour rinse
kleurstelling [de^{v}] 1 ⟨het naast elkaar toepassen van kleuren⟩ colour combination/scheme/balance 2 ⟨m.b.t.

garens, wol⟩ colour combination

kleurstof [de] [1] ⟨organische stof om iets te kleuren⟩ colour, ⟨voor text⟩ dye(stuff), ⟨voor levensmiddelen⟩ colouring, colouring agent, colouring matter, ⟨voor beits⟩ stain ♦ *directe kleurstoffen* direct dyes; *(chemische) kleurstoffen* ***toevoegen*** *aan levensmiddelen* add colouring agents to foodstuffs [2] ⟨pigment⟩ pigment

kleurtemperatuur [de^{v}] colour temperature

kleurtje [het] [1] ⟨kleur⟩ colour ♦ *een* ***gemeen*** *kleurtje* a vile colour; *een deur een kleurtje* ***geven*** paint a door, give a door a coat of paint; *zijn haar een kleurtje* ***geven*** rinse/dye/tint one's hair [2] ⟨blosje⟩ colour, ⟨van koorts, wind enz.⟩ flush, ⟨van verlegenheid ook⟩ blush ♦ *een kleurtje* ***hebben*** have a colour, look flushed; *je* ***krijgt*** *alweer een kleurtje* you're getting a colour/your colour again; *een* ***verdacht*** *kleurtje* a feverish flush [3] ⟨mv; kleurpotlood⟩ coloured pencils, ⟨krijtjes⟩ crayons ♦ *een* ***doos*** *kleurtjes* a box of coloured pencils/of crayons

kleurvariëteit [de^{v}] colour variety

kleurvast [bn] colourfast

kleurvel [het] ⟨drukw⟩ progressive proof, colour guide

kleurveld [het] colour field

kleurverandering [de^{v}] [1] ⟨kleurwisseling⟩ change of/in colour, colour change [2] ⟨pol⟩ change of/in political allegiance

kleurverlies [het] loss of colour, change in colour, ⟨metaaloppervlak⟩ tornish, ⟨stof, foto⟩ discolouration

kleurvernis [het, de^{m}] colour(ed) non-transparent varnish

kleurversteviger [de^{m}] (colour) rinse, tint

kleurvlak [het] colour(ed) area, area of colour

kleurweergave [de] ⟨ook foto⟩ colour rendering

kleurwerking [de^{v}] colour effect

kleurwisseling [de^{v}] change of colour, colour change

kleurzin [de^{m}] [1] ⟨zin(tuig) voor het waarnemen van kleuren⟩ colour perception, colour sense [2] ⟨gevoel voor harmonie van kleuren⟩ sense of colour, colour sense, feeling for colour

kleuter [de^{m}] pre-school child, pre-schooler in a nursery class, ⟨in schoolverband, 5-7 jaar; BE⟩ infant, ⟨AE⟩ kindergarter, ⟨peuter⟩ toddler, ⟨mv⟩ under fives, ⟨alg; vaag⟩ young child ♦ ⟨pej⟩ *zich* ***als*** *een kleuter gedragen* behave/carry on like a baby/two-year-old; ***kleine*** *kleuter* tiny tot

kleuterbad [het] [1] ⟨badkuipje⟩ children's bath [2] ⟨(deel van) een zwembad⟩ paddling/wading pool

kleutercursus [de^{m}] ± course on the care of pre-school children

kleuterklas [de^{v}] ± infant class, ± nursery class, ⟨AE⟩ kindergarten class ♦ ⟨pej⟩ *jullie* ***lijken*** *wel een kleuterklasje* you're carrying on/behaving like two-year-olds/kindergarten children

kleuterkweekschool [de] ⟨BE⟩ ± infant teacher training college

kleuterleeftijd [de^{m}] toddler age-group; zie ook **kleuter** ♦ *kinderen* ***in*** *de kleuterleeftijd* toddlers

kleuterleidster [de^{v}] ⟨BE⟩ nursery school teacher, ⟨AE⟩ kindergarten teacher, ⟨BE⟩ ± infant teacher

kleuterperiode [de^{v}] pre-school age

kleuterschool [de] ⟨3-5 jaar, niet officieel⟩ pre-school kindergarten, ⟨5 jaar, officieel = voorbereidend jaar van infant school⟩ kindergarten, ⟨daarna tot 7 jaar⟩ infant school, ⟨alg; vaag⟩ nursery school

kleutertest [de] pre-school test

kleuterzorg [de] ⟨BE⟩ infant care, ⟨van school; BE⟩ infant school, ⟨AE⟩ kindergarten

^{1}**kleven** [onov ww] [1] ⟨vast blijven zitten⟩ stick (to), cling (to), adhere (to) ♦ *kauwgom kleeft* ***aan*** *de vingers* chewing gum sticks to the fingers; *zijn overhemd kleefde* ***aan*** *zijn rug* his shirt stuck/clung to his back; ***blijven*** *kleven* stay on; *er kleeft bloed* ***aan*** ⟨fig⟩ it is tainted with blood; *zijn overhemd kleefde* ***van*** *het zweet* his shirt was sticky/stuck to him with perspiration [2] ⟨fig⟩ stick ♦ ⟨sport⟩ ***aan*** *een tegenstander kleven* stick to an opponent, shadow-mark one's opponent; *er kleven nog enige gebreken* ***aan*** it still has certain shortcomings, there are still certain shortcomings attached to it [3] ⟨kleverig zijn⟩ be sticky, ⟨m.b.t. verf e.d.⟩ be tacky ♦ *mijn* ***handen*** *kleven* my hands are sticky; *bah, ik kleef* ***helemaal*** ugh, I'm all sticky; *klevende* ***klei*** sticky clay

^{2}**kleven** [ov ww] ⟨doen hechten, kleven⟩ stick, ⟨met lijm⟩ glue, gum, ↑ affix

klever [de^{m}] [1] ⟨persoon⟩ limpet, s.o. one can't get rid of, s.o. who won't go home [2] ⟨plant⟩ ⟨kleefkruid⟩ cleavers, hairiff, goose grass [3] ⟨sport⟩ a shadow, ⟨wielersp⟩ wheelsucker

kleverig [bn] sticky, gluey, ⟨m.b.t. vernis, verf⟩ tacky ♦ *een kleverig* ***goedje*** sticky stuff; ⟨pej⟩ a sticky mess; ⟨sl; pej⟩ a gooey/mess, a goo; *kleverige* ***grond*** heavy/sticky/clayey soil; *kleverige* ***handen*** sticky hands; ⟨fig⟩ *een kleverige* ***kerel*** a slimy/an oily/a ^{B}swarmy character; *een kleverig* ***vocht*** a sticky liquid

kleverigheid [de^{v}] [1] ⟨kleverige stof⟩ stickiness, tackiness [2] ⟨het kleverig zijn⟩ stickiness, ⟨fig⟩ sliminess, oiliness, ⟨BE⟩ swarminess

klewang [de^{m}] 'klewang', Javanese scimitar

klezmer [de^{m}] klezmer

klezmorem [de^{mv}] klezmorim

klieder [de^{m}] messpot

kliederboel [de^{m}] mess

kliederen [onov ww] make a mess, mess about/around ♦ *zit niet zo te kliederen* ***met*** *dat water* don't mess around like that with that water

kliederig [bn] messy, ⟨modderig⟩ muddy

kliek [de] clique ♦ *hij behoort tot de kliek van B.* he belongs to B's clique; *een kliek* ***vormen*** form a clique

klieken [onov ww] form a clique

kliekgeest [de^{m}] cliquism, cliquishness

kliekje [het] leftover(s), ⟨mv ook⟩ (table) scraps, scrapings, leavings, pickings ♦ *er is een lekker kliekje* ***hutspot*** *voor vanavond* there's some nice leftover hotchpot for this evening; *geen kliekjes* ***maken*** clear one's plate, eat everything up; ***opgewarmde*** *kliekjes* heated-up leftovers

kliekjesdag [de^{m}] leftover/scraps day ♦ *vandaag* ***is*** *het kliekjesdag* today is leftover day, today we're having/eating (yesterday's) leftovers/a scratch meal/odds and ends from yesterday

kliekjesmaaltijd [de^{m}] scratch meal, (meal of) leftovers

^{1}**klier** [de^{m}] ⟨fig, inf⟩ ⟨vervelend mens⟩ pain in the neck/^{A}ass/you-know-what ♦ *een klier* ***van*** *een vent* a pain in the neck; *'t is een* ***vervelend*** *kliertje* he's an awful pain in the neck

^{2}**klier** [de] [1] ⟨orgaan⟩ gland ♦ ***opgezette*** *klieren hebben* have swollen glands [2] ⟨cel(groep)⟩ gland [•] *klieren* ***hebben, aan*** *klieren* ***lijden*** have scrofula, be scrofulous

klierachtig [bn] [1] ⟨m.b.t. een klier⟩ glandular, glandulous [2] ⟨als van een klier⟩ glandular, gland-like [3] ⟨med; scrofuleus⟩ scrofulous, strumose

klierafscheiding [de^{v}] gland secretion, ⟨inwendig ook⟩ incretion

klieren [onov ww] ⟨inf⟩ be a pest, act up, be a pain in the neck/^{A}ass

kliergezwel [het] scrofulous tumour

klierig [bn, bw] ⟨inf⟩ ♦ ***doe*** *niet zo klierig* don't be such a pest/pain in the neck

klierkoorts [de] glandular fever, ⟨vnl AE⟩ ↑ mononucleosis

kliermaag [de] glandular stomach

klierontsteking [de^{v}] adenitis

klierverharding [de^{v}] scleradenitis

kliervormig [bn] adeniform ♦ *een kliervormig* ***aanhangsel*** an adeniform appendage

klierziekte [de^v^] scrofula, struma
klieven [ov ww] cleave ♦ ***hout/diamant** klieven* cleave wood, cut diamond; ⟨fig⟩ *de **lucht**/de **golven** klieven* ⟨van vogel, schip⟩ cleave the air/the waves
klieving [de^v^] 1 ⟨het klieven⟩ cleavage, cleaving 2 ⟨splijting; celdeling na de bevruchting⟩ cleavage
klif [het] 1 ⟨steile bodemverheffing⟩ cliff 2 ⟨steile, afgebrokkelde kusten⟩ cliff, bluff
[1]**klik** [de^m^] 1 ⟨kort geluid⟩ click ♦ *het slot **gaf** een klik* the lock clicked; *het slot sprong **met** een klik **open*** the lock shot open with a click 2 ⟨positieve gewaarwording⟩ click ♦ *ik **voelde** meteen een klik* I immediately felt it click 3 ⟨comp⟩ click 4 ⟨taalklank⟩ click 5 ⟨scheepv⟩ rudder blade • ⟨in België⟩ *met (zijn) klikken en **klakken** op straat liggen/de deur uit gesmeten worden* ⟨zonder boe of bah⟩ be out on one's ear; ⟨met zijn hele hebben en houden⟩ ↑ be thrown out with everything one's got
[2]**klik** [tw] click, clack
klikfraude [de] click fraud
klikken [onov ww] 1 ⟨het geluid 'klik' laten horen⟩ click, clack, ⟨van een geweer⟩ snap ♦ ⟨comp⟩ *klikken **op*** click on 2 ⟨verklikken⟩ tell (on s.o.), let on (about sth.), ⟨inf⟩ snitch (on), blab, squeal, squeak, ⟨bij de politie; sl; BE⟩ grass ♦ *je mag **niet** klikken* don't tell tales/on others!, don't snitch!; *er wordt hier **niet** geklikt!* no snitching here!; ***over** iemand klikken* tell/tattle on s.o.; ⟨vnl. kind⟩ split/sneak on s.o.; *er is kennelijk weer geklikt* s.o. must have blabbed! 3 ⟨eensgezind zijn, samengaan⟩ click, hit it off ⟨met persoonlijk subject⟩ ♦ *het klikte niet **tussen** hen* they did not click; *het klikte meteen **tussen** hen* they clicked with each other/hit it off immediately
klikker [de^m^], **klikster** [de^v^] telltale, babbler, ⟨vnl AE⟩ tattletale, ⟨sl⟩ snitch, ⟨sl; BE⟩ grass, ⟨vnl AE; sl⟩ rat
klikklak [tw] click-clack
klikklakken [onov ww] click-clack, clip-clop
kliklijn [de] social security fraud line, benefit fraud line
kliko [de^m^] ⟨BE⟩ wheelie bin, ⟨AE⟩ garbage can
klikspaan [de^m^] telltale, babbler, ⟨vnl AE⟩ tattletale, ⟨kind⟩ sneak
klikster [de^v^] → **klikker**
klim [de^m^] 1 ⟨daad van klimmen⟩ climb ♦ *dat was een **hele** klim* that was a good/stiff climb, that was a bit of a climb/scramble 2 ⟨steilte⟩ climb
klimaat [het] 1 ⟨gesteldheid van de lucht en het weer⟩ climate, ⟨form⟩ clime ♦ ***fysisch** klimaat* physical climate; *een **zacht/guur/gezond/slopend** klimaat* a gentle/rigorous/healthy/debilitating climate 2 ⟨fig⟩ climate, atmosphere ♦ *een verbetering van het **fiscale/politieke** klimaat* an improvement in the fiscal/political climate; *het **geestelijke** klimaat* the spiritual climate; *een **gunstig** klimaat scheppen* create a favourable climate/atmosphere; *een **vijandig** klimaat* a hostile climate/atmosphere, a climate of hostility
klimaatbeeld [het] climatic conditions
klimaatbeheersing [de^v^] air conditioning
klimaateffect [het] climate effect
klimaatgordel [de^m^] climatic zone/belt, climate, clime, latitude ⟨voornamelijk mv⟩
klimaatkamer [de] climate/environmental test chamber
klimaatmodel [het] climate model
klimaatneutraal [bn] carbon-neutral ♦ *klimaatneutraal **produceren*** produce in a carbon neutral way
klimaatregelaar [de^m^] air conditioner
klimaatregeling [de^v^] air conditioning
klimaatschommeling [de^v^] climatic change/variation
klimaatverandering [de^v^] climatic change
klimatologe [de^v^] → **klimatoloog**
klimatologie [de^v^] climatology
klimatologisch [bn, bw] climatic ⟨bw: ~ally⟩, climatological ♦ *klimatologische **invloeden/veranderingen*** climatic influences/changes
klimatoloog [de^m^], **klimatologe** [de^v^] climatologist
klimatotherapie [de^v^] climatotherapy
klimboom [de^m^] climbing tree
klimboon [de] runner bean
klimgordel [de^m^] climbing sling/harness
klimhaak [de^m^] 1 ⟨plantk⟩ tendril 2 ⟨bergsport⟩ piton
klimhal [de] climbing hall
klimijzer [het] 1 ⟨beugel in een muur, schoorsteen⟩ climbing support/bracket 2 ⟨staaf aan een laars⟩ climbing iron
klimmen [onov ww] 1 ⟨klauteren⟩ climb (up/down), clamber (about), scale, ⟨vnl. m.b.t. palen, bomen⟩ shin (up/down), swarm (up) ♦ ***in** de mast klimmen* swarm/shin up the mast; ***in** een boom klimmen* climb (up) a tree; ***op** een toren klimmen* climb a tower; *bij iemand **op** de knie/rug klimmen* climb (up)on s.o.'s knee/back; ***over** een muur klimmen* climb over/scale a wall; ***over** stoelen en tafels klimmen* clamber about over chairs and tables; ***uit** een boom/raam klimmen* climb down from a tree/out of a window; *het is twee **uur** klimmen* it is two hours' climb/a two hour climb; ⟨bergsp⟩ ***vrij** klimmen* free climbing 2 ⟨rijdend, fietsend een berg opgaan⟩ climb ♦ *hij kan **goed** klimmen* he's a good climber 3 ⟨omhoog gaan⟩ climb, mount, go up ♦ *de zon klimt **aan** de hemel* the sun climbs/rises in the sky 4 ⟨toenemen, vermeerderen⟩ climb, rise, mount (up), go up, increase, grow ♦ *met klimmende **belangstelling/aandacht*** with growing/increasing/mounting interest; ***met** het klimmen der jaren* with advancing years, as one advances in years 5 ⟨promoveren⟩ climb, ascend ♦ ***in** rang/aanzien klimmen* rise in rank/estimation 6 ⟨tegen iets omhoog groeien⟩ climb
klimmend [bn] 1 ⟨bezig met klimmen⟩ climbing 2 ⟨hellend⟩ climbing ♦ ⟨sport⟩ *een klimmend **schot*** a rising shot; *een klimmende **weg*** a climbing road 3 ⟨heral⟩ rampant ♦ *een klimmende **leeuw*** a lion rampant • ⟨aardr⟩ *klimmende **knoop*** ascending node
klimmer [de^m^] 1 ⟨iemand die klimt⟩ climber 2 ⟨wielrenner⟩ climber 3 ⟨plant⟩ climber, creeper 4 ⟨vogel⟩ wall creeper, tichodrome
klimming [de^v^] 1 ⟨handeling⟩ climb 2 ⟨helling⟩ ascent, acclivity 3 ⟨astron⟩ ascension ♦ ***rechte** klimming* right ascension
klimmuur [de^m^] climbing wall
klimnet [het] ⟨gymn⟩ climbing net
klimoefening [de^v^] climbing exercise
klimop [het, de^m^] ivy ♦ ***met** klimop begroeid/bedekt* covered with ivy
klimopachtigen [de^mv^] ivy/ginseng family
klimpaal [de^m^] climbing pole, ⟨ingesmeerd met vet⟩ greasy/greased pole
klimpartij [de^v^] climb, scramble ♦ *een **hele** klimpartij* quite a climb/scramble, a stiff climb
klimplant [de] climber, climbing plant, creeper
klimpoot [de^m^] ⟨dierk⟩ scansorial foot
klimrek [het] 1 ⟨rek voor gymnastische oefeningen⟩ wall bars 2 ⟨klimtoestel voor kinderen⟩ climbing frame
klimroos [de] rambler (rose), rambling/climbing rose
klimrots [de] climbing rock
klimschoen [de^m^] 1 ⟨bij het klimmen gebruikte schoen⟩ climbing shoe 2 ⟨bergschoen⟩ climbing shoe/boot
klimsnelheid [de^v^] ⟨van vliegtuig⟩ rate of climb
klimspecialist [de^m^] ⟨wielersp⟩ hill-specialist, climber
klimspoor [de] 1 ⟨klimijzer⟩ climbing iron, creeper 2 ⟨beugel aan de schoen⟩ climbing iron, crampon, creeper
klimstag [het] ⟨scheepv⟩ manropes of the bowsprit
klimtijdrijder [de^m^] ⟨wielersp⟩ mountain time trialler
klimtijdrit [de^m^] ⟨wielersp⟩ mountain time trial, hillclimb

klimtocht [de^m] climb, ⟨hoge berg⟩ climbing expedition
klimtoren [de^m] climbing tower
klimtouw [het] climbing rope
klimvaren [de] climbing/creeping fern
klimvis [de^m] anabas, climbing perch
klimwand [de^m] climbing wall
klimwortel [de^m] adventious root
klinefelter [de^m] Klinefelter patient
Klinefelter ⊡ *het **syndroom** van Klinefelter* Klinefelter's syndrome
kling [de] 1 ⟨lemmet⟩ blade ◆ *de kling van een **bajonet*** the blade of a bayonet; ***rechte/gebogen** klingen* straight/curved blades 2 ⟨wapen⟩ sword ◆ ⟨fig⟩ *de vijand **over** de kling jagen* put the enemy to the sword
klingel [de^m] tinkle, jingle, chink, clink
klingelen [onov ww] tinkle, jingle, chink, clink
klingeling [tw] ting-a-ling, ding-a-ling, ting-ting
kliniek [de^v] clinic
klinimobiel [de^m] ⟨in België⟩ paramedic ambulance
klinisch [bn, bw] 1 ⟨m.b.t. een kliniek⟩ clinical ⟨bw: ~ly⟩ ◆ *de klinische **fase** van de medicijnenstudie* ⟨BE⟩ housemanship, ⟨AE⟩ residency, internship; *klinisch **onderricht*** clinic 2 ⟨m.b.t. ziekteverschijnselen⟩ clinical ⟨bw: ~ly⟩, clinico- ◆ *klinische **dood*** clinical death; *klinisch **dood** zijn* be clinically dead; *klinische **pathologie*** clinicopathology; *een klinisch **psycholoog*** a clinical psychologist, a clinician; *klinische **verschijnselen*** clinical symptoms/phenomena 3 ⟨kil, koel⟩ clinical ⟨bw: ~ly⟩, ⟨van blik/waarneming ook⟩ analytical ◆ *een klinische **blik hebben*** have a clinical/an analytical eye
[1]**klink** [de^m] ⟨inklinking⟩ ⟨van aardewerk⟩ setting, ⟨van grond⟩ settling
[2]**klink** [de] 1 ⟨deurkruk⟩ (door)handle 2 ⟨deel van een deurslot⟩ latch ◆ ***op/van** de klink doen* latch/unlatch (the door); *de deur is **op** de klink* the door is on the latch; *de klink **oplichten*** unlatch 3 ⟨pal⟩ catch, detent, click, ⟨op wiel ook⟩ pawl
klinkaard [de^m] ⟨in België⟩ clinker
klinkbout [de^m] rivet
klinkdicht [het] sonnet
[1]**klinken** [onov ww] 1 ⟨luiden, galmen⟩ sound, ⟨luid en klaar⟩ resound, ⟨van fluit⟩ blow, ⟨van klok ook⟩ chime, ⟨rinkelen⟩ cling, ring ◆ *een stem die klinkt **als** een klok* a bell-like voice; ⟨sport⟩ *het **eindsignaal** heeft geklonken* the final whistle has blown; *er klinkt een luid **gejuich*** a resounding cheer goes up; *er klonk een **schot*** a shot rang out; ***zuiver/vals** klinken* sound pure/false 2 ⟨fig; van zich doen spreken⟩ resound ◆ *een klinkende **naam*** a famous/outstanding/big name; *klinkende **woorden*** resounding words 3 ⟨toeschijnen, voorkomen⟩ sound, ring ◆ *het klonk haar **aangenaam** in de oren* it was pleasing to her ear; *het klonk hem **als muziek** in de oren* it was music to his ears; *die naam klinkt (me) **bekend** (in de oren)* that name sounds familiar (to me); *zijn stem klonk **dreigend*** his voice sounded threatening; *zijn lach klonk **gedwongen*** his laugh had a forced ring; *zo'n opmerking klinkt **gek** uit de mond van een pacifist* such a remark sounds odd coming from a pacifist; *hun stemmen klinken **goed** bij elkaar* their voices blend well with each other; *dat zal u vreemd **in** de oren klinken* this will sound strange to you; *een Italiaans klinkende **naam*** an Italian sounding name; *het klonk hem **onaangenaam** in de oren* it was unpleasant to his ear, it grated on his ear; ***vals/onoprecht/echt** klinken* have a false/hollow/true ring, ring false/hollow/true; *dat klinkt **verdacht*** that sounds fishy/has a suspicious ring; *hoe **vreemd** het ook klinkt* strange as it may seem 4 ⟨toosten⟩ clink/touch glasses (with s.o.), drink (a toast) (to s.o./sth.), toast (s.o./sth.) ◆ ***met** elkaar klinken* (drink a) toast ⊡ ⟨in België⟩ *klinkt het niet, dan **botst** het* ⟨commentaar op redenering⟩ I/you/... can't make head or tail of that, whether or not you can make head or tail of it; ⟨aanmoediging⟩ nothing ventured, nothing gained; ⟨sprw⟩ *lege/holle vaten klinken het hardst* empty vessels/barrels make the most sound/noise
[2]**klinken** [ov ww] 1 ⟨door hameren tot een kop vormen⟩ rivet, clinch 2 ⟨door kloppen, smeden verbinden⟩ rivet, clinch ◆ ***buizen/platen** klinken* rivet pipes/plates 3 ⟨ketenen, boeien⟩ chain 4 ⟨vastnagelen⟩ nail
klinker [de^m] 1 ⟨spraakgeluid⟩ vowel, vocal ◆ *een **gedekte/ongedekte** klinker* a checked/free vowel; *een **gespannen/ongespannen** klinker* a terse/lax vowel; *een **stomme** klinker* a silent vowel 2 ⟨teken⟩ vowel 3 ⟨hardgebakken steen⟩ clinker ◆ *een **gele** klinker* a Dutch clinker, a Flemish brick/Hollander
klinkerbestrating [de^v] (Dutch) brick paving, (Dutch) clinker (brick) paving
klinkerbotsing [de^v] vowel blending
klinkerrijm [het] assonance
klinkersteen [de^m] → **klinker**
klinkerweg [de^m] brick(-paved) road
klinkerwisseling [de^v] ⟨taalk⟩ (vowel) gradation, ablaut
klinket [het] 1 ⟨kleine deur in een grote⟩ wicket, wicket-door, wicket-gate 2 ⟨valdeurtje, schuif in een sluisdeur⟩ sluice gate, ⟨AE ook⟩ wicket 3 ⟨deurraampje⟩ wicket
klinkhamer [de^m] riveting hammer
klinkklaar [bn] ⟨van goud, boter enz.⟩ plain, pure ◆ *dat is klinkklare **onzin*** that's sheer/blatant/outright/downright nonsense, that's pure drivel
klinkmachine [de^v] riveter, riveting machine
klinknaad [de^m] riveted joint
klinknagel [de^m] rivet, clinch(er), clinch-nail
klip [de] 1 ⟨steile rots⟩ rock, reef, ⟨hoog⟩ cliff ◆ ***blinde** klip* sunken/submerged rock; ***op** een klip lopen* strike/come (up) on a rock, hit a rock; ***wakende** klip* visible rock, rock above the water(line) 2 ⟨fig⟩ obstacle, snag ◆ *hij tracht die klip te **omzeilen*** he is trying to avoid those obstacles; *hun huwelijk is **op** de klippen gelopen* their marriage has gone/is on the rocks; ***tussen** de klippen door zeilen* steer clear of the rocks; ⟨fig⟩ steer clear of trouble/disaster, avoid any snags/hitches/pitfalls ⊡ ***tegen** de klippen op liegen* lie shamelessly
klipdas [de^m] hyrax
klip-en-klaar [bw] crystal-clear, clear as daylight, clear-cut ◆ *iets klip-en-klaar **formuleren*** say sth. in plain language/speech/words
klipgeit [de] chamois
klipklap [de^m] click-clack, ⟨van iets dat los zit⟩ flip-flap, clitter-clatter
klipper [de^m] clipper
klippig [bn] full of rocks, rocky ◆ *klippige **kust*** a rocky/rugged/an ironbound coast
klipvis [de^m] 1 ⟨tropische zeevis⟩ angelfish, butterfly fish 2 ⟨gezouten zeevis⟩ dried cod
klipzout [het] ⟨geol⟩ rock-salt
klis [de] 1 ⟨plant⟩ burdock 2 ⟨bloemhoofdje⟩ bur(r), ⟨van de stekelnoot⟩ cocklebur 3 ⟨knoop, klit⟩ ⟨vnl. van haar⟩ tangle, knot, snarl, mat, twine
kliskruid [het], **klissenkruid** [het] burdock
klissen [onov ww] become/get entangled ◆ *geklist **garen*** entangled yarn; *geklist **haar*** entangled hair, a tangle/mat of hair
klissenkruid [het] → **kliskruid**
klisteer [het, de] enema, clyster, lavage
klisteerspuit [de] enema (syringe)
klit [de] 1 ⟨knoop, klis⟩ ⟨vnl. van haar⟩ tangle, knot, snarl, mat, twine 2 ⟨iemand die steeds achter een ander aan loopt⟩ hanger-on, leech
klitband [het] → **klittenband**
klitten [onov ww] 1 ⟨klit(ten) vormen⟩ become/get entangled 2 ⟨klampen, kleven⟩ stick ◆ ***aan** elkaar klitten* hang/stick together; ***aan** iemand klitten* stick to s.o. (like a leech/limpet)
klittenband [het], **klitband** [het] Velcro ◆ *deze schoenen*

*sluiten **met klittenband*** these shoes fasten with Velcro

klitvrucht [de] pappus

klitwortel [de^{m}] burdock root

KLM [de^{v}] (Koninklijke Luchtvaartmaatschappij) KLM (Royal Dutch Airlines)

klodder [de^{m}] ⟨vnl. verf⟩ daub, splodge, ⟨AE⟩ splotch, ⟨vnl. bloed⟩ clot, blob, gout ◆ *klodders gestold **bloed*** blood clots; *een klodder **mayonaise*** a dollop of mayonnaise; *een klodder **verf*** a daub of paint

klodderaar [de^{m}], **klodderaarster** [de^{v}] ① ⟨knoeipot⟩ messy person ② ⟨schilder⟩ dauber

klodderaarster [de^{v}] → **klodderaar**

klodderen [onov ww] ① ⟨knoeien⟩ mess (about/around) ◆ ***met inkt/water** klodderen* mess around with ink/water ② ⟨slordig, dik schilderen⟩ daub ◆ ***met verf** klodderen op het doek* daub the canvas with paint, splash/slosh paint on the canvas

[1]**kloek** [de^{v}] brood(y) hen

[2]**kloek** [bn] ① ⟨groot, flink van lichaamsbouw⟩ stout, sturdy, robust, firm, hefty ◆ *een kloeke **kerel*** a stout fellow ② ⟨omvangrijk van afmetingen⟩ big, substantial ◆ *een werk in drie kloeke **delen*** a work in three substantial volumes ③ ⟨wakker, alert⟩ keen, sharp, alert, clever ◆ *kloek **van verstand** zijn* have a keen mind

[3]**kloek** [bn, bw] ⟨dapper, moedig⟩ brave ⟨bw: ~ly⟩, bold, courageous ◆ *een kloek **besluit** nemen* take a brave decision; *kloek **gedrag*** courageous behaviour

kloekmoedig [bn, bw] brave ⟨bw: ~ly⟩, bold, stouthearted, valiant

kloekmoedigheid [de^{v}] bravery, boldness, stoutheartedness, valour

kloet [de^{m}] ① ⟨schippersboom⟩ punting pole, ⟨BE ook⟩ quant ② ⟨knop aan een polsstok, vaarboom⟩ knob of a punting/vaulting pole, ⟨duidelijker⟩ handle of a punting/vaulting pole ③ ⟨gestoken klomp klei⟩ square/lump/block of cut clay ④ ⟨kalkklopper⟩ lime rake, mortar beater

kloffie [het] ⟨inf⟩ rags, togs, toggery, ⟨vnl BE; sl⟩ clobber, gear ◆ *in zijn **beste** kloffie* in his best bib and tucker, in his glad rags/best togs; *in zijn **ouwe** kloffie* in his old togs/clobber

klojo [de^{m}] ⟨inf⟩ ⟨BE⟩ berk, twit, wally, ⟨AE⟩ jerk, ⟨AE ook⟩ nerd

[1]**klok** [de^{v}] ⟨kloek⟩ hen, brood(y) hen

[2]**klok** [de] ① ⟨bel⟩ bell ◆ *de klok **beiert/klept*** the bell is chiming/tolling/ringing; *een klok **gieten/luiden*** found/ring a bell; ⟨fig⟩ *iets aan de **grote** klok **hangen*** make a fuss about sth., tell everyone about sth., shout sth. from the rooftops; ⟨geheimen, vuile was⟩ wash one's dirty linen in public; *het **klinkt** als een klok* it sounds superb/magnificent; ⟨fig ook⟩ that's perfect/first rate; ⟨duidelijk⟩ that's crystal clear ② ⟨uurwerk⟩ clock, timepiece, watch ◆ *een **analoge/digitale** klok* an analogue/a digital clock; ***biologische** klok* biological/body clock; *de klok met de radio **gelijkzetten*** set the clock by the radio; ⟨fig⟩ *daar kun je de klok op **gelijkzetten*** you can set your watch/the clock by it; *hij kan nog geen klok **kijken**/niet op de klok **kijken*** he can't tell (the) time yet; *de klok **loopt voor/achter/gelijk*** the clock is (running) fast/slow/on time/right; ⟨fig⟩ *een **man** van de klok* a punctual man; ***op** de klok kijken* look at the clock; ⟨sport⟩ *een tijd **op** de klokken brengen* clock/make a time; *de klok **opwinden*** wind the clock; *de klok **rond*** (a)round the clock; *de klok **rond** slapen* sleep (a)round the clock; *de klok **slaat/wijst** zes uur* the clock strikes/shows six o'clock; *een **staande** klok* a grandfather/grandmother/longcase clock; *de klok **staat stil*** the clock isn't running/has stopped; ⟨fig⟩ ***tegen** de klok werken* work against time; ⟨sport⟩ *een race **tegen** de klok* a race against/with the clock; ***tegen/rond** de klok van tien* about/around ten (o'clock), ⟨BE⟩ tennish; *de klok **terugzetten*** ⟨ook fig⟩ set/put/turn the clock back; *de klok **voor/achterzetten*** set/put/turn the clock on/ahead/back; ***met** de klok mee* clockwise; ***tegen** de klok **in*** anticlockwise, ⟨AE⟩ counterclockwise; *met de **regelmaat** van de klok* with the regularity of clockwork, like/regular as clockwork; *het is allemaal **werken** wat de klok slaat* working is the order of the day; *het is allemaal **sport** wat de klok slaat bij hem* he eats, drinks, and sleeps sports/can only think of sport ③ ⟨hart van een rekenmachine⟩ clock ④ ⟨toestel om voorwerpen op te halen⟩ bell ⑤ ⟨glazen stolp⟩ bell jar, bell glass, cloche ⑥ ⟨meter, teller⟩ timer, ⟨in samenstellingen⟩ -meter, ⟨inf⟩ clock ◆ *de klok **stilzetten*** stop the timer

[3]**klok** [tw] glug, glub

klokbeker [de^{m}] bell beaker

klokbekercultuur [de^{v}] beaker folk/people

klokbloem [de] ① ⟨bloem met klokvormige bloemkroon⟩ bellflower ② ⟨klokje, akelei⟩ bellflower, campanula, bluebell, harebell, canterbury bell

klokbloemig [bn] bellflower-like ◆ *klokbloemige **planten*** bellflower-like plants

klokdiertje [het] protozoan

klok-en-hamerspel [het] ⟨scherts⟩ tools, ⟨AE⟩ family jewels

klokgaaf [bn] sound as a bell

klokgelui [het] ① ⟨het luiden⟩ bell ringing, bell chiming/sounding/playing, ⟨voor doden⟩ bell tolling ② ⟨geluid, gebeier⟩ ringing, chiming, chime, peal(ing) ◆ ***onder** klokgelui binnentreden* walk/come in (just) as the bells sound/ring

klokgevel [de^{m}] Dutch gable

klokhen [de^{v}] mother hen, brood(y) hen

klokhuis [het] ⟨appels, peer⟩ core, ⟨bloem⟩ pericarp ◆ *de appel **van het klokhuis ontdoen*** core the apple

klokje [het] ① ⟨klein uurwerk⟩ little/small clock ◆ ⟨fig⟩ *het klokje van **gehoorzaamheid*** time for all good children (to go home/to bed/to sleep), bedtime; ⟨kind⟩ beddy-byes ② ⟨plant⟩ bellflower, campanula, bluebell, harebell, Canterbury bell ③ ⟨horloge⟩ watch ⊡ ⟨sprw⟩ *zoals het klokje thuis tikt, tikt het nergens* east (or) west, home's best; there's no place like home

klokjesachtigen [de^{mv}] bellflower family, campanulaceae

klokjesgentiaan [de] bog gentian

klokkaart [de] timecard

klokke ⊡ *klokke **tien** (uur)* ten o'clock on the dot/sharp

[1]**klokken** [onov ww] ① ⟨werktijden laten vastleggen⟩ clock (on/off), ⟨AE⟩ punch (in/out) ◆ *al het personeel **moet** klokken* all personnel must clock (on and off)/[A]punch (in and out/the clock) ② ⟨het geluid 'klok' laten horen⟩ ⟨kip⟩ cluck, ⟨kalkoen⟩ gobble, ⟨vanuit een fles⟩ gurgle ③ ⟨als een klok uitstaan, vallen⟩ flare ◆ *klokkende **rokken*** flared skirts

[2]**klokken** [ov ww, ook abs] ⟨sport⟩ ⟨de tijd opnemen⟩ time, clock ◆ ***elektronisch** geklokt* electronically timed/clocked; *met de **hand** geklokt* timed by hand/with a stopwatch

klokkenbalk [de^{m}] stock

klokkengalg [de], **klokkenstoel** [de^{m}] bell cage, belfry

klokkengieter [de^{m}] bell-founder

klokkengieterij [de^{v}] bell-foundry

klokkenhuis [het] belfry, bell-chamber

klokkenist [de^{m}], **klokkeniste** [de^{v}] carillon player, carilloneur

klokkeniste [de^{v}] → **klokkenist**

klokkenkast [de] clock case

klokkenkunde [de^{v}] campanology

klokkenluider [de^{m}], **klokkenluidster** [de^{v}] ① ⟨luider van klokken⟩ bell-ringer ② ⟨werknemer die misstanden naar buiten brengt⟩ whistle-blower

klokkenluidster [de^{v}] → **klokkenluider**

klokkenmaakster [de^{v}] → **klokkenmaker**

klokkenmaker [de^{m}], **klokkenmaakster** [de^{v}] clock-

maker
klokkenspeelster [de^v] → **klokkenspeler**
klokkenspel [het] 1 ⟨carillon, beiaard⟩ carillon, chimes 2 ⟨slaginstrument⟩ glockenspiel, ⟨AE⟩ orchestra bells 3 ⟨geluid van klokken⟩ ringing/chiming/pealing of bells 4 ⟨het bespelen⟩ carillon playing, bell-ringing
klokkenspeler [de^m], **klokkenspeelster** [de^v] carillon player, carilloneur
klokkenstoel [de^m] → **klokkengalg**
klokkentoren [de^m] clock/bell tower, belfry
klokkentouw [het] bell rope
klokkijken [ww] tell the time
klokmetaal [het] bell-metal
klokmodel [het] flared model/style
klokradio [de^m] clock radio
klokrok [de^m] flared skirt
kloksignaal [het] 1 ⟨sein met een klok⟩ bell signal 2 ⟨mistsein⟩ fog signal, ⟨scheepv ook⟩ submarine bell signal
klokslag [de^m] 1 ⟨het slaan⟩ striking of the clock ♦ *klokslag **vier uur*** on/at the stroke of four (o'clock), at four (o'clock) precisely/sharp 2 ⟨keer⟩ stroke of the clock
klokslot [het] time lock
kloksnelheid [de^v] clock speed
klokspijs [de] bell-metal
klokthermostaat [de^m] thermostat with timeswitch
klokurn [de] bell-shaped urn
klokuur [het] hour on/according to the clock
klokvast [bn] ⟨in België⟩ 1 ⟨stipt op tijd⟩ ⟨alleen na zelfstandig naamwoord⟩ (as) regular as clockwork, punctual 2 ⟨op hetzelfde tijdstip⟩ leaving every hour, on the same minute, e.g. 6.17, 7.17, 8.17 …
klokvormig [bn, bw] bell-shaped, bell-like ♦ *klokvormige **bloemen*** bell-shaped/campanulate flowers
klokzeel [het] ⟨in België⟩ bell rope ⊡ *iets aan het klokzeel **hangen*** shout/proclaim sth. from the housetops/rooftops
klomp [de^m] 1 ⟨houten schoeisel⟩ ⟨BE⟩ clog, ⟨AE⟩ wooden shoe ♦ ⟨fig⟩ *nu **breekt** mijn klomp!* that's the limit/takes the cake!, well, I'm blowed!; ⟨fig⟩ *dat kun je **met/op** je klompen aanvoelen* that stands/sticks out a mile; *een man **op** klompen* a man in clogs/^{A}wooden shoes 2 ⟨schoen met houten zool en hak⟩ clog ♦ ***Zweedse** klompen* Swedish clogs 3 ⟨kluit, klont⟩ clod, lump, glob ♦ *een klomp **aarde/boter/vlees*** a lump of earth/butter/meat; *een klomp **goud*** a nugget of gold
klompendans [de^m] clog dance, ⟨AE⟩ wooden shoe dance
klompenhok [het] shed
klompenhout [het] clogwood, wood for (making) clogs
klompenland [het] backward country
klompenmaakster [de^v] → **klompenmaker**
klompenmaker [de^m], **klompenmaakster** [de^v] clog maker, ⟨AE⟩ wooden shoe maker
klompenmakerij [de^v] 1 ⟨handeling⟩ clog-making business, ⟨AE⟩ wooden shoe business 2 ⟨bedrijf, werkplaats⟩ clog factory/shop, ⟨AE⟩ wooden shoe factory/shop
klompenwinkel [de^m] clog shop, ⟨AE⟩ wooden shoe store
klomphand [de] clubhand
klompschoen [de^m] 1 ⟨met houten onderwerk⟩ clog, wooden-soled shoe 2 ⟨van klompvormig model⟩ clog-like shoe
klompvis [de^m] (ocean) sunfish, moonfish, globefish
klompvoet [de^m] clubfoot, ⟨med⟩ talipes
klompvormig [bn] clog-like, in the form of a clog, in the form of a ^{A}wooden shoe
klonen [ov ww, ook abs] clone
klont [de] 1 ⟨kleine samenhangende massa⟩ lump, glob, dab, ⟨verf⟩ daub ♦ *een klont **boter*** a pat/^{B}knob of butter; *met een flinke klont **slagroom*** with a big dab/dollop of whipped cream; *een klont **suiker*** a sugar lump/cube 2 ⟨samenplakkend stukje⟩ lump, clod, clot ♦ *de saus is/zit **vol** klonten* the sauce/gravy is full of lumps/lumpy
klonter [de^m] 1 ⟨klont m.b.t. een vloeistof⟩ clot, lump ♦ *een klonter **bloed*** a blood clot 2 ⟨klont van modder, klei⟩ clod, lump
klonteren [onov ww] lump, become/get lumpy, ⟨bloed⟩ clot, ⟨melk⟩ curdle
klonterig [bn] lumpy
klontje [het] 1 ⟨kleine klont⟩ lump, dab, ⟨boter⟩ pat, ⟨BE⟩ knob 2 ⟨blokje suiker⟩ sugar lump/cube ⊡ *zo **klaar als** een klontje* as plain as the nose on your face/as a pikestaff
klontjessuiker [de^m] lump/cube sugar
klontjestang [de] (pair of) sugar tongs
kloof [de] 1 ⟨spleet, barst⟩ split, gash, gap, cut, rent ♦ *kloven **in de lippen/in de handen*** splits in one's lips/hands, severely cracked lips/chapped hands 2 ⟨ravijn⟩ crevice, gorge, chasm, cleft, fissure 3 ⟨fig⟩ gap, gulf, rift, ⟨diep⟩ chasm ♦ *er gaapt een diepe kloof **tussen** theorie en praktijk* there is a big/yawning gap/gulf between theory and practice; *de kloof **tussen** arm een rijk wordt steeds groter/dieper/wijder* the gap between (the) rich and (the) poor is getting larger and larger, the gulf between (the) rich and (the) poor is getting deeper and deeper/wider and wider/is deepening/widening
kloofbaar [bn] cleavable, ⟨geol⟩ spathic
kloofbeitel [de^m] bolster
kloofbijl [de] cleaver, chopper, (splitting) axe
kloofvlak [het] split surface
klooien [onov ww] ⟨inf⟩ 1 ⟨stuntelen, prutsen⟩ bungle, mess/screw/botch up, ⟨vnl BE⟩ muck up 2 ⟨luieren, rondhangen⟩ hang about/around, screw about/around, ⟨vnl BE⟩ fart/moon/muck about, fart/moon/muck around 3 ⟨donderjagen⟩ monkey (about/around), ⟨BE⟩ fart about/around, mess about/around, ⟨BE⟩ piss about/around, play about/around ♦ ***lig/zit** niet met die lucifers te klooien* don't monkey/mess/muck (about/around) with those matches, stop messing/mucking about with those matches 4 ⟨zeuren⟩ drone (on), whine
kloon [de] clone
kloonkind [het] cloned child
klooster [het] 1 ⟨religieuze instelling⟩ ⟨mannen⟩ monastery, ⟨vrouwen⟩ convent, nunnery, cloister ♦ *een **boeddhistisch** klooster* a buddhist monastery; ***in** een/het klooster gaan/treden* go into/enter a/the monastery/convent; ⟨nonnen⟩ take the veil; ⟨monniken⟩ take the habit/cowl; *een klooster **stichten*** found a monastery/convent 2 ⟨gebouw⟩ ⟨mannen⟩ monastery, ⟨vrouwen⟩ convent, nunnery, cloister 3 ⟨bewoners⟩ ⟨mannen⟩ monastery, ⟨vrouwen⟩ convent, nunnery
kloosterachtig [bn] cloistral, monastic, claustral, conventual
kloosterbalsem [de^m] friar's balsam
kloosterbibliotheek [de^v] monastery/convent/cloister library
kloosterbier [het] monks' beer
kloosterbroeder [de^m] monk, friar, lay brother, ↑monastic
kloostercel [de] monastery/convent cell, monastery/convent cubicle
kloostercongregatie [de^v] monastic congregation
kloosterfeest [het] anniversary of taking monastic vows ♦ *zijn twintigjarig kloosterfeest **vieren*** celebrate one's twentieth anniversary in a monastery/convent
kloostergang [de^m] 1 ⟨gang om de binnenhof⟩ cloister, ambulatory 2 ⟨gang in een klooster⟩ monastery/convent hall, monastery/convent corridor
kloostergelofte [de^v] (monastic) vows, profession ♦ *zijn kloostergelofte **afleggen*** take one's vows, profess
kloostergemeenschap [de^v] monastic/convent com-

munity

kloostergewaad [het] habit, monastic garb/robe(s)/ dress

kloostergewelf [het] ⟨bouwk⟩ [1] ⟨gewelf waarvan het grondvlak een veelhoek is⟩ ribbed/lierne vault [2] ⟨kruising van twee tongewelven⟩ intersecting barrel-vault

kloostergrond [de^{m}] monastery/convent grounds, property of a monastery/convent, possessions of a monastery/convent

kloosterkapel [de] monastery/convent chapel

kloosterkerk [de] monastery/convent church, minster

Kloosterlatijn [het] church Latin

kloosterleven [het] [1] ⟨het leven in een klooster⟩ monastic/convent life [2] ⟨afgezonderd leven⟩ cloistered life

kloosterlijk [bn, bw] [1] ⟨het klooster betreffend⟩ cloistral, monastic, conventual [2] ⟨stil⟩ cloister-like, cloistered, monastery-like, convent-like

kloosterling [de^{m}], **kloosterlinge** [de^{v}] ⟨man & vrouw⟩ religious, ⟨man & vrouw⟩ conventual, ⟨man⟩ monk, ⟨man⟩ monastic, ⟨vrouw⟩ nun

kloosterlinge [de^{v}] → **kloosterling**

kloostermoeder [de^{v}] Mother Superior, abbess, prioress

kloostermop [de], **kloostersteen** [de^{m}] ± Roman brick

kloostermuur [de^{m}] [1] ⟨muur van een kloostergebouw⟩ monastery/convent wall [2] ⟨ringmuur om een klooster⟩ monastery/convent wall(s)

kloosterorde [de] monastic/convent(ual) order

kloosteroverste [de] ⟨man⟩ abbot, ⟨man⟩ prior, ⟨vrouw⟩ abbess, ⟨vrouw⟩ prioress, ⟨vrouw⟩ Mother Superior

kloosterpoort [de] monastery/convent doors

kloosterregel [de^{m}] monastic rule

kloosterroeping [de^{v}] monastic/conventual calling

kloosterschool [de] convent school

kloostersteen [de^{m}] → **kloostermop**

kloostertafel [de] refectory table

kloostertuin [de^{m}] monastery/convent garden

kloosterwezen [het] monasticism

kloosterzuster [de^{v}] nun, sister

kloot [de^{m}] ⟨vulg⟩ [1] ⟨persoon⟩ bastard, fart, jerk, fucker, ⟨BE⟩ twat, arse, ⟨AE⟩ ass(hole) [2] ⟨teel-, zaadbal⟩ testicle, ⟨inf⟩ ball ◆ *hij kan me de kloten **kussen*** he can kiss my arse/ ^{A}ass!, balls to him!; *iemand **voor** zijn kloten schoppen* kick s.o. in the balls; ⟨fig⟩ *het is kloten van de bok* it isn't worth shit/a (bloody) damn/a toss [•] *dat kan me **geen** kloot schelen* I don't give a damn/shit/fuck; ***naar** de kloten gaan* go to hell; *naar de kloten zijn* be screwed/fucked up; ⟨geld⟩ be down the drain/out of the window; ⟨wielersp⟩ be bonked (out), be buggered; ⟨in België⟩ *dat **trekt** op geen kloten* that's bloody useless

kloothannesen [ww] ⟨vulg⟩ monkey around/about, screw around

kloothommel [de^{m}] ⟨vulg⟩ ⟨BE vnl⟩ twat, bugger, ⟨AE vnl⟩ asshole, jerk

klootjesvolk [het] ⟨pej⟩ the hoi polloi, the (mindless) masses, the (great) unwashed, ↑ the bourgeois

klootzak [de^{m}] [1] ⟨vulg; persoon⟩ bastard, ⟨BE⟩ sod, son-of-a-bitch, ⟨AE⟩ mother(fucker) ◆ ***stomme** klootzak!* bloody fool!, ↓ fucking idiot!; ***vuile** klootzak* dirty bastard! [2] ⟨balzak⟩ scrotum

[1]**klop** [de^{m}] [1] ⟨slag⟩ knock, ⟨snel⟩ rap, ⟨zacht⟩ tap ◆ *een klop **op** de deur geven* give a knock on the door, knock on the door; *een klop(je) **op** de schouders* a slap on the back [2] ⟨inf; slaag⟩ lick(ing), whack(ing), knock(ing), wallop(ing) ◆ *klop **krijgen*** get a lick, get licked/whopped/trounced/beat(en)/ walloped [•] ⟨in België⟩ ***geen** klop* → **klap**[1]; ⟨in België⟩ *een klop van de **hamer** krijgen* hit a bad patch/^{A}a slump

[2]**klop** [tw] knock ◆ *klopklop **ging** het op de deur* there was a knock at the door

klopboor [de] hammer drill

klopgeest [de^{m}] poltergeist

klophamer [de^{m}] [1] ⟨houten hamer van beeldhouwers⟩ mallet [2] ⟨ijzeren hamer⟩ finishing hammer

klopjacht [de] [1] ⟨m.b.t. mensen⟩ round-up ◆ *een klopjacht **houden** op* round up, drive/hunt down [2] ⟨m.b.t. dieren⟩ drive, round-up, beat ◆ *een klopjacht **houden** op wolven* hunt down the wolves

klopklop [de^{m}] ready-whip

klopmassage [de^{v}] tapotement, percussion, clapping, pounding, patting

klopmolen [de^{m}] ⟨viss⟩ hammer mill

kloppartij [de^{v}] scuffle, tussle ◆ *het werd een **algemene** kloppartij* it turned into a free-for-all/free-fight; *een **stevige** kloppartij* a serious scuffle

[1]**kloppen** [onov ww] [1] ⟨hoorbaar op, tegen iets slaan⟩ knock (at/on), ⟨snel⟩ rap, ⟨zacht⟩ tap ◆ *het kloppen van een **motor*** the knocking of an engine; *kloppen **op** een tafel/**tegen** een muur* knock/tap on a table/wall [2] ⟨op iets slaan om er de aandacht op te vestigen⟩ knock, ⟨snel⟩ rap, ⟨zacht⟩ tap ◆ *binnen **zonder** kloppen* enter without knocking; *er wordt geklopt* there's a knock at the door [3] ⟨m.b.t. de hartspier⟩ beat, throb ◆ *het hart sneller **doen** kloppen* make one's heart beat faster, make one's heart quicken; *met kloppend **hart*** with one's heart racing/pounding; *vol verwachting klopt ons **hart*** our hearts pound with anticipation; *het hart klopte hem **in** de keel* his heart was in his mouth/throat; *kloppende **pijn*** throbbing pain; *een kloppende **pols*** a beating pulse [4] ⟨overeenkomen, passen⟩ correspond, agree, tally ◆ *een kloppend **antwoord*** a correct answer; *kloppende **boekhouding*** balanced books; ***dat** klopt* that's right/correct; *daar klopt **iets niet*** there is sth. wrong here; *dat klopt **met** de feiten* that agrees/tallies/squares with the facts; *hun verklaringen klopten niet **met** elkaar* their explanations didn't tally; *deze redenering klopt niet **op** een punt* there is one flaw in this argument; *de **rekening** klopt* the bill tallies; *de berekening klopte **tot op** de cent* the calculations were right to the (last) penny

[2]**kloppen** [ov ww] [1] ⟨een slag geven⟩ knock, ⟨snel⟩ rap, ⟨zacht⟩ tap ◆ ⟨inf⟩ *de **astmapatiënt** werd geklopt* the asthma patient was palpitated; *iemand **op** de rug/schouder kloppen* ⟨fig⟩ pat s.o. on the back; *de dokter klopte de patiënt **op** de borst* the doctor palpitated the patient's chest; ⟨amb⟩ *een **vorm** kloppen* straighten a form [2] ⟨verbrijzelen⟩ break, smash ◆ ***cokes/keien** kloppen* break coke/stones [3] ⟨door slaan in een andere toestand brengen⟩ beat, whisk, whip ◆ ***eieren** kloppen* beat/whisk eggs; *het **kleed** kloppen* beat the carpet [4] ⟨verslaan, overwinnen⟩ beat ◆ *hij werd geklopt **op** de 200 m* he was beaten in the 200 m [5] ⟨opkloppen⟩ beat (up), whisk (up), whip (up) [•] ⟨in België; inf⟩ *veel **uren** kloppen* put in a lot of hours

klopper [de^{m}] [1] ⟨persoon⟩ knocker, ⟨tegen raam⟩ window-tapper, ⟨van jacht⟩ beater, ⟨porder; BE⟩ knocker-up [2] ⟨iets dat of waarmee men klopt⟩ beater, ⟨van deur⟩ knocker, ⟨mattenklopper⟩ (carpet-)beater [3] ⟨paard⟩ cribbiter, cribber

klopping [de^{v}] [1] ⟨het kloppen⟩ beating, throbbing, pulsation, palpitation [2] ⟨in België; inf, ook fig; pak slaag⟩ beating, thrashing

klopsignaal [het] knock, ⟨spiritualisme⟩ rap

klopsteen [de^{m}] ⟨van schoenmaker⟩ lapstone

kloptor [de] deathwatch (beetle)

klopvastheid [de^{v}] anti-knock property/quality/rating

klopwerk [het] key-bashing, data entry work

kloris [de^{m}] ⟨inf⟩ [1] ⟨vrijer⟩ sweetheart [2] ⟨sukkel⟩ nitwit, ⟨pej⟩ dolt, (country) bumpkin

klos [de] [1] ⟨kort en breed stukje hout⟩ chock, block [2] ⟨spoel⟩ bobbin, spool, reel, spindle, ⟨elek⟩ coil ◆ *klosje **garen*** ⟨BE⟩ reel of cotton, ⟨AE⟩ spool of thread [•] ⟨inf⟩ *de klos **zijn*** be the sucker/fall guy

kloskant [de^{m}] bobbin/pillow lace

^{1}**klossen** [onov ww] ⟨de voeten niet optillen⟩ clump, stump ♦ *hij loopt maar te klossen* he is just clumping/stumping along

^{2}**klossen** [ov ww] ⟨op een spoel winden⟩ wind, reel

klote [bn, bw] ⟨vulg⟩ ⟨vaak in samenstellingen⟩ ⟨BE⟩ bloody awful, shitty, ↓ fucking (awful) ♦ *een klotedag* a bloody awful day, ↓ a fucking awful day; *dat **heeft** hij klote **gemaakt/gedaan*** he really screwed/fucked things up; *klotetroep* ⟨BE⟩ bloody awful mess, ⟨BE⟩ ↓ fucking awful mess, shit-heap, pigsty; *zich klote **voelen*** feel shitty/crappy; *kloteweer* bloody awful/rotten weather, shitty (awful) weather, ↓ fucking (awful) weather; *een klotewijf* a (fucking) bitch; *dat is **zwaar** klote* that's really bloody awful

kloten [onov ww] ⟨vulg⟩ [1] ⟨prutsen⟩ ⟨BE⟩ piss about/around, ⟨AE⟩ screw around, ⟨BE⟩ bugger about/around, ⟨AE⟩ fuck around ♦ *wat zit/sta je nou te kloten?* what are you pissing around like that for?, what the piss are you up to?; *wie heeft er aan mijn radio **zitten** te kloten?* who's fucked/screwed up my radio? [2] ⟨in België; bedriegen⟩ ⟨BE⟩ bugger about/around, ⟨AE⟩ screw, ⟨AE⟩ ↓ fuck

kloterig [bn, bw] ⟨vulg⟩ rotten, shitty, lousy, crappy

kloterij [de^{v}] ⟨in België; vulg⟩ [1] ⟨nonsens⟩ load of balls, pile of shit [2] ⟨bedriegerij⟩ royal fuck-up/^{A}screwing

klots [tw] click, slosh

klotsbak [de^{m}] body of water with strong wave activity

klotsen [onov ww] [1] ⟨het geluid 'klots' laten horen⟩ slosh, (s)plash ♦ *de golven klotsen **tegen** de kade* the waves are splashing onto the quayside [2] ⟨bilj⟩ click, kiss

^{1}**kloven** [onov ww] ⟨splijten, zich laten kloven⟩ split ♦ *dit hout klooft **slecht*** this wood doesn't split easily

^{2}**kloven** [ov ww] ⟨splijten, klieven⟩ split ⟨ook hout⟩, ⟨diamanten⟩ cleave, cut ♦ ***in** tweeën kloven* split in two; ⟨taalk⟩ *gekloofde **zinnen*** cleft sentences

klover [de^{m}] cleaver, chopper

KLu [afk] (Koninklijke Luchtmacht) Royal Netherlands Airforce

klucht [de] [1] ⟨toneelstuk⟩ farce, burlesque ♦ *een **platte/dolle** klucht* a vulgar/screaming farce; ***stomme** klucht* (panto)mime, dumbshow [2] ⟨belachelijke zaak, lachwekkend voorval⟩ farce, burlesque

kluchtig [bn, bw] farcical, burlesque, comical, funny ♦ *een kluchtig **voorval*** a farcical occurrence

kluchtspel [het] farce, burlesque

kluif [de] [1] ⟨stuk been, bot⟩ knuckle(bone) ♦ *erwtensoep **met** kluif* peasoup with pig's knuckle [2] ⟨plezierig werk⟩ easy job, plum (job) ♦ *een **lekker** kluifje* ⟨ook figuurlijk, bijvoorbeeld schandaaltje⟩ a nice titbit/^{A}tidbit; *daar had hij een **mooie/vette** kluif aan* that was a sweet deal; *dat is net een kluifje **voor hem*** that is right up his street [3] ⟨zwaar werk⟩ big/tough job ♦ *dat is een **hele** kluif* that's quite a job; *daar zal hij een **hele** kluif aan hebben* that will be a hard nut for him to crack [4] ⟨klauw⟩ claw, paw

kluifhout [het] ⟨scheepv⟩ jibboom

kluis [de] [1] ⟨brandkast, safe⟩ safe, ⟨bank; ruimte⟩ vault, strongroom, ⟨bank; voor privéspullen⟩ safe-deposit box, strongbox ♦ *kostbaarheden opbergen **in** een kluis* lock/shut up valuables in a safe [2] ⟨woning van een kluizenaar⟩ hermitage [3] ⟨scheepv⟩ hawse-hole

kluisbeheerder [de^{m}] safe-deposit box attendant

kluisdeur [de] safe door, ⟨van bank⟩ vault door

kluisgat [het] [1] ⟨scheepv⟩ hawsehole, ⟨AE ook⟩ hawse ♦ ***door** de kluisgaten aan boord zijn gekomen* have started/worked one's way up from the bottom of the ladder [2] ⟨inf, fig; oog⟩ ↑ eye

kluiskraak [de^{m}] safe crack

kluister [de] [1] ⟨boei⟩ shackle(s), fetter(s), manacle [2] ⟨m.b.t. dieren⟩ hobble, shackle, trammel ♦ *een paard/rund de kluisters **aanleggen*** hobble a horse/cow

kluisteren [ov ww] [1] ⟨boeien⟩ shackle, manacle, hobble ♦ *een **paard** kluisteren* hobble a horse [2] ⟨fig⟩ chain, bind, ⟨lit⟩ fetter ♦ ***aan** het ziekbed gekluisterd* bedridden, confined to one's sickbed; *door ziekte **aan** huis gekluisterd* housebound/confined/bound to the house by one's illness; ***aan** de radio/televisie gekluisterd* glued to the radio/television

kluit [de] [1] ⟨brok, klont⟩ lump, clod, ⟨vnl golf⟩ divot ♦ *een kluitje **boter*** ⟨BE⟩ a knob of butter, ⟨AE⟩ a butterball; *een kluit **deeg*** a ball of dough; ⟨fig⟩ *iemand **met** een kluitje in het riet sturen* send s.o. off none the wiser/empty-handed; ⟨fig⟩ *zich niet **met** een kluitje in het riet laten sturen* not let o.s. be put off by fair words/be given the brush-off/be fobbed off; ⟨fig⟩ ***op** een kluitje zitten/staan* crowd/squeeze together, be bunched up; ⟨fig⟩ *hij is **flink uit** de kluiten gewassen* he's a strapping lad [2] ⟨klomp aarde rond de wortels⟩ ball of earth/soil [3] ⟨hoop, menigte⟩ bunch, heap, pile ♦ ⟨vulg⟩ *hij **belazert** de kluit* he's screwing the lot/^{A}the whole caboodle; *een kluit **mensen*** a bunch of people

kluitden [de^{m}] balled pine sapling

kluitenbreker [de^{m}] grubber cultivator

kluithoudend [bn] [•] *kluithoudende **grond*** binding soil

kluitplant [de] seedling/plant with rootball

kluiven [onov ww] [1] ⟨de eetbare delen van iets afhalen⟩ gnaw, pick ♦ ***op** een bot kluiven* gnaw a bone [2] ⟨zuigen, sabbelen⟩ suck, chew ♦ ***op** zijn pen kluiven* gnaw/chew (on) one's pen; *zit niet steeds **op** je vingers te kluiven* stop chewing your fingers

kluiver [de^{m}] ⟨scheepv⟩ jib

kluiverboom [de^{m}] ⟨scheepv⟩ jibboom

^{1}**kluizenaar** [de^{m}], **kluizenaarster** [de^{v}] [1] ⟨heremiet⟩ ⟨man & vrouw⟩ hermit, ⟨man & vrouw⟩ recluse, ⟨man & vrouw⟩ anchorite, ⟨vrouw⟩ hermitess, ⟨vrouw⟩ anchoress, ⟨vrouw⟩ ancress [2] ⟨eenzelvig persoon⟩ hermit, recluse

^{2}**kluizenaar** [de^{m}] ⟨vlinder⟩ nun moth

kluizenaarsbestaan [het] hermit's/solitary life, hermit's/solitary existence, life of a hermit/recluse ♦ *een kluizenaarsbestaan **leiden*** lead a hermit's life/a solitary life

kluizenaarshut [de] hermitage, hermit's cell

kluizenaarskreeft [de] hermit crab

kluizenaarsleven [het] hermit's life, solitary life ♦ *een kluizenaarsleven **leiden*** lead the life of a hermit/recluse/solitary

kluizenaarster [de^{v}] → **kluizenaar^{1}**

klunen [onov ww] walk (on skates)

klungel [de], **klungelaar** [de^{m}], **klungelaarster** [de^{v}] clumsy oaf, bungler, ⟨inf; AE⟩ klutz, ⟨vnl AE; inf⟩ goof

klungelaar [de^{m}] → **klungel**

klungelaarster [de^{v}] → **klungel**

klungelen [onov ww] [1] ⟨prutsen, knoeien⟩ bungle, botch (up) ♦ *hij klungelt graag **aan** radio's* he likes to tinker with radios; *hij zit vreselijk te klungelen achter die piano* he's just banging on the piano [2] ⟨rondhangen⟩ dawdle, (dilly-)dally ♦ *hij klungelt maar wat aan* he's just dilly-dallying/dawdling

klungelig [bn, bw] clumsy, bungling, gawky, ⟨AE⟩ klutzy

klungelwerk [het] botch(-up), botched job

kluns [de^{m}] ⟨inf⟩ clumsy oaf, bungler, blunderer, botcher

klunzen [onov ww] ⟨inf⟩ bungle, bumble, muff, blunder, botch, ⟨vnl AE; sl⟩ goof ♦ *wat zit je toch te klunzen* what a mess you're making of it, what a bungler you are

klunzerig [bn] → **klunzig**

klunzig [bn, bw], **klunzerig** [bn, bw] ⟨inf⟩ bungling, bumbling, blundering, botch(ed)

klus [de^{m}] ⟨inf⟩ [1] ⟨zwaar karwei⟩ big/tough job ♦ *er een **hele** klus aan hebben* be faced with/have quite a job; *een **zware** klus* a big job, a tall order, some labour [2] ⟨licht, eenvoudig werk⟩ small job, chore ♦ *wat klusjes **doen in huis*** do odd jobs about the house, potter about the house; *ik heb een **leuk** klusje voor je* I have a nice little job for you; *klusjes **opknappen/klaren*** do odd jobs/chores [3] ⟨overschot van een maaltijd⟩ leftovers [4] ⟨troepje⟩ bunch, group ♦ ***in***

een klus bijeengedreven rounded up (in a group)
klushuis [het] ⟨euf⟩ renovator's dream, ⟨ogm⟩ dilapidated house
klusjesman [de^{m}] handyman, odd-jobber, odd-jobman
klussen [ov ww, ook abs] [1] ⟨zwart bijverdienen⟩ moonlight [2] ⟨klusjes verrichten⟩ do odd jobs
klussenbedrijf [het] handyman company
klussenbus [de] bus taking (unemployed) people around to do odd jobs in the community
klussencollectief [het] collective/co-operative for carrying out odd jobs
klusser [de^{m}] handyman, odd-jobber, odd-job man
kluts [de] [1] ⟨kleine hoeveelheid⟩ dab, touch ◆ *een kluts **melk*** a drop of milk [2] ⟨klauw(koppeling)⟩ clutch [•] *de kluts **kwijt** zijn/raken* lose one's bearings, be in a tizzy/flurry; ⟨van de zenuwen/schrik⟩ be/get tied up in knots, be shaken/rattled
klutsei [het] beaten(-up)/whipped/whisked egg
klutsen [ov ww] beat (up), whisk (up), whip (up)
klutsgoal [de^{m}] sloppy goal
kluut [de^{m}] avocet
kluwen [het] [1] ⟨knot⟩ ball, clew ◆ *een **verwarde** kluwen* a tangled ball [2] ⟨fig⟩ tangle, jumble ◆ ***één** (grote) kluwen* one big tangle/jumble; *een kluwen **wormen/mensen*** a jumble of worms/people
kluwenklokje [het] ⟨plantk⟩ Canterbury bell
klysma [het] enema, clyster
klystron [het] ⟨elek⟩ klystron
KM [afk] [1] (Koninklijke Marine) Royal Netherlands Navy [2] (Koninklijke/Keizerlijke Majesteit) HRM, HIM
KMA [de^{v}] (Koninklijke Militaire Academie) ⟨BE⟩ RMA
KMI [afk] ⟨in België⟩ (Koninklijk Meteorologisch Instituut (het Belgische De Bilt)) (Belgian) Royal Meteorological Institute
kmo [de^{m}] ⟨in België⟩ (kleine of middelgrote onderneming) SME, SMB
KMS [de^{v}] ⟨in België⟩ (Koninklijke Militaire School) Royal Military School
km/u [afk] (kilometer per uur) km/h, mph
knaagdier [het] rodent
knaagtand [de^{m}] rodent incisor
knaak [de] ⟨gesch; inf⟩ two guilders and fifty cents, ⟨BE⟩ ± quid, ⟨AE⟩ ± buck ◆ *het **kostte** een paar knaken* it cost a few quid/bucks
knaap [de^{m}] [1] ⟨jongen⟩ boy, fellow, ⟨vnl BE⟩ lad ◆ *een **pientere/wakkere** knaap* a smart/bright lad; *een **stevige** knaap* a sturdy lad/fellow [2] ⟨pej; persoon⟩ fellow, guy, character ◆ *wat **doet/moet/zoekt** die knaap hier?* what's that fellow/guy doing around here? [3] ⟨kanjer⟩ whopper ◆ *een knaap **van een karper*** a whopper of a carp [4] ⟨klerenhanger⟩ coat/clothes hanger ◆ *zijn kleren **op** een knaapje hangen* hang one's clothes on a hanger
knabbel [de^{m}] nibble, ⟨mv ook⟩ munchies
knabbelaar [de^{m}], **knabbelaarster** [de^{v}] nibbler, muncher, ⟨vnl. dieren⟩ gnawer
knabbelaarster [de^{v}] → **knabbelaar**
knabbelen [ov ww, ook abs] nibble (on), munch (on), gnaw ◆ ***aan** een stukje kaas/**op** een koekje knabbelen* nibble (on) a piece of cheese/a ^{B}biscuit/^{A}cookie
knabbeltje [het] nibble(s), snack
KNAC [de] (Koninklijke Nederlandse Automobielclub) Royal Netherlands Automobile Club
knäckebröd [het] (Swedish) crackers, (Swedish) crisp bread, knäckebröd
^{1}**knagen** [onov ww] [1] ⟨met de tanden bijten in⟩ gnaw, eat ◆ ***aan** een been knagen* gnaw/chew a bone; *de ratten knagen **aan** het hout* the rats are gnawing the wood [2] ⟨een onaangename gewaarwording veroorzaken⟩ gnaw, eat ◆ *het verdriet knaagde **aan** zijn hart* sorrow was eating his heart (away); *de opmerking **bleef** knagen* the remark continued to rankle; *een knagend **geweten*** pangs of conscience, a troubled conscience; *een knagende **honger*** gnawing hunger, pangs of hunger; *knagende **pijn*** nagging pain; *knagend **verdriet*** pangs of sorrow; *knagen de **zorgen*** gnawing worries
^{2}**knagen** [ov ww] ⟨een gat door knagen doen ontstaan⟩ gnaw through, eat through
knaging [de^{v}] [1] ⟨knabbeling⟩ gnawing [2] ⟨fig⟩ pang, gnawing
^{1}**knak** [de^{m}] [1] ⟨geluid⟩ crack, snap [2] ⟨breuk⟩ crack, snap [3] ⟨fig; beschadiging, knauw⟩ blow ◆ *een **geduchte** knak krijgen* receive quite a blow [4] ⟨sigaar⟩ Corona
^{2}**knak** [tw] crack, snap
knakenpijp [de] ± coin tube
^{1}**knakken** [onov ww] [1] ⟨een knak krijgen⟩ snap, break ◆ *pas op, die **bloem** knakt bijna* be careful, that flower will break/snap off [2] ⟨het geluid 'knak' laten horen⟩ crack, snap ◆ *zijn vingers **laten** knakken* crack one's knuckles
^{2}**knakken** [ov ww] [1] ⟨met een knak breken⟩ snap, crack ◆ *geknakt **zijn*** ⟨ook⟩ have (developed) a crack [2] ⟨fig⟩ break, ⟨bedrijf⟩ cripple, injure, impair, ⟨sterker⟩ shatter ◆ *dat ongeluk **heeft** hem geknakt* that misfortune has broken him
knakker [de^{m}] ⟨inf⟩ character, customer ◆ *een **ouwe** knakker* an old codger; *een **rare** knakker* a queer customer/fish; ⟨AE⟩ an oddball
knakworst [de] ± frankfurter, ⟨AE ook⟩ wiener, frank
^{1}**knal** [de^{m}] bang, pop, ⟨geweer ook⟩ report, crack, ⟨donder, applaus⟩ clap, ⟨door geluidsmuur⟩ boom, detonation, explosion ◆ *de knal van een **champagnekurk*** the pop of a champagne cork; ⟨inf⟩ *iemand een knal voor zijn kop/oog **geven*** clout/slosh/sock s.o. in the face/eye; *met een **luide** knal* with a big bang/a loud report
^{2}**knal** [bn] [1] ⟨geweldig, reuze⟩ smashing, great, ⟨BE⟩ super, ⟨AE⟩ swell ◆ *dat feest **was** knal* that party was smashing/great/super/really sth. [2] ⟨van kleuren: fel⟩ loud, garish, glaring ◆ *dit rood **is** wel erg knal* this red is really loud/garish
^{3}**knal** [tw] great, smashing
knalapparaat [het] audio bird repeller
knalbonbon [de^{m}] (Christmas) cracker
knaleffect [het] sensation, ⟨dram⟩ stage effect, claptrap
knalfuif [de] ⟨inf⟩ rave-up, bash, ⟨AE⟩ wingding
knalgas [het] ⟨scheik⟩ oxyhydrogen
knalgasbrander [de^{m}] oxyhydrogen blowpipe
knalgasvlam [de] oxyhydrogen flame
knalgeel [bn] bright/vivid yellow
knalgoud [het] ⟨scheik⟩ fulminating gold, gold fulminate, fulminate of gold
knalhard [bn] very hard
knalkleur [de^{m}] gaudy colour
knalkoopje [het] super bargain, amazing/stunning bargain
knalkurk [de] popping cork
knalkwik [het] fulminating mercury
knallen [onov ww] [1] ⟨een knal geven⟩ bang, ⟨zweep, geweer⟩ crack, ⟨kanon⟩ boom, ⟨kurk⟩ pop ◆ *knallende **donderslagen*** claps/peals of thunder; *in de verte knalden **geweerschoten*** gun shots rang out in the distance; *de zweep **laten** knallen* crack the whip; *er op **los** knallen* fire/shoot away (at sth.), ⟨inf⟩ pot away (at sth.); ⟨inf⟩ take pot-shots (at sth.) [2] ⟨met een knal raken⟩ bang, crash, smash ◆ *de deur knalde **in** het slot* the door banged/slammed shut; *hij is **op** een boom geknald* he has crashed/smashed into a tree [3] ⟨sport⟩ go all-out
knaller [de^{m}] scream(er), ⟨AE⟩ riot, topper, popper
knalpatroon [de] ⟨spoorw⟩ detonator, ⟨AE⟩ torpedo
knalpijp [de] ↑ exhaust (pipe)
knalpoeder [het, de^{m}] fulminating/detonating powder
knalpot [de^{m}] ⟨BE⟩ silencer, ⟨AE⟩ muffler, exhaust (pipe) ◆ *met **open** knalpot rijden* drive with an open exhaust, drive without a silencer/^{A}muffler

knalprijs [de^m] amazing/stunning price
knalrood [bn] bright/vivid red, ⟨BE ook⟩ fire-engine red
knalsignaal [het] detonating signal, detonator, ⟨BE⟩ fogsignal, ⟨AE⟩ torpedo
knalzilver [het] fulminating silver, ⟨trein⟩ silver fulminate, fulminate of silver
knalzuur [het] fulminic acid
¹**knap** [bn, bw] 1 ⟨mooi⟩ good-looking, ⟨vnl. man⟩ handsome, ⟨vnl. vrouw⟩ pretty, comely, personable ♦ *een knap **ding*** a pretty little thing; *een knappe **jongen/vent*** a good-looking boy, a fine figure of a man; *er **niet** knapper op worden* lose one's looks; *een knappe **verschijning*** a (good-)looker 2 ⟨intelligent⟩ clever ⟨bw: ~ly⟩, bright, sharp, ⟨vnl AE⟩ smart, brainy ♦ *een knappe **kop*** a brain, a whiz(z) kid, ⟨AE⟩ a double-dome 3 ⟨bekwaam⟩ smart ⟨bw: ~ly⟩, able ⟨bw: ably⟩, capable ⟨bw: capably⟩, clever, ⟨m.b.t. handwerk⟩ handy, deft, ↑ dexterous ♦ *knap zijn **in*** be good/a good hand at, be expert at/in; ⟨scherts⟩ *een knappe **jongen** die ...* it would take a genius to ...; *een knap **stuk** werk* a clever/smart piece of work; *hij is een knap **werkman*** he is a skilful/ᴬskillful workman, he is good at his job 4 ⟨flink, vrij groot⟩ pretty good/big, ⟨BE⟩ jolly good/big, fine
²**knap** [bw] 1 ⟨tamelijk⟩ pretty, ⟨BE⟩ jolly, rather, fairly ♦ *'t wordt al knap **donker*** it's getting pretty/jolly dark already 2 ⟨op bekwame wijze⟩ cleverly, well, smartly, deftly ♦ *dat heb je knap **gedaan*** you have made a good job of that, you've done a good job 3 ⟨netjes⟩ neatly, sprucely, tidily ♦ *zij is altijd knap **gekleed*** ⟨inf ook⟩ she's a nifty dresser; *knap voor de dag komen* look well-dressed, be well turned out
³**knap** [tw] snap, crack ♦ *knap **zei/ging** het glas* snap went the glass
knapenkoor [het] boys' choir
knapenliefde [de^v] love of boys
knapenvereniging [de^v] boys' association, youth fellowship, young men's Christian Association, YMCA
knapheid [de^v] 1 ⟨schoonheid⟩ handsomeness, prettiness, good looks 2 ⟨intelligentie⟩ cleverness, sharpness, wit, smartness, braininess 3 ⟨bekwaamheid⟩ smartness, ability, capability, handiness, deftness, dexterity
knapjes [bn, bw] → **knap²**
knapkers [de] ⟨plantk⟩ (white-)heart cherry, big arreau cherry
knappen [onov ww] 1 ⟨korte plofjes laten horen⟩ ⟨vnl. vuur⟩ crackle, crack, snap ♦ *een knappend **haardvuur*** a crackling fire; *zijn vingers **laten** knappen* crack one's knuckles; *het **vuur** knapt in de haard* the fire is crackling (away) in the hearth 2 ⟨breken⟩ crack, ⟨touw⟩ snap ♦ *ik **hoorde** het glas knappen* ⟨barsten⟩ I heard the glass crack, ⟨breken⟩ I heard the glass snap
knapperd [de^m] 1 ⟨intelligent iemand⟩ brain, whiz(z) kid, ⟨BE⟩ bright spark, ⟨AE⟩ double-dome ♦ ***wat** (ben jij) een knapperd!* ⟨tegen kind⟩ aren't you clever! 2 ⟨schoonheid⟩ ⟨iron ook⟩ beauty ♦ ⟨iron⟩ ***wat** een knapperd!* he/she is no beauty, ⟨van vrouw ook⟩ she is no beauty queen/picture
knapperen [onov ww] ⟨vnl. vuur⟩ crackle, crack, snap
knapperig [bn] crisp ⟨bijvoorbeeld sla, groente⟩, crunchy ⟨bijvoorbeeld koekje, appel⟩, ⟨hout⟩ brittle, ⟨brood⟩ crusty
knapzak [de^m] knapsack
knar [de^m] ⟨inf⟩ 1 ⟨oud mens⟩ ⟨man⟩ (old) fogey, (old) geezer, ⟨vrouw⟩ (old) crone, (old) bag 2 ⟨hoofd⟩ nut, noodle, conk, loaf 3 ⟨gierigaard⟩ skinflint, miser, scrooge ♦ *'t is zo'n **oude** knar* he/she is such an old skinflint
knarsen [onov ww] crunch, creak, grind, grate ♦ *de **deur** knarst in haar scharnieren* the door creaks/squeaks on its hinges; *het **grind** knarste onder onze voeten* the gravel crunched under our feet; ***op/met** de tanden knarsen* grate/grind/gnash/grit one's teeth; *de **wielen** knarsten in het grind* the wheels crunched over/on the gravel
knarsetanden [onov ww] ⟨ook fig⟩ gnash/grind one's teeth
knauw [de^m] 1 ⟨harde beet⟩ bite, chew ♦ *een **gemene** knauw* a nasty bite 2 ⟨fig; knak⟩ blow, damage, injury, setback ♦ *dat **gaf** hem een knauw* that shook him/dealt him a blow; ⟨vnl. geld⟩ that set him back/hit him hard; *zijn gezondheid heeft een **lelijke** knauw gekregen* his health took a severe blow/was severely damaged/impaired
knauwen [onov ww] 1 ⟨sterk kauwen⟩ gnaw (at), munch, chew, ⟨luidruchtig⟩ crunch (on) 2 ⟨m.b.t. spreken⟩ ± drawl
KNAW [de^v] (Koninklijke Nederlandse Akademie van Wetenschappen) Royal Netherlands Academy of Arts and Sciences
knecht [de^m] 1 ⟨bediende, hulp⟩ servant, ⟨op boerderij⟩ farm-hand, labourer, helper ♦ *ik **ben** je knechtje niet* I'm not your servant/slave; ***heren** en knechten* masters and servants; *de knecht des **Heren*** the servant of the Lord; *had je me gisteren gehuurd, dan **was** ik vandaag je knecht **geweest*** nothing doing! 2 ⟨sport⟩ domestique, ⟨waterdrager⟩ water-carrier ▪ ⟨sprw⟩ *zo meester, zo knecht* like master, like man; ⟨sprw⟩ *zo heer, zo knecht* like master, like man
knechten [ov ww] subjugate, enslave ♦ *heel Europa **door** Hitler geknecht* all of Europe under Hitler's heel; *ik **laat** me niet knechten* I won't be led by the nose, I am no one's servant/slave
knechtschap [het] ⟨form⟩ bondage, bondservice, thraldom
kneden [ov ww] 1 ⟨door drukken, knijpen bewerken⟩ knead, work 2 ⟨door drukken, knijpen week maken⟩ knead, mould ♦ ***was** kneden* mould wax 3 ⟨vormen, boetseren⟩ mould, ⟨AE⟩ mold, form, fashion, model ♦ ⟨fig⟩ ***iemand** kneden als was* mould s.o. like wax; ***poppetjes** van deeg kneden* knead/form/mould dough into figures; ⟨fig⟩ *de **taal/iemands karakter** kneden* mould the language/s.o.'s character
kneedbaar [bn] 1 ⟨makkelijk gekneed kunnende worden⟩ kneadable, workable 2 ⟨fig; handelbaar⟩ pliable, plastic, malleable, mouldable, ductile ♦ *iemand kneedbaar maken* make s.o. putty in one's hands
kneedbaarheid [de^v] ⟨ook fig⟩ pliability, plasticity, malleability, mouldability, ductility
kneedbom [de] plastic bomb
kneedhaak [de^m] dough hook
kneedmachine [de^v] kneading machine, dough mixer, kneader
kneedmassage [de^v] massage
kneedspringstof [de] plastic explosive
kneedtrog [de^m] kneading trough/table, dough tray
kneep [de] 1 ⟨daad van knijpen⟩ pinch, squeeze, nip, tweak ♦ *een kneepje **in** de wangen* a pinch in/on the cheek; *een **valse** kneep* a nasty nip 2 ⟨indruk van knijpen⟩ pinch (mark) ♦ *de knepen **staan** nog in mijn arm* I've still got the pinch marks/the bruises on my arm 3 ⟨fig; kunstgreep⟩ knack, trick, twist ♦ ***kunstjes** en knepen* tricks and dodges; *de (fijne) kneepjes van het **spel/vak** kennen/leren* know the ropes, know/learn the tricks of the trade; ***voel** je de kneep?* do you see what he/she is/they are/... up to?; *daar **zit** (hem) de kneep* ⟨de essentie⟩ that is the crux of the matter; ⟨de moeilijkheid⟩ that's the snag, there's the rub
kneippkuur [de] kneipp('s) cure, kneippism
kneitergoed [bn] ⟨inf⟩ awesome, wicked
kneiterhard [bn] ⟨inf⟩ really loud, really hard
knekel [de^m] bone
knekelhuis [het] charnel (house), ↑ ossuary
knekelman [de^m] skeleton, Death, Grim Reaper
¹**knel** [de] 1 ⟨knelling, klem⟩ catch, jam, trap ♦ *mijn vinger zit **in** de knel* my finger is stuck/caught 2 ⟨benauwdheid, nood⟩ fix, jam, scrape, tight corner ♦ ***in** de knel zitten* be in a fix/in hot water/(caught) in a cleft stick; ***uit** de knel raken* get off the hook, get out of a fix/mess/tight corner

[2]**knel** [bn] stuck, caught, trapped ♦ *knel **zitten/raken*** be/get stuck/caught/jammed/trapped
[1]**knellen** [onov ww] ⟨door drukken pijn veroorzaken⟩ squeeze, pinch ⟨bijvoorbeeld schoenen, kleding⟩, press ♦ ⟨fig⟩ *knellende **banden*** galling bonds
[2]**knellen** [ov ww] ⟨stevig drukken, vasthouden⟩ squeeze, press, crush, clip
knelling [de[v]] [1] ⟨het knellen, gekneld worden⟩ squeezing, pressing, pinching, crushing [2] ⟨fig; benauwing⟩ oppression
knelpunt [het] bottleneck, pressure point, ⟨AE⟩ choke point, sticking point
knerpen [onov ww] ⟨bijvoorbeeld sneeuw⟩ crunch, ⟨geluid⟩ grate, grind, grit ♦ *een knerpend **geluid*** a grating noise
Knesset [de[v]] Knesset
knetter [bn], **knettergek** [bn] ⟨inf⟩ ⟨vnl BE⟩ crackers, ⟨BE⟩ bonkers, nuts, (stark staring/[A]raving) mad, bananas ♦ *je **wordt** knetter van dit werk* ⟨ook⟩ this work drives you round the bend/up the wall/out of your mind/crackers
knetteren [onov ww] ⟨vuur, radio⟩ crackle, ⟨radio, motor, vlam, kaars⟩ sputter, crepitate ♦ *een knetterende **donderslag*** a clap/peal of thunder [•] ⟨fig⟩ *een knetterende **vloek*** a thundering curse
knettergek [bn] → **knetter**
kneu [de] ⟨dierk⟩ linnet
kneukel [de[m]] knuckle
kneus [de[m]] [1] ⟨persoon⟩ ⟨gehandicapte⟩ cripple, ⟨die niet mee kan⟩ failure [2] ⟨gebruiksartikel⟩ ⟨vnl. auto⟩ old crock, ⟨tweede keus⟩ reject, ⟨mv ook⟩ second(s) ♦ *het kneusje van de **maand*** the wreck/jalopy of the month [3] ⟨vrucht, ei⟩ damaged/bruised fruit, cracked/broken egg
kneuswond [de] bruise, ↑contusion
kneuteren [onov ww] [1] ⟨brommen, kniezen⟩ grumble, grouse, mope, fret [2] ⟨babbelen⟩ chat, gossip, babble, gab
kneuterig [bn, bw] snug ⟨bw: ~ly⟩, cosy, ⟨AE spelling vnl.⟩ cozy
kneuterigheid [de[v]] cosiness, ⟨AE spelling vnl.⟩ coziness
kneuzen [ov ww] [1] ⟨m.b.t. lichaamsdelen⟩ bruise, ↑contuse ♦ ***zich** kneuzen* bruise o.s., get/be bruised [2] ⟨aan de oppervlakte beschadigen⟩ ⟨fruit⟩ bruise, ⟨ei⟩ crack, ⟨zaad⟩ crush, squash [3] ⟨afbreuk doen⟩ bruise, batter, injure, harm
kneuzing [de[v]] [1] ⟨kwetsing⟩ injury, damage, bruise [2] ⟨onderhuidse beschadiging⟩ bruise, bruising, ↑contusion ♦ ***inwendige** kneuzingen oplopen* sustain internal bruising
knevel [de[m]] [1] ⟨snor⟩ moustache, ⟨AE⟩ mustache, ⟨vaak scherts; kat ook⟩ whiskers ♦ *een knevel **met** opstaande punten* a handlebar moustache [2] ⟨staafje, stokje⟩ clamp, brace, clasp, band
knevelaar [de[m]] extortioner
knevelarij [de[v]] extortion
knevelen [ov ww] [1] ⟨boeien⟩ tie down/up, truss, pinion, bind, ⟨met mondprop⟩ gag [2] ⟨aan banden leggen⟩ muzzle, gag, tie (the hands of), oppress ♦ *de **pers** knevelen* muzzle/silence/gag the press [3] ⟨afpersen⟩ extort
kneveling [de[v]] binding, ⟨met mondprop⟩ gagging, ⟨ook fig⟩ tying
knevelschakelaar [de[m]] ⟨elek⟩ toggle switch
knibbelaar [de[m]], **knibbelaarster** [de[v]] haggler, ⟨vrek⟩ niggard, penny pincher
knibbelaarster [de[v]] → **knibbelaar**
knibbelarij [de[v]] haggling, chaffering, bargaining
knibbelen [onov ww] haggle, chaffer, bargain
knibbelspel [het] jackstraw(s), spillikin(s)
knickerbocker [de[m]] (a pair of) knickerbockers, plus fours, ⟨AE⟩ knickers
knicks [de[m]] curts(e)y, bob, duck

knie [de] [1] ⟨kniegewricht⟩ knee ♦ ***beneden/boven** de knieën* below/above the knee(s); *God danken op zijn **blote** knieën* thank God on bended knees; ***door** de knieën gaan* ⟨fig; opgeven⟩ give in; ⟨zich onderwerpen⟩ buckle under; *met **knikkende/trillende** knieën* with knocking/trembling/shaking knees, trembling/shaking at the knees; ⟨fig⟩ *iets **onder** de knie hebben* have grasped/mastered sth., have sth. down to a fine art; ⟨fig⟩ *iets **onder** de knie krijgen* master sth., get the hang/knack of sth.; ***op** je knieën!* (down) on your knees!; ***op** de knieën liggen/vallen* kneel, fall to/go down on/drop to one's knees; *iemand **op** de knieën brengen/dwingen* ⟨ook fig⟩ bring/force s.o. to his knees; *hij sloeg zich **op** de knieën van pret* he slapped his thigh with mirth; ⟨fig⟩ *voor iets/iemand **op** de knieën liggen* go down on one's knees to/before sth./s.o.; ⟨pregn⟩ *iemand **over** de knie leggen* put s.o. across one's knee; *die rok komt tot **over** de knie* that skirt reaches below the knee(s); ***tot aan** de knieën in 't water staan* be up to one's knees/be knee-deep in water; *een rok **tot op/tot halverwege** de knie* a knee-length skirt, a skirt halfway to the knee [2] ⟨horizontale bovenvlak van het been⟩ knee ♦ *een kind **op** de knie laten rijden* jog/bounce/dandle a child on one's knee(s)/lap [3] ⟨deel van een kous, broek⟩ knee ♦ *een broek **met** knieën* a pair of baggy trousers/trousers sagging at the knees; *de knieën zijn **versleten*** the knees are worn/gone [4] ⟨(iets met) rechthoekige ombuiging⟩ knee, elbow ♦ *een knie **in** een kachelpijp* an elbow in a stove-pipe
knieband [de[m]] [1] ⟨beschermingsband⟩ knee protector/supporter [2] ⟨anat; kniepees⟩ hamstring [3] ⟨riem om rund te kniepoten⟩ knee-halter
kniebeschermer [de[m]] knee pad/cap
knieblessure [de[v]] knee injury
kniebocht [de] ⟨weg, rivier⟩ elbow (bend), ⟨buis ook⟩ knee
kniebroek [de] knee breeches, plus fours, knickerbockers
kniebuiging [de[v]] [1] ⟨handeling⟩ kneeling, ⟨r-k⟩ genuflection ♦ ***enkelvoudige/dubbele** kniebuiging* kneeling (down) on one knee/both knees [2] ⟨gymnastische oefening⟩ knee bend ♦ *tien **diepe** kniebuigingen maken* do ten deep knee bends
kniediep [bw] knee-deep ♦ *kniediep door de sneeuw **waden*** wade knee-deep through the snow
kniegeboorte [de[v]] knee presentation
kniegewricht [het] knee joint
kniehefboom [de[m]] toggle lever
knieholte [de[v]] hollow/back of the knee, ⟨med⟩ popliteal space
kniehoog [bn, bw] knee-high
kniehoogte [de[v]] knee-height, knee-depth ♦ *tot **op** kniehoogte* up to the knees, to knee-height
kniekous [de] knee sock
knielaars [de] knee(-length) boot, wellington (boot)
knielap [de[m]] knee-piece, ⟨bescherming⟩ knee-pad
knielbankje [het] kneeling bench, prie-dieu
knielbus [de] bus with access for wheelchairs
knielen [onov ww] [1] ⟨op de knieën vallen⟩ kneel, ⟨vnl. in kerk⟩ genuflect ♦ *een knielende **houding*** a kneeling position/posture; *geknield **liggen*** kneel; *knielen **voor*** kneel before, bow for [2] ⟨zich onderwerpen⟩ kneel, genuflect ♦ *knielen **voor** God* kneel before God
knielengte [de[v]] knee length
knieling [de[v]] kneeling, ⟨vnl. in kerk⟩ genuflection
knielkussen [het] hassock, kneeler
kniepedaal [het, de[m]] knee(-operated) control
kniepees [de] hamstring
knier [de] hinge
kniereflex [de[m]] ⟨med⟩ knee reflex, knee jerk, ⟨med ook⟩ patellar reflex ♦ *de kniereflex **testen*** test the knee reflex
knierok [de] knee skirt
knieruimte [de[v]] knee room, legroom, kneehole ⟨bij-

voorbeeld in bureau⟩

knieschijf [de] ⟨med⟩ ⟨ogm⟩ kneecap, ⟨med⟩ patella

knieslot [het] knee lock

kniesoor [de^m] moper, moaner, grumbler, grouch ◆ *een kniesoor die daarop let* details; but that is a (mere) detail

kniestuk [het] 1 ⟨kniebeschermer⟩ knee pad 2 ⟨verbindings-, steunstuk⟩ kneepiece, knee, elbow(-piece), ⟨pijp⟩ knee-pipe

knietje [het] 1 ⟨kleine knie⟩ (little) knee ◆ *knietjes **geven*** play footsie 2 ⟨sport; geblesseerde knie⟩ injured knee 3 ⟨duw met de knie⟩ knee ◆ *iemand een knietje **geven*** knee s.o., give s.o. a knee

knietjevrijen [ww] play footsie

knieval [de^m] genuflection ◆ *een knieval **doen voor** iemand* ⟨ook fig⟩ fall to one's knees before s.o., throw o.s. at s.o.'s feet, fall prostrate before s.o., prostrate o.s. before s.o.

knieviool [de] (Viola da) gamba

knievormig [bn, bw] knee-shaped ◆ *knievormig **gebogen houten*** knees, knee timber; *met een knievormige **geleding*** kneed

kniewarmer [de^m] knee warmer, leg warmer

kniewater [het] water on the knee

kniezen [onov ww] mope, moan (about), grumble (about), fret (about) ◆ *(ergens over) **zitten** te kniezen* mope

kniezer [de^m] moaner, grouch, grumbler

kniezerig [bn, bw] grumpy ⟨bw: grumpily⟩, gloomy, glum, fretful, sullen ◆ *kniezerig **kijken*** look glum, look down in the mouth

kniezig [bn, bw] grumpy ⟨bw: grumpily⟩, fretful, mopish, grouchy, ⟨BE gew en AE⟩ cranky

¹knijp [de] ⟨inf⟩ ⟨BE⟩ pub, ⟨BE⟩ boozer, ⟨AE⟩ barrelhouse ▪ *in de knijp **zitten*** ⟨in verlegenheid⟩ be in a fix/jam, be up the creek; ⟨in angst⟩ have the wind up

²knijp [bn] ⟨inf⟩ stuck, ⟨ook fig⟩ trapped ◆ *knijp **zitten*** ⟨fig⟩ be hard pressed/skint

knijpbril [de^m] ⟨vero⟩ pince-nez, nippers

¹knijpen [onov ww] 1 ⟨druk uitoefenen door samenpersing⟩ pinch, press, squeeze ◆ ***in** een bal/peer knijpen* squeeze a ball, press a pear 2 ⟨bezuinigen⟩ cut back/down (on), reduce, ↑curtail 3 ⟨voetb⟩ pull in and give cover ▪ ⟨inf⟩ ***ertussenuit** knijpen* slip off/away/out (unnoticed), slope off, get out (while the going's good), skedaddle; ⟨vnl. door jongeren gebruikt⟩ split; ⟨sl; BE⟩ do a bunk

²knijpen [ov ww] ⟨door knijpen verplaatsen⟩ squeeze ◆ *tandpasta **uit** de tube knijpen* squeeze toothpaste from the tube

³knijpen [ov ww, ook abs] ⟨druk uitoefenen op iemands vel, een lichaamsdeel⟩ pinch, tweak ⟨bijvoorbeeld neus als liefkozing⟩, squeeze, ⟨vuist, hand⟩ clench ◆ *(iemand) **gemeen** knijpen* give (s.o.) a nasty pinch; *iemand **in** de neus knijpen* tweak s.o.'s nose; *iemand **in** de arm/zijn wang knijpen* pinch s.o.'s arm/cheek ▪ ⟨inf⟩ *'**m** knijpen* have the wind up

knijper [de^m] 1 ⟨knijpend voorwerp⟩ (clothes) peg, ⟨AE vnl⟩ clothes pin, ⟨m.b.t. papier e.d.⟩ clip, ⟨van kreeft⟩ pincer ◆ *de knijpers van een **kreeft*** the pincers of a lobster 2 ⟨iemand die knijpt⟩ pincher, squeezer 3 ⟨vrek⟩ miser, scrooge, skinflint

knijperig [bn, bw] stingy ⟨bw: stingily⟩, miserly, mean, tightfisted

knijpertje [het], **knijpkoekje** [het] ± waffle

knijpfles [de] squeeze-bottle

knijpkat [de] ⟨BE⟩ dyno torch

knijpkoekje [het] → **knijpertje**

knijpkut [de^v] ⟨vulg⟩ tight/frigid bitch

knijprem [de] brake, hand/handlebar brake, ⟨amb⟩ calliper/^Acaliper brake

knijpstuk [het] choke, (flow)beam

knijptang [de] pincers, ⟨kleiner⟩ nippers

knik [de^m] 1 ⟨gedeeltelijke breuk, knak⟩ crack, dent, split, twist, kink ◆ *die steel **heeft** een knik* that stem is bent/broken; *een knik **in** een slang* a kink in a hose/tube; *een **valse** knik* a loop 2 ⟨uitwijking, buiging van een staaf⟩ buckle 3 ⟨richtingsverandering in een lijn, oppervlak⟩ twist, kink, bend, dip ◆ *een knik **in** de rijweg* a dip in the road 4 ⟨buiging van het hoofd⟩ nod ◆ *een **goedkeurend** knikje* a nod of approval; *iemand **met** een knik groeten* greet s.o. with a nod, nod to s.o. in greeting

knikkebenen [onov ww] give at the knees, ⟨paard⟩ be over at the knee

knikkebollen [onov ww] nod

¹knikken [onov ww] 1 ⟨half breken, knakken⟩ crack, snap, split, bend ◆ *de **bloemen** zijn geknikt* the flowers are bent/broken 2 ⟨doorbuigen⟩ bend, buckle, kink ◆ *met knikkend **hoofd*** with nodding head; *zijn **knieën** knikten* his knees shook, ⟨van angst⟩ his knees gave way/buckled, ⟨van zwakte⟩ his knees went; *met knikkende **knieën*** with shaking/knocking knees 3 ⟨het hoofd op en neer laten gaan⟩ nod ◆ ***bevestigend/goedkeurend/instemmend** knikken* nod one's confirmation/approval/assent; ***goedendag** knikken* nod good day/in greeting/a greeting; ***ja** knikken* nod (assent); *knikken **met** zijn hoofd* nod one's head; *hij knikte **van** ja* he nodded (in agreement), he gave a nod

²knikken [ov ww] ⟨een knik maken in⟩ bend, snap ⟨bijvoorbeeld steel⟩, twist, fold

knikker [de^m] 1 ⟨speelballetje⟩ marble, ⟨grote knikker⟩ taw, ⟨alikas⟩ alley ◆ ***met** knikkers spelen* play marbles; ⟨fig⟩ *het is niet **om** de knikkers, maar om het spel* it's not winning that counts (but taking part); we're/I'm not in this/doing this for the money 2 ⟨inf; hoofd⟩ nut, onion, ⟨sl; BE⟩ bonce, ⟨sl; AE⟩ bean ◆ *een **kale** knikker* a bald dome/pate ▪ *er is toch niets **aan** de knikker?* there's nothing wrong/the matter, is there?

knikkerbaan [de] marble alley

¹knikkeren [onov ww] ⟨met knikkers spelen⟩ play marbles, shoot marbles ◆ ***het** knikkeren* playing marbles; *ik heb nog **met** hem geknikkerd* ⟨fig⟩ ± I knew him when he was in short pants

²knikkeren [ov ww] ⟨inf⟩ ⟨verwijderen⟩ kick/chuck/turf out ◆ *iemand **eruit** knikkeren* chuck/turf s.o. out; *ze hebben hem **uit** de raad geknikkerd* they have chucked him off the council; *iemand **van** de baan knikkeren* get s.o. out of the way, get rid of s.o.

knikkerspel [het] (game of) marbles, ⟨in kringetje ook⟩ ring-taw

knikkerzak [de^m] marbles pouch/bag

knikpan [de] curb tile

knikplooi [de] flexing, flexure

KNIL [het] ⟨gesch⟩ (Koninklijk Nederlands-Indisch Leger) Royal Dutch East-Indian Army

¹knip [de^m] 1 ⟨geluid⟩ snip, clip, click, snap 2 ⟨beweging⟩ snap ⟨in het bijzonder met vinger en duim⟩, ⟨met schaar⟩ snip ◆ *een knipje **geven in*** snip, make a cut/snip in; *een knip **met** de vingers* a snap of the fingers; ⟨fig⟩ *hij is geen knip **voor** de neus waard* he's not worth a snap of one's fingers/tuppence/a button/a straw 3 ⟨snee, gaatje⟩ (punch-)hole, clip ◆ *de conducteur **geeft** een knip in het kaartje* the conductor punches a hole in the ticket 4 ⟨brood⟩ → **knipbrood**

²knip [de] 1 ⟨sluiting met een veer⟩ ⟨sieraden, beurs⟩ snap, ⟨sieraden, deur, paraplu⟩ (spring) catch, ⟨sieraden, boek⟩ clasp ◆ *een bijbel **met** knippen* a Bible with clasps 2 ⟨plat grendeltje⟩ catch ◆ *doe de knip **op** de deur* ⟨om af te sluiten⟩ put the catch on the door; ⟨om deur open te houden⟩ put the door on the catch/latch 3 ⟨val⟩ trap, snare, spring, catch ◆ ⟨fig⟩ *iemand **in** de knip hebben* have caught/trapped s.o., have s.o. in one's clutches/hands; *iemand **in** de knip krijgen* catch/trap s.o., get s.o. in one's clutches/hands 4 ⟨portemonnee⟩ purse ◆ *de hand **op** de knip houden* keep a/one's hand on the purse-strings; ⟨m.b.t. eigen budget⟩ keep a tight hand on one's purse

^{3}**knip** [tw] ⟨schaar⟩ snip(!), ⟨beugel, sluiting⟩ snap(!)
knipbeugel [de^{m}] clasp, snap frame/catch
knipbeurs [de] purse
knipbrood [het] incised loaf (of bread)
knipbuigtang [de] pliers, wirecutter(s)
knipcursus [de^{m}] course in patternmaking
knipenzym [het] cut enzyme
knipgaatje [het] punch-hole
knipkaart [de] season ticket (in which holes are punched)
knipkamer [de] cutting room
knipkunst [de] cutting
knipmachine [de^{v}] ① ⟨tondeuse⟩ (a pair of) clippers ② ⟨m.b.t. stalen platen⟩ shearing machine
knipmes [het] clasp knife, ⟨groot⟩ jackknife ◆ *buigen als een knipmes* bow and scrape, grovel
knipmuts [de] goffered cap
knipmutsje [het] ⟨plantk⟩ California poppy
knipogen [onov ww] ① ⟨knipoogjes geven⟩ wink ◆ *tegen elkaar knipogen* wink at one another; ⟨verliefd⟩ make eyes at one another ② ⟨met de ogen knippen⟩ blink
knipoog [de^{m}] wink ◆ *hij gaf mij een knipoog* he winked at me, he gave me a wink; *elkaar knipoogjes geven* wink at one another; ⟨verliefd⟩ make eyes at one another, exchange winks/looks; *een knipoog van verstandhouding* a knowing wink/look; *een vertrouwelijk knipoogje* a confidential look
knippatroon [het] paper pattern
^{1}**knippen** [onov ww] ① ⟨snijden met een schaar⟩ cut, snip ◆ *recht/scheef knippen* cut straight/crooked ② ⟨van een schaar⟩ cut ◆ *deze schaar knipt goed* these scissors cut well ③ ⟨het geluid 'knip' maken⟩ ⟨schaar⟩ snip, ⟨met vinger en duim⟩ snap ◆ *met de vingers knippen* snap one's fingers ④ ⟨knipperen⟩ blink, ⟨oogleden⟩ flicker, flutter, ⟨knipoogje⟩ wink ◆ *met de ogen knippen* blink
^{2}**knippen** [ov ww] ① ⟨afknippen⟩ cut (off/out), ⟨zeldz; met schaar⟩ scissor ◆ *de amandelen knippen* remove tonsils; *gras knippen* cut/mow the grass; *de heg knippen* clip/trim the hedge; *in die film is heel wat geknipt* that film has been severely cut, there has been a lot cut out of that film; *met kort geknipt haar* with hair cut short; *zich laten knippen* have one's hair cut, have a haircut; *zijn nagels knippen* cut/trim/clip one's nails; *een plaat uit een tijdschrift knippen* cut out a picture from a magazine/journal; ⟨comp⟩ *knippen en plakken* cut and paste; *knippen en scheren* ⟨lett⟩ a shave and a haircut; ⟨fig⟩ a good going-over; ⟨scheepv⟩ defouling; *een stuk van een draad knippen* cut/snip off a piece of thread; *wassen en knippen* wash and cut ② ⟨de vereiste vorm geven⟩ cut, trim ◆ *figuren knippen* cut out figures; *een punt aan iets knippen* cut sth. into a point; *een rok uit een lap stof knippen* cut a skirt from/out of a length of cloth ③ ⟨knippen geven (in iets)⟩ cut, punch, clip ◆ *kaartjes knippen* punch tickets, ⟨inkepingen⟩ clip tickets ⊡ *mosselen knippen* clean mussels
knipper [de^{m}] ⟨coupeur⟩ cutter, fitter, ⟨van bijvoorbeeld haar, heggen⟩ clipper, trimmer
knipperbol [de^{m}] ① ⟨knipperlicht⟩ flashing light, ⟨BE ook⟩ (Belisha) beacon ② ⟨drankje⟩ sherry with orange juice
knipperbolrelatie [de^{v}] on-and-off relationship
knipperen [onov ww] ① ⟨met de ogen knippen⟩ blink, ⟨oogleden⟩ flutter, flicker ◆ *met de ogen knipperen* blink; ⟨snel achter elkaar⟩ flutter one's eyelids; *tegen het licht knipperen* blink against the light; *zonder met de ogen te knipperen* unblinking, without batting an eyelid ② ⟨m.b.t. een auto⟩ flash, blink, wink ◆ *met zijn lichten knipperen* flash (one's lights), blink/wink one's lights
knipperlicht [het] ⟨verkeerslicht⟩ flashing (traffic) light/signal, ⟨richtingaanwijzer⟩ indicator, blinker, ⟨BE vnl⟩ winker
knipplaat [de] cut-out
knipschaar [de] (pair of) scissors
knipsel [het] ① ⟨uitgeknipt bericht⟩ ⟨BE⟩ cutting, ⟨AE⟩ clipping ② ⟨uit papier geknipt figuur⟩ cut-out, paper doll ③ ⟨afval⟩ clippings, cuttings, snippings, snippets
knipselarchief [het] collection of (newspaper) ^{B}cuttings/^{A}clippings, newspaper-cutting files, newspaper-clipping files, ⟨van dagbladpers⟩ morgue
knipselbureau [het] ⟨BE⟩ cutting service/agency/bureau, ⟨AE⟩ clipping service/agency/bureau
knipseldienst [de^{m}] ⟨BE⟩ cutting department/office, ⟨AE⟩ clipping department/office, ⟨bij krant ook⟩ morgue
knipselkrant [de] (collection of) (newspaper) ^{B}cuttings/^{A}clippings
knipslot [het] snap (lock), snap bolt, ⟨SchE en gew⟩ sneck
knipsluiting [de^{v}] snap (fastener)
kniptang MEERVOUD [de] ① ⟨om iets door te knippen⟩ (pair of) wire-cutters ② ⟨om gaatjes e.d. te knippen⟩ punch, ⟨m.b.t. inkepingen⟩ clipper
kniptor [de] ⟨dierk⟩ click beetle, snap beetle, skipjack
knipvlies [het] nictitating membrane, third eyelid
knisperboekje [het] soft book made of textile with various textures
knisperen [onov ww] crackle, ⟨papier enz.⟩ rustle ◆ *knisperend haardvuur* crackling fire
knisteren [onov ww] rustle, crackle ◆ *het knisteren van papier/zijde* the rustling/rustle of paper/silk
KNMI [het] (Koninklijk Nederlands Meteorologisch Instituut) Royal Dutch Meteorological Institute
kno-arts [de^{m}] (keel-, neus-, en oorarts) ENT specialist, ear, nose and throat specialist
knobbel [de^{m}] ① ⟨bolvormige uitwas⟩ knob, ⟨hout⟩ knot, ⟨op hoofd⟩ bump, ⟨plantk, med⟩ tubercle, node ◆ *een knobbeltje in de borst* a lump in the breast; *hij heeft een knobbel op zijn voorhoofd* he has a bump/lump on his forehead; *knobbeltje* nodule, nub, knobble, tubercle ② ⟨fig; natuurlijke aanleg⟩ knack, gift, talent ◆ *een knobbel voor iets* a knack/gift/talent for sth.; *een wiskundeknobbel hebben* have a gift for mathematics, shine/be gifted in mathematics
knobbelachtig [bn] ① ⟨vol knobbels⟩ lumpy, tubercular, nodulous ② ⟨lijkend op een knobbel⟩ nub-like, tuber-like, nodule-like
knobbelen [onov ww] ① ⟨gokken, dobbelen⟩ gamble, play dice ◆ *om iets knobbelen* cast lots, draw straws ② ⟨piekeren (over)⟩ mull (over), reflect (on), ponder
knobbelgans [de] swan goose, chinese goose
knobbelig [bn] knobby, gnarled, knotty, bumpy, nodular
knobbeljicht [de] chronic gout
knobbeluitwas [het, de^{m}] protuberance, knob, bulge
knobbelvormig [bn] knob-like, knot-like, node-like, knobby, nodular
knobbelzwaan [de^{m}] mute swan
knobbelzwijn [het] wart hog
^{1}**knock-out** [de^{m}] ⟨sport⟩ knock-out, KO ◆ *de knock-out viel in de vierde ronde* the knock-out occurred in the fourth round; *zoals afgesproken viel de knock-out in de derde ronde/ging hij knock-out in de derde ronde* he took a dive in the third round
^{2}**knock-out** [bn] ① ⟨sport⟩ knock-out, ⟨sl⟩ kayo ◆ *knock-out gaan* go down, kiss the canvas; *iemand knock-out slaan* knock s.o. out, KO s.o., floor s.o. ② ⟨alg⟩ knock-out
knock-outsysteem [het] knock-out system
knoddig [bn] ⟨in België⟩ funny
knoedel [de^{m}] ① ⟨meelballetje⟩ dumpling, knoedel ② ⟨kluwen⟩ ball, skein, hank ③ ⟨haarknot⟩ bun, knot
knoei [de^{m}] ⊡ *in de knoei zitten* be in a mess/fix/jam/pickle; *lelijk in de knoei zitten* be in a real/terrible/nice mess/fix/jam/pickle, be in a sad/sorry pickle
knoeiboel [de^{m}] ① ⟨morsig geheel, troep⟩ mess ◆ *ergens een (grote) knoeiboel van maken* make a (terrible) mess of sth., blunder, mess sth. up; *ruim die knoeiboel op!* clean up

that mess [2] ⟨slordig werk⟩ mess, botched(-up) job ◆ *een onleesbare knoeiboel* an illegible mess [3] ⟨bedrog, zwendel⟩ swindle, cheat

knoeien [onov ww] [1] ⟨morsen⟩ make a mess, mess about/up ◆ ***met*** *tabak/eten knoeien* spill tobacco/one's food (all over the place); *wat zit je toch te knoeien!* what a mess you've made! [2] ⟨slordig werken⟩ make a mess of, bungle [3] ⟨onhandig te werk gaan⟩ tinker, monkey around/about (with), mess around/about (with), muck around/about (with), fuss (around) ◆ ***zelf*** *aan iets knoeien* tinker/fiddle/mess around with sth. o.s. [4] ⟨oneerlijk, bedrieglijk te werk gaan⟩ swindle, tamper (with), cheat ◆ ***in/met*** *de boeken knoeien* tamper with/alter the books, ⟨inf; BE⟩ fiddle/doctor the books; *er is* ***in*** *die zaak geknoeid* there has been sth. fishy/some funny business going on; ***met wijn*** *knoeien* ↓adulterate wine, ↓doctor wine, tamper with the wine; *knoeien* ***met*** *zijn belastingaangifte* ⟨inf; BE⟩ fiddle one's taxes, ⟨AE⟩ cheat on one's taxes, ⟨BE⟩ cheat the taxman

knoeier [de^m], **knoeister** [de^v] [1] ⟨knoeipot⟩ messy person ◆ *jij* ***grote*** *knoeier!* what a messy person you are!, you are messy! [2] ⟨sloddervos⟩ sloppy person ◆ *jij* ***grote*** *knoeier!* what a sloppy person you are!, you are sloppy! [3] ⟨onhandige prutser⟩ bungler [4] ⟨fraudeur⟩ cheat, swindler, ⟨inf; BE⟩ fiddler

knoeierig [bn, bw] messy, bungling

knoeierij [de^v] corruption, ⟨pol; geld⟩ corrupt/dishonest practices, ⟨statistieken, balansen⟩ malversation, falsification, tampering (with) ◆ *knoeierijen* ***met*** irregularities concerning; *ik houd mij* ***met*** *die knoeierijen niet bezig* I stay away/have nothing to do with shady dealings like that

knoeipot [de^m] → **knoeier**

knoeister [de^v] → **knoeier**

knoeiwerk [het] [1] ⟨onhandig, verprutst werk⟩ messy work, sloppy/shoddy work [2] ⟨slordig werk⟩ messy work, sloppy/shoddy work, bungle, botched-up job

knoeper [de^m], **knoeperd** [de^m] ⟨inf⟩ whopper ◆ *een knoeper van een* ***fout*** a real boner, a bad case of foot-and-mouth disease; ⟨BE⟩ a bloomer, ⟨AE⟩ a real boo-boo; ⟨vnl AE⟩ a blooper

knoeperd [de^m] → **knoeper**

knoert [de^m] ⟨inf⟩ [1] ⟨knots, joekel⟩ whopper ◆ *(hij woont alleen in) een knoert van een* ***huis*** ⟨ook⟩ (he lives all alone in) a whopping big house, ⟨vnl BE⟩ (he lives all alone in) a whacking (great) house [2] ⟨slag, stoot, schot⟩ hard blow, hard kick/punch

knoerthard [bn, bw] ⟨inf⟩ hard as a rock, ⟨snel⟩ fast as a bullet ◆ *hij heeft knoertharde* ***handen*** he has iron fists; *knoerthard* ***liegen*** lie through one's teeth

knoest [de^m] [1] ⟨uitwas aan een boom⟩ gnarl, knur(r) [2] ⟨oorsprong van een wortel⟩ node [3] ⟨noest⟩ knot, knar, knag, ⟨AE ook⟩ burl ◆ *het hout zat* ***vol*** *knoesten* the wood was full of knots

knoesterig [bn], **knoestig** [bn] knotty, gnarled, gnarly, knaggy ◆ *knoesterig* ***hout*** knotty wood

knoestig [bn] → **knoesterig**

knoet [de^m] [1] ⟨gesel⟩ cat-o'-nine-tails, strap, knout ◆ ***met*** *de knoet krijgen* be knouted/strapped/thrashed/whipped; ***met*** *de knoet regeren* rule with a rod of iron [2] ⟨knot⟩ bun, knot ◆ *het haar* ***in*** *een knoetje dragen* wear one's hair in a bun

knoflook [het, de^m] garlic ◆ *een* ***streng*** *knoflook* a string of garlic; *een* ***teentje*** *knoflook* a clove of garlic; ***wilde*** *knoflook* wild garlic, moly

knoflookboter [de] garlic butter ◆ *stokbrood* ***met*** *knoflookboter* French bread with garlic butter, garlic bread

knoflookgeur [de^m] smell of garlic

knoflooklucht [de] smell of garlic, garlicky smell/air

knoflookpers [de] garlic press

knoflooksaus [de] garlic sauce

knoflookworst [de] garlic sausage

knokig [bn] [1] ⟨mager en benig⟩ bony, angular ◆ *knokige* ***knieën*** bony knees; *knokige* ***vingers*** bony fingers [2] ⟨sterk van knoken⟩ big-boned ◆ *een knokige* ***kerel*** a big-boned fellow

knokkel [de^m] knuckle ◆ ***met*** *zijn knokkels tegen het raam tikken* rap on the window (with one's knuckles)

knokkelig [bn] knuckly, bony

knokkelkoorts [de] dengue, dandy (fever), breakbone fever

knokken [onov ww] ⟨inf⟩ [1] ⟨vechten⟩ fight, scuffle, scrap, mix it ◆ *een* ***partijtje*** *knokken* a fight/scuffle/tussle/mêlée/scrap; *knokken?* want to make sth. of it? [2] ⟨fig⟩ fight hard

knokker [de^m] [1] ⟨vechtersbaas⟩ brawler, tussler [2] ⟨doorzetter⟩ plugger, fighter

knokpartij [de^v] scuffle, tussle, mêlée, scrap, fight ◆ *een* ***stevige*** *knokpartij* a serious scuffle/scrap, a mêlée, a brawl

knokploeg [de] [1] ⟨groep die tegenstanders te lijf gaat⟩ (bunch/gang of) thugs ⟨mv⟩, ⟨handlangers van misdadigers⟩ henchmen ⟨mv⟩, ⟨sl⟩ (bunch/gang of) heavies ⟨mv⟩, ⟨sl⟩ heavy mob, strong arm boys [2] ⟨gesch; vechtersploeg⟩ commando (group), assault group

knol [de^m] [1] ⟨stengel, worteldeel⟩ ⟨aardappel e.d.⟩ tuber, ⟨krokus e.d.⟩ corm [2] ⟨raap⟩ turnip ◆ ⟨fig⟩ *iemand knollen voor citroenen* ***verkopen*** sell s.o. a pup, swindle s.o., make s.o. believe the moon is made of cream/green cheese; ⟨fig⟩ *zich geen knollen voor citroenen laten* ***verkopen*** not let s.o. pull the wool over one's eyes [3] ⟨gat in een sok⟩ potato [4] ⟨paard⟩ nag, jade ◆ *een* ***magere/afgejakkerde*** *knol* a thin/overworked nag; *een* ***ouwe*** *knol* an old nag [5] ⟨horloge⟩ turnip

knolachtig [bn] tuberous, tuberose, ⟨i.h.b. de smaak⟩ turnipy

knolbegonia [de] tuberous begonia

knolboterbloem [de] king cup/cob, bulbous buttercup

knoldragend [bn] ⟨plantk⟩ tuberous, tuberose

knolgewas [het] tuberous plant

knolknop [de^m] ⟨plantk⟩ cormel, bulblet

knollentuin [de^m] (root) vegetable garden ▣ *hij is* ***in*** *zijn knollentuin* he is in his element, he's as pleased as Punch, he's like a pig in clover

knolletje [het] [1] ⟨kleine knol⟩ tubercle [2] ⟨mv; raapjes⟩ (cooked) turnips, sliced/grated/chopped/diced turnips

knolraap [de] ⟨koolraap⟩ swede (turnip), ⟨koolrabi⟩ kohlrabi

knolradijs [de] turnip radish

knolselder [de^m] ⟨in België⟩ celeriac

knolselderie [de^m] celeriac

knolselderij [de^m] celeriac

knolvenkel [de] fennel

knolvoet [de^m] clubroot

knolvormig [bn, bw] tuberiform ◆ *knolvormig* ***verdikt*** bulged, swollen

knolvrucht [de] root crop

knolzwam [de] amanita ◆ ***groene*** *knolzwam* death cup/cap/angel

knook [de] bone

knoop [de^m] [1] ⟨m.b.t. kleding⟩ button, ⟨losse⟩ stud ◆ *een knoop* ***aanzetten*** sew on a button; *bij de* ***blauwe*** *knoop gaan* sign/take the pledge; *van de* ***blauwe*** *knoop zijn* be a teetotaller; *een jasje met één* ***rij/twee rijen*** *knopen* a single/double breasted jacket; *zijn knopen* ***tellen*** toss/flip a coin [2] ⟨dichtgetrokken lus⟩ knot ◆ ⟨fig⟩ *de knoop* ***doorhakken*** cut the (Gordian) knot, take the plunge; *een* ***dubbele*** *knoop* a double (knot); *een* ***enkele*** *knoop* an overhand (knot); ⟨fig⟩ *de* ***gordiaanse*** *knoop doorhakken* cut the Gordian knot; ***in*** *de knoop raken* become entangled; *het touw is/zit* ***in*** *de knoop* the rope is tangled/full of knots; ⟨fig⟩ *een knoop* ***in*** *zijn maag hebben* have a knot in one's stomach; *een knoop* ***in*** *zijn zakdoek leggen* tie a knot in one's handkerchief; *(met zichzelf)* ***in*** *de knoop zitten* be at odds with o.s.; *een knoop* ***leggen/maken***

tie/make a knot; *een knoop **losmaken/ontwarren*** untie/undo a knot, unravel a tangle; ⟨fig⟩ straighten out a tangle; *een **platte** knoop* a reef knot; *het haar **uit** de knoop halen* untangle one's hair, brush out the tangles/knots; *een veter **uit** de knoop halen* untie/undo a shoelace; *dat garen is **vol** knopen* that yarn is all tangled/full of knots; ⟨fig⟩ *daar **zit** 'm de knoop* there's/that's the rub/problem [3] ⟨scheepv⟩ knot ◆ *het schip **liep** negen knopen* the ship was travelling at (a speed of)/was doing 9 knots [4] ⟨knobbel aan een stengel⟩ node, joint [5] ⟨wisk⟩ node [6] ⟨astron; snijpunt⟩ node [7] ⟨natuurk; rustpunt⟩ node

knoopbatterij [de^{v}], **knoopcel** [de] coin cell battery

knoopcel [de] → **knoopbatterij**

knoopgras [het] knotgrass, swine's-grass

knoopje [het] [1] ⟨m.b.t. kleding⟩ (small/tiny/little) button, ⟨op boord, manchet⟩ stud [2] ⟨dichtgetrokken lusje⟩ (small/tiny/little) knot [3] ⟨plantk⟩ nodule, knot, batton

knoopjesdrop [het, de] 'knoopjesdrop', button-shaped liquorice/^{A}licorice

knoopkromme [de] ⟨wisk⟩ node locus

knoopkruid [het] knapweed

knooplijn [de] ⟨astron, natuurk⟩ nodal line

knoopmier [de] myrmicine, ⟨mv ook⟩ myrmicinae

knooppunt [het] [1] ⟨punt van samenkomst⟩ junction [2] ⟨ongelijkvloers kruispunt⟩ interchange

knoopsgat [het] buttonhole ◆ *een lintje **in** het knoopsgat dragen* wear a ribbon in one's buttonhole; *een knoopsgat **knippen*** (cut) open/snip (open) a buttonhole; ***loze** knoopsgaten* false buttonholes; ⟨in België⟩ *familie van het **zevende** knoopsgat* distant relative

knoopsgatenelastiek [het] buttonhole elastic

knoopsgatenschaar [de] buttonhole scissors/shears

knoopsgatensteek [de^{m}] buttonhole stitch

knoopsgatenzijde [de] button thread, buttonhole twist

knoopsluiting [de^{v}] button fastening

knoopwerk [het] hand-knotted work/carpets ⟨enz.⟩, ⟨macramé⟩ macramé, ⟨zeldz⟩ knotwork

knop [de^{m}] [1] ⟨als schakelaar⟩ button, switch, knob ◆ ⟨radio/tv⟩ ***achter** de knoppen **zitten*** sit at the controls; *de knop (van het licht) **indrukken/omdraaien*** press the button, turn the knob, press/flick the (light) switch; *een schakelbord **met** knoppen* a switchboard; ⟨pregn⟩ *de knop **omdraaien*** turn the knob, switch it off; ⟨fig⟩ *(bij zichzelf) een knop **omdraaien*** switch over; ⟨fig⟩ *de knop **omzetten*** switch over, turn the corner; ⟨fig⟩ *ik heb X voor je **onder** de (witte) knop* I have Mr X for you on hold; *met een druk **op** de knop* presto, with a press of the button; ⟨pregn⟩ ***op** de (rode) knop **drukken*** press the (red) button [2] ⟨als versiering, bescherming, handvat⟩ button, knob, handle ◆ *de knop van een **deksel/deur/speld/op een vlaggenstok*** the handle of a cover/door, the head of a pin, the nob on a flagpole; *de knop van een **schild/degen/zadel*** the boss of a shield, the pommel of a sword/saddle; *de knop van een **wandelstok/paraplu*** the handle of a walking stick/umbrella [3] ⟨om iets aan op te hangen, vast te maken⟩ peg [4] ⟨oorsieraad⟩ earring ◆ ***kleine** knopjes in de oren* small earrings in one's ears [5] ⟨plantk⟩ bud ◆ *er zitten veel knoppen **aan** de begonia* the begonia has a lot of buds; *de roos is nog **in** de knop* the rosebuds have not opened (up) yet, the rose tree/bush is not fully out yet [•] ***naar** de knoppen **helpen*** mess/screw up, ruin, wreck; ***naar** de knoppen **gaan/zijn*** ⟨relatie, huwelijk, carrière⟩ go/be on the rocks, go/be down the chute/^{B}up the spout; ⟨dingen, bijvoorbeeld auto, cd-speler⟩ go/be on the blink; *het land gaat **naar** de knoppen* the country is going down the tube(s); *nu is mijn vakantie mooi **naar** de knoppen* I can kiss my holiday/^{A}vacation goodbye, that's my holiday/^{A}vacation up the spout, ⟨BE ook⟩ that's my holiday/^{A}vacation gone for a burton

knopas [de] bud axis

knopbies [de] ⟨plantk⟩ bog-rush

knopen [ov ww] [1] ⟨een knoop leggen in⟩ (make a) knot ◆ *een **das** knopen* tie a tie, put on a tie, tie a knot in a tie [2] ⟨vastmaken, verbinden⟩ tie (a knot), knot ◆ *twee touwen **aan** elkaar knopen* tie two ropes/lines together; ⟨fig⟩ *er nog een dagje **aan** vast knopen* stay another day; *iets **in** een doek knopen* tie (up) in a cloth [3] ⟨vervaardigen door knopen te leggen⟩ knot ◆ *een **net** knopen* (make a) net [4] ⟨sluiten⟩ button (up)

knopendoos [de] button box

knopendraaier [de^{m}] [1] ⟨iemand die knopen draait⟩ button maker [2] ⟨fig; flikflooier⟩ cheat, phony

knopenhaakje [het] buttonhook

knopenschaar [de] button stick

knopenschrift [het] quipu

knopig [bn] nodose, nodous

knopkruid [het] gallant soldier, Joey Hooker

knopkruis [het] ⟨heral⟩ cross pommée

knopligging [de^{v}] ⟨plantk⟩ vernation

knopoor [het] button ear, drop ear

^{1}**knoppen** [onov ww] [1] ⟨uitbotten⟩ bud [2] ⟨uit knop komen⟩ blossom

^{2}**knoppen** [ov ww] ⟨van de (bloem)knoppen ontdoen⟩ remove the buds from, snip/clip/cut off the buds from

knopschakelaar [de^{m}] button, switch

knopschub [de] ⟨plantk⟩ bud scale

knopspeld [de] hat pin

knopvariatie [de^{v}] sport, bud mutation

knopvorming [de^{v}] ⟨dierk⟩ budding

knor [de^{m}] [1] ⟨knorrend geluid⟩ grunt, growl [2] ⟨knobbel⟩ knob, protuberance [3] ⟨balksteen⟩ lintel [4] ⟨stud; nietcorpslid⟩ ⟨ogm⟩ outsider, non-member of a fraternity

knorbeen [het] cartilage, gristle

knorf [de^{m}] node, joint

knorhaan [de^{m}] ⟨vis⟩ gurnard, gurnet

knorren [onov ww] [1] ⟨brommerig geluid maken⟩ growl, ⟨van varken⟩ grunt, snort ◆ ⟨scherts⟩ *mijn **maag** knort* my stomach's rumbling/grumbling [2] ⟨mopperen⟩ grumble, grump, grouch ◆ ***op/tegen** iemand knorren* grumble/grouse at s.o.; ***over** iets knorren* grumble about sth. [3] ⟨slapen⟩ ⟨BE⟩ kip

knorrepot [de^{m}] grumbler, grump, sorehead, grouch ◆ *een **oude** knorrepot* an old grumbler/grump

knorrig [bn, bw] grumbling ⟨bw: ~ly⟩, grumpy, testy, peevish, growling, grouchy ◆ *in een zeer knorrige **bui** zijn* have the grumps, be grouchy; *een knorrige **opmerking*** a testy remark; *een knorrige **vrouw*** a peevish woman

knorrigheid [de^{v}] grumpiness, testiness, peevishness

^{1}**knot** [de^{m}] ⟨vogel⟩ (European) knot

^{2}**knot** [de] ⟨kluwen, bosje⟩ knot, ball, hank, skein, ⟨haar, veren⟩ tuft ◆ *een knot **katoen*** a skein/hank of (cotton) thread

^{1}**knots** [de] [1] ⟨zware stok⟩ club, bludgeon ◆ *de knots van **Hercules*** Hercules' club [2] ⟨vaartuig⟩ (flat-bottomed) fishing boat, shrimp boat [3] ⟨iets groots, moois⟩ whopper ◆ *een knots **van** een huis* a whopping/thundering big house

^{2}**knots** [bn, bw] ⟨inf⟩ [1] ⟨dwaas⟩ crazy ⟨bw: crazily⟩, loony ◆ *die vent **is** knots* that guy/fellow is crazy/has a screw loose/is a loony [2] ⟨goed⟩ great ⟨bw: ~ly⟩, fantastic, marvellous, wonderful ◆ *een knots **idee*** a great/fantastic/marvellous/wonderful idea

knotsgek [bn, bw] ⟨inf⟩ ⟨predicatief bijvoeglijk naamwoord⟩ nuts, mad as a hatter, mad as a March hare, crackers, bananas, bonkers, ⟨bijwoord⟩ in a crazy/loony way

knotshockey [het] field hockey played with plastic-styrofoam clubs

knotsoefening [de^{v}] exercise with Indian clubs

knotsslag [de^{m}] blow with a club

knotssprietigen [de^{mv}] ⟨dierk⟩ clavicornia, clavicorns

knotsvormig [bn] clavate, claviform, club-shaped

knotszwaaien [ww] Indian clubbing

knotten [ov ww] 1 ⟨m.b.t. bomen, takken⟩ top, head, truncate, poll(ard) ◆ *een geknotte* ***boom*** a pollarded/headed/truncated tree; ***wilgen*** *knotten* poll(ard) willows 2 ⟨de top afsnijden⟩ clip, truncate ◆ *een geknotte* ***kegel*** a truncated cone; *een geknotte* ***staart*** a docked tail; ⟨heral⟩ *een geknot* ***vogeltje*** a martlet 3 ⟨fig⟩ clip, ⟨vrijheid⟩ curtail, ⟨trots⟩ deflate
knotwilg [de^m] pollard willow
knowhow [de^m] know-how
KNRM [de^v] (Koninklijke Nederlandse Reddingmaatschappij) Royal Dutch Life-Boat Society
KNS [de^m] ⟨in België⟩ (Koninklijke Nederlandse schouwburg) Royal Dutch(-Language) Theatre (in Brussels)
knudde [bn] ⟨inf⟩ no good at all, rubbishy ◆ *'t is knudde* it's a mess/no good at all; *knudde* ***met*** *'n rietje* it's a total flop/washout/bust, ⟨BE⟩ bugger-all
knuffel [de^m] 1 ⟨liefkozing⟩ cuddle, hug ◆ *een* ***stevige*** *knuffel geven* give (s.o.) a big hug 2 ⟨knuffeldier⟩ soft/cuddly toy, teddy (bear)
knuffelaar [de^m] cuddler, snuggler
knuffelbeest [het] cuddly toy/animal
knuffelcultuur [de^v] cuddle culture
knuffeldier [het] 1 ⟨speelgoedbeest⟩ soft/cuddly toy, teddy (bear) 2 ⟨persoon⟩ cuddler, snuggler
[1]**knuffelen** [onov ww] ⟨vrijen⟩ cuddle, snuggle
[2]**knuffelen** [ov ww] ⟨liefkozend aanhalen⟩ cuddle ◆ *een klein* ***kind*** *knuffelen* cuddle a small child
knuffelkont [de^m] s.o. who loves a cuddle
knuffelmuur [de^m] warm air wall
knuffeltje [het] 1 ⟨persoon⟩ cuddler, snuggler 2 ⟨knuffeldier⟩ soft/cuddly toy, teddy (bear)
knuffelziekte [de^v] kissing disease
knuist [de] fist, ⟨meestal mv; inf⟩ mitt ◆ ⟨inf⟩ *hij heeft* ***fikse*** *knuisten aan zijn lijf* he isn't afraid of dirtying his hands/using a bit of elbow grease/rolling his sleeves up; ***lompe/ruwe*** *knuisten* huge/coarse hands; ***onbarmhartige*** *knuisten* merciless fists
knuistje [het] little hand
knul [de^m] fellow, guy, ⟨vnl BE⟩ chap, bloke, lad(die) ◆ *'t is een* ***goeie*** *knul* he's a nice bloke/fellow/good chap/guy
knullig [bn, bw] awkward ⟨bw: ~ly⟩, gawky, uncomfortable ◆ *een knullige* ***indruk*** *maken* make an awkward impression; *dat is knullig* ***gedaan*** that has been done awkwardly/clumsily; *wat* ***ziet*** *hij er knullig* ***uit*** he looks such an idiot, ⟨BE ook⟩ he looks so soft
knuppel [de^m] 1 ⟨korte, dikke stok⟩ club, cudgel, mace, ⟨van politie; BE⟩ truncheon, ⟨AE⟩ billy (club), ⟨AE⟩ night stick ◆ ⟨fig⟩ *een/de knuppel* ***in*** *het hoenderhok gooien* set/put the cat among the pigeons, drop a bombshell, flutter the dovecot(e)s 2 ⟨stuurstang⟩ stick, ⟨inf⟩ joy stick 3 ⟨persoon⟩ lout, dolt, clod(hopper)
knuppelbrug [de] rustic bridge
knuppeldam [de^m] corduroy road
knuppelen [ov ww, ook abs] club, bludgeon, cudgel, beat
knuppelhout [het] billet, log, firewood
knuppelstok [de^m] club
knurf [de^m] 1 ⟨knorf⟩ node, joint 2 ⟨brok⟩ piece, bit, fragment
knurft [de^m] ⟨inf⟩ nitwit, nincompoop, blockhead, fathead, ⟨BE ook⟩ nit, wally, ⟨AE ook⟩ nerd
knus [bn, bw] cosy ⟨bw: cosily⟩, ⟨AE⟩ cozy ⟨bw: cozily⟩, homey, snug, friendly, comfy ◆ *een knus* ***babbeltje*** a friendly/pleasant chat; *een knus* ***woninkje*** a cosy home; *knus bij elkaar* ***zitten*** sit cosily/snug(ly) together
knusjes [bw] cosily, snugly
knut [de] midge (Culicoides)
knutselaar [de^m], **knutselaarster** [de^v] handyman, tinkerer, do-it-yourselfer, hobbyist, potterer
knutselaarster [de^v] → **knutselaar**
[1]**knutselen** [onov ww] ⟨ook pej; uit liefhebberij maken⟩ tinker, potter, ⟨pej⟩ mess/fuss/play around ◆ *hij knutselt graag* ***aan*** *zijn bromfiets* he likes to tinker with his moped
[2]**knutselen** [ov ww] 1 ⟨met geringe hulpmiddelen maken⟩ knock together, ⟨BE⟩ knock up ◆ *een zelf (in elkaar) geknutseld* ***radiotoestel*** a homemade radio 2 ⟨pej⟩ botch together, mess/fuss/play around with, ↓ screw around with
knutselruimte [de^v] hobby room, workroom, (work) shop
knutselwerk [het] 1 ⟨werk⟩ odd jobs, tinkering, fiddling, handicraft 2 ⟨dingen⟩ handiwork, handicraft(s), homemade thing(s), Heath Robinson affair/contraption
ko KO, kayo ◆ *iemand ko* ***slaan*** KO s.o., knock s.o. cold/out
koala [de^m] koala (bear)
koalabeer [de^m] koala
koan [de^m] koan
kobalt [het] 1 ⟨chemisch element⟩ cobalt 2 ⟨kleur⟩ cobalt blue
kobaltbestraling [de^v] cobalt treatment
[1]**kobaltblauw** [het] 1 ⟨verfstof⟩ cobalt blue 2 ⟨kleurstof⟩ cobalt blue, powder blue
[2]**kobaltblauw** [bn] cobalt blue, ⟨attributief⟩ cobalt-blue
kobaltbom [de] cobalt bomb
kobalterts [het] cobalt ore
kobaltstraal [de] cobalt ray
kobbennet [het] spider web
kobold [de^m] kobold, elf, (hob)goblin, gnome, ⟨IE⟩ pooka
kocher [de^m] ⟨med⟩ Kocher's forceps
koddebeier [de^m] 1 ⟨scherts; politieagent⟩ bobby, cop(per) 2 ⟨jachtopziener⟩ gamekeeper, park keeper, game warden
koddig [bn, bw] droll ⟨bw: ~y⟩, funny, comical ◆ *een koddig* ***ventje*** a droll fellow; *hij kan dat zo koddig* ***vertellen*** he can tell that so comically, he has such a droll/comic way of telling that
koddigheid [de^v] drollery, drollness, comicalness
koe RUND [de^v] 1 ⟨vrouwelijk rund⟩ cow ◆ *hij is zo dom* ***als*** *een koe* he is as dumb as an ox; *iemand koeien met gouden hoorns* ***beloven*** promise s.o. the earth/the moon; ⟨fig⟩ *over koetjes en* ***kalfjes praten*** talk about the weather/about one thing and another/about this, that and the other; ⟨fig⟩ ***oude*** *koeien uit de sloot halen* open old wounds/sores, drag/rake/bring up old matters, rake up the past, dredge up long-forgotten stories 2 ⟨mv; runderen⟩ cows ◆ ***heilige*** *koe* sacred cow; ***rood/zwartbonte*** *koeien* brown/black spotted cows; *de koe bij de hoorns* ***vatten*** ⟨fig⟩ take the bull by the horns, grasp the nettle 3 ⟨dom mens⟩ silly moo, silly/dumb cow 4 ⟨wijfje van andere grote dieren⟩ cow 5 ⟨iets dat zeer groot is⟩ giant ◆ *koeien* ***van*** *fouten* giant letters, huge mistakes ▪ ⟨sprw⟩ *je weet nooit hoe een koe een haas vangt* ± you never know your luck; ± nothing is impossible (to a willing heart); ⟨sprw⟩ *men moet geen oude koeien uit de sloot halen* let bygones be bygones; ± forgive and forget; ⟨sprw⟩ *men noemt geen koe bont, of er is een vlekje aan* there's no smoke without fire
koebeest [het] cow, beast
koebel [de] cowbell
koebloempje [het] daisy
koebrug [de] 1 ⟨loopplank⟩ gangplank, loading plank 2 ⟨laag gelegen dek⟩ orlop deck
koebrugdek [het] gangplank, loading plank
koedoe [de^m] koodoo, kudu
Koefisch [bn] Kufic
koefje [het] ⟨inf⟩ pre(e)mie
koefr [de^m] kufr
koehandel [de^m] ⟨pej⟩ horse trading
koeherder [de^m] cowherd
koehoorn [de^m] cow's horn
koeiendrek [de^m] cow dung, cow pat(s)
koeienhuid [de] cowhide
koeienletter [de] giant letter

koeienogen [de^{mv}] ⟨grote ogen⟩ cow eyes

koeienoog [het] [1] ⟨oog van koe⟩ cow's eye [2] ⟨med; kalfsoog⟩ goggle-eye [3] ⟨plantk; sierplant⟩ oxeye ⟨Buphthalmum speciosum⟩

koeienpistool [het] humane killer

koeienplak [de], **koeienvlaai** [de] ⟨inf⟩ cow pat, cow cake, ⟨vulg⟩ cow turd, piece of cowshit

koeienpoep [de^{m}] cow's muck, ⟨vulg⟩ cowshit

koeienvlaai [de] → **koeienplak**

koeioneren [ov ww] bully, browbeat

koek [de^{m}] [1] ⟨zoet gebak⟩ ± gingerbread, cake ♦ ⟨fig⟩ *dat gaat erin als (gesneden) koek* it is a huge success, they're lapping it up, ⟨BE⟩ it's going like a bomb; ⟨vindt aftrek⟩ it's selling like hot cakes; ⟨fig⟩ *dat is andere koek!* that's a different kettle of fish, that's a horse of a different colour; ⟨fig⟩ *het is koek en ei met/tussen hen* they are like hand and glove/as thick as thieves; ⟨fig⟩ *dat is voor haar gesneden koek* that is (mere) child's play for her; *een gevulde koek* ± an almond paste cake; ⟨fig⟩ *nationale koek* national cake; ⟨fig⟩ *de koek is op* the party's over; ⟨fig⟩ *dat is ouwe koek* that is old hat; *een plakje koek* a piece of cake; ⟨fig⟩ *een koekje van eigen deeg krijgen* get a taste of one's own medicine, get paid in kind, get beat at one's own game; ⟨fig⟩ *iemand een koekje van (zijn) eigen deeg geven* give s.o. a taste of his own medicine; *iets voor zoete koek slikken* swallow sth. (whole); ⟨inf⟩ buy sth., fall for sth. [2] ⟨koekje⟩ ⟨BE⟩ biscuit, ⟨AE⟩ cooky, ⟨AE⟩ cookie [3] ⟨geperste, gesneden tablet⟩ cake ♦ *een koek indigo/tabak* a cake of indigo, a cake/plug of tobacco [4] ⟨platte, samenhangende massa⟩ cake ♦ *een dikke koek opgedroogde verf* a thick cake of dried paint

koekalf [het] heifer

koekdeeg [het] ⟨van Drentse koek e.d.⟩ cake batter, ± gingerbread batter, ⟨van koekjes; BE⟩ biscuit dough, ⟨AE⟩ cooky dough

koekebrood [het] ⟨in België⟩ sweet bread ▪ *een hart van koekebrood* a heart of gold

koekeloeren [onov ww] [1] ⟨spiedend kijken⟩ peep, peek, peer ♦ *ergens naar binnen koekeloeren* peep/peek/peer in at the window/door/... [2] ⟨zich vervelen⟩ twiddle one's thumbs, fiddle/^{A}diddle around, ⟨BE ook⟩ fiddle about, (sit and) stare at the ceiling ♦ *maar wat zitten te koekeloeren* just (be) sit(ting) around twiddling one's thumbs

koeken [onov ww] cake ♦ *het deeg is helemaal gekoekt* the dough has gone lumpy

koekenbakker [de^{m}] [1] ⟨koekbakker⟩ pastrycook, ⟨in eigen zaak⟩ confectioner [2] ⟨inf; knoeier⟩ bungler

koekenpan [de] frying pan, ⟨AE ook⟩ skillet

koek-en-zopie [de^{m}] refreshment(s) stall/^{A}stand

koekepeer [de^{m}] [1] ⟨onhandige persoon⟩ cack-handed person [2] ⟨speelse formule⟩ peekaboo

koekhappen [ww] (game of) bite-the-cake, ± ducking/bobbing for apples

koekjestrommel [de] ⟨BE⟩ biscuit tin, ⟨AE⟩ cookie tin/box

koekkraam [de] cake stall

koekkruiden [de^{mv}] mixed spices, ⟨kant-en-klaar⟩ mixed spice

koeklauw [de] toe (of a cow)

koeknuffelen [ww] cow-hug, hug a cow

^{1}**koekoek** [de^{m}] [1] ⟨vogel⟩ cuckoo ♦ ⟨fig⟩ *het is altijd koekoek één zang* it's always the same old story [2] ⟨klok⟩ cuckoo clock [3] ⟨dakkapel⟩ dormer (window) [4] ⟨de duivel⟩ ↓devil, ↓hell, ⟨vero⟩ deuce ♦ ⟨fig⟩ *dat dank(t)/haal(t) je de koekoek!* ⟨dat zal best⟩ I bet!, I daresay (it is/you're right/...)!; ⟨mij niet gezien⟩ not on your life!, you won't catch me doing that!, ⟨inf⟩ no way! [5] ⟨keldergat⟩ cellar window [6] ⟨lichtkoepel⟩ skylight

^{2}**koekoek** [tw] cuckoo! ♦ *koekoek, daar ben ik weer!* cuckoo!

koekoeksbij [de] cuckoo/homeless bee

koekoeksbloem [de] [1] ⟨Lychnis flos-cuculi⟩ ragged robin, cuckooflower [2] ⟨plant van het geslacht Melandrium⟩ campion

koekoeksbrood [het] wood-sorrel, cuckoo('s) bread, cuckoo's meat, ⟨AE ook⟩ cuckoo-flower

koekoeksjong [het] [1] ⟨jong van een koekoek⟩ young cuckoo [2] ⟨fig⟩ ⟨persoon⟩ cuckoo in the nest ♦ ⟨zaak⟩ *dit project dreigt een koekoeksjong te worden* this project is threatening to get out of hand/to get (far) too much attention

koekoeksklok [de] cuckoo clock

koekoeksspeeksel [het] cuckoo/frog spit

koekoekszang [de^{m}] cuckoo's note/call

koekoekvogels [de^{mv}] ⟨wet⟩ Cuculiformes

koekplank [de] [1] ⟨snijplank⟩ cake-board [2] ⟨koekvorm⟩ cake-mould

koekprent [de] cake-mould

koektrommel [de] ⟨BE⟩ biscuit tin, ⟨AE⟩ cooky tin

koekvorm [de^{m}] [1] ⟨vorm die men aan een koek geeft⟩ shape of a/the cake [2] ⟨bakvorm⟩ cake-mould

^{1}**koel** [bn] [1] ⟨matig koud⟩ cool, ⟨erg koud⟩ chilly ♦ *koel bewaren* store in a cool place; *een koele kamer* a cool room; *koel serveren* serve chilled; *koel water* cool water; *het wordt koeler* it's getting/growing cooler, ⟨koud⟩ it's getting/growing chillier, it's cooling down/off; *een koele zomer* a cool summer [2] ⟨kalm⟩ cool, calm ♦ *ons schijnbaar koele volk* our seemingly reserved people

^{2}**koel** [bn, bw] ⟨onhartelijk⟩ cool ⟨bw: ~ly⟩, ⟨erg koel⟩ cold, chilly ♦ *iemand koel bejegenen* treat s.o. coolly/coldly; *koel beleefd* coldly/icily polite; *koele bewoordingen* cold terms; *een koele man* a cold man; *een koele ontvangst krijgen* get a chilly/cool reception, get a frosty welcome

koelak [de^{m}] kulak

koelan [de^{m}] ⟨dierk⟩ kulan

koelapparaat [het] cooler, refrigerator, cooling apparatus

koelauto [de^{m}] refrigerated vehicle, ⟨vrachtauto ook⟩ refrigerated lorry/^{A}truck

koelbak [de^{m}] [1] ⟨koelbox⟩ cooler [2] ⟨waterbak⟩ quenching/water trough

koelbalk [de^{m}] ± cooling box

koelbassin [het] quenching trough

koelbloedig [bn, bw] [1] ⟨onbewogen⟩ cool-headed ⟨bw: ~ly⟩, level-headed ⟨bw: ~ly⟩ [2] ⟨onverschillig⟩ cold(-blooded) ⟨bw: ~ly⟩

koelbloedigheid [de^{v}] [1] ⟨onverschrokkenheid⟩ cool-headedness, level-headedness, ⟨form⟩ sang-froid [2] ⟨onverschilligheid⟩ cold(-blooded)ness

koelbox [de^{m}] cool box, cooler

koelcel [de] cold store

koelcontainer [de^{m}] refrigerated container

koeldoos [de] crisper

koelelement [het] [1] ⟨in koelkast⟩ refrigerating/cooling element [2] ⟨in koelbox⟩ freezer pack

koelemmer [de^{m}] wine-cooler, ice bucket/pail

koelen [ov ww] [1] ⟨koel(er) doen worden⟩ cool (down/off), ⟨erg koel⟩ chill, ⟨met ijs ook⟩ ice ♦ *gekoelde boter* chilled butter; *gloeiend ijzer koelen* cool down red-hot iron; *met ijs gekoelde wijn* chilled wine; *met lucht gekoelde motoren* air-cooled engines [2] ⟨afreageren⟩ vent, unleash ♦ *zijn woede op iemand koelen* vent one's fury (up)on s.o.

koeler [de^{m}] [1] ⟨toestel om te koelen⟩ cooler, ⟨in auto⟩ radiator [2] ⟨ijsemmer⟩ ice bucket, cooler

koelgas [het] coolant gas

koelheid [de^{v}] [1] ⟨frisheid⟩ coolness, ⟨kou⟩ chill(iness), ⟨scherts⟩ coolth [2] ⟨onhartelijkheid⟩ coolness, coldness ♦ *ik kan zijn koelheid niet verklaren* I can't explain his coldness

koelhuis [het] [1] ⟨inrichting met koelkamers⟩ cold store [2] ⟨frisgelegen schuur, vertrek⟩ cold store

koelhuisboter [de] cold-stored butter

koelie [de^m^] 1 ⟨gehuurde, gekleurde arbeider⟩ coolie 2 ⟨loonslaaf⟩ drudge, coolie 3 ⟨stommeling⟩ moron
koeliewerk [het] coolie work, drudgery, donkey-work
koeling [de^v^] 1 ⟨handeling⟩ cooling, ⟨van levensmiddelen⟩ refrigeration 2 ⟨koelcel⟩ cold store ♦ *iets in de koeling leggen* put sth. in cold storage
koelinrichting [de^v^] ⟨ruimte⟩ cold store, ⟨installatie⟩ refrigerator, cooling/refrigerating system, cooling/refrigerating equipment, cooling/refrigerating plant
koelkamer [de] cold-storage room, ⟨temperatuur boven vriespunt⟩ chillroom, cooling room
koelkast [de] fridge, ⟨iets formeler⟩ refrigerator, ⟨inf; AE⟩ icebox ♦ *iets in de koelkast zetten* put sth. in the fridge/icebox
koelketel [de^m^] cooler, cooling vat, refrigerator
koellading [de^v^] refrigerated load
koelleiding [de^v^] coolant pipe
koellucht [de] cooling air
koelmachine [de^v^] refrigerator, refrigerating apparatus
koelmantel [de^m^] ⟨techn⟩ water jacket
koelmiddel [het] coolant, cooling agent, ⟨techn⟩ refrigerant (agent)
koeloven [de^m^] annealing furnace
koelpakhuis [het] cold store, refrigerated warehouse
koelrib [de] fin
koelruim [het] ⟨scheepv⟩ refrigerated hold
koelruimte [de^v^] cold store, refrigerator
koelschip [het] refrigerated ship
koelspiraal [de] cooling spiral/coil, ⟨bij brouwerijen⟩ condensing coil, worm
koelsysteem [het] cooling system, ⟨in pakhuis enz.⟩ refrigeration system
koeltank [de^m^] refrigerated tank
koeltas [de] thermos bag
koelte [de^v^] 1 ⟨frisheid⟩ cool(ness), ⟨erg koud⟩ chill(iness), ⟨scherts⟩ coolth ♦ *in de koelte van de avond* in the cool of the evening; *zich koelte toewuiven* fan o.s. 2 ⟨koele plaats⟩ cool (place) ♦ *de koelte opzoeken* look for somewhere cool/a cool place 3 ⟨scheepv; wind⟩ breeze ♦ *flauwe/frisse/lichte/matige/stijve koelte* faint/fresh/light/moderate/stiff breeze
koeltechnicus [de^m^] refrigerating/cold-storage engineer
koeltechniek [de^v^] refrigeration, ⟨m.b.t. levensmiddelen ook⟩ cold storage
koeltje [het] (gentle) breeze ♦ *een koeltje waait ons om de oren* there is a (gentle) breeze blowing around us
^1^**koeltjes** [bn] ⟨een beetje koud⟩ (a bit) chilly ♦ *het wordt 's avonds buiten al koeltjes* it's (already) getting a bit chilly outside in the evenings
^2^**koeltjes** [bw] ⟨onhartelijk⟩ coolly, ⟨sterker⟩ coldly ♦ *iemand koeltjes bejegenen* treat s.o. coolly/coldly, ⟨inf⟩ give s.o. the cold shoulder; *zij heeft mij maar koeltjes ontvangen* she only gave me a cool welcome, she welcomed me rather coolly/coldly, ↑ she received me rather coolly/coldly; *koeltjes reageren* respond coolly/coldly
koeltoren [de^m^] cooling tower
koeltransport [het] refrigerated transport, ⟨AE ook⟩ refrigerated transportation
koelvak [het] refrigerated display
koelvat [het] 1 ⟨om te koelen⟩ cooler 2 ⟨om koel te houden⟩ cooler
koelvers [bn] cooled, refrigerated
koelvloeistof [de] coolant
koel-vriescombinatie [de^v^] fridge-freezer
koelwagen [de^m^] ⟨vrachtauto⟩ refrigerator/refrigerated truck, cold storage truck, ⟨treinwagon⟩ refrigerator/refrigerated ^B^wagon, cold storage ^B^wagon, refrigerator/refrigerated ^A^car, cold storage ^A^car
koelwand [de^m^] (cooling-)jacket
koelwater [het] cooling-water
koelweg [bw] coolly
koemarkt [de] cattle market
koemelk [de] cow's milk
koemest [de^m^] cow manure/dung ♦ *gedroogde koemest* dried cow manure
koemis [de^v^] ⟨Aziatische drank⟩ koumiss
koen [bn, bw] ⟨form⟩ bold, stout-hearted, daring ♦ *een koen besluit* a bold/stout-hearted/daring decision; *koene daden* bold/stout-hearted deeds, deeds of daring; *een koene held* a bold/stout-hearted hero; ↑ a hero bold (and daring)
koenheid [de^v^] ⟨form⟩ boldness, stout-heartedness, daring
koenjit [de^m^] turmeric
koepaard [het] ± piebald horse
koepeen [de] mangel(-wurzel), mangold(-wurzel)
koepel [de^m^] 1 ⟨halfbolvormig dak⟩ dome, ⟨i.h.b. kleine⟩ cupola, ⟨boven cockpit⟩ canopy ♦ ⟨fig⟩ *de koepel van de blauwe lucht* the (sky-)blue dome of heaven; *de koepel van de St.-Pieter(skerk) te Rome* the dome of St Peter's in Rome 2 ⟨tuinhuisje⟩ summer house 3 ⟨van geschut⟩ cupola, (gun) turret 4 ⟨ronde uitbouw voor waarneming⟩ (observation) turret 5 ⟨overkoepelende organisatie⟩ umbrella
koepelberg [de^m^] domed mountain
koepelbouw [de^m^] ⟨bouwk⟩ 1 ⟨handeling⟩ construction of domes, construction of a dome, construction of cupolas, construction of a cupola, building of domes, building of a dome, building of cupolas, building of a cupola 2 ⟨resultaat⟩ dome(d)/cupola construction
koepeldak [het] dome(d roof)
koepelgevangenis [de^v^] panopticon
koepelgewelf [het] ⟨bouwk⟩ dome, cupola, domed/spherical vault
koepelgraf [het] ⟨gesch⟩ beehive tomb
koepelkerk [de] domed church, church with a dome
koepelorganisatie [de^v^] umbrella organization ♦ *met de EU als koepelorganisatie* under the umbrella of the EU
koepeloven [de^m^] cupola (furnace)
koepelraam [het] dome/cupola window, window in a dome/cupola
koepeltent [de] dome tent
koepeltoren [de^m^] 1 ⟨koepelvormige toren⟩ domed tower 2 ⟨toren boven een kruiskerk⟩ crossing tower
koepelvormig [bn] domed, dome-shaped ♦ *koepelvormige daken* domed roofs
koepokinenting [de^v^] vaccination against cowpox
koepokken [de^mv^] cowpox, ⟨wet⟩ vaccinia
koepokstof [de] vaccine (lymph)
koer [de] ⟨in België⟩ 1 ⟨binnenplaats⟩ court (yard) 2 ⟨speelplaats⟩ school playground
Koerd [de^m^] Kurd
Koerdisch [bn] Kurdish, Kurd
Koerdistan [het] Kurdistan
koereiger [de^m^] cattle egret
koeren [onov ww] coo
koerier [de^m^] courier, messenger
koeriersdienst [de^m^] courier/messenger service
koerierster [de^v^] (woman) courier
^1^**koers** [de^m^] 1 ⟨richting⟩ course, direction ♦ *de koers bepalen/uitzetten* fix/determine/delimit/chart the course; ⟨ook fig⟩ set the course; *welke koers ga je volgen?* which course will you steer?; *koers houden* ⟨van een schip⟩ stay on course, hold a steady course; *koers houden naar het vasteland* head/stand for/towards the mainland; *de koers kwijt zijn* ⟨ook fig⟩ be off course; *van de rechte koers afdwalen* ⟨fig⟩ leave the straight and narrow (path); *uit de koers raken* ⟨fig⟩ be driven off course, lose direction; *van koers veranderen* change course/tack; *plotseling van koers veranderen* ⟨fig⟩ fly/go off at a tangent; *een verkeerde koers nemen/uitgaan* ⟨fig⟩ take/pursue a wrong course; *dezelfde koers volgen* travel

the same path; *koers zetten naar de haven* stand in towards the harbour; *koers zetten naar het noorden* head/haul north; *(de) koers zetten/richten naar* steer a course for, set course for, make (head) for, head for [2] ⟨route⟩ route [3] ⟨loop⟩ course, trend, tendency, drift ◆ *een harde/strakkere koers volgen* take/pursue a hard/more rigid line; *een nieuwe koers inslaan* ⟨fig⟩ embark on a new course/line; *de nieuwe koers op politiek gebied* the new political line/trend/drift; *een nieuwe koers uitstippelen* ⟨fig⟩ plot a new course [4] ⟨handel⟩ price, quotation, value, ⟨wisselkoers⟩ (exchange) rate ◆ *de koersen brokkelen af/dalen/lopen op/lopen terug/storten in* prices are falling off/falling/rising/turning down/collapsing; *tegen de hoogste koers verkopen* sell at the highest price; *de koersen noteren* quote the prices; *tegen de koers van de dag* at the price of the day, at the current market value, ⟨wisselkoers⟩ at today's exchange rate; *koers van uitgifte* issue price [5] ⟨fin⟩ circulation

²koers [de] ⟨sport⟩ race

koersaanwijzer [de^m] ⟨luchtv⟩ direction indicator

koersafwijking [de^v] [1] ⟨scheepv, luchtv⟩ deviation/departure (from the course), ⟨door wind⟩ leeway [2] ⟨handel⟩ difference in prices, difference in the exchange rate, deviation in prices, deviation in the exchange rate

koersauto [de^m] ⟨in België⟩ racing car, racer, ⟨AE⟩ speedster

koersbaken [het] ⟨luchtv⟩ radio range beacon

koersbal [het] indoor bowls

koersberekening [de^v] ⟨van effecten⟩ price calculation, calculation of prices, ⟨van wisselkoers⟩ currency value calculation, calculation of currency values

koersbericht [het] ⟨handel⟩ Stock Exchange index

koersblad [het] ⟨handel⟩ Stock Exchange Gazette

koersbord [het] [1] ⟨handel⟩ price board [2] ⟨spoorw⟩ destination board

koerscorrectie [de^v] course correction, ⟨in volle vlucht⟩ midcourse correction

koersdaling [de^v] ⟨effecten⟩ fall/drop in prices, ⟨geld⟩ depreciation of/in currency values

koersdoel [het] target price

koersdruk [de^m] ⟨handel⟩ pressure on the price (of stocks/of foreign exchange/...)

koersen [onov ww] [1] ⟨de koers richten⟩ steer a course (for), set course (for) ◆ *het schip koerste naar het noorden* the ship set course for the north/headed north [2] ⟨sport⟩ race ◆ *de wielrenner koerste voorin* the cyclist was at the front/was heading the race

koersexplosie [de^v] price explosion

koersfiets [de^m] ⟨in België⟩ racing bicycle/bike, racer

koersfluctuatie [de^v], **koersschommeling** [de^v] ⟨handel⟩ price fluctuation/variation, market fluctuation

koersgemiddelde [het] ⟨handel⟩ average price

koersgevoelig [bn] liable to considerable price fluctuations, price-sensitive

koershebbend [bn] ⟨handel⟩ negotiable on the Stock Exchange, marketable

koersherstel [het] ⟨geld⟩ recovery in price(s), recovery of the currency values, rally in price(s), rally of the currency values, ⟨effecten⟩ market recovery

koershoudend [bn] ⟨handel⟩ steady, firm

koersindex [de^m] (stock exchange/market) index

koerslijn [de] ⟨verk⟩ route

koerslijst [de] ⟨handel⟩ price list, list of prices/quotations, stocklist, ⟨beursnotering⟩ official list

koerslimiet [de] price limit

koersmanipulatie [de^v] price manipulation

koersniveau [het] level of prices, level of quotations, level of the exchanges, price/exchange level

koersnivellering [de^v] exchange equalization

koersnotering [de^v] ⟨handel⟩ (price/market) quotation

koersontwikkeling [de^v] price trend

koersreactie [de^v] ⟨handel⟩ reaction on the exchange/market

koersrekening [de^v] [1] ⟨berekening van de waarde⟩ calculation of prices, calculation of exchange rates [2] ⟨rekening met koersverschillen⟩ exchange account

koersreserve [de] ⟨handel⟩ exchange reserve

koersrisico [het] ⟨handel⟩ risk of a fall in prices, risk of depreciation

koersschommeling [de^v] → **koersfluctuatie**

koerssprong [de^m] price jump

koersstijging [de^v] rise/increase in prices, ⟨m.b.t. wisselkoersen⟩ exchange rate rise, rise in the exchange rate

koersval [de^m] ⟨effecten⟩ (rapid) fall/drop in price, ⟨geld⟩ (rapid) fall/drop in currency values

koersverandering [de^v] [1] ⟨scheepv, luchtv⟩ ⟨scheepv⟩ change of course/tack, deviation, ⟨luchtv⟩ change in the course, alteration of the course [2] ⟨fig⟩ change of/in course, new orientation ◆ *plotselinge koersverandering* right-about turn, change of front; ⟨volledige ommekeer⟩ volte face; ⟨van beleid ook⟩ U-turn, reversal of policy

koersverhoging [de^v] ⟨handel⟩ rise/increase in prices, ⟨m.b.t. wisselkoers⟩ rise/increase in the exchange (rate)

koersverlaging [de^v] ⟨handel⟩ fall in prices, ⟨m.b.t. wisselkoers⟩ fall in the exchange (rate)

koersverlies [het] ⟨handel⟩ loss, decline/fall in price, loss on the price, ⟨m.b.t. wisselkoers⟩ exchange loss

koersverloop [het] price trend/range

koersverschil [het] difference in price, difference of exchange

koerswaarde [de^v] ⟨handel⟩ market value/price, ⟨van wisselkoers⟩ exchange value

koerswijziging [de^v] change in course/direction

koerswinst [de^v] ⟨effecten⟩ stock exchange/market profit, gain(s) (made by stock fluctuations), ⟨geld⟩ exchange-rate profit, profit made by selling shares

koers-winstverhouding [de^v] price-gains ratio ◆ *aandelen met een hoge koers-winstverhouding* shares with a favourable price-gains ratio

koeskoes [de^m] ⟨dierk⟩ ⟨buideldier⟩ cuscus

¹koest [bn] ◆ *zich koest houden* keep quiet, keep a low profile

²koest [tw] down!, quiet!

koestal [de^m] cowshed, cowhouse

¹koesteren [ov ww] [1] ⟨verwarmen⟩ nourish, warm ◆ *de zon koestert de aarde* the sun warms the earth [2] ⟨vertroetelen⟩ cherish, foster, nourish ◆ *zij koestert haar kind* she cherishes her child [3] ⟨uit waardering beschermen⟩ cherish, foster, nourish ◆ *illusies koesteren* cherish/foster illusions; *zij koestert haar vrijheid/onafhankelijkheid* she cherishes her freedom/independence [4] ⟨bij zich zelf voelen⟩ entertain, nurse, nourish, harbour ◆ *argwaan/boze gedachten/hoop koesteren* harbour suspicions, harbour/nourish evil thoughts, nurse hopes; *wrok jegens/tegen iemand koesteren* bear s.o. a grudge, harbour a grudge against s.o.; *hoge verwachtingen koesteren* have high hopes; *het voornemen koesteren* intend to, have the intention to; *de stille wens koesteren om ...* have a secret/sneaking desire to ...

²zich koesteren [wk ww] ⟨zich laten verwarmen⟩ bask ◆ *zich in de zon koesteren* bask in the sun, sun o.s.; ⟨fig⟩ *zich in iemands liefde koesteren* bask in s.o.'s love

koet [de^m] ⟨dierk⟩ coot

koeterwaals [het] gibberish, jabber, double Dutch

koetje boe ⟨kind⟩ moocow

koetjesreep [de^m] bar of imitation chocolate

koets [de] coach, carriage ◆ *de gouden koets* the gilded/golden coach; *koets en paarden houden* keep a carriage; *uit de koets vallen* come down (to earth) with a bump; ⟨tekeergaan⟩ swear like a trooper

koetsen [ov ww] ⟨amb⟩ couch

koetshuis [het] coach house

koetsier [de^{m}] [1] ⟨iemand die een koets bestuurt⟩ coachman [2] ⟨voerman⟩ driver
koetsiertje [het] (drop/tot of) brandy
koetspaard [het] carriage/coach horse ♦ *zweten **als** een koetspaard* sweat like a horse/pig
koetspoort [de] porte-cochère, carriage porch, carriage entrance
koetswerk [het] bodywork, coachwork
koevanger [de^{m}] cow catcher
koevoet [de^{m}] crowbar
Koeweit [het] [1] ⟨staat⟩ Kuwait [2] ⟨stad⟩ Kuwait City

Koeweit	
naam	*Koeweit* Kuwait
officiële naam	*Staat Koeweit* State of Kuwait
inwoner	*Koeweiter* Kuwaiti
inwoonster	*Koeweitse* Kuwaiti
bijv. naamw.	*Koeweits* Kuwaiti
hoofdstad	*Koeweit-Stad* Kuwait City
munt	*Koeweitse dinar* Kuwaiti dinar
werelddeel	*Azië* Asia
int. toegangsnummer **965** www **.kw** auto **KWT**	

Koeweiter [de^{m}], **Koeweitse** [de^{v}] ⟨man & vrouw⟩ Kuwaiti, ⟨vrouw ook⟩ Kuwaiti woman/girl
Koeweiti [de^{m}] ⟨man⟩ Kuwaiti
Koeweits [bn] Kuwaiti
Koeweitse [de^{v}] → **Koeweiter**
kof [de] ⟨scheepv⟩ koff
koffer [de^{m}] [1] ⟨valies⟩ (suit)case, (hand)bag, ⟨grote⟩ trunk, ⟨voor kostbaarheden enz.⟩ box, ⟨kartonnen doos⟩ carton ♦ *zijn koffers **pakken/uitpakken*** pack/unpack one's bags; ⟨fig⟩ *hij kan zijn koffer wel **pakken*** he can pack/start packing his bags, he can/might as well (just) pack it in (now); ⟨ontslag krijgen⟩ he can ^{B}collect his cards/^{A}clear out his desk; *een koffer met 2 kilo **waspoeder*** a 2 kilo carton of washing powder [2] ⟨wwb⟩ coffer, caisson [3] ⟨inf; bed⟩ sack ♦ *met iemand de koffer **in** duiken* have a roll in the sack with s.o. [4] ⟨in België; kofferbak⟩ ⟨BE⟩ boot, ⟨AE⟩ trunk [5] ⟨in België; vak in bankkluis⟩ safe
kofferbak [de^{m}] ⟨BE⟩ boot, ⟨AE⟩ trunk
kofferdeksel [het] ⟨van auto; BE⟩ boot lid, ⟨AE⟩ trunk lid, ⟨van kist⟩ trunk lid, ⟨van koffer⟩ suitcase lid
kofferetiket [het] sticker
koffergrammofoon [de^{m}] portable gramophone, ⟨AE⟩ portable phonograph
kofferlabel [het, de^{m}] label, tag, luggage label/tag, ⟨vnl AE⟩ baggage label/tag
kofferruimte [de^{v}] ⟨BE⟩ boot, ⟨AE⟩ trunk
kofferschrijfmachine [de^{v}] portable typewriter
koffervis [de^{m}] trunkfish, cofferfish
koffie [de^{m}] [1] ⟨koffiebonen⟩ coffee ♦ *koffie **branden*** roast coffee; ***ongebrande** koffie* unroasted coffee; *koffie vacuüm **verpakken*** vacuum-pack coffee [2] ⟨drank⟩ coffee ♦ ⟨fig⟩ *dat is **andere** koffie* that's another/a different story; *een **kopje/bakje** koffie* a cup of coffee; *koffie **met** melk* coffee with milk, ⟨BE⟩ white coffee; *koffie **schenken*** pour out the coffee; ***slappe/sterke** koffie* weak/strong coffee; *koffie **verkeerd*** café au lait, coffee made with hot milk; *koffie **zonder** melk* black coffee; *ze drinkt haar koffie **zonder*** she has her coffee black; ⟨fig⟩ *dat is geen **zuivere** koffie* there's sth. fishy about it, it looks suspicious; ***zwarte** koffie* black coffee; *een kleintje koffie* an after-dinner cup [3] ⟨kop koffie⟩ coffee ♦ ***twee** koffie!* two coffees! [4] ⟨koffietijd⟩ ⟨'s middags⟩ lunch, ⟨in de voormiddag⟩ coffee break ♦ *zij zou **na** de koffie nog even langskomen* she was going to drop/call/pop in after lunch; ***op** de koffie komen* be invited for lunch/coffee; ⟨fig⟩ come away with a flea in one's ear [5] ⟨koffiegewas⟩ coffee
koffiearoma [het] [1] ⟨geur⟩ coffee aroma/fragrance [2] ⟨toevoeging⟩ coffee flavour enhancer
koffieautomaat [de^{m}] coffee machine
koffiebaal [de] coffee bag
koffiebar [de] café, ⟨BE ook⟩ coffee bar, ⟨AE ook⟩ coffee shop, ⟨espressobar⟩ espresso (bar)
koffiebes [de] coffee berry/cherry
koffiebitter [het] caffein(e)
koffieblad [het] [1] ⟨dienblad⟩ tea-tray [2] ⟨blad van de koffieboom⟩ coffee-leaf
koffiebon [de^{m}] coffee coupon/voucher
koffieboom [de^{m}] coffee tree
koffieboon [de] coffee bean ♦ *een **gebrande** koffieboon* a roasted coffee bean; *een **groene** koffieboon* a green/unroasted coffee bean; *koffiebonen **malen/lezen*** grind/pick coffee beans
koffiebrander [de^{m}] [1] ⟨iemand die de bonen brandt⟩ coffee roaster [2] ⟨eigenaar van een branderij⟩ coffee roaster [3] ⟨apparaat⟩ coffee roaster
koffiebranderij [de^{v}] [1] ⟨handeling⟩ coffee-roasting [2] ⟨inrichting⟩ coffee-roasting house
koffiebroodje [het] ⟨koek⟩ ± currant bun
koffiebruin [bn] coffee-colour(ed), coffee, moderate brown
koffiebuffet [het] coffee bar/counter
koffiebus [de] [1] ⟨m.b.t. het bewaren⟩ coffee canister/tin [2] ⟨m.b.t. het branden⟩ roaster
koffieconcert [het] coffee-time concert
koffiecreamer [de^{m}] coffee creamer
koffiecultuur [de^{v}] coffee-growing, cultivation of coffee
koffiedik [het] ⟨mv⟩ coffee grounds ♦ ⟨iron⟩ *het is zo helder als koffiedik* it is as clear as mud; *ik kan geen koffiedik **kijken*** I can't read tea-leaves, I am not a crystal-gazer, I haven't got a crystal ball
koffiedikkijker [de^{m}], **koffiedikkijkster** [de^{v}] ⟨man & vrouw⟩ crystal-gazer
koffiedikkijkster [de^{v}] → **koffiedikkijker**
koffiedrinken [onov ww] drink coffee, take/have coffee
koffiedrinker [de^{m}], **koffiedrinkster** [de^{v}] [1] ⟨iemand die koffie drinkt⟩ coffee drinker [2] ⟨iemand die komt koffiedrinken⟩ person who comes for coffee ♦ *koffiedrinkers **krijgen*** have people (over) for coffee
koffiedrinkster [de^{v}] → **koffiedrinker**
koffie-extract [het] coffee essence, essence/extract of coffee
koffiefilter [het, de^{m}] coffee filter
koffieheester [de^{m}] coffee tree
koffiehoek [de^{m}] coffee corner/area
koffiehuis [het] ⟨arch⟩ coffee house
koffiejuffrouw [de^{v}] ⟨BE⟩ tea lady
koffiekamer [de] refreshment room, ⟨schouwburg enz. ook⟩ foyer, ⟨vnl BE⟩ crush-room
koffiekan [de] coffeepot
koffiekelder [de^{m}] ± coffee bar
koffiekeuken [de] kitchenette
koffiekleurig [bn] coffee-colour(ed)
koffiekom [de] coffee bowl
koffiekopje [het] coffee cup
koffiekransje [het] coffee ^{B}morning/^{A}klatsch/circle, ⟨in de namiddag⟩ coffee party, ⟨AE⟩ coffee klatsch, kaffee klatsch
koffieland [het] [1] ⟨koffieplantage⟩ coffee plantation [2] ⟨land waar veel koffie groeit⟩ coffee(-growing) country
koffielepeltje [het] coffee spoon
koffieleut [de^{m}] coffee nut/freak/guzzler ♦ *ik **ben** zo'n koffieleut* ⟨ook⟩ I'm hooked on coffee
koffielikeur [de] coffee liqueur
koffielooizuur [het] ⟨scheik⟩ caffeic acid
koffieluis [de] coffee-bug
koffiemaaltijd [de^{m}] (light/snack/cold) lunch
koffiemakelaar [de^{m}] coffee broker, dealer in coffee
koffiemelk [de] evaporated/condensed/thickened milk

♦ *gebruikt u koffiemelk?* do you take milk in your coffee?

koffiemolen [de^{m}] [1] ⟨molen waarin koffiebonen worden gemalen⟩ coffee mill/grinder [2] ⟨amb; verzinkboor⟩ countersink (drill)

koffieoogst [de^{m}] [1] ⟨handeling⟩ coffee harvest/picking [2] ⟨tijd⟩ coffee harvest [3] ⟨opbrengst⟩ coffee crop/harvest

koffiepad [de^{m}] coffee pad

koffiepauze [de] coffee break ♦ ***in** de koffiepauze* during the coffee break

koffieplant [de] coffee tree/plant

koffieplantage [de^{v}] coffee plantation

koffieplanter [de^{m}] coffee planter

koffiepluk [de^{m}] ⟨handeling⟩ coffee picking, ⟨tijd⟩ coffee harvest, ⟨opbrengst⟩ coffee crop

koffiepoeder [het, de^{m}] coffee powder, instant coffee

koffiepot [de^{m}] coffeepot

koffieprijs [de^{m}] price of coffee

koffieproducent [de^{m}] coffee-grower

koffieproductie [de^{v}] coffee production

koffieprut [de] ⟨mv⟩ grounds

koffiepunt [het] coffee token

koffieroom [de^{m}] coffee cream

koffieservies [het] coffee set/service

koffieshop [de^{m}] [1] ⟨m.b.t. koffie⟩ coffee shop/bar [2] ⟨m.b.t. softdrugs⟩ Dutch/cannabis coffee shop

koffiespaantje [het] coffee stirrer

koffiestalletje [het] ⟨BE⟩ coffee stall, ⟨AE⟩ coffee stand

koffiesurrogaat [het] coffee substitute, surrogate coffee

koffietafel [de] [1] ⟨maaltijd⟩ (light/snack) lunch, ⟨BE ook⟩ (afternoon) tea table [2] ⟨gerechten⟩ (light/snack) lunch [3] ⟨tafel⟩ coffee table

koffietafelen [onov ww] ± (have) lunch

koffieteelt [de] coffee-growing, cultivation of coffee

koffietent [de] coffee shop, ⟨BE⟩ coffee stall, ⟨AE⟩ coffee stand

koffietijd [de^{m}] coffee time, ⟨'s middags⟩ lunch time/hour, ⟨in de voormiddag⟩ coffee break ♦ *hij kwam juist **op** koffietijd* he arrived just at lunch time

koffietrommel [de] [1] ⟨trommel om koffie in te bewaren⟩ coffee canister/tin [2] ⟨bus waarin koffie gebrand wordt⟩ roaster

koffie-uur [het] coffee time, ⟨AE ook⟩ coffee hour, ⟨'s middags⟩ lunch time/hour, ⟨pauze⟩ coffee break

koffievlek [de] coffee stain, ⟨inf⟩ coffee spill

koffiewagen [de^{m}] (tea) trolley

koffiewater [het] water for (making) coffee, coffee water ♦ *koffiewater **opzetten*** put the kettle on

koffiezetapparaat [het], **koffiezetmachine** [de^{v}] (automatic) coffee-maker

koffiezetmachine [de^{v}] → **koffiezetapparaat**

koffiezetten [onov ww] make coffee, put coffee on

kofschip [het] koff ▪ ⟨taalk⟩ *'t kofschip* mnemonic for voiceless consonants of Dutch

köfte [de^{m}] kofta

kog [de] ⟨scheepv, gesch⟩ cog, cock-boat

kogel [de^{m}] [1] ⟨projectiel⟩ ⟨geweer⟩ bullet, ⟨kanon⟩ ball, ⟨kogeltje, van luchtbuks bijvoorbeeld⟩ pellet ♦ *het lichaam was met kogels **doorzeefd*** the body was riddled with bullets/bullet holes; *de kogels **floten** hen om de oren* bullets whizzed past their ears, bullets were flying thick and fast; *zich een kogel door het hoofd **jagen*** put a bullet through one's head, blow one's brains out; *de kogel **krijgen*** be shot; *een **verdwaalde** kogel* a stray bullet; ***veroordeeld tot** de kogel* sentenced to be shot/to death by shooting; ⟨fig⟩ *de kogel is door de kerk* the die is cast [2] ⟨techn⟩ ball bearing [3] ⟨sport; keihard schot⟩ rocket, cannonball, bullet, cracker, scorcher [4] ⟨gewricht bij een paard, rund⟩ pastern (joint) [5] ⟨dijspier van een slachtdier⟩ thigh ♦ ***biefstuk** van de kogel* round-steak [6] ⟨atl⟩ shot

kogelafsluiter [de^{m}] ball (retaining) valve

kogelas [de] ⟨techn⟩ ball bearing/shaft, journal

kogelbaan [de] (ballistic) trajectory, path of a projectile

kogelbiefstuk [de^{m}] round steak

kogelbloem [de] globe-flower, trollflower, globe daisy ⟨Globularia⟩

kogelbrief [de^{m}] threatening letter

kogelen [ov ww, ook abs] [1] ⟨smijten⟩ hurl, throw [2] ⟨sport⟩ rocket ♦ *de **bal** in het doel kogelen* rocket the ball into the goal

kogelflesje [het] bottle with a marble stopper

kogelgat [het] bullet hole, shot hole ♦ *een muur **vol** kogelgaten* a bullet-scarred wall, a wall full of bullet holes

kogelgewricht [het] ball(-and-socket) joint, cup-and-ball joint

kogelhard [bn] [1] ⟨met de kracht van een kogel⟩ bullet hard [2] ⟨ondoordringbaar voor kogels⟩ bulletproof

kogelhuls [de] cartridge

kogelklep [de] ⟨techn⟩ ball (check) valve, spherical valve, globe valve

kogellager [het] ⟨techn⟩ ball bearing ♦ *rijwielnaven lopen **op** kogellagers* bicycle hubs are fitted with ball bearings

kogelmolen [de^{m}] ⟨techn⟩ ball mill

kogelpen [de] ballpoint (pen), ball pen, ⟨BE⟩ biro

kogelpunt [de^{m}] (tip of a/the) bullet, (head of a/the) bullet

kogelregen [de^{m}] shower/hail/rain of bullets

kogelring [de^{m}] ⟨techn⟩ ball race

kogelrond [bn] spherical, globular, as round as a ball

kogelscharnier [het] ⟨techn⟩ ball(-and-socket) joint

kogelslingeraar [de^{m}] ⟨sport⟩ hammer thrower

kogelslingeren [ww] ⟨sport⟩ hammer (throw) ♦ *het **onderdeel** kogelslingeren* the hammer (throw)

kogelspin [de] orb-web spider, orb weaver

kogelstootster [de^{v}] → **kogelstoter**

kogelstoten [ww] ⟨sport⟩ shot-put(ting), putting the shot ♦ ***het** kogelstoten* the shot-put; *een medaille behalen op het **onderdeel** kogelstoten* win a medal in the shot(-put)

kogelstoter [de^{m}], **kogelstootster** [de^{v}] shot-putter

kogeltafel [de] ball table

kogeltang [de] ⟨med⟩ bulletdrawer, crow-bill

kogelton [de] spherical buoy

kogelvanger [de^{m}] (stop/practice) butt

kogelventiel [het] ⟨techn⟩ ball valve

kogelvis [de^{m}] globefish, puffer

kogelvorm [de^{m}] [1] ⟨gietvorm⟩ bullet-mould, ⟨AE⟩ bullet-mold, ⟨voor kanonskogels⟩ ball mould/^{A}mold [2] ⟨bolvorm⟩ spherical/globular form, spherical/globular shape

kogelvormig [bn] spherical, globular

kogelvrij [bn] bulletproof, shotproof ♦ *kogelvrij **glas*** bulletproof glass; *een kogelvrij **vest*** a bulletproof vest; ⟨mil⟩ a flak jacket/^{A}vest

kogelwond [de] bullet wound, shot-wound

kohier [het] assessment register/list

kohierbelasting [de^{v}] direct tax

kohl [de^{m}] kohl

koi [de^{m}] koi

koikarper [de^{m}] koi carp

koine [de] koine, lingua franca

¹kok [de^{m}], **kokkin** [de^{v}] ⟨beroep⟩ cook ♦ *de **eerste** kok* the chef ▪ ⟨sprw⟩ *veel koks verzouten de brij* too many cooks spoil the broth; ⟨sprw⟩ *het zijn niet allen koks die lange messen dragen* ± all are not thieves that dogs bark at; ± you can't tell a book by its cover

²kok [de^{m}] ⟨jacht⟩ cock-pheasant

Kokanje [het] Cockaigne ♦ ***Land** van Kokanje* Land of Cockaigne

kokanjemast [de^{m}] greased/greasy pole

kokarde [de] cockade, cocarde

kokardebloem [de] gaillardia
[1]**koken** [onov ww] 1 ⟨in, van vloeistof⟩ boil, ⟨BE ook⟩ be on the boil ♦ *water kookt **bij** 100° C* water boils at 100° C; *de eieren koken al* the eggs are already boiling/have already started to boil/are already on the boil; *iets **even** laten koken* parboil sth.; just bring sth. to the boil; *iets **gaar** koken* cook sth. through; *3 minuten **laten** koken* allow to boil for 3 minutes; *het water kookt **niet meer*** the water has stopped boiling/has gone/is off the boil; *het water **staat** te koken* the kettle is boiling 2 ⟨maaltijden bereiden⟩ cook, do the cooking ♦ *hij heeft nooit **leren** koken* he has never learnt cookery/how to cook; *koken **op** aardgas/butagas* cook by/with natural gas/[B]calor gas/[A]butane; *hij kookt **uitstekend*** he's an excellent/a very good cook, he's very good at cooking; *hij kookt **zelf*** he does his own cooking 3 ⟨borrelen⟩ boil, ⟨zee⟩ churn 4 ⟨door hartstocht in heftige beweging zijn⟩ boil, seethe, fume ♦ *haar **bloed** kookte* her blood boiled/her blood was up; ***inwendig** koken* be seething inside, fume/boil inwardly, smoulder; *het **stadion** kookte* the whole stadium was wild with excitement, the atmosphere in the stadium was electric; *koken **van** woede/verontwaardiging* boil/seethe/fume with rage/indignation, be in a white rage
[2]**koken** [ov ww] 1 ⟨in, van vloeistof⟩ boil ♦ ***aardappels/eieren** koken* boil potatoes/eggs; *gekookte **ham*** boiled ham; *eieren **hard/zacht** koken* hard-boil/soft-boil eggs; *gekookt **spek*** boiled bacon; *de appels zijn **tot** moes gekookt* the apples have been boiled to mash/down/to a pulp; *iets **zachtjes** laten koken* let sth. simmer gently, simmer sth. (over a low heat) 2 ⟨klaarmaken, bereiden⟩ cook ♦ *het **eten** koken* cook the meal; ***soep** koken* cook soup
kokend [bn] 1 ⟨aan de kook zijnde⟩ boiling, ⟨fig ook⟩ seething, fuming ♦ ⟨fig⟩ *kokend **van** woede* fuming with rage, boiling/seething with anger; *kokend **water*** boiling water 2 ⟨zeer heet⟩ boiling/piping/scalding hot ♦ *de **soep** is kokend* the soup is piping hot ▪ *kokende **golven*** seething/foaming/boiling/frothing waves
kokendheet [bn] piping/boiling/scalding hot
koker [de[m]] 1 ⟨om iets in te bergen, beschermen⟩ case, sheath, ⟨pijlen⟩ quiver, ⟨techn⟩ socket, sleeve ♦ ⟨fig⟩ ***uit** wiens koker komt dit?* who has thought this up/come up with this?, whose bright idea is this?; ⟨fig⟩ *dat komt niet **uit** zijn eigen koker* he hasn't thought that up himself 2 ⟨om iets in te steken⟩ (cylindrical) container, cylinder 3 ⟨waardoor iets stroomt, bewogen wordt⟩ ⟨lift⟩ shaft, ⟨tunnel, ketting⟩ tube, ⟨trap⟩ well, ⟨graan⟩ chute, ⟨stortkoker⟩ chute ♦ *de koker is **verstopt*** the shaft/tube is clogged up; *een koker **voor** luchttoevoer* air-shaft, ventilation-shaft 4 ⟨kookapparaat⟩ cooker, (electric) kettle 5 ⟨sluiskolk⟩ lock chamber
kokerbalk [de[m]] box girder
kokerbrug [de] tubular bridge
kokerdenken [ww] narrow thinking
kokergat [het] 1 ⟨kokervormig gat⟩ cylindrical hole 2 ⟨amb; holte in een vensterkozijn⟩ sash pocket/box
kokerij [de[v]] ⟨het koken⟩ cooking, ⟨uitzending⟩ catering
kokerjuffer [de] ⟨dierk⟩ caddis (worm), strawworm
kokerpaal [de[m]] ⟨wwb⟩ tubular pole
kokerrok [de[m]] tube skirt
kokersluis [de] chambered lock
kokertje [het] 1 ⟨kleine koker⟩ tube, tubule, ⟨van metaal⟩ canister 2 ⟨plantk⟩ closed (leaf-)sheath
kokervisie [de[v]] tunnel vision
kokervormig [bn] tubular, cylindrical
kokervrucht [de] ⟨plantk⟩ follicle, capsule
kokerworm [de[m]] tube-worm, pipe-worm
kokerzien [ww] tunnel vision
koket [bn, bw] 1 ⟨behaagziek⟩ coquettish ⟨bw: ~ly⟩ ♦ *een koket **dametje*** a coquettish lady, a coquette 2 ⟨opvallend sierlijk⟩ smart ⟨bw: ~ly⟩, elegant, stylish ♦ *een koket **hoedje*** a smart hat
koketteren [onov ww] 1 ⟨behaagziek zijn, flirten⟩ coquet(te), flirt ♦ ⟨fig⟩ ***met** een idee/plan koketteren* toy/flirt with an idea/a plan; ***met** zijn leeftijd koketteren* play up(on) one's age 2 ⟨ergens mee pronken⟩ show off, parade ♦ *koketteren **met** iets* parade sth.; *hij koketteert **met** zijn kennis* he shows off his learning
koketterie [de[v]] 1 ⟨behaagzucht⟩ flirting, coquetry, coquettishness, flirtatiousness 2 ⟨uiting van behaagzucht⟩ coquetry, ⟨mv⟩ coquettish behaviour, coquettishness, coquetting
kokhaan [de[m]] cockle
kokhalzen [onov ww] 1 ⟨op het punt staan te braken⟩ retch, heave ♦ *iemand **doen** kokhalzen* ⟨ook fig⟩ make s.o. sick, revolt s.o.; ***van** iets kokhalzen* gag on sth.; ⟨vnl AE⟩ keck at sth. 2 ⟨walgen⟩ ♦ *het is **om** van te kokhalzen* it turns your stomach/makes your stomach turn, it's enough to make you sick, ⟨inf⟩ it's enough to make you puke
kokinje [het] liquorice/[A]licorice button
kokkel [de[m]] cockle
kokkelen [onov ww] 1 ⟨kakelen, kraaien⟩ cackle 2 ⟨fig⟩ cackle
kokkelkorrels [de[mv]] Indian berries
kokken [de[mv]] ⟨inf⟩ ⟨ogm⟩ cocci
kokkerd [de[m]] ⟨inf⟩ whopper ♦ *een kokkerd **van** een neus* a big conk/hooter/s(ch)nozzle
kokkerellen [onov ww] 1 ⟨allerlei kookseltjes maken⟩ cook special things, cook fancy things, do fancy cooking 2 ⟨(met plezier) koken⟩ cook (as a hobby), cook for fun
kokkeren [onov ww] crow cock-up
kokkin [de[v]] ⟨in restaurant⟩ (female) chef, ⟨in huis⟩ cook
kokmeeuw [de] black-headed gull
kokos [het] 1 ⟨kokosvezel(stof)⟩ coconut fibre, coir 2 ⟨kokosnoten(vlees)⟩ coconut
kokosbast [de[m]] coconut shell/husk
kokosboter [de] coconut butter
kokosbrood [het] coconut slices
kokosgaren [het] coir yarn/twine
kokoskoek [de[m]] 1 ⟨koekje⟩ coconut [B]biscuit/[A]cookie 2 ⟨veekoek⟩ coconut (oil)cake
kokosmakroon [de[m]] coconut macaroon/pyramid
kokosmat [de] (piece of) coconut matting, ⟨deurmat ook⟩ coconut mat
kokosmelk [de] coconut milk
kokosnoot [de] 1 ⟨vrucht⟩ coconut 2 ⟨stof waaruit de schaal bestaat⟩ coconut
kokosolie [de] coconut oil
kokospalm [de[m]] coconut palm, coconut tree, coco(-palm)
kokossuiker [de[m]] coco-palm sugar
kokostouw [het] coir rope
kokosvet [het] (hard) coconut oil
kokosvezel [de] coconut fibre, coir (fibre) ♦ *kokosvezels* coir
kokosvlees [het] coconut meat/flesh
kokosvrucht [de] (flesh of the) coconut
kokoszeep [de] coco soap
koksbuis [het] chef's jacket
koksjongen [de[m]] cook's boy, ⟨op schip⟩ galley boy
kokskruiden [de[mv]] mixed herbs, ⟨in sachet⟩ bouquet garni
koksmaat [de[m]] galley boy
koksmes [het] cook's knife
koksmuts [de] chef's hat
koksroom [de[m]] cooking cream
koksschool [de] cookery school, catering college
[1]**kol** [de[m]] ⟨witte plek⟩ star
[2]**kol** [de[v]] 1 ⟨feeks⟩ shrew, vixen 2 ⟨tovenares⟩ witch, sorceress
kola [de[m]] 1 ⟨boom⟩ cola/kola (tree) 2 ⟨zaden, noten⟩

cola/kola (nut) [3] ⟨extract⟩ cola, kola
kola-extract [het] → **kola**
kolanoot [de] cola/kola nut, cola/kola seed
kolbak [de^m] ⟨mil⟩ busby, bearskin
kolchoz [de^m] kolkhoz(e), collective farm
kolder [de^m] [1] ⟨nonsens⟩ nonsense, rubbish, baloney, garbage [2] ⟨hersenziekte⟩ staggers ♦ *de kolder in het hoofd krijgen* go crazy/haywire
kolderen [onov ww] [1] ⟨aan de kolder lijden⟩ have the staggers [2] ⟨raaskallen⟩ talk rubbish, talk nonsense, blather
kolderiek [bn, bw] ⟨inf⟩ crazy ⟨bw: crazily⟩, mad ♦ *ik besef hoe kolderiek dat* ***klinkt****, maar het is zo* I realize how crazy that sounds, but it's true
kolderpoëzie [de^v] nonsense poetry/rhymes
kolderschijf [de] ⟨techn⟩ eccentric
koldervers [het] nonsense verse/rhymes
kolen [de^{mv}] ⟨verzamelnaam⟩ coal ♦ ***gloeiende*** *kolen* glowing/live coal(s)/embers; ⟨fig⟩ *op* ***hete*** *kolen zitten* be on tenterhooks, be like a cat ^{B}on hot bricks/^{A}on a hot tin roof; *kolen* ***innemen*** take in coal; *deze machine loopt* ***op*** *kolen* this machine burns coal; *kolen* ***stoken*** burn coal; ***vette/magere*** *kolen* soft/bituminous coal; ⟨magere⟩ anthracite, hard coal; ⟨fig⟩ ***vurige*** *kolen op iemands hoofd stapelen* heap coals of fire on s.o.'s head; *kolen* ***winnen*** extract/mine coal
kolenaak [de] ⟨scheepv⟩ coal barge
kolenader [de] coal vein/seam
kolenbak [de^m] → **kolenkit**
kolenbekken [het] coal basin
kolenboer [de^m] coalman
kolenboot [de] coal carrier/barge, collier
kolenbrander [de^m] charcoal burner
kolenbranderij [de^v] [1] ⟨bedrijf⟩ charcoal works [2] ⟨handeling⟩ charcoal burning
kolenbunker [de^m] coal-bunker
kolencentrale [de] coal-fired power/generating station, coal-fired power/generating ^{A}plant
kolendamp [de^m] carbon monoxide (fumes) ♦ *door kolendamp* ***stikken*** be suffocated by carbon monoxide
kolendampvergiftiging [de^v] carbon-monoxide poisoning
kolendrager [de^m] coal-porter, coal-heaver
kolengas [het] coal gas
kolengebied [het] coal field
kolengloed [de^m] [1] ⟨warmte⟩ heat from the/a coal fire [2] ⟨gloeiende kolen⟩ glowing embers
kolengruis [het] slack
kolenhak [de] (coal) pick
kolenhandelaar [de^m] coal merchant, coaler, ⟨klein⟩ coal dealer
kolenhok [het] coal-shed, coal-house, coal-bunker, ⟨BE ook⟩ coal-hole
kolenkachel [de] coal(-fired) stove/heater
kolenkalk [de^m] carboniferous lime
kolenkalksteen [de^m] carboniferous limestone
kolenkelder [de^m] coal cellar, ⟨klein; BE⟩ coal hole
kolenkist [de] coal-box
kolenkit [de], **kolenbak** [de^m] coal-scuttle, coal-box
kolenlaag [de] coal bed/seam/stratum ♦ ***blootgelegde*** *kolenlaag* coalface
kolenmijn [de] coal-mine, coal-pit, ⟨vnl BE⟩ colliery ♦ *de voorgenomen* ***sluiting*** *van vele kolenmijnen* the proposed closure of many (coal-)pits/workings
kolenmoker [de^m] coal-hammer
kolenpijler [de^m] coal deposit/seam
kolenruim [het] ⟨scheepv⟩ (coal-)bunker, coal-hold
kolenschip [het] coaler, collier
kolenschop [de] coal-shovel ♦ *handen als kolenschoppen* hands like hams, huge hands, mutton fists
kolenschuur [de] coal-shed, coal-house
kolenslakken [de^{mv}] (coal) slag
kolenslik [het] slack, washed coal-dust
kolenstation [het] coaling-station
kolenstof [het] coal-dust, ⟨roet⟩ smut
kolenstook [de] coal-firing, ⟨in centrale verwarming⟩ coal burning central heating system
kolentip [de^m] [1] ⟨werktuig⟩ coal-chute, coal-tip, coal-hoist, coal-conveyor [2] ⟨wagonkieper⟩ tipple
kolentransporteur [de^m] coal (belt) conveyor, shuttle
kolentrein [de^m] coal-train, coaler
kolentremmer [de^m] (coal) trimmer
kolenvergasser [de^m] coal gasification installation
kolenvergassing [de^v] coal gasification
kolenwagen [de^m] ⟨van locomotief⟩ tender, ⟨voor vervoer⟩ coal-truck
kolenwinning [de^v] coal mining, extraction/winning of coal
kolenzaag [de] coal cutter, ⟨inf⟩ cutter
kolenzak [de^m] [1] ⟨zak om steenkolen in te vervoeren⟩ coal-sack, coal-bag [2] ⟨schacht van een hoogoven⟩ blast furnace shaft
Kolenzak [de^m] ⟨astron⟩ Coal Sack
kolenzandsteen [het, de^m] millstone-grit
kolenzwart [het] bone-black, charcoal black
kolere [de] ⟨vulg⟩ [•] ***krijg*** *de kolere!* get stuffed!, drop dead!, ↓fuck you!
kolf [de] [1] ⟨achterstuk van een geweer⟩ butt [2] ⟨retort⟩ ⟨met rechte hals⟩ flask, ⟨met omgebogen hals⟩ retort [3] ⟨bloeiwijze⟩ spadix, ⟨bloemen⟩ spike, ⟨koren⟩ ear, ⟨mais⟩ cob [4] ⟨eind van een biljartkeu⟩ butt [5] ⟨slaghout⟩ club [•] *dat is een kolfje* ***naar*** *haar hand* that is just/right up her street/alley
kolffles [de] → **kolf**
kolfplaat [de] butt plate
kolfspel [het] 'kolfspel', ± (pall-)mall
kolgans [de] white-fronted goose
kolharing [de^m] young herring
kolibrie [de^m] hummingbird
kolibrievlinder [de^m] hummingbird hawk moth
koliek [het, de^v] ⟨med⟩ colic, the gripes
koliekpijn [de] colic (pain), ⟨mv ook⟩ the gripes
kolk [de] [1] ⟨maalstroom⟩ eddy, whirlpool, maelstrom, vortex [2] ⟨peilloze diepte van het water⟩ canyon, ⟨form ook⟩ gulf ♦ *de kolken van de* ***zee*** submarine canyons [3] ⟨waterput, plas⟩ ⟨waterput⟩ well, ⟨plas⟩ pool, ⟨wiel⟩ scour-hole [4] ⟨rioolput⟩ cesspit, cesspool [5] ⟨ruimte tussen sluisdeuren⟩ chamber [6] ⟨uitwatering⟩ outlet, discharge, drain
kolken [onov ww] swirl, eddy, churn, whirl ♦ ***doen*** *kolken* swirl, eddy, churn, whirl; ⟨fig⟩ *een kolkende* ***(mensen)massa*** a seething crowd; *kolkend* ***water*** swirling water
kolkenzuiger [de^m] sludge-gulper
kolkgat [het] pot-hole
kolkmuur [de^m] chamber wall
kolksloot [de] (mill)race
kolksluis [de] lock
kollergang [de^m] pug mill, edge mill
kolokwint [de^m] [1] ⟨plant⟩ bitter-apple, colocynth [2] ⟨vrucht⟩ bitter-apple, colocynth [3] ⟨purgeermiddel⟩ bitter-apple, colocynth
kolom [de] [1] ⟨zuil⟩ column, ⟨m.b.t. boormachines, slijpmachines enz.⟩ pillar ♦ ⟨fig⟩ *een kolom van* ***rook*** *(en vuur)* a column of smoke (and fire) [2] ⟨vak van een bladzijde⟩ column ♦ ***in*** *kolommen verdelen* divide into/rule in columns; *vier kolommen in de toto/lotto* ***invullen*** fill in four columns in the football pools/the lottery; *zijn kolommen* ***openen*** *voor* devote space to [3] ⟨reeks van getallen⟩ column ♦ *een lange kolom* ***cijfers*** *optellen* add up a long column of figures [4] ⟨column⟩ column
kolombekisting [de^v] ⟨bouwk⟩ column formwork, ⟨BE

ook⟩ column shuttering
kolombijntje [het] ± small sponge cake
kolomboormachine [de^{v}] drill press, upright drill
kolombreedte [de^{v}] ⟨ook bouwk⟩ column width, width of the/a column
kolomkachel [de] cannon stove
kolomlijn [de] ⟨drukw⟩ column rule
kolommendiagram [het] ⟨stat⟩ bar chart, histogram
kolompoot [de^{m}] pedestal
kolomradiator [de^{m}] ribbed/gilled radiator
kolomschroef [de] machine/stove screw
kolomtafel [de] pedestal-table
kolomtitel [de^{m}] ⟨drukw⟩ column heading
kolomtoets [de^{m}] tabulator key
kolonel [de^{m}] ⟨mil⟩ colonel
kolonelschap [het] [1] ⟨waardigheid⟩ colonelcy, colonelship [2] ⟨gezamenlijke kolonels⟩ colonels
kolonelsregime [het] (military) junta, colonels' regime
^{1}**koloniaal** [bn] [1] ⟨van een kolonie⟩ colonial ♦ ***koloniale politiek*** colonial policy; *koloniale* ***waren*** colonial goods [2] ⟨koloniën bezittend⟩ colonial ♦ *koloniale* ***mogendheden*** colonial powers [3] ⟨kolonialistisch⟩ colonial(ist)
^{2}**koloniaal** [bw] ⟨zoals in de koloniën⟩ colonially
koloniaIiseren [ov ww] colonize
kolonialisme [het] ⟨pej⟩ colonialism
kolonialistisch [bn] colonialist
kolonie [de^{v}] [1] ⟨wingewest⟩ colony ♦ ***ministerie*** *van Koloniën* Ministry of Colonial Affairs/for the Colonies, Colonial Office; *een kolonie* ***stichten/vestigen*** found/establish a colony [2] ⟨wingewest onder eigen bestuur⟩ colony [3] ⟨vreemdelingen in een stad⟩ colony, community ♦ *de* ***Nederlandse*** *kolonie te Parijs* the Dutch colony/community in Paris [4] ⟨inrichting voor kinderen⟩ ^{B}holiday/recreation/^{A}summer camp, ^{B}holiday/recreation/^{A}summer home [5] ⟨groep kinderen⟩ children at/from a holiday camp, children at/from a holiday home, children at/from a recreation camp, children at/from a recreation home [6] ⟨groep dieren⟩ colony ♦ *een kolonie (van)* ***reigers*** a colony of herons
kolonievogel [de^{m}] ⟨dierk⟩ gregarious bird
kolonisatie [de^{v}] colonization, settlement ♦ *de* ***binnenlandse*** *kolonisatie* land settlement; *kolonisatie* ***door*** *Europeanen* European colonization
kolonisatiebeleid [het] colonization policy
kolonisator [de^{m}] [1] ⟨stichter van een kolonie⟩ colonizer [2] ⟨koloniserende mogendheid⟩ colonizer
koloniseren [ov ww, ook abs] colonize, settle
kolonist [de^{m}] colonist, settler, ⟨AuE⟩ squatter
koloog [het] bulging eye, ⟨inf⟩ goggle-eye, pop-eye
kolos [de^{m}] [1] ⟨voorwerp⟩ colossus [2] ⟨m.b.t. personen⟩ colossus, ⟨fig ook⟩ giant ♦ *een kolos* ***van*** *een kerel* a colossus/giant of a fellow
^{1}**kolossaal** [bn] [1] ⟨buitengewoon groot⟩ colossal, immense, huge, vast, gigantic ♦ *een monument van kolossale* ***afmetingen*** a monument of colossal dimensions; ⟨fig⟩ *een kolossale* ***blunder/fout*** a stupendous/colossal blunder/mistake; ⟨fig⟩ *een kolossale* ***leugen*** a huge lie, ⟨inf⟩ a whopping lie; ⟨inf⟩ a whopper; ⟨bouwk⟩ *kolossale* ***orde*** giant order [2] ⟨zeer omvangrijk⟩ colossal, stupendous, stunning, enormous ♦ *dat* ***is*** *kolossaal!* that's stupendous!; *een kolossaal* ***vermogen*** colossal wealth
^{2}**kolossaal** [bw] ⟨geweldig⟩ colossally, immensely, enormously, tremendously, hugely
kolossus [de^{m}] colossus ♦ *de Kolossus van* ***Rhodos*** the Colossus of Rhodes
^{1}**kolven** [onov ww] ⟨het kolfspel spelen⟩ 'kolfspel', ± play (pall-)mall
^{2}**kolven** [ov ww, ook abs] ⟨m.b.t. borstvoeding⟩ express milk
^{1}**kom** [de] [1] ⟨vaatwerk, glaswerk⟩ bowl, ⟨afwas, pudding⟩ basin, ⟨waskom⟩ washbasin [2] ⟨uitholling, holte⟩ basin, bowl [3] ⟨gewrichtsholte⟩ socket ♦ *zijn arm* ***uit*** *de kom draaien* twist one's arm out of its socket, dislocate one's arm; *haar arm is* ***uit*** *de kom geschoten* she has dislocated her arm, her arm has come out of its socket/has been dislocated [4] ⟨deel van een gemeente⟩ centre, central part ♦ *de maximumsnelheid binnen de* ***bebouwde*** *kom is 50* the maximum speed within the built-up area is 50 [5] ⟨deel van een haven⟩ inner harbour
^{2}**kom** [tw] [1] ⟨aansporing⟩ come on!, come along! ♦ *kom* ***op!*** come on!; *kom, schiet nu eens op* come on, get a move on!; *kom, ik stap maar weer eens op* right, I'm off now! [2] ⟨sussende uitroep⟩ there, there, now, now ♦ *kom, huil nu maar niet* there, there, (now) don't cry; *komkom, zo'n vaart zal het niet lopen* don't (you) worry (now), it won't come to that [3] ⟨verbazing, twijfel, ongeloof⟩ come on (now), (oh,) really!, now honestly! ♦ *kom* ***nou,*** *dat maak je me niet wijs* come on (now)/look, don't give me that; *ach kom!* oh, really!, now honestly!; *och kom, dat kan toch niet!* now really, that's impossible!
komaan [tw] come on, ⟨aanmoediging ook⟩ come (along), come now, ⟨kop op⟩ cheer up
komaf [de^{m}] ⟨inf⟩ ⟨ogm⟩ origin, birth, stock, parentage, extraction ♦ *van* ***goede*** *komaf* upper-crust, top-drawer, ↑ high-born; *van* ***hoge*** *komaf zijn* be out of the top drawer, be (one of the) upper-crust, ↑ be high-born; *van* ***lage*** *komaf zijn* be of humble origin, be low-class, ⟨erg pej⟩ be common; *van* ***rijke*** *komaf* born into money, born rich/wealthy, born with a silver spoon in one's mouth, from a wealthy background [•] ⟨in België⟩ *komaf* ***maken*** *met iets* give short shrift to sth., make short/quick work of sth., ↑ deal summarily with sth.
kombord [het] city limits sign
kombuis [de] ⟨scheepv⟩ galley, caboose
komediant [de^{m}], **komediante** [de^{v}] [1] ⟨dram⟩ ⟨man⟩ actor, ⟨vrouw⟩ actress, ⟨in blijspel; man⟩ comedy actor, ⟨vrouw⟩ comedy actress, ⟨man⟩ comedian, ⟨vrouw⟩ comedienne [2] ⟨aansteller⟩ (play-)actor, sham(mer), pretender
komediante [de^{v}] → **komediant**
komedie [de^{v}] [1] ⟨blijspel⟩ comedy ♦ *een* ***muzikale*** *komedie* a musical (comedy) [2] ⟨vertoning⟩ comedy [3] ⟨ijdele vertoning⟩ comedy, sham, (piece of) (play-)acting ♦ *dat* ***is*** *allemaal komedie* this is (all) just play-acting/all sham, it's all an act; *komedie* ***spelen*** (play-)act, pretend, act a part, put on an act [4] ⟨theater⟩ theatre, ⟨vero; nog steeds in titels gebruikt⟩ playhouse ♦ *de komedie* ***bezoeken*** go to the theatre
komedieschrijver [de^{m}] writer of comedy, comedian, comedist
komediespel [het] [1] ⟨toneel⟩ (stage-)play, ⟨blijspel⟩ comedy [2] ⟨veinzerij⟩ (piece of) (play-)acting, sham
komediespelen [onov ww] [1] ⟨toneelspelen⟩ act [2] ⟨veinzen⟩ (play-)act, put on an act, feign, pretend, act a part
komediestuk [het] (stage-)play, ⟨blijspel⟩ comedy
komeet [de] ⟨astron⟩ comet ♦ ⟨fig⟩ ***als*** *een komeet omhoog schieten* shoot up like a rocket; *de komeet* ***Halley*** Halley's comet, Halley's
komen [onov ww] [1] ⟨een punt bereiken⟩ come, ⟨inf⟩ get ♦ ***bij*** *elkaar komen* come/get together, meet; *er is vuil* ***bij*** *de wond gekomen* dirt has got into the wound; ⟨fig⟩ *hoe kom je* ***erbij!*** what(ever) gives/gave you that idea?, what makes you think so/that?, who/what put(s) that idea into your head?, where did you get that idea from?; ***erdoor(heen)*** *komen* ⟨m.b.t. tijd, werk, boek⟩ get through it; *ergens bij* ***kunnen*** *komen* be able to get at sth.; *te* ***laat*** *komen* be late; *ergens* ***overheen*** *komen* ⟨bijvoorbeeld ziekte⟩ get over sth.; *er komt* ***regen*** it's going to rain, we're in for rain; ***tot staan*** *komen* come to rest/a halt/standstill/stop; *ik kom er wel* ***uit*** I'll let/see myself out; ⟨fig⟩ *we kwamen er niet* ***uit*** we couldn't make/work it out; *zij komt de deur niet meer* ***uit*** she doesn't

get out of the house any more; *maak dat je* ***weg*** *komt!* get out (of here)!, ⟨BE⟩ hop it!, scram!; *ze zullen je* ***zien*** *komen!* they'll see you coming!; *je moet op een kantoor* ***zien*** *te komen* you must arrange to get into an office [2] ⟨na volbrachte beweging verschijnen⟩ come ◆ ⟨fig⟩ *ergens* ***achter*** *komen* find out/get to know/get on to sth.; *hij kwam haar* ***(af)halen*** he came for her/came to fetch her; *je komt* ***als*** *geroepen* you're just what's needed, ⟨inf⟩ you're just what the doctor ordered; *daar komt de* ***boot*** *de haven in* there's the boat coming into (the) harbour; *kom* ***daar*** *nu eens* ***om!*** ⟨fig⟩ try to find that!, where do you find that!; *ik zie hem liever gaan* ***dan*** *komen* I'm always glad to see the back of him, I prefer his room to his company; ***door*** *een examen komen* make it through/get through an exam, pass; *ik kom* ***eraan/al!*** (I'm) coming!, I'm on my way!; ***erdoor*** *komen* ⟨m.b.t. examen⟩ pass; *kom* ***hier*** come here; ***hoe*** *kom jij hier?* what are you doing here?, how do you come to be here?, how come you're here?; *zij komt bij haar vader* ***in*** *de zaak* she's joining/will join her father in the business; *er kwamen niet veel mensen* ***kijken*** not many people came to look; *kom eens* ***langs!*** come over/round some time!; *de politie* ***laten*** *komen* call/send for the police; *ik zou de dokter maar* ***laten*** *komen* I'd call (in)/send for the doctor; *komen* ***logeren*** *bij iemand* come and stay with s.o.; *hij is helemaal komen* ***lopen*** he walked the whole way; *daar* ***mag*** *je niet komen* you're not to/you mustn't go there; ***met*** *de boot/****per*** *spoor/****te*** *voet komen* come by boat/by train/on foot, ⟨te voet ook⟩ walk (t)here; *hoe kom je van hier* ***naar*** *het museum?* how do you get to the museum from here?; *kom* ***nou*** *toch eens!* get a move on!, (do) come on!; *zij komt* ***om*** *suiker* she has come/she's here for/to get some sugar; ***overeind*** *komen* stand up, come/get to one's feet; ***tussenbeide*** *komen* ⟨ingrijpen⟩ intervene; ⟨zich bemoeien⟩ interfere; *hij kan niet* ***uit*** *zijn bed komen* he can't get out of bed; ***van*** *school/****uit*** *de kerk komen* come (home) from school, come out of church; *er is een tijd* ***van*** *komen en een tijd van gaan* ⟨inf⟩ ± when you've gotta go you've gotta go; ⟨fig⟩ *met € 10 kom je niet* ***ver*** *meer tegenwoordig* you don't get far on 10 euros nowadays, 10 euros won't get/take you very far nowadays; *kom naast me* ***zitten*** come and sit (down) next to me [3] ⟨zichtbaar worden⟩ come ◆ *er kwam* ***bloed*** *uit zijn mond* there was blood coming out of his mouth; *een komen en* ***gaan*** *van bezoekers* to-and-fro/coming(s) and going(s) of visitors; ***tevoorschijn*** *komen (uit)* appear (from), emerge (from) [4] ⟨op bezoek komen⟩ come ((a)round/over), call ◆ *er komen* ***mensen*** *vanavond* there are/we've got people coming ((a)round/over) this evening [5] ⟨raken aan⟩ touch ◆ *kom nergens* ***aan!*** don't touch (anything/a thing)!; *kom er eens* ***aan,*** *als je durft* I dare you to touch it!, just touch it if you dare! [6] ⟨m.b.t. oorsprong, oorzaak⟩ come (about), happen ◆ *nergens* ***aan*** *toe komen* fiddle about, not get anything done; ***daar*** *komen ongelukken* ***van*** that's how you get accidents, that's how accidents happen; *waardoor komt* ***het?*** how come?, how did that happen?; *er moet een* ***kindje*** *komen* there's a baby due/on the way; *hij komt* ***uit*** *Engeland* he's from England; ***van*** *het een komt het ander* one thing leads to another; *die* ***wet*** *zal er wel niet (door) komen* I don't think that law will get through/that bill will become law [7] ⟨het resultaat zijn⟩ come about, happen ◆ ***daar*** *komt niets* ***van in*** that's out of the question; ⟨inf⟩ no way!; ⟨afgelast⟩ that's off; ***daar*** *zal voorlopig wel niets* ***van*** *komen* nothing will come about of that for the time being; *komt er nog wat* ***van?*** come on(, do/say sth.!); *er kwam niet veel* ***van*** nothing much came of it; *er is niets* ***van*** *gekomen* it didn't materialize, nothing came of it, it came to nothing, it fell through, ⟨inf⟩ it was a wash-out; *als het* ***er*** *ooit* ***van*** *komt* if it ever comes to anything; *het zal* ***er*** *toch* ***van*** *moeten komen* it'll just have to be done, it's just got to be done; *ik zie het* ***er*** *nog wel* ***van*** *komen dat ...* I can just see ..., next thing ..., before you/we know it ...; *dat komt* ***ervan*** *als je niet luistert* that's what you get/what happens if you don't listen, that's what comes of not listening; ***hoe*** *is het zo gekomen?* how did this happen/come about about?; *komt* ***in*** *orde/****voor*** *elkaar* right (you are)!, will do!, no problem!; *wat niet is,* ***kan*** *nog komen* anything can happen, it may still happen; *dat komt* ***van*** *zijn opa* that's from his granddad [8] ⟨gestuurd worden⟩ come [9] ⟨aanbreken⟩ come ◆ *er komt geen* ***eind*** *aan* there's no end to it; *in afwachting van de dingen die komen* ***gaan*** in expectation of things to come; *het* ***moment****/de* ***tijd*** *is gekomen dat/om ...* the time has come to ...; *hoe is het ooit* ***zover*** *kunnen komen?* how did it/things ever come to this?/get to this stage?; *ze hadden het nooit* ***zover*** *moeten laten komen* they should never have let things go/get this/that far/reach this/that stage [10] ⟨toebedeeld worden⟩ strike, ⟨form⟩ come upon [11] ⟨in het bezit van iets raken⟩ come (by), ⟨inf⟩ get (hold of) ◆ *eerlijk* ***aan*** *iets komen* come by sth. honestly; *goedkoop* ***aan*** *iets komen* pick sth. up cheaply; *hoe kom je* ***aan*** *die knul?* where did you pick up/how did you run into that guy?, ⟨te pakken krijgen⟩ where/how did you get hold of that guy?; ***aan*** *geld/heroïne zien te komen* get hold of/come by some money/heroin [12] ⟨tot een punt vorderen⟩ come, move, ⟨inf⟩ get ◆ *ergens niet* ***aan*** *toe komen* not get round/^Aaround/down to sth.; *een heel* ***eind*** *komen* go/get quite a way/a long way; *hoe kwamen we* ***hierop?*** ⟨in gesprek⟩ how did we get onto this (subject)?; *daar kom ik straks nog* ***op*** I'll get round to that in a moment, I haven't got that far yet; *ergens niet* ***op*** *kunnen komen* not to be able to think of sth./bring sth. to mind; *vervolgens kwam de spreker* ***op*** *...* next the speaker turned to ..., the speaker moved/went on to ...; *iets* ***te weten*** *komen* come to know sth., ⟨inf⟩ get to know sth., find sth. out/out sth.; ***tot*** *iets komen* come to sth.; ⟨over zijn hart krijgen⟩ bring o.s. to (do) sth.; ⟨de tijd vinden⟩ get round/^Aaround to sth.; ***uit*** *een probleem komen* get out of a problem [13] ⟨een toestand toevallig bereiken⟩ come, ⟨inf⟩ get ◆ ***in*** *andere omstandigheden komen* change one's circumstances; ***om*** *het leven komen* die, be killed; *hij kwam* ***te overlijden*** he died; ***tot*** *zichzelf komen* come to one's senses, ⟨form⟩ come to o.s.; ⟨het bewustzijn herkrijgen, ook⟩ come to/round; *dat komt hem duur te staan* ⟨fig⟩ that'll cost him dear(ly), he'll pay (dearly) for that [14] ⟨zich uitstrekken⟩ come ◆ *de wegen komen hier* ***bij*** *elkaar* the roads meet here/join (up) here/come together here; *dat komt* ***op*** *€ 200* that comes to/makes 200 euros; *hij komt* ***tot*** *mijn schouder* he comes (up) to my shoulder [15] ⟨toegevoegd worden aan⟩ be added ◆ ***daar*** *komt nog* ***bij*** *dat ...* what's more, in addition, besides; and on top of it all/that ..., then there is ...; ⟨fig⟩ *dat moest er nog* ***bij*** *komen!* that's all I/we needed!, that really/just crowns everything!; that would be the limit, that would put the lid on; ***er*** *komt 15 % voor bediening* ***bij*** there's 15 % extra/added on for service, ⟨inf⟩ there's 15 % on top for service [16] ⟨gaan⟩ come ◆ *er kwam een optocht* ***langs*** *mijn huis* a procession came past my house [17] ⟨inf; klaarkomen⟩ come [•] *dat komt er niet* ***op aan*** it doesn't matter; *nu komt het* ***eropaan*** *om ...* now it's a matter/question of ...(-ing); ***ertussen*** *komen* → **ertussen;** ⟨fig⟩ *ergens* ***in*** *komen* ⟨vertrouwd raken⟩ get/become familiar with sth., ⟨inf⟩ get into sth.; ⟨fig⟩ *ergens* ***in*** *(kunnen) komen* ⟨begrijpen⟩ (be able to) see sth.; *kome wat komen* ***moet*** come what may; *kom* ***nou!*** don't be silly!, come off it!; *kom* ***op,*** *we gaan* come on, we're leaving; *het komt zoals het komt* it comes as it comes; ⟨sprw⟩ *goede raad komt nooit te laat* good advice never comes too late; good counsel is never out of date; ⟨sprw⟩ *met de hoed in de hand komt men door het ganse land* ± there's nothing lost by civility; ± manners maketh man; ⟨sprw⟩ *die het eerst komt, het eerst maalt* first come, first served; ⟨sprw⟩ *hoogmoed komt voor de val* pride goes before a fall; ⟨sprw⟩ *een ongeluk komt zelden alleen* misfortunes never come singly; it never rains but it pours; ⟨sprw⟩ *de ouderdom komt met gebreken* ± age is a heavy burden; ± old churches have dim windows; ⟨sprw⟩ *aan alles komt een eind* everything has an end; all (good) things must come to an end; ⟨sprw⟩ *als meerderman komt, moet minderman wijken* ± the weakest go to the wall; ± might is right; ⟨sprw⟩ *berouw komt na de zonde* repentance (always) comes too late; ⟨sprw⟩ *slecht nieuws komt altijd te vroeg* ± bad news travels fast; ± ill news comes apace; ⟨sprw⟩ *als de berg niet tot Mohammed komt, zal Mohammed tot de berg komen* if the mountain will not come to Mahomet, Mahomet must go to the mountain; ⟨sprw⟩ *morgen komt er weer een dag* tomorrow is another day; ⟨sprw⟩ *van niets komt niets* nothing comes of nothing

komend [bn] coming, to come ⟨na zn⟩, ⟨m.b.t. tijd ook⟩ next, future ◆ *de komende **geslachten*** generations to come, the coming generations, future generations; *in de komende **jaren*** in the years to come/coming years; *de gaande en de komende **man*** the passers-by, the people coming and going; *komende **week*** next week; *de komende **weken*** the coming (few)/the next few weeks

komfoor [het] [1] ⟨theelichtje⟩ chafing dish ◆ *de thee stond **op** het komfoortje* the tea was (keeping warm) on the chafing dish [2] ⟨kooktoestel⟩ (gas/spirit) stove

komfoort [het] ⟨amb⟩ counter

komgrond [de^{m}] backland

^{1}**komiek** [de^{m}] [1] ⟨acteur⟩ comedian, comic [2] ⟨grapjas⟩ comedian, comic, joker, clown ◆ ⟨fig⟩ *de komiek **uithangen*** act/play the comedian/clown

^{2}**komiek** [bn, bw] comic(al) ⟨bw: comically⟩, droll, funny

komiekeling [de^{m}] ⟨inf⟩ ⟨ogm⟩ comedian, comic, joker, clown, funny-man

komiekerig [bn, bw] ⟨inf⟩ ⟨ogm⟩ comic(al) ⟨bw: comically⟩, funny

komijn [de^{m}] [1] ⟨specerij⟩ cum(m)in [2] ⟨plant(engeslacht)⟩ cum(m)in

komijnekaas [de^{m}] cum(m)in cheese

komijnolie [de] cum(m)in oil

komijnzaad [het] ⟨collectivum⟩ cum(m)in-seed

Kominform [de^{m}] Cominform

Komintern [de^{m}] Comintern

komisch [bn, bw] comic(al) ⟨bw: comically⟩, droll, funny ◆ ***het** komische van iets niet zien* not see the joke/what's funny about sth./the fun of sth., miss the joke; *zijn gedrag was **hoogst** komisch* his behaviour was highly comical; *een komische act/een komisch **nummer** voor twee heren* a two-man comedy/comic act/number; *een komische **opera*** a comic opera; *een komisch **voorval*** a funny/an amusing incident; *een komisch **zanger/acteur*** a comic singer/actor

> **comic of comical?**
>
> **comic** – met betrekking tot komedie (bedoeld grappig)
> · *a comic actor*
> **comical** – onbedoeld grappig
> · *the way he fell off his bike was very comical*

komklei [de] clay from river basin

komkommer [de] [1] ⟨vrucht⟩ cucumber [2] ⟨plant⟩ cucumber

komkommerachtigen [de^{mv}] cucumbers, cucumber family, Cucurbitaceae

komkommerplant [de] cucumber

komkommersalade [de] cucumber salad

komkommerschaaf [de] cucumber slicer

komkommertijd [de^{m}] [1] ⟨tijd waarin de komkommers rijp zijn⟩ cucumber season [2] ⟨vakantietijd⟩ silly season, dull/slack/dead season, off-season

komkommervrucht [de] pepo

komma [BREUK] [het, de] [1] ⟨leesteken⟩ comma ◆ ***Duitse** komma* slash (mark), diagonal [2] ⟨apostrof⟩ apostrophe ◆ ⟨inf⟩ ***hoge** komma's* ⟨ogm⟩ inverted commas, quotation marks [3] ⟨teken voor de decimalen⟩ (decimal) point ◆ *tot op vijf decimalen/cijfers **na** de komma uitrekenen* calculate to five decimal places; ***nul** komma drie (0,3)* (nought/^{A}zero) point three (0.3); *met een vaart van **nul** komma **nul*** at a speed of zero miles per hour; *een bedrag met zeven cijfers **voor** de komma* a seven-figure/seven-digit sum; ⟨comp⟩ ***zwevende/drijvende** komma* floating point [4] ⟨muz⟩ comma

kommabacil [de^{m}] ⟨biol⟩ comma bacillus

kommaneuker [de^{m}] ⟨inf⟩ nitpicker/hairsplitter (about style and punctuation)

kommapunt [de] semicolon

kommavlinder [de^{m}] comma butterfly

kommer [de^{m}] [1] ⟨gebrek⟩ destitution, want, need, distress ◆ *kommer en **gebrek*** distress and poverty [2] ⟨ellende⟩ sorrow, distress, trouble(s), affliction, misery ◆ *kommer en **kwel*** trouble and affliction; *het is niets dan kommer en **kwel*** it is all sorrow and misery, it's a hard life

kommerlijk [bn, bw] [1] ⟨armelijk, behoeftig⟩ destitute ⟨bw: ~ly⟩, needy ◆ *in kommerlijke **omstandigheden** achterblijven* be left destitute/in wretched circumstances [2] ⟨bekommerd, vol zorg⟩ pitiful ⟨bw: ~ly⟩, wretched, miserable

kommerloos [bn, bw] carefree, troublefree, free from care

kommernis [de^{v}] care, trouble, worry

kommervol [bn, bw] distressful ⟨bw: ~ly⟩, sorrowful, woeful, wretched, distressed ◆ *een kommervol **bestaan** leiden* lead a sorry existence; *in kommervolle **omstandigheden*** in distressed circumstances, in penury

kompaan [de^{m}] croney, ⟨BE⟩ mate, ⟨AE⟩ buddy

kompas [het] [1] ⟨instrument⟩ compass ◆ ***op** kompas varen* sail/steer by compass; ⟨fig⟩ ***op** één kompas varen* follow a steady/straight course; ⟨fig⟩ *streken **op** zijn kompas hebben* have tricks up one's sleeve; ***op** iemands kompas zeilen/varen* ⟨lett⟩ go by s.o.'s compass; ⟨fig⟩ follow s.o.'s lead [2] ⟨richtlijn⟩ precept ◆ ***op** dat kompas kan men veilig afgaan* that's a reliable precept

kompasafwijking [de^{v}] (compass) deviation, deflection of the compass needle

kompasbeugel [de^{m}] gimbal ring, gimbals

kompasdoos [de] compass case/box

kompasfout [de] compass error

kompashuisje [het] ⟨scheepv⟩ (compass) binnacle

kompaskaart [de] compass map

kompasketel [de^{m}] compass bowl

kompaskoers [de^{m}] compass course

kompasnaald [de] compass needle

kompaspatroon [het] compass pattern

kompaspeiling [de^{v}] compass bearing

kompaspen [de] compass pivot

kompasrichting [de^{v}] → **kompasstreek**

kompasroos [de] compass card/rose, rhumb card

kompasstreek [de], **kompasrichting** [de^{v}] compass point, point of the compass, rhumb (line)

kompel [de^{m}] miner, collier, pitman

^{1}**kompres** [het] compress, pledget ◆ *warme kompressen **leggen** op een gezwel* place hot compresses on a swelling; ***met** kompressen behandelen, (een) kompres(sen) leggen op* apply compresses/a compress to

^{2}**kompres** [bn, bw] solid ⟨bw: ~ly⟩, close, compact ◆ *kompresse **druk*** solid printing, ⟨AE⟩ crowded type; *kompres **gedrukt*** ⟨bladzijden⟩ closely printed, printed solid, closely packed; *kompres **gezet*** unleaded, set solid

komst [de^{v}] coming, arrival, advent ◆ *de komst **afwachten** van* await the arrival of; *de komst van **Christus*** the coming of Christ; *het **doel** van zijn komst was ...* the object of his coming/visit was ...; ***met** de komst van de auto* with the arrival/advent of the car; ***op** komst zijn* be in the making/offing, be imminent/on the way/coming, be in the wind, be brewing, be at hand; *zij zijn **op** komst* they are on their/the way; *er is er een **op** komst* ⟨lett⟩ there is one on the way; ⟨fig⟩ there is a baby on the way; *er is storm/sneeuw **op** komst* there

is a storm brewing, it looks like snow
komvisserij [de^v] fishing with fixed nets
komvorm [de^m] bowl-shape, basin-shape
komvormig [bn, bw] bowl-shaped, basin-shaped, cup-shaped, ⟨geol⟩ crateriform ♦ *een komvormige* ***diepte/uitholling*** a bowl-shaped hollow, a pan
kond [bn] ⟨form⟩ [•] *(iemand) kond van iets* ***doen*** ⟨ogm⟩ notify (s.o.) of sth.
konditorei [de^v] patisserie and café
kondschap [de^v] ⟨form⟩ ⟨ogm⟩ information, intelligence
konfijten [ov ww] preserve, candy ♦ *gekonfijte* ***vruchten*** candied fruits, crystallized fruit
kongeraal [de^m] ⟨dierk⟩ conger eel
kongsi [de] [1] ⟨firma⟩ combine, trust, ring [2] ⟨pej; groep⟩ clique
konijn [het] [1] ⟨dier⟩ rabbit, ⟨kind, inf⟩ bunny ♦ *zich* ***als*** *konijnen vermenigvuldigen* breed like rabbits; ***als*** *een konijn in de koplampen kijken* like a rabbit caught in the headlights; ***op*** *konijnen jagen* hunt/^{B}shoot rabbits, rabbit, go rabbiting; *een* ***tam*** *konijn* a bred/domestic rabbit; *een* ***wild*** *konijn* a wild rabbit [2] ⟨vlees, bont⟩ rabbit, ⟨bont ook⟩ con(e)y [•] *het is* ***bij*** *de konijnen* ***af*** it's disgraceful/a crying shame, it's terrible/too awful for words

konijn		
dier	konijn	rabbit
mannetje	ram, rammelaar	buck
vrouwtje	voedster	doe
jong	lamprei	bunny
groep	kolonie	colony

konijnenberg [de^m] (rabbit) warren
konijnenblad [het] ⟨inf⟩ ⟨ogm⟩ greater plantain
konijnenbont [het] rabbit fur, ⟨winkeltaal⟩ con(e)y (fur)
konijnenfokkerij [de^v] [1] ⟨handeling⟩ rabbit breeding [2] ⟨plaats⟩ rabbit farm, rabbitry
konijnenhok [het] rabbit hutch, rabbitry
konijnenhol [het] rabbit hole/burrow
konijnenjacht [de] rabbit hunting, ⟨BE ook⟩ rabbit shooting, rabbiting, ⟨met fret⟩ ferreting
konijnenkeutel [de^m] rabbit pellet
konijnenpijp [de] rabbit's burrow, rabbit-hole
konijnenplaag [de] plague of rabbits, rabbit plague
konijnenpluim [de] rabbit's tail, ⟨inf⟩ bobtail
konijnenpoot [de^m] rabbit('s) foot
konijnenstand [de^m] rabbit population
konijnenteelt [de] rabbit breeding
konijnenvel [het] rabbit skin, ⟨als bont⟩ con(e)y
konijnenvoer [het] rabbit food
konijnenziekte [de^v] rabbit disease/fever, ⟨med⟩ tularaemia
koning [de^m] [1] ⟨regerend vorst⟩ king, monarch, sovereign ♦ *de koning* ***afzetten*** depose/dethrone the king; *leven* ***als*** *een koning* live like a king/royalty; *Koning Albert van* ***België*** King Albert of Belgium; ⟨Bijb⟩ *de* ***boeken*** *der Koningen* the books of Kings; *de koning* ***dienen*** serve the king/one's country; ⟨Bijb⟩ *de* ***drie*** *koningen* the three Kings/Wise Men; *hij heeft de koning* ***gezien*** ⟨lett⟩ he has been to see the king; ⟨fig⟩ he is legless; *(iemand) (tot) koning* ***maken*** crown (s.o.) king; *een koning* ***onwaardig,*** *niet betamelijk voor een koning* unkingly, not fitting for a king; ⟨fig⟩ *de koning te* ***rijk*** *zijn* be as happy as Larry/a king/a sandboy, be pleased as Punch [2] ⟨fig; heerser, opperste gebieder⟩ king ♦ *de koning der* ***dieren*** the king of beasts; *de koning der* ***elfen*** the king of the elves; *de koning der* ***hel*** the prince of hell; *de koning der* ***hemelen/****der* ***koningen*** the King of Heaven/Kings; *de koning der* ***vogels*** the king of birds, the lord of the skies [3] ⟨de beste⟩ king ♦ *X, de koning* ***onder*** *de kazen* X, the leading/first name in cheese(s) [4] ⟨m.b.t. een overheersende positie, uitnemende kwaliteit⟩ king ♦ *Koning* ***Voetbal*** King Soccer; *Koning* ***Winter*** Jack Frost [5] ⟨sport⟩ king ♦ ⟨kaartsp⟩ *de koning* ***uitspelen/opgooien*** play/turn up the king; ⟨schaak⟩ *de koning schaak/(schaak)mat* ***zetten*** check/(check)mate the king, give check [•] ⟨sprw⟩ *in het land der blinden is eenoog koning* in the country of the blind, the one-eyed man is king
koningin [de^v] [1] ⟨gemalin van een koning⟩ queen, queen consort ♦ ***als*** *een koningin, een koningin waardig/passend* queenly, queenlike [2] ⟨regerende vorstin⟩ queen, monarch ♦ ***als*** *een koningin heersen over iemand* queen it over s.o.; ***als*** *een koningin, een koningin waardig/passend* queenly, queenlike; ***door*** *de koningin in audiëntie ontvangen worden* be admitted to the royal presence; *(tot) koningin* ***maken*** crown queen; *Beatrix, Koningin der* ***Nederlanden*** Beatrix, Queen of the Netherlands; ***regerende*** *koningin* queen regnant [3] ⟨fig; heerseres⟩ queen ♦ *de koningin der* ***goden*** Queen of Heaven; *de koningin van de* ***hemel*** the Queen of Heaven; *de maan is de koningin van de* ***nacht*** the moon is queen of the night [4] ⟨de beste⟩ queen ♦ *de koningin van het* ***bal/feest*** the queen/belle of the ball/party; *Parijs, de koningin der* ***steden*** Paris, queen of cities [5] ⟨sport⟩ queen ♦ ⟨schaak⟩ *een koningin* ***halen*** queen (a pawn) [6] ⟨biol⟩ queen
koningin-moeder [de^v] ⟨form⟩ Queen Mother
Koninginnedag [de^m] ⟨in Nederland⟩ Queen's Birthday, ⟨Groot-Brittannië⟩ Commonwealth Day ♦ ***op*** *Koninginnedag* on the Queen's Birthday/Commonwealth Day; *Koninginnedag* ***vieren*** celebrate the Queen's Birthday/Commonwealth Day
koninginnenacht [de^m] Queen's night, Dutch Queen's Day Eve
koninginnenbrood [het] ⟨dierk⟩ royal jelly
koninginnencel [de] ⟨dierk⟩ queen cell
koninginnenharing [de^m] 'koninginnenharing', first herring of the season offered to the queen
koninginnenpage [de^m] ⟨dierk⟩ swallowtail (butterfly)
koninginnensoep [de] cream of chicken soup
koninginnensteek [de^m] ⟨amb⟩ (double) cross-stitch
koningin-regentes [de^v] queen regent
koningin-weduwe [de^v] queen dowager, dowager queen
koningsadelaar [de^m] king/imperial eagle
koningsader [de] ⟨biol⟩ basilic vein
koningsappel [de^m] orb, globe
koningsblauw [het] [1] ⟨kleur⟩ royal blue [2] ⟨porseleinglazuur⟩ royal blue
koningschap [het] [1] ⟨staat van koning⟩ kingship, kinghood, regality ♦ *het* ***erfelijk*** *koningschap* hereditary monarchy [2] ⟨regeringsvorm⟩ monarchy ♦ *het* ***constitutionele*** *koningschap* constitutional monarchy
koningscobra [de] king cobra
koningsdochter [de^v] king's daughter, royal princess
koningsdrama [het] history play
koningseider [de^m] ⟨dierk⟩ king eider
koningsgeel [het] royal/king's yellow, orpiment
koningsgezind [bn] royalist(ic), monarchist ♦ ⟨zelfstandig (gebruikt)⟩ *de koningsgezinden* the royalists/monarchists
koningsgezindheid [de^v] royalism, monarchism
koningsgier [de^m] king vulture
koningsgraf [het] king's tomb, royal tomb
koningshuis [het] royal family/house
koningskaars [de] ⟨plantk⟩ Aaron's rod, great mullein, shepherd's club
koningskind [het] royal offspring/child
koningskleur [de] purple
koningskroon [de] royal crown
koningskruid [het] ⟨plantk⟩ (sweet) basil
koningskwestie [de^v] ⟨pol⟩ Royal Question
koningslelie [de] ⟨heral⟩ fleur-de-lis
koningslinde [de] royal lime tree
koningsloper [de^m] ⟨schaak⟩ king's bishop

koningsmaal [het] (royal) feast ♦ *het was een koningsmaal* it was a meal fit for a king
koningsmantel [de^{m}] [1] ⟨mantel⟩ royal robe [2] ⟨vlinder⟩ Camberwell beauty, ⟨AE⟩ mourning cloak [3] ⟨zwam⟩ Tricholoma (rutilans)
koningsmoord [de] regicide
koningsmoordenaar [de^{m}] regicide
koningsnummer [het] top number, topper
koningspage [de^{m}] ⟨dierk⟩ swallowtail
koningspinguïn [de^{m}] king penguin
koningspion [de^{m}] ⟨schaak⟩ king's pawn
koningspython [de^{m}] king python
koningsslang [de] boa (constrictor)
koningsstaf [de^{m}] (royal) sceptre
koning-stadhouder [de^{m}] king-stad(t)holder
koningstelg [de^{m}] ⟨form⟩ royal scion, ⟨ogm⟩ royal child/offspring
koningstijger [de^{m}] Bengal tiger
koningstitel [de^{m}] title of king, regal title
koningsvaren [de] [1] ⟨soort varen⟩ royal fern, osmund [2] ⟨plantengeslacht⟩ Osmunda
koningsvis [de^{m}] blue-ringed angelfish ⟨Pomacanthus annularis⟩, moonfish, opah ⟨Lampris regius⟩
koningsvleugel [de^{m}] ⟨schaak⟩ king('s) side, king's wing
koningswater [het] ⟨scheik⟩ aqua regia
koningszeer [het] ⟨med⟩ king's/royal evil, scrofula
koningszoon [de^{m}] king's son, royal prince
koninkje [het] [1] ⟨dierk; zangvogel⟩ wren ⟨Troglodytes troglodytes⟩ [2] ⟨kleine koning⟩ petty king, kingling, kinglet
^{1}**koninklijk** [bn] [1] ⟨(als) van een koning(in)⟩ royal, regal, kingly ⟨bijvoorbeeld gedrag, houding⟩ ♦ *van koninklijken **bloede*** of royal blood; *de koninklijke **domeinen*** the royal domains/estates, royal lands, crown land; *de koninklijke **familie*** the Royal Family, blood royal; *de koninklijke **garde*** the household brigade/troops; *koninklijk **gezag*** royal authority; *Zijne/Hare Koninklijke **Hoogheid*** His/Her Royal Highness; *het Koninklijk **Huis*** the Royal Family [2] ⟨koning(in) zijnd⟩ royal [3] ⟨van de koning(in) uitgaand⟩ royal ♦ *een Koninklijk **Besluit*** a Royal decree [4] ⟨als predicaat⟩ Royal, King's, Queen's ♦ *Koninklijke **Luchtvaart Maatschappij*** Royal Dutch Airlines; *de Koninklijke **Marine*** the Royal Navy; *de Koninklijke **Olie**, de Koninklijke* Royal Dutch Shell [•] *de koninklijke **weg** gaan* take the royal road, steer a straight course
^{2}**koninklijk** [bn, bw] ⟨vorstelijk, royaal⟩ regal ⟨bw: ~ly⟩, royal, splendid, stately ♦ *koninklijke **grootmoedigheid*** magnificent generosity; *koninklijk **leven*** live like a king; *een koninklijk **maal*** a repast fit for a king; *iemand koninklijk **onthalen*** give s.o. a royal welcome, entertain s.o. royally
koninkrijk [het] kingdom, monarchy, regality, realm ♦ *het koninkrijk **Gods/der hemelen*** the kingdom of God/of Heaven; ***kleine** koninkrijkjes in een organisatie* little empires within an organization; *het Koninkrijk der **Nederlanden*** The (Kingdom of the) Netherlands; *het **Verenigd** Koninkrijk* the United Kingdom
koninkrijksrelaties [de^{mv}] relations of state
konkelaar [de^{m}] schemer, wangler, intriguer
konkelachtig [bn, bw] scheming ⟨bw: ~ly⟩, devious
konkelarij [de^{v}] scheming, intrigue, wangling, conniving
konkelen [onov ww] ⟨inf⟩ [1] ⟨intrigeren⟩ scheme, intrigue, wangle, connive ♦ *zij hadden **met** elkaar gekonkeld* they had schemed/connived together [2] ⟨roddelen⟩ gossip
konkelfoezen [onov ww] [1] ⟨arglistig handelen⟩ scheme, contrive, wangle [2] ⟨samenzweren⟩ intrigue, conspire, connive, plot [3] ⟨smoezen⟩ whisper
konstabel [de^{m}] [1] ⟨m.b.t. de marine⟩ gunner [2] ⟨m.b.t. grote rederijen⟩ chief security officer at the docks
Konstantinopel [het] Constantinople
kont [de] [1] ⟨inf; zitvlak⟩ bottom, behind, rear, ⟨vulg; BE⟩ arse, ⟨AE⟩ ass, ⟨sl; BE⟩ bum ♦ ⟨inf⟩ *het kost **geen** kont* it's dirt cheap; ⟨fig⟩ *de kont tegen de krib **gooien/zetten*** dig one's heels in; ⟨fig⟩ *zijn kont ergens **indraaien*** worm one's way in somewhere/into sth.; *je kunt hier je kont niet **keren*** you couldn't swing a cat here; ⟨fig⟩ *iemand in zijn kont **kruipen*** suck up to s.o.; ⟨vulg⟩ lick/kiss s.o.'s ^{B}arse/^{A}ass; ⟨vulg ook; AE⟩ kiss ass; *hij zat **met** zijn kont tegen een verkeerspaal* ⟨van auto⟩ it had its back end up against a bollard; *een schop **onder/voor** je kont* a kick in the pants/ass; ⟨fig⟩ *het hele bedrijf ligt **op** zijn kont* the entire business is at a standstill; ***op** zijn (luie) kont blijven zitten* sit/laze around on one's ass; ⟨fig⟩ *zijn kont ergens **uit draaien*** worm one's way/wriggle out of sth.; *(een klap) **voor** je kont kun je krijgen* you'll get a smack/slap on the bottom/bum [2] ⟨inf; lichaam⟩ ♦ *dure kleren **aan** z'n kont hebben* ↑ be dressed expensively, drape o.s. in expensive clothes; *in zijn **blote** kont* stark naked; ⟨euf⟩ in one's birthday suit
konterfeiten [ov ww] ⟨vnl iron⟩ ⟨ogm⟩ portray, ⟨ogm⟩ picture, depict
konterfeitsel [het] likeness, portrait
konterfoort [het, de^{m}] counter, stiffener
kontje [het] [1] ⟨kleine kont⟩ bottom, ⟨sl; BE⟩ bum ♦ *kontje ketsen* give s.o. the bumps [2] ⟨duw tegen iemands zitvlak⟩ ± boost, leg up ♦ *geef 's effen een kontje* give me a leg up [3] ⟨stukje van een brood⟩ heel, crust
kontjongetje [het] ⟨inf⟩ ⟨ogm⟩ catamite
kontkruipen [ww] be an ^{B}arse-licker, be an ^{A}ass-licker, suck up to s.o.
kontkruiper [de^{m}] ⟨vulg⟩ ⟨BE⟩ arse-licker, ⟨AE⟩ ass-licker, ⟨BE ook⟩ bumsucker, ⟨AE ook⟩ ass-kisser, brown-nose(r)
kontlikken [ww] ⟨inf⟩ sucking up (to s.o.), toadying (to s.o.)
kontlikker [de^{m}], **kontlikster** [de^{v}] ⟨inf⟩ suck-up, ⟨vulg; BE⟩ bumsucker, ⟨vulg; AE⟩ ass-kisser
kontlikster [de^{v}] → **kontlikker**
kontneuken [ww] ⟨vulg⟩ bugger, ⟨AE ook⟩ ass-fuck
kontzak [de^{m}] ⟨inf⟩ ⟨ogm⟩ back pocket
konvooi [het] [1] ⟨krijgsgeleide⟩ convoy ♦ ***onder** konvooi varen* sail in convoy [2] ⟨schepen onder geleide⟩ convoy [3] ⟨militair transport⟩ convoy [4] ⟨spoorwagons⟩ convoy
konvooieerder [de^{m}] consort
konvooieren [ov ww] convoy
konvooiloper [de^{m}] customs broker/agent
konvooischip [het] escort, consort
koof [de] cove
kooi [de] [1] ⟨met tralies afgesloten dierenverblijf⟩ cage ♦ *een vogel **in** een kooitje* a bird in a cage, a captive/caged bird; ***in** een kooi opsluiten/gevangen houden* cage; ⟨havik⟩ mew; ⟨schapen⟩ pen; ⟨kippen⟩ coop up [2] ⟨stal⟩ pen, ⟨voor kippen⟩ coop, ⟨schapen⟩ fold, ⟨varkens⟩ sty [3] ⟨slaapplaats op een schip⟩ berth, bunk ♦ ***naar/te** kooi gaan* turn in [4] ⟨voorwerp dat lijkt op een hok⟩ cage ♦ *de kooi van een **auto*** the bodywork of a car; ⟨natuurk⟩ *de kooi van **Faraday*** Faraday cage; *de kooi van een **lift*** the cage/car of an elevator, ⟨BE⟩ the cage of a lift; ⟨sport⟩ *de keeper staat **voor** de kooi* the keeper is standing in front of the goal [5] ⟨inrichting om vogels, eenden te vangen⟩ decoy [6] ⟨drukw⟩ quoin [•] ⟨sprw⟩ *eerst het kooitje klaar en dan het vogeltje erin* first thrive and then wive
kooiconstructie [de^{v}] cage
kooi-eend [de] decoy-duck
kooi-ei [het] battery egg
^{1}**kooien** [onov ww] ⟨eenden vangen⟩ decoy
^{2}**kooien** [ov ww] [1] ⟨in een kooi sluiten⟩ cage, encage, ⟨kippen ook⟩ coop (up), ⟨schapen⟩ pen [2] ⟨drukw⟩ quoin (up)
kooier [de^{m}] → **kooiker**
kooigevecht [het] cage fight, no exit

kooiker [de^m], **kooier** [de^m] decoy-man
kooisysteem [het] (Faraday) cage system
kooiverbinding [de^v] ⟨scheik⟩ cage compound
kooivogel [de^m] cage(d) bird, cageling
kook [de] boil ◆ *aan de kook brengen* bring to the boil/to the boiling point; *even aan de kook brengen* boil briefly; *het water is aan de kook* the water is boiling/is ^B on the boil; *iets zachtjes aan de kook brengen* bring sth. to a simmer; *het water/de ketel aan de kook brengen* bring the water/kettle to the boil; *van de kook zijn* ⟨lett⟩ have stopped boiling, ⟨BE⟩ be off the boil; ⟨fig⟩ be very upset; *van de kook raken* go off the boil; ⟨fig⟩ *volkomen van de kook raken* come apart at the seams, go to pieces
kookboek [het] ⟨BE⟩ cookery book, ⟨AE⟩ cookbook
kookcursus [de^m] cookery/cooking course, course in cookery/cooking
kookdeeg [het] ⟨cul⟩ choux pastry
kookeiland [het] free-standing cooker
kookfornuis [het] stove, ⟨kachel⟩ range
kookgelegenheid [de^v] cooking facilities ◆ *kamer met kookgelegenheid* room with cooking facilities, ↑ self-catering accommodation
kookgerei [het] cooking utensils
kookhitte [de^v] boiling point ◆ *tot kookhitte verwarmen* heat to the boiling point
kookhoek [de^m] kitchen/cooking area, ⟨nis⟩ kitchen/cooking recess, kitchen/cooking alcove
kookketel [de^m] boiler, cauldron, soup kettle, marmite
kookkoffie [de^m] boiled coffee
kookkolf [de] ⟨scheik, natuurk⟩ florence flask, boiling flask
kookkunst [de^v] cookery, (the art of) cooking, culinary art ◆ *de hogere kookkunst* haute cuisine
kookles [de] cooking class, ⟨BE ook⟩ cookery class
kooklucht [de] cooking smell(s), smell of cooking
kooknat [het] cooking water/liquid
kookpan [de] saucepan
kookplaat [de] cooking ring, hot plate, griddle ◆ *elektrische kookplaat* electric hot plate, ⟨BE⟩ electric hob
kookplaatje [het] hot plate, ⟨BE⟩ boiling ring
kookpunt [het] ⟨ook fig⟩ boiling point, ⟨fig⟩ fever pitch ◆ *het kookpunt bereiken* ⟨ook fig⟩ reach the boiling point; ⟨fig⟩ *de verontwaardiging steeg tot het kookpunt* the indignation rose to fever pitch
kookpuntsbepaling [de^v] determination of boiling point
kooksel [het] cooked mess
kookstel [het] camp(ing) stove, spirit stove/burner
kooktijd [de^m] boiling/cooking time ◆ *de kooktijd van aardappels is 20 minuten* potatoes boil in 20 minutes/take 20 minutes to boil
kooktoestel [het] ⟨BE⟩ cooker, ⟨AE⟩ cooking stove, cooking apparatus
kookwas [de] [1] ⟨wasgoed⟩ laundry that needs boiling, white wash [2] ⟨wasprogramma⟩ boiling programme/^A program, whites, 95°
kookwekker [de^m] kitchen timer
kookworst [de] ± ring bologna
kool [de] [1] ⟨plantengeslacht⟩ cabbage ◆ *groeien als kool* shoot up; *één Chinese kool, graag* one head of Chinese cabbage/leaves, please [2] ⟨groente⟩ cabbage ◆ *de kool en de geit willen sparen* sit on the fence, run with the hare and hunt with the hounds; ⟨fig⟩ *iemand een kool stoven* play a trick on s.o., pull the wool over s.o.'s eyes, take s.o. for a ride [3] ⟨gerecht⟩ cabbage [4] ⟨steenkool⟩ coal [5] ⟨koolstof⟩ carbon ◆ *plantaardige/dierlijke kool* vegetable/animal carbon [6] ⟨gloeiend stuk koolstof⟩ (live) coal, ember [•] *uit de kool gekomen zijn/komen* be found under a gooseberry bush
koolaanslag [de^m] carbon deposit
koolachtig [bn] carbonaceous, coaly
koolassimilatie [de^v] ⟨biol⟩ carbon assimilation, ⟨planten⟩ photosynthesis
koolblad [het] cabbage leaf
koolborstel [de^m] ⟨techn⟩ carbon brush, graphite brush
kooldioxide [het] ⟨scheik⟩ carbon dioxide
kooldraad [de^m] carbon filament
kooldruk [de^m] ⟨foto⟩ [1] ⟨pigmentdruk⟩ carbon printing [2] ⟨foto⟩ carbon print
kooldrukpapier [het] pigment paper, carbon paper
koolelement [het] carbon-rod element
koolhydraat [het] carbohydrate
koollong [de] anthracosis
koolmees [de] great tit(mouse), ⟨BE⟩ oxeye
koolmonoxide [het] ⟨scheik⟩ carbon monoxide
koolmonoxidevergiftiging [de^v] carbon monoxide poisoning
koolraap [de] [1] ⟨groente⟩ kohlrabi, turnip cabbage ◆ *koolraap boven de grond* kohlrabi, turnip cabbage [2] ⟨knolgewas⟩ swede, Swedish turnip, ⟨AE ook⟩ rutabaga
koolrabi [de] kohlrabi, turnip cabbage
koolrups [de] cabbageworm
koolsla [de] coleslaw
koolspits [de] carbon
koolstof [het, de] carbon ◆ *radioactieve koolstof* radio carbon
koolstofcyclus [de^m] [1] ⟨biol⟩ carbon cycle [2] ⟨kernfysica⟩ carbon cycle
koolstofdatering [de^v] carbon (14) dating, radiocarbon dating
koolstofdateringsmethode [de^v] (radio) carbon dating, carbon-14 dating
koolstofhoudend [bn] carbonaceous, carboniferous
koolstofstaal [het] carbon steel
koolstof 14-methode [de^v] (radio) carbon dating, carbon-14 dating
koolstofverbinding [de^v] ⟨scheik⟩ carbon compound
koolstofvezel [de^m] carbon-fibre
koolstronk [de^m] cabbage stalk/stump
koolteer [het, de^m] ⟨scheik⟩ coal tar
kooltekening [de^v] charcoal (sketch/drawing)
kooltje [het] [1] ⟨kleine kool⟩ small cabbage ◆ *met ogen als gloeiende kooltjes* with blazing eyes [2] ⟨stukje (houts, turf)-kool⟩ (piece of) charcoal, coal ◆ *een smeulend kooltje* a smouldering ember; *een kooltje vuur* a burning (piece of) charcoal
koolvis [de^m] pollack
koolwaterstof [de] ⟨scheik⟩ hydrocarbon ◆ *met koolwaterstof verbinden/vermengen* carburet; *verzadigde en onverzadigde koolwaterstoffen* saturated and unsaturated hydrocarbons
koolwaterstofverbinding [de^v] hydrocarbon compound
koolweerstand [de^m] ⟨techn⟩ carbon resistor
koolwitje [het] cabbage white butterfly, garden white
koolzaad [het] [1] ⟨zaad⟩ coleseed [2] ⟨plant⟩ rape, colza
koolzaadveld [het] field of rape(seed)/colza
^1**koolzuur** [het] ⟨scheik⟩ [1] ⟨verbinding⟩ carbonic acid [2] ⟨koolzuurgas⟩ carbon dioxide, carbonic acid gas ◆ *zonder koolzuur* ⟨van frisdrank⟩ noncarbonated, ⟨BE⟩ still
^2**koolzuur** [bn] ⟨scheik⟩ carbonate(d) ◆ *koolzuur zout* carbonate (salt)
koolzuurassimilatie [de^v] ⟨biol⟩ photosynthesis, carbon assimilation
koolzuurgas [het] ⟨scheik⟩ carbon dioxide, carbonic acid gas
koolzuurhoudend [bn] carbonated ◆ *koolzuurhoudende dranken* carbonated drinks; *mineraalwater koolzuurhoudend maken* (artificially) carbonate mineral water
koolzuurpatroon [het] carbon dioxide bulb/cartridge
^1**koolzwart** [het] (coal tar) creosote

²koolzwart [bn] coal-black, pitch-black
koon [de] ⟨form⟩ cheek ♦ *een kind met **blozende/rode** konen* a child with flushed/red cheeks
koop [de^m] 1 ⟨handeling⟩ buy, sale, purchase ♦ *de koop met een drankje **beklinken*** seal the deal/celebrate the purchase with a drink; ⟨jur⟩ *koop **breekt** geen huur* leasing agreements are not affected/broken by sale; *de koop **breken*** not go through with a deal/sale; *de koop **gaat door*** the deal/transaction/sale is going through; *een **goede** koop doen* get a good bargain/buy/deal; ⟨fig⟩ ***op** de koop toe* ⟨BE⟩ into the bargain, ⟨AE⟩ in the bargain, in addition, to boot, thrown in(to the deal); ***op** de koop toe geven* throw in (for nothing); ⟨fig⟩ *iets **op** de koop toe nemen* (be prepared to) put up with sth.; ⟨fig⟩ *ze was gierig en bazig **op** de koop toe* she was mean and bossy into the bargain/to boot; ***recht** van koop* right of purchase; *een koop **sluiten*** close a deal, conclude a sale/transaction; ***te** koop zetten* display for sale; ⟨fig⟩ ***te** koop zitten* be exposed; ***te** koop gevraagd* wanted; ***te** koop aangeboden* offered/up for sale; ***te** koop of te huur* ⟨BE⟩ to buy or let, ⟨AE⟩ for sale or lease; ⟨in België; fig⟩ *iets **te** koop hebben* be awash with sth., have sth. in abundance; ***te** koop (zijn/staan)* (be) for sale; *met iets **te** koop lopen* ⟨fig⟩ parade/flaunt sth., make a show/flourish of sth.; *er is van alles **te** koop* you can get anything you want; ***te** koop aanbieden/hebben* offer/have for sale; ⟨fig⟩ *met zichzelf **te** koop lopen* sing one's own praises; ⟨fig⟩ *vriendschap is niet **te** koop* you can't buy friendship; ⟨fig⟩ *weten wat er in de wereld **te** koop is* know what's what, have seen a thing or two, know the way of the world; ⟨fig⟩ *met zijn rechtschapenheid **te** koop lopen* (always) brag about one's integrity/honesty/sense of fairness; *in de winkel voor een euro **te** koop zijn* be in the shops/stores for/at one euro; *het is niet **te** koop, nog voor geen miljoen* it's not for sale, not even for a million pounds/^Adollars; ⟨fig⟩ *willen zien wat er in de wereld **te** koop is* want to see the world/sth. of life; ⟨fig⟩ *ik wil niet zo voor iedereen **te** koop zitten* I don't want to sit and be stared at by everyone; *zijn laatste boek ligt **te** koop voor een habbekrats* his latest book is being sold off cheap/is being remaindered; ***tot** de koop van iets **overgaan*** purchase/buy sth.; *koop en **verkoop*** buying and selling 2 ⟨overeenkomst in handelszaken⟩ deal, transaction, sale ♦ *een **goede** koop* a good buy/deal/purchase, a bargain; *een **slechte/kwade** koop* a bad/poor buy/deal/purchase 3 ⟨deel van een partij⟩ parcel, lot ⊡ ⟨sprw⟩ *voor geld en goede woorden is alles te koop* ± when money speaks the world is silent; ± money talks
koopadvies [het] purchasing advice
koopakte [de] deed of sale/purchase
koopavond [de^m] late night shopping, late opening
koopbrief [de^m] 1 ⟨koopakte⟩ deed of sale/purchase 2 ⟨koopbevestiging⟩ contract of sale, ⟨bij bestelling⟩ confirmation of sale
koopcontract [het] ⟨brief⟩ contract/bill of sale, ⟨akte⟩ purchase/title deed, deed of purchase, ⟨onroerend goed ook⟩ (deed of) conveyance
koopdag [de^m] 1 ⟨dag waarop verkoping gehouden wordt⟩ sale day ♦ *koopdag **houden** op woensdag* ⟨van veiling⟩ hold an auction on Wednesdays 2 ⟨openbare verkoping⟩ public sale, auction
koopflat [de^m] owner-occupied flat, ⟨vnl AE⟩ owner-occupied apartment, ⟨AE ook⟩ condominium, ⟨inf; AE⟩ condo
koopgedrag [het] purchasing/buying behaviour
koopgoot [de] shopping gully
koopgraag [bn] acquisitive, eager to buy, eager to spend money
koophandel [de^m] ⟨form⟩ commerce, trade ♦ *koophandel **drijven*** be in trade/commerce; ***Kamer** van Koophandel* ± Chamber of Commerce; *het **Wetboek** van koophandel* (Dutch) Commercial Code
koophuis [het] 1 ⟨huis dat eigendom is van de bewoners⟩ owner-occupied house 2 ⟨huis dat te koop wordt aangeboden⟩ house for sale
koophuur [de] rent-purchase mortgage
koopje [het] 1 ⟨voordeeltje⟩ bargain, good buy/deal ♦ *koopjes **halen/doen*** pick up bargains; ⟨iron⟩ *nou dat **is** zeker een koopje* what a sell!; *dat **is** een koopje, daar **heb** je een koopje aan* that's a real bargain/a good deal/buy; ***op** een koopje* at a bargain price, for next to nothing, for peanuts/a song, dirt cheap; ***op** de koopjes lopen* (go) bargain hunt(ing), be a bargain hunter; ⟨fig⟩ *'t is **op** een koopje gemaakt* it's done/made cheaply, it's shoddy (work); *bij hem moet alles **op** een koopje* he's a penny pincher, he does everything as cheaply as possible; *hij kreeg het **voor** een koopje* he got it for a song/pittance 2 ⟨grap⟩ trick ♦ *iemand een koopje **leveren/bezorgen*** play a trick on s.o.
koopjesjaagster [de^v] → **koopjesjager**
koopjesjager [de^m], **koopjesjaagster** [de^v] bargain hunter, snapper-up
koopkaart [de] ⟨kaartsp⟩ stock card
koopkracht [de] ⟨ec⟩ purchasing/buying/spending power ♦ *de dollar heeft **aan** koopkracht **ingeboet*** the real value of the dollar has declined, the purchasing power of the dollar has declined; *het **behoud** van de koopkracht* the maintenance/preservation of consumer purchasing/buying power; ⟨fig⟩ *de koopkracht van het **geld*** the real value of money; *de koopkracht van de bevolking **neemt af*** public purchasing power is declining
koopkrachthandhaving [de^v] maintaining purchasing power ♦ ***met** koopkrachthandhaving* while maintaining purchasing power
koopkrachtig [bn] with great purchasing power ♦ *een koopkrachtig **publiek*** a public with great purchasing power
koopkrachtpariteit [de^v] purchasing power parity
koopkrachtplaatje [het] purchasing/buying/spending power trends
koopkrachttheorie [de^v] purchasing power theory
koopkrachtverlies [het] loss of purchasing power
koopkrediet [het] (purchase) credit
kooplust [de^m] consumer interest/activity, inclination/willingness/desire to buy, interest in buying, buyer response ♦ *zijn kooplust **bevredigen/niet bedwingen*** go on a spending spree; ***gebrek** aan kooplust* consumer/sales resistance; *iemands kooplust/de kooplust van het publiek **opwekken*** stir up (s.o.'s) buying interest/consumer interest; *er was bijzonder **weinig** kooplust* there was very little consumer interest/consumer activity/buyer response
kooplustig [bn] acquisitive, fond of spending money, fond of buying ♦ ⟨zelfstandig (gebruikt)⟩ *een kooplustige* an acquisitive person, an eager buyer/shopper; *niet erg kooplustig **zijn*** not be very acquisitive, not be in a mood to buy
koopman [de^m] 1 ⟨handelaar⟩ merchant, trader, dealer, businessman ♦ ⟨fig⟩ *hij is een **echte** koopman* he'd sell his own mother for a price, he always thinks of the financial side/money angle; *koopman **in** graan* grain merchant; ⟨fig⟩ *het is gedaan/gebeurd **met** de koopman* I'm/he is/they/you/we are done for, I've/you've/he's/we've/they've had it 2 ⟨venter⟩ vender, hawker, door-to-door salesman ⊡ ⟨sprw⟩ *bij het scheiden van de markt leert men de kooplui kennen* you know who your friends are when the chips are down
koopmansbeurs [de] commodity exchange
koopmansboek [het] account book
koopmanschap [de^v] 1 ⟨handel, bedrijf⟩ trade, business 2 ⟨koopmansgeest⟩ business sense ♦ *het getuigt van **goed** koopmanschap* that shows business acumen/good business sense
koopmansgebruik [het] trade/commercial practice
koopmansgeest [de^m] business sense
koopmansgilde [het] merchant guild, ⟨vnl. in Duitsland in middeleeuwen⟩ hanse

koopmansgoederen [de^{mv}] merchandise, wares, goods (for trade), (trade) commodities
koopmansstijl [de^{m}] [1] ⟨handelsstijl⟩ commercial/business style [2] ⟨handelsgebruik⟩ commercial/business practice ♦ *naar koopmansstijl te werk gaan* do sth. professionally
koopmonster [het] sample
kooporder [de^{m}] buying/purchase order, order to buy/purchase
koopovereenkomst [de^{v}] purchase/sale agreement ♦ *zij tekende de koopovereenkomst voor het huis* she signed the agreement for the purchase/sale of the house
kooppenningen [de^{mv}] ⟨form⟩ commission
koopprijs [de^{m}], **koopsom** [de] purchase price
koopsom [de] → **koopprijs**
koopsompolis [de] single-premium insurance policy, ⟨BE ook⟩ single premium assurance policy
koopster [de^{v}] → **koper^{2}**
koopvaarder [de^{m}] merchant/trading vessel, merchantman
koopvaardij [de^{v}], **koopvaart** [de] ⟨vnl BE⟩ merchant navy, ⟨vnl BE⟩ mercantile marine, ⟨vnl AE⟩ merchant marine ♦ *schipper/stuurman **ter/bij** de koopvaardij* skipper/mate in the merchant navy; ***wet** op de koopvaardij* Merchant Shipping Act
koopvaardijhaven [de] trading/shipping port
koopvaardijkapitein [de^{m}] captain of a merchant ship, captain of a merchantman, master of a merchant ship, master of a merchantman, master mariner, captain in the merchant ^{B}navy/^{A}marine
koopvaardijmatroos [de^{m}] merchant seaman/sailor
koopvaardijschip [het] merchantman, merchant ship, trader, trading vessel/ship
koopvaardijvloot [de] merchant fleet, mercantile/merchant ^{B}navy, mercantile/merchant ^{A}marine, mercantile/merchant service (fleet)
koopvaart [de] → **koopvaardij**
koopvernietigend [bn] ⟨jur⟩ [•] *een koopvernietigend **gebrek*** a defect that gives grounds for annulment of sale
koopvernietiging [de^{v}] annulment of sale
koopvideo [de] video for sale/purchase
koopvoorwaarden [de^{mv}] conditions/terms of purchase
koopvrouw [de^{v}] [1] ⟨ventster⟩ vender, pedlar, ⟨AE⟩ peddler, huckster [2] ⟨zakenvrouw⟩ businesswoman
koopwaar [de] merchandise, wares, commodities ♦ *zijn koopwaar **aanprijzen*** sing the praises of one's goods/wares, ⟨inf⟩ talk up one's goods/wares
koopwoede [de] spending mania, compulsive buying ♦ ***vlaag/aanval** van koopwoede* spending spree/binge
koopwoning [de^{v}] owner-occupied property, private property
koopziek [bn] ♦ *koopziek **zijn*** be a compulsive buyer
koopziekte [de^{v}] shopaholism
koopzondag [de^{m}] ± Sunday opening hours
koopzucht [de] extravagance, squandermania
koor [het] [1] ⟨koorzang⟩ chorus [2] ⟨zanggroep⟩ choir, chorus ♦ ⟨fig⟩ *een koor van **engelen/geesten*** a choir of angels/spirits; *een **gemengd** koor* a mixed (voice) choir; *voor **gemengd** koor* for mixed voices [3] ⟨gezamenlijk voortgebracht geluid⟩ chorus ♦ *men riep **in** koor zijn naam* the crowd called his name with one voice/in unison [4] ⟨ruimte in een rooms-katholieke kerk⟩ choir, chancel [5] ⟨gesch; rei⟩ chorus
koorafsluiting [de^{v}] → **koorhek**
koorbank [de] choir stall
koorboek [het] ⟨r-k⟩ gradual
koord [het, de] [1] ⟨touw⟩ cord, (thick) string, (light) rope ♦ ***op** het slappe koord dansen* ⟨fig⟩ show one's paces; *zich op het **slappe** koord begeven* ⟨fig⟩ take the plunge [2] ⟨sierlijk gevlochten snoer⟩ braid, (decorative) cord, cording ♦ *een koord **met** een kwast eraan* a cord/rope with a brush on the end; *een koord **vlechten*** plait/braid a cord; *koordje* bit/piece of string [3] ⟨boogpees⟩ bowstring
koordans [de^{m}] choral dance
koorddansen [ww] walk a tightrope, walk a (high) wire
koorddanser [de^{m}], **koorddanseres** [de^{v}] tightrope walker, high wire walker
koorddanseres [de^{v}] → **koorddanser**
koorde [de] ⟨wisk⟩ chord
koordelastiek [het] elastic thread/cord
koordenveelhoek [de^{m}] ⟨wisk⟩ inscribed polygon of a circle
koordfluweel [het] corduroy (velvet)
koordirigent [de^{m}] ⟨muz⟩ choirmaster, (chorus) conductor
koordveter [de^{m}] cord shoelace, ⟨vnl AE⟩ cord shoestring
koordzeep [de] shower soap, soap on a rope
koorfestival [het] ⟨muz⟩ choir festival
koorgebed [het] ⟨r-k⟩ choral prayer
koorgedeelte [het] [1] ⟨bouwk⟩ choir, chancel [2] ⟨muz⟩ chorus, choral section
koorgestoelte [het] ⟨form⟩ choir stalls
koorgezang [het] ⟨lied⟩ choral song, ⟨het zingen⟩ choral singing
koorheer [de^{m}] ⟨r-k⟩ canon
koorhek [het], **koorafsluiting** [de] choir screen, rood screen
koorhemd [het] ⟨r-k⟩ surplice
koorkap [de] ⟨r-k⟩ cope
koorkapel [de] ⟨bouwk⟩ radiating chapel
koorknaap [de^{m}] ⟨r-k⟩ [1] ⟨lid van een zangerskoor⟩ choirboy, chorister ♦ ⟨fig⟩ *hij is geen koorknaap* he's no choirboy/angel [2] ⟨misdienaar⟩ altar boy, server
koorleider [de^{m}] [1] ⟨koordirigent⟩ choirmaster, (chorus) conductor [2] ⟨gesch; aanvoerder van een rei⟩ chorus leader
koorlied [het] ⟨muz⟩ chorus
koormantel [de^{m}] cope
koormeester [de] [1] ⟨vero; m.b.t. gezongen kerkmuziek⟩ choirmaster [2] ⟨koordirigent⟩ choir director
koormuziek [de^{v}] choral music
kooromgang [de^{m}], **koortrans** [de^{m}] ⟨bouwk⟩ choir aisle
koorrepetitie [de^{v}] choir practice/rehearsal
koorsluiting [de^{v}] ⟨bouwk⟩ ⟨uitbouw⟩ apse
koorstoel [de^{m}] choir stall
koorstuk [het] choral piece
koorsymfonie [de^{v}] choral symphony
koortrans [de^{m}] → **kooromgang**
koorts [de] [1] ⟨verhoogde lichaamstemperatuur⟩ fever ♦ *de **alle/derden/vierden/vijfdendaagse** koorts* quotidian/quartan ague, ⟨vierden- en vijfdendaags⟩ quintan ague; ***anderdaagse/derdendaagse** koorts* tertian (fever/ague); ***gele** koorts* yellow fever; *(de) koorts **hebben/krijgen*** have/get a fever; ***hoge/hevige** koorts* high temperature/fever, serious fever; *de koorts **is gezakt/verdwenen*** the fever has abated/passed; ***koude** koorts* chill; ⟨vnl. als symptoom van malaria⟩ ague; ***lichte** koorts* slight fever; ***met** koorts (in bed) liggen* be in bed/sick with a fever; *bij iemand de koorts **opnemen*** take s.o.'s temperature; ⟨in België⟩ ***rode** koorts* scarlet fever; *medicijn **tegen** de koorts* antifebrile/antipyretic (medicine/drug); *rillen/gloeien **van** de koorts* shake/burn (up) with fever [2] ⟨begeerte⟩ fever
koortsaanval [de^{m}] attack of fever ♦ *een **zware** koortsaanval* an onslaught of fever
koortsachtig [bn, bw] [1] ⟨koortsig⟩ feverish ⟨bw: ~ly⟩ [2] ⟨gejaagd⟩ feverish ⟨bw: ~ly⟩, frenetic, feverous ♦ *koortsachtige **bedrijvigheid*** feverish activity; *met koortsachtige*

haast in a feverish hurry; *koortsachtige **pogingen*** feverish attempts; *koortsachtig naar iets **zoeken*** search feverishly/frenetically for sth.

koortshitte [de^{v}] fever heat

koortsig [bn] [1] ⟨aan koorts onderhevig⟩ feverish ◆ *ik **ben** een beetje koortsig vandaag* I'm feeling a bit feverish today, I feel as if I've got a bit of a temperature today; *zich koortsig **voelen*** feel feverish [2] ⟨wijzend op koorts⟩ feverish ◆ *een koortsige **gloed*** a feverish glow; *een koortsig **voorhoofd*** a feverish forehead

koortsigheid [de^{v}] feverishness, flush

koortslip [de] ⟨BE⟩ cold sore, ⟨AE⟩ fever blister

koortsmiddel [het] ⟨med⟩ febrifuge, antipyretic, refrigerant ◆ *de arts **schreef** haar een koortsmiddel **voor*** the doctor prescribed a febrifuge/sth. to lower the fever

koortsstuip [de] feverish convulsion, ⟨inf⟩ feverish fit, ⟨med ook⟩ febrile convulsion

koortstherapie [de^{v}] ⟨med⟩ fever therapy

koortsthermometer [de^{m}] clinical thermometer

koortstoestand [de^{m}] [1] ⟨toestand van koorts⟩ feverishness [2] ⟨toestand van hevige opwinding⟩ feverishness

koortsuitslag [de^{m}] cold sore, fever blister

koortsverwekkend [bn] febrile, pyretic

koortsvrij [bn] free of fever, without fever, feverless, non-feverish, ⟨med ook⟩ non-febrile, afebrile ◆ *(niet) koortsvrij **zijn*** (not) be rid of one's fever, still/no longer be feverish/have a fever/temperature, (not) have got over one's fever

koortswerend [bn] antipyretic, antifebrile, febrifugal, refrigerant ◆ *koortswerende **middelen*** anti-fever agents, antipyretics, febrifuges

koorvereniging [de^{v}] ⟨muz⟩ choral society

koorwerk [het] choral work/composition

koorzang [de^{m}] [1] ⟨het zingen⟩ choral singing [2] ⟨lied⟩ choral song [3] ⟨dram; reizang⟩ dithyramb, choric hymn

koorzanger [de^{m}], **koorzangeres** [de^{v}] choir singer, chorus member

koorzangeres [de^{v}] → **koorzanger**

koorzuster [de^{v}] choir nun/sister

koosjer [bn] [1] ⟨rel⟩ kosher ◆ *de koosjere **bakker*** the kosher baker; *koosjer **vlees**, koosjere **kaas*** kosher meat/cheese [2] ⟨in orde⟩ kosher ◆ *dat **zaakje** is niet koosjer* that business doesn't look too kosher

koosnaam [de^{m}] pet name

koot [de] [1] ⟨been van het eerste vinger, teenlid van hoefdieren⟩ pastern [2] ⟨vinger, teenlid van hoefdieren⟩ pastern

kootbeen [het] [1] ⟨been van het eerste vinger, teenlid van hoefdieren⟩ pastern [2] ⟨sprongbeen⟩ anklebone, tarsal

kootje [het] phalanx

kop [de^{m}] [1] ⟨deel van het dierlijk lichaam⟩ head, ⟨van vos⟩ mask ◆ ⟨fig⟩ *er zit kop noch **staart** aan* you can't make head or tail of it [2] ⟨hoofd⟩ ⟨ogm⟩ head, nut, ↓noggin, ↓noodle, ⟨sl; AE⟩ bean ◆ *zij kreeg een kop **als vuur*** she turned as red as a ^{B}beetroot/^{A}beet; *kop **dicht**!* shut up!, shut your trap!, put a sock in it!; *mijn kop **eraf**!* I'll eat my hat!; ***hou** je kop!* shut up!, shut your trap!, wrap it up!; ⟨fig⟩ *een **houten** kop hebben* have a thick head/a hangover; *een **kale** kop* a bald head, a cue ball; *zij is een kop **kleiner** dan hij* she's a head shorter than he is; *iemand bij kop en **kont** pakken* grab s.o. (any which way); ⟨eruit smijten⟩ bounce s.o., toss s.o. out; ⟨BE ook⟩ give s.o. the bum's rush/the French walk; ⟨fig⟩ *dat zal je de kop niet **kosten*** it's not going to kill/ruin you; ⟨theat⟩ *een kop **maken*** make o.s. up, paint on a face; ⟨fig⟩ ***met** de kop tegen de muur lopen* bang/run one's head against a (brick) wall; *een **mooie** kop met haar* a beautiful head of hair; *kop **op**!* chin/cheer up!; ⟨fig⟩ ***op** zijn kop krijgen* get a good scolding/telling-off; ⟨fig⟩ *iemand **op** zijn kop geven* give s.o. what for, tell s.o. off, scold s.o.; ⟨fig⟩ *zich niet **op** zijn kop laten zitten* not let o.s. be bullied/bossed around, not take things lying down, not let o.s. be sat on; *je krijgt het niet al ga je **op** je kop staan* you're not going to get it no matter what you do; ⟨fig⟩ *zich **over** de kop werken* work o.s. to death, burn o.s. out; *een **rooie** kop krijgen* go red, flush; ⟨fig⟩ *met kop en **schouders** uitsteken boven* be a cut above, stand out/be head and shoulders above; *hij had zichzelf wel voor zijn kop kunnen **slaan*** he could have kicked himself; ⟨fig⟩ *de kop in het zand **steken*** bury/stick/hide one's head in the sand; *de koppen bij elkaar **steken*** put our/your/their heads together; ⟨inf⟩ go into a huddle; ⟨vaak scherts⟩ powwow; ⟨in België⟩ *van kop tot **teen*** from top to toe, from head to foot; *ik **trek** je kop **eraf*** I'll rip/tear your head off; *zich **voor** de kop schieten* blow one's brains out; ⟨fig⟩ *ik kon me(zelf) wel **voor** mijn kop schieten* I could kick myself [3] ⟨verstand⟩ head, pate, headpiece, brain ◆ *veel **aan** zijn kop hebben* have a lot on one's mind; *iemand **aan** zijn kop zeuren* be at/bug/nag s.o.; *iets doen met een **dolle** kop* go off half-cocked, run amok; *iets doen met een **dronken** kop* do sth. while (one is) drunk; *iets **in** zijn kop halen* get the idea into one's head, take it into one's head; *hij heeft het nu eenmaal **in** zijn kop* he has taken it into his head; ⟨fig⟩ *wat hij **in** zijn kop heeft, heeft hij niet in zijn kont (gat)* once he has an idea in his head he doesn't let go of it easily; *dat is een **knappe** kop* he is a brain/smart fellow; *hij heeft een **knappe** kop* he's got a good headpiece; *met een **kwaaie** kop weglopen* walk off/leave in a huff, go away mad/fuming; *hij heeft een **stijve/harde** kop* he's headstrong/bullheaded/stubborn as a mule [4] ⟨bovenste gedeelte⟩ head, top ◆ *de kop van een **cilinder*** the head of a cylinder; *de kop van het **dijbeen*** the head of the thighbone; *de koppen van de **golven*** the crests of the waves; ***op** zijn kop staan* be topsy-turvy/upside down; *iets **op** zijn kop houden* hold sth. upside down; ⟨fig⟩ *de zaal stond **op** zijn kop* it brought the house down; ⟨fig⟩ *het hele huis staat **op** zijn kop* the whole house has been turned upside down, the whole house looks like a hurricane hit it; ⟨fig⟩ ***over** de kop gaan* crash, go broke, fold; ***over** de kop gaan/slaan* overturn, somersault; *de kop van een **paal*** the top of a pole; *de kop van een **spijker/punaise*** the head of a nail/drawing pin; *de kop van een **wolk*** the cloud top [5] ⟨voorste, uiterste gedeelte⟩ head, (head) end, top ◆ ⟨fig⟩ *iets **bij** de kop vatten* get going on/tackle sth.; *de kop van een **dijk*** the head/top of a dike; *de kop van een **haven*** the head of a harbour; *de kop van een **lucifer/hamer*** the head of a match/hammer; ⟨sport⟩ *de kop **nemen*** take the lead, go into the lead; ⟨sport⟩ ***op** kop/**aan** (de) kop liggen* have/be in the lead, be in front; ⟨scheepv⟩ *met de kop **op** de wind gaan liggen* turn with the head to the wind; *de kop van **Overijssel*** the north of Overijssel; *de kop van een **stoet/het peloton*** the head of a procession/the platoon; *de kop van een **vliegtuig*** the nose of a plane [6] ⟨drinkgerei⟩ cup, mug ◆ *een kop **koffie*** a cup/mug of coffee [7] ⟨krantenkop⟩ headline, heading, caption ◆ ***grote/vette** koppen* big/bold headlines [8] ⟨afbeelding⟩ head ◆ *postzegels met de kop van de **koningin*** stamps with the queen's head on them; *kop of **munt*** heads or tails [9] ⟨persoon⟩ head, ⟨mv; op schip⟩ hands, souls ◆ *de koppen **tellen*** count heads [10] ⟨iets met de gedaante van een kop⟩ head ◆ ***donder**koppen* thunderclouds; *met een kop **erop*** ⟨maat⟩ heaped; ⟨bier⟩ with a head; *de kop van een **pijp*** the bowl of a pipe; *de kop op/van een **puist*** the head of a pimple [11] ⟨audio; video⟩ head ▪ *de kop is **eraf*** a start has been made (on); ⟨in België⟩ ***geperste** kop* brawn, ⟨AE⟩ headcheese; *iets de kop **indrukken*** suppress/crush/clamp down on/quash/quell/spike sth.; *het kwaad de kop **indrukken*** ⟨ook⟩ root out evil; *het verzet de kop **indrukken*** ⟨ook⟩ put down/stamp out/steamroller the opposition; *een gerucht de kop **indrukken*** ⟨ook⟩ squash/scotch a rumour, knock a rumour over the head, dispose of a rumour; *het is vijf uur **op** de kop **af*** it is exactly five o'clock, it is five o'clock exactly/dead-on; *in **op** de kop af tien seconden* in ten seconds flat, in exactly ten seconds; *iets **op** de kop (weten te) tikken* (manage to) pick/snap sth. up, (manage to) get hold of sth./come by sth.; *de kop **opsteken*** surface, crop up; *de griep **steekt** weer de kop **op*** the flu is rearing its (ugly) head again; ⟨sprw⟩ *de kop moet het gat verkopen* ± a fair face is half a portion

kopal [het, de^{m}] copal

kopbal [de^{m}] ⟨sport⟩ header

kopbrekens [de^{mv}] thinking, thought, worry

kopduel [het] ⟨sport⟩ heading duel

kopeke [de^{m}] copeck

[1]**kopen** [onov ww] ⟨een aankoop doen⟩ trade (with), deal (with), shop ◆ ***bij/van** iemand kopen* trade/deal with s.o.; *ik koop **daar nooit*** I never shop there; ***op** stalen kopen* buy from samples; *kopen en **verkopen*** buy and sell

[2]**kopen** [ov ww] [1] ⟨voor geld in eigendom krijgen⟩ buy,↑ purchase ◆ ⟨fig⟩ *wat koop ik **ervoor**?* what good will it do me?; ***huizen/landerijen** kopen* buy/purchase houses/estates; ⟨spel⟩ ***kaarten** kopen* buy cards; *voor 10 euro kun je nu veel **minder** kopen dan toen* ten euros buys less than/doesn't buy as much as it used to; ***op** krediet kopen* buy on credit; ***op** tijd/levering kopen* buy forward(s); ⟨zelfstandig (gebruikt)⟩ forward buying, stockpiling; ***zich** arm kopen* spend money like it's going out of style; ***zich** uit de gevangenis kopen* buy one's way out of prison [2] ⟨afkopen, contracteren⟩ buy (off),↑ purchase ◆ ⟨fig⟩ *de vrijheid werd **met** bloed gekocht* freedom was paid for with blood; ***stemmen** kopen* buy votes; *iemands **stilzwijgen** kopen* bribe s.o. into silence/to keep his mouth shut; ⟨sport⟩ *een **voetballer** van een andere club kopen* purchase a football player from another club

Kopenhaags [bn] Copenhagen

Kopenhagen [het] Copenhagen

kop-en-schotel [de] cup and saucer

[1]**koper** [de^{m}], **koopster** [de^{v}] buyer, shopper, ⟨koopman⟩ purchaser ◆ *veel kijkers maar **geen** kopers* lots of window shoppers but no buyers; ***kosten** (voor rekening van de) koper* ⟨in makelaardij⟩ expenses to be paid for by buyer; *een koper **vinden*** find a buyer

[2]**koper** [het] [1] ⟨scheik⟩ copper ◆ ***in** koper* engraved in copper; ***in** koper snijden* engrave in/on copper; ***ongezuiverd** koper* unpurified copper [2] ⟨geelkoper⟩ brass ◆ *een deurknop **van** koper* a brass doorknob [3] ⟨koperwerk⟩ brass, brassware ◆ ***gehamerd** koper* beaten brass; *het koper **poetsen*** polish the brass [4] ⟨blaasinstrumenten⟩ brass ◆ *het koper **klonk** vals* the brass was playing out of tune

koper

· *geelkoper:* brass *(a brass trumpet)*
· *roodkoper:* copper *(an old copper kettle)*

koperachtig [bn] brassy, coppery ◆ *een koperachtige **kleur*** a brassy/coppery colour

koperader [de] copper lode/vein

koperbeslag [het] ⟨doodkist⟩ copper/brass fitting, ⟨deur, venster⟩ metalwork, ⟨vat⟩ hoops

koperblad [het] copperplate

koperblazer [de^{m}] brass player

koperdiepdruk [de^{m}] [1] ⟨procedé⟩ copper intaglio printing, copperplate printing [2] ⟨plaat⟩ copper (intaglio) plate

[1]**koperdraad** [de^{m}] ⟨als voorwerpsnaam⟩ ⟨stuk draad van koper⟩ copper/brass wire

[2]**koperdraad** [het, de^{m}] ⟨als stofnaam⟩ ⟨tot draad getrokken koper⟩ copper/brass wire

koperdruk [de^{m}] [1] ⟨procedé⟩ copperplate printing [2] ⟨gravure⟩ copperplate

koperdrukker [de^{m}] copperplate printer

koperdrukplaat [de] copperplate

[1]**koperen** [bn] [1] ⟨van koper⟩ brass, copper ◆ *koperen **gewichten*** brass weights; *een koperen **ketting*** a brass chain; *koperen **muziekinstrumenten*** brass musical instruments [2] ⟨als van koper⟩ brassy, coppery, ⟨wet⟩ cupreous ◆ *een koperen **klank*** a brassy sound; *een koperen **munt*** ⟨BE⟩ a copper, a copper coin; ⟨form⟩ *de koperen **ploert*** the tropical/burning sun [3] ⟨koperkleurig⟩ coppery, brassy ◆ *haar haar had een koperen **glans*** her hair had a coppery sheen

[2]**koperen** [ov ww] copper ◆ *een **schip** koperen* copper a ship

kopererts [het] copper ore

koperets [de] copper etching

kopergeld [het] copper coin(s)

kopergieter [de^{m}] brass-founder

kopergieterij [de^{v}] copper foundry, brass works

[1]**koperglans** [de^{m}] ⟨weerschijn van koper⟩ brassy/coppery shine

[2]**koperglans** [het] ⟨kopersulfide⟩ copper glance, chalcocite

kopergoud [het] similor

kopergraveerkunst [de^{v}] copperplate engraving, chalcography

kopergraveur [de^{m}] copperplate engraver, chalcographer

kopergravure [de] [1] ⟨plaat⟩ copperplate [2] ⟨afdruk⟩ copperplate, copper engraving [3] ⟨handeling⟩ copper engraving

[1]**kopergroen** [het] [1] ⟨koperoxidatielaag⟩ verdigris, patina, verd-antique [2] ⟨kleur⟩ verdigris [3] ⟨azijnzuur⟩ acetic acid

[2]**kopergroen** [bn] verdigris, (a)eruginous

koperhoudend [bn] ⟨gesteente⟩ copper-beating, cupriferous, ⟨scheik⟩ cupric, cuprous

koperindustrie [de^{v}] copper industry

koperkies [het] chalcopyrite, copper pyrites

koperkleur [de] copper colour

koperkleurig [bn] copper, copper-coloured, brass-coloured, coppery, brassy, ⟨lucht e.d.⟩ brazen

koperlazuur [het] ⟨mijnb⟩ lazurite

koperlegering [de^{v}] copper alloy

kopermijn [de] coppermine

kopermuziek [de^{v}] brass music

koperoxide [het] ⟨scheik⟩ copper/cupric oxide

koperpletterij [de^{v}] copper-mill

koperpoets [de^{m}] copper/brass polish

kopersectie [de^{v}] brass section

koperslager [de^{m}] ⟨amb⟩ coppersmith, brazier

koperslagerij [de^{v}] ⟨amb⟩ copper smith's (workshop), braziery, brass shop

kopersmarkt [de] buyers' market

kopersmid [de^{m}] ⟨amb⟩ coppersmith

kopersstaking [de^{v}] shoppers'/consumer strike, boycott

koperstuk [het] ⟨BE⟩ copper, copper coin

kopersulfaat [het] ⟨scheik⟩ copper sulphate, sulphate of copper, ⟨kopervitriool⟩ copper/blue vitriol

koperwerk [het] copper work, brass work, brassware

koperwiek [de] redwing

koperzout [het] ⟨scheik⟩ copper salt

kopgalg [de] soccer header practice apparatus

kopgeld [het] reward (money)

kopgroep [de] ⟨sport⟩ leading group, ⟨wielersp ook⟩ break(away), leaders

kophout [het] [1] ⟨steunhout in een mijn⟩ pitprop [2] ⟨top van een boom; hout daarvan⟩ treetop (wood) [3] ⟨kopshout⟩ end grain

kopie [de^{m}] [1] ⟨duplicaat⟩ copy, duplicate ◆ *een **eensluidende** kopie* a true copy; *ik **heb** van deze brief een kopie **gehouden*** I've kept a copy of this letter; ***illegale** kopie* ⟨bijvoorbeeld van computerprogramma, videoband⟩ pirate copy [2] ⟨fotokopie⟩ copy, Xerox copy, photocopy [3] ⟨reproductie⟩ copy, reproduction, replica [4] ⟨naar een voorbeeld gemaakt⟩ copy, image ◆ *een **getrouwe** kopie* a replica [5] ⟨afdruk van een foto, film⟩ print, copy [6] ⟨kopij⟩ copy

kopieboek [het] copybook, letter book
kopieerapparaat [het] photocopier, photocopying/Xerox machine, copier
kopieerbeveiliging [de^v] copy protection
kopieerinkt [de^m] copying ink
kopieerinrichting [de^v] (photo)copy centre, copymart, copier's
kopieerkaart [de] copier card
kopieermachine [de^v] [1] ⟨kopieerapparaat⟩ photocopier, photocopying/Xerox machine, copier, photostat, ⟨met inkt⟩ duplicator, mimeograph (machine) [2] ⟨film⟩ film copier
kopieerpapier [het] (photo)copying paper
kopieerpers [de] copying press, letterpress
kopieerwieltje [het] tracing wheel
¹**kopiëren** [ov ww] [1] ⟨een afschrift maken⟩ copy, make a copy (of), ⟨overschrijven⟩ transcribe ♦ ⟨comp⟩ *kopiëren en **plakken*** copy and paste [2] ⟨naschilderen, natekenen, namaken⟩ copy
²**kopiëren** [ov ww, ook abs] ⟨een fotokopie maken⟩ (photo) copy, Xerox
kopiist [de^m], **kopiiste** [de^v] copier, copyist, ⟨bij overschrijven⟩ transcriber ♦ *een kopiist van **akten*** a law writer
kopiiste [de^v] → **kopiist**
kopij [de^v] copy, manuscript ♦ *de kopij **zetten*** set (up) the type; *hier **zit** kopij in* there's good copy in this, copy can be made out of this
kopijrecht [het] copyright ♦ *het kopijrecht van dit boek **is/is nog niet verstreken*** this book is out of/in copyright
kopje [het] [1] ⟨drinkgerei⟩ (small/little) cup, ⟨espressokopje⟩ demitasse, ⟨SchE⟩ tassie, ⟨inhoudsmaat⟩ cup(ful) ♦ *één kopje **bloem*** one cup(ful) of flour [2] ⟨hoofd van een klein dier⟩ (small/little) head ♦ *de poes **gaf** haar steeds kopjes* the cat kept nuzzling (up) against her [3] ⟨klein hoofd van een mens⟩ (small/little) head ♦ *een **kort** kopje hebben* wear one's hair short; ⟨vnl. van vrouwen⟩ wear one's hair bobbed/in a bob; *wat een **lief** kopje* what a pretty face [4] ⟨uiteinde⟩ head (end), top ♦ *de tulpen **laten** hun kopjes **hangen*** the tulips are drooping; *de bloemen **steken** hun kopje boven de grond* the flowers stuck their heads out/are peeping through the soil [•] *hij **heeft** daar het koppetje niet voor* he hasn't got a head for that; *iemand een kopje **kleiner** maken* do s.o. in, bump/knock s.o. off
kopjebuitelen [onov ww] head roll
kopjeduikelen [onov ww] (turn/do a) somersault, turn head over heels/over and over
kopje-onder [bw] [•] *hij **ging** kopje-onder* he got a ducking/dip
kopklep [de] ⟨techn⟩ overhead valve
kopklepper [de^m] overhead valve engine
koplaag [de] ⟨bouwk⟩ top/header course, course of headers
koplamp [de] → **koplicht**
koplast [de^m] ⟨schip⟩ weight to the bow, bow-heavy load, ⟨vliegtuig⟩ nose-heavy load
koplastig [bn] ⟨schip⟩ bow-heavy, ⟨vliegtuig⟩ nose-heavy
koplat [de] ⟨amb⟩ moulding
koplengte [de^v] head ♦ ***met** een koplengte **winnen*** win by a head
kopletter [de] upstroke letter
koplicht [het], **koplamp** [de] headlight, headlamp
koploopster [de^v] → **koploper**
koploos [bn] headless, ⟨fig⟩ brainless, ⟨dierk⟩ acephalous ♦ *koploos **spijkertje*** headless nail, sprig, brad; *koploze **weekdieren*** acephalous molluscs/^A mollusks
koploper [de^m], **koploopster** [de^v] [1] ⟨sport en spel⟩ leader, front runner ♦ *bij de koplopers **horen*** be one of/be among the leaders; *de koplopers **in** het klassement* the leaders in the race/competition [2] ⟨iemand die een leidende positie inneemt⟩ leader, ⟨vernieuwer⟩ trendsetter
kopman [de^m] [1] ⟨sport⟩ leader, captain [2] ⟨in België; lijsttrekker⟩ person heading the list of candidates, ± party leader (in election)
kopnagel [de^m] clout (nail)
koppakking [de^v] ⟨techn⟩ cylinder head gasket
¹**koppel** [het] [1] ⟨span⟩ couple, pair, team, duo, ⟨groep⟩ group, bunch, ⟨zaken⟩ set, ⟨kudde⟩ herd ♦ *een **aardig** koppel* a nice couple; *een koppel **paarden/ossen*** a pair/team/yoke of horses/oxen [2] ⟨paartje⟩ couple, pair ♦ *een koppel **duiven*** a pair of doves [3] ⟨vlucht⟩ flock, ⟨wilde vogels⟩ covey, ⟨kwartels⟩ bevy, ⟨paar wilde vogels⟩ brace, ⟨ganzen; ook fig voor snaterende meisjes⟩ gaggle ♦ *een koppel **patrijzen*** a brace of partridges [4] ⟨natuurk⟩ couple ♦ *een **rechtsdraaiend/linksdraaiend** koppel* a right-hand/left-hand couple [5] ⟨muz⟩ coupler [6] ⟨draaimoment⟩ torque
²**koppel** [de] [1] ⟨draagriem⟩ (sword) belt [2] ⟨hondenriem⟩ leash, lead, slip
koppelaar [de^m], **koppelaarster** [de^v] [1] ⟨m.b.t. relaties⟩ matchmaker, marriage broker [2] ⟨m.b.t. ontucht⟩ ⟨man⟩ procurer, ⟨vrouw⟩ procuress, ⟨man & vrouw⟩ panderer, ⟨man & vrouw⟩ ↓ pimp
koppelaarster [de^v] → **koppelaar**
koppelarij [de^v] [1] ⟨m.b.t. relaties⟩ matchmaking [2] ⟨m.b.t. ontucht⟩ procuration, procuring, pandering, ↓ pimping
koppelbaas [de^m] (illegal) labour subcontractor
koppelband [de^m] coupling-strap, ⟨voor twee honden⟩ couple
¹**koppelen** [onov ww] ⟨m.b.t. een voertuig⟩ let in the clutch, engage the clutch
²**koppelen** [ov ww] [1] ⟨verbinding tot stand brengen⟩ couple (with/to), ⟨ruimtev⟩ dock ♦ *de maanlander **aan** het ruimteschip koppelen* dock the lunar module with the spaceship; ***treinstellen** (aan elkaar) koppelen* couple railway-carriages/^A railroad cars (together) [2] ⟨een relatie leggen tussen⟩ link, relate ♦ *het loon koppelen **aan** de prijsindex* link wages to the price index, index-link wages [3] ⟨tot een paar verenigen⟩ pair ♦ *de loting koppelde Ajax **aan** Benfica* Ajax was drawn against Benfica, the draw paired Ajax with Benfica [4] ⟨liefdesrelatie tot stand brengen⟩ pair off, ⟨vero⟩ match ♦ *twee mensen **proberen** te koppelen* try to pair two people off [5] ⟨techn; verbinden door overbrenging van beweging⟩ couple (with/to), connect (with/to) ♦ ***assen/dynamo's** koppelen* couple shafts/dynamos; ***raderen** koppelen* mesh gears
koppeling [de^v] [1] ⟨inrichting die beweegkracht overbrengt⟩ clutch [2] ⟨koppelingspedaal⟩ clutch (pedal) ♦ *de koppeling **intrappen*** declutch, let out the clutch; *de koppeling **op laten komen*** let in/engage the clutch [3] ⟨verbindingsstuk⟩ coupling, link ♦ *een **vaste/beweeglijke** koppeling* a tight/loose coupling [4] ⟨relatie, verhouding⟩ pair(ing), couple ♦ *de koppeling van de bijstandsuitkering **aan** het minimumloon* the linking of social security to the minimum wage [5] ⟨het verbinden met een verbindingsstuk⟩ coupling, linking [6] ⟨het relateren⟩ linking, relating [7] ⟨het verenigen tot paren⟩ pairing (off) [8] ⟨techn; verbinding door overbrenging van beweging⟩ coupling
koppelingspedaal [het] clutch (pedal)
koppelkoers [de^m] [1] ⟨scheepv⟩ traverse sailing, compound course [2] ⟨wielersport⟩ madison (race)
koppelletter [de] ⟨drukw⟩ ligature
koppelnet [het] grid
koppelomvormer [de^m] ⟨techn⟩ torque converter, ⟨BE ook⟩ torque convertor
koppelplaat [de] ⟨techn⟩ clutch plate
koppelriem [de^m] (sword-)belt, ⟨van officier⟩ Sam Browne (belt), ⟨schouder⟩ baldric, ⟨paard⟩ girth, ⟨jachthond⟩ leash, ⟨hond⟩ slip
koppelstang [de] drawbar, dragbar
koppelstuk [het] ⟨techn⟩ coupling, ⟨buizen ook⟩ union,

⟨mijnb⟩ tool joint
koppelteken [het] ⟨taalk⟩ hyphen ♦ *door een koppelteken **verbonden*** hyphenated
koppelverkoop [de^{m}] conditional sale
koppelwerkwoord [het] ⟨taalk⟩ copula, link(ing)/copulative verb
koppen [ov ww, ook abs] [1] ⟨sport⟩ head [2] ⟨de kop afsnijden⟩ top, decapitate, poll ♦ ***ansjovis** koppen* cut the heads off/decapitate anchovies; ***tulpen/suikerbieten** koppen* cut the tops off tulips/sugarbeets [3] ⟨med⟩ cup
koppencilinder [de^{m}] → **beeldtrommel**
koppensnellen [ww] [1] ⟨vijanden onthoofden⟩ headhunt [2] ⟨topfunctionarissen wegkopen⟩ headhunt, buy up (another company's top personnel), lure away (another company's top personnel), raid (another company's top personnel) [3] ⟨slechts de koppen lezen⟩ ± skim (through) the headlines/paper, just read the headlines [4] ⟨schuldigen zoeken⟩ headhunt, let heads roll
koppensneller [de^{m}] [1] ⟨iemand die vijanden onthoofdt⟩ headhunter [2] ⟨scout van topfunctionarissen⟩ headhunter, recruiter [3] ⟨lezer van koppen⟩ superficial reader, s.o. who only reads the headlines
^{1}**koppiekoppie** [het] ⟨inf⟩ head ♦ *koppiekoppie **hebben*** ⟨vnl AE⟩ be a smart cookie
^{2}**koppiekoppie** [tw] ⟨inf⟩ good thinking, clever
koppig [bn, bw] [1] ⟨halsstarrig⟩ stubborn ⟨bw: ~ly⟩, obdurate, obstinate, ⟨volhoudend⟩ dogged, ⟨eigenzinnig⟩ headstrong, ⟨pej⟩ pigheaded ♦ *(zo) koppig **als een ezel*** (as) stubborn as a mule; *een koppige **ezel*** a stubborn mule; *koppig **volhouden*** persist obstinately [2] ⟨naar het hoofd stijgend⟩ heady ⟨bw: headily⟩ ♦ *koppige **wijn*** heady wine
-koppig [bn] -headed
koppigaard [de^{m}] ⟨in België⟩ a stubborn person, an obstinate person
koppigheid [de^{v}] [1] ⟨halsstarrigheid⟩ stubbornness, obstinacy, obduracy, doggedness, ⟨pej⟩ pigheadedness, ⟨fase bij peuters⟩ (toddler's) negativism [2] ⟨m.b.t. alcoholische drank⟩ headiness, heady quality
koppijn [de] ⟨inf⟩ headache
kopploeg [de] front runners
koppositie [de^{v}] ⟨sport⟩ lead
koppotigen [de^{mv}] ⟨biol⟩ cephalopoda
kopra [de] copra
kopregel [de^{m}] running head(line), ⟨titel⟩ running title
koprol [de^{m}] somersault ♦ *een koprol **maken*** → **koprollen**
koprollen [onov ww] (do a) somersault, do a forward roll, turn/go head-over-heels
kops [bn] on end, crosscut ♦ *kops **gezaagd*** crosscut; *kops **hout*** crosscut wood; *een kopse **laag*** a layer of headers
kopschroef [de] cap screw, tap bolt/screw
kopschudden [ww] headshaking
kopschuw [bn] shy, withdrawn ♦ *iemand kopschuw **maken*** scare/frighten s.o. off; *kopschuw **worden*** grow/become shy; ⟨paarden, mensen⟩ shy away; ⟨paarden⟩ jib
kopshout [het] ⟨amb⟩ crosscut
kopspiegellamp [de] upward reflecting light/lamp
kopspijker [de^{m}] [1] ⟨kleine spijker met platte kop⟩ clout (nail), tack [2] ⟨grote spijker met vierkante kop⟩ hobnail
kop-staartbotsing [de^{v}] rear-end collision
kopstation [het] terminus, terminal
kopsteen [de^{m}] ⟨bouwk⟩ header, ⟨sluitsteen⟩ bonder, bondstone, binder, through-stone
kopstem [de] [1] ⟨falset⟩ falsetto [2] ⟨in België; kiesstem⟩ vote for the ticket as is (in list-voting system)
kopstoot [de^{m}] [1] ⟨kopbal⟩ header [2] ⟨stoot met het (voor)hoofd⟩ butt (of the head) ♦ *iemand een kopstoot **geven*** butt s.o. (with the head) [3] ⟨bier en jenever⟩ ± gin with a chaser, ⟨bier met whisky; AE⟩ boilermaker [4] ⟨biljartstoot⟩ massé (shot)
kopstudie [de^{v}] postgraduate course, (taught) MA
kopstuk [het] [1] ⟨leider⟩ head/big man, heavyweight, ⟨inf⟩ bigwig, big gun, ⟨vnl AE; inf⟩ big shot, ⟨aanstoker⟩ ringleader, ⟨centrale figuur⟩ king pin ♦ ***alle** Londense kopstukken* all of London's top people [2] ⟨koppig mens⟩ obstinate/stubborn person, stubborn mule [3] ⟨bovenste deel van iets⟩ head, top [4] ⟨deel van een hoofdstel⟩ headband
koptekst [de^{m}] headline
koptelefoon MEERVOUD [de^{m}] headphone(s), earphone(s), headset
kopten [de^{mv}] Copts
^{1}**koptisch** [het] ⟨alfabet⟩ Coptic
^{2}**koptisch** [bn] ⟨van de kopten⟩ Coptic
Koptisch [het] ⟨taal⟩ Coptic
koptisch-orthodox [bn] Coptic orthodox
kop-van-jut [de^{m}] try-your-strength machine
kopvoorn [de^{m}] ⟨dierk⟩ chub
kopvrouw [de^{v}] [1] ⟨sport⟩ female leader [2] ⟨leidster⟩ female celebrity of a group
kopwerk [het] ⟨wielersp⟩ front riding
kopwind [de^{m}] head wind
kopzee [de] head sea
kopziekte [de^{v}] grass tetany/disease/staggers
kopzijde [de] front
kopzorg [de] worry, concern, headache ♦ *zich geen kopzorgen **maken*** not worry, not be concerned; *dat is één kopzorg **minder*** that is one less headache/one less thing to worry about
kor [de] [1] ⟨sleepnet voor de visvangst⟩ trawl(net) [2] ⟨sleepnet voor het vangen van oesters⟩ oyster net
kora [de] kora
^{1}**koraal** [het] [1] ⟨biol⟩ coral ♦ ***van** koraal* coral, coralline [2] ⟨rode kleur⟩ coral ♦ *het koraal van haar **lippen*** her coral lips [3] ⟨r-k⟩ choral(e), plainsong [4] ⟨prot⟩ choral(e) [5] ⟨melodie⟩ choral(e)
^{2}**koraal** [de] ⟨bolletje van 'koraal'⟩ coral
koraalachtig [bn] coralline, coralloid
koraalbank [de] coral reef
koraalboek [het] choral(e) book, hymnbook
koraaldieren [de^{mv}] coral polyps
koraaleiland [het] coral island
koraalfuga [de] ⟨muz⟩ chorale and fugue
koraalgezang [het] ⟨muz⟩ [1] ⟨koraal⟩ choral(e) (song) [2] ⟨het zingen van een koraal⟩ choral(e) singing
koraalmos [het] [1] ⟨kamerplant⟩ nullipore [2] ⟨koralijn⟩ coralline
koraalrif [het] coral reef
^{1}**koraalrood** [het] coral(line)
^{2}**koraalrood** [bn] coral
koraalsla [de] coral lettuce
koraalslang [de] coral snake, harlequin snake
koraalvis [de^{m}] coral fish, clown fish
koraalvisser [de^{m}] coral fisher/diver
koralen [bn] [1] ⟨van koraal vervaardigd⟩ coral(line) ♦ *een koralen **armband*** a coral bracelet [2] ⟨(rood) als koraal⟩ coral(line)
koraliet [het] ⟨geol⟩ corallite
koran [de^{m}] ⟨rel⟩ ⟨exemplaar van de Koran⟩ Koran, Quran
Koran [de^{m}] ⟨rel⟩ Koran, Quran, Alcoran, Alkoran ♦ ***van/volgens/met betrekking tot** de Koran* Koranic
Koranschool [de] Koranic school
kordaat [bn, bw] firm, resolute, brisk, ⟨dapper⟩ plucky, bold, courageous ♦ *kordaat **optreden** tegen* act firmly against, deal firmly with
kordaatheid [de^{v}] resolution, resolve, firmness, briskness, pluck, boldness
kordelier [de^{m}] cordelier
kordon [het] [1] ⟨keten van posten, personen⟩ cordon ♦ *een kordon **leggen** (om)* cordon (off), close off by a cordon, form/draw/throw a cordon ((a)round); *er werd een kordon van **troepen** rond het dorp gelegd* a cordon of troops was

thrown round the village, the troops cordoned off the village; *een kordon **vormen*** cordon off, form a cordon [2] ⟨geweerriem⟩ sling

Korea [het] Korea

Koreaan [de^m], **Koreaanse** [de^v] ⟨man & vrouw⟩ Korean, ⟨vrouw ook⟩ Korean woman/girl

^{1}**Koreaans** [het] Korean

^{2}**Koreaans** [bn] Korean

Koreaanse [de^v] → **Koreaan**

koren [het] [1] ⟨graankorrels⟩ ⟨BE⟩ corn, ⟨AE⟩ wheat, cereal(s), grain ♦ ***gezolderd** koren* stored/sacked corn; *een zak **met** koren* a sack of corn; ⟨fig⟩ *dat is koren op zijn molen* that is grist to the/his mill [2] ⟨gewas⟩ corn, cereal(s), grain ♦ *koren **maaien*** reap corn [3] ⟨het gemaaide graan⟩ corn, cereal(s), grain, ⟨klaar voor het malen⟩ grist ♦ *koren **dorsen*** thresh corn [•] ⟨sprw⟩ *geen koren zonder kaf* there is no wheat without chaff

korenaar [de] [1] ⟨bovenste deel van een korenhalm⟩ ear of ^{B}corn/^{A}wheat, spike [2] ⟨astron⟩ Spica

korenakker [de^m] ⟨BE⟩ cornfield, ⟨AE⟩ wheat field

korenbeurs [de] grain exchange, ⟨BE vnl⟩ corn exchange

korenblauw [bn] cornflower blue

korenbloem [de] cornflower, bluebottle ♦ ⟨inf⟩ ***(rode)** korenbloem* (corn)poppy

korenblond [bn] corngold, flaxen, amber

korenbrander [de^m] gin distiller

korenbrandewijn [de^m] corn brandy/spirit

korenfactor [de^m] corn factor, dealer in grain, ⟨BE vnl⟩ dealer in corn

korenhalm [de^m] ⟨BE⟩ cornstalk, ⟨AE⟩ wheat stalk, spike

korenmaaier [de^m] [1] ⟨mens⟩ reaper, harvester, header [2] ⟨machine⟩ reaper, reaping machine, harvester, combine, reaper-binder, reaper-thresher, binder

korenmaat [de] [1] ⟨maat om koren te meten⟩ corn measure, bushel [2] ⟨maatvat⟩ corn measure, bushel

korenmijt [de] corn-stack, heap of corn

korenmolen [de^m] flourmill

korenmolenaar [de^m] flour-miller

korenoogst [de^m] [1] ⟨inzameling⟩ grain harvest(ing), ⟨BE vnl⟩ corn harvest(ing) [2] ⟨opbrengst⟩ crop of grain, ⟨BE vnl⟩ crop of corn, grain crop/harvest, ⟨BE vnl⟩ corn crop/harvest ♦ *de korenoogst **binnenhalen*** harvest the corn

korenschoof [de] sheaf of ^{B}corn/^{A}wheat, corn sheaf

korenschuur [de] [1] ⟨schuur⟩ granary, corn barn [2] ⟨streek⟩ granary, corn district/area, ⟨AE⟩ cornbelt

korenstoppel [de^m] ⟨BE⟩ corn stubble, ⟨AE⟩ grain stubble

korentang [de] [1] ⟨med; instrument⟩ sequestrum forceps [2] ⟨verende tang⟩ handpliers

korenveld [het] ⟨BE⟩ cornfield, ⟨AE⟩ wheat field

korenwan [de] corn dresser

korenwijn [de^m] malt wine

korenwolf [de^m] European hamster

korenzolder [de^m] cornloft, granary

korf [de^m] basket, ⟨groot⟩ hamper, ⟨voor bijen⟩ hive ♦ ⟨korfballen⟩ *de bal **door** de korf werpen* throw the ball through the basket, sink the ball in the basket; *bijen **in** een korf **brengen*** hive bees; *een korf **vijgen/aardbeien*** ⟨BE ook⟩ a punnet of figs/strawberries; *bijen **zoeken** de korf **op*** bees are hiving

^{1}**korfbal** [de^m] ⟨sport⟩ ⟨bal⟩ korfball ball

^{2}**korfbal** [het] ⟨sport⟩ ⟨balspel⟩ korfball

korfballen [ww] play korfball

korffles [de] demijohn, carboy

korfmossel [de] Asian clam

Korfoe [het] Corfu

korhaan [de^m] blackcock, moorcock, heath cock

korhen [de^v] greyhen, ⟨AE⟩ grayhen

korhoen [het] black grouse

koriander [de^m] [1] ⟨plant⟩ coriander, ⟨AE ook⟩ cilantro [2] ⟨zaad⟩ coriander (seed), ⟨AE ook⟩ cilantro

Korinthe [het] Corinth

Korinthiër [de^m], **Korinthische** [de^v] ⟨man & vrouw⟩ Corinthian, ⟨vrouw ook⟩ Corinthian woman/girl

Korinthisch [bn] Corinthian ♦ *Korinthische **spelen*** Isthmian Games; *Korinthische **zuil*** Corinthian column

Korinthische [de^v] → **Korinthiër**

korist [de^m], **koriste** [de^v] member of the chorus, singer in the chorus, chorist

koriste [de^v] → **korist**

korjaal [de^m] dug-out, corial, piragua, pirogue

kornak [de^m] mahout

^{1}**kornalijn** [de^m] ⟨edelsteen⟩ cornelian, carnelian

^{2}**kornalijn** [het] ⟨edelgesteente⟩ cornelian, carnelian

^{1}**kornet** [de^m] ⟨mil⟩ ⟨vaandrig⟩ cornet ♦ ***rang** van kornet* ⟨ook⟩ cornetcy

^{2}**kornet** [de] ⟨muz⟩ ⟨blaashoorn⟩ cornet

kornettist [de^m] cornet(t)ist

kornis [de] cornice

kornoelje [de] ⟨plantk⟩ cornel ♦ ***gele/eetbare** kornoelje* cornelian cherry; ***rode/wilde** kornoelje* red dogwood; ***witte/Amerikaanse** kornoelje* flowering dogwood/cornel

kornoeljehout [het] dogwood

kornuit [de^m] ⟨vnl BE⟩ mate, ⟨vnl AE⟩ buddy, crony, ⟨inf⟩ chum ♦ ***vrolijke** kornuiten* boon companions

koroester [de] dredged oyster

korporaal [de^m] corporal ♦ ⟨gesch⟩ *de **kleine** korporaal* the little Corporal; *korporaal van de week* duty corporal

korps [het] [1] ⟨vereniging van personen⟩ corps, body, brigade, ⟨leraren⟩ staff, ⟨politie⟩ force ♦ ***bij** het korps **zijn*** belong to/be a member of the corps/staff/force; *drie agenten zullen het korps **verlaten*** three policemen are to leave the force [2] ⟨legerkorps⟩ corps, force [3] ⟨drukw⟩ typeface, fount ♦ *een tekst in **klein** korps **zetten*** set a text in lower case [4] ⟨(gevechts)troepeneenheid⟩ corps, force [•] ***het korps mariniers*** ⟨kapel⟩ The Marine Band; ⟨troepen; AE⟩ the Marine Corps, the (^{B}Royal) Marines

korpschef [de^m] Superintendant

korpscommandant [de^m] corps commander

korpsgeest [de^m] esprit de corps, corporate/community spirit, fellowship

korpsleiding [de^v] [1] ⟨abstr⟩ command of a/the corps [2] ⟨concreet⟩ corps leaders

korpssterkte [de^v] corps complement

korrel [de^m] [1] ⟨zaadje⟩ grain, kernel, granule ♦ *een korrel **mais*** a kernel of ^{B}maize/^{A}corn [2] ⟨rond hard lichaampje⟩ granule, grain, pearl ♦ ⟨foto⟩ *de korrel van een **foto/film*** the grain of a photo/film; *een paar korrels **suiker*** a few grains of sugar; ⟨fig⟩ *iets met een korrel(tje) **zout** nemen* take sth. with a pinch/grain of salt [3] ⟨geringe hoeveelheid⟩ spot, trace, grain [4] ⟨structuur⟩ texture, ⟨hout, steen, metaal⟩ grain, ⟨steen⟩ grit ♦ *schuurpapier met **grove** korrel* coarse grain/grit/grade sandpaper [5] ⟨vizierkorrel⟩ bead ♦ *iemand/iets **op** de korrel **nemen*** aim at s.o./sth., draw a bead on s.o./sth., let s.o./sth. have it

korrelbeton [het] gravel concrete

^{1}**korrelen** [ov ww] ⟨korrelige oppervlakte geven aan⟩ granulate

^{2}**korrelen** [ov ww, ook abs] ⟨in korrelige toestand (doen) zijn⟩ grain, granulate

korrelig [bn] [1] ⟨uit korreltjes bestaand⟩ granular ♦ *korrelige **rijst*** granular rice [2] ⟨uit fijne deeltjes samengesteld⟩ granular ♦ *een korrelig **breukvlak*** a granular fracture; *korrelig **papier*** granular paper; *korrelige **structuur*** granular structure, ⟨oppervlaktestructuur⟩ granular texture; ⟨van steen⟩ gritty structure [•] *een korrelige **foto*** a coarse-grained photo

korreligheid [de^v] granularity, ⟨vnl. aarde, foto's⟩ graininess, ⟨vnl. zand⟩ grittiness

korreling [de^{v}] [1] ⟨het korrelen⟩ granulation, ⟨vnl. hout, marmer e.d.⟩ graining, ⟨kruit⟩ corning [2] ⟨korrelige structuur⟩ granulation, graininess
korrelsneeuw [de^{m}] corn snow, spring corn/snow
korrelstructuur [de^{v}] granular/grain(y) structure ♦ *de aarde heeft een korrelstructuur* the soil is of a grainy consistency
korrelvormig [bn] granular, graniform
korsakovsyndroom [het] Korsakoff's/Korsakow's syndrome, Korsakoff's/Korsakow's psychosis
korset [het] [1] ⟨onderkledingstuk⟩ corset, ⟨met baleinen⟩ stays ⟨mv⟩ [2] ⟨fig⟩ corset
korsetveter [de^{m}] corset lace, staylace
korst [de] [1] ⟨harde, taaie oppervlakte⟩ crust, ⟨op wond⟩ scab, ⟨van kaas⟩ rind ♦ *met een dikke korst bloed* ⟨ook⟩ thickly crusted (over)/encrusted with blood; *een korst ijs* a coating/layer of ice; *er zit een korst op de wond* ⟨ook⟩ the wound is scabbed over; *de kaas van de korst ontdoen* take/cut off the rind off the cheese; *(bedekt) met een korst van zout* encrusted with salt [2] ⟨stuk korst⟩ crust ♦ *een korst(je) brood* a crust (of bread) [3] ⟨hard geworden restant⟩ crust, deposit, cake ♦ *met een dikke korst modder* ⟨ook⟩ thickly caked with mud; *een korst gestold kaarsvet op het bureau* caked-on candlewax on the desk-top
korstachtig [bn] ⟨schaalachtig⟩ crustaceous, ⟨korstig⟩ crusty
korstdeeg [het] puff pastry/^{A}paste
korstgebak [het] flaky/Danish/puff pastry, flaky/Danish/puff ^{A}paste
korstig [bn] crusty, ⟨modder, vuil⟩ cak(e)y, ⟨wonden⟩ scabby, encrusted
korstloos [bn] crustless ♦ *korstloze kaas* rindless cheese
korstmos [het] ⟨biol⟩ lichen
korstvorming [de^{v}] crustation, encrustment
^{1}**kort** [bn, bw] [1] ⟨m.b.t. lengte, afstand⟩ short ♦ *kort draaien met een auto* make a sharp turn (with a car), turn a car sharply; *kortgeknipt* ⟨haar, snor, heg⟩ closely-clipped; ⟨nagel, gras⟩ closely-cut; ⟨haar ook⟩ close(ly)-cropped; *korte golf* short wave; *korte golfslag* choppy sea/water; *kort haar* short hair; *zij is in het kort (gekleed)* she is wearing a short dress; *iemand kort houden* keep s.o. on a tight rein, keep s.o. well in hand; *alles kort en klein slaan* smash everything up/to pieces/to matchwood/smithereens, turn the place upside down, tear the place apart; *een korte kop* (a) clean-cut hair(style); *een kort kopje hebben* wear one's hair short; ⟨vnl. van vrouwen⟩ wear one's hair bobbed/in a bob; *kort op elkaar zitten* ⟨lett⟩ sit close (up) together; ⟨kort na elkaar volgen⟩ follow each other closely; *de korte ribben* the short ribs; ⟨voetb, hockey⟩ *ze hielden het spel kort* they played with short passes; *een kort, dik ventje* a fat little guy; a thickset/stocky little guy, ⟨pej⟩ a squat little guy; *een kortere weg nemen* take a short cut [2] ⟨m.b.t. tijd⟩ short, brief ♦ *kort daarna/daarop* shortly after(wards); *de kortste dag* the shortest day; *haar geluk was van korte duur* her happiness was short-lived; ⟨jur⟩ *kort geding* summary proceedings, application for a temporary injunction; *binnen de kortste keren* in the shortest possible time, without delay, in no time; ⟨taalk⟩ *korte klinkers* short vowels; *maak het kort* don't be long; *kort na elkaar aankomen* arrive shortly after each other; *ik hoorde twee schoten kort na elkaar* I heard two shots within a short space of time/following each other; *op korte termijn* in the short term, short-term; ⟨bijna zonder waarschuwing⟩ at short notice; *iets op korte termijn zien* take a/the short view of sth.; *kort tevoren* shortly before; *sinds korte tijd* recently, lately; *na korte tijd kreeg de brandweer het vuur onder controle* the fire brigade soon had the fire under control; *kort van memorie zijn* have a short memory; *tot voor kort* until recently; *de dagen worden korter* ⟨ook⟩ the days are drawing in; *kort geleden* recently, lately, not long ago [3] ⟨beknopt⟩ brief, short, ⟨pej⟩ curt, terse ♦ *een kort briefje* a short/brief note, a memo(randum); *om kort te gaan* to cut a long story short, (to put it) briefly; *kort en goed/kort en bondig* brief and to the point; ⟨ook scherts⟩ short but/and sweet; *in het kort betekent het* in short/brief it means; *iets in het kort uiteenzetten* explain sth. briefly; *korte inhoud van het voorafgaande* brief summary of the above; *kort maar krachtig* brief and to the point, succinct, concise; ⟨fig⟩ short but/and sweet; *een kort overzicht/verslag* a brief/short summary/report; *kort van stof zijn* be short-winded [•] ⟨sprw⟩ *leugens hebben korte benen* lies have short legs; a lie has no legs; (the) truth will out
^{2}**kort** [bw] ⟨weinig, ontoereikend⟩ ♦ *er is geld te kort* money is lacking, there's a shortage of money, ⟨kastekort⟩ there's a cash shortage/deficit; *hij nam de bocht te kort* he took the corner too tightly/too sharply
kortaangebonden [bn] short-spoken, ⟨antwoord⟩ curt, snappy, ⟨heetgebakerd⟩ hot-tempered, ⟨lomp⟩ crusty
kortademig [bn] short of breath, ⟨ook fig⟩ short-winded ♦ ⟨fig⟩ *een kortademige stijl* a breathless style
kortademigheid [de^{v}] shortness of breath, ⟨ook fig⟩ short-windedness, short wind
kortaf [bn, bw] curt ⟨bw: ~ly⟩, abrupt, offhand, short ♦ *kortaf antwoorden* reply/answer curtly; *haar manier van doen was kortaf* she had an abrupt/offhand manner, her manner was blunt/gruff/short; *kortaf tegen iemand zijn* be curt with s.o., bite s.o.'s head off, be short-spoken to/with s.o.
kortbenig [bn] short-legged
kortbij [bw] nearby, close (by)
kortebaanschaatsen [ww] short track skating
kortebaanwedstrijd [de^{m}] ⟨sport⟩ sprint/short-distance race
kortedrachtswapen [het] ⟨mil⟩ short-range weapon
kortegolfband [de^{m}] short-wave band
kortegolfontvanger [de^{m}] short-wave receiver
kortegolfzender [de^{m}] short-wave transmitter
kortelings [bw] [1] ⟨form; onlangs⟩ recently, the other day [2] ⟨in België; binnenkort⟩ presently
^{1}**korten** [onov ww] ⟨korter worden⟩ shorten ♦ *de dagen korten alweer* the days are shortening again
^{2}**korten** [ov ww] [1] ⟨korter maken⟩ shorten, cut (short) [2] ⟨m.b.t. betalingen⟩ cut (back), curtail, ⟨als boete⟩ dock ♦ ⟨fig⟩ *de ambtenaren werden gekort* civil service pay was cut; *korten op de uitkeringen* cut back on social security/^{A}welfare; *de sociale uitkeringen korten met 5 %* cut (down/back) social security benefits/^{A}welfare spending by 5 % [3] ⟨m.b.t. de tijd⟩ shorten ♦ *de tijd korten* while away the time; *hij kortte (zich) de tijd met lezen* he passed the time/whiled away the hours by reading
kortetermijngeheugen [het] short-term memory
kortetermijnplanning [de] short-term planning, short-termism
kortgeknipt [bn] ⟨nagel, gras⟩ close-cut, ⟨haar, snor, heg⟩ close-clipped, ⟨haar ook⟩ close-cropped, ⟨gazon ook⟩ barbered, manicured ♦ *een kortgeknipt hoofd* (a) close-cropped/short hair(-do); ⟨bij vrouwen ook⟩ bobbed hair; ⟨BE⟩ Eton crop; ⟨bij mannen ook⟩ crop-eared
kortgestrafte [de] short-term inmate/prisoner
kortharig [bn] short-haired ♦ *een kortharige hond* a short-haired/smooth-haired dog; *een kortharige kwast* a short-haired brush
kortheid [de^{v}] brevity, shortness
kortheidshalve [bw] for (the sake of) brevity ♦ *kortheidshalve zullen wij de voorbeelden weglaten* for brevity's sake we shall omit the examples
korting [de^{v}] [1] ⟨korter maken, aftrekken⟩ discount, deduction, ⟨bezuiniging⟩ cut ♦ *korting bedingen* obtain a discount, ⟨inf⟩ manage a discount, ⟨sl⟩ wangle a discount; *korting geven/toestaan/genieten op de prijs* give/allow/enjoy a discount off/reduction in the price; *de korting op lonen en*

salarissen the cut(-back) in wages and salaries [2] ⟨afgetrokken bedrag, hoeveelheid⟩ discount, deduction, ⟨bezuiniging⟩ cut ♦ *meubelen **met** grote **korting*** cut-price furniture, furniture greatly reduced; ***met** een korting van tien procent* less ten per cent discount, (with) ten per cent off, at a discount of ten per cent, reduced by ten per cent; *vijf **procent** korting voor contante betaling* cash discount five per cent

kortingkaart [de] ⟨openbaar vervoer⟩ reduced-fare card/pass, ⟨in winkels e.d.⟩ discount card

kortingzegel [de^{m}] ⟨in België⟩ trading stamp

kortlopend [bn] short-term

kortom [bw] in short, in brief, in sum, in a word, to put it briefly/shortly

kortparkeerder [de^{m}] ⟨AE⟩ short-term parker, ⟨BE⟩ person parking his/her car for a short time ♦ *parkeerterrein **voor** kortparkeerders* short-stay car park

Kortrijk [het] Courtrai

kortschedelig [bn] brachycephalic, short-headed

kortschrift [het] [1] ⟨journalistieke publicatie⟩ survey, digest [2] ⟨stenografie⟩ shorthand, stenography, tachygraphy

kortsluiten [ov ww] ⟨techn⟩ short-circuit, short ♦ *een **ampèremeter** kortsluiten* short-circuit an ammeter; ⟨fig⟩ *iets kortsluiten **met iemand*** liaise with s.o., consult (with) s.o. about sth., align matters with s.o.; ⟨fig⟩ *de **zaken** kortsluiten* align/fine-tune matters, liaise with s.o.

kortsluiting [de^{v}] [1] ⟨m.b.t. een stroomkring⟩ short circuit, short, ⟨als gevolg van vocht, bij telegraafpalen⟩ weather contact ♦ *kortsluiting **maken** in* short-circuit; *kortsluiting **veroorzaken*** cause/create a short circuit [2] ⟨misverstand⟩ communication breakdown

kortstaart [de^{m}] bobtail

kortstaarten [ov ww] dock (the tail of), bobtail

kortstondig [bn] short-lived, brief, fleeting, ⟨vergankelijk⟩ transient, ephemeral, momentary ♦ *een kortstondige **vreugde*** a fleeting joy; *een kortstondige **ziekte*** a short illness

kortstondigheid [de^{v}] shortness, brevity, transience, ephemerality

kortswijl [de] ⟨form⟩ pleasantry, jest, sport, jocosity

kortteenleeuwerik [de^{m}] short-toed lark

kortverbandvrijwilliger [de^{m}] short-term volunteer, ⟨BE⟩ member of the Territorial Army Volunteer Reserve

kortverblijf [het] short stay

kortvoer [het] fodder

kortweg [bw] [1] ⟨zonder omhaal van woorden⟩ briefly, shortly ♦ *hij **vertelde** kortweg wat hij ervan wist* he briefly told what he knew about it [2] ⟨eenvoudigweg⟩ simply, in sum ♦ *dat is kortweg **onzin*** that is simply nonsense; *kortweg **weigeren*** refuse flatly/curtly

kortwieken [ov ww] [1] ⟨m.b.t. vogels⟩ clip the wings of, pinion ♦ ⟨fig⟩ ***iemand** kortwieken* clip s.o.'s wings, curtail s.o.'s power/freedom [2] ⟨het haar knippen⟩ clip, trim, crop ♦ *ze hebben je **flink**/je bent **goed** gekortwiekt, zeg* hey, they've really clipped you good/you've really been shorn/they really gave you a close/crew cut

kortzaag [de] (two-man) crosscut saw, cut-off saw

kortzicht [het] ⟨fin⟩ ▪ *een wissel **op** kortzicht* a short(-dated/-term/-usance) bill, a bill at short sight

¹**kortzichtig** [bn] ⟨bijziende⟩ short-sighted, myopic, nearsighted

²**kortzichtig** [bn, bw] ⟨zonder doorzicht⟩ short-sighted, myopic, lacking foresight ♦ *kortzichtig **handelen/oordelen*** act without foresight, make short-sighted/myopic judgements; *een kortzichtige **politiek*** a short-sighted policy; *een kortzichtig **standpunt*** a short-sighted viewpoint, a parochial point of view; *het is nogal kortzichtig **van** hem om geen geld te besteden aan (het) onderhoud van zijn huis* it's rather short-sighted of him not to spend money on keeping his house up

koruna [de] koruna

korund [het, de^{m}] corundum

korven [ov ww] hive

korvet [de] corvette

korvijnagel [de^{m}] ⟨scheepv⟩ belaying pin, cleat

korzelig [bn, bw] grumpy ⟨bw: grumpily⟩, ⟨BE⟩ ratty, irritable, bad-tempered

kosmisch [bn] cosmic, universal, heavenly ♦ *kosmische **geheimen*** cosmic secrets; *kosmische **goden*** heavenly gods; *kosmisch **jaar*** cosmic year; *de kosmische **ruimte*** outer space; *kosmische **stof*** cosmic dust; *kosmische **straling/stralen*** cosmic radiation/rays

kosmogonie [de^{v}] cosmogony

kosmogonisch [bn] cosmogonic(al), cosmogonal

kosmograaf [de^{m}] cosmographer

kosmografie [de^{v}] [1] ⟨wetenschap⟩ cosmography [2] ⟨wiskundige aardrijkskunde⟩ mathematical geography

kosmologie [de^{v}] cosmology

kosmologisch [bn] cosmologic(al)

kosmonaut [de^{m}], **kosmonaute** [de^{v}] ⟨man & vrouw⟩ cosmonaut, ⟨man⟩ spaceman, ⟨vrouw⟩ spacewoman

kosmonaute [de^{v}] → **kosmonaut**

kosmopoliet [de^{m}] cosmopolitan, cosmopolite

kosmopolitisch [bn, bw] [1] ⟨wereldwijd voorkomend⟩ ⟨bijvoeglijk naamwoord⟩ cosmopolitan ♦ *kosmopolitische **stromingen** in de literatuur* cosmopolitan trends in literature [2] ⟨van personen⟩ ⟨bijvoeglijk naamwoord⟩ cosmopolitan, cosmopolite, ⟨bijwoord⟩ in a cosmopolitan way ♦ *een kosmopolitische **geest*** a cosmopolitan mind

kosmopolitisme [het] cosmopolitanism, internationalism

kosmos [de^{m}] cosmos, universe, (deep/outer) space

Kosovaar [de^{m}] Kosovar

Kosovo [het] Kosovo

kossem [de^{m}] dewlap, jowl

kost [de^{m}] [1] ⟨mv; wat betaald moet worden⟩ cost(s), expense(s), ⟨investeringen⟩ outlay, ⟨voor diensten⟩ charge(s), fare ♦ *de kosten **bedragen** ...* the costs amount to ...; *hiervoor worden geen kosten **berekend*** there is no charge for this, this is free of charge; *de kosten **bestrijden*** meet the costs; *de kosten **betalen/dragen*** bear/defray the expenses; ***bijdragen** in de kosten* contribute towards the costs/expenses; ***bijkomende** kosten* additional/extra charge(s)/expenses; *dit **brengt** veel kosten met zich **mee*** this involves/entails considerable costs/expense; *de kosten **dekken*** cover the costs; *de kosten **delen** met iemand* share (the) expenses/split the costs (with s.o.); ***directe** en **indirecte/variabele** en **constante** kosten* direct and indirect/variable and fixed costs/charges; *op haar **eigen** kosten* at her own expense; *de kosten **eruit hebben*** have recovered one's expenses/outlay, clear expenses, break even; *wij zullen u **in** de kosten **tegemoetkomen*** we will bear/defray part of the expenses; ⟨jur⟩ *iemand veroordelen **in** de kosten (van het proces)* condemn s.o. in the costs, order s.o. to pay the costs; *kosten **koper*** expenses to be paid for by the buyer; *kosten van **levensonderhoud*** cost of living, living expenses; *kosten **maken*** incur expenses; *veel kosten **maken*** go to great expense; *veel kosten **meebrengen*** involve one in heavy expenses; ***met** weinig kosten* at little expense; ***op** kosten van* at the expense of; ***op** kosten van de NASA* with NASA funding; *iemand **op** kosten jagen* put s.o. to expense(s); *dit gaat **op** mijn kosten* this is at my expense; *niet **op** de kosten kijken* spare no expense; *dit rondje is **op** mijn kosten* this round/one is on me; ***op** kosten van zijn moeder/vrouw leven* live off one's mother/wife; *de uitgave geschiedt **op** kosten van het rijk* publishing costs are borne/met by the State; *kosten noch moeite **sparen*** spare no trouble or expense; ***uit** de kosten zijn* have recovered/recouped one's costs; *de kosten op anderen **verhalen*** recover one's expenses from others; *kosten van **vervoer*** transport/freight charges; ***zonder** kosten* without/free of charge(s)

[2] ⟨levensonderhoud⟩ living, livelihood, daily bread, bread-and-butter, subsistence ◆ *aan de kost komen* make a living; *zelf de kost verdienen* provide/fend for o.s.; *de kost verdienen (als/door)* make/earn a living (as/out of/by ...-ing); *werken voor de kost* work for a living; *wat doe jij voor de kost?* what do you do for a living?; ⟨fig⟩ *doe jij ook eens wat voor de kost* get your own hands dirty for a change [3] ⟨dagelijkse voeding⟩ board(ing), keep, victuals ◆ *in de kost nemen* put up/take in as a boarder; *in de kost gaan bij* lodge/board with; *bij iemand in de kost zijn* board with s.o.; *toen ik daar in de kost ging* when I took lodgings there; *kost en inwoning* board and lodging; *ik zou ze niet graag de kost willen geven, die ...* there are more than you think who ... [4] ⟨voedsel⟩ fare, food, cooking, ⟨fig⟩ stuff, meat ◆ *dagelijkse kost* ordinary food, everyday fare; *eenvoudige/degelijke kost* simple/substantial fare; ⟨fig⟩ *lichte kost* light stuff; *lichte/zware kost* light/heavy food/fare; ⟨fig⟩ *dat is al oude kost* that's old hat, that's passé; *slappe kost* slops; *taaie kost* ⟨fig⟩ dry/dull stuff; ⟨fig⟩ *dat boek is verplichte kost voor iedereen die met kinderen omgaat* that book is essential reading for anyone working with children; ⟨fig⟩ *dat is geen kost voor kinderen* that is not suitable for children; ⟨fig⟩ *die poëzie is zware kost* this poetry is heavy stuff ⊡ *ten koste van* at the expense/cost of; *ten koste van zijn leven* at the cost of his life, paid for with his life; *het gaat ten koste van zijn gezondheid* it is at the expense of his health; *geestig zijn ten koste van iemand anders* be witty at s.o. else's expense/cost; ⟨sprw⟩ *de kost gaat voor de baat (uit)* ± throw out a sprat to catch a mackerel; ± you must lose a fly to catch a trout; ± nothing venture, nothing gain/have

kostbaar [bn] [1] ⟨hoog in prijs⟩ expensive, dear, ⟨sterker⟩ costly ◆ *dat kunstwerk is mij te kostbaar* that piece of art is too expensive for me [2] ⟨van grote waarde⟩ valuable, ⟨sterker⟩ precious, costly ◆ *het meest kostbare exemplaar uit de collectie* the most valuable/precious piece in the collection; *kostbare ogenblikken* precious moments; *onze tijd is kostbaar* our time is precious [3] ⟨weelderig⟩ rich, expensive, precious, sumptuous ◆ *kostbare kleren* expensive clothes

kostbaarheden [de^{mv}] valuables, treasures, riches, precious objects

kostbaas [de^{m}] landlord, boarding-house keeper

kostelijk [bn, bw] [1] ⟨voortreffelijk⟩ precious ⟨bw: ~ly⟩, ⟨lekker⟩ exquisite, ⟨uitstekend⟩ excellent, splendid, delightful ◆ *zich kostelijk amuseren* have a wonderful time; *een kostelijke avond* a splendid evening; *dat is een kostelijk bezit* that is a precious/splendid possession; *een kostelijk boek* a marvellous/delightful book; *kostelijk materiaal voor een studie* excellent/valuable material for a study; *dat smaakt kostelijk* this is delicious; *kostelijke wijn* excellent/exquisite wine [2] ⟨amusant⟩ priceless ⟨bw: ~ly⟩, capital, rare ◆ *(die is) kostelijk!* that's a great/capital/rare one!, that's rich!; *een kostelijk verhaal* a priceless/capital story

kosteloos [bn, bw] ⟨bijvoeglijk naamwoord⟩ free, gratuitous, ⟨bijwoord⟩ free of charge(s), gratis, for free ◆ *kosteloos procederen* litigate free of charge

kosten [onov ww] [1] ⟨voor het genoemde bedrag verkrijgbaar zijn⟩ cost, be, sell at ◆ *dat kost geld* that will cost money/you; *vragen kost geen geld* it doesn't cost anything to ask; *dat gaat u geld kosten* that is going to cost you; *zijn kinderen kosten hem veel geld* his children are a heavy financial burden to him; *hoeveel kost het?* what does it cost?, how much is it?; *het kost kapitalen* it costs the earth; *het heeft ons maanden gekost om dit te regelen* it took us months to organize this; *hoeveel mag het kosten?* how much do you wish to spend?, what price do you have in mind?; *dit kost u niets* there is no charge for this; *of 't niks kost* you'd think it was for free; *ze kosten een pond per stuk* they are a pound each; *wat kost het?* what does it cost?, how much is it?; *aardig wat kosten* cost a fair amount [2] ⟨vereisen⟩ cost, take ◆ *het kostte hem zijn baan/been* it cost him his job/his leg; *dat kostte hem het leven* that cost him his life/killed him; *dat kan je het/je leven kosten* this could cost you your life, this could kill you; *het ongeluk kostte (aan) drie kinderen het leven* three children died/lost their lives in the accident, the accident took the lives of three children; *dat kost moeite/tijd* that will require effort/cost time; *het kost mij moeite hem te volgen* I find it hard to follow him; *het kost hem moeite zijn ongelijk te bekennen* it is difficult for him to admit he is wrong; *dat kostte ons de overwinning* that cost us the victory; *dit karwei zal heel wat tijd kosten* this job will take up a great deal of time; *koste wat het kost* whatever the cost, at all costs, at any cost ⊡ ⟨sprw⟩ *verhuizen kost bedstro* three removals/removes are as bad as a fire; ⟨sprw⟩ *beleefdheid kost geen geld* courtesy costs nothing; there is nothing that costs less than civility

kosten-batenanalyse [de^{v}] cost-benefit analysis

kostenbeheersing [de^{v}] cost containment/control/management

kostenberekening [de^{v}] calculation of the costs/expenses, ⟨van bepaald product/bepaalde methode⟩ cost accounting, costing

kostenbesparend [bn] money-saving, cost-cutting, cost-reducing ◆ *kostenbesparende maatregelen* money-saving/cost-cutting/cost-reducing measures

kostenbesparing [de^{v}] saving in costs/expenses/expenditures, ⟨vnl AE⟩ savings in costs/expenses/expenditures, economy, cost savings ◆ *een kostenbesparing van 5 % (opleveren)* (result in) a saving of 5 %; *ter wille van/met het oog op kostenbesparing* in order to save expenses, with an eye toward economizing

kostenbewaking [de^{v}] price control

kostenbewust [bn] cost-conscious

kostendekkend [bn] cost-effective, self-supporting, self-financing, ⟨inf⟩ break-even ◆ *een kostendekkend plan* a cost-effective plan, a plan that covers its (own) costs, a break-even plan

kostenderving [de^{v}] loss of income ◆ *vergoeding wegens kostenderving* compensation for loss of income

kostendeskundige [de] cost accountant, ⟨BE ook⟩ cost clerk, ⟨in de bouw ook⟩ quantity surveyor

kostendrager [de^{m}] ⟨adm⟩ cost centre

kosteneenheid [de^{v}] cost unit

kosteneffectief [bn] cost effective

kostenfactor [de^{m}] cost factor

kosteninflatie [de^{v}] cost inflation

kostenplaatje [het] (outline of the) cost(s)

kostenplaats [de] ⟨adm⟩ cost centre

kostenpost [de^{m}] debit (entry/item)

kostenraming [de^{v}] estimate (of (the) cost(s)), cost estimate, ⟨geschatte kosten⟩ estimated cost(s)

kostenstijging [de^{v}] cost increase, increase/rise in cost(s)

kostenteller [de^{m}] charge counter/meter

kostenverhogend [bn, bw] cost-raising, cost-increasing ◆ *dat heeft een kostenverhogend effect* that raises/increases/pushes up (the) costs

kostenverlagend [bn] cost-reducing, money-saving ◆ *kostenverlagend werken* cause a reduction in costs

koster [de^{m}] sexton, verger, sacristan

kosteres [de^{v}] [1] ⟨vrouw van de koster⟩ sexton's/verger's/sacristan's wife [2] ⟨vrouwelijke koster⟩ sextoness, (woman/lady) sexton, (woman/lady) verger, (woman/lady) sacristan

kosterij [de^{v}] [1] ⟨woning⟩ sexton's/verger's/sacristan's house [2] ⟨ambt⟩ sextonship, post of verger/sacristan

kostganger [de^{m}] boarder, lodger ◆ ⟨scherts⟩ *een dure kostganger* a big eater; *kostgangers houden* take in boarders/lodgers ⊡ ⟨sprw⟩ *Onze-Lieve-Heer heeft rare kostgangers* it takes all sorts/kinds to make a world; ⟨BE⟩ there's nowt so queer as folk

kostgeld [het] [1] ⟨vergoeding⟩ board (and lodging), pension ♦ ***tegen** kostgeld* en pension [2] ⟨toelage⟩ board wages, subsistence money

kosthuis [het] boardinghouse, lodging (house), pension, ⟨inf; BE⟩ digs

kostje [het] living, livelihood ♦ *met moeite zijn kostje **bij elkaar scharrelen*** scrape/eke out a (meagre) living, keep the wolf from the door; *zijn kostje **is gekocht*** ⟨dankzij iemand anders⟩ he is provided for; ⟨door eigen inspanning⟩ he is a made man, he has it made

kostprijs [de^{m}] [1] ⟨m.b.t. het produceren⟩ cost price ♦ *de kostprijs van het artikel **berekenen*** cost the article; *iets **tegen** kostprijs verkopen* sell sth. at cost price [2] ⟨m.b.t. het aankopen⟩ prime cost ♦ *iets **onder** de kostprijs verkopen* sell sth. below cost/at a loss

kostprijsberekening [de^{v}] calculation of the cost price, ⟨adm⟩ cost accounting, costing

kostschool [de] boarding school, ⟨grote Engelse privéschool⟩ public school ♦ ***naar** een kostschool gaan, **op** een kostschool zitten* go to/attend a boarding school

kostschoolhouder [de^{m}], **kostschoolhoudster** [de^{v}] ⟨man⟩ boarding school proprietor, ⟨vrouw⟩ boarding school proprietress

kostschoolhoudster [de^{v}] → **kostschoolhouder**

kostumeren [ov ww] costume, dress (up)

kostuum [het] [1] ⟨pak⟩ suit (of clothes) ♦ *een **driedelig** kostuum* a three-piece suit; ***in** kostuum gaan wandelen* go out walking in one's suit/without an overcoat [2] ⟨kleding⟩ costume, dress, ⟨voor bal⟩ fancy ^{B}dress/^{A}costume, ⟨inf⟩ outfit, garb, attire ♦ *een repetitie **in** kostuum* a dress rehearsal; *een **licht** kostuum* a light costume/dress; ***nationaal** kostuum* national costume

kostuumnaaien [ww] dressmaking, ↑ couture

kostuumnaaister [de^{v}] dressmaker, ⟨theat⟩ costumer, costumier, wardrobe mistress

kostuumstuk [het] costume piece/play/drama

kostvrouw [de^{v}] landlady, boarding-house keeper

kostwinner [de^{m}], **kostwinster** [de^{v}] breadwinner, wage earner, provider

kostwinnersbeginsel [het] breadwinner principle

kostwinnerschap [het] breadwinner's position/role, position/role as a breadwinner

kostwinnersprincipe [het] principle linking the right to work with role as breadwinner

kostwinnersvergoeding [de^{v}] separation allowance

kostwinning [de^{v}] livelihood, living, breadwinning

kostwinster [de^{v}] → **kostwinner**

kot [het] [1] ⟨krot⟩ hovel, cabin, shack, dog hole, rattrap [2] ⟨hok⟩ pen, ⟨duiven⟩ cote, ⟨varkens⟩ sty, ⟨honden⟩ kennel [3] ⟨gevangenis⟩ clink, cage, can, ⟨BE⟩ quod, ⟨AE⟩ pen ♦ ***in** 't kot zitten* be in the clink/can, serve/do time [4] ⟨in België; studentenkamer⟩ ⟨BE⟩ digs, ⟨AE⟩ (student's) apartment ♦ *op kot **zitten*** ⟨BE⟩ be living in digs, ⟨AE⟩ have one's own apartment [5] ⟨in België; berghok⟩ shed

kotbaas [de^{m}] ⟨in België⟩ landlord

kotelet [de] chop, cutlet

koter [de^{m}] ⟨inf⟩ youngster, kid, ⟨BE⟩ nipper

kotmadam [de^{v}] ⟨in België⟩ landlady

koto [de^{m}] koto

^{1}**kots** [de^{m}] ⟨inf⟩ puke, ⟨BE⟩ sick, ⟨AE⟩ barf

^{2}**kots** [bn] ⟨inf⟩ sick

kotsen [onov ww] ⟨inf⟩ puke, spew, spit, ⟨BE⟩ cat, ⟨AE⟩ barf ♦ ⟨fig⟩ *ik kots **ervan*** I'm sick to death of it; ⟨fig⟩ *ik kots **van jullie*** you make me want to puke; ⟨fig⟩ *'t is om **van te kotsen*** ⟨walgelijk⟩ it's nauseating/sickening; ⟨vervelend⟩ it bores you sick/to death

kotsmisselijk [bn] ⟨inf⟩ sick as a dog/cat/pig ♦ *ik **word** er kotsmisselijk van* ⟨fig⟩ I'm sick to death of it, it makes me sick

kotter [de^{m}] [1] ⟨vaartuig⟩ cutter [2] ⟨werktuig⟩ spoon bit

kotteraar [de^{m}] borer

kotterbank [de] borer, boring machine/lathe/mill

kotteren [onov ww] bore

kotterjacht [het] cutter yacht

kou [de^{v}] [1] ⟨lage temperatuur⟩ cold(ness), chill ♦ ⟨fig⟩ ***in** de kou komen te staan* be left out in the cold; *iemand **in** de kou laten staan* ⟨ook fig⟩ leave s.o. (out) in the cold; *een **snerpende/bijtende** kou* a sharp/nipping/bitter cold; *een stevige borrel **tegen** de kou* a stiff drink to keep the cold out; *de **winterse** kou* the wintry cold [2] ⟨toestand, gewaarwording⟩ cold, chill ♦ *kou **lijden*** suffer from the cold, freeze; *blauw zien **van** de kou* be blue/perished with the cold [3] ⟨verkoudheid⟩ cold, ⟨BE⟩ chill ♦ *een kou **op** de maag* a stomach chill; *een kou **op** de borst* a cold on the chest, a chest cold [4] ⟨harteloosheid⟩ coldness

koubeitel [de^{m}] cold chisel, cold set

koubulten [de^{mv}] chilblains

^{1}**koud** [bn] [1] ⟨niet warm⟩ cold, ⟨lucht ook⟩ chilly, ⟨form⟩ frigid, gelid, algid ♦ *het voelt koud **aan*** it is cold to the touch, it feels cold; *zo koud **als** ijs/**als** een steen* ice-cold, stone-cold; *een koud **buffet*** a cold buffet; ⟨landb⟩ *koude **gewassen*** outdoor crops; *groenten van de koude **grond*** outdoor vegetables; *aardbeien van de koude **grond*** field strawberries; ***in** het koudst van de winter* in the dead of winter; *kouwe **kikker*** cold fish, cool one/customer; *iets niet koud **laten worden*** ⟨lett⟩ not let sth. get/^{B}go cold; ⟨fig⟩ strike while the iron is hot; *de koude **luchtstreken*** the frigid/frozen zones; *een koude **luchtstroom*** a cold/chilly current/stream of air; ⟨techn⟩ *iets koud **smeden/hameren*** cold-work sth.; *schiet op, je soep **staat** koud **te worden*** hurry up, your soup is getting cold; *koud **vlees*** cold meat/^{A}cuts; *het **wordt** koud* it's getting cold/chilly; *olie koud persen* cold-press oil [2] ⟨m.b.t. het lichaam⟩ cold, chilly ♦ *het koud **hebben*** be/feel cold; *koude **koorts*** chill; ⟨vnl. als symptoom van malaria⟩ ague; *het koud **krijgen*** get cold, begin to feel cold; *het **loopt** mij koud over de rug* shivers are running down my spine; *iemand koud **maken*** do s.o. in, bump/knock s.o. off, ⟨AE⟩ waste s.o.; *ik **word** er koud van* it gives me the chills, ⟨rillingen⟩ it gives me the shivers/creeps; *het koude **zweet** brak mij uit* I was in a cold sweat [3] ⟨onaangedaan, harteloos⟩ cold, chilly, cold-hearted ♦ *koud onder iets **blijven*** ⟨niet enthousiast⟩ be left cold by sth.; ⟨niet bang⟩ keep (one's) cool under sth.; *een koude **blik*** a cold glance, an icy stare; *het **laat** mij koud* it leaves me cold, I'm indifferent; *op koude **toon*** in a cold voice, in an icy tone [4] ⟨m.b.t. licht⟩ cold, bleak

^{2}**koud** [bw] ⟨inf⟩ ⟨nauwelijks⟩ hardly/scarcely (when), no sooner (than), ⟨zonder inversie ook⟩ (only) just, barely, no more than ♦ *koud **waren** we de brug over of ...* we had hardly crossed the bridge when ...

koudbewerking [de^{v}] cold-work

koudbloed [de^{m}] underbred (horse), coldblood, cold-blooded horse

koudbloedig [bn] [1] ⟨biol⟩ cold-blooded, poikilothermic, heterothermic [2] ⟨tot het koudbloedras behorend⟩ heavy, cold-blooded [3] ⟨koelbloedig⟩ cold-blooded, cool(-headed)

koudbloedpaard [het] heavy horse, coldblood

koudbloedras [het] heavy breed of horse, cold-blooded breed

koudbreukig [bn], **koudbros** [bn] cold-short

koudbros [bn] → **koudbreukig**

koudebehandeling [de^{v}] [1] ⟨plantk⟩ cold treatment [2] ⟨geneeskunde⟩ cryotherapy

koudegetal [het] winter cold index

koudegolf [de] cold wave, ⟨van korte duur⟩ cold spell/snap

koudegreep [de^{m}] insulated handle

koudemiddel [het] coolant

koudeput [de^{m}] polar low

koudetechniek [de^v] cryogenics ◆ *laboratorium* ***voor*** *koudetechniek* cryogenic laboratory
koudetherapie [de^v] crymotherapy, cryotherapy
koudheid [de^v] 1 ⟨het koud zijn⟩ cold(ness), chilliness 2 ⟨ongevoeligheid⟩ coldness, cold-heartedness
koudlassen [het] ⟨techn⟩ cold-welding
koudmakend [bn] ⟨natuurk⟩ cryogenic, cooling, freezing, refrigerating ◆ *koudmakend* ***mengsel*** freezing mixture
koudslachter [de^m] ⟨BE⟩ (horse) knacker, ⟨AE⟩ renderer, flayer
koudsmeden [ww] cold-forging, cold-working
koudvuur [het] gangrene, mortification, canker ◆ *door koudvuur* ***aangetast*** gangrenous
koudwaterbad [het] 1 ⟨bad⟩ cold bath 2 ⟨plotselinge ontgoocheling⟩ rude awakening
koudwaterkraan [de] cold-water tap/faucet
koudwaterkuur [de] cold-water cure, hydropathy
koudwatervrees [de] 1 ⟨angst voor koud water⟩ fear of cold water 2 ⟨overbodige vrees⟩ cold feet, ↑ timorousness
koudweg [bw] 1 ⟨onaangedaan⟩ cold-bloodedly, coolly 2 ⟨zonder verbindingsstuk⟩ unconnected
koufront [het] ⟨meteo⟩ cold front, squall line
koukleum [de^m] shivery type/person, chilly/cold-blooded person ◆ *hij* ***is*** *een koukleum* he is very sensitive to the cold, he feels the cold
koukleumen [ww] be cold all over, be half frozen, be blue with cold, being cold/chilly ◆ ***zitten*** *koukleumen op een bankje* sit shivering on a bench
kous [de] 1 ⟨kledingstuk⟩ stocking, ⟨kort⟩ sock, ⟨winkeltaal⟩ hose ◆ ⟨fig⟩ *daarmee is de kous* ***af*** and that's it, and there's an end to it/the matter; ***afgezakte*** *kous* baggy/sagged stocking; ***halve*** *kousen* half hose, short stockings, socks; *een kous* ***met*** *een gat* a stocking with a hole in it; *een kous* ***met*** *een ladder* a stocking with a ^B^ladder/^A^run; ***op*** *(zijn) kousen lopen* walk in one's stocking(ed) feet; ⟨fig⟩ *de kous* ***op*** *de kop krijgen* be turned down/given the brush-off; ⟨fig⟩ *een* ***oude*** *kous hebben* have a nest egg, have a bit put by (for a rainy day); *kousen* ***stoppen*** darn socks; ***wollen/katoenen/zijden*** *kous* woollen/cotton/silk stocking; ***zonder*** *kousen* barelegged 2 ⟨pit⟩ ⟨van olielamp⟩ wick, ⟨van gaslamp⟩ mantle 3 ⟨huls⟩ thimble
kousenband [de^m] 1 ⟨band⟩ garter ◆ ***Orde*** *van de Kousenband* Order of the Garter 2 ⟨peulvrucht⟩ black-eyed pea, cowpea
kousenbandsteek [de^m] garter stitch
kousenbroek [de] ⟨in België⟩ ⟨BE⟩ tights, ⟨AE⟩ panty hose
kousenvoet [de^m] ◆ ***op*** *kousenvoeten lopen* ⟨lett⟩ walk in one's stocking(ed) feet; ⟨fig⟩ pussyfoot
kousenvoetje [het] loafer sock
kousenwinkel [de^m] hosiery shop, hosier's
kousje [het] 1 ⟨kleine kous⟩ stocking, sock 2 ⟨nylon kniekous⟩ pop sock, knee-high sock 3 ⟨pit⟩ ⟨van olielamp⟩ wick, ⟨van gaslamp⟩ mantle
kousophouder [de^m] ⟨BE⟩ suspender, ⟨AE⟩ garter
kout [de^m] ⟨form, behalve in België⟩ ⟨form⟩ confabulation, ⟨ogm⟩ chat, conversation
kouten [onov ww] ⟨form, behalve in België⟩ ⟨form⟩ confabulate, ⟨ogm⟩ converse, chat
¹**kouter** [de^m] ⟨in België⟩ ⟨gebied van vruchtbaar akkerland⟩ (fertile) field
²**kouter** [het] 1 ⟨ploegijzer⟩ ⟨BE⟩ coulter, ⟨AE⟩ colter 2 ⟨ploeg⟩ plough(share)
kouvatten [ww] catch (a) cold, ⟨BE ook⟩ catch a chill
kouwelijk [bn, bw] chilly, cold-blooded ⟨bw: ~ly⟩ ◆ *zij* ***is*** *erg kouwelijk* she is very sensitive to (the) cold, she feels the cold
kozak [de^m] ⟨ruw optredend militair⟩ cossack
Kozak [de^m] ⟨lid van een Russische volksstam⟩ Cossack
kozakkendans [de^m] Cossack dance, Russian dance
kozakkenkoor [het] Cossack choir/chorus
kozakkenmuts [de] Cossack hat
¹**kozen** [onov ww] ⟨form⟩ ⟨minnekozen⟩ court, bill and coo, say/talk/whisper sweet nothings
²**kozen** [ov ww] ⟨form⟩ ⟨liefkozen⟩ caress, fondle, pet
¹**kozijn** [de^m] ⟨in België⟩ ⟨neef⟩ cousin
²**kozijn** [het] 1 ⟨raamwerk⟩ (window/door) frame, (window/door) case, (window/door) casing 2 ⟨deel van een raamwerk⟩ (window/door) post, ⟨vensterbank⟩ window-sill
KP [afk] ⟨in België⟩ (Kommunistische Partij) Communist Party
kraag [de^m] 1 ⟨deel van een kledingstuk⟩ collar ◆ *iemand* ***bij/in*** *zijn kraag* ***grijpen/vatten*** ⟨beetpakken⟩ grab s.o. by the scruff of the neck/by the collar, collar s.o.; ⟨arresteren⟩ collar/arrest s.o.; ⟨sl⟩ nab s.o.; ⟨sl; BE⟩ nick s.o.; ⟨inf; AE⟩ haul s.o. in; ***geplooide*** *kraag* ruff(le); ***met*** *een/****zonder*** *kraag* collared/collarless; *de kraag* ***omslaan*** turn the collar; *de kraag van zijn jas* ***opzetten*** turn up one's coat collar/the collar of one's coat 2 ⟨als sieraad⟩ collar, ⟨Spaanse⟩ ruff, ⟨bont⟩ tippet, ⟨dun⟩ neckband ◆ *een* ***kanten*** *kraag* a lace collar/neckband; ***Spaanse*** *kraag* ⟨lett⟩ ruff; ⟨med⟩ paraphimosis 3 ⟨m.b.t. vogels⟩ ruff, collar, tippet, frill 4 ⟨uitstekend gedeelte⟩ collar, flange, shoulder, ⟨aan uiteinde van pijp⟩ socket ◆ *de kraag van een* ***buis*** the collar/flange of a pipe 5 ⟨schuimmanchet⟩ head ◆ *een glas bier* ***met*** *een kraag* a glass of beer with a head
kraagbeer [de^m] (Asiatic) black bear
kraagje [het] collaret(te), ⟨kanten⟩ tucker
kraagsteen [de^m] ⟨bouwk⟩ corbel, console, (stone) bracket, ancon
kraagstuk [het] 1 ⟨wwb⟩ crib 2 ⟨kraagsteen⟩ corbel, console, (stone) bracket, ancon
kraagveer [de] collar/ruff/frill feather
kraai [de] 1 ⟨vogel⟩ crow ◆ ***bonte*** *kraai* hooded crow, hoodie; ⟨SchE⟩ corbie; ***zwarte*** *kraai* carrion crow 2 ⟨scherts; persoon⟩ ⟨ogm⟩ undertaker's man, mute 3 ⟨vlaggetje⟩ pilot flag/jack ◆ ⟨sprw⟩ *een vliegende kraai vindt altijd wat* ± nothing seek, nothing find; ± seek and ye shall find; ⟨sprw⟩ *een bonte kraai maakt nog geen winter* ± one swallow does not make a summer
kraaiachtig [bn] corvine, crow-like ◆ ***de*** *kraaiachtigen* corvidae
¹**kraaien** [onov ww] 1 ⟨m.b.t. hanen⟩ crow ◆ *voor* ***het*** *kraaien van de haan* before cockcrow 2 ⟨m.b.t. kinderen⟩ crow ◆ *de baby kraaide* ***van plezier*** the baby crowed with pleasure
²**kraaien** [ov ww] ⟨uitschreeuwen⟩ crow ◆ ***oproer*** *kraaien* stir up sedition/rebellion; ***victorie*** *kraaien* be cock-a-hoop, crow
kraaienbek [de^m] 1 ⟨nijptangetje⟩ needle-nosed pliers 2 ⟨bek van een kraai⟩ crow's beak
kraaienkap [de] chimney cap
kraaienmars [de^m] ◆ *de kraaienmars* ***blazen*** go west, peg out, snuff it, kick the bucket
kraaiennest [het] 1 ⟨nest van een kraai⟩ crow's nest 2 ⟨scheepv⟩ crow's/bird's nest, ⟨rond de mast⟩ round-top
kraaienpoot [de^m] 1 ⟨m.b.t. autobanden⟩ caltrop, crow's-foot 2 ⟨poot van een kraai⟩ crow's leg
kraaienpootjes [de^mv] ⟨rimpels⟩ crow's-feet
kraaiheide [de] crowberry
¹**kraak** [de^m] 1 ⟨inbraak⟩ break-in, job, ⟨AE⟩ heist, ↑ burglary ◆ *een kraak(je)* ***zetten*** do a job/heist, ⟨BE⟩ crack a crib 2 ⟨galerij in een kerk⟩ gallery 3 ⟨ongeluk met een vliegtuig⟩ crash ◆ *daar zit kraak noch* ***smaak*** *aan* it tastes of nothing; it has no taste at all; ⟨fig⟩ it's neither fish nor fowl
²**kraak** [de] 1 ⟨inktvis⟩ octopus 2 ⟨zeeschip⟩ carrack, galleon
kraakactie [de^v] squat
kraakbeen [het] ⟨med⟩ cartilage, ⟨cul⟩ gristle ◆ *ringvor-*

mig kraakbeen ring-shaped/cricoid cartilage; ***schildvormig** kraakbeen* thyroid cartilage
kraakbeenachtig [bn] ⟨med⟩ cartilaginous, ⟨cul⟩ gristly
kraakbeenvis [de^{m}] elasmobranch
kraakbenzine [de] cracked petrol
kraakbes [de] [1] ⟨blauwe bosbes⟩ whortleberry, huckleberry, bilberry [2] ⟨rode bosbes⟩ cowberry, red whortleberry
kraakbeweging [de^{v}] squatters' movement
kraakgas [het] cracker gas
kraakhelder [bn, bw], **kraaknet** [bn, bw] spotless ⟨bw: ~ly⟩, speckless, scrupulously clean, immaculate, spic(k) and span, ⟨vnl AE; inf⟩ squeaky clean, ⟨keurig⟩ prim and proper ♦ *het is er kraakhelder* it's absolutely spick and span, it's as clean as a whistle/new pin
kraakijs [het] cat-ice, cat's ice
kraakinstallatie [de^{v}] cracking plant/unit
kraaknet [bn, bw] → **kraakhelder**
kraakpand [het] squat ♦ *in een kraakpand zitten/wonen* live in a squat
kraakporselein [het] egg-shell china ♦ ⟨fig⟩ *iemand **van** kraakporselein* a fragile/delicate person
kraakprijs [de^{m}] ⟨in België⟩ knock-down price
kraakstem [de] grating/rasping voice
kraakwacht [de] anti-squatters team
kraakwagen [de^{m}] mechanical ^{B}dustcart, mechanical ^{A}garbage truck
kraal [de] [1] ⟨rond geslepen stukje hard materiaal⟩ bead ♦ ***houten/glazen** kralen* wooden/glass beads; *een **met** kralen bestikt tasje* a beaded bag; *kralen **rijgen*** string/thread beads/a chain of beads; *de kralen van een **rozenkrans*** the beads of a rosary; *een **snoer** kralen* a string of beads; ***spiegeltjes** en kraaltjes* knick-knacks, trifles, frippery [2] ⟨bolrond voorwerpje⟩ bead ♦ *kraaltjes **vet** op de soep* beads/droplets of fat on top of the soup [3] ⟨lijst langs planken⟩ bead(ing) [4] ⟨rand van een metalen plaat⟩ bead(ing) [5] ⟨ruimte voor vee⟩ corral, ⟨in Zuid-Afrika⟩ kraal, (cattle) pen
kraaldelen [de^{mv}] panelled sections ♦ ***vuren** kraaldelen* deal fence units
^{1}**kraaloog** [de^{m}] ⟨mens⟩ beady-eyed person
^{2}**kraaloog** [het] ⟨oog als een kraal⟩ beady eye ♦ *zij heeft **zwarte** kraaloogjes* she has black beady eyes
kraam [het, de] stall, booth, stand ♦ ⟨fig⟩ *dat komt (hem) **in** zijn kraam te pas* that's right up his street, that suits him down to the ground/is just what he needs; *de kraam **opzetten/afbreken*** set up/take down the stall
kraamaantekening [de^{v}] ± maternity/obstetrics nurse's notation
kraamafdeling [de^{v}] maternity ward/department, obstetric(al) ward, ⟨inf⟩ maternity, obstetrics, ⟨BE ook⟩ lying-in ward
kraambed [het] [1] ⟨bed waarin een vrouw bevalt⟩ childbed ♦ ***in** het kraambed **sterven*** die in childbirth; ***in** het kraambed (liggen)* be confined; *zij is pas **uit** het kraambed* she has only recently given birth/had a baby [2] ⟨het kraamvrouw zijn⟩ ± lying-in, ± confinement ♦ *een **lang** kraambed* a long period of lying-in
kraambedpsychose [de^{v}] puerperal psychosis
kraambeen [het] white/milk leg
kraambezoek [het] lying-in/maternity visit, ⟨bezoekers⟩ visitors (after a/the birth) ♦ ***op** kraambezoek komen* come to see the (new) mother and her baby/child
kraamgeld [het] maternity allowance/benefit
kraamheer [de^{m}] father of the new(ly)-born child, new father
kraamhulp [de] [1] ⟨kraamverzorg(st)er⟩ maternity assistant, ⟨Groot-Brittannië en USA; verpleegster⟩ district/maternity nurse [2] ⟨kraamverpleging⟩ → **kraamverpleging**
kraaminrichting [de^{v}] obstetric clinic, maternity home/hospital
kraamkamer [de] [1] ⟨kamer van een kraamvrouw⟩ ⟨verloskamer⟩ delivery room, ⟨vóór de bevalling⟩ labour room, ⟨na de bevalling⟩ recovery room [2] ⟨broedplaats⟩ incubator [3] ⟨fig⟩ breeding ground, seat, centre, nursery
kraamkliniek [de^{v}] obstetric/maternity clinic, ante-natal clinic, post-natal clinic
kraamverband [het] maternity sanitary towels
kraamverpleegster [de^{v}] ⟨op kraamafdeling⟩ obstetric/maternity nurse
kraamverpleging [de^{v}] maternity (ward) nursing, nursing of mother and child/baby
kraamverzorging [de^{v}] maternity care, ⟨dienst⟩ maternity welfare/work/service
kraamverzorgster [de^{v}] maternity assistant, ⟨Groot-Brittannië en USA; verpleegster⟩ district/maternity nurse
kraamvisite [de] [1] ⟨kraambezoek⟩ lying-in/maternity visit ♦ ***op** kraamvisite gaan* visit a (new) mother and her baby/child [2] ⟨bezoekers na de bevalling⟩ visitors (after a/the birth) ♦ ***veel** kraamvisite krijgen* receive a lot of visitors after the birth
kraamvloed [de^{m}], **kraamzuivering** [de^{v}] lochia
kraamvrouw [de^{v}] ⟨tijdens de bevalling⟩ woman in childbed, ⟨na de bevalling⟩ new mother, mother of a new(ly)-born child
kraamvrouwendag [de^{m}] baby blues, (day of) post natal depression
kraamvrouwenkoorts [de] puerperal fever
kraamvrouwensterfte [de^{v}] maternity mortality (rate)
kraamvrouwentranen [de^{mv}] baby blues, (tears due to) post natal depression
kraamzorg [de] maternity care
kraamzorghotel [het] maternity hotel
kraamzuivering [de^{v}] → **kraamvloed**
^{1}**kraan** [de^{m}] ⟨inf⟩ ⟨kei⟩ crack, ace ♦ *een kraan **in** rekenen* ⟨vnl BE⟩ be a dab hand at figures
^{2}**kraan** [de] [1] ⟨vaak in samenstellingen; soort tap⟩ tap, ⟨AE⟩ faucet, ⟨afsluitkraan, doorlaatkraan⟩ (stop)cock, valve ♦ *een **druppelende/lekkende** kraan* a dripping/leaky/leaking tap/faucet; *de kraan **laten lopen*** leave the tap on/running, let the tap run; *de kraan **openzetten/sluiten*** turn the tap on/off; ⟨fig⟩ *de **subsidiekraan** dichtdraaien* cut/shut off the supply of government funds/money/subsidies; ***uit** de koude kraan* from the cold tap; *je moet hier niet/geen water **uit** de kraan drinken* the tap water here is not drinkable [2] ⟨hijswerktuig⟩ crane, derrick ♦ *een **drijvende** kraan* a floating pontoon/crane, a crane/derrick barge; ***vaste en beweegbare** kranen* fixed/permanent and travelling cranes [3] ⟨vogel⟩ crane
kraanarm [de^{m}] (crane) jib, boom
kraanauto [de^{m}] ⟨BE⟩ breakdown lorry, ⟨AE⟩ crane truck, ⟨AE⟩ wrecking crane
kraanbaan [de] craneway, crane runway/gantry
kraanbalk [de^{m}] ⟨scheepv⟩ cathead, ⟨kraanarm⟩ (crane) jib/beam
kraanboor [de] fintre drill
kraanbrug [de] crane bridge
kraandrijver [de^{m}] crane driver/operator, craneman
kraaneiland [het] floating crane, pontoon
kraangeld [het] cranage
kraanhals [de^{m}] [1] ⟨dunne hals⟩ crane neck [2] ⟨zwanenhals⟩ swan's/swan neck, goose-neck, goose-trap [3] ⟨plantk; reigersbek⟩ common storksbill
kraanhuis [het] tap/cock body
kraankabel [de^{m}] crane cable
kraanleertje [het] tap/^{A}faucet washer
kraanschip [het] crane ship
kraansleutel [de^{m}] cock spanner/wrench
kraanspoor [het] craneway, crane railway/track
kraantjeskan [de] coffee urn

kraanvogel [de^{m}] ⟨loopvogel⟩ common crane
Kraanvogel [de^{m}] ⟨sterrenbeeld⟩ Grus, (the) Crane
kraanwagen [de^{m}] ⟨BE⟩ breakdown lorry/truck, ⟨AE⟩ wrecker, ⟨AE⟩ tow truck
kraanwater [het] tap water
kraanzaag [de] pit-saw
krab [de] [1] ⟨dier⟩ crab ◆ *krabben* ***vangen*** catch crabs, go crabbing/crab catching [2] ⟨schram⟩ scratch (mark), claw mark
[1]**krabbekat** [de^{m}] ⟨kat die krabt⟩ scratcher, scratch cat
[2]**krabbekat** [de^{v}] ⟨kattig meisje⟩ cat, catty girl, ↓ bitch
krabbel [de] [1] ⟨krab⟩ scratch (mark) [2] ⟨onduidelijk schriftteken⟩ scrawl, scribble ◆ ***zet*** *er even een krabbel onder* just put your scrawl here [3] ⟨vluchtige schets⟩ thumbnail sketch
[1]**krabbelen** [onov ww] [1] ⟨krabben⟩ scratch ◆ *niet* ***aan*** *dat wondje krabbelen* don't pick that scab, stop scratching that cut [2] ⟨slecht schaatsenrijden⟩ skate clumsily, be a poor skater [•] *(weer)* ***overeind*** *krabbelen* scramble to one's feet, pick o.s. up, recover one's feet/legs
[2]**krabbelen** [ov ww, ook abs] ⟨slordig schrijven of tekenen⟩ scrawl, scribble, scrabble
krabbelig [bn] crabbed, scrawly, squiggly, cramped, scratchy
krabbelpootje [het] scrawl
krabbelschrift [het] scrawly/niggling/crabbed hand(writing), scrawl
krabbeltje [het] scrawl, scribble, scribbled note, dashed-off letter
[1]**krabben** [ov ww] ⟨door krabben verwijderen⟩ scratch out/off, ⟨ijs van voorruit⟩ scrape ◆ *een* ***gat*** *in de grond krabben* scratch a hole in the ground; *iemand de ogen* ***uit*** *het hoofd krabben* scratch s.o.'s eyes out; *een vlek* ***van*** *de muur krabben* scratch a spot off the wall
[2]**krabben** [ov ww, ook abs] ⟨krabbelen⟩ scratch ◆ *het* ***anker*** *krabt* the anchor is dragging; *zijn* ***hoofd*** *krabben* scratch one's head; ***in*** *zijn haar krabben* scratch one's head; *de* ***kat*** *krabt op/aan de deur* the cat is scratching at the door/scrabbling her nails on the door; ***zich*** *(eens goed) krabben* have a (good) scratch
krabbengang [de^{m}] crab walk, crabwise gait ◆ ***in*** *krabbengang* crabwise, crabways
krabbenvisser [de^{m}] crabber
krabber [de^{m}] [1] ⟨persoon⟩ scratcher [2] ⟨schrapijzer⟩ scraper ⟨ook voor ijs van voorruit van auto⟩ [3] ⟨breekijzer⟩ crowbar, jemmy [4] ⟨in België; knoeier⟩ bungler
krabbetje [het] [1] ⟨kleine krab⟩ small crab [2] ⟨varkenslapje⟩ sparerib
krabcocktail [de^{m}] crab cocktail
krabpaal [de^{m}] scratch(ing)-post
krabplank [de] scratching post
krabsticks [de^{mv}] seafood sticks, crab sticks
krach [de^{m}] crash
kracht [de] [1] ⟨fysieke sterkte⟩ strength, power, ⟨van wind ook⟩ force, ⟨van zon ook⟩ intensity, ⟨groeikracht⟩ vigour ◆ *al zijn krachten* ***aanspreken/inspannen/aanwenden*** exert all one's energies/strength, use all one's powers; *aan het* ***eind*** *van zijn krachten zijn* be totally exhausted, have no strength left; *het* ***gaat*** *zijn krachten* ***te boven*** that's beyond him/too much for him; ***geen*** *kracht meer hebben (in zijn armen/benen)* lose all the strength (in one's arms/legs); *kracht* ***geven*** ⟨bijvoorbeeld van suiker, stevige maaltijd⟩ invigorate, make s.o. feel a new man; ***in*** *kracht afnemen/toenemen* ⟨afnemen van wind⟩ abate, drop; ⟨toenemen van wind⟩ rise, freshen; *dat* ***kost*** *kracht* that will take some effort/doing; ***met*** *alle kracht* with might and main, full out, at full tilt, flat out; ***met*** *zijn laatste krachten* on one's last legs, with a final effort; ***met*** *kracht op iets drukken* press forcefully/strongly on sth.; ⟨fig⟩ ***met*** *zijn krachten woekeren* burn the candle at both ends, not take care of o.s.; *zijn krachten* ***meten*** *met iemand* measure one's strength with s.o., pit one's strength against s.o.; *zijn krachten* ***nemen*** *met de dag af* he is fading by the day; *(weer)* ***op*** *krachten komen* regain one's strength, recuperate, rally; *kracht* ***putten uit*** draw strength/inspiration from; *zijn krachten* ***sparen*** conserve one's energies/energy/strength; ***uit*** *zijn krachten groeien* overgrow o.s./outgrow one's strength; *met* ***vereende*** *krachten* with combined efforts, by joining forces/pulling together; *met* ***vernieuwde*** *kracht* with renewed efforts; *zijn krachten* ***verspillen*** waste/dissipate one's energies/energy [2] ⟨vermogen om invloed uit te oefenen⟩ power(s) ◆ *(aan) argumenten/eisen kracht* ***bijzetten*** *(door ...)* press home/enforce arguments/claims (with/by); *de* ***stille*** *kracht* unseen/hidden powers/forces [3] ⟨geestelijk, zedelijk vermogen⟩ strength, effort, ability ◆ ***scheppende*** *kracht* creative force/power; *zijn krachten* ***wijden*** *aan iets* devote one's efforts towards sth. [4] ⟨geestelijke en fysieke vermogens samen⟩ strength, power, effort ◆ ***aan*** *kracht* ***winnen*** ⟨van een beweging enz.⟩ gain impetus, gain in strength/power, gather weight/head; *zijn krachten* ***beproeven*** *op/aan ...* try one's hand at, ↓ give sth. a go/try; *de kracht* ***breken*** *van de vijand* break the enemy's strength; *op* ***eigen*** *kracht* on one's own, under one's own steam/power; ⟨BE ook⟩ off one's own bat; *(de) kracht* ***geven*** *om ...* give the strength to ...; *zijn beste krachten aan iets* ***geven*** give of one's best to sth.; ***in*** *de kracht van zijn leven* in the full bloom of one's life, in one's prime, in the prime of life; ***kwade/hemelse/reactionaire*** *krachten* evil/celestial/reactionary forces/powers; *daarin* ***ligt*** *zijn kracht* that's his strength; *de kracht* ***missen*** *om door te gaan met iets* lack the strength to go on with sth.; *de kracht van de* ***natie*** the strength of the nation; *zijn krachten* ***overschatten*** be out of one's depth; ***stuwende/drijvende*** *kracht* driving/moving spirit, moving force; *het vergt veel* ***van*** *mijn krachten* it takes a lot out of me, it's a great drain on my energy; *zijn krachten* ***verzamelen*** mobilize/gather/summon (all) one's strength [5] ⟨macht om iets uit te werken⟩ force, effect, ⟨overtuigingskracht⟩ cogency ◆ *doen afnemen* ***in*** *kracht* weaken; *de kracht* ***ontnemen, van*** *zijn kracht* ***beroven*** render ineffective; *de kracht van een* ***redenering/betoog*** the strength/cogency of a line of reasoning/an argument; *met* ***terugwerkende*** *kracht* in retroaction, with retroactive/retrospective effect; *met* ***terugwerkende*** *kracht in doen gaan* backdate; *de wet heeft geen* ***terugwerkende*** *kracht* the Act does not apply retroactively/retrospectively/with retrospective force/will not be backdated; *loonsverhoging met* ***terugwerkende*** *kracht* backdated/retroactive pay rise; *de nieuwe overeenkomst zal met* ***terugwerkende*** *kracht gelden vanaf 1 januari/zal* ***terugwerkende*** *kracht hebben tot 1 januari* the new agreement will be retroactive from/to 1 January; ***van*** *kracht zijn* be valid/effective/operative/in place, obtain; ***van*** *kracht worden* become valid/effective/operative, take/come into effect, will be in place; ***van*** *kracht blijven* remain valid/effective/operative, stay in place, hold good, stand; *weer* ***van*** *kracht worden* come into force again/be revived; *(weer)* ***van*** *kracht doen worden* bring (back) into effect/operation, put into force (again); *niet (meer)* ***van*** *kracht,* ***zonder*** *kracht* invalid, ineffectual, inoperative, null, void; *de voor die tijd/thans* ***van*** *kracht zijnde regeling* the prevailing/ruling regulation; ⟨jur⟩ *de kracht van de* ***vermoedens of aanwijzingen*** the strength/weight of the suspicions or indications; *kracht van* ***wet*** *hebben/krijgen* have/gain force of law; *de kracht van een* ***woord*** the power of a word [6] ⟨medewerker⟩ employee, worker, hand, staff member, ⟨mv⟩ personnel, staff, labour ◆ ***betaalde en onbetaalde*** *krachten* paid and unpaid staff/employees; *een* ***ervaren****/een* ***bevoegde****/een* ***geschikte*** *kracht* an experienced/a qualified/suitable hand/worker/employee; *een* ***extra*** *kracht aannemen* take on/employ an additional hand/member of staff [7] ⟨natuurk, techn⟩ force, ⟨vermogen⟩ power, ⟨uitgeoefende kracht⟩ effort ◆ *varen op* ***eigen*** *kracht* ⟨ook fig⟩ travel under

one's own steam; *middelpuntvliedende kracht* centrifugal force; *neerwaartse/opwaartse kracht* downward/upward pressure; *met/op volle kracht* at full blast, to capacity; *volle kracht vooruit* full steam/speed ahead; *op volle/halve kracht (werken)* operate at full/half speed/power [•] ⟨sprw⟩ *God geeft kracht naar kruis* God shapes/makes/fits the back to the burden

krachtbal [het] ⟨in België⟩ powerball

krachtbron [de] source of energy/power, power-supply, ⟨elektriciteitscentrale⟩ power station/plant, ⟨geestelijk⟩ sinew, strength

krachtcentrale [de] power station/plant

krachtdadig [bn, bw] energetic ⟨bw: ~ally⟩, vigorous, ⟨doeltreffend⟩ effectual, efficacious ♦ *de klas krachtdadig tot kalmte manen* read the class the riot act; *iemand op krachtdadige wijze steun verlenen* give effective help to s.o., be vigorous in one's efforts on s.o.'s behalf

krachtdadigheid [de^{v}] ⟨flinkheid⟩ vigour, energy, ⟨krachtige werking⟩ efficacy, efficaciousness

krachteloos [bn] [1] ⟨zwak⟩ weak, feeble, ⟨slap⟩ limp, ⟨machteloos⟩ powerless, impotent, ↓ toothless ♦ *een krachteloze grijsaard* a feeble old man; *krachteloos maken* ⟨fig⟩ paralyze, palsy; ⟨jur⟩ invalidate, make null and void, annul, nullify; *met krachteloze stem* in a faint voice; *een krachteloze stijl* a limp/an effete style [2] ⟨ongeldig⟩ invalid, inoperative, null and void ♦ *die bepaling is onwettig en bijgevolg krachteloos* the clause is illegal and therefore invalid; *tijdelijk krachteloos zijn/raken* be in/fall into abeyance

krachteloosheid [de^{v}] [1] ⟨zwakheid⟩ weakness, feebleness, ⟨slapheid⟩ limpness, ⟨machteloosheid⟩ powerlessness, impotence [2] ⟨niet-geldigheid⟩ invalidity, inoperativeness, nullity

krachtenbundeling [de^{v}] concentration of strength/force(s)

krachtendiagram [het] ⟨techn, wwb⟩ diagram of forces, stress diagram, polygon of forces

krachtendriehoek [de^{m}] triangle of forces

krachtenleer [de] ⟨techn⟩ dynamics

krachtens [vz] by virtue of, on the strength of, under, ⟨een besluit⟩ in pursuance of, pursuant to ♦ *krachtens zijn ambt* by virtue/right of one's office; *krachtens een rechterlijk dwangbevel* under a court order; *krachtens zijn geboorte* by (reason of) birth; *krachtens de wet/de wil van zijn vader* under the law/his father's will

krachtenspel [het] interplay of forces ♦ *het Europese krachtenspel* the interplay of forces in Europe

krachtenveld [het] field of force/influence

krachtexplosie [de^{v}] exertion, (tremendous) effort

krachtfiguur [de] powerful/energetic/vigorous person, muscleman, ⟨fig⟩ strong-man

krachthonk [het] gym

krachtig [bn, bw] [1] ⟨met fysieke kracht⟩ strong ⟨bw: ~ly⟩, powerful, lusty, strong(ly)-built, powerfully-built ♦ *een krachtig applaus* a hearty applause; *krachtig gebouwd* powerfully built; *met krachtige hand* with a firm hand; ⟨fig⟩ *met krachtige hand regeren* rule with a firm hand; *een krachtige motor* a powerful/high-powered engine; *zwemmen met krachtige slagen* swim strongly, strike out (for); *een krachtige stroom* a powerful current; *matige tot krachtige wind* from moderate to strong winds [2] ⟨met geestelijke, zedelijke kracht⟩ powerful ⟨bw: ~ly⟩, forceful, vigorous, ⟨redenering⟩ cogent, ⟨inspanning⟩ strenuous ♦ *krachtig aandringen op* push hard for; *een krachtig gebed* an ardent/a fervent prayer; *kort maar/en krachtig* brief and to the point, succinct, concise; ⟨fig⟩ short but/and sweet; *krachtig optreden/handelen* take vigorous/forceful action/strong measures, use one's muscle/clout; *een krachtige persoonlijkheid* a powerful/forceful personality; *een krachtig protest* a strong/vigorous protest; *krachtige taal gebruiken* use forcible/forceful language; *krachtig verzet* vigorous/spirited/stout resistance [3] ⟨grote uitwerking hebbend⟩ powerful ⟨bw: ~ly⟩, potent, effective ♦ *een krachtig geneesmiddel* (a) potent medicine, an effective drug; *een krachtige soep* a nourishing soup/rich broth; *een krachtige wijn* a full-bodied wine

krachtinstallatie [de^{v}] ⟨elektriciteitscentrale⟩ power station, ⟨vnl BE; complex⟩ power plant

krachtlijn [de] ⟨natuurk⟩ line of force

krachtmeter [de^{m}] dynamometer

krachtmeting [de^{v}] [1] ⟨ontmoeting⟩ contest, trial of strength, tug-of-war, showdown [2] ⟨meting van krachten⟩ power measurement

krachtoverbrenging [de^{v}] power transmission, transmission of power/energy/force

krachtpatser [de^{m}] ⟨inf⟩ muscleman, bruiser, Samson

krachtproef [de] [1] ⟨proef om het vermogen te onderzoeken⟩ power test, test of (the) power [2] ⟨m.b.t. personen⟩ test of strength

krachtseenheid [de^{v}] unit of force, dynamic unit

krachtsinspanning [de^{v}] effort, exertion ♦ *met de uiterste krachtsinspanning* with a supreme effort, by exerting o.s. fully; *een uiterste krachtsinspanning doen* make a supreme effort

krachtsport [de] strength sports

krachtstation [het] electricity generating/power station

krachtstroom [de^{m}] highvoltage current

krachtsverhouding [de^{v}] balance of power(s), power relationship(s) ♦ *veranderende krachtsverhoudingen* changing power relations/balance of power(s)

krachttennis [het] power tennis

krachtterm [de^{m}] swearword, expletive, ⟨inf; AE⟩ cussword, ⟨verzamelnaam⟩ invective ♦ *hij gebruikte nogal veel krachttermen* he used a lot of strong language/swearwords

krachttoer [de^{m}] feat of strength, labour of Hercules, ⟨geestelijke kracht⟩ tour de force

krachttrainen [ww] weight training

krachttraining [de] power training, weight training

krachtveld [het] [1] ⟨ruimte waar een kracht werkzaam is⟩ field (of force), force field [2] ⟨invloedssfeer⟩ sphere of influence

krachtverspilling [de^{v}] waste/dissipation of energy, ⟨m.b.t. personen ook⟩ wasted energy/effort

krachtvertoon [het] display of force/strength, exhibition of force/strength, show of force/strength

krachtvoer [het] concentrate(s)

kraftpapier [het] Kraft packaging paper, Kraft wrapping paper

^{1}**krak** [de^{m}] crack, snap ♦ *een krak geven* go crack/snap; *met een krak afbreken* break off with a crack/snap

^{2}**krak** [tw] crack, snap ♦ *krak! daar lag de mast!* crack! there was/lay the mast!

Krakau [het] Cracow

krakeel [het] [1] ⟨ruzie⟩ row, fray, ⟨op straat⟩ brawl [2] ⟨onenigheid⟩ quarrel, wrangle, ⟨i.h.b. kinderen⟩ squabble, ⟨triviaal⟩ tiff

krakeend [de] gadwall

krakelen [onov ww] quarrel, wrangle, row, ⟨i.h.b. kinderen⟩ squabble, ⟨op straat⟩ brawl

krakeling [de^{m}] [1] ⟨koekje⟩ type of ^{B}biscuit/^{A}cookie ♦ *zoete krakelingen* ± cracknels, jumbles; *zoute krakelingen* pretzels [2] ⟨vlinder⟩ figure-of-eight moth

krakemikkig [bn] → **krakkemikkig**

^{1}**kraken** [onov ww] [1] ⟨scherp geluid maken⟩ crack, ⟨hout, trap, vloer, schoenen⟩ creak, ⟨zand, grind, sneeuw⟩ crunch, ⟨remmen⟩ screech, ⟨stem⟩ grate ♦ *het bed kraakt* the bed creaks; *iets laten/doen kraken* crack/crash sth.; *de plank kraakte onder zijn gewicht* the plank/shelf groaned under his/its weight; *krakende schoenen/stoelen* creaky shoes/chairs; *sneeuw kraakt onder je voeten* snow crunches underfoot; *een krakende* ***stem*** a grating voice; *het vriest dat het kraakt* there is a sharp frost [2] ⟨scheik⟩ decompose, break down [•] ⟨sprw⟩ *krakende wagens lopen het langst* a creaking gate hangs long

²**kraken** [ov ww] [1] ⟨krakende doen breken⟩ ⟨ook fig⟩ crack ◆ *iemands* ***botten*** *kraken* ⟨fig⟩ treat s.o. roughly, twist s.o.'s arm; ***walnoten/amandelen*** *kraken* crack walnuts/almonds [2] ⟨(een gebouw) binnendringen en in gebruik nemen⟩ break into ... with the intention of squatting ◆ *het* ***pand*** *is gekraakt* the building has been broken into by squatters; *een* ***woning*** *kraken* break into a house with the intention of squatting [3] ⟨inbreken⟩ ⟨gebouw⟩ break into, ⟨een kluis, slot, code⟩ crack, ⟨comp, databestand⟩ hack ◆ *een* ***bank/kluis*** *kraken* break into a bank/crack a safe [4] ⟨afkraken⟩ pan, ⟨BE⟩ slate, ⟨vnl AE⟩ slash ◆ *die* ***film*** *is gekraakt door alle recensenten* that film has been slated/slashed by all the critics [5] ⟨scheik⟩ crack

kraker [de^m] [1] ⟨iemand die een huis kraakt⟩ squatter [2] ⟨inbreker⟩ cracksman, ⟨in samenstellingen⟩ cracker ◆ *een* ***brandkastkraker*** a (safe) cracker [3] ⟨chiropracticus⟩ chiropractor [4] ⟨topper⟩ smash (hit) [5] ⟨kraakinstallatie⟩ (catalytic) cracker/cracking unit [6] ⟨van databanken⟩ hacker

krakerig [bn] creaky, ⟨stoel, vloer, remmen⟩ squeaky, ⟨stem⟩ croaky, ⟨sneeuw, zand, grind⟩ crunching

krakersbeweging [de^v] squatter's movement

krakkemikkig [bn, bw], **krakemikkig** [bn, bw] ⟨bijvoeglijk naamwoord⟩ rickety, wobbly, ⟨sl; BE⟩ wonky, ⟨gebouwen⟩ ramshackle, ⟨gebrekkig⟩ ragged, ⟨bijwoord⟩ in a rickety/ramshackle way, in a rickety/ramshackle fashion

kralen [bn] bead

kralengordijn [het] bead curtain

kralensnoer [het] string of beads, ⟨vnl r-k⟩ chaplet

Kralingen [het] [•] *zo oud als de* ***weg*** *naar Kralingen* as old as the hills

kram [de] [1] ⟨staaf, draad⟩ clamp, ⟨bergbeklimming⟩ cramp (iron), ⟨boeksluiting⟩ clasp, ⟨techn⟩ staple [2] ⟨med⟩ suture clip [•] ⟨in België⟩ ***in/uit*** *zijn kram(men) schieten* fly off the handle, lose one's cool; ⟨in België; sport⟩ ***uit*** *zijn krammen schieten* take/go into action, go into the attack/offensive

kramer [de^m] pedlar, ⟨AE⟩ peddler, hawker, ⟨vaak pej⟩ huckster, monger, cheap-jack, cheap-john

kramerij [de^v] [1] ⟨kramerswaren⟩ pedlar's wares/merchandise, ⟨AE⟩ peddler's wares/merchandise, pedlary, ⟨AE vnl⟩ ped(d)lery, ⟨niet degelijk⟩ gimcrack(ery), gimmick(e)ry, cheapjack goods [2] ⟨het kramen⟩ pedlary, ⟨AE vnl⟩ ped(d)lery

kramerslatijn [het] ⟨onverstaanbare taal⟩ gibberish, ⟨slecht Latijn; BE⟩ dog Latin

kramiek [de^m] ⟨in België⟩ currant/raisin loaf/bread

krammat [de] ⟨wwb⟩ fascine work

¹**krammen** [onov ww] ⟨wwb⟩ ⟨een krammat leggen⟩ fascine

²**krammen** [ov ww] [1] ⟨met een kram aaneenhechten⟩ clamp, cramp, staple, ⟨porselein ook⟩ rivet [2] ⟨med⟩ suture, ⟨inf⟩ stitch ◆ *een* ***wond*** *krammen* suture/stitch a wound [3] ⟨een ring door de neus steken⟩ ring

kramp [de] cramp, spasm, ⟨med⟩ paroxysm, twitch ◆ *krampen* ***in de buik*** stomach cramps; ***klonische/tonische*** *kramp* clonic/tonic spasm; *kramp* ***krijgen/hebben*** get/have cramp, ⟨vnl AE⟩ get/have a cramp

krampaanval [de^m] attack/fit of cramp

krampachtig [bn, bw] [1] ⟨geforceerd⟩ forced ⟨bw: ~ly⟩ ◆ *een krampachtige* ***glimlach*** a forced smile; *een krampachtig* ***lachje*** a false laugh; *met een krampachtig* ***vertrokken*** *gezicht* grimacing [2] ⟨met wanhopige inspanning⟩ frenetic ⟨bw: ~ally⟩, grim ◆ *krampachtige* ***pogingen*** frenetic efforts; *zich krampachtig aan iemand/iets* ***vasthouden*** hang on to s.o./sth. by one's fingernails, cling on to s.o./sth. like grim death [3] ⟨als een kramp⟩ convulsive ⟨bw: ~ly⟩, spasmodic, spastic ◆ *zich krampachtig* ***samentrekken*** convulse; *een krampachtige* ***samentrekking*** *van de spieren* a muscular spasm

kramphoest [de^m] spasmodic/convulsive cough, spasm of coughing

krampmiddel [het] antispasmodic

kramppijn [de] pain from cramp, spasmodic pain

krampwerend [bn] antispasmodic ◆ *een krampwerend* ***middel*** an antispasmodic

kramsvogel [de^m] fieldfare

kramwerk [het] ⟨wwb⟩ fascine work

kranig [bn, bw] ⟨met pit⟩ spirited ⟨bw: ~ly⟩, mettlesome ⟨bw: ~ly⟩, ⟨dapper⟩ plucky ⟨bw: pluckily⟩, brave ⟨bw: ~ly⟩, ⟨inf⟩ crack, ⟨vnl BE⟩ dab ◆ *dat* ***heb*** *je er kranig* ***afgebracht*** you played it well; *zich kranig* ***houden*** ⟨bijvoorbeeld bij tandarts, begrafenis⟩ be very brave; put up a brave fight, keep one's end up, give a good account of o.s., keep a stiff upper lip; *een kranige* ***schutter*** a crack shot; *een kranige* ***vent*** a ripper/topper/capital fellow; *een kranige* ***vrouw*** a spirited woman; *zich nog kranig* ***weren*** still have some fight left in one

krank [bn] ⟨form⟩ sick, ill

krankjorum [bn, bw] ⟨inf⟩ bonkers, crackers, nuts, crazy, ⟨vraag, idee⟩ damfool, idiotic ◆ ***is hij nou helemaal*** *krankjorum?* is he stark staring mad?

¹**krankzinnig** [bn] ⟨geestesziek⟩ mentally ill/deranged, insane, mad, demented, lunatic, ⟨inf⟩ crazy ◆ *krankzinnig* ***maken*** derange, dement; *iemand krankzinnig* ***verklaren*** certify s.o.; *krankzinnig* ***worden*** go mad/insane/out of one's mind, loose one's reason/mind

²**krankzinnig** [bn, bw] ⟨onzinnig⟩ crazy ⟨bw: crazily⟩, insane, mad ◆ *het is* ***absoluut*** *krankzinnig* it is sheer/utter madness; *een krankzinnig* ***plan*** a crazy/mad plan; *dat is krankzinnig* ***veel*** that is an insane/a crazy amount; *een krankzinnig* ***verhaal*** a crazy/mad story; *krankzinnig* ***te werk gaan*** get to work like a madman/s.o. possessed

krankzinnige [de] ⟨ook fig; man⟩ madman, ⟨vrouw⟩ madwoman, ⟨man & vrouw⟩ lunatic

krankzinnigenafdeling [de^v] insane ward

krankzinnigengesticht [het] psychiatric/mental hospital, madhouse, lunatic/insane asylum

krankzinnigenverpleegster [de^v] → **krankzinnigenverpleger**

krankzinnigenverpleger [de^m], **krankzinnigenverpleegster** [de^v] ⟨man & vrouw⟩ mental-health/psychiatric nurse

krankzinnigenverpleging [de^v] nursing/care of the insane

krankzinnigheid [de^v] [1] ⟨geestesziekte⟩ mental/psychiatric illness, madness, (mental) derangement, insanity, lunacy [2] ⟨onzinnigheid⟩ madness, lunacy, insanity, craziness

krankzinnigverklaring [de^v] certificate/attestation of insanity

krans [de^m] [1] ⟨ring van bloemen, bladeren⟩ wreath, ⟨vooral bloemen⟩ garland ◆ ⟨form, fig⟩ *iemand een krans* ***aanbieden*** offer s.o. a garland; *een krans op het graf* ***leggen*** lay a wreath on the grave; *kransen* ***vlechten*** twist/plait/make wreaths/garlands [2] ⟨ring, kring⟩ ring, girdle, ⟨lichtkring⟩ corona, ⟨kroontje⟩ coronal, diadem ◆ *een krans* ***om de zon/de maan*** a corona round the sun/moon; *de krans van een* ***wiel*** the rim of a wheel [3] ⟨groep bevriende personen⟩ circle, club [4] ⟨amb; bekisting⟩ form(work), ⟨vnl BE⟩ shuttering [5] ⟨plantk; rondom ingeplante blaadjes⟩ whorl, verticil [•] ⟨sprw⟩ *goede wijn behoeft geen krans* good wine needs no bush

kransen [ov ww] [1] ⟨met een krans versieren⟩ wreathe, ⟨vooral met bloemen⟩ garland [2] ⟨met, als een krans omgeven⟩ wreathe, encircle, girdle

kransje [het] [1] ⟨kleine krans⟩ (small) wreath/garland, wreathlet, circlet, ⟨van madeliefjes⟩ chain, ⟨op het hoofd⟩ coronet [2] ⟨vnl in samenstellingen; gezellige bijeenkomst⟩ circle, club ◆ ***theekransje*** tea party [3] ⟨koekje, gebak⟩ ring-shaped ^{B}biscuit/^{A}cookie or cake

kranslegging [de^{v}] laying a wreath, laying wreathes

kranslijst [de] ⟨bouwk⟩ ⟨aan een kast⟩ cornice, ⟨gootlijst⟩ weather/drip moulding, weather/drip ^{A}molding

kransslagader [de] coronary artery

kransstandig [bn] ⟨plantk⟩ verticillate

kransvat [het] coronary artery

kransvormig [bn] wreath-shaped, whorled, coronary

krant [de], **courant** [de] [1] ⟨dagblad⟩ newspaper, paper, daily ◆ *een **gratis** krant* a free newspaper; *het besluit heeft **in** alle kranten gestaan* the decision has been (published) in all the (news)papers; *de krant **opzeggen*** cancel one's subscription (to the newspaper); *mag ik een **stuk** krant van jou/een **stuk** van jouw krant* can I have a piece/section of your newspaper/paper; *ik heb het **uit** de krant/**uit** onze krant* I saw it in/got it from the newspaper/paper; *iets **uit/via** de krant te weten (moeten) komen* learn of/about sth. from the newspaper/paper; *de krant **van** zaterdag/vandaag/morgen* saturday's/today's/tomorrow's newspaper/paper [2] ⟨exemplaar⟩ newspaper, paper ◆ ***is** de krant er al?* has the newspaper/paper come yet?; *hij had zijn boeken **met** kranten gekaft* he had covered his books in/with newspaper; *de krant **openslaan/openvouwen** op de sportpagina* (fold) open the newspaper/paper at/to the sports page [3] ⟨onderneming⟩ newspaper ◆ *zij is **bij** een krant* she works for/is with a newspaper [4] ⟨de pers⟩ papers ◆ *het staat **in** de krant* it is in the paper(s); *dat mag wel **in** de krant* that can/should go in the papers

krantenartikel [het] newspaper article

krantenbedrijf [het] newspaper (trade/industry/business)

krantenbericht [het] newspaper report

krantenbezorger [de^{m}], **krantenbezorgster** [de^{v}] ⟨man⟩ (news)paper boy/man, ⟨vrouw⟩ (news)paper girl/woman

krantenbezorgster [de^{v}] → **krantenbezorger**

krantenbureau [het] newspaper office

krantenfoto [de] newspaper photo(graph)

krantengroep [de] newspaper syndicate ◆ *die zijn van **dezelfde** krantengroep* they're from the same newspaper syndicate, ⟨inf⟩ they're from the same stable of newspapers

krantenjongen [de^{m}] [1] ⟨bezorger⟩ (news)paper boy, newsboy [2] ⟨inf; journalist⟩ newspaperman

krantenkiosk [de] newspaper kiosk/stand, newsstand

krantenknipsel [het] newspaper/press ^{B}cutting, newspaper/press ^{A}clipping, ⟨klein fragment⟩ scrap

krantenkop [de^{m}] (newspaper) headline ◆ ***grote/vette/schreeuwende** krantenkoppen* big/bold/screaming headlines; ***paginabrede** krantenkop* banner/streamer (headline)

krantenlezer [de^{m}] newspaper reader

krantenmagnaat [de^{m}] newspaper tycoon, press baron/lord

krantenman [de^{m}] newspaperman

krantenpapier [het] newsprint

krantenstijl [de^{m}] journalism, journalistic style, ⟨vaak pej⟩ journalese

krantentaal [de] newspaper-language, ⟨vaak pej⟩ journalese

krantenverkoper [de^{m}] newsvendor, ⟨in kiosk; BE⟩ news agent, ⟨AE⟩ news dealer

krantenwijk [de] (news)paper ^{B}round/^{A}route ◆ *een krantenwijk **hebben*** have a (news)paper round

^{1}**krap** [de] madder

^{2}**krap** [bn, bw] [1] ⟨nauw(sluitend)⟩ tight ⟨bw: ~ly⟩, ⟨smal⟩ narrow ◆ *de schoenen zijn aan de krappe **kant*** the shoes are a bit tight; *die **schoenen** zijn mij te krap* those shoes are too tight for me; *die jas **zit** mij nogal krap* that coat is a bit tight for me [2] ⟨gering⟩ tight ⟨bw: ~ly⟩, scarce, scant(y), skimpy, ⟨voorraden⟩ short, ⟨financieel⟩ stringent ◆ *het krap **hebben/krijgen*** be/become hard up; *iemand krap **houden*** keep s.o. short, stint s.o.; ⟨fin⟩ *een krappe **markt*** a small market; *krap **meten/wegen*** measure skimpily, weigh scantily; give barely enough; *de markt **wordt** krap* the market tightens; *krap **zitten**, krap bij kas **zitten*** be short of money/cash; *krap in de ruimte/met personeel **zitten*** be short of space/staff [3] ⟨zonder speelruimte⟩ tight ⟨bw: ~ly⟩, limited, ⟨ruimte⟩ confined, cramped ◆ *het is maar krap **aan*** that is only just enough; *de winstmarges erg krap **berekenen*** cut the profit margins very fine; *dat is krap **gemeten*** ⟨hoeveelheid⟩ that is hardly/barely/scarcely enough; ⟨ruimte⟩ that is a bit tight; *met een krappe **meerderheid*** with a bare majority; *de tijd te krap **nemen*** cut it/things too fine; *de breedte niet te krap **nemen*** allow enough material; *een krap **tijdschema*** a tight schedule; *krap **toekomen*** just manage to make ends meet; *dat **wordt** erg krap als je de trein nog wilt halen* you are cutting it very fine if you still want to catch the train; *het **zit** krap* it is a tight fit; *krap in zijn tijd **zitten*** be pushed for time

krapjes [bw] [•] *het krapjes **hebben*** be hard up

kraplak [het, de^{m}] madder

krapte [de^{v}] scarcity, tightness, shortness, ⟨vnl. geld⟩ stringency ◆ *de krapte **op** de arbeidsmarkt* labour shortage

krapwortel [de^{m}] madder root

^{1}**kras** [de] [1] ⟨beweging⟩ scratch, ⟨om iets te kunnen vouwen⟩ score ◆ *een kras **met** de pen* a stroke of the pen [2] ⟨resultaat⟩ scratch, score ◆ *een **diepe** kras* ⟨mensen en dingen⟩ a deep scratch; ⟨dingen⟩ a groove; *snel krassen **krijgen*** scratch easily/soon; *dit schuurmiddel **maakt** geen krassen op roestvrij staal* this abrasive does not scratch stainless steel; *krassen **op** een auto maken* scratch a car; *een kras **op** de ziel* sth. that leaves s.o. emotionally damaged; *die oude plaat zit **vol** krassen* that old record is full of scratches/very scratchy [3] ⟨geluid⟩ scrape

^{2}**kras** [bn, bw] [1] ⟨m.b.t. personen⟩ strong ⟨bw: ~ly⟩, vigorous, ⟨van oudere personen⟩ hale and hearty ◆ *een krasse **grijsaard*** a spry old man; *hij is nog kras **voor** zijn jaren* he's very hale and hearty for his age, he has worn well, he carries his age/years well [2] ⟨m.b.t. zaken⟩ strong ⟨bw: ~ly⟩, crass, drastic, severe ◆ *dat **is** kras* that beats everything/is the limit; *dat **is** al te/nogal kras* that is beyond the pale; *dat **is** al te kras **gezegd/uitgedrukt*** that is too strongly worded/pitched too strong; *dat **lijkt** me al te kras* that seems a bit thick/steep to me; *krasse **middelen** gebruiken* use drastic means; *dat is een nogal krasse **opmerking*** that is rather a crass remark; *het een beetje (te) kras **uitdrukken*** pitch it a bit (too) strong

krasheid [de^{v}] [1] ⟨scherpte⟩ severity, rigour [2] ⟨flinkheid⟩ vigour, ⟨gezondheid⟩ haleness

krasjestest [de^{m}] scratch test, mantoux test

kraskaart [de] scratch card

kraslot [het] scratch card

krasloterij [de^{v}] instant lottery, scratch card lottery

kraspen [de] scriber, scribe

^{1}**krassen** [onov ww] [1] ⟨schrapend geluid geven⟩ scrape, ⟨slot⟩ grate, ⟨pijn doen aan je oren⟩ jar ◆ *een krassend **geluid*** a scratching/scraping/rasping noise; ***op** een viool krassen* scrape away on/at a violin; *zijn ring kraste **over** het glas* his ring scraped across the glass [2] ⟨rauw keelgeluid geven⟩ ⟨kraai⟩ caw, ⟨stem⟩ rasp, scrape, ⟨kikker, raaf, kraai, mens⟩ croak, ⟨uil, mens⟩ hoot, screech ◆ ***het** krassen van de kraaien* the cawing of the crows [3] ⟨schrappen maken⟩ scratch, scrape ◆ *met een potlood **op** het behang krassen* make scratches in/on/scratch the wallpaper

^{2}**krassen** [ov ww] [1] ⟨inkervingen doen ontstaan⟩ scratch, ⟨met een kraspen⟩ scribe, ⟨diep⟩ carve, ⟨vouwlijnen⟩ score ◆ *zijn naam **in** een boom krassen* scratch/carve one's name on

a tree [2] ⟨met een rauw keelgeluid voortbrengen, zeggen⟩ rasp, croak (out)
krasser [de^m] ⟨werktuig⟩ scraper, scratcher, ⟨slecht vioolspeler⟩ (gut-)scraper, ⟨dier⟩ croaker, ⟨kaarde⟩ card ◆ *een geweer **met** een krasser schoonmaken* clean a gun with a wad-hook/worm(er)
krasserig [bn, bw] [1] ⟨er als krassen uitziend⟩ scratchy ⟨bw: scratchily⟩ ◆ *een krasserig **handschrift*** scratchy handwriting [2] ⟨een krassend geluid makend⟩ scratchy ⟨bw: scratchily⟩, scraping ◆ *krasserig **vioolspelen*** scrape away at/on the violin
krasvast [bn] scratch-proof, scratch-resistant
krasvrij [bn] without a scratch, scratchless
krat [het] [1] ⟨kist⟩ crate, box, ⟨AE⟩ case ◆ *24 flesjes **in** een krat* 24 bottles in a crate/case; ***in** (een) krat(ten) doen/verpakken* crate; *geretourneerde **lege** kratten* returned empties; *een krat **sinaasappelen*** a crate(ful) of oranges [2] ⟨schot van een (boeren)wagen⟩ ⟨vnl BE⟩ tailboard, ⟨vnl AE⟩ tailgate
krater [de^m] [1] ⟨door uitbarstingen gevormde opening⟩ crater ◆ *kraters **op** het maanoppervlak* craters on the moon (surface), moon craters [2] ⟨ook in samenstellingen; daarop lijkende vorm⟩ crater ◆ *een **bomkrater*** a bomb crater; *een krater **slaan*** ⟨van bom, komeet⟩ crater, leave a crater [3] ⟨mengvat⟩ ⟨alleen oudh⟩ crater
kratermeer [het] crater lake
kraterpijp [de] chimney, pipe
kratervormig [bn] crater-shaped, crater-like, ⟨i.h.b. kommen, borden⟩ crateriform
krats [de] ⟨inf⟩ song, (next to) nothing, trifle ◆ *dat **kost** (maar) een krats* that costs next to nothing; *dat boek heb ik **voor** een krats gekregen* I have bought that book for a song/(next to) nothing
krautrock [de^m] krautrock
krauw [de] scratch
krauwen [ov ww, ook abs] scratch
kravat [de] ⟨in België⟩ tie, ⟨vnl AE ook⟩ necktie
krediet [het] [1] ⟨vertrouwen in het betaalvermogen⟩ credit, trust ◆ *op zijn eerlijke gezicht krediet **krijgen*** be trusted because one has an honest face; ***onbepaald** krediet* unlimited credit; *zijn krediet **kwijt zijn*** have lost all credit [2] ⟨uitstel van betaling⟩ credit, ⟨inf; BE⟩ tick ◆ ***aflopend** krediet* non-revolving (fixed) credit; ***doorlopend** krediet* revolving/continuous credit; *iemand (geen) krediet **geven*** give s.o. (no) credit; *goederen **op** krediet* goods on credit, ↓ goods on tick; ***op** krediet kopen/leveren* buy/supply on credit, ↓ buy/supply on tick; *Piet Krediet woont hier niet* no credit given [3] ⟨vertrouwen dat iemand inboezemt⟩ credit, respect, prestige, esteem, standing ◆ *die politicus **heeft** veel krediet bij zijn achterban* that politician has a high standing with/is highly respected by his supporters [4] ⟨het verstrekken van kapitaal⟩ credit, ⟨telbaar⟩ loan ◆ ***consumptief** krediet* consumer credit; *krediet **geven/verlenen/verstrekken/toestaan*** give/grant/extend credit/a loan; ***kort/lang** krediet* short-term/long-term credit/loan; ***kortlopend** krediet* short-term credit; ***openbaar** krediet* public lending
kredietaanvraag [de] credit application
kredietbank [de] ± finance company
kredietbeperking [de^v] ⟨ec⟩ [1] ⟨beperking van het te nemen krediet⟩ credit squeeze [2] ⟨korting bij contante of zeer snelle betaling⟩ credit surcharge
kredietbewaker [de^m] credit controller
kredietbewaking [de^v] credit control
kredietbrief [de^m] letter of credit
kredietbureau [het] credit reference agency
kredietcontrole [de] credit check
kredietexpansie [de^v] credit expansion
kredietgarantie [de^v] credit guarantee
kredietgever [de^m] lender, creditor
krediethypotheek [de^v] mortgage
kredietinstelling [de^v] credit institution/company/bank, loan/finance company
kredietkaart [de] ⟨fin⟩ credit card
kredietlijn [de] credit line
kredietlimiet [de] ⟨ec⟩ [1] ⟨m.b.t. rechtspersonen⟩ credit limit, ⟨AE ook⟩ credit line [2] ⟨m.b.t. een bank⟩ credit limit, ⟨AE ook⟩ credit line
kredietnemer [de^m] borrower
kredietopening [de^v] ⟨in België⟩ overdraft facility
kredietovereenkomst [de^v] credit agreement
kredietpand [het] collateral security
kredietplafond [het] credit limit, ⟨AE ook⟩ credit line
kredietprovisie [de^v] credit commission
kredietrapport [het] credit rating
kredietrente [de] credit interest
kredietstelsel [het] credit system, system of credit
kredietuur [het] ⟨in België⟩ ± refresher course leave, study leave
kredietvereniging [de^v] credit union
kredietverlening [de^v] credit loan, ⟨abstr⟩ granting of credit, ⟨concr⟩ credit facility
kredietverstrekking [de^v] granting of credit
kredietverzekering [de^v] credit/loan insurance
kredietwaardig [bn] creditworthy ◆ *die man **is** kredietwaardig* the man is creditworthy, the man's credit is good
kredietwaardigheid [de^v] creditworthiness, financial status/standing, solvency ◆ *inlichtingen **omtrent** de kredietwaardigheid* credit report; ***taxatie** van iemands kredietwaardigheid* s.o.'s credit rating
kredietwezen [het] credit system
kreeft [de] [1] ⟨schaaldier⟩ lobster, ⟨rivierkreeft⟩ crayfish, ⟨AE⟩ crawfish ◆ *zo rood **als** een kreeft* as red as a lobster [2] ⟨muz⟩ → **kreeftcanon**
Kreeft [STERRENBEELD] [de] [1] ⟨astrol, astron⟩ Cancer, the Crab [2] ⟨persoon⟩ Cancer ◆ *hij/zij **is** (een) Kreeft* he/she is Cancer
kreeftachtig [bn] [•] *kreeftachtige **dieren*** crustaceans; ⟨lagere⟩ entomostracans; ⟨hogere⟩ malacostracans
kreeftcanon [de^m] ⟨muz⟩ crab canon, canon cancrizans
kreeftcocktail [de^m] lobster cocktail
kreeftdicht [het] palindrome
kreeftengang [de^m] [1] ⟨gang als van de kreeft⟩ movement like a lobster's i.e. backwards ◆ *de kreeftengang **gaan*** decline, go downhill [2] ⟨muz⟩ retrogression, retrograde motion
kreeftenschaar [de] lobster claw, pincers
kreeftensoep [de] lobster/crayfish soup, bisque, bisk
kreeftsbloem [de] heliotrope
Kreeftskeerkring [de^m] tropic of Cancer
kreek [de] [1] ⟨stilstaand water, kleine inham⟩ cove, ⟨BE ook⟩ creek, inlet, ⟨op Shetlandeilanden⟩ voe [2] ⟨riviertje⟩ stream, brook, ⟨AE ook⟩ creek
kreet [de^m] [1] ⟨schreeuw⟩ cry, shout, shriek, yell ◆ *een kreet **onderdrukken/smoren*** stifle/suppress/muffle a cry; *een **schrille** kreet* a shrill/strident cry, a shriek; *een kreet **slaken/uiten*** give a cry/yell; *een kreet van **vreugde*** a shout/whoop of joy [2] ⟨uitroep, bewering⟩ slogan, catchword, catchphrase, watchword, buzz word ◆ ***loze** kreten* empty slogans; *hij kwam met wat **wilde** kreten* he came out with some catchphrases/buzz words
kregel [bn] touchy, prickly, peevish, testy ◆ *daar **word** je kregel van, dat **maakt** je kregel* ⟨inf⟩ that gets your goat/on your nerves
kregelheid [de^v] touchiness, prickliness, peevishness, testiness
krek [bw] ⟨inf⟩ just, bang/spot on, ↑ exactly, ↑ precisely ◆ *dat is krek **eender*** that is just the same; *dat komt krek van pas* that is just right/exactly what was needed, ⟨inf⟩ that is spot on
krekel [de^m] cricket
krekelzanger [de^m] river warbler
Kremlin [het] Kremlin

kremlinologie [de^{v}] Kremlinology
kreng [het] 1 ⟨secreet⟩ beast, brute, ↓bastard, ⟨vrouw⟩ bitch, vixen, she-devil ◆ ***gemeen** kreng!* ⟨inf⟩ bastard!, rotten beast!; ⟨vrouw⟩ real bitch!; *een kreng **van** een baas/wijf* ⟨baas⟩ a real beast, an absolute rotter, a nasty piece of work; ⟨wijf⟩ bitch 2 ⟨rotding⟩ wretched/^{B}blooming/ blasted thing, ⟨BE⟩ ↓bloody thing ◆ *een **waardeloos** kreng* worthless trash; *dat kreng **wil** niet **starten*** the blooming/ bloody thing won't start 3 ⟨rottend dier, aas⟩ carrion, carcass
krengen [onov ww] ⟨scheepv⟩ heel over, careen
krengerig [bn] bitchy, catty, spiteful ◆ ***doe** niet zo krengerig* don't be so bitchy
krenken [ov ww] 1 ⟨beledigen, kwetsen⟩ offend, hurt, affront, aggrieve, mortify ◆ *iemand **diep** krenken* deeply offend/wound s.o., cut s.o. to the quick; *gekrenkte **ijdelheid*** wounded pride; *iemand niet **in** zijn gevoelens willen krenken* consider/have consideration for s.o.'s feelings; *krenkende **opmerkingen*** offensive/hurtful remarks; *zich gekrenkt **voelen*** be/feel offended/hurt/mortified/aggrieved 2 ⟨schade, nadeel toebrengen⟩ injure, wound, hurt, harm ◆ *iemand **in** zijn eer krenken* hurt s.o.'s pride; ***rechten/vrijheden** krenken* infringe rights/freedoms
krenking [de^{v}] 1 ⟨belediging⟩ offence, hurt, humiliation, affront 2 ⟨benadeling⟩ injury, hurt, harm
^{1}**krent** [de^{m}] ⟨gierigaard⟩ → **krentenkakker**
^{2}**krent** [de] 1 ⟨gedroogde druif⟩ currant ◆ *cake **met** krenten* currant cake; ⟨SchE⟩ singing hinny; *de krenten **uit** de pap* the best bits 2 ⟨zitvlak⟩ backside, ⟨inf; AE⟩ butt, ⟨inf⟩ tail (bone), ⟨sl; BE⟩ bum ◆ ***op** zijn krent zitten* sit on one's backside, laze, idle 3 ⟨(koorts)uitslag⟩ cold sore, herpes (simplex)
krenten [ov ww, ook abs] thin (out)
krentenbaard [de^{m}] impetigo
krentenbol [de^{m}] currant loaf, ⟨bolletje⟩ currant bun
krentenboompje [het] 1 ⟨Amelanchier⟩ serviceberry, juneberry, shadbush 2 ⟨Ribes alpinum⟩ mountain currant
krentenbrood [het] 1 ⟨brood⟩ currant loaf/bread 2 ⟨dominosteen⟩ double six
krentenbroodje [het] currant bun
krentencake [de^{m}] currant cake, ⟨BE vnl⟩ plumcake, ⟨SchE⟩ singing hinny, ⟨klein, hartvormig⟩ queencake
krentenkakker [de^{m}] ⟨inf⟩ skinflint, scrooge, ⟨vnl BE; inf⟩ meanie, ⟨pej; AE⟩ cheapskate, ⟨inf; AE⟩ tightwad ◆ *hij is een **echte** krentenkakker* he is a tightfisted old devil
krentenkakkerig [bn, bw] ⟨inf⟩ stingy ⟨bw: stingily⟩, tightfisted, penny-pinching, cheese-paring, ⟨vnl BE⟩ mean, ⟨inf; BE⟩ mingy
krentenkoek [de^{m}] currant cake
krentenmik [de] currant loaf
krentenpikker [de^{m}] ⟨inf⟩ cherry-picker
krentenslof [de^{m}] (long) currant loaf
krentenweger [de^{m}] ⟨inf⟩ 1 ⟨gierigaard⟩ cheese-parer, niggard, skinflint 2 ⟨pietlut⟩ hairsplitter, niggler, old woman
krentenwegge [de] raisin bread
krenterig [bn, bw] stingy ⟨bw: stingily⟩, niggardly, tightfisted, miserly, cheese-paring ◆ *dat krenterige **gedoe** moet nu eens over zijn* there must be an end to all that cheese-paring; *tegenover jullie was hij helemaal **niet** krenterig* he was not at all stingy with you; *krenterig **zijn** (met)* be stingy (about/with)
krenterigheid [de^{v}] 1 ⟨gierigheid⟩ stinginess, niggardliness, cheese-paring, parsimony 2 ⟨aardappelziekte⟩ blight
kreppen [ov ww] frizz, crimp, crisp, curl
Kreta [het] Crete
^{1}**Kretenzer** [de^{m}] Cretan
^{2}**Kretenzer** [bn] Cretan
Kretenzisch [bn] Cretan
kretologie [de^{v}] ⟨scherts⟩ sloganizing, slogans, slogan-mongering ◆ *zich **van** kretologie **bedienen*** sloganize
kreuk [de] crease, ruck ◆ *zo **komen** er kreuken **in*** it will get creased/crumpled like that; *er **zitten** kreuken in dit overhemd* this shirt is creased
kreukecht [bn] crease-resistant, non-iron, drip-dry
kreukel [de] crease, ruck ◆ ⟨inf⟩ *in de kreukel(s)* a write-off, smashed up; ⟨inf⟩ *een auto (totaal) **in** de kreukels rijden* write off a car; ⟨sl; AE⟩ total a car
^{1}**kreukelen** [onov ww] ⟨kreukels krijgen⟩ get creased, get rumpled, get crumpled, get rucked (up), get wrinkled, become creased, become rumpled, become crumpled, become rucked (up), become wrinkled, ⟨auto⟩ get wrecked ◆ *de auto **zag** er gekreukeld **uit*** the car looked a wreck/write-off
^{2}**kreukelen** [ov ww] ⟨kreuken maken in⟩ crease, rumple, crumple, ruck (up) ◆ *het zat in gekreukeld **papier*** it was wrapped in crumpled paper
kreukelig [bn] 1 ⟨vol kreukels⟩ crumpled, creased, rumpled, wrinkled 2 ⟨makkelijk kreukels krijgend⟩ easily crumpled/creased ◆ *kreukelig **goed*** material that creases easily
kreukellak [het, de^{m}] ± crackle-finish leather/fabric
kreukelzone [de] crumple zone
^{1}**kreuken** [onov ww] 1 ⟨vouwen krijgen⟩ get creased/ rumpled/crumpled/rucked/wrinkled, become creased/ rumpled/crumpled/rucked/wrinkled ◆ *dit **goed** kreukt gauw* this material creases/wrinkles easily 2 ⟨knakken⟩ break, snap ◆ *gekreukt **riet*** broken reeds
^{2}**kreuken** [ov ww] ⟨vouwen maken⟩ crease, crumple, wrinkle, ⟨stof⟩ rumple, crush, ruck ◆ *mijn **jurk** is erg gekreukt* my dress is very crumpled/wrinkled; *kreuk dat **papier** niet zo* don't crumple/stop crumpling that paper like that
kreukherstellend [bn] crease-resistant, non-iron, drip-dry ◆ *kreukherstellende **overhemden*** drip-dry/non-iron shirts
kreukloos [bn] uncreased, not creased
kreukvrij [bn] crease-resistant, ⟨vnl AE; lichte stof als voor jurk⟩ uncrushable ◆ *een kreukvrije **das*** a crease-resistant tie
kreunen [onov ww] groan, moan ◆ *hij kreunde **van** pijn* he groaned with pain; *hij **zei** kreunend dat ...* he said in a moan that ...; *hij **zei** kreunend nog een gebed* he prayed in a moan
kreupel [bn, bw] 1 ⟨mank⟩ lame ⟨bw: ~ly⟩, crippled, ⟨been⟩ game, ⟨sl; BE⟩ gammy, ⟨sl; AE⟩ gimpy ◆ *kreupel **aan** een been/voet* lame in one leg/foot; *een kreupele **grijsaard*** a lame old man; *het paard **loopt/gaat** kreupel* the horse is/has gone lame; *kreupel **maken*** lame, maim, hamstring; *hij **was/liep** nog een beetje kreupel* he had/walked with a slight limp 2 ⟨gebrekkig⟩ poor ⟨bw: ~ly⟩, clumsy, awkward, miserable, faulty ◆ *kreupel **Engels** spreken* speak halting/ faulty/broken/poor English; *kreupel **schrijven*** scrawl; *een kreupele **stijl*** an awkward/a clumsy style ⊡ ⟨fin⟩ *de kreupele **standaard*** the creeping standard; *kreupele **verzen*** doggerel
kreupelbos [het] copse, coppice, thicket, ⟨waar wild schuilt⟩ covert
kreupeldicht [het] piece of doggerel
kreupele [de] cripple, lame person
kreupelen [onov ww] limp, walk with a limp
kreupelheid [de^{v}] 1 ⟨het kreupel zijn⟩ lameness 2 ⟨gebrekkigheid⟩ faultiness, clumsiness, awkwardness, poverty
kreupelhout [het] undergrowth, brushwood, thicket, copse, ⟨AE, AuE⟩ brush ◆ *begroeid **met/vol** kreupelhout* covered with undergrowth
kreupelrijm [het] doggerel
krib [de] → **kribbe**
kribbe [de], **krib** [de] 1 ⟨voederbak⟩ manger, crib, cratch ◆ *een kribbe **met hooi*** a manger with hay in it 2 ⟨ledikant⟩

crib, ⟨BE⟩ cot [3] ⟨hoofd in een rivier⟩ groyne, ⟨AE⟩ groin, breakwater, spur

kribbebijten [ww] [1] ⟨m.b.t. paard, ezel⟩ crib-bite, crib, suck wind [2] ⟨twistziek zijn⟩ be cantankerous/quarrelsome/argumentative

kribbebijter [de^m] [1] ⟨paard⟩ crib-biter [2] ⟨persoon⟩ grumbler, grouser, crosspatch

[1]**kribben** [onov ww] ⟨ruzie maken⟩ quarrel, argue, ⟨inf⟩ (have a) row

[2]**kribben** [ov ww] ⟨kribben in een rivier maken⟩ make a groyne/^Agroin, build a groyne/^Agroin

kribbig [bn, bw] grumpy ⟨bw: grumpily⟩, testy, ⟨sl; BE⟩ ratty, ⟨als een kind⟩ petulant, ⟨snibbig⟩ catty ◆ *een kribbig **antwoord*** a grumpy answer; *kribbig **doen*** be grumpy/testy/catty

kribwerk [het] [1] ⟨het maken van rivierkribben⟩ groyning, ⟨AE⟩ groining [2] ⟨waterbouwwerk⟩ cribwork, fascine/groyne/^Agroined work

kriebel [de^m], **krieuwel** [de^m] itch, tickle ◆ *iemand de kriebels **geven*** ⟨inf⟩ get under s.o.'s skin, give s.o. the heebie-jeebies/creeps; ⟨fig⟩ *hij **heeft** de kriebel in zijn gat* ⟨sl⟩ he has got ants in his pants; ↑ he is fidgety/fidgeting; *kriebel **in** de keel hebben* have a tickle in one's throat; *ik **krijg** daar de kriebels van* it gets on my nerves; *de kriebel(s) in zijn benen **voelen*** ⟨fig⟩ be itching to go (out)

kriebelen [ov ww, ook abs], **krieuwelen** [ov ww, ook abs] [1] ⟨zachtjes kietelen⟩ tickle, ⟨jeuken⟩ itch ◆ *mijn **benen** kriebelen* my legs itch; *iemand **onder** zijn neus kriebelen* tickle s.o. under his nose [2] ⟨slordig, klein schrijven⟩ scrawl, scribble

kriebelhoest [de^m] tickling cough

kriebelig [bn] [1] ⟨kriebeling veroorzakend⟩ itchy, tickling, scratchy [2] ⟨geprikkeld⟩ irritated, nettled ◆ *kriebelig van iets **worden*** get irritated/nettled by sth. [3] ⟨klein en slordig geschreven⟩ crabbed, cramped, scrawly ◆ *kriebelig **schrift*** crabbed/cramped (hand)writing

kriebelmugje [het] sand fly, black fly, buffalo gnat ⟨Simulia⟩

kriebelpootje [het] crabbed/cramped hand(writing)

kriebelschrift [het] cramped/crabbed/spidery (hand) writing

kriebelziekte [de^v] ergotism, St Anthony's fire

kriegel [bn] ⟨inf⟩ touchy, prickly, testy ◆ *daar **word** je kriegel van* ⟨inf⟩ it gets under your skin; ⟨sl⟩ it gets your goat

kriek [de] [1] ⟨zwarte zoete kers⟩ black cherry [2] ⟨in België; zure kers⟩ (sour) cherry, Morello cherry [3] ⟨in België; bier⟩ cherry beer [•] *zich een kriek **lachen*** laugh one's head off, roar with laughter, laugh until one cries

kriekelaar [de^m] ⟨in België⟩ cherry tree

[1]**krieken** [ww] ⟨aanbreken⟩ dawn, ⟨fig⟩ emerge, unfold ◆ *bij het krieken van de dag* at (the crack of) dawn, at daybreak

[2]**krieken** [onov ww] ⟨het geluid van een krekel maken⟩ chirp, chirrup

[1]**kriel** [de^m] ⟨klein, kort persoon⟩ midget, ⟨inf⟩ ti(t)ch, shorty, ⟨kind⟩ nipper, littl'un

[2]**kriel** [het] [1] ⟨kleine aardappel⟩ small (new) potato [2] ⟨kleingoed⟩ odds and ends ⟨mv⟩, bits and pieces ⟨mv⟩, ⟨inf⟩ bibs and bobs ⟨mv⟩

[3]**kriel** [de] ⟨krielkip⟩ bantam (hen)

krielaardappel [de^m] small (new) potato

krielei [het] [1] ⟨klein ei⟩ small egg, ⟨van jonge kip⟩ pullet's egg [2] ⟨eierkooltje⟩ (cool) nut

[1]**krielen** [onov ww] [1] ⟨wemelen⟩ swarm, teem, bristle, ⟨m.b.t. insecten⟩ crawl, ⟨m.b.t. dieren⟩ be overrun with [2] ⟨vol zijn (van)⟩ teem (with), be full (of), bristle (with), ⟨m.b.t. gebreken⟩ be riddled (with) [3] ⟨kriel-, rolzoom maken⟩ make a roled-seam, make a roled-hem

[2]**krielen** [ov ww] ⟨uitschot uitzoeken⟩ sift/weed out

krielhaan [de^m] [1] ⟨dier⟩ bantam cock [2] ⟨persoon⟩ → **krielkip**

krielkip [de^v] [1] ⟨dier⟩ bantam hen [2] ⟨persoon⟩ midget, ⟨inf⟩ ti(t)ch, shorty, littl'un, nipper

krieuwel [de^m] → **kriebel**

krieuwelen [ov ww, ook abs] → **kriebelen**

krijg [de^m] ⟨form⟩ ⟨ogm⟩ war, battle ◆ *krijg **voeren*** wage war

krijgen [ov ww] [1] ⟨ontvangen⟩ get, receive ◆ *wat krijgen we te **eten**?* what are we having/getting to eat?, what's for dinner?; ***gelijk** krijgen* be proved right; *zij krijgt haar **inkomen uit** ...* she gets her income from ..., ↑ she derives her income from ..., she makes a living out of ...; *hij kreeg vijf **jaar** (voor die moord)* he got five years (for that murder); *een **prijs** krijgen* get a prize; *ik krijg nog geld **van** je* you (still) owe me some money [2] ⟨door eigen toedoen verkrijgen⟩ get, obtain, acquire ◆ *krijgen ze **elkaar**?* do they end up together?; *geen **gehoor** krijgen* not get an(y) answer, ⟨telefoon ook⟩ not (be able to) get through; *dat goed **is** niet meer te krijgen* you can't get hold of that stuff any more; ***kinderen** krijgen* have children; *dat **kun** je krijgen bij ...* that can be obtained from ...; ***naam** krijgen als schilder* make a/one's name as a painter; ⟨inf⟩ *iemand te **pakken** krijgen* get s.o.; *de slag te **pakken** krijgen* get the knack (of sth.)/the hang of it; *iemand te **spreken** krijgen* get to speak to s.o. [3] ⟨getroffen worden door, onderwerp zijn van⟩ get, have, be (...-ed) ◆ ***aandacht** krijgen* get attention; ***bericht** krijgen* get news; ***bevel** krijgen te ...* get orders/be ordered to ...; *ik krijg **er** iets **van*** it gets my goat, ⟨BE ook⟩ it gets on my wick; *je zult er niets **van** krijgen* you won't get anything from it; ***griep/koorts** krijgen* get (the) flu/a temperature; *je krijgt de **groeten** van ...* ... sends (you) his/her regards/says hello; *zij kreeg er **hoofdpijn van*** it gave her a headache; *een grote **mond** krijgen* start shooting one's mouth off; *een **ongeluk** krijgen* have an accident; ***ontslag** krijgen* lose one's job, get/be dismissed; ⟨inf⟩ get/be fired, get the sack; *het te **pakken** krijgen* get it; *een pak **slaag** krijgen* get a beating; ⟨in elkaar geslagen worden⟩ get beaten up; ***slaap/trek** krijgen* feel sleepy/hungry; ***straf** krijgen* be punished; ⟨inf⟩ *krijg **wat**!* you know what you can do!, you know where you can get off!; ⟨inf⟩ *op zijn donder krijgen* catch/get hell, get it in the neck, get a roasting/^Ba rocket; ⟨inf, fig⟩ *heb je het of krijg je het?* have you gone off your head, or what?, are you sure you haven't got a screw loose somewhere? [4] ⟨eigen worden aan, bedeeld worden met⟩ get ◆ ***kijk** op iets krijgen* begin to get an idea of sth./to see sth. (more) clearly; ***praatjes** krijgen* get too big for one's boots, get above o.s.; *hij kreeg **tranen** in de ogen* he got tears in his eyes, tears came to his eyes; *haar ogen kregen een glazige **uitdrukking*** her eyes took on/developed a glazed expression [5] ⟨uit-, toegerust worden met⟩ get ◆ *een diepe **betekenis** krijgen* take on a deep significance; *een **naam** krijgen* get a (bad) name; *het huis krijgt een **verfje*** the house is getting a coat of paint, ⟨inf⟩ the house is getting a lick of paint [6] ⟨in genoemde omstandigheden terecht komen⟩ get, have ◆ *het **benauwd** krijgen* feel anxious; *het **goed** krijgen* hit on good times; *zij kreeg het **koud*** she got cold/began to feel cold; *het te **kwaad** krijgen* break down, be overcome by tears/one's emotions; ***moeilijkheden** krijgen* get (o.s.) into/have trouble/difficulties; *we krijgen **regen*** we're going to have rain, we're in for rain; ***ruzie** krijgen* have an argument; ⟨inf⟩ fall out (with each other); ***wat** zullen we nou krijgen!* what(ever) next!, what are we in for now? [7] ⟨in het genot gesteld worden van⟩ get, be given ◆ ***hulp** krijgen* get help, be helped; ***les** krijgen* be taught, be taking lessons; *nu krijgen we een **stukje** muziek* now we'll have a bit of music; ***vakantie** krijgen* be given a ^Bholiday/^Avacation; *een **zusje** krijgen* get a little sister [8] ⟨m.b.t. opkomende gedachten, gevoelens⟩ get ◆ *de **overtuiging** krijgen* become convinced; *daar zul je **spijt** van krijgen* you'll regret that; ⟨inf⟩ you'll be sorry! [9] ⟨op een plaats, in een toestand brengen⟩ get ◆ *iets **af** krijgen* get sth. done/finished; *ik kan de deur niet **dicht** krijgen* I can't get the door to shut;

*iets van iemand **gedaan** krijgen* get s.o. to do sth.; ⟨inf⟩ *hoe krijg je het **in** je hersens?* what possesses you?, what's got into you?, what on earth are you playing at?; ⟨fig⟩ *iemand **klein** krijgen* put s.o. in his place, cut s.o. down to size; *ik kon er geen woord **tussen** krijgen* I couldn't get a word in (edgewise); *iets **voor** elkaar krijgen* manage sth. [10] ⟨grijpen, pakken⟩ catch, get ♦ *ze hebben die dief niet **kunnen** krijgen* they weren't able to catch the thief [•] *wij kregen **het** over ...* we got talking about ..., we got onto the subject of ...; *ik krijg **je** nog wel* ⟨ik zal het je betaald zetten⟩ I'll get you; ⟨sprw⟩ *de paarden die de haver verdienen krijgen ze niet* one beats the bush and another catches the birds; one man sows and another reaps; desert and reward seldom keep company; ⟨sprw⟩ *wie het onderste uit de kan wil hebben, krijgt het lid/deksel op de neus* grasp all, lose all; ⟨sprw⟩ *hebben is hebben en krijgen is de kunst* ± possession is nine points of the law; ± have is have; ⟨sprw⟩ *de gekken krijgen de kaart* fortune favours fools

krijger [de^m] ⟨form⟩ warrior

krijgertje [het] [1] ⟨kinderspel⟩ tag, tig, catch(-me), catchings ♦ *krijgertje **spelen*** play tag/tig [2] ⟨gekregen voorwerp⟩ cast-off, hand-me-down

krijgsauditeur [de^m] ⟨in België⟩ public prosecutor before a court martial

krijgsbanier [de] battle standard, military banner

krijgsbijl [de] battle-axe, ⟨indiaans⟩ tomahawk

krijgsdans [de^m] war dance

krijgsdienst [de^m] military service ♦ ***in** krijgsdienst zijn* be in the armed services/forces, be under arms; ***toetreden tot** de krijgsdienst* join the armed services/forces, enlist; *de krijgsdienst **verlaten*** be demobilized; ⟨inf⟩ be demobbed, return to civvy street; ⟨na een loopbaan⟩ retire from the armed services

krijgsgeschiedenis [de^v] military history

krijgsgeschreeuw [het] war cry, (war) (w)hoop

krijgsgevangen [bn] captive ♦ *iemand krijgsgevangen **maken*** make s.o. a prisoner of war

krijgsgevangene [de] prisoner of war, ⟨inf⟩ POW ♦ *krijgsgevangenen **uitwisselen*** exchange prisoners of war

krijgsgevangenkamp [het] prisoners of war camp, prison camp

krijgsgevangenschap [de^v] captivity ♦ ***in** krijgsgevangenschap raken* be taken prisoner/into captivity

krijgsgeweld [het] acts of war

krijgsgewoel [het] turmoil of war/battle

krijgsgod [de^m], **krijgsgodin** [de^v] ⟨man⟩ god of war, ⟨vrouw⟩ goddess of war

krijgsgodin [de^v] → **krijgsgod**

krijgshaftig [bn, bw] [1] ⟨dapper⟩ warlike, martial ♦ *een krijgshaftig **man/volk*** a warlike man/race [2] ⟨oorlogszuchtig⟩ warlike, bellicose, belligerent, aggressive

krijgshaftigheid [de^v] valour, bravery, warlike/martial spirit, warlike/martial appearance

krijgsheer [de^m] warlord

Krijgshof [het] ⟨in België⟩ military high court

krijgskans [de] ⟨mv⟩ chances/fortunes of war

krijgskunde [de^v] military science, art of war(fare), ⟨wet⟩ strategic studies ♦ ***hogere** krijgskunde* (military) strategy

[1]**krijgskundig** [bn] ⟨in de krijgskunst bedreven⟩ skilled in strategy ♦ *krijgskundig **zijn*** be a good strategist

[2]**krijgskundig** [bn, bw] ⟨m.b.t., volgens de krijgskunst⟩ military ♦ *uit krijgskundig **oogpunt*** from a military viewpoint/point of view

krijgsleus [de] war/battle cry, (war) slogan

krijgslied [het] [1] ⟨lied dat in de oorlog wordt gezongen⟩ war/battle song [2] ⟨lied dat een wapenfeit bezingt⟩ war/victory song

krijgslieden [de^mv] warriors

krijgslist [de] stratagem, ruse ♦ *een krijgslist **gebruiken*** adopt/use a stratagem

krijgsmacht [de] [1] ⟨leger⟩ armed force, army [2] ⟨totale land-, zee- en luchtmacht⟩ ⟨mv⟩ armed forces

krijgsmachtonderdeel [het] ⟨mil, luchtm, mar⟩ (branch of military) service

krijgsmakker [de^m] fellow soldier, comrade-in-arms, ⟨officier⟩ brother officer, ⟨inf⟩ old (war) buddy

krijgsman [de^m] warrior, ⟨gesch⟩ man-at-arms

krijgsraad [de^m] [1] ⟨militaire rechtbank⟩ court-martial ♦ *krijgsraad **te velde*** drumhead court-martial; *iemand **voor** de krijgsraad brengen* court-martial s.o. [2] ⟨vergadering van officieren⟩ council of war, war council ♦ *krijgsraad **houden/beleggen*** hold/summon a council of war

krijgsrecht [het] military law

krijgsschool [de] military academy

krijgstocht [de^m] (military) expedition

krijgstoneel [het] theatre of war, scene of battle, battle-scene

krijgstucht [de] military discipline

krijgsverraad [het] treason

krijgsverrichting [de^v] military operation

krijgsvolk [het] military personnel, ⟨m.b.t. soldaten⟩ soldiery ♦ *het krijgsvolk* the military

krijgswet [de] martial law ♦ *de krijgswet **afkondigen*** proclaim/declare martial law

krijgswetenschap [de^v] military science, strategic studies ⟨mv⟩

krijgswezen [het] military matters/affairs ⟨mv⟩

krijgszuchtig [bn, bw] belligerent ⟨bw: ~ly⟩, bellicose, warmongering

krijn [het] vegetable hair/fibre

krijsen [onov ww] [1] ⟨schel schreeuwen⟩ shriek, scream, screech ♦ *met krijsende **stem** spreken* talk in a screech, squawk [2] ⟨huilen⟩ scream

krijt [het] [1] ⟨geol; tijdperk⟩ Cretaceous period [2] ⟨delfstof⟩ chalk [3] ⟨staafje gegoten gips als schrijfgereedschap⟩ chalk, ⟨kleurstift⟩ crayon ♦ *met **dubbel** krijt schrijven* ⟨fig⟩ charge double, overcharge; ⟨inf⟩ mark/bump up (the price/bill/...); ***met** (een) krijt(je) op het bord schrijven* (write in) chalk on the blackboard; *een **pijpje** krijt* a stick of chalk; ***rood/zwart/gekleurd** krijt* red/black/coloured chalk/crayon; *een krijt(je)* a bit/piece/stick of chalk [4] ⟨strijdperk⟩ lists ⟨mv⟩, arena, ring ♦ ***in** het krijt treden* enter the arena/ring/lists; *voor iemand **in** het krijt treden* enter the lists on s.o.'s behalf, take up the cudgels for s.o. [5] ⟨geol; gronden⟩ chalk [•] *bij iemand **in** het krijt staan* owe s.o. sth., be in the red with s.o.; *bij iemand **in** het krijt staan voor 800 euro* owe s.o. 800 euros, be 800 euros in the red with s.o., have chalked up a debt of 800 euros with s.o., have 800 euros on the slate with s.o., be 800 euros to the wrong with s.o.

krijtaarde [de] chalky soil

krijtachtig [bn] chalky, ⟨vnl. m.b.t. formatie⟩ cretaceous

krijtbakje [het] chalk tray

krijtberg [de^m] chalk hill

[1]**krijten** [onov ww] ⟨luid roepen, huilen⟩ cry, ⟨op een klaagtoon⟩ wail, ⟨uit smart/angst⟩ yell

[2]**krijten** [ov ww] ⟨met krijt behandelen⟩ chalk ♦ ⟨sport⟩ *de **keu** krijten* chalk the cue

krijtformatie [de^v] ⟨geol⟩ cretaceous formation

krijtgebergte [het] chalk hills/cliffs

krijtgroeve [de] chalk pit

krijtgrond [de^m] [1] ⟨grondsoort⟩ chalky soil [2] ⟨witpleister⟩ gypsum/plaster-of-Paris base

krijtje [het] (bit/piece of) chalk

krijtlaag [de] ⟨geol⟩ layer of chalk, chalk stratum/bed

krijtlijn [de] chalk (mark/line)

krijtmergel [de^m] chalk marl

krijtperiode [de^v] ⟨geol⟩ cretaceous period

krijtpoeder [het] powdered chalk

krijtrots [de] chalk cliff

krijtstof [het] whiting, chalk dust

krijtstrand [het] chalk coastline
krijtstreep [de] [1] ⟨streep met krijt getrokken⟩ chalk (line/mark) ◆ ***langs** een krijtstreep lopen* walk the chalk [2] ⟨ook in samenstellingen; m.b.t. textiel⟩ pinstripe ◆ *krijtstreep**pak*** pinstripe suit
krijtstreepkostuum [het] pinstripe suit
krijttechniek [de^{v}] pastel (drawing)
krijttekening [de^{v}] chalk/pastel drawing
krijttijd [de^{m}] cretaceous period
krijtwit [bn] (as) white as chalk ◆ ⟨zelfstandig (gebruikt)⟩ *het krijtwit* powdered chalk, French chalk, whiting; *krijtwit van de **schrik*** as white as chalk/as a sheet (with fear), ashen with fear
krik [de] jack, screwjack, carjack
krikkemik [de] shears ⟨mv⟩, (hydraulical) jack
krikkemikkig [bn, bw] rickety, wobbly, tottery, shaky
krikkrak [tw] crick-crack
krill [het] krill
Krim [de^{v}] [•] *de Krim* the Crimean
krimi [de] ⟨inf⟩ whodun(n)it, detective (story/show)
Krimoorlog [de^{m}] Crimean War
[1]**krimp** [de^{m}] [1] ⟨het krimpen⟩ shrinkage ◆ *iets **op** de krimp kopen/maken* allow for shrinkage [2] ⟨gebrek⟩ pinch [3] ⟨wwb⟩ allowance for shrinkage/settling [•] *geen krimp **geven*** not falter/flinch/give way/shrink (from)
[2]**krimp** [bn] crimped ◆ *vis krimp **snijden*** crimp fish
krimpen [onov ww] [1] ⟨zich samentrekken⟩ shrink, contract ◆ *iets **doen/laten** krimpen* shrink sth.; *hout krimpt **door** de droogte* wood shrinks in drying/when it dries; *die trui is gekrompen **in** de was* that pullover/sweater has shrunk in the wash; *dit goed krimpt **niet*** this article is shrink-proof/shrink-resistant, this article is non-shrink [2] ⟨m.b.t. levende wezens⟩ wince, ⟨zich wringen⟩ writhe [3] ⟨afnemen⟩ shrink, contract, wane ◆ *de maan is **aan** het krimpen* the moon is waning/on the wane [4] ⟨(m.b.t. de wind) teruglopen⟩ back
krimpfolie [het, de] clingfilm, shrink-wrapping ◆ ***in** krimpfolie verpakken* wrap in clingfilm, shrink-wrap
krimping [de^{v}] [1] ⟨samentrekking, verkorting⟩ shrinkage, contraction [2] ⟨kramp⟩ contraction, cramp
krimpkous [de] shrink sleeve
krimpnaad [de^{m}] split
krimpring [de^{m}] shrink(-on) ring
krimptang [de] crimping pliers
krimpverbinding [de^{v}] shrink fit
krimpvrij [bn] shrink-proof, shrink-resistant, non-shrink(able)
krimpwals [de] calender
kring [de^{m}] [1] ⟨cirkelvormig figuur⟩ circle, ring, ⟨elek⟩ circuit, ⟨van hemellichaam⟩ orbit, ⟨om hemellichaam⟩ halo, corona ◆ *een kring **beschrijven*** describe a circle; ⟨ook⟩ circle/wheel round; ***halve** kring* semicircle; *kringen onder de ogen **hebben*** have rings/bags under one's eyes; ***in** een kring ronddraaien* go round in a circle, go/run round in circles; *kringen maken **in/op** een tafelblad* make rings on a tabletop; *de aarde beweegt zich **in** een kring om de zon* the earth moves in an orbit around the sun; *een kring **trekken*** draw a circle; *de grachten **vormen** een kring om de stad* the canals ring the city [2] ⟨cirkel van personen of dingen⟩ circle, ring ◆ ***in** een kring zitten* sit in a ring/circle; *een kring van **kopers*** ⟨op veiling⟩ a sale ring; ***uit** de kring treden* leave the ring/circle [3] ⟨maatschappelijke groep⟩ circle, company, set, ⟨inf⟩ crowd ◆ *uit de **betere** kringen* ⟨bijvoeglijk naamwoord⟩ upper-class, upper-crust; *de **hogere** kringen* high society; *de **hoogste** kringen* ⟨ook⟩ the upper crust, the upper walks of life; ⟨zaken⟩ the jet set; ⟨diensten⟩ the top brass; ***in** alle kringen* in all walks of life; ***in** de hoogste kringen verkeren* move in the highest circles, mix with the top people/set; *zich **in** alle kringen thuis voelen* mix well in any company; *in **politieke** kringen* in political circles; *mensen **uit/in** haar (eigen) kring* people from/in her (own) set; ⟨inf⟩ people from/in her (own) crowd/mob; *in **welingelichte** kringen* in well-informed circles/quarters [4] ⟨omsloten ruimte, gebied⟩ circle, field, range, ⟨sfeer⟩ sphere, orbit ◆ *de kring van een **eendenkooi*** the range of a decoy; ***in** ruime/brede/wijde kring* widely; *in ruime kring de aandacht **trekken*** attract wide attention; *in brede kring ontevredenheid **oproepen*** cause widespread dissatisfaction; ⟨fig⟩ *iets in **ruimer** kring bekendmaken* make sth. more widely known [5] ⟨personen die iemand omringen⟩ circle ◆ *in **besloten** kring* in a closed/private circle, private(ly); *de **huiselijke** kring* the family/domestic circle; *een kring van **vrienden*** a circle of friends
kringbeweging [de^{v}] circular movement
kringelen [onov ww] spiral, curl, ⟨kronkelen⟩ wind, meander ◆ *een sigaret waar **rook** vanaf kringelt* a cigarette with smoke curling/spiralling up from it; *de rook kringelde **uit** de schoorsteen* the smoke spiralled/curled up out of the chimney
kringetje [het] ringlet, circlet, small ring/circle ◆ *kringetjes **blazen*** blow smoke-rings; ***in** een kringetje ronddraaien* go round in a small circle, go/run round in circles, chase one's tail; *hij verkeerde altijd **in** hetzelfde kringetje* he always associated with the same circle/group; *kringetjes **spugen*** ⟨fig⟩ loaf/lounge about/around
kringgesprek [het] group discussion
kringloop [de^{m}] [1] ⟨fig⟩ cycle, ⟨van geld/informatie⟩ circulation ◆ *het jaar **heeft** zijn kringloop **volbracht*** the year has come full circle; *de kringloop van de **natuur**/van de **jaargetijden*** the cycle of nature/the seasons [2] ⟨het zich bewegen in een kring⟩ circuit, ⟨van hemellichaam⟩ orbit ◆ *de kringloop van de **planeten*** the orbits of the planets
kringlooppapier [het] recycled paper
kringloopproces [het] cycle, cyclic(al) process
kringloopwinkel [de^{m}] shop specialized in recycled goods
kringproces [het] circular process, (fixed) ring
kringsgewijs [bn, bw] circular ⟨bw: ~ly⟩
kringsluiter [de^{m}] ⟨foto⟩ leaf shutter
kringspier [de] orbicular muscle, orbicularis, sphincter(-muscle)
kringtaal [de] jargon, private language
kringvormig [bn] circular
krinkel [de^{m}] [1] ⟨kronkel⟩ twist, curl, ⟨bocht⟩ turn, bend, curve, ⟨kronkeling⟩ coil [2] ⟨virusziekte⟩ (leaf-)curl
krinkelen [onov ww] twist, curl, wind, curve, ⟨kronkelen⟩ coil
krioelen [onov ww] [1] ⟨door elkaar bewegen⟩ swarm, teem, bristle, ⟨m.b.t. insecten⟩ crawl ◆ *de kinderen krioelden **door** elkaar* the children were milling about/around; ***het** krioelde van de mensen op het plein, het plein krioelde van de mensen* people were swarming over the square [2] ⟨veel voorkomen⟩ teem (with), be full (of), bristle (with), ⟨vol gebreken zijn⟩ be riddled (with) ◆ ***het** krioelde er van ongedierte* the place was crawling/overrun with vermin; *het boek krioelt **van** de drukfouten* the book is full of/riddled with printing errors; *in dit water krioelt het **van** vissen* this water is teeming/brimming with fish
krip [het] crape, crêpe
kris [de] kris, crease, creese, kreese
kriskras [bw] criss-cross ◆ *alles staat kriskras **door** elkaar* everything is mixed up (together), everything is jumbled up/in a jumble/in disarray; ⟨sterker⟩ it's all in a state of chaos; *alles kriskras **door** elkaar gooien* throw everything into a jumble/into confusion/down anyhow/around anyhow; *alles kriskras **door** elkaar schrijven* write erratically/all higgledy-piggledy; *kriskras **lopende** lijnen* criss-cross lines; *haar kleren lagen kriskras **over** de vloer verspreid* her clothes lay strewn/in disarray across the floor; *diersporen liepen kriskras **over** de besneeuwde velden* animal tracks ran criss-cross over the snowy/snow-covered fields

krispelen [ov ww] ⟨leer⟩ pebble, grain, cripple

kristal [het] [1] ⟨kristalglas⟩ crystal, crystal/flint glass ◆ *een kast met kristal* a cabinet/case containing crystal, a glass cupboard/cabinet; *een wijnglas van kristal* a crystal wine glass [2] ⟨gekristalliseerd kwarts⟩ crystal ◆ *zo helder als kristal* ⟨lett⟩ as clear as crystal/glass; ⟨ook fig⟩ crystal-clear; ⟨fig⟩ as clear as day; *glinsteren als kristal* sparkle/shimmer like crystal; ⟨fig⟩ *het kristal van het beekje* the crystal clarity/limpid water(s) of the brook; *IJslands kristal* Iceland crystal/spar [3] ⟨natuurk⟩ crystal ◆ *achtvlakkig kristal* octahedron; *zich tot kristalien vormen* form crystals, crystallize; *vloeibare kristallen* liquid crystals

kristalachtig [bn] crystalline, ⟨scheik⟩ crystalloid

kristalchemie [de^{v}] crystal chemistry

kristaldetector [de^{m}] crystal detector

kristalfout [de] ⟨natuurk⟩ dislocation

kristalgeometrie [de^{v}] crystallometry

kristalglas [het] crystal/flint glass

kristalglazuur [het] crystal glaze, frosted glazing, frosting

kristalgrot [de] crystal cave

kristalhelder [bn] crystal-clear, ⟨van gedachten⟩ lucid, ⟨doorzichtig⟩ limpid ◆ *kristalheldere ogen* crystal-clear/limpid eyes; *kristalhelder water* crystal-clear/limpid water

kristalkijker [de^{m}] crystal-gazer

kristalklasse [de] crystal class

kristalkunde [de^{v}] crystallography

kristallen [bn] crystal, crystalline ◆ *kristallen bol* ⟨van waarzegster⟩ crystal ball; *kristallen sieraad* crystal jewel/gem

kristallens [de] crystalline lens

kristalliet [de] [1] ⟨geol⟩ crystallite [2] ⟨techn⟩ grain

kristallijn [bn] [1] ⟨natuurk⟩ crystalline ◆ *een kristallijn breukvlak* a crystalline fracture [2] ⟨fig, form; helder als kristal⟩ crystalline

kristalliniteit [de^{v}] crystallinity

kristallisatie [de^{v}] crystal(l)ization ◆ *gefractioneerde kristallisatie* fractional crystal(l)ization

kristallisatiekern [de] crystal nucleus

kristallisatiepunt [het] crystal(l)ization point

kristalliseerbaar [bn] crystal(l)izable

kristalliseerschaal [de] crystal(l)ization bowl/dish

kristalliseren [onov ww] [1] ⟨kristallen vormen⟩ crystal(l)ize ◆ *naaldvormig kristalliseren* needle; *gekristalliseerde suiker* refined/granulated sugar [2] ⟨fig⟩ crystal(l)ize (out)

kristallografie [de^{v}] crystallography

kristalloïde [het] crystalloid

kristallometrie [de^{v}] crystallometry

kristalmicrofoon [de^{m}] crystal microphone

kristalnaald [de] (crystal) needle

kristalontvanger [de^{m}] crystal receiver/set

kristalrooster [het] ⟨scheik⟩ crystal lattice

kristalsoda [de] washing soda

kristalstelsel [het] crystal system

kristalstructuur [de^{v}] crystalline structure

kristalsuiker [de^{m}] granulated sugar

kristalvorm [de^{m}] crystalline form ◆ *in kristalvorm overgaan* crystallize

kristalvormig [bn] crystalliform, crystal-shaped

kristalwater [het] ⟨scheik⟩ water of crystallization

kristalwerk [het] ⟨verzamelnaam⟩ crystal(ware), fine glassware

kristalwieren [de^{mv}] diatoms

[1]**kritiek** [de^{v}] [1] ⟨analyse, beschouwing⟩ criticism, ⟨form⟩ critique, ⟨waarderend⟩ appreciation ◆ *gerichte kritiek* specific criticism; *opbouwende/afbrekende kritiek* constructive/destructive criticism; *ben je niet bestand tegen kritiek?* can't you take criticism?; *vernietigende kritiek* devastating/scathing/destructive criticism [2] ⟨uiting van afkeuring⟩ criticism, censure, stricture, ⟨form⟩ animadversion ◆ *een golf van kritiek* a tide/barrage/wave of criticism; *kritiek hebben/leveren/uitoefenen op iemand/iets* be critical of s.o./sth., pass criticism on s.o./sth.; *achteraf kritiek leveren* criticize with hindsight, be wise after the event; *openlijk kritiek leveren* criticize openly; *het mikpunt van kritiek zijn* be the target/butt of criticism; *zijn kritiek op iets richten* direct/level one's criticism against sth.; *scherpe/felle kritiek* scathing/fierce/severe criticism; *scherpe kritiek leveren op* criticize violently/severely, berate, lay about; *altijd met kritiek klaar staan/vol kritiek zijn* be always criticizing, be always ready/quick to criticize; *kritiek weerleggen* meet/answer criticism [3] ⟨recensie, bespreking⟩ criticism, (critical) review, notice, ⟨waarderend⟩ (critical) appreciation, ⟨form⟩ critique ◆ *goede/slechte kritieken krijgen* get/receive good/bad reviews; *een kritiek schrijven* write a (critical) review/notice [4] ⟨recensenten, critici⟩ critics ⟨mv⟩ ◆ *wat zegt de kritiek ervan?* what do the critics say (about it)?; *de kritiek was unaniem van oordeel dat ...* the critics were unanimous in their opinion that ...

[2]**kritiek** [bn] [1] ⟨netelig, hachelijk, gevaarlijk⟩ critical ◆ *kritieke plaats* ⟨inf⟩ hot spot; ⟨verantwoordelijkheid; inf⟩ hot seat; *een kritieke toestand/situatie* ⟨inf⟩ a knife-edge situation; *de toestand van de patiënt was kritiek* the patient was in a critical condition/was critically ill, the patient's condition was critical [2] ⟨cruciaal, doorslaggevend⟩ crucial, critical, decisive ◆ *op het kritieke moment* at the crucial/critical moment; *kritiek(e) periode/leeftijd/jaar* crucial/critical phase/age/year; *het kritieke punt* the critical point/moment; *in een kritiek stadium komen* reach a crucial/critical point/a crisis, come to a head [3] ⟨natuurk⟩ → **kritisch[1] bet 1**

kritiekloos [bn, bw] uncritical ⟨bw: ~ly⟩, unquestioning, ⟨bijwoord⟩ without question ◆ *iets kritiekloos aanvaarden/overnemen* accept/adopt sth. without question; *kritiekloos slikken* swallow whole

kritiekloosheid [de^{v}] indiscrimination, lack of critical perception/expression

[1]**kritisch** [bn] [1] ⟨natuurk; m.b.t. stoffen⟩ critical ◆ *kritisch punt/kritische drempel* critical point/threshold; *kritische temperatuur* critical temperature [2] ⟨natuurk; voldoende voor kettingreactie⟩ critical ◆ *kritische massa* ⟨natuurk⟩ critical mass; *kritisch worden/zijn* go/be critical [•] ⟨psych⟩ *kritische leeftijd* critical age; ⟨plantk⟩ *een kritische plantensoort* a critical botanical species

[2]**kritisch** [bn, bw] [1] ⟨zorgvuldig oordelend, analyserend, onderzoekend⟩ critical ⟨bw: ~ly⟩, discerning, discriminating, ⟨nauwgezet⟩ scrupulous ◆ *een kritische geest* a critical/discerning mind; *een kritische instelling* a scrupulous/serious/scholarly attitude; *een kritisch onderzoek* a critical study/investigation; *kritische opmerkingen maken* make critical comments; *ergens kritisch tegenover staan* be critical of sth., adopt a critical attitude towards sth. [2] ⟨negatief⟩ critical ⟨bw: ~ly⟩, fault-finding, cavilling, ⟨AE spelling ook⟩ caviling, ⟨form⟩ censorious, ⟨inf⟩ nit-picking, hair-splitting ◆ *iemand een kritische blik toewerpen* cast a critical glance at/eye on s.o., put s.o. under one's critical gaze/eye; *een kritisch iemand* a caviller; ⟨inf⟩ a nitpicker; *ergens kritisch tegenover staan* be critical of sth., adopt a critical attitude towards sth.; *al te kritisch* hypercritical [3] ⟨m.b.t. tekstuitgave: niet diplomatisch⟩ critical ⟨bw: ~ly⟩ ◆ *kritisch apparaat* ⟨bij boek⟩ critical apparatus, apparatus criticus; *een tekst kritisch uitgeven* make/prepare a critical edition of a text

kritiseren [ov ww] [1] ⟨beoordelen⟩ criticize, ⟨afkeurend ook⟩ censure, ⟨m.b.t. boek⟩ review [2] ⟨hekelen⟩ criticize ◆ *het beleid van de regering fel/scherp kritiseren* severely criticize/attack the policy of the government

Kroaat [de^{m}], **Kroatische** [de^{v}] Croat, Croatian

Kroatië [het] Croatia

[1]Kroatisch [het] Croatian
[2]Kroatisch [bn] Croatian
Kroatische [de^{v}] → **Kroaat**

Kroatië

naam	*Kroatië* Croatia
officiële naam	*Republiek Kroatië* Republic of Croatia
inwoner	*Kroaat* Croat
inwoonster	*Kroatische* Croat
bijv. naamw.	*Kroatisch* Croatian
hoofdstad	*Zagreb* Zagreb
munt	*kuna* kuna
werelddeel	*Europa* Europe

int. toegangsnummer 385 www .hr auto HR

krocht [de] [1] ⟨crypte⟩ crypt, vault, undercroft [2] ⟨spelonk⟩ cave, ⟨form⟩ cavern
krodde [de] ⟨plantk⟩ [1] ⟨herik⟩ charlock, field/wild mustard [2] ⟨witte krodde⟩ (field) pennycress, penny grass
kroeg [de] ⟨BE⟩ pub, ⟨AE⟩ bar ◆ *de/alle kroegen* ***aflopen*** ⟨BE⟩ pub-crawl, ⟨AE⟩ make the rounds of the bars, ⟨AE⟩ bar-hop; *altijd* ***in*** *de kroeg zitten* ⟨inf⟩ always be in the pub/bar; ⟨AE ook⟩ be a barfly; ***naar*** *de kroeg gaan* go to the pub/bar; *een* ***ordinaire*** *kroeg* a common alehouse, a cheap joint; ⟨inf⟩ a spit-and-sawdust place, ⟨AE⟩ a dive; *iemand de kroeg* ***uitsmijten*** chuck/throw s.o. out of the pub/bar
kroegbaas [de^{m}] landlord, innkeeper, ⟨BE⟩ publican, ⟨AE⟩ barkeep(er)
kroegentocht [de^{m}] ⟨BE⟩ pub-crawl, ⟨AE⟩ bar-hopping, ⟨AE⟩ joint-hopping ◆ *een kroegentocht* ***maken/houden*** (go on a) pub-crawl, ⟨AE⟩ go bar-hopping
kroeglopen [ww] pub-crawl
kroegloper [de^{m}], **kroegtijger** [de^{m}] ⟨BE⟩ pub-crawler, ⟨AE⟩ barfly
kroegtijger [de^{m}] → **kroegloper**
kroelen [onov ww] cuddle, caress, fondle, ⟨inf⟩ spoon, neck
kroep [de^{m}] ⟨med⟩ croup ◆ ***valse*** *kroep* spurious croup
kroephoest [de^{m}] croupy/spasmic/convulsive cough
kroepoek [de^{m}] prawn/shrimp crackers
[1]kroes [de^{m}] [1] ⟨drinkbeker⟩ mug, cup [2] ⟨vuurvast vat⟩ crucible
[2]kroes [bn] frizzy, kinky, curly, fuzzy, frizzly, frizzled, crisp(ed)
kroeshaar [het] frizzy/kinky/fuzzy/curly hair, friz(z), afro
kroesharig [bn] curly-haired, frizzy-haired, fuzzy-haired, woolly-headed
kroeskarper [de^{m}] ⟨dierk⟩ crucian/crusian (carp), German/Prussian carp
kroeskop [de^{m}] [1] ⟨hoofd met gekroesd haar⟩ frizzy/kinky/fuzzy head, frizzy/kinky/fuzzy hair, curly top ◆ *een kroeskop* ***hebben*** have frizzy/fuzzy hair, have a curly top/an afro (hair style); *een* ***zwarte*** *kroeskop* a head of frizzy/fuzzy black hair [2] ⟨persoon⟩ frizzy/kinky/fuzzy head, curly top, ⟨als aanspreekvorm⟩ curly, ⟨pej; inf; m.b.t. neger⟩ fuzzy-wuzzy
kroeskoppelikaan [de^{m}] Dalmatian pelican
kroesziekte [de^{v}] (leaf-)curl
kroet [het] scrump
kroezelen [onov ww] ⟨in België⟩ frizzle, curl up
[1]kroezen [onov ww] ⟨kroes zijn⟩ frizzle, curl (up)
[2]kroezen [ov ww] ⟨kroes maken⟩ crimp, frizz, crisp ◆ *iemands* ***haar*** *kroezen* crimp s.o.'s hair
kroezenstaal [het] crucible steel
kroezig [bn] → **kroes[1]**
krokant [bn] crisp(y), crunchy, crusty ◆ *krokante* ***broodjes*** crusty rolls; *krokant* ***maken/worden*** crisp
kroket [de] croquette, rissole ◆ *een* ***broodje*** *kroket* a croquette roll
krokodil [de] crocodile ◆ ⟨fig⟩ *een* ***paarse*** *krokodil* red tape
krokodillenklem [de] ⟨techn⟩ alligator clip
krokodillenleer [het] crocodile (leather/skin) ◆ *een tasje van krokodillenleer* a crocodile (leather/skin) bag
krokodillentranen [de^{mv}] [•] *krokodillentranen* ***huilen*** shed/weep crocodile tears
krokodilwachter [de^{m}] ⟨dierk⟩ crocodile bird, trochilus
krokus [de^{m}] crocus
krokusvakantie [de^{v}] ⟨BE⟩ ± spring half-term, ⟨AE⟩ ± semester break
krokusverlof [het] ⟨in België⟩ ⟨AE⟩ spring break, ⟨BE⟩ spring half-term
krollen [onov ww] caterwaul
krols [bn] on/in heat ◆ *krols* ***geschreeuw*** caterwauling
krolsteen [de^{m}] ⟨amb⟩ corbel, console, bracket, ancon
krom [bn, bw] [1] ⟨gebogen⟩ bent, crooked, ⟨lijn⟩ curved, ⟨neus⟩ hooked, ⟨lichaam ook⟩ stooped ◆ ⟨sport⟩ *een kromme* ***bal*** a swinger/swerver; ⟨inf⟩ a bender; ⟨voetb; sl⟩ a banana (kick/shot), a curl; ⟨golf⟩ a banana ball; *kromme* ***benen*** bandy legs, bow-legs; ⟨X-benen⟩ knock-knees; *met kromme* ***benen*** ⟨met X-benen⟩ knock-kneed; ⟨met O-benen⟩ bow-legged; *krom* ***gaan staan*** become stooped/hunched (over); ⟨fig⟩ *zich krom* ***lachen****, krom* ***liggen*** *(van het lachen)* double up/crease (up) with laughter, fall about laughing; *krom* ***maken*** make bent; ⟨fig⟩ *een kromme* ***redenering*** a wry argument, warped/twisted reasoning; *met een kromme* ***rug*** with a crooked/hunched/bent back, with an arched back; *een spijker krom* ***slaan*** bend a nail, hit a nail in bent; *krom* ***van*** *jicht* crippled with gout; *krom* ***van*** *ouderdom* bowed down/bent/stooped with age; *krom* ***van*** *het harde werken* bowed down with hard work; *kromme* ***vingers*** *hebben* be light-fingered; *een kromme* ***weg*** a crooked/winding path; *zich krom* ***werken*** become bent with work; ⟨fig⟩ work one's fingers to the bone; ⟨fig⟩ *dat is om je krom te lachen* that is a(n absolute) scream [2] ⟨verkeerd⟩ crooked ⟨bw: ~ly⟩, devious ◆ *iets dat krom is recht trachten te praten* try to argue that what is wrong is right [3] ⟨gebrekkig⟩ clumsy ⟨bw: clumsily⟩, ⟨m.b.t. taal⟩ inarticulate ◆ *krom* ***Nederlands*** bad/inarticulate Dutch; *krom* ***taalgebruik*** inarticulateness; ⟨verkeerd gebruik⟩ misus(ag)e of language, (use of) malaprop(ism)s [•] ⟨sprw⟩ *geld dat stom is, maakt recht wat krom is* rich men's spots are covered with money; ± a rich man can do nothing wrong
krombaangeschut [het] high-trajectory fire, high-angle fire
krombaanvuur [het] curved/high-angle fire
krombeen [de^{m}] ⟨inf⟩ bandy-legs, ⟨met X-benen⟩ knock-knees
krombeenpasser [de^{m}] cal(l)ipers ⟨mv⟩, cal(l)iper compasses ⟨mv⟩ ◆ *een krombeenpasser* a pair of callipers
krombek [de^{m}] [1] ⟨inbrekerswerktuig⟩ skeleton key [2] ⟨smidstang⟩ round tongs [3] ⟨doperwt, snijboon⟩ ⟨erwt⟩ dwarf (garden) pea, ⟨boon⟩ kidney bean
krombekstrandloper [de^{m}] ⟨dierk⟩ curlew sandpiper
krombenig [bn] ⟨met O-benen⟩ bow-legged, bandy(-legged), ⟨met X-benen⟩ knock-kneed
krombladig [bn] ⟨plantk⟩ curvifoliate
krombuigen [ov ww, ook abs] bend, ⟨terug op zichzelf⟩ bend double, ⟨overgankelijk werkwoord; een rug⟩ hunch
kromdradig [bn] cross-grained ◆ *kromdradig* ***hout*** cross-grained wood
kromgroeien [onov ww] grow crooked/warped/awry ◆ *kromgegroeide* ***bomen*** gnarled trees
kromhals [de^{m}] [1] ⟨voorwerp⟩ retort [2] ⟨plantje⟩ bugloss
kromheid [de^{v}] crookedness, wryness
kromhoorn [de^{m}] ⟨muz⟩ [1] ⟨blaasinstrument⟩ crumhorn, krum(m)horn, cromorne [2] ⟨orgelregister⟩ crumhorn (stop), krum(m)horn/cromorne/cromorna (stop)
kromhout [het] [1] ⟨krom gegroeid hout⟩ knee/compass timber [2] ⟨den; hout daarvan⟩ knee/dwarf pine

kromliggen [onov ww] scrimp and save, tighten one's belt ◆ *kromliggen om iets te kunnen doen* scrimp and save/tighten one's belt in order to do sth., do sth. at a pinch; *zijn ouders moeten kromliggen voor de financiering van zijn studie* his parents have to scrimp and save to finance his studies
kromlijnig [bn] ① ⟨door kromme lijnen begrensd⟩ curviform, curvilinear, curvilineal ② ⟨een kromme lijn zijnde⟩ curvilinear, curvilineal
kromlopen [onov ww] ① ⟨m.b.t. personen⟩ stoop ② ⟨niet in rechte richting lopen⟩ bend, ⟨m.b.t. lijnen⟩ curve
kromme [de] ⟨wisk⟩ ① ⟨gebogen lijn⟩ curve ◆ *vlakke kromme* flat curve ② ⟨curve⟩ graph, chart, curve
¹krommen [onov ww] ⟨krom worden⟩ bend, ⟨m.b.t. lijnen⟩ curve
²krommen [ov + wk ww] ⟨krom maken⟩ bend, distort ◆ *men moet hout warm maken om het te krommen* one has to heat wood in order to bend it; ⟨fig⟩ *het recht krommen* ± bend the rules; *de rug krommen* bend/arch one's back; *haar rug begint zich te krommen* her back is beginning to get bent/bowed; *zich krommen onder het juk der ...* bend/buckle under the yoke of ...; *de rivier kromt zich om dit gebergte heen* the river bends/winds round these mountains
krommenaas [het, de^{m}] ⊡ ⟨in België⟩ *van krommenaas gebaren* act/play dumb, pretend not to hear
krommes [het] ⟨amb⟩ ⟨snoeimes⟩ pruning knife, ⟨voor zeil enz.⟩ lino-knife, ⟨fruit⟩ grapefruit knife
kromming [de^{v}] ① ⟨handeling; hoedanigheid⟩ bend(ing), curving, ⟨m.b.t. een vlak/rand/ruggengraat⟩ curvature, ⟨weg⟩ winding ◆ *de kromming van een holle spiegel* the curvature of a concave mirror ② ⟨plaats⟩ bend, curve, turn ◆ *bij een kromming van de weg* at a bend in the road
kromnervig [bn] ⟨plantk⟩ curvinervate, curvinerved, curve-veined ◆ *kromnervige bladeren* curvinervate leaves
kromneus [de^{m}] hook-nose, hook-nosed person
krompasser [de^{m}] cal(l)ipers ⟨mv⟩, cal(l)iper compasses ⟨mv⟩ ◆ *een krompasser* a pair of callipers
krompraat [de^{m}] doublespeak
krompraten [onov ww] talk inarticulately/incoherently, gibber
kromstaf [de^{m}] crook, crosier, crozier
kromstelig [bn] ⟨plantk⟩ with a curved stem
kromtaal [de] broken language, gibberish
kromtrekken [onov ww] warp, ⟨metaal⟩ buckle, ⟨zijwaarts van de einden van een plank⟩ bow, ⟨hol door de breedte van een plank⟩ cup, ⟨bolvormig door de lengte van een plank⟩ spring ◆ *kromgetrokken grammofoonplaat* warped gramophone record; *hout dat niet kromtrekt* warp-proof/warp-resistant wood
kromzwaard [het] ① ⟨gebogen zwaard⟩ sabre, ⟨Turks⟩ scimitar ② ⟨als symbool⟩ scimitar
kronen [ov ww] ① ⟨kroon opzetten⟩ crown ◆ *gekroonde hoofden* crowned heads; *iemand tot koning/tot keizer kronen* crown s.o. king/emperor ② ⟨ereprijs toekennen⟩ crown, acclaim, honour ◆ *de overwinnaar kronen* honour/acclaim the victor ③ ⟨fig; eren⟩ crown, set the seal on, cap, put the cap on ◆ ⟨fig⟩ *dat is de dwaasheid gekroond* that takes the biscuit/cake
kroniek [de^{v}] ① ⟨verhaal, jaarboek⟩ chronicle, record, annal(s), calendar ◆ *in een kroniek schrijven* chronicle (sth.); *een kroniek van een aangekondigde dood* ± the writing was on the wall; ⟨Bijb⟩ *de Kronieken* the Chronicles ② ⟨rubriek, artikel(en)⟩ column
kroniekschrijfster [de^{v}] → **kroniekschrijver**
kroniekschrijver [de^{m}], **kroniekschrijfster** [de^{v}] chronicler, recorder, annalist
kroniekstijl [de^{m}] ① ⟨stijl (als) van een kroniek⟩ chronicle style ② ⟨dorre stijl⟩ factual manner/style
kroning [de^{v}] crowning, ⟨plechtig⟩ coronation, ⟨intronisatie⟩ enthronement
kroningsdag [de^{m}] coronation day
kroningsplechtigheid [de^{v}] coronation ceremony
kronkel [de^{m}] twist(ing), coil, ⟨touw, redenering⟩ kink ◆ ⟨fig⟩ *een rare kronkel in zijn hersens hebben* have a twisted/warped mind
kronkelachtig [bn] twisty, winding, ⟨lijn⟩ wiggly
kronkeldarm [de^{m}] ⟨med⟩ ileum
¹kronkelen [onov ww] ⟨kronkels vertonen⟩ twist, wind, coil, ⟨wriggelen⟩ wriggle, squirm ◆ *kronkelen als een slang* snake, writhe like a snake; *kronkelen om/rond* ⟨ook⟩ curl/twine round; *een kronkelend touw* a coiling rope; *kronkelen van pijn* writhe in agony; *een kronkelende weg* a winding/meandering road
²kronkelen [ov + wk ww] ⟨kronkels maken⟩ twist, wind ◆ *zich kronkelen om/rond* entwine/wrap o.s. (a)round; *een beekje kronkelt zich tussen de heuvels door* a brook twists/winds/threads its way/meanders through the hills; *zich kronkelend een weg banen door* weave/twist/wind/thread/snake one's way through
kronkelhazelaar [de^{m}] corkscrew hazel
kronkelig [bn] twisting, winding, bendy, ⟨form⟩ tortuous, sinuous ◆ *een kronkelige boom/tak* a twisted/gnarled tree/branch; *een kronkelige weg* a twisting/winding/bendy road
kronkeling [de^{v}] ① ⟨handeling⟩ twisting, winding, coiling, ⟨worm, sl⟩ wriggling, squirming ② ⟨kronkel⟩ twist, coil
kronkelredenering [de^{v}] ⟨duistere redenering⟩ convoluted argument, ⟨foute redenering⟩ faulty reasoning
kronkelweg [de^{m}] twisting/winding/bendy road, ⟨ook fig⟩ crooked path ◆ *langs kronkelwegen gaan* go crooked ways/paths, use devious means; *langs allerlei kronkelweggetjes* by all sorts of devious means
kroon [de] ① ⟨hoofdsieraad⟩ crown ◆ *een parel aan zijn kroon* a jewel in s.o.'s crown; *adellijke kroon* coronet; *de koninklijke/keizerlijke kroon* the royal/imperial crown; *de pauselijke/driedubbele kroon* the papal/triple crown ② ⟨heerschappij⟩ crown, royalty ③ ⟨vorst(in)⟩ Crown ◆ *een benoeming door de kroon* a Crown appointment; *een zaak voor de kroon brengen* bring a case before the Crown ④ ⟨krans, ereprijs⟩ crown, accolade ⑤ ⟨munt⟩ crown ⑥ ⟨op een kroon lijkend voorwerp⟩ crown, ⟨van boom ook⟩ top, ⟨van bloem⟩ corolla, ⟨kroonluchter⟩ chandelier ◆ *de kroon van een hertengewei* the crown of a set of antlers; ⟨van een tak van het gewei⟩ the surroyal; *de kroon van een horloge* the winder of a watch ⑦ ⟨tandprothese⟩ crown ◆ *een gouden kroon op een kies zetten* put a gold crown on a tooth ⑧ ⟨fig; luister⟩ jewel, pearl ⊡ *iemand naar de kroon steken* compete with/vie with/rival s.o.; *dat is de kroon op zijn werk* that is the crowning glory of; *dat spant de kroon* that beats the lot/everything/them all, that takes the cake; *zij spant de kroon* she beats the lot/them all
kroonbalk [de^{m}] ⟨bouwk⟩ ridge rib
kroonblad [het] ⟨plantk⟩ petal
kroondocent [de^{m}] Crown-appointed professor/^{B}reader
kroondomein [het] crown property, crown estate/territory/land, land belonging to the crown
kroonduif [de] crown(ed) pigeon
krooneend [de] red-crested pochard
kroongetuige [de] ① ⟨voornaamste getuige⟩ chief witness, star witness ② ⟨jur; voor het OM⟩ crown witness, witness for the crown
kroonglas [het] crown glass
kroonjaar [het] jubilee year
kroonjuwelen [de^{mv}] crown jewels
kroonkandelaar [de^{m}] chandelier, candelabra, candelabrum
kroonkolonie [de^{v}] Crown colony
kroonkurk [de] crown cap

kroonlamp [de] chandelier
kroonlid [het] Crown-appointed member
kroonlijst [de] ⟨amb⟩ cornice ♦ ***holle** kroonlijst* cove; *afgewerkt **met** een kroonlijst* coved
kroonluchter [de^{m}] chandelier ♦ ***elektrische** kroonluchter* electrolier, (electric) chandelier; ***vijfarmige** kroonluchter* five-branched chandelier
kroonmoer [de] castellated/castle nut
kroonnaad [de^{m}] ⟨med⟩ coronal suture
kroonorde [de] order of the Crown
kroonpretendent [de^{m}] pretender to the throne
kroonprins [de^{m}] [1] ⟨troonopvolger⟩ crown prince, ⟨oudste zoon van koning(in)⟩ prince royal, heir-apparent, ⟨Groot-Brittannië⟩ Prince of Wales [2] ⟨fig; opvolger⟩ heir-apparent, crown prince ♦ *een kroonprins **aanwijzen*** indicate/designate an heir-apparent
kroonprinselijk [bn] [1] ⟨van de kroonprins⟩ of the crown prince, belonging to the crown prince [2] ⟨kroonprins(es) zijnde⟩ ± royal ♦ *het kroonprinselijk **paar*** the royal couple; ⟨Groot-Brittannië⟩ the Prince and Princess of Wales
kroonprinses [de^{v}] [1] ⟨troonopvolgster⟩ crown princess, ⟨oudste dochter van koning(in)⟩ princess royal [2] ⟨gemalin⟩ crown princess, ⟨Groot-Brittannië⟩ Princess of Wales
kroonraad [de^{m}] crown council, ⟨vnl. Groot-Brittannië⟩ Privy Council ♦ ***voorzitter** van de kroonraad* Lord President of the Privy Council
kroonrad [het] crown wheel, ⟨uurwerken ook⟩ contrate (gear) wheel, pin-wheel, ⟨molens⟩ crown gear
kroonrand [de^{m}] ⟨med⟩ coronal suture
kroonsieraden [de^{mv}] regalia
kroonslagader [de] coronary artery
kroonsteentje [het] connector (black/strip)
kroontje [het] [1] ⟨kleine kroon⟩ coronet [2] ⟨m.b.t. appelen, peren⟩ calyx, sepals ⟨mv⟩
kroontjeskruid [het] ⟨plantk⟩ [1] ⟨wolfsmelkachtige plant⟩ milkweed, (sun) spurge, wolf's milk [2] ⟨volksnaam voor tuinwolfsmelk⟩ devil's milk, (purple) spurge
kroontjespen [de] dip pen
kroonvormig [bn] crown-shaped, coronary
kroonwiel [het] crown wheel, ⟨uurwerken ook⟩ contrate (gear) wheel, pin-wheel
kroonzaag [de] crown/cylinder/hole saw, hole cutter
kroos [het] ⟨plantk⟩ [1] ⟨plantjes op het wateroppervlak⟩ duckweed [2] ⟨schijfvormige plantjes⟩ duckweed
kroosje [het] ⟨plantk⟩ damson (plum), bullace, damascene
kroosplant [de] duckweed
kroost [het] [1] ⟨kinderen⟩ offspring, ↑issue, ↑progeny ♦ *met **vrouw** en kroost* with wife and children [2] ⟨nakomelingen⟩ offspring, ⟨Bijb⟩ seed ♦ *het kroost van **Abraham*** the seed of Abraham; *een **talrijk** kroost* numerous offspring, a large family
kroostrijk [bn] ⊡ *een kroostrijk **gezin*** a large family
kroosvlindertje [het] small china mark moth
kroot [de] beet(root) ♦ *zo rood **als** een kroot* as red as a beetroot/^{A}beet
krop [de^{m}] [1] ⟨m.b.t. groenten⟩ head ♦ *een krop **sla*** a (head of) lettuce [2] ⟨m.b.t. vogels⟩ crop, gizzard, maw ♦ *de duif zette een krop **op*** the pigeon puffed itself out/up [3] ⟨gezwel⟩ goitre, struma ⊡ *dat steekt mij **in** de krop* that sticks in my gizzard/craw
krop [het] [1] ⟨meel⟩ wholemeal/whole-wheat/Graham (flour) [2] ⟨brood⟩ wholemeal/whole-wheat/Graham (bread)
kropaar [de] ⟨plantk⟩ cocksfoot ⟨mv cocksfoots⟩, orchard grass
kropachtig [bn] goitrous
kropader [de] ⟨med⟩ jugular (vein)
kropbrood [het] wholemeal/whole-wheat/Graham bread, ± brown bread
kropgezwel [het] goitre, struma
kropglas [het] (glass) flask
krophals [de^{m}] goitrous neck
^{1}**kroppen** [onov ww] ⟨tot een krop worden⟩ ⟨sla⟩ head, form a head, heart
^{2}**kroppen** [ov ww] [1] ⟨in de krop bergen⟩ put into its crop [2] ⟨opkroppen⟩ bottle/cork/pent up [3] ⟨verkroppen⟩ stand, stick [4] ⟨voeren⟩ ⟨gevogelte⟩ cram
kropper [de^{m}], **kropperd** [de^{m}] ⟨dierk⟩ pouter(-pigeon), cropper(-pigeon)
kropperd [de^{m}] → **kropper**
kropsla [de] butterhead lettuce, cabbage lettuce ⟨Lactuca sativa⟩
krot [het] slum (dwelling), hovel
krotopruiming [de^{v}] slum clearance, ± urban renewal, ± (urban) redevelopment
krottenbuurt [de], **krottenwijk** [de] slum(s)
krottenwijk [de] → **krottenbuurt**
krotwoning [de^{v}] slum (dwelling)
kruias [de] axle of the capstan wheel, capstan wheel axle
kruid [het] [1] ⟨plant⟩ herb ♦ ⟨fig⟩ *daar is **geen** kruid tegen gewassen* there is no cure/remedy for that; ***geneeskrachtige** kruiden* medicinal herbs [2] ⟨specerij⟩ spice, herb ♦ ***met** veel kruiden* ⟨ook⟩ highly-seasoned, spicey; *kruiden **voor** de soep/het vlees* herbs for the soup/the meat [3] ⟨gewas met sappige stengel⟩ herb, ↑herbaceous plant ⊡ ⟨sprw⟩ *tegen de **dood** is geen kruid gewassen* there is a remedy for everything except/but death
kruidachtig [bn] ⟨plantk⟩ herbaceous
kruiden [ov ww] [1] ⟨met kruiden vermengen⟩ season, flavour, spice, ⟨met kerrie⟩ curry ♦ ***sterk** gekruide **spijzen*** highly-seasoned/highly-flavoured dishes [2] ⟨fig⟩ season, flavour, spice (up), add spice (to), pep up ♦ *een verhaal kruiden **met** geestige opmerkingen* season/flavour/spice/sauce/pepper a story with witty remarks
kruidenaftreksel [het] decoction of herbs, herb tea/water/beer
kruidenazijn [de^{m}] herb vinegar, aromatic vinegar
kruidenbitter [de^{m}] bitters, cordial, elixir
kruidenboek [het] [1] ⟨boek over kruiden⟩ herbal [2] ⟨verzameling gedroogde kruiden⟩ herbarium
kruidenboter [de] herb butter
kruidenbuiltje [het] bouquet garni
kruidendokter [de^{m}] herb doctor, herbalist
kruidendrank [de^{m}] herb tea/water/beer
kruidenflora [de] herbal flora
kruidenier [de^{m}] [1] ⟨kleinhandelaar⟩ grocer [2] ⟨kleingeestig, bekrompen persoon⟩ petit bourgeois, ⟨AE ook⟩ babbitt [3] ⟨winkel⟩ grocer's (^{B}shop/^{A}store), grocery (^{B}shop/^{A}store) ♦ *de kruidenier op de hoek, de **kleine** kruidenier* the corner shop
kruidenieren [onov ww] [1] ⟨kleinhandel drijven⟩ run a grocer's shop [2] ⟨bekrompen zijn⟩ be stingy
kruideniersgeest [de^{m}] petit bourgeois mentality, narrow-mindedness, small-mindedness, provincialism, ⟨AE ook⟩ Babbitry
kruidenierspolitiek [de^{v}] narrow-minded policy
kruidenierswaren [de^{mv}] groceries
kruidenierswinkel [de^{m}] grocer's (^{B}shop/^{A}store), grocery (^{B}shop/^{A}store)
kruidenierszaak [de] grocer's (shop/^{A}store), grocery (shop/^{A}store)
kruidenkaas [de^{m}] herb cheese
kruidenkenner [de^{m}] herbalist
kruidenlezer [de^{m}] herbalist, herb collector/gatherer
kruidenpasta [de^{m}] herb paste
kruidenrekje [het] spice rack
kruidenshampoo [de^{m}] herb shampoo
kruidenthee [de^{m}] herb(al) tea

kruidentuin [de^{m}] herb garden, ⟨voor keuken⟩ kitchen garden

kruidenwijn [de^{m}] spiced wine, mulled wine, ⟨bisschopswijn⟩ glühwein

kruidenwijzer [de^{m}] herb chart

kruiderij [de^{v}] spice(s), seasoning(s), condiment(s), spicery ♦ *sausjes en kruiderijen* sauces and flavourings

kruidig [bn] spicy, ⟨fig ook⟩ racy

kruidje-roer-mij-niet [het] [1] ⟨plantk; Mimosa pudica⟩ sensitive plant [2] ⟨plantk; Impatiens noli-tangere⟩ touch-me-not, jewelweed, snapweed [3] ⟨fig; persoon⟩ thin-skinned/touchy person, person with a thin skin, ⟨form⟩ noli-me-tangere

kruidkaas [de^{m}] herb/spiced cheese

kruidkers [de] canary grass ♦ *Virginische kruidkers* peppergrass ⟨Lepidium virginicum⟩

kruidkoek [de^{m}] ± spiced gingerbread

kruidnagel [de^{m}] clove

kruidnagelboom [de^{m}] clove (tree)

kruidnagelolie [de] clove oil, oil of cloves

kruidnoot [de] [1] ⟨pepernoot⟩ ± ginger nut, ± gingerbread nut, ⟨AE⟩ ± ginger snap [2] ⟨muskaatnoot⟩ nutmeg

kruidvlier [de^{m}] Danewort, dwarf elder, Dane's blood, bloodwort

^{1}**kruien** [onov ww] ⟨m.b.t. ijs⟩ ⟨breken⟩ break up, ⟨schuiven⟩ drift, ⟨zich opstapelen⟩ pile up ♦ *(het ijs in) de rivier begint te kruien* (the ice in) the river is beginning to break up; *kruiend ijs dreigt de Afsluitdijk te blokkeren* drift(ing) ice threatens to block the Afsluitdijk

^{2}**kruien** [ov ww] [1] ⟨met een kruiwagen vervoeren⟩ wheel/push (in a wheelbarrow) [2] ⟨voor zich uit duwen⟩ wheel/push (a wheelbarrow) [3] ⟨m.b.t. een windmolen⟩ turn (to face the wind)

kruier [de^{m}] [1] ⟨witkiel⟩ porter [2] ⟨met kruiwagen⟩ barrow-man

kruiersloon [het] porterage

kruiing [de^{v}] [1] ⟨ijsstuwing⟩ ⟨breken⟩ breaking up, break-up, ⟨schuiven⟩ drifting, ⟨opstapeling⟩ piling up [2] ⟨m.b.t. molen⟩ turning (to face the wind)

kruik [de] [1] ⟨pul, vat⟩ jar, pitcher, jug, (stone) bottle, crock [2] ⟨bedverwarming⟩ (hot-)water bottle ⟨ook van rubber⟩, ⟨AE ook; van rubber⟩ hot-water bag [•] ⟨sprw⟩ *de kruik gaat zolang te water, tot ze breekt/berst* the pitcher goes so often to the well that it is broken at last

kruim [het, de] [1] ⟨kruimel⟩ crumb, ⟨van brood ook⟩ breadcrumb ⟨voornamelijk mv⟩ [2] ⟨binnenste van het brood⟩ crumb [3] ⟨verkruimelde aardappels⟩ meal ♦ *de aardappels zijn tot kruim gekookt* the potatoes have turned/gotten/^{B}gone floury [4] ⟨in België; het beste deel⟩ cream, pick, best [5] ⟨van shag⟩ shreds

kruimel [de^{m}] [1] ⟨afgebroken stukje⟩ crumb, scrap ♦ *een kruimel(tje) brood/beschuit* a breadcrumb/biscuitcrumb; *ze at alles tot en met de laatste kruimel op* she ate every last scrap/(little) bit (of food); ⟨fig⟩ *de kruimels steken hem* the wealth/money has gone to his head [2] ⟨klein beetje⟩ scrap, crumb, bit, whit ♦ *geen kruimel* not a scrap; *wat kruimels overlaten voor* leave some crumbs/scraps for

kruimelaar [de^{m}] [1] ⟨kleingeestig persoon⟩ niggler, piffler [2] ⟨krenterig, gierig persoon⟩ cheeseparer, penny-pincher, skinflint, miser [3] ⟨scharrelaar⟩ potterer, fiddler

kruimelarij [de^{v}] niggardliness, cheese-paring, stinginess

kruimeldeeg [het] ⟨BE⟩ crumbly pastry, ⟨AE⟩ crumb crust, ⟨op vruchtentaart⟩ crumble

^{1}**kruimeldief** [de^{m}] ⟨persoon⟩ petty thief, pilferer, filcher, ⟨vnl AE ook⟩ small-time thief

^{2}**kruimeldief**^{MERK} [de^{m}] ⟨handstofzuiger⟩ crumb-sweeper, dustbuster

kruimeldiefstal [de^{m}] petty theft/thieving, pilfering, filching, ⟨vnl AE ook⟩ small-time theft

^{1}**kruimelen** [onov ww] [1] ⟨brokkelen⟩ crumble ♦ *die kaas kruimelt* that cheese is crumbly/crumbles; *(snel) kruimelend* crumbly [2] ⟨bij het eten kruimels maken⟩ make crumbs ♦ *het kind zit te kruimelen* the child is making (a lot of) crumbs

^{2}**kruimelen** [ov ww] ⟨aan kruimels wrijven⟩ crumble

kruimelfraude [de] petty fraud

kruimelveger [de^{m}] mini carpet-sweeper for picking up crumbs

kruimelwerk [het] [1] ⟨kleine karweitjes⟩ odd jobs [2] ⟨onbetekenend werk⟩ pottering (about), fiddling (about), tinkering (about)

kruimen [onov ww] turn floury/mealy

kruimig [bn] mealy, floury, crumbly

kruin [de] [1] ⟨deel van het hoofd⟩ crown, top, ⟨inf⟩ pate ♦ *bij de kruin begon hij kaal te worden* he began to go bald on top; *een dubbele kruin* a double crown [2] ⟨hoofd⟩ head, skull, ⟨inf⟩ pate ♦ *een kale kruin* a bald head/pate/dome [3] ⟨top⟩ crown ⟨ook van weg, berg, dijk, boom⟩, ⟨van golf, berg⟩ crest, ⟨van berg⟩ peak, summit, top ⟨ook van boom⟩ ♦ *een eik met een kale kruin* ⟨ook⟩ a stag-headed oak; *de witte kruinen van de golven* the white crests of the waves [4] ⟨tonsuur⟩ tonsure

kruinligging [de^{v}] occipital presentation, occipito-posterior presentation

kruinschering [de^{v}] ⟨r-k⟩ [1] ⟨het scheren⟩ tonsure [2] ⟨geschoren kruin⟩ tonsure

kruipauto [de^{m}] delivery van (capable of only slow speeds)

kruip-door-sluip-doorroute [de] back way (route), short cut (route), roundabout route

kruip-door-sluip-doorweggetje [het] short cut, back way, roundabout way

kruipen [onov ww] [1] ⟨m.b.t. mensen⟩ creep, crawl/go on all fours, crawl/go on hands and knees, ⟨op buik⟩ crawl, ⟨wormen⟩ worm ♦ *op handen en voeten kruipen* crawl/go on hands and knees/on all fours [2] ⟨m.b.t. dieren⟩ crawl, creep ♦ *de rupsen kruipen over de takken* the caterpillars crawl along the branches [3] ⟨m.b.t. planten⟩ creep, trail ♦ *de komkommers kruipen over de grond* the cucumbers trail across the ground [4] ⟨zich moeilijk voortbewegen⟩ crawl (along), ⟨m.b.t. tijd⟩ drag, ⟨m.b.t. mensen/dieren⟩ drag o.s. along ♦ *kruipende inflatie* creeping inflation; ⟨fig⟩ *de wind kruipt naar het westen* ⟨met de klok⟩ the wind is gradually veering westward(s), ⟨tegen de klok⟩ the wind is gradually backing westward(s); *de stoet kroop over de weg* the procession crawled along the road; ⟨fig⟩ *de uren kropen voorbij* time dragged (on) [5] ⟨onderdanig zijn⟩ crawl, cringe, grovel, bow and scrape, kowtow ♦ *voor iemand kruipen* crawl/cringe/grovel before/to s.o., fawn upon s.o., bow and scrape to s.o., kowtow to s.o., suck up to s.o. [6] ⟨schuilplaats zoeken bij⟩ ♦ *bij elkaar kruipen* huddle together; *bij de kachel kruipen* ⟨één mens⟩ huddle/snuggle up to the stove; ⟨meerdere mensen⟩ huddle round the stove; *erin kruipen* turn in, ↓hit the sack/hay; ⟨kind⟩ go to byebyes/beddy-byes/bo-boes; *in elkaar kruipen* curl up, huddle o.s. up [•] *iemand in zijn gat kruipen* brownnose (s.o.), suckhole (s.o.); *het zand kruipt in de kieren* the sand gets into/works itself into the cracks; *naar boven/omhoog kruipen* ⟨van kleding⟩ ride up; ⟨sprw⟩ *het bloed kruipt waar het niet gaan kan* ± breeding will out; ± blood will tell

kruipend [bn] [1] ⟨dierk⟩ creeping, crawling, ⟨behorende tot de reptielen⟩ reptilian ♦ *kruipende dieren* reptiles; *kruipend insect* crawling insect; ⟨inf⟩ creepy-crawly [2] ⟨plantk⟩ creeping ♦ *kruipend gewas* creeper; *kruipende stengels* creeping stems; ⟨plantk⟩ decumbent stems

kruiper [de^{m}] [1] ⟨iemand die kruipt⟩ crawler, creeper [2] ⟨lage vleier⟩ creep(er), crawler, toady, ⟨vulg⟩ brownnose, suckhole [3] ⟨plantk⟩ creeper

kruiperig [bn, bw] cringing ⟨bw: ~ly⟩, slimy ⟨bw: slimily), oily ⟨bw: oilily⟩, servile, grovelling, ⟨AE⟩ groveling, ↑ obsequious, ⟨vulg⟩ brown-nosed ◆ *een kruiperige **aard** hebben* be (of a) servile (nature), be obsequious/sycophantic; *hij is kruiperig **beleefd*** he is obsequiously/fawningly/grovellingly/abjectly polite; *iemand kruiperig **vleien*** grovel to/fawn on/be obsequious to s.o.; suck up to s.o.; ⟨vulg⟩ brownnose/suckhole (s.o.)

kruiperij [de^{v}] toadyism, fawning, sycophancy, cringe, cringing

kruipknie [de] ⟨med⟩ housemaid's knee

kruipolie [de] penetrating oil

kruippakje [het] romper (suit), playsuit

kruipruimte [de^{v}] crawl space

kruipspoor [het], **kruipstrook** [de] crawl(er) lane

kruipstrook [de] → **kruipspoor**

kruis [het] [1] ⟨lichaam, figuur⟩ cross ◆ *de molen **in** het kruis zetten* set the sails (of a/the windmill) at (an angle of) 45°; *een kruis **zetten** bij/naast* put a cross against, mark with a cross [2] ⟨strafpaal⟩ cross, ⟨rel ook⟩ (Holy) Rood ⟨van Christus⟩ ◆ *iemand **aan** het kruis slaan/nagelen/hangen* nail s.o. to the cross, crucify s.o.; *het **Heilige** Kruis* the Holy Cross, the Cross of Christ/Calvary [3] ⟨m.b.t. kledingstukken⟩ crotch, ⟨vnl BE⟩ crutch, ⟨zitvlak⟩ seat ◆ *deze broek is te nauw **in** het kruis* these trousers are too tight in the crotch/crutch; *een **nieuw** kruis zetten in een broek* reseat/put a new seat in a pair of trousers; ***uit** zijn kruis scheuren* burst/split the seat of one's trousers [4] ⟨deel van het lichaam⟩ crotch, groin, ⟨van man; vulg⟩ balls, ⟨van vrouw; vulg⟩ cunt, snatch ◆ *ik heb pijn **in** mijn kruis* I've got a pain in my groin/crotch; *iemand **in** zijn kruis grijpen* grab s.o. by the groin/balls/snatch; *een trap **in** zijn kruis krijgen* get a kick in the crotch/groin/balls; ⟨fig⟩ *zich **in** zijn kruis getast voelen* feel deeply wronged/offended, be put out [5] ⟨fig; beproeving⟩ cross, trial, vexation, (sore) affliction, burden ◆ *het kruis van Christus **dragen*** take up/bear the Cross of Christ; *ieder moet zijn eigen kruis **dragen*** everyone has his own cross to bear; *het is een kruis **met** die jongen* that boy is/gives no end of trouble, that boy is a great burden/affliction/nuisance/trial; *deze plaats is een kruis **voor** alle vertalers* this passage is the bane of/a crux for all translators [6] ⟨r-k; kruisgebaar⟩ (sign of the) cross ◆ *iemand het heilig kruis **(achter)nageven*** be glad to get/be rid of/see the back of s.o.; ↓ be glad to get shut/shot of s.o.; say good riddance to s.o.; *een kruis **maken/slaan*** make the sign of the cross, cross o.s.; ⟨in België; fig⟩ *een kruis **maken** over iets* put an end to sth., ⟨BE ook⟩ put paid to sth., forget about sth. [7] ⟨teken voor verenigingen⟩ cross ◆ *het **Rode** Kruis* the Red Cross [8] ⟨m.b.t. munten⟩ head ◆ *kruis of **munt**?* heads or tails?, you call!; *kruis of **munt** gooien* ⟨om iets te beslissen⟩ flip/toss/spin a coin, toss (up), toss for sth.; *we zullen kruis of **munt** doen* we'll toss for it [9] ⟨kruisvormige zaak⟩ cross, ⟨van anker⟩ crown, ⟨van boom⟩ fork, ⟨van sleutel⟩ ward(s) [10] ⟨afbeelding van het kruis als zinnebeeld van de kerk⟩ cross [11] ⟨kruisvormig teken als ondertekening⟩ cross, mark ◆ *een kruis **zetten** onder een stuk, een stuk **tekenen** met een kruis* make one's mark/put one's X (on a document) [12] ⟨stuit, (van dieren) het hogere deel op de rug⟩ ⟨van mens⟩ small of the back, ⟨van dieren⟩ croup, ⟨van paard ook⟩ crupper [13] ⟨heral⟩ cross ◆ ***Grieks** kruis* Greek cross; ***Jeruzalems** kruis* Jerusalem cross; ***Latijns** kruis* Latin cross [14] ⟨muz⟩ sharp ◆ ⟨muz⟩ ***dubbel** kruis* double sharp; *dit stuk heeft **vier** kruisen* this piece is in four sharps [•] ⟨sprw⟩ *God geeft kracht naar kruis* God shapes/makes/fits the back to the burden; ⟨sprw⟩ *elk huisje heeft zijn kruisje* ± every man has his cross to bear

kruisafneming [de^{v}] descent from the Cross ⟨ook schilderij⟩, deposition (from the Cross)

kruisarcering [de^{v}] crosshatching

kruisbalk [de^{m}] [1] ⟨dwarsbalk van een kruis⟩ crossbar, transverse bar [2] ⟨bouwk⟩ crossbeam

kruisband [de^{m}] [1] ⟨bouwk⟩ cruciform girder [2] ⟨om poststuk⟩ (postal/double) wrapper [3] ⟨rijshout⟩ binder wood [4] ⟨kniegewrichtsbanden⟩ cruciate ligament

kruisbanier [de] ⟨gesch⟩ Banner of the Cross

kruisbeeld [het] crucifix

kruisbek [de^{m}] ⟨dierk⟩ crossbill ◆ ***grote** kruisbek* carrion crossbill

kruisbes [de] [1] ⟨vrucht⟩ gooseberry, ⟨BE, gew⟩ goosegog [2] ⟨struik⟩ gooseberry (bush) [•] ***wilde** kruisbes* wild gooseberry, dogberry

kruisbeschermer [de^{m}] box

kruisbesmetting [de^{v}] ⟨med⟩ cross-infection

kruisbestuiving [de^{v}] cross-pollination, cross-fertilization, allogamy, xenogamy ◆ *bevruchten door middel van kruisbestuiving* cross-pollinate, cross-fertilize

kruisbeuk [de^{m}] [1] ⟨ruimte, deel van het dwarsschip⟩ transept [2] ⟨dwarsschip⟩ transept

kruisbloem [de] ⟨bouwk⟩ finial

kruisbloemigen [de^{mv}] Cruciferae

kruisboog [de^{m}] [1] ⟨bouwk⟩ ogive [2] ⟨schiettuig⟩ crossbow, arbalest

kruisboogschieten [ww] crossbow shooting

kruisdagen [de^{mv}] Rogation days

kruisdistel [de] (field) eryngo ⟨Eryngium campestre⟩, sea holly ⟨Eryngium maritimum⟩

kruisdood [de^{m}] death on the cross, (death by) crucifixion ◆ *de kruisdood **sterven*** die on the cross/by crucifixion, be crucified

kruisdraad [de^{m}] crosshair(s), crosswire(s), spider('s) line(s), ⟨beide draden⟩ reticle

kruisdrager [de^{m}] ⟨r-k⟩ crucifer, ⟨fig ook⟩ cross-bearer

kruiselings [bn, bw] crosswise, crossways ◆ *kruiselings **over** elkaar liggen/leggen* lie/lay crosswise/crossways; *met de benen kruiselings **over** elkaar geslagen zitten* sit with one's legs crossed/with crossed legs

[1]**kruisen** [onov ww] [1] ⟨zich kruiselings bewegen⟩ crisscross, ⟨m.b.t. oorlogsschepen vnl.⟩ cruise [2] ⟨laveren⟩ tack [3] ⟨normale snelheid vliegen, rijden, varen⟩ cruise

[2]**kruisen** [ov ww] [1] ⟨kruiselings plaatsen⟩ cross ◆ *de **armen** over de borst kruisen* cross one's arms in front of one's breast [2] ⟨snijden⟩ cross, cut across, intersect ◆ *deze wegen kruisen **elkaar*** these paths cross (one another); ⟨fig⟩ *onze wegen kruisen **elkaar*** our paths cross (one another); *onze brieven hebben **elkaar** gekruist* our letters crossed (each other); *een patroon van **elkaar** kruisende lijnen* a pattern of intersecting lines; ⟨wisk⟩ *kruisende **lijnen*** intersecting lines; *iemands **pad** kruisen* cross s.o.'s path, cross the path of s.o.; *de spoorbaan kruist hier de **straatweg*** the railway crosses the road here [3] ⟨laten bevruchten⟩ cross(breed), interbreed, ⟨vnl. m.b.t. planten⟩ cross-fertilize ◆ *gekruiste **dieren/planten*** crossbred animals/plants, crosses, crossbreeds; *korthaarige **met** langharige katten kruisen* cross short-haired with long-haired cats, interbreed short-haired and long-haired cats; *honden van gekruist **ras*** crossbred dogs, crossbreeds [4] ⟨insnijdingen aanbrengen⟩ make crosswise cuts (in), score crosses (in)

kruiser [de^{m}] [1] ⟨oorlogsschip⟩ cruiser ◆ ***zware/lichte** kruisers* heavy/light cruisers [2] ⟨jacht⟩ (cabin) cruiser

kruisfinale [de] quarter finals

kruisgang [de^{m}] [1] ⟨kruisweg⟩ Way/Stations of the Cross [2] ⟨bouwk⟩ cloister

kruisgewelf [het] ⟨amb⟩ cross/groined vault

kruisgewijs [bw] crosswise, crossways, ⟨plantk; van bladstand⟩ decussate

kruisheer [de^{m}] Crutched Friar

kruishoogte [de^{v}] cruising altitude

kruishout [het] cross ⟨ook van Christus⟩, ⟨rel ook⟩ tree, rood ⟨van Christus⟩

kruisigen [ov ww] crucify

kruisiging [de^{v}] [1] ⟨het kruisigen⟩ crucifixion [2] ⟨een

voorstelling daarvan⟩ crucifixion
kruisinfectie [de^{v}] ⟨med⟩ cross-infection
kruising [de^{v}] **1** ⟨kruispunt⟩ crossing, junction, intersection, ⟨vnl. buiten de stad⟩ crossroads ♦ *een **ongelijkvloerse** kruising* an overpass; ⟨BE ook⟩ a fly-over; *de botsing vond **op** de kruising plaats* the collision took place at the crossroads/intersection **2** ⟨snijding⟩ crossing, intersection **3** ⟨het elkaar voorbijgaan⟩ passing, crossing **4** ⟨bevruchting⟩ crossing, crossbreeding, hybridization, ⟨vnl. m.b.t. planten⟩ cross-fertilization **5** ⟨ontstane soort⟩ cross, hybrid, ⟨vnl. m.b.t. dieren⟩ crossbreed ♦ ⟨fig⟩ *dit spul smaakt als een kruising **van/tussen** bier en limonade* this stuff tastes like a cross between beer and lemonade **6** ⟨sport⟩ ± top corner of the goal/net **7** ⟨bouwk⟩ crossing
kruisjas [het] jass
kruisjassen [onov ww] play jass
kruisje [het] **1** ⟨klein kruis⟩ cross **2** ⟨kruisteken⟩ sign of the Cross ♦ *een kruisje **halen*** ⟨op Aswoensdag⟩ receive the ashes; *een kruisje **slaan*** make the sign of the Cross, cross o.s.; *hij heeft **zes** kruisjes achter de rug* he's the wrong side of/he's turned sixty/he's over sixty **3** ⟨tiental⟩ (numeral) X **4** ⟨(schrift)teken⟩ cross, ⟨van analfabeet⟩ mark ♦ ***met** een kruisje **ondertekenen*** make one's mark, put one's X; *ergens een kruisje bij **zetten*** put a cross next to sth. ⊡ ⟨sprw⟩ *elk huisje heeft zijn kruisje* ± every man has his cross to bear
kruiskerk [de] **1** ⟨kerk⟩ cruciform church **2** ⟨de christelijke kerk⟩ the Christian Church
kruiskop [de^{m}] **1** ⟨machinedeel⟩ crosshead **2** ⟨schroefkop⟩ crosshead, ⟨specifieke systemen⟩ Phillips/Pozidriv head, Reed and Prince head
kruiskoppeling [de^{v}] **1** ⟨verbinding van buizen, stangen⟩ cross **2** ⟨verbinding van assen⟩ universal joint
kruiskopschroef [de] crosshead screw, cross-slotted screw, ⟨specifieke systemen⟩ Phillips/Pozidriv screw, Reed and Prince screw
kruiskopschroevendraaier [de^{m}] crosshead (tip) screwdriver, cross-slotted screwdriver, ⟨specifieke systemen⟩ Phillips/Pozidriv screwdriver, Reed and Prince screwdriver
kruiskruid [het] groundsel, ragwort
kruislegende [de] legend of the cross
kruislicht [het] ⟨in België⟩ dipped/^{A}dimmed headlights, ⟨AE ook⟩ dimmers
kruismonogram [het] chi-rho, chrismon, christogram
kruisnet [het] square (fishing-)net, bag net
kruisoffer [het] sacrifice of the Cross
kruisorganisatie [de^{v}] ± home nursing service
kruispaal [de^{m}] **1** ⟨(staak van het) kruis⟩ cross, upright (bar/stake) of the cross **2** ⟨draaiboom op een voetpad⟩ turnstile
kruispass [de^{m}] cross
kruispeiling [de^{v}] crossbearing, fix ♦ *kruispeilingen **nemen*** take crossbearings/a fix
kruisproef [de] ordeal by cross
kruispunt [het] crossing, junction, intersection, ⟨vnl. buiten de stad⟩ crossroad(s) ♦ ⟨fig⟩ *een kruispunt van **culturen*** a crossroads of cultures; *een **druk** kruispunt* a busy crossing; *een kruispunt **naderen*** approach a crossing; ⟨fig⟩ ***op** een kruispunt staan* stand at the crossroads; *afspreken **op** een kruispunt* arrange to meet at a crossing; *de winkel ligt **op** een kruispunt* the shop is at a crossing; *het ongeluk gebeurde **op** het kruispunt* the accident happened at the crossing; *een kruispunt van **spoorwegen*** a railway junction; *een kruispunt van **wegen*** a crossing/(road) junction/intersection/crossroads
kruispuntbank [de] ⟨in België⟩ crossroads bank
kruisraket [de] cruise missile ⊡ ***stop** de kruisraketten!, kruisraketten nee!* stop the cruise missiles!, (say) no to cruise!
kruisreactie [de^{v}] cross reaction
kruisrelatie [de^{v}] cross-relation(ship)
kruisresistentie [de^{v}] cross resistance
kruisridder [de^{m}] **1** ⟨gesch⟩ crusader, knight of the Cross **2** ⟨strijder voor een ideaal⟩ crusader
kruisrijm [het] cross(ed) rhyme
kruisschroevendraaier [de^{m}] crosshead (tip) screwdriver, cross-slotted screwdriver, ⟨specifieke systemen⟩ Phillips/Pozidriv screwdriver, Reed and Prince screwdriver
kruissleutel [de^{m}] capstan wheel nut spanner, four-way wrench
kruissnarig [bn] overstrung
kruissnede [de] crosscut/crucial incision
kruissnelheid [de^{v}] ⟨verk⟩ cruising speed
kruisspin [de] diadem/garden/cross spider
kruissteek [de^{m}] **1** ⟨naaisteek⟩ cross-stitch **2** ⟨touwverbinding⟩ cross-stitch
kruisstelling [de^{v}] chiasmus
kruisstuk [het] **1** ⟨techn⟩ ⟨spoorw⟩ frog, cross(ing piece), ⟨elek⟩ spider, ⟨pijpfitting⟩ four-way junction **2** ⟨kruis in broek, panty e.d.⟩ crotch (section)
kruissubsidie [de^{v}] cross-subsidy
kruistafel [de] ⟨van microscoop⟩ mechanical stage
kruisteken [het] (sign of the) cross ♦ *een kruisteken **maken/slaan*** make the sign of the cross, cross o.s.
kruistocht [de^{m}] **1** ⟨gesch⟩ crusade ♦ ***ter** kruistocht gaan* go on a crusade, take the cross **2** ⟨krachtige actie⟩ crusade ♦ *een kruistocht **voeren** voor/tegen* (wage/conduct a) crusade for/against
kruisvaan [de] **1** ⟨vlag, standaard⟩ banner/flag of the Cross **2** ⟨r-k; wimpelvlag⟩ labarum
kruisvaarder [de^{m}] crusader
kruisvaart [de] **1** ⟨kruistocht⟩ crusade **2** ⟨vaart die een andere kruist⟩ crossing course
kruisverband [het] **1** ⟨med⟩ cross-bandage **2** ⟨verbinding⟩ cross bond
kruisvereniging [de^{v}] ± home nursing service
Kruisverheffing [de^{v}] ⟨r-k⟩ Exaltation of the Cross, ⟨feestdag⟩ Holy Rood/Cross Day
kruisverhoor [het] **1** ⟨scherpe ondervraging⟩ cross-examination, cross-questioning, ⟨inf⟩ grilling ♦ *iemand **aan** een kruisverhoor onderwerpen* cross-examine/cross-question s.o.; ⟨inf⟩ grill s.o., give s.o. the third degree; *iemand een kruisverhoor **afnemen*** cross-examine/cross-question s.o.; *een kruisverhoor **ondergaan*** be cross-examined/cross-questioned; *een **streng** kruisverhoor* a stiff/searching cross-examination/cross-questioning **2** ⟨jur⟩ cross-examination, cross-questioning
kruisverkoop [de^{m}] cross sales
kruisvermogen [het] cruising capacity
kruisverwijzing [de^{v}] cross-reference
kruisvluchtwapen [het] cruise missile
kruisvormig [bn] cruciform, in the shape of a cross, ⟨biol⟩ cruciate
kruisvuur [het] ⟨mil⟩ crossfire ♦ ⟨fig⟩ *een kruisvuur van **vragen*** a barrage of questions
kruisweg [de^{m}] **1** ⟨rel⟩ Way of the Cross, Road to Calvary **2** ⟨r-k, bk; afbeeldingen⟩ Stations of the Cross ♦ *de kruisweg **bidden*** make/perform/do the Stations of the Cross **3** ⟨fig; beproeving, lijdensweg⟩ calvary, way of the cross **4** ⟨snijpunt van twee wegen⟩ intersection, junction, crossing, ⟨vnl. buiten de stad⟩ crossroad(s)
kruiswerk [het] ⟨inf⟩ ± home nursing
kruiswoord [het] Word from the Cross ⟨voornamelijk mv⟩ ♦ *de **zeven** kruiswoorden* the Seven Words from the Cross
kruiswoordpuzzel [de^{m}], **kruiswoordraadsel** [het] crossword (puzzle)
kruiswoordraadsel [het] → **kruiswoordpuzzel**
kruiszijde [de] head ⟨voornamelijk mv⟩

kruit [het] (gun)powder, ⟨fig ook⟩ ammunition ♦ ⟨fig⟩ *zijn kruit* ***droog*houden** keep one's powder dry; *met* ***los*** *kruit schieten* fire buckshot; ⟨fig⟩ *niet al zijn kruit* ***verschieten*** have a last bolt/arrow left in one's quiver, have (one) last shot left; ⟨fig⟩ *al zijn kruit* ***verschoten hebben*** ⟨niet meer weten wat men zeggen moet⟩ have shot one's bolt/used up all one's ammunition
kruitdamp [de^m] ⟨ook fig⟩ powder-smoke, gunsmoke, smoke of battle ♦ *toen de kruitdamp* ***was opgetrokken*** ⟨vnl fig⟩ when the smoke (of battle) had cleared
kruitfabriek [de^v] (gun)powder/explosives factory, ammunition(s) factory
kruithoorn [de^m] powder horn/flash
kruitkamer [de] [1] ⟨deel van een vuurwapen⟩ chamber [2] ⟨bewaarplaats van buskruit⟩ (powder) magazine
kruitlading [de^v] grain, ⟨in vuurwapens⟩ (gun powder) charge
kruitlucht [de] smell of (gun)powder
kruitmagazijn [het] (powder) magazine
kruitslijm [het] ⟨mil⟩ ⟨mv⟩ ± traces of gunpowder
kruitspoor [het] gunpowder trace
kruitvat [het] [1] ⟨kruitton⟩ powder barrel/keg [2] ⟨fig⟩ powder keg, tinderbox, minefield ♦ *de lont* ***in*** *het kruitvat steken* light the fuse of the powder keg; *dat was de lont* ***in*** *het kruitvat* that set the powder keg off; *Midden-Amerika* ***is*** *een kruitvat* Central America is a powder keg, the situation in Central America is explosive
kruiwagen [de^m] [1] ⟨voertuig⟩ (wheel)barrow ♦ *een kruiwagen* ***grind*** a (wheel)barrowful/barrowload of gravel; ***met/achter*** *een kruiwagen lopen* push/wheel a wheelbarrow; ⟨fig⟩ *het geld komt er* ***met*** *kruiwagens binnen* they make money hand over fist [2] ⟨fig; voorspraak⟩ connections, influence, pull ♦ *kruiwagens* ***gebruiken*** pull strings, make use of/use one's influence/pull; *een kruiwagen/goede kruiwagen* ***hebben*** have some pull/influence/connections/a lot of pull/influence/connections, have friends/powerful friends in high places; *een baan krijgen* ***via*** *kruiwagens* get a job through one's connections; ***zonder*** *kruiwagen kom je er niet* you won't get there without influence/powerful friends/pull/connections
kruizemunt [de], **kruizemuntkruid** [het] [1] ⟨Mentha spicata⟩ spearmint [2] ⟨volksnaam voor watermunt en akkermunt⟩ mint, ⟨watermunt⟩ water mint, ⟨akkermunt⟩ corn-mint
kruizemuntkruid [het] → **kruizemunt**
kruizemuntolie [de] spearmint oil
kruk [de^m] ⟨knoeier⟩ bungler, duffer, incompetent, botcher, blunderer, poor hand at sth. ♦ *een kruk* ***in*** *rekenen zijn* be no good/be useless/hopeless at maths; *een kruk* ***op*** *de schaats* a duffer at skating, a poor/an incompetent skater; ⟨sterker⟩ a lousy/rotten skater
kruk [de] [1] ⟨taboeret⟩ stool [2] ⟨loopstok⟩ crutch ♦ *zij loopt* ***met*** *een kruk* she walks with/uses a crutch; ***op*** *krukken lopen* walk with crutches; ⟨fig⟩ *de fortuin loopt daar* ***op*** *krukken* people are down on their luck there [3] ⟨deurknop⟩ (door) handle [4] ⟨handvat⟩ handle [5] ⟨zwengel⟩ handle, ⟨vnl. m.b.t. auto's⟩ crank
krukas [de] crankshaft
krukboor [de] auger
krukken [onov ww] [1] ⟨moeizaam iets verrichten⟩ bungle, botch, flounder ♦ *wat zit je weer te krukken* what a (clumsy) mess you're making, how clumsy you are [2] ⟨na een ziekte nog sukkelen⟩ (still) be sick, (still) be ailing, (still) be poorly, (still) be in poor shape, (still) be in a bad way
krukkig [bn, bw] [1] ⟨stumperig⟩ clumsy ⟨bw: clumsily⟩, bungling ⟨bw: ~ly⟩, awkward ⟨bw: ~ly⟩ [2] ⟨ziekelijk⟩ poorly, ailing ⟨bw: ~ly⟩, under the weather, in poor shape
krukmechanisme [het] crank mechanism
krukpen [de] ⟨techn⟩ crankpin
krukstang [de] ⟨techn⟩ connecting rod, ⟨AE ook; mv⟩ pitman
krul [de] [1] ⟨spiraalvormige ronding⟩ curl, ⟨m.b.t. bloem, schelp, vingerafdruk⟩ whorl [2] ⟨haarlok⟩ curl, lovelock ⟨op voorhoofd, slaap, vnl 17e-18e eeuw⟩, ⟨lange krul⟩ ringlet, ⟨bij rasta's⟩ dreadlock ⟨voornamelijk mv⟩ ♦ *het haar* ***in*** *de krul houden* keep one's hair in curl; *krullen* ***in*** *het haar zetten* curl/crimp one's hair, put curls in one's hair; *een krulletje* ***op*** *het voorhoofd/****bij*** *het oor* a kiss-curl; ⟨AE ook⟩ a cowlick; ***schattige*** *krulletjes* sweet curls; ***uit*** *de krul gaan* lose its curl, go out of curl; *de krul is* ***uit*** *mijn haar* my hair has lost its curl, my hair has gone/is out of curl, the curl has gone out of my hair [3] ⟨mv; gekruld haar⟩ curls, ⟨lange krullen⟩ ringlets, ⟨bij rasta's⟩ dreadlocks ♦ *een meisje* ***met*** *krullen* a girl with curls, a curly-headed girl [4] ⟨schaafspaan⟩ (wood)shaving [5] ⟨mv; houtschaafsel⟩ (wood)shavings [6] ⟨versiersel⟩ scroll, ⟨ook op viool⟩ volute [7] ⟨rondgaande pennentrek⟩ curlicue, flourish, quirk, twirl, squiggle, squirl ♦ *een* ***sierlijke*** *krul onder zijn naam* an elegant flourish under his name; *een krul* ***zetten*** *bij een goed antwoord* ± tick a correct answer [8] ⟨plantenziekte⟩ curl [•] *een krul in zijn* ***staart*** *hebben* be like a dog with two tails, be like the cat that got the cream
krulandijvie [de] chicory, curled endive
kruldistel [de] welted thistle
krulhaar [het] curly hair
krulhazelaar [de^m] corkscrew hazel
krulijzer [het] curling/crimping tongs, curling/crimping iron(s), (hair) curler
^{1}**krullen** [onov ww] [1] ⟨krullen hebben⟩ curl ♦ *een krullend* ***blad*** a curly leaf; *met krullend* ***haar*** curly-haired, with curly hair; *zijn* ***haar*** *krult ontzettend* he's got awfully curly hair [2] ⟨krullen krijgen⟩ curl, crinkle, wave
^{2}**krullen** [ov ww] ⟨krullen maken in⟩ curl, ⟨m.b.t. haar ook⟩ crimp, ⟨kroezelig maken⟩ crisp, frizz(le), ⟨golven⟩ wave ♦ *een lach krulde zijn* ***lippen*** a smile came across his lips, a smile turned up the corners of his mouth; *de auto krulde* ***zich*** *om de lantaarnpaal* the car wrapped itself round the lamppost
krullenbol [de^m] → **krullenkop**
krullenbos [de^m] mass of curls
krullenjongen [de^m] [1] ⟨leerling-timmerman⟩ carpenter's apprentice, apprentice [2] ⟨fig⟩ errand boy, ⟨BE⟩ dogsbody, factotum ♦ *iemand* ***als*** *krullenjongen gebruiken* use s.o. as an errand boy
krullenkop [de^m], **krullenbol** [de] [1] ⟨hoofd met krullend haar⟩ curly head, head of curls ♦ *hij had een* ***prachtige*** *krullenkop* he had a splendid head of curls/mop of curly hair [2] ⟨persoon⟩ curly (head)
kruller [de^m] curler, roller, curling pin
krulletter [de] flourished letter, swash letter ♦ ***met*** *grote krulletters schrijven* write with (a lot of) flourishes/curlicues
krullig [bn] [1] ⟨krullend⟩ curly [2] ⟨fig; wonderlijk⟩ mysterious
krulset [de^m] set of electric curlers/rollers
krulsla [de] crinkly lettuce
krulsnor [de] handlebar moustache
krulspeld [de] curler, roller, curling pin
krulstaart [de^m] [1] ⟨krullende staart⟩ curly tail [2] ⟨dier⟩ curlytail
krultang [de] curling/crimping tongs, curling/crimping iron(s), (hair) curler
krulversiering [de^v] scroll (work), volute, cartouche
krulziekte [de^v] curl
krumping [het, de^m] krumping
kryoliet [het] cryolite
krypton [het] krypton
ks [tw] → **kst**

kso [het] ⟨in België⟩ (kunstsecundair onderwijs) secondary art education
kst [tw], **ks** [tw] shoo
kt [afk] (karaat) kt
KTU [de[v]] (Katholieke Theologische Universiteit) Catholic Theological University of Utrecht
kuberen [ov ww] 1 ⟨tot de derde macht verheffen⟩ cube, raise to the third power 2 ⟨de inhoud berekenen⟩ cube, measure the cubic contents
[1]**kubiek** [het, de[m]] 1 ⟨kubieke meter⟩ cubic metre, ⟨hout⟩ stere, solid metre ♦ *de prijs **per** kubiek* the price per cubic metre 2 ⟨derde macht⟩ cube, third power
[2]**kubiek** [bn] cubic ♦ *kubieke **afmetingen*** cubic measurements; *kubieke **inhoud*** cubic/solid content, cubic measurements/capacity, volume; *een kubieke **meter** gas* a cubic metre of gas; *een kubieke **meter** hout* a stere of timber; *de inhoud bedraagt tien kubieke **meter*** the contents are/it contains ten cubic metres
kubiekgetal [het] cube
kubiekwortel [de[m]] cube/cubic root
kubisch [bn] cubic, ⟨kubusvormig ook⟩ cube-shaped, cuboid(al), cubiform ♦ *kubisch **oppervlak*** cubic surface; *kubische **vergelijking*** cubic equation
kubisme [het] cubism
kubist [de[m]] cubist
kubistisch [bn, bw] cubist ⟨bw: ~ically⟩
kubus [de[m]] cube ♦ *de (magische) kubus* Rubik's cube
kubusvormig [bn] cubic(al), cube-shaped, cubiform, cuboid(al)
kubuswoning [de[v]] cube house
[1]**kuch** [de[m]] 1 ⟨droge, korte hoest⟩ cough, hack ♦ *geen kuchje meer **horen*** there wasn't a cough to be heard anymore; ***met** een kuchje iemands aandacht trekken* cough/(a)hem to attract s.o.'s attention; *last van een kuchje hebben* have a cough, ⟨van zenuwen⟩ have a nervous cough 2 ⟨longziekte⟩ cough TB
[2]**kuch** [het] ⟨commiesbrood⟩ ration bread
kuchen [onov ww] cough, hack, hawk, ⟨om aandacht ook⟩ give a cough, (a)hem ♦ *het **hinderlijke** kuchen van het publiek* the distracting coughing of the audience; ***luid** kuchen* cough loudly
kuchhoest [de[m]] dry cough, hacking cough
kudde [de] 1 ⟨groep landzoogdieren⟩ ⟨vnl. grote dieren⟩ herd, ⟨schapen, geiten, ganzen, wilde vogels⟩ flock, ⟨voortgedreven⟩ drove ♦ ***in** kudden levend* gregarious; *een kudde **vee*** a herd of cattle; *een op hol geslagen kudde* a runaway herd, a stampede; ⟨AuE ook⟩ a breakaway 2 ⟨fig⟩ flock ♦ *de Here zal zijn kudde **weiden** gelijk een herder* the Lord shall feed his flock like a shepherd; *de kudde* ⟨pej⟩ the (common) herd, the mob ▪ ⟨sprw⟩ *in elke kudde is wel een zwart schaap* there is a black sheep in every flock/family
kuddedier [het] 1 ⟨dier⟩ herd/gregarious animal 2 ⟨fig; mens⟩ one of the mob/herd
kuddegedrag [het] herd reflex
kuddegeest [de[m]] herd instinct
kudde-instinct [het] herd instinct
kuddemens [de[m]] one of the crowd/mob/herd
kufar [de[mv]] kuffar
kuier [de[m]] 1 ⟨wandeling⟩ stroll, walk, saunter 2 ⟨het wandelen⟩ stroll, walk, saunter ♦ *zij zijn **aan** de kuier* they are out for a stroll/walk, they are taking a stroll/walk
kuieren [onov ww] ⟨inf⟩ (go for a) stroll, (go for a) walk, saunter ♦ *een **eindje** kuieren* go for a (bit of a) stroll/walk; *hij kuiert al aardig **naar** de tachtig* he's getting on for/pushing eighty; ⟨fig⟩ *hij kuiert overal aardig **tussendoor*** ± he always falls on his feet
kuierlatten [de[mv]] ⟨inf⟩ ± shanks, ± pins ♦ *de kuierlatten **nemen*** take to one's heels
kuif [de] 1 ⟨hoofdhaar⟩ (head of) hair, shock, ⟨haarbos; inf⟩ mop ♦ *een lekkere **korte** kuif* clean cut hair, a college cut 2 ⟨voorhaar⟩ forelock, ⟨vnl AE⟩ cowlick, ⟨bles⟩ flick, ⟨vetkuif; BE⟩ quiff 3 ⟨m.b.t. vogels⟩ crest, tuft ♦ ⟨fig⟩ ***in** zijn kuif gepikt zijn, zich **in** zijn kuif gepikt voelen* go into/be in a huff, be miffed; ⟨AE ook⟩ be pissed (off); ***met** een kuif* crested, tufted; ⟨dierk ook⟩ pileate(d); ⟨fig⟩ *de kuif **opsteken*** bristle ▪ *Kuifje* ⟨stripfiguur⟩ Tintin
kuifaalscholver [de[m]] shag
kuifaap [de[m]] moor macaque
kuifduiker [de[m]] ⟨dierk⟩ Slavonian grebe
kuifeend [de] tufted duck
kuifkoekoek [de[m]] great spotted cuckoo
kuifleeuwerik [de[m]] crested lark
kuifmees [de] crested tit
kuifpotigen [de[mv]] copepods
kuiken [het] 1 ⟨dier⟩ chick(en), peeper, ⟨i.h.b. jonge kalkoen⟩ poult ♦ ***gebraden** kuikens* roast(ed)/barbecued chickens; *jong kuiken* chick, peeper 2 ⟨persoon⟩ ninny, chump, nincompoop, ⟨sl⟩ nit, twit, mug, ⟨sl; AE⟩ dummy, ⟨AE⟩ clod, ⟨BE ook⟩ wally
[1]**kuikenbroeder** [de[m]], **kuikenbroedster** [de[v]] ⟨bezitter van een fokkerij⟩ poultry-farmer
[2]**kuikenbroeder** [de[m]] ⟨machine⟩ hatcher, incubator
kuikenbroedster [de[v]] → **kuikenbroeder**[1]
kuikensekser [de[m]], **kuikenseksster** [de[v]] (chicken) sexer
kuikenseksster [de[v]] → **kuikensekser**
kuil [de[m]] 1 ⟨holte, uitholling⟩ pit, hole, ⟨uitholling⟩ hollow, ⟨in wegdek⟩ pot-hole, ⟨valkuil⟩ trap ♦ *kuilen **graven*** dig holes/pits; ⟨fig⟩ ***in** de kuil vallen die je voor een ander gegraven hebt* be caught in/fall into one's own trap, be hoist with one's own petard; *een weg vol **met** kuilen* a road full of pot-holes, a pot-holed road 2 ⟨gat om gewassen te bewaren⟩ pit, ⟨BE ook⟩ clamp, silo 3 ⟨deel van een visnet⟩ cod (end) 4 ⟨visnet⟩ trawl (net) ▪ ⟨sprw⟩ *die een kuil/put graaft voor een ander valt er zelf in* ± whoso diggeth a pit shall fall therein
kuildek [het] welldeck
[1]**kuilen** [onov ww] ⟨met de kuil vissen⟩ trawl
[2]**kuilen** [ov ww] 1 ⟨in een kuil opbergen⟩ pit, put in pits, ⟨BE ook⟩ clamp 2 ⟨onder zware druk opbergen⟩ ensile, ensilage, store in a silo
kuiler [de[m]] 1 ⟨schip⟩ trawler 2 ⟨persoon⟩ trawlerman
kuilgras [het] silage, ensilage
kuilplastic [het] agricultural plastic/film
kuiltje [het] 1 ⟨kleine kuil⟩ (small/little) hole ♦ *een kuiltje **voor** de jus* a well/hole for the gravy 2 ⟨sport⟩ hole 3 ⟨holte in wangen, kin⟩ dimple, ⟨gleuf in kin ook⟩ cleft ♦ *kuiltjes **in** de wangen hebben/krijgen* have/get dimples (in one's cheeks)/dimpled cheeks ▪ ***met** kuiltjes* with dimples, dimply
kuilvoer [het] (en)silage
kuip [de] 1 ⟨wijd vat⟩ tub, ⟨ton, vat⟩ barrel, ⟨vnl. ind⟩ vat, tank 2 ⟨bak met een draaischijf, weegbrug⟩ pit 3 ⟨leerlooierij⟩ vat
[1]**kuipen** [onov ww] 1 ⟨het kuipersambacht uitoefenen⟩ (be a) cooper/barrel-maker 2 ⟨intrigeren⟩ scheme, (hatch a) plot, intrigue, connive
[2]**kuipen** [ov ww] 1 ⟨vaten vervaardigen⟩ cooper, make barrels ♦ *gekuipte **mast*** built-up mast 2 ⟨in kuipen leggen⟩ tub, put in tubs, put in a tub, ⟨in vaten doen, vnl. m.b.t. bier/whisky enz.⟩ barrel, put in barrels, put in a barrel ♦ *het **vlees** kuipen* salt the meat
kuiper [de[m]] 1 ⟨vatenmaker⟩ cooper, hooper, barrel-maker 2 ⟨intrigant⟩ schemer, plotter, intriguer, conniver
kuiperij [de[v]] 1 ⟨geïntrigeer⟩ scheming, plotting, intriguing, conniving, ⟨vnl mv⟩ machination 2 ⟨het kuipersambacht⟩ cooperage, coopery 3 ⟨werkplaats⟩ cooperage, coopery
kuiphout [het] stave-wood, wood for staves
kuipje [het] tub ♦ *een kuipje **margarine*** a tub of margarine;

*boter **uit** een kuipje* butter from a tub
kuipplant [de] pot/patio plant
kuipstoel [de^m^] bucket seat
kuipververij [de^v^] 1 ⟨verfmethode⟩ vat dyeing/colouring 2 ⟨werkplaats⟩ vat dyeing/colouring works
¹kuis [de^m^] ⟨in België⟩ ⟨schoonmaak⟩ (house) cleaning, cleanup ♦ *de **grote** kuis (doen)* (do) the spring-cleaning
²kuis [de^v^] ⟨jonge koe⟩ vealer
³kuis [bn, bw] chaste ⟨bw: ~ly⟩, pure ⟨ook taal⟩, ⟨maagdelijk⟩ virgin(al), clean, ⟨zedig; vnl. m.b.t. kleding⟩ modest ♦ *een kuise **jongeling*** a chaste youth; *een kuise **jozef*** a virtuous man; ⟨pej⟩ a holy joe; *kuis **leven*** lead a chaste/pure life; *een kuise **maagd*** a chaste maiden/virgin; *een kuise **Suzanne*** a virtuous woman; ⟨pej⟩ a real virgin
kuisboom [de^m^] chaste-tree, agnus castus
kuisen [ov ww] 1 ⟨zuiveren van ongepaste uitdrukkingen⟩ expurgate, censor, ⟨vnl. m.b.t. stijl⟩ purify, ⟨pej; vnl. m.b.t. lit⟩ bowdlerize ♦ *gekuiste **taal*** language that has been censored/cleaned up; purified language; *een gekuiste **versie*** an expurgated/a bowdlerized version 2 ⟨in België; schoonmaken⟩ clean
kuisheid [de^v^] chastity, purity ♦ *de **gelofte** van kuisheid afleggen* take the vow of chastity
kuisheidsgordel [de^m^] chastity belt
kuiskalf [het] vealer
kuisvrouw [de^v^] ⟨in België⟩ cleaning lady/woman, ⟨BE ook⟩ charlady, charwoman
kuit [de] 1 ⟨deel van het onderbeen⟩ calf 2 ⟨m.b.t. vissen⟩ spawn, (hard) roe ⟨ook de gevulde eierstok⟩, ⟨van schelpdieren, vnl. oesters⟩ spat, ⟨kaviaar⟩ caviar ♦ *drie kuiten van de **kabeljauw*** three cod's roes; *een pond kuit van de **kabeljauw*** a pound of cod's roe
kuitader [de] peroneal artery
kuitbeen [het] fibula, ⟨m.b.t. dieren⟩ splint(-bone)
kuitbeenspier [de] peroneus
kuitbroek [de] knee-breeches
kuitenbijter [de^m^] 1 ⟨korte, steile helling⟩ leg killer 2 ⟨vasthoudend iemand⟩ terrier
kuitenflikker [de^m^] 1 ⟨dans⟩ cross-caper 2 ⟨rare sprong⟩ leap ♦ *een kuitenflikker **maken/slaan*** leap about, perform antics, cut a caper
kuitenparade [de^v^] leg-show, legs on parade, display of legs
kuiter [de^v^] spawner, seed-fish
kuitharing [de^v^] seedy herring, seed-herring
kuitkramp [de] cramp in one's calf
kuitlaars [de] calf-length boot
kuitrok [de] calf-length skirt
kuitschieten [onov ww] spawn
kuitspier [de] calf muscle, ⟨med ook⟩ sural muscle
kuitsteen [het, de^m^] ⟨geol⟩ oolite
kuitzak [de^m^] ovary
kuitziek [bn] seedy, full of spawn, ready to spawn
kukeleku [tw] cock-a-doodle-doo
kukelen [onov ww] ⟨inf⟩ go flying, tumble
kukkel [de^m^] ⟨inf⟩ ⟨ogm⟩ (little) kiss
Ku-Klux-Klan [de^m^] Ku-Klux-Klan
kul [de^m^] ⟨inf⟩ rubbish, ⟨AE ook⟩ garbage, claptrap, ⟨BE ook⟩ rot, codswallop, humbug, nonsense ♦ ***wat** een kul* what a load/lot of rubbish
kulas [de] ⟨van kanon⟩ breech
kulturkampf [de^m^] 1 ⟨gesch⟩ Kulturkampf 2 ⟨fig⟩ cultural civil war
kummel [de^m^] 1 ⟨komijn⟩ ⟨komijn⟩ cum(m)in, ⟨karwij⟩ caraway (seed) 2 ⟨likeur⟩ kümmel
kummelolie [de] caraway oil
kumquat [de] cumquat
kundalini [de^m^] kundalini
kunde [de^v^] knowledge, learning, skill ♦ *uit dit werk spreekt **grote** kunde* this work is eloquent of/evinces great learning
kundig [bn, bw] able ⟨bw: ably⟩, capable, skilful, proficient, efficient, competent, knowledgeable ♦ *een kundig **ingenieur*** a capable/skilful/proficient/competent/an able/efficient engineer; *iets kundig **repareren*** repair sth. efficiently/skilfully/competently ⊡ *ter zake kundig zijn* be an expert (on sth.)/very knowledgeable (on/about sth.), be informed (on/about sth.)
kundigheid [de^v^] 1 ⟨bekwaamheid⟩ skill, knowledge ♦ ***blijken** van kundigheid geven* show (evidence of) skill 2 ⟨kennis⟩ knowledge ⊡ ***grote** kundigheid* expertise
kungfu [het] kung fu
kunne [de] sex, gender ♦ *van **beiderlei** kunne* of both sexes, of either sex
¹kunnen [het] capacity, capability, ability ♦ *zijn prestaties zijn **beneden** zijn kunnen* he can do better than this
²kunnen [onov ww] ⟨aanvaardbaar zijn⟩ will do ♦ *het kan ermee **door*** it'll do, it's alright; *zo kan **het** niet langer* it/things can't go on like this, this won't do any more; *die trui kán gewoon **niet*** that sweater's just impossible; *zo kan ie wel **weer*** here we go again, can't you think of anything else to say?
³kunnen [onov ww + hulpww] ⟨m.b.t. mogelijkheid zoals geschat door spreker⟩ may, might, could, it is possible that ... ♦ *het kan een vergissing **zijn*** it may be a mistake; *het **zou** kunnen* could be, perhaps, maybe
⁴kunnen [hulpww] 1 ⟨m.b.t. toelating⟩ ⟨tegenwoordige tijd⟩ can, be allowed to, ⟨form⟩ may, ⟨verleden tijd, alg⟩ could, be allowed to, ⟨verleden tijd, individueel geval⟩ be allowed to, could, ⟨verleden tijd, indirecte rede; form ook⟩ might ♦ ⟨iron⟩ *dat kan hij **doen*** he can/let him do that sort of thing; *zoiets kun je niet **doen*** you can't do that sort of thing; ⟨iron⟩ *je kunt **gaan**!* off with you!; *bij oma konden we **gaan** en **komen*** at granny's we could come and go as we pleased; *de juf zei dat ik naar huis kon **gaan*** teacher said that I could go home; *maar ik kon niet buiten **spelen**, want ik was ziek* I wasn't allowed to play outside, 'cause I was ill 2 ⟨m.b.t. wens, verwensing⟩ can, let him/her ⟨enz.⟩ ♦ ⟨inf⟩ *hij kan verrekken!* to hell with him!, he can go to hell! 3 ⟨m.b.t. irritatie⟩ might, could ♦ *je kunt net zo goed tegen een dove **praten*** you might just as well be talking to a post/the well, it goes in one ear and out (of) the other; *je had het me wel kunnen **vertellen*** you might/could have told me; ⟨inf⟩ *ze kán me wat* she can whistle (for all I care); ⟨AE ook⟩ she can just whistle Dixie 4 ⟨van een bekwaamheid, mogelijkheid gebruikmaken⟩ be able to, manage to, succeed in ...-ing ♦ *de gevangene kon **ontsnappen*** the prisoner was able to/managed to escape
⁵kunnen [ov ww, ook abs] 1 ⟨m.b.t. bekwaamheid⟩ ⟨tegenwoordige tijd⟩ can, ⟨verleden tijd⟩ could, be able to ♦ *een handige man kan **alles*** a handy man can do anything/can turn his hand to anything; *ik kan niet **begrijpen** ...* I fail to/I am unable to understand ..., I'm at a loss to understand ..., I can't understand ...; *iets **beter** kunnen dan* be better at sth. than; ***buiten** iets kunnen* manage without sth., ⟨inf⟩ do without sth.; *had jij **dat** gekund?* could you have done that?; *hij kon soms nachten **doorwerken*** sometimes he worked/he would work on into the night; *hij kan er niet **bij*** ⟨fig⟩ it's beyond him, it's too much for him, he's not up to it; *ik kan er niet **in/uit*** I can't get in/out; *hij kon er niet **onderuit*** he couldn't escape (...ing), he just had to; *hij kan er niet **over uit*** he can't stop talking/he's always talking about it, ⟨inf⟩ he's always on about it; *je kunt **het** of je kunt **het** niet* either you can do it or you can't; *hij kan **niet** meer* he can't go on; ⟨inf⟩ he's finished, he's all in; *ik kan **niet** meer van het lachen* I'm laughing so much it hurts, I'm weak with laughter; ⟨inf⟩ *ik kan daar **niets** mee (doen)* that's no use to me; *ze kan uren voor zich uit zitten **staren*** she can sit staring in the distance for hours; *ergens **tegen** kunnen* be able to take sth.; *ik kan wel **wachten*** I can (always) wait, I

can afford to wait; *hij kan er **wat** van* he's pretty good at it; *hij liep **wat** hij kon* he ran as fast as he could; *laat eens zien **wat** je kunt* let's see what you can do; *hij kan goed **zingen*** ⟨ook⟩ he's a good singer [2] ⟨m.b.t. mogelijkheid inherent aan onderwerp⟩ ⟨tegenwoordige tijd⟩ can, ⟨verleden tijd⟩ could, it is/was/... possible for ... to ◆ ***dat** kan (niet)* it can('t) be done, it's/that's (im)possible; ⟨vaak iron⟩ *als **dat** zou kunnen* if only ...; ***dat** kan een andere keer wel* it can be done some other time; *je kunt niet beter **doen** dan ...* the best you can do is to ...; *het deksel kan **er** niet **af*** the lid won't come off; ***er** kan geen jas **uit** die lap* you can't make a coat out of that piece (of cloth); *alle boodschappen kunnen **er** niet **in*** the shopping won't all go in; *je kunt hier heel lekker **eten*** you can have a very nice meal here; *morgen kan ik **niet*** tomorrow I can't, tomorrow's impossible for me; *het kan **niet op*** there's more than enough/than we can get through; *je zou kunnen **weigeren*** you could refuse, it would be possible for you to refuse [•] ⟨sprw⟩ *willen is kunnen* where there's a will, there's a way

kunst [de^v] [1] ⟨benutten van het scheppend vermogen⟩ art ◆ *Kunst **met** een grote K, kunst **met** een kleine k* Art with a capital A, art with a small a; *de kunst **om** de kunst* art for art's sake; *de kunst van **Rubens*** Rubens' art; ***voor** de kunst leven* live for (one's) art [2] ⟨door kunstenaars beoefende discipline⟩ art ◆ ***beeldende** kunst* the visual art(s); *de **beeldende** kunsten* the visual arts; *een handelaar **in** kunst* an art dealer; *de bouwkunst is een van de **oudste** kunsten* architecture is among the most ancient arts; *kunsten en **wetenschappen*** art(s) and science(s); ⟨graveerkunst⟩ ***zwarte** kunst* mezzotint [3] ⟨kunstwerk(en)⟩ art [4] ⟨kundigheid⟩ art, skill ◆ *kunst en **ambacht*** arts and crafts; *een meester **in** de kunst* a master of the art; *door **slinkse** kunsten iets gedaan weten te krijgen* get sth. done by devious means; *dat is **uit** de kunst* that's amazing!/stunning!, ⟨inf⟩ that's too much!; *hij **verstaat** de kunst met mensen om te gaan* he knows how to handle people; *hij **verstaat** de kunst van het schermen/zwemmen* he knows how to fence/swim, he's a master at fencing/swimming, ⟨inf⟩ he's a dab hand at fencing/swimming; ***vertoon** je kunsten* show (us) what you can do; ⟨inf⟩ do your stuff!; ***zwarte** kunst* black art/magic, necromancy [5] ⟨moeilijke handeling⟩ trick, feat, art ◆ *zo is er **geen** kunst aan* there's nothing clever in that, that's no big deal; *de kunsten van de **goochelaar*** conjuring tricks; *het is vaak **groter** kunst te zwijgen dan te spreken* knowing when to speak is often less of an art than knowing when not to, discretion is the better part of valour; *dat **is** juist de kunst* that's the trick, that's where the art/skill comes in, ⟨inf⟩ that's the tricky bit; *het **is** (nu juist) de kunst om het met losse handen te doen* the trick/real art is doing it without holding on; *kunsten **maken/vertonen*** perform/do tricks; *(dat is een) kunst!* so what!, brilliant!, very clever!, anyone can do that! [6] ⟨vnl in samenstellingen; wat door mensen is gemaakt⟩ artificial/man-made/synthetic things ⟨enz.⟩ ◆ ***kunstbloemen, kunstbont*** artificial flowers, artificial/man-made/synthetic fur [7] ⟨mv; fratsen⟩ tricks ◆ *ik zal hem die kunsten wel **afleren*** I'll teach him to try that kind of tricks!, he won't try that kind of tricks again; *dat **zijn** maar kunsten* that's just (a lot of) trickery [8] ⟨gesch; wetenschap⟩ art ◆ *de (zeven) **vrije** kunsten* the (seven) liberal arts [•] ⟨sprw⟩ *hebben is hebben en krijgen is de kunst* ± possession is nine points of the law; ± have is have; ⟨sprw⟩ *oefening baart kunst* practice makes perfect

kunstaas [het] artificial bait

kunstacademie [de^v] art academy, academy of art(s)

kunstambacht [het] [1] ⟨het beoefenen van een kunst⟩ practice of an art [2] ⟨ambacht dat decoratieve afwerking verzorgt⟩ artistic/decorative craft

kunstantiquariaat [het] antique art shop

kunstarm [de^m] artificial arm

kunstazijn [de^m] synthetic vinegar

kunstbeen [het] artificial leg

kunstbegrip [het] [1] ⟨het begrijpen van kunst⟩ understanding/appreciation of art [2] ⟨kunstterm⟩ art(istic) term

kunstbeleid [het] policy on art, art(istic) policy ◆ *een **actief** kunstbeleid voeren* have an active policy on art

kunstbemesting [de^v] (use of) (artificial/man-made) fertilizer

kunstbeoefening [de^v] practice of art, artistry

kunstbeschermer [de^m] patron of art, patron of the arts, art patron, Maecenas

kunstbeschouwing [de^v] art review, art criticism

kunstbezit [het] art collection, art possessions ◆ ***openbaar** kunstbezit* (public) art treasures/collection

kunstbloem [de] artificial flower

kunstboek [het] art book

kunstbont [het] artificial/man-made/synthetic fur

kunstboter [de] synthetic butter, margarine

kunstbroeder [de^m] fellow artist

kunstcollectie [de^v] art collection

kunstcritica [de^v] → **kunstcriticus**

kunstcriticus [de^m], **kunstcritica** [de^v] art critic

kunstdarm [de^m] synthetic casing(s)

kunstdraaier [de^m] ⟨ivoor⟩ ivory turner, ⟨palmhout⟩ palm-wood turner

[1]**kunstdruk** [de^m] ⟨handeling⟩ (fine) art printing

[2]**kunstdruk** [het] ⟨papier⟩ art paper

kunstdrukpapier [het] art paper

kunsteigendom [de^m] art copyright

kunstenaar [de^m], **kunstenares** [de^v] artist ◆ ***beeldend** kunstenaar* visual/graphic artist; *een **begenadigd** kunstenaar* a gifted/an inspired artist; ⟨fig⟩ *hij is een kunstenaar **in** zijn vak* he's an artist/a past master in his field; ⟨fig⟩ *hij is een kunstenaar **met** de bal* ⟨voetballer⟩ he's an artist with the ball

kunstenaarsboek [het] artist's book

kunstenaarschap [het] [1] ⟨hoedanigheid⟩ artistic calling [2] ⟨bedrevenheid als kunstenaar⟩ artistry, artistic skill

kunstenaarshand [de] touch/hand of an artist ◆ *dat is **met** kunstenaarshand gedaan* that shows/has the touch of an artist/an artist's touch/shows the hand of an artist

kunstenaarsnaam [de^m] [1] ⟨pseudoniem⟩ pseudonym, assumed name [2] ⟨faam als kunstenaar⟩ reputation/name as an artist

kunstenaarstalent [het] artistic talent, artistry

kunstenares [de^v] → **kunstenaar**

kunstenmaker [de^m] [1] ⟨acrobaat⟩ (circus) artiste, acrobat, juggler, trick-artist [2] ⟨fratsenmaker⟩ clown, buffoon

kunstenmakerij [de^v] [1] ⟨het vertonen van kunsten⟩ acrobatics, juggling, acrobatic display [2] ⟨aanstellerij⟩ antics, buffoonery, clowning

kunst- en vliegwerk [het] [•] *ergens met (veel) kunst- en vliegwerk in slagen* manage to do sth. by pulling out all the stops, just about manage to do sth.

kunstepos [het] literary epic

kunstfoto [de] art photo(graph)

kunstfotografie [de^v] art photography

kunstgalerij [de^v] (art) gallery

kunstgebit [het] (set of) false teeth, (set of) dentures, ⟨gebitplaat⟩ (dental) plate

kunstgenootschap [het] (fine) art society, society of (fine) art(s)

kunstgenre [het] art(istic) genre

kunstgeschiedenis [de^v] [1] ⟨geschiedenis van de kunst⟩ history of art, art history [2] ⟨boek⟩ art history, history of art [3] ⟨les, vak op school⟩ history of art

kunstgevoel [het] feeling for art, artistic sense/feeling ◆ *hij **heeft** geen kunstgevoel* he has no feeling for art, he's a (complete) Philistine

kunstgevoelig [bn] sensitive to art, artistic

kunstgieterij [de^{v}] [1] ⟨handeling⟩ sculpture-casting [2] ⟨werkplaats⟩ sculpture-casting foundry
kunstglas [het] [1] ⟨bewerkt glas⟩ decorative/patterned glass [2] ⟨vervangend materiaal⟩ artificial/synthetic glass, glass substitute
kunstgras [het] artificial grass/turf, ⟨merknamen⟩ Astroturf, Tartan turf ♦ *hockeyen **op** kunstgras* play hockey on artificial turf
kunstgreep [de^{m}] [1] ⟨vaardigheid⟩ skill, mastery [2] ⟨slimme handeling⟩ trick, ruse, manoeuvre, ⟨AE⟩ maneuver, ⟨form⟩ device, artifice ♦ *iets bereiken **door** kunstgrepen (te gebruiken)* achieve sth. by (using) subtle/cunning manoeuvres/tricks/artifice
kunsthandel [de^{m}] [1] ⟨handel in kunst⟩ art-dealing, (the) art trade [2] ⟨winkel⟩ art shop/^{A}store
kunsthandelaar [de^{m}], **kunsthandelaarster** [de^{v}] art-dealer
kunsthandelaarster [de^{v}] → **kunsthandelaar**
kunsthars [het, de^{m}] [1] ⟨synthetisch product⟩ synthetic resin, bakelite, plastic [2] ⟨fenolhars, verfstof⟩ phenolic resin
kunsthart [het] artificial heart
kunstheup [de] artificial hip
kunsthistorica [de^{v}] → **kunsthistoricus**
kunsthistoricus [de^{m}], **kunsthistorica** [de^{v}] art historian
kunsthistorisch [bn, bw] art-historical ♦ *uit (een) kunsthistorisch **oogpunt*** from an art-historical point of view
kunsthoorn [het] synthetic horn
kunstig [bn, bw] ingenious ⟨bw: ~ly⟩, skilful, clever ♦ *een kunstig **bewerkte vaas/vervalste** cheque* an ingeniously/a skilfully decorated vase/forged cheque/^{A}check; *een kunstig **bouwwerk*** an ingenious/a clever structure; *een kunstig **muziekstuk*** an ingenious/a clever piece of music
kunstigheid [de^{v}] ingeniousness, skilfulness, cleverness
kunstijs [het] artificially prepared ice, manufactured/man-made ice, ⟨baan⟩ (ice) rink
kunstijsbaan [de] ice/skating rink
kunstijsmachine [de^{v}] ice-machine
kunstivoor [het] artificial ivory, ⟨vnl attributief⟩ ivorine
kunstje [het] [1] ⟨handigheidje⟩ knack, trick ♦ *dat is een **koud** kunstje* that's child's play/simplicity itself/as easy as falling off a log, there's nothing to it; *het is voor hem een **koud** kunstje om het te repareren* he can fix it with his eyes shut, he'll fix it in no time, it'll be child's play to him to fix it [2] ⟨truc, toer⟩ trick ♦ *zijn kunstje **doen*** do his party piece; *die hond **kan** kunstjes* the dog can do tricks; *een dier kunstjes **laten doen/leren*** make an animal do/teach an animal tricks; *kunstjes **met** lucifers/**met** kaarten* match/card tricks [3] ⟨listige handeling⟩ trick ♦ ***geen** kunstjes!* none of your tricks!/games!
kunstkabinet [het] art collection
kunstkalender [de^{m}] art calendar
kunstkenner [de^{m}] art connoisseur/expert, connoisseur of art
kunstkoe [de^{v}] cream machine
kunstkop [de^{m}] ⟨inf⟩ ⟨plagend of als scheldwoord⟩ ugly mug, stupid(-looking) face ♦ *wat een kunstkop **heeft** die vent!* what an ugly mug/a stupid(-looking) face that guy's got! ⊡ *ik krijg daar een kunstkop van* it drives me up the wall
kunstkring [de^{m}] art society/club
kunstkritiek [de^{v}] [1] ⟨het beoordelen⟩ art criticism [2] ⟨beoordelaars⟩ art critics [3] ⟨geschrift⟩ art review
kunstledematen [de^{mv}] artificial limbs
kunstleer [het] [1] ⟨skai⟩ imitation leather, leatherette, leather-cloth, American cloth [2] ⟨uit afval bereid leer⟩ imitation leather
kunstleren [bn] imitation leather, leatherette, leather-cloth
kunstlicht [het] artificial light ♦ *bij kunstlicht* in artificial light
kunstlichtfilm [de^{m}] tungsten (type) film
kunstlied [het] classical song
kunstliefhebber [de^{m}] art lover
kunstlievend [bn] art-loving
kunstlong [de] artificial lung, ⟨inf⟩ iron lung
kunstluis [de] art bum
kunstmaan [de] (artificial) satellite, man-made moon
kunstmarkt [de] [1] ⟨vraag en aanbod⟩ art market [2] ⟨openbare verkoop⟩ (public) art sale [3] ⟨plaats⟩ (public) art salesroom(s)
kunstmarmer [het] imitation marble
kunstmateriaal [het] synthetic, plastic, man-made material
kunstmatig [bn, bw] artificial ⟨bw: ~ly⟩, ⟨bewerkt ook⟩ synthetic, man-made, ⟨namaak ook⟩ imitation ♦ *kunstmatige **ademhaling** toepassen* apply artificial respiration; *kunstmatige **bevloeiing*** (artificial) irrigation; *kunstmatige **inseminatie*** artificial insemination; *kunstmatige **intelligentie*** artificial intelligence; *een kunstmatig **meer*** a man-made lake; *kunstmatige **voeding*** artificial feeding; *de prijzen **zijn** kunstmatig **opgedreven*** prices have been (artificially) inflated, prices have been pushed up artificially; *een situatie/bedrijf kunstmatig in stand/leven houden* bolster/shore up a situation/business
kunstmatigheid [de^{v}] artificiality
kunstmest [de^{m}] (artificial) fertilizer, chemical manure
kunstmeststrooier [de^{m}] fertilizer distributor/drill
kunstmiddel [het] artificial means/aid/device, (artful/clever/ingenious) device
kunstminnaar [de^{m}] art lover
kunstminnend [bn] art-loving
kunstmoeder [de^{v}] brooder, (artificial) mother, hover
kunstnier [de] artificial kidney, kidney machine
kunstnijverheid [de^{v}] [1] ⟨ambachtskunst⟩ applied/industrial art, consumer design [2] ⟨vervaardigde voorwerpen⟩ applied/industrial art, arts and crafts
kunstoog [het] artificial eye, ⟨inf⟩ glass eye
kunstopvatting [de^{v}] conception of art, theory of art, artistic creed
kunstparel [de] artificial pearl
kunstpenis [de^{m}] dildo, artificial penis
kunstpok [de] vaccination-mark
kunstproduct [het] art(istic) product, work of art, ⟨i.h.b. gebruiksvoorwerp⟩ artefact
kunstraad [de^{m}] art(s) council
kunstredactie [de^{v}] art editors/editorial staff
kunstreis [de] [1] ⟨tournee⟩ tour [2] ⟨reis⟩ arts tour
kunstrichting [de^{v}] trend in art, artistic trend ♦ *de **moderne** kunstrichting* modern art
kunstriet [het] artificial thatch
kunstrijden SCHAATSEN [ww] [1] ⟨op schaats⟩ figure-skate ♦ *kunstrijden **op** de schaats* figure skating [2] ⟨op paard⟩ ⟨dressuur⟩ ride in an equestrian event, ⟨circus enz.⟩ perform tricks (on a horse)
kunstrijder [de^{m}], **kunstrijdster** [de^{v}] [1] ⟨op schaats⟩ figure skater [2] ⟨op paard⟩ ⟨man & vrouw⟩ equestrian, ⟨vrouw ook⟩ equestrienne, ⟨man & vrouw⟩ (competition) horse-rider, ⟨circus enz.; man & vrouw⟩ trick-rider, ⟨man & vrouw⟩ circus-rider
kunstrijdster [de^{v}] → **kunstrijder**
kunstroof [de^{m}] art theft
kunstroute [de] art route
kunstrubber [het, de^{m}] synthetic rubber
kunstsatelliet [de^{m}] (artificial) satellite
kunstschaats [de] figure skate
kunstschaatsen SCHAATSEN [onov ww] figure-skate, do figure-skating
kunstschat [de^{m}] art treasure, ⟨verzameling⟩ art collec-

tion
kunstschilder [de^{m}] artist, painter
kunstschool [de] [1] ⟨kunstacademie⟩ artschool, ⟨vaak in titels⟩ school of art [2] ⟨personen⟩ artistic school/circle
kunstskibaan [de] artificial ski-run
kunstskiën [ww] figure skiing
kunstsmaak [de^{m}] artistic/aesthetic taste, ⟨zeldz⟩ virtu
kunstsmeedwerk [het] ornamental/decorative metalwork, wrought iron
kunstsmid [de^{m}] ornamental metalworker
kunstsneeuw [de] artificial snow
[1]**kunststof** [de] synthetic (material/fibre), plastic, man-made fibre ♦ ***van** kunststof* synthetic, plastic
[2]**kunststof** [bn] synthetic, plastic ♦ *kunststof **bekleding*** synthetic/plastic covering; *kunststof **bouwmaterialen*** synthetic building materials
kunststoot [de^{m}] ⟨bilj⟩ trick shot/stroke
kunststroming [de^{v}] trend in art, artistic trend
kunststuk [het] work of art, masterpiece, ⟨sport enz.⟩ feat, accomplishment, ⟨gevaarlijk⟩ stunt ♦ *dat is een kunststuk dat ik je niet na zou doen* that's an accomplishment/a feat I couldn't match/manage; *een **journalistiek** kunststukje* a masterpiece of journalism, a newspaper stunt; *het is een **waar** kunststuk* it's a real work of art/masterpiece
kunsttaal [de] [1] ⟨vaktaal⟩ specialist language, ⟨inf⟩ jargon [2] ⟨kunstmatige taal⟩ artificial language
kunsttand [de^{m}] artificial tooth, ⟨inf⟩ false tooth, bridge
kunstterm [de^{m}] specialist/technical term, art term
kunstuiting [de^{v}] work of art, art(istic) product, artistic expression
kunstuitleen [de^{m}] (contemporary) art library
kunstvaardig [bn, bw] skilful ⟨bw: ~ly⟩, craftsmanlike
kunstvaardigheid [de^{v}] skill, craft
kunstveiling [de^{v}] art sale, art auction
kunstverlichting [de^{v}] artificial lighting
kunstverlossing [de^{v}] assisted delivery/birth
kunstverzamelaar [de^{m}] art collector
kunstverzameling [de^{v}] art collection
kunstvezel [de] man-made/synthetic/artificial fibre
kunstvlees [het] meat substitute, synthetic meat
kunstvlieg [de] (fishing-)fly ♦ *vissen **met** kunstvliegen* fly-fish
kunstvliegen [ww] perform aerobatics, ⟨inf⟩ do aerobatics, be a stunt-flyer, stunt ♦ ***het** kunstvliegen* aerobatics, aerobatic/stunt flying
kunstvlieger [de^{m}] stunt-flyer, stunt/aerobatic pilot
kunstvoeding [de^{v}] artificial/forced feeding ♦ *iemand kunstvoeding **toedienen*** forcefeed s.o.
kunstvoer [het] synthetic fish-food
kunstvoorwerp [het] work of art, ⟨klein⟩ ↑ objet d'art, ⟨i.h.b. gebruiksvoorwerp⟩ artefact
kunstvorm [de^{m}] art form, medium (of art)
kunstvriend [de^{m}] [1] ⟨liefhebber van kunst⟩ art lover, patron of the arts [2] ⟨medekunstenaar⟩ fellow artist
kunstvuurwerk [het] set piece, firework (display)
kunstwaarde [de^{v}] artistic value
kunstwereld [de] art world, world of art, art(istic) circles
kunstwerk [het] [1] ⟨bk⟩ work of art, masterpiece ♦ *dat is een **klein** kunstwerkje* it's a little gem/masterpiece/work of art [2] ⟨wwb⟩ construction/engineering/structural work(s), construction(s)
kunstwol [de] [1] ⟨synthetisch product⟩ synthetic/artificial wool [2] ⟨wol bereid uit afvalproducten⟩ (wool) shoddy
kunstwollen [bn] synthetic/artificial wool, ⟨wol van afval⟩ made from shoddy ⟨alleen pred⟩
kunstwoord [het] specialist/technical term, art term
kunstzaak [de] [1] ⟨aangelegenheid van de kunst⟩ artistic matter/question [2] ⟨winkel⟩ art shop/^{A}store
kunstzaal [de] [1] ⟨galerie⟩ art gallery [2] ⟨museum⟩ art museum
kunstzijde [de] artificial silk, rayon, ⟨inf⟩ art silk
kunstzijden [bn] artificial silk, rayon
kunstzin [de^{m}] artistic sense, feeling for art
kunstzinnig [bn] artistic(ally-minded), appreciative of art ♦ *kunstzinnige **vorming*** art(istic) training/education
kunstzwemmen [ww] (solo/duet) synchronized swimming
kür [de^{m}] ⟨kunstrijden⟩ performance (to music), ⟨paardrijden⟩ (dressage to music) freestyle test, freestyle to music, kür (test)
kuras [het] cuirass
[1]**kuren** [de^{mv}] quirks, ⟨tijdelijk⟩ moods, ⟨form⟩ whims, caprices ♦ *die kuren moet je maar **afleren**!* that's enough/I've just had about enough of your tricks, you'd better stop those tricks right now!; ***en geen** kuren, hè!* none of your tricks/games, now!; *hij heeft weer een van zijn **rare** kuren* he's having/he's in another of his silly moods again; ⟨BE ook; inf⟩ he's playing silly buggers/silly B's again; ***vol** kuren* ⟨mens⟩ quirky, moody; ⟨paard⟩ tricky, awkward; *hij heeft altijd van die **vreemde** kuren* he's quirky/moody, he's a quirky/moody one; *dat **zijn** maar kuren* that's just him/her/... in one of his/her moods, he's/she's just putting on an act
[2]**kuren** [onov ww] take a cure/course of treatment, go on a cure/course of treatment, ⟨gesch; badplaats⟩ take the waters
kurhaus [het] spa, kursaal, hydropathic/water-cure establishment, ⟨vermaakscentrum⟩ casino
[1]**kurk** [de] [1] ⟨om flessen af te sluiten⟩ cork ♦ ***doe** de kurk er **goed op*** cork it up properly, put the cork back (in) properly; ***met** een kurk (afgesloten)* corked(-up); *de wijn smaakt **naar** de kurk* the wine is/tastes corked; *we hebben nog wat **onder** de kurk* that's (still) plenty of liquid refreshment [2] ⟨om visnetten te laten drijven⟩ cork ♦ ⟨fig⟩ *dat is de kurk waarop de zaak drijft* that's the mainstay of the business
[2]**kurk** [het, de^{m}] [1] ⟨weefsel op de schors van de kurkeik⟩ cork ♦ *wij hebben kurk **in de gang*** we've got cork flooring/we've put cork down/we've laid cork in the hall [2] ⟨weefsel aan plantendelen⟩ cork, phellogen, cork cambium
kurkachtig [bn] corky, corklike
kurkboom [de^{m}] cork tree
kurkboor [de] cork borer
kurkdroog [bn] (as) dry as a bone, (as) dry as dust, bone-dry
kurkeik [de^{m}] cork oak
[1]**kurken** [bn] cork ♦ *een kurken **wand*** a cork wall; *met kurken **zolen*** cork-soled; *een kurken **zwemvest*** a life/cork jacket
[2]**kurken** [ov ww] cork (up), ⟨fig⟩ bottle up, block, stop up ♦ *die **fles** is niet goed gekurkt* the bottle hasn't been properly corked (up)
kurkengeld [het] corkage
kurkentrekker [de^{m}] [1] ⟨werktuig om flessen te ontkurken⟩ corkscrew [2] ⟨haarlok⟩ corkscrew/tight curl [3] ⟨spiraalbeweging⟩ corkscrew, ⟨stuntvliegen⟩ barrel/victory roll
kurkenzak [de^{m}] ⟨scheepv⟩ fender
kurkfilter [het] cork tip ♦ *een sigaret **met** kurkfilter* a cork-tipped cigarette
kurkhout [het] corkwood
kurkiep [de^{m}] cork-bark elm, rock elm
kurkisolatie [de^{v}] cork insulation
kurkje [het] small cork
kurkpapier [het] cork leaf
kurkparket [het] cork parquetry
kurkplaat [de] cork sheeting, sheet(s) of cork
kurkschroef [de] screw-cork
kurksmaak [de^{m}] corky taste
kurksteen [het, de^{m}] cork tile

kurkstof [de] suberin
kurkuma [de^{m}] ⟨plantk⟩ turmeric
kurkvijl [de] round/rat-tail file
kurkzeil [het] cork lino(leum)
kurkzuur [het] suberic acid
kursaal [het, de^{m}] ⟨in België⟩ spa, kursaal, hydropathic/ water-cure establishment, ⟨vermaakscentrum⟩ casino
kus [de^{m}] kiss ◆ *geef me eens een kus* give me a kiss, ⟨BE ook; inf⟩ give us a kiss; how about a kiss?; *een kus **krijgen** van iemand* be kissed by s.o., get a kiss from s.o.; *een kus **stelen*** steal a kiss; *iemand een kus **toewerpen*** blow s.o. a kiss; ***vurige** kussen* ardent kisses
kushandje [het] a blown kiss ◆ *kushandjes **geven*** blow kisses (to s.o.)
kusje [het] kiss ◆ *een kusje **stelen*** steal a kiss; *een **vluchtig** kusje* peck; *kusjes!* (lots of) love (and kisses); look after yourself!, take care (of yourself)!; *(geef me eens een) kusje!* give me a kiss, ⟨BE ook; inf⟩ give us a kiss; how about a kiss?
^{1}**kussen** [het] [1] ⟨om een lichaamsdeel te ondersteunen⟩ cushion, ⟨bed⟩ pillow ◆ *een bank **met** kussens* a cushioned sofa, cushioned seats, a sofa/seats with cushions; ***met** kussens ondersteunen* cushion, pillow; ⟨fig⟩ ***op** het kussen zitten/raken* (come to) wear the crown, be in/achieve office; ⟨inf⟩ be at/reach the top; *de kussens **(op)schudden*** shake/plump up/fluff up/out the pillows [2] ⟨voor andere doeleinden⟩ cushion [3] ⟨wat aan een kussen doet denken⟩ pad, cushion
^{2}**kussen** [ov ww, ook abs] kiss ◆ ***elkaar** kussen* kiss (each other); *iemand **gedag/vaarwel** kussen* kiss s.o. goodbye; *iemand de **hand** kussen* kiss s.o.'s hand; *iemand **op** de mond kussen* kiss s.o. on the mouth; *hij kuste haar **vluchtig** op het voorhoofd* he gave her a peck/pecked her on the forehead; ***vochtig** kussen* slobber over (s.o.), give (s.o.) a wet/slobbery kiss; *zij kuste zijn tranen **weg*** she kissed away his tears/his tears away
kussenbankje [het] cushioned stool, stool with a cushion
kussenblok [het] [1] ⟨lager waarop een as rust⟩ pedestal, pillow-block, axle-guard, bearing [2] ⟨onderstel waarop een brugligger rust⟩ pillow, pillow-bere, pillow-beer
kussengevecht [het] pillow-fight ◆ *kussengevechten **leveren*** have a pillow-fight
kussenkast [de] Dutch bombé chest
kussenlava [de] pillow lava
kussenovertrek [de^{m}] pillow-cover, cushion-cover
kussensloop [het, de] pillowcase, pillow slip
kussentijk [het] tick(ing)
kussentje [het] [1] ⟨klein kussen⟩ (small) cushion/pillow ◆ *een **los** kussentje* a scatter cushion [2] ⟨voorwerp dat aan een kussen doet denken⟩ cushion, pad ◆ *hij heeft kleine dikke handen **met** kussentjes* he's got chubby/podgy/^{A}pudgy (little) hands [3] ⟨plantk⟩ pulvinus [4] ⟨schelpdier⟩ gaper
kust [de] [1] ⟨zeekust⟩ coast, (sea)shore, ⟨vnl AE⟩ seaboard ◆ *een huisje **aan de kust*** a cottage by the sea(side/^{A}shore); ***aan** de kust verblijven/liggen* stay/be on the coast/by the sea; ***langs** de kust varen* follow the coast, keep inshore; *de duinen **langs** de kust* the dunes along the coast/shore/by the sea; ***naar** de kust (toe) varen* sail to shore/landward(s)/ shoreward(s); ***onder/op/voor** de kust* off the coast, offshore; ⟨vanuit zee gezien⟩ inshore; ***onder/dicht onder** de kust blijven* stay inshore, hug the coast/shore; *hij zeilde dichter **onder** de kust dan wij* he sailed inshore of us; *een **ontwikkelde** kust* a jagged coast(line); *het schip liep **op** de kust/werd **op** de kust gezet* ⟨door storm⟩ the ship ran ashore/was beached/ blown onto the beach; *vijftig kilometer **uit** de kust* 50 kilometres offshore/off the coast; ***van** de kust **af** staan* ⟨van wind⟩ blow offshore; ***van** de kust (af) varen* sail out to sea/ seaward(s); *in Engeland **van** kust **tot** kust reizen* cross England from coast to coast/coast-to-coast; ⟨fig⟩ *de kust is **veilig*** the coast is clear; *eilanden **voor** de kust* offshore islands; *(het vissen) vlak **voor** de kust* inshore/coastal (fishing) [2] ⟨strand⟩ seaside, (sea)shore, ⟨BE⟩ coast, ⟨vnl AE⟩ seaboard [3] ⟨land⟩ shore ◆ ***vreemde** kusten **bezoeken*** visit foreign shores ⊡ ***te** kust en te keur* galore, in plenty; *ze zijn er te kust en te keur* there's no shortage/lack of them, there are plenty/(more than) enough of them, there's any amount of them
kustafslag [de^{m}] coastal erosion
kustafzetting [de^{v}] coastal sediment
kustbatterij [de^{v}] coastal/shore battery
kustbewoner [de^{m}] inhabitant of the coast, ⟨aardr ook⟩ coast-dweller
kustdeining [de^{v}] land swell
kusteiland [het] offshore island
kuster [de^{m}] coaster
kustformatie [de^{v}] (formation of a/the) coastline
kustgebergte [het] coastal (mountain) range, coastal mountains
kustgebied [het] coastal area/region, ⟨form⟩ littoral (region)
kusthandel [de^{m}] coasting/coastal trade, coastal shipping, coastwise business, cabotage
kusthaven [de] coastal port/harbour
kustkaart [de] coastal map, ⟨inf⟩ map of a/the coast
kustland [het] coastland, ⟨laagliggend⟩ tidewater ◆ ***moerasachtig** kustland* swampy coastland/maremma
kustlicht [het] beacon, ⟨vuurtoren⟩ lighthouse
kustlijn [de] coastline, shoreline
kustmeer [het] lagoon, lagune
kustplaats [de] seaside/coastal town
kustprovincie [de^{v}] coastal province
kustrivier [de] coastal river
kustschip [het] coaster
kuststaat [de^{m}] coastal state
kuststreek [de] coastal region, ⟨form⟩ littoral (region)
kuststrook [de] coastal strip/belt
kuststroom [de^{m}] coastal/littoral current
kustvaarder [de^{m}] [1] ⟨vaartuig dat voor de kust vaart⟩ coaster [2] ⟨koopvaardijschip tot 500 ton⟩ coaster [3] ⟨schipper⟩ coaster
kustvaart [de] coastal navigation, ⟨handel⟩ coasting/ coastal trade
kustvaartuig [het] coaster
kustverdediging [de^{v}] [1] ⟨mil⟩ coastal defence(s)/ ^{A}defense(s) [2] ⟨waterstaatkundige verdediging⟩ protection of a/the coast
kustverkorting [de^{v}] shortening of a/the coastline
kustverlichting [de^{v}] coastal lights
kustvervuiling [de^{v}] coastal pollution
kustvisserij [de^{v}] coastal fishing/fisheries
kustvlakte [de^{v}] coastal plain
kustwacht [de] coast guard (service)
kustwachter [de^{m}] [1] ⟨persoon⟩ coast guard, ⟨AE⟩ coastguardsman [2] ⟨vaartuig⟩ coast guard vessel, cutter
kustwateren [de^{mv}] coastal waters
kustweg [de^{m}] coast(al) road, ⟨aan rotskust⟩ corniche (road)
kut [de] ⟨vulg⟩ cunt, pussy, twat, ⟨BE ook⟩ fanny, ⟨AE ook⟩ crack ◆ *een **lekker** kutje* a nice/sweet little cunt ⊡ *ik ben er voor de **kat** z'n kut geweest* what a fucking waste of time that was!, I've wasted my fucking time there!, I went there for/to do fuck all; *dat slaat als kut op dirk* that's got fuck-all to do with it; *kut!* fuck!, fucking hell!; *kut met peren!* ⟨onzin⟩ (that's) fucking bullshit!, ⟨waardeloos⟩ (that's) fucking useless!
kutding [het] ⟨vulg⟩ fucking (stupid) thing, ⟨AE ook⟩ piece of crap/shit
kutklus [de^{m}] ⟨vulg⟩ shitty job, fucking (awful/stupid) job

kutlikken [ww] ⟨vulg⟩ [1] ⟨de vulva likken⟩ lick cunt/pussy/twat, eat cunt/pussy/twat [2] ⟨kruiperig vleien⟩ ↑ lick (s.o.'s) arse/^{A}ass
kut-Marokkaan [de^{m}] shitty Moroccan
kutsmoes [de] ⟨vulg⟩ fucking (silly/stupid) excuse, shitty excuse
kuttenkop [de^{v}] ⟨vulg; beled⟩ cunt
kutvent [de^{m}] ⟨vulg; beled⟩ prick, cunt, fucker
kutweer [het] ⟨vulg⟩ shitty weather
kutwijf [het] ⟨vulg; beled⟩ fucking bitch/cow
kuub [de^{m}] ↑ cubic (metre/^{A}meter), ± cubic yard/foot ♦ *te koop voor een tientje de kuub* on sale for 10 euros a cubic (metre)
kuur [de] cure, course of treatment ♦ *een kuur doen om mager te worden* take/follow a course of treatment to lose weight; ⟨dieet⟩ go/be on a (slimming) diet; *een kuur ondergaan* take/follow a cure/a course of treatment
kuurcentrum [het] spa
kuuroord [het] health resort, ⟨badplaats ook⟩ spa ♦ *een kuuroord voor astmapatiënten* a health resort for asthma patients
KVS [de^{m}] ⟨in België⟩ (Koninklijke Vlaamse Schouwburg) Royal Flemish Theatre (in Antwerp)
kvv'er [de^{m}] (kortverbandvrijwilliger) short-service volunteer, ± territorial
^{1}**kwaad** [het] [1] ⟨het slechte, verkeerde⟩ wrong, harm, ↑ evil ♦ *kwaad doen* do wrong/evil; *van geen kwaad weten* be completely innocent; *hij kan daar geen kwaad doen* he can do no wrong in his/her/their eyes; *ik zie daar geen kwaad in, daar steekt geen kwaad in* I don't see any/there's no harm in that; *tot kwaad geneigd* inclined to evil; *het kwaad met wortel en al uitroeien* stamp out the evil, ↑ eradicate the evil; *van kwaad tot erger vervallen* go from bad to worse [2] ⟨schade, nadeel⟩ harm, damage, ↑ evil ♦ *meer kwaad dan goed doen* do more harm than good; *dat kan geen kwaad* that/it can't do any harm; *kwaad stichten* do harm/damage; *van twee kwaden de minste kiezen* choose the lesser of two evils [3] ⟨onheil, ongeluk⟩ trouble, mischief, harm ♦ *zij bedoelt daar geen kwaad mee* she doesn't mean any harm; *een noodzakelijk kwaad* a necessary evil; *het kwaad was al geschied* the damage had already been done [•] ⟨sprw⟩ *geld/bezit is de wortel van alle kwaad* (the love of) money is the root of all evil; ⟨sprw⟩ *die kwaad doet haat het licht* ± he that does ill hates the light; ⟨sprw⟩ *het kwaad straft zichzelf* every sin brings its punishment with it; ± give a thief enough rope and he'll hang himself; ⟨sprw⟩ *gierigheid is de wortel van alle kwaad* the love of money is the root of all evil
^{2}**kwaad** [bn] [1] ⟨boosaardig⟩ evil, bad, vicious, ⟨inf⟩ nasty ♦ *hij is de kwaadste niet* he's not (at all) a bad chap/guy; *een kwaaie hond* a vicious/nasty dog; *hij is niet zo kwaad als hij eruitziet* his bark is worse than his bite; *hij is zo kwaad niet* he's not so bad (as all that) [2] ⟨m.b.t. tijdruimten⟩ evil, ill-starred, ill-fated ♦ *op een kwade dag* one ill-starred/ill-fated day
^{3}**kwaad** [bn, bw] [1] ⟨niet zoals het behoort te zijn⟩ bad ⟨bw: ~ly⟩, wrong, ⟨ook in samenstellingen; form⟩ ill ♦ *zo goed en zo kwaad als het gaat* for better or worse, as best we can, for good or ill; *kwaad bloed zetten* breed/create bad blood, stir up/create ill-feeling/ill-will; *iemand in een kwaad daglicht stellen* put/show s.o. in a poor/bad light; *dat is geen kwaad idee* that's not (at all) a bad idea; *het was lang niet kwaad* that wasn't (at all) bad; *het te kwaad krijgen* be overcome (by); ⟨emoties⟩ (feel like) break(ing) down; ⟨in 't nauw gedreven⟩ be hard pressed; ⟨politie enz.⟩ fall foul of; *dat is zo kwaad niet* that's not (at all) bad [2] ⟨zondig, verkeerd⟩ bad ⟨bw: ~ly⟩, ⟨heel erg⟩ evil, wicked ♦ *ze bedoelde er niets kwaads mee* she meant nothing by it, she meant no harm/offence, she didn't mean it badly; *het kwade in ieder mens* the evil (that lurks) in us all; *een kwade invloed ondergaan* be exposed to bad influence(s), ⟨heel erg⟩ be exposed to evil influence(s); *het is niet kwaad bedoeld* that isn't/wasn't meant badly/in a bad way, no offence is/was meant; *te kwader trouw handelen* act in bad faith; *een advocaat van kwade zaken* a ^{B}bent/^{A}crooked lawyer, a pettifogger [3] ⟨boos⟩ angry ⟨bw: angrily⟩ ♦ *een kwaaie brief* a sharp/strong/an angry letter; *een kwaaie bui hebben* be in a bad temper/mood; *kwaad kijken (naar)* look angrily (at s.o.), give (s.o.) an angry look; ⟨inf⟩ look daggers (at s.o.); *met een kwaaie kop weglopen* walk off/leave in a huff, go away mad/fuming; *maak je toch niet zo kwaad!* don't get yourself all worked up; ⟨inf⟩ keep your shirt/^{B}hair on!; *zich kwaad maken* get angry; *iemand kwaad maken* make s.o. angry, anger s.o.; *kwaad zijn op (iemand)/om (iets)* be angry at/with (s.o.)/at/about (sth.); *hij wordt snel/niet snel kwaad* he's quick/slow to anger, he has a quick/slow temper, he angers quickly/slowly; *vreselijk kwaad* hopping mad, boiling/seething with anger/rage/fury; *kwaad worden/blijven* get/stay angry [4] ⟨hinder, nadeel opleverend⟩ bad ⟨bw: ~ly⟩, serious ⟨ook ziekten⟩, ⟨inf⟩ nasty ♦ ⟨med⟩ *kwade droes* glanders, farcy; *aan hem heb je een kwaaie* he's a nasty bit of goods/customer, you'd better watch out for him/keep an eye on him; *kwade koortsen/ziekten* serious fevers/diseases [5] ⟨ongunstig, onaangenaam⟩ bad ⟨bw: ~ly⟩, ⟨form⟩ ill ⟨bw: ~y⟩ ♦ *hij meent het zo kwaad niet* he doesn't mean badly, no offence is meant, he means no offence [•] ⟨sprw⟩ *met grote heren is het kwaad kersen eten* ± he who sups with the devil should have a long spoon; those that eat cherries with great persons shall have their eyes squirted out with the stones; ⟨sprw⟩ *wee de wolf die in een kwaad gerucht staat* give a dog a bad name and hang him; a good name is sooner lost than won; ⟨sprw⟩ *met onwillige honden is het kwaad hazen vangen* ± one volunteer is worth two pressed men; ± you can lead a horse to water, but you can't make him drink; ⟨sprw⟩ *tegen de stroom is 't kwaad roeien* it is ill striving against the stream
^{1}**kwaadaardig** [bn] [1] ⟨boosaardig⟩ malicious, ill-natured, ⟨ook hond⟩ vicious [2] ⟨schadelijk⟩ pernicious, ⟨gezwel, ziekte⟩ malignant, ⟨ziekte ook⟩ virulent ♦ *een kwaadaardig gezwel* a (malignant) tumour, a cancer; ⟨med⟩ a carcinoma, a sarcoma
^{2}**kwaadaardig** [bn, bw] ⟨nijdig⟩ bad-tempered, angry, testy, ⟨inf⟩ nasty ♦ *iemand met een kwaadaardige blik aanzien* give s.o. a bad-tempered/nasty/an angry look; ⟨inf⟩ look daggers at s.o.; *hij zei dat zo kwaadaardig* he said it so bad-temperedly/angrily/nastily
kwaadaardigheid [de^{v}] [1] ⟨nijdigheid⟩ bad temper, anger, ⟨boosaardigheid⟩ malice, spite, ill-nature, ⟨inf⟩ nastiness ♦ *uit kwaadaardigheid* out of/from spite/malice [2] ⟨schadelijkheid⟩ perniciousness, ⟨ziekte, gezwel⟩ malignancy, ⟨ziekte ook⟩ virulence
kwaaddenkend [bn] suspicious, negative
kwaaddoener [de^{m}], **kwaaddoenster** [de^{v}] malefactor, wrongdoer, illdoer, evildoer
kwaaddoenster [de^{v}] → **kwaaddoener**
kwaadgezind [bn] evil-minded, ill-disposed (towards), scheming, ⟨form⟩ malevolent
kwaadgezindheid [de^{v}] malevolence, ill will, malice
kwaadheid [de^{v}] anger, fury, rage ♦ *rood (worden) van kwaadheid* (turn) red/crimson with anger/fury/rage, ⟨scherts⟩ (turn) puce with anger/fury/rage
kwaadschiks [bw] unwillingly, against one's will, with an ill grace, with a bad grace ♦ *goedschiks of kwaadschiks* willy-nilly, willing(ly) or unwilling(ly), willing(ly) or not/otherwise; *zeg het maar: moet het goedschiks of kwaadschiks?* which is it to be, the carrot or the stick?, will you do it or do I have to make you?
kwaadspreekster [de^{v}] → **kwaadspreker**
kwaadspreken [onov ww] speak ill/badly, gossip,

spread scandal, slander ◆ *kwaadspreken van (iemand)* speak ill/badly of (s.o.), ⟨form⟩ speak evil of (s.o.), talk/spread scandal about (s.o.), gossip about (s.o.); ⟨gelogen⟩ slander (s.o.); ⟨form⟩ vilify (s.o.), calumniate (s.o.); ⟨inf⟩ run (s.o.) down; ⟨AE ook⟩ badmouth (s.o.)

kwaadsprekend [bn] scandalous, calumnious, defamatory, slanderous, libellous

kwaadspreker [de^m], **kwaadspreekster** [de^v] scandalmonger, gossip, backbiter, ⟨leugenaar⟩ slanderer, ⟨form⟩ calumniator, detractor

kwaadsprekerij [de^v] scandalmongering, backbiting, slander, defamation, calumny

kwaadwillig [bn] [1] ⟨boosaardig⟩ malicious, malevolent, evil-minded ◆ *een kwaadwillige* ⟨jegens de staat⟩ a rebel/subversive [2] ⟨uit slechte gezindheid voortspruitend⟩ malicious ◆ *kwaadwillige **beëindiging** van de arbeidsovereenkomst* unfair/wrongful dismissal; ⟨jur⟩ *kwaadwillige **verlating*** desertion/abandonment (with malicious intent); *kwaadwillige **verzinsels*** malicious fabrications

kwaadwilligheid [de^v] malevolence, malice, malicious intent ⟨ook juridisch⟩ ◆ ⟨jur⟩ ***schade** door kwaadwilligheid* malicious damage; *misschien is er kwaadwilligheid in het spel?* could there be foul play here somewhere?

kwaaie [de] ⟨inf⟩ bad/evil one, nasty person, ugly customer, ⟨sl⟩ bad apple/^{B}hat ◆ *daar **heb** je een kwaaie aan* you've got a bad one there

kwaaiigheid [de^v] ⟨inf⟩ crossness, spite, ill humour, peeve, ⟨AE⟩ soreness

kwaakspraak [de] ⟨inf⟩ gibberish

kwaal [de] [1] ⟨vaak in samenstellingen; ziekte⟩ complaint, disease, illness, ailment, ⟨vooral in samenstellingen⟩ trouble, condition, problem ◆ *een **hartkwaal*** a heart condition/complaint/problem; *hij **heeft** altijd wel een of ander kwaaltje* he is always complaining about some ailment or other, there's always sth. wrong with him; *een **ongeneeslijke** kwaal* an incurable disease; *de kwalen van de **ouderdom*** the infirmities of old age [2] ⟨onvolkomenheid⟩ trouble, problem, fault, malady, ⟨maatschappelijk⟩ evil ◆ *jaloezie is een **helse** kwaal* jealousy is an infernal evil ⊡ ⟨sprw⟩ *het middel is erger dan de kwaal* the remedy may be/is worse than the disease

kwab [de] [1] ⟨weke massa vlees, vet⟩ (roll of) fat/flab, flabby mass, ⟨aan wang⟩ pouch, jowl, ⟨aan hals⟩ dewlap [2] ⟨deel van lever, longen, hersenen⟩ lobe, ⟨klein⟩ lobule

kwabaal [de^m] burbot, eelpout, ⟨gew⟩ lawyer

kwabbend [bn] flabby

kwabbig [bn] flabby, ⟨wangen⟩ pouchy

kwadraat [het] [1] ⟨vierkant⟩ square, quadrate ◆ ***magisch** kwadraat* magic square [2] ⟨voorwerp⟩ square, quadrate [3] ⟨tweede macht⟩ square ◆ ***in** het kwadraat* square(d); ***in** het kwadraat **verheffen*** (raise to the) square; ⟨fig⟩ *hij is een ezel/stommerik **in** het kwadraat* he is a consummate ass, he's a prize/perfect/^{A}double-dyed fool; ***x** kwadraat* x squared

kwadraatgetal [het] square number ◆ *een **geheel** kwadraatgetal* a perfect square

kwadraatschrift [het] square/Hebrew alphabet, square/Hebrew script, square Hebrew

kwadraatsvergelijking [de^v] ⟨wisk⟩ quadratic equation

kwadraatwortel [de^m] square root

kwadrant [het] [1] ⟨cirkelsector⟩ quadrant ◆ *een hoek **in** het eerste kwadrant* an angle in the first quadrant [2] ⟨meettoestel⟩ quadrant

kwadrateren [ov ww] (raise to the) square

kwadratisch [bn] quadratic, quadrate, square, ⟨AE⟩ superficial ◆ *kwadratische **vergelijking*** quadratic equation

kwadratuur [de^v] [1] ⟨wisk⟩ quadrature, square ◆ *de kwadratuur van de **cirkel*** ⟨ook fig⟩ the quadrature/square of the circle; *de kwadratuur van de **cirkel zoeken*** ⟨ook fig⟩ (try to) square the circle [2] ⟨net van vierkanten⟩ square netting [3] ⟨astron⟩ quadrature

^{1}**kwadreren** [onov ww] ⟨overeenstemmen⟩ square, agree, suit, tally, quadrate

^{2}**kwadreren** [ov ww] ⟨wisk⟩ ⟨kwadrateren⟩ (raise to the) square

kwaito [de^m] kwaito

kwajongen [de^m] [1] ⟨deugniet⟩ mischievous/naughty boy, brat, rogue, rascal [2] ⟨snotneus⟩ urchin, monkey, whelp, boy ◆ *hij is nog maar een kwajongen* he is just a boy; *vergeleken met Jan is hij nog maar een kwajongen* John could teach him (a thing/trick or two)

kwajongensachtig [bn, bw] boyish ⟨bw: ~ly⟩, mischievous, monkeyish, naughty, impish

kwajongensstreek [de] (boyish) prank, monkey trick, mischief, roguery ◆ *een kwajongensstreek **uithalen*** play a trick/a practical joke, pull a prank

^{1}**kwak** [de^m] [1] ⟨geluid⟩ thud, flop, thump, smack, bump ◆ *hij kwam **met** een kwak op de grond* he landed with a thud on the ground [2] ⟨hoeveelheid vloeibare stof, brij⟩ ⟨verf, lijm⟩ dab, daub, splotch, ⟨slagroom⟩ blob, ⟨modder, slagroom, pudding⟩ dollop ◆ *een kwak **kalk/eten/inkt*** a dab/daub of mortar/dollop of food/smear of ink [3] ⟨grote hoeveelheid⟩ wad, heap, bunch [4] ⟨nachtreiger⟩ night heron

^{2}**kwak** [tw] [1] ⟨kikvorsen en eenden⟩ ⟨eend⟩ quack, ⟨kikvors⟩ croak [2] ⟨m.b.t. weke massa⟩ smack, flop, thud

kwakbol [de^m] ⟨inf⟩ ⟨ogm⟩ tadpole

kwaken [onov ww] [1] ⟨geluid 'kwak' laten horen⟩ quack, ⟨kikvors⟩ croak [2] ⟨luidruchtig praten⟩ chatter, gaggle, gabble, rabbit

kwakje [het] ⟨BE⟩ spunk, ⟨AE⟩ gism

^{1}**kwakkel** [de^m] ⊡ *aan de kwakkel zijn* be ailing/sickly/infirm

^{2}**kwakkel** [de] [1] ⟨kwartel⟩ quail [2] ⟨in België; vals bericht⟩ canard, false rumour

kwakkelaar [de^m] valetudinarian, infirm/sickly person

^{1}**kwakkelen** [onov ww] ⟨telkens ziek zijn⟩ be ailing/sickly/infirm ◆ *kwakkelen **met** zijn gezondheid* be ailing, be sickly, be infirm, be in bad health

^{2}**kwakkelen** [onpers ww] ⟨afwisselend vriezen en dooien⟩ ⟨winter⟩ drag, linger, ⟨weer⟩ be fitful/uncertain/changeable

kwakkelig [bn] [1] ⟨met zijn gezondheid sukkelend⟩ sickly, ↑ailing, ⟨inf⟩ poorly [2] ⟨m.b.t. het weer⟩ uncertain, changeable

kwakkelweer [het] unsteady/fitful/changeable weather

kwakkelwinter [de^m] lingering/fitful/sluggish winter

^{1}**kwakken** [onov ww] ⟨met een plof vallen⟩ bump, crash, plump, fall with a thud ◆ *hij kwakte **tegen** de grond* he crashed on/landed with a thud on the floor

^{2}**kwakken** [ov ww] ⟨neersmijten⟩ dump, chuck, slap, ⟨verf⟩ dab, daub, ⟨modder, voedsel⟩ dollop ◆ *zij kwakte haar tas **op** het bureau* she smacked her bag down on the desk; *hij kwakte de jongen **tegen** de grond* he chucked/dumped the boy on the floor

kwakkie [het] ⟨BE⟩ spunk, ⟨AE⟩ gism

kwakzalver [de^m] [1] ⟨onbevoegd beoefenaar van de geneeskunst⟩ quack (doctor), charlatan, mountebank, medicaster [2] ⟨oplichter⟩ charlatan, swindler, mountebank, quack

kwakzalverachtig [bn] quack(ish), quacksalvering

kwakzalverij [de^v] quackery, charlatanism, charlatanry

kwakzalversmiddel [het] quack medicine/remedy, nostrum

kwal [de] [1] ⟨dier⟩ jellyfish, medusa [2] ⟨scheldwoord⟩ jerk, ⟨BE ook⟩ berk, pillock ◆ *een kwal **van een vent*** a regular jerk

kwalificatie [de^v] [1] ⟨toekenning van een eigenschap, titel⟩ designation, description, characterization, labelling, rating [2] ⟨geschiktheid⟩ qualification(s), capacity, accomplishment [3] ⟨jur⟩ characterization, classification

kwalificatieduel [het] qualifying duel/round/match
kwalificatieronde [de] qualifying round
kwalificatietoernooi [het] ⟨sport⟩ qualifying rounds ⟨mv⟩
kwalificatiewedstrijd [de^{m}] qualifying competition/ match/round
[1]**kwalificeren** [ov ww] 1 ⟨benoemen⟩ designate, characterize, describe, style, term ♦ *iemand kwalificeren **als** bedrieger* style s.o. an imposter 2 ⟨geschikt maken⟩ qualify, endow, ⟨vero⟩ capacitate 3 ⟨rechtskundige naam geven⟩ characterize, classify
[2]**zich kwalificeren** [wk ww] ⟨zich plaatsen⟩ qualify ♦ *zich kwalificeren **voor** de finale* qualify for/get through to the finals
[1]**kwalijk** [bn, bw] ⟨slecht⟩ ⟨bijvoeglijk naamwoord⟩ evil, vile, detrimental, nasty, ⟨bijwoord⟩ vilely, nastily, badly ♦ *iemand kwalijk **bejegenen*** treat s.o. ill/badly; *de kwalijke **gevolgen** van het roken* the evil/bad/detrimental effects of smoking; *een kwalijk **luchtje*** a nasty smell; *kwalijk **riekend*** evil-smelling, vile-smelling, foetid; *kwalijk **ruiken*** have a nasty/an evil smell, stink; *dat is een kwalijke **zaak*** that is a nasty/an evil business, that's bad ⊡ *hij **nam** het ons zeer/niet kwalijk* he gave us the full blame (for it), he did not blame us for it; ***neem** ons dat eens kwalijk* could you blame us?; ***neem** me niet kwalijk, dat ik te laat ben* excuse my being late/ me for being late; ⟨inf⟩ (I'm) sorry I'm late; ***neem** me niet kwalijk, maar ik ben het daar niet mee eens* excuse me/sorry, but I disagree/I beg to differ; ***neem(t)** (u) mij niet kwalijk* I am sorry, I beg your pardon; ⟨als inleiding tot vraag⟩ excuse me; *iemand iets kwalijk **nemen*** resent/take offence at s.o.'s doing sth., take sth. ill of s.o.; *ze zullen het je kwalijk **nemen** dat ...* they'll hold/count it against you that ...; *het is hem niet kwalijk te **nemen**, je kunt hem dat toch niet kwalijk **nemen*** you can hardly blame him, the blame can hardly be his; *hij nam het **zichzelf** kwalijk dat ...* he blamed himself for ...
[2]**kwalijk** [bw] 1 ⟨moeilijk, bezwaarlijk⟩ hardly, not very well, with difficulty ♦ *zoiets kan ik van hem toch kwalijk **verlangen*** I can hardly/not very well ask him to do such a thing 2 ⟨op gebrekkige wijze⟩ badly, little, poorly, imperfectly, ⟨in samenstellingen⟩ ill- 3 ⟨nauwelijks, pas⟩ scarcely, hardly, only just, no more than, barely 4 ⟨ternauwernood⟩ scarcely, hardly, narrowly, barely
kwalijkgezind [bn] 1 ⟨kwaadwillig⟩ ill-disposed 2 ⟨vijandig gezind⟩ malevolent, malicious, hostile, evil-minded
kwalitatief [bn, bw] qualitative ⟨bw: ~ly⟩ ♦ ⟨scheik⟩ *kwalitatieve **analyse*** qualitative analysis; *kwalitatief was het **verschil** groot* there was a large difference in quality
kwaliteit [de^{v}] 1 ⟨deugdelijkheid⟩ quality, grade, calibre, standard, stature ♦ ***eerste** kwaliteit wol/vlees* first-quality/ top-quality wool/meat, first-grade/top-grade wool/meat, grade A wool/meat; *(hout) van **goede/slechte** kwaliteit* high-quality/low-quality (wood); *deze soort is van **hogere/betere/ mindere** kwaliteit* this type is of higher/better/lower quality/standard; *melk van de **hoogste** kwaliteit* grade A milk; ***in** kwaliteit achteruitgaan* lose quality, decline; *van **inferieure/ ongelijke** kwaliteit, **inferieur/ongelijk** van kwaliteit* third-rate/tenth-rate, (of) inferior/uneven (quality); *kwaliteit **leveren*** deliver a quality product; *beter **van** kwaliteit worden* improve (in quality); *de kwaliteit van de producten **verbeteren**, de kwaliteit **verhogen*** grade up the quality of the products 2 ⟨eigenschap⟩ quality, characteristic, point, feature, trait ♦ *hij heeft vele **goede** kwaliteiten* he has many good qualities/points 3 ⟨waardigheid⟩ capacity, quality, function ♦ ***in** mijn kwaliteit van voorzitter kan ik ...* in my capacity/quality as chairman I can ... 4 ⟨vaak in samenstellingen; goede hoedanigheid⟩ quality, superiority, excellence, ⟨van mensen⟩ virtue ♦ *deze wijn **heeft** kwaliteit* this is a quality/superior wine; *kwaliteits**producten*** quality products 5 ⟨schaak⟩ ♦ *de kwaliteit **winnen/offeren/verliezen*** gain/sacrifice/lose the exchange ⊡ ⟨sprw⟩ *kwaliteit is belangrijker dan/gaat boven kwantiteit* quality, not quantity
kwaliteitsaanduiding [de^{v}] quality indicator, ⟨klasse⟩ quality grading, ⟨cijfer⟩ quality index/code
kwaliteitsartikel [het] quality/superior article, quality/superior product
kwaliteitsbewaking [de^{v}] quality assurance/control
kwaliteitscontrole [de] quality control/check, ⟨keuring⟩ quality inspection
kwaliteitseisen [de^{mv}] quality requirements/standards, requirements as to quality, specifications
kwaliteitsgarantie [de^{v}] guarantee, warranty of quality ♦ ***met** kwaliteitsgarantie* (fully) guaranteed; ⟨goedgekeurd⟩ accredited
kwaliteitsimpuls [de^{m}] quality impulse
kwaliteitskaart [de] quality checklist
kwaliteitskeurmerk [het] quality mark, mark of quality
kwaliteitskrant [de] quality (news)paper ♦ *dit geschrijf is uw kwaliteitskrant onwaardig* such journalism is unworthy of a quality (news)paper like yours
kwaliteitskringen [de^{mv}] quality circles
kwaliteitsmerk [het] quality mark, mark of quality, hallmark
kwaliteitsnorm [de] quality standard, standard of quality
kwaliteitsproduct [het] (high-)quality product
kwaliteitsuurtje [het] quality time
kwaliteitsverbetering [de^{v}] quality improvement, improvement in quality
kwaliteitsverschil [het] difference in quality
kwaliteitswerk [het] high-grade/quality work, ⟨van machine ook⟩ excellent performance ♦ *de timmerlieden **hebben** kwaliteitswerk **verricht*** the carpenters did quality work, ⟨inf⟩ the carpenters did a first-rate job
kwaliteitszorg [de] quality assurance/care
kwallenbeet [de^{m}] jellyfish's sting
kwallig [bn] 1 ⟨als (van) een kwal⟩ jellyfish-like 2 ⟨fig⟩ nasty, toadish, rotten, jerkish ♦ *een kwallige **kerel*** a nasty fellow, a toad/jerk
kwalpoliep [de] hydrozoan, hydroid
kwalster [de^{m}] phlegm, spit, ⟨inf; BE⟩ gob, ↑sputum
kwalsteren [onov ww] spit, expectorate, bring up phlegm, ⟨inf; BE⟩ gob
kwanselaar [de^{m}] barterer, haggler
kwanselarij [de^{v}] bartering, trucking, haggling
kwansuis [bw] ⟨form⟩ for appearance's/form's sake, ostensibly, by way of pretence/^{A}pretense ♦ *iets kwansuis **doen*** do sth. for the sake of appearance's form, go through the motions of sth.
kwant [de^{m}] fellow, chap, guy, customer, character ♦ *een **vreemde/rare** kwant* a queer/strange/weird customer
kwantabestek [het] bill of quantities
kwantificeerbaar [bn] quantifiable
kwantificeren [ov ww] quantify
kwantitatief [bn, bw] quantitative ⟨bw: ~ly⟩ ♦ *kwantitatieve **analyse*** quantitative analysis; *kwantitatief is het **meer**, maar kwalitatief minder* it is quantity rather than quality, quantitatively it is more, but qualitatively it is less
kwantiteit [de^{v}] quantity, amount, number ♦ ***overtreffen in** kwantiteit* surmount/surpass in quantity/number ⊡ ⟨sprw⟩ *kwaliteit is belangrijker dan/gaat boven kwantiteit* quality, not quantity
kwantiteitstheorie [de^{v}] ⟨ec⟩ quantity theory (of money)
kwantor [de^{m}] ⟨wisk⟩ quantifier
kwantum [het] 1 ⟨hoeveelheid⟩ quantum, amount, quantity, ⟨aandeel⟩ share, portion 2 ⟨quant⟩ quantum, quant

kwantumbaan [de] quantum orbit/path
kwantumchemie [de^{v}] quantum chemistry
kwantumelektronica [de^{v}] quantum electronics
kwantumfysica [de^{v}] quantum physics
kwantumkorting [de^{v}] quantity rebate/discount, bulk/volume discount
kwantummechanica [de^{v}] ⟨natuurk⟩ quantum mechanics
kwantumtheorie [de^{v}] quantum theory
kwar [de^{m}] [1] ⟨knoest in hout⟩ knot [2] ⟨achterblijvende plant, dier⟩ weakling, runt, retarded plant/animal
kwark [de^{m}] ± soft curd cheese, ± cottage/pot/cream cheese, ± curd(s)
kwarkpunt [de^{m}] ± piece of cheesecake
kwarktaart [de] ± cheesecake
[1]**kwart** [het] [1] ⟨vierde deel van een geheel⟩ quarter, fourth (part) ◆ *drie kwart van zijn vermogen* three quarters of his fortune; *één en een kwart (liter/meter)* one and a quarter (litre/metre), one (litre/metre) and a quarter; *hij is voor een kwart **Engels*** he is one quarter English; *de fles is voor een kwart **leeg*** the bottle is one quarter empty; *een kwart(je) **peer*** a quarter/fourth part of a pear; *voor een kwart van de **prijs*** for a quarter of the price; *de vier kwarten van een cirkeloppervlak* the four quarters/quadrants of a circle [2] ⟨kwartier⟩ quarter (of an hour) ◆ *het is kwart **over** elf* it is a quarter past eleven; ⟨AE ook⟩ it is 15 minutes past eleven, it is eleven-fifteen; *het is kwart **voor** elf* it is a quarter to eleven; ⟨AE ook⟩ it is ten forty-five [3] ⟨inhoudsmaat⟩ quart
[2]**kwart** [de] ⟨muz⟩ [1] ⟨kwartnoot⟩ ⟨BE⟩ crotchet, ⟨AE⟩ quarter note [2] ⟨derde toon na de grondtoon⟩ fourth, subdominant [3] ⟨interval van vier trappen⟩ fourth ◆ *een kwart **hoger*** up/raised a fourth
kwartaal [het] [1] ⟨trimester⟩ quarter, trimester, ⟨onderw⟩ term ◆ *tweemaal **per** kwartaal* biquarterly; *(eenmaal) **per** kwartaal* quarterly, by the quarter [2] ⟨bedrag⟩ quarterly instalment/^{A}installment/payment
kwartaalabonnement [het] quarterly subscription
kwartaalbericht [het] quarterly bulletin/report
kwartaalbetaling [de^{v}] quarterly payment, quarterage
kwartaalblad [het] quarterly (magazine)
kwartaalcijfers [de^{mv}] quarterly figures
kwartaaldrinker [de^{m}] binge drinker, dipsomaniac
kwartaaloverzicht [het] quarterly report
kwartaalrapport [het] quarterly report, ⟨vnl BE; onderw⟩ (end-of-)term report, ⟨AE⟩ report card
kwartaalrekening [de^{v}] quarterly account
kwartaalresultaten [de^{mv}] quarterly results
kwartaalstaat [de^{m}] quarterly list/balance
kwartanker [het] quarter anker
kwartcirkel [de^{m}] quarter-circle, quadrant
kwarteeuw [de] quarter (of a) century
kwartel [de] quail ◆ *zo doof **als** een kwartel* as deaf as a (door)post, stone-deaf; ⟨fig⟩ *hij/het is een **dove** kwartel* he's as deaf as a post
kwartelen [onov ww] ⟨jacht⟩ hunt (for) quail(s), shoot quail(s)
kwartelfluitje [het] quail-call, quail-pipe
kwartelkoning [de^{m}] corncrake
kwartelslag [de^{m}] call of the quail
kwartet [het] [1] ⟨muziek-, zangstuk⟩ quartet(te) ◆ *een kwartet **voor strijkers*** a string quartet [2] ⟨musici⟩ quartet(te) [3] ⟨spel⟩ ⟨BE⟩ happy families, ⟨AE⟩ old maid ◆ *een kwartet **hebben*** have a (complete) set
kwartetmuziek [de^{v}] quartet(te) music, music for quartet(te), music for four instruments
kwartetspel [het] ⟨BE⟩ happy families, ⟨AE⟩ old maid
kwartetten [onov ww] play ^{B}happy families, play ^{A}old maid
kwartfinale [de] ⟨sport⟩ [1] ⟨stadium in een afvaltoernooi⟩ quarterfinals ◆ *de kwartfinale(s) **halen*** make/get through to the quarterfinals [2] ⟨wedstrijd⟩ quarterfinal
kwartfinalist [de^{m}], **kwartfinaliste** [de^{v}] ⟨sport⟩ quarter-finalist
kwartfinaliste [de^{v}] → **kwartfinalist**
kwartfles [de] quarter bottle
kwartiel [het] ⟨stat⟩ quartile
kwartier [het] [1] ⟨deel van een uur⟩ quarter (of an hour) ◆ ***binnen** een/het kwartier* within a quarter of an hour/fifteen minutes; ***drie/vijf** kwartier* three quarters of an hour, an hour and a quarter; *het **duurde** een kwartier* ⟨wachten⟩ it took a quarter of an hour; ⟨voorstelling⟩ it lasted a quarter of an hour; ***om** het kwartier* at the quarter (hour), every quarter of an hour; *de klok **slaat** het/ieder kwartier, de klok **slaat** de kwartieren* the clock strikes the quarters [2] ⟨mil; verblijfplaats⟩ quarter(s), billet(s) ◆ *soldaten **in** kwartier hebben/krijgen* have soldiers quartered/billeted on one; *kwartier **maken*** take up one's quarters [3] ⟨schijngestalte van de maan⟩ quarter ◆ *het **eerste/laatste** kwartier* the first/last quarter [4] ⟨heral⟩ quarter(ing) [5] ⟨genealogie⟩ quarter, ⟨in mv ook⟩ quarterings [6] ⟨vierde gedeelte van een slachtdier⟩ quarter [7] ⟨scheepv⟩ quarter watch [8] ⟨stadswijk⟩ quarter, district, area
kwartierarrest [het] confinement to barracks ◆ *kwartierarrest **hebben*** be confined to barracks
kwartierdienst [de^{m}] public transportation every 15 minutes
kwartierlijst [de] station-list
kwartiermaker [de^{m}] [1] ⟨mil⟩ quartermaster [2] ⟨voorloper⟩ harbinger, trailblazer, forerunner, precursor
kwartiermeester [de^{m}] [1] ⟨mil⟩ quartermaster, billet-master [2] ⟨scheepv⟩ quartermaster
kwartiermeester-generaal [de^{m}] quartermaster general
kwartiermuts [de] garrison cap
kwartierrol [de] watchmen's list, duty men's list
kwartiers [bw] quartered ◆ *kwartiers **gezaagde** delen* quarterings
kwartierstanden [de^{mv}] ⟨aardr⟩ the second and fourth phases of the moon
kwartiertje [het] quarter (of an hour) ◆ *een **benauwd** kwartiertje doormaken* have/go through a bad quarter of an hour; *het **professoraal/academisch** kwartiertje* the quarter of an hour's grace allowed for a lecture to start late, ± break between lectures; *een **stief** kwartiertje* a good quarter of an hour; *in het **vrije** kwartiertje (op school)* during (the) break/^{A}recess, at break time
kwartiervolk [het] ⟨scheepv⟩ (sea) duty men, watch-keepers
kwartijn [de^{m}] quarto
kwartileren [ov ww] quarter
kwartje [het] [1] ⟨gesch; muntstuk⟩ 25-cent piece, ⟨AE⟩ quarter ◆ *het kost **twee/drie** kwartjes* it costs fifty/seventy-five cents [2] ⟨kwart anker⟩ quarter anker [•] *het kwartje is **gevallen*** the penny has dropped, it's finally clicked; ⟨sprw⟩ *wie voor een dubbeltje geboren is, wordt nooit een kwartje* ± if you are born poor you will remain poor all your life
kwartjesblad [het] aspidistra, cast-iron plant
kwartjesplant [de] honesty, moonwort, satinpod
kwartjesvinder [de^{m}] [1] ⟨oplichter⟩ swindler, con(fidence) man, ⟨AE⟩ bunco steerer, ⟨i.h.b. m.b.t. kaartsp⟩ sharper [2] ⟨padvinder⟩ boy scout
kwartnoot [de] ⟨muz⟩ [1] ⟨noot⟩ ⟨BE⟩ crotchet, ⟨AE⟩ quarter note [2] ⟨teken⟩ ⟨BE⟩ crotchet, ⟨AE⟩ quarter note
kwarto [het] quarto, 4to, 4° ◆ ***in** kwarto* in quarto
kwartoformaat [het] quarto, 4to, 4° ◆ *de eerste uitgaven **in** kwartoformaat van enkele stukken van Shakespeare* the first quartos of some Shakespeare plays
[1]**kwartrond** [de^{m}] round plane
[2]**kwartrond** [bn] quadrantal, shaped like a quarter circle

kwartrust [de] ⟨muz⟩ **1** ⟨rust⟩ ⟨BE⟩ crotchet rest, ⟨AE⟩ quarter rest **2** ⟨teken⟩ ⟨BE⟩ crotchet rest, ⟨AE⟩ quarter rest
kwarts [het] quartz ♦ *gele kwarts* citrine, false topaz
kwartsachtig [bn] quartzous, quartzose, quartzlike
kwartsbrander [de^m] quartz(-iodine) lamp
kwartsglas [het] quartz glass, vitreous silica, silica glass, ⟨AE⟩ fused quartz/silica
kwartshorloge [het] quartz watch
kwartsiet [het] quartzite
kwartsklok [de] quartz clock
kwartslag [de^m] quarter (of a) turn
kwartslamp [de] quartz(-iodine) lamp
kwartsporfier [het] quartz porphyry
kwartszand [het] quartz sand
kwarttoon [de^m] quarter tone/step, demisemitone
kwassie [de^m], **kwassieboom** [de^m] (Surinam) quassia ⟨Quassia amara⟩
kwassieboom [de^m] → **kwassie**
kwassiehout [het] quassia, bitterwood
kwast [de^m] **1** ⟨vaak in samenstellingen; borstel als gereedschap⟩ brush **2** ⟨samengebonden draden⟩ tassel, ⟨klein⟩ tuft ♦ ***met** kwasten (versierd)* tasselled/^{A}tasseled **3** ⟨knoest⟩ knot, gnarl, knur(r), knar ♦ *dit hout zit **vol** (met) kwasten* this wood is full of knots/is very knotty **4** ⟨dwaas, verwaand persoon⟩ ♦ ***arrogante** kwast* smart alec(k), ⟨vulg⟩ smart ^{B}arse/^{A}ass; ⟨BE⟩ Clever Dick, ⟨AE⟩ smarty-pants; ***pedante** kwast* prig; ***rare** kwast* queer customer/^{B}fish; ***verwaande** kwast* smart alec(k); ⟨inf⟩ prig; ⟨vulg⟩ conceited ^{B}arse/^{A}ass; ⟨vero⟩ fop **5** ⟨drank⟩ (lemon) squash, lemonade
kwasterig [bn, bw] ⟨verwaand⟩ smart-alecky, conceited ⟨bw: ~ly⟩, ⟨pedant⟩ priggish ⟨bw: ~ly⟩, ⟨raar⟩ queer ⟨bw: ~ly⟩, weird ⟨bw: ~ly⟩
kwastgras [het] grey hair grass
^{1}**kwastig** [bn] ⟨knoestig⟩ knotty, gnarled, knarry, knarred
^{2}**kwastig** [bn, bw] ⟨kwasterig⟩ → **kwasterig**
kwastje [het] (fine/narrow) brush, ⟨fijn penseel⟩ pencil ♦ *iets een kwastje **geven*** give sth. a brush/da(u)b (of paint); *dat mag wel een kwastje **hebben*** that could use a brush/da(u)b (of paint)/lick of paint
kwatong [de^v] ⟨in België⟩ scandalmonger, gossip, backbiter, ⟨leugenaar⟩ slanderer, ⟨form⟩ calumniator, detractor
kwatrijn [het] quatrain, tetrastich
^{1}**kwebbel** [de^m] ⟨persoon⟩ rattle(r), babbler, ⟨inf⟩ magpie, gasbag, chatterbox ♦ *wat een **ouwe** kwebbel ben jij* you're such an old gasbag
^{2}**kwebbel** [de] ⟨mond⟩ trap, tongue, face, ↓gob ♦ ***houd** je kwebbel **dicht*** shut up, cut the cackle, shut your trap/face/gob, hold your tongue, quit/stop gabbling
kwebbelen [onov ww] chatter, jabber, gabble, cackle, yap, gas ♦ *erop los kwebbelen* chatter/jabber away
^{1}**kwee** [de^m] ⟨boom⟩ quince ♦ ***Japanse** kwee* Japanese/flowering quince
^{2}**kwee** [de] ⟨vrucht⟩ quince
kweeappel [de^m] **1** ⟨vrucht⟩ quince **2** ⟨boom⟩ quince
^{1}**kweek** [de^m] **1** ⟨handeling⟩ cultivation, culture ⟨ook in laboratorium⟩, growing, nursing **2** ⟨het gekweekte⟩ culture ⟨ook in laboratorium⟩, growth, ⟨oogst⟩ crop, stand ♦ *een kweekje **maken** van* grow a culture from
^{2}**kweek** [de] ⟨tarwegras⟩ couch (grass), twitch/scutch/quitch/quick (grass)
kweekbak [de^m] seed tray/box, nursing tray/box
kweekbed [het] seed-bed, seed-plot, nursery(-bed)
kweekbodem [de^m] **1** ⟨voedingsbodem⟩ breeding ground **2** ⟨fig⟩ breeding ground
kweekgras [het] couch (grass), twitch/scutch/quitch/quick (grass)
kweekgrond [de^m] breeding ground
kweekkamer [de] culture room, ⟨klein⟩ incubator
kweekkas [de] greenhouse, ⟨verwarmd⟩ hothouse, ⟨serre⟩ conservatory
kweekmateriaal [het] ⟨bomen, planten⟩ nursery stock, ⟨voor veredeling⟩ breeding material/stock
kweekmossel [de] cultivated mussel
kweekplaats [de] **1** ⟨kwekerij⟩ nursery, seed-bed, ⟨broeikas⟩ hatchery **2** ⟨fig; onderzoeks-, opleidingscentrum⟩ nursery, breeding ground **3** ⟨fig; pej; broeinest⟩ hotbed, breeding ground
kweekplant [de] cultivated/gardener's/nursery plant
kweekproef [de] culture ♦ *een kweekproef **op** tuberculose/tyfus* a tuberculosis/typhoid culture
kweekreactor [de^m] breeder reactor
kweekschaaltje [het] Petri dish
kweekschool [de] **1** ⟨opleidingsschool⟩ training school/college, ⟨fig⟩ breeding ground, ⟨fig; pej⟩ hotbed ♦ *kweekschool **voor** de zeevaart* a nautical college/school of navigation; ⟨fig⟩ *dit krantje is een kweekschool **voor** talent* this periodical is a breeding ground for talent **2** ⟨pedagogische academie⟩ teacher training (college), college of education
kweeksel [het] **1** ⟨m.b.t. planten en gewassen⟩ culture, crop, nursery/breeding stock **2** ⟨fig; voortbrengsel⟩ product
kweekster [de^v] → **kweker**
kweektuin [de^m] nursery (garden)
kweekvijver [de^m] **1** ⟨visvijver⟩ fish-breeding/fish-rearing pond, nurse/fry pond, hatchery **2** ⟨kweekplaats⟩ breeding ground
kweekvlees [het] in vitro meat, cultured meat
kween [de^v] freemartin
^{1}**kweepeer** [de^m] ⟨boom⟩ quince
^{2}**kweepeer** [de] ⟨vrucht⟩ quince
^{1}**kwek** [de^m] ⟨persoon⟩ rattle(r), babbler, ⟨inf⟩ magpie, gasbag, chatterbox
^{2}**kwek** [de] ⟨mond⟩ trap, tongue, face, ↓gob ♦ *je moet nu even je kwek **houden*** shut up/shut your gob/trap/face, will you?, hold your tongue/stop rattling for a minute, will you?
^{3}**kwek** [tw] quack, ⟨kikvors⟩ croak
kwekeling [de^m], **kwekelinge** [de^v] **1** ⟨iemand die tot een vak opgeleid wordt⟩ trainee, student, pupil, apprentice **2** ⟨student aan een pedagogische academie⟩ student/pupil teacher, teacher trainee
kwekelinge [de^v] → **kwekeling**
kweken [ov ww] **1** ⟨m.b.t. planten en gewassen: verbouwen⟩ grow, cultivate, raise, produce ♦ ***bloemen/bomen/champignons** kweken* grow/cultivate flowers/trees/mushrooms; ***gemakkelijk** te kweken planten* easy-to-grow plants; *gekweekte **planten*** cultivated plants; ***zelf** gekweekte tomaten* home-grown tomatoes **2** ⟨m.b.t. nieuwe plantenrassen⟩ breed, propagate **3** ⟨m.b.t. dieren⟩ raise, rear, ⟨fokken⟩ breed ♦ ***oesters/slakken** kweken* breed/produce oysters/snails; *gekweekte **parel*** cultured pearl **4** ⟨doen ontstaan en aanwakkeren⟩ breed, cultivate, foster, generate, engender ♦ ***goodwill** kweken* foster goodwill; *dat kweekt **haat*** that breeds/generates hatred; *bij de leerlingen **interesse** voor het vak kweken* interest one's pupils/raise the pupils' interest in the subject; ***rente** kweken* make/earn interest; *gekweekte **rente*** accrued interest; *een **voorraadje** kweken* accumulate/build up a supply/stock, stock-pile **5** ⟨opleiden⟩ train, educate, make
kweker [de^m], **kweekster** [de^v] grower, ⟨tuinder⟩ (market) gardener, ⟨AE⟩ truck farmer, ⟨bloemen, planten⟩ nurseryman, ⟨vis⟩ farmer, ⟨bloemen⟩ florist, ⟨i.h.b. dieren/nieuwe rassen⟩ breeder
kwekerij [de^v] **1** ⟨het kweken⟩ cultivation, growing, raising, breeding, production **2** ⟨plaats, bedrijf⟩ nursery (garden), ⟨groenten⟩ market garden, ⟨AE⟩ truck farm, farm ⟨bijvoorbeeld vis⟩, ⟨experimenteel⟩ plant breeding station

kwekersrecht [het] plant breeder's/variety rights ♦ *raad **voor** het kwekersrecht* Board for the Breeder's Rights; Council of Legislation on Plant Breeding
kwekkebekken [onov ww] → **kwekken**
kwekken [onov ww] [1] ⟨van dieren⟩ quack, ⟨kikvors⟩ croak [2] ⟨van mensen⟩ chatter, jabber, burble, prattle
kwel [het, de] [1] ⟨doorsijpeling⟩ seepage, oozing, percolation [2] ⟨kwelwater⟩ seepage (water), percolating water
kweldam [de^{m}] ± inner dyke
kwelder [de] [1] ⟨aangeslibd land⟩ salt marsh/meadow, tidal marsh(es), mud flats, ⟨vaker onderlopend; BE⟩ salting(s) [2] ⟨gras, hooi⟩ salt grass/hay, salt-marsh grass/hay, salt-meadow grass/hay
kweldergras [het] [1] ⟨Pucinellia⟩ (sea) poa [2] ⟨Engels gras⟩ thrift, sea pink
kwelderland [het] mud-flats ⟨mv⟩, salt-flats, saltings
kwelduivel [de^{m}] tormentor, tease(r), pesterer, plague, ⟨demon⟩ goblin, sprite
kwelen [ov ww, ook abs] [1] ⟨m.b.t. vogels⟩ warble, carol, pipe [2] ⟨m.b.t. mensen⟩ lilt, croon, carol, warble ♦ *een **deuntje** kwelen* lilt/warble a tune
kwelgeest [de^{m}] [1] ⟨demon⟩ goblin, sprite, pooka(h) [2] ⟨lastig, hinderlijk persoon⟩ tormentor, tease(r), pesterer, ⟨inf⟩ pain in the neck, plague ♦ *hij is een **ware** kwelgeest met al zijn vragen* he is a regular plague/pain in the neck with all his questioning
[1]**kwellen** [onov ww] ⟨m.b.t. water⟩ seep, ooze, percolate
[2]**kwellen** [ov ww] [1] ⟨pijn doen⟩ hurt, ⟨sterker⟩ torment, torture, pain, stab ♦ ***dieren** kwellen* torment/torture animals [2] ⟨leed, ongemak aandoen⟩ torment, agonize, harass, persecute, plague ♦ ***angst** kwelde hem* he was haunted/tormented by fear; *een gekweld **gelaat*** an agonized face; *gekweld worden door **geldgebrek*** be troubled/harassed by lack of money; *kwellende **herinneringen*** haunting memories; *de **honger**/de **dorst** kwelt hem* he is tormented by hunger/thirst; *een kwellende **pijn*** an excruciating/a racking/an agonizing pain; *gekweld worden door een constante **pijn in zijn rug*** be tormented by/racked with chronic back-ache [3] ⟨niet met rust laten⟩ trouble, worry, plague, disturb, vex ♦ *die **gedachte** bleef hem kwellen* the thought kept troubling him/kept exercising his brain; *er is iets dat **haar** kwelt* there is sth. troubling her; ⟨inf⟩ she's hung up about sth.; *kwellende **onzekerheid/problemen*** agonizing/tormenting doubts/problems; *een gekweld **persoon*** a tormented person/character; *gekweld door **wroeging/een obsessie*** ⟨inf⟩ haunted/plagued by remorse/by an obsession
kweller [de^{m}], **kwelster** [de^{v}] ⟨man⟩ tormentor, ⟨vrouw⟩ tormentress, ⟨man & vrouw⟩ harrier, ⟨man⟩ persecutor, ⟨vrouw⟩ persecutress
kwelling [de^{v}] [1] ⟨pijniging, marteling⟩ torture, torment, agony, pain [2] ⟨leed, ongemak⟩ torment, harassment, agony, trial, annoyance, affliction ♦ *een brief schrijven is een **ware** kwelling voor hem* writing a letter is sheer torment/a regular trial for him
kwelspreuk [de] riddle, conundrum
kwelster [de^{v}] → **kweller**
kwelwater [het] seepage (water), percolating/oozing water
kwelziek [bn] fond of teasing/pestering/tormenting, delighting in teasing/pestering/tormenting, vexatious, ⟨sterk⟩ sadistic
kwelzucht [de] fondness of teasing/pestering/torment, delight in teasing/pestering/torment, vexatiousness, ⟨sterk⟩ sadism
kwestie [de^{v}] [1] ⟨zaak waarmee men zich bezighoudt⟩ question, matter ♦ *een **brandende** kwestie* a burning question; *de persoon/de zaak/het geval **in** kwestie* the person/matter/case in question; ***op** deze kwestie wil ik later nog terugkomen* I will return to this matter later; ***over** die kwestie kun je van mening verschillen* opinions may differ on that matter; ⟨pol⟩ *de kwestie van **vertrouwen** stellen* ask for a vote of confidence [2] ⟨probleem⟩ question, issue, matter ♦ *de **Duitse** kwestie* the German question/issue; *een **netelige** kwestie* a delicate question/matter/issue; *de **Palestijnse** kwestie* the Palestine question/issue; *een **slepende** kwestie* a matter that drags on; *dat is een kwestie **voor de politie*** that's a matter for the police; *de kwestie van de **woningnood*** the question/issue of the housing shortage [3] ⟨aangelegenheid, geval⟩ question, matter ♦ *een kwestie **van smaak*** a question/matter of taste; *een kwestie **van** opvoeding* a question/matter of education; *een kwestie **van** vertrouwen* a matter of confidence; *dat is alleen nog maar een kwestie **van tijd*** it's only a question of time now [4] ⟨onenigheid⟩ argument, dispute ♦ *daarover kan **geen** kwestie zijn* there can be no two ways about it/no disputing it [·] *daar is geen kwestie van* that's out of the question, there's no question of that; *geen kwestie van!* out of the question!; ⟨sl⟩ no way!
kwestieus [bn] doubtful, questionable
kwets [de] damson
kwetsbaar [bn] [1] ⟨gekwetst kunnende worden⟩ vulnerable, ⟨m.b.t. fysiek, psychisch ook⟩ fragile, delicate ♦ ⟨fig⟩ *een kwetsbare **hypothese*** an assailable assumption; ⟨fig⟩ *dit is zijn kwetsbare **plek/zijde*** this is his vulnerable/weak spot/side; *kwetsbaar **voor*** vulnerable to [2] ⟨bridge⟩ vulnerable
kwetsbaarheid [de^{v}] vulnerability, ⟨m.b.t. fysiek, psychisch ook⟩ fragility
kwetsen [ov ww] [1] ⟨verwonden⟩ injure, wound, hurt, ⟨vruchten⟩ bruise, damage ♦ ***licht** gekwetst* slightly hurt/injured/wounded; ⟨m.b.t. fruit⟩ lightly bruised/damaged [2] ⟨grieven⟩ hurt, grieve, wound, offend ♦ *iemands **gevoelens** kwetsen* hurt/trample on s.o.'s feelings; *kwetsende **taal*** offensive language; *hij **toonde** zich gekwetst door die opmerking* he was (apparently) offended by that remark; *gekwetste **trots*** wounded pride
kwetsing [de^{v}] [1] ⟨het bezeren, bezeerd raken⟩ hurting, wounding [2] ⟨m.b.t. vruchten⟩ bruise [3] ⟨krenking⟩ injury, offence, hurt
kwetsuur [de^{v}] injury, hurt, wound
kwetteren [onov ww] [1] ⟨m.b.t. vogels⟩ twitter, chirp, chatter [2] ⟨m.b.t. mensen⟩ chatter, (p)rattle
kwezel [de^{v}] ⟨pej⟩ [1] ⟨vroom persoon⟩ sanctimonious hypocrite [2] ⟨sukkel⟩ simpleton, goody, goodie, goody-goody, noodle
kwezelaar [de^{m}], **kwezelaarster** [de^{v}] [1] ⟨overdreven vroom persoon⟩ → **kwezel** [2] ⟨beuzelaar⟩ trifler, dawdler [3] ⟨onbenul⟩ simpleton, fathead
kwezelaarster [de^{v}] → **kwezelaar**
kwezelachtig [bn, bw] [1] ⟨als (van) een overdreven vroom persoon⟩ sanctimonious ⟨bw: ~ly⟩ [2] ⟨beuzelachtig, onbeduidend, onbenullig⟩ trifling ⟨bw: ~ly⟩, trivial ♦ *wat is dat voor een kwezelachtige **opmerking*** what a trivial/senseless remark [3] ⟨onnozel, dom⟩ silly ⟨bw: sillily⟩, simple, half-witted ♦ *sta niet zo kwezelachtig te **kijken*** don't stand there gawking, don't look so half-witted
kwezelarij [de^{v}] [1] ⟨het overdreven vroom doen⟩ sanctimoniousness, holier-than-thou attitude [2] ⟨gewauwel, larie, onzin⟩ nonsense, rot, twaddle, ⟨AE⟩ garbage
kwezelen [onov ww] [1] ⟨overdreven vroom doen⟩ behave like a sanctimonious hypocrite, affect piety [2] ⟨onbeduidende opmerkingen maken⟩ talk rubbish/nonsense, ⟨AE ook⟩ talk garbage, ⟨kinderen⟩ talk silly
kwibus [de^{m}] joker, funnyman, ⟨inf⟩ weirdo, ⟨form⟩ coxcomb, jackanapes ♦ *een **rare** kwibus* a weird chap/customer/cove/card
[1]**kwiek** [bn, bw] ⟨vlug en levendig⟩ alert ⟨bw: ~ly⟩, spry, dapper, bright, brisk ♦ *kwiek **lopen*** step/walk briskly, step out; *een kwieke **tred*** a brisk pace/step; *een kwiek **ventje*** a dapper little chap
[2]**kwiek** [bw] ⟨vlot⟩ smartly
kwijl [het, de] slaver, slobber, drivel

kwijlen [onov ww] slaver, slobber, drivel, dribble, run at the mouth ♦ *om van te kwijlen* mouth-watering
kwijler [de^{m}] slaverer, slobberer, driveller
kwijnen [onov ww] [1] ⟨m.b.t. levende wezens⟩ languish (away), pine (away), linger (on), ⟨verhongeren⟩ starve, ⟨planten ook⟩ droop, wilt [2] ⟨fig; verzwakken⟩ languish (away), ⟨van belangstelling⟩ flag ♦ *een kwijnende **genegenheid*** a languishing/flagging affection; *de **handel** kwijnt* trade is languishing
kwijnend [bn, bw] [1] ⟨krachteloos, slepend⟩ languishing ⟨bw: ~ly⟩, lingering, sickly ♦ ⟨fig⟩ *een kwijnend **bestaan** leiden* linger on; *kwijnende **gezondheid*** failing health [2] ⟨flauw⟩ languid ⟨bw: ~ly⟩, dull, flat, weak ♦ *kwijnend **antwoorden*** answer flatly/weakly/faintly; *kwijnende **blikken*** languid looks
kwijt [bn] [1] ⟨vrij van⟩ rid (of) ♦ *ik **ben** mijn kiespijn kwijt* I've got rid of my toothache; *hij **is** al die zorgen kwijt* he is rid of all those troubles; *ik **wil** hem best kwijt* I would be glad to be rid/see the back of him; *die zijn we gelukkig kwijt* we are well rid of him, good riddance to him [2] ⟨m.b.t. het wegschenken, verkopen⟩ rid (of) ♦ *ik **kan** niets aan je kwijt?* aren't you going to have anything?, there's nothing I can get rid/shot of on you?; *(de hele ellendige geschiedenis,) ik **moet** het nu een keer kwijt* (the whole sad story,) I just have to get it off my mind/chest now; *wel kwijt **willen*** be willing to say/admit, want to get off one's chest; *zeg maar wat je kwijt **wilt*** just say how much you want to spend/dispose of; *hij zei niet meer dan hij kwijt **wou*** he only said what he wanted to be rid of, he wasn't letting on anything he did not want to [3] ⟨beroofd van⟩ deprived (of) ♦ ⟨fig⟩ *nu **ben** ik het kwijt* now it has slipped my memory; *ik **ben** zijn naam kwijt* I've forgotten/I cannot think of/remember his name, his name eludes me; *door dat bezoek **was** ik mijn hele morgen kwijt* I've lost the whole morning because of that visit; *de weg kwijt **zijn*** be lost, have lost one's way; ⟨fig⟩ *zijn verstand kwijt **zijn*** have lost one's mind, have taken leave of one's senses [4] ⟨verloren hebbend⟩ lost, mislaid ♦ *ik **ben** mijn sleutels kwijt* I have mislaid/lost my keys; *het **is** kwijt* it's lost, it's nowhere to be found, it has been mislaid; *nu **is** hij al zijn geld kwijt* now all his money is gone; *dat kind **is** zijn moeder kwijt* that child has lost its mother; *je zou een hoop geld kwijt **zijn** aan onkosten* you would have to pay a lot for repairs/maintenance/overheads [•] *ik **kan** mijn auto nergens kwijt* I can't park my car anywhere; *je **kunt** heel wat kwijt in deze kist* this chest will take/store a lot of things, you can dispose of a lot/great deal in this chest
[1]**kwijten** [ov ww] ⟨form⟩ ⟨vervullen⟩ discharge, perform, complete ♦ *een **schuld** kwijten* pay (off)/discharge a debt; *een **verbintenis** kwijten* discharge an obligation
[2]**zich kwijten** [wk ww] ⟨form⟩ [1] ⟨zijn plicht doen⟩ acquit o.s. ♦ *hij heeft zich **dapper** gekweten* he has acquitted himself well [2] ⟨vervullen⟩ acquit o.s. (of), discharge/perform (of) ♦ *zich **van** zijn **taak/een opdracht** kwijten* discharge/perform/acquit o.s. of one's task/an order, carry out instructions
kwijting [de^{v}] ⟨form⟩ [1] ⟨plichtsvervulling⟩ acquittal, discharge, performance [2] ⟨betaling, voldoening van een schuld⟩ payment, discharge, acquittance ♦ ⟨handel⟩ ***finale/algehele** kwijting* full discharge/acquittal [3] ⟨kwitantie⟩ acquittance, receipt ♦ *betalen **tegen** kwijting* pay on/against receipt
kwijtmaken [ov ww] misplace, misfile
kwijtraken [ov ww] [1] ⟨bevrijd worden van⟩ get rid of ♦ *ik kon **hem** maar niet kwijtraken* I just couldn't shake him off; *auto's raken we **niet** meer kwijt* cars are here to stay [2] ⟨niet meer beschikken over⟩ lose ♦ *veel/zijn geld **aan** iets kwijtraken* lose a lot/one's money on sth.; *zijn **evenwicht** kwijtraken* ⟨ook fig⟩ lose one's balance/composure [3] ⟨als afvalstof lozen⟩ pass (out) ♦ *een **niersteen** kwijtraken* pass a kidney stone [4] ⟨verliezen⟩ lose ♦ *de **weg** kwijtraken* lose the/one's way [5] ⟨verkopen⟩ dispose of, sell ♦ *zij proberen hun **huis** kwijt te raken* they are trying to sell/dispose of their house; *die **spullen** zul je makkelijk kwijtraken* you will easily dispose/get rid of those goods, ⟨inf⟩ you will easily get shot of those goods
kwijtschelden [ov ww] [1] ⟨m.b.t. schuld⟩ acquit, forgive, let off, exonerate ♦ *hij heeft mij de **rest** kwijtgescholden* he has let me off the rest; *iemand zijn **zonden** kwijtschelden* forgive s.o. his sins [2] ⟨m.b.t. straf⟩ remit, let off ♦ *van zijn straf is (hem) 2 **jaar** kwijtgescholden* he had 2 years of his punishment remitted; *iemand een **straf** kwijtschelden* let s.o. off a punishment [3] ⟨m.b.t. plicht⟩ excuse (from), waive ♦ *dat deel van die **taak** zal ik je maar kwijtschelden* I'll excuse you from that (particular) part of that task
kwijtschelding [de^{v}] [1] ⟨handeling⟩ ⟨schuld, zonde, straf⟩ pardon, remission, ⟨zonde ook⟩ absolution, ⟨schuld ook⟩ cancellation, ⟨blaam⟩ exoneration ♦ *kwijtschelding van **schuld*** remission of debt; *kwijtschelding van **straf** krijgen* be pardoned, have one's sentence remitted [2] ⟨geval daarvan⟩ discharge, acquittal, quittance
kwik [het] [1] ⟨kwikzilver⟩ mercury, quicksilver [2] ⟨thermo-, barometer⟩ mercury ♦ *het kwik **stijgt/daalt*** the mercury/barometer is rising/falling
kwikachtig [bn, bw] [1] ⟨als van kwik⟩ mercurial ⟨bw: ~ly⟩, mercuric, mercurous [2] ⟨zeer vlug en levendig⟩ mercurial ⟨bw: ~ly⟩
kwikbad [het] mercury bath, bath of mercury
kwikbak [de^{m}] mercury cup/trough
kwikbarometer [de^{m}] mercury/mercurial barometer
kwikbolletje [het] mercury globule
kwikboog [de^{m}] mercury arc
kwikchloride [het] ⟨scheik⟩ [1] ⟨mercurichloride ($HgCl_2$)⟩ mercury(II)/mercuric chloride, bichloride of mercury, ⟨handelsnaam⟩ corrosive sublimate [2] ⟨mercurochloride (Hg_2Cl_2)⟩ mercurous chloride, calomel
kwikdampgelijkrichter [de^{m}] mercury-vapour rectifier
kwikdamplamp [de] mercury(-vapour) lamp, mercury-arc lamp
kwikdruk [de^{m}] mercury pressure
kwikkolom [de] mercury column, column of mercury
kwiklamp [de] mercury(-vapour) lamp
kwikoxide [het] ⟨scheik⟩ mercury(II)/mercuric oxide, oxide of mercury ⟨HgO⟩
kwikstaart [de^{m}] wagtail ♦ ***Engelse gele** kwikstaart* yellow wagtail; *gele kwikstaart* blue-headed wagtail; ***grote gele** kwikstaart* grey wagtail; ***noordse gele** kwikstaart* grey-headed wagtail; ***witte** kwikstaart* white wagtail
kwikthermometer [de^{m}] mercury/mercurial thermometer
kwikvergiftiging [de^{v}] merculiasm, mercury poisoning, hydrargyrism
kwikwater [het] quicksilver water
kwikzalf [de] mercurial/blue ointment
kwikzilver [het] mercury, quicksilver
kwikzilverachtig [bn] [1] ⟨op kwikzilver lijkend⟩ mercurial [2] ⟨uiterst beweeglijk⟩ mercurial
kwikzuil [de] mercury column, column of mercury
kwinkeleren [onov ww] [1] ⟨m.b.t. vogels⟩ warble [2] ⟨m.b.t. mensen⟩ warble ♦ *kwinkeleren **als** een nachtegaal* warble like a nightingale
kwinkslag [de^{m}] witticism, joke ♦ *hij wil er zich **met** een kwinkslag afmaken* he wants to shrug it off with a joke, he's trying to make it a laughing matter
kwint [de] ⟨muz⟩ [1] ⟨toon⟩ fifth [2] ⟨interval⟩ fifth, quint(e) ♦ *een **reine/zuivere** kwint* a pure fifth [3] ⟨snaar⟩ quint(e) ♦ *een kwint **opspannen*** string/tune a quint
kwintaal [het] quintal
kwintencirkel [de^{m}] ⟨muz⟩ circle of fifths
kwintessens [de] [1] ⟨hoofdzaak⟩ quintessence, epitome

♦ *de kwintessens van de* ***zaak*** *is gauw verteld* it doesn't take long to tell the quintessence/basic essentials of the matter [2] ⟨filos; de vijfde substantie⟩ quintessence, ether [3] ⟨ether⟩ quintessence

kwintet [het] [1] ⟨muziekstuk⟩ quintet(te) [2] ⟨musici⟩ quintet(te)

kwintiel [het] quintile

kwispedoor [het, de^m] spittoon, ⟨AE ook⟩ cuspidor

kwispel [de^m] [1] ⟨rel; kwast⟩ sprinkler [2] ⟨van staart⟩ brush, tuft [3] ⟨tuchtzweep⟩ whip

kwispelen [onov ww] wag ♦ ***met*** *de staart kwispelen* wag the tail

kwispelstaarten [onov ww] wag the tail, ⟨fig; vleien⟩ fawn ♦ *de hond kwispelstaartte* ***van*** *vreugde* the dog wagged its tail for joy

kwistig [bn, bw] lavish ⟨bw: ~ly⟩, prodigal, unsparing, profuse, extravagant ♦ *met kwistige* ***hand*** *uitdelen* give with a lavish hand/lavishly; *kwistig zijn* ***in*** *het geven van ...* be lavish in giving ..., give lavishly/extravagantly/unsparingly; *kwistig* ***met*** *iets zijn* be lavish/profuse/unsparing of sth.; *kwistig zijn* ***met*** *geld* be extravagant/prodigal with money; *kwistig zijn* ***met*** *lof over ...* be lavish in one's praise of

kwistigheid [de^v] lavishness, prodigality, profusion

kwitantie [de^v] [1] ⟨bewijs van betaling⟩ receipt ♦ *om een kwitantie* ***vragen*** ask for a receipt [2] ⟨formulier⟩ receipt (form) [•] *een kwitantie* ***innen*** collect payment

kwitantieboekje [het] receipt book

kwiteren [ov ww] [1] ⟨vrijstelling, ontheffing verlenen⟩ discharge, exempt [2] ⟨voor voldaan ondertekenen⟩ receipt ♦ *een* ***rekening*** *kwiteren* receipt a bill/an account; *gekwiteerde* ***rekeningen*** discharged statements/accounts

kyaniseren [ov ww] kyanize

kyfose [de^v] kyphosis

kynologenclub [de] kennel club

kynologie [de^v] dog breeding, ⟨wet⟩ cynology

kynologisch [bn] dog-breeding

kynoloog [de^m] dog fancier/breeder, member of a kennel club

kyrie [het] kyrie

KZ-syndroom [het] (concentration) camp syndrome, ± POW syndrome

l

[1]l [de] ⟨letter⟩ l, L
[2]l [afk] (liter) l
l. [afk] **1** (lees) read **2** (links) l **3** (lire) l
L [afk] **1** (vijftig) L **2** (lengte) l **3** (Luxemburg) L
L. [afk] (Linnaeus) L, Linn
[1]la [de] ⟨muz⟩ la
[2]la [de] → **lade**
laadbak [de^{m}] **1** ⟨laadruimte op een vrachtwagen⟩ (loading) platform, body ♦ *bestelwagen met **open** laadbak* pick-up **2** ⟨container⟩ ⟨gesloten⟩ container, ⟨open, voor puin/glas enz.⟩ skip, (open) container
laadband [de^{m}] loader, conveyor (belt)
laadblok [het] ⟨scheepv⟩ head block, cargo block
laadboom [de^{m}] ⟨scheepv⟩ cargo boom, derrick (boom), davit, jib, steeve
laadbord [het] **1** ⟨scheepv⟩ skid(s) **2** ⟨pallet⟩ pallet, cargo skid ♦ *laadbord voor eenmalig **gebruik*** disposable/throw-away pallet
laadbrief [de^{m}] bill of lading
laadbrug [de] **1** ⟨het werktuig⟩ gantry, transporter loading bridge **2** ⟨brug⟩ loading bridge/ramp/stage
laadcapaciteit [de^{v}] carrying/cargo/loading capacity, ⟨elek⟩ charging capacity
laaddeur [de] loading door
laadhaven [de] loading port
laadhoofd [het] hatchway
laadinrichting [de^{v}] **1** ⟨voor schepen⟩ loader, (piece of) loading equipment **2** ⟨voor accu's⟩ charger
laadkist [de] container, ⟨van heftruck⟩ box pallet
laadklep [de] **1** ⟨m.b.t. een vrachtauto⟩ ⟨vnl BE⟩ tailboard, ⟨vnl AE⟩ tailgate **2** ⟨m.b.t. een veerboot, pont⟩ (loading) ramp **3** ⟨mond⟩ trap, ⟨BE⟩ cake-hole, ⟨AE⟩ yap
laadlijn [de] ⟨scheepv⟩ load line, Plimsoll line
laadperron [het] loading platform, goods/loading bank
laadplaats [de] ⟨scheepv⟩ **1** ⟨haven⟩ loading port **2** ⟨kade⟩ loading quay/wharf **3** ⟨speciale plaats aan kade⟩ loading point/berth
laadplateau [het] pallet
laadruim [het] cargo hold, ⟨vliegtuig ook⟩ cargo/freight compartment
laadruimte [de^{v}] loading/stowage space, ⟨vliegtuig/schip/auto ook⟩ cargo space
laadschop [de] mechanical shovel/scoop
laadspanning [de^{v}] charging voltage
laadstation [het] **1** ⟨m.b.t. brandstof⟩ filling station, ⟨BE ook⟩ petrol station, ⟨vnl AE⟩ gas station **2** ⟨m.b.t. het laden van accu's⟩ charging station
laadstok [de^{m}] ramrod
laadstroom [de^{m}] charging current
laadvermogen [het] carrying/loading capacity, ⟨scheepv⟩ cargo/deadweight capacity, shipping space, tonnage, ⟨elek⟩ charging capacity
laadvloer [de^{m}] load-bed
laaf [de] ⟨amb⟩ metal nose-protection, step cover strip, (metal) nosing
[1]laag [de] **1** ⟨m.b.t. een stof, voorwerpen⟩ layer, ⟨beschermlaag⟩ coating, ⟨dun⟩ film, sheet, ⟨geol⟩ bed, horizon, stratum, ⟨erts⟩ deposit, ⟨dunne kolenlaag⟩ seam, ⟨verf⟩ coat, ⟨baksteen⟩ course, ⟨weefsel⟩ ply ♦ ⟨geol⟩ ***bovenliggende/onderliggende** laag* overlying/underlying stratum; ⟨foto⟩ *een **lichtgevoelige** laag* an emulsion; *een laag **steenkool*** a seam, a bed of coal; *(bedekt) met een dikke laag **stof*** (covered) with a thick layer of dust, encrusted with dust **2** ⟨stand in de maatschappij⟩ stratum, level, class, section (of the population) ♦ *in **brede** lagen van de bevolking* in large sections of the population; *de **onderste** lagen van de bevolking* the lower strata/ranks of society/the population; ***uit** alle lagen van de maatschappij* from all strata/sections of society, from all walks of life **3** ⟨geschut op een oorlogsschip⟩ broadside ♦ ⟨fig⟩ *de **volle** laag krijgen* get the full blast; ⟨fig⟩ *iemand de **volle** laag geven* give s.o. a terrific broadside
[2]laag [bn, bw] **1** ⟨niet hoog⟩ low ⟨bw: ~ly⟩, ⟨m.b.t. stand⟩ lowly, humble ♦ *hij is van lage **afkomst*** he is of low/lowly birth/descent; *een lage(re) **ambtenaar*** a minor/low-ranking/petty official; ⟨BE ook⟩ a low(er)-grade civil servant; *een auto met een laag **benzineverbruik*** an economy car; *10% lager **dan** vorig jaar* 10 % down on last year; ⟨handel⟩ *de aandelen waren twee punten lager **dan** gisteren* shares were two points down on/lower than yesterday; *de lagere **dieren** en **planten*** the lower animals and plants; *het gas laag **draaien*** turn the gas down; *een lage **dunk** van iemand hebben* have a low/poor opinion of s.o., not think much of s.o.; *lage **eisen** stellen* make low demands; *de lagere **geestelijkheid*** the lower clergy; ⟨sport⟩ *de bal laag **houden*** keep the ball low; *zijn gewicht/de prijs laag **houden*** keep one's weight/the price down; *het lager **onderwijs*** primary education; *de lagere **overheid*** local government; *laag **peil*** low level; *voor een lage **prijs** verkopen* sell at a low price, sell cheap(ly); *de prijzen hebben het laagste **punt** bereikt* prices have touched/reached bottom/have bottomed out; *te laag **schatten*** underestimate; *(openbare) lagere **school*** ⟨BE⟩ primary school, ⟨AE⟩ elementary school, ⟨AE⟩ grade school; *lage **schouders*** drooping shoulders; *een lage **som*** a small amount/sum; ⟨elek⟩ *lage **spanning*** low tension; *olieaandelen **staan** laag **geno-***

teerd oil shares have been marked down/are low; *de lire staat laag* the lira is low/down; *de barometer staat laag* the barometer is low; *de lagere standen* the lower classes; *een lage straf* a mild/lenient punishment/sentence; *laag struikgewas* low shrubs/bushes; *iets laag taxeren* assess sth. low/at a low rate; *een laag uitgesneden japon* a low(-necked/cut) dress; *lage venen* low-lying fens; *een laag vertrek* a low(-ceilinged) room; *een laag voorhoofd* a low forehead; *bij laag water* at low water/tide; *een lage weide* a low(-lying) meadow; *de prijzen worden lager* prices are going down/dropping/easing; *zet jij de soep wat lager?* will you turn down the gas (under the soup)? [2] ⟨gemeen⟩ low ⟨bw: ~ly⟩, mean, base, vile ◆ *lieden van het laagste allooi* people of the lowest sort, (the) scum of the earth; *een lage daad* a foul deed; *een lage daad begaan* commit a vile/foul deed; *een laag karakter* a mean character [3] ⟨m.b.t. geluiden⟩ low-pitched ◆ *een lage c* a low C; *het lage register* the low register; *een toontje lager zingen* ⟨fig⟩ climb down a peg (or two), get off one's high horse; *die viool is te laag gestemd* that violin is pitched/tuned too low [4] ⟨benedenwinds⟩ leeward ⟨bw: ~ly⟩, downwind ◆ *laag aanleggen* moor at the leeward side

Laag-België [het] Lower Belgium

laag-bij-de-gronds [bn, bw] ⟨fig⟩ commonplace, pedestrian, trite, prosaic ◆ *laag-bij-de-grondse opmerkingen* commonplace/pedestrian remarks; *laag-bij-de-grondse pleziertjes* prosaic little amusements

laagbouw [de^{m}] [1] ⟨handeling⟩ low-rise building [2] ⟨resultaat⟩ low-rise (building)

laagconjunctuur [de^{v}] (economic) recession/depression, ↓slump ◆ *een periode van laagconjunctuur* a slump, a period of recession/of low economic activity

laagdrempelig [bn] approachable, accessible, available, ↓get-at-able, ⟨gedienstig⟩ accommodating ◆ *laagdrempelige hulpverlening* get-at-able/easily accessible social assistance/service

laagfrequent [bn] [1] ⟨techn; met een lage frequentie⟩ low-frequency, audio frequency [2] ⟨taalk⟩ low-frequency ◆ *laagfrequente woorden* low-frequency words

laaggebergte [het] ⟨aardr⟩ (range of) low mountains

laaggecijferd [bn] mathematically challenged

laaggekwalificeerd [bn] low(ly)-qualified

laaggelegen [bn] low-lying

laaggeletterd [bn] unlettered

laaggeletterde [de] functionally illiterate

laaggeprijsd [bn] low-priced, cheap(ly-priced), ⟨alleen na zelfstandig naamwoord⟩ low in price, inexpensive ◆ *laaggeprijsde aandelen* low-priced shares

laaggeschoold [bn] ⊡ *laaggeschoolde arbeiders* semi- and unskilled workers/labourers

laaggistend [bn] with a low fermentation

laaggradig [bn] low-intensity

laaggroeiend [bn] low(-growing) ◆ *laaggroeiende planten* low plants

laaghangend [bn] low, low-hanging ◆ *laaghangende bewolking* low(-lying) cloud(s), a cloud bank

laaghartig [bn, bw] mean ⟨bw: ~ly⟩, low, vile, base ◆ *een laaghartige bedrieger* a vile impostor; *laaghartig handelen* commit a foul act, act despicably; *iemand laaghartig in de steek laten* let s.o. down in a mean/base manner

laagheid [de^{v}] lowness, ⟨karakter ook⟩ meanness, baseness, vileness, turpitude ◆ *laagheden begaan* commit foul acts/acts of meanness

laagje [het] film, thin layer/coating, ⟨ijs, metaal⟩ sheet ◆ *een laagje verf/plastic aanbrengen op iets* put on/apply a thin layer of paint/plastic on sth., coat sth. with a thin layer of paint/plastic; ⟨fig⟩ *de beschaving zit er maar met een dun laagje op* civilization is only skin-deep/is just a veneer; *een laagje fineer* a veneer; *met een laagje goud bedekken* coat with a thin layer of gold; *een laagje olie op het water* a film of oil on the water; *een dun laagje stof* a film of dust

laagland [het] [1] ⟨laag gelegen, vlak land⟩ lowland(s), low-lying country/land, ⟨bij riviermonding⟩ flats, ⟨drassig land⟩ marshes, marshland ◆ *de Schotse Laaglanden* the (Scottish) Lowlands [2] ⟨niet meer dan 200 m boven het zeeniveau⟩ lowland

laaglandbaan [de] sea-level skating track

laagpolig [bn] low-pile

laagseizoen [het] low/off/slow season ◆ *in het laagseizoen* during (the) low/off/slow season

laagsgewijs [bn, bw] in layers, layer by layer ◆ *met een laagsgewijze structuur* stratified

laagspanning [de^{v}] [1] ⟨niet meer dan de normale spanning⟩ low tension [2] ⟨minder dan 42 V⟩ low voltage/tension

laagspanningskabel [de^{m}] low-voltage, low-cable

laagstaand [bn] [1] ⟨van laag niveau⟩ low, mean, base, vile [2] ⟨weinig ontwikkeld⟩ low, unsophisticated, inferior

laagstammig [bn] half-standard, dwarf ◆ *laagstammige fruitbomen* half-standard fruit trees

laagstbetaalde [de] lowest-paid worker, ⟨mv ook⟩ (the) lowest-paid

laagte [de^{v}] [1] ⟨hoedanigheid⟩ lowness, low level [2] ⟨plaats⟩ depression, hollow, dip ◆ *hoogten en laagten* elevations and depressions/hollows; ⟨fig⟩ ups and downs; *een laagte tussen twee heuvels* a hollow between two hills

laagterecord [het] (record/all-time) low

laagterras [het] ⟨geol⟩ lower terrace

laagtij [het] → **laagwater**

laagveen [het] [1] ⟨m.b.t. de oppervlakte⟩ (low) fen, marsh, bog [2] ⟨m.b.t. de opbouw⟩ peat moor/bog [3] ⟨gebied⟩ fen(s), fenland, bogland

laagveengebied [het] → **laagveen**

laagvlak [het] ⟨geol⟩ bedding/stratification/sheeting plane

laagvlakte [de^{v}] lowland plain, lowland(s) ◆ *de Noord-Duitse laagvlakte* the North German Plain/Lowlands

laagvliegen [ww] flying low

laagwater [het], **laagtij** [het] [1] ⟨eb⟩ low tide, ebb tide, low water ◆ *bij laagwater* when the tide is out, at low tide [2] ⟨lage rivierstand⟩ low water ◆ *bij laagwater* at low water

laagwaterlijn [de] ⟨rivier⟩ low-water level, ⟨zee⟩ low-water mark, low-tide mark

laagwolk [de] stratus

laaien [onov ww] blaze, flare, flame

laaiend [bn, bw] [1] ⟨vlammend⟩ excited, wild, enthusiastic ◆ *iemand laaiend enthousiast maken* get s.o. worked up, make s.o. wildly enthusiastic/excited; *laaiend enthousiast over iets worden/zijn* become/be wildly enthusiastic about sth., get/be worked/steamed up about sth. [2] ⟨woedend⟩ furious, livid, hopping mad, wild ◆ *hij was laaiend* he was furious

laakbaar [bn, bw] reprehensible ⟨bw: reprehensibly⟩, censurable, blameworthy, ⟨schandelijk⟩ outrageous, monstrous ◆ *een laakbare handelwijze* reprehensible behaviour; *zich laakbaar gedragen* behave in a reprehensible/an objectionable way

laakbaarheid [de^{v}] reprehensibility, blameworthiness

laan [de] avenue ◆ ⟨fig⟩ *de laan uitgaan/uitgestuurd worden* be fired/sacked, get the sack/boot; ⟨fig⟩ *iemand de laan uitsturen* sack/fire s.o., give s.o. the sack/boot; ⟨wegjagen⟩ send s.o. packing

laars [de] boot ◆ ⟨inf, fig⟩ *dat lap ik aan mijn laars* (a) fat lot I care, I don't give a damn; ⟨inf, fig⟩ *iets aan zijn laars lappen* ignore/flout sth., not bother o.s. about sth., take not the slightest notice of sth.; *halfhoge laarzen* half boots, calf-length boots; ⟨rubber; BE⟩ half Wellingtons; *hele laarzen* knee-length boots; ⟨vaak versierd⟩ top boots; ⟨mil⟩ jackboot; *laarzen met hoge hakken* high-heeled boots; ⟨fig⟩ *zuchten onder de laars van de onderdrukker* groan under the boot/jackboot of the oppressor; ***rubber** laarzen* rubber boots, gumboots; ⟨vnl BE⟩ Wellingtons, Wellington boots; ⟨inf; BE⟩ wellies; *laarsjes* ⟨klein⟩ tiny/children's boots; ⟨enkellaarsjes⟩ bootees ⊡ ⟨inf⟩ *hij weet er **geen** laars van* he doesn't know the first thing about it; ⟨sl⟩ he knows bugger all about it; ⟨inf⟩ *dat kan hem **geen** laars schelen* he doesn't/couldn't care a damn/fig/cuss

laarzenknecht [de^m] bootjack

laarzenpad [het] hiking path through a marshy area

laarzenspanner [de^m] boot-tree

laat [bn, bw] late ◆ *van de vroege morgen tot de late **avond*** from early in the morning till late at night, from dawn till dark; *wegens te late **betaling*** owing to late payment; *een late **druk*** a late printing/edition; *een late **gast*** a late guest; *is het nog laat **geworden** gisteravond?* did the people stay late last night?, did you work late last night?, did you make a night of it?; ***gisteravond** laat* late last night, late yesterday evening; ***hoe** laat?* what time?, when?; ***hoe** laat is het?* what's the time?, what time is it?; ***hoe** laat beginnen we?* what time do we start?; ***hoe** laat heb jij het?* what time do you make it?, what do you make the time?; ***hoe** laat is het precies?* what's the right time?; *weet jij **hoe** laat het is?* do you know/have you got the time?; *kijk eens **hoe** laat het al is!* (just) look at the time!; ⟨fig⟩ *dan weet je wel **hoe** laat het is* you know how things stand; *zij wist niet **hoe** laat het al was* she did not know how late it was; *laat **in** de middag/het voorjaar* in the late afternoon/spring; *wat **is** het al laat!* look how late it is!, look at the time!; *doe het nu maar voor het te laat **is*** do it now before it is too late/before you run out of time; *het **is** wel wat laat om nu zoiets voor te stellen* it is rather late in the day to make such a proposal; *waarom **kom** je zo laat?* why are you so late?, what kept you?; *daar **kom** je wel wat laat mee* it's rather late in the day (to do that); *wegens te laat **komen*** owing to late arrival; *hij **kwam/was** te laat (om nog binnengelaten te worden)* he was too late (to be allowed to enter); *het laat **maken*** keep late hours, make a (late) night of it; *hij was te laat **met** zijn aanvraag* he was late (in) applying; *laat **op** een avond* late one night/evening; *laat **op** de dag/**in** de nacht/**in** het jaar* late in the day/at night/in the year; *laat **opblijven*** stay up late; *een late **Pasen*** a late Easter; *een wat late **reactie*** a rather belated reaction; *'s avonds laat* late at night/in the evening; *je was weer **te** laat, hè?* late again?; *vijf minuten/een dag **te** laat* five minutes/a day late/overdue; *de informatie/hulp kwam veel **te** laat* the information/help came far too late; *ik was twee minuten **te** laat voor de bus* I missed the bus by two minutes; ***te** laat komen (op school/kantoor/het werk)* be late (for school/at the office/for work); *pas op, als je een ongeluk krijgt is het **te** laat* mind how you go, better safe than sorry; *van vroeg **tot** laat* from dawn till dusk; *een laat **voorjaar*** a late spring; *het **wordt** laat* it's getting late/getting on; ⟨fig⟩ *is het weer **zo** laat?* here we go again!; *omdat het al **zo** laat was* in view of the time/the late hour/the advanced hour, because it was getting rather late ⊡ ⟨sprw⟩ *beter laat dan nooit* better late than never; ⟨sprw⟩ *hoe later op de dag/avond, hoe schoner volk* ± the best guests always come late; ⟨sprw⟩ *goede raad komt nooit te laat* good advice never comes too late; good counsel is never out of date

laatantiek [bn] late classical

laatbeurs [bw] in the late dealings, at/towards the close (of the session), at/towards the end (of the session) ◆ *laatbeurs waren de koersen iets hoger* the late dealings showed an improvement

laatbloeiend [bn] late-flowering, ⟨plantk⟩ serotine

laatbloeier [de^m] [1] ⟨plant⟩ late-bloomer [2] ⟨persoon⟩ late-bloomer, late developer

laatdunkend [bn, bw] conceited ⟨bw: ~ly⟩, arrogant, condescending ◆ ***doe** niet zo laatdunkend* don't be so arrogant/condescending; *een laatdunkend **lachje*** a conceited little smile; *zich laatdunkend **uitlaten** over iemand/iets* speak slightingly of s.o./sth., be condescending about s.o./sth.

laatdunkendheid [de^v] conceit(edness), arrogance, overweeningness, condescension

laatje [het] ⊡ *dat brengt geld **in 't laatje*** it's a way of earning a living, it brings in a bit of cash; *die maatregel heeft de staat miljoenen **in 't laatje** gebracht* that measure was worth millions to the state/earned the state millions

laatkoers [de^m] selling rate, asked price/quotation/rate

laatkomer [de^m] latecomer, late arrival

Laatlatijn [het] medieval Latin, late Latin

laatmes [het] ⟨med⟩ fleam

laatmis [de] ⟨r-k⟩ high mass

laatprijs [de^m] selling price

[1]**laatst** [bn] [1] ⟨in tijd, reeks⟩ last, final ◆ *op zijn laatste **benen** lopen* be on his last legs; *zijn laatste **boek*** his last book; *hij zou zijn laatste **cent** nog weggeven* he'd give (you) the shirt off his back; *iemand iets tot de laatste **cent** terugbetalen* pay s.o. back to the very last penny; ***de** laatste die vertrok was Jan* John was the last to leave; ***de** laatste zijn om iets te doen* be the last to do sth.; *de laatste **hand** aan iets leggen* put/add the finishing/final touch(es) on sth.; *dat zou **het** laatste zijn wat ik zou doen* that is the last thing I would do; *ik zeg het je voor de laatste **keer*** I'm telling you for the last time; *voor de laatste **keer**, heb je hem geslagen?* once and for all/for the last time, did you hit him?; ⟨sport⟩ *laatste **man** spelen* play sweeper(back)/freeback/libero; *op het laatste **ogenblik*** at the last minute/moment/second; *het laatste **oordeel**, de laatste **dag*** the Last/Final Judgement; ***op** het laatst van de maand* at the end of the month; *het stadion was tot de laatste **plaats** bezet* every (last) seat in the stadium was taken, the stadium was filled to capacity; *een laatste, wanhopige **poging** doen* make a last-ditch effort, make a last, desperate attempt; *met de laatste **post*** with the last mail/collection/pick-up; *een laatste **redmiddel*** a last resort; *de laatste **rustplaats*** the last/final resting-place; *zijn laatste **troef** uitspelen* ⟨ook fig⟩ play one's last trump; *dit is mijn laatste **woord*** this is the last thing I'm going to say (about the matter); ⟨dreigement⟩ this is my final word; *altijd het laatste **woord** willen hebben* always have to have the last word [2] ⟨m.b.t. de dood⟩ last, ultimate ◆ *zijn laatste **adem(tocht)*** his last/final breath [3] ⟨meest recent⟩ last, latest, most recent ◆ *volgens de laatste **berichten*** according to the latest reports; *zijn laatste **boek*** his latest/most recent book; *in de laatste **jaren*** in the last few years, in recent years; *naar de laatste **mode** gekleed* dressed in the latest style/fashion; *het laatste **nieuws*** the latest news; ⟨inf⟩ the latest; *in het laatste **nummer** van Punch* in the current/most recent issue of Punch; *de laatste **paar** dagen* the last couple of/few days; *het laatste **snufje*** the latest (thing); *de laatste **tijd*** lately, recently; ⟨form⟩ of late [4] ⟨afsluitend⟩ last, final ◆ *het laatste **bedrijf*** the last/final act; *voor de laatste **keer** optreden* make one's last/final appearance; ⟨sport⟩ *laatste **ronde*** bell lap; *een laatste **sigaar/kus*** one last cigar/kiss; ⟨sport⟩ *op het laatste rechte **stuk*** on the home stretch [5] ⟨van twee⟩ latter ◆ *dit laatste **argument*** this argument, the latter (of these) argument(s); *in de laatste **helft** van juli/het jaar/de eeuw* in the latter/latter half of July/the year/the century ⊡ ⟨sprw⟩ *de laatste druppel doet de emmer overlopen* the last drop makes the cup run over; the last straw breaks the camel's back; ⟨sprw⟩ *de laatste loodjes wegen het zwaarst* ± the last straw breaks the camel's back; ± the last mile is the longest one; ⟨sprw⟩ *de laatsten zullen de eersten zijn* the last shall be first; ⟨sprw⟩ *een doodshemd/het laatste hemd heeft geen zakken* shrouds have no pockets; you can't take it with you (when you go)

[2]**laatst** [bw] [1] ⟨onlangs⟩ recently, lately, of late, the other day ◆ *ik **ben** laatst nog bij hem **geweest*** I visited him recently; *laatst **op** een avond* the other evening/night; *laatst **op** een keer/middag* the other day/afternoon; *ik **was** laatst op een feestje en ...* when I was at a party recently ... [2] ⟨in tijd,

reeks⟩ last ♦ *als laatste aankomen/eindigen* be the last to arrive, arrive last; *hij kwam weer het laatst* he was the last to arrive as usual; *het laatst dat ik hem zag was in augustus* the last time I saw him was in August, I saw him last in August; *morgen op zijn laatst* tomorrow at the latest; *op het laatst waren ze allemaal dronken* they all wound/ended up drunk; *je zou hem op het laatst nog gaan geloven ook* you would almost end up believing him; *de laatst overgebleven afstammeling* the last remaining descendant; *tot het laatst blijven* stay to the (bitter) end; *haar laatst verschenen roman zal waarschijnlijk ook haar laatste zijn* her most recent(ly published) book will probably also be her last; *voor het laatst* for the last time; *ze is hier voor het laatst* today is her last day (here); *toen zag hij haar voor het laatst* that was the last (time) he saw her; *het lekkerst voor het laatst bewaren* save the best (part) for (the) last ⊡ *op het laatst* finally, toward the end; ⟨in België⟩ *ten laatste* at the latest; ⟨sprw⟩ *wie het laatst lacht, lacht het best* he laughs best who laughs last; he who laughs last laughs longest

laatstejaars [de^{m}] final-year student, ⟨vnl AE⟩ senior

laatstelijk [bw] lately, finally, last(ly) ♦ *laatstelijk gemeentesecretaris te A.* (until) recently town clerk at/in A.; ⟨jur⟩ *laatstelijk gewijzigd op 1 mei* (as) most recently amended on May 1, with the latest amendment of 1 May; *laatstelijk woonachtig te B., Parkstraat 4* last known at 4 Park St in B.

laatstgeborene [de] last (born)

laatstgenoemd [bn, alleen attr] last (named/mentioned), ⟨van twee⟩ latter ♦ *het laatstgenoemde werk* the work just mentioned, the last/latter work

laatstgenoemde [de] last (named/mentioned), ⟨van twee⟩ latter

laatstleden [bn] last ♦ *vrijdag laatstleden, laatstleden vrijdag* Friday last, last Friday

laattijdig [bn] ⟨in België⟩ late

laattijdigheid [de^{v}] ⟨in België⟩ lateness

lab [het] ⟨inf⟩ lab

labadisme [het] Labadism

labarum [het] [1] ⟨r-k⟩ labarum [2] ⟨gesch⟩ labarum

labbekak [de^{m}] coward, milksop, ⟨sl⟩ chicken

labbekakkerig [bn, bw] cowardly, ⟨inf⟩ yellow, ⟨sl⟩ chicken(-livered)

labberdaan [de^{m}] salt fish, ⟨kabeljauw⟩ salt cod

label [het, de^{m}] [1] ⟨adreskaartje⟩ label, address tag [2] ⟨etiket⟩ label, sticker, ⟨goederen⟩ ticket, ⟨prijskaartje⟩ (price) tag ♦ *van een label voorzien* labelled, stickered, tagged [3] ⟨platenlabel⟩ label ♦ *die plaat komt uit op een nieuw label* that record is coming out on/under/with a new label

labelen [ov ww] label, put a label on

labeur [het] ⟨in België⟩ [1] ⟨zwaar werk⟩ labour, chore [2] ⟨akkerbouw⟩ agriculture, tilling, farming [3] ⟨hoeveelheid land die iemand bebouwt⟩ area (of land) under cultivation, cropping area/acreage

labeuren [onov ww] ⟨in België⟩ ⟨ploeteren⟩ grub, plod, drudge, slave (away), ⟨zwaar werk doen⟩ toil, labour

^{1}**labiaal** [de] ⟨taalk⟩ labial

^{2}**labiaal** [bn] ⟨taalk⟩ labial ♦ *labiale klanken* labials

labiaalpijp [de] → **labiaal**^{1}

labialisatie [de^{v}] ⟨taalk⟩ labialization, labialism, rounding

labiaten [de^{mv}] labiate plants, ⟨geslacht⟩ Labiatae

labiel [bn] unstable, erratic ♦ *een labiele constructie* an unstable/a precarious construction; *labiel evenwicht* unstable equilibrium; *labiele personen* unstable/erratic people; *labiel van stemming zijn* be moody

labiliteit [de^{v}] instability, erraticness

^{1}**labiodentaal** [de] ⟨taalk⟩ labiodental

^{2}**labiodentaal** [bn] ⟨taalk⟩ labiodental

labo [het] ⟨in België; inf⟩ lab

laborant [de^{m}] lab(oratory) assistant/technician, analyst ♦ *chemisch laborant* chemical lab(oratory) assistant/technician, chemical analyst; *eeg-laborant* EEG operator/technician; *medisch laborant* (medical) lab(oratory) assistant/technician; *radiologisch laborante* radiology/x-ray assistant/technician

laboratorium [het] lab(oratory) ♦ *galenisch laboratorium* pharmaceutical lab

laboratoriumapparatuur [de^{v}] laboratory equipment

laboratoriumassistent [de^{m}], **laboratoriumassistente** [de^{v}] laboratory assistant/technician, ⟨inf⟩ lab assistant/technician

laboratoriumassistente [de^{v}] → **laboratoriumassistent**

laboratoriumdier [het] laboratory/test animal

laboratoriumonderzoek [het] [1] ⟨alg⟩ laboratory research (on) [2] ⟨specifiek⟩ laboratory investigation (into)

laboratoriumproef [de] laboratory experiment/test

laboreren [onov ww] labour (under), suffer (from), ⟨steeds zwakker worden⟩ languish

labourregering [de^{v}] Labour government

labrador [de^{m}] labrador

labrador-retriever [de^{m}] Labrador retriever

labret [de] labret

labroïden [de^{mv}] wrasse, Labridae

labyrint [het] [1] ⟨gesch⟩ Labyrinth [2] ⟨doolhof⟩ labyrinth, maze [3] ⟨fig⟩ labyrinth, maze ♦ *een labyrint van bepalingen/termen/gedachten* labyrinthian/a labyrinth of definitions/terms/thoughts [4] ⟨med⟩ labyrinth

labyrintisch [bn] labyrinthian, labyrinthine

labyrintvissen [de^{mv}] Belontiids

Lacedaemoniër [de^{m}] ⟨gesch⟩ Lacedaemonian

lacet [het] lace

lacetwerk [het] lace(work)

lach [de^{m}] [1] ⟨handeling⟩ laugh, laughter, ⟨gegiechel⟩ giggle, ⟨gegrinnik⟩ chuckle, ⟨bulderend⟩ guffaw ♦ *een aanstekelijke lach* an infectious/a contagious laugh; *er kon geen lachje bij hem af* there wasn't so much as a glimmer of a smile from him; *in de lach schieten* burst out laughing; ⟨AE ook⟩ crack up; *zijn lach inhouden* repress/swallow one's laughter; *de slappe lach krijgen/hebben* get/have the giggles, be helpless with laughter; *een spottende lach* a sarcastic laugh; *een lied/verhaal met een lach en een traan* a song/story with a laugh and a tear [2] ⟨keer⟩ laugh, (burst of) laughter, ⟨gegiechel⟩ giggle, ⟨gegrinnik⟩ chuckle, ⟨bulderend⟩ guffaw ♦ *ik hoorde een luide lach* I heard a loud laugh; *een spottende lach* a sardonic grin

lachbui [de] fit of laughter, laughing fit, spasm/convulsion of laughter ♦ *een onbedaarlijke lachbui hebben* have an uncontrollable fit of laughter

lachduif [de] ⟨dierk⟩ Barbary dove

lachebekje [het] [1] ⟨persoon⟩ giggly person [2] ⟨zoutje⟩ cocktail snack

^{1}**lachen** [onov ww] [1] ⟨als uiting van vrolijkheid, opgewektheid⟩ laugh, ⟨grinniken⟩ chuckle, ⟨giechelen⟩ giggle, ⟨glimlachen⟩ smile, ⟨bulderend⟩ guffaw ♦ *iemand aan het lachen maken* make s.o. laugh; *lachen als een boer die kiespijn heeft* laugh uncomfortably; ⟨fig⟩ *je blijft lachen* this is ridiculous/absurd, ⟨dolkomisch⟩ this is hilarious; *wie lacht daar?* you don't believe me?, do I hear s.o. laughing?; *lachen door zijn tranen heen* laugh and cry at the same time; *hij lachte er maar wat om* he just laughed about it/was just amused by it; *fijntjes lachen* smile quietly/subtly; *heimelijk lachen* laugh secretly/to o.s.; *hij kon zijn lachen niet houden* he couldn't help laughing/hold back his laughter; *ze wist niet goed of ze moest lachen of huilen* she didn't know whether to laugh or cry; *in zichzelf lachen* laugh to o.s.; *ik moest inwendig lachen* I had to laugh to myself; *kun je niet meer lachen?* keep laughing; *dan kunnen we lachen* then we'll have a good laugh; ⟨fig⟩ *als hij dat merkt dan kunnen we nog lachen* if he notices, then we're in trouble/then all hell will break loose; *nou, je **kunt** daar wel lachen* that place is a laugh, ⟨AE⟩ that's a fun place; ***laat** me niet lachen* pull the other one, who are you kidding?; *lach jij **maar*** go ahead and laugh; *hij lachte **maar*** he laughed and laughed, he couldn't stop laughing; ***om/over** iets lachen* laugh about/at; *hij moest er erg **om** lachen* he really had to laugh about it; *iedereen moest **om** haar lachen* she made everyone laugh; *geen **reden** om te lachen hebben* have no reason to laugh, it's no laughing matter; ***schaterend/luidkeels** lachen* roar with laughter, guffaw; *ik moest **stiekem** lachen* I had to laugh secretly/to myself; ***tegen** iemand lachen* laugh at s.o.; *ik zie niet in wat er te lachen **valt*** I don't see what's funny; *gieren **van** het lachen* shriek/howl/scream with laughter; *dubbel/krom liggen **van** het lachen* be doubled over with laughter/from laughing; *niet meer bijkomen **van** het lachen* be beyond o.s. with laughter/laughing; *het lachen zal hem wel **vergaan*** he won't laugh (for) long; *hij kon het niet **zonder** lachen zeggen* he couldn't say it with a straight face/without laughing; *lach, of ik schiet!* not that I want to twist your arm; *het huilen stond haar nader dan het lachen* she was closer to crying than laughing 2 ⟨bespotten, schertsen⟩ laugh at ♦ ***daar** lacht hij **om*** he just laughs at that, he doesn't take that seriously; ***daar** lach ik niet **om*** that's no laughing matter; *daar kun je nu wel **om** lachen, maar ...* it's all very well/all fine and well to laugh at, but ... 3 ⟨(leed)vermaak hebben⟩ laugh about/at ♦ *er **is/valt** niets te lachen* this is no laughing matter, there is nothing to laugh at; *nu was het mijn beurt **om** te lachen* now it was my turn to laugh; *dan **zou** je lachen, hè?* that's what you'd like, isn't it? ⊡ ⟨in België⟩ ***groen** lachen* laugh on the wrong side of one's face; ⟨in België⟩ *dat is niet om mee te lachen* ⟨dat valt niet mee⟩ that's not exactly a cinch; ⟨dat is van belang⟩ that's no laughing matter; ⟨sprw⟩ *lachen is gezond* laughter is the best medicine; ⟨sprw⟩ *wie het laatst lacht, lacht het best* he laughs best who laughs last; he who laughs last laughs longest

²lachen [ov ww] ⟨door lachen in een toestand komen⟩ laugh ♦ *het is **om** je rot te lachen* it is enough to make you die laughing; ⟨sarcastisch⟩ it's enough to make you weep; ***zich** tranen lachen* laugh until the tears run down one's cheeks; ***zich** te barsten lachen* laugh one's head off, split one's sides laughing/with laughter; ***zich** een ongeluk/bult lachen* double up with laughter/laughing, laugh o.s. silly/sick, die laughing; ***zich** krom/slap/zich halfdood lachen* laugh until one is weak/sick, be weak from laughing/laughter

lachend [bn] 1 ⟨die, dat lacht⟩ laughing, smiling ♦ *iemand lachend **aankijken*** smile at s.o.; *zich lachend van iets/iemand **afmaken*** laugh sth./s.o. off/away; *een lachend **gezicht**, lachende **ogen*** a smiling face, laughing/sparkling eyes; *half huilend, **half** lachend* laughing and crying at the same time, both laughing and crying; *lachende **kinderen*** laughing children; ***ja, zei** hij lachend* yes, he laughed/said, laughing 2 ⟨leedvermaak hebbend⟩ laughing, sneering ♦ *de lachende **derde*** the one who's sitting pretty

lacher [de^m] laugher ♦ *de lachers op zijn hand hebben* have 'em/them laughing

lacherig [bn] giggly ♦ *ergens lacherig over **doen*** try to laugh sth. off

lachertje [het] 1 ⟨makkie⟩ cinch, ⟨BE ook⟩ doddle 2 ⟨iets belachelijks⟩ laugh, joke, scream ♦ *dat bericht beschouw ik **als** een lachertje* that's a joke, I can't take that seriously; *dat voorstel **is** gewoon een lachertje* that proposal is a joke/is (quite) ridiculous

lachfilm [de^m] comedy

lachgas [het] laughing gas, nitrous oxide

lachlust [de^m] inclination to laugh ♦ *de lachlust **opwekken*** set (s.o.) off/get (s.o.) laughing, ⟨AE⟩ tickle/strike (s.o.'s) funnybone

lachrimpeltje [het] ♦ *hij **had** lachrimpeltjes* his face wrinkled/puckered up when he smiled

lachsalvo [het] wave/burst/shout/round/peals of laughter

lachspiegel [de^m] distorting/carnival mirror

lachspier [de] laughing muscle ♦ ***op** de lachspieren **werken*** get (s.o.)/set (s.o.) off laughing, ⟨AE⟩ tickle s.o.'s funnybone; *het werkte **op** haar lachspieren* ⟨ook⟩ it set her off in a fit of the giggles/laughter, it tickled her funnybone

lachstern [de] ⟨dierk⟩ gull-billed tern

lachstuip [de] convulsion/fit/spasm of laughter

lachsucces [het] laugh, sth. to raise a laugh

lachwekkend [bn] laughable, funny, ⟨belachelijk⟩ ridiculous, ludicrous ♦ *een lachwekkende **vertoning*** a ridiculous display

lachzak [de^m] laughing machine

laconiek [bn, bw] laconic ⟨bw: ~ally⟩, taciturn ♦ *een laconiek **antwoord*** a laconic answer; *hij **vertelde** mij heel laconiek dat hij ontslag genomen had* he told me very laconically/matter-of-factly that he had resigned

laconisme [het] laconism, laconicism

lacrimoso [bw] ⟨muz⟩ lacrimoso, lagrimoso

lacrosse [het] ⟨sport⟩ lacrosse

lactaat [het] lactate

lactase [het, de^v] lactase

lactatie [de^v] 1 ⟨afscheiding⟩ lactation 2 ⟨voeding⟩ lactation

lactatiekundige [de^m] lactation consultant

lactatieperiode [de^v] lactation period

lactobacil [de^m] lactobacillus

lactoferrine [de^v] lactoferrin

lactogeen [bn] lactogenic ♦ *lactogene **hormonen*** lactogenic hormones

lactometer [de^m] lactometer

lactose [de] lactose, milk sugar

lactose-intolerantie [de^v] ⟨med⟩ ⟨ziekte⟩ lactose intolerance, ⟨oorzaak⟩ deficiency in lactase, lactase deficiency

lactovegetariër [de^m] lacto-vegetarian

lactulose [de^v] lactulose

lacune [de] lacuna, gap, void, hole ♦ *ernstige lacunes in iemands kennis **aantreffen*** come upon serious gaps/holes in one's knowledge; *hier is er een lacune **in** de overlevering* there is a lacuna/gap here in the tradition; *lacune in de **wet*** loophole in the law

lacuneus [bn] lacunal, lacunary, incomplete ♦ *een lacuneus **voorschrift*** patchy directions/instructions

ladder [de] 1 ⟨trap⟩ ladder ♦ *een **dubbele** ladder* a double ladder; ⟨sport⟩ *de **liggende/schuine/loodrechte** ladder* horizontal/45-degree/vertical ladder 2 ⟨m.b.t. kousen⟩ ⟨BE⟩ ladder, ⟨AE⟩ run ♦ *je hebt een ladder **in** je kous* you have a ladder/run in your stocking; *een ladder **ophalen*** mend a ladder/run 3 ⟨reeks⟩ ladder, scale ♦ *de **maatschappelijke** ladder* the social ladder/scale; *stijgen op de **maatschappelijke** ladder* climb the social ladder; *bovenaan/hoog op de **maatschappelijke** ladder staan* be on top of/high up the social ladder/scale; *de voet **op** de ladder hebben* have one's foot on the ladder 4 ⟨muz⟩ scale

ladderauto [de^m] ladder truck

ladderboom [de^m] stile (of a ladder), ⟨halfrond⟩ pole

laddereigen [bn] ⟨muz⟩ diatonic

ladderen [onov ww] ⟨BE⟩ ladder, ⟨AE⟩ run ♦ *die **kousen** ladderen niet* these stockings won't ladder/run

ladderhaak [de^m] 1 ⟨om ladders op, aan elkaar te zetten⟩ ladder catch 2 ⟨om dakladders aan te hangen⟩ ladder hook, ridge hook

laddermolen [de^m] laddermill

ladderrecht [het] ⟨jur⟩ 'ladder right', right to put a ladder on one's neighbour's property while repairing one's own house

ladderschoen [de^m] ladder (safety) shoe

laddersport [de] rung, step

laddersteun [de^m] ladder support

laddertrap [de^m] loft ladder, disappearing stair

laddervormig [bn] ⟨biol⟩ scalariform
laddervreemd [bn] ⟨muz⟩ atonal, polytonal, microtonal
laddervrij [bn] run-resist ♦ *laddervrije **kousen/weefsels*** run-resist stockings/material
ladderwagen [de^m] [1] ⟨wagen met ladder⟩ ladder truck [2] ⟨boerenwagen met losse zijstukken⟩ rack wagon
ladderzat [bn] ⟨inf⟩ smashed, ⟨BE⟩ blotto, ⟨AE⟩ zonked, three sheets to the wind, blind drunk
lade [de] [1] ⟨schuifbak⟩ drawer, ⟨geld⟩ till ♦ *de lade **uittrekken/dichtschuiven*** pull a drawer open, open a drawer/push a drawer shut, shut a drawer; *iets in een la laten **verdwijnen*** put sth. under a big pile of paper [2] ⟨deel van een geweer⟩ stock ♦ *geweer **zonder** lade* unstocked rifle
ladekast [de] chest (of drawers), dresser, bureau, commode, ⟨archief⟩ filing cabinet ♦ ***hoge** ladekast* ⟨BE⟩ tallboy, ⟨AE⟩ highboy
ladelichter [de^m] petty thief, s.o. with his fingers in the till, s.o. with sticky fingers
laden [ov ww] [1] ⟨bevrachten⟩ load, lade, freight ♦ *laden en **lossen*** loading (and unloading); ⟨verk⟩ loading zone; ***onvoldoende** laden* underload; *stenen **op** een wagen laden* load stones onto/into a wagon; *de goederen uit het schip **op** de wagen laden* unload/defreight goods from the ship into the wagon; *een grote verantwoordelijkheid **op** zich laden* take on/shoulder a tremendous responsibility; *het schip is te **zwaar** geladen* the ship is overloaded/overladen [2] ⟨m.b.t. vuurwapens⟩ load, charge ♦ *een **kanon**/een **geweer** laden* load a cannon/gun [3] ⟨van elektriciteit voorzien⟩ charge, ⟨opnieuw⟩ recharge, ⟨bijladen⟩ boost ♦ *een **accu** laden* charge a battery; ⟨fig⟩ *een geladen **atmosfeer*** a charged atmosphere; ***onvoldoende** laden* undercharge; ⟨fig⟩ *hij is geladen* he is furious/hopping mad [4] ⟨voorzien van het nodige⟩ load ♦ *een **camera** laden* load a camera [5] ⟨onder de aandacht brengen⟩ launch
lader [de^m] [1] ⟨techn; van een accu⟩ charger [2] ⟨iemand die laadt⟩ loader [3] ⟨laadinrichting voor schip of voertuig⟩ loader, (piece of) loading equipment
ladeslot [het] drawer lock
lading [de^v] [1] ⟨elektriciteit⟩ charge, load, charging ♦ ***elementaire** lading* charge on an electron; *de batterij **geeft** een deel van haar lading **af*** the battery is leaking juice, ⟨inf⟩ the battery is losing juice; *accu's die voldoende lading kunnen **hebben*** batteries that can carry a full charge; ***nieuwe** lading* recharge [2] ⟨vracht⟩ cargo, ⟨schip⟩ load, lading, ⟨vliegtuig, schip⟩ freight, loading ♦ ⟨inf⟩ *hij heeft er een **hele** lading van* he has a (whole) load/pile of those; *lading **innemen*** take in cargo/a load; *een lading **rijst*** a load of rice; ⟨scherts⟩ *een lading **toeristen*** a bevy/truckload of tourists; *een schip met **volle** lading* a fully loaded ship, a ship with a full cargo/load; ⟨scheepv⟩ ***zonder** lading* in ballast, empty; *te **zware** lading* overload [3] ⟨ontplofbare stof⟩ load, charge, blast, charging, loading ♦ ***gemengde** lading* general/mixed cargo; ***halve/dubbele** lading* half/double charge; ***holle** lading* hollow charge; ***losse** lading* blank; ***nuttige** lading* useful load; *de **volle** lading **geven*** blow/blast (sth./s.o.) to bits/to high heaven/to smithereens; ⟨fig⟩ give (s.o.) a blast, tear to shreds, ⟨inf⟩ give the (whole) works [4] ⟨gevoelsinhoud⟩ overtone(s) ⟨vaak mv⟩, connotation(s) ⟨meestal mv⟩, ⟨inf⟩ feel ♦ *de term die de lading **dekt*** the term that covers the overtones/feel (of); *de discussie krijgt een **emotionele** lading* the discussion is becoming emotionally charged/is taking an emotional turn; *de **politieke** lading van een uitspraak* the political undertone/overtone of a speech
ladingboek [het] tallysheet, cargo book
ladingcontroleur [de^m] tally/loading clerk, tallier
ladingdichtheid [de^v] [1] ⟨verhouding stof, ruimte⟩ charge density [2] ⟨elektrische lading per eenheid⟩ charge density
ladingdrager [de^m] load bearer, charge carrier ♦ ***positieve** ladingdrager* hole
ladingmeester [de^m] tally/loading clerk, baggagemaster, tallier
ladingsbrief [de^m] ⟨scheepv⟩ ship's manifest, ⟨landvervoer⟩ waybill
ladingscertificaat [het] clearance (certificate)
ladingskromme [de] ⟨techn⟩ load curve
ladingsprofiel [het] loading capacity/dimensions
ladingsteken [het] negative/positive symbol
[1]**Ladinisch** [het] Ladin
[2]**Ladinisch** [bn] Ladinic
Ladino [het] Ladino
la dolce vita [het] dolce vita, the sweet life
lady [de^v] [1] ⟨Engels; titel⟩ lady ♦ *met lady **aanspreken*** address as 'lady', ⟨inf⟩ ladyfy [2] ⟨dame⟩ lady [3] ⟨zendamateur⟩ ⟨ham⟩ radio operator, ⟨inf⟩ radio ham
ladykiller [de^m] lady-killer
ladylike [bn] ladylike
ladyshave [de^v] ladyshave, women's shaver
laedens [de^m] ⟨jur⟩ injuring party
laederen [ov ww] [1] ⟨benadelen⟩ injure, damage, violate ♦ *iemands **belangen** laederen* damage s.o.'s interests; *de gelaedeerde **partij*** the injured party [2] ⟨med⟩ injure, damage
laesie [de^v] ⟨med⟩ lesion
laetare [de^m] ⟨r-k⟩ Laetare Sunday, Refreshment/Refection Sunday, Mid-Lent Sunday
laevulose [de] laevulose, fructose
laf [bn, bw] [1] ⟨lafhartig⟩ cowardly, ⟨form⟩ pusillanimous, faint-hearted, spineless, weak-kneed, ⟨inf⟩ yellow, chicken(-livered) ♦ *zich laf **gedragen*** act faint-heartedly/like a coward, be yellow, turn chicken; *een laffe **vent*** a weak-kneed/spineless fellow [2] ⟨flauw⟩ flat ⟨bw: ~ly⟩, insipid, saltless, bland [3] ⟨slap⟩ insipid ⟨bw: ~ly⟩, dull, feeble ♦ *een laf **drankje*** weak drink, slop(s); *laffe **kost*** insipid/weak stuff; *laffe **verontschuldigingen*** feeble excuses [4] ⟨niet geestig⟩ insipid ⟨bw: ~ly⟩, dull, vapid, ⟨grap⟩ feeble, corny
lafaard [de^m] coward, milksop, ⟨inf⟩ yellowbelly, chicken
lafbek [de^m] ⟨inf⟩ [1] ⟨iemand met flauwe praatjes⟩ ⟨BE⟩ twit, boor, ⟨BE⟩ waffler [2] ⟨lafaard⟩ → **lafaard**
lafenis [de^v] ⟨form⟩ [1] ⟨verkwikking⟩ comfort ♦ *iemand lafenis **brengen*** bring s.o. comfort, comfort s.o. [2] ⟨drank⟩ refreshment [3] ⟨bemoediging⟩ encouragement
lafhartig [bn, bw] → **laf** ♦ *zich lafhartig **gedragen*** ⟨ook⟩ show the white feather
lafhartigheid [de^v] → **lafheid**
lafheid [de^v] [1] ⟨lafhartigheid⟩ cowardice, cowardliness, pusillanimity [2] ⟨laffe daad⟩ cowardly deed, act of cowardice
lagedrukgebied [het] ⟨meteo⟩ low pressure area/region, depression
lagelonenland [het] low-wage country
lagen [onov ww] ⟨amb⟩ follow regular courses
lagenhout [het] plywood, three-ply, multiply, balanced construction ply
[1]**lager** [het] ⟨lagerbier⟩ lager
[2]**lager** [het, de^m] ⟨deel waarin een as draait⟩ bearing
lagerbier [het] lager beer
lagerbus [de] ⟨techn⟩ bearing bush
lagerhand [de] left
Lagerhuis [het] Lower House/Chamber, ⟨Groot-Brittannië en Can⟩ House of Commons ♦ *het **Ierse** Lagerhuis* the Dail; ***in** het Lagerhuis **zitten*** be a member of the Lower House/House of Commons
Lagerhuislid [het] ⟨Groot-Brittannië en elders⟩ Member of Parliament, ⟨Groot-Brittannië ook⟩ Member of the House of Commons, ⟨USA⟩ House (of Representatives) Member, Member of the House (of Representatives)
lagerugpijn [de] lower back pain
lagervat [het] ageing vat
lagervet [het] bearing grease

lagerwal [de^m] ⟨scheepv⟩ lee shore, land on the lea beam ♦ ⟨fig⟩ ***aan** lagerwal zijn* be (down) on one's uppers, be in straitened circumstances, be down at heel, be down and out; ***aan** lagerwal zitten* ⟨fig⟩ be down and out/up against it/at a low ebb/on the rocks/in the gutter; ***aan** lagerwal (ge)raken* ⟨lett⟩ be (caught) on the lee shore, be borne down on the lee shore; ⟨fig⟩ come down in the world/in life, get into low water, run/go to seed, go to the dogs
lagevloerbus [de^m] low-floor bus
lagune [de] lagoon, laguna
lahmacun [de^m] lahmacun, Turkish pizza
laïceren [ov ww] ⟨r-k⟩ laicize
laïciseren [ov ww] laicize
laïcisering [de^v] 1 ⟨het laïciseren⟩ laicization, laicising 2 ⟨terugkeer tot de lekenstatus⟩ laicization, return to the lay world, return to lay status
laïcisme [het] ⟨r-k⟩ laicism
laidback [bn] laid-back
laisser aller [het] laissez/laisser aller
laisser faire [het] laissez/laisser faire
laissez passer [het] laissez/laisser passer
lak [het, de^m] 1 ⟨oplossing⟩ lacquer, lac, enamel, japan, varnish ♦ ***blanke/kleurloze/naturel** lak* clear/natural varnish 2 ⟨(laag) lakverf⟩ (layer/coat of) lacquer, (layer/coat of) varnish, ⟨laag⟩ paintwork, ⟨voor nagels; BE⟩ varnish, ⟨AE⟩ polish ♦ *de lak **is beschadigd*** the finish is damaged 3 ⟨zegellak⟩ sealing wax 4 ⟨zegel⟩ seal 5 ⟨gelakte artikelen⟩ lacquer ware ♦ ***Chinees en Japans** lak* Chinese and Japanese lacquer ware 6 ⟨verflak⟩ dye ▪ *daar **heb** ik lak aan* I don't give a rip/rap/damn, (a) fat lot I care, I couldn't care less
lakachtig [bn] lacquer-like
lakafdruk [de^m] seal ♦ *het wapen **in** lakafdruk op een akte* the coat of arms sealed/impressed on an instrument/a deed
lakanthurium [de^m] oil cloth flower, tail flower, painter's pallette
lakbeits [het, de^m] varnish stain, stain varnish
lakbenzine [de] mineral jelly
lakboom [de^m] lacquer-tree
lakceintuur [de^v] patent leather belt
lakdoos [de] lacquer box
lakecht [bn] varnish-proof, fixed ♦ *lakechte **inkten*** varnish-proof/fixed inks
lakei [de^m] lackey, footman, valet, groom, ⟨inf; pej⟩ flunkey ♦ ***als** lakei dienen* lackey, groom
[1]**laken** [het] 1 ⟨stuk stof⟩ ⟨bed⟩ sheet, ⟨tafel⟩ tablecloth, ⟨stof voor beddenlakens⟩ sheeting ♦ *de lakens **omslaan/openslaan*** turn down the sheets; ***onder** één laken liggen* be in the same boat; ***onder/tussen** de lakens kruipen* slip between the sheets, crawl under the covers; *lakens en **slopen*** bed linen; ⟨fig⟩ *de lakens **uitdelen*** rule the roost, play/be first fiddle, call the tune/shots, run the show; *een onder- en een bovenlaken* a top and a bottom sheet 2 ⟨wollen stof⟩ cloth, worsted ♦ *het laken van een **biljart*** the cloth of a billiard table, billiard cloth; *op het **groene** laken* at/on the billiard table, on the green baize; ⟨fig⟩ *van **hetzelfde** laken een pak krijgen,* ⟨in België⟩ *van **hetzelfde** laken een broek krijgen* get some of the same medicine, be served with the same sauce, get as good as one gives; ***ruw/ongevold** laken* raw cloth; *laken **ruwen*** roughen cloth; *een jas van fijn **zwart** laken* a black doeskin coat
[2]**laken** [ov ww] 1 ⟨(sterk) afkeuren⟩ (strongly) disapprove (of), condemn, reprehend ♦ *een verkeerde **eigenschap** in iemand laken* condemn a bad quality in s.o.; *dat **is** zeer te laken* that is reprehensible 2 ⟨berispen⟩ rebuke, reprimand, censure, chide, castigate
lakenfabrikant [de^m] cloth manufacturer/maker, manufacturer/maker of cloth
lakengaren [het] woollen thread, spun wool, worsted
lakenhal [de] clothmakers' hall
lakenindustrie [de^v] textile industry
lakenpers [de] cloth press
lakens [bn] cloth, worsted ♦ ⟨scherts⟩ *je mag je lakense **bril** wel opzetten* put your glasses on, look again; *een lakense **jas*** a cloth/worsted jacket/coat
lakenvelder [de^m] sheeted/belted cow (breed)
lakenvelds [bn] sheeted, belted ♦ *lakenveldse **koe*** a sheeted/belted cow
lakenwinkel [de^m] ⟨BE⟩ draper's shop, ⟨BE⟩ drapery, ⟨AE⟩ ± dry goods store
lakenzak [de^m] sheet sleeping bag
lakfilm [de^m] thin coat of varnish/lacquer
lakhars [het, de^m] varnish gum
lakinkt [de^m] ⟨drukw⟩ letterpress/lithographic ink
lakjas [de] patent leather jacket
lakken [ov ww] 1 ⟨met lak bedekken⟩ lacquer, enamel, ⟨gekleurd⟩ japan, ⟨doorzichtig⟩ varnish, ⟨nagels⟩ polish ♦ ***nagels** lakken* polish/paint/lacquer one's nails; *gelakte **schoenen*** patent leather shoes; *de **vloer** lakken* varnish the floor 2 ⟨verven⟩ paint, enamel, japan ♦ *een deur/auto **rood** lakken* paint a door/car red 3 ⟨dichtlakken⟩ seal ♦ *flessen **wijn** lakken* seal wine bottles
lakkerij [de^v] paint shop/room
laklaag [de] (layer of) lacquer/varnish/enamel
lakleer [het] patent leather
lakleren [bn] patent leather
lakmoes [het] litmus
lakmoespapier [het] litmus paper
lakmoesproef [de] ⟨scheik⟩ ⟨ook fig⟩ litmus test
lakmoestinctuur [de] litmus
lakooi [de] stock, gillyflower
laks [bn, bw] 1 ⟨traag⟩ lax, slack, indolent, lazy 2 ⟨niet principieel⟩ lax, slack, loose ♦ *een lakse **moraal*** lax/relaxed principles, loose morals; *laks **regeren*** have/keep a loose rein (on sth.), have a poor/no control over
lakschoen [de^m] patent leather shoe, dress shoe, ⟨mv ook⟩ patent leathers
lakschurft [de] black scab, ⟨AE⟩ rhizoctonia (disease)
laksheid [de^v] 1 ⟨hoedanigheid⟩ laxity, laxness, slackness, indolence, sloth 2 ⟨uiting⟩ example of laxness/slackness/sloth, incidence of laxness/slackness/sloth
lakspuit [de] paint sprayer
lakspuiter [de^m] spray-painter
lakstaaf [de] stick of sealing wax
laksteeltje [het] darnel poa
[1]**lakstempel** [de^m] ⟨stempel⟩ wax stamp
[2]**lakstempel** [het, de^m] ⟨aangebracht stempel⟩ wax stamp/seal
lakstraat [de] lacquer train, ⟨m.b.t. auto's⟩ paint train
lakverf [de] enamel paint
lakvernis [het, de^m] lacquer
lakwerk [het] 1 ⟨het lakken⟩ lacquerwork, lacquering 2 ⟨gelakte voorwerpen⟩ lacquer(work), lacquer ware ♦ ***Japans** lakwerk* Japan/Japanese lacquer 3 ⟨m.b.t. auto enz.⟩ paint(work)
lakzegel [het] wax seal
lala [bw] ⟨inf⟩ ▪ *hoe gaat het? och, zozo, lala* how are things?, oh, (just) so-so/nothing special
lallen [ov ww, ook abs] jabber, babble, splutter, stammer, ⟨bij dronkenschap⟩ speak with a thick tongue, slur one's words
[1]**lam** [het] lamb ♦ ***als** een lam leven* be a peaceful soul; *zo mak **als** een lam* as gentle/meek as a lamb; *onschuldig **als** een pasgeboren lam* (as) innocent as a newborn babe; ***als** een lam ter slachtbank geleid worden* be led/brought like a lamb to the slaughter; *lammeren **werpen*** lamb ▪ *het Lam **Gods*** the Lamb of God; ⟨in België⟩ *van het Lam **Gods** geslagen zijn* be staggered/stunned
[2]**lam** [bn, bw] 1 ⟨verlamd⟩ paralysed, ⟨AE⟩ paralyzed, ⟨fig

ook⟩ out of action ♦ *hij heeft een lamme **hand*** his hand is paralysed; ⟨fig⟩ *het verkeer lam **leggen*** bring traffic to a (complete) standstill; ⟨inf⟩ *iemand lam **slaan*** beat s.o. senseless/to a jelly/to a pulp; *ik **werk** mij (half) lam* I'm working my fingers to the bone, I'm working flat out [2] ⟨stukgedraaid⟩ ⟨schroef⟩ stripped, ⟨veer⟩ weak [3] ⟨krachteloos⟩ numb, powerless [4] ⟨onaangenaam⟩ tiresome [5] ⟨dronken⟩ blind drunk, smashed, ↓ paralytic, ↓ legless

¹lama [de^m] [1] ⟨boeddhistische priester⟩ lama [2] ⟨dier⟩ llama

²lama [het] [1] ⟨stof van lamawol⟩ llama [2] ⟨katoenflanel⟩ flannelette

lamaïsme [het] lamaism

lamaklooster [het] lamasery

lamantijn [de^m] manatee

lambada [de^m] lambada

lambdacisme [het] lambdacism, lallation

lambdanaad [de^m] ⟨med⟩ lambdoid suture

lambdapunt [het] ⟨natuurk⟩ lambda point

lambert [de] lambert

lambiek [de^m] ⟨in België⟩ lambic, Belgian beer

lambrekijn [de^m] [1] ⟨heral⟩ lambrequin [2] ⟨draperie⟩ ⟨BE⟩ pelmet, ⟨AE⟩ lambrequin, valance

lambriseren [ov ww] panel, wainscot

lambrisering [de^v] wainscot(t)ing, panelling, ⟨AE⟩ paneling, panelwork

lambrusco [de^m] lambrusco

lamé [het] lamé ♦ ***goud** lamé* gold lamé

lamel [de] ⟨plaatje⟩ plate, layer, ⟨strook⟩ strip, ⟨van weekdier/plaatzwam⟩ lamella, ⟨van gesteente⟩ lamina ♦ *tennisrackets **bestaan uit** lamellen* tennis rackets have laminated/layered frames; *parket **in** lamellen* parquet in strips; *de lamellen van een **transformator/zonwering*** the (cooling) fins of a transformer, the slats of a Venetian blind

lamellenband [de^m] steel apron conveyor

lamelleren [ov ww] [1] ⟨tot lamellen vormen⟩ laminate [2] ⟨als lamellen op elkaar leggen⟩ laminate

lamelvloer [de^m] tongue-and-groove parquet

lamentabel [bn, bw] pitiful ⟨bw: ~ly⟩, pitiable, wretched

lamentatie [de^v] lament(ation)

lamenteren [onov ww] lament

lamento [het] ⟨muz⟩ lament

lamentoso [bw] ⟨muz⟩ lamentoso

lamfer [het, de^m] weeper(s), crape, streamer

lamgeslagen [bn] (knocked/put) out of commission, paralysed, crippled

lamheid [de^v] [1] ⟨verlamdheid⟩ paralysis ♦ ⟨fig⟩ ***met** lamheid geslagen zijn* be struck dumb, be paralysed, be unable to move/unable to lift a finger [2] ⟨futloosheid⟩ lack of energy/strength, ⟨wilskracht⟩ lack of will power

laminaat [het] laminate

laminair [bn] laminar

lamine [het] lamin

lamineren [ov ww] [1] ⟨tot blik pletten⟩ laminate [2] ⟨laagsgewijs vervaardigen⟩ laminate ♦ *gelamineerd **hout*** laminated wood, ± plywood [3] ⟨textielindustrie⟩ laminate

lamivudine [het] lamivudine

lamleggen [ov ww] paralyse, ⟨AE⟩ paralyze, bring to a standstill ♦ *het **verkeer** lamleggen* bring the traffic to a standstill, paralyse the traffic

lamlendig [bn, bw], **lamzakkig** [bn, bw], **lamzalig** [bn, bw] [1] ⟨onaangenaam⟩ wretched ⟨bw: ~ly⟩, nasty, foul [2] ⟨futloos⟩ shiftless ⟨bw: ~ly⟩, sluggish, slack, lazy ♦ *een lamlendig **figuur*** ⟨ook⟩ a dead loss

lamlendigheid [de^v] [1] ⟨onaangenaamheid⟩ wretchedness, nastiness, foulness [2] ⟨futloosheid⟩ shiftlessness, sluggishness, slackness, laziness

lamme [de] paralysed/^A paralyzed/lame person ♦ ⟨fig⟩ *de lamme **leidt** de blinde* the blind is leading the blind; *de lammen* the paralysed/lame

Lamme Goedzak ± Sancho Panza

lammeling [de^m], **lamstraal** [de^m], **lamzak** [de^m] ⟨inf⟩ ⟨futloos⟩ dead loss, ⟨onaangenaam⟩ stinker, rotter, pain in the neck

lammen [onov ww] lamb, ⟨geit⟩ kid

lammergang [de^m] amble

lammergier [de^m] lammergeier, bearded vulture

lammertjesnoot [de] ⟨noot en boom⟩ filbert

lammetje [het] lambkin, lambie, little lamb

lammetjespap [de] gruel, meal pap

lammetjestijd [de^m] lambing season

lammycoat [de^m] sheepskin coat

lamoen [het] shafts ⟨mv⟩

lamp [de] [1] ⟨tot verlichting dienend voorwerp⟩ lamp, ⟨inf⟩ light, ⟨gloeilamp⟩ bulb ♦ *de lampen **aandoen*** turn/put the lights on, light up; ⟨fig⟩ *er gaat een lampje **branden*** that rings a bell; *een **rode** lamp* a red light [2] ⟨verlichtingsarmatuur⟩ lamp, ⟨inf⟩ light ♦ ***hangende** lamp* hanging lamp; ***staande** lamp* floor/standing/upright/^B standard lamp; ⟨fig⟩ ***tegen** de lamp lopen* get into/land in trouble, be caught (out), get caught [3] ⟨radiolamp⟩ ⟨BE⟩ valve, ⟨AE⟩ tube

lampadaire [de^v] ⟨in België⟩ floor lamp

lamparm [de^m] lamp bracket

lampenglas [het] lamp chimney, ⟨inf⟩ glass

lampenkap [de] lampshade

lampenkatoen [het] (lamp) wick

lampenkooi [de] wire gauze

lampenkousje [het] [1] ⟨pit van een olielamp⟩ (lamp) wick [2] ⟨gloeikousje⟩ (gas) mantle

lampenolie [de] lamp oil

¹lampenpit [de^m] ⟨pej⟩ ⟨naarling⟩ pain in the neck

²lampenpit [de] ⟨kousje in een lamp⟩ (lamp) wick

lampetkan [de] (water)jug

lampetkom [de] (wash)basin

lampetten [ov ww, ook abs] ⟨in België⟩ soak (it) up, knock (it) back

lampfitting [de^m] light fitting, lamp holder

lamphouder [de^m] lamp holder

lampion [de^m] Chinese lantern

lampionplant [de] Chinese lantern (plant), winter cherry

lampionvrucht [de] Chinese lantern (plant), winter cherry

lamplicht [het] lamplight, artificial light

lampolie [de] paraffin, ⟨AE⟩ kerosene

lampongaap [de^m] pig-tailed macaque

¹lamprei [het] ⟨konijn⟩ young rabbit

²lamprei [de] ⟨vis⟩ lamprey

lampzwart [het] [1] ⟨roet⟩ soot (from an oil-lamp) [2] ⟨verfstof⟩ lampblack

lamsbout [de^m] leg of lamb

lamscarré [het] rack of lamb, lamb rack

lamskarbonade [de^v] lamb chop

lamskotelet [de] lamb chop/cutlet

lamslaan [ov ww] [1] ⟨hard slaan⟩ beat senseless, beat to a jelly, beat to a pulp [2] ⟨machteloos maken⟩ strike dumb with fear

lamsleer [het] lambskin

lamsoor [het] [1] ⟨oor van een lam⟩ lamb's ear [2] ⟨mv; plant⟩ sea lavender

lamsrack [het] rack of lamb, lamb rack

lamsteligheid [de^v] paralysis of stalks

lamstong [de] [1] ⟨tong van een lam⟩ lamb's tongue [2] ⟨plant⟩ lamb's tongue, hoary plantain

lamstraal [de^m] → **lammeling**

lamsvacht [de] lambskin, ⟨met haar ook⟩ (lamb's) fleece

lamsvel [het] lambskin

lamsvlees [het] lamb

lamsvlies [het] ⟨med⟩ amnion
lamsvocht [het] amniotic fluid
lamswol [de] lambswool
lamswollen [bn] lambswool
lamzak [de^{m}] → **lammeling**
lamzakkig [bn] → **lamlendig**
lamzalig [bn] → **lamlendig**
LAN [het] ⟨comp⟩ (local area network) LAN
lancaster [het] lancaster cloth
lanceerbasis [de^{v}] launching site/pad, launch site
lanceerbuis [de] launching tube
lanceerinrichting [de^{v}] launcher, launching device
lanceerplatform [het] launching pad/site, launch site
lanceerprijs [de^{m}] ⟨in België⟩ introductory price
lanceerraket [de] launcher, rocket
lanceersysteem [het] launching system
lanceervenster [het] launch window
lanceren [ov ww] [1] ⟨afvuren⟩ launch, ⟨raket ook⟩ blast off, lift off ◆ *lanceren **vanuit** de lucht* air-launch [2] ⟨de wereld insturen⟩ launch, start ◆ *een **mode** lanceren* start a fashion; *een **product** lanceren* launch a product; *een nieuwe **theorie** lanceren* launch/put forward a new theory
lancering [de^{v}] launch(ing), ⟨raket ook⟩ blast-off, lift-off
lancet [het] ⟨med⟩ lancet
lancetbladig [bn] ⟨plantk⟩ with lanceolate leaves
lancetboog [de^{m}] ⟨bouwk⟩ lancet arch
lancetdrager [de^{m}] ⟨dierk⟩ lancelet, amphioxus
lancetstijl [de^{m}] ⟨bouwk⟩ Early English style
lancetvenster [het] ⟨bouwk⟩ lancet (window)
lancetvisje [het] lancelet, amphioxus
lancetvormig [bn] [1] ⟨plantk⟩ lanceolate [2] ⟨alg⟩ lancet-shaped
lanciers [de^{mv}] ⟨dans⟩ lancers
land [het] [1] ⟨wat boven water uitsteekt⟩ land ◆ ***aan** land gaan* go ashore; ***aan** land komen* land, reach the/come to shore, come ashore; ***aan** land zetten* put ashore, land; ***aan** land spoelen* wash ashore/up; *een land **aandoen*** ⟨met schip⟩ put in to shore; visit a country; *land **betreden*** set foot ashore; ⟨fig⟩ *er is met hem geen land te **bezeilen*** you won't/can't get anywhere with him, you're wasting your time with him; *bij eb **droogvallend** land* land exposed/left dry at low tide; ***naar** het land toe* landward, shoreward; *hij kon nog **naar** het land zwemmen* he was still able to swim to shore/ashore; *dieren die **op** het land leven* land animals; ***over** land en over zee* by land and by sea; *goederen **over** land vervoeren* transport goods overland; *een **stuk** land* a piece of land; ***te** land en ter zee* on land and sea; *te water en **te** land* on land and sea; *land (in zicht)!* land ho!; *land in zicht krijgen* (come in) sight (of) land [2] ⟨bouwland⟩ land ◆ ***op** het land werken* work (on) the land; ⟨bewerken⟩ cultivate/farm the land [3] ⟨platteland⟩ country(side) ◆ *een **kind** van het land* a country boy/girl; ⟨form; vaak scherts⟩ a son/daughter of the soil; ***op** het land wonen* live in the country [4] ⟨staat⟩ country, nation, ↑land ◆ ***door** het land trekken* travel about the country; *hij is **door** het hele land/het hele land **door** geliefd* he is loved the length and breadth of/throughout the country, he's the darling of the (whole) country; ***in** ons land* in this country; ***over** het hele land* throughout/all over the country, nationwide; *de **warme** landen* hot countries; *het land van de rijzende **zon*** the Land of the Rising Sun [5] ⟨vaderland⟩ (mother) country, homeland ◆ *het land **dienen/verdedigen*** serve/defend one's country; *land van **herkomst*** country of origin; *militairen met verlof **in** het land* soldiers home on leave/^{A}furlough; *hij is al een week weer **in** het land* he's been home for a week now; *'s lands **schatkist*** the public purse; *waren **uit/van** eigen land* domestic/home-produced goods; *de **welvaart** van het land* national prosperity, the prosperity of the country [6] ⟨streek⟩ land, country ◆ *het land van **belofte*** the promised land; *het **Beloofde** Land* the Promised Land; *hij is nog **in** het land van de levenden* he's still in the land of the living; *het land van **Rembrandt/Rubens*** the land/country of Rembrandt/Rubens; *hier **te** lande* hereabouts, in/(a)round these parts [•] *het land **hebben*** be in a bad mood, ⟨neerslachtig⟩ be down in the dumps; *ergens het land aan **hebben*** hate/detest sth.; *ergens het land aan **krijgen*** get annoyed at/about sth., take a dislike to sth.; ⟨sprw⟩ *'s lands wijs 's lands eer* when in Rome do as the Romans do; so many countries, so many customs; ⟨sprw⟩ *ieder land heeft zijn trant* so many countries, so many customs; ⟨sprw⟩ *geen profeet is in zijn (eigen) land geëerd* a prophet is not without honour, save in his own country; ⟨sprw⟩ *in het land der blinden is eenoog koning* in the country of the blind, the one-eyed man is king; ⟨sprw⟩ *met de hoed in de hand komt men door het ganse land* ± there's nothing lost by civility; ± manners maketh man
landaanwinning [de^{v}] [1] ⟨handeling⟩ land reclamation [2] ⟨resultaat⟩ reclaimed land
landaanwinst [de^{v}] (amount of) land reclaimed
landaard [de^{m}] national character
landadel [de^{m}] landed nobility/aristocracy ◆ *de **lage** landadel* the landed gentry
landanker [het] ⟨scheepv⟩ shore anchor
landarbeid [de^{m}] farm/agricultural work
landarbeider [de^{m}] farm/agricultural worker, farm/agricultural labourer
landart [de^{m}] Land Art
landauer [de^{m}] landau
landbeschrijving [de^{v}] (regional) geography, chorography
landbezit [het] [1] ⟨het land⟩ (landed) estate, (landed) property, ⟨van boer⟩ land [2] ⟨het bezitten⟩ landownership, ownership of land
landbouw [de^{m}] [1] ⟨akkerbouw⟩ arable farming, agriculture ◆ *landbouw **bedrijven/uitoefenen*** farm; ***biologische** landbouw* organic farming; ***gemechaniseerde** landbouw* mechanized agriculture; *zich **op** de landbouw **toeleggen*** go into/take up arable farming; *de **organische** landbouw* organic farming; *landbouw en **veeteelt*** ⟨voor vlees⟩ arable farming and stockbreeding, ⟨voor melk⟩ arable and dairy farming [2] ⟨ec⟩ agriculture, farming
landbouwakte [de] teaching certificate in agriculture
Landbouwarbeidswet [de] agricultural labour law
landbouwareaal [het] area of land used for agriculture, farmland
landbouwbank [de] agrarian/agricultural bank
landbouwbedrijf [het] [1] ⟨de landbouw⟩ agriculture, farming [2] ⟨boerderij⟩ farm ◆ *een **collectief** landbouwbedrijf* a collective farm
landbouwbegroting [de^{v}] agricultural estimates/budget
landbouwbeleid [het] agricultural policy
landbouwbeurs [de] agricultural fair
landbouwchemicaliën [de^{mv}] agrochemicals, agricultural chemicals
landbouwcommissaris [de^{m}] agricultural commissioner
landbouwconsulent [de^{m}] agricultural consultant/adviser
landbouwcoöperatie [de^{v}] agricultural cooperative
landbouwdeskundige [de] agricultural expert
landbouwdier [het] agricultual animal
landbouweconomie [de^{v}] [1] ⟨leer van de landbouw⟩ farm/agricultural/rural economics [2] ⟨bedrijfseconomie⟩ agricultural economics
landbouweconoom [de^{m}] agricultural economist
landbouwer [de^{m}] farmer, ⟨form⟩ agricultur(al)ist, cultivator
landbouwfaculteit [de^{v}] ⟨in België⟩ ⟨BE⟩ agricultural faculty, ⟨AE⟩ School of Agriculture
landbouwfront [het] ± farmers' union, ± agricultural

lobby

landbouwgebied [het] [1] ⟨onderwerp, terrein⟩ field of agriculture, agricultural domain ♦ ***op** landbouwgebied* in the field of agriculture/agricultural domain [2] ⟨streek⟩ agricultural area

landbouwgewas [het] agricultural/farm crop

landbouwgif [het] agricultural pesticide

landbouwgrond [de^{m}] agricultural/farming land, farmland ♦ ***bebouwde** landbouwgrond* cultivated farmland

landbouwhervorming [de^{v}] agricultural/farming reform

landbouwhogeschool [de] agricultural college, ⟨in Nederland⟩ Agricultural University

landbouwhuishoudkundige [de] rural home economist

landbouwhuishoudonderwijs [het] instruction in agricultural housekeeping

landbouwhuishoudschool [de] agricultural housekeeping school

landbouwindustrie [de^{v}] agricultural industry, agribusiness

landbouwingenieur [de^{m}] master of agricultural science

landbouwinkomen [het] farmers' income

landbouwkalk [de^{m}] agricultural lime

landbouwkrediet [het] agricultural credit

landbouwkredietwezen [het] agricultural credit

landbouwkunde [de^{v}] agricultural science

landbouwkundig [bn] agricultural ♦ *landbouwkundig **ingenieur*** agricultural engineer

landbouwkundige [de] agricultur(al)ist, agricultural/farming expert, agricultural scientist, agronomist

landbouwmaatschappij [de^{v}] (provincial/regional) agricultural association

landbouwmachine [de^{v}] agricultural/farming machine, ⟨mv ook⟩ agricultural/farming machinery

landbouwmethode [de^{v}] method of agriculture

landbouwminister [de^{m}] Minister of Agriculture, ⟨USA⟩ Secretary of Agriculture

landbouwonderwijs [het] agricultural education

landbouworganisatie [de^{v}] agricultural organization

landbouwoverschot [het] glut (of farm produce)

landbouwplastic [het] agricultural plastic sheeting

landbouwpolitiek [de^{v}] agricultural/farming politics

landbouwprijzen [de^{mv}] agricultural prices

landbouwproducten [de^{mv}] agricultural/farm(ing) produce, agricultural/farm(ing) products

landbouwproefstation [het] agricultural research/experimental station, ⟨AE ook⟩ agricultural experiment station

Landbouwschap [het] agricultural board

landbouwscheikunde [de^{v}] agricultural chemistry

landbouwschool [de] agricultural college

landbouwsector [de^{m}] agricultural/farming sector

landbouwstaat [de^{m}] agricultural country

landbouwtentoonstelling [de^{v}] agricultural show

landbouwuniversiteit [de^{v}] Agricultural College, ⟨in Nederland⟩ Agricultural University

landbouwvereniging [de^{v}] farmers'/agricultural association

landbouwvoorlichtingsdienst [de^{m}] agricultural extension service, ⟨BE ook⟩ agricultural advisory service

landbouwweg [de^{m}] farm road

landbouwwetenschap [de^{v}] agricultural science

landbouwzout [het] agricultural salt

landbrug [de] land bridge

landdag [de^{m}] [1] ⟨landsvergadering⟩ convention, congress ♦ ⟨gesch⟩ *de landdag van de gewestelijke **staten** van Friesland/Drenthe* the convention of the provincial council of Friesland/Drente [2] ⟨algemene jaarvergadering⟩ convention, congress [•] *een **Poolse** landdag* bedlam

landdier [het] land animal, terrestrial

landdrost [de^{m}] [1] ⟨bestuurder⟩ 'landdrost', (local) administrator [2] ⟨gesch⟩ bailiff

landduin [het] inland dune

landedelman [de^{m}] country nobleman

landeigenaar [de^{m}] landowner, landed proprietor ♦ ***kleine** landeigenaar* small landowner; ⟨gesch; vnl. in Engeland⟩ yeoman; small proprietor

^{1}**landelijk** [bn] [1] ⟨bij het platteland passend⟩ rural, ⟨boers⟩ rustic, country ♦ *een landelijk **feest*** a rustic/country festival; *landelijk **gebied*** country(side) [2] ⟨op het platteland liggend⟩ rural, country ♦ *landelijke **eigendommen*** country/rural estates

^{2}**landelijk** [bn, bw] ⟨m.b.t. het hele land⟩ national ⟨bw: ~ly⟩, ⟨vnl als bijwoord⟩ nationwide ♦ *landelijke **bekendheid** genieten* have a national reputation, ⟨van persoon ook⟩ be a national figure; *het landelijk **comité*** the national committee; *landelijke **dagbladen*** national (news)papers, ⟨inf⟩ national dailies; *het feest wordt landelijk **gevierd*** the holiday is celebrated all over the country/throughout the country/nationwide

landelijkheid [de^{v}] rural character, rurality, ⟨charme⟩ rural charm, ⟨ook pej⟩ rusticity

^{1}**landen** [onov ww] [1] ⟨neerkomen⟩ land, touch down, ⟨ruimteschip op water ook⟩ splash down ♦ ***doen** landen* land; *een vliegtuig **dwingen** tot landen* force a plane down/to land; *de ruimtecapsule landde **in** de Stille Oceaan* the space capsule splashed down/came down/landed in the Pacific; ***op** de maan landen* land on the moon; *landen **op** Schiphol* land at Schiphol; ***toestemming** tot landen* clearance for landing/to land; ⟨vnl mil⟩ permission to land; *de piloot kon **veilig** landen* the pilot landed safely/made a safe landing; *te **vroeg** landen* undershoot [2] ⟨aan land gaan⟩ land [3] ⟨fig; doel treffen⟩ connect ♦ *je opmerking is **niet** geland* your comment failed to connect

^{2}**landen** [ov ww] [1] ⟨ontschepen⟩ land, disembark [2] ⟨neerlaten⟩ land [3] ⟨heng⟩ land

landenfonds [het] developing markets fund

landengte [de^{v}] isthmus, neck of land

landenklassement [het] ⟨sport⟩ international table

landenploeg [de], **landenteam** [het] ⟨sport⟩ national team

landenteam [het] → **landenploeg**

land- en volkenkunde [de^{v}] geography and ethnology

landenwedstrijd [de^{m}] ⟨sport⟩ international match/contest, ⟨inf⟩ international

landerig [bn] down in the dumps

landerigheid [de^{v}] boredom, ⟨inf⟩ (the) dumps, (the) mopes

landerijen [de^{mv}] (farm)land(s), estates, landed property

landgenoot [de^{m}], **landgenote** [de^{v}] ⟨man⟩ (fellow-)countryman, ⟨vrouw⟩ (fellow-)countrywoman, ⟨man & vrouw⟩ compatriot, ⟨man & vrouw⟩ fellow-Englishman, ⟨man & vrouw⟩ fellow-American

landgenote [de^{v}] → **landgenoot**

landgoed [het] country/rural estate

landgraaf [de^{m}] ⟨gesch⟩ landgrave

landheer [de^{m}] landowner, landed proprietor, ⟨m.b.t. pacht⟩ landlord, lord of the manor

landhervorming [de^{v}] land reform

landhonger [de^{m}] [1] ⟨het streven naar expansie⟩ hunger/greed for territory [2] ⟨verlangen naar landbouwgrond⟩ hunger for land

landhoofd [het] [1] ⟨m.b.t. bruggen⟩ land abutment [2] ⟨pier⟩ (abutment) pier

landhuis [het] countryhouse, country estate, country cottage, ⟨Groot-Brittannië ook⟩ stately home

landhuishoudkunde [de^{v}] rural economy

landhuur [de] land rent
landijs [het] ice cap
landing [de^v] 1 ⟨het neerkomen⟩ landing, touchdown, ⟨van ruimteschip op water ook⟩ splashdown ◆ *doorgeschoten/niet doorgezette landing* overshoot; ⟨fig; fin⟩ *harde landing* hard landing; *het vliegtuig maakte een zachte landing* the plane made a smooth landing 2 ⟨mil⟩ landing ◆ *de landing van de geallieerden in Normandië* the Allied landings in Normandy 3 ⟨het aan land brengen⟩ landing, disembarkation, disembarkment ◆ *de landing van passagiers en goederen* the landing/disembarkation of passengers and goods
landingsbaan [de] runway, ⟨kleiner⟩ airstrip, landing-strip ◆ *verlichte landingsbaan* flare-path; *de landingsbaan voorbijschieten, doorschieten op de landingsbaan* overshoot
landingsbaken [het] landing beacon
landingsboot [de] landing craft
landingsbrug [de] jetty, landing stage
landingsdivisie [de^v] landing party/force
landingsgeld [het] landing fee
landingsgestel [het] landing gear, undercarriage, ⟨inf⟩ undercart ◆ *het landingsgestel intrekken* retract/pull up the landing gear
landingsleger [het] landing force
landingslicht [het] 1 ⟨m.b.t. het vliegveld⟩ approach lights, runway lights 2 ⟨m.b.t. het vliegtuig⟩ landing light
landingsofficier [de^m] approach controller, batman
landingspatroon [het] (final) approach
landingsplaats [de] 1 ⟨m.b.t. lucht-, ruimtevaartuigen⟩ landing field/site ◆ *landingsplaats voor watervliegtuigen* air harbour 2 ⟨mil⟩ landing point
landingspoging [de^v] attempted landing, attempt at landing, landing attempt
landingsrecht [het] 1 ⟨recht om te landen⟩ authority/right to land 2 ⟨geldsom⟩ landing tax
landingsschip [het] landing craft
landingssnelheid [de^v] landing speed
landingsstrip [de^m] landing strip, airstrip
landingsstrook [de] landing strip
landingsterrein [het] landing field/area, airfield, ⟨strook⟩ landing strip, airstrip
landingstrap [de^m] mobile steps ⟨mv⟩
landingstroepen [de^mv] landing force(s)
landingsvaartuig [het] landing craft
landingsvloot [de] landing fleet
landinrichting [de^v] land use/development/planning
landinwaarts [bw] inland ◆ *landinwaarts gaan* go inland; *landinwaarts richten* point inland
landje [het] 1 ⟨klein land⟩ small/little country 2 ⟨braakliggend terrein⟩ piece of (waste) ground
landjepik [het] 1 ⟨kinderspel⟩ children's game where land, within a demarcated area, is taken from the opponent 2 ⟨streven naar gebiedsuitbreiding⟩ annexationism, territorial expansionism
landjonker [de^m] country gentleman, ⟨Groot-Brittannië ook⟩ squire
landjuffer [de^v] hemerobius, lacewing (fly)
landjuweel [het] ⟨in België⟩ 1 ⟨toneelwedstrijd⟩ 'Landjuweel', yearly theatre competition for amateur companies 2 ⟨eerste prijs daarbij⟩ Landjuweel prize
landkaart [de] map
landkabel [de^m] land cable
landkikvors [de^m] grass frog
landklimaat [het] continental climate
landkrab [de] 1 ⟨dier⟩ land crab 2 ⟨persoon⟩ landlubber
landkunde [de^v] • *land- en volkenkunde* geography and ethnology
landleger [het] land force(s)/army
ländler [de^m] 1 ⟨dans⟩ ländler 2 ⟨muziek⟩ ländler
landleven [het] country/rural life, life in the country
landlijn [de] ⟨comm⟩ landline
landlopen [ww] vagrancy, vagabondage, vagabondism, tramping
landloper [de^m] tramp, vagabond, vagrant, ⟨vnl AE⟩ hobo, ⟨scherts⟩ knight of the road
landloperij [de^v] vagrancy, vagabondage, vagabondism, tramping ◆ *arresteren/veroordelen wegens landloperij* arrest/sentence for vagrancy; ⟨sl⟩ vag
landloze [de^m] stateless
landlucht [de] 1 ⟨de lucht op het platteland⟩ country air 2 ⟨tegenover 'zeelucht'⟩ country air
landmaat [de] land measure
landmacht [de] ⟨mil⟩ army, land forces
landman [de^m] ⟨landbouwer⟩ farmer, ⟨buitenman⟩ countryman, ⟨kleine boer⟩ peasant, ⟨scherts; buitenman⟩ rustic
landmark [het] landmark
landmeetkunde [de^v] (land) surveying
landmerk [het] landmark
landmeten [ww] (land) surveying
landmeter [de^m] 1 ⟨persoon⟩ (land) surveyor 2 ⟨rups⟩ inchworm, geometer, looper, ⟨AE ook⟩ spanworm
landmeting [de^v] (land) surveying, geodesy
landmijl [de] mile
landmijn [de] ⟨mil⟩ land mine, ⟨AE ook⟩ claymore (mine), ⟨floddermijn⟩ fougasse
landnummer [het] ⟨comm⟩ international (dialling/^A dialing) code
landontginning [de^v] land reclamation/clearing
landoorlog [de^m] land war, war on land
landouwen [de^mv] ⟨form⟩ meads, pastures, leas ◆ *welige landouwen* luxuriant meads/pastures/leas
landpaal [de^m] boundary post/marker, ⟨steen⟩ boundary stone
landpijler [de^m] pylon
landpost [de] overland mail
landpunt [de] point (of land), ⟨hoog⟩ head(land)
landrol [de] ⟨landb⟩ roller
landrot [de] landlubber
landrover [de^m] landrover
landrug [de^m] ridge (of land)
landsadvocaat [de^m] government prosecutor, ⟨AE⟩ government attorney
landsalamander [de^m] salamander ◆ *de gevlekte landsalamander* spotted/fire salamander
landsbelang [het] national interest ◆ *dat is strijdig met het landsbelang* that is not in the national interest; *het onderhoud van de dijken is van landsbelang* the upkeep of the dikes is a matter of national importance/is vital to the national interest; *het landsbelang* the national interest
landscaping [de^v] landscaping
landschap [het] 1 ⟨stuk land⟩ scenery, landscape ◆ *wat een mooi landschap!* what beautiful scenery!, what a beautiful landscape!; *landschappen schilderen* paint landscapes 2 ⟨streek⟩ landscape, region, district ◆ *nationaal landschap* national park, nature reserve; ⟨Groot-Brittannië ook⟩ area of outstanding natural beauty 3 ⟨bk⟩ landscape (painting/picture/...)
landschappelijk [bn] of the landscape ◆ *het landschappelijk schoon* the scenic/natural beauty, the beauty of the landscape
landschapsarchitect [de^m] landscape architect/gardener
landschapsarchitectuur [de^v] landscape architecture/gardening
landschapsbeheer [het] landscape management
landschapsbeschrijving [de^v] 1 ⟨chorografie⟩ topography, ⟨van grotere streken⟩ chorography 2 ⟨beschrijving van het landschap⟩ description of a/the landscape
landschapsboer [de^m] landscape farmer

landschapschilder [de^{m}] landscape painter/artist, painter of landscapes, landscapist, paysagist
landschapsgeografie [de^{v}] landscape geography, geography of the landscape
landschapskunst [de^{v}] landscape art, landscapes
landschapspark [het] national park, nature reserve, ⟨Groot-Brittannië ook⟩ area of outstanding natural beauty
landschapsplan [het] environmental protection plan
landschapsschoon [het] beauty of the landscape/countryside, scenic/natural beauty
landschapsstijl [de^{m}] [1] ⟨schilderstijl⟩ landscape style [2] ⟨landelijke stijl⟩ country style
landschapstuin [de^{m}] landscape garden
landschapsvervuiling [de^{v}] landscape pollution, damage to the landscape/countryside, damage to scenic resources
landschapsverzorging [de^{v}] protection of the environment, environmental protection
landschapszorg [de] ⟨in België⟩ environmental protection of the landscape
landschildpad [de] (land) tortoise, land turtle, ⟨dierk⟩ testudo
landsdeel [het] district
landsdelig [bn] district
landsdienaar [de^{m}] public servant, government official, civil servant
landsdrukkerij [de^{v}] Government/State printing house, Government/State printing office
landsfinanciën [de^{mv}] national finance(s)
landsgrens [de] [1] ⟨van het, een land⟩ border, frontier [2] ⟨aan landzijde⟩ land-frontier
landsheer [de^{m}] ⟨gesch⟩ sovereign (ruler/lord/prince), ruler, prince, monarch
landsheerlijk [bn] ⟨gesch⟩ sovereign, royal, princely, regal
landskampioen [de^{m}] ⟨sport⟩ national champion(s)
landskampioenschap [het] national championship
landsknecht [de^{m}] ⟨gesch⟩ landsknecht, lansquenet
landslak [de] land snail
landsman [de^{m}] (fellow) countryman, compatriot, ⟨AE ook⟩ landsman
landspolitiek [de^{v}] national politics ⟨mv⟩
landsregering [de^{v}] national/central government, government of a/the country, ⟨m.b.t. USA, Can, Australië enz.⟩ federal government
landstaal [de] national language, vernacular (language) ◆ *de landstaal van **IJsland** is IJslands* the (national) language of Iceland is Icelandic; ***in** de landstaal **overbrengen*** translate into the national language/vernacular
landstitel [de^{m}] national championship (title)
landstorm [de^{m}] ⟨gesch⟩ ⟨oproepbare mannen⟩ last/home reserves, militia, ⟨scherts⟩ dad's army
Landstorm [de^{m}] ⟨gesch⟩ ⟨militaire organisatie⟩ Landstorm
landstreek [de] region, district, part of the country, area
landstrijdkrachten [de^{mv}] land forces, army
landsverdediging [de^{v}] ⟨in België⟩ national defence
landsvorst [de^{m}] sovereign, king, prince
landsvrouwe [de^{v}] [1] ⟨vorstin⟩ sovereign (lady), queen, princess [2] ⟨echtgenote van een vorst⟩ queen consort
landszaak [de] national matter, matter of national importance
landtong [de] spit/tongue/neck/finger of land, point (of land), ⟨hoog⟩ head (land), ⟨schiereiland⟩ peninsula
landvarken [het] native pig
landvast [de^{m}] ⟨scheepv⟩ mooring(-rope)
landverbetering [de^{v}] land improvement
landverhuizer [de^{m}] emigrant
landverhuizing [de^{v}] emigration
landverkenning [de^{v}] ⟨scheepv⟩ [1] ⟨onderzoek⟩ landfall [2] ⟨beeld van de kust⟩ landfall
landverraad [het] (high) treason, treason against the state ◆ ***schuldig** aan landverraad* guilty of (high) treason
landverrader [de^{m}] traitor (to one's country), ⟨collaborateur⟩ collaborator, collaborationist, quisling
landverschuiving [de^{v}] landslide, landslip
landvest [de] ⟨wwb⟩ anchor, tie
landvlucht [de] rural flight, migration to the cities
landvoogd [de^{m}] governor, viceroy
landvoogdes [de^{v}] governess, vicequeen, vicereine
landvrucht [de], **landvruchten** [de^{mv}] chief produce (of a country)
landvruchten [de^{mv}] → **landvrucht**
landwaarts [bw] landward(s), towards the land, shoreward, ⟨vnl. m.b.t. de wind⟩ onshore ◆ *de wind **draaide** landwaarts* the wind shifted onshore; *landwaarts **richten*** head for shore; ⟨scheepv⟩ put to; *landwaarts **stevenen*** steer landward(s); ⟨scheepv⟩ put to
landwants [de] land bug
landweer [de] [1] ⟨verdediging van het land⟩ national defence [2] ⟨dam, dijk⟩ dike [3] ⟨deel van het leger⟩ reserve, ⟨vnl. BE, m.b.t. Tweede Wereldoorlog⟩ Home Guard
landweg [de^{m}] [1] ⟨weg door het land⟩ country road [2] ⟨niet-bestrate weg⟩ (country) lane, ⟨vnl BE⟩ (country) track, cart road/track, ⟨karrenspoor⟩ unsealed road, ⟨AE, AuE⟩ dirt road, ⟨vnl AuE⟩ dirt track
landwet [de] land law
landwijn [de^{m}] local/regional wine
landwind [de^{m}] land wind/breeze, offshore wind
landwinkel [de^{m}] farm shop
landwinning [de^{v}] land reclamation
landziek [bn] landsick
landzijde [de] landside, landward side ◆ ***aan** de landzijde* on the land(ward) side
[1]**lang** LENGTE [bn] [1] ⟨met een grote lengte⟩ long, ⟨persoon, staand voorwerp⟩ tall ◆ *een lange **broek*** long trousers/^{A}pants; *lang **haar** hebben* have long hair, be long-haired; ***in** het lang zijn* wear a long/evening dress; ⟨jacht⟩ *een lange **hond*** a greyhound; *een jurk langer **maken*** ⟨ook⟩ lengthen a dress, take the hem of a dress down; *lange **mouwen*** long sleeves; *een lange **rij*** a long line/row; *een lange **vent*** a tall guy/^{B}chap; *een lang **verhaal*** ⟨ook⟩ a lengthy story; *langer **zijn** dan 1.90* be more than/over 1.90 m (tall/in height); *het verhaal mag niet langer **zijn** dan 1000 woorden* the story must not exceed/be longer than/go over 1000 words [2] ⟨met een bepaalde lengte⟩ long, ⟨persoon, staand voorwerp⟩ tall ◆ *het is zo lang **als** het breed is* it's as broad as it's long, it's six of one and half-a-dozen of the other; *ze zijn **even** lang* they're the same height/as tall as each other; *de kamer is zes **meter** lang* the room is six metres long [3] ⟨geruime tijd durend⟩ long ◆ *een werk van lange **adem*** a long-winded work; *op de lange **duur*** in the long run; *een lang **krediet*** long-term credit; *op lange **termijn*** in the long term; *de avonden **vallen** haar lang* the evenings drag with her; *de tijd **valt** me lang* time drags/won't pass, time's hanging heavy on my hands; *lang **van stof** zijn* be long-winded; *een lang **weekend*** a long weekend; *de dagen **worden** langer* the days are getting longer/are lengthening/are drawing out [4] ⟨een bepaalde tijd durend⟩ long, at a stretch, on end ◆ *vijf **jaar** lang* for five years; *hij heeft zijn **leven** lang armoe geleden* he lived a life of/spent his life in poverty; *hij zweeg wel een **minuut** lang* he was silent for a full minute/for all of a minute; *twee **weken** lang* for (all of) two weeks; ⟨zonder onderbreking⟩ two weeks at a stretch/on end; *heel de **zomer** lang* all summer long, throughout the summer [•] ⟨sprw⟩ *die met de duivel uit één schotel wil eten, moet een lange lepel hebben* he who sups with the devil should have a long spoon; ⟨sprw⟩ *het zijn niet allen koks die lange messen dragen*

± all are not thieves that dogs bark at; ± you can't tell a book by its cover; ⟨sprw⟩ *lekker is maar een vinger lang* ± all good things come to an end

²lang [bw] 1 ⟨gedurende geruime tijd⟩ long, (for) a long time ◆ *ik was al lang en **breed** thuis* I'd been home for ages (by then); *we hebben het er lang en **breed** over gehad* we've talked about it at great length; *langer **dan** een jaar* (for) over a year, (for) more than a year; *ze bleven langer **dan** ons lief was* they stayed longer than we could have wished, they outstayed their welcome; *hij **deed** er lang over voor hij achter de waarheid kwam* he was a long time getting at the truth; *lang over iets **doen*** be long about/long (in) doing sth.; *hij **doet** lang over zijn werk* he's/he takes (a) long (time) over his work; *lang **duren*** take a long time, last long, last a long time; *lang **geleden*** long ago; ⟨inf⟩ way back; ***heel** lang geleden* a long time/a great while ago, once upon a time; *ik heb **in** lang niet zo gelachen* I haven't laughed so much in/for a long time; *ze **leefden** lang en gelukkig* they lived happily ever after; *lang zal hij **leven**!* for he's a jolly good fellow!; *hij **maakt** het niet lang meer* he won't last much longer; *lang **meegaan*** last (a long time), last long; *lang **na** mijn vertrek* long/well after my departure; *lang **opzitten/opblijven*** sit/stay up late; *het duurde **vreselijk** lang* it went on awfully long/for ages; *je bent **vreselijk** lang weggebleven* you've been (gone/away) ages; *als je denkt dat ik dat zal doen kun je lang **wachten*** if you think I'm going to do that you've got another think coming/you're in for a long wait; *je bent lang **weggebleven**!* you've been (out/away) a long time!; *de kinderen zeurden net **zo** lang tot ze ja zei* the children kept on and on until she said yes 2 ⟨gedurende een bepaalde tijd⟩ long ◆ *ik blijf geen **dag** langer* I won't stay another day/won't stay a day longer; *dat heeft lang **genoeg** geduurd* this has gone on long/far enough; ***hoe** langer, hoe liever* the longer the better; *het wordt **hoe** langer hoe erger* it gets worse and worse, it goes from bad to worse; *ze kan **niet** langer wachten* she can't wait any longer/more; *het **vriest** niet langer* it's stopped freezing; *dat kan zo niet langer* things can't go on like this 3 ⟨met ontkenning: helemaal⟩ far (from), nothing like, (not) nearly ◆ *dat weegt lang **geen** vier kilo* it weighs nowhere near four kilos, it doesn't weigh anywhere near four kilos; *hij verdient lang **geen** 500 euro in de week* he doesn't earn anywhere near 500 euros a week; *het was lang **niet** zo ver* it wasn't at all far; ⟨fig⟩ *wij zijn er nog lang **niet*** we've a long way to go (yet); *men was het lang **niet** eens* there was no agreement at all; *hij is nog lang **niet** zover* he hasn't got/isn't anything like/he's nothing like as far as that, he isn't anywhere near/nowhere near as far as that; *dat is lang **niet** slecht/gek* that's not at all bad; *dat smaakt lang **niet** slecht* it doesn't taste at all bad/doesn't taste half bad; *ik vind het lang **niet** grappig* I don't see the joke (at all); *hij begreep het nog lang **niet*** he did not even begin to understand; *deze wijn is lang zo goed **niet*** this wine is nothing like/not nearly/nowhere near so/as good; *dat was lang **niet** de eerste keer* that wasn't the first time by any means/by any means the first time; *ze is lang **niet** zo groot als Jan* she's not nearly/she isn't anywhere near/she's nowhere near/she's nothing like/she isn't anything like as tall as Jan; *die zaal is lang **niet** groot genoeg* that room is nowhere/isn't anywhere near big enough; ⟨inf⟩ that room is miles too small; *ze waren lang **niet** allemaal aanwezig* by no means all of them were there; *hij is lang zo rijk **niet** als beweerd wordt* he's not nearly as rich/not half as rich/nothing like as rich/far from being so rich as people say; *er waren er lang **niet** zoveel die het wisten* there weren't by any means/at all many who knew; *bij lange na **niet*** far from it, not by a long chalk/a long shot, by no means; *bij lange na **niet** zo goed* not nearly as good, nothing like as good ▪ ⟨sprw⟩ *een belofte in dwang en duurt niet lang* vows made in storms are forgotten in calms; ⟨sprw⟩ *haastig getrouwd, lang berouwd* marry in haste and repent at leisure; ⟨sprw⟩ *wachten duurt altijd lang* a watched pot/kettle never boils

langademig [bn, bw] long-winded ⟨bw: ~ly⟩, lengthy, (long-)drawn-out

langarmapen [de^mv] gibbons

langarmig [bn] long-armed

langbeen [de^m] 1 ⟨insect⟩ ⟨daddy⟩ longlegs, harvestman, harvest spider 2 ⟨ooievaar⟩ stork 3 ⟨persoon⟩ longlegs

langbekken [de^mv] ⟨biol⟩ empididae

langbenig [bn] long-legged, ⟨vnl. van vrouwen; inf⟩ leggy ◆ *een langbenige **passer*** a pair of long-legged compasses

langbladig [bn] long-leaved

langbloem [de] festuca, fescue grass ◆ *de **rijzige** langbloem* tall fescue

¹langdradig [bn] ⟨uit lange draden bestaand⟩ long-threaded

²langdradig [bn, bw] ⟨breedsprakig⟩ long-winded ⟨bw: ~ly⟩, lengthy, long-drawn-out, tedious, ↑ prolix ◆ *hij **is** altijd zo langdradig* he is always so long-winded; *een langdradig **redenaar*** a long-winded/tedious speaker; *een langdradig **schrijver*** a prolix/discursive writer; *langdradig over iets **uitweiden*** go on (at length) about sth., ramble on about sth.; *een langdradig **verhaal*** a long-winded/tedious story

langdradigheid [de^v] long-windedness, ⟨form⟩ verbosity, prolixity

langdurig [bn, bw] long, long-lasting, long-term, lengthy, protracted, prolonged, sustained, long-standing, long-established, of long standing ◆ *een langdurig **applaus*** prolonged/sustained/protracted applause; *langdurige **handelsrelaties*** long-standing business relationships; *een langdurig gerechtelijk **onderzoek*** a lengthy/protracted legal investigation; *een langdurig **verblijf*** a protracted/prolonged/lengthy stay; *een langdurige **vriendschap*** a lasting friendship, a long-established/long-standing friendship, a friendship of long standing; *langdurige **werkloosheid*** long-term unemployment; *een langdurige **ziekte*** a long/protracted illness

langdurigheid [de^v] lengthiness, great length, long duration

langeafstandslopen [ww] long-distance running

langeafstandsloper [de^m] long-distance runner, stayer, marathon runner

langeafstandsmars [de] long(-distance) march

langeafstandsraket [de] ⟨mil⟩ long-range missile, ⟨intercontinentaal ook⟩ intercontinental ballistic missile, ICBM

langeafstandsvliegtuig [het] ⟨mil⟩ long-range aircraft, ⟨burgerlijk⟩ long-haul aircraft

langeafstandsvlucht [de] long-distance flight

langebaanrijder [de^m] long-distance/marathon skater

langebaanschaatsen [ww] long-distance skating

langebaanwedstrijd [de^m] long-distance skating race

langebaanzwemmen [ww] long-distance swimming

langegolfband [de^m] long-wave band

langetermijn- long-term

langetermijngeheugen [het] long-term memory

langetermijnplanning [de] long-term planning

langetermijnrente [de] ⟨ec⟩ long-term interest rate

langgekoesterd [bn] long-cherished

langgerekt [bn] 1 ⟨lang en smal⟩ long-drawn-out, elongated, attenuated ◆ *een langgerekt **stuk** grond* a long, narrow piece of land, an elongated piece of land 2 ⟨lang aangehouden, durend⟩ long-drawn-out, lengthy, protracted, prolonged, long-winded, prolix ◆ *de gong bracht een langgerekte **klank** voort* the gong produced a lingering sound; *een langgerekte **kreet*** a long-drawn-out/protracted cry

langgestrafte [de] long-term inmate/prisoner

langgevel [de^m] long-gabled farm

langgevelboerderij [de^v] long-gabled farm

langgras [het] ⟨biol⟩ tall oat grass, tall meadow oat

langhals [de^{m}] [1] ⟨persoon⟩ long-necked person [2] ⟨fles⟩ long-necked bottle
langhalsluit [de] long-necked lute
langharig [bn] [1] ⟨m.b.t. dieren, planten⟩ long-haired, ⟨m.b.t. dieren ook⟩ long-coated [2] ⟨m.b.t. personen⟩ long-haired ♦ *langharig werkschuw **tuig*** long-haired workshy riff-raff/^{B}layabouts
langhoofdig [bn] ⟨antr⟩ long-headed, dolichocephalic
langhoornig [bn] long-horned ♦ *langhoornig **rund*** long-horn
langkorrelrijst [de^{m}] long-grain rice
langlaufen [ww] ski cross-country ♦ *het langlaufen* Nordic/cross-country skiing; ⟨vnl. onder beoefenaars⟩ langlauf
langlaufski [de^{m}] cross-country ski
langlevend [bn] long-lived
langlopend [bn] [1] ⟨wat lange tijd loopt⟩ long-term ♦ *langlopende **kredieten*** long-term credits; *langlopende **obligaties*** long-term bonds [2] ⟨voor lange tijd opgesteld⟩ long-term ♦ *een langlopend **programma** voor de bouwnijverheid* a long-term programme for the building industry
langnek [de^{m}] [1] ⟨iem. met lange nek⟩ long neck [2] ⟨giraffe⟩ giraffe
langoest [de^{m}] spiny lobster, langouste
langoor [de^{m}] long-ears
langoureus [bn, bw] languorous ⟨bw: ~ly⟩
langoustine [de] langoustine, Norway lobster, Dublin (Bay) prawn, ⟨mv ook; cul⟩ scampi
langparkeerder [de^{m}] long-term parker
langpoot [de^{m}] [1] ⟨hooiwagen⟩ harvestman, harvest spider, ⟨AE ook⟩ (daddy) longlegs [2] ⟨langpootmug⟩ → **langpootmug**
langpootmug [de] ⟨BE⟩ daddy longlegs, crane fly
^{1}**langs** [bw] [1] ⟨in de lengte naast⟩ along ♦ *in een boot de kust langs **varen*** sail along/skirt the coast; ⟨dicht langs⟩ hug the coast [2] ⟨aan⟩ round, ⟨AE⟩ around, in, by ♦ *ik **kom** nog weleens langs* I'll drop/call in/round/by sometime [3] ⟨voorbij⟩ past ♦ *hij **kwam** net langs* he just came past [4] ⟨in de lengte, richting van⟩ along ♦ *de weg langs **gaan*** go along the road [•] ***ervan** langs krijgen* (really) get/catch it; *iemand **ervan** langs geven* let s.o. have it, give s.o. what for, lay into s.o.; *er geducht **van** langs krijgen* catch it, get what-for; *iemand er ongenadig **van** langs geven* give s.o. a hell of a time/hell
^{2}**langs** [vz] [1] ⟨in de lengte van⟩ along ♦ *de weg loopt vlak langs een **bos*** the road skirts a wood; *de stoelen stonden langs de **muur*** the chairs were lined up along the wall; ***onder** langs* along the bottom/foot of, underneath; ***onder** langs de berg loopt een pad* there's a path along the foot of the mountain; *langs de **rivier** wandelen* go for a walk along the river; *langs de kust **varen*** sail along/up/down the coast, skirt the coast; ⟨dicht langs⟩ hug the coast; *langs de hele **weg*** all along the road, the length of the road; *er staan bomen langs de **weg*** there are trees along (the side of) the road, the road is lined with trees [2] ⟨via⟩ via, by (way/means of) ♦ ***hier/daar** langs* this/that way; *langs de **regenpijp** naar omlaag* down the drainpipe [3] ⟨voorbij⟩ past ♦ *langs het huis **komen*** pass by the house; *langs elkaar heen praten/leven* talk at cross-purposes, live without (any) real contact; *iets langs zich heen laten gaan* take no notice of sth. [4] ⟨aan bij⟩ in at ♦ *wil jij even langs de **bakker** rijden?* could you just drop/call in at the baker's? [5] ⟨in België; aan de kant van⟩ alongside, by ♦ *langs **binnen*** (on the) inside; ⟨in België⟩ *een hutje langs de **straat*** a hut by the roadside
langsbreuk [de] ⟨geol⟩ longitudinal fault
langschedeligen [de^{mv}] longheads, ⟨wet⟩ dolichocephals, dolichocephali
langschip [het] nave
langsdoorsnede [de] longitudinal (cross) section
langsdrager [de^{m}] longitudinal sleeper/girder
langsgaan [onov ww] [1] ⟨passeren⟩ pass (by) [2] ⟨aangaan⟩ call in/round/^{A}around (at), go round/^{A}around (to) ♦ ***bij** iemand langsgaan* ⟨ook⟩ call on s.o., look/drop in on s.o./at s.o.'s house, pay a call on s.o.
langsheen [vz] ⟨in België⟩ along
langshelling [de^{v}] longitudinal slipway, longitudinal building slip, longitudinal building berth
langshout [het] quartersawn timber
langskomen [onov ww] [1] ⟨ergens voorbij komen⟩ come past/by, pass by [2] ⟨op bezoek komen⟩ come round/over, ⟨AE ook⟩ come around, drop by/in, pop in
langslaapster [de^{v}] → **langslaper**
langslaper [de^{m}], **langslaapster** [de^{v}] late riser, lie-abed
langsligger [de^{m}] longitudinal sleeper/girder
langslopen [onov ww] [1] ⟨passeren⟩ walk past [2] ⟨aangaan⟩ → **langsgaan** [3] ⟨in volgorde afwerken⟩ go over, run through ♦ *een **lijst** langslopen* run through a list
langsnuitdolfijn [de^{m}] white-sided dolphin
langsom [vz] [•] ⟨in België⟩ *van langsom **meer*** the longer the more
langspeelband [de^{m}] long-playing tape
langspeelfilm [de^{m}] ⟨in België⟩ full-length film
langspeelplaat [de] long-playing record/disc, long-player, album, ⟨inf⟩ LP ♦ *opgenomen **op** de langspeelplaat* recorded on LP
langsprieten [de^{mv}] ⟨dierk⟩ longicornia
langsrijden [onov ww] [1] ⟨voorbij rijden⟩ ⟨op paard/fiets enz.⟩ ride past, ⟨met auto⟩ drive past [2] ⟨aangaan⟩ → **langsgaan**
langsscheeps [bn, bw] ⟨bijvoeglijk naamwoord⟩ fore and aft, ⟨bijwoord⟩ alongship ♦ *langsscheeps **tuig*** fore and aft rigging; *de mast **viel** langsscheeps* the mast fell alongship
langsslag [de^{m}] lang lay
langst [bn, bw] longest ♦ *het kan **op** zijn langst een maand duren* it will take a month at the longest/most [•] ⟨sprw⟩ *eerlijk duurt het langst* honesty is the best policy; ± cheats never prosper; ⟨sprw⟩ *krakende wagens lopen het langst* a creaking gate hangs long
langstaart [de^{m}] longtail
langstaartapen [de^{mv}] ⟨wet⟩ cercopithecidae
langstijlig [bn] ⟨plantk⟩ long-styled
langstlevende [de] survivor ♦ *testament **op** de langstlevende* joint and mutual/reciprocal will, will in favour of the survivor/surviving spouse
langstlevendentestament [het] joint and mutual/reciprocal will, will in favour of the survivor/surviving spouse
langstrekken [onov ww] pass, ⟨in een stoet⟩ parade
langsverband [het] [1] ⟨verband in de lengterichting⟩ stringer [2] ⟨scheepv⟩ longitudinal strength
langsvoeg [de] longitudinal joint
langswippen [onov ww] call round
langszaling [de^{v}] ⟨scheepv⟩ trestletree
langszij [bw] alongside, ⟨scheepv ook⟩ aboard ♦ *langszij **komen*** come alongside, lay aboard; *langszij **van** het schip* alongside the ship
languido [bw] ⟨muz⟩ languido
languissant [bn, bw] languid ⟨bw: ~ly⟩
languit [bw] (at) full length, stretched out, recumbent, ↑ procumbent ♦ *hij **lag** languit op de grond* he lay stretched out on the ground; *ik kan in dat bed niet languit **liggen*** I can't lie full length in that bed, that bed is too short for me; *languit **liggend*** (lying) stretched out; *languit achterover **vallen*** fall flat on one's back; *languit op de grond **vallen*** fall flat (out)/fall full length on the ground, fall flat on one's face, measure one's length
langverbeid [bn] ⟨form⟩ long-awaited, long looked-for
langvers [het] long verse
langverwacht [bn] long-awaited, long-expected, long-

anticipated ♦ *het langverwachte **ogenblik*** ⟨inf⟩ the big moment
langvoer [het] roughage
langwerpig [bn, bw] ① ⟨met een lange vorm⟩ elongated, long ♦ *een langwerpige **figuur*** an oblong; *langwerpig **rond*** oval, elliptic(al); *langwerpig **vierkant*** rectangular ② ⟨landb⟩ along the furrow
langzaam [bn, bw] ① ⟨niet vlug⟩ slow ⟨bw: ~ly⟩, tardy, sluggish ♦ *een langzame **dood** sterven* die by inches; *langzaam **eten/drinken*** eat/drink slowly; ***heel** langzaam* very slowly, ⟨BE⟩ dead slow, at a crawl/a snail's pace; *langzaam **laten zakken*** ease down; *langzamer gaan **rijden/werken*** slow down, ease up, take it easy, slacken off one's pace; *hij is langzaam **van betalen*** he is tardy in paying/slow to pay/a slow payer; *langzaam **vooruitkomen*** make slow progress; *langzaam **vooruitkomen/voortgaan, zich** langzaam **verplaatsen*** inch (one's way) forward, edge (one's way/o.s.) forward; *dat werk **vordert** maar langzaam* that job is progressing but slowly/is making only slow progress; *langzaam **wegsterven*** fade out; *langzaam maar zeker* ⟨gebruikt als bijwoord⟩ slowly but surely ② ⟨m.b.t. een voortbeweging⟩ slow ⟨bw: ~ly⟩, ⟨vnl. m.b.t. water⟩ sluggish ♦ *langzaam **rijden*** ⟨op paard/fiets enz.⟩ ride slowly, ⟨met auto⟩ drive slowly; ⟨op verkeersbord⟩ (drive) slow ③ ⟨geleidelijk⟩ gradual ⟨bw: ~ly⟩, progressive, ⟨bijwoord ook⟩ bit by bit, little by little, by degrees ♦ *langzaam **werd** hij wat beter* he gradually got a bit better ⊡ ⟨sprw⟩ *Gods molens malen langzaam* the mills of God grind slowly, yet they grind exceeding small; ⟨sprw⟩ *haast u langzaam* make haste slowly
[1]**langzaamaan** [bw] gradually ♦ *het langzaamaan **doen*** go slow ⊡ ⟨sprw⟩ *langzaamaan, dan breekt het lijntje niet* ± little by little, and bit by bit; ± make haste slowly
[2]**langzaamaan** [tw] slow down, steady (on), (take it) easy
langzaamaanactie [de^{v}] go-slow, slow-down, ⟨stiptheidsactie; BE⟩ ± work-to-rule
langzaamwerkend [bn] slow(-acting) ♦ *langzaamwerkend **vergif*** slow(-acting) poison
langzamerhand [bw] gradually, progressively, bit by bit, little by little, by degrees ♦ ***ik krijg** er langzamerhand genoeg van* I'm starting to get tired of/fed up with it
langzichtwissel [de^{m}] long-dated bill
lankmoedig [bn, bw] long-suffering, ⟨geduldig⟩ patient, ⟨toegewend⟩ tolerant/lenient (towards), indulgent ♦ *iets lankmoedig **verdragen*** be long-suffering under/in the face of sth., bear sth. with patience/patiently
lankmoedigheid [de^{v}] long-suffering, patience, tolerance, lenience, leniency, indulgence
lannervalk [de] lanner falcon
lanoline [de] lanolin(e), wool fat
lanolinezalf [de] lanolin(e) ointment
lans [de] lance, spear ♦ *een lans met iemand **breken*** ⟨ook fig⟩ break a lance with s.o.; ⟨fig⟩ *een lans voor iemand/iets **breken*** break a lance for/stand up for s.o./sth.; *de lans **vellen*** couch the lance, lay the lance in its rest ⊡ ***thermische** lans* thermic lance, high-power cutting torch
lansegel [de^{m}] sea wichin/hedgehog
lansier [de^{m}] lancer
lanspunt [de^{m}] lance head/tip/point
lanspuntslang [de] fer-de-lance snake
lansslang [de] fer-de-lance, bonetail
lantaarn [de] ① ⟨straatlantaarn⟩ streetlamp, streetlight ② ⟨lamp⟩ ⟨vnl. niet elektrisch⟩ lantern, ⟨vnl. elektrisch⟩ lamp, ⟨zaklamp; BE⟩ torch, ⟨BE⟩ flashlight ♦ ⟨fig⟩ *dat/die zul je **met** een lantaarntje moeten zoeken* it doesn't/they don't grow on trees; ***rode** lantaarn* tailender; ⟨fig⟩ *onze ploeg droeg de **rode** lantaarn* our team came (in) last ③ ⟨deel van een vuurtoren⟩ lantern ④ ⟨glazen kap⟩ lantern, ⟨in dak ook⟩ skylight, deadlight
lantaarnboei [de] light buoy
lantaarndrager [de^{m}] ⟨biol⟩ ① ⟨insect⟩ lantern fly ② ⟨vis⟩ lantern fish
lantaarnopsteker [de^{m}] lamplighter
lantaarnpaal [de^{m}] lamppost, lamp standard
lantaarnvissen [de^{mv}] ① ⟨familie van zilverblanke visjes⟩ lantern fish ② ⟨slijmkopvissen⟩ firefly fish
lanterfant [de^{m}] loafer, idler, lounger, ⟨inf; BE⟩ layabout, ⟨nietsnut⟩ good-for-nothing
lanterfanten [onov ww] lounge (about/^{A}around), loaf (about/^{A}around), idle, ⟨vnl. thuis⟩ sit about/around ♦ ***lopen** lanterfanten* loaf (about/^{A}around)
lanterlu [het] → **lanterlui**
lanterlui [het], **lanterlu** [het] ⟨kaartsp⟩ loo
lanthaan [het] ⟨scheik⟩ lanthanum
lanthaanreeks [de] ⟨scheik⟩ lanthanide series
lanthaniden [de^{mv}] ⟨scheik⟩ lanthanides, rare earth, rare-earth elements
Laodiceeër [de^{m}] Laodicean
laos [de^{m}] laos
Laos [het] Laos ♦ *Democratische **volksrepubliek** Laos* People's Democratic Republic of Laos

Laos	
naam	*Laos* Laos
officiële naam	*Democratische Volksrepubliek Laos* Lao People's Democratic Republic
inwoner	*Laotiaan* Lao, Laotian
inwoonster	*Laotiaanse* Lao, Laotian
bijv. naamw.	*Laotiaans* Lao, Laotian
hoofdstad	*Vientiane* Vientiane
munt	*kip* kip
werelddeel	*Azië* Asia
int. toegangsnummer 856 www .la auto LAO	

Laotiaan [de^{m}], **Laotiaanse** [de^{v}] ⟨man & vrouw⟩ Laotian, ⟨vrouw ook⟩ Laotian woman/girl
Laotiaans [bn] Laotian
Laotiaanse [de^{v}] → **Laotiaan**
lap [de^{m}] ① ⟨stuk stof⟩ piece, ⟨van de rol, om iets mee te maken⟩ length, ⟨vod⟩ rag; zie ook **lapje** ♦ *de lappen **hangen** erbij* it's all/it's in rags and tatters; *een lap **inzetten*** put/sew in a patch; *dat werkt op hem als een **rode** lap op een stier* that's like a red rag to him, that's like a red rag to a bull for him; *een lap **voor** een jurk* a piece/length of cloth for a dress ② ⟨dun stuk materiaal⟩ piece; zie ook **lapje** ♦ *een **leren** lap* a piece of leather; *een **zeemleren/zemen** lap* a chamois leather; ⟨inf⟩ a shammy (leather) ③ ⟨coupon⟩ remnant, oddment ④ ⟨klap⟩ ⟨in gezicht⟩ slap (in the face), ⟨oorveeg⟩ box (on the ear(s))
Lap [de^{m}] Lapp
laparoscoop [de^{m}] ⟨med⟩ laparoscope
laparoscopisch [bn] ⟨med⟩ laparoscopic ♦ *laparoscopische **sterilisatie*** laparoscopic sterilization
laparotomie [de^{v}] ⟨med⟩ laparotomy
lapband [de^{m}] lap band
lapdansen [onov ww] lap dance
[1]**lapidair** [bn] ⟨in steen gehouwen⟩ lapidary, lapidarian
[2]**lapidair** [bn, bw] ⟨kort en kernachtig⟩ lapidary, laconic ♦ *lapidaire **stijl*** lapidary style; *zich lapidair **uitdrukken*** express o.s. laconically/in a lapidary manner
lapidarist [de^{m}] lapidary, ⟨inf; AE⟩ rock-hound
lapidarium [het] lapidary
lapis lazuli [de^{m}] lapis (lazuli)
lapje [het] ① ⟨stukje textiel⟩ piece, ⟨voor reparatie⟩ patch, ⟨doekje⟩ cloth ② ⟨dun, klein stukje materiaal⟩ piece, ⟨vodje⟩ scrap, ⟨vnl. m.b.t. vlees⟩ slice ♦ *een lapje **grond*** a piece/plot/patch of land; ⟨volkstuintje; BE⟩ an allotment; *een lapje **van honderd*** a hundred euro note/^{A}bill; *een lapje **vlees*** a piece/slice of meat; ⟨i.h.b. runderlapje⟩ a steak; ⟨kalfslapje⟩ an escalope (of veal) ⊡ *iemand **voor** het lapje houden* have s.o. on, pull s.o.'s leg

lapjeskat [de] tabby-and-white cat, ⟨AE⟩ calico cat
Lapland [het] Lapland
Laplander [de^{m}], **Laplandse** [de^{v}] Lapp, Laplander
Laplands [bn], **Laps** [bn] Lapp(ish)
Laplandse [de^{v}] → **Laplander**
lapmiddel [het] makeshift (measure), stopgap, ⟨inf; AE⟩ band-aid, ↑ temporary expedient/measure, ↑ palliative (measure) ◆ *al die lapmiddelen* ***helpen*** *niet* none of those makeshift measures helps, all that fiddling/tinkering doesn't help
lapnaad [de^{m}] lap joint, lapped joint
lapnaam [de^{m}] ⟨in België⟩ nickname
¹**lappen** [ov ww] 1 ⟨herstellen⟩ patch, mend, fix (up), ⟨ook fig; vnl. m.b.t. schoenen⟩ cobble 2 ⟨klaarspelen⟩ manage, pull off, do the trick ◆ *dat lap jij* ***hem niet*** you'll never manage (that)/pull it off; *dat heb je 'm gauw gelapt* that's quick (work) 3 ⟨met een zeemlap schoonmaken⟩ clean ◆ ***ramen*** *lappen* clean/do the windows 4 ⟨een ronde voorkomen⟩ lap ▪ *iemand* ***erbij*** *lappen* blow the whistle on s.o.; *dat zou jij* ***mij*** *niet moeten lappen* don't try that (one/trick) on/with me; *als je (mij) dat nog een keer lapt ...* if you do that again ...
²**lappen** [ov ww, ook abs] ⟨geld bij elkaar brengen⟩ ⟨overgankelijk⟩ cough up, shell out, ⟨onovergankelijk⟩ have a whip-round, pass the hat (a)round
lappendeken [de] 1 ⟨deken⟩ patchwork quilt, crazy quilt 2 ⟨fig⟩ patchwork, hotchpotch, ⟨vnl AE⟩ hodgepodge
lappenmand [de] ragbag, rag basket ◆ ⟨fig⟩ *in de lappenmand zijn* be laid up/ailing/on the sick list
lappenmos [het] dog lichen
lappenpop [de] rag doll
¹**Laps** [het] Lapp(ish)
²**Laps** [bn] → **Laplands**
lapsnuittor [de] otiorhynchild
lapsus [de^{m}] slip, lapse, lapsus, error ◆ *lapsus calami* slip of the pen, lapsus calami; *lapsus linguae* slip of the tongue, lapsus linguae; *lapsus memoriae* lapse of memory, lapsus memoriae
laptop [de^{m}] laptop (computer)
lapwerk [het] 1 ⟨niet-afdoende verbetering⟩ stopgap (remedy/solution), makeshift solution 2 ⟨wat gelapt moet worden⟩ repair work, mending
lapzalf [de] quack remedy/medicine
lapzalven [ov ww, ook abs] 1 ⟨med⟩ ⟨overgankelijk werkwoord⟩ make a rough-and-ready/shoddy job of treating (s.o.), ⟨onovergankelijk werkwoord⟩ be a quack 2 ⟨vergoelijken⟩ ⟨overgankelijk werkwoord⟩ gloss over, patch up, ⟨onovergankelijk werkwoord⟩ gloss over things, patch things up
lapzwans [de^{m}] drip, ⟨AE⟩ jerk, ⟨sl⟩ jerk-off, ⟨sl; BE⟩ berk
laqué [bn] lacquered, varnished
lar [de^{m}] ⟨dierk⟩ lar (gibbon)
lardeerpriem [de^{m}] larding-pin, larding-needle
lardeerspek [het] lardo(o)n
larderen [ov ww] 1 ⟨m.b.t. vlees⟩ lard ◆ *gelardeerde* ***lever*** larded liver 2 ⟨fig⟩ (inter)lard, intersperse, interlace, sprinkle ◆ *een* ***goed*** *gelardeerde beurs* a well-lined purse; *een* ***tekst*** *larderen met citaten* (inter)lard a text with quotations
laren [de^{mv}] ⟨myth⟩ lares ◆ *laren en* ***penaten*** lares and penates
large [bn] large
¹**larghetto** [het] ⟨muz⟩ larghetto
²**larghetto** [bw] ⟨muz⟩ larghetto
¹**largo** [het] ⟨muz⟩ largo
²**largo** [bw] ⟨muz⟩ largo
larie [de^{v}], **lariekoek** [de^{m}] (stuff and) nonsense, rubbish, hogwash, ⟨AE ook⟩ baloney ◆ ***allemaal*** *larie* all stuff and nonsense; *larie!* rubbish!, my eye/foot!
lariekoek [de^{m}] → **larie**
¹**lariks** [de^{m}] ⟨boom⟩ larch
²**lariks** [het] ⟨hout⟩ larch(wood)
lariksboleet [de^{m}] Clinton's boletus, pine-tree boletus
larikszwam [de] larch canker
larmoyant [bn] lachrymose, larmoyant, tearful, melancholy
larve [de] ⟨biol⟩ larva, ⟨m.b.t. vlinder⟩ caterpillar, ⟨schadelijk⟩ armyworm, ⟨in koker levend⟩ caseworm ◆ *larven* ***voortbrengend*** larviparous
larventoestand [de^{m}] larval state
laryngaal [de] ⟨taalk⟩ laryng(e)al
laryngitis [de^{v}] ⟨med⟩ laryngitis
laryngograaf [de^{m}] laryngograph
laryngoscoop [de^{m}] laryngoscope
larynx [de^{m}] ⟨med⟩ larynx
las [de] 1 ⟨verbinding door samensmelting⟩ welding 2 ⟨lasnaad⟩ ⟨ijzer, ook hout⟩ weld, ⟨hout, ook ijzer⟩ joint, seam, ⟨film⟩ splice, ⟨m.b.t. kunststoffen⟩ seal ◆ ***overlapse*** *las* lap joint; ***zonder*** *las* weldless 3 ⟨ingezet stuk⟩ joint, scarf, mortise
lasaggregaat [het] (portable) (gas) welding equipment/unit
lasagne [de] ⟨cul⟩ lasagna, lasagne
lasapparaat [het] welding apparatus, welder, ⟨film⟩ splicer
lasbaar [bn] weldable
lasbrander [de^{m}] welding torch/blowpipe
lasbril [de^{m}] welding goggles
lascief [bn, bw] lascivious ⟨bw: ~ly⟩, lewd
lasdoos [de] 1 ⟨aansluitdoos⟩ junction box 2 ⟨gereedschapsdoos⟩ welder's kit
lasdop [de^{m}] wire connector
lasdraad [het, de^{m}] welding/electrode wire
laser [de^{m}] 1 ⟨licht⟩ laser 2 ⟨toestel⟩ laser equipment
laserdisk [de^{m}] laser/optical disc
laserdiskspeler [de^{m}] laserdisk player
laserfysica [de^{v}] laser physics
lasergame [de^{m}] laser game
lasergamen [onov ww] play a laser game
lasergestuurd [bn] laser-guided
lasergun [de^{m}] laser gun
lasergyroscoop [de^{m}] ⟨ruimtev⟩ laser gyroscope
laserkanon [het] laser-gun
laserlens [de] laser lens
laseroog [het] 1 ⟨laserlens⟩ laser lens 2 ⟨priemend oog⟩ X-ray eye 3 ⟨geneeskunde⟩ lasered eye
laserpen [de] laser pen
laserpointer [de^{m}] laser pointer
laserprinter [de^{m}] laser printer
laserquest [de^{m}] laser quest
laserradar [de^{m}] laser radar, ladar, lidar
lasershield [het] laser shield
lasershow [de^{m}] laser show
laserstraal [de] laser beam
laservisie [de^{v}] ⟨comm⟩ laservision
laserwapen [het] laser gun
laserzwaard [het] light sabre
lasfout [de] 1 ⟨in een las⟩ faulty/defective weld, fault in a/the weld 2 ⟨verkeerd lassen⟩ welding fault
lashschip [het] lash vessel
lasijzer [het] fishplate
laskap [de] welder's (hand) shield
lasnaad [de^{m}] ⟨ijzer, ook hout⟩ weld, ⟨ijzer, ook hout⟩ welded joint, ⟨hout, ook ijzer⟩ joint, seam, ⟨film⟩ splice, ⟨m.b.t. kunststoffen⟩ seal ◆ *een* ***onzichtbare*** *lasnaad* an invisible weld
lasogen [de^{mv}] actinic conjunctivitis
laspistool [het] welding gun
laspleister [de] welding insert
laspost [de^{m}] ⟨in België⟩ (portable) (gas) welding equip-

ment/unit

lasrups [de] bead

¹lassen [ov ww] 1 ⟨invoegen, aanbrengen⟩ put in, mortise, splice (in), ⟨ook fig⟩ insert ◆ ⟨fig⟩ *die woorden zijn **ertussen gelast*** these words have been inserted 2 ⟨verbinden⟩ join, weld, string together ◆ ⟨fig⟩ ***zinnen** aan elkaar lassen* string sentences together

²lassen [ov ww, ook abs] ⟨door een las verbinden⟩ ⟨ijzer, plastic⟩ weld, ⟨hout⟩ join, scarf, ⟨film⟩ splice ◆ ***autogeen en elektrisch** lassen* autogenous and electric welding; ***overlaps** lassen* lap-weld

lasser [de^m] ⟨metaal⟩ welder, ⟨hout⟩ joiner

lasserij [de^v] welding shop

lassie [de^m] collie

lassiehond [de^m] collie

lasso [de^m] lasso, rope, lariat ◆ ***met** een lasso vangen* lasso, rope

lasstaaf [de^m] welding rod

last [de^m] 1 ⟨vracht⟩ load, freight, pack, ⟨ook fig; op schouders⟩ burden, weight ◆ *hij bezweek haast **onder** de last* he nearly broke down under the burden 2 ⟨verplichting⟩ burden ◆ *iemand **tot** zijn last hebben* have to support s.o. 3 ⟨geldelijke verplichting⟩ cost(s), burden, charge, expense(s), tax ◆ *op **hoge** lasten zitten* be under great expense, be faced with high costs/overheads; *de **opgelegde** last moet door de hele natie worden gedragen* the burden that has been imposed will have to be borne by the whole nation; ***sociale** lasten betalen* pay one's/s.o.'s social security; ***te mijnen** laste* at my expense; ***tot** last/**ten** laste **van*** to the account of, at the expense of; ***vaste** lasten* fixed charges, recurring expenses; ⟨in bedrijf⟩ overhead(s) 4 ⟨hinder⟩ trouble, problem(s), nuisance, ⟨ongemak⟩ inconvenience ◆ *iemand last **aandoen/bezorgen*** inconvenience/bother/trouble s.o., put s.o. to inconvenience; *ik heb er **geen** last van* it doesn't bother/trouble me; ***geen** last van hoogtevrees hebben* have a head for heights; *zij heeft **geen** last van verlegenheid* she's anything but shy; *daar **hebben** zij nooit last mee* that never troubles them, they're never bothered by that; *dat **heeft** een hoop last **veroorzaakt*** that has caused/given a lot of trouble/inconvenience; *toen was Leiden **in** last* there was the devil to pay; *daar kan je last mee **krijgen*** you could get into trouble over/doing that; ***lusten** en lasten* advantages and disadvantages; ⟨handel⟩ profits and expenses; ***ten** laste **van** de gemeenschap komen* be(come) a public charge; *iemand **tot** last zijn* bother s.o., be an annoyance to s.o.; *hij is iedereen/zichzelf **tot** last* he is a nuisance/burden to everyone/himself; *de last **van** de jaren* the burden of the years/of old age; *ik heb last **van** mijn maag* my stomach is giving me trouble/is bothering me; *zij heeft gauw last **van** blaren* she gets blisters easily, she's liable to blisters; *heb je er last **van** als ik rook?* will/does it bother you if I smoke?; *hij heeft vaak last **van** migraine* he often suffers from migraine; *wij hebben veel last **van** onze buren* our neighbours are a great nuisance to us 5 ⟨beschuldiging⟩ charge ◆ *ik weet niets **te** zijnen laste te zeggen* I cannot charge him with anything; ⟨inf⟩ I can't pin anything on him; *het **ten** laste gelegde **feit*** the charge; *iemand iets **ten** laste leggen* charge s.o. with sth., accuse s.o. of sth. 6 ⟨scheepslading⟩ cargo, (pay)load ◆ *last **innemen/lichten*** load, unload 7 ⟨natuurk⟩ weight 8 ⟨opdracht⟩ order, assignment, instruction, ⟨verplichting⟩ obligation, ⟨jur⟩ mandate ◆ *iemand last **geven** tot iets* instruct/order s.o. to do sth.; ***op** last **van** de politie* by order of the police ▪ ⟨sprw⟩ *geen lusten zonder lasten* (there is) no pleasure without pain

lastarm [de^m] ⟨natuurk⟩ weight arm

lastbrief [de^m] mandate, letter of instruction(s)

lastdier [het] beast of burden, pack animal

lastdrager [de^m] 1 ⟨sjouwer⟩ porter, carrier, ⟨bij expeditie⟩ bearer 2 ⟨steun-, schoorzuil⟩ buttress

lastendruk [de^m] (burden of) regular expenses, ⟨m.b.t. belast⟩ burden of taxation (on the taxpayer), tax burden ◆ ***collectieve** lastendruk* burden of social charges

lastenverlichting [de^v] ⟨fin⟩ ⟨alg⟩ reduction in the (financial) burden, ⟨belasting- en premieverlaging⟩ reduction in the tax burden, reduction in the burden on the taxpayer, tax reductions/cut(s)

lastenverzwaring [de^v] ⟨alg⟩ additional (financial) burden, increase in the (financial) burden, ⟨belasting- en premieverhoging⟩ increase in the tax burden, increase in the burden on the taxpayer, tax increase(s)

laster [de^m] 1 ⟨kwaadsprekerij⟩ ⟨gesproken⟩ slander, ⟨geschreven⟩ libel, calumny, defamation ◆ *van de laster **blijft** altijd wat **hangen*** if you throw enough dirt some of it will stick; *het **is** laster dit te zeggen* it's a slander to say so 2 ⟨jur⟩ slander, libel, defamation (of character) ◆ *een aanklacht **wegens** laster* an action for libel/slander, a libel/slander suit, an action for slander; *iemand vervolgen **wegens/ter** zake van laster* bring a libel action/an action for defamation of character/for slander against s.o.

lasteraar [de^m] ⟨gesproken⟩ slanderer, ⟨geschreven⟩ libeller, calumniator, scandalmonger, maligner

lastercampagne [de] smear(ing) campaign, campaign of slander/defamation/innuendo ◆ *er **werd** een lastercampagne **gevoerd** tegen hem* a smear campaign was conducted against him, he was subjected to a smear campaign

lasteren [ov ww] 1 ⟨beledigen, honen⟩ insult, cast aspersions on ◆ ***God** lasteren* blaspheme 2 ⟨kwaadspreken⟩ ⟨gesproken⟩ slander, ⟨geschreven⟩ libel, defamate, calumniate

lasterlijk [bn, bw] 1 ⟨m.b.t. God⟩ blasphemous ⟨bw: ~ly⟩ ◆ *lasterlijke **woorden*** blasphemous words, blasphemy 2 ⟨m.b.t. een persoon⟩ ⟨gesproken⟩ slanderous ⟨bw: ~ly⟩, ⟨geschreven⟩ libellous ⟨bw: ~ly⟩, calumniating, defamatory, detractory ◆ *lasterlijke **aantijging*** slanderous accusation; *lasterlijk **artikel**, lasterlijke **publicatie*** a libellous/defamatory article/publication

lasterpraat [de^m] slander(ous talk), calumny, backbiting, scandal ◆ ***allemaal** lasterpraat* it's all slander

lasterpraatje [het] gossip ◆ ***allemaal** lasterpraatjes* it's all slander

lasterproces [het] slander suit, libel action, action for slander

lasterschrift [het] (piece of) libel, ⟨anoniem⟩ poison-pen letter

lastertaal [de] 1 ⟨m.b.t. God⟩ blasphemy, blasphemous language 2 ⟨alg⟩ slanderous/defamatory language

lastex [het, de^m] lastex

lastezel [de^m] 1 ⟨pakezel⟩ mule 2 ⟨fig; persoon⟩ packhorse, drudge, mule

lastgeefster [de^v] → **lastgever**

lastgeld [het] lastage

lastgever [de^m], **lastgeefster** [de^v] 1 ⟨opdrachtgever⟩ mandator, bidder, principal 2 ⟨jur⟩ mandator, principal

lastgeving [de^v] 1 ⟨opdracht⟩ order, instruction(s), assignment 2 ⟨jur⟩ agency, mandate ◆ *een **overeenkomst** van lastgeving* a contract of agency/mandate 3 ⟨lastbrief, volmacht⟩ mandate, authority, instruction(s)

lasthebber [de^m] 1 ⟨gevolmachtigde⟩ agent, ⟨jur ook⟩ mandatory, trustee 2 ⟨pol⟩ representative

lastig [bn, bw] 1 ⟨vervelend⟩ awkward, ⟨ongelegen⟩ inconvenient, ⟨persoon ook⟩ troublesome ◆ *een lastige **examinator*** an exacting/a demanding examiner; *een lastig **kind*** a troublesome/an unruly/a difficult child; *lastige **klanten*** customers/people who are hard to please; *het iemand lastig **maken*** make things hard for s.o., give s.o. a hard time, pester/badger s.o.; *lastig **met eten*** fussy/particular about one's food; *lastig **worden*** become troublesome; *de **zieke** is lastig* the patient is hard/difficult to handle/is troublesome 2 ⟨moeilijk⟩ difficult, hard, ⟨netelig⟩ tricky, troublesome ◆ *dat zal erg lastig **gaan*** ⟨komt slecht uit⟩

that's most inconvenient; ⟨is moeilijk⟩ that will be difficult; *een lastig **geval*** an awkward case, a tough proposition; *in een lastig **parket** (ge)raken* get into a scrape/fix/hot water/up a stump; *die schroef zit op een lastige **plaats*** that screw is in an awkward place; *een lastig **portret*** a tedious wretch, a tough customer/nut; *lastig **te hanteren*** hard/difficult to handle; *een lastig **vraagstuk*** a knotty/thorny/tricky problem

lastigvallen [ov ww] [1] ⟨storen⟩ bother, trouble, ⟨sterker⟩ annoy, pester [2] ⟨met oneerbare bedoelingen benaderen⟩ ⟨vrouw op straat⟩ harass, ⟨door prostituee⟩ solicit

lastlijn [de] ⟨scheepv⟩ load line, Plimsoll line/mark

last minute [bn] last-minute

lastminutereis [de] last-minute trip

lastminutevlucht [de] last-minute flight/ticket

lastpaard [het] packhorse

lastpak [het, de] → **lastpost**

lastpost [de^{m}], **lastpak** [de] nuisance, troublemaker, bore, pest, pain in the neck, ↓ pain in the ^{B}arse/^{A}ass ◆ *dat kind is een **echte** lastpost* that child is quite a handful, ⟨voor ouders⟩ that child is a big worry

lastransformator [de^{m}] welding transformer

lat [de] [1] ⟨stuk hout⟩ slat, strip (of wood), ⟨voor dakpannen⟩ batten, ⟨voor pleisterwerk⟩ lath, ⟨voetb⟩ crossbar, ⟨atl, voetb⟩ bar ◆ *zo mager **als een lat*** thin as a rake/rail/^{B}lath; *de latten van een **hekje*** the slats of a fence/gate; *de **lange** latten* skis; ⟨sport⟩ ***onder** de lat staan* be in goal, be the goalkeeper; ⟨sport⟩ *de bal kwam **tegen** de lat* the ball hit the crossbar [2] ⟨dun mens⟩ broomstick ◆ *een **magere** lat* a rake/skeleton [•] ⟨in België⟩ *de lat gelijk **leggen*** give everyone the same odds

Lat. [afk] (Latijn) Lat

lataanboom [de^{m}] latania

latafel [de] chest of drawers, commode

latah [de^{m}] latah

^{1}laten [ov ww] [1] ⟨achterwege laten⟩ omit, keep/abstain from, fail to, give up ◆ *laat **dat**!* stop that!, don't do that!; *het **doen** en laten* all one's actions, one's every movement; *hij kan **het** niet laten* he can't help (doing) it; *je moet doen wat je niet laten **kunt*** it's up to you, suit yourself, I can't stop you (if you insist); *laat **maar**!* never mind!, leave it!; *hij kan het **roken** niet laten* he cannot give up smoking; *wil je dat weleens laten!* will you stop doing that! [2] ⟨op een plaats, in een toestand houden⟩ leave, let ◆ *iemand **alleen** laten* leave s.o. alone; *alles **bij** het oude laten* leave everything as it was; *daar zullen we het **bij** laten!* let's leave it at that/stop here!; *iemand ergens **buiten** laten* leave s.o. out of sth.; *iemand **erdoor** laten* let s.o. pass; ***het** erbij laten (zitten)* ⟨met het bedoelde ophouden⟩ let things go at that, let things stand; ⟨niet gerechtelijk vervolgen⟩ not press/prefer charges; ***het** bij dreigementen laten* not go beyond threats; *dat laat mij **koud*** it leaves me cold, it doesn't interest me in the slightest; *laat **maar** zitten* don't bother with the change; *de deur **open** laten* leave the door open/unlocked; *iemand laten **schrikken*** give s.o. a start; *een meisje laten **zitten*** jilt/abandon a girl; *iemand in de **steek** laten* let s.o. down, leave s.o. in the lurch, run out on s.o., ↑ abandon s.o., ↑ desert s.o. [3] ⟨achterlaten⟩ leave ◆ *iemand ver **achter** zich laten* leave s.o. miles/way/far behind, outdistance/outstrip s.o.; *ik heb mijn paraplu **in** de hal gelaten* I've left my umbrella in the hall; *ik heb het op tafel laten **liggen*** I left it on the table; *waar heb ik dat **potlood** gelaten?* where did I leave/put that pencil? [4] ⟨ergens in bergen⟩ put, stick, stow, leave ◆ *waar moet ik het **boek** laten?* where shall I put/leave the book?; ***waar** laat die jongen al dat eten?* where does that boy put all that food? [5] ⟨toegang geven tot⟩ show (into), let (into) ◆ *laat de kat maar **in** de tuin* just let the cat (out) into the garden; *hij werd **in** de kamer gelaten* he was shown into the room [6] ⟨toestaan, dulden⟩ let, allow, grant, permit, give ◆ *iemand laten **begaan*** let s.o. be/do as he/she pleases; *dat laat zich **denken*** one/you/I can imagine; ⟨in België⟩ *zich laten **doen*** → **sollen**; *zich laten **gezeggen*** listen to advice; *laat de **kinderen** maar* just let the kids be; *leven en laten **leven*** live and let live; *iets laten **lopen*** let sth. go/pass; *een plan laten **varen*** abandon a plan; *ik heb mij laten **wijsmaken/vertellen*** I've been told, it's been suggested to me; ⟨lett wijsmaken⟩ I've been fooled into thinking [7] ⟨+ actief object: veroorzaken⟩ let, have, make, get, order (to) ◆ *het laat zich **aanzien** dat* it would appear that; *zich laten **gaan*** let o.s. go; ⟨inf; scherts⟩ let it all hang out; *zijn oog over iets laten **gaan*** glance at sth., cast one's eye over sth.; *zijn gedachten over iets laten **gaan*** reflect on sth.; *laat nog eens wat (van je) **horen*** keep in touch; *de dokter laten **komen*** send for the doctor; *zij lieten hem **ombrengen** door een huurmoordenaar* they had him killed by a hired assassin; *iets laten **vallen*** drop sth.; *iemand iets laten **weten*** let s.o. know sth.; *iets laten **zien*** show/demonstrate sth. [8] ⟨+ passief object: veroorzaken⟩ let (be), have, make, get (to), order (to) ◆ *zich laten **beetnemen*** be had, go/fall for it; *iemand laten **halen*** ⟨bijvoorbeeld de huisarts⟩ send for s.o.; ⟨bijvoorbeeld van het station⟩ have s.o. fetched; *zich laten **leiden*** let o.s. be guided; *dat laat zich (wel) **raden*** one/you can guess/(well) imagine [9] ⟨niet inhouden⟩ let (out), give (out) ◆ *een **traantje** laten* shed a tear [10] ⟨op een plaats, in een toestand brengen⟩ let ◆ *de lamp **naar** beneden laten* let down the lamp [11] ⟨opgeven⟩ leave off/over, give up, resign, lay off, stop ◆ *het **leven** laten* lose one's life, be killed [12] ⟨iets niet ontnemen⟩ leave, give, grant, let have ◆ *iemand het **leven** laten* spare s.o.'s life [13] ⟨bij zijn dood nalaten⟩ leave, bequeathe, let have [14] ⟨afstaan⟩ give, grant, leave, let have ◆ *ik laat er hem de **eer** van* I let him have the credit for it; *laat me niet **lachen*** don't make me laugh, that's a laugh [15] ⟨in stand houden⟩ keep, let be, allow [•] *laat **staan** dat …* let alone (that) …; ⟨sprw⟩ *voor geld kan men de duivel laten dansen* ± all things are obedient to money; ⟨sprw⟩ *laat uw linkerhand niet weten wat uw rechterhand doet* let not thy left hand know what thy right hand doeth

^{2}laten [hulpww] [1] ⟨m.b.t. wenselijkheid, aansporing⟩ let ◆ *laat ons **bidden*** let us pray; *laten wij elkaar **helpen*** let us help one another; *laten we nu maar **opschieten*** let's hurry up, shall we; *laten we niet **vergeten**, dat …* don't let us forget that … [2] ⟨m.b.t. mogelijkheid⟩ let ◆ *laat ze mooi **zijn**, erg verstandig is ze niet* she may be pretty, but she's not very sensible [3] ⟨in uitroepen⟩ ◆ *laat hij het nu nog doen ook!* (and) he actually did it!; imagine, he did it, too!; *laat het nu net beginnen te gieten* and wouldn't you know: at that moment it started to pour

latenightshow [de^{m}] late night show

latent [bn, bw] latent ⟨bw: ~ly⟩, hidden, dormant, potential ◆ *latent **aanwezig*** latent(ly present), lurking; *latent **aanwezig** zijn* lurk; *latent **blijven*** remain hidden/latent; *latente **gevoelens*** latent/slumbering/dormant feelings; *latente **infectie*** latent infection; *latente **kracht*** potency, potentiality; *latent **leven*** anabiosis, suspended animation; ⟨natuurk⟩ *latente **warmte*** latent heat

latentie [de^{v}] latency, dormancy, potentiality

latentietijd [de^{m}] latency, reaction time, latent period

^{1}later [bn] ⟨nieuwer⟩ later, further, subsequent, ⟨toekomstige⟩ future ◆ *latere **berichten*** later/subsequent messages; *voor later **gebruik*** for future/subsequent use; *in latere **jaren*** in later years; *op latere **leeftijd*** at an advanced age, late in (one's) life; *in zijn latere **leven*** in his later life; *de latere **Mevrouw** P.* the future Mrs P.

^{2}later [bw] ⟨nadien⟩ later (on), afterwards, ⟨op korte termijn⟩ presently, ⟨in de toekomst⟩ in (the) future ◆ *even later* soon after, presently, by and by; *ik **kom** hier later nog op **terug*** I shall come back to this (point); *zij zullen ongetwijfeld later **komen*** they'll be/arrive late, no doubt; *dat **komt** later wel* we'll see about that later; *hier **krijg** je later misschien spijt van* you may regret this later (on), you may live/

come to regret this; ***niet** later dan twee uur* no later than two o'clock; *later **op** de dag* later that (same) day, later in the day; *dit hoofdstuk is later **toegevoegd*** this chapter was added later/afterwards/subsequently; *tot later* goodbye for now, see you later; *het **wordt** snel later* time is getting on; *enige tijd later* after some time/a while, a little later

lateraal [bn] ① ⟨zijdelings gelegen⟩ lateral, side- ◆ *lateraal **kanaal*** lateral canal; *lateraal **stelsel*** lateral system; *laterale **vleugelklep*** air brake ② ⟨taalk⟩ lateral ③ ⟨m.b.t. verwanten⟩ collateral ◆ *laterale **erfgenamen*** collateral heirs ⊡ *het laterale **denken*** lateral thinking/thought

Lateraan [het], **Lateraanpaleis** [het] (the) Lateran, (the) Lateran palace

Lateraanpaleis [het] → **Lateraan**

lateraliteit [de^{v}] laterality

latertje [het] late one ◆ *het is een latertje **geworden**/zal een latertje **worden*** we were/will be late finishing

latex [het, de^{m}] ① ⟨melksap van de rubberboom⟩ latex ② ⟨grondstof van synthetisch bereide rubber⟩ latex ③ ⟨latexverf⟩ latex (paint)

latexcement [het] rubber cement

latexverf [de] latex paint

lathyrus [de^{m}] lathyrus, vetch(ling), ⟨in engere zin, Lathyrus odoratus⟩ sweet pea

latierboom [de^{m}] swinging bail

latierpaal [de^{m}] ± stable post

latifundium [het] latifundium, great landed estate

[1]**Latijn** [de^{m}] ⟨Romaan⟩ Latin

[2]**Latijn** [het] ① ⟨de Latijnse taal⟩ Latin ◆ ***Grieks** en Latijn **studeren*** study Greek and Latin/(the) classical languages; ***middeleeuws** Latijn* mediaeval/low Latin; ***modern** Latijn* modern Latin; ***vulgair** Latijn* popular/vulgar Latin ② ⟨onverstaanbare taal⟩ Greek, double Dutch ⊡ ⟨in België⟩ *ergens zijn Latijn in **steken*** ↑ take great pains (to do sth.), go to a lot of trouble (for sth.)

Latijns [bn] ① ⟨in, m.b.t. het Latijn⟩ Latin ◆ *Latijnse **kerk*** Latin/Roman Church; *Latijnse **spraakkunst*** Latin grammar; *de Latijnse **taal*** Latin, the Latin language; *Latijnse **vertaling/transcriptie*** Latinization; *Latijns **zeil*** lateen ② ⟨Romaans⟩ Latin, Roman(ce) ◆ *het Latijnse **burgerrecht*** Roman Civil Law; *de Latijnse **volkeren*** the Latin peoples ③ ⟨westers⟩ Latin ⊡ *het Latijnse **alfabet/schrift*** the Roman/Latin alphabet/script; *het Latijnse **kruis*** the Latin cross

Latijns-Amerika [het] Latin America

Latijns-Amerikaan [de^{m}] Latin American

Latijns-Amerikaans [bn] Latin-American

latijnzeil [het] lateen sail

latin [de^{m}] latin

latina [de^{v}] Latina

latindansen [ww] Latin (American) dancing

latiniseren [ov ww] latinize

latinisme [het] ① ⟨aan het Latijn ontleende zinswending⟩ Latinism ② ⟨Latijnse uitdrukking⟩ Latinism

latinist [de^{m}], **latiniste** [de^{v}] Latinist, Latin scholar

latiniste [de^{v}] → **latinist**

latiniteit [de^{v}] Latinity, Latin ◆ *de **latere** latiniteit* the later Latinity

latin lover [de^{m}] latin lover

latino [de^{m}] Latino

latin rock [de] Latin rock

latitude [de^{v}] ⟨aardr⟩ latitude

latmodel [het] lath(work) prototype

laton [het] served wire

latrelatie [de^{v}] relationship in which the partners live apart

latrine [de^{v}] latrine, privy, ⟨BE⟩ earth-closet

lats [de] lat

[1]**latten** [bn] lath, slat(ted), ⟨kruisend⟩ lattice ◆ *een latten **afscheiding*** a lath/slat partition

[2]**latten** [ov ww] lath, slat, ⟨dak⟩ batten ◆ *een **plafond** latten* lath a ceiling

lattenbodem [de^{m}] slats ⟨mv⟩, slatted base/board

lattenrooster [het] ① ⟨stalvoer⟩ slats ⟨mv⟩ ② ⟨leilatten⟩ trellis(work)

lattenvering [de^{v}] ⟨in België⟩ slats ⟨mv⟩, slatted base/board

latuw [de] lettuce

latwerk [het] ① ⟨geraamte van latten⟩ lathing, lattice, lathwork, ⟨leilatten⟩ trellis(work) ◆ *langs een latwerk **leiden**/**voorzien** van een latwerk* trellis ② ⟨hekwerk⟩ lattice

laudanum [het] laudanum

lauden [de^{mv}] ⟨r-k⟩ lauds

laureaat [de^{m}] laureate

laurier [de^{m}] ① ⟨boom⟩ (bay) laurel, bay (tree) ② ⟨cul⟩ bay leaves ⟨mv⟩ ③ ⟨krans⟩ (wreath of) laurels

laurierachtigen [de^{mv}] laurel family, Lauraceae

laurierbes [de] laurel berry

laurierblad [het] bay leaf ⟨ook specerij⟩, laurel leaf

laurierdrop [het, de] bay (flavoured) [B]liquorice/[A]licorice

[1]**laurierkers** [de^{m}] ⟨heester⟩ cherry laurel, laurel cherry

[2]**laurierkers** [de] ⟨vrucht⟩ laurel cherry, bay cherry

laurierolie [de] laurel oil

laurierroos [de] oleander

laurierwilg [de^{m}] bay willow, laurel-leaved willow

[1]**lauw** [bn] ⟨niet erg warm⟩ tepid, lukewarm, warmish

[2]**lauw** [bn, bw] ⟨zonder enthousiasme⟩ halfhearted ⟨bw: ~ly⟩, lukewarm ⟨bw: ~ly⟩, tepid, unenthusiastic ◆ *lauw **reageren*** react halfheartedly, show a lukewarm response

[1]**lauweren** [de^{mv}] laurels ◆ *gekroond **met** lauweren* laureate, laurelled; *lauweren **oogsten*** gain/reap/gather laurels; ⟨fig⟩ ***op** zijn lauweren rusten* rest on one's laurels

[2]**lauweren** [ov ww] ① ⟨met lauweren kronen⟩ laurel, laureate, crown/wreathe with laurels ② ⟨loven⟩ eulogize, honour, praise, extol, glorify

lauwerkrans [de^{m}] laurel wreath

lauwertak [de^{m}] laurel branch

lauwheid [de^{v}] ① ⟨halfwarme toestand⟩ tepidness, tepidity, lukewarmness ② ⟨gebrek aan enthousiasme⟩ halfheartedness, lukewarmness, tepidity, tepidness

lauwwarm [bn] tepid, lukewarm

lava [de] lava

lavabo [de^{m}] ⟨in België⟩ washbasin, ⟨AE⟩ sink, washbowl

lavaglas [het] obsidian

lavalamp [de] lava lamp

lavas [de] lovage, sea parsley

lavasteen [het, de^{m}] lava rock

lavastroom [de^{m}] stream of lava, lava flow, coulée

lavatera [de^{m}] mallow

lavatory [de] lavatory

laveien [onov ww] ⟨jacht⟩ forage

laveloos [bn] ⟨inf⟩ sloshed, loaded, plastered, ⟨AE⟩ stewed

lavement [het] enema ◆ *een lavement **geven/zetten/toedienen*** give/insert/administer an enema

lavementspuit [de] enema

laven [ov ww] slake, quench, refresh ◆ ***zich laven aan*** slake/quench one's thirst with; refresh o.s. at; ⟨fig⟩ ***zich** laven aan kennis* drink in/feed upon knowledge

lavendel [de] lavender

lavendelheide [de] marsh rosemary

lavendelolie [de] lavender oil, oil of lavender, ⟨los⟩ spike (lavender) oil

lavendelwater [het] lavender water

laveren [onov ww] ① ⟨m.b.t. zeilen⟩ tack, navigate, beat (up) against the wind, ply against the wind ② ⟨met wankelende gang lopen⟩ stagger (about), reel, totter ③ ⟨tussenweg zoeken⟩ steer a middle course, tack, shift, navigate

lavet [de^{m}] lavette

[1]**lavo** [de^{v}] 'lavo' school, School for Elementary General

Secondary Education
[2]**lavo** [het] (lager algemeen voortgezet onderwijs) Elementary General Secondary Education
lawaai [het] noise, tumult, ⟨sterker⟩ racket, clamour, row, ⟨ophef⟩ fuss ♦ *een* ***hels*** *lawaai* an infernal racket/noise; ***maak*** *niet zo'n lawaai* don't be so noisy, don't make such a racket/row; *veel lawaai* ***maken*** make a racket/row; *een* ***oorverdovend*** *lawaai* a deafening noise/tumult, an almighty din/racket; *lawaai* ***schoppen/trappen*** make a racket; *het lawaai van het* ***verkeer*** the noise/din of the traffic, the traffic noise; ***zonder*** *lawaai* noiselessly, silently
lawaaiarm [bn] quiet
lawaaidemonstratie [de^v] noisy demonstration
lawaaidoofheid [de^v] noise-related deafness
lawaaierig [bn, bw] noisy ⟨bw: noisily⟩, clamorous, tumultuous, loud, rowdy ♦ *lawaaierig* ***feestvieren*** throw a noisy party
lawaaimachine [de^v] [1] ⟨machine⟩ noisy machine [2] ⟨fig; muz⟩ noise machine
lawaaimaker [de^m] noise-maker, rowdy, ⟨opschepper⟩ swaggerer, braggart
lawaaioverlast [de^m] noise pollution
law-and-order [de^m] law-and-order
lawine [de^v] [1] ⟨massa sneeuw, puin⟩ avalanche, ⟨sneeuw⟩ snowslide, ⟨puin e.d.⟩ landslide ♦ *neerstorten* ***als*** *een lawine* sweep down like an avalanche; ***onder*** *een lawine bedolven worden* be buried by/swallowed up in an avalanche [2] ⟨stortvloed⟩ avalanche, torrent, shower, ⟨vragen, kritiek⟩ barrage, fusillade ♦ *een lawine* ***van*** *scheldwoorden* a(n) avalanche/fusillade/barrage of abuse
lawinegang [de^m] avalanche track/path ♦ ***kunstmatige*** *lawinegangen aanleggen* construct artificial avalanche tracks/paths
lawinegevaar [het] danger/risk of avalanche(s)
lawinehond [de^m] avalanche dog
lawinereactie [de^v] ⟨natuurk⟩ chain reaction, snowball reaction
lawinetunnel [de^m] avalanche tunnel
lawineus [bn, bw] avalanche-like, avalanchine, torrential, overpowering
lawinewering [de^v] avalanche wall
lawrencium [het] ⟨scheik⟩ lawrencium
[1]**laxatief** [het] → **laxeermiddel**
[2]**laxatief** [bn] laxative, purgative, aperient
laxeermiddel [het], **laxatief** [het] laxative, purgative, aperient
laxeren [ov ww, ook abs] purge, ⟨onovergankelijk werkwoord ook⟩ open/loose/relax the bowels ♦ *dat* ***werkt*** *laxerend* that is a laxative, that opens/relaxes the bowels
lay-out [de^m] layout
lay-outen [ov ww, ook abs] ⟨onovergankelijk werkwoord⟩ do the layout, ⟨overgankelijk werkwoord⟩ lay/set out
lay-up [de] lay-up
lazaret [het] field/military hospital
lazaretschip [het] hospital ship
lazarist [de^m] ⟨r-k⟩ Lazarist, Vincentian
[1]**lazarus** [het] ⟨vulg⟩ ⊡ *zich het lazarus* ***schrikken*** get the shock of one's life; ⟨vulg⟩ shit o.s.; *zich het lazarus* ***werken*** work o.s. to death/one's fingers to the bone
[2]**lazarus** [bn] ⟨vulg⟩ sloshed, loaded, plastered, ⟨BE⟩ soaked, blotto, ⟨AE⟩ smashed
lazer [de^m] ⟨vulg⟩ ↑ body ♦ *iemand* ***op*** *zijn lazer geven* give s.o. what for/a good hiding, beat the shit/crap out of s.o., ⟨met woorden⟩ bawl/chew s.o. out, give s.o. what for
[1]**lazeren** [onov ww] ⟨vulg⟩ [1] ⟨vallen⟩ ↑ tumble, drop, topple ♦ *hij lazerde* ***van*** *de trap* ***af*** he fell arse over elbow down the stairs [2] ⟨ertoe doen⟩ ↑ matter
[2]**lazeren** [ov ww] ⟨vulg⟩ ⟨smijten⟩ chuck, sling, pitch, toss, hurl ♦ *hij lazerde alles* ***naar*** *beneden* he slung/chucked/kicked everything downstairs
lazerkruid [het] laserwort
lazerstraal [de^m] ⟨vulg⟩ blighter, rotter, plague, pain in the neck/ass
lazerstralen [onov ww] ⟨vulg⟩ fuck about/around, ⟨BE ook⟩ arse about/around, mess/muck (about), fool around
lazuren [bn, alleen attr] [1] ⟨van lazuur⟩ lapis lazuli [2] ⟨diepblauw⟩ ultramarine (blue), lapis (lazuli) blue, bice blue
lazuur [het] [1] ⟨gesteente⟩ lapis (lazuli), azure stone [2] ⟨kleur⟩ azure
lazuurblauw [bn] lapis lazuli blue, azure
lazuursteek [de^m] couching stitch
lazuursteen [de^m] lapis lazuli, lazurite
lb. [afk] (pond) lb
L.B. [afk] [1] (locoburgemeester) acting mayor [2] (Lector benevole) benevolent reader
LBC [de] ⟨in België⟩ (Landelijke Bediendencentrale) national Christian union of white-collar workers
lbo [het] (lager beroepsonderwijs) lower vocational education
l.c. [afk] (loco citato) loc cit, lc
lcd [de] (liquid crystal display) LCD
lcd-scherm [het] LCD (screen)
LCM [de^m] ⟨in België⟩ (Landsbond der Christelijke Mutualiteiten) Christian health insurance fund
ld [de^m] laser disk
LdH [het] ⟨rel⟩ (Leger des Heils) ⟨zeldz⟩ SA
ldo [het] (lager detailhandelsonderwijs) lower secondary retail education
L-dopa [het] ⟨med⟩ L-Dopa, levodopa
lead [de^m] lead
leader [de^m] [1] ⟨hoofdartikel⟩ ⟨vnl BE⟩ leader, ⟨vnl AE⟩ leading article, editorial, lead [2] ⟨film, radio/tv; herkenningsmelodie⟩ signature tune
leading [bn, alleen pred] leading
leadzanger [de^m] lead singer
leaflet [de^m] leaflet
[1]**leao** [de^v] 'leao' school, lower economic and administrative school
[2]**leao** [het] (lager economisch en administratief onderwijs) 'leao', Lower Economic and Administrative Education/Training
lease [de] lease
leaseauto [de^m] leased car
leaseback [de^m] leaseback
leasebedrijf [het] ⟨m.b.t. auto's⟩ car-rental company/firm, ⟨BE ook⟩ car-hire company/firm
leasen [ov ww] lease
leaseovereenkomst [de^v] lease ♦ *een leaseovereenkomst* ***afsluiten met*** make/come to a lease arrangement with
leaser [de^m] leaser
leasing [de^v] leasing
leatherboy [de^m] leatherboy
leb [de], **lebbe** [de] [1] ⟨lebmaag⟩ fourth/true stomach, abomasum, rennet stomach [2] ⟨stremsel⟩ rennet [3] ⟨inhoud van de lebmaag⟩ rennet
lebaal [de^m] large eel (of at least two pounds)
lebbe [de] → **leb**
lebberen [onov ww] lap (up), lick (up), sip ♦ ***thee*** *lebberen* sip tea; ***van/aan*** *iets lebberen* lap up/sip sth.
lebbig [bn, bw] [1] ⟨naar leb smakend⟩ rennety ♦ *lebbige* ***kaas*** ± curd cheese [2] ⟨zuur, bits⟩ sour ⟨bw: ~ly⟩, wry ⟨bw: ~ly⟩ ⟨bijvoorbeeld gezicht⟩
lebferment [het] rennin, chymase, chymosin
lebklier [de] rennet gland
leblam [het] bottle-fed lamb, hand-fed lamb
lebmaag [de] fourth/true stomach, abomasum, rennet stomach
lechajim [tw] l'chaim

lecithine [de] lecithin
lectionarium [het] ⟨r-k⟩ lectionary
lector [de^{m}] 1 ⟨docent(e)⟩ (university) lecturer, ⟨BE⟩ reader, instructor, lector, praelector 2 ⟨iemand die manuscripten doorleest⟩ (proof) reader 3 ⟨geestelijke⟩ lector, reader 4 ⟨in België; m.b.t. academisch personeel⟩ lector, lowest teaching rank at certain universities
lectoraat [het] 1 ⟨ambt, rang van lector⟩ lectureship, ⟨BE⟩ readership 2 ⟨r-k⟩ lectorate
lectuur [de^{v}] 1 ⟨boeken, tijdschriften⟩ reading (matter), literature ◆ *breng eens wat lectuur voor me* ***mee*** bring me sth. to read; ***lichte*** *lectuur* light reading; *het rapport is nou niet bepaald* ***opwindende*** *lectuur* the report does not exactly make exciting reading; *deze essays zijn* ***verplichte*** *lectuur* these essays are required reading; ***zware*** *lectuur* heavy/stodgy reading 2 ⟨het lezen⟩ reading ◆ *iemand storen* ***in*** *zijn lectuur* disturb s.o.'s reading
lectuurbak [de^{m}] magazine tray/rack
lectuurgids [de^{m}] reader's guide
lectuurlijst [de] reading list
led [de] (light-emitting diode) LED
ledebraken [ov ww] 1 ⟨gesch; radbraken⟩ break on the wheel 2 ⟨verknoeien⟩ ⟨taal⟩ botch up, murder, abuse, ruin
ledematen [de^{mv}] limbs, members, extremities ◆ *de* ***achterste/voorste*** *ledematen* hind-limbs/fore-limbs; *de* ***bovenste*** *ledematen* ⟨dieren⟩ superior limbs, ⟨mensen⟩ upper limbs; *met* ***sterke*** *ledematen* strong-limbed; ***zonder*** *ledematen* limbless; ⟨na afhakking⟩ dismembered
ledenadministratie [de^{v}] membership records
ledenbestand [het] membership file
ledenlijst [de] membership list/register/roll
ledenpop [de] 1 ⟨pop met beweegbare leden⟩ lay figure, dummy, mannequin 2 ⟨fig; persoon⟩ puppet, dummy, lay figure
ledenraad [de^{m}] → **ledenvergadering**
ledenradiator [de^{m}] ribbed radiator, multiple-section/sectional radiator
ledenstop [de^{m}] halt on recruitment (of (new) members)
ledental [het] membership (figure) ◆ *het ledental* ***bedraagt*** *10.000* the number of members is 10,000
ledenvergadering [de^{v}], **ledenraad** [de^{m}] general meeting
ledenverlies [het] fall/drop in membership, loss of members
ledenwerving [de^{v}] membership recruitment/drive, canvassing (for) members, bringing in new members
ledenwinst [de^{v}] increase/growth in membership
leder [het] → **leer[1]**
lederboom [de^{m}] hop tree
lederen [bn] → **leren[2]**
lederhose [de] lederhosen ⟨mv⟩
lederhout [het] ⟨plantk⟩ leatherwood, moosewood
lederkarper [de^{m}] leather carp
lederschildpad [de] leatherback, ⟨BE⟩ leathery turtle
lederwaren [de^{mv}], **leerwaren** [de^{mv}] leather goods/articles, leatherware
ledig [bn, bw] ⟨form⟩ empty ⟨bw: emptily⟩, vacant, void, vacuous, ⟨tijd⟩ idle, ⟨plek⟩ blank ◆ *ledige* ***uren*** idle/empty hours
ledigen [ov ww] ⟨form⟩ empty (out), drain, drink (off), ⟨laadruim e.d.⟩ clear, ⟨uitputten⟩ deplete ◆ *ik ledig mijn* ***glas*** *op de gezondheid van onze gastheer* I drink to the health of our host; *de schatkist is* ***tot op*** *de bodem geledigd* the treasury is completely empty/depleted
lediggaan [onov ww] (be/go) idle, loaf (about), loiter
lediggang [de^{m}] ⟨form⟩ idleness ◆ *lediggang is des duivels oorkussen* the devil finds work for idle hands
ledigheid [de^{v}] ⟨form⟩ 1 ⟨archaïsch; het leeg zijn⟩ emptiness 2 ⟨lediggang⟩ idleness ▪ ⟨sprw⟩ *ledigheid is des duivels oorkussen* the devil finds work for idle hands
lediging [de^{v}] ⟨form⟩ emptying, drainage, evacuation, ⟨laadruimte e.d.⟩ clearing (out), ⟨voorraad⟩ depletion
ledikant [het] bed(stead) ◆ *een ledikant* ***voor*** *één persoon/twee personen* a (frame for a) single/double bed
lee [de] watercourse
[1]leed [het] 1 ⟨verdriet⟩ sorrow, grief, affliction, distress ◆ *leed* ***berokkenen/aandoen*** harm, pain, distress; ***bron van leed*** source of distress/grief; *het* ***doet*** *mij leed te/dat ...* I'm sorry to .../I'm afraid that ...; *het leed* ***is*** *weer* ***geleden*** there you are; that wasn't so bad, was it?; *aan iemand zijn leed* ***klagen*** lay one's grievances before s.o.; *het leed van de* ***oorlog*** the evils of war 2 ⟨letsel, schade⟩ harm, grief, hurt, injury, suffering ◆ *iemand leed* ***doen*** harm/hurt s.o.; *jullie* ***zal*** *geen leed* ***geschieden*** you will not be hurt/harmed, you will suffer no harm
[2]leed [bn, bw] ⟨bijvoeglijk naamwoord⟩ sorry, sorrowful, ⟨afgunst⟩ envious, ⟨misnoegen⟩ disfavouring, ⟨bijwoord⟩ with sorrow, ⟨afgunst⟩ enviously, ⟨misnoegen⟩ with disfavour ◆ *iets met lede* ***ogen*** *aanzien* look upon sth. with envy/sorrow
leedgevoel [het] sense of grief/sorrow, feeling of grief/sorrow
leedgras [het] couch grass, scutch/twitch grass
leedvermaak [het] malicious delight/joy/pleasure, perverse delight/joy/pleasure, gloating, unholy glee ◆ *leedvermaak* ***hebben*** *over ...* take malicious pleasure in ..., gloat over ...; *een blik/grijns* ***vol*** *leedvermaak* a leer, a look/grin full of malicious delight
leedwezen [het] ⟨form⟩ regret, sorrow ◆ *iemand zijn leedwezen* ***betuigen*** express one's regrets/extend one's sympathy to s.o.; *zijn leedwezen* ***betuigen*** *met/over* express one's regret at, sympathize about; ***met*** *leedwezen* regretfully; ***met*** *(diep) leedwezen kennisgeven van ...* announce with deep regret, deeply regret to announce; ***tot*** *mijn leedwezen kan ik aan uw verzoek niet voldoen* I regret/am sorry to say I cannot comply with your request
leefbaar [bn] livable, ⟨leven⟩ bearable, endurable ◆ *een leefbaar* ***klimaat*** a livable climate; *zó is het* ***leven*** *heel leefbaar* this is the life!, life is quite livable/bearable like this; *een huis leefbaar* ***maken*** make a house inhabitable/comfortable to live in; *een leefbare* ***wereld*** a livable world
leefbaarheid [de^{v}] livability, quality of life
leefeenheid [de^{v}] 1 ⟨appartement⟩ living/dwelling unit 2 ⟨personen⟩ communal unit, commune
leefgebied [het] (natural) habitat
leefgeld [het] emergency maintenance allowance
leefgemeenschap [de^{v}] commune ⟨bijvoorbeeld van hippies⟩, community ⟨bijvoorbeeld van monniken⟩
leefgewoonte [de^{v}] way/mode of living, ⟨mv ook⟩ way of life
leefgroep [de] 1 ⟨woongroep⟩ ± commune, communal living (arrangement) 2 ⟨groep bewoners van een tehuis⟩ community
leefhoek [de^{m}] living (area)
leefkamer [de] ⟨in België⟩ living room, ⟨BE ook⟩ sitting-room, lounge, ⟨vero⟩ parlour
leefklimaat [het] social climate, climate of life ◆ *een* ***optimaal*** *leefklimaat* a perfect social climate
leefkuil [de^{m}] sunken living/sitting area, ⟨AE ook⟩ conversation pit
leefmilieu [het] environment
leefnet [het] live net, keepnet
leefomgeving [de^{v}] (everyday) surroundings/environment/world
leefomstandigheden [de^{mv}] social circumstances, living conditions
leefpatroon [het] pattern of living/life, mode of living/life, way of living/life

leefregel [de^{m}] rule/mode of life, regimen, ⟨dieet⟩ diet(ary) ♦ *een gezonde leefregel volgen* stick to a healthy regimen, live healthily

leefruimte [de^{v}] room for living, ⟨vnl. m.b.t. volk/natie⟩ lebensraum ♦ ⟨fig⟩ *hij geeft haar onvoldoende leefruimte* he does not give her enough room to move/freedom

leefsituatie [de^{v}] social situation, living conditions ⟨mv⟩

leefstijl [de^{m}] lifestyle

leeftijd [de^{m}] [1] ⟨tijd dat iemand leeft⟩ age, lifetime, life span [2] ⟨gedeelte van iemands leven dat achter de rug is⟩ age ⟨figuurlijk ook van zaken⟩ ♦ *mensen beneden de leeftijd van 21 jaar* people under 21 years of age; *wanneer je mijn leeftijd/van mijn leeftijd bent, dan ...* when you're my age/at my age/time of life ...; *hij bereikte de leeftijd van 95 jaar* he lived to be 95; *op gevorderde/hoge leeftijd* at an advanced age, late in (one's) life; *van gevorderde/hoge leeftijd* advanced in years, of advanced years; *iemand van gevorderde leeftijd* a person of an advanced age; *de gezegende leeftijd van 95 jaar bereiken* attain the ripe old age of 95; *een hoge leeftijd bereiken* attain a great age; *overleden in de leeftijd van 78 jaar* died at the age of 78/aged 78/78 years of age; *op latere leeftijd* at an advanced age, late in (one's) life; *op middelbare/jeugdige leeftijd* in middle life/at an early age; *een vrouw van middelbare leeftijd* a middle-aged woman; *zij gedraagt zich niet naar haar leeftijd* she does not act her age; *van onbepaalde leeftijd* of indefinite/uncertain age; *op leeftijd komen* get on in years; ⟨pregn⟩ *een man op leeftijd* an elderly man; *en dat op zijn leeftijd!* and at his age!; *ze komt nu op de leeftijd dat ze gaat lezen* she is now getting to the age where she is ready to read; *op vijftienjarige leeftijd, op de leeftijd van vijftien jaar* at the age of/aged 15, ⟨in biografie; form⟩ aetatis 15; *de leeftijd te boven zijn om ...* be past the age of ..., be too old to ...; *ze is groter dan andere meisjes van haar leeftijd/van dezelfde leeftijd* she is taller than other girls (of) her age; *de rimpels verraden zijn leeftijd* those wrinkles show/betray his age; *volgens leeftijd* by seniority; *de volwassen leeftijd/de twaalfjarige leeftijd bereiken* come of age, reach the age of twelve; *voor alle leeftijden* ⟨film; BE⟩ U(-rated), ⟨AE⟩ G(-rated); *ergens de leeftijd voor hebben* be the right age for sth.; *er jong uitzien voor zijn leeftijd* look young for one's age; *ze ziet er goed uit voor haar leeftijd* she carries/wears her age well, she doesn't show her age [3] ⟨periode van iemands leven⟩ age ♦ *de derde leeftijd* ⟨levensfase⟩ the years of retirement, the third age; ⟨bevolkingsgroep⟩ the elderly, ⟨vnl AE⟩ senior citizens; *een gevaarlijke leeftijd* a dangerous age; *de middelbare/dienstplichtige/mannelijke leeftijd bereiken* reach middle age/the military age/adulthood; *moeilijke leeftijd* awkward age; ⟨in België⟩ *de vierde leeftijd* the very old

leeftijdgenoot [de^{m}] contemporary, (com)peer ♦ *een kind dat achter is bij zijn leeftijdgenoten* a child which is retarded in comparison with its peer group, a backward child

leeftijdsdiscriminatie [de^{v}] age discrimination

leeftijdsgrens [de] age limit ♦ *boven de leeftijdsgrens* ⟨ook⟩ overage

leeftijdsgroep [de] age group/bracket/category ♦ *de indeling van de kinderen volgens leeftijdsgroep* the assignment of the children to age groups, the age-grouping of the children

leeftijdsontslag [het] superannuation

leeftijdsopbouw [de^{m}] age structure/distribution/spread

leeftijdsverschil [het] age difference/gap, difference/disparity in age

leeftocht [de^{m}] provisions, food

leefverband [het] commune

leefwarmte [de^{v}] comfortable/enjoyable heat, comfortable/enjoyable temperature ♦ *een kolen- of houtvuur geeft leefwarmte* a coal or wood fire creates a comfortable/an enjoyable heat/temperature

leefwereld [de] (living) environment, social world/environment ♦ *een beschermde leefwereld* a protected environment

leefwijze [de] way/style/mode/manner of living, way/style/mode/manner of life, mode of existence, lifestyle ♦ *een kostbare/luxueuze/buitensporige leefwijze* an expensive/a luxurious/an extravagant lifestyle; *iemand zijn/de westerse leefwijze opdringen* force one's mode of living upon s.o., westernize s.o./a people; *zijn regelmatige/kalme/teruggetrokken leefwijze* his regular/quiet/withdrawn mode of life; *zijn leefwijze veranderen* change one's habits/lifestyle

leeg [bn] [1] ⟨zonder inhoud⟩ empty, void, ⟨plaats⟩ vacant, ⟨band, accu⟩ flat, ⟨bladzijde, geluidsband⟩ blank ♦ *een lege accu* a flat/dead/run-down battery; *een lege band* a flat (tyre), a puncture(d tyre); *deze plaats zal niet leeg blijven* this place/chair will not be left vacant; *een lege dop* ⟨van noot e.d.⟩ a husk/shell; *lege flessen, leeg fust* empty bottles, empties, empty (barrel); *als je glas leeg is gaan we* as soon as you've finished your drink we'll go; *lege glazen* empty glasses; *met lege handen staan* ⟨fig⟩ be left empty-handed; *met lege handen vertrekken* ⟨fig⟩ leave empty-handed, have nothing to show for one's pains; *een leeg huis/lege ruimte* a(n) empty/vacant/unoccupied house, empty space; *lege huls* spent/empty cartridge, cartridge case, shell; *op/met een lege maag* on an empty stomach; *een lege muur* a blank wall; *een lege pen* a dry (fountain-)pen; *een leeg plekje* a vacant/an empty spot; *een lege stoel* an empty chair [2] ⟨vrij van werkzaamheden, bezigheden⟩ idle, empty, vacant, unoccupied ♦ *in een leeg uurtje* in an idle/empty hour [3] ⟨zonder gehalte, geestelijke inhoud⟩ empty, hollow, vain ♦ *leeg vermaak* empty/hollow/vain pleasures [4] ⟨uitgeput⟩ exhausted ♦ ⟨sport⟩ *zich leeg spelen* burn o.s. out [•] ⟨sprw⟩ *lege/holle vaten klinken het hardst* empty vessels/barrels make the most sound/noise; ⟨sprw⟩ *beter een half ei dan een lege dop* half a loaf is better than no bread/than none; half an egg is better than an empty shell; better some of a pudding than none of a pie

leegblazen [ov ww] blow out/dry ⟨bijvoorbeeld eieren⟩

leegbloeden [onov ww] bleed to death, ⟨fig⟩ bleed dry

leegdrinken [ov ww] empty, drain, drink (up), finish ♦ *drink je glas leeg!* drink up!; *een half leeggedronken fles jenever* a half-empty/half-finished bottle of gin; *zijn glas in één teug leegdrinken* empty one's glass in one drain/swallow/[B]draught; *zijn kopje leegdrinken* drain/empty one's cup; *tot op de bodem leegdrinken* drink/drain to the lees

leegeten [ov ww] finish, eat (up), empty ♦ *zijn bord leegeten* finish/empty one's plate

leeggewicht [het] unladen/empty weight, ⟨BE⟩ kerb weight, ⟨verpakking⟩ tare

leeggieten [ov ww] empty (out), pour (out) ♦ *een emmer leeggieten* empty (out) a pail/bucket

leeggoed [het] ⟨in België⟩ [1] ⟨lege flessen⟩ empty bottles (and crates), return bottles, ⟨inf⟩ empties [2] ⟨statiegeld⟩ deposit (money)

leeggooien [ov ww] empty (out), discharge

leeghalen [ov ww] empty, ⟨huis⟩ clear/clean out, ⟨zakken⟩ turn out, ⟨schip, gebouw⟩ dismantle, ⟨stelen⟩ ransack ♦ *een huis helemaal leeghalen* gut a house, strip a house bare

leegheid [de^{v}] [1] ⟨afwezigheid van inhoud, vulling⟩ emptiness, vacuity, hollowness, ⟨zinloosheid⟩ vanity ♦ ⟨fig⟩ *de beklemmende leegheid van die avond* the oppressive emptiness/boredom of the evening; *de betrekkelijke leegheid van het heelal* the relative vacuity/emptiness of the universe [2] ⟨het vrij zijn van werkzaamheden⟩ idleness ♦ *hij leeft in leegheid* he lives in idleness/idles his life away

leeghoofd [het, de^{m}] featherbrain, nitwit, rattlebrain,

empty-headed person, bird-brain(s)
leeghoofdig [bn] empty-headed, featherbrained, rattle-brained, ⟨form⟩ vacuous
leegkopen [ov ww] buy out/up ◆ *een* ***winkel*** *leegkopen* buy up a shop
leegloop [de^m] [1] ⟨soc⟩ exodus (from/to) [2] ⟨ec⟩ underload, underutilization
leeglopen [onov ww] [1] ⟨leeg worden⟩ (become) empty, ⟨ballon⟩ become deflated, ⟨band⟩ go flat, ⟨accu⟩ run down, die ◆ *de* ***fietsband*** *liep leeg* the tyre/^{A}tire of the bike went flat; *iets* ***laten*** *leeglopen* ⟨ballon⟩ let the air out of sth.; ⟨bad⟩ empty sth.; *iemands banden leeg* ***laten*** *lopen* let s.o.'s tyres/^{A}tires down; *de* ***stad*** *is leeggelopen* everybody has left the town; *het* ***vat*** *is leeggelopen* the cask has been emptied [2] ⟨luieren⟩ idle/loaf (about) [3] ⟨inf; diarree hebben⟩ have the runs/trots
leegloper [de^m] loafer, idler, ⟨inf; BE⟩ layabout
leegloperij [de^v] idling, loafing (about), dawdling, loitering
leegmaken [ov ww] empty, drain, ⟨kas⟩ deplete, ⟨fles⟩ finish, ⟨vrachtruim⟩ clear ◆ *we zullen die* ***fles*** *maar leegmaken* let's finish the bottle; ***tot*** *op de bodem leegmaken* drain to the dregs/lees, drain dry; *zijn* ***zakken*** *leegmaken* empty/turn out one's pockets
leegmalen [ov ww] drain, pump dry
leegplukken [ov ww] pick/pluck all the fruit from ◆ *zij hebben de* ***kersenboom*** *leeggeplukt* they've picked all the cherries from the tree, they've picked the cherry tree clean
leegplunderen [ov ww] loot, rifle, ransack, plunder, gut, ravage ◆ *het hele* ***huis*** *was leeggeplunderd* the whole house had been ransacked/gutted/stripped
leegpompen [ov ww] pump (out/dry), drain, ⟨door middel van luchtpomp⟩ exhaust ◆ *een ondergelopen* ***kelder*** *leegpompen* pump out a flooded cellar; ⟨med⟩ *een* ***maag*** *leegpompen* pump a stomach
leegrijden [ov ww] empty through driving/riding ◆ *hij heeft zijn hele* ***tank*** *leeggereden* he drove until the tank was empty; *de* ***wielrenner*** *had zich helemaal leeggereden* the cyclist was completely drained after the race/had completely burned himself out
leegroven [ov ww] ransack, loot, plunder
leegruimen [ov ww] clear (out), tidy ◆ *de* ***tafel*** *leegruimen* clear the table
leegschenken [ov ww] empty, finish (up)
leegscheppen [ov ww] empty, finish (up), ⟨boot⟩ bail/bale (out)
leegschudden [ov ww] shake out ◆ *een* ***zak*** *leegschudden* shake a bag out
leegstaan [onov ww] be empty/vacant/uninhabited/unoccupied ◆ *een leegstaande* ***fabriek*** a disused factory; *een leegstaand* ***gebouw/huis*** an empty/uninhabited/a vacant building/house; *dat* ***huis*** *staat leeg* that house is empty/vacant/uninhabited
leegstand [de^m] vacancy, lack of occupancy ◆ *de leegstand van nieuwe* ***woningen*** the problem of unoccupied new houses
leegstandswet [de] law pertaining to unoccupied dwellings/buildings
leegstelen [ov ww] ransack, loot, steal everything ◆ *een* ***auto*** *leegstelen* steal everything from a/out of a car
leegstorten [ov ww] dump (out), empty
leegte [de^v] [1] ⟨inhoudloosheid⟩ emptiness, vacuity, hollowness ◆ *een* ***innerlijke*** *leegte* an inner void; *de* ***totale*** *leegte van dit begrip* the complete meaninglessness of this concept [2] ⟨ongevulde ruimte, plaats⟩ emptiness, void, vacuum, hollow ◆ *hij liet een* ***grote*** *leegte achter* he left a great emptiness/void (behind him)
[1]**leegtrekken** [onov ww] [1] ⟨leeg worden⟩ empty [2] ⟨elek⟩ discharge
[2]**leegtrekken** [ov ww] [1] ⟨door trekken leegmaken⟩ flush [2] ⟨fig; leegroven⟩ empty

leenwoorden 1/2

Verengelsing van het Nederlands

In de Nederlandse taal worden tegenwoordig veel Engelse woorden gebruikt. Dit valt misschien nog wel het meest op in de reclame, vooral als die op jonge mensen is gericht. Sommige mensen vinden dat het Nederlands door deze Engelse woorden wordt vervuild. Zij verzetten zich tegen de nieuwe woorden en willen vasthouden aan het bestaande Nederlands. Het is echter heel normaal dat een taal verandert of dat ze woorden uit een andere taal opneemt.
Als men bijvoorbeeld kijkt naar een tekst van voor de Tweede Wereldoorlog, of naar een tekst van Vondel, is heel duidelijk te zien hoe het Nederlands sindsdien is veranderd. Dat is een natuurlijk proces.
De reden dat het Nederlands nu zo veel Engelse woorden opneemt, heeft te maken met de rol die het Engels momenteel speelt in de wereld. Engels is de taal van de internationale handel en politiek, nieuwe technologische ontwikkelingen, film en popmuziek.

Vernederlandsing van Engelse woorden

Waarschijnlijk zal het merendeel van de Engelse woorden die nu in het Nederlands voorkomen, uiteindelijk weer uit de taal verdwijnen. De woorden die blijven, zullen langzamerhand gewoon worden gevonden en op den duur *vernederlandsen.*
Als een woord vernederlandst, worden de regels van de Nederlandse taal van toepassing op dat woord. Een goed voorbeeld is het Engelse woord boycot. Het woord is niet alleen geleend als zelfstandig naamwoord (de *boycot*), maar er kunnen ook samenstellingen mee worden gevormd *(olieboycot)* en afleidingen van worden gemaakt *(boycotten, geboycot)*. Het woord *boycot* is dus echt vernederlandst.

leegverkoop [de^m] clearance sale
leegvissen [ov ww] fish out
leegvlot [het] empty draught/^{A}draft of a ship
leegzuigen [ov ww] drain, suck out/dry ◆ *een* ***mergpijp*** *leegzuigen* suck out the marrow from a bone; *een* ***riool*** *leegzuigen* drain a sewer
leek [de^m] [1] ⟨ondeskundige⟩ layman ◆ *ik ben een* ***volslagen*** *leek in dat vak* I'm just a layman in that field; ***voor*** *een leek is dit niet te snappen* this cannot be understood by a layman [2] ⟨niet geestelijke⟩ layman, layperson, laic, ⟨verzamelnaam⟩ laity
leem [het, de^m] loam, clay, mud ◆ ***met*** *leem bedekken/opvullen* loam; *van* ***tenen*** *en* ***leem*** wattle and daub; ***van*** *leem opgetrokken hutten* mud/clay huts
leemaarde [de] loam, loamy earth/ground/soil
leemachtig [bn] loamy
leeman [de^m] lay figure, mannequin, dummy
leemgroeve [de] → **leemkuil**
leemgrond [de^m] loamy ground/soil/earth
leemhoudend [bn] loamy
leemkuil [de^m], **leemgroeve** [de] loam pit
leemlaag [de] layer of loam, loam deposit
leemmergel [de^m] (loamy) marl
leemmortel [de^m] clay mortar
leemsteen [de^m] mud brick, adobe brick
leemte [de^v] gap, hiatus, lacuna, void, blank ◆ ***in*** *een leemte* ***voorzien*** supply a want, stop a gap, ↑ rectify a deficiency; *leemten* ***in*** *het geheugen* gaps in one's memory; *dat is een leemte* ***in*** *zijn betoog* that is a hole/flaw in his argument; *leemten* ***vertonen*** show/have gaps/lacunae/blanks; ***vol*** *leemten* full of gaps/blanks; *leemte in de wet* loophole in the law
leen [het] [1] ⟨wat men voor tijdelijk gebruik ontvangt⟩ loan ◆ *iets van iemand* ***in/te*** *leen hebben* have sth. on loan

from s.o., have the loan of sth. from s.o.; *te leen* for loan; *500 euro te leen krijgen* receive 500 euros in loan/as a loan, get a loan of 500 euros; *iemand iets te leen geven* loan s.o. sth., give s.o. sth. as a/in loan; *iemand iets te leen vragen* ask s.o. for the loan of sth., ask sth. on loan from s.o. [2] ⟨gesch⟩ fief, fee, feud, feudal benefice, feudal estate ♦ *adellijk/Hollands leen* noble fief, fief of Holland; *vrij leen* allodium

leenbank [de] [1] ⟨lommerd⟩ pawnshop, pawnbroker('s) [2] ⟨boerenleenbank⟩ loan office

leenbrief [de^m] ⟨gesch⟩ enfeoffment

leendepot [het] sort of loan arrangement in which a client loans out his stocks/shares to a bank, for which he receives compensation

leeneed [de^m] ⟨gesch⟩ oath of fealty/allegiance

leengeld [het] lending fee/charge

leengoed [het] ⟨gesch⟩ fief, fee, feud, feudal estate, feudal benefice ♦ *een stuk grond als leengoed geven* grant a piece of property as a/in fief

leenheer [de^m] ⟨gesch⟩ liege (lord)

leenman [de^m] ⟨gesch⟩ vassal, liegeman, ⟨van de koning in ruil voor militaire dienst⟩ thane, ⟨van baron⟩ vavasour

leenmanschap [het] ⟨gesch⟩ vassalage

leenmoeder [de^v] surrogate mother

leenplicht [de] ⟨gesch⟩ vassalage

leenplichtig [bn] ⟨gesch⟩ liege ♦ *leenplichtig zijn* be a vassal, be (s.o.'s) liegeman

leenrecht [het] [1] ⟨het in leenzaken geldende recht⟩ feudal law ♦ *volgens het leenrecht* according to feudal law [2] ⟨gesch⟩ feudal right [3] ⟨uitleenvergoeding⟩ lending rights/fee

leenrechtelijk [bn, bw] in accordance with feudal law, according to feudal law, pertaining to feudal law

leenroerig [bn] ⟨gesch⟩ feudal

leenspreuk [de] metaphor

leenstelsel [het] [1] ⟨gesch⟩ feudal system, feudalism [2] ⟨studiefinanciering⟩ student loan system

leentjebuur [•] *leentjebuur spelen* scrounge, cadge

leenvader [de^m] surrogate father

leenvergoeding [de^v] lending rights

leenverhouding [de^v] ⟨gesch⟩ vassalage

leenvertaling [de^v] ⟨taalk⟩ loan translation, calque

leenvorst [de^m] ⟨gesch⟩ [1] ⟨vorst als leenheer⟩ overlord, lord, suzerain [2] ⟨vorst die zijn gebied als leen bezit⟩ feudal prince

leenwoord [het] loan word, borrowing ♦ *een leenwoord uit het Duits* a loan word from German

leep [bn, bw] cunning ⟨bw: ~ly⟩, canny, shrewd, sly, sharp ♦ *dat heeft hij leep aangelegd* he managed that shrewdly, he did that cannily

leepheid [de^v] cunning, slyness, shrewdness

[1]**leer** [het] [1] ⟨bewerkte dierenhuid⟩ leather ♦ *zo droog/taai als leer* like leather, tough as leather, leathery; *ze was in het leer* she was (dressed) in leather; *leer looien* tan leather; *met leer bekleed* covered with/in leather, leather-covered; *onbewerkt leer* untreated leather; *leer touwen* curry/dress leather; *van leer* leather(n); *zacht/stug/echt leer* soft/stiff/real leather [2] ⟨voorwerp van leer, met name voetbal⟩ football, ⟨AE⟩ pigskin [3] ⟨stof voor boekbanden⟩ leather ♦ *halfleer* half leather; *heel leer* full leather; *in leer (gebonden)* leather-bound [•] *Engels leer* moleskin; *van leer trekken tegen* lash/strike out at, pitch into, ↑ inveigh bitterly/strongly against; ⟨sprw⟩ *het is goed riemen snijden van andermans leer* men cut long thongs of other men's leather

[2]**leer** [de] [1] ⟨doctrine, stelsel⟩ science, theory, principles, ⟨vaak pej⟩ ism ♦ *een leer aanhangen* hold to a doctrine; *de leer van het geluid/perspectief* the principles of sound/perspective; *de leer der huidziekten* dermatology; *een nieuwe leer vestigen* establish a new school (of thought) [2] ⟨rel⟩ doctrine, teachings, creed, faith ♦ *de leer van de Drie-eenheid* the doctrine of the Trinity, Trinitarianism; *hij is niet zuiver in de leer* he is not orthodox/sound in the faith; *de leer van Mozes/Christus/Mohammed* the teachings of Moses/Christ/Mohammed; *de oude en de nieuwe leer* catholicism and protestantism [3] ⟨het onderricht (worden)⟩ apprenticeship ♦ *in de leer zijn (bij)* serve one's apprenticeship (with), be articled (to), be in articles; *iemand in de leer doen bij* apprentice/bind s.o. to, article s.o. to/with; *bij iemand in de leer gaan/komen* apprentice o.s. to s.o.; *wij hoeven niet in de leer (te gaan) bij ...* we can't learn much from ... [4] ⟨ladder⟩ ladder [5] ⟨trapleer⟩ stepladder [•] ⟨sprw⟩ *de natuur gaat boven/is sterker dan de leer* nature is stronger than nurture; ± what's bred in the bone will never come out of the flesh; ⟨sprw⟩ *leer om leer (sla je mij en ik sla je weer)* tit for tat; ± an eye for an eye and a tooth for a tooth

leerachtig [bn] leathery, leather-like

leenwoorden 2/2

Nederlandse leenwoorden in het Engels

Het Engels heeft trouwens ook veel woorden uit het Nederlands overgenomen. Zo zijn er woorden die te maken hebben met scheepvaart en visserij, zoals **skipper** (schipper), **deck** (dek), **dock** (scheepsdok), **yacht** (jacht), **schooner** (schoener), **freight** (vracht), **whiting** (wijting), **walrus** (walrus), **excise** (accijns), **keelhaul** (kielhalen) en **boom** (stam, paal, mast).
Er zijn ook aardig wat Engelse woorden van Nederlandse oorsprong die iets met drinken, roken en eten te maken hebben, zoals **hop** (hop), **brandy** (brandewijn), **booze** (buizen, veel drinken), **gin** (jenever), **snuff** (snuiftabak), **gherkin** (gurkje, augurk), **pickle** (pekel), **smack** (smaken, smakken), **waffle** (wafel), **cookie** (koekje), **coleslaw** (koolsla) en **buckwheat** (boekweit).
De toonaangevende rol die Nederland speelde in de schilderkunst, vooral in de Gouden Eeuw (de zeventiende eeuw), blijkt uit de volgende door het Engels overgenomen woorden: **etch** (ets), **landscape** (landschap), **easel** (schildersezel) en **sketch** (schets).
Ook heeft het Engels opvallend veel woorden uit het Nederlands overgenomen die een negatieve bijklank hebben, of die te maken hebben met (militaire) overheersing en oneerlijkheid. Voorbeelden hiervan zijn **quack** (van kwakzalver), **apartheid** (via het Afrikaans), **scot-free** ('schot-vrij'), **swindle** (zwendel), **domineer** (domineren), **uproar** (oproer), **boss** (baas), **trigger** (trekker), **beleager** (belegeren) en **blunderbuss** (donderbus).
Andere woorden die door het Engels vanuit het Nederlands zijn geadopteerd zijn **groove** (groeve), **snuffle** (snuffelen), **plug** (plug), **golf** (van *kolf*, een oud balspel), **Santa Claus** (Sinterklaas), **mannikin/mannequin** (van *manneken*, maar het woord betekent nu paspop), **Yankee** (Janke – kleine Jan), **diamond** (diamant), **forlorn** (verloren), **hovel** (heuvel), **hustle** (husselen), **skate** (schaats, maar ook rolschaats, in-lineskate), **sleigh** (slede), **spook** (spook) en **rack** (rek).
Deze woorden zijn zo volledig door het Engels opgenomen dat we ze meestal niet herkennen als oorspronkelijk Nederlandse woorden.

Teruggeleende woorden

Het Nederlands heeft sommige van de uit het Nederlands geleende woorden in de 'verengelste' vorm zelfs weer teruggeleend! Dit is meestal redelijk recent gebeurd, en de Engelse vorm is daarom nog duidelijk herkenbaar. Dit is bijvoorbeeld het geval bij *skate* (zoals in het Nederlandse *in-lineskaten*) en *brandy*.

leerbegrip [het] principle, dogma, tenet
leerbewerking [de^{v}] leather-working
leerboek [het] textbook, manual
leerboy [de^{m}] leatherboy
leercontract [het] ⟨in België⟩ articles of apprenticeship, indentures
leerderswoordenboek [het] learner's dictionary
leerdicht [het] didactic poem
leerdienst [de^{m}] ⟨prot⟩ catechism (class)
leerdoek [het] leatherette, imitation leather, naugahyde
leerdoel [het] learning aim
leerfabriek [de^{v}] ⟨zeer grote school⟩ education factory
leergang [de^{m}] [1] ⟨cursus⟩ course (of instruction) ♦ *een leergang* ***volgen*** take a course [2] ⟨methode⟩ (educational) method, methodology ♦ *leergang* ***voor*** *onderwijs in de Engelse taal* English language teaching method, method for teaching English
leergebied [het] area/field of learning
leergedrag [het] learning behaviour
leergeld [het] apprenticeship fee, premium, ⟨schoolgeld⟩ tuition, fees ♦ *leergeld* ***betalen*** ⟨fig⟩ pay one's dues, learn one's lesson/by (bitter) experience
leergeschil [het] doctrinal dispute/controversy
leergezag [het] (doctrinal) authority
leergierig [bn, bw] inquisitive ⟨bw: ~ly⟩, eager to learn, inquiring ♦ *de leergierige* ***jeugd*** inquisitive/questioning young people
leergierigheid [de^{v}] inquisitiveness, eagerness to learn
leergoed [het] leatherwork
leerhoofd [het] [1] ⟨aanleg⟩ ♦ *hij* ***heeft*** *geen leerhoofd* he's not a great student [2] ⟨persoon⟩ studious person, ⟨scherts; AE⟩ grind, ⟨BE⟩ swot
leerhuid [de] corium, derma, cutis
leerhuis [het] theological study group
leerjaar [het] (school) year ♦ *het* ***derde*** *leerjaar omvat zeven vakken, te weten ...* the third year is comprised of seven subjects, i.e. ...
leerjongen [de^{m}] apprentice
leerkracht [de] teacher, instructor
leerling [de^{m}], **leerlinge** [de^{v}] [1] ⟨scholier(e)⟩ student, pupil ♦ *een* ***nieuwe*** *leerling* a new/transfer student; *een leerling* ***uit*** *de tweede/vierde klas* a pupil of the second/fourth year; ⟨BE⟩ a second-former/fourth-former; ⟨AE⟩ a eighth-grader/tenth-grader; *een leerling* ***uit*** *een van de hogere klassen* ⟨AE⟩ an upperclassman, a senior; *een* ***zwakke*** *leerling* a poor student [2] ⟨volgeling⟩ disciple, follower ♦ *een leerling van* ***Hegel*** a follower of Hegel; ⟨Bijb⟩ *de leerlingen van* ***Jezus*** the disciples of Jesus [3] ⟨aspirant(-)⟩ apprentice, learner, trainee ♦ *leerling-****programmeur*** student programmer; *leerling-****verpleegster*** student nurse, ⟨BE⟩ probationer
leerlinge [de^{v}] → **leerling**
leerlingenraad [de^{m}] student council
leerlingenschaal [de] student-teacher ratio
leerlingenstatuut [het] student charter
leerlingstelsel [het] apprentice system
leerlingwezen [het] day release, modern apprenticeship
leerlooien [ww] tan
leerlooier [de^{m}] tanner
leerlooierij [de^{v}] [1] ⟨vak, bedrijf⟩ tanning [2] ⟨werkplaats, zaak⟩ tannery
leermeester [de^{m}], **leermeesteres** [de^{v}] [1] ⟨iemand die volgelingen heeft⟩ master, leader, guru [2] ⟨iemand die in een vak opleidt⟩ master ♦ *een* ***harde*** *leermeester* a hard taskmaster [3] ⟨docent⟩ instructor, teacher, tutor, preceptor [•] ⟨sprw⟩ *ondervinding is de beste leermeester* experience is the best teacher; ± experience is the mother/father of wisdom
leermeesteres [de^{v}] → **leermeester**
leermethode [de^{v}] teaching method, method of teaching/instruction, ⟨m.b.t. vaardigheid⟩ training method, method of training
leermiddelen [de^{mv}] educational tools, instructional devices/equipment
leermoeilijkheden [de^{mv}] learning difficulties
leermos [het] ground liverwort, scale moss
leeropdracht [de] teaching (committment)
leerovereenkomst [de^{v}] articles of apprenticeship, indentures ♦ *iemand aannemen op basis van een leerovereenkomst* indenture s.o.
leerpakket [het] curriculum, selection of courses
leerplan [het] [1] ⟨document⟩ statement of the intention, principles and organization of a given school [2] ⟨verdeling van de leerstof⟩ syllabus, curriculum
leerplanontwikkeling [de^{v}] curriculum
leerplicht [de] compulsory education
leerplichtambtenaar [de^{m}] ⟨BE⟩ school attendance officer, ⟨AE⟩ ± accreditation committee member
leerplichtig [bn] of school age ♦ *de leerplichtige* ***leeftijd*** school age; ***nog*** *leerplichtig zijn* still have to go to school, still be of school age; ***partieel*** *leerplichtig zijn* only have to go to school part-time
leerplichtwet [de] compulsory education law
leerprobleem [het] learning problem/disability ♦ *een* ***kind met*** *leerproblemen* a child with learning difficulties/disabilities
leerproces [het] learning process
leerproject [het] court-ordered education
leerpsychologe [de^{v}] → **leerpsycholoog**
leerpsychologie [de^{v}] educational psychology
leerpsycholoog [de^{m}], **leerpsychologe** [de^{v}] educational psychologist
leerrecht [het] [1] ⟨wettelijke bepalingen⟩ education legislation [2] ⟨in Nederland; studietegoed⟩ study entitlement
leerrede [de] sermon
leerregel [de^{m}] [1] ⟨grondregel⟩ ground rule, principle [2] ⟨regel m.b.t. de leermethode⟩ (methodological) rule/principle
leerrijk [bn] instructive, informative
leerroute [de] course plan
leerschool [de] school ♦ *dat was een* ***goede*** *leerschool voor hem* that was good training/experience for him; *een* ***harde*** *leerschool moeten doorlopen* have to learn the hard way, go through the mill, go through the school of hard knocks
leerstellig [bn] [1] ⟨dogmatisch⟩ doctrinal, dogmatic [2] ⟨doctrinair⟩ dogmatic, doctrinaire, doctrinarian
leerstelling [de^{v}] doctrine, dogma, tenet
leerstelsel [het] [1] ⟨systeem van een wetenschap, leer⟩ doctrine, principles, system [2] ⟨dogma⟩ doctrine, dogma, tenet
leerstoel [de^{m}] chair ♦ *een leerstoel* ***bekleden*** hold/have a chair; *een* ***bijzondere*** *leerstoel* a special chair; *een leerstoel* ***voor*** *filosofie oprichten* establish a chair in philosophy
leerstof [de] subject matter, (subject) material ♦ *de leerstof* ***voor*** *het examen* the material for the exam(ination)
leerstofjaarklassensysteem [het] ⟨onderw⟩ ± year group system
leerstoornis [de^{v}] learning disability
leerstuk [het] doctrine, dogma, tenet
leertijd [de^{m}] school years, schooling, pupillage, period of training, ⟨van leerjongen⟩ apprenticeship ♦ *zijn leertijd* ***afsluiten*** finish one's apprenticeship/training; *hij* ***moest*** *eerst een leertijd van acht jaar* ***doormaken*** he first had (to go through) a training period of eight years; *zijn leertijd* ***uitdienen*** serve one's apprenticeship
leertje [het] leather, strap, thong, ⟨kraan⟩ washer, ⟨schoen⟩ tongue
leertouwen [ww] curry/dress leather
leertouwer [de^{m}] leather currier/dresser

leertouwerij [de^v] leather currying (shop/business), leather dressing (shop/business)
leertucht [de] ⟨prot⟩ church discipline in doctrinal matters, church discipline in matters of faith
leervak [het] theoretical subject
leervergunning [de^v] ⟨in België⟩ learner's ^B^driving licence/^A^driver's license, ⟨BE⟩ ± provisional licence, ⟨AE⟩ ± learner's permit
leervet [het] dubbin
leervrijheid [de^v] doctrinal freedom
leerwaren [de^mv] → **lederwaren**
leerweg [de^m] course of study, ⟨inf⟩ track
leer-werktraject [het] work training program
leerwinst [de^v] learning improvement
leerwoordenboek [het] learner's dictionary
leerzaam [bn, bw] instructive, informative, helpful, useful ◆ *een leerzaam **boek/voorbeeld/geval*** an instructive book/example/case; *een leerzame **ervaring*** a valuable experience
leerzaamheid [de^v] 1 ⟨geschiktheid om onderwijs te ontvangen⟩ teachability, ability/capacity to learn 2 ⟨m.b.t. voorbeeld of boek⟩ instructiveness
leesapparaat [het] 1 ⟨voor het lezen van microfilms⟩ reader 2 ⟨dat informatie leest⟩ reader
leesbaar [bn, bw] 1 ⟨gelezen kunnende worden⟩ legible, readable ◆ ***door/voor** computer leesbaar* computer-readable, machine-readable; *een leesbaar **handschrift** hebben* write legibly, have legible handwriting, ↑ have a legible hand; *de laatste **woorden** zijn niet leesbaar* the last words aren't legible 2 ⟨aangenaam om te lezen⟩ readable ◆ *een heel leesbaar **boek*** a very readable book
leesbaarheid [de^v] 1 ⟨m.b.t. handschrift⟩ legibility, readability 2 ⟨m.b.t. inhoud⟩ readability, readableness
leesbeurt [de] 1 ⟨beurt bij een leesles⟩ turn to read ◆ *iemand een leesbeurt **geven*** give s.o. a turn at reading 2 ⟨beurt in een reeks lezingen⟩ lecture, talk, speech ◆ *ik **heb** deze winter drie leesbeurten* I have to give three lectures/have three lectures to give this winter
leesbibliotheek [de^v] (lending) library
leesblind [bn] dyslexic, ⟨AE⟩ dyslectic, word blind
leesblindheid [de^v] dyslexia, word blindness
leesboek [het] 1 ⟨om te leren lezen⟩ reader ◆ ***eerste** leesboek* first reader, primer 2 ⟨dat een vak behandelt⟩ reader 3 ⟨dat men voor zijn genoegen leest⟩ recreational reading ◆ *dat is een leesboek* that's recreational reading, I'm/he's/... reading that for pleasure
leesbril [de^m] reading glasses
leescentrum [het] reading centre (of the brain)
leesclub [de] reading club, reading group
leescommissie [de^v] reading committee
leesdienst [de^m] ⟨prot⟩ reading service
leesgenot [het] reading pleasure, pleasure in/from reading
leesgewoonte [de^v] reading habits
leesgezelschap [het] book-club, ⟨circulerend⟩ reading circle
leesglas [het] reading/magnifying glass, loupe
leesgraag [bn] eager to read, bookish
leesgroep [de] ⟨onderw⟩ reading group
leeshonger [de^m] hunger/appetite for reading
leeskamer [de] 1 ⟨leeszaal⟩ reading-room 2 ⟨afdeling van een kantoor, bedrijf⟩ reading-room, library
leeskop [de^m] reader, read(ing) head ◆ *lees- en **schrijfkop*** combined (read/write) head
leeskring [de^m] reading circle/club/group
leeslamp [de] reading lamp
leesles [de] 1 ⟨les in lezen⟩ reading lesson 2 ⟨leesoefening⟩ reading lesson/exercise
leeslijst [de] reading list
leesliniaal [de] reading ruler
leeslint [het] (book)mark(er)
leeslust [de^m] love of reading
leesmachine [de^v] reader
leesmap [de] collection of weekly periodicals
leesmethode [de^v] reading method
leesmij [de^m] readme
leesmoeder [de^v] parent volunteer, volunteer teacher, reading helper
leesoefening [de^v] reading exercise
leesonderwijs [het] reading lessons/instruction
leespen [de] hand-held reader, bar-code reader
leesplank [de] primer, ⟨gesch⟩ hornbook
leesplezier [het] reading pleasure, enjoyment of reading
leesportefeuille [de^m] portfolio with magazines, selection of popular magazines circulated under a single cover
leessnelheid [de^v] reading speed
leesstoel [de^m] reading chair
leesstof [de] reading matter/material
leest [de] 1 ⟨m.b.t. schoenen⟩ ⟨van een schoenmaker⟩ last, ⟨van een drager⟩ (shoe)tree, boottree ◆ ⟨fig⟩ *iets **naar/op** zekere leest vormen* plan/organize/make sth. according to a model, base sth. on a certain pattern; ***schoenen op** de leest zetten* put shoes on the last, put trees in one's shoes, last/tree shoes; ⟨fig⟩ *dat is **op** dezelfde leest geschoeid* that is done along the same lines/follows the same pattern 2 ⟨taille⟩ figure, waist ◆ *een **slanke** leest* a slender figure ▪ ⟨sprw⟩ *schoenmaker blijf bij je leest* let the cobbler stick to his last; ± every man to his trade
leestafel [de] 1 ⟨tafel met lectuur⟩ reading table 2 ⟨sorteertafel⟩ sorting table
leesteken [het] punctuation mark ◆ *leestekens **aanbrengen** (in)* punctuate
leestmaat [de] last/(shoe)tree size
leestoestel [het] (microfilm) reader
leestoets [de^m] reading test
leestoon [de^m] reading voice
leesvaardigheid [de^v] reading proficiency/skill
leesvenster [het] display
leesvloer [de^m] sorting floor
leesvoer [het] pulp (literature)
leeswijzer [de^m] 1 ⟨bladwijzer⟩ (book)mark(er) 2 ⟨comm⟩ time indicator
leeswoede [de] passion/mania for reading
leeszaal [de] 1 ⟨leesvertrek⟩ reading room 2 ⟨openbare instelling⟩ ⟨van kerk enz.⟩ reading room, ⟨van gemeente⟩ public library ◆ ***openbare** leeszaal en bibliotheek* public library
leeszwakte [de^v] reading/learning problem, reading/learning disability, dyslexia
¹**leeuw** [de^m], **leeuwin** [de^v] ⟨man⟩ lion, ⟨vrouw⟩ lioness ◆ *moedig **als** een leeuw* lionhearted; *vechten **als** een leeuw* fight like a Trojan/lion; *zo sterk **als** een leeuw* as strong as an ox; *de **Amerikaanse** leeuw* puma, cougar, mountain lion; ⟨fig⟩ *leeuwen en **beren** op de weg zien* see bears along the way; ⟨fig⟩ *de leeuw **uit** de stam Juda* the lion of Judah; *de **Vlaamse** Leeuw* the Flemish Lion, the Lion of Flanders; *iemand **voor** de leeuwen gooien* throw s.o. to the wolves

leeuw

dier	leeuw	lion
mannetje	leeuw	male lion
vrouwtje	leeuwin	lioness
jong	welp	cub
groep	troep	pride
roep	brullen	roar

²**leeuw** [de^m] ⟨heral⟩ lion ◆ *de **Nederlandse/Vlaamse** leeuw* the Dutch/Flemish lion; *de orde van de **Nederlandse** leeuw* the Order of the Dutch Lion
Leeuw STERRENBEELD [de^m] 1 ⟨astrol, astron⟩ Leo, the Lion ◆

Kleine Leeuw Leo Minor 2 ⟨persoon⟩ Leo ◆ *hij/zij* ***is*** *(een) Leeuw* he/she is Leo
leeuwachtig [bn] leonine, lion-like
leeuwenbek [de^{m}] ⟨plantk⟩ snapdragon, antirrhinum
leeuwenbekachtigen [de^{mv}] ⟨plantk⟩ (members of the genus) antirrhinum, scrophulareaceae
leeuwendeel [het] lion's share ◆ *het leeuwendeel* ***opeisen****/op zich* ***nemen*** *van* demand/take the lion's share/the bulk of
leeuwenhart [het] lionhearted ◆ ***Richard*** *Leeuwenhart* Richard the Lionhearted, Richard Lionheart
leeuwenhuid [de] lion's skin
leeuwenjong [het] (lion) cub
leeuwenklauw [de^{m}] 1 ⟨klauw van een leeuw⟩ lion's paw 2 ⟨plant(engeslacht)⟩ lady's-mantle
leeuwenkooi [de] lion's cage
leeuwenkuil [de^{m}] lion's den ◆ ⟨Bijb⟩ *Daniël* ***in*** *de leeuwenkuil* Daniel in the lion's den
leeuwenmanen [de^{mv}] lion's mane
leeuwenmoed [de^{m}] courage of a lion ◆ *zich* ***met*** *leeuwenmoed verdedigen* defend o.s. heroically
leeuwentand [de^{m}] 1 ⟨tand van een leeuw⟩ lion's tooth 2 ⟨plant(engeslacht)⟩ hawkbit, leontodon
leeuwentemmer [de^{m}] lion tamer
leeuwenvlag [de] lion flag/standard
leeuwenwelp [het, de^{m}] (lion) cub
leeuwerik [de^{m}] lark ◆ *zingen* ***als*** *een leeuwerik* sing like a lark
leeuwhondje [het] Maltese terrier
leeuwin [de^{v}] → **leeuw**[1]
leeuwtje [het] 1 ⟨welp⟩ (lion) cub 2 ⟨ridderorde⟩ ± grand cross 3 ⟨hond⟩ Maltese terrier ◆ *een* ***Maltezer*** *leeuwtje* Maltese terrier
leewater [het] synovitis, water on the knee, ↓ housemaid's knee
leewieken [ov ww] clip the wings (of)
lef [het, de^{m}] ⟨inf⟩ guts, nerve, spunk, grit, ⟨AE ook⟩ moxie ◆ ***heb*** *het lef niet om dat te doen* don't you dare do that; *lef* ***hebben*** have nerve/guts; *dat is lef* ***hebben!*** what (a) nerve!; *het lef* ***hebben*** *om te …* have the cheek to …, be brash enough to …; *hij heeft* ***wel*** *lef* he's got a lot of nerve
lefdoekje [het] ⟨inf⟩ breast pocket handkerchief
lefgozer [de^{m}] → **lefschopper**
lefschopper [de^{m}], **lefgozer** [de^{m}] ⟨positief⟩ hotshot, ⟨negatief⟩ swaggerer, ⟨negatief⟩ show-off, ⟨AE⟩ blow hard
[1]**leg** [de^{m}] ⟨het eieren leggen⟩ (egg) laying ◆ ***aan*** *de leg zijn* be laying/in lay; ***van*** *de leg zijn* have stopped laying
[2]**leg** [het, de] ⟨plaats van het eieren leggen⟩ laying place
legaal [bn, bw] legal, licit, lawful ◆ *langs legale* ***weg*** in a legal manner, through legal channels/connections
[1]**legaat** [de^{m}] 1 ⟨Romeinse gesch⟩ legate 2 ⟨pauselijk gezant⟩ legate, nuncio
[2]**legaat** [het] 1 ⟨erfmaking⟩ bequest 2 ⟨erfenis⟩ legacy, bequest, inheritance ◆ *een legaat* ***krijgen*** receive a legacy/bequest
legalisatie [de^{v}] notarization, authentication, attestation, validation
legalisatiekosten [de^{mv}] notarization/authentication charge, notarization/authentication fee
legaliseren [ov ww] legalize, ⟨voor echt verklaren⟩ notarize, authenticate, validate
legaliteit [de^{v}] legality, lawfulness, licitness
legaliteitsbeginsel [het] ⟨jur⟩ principle of legality
legasthenie [de^{v}] reading disability/problem
legataris [de^{m}] legatee
legateren [ov ww] bequeath (to), (dispose of by) will, devise
legatie [de^{v}] 1 ⟨functie van gezant⟩ legation, (diplomatic) mission 2 ⟨gezantschap⟩ legation 3 ⟨gebouw⟩ legation
legato [bw] ⟨muz⟩ legato
legator [de^{m}] bequeather, devisor, legator
legbalk [de^{m}] joist
legbatterij [de^{v}] battery (cage)
legboor [de] ⟨dierk⟩ ovipositor ◆ ***met*** *een legboor* terebrant
legbuis [de] ⟨dierk⟩ ovipositor
legen [ov ww] empty ◆ *de* ***vuilnisemmer*** *legen* empty the ^{B}dustbin/^{A}trashcan; *je* ***zakken*** *legen* empty your pockets
legenda [de] legend, key to symbols
legendarisch [bn] 1 ⟨tot de legende horend⟩ legendary, fabled, fabulous 2 ⟨beroemd⟩ legendary
legende [de] 1 ⟨r-k⟩ saint's life/legend 2 ⟨sage, sprookje⟩ legend, myth, saga ◆ ***tot*** *een legende maken* make into a legend, mythologize, mythicize; *een beroemde* ***figuur uit*** *de legenden* a famous character in mythology/legends, a legendary character; ***volgens*** *de legende gaat hij niet dood* according to legend/legend has it that he didn't die 3 ⟨in België; op een (land)kaart⟩ legend, key 4 ⟨randschrift van een muntstuk⟩ legend
legendevorming [de^{v}] creation of a legend, creation of legends, ⟨spontaan⟩ development of a legend, development of legends
leger [het] 1 ⟨krijgsmacht⟩ army ◆ ***Iers Republikeins*** *Leger* Irish Republican Army; ***staand*** *leger* standing army; *een leger op de been* ***brengen*** raise an army 2 ⟨gehele krijgsmacht van een staat⟩ army, armed forces ◆ ***bij*** *het leger* in the army; ***bij*** *het leger gaan/zijn,* ***in*** *het leger zitten* go into/join/be in the army; *het* ***geregelde*** *leger* the regular army, ⟨BE ook⟩ ± the line 3 ⟨menigte⟩ army, host, horde, multitude ◆ *een leger* ***sprinkhanen*** a plague/horde of locusts; *zich voegen bij het leger van* ***werklozen*** join the ranks of the unemployed 4 ⟨ligplaats van een dier⟩ ⟨wild dier⟩ lair, ⟨haas⟩ form, ⟨hert⟩ lair, ⟨das⟩ sett, ⟨vos, beer⟩ den ▪ *het Leger des* ***Heils*** the Salvation Army, ⟨sl⟩ the Sally Ann
legeraalmoezenier [de^{m}] (army) chaplain, padre
legeraanvoerder [de^{m}] commander-in-chief (of an/the army)
legerafdeling [de^{v}] army unit, army detachment
legerarts [de^{m}] army medical officer, ⟨inf⟩ army doctor
legerauto [de^{m}] army car/vehicle/^{B}lorry/^{A}truck
legerbasis [de^{v}] army base
legerbisschop [de^{m}] army bishop
legercommandant [de^{m}] commander(-in-chief) (of an/the army)
legerdienst [de^{m}] ⟨in België⟩ military service, ⟨BE ook⟩ national service ◆ *afgekeurd* ***voor*** *de legerdienst* refused/rejected for military service/for the army, ⟨inf⟩ turned down for military service/for the army
legereenheid [de^{v}] army unit
[1]**legeren** [onov ww] ⟨platliggen⟩ be flattened, be beaten down, ⟨van gewassen door storm⟩ lodge ◆ ***doen*** *legeren* flatten, beat down; *door de slagregens* ***ging*** *het koren legeren* the corn was flattened/was beaten down by the heavy rains
[2]**legeren** [ov ww] 1 ⟨doen kamperen⟩ encamp 2 ⟨bouwk⟩ lay 3 ⟨ligplaats verschaffen⟩ quarter, ⟨bij burgers⟩ billet ◆ ***soldaten*** *in het dorp legeren* billet soldiers in the village; ***troepen*** *in de kazerne legeren* quarter troops in barracks
[3]**legeren** [ov ww] 1 ⟨m.b.t. metalen⟩ alloy, ⟨met kwik⟩ amalgamate 2 ⟨legateren⟩ bequeath
[4]**zich legeren** [wk ww] ⟨zijn legerplaats opslaan⟩ (en)camp, make camp ◆ *de vijand had zich* ***in*** *de vlakte gelegerd* the enemy had camped/made camp in the plain
legerformatie [de^{v}] 1 ⟨samen-, openstelling⟩ formation/raising of an army 2 ⟨afdeling⟩ → **legerafdeling**
legergroen [bn] olive drab/green
legerig [bn] lying flat ◆ *legerig* ***koren*** corn that is easily flattened
[1]**legering** [de^{v}] 1 ⟨handeling⟩ alloying, ⟨met kwik⟩ amalgamating 2 ⟨resultaat⟩ alloy, ⟨met kwik⟩ amalgam ◆ *het* ***gehalte*** *van een legering* the content of an alloy; *legering* ***van***

tin en lood alloy of tin and lead, tin-lead alloy; ⟨minder juist⟩ pewter

[2]**legering** [de^{v}] [1] ⟨m.b.t. troepen⟩ encampment, camping [2] ⟨m.b.t. granen⟩ flattening

legerkamp [het] army camp

legerkorps [het] army corps

legerleider [de^{m}] army commander/leader, commander of an/the army

legerleiding [de^{v}] [1] ⟨het leiden⟩ command of an/the army, leadership of an/the army, army leadership [2] ⟨personen⟩ army command/leadership

legermacht [de] armed forces, ⟨alleen krijgsmacht te land⟩ army ◆ *een grensgebied **met** een legermacht **uitrusten*** militarize a border area

legernummer [het] army number, serial number

legeronderdeel [het] army/military unit

legerorder [de] army order

legerplaats [de] [1] ⟨kampement⟩ camp, encampment [2] ⟨stad met een kazerne⟩ army town

legerpredikant [de^{m}] (army) chaplain, padre

legerschaar [de] [1] ⟨troep soldaten⟩ host, army [2] ⟨menigte mensen⟩ host, army, multitude

legerstede [de] ⟨form⟩ couch, ↓bed

legertent [de] army tent

legertje [het] [1] ⟨klein leger⟩ small army, battery ◆ *een legertje **ME'ers*** a battery of riot police [2] ⟨vrij grote menigte⟩ (small) army, battery ◆ *een heel legertje **specialisten*** a battery of experts

legertros [de^{m}] ⟨dubbelzinnig⟩ army train, baggage (of an/the army), ⟨AE ook⟩ wagon train

legertruck [de^{m}] army/military truck

legertucht [de] army/military discipline

legervoeg [de] ⟨amb⟩ longitudinal joint

legervoorlichtingsdienst [de^{m}] army information service

legervoorraden [de^{mv}] army/military stores

leges [de^{mv}] (legal) dues, fees

leggen LIGGEN [ov ww] [1] ⟨doen liggen⟩ lay (down), put (sth.) flat, put (sth.) on its side, ⟨worstelen, bokssp⟩ floor, lay out (flat) ◆ *je moet de **fles** leggen, niet zetten* put/lay the bottle on its side, not standing up; *een kind **op** bed leggen* put a child to bed; ***te ruste(n)** leggen* lay to rest; ***zich in hinderlaag** leggen* lie in ambush/in wait [2] ⟨(een ei) voortbrengen⟩ lay ◆ *in mei leggen alle vogels een **ei*** all birds lay (an egg) in May; *kikvorsen leggen **in** het water* frogs lay in the water [3] ⟨aanbrengen, plaatsen⟩ put, ↑lay ◆ ***aan** banden leggen* check, curb, restrain; ***aan** de ketting leggen* chain up, put on a/the chain; *alles/hun geld **bij** elkaar leggen* pool everything/their resources; *leg dit boekje maar **bij/boven op** de rest* just put this booklet with/on top of the rest; ***in** kwartier leggen* quarter; ⟨bij burgers⟩ billet; occupy; *iemand bepaalde woorden **in** de mond leggen* put certain words into s.o.'s mouth; *ze legde haar hele ziel/al haar gevoel **in** het lied* she put/threw her entire soul/all her feeling(s) into the song; *zij leggen dingen **in** dit gedicht die ik niet kan vinden* they read things into this poem that I can't see; *iemand de **kaart** leggen* tell/read s.o.'s cards, tell/read the cards for s.o.; ***naast** elkaar leggen* put together/side by side/against one another; *een band **om** een wiel leggen* put a tyre/[A]tire on a wheel; *nieuwe buizen **onder** een straat leggen* lay new pipes under a street; ***op** een hoop leggen* pile up; ***op** volgorde leggen* put in order; *toeslagen leggen **op*** put an extra charge/a surcharge on; ***op** de pijnbank leggen* put s.o. on the rack, rack s.o.; *de vinger **op** de wond leggen* put one's finger on the problem/difficulty/...; *de hand leggen **op** iemand/iets* put one's hand on s.o./sth., ↑lay one's hand on s.o./sth.; *een pleister **op** de wond leggen* put/stick a plaster on the wound; *klemtoon **op** een lettergreep leggen* stress/accent a syllable, put/lay the stress/the accent on a syllable; *een laagje vernis **op** een meubel leggen* put a layer of varnish on a piece of furniture; ***over** elkaar leggen* put/lay on top of one another; ***over** de knie leggen* put across/over one's knee; *een deken **over** iemand leggen* lay/put a blanket/a cover over s.o.; *ze legden het touw **rond** de paal* they coiled/passed/wound the rope round the post; *iets **terzijde** leggen* lay sth. aside/on one side, discard sth.; *een **zoom/knoop** in zijn zakdoek leggen* make a hem, tie a knot in/knot one's handkerchief [4] ⟨doen ontstaan⟩ make, build, ↑construct, ⟨vloer ook⟩ lay ◆ *een **brug/dijk/vloer** leggen* build/make a bridge/dike, lay a floor [5] ⟨doen zijn⟩ lay, reduce ◆ *een stad **in** de as leggen* reduce a city to ashes [·] ⟨sprw⟩ *kakelen is nog geen eieren leggen* the greatest talkers are the least doers; ± a man of words and not of deeds is like a garden full of weeds

legger [de^{m}] [1] ⟨dier⟩ layer ◆ *die kippen zijn **goede** leggers* those chickens/hens are good layers [2] ⟨aardappel⟩ seed-potato [3] ⟨balk⟩ → **leggerbalk** [4] ⟨inhoudsmaat⟩ leaguer [5] ⟨ijkmaat⟩ standard [6] ⟨register⟩ register, ledger, ⟨krant⟩ file ◆ *de legger van de **gemeente** A.* the land register of A.; *de legger van **wegen en voetpaden*** the register of roads and footpaths [7] ⟨molensteen⟩ bed-stone [·] ⟨sport⟩ ***gelijke/ongelijke** leggers* parallel/asymmetric bars

leggerbalk [de^{m}] joist

leggiero [bw] ⟨muz⟩ leggiero

legging [de^{m}] leggings ⟨mv⟩

leggoed [het] ⟨mv⟩ seeds, ⟨planten⟩ seed-potatoes, seed-onions ⟨enz.⟩, ⟨vissen⟩ fry, ⟨oesters⟩ seed-oysters

leghen [de^{v}] laying-hen, layer

leghok [het] laying-house

leghorn [de^{m}] Leghorn, ⟨BE ook⟩ Dorking

legio [bn] countless, innumerable, ⟨alleen na zelfstandig naamwoord⟩ legion ◆ *hij maakte legio **fouten*** he made countless/innumerable errors, the errors he made were legion

legioen [het] [1] ⟨Romeinse gesch⟩ legion [2] ⟨legerafdeling⟩ legion ◆ *het Legioen van **Eer*** the Legion of Honour [3] ⟨supporters⟩ supporters [4] ⟨zeer grote menigte⟩ host, legion, multitude ◆ *legioenen (van) **engelen*** hosts of angels

legionair [de^{m}] ⟨Romeins⟩ legionary, ⟨Frans enz.⟩ legionnaire

legionairsziekte [de^{v}] ⟨med⟩ Legionnaire's disease

legionella [de] (bacterium of the species) Legionella pneumophila

legislatie [de^{v}] legislation

legislatief [bn] legislative ◆ *de legislatieve **macht*** legislative power

legislatuur [de^{v}] [1] ⟨wetgevende macht⟩ (exercise of) legislative power [2] ⟨wetgevend lichaam⟩ legislature [3] ⟨in België; pol; zittingstijd⟩ term

legisme [het] legalism

legitiem [bn, bw] [1] ⟨wettelijk⟩ legitimate ⟨bw: ~ly⟩, lawful ⟨bw: ~ly⟩ ◆ *de legitieme **portie**, de legitieme* the statutory share/portion [2] ⟨gegrond⟩ legitimate ⟨bw: ~ly⟩ ◆ *een legitieme **reden*** a legitimate reason [3] ⟨recht op de troon bezittend⟩ legitimate ⟨bw: ~ly⟩

legitimaris [de^{m}] statutory heir

legitimatie [de^{v}] [1] ⟨identiteitsbewijs⟩ identification, ⟨papieren ook⟩ identity papers/card ⟨enz.⟩, proof of identity, ⟨inf; AE⟩ ID [2] ⟨wettiging van een kind⟩ legitimization

legitimatiebewijs [het], **legitimatiekaart** [de] identity papers/card ⟨enz.⟩, proof of identity, ⟨inf; AE⟩ ID

legitimatiekaart [de] → **legitimatiebewijs**

legitimatieplicht [de] compulsory identification, ⟨als opschrift⟩ ID required ◆ *deze kroeg **heeft** legitimatieplicht* ⟨AE⟩ this pub ID's people

[1]**legitimeren** [ov ww] ⟨wettigen⟩ legitimize

[2]**zich legitimeren** [wk ww] [1] ⟨zijn identiteit bewijzen⟩ identify o.s., establish/prove one's identity ◆ *zich voldoende **kunnen** legitimeren* furnish sufficient proof of one's identity; *een controleur **moet** zich **kunnen** legitimeren* an in-

spector must be able to identify himself/produce (his) authority [2] ⟨zijn aanspraken op iets bewijzen⟩ establish/prove one's identity ◆ *zich als rechthebbende legitimeren* establish/prove one's entitlement

legitimist [de^{m}] [1] ⟨aanhanger van een leer⟩ legitimist [2] ⟨aanhanger van een verdreven vorst⟩ legitimist

legitimiteit [de^{v}] [1] ⟨overeenstemming met het geschreven recht⟩ legitimacy [2] ⟨wettigheid⟩ legitimacy

legkaart [de] jigsaw (puzzle)

legkast [de] cupboard (with shelves), ⟨voor wasgoed⟩ linen-cupboard

legkip [de^{v}] laying hen, layer

legmeel [het] laying mash

legnest [het] (laying-)nest

legnood [de^{m}] ⟨med⟩ egg-binding ◆ ***in** legnood **verkeren*** be egg-bound

lego^{MERK} [het, de] Lego ◆ *legodoos* Lego set

legorder [het, de] ⟨fin⟩ standing order

legpenning [de^{m}] medal

legpuzzel [de^{m}] ⟨ook fig⟩ (jigsaw) puzzle

legras [het] laying/egg-type breed

legsel [het] eggs ⟨mv⟩, ⟨door een kip in één keer gelegde eieren⟩ clutch (of eggs)

legtijd [de^{m}] laying season

leguaan [de^{m}] [1] ⟨dier⟩ iguana [2] ⟨mv; dierenfamilie⟩ Iguanidae [3] ⟨scheepv⟩ pudd(en)ing

legumine [de] legumin

leguminosen [de^{mv}] Leguminosae

¹lei [de^{m}] ⟨Roemeense munteenheid⟩ leu

²lei [het] ⟨gesteente⟩ slate

³lei [de] [1] ⟨plaat om op te schrijven⟩ slate ◆ *met een griffel **op** de lei schrijven* write with a slate pencil (on a slate); ⟨fig⟩ *(weer) met een **schone** lei beginnen* start (again) with a clean slate/a clean sheet/the slate wiped clean, wipe the slate clean, turn over a new leaf [2] ⟨plaat om daken te bedekken⟩ slate ◆ ***met** lei bedekken* slate(-roof) [3] ⟨in België; laan⟩ avenue [4] ⟨koppel voor jachthonden⟩ leash [5] ⟨paardentoom⟩ bridle

leiachtig [bn] ⟨geol⟩ slaty

leiband [de^{m}] ⟨BE⟩ leading reins, ⟨AE⟩ leading strings ⟨mv⟩, rein, ⟨in België; voor honden⟩ leash ◆ ⟨fig⟩ *niet meer **aan** de leiband lopen* be able to stand on one's own two feet/stand up for o.s.; ⟨fig⟩ *hij loopt **aan** de leiband van ...* he's/he lets himself be spoonfed by ...; ⟨de leiband van een vrouw⟩ he's tied to ...'s apron-strings

leiboom [de^{m}] [1] ⟨boom die tegen iets geleid wordt⟩ trained tree, espalier (tree) ◆ ***vrucht(en)** van (de) leibo(o)m(en)* wall fruit [2] ⟨paal aan een heitoestel⟩ guide

leidekker [de^{m}] slater

leiden [ov ww] [1] ⟨meenemen⟩ lead ◆ *een kind **aan** de hand leiden* lead a child by the hand; *een koe **aan** een touw leiden* lead a cow on a rope; *iemand **met** zachte hand leiden* guide gently; *iemand leiden **naar*** ⟨ook⟩ steer s.o. towards [2] ⟨brengen, geleiden⟩ bring, lead, ⟨plant⟩ train ◆ *water **door** buizen leiden* pass water through pipes, pipe water; ***in** bepaalde banen leiden* ⟨ook van gesprek⟩ channel; *een wingerd **langs** de muur leiden* train a vine along the wall; *deze wieltjes leiden de tape **langs** de opnamekop* these rollers guide the tape past the 'record' head; *het water **naar** de stad leiden* bring the water to the city, ⟨omleiden⟩ divert the water to the city; *de weg werd **om** de oude boom (heen) geleid* the road was diverted round the old tree; *het luchtverkeer **via/over** een andere luchthaven leiden* direct air traffic via/to another airport; *de gevangene **voor** de rechter leiden* bring/lead the prisoner before the judge [3] ⟨m.b.t. wegen⟩ lead ◆ *de weg leidde ons/onze route leidde **door** het dorpje* the road took/led us/our route led through the village; *de trap leidt **naar** de keuken* the steps lead to the kitchen; *dit pad leidt **naar** beneden/boven* this path leads down/up [4] ⟨de weg wijzen⟩ lead, guide ◆ *zij leidde hem **door** de gangen* she led/guided him through the corridors [5] ⟨in een toestand brengen⟩ lead ◆ *de nieuwe bezuinigingen zullen **ertoe** leiden dat ...* the new cutbacks will mean that ..., as a result of the new cutbacks, ...; *leiden **tot*** ⟨felle discussies, de ontdekking, ...⟩ lead to, end in; ***tot** niets leiden* lead nowhere/to nothing; ***tot** rampspoed leiden* lead to/end in disaster; *onmiddellijk leiden **tot*** ⟨het gewenste resultaat⟩ be the key to/an open sesame to; ***tot** niets leidend gepraat* talk that leads/gets nowhere/doesn't lead/get anywhere; *de onrusten die geleid hebben **tot** het uitroepen van de noodtoestand* the disturbances that have ended in/led to/resulted in a state of emergency (being declared) [6] ⟨besturen, in een richting sturen⟩ direct, conduct, manage, lead, route ◆ *een **bankfiliaal** leiden* manage a branch of a bank; *een **debat** leiden* conduct a debate; *zich **laten** leiden door* be led/guided/ruled/governed by; *zich in alles **laten** leiden door zijn vader/eigenbelang* be governed/ruled/led/guided in all things by his father/self-interest; *hij **liet** zich leiden door zijn gevoelens* he let his feelings rule him, he was guided by his feelings; *het **onderzoek/de werkzaamheden** leiden* direct the research/the work; *een **opstand** leiden* lead a rebellion; *een **orkest** leiden* conduct an orchestra; *een **school** leiden* run a school; *de **zaak** leiden* be in charge; ⟨inf⟩ be the boss, run the show; *de **zaak/het gesprek** werd heel goed geleid door ...* the business/the conversation was excellently directed by ... [7] ⟨sport⟩ (be in the) lead ◆ *Breukink leidt het **peloton*** Breukink is leading the pack; *hij neemt een leidende **positie** in* he holds a leading position, ⟨bedrijf enz.⟩ he holds a senior position [8] ⟨aanvoeren⟩ lead ◆ *de **dans** leiden* lead the dance [9] ⟨(een leven) doorbrengen⟩ lead ◆ *een druk **leven** leiden* lead a busy life; *zijn eigen **leven** leiden* lead one's own life; ⟨inf⟩ do one's own thing; *een lui **leventje** leiden* lead a lazy life [•] ⟨sprw⟩ *alle wegen leiden naar Rome* all roads lead to Rome; ⟨sprw⟩ *als de blinde de blinde leidt, dan vallen ze beiden in de gracht* when/if the blind lead the blind, both shall fall into the ditch

Leiden [het] Leiden, ⟨gesch⟩ Leyden ◆ ⟨fig⟩ *Leiden is in last* ⟨ook iron⟩ things are in a pretty pickle/have come to a pretty pass

leidend [bn] [1] ⟨leiding gevend⟩ leading ◆ *leidende **figuur*** a leading figure; ⟨ook; inf⟩ king-pin [2] ⟨de leidraad zijnd⟩ guiding ◆ *leidende **aandelen/fondsen*** leading shares, leaders; *leidend **beginsel*** primary/basic principle; *leidende **gedachte*** main/principal idea, leitmotiv, keynote

leider [de^{m}], **leidster** [de^{v}] [1] ⟨ook vaak in samenstellingen; persoon die leidt⟩ leader, ⟨handel⟩ director, manager, ⟨gids⟩ guide ◆ ***cursusleider, reisleider, bedrijfsleider*** course instructor, tour guide, company manager; ***geestelijk** leider* ⟨gesch⟩ spiritual director; ***militair/politiek** leider* military/political leader; *leider van een **opinieonderzoek*** director of an opinion poll; *de leiders van de **opstand*** the (ring)leaders of the rebellion/revolt; ***zakelijk** leider* business manager; ***zonder** leider* leaderless [2] ⟨iemand met een heersend karakter⟩ leader [3] ⟨sport⟩ leader [4] ⟨paal, lat⟩ guide

leidersbeginsel [het], **leidersprincipe** [het] leadership principle, principle of leadership

leiderscapaciteiten [de^{mv}] leadership qualities, ability to lead, ⟨als manager⟩ managerial talent/ability

leiderschap [het] [1] ⟨het leider zijn⟩ leadership, guidance ◆ *een **collectief** leiderschap* a collective leadership; *het leiderschap van iemand **erkennen*** recognize s.o. as one's leader; *zijn **onbetwist** leiderschap* his undisputed leadership; *het leiderschap **op zich nemen*** assume the leadership; ***voor** het leiderschap in de wieg gelegd* a born leader [2] ⟨gezag, autoriteit, overwicht⟩ authority, leadership ◆ *zijn **natuurlijk** leiderschap* his natural leadership/authority [3] ⟨termijn als leider⟩ leadership, ⟨vnl pol⟩ term of office, regime ◆ ***onder/tijdens** het leiderschap van Castro* under/during the Castro regime

leidersfiguur [de] leader
leidersplaats [de] ⟨sport⟩ lead, leading/front position ♦ *op de leidersplaats* in front/the lead/the leading/front position
leiderspositie [de^v] lead, leading/front position
leidersprincipe [het] → **leidersbeginsel**
leiderstrui [de] ⟨wielersp⟩ leader's jersey ♦ *de **gele** leiderstrui* the yellow jersey
leiderstype [het] born leader
leiding [de^v] 1 ⟨het leiden⟩ guidance, direction, leadership, ⟨mil⟩ command ♦ *onder zijn **bekwame** leiding* under his (cap)able/skilful leadership/management/direction/guidance, in his capable hands; *onder de **deskundige** leiding van een psycholoog* under the expert guidance of a psychologist; ***geestelijke/spirituele** leiding* spiritual guidance; *leiding **geven (aan)*** ⟨werkzaamheden⟩ direct; ⟨team⟩ lead; ⟨bedrijf⟩ manage, run; ⟨volk, vereniging⟩ govern; ⟨vergadering⟩ preside over/chair; *iemand de leiding **geven*** put s.o. in charge/command; *gewend om leiding te **geven*** used/accustomed to taking control/to managing people; *de leiding **hebben** over/van* direct, preside over, lead, be in charge/control of; *de leiding (in handen) **hebben*** be in control/charge/command; *wie **heeft** er hier de leiding?* who's in charge here?; *de jeugd **heeft** meer leiding nodig* young people need more guidance; *in de computerindustrie **heeft** Japan de leiding* Japan is in the lead in the computer industry; *leiding **kunnen geven*** have leadership qualities; *de leiding **nemen** over* take charge/control of; *zelf de leiding **nemen*** take matters/things into one's own hands; *de leiding (op zich) **nemen*** take/assume control/charge/command; ***onder** leiding staan van ...* be led/run/managed by, be under the direction/management/command of ...; *het orkest **onder** leiding van A.* the orchestra conducted by A.; *de leiding van het **schaduwkabinet** is in handen van ...* the Shadow Cabinet is presided over by ...; *belast zijn met de leiding van de **vergadering*** preside over/chair the meeting, be in the chair 2 ⟨bestuur⟩ direction, control, ⟨van een onderneming⟩ management, running, ⟨oorlog ook⟩ conduct, ⟨van een vergadering⟩ chairmanship, ⟨bestuurders⟩ management, managers, (board of) directors, ⟨leiders⟩ leadership, leaders ♦ *de leiding **heeft** hier **gefaald*** the management is at fault here; *er is geen **vertrouwen in** de leiding* nobody has any confidence in the leaders; *de leiding van de **stakingsactie*** the leaders of the strike, the strike leadership; ***zonder** leiding* leaderless 3 ⟨buis, draad⟩ ⟨hoofdleiding⟩ main, ⟨buis binnenshuis⟩ pipe, ⟨draad binnenshuis⟩ wire, ⟨dik⟩ cable, ⟨comm ook⟩ line, ⟨bedrading⟩ wiring, ⟨waterloop⟩ watercourse ♦ *leidingen **aanleggen in een huis*** ⟨elek⟩ wire a house; ⟨gas, water⟩ lay down/install the pipes/piping in a house; ***bovengrondse/ondergrondse** leiding* aboveground/underground pipes/cables; ⟨elek bovengronds⟩ overhead wires, line; ***elektrische** leiding* electric wire/cable; ⟨bedrading⟩ (electric) wiring; ⟨hoofdleiding⟩ electricity ^Bmain(s)/^Asupply; ⟨voor aanvoer stroom⟩ power line; *de leiding **is gesprongen*** the pipe/the (water/gas) main has burst; *drink geen water **uit** de leiding* don't drink any tap water/water from the mains; *de leidingen **vernieuwen*** renew the pipes/piping/pipework, ⟨elek⟩ renew the wiring 4 ⟨sport; koppositie⟩ lead, front/leading position ♦ ***aan** de leiding blijven (van)* stay ahead/abreast (of); ***aan** de leiding komen/gaan/liggen* gain/be in the lead; *de leiding **hebben*** be in the lead, lead the field; *Ajax heeft de leiding **met** 2 tegen 1* Ajax leads 2 (to) 1; *de leiding **nemen*** take the lead, take up/make the running; *de leiding **overnemen/af moeten staan*** take over/lose the lead
leidingbuis [de] pipe, water-pipe, gas-pipe, duct, conduit, ⟨groot⟩ main
leidingdraad [de^m] (electric) wire, ⟨dik⟩ cable
leidingdruk [de^m] pipe/mains pressure
leidinggevend [bn] executive, managerial, management ♦ *iemand met leidinggevende **bevoegdheid*** an executive, s.o. with executive powers; *hij heeft leidinggevende **capaciteiten*** he has executive ability, he's executive material; *een leidinggevend **functionaris*** an executive (official); *leidinggevend **personeel*** managerial/executive staff; *een leidinggevende **rol** hebben/vervullen* fulfil an executive function
leidinggevende [de] manager, leader, person in charge
leidingnet [het] network of pipes/^Bmains, ⟨elek⟩ (electricity) grid, ⟨voor water/gas; BE⟩ mains system, ⟨buizen in huis⟩ piping, pipework, pipes, ⟨bedrading⟩ wiring (system), ⟨telefonie⟩ (telephone) network
leidingwater [het] tap/^Bmains water
leidmotief [het] 1 ⟨muz⟩ leitmotiv 2 ⟨leidende gedachte⟩ leitmotiv
leidraad [de^m] 1 ⟨richtsnoer⟩ guide(line), guiding principle, line of action ♦ ***als** leidraad (voor)* for the guidance of; *iets **als** leidraad **nemen*** take sth. as one's guide, be guided by sth.; ***als** leidraad **dienen** (voor)* guide, serve as a guideline/guiding principle (for); *de uitslagen van vorig jaar kunnen ons niet **als** leidraad **dienen*** last year's figures can be no guide to us 2 ⟨handleiding⟩ guide, instructions, introduction, manual ♦ *leidraad **bij** het onderwijs in de natuurkunde* guide/introduction to the teaching of physics
Leids [bn] ⟨attributief⟩ Leiden, Leyden, ⟨predicatief⟩ of Leiden/Leyden, from Leiden/Leyden ♦ *Leidse **fles*** Leyden jar; *Leidse **kaas*** cumin cheese
leidsel [het] rein, ⟨in mv ook⟩ ribbons
leidsman [de^m] guide, mentor, leader
[1]**leidster** [de^v] 1 ⟨vrouw die leiding geeft⟩ leader, ⟨kleuterleidster⟩ infantschool teacher ♦ *leidster van een **expeditie*** leader of an expedition 2 ⟨vrouw die een klassement aanvoert⟩ leader
[2]**leidster** [de] lodestar, guiding star, pole star
Leidster [de] ⟨Poolster⟩ pole star, North Star
leidsvrouw [de^v] 1 ⟨vrouw die leiding geeft⟩ leader 2 ⟨fig; gids⟩ guide
leidtoon [de^m] ⟨muz⟩ leading note/^Atone, subtonic
leien [bn, alleen attr] slate ♦ *met een leien **dak*** slate-roofed
leifruit [het] wall fruit
leigrijs [het] slate grey
leigroeve [de] slate quarry/pit
leihond [de^m] ⟨jacht⟩ leash-hound
leikleurig [bn] slate, slate-coloured, slate-grey
leiplaat [de] baffle (plate), guide/directing plate
leiplant [de] trained plant, trellis plant, climber, espalier
leireep [de^m] rein, ⟨mv ook⟩ ribbons
leiriem [de^m] rein, halter, lead
leis [de] ± (Christmas) carol
leistang [de] 1 ⟨m.b.t. een machine⟩ guide (bar/rod) 2 ⟨m.b.t. een kaartsysteem⟩ holding/filing rod
leisteen [het, de^m] slate, ± rag(stone) ♦ ***oliehoudende** leisteen* bituminous shale, oil shale
leisteenolie [de] shale oil
leivleugel [de^m] extensible slat
leiwagen [de^m] ⟨zeilsp⟩ traveller, ⟨AE⟩ traveler
[1]**lek** [de^m] ⟨het lekken⟩ leakage, ⟨vloeistof⟩ drip, ⟨gas⟩ escape
[2]**lek** [het] 1 ⟨gat, scheur⟩ leak(age), hole, ⟨band⟩ puncture, flat, ⟨gas⟩ escape, ⟨luchtdrukleiding⟩ blowout ♦ *een lek **dichten*** stop a leak; ⟨band⟩ mend a puncture/a flat (tyre); *het schip **heeft** een lek* the ship is making water/has sprung a leak; *er zit een lek **in** de fietsband* the (bicycle) tyre has a puncture; *een lek **krijgen*** spring a leak; ⟨schip⟩ make water, be holed; *we hebben het lek boven (water)* we've sorted things out, we're on top of things (for the moment) 2 ⟨fig⟩ leak(age) ♦ *een lek **in** de organisatie* a leak in the organisation
[3]**lek** [bn] leaky, ⟨band⟩ punctured, flat, faulty ♦ *zo lek **als** een mandje/zeef* as leaky as a sieve, full of leaks/holes; *we hebben een lekke **band*** we burst a tyre; *een lekke **buis*** a leaky

pipe; *een lekke fietsband* a punctured tyre, a puncture; *de romp is lek geslagen* the hull has been holed/is stove in; *een lekke koppakking* a blown cylinder gasket; *de boot sloeg lek op een rif* the boat was holed on a reef; *lek stoten/raken/slaan* spring a leak; ⟨schip⟩ be holed; *lek zijn* let in water, be leaky/leaking, have a leak/puncture

lekbak [de^{m}] ⟨van koelkast⟩ drip-tray, ⟨van schip⟩ save-all, ⟨bij koken⟩ dripping-pan, ⟨voor carterolie⟩ oil trough

lekbier [het] (beer-)slops ⟨mv⟩

lekdicht [bn] leakproof

lekdorpel [de^{m}] ⟨amb⟩ weathering

lekenapostolaat [het] ⟨r-k⟩ lay apostolate, ± Catholic Action

lekenbijbel [de^{m}] bible

lekenbrevier [het] breviary for laymen

lekenbroeder [de^{m}] lay brother

lekenbroederschap [de^{v}] lay order/community

lekenkoor [het] ⟨r-k⟩ choir

lekenmoraal [de] secularism

lekenoordeel [het] lay(man's) opinion

lekenorde [de] lay order/community

lekenrechtspraak [de] lay justice, administration of justice by laymen

lekenspel [het] ⟨lit⟩ ⟨over het leven van Christus⟩ mystery play, ⟨Bijbels verhaal⟩ miracle play

lekenstand [de^{m}] ⟨staat⟩ lay status, ⟨personen⟩ laity, laymen, lay circles/public ♦ *tot de lekenstand terugkeren* return to lay status, be reduced to lay status

lekenverstand [het] (the) lay mind

lekenzuster [de^{v}] lay sister

lekgat [het] leak, hole

lekhoning [de^{m}] virgin honey

lekkage [de^{v}] [1] ⟨het lek zijn⟩ leak(age) ♦ *er is lekkage aan het dak* the roof is leaking, there's a leak in the roof; *de lekkage is verholpen* the leak has been repaired/stopped [2] ⟨plaats⟩ leak(age), hole [3] ⟨uitwerking⟩ leakage [4] ⟨handel⟩ (allowance for) leakage

^{1}**lekken** [onov ww] [1] ⟨lek zijn⟩ leak, be leaking, ⟨schip ook⟩ take on water, make water, ⟨schoen ook⟩ let in water, ⟨kraan ook⟩ drip ♦ *het dak lekt* the roof is leaking/leaky; *een lekkend dak* a leaky/leaking roof; *een lekkende kraan* a leaking/dripping tap [2] ⟨doorsijpelen⟩ leak, escape, ooze, seep, ⟨door dijk ook⟩ filter ♦ *naar binnen lekken* leak/seep in; *de wijn lekt uit het vat* the wine is leaking/oozing/dripping from the cask [3] ⟨van vlammen⟩ lick ♦ *de vlammen lekten langs de muren/aan het dak* the flames were licking the walls/the roof; *lekkende vlammen* lambent flames, tongues of flame

^{2}**lekken** [onov + ov ww] ⟨voortijdig informatie doorgeven⟩ leak ♦ *informatie lekken naar de tegenpartij* leak information to the opposition; *lekken over iets naar de pers* leak sth. to the press

^{3}**lekken** [onpers ww] [•] *het lekt op zolder* there's a leak in the attic

^{1}**lekker** [bn] [1] ⟨smakelijk⟩ nice, good, tasty, ⟨inf⟩ scrumptious, yummy, ⟨erg lekker⟩ delicious, ⟨vaak iron⟩ toothsome, palatable ♦ *een lekker hapje* a titbit; ⟨bij de borrel⟩ (cocktail) snack, appetizer; *voor het lekker* just for the taste; *het lekkerste voor het laatst bewaren* leave/save the best (bit) till last; *iets lekkers* a snack, sth. to nibble on; ⟨snoep⟩ a sweet, some sweets/^{A}candy; *iets bijzonder lekkers* sth. (extra) special; *ze weet wel wat lekker is* she knows a good thing when she sees it; *is/smaakt het lekker? ja, het heeft me lekker gesmaakt* do you like it/is it good/are you enjoying it? yes, it was lovely/I enjoyed it; *lekkere trek hebben* ⟨BE⟩ fancy sth. tasty; *iets lekker vinden* like/enjoy sth. (very much) [2] ⟨aangenaam van geur⟩ nice, sweet, delightful, pleasant ♦ *een lekkere geur* a pleasant/nice/sweet smell; *wat ruikt die bloem lekker* doesn't that flower smell lovely [3] ⟨gezond, plezierig⟩ well, fine, all right, fit ♦ *zo lekker als wat* (as) right as rain, tip-top, in the pink; *ik ben niet lekker* I'm not feeling too well/good, I'm a bit under the weather; ⟨fig⟩ *je bent niet lekker* you're out of your mind, you're crazy/bonkers, you need your head read; *zich niet lekker voelen* not feel very well, feel ^{B}queer/^{A}sick [4] ⟨prettige indruk makend⟩ nice, pleasant, jolly, ⟨meisje⟩ lovely, delectable, ⟨AE⟩ foxy ♦ *een lekkere dikkerd* a jolly dumpling; *wat een lekker kind* what a darling/dear, what a sweet little thing; ⟨inf⟩ *een lekkere meid/lekker stuk* a dish/smasher, a nice piece of skirt, ⟨AE⟩ a foxy lady, ⟨AE⟩ ↓ a broad/bit of tail; ⟨inf⟩ *lekker wijf/mokkel* a smasher, ⟨AE⟩ a foxy (little) lady/bit of tail [5] ⟨verlekkerd⟩ ♦ *iemand lekker maken* make s.o.'s mouth water, get s.o. worked up/excited [6] ⟨onaangenaam⟩ nice, fine ♦ *die is lekker* ⟨in netelige positie⟩ (s)he's in for it, (s)he's for the high jump; *je bent me een lekkere jongen!* you're a fine one!; *je bent me wat lekkers!* you're a great/fine one, you are! [•] ⟨sprw⟩ *lekker is maar een vinger lang* ± all good things come to an end; ⟨sprw⟩ *verboden vrucht smaakt het lekkerst* forbidden/stolen fruit is sweet/sweetest; stolen waters are sweet

^{2}**lekker** [bn, bw] ⟨prettig⟩ nice ⟨bw: ~ly⟩, good, ⟨meubels, huis⟩ comfortable, lovely ♦ *een lekker bad* a nice (hot) bath; *ze gaat lekker* she's doing fine/great, she's going great guns; *het gaat/loopt lekker* it's going/we're doing fine/great; *lekker onder de dekens kruipen/tegen iemand aan gaan liggen* snuggle under the blankets, snuggle up against s.o.; *lig je lekker?* are you comfortable?; *de auto loopt lekker* the car goes like a dream; *de winkel loopt lekker* the shop is doing fine/is doing quite nicely; *een lekker (in het gehoor liggend) melodietje* a catchy tune; *laten we dit weekend lekker niets doen/lekker uitgaan* let's have a jolly good rest this weekend, let's go out and have fun this weekend; *lekker rustig/zoet* nice and quiet/sweet; *de zon schijnt lekker* the sun's lovely and warm; *slaap lekker, droom maar lekker* sleep tight, pleasant/sweet dreams; *een lekkere stoel* a comfortable chair; *eens lekker uithuilen* have a good cry/weep; *lekker verwend worden* be pampered/coddled, be well looked after; *het lekker vinden om ...* like/love to ...; *ze vinden het lekkerder om thuis te blijven* they prefer to stay (at) home/to stay in; *zich ergens/bij iemand lekker voelen* feel good/at home somewhere/with s.o.; *lekker warm* nice and warm; *lekker weer* lovely/beautiful weather; *dat ziet er niet lekker uit* that doesn't look too good; *ik zit hier lekker* I'm fine/all right here, I'm doing very nicely, thank you; *dat zit hem niet lekker* he feels uneasy about that, he has some compunction about that; *ik zit niet lekker in deze stoel* I'm not comfortable in this chair

^{3}**lekker** [bw] [1] ⟨smakelijk⟩ well, deliciously, tastily ♦ *lekker eten* eat well, enjoy one's meal, have a good meal; *van lekker eten houden* be a gourmet; ⟨graag eten⟩ like one's food; *lekker (kunnen) koken* be a good cook, be good at cooking; *hm, lekker!* mmm, lovely/delicious! [2] ⟨m.b.t. leedvermaak⟩ ♦ *ik doe het lekker toch!* I'm going to do it anyway, (so there)!; *ik doe het lekker toch (niet)!* I won't do it, so there!; *hij is er lekker ingelopen* he fell for it, hook, line and sinker; he was stupid enough to fall for it; *(dat was) lekker mis!* ha, ha, missed!, wrong again!, try again [3] ⟨in hoge mate⟩ so/very much ♦ *ik dank je lekker* (not me,) thank you very much, thanks for nothing; *lekker opschieten* come along fine/well [•] *lekker puh* hard cheese, yah boo sucks to you

lekkerbek [de^{m}] gourmet, epicure, gastronome, connoisseur (of wine and food), foodie ♦ *mijn broer is een geweldige lekkerbek* my brother is tremendously fond of good food (and drink)

lekkerbekje [het] fried fillet of haddock

lekkerbekken [onov ww] [1] ⟨smullen⟩ feast, regale o.s., banquet [2] ⟨watertanden⟩ lick one's lips/chops

lekkermakertje [het] teaser

lekkernij [de^{v}] delicacy, tasty/dainty morsel, titbit, ⟨meestal mv⟩ dainty, goody, ⟨snoep⟩ sweet ♦ *voor mij is*

*Zwitserse chocola een **echte** lekkernij* Swiss chocolate is a real treat/sth. really special for me
lekkers [het] ⟨snoep⟩ sweet(s), ⟨hapje⟩ snack ♦ *zin hebben in iets lekkers* fancy sth. sweet/a snack; *wie zoet is **krijgt** lekkers* sweets for the sweet
lekkertje [het] [1] ⟨persoon⟩ darling, dear, ducky, sweetie, cutie ♦ ⟨iron⟩ *het is me een lekkertje* (s)he's is a fine one!, (s) he's a nasty piece of work [2] ⟨snoepje⟩ sweet(ie)
lekkertjes [bw] with relish ♦ *ze **aten** alles lekkertjes **op*** they polished everything off with relish
lekprikken [ov ww] [1] ⟨lek maken⟩ puncture [2] ⟨fig; een wond toebrengen⟩ stab
lekschieten [ov ww] [1] ⟨lek maken⟩ make leak by shooting a hole [2] ⟨fig; een wond toebrengen⟩ inflict a bleeding wound by shooting with an arrow or bullet
[1]**lekslaan** [onov ww] ⟨gaan lekken⟩ spring a leak
[2]**lekslaan** [ov ww] ⟨lek maken⟩ make leak by hitting
lekspanning [de^{v}] leakage voltage
lekspeen [de] dripping teat
leksteen [de^{m}] [1] ⟨filtreersteen⟩ filtering stone [2] ⟨druipsteen⟩ dripstone, stalactite or stalagmite
lekstralen [de^{mv}] leakage radiation, radiation leakage
lekstroom [de^{m}] leakage current
lekveld [het] [1] ⟨magnetisch veld⟩ leakage field, stray field [2] ⟨veld buiten een condensator⟩ stray field
lekvrij [bn] leakproof
lekwater [het] leakage, seepage
lekweerstand [de^{m}] leakage resistance
lekzucht [de] licking disease/sickness, pica (of cattle)
[1]**lel** [de^{v}] ⟨inf⟩ ⟨ordinaire meid⟩ slut, tart, ⟨BE⟩ scrubber, ⟨AE⟩ broad
[2]**lel** [de] [1] ⟨stuk vlees, vel⟩ ⟨van oor⟩ lobe, ⟨onder kin⟩ dewlap, ⟨wang⟩ jowl, ⟨huig⟩ uvula [2] ⟨m.b.t. vogels⟩ gill, wattle, dewlap, caruncle, jowl [3] ⟨klap⟩ clout, swipe ♦ *de bal een lel geven* give the ball a hefty kick, slam/thump/punch the ball; ⟨de lucht in⟩ sky/loft the ball; *iemand een lel **geven*** swipe/clout s.o.; give s.o. a clout/swipe [4] ⟨kanjer⟩ whopper, whacker, ⟨AE⟩ whaler ♦ *een lel van een **kamer/tafel*** a huge room/table; ⟨sl⟩ a bloody great room/table
lelie [de] [1] ⟨bloem, plant⟩ (bourbon white/madonna) lily [2] ⟨plantengeslacht⟩ lily ♦ ***Turkse** lelie* martagon (lily), Turk's cap (lily); ***valse/onechte** lelie* bog asphodel [3] ⟨als symbool⟩ lily [4] ⟨heral⟩ fleur-de-lis, fleur-de-lys, lily ♦ *de **Franse** lelie* the fleur-de-lis [5] ⟨punt van de kompasroos⟩ lily
lelieachtigen [de^{mv}] Liliaceae, lily family
leliebes [de] berry of the lily of the valley
lelieblank [bn] lily-white
leliekruis [het] cross fleurettée, cross fleury
leliënolie [de] oil with a lily perfume
lelietje-van-dalen [het] lily-of-the-valley
leliewit [bn] lily-white, as white as a lily, as white as snow ♦ *het leliewit* the white of the lily
[1]**lelijk** [bn, bw] [1] ⟨niet mooi⟩ ugly ⟨bw: uglily⟩, unsightly, ⟨vooral vrouwen⟩ plain, ⟨AE⟩ homely ♦ *zo lelijk **als** de nacht* (as) ugly as sin; *een lelijke **eend*** a 2-CV; *een lelijk **eendje*** un ugly duckling; ***erg** lelijk* very/exceedingly ugly; ⟨inf⟩ ugly enough to stop a clock/like the back end of a bus; *een lelijk **gezicht*** an ugly/a homely face; *het was een lelijk **gezicht*** it looked awful; *lelijke **gezichten** trekken* grimace, make/pull a face; ***nogal** lelijk* rather ugly, not much to look at; *lelijk **schrijven*** write untidily; *die broek **staat** je lelijk* those trousers do not suit you/look good on you, ⟨AE ook⟩ those pants do not suit you/look good on you; *lelijk **worden*** lose one's looks [2] ⟨ongunstig⟩ bad ⟨bw: ~ly⟩, ⟨personen⟩ nasty, ill-favoured, unpleasant ♦ *lelijk **hoesten*** have a bad/nasty cough; *een lelijk **hoestje/ongeluk**/lelijke **wond*** a bad/nasty cough/accident/wound; *ze maakte een lelijke **smak**, ze viel lelijk* she had a bad fall/tumble; *lelijk **terechtkomen*** get badly hurt; *lelijk **toegetakeld*** be badly hurt; *er lelijk **voorstaan*** be in a very bad/an awkward position/serious straits; *het ziet er lelijk **uit*** things are looking bad/look black; *er lelijk aan toe zijn* be in a bad way [3] ⟨boos⟩ nasty ⟨bw: nastily⟩, angry, ⟨AE ook⟩ mean ♦ *iemand lelijk **aankijken*** frown/scowl at s.o.; *zet niet zo'n lelijk **gezicht*** don't make/pull such a(n) (angry) face [4] ⟨akelig, naar⟩ nasty ⟨bw: nastily⟩, frightful, vile ♦ *lelijk tegen iemand **doen*** be nasty/horrid/mean to s.o.; *een lelijke **gewoonte*** a nasty habit; *iemand uitmaken voor alles wat lelijk **is*** call s.o. all sorts of names/every name under the sun; *wat **kijk** je lelijk* don't get you look nasty/mean; *lelijk **weer*** nasty/vile weather [5] ⟨gemeen⟩ bad ⟨bw: ~ly⟩, mean, dirty, ugly ♦ *lelijke **bedrieger*** a dirty cheat; *lelijke **dief*** a rotten/mean thief; *lelijke **dingen** zeggen* say mean/nasty/ugly things; *met iemand een lelijke **grap** uithalen* play s.o. a dirty trick/joke; *een lelijk **karakter*** an unpleasant/a mean character [6] ⟨onbevredigend, teleurstellend⟩ bad ⟨bw: ~ly⟩, poor, unsatisfactory ♦ *daar zal hij lelijk **van staan te kijken/van** opkijken* he's in for a nasty surprise/shock [•] ⟨sprw⟩ *al draagt een aap een gouden ring, het is en blijft een lelijk ding* an ape's an ape, a varlet's a varlet, though they be clad in silk or scarlet
[2]**lelijk** [bw] ⟨behoorlijk, erg⟩ badly, nastily ♦ *zich lelijk **vergissen** in iemand/iets* be badly mistaken about s.o./sth.; *er lelijk **naast** zitten* be way off target, fall wide of the mark; *lelijk op zijn **neus** kijken* get a nasty surprise, ↑ stand abashed; *hij heeft het lelijk te **pakken*** he really has it badly; ⟨inf⟩ he's really got it bad; *lelijk in de **knel/knoei** zitten* be in a pretty pickle/[B]on a sticky wicket, ⟨sl⟩ be up the creek; *hij werd lelijk te **grazen** genomen* he really got done/got the business/was raked over the coals
lelijkerd [de^{m}] [1] ⟨iemand die niet mooi is⟩ ugly man/fellow/[B]chap, ⟨vrouw⟩ hag, witch, ⟨sl; AE⟩ dog, ⟨sl; BE⟩ lemon [2] ⟨als scheldwoord⟩ ⟨inf⟩ ugly guts, ⟨m.b.t. vrouwen⟩ gorgon, ⟨tieners; sl; AE⟩ dick [3] ⟨gemeen persoon⟩ rascal, scamp, ugly customer, ⟨sl⟩ bear, gorilla
lelijkheid [de^{v}] [1] ⟨het niet mooi zijn⟩ ugliness, unsightliness, ⟨vooral vrouwen⟩ plainness, ⟨AE⟩ homeliness ♦ *hij is het **toppunt** van lelijkheid* he is the epitome of ugliness [2] ⟨gemeenheid⟩ nastiness, ⟨personen⟩ meanness
lellebel [de^{v}] slut, hussy, slattern
lellen [onov + wk ww] clout, whack
[1]**lemen** [bn, alleen attr] loam, mud, clay ♦ *een lemen **muur*** a mud wall; *een lemen **vloer*** an earthen floor; ⟨fig⟩ *een reus op lemen **voeten*** a giant with feet of clay
[2]**lemen** [ov ww] cover/coat with loam, cover/coat with clay
lemma [het] [1] ⟨trefwoord, ingang⟩ headword, ⟨AE ook⟩ main entry (word) [2] ⟨artikel⟩ entry, definition [3] ⟨hulpstelling⟩ lemma, premise [4] ⟨leus⟩ lemma, maxim
lemmer [het] blade
lemmeraak [de] 'lemmeraak', type of flat-bottomed fishing boat
lemmet [het] [1] ⟨deel van een mes⟩ blade [2] ⟨kling van een zwaard⟩ blade [3] ⟨kaarsenpit⟩ wick
lemmetje [het] lime
lemming [de^{m}] lemming
lemniscaat [de] ⟨wisk⟩ lemniscate
lemuren [de^{mv}] [1] ⟨Romeinse mythologie⟩ Lemures [2] ⟨maki's⟩ lemurs
lende [de] [1] ⟨deel van de rug⟩ lumbar region, ⟨inf⟩ small of the back, loin ♦ *pijn **in** de lenden hebben* have lumbar pain/pain in the small of the back; ⟨spit⟩ have lumbago; *zich de lendenen **omgorden*** gird one's loins [2] ⟨m.b.t. dieren⟩ loin, haunch ♦ ***dikke** lende* rump (steak) [3] ⟨bouwk⟩ haunch
lendenberoerte [de^{v}] ⟨dierk⟩ haemoglobinuria
lendenbiefstuk [de^{m}] sirloin, fillet (steak)
lendendoek [de^{m}] loincloth, waistcloth, breechcloth, dho(o)ti ⟨India⟩
lendenheiligbeen [het] synsacrum

lendenpijn [de], **lendenschot** [het] lumbar pain, pain in the small of the back, ⟨spit⟩ lumbago
lendenrib [de] pleurapophysis
lendenschot [het] → **lendenpijn**
lendenstreek [de] lumbar area/region, ⟨inf⟩ small of the back
lendenstuk [het] (sir)loin (steak), baron (of beef), fil(l)et, haunch (of beef), porterhouse (steak)
lendenwervel [de^m] lumbar vertebra
[1]**lenen** [ov ww] [1] ⟨te leen geven⟩ lend (to), ⟨vnl AE ook⟩ loan, ⟨geld ook⟩ advance ◆ *ik heb hem **geld** geleend* I have lent/advanced him some money, ⟨vnl AE ook⟩ I have loaned him some money [2] ⟨te leen krijgen⟩ borrow (of/from), have the loan (of) ◆ ***geld** lenen van iemand* borrow money from s.o.; *van/bij hem kun je gemakkelijk **geld** lenen* he's a soft/an easy touch; *hij leent altijd van alles* he borrows everything in sight [3] ⟨ter beschikking stellen⟩ lend ◆ *zijn **naam** lenen voor iets* lend his name to sth.; *het **oor** lenen (aan)* listen; ⟨form⟩ give audience (to), lend an ear/one's ears (to); *zich lenen voor iets* ⟨vnl pej; van personen⟩ be available for sth.

lenen	
iets aan iemand uitlenen	lend, loan · *I can lend it to you if you want; when will you return it?*
zelf iets lenen	borrow · *my car has broken down; can I borrow yours for a few days?*

[2]**zich lenen** [wk ww] ⟨geschikt zijn (voor)⟩ lend itself (to/for), lend themselves (to/for), be suitable for ◆ *dit stuk leent zich goed **voor** een opvoering* this play makes good theatre
lener [de^m] [1] ⟨iemand die iets te leen geeft⟩ lender, ⟨vnl AE ook⟩ loaner [2] ⟨iemand die iets te leen ontvangt⟩ borrower
lenerspasje [het] library pass
[1]**leng** [de^m] ⟨vis⟩ ling
[2]**leng** [het] ⟨scheepv⟩ sling ◆ ***met** een leng ophijsen* hoist with a sling
[3]**leng** [het, de^m] [1] ⟨bederf in graan⟩ mould [2] ⟨bederf in brood⟩ mould
[1]**lengen** [onov ww] ⟨langer worden⟩ lengthen, grow/become longer ◆ *de **dagen** lengen* the days are growing longer/drawing out
[2]**lengen** [ov ww] [1] ⟨langer maken⟩ lengthen, stretch (out), make longer ◆ ***bladtin** lengen* draw out sheet tin [2] ⟨dunner maken⟩ dilute ◆ *een **saus** lengen* dilute a sauce
lengte [de^v] [1] ⟨langste zijde⟩ length ◆ *de lengte **bedraagt** 30 meter* it is 30 metres long/in length; *doorsnede **in** de lengte* longitudinal section; *een plank **in** de lengte doorzagen* saw a board lengthways/lengthwise/along the length; ⟨fig⟩ *het moet **uit** de lengte of uit de breedte komen* it has to come from somewhere/to be found/be managed somehow [2] ⟨grootte⟩ length, ⟨van persoon/plant⟩ height, size, stature, ⟨van vezels van katoen/wol enz.⟩ staple ◆ *hij viel op **door** zijn lengte* his height made him conspicuous; *hij **heeft** de lengte niet* he is not tall enough; ***in** de lengte groeien* grow in length; *zich **in** zijn volle lengte oprichten* draw/pull o.s. up to one's full height; ***met** twee lengtes verschil winnen/verliezen* win/lose by two lengths; *een kras **over** de hele lengte van de auto* a scratch (extending) over the entire length of the car; ***totale/volle** lengte* total/full/overall length; ***twee** lengtes voorsprong* a lead of two lengths; *hij lag in zijn **volle** lengte op de grond* he lay full length upon the ground [3] ⟨afmeting⟩ length ◆ *een snelweg van 500 **km** lengte* a 500 km long [B]motorway/[A]highway/[A]freeway; ***op** de goede lengte afknippen* cut off to the exact length/to measure; ***over** een lengte van 60 meter* for a distance of 60 metres [4] ⟨tijdsduur⟩ length ◆ *wat is de lengte van de **noot**/het **muziekstuk**/het **verhaal**?* how long is the note/the piece of music/the story?; ***tot in** lengte van dagen* for many a long day/years to come [5] ⟨aardr⟩ longitude [6] ⟨astron⟩ longitude

afstand en lengte van dingen 1/2

Engels	omrekenfactor	Nederlands
inch	x 2,54 =	centimeter
foot	x 0,30 =	centimeter
yard	x 0,914 =	meter
fathom	x 1,83 =	meter
(statute) mile	x 1,609 =	kilometer
nautical mile	x 1,85 =	kilometer
nautical mile	x 1 =	zeemijl
Nederlands		**Engels**
centimeter	x 0,39	inch
centimeter	x 3,28 =	foot
meter	x 1,094 =	yard
meter	x 0,55 =	fathom
kilometer	x 0,621 =	(statute) mile
kilometer	x 0,54 =	nautical mile
zeemijl	x 1 =	nautical mile
voorbeeld		
25 miles	x 1,609 =	40,2 kilometer
18 meter	x 1,094 =	19,7 yards

lengteas [de] longitudinal axis
lengtecirkel [de^m] ⟨aardr⟩ meridian
lengtedal [het] longitudinal valley
lengtedoorsnede [de] lengthwise section, ⟨techn⟩ longitudinal section
lengtedraad [de^m] longitudinal thread, warp
lengteduinen [de^mv] longitudinal dunes
lengte-eenheid [de^v] unit of length
lengtegraad [de^m] ⟨aardr⟩ degree of longitude
lengtemaat [de] linear/longitudinal measurement, long measure, ⟨van draad/garen⟩ spindle

afstand en lengte van dingen 2/2

1 nautical mile = 2025 yards
1 mile = 1760 yards
1 fathom = 6 feet
1 yard = 3 feet
1 foot = 12 inches

- inches worden soms aangegeven met een dubbele aanhalingstekens: 3" betekent 3 inches
- feet worden soms aangegeven met een apostrof: 1' 4" betekent 1 foot and 4 inches
- als een Engels woord een maat aangeeft die groter is dan 1, wordt het meervoud gebruikt: one and a half miles, twenty inches
- de volgende afkortingen worden gebruikt: in = inch, f = fathom, ft = feet, yd = yard, m = mile

lengtemeting [de^v] ⟨aardr⟩ taking the longitude
lengteprofiel [het] elevation, linear profile
lengtepunt [het] ⟨scheepv⟩ longitudinal point, point of longitude
lengterichting [de^v] longitudinal/linear direction ◆ ***in** de lengterichting* lengthwise, lengthways; ⟨techn⟩ longitudinally
lengteteken [het] ⟨taalk⟩ length/quantity mark, ⟨boven klank⟩ macron
[1]**lenig** [bn] ⟨m.b.t. materiaal: buigzaam⟩ pliant, pliable,

supple, elastic, flexible ♦ *het leer wordt ingesmeerd om het leniger te **maken*** leather is greased/waxed/oiled to make it more supple; *een lenig **metaal*** a pliant/pliable metal

²**lenig** [bn, bw] ⟨m.b.t. het lichaam en bewegingen: soepel⟩ limber ⟨bw: ~ly⟩, lithe, lissom(e), agile, loose-limbed, sinuous ♦ *hij **is** erg lenig* he is very limber/loose-limbed; *een lenige **sprong*** an agile/acrobatic jump/leap

lenigen [ov ww] relieve, alleviate, allay, assuage, mitigate

lenigheid [de^{v}] [1] ⟨m.b.t. lichaamsbewegingen⟩ limberness, lithesomeness, sinuosity ♦ ***katachtige** lenigheid* feline sinuosity, catlike litheness/suppleness [2] ⟨m.b.t. materialen⟩ pliancy, suppleness, elasticity, flexibility

leniging [de^{v}] relief, alleviation, assuagement, mitigation ♦ *de leniging van menselijke **ellende*** the alleviation of human misery

lengte van mensen 1/2

in het Engels wordt de lengte van mensen in **feet and inches** uitgedrukt
1 foot = 12 inches = 30,48 centimeter
1 inch = 2,54 centimeter

- de gebruikelijke manier om de lengte van iemand aan te duiden is **he is six foot four**, alternatieven zijn: **he is six foot and four inches tall, he is six foot four inches, he is six four**
- men schrijft de lengte van iemand als **6' 4"** of **6 ft 4 in**
- bij lengte van mensen wordt altijd het enkelvoud **foot** gebruikt
- als u wilt zeggen of vragen hoe lang iemand is, gebruik dan niet **long,high** of **length**, maar **tall** of **height**:*how tall are you?; what's your height?*

lening [de^{v}] [1] ⟨het te leen geven⟩ loan ♦ *de **bank** van lening* pawnshop, loan office [2] ⟨bedrag dat te leen gegeven wordt⟩ loan ♦ ***kortlopende** lening* short-term loan; *een **onderhandse** lening* a private loan; *een lening **tegen** lage rente* a low-interest loan; *iemand een lening **verstrekken*** grant/issue s.o. a loan, accommodate s.o. with a loan; *een **zachte** lening* a low-interest/soft/concessional loan [3] ⟨het opnemen van geld⟩ loan, ⟨m.b.t. huizen⟩ mortgage ♦ *een **binnenlandse** lening* a government loan; *een lening **sluiten/aangaan*** contract/negotiate a loan; *een lening **uitschrijven*** raise/float a loan [4] ⟨bedrag dat opgenomen wordt⟩ loan ♦ *een lening **opnemen*** take out a loan; *een lening **van** € 10.000* a € 10,000 loan; *een **voltekende** lening* a subscribed loan

leningkapitaal [het] loan capital

leningsfonds [het] loan fund, loanable funds

leninisme [het] Leninism

leninist [de^{m}] Leninist, Leninite

lenis [de^{m}] ⟨taalk⟩ lenis, lax

lenitief [het] lenitive, palliative

¹**lens** [de] [1] ⟨doorzichtig lichaam⟩ lens, ⟨microscoop ook⟩ objective, ⟨bril⟩ lens(e) ♦ ***bolle/convergerende** lenzen* convex/converging lenses; ***holle/divergerende** lenzen* concave/diverging lenses; *een **sterke** lens* a strong/high-powered/strongly magnifying lens [2] ⟨contactlens⟩ lens ♦ *lenzen **dragen/hebben*** wear/have (contact) lenses, ⟨inf⟩ wear/have contacts; ***harde** lenzen* hard (contact) lenses; ***holle** lenzen* concave lenses; ***zachte/vloeibare** lenzen* soft/hydrophilic (contact) lenses [3] ⟨deel van het oog⟩ lens [4] ⟨m.b.t. uurwerken⟩ pendulum ball/disc [5] ⟨pen, spie⟩ linch-pin

²**lens** [bn] [1] ⟨slap⟩ weak ♦ *iemand lens **slaan*** knock s.o. senseless/silly/the stuffing out of s.o., ⟨BE ook⟩ duff s.o. up [2] ⟨leeg⟩ empty, dry ♦ *hij **is** lens* he is cleaned out, ⟨BE ook⟩ he is cleared out/broke; *de pomp **is** lens* the pump has gone dry; *het schip lens **pompen*** pump the ship dry, empty the bilges, free the ship of water ▪ *zich lens **trappen*** ↑ pedal with all one's might

lensbeursje [het] ⟨med⟩ cornea

lensinrichting [de^{v}] ⟨scheepv⟩ bilge-pump

lenskap [de] lens cap

lensklep [de] ⟨scheepv⟩ bilge valve

lenskop [de^{m}] rounded head

lensopening [de^{v}] [1] ⟨diafragma⟩ diaphragm [2] ⟨diameter⟩ aperture, stop

lenspapier [het] lens paper/tissue

lenspomp [de] ⟨scheepv⟩ bilge-pump

lenspoort [de] ⟨scheepv⟩ scupper

lensvorm [de^{m}] [1] ⟨vorm van een dubbelbolle lens⟩ lenticular shape [2] ⟨vorm van een soort van lens⟩ lens shape

lensvormig [bn] lenticular, lentoid

lenswater [het] ⟨scheepv⟩ bilge water

lengte van mensen 2/2

omrekenen naar feet and inches	
neem de lengte in centimeters	Mariska is 1,64 m, oftewel 164 centimeter
deel dit aantal door 30	164 gedeeld door 30 is 5,46
het getal voor de komma is het aantal **feet**	het getal voor de komma is 5; het aantal **feet** is 5
deel het getal na de komma door 12;	het getal na de komma is 46; 46 gedeeld door 12 is 3,8;
dit is het aantal **inches**	het aantal **inches** is 3,8
u heeft nu het aantal **feet and inches**	Mariska is (afgerond) 5 **foot** en 4 **inches**
omrekenen naar centimeters	
neem de lengte in **feet and inches**	Luke is 6 **foot** en 3 **inches**
vermenigvuldig het aantal **feet** met 30	6 maal 30 is 180
vermenigvuldig het aantal **inches** met 2,54	3 maal 2,54 is 7,62
tel het resultaat van 2 en 3 bij elkaar op	180 plus 7,62 is 187,62
u heeft nu de lengte in centimeters	Luke is (afgerond) 1,88 m

lente [de] [1] ⟨jaargetijde⟩ spring, springtime ♦ ***in** de lente* in (the) spring(time); *de lente **in** het hoofd hebben* have spring on one's mind, have/be beset with spring-fever; *één zwaluw **maakt** nog geen lente* one swallow doesn't make a summer; ⟨fig⟩ *een meisje **van** 21 lentes* a girl of 21 summers; *een **vroege**/een **late** lente* an early/a late spring [2] ⟨jeugd⟩ spring ♦ *zij was nog **in** de lente van haar leven* she was in the spring of her life

lenteachtig [bn, bw] springlike, ↑ vernal

lentebloem [de] [1] ⟨bloem⟩ spring flower, blossom of spring [2] ⟨fig; jong(e) man, meisje⟩ bud, (spring) flower, blossom

lentebock [het, de^{m}] spring bock

lentebode [de^{m}] ⟨form⟩ harbinger of spring

lenteboter [de] May/grass butter

lentebriesje [het] spring breeze

lentecollectie [de^{v}] spring collection

lentedag [de^{m}] spring day, day in (the) spring

lente-evening [de^{v}] vernal equinox

lentefeest [het] [1] ⟨feest van het begin van de lente⟩ vernal equinox festival [2] ⟨feest in de lente⟩ spring festival, Mayday festival

lentegroen [het] spring foliage ♦ *het **eerste** lentegroen* the first leaves/buds of spring

lenteklokje [het] [1] ⟨sneeuwklokje⟩ snowdrop [2] ⟨grasklokje⟩ harebell, bluebell

lentekoorts [de] spring fever

lentekriebel [de^{m}] spring fever

lentelucht [de] spring air

lentemaand [de] March

lentenachtevening [de^{v}] spring/vernal equinox

lentepunt [het] ⟨aardr⟩ spring/vernal equinoctial point, spring/vernal equinox, first point of Aries
lenteteken [het] vernal sign (of the Zodiac)
lentetijd [dem] [1] ⟨tijd van de lente⟩ springtime, spring tide [2] ⟨fig; jeugd⟩ spring(time)
lente-uitje [het] spring onion
lenteweer [het] spring weather
lentezon [de] spring sun
lenticel [de] ⟨plantk⟩ lenticel
lenticulair [bn] lenticular, lentoid
[1]**lento** [het] ⟨muz⟩ lento
[2]**lento** [bw] ⟨muz⟩ lento, slowly
[1]**lenzen** [onov ww] ⟨zeilsport⟩ scud, run before the storm
[2]**lenzen** [ov ww, ook abs] ⟨scheepv; lens pompen⟩ empty the bilges, free (a vessel) from water
lenzenstelsel [het] lens system, optical system
lenzenvloeistof [de] lens cleaner, lens solution
Leopoldsorde [de] Order of Leopold
lepel [dem] [1] ⟨keukengereedschap⟩ spoon, ⟨grote scheplepel⟩ ladle, ⟨lepeltje⟩ teaspoon ◆ *een baby **met** een lepel voeren* spoonfeed a baby; *het iemand **met** de lepel ingieten* ⟨fig⟩ spoonfeed s.o. with it, pound/hammer it into s.o. [2] ⟨hoeveelheid⟩ spoonful, ladleful ◆ *ieder uur een lepel **innemen*** take one spoonful every hour [3] ⟨heng⟩ spoon(-bait), spinner, troll [4] ⟨oor van een haas, konijn⟩ ear [5] ⟨deel van een boor⟩ (helical) groove [6] ⟨schoep van een scheprad⟩ paddle, blade, float [7] ⟨helft van een verlostang⟩ blade, jaw, beak ◆ *een kind **met** de lepels halen* deliver a child by forceps [8] ⟨deel van een kaphamer⟩ (scutch) blade [•] ⟨sprw⟩ *men vangt meer vliegen met een lepel honing/stroop dan met een vat azijn* honey catches more flies than vinegar; ⟨sprw⟩ *die met de duivel uit één schotel wil eten, moet een lange lepel hebben* he who sups with the devil should have a long spoon
lepelaar [dem] [1] ⟨moerasvogel⟩ spoonbill ◆ ***roze** lepelaar* roseate spoonbill [2] ⟨plant⟩ shepherd's purse
lepelbak [dem] ⟨amb⟩ bowl of a spoon
lepelblad [het] [1] ⟨deel van een lepel⟩ bowl of a spoon [2] ⟨plantengeslacht⟩ scurvy grass [3] ⟨deel van een boor⟩ (drill) chuck/head
lepelboom [dem] mountain laurel, calico bush, kalmia
lepeldiefjes [demv] ⟨plantk⟩ shepherd's purse
lepeldoosje [het] spoon box
[1]**lepelen** [ov ww] ⟨balspel⟩ scoop, chip, ⟨vooral golf⟩ spoon, lift ◆ *de bal **in** het doel lepelen* chip/scoop/lift the ball into the net; *de bal **over** de doelman heen lepelen* chip/scoop the ball over the goalie
[2]**lepelen** [ov ww, ook abs] [1] ⟨opscheppen, eten⟩ spoon (up), ⟨opscheppen⟩ ladle, ⟨scheppen⟩ scoop (up) ◆ *een bord **leeg** lepelen* empty/finish a plate; *iets **naar** binnen lepelen* spoon up (one's food), spoon sth. up [2] ⟨vissen (op)⟩ spoon, jig
lepelexcavateur [dem] power/mechanical shovel, dipper
lepelhaas [dem] jack(ass) rabbit
lepelkost [dem] spoon-food, spoon-meat
lepelkruid [het] scurvy grass
lepelmachinist [dem] excavator operator
lepelrek [het] spoon rack
lepelslang [de] Indian/spectacled cobra
lepelsteur [dem] paddlefish
lepelstruik [dem] mountain laurel, calico bush, kalmia
lepeltjesheide [de] American/large cranberry
lepeltjeshouding [dev] ⟨inf⟩ ◆ ***in** lepeltjeshouding* snuggled up against one's partner's/the other person's back
lepelvaasje [het] (tea)spoon vase
leperd [dem] slyboots, slick/shrewd customer, slick/shrewd operator, crafty/wily person
leplazarus ⟨inf⟩ [•] *zich het leplazarus **schrikken*** get the shock of one's life; ⟨vulg⟩ shit o.s.; *zich het leplazarus **werken*** work like blazes/hell/o.s. to death
leporello [het] [1] ⟨harmonicaboek⟩ illustrated book bound in concertina folds [2] ⟨boek⟩ concertina-type folder/booklet
lepra [de] leprosy, Hansen's disease
lepralijder [dem], **lepralijdster** [dev] leprosy sufferer, ⟨ook pej⟩ leper
lepralijdster [dev] → **lepralijder**
lepreus [bn] leprous
leproos [dem] leper, leprosy sufferer/patient
leprozenhuis [het] leper house/asylum/hospital
leprozenkolonie [dev] leper colony
leprozerie [dev] ⟨gesch⟩ leprosarium, leper house
lepton [het] ⟨natuurk⟩ lepton
leptosoom [bn] leptosomic, leptosomatic ◆ *een leptosoom **type*** a leptosome
leraar [dem], **lerares** [dev] [1] ⟨docent⟩ ⟨man & vrouw⟩ teacher, ⟨op school ook; man⟩ schoolmaster, ⟨vrouw⟩ schoolmistress ◆ *hij is leraar **Engels*** he's an English teacher, he teaches English; *het Nederlands **Genootschap** van Leraren (NGL)* ± the Dutch Association of Teachers; *de leraar **natuurkunde/scheikunde*** the physics/chemistry teacher; ***(on)bevoegde** leraren* ⟨BE⟩ (un)qualified teachers, ⟨AE⟩ (un) certified teachers; *leraar willen **worden*** want to be a teacher; *de leraren* the (teaching) staff/teachers [2] ⟨predikant⟩ minister, preacher
leraarsambt [het] teaching profession, teaching ◆ *hij **ambieert** het leraarsambt* he wants to go into teaching/has aspirations as a teacher
leraarsberoep [het] teaching profession, teaching ◆ *het leraarsberoep **kiezen*** decide to go into teaching/into the teaching profession/to become a teacher
leraarsbetrekking [dev] teaching post/position
leraarskamer [de], **lerarenkamer** [de] teachers' room, staff room, ⟨BE ook⟩ (teachers') common-room
leraarslokaal [het] ⟨in België⟩ teachers' room, staff room, ⟨BE ook⟩ (teachers') common-room
leraarsvergadering [dev] → **lerarenvergadering**
lerarenkamer [de] → **leraarskamer**
lerarenkorps [het] teaching staff, body of teachers
lerarenopleiding [dev] secondary teacher training (course) ◆ *de **nieuwe** lerarenopleiding (nlo)* teacher training college, college of education
lerarenvergadering [dev], **leraarsvergadering** [dev] staff meeting, teachers' meeting
lerares [dev] → **leraar**
[1]**leren** [het] [•] *het **nieuwe** leren* competence-based learning
[2]**leren** [bn, alleen attr] leather ◆ *een boek in leren **band*** a leather-bound book; *leren **handschoenen*** leather gloves
[3]**leren** [ov ww] [1] ⟨onderrichten omtrent⟩ teach (sth. to s.o./s.o. (how) to do sth.), train, instruct (s.o. in sth.) ◆ *een dier leren **gehoorzamen*** discipline an animal, train an animal to obey; *iemand leren **lezen en schrijven*** teach s.o. reading and writing/to read and write [2] ⟨zich een gewoonte eigen maken⟩ pick up, learn ◆ *hij leert **het** al aardig* he's coming on nicely/beginning to get the hang of it; *waar heb jij zo leren **vloeken**?* where did you pick up such swear-words/learn to swear like that? [3] ⟨brengen tot⟩ teach, show [•] ⟨sprw⟩ *nood leert bidden* ± hunger drives the wolf out of the wood; ± necessity is the mother of invention; ⟨sprw⟩ *een mens is nooit te oud om te leren* one is never too old to learn; ⟨sprw⟩ *met vallen en opstaan leert men lopen* if at first you don't succeed, try, try, try again; ⟨sprw⟩ *in nood leert men zijn vrienden kennen* a friend in need is a friend indeed; ± prosperity makes friends, adversity tries them
[4]**leren** [ov ww, ook abs] [1] ⟨kundigheid, kennis verwerven (van)⟩ learn ((how) to do) ◆ ***door** ervaring leren* learn by/through experience; *dat moet je leren **eten*** that's an acquired taste; *jij leert **het** nooit* you'll never learn; *zijn **huiswerk** leren* do one's homework; *iemand leren **kennen*** get to

know s.o., become/get acquainted with s.o., make s.o.'s acquaintance/the acquaintance of s.o.; ⟨iron⟩ *leer mij ze* ***kennen!*** don't I know them; *waar hebben jullie elkaar leren* ***kennen?*** where did you get to know/acquainted with each other?; *op dat gebied* ***kun*** *je nog heel wat van hem leren* you could go to school to him in these things, he can still teach you a few tricks of the trade/a thing or two; *we* ***kunnen*** *van hem nog wel iets leren* we still have sth. to learn from him; *leren* ***leren*** acquire study skills; *met iets leren* ***leven*** learn to live with sth.; *hij leert pas* ***lezen*** he's just learning to read; *leren* ***lopen*** learn to walk; ⟨fig⟩ find one's legs; *hij leert* ***moeilijk*** he's a slow learner, he has a lot of difficulty learning things; ***moeilijk*** *lerende kinderen* slow learners; *zij* ***moet*** *het nog leren* she's only a learner; *sommige mensen leren het* ***nooit*** some people just never learn/never seem to learn anything; *(een viool) om het* ***op*** *te leren* (a violin) to learn on; *iets* ***perfect*** *leren (beheersen)* get/have sth. down to a fine art/to a T, master sth.; *hij wil leren* ***schaatsenrijden*** he wants to learn (how) to ice-skate/learn iceskating; ***uit*** *de Bijbel leren we dat ...* the Bible teaches us that ...; *een* ***vak*** *leren* learn a trade; ***van*** *zijn ervaringen leren* learn from one's experiences; *als ze er nu maar wat* ***van*** *geleerd heeft* as long as she learned sth. from it; *hij leert* ***vlot*** he's a fast/quick learner; *iets al doende leren* pick sth. up as you go along; *iets van buiten/uit het hoofd leren* learn sth. by heart/rote/parrot-fashion, ⟨BE ook⟩ get (off) sth. by heart/rote/parrot-fashion, commit sth. to memory, memorize sth. [2] ⟨doen inzien⟩ teach, show ◆ *de* ***ervaring*** *leert ...* experience shows/teaches ...; *dat zal je leren* that'll teach you; *ik zal je leren (dat arme dier te plagen)* I'll teach you (to tease that poor animal) [3] ⟨studeren⟩ study, learn ◆ *haar kinderen kunnen* ***goed/niet*** *leren* her children are good/bad learners/pupils/students/fast/slow learners; ***voor*** *dokter leren* study to be a doctor; *hij heeft* ***weinig*** *geleerd* he's had little (formal) schooling, he left school early ⊡ ⟨sprw⟩ *al doende leert men* experience is the best teacher; ± practice makes perfect; ⟨sprw⟩ *jong geleerd, oud gedaan* ± learn young, learn fair; ± what's learnt in the cradle lasts till the tomb; ⟨sprw⟩ *wat Jantje niet leert, zal Jan nooit kennen* ± the child is father of the man; ± as the twig is bent, so is the tree inclined; ⟨sprw⟩ *de tijd zal het leren* time will tell

leren	
zelf iets leren	learn · *I learnt a lot in school today*
iets aan iemand anders leren	teach · *if you want, I can teach you how to do it*

lering [de^{v}] [1] ⟨wat men leert⟩ learning, lesson ◆ *dat* ***strekt tot*** *lering* that's instructive; *lering uit iets* ***trekken*** learn (a lesson) from sth., profit from sth.; ⟨form⟩ *hier is lering uit te* ***trekken*** one can learn (a lesson) from this; *tot lering en* ***vermaak*** for education and enjoyment [2] ⟨catechisatie⟩ instruction [3] ⟨leerstelling⟩ teaching(s) ◆ *de lering van de* ***kerk*** the teaching(s) of the church

les [de] [1] ⟨onderwijs⟩ lesson, class ◆ *van 9 tot 12 les* ***hebben*** have a lesson/class from 9 to 12; *we* ***hebben*** *morgen geen les* there are no classes tomorrow; *les* ***in*** *muziek/tekenen* music/drawing/art classes; *een les* ***laten uitvallen*** drop/cut a class; *les* ***nemen/krijgen/geven*** take/have/give lessons/classes (in); *praten* ***onder*** *de les* talking in/during (the) lesson/in class; ***op*** *Franse les zijn* be taking French lessons/classes; *een* ***openbare*** *les* ⟨aan universiteit⟩ a inaugural (lecture); *iemands lessen* ***volgen,*** *les* ***volgen*** *bij iemand* take lessons from/study under s.o. [2] ⟨cursus⟩ lesson, class, course (of study) [3] ⟨iets dat onderwezen wordt⟩ lesson ◆ ***bij*** *de les blijven* pay attention to/keep one's mind on the lesson; ⟨fig⟩ be alert [4] ⟨de te leren stof⟩ lesson ◆ *zijn les* ***kennen*** have done one's work; *een les* ***opgeven/leren*** set/learn a lesson; *zijn les* ***opzeggen/opdreunen*** recite/say a lesson; *zijn les* ***voorbereiden*** prepare one's lessons [5] ⟨moreel onderricht⟩ lesson ◆ *hij kan je daarin een lesje* ***geven*** he can show you a thing or two, he could give you some pointers on that; *ik heb mijn lesje wel* ***geleerd*** I've learned my lesson; *een les* ***trekken*** *uit* derive/draw/learn a lesson from, learn from [6] ⟨voorschrift, vermaning⟩ lecture, lesson ◆ *iemand een lesje* ***geven*** teach s.o. a lesson; *dat is een* ***goede*** *les voor hem geweest* that's been a good lesson to him; ***laat*** *dit een les voor u* ***zijn*** let this be a lesson to you; *iemand de les* ***lezen,*** ⟨in België⟩ *iemand de les* ***spellen*** teach/read s.o. a lesson, lecture s.o., give s.o. a (sound) lecturing, haul s.o. over the coals; *een* ***wijze*** *les* a wise lesson [7] ⟨r-k⟩ lesson

lesauto [de^{m}], **leswagen** [de^{m}] ⟨BE⟩ learner car, ⟨AE⟩ driver education/training car

lesbi [de^{v}] dyke, ⟨vnl AE; vaak beled⟩ lez(zie)

lesbianisme [het] lesbianism

lesbienne [de^{v}] lesbian, dyke, ⟨vnl AE; vaak beled⟩ lez(zie), ⟨mannelijk type; sl⟩ butch, ⟨AE ook⟩ bulldyke, ⟨vrouwelijk type⟩ fem(me)

Lesbiër [de^{m}], **Lesbische** [de^{v}] inhabitant of Lesbos, ⟨geboren op Lesbos⟩ native of Lesbos, ⟨zeldz⟩ Lesbian

lesbisch [bn] lesbian, gay, ⟨vermannelijkt; sl⟩ butch ◆ *(de) lesbische* ***liefde*** lesbianism, Sapphism; *een lesbische* ***vrouw*** a lesbian; *lesbisch* ***zijn*** be (a) lesbian/gay; *ze* ***zijn*** *allebei lesbisch* they're both lesbians/gay

Lesbische [de^{v}] → **Lesbiër**

lesbo [de^{v}] dyke, ⟨vnl AE; vaak beled⟩ lez(zie)

lesboek [het] exercise book

lesboer [de^{m}] (teaching) hack, nine-to-five teacher ◆ *soms voel ik me net een lesboer* sometimes I feel I'm just a teaching machine

lesbrief [de^{m}] hand-out, ⟨van een schriftelijke cursus⟩ study packet, lesson

lesgeld [het] tuition fee(s)

lesgeven [ww] teach, give lessons (in) ◆ *hij kan* ***goed*** *lesgeven* he's a good teacher/instructor; *de kunst van* ***het*** *lesgeven verstaan* know/understand the art of teaching

leskeuken [de] instruction kitchen

leslokaal [het] classroom, schoolroom

lesmateriaal [het] teaching material

lesmodule [de^{m}] teaching module

Lesothaan [de^{m}], **Lesothaanse** [de^{v}] ⟨man & vrouw⟩ Mosotho, Basotho ⟨mv⟩, ⟨vrouw ook⟩ Lesotho woman/girl

Lesothaans [bn] Lesotho

Lesothaanse [de^{v}] → **Lesothaan**

Lesotho [het] Lesotho

lespakket [het] teaching package

lesrooster [het, de^{m}] school timetable/^{A}schedule

[1]**lessen** [onov ww] ⟨inf⟩ ⟨les nemen, geven⟩ take/give lessons, ⟨geven ook⟩ teach ◆ ***bij*** *wie les jij?* who are you taking/do you take lessons from?, who's your teacher?

[2]**lessen** [ov ww] [1] ⟨m.b.t. dorst⟩ quench, ⟨form⟩ allay, slake ◆ *zijn* ***dorst*** *lessen* quench/satisfy/slake one's thirst [2] ⟨m.b.t. gevoelens, verlangens, begeerten⟩ assuage, smooth, moderate, satisfy [3] ⟨m.b.t. kalk⟩ slake, slack

lessenaar [de^{m}] [1] ⟨schrijf-, leestafel⟩ (reading/writing) desk, lectern [2] ⟨meubel waarop het muziekblad ligt⟩ music stand [3] ⟨blad waarop het misboek ligt⟩ lectern [4] ⟨broeibak⟩ lean-to hothouse

lessenaarsdak [het] pent-roof, ⟨tegen muur van ander gebouw aan⟩ lean-to roof

lesstof [de] teaching material

lest [bn, bw] last ⟨bw: ~ly⟩ ◆ *ten* ***langen*** *leste* at (long) last, finally ⊡ ⟨sprw⟩ *lest best* the last is the best

lestijd [de^{m}] teaching/instruction period ◆ *de lestijden zijn* ***van*** *9* ***tot*** *12* lessons are from 9 to 12

lestoestel [het] instruction machine, ⟨vliegtuig⟩ trainer

lesuur [het] lesson, period, ⟨vnl AE⟩ class

lesvliegtuig [het] training plane/aircraft, trainer

lesvlucht [de] training/instruction flight
leswagen [de^{m}] → **lesauto**
let [de^{m}] ⟨sport⟩ let
Let [de^{m}], **Letse** [de^{v}], **Letlander** [de^{m}], **Letlandse** [de^{v}] Latvian
letaal [bn] lethal, deadly ♦ *letale genen* lethal genes
letaliteit [de^{v}] [1] ⟨dodelijkheid⟩ lethality, deadliness [2] ⟨sterfte⟩ lethality, mortality, death rate
letbal [de^{m}] ⟨sport⟩ let (ball)
lethargie [de^{v}] lethargy, apathy, ↑ torpor, ⟨(ziekelijke) slaapzucht⟩ lethargy
lethargisch [bn] lethargic, apathetic, ↑ torpid, ⟨slaapzuchtig⟩ lethargic
Letland [het] Latvia

Letland	
naam	*Letland* **Latvia**
officiële naam	*Republiek Letland* **Republic of Latvia**
inwoner	*Let; Letlander* **Latvian**
inwoonster	*Letse; Letlandse* **Latvian**
bijv. naamw.	*Lets; Letlands* **Latvian**
hoofdstad	*Riga* **Riga**
munt	*lats* **lats**
werelddeel	*Europa* **Europe**
int. toegangsnummer **371** www .lv auto **LV**	

Letlander [de^{m}] → **Let**
Letlands [bn] → **Lets**[1]
Letlandse [de^{v}] → **Let**
letrozol [de^{m}] Letrozole
[1]**Lets** [het] ⟨taalk⟩ Latvian, ⟨vero⟩ Lettish
[2]**Lets** [bn], **Letlands** [bn] Latvian, ⟨vero⟩ Lettish
Letse [de^{v}] → **Let**
letsel [het] injury, harm, damage ♦ ***ernstig** letsel oplopen* be seriously/gravely/severely injured/hurt; ***lichamelijk** letsel oplopen* sustain/receive/suffer/meet with physical injury; *iemand zwaar **lichamelijk** letsel toebrengen* inflict grievous bodily harm on s.o.; *hij is er **zonder** letsel afgekomen* he escaped without injury
letseladvocaat [de^{m}] personal injury lawyer
letselschade [de] ⟨verz⟩ (bodily) injury
letselschadeadvocaat [de^{m}] personal injury lawyer
[1]**letten** [onov ww] [1] ⟨acht slaan op⟩ pay attention (to), ↑ heed, take heed (of), mind, attend (to) ♦ *daar heb ik niet **op** gelet* I didn't notice/don't recall (having seen that); *daar hoef je niet **op** te letten* you can disregard that/leave that out (of consideration); *geen mens die **er op** let* nobody takes any notice, nobody will notice; *let **op** het verschil* notice/please note the difference; *let **op** mijn woorden* mark/mind/heed my words; *let maar niet **op** haar* don't pay any attention to her, don't mind her; *zonder te letten **op** ...* without regard to/heedless/regardless of ...; *speciaal **op** iets letten* take particular/special care of sth., pay special attention to sth.; *let **op** onze aanbiedingen* look (out) for our special offers; ***op** zijn gezondheid letten* consider/pay attention to/watch one's health, take care of o.s.; *gelet **op** het besluit van de raad* in view of/having regard to/considering the council's decision; *er werd niet **op** zijn woorden gelet* his words went unheeded; *je moet niet alleen **op** de prijs letten* it's not only the price that matters/counts; *ik moet ook een beetje **op** de prijs letten* I also have to think of/consider the cost; *let **wel*** mind/mark you, remember, note [2] ⟨toezicht houden op⟩ take care of, look after, keep an eye on, watch, ⟨er op toezien⟩ take care, make sure ♦ *let **op** je woorden* mind your words/language, be careful what you say, choose your words with care; *let **op** de kinderen* mind/take care of/look after/keep an eye on the children; *goed **op** iemand letten* take good care of s.o.; ***op** de/zijn tijd letten* keep an eye on/watch the time; ***op** iemands kinderen letten* babysit for s.o.; *ik moet **op** mijn gewicht letten* I've got to watch my weight; *er wordt niet **op** de spelling gelet* spelling will not be considered/taken into account; *er wordt ook **op** de uitspraak gelet* pronunciation is also taken into consideration; *er werd hoofdzakelijk/uitsluitend/minder **op** de kwaliteit gelet* quality was the main/only/a secondary consideration
[2]**letten** [ov ww] ⟨verhinderen⟩ prevent/stop (s.o. (from) doing sth.), keep (s.o. from doing sth.) ♦ ***wat** let je?* what's keeping/stopping you?, don't let me stop you, go ahead; ***wat** let mij?* what's to stop me (doing it)?
letter [de] [1] ⟨teken, klank⟩ letter, character, ⟨mv, opschrift⟩ lettering ♦ *met **cursieve/schuine** letters gedrukt* printed in italics, italicized; *een **dikke/vette** letter* a boldface/fullface/heavy letter, bold/heavy type; *zijn naam staat met **gouden** letters opgetekend* his name resounds (throughout), his name commands universal acclaim; *met **grote** letters* in big letters; ⟨hoofdletters⟩ in capitals; ⟨drukletters⟩ in large type; ***grote/kapitale** letter* big/capital letter; ⟨drukw⟩ upper-case/capital letter; ⟨fig⟩ *geen letter van iets **kennen/weten*** not have the faintest idea about sth.; ***kleine** letter* small letter; ⟨drukw⟩ lower-case letter; ⟨fig⟩ *het staat in de **kleine** letters* it's in the small/fine print; *hier moet je het woord schrijven met een **kleine/grote** letter L* in this case you have to spell the word with a small/capital L; *de letters **leren*** learn the alphabet/to read and write; ***romeinse/gotische** letters* Roman/Gothic letters/print; ⟨opschrift⟩ Roman/Gothic lettering; *letter **voor** letter* letter for/by letter, ↑ literatim; *geen letter (meer) op papier **zetten*** not write another word [2] ⟨letterlijke inhoud⟩ letter ♦ ***naar** de letter* to the letter; *iets **naar** de letter opvatten* take sth. literally; *niet **naar** de letter, maar naar de geest oordelen* judge according to the spirit of the letter; *vasthouden aan de letter van de **wet*** keep/cling to the letter of the law [3] ⟨afdeling van een register⟩ letter [4] ⟨drukw⟩ type(face), fount ♦ *drukken met **losse** letters* typeset
letterbak [de] type case, case
letterband [het, de^{m}] name-tape
letterbanket [het] letter-shaped almond pastry
letterblokje [het] letter-cube
letterbreedte [de^{v}] ⟨drukw⟩ set (width)
letterbrij [de^{v}] alphabet soup
lettercode [de^{m}] letter code
lettercombinatie [de^{v}] combination (of letters)
lettercorrectie [de^{v}] single character correction
letterdief [de^{m}] plagiarist, plagiarizer
letterdieverij [de^{v}] plagiarism
letterdoos [de] box/set of letters (used in initial reading and writing instruction)
letterdruk [de^{m}] letterpress, printing from type
[1]**letteren** [de^{mv}] [1] ⟨taal- en letterkunde⟩ language and literature, arts, ⟨AE ook⟩ liberal arts, ⟨alg geesteswetenschappen⟩ humanities ♦ *de **faculteit** der letteren/letteren en wijsbegeerte* ⟨BE⟩ ± the Faculty of Arts, ⟨AE⟩ ± the Arts College; *letteren **studeren*** be an arts student, ⟨AE ook⟩ be a liberal arts student [2] ⟨literatuur⟩ letters, literature, ⟨filologie⟩ philology ♦ *de **republiek** der letteren* the republic of letters; *het **rijk** der letteren* the Commonwealth of Letters; *de **schone** letteren* the belles lettres
[2]**letteren** [ov ww] letter, mark
lettergieten [ww] typecast(ing)
lettergieter [de^{m}] type-founder, letter-founder
lettergieterij [de^{v}] type-foundry, letter-foundry
lettergreep [de] syllable ♦ *de op één/twee na **laatste** lettergreep* the penultimate/antepenultimate syllable; *een **open/gesloten** lettergreep* an open/a closed syllable
lettergreepraadsel [het] charade
lettergreepschrift [het] syllabary
lettergrootte [de^{v}] ⟨drukw⟩ type size, character size
letterhaak [de^{m}] composing stick
letterhout [het] letterwood
letterkast [de] type case, printer's drawer

letterkeer [de^m] anagram
letterkorps [het] type size/body/face
letterkunde [de^v] [1] ⟨kennis, wetenschap⟩ literature, letters ♦ *letterkunde* ***studeren*** study literature [2] ⟨werken⟩ literature ♦ *de* ***Nederlandse*** *letterkunde* Dutch literature, literature of the Low Countries [3] ⟨les⟩ literature (class) ♦ *twee* ***uur*** *letterkunde per week* two hours literature a week
[1]**letterkundig** [bn] ⟨literair⟩ literary ♦ *de letterkundige geschiedenis* literary history; *geschriften van letterkundige* ***waarde*** documents of literary value
[2]**letterkundig** [bw] ⟨literair⟩ literarily
letterkundige [de] [1] ⟨kenner⟩ man/woman of letters, literary man/woman, student of literature [2] ⟨beoefenaar⟩ man/woman of letters, literary man/woman, ⟨form⟩ litterateur, belletrist
letterlievend [bn] [1] ⟨literatuur beminnend⟩ literature-loving, literary-minded [2] ⟨bevordering van de letterkunde ten doel hebbend⟩ literary
[1]**letterlijk** [bn, bw] ⟨woordelijk⟩ literal ⟨bw: ~ly⟩, ⟨citaat, vertaling⟩ verbal, ⟨citaat⟩ verbatim ♦ *de rommelmarkt viel letterlijk en* ***figuurlijk*** *in het water* the jumble-sale was a washout in both senses of the word/literally and figuratively; *iets al te letterlijk* ***opvatten*** take sth. too literally; *de letterlijke* ***tekst*** the verbatim text; *een bevel letterlijk* ***uitvoeren*** carry out an order to the letter; *een letterlijk* ***verslag*** *van de feiten* a literal rendering of the facts; *iets letterlijk* ***vertalen*** translate sth. literally/verbally; *dat* ***waren*** *letterlijk zijn woorden* those were his very words; *in de letterlijke en figuurlijke* ***zin/betekenis*** in the literal and figurative sense
[2]**letterlijk** [bw] ⟨volstrekt⟩ literally, totally ♦ *daar is letterlijk* ***niets*** *mee te beginnen* there is literally/absolutely nothing you can do with it
letterlijn [de] ⟨drukw⟩ (letter-)line
letteromzetting [de^v] [1] ⟨metathesis⟩ metathesis, transposition of (two) letters [2] ⟨anagram⟩ anagram
letterplank [de] letter-board (used in reading classes)
letterproef [de] [1] ⟨med⟩ Snellen test [2] ⟨drukw⟩ example(s)/catalogue of types
letterraadsel [het] letter/word puzzle
letterrijm [het] letter rhyme
letterroof [de^m] plagiarism
letterschilder [de^m] sign painter, letterer
letterschrift [het] alphabetical script/writing
letterserie [de^v] letter, ⟨BE⟩ font, ⟨AE⟩ fount
letterslot [het] letter-lock, combination lock, permutation lock
lettersnijder [de^m] type cutter
lettersoort [de] type, typeface, font, letter
letterspecie [de^v] type-metal
lettertang [de] device for punching/embossing letters on a tape, dymo ⟨merknaam⟩, tapewriter
letterteken [het] [1] ⟨schriftteken⟩ character, letter [2] ⟨herkenningsteken⟩ mark(ing) [3] ⟨muz⟩ accent
lettertekenaar [de^m] designer (of type), typefounder
lettertje [het] [1] ⟨kleine letter⟩ small character/letter ♦ *de* ***kleine*** *lettertjes* the fine/small print [2] ⟨briefje⟩ note, line
lettertoets [de^m] character key
lettertype [het] type(face), ⟨BE⟩ fount, ⟨AE⟩ font, ⟨comp⟩ font, letter
lettervers [het] acrostic
lettervreter [de^m] ⟨inf⟩ compulsive/voracious reader, bookworm
letterwiel [het] ⟨op schrijfmachine, printer⟩ daisywheel
letterwoord [het] acronym
letterzetmachine [de^v] typesetting/composing machine, typesetter
letterzetten [ww] typeset, compose (type) ♦ ***het*** *letterzetten* typesetting, composing, typography
letterzetter [de^m] [1] ⟨typograaf⟩ compositor, typesetter, typographer, case-man, ⟨inf⟩ typo [2] ⟨penseel⟩ lettering pencil/brush
letterzetterij [de^v] composing room, case-room
letterziften [ww] quibble, pettifog ♦ ***het*** *letterziften* quibbling, pettifogging, nitpicking
letterzifter [de^m] quibbler, pettifogger, nitpicker
Letzeburgs [het] Luxemburgian
leugen [de] [1] ⟨onwaarheid⟩ lie, falsehood, untruth ♦ *het zijn* ***allemaal*** *leugens* it's all lies; *hij is in zijn* ***eerste*** *leugen niet gestikt* that is not the first lie he has told; ⟨jur⟩ *de* ***grote*** *leugen* the pretension of adultery in order to obtain a divorce; *een* ***grove*** *leugen* a gross/big lie; *een* ***klein*** *leugentje* a fib; *zich* ***met*** *een leugentje proberen te redden* try to lie one's way/o.s. out (of trouble); *een leugentje* ***om*** *bestwil* a white lie; *een* ***onbeschaamde*** *leugen* a barefaced lie; *een* ***regelrechte*** *leugen* a blatant/flagrant lie; *hij hangt* ***van*** *leugens aan elkaar* he is made up of lies, he is a great liar, he lies in his teeth; *leugens* ***verkopen*** tell lies/stories/tales; *leugens* ***verzinnen*** make up/fabricate/invent stories; ***waarheid*** *en leugen* truth and falsehood [2] ⟨het liegen⟩ lying, ⟨form⟩ mendacity ♦ *hij leeft van leugen en* ***bedrog*** he is a cheat and a liar [3] ⟨valsheid⟩ lie, deceit ♦ *haar leven was één* ***grote*** *leugen* her whole life was one big lie/deceit/sham [•] ⟨sprw⟩ *een leugen om bestwil is geen zonde* ± better a lie that heals than a truth that wounds; ⟨sprw⟩ *leugens hebben korte benen* lies have short legs; a lie has no legs; (the) truth will out; ⟨sprw⟩ *al is de leugen nog zo snel, de waarheid achterhaalt haar wel* ± a lie has no legs; ± a lie never lives to be old; ± (the) truth will out
leugenaar [de^m], **leugenaarster** [de^v] ⟨man & vrouw⟩ liar ♦ *iemand* ***tot*** *(een) leugenaar* ***maken*** set s.o. down/show s.o. up as a liar; *iemand* ***voor*** *leugenaar* ***uitmaken*** give s.o. the lie (in his/her throat/teeth)
leugenaarster [de^v] → **leugenaar**
leugenachtig [bn] [1] ⟨geneigd tot liegen⟩ lying, deceitful, false, untruthful, ⟨form⟩ mendacious [2] ⟨onwaar⟩ lying, false, untrue, untruthful, ⟨form⟩ mendacious ♦ *leugenachtige* ***praatjes*** lying/untrue rumours/stories [3] ⟨liegend⟩ lying, false, untruthful
leugenachtigheid [de^v] [1] ⟨onwaarheid⟩ falsehood, lie, untruth, ⟨form⟩ mendacity [2] ⟨zucht tot liegen⟩ untruthfulness, falseness, falsehood, deceit, ⟨form⟩ mendacity
leugenbeest [het] fibber, habitual liar, ⟨form⟩ consummate liar
leugencampagne [de] smear campaign, mudslinging
leugendetector [de^m] lie detector
leugenprofeet [de^m] false prophet
leugentaal [de] lies, lying, claptrap, humbug, ⟨sl⟩ guff
leugentest [de^m] lie test
leugenverhaal [het] lie, fable, (tall) story, yarn, ⟨leugentje; inf⟩ fib
leuk [bn, bw] [1] ⟨amusant⟩ funny ⟨bw: funnily⟩, amusing, jolly, droll ♦ *dat is allemaal leuk en* ***aardig,*** *maar …* that's all well and good, but …; *leuk is* ***anders!*** not exactly my idea of fun!; ⟨iron⟩ *wat* ***ben*** *je weer leuk* aren't you funny; *ben jij de* ***leukste thuis?*** are you the family jester?; *hij denkt zeker dat hij leuk* ***is*** he seems to think he is funny; *nu is het* ***niet*** *leuk* ***meer!*** ⟨ook⟩ this is really getting beyond a joke; ***'t leuke*** *is …* the funny thing/part is that …; *'t leukste was …/komt* ***nog*** the best part of it was …/is still to come; ***wat*** *leuk!* what fun!, how amusing/funny!; *hij* ***wil*** *altijd leuk/de leukste* ***zijn*** he always wants to be the funniest guy in town; *(wachten/tv kijken) tot het leuk* ***wordt*** (wait/watch TV) till it improves; *dat zou niet erg leuk* ***zijn*** that wouldn't be much fun; ⟨iron⟩ *nou, leuk hoor!* very funny!, fun!, some joke!; *ik zie niet in wat daar voor leuks aan is* I don't see the fun of this/where the joke comes in [2] ⟨knap, flatteus⟩ pretty ⟨bw: prettily⟩, charming, attractive, nice ♦ *een leuk* ***bedrag*** quite a handsome sum; *een leuk* ***hoedje*** a pretty hat; *een leuke* ***meid*** a pretty girl; *leuk* ***om*** *te zien* pretty to look at; *een leuke* ***prijs*** *voor iets maken* get a good price for sth.; *dat* ***staat***

je leuk it looks pretty/good on you; *echt een leuke* ***vent/knul*** a real nice guy, ⟨BE ook⟩ a real nice chap; *ze* ***vindt*** *hem kennelijk nogal leuk* apparently she rather fancies him; *een leuk* ***zakcentje*** nice pocket-money; *wat* ***zit*** *je haar leuk!* your hair looks pretty! [3] ⟨prettig⟩ nice ⟨bw: ~ly⟩, pleasant ◆ *(dat is) allemaal leuk en* ***aardig****, maar ...* (that is) all well and good/very well, but ..., (that is) all fine and dandy, but ...; *hij kon 't zo leuk* ***brengen*** he could present it so nicely; ⟨kind⟩ ***heb*** *je leuk* ***gespeeld****?* played nicely?; *dat* ***heb*** *je leuk* ***gedaan*** you've done that quite well, ⟨AE ook⟩ you've done that quite handsomely; *er* ***iets*** *leuks van maken* make sth. of it; *laten we* ***iets*** *leuks gaan doen* let's do sth. nice; ⟨iron⟩ *dat* ***kan*** *leuk* ***worden!*** that could be fun!, we might be in for sth.!; *dat was een leuke* ***tijd*** life was good fun then, those were the days; *echt een leuke* ***vent/knul*** a real nice guy, ⟨BE ook⟩ a real nice chap; *welk boek* ***vind*** *je 't leukst?* which book do you like best?; *ik* ***vind*** *het niet leuk om dat te doen* I don't fancy doing that, I don't much like that; *iets leuk* ***vinden*** enjoy/like sth., be pleased at/with sth.; *vissen/zwemmen niet meer leuk* ***vinden*** have gone off fishing/swimming; *ik vind het leuk* ***werk*** I enjoy/like the work; *leuk dat je gebeld hebt* it was nice of you to call/ring

leukemie [de^{v}] ⟨med⟩ leukaemia

leukerd [de^{m}] funny man/guy, ⟨BE ook⟩ funny chap, wisecracker

leukheid [de^{v}] [1] ⟨grappigheid⟩ fun, jollity [2] ⟨onverschilligheid⟩ coolness, dryness [3] ⟨pret, gezelligheid⟩ fun [4] ⟨grap⟩ joke, wisecrack

leukig [bn] artificially funny

leukjes [bw] coolly, dryly, laconically

leukocyt [de^{m}] leucocyte, ⟨AE⟩ leukocyte, white blood cell

leukocytose [de^{v}] leukocytosis

leukodepletie [de^{v}] leukodepletion

leukoplastMERK [het, de^{m}] ⟨BE⟩ sticking plaster, ⟨AE⟩ adhesive tape, ⟨oorspronkelijk merknaam; inf; AE⟩ band-aid

leukose [de^{v}] [1] ⟨leukemie⟩ leukaemia [2] ⟨leukodermia⟩ leucoderma, ⟨AE⟩ leukoderma [3] ⟨hoenderziekte⟩ leukosis

leukotomie [de^{v}] leucotomy

leukweg [bw] coolly, dryly, laconically

leunen [onov ww] [1] ⟨in opgerichte houding⟩ lean (on/against), rest (on/against) ◆ ***op*** *een stok leunen* lean on a cane; ⟨fig⟩ *zwaar* ***op*** *een ander leunen* rely heavily on s.o. else [2] ⟨in schuine houding⟩ lean (on/against), rest (on/against) ◆ *met het hoofd/de ellebogen* ***op*** *iets leunen* lean/rest one's head/elbows on sth.; ***tegen*** *de muur leunen* lean/rest against the wall; *het dorp leunde* ***tegen*** *de berg* the village clung to the mountain; ***uit*** *het raam leunen* lean out of the window

leuning [de^{v}] [1] ⟨m.b.t. trap⟩ (hand)rail, bannisters ◆ *zijn jas* ***over*** *de leuning hangen* hang one's coat over the railing [2] ⟨m.b.t. meubels⟩ ⟨rug⟩ back, ⟨armleuning⟩ arm (rest) [3] ⟨balustrade⟩ rail(ing), guardrail, parapet, balustrade [4] ⟨reling⟩ rail

leunspaan [de] support(er), hand/arm/elbow rest

leunstoel [de^{m}] armchair, easy chair, lounge chair

leurder [de^{m}] pedlar, ⟨AE⟩ peddler, hawker

leurderskaart [de] ⟨in België⟩ street vender's permit

leuren [onov ww] peddle, ⟨leuren met; ook⟩ hawk ◆ ***met*** *encyclopedieën leuren* peddle/hawk encyclopaedias

leus [de] slogan, motto, ⟨van partij e.d.⟩ (rallying-)cry, (war/battle) cry, ⟨in wapenschild⟩ device ◆ *dat zijn* ***maar*** *leuzen* these are mere buzz words/catchphrases/parrot-cries; *leuzen* ***meevoeren*** *in een demonstratie* carry slogans in a demonstration; *de leuzen van de* ***partij*** the party slogans/battle cries/war cries/rallying cries; *anticommunisme is de leus van de nieuwe* ***regering*** anticommunism is the catchword of the new government

leut [de] [1] ⟨plezier⟩ fun, mirth ◆ *veel leut* ***hebben*** have a lot of fun, ⟨inf⟩ have a whale of a time, ⟨sl⟩ have a ball; ***voor*** *de leut* for fun/a lark [2] ⟨koffie⟩ coffee ◆ *een* ***bakje*** *leut* a cup of coffee

leute [de^{v}] ⟨in België⟩ laugh, ⟨ogm⟩ fun, frolic, lark

leuter [de^{m}] ⟨vulg⟩ prick, dick, cock

leuteraar [de^{m}] [1] ⟨iemand die kletst⟩ driveller, twaddler, drooler [2] ⟨iemand die treuzelt, talmt⟩ dawdler, loiterer

leuteren [onov ww] [1] ⟨kletsen⟩ drivel, ⟨BE ook⟩ waffle, ⟨sl⟩ piffle ◆ *hij* ***zat*** *weer verschrikkelijk* ***te*** *leuteren* (there) he was drivelling on again [2] ⟨talmen⟩ dawdle, loiter

leuterig [bn] [1] ⟨besluiteloos⟩ dawdling, loitering [2] ⟨zanikerig⟩ drivelling

leuterkous [de] driveller, twaddler, chatterbox

leuterpraat [de] drivel, ⟨inf⟩ piffle, ⟨sl; BE⟩ rot ◆ *leuterpraatjes* ***verkondigen*** talk piffle/rot

leutig [bn, bw] funny(-ha-ha) ⟨bw: funnily⟩, amusing, jolly, droll

Leuven [het] Leuven, Louvain

Leuvens [bn] Leuven, Louvain, ⟨na zelfstandig naamwoord⟩ of/from Leuven

levade [de^{v}] levade

levant [de^{m}] levanter

Levant [de^{m}] Levant

levantijn [de^{m}] ⟨schip⟩ Levantine

Levantijn [de^{m}] ⟨inwoner⟩ Levantine

Levantijns [bn] Levantine

¹leven [het] [1] ⟨het bestaan⟩ life, existence ◆ *het leven* ***begint*** *bij 40* life begins at 40; ***bij*** *leven en welzijn* all being well, if all is well, God willing; *tussen leven en* ***dood*** *zweven* hover/be poised between life and death; *elkaar op leven en* ***dood*** *bestrijden* wage a life-and-death struggle, fight tooth and nail; *fluitend* ***door*** *het leven gaan* whistle one's way through life; *zijn leven* ***geven/laten voor*** *zijn land* lay down one's life for one's country; *zijn leven* ***hangt*** *aan een zijden draad(je)* his life hangs by a thread; *de aanslag* ***heeft*** *aan twee mensen het leven* ***gekost*** the attack cost two people their lives/cost the lives of two people/has caused the death of two people; ***in*** *leven blijven* live, stay/keep alive, survive; *nog* ***in*** *leven zijn* be still alive, ⟨inf⟩ be still kicking around; *iets* ***in*** *leven houden* keep sth. alive; *net genoeg om* ***in*** *leven te blijven* just enough to maintain life/to keep body and soul together; *zo* ***is*** *het leven* that's/such is life; *dat* ***kostte*** *hem het leven* that killed him, that cost him his life; *het leven is zo* ***kwaad*** *nog niet* life is still worth living; *het leven* ***laten/erbij inschieten*** lose one's life; *zijn leven* ***loopt*** *op een eind* his end is drawing near; ⟨inf⟩ his days are numbered; *iemand* ***naar*** *het leven staan* want to kill s.o., be after s.o.'s blood/life; ***om*** *het leven komen* lose one's life, meet one's end, perish, be killed; *iemand* ***om*** *het leven brengen* kill s.o., take s.o.'s life; *op gewelddadige wijze* ***om*** *het leven komen* meet (with)/come by a violent death, die a violent death; *een strijd* ***op*** *leven en dood* a life-and-death struggle, a fight/struggle to the death; *als je je leven nog eens kon* ***overdoen*** if (only) you could start over again; *het leven* ***schenken aan*** give birth to; *iemand het leven* ***schenken*** spare s.o.'s life, let s.o. live; *geen* ***teken*** *van leven meer geven* give no sign of life anymore; ***voor*** *hun leven wordt* ***gevreesd*** there are fears for their lives; *zijn leven* ***wagen*** risk one's life, take/carry one's life in one's own hands, dice with death; *alle leven* ***was geweken*** all life had ebbed away; *als je leven je lief* ***is*** if you value your life; ⟨BE ook⟩ if you hold your life dear; *zijn leven niet (meer) zeker zijn* be not safe here (anymore); *rennen alsof je leven ervan afhangt* run as if life depends on it, run for one's dear life [2] ⟨werkelijkheid, levensechtheid⟩ life, reality ◆ *een stichting* ***in*** *het leven roepen* bring/call a foundation into being/existence, establish/create a foundation; *een organisatie* ***in*** *het leven roepen* set up/build up/form an organization; *tekenen/schilderen* ***naar*** *het leven* draw/paint from life/nature; ***uit*** *het leven gegrepen* true to life, taken/drawn from (real) life, a slice of life [3] ⟨levensduur⟩ life, lifetime ◆ *je doet er je **hele** leven mee* you'll have it for life; *de **kans** van je leven* the chance of a lifetime; *zulke vooroordelen hebben een **lang** leven* such prejudices die hard; *daar heb je je hele leven **lang** genoeg aan* it will last you a lifetime; *zijn leven **slijten*** spend one's days; ***van** zijn leven niet* never (in all my life), never ever, not on your life; *dat heb ik nog nooit **van** mijn leven gezien* I have never seen that in my life/in all my born days; *zijn hele **verdere** leven* for the rest of his life, ⟨form⟩ for the rest of his living days; ***voor** het leven benoemd* appointed for life; ***voor** het leven getekend* marked/branded for life; *een lidmaatschap **voor** het leven* a life membership; *hij is **voor** zijn leven invalide* he will be an invalid for the rest of his life; *iemand het leven zuur maken* make s.o.'s life a misery [4] ⟨levenswijze⟩ life, living ◆ *het leven van **alledag*** the everyday/trivial life; *zijn leven **beteren*** better one's life, mend one's ways; *een leven van **dag** tot **dag*** a hand-to-mouth existence; *een **druk** leven hebben* lead a busy/an active life; *zijn **eigen** leven leiden* lead one's own life; ⟨fig⟩ *zijn **eigen** leven gaan leiden* ⟨bijvoorbeeld van verhaal/gerucht⟩ lead/assume a life of its own; *een dief die zijn leven **gebeterd** heeft* a reformed thief; *een **gemakkelijk** leven hebben* have an easy life; *van een **goed** leven houden* be fond of good living, like the good life; *zij **heeft** geen leven bij die man* that man makes her life a misery; ***in** leven, burgemeester van A.* in his lifetime, mayor of A., the late mayor of A.; *een **nieuw** leven beginnen* begin a new life, turn over a new leaf, make a new start in life; *hoe **staat** het leven?* how is life?, how are things (with you)?, how goes the world (with you)? [5] ⟨morele handel en wandel⟩ life, living ◆ *een **christelijk** leven* a Christian life/lifestyle; *een **losbandig** leven leiden* lead a wild/loose life, go the pace [6] ⟨levensloop, levensgeschiedenis⟩ life, life history ◆ ***bij/tijdens** zijn leven* in/during his lifetime, during his life; *het leven van **Erasmus*** the life of Erasmus, Erasmus' life; *mijn/hun leven **lang*** all my life/their lives [7] ⟨verschijnselen, werkzaamheden in een kring⟩ life ◆ *het **huiselijk** leven* private/family/domestic life; *het **maatschappelijk** leven* public/social life; *het **politieke** leven* political life; *het **volle** leven* real life; *in het **volle** leven staan* be in touch with things [8] ⟨levensgeluk⟩ life [9] ⟨levensonderhoud⟩ life, living ◆ *het leven wordt steeds **duurder*** life is getting more expensive every day, the cost of living is going up all the time [10] ⟨lawaai⟩ life, noise, racket, tumult ◆ *het was er een leven **als** een oordeel* it was (sheer) pandemonium; *leven **maken*** make a noise [11] ⟨drukte, levendigheid, activiteit⟩ life, liveliness, bustle, activity ◆ *het was Piet die die avond leven in de brouwerij **bracht*** ⟨ook⟩ Pete was the life and soul of the evening; *leven in de brouwerij **brengen*** shake/liven things up, get things going; *dat **brengt** tenminste leven in de brouwerij* that stirs/livens things up (a bit); *wat **is** er een leven op straat* what an activity/a (hustle and) bustle/to-do in the street!; *er **kwam** leven in de brouwerij* things were beginning to liven up, ⟨vooruitgang⟩ things were beginning to look up/pick up; *een onderneming **nieuw** leven inblazen* put/breathe/inject new life into a firm/business; *iets/iemand weer **tot** leven brengen* bring sth./s.o. to life again, resuscitate sth./s.o. [12] ⟨prostitutie⟩ (the) Life, ⟨sl⟩ (the) game ◆ *zij is al een paar jaar **in** het leven* she has been on the game for a few years now [13] ⟨levend wezen⟩ life ◆ *de bescherming van het **ongeboren** leven* protection of the unborn child [14] ⟨het voortbestaan van de ziel⟩ afterlife ◆ *het **eeuwige** leven* (the) eternal life, (the) life everlasting; *hij heeft ook het **eeuwige** leven niet* he won't last for ever; *het leven **in** het hiernamaals* (the) afterlife, the hereafter, the life/world to come, (the) life beyond the grave [15] ⟨vlezig deel van dierlijk, plantaardig lichaam⟩ quick ◆ *de dode takken **tot op** het leven afsnijden* cut the dead branches to the living tissue ⊡ *het stonk er **bij** het leven* there was an awful stench in there; ⟨iron⟩ *toen begon het **lieve** leven(tje)* then there was the devil to pay, then the fat was in the fire; ⟨sprw⟩ *veel leven om niets* much ado about nothing; ⟨sprw⟩ *zolang er leven is, is er hoop* while there is life there is hope; hope springs eternal in the human breast

²leven [onov ww] [1] ⟨niet dood zijn⟩ live, exist, be alive ◆ ***blijven** leven* stay/keep alive; *mens, **durf** te leven* come on, live a little; ***eeuwig** leven* live eternally, be among the blessed; *hij **heeft** niet lang meer te leven* he has not long to live; ⟨inf⟩ his days are numbered; ***in** leven en sterven* till death do us part, now and forever; *die leeft niet **lang*** he won't make old bones; *en zij leefden nog **lang** en **gelukkig*** and they lived happily ever after; ***langer** leven dan iemand* outlive s.o.; *haar ouders leven **niet meer*** her parents are no longer alive; *leef je **nog**?* are you still alive/among the living?; ⟨fig⟩ *te weinig **om** te leven en te veel om te sterven* hardly sufficient to keep body and soul together; *hij weet van voren niet dat hij van achteren leeft* ⟨aartsdom⟩ he is not all there/dead from the neck up; ⟨de kluts kwijt⟩ he's completely at sixes and sevens [2] ⟨m.b.t. zaken, voorstellingen⟩ live (on) ◆ *wat er leeft **binnen** de organisatie* what is going on inside the organization; *iets weer **doen** leven* revive/resuscitate sth., bring sth. to life again; *dat **gevoel** leeft heel sterk* that feeling is still very much cherished, ⟨sl⟩ that feeling is still going strong; *bij veel mensen leeft het **idee** ...* many people still have the idea ...; *een zeer **kort** levend atoomdeeltje* an atomic particle with a short life; *de kermis leeft **niet meer** bij de mensen* fun fairs are of no interest to the people any more; *leeft die **vaas** nog?* is that vase still in one piece? [3] ⟨zich voeden⟩ live on, exist/subsist on ◆ ***op** brood en rauwkost leven* live on/exist/subsist on bread and raw vegetables [4] ⟨zijn dagen doorbrengen⟩ live ◆ *wie **dan** leeft die dan zorgt* all in good time, care killed the cat, you have to take things as they are, let tomorrow take care of itself; *de nu levende **generatie*** the present/this generation; ***in** angst leven* live in fear; *met iemand **in** onmin leven* be at enmity/odds with s.o.; *met iemand **in** vrede leven* live in peace/harmony with s.o.; *we leven toch **in** een vrij land?* it is a free country, isn't it?; *met deze man **is/valt** niet te leven* that man is impossible to live with, you can't live with that man; *we moeten daar nog een **jaar** mee leven* we have to stick it out/live with it for another year; ***naar** iets toe leven* look forward to sth.; *hij leeft **voor** zijn kinderen* he lives for his children [5] ⟨zich gedragen⟩ live ◆ *zij leven **langs** elkaar heen* they have little to say to each other, they waste no words on each other; *erop **los** leven* go the pace, lead a wild/loose life; ***stil** gaan leven* go into retirement, retire; *papa leefde erg **stil*** daddy led a quiet life/kept himself very much to himself; *leven **tussen** hoop en vrees* live between hope and fear [6] ⟨in zijn onderhoud voorzien⟩ live (on/by), ⟨vaak pej⟩ live off ◆ *zij kan er goed **van** leven* she can live well/do herself well from it; *zij moet **ervan** leven* she has to live on it, she depends for her living on it; *van duizend euro **kun** je niet leven* you can't live on a thousand euros; *goed **kunnen** leven* be comfortably off; ***op** grote voet leven* live in (a) great/grand style; ***van** zijn rente leven* live on one's means; ***van** de bijstand leven* live on ^{B}social security/^{A}welfare; ⟨inf; BE⟩ live on the dole; ***van** de hand in de tand leven* live from hand to mouth; ***van** dit vak kun je niet leven* you can't make a living out of this trade; ***van** de wind kan men niet leven* one can't live on air; *hij heeft genoeg om **van** te leven* he has enough to get by; *net genoeg verdienen om **van** te leven* earn just enough to eke out a living [7] ⟨intens bestaan, zich laten gelden⟩ live ◆ *als hij maar plagen kan, **dan** leeft ie* teasing others makes his day [8] ⟨zich bewegen⟩ live, be alive [9] ⟨omgaan⟩ live (with) ⊡ *leve de **koningin**!* long live the Queen!; *hoe **laat** leven we?* what's the time?; ***lang** leve de jubilaris* long may the guest of honour live, long life to the guest of honour; *dat **portret** leeft* that portrait is like life/seems to live; *deze **romanpersonages** leven* these characters are true to life/very much alive; *leve de **vakantie/vrijheid*** three cheers/hurrah for the holidays, freedom for ever; *weten **wat** er leeft onder de bevolking* know the mind of the people; ⟨sprw⟩ *van brood alleen kan de mens niet leven* man cannot live by bread alone; ⟨sprw⟩ *hoop doet leven* if it were not for hope, the heart would break; ± hope springs eternal in the human breast; ± while there is life there is hope; ⟨sprw⟩ *men eet om te leven, maar men leeft niet om te eten* eat to live, not live to eat; ⟨sprw⟩ *wie geeft wat hij heeft, is waard dat hij leeft* you cannot be expected to give more than you have; ⟨sprw⟩ *men moet leven en laten leven* live and let live; ⟨sprw⟩ *veel beloven en weinig geven doet de gekken in vreugde leven* to promise and give nothing is comfort to a fool; ± it is one thing to promise and another to perform

³**leven** [ov ww] ⟨een leven leiden⟩ live ♦ *het **leven** leven* live life to the fullest, live the life; *een eenzaam **leven** leven* lead a solitary/lonely life ▪ *geleefd **worden*** have one's life lived for one

levenbedrijf [het] life insurance department

levend [bn] 1 ⟨in leven zijnd⟩ living, existent, ⟨natuur⟩ animate, ⟨attributief; dieren, aas, muz⟩ live, ⟨predicatief⟩ alive, ⟨slachtvee⟩ on the hoof ♦ *het er levend (van) **afbrengen*** escape with one's life/with life and limb, come out of sth. alive; ⟨fig⟩ *daar **ben** je levend **begraven*** you'll be buried alive/you'll be completely cut off there; *de levenden en de **doden*** the living and the dead; *varkens tot 50 kg levend **gewicht*** pigs up to 50 kilos live weight; *in het **land** der levenden* in the land of the living; *in levenden **lijve*** ⟨in eigen persoon⟩ in person, (as) large as life; ⟨levend⟩ alive and well/kicking; *de levende **natuur*** the living world; *iemand levend **verbranden*** burn s.o. alive; *een levend **wezen*** a living being/soul 2 ⟨fig⟩ living, modern, ⟨predicatief⟩ alive ♦ *een herinnering levend **houden*** keep a memory alive/green; *de levende **talen*** the modern/living languages 3 ⟨beweeglijk⟩ living, moving ♦ *levend **water*** living water

levendbarend [bn] viviparous

levendig [bn, bw] 1 ⟨druk⟩ ⟨bijvoeglijk naamwoord⟩ lively, active, brisk, animated, ⟨bijwoord⟩ in a lively way/manner ♦ *een levendige **handel*** brisk/lively trade; ⟨fin⟩ ***stemming** levendig* the market was/is lively 2 ⟨vol leven⟩ ⟨bijvoeglijk naamwoord⟩ lively, vivacious, ⟨bijwoord⟩ in a lively way/manner ♦ *een levendige **baby*** a lively/bouncing baby; *een druk en levendig **gesprek*** an animated/a lively conversation; *een erg levendig **kind*** a very lively/vivacious/active child; *levendige **ogen*** lively/expressive eyes; *levendig **praten*** talk in a lively manner; *levendig van aard **zijn*** have a lively/vivacious nature 3 ⟨fris⟩ ⟨bijvoeglijk naamwoord⟩ lively, vivid, ⟨geest⟩ alert, ⟨bijwoord⟩ in a lively way/manner ♦ *een levendige en vrolijke **tint*** a lively and cheerful colour 4 ⟨duidelijk⟩ vivid ⟨bw: ~ly⟩, clear ♦ *ik kan mij die dag nog levendig **herinneren*** I remember that day vividly/clearly, I have a vivid recollection of that day; *dat kan ik mij levendig **voorstellen*** I can well imagine that 5 ⟨vurig⟩ vivid ⟨bw: ~ly⟩, spirited ♦ *een levend(ig)e **belangstelling** voor iets aan de dag leggen* take a keen interest in sth.; *over een levendige **fantasie** beschikken* have a vivid imagination

levendigheid [deᵛ] 1 ⟨beweeglijkheid⟩ liveliness, bustle, activity, life ♦ *de levendigheid van de **stad*** the activity/liveliness/bustle of the town 2 ⟨opgewektheid, vitaliteit⟩ liveliness, vivacity, vitality, vividness, vivaciousness, ⟨van kleuren ook⟩ brightness ♦ *de levendigheid van deze **muziek*** the liveliness/spankle/vivacity/vitality of this music 3 ⟨afwisseling⟩ liveliness, vitality ♦ *de levendigheid van de **taal*** the liveliness/vitality of the language

levendmakend [bn] vivifying

levenhypotheek [deᵛ] mortgage life insurance ♦ ***verbeterde** levenhypotheek* endowment mortgage

levenloos [bn] 1 ⟨zonder leven⟩ lifeless, dead, ⟨natuur⟩ inanimate ♦ *iemand levenloos **aantreffen*** find s.o. dead; *levenloos **geboren*** stillborn, dead at birth; *in levenloze **toestand*** liveless, devoid of life 2 ⟨doods, gevoelloos⟩ lifeless, dead, bloodless, spiritless ♦ *staren met levenloze **ogen*** stare with lifeless eyes

levenmaker [deᵐ] 1 ⟨druktemaker⟩ roisterer 2 ⟨praatjesmaker⟩ braggart, boaster, swank

levensadem [deᵐ] breath of life

levensader [de] ⟨fig⟩ lifeblood, life line ♦ *de Schelde is de levensader van **Antwerpen*** the Scheldt is Antwerp's life line; *de handel is de levensader van **Nederland*** trade is the lifeblood of the Netherlands

levensavond [deᵐ] ⟨form⟩ evening of (one's) life, autumn/twilight of (one's) life

levensbedreigend [bn] life-threatening

levensbeëindiging [deᵛ] termination of life ♦ ***vrijwillige** levensbeëindiging* voluntary euthanasia; ⟨zelfmoord⟩ suicide

levensbeginsel [het] 1 ⟨beginsel waarnaar men zijn leven inricht⟩ principle of (one's) life 2 ⟨dat waarop het leven steunt⟩ principle of life, vital principle/force

levensbehoefte [deᵛ] 1 ⟨wat nodig is⟩ necessity of life, vital necessity, essential ♦ *schoonheid **is** voor hem een levensbehoefte* beauty is a necessity (of life) to him, beauty is an essential/a sine qua non for him, ⟨inf⟩ beauty is an absolute must for him 2 ⟨mv; levensbenodigdheden⟩ necessaries (of life), ⟨sterker⟩ necessities (of life), essentials (of life) ♦ *de **allernoodzakelijkste** levensbehoeften* the bare essentials/necessaries/necessities (of life); *de **eerste** levensbehoeften* the (first/primary) necessities of life

levensbehoud [het] preservation of life ♦ *de zucht **tot** levensbehoud* the life-preserving instinct

levensbekorting [deᵛ] life shortening

levensbelang [het] vital importance, ⟨sterker⟩ matter of life and death ♦ *van **levensbelang*** of vital importance, vitally important; ⟨attributief⟩ life-and-death; *een goede voorbereiding is hierbij van levensbelang* a good preparation is indispensable/vitally important here

levensbenodigdheden [deᵐᵛ] → **levensbehoefte**

levensbeschouwelijk [bn] philosophical, ideological ♦ *vragen van levensbeschouwelijke **aard*** philosophical questions; *partijen op levensbeschouwelijke **grondslag*** parties on an ideological basis/based on a religious or political ideology/a philosophy

levensbeschouwing [deᵛ] philosophy of life, ideology, ⟨kijk op het leven⟩ outlook on life ♦ *er een bepaalde levensbeschouwing op na **houden*** have/hold a particular philosophy of life; *dat past niet **in** zijn levensbeschouwing* that does not fit into his philosophy of life

levensbeschrijving [deᵛ] biography, life, ⟨bij dood⟩ necrology, obituary (notice), ⟨bij sollicitatie⟩ curriculum vitae, ⟨AE ook⟩ résumé ♦ *sollicitaties vergezeld van een **uitvoerige** levensbeschrijving* applications with a detailed curriculum vitae

levensboom [deᵐ] 1 ⟨Bijb⟩ tree of life 2 ⟨bk⟩ tree of life 3 ⟨plantk⟩ arborvitae

levensbron [de] ⟨form⟩ 1 ⟨bron waaruit het leven ontspringt⟩ source of life 2 ⟨symbool van het verlangen naar God⟩ source of life

levenscyclus [deᵐ] life cycle

levensdag [deᵐ] 1 ⟨dag van iemands leven⟩ day in/of one's life 2 ⟨mv; leven⟩ days, life, lifetime ♦ ***al** zijn levensdagen* his whole life, all his born days; *de **rest** van zijn levensdagen ergens slijten* spend the last/rest of one's days/life somewhere; *daar ben ik **van** mijn levensdagen nooit geweest* I have never been there in all my born days/my life

levensdoel [het] aim/goal in life

levensdraad [deᵐ] thread of life, fatal thread ♦ *iemands levensdraad **afsnijden*** cut off s.o.'s life(line); *zijn levensdraad **is afgesneden*** his life has been cut short

levensdrift [de] will to live, vital urge, ⟨vnl. psychoanalyse⟩ life instinct

levensduur [deᵐ] ⟨fig⟩ 1 ⟨duur van het leven⟩ life span,

⟨verwachte⟩ life expectancy, duration/length of life ◆ *de gemiddelde levensduur van de Nederlander* the life expectancy of the Dutch; *de levensduur verkorten/verlengen* shorten/prolong (the) life (of)/the lifespan (of); *de levensduur kunstmatig verlengen* prolong life artificially; *vermoedelijke levensduur* life expectancy [2] ⟨gebruiksduur⟩ life, life span ◆ *een korte levensduur hebben* have a short life; *batterijen met een lange levensduur* long-life batteries; *de levensduur van een wasmachine* the life of a washing machine [3] ⟨kernfysica⟩ mean/average life

levensduurte [de^{v}] ⟨in België⟩ cost of living

levensecht [bn, bw] ⟨bijvoeglijk naamwoord⟩ lifelike, true to life, ⟨bijwoord⟩ in a lifelike way/manner/fashion ◆ *personen levensecht beschrijven* describe characters as true to life; *een levensecht portret* a lifelike portrait; *in dat boek zijn de personen levensecht beschreven* in that novel the characters are true to life

levenseinde [het] end of (one's) life

levenselixer [het] [1] ⟨alchemie⟩ elixir of life [2] ⟨opwekkend elixer⟩ elixer, tonic

levensenergie [de^{v}] life force

levenservaring [de^{v}] experience of life ◆ *geen levenservaring hebben* have no experience of life; *levenservaring opdoen* gain experience of life; *veel levenservaring hebben* have a great deal of experience of life

levensfase [de^{v}] stage of life

levensfilosofie [de^{v}] [1] ⟨opvatting, leer⟩ philosophy of life, vitalism [2] ⟨kijk op het leven⟩ philosophy of life, outlook on life

levensfuncties [de^{mv}] vital functions

levensgang [de^{m}] (course of) life

levensgeest [de^{m}] ◆ *bij iemand de levensgeesten weer opwekken* resuscitate/revive s.o.; *de levensgeesten waren geweken* life was extinct/had ebbed away; *de levensgeesten* the life spirits

levensgeluk [het] happiness (in life) ◆ *zijn levensgeluk hangt ervan af* his happiness depends on it

levensgemeenschap [de^{v}] [1] ⟨biol⟩ bioc(o)enosis, ⟨concr⟩ (ecological/biotic) community [2] ⟨soc⟩ community

levensgenieter [de^{m}] ± bon vivant/viveur, pleasure-lover, free-liver, hedonist, epicurean

levensgeschiedenis [de^{v}] life story, life history, ⟨beschrijving⟩ biography

levensgetrouw [bn, bw] ⟨bijvoeglijk naamwoord⟩ lifelike, true to life/nature, to the life, realistic, ⟨bijwoord⟩ in a lifelike way/manner ◆ *een levensgetrouw beeld* a lifelike picture, ⟨standbeeld⟩ a lifelike statue

levensgevaar [het] danger of life, peril to life, (mortal) danger ◆ *buiten levensgevaar zijn* be out of danger; *in levensgevaar verkeren* be/stand in danger of losing one's life/in peril of death; *zodra het directe levensgevaar is geweken* as soon as the immediate danger/peril has subsided/passed; *levensgevaar opleveren* involve peril to one's life, endanger s.o.'s life

levensgevaarlijk [bn, bw] perilous ⟨bw: ~ly⟩, dangerous to life, involving risk of life ◆ *dat is een levensgevaarlijke ontwikkeling* that is a highly dangerous/critical development; ⟨verk⟩ *een levensgevaarlijk punt* a perilous intersection; *met levensgevaarlijke snelheid rijden* drive at breakneck speed; ⟨sport⟩ *die spits is levensgevaarlijk* that striker/forward is very/highly dangerous/a killer

levensgewoonte [de^{v}] habit, custom, ⟨mv ook⟩ way of life ◆ *elke dag ontbijten is een goede levensgewoonte* it's a good habit to have breakfast every day; *sobere levensgewoonten* a simple way of life

levensgezel [de^{m}], **levensgezellin** [de^{v}] life partner/companion, partner/companion in life, ⟨niet gehuwd voor de wet⟩ common-law wife/husband

levensgezellin [de^{v}] → **levensgezel**

levensgroot [bn] [1] ⟨op natuurlijke grootte⟩ life-size(d), full scale, as large as life ◆ *iemand levensgroot afbeelden* make a life-size representation of s.o.; *een levensgrote afbeelding* a life-size(d) representation; *meer dan levensgroot* larger than life-size [2] ⟨zeer groot⟩ huge, enormous ◆ *het gevaar is levensgroot dat ...* there is an enormous danger that ...; *een levensgrote kans missen* miss the chance of a lifetime; *een levensgroot probleem* a huge/an enormous problem

levenshouding [de^{v}] attitude to life ◆ *de juiste levenshouding* the right attitude to life

levenshulp [de] [1] ⟨geneeskunde⟩ critical care [2] ⟨psych⟩ life help

levensinstelling [de^{v}] attitude to life

levensjaar [het] year of (one's) life ◆ *in haar vierde levensjaar* in the fourth year of her life

levenskans [de] chance of survival, ⟨om zekere leeftijd te bereiken⟩ life expectancy, ⟨om sociaal iets te bereiken⟩ chance in life ◆ *een bedrijf met (on)voldoende levenskansen* a (non-)viable firm; *door de operatie zijn haar levenskansen toegenomen/verminderd* the operation has increased/decreased her chances of survival

levenskeuze [de] life choice, existential choice

levenskracht [de] vitality, life force, vigour, vital power/force/energy ◆ *herwonnen levenskracht* restored/renewed vitality/vigour; *nieuwe levenskracht opdoen* acquire new vigour/vitality; *nieuwe levenskracht aan iets/iemand geven* revitalize sth./s.o.

levenskrachtig [bn] vital, vigorous, full of life

levenskunde [de^{v}] life skills

levenskunst [de^{v}] [1] ⟨savoir-vivre⟩ savoir-vivre, social grace ⟨vaak mv⟩ [2] ⟨het leven als een kunst beoefenend⟩ art of living

levenskunstenaar [de^{m}] master/expert in the art of living, s.o. who has the art of living

levenskus [de^{m}] kiss of life

levenskwestie [de^{v}] [1] ⟨van leven en dood⟩ life and death matter, matter/question of life and death [2] ⟨van het hoogste belang⟩ vital question/matter, matter of vital importance (for/to)

^{1}**levenslang** [bn, bw] ⟨bijvoeglijk naamwoord⟩ lifelong, (for) life, ⟨bijwoord⟩ all one's life ◆ *levenslang bezit, levenslange lijfrente* perpetuity, annuity; *een levenslange garantie* a lifetime guarantee; *een levenslang gestrafte* s.o. sentenced to life imprisonment; ⟨sl⟩ a lifer; *levenslange gevangenisstraf* life imprisonment; ⟨inf⟩ life; *verzekering met levenslang premiebetaling* whole-life policy; *dat zal hem levenslang heugen* he will remember that all his life/(for) the whole of his life

^{2}**levenslang** life imprisonment, ⟨inf⟩ life ◆ *hij kreeg levenslang* he got/was sentenced to life (imprisonment)

levensles [de] lesson in/for life

levenslicht [het] light of life, ⟨m.b.t. geboorte⟩ light of day ◆ *het levenslicht aanschouwen* (first) see the light of day

levenslied [het] ± sentimental/corny song, ⟨vnl AE; over onbeantwoorde liefde⟩ torch song

levenslijn [de] [1] ⟨lijn in de hand⟩ line of life, life line [2] ⟨fig⟩ line of life, life line

levensloop [de^{m}] [1] ⟨iemands leven⟩ course of life ◆ *een avontuurlijke levensloop* an adventurous life; *zijn levensloop vertellen* tell one's life story/the story of one's life [2] ⟨curriculum vitae⟩ curriculum vitae, career history/record, ⟨inf⟩ track record, ⟨vnl AE⟩ résumé

levensloopbestendig [bn] lasting a lifetime

levensloopregeling [de^{v}] life-course savings scheme

levenslot [het] lot, allotment

levenslust [de^{m}] [1] ⟨verlangen om te blijven leven⟩ zest for living, desire to live [2] ⟨opgewektheid⟩ joy of living, high spirits, ↑ joie de vivre ◆ *vol levenslust zijn* be full of high spirits/the joy of living

levenslustig [bn] [1] ⟨verlangend om te blijven leven⟩

having a zest for living [2] ⟨vol opgewektheid⟩ high-spirited, full of spirits, cheerful, lively, sprightly

levensmiddelen [de^{mv}] food(s), ⟨provisie⟩ provisions, ⟨voedingsmiddelen⟩ foodstuffs, articles of food, food articles/products ♦ ***verduurzaamde** levensmiddelen* preserved foods; ***verpakte** levensmiddelen* packaged foods

levensmiddelenbedrijf [het] food company, supermarket, ⟨klein⟩ grocer's (^{B}shop/^{A}store), grocery (^{B}shop/^{A}store)

levensmoe [bn] weary/tired of life, world-weary

levensmoed [de^m] courage to live, courage to face life

levensmoeheid [de^v] weariness of life, ⟨form of med⟩ taedium vitae

levensomstandigheden [de^{mv}] living conditions, circumstances/conditions of life ♦ *een **verbetering/verslechtering** van de levensomstandigheden* an improvement in/a deterioration of the living conditions

levensonderhoud [het] [1] ⟨het in stand houden van het leven⟩ support, means of sustaining life, maintenance, sustenance, ↑sustentation ♦ *in zijn **eigen** levensonderhoud kunnen voorzien* be able to support/keep o.s.; *de **kosten** van levensonderhoud stijgen/dalen* living costs/the cost of living are/is going up/rising/going down/falling; ***voorzien in** het levensonderhoud van iemand* support/keep s.o., provide for s.o. [2] ⟨kost⟩ livelihood, living ♦ *hij **verdient** net zijn levensonderhoud* he earns a subsistence wage/just enough for subsistence/barely earns his bread and butter/ekes out a living

levensopvatting [de^v] outlook (up)on life, conception/view/philosophy of life, mental attitude to(ward) life, world view ♦ *een **bekrompen/ruime** levensopvatting hebben* have a narrow/broad outlook on/view of life

levensovertuiging [de^v] philosophy of life, life principles, convictions about life

levenspad [het] path (of (s.o.'s) life), course of (s.o.'s) life ♦ *iemands levenspad **kruisen*** cross s.o.'s path; *zoiets **kruist** je levenspad* such a thing crosses one's path

levenspartner [de^m] life partner, partner in/for life, life companion, companion in/for life

levenspatroon [het] life pattern, pattern of life

levenspeil [het] standard of living, living standard

levenspositie [de^v] position/job for life

levensruimte [de^v] living space, ⟨vnl. m.b.t. WO II⟩ lebensraum

levenssap [het] lifeblood, ⟨plantk; fig⟩ sap, ⟨fig ook⟩ (vital) juice

levensschets [de] (brief) outline of (one's) life

levensschool [de] school of life

levenssfeer [de] ⟨persoonlijke⟩ privacy, private life ♦ *een wet ter bescherming van de **persoonlijke** levenssfeer* a law safeguarding individual/personal privacy

levensstandaard [de^m] standard of living/life, living standard ♦ *landen met een **hoge/lage** levensstandaard* countries with a high/low standard of living

levensstijl [de^m] lifestyle, style of living ♦ *een **strakke/vaste** levensstijl* a strict/fixed lifestyle

levenstaak [de] life-task-project, task in life, lifework, ⟨roeping⟩ mission in life

levensteken [het] sign of life ♦ ***geen** levensteken van iemand ontvangen* receive no signs of life/news, not hear from s.o.

levenstestament [het] living will

levensvatbaar [bn] viable, ⟨plan⟩ feasible, practicable, practical ♦ *een levensvatbare **vrucht*** a viable foetus

levensvatbaarheid [de^v] viability, ⟨plan⟩ feasibility, practicability

levensverbintenis [de^v] civil union

levensverhaal [het] life story, story of (one's) life

levensverlangen [het] [1] ⟨verlangen om te (blijven) leven⟩ desire/wish/longing to live [2] ⟨groot verlangen⟩ great(est) wish (in one's life)

levensverrichting [de^v] vital function

levensverschijnsel [het] [1] ⟨verschijnsel dat bij het leven hoort⟩ phenomenon of life [2] ⟨levensteken⟩ vital phenomenon, sign of life

levensvervulling [de^v] life fulfilment ♦ *zijn levensvervulling in iets **vinden*** find one's (life) fulfilment in sth.

levensverwachting [de^v] [1] ⟨wat men van het leven verwacht⟩ expectation of/from life ♦ ***hoge** levensverwachtingen hebben* have high/great expectations of life [2] ⟨te verwachten gemiddelde duur⟩ life expectancy

levensverzekeraar [de^m] life insurance company

levensverzekering [de^v] life insurance (policy), ⟨BE ook⟩ life assurance (policy) ♦ *een levensverzekering **(af)sluiten*** ⟨door verzekerde⟩ take out a life insurance/assurance (policy), insure one's life; ⟨door verzekeraar⟩ effect a life insurance/an assurance (policy)

levensverzekeringsmaatschappij [de^v] life insurance company, ⟨BE ook⟩ life assurance company

levensverzekeringswiskunde [de^v] actuarial mathematics

levensverzekeringswiskundige [de] actuary

levensvisie [de^v] outlook on life, view of life, world view, Weltanschauung

levensvoldoening [de^v] satisfaction (in living/life), contentment (with living/life)

levensvoorraad [de^m] provisions

levensvoorwaarde [de] [1] ⟨waarvan een leven afhankelijk is⟩ vital condition ♦ ⟨fig⟩ *geld **is voor haar** een levensvoorwaarde* money is a necessity for her [2] ⟨omstandigheid⟩ living condition

levensvorm [de^m] [1] ⟨vorm waarin het leven zich voordoet⟩ form of life [2] ⟨vorm die men toepast⟩ form of life, way of life [3] ⟨psych⟩ form of (one's) life [4] ⟨biol⟩ form of life ♦ ***primaire** levensvormen* first/simple life forms

levensvraag [de] [1] ⟨waarvan het leven afhangt⟩ question of life and death [2] ⟨hoogst gewichtige vraag⟩ vital question

levensvraagstuk [het] existential problem/question

levensvreugde [de^v] [1] ⟨toestand⟩ joy in/of living, joy in/of life, joie de vivre, zest for living/life ♦ ***weinig** levensvreugde hebben* have not much joy in life/zest for life [2] ⟨wat vreugde geeft⟩ joy of/in (one's) life ♦ *dat is haar **enige** levensvreugde* that is the only joy of/in her life

levenswaarde [de^v] life value, value of/in life ♦ *de religie als **grootste** levenswaarde beschouwen* consider religion the highest value/good in life

levenswandel [de^m] conduct (in life), life ♦ *een **onberispelijke** levenswandel* an irreproachable life/character

levenswarmte [de^v] warmth, affection

levensweg [de^m] path (of (s.o.'s) life) ♦ *rozen strooien **op** iemands levensweg* strew s.o.'s path with roses; *iemand veel geluk wensen op zijn **verdere** levensweg* wish s.o. success for his future/in his future life/career

levenswerk [het] life's work, lifework, magnum opus ♦ *zijn levenswerk **voltooien*** complete one's life's work

levenswetenschap [de^v] life science

levenswijsheid [de^v] wisdom, ⟨wereldwijs⟩ wordly wisdom

levenswijze [de] [1] ⟨wijze waarop iemand leeft⟩ way of life ♦ *een **eenvoudige/luxueuze** levenswijze* a simple/luxurious way of life, a life of simplicity/(great) luxury; *dat **is nu eenmaal** zijn levenswijze* that's just his style [2] ⟨verrichtingen en gewoonten⟩ way of life ♦ *een **traditionele** levenswijze* a traditional way of life

levenszat [bn] fed up with life

leventje [het] life ♦ *een **lekker** leventje leiden* lead a pleasant life; *een **lui** leventje hebben* lead a life of ease; *een **luxe** leventje leiden* live in grand/great style; *een **onbezorgd** leventje leiden* lead a carefree life; *een **prinsheerlijk** leventje leiden* be in clover, live (like pigs) in clover, live the life of Riley/like a King/prince/lord; *een **vrolijk** leventje leiden* lead a merry life ⊡ ⟨iron⟩ *toen begon het **lieve** leventje* then there was the devil to pay, then the fat was in the fire

levenwekkend [bn] 1 ⟨bezielend⟩ revitalizing, invigorating, inspiring ♦ *er ging een levenwekkende **kracht** van hem uit* he exuded/radiated life, a life-giving force emanated from him 2 ⟨leven tot uiting brengend⟩ life-giving ♦ *de levenwekkende **warmte** van de zon* the life-giving warmth of the sun

lever [de] 1 ⟨orgaan⟩ liver ♦ *het aan de lever hebben* have liver trouble; ⟨fig⟩ *fris **van** de lever* ⟨recht voor zijn raap⟩ (right/straight) from the shoulder; ⟨geïmproviseerd⟩ off the cuff 2 ⟨voedsel⟩ liver ♦ *een **broodje** lever* a liver sandwich ⊡ ⟨in België; fig⟩ *dat ligt **op** zijn lever* that sticks in his throat, that rankles; ⟨fig⟩ *iets **op** zijn lever hebben* have sth. on one's mind

leveraandoening [de^v] liver complaint/disorder, ⟨inf⟩ liver trouble ♦ *ze **heeft** een leveraandoening* she's got liver trouble/a liver complaint/disorder

leverader [de] hepatic vein

leverancier [de^m] supplier, deliverer, furnisher, ⟨aan grote instellingen⟩ contractor, purveyor, ⟨van eten⟩ caterer ♦ *van leverancier **veranderen*** take/transfer/remove one's custom/trade elsewhere; *Denemarken is een van de **voornaamste** leveranciers van boter* Denmark is one of the leading suppliers of butter

leverancierskrediet [het] supplier credit

leverantie [de^v] 1 ⟨handeling, recht⟩ delivery, supply(ing), provision, ⟨koninklijk recht⟩ purveyance ♦ *een leverantie **doen*** make a delivery; *de leverantie van iets **hebben*** have the supply/delivery rights to sth. 2 ⟨koopwaar⟩ supply, provision, consignment

leverantiecontract [het] delivery/supply contract, supply agreement

leverbaar [bn] 1 ⟨geleverd kunnende worden⟩ ready for delivery, available ♦ *het **artikel** is op korte termijn leverbaar* the article can be supplied/delivered at short notice; ***beperkt** leverbaar zijn* be in limited supply; ***niet meer** leverbaar* out of stock, no longer available, non-deliverable; ⟨boek⟩ out of print; ***uit** voorraad leverbaar* in stock, (available) off the shelf 2 ⟨in goede toestand⟩ ready for delivery ♦ *een **partij** leverbaar* a parcel/shipment ready for delivery

leverbot [de^m] liver fluke

leverbotziekte [de^v] liver rot, sheeprot

levercarcinoom [het] carcinoma/cancer of the liver

levercirrose [de^v] cirrhosis of the liver

leverdatum [de^m] delivery date

leveren [ov ww] 1 ⟨ter beschikking stellen⟩ supply, furnish ♦ *een (financiële) **bijdrage** leveren* give/contribute/lend/supply (financial) support 2 ⟨verschaffen tegen betaling⟩ supply, deliver ♦ *bier leveren **aan** cafés* deliver beer to ^{B}pubs/^{A}bars, ⟨AuE⟩ deliver beer to hotels; *wij leveren ook **aan** particulieren/uitsluitend **aan** de groothandel* we supply also private customers/only wholesalers 3 ⟨verschaffen⟩ furnish, supply, provide ♦ *het **bewijs** leveren* furnish a clear proof; ⟨van bewering enz.⟩ make out one's case; *het **bewijs** leveren dat ...* produce/bring forward/bear the evidence that ...; *iemand **stof** leveren voor een verhaal* supply/provide material to s.o. for a story 4 ⟨bezorgen⟩ give, provide 5 ⟨produceren⟩ produce, provide ♦ ***commentaar** leveren* give comments/commentary, comment(ate) (on); ***kritiek** leveren **op** iemand* comment/pass criticism on s.o., criticise s.o.; *elke plant leverde vier **vruchten*** each plant produced four pieces of fruit; *goed **werk** leveren* turn out/produce good work, do a good job 6 ⟨fiksen⟩ fix, do, bring off ♦ ***het** hem leveren* bring/pull it off; *hij heeft **het** hem weer geleverd* he's done it/brought it off again; *ik weet niet hoe hij **het** hem geleverd heeft* I don't know how he did it/pulled it off, ↓I don't know how he swung it 7 ⟨aandoen⟩ do (to) ♦ *wie heeft **me** dat geleverd?* who did that to/pulled that on me?; *iemand een **rotstreek** leveren* play/pull a dirty trick on s.o., do s.o. a bad turn 8 ⟨laten plaatsvinden⟩ ♦ ***slag** leveren* fight a/do battle, battle; *een bittere **strijd** leveren* (be) engage(d) in/wage a bitter struggle

leverextract [het] liver extract

levergezwel [het] tumor on the liver, carcinoma of the liver

levering [de^v] 1 ⟨het leveren, geleverd worden⟩ delivery, furnishing, supply, provision ♦ *levering **op krediet*** sell on credit; *prijzen **op** levering* forward prices; *verkoop **op** levering* sell for forward/future delivery 2 ⟨leverantie⟩ delivery, supply ♦ *betaling **bij** levering* payment (up)on delivery, cash on delivery; ⟨afkorting⟩ COD

leveringscontract [het] delivery/supply contract, supply agreement ♦ *een leveringscontract **afsluiten*** conclude a delivery/supply contract

leveringsdatum [de^m] delivery date, date of delivery

leveringsplicht [de] obligation/duty to deliver

leveringsprijs [de^m] delivery price, price (contracted) for delivery

leveringstermijn [de^m] delivery period/time, period/time of delivery ♦ *zich houden **aan** de leveringstermijn* meet the delivery date

leveringsvoorwaarde [de^v] term(s) of delivery

leverkaas [de^m] liver paté, liver paste

leverkanker [de^m] liver cancer

leverkleur [de] liver (colour)

leverkleurig [bn] liver (coloured)

leverkruid [het] 1 ⟨plant⟩ common agrimony ⟨Agrimonia eupatoria⟩ 2 ⟨plantengeslacht⟩ hemp agrimony ⟨Eupatorium cannabinum⟩ 3 ⟨leverbloem⟩ liverwort, hepatica ⟨genus Hepatica⟩

leverkwaal [de] liver complaint/disorder

levermos [het] liverwort

leverontsteking [de^v] ⟨med⟩ hepatitis

leverpastei [de] liver paté, liver paste

leverpatiënt [de^m] liver patient, sufferer from liver disease

leversteen [de^m] liver stone

levertijd [de^m] delivery period/time, period/time of delivery, lead time ♦ *men dient rekening te houden met **lange** levertijden* please allow for long delivery times

levertraan [de^m] cod-liver oil

levervlek [de] liver spot

leverworst [de] liver sausage, ⟨AE ook⟩ liverwurst ♦ ***Saksische** leverworst* Saxon liverwurst

leverziekte [de^v] liver disease

leviathan [de^m] Leviathan

leviet [de^m] 1 ⟨r-k⟩ ordinand 2 ⟨Israëlitische priester⟩ Levite ⊡ *iemand de levieten **lezen*** lecture s.o., haul s.o. over the coals; ⟨scherts⟩ read s.o. the Riot Act

Leviet [de^m] ⟨lid van de stam Levi⟩ Levite

leviraatshuwelijk [het] levirate

levitatie [de^v] levitation

Leviticus ⟨Bijb⟩ Leviticus

levitisch [bn] ⟨Bijb⟩ Levitical

lewisiet [het] lewisite

lexeem [het] ⟨taalk⟩ lexeme

lexicaal [bn, bw] lexical ⟨bw: ~ly⟩

lexicalisatie [de^v], **lexicalisering** [de^v] lexicalization

lexicalisering [de^v] → **lexicalisatie**

lexicograaf [de^m] lexicographer

lexicografie [de^v] lexicography

lexicografisch [bn] lexicographic(al)

lexicologie [de^v] lexicology

lexicoloog [de^m] lexicologist

lexicon [het] 1 ⟨woordenboek⟩ lexicon, dictionary 2 ⟨vakwoordenboek⟩ technical/specialist dictionary 3 ⟨woordenschat⟩ lexicon, vocabulary, lexis

lexicostatistiek [de^{v}] ⟨taalk⟩ lexicostatistics
leycentrum [het] ley centre
leylijn [de] ley line
^{1}**lezen** [onov ww] ⟨zich laten lezen⟩ read ♦ *die gotische letters lezen niet **prettig*** those Gothic letters are awkward to read/ to the eye/don't read easily; *dat boek leest lekker weg* that book is easy/pleasant reading, ⟨BE ook⟩ that book is a good read
^{2}**lezen** [ov ww] [1] ⟨opmaken uit, ontcijferen⟩ make of, read ♦ *deze bepaling **dient** men zo **te** lezen ...* this clause must be construed/understood (so as) to mean ...; ⟨fig⟩ *iemands **gedachten** lezen* read s.o.'s thoughts/mind; *er meer **in** lezen dan er staat* read more into sth. (than intended/stated); *daar lees ik **uit** ...* from that I conclude/gather ..., I read that to mean ...; *wat lees jij **uit** dit woord/deze zin?* what do you make of of this word/sentence?; *een vraag **verkeerd** lezen* misread a question [2] ⟨interpreteren, uitleggen⟩ read, interpret ♦ *iemand de **hand** lezen* read s.o.'s hand/palm; *iets **op** iemands gezicht lezen* see/read sth. from/what's written on s.o.'s face; *dat **staat** in zijn ogen te lezen* you can see that in his eyes; *de angst **stond** op zijn gezicht **te** lezen* anxiety was written all over his face [3] ⟨opdragen⟩ say, ⟨vero⟩ read ♦ *de **mis** lezen* say mass [4] ⟨verzamelen⟩ gather, ⟨form⟩ glean, ⟨plukken⟩ pick [5] ⟨uitzoeken⟩ pick, ⟨form⟩ glean
^{3}**lezen** [ov ww, ook abs] [1] ⟨kennisnemen van⟩ read, ⟨vnl BE; geregeld, als abonnee⟩ take in ♦ ***begrijpend** lezen* reading comprehension; *ik lees hier **dat** ...* it says here that ..., I read here that ...; *ik ga **even** wat lezen* I'll have a short read/ I'm going to read a little while; ⟨comp⟩ ***gegevens** lezen* read data; *bij **het** lezen* when/while reading; ***kaart** lezen* read a map; *zijn boeken laten zich **makkelijk** lezen* his books make easy reading; *het is haast **niet** te lezen* it's almost impossible to read/almost illegible/scarcely readable/legible; *je handschrift is **niet** te lezen* your (hand)writing is unreadable/illegible; *het is leuk/pijnlijk **om** te lezen* it is/makes enjoyable/ painful reading; ⟨stud⟩ *heb je er veel **omheen** gelezen?* have you read up (a lot) on this subject?; *veel lezen **over** een schrijver/een bepaald onderwerp* read up on a writer/on a particular subject; *daar heb ik kennelijk **overheen** gelezen* that must have escaped me, I must have overlooked it; *een **schema/ tekening** lezen* read a diagram/drawing; *lezen, **schrijven** en **rekenen*** reading, writing and arithmetic, the three R's; ⟨fig⟩ *hij kan ermee lezen en **schrijven*** he can do anything with it; *(niet) kunnen lezen en **schrijven*** be (un)able to read and write, be (il)literate; *hij had het contract **slecht** gelezen* he hadn't read the contract carefully/thoroughly; *daarover **staat** in het rapport niets **te** lezen* the report says nothing about that; *in de brief/op het bord **stond** te lezen ...* the letter/ noticeboard said ...; ***technisch** lezen* technical comprehension; ⟨muz⟩ ***van** het blad lezen* sight-read, sing/play at sight; *hij heeft **veel** gelezen* he's well-read; *iets **vluchtig** lezen* skim/have a quick read through sth.; ***voor** 'hij' en 'zijn' leze men ook 'zij' en 'haar'* for 'he' and 'his' read also 'she' and 'her'; *die krant wordt **weinig/slecht** gelezen* that newspaper has a small readership; *ik heb even rustig **zitten** lezen* I have had a quiet read, I've been quietly reading; *zich in slaap lezen* read o.s. to sleep; *het heeft de koningin (lees: de regering) behaagd ...* it has pleased the queen (read/i.e. the government) ... [2] ⟨voorlezen⟩ read (out/aloud) ♦ ***uit** eigen werk lezen* read (from) one's own work; *na het eten werd er **uit** de Bijbel gelezen* after supper s.o. read aloud from the Bible/ there was a reading from the Bible [•] ⟨sprw⟩ *in andermans boeken is het duister lezen* it is difficult to understand another man's affairs
lezenaar [de^{m}] reading desk, lectern, ⟨verstelbaar⟩ bookrest
lezenswaard [bn] worth reading
lezer [de^{m}] reader ♦ *het blad telt 10.000 lezers* the magazine has a readership of 10,000; *het **aantal** lezers neemt nog steeds toe* the readership is still increasing; *de **gemiddelde** lezer* the average reader; *iets onder het **oog** van de lezer brengen* bring sth. to the attention of the reader; *de **oplettende** lezer herkent hierin de heer A* the attentive reader will recognize Mr A in this; *een **optische** lezer* an optical character reader; *een **trouwe** lezer* a constant/faithful reader; *een **verwoed** lezer* an avid/a voracious reader
lezersaanbieding [de^{v}] reader offer
lezerskaart [de] ⟨in België⟩ library pass
lezerskring [de^{m}] ⟨m.b.t. blad enz.⟩ readership, readers
lezerspubliek [het] reading public, ⟨m.b.t. blad enz.⟩ readership, readers
lezersrubriek [de^{v}] readers' letters column/section/ page, readers' forum, correspondence column/section/ page, ⟨in kranten⟩ letters to the editor
lezing [de^{v}] [1] ⟨het lezen⟩ reading ♦ *bij **oppervlakkige/ nauwkeurige** lezing* on a cursory/a careful reading [2] ⟨wijze waarop een gebeurtenis wordt voorgesteld⟩ version, reading, construction ♦ *zij **gaf** een geheel andere lezing van het gebeuren* she put an entirely different construction on what happened, she gave an entirely different version of what happened; *over deze zaak zijn **verschillende** lezingen in omloop* several different versions of this matter are going around/circulating [3] ⟨het voorlezen van een verhandeling⟩ lecture, discourse, talk ♦ *een lezing **houden over*** give/ deliver/conduct a lecture/lecture on/about, read a paper on; *een serie lezingen in het land **houden*** be on a lecture tour of the country [4] ⟨voorlezing⟩ reading ♦ *de **tweede** lezing van de begroting wordt voortgezet* the second reading of the budget will be continued [5] ⟨formulering⟩ wording, phrasing, formulation ♦ *een **bedorven** lezing in een tekst* a corrupted wording/reading in a text; ***volgens** de lezing van het contract* according to the wording of the contract [6] ⟨Schriftlezing⟩ lesson
lg. [afk] (laatstgenoemde) ⟨van twee⟩ the latter, ⟨van meer⟩ the last (named/mentioned)
^{1}**lhno** [het] (lager huishoud- en nijverheidsonderwijs) domestic science
^{2}**lhno** [de] ⟨adm⟩ ⟨school waaraan lager huishoud- en nijverheidsonderwijs wordt gegeven⟩ ± domestic science school/department
li [de^{m}] li
l.i. [afk] (landbouwkundig ingenieur) agricultural engineer
liaan [de] liana, liane
liaison [de] [1] ⟨verhouding⟩ liaison, affair, relation [2] ⟨verbintenis⟩ liaison, connection
liaisonofficier [de^{m}] liaison officer
^{1}**lias** [het] ⟨geol⟩ Lias
^{2}**lias** [de] [1] ⟨veter, snoer⟩ (red) tape, tie, cord [2] ⟨bundel papieren⟩ file
liaspen [de] paper spindle
liasseren [ov ww] file
lib. [afk] (liberaal) Lib
^{1}**Libanees** [de^{m}], **Libanese** [de^{v}] ⟨man & vrouw⟩ Lebanese, ⟨vrouw ook⟩ Lebanese woman/girl
^{2}**Libanees** [bn] Lebanese
Libanese [de^{v}] → **Libanees**^{1}
libanon [de] Lebanon ♦ *rode libanon* red Lebanon

Libanon	
naam	*Libanon* **Lebanon**
officiële naam	*Republiek Libanon* **Lebanese Republic**
inwoner	*Libanees* **Lebanese**
inwoonster	*Libanese* **Lebanese**
bijv. naamw.	*Libanees* **Lebanese**
hoofdstad	*Beiroet* **Beirut**
munt	*Libanees pond* **Lebanese pound**
werelddeel	*Azië* **Asia**
int. toegangsnummer **961** www.**lb** auto **RL**	

Libanon [het] (the) Lebanon
libanonceder [de^m] cedar of Lebanon
libatie [de^v] 1 ⟨drankoffer⟩ libation 2 ⟨form⟩ libation
libel [de] 1 ⟨insect⟩ dragonfly 2 ⟨mv; insectenorde⟩ dragonflies, Odonata 3 ⟨waterpas⟩ spirit level
libelle [de] dragonfly
¹liberaal [de^m] 1 ⟨pol⟩ Liberal, ⟨in Nederland ook⟩ Conservative 2 ⟨rel⟩ liberal
²liberaal [bn, bw] 1 ⟨pol⟩ liberal ⟨bw: ~ly⟩, ⟨in Nederland ook⟩ conservative ⟨bw: ~ly⟩ ◆ *een liberale **abortuswetgeving*** a liberal abortion legislation, liberal abortion laws; *een liberaal **standpunt** innemen* take a liberal stance; *een liberale **wetgeving*** liberal legislation 2 ⟨ruimdenkend⟩ liberal ⟨bw: ~ly⟩, broad-minded, large-minded, tolerant, progressive ◆ *hij **stelde** zich liberaal **op*** he took a liberal position 3 ⟨rel⟩ liberal ⟨bw: ~ly⟩
liberalisatie [de^v] liberalization ◆ *een voorstander/tegenstander van de liberalisatie van de **abortus*** a proponent/an opponent of the liberalization of abortion
liberaliseren [ov ww] liberalize ◆ *de **handel** met het buitenland/de **huren** liberaliseren* liberalize foreign trade, decontrol rents
liberalisering [de^v] liberalization
liberalisme [het] liberalism
liberaliteit [de^v] 1 ⟨onbevooroordeelde denk-, handelwijze⟩ liberality 2 ⟨vrijgevigheid⟩ liberality
liber amicorum [het] festschrift
Liberia [het] Liberia

Liberia	
naam	*Liberia* **Liberia**
officiële naam	*Republiek Liberia* **Republic of Liberia**
inwoner	*Liberiaan* **Liberian**
inwoonster	*Liberiaanse* **Liberian**
bijv. naamw.	*Liberiaans* **Liberian**
hoofdstad	*Monrovia* **Monrovia**
munt	*Liberiaanse dollar* **Liberian dollar**
werelddeel	*Afrika* **Africa**
int. toegangsnummer **231** www.**lr** auto **LB**	

Liberiaan [de^m], **Liberiaanse** [de^v] ⟨man & vrouw⟩ Liberian, ⟨vrouw ook⟩ Liberian woman/girl
Liberiaans [bn] Liberian
Liberiaanse [de^v] → **Liberiaan**
libero [de^m] ⟨sport⟩ sweeper, libero, free back
libertair [bn, bw] libertarian
libertijn [de^m] ⟨gesch⟩ libertine, ⟨vrijdenker⟩ free-thinker, ⟨losbandige⟩ debauchee
libertijns [bn] libertine, licentious, dissolute, debauched, dissipated
libidineus [bn] libidinous, lustful
libido [de^m] libido, sexual urge, sex drive ◆ *een preparaat dat de libido **remt/stimuleert*** a preparation that inhibits/stimulates the libido
Libië [het] Libya

Libië	
naam	*Libië* **Libya**
officiële naam	*Grote Libisch-Arabische Socialistische Volks-Jamahiriyah* **Great Socialist People's Libyan Arab Jamahiriya**
inwoner	*Libiër* **Libyan**
inwoonster	*Libische* **Libyan**
bijv. naamw.	*Libisch* **Libyan**
hoofdstad	*Tripoli* **Tripoli**
munt	*Libische dinar* **Libyan dinar**
werelddeel	*Afrika* **Africa**
int. toegangsnummer **218** www.**ly** auto **LAR**	

Libiër [de^m], **Libische** [de^v] ⟨man & vrouw⟩ Libyan, ⟨vrouw ook⟩ Libyan woman/girl
Libisch [bn] Libyan
Libische [de^v] → **Libiër**
libratie [de^v] ⟨astron⟩ libration
libre [het] ⟨sport⟩ free game ◆ *sterk zijn **in** het libre* be good at free game; *libre **spelen*** play a free game
librettist [de^m] ⟨muz⟩ librettist
libretto [het] 1 ⟨operatekst⟩ libretto 2 ⟨boekje⟩ libretto
librium^MERK [de^v] librium ◆ *librium **slikken*** be on/take librium

lichaamsdelen	1/4
het hoofd	**the head**
achterhoofd	back of the head, occiput
adamsappel	Adam's apple
bovenlip	upper lip
gebit	(echt) teeth; (vals) dentures, false teeth
haar	hair
hals	neck
huig	uvula
jukbeen	cheekbone
keel	throat
kies	molar
kin	chin
lip	lip
mond	mouth
nek	neck, back of the neck
neus	nose
neusgat	nostril
onderlip	lower lip
oog	eye
ooglid	eyelid, lid
oor	ear
oorlel	earlobe
oorschelp	auricle, pinna
pupil	pupil
slaap	temple
strottenhoofd	larynx, voice box
tand	tooth
tandvlees	gums
tong	tongue
verhemelte	palate
voorhoofd	forehead, brow
wang	cheek
wenkbrauw	eyebrow
wimper	eyelash

lic. [afk] ⟨in België⟩ (licentiaat) licentiate
¹licentiaat [de^m] ⟨persoon⟩ licentiate
²licentiaat [het] 1 ⟨waardigheid, graad⟩ licentiate, licence, ⟨AE⟩ license, ± Bachelor Honours Degree, ± master's degree ◆ *zijn licentiaat **behalen** aan de universiteit van A.* be awarded one's licentiate by the University of A., ± be awarded one's master's degree by the University of A. 2 ⟨studiejaren⟩ licentiate/licence years
licentiaatsdiploma [het] ⟨in België; onderw⟩ licentiate, ± master's degree
licentiaatsthesis [de^m], **licentiaatsverhandeling** [de^v] ⟨in België⟩ licentiate's thesis, ± MA/M Sc thesis, ± Master's thesis
licentiaatsverhandeling [de^v] → **licentiaatsthesis**
licentie [de^v] 1 ⟨verlof, patent⟩ licence, ⟨AE⟩ license ◆ *een artikel **in/onder** licentie vervaardigen* manufacture an article under licence 2 ⟨startvergunning⟩ permit, licence, ⟨AE⟩ license ◆ ⟨sport⟩ *een licentie **afgeven/intrekken*** issue/withdraw a permit 3 ⟨form; ongebondenheid⟩ licence, ⟨AE⟩ license 4 ⟨licentiaat⟩ licentiate, licence, ⟨AE⟩ license ▪ *licentie **betalen*** pay royalty/royalties

licentiegever [de^m] licenser, ⟨vnl AE⟩ licensor
licentiehouder [de^m] licencee, ⟨AE⟩ licensee
licentierechten [de^mv] manufacturing rights
licentievergoeding [de^v] royalty, royalties
lichaam [het] 1 ⟨lijf van mens, dier⟩ body ♦ *gezond zijn naar lichaam en **geest*** sound/healthy in body and mind/spirit; ⟨fig⟩ *maar één lichaam **hebben*** there's only one of me, I can't be everywhere, I can only be one place at a time; *over het **hele** lichaam* all over (the body)/from head to foot; *over zijn **hele** lichaam beven* shake/shiver all over; *iets **op** zijn lichaam verbergen* secrete/hide sth. on/about one's person/body 2 ⟨romp van mens, dier⟩ trunk, body ♦ *het hoofd van het lichaam **scheiden*** separate/sever the head from the body/trunk 3 ⟨maatschappelijke instelling⟩ body ♦ *een **openbaar** lichaam* a public body/corporation; *het lichaam van de **Staat*** the State, the body politic; *een **wetgevend** lichaam* a legislative body 4 ⟨hoeveelheid materie⟩ body, corpus ♦ ***meetkundige** lichamen* geometric(al) figures/bodies; ***vaste, vloeibare en gasvormige** lichamen* solids, liquids and gases
lichaamsarbeid [de^m] physical/manual labour, physical/manual work
lichaamsbeweging [de^v] 1 ⟨om het lichaam te versterken⟩ (physical) exercise ♦ *hij moet meer lichaamsbeweging **nemen**/meer aan lichaamsbeweging **doen*** he must take/do more (physical) exercise/do more about his physical condition; ***onvoldoende** lichaamsbeweging krijgen* get insufficient (physical) exercise 2 ⟨beweging van het lichaam⟩ physical movement/motion
lichaamsbouw [de^m] build, figure, stature, physique ♦ *een **fraaie/lelijke** lichaamsbouw* a nice/an ugly build/figure

lichaamsdelen 2/4

het uitwendige lichaam	the outer body
anus	anus
arm	arm
bal van de voet	ball of the foot
been	leg
bil	buttock
billen/achterwerk	buttocks, backside, bum, bottom
borst (van een vrouw)	breast; (beide borsten) bosom, bust
borst (voorkant van de romp)	chest, breast
bovenarm	upper arm
bovenbeen	upper leg
buik	belly, stomach
dij	thigh
duim	thumb
elleboog	elbow
enkel	ankle
hand	hand
heup	hip
hiel	heel
hoofd	head
knie	knee
kruis	crotch
kuit	calf
lies	groin
middel	waist, middle
middelvinger	middle finger, second finger
muis	ball of the hand

lichaamscontact [het] bodily contact
lichaamscultus [de^m] body cult, cult of the body
lichaamsdeel [het] part of the body, member, ⟨arm of been⟩ limb
lichaamseigen [bn] ♦ *het immuunsysteem herkent deze **eiwitten** als lichaamseigen/niet lichaamseigen* the immune system recognizes these proteins as self/non-self; *lichaamseigen **stoffen*** the body's own substances, substances naturally produced by/occurring in the body
lichaamsgebrek [het] physical/bodily defect, infirmity, disability, handicap
lichaamsgesteldheid [de^v] physical/bodily condition
lichaamsgeur [de^m] body odour, ⟨inf⟩ bo
lichaamsgewicht [het] body weight
lichaamsholte [de^v] 1 ⟨m.b.t. de mens⟩ body cavity 2 ⟨m.b.t. dieren⟩ body cavity
lichaamshouding [de^v] posture, carriage
lichaamskracht [de] (physical) strength
lichaamskunst [de^v] body art
lichaamslengte [de^v] ⟨van mens⟩ (physical) height, stature, ⟨van dier⟩ (physical) length
lichaamsluis [de] body-louse
lichaamsoefening [de^v], **lichaamsoefeningen** [de^mv] physical exercise(s), gymnastics, ⟨mv ook; scherts⟩ physical jerks
lichaamsoefeningen [de^mv] → **lichaamsoefening**
lichaamstaal [de] body language
lichaamstechniek [de^v] body control
lichaamstemperatuur [de^v] body temperature
lichaamsverzorging [de^v] personal hygiene, care of the body

lichaamsdelen 3/4

het uitwendige lichaam	the outer body
nagel	nail
navel	belly button, navel
oksel	armpit
onderarm	forearm
onderbeen	lower leg
onderbuik	abdomen
onderrug	lower back
palm	palm
penis	penis
pink	little finger, pinkie, fourth finger
pols	wrist
ringvinger	ring finger, third finger
romp	trunk, torso
rug	back
ruggengraat	spinal column, backbone, spine
scheen	shin
schouder	shoulder
teen	toe
grote teen	big toe
kleine teen	little toe
tepel	nipple
vagina	vagina
vinger	finger
voet	foot
voetzool	sole of the foot
wijsvinger	index finger, forefinger
wreef	instep

lichaamsvocht [het] bodily fluid, ⟨gesch⟩ humour
lichaamsvreemd [bn] foreign, ⟨alleen predicatief⟩ non-self ♦ *lichaamsvreemde **eiwitten*** foreign proteins
lichaamswarmte [de^v] body heat, bodily warmth
¹lichamelijk [bn] ⟨tastbaar⟩ physical, corporal, ⟨stoffelijk⟩ material, corporeal ♦ *lichamelijke **arbeid*** physical work
²lichamelijk [bn, bw] ⟨wat het lichaam betreft⟩ physical ⟨bw: ~ly⟩, bodily, corporal, ⟨med ook⟩ somatic ♦ *lichamelijke **gebreken** vertonen* have physical defects; *lichamelijk **letsel** oplopen* sustain/receive/suffer/meet with physical injury; *lichamelijke **opvoeding*** physical education/^Btraining; ⟨af-

korting⟩ PE, ⟨BE⟩ PT; gym(nastics); *het lichamelijk en geestelijk* ***welzijn*** physical and mental well-being/health; *hij is lichamelijk* ***zwak*** he is physically weak, ⟨i.h.b. door ouderdom⟩ he is physically infirm; *lichamelijk tot niets in staat zijn* not be physically capable of anything

lichamelijkheid [de^v] corporality

lichaamsdelen	4/4
het inwendige lichaam	**the inside body**
ader	vein, blood vessel
alvleesklier	pancreas
baarmoeder	uterus
blaas	bladder
darm	intestine, gut, bowel
dikke darm	large intestine
dunne darm	small intestine
galblaas	gall bladder
hart	heart
hersenen	brain
klier	gland
lever	liver
long	lung
luchtpijp	trachea, windpipe
lymfklier	lymph/lymphatic gland
maag	stomach
milt	spleen
nier	kidney
orgaan	organ
pees	tendon, sinew
slagader	artery
slokdarm	oesophagus, gullet
spier	muscle
zenuw	nerve

[1]**licht** [het] [1] ⟨schijnsel⟩ light ◆ ⟨fig⟩ *wie* ***brengt*** *licht in deze zaak?* who can throw/shed light on this matter?; ***elektrisch*** *licht* electric light; ***flauw*** *licht* dim light; *de lamp* ***geeft*** *weinig licht* the lamp doesn't give much light; ⟨scherts; fig⟩ *het licht* ***gezien hebben*** have seen the light; *toen* ***ging*** *bij hem het licht* ***uit*** ⟨viel flauw⟩ his lights went out; ⟨verloor zijn zelfbeheersing⟩ and then he lost control, and then he lost his rag; ⟨fig⟩ *zij* ***gunnen*** *elkaar het licht in de ogen niet* they can't stand each other, they wouldn't give each other the time of day; ⟨sl⟩ they hate each other's guts; ***helder/zacht*** *licht* bright/soft light; ***in*** *(het) licht baden* be bathed in light; ⟨fig⟩ *nu komt er licht* ***in*** *de zaak/****in*** *de duisternis* now we can see daylight/see (light at) the end of the tunnel; ⟨fig⟩ *we moeten dat in het* ***juiste*** *licht proberen te zien* we must try to put that in the proper/right light/perspective; *licht* ***maken*** light up; ⟨elektrisch⟩ turn on the/some light; ⟨lucifer⟩ strike a light; ⟨fig⟩ *dat werpt een* ***nieuw*** *licht op de zaak* that puts things in another/a different light; ⟨fig⟩ *iets in een bepaald licht* ***plaatsen/stellen*** put sth. in a particular way; *licht en* ***schaduw*** light and shade; *iets* ***tegen*** *het licht houden* ⟨ook fig⟩ hold sth. (up) to/against the light; *ga eens* ***uit*** *mijn licht* get out of my light please; *licht* ***uitstralen*** give out/send out light, ⟨wet⟩ radiate light; *licht* ***werpen*** *op* ⟨ook fig⟩ shed/throw/cast light on; ⟨fig⟩ *een (gunstig) licht* ***werpen*** *op iets* cast sth. in a better light; *licht van de* ***zon*** sunlight [2] ⟨verlichting⟩ light, ⟨film, dram⟩ lighting ◆ *het licht* ***aandoen/uitdoen*** put the light on/off, ⟨uit ook⟩ put the light out, ⟨schakelaar ook⟩ turn/switch the light on/off, ⟨uit ook⟩ turn/switch the light out; *er* ***brandde*** *nog licht op de studeerkamer* there was still (a) light (on) in the study; *waar zit de* ***knop*** *van het licht?* where's the light-switch?; *overal* ***viel*** *het licht* ***uit*** ⟨ook⟩ all the lights went out; *een fietser/fiets/brommer/auto* ***zonder*** *licht* a cyclist/bicycle/moped/car without (any) lights [3] ⟨verlichte plaats⟩ light ◆ ⟨fig⟩ ***aan*** *het licht komen* come to light; ⟨fig⟩ ***aan*** *het licht brengen* bring to light, reveal, bring into the open, lay bare; ⟨ontdekken⟩ uncover, unearth; ⟨fig⟩ *het licht* ***doen zien*** bring out, produce; ⟨boek ook⟩ publish; *tussen licht en* ***donker*** in the twilight/the semi-darkness; ***in*** *het licht plaatsen/stellen* ⟨fig⟩ throw/shed light (up)on; ⟨fig⟩ *iets in een* ***nieuw/ander*** *licht zien* see sth. in a different/new/another light; *iemand in het licht* ***staan,*** *in iemands licht* ***staan,*** *iemand het licht* ***benemen*** be in s.o.'s light, stand in s.o.'s light, block s.o.'s light; *in het* ***volle*** *licht komen te staan* come into the light, ⟨fig⟩ come into the open; ⟨fig⟩ *het licht* ***zien*** ⟨persoon, zaak⟩ see the light [4] ⟨lamp⟩ light ◆ ⟨fig⟩ *nu* ***gaat*** *mij een licht op* now I see; ⟨bij het horen van iets⟩ that rings a bell; *met* ***gedimde*** *lichten* with dipped (head)lights; ⟨fig⟩ *toen* ***ging*** *er een lichtje (bij me)* ***op*** then it dawned (up)on me, then the penny dropped; ⟨fig⟩ *het* ***groene*** *licht geven* give the go-ahead/the green light; ⟨fig⟩ *het* ***groene*** *licht krijgen* get the go-ahead/the green light; ⟨fig⟩ ***laat*** *je licht eens op deze zaak* ***schijnen*** could you turn your attention to/give your verdict on this matter?; ***met*** *de lichten knipperen* flash (one's (head)lights); ⟨fig⟩ *zijn licht bij iemand* ***opsteken*** inquire of/make inquiries of s.o., go to s.o. for information; *door* ***rood*** *licht rijden* drive/go through a red light/the red; ⟨inf⟩ shoot the lights; *het licht* ***staat*** *op rood* the light's red; *alle lichten* ***werden gedoofd*** all the lights were doused [5] ⟨intelligent mens⟩ genius, light ◆ *hij* ***is*** *geen licht* he's no genius/Einstein; *je hoeft geen licht te* ***zijn*** *om …* you don't have/need to be a genius to …, it doesn't take/it hardly takes a genius to … [•] ***in*** *dat licht gezien* viewed/looked at in that light/from that perspective; ***in*** *het licht daarvan …* such being the case …; ***in*** *het licht van de gebeurtenissen* in the light of events; *zijn licht onder de korenmaat* ***zetten*** hide one's light under a bushel; ⟨sprw⟩ *die kwaad doet haat het licht* ± he that does ill hates the light; ⟨sprw⟩ *de waarheid komt altijd aan het licht* the truth will out

[2]**licht** [bn] [1] ⟨niet zwaar⟩ light ◆ *zo licht* ***als*** *een veer* (as) light as a feather/as (thistle)down, gossamer light; ⟨fig⟩ *(gewogen en) te licht* ***bevonden*** (tried and) found wanting; *lichte* ***cavalerie*** light cavalry/horse; *licht* ***geschut*** light artillery/guns; ⟨fig⟩ *iemand honderd euro lichter* ***maken*** take/sting s.o. for a hundred euros, swindle s.o. out of a hundred euros; *een kilo* ***te*** *licht* a kilogram short/underweight; *veel* ***te*** *licht zijn* be considerably underweight; *licht* ***van*** *gewicht* light(-weight); ⟨fig⟩ *zij* ***voelde*** *zich licht in het hoofd* she felt light in the head/giddy/dizzy, her head was swimming [2] ⟨goed verlicht⟩ light, bright ◆ *het* ***wordt*** *al licht* it's getting light, dawn/the day is breaking [3] ⟨helder van kleur⟩ light, ⟨zeer licht⟩ pale, ⟨haar, huid⟩ fair ◆ *een lichte* ***gelaatskleur*** a fair complexion; *lichte* ***ogen*** light/pale eyes [4] ⟨soepel⟩ light, ⟨beweging van mens ook⟩ agile, lithe, nimble, sprightly ◆ *met lichte* ***tred*** with a light tread, treading lightly, light-footed [5] ⟨niet fors⟩ light, delicate, ⟨pej⟩ flimsy ◆ *een lichte* ***motor*** a light motorcycle; *een sierlijke en lichte* ***vorm*** a light and graceful/elegant form [6] ⟨weinig inspanning vragend⟩ light, easy, undemanding, untaxing ◆ *lichte* ***lectuur/muziek*** light reading/music; ⟨muz ook⟩ easy listening [7] ⟨makkelijk verteerbaar⟩ light ◆ *licht* ***bier****/lichte* ***sigaretten/sigaren/tabak*** light beer/cigarettes/cigars/tobacco; ⟨sigaretten ook⟩ milds, lights; *een lichte* ***maaltijd*** a light meal, a collation; ⟨'s middags⟩ a luncheon; *een licht* ***ontbijt*** a light breakfast; ⟨in hotel⟩ a continental breakfast [8] ⟨gering in omvang, van aard⟩ light, slight ◆ *een lichte* ***aanrijding*** a slight/minor collision; ⟨fig⟩ *een lichte* ***afwijking*** *hebben* be a bit strange/funny/odd/peculiar; *een lichte* ***afwijking*** *vertonen* exhibit a slight/minor defect; *licht* ***arrest*** open arrest; *een lichte* ***blessure*** a minor injury; *een lichte* ***buiging*** a slight bow; *een lichte* ***hartaanval*** a mild heart attack; *een licht* ***medicament*** a mild medicine; *een lichte* ***straf*** a light penalty/sentence; *een licht* ***vergrijp*** a minor/trivial/pecuniary offence; *een lichte* ***verkoudheid/griep(aanval)*** a slight cold, a touch of (the) flu; *lichte* ***verwondingen*** slight/

minor injuries; *lichtevorst* (s)light frost; *een lichte* ***zonnesteek*** a touch of the sun, (a) mild sunstroke [9] ⟨onvast⟩ light [10] ⟨m.b.t. stemgeluiden⟩ soft, ⟨zangstem ook⟩ light [11] ⟨lichtzinnig⟩ light(-headed), frivolous, ⟨zorgeloos⟩ easy(-going), carefree, light-hearted, happy-go-lucky [12] ⟨m.b.t. grondsoort⟩ light, loose, porous [•] ⟨sprw⟩ *vele handen maken licht werk* many hands make light work

³licht [bw] [1] ⟨niet zwaar, helder, soepel⟩ lightly, ⟨lopen, slapen, met weinig bagage⟩ light ◆ *deze fiets* ***loopt*** *lekker licht* this bicycle is nice and light to ride/runs smoothly; *licht* ***slapen*** sleep light [2] ⟨enigszins⟩ slightly, somewhat ◆ *licht* ***alcoholische*** *dranken* light/slightly alcoholic drinks; *licht* ***opgemaakt*** lightly made-up [3] ⟨gemakkelijk, gauw⟩ easily, readily ◆ *je moet daar niet te licht over* ***denken*** you mustn't think (too) lightly of that/pass over that too lightly; *licht* ***gekleurd*** *papier* toned paper; *dat zal ik niet licht* ***vergeten*** I won't forget that in a hurry; *zoiets wordt licht* ***vergeten****/over het hoofd* ***gezien*** that sort of thing is easily/liable to be forgotten/overlooked; *licht* ***verteerbaar*** (easily) digestible, light [4] ⟨ten minste⟩ at least [5] ⟨zeer⟩ highly ◆ *licht* ***ontvlambare*** *stoffen* highly (in)flammable materials [•] ⟨sprw⟩ *als men een hond wil slaan, kan men licht een stok vinden* a staff is quickly found to beat a dog; any stick will do to beat a dog; ± give a dog a bad name (and hang him); ⟨sprw⟩ *jonge takken buigen licht* as the twig is bent, so is the tree inclined

lichtaansluiting [de^v] mains connection

lichtallergie [de^v] photosensitivity

lichtbaan [de] [1] ⟨door de zon of een lamp beschenen baan⟩ light beam, light ray [2] ⟨lichtbundel⟩ light beam, light ray

lichtbak [de^m] [1] ⟨bak met lampen⟩ light box/frame [2] ⟨bak om wild te verblinden⟩ dazzle-light, jacklight [3] ⟨bak met doorschijnende plaat⟩ light box [4] ⟨reclamebord met binnenverlichting⟩ illuminated sign, neon sign

lichtbaken [het] ⟨ook fig⟩ beacon (light)

lichtband [de^m] [1] ⟨lichtkrant⟩ illuminated news trailer [2] ⟨lichtstrook⟩ band/ribbon of light

lichtbeeld [het] slide, transparency

lichtbeuk [de] clerestory

lichtbewolkt [bn] rather cloudy, with some clouds

lichtblauw [bn] light/pale blue

lichtblond [bn] light(-blond), fair, flaxen, ⟨gespoeld in lichtst mogelijke kleur⟩ platinum blond

lichtboei [de] light buoy

lichtboog [de^m] ⟨techn⟩ arc

lichtbord [het] digital sign

lichtbrekend [bn] ⟨natuurk⟩ refractive ◆ *lichtbrekende* ***scheidingsvlakken*** refractive interfaces

lichtbreking [de^v] ⟨natuurk⟩ refraction of light

lichtbron [de] light source, source of light

lichtbruin [bn] light/pale brown, ⟨m.b.t. ogen ook⟩ hazel

lichtbrulboei [de] light-and-whistle buoy

lichtbuis [de] fluorescent tube/light/lamp, neon tube/light/lamp

lichtbundel [de^m] beam of light, shaft/pencil of light

lichtcel [de] photoelectric cell

lichtclaxon [de^m] flash (of the headlights)

lichtdicht [bn] lighttight, lightproof

lichtdruk [de^m] [1] ⟨reproductieprocedé⟩ collotype, heliotype, phototype, diazo(type) [2] ⟨afdruk⟩ collotype, heliotype, phototype, diazo(type) [3] ⟨natuurk⟩ light pressure

lichtdrukken [ww] collotype ◆ *iets* ***laten*** *lichtdrukken* have a collotype made of sth.

lichtdrukpapier [het] ⟨alg⟩ sensitive paper, ⟨specifieker⟩ diazo paper

lichtecht [bn] colourfast, non-fading, lightfast, ⟨AE ook⟩ sunfast

lichtechtheid [de^v] colourfastness, ⟨AE ook⟩ sunfastness

lichteenheid [de^v] unit of light

lichteeuw [de] light century

lichteffect [het] light(ing) effect, effect of light

lichtekooi [de^v] ⟨vero⟩ strumpet, drab, wench, punk

lichtelijk [bw] [1] ⟨enigszins⟩ slightly, somewhat, a bit ◆ *lichtelijk* ***aangeschoten*** a bit tipsy/merry, mellow; ⟨alleen predicatief⟩ happy; *lichtelijk* ***ongesteld*** *zijn* be slightly indisposed; *hij was lichtelijk* ***verbaasd*** he was mildly surprised; *iemand lichtelijk* ***verbaasd*** *aankijken* look at s.o. in mild-eyed wonder; ⟨inf⟩ *lichtelijk* ***verdwaald*** a bit off-course; *lichtelijk* ***vermaakt*** *toezien* look on in mild/faint amusement/mildly/faintly amused; *lichtelijk van streek zijn* be somewhat upset/slightly ruffled [2] ⟨moeiteloos⟩ easily ◆ *dat kan men lichtelijk* ***begrijpen*** that can be easily understood, that is quite understandable

¹lichten [onov ww] [1] ⟨licht geven⟩ light (up), ⟨zee⟩ phosphoresce ◆ *er lichtte iets* ***in*** *zijn ogen* sth. lit up in his eyes; *het lichten van de zee* the phosphorescence of the sea [2] ⟨bliksemen⟩ lighten [3] ⟨krieken⟩ dawn, break ◆ *het* ***begint*** *te lichten* day is dawning/breaking, it is getting light, dawn is breaking [4] ⟨bijlichten⟩ light

²lichten [ov ww] [1] ⟨optillen⟩ lift, raise ◆ *het* ***anker*** *lichten* weigh anchor; *een* ***schip*** *lichten* raise/lift a ship; *een deur* ***uit*** *zijn hengsels lichten* take a door off its hinges, unhinge a door; *een* ***visnet*** *lichten* draw/haul in a net [2] ⟨eruit halen⟩ remove, extract, unload ◆ *een alinea* ***uit*** *een tekst lichten* extract a paragraph from a text; *iemand* ***van*** *zijn bed lichten* arrest s.o. in his bed [3] ⟨legen⟩ empty, clear, relieve, ⟨gedeeltelijk lossen van schip⟩ lighten ◆ *een* ***brievenbus*** *lichten* empty a [B]letter-box/[A]mailbox, collect the letters; *een* ***parkeermeter*** *lichten* empty a parking meter; ⟨door onbevoegden⟩ rob a parking meter [4] ⟨oproepen⟩ raise, conscript, draft, levy

lichtend [bn] [1] ⟨fig⟩ shining ◆ *een lichtend* ***voorbeeld*** a shining example [2] ⟨lichtgevend⟩ shining, luminous, luminescent, ⟨zee⟩ phosphorescent ◆ *een lichtende* ***ster*** a shining/bright/luminous star

lichter [de^m] [1] ⟨hefboom⟩ lifter, lever, ⟨vnl scheepv⟩ purchase [2] ⟨vaartuig om een lading over te laden⟩ lighter ◆ *lossen* ***in*** *lichters* lighter [3] ⟨gesch⟩ scout

lichteren [ov ww] transfer to a lighter (barge)

lichtergeld [het] ⟨scheepv⟩ lighterage

lichterlaaie [•] *het gebouw stond* ***in*** *lichterlaaie* the building was (all) ablaze/in a blaze

lichterman [de^m] ⟨scheepv⟩ lighterman

lichtfilter [het, de^m] (light) filter

lichtflits [de^m] flash (of light)

lichtgas [het] coal gas

lichtgebouwd [bn] ⟨persoon⟩ (s)lightly built, slight, ⟨voorwerpen⟩ delicate, light(weight)

lichtgeel [bn] light/pale yellow

lichtgekleurd [bn] light-coloured, ⟨alleen na zelfstandig naamwoord⟩ light in colour

lichtgelovig [bn] credulous, gullible, naive ◆ *hij* ***is*** *lichtgelovig* ⟨ook⟩ he'll swallow anything

lichtgelovigheid [de^v] credulity, gullibility

lichtgeraakt [bn] touchy, irritable, quick-tempered, short-tempered, over-sensitive, thin-skinned ◆ *lichtgeraakt* ***zijn*** be quick to take offence, have a chip on one's shoulders

lichtgeraaktheid [de^v] touchiness, irritableness, quick-temperedness, short-temperedness, huffiness

lichtgevend [bn] luminous, ⟨biol⟩ photogenic ◆ *een lichtgevende* ***diode*** a light-emitting diode, a LED

lichtgevoelig [bn] (light) sensitive, photosensitive ◆ *de lichtgevoelige* ***laag*** the emulsion; *lichtgevoelig* ***papier*** sensitive paper

lichtgevoeligheid [de^v] photo sensitivity, light-sensitivity, sensitivity to light

lichtgewapend [bn] light(ly)-armed

¹lichtgewicht [de^m] [1] ⟨sport⟩ lightweight [2] ⟨fig⟩ lightweight, featherweight

[2]**lichtgewicht** [het] ⟨sport⟩ lightweight

[3]**lichtgewicht** [bn] light(weight), ⟨kleding ook⟩ summerweight, ⟨zeer licht⟩ featherweight

lichtgewond [bn] slightly injured/wounded/hurt

lichtgewonde [de^{m}] lightly wounded

lichtgezouten [bn] (s)lightly salted ♦ *lichtgezouten **boter*** lightly salted butter

lichtgod [de^{m}] god of light

lichtgolf [de] ⟨natuurk⟩ light wave

lichtgranaat [de] star shell Very light, flare

lichtgrijs [bn] light/pale grey

lichtgroen [bn] light/pale green

lichtharig [bn] fair(-haired), ⟨man; BE⟩ blond, ⟨vrouw⟩ blonde, ⟨man & vrouw; AE⟩ blond

lichtheid [de^{v}] [1] ⟨geringe zwaarte⟩ lightness [2] ⟨licht gevoel⟩ lightness, lightheadedness, giddiness, dizziness, unsteadiness

lichthoofdig [bn] rash, scatterbrained

lichting [de^{v}] [1] ⟨rekrutering⟩ levy, draft, conscription [2] ⟨opgeroepen soldaten⟩ batch, ⟨van een jaar⟩ class ♦ ⟨fig⟩ *studenten van de lichting **1978*** students from the class of 78; *een **nieuwe** lichting **oproepen*** call up a new class, make a fresh levy; ⟨fig⟩ *een nieuwe lichting **studenten*** a new crop of students; *de lichting **van** 1992* the 1992 batch/class [3] ⟨het ledigen van een brievenbus⟩ collection, ⟨BE ook⟩ post ♦ *de **eerste** lichting **heeft plaatsgehad*** the first collection has been made, the first post has gone; *de **laatste** lichting **halen/missen*** catch/miss the last collection/post [4] ⟨het omhoogbrengen⟩ lifting, raising [5] ⟨overbrenging van goederen⟩ unloading

lichtingstijd [de^{m}] time of collection

lichtinstallatie [de^{v}] lighting (installation)

lichtintensiteit [de^{v}] light intensity, ⟨wet ook⟩ luminous intensity

lichtinval [de^{m}] incidence of light

lichtjaar [het] light-year

lichtjes [bw] [1] ⟨niet drukkend⟩ lightly ♦ *iemand lichtjes **duwen/aanstoten*** nudge s.o.; *lichtjes over iets **strijken*** smooth (over) sth. lightly [2] ⟨luchthartig⟩ lightly, airily ♦ *iets lichtjes **opnemen*** take/treat sth. lightly, make light of sth., think lightly of sth. [3] ⟨in zeer geringe mate⟩ slightly, a bit/trifle, somewhat ♦ *lichtjes **verbrand*** slightly/a bit/a trifle burnt

lichtjesfeest [het] festival of lights

lichtkabel [de^{m}] light cable, main

lichtkegel [de^{m}] conical beam of light, pencil of light

lichtkever [de^{m}] firefly, glow-worm

lichtkoepel [de^{m}] skylight

lichtkogel [de^{m}] (signal) flare, Very light, star shell

lichtkoker [de^{m}] light shaft

lichtkracht [de] light intensity, ⟨astron⟩ luminosity

lichtkrans [de^{m}] halo, ⟨astron ook⟩ aureole, corona, ⟨om hoofd ook⟩ glory

lichtkrant [de] illuminated news trailer

lichtkring [de^{m}] [1] ⟨verlichte kring⟩ circle of light [2] ⟨halo⟩ halo, aureole, corona

lichtkroon [de] chandelier

lichtleiding [de^{v}] (lighting) main(s), ⟨alle leidingen in huis⟩ electric wiring

lichtloep [de] magnifying glass (with a light in it)

lichtmast [de^{m}] lamppost, lamp standard, light tower

lichtmatroos [de^{m}] ordinary seaman, OS, ⟨BE ook⟩ (naval) rating

lichtmetaal [het] ⟨techn⟩ light metal

lichtmetalen [bn, alleen attr] light metal

lichtmeter [de^{m}] [1] ⟨fotometer⟩ photometer [2] ⟨foto⟩ light meter

lichtminuut [de] light-minute

lichtmis [de^{m}] libertine, rake, profligate, reprobate

lichtmot [de] pyralid

lichtnet [het] (electric) mains, lighting system ♦ ***op** het lichtnet **werken*** run/operate off the mains; *een apparaat **op** het lichtnet **aansluiten*** connect an appliance to the mains/ to the electric supply, plug in an appliance

lichtpaars [bn] light/pale purple, mauve

lichtpen [de] ⟨comp⟩ light pen(cil)

lichtpistool [het] Very/flare pistol

lichtprocessie [de^{v}] light procession

lichtpunt [het] [1] ⟨lichtend punt⟩ point/spot/pin-prick of light [2] ⟨fig⟩ ray of hope, bright spot, redeeming feature ♦ *ik zie **één** lichtpuntje en dat is ...* I can see just one ray of hope/bright spot/redeeming feature, and that is ...; *het **enige** lichtpuntje* the one/only ray of hope/bright spot/redeeming feature [3] ⟨aansluitingspunt op het lichtnet⟩ power point, connection, ⟨BE ook⟩ point ♦ *lichtpunten **aanbrengen*** the location of the (power) points/connections, put in/install (power) points/connections; *de **plaatsing** van de lichtpunten* the location of the (power) points/ connections

lichtquant [het] photon

lichtraket [de] (signal) rocket

lichtreactie [de^{v}] photochemical reaction

lichtreclame [de] [1] ⟨reclame⟩ illuminated advertising, ⟨geval hiervan⟩ illuminated advertisement [2] ⟨toestel⟩ electric light sign, illuminated/neon sign, ⟨bovenop gebouw⟩ sky-sign, ⟨knipperend⟩ flasher unit

lichtrood [bn] light red, ⟨zeldz⟩ pale red

lichtrooster [het, de^{m}] [1] ⟨rooster⟩ grating [2] ⟨roosterwerk⟩ grating

lichtschacht [de] skylight

lichtschakelaar [de^{m}] light switch

lichtschakering [de^{v}] chiaroscuro, (play of) light and shade

lichtschip [het] lightship, floating light

lichtschuw [bn] [1] ⟨med⟩ photophobic [2] ⟨biol⟩ ⟨ook⟩ lucifugous, lucifugal ♦ ***uilen** zijn lichtschuw* owls are lucifugous [3] ⟨fig⟩ shunning the light, afraid of the light, ⟨form⟩ lucifugous ♦ *allerlei lichtschuw **gespuis*** all sorts of riffraff that is afraid of/that shuns the light, all sorts of shady characters

lichtschuwheid [de^{v}] photophobia

lichtsculptuur [de^{v}] light sculpture

lichtshow [de^{m}] lightshow

lichtsignaal [het] light signal, flash ♦ *een lichtsignaal **geven*** flash; *iets **met** lichtsignalen aan iemand doorgeven* wink/ [A]blink/flash sth. at s.o.

lichtslang [de] rope light

lichtsluis [de] [1] ⟨tussenvertrek tussen twee ruimten⟩ light trap [2] ⟨lichtkoker⟩ light shaft

lichtsnelheid [de^{v}] speed of light, ⟨natuurk⟩ velocity of light

lichtspoormunitie [de^{v}] tracer (bullets)

lichtstad [de] City of Light

lichtsterkte [de^{v}] [1] ⟨intensiteit van het licht⟩ brightness, intensity of light, ⟨natuurk⟩ luminous intensity, luminosity ♦ *een lichtsterkte **van** 200 kaarsen* 200 candelas/ candlepower [2] ⟨foto⟩ speed

lichtstraal [de] [1] ⟨lijn van het licht⟩ ray of light, ⟨breder⟩ beam/shaft of light, ⟨spleet ook⟩ chink of light, ⟨bliksem⟩ flash of lightning [2] ⟨fig⟩ ray of light/sunshine, gleam of hope, bright spot, redeeming feature

lichtstreep [de] streak of light

lichtstroom [de^{m}] [1] ⟨stroom van licht⟩ stream of light [2] ⟨natuurk⟩ light flux, luminous flux [3] ⟨stroom voor elektrische verlichting⟩ light current

lichttechniek [de^{v}] lighting (engineering)

lichttherapie [de^{v}] phototherapy, light treatment/cure

lichttijd [de^{m}] light equation

lichtuitval [de^{m}] black-out

lichtvaardig [bn, bw] rash ⟨bw: ~ly⟩, thoughtless, imprudent, ⟨bijwoord ook⟩ lightly, ⟨woorden⟩ flippant ♦ *lichtvaardig een eed doen* swear rashly; *lichtvaardig handelen* act rashly, trifle (with); *je laat je tot een lichtvaardig oordeel verleiden* you are tempted/inclined to judge rashly/prematurely/to jump to a rash conclusion; *lichtvaardig optimisme* shallow optimism; *lichtvaardig spreken* speak lightly/flippantly/triflingly; *zijn vertrouwen lichtvaardig wegschenken* trust too easily/readily

lichtvaardigheid [de^v] rashness, thoughtlessness, imprudence, ⟨form⟩ levity

lichtval [de^m] light, ⟨natuurk⟩ incidence of light ♦ *de lichtval bij Vermeer* the (use of) light in Vermeer's paintings

lichtvisje [het] head-and-tail-light (fish)

lichtvlek [de] patch of light, ⟨lichtere plek⟩ bright spot/patch

lichtvoetig [bn, bw] light-footed, light on one's feet, nimble, agile, fleet of foot ♦ ⟨fig⟩ *lichtvoetige poëzie* graceful/elegant/flowing verse

lichtwachter [de^m] ⟨op vuurtoren⟩ lighthouse keeper, ⟨op lichtschip⟩ lightship keeper

lichtwaterreactor [de^m] light water reactor

lichtwedstrijd [de^m] ⟨sport⟩ floodlit match, match played by floodlight, evening match

lichtwerking [de^v] action of light, effect(s) of light

lichtwezen [het] light being

lichtzetmachine [de^v] photosetting machine

lichtzijde [de] [1] ⟨naar het licht toegekeerde kant⟩ light(ed) side [2] ⟨fig⟩ bright side, sunny side

lichtzinnig [bn, bw] [1] ⟨ondoordacht⟩ frivolous, shallow, superficial, ⟨in positieve zin⟩ light-hearted, gay ♦ *een lichtzinnige fout* a silly mistake; *lichtzinnig omspringen met* trifle with [2] ⟨losbandig⟩ light, loose, licentious, abandoned, ⟨met geld⟩ profligate, ⟨vero of scherts⟩ wanton ♦ *lichtzinnig leven* live a loose life; ⟨sl⟩ swing

lichtzinnigheid [de^v] frivolity, ⟨form⟩ levity

lick [de] ⟨muz⟩ lick

lid [het] [1] ⟨deksel⟩ lid, top [2] ⟨vaak in samenstellingen; persoon die deel uitmaakt van een groep⟩ member ♦ *het aantal leden bedraagt …* the membership is …; *als lid bedanken* resign one's membership; *als lid toelaten* admit to/accept for membership; ⟨plechtig⟩ incorporate, induct; *iemand als lid afwijzen* blackball s.o.; *weer als lid aanvaarden* receive back into the fold; *beëdigd worden als lid van* be sworn in as a member of; *zich als lid aanmelden/opgeven* apply for membership; *iemand als lid schrappen/royeren* strike s.o.'s name from the books; ⟨beroepsorganisaties e.d.⟩ strike s.o. off; *betalend lid* sustaining member; *lid blijven* stay on the books, continue as (a) member, continue one's membership; ⟨in bestuur⟩ continue in office; *buitengewoon lid* associate (member); *lid van een firma* a member of/a partner in a firm; *lid van de gemeenteraad* (town) councillor; *geregistreerd/stemgerechtigd lid* card-carrying/voting member; *deze omroep heeft/telt 500.000 leden* this broadcasting company has a membership of 500,000; *hij is lid van de raad van bestuur* he serves on the (company) board; ⟨onderw⟩ he's one of the governors; *lid van de Kamer* ⟨BE⟩ Member of Parliament, MP; ⟨AE⟩ Representative; *niet-studenten kunnen geen lid worden* non-students are not eligible for/admitted to membership; *nieuw lid* ⟨ook⟩ entrant, entryist, recruit; *ouder lid* ⟨ook⟩ oldster; ⟨pej⟩ *papieren lid* paper member; *hij werd verkozen tot lid van de Raad/het Parlement* he was elected/voted onto the Council/into Parliament/^{A}Congress; ⟨Parlement ook⟩ he was returned to Parliament; *lid van verdienste* honorary member; *lid worden van* join, become a member of, enter, go into; *lid worden van de EU* join/go into Europe/the EU; *lid voor het leven worden* become a life/paid up member; *lid zijn van* be a member of; ⟨comité e.d.⟩ be/serve on; ⟨firma⟩ be a partner in; *lid zijn van de bibliotheek* be a library member, belong to the library; *zittend lid* sitting member [3] ⟨onderdeel⟩ part [4] ⟨deel van het lichaam⟩ part, member, ⟨ledemaat ook⟩ limb, ⟨deel van vinger/teen⟩ phalanx ♦ *het (mannelijk) lid* the (male/virile) member; *hij heeft een ziekte onder de leden* he has caught/is getting a disease; *hij beefde over al zijn leden* he trembled/shook in every limb/all over/from head to toe [5] ⟨gewricht⟩ joint ♦ *een ontwrichte elleboog in het lid plaatsen/zetten* put back a dislocated elbow, ⟨med⟩ reduce a dislocated elbow; *zijn arm is uit het lid* his arm is out of joint/dislocated [6] ⟨lichaamsdeel van een insect⟩ part, segment [7] ⟨biol; deel van een stengel⟩ section, internode [8] ⟨deel van een samengesteld woord⟩ morpheme [9] ⟨wisk⟩ term [10] ⟨paragraaf⟩ paragraph, clause, head, (sub-)section ♦ *artikel 3, lid 4* section 3, paragraph 4; subsection 4 of section 3 [·] ⟨sprw⟩ *wie het onderste uit de kan wil hebben, krijgt het lid/deksel op de neus* grasp all, lose all

lidboekje [het] ⟨in België⟩ membership book(let) (in which membership fees are recorded)

lidcactus [de^m] Christmas/crab cactus

lidgeld [het] ⟨in België⟩ [1] ⟨periodieke vaste bijdrage⟩ ⟨als lid⟩ subscription, membership fee, ⟨vrijwillig⟩ contribution [2] ⟨bedrag daarvan⟩ ⟨als lid⟩ (member's) subscription fee, membership dues ⟨mv⟩, ⟨vrijwillig⟩ contribution

lidkaart [de] ⟨in België⟩ membership card

lidkerk [de] member church

bepaald lidwoord **1/2**

the

- voor een medeklinker: *the ship*
- voor een j- en w-klank: *the university, the once famous city*

the, uitgesproken met een i-klank

- voor een klinker: *the island*
- voor een niet-uitgesproken h: *the hour*

the uitgesproken met een lange i-klank

- voor een klinker of medeklinker, met nadruk: *the thing for …* (= only, best, original …)

lidmaat [het, de^m] (church) member, member of the congregation ♦ *als lidmaat bevestigen/aannemen* confirm

lidmaatschap [het] [1] ⟨m.b.t. een vereniging, college⟩ membership ♦ *bewijs van lidmaatschap* membership card/ticket/certificate, card/ticket of membership, member's ticket; *het lidmaatschap kost € 25* the membership fee/(membership) subscription is 25 euros; *zijn lidmaatschap opzeggen* resign one's membership, leave, withdraw; *het lidmaatschap staat ook open voor niet-studenten* membership is also open to non-students; *iemand van het lidmaatschap van een vereniging uitsluiten* exclude s.o. from membership of a club, refuse to admit s.o. as (a) member of a club; *voor het lidmaatschap bedanken* resign one's membership [2] ⟨m.b.t. een kerkgenootschap⟩ membership

lidmaatschapsgeld [het] membership fee/contribution

lidmaatschapskaart [de] membership card

lidnummer [het] ⟨in België⟩ membership number

lido [het] ⟨aardr⟩ barrier, ⟨badstrand⟩ lido ♦ *het lido van Venetië* the Venice lido

lidstaat [de^m] member country, member state

lidsteng [de] ⟨biol⟩ mare's-tail

lidwoord [het] ⟨taalk⟩ article ♦ *bepaald en onbepaald lidwoord* definite and indefinite article

liebaard [de^m] ⟨heral⟩ lion

Liechtenstein [het] Liechtenstein

Liechtensteiner [de^m], **Liechtensteinse** [de^v] ⟨man & vrouw⟩ Liechtensteiner, ⟨vrouw ook⟩ woman/girl from

Liechtenstein

Liechtenstein

naam	*Liechtenstein* Liechtenstein
officiële naam	*Vorstendom Liechtenstein* Principality of Liechtenstein
inwoner	*Liechtensteiner* Liechtensteiner
inwoonster	*Liechtensteinse* Liechtensteiner
bijv. naamw.	*Liechtensteins* of Liechtenstein
hoofdstad	*Vaduz* Vaduz
munt	*Zwitserse frank* Swiss franc
werelddeel	*Europa* Europe
int. toegangsnummer 423 www .li auto FL	

Liechtensteins [bn] Liechtenstein, of/from Liechtenstein

Liechtensteinse [de^{v}] → **Liechtensteiner**

lied [het] [1] ⟨gezang⟩ song, ⟨rel⟩ hymn, canticle, ⟨vnl. Duitse romantiek⟩ lied ♦ *een lied **aanheffen*** strike up a/burst/break into song; *de liederen van **Brahms*** Brahms' Lieder; ***geestelijke** en **wereldlijke** liederen* sacred/religious and secular songs; *het **hoogste** lied zingen* be over the moon, be wild with joy; ***meerstemmig** lied* part-song; ⟨gesch⟩ glee, madrigal; *Lied der Liederen* Song of Songs, Song of Solomon [2] ⟨melodisch geluid⟩ song, singing ♦ *het lied van de **wind**/**zee*** the song/singing of the wind/sea [3] ⟨vogelgezang⟩ song, call

bepaald lidwoord 2/2

het lidwoord the wordt niet gebruikt:
- wanneer een woord naar iemand of iets in het algemeen verwijst

walls have ears
- bij abstracte woorden, jaargetijden en maaltijden

life goes on
the days shorten in autumn
breakfast is served at seven
- voor bijwoorden in de superlatief

who works hardest
- bij instellingen of plaats als de functie bedoeld wordt, vaak met werkwoorden go en be

be in prison
be in hospital
- bij most = meeste

most shops are closed
- bij next = aanstaande

we're coming next week
maar in andere betekenissen:
Juno was ill in December, and died the next month
- bij last = verleden

Juno was ill last month
maar in andere betekenissen:
Juno has been ill for the last week
- bij by + vervoermiddel

she came by train, by car

liedboek [het] songbook, ⟨met kerkliederen⟩ hymnbook

onbepaald lidwoord 1/3

de vorm is a;
- voor een medeklinker: a girl, a house
- voor een j-klank: a university, a euro

de vorm is an;
- voor een klinker: an elephant, an MP, an 18-year-old
- voor een niet-uitgesproken h: an honest man

lieden [de^{mv}] folk, ⟨AE⟩ folks, people ♦ *lieden van het laagste **allooi*** riffraff, rabble, vermin, low characters; ⟨pej⟩ *dat kun je verwachten bij **zulke** lieden* that's to be expected from such folk/people like that

liederlijk [bn, bw] debauched ⟨bw: ~ly⟩, dissolute, dissipated, brutish ♦ *liederlijk **gedrag*** lechery, debauchery; *een liederlijk **leven** leiden* lead a loose life; *liederlijke **taal** uitslaan* utter obscenities, use vulgar language; *een liederlijke **vent*** a debauchee/lecher, ⟨inf⟩ a dirty old man

liederlijkheid [de^{v}] debauchery, dissoluteness, ⟨van man ook⟩ rakishness

liedje [het] song, tune, ditty ♦ ⟨fig⟩ *ik zal haar een **ander** liedje laten zingen* I'll make her change her tune; ⟨fig⟩ *het is altijd **hetzelfde** liedje, het is weer het **oude** liedje* it's the same old song/story; ⟨fig⟩ *(nee,) dat liedje **kennen** we* say no more, no need to go on; ⟨fig⟩ *zij zingen het liedje **van** verlangen* they're playing for time/drawing it out as long as they can; ⟨fig⟩ *dat is een liedje **zonder** einde* that goes on and on, there's no end to it; *een liedje ten beste geven* give a song

onbepaald lidwoord 2/3

gebruik het onbepaald lidwoord:
- bij alles wat je bent of kunt worden

she is a nurse
he is a Roman Catholic
he appointed him a bishop
- na as, for, without

as a child ...
can you walk without a stick?
- na such en what met telbare naamwoorden

such a stupid joke

liedjesschrijfster [de^{v}] → **liedjesschrijver**

liedjesschrijver [de^{m}], **liedjesschrijfster** [de^{v}] (woman/female) songwriter, (woman/female) writer of songs, ⟨inf⟩ songsmith, tunesmith

onbepaald lidwoord 3/3

vaste uitdrukkingen	
what a pity, what a shame	wat jammer
a hundred, a thousand, a million	honderd, duizend, miljoen
one and a half	anderhalf
on a large scale	op grote schaal
to a certain extent	tot op zekere hoogte
have a headache	hoofdpijn hebben
come to a standstill	tot stilstand komen
keep something a secret	iets geheim houden
take an interest in something	belang stellen in iets
three times a day	driemaal per dag

[1]lief [het] [1] ⟨iets aangenaams⟩ joy ♦ *in lief en **leed*** for better (or) for worse, (in) rain or shine; *lief en **leed** met iemand delen* share life's joys and sorrows with s.o., share the sweet and the bitter with s.o. [2] ⟨form; geliefde⟩ beloved, ↓love, ↓dear, ↓sweetheart, ↓darling

[2]lief [bn] [1] ⟨geliefd⟩ dear, beloved ♦ *dat lieve **hondje** van jou heeft in mijn schoen gepoept* that precious little dog of yours/your dear little dog has shit/pooped in my shoe; *(maar) mijn lieve **kind*** (but) my dear/child/girl/...; *iemand lief **krijgen*** come to love s.o., grow fond of s.o., take to s.o.; ⟨verliefd worden ook⟩ fall in love with s.o.; *lieve **vrouw*** dear/beloved wife [2] ⟨vriendelijk⟩ dear, sweet, nice, kind ♦ *dat is lief* God bless your soul!, there's a good soul; ⟨iron⟩ *een lieve **jongen*** a nice/precious fellow, a cute one; *een lief **karakter*** a sweet temper/nature, a kind heart; *dat was lief **van** haar om jou mee te nemen* it was nice/sweet/kind of her to take you along [3] ⟨aangenaam⟩ nice, sweet, kind, agreeable ♦ *al te/overdreven lief **doen*** ⟨tortelduifjesachtig⟩ be lovey-dovey, coo/slobber (over s.o./one another); *hij was zo lief **tegen** u* he was so kind/nice/sweet to you; *zij zijn erg lief **voor** elkaar* they are very devoted to each other; *zich lief **voordoen*** pretend to be sweet/nice, act the nice guy; ***wees***

nu eens lief, toe nou there's a good boy/girl/fellow, be a dear; *lieve* ***woordjes*** sweet nothings, endearments, soft words 4 ⟨mooi⟩ dear, sweet, cute ♦ *een lief* ***gezichtje*** a sweet/pretty/dear (little) face; *een lief* ***hoedje*** a dear/sweet/cute little hat; *een lief* ***kind*** a sweet/darling/an adorable child, a little darling/cherub/angel/love; *met een lief* ***stemmetje*** with a sweet voice; *er lief* ***uitzien*** look sweet/lovely 5 ⟨aanspreekvorm⟩ dear ♦ *lieve* ***Lita/Mona*** ⟨inf; BE⟩ agony aunt; ⟨AE⟩ advice columnist; *lieve* ***mensen*** (my) dear people/friends ⟨blijft meestal onvertaald⟩ 6 ⟨gewenst⟩ fond ♦ *langer blijven dan (iemand) lief* ***is*** outstay/overstay one's welcome; *zijn liefste* ***klusje*** *is piepers schillen* his favourite job is peeling potatoes; *meer dan mij lief* ***was*** more than I cared for/liked; *het gebeurde vaker dan mij lief* ***was*** it happened more often than I care to remember/count; *zijn liefste* ***wens*** his dearest/fondest wish 7 ⟨dierbaar⟩ dear, treasured, valued, precious ♦ *dat kost een lieve* ***cent/duit/stuiver*** that costs/that'll cost a pretty penny/a fortune/a bit; *ze heeft er een lief* ***ding*** *voor over om te slagen* she would give her right arm/her ears to pass; *lieve* ***hemel!/God!/help!*** ⟨verrassing⟩ heavens (above)!, good Lord!/gracious!/grief!, bless my soul!; ⟨bezorgdheid⟩ oh dear!, dear(y) me!, dear God!, Oh Lord!; *als je leven je lief* ***is*** if you value your life; ⟨BE ook⟩ if you hold your life dear; *de vrijheid* ***is*** *ons boven alles lief* we love/value freedom/liberty above all; *een lief* ***sommetje*** a precious sum, a pretty penny; *voor het lieve* ***sommetje*** *van 1000 euro* to the tune of 1,000 euros; *iets* ***voor*** *lief nemen* put up with sth.; ⟨bij gebrek aan beter⟩ make do with sth.; *tegenslagen* ***voor*** *lief nemen* take the rough with the smooth; *om de lieve* ***vrede*** for the sake of peace (and quiet) ▪ ⟨sprw⟩ *lieve kinderen mogen wel een potje breken* ± one man may steal a horse, while another may not look over a hedge

³**lief** [bw] 1 ⟨op vriendelijke wijze⟩ sweetly, nicely, kindly, affectionately ♦ *iemand lief* ***aankijken*** give s.o. a sweet/an affectionate look; *ze* ***deden*** *lief tegen elkaar* they were (being) very nice/sweet to each other; *als je het heel lief* ***vraagt*** *dan ...* if you ask nicely, then ... 2 ⟨bekoorlijk⟩ sweetly, nicely, prettily ♦ *die jurk* ***staat*** *je lief* that dress looks sweet/charming/lovely on you; *zij* ***wonen*** *hier lief* they've got a charming/sweet little place here 3 ⟨gaarne⟩ ♦ *ik deed het* ***net zo*** *lief niet* I'd (just) as soon not do it

liefdadig [bn] charitable, benevolent, ⟨persoon ook⟩ beneficent ♦ *een liefdadig* ***doel*** a charity/good cause; *het is voor een liefdadig* ***doel*** it is charitable/for charity; *liefdadige* ***instellingen*** charitable institutions, benevolent societies

liefdadigheid [de^v] charity, benevolence, benefaction, beneficence ♦ ***van*** *de liefdadigheid* ***leven*** live on charity; ***werken*** *van liefdadigheid* charitable deeds, deeds of charity; ⟨vaak pej⟩ good works

liefdadigheidsbazaar [de^m] charity bazaar, charity rummage sale, ⟨BE vnl⟩ jumble sale, sale of work for charity

liefdadigheidsconcert [het] charity concert, ⟨voor één persoon⟩ benefit concert

liefdadigheidsinstelling [de^v] charity, charitable institution

liefdadigheidsvoorstelling [de^v] charity performance, ⟨voor één persoon⟩ benefit performance

liefde [de^v] 1 ⟨genegenheid⟩ love, affection, devotion, fondness, attachment ♦ *iemands liefde* ***beantwoorden*** return s.o.'s love/affection; ***hartstochtelijke*** *liefde* passion; *geluk hebben/gelukkig zijn* ***in*** *de liefde* be lucky in love; ***kind*** *der liefde* love-child; ***kinderlijke*** *liefde* childish love/affection; ⟨van kind voor ouder⟩ filial love/affection; *een* ***onbeantwoorde*** *liefde koesteren voor iemand* carry a/the torch for s.o., foster an unrequited love for s.o.; *een* ***ongelukkige*** *liefde achter de rug hebben* have been crossed in love, have suffered a disappointment in love; *liefde* ***op*** *het eerste gezicht* love at first sight; ***oprechte/zuivere/zinnelijke*** *liefde* true/pure love; ⟨zinnelijk⟩ sensual/carnal love; *liefde* ***opvatten*** *voor iemand* come to love s.o., fall in love with s.o.; ***platonische*** *liefde* platonic love; *de liefde* ***tot*** *zijn ouders* filial love/affection; *trouwen* ***uit*** *liefde* marry for love; *een* ***huwelijk uit*** *liefde* a love match; *geheel en al* ***uit*** *liefde* purely and simply out of love; *hij deed het* ***uit*** *liefde* he did it for love/as a labour of love; ***van*** *liefde branden* be aflame/burning with love/passion; *smachtend* ***van*** *liefde* lovesick, lovelorn, pining; *iemand zijn liefde* ***verklaren*** declare o.s. to s.o., affirm one's love for s.o.; *liefde* ***voelen*** *voor* love, feel affection for, be fond of; *de liefde van een vrouw* ***winnen*** win a woman's love/hand; *de liefde moet van twee kanten komen* ± love must be reciprocated 2 ⟨gehechtheid⟩ love, attachment ♦ *de liefde* ***voor*** *het vaderland* (the) love of one's country, patriotism 3 ⟨rel⟩ love, ⟨voor naaste⟩ charity ♦ *de liefde* ***tot*** *God* love of God 4 ⟨interesse⟩ love, fondness, ⟨hevig⟩ passion ♦ *landschapschilders hadden zijn* ***grote*** *liefde* landscape painters were his great love/passion; *liefde* ***voor*** *de kunst* love of art; *zijn liefde* ***voor*** *de vrouwtjes* his fondness for the ladies 5 ⟨belangstellende toewijding⟩ love, devotion ♦ *hij vervult zijn taak* ***met*** *liefde* he fulfils/^A^fulfills his task lovingly/devotedly/with devotion/dedication; *wil je dat voor me doen? ja hoor,* ***met*** *alle liefde* would you do that for me? of course, with pleasure/gladly/I'd be (only too) glad to 6 ⟨voorwerp van liefde⟩ love ♦ *haar* ***grote*** *liefde* her great love; *de* ***ware*** *liefde* true love 7 ⟨seksuele omgang⟩ love, lovemaking ♦ *de liefde* ***bedrijven*** make love, have sex; ***betaalde*** *liefde* love for sale; ***vrije*** *liefde* free love ▪ ⟨plantk⟩ ***brandende*** *liefde* Maltese cross; ⟨sprw⟩ *de liefde van een man gaat door de/zijn maag* the way to a man's heart is through his stomach; ⟨sprw⟩ *als de armoe de deur in komt, vliegt de liefde 't venster uit* when poverty/the wolf comes in at the door, love flies/leaps/creeps out of the window; ⟨sprw⟩ *liefde is blind* love is blind; ⟨sprw⟩ *gelukkig in het spel, ongelukkig in de liefde* lucky at cards, unlucky in love; ⟨sprw⟩ *van liefde rookt de schoorsteen niet* love won't/doesn't make the pot boil; ⟨sprw⟩ *de liefde is vindingrijk* love will find a way; ⟨sprw⟩ *in oorlog en liefde is alles geoorloofd* all's fair in love and war

liefdeblijk [het] love token, token of love

liefdedaad [de] act of charity/love

liefdedienst [de^m] 1 ⟨dienst uit liefde⟩ labour of love, (act of) kindness, kind service, kindly office 2 ⟨weldaad⟩ act of charity, charitable deed ♦ *iemand een liefdedienst* ***bewijzen*** do s.o. a kindness/a labour of love for s.o.

liefdegave [de] charity, alms, charitable gift

liefdegras [het] 1 ⟨geslacht van grassen⟩ love grass 2 ⟨siergras⟩ panic (grass)

liefdeloos [bn, bw] loveless ⟨bw: ~ly⟩, cold-hearted, hard-hearted, unfeeling, ⟨zonder naastenliefde⟩ uncharitable ♦ *iemand liefdeloos* ***behandelen*** treat s.o. coldly/hard-heartedly, be hard-hearted towards s.o.

liefdemaal [het] love feast, agape

liefderijk [bn, bw] loving ⟨bw: ~ly⟩, affectionate, devoted, warm ♦ *iemand liefderijk* ***opnemen*** take s.o. into one's home, welcome s.o. (in) with open arms; *iemand liefderijk* ***verzorgen*** give s.o. (tender) loving care, foster s.o.

liefdesaffaire [de] (love) affair, romance ♦ ***onstuimige*** *liefdesaffaire* passionate affair, grande passion

liefdesappel [de^m] ⟨vero⟩ love apple

liefdesavontuur [het] romance, love affair, love/amorous adventure, love/amorous escapade, love/amorous entanglement

liefdesbaby [de^m] ⟨euf⟩ love child

liefdesbetrekking [de^v] (love) affair, ⟨euf⟩ relationship, romance, (love) intrigue

liefdesbetuiging [de^v] profession/protestation of love

liefdesbrief [de^m] love letter

liefdesdaad [de] act of love(making)

liefdesdrama [het] love tragedy

liefdesdrank [de^m] love potion, ⟨zeldz⟩ love philtre

liefdesdrug [de^m] love drug
liefdesgedicht [het] love poem
liefdesgeschiedenis [de^v] 1 ⟨minnarij⟩ love affair, romance 2 ⟨romannetje⟩ love story, romance
liefdesgod [de^m] (the god of) love, Cupid
liefdeskind [het] ⟨euf⟩ love child
liefdesknoop [de^m] love-knot, lovers' knot, true-love/true-lovers' knot
liefdeskoppel [het] couple
liefdesleven [het] love life
liefdeslied [het] love song
liefdeslyriek [de^v] love poetry
liefdesroman [de^m] love story, romance
liefdesscène [de] love scene
liefdesspel [het] love-play, lovemaking, intimacy
liefdesverdriet [het] pangs of love ♦ *liefdesverdriet **hebben*** be crossed/disappointed in love, wear the willow, carry a/the torch for s.o.
liefdesverhouding [de^v] (love) affair, ⟨euf⟩ relationship, romance, (love) intrigue ♦ *een liefdesverhouding met iemand **hebben*** have an affair/a relationship with s.o., carry on with s.o.
liefdesverklaring [de^v] declaration of love, ⟨huwelijksaanzoek⟩ proposal ♦ *iemand een liefdesverklaring **doen*** declare o.s. to s.o., declare one's love for s.o.; ⟨huwelijksaanzoek doen⟩ propose to s.o.
liefdevol [bn, bw] loving ⟨bw: ~ly⟩, affectionate, devoted, warm ♦ *iemand liefdevol **aankijken*** give s.o. a loving look, look at s.o. with love; *liefdevol **behandelen*** treat lovingly/affectionately, caress sth.; *iets liefdevol **hanteren*** use sth. lovingly/affectionately; *een liefdevolle **omgeving*** a loving/caring environment; *liefdevolle **toewijding*** loving devotion; *liefdevolle **verzorging*** tender loving care
liefdewerk [het] 1 ⟨naastenliefde⟩ work of charity, work of mercy, charitable deed, ⟨onbetaald⟩ labour of love ♦ *een liefdewerk **verrichten*** do a good deed/work of charity/charitable deed/labour of love 2 ⟨liefdadige bezigheid⟩ charity, charitable work, ⟨mv⟩ good works ♦ *het is liefdewerk oud papier* it's for love only, I'm/he's/... doing it for love
liefdezuster [de^v] Sister of Charity, Sister of Mercy
liefdoenerij [de^v] soft soap, blandishments, fawning (on)
liefhebben [ov ww] love ♦ *iemand **innig** liefhebben* love s.o. dearly; *een **meisje** liefhebben* love a girl; *iemand **met** hart en ziel liefhebben* love/cherish s.o. with all one's heart; *zijn **naaste** liefhebben* love one's neighbour ▪ *God zal me liefhebben* God bless me, (God) bless my soul; ⟨sprw⟩ *wie zijn kinderen liefheeft, kastijdt ze* spare the rod and spoil the child
liefhebbend [bn] loving, affectionate, fond ♦ *uw liefhebbende **dochter** Rita* your loving daughter Rita, affectionately, your daughter Rita
liefhebber [de^m], **liefhebster** [de^v] 1 ⟨iemand die veel van iets houdt⟩ lover, enthusiast, devotee, ⟨vnl AE⟩ buff, ⟨van dieren en planten ook⟩ fancier ♦ *een liefhebber van **chocola*** a chocolate lover; ***geen** liefhebbers* no takers; *een **hartstochtelijk** liefhebber van Bach/van wandelen* a devotee/votary of Bach; a keen walker; *hij is een liefhebber van **paarden/van de jacht*** ⟨paarden⟩ he's a horse-lover/horse-fancier; ⟨paardenrennen⟩ he's a racing man; ⟨jacht⟩ he's a hunting man, he's fond of/keen on blood sports; *daar zullen wel liefhebbers **voor** zijn* there are sure to be candidates for that, ⟨ook fig⟩ there are sure to be customers for that; *een liefhebber van **wijn/kaas/opera*** ⟨ook⟩ a wine/cheese/an opera buff; ***zijn** er nog liefhebbers?* ⟨bij verkoping⟩ are there any buyers/takers?, is anybody interested?; ⟨voor kop koffie/stuk taart⟩ anyone want any more?, anyone else want some? 2 ⟨in België; amateur⟩ dabbler, ⟨wielersp⟩ amateur
liefhebberen [onov ww] ⟨inf⟩ dabble (in), play, potter, ⟨AE⟩ putter ♦ *hij liefhebbert zo wat **in** de chemie/schilderkunst* he dabbles in chemistry/painting, he's a bit of an amateur chemist/painter, he likes to potter around in his laboratory/with a paintbrush
liefhebberij [de^v] 1 ⟨hobby⟩ hobby, pastime, pursuit, fancy, interest ♦ *een **dure** liefhebberij* ⟨fig⟩ an expensive hobby/indulgence, a costly business; *lezen is zijn **enige** liefhebberij* reading is his only hobby/interest; *muziek is zijn **grootste** liefhebberij* music is his favourite pursuit/pastime; *ergens liefhebberij in **hebben*** be fond of/keen on sth., make a hobby of sth.; *hij **heeft** geen liefhebberijen* he is a man of no resources/interests 2 ⟨lust⟩ pleasure ♦ ***uit** liefhebberij* for pleasure/one's amusement/fun
liefhebberstoneel [het] ⟨in België⟩ amateur theatre
liefhebster [de^v] → **liefhebber**
liefheid [de^v] 1 ⟨eigenschap⟩ sweetness, kindness, amiability 2 ⟨uiting⟩ kindness, ⟨aanhaling⟩ caress
liefje [het] 1 ⟨geliefde⟩ sweetheart, love, darling, girl(friend), one-and-only, ⟨minnares vnl.⟩ mistress 2 ⟨aanspreekterm⟩ dear(est), darling, sweetheart, ⟨BE⟩ love, luv, ⟨AE⟩ hon(ey) 3 ⟨lief exemplaar⟩ love, darling, honey, duck, sweetie, sweetheart
liefjes [bw] 1 ⟨op lieve wijze⟩ sweetly, nicely 2 ⟨iron⟩ (over)sweetly, honey-lipped, unctuously ♦ *liefjes **glimlachen*** give s.o. a saccharine smile; *iets liefjes **vragen*** ask sth. unctuously
liefkozen [ov ww] caress, fondle ♦ ***elkaar** liefkozen* caress one another, cuddle; ⟨inf⟩ smooch; *de moeder liefkoosde haar **kind*** the mother caressed/fondled her child
liefkozend [bn] soothing, honeyed ♦ *op liefkozende **toon*** in a soothing tone of voice
liefkozing [de^v] 1 ⟨het liefkozen⟩ caressing, fondling 2 ⟨streling⟩ caress
lieflijk [bn, bw] sweet ⟨bw: ~ly⟩, charming, lovely ♦ *een lieflijke **landstreek*** a charming/pleasant region; *met lieflijke **stem*** with a sweet/silvery/dulcet voice; *lieflijk **zingen*** sing sweetly
lieflijkheid [de^v] 1 ⟨bekoorlijkheid⟩ sweetness, charm, loveliness ♦ *de lieflijkheid van het Limburgse **landschap*** the charm of the Limburg landscape 2 ⟨mv; iron; hatelijkheid⟩ shenanigans, abuse ♦ *elkaar allerlei lieflijkheden naar het hoofd **slingeren*** hurl all sorts of abuse at each other, fling mud at each other
liefs [het] love, affectionately (yours)
liefst [bw] 1 ⟨op de meest lieve manier⟩ dearest, sweetest, nicest, ⟨mooi ook⟩ prettiest, loveliest ♦ *zij **zag** er van allen het liefst **uit*** she looked the sweetest/prettiest/loveliest of them all 2 ⟨het meest gaarne⟩ for preference ♦ *wat zou je het liefst **doen**?* what would you rather/sooner do?, what is your preference?, what would you really like to do?; *het liefst **hebben** dat hij weggaat* prefer him to go, prefer that he should go/^Ahe go, rather have him go; *in welke auto **rijd** je het liefst?* what car do you prefer to drive?/most like driving?; *het liefst **wandelt** hij maar wat door de stad* he asks for nothing better than to be allowed to wander about town 3 ⟨bij voorkeur⟩ rather, sooner, preferably ♦ *hij **blijft** liefst **thuis*** he prefers to/likes best to stay at home, he's happiest at home; *liefst **niet*** I'd rather not; *men neme een banaan, liefst een **rijpe*** take a banana, preferably a ripe one 4 ⟨nota bene⟩ ♦ *we moeten **maar** liefst 9% inleveren* we are suffering a cutback of as much as/no less than 9 %; *ik moet morgen **maar** liefst om vijf uur op* I must get up as early as five o'clock tomorrow morning; *ze hebben er **maar** liefst 500 euro voor durven vragen* they charged me as much as/they rushed me 500 euros for it; *ze wil op reis gaan, en liefst **nog wel** naar Marbella!* she wants to go on a trip, and that to Marbella, if you please!
liefste [de] 1 ⟨geliefde⟩ sweetheart, darling, love 2 ⟨aanspreekvorm⟩ dear(est), sweetheart, darling ♦ ***mijn** liefste* my dear(est)/love/sweetheart
lieftallig [bn, bw] sweet ⟨bw: ~ly⟩, pretty, lovely, charming, winsome ♦ *lieftallige **kinderen*** sweet/charming/tak-

ing/winning/adorable children, little darlings; *zij kon zo lieftallig **smeken*** she could plead so sweetly/prettily; *een lieftallig **uiterlijk*** ⟨ook⟩ a(n) attractive/taking/fetching appearance

liegbeest [het] ⟨kind⟩ fibber, story(teller)

¹liegen LIGGEN [onov ww] ⟨zich verloochenen⟩ lie ⊡ *dat liegt er niet **om*** ⟨goed⟩ that's really sth./not bad; ⟨duidelijk⟩ that's as plain as day/as the nose on your face; ⟨onverbloemd⟩ that's telling him all right

²liegen [ov ww, ook abs] ⟨onwaarheid spreken⟩ lie, tell a lie, ⟨kind⟩ fib, tell stories ◆ *hij loog **(als)of** het gedrukt stond/dat hij scheel zag/dat hij blauw zag/dat hij zwart werd/dat hij barstte* he lied in his teeth/in his throat/till he was black/blue in the face; ***dat** lieg je!* that's a lie!; *eens kijken hoe hij zich **er** nu weer **uit** liegt* let's see if he can lie his way out of this; *hij kan **geweldig** liegen* he's a great/born liar; *je liegt **het** toch zeker?* you're not serious, are you?; ⟨inf⟩ you've got to be kidding!; *als ik lieg, lieg ik **in** commissie* I give you this for what it's worth, I've told you the story just as it was told to me; *hij **staat** gewoon te liegen!* he's a downright liar!; ***tegen** iemand liegen* lie to s.o.; *dat is allemaal gelogen* that's a pack of lies/all lies; *liegen tegen beter weten **in*** lie against one's better judg(e)ment; *hij loog alles aan elkaar (vast)* he was just making it all/the whole thing up; *wat die allemaal bij elkaar liegt!* the things he/she cooks/dreams/dishes up! ⊡ ⟨sprw⟩ *vraag mij niet, dan lieg ik niet* ask no questions and be told no lies

lier [de] ① ⟨snaarinstrument⟩ lyre ◆ ⟨fig⟩ *de lier aan de wilgen **hangen*** hang one's harp on the willows, hang up one's boots ② ⟨hijswerktuig⟩ winch, hoist, crab, gin, windlass ③ ⟨astron⟩ Lyra, (the) Harp ⊡ *het brandt **als** een lier* it's really ablaze, it's burning like matchwood/a torch; *het loopt/gaat **als** een lier* it's going like a house on fire/like nobody's business/great guns, it's doing champion, it works like a charm

lierdicht [het] ① ⟨gedicht⟩ lyric (poem) ② ⟨poëzie⟩ lyric poetry

liëren [ov ww] ⟨form⟩ associate, ⟨pol; door huwelijk⟩ ally ◆ ***aan** een familie gelieerd zijn* be related to a family; ⟨door huwelijk ook⟩ be allied to a family; *zij zijn **nauw** gelieerd* they are on friendly/familiar terms

liertrommel [de] ⟨techn⟩ winding cable/drum, winch drum

liervis [de^{m}] ① ⟨zeelier⟩ piper ② ⟨pitvis⟩ common dragonet, sculpin

liervogel [de^{m}] ① ⟨vogel⟩ (superb) lyre-bird ② ⟨mv; vogelfamilie⟩ lyre-birds

liervormig [bn] lyre-shaped, lyrate ⟨ook plantkunde⟩

lies [de] ① ⟨grens tussen onderlijf en bovenbeen⟩ groin ② ⟨plantk⟩ ⟨BE⟩ reed grass, ⟨AE⟩ floating grass ③ ⟨bouwk⟩ groin

liesbreuk [de] ⟨med⟩ inguinal/groin hernia, inguinal/groin rupture

liesje [het] ⊡ ***gouden** liesjes* golden delicious; *een **vlijtig** liesje* a busy Lizzie

lieskanaal [het] ⟨med⟩ inguinal canal

lieslaars [de] wader

Lieve-Heer [de^{m}] ⟨r-k⟩ Blessed Lord, Dear Lord

lieveheersbeestje [het] ladybird, lady beetle, lady cow, ⟨AE⟩ ladybug

lieveling [de^{m}] ① ⟨iemand die men liefheeft⟩ darling, sweetheart, love, pet ◆ *zij is de lieveling van de **familie*** she's the darling of the family ② ⟨gunsteling⟩ darling, favourite ◆ *een lieveling van het **lot*** s.o. favoured by fate, a lucky man; *de lieveling van het **publiek*** the darling/favourite/pet of the public ③ ⟨lieverdje⟩ favourite, pet, minion ◆ *Jan is het lievelingetje van de **leraar*** Jan is the teacher's pet/blue-eyed boy/fair-haired boy

lievelingsboek [het] favourite book

lievelingsdichter [de^{m}] favourite poet

lievelingsdrankje [het] favourite drink, ⟨inf⟩ favourite tipple

lievelingsgerecht [het] favourite dish

lievelingskind [het] favourite child, pet

lievemoederen ⊡ *daar **helpt** geen lievemoederen aan* there's nothing for it, there's nothing anyone/I/you/he/... can do about it

liever [bw] ① ⟨bij voorkeur⟩ rather, sooner ◆ *hij liever **dan** ik* rather him than me, I wouldn't change places with him/want to be in his shoes; *(hij is) liever lui **dan** moe* (he's) just lazy/bone-idle, (he's) a lazy dog; *ik ging nog liever dood **dan** dat ik ...* I'd rather/sooner die than ..., I'd die (first) before ...; *ik **drink** liever koffie dan thee* I prefer coffee to tea; *ik zou liever **gaan** (dan blijven)* I'd rather go than stay/than otherwise; *als je liever **hebt** dat ik wegga, hoef je het alleen maar te zeggen* if you'd sooner/rather I'd leave, just say so; say the word, and I'll leave; *hoe meer, **hoe** liever* the more the better/merrier; *hoe meer er misgaat **hoe** liever ik het heb* the more that goes wrong, the better I like it; *dat heb ik liever **niet*** I don't care for that/like that; *ik vraag het je liever **niet*** I don't like asking you; I'd rather not ask you; *we willen liever **niet** met hem gezien worden* we'd rather not/we don't care to be seen in his company; ***niets** liever wensen dan* wish/ask for nothing better than; *liever **wel** dan niet* as soon as not; *ik **wil** nu liever geen tv kijken* ⟨ook⟩ I don't feel like watching TV right now; *ik **zie** hem liever gaan dan komen* I prefer his room to his company, I'm glad to see the back of him; *liever rood dan dood* better red than dead ② ⟨veeleer⟩ rather ◆ *laat mij het liever **doen*** it's better for me to do it, you'd better let me do it; *liever **gezegd*** (or) rather; *ik weet het, of liever **gezegd**, ik denk het* I know, at least, I think so; ***zwijg** maar liever!* that's enough!, say no more!, hold your tongue!

lieverd [de^{m}] ① ⟨beminde⟩ (real) dear, darling, angel, pet, sweetie ◆ ⟨iron⟩ *het **Amsterdamse** lieverdje* ± the Amsterdam Guttersnipe, ± the Little Rascal of Amsterdam; *dat zijn **geen** lieverdjes* they're no saints/angels; ⟨iron⟩ *het **is** me een lieverdje* he's/she's a nice one; *het lieverdje van de **meester*** the teacher's pet/blue-eyed boy/fair-haired boy; *ze zei dat we haar auto mochten gebruiken, de lieverd!* she said we could use her car, bless her (heart)! ② ⟨aanspreekvorm⟩ dear(est), darling, sweetheart, sweetie, ⟨BE⟩ love, ⟨AE⟩ hon(ey)

lieverkoekjes [de^{mv}] ⊡ ⟨sprw⟩ *lieverkoekjes worden niet gebakken* ± beggars can't/mustn't be choosers

lieverlede → **lieverlee**

lieverlee, lieverlede ⊡ *van lieverlee* gradually, little by little, bit by bit, by degrees

Lieve-Vrouw [de^{v}] ⟨r-k⟩ Our Lady

lievevrouwebedstro [het] ⟨plantk⟩ sweet(-scented) woodruff

lievig [bn, bw] insincere ⟨bw: ~ly⟩

lifeline [de^{m}] lifeline

lifelog [het, de^{m}] lifelog

lifestyle [de] lifestyle

liflaf [de^{m}] ① ⟨flauwe kost⟩ cheap/trashy/junk meal, cheap/trashy/junk food ② ⟨verfijnd gerecht⟩ titbit, tidbit, dainty dish ◆ ***lekkere** liflafjes* tasty titbits ③ ⟨flauwe praat⟩ chit-chat, gossip, blather, chatter, ⟨AE⟩ baloney

lifo [het] (last in, first out) LIFO

lift [de^{m}] ① ⟨(cabine van) hijstoestel⟩ ⟨BE⟩ lift (cage), ⟨AE⟩ elevator (car), ⟨goederen ook⟩ hoist ◆ ⟨fig⟩ ***in** de lift zitten* be on the way up/on the rise/in the ascendant; ***met** de lift naar boven gaan* go up in the lift/elevator; *de lift **nemen*** take the lift/elevator ② ⟨het meerijden⟩ lift, ride, hop ◆ *iemand een lift **geven*** give s.o. a lift/ride, pick s.o. up; *een lift **krijgen*** get/hitch a lift; *een lift **vragen*** thumb/hitch/cadge a lift/ride ③ ⟨stijgkracht van een vliegtuig⟩ lift(-off)

liftangst [de^{m}] fear of ^{B}lifts/^{A}elevators

liftboy [de^{m}] → **liftjongen**

liftcentrale [de] lift/hitchhiking service

liften [onov ww] hitch(hike), thumb a ride/lift, hitch a ride/lift, ⟨AE⟩ bum (a lift) ♦ *een maand* ***door*** *Scandinavië liften* hitch(hike) through Scandinavia for a month

lifter [de^{m}], **liftster** [de^{v}] hitchhiker, ⟨vanuit chauffeursoogpunt⟩ pickup

liftjongen [de^{m}], **liftboy** [de^{m}] liftboy, liftman, ⟨AE ook⟩ elevator operator

liftkoker [de^{m}], **liftschacht** [de] ⟨BE⟩ lift shaft, ⟨AE⟩ elevator shaft, well (hole)

liftkooi [de] ⟨BE⟩ lift cage, ⟨AE⟩ elevator (car)

liftschacht [de] → **liftkoker**

liftster [de^{v}] → **lifter**

liga [de] league, association, alliance

ligament [het] [1] ⟨bindweefsel⟩ ligament [2] ⟨slotband van een schelp⟩ ligament [3] ⟨boek⟩ ligature

ligatuur [de^{v}] [1] ⟨med⟩ ligature [2] ⟨drukw⟩ ligature

ligbad [het] bath, ⟨AE⟩ (bath)tub

ligbank [de] couch, settee, sofa

ligbed [het] chaise longue

ligbox [de^{m}] (cow) cubicle

ligboxenstal [de^{m}] cubicle stall

ligdag [de^{m}] ⟨scheepv⟩ lay day

ligfiets [de] reclining bicycle

liggeld [het] [1] ⟨voor het liggen in een haven⟩ harbour dues, dock/quay/pier dues, dock/quay/pier charges, port charges [2] ⟨voor het wachten op lossing, lading⟩ demurrage [3] ⟨voor een ziekenhuisbed⟩ (daily) in-patient accommodation (and services) charge(s)

liggen [onov ww] [1] ⟨uitgestrekt zijn⟩ lie ♦ ⟨fig⟩ *dat ligt er* ***duimendik bovenop*** that sticks out a mile/like a sore thumb, that's as plain as day/a pikestaff; *lekker tegen iemand aan* ***gaan*** *liggen* snuggle up to s.o., nestle (o.s.) against s.o.; *dure vloerbedekking* ***hebben*** *liggen* have expensive carpets (on the floor); *hij ligt* ***in/op*** *bed* he's (lying) in bed; ***lekker*** *liggen* lie snug, be comfortable; *lig je* ***lekker/goed?*** are you comfortable?; *onze tuin ligt* ***naast*** *het kerkhof* our garden borders on/is next to the churchyard; ***over*** *elkaar liggen* overlap; *er lag een halve meter* ***sneeuw*** the snow lay half a metre deep, there was half a metre of snow [2] ⟨in bed vertoeven⟩ lie, ⟨ziek⟩ be laid up ♦ ⟨Bijb⟩ ***bij*** *een vrouw liggen* lie with a woman; *ik* ***blijf*** *morgen liggen tot halftien* I'm going to stay in bed/lie in till 9.30 tomorrow; ***ga liggen!*** ⟨tegen een hond⟩ (lie) down!; *ik* ***ga*** *even liggen* I'm going to have a lie-down, I'm going to put my feet up; ***gaan*** *liggen* lie down; ⟨voor een dutje⟩ have a lie-down; ⟨door ziekte⟩ take to one's bed; *op zijn zij* ***gaan*** *liggen* lie (down) on one's side; ⟨omdraaien⟩ roll over on to one's side; ***in*** *het kraambed liggen* be in confinement, lie in; ***in*** *het ziekenhuis liggen* be in hospital; *hij ligt* ***met*** *koorts* he's in bed with a fever/temperature; ***op*** *sterven liggen* lie/be dying; *zij moet zes weken* ***plat*** *liggen* she must lie flat on her back for six weeks [3] ⟨zich bevinden⟩ lie, be, be (situated/^{A}located), ⟨gebouw, stad⟩ stand ♦ *Antwerpen ligt* ***aan*** *de Schelde* Antwerp lies/is (situated) on the Scheldt; *de vakantie ligt weer* ***achter*** *ons* the holidays are behind us now; *de zaken liggen nu heel* ***anders*** things have changed a lot (since then), it's quite another story now; *daardoor kwam de zaak* ***anders*** *te liggen* this caused a change in the situation/caused the situation to take on a different aspect; *de schuld ligt* ***bij*** *mij* the blame/fault is mine; *de beslissing ligt* ***bij*** *ons* the decision is ours; *de macht ligt* ***bij*** *het volk* the power is vested with the people; *Leuven ligt 80 m* ***boven*** *de zeespiegel* Leuven is 80 m above sea-level; *de oorzaken van de crisis liggen* ***diep*** the causes of the crisis lie deep; *het feit ligt* ***er*** the fact remains, that's how it is(, anyway); *het plan, zoals het* ***er*** *ligt, is onaanvaardbaar* as it stands, the plan is unacceptable; ***hoe*** *liggen onze kansen?* what are the odds/our chances?; ***hoog*** *op het water liggen* ride high; *de prijzen liggen vrij* ***hoog*** the prices are rather high; ***in*** *scheiding liggen* be in the process of getting a divorce; *met iemand* ***in*** *proces liggen* litigate with s.o., be at law with s.o.; *de lijn die* ***in*** *dat vlak ligt* the line lying in that plane; *dat ligt nog* ***in*** *het verschiet* that is still in store/(future) prospect; *het ligt* ***in*** *de bedoeling om* ... it is my/his/her/our/their intention to ..., I/we/they intend/purpose to ..., he/she intends/purposes to ...; ***in*** *de haven lagen vele schepen* many ships were berthed/were lying in the harbour; *daar ligt onze* ***kans*** that's where our chance lies; *uw bestelling ligt* ***klaar*** your order is ready (for dispatch/collection); *onze winsten liggen* ***lager*** *dan die van vorig jaar* our profits are down on/less than last year's; *ze ligt* ***me*** *na aan het hart* she is very dear to me, I hold her very dear; *de verhoudingen liggen hier wat* ***moeilijk*** the relations are somewhat strained/problematic here; ***onder*** *het gemiddelde liggen* be below average, lag behind the average; ***op*** *het zuiden liggen* face (the) south/towards the south, have a southern/south-facing aspect; ⟨heuvel⟩ verge to the south; *de bal ligt* ***op*** *de grond* the ball is on the ground; *het ligt niet* ***op*** *mijn weg* it is not in my way; *het ligt* ***op*** *uw weg de nodige maatregelen te nemen* it is yours to take the necessary measures; *die dagen liggen* ***ver*** *achter ons* those days are long past; ***voor*** *mij ligt uw brief* I have before me your letter; *de vijand lag* ***voor*** *de stad* the enemy lay before the town; *het ligt vlak* ***voor*** *je neus* it is staring you in the face, it's right under your nose; *ze liggen* ***voor*** *het grijpen* they grow on trees, they're all over the place, there for the picking; *er lagen moeilijke jaren* ***voor*** *ons* there were hard years ahead (of us), hard years stretched out before us; *de zaken liggen* ***zo:*** ... it's like this: ...; ***zo*** *liggen de zaken nu eenmaal* I'm afraid that's the way things are; *het dorp ligt te midden van de bergen* the village lies in the middle of the mountains/nestles in among the mountains [4] ⟨m.b.t. zaken: rusten⟩ lie ♦ *dat werk is* ***blijven*** *liggen* that work has been left (over)/put on one side; *die spullen* ***blijven*** *maar liggen* those goods won't sell/are going begging; *dat werk is voor ons* ***blijven*** *liggen* that work has been left for us; *uw bijdrage/artikel is* ***blijven*** *liggen* your contribution/article has been held over; *ik* ***heb*** *(nog) een paar flessen wijn liggen* I have a few bottles of wine (left); *het geld* ***hebben*** *liggen* have the money ready/available; *nog een partij jassen* ***hebben*** *liggen* have a number of coats on hand/lying about/unsold; ⟨fig⟩ ***laat*** *het dorp rechts van u liggen* leave/pass the village on your right; *zijn werk* ***laten*** *liggen* ⟨inf⟩ chuck work, leave one's work; ⟨fig⟩ *het lelijk* ***laten*** *liggen* make a bad job of it, botch things up, bungle; *ik heb dat boek* ***laten*** *liggen* I left that book (behind); *dat bier* ***moet*** *nog een poosje liggen* this beer should stand for a while yet [5] ⟨+ aan; afhangen van⟩ depend (on), ⟨beslissing van persoon⟩ lie/rest with, ⟨veroorzaakt⟩ be caused by, be due to ♦ *als het* ***aan*** *mij lag/ligt* if I had/have my way, if it was/is up to me; *daar is veel* ***aan*** *gelegen* a lot depends on it; *waar zou dat* ***aan*** *liggen?* what could be the cause of this?, what is that due to?; *als het* ***aan*** *mij ligt niet* not if I can help/I know it; ***aan*** *mij zal het niet liggen* it won't be my fault, it won't be for want of trying; *er is mij niets* ***aan*** *gelegen* it doesn't matter to me; ⟨inf⟩ it's no skin off my nose; *voor zover het* ***aan*** *mij ligt* as far as I'm concerned; *het kan* ***aan*** *mij liggen, maar* ... it may be just me, but ..., there may be sth. wrong with me, but ...; *het ligt* ***aan*** *die rotfiets van me* it's (the fault of) that bloody bike of mine; *dat lag* ***aan*** *verscheidene oorzaken* that was due to various causes, that was caused by various factors; *ik denk dat het* ***aan*** *je versterker ligt* I think that it's your amplifier that's causing the trouble; *is het nu zo koud of ligt het* ***aan*** *mij?* is it really so cold, or is it just me?; *het lag misschien ook een beetje* ***aan*** *mij* I may have had sth. to do with it; *als het* ***aan*** *mij ligt zal hij daar niet blijven* he won't stay there if I can help it/I have anything to do with it; *dat ligt* ***eraan*** it depends [6] ⟨passen bij een aanleg, belangstelling⟩ suit, agree with, be in one's line, be up one's street ♦ *ze liggen* ***elkaar*** *niet zo erg* they don't get on/along (with each other); *dat ligt niet **in** mijn aard* that is not in me/my nature, I'm not that sort/built that way; *dat genre ligt **mij** niet* that genre is not my cup of tea/not in my line/doesn't appeal to me; *dit klimaat ligt **mij** niet* this climate disagrees with me; *die jongen ligt **mij** helemaal niet* I can't get on with that guy [7] ⟨m.b.t. storm, wind⟩ die down, subside, ⟨wind ook⟩ fall, drop ◆ *de wind **ging** liggen* the wind died down/fell/dropped/subsided [8] ⟨begraven zijn⟩ lie, rest ◆ ***hier** ligt ...* ⟨op grafstenen⟩ here lies ... [9] ⟨fig; uitgespreid zijn⟩ lie ◆ *de sneeuw **bleef** niet liggen* the snow did not settle; *de dauw lag **over** de velden* the dew lay on the fields [10] ⟨bezig zijn⟩ be (lying) ◆ *lig niet zo te **klieren*** stop pestering (me/him/...); *hij ligt te **slapen*** he's (lying) asleep/sleeping; *liggen te **zeuren*** keep (on)/be whining/bellyaching/moaning [11] ⟨gelegerd zijn⟩ be stationed [•] *dat ligt heel **anders*** that's a different thing/story altogether; *met Italië ligt het **anders*** in Italy's case things are different; ***dubbel** liggen (van het lachen)* double up/split/burst/hold/shake one's sides laughing/with laughter; *hoe ligt het **erbij**?* ⟨eruitzien⟩ how does it look?; ⟨hoe staat het ervoor⟩ how is it getting on?; *als ze dat merken lig ik **eruit*** if they catch on, I'm out/I'll be fired/I'll be sacked; *die zaak ligt nogal **gevoelig*** the matter is a bit delicate; *deze auto ligt **goed in de bocht*** this car takes corners well/handles well on bends; ⟨in België⟩ *ik **heb** je liggen!* gotcha!; ⟨in België⟩ *iemand liggen **hebben*** have s.o.; *zich nergens iets aan gelegen **laten** liggen* not give a hoot/two hoots for anything, be a law unto o.s.; *dit bed ligt **lekker/hard*** this bed is comfortable/(too) hard; *ver **uiteen** liggen* be worlds/poles apart; *deze auto ligt **vast** op de weg* this car holds the road well

liggen, leggen en liegen

liggen	lie · verleden tijd: lay · voltooid deelwoord: lain · *I was lying in bed when the phone rang* · *the house lay ten miles down the road*
leggen, neerleggen	lay · verleden tijd: laid · voltooid deelwoord: laid · *every year we lay flowers on his grave* · *this chicken laid ten eggs last week*
liegen	lie · verleden tijd: lied · voltooid deelwoord: lied · *I never lie* · *he lied when he said he stayed at home*

liggend [bn] [1] ⟨horizontaal⟩ lying, horizontal, flat, ⟨persoon⟩ recumbent, ⟨kraag⟩ turn-down ◆ *een liggende **houding*** a lying/recumbent posture; *de liggende **roede** in een raam* horizontal glazing/sash bar; ⟨biol⟩ *liggende **stengel*** procumbent/decumbent stalk; *een liggend **streepje*** a dash [2] ⟨gelegen zijnd⟩ lying, situated, located ◆ ***diep** liggende ogen* deep-set/sunken eyes; *liggend **geld*** ⟨contant⟩ ready money; ⟨renteloos⟩ idle capital; *hij bezit veel liggende **goederen*** he possesses a great deal of real property/estate; ⟨heral⟩ *liggende **leeuw*** lion couchant; *liggende **renten*** ground rents

ligger [de^m] [1] ⟨draagbalk⟩ joist, beam, sleeper, girder, ⟨voor rails; BE⟩ sleeper, ⟨AE⟩ tie [2] ⟨sport⟩ (horizontal) bar [3] ⟨ijkmaat⟩ standard measure [4] ⟨register⟩ record, register

ligging [de^v] position, ⟨geografisch ook⟩ situation, location, ⟨m.b.t. windrichting⟩ aspect, exposure, ⟨plaatsing⟩ lay-out ◆ *de ligging van de **heuvels*** the set/lie of the hills; *de ligging van een **kind** in de baarmoeder* the presentation/position of a child in the womb; ⟨geol⟩ ***normale** ligging* normal/original position; ⟨geol⟩ ***omgekeerde** ligging* reverse/inverted position; *een ligging **op** het noorden hebben* have a northern aspect, look to the north, face (to(wards) the) north; *de **schilderachtige** ligging van dat kasteel* the picturesque location of the castle; *de ligging van een **schip*** the trim of a ship

light [bn] light, diet, low-calorie

lightproducten [de^mv] low-calorie products

lightrail [de] light rail

ligkuur [de] rest-cure

ligniet [het] ⟨geol⟩ lignite

lignine [de] ⟨scheik⟩ lignin

ligplaats [de] [1] ⟨plaats waar iets ligt⟩ storage (place), store [2] ⟨ree⟩ berth, mooring (place), moorings

ligstoel [de^m] reclining chair/seat, chaise longue, ⟨voor buiten⟩ deck chair

ligstuur [het] triathlon handlebars

Ligurië [het] Liguria

liguster [de^m] privet

ligusterhaag [de] privet hedge

ligusterpijlstaart [de^m] privet hawk-moth

ligweide [de] sunbathing area, sun terrace

lij [de] lee(side) ◆ ***in/aan** lij* in/under the lee, on the/to leeward, alee

lijboord [het] ⟨scheepv⟩ lee-board

lijdelijk [bn, bw] [1] ⟨geduldig⟩ patient ⟨bw: ~ly⟩, resigned, subdued ◆ *lijdelijke **berusting*** subdued resignation [2] ⟨passief⟩ passive ⟨bw: ~ly⟩, inactive, resigned ◆ *iets lijdelijk **aanzien/ondergaan*** stand idly by (while sth. happens), take sth. lying down; *lijdelijk **toezien*** look on passively, resignedly, be a passive witness/looker-on; *lijdelijk **verzet*** passive resistance

lijdelijkheid [de^v] passiveness, passivity

[1]lijden [het] suffering, affliction, ⟨pijn⟩ pain, agony, ⟨verdriet⟩ grief, ⟨ellende⟩ misery, hardship ◆ *het lijden van **Christus*** the Passion of Christ; *een **smartelijk** lijden* a terrible suffering; ⟨rouwadvertenties ook⟩ a painful illness; *nu is hij **uit** zijn lijden verlost* he is now released from his suffering, his troubles are over now, he suffers no longer/more; ⟨fig⟩ that's put him out of his misery; *een dier **uit** zijn lijden verlossen* put an animal out of its misery

[2]lijden [onov ww] [1] ⟨in ellende verkeren⟩ suffer, be in distress, be in distressed circumstances ◆ ***aan** een kwaal lijden* suffer from a disease/complaint; *lijden **aan** zwaarmoedigheid* suffer from depression, be depressed/melancholic; *zij lijdt **aan** zelfoverschatting* she thinks she's the bee's knees, she thinks the world of herself; *zij leed het **ergst** van al* she was (the) hardest hit of all/suffered most; ***in stilte** lijden* suffer in silence, bear one's trouble(s)/grief alone; *zwaar lijden **onder** iets* suffer terribly under sth.; *zwaar **te** lijden **hebben** van iets* suffer severely by/be hard hit by sth. [2] ⟨schade ondervinden⟩ suffer, be damaged ◆ *zijn gezondheid leed er **onder*** his health suffered (from it)/was damaged/affected by it; *de planten hebben veel geleden **van** de nachtvorst* the plants have suffered badly from the frost/have been severely damaged by (ground) frost

[3]lijden [ov ww] [1] ⟨ondergaan⟩ suffer, undergo, endure ◆ ***armoe/gebrek** lijden* live in poverty/great want; ***honger** lijden* starve; ***ontberingen** lijden* suffer hardship; *hevige **pijn** lijden* suffer/be in terrible pain; *een groot **verlies** lijden* suffer/sustain a great loss [2] ⟨verdragen⟩ suffer, endure, stand ◆ ⟨fig⟩ *het **kan** wel wat lijden* there's some room for manoeuvre [3] ⟨toestaan⟩ allow ◆ *geen **uitstel** kunnen lijden* brook no delay [•] *ik **mag** lijden dat hij ...* I hope he ..., I'd like to see him ...; *ik **mag/kan** die man wel/niet lijden* I like that man, I think that man's alright, I can't stand/bear

that man
lijdend [bn] suffering ♦ *de lijdende **Christus*** the suffering Christ; ⟨r-k⟩ *de lijdende **kerk*** the church suffering; *hij was de lijdende **partij*** he was the loser
lijdendvoorwerpszin [de^{m}] direct object clause
lijdensbeker [de^{m}] cup of sorrow
lijdensgeschiedenis [de^{v}] [1] ⟨rel⟩ Passion [2] ⟨fig⟩ tale of woe
lijdenspreek [de] Passion sermon
lijdensverhaal [het] Passion
lijdensweek [de] Passion/Holy Week
lijdensweg [de^{m}] [1] ⟨weg van Christus⟩ Via Dolorosa, Stations/Way of the Cross [2] ⟨fig; martelgang⟩ martyrdom, agony, via dolorosa ♦ *haar afstuderen werd een lijdensweg* she went through hell getting her degree
lijder [de^{m}], **lijderes** [de^{v}] patient, sufferer
lijderes [de^{v}] → **lijder**
lijdzaam [bn, bw] [1] ⟨geduldig⟩ patient ⟨bw: ~ly⟩, resigned ♦ *hij **schikte** zich lijdzaam in het voorschrift* he bowed to the regulations [2] ⟨passief⟩ passive ⟨bw: ~ly⟩, submissive, resigned ♦ *lijdzaam **toezien*** stand/sit by (and watch)
lijdzaamheid [de^{v}] patience, endurance, resignation, submission
lijf [het] [1] ⟨lichaam⟩ body, ⟨inf⟩ carcass, anatomy ♦ *lijf **aan** lijf vechten* fight man to man; ***aan** mijn lijf geen polonaise!* count me out!, I'm not having any(, thanks)!, not on your life!, forget it!, no way!; *iets **aan** den lijve ondervinden* experience (sth.) personally, live through sth.; ***aan** den lijve voelen wat armoede is* know/see poverty; *bijna geen kleren **aan** zijn lijf hebben* have hardly a shirt to one's back/a stitch on/a stitch to wear; *hij stond in zijn **blote** lijf* he stood in his bare skin, ⟨scherts⟩ he stood in his birthday suit; *geen hart **in** zijn lijf hebben* have no heart; *in **levenden** lijve* ⟨in eigen persoon⟩ in person, (as) large as life; ⟨levend⟩ alive and well/kicking; *een **mooi** lijf* a good body, a nice/good figure; *die rol is haar **op** het lijf geschreven* she's made/cut out for that part, that part/role might have been written/is just right for her; *iemand **te** lijf gaan* fly/let go at s.o.; *iemand (toevallig) **tegen** het lijf lopen* run/bump into s.o., stumble across/upon s.o.; *zijn longen **uit** zijn lijf hoesten* cough one's lungs up; *blijf **van** mijn lijf* hands off, keep away from me; *ik kon hem niet **van** het lijf houden* I couldn't keep him off me; *een vrouw de kleren **van** het lijf kijken* undress a woman with one's eyes; *het vege lijf redden* save one's skin/carcass [2] ⟨romp⟩ body, torso ♦ *hij draagt zijn geld op zijn **blote** lijf* he keeps his money next to his skin; *de armen **langs** het lijf laten hangen* sit by, sit on one's hand; *zijn benen **uit** zijn lijf lopen* walk one's legs off; *iemand de benen **uit** zijn lijf laten lopen* walk s.o. off his feet/into the ground; *recht **van** lijf en leden* straight-limbed; *gezond **van** lijf en leden* able-bodied, sound in body and mind/^{B}wind and limb [3] ⟨onderlijf⟩ belly, abdomen, ⟨sl⟩ gut [4] ⟨kledingstuk⟩ bodice, corsage, midriff [•] *dat heeft niets **om** het lijf* there's nothing to it, that's/it's nothing, it's a piece of cake; ⟨gemakkelijk⟩ it's a walk-over; *de voorstelling had weinig **om** het lijf* the performance didn't amount to much
lijfarts [de^{m}] personal physician, ⟨hofarts⟩ court physician
lijfbieden [het] ⟨biol⟩ vaginal prolapse
lijfblad [het] favourite magazine/paper
lijfeigene [de] serf, bondman, slave, ⟨gesch⟩ villein
lijfeigenschap [het] bondage, ⟨gesch; horigheid⟩ serfdom
[1]**lijfelijk** [bn] ⟨lichamelijk⟩ physical, bodily, corpor(e)al ♦ *een lijfelijk **mens*** a physical person
[2]**lijfelijk** [bn, bw] ⟨vleselijk⟩ physical ⟨bw: ~ly⟩, carnal, fleshly ♦ *zij was lijfelijk **aanwezig*** she was there in person; *een lijfelijke **afkeer** van iemand/iets hebben* have a physical revulsion at/to s.o./sth., be physically repelled by s.o./sth.; *haar lijfelijke **broeder*** her own/blood brother
lijfgarde [de] body-guard
lijfgericht [bn] body-oriented
lijfgeur [de^{m}] [1] ⟨lichaamsgeur⟩ body scent [2] ⟨cosmetica⟩ perfume or other scent that s.o. uses regularly
lijfgoed [het] underwear
lijfknecht [de^{m}] manservant, valet
lijflied [het] favourite song, ⟨scherts⟩ national anthem
lijfrente [de] annuity, ⟨van pensioenfonds ook⟩ superannuation ♦ *zijn geld **op** lijfrente zetten* put one's money into an annuity; ***uitgestelde** lijfrente* deferred annuities
lijfrentetrekker [de^{m}] annuitant
lijfrenteverzekering [de^{v}] annuity insurance
lijfsbehoud [het] preservation of life ♦ ***uit** lijfsbehoud* to save one's life
lijfsdwang [de^{m}] [1] ⟨lichamelijke dwang⟩ (physical) force/coercion [2] ⟨jur⟩ civil imprisonment, personal arrest, attachment
lijfsgemeenschap [de^{v}] (sexual) intercourse
lijfsieraden [de^{mv}] personal ornaments
lijfspreuk [de] motto
lijfstoet [de^{m}] retinue, suite, following
lijfstraf [de] corporal punishment
lijfsvisitatie [de^{v}] body cavity search
[1]**lijfwacht** [de^{m}] ⟨persoon⟩ body-guard, ⟨sl⟩ gorilla
[2]**lijfwacht** [de] ⟨collectivum⟩ ⟨lijfgarde⟩ body-guard
lijgierig [bw] leewardly
lijk [het] [1] ⟨dood lichaam⟩ corpse, (dead) body, ⟨med ook⟩ cadaver, ⟨sl⟩ stiff ♦ ⟨fig⟩ *een **opgewarmd** lijk* a drone, a moron; ⟨fig⟩ ***over** mijn lijk!* over my dead body!, you'll have to see me dead first!; ⟨fig⟩ ***over** lijken gaan* show no mercy, be merciless, let nothing/no one stand in one's way; *iemand **voor** lijk laten liggen* leave s.o. for dead; *hij kwam **voor** lijk aan de finish* he arrived at the finish more dead than alive [2] ⟨fig⟩ carcass, husk, empty shell ♦ *een **levend** lijk* a walking corpse, death warmed up; *een **oud** lijk* ⟨vrouw⟩ an old bag; ⟨auto⟩ an old wreck/heap/crock/banger; ⟨fiets⟩ an old crate [3] ⟨scheepv⟩ leech [•] ⟨stud⟩ ***voor** lijk liggen* ⟨dronken, uitgeteld⟩ be legless/left mindless/under the table
lijkachtig [bn] corpse-like, cadaverous
lijkant [de^{m}] lee (gauge/side)
lijkauto [de^{m}] hearse
lijkbaar [de] bier
lijkbezorger [de^{m}] undertaker, ⟨AE ook⟩ mortician
lijkbezorging [de^{v}] disposal of the dead, ⟨beroep⟩ undertaking
lijkbleek [bn] deathly pale, pale as death, ashen, livid, grey-faced
lijkbus [de] funeral urn
lijkdicht [het] elegy
lijkdienst [de^{m}] funeral (service), burial/memorial service, office for the dead
lijkdrager [de^{m}] (pall)bearer
[1]**lijken** [onov ww] [1] ⟨gelijkenis vertonen⟩ be/look (a)like, resemble, be the same (as) ♦ *het lijkt wel **dat** zij niets te doen heeft* anyone would think she'd got nothing to do; *het begint **erop** te lijken* it's getting there, it's beginning to look (more) like it/to bear some semblance (of it); *hij lijkt de **onschuld** zelve* (you'd think) butter wouldn't melt in his mouth, he's all innocence; *zij lijkt **op** haar moeder* she looks like her mother, she takes after her mother; *dat lijkt nergens **op/naar*** that's/it's absolutely hopeless, that looks like nothing on earth; *het lijkt **op** Grieks of zoiets* it looks/sounds like Greek or sth.; *hij lijkt sprekend **op** zijn vader* he's the spitting image of his father; *ze lijken helemaal niet **op** elkaar* they're not a bit alike, they don't resemble each other at all; *doe een raam open, het lijkt hier wel een **oven*** do open a window, it's like an oven/a hot-house in here; *portretten lijken vaak **slecht*** portraits often show a poor resemblance/likeness; *je lijkt je **vader** wel* you act/sound/are just like your father; *het lijkt wel **wijn*** it's rather/almost like

wine [2] ⟨schijnen⟩ seem, appear, look ◆ *hij lijkt wel **gek*** he must be daft/crazy; *hij lijkt **jonger** dan hij is* he looks younger than he is, he doesn't look his age; *het lijkt **me** onmogelijk* (it) seems impossible to me; *hij lijkt **me** een aardige kerel te zijn* he seems (to me) to be a nice guy, he seems a nice guy to me; *hij lijkt **me** niet geschikt voor deze baan* I don't think he's suited to/the (right) man for this job; *'t lijkt, **of** 't gaat regenen* it looks like rain, it looks as if it's going to rain; *zij leek **razend*** she looked livid; *het lijkt wel **te regenen*** ⟨ook iron⟩ it looks as if it's raining; *het lijkt me **vreemd*** it seems odd to me; *het lijkt maar **zo*** it only seems that way/so [3] ⟨passen⟩ suit, fit, be right (for) ◆ ***dat** lijkt me wel wat* that sounds/looks like a good idea, I like the sound/look of that; ***dat** zou me wel lijken* I'd like that, that would suit me (down to the ground); *het lijkt **me niets*** I don't think much of it, I don't like it at all/one little bit

^{2}**lijken** [ov ww] ⟨scheepv⟩ [1] ⟨op de wind brassen⟩ brace (square) to the wind [2] ⟨met touwwerk omzomen⟩ ⟨zeil⟩ rope

lijkengif [het] ptomaine

lijkenhuis [het] mortuary, morgue

lijkenlucht [de] cadaverous smell, ↑ cadaverous odour, ⟨als van een lijk⟩ corpse-like smell, ↑ corpse-like odour

lijkenpikker [de^{m}] [1] ⟨soldaat werkend in een militair hospitaal⟩ ⟨ogm⟩ medical orderly, ⟨sl⟩ body snatcher [2] ⟨fig⟩ vulture, ghoul

lijkenpikkerij [de^{v}] stealing from a dead man ◆ *dat is toch pure lijkenpikkerij* that is flogging a dead horse

lijkentouw [het] ⟨scheepv⟩ bolt rope

lijkenvet [het] adipocere

lijkenzak [de^{m}], **lijkzak** [de^{m}] body bag

lijkkist [de] coffin, ⟨AE ook⟩ casket, ⟨met baarkleed bedekt ook⟩ pall

lijkkleed [het] [1] ⟨kleed over een dood(s)kist⟩ pall [2] ⟨kleed om een dode⟩ shroud, winding-sheet

lijkkleur [de] livid/cadaverous colour, deathly pallor, lividity

lijkkleurig [bn] deathly pale, cadaverous, ⟨form⟩ livid

lijkkoets [de] hearse, funeral carriage

lijkkrans [de^{m}] (funeral) wreath, ⟨euf; form⟩ floral tribute

lijklucht [de] cadaverous smell

lijkmis [de] Mass for the Dead, Requiem Mass

lijkopening [de^{v}] autopsy, post mortem (examination)

lijkoven [de^{m}] cremator, ⟨vnl AE⟩ incinerator

lijkplechtigheid [de^{v}] funeral ceremony, ↑ funeral rites ⟨mv⟩, ⟨form⟩ obsequies ⟨mv⟩

lijkrede [de] funeral oration, éloge, eulogy

lijkroof [de^{m}] body-snatching

lijkschennis [de^{v}] violation of a/the corpse, desecration of a/the corpse

lijkschouwer [de^{m}] autopsist, medical examiner, pathologist, ⟨jur⟩ coroner

lijkschouwing [de^{v}] ⟨med⟩ autopsy, post-mortem (examination), necropsy ◆ ***gerechtelijke** lijkschouwing* (coroner's) inquest; *een lijkschouwing **verrichten*** perform/conduct/hold an autopsy/a post-mortem (examination)

lijkstijfheid [de^{v}] rigor mortis

lijkstoet [de^{m}] funeral procession/cortège

lijkverbranding [de^{v}] cremation

lijkvlek [de] post mortem lividity

lijkwade [de] shroud, graveclothes

lijkwagen [de^{m}] hearse

lijkzak [de^{m}] body bag

lijkzang [de^{m}] ⟨rel⟩ funeral song, threnody

lijm [de^{m}] glue, ⟨papier⟩ adhesive, gum, ⟨papierfabricage⟩ size, ⟨vogellijm⟩ (bird)lime ◆ *papier **door** de lijm halen* size paper; *lijm **koken*** boil glue; *hout **met** lijm aan elkaar hechten* glue wood together, stick wood together with glue

lijmachtig [bn] glue-like, ⟨inf⟩ gluey

lijmband [de^{m}] ⟨om boom⟩ grease band

^{1}**lijmen** [onov ww] ⟨treuzelen⟩ dawdle, linger

^{2}**lijmen** [ov ww] [1] ⟨vasthechten⟩ glue (together), stick together, fix with glue, ⟨techn, scheik⟩ bond ◆ *de scherven **aan** elkaar lijmen* glue/stick the pieces together; ⟨fig⟩ *de **brokken** lijmen* pick up the pieces; *een **kistje** lijmen* glue a box together [2] ⟨herstellen⟩ glue (together), stick (back) together, ⟨ook fig⟩ patch up, mend ◆ ⟨fig⟩ *de **breuk** binnen het kabinet lijmen* heal the breach within the cabinet; *een **kopje** lijmen* glue a cup (back together), mend a cup [3] ⟨bepraten⟩ talk round, win over ◆ *zich niet **laten** lijmen* refuse to be roped in/ensnared

^{1}**lijmerig** [bn] ⟨als lijm⟩ gluey, sticky, gummy, viscous, glutinous

^{2}**lijmerig** [bn, bw] ⟨langzaam⟩ ⟨spreken⟩ drawling, ⟨persoon⟩ sluggish

lijmig [bn] gluey, sticky, viscous, glutinous

lijmkam [de^{m}] glue spatula/spreader

lijmklem [de] (glueing) clamp, cramp

lijmkwast [de^{m}] glue-brush

lijmnaad [de^{m}] (glued) joint

lijmpers [de] [1] ⟨m.b.t. lijmwerk⟩ clamp [2] ⟨m.b.t. papier⟩ size-press

lijmpistool [het] glue gun

lijmpoging [de^{v}] reconciliation attempt

lijmpot [de^{m}] [1] ⟨pot waarin lijm wordt gekookt⟩ glue-pot [2] ⟨pot met lijm⟩ pot of glue

lijmschroef [de] (glueing) cramp/clamp

lijmsnuiver [de^{m}] glue sniffer

lijmstift [de] glue stick

lijmstof [de] collagen

lijmstok [de^{m}] lime-twig [•] ***op** het lijmstokje vliegen* fall for sth.

lijmsuiker [de^{m}] glycine, glycocoll

lijmtang [de] (glueing) cramp/clamp

lijmverf [de] distemper

lijmwater [het] size

lijn [de] [1] ⟨touw⟩ line, rope, cord, thread, string ◆ *een hond **aan** de lijn houden* keep a dog on the lead/leash [2] ⟨fig⟩ string, leash, lead ◆ *iemand **aan** het lijntje hebben* have s.o. on a string; *iemand **aan** het lijntje houden* keep s.o. dangling/up in the air/in suspense [3] ⟨wisk⟩ line ◆ ⟨fig⟩ *daar zit **geen** lijn in* there's no consistency in it, it is a disconnected jumble (of facts); ***in** rechte lijn (gemeten)* in a straight line, as the crow flies; ***op** één lijn **met*** ⟨ook figuurlijk⟩ in line with, aligned with [4] ⟨groef⟩ line, track, crease, wrinkle ◆ *de **scherpe** lijnen om de neus* the deep/sharp lines around the nose [5] ⟨omtrek⟩ (out)line, contour, lineament ◆ ***aan** de (slanke) lijn doen* be slimming/on a diet; *in **grote** lijnen* broadly speaking, on the whole, in general; *iets in **grote** lijnen aangeven* sketch sth. in broad outlines; *in **grote** lijnen begrijpen wat er gezegd wordt* get the gist/tenor of what is being said; *dat mag ik niet hebben **vanwege** de lijn* I can't eat that: I have to watch my calories/it's fattening/it's bad for the figure [6] ⟨linie⟩ line, file, rank ◆ ***in** één lijn liggen/staan* ⟨bijvoorbeeld van huizen⟩ be in line, have a common frontage; ⟨fig⟩ ***op** één lijn brengen* align, bring into line; ***op** één lijn stellen **met*** rank/class with, put on a par with; ⟨fig⟩ ***op** dezelfde/**op** één lijn zitten* be on the same wavelength/click (with s.o.); *de soldaten stonden **op** één lijn* the soldiers were in line; ⟨fig⟩ ***op** één lijn staan (met), zich **op** één lijn bevinden (met)* be in agreement (with) [7] ⟨verk, comm⟩ line, ⟨verk⟩ route, track ◆ *lijn 15* number 15; *Maastricht is **aan** de lijn* Maastricht is calling/is on the line; *ik heb je moeder **aan** de lijn* your mother is on the line/phone; *blijft u even **aan** de lijn a.u.b.* hold the line/hold on, please; *iemand (thuis/op kantoor) **aan** de lijn krijgen* get/contact s.o. on the phone (at home/at the office); *die lijn **bestaat** niet meer* that service/route no longer exists; *alleen op **binnenlandse** lijnen vliegen* fly only domestic/national routes; *een **eigen** lijn* a private line; *de lijn Haarlem-Amsterdam* the Haarlem-Amsterdam line [8] ⟨potlood-, krijtstreep⟩ line, stripe, streak ◆ *een lijntje coke* a line of coke; *op de lijn* ⟨bij gokken, tussen twee kleuren⟩ à cheval; *de bal ging over de lijn* the ball crossed the line/went/was out; *een lijntje snuiven* ⟨coke⟩ snort a line; *een lijn trekken om* circumscribe; *lijnen trekken/krassen (op)* draw/scratch lines (on); *een lijn trekken boven/onder* overline, underline [9] ⟨weg⟩ line, route, course, way, tendency, trend ◆ *zij ziet in de geschiedenis bepaalde lijnen* she sees certain lines/paths/tendencies/threads in history; *de grote lijnen uit het oog verliezen* lose o.s. in details, get involved in side issues; *een harde lijn* a hard/tough line/stand; ⟨fig⟩ *dat ligt in zijn lijn* ⟨ongunstig⟩ that's just the sort of thing he'd do; ⟨gunstig⟩ that's right up his street; *in de lijn liggen van* be in keeping/agreement with; *dat ligt niet in zijn lijn* that's off his beat, that's not in his line; *dat ligt helemaal in zijn lijn* that is his line/beat/cup of tea entirely; *in opgaande lijn* (going) in the right direction, improving; *de resultaten bewegen zich in opgaande lijn* the results show an upward tendency/trend; *een andere lijn (gaan) volgen* pursue/adopt a different course [10] ⟨reeks punten m.b.t. een doel⟩ line ◆ *oorlogsoperaties op de lijn Rotterdam-Bonn* military actions on the line Rotterdam-Bonn [11] ⟨genealogie⟩ (blood)line, lineage, ⟨dieren⟩ strain, strand ◆ *de mannelijke/vrouwelijke lijn* the male/female line; *opgaande/neergaande lijn* ascending/descending line; *rechte lijn* direct line (of descent); *in een rechte lijn van iemand afstammen* be a direct/lineal descendant from s.o., descend from s.o. in a direct line, descend/be desended directly from s.o. [12] ⟨vaak in samenstellingen; productieproces⟩ line ◆ *de autolijn* the car (production) line [13] ⟨in België; hengel⟩ (fishing-)line [14] ⟨in België; regel⟩ line [·] *één lijn trekken* fall in with/line up with/fall in line with (s.o.); *zij trekken één lijn* they speak with one voice/stick together/back one another up/present a common front; *het ligt in de lijn der verwachting dat de omzet zal stijgen* turnover is expected to increase; ⟨sprw⟩ *langzaamaan, dan breekt het lijntje niet* ± little by little, and bit by bit; ± make haste slowly

lijnbaan [de] ⟨amb⟩ rope walk/yard, ropery
lijnboot [de] liner
lijnbus [de] regular/scheduled service bus
lijncliché [de^{v}] line block/cut/plate/engraving
lijndans [de^{m}] line dance
lijndansen [ww] line dance
lijndiagram [het] graph, curve
lijndienst [de^{m}] regular/scheduled service, line ◆ *een lijndienst onderhouden op* run a regular service on
^{1}lijnen [onov ww] ⟨vermageren⟩ slim, diet, watch one's weight/calories
^{2}lijnen [ov ww] ⟨een smetlijn trekken⟩ rule, line (out)
lijnenspectrum [het] ⟨natuurk⟩ line spectrum
lijnenspel [het] (line) pattern, tracings, interplay of lines, lining
lijnfunctie [de^{v}] line position
lijnfunctionaris [de^{m}] line executive
lijngravure [de] ⟨drukw⟩ [1] ⟨handeling⟩ line engraving [2] ⟨resultaat⟩ line engraving
lijningang [de^{m}] ⟨audio⟩ (line) input
lijnkiezer [de^{m}] ⟨comm⟩ line/extension switch
lijnkoek [de^{m}] linseed/oil cake
lijnmanagement [het] line management
lijnmotor [de^{m}] in-line/^{A}straight engine, in-line/^{A}straight motor
lijnolie [de] linseed oil
lijnopzichter [de^{m}] track-walker
lijnorganisatie [de^{v}] line organization
^{1}lijnrecht [bn] ⟨recht als een lijn⟩ (dead) straight, linear, straight as a poker
^{2}lijnrecht [bw] [1] ⟨in een rechte lijn⟩ straight, right ◆ *lijnrecht naar beneden* straight down; *hier lijnrecht tegenover* straight/right across from here, directly/immediately opposite [2] ⟨volkomen⟩ directly, flatly ◆ ⟨fig⟩ *je hebt lijnrecht tegen mijn bevel in gehandeld* you have flatly contravened/acted in direct opposition to my orders; *lijnrecht staan tegenover/ingaan tegen* be diametrically/flatly opposed to; *dit bewijs is lijnrecht in strijd met uw bewering* this (piece of) evidence is in flat contradiction to/is entirely at odds with your statement
lijnrechter [de^{m}] ⟨sport⟩ linesman, ⟨rugby⟩ touch judge
lijnrederij [de^{v}] (shipping) line, liner company
lijnscheepvaart [de] liner trade
lijnschip [het] liner
lijnsignaal [het] ⟨BE⟩ railway signal, ⟨AE⟩ railroad signal
lijnstoring [de^{v}] faulty line/connection
lijntaxi [de^{m}] shared/regular taxi service, ± minibus
lijntekenen [ww] geometric(al) drawing, construction/linear drawing
lijntekening [de^{v}] line drawing, ⟨wisk⟩ geometrical drawing/diagram
lijntjespapier [het] ruled paper
lijntoestel [het] airliner, scheduled plane
lijntrekken [ww] slack, malinger, lie down on the job, ⟨inf⟩ swing the lead, ⟨als protest⟩ go slow
lijntrekker [de^{m}], **lijntrekster** [de^{v}] slacker, malingerer, shirker, ⟨inf; AE⟩ goldbrick
lijntrekkerij [de^{v}] slacking, shirking, malingering, ⟨inf; AE⟩ goldbricking
lijntrekster [de^{v}] → **lijntrekker**
lijnuitgang [de^{m}] ⟨audio⟩ (line) output
lijnvaart [de] liner trade/traffic
lijnverbinding [de^{v}] ⟨radio/tv⟩ connection, link
lijnvliegtuig [het] airliner, scheduled plane
lijnvlucht [de] scheduled flight
lijnvormig [bn] ⟨biol⟩ linear
lijnwachter [de^{m}] line(s)man, wireman
lijnwerker [de^{m}] line(s)man, wireman, ⟨spoorw; BE⟩ lineman, ⟨BE⟩ platelayer, ⟨AE⟩ tracklayer
lijnwerkplaats [de] maintenance facility
lijnworp [de^{m}] ⟨sport⟩ [1] ⟨inworp⟩ throw-in [2] ⟨vrije worp⟩ free throw
lijnzaad [het] linseed, flaxseed
lijnzaadmeel [het] linseed meal
lijnzaadolie [de] linseed oil
lijnzoeker [de^{m}] line/extension selector
^{1}lijp [de^{m}] ⟨inf⟩ [1] ⟨idioot⟩ weirdie, weirdo, weirdy, moron, loon(y), nut, idiot, dope [2] ⟨slapjanus⟩ jerk, oaf, lout, sop
^{2}lijp [bn, bw] ⟨inf⟩ [1] ⟨gevaarlijk⟩ risky ⟨bw: riskily⟩, dangerous, tricky [2] ⟨gek⟩ silly ⟨bw: sillily⟩, daft, loony, nuts, crackers ◆ *doe niet zo lijp!* don't be silly/daft! [·] *lijp zijn op iets/iemand* be gone on/crazy about sth./s.o.
lijperik [de^{m}] ⟨inf⟩ slippery/greasy customer
lijpo [de^{m}] ⟨inf⟩ nut(case), weirdo
^{1}lijs [de^{m}] ⟨sloom persoon⟩ dawdle(r), slowcoach, slug(gard), tortoise, lazybones ◆ *een lange lijs* a beanpole
^{2}lijs [de] [1] ⟨pop⟩ rag/soft doll [2] ⟨porselein⟩ type of China vase
lijst [de] [1] ⟨register⟩ list, record, inventory, register, bill ◆ *iemand van een lijst afvoeren/schrappen* remove/scratch s.o. ('s name) from a list; *hij staat bijna bovenaan de lijst* his name is well up on the list; *zijn naam staat bovenaan de lijst* he is (at the) top of the list/bill; *de lijst der gesneuvelden* the death roll/roll of honour; *niet in de lijsten opgenomen* unlisted; *lijst van geslaagde kandidaten* pass/class list, examination records; *een lijst laten rondgaan* ⟨voor geld⟩ get up a subscription; ⟨anders⟩ send round/circulate a list; *op de zwarte lijst plaatsen* blacklist; *iets/iemand op een lijst zetten/plaatsen* put/enter sth./s.o.('s name) on a list, book sth./s.o.; *als derde op de lijst, nummer drie op de lijst* third in line/on the list, ranking third; *dit gebouw staat op de lijst*

van monumentenzorg there is a preservation order on this building; *lijsten* ***opmaken*** draw up lists; *op de lijst van sprekers staan* be down to speak; *er* ***worden*** *lijsten* ***bijgehouden*** *van wie op college aanwezig is en wie niet* records are kept of attendance at (the) lectures; *de* ***zwarte*** *lijst* the blacklist [2] ⟨omlijsting⟩ frame ♦ ***in*** *een lijst zetten* frame; ⟨fig⟩ *iemand* ***in*** *een lijstje zetten* revere/adore s.o., put s.o. in a gilt frame; *een* ***vergulde*** *lijst* a gilt frame; ***zonder*** *lijst* unframed [3] ⟨vooruitspringende rand⟩ ledge, moulding, cornice, band, border ♦ ***holle/platte*** *lijst* hollow bed, platband; *de lijst* ***om*** *een dakgoot* the gutter bearer(s)

lijstaanvoerder [de^{m}], **lijstaanvoerster** [de^{v}] [1] ⟨lijsttrekker⟩ person heading the list of candidates, ± party leader (in election) [2] ⟨koploper⟩ (competition) leader, top of the league

lijstaanvoerster [de^{v}] → **lijstaanvoerder**

lijstcombinatie [de^{v}] (political) list combination

lijstduwer [de^{m}] ⟨in België⟩ ± one at the bottom/end of the list

lijsten [ov ww] frame

lijstenboek [het] book of lists

lijstenmaker [de^{m}] frame-maker, picture-framer

lijster [de] [1] ⟨vogel⟩ thrush ♦ *zingen* ***als*** *een lijster* sing like a lark; ***grote*** *lijster* mistle thrush [2] ⟨mv; onderfamilie⟩ thrushes

lijsterachtigen [de^{mv}] Turdidae, thrush genus/family

[1]**lijsterbes** [de^{m}] [1] ⟨boom⟩ rowan(tree), (European) mountain ash, sorb, (wild) service tree [2] ⟨bomengeslacht⟩ Sorbus

[2]**lijsterbes** [de] ⟨vrucht⟩ rowan(berry), mountain ash berry

lijstladder [de] hanging ladder

lijststem [de] ⟨in België⟩ vote for the ticket as is (in list-voting system)

lijsttrekker [de^{m}] → **lijstaanvoerder**

lijstverbinding [de^{v}] ⟨pol⟩ ± electoral alliance/pact

lijstverhaal [het] frame story/tale

lijstwerk [het] [1] ⟨deel van een gebouw, voorwerp⟩ moulding(s), beadwork, frame, trim [2] ⟨werk bestaande in lijsten⟩ ⟨mv⟩ lists, registers, tables ♦ *lijstwerk* ***drukken*** print lists

lijvig [bn] [1] ⟨omvangrijk⟩ bulky, voluminous, substantial, hefty ♦ *een lijvig* ***rapport*** a bulky report [2] ⟨gezet⟩ thick-set, heavy, massive, corpulent [3] ⟨gebonden⟩ thick(ened), creamy, viscous ♦ *lijvige* ***stroop*** thick syrup [4] ⟨m.b.t. wijn⟩ full-bodied

lijvigheid [de^{v}] [1] ⟨m.b.t. menselijk lichaam⟩ bulk(iness), ↑corpulence, ⟨ook med⟩ ↑obesity [2] ⟨m.b.t. boek, rapport⟩ bulk(iness), volume [3] ⟨m.b.t. vloeistoffen⟩ thickness

lijwaarts [bw] leeward, alee, downwind

lijzebet [de^{v}] slowcoach, lounge lizard

lijzeil [het] ⟨scheepv⟩ studding sail, stunsail

lijzen [onov ww] [1] ⟨zich gedragen als een sukkel⟩ dawdle, ⟨moeizaam doen⟩ plod, ⟨onhandig doen⟩ blunder [2] ⟨lijzig spreken⟩ drawl

lijzig [bn, bw] [1] ⟨zeurderig⟩ drawling ⟨bw: ~ly⟩, sing-song ♦ *lijzig* ***spreken*** speak in a sing-song voice/manner, mince one's words; *een lijzige* ***stem*** a sing-song voice [2] ⟨langzaam⟩ slow ⟨bw: ~ly⟩, tardy, dawdling

lijzigheid [de^{v}] [1] ⟨lijmerige manier van spreken⟩ drawl [2] ⟨slungelachtigheid⟩ loutishness, oafishness

lijzijde [de] [1] ⟨scheepv⟩ lee (gauge/side), leeward [2] ⟨m.b.t. bomen⟩ lee/sheltered side

lik [de^{m}] [1] ⟨het likken⟩ lick, lap [2] ⟨zoen⟩ smack, buss, kiss [3] ⟨onmiddellijke reactie⟩ ⟨klap⟩ lick, box, smack ♦ *(iemand) een lik* ***uit*** *de pan geven* tick (s.o.) off sharply, give (s.o.) a dressing down, lash out at s.o.; *lik op stuk geven/krijgen* give/get tit for tat, give a Roland for an Oliver [4] ⟨kleine hoeveelheid⟩ lick, da(u)b ♦ *een lik* ***stroop/verf*** a lick/da(u)b of syrup/paint [5] ⟨nor⟩ clink, cage, can, pen, gaol

likdoorn [de^{m}] corn, clavus

likdoornpleister [de] corn plaster

likdoornzalf [de] corn salve

likeur [de] liqueur, cordial ♦ *likeur* ***op*** *ijs* liqueur frappé

likeurbonbon [de^{m}] liqueur chocolate, ⟨zonder chocolade⟩ liqueur bonbon

likeurglaasje [het] liqueur glass

likeurstel [het] liqueur set/stand

likeurstokerij [de^{v}] liqueur distillery

likeurstroop [de] starch/corn syrup

likeurtje [het] (glass of) liqueur

likkebaarden [onov ww] lick one's lips, lick/smack one's chops ♦ ***naar*** *iets likkebaarden* lick one's lips over/for sth.

likken [ov ww, ook abs] [1] ⟨m.b.t. de tong⟩ lick, lap ♦ ***aan*** *suikergoed likken* lick sweets; *zijn* ***lippen*** *likken* lick/smack one's lips; ⟨inf⟩ *ze zitten* ***mekaar*** *de godganse tijd te likken* they just sit there necking/slobbering (all the time); ⟨vulg⟩ *lik me* ***reet!*** kiss my arse!/^{B}ass! [2] ⟨inf; vleien⟩ toady, fawn, soft-soap, boot-lick, flatter [3] ⟨polijsten⟩ shine, polish, hone, sleek ♦ ⟨fig⟩ *een gelikt* ***iemand*** a (city) slicker, a slick/fly customer; *gelikte* ***verzen*** highly polished/slick verse [4] ⟨inf; bedriegen⟩ cheat, take in, diddle, have ♦ *hij is door zijn vrienden* ***flink*** *gelikt* he's been badly bitten by his friends [5] ⟨vulg; cunnilingus bedrijven⟩ suck, lick, blow, French [•] ⟨sprw⟩ *omwille van de smeer likt de kat de kandeleer* ± many kiss the hand they wish to cut off; ± full of courtesy, full of craft

likkepot [de^{m}] toady, lickspittle, heeler, licker, toad-eater

likmevestje [•] *een boek/vent* ***van*** *likmevestje* a rubbishy/trashy/twopenny-halfpenny book, a dud/washout/good-for-nothing; *een organisatie* ***van*** *likmevestje* crummy/lousy organization

Likoed [de^{v}] Likud

lik-op-stukbeleid [het] tit-for-tat policy/strategy

likorette [de] liqueur with less than 15% alcohol

likoreus [bn] fortified ♦ *likoreuze* ***wijnen*** fortified wines

liksteen [de^{m}] salt/mineral lick

likzout [het] salt/mineral lick

lil [het, de^{m}] (meat) jelly

lila [bn] lilac, ⟨zacht⟩ lavender ♦ ***het*** *lila* lilac

lillen [onov ww] quiver, shake, tremble, ⟨form⟩ palpitate ♦ *zijn vet lilde* his flab was quivering

lilliputachtig [bn] lilliputian, midget

lilliputter [de^{m}] midget, dwarf

limabonen [de^{mv}] lima beans, limas, ⟨gedroogd⟩ butter beans

liman [de^{m}] liman

limba [het] limba

limbisch [bn] limbic ♦ *limbisch* ***systeem*** limbic system

limbo [de^{m}] limbo

Limburg [het] Limburg

Limburger [de^{m}] Limburger (cheese)

Limburgs [bn] Limburg, ⟨kaas⟩ Limburger

limbus [de^{m}] [1] ⟨plantk⟩ limb [2] ⟨boordsel⟩ edging, facing, lacing [3] ⟨astron, natuurk⟩ limb [4] ⟨r-k⟩ limbo

limelight [het] limelight

limerick [de^{m}] limerick

limiet [de] [1] ⟨uiterste grens⟩ ⟨vaak mv⟩ limit, verge, edge ♦ *de* ***olympische*** *limiet* the Olympic standard; *een limiet* ***stellen aan*** *een budget* set a limit to the budget; *de atleten moeten* ***voldoen aan*** *de limiet* the athletes have to pass the standards/have to qualify [2] ⟨handel⟩ reserve price, ⟨vnl AE⟩ upset price [3] ⟨wisk⟩ limit

limietverzekering [de^{v}] ⟨verz⟩ limited (insurance) coverage

limit [de] limit, end ♦ *dat* ***is*** *toch wel de limit!* that's the limit!, that's the (absolute) end!, ⟨BE⟩ that takes the biscuit!; that's the last straw!

limitatie [de^{v}] limitation

limitatief [bn] limitative, restrictive ◆ *een limitatief* ***voorschrift*** a limitative/restrictive regulation ⊡ *een limitatieve* ***opsomming*** an exhaustive account
limiteren [ov ww] 1 ⟨beperken⟩ limit, confine ◆ *een gelimiteerde* ***oplage*** a limited edition 2 ⟨handel⟩ give a stop(-loss) order (to a broker)
limnologie [de^v] limnology
limo [de^v] limo
limoen [de^m] lime
limoenkruid [het] 1 ⟨citroenkruid⟩ southernwood, ⟨BE ook⟩ boy's love 2 ⟨strandkruid⟩ sea lavender
limonade [de] lemonade ◆ *je* ***drinkt*** *het als limonade* you are drinking that like lemonade/water; ***priklimonade, limonade gazeuse*** fizzy/aerated/sparkling lemonade
limonadesiroop [de] lemon (drink/squash) concentrate
limoniet [het] ⟨geol⟩ limonite
limousine [de^v] limousine, berlin(e), ⟨inf⟩ limo
limpido [bw] ⊡ *dat is honderd* ***euro*** *limpido (winst) in mijn zak* that's a hundred euros sheer profit in my pocket
lindaan [het] lindane
linde [de] lime (tree), linden ◆ ***Amerikaanse/zwarte*** *linde* basswood; ***Hollandse*** *linde* common lime (tree)
lindebloesem [de^m] lime blossom
lindebloesemthee [de^m] lime-blossom tea, linden-blossom tea
lindeboom [de^m] lime/linden (tree)
lindehout [het] limewood, ⟨van Amerikaanse linde⟩ basswood
linden [bn] limewood
lindepijlstaart [de^m] lime hawkmoth
lineair [bn] 1 ⟨uit lijnen bestaand⟩ linear, lineal ◆ *Lineair A/B* ⟨oude Kretenzische schriften⟩ Linear A/B; *lineaire* ***constructies*** linear constructions/structures; *lineair* ***schrift*** linear script 2 ⟨in de lengte⟩ linear, lineal ◆ *lineaire* ***inductiemotor*** linear (induction) motor; *lineair* ***perspectief*** linear perspective; *de lineaire* ***uitzetting*** *van ijzer* the linear expansion of iron 3 ⟨wisk⟩ linear, lineal ◆ *lineaire* ***vergelijking*** linear equation ⊡ *lineaire* ***hypotheek*** level repayment mortgage
Lineair [het] ⊡ *Lineair* ***A*** Linear A; *Lineair* ***B*** Linear B
linea recta [bw] straight ◆ *linea recta* ***gaan*** *naar* go straight to, make a beeline for
linedancen [onov ww] line dance
linedansen [onov ww] go line dancing
linesman [de^m] linesman
line-up [de^m] line-up
lingala [het] lingala
Lingala [het] Lingala
lingerie [de^v] lingerie, women's/ladies' underwear
¹**linguaal** [het, de] reed (pipe)
²**linguaal** [bn] 1 ⟨m.b.t. de tong⟩ lingual, glossal 2 ⟨aan de tongzijde⟩ lingual, glossal
lingua franca [de^v] ⟨taalk⟩ lingua franca
linguïst [de^m], **linguïste** [de^v] linguist, linguistician
linguïste [de^v] → **linguïst**
linguïstiek [de^v] linguistics
linguïstisch [bn, bw] linguistic ⟨bw: ~ally⟩
liniaal [het, de] ruler
liniatuur [de^v] 1 ⟨samenstel van lijnen⟩ lineation, lines, pattern (of lines) 2 ⟨manier van liniëren⟩ lineation
linie [de^v] 1 ⟨mil⟩ line, rank ◆ *door de* ***vijandelijke*** *linie (heen)****breken*** break through the enemy lines 2 ⟨evenaar⟩ (the) line, equator ◆ *de linie* ***passeren*** cross the Line 3 ⟨scheepv⟩ line, alignment ◆ ***in*** *linie varen* sail in line 4 ⟨sport; vaak in samenstellingen; groep spelers⟩ line ◆ *de* ***aanvalslinie/verdedigingslinie*** the attack/defence 5 ⟨reeks verdedigingswerken⟩ line (of defensive works/defences/ ^Adefenses) ◆ *de* ***Maginotlinie*** the Maginot line 6 ⟨tak van bloedverwantschap⟩ line ◆ ***mannelijke*** *linie* male line, spear side; ***opgaande/neergaande/rechte*** *linie* ascending/descending/direct line; *een afstammeling in de* ***rechte*** *linie* a direct/linear descendant; ***vrouwelijke*** *linie* female line, distaff/spindle side 7 ⟨denkbeeldige lijn⟩ line ⊡ *over de* ***hele*** *linie* all along the line, on all points, all-round, all-over, across the board; *de prijzen gingen over de* ***hele*** *linie omhoog* prices made an all-round rise, rose across the board
linieermachine [de^v] ruling machine, machine ruler
liniëren [ov ww] line, rule, draw lines ◆ ***papier*** *liniëren* line/rule paper
linieschip [het] ship of the line
linietroepen [de^mv] (troops of) the line
¹**link** [de^m] link, connection, relationship, ⟨comp⟩ (hyper) link ◆ *een link* ***leggen*** *tussen twee gebeurtenissen* link two events
²**link** [bn] ⟨inf⟩ 1 ⟨slim⟩ sly, cunning, artful, knowing ◆ *hij is zo link* ***als*** *een looien deur* he's as crooked/bent as a corkscrew, he's a wheeler-dealer/slick alec 2 ⟨gevaarlijk⟩ risky, dicey ◆ *linke* ***jongens*** a shady/shifty lot, rogues; ⟨sl⟩ heavies; *dat is me* ***te*** *link* that's too risky/dicey for me; *linke* ***waar*** hot goods/stuff, stuff 'off the back of a lorry'
linken [ov ww] 1 ⟨inf; bedriegen⟩ diddle, spoof, bamboozle 2 ⟨comp⟩ (hyper)link 3 ⟨integreren⟩ link
linker [bn] left, left-hand, ⟨van auto, been van paard⟩ nearside ◆ *huizen aan de linker****kant*** *van de straat* houses on the left-hand side of the street; ⟨zelfstandig (gebruikt)⟩ *deze hand is* ***mijn*** *linker* this is my left hand; ⟨zelfstandig (gebruikt)⟩ *hij nam de bal vol* ***op*** *de linker* he took the ball on his left foot; *linker****pedaal*** ⟨van piano⟩ soft pedal; *linkerrij****baan*** left lane; *het linker****voorwiel*** the nearside/^Anear front wheel
linkerarm [de^m] left arm
linkerbeen [het] left leg ◆ ⟨fig⟩ *hij is* ***met*** *zijn linkerbeen uit bed gestapt* he got out of bed on the wrong side
linkerbenedenhoek [de^m] bottom left-hand corner
linkerbovenhoek [de^m] top left-hand corner
linkerd [de^m] crafty devil, wheeler-dealer, slick alec/operator, ⟨BE⟩ spiv
linkerhand [de] left hand, ⟨van ruiter ook⟩ bridle hand, ⟨bokssp; inf; AE⟩ southpaw ◆ ***aan*** *de linkerhand* at/on/to one's left hand/left; ***aan*** *uw linkerhand* on your left; ⟨fig⟩ ***twee*** *linkerhanden hebben, met* ***twee*** *linkerhanden geboren zijn* have two left feet, be all (fingers and) thumbs ⊡ *huwen* ***met*** *de linkerhand* marry with the left hand, enter into a left-handed/morganatic marriage; ⟨sprw⟩ *laat uw linkerhand niet weten wat uw rechterhand doet* let not thy left hand know what thy right hand doeth
linkerhandschoen [de] left-hand glove
linkerkant [de^m] left(-hand) side, left, ⟨BE ook; m.b.t. auto⟩ nearside
linkeroever [de^m] left bank
linkerrijstrook [de] left lane
linkerschouder [de^m] left shoulder
linkervleugel [de^m] 1 ⟨vleugel⟩ left wing, ⟨van troepen ook⟩ left flank ◆ ⟨fig⟩ *de linkervleugel van een* ***gebouw/troepenmacht/voetbalelftal*** the left wing of a building/military force/football team; *de linkervleugel van een* ***vliegtuig*** the port/left wing of a plane 2 ⟨pol; linkerzijde⟩ left (wing), Left, ⟨mv⟩ (the) socialists 3 ⟨pol; afdeling⟩ left (wing), socialist/radical wing ◆ ***lid*** *van de linkervleugel* member of the left, left-wing member, left-winger
linkervleugelspeler [de^m] ⟨sport⟩ left-winger
linkervoet [de^m] left foot
linkerzij [de] 1 ⟨linkerkant⟩ left(-hand) side, left, ⟨van weg, auto in Groot-Brittannië; de kant van de weg waarlangs men rijdt⟩ near side ◆ *zij zat* ***aan*** *mijn linkerzij* she was sitting on my left 2 ⟨deel van het lichaam⟩ left side, left part/half ◆ *pijn/steken* ***in*** *de linkerzij* pain/stitches in the left side 3 ⟨pol⟩ (the) left/Left, left wing, (the) socialists, ⟨Groot-Brittannië⟩ Labour

linking pin [de^{m}] link, (point of) contact, ⟨man⟩ contact-man, ⟨vrouw⟩ contact-woman, ⟨man & vrouw⟩ contact-person, ⟨BE ook; man⟩ linkman, ⟨vrouw⟩ linkwoman

linkmiegel [de^{m}] crafty number, wheeler-dealer

[1]links [het] [1] ⟨pol⟩ (the) Left ◆ *gematigd links* the moderate left; *klein links* the small left-wing parties; ⟨pej ook⟩ the loony left; *naar links lonkend, met links flirtend* leftish, liberal; ⟨inf; BE⟩ pink; *Nieuw Links* (the) New Left; *op links stemmen* vote left; *tegen links aanleunend* left-leaning, inclined towards the left; *uiterst links* (the) far left/extreme left/militant left [2] ⟨m.b.t. verkeer⟩ traffic from the left ◆ *links moet stoppen* traffic from the left must give way

[2]links [de^{mv}] ⟨golf⟩ links

[3]links [bn, bw] [1] ⟨aan de linkerzijde⟩ left, ⟨bijwoord ook⟩ to/on the left, ⟨heral⟩ sinister ◆ *links houden/aanhouden* keep (to the) left; *links inhalen* overtake/pass on the left; *de tweede kamer links* the second room to/on the left; ⟨fig⟩ *iets links laten liggen* ignore sth., pass sth. over/by, shrug sth. off; ⟨fig⟩ *iemand links laten liggen* ignore s.o., cut s.o. (dead), give s.o. the cold shoulder/the go-by, pass s.o. by/over, send s.o. to Coventry; *de stad links laten liggen* leave the town on one's left; ⟨de stad vermijden⟩ bypass the town; ⟨sport⟩ *iemand op links laten spelen* place s.o. in the left field; *links en rechts* right and left, on all sides; *van links en rechts komend verkeer* cross-traffic, traffic coming from right and left; *links van iemand zitten* sit to the left of s.o./to/on s.o.'s left [2] ⟨bewegend naar de linkerzijde⟩ left, left-handed, anticlockwise, counterclockwise ◆ *links afslaan* turn/bear (to the) left; *het hoofd links buigen* bend one's head to the left; *een linkse deur* a left-hand door; *links gebreid* purled, knitted in purl stitch; *naar links* (to the) left, leftwards, ⟨AE⟩ leftward; *links de bocht om rijden* take the left-hand bend/turn; *links en rechts* right and left, to and fro, up and down; *linkse schroef* left-hand(ed) screw [3] ⟨met de linkerhand of linkervoet werkend⟩ left-handed, ⟨sport ook⟩ left-footed, ⟨wet⟩ sinistral, ⟨bokssp; inf; AE⟩ southpaw ◆ ⟨sport⟩ *een linkse directe* a straight left; *dit kind is van nature links* this child is left-handed by birth; *links schrijven* write with one's left hand [4] ⟨onhandig⟩ left-handed, gauche, awkward, left-footed, ⟨inf; BE⟩ cack-handed, ⟨BE⟩ maladroit, ⟨BE⟩ hamfisted, ⟨BE⟩ hamhanded [5] ⟨pol⟩ left-wing, leftist, socialist ◆ *links(e) beleid/denkbeelden* leftist/left-wing policy/ideas, leftism; *gematigd links* moderately left; *links georiënteerd zijn* be leftist, have leftist/left-wing sympathies; *de linkse partijen* the left(-wing)/leftist parties, the parties of the left; *een linkse rakker* lefty, commie, Red, bolshie, militant; ⟨niet overtuigd⟩ trendy lefty; *links stemmen* vote left; *uiterst links* militantly left

linksachter [de^{m}] ⟨sport⟩ left back

linksaf [bw] (to the) left, leftwards, ⟨AE⟩ leftward ◆ *bij de brug moet u linksaf (gaan)* turn (to the) left at the bridge

linksback [de^{m}] ⟨sport⟩ left back

linksbenig [bn] ⟨sport⟩ left-footed

linksbinnen [de^{m}] ⟨sport⟩ inside left

linksboven [bw] top left

linksbuiten [de^{m}] ⟨sport⟩ outside left, ⟨vnl BE⟩ left-wing(er)

linksdraaiend [bn] [1] ⟨natuurk, scheik⟩ laevorotatory, ⟨in samenstellingen⟩ laevo- [2] ⟨m.b.t. een deur⟩ left-hand

linksdragend [bn] dressing on/to the left

linkse [de^{m}] ⟨bokssp⟩ (straight) left

linkshalf [de^{m}] ⟨sport⟩ left half(back)

linkshandig [bn] left-handed, ⟨wet⟩ sinistral, ⟨inf; BE⟩ cackhanded, ⟨bokssp; inf; AE⟩ southpaw ◆ ⟨zelfstandig naamwoord⟩ *een linkshandige* a left-hander/sinistral; ⟨inf⟩ a lefty; *zowel links- als rechtshandig* ambidextrous; *schaar/lepel voor linkshandigen* left-handed scissors/spoon

linksheid [de^{v}] [1] ⟨het links zijn⟩ left-handedness, ⟨wet⟩ sinistrality [2] ⟨onhandigheid⟩ lefthandedness, gaucherie, awkwardness

[1]linksmidden [de^{m}] centre-left

[2]linksmidden [bw] left of centre

linksom [bw] left ◆ *linksom draaien* turn (to the) left; ⟨dans⟩ reverse; ⟨mil⟩ *linksom keert!* left turn!

linksonder [bw] bottom left

linksveld [het] left field

linksvoetig [bn] ⟨sport⟩ left-footed

linksvoor [de] outside left, left-wing(er)

[1]linnen [het] [1] ⟨weefsel⟩ linen, toile, ⟨m.b.t. boeken⟩ cloth ◆ *een boek in linnen gebonden* a clothbound book, a book in cloth; *ruw/ongebleekt/wit/fijn linnen* coarse/unbleached/white/fine linen; *Vlaams/Hollands linnen* Flemish/Holland linen [2] ⟨linnengoed⟩ linen

[2]linnen [bn] [1] ⟨uit vlas⟩ linen, flax ◆ *linnen garen* linen thread/yarn, linen [2] ⟨van linnen⟩ linen ◆ *in linnen band* in cloth; *een linnen band* cloth-binding; *linnen ondergoed* linen underwear, linen

linnengoed [het] linen

linnenkamer [de] linen-room

linnenkast [de] linen-cupboard, ⟨AE⟩ linen-closet

linnenpapier [het] linen (paper)

linnenpers [de] linen-press

linnenweverij [de^{v}] ⟨het linnenweven⟩ linen-weaving, ⟨fabriek⟩ linen-factory

lino [de] ⟨bk⟩ lino-cut

[1]linoleum [het, de^{m}] linoleum, ⟨vnl BE; inf⟩ lino ◆ *met linoleum bekleed/op de vloer* linoleumed

[2]linoleum [bn] linoleum

linoleumdruk [de^{m}] [1] ⟨drukproces⟩ lino-block print [2] ⟨afdruk⟩ linocut

linoleumkit [het] linoleum cement

linoleumsnede [de] [1] ⟨voorstelling in reliëf⟩ linocut [2] ⟨afdruk⟩ linocut

linoleumwas [het, de^{m}] linoleum polish/wax

linolzuur [het] linol(e)ic acid

linon [het] leno, lawn ◆ *een kraagje van geborduurd linon* a collar of embroidered leno/lawn

linotype [de] ⟨boek, drukw⟩ linotype, ⟨handelsmerk⟩ Linotype

linozetter [de^{m}] linotypist, Linotype operator

lint [het] [1] ⟨smal weefsel⟩ ribbon, tape, ⟨boordlint⟩ (bias) binding ◆ *een zwart lint om zijn hoed* a black band round his hat [2] ⟨stuk lint⟩ ribbon, tape, ⟨boordlint⟩ binding, ⟨om hoed⟩ band ◆ ⟨fig⟩ *door het lint gaan* blow up, blow one's top, lose one's head, fly off the handle; *het lint doorknippen* ⟨ook fig⟩ cut the tape; *daar krijg je vast een lintje voor!* ⟨scherts⟩ you'll get a medal for that!; *met linten* ribboned; ⟨van hoofddeksel ook⟩ lappeted; *het lint van een schrijfmachine* the (typewriter) ribbon [3] ⟨bast⟩ flax/hemp fibre

lintaal [de^{m}] ⟨dierk⟩ elver

lintbebouwing [de^{v}] ribbon development/building

lintbloem [de] ray flower

lintcassette [de] ribbon cassette

linters [de^{mv}] linters

lintgras [het] ribbon grass, gardener's garters

lintje [het] decoration ◆ *een lintje krijgen* be decorated, get a medal, be given a decoration

lintjesjager [de^{m}] ribbon/decoration hunter

lintjesregen [de^{m}] rain of titles (on the monarch's birthday), shower of birthday honours, ⟨Groot-Brittannië⟩ ± Birthday Honours (List), New Year's Honours (List)

lintmacaroni [de^{m}] tagliatelle

lintmeter [de^{m}] ⟨in België⟩ tape measure, (measuring) tape

lintomschakelaar [de^{m}] (ribbon) colour change lever

lintvis [de^{m}] ribbon-fish

lintvoeg [de] ⟨amb⟩ edge joint

lintvormig [bn] ribbon-shaped, ⟨plantk⟩ ligulate

lintworm [de^{m}] tapeworm
lintworminfectie [de^{v}] ⟨med⟩ infestation with tapeworms, ⟨med ook⟩ taeniasis
lintzaag [de] [1] ⟨bandzaag⟩ band saw [2] ⟨machine⟩ band saw
linze [de] [1] ⟨plant⟩ lentil [2] ⟨zaad⟩ lentil ◆ *een **schotel** linzen* a dish of lentils; ⟨voor zieken⟩ revalenta; *zijn eerste geboorterecht voor een **schotel** linzen verkopen* sell one's birthright for a mess of pottage
linzengerecht [het], **linzenkooksel** [het] ⟨Bijb⟩ mess of pottage
linzenkooksel [het] → **linzengerecht**
linzenmoes [de] crushed lentils
linzenschotel [de^{m}] lentil dish
linzensoep [de] lentil soup, ⟨Bijb⟩ mess of potage
Lions [de^{mv}] Lions
lip [de] [1] ⟨deel van de mond⟩ lip ◆ ⟨fig⟩ ***aan** iemands lippen **hangen*** hang (up)on s.o.'s lips/words/every word, be all ears; *een glas **aan** de lippen **brengen*** raise/put/set/lift/place a glass to one's lips, set one's lips to a glass; *zijn lippen ergens bij **aflikken*** lick/smack one's lips; ***dikke** lippen* thick lips; *een **dikke** lip hebben* have a swollen lip; *zijn lippen op iets **drukken*** press one's lips against sth., kiss sth.; *met **dunne/bleke/opeengeklemde** lippen* thin-lipped/white-lipped/tight-lipped; ***gesprongen** lippen* chapped/cracked lips; *de lippen op elkaar **klemmen*** set/compress one's lips; *de lip **laten hangen*** hang one's lips, pout; ⟨fig⟩ ***op** aller lippen zijn* be on everybody's lips, be on every lip, be in every/everybody's mouth; ⟨fig⟩ *iemand **op** de lip zitten* sit very close to s.o., be sticky; *de vinger **op** de lippen leggen* place/put a/one's finger to one's lips; ***op** zijn lippen bijten, zich **op** de lippen bijten* bite one's lips, bite back (fear/anger/...); *de/zijn lippen **optrekken*** curl one's lips (up); *ik zou het niet **over** mijn lippen kunnen krijgen* I couldn't bring myself to say such a thing; *een dergelijk woord is nooit **over** mijn lippen gekomen* such a word never passed/crossed my lips, I never uttered such a word; ***schrale** lippen* dry lips; *de lippen **tuiten*** pout, purse one's lips; ***volle** lippen* full lips [2] ⟨op een lip gelijkende zaak⟩ ⟨ook plantk/schaamlip/m.b.t. wond/vaas/orgelpijp⟩ lip, ⟨techn ook⟩ joggle, ⟨van anker⟩ bill, ⟨van hoefijzer⟩ clip, ⟨van schoen⟩ tongue, ⟨plantk ook⟩ labellum [3] ⟨golf⟩ lip
lipariet [het] liparite, rhyolite
lipbloemigen [de^{mv}] ⟨plantk⟩ labiates
lipgloss [de^{m}] lipgloss
[1]**lipide** [het] lipid(e)
[2]**lipide** [bn] lipidic
lipje [het] tab ⟨ook van blikje⟩, lip, ⟨van schoen⟩ tongue
lipklank [de^{m}] ⟨taalk⟩ labial (sound)
liplas [de] ⟨amb⟩ halved joint ◆ ***rechte/schuine** liplas* straight/oblique halved joint
liplezen [ww] lip-read, read s.o.'s lips ◆ ***leren** liplezen* learn to lip-read, learn to read s.o.'s lips
lipogram [het] lipogram
lipogrammatisch [bn] lipogrammatic
lipoïde [het] [1] ⟨stof⟩ lipoid [2] ⟨mengsel⟩ lipoid
liposuctie [de^{v}] ⟨med⟩ liposuction
lippenbeer [de^{m}] slothbear
lippendienst [de^{m}] lip service ◆ *lippendienst **bewijzen** aan* pay/give/do lip service to
lippenpotlood [het] lip pencil
lippenrood [het] lipstick
lippenstift [de] lipstick ◆ *lippenstift **opdoen*** put on lipstick
lippenzalf [de] lip salve, ⟨vnl AE; stift⟩ Chapstick ⟨handelsmerk⟩
lippig [bn] ⟨biol⟩ labiate, lipped
lippijp [de] flue pipe
lippizaner [de^{m}] Lippizaner, Lipizzaner
lipssleutel [de^{m}] yale key
lipsslot [het] yale lock, cylinder lock
lipstick [de^{m}] lipstick
lipsynchroon [bn] dubbed, synchronized, ⟨vaak pej; inf⟩ mickey-moused
lipvis [de^{m}] wrasse, seawife, ⟨AE ook⟩ nipper
lipvormig [bn] labial, lip-shaped
liquefactie [de^{v}] liquefaction
liquida [de^{v}] ⟨taalk⟩ liquid
liquidateur [de^{m}], **liquidatrice** [de^{v}] liquidator
liquidatie [de^{v}] [1] ⟨euf; m.b.t. personen⟩ liquidation, elimination [2] ⟨m.b.t. transacties⟩ liquidation, winding-up, break-up, dissolution, ⟨op beurs ook⟩ settlement ◆ ***in** liquidatie gaan* go into liquidation, liquidate, wind up (one's affairs); ⟨AE ook⟩ close out; ***in** liquidatie zijn* be in liquidation, be wound up; *de **met** de liquidatie belaste bank* the liquidating bank; *liquidatie **ondergaan*** liquidate
liquidatiedag [de^{m}] settlement/^{B}settling day
liquidatiekas [de] clearing bank/house/office
liquidatiekoers [de^{m}] settlement price
liquidatie-uitverkoop [de^{m}] liquidation/closing-down sale, ⟨AE ook⟩ close out (sale)
liquidatiewaarde [de^{v}] liquidation value
liquidatiewinst [de] profit made on liquidation
liquidatrice [de^{v}] → **liquidateur**
liquide [bn] [1] ⟨onmiddellijk vereffenbaar⟩ liquid, fluid ◆ *liquide **middelen*** liquid/fluid assets [2] ⟨vloeibaar⟩ liquid
liquideren [ov ww] [1] ⟨vereffenen⟩ settle, clear ◆ *de **kosten** liquideren* settle the costs; *zijn **positie** liquideren* clear one's debts [2] ⟨opheffen⟩ wind up, liquidate [3] ⟨vernietigen⟩ eliminate, destroy, dispose of, ⟨inf⟩ liquidate ◆ *de **tegenstanders** van het regime werden geliquideerd* opponents of the regime were eliminated
liquiditeit [de^{v}] [1] ⟨mogelijkheid tot vereffening⟩ liquidity [2] ⟨betalingsmiddelen⟩ liquid/fluid assets
liquiditeitsmoeilijkheden [de^{mv}] problems of liquidity
liquiditeitsquote [de] ⟨ec⟩ liquidity ratio
liquor [de^{m}] [1] ⟨med; vocht in centraal zenuwstelsel⟩ (spinal) fluid [2] ⟨vloeibaar geneesmiddel⟩ liquor [3] ⟨sterkwater⟩ liquor
lira [de] ⟨Turks pond⟩ lira
lire [de] ⟨gesch⟩ lira
lis [het, de^{m}] ⟨biol⟩ iris, ⟨vnl. wilde⟩ flag ◆ ***gele** lis* (yellow) iris/flag, corn/water/sword flag
lisachtigen [de^{mv}] Iridaceae, flags
lisbloem [de] iris, ⟨vnl. wilde⟩ flag
lisdodde [de] ⟨biol⟩ reed mace, cat's tail ◆ ***grote/kleine** lisdodde* great/lesser reed mace
liseen [de] ⟨bouwk⟩ pilaster
[1]**lispelen** [onov ww] [1] ⟨onduidelijk spreken⟩ lisp, speak with a lisp [2] ⟨form; ruisen⟩ ripple, whisper ◆ *de wind lispelde **in** de blaren* the wind rippled/whispered in the leaves
[2]**lispelen** [ov ww] ⟨lispelend zeggen⟩ lisp, whisper
Lissabon [het] Lisbon
list [de] ⟨concr⟩ trick, guile, ruse, scheme, wile, ⟨abstr⟩ cunning, craft, deception ◆ *list en **bedrog*** double-crossing, double-dealing; *er komen met list en **bedrog*** achieve sth. through cunning and guile; ***boze** listen* evil/diabolical/dirty tricks; *een stad **door** list overmeesteren* take a city by stratagem/cunning; *iemand **door** een list tot een bekentenis dwingen* trap s.o. into confession; *iemand **door** list ergens toe krijgen/ertoe krijgen iets te doen* bamboozle/trick s.o. into (doing) sth., ⟨inf⟩ spoof s.o. into (doing) sth.; *listen en **lagen*** crafty/cunning schemes; ⟨inf⟩ monkeytricks, ⟨AE⟩ monkeyshines; ⟨form⟩ toils, devices, designs; *het **met** list proberen* try guile/cunning, resort to schemes/tricks/ruses [•] ⟨sprw⟩ *nood zoekt list* necessity is the mother of invention
listeria [de^{v}] listeria
listeriose [de^{v}] listeriosis
listig [bn, bw] cunning ⟨bw: ~ly⟩, crafty ⟨bw: craftily⟩,

wily, subtle, artful, clever, deceitful, ⟨vnl BE; inf⟩ dodgy, ⟨pej ook⟩ sly ♦ *een listig **gespannen strik*** a craftily designed snare; *het listig **spelen*** play it skillfully; *een listig **spelletje*** a clever/subtle game, ⟨AE ook⟩ a long game

listigheid [de^{v}] 1 ⟨het listig zijn⟩ cunning, craft, deceit, subtlety, ⟨pej ook⟩ slyness 2 ⟨toepassing van list⟩ trick, guile, ruse, scheme, wile, ⟨listigheidje⟩ ploy

listing [de^{m}] 1 ⟨lijst⟩ listing 2 ⟨vermelding op een lijst⟩ listing

listserver [de^{m}] listserv, list server

Lisv [het] (Landelijk instituut sociale verzekeringen) National Institute of Social Insurance

litanie [de] 1 ⟨r-k⟩ litany ♦ *een litanie **bidden*** recite/say a litany 2 ⟨opsomming van klachten⟩ litany, jeremiad, lamentation ♦ *een litanie **houden*** reel off a litany; *een litanie van **klachten/ellende*** a(n) litany/jeremiad/Iliad of grievances/woes

liter [de^{m}] litre ♦ *twee liter **melk*** two litres of milk

literair [bn, bw] literary ⟨bw: literarily⟩ ♦ *literair **café*** literary café, 'café littéraire'; *literair **historicus/historica*** literary historian, historian of literature; *literaire **kringen*** literary set/circles, literati; ⟨ook scherts⟩ literary in-crowd; *met literaire **pretenties*** with literary/bookish pretensions; ⟨inf⟩ booksy; *literair **tijdschrift*** literary journal/periodical/magazine

literair-historisch [bn, bw] of literary history, on literary history, relating to literary history, of the history of literature, on the history of literature, relating to the history of literature

literati [de^{mv}] 1 ⟨geletterden⟩ literati 2 ⟨de literaire elite⟩ literati, literary elite

literator [de^{m}] man/woman of letters, literary man/woman, literator, littérateur

literatuur [de^{v}] 1 ⟨letterkunde⟩ literature ♦ *de **moderne** literatuur* contemporary/modern literature; *literatuur en **wetenschap*** science and literature, the two cultures 2 ⟨al wat over iets geschreven is⟩ literature ♦ *de **geraadpleegde** literatuur over een onderwerp* the literature consulted on a subject/topic

literatuurbeschouwing [de^{v}] 1 ⟨kijk op de literatuur⟩ view of literature, approach to literature, ⟨literaire kritiek⟩ literary criticism 2 ⟨studie over de literatuur⟩ study of literature, literary criticism

literatuurgeschiedenis [de^{v}] 1 ⟨geschiedenis van de literatuur⟩ literary history, history of literature 2 ⟨boek⟩ (book of) literary history, history of literature

literatuurlijst [de] reading list, bibliography, ⟨aanbevolen⟩ recommended reading

literatuuronderzoek [het] literature search, library search

literatuuropgave [de] bibliography, ⟨van geciteerde werken⟩ (list of) literature/works cited, references, ⟨van geraadpleegde werken⟩ (list of) works consulted, ⟨AE⟩ checklist

literatuuroverzicht [het] descriptive bibliography, review of the (existing/available) literature on a subject

literatuurprijs [de^{m}] literary prize

literatuurstudie [de^{v}] 1 ⟨abstr⟩ study of literature, literary theory 2 ⟨concreet⟩ literary study, literary article

literatuurverwijzing [de^{v}] ⟨geraadpleegd⟩ references, ⟨te raadplegen⟩ further references/reading, recommended reading, bibliography, ⟨AE⟩ checklist

literatuurwetenschap [de^{v}] literary theory, study of literature ♦ *algemene **literatuurwetenschap*** general literature; ***vergelijkende** literatuurwetenschap* comparative literature

literfles [de] a litre bottle

litermaat [de] litre measure

literprijs [de^{m}] price per litre

lithium [het] lithium

lithiumbatterij [de^{v}] lithium cell

litho [de] litho

lithochromie [de^{v}] chromolithography

lithogenese [de^{v}] lithogenesis

lithograaf [de^{m}] lithographer

lithograferen [ov ww] litho(graph)

lithografie [de^{v}] 1 ⟨handeling⟩ lithography 2 ⟨resultaat⟩ lithograph

lithografisch [bn, bw] lithographic ⟨bw: ~ally⟩ ♦ *lithografische **steen*** litho stone, lithographic limestone

lithologie [de^{v}] lithology

lithologisch [bn, bw] lithologic(al) ⟨bw: lithologically⟩

lithopoon [het] lithopone

lithosfeer [de] lithosphere

lithosteen [de^{m}] litho stone

litoraal [bn] littoral, coastal ♦ *litorale **afzettingen*** littoral/coastal deposits; *litorale **planten*** littoral plants; *litorale **zone*** littoral zone

litotes [de] litotes, meiosis, understatement

Litouwen [het] Lithuania, ⟨als deel van Sovjet-Unie⟩ Lithuanian Soviet Socialist Republic

Litouwen	
naam	*Litouwen* Lithuania
officiële naam	*Republiek Litouwen* Republic of Lithuania
inwoner	*Litouwer* Lithuanian
inwoonster	*Litouwse* Lithuanian
bijv. naamw.	*Litouws* Lithuanian
hoofdstad	*Vilnius* Vilnius
munt	*litas* litas
werelddeel	*Europa* Europe
int. toegangsnummer 370 www .lt auto LT	

Litouwer [de^{m}], **Litouwse** [de^{v}] Lithuanian

[1]**Litouws** [het] ⟨taalk⟩ Lithuanian

[2]**Litouws** [bn] Lithuanian

Litouwse [de^{v}] → **Litouwer**

lits-jumeaux [het] twin beds

litteken [het] 1 ⟨m.b.t. een wond⟩ scar, ⟨form of med⟩ cicatrice, cicatrix, mark, ⟨naad⟩ seam ♦ *littekens **achterlaten*** leave scars; ***met** littekens op het gezicht* scarred in the face; with a scarred face/a face seamed with scars; ⟨med⟩ with a cicatricose face; *een litteken **vormen*** scar (over); ⟨form of med⟩ cicatrize 2 ⟨m.b.t. bladeren⟩ scar, cicatrice, cicatrix

littekenbreuk [de] rupture of scar tissue

littekenvorming [de^{v}] formation of scar tissue, ⟨med ook⟩ cicatrization

littekenweefsel [het] scar tissue

liturg [de^{m}] liturgist

liturgie [de^{v}] 1 ⟨alles m.b.t. een eredienst⟩ liturgy, rite, ritual, service ♦ *de **Latijnse/katholieke** liturgie* the Latin/Roman rite; *de **oosterse** liturgie* the Eastern rite 2 ⟨verzameling van, boek met liederen enz.⟩ prayer book ♦ ***anglicaanse** liturgie* the Book of Common Prayer, ASB (Alternative Service Book)

liturgiek [de^{v}] liturgics

liturgiologie [de^{v}] liturgiology, liturgics

liturgisch [bn] liturgical, ritual, ceremonial ♦ *liturgische **ceremonie*** ritual, liturgical ceremony; *liturgische **gewaden*** (liturgical/ceremonial) vestments; *liturgisch **voorschrift*** liturgical rule, rubric; *liturgische **zang*** liturgical (choral) music, chanting

live [bn] live

liveshow [de^{m}] live show

living [de] living room

livrei [de] 1 ⟨uniform⟩ livery ♦ *livrei **dragen*** be in livery; ***in** livrei* liveried, in livery 2 ⟨jacht⟩ coat

livreiknecht [de^{m}] footman, liveried servant, ⟨vnl. fig, pej⟩ lackey

livreirok [de^{m}] livery-coat

l.k. [afk] (laatste kwartier) last quarter
L-kamer [de] L-shaped room
ll. [afk] (laatstleden) last ◆ *vrijdag ll.* last Friday
llano [de] llano
Lloyd [de^m] 1 ⟨verz⟩ Lloyd's (of London) 2 ⟨scheepv⟩ Lloyd's agent(s)
Lloyds-register [het] Lloyd's Register (of Shipping)
lm [afk] (lumen) lm
lmo [het] (lager middenstandsonderwijs) lower secondary retail education
LNV [het] ((ministerie van) Landbouw, Natuurbeheer en Visserij) (Ministry of) Agriculture, Nature Management and Fisheries
lo [afk] 1 (lager onderwijs) primary education, ^A^elementary education 2 (lichamelijke opvoeding/oefening) PE (physical education), PT (physical training)
¹lob [de^m] ⟨sport⟩ ⟨tennis, voetb⟩ lob, ⟨voetb ook⟩ loft
²lob [de] 1 ⟨med⟩ lobe, lobation 2 ⟨deel van een blad⟩ lobe, lobation ◆ *met drie lobben* trilobate; *in drie lobben verdeeld* trifid 3 ⟨zaadlob⟩ seed lobe, seed leaf, cotyledon
lobben [ov ww, ook abs] ⟨sport⟩ lob, ⟨voetb ook⟩ loft, chip
lobberen [onov ww] 1 ⟨in het water ploeteren⟩ splash, dabble 2 ⟨waggelen⟩ wobble, wabble, totter, stagger 3 ⟨slobberen⟩ hang loosely, flap, flop, flutter
lobbes [de^m] 1 ⟨grote hond⟩ big, good-natured dog, great lump/teddybear (of a dog) 2 ⟨goedzak⟩ good/kind/dear soul, good-natured fellow, big softy, simpleton
lobbesachtig [bn, bw] good-natured (but rather simple), soft, simple
lobby [de] 1 ⟨wachtruimte⟩ lobby, ⟨hotel ook⟩ lounge, foyer, hall 2 ⟨wandelgangen van het Engelse parlement⟩ lobby 3 ⟨pressiegroep⟩ lobby
lobbyen [onov ww] lobby
lobbyisme [het] lobbyism
lobbyist [de^m] lobbyist, lobbyer ◆ *succesvolle lobbyist* successful lobbyist; ⟨sl⟩ rainmaker
lobectomie [de^v] ⟨med⟩ lobectomy
lobelia [de] lobelia
loboor [de^m] lop-eared/floppy-eared dog, lop-eared/floppy-eared pig
loborig [bn] lop-eared, floppy-eared
lobotomie [de^v] ⟨med⟩ lobotomy ◆ *prefrontale lobotomie* prefrontal lobotomy; *lobotomie uitvoeren* perform a lobotomy
lobvoet [de^m] lobed foot
lobvormig [bn] ⟨plantk⟩ lobate
loc [de] loco
local area network [het] local area network
locatie [de^v] 1 ⟨plaats voor film-, tv-opnamen⟩ location ◆ *op locatie filmen* film on location 2 ⟨plaats voor exploitatie⟩ site, location ◆ *op een locatie* on a site
locatief [de^m] ⟨taalk⟩ locative
locatiemarketing [de] location marketing
locatiescout [de^m] location scout
locativus [de^m] locative
locavoor [de^m] locavore
locker [de^m] locker
lock-out [de^m] lockout
lock-up [de^m] 1 ⟨techn⟩ lock-up 2 ⟨ec⟩ lock-up
¹loco [het] → **locopreparaat**
²loco [bw] (on the) spot
locoaffaire [de] spot transaction
locoburgemeester [de^m] deputy/acting mayor, deputy/acting burgomaster
locogeneesmiddelen [de^mv] generic drugs
locogoederen [de^mv] spot goods, goods on the spot
locohandel [de^m] spot market, spot transactions
locomobiel [de^m] traction engine
locomotief [de] (locomotive) engine, locomotive, ⟨kind; AE⟩ choochoo (train) ◆ *losse locomotief* light engine; *locomotief en tender* ⟨in één tank⟩ tank engine/locomotive
locomotiefbestuurder [de^m], **locomotiefbestuurster** [de^v] ⟨man & vrouw⟩ engine driver, ⟨man & vrouw; AE⟩ engineer, ⟨man⟩ engineman, ⟨man; BE⟩ footplateman
locomotiefbestuurster [de^v] → **locomotiefbestuurder**
locomotor [de^m] shunter
locopreparaat [het], **loco** [het] ⟨med⟩ generic drug/medicine/preparation
locoprijs [de^m] spot price
locus [de^m] ⟨biol⟩ locus
lodderig [bn, bw] drowsy ⟨bw: drowsily⟩, sleepy ◆ *met lodderige ogen* with drowsy/heavy/sleepy eyes, sleepy-eyed
lodderogen [onov ww] sit/stand with drooping eyelids, drowse
lodderoog [het] hooded eye, drowsy eye, eye with a drooping lid
¹loden [het, de^m] 1 ⟨stof⟩ loden 2 ⟨jas⟩ loden coat
²loden [bn] 1 ⟨van lood⟩ lead, leaden, ⟨vnl. kleur⟩ plumbeous ◆ *een loden dak* a lead(-covered)/leaded roof; *loden nagel* lead nail; *loden pijp/kogels* lead pipe/bullets 2 ⟨fig⟩ leaden, heavy ◆ *een loden hand* a heavy hand; *een loden last* a leaden burden 3 ⟨van loden⟩ loden
³loden [ov ww] 1 ⟨in lood zetten⟩ lead 2 ⟨met een dieplood peilen⟩ sound, plumb, take soundings on/of, make soundings on/of, heave/cast the lead ◆ *de diepte loden van* take a sounding on/of 3 ⟨onderzoeken of iets loodrecht staat⟩ (take a) plumb 4 ⟨verzegelen⟩ plumb
loding [de^v] 1 ⟨het peilen⟩ sounding ◆ *lodingen doen/verrichten* take/make soundings 2 ⟨diepte⟩ sounding
loeach [de] 1 ⟨Joodse almanak⟩ Luach 2 ⟨Joodse kalender⟩ Luach
loebas [de^m] ⟨in België⟩ 1 ⟨sul⟩ big goof 2 ⟨grote hond⟩ big, good-natured dog, great lump/teddybear (of a dog)
loeder [het, de^m] ⟨inf⟩ ⟨man⟩ brute, ⟨man⟩ bastard, ⟨man⟩ beast, ⟨vrouw⟩ bitch
loef [de] ⟨scheepv⟩ luff, windward/weather side ◆ ⟨fig⟩ *iemand de loef afsteken* steal a march on s.o., get/have/take the wind of s.o., take the wind from/out of s.o.'s sails, get the better of/outstrip/outdo s.o.; *een schip de loef afsteken/afknijpen/afwinnen* get the weather ga(u)ge of a ship, get to windward of a ship, luff a ship
loefbijter [de^m] cut-water (of bow)
loefgierig [bn] weatherly, windwardly ◆ *loefgierig zijn* gripe, luff, carry weather helm
loefwaarts [bn, bw] (to) windward
loefzijde [de] weather/windward (side), weatherboard, luff ◆ *aan de loefzijde* on the weather side; ⟨attributief ook⟩ weather
loei [de^m] ⟨inf⟩ 1 ⟨iets groots⟩ whopper 2 ⟨hard schot, harde klap⟩ ⟨klap⟩ thump, bash, ⟨schot⟩ sizzler, cracker ◆ *een loei op het doel* a sizzler/cracker at goal; *een loei verkopen/uitdelen* hit/lash out (at s.o.), deal a blow
loeien [onov ww] 1 ⟨m.b.t. het geluid van runderen⟩ ⟨koeien⟩ moo, low, ⟨stier⟩ bellow 2 ⟨m.b.t. de wind, het vuur enz.⟩ ⟨wind⟩ howl, whine, ⟨wind, golven, vlammen⟩ roar, ⟨hoorn⟩ blare, hoot, boom, ⟨sirene⟩ blare, wail, shriek ◆ *de misthoorn loeide* the foghorn boomed; *de motor laten loeien* race the engine; *met loeiende sirenes* with blaring sirens
loeigoed [bn, bw] terrific ⟨bw: ~ally⟩, great ⟨bw: ~ly⟩, sensational, brilliant, ⟨vnl AE⟩ swell
loeihard [bn, bw] 1 ⟨m.b.t. snelheid⟩ amazingly fast, hellbent, going full tilt 2 ⟨m.b.t. geluid⟩ blaring ⟨bw: ~ly⟩, deafening ◆ *de radio staat loeihard (aan)* the radio is booming/blaring
loeiheet [bn] ⟨inf⟩ amazingly hot
loelav [de] 1 ⟨palmtak⟩ lulav 2 ⟨plantenbundel⟩ lulav
loempia [de] spring/pancake roll, ⟨AE⟩ egg roll ◆ *Vietnamese loempia* Vietnamese spring roll/egg roll

loens [bn, bw] [1] ⟨scheel⟩ squinting ⟨bw: ~ly⟩, cross-eyed ◆ *een loense **blik*** a squint; *loens **kijken*** have a cast in one's eye, look out of the corner of one's eye, squint [2] ⟨oneerlijk⟩ fishy ⟨bw: fishily⟩, shady, bent, double-dealing ◆ *loense **streken*** dirty/double dealing, tricky/fishy business [3] ⟨m.b.t. jachthonden⟩ unreliable ⟨bw: unreliably⟩, tricky

loensen [onov ww] [1] ⟨scheel zijn⟩ squint, be cross-eyed ◆ *loensend **oog*** squint(ing) eye [2] ⟨steels terzijde kijken⟩ look sideways/askance (at), skew (at), ⟨begerig⟩ eye, ogle (at) ◆ *hij loenste **naar** haar tas* he skewed at/ogled at her purse, he looked at her purse out of the corner of his eye

loep [de] magnifying glass, magnifyer, loupe, lens ◆ ⟨fig⟩ *iets **onder** de loep nemen* scrutinize sth., go (thoroughly) into sth., take a close look at sth., put sth. under the microscope

loeplamp [de] magnifying lamp

loepzuiver [bn, bw] flawless ⟨bw: ~ly⟩, perfect ◆ *een loepzuivere **diamant*** a flawless diamond; *een loepzuivere **pass*** a flawless/perfect pass

loer [de] [1] ⟨het loeren⟩ lurking ◆ ***op** de loer* ⟨ook fig⟩ on the lurk/look-out; ⟨klaar om aan te vallen⟩ ready to pounce; ***op** de loer staan* watch, be on the watch; ***op** de loer liggen* ⟨ook fig⟩ lie in wait/ambush/ambuscade (for), wait in ambush, lay wait, lurk, lie/be on the look-out (for) [2] ⟨streek⟩ trick ◆ *iemand een loer **draaien*** play a nasty/dirty trick on s.o., play s.o. false/foul, do the dirty on s.o. [3] ⟨valkerij⟩ lure

loerder [de^m], **loerster** [de^v] ⟨man & vrouw⟩ prowler, ⟨voyeur; man & vrouw⟩ peeper, ⟨man⟩ Peeping Tom

loeren [onov ww] leer (at), ⟨met moeite zien⟩ peer/peek at, ⟨bespieden⟩ spy on ◆ ***door** een sleutelgat loeren* peer through a keyhole; ⟨fig⟩ *het **gevaar/verraad** loert overal* danger/treachery is lurking everywhere; ***lopen** loeren* prowl, be on the prowl; ***op** een kansje loeren* be on the look-out/(be on the) watch for an opportunity; ***op** iemand/iets loeren* lie on the lurk/lie in wait/watch out for s.o./sth.

loeris [de^m] nitwit, dummy

loerogen [onov ww] leer (at), spy (on)

loerster [de^v] → **loerder**

loet [de] scoop, scraper

loeven [onov ww] ⟨scheepv⟩ luff, tack

[1]**lof** [de^m] [1] ⟨het prijzen⟩ praise, commendation, ⟨form⟩ laudation, homage, glory ◆ ***alle** lof (voor)* full marks (to); *iemand lof **geven/toezwaaien*** give (high) praise to s.o./pay (a high) tribute to s.o., sing s.o.'s praises; ***karige/uitbundige** lof* faint/lavish praise; ***met** lof over iemand spreken* speak of s.o. with praise, speak highly/in high terms of s.o.; *lof **oogsten*** win/gain/obtain high praise; *lof **verdienen*** deserve praise, be highly commendable; ***vol** lof zijn over* speak highly/in the highest terms of, be full of praise for, be full of (s.o.'s) praise, eulogize about (s.o.); *iemands lof **zingen/verkondigen*** sound/trumpet forth/sing s.o.'s praises; ⟨vnl rel⟩ laud s.o. [2] ⟨roem⟩ honour, credit ◆ *een examen **met** lof afleggen* pass (an exam) with distinction; pass an exam cum laude [•] ⟨sprw⟩ *eigen lof/roem stinkt* a man's praise in his own mouth stinks; ⟨form⟩ ± self-praise is no recommendation; ⟨inf⟩ ± you shouldn't/don't blow your own trumpet

[2]**lof** [het] [1] ⟨witlof⟩ ⟨Brussels⟩ chicory, ⟨AE⟩ (Belgian) endive [2] ⟨knol en loof van aardappelplant⟩ potato (plant) [3] ⟨r-k⟩ benediction

lofdicht [het] ode, panegyric, laudatory poem, hymn ◆ *een lofdicht **op*** an ode to, a poem in praise of

lofdichter [de^m] panegyrist, eulogist, encomiast

loffelijk [bn, bw] [1] ⟨eervol⟩ honourable ⟨bw: honourably⟩, creditable ◆ *hij **heeft** zich loffelijk **onderscheiden*** he has achieved honourable distinction; ⟨bij examen⟩ he has done/performed (very) creditably [2] ⟨respectabel⟩ praiseworthy ⟨bw: praiseworthily⟩, commendable, laudable ◆ *een loffelijke **gewoonte*** a commendable habit; *een loffelijke **poging*** a praiseworthy/commendable/creditable attempt; *een loffelijk **streven*** a praiseworthy/laudable pursuit/aspiration

loffelijkheid [de^v] praiseworthiness, commendability, laudability

lofi [bn] lo-fi

loflied [het] hymn, song of praise, ode ◆ *een loflied **op** de natuur/de liefde* an ode to nature/love

lofprijzing [de^v] eulogy, praise, laudation, ⟨i.h.b. in hymne⟩ laud

lofpsalm [de^m] hymn/psalm/song of praise, ⟨van God⟩ doxology

lofrede [de] eulogy, panegyric, laudation, encomium, éloge ◆ *een lofrede **houden** over/op* eulogize, panegyrize, pronounce a eulogy on

lofredenaar [de^m] eulogist, panegyrist, encomiast

lofspraak [de] laudation, panegyric, eulogy, éloge, praise

loftrompet [de] [•] *zijn **eigen** loftrompet **steken*** blow/toot one's own trumpet/horn, be one's own trumpeter; *de loftrompet over **iemand steken*** trumpet forth/sing/sound s.o.'s praises, ↑ eulogize/extol s.o.

loftuiting [de^v] (words of) praise, commendation, eulogy

loftwoning [de^v] loft apartment

lofwaardig [bn, bw] → **loffelijk**

lofwerk [het] leafwork, (ornamental) foliage

lofzang [de^m] [1] ⟨ode⟩ hymn, song of praise, ode, ⟨van God⟩ doxology ◆ *een lofzang van **Maria*** a magnificat [2] ⟨lofdicht⟩ ode, panegyric, laudatory poem, hymn ◆ *een lofzang **op** de vrede* an ode to peace

[1]**log** [de] ⟨scheepv⟩ log

[2]**log** [bn, bw] [1] ⟨moeilijk in zijn bewegingen⟩ unwieldy ⟨bw: unwieldily⟩, cumbersome ⟨bw: ~ly⟩, cumbrous, ponderous, clumsy, heavy ◆ *een logge **olifant/beer*** a ponderous elephant/bear; *een logge **schuit*** an unwieldy boat [2] ⟨moeilijk te bewegen, verplaatsen⟩ unwieldy ⟨bw: unwieldily⟩, cumbersome ⟨bw: ~ly⟩, cumbrous, clumsy, heavy ◆ *een log **gevaarte*** a(n) cumbersome/unwieldy monster [3] ⟨lomp, onbehouwen⟩ unwieldy ⟨bw: unwieldily⟩, cumbersome ⟨bw: ~ly⟩, cumbrous, ponderous, clumsy [4] ⟨traag⟩ sluggish ⟨bw: ~ly⟩, slow, lumbering ◆ *een logge **geest*** a slow mind; *met logge **tred** lopen, zich log voortbewegen* lumber (along), move with heavy gait, toil on/along

[3]**log** [afk] ⟨wisk⟩ (logaritme) log

loganbes [de] loganberry

logaritme [de] ⟨wisk⟩ logarithm

logaritmestelsel [het] (system of) logarithms ◆ *het **gewone/briggse** logaritmestelsel* common/Briggsian logarithms; *het **natuurlijke/neperiaanse** logaritmestelsel* natural/Napierian logarithms

logaritmetafel [de] table of logarithms, log table

logaritmewijzer [de^m] characteristic

logaritmisch [bn] logarithmic ◆ *logaritmisch **papier*** logarithmic paper, graph paper

logboek [het] [1] ⟨scheepsjournaal⟩ log(book) ◆ ***in** het logboek opschrijven* log [2] ⟨journaal van waarnemingen⟩ log(book), journal

loge [de] [1] ⟨afdeling in het theater⟩ box, loge [2] ⟨vereniging van vrijmetselarij⟩ lodge ◆ ***in** de loge zitten* be on the square [3] ⟨verenigingsgebouw van vrijmetselaars⟩ lodge [4] ⟨bijeenkomst van vrijmetselaars⟩ lodge [5] ⟨hokje⟩ lodge, ⟨van portier⟩ porter's lodge, gatehouse

logé [de^m] guest, visitor ◆ ***betalende** logé* paying guest; *we **krijgen** een logé* we are having a guest/a visitor/s.o. to stay

logeerbed [het] guest(room) bed, spare bed

logeergast [de^m] guest, visitor

logeerhuis [het] guest house

logeerkamer [de] guest room, spare (bed)room, visitor's room

logeerpartij [de^v] stay, staying over, ⟨kind; AE⟩ slumber/pyjama party

logement [het] lodging (house), boardinghouse, guesthouse, ⟨herberg⟩ inn
logementhouder [de^{m}] lodging-keeper, innkeeper
logen [ov ww] soak in lye, steep in lye, treat with lye
logenstraffen [ov ww] [1] ⟨bewijzen dat iemand onwaarheid spreekt⟩ give the lie to [2] ⟨de onjuistheid laten blijken⟩ ⟨daad, hoop⟩ belie, ⟨voorspelling⟩ falsify, ⟨bericht⟩ deny, ⟨leefwijze, vooringenomenheid⟩ live down ♦ *de feiten logenstraffen zijn **bewering*** the facts belie his claim
logeplaats [de] box seat, seat in a/the box
logeren [onov ww] stay, put up, ⟨vrienden⟩ visit, ⟨in logement, kosthuis ook⟩ board, lodge ♦ *kan ik **bij** jou logeren?* could you put me up (tonight/for the night)?; *ik logeer **bij** een vriend* I'm staying at a friend's (home)/with a friend; ***blijven** logeren* stay the night, stay over, stop the night; ***in** een hotel/herberg logeren* stay/put up at a(n) hotel/inn; *iemand **te** logeren krijgen* have s.o. staying, have visitors; *iemand voor enkele dagen **te** logeren vragen* ask s.o. to stay for a few days; ***uit** logeren gaan* go to stay (with)/on a visit (to)
[1]**loggen** [onov ww] ⟨scheepv⟩ sail by the log
[2]**loggen** [ov ww] [1] ⟨verbinden⟩ log [2] ⟨registreren⟩ log
logger [de^{m}] lugger
loggerzeil [het] lugsail
loggia [de] ⟨amb⟩ [1] ⟨veranda⟩ loggia [2] ⟨galerij⟩ loggia
logheid [de^{v}] unwieldiness, cumbrousness, ponderousness, inertia
logica [de^{v}] [1] ⟨juiste redenering⟩ logic ♦ *er **is/zit** geen logica in wat je zegt* there is no logic in what you're saying [2] ⟨redeneerkunde⟩ logic ♦ ***gebrek** aan logica* illogicality [3] ⟨vanzelfsprekendheid⟩ logic ♦ *de logica van de **gebeurtenissen*** the logic of events/things
logicisme [het] [1] ⟨filos, wisk⟩ logicism [2] ⟨onterecht gebruik van de logica⟩ logicism
logies [het] [1] ⟨onderdak⟩ accommodation, ⟨AE⟩ accommodations, lodging(s), ⟨mil⟩ quarters ♦ *logies **met** ontbijt* bed and breakfast; ⟨inf⟩ b and b [2] ⟨scheepv⟩ living quarters
loginnaam [de^{m}] ⟨comp⟩ log-in name
logisch [bn, bw] [1] ⟨overeenkomstig de logica⟩ logical ⟨bw: ~ly⟩, rational, sound, straight ♦ *logische **conclusie*** logical/sound conclusion; *logisch **denken*** think logically/rationally; *dat **is** nogal logisch* that's only logical, that's just plain logic, it figures, that goes without saying, that's a matter of course [2] ⟨behorend tot de logica⟩ logical ⟨bw: ~ly⟩ ♦ *de logische **principes*** the principles/foundations of logic; *een logische **tegenstrijdigheid*** a logical paradox
logischerwijs [bw] logically
[1]**logistiek** [de^{v}] [1] ⟨mil⟩ logistics [2] ⟨tak van wiskunde⟩ formal/symbolic/mathematical logic, ⟨vero⟩ logistics
[2]**logistiek** [bn] logistic ♦ *logistieke **dienst*** ordnance; ⟨AE ook⟩ Ordnance Corps
logistisch [bn] ⟨ec, mil, wisk⟩ logistic
loglijn [de] log line
logo [het] logo(type)
logo-akoepedist [de^{m}] speech and hearing therapist
logogram [het] logogram
logogrief [de] logogriph
logopedie [de^{v}] speech therapy, logopaedics
logopedisch [bn, bw] logopaedic ⟨bw: ~ally⟩
logopedist [de^{m}] speech therapist
logos [de^{m}] Logos, logos
logrol [de] ⟨scheepv⟩ log reel
loipe [de] (ski) run, piste
lok [de] [1] ⟨plukje haar⟩ lock, strand of hair, ⟨vnl. bij vrouw/meisje⟩ tress, ⟨krul⟩ curl, ringlet ♦ ***weerbarstige** lokken* difficult/unmanageable hair [2] ⟨mv; haren⟩ locks, hair, ⟨vnl. bij vrouw/meisje⟩ tresses ♦ *haar **blonde** lokken* her blond/golden locks/tresses
[1]**lokaal** [het] [1] ⟨vertrek⟩ class(room) ♦ *de lokalen van een **school*** the classrooms of a school [2] ⟨gebouw⟩ premises ⟨mv⟩, centre, headquarters ⟨mv⟩ ♦ *het lokaal van een **partij*** the party headquarters/meeting-place/premises
[2]**lokaal** [bn] [1] ⟨plaatselijk⟩ local, home ♦ *lokale **buien*** local showers; *lokaal **gesprek*** local call; *lokale **horizon*** apparent/visible/sensible horizon; *om 10 uur lokale **tijd*** at 10 o'clock local time; *lokale **weg*** minor road [2] ⟨m.b.t. het lichaam⟩ local, topical ♦ *lokale **verdoving*** local/topical anaesthesia
lokaalspoorweg [de^{m}] local railway, light railway
lokaaltje [het] [1] ⟨klein lokaal⟩ small/little room [2] ⟨trein⟩ local train, slow train, ⟨AE ook⟩ shuttle (train)
lokaaltrein [de^{m}] local train, slow train
lokaalverkeer [het] local traffic
lokaalvredebreuk [de] ⟨jur⟩ breach of the peace
lokaas [het] [1] ⟨lokspijs⟩ bait ♦ *lokaas **voor** de vissen* bait for the fish; ⟨op bodem⟩ ground bait [2] ⟨fig⟩ bait, lure, enticement, ⟨inf⟩ carrot ♦ *het lokaas bestond uit **geld*** the lure was money
lokalisatie [de^{v}] [1] ⟨het binnen de grenzen houden⟩ localization [2] ⟨plaatsbepaling⟩ location
lokaliseerbaar [bn] ⟨te vinden⟩ locatable, ⟨tot een bepaalde plaats te beperken⟩ localizable, containable
lokaliseren [ov ww] [1] ⟨tot een plaats beperken⟩ localize, contain ♦ *men slaagde erin de **brand** te lokaliseren* it proved possible to contain the fire; *een **epidemie** lokaliseren* localize an epidemic [2] ⟨plaats toekennen⟩ locate ♦ *een niet gelokaliseerde **pijn*** a generalized pain; ***precies** lokaliseren* pinpoint
lokalisme [het] localism
lokaliteit [de^{v}] room, hall, premises ⟨mv⟩, meeting-place
lokalo [de^{m}] local party member or politician
lokartikel [het] loss-leader, special offer
lokduif [de] decoy pigeon
lokeend [de] decoy(-duck)
loket [het] [1] ⟨raamvormige opening⟩ (office) window, ⟨theat, station⟩ booking/ticket office, ⟨theat ook⟩ box-office (window), ⟨postkantoor, bank⟩ counter [2] ⟨vak⟩ pigeon-hole, ⟨kluis⟩ (safe-deposit) box, safe, locker
loketambtenaar [de^{m}] ⟨in Nederland⟩ counter clerk, ⟨kaartjesverkoper⟩ ticket clerk, ⟨voor reserveringen⟩ booking clerk
lokethuur [de] hire of a safe-deposit box
loketkast [de] (set of) pigeon-holes, letter-rack
loketmachine [de^{v}] terminal
lokettist [de^{m}] booking-clerk, ticket-clerk, ⟨theat ook⟩ box-office clerk, ⟨postkantoor, bank⟩ counter clerk, ⟨bank, AE ook⟩ teller
lokfiets [de] bait bike
lokfluitje [het] call, birdcall
lokgans [de] decoy
lokhoer [de^{v}] decoy prostitute
[1]**lokken** [onov ww] [1] ⟨aantrekkingskracht uitoefenen⟩ be tempting/enticing ♦ *op het plein lokten de **terrasjes*** the terraces/^{A}sidewalk cafés in the square looked inviting; *de **vrijheid** lokt* freedom beckons [2] ⟨proberen te verleiden⟩ tempt ♦ *het lokkend **kwaad*** the lure/temptations/fascination of evil
[2]**lokken** [ov ww] [1] ⟨naar zich toe proberen te halen⟩ entice, (al)lure, tempt ♦ *zij lokte de **honden*** she lured the dogs; ***in de val** lokken* lure into a trap, (en)snare, (en)trap; ***klanten** lokken voor de show* tout for customers for the show; *toeschouwers **naar binnen** lokken* entice/lure spectators inside; *het mooie weer lokte de mensen **naar buiten*** the fine weather drew people outside [2] ⟨aantrekken⟩ tempt, entice, attract ♦ *dat lokt **me** wel* that sounds tempting/attractive/enticing (to me)
lokker [de^{m}] tempter, ⟨van klanten⟩ touter
lokkertje [het] bait, ↓carrot, ⟨lokartikel ook⟩ loss leader, special offer, ⟨inf; AE⟩ come-on
lokkig [bn] curly
lokmiddel [het] bait, lure, ⟨fig ook⟩ enticement, induce-

ment

lokroep [de^{m}] call (note), ⟨van vogel⟩ birdcall ◆ ⟨fig⟩ *de lokroep van de grote stad/de zee* the call/lure of the big city/the sea

lokspijs [de] bait, ⟨valkerij⟩ lure

lokstem [de] (siren) call, lure

lokstof [de] bait, lure

lokvogel [de^{m}] [1] ⟨persoon⟩ ⟨van klanten⟩ tout(er), ⟨oplichter⟩ decoy [2] ⟨vogel⟩ call bird, decoy (bird), ⟨duif⟩ stool pigeon, ⟨eend⟩ decoy duck [3] ⟨voorwerp⟩ decoy

lokzet [de^{m}] ⟨damsp⟩ decoy move

[1]**lol** [de] ⟨inf⟩ laugh, ⟨ogm⟩ fun, frolic, lark ◆ *zeg, doe me een lol!* do me a favour!, knock it off, will you!; *lol hebben/maken* have a laugh/fun/a great time/a ball/a whale of a time; *zij heeft niet veel lol in haar leven* she doesn't have a lot of fun in life; ⟨iron⟩ *zijn lol wel op kunnen* be in for a hell of a time; *voor de lol* for a laugh, for fun/a lark/the ride/laughs, just for kicks/the fun of it; *ik doe dit niet voor de lol* I'm not doing this for the good of my health; *de lol was er gauw af* the fun was soon over, the gilt soon wore off the gingerbread

[2]**lol** [tw] LOL

lolbroek [de^{m}] ⟨inf⟩ clown, life and soul of the party, joker

lolbroekerij [de^{v}] horseplay

lolita [de^{v}] nympho(maniac)

lolletje [het] ⟨inf⟩ [1] ⟨pleziertje⟩ laugh, ⟨ogm⟩ fun, frolic, lark ◆ *dat is geen lolletje* it's not exactly a laugh a minute [2] ⟨grapje⟩ joke, trick ◆ *ik hou niet van die lolletjes* I don't like that sort of joke; *een lolletje met iemand uithalen* play a trick on s.o.

lollig [bn, bw] ⟨inf⟩ jolly, funny ◆ *de lolligste thuis* the family joker; *'t is een lollige vent* he's a jolly man; ⟨euf⟩ *een beetje lollig zijn* be tipsy

lollo bianco [de^{m}] lollo bianco

lollo rosso [de] lollo rosso

lolly [de^{m}] lollipop, lolly

lolmaker [de^{m}] merry-maker, reveller, frolicker, rollicker

lom [afk] (leer- en opvoedingsmoeilijkheden) learning and educational problems ◆ *lomschool* remedial/special school

Lombardije [het] Lombardy

lombardrente [de] Lombard rate

lombok [de^{m}] red pepper, cayenne (pepper)

lomig [bn, bw] somewhat drowsy ⟨bw: somewhat drowsily⟩, dull

lommer [het] ⟨form⟩ [1] ⟨schaduw⟩ shade ◆ *in het koele lommer zitten* sit in the cool shade [2] ⟨bladeren⟩ foliage, leafage

lommerd [de^{m}] pawnshop, pawnbroker's (shop), ⟨inf⟩ hockshop, ⟨sl⟩ uncle's, ⟨sl; BE⟩ popshop ◆ *in de lommerd* in/at pawn, in hock; *in de lommerd zetten, naar de lommerd brengen* take (sth.) to the pawnbroker's, (put in) pawn; ⟨inf⟩ hock; *uit de lommerd halen/lossen* get (sth.) out of pawn, redeem; *daar geeft de lommerd geen geld voor* you wouldn't get tuppence for it

lommerdbriefje [het] pawn ticket

lommerdhouder [de^{m}] pawnbroker

lommerig [bn] ⟨form⟩ [1] ⟨schaduwrijk⟩ shady, shadowy [2] ⟨bladerrijk⟩ leafy

lommerrijk [bn] [1] ⟨schaduwrijk⟩ shady, shadowy, umbrageous [2] ⟨bladerrijk⟩ leafy

lomografie [de^{v}] lomography

[1]**lomp** [de] [1] ⟨kapotte kleding⟩ ⟨vnl mv⟩ rag, ⟨vnl mv⟩ tatter ◆ *hij was in lompen gekleed* he was dressed in rags/tatters, he was ragged/tattered [2] ⟨vod⟩ rag, tatter ◆ *nieuwe lompen* remnants

[2]**lomp** [bn, bw] [1] ⟨plomp⟩ ponderous, unwieldy, hulking, bulky, ungainly ◆ *zich lomp bewegen* move awkwardly/gracelessly/clumsily/in an ungainly manner; *lompe schoenen* clumsy/clumpy shoes [2] ⟨onhandig⟩ clumsy, awkward, ungainly, ⟨inf⟩ dumpish ◆ *een lomp figuur slaan* cut an awkward/ungainly figure [3] ⟨onbeleefd⟩ rude, unmannerly, uncivil ◆ *een lomp antwoord* a rude answer; *iemand lomp behandelen* treat s.o. rudely, be uncivil to s.o. [4] ⟨onbeschaafd⟩ churlish, rude, boorish ◆ *een lompe boer* a churlish boor, a bumpkin [5] ⟨dom⟩ dumb, asinine, inane, imbecile, stupid ◆ *een lompe fout* a stupid mistake

lompenhandel [de^{m}] old clothes business, ⟨BE ook⟩ rag-and-bone business

lompenhandelaar [de^{m}] ragman, old-clothes-man, ragpicker, ⟨BE ook⟩ rag-and-bone man, ⟨AE ook⟩ junkman

lompenpakhuis [het] old clothes warehouse, ⟨BE ook⟩ rag-and-bone warehouse

lompenpapier [het] rag paper

lompenproletariaat [het] lumpenproletariat

lomperd [de^{m}], **lomperik** [de^{m}] [1] ⟨onhandig persoon⟩ cack-handed person, hamhanded/hamfisted person [2] ⟨onbeleefd mens⟩ lout, boor

lomperik [de^{m}] → **lomperd**

lompheid [de^{v}] [1] ⟨onhandigheid⟩ clumsiness, awkwardness, cackhandedness, hamfistedness [2] ⟨onbeleefdheid⟩ rudeness, insolence [3] ⟨m.b.t. lichaamsbouw⟩ bulkiness

lompigheid [de^{v}] loutishness

lompweg [bw] bluntly, flatly ◆ *lompweg iets weigeren* refuse sth. point-blank

lomschool [de] ⟨in Nederland⟩ remedial/special school

Londen [het] London

Londenaar [de^{m}] Londoner

Londens [bn] London

lonen [ov ww] [1] ⟨opwegen tegen⟩ be worth ◆ *dat loont de moeite* it pays (off), it is worthwhile; *dat loont de moeite niet* it is not worth one's while/not worthwhile/not worth the trouble, it doesn't/won't pay [2] ⟨belonen⟩ reward, repay, remunerate ◆ *God lone het u!* (may) God reward you (for it)!; ⟨form⟩ *ik zal het u lonen* I will repay you [•] ⟨sprw⟩ *bedrog loont zijn meester* cheats never prosper

lonend [bn] paying, rewarding, ⟨financieel ook⟩ profitable, remunerative, remuneratory, economic ◆ *investeringen lonend maken* make investments remunerative; *het nieuwe bedrijf lonend maken* make the new business/firm pay; *dat is niet lonend* that doesn't pay, that is not a paying proposition

loner [de^{m}] loner

long [de] [1] ⟨m.b.t. mensen⟩ lung ◆ *ijzeren long* iron lung, cuirass; *over de longen roken* inhale; *sterke longen hebben* have good lungs; *een long wegnemen* remove a lung, perform a pneumonectomy; *zijn longen zijn aangedaan* his lungs are affected; *zich de longen uit het lijf hoesten* ⟨inf⟩ cough one's heart out; *zich de longen uit het lijf schreeuwen* shout at the top of one's voice/lungs, shout one's head off [2] ⟨m.b.t. geslachte dieren⟩ lights ⟨mv⟩

longaandoening [de^{v}] lung/pulmonary condition, lung/pulmonary complaint, condition of the lungs, ⟨inf⟩ lung trouble ◆ *ik heb een longaandoening* I've got lung trouble/a lung condition/complaint

longabces [het] pulmonary abscess, abscess on the lung

longader [de] pulmonary/pulmonic vein

longarts [de] lung specialist, ⟨med ook⟩ pneumonologist

longautomaat [de^{m}] respirator

longblaasje [het] alveolus ◆ *met betrekking tot/van de longblaasjes* alveolar

longbloeding [de^{v}] pulmonary/lung haemorrhage

longboard [het] longboard

longcapaciteit [de^{v}] lung capacity

longcarcinoom [het] ⟨med⟩ lung cancer

longcirculatie [de^{v}] pulmonary circulation

longdrink [de] long drink

longembolie [de^{v}] ⟨med⟩ pulmonary embolism

longemfyseem [het] ⟨med⟩ (pulmonary) emphysema
longfiller [de^{m}] long filler
longfunctie [de^{v}] lung function
longgezwel [het] lung tumour
longhitter [de^{m}] long hitter
longhouse [het] longhouse
longicefaal [bn] longheaded
longimetrie [de^{v}] measurement of (the) longitude
longinfarct [het] pulmonary infarct(ion), collapsed lung
longitudinaal [bn] [1] ⟨m.b.t. de lengte⟩ longitudinal, lengthwise, lengthways ◆ *longitudinaal **onderzoek*** longitudinal study; *longitudinale **trillingen*** longitudinal waves [2] ⟨m.b.t. een tijdsverloop⟩ longitudinal
longkanker [de^{m}] lung cancer
longkruid [het] ⟨plantk⟩ lungwort
longkwab [de] pulmonary lobe, lobe of the lung
longletsel [het] lung injury
longlist [de] long list
longneck [de^{m}] longneck
longoedeem [het] pulmonary oedema
longontsteking [de^{v}] pneumonia
longoperatie [de^{v}] lung operation
longpatiënt [de^{m}] lung patient
longpijp [de] bronchus
longroom [de^{m}] wardroom
longshot [de^{m}] [1] ⟨film⟩ long shot [2] ⟨fig⟩ long shot
longslagader [de] pulmonary/pulmonic artery
longslak [de] pulmonate
longspecialist [de^{m}] lung specialist
longstay [de^{m}] [1] ⟨langdurig verblijf⟩ extended stay [2] ⟨kliniek⟩ long-term clinic
longtering [de^{v}] (pulmonary/tubercular) consumption, consumption of the lungs
longtop [de^{m}] apex of the lung
longtrechter [de^{m}] terminal bronchiole/bronchiolus
longvaten [de^{mv}] capillaries of the lung
longvis [de^{m}] lungfish, ⟨Australische longvis⟩ barramunda, barramundi
longvlies [het] pulmonary membrane
longweefsel [het] lung/pulmonary tissue
longzak [de^{m}] air cell, ⟨vogel⟩ air sac
longziekte [de^{v}] pulmonary/pulmonic/lung disease
lonk [de^{m}] ogle, (amorous) glance, oeillade
lonken [onov ww] ogle ◆ ***naar** iemand lonken* make eyes at/ogle s.o., give s.o. the glad eye; ⟨fig⟩ *lonken **naar** een betere positie* have one's eye on a better job
lonsdalejongere [de^{m}] young Dutch white nationalist with a preference for Londsdale-brand clothes
lonsdaler [de^{m}] young Dutch white nationalist with a preference for Londsdale-brand clothes
lont [de] [1] ⟨ontstekingskoord⟩ fuse, (slow) match, ⟨van vuurwerk/explosieven ook⟩ portfire, ⟨salpeterpapier⟩ touchpaper ◆ ⟨fig⟩ *een **kort** lontje hebben* have a short fuse; ⟨fig⟩ *lont **ruiken*** smell a rat, scent sth. suspicious, suspect sth.; ⟨gevaar⟩ scent/sniff/sense danger; *de lont in het kruit **werpen*** set fire to the powder; ⟨fig ook⟩ put the spark to the finder [2] ⟨koordje van een kaars⟩ taper
loochenaar [de^{m}] denier
loochenbaar [bn] deniable
loochenen [ov ww] [1] ⟨ontkennen⟩ deny, ⟨form⟩ gainsay, negate, ⟨vnl. passief⟩ negative, ⟨niet erkennen⟩ disown, disavow, disclaim [2] ⟨het bestaan ontkennen⟩ deny the existence of ◆ ***God** loochenen* deny the existence of God
loochening [de^{v}] denial, negation, negative, ⟨form⟩ disavowal, disclaimer
lood [het] [1] ⟨scheik⟩ lead ◆ *het weegt **als** lood* it's as heavy as lead; *een **blok** lood* a pig; ***in** lood vatten/zetten* lead; *ramen met glas **in** lood* leaded windows; *lood **in** de benen hebben* have limbs like lead; ⟨fig⟩ ***met** lood in de schoenen* reluctantly, full of apprehension; ***van** lood* lead(en); *dat is lood om oud ijzer* it's six of one and half a dozen of the other, it's much of a muchness, it's tweedledum and tweedledee [2] ⟨stuk metaal⟩ piece/lump of lead, ⟨plombeerloodje⟩ leaden seal [3] ⟨kogel(s)⟩ lead, shot, ammunition ◆ ***kruit** en lood* powder and shot; *het lood floot ons om de oren* bullets whistled round our ears [4] ⟨gewicht⟩ decagram [5] ⟨dieplood⟩ (sounding) lead, plummet, plumb(-line), ⟨gewichtje van dieplood ook⟩ (plumb) bob ◆ *het lood **werpen*** heave/cast the lead [•] ⟨drukw⟩ ***in** het lood* in type, typeset; ***in** het lood (zijn/staan)* (be/set) plumb/upright/true; *die muur staat niet **in** het lood* that wall is off plumb, that wall is out of plumb/true/the perpendicular/the vertical; ***uit** het lood (geslagen) zijn* be thrown off one's balance, be foxed/upset/perplexed/bewildered
loodacetaat [het] lead acetate, sugar of lead
loodachtig [bn] leady
loodarm [bn] low-lead ◆ *loodarme **benzine*** low-lead petrol/^{A}gasoline
loodas [de] lead ash, litharge
loodazijn [de^{m}] lead subacetate, basic lead acetate
loodband [de^{m}] ± flashing
loodblauw [bn] blue grey, greyish blue
loodcarbonaat [het] lead carbonate
loodchloride [het] lead chloride
looddamp [de^{m}] lead fumes ⟨mv⟩
looddekker [de^{m}] roofer, plumber
looderts [het] lead ore
loodgehalte [het] lead content ◆ *loodgehalte **in** het bloed* lead content of the blood
loodgieter [de^{m}] plumber, pipefitter
loodgieterij [de^{v}] [1] ⟨werkplaats⟩ plumber's workshop, ⟨fabriek⟩ lead works [2] ⟨handeling⟩ plumbing, pipefitting
loodgieterstas [de] plumber's bag
loodgieterswerk [het] plumbing (work), plumber's work
loodglans [het] ⟨scheik⟩ lead glance, galena
loodglazuur [het] (lead) glaze/glost
loodglit [het] litharge, lead monoxide
loodgrijs [bn] leaden (grey) ◆ ***het** loodgrijs* lead(en) grey; *zij had een loodgrijze **jas*** she had a dark/smokey grey coat
loodhagel [de^{m}] ⟨viss⟩ lead shot
loodhoudend [bn] plumbiferous, ⟨met valentie 2⟩ plumbous, ⟨met valentie 4⟩ plumbic ◆ *loodhoudende **benzine*** leaded ^{B}petrol/^{A}gas(oline); *loodhoudend **blik*** terne(plate)
loodje [het] [1] ⟨stukje lood met stempel⟩ (leaden) seal ◆ *iets **met** een loodje verzegelen* seal sth. with lead [2] ⟨stukje lood⟩ piece of lead, ⟨aan schietlood/dieplood⟩ plumb (bob), plummet ◆ *iets **met** een loodje verzwaren* weight sth. with a piece of lead [•] *de **laatste** loodjes* the home straight/stretch, the tail end; *het loodje **leggen*** ⟨aan het kortste eind trekken⟩ come off badly, get the short end of the stick; ⟨doodgaan⟩ kick the bucket, croak, turn up one's toes, cash in one's chips; ⟨sprw⟩ *de laatste loodjes wegen het zwaarst* ± the last straw breaks the camel's back; ± the last mile is the longest one
loodkabel [de^{m}] lead(-covered) cable
loodkleur [de] lead(en) colour, ⟨form⟩ leaden hue
loodkleurig [bn] lead-coloured, lead-grey, ⟨AE⟩ lead-gray, ⟨hemel ook⟩ leaden
loodkoliek [het, de^{v}] lead colic, painter's colic
loodkoord [het, de] → **loodveter**
loodkruid [het] plumbago, leadwort
loodlepel [de^{m}] lead ladle
loodlijn [de] [1] ⟨wisk⟩ perpendicular (line), ⟨i.h.b. op raaklijn/raakvlak⟩ normal (line) ◆ *een loodlijn **neerlaten/oprichten*** drop/set up a perpendicular [2] ⟨scheepv⟩ plumb (line), sounding line, lead line
loodmantel [de^{m}] lead covering/sheathing
loodmenie [de] red lead

loodmes [het] lead knife
loodmetaal [het] solder
loodmijn [de] lead mine
loodoxide [het] ⟨scheik⟩ lead oxide, lead monoxide
loodpapier [het] lead foil
loodrecht [bn, bw] 1 ⟨zuiver recht⟩ perpendicular (to) ⟨bw: perpendicularly⟩, plumb, vertical, upright, square (to), ⟨helling⟩ sheer ♦ *loodrecht **naar** beneden vallen* fall straight down; ***niet** loodrecht zijn* be out of true/the perpendicular/the vertical/plumb; *loodrecht **op** iets staan* ⟨ook⟩ be at right angles to sth.; *loodrecht omhoog **rijzen*** rise sheer 2 ⟨wisk⟩ perpendicular ⟨bw: ~ly⟩, normal ♦ *een lijn loodrecht middendoor **delen*** bisect a line perpendicularly; *loodrecht **vlak*** perpendicular/vertical (plane)
¹**loods** [de^m] 1 ⟨scheepv⟩ pilot 2 ⟨vis⟩ pilot fish
²**loods** [de] ⟨keet⟩ shed, ⟨vliegtuigloods⟩ hangar
loodsauto [de^m] pilot van
loodsballon [de^m] ⟨meteo⟩ pilot balloon
loodsboot [de] pilot boat
loodschort [het, de] lead apron
loodsdienst [de^m] pilotage, pilot(age) service
loodsdwang [de^m] compulsory pilotage
loodsen [ov ww] 1 ⟨m.b.t. schepen⟩ pilot ♦ *het loodsen* pilotage 2 ⟨leiden⟩ pilot, steer, guide, conduct, ⟨een groep ook⟩ shepherd ♦ *hij loodste ons **langs de controle*** he shepherded us through the checking point
loodsgeld [het] pilotage, pilotage dues/charges
loodskantoor [het] pilotage office
loodskotter [de^m] pilot cutter
loodslab [de] ⟨amb⟩ chimney/lead flashing
loodslicht [het] light of a pilot boat
loodsman [de^m] pilot
loodsmannetje [het] pilot fish
loodsoldeer [het] solder
loodspaat [het] crocoite, red lead ore
loodsplicht [de] compulsory pilotage
loodsreglement [het] pilotage regulations
loodssignaal [het] pilot signal
loodsstation [het] pilot station
loodstaaf [de^m] plumb (bob), plummet
loodsuiker [de^m] sugar of lead, lead acetate
loodsulfaat [het] lead sulphate/^Asulfate
loodsvaartuig [het] pilot vessel
loodsvaarwater [het] pilot's water(s), waters in which vessels require a pilot
loodsvlag [de] 1 ⟨om een loods te vragen⟩ pilot jack, pilot flag 2 ⟨van een loodsvaartuig⟩ pilot's flag
loodswet [de] Pilotage Act, Pilots' Act
loodswezen [het] pilotage, pilot(age) service ♦ *misstanden **in** het loodswezen* inefficiency in the pilotage system
loodtang [de] ⟨voor het wijder maken van pijpen⟩ lead-pipe expander
loodverbinding [de^v] lead compound
loodverf [de] lead paint
loodvergiftiging [de^v] lead poisoning, plumbism
loodveter [de^m], **loodkoord** [het] ♦ ***met** loodveter* with weighted bottom hem(s)
loodvrij [bn] leadless, lead-free, nonleaded, unleaded ♦ *loodvrije **benzine*** unleaded/lead-free petrol/^Agasoline
loodwit [het] white lead, basic carbonate white lead, ceruse, ⟨schelpwit⟩ flake white
loodwitfabriek [de^v] white-lead works, white-lead factory
loodwitvrij [bn] containing no white lead
loodwol [de] lead wool
loodzalf [de] diachylon
loodziekte [de^v] 1 ⟨m.b.t. vruchtbomen⟩ silverleaf, silver leaf disease, silver blight 2 ⟨med⟩ → **loodkoliek**
loodzout [het] lead salt
loodzwaar [bn, bw] heavy ⟨bw: heavily⟩, ⟨fig ook⟩ leaden ♦ *een loodzwaar **boek*** ⟨fig⟩ a heavy/serious/weighty/ponderous book/tome; ⟨fig⟩ *dat **drukt** mij loodzwaar op de borst* that weighs heavily on me; *die **kast** is loodzwaar* that cupboard weighs/must weigh a ton; *loodzware **kost*** very heavy food; ⟨fig; bijvoorbeeld studie⟩ very heavy/dull stuff
loof [het] 1 ⟨gebladerte⟩ foliage, leaves, ⟨van groente⟩ green, ⟨zeldz⟩ leafage ♦ *loof van **wortels*** carrot tops 2 ⟨weefsel van cryptogamen⟩ thallus
loofboom [de^m] deciduous/broad-leaved/^Abroadleaf tree
loofbos [het] deciduous/broad-leaved forest
loofdak [het] leafy canopy, canopy/coverage of foliage
loofhout [het] 1 ⟨loofbomen⟩ broad-leaved/^Abroadleaf trees 2 ⟨hout van loofbomen⟩ hardwood
Loofhuttenfeest [het] Feast of Tabernacles, Sukkoth
loofklapper [de^m] haulm stripper/slasher/shredder
loofrijk [bn] leafy, green, ⟨streek⟩ verdant, ⟨met veel bomen⟩ wooded
loofwerk [het] ⟨amb⟩ foliage, leafage
loog [het, de] 1 ⟨scheik⟩ caustic (solution), lye, ⟨natronloog⟩ caustic soda, ⟨kaliloog⟩ caustic potash ♦ ***afgewerkte** loog* spent caustic/lye 2 ⟨oplossing⟩ lye ♦ *het linnen **in** de loog zetten* put the linen in lye, leach the linen
loogachtig [bn] 1 ⟨scheik⟩ alkaline 2 ⟨m.b.t. wasloog⟩ lixivial
loogbad [het] caustic/alkali(ne) bath, lye bath
loogkruid [het] saltwort, barilla, kali
loogvast [bn] alkali-resistant
looi [de] tan, tan-bark
looien [ov ww] tan ♦ ***het looien*** tanning, tannage
looier [de^m] tanner
looierij [de^v] 1 ⟨werkplaats⟩ tannery, tan yard/house 2 ⟨bedrijf⟩ tannery, tanning/tanner's trade, tanning/tanner's industry
looiersboom [de^m] (tanner's) sumac(h)
looiersmes [het] fleshing knife
looikuip [de] tan vat, tan pit
looistof [de] 1 ⟨scheik⟩ tannin 2 ⟨alg⟩ tanning extract
looizuur [het] tannic acid, tannin
¹**look** [de^m] ⟨modetrend⟩ look
²**look** [het, de^m] ⟨plantk⟩ allium, ⟨knoflook⟩ garlic, ⟨bieslook⟩ chive(s)
lookalike [de] look-alike, double, doppelgänger
lookworst [de^m] ⟨in België⟩ garlic sausage
look-zonder-look [het] garlic mustard, hedge garlic
loom [bn, bw] 1 ⟨traag⟩ heavy ⟨bw: heavily⟩, leaden, ⟨langzaam⟩ slow, sluggish ♦ *zich loom **bewegen*** move heavily/sluggishly/slowly; *ik ben zo loom **in** mijn benen* my legs feel so heavy/feel like lead 2 ⟨futloos⟩ languid ⟨bw: ~ly⟩, inert, listless ♦ *loom **door** de warmte* sluggish from the heat; *de **markt** was loom* trading/the market was dull/inactive; *loom **van** geest* slow-witted
loomheid [de^v] 1 ⟨traagheid⟩ heaviness, slowness 2 ⟨futloosheid⟩ languidness, lethargy, listlessness
loon [het] 1 ⟨salaris⟩ pay, wage(s) ♦ *vakantie met **behoud** van loon* holidays/^Avacation with full pay; *een **hoog** loon verdienen* make good money, earn high wages; ***inhouding** van loon* stoppage of pay; *een **karig** loon* a mere pittance; *hij kreeg loon **naar** werken* ⟨ook fig⟩ he got what he deserved; ***netto** loon* net earnings, aftertax earnings; *een **vast** loon* a fixed/set wage; ***voldoende/menswaardig** loon* living wages 2 ⟨beloning⟩ reward ♦ *een dankbare **blik was** zijn loon* a grateful look was his reward 3 ⟨straf⟩ deserts, reward, ⟨inf⟩ come-uppance ♦ *dat is zijn **verdiende** loon* it serves him right, he had it coming to him; *hij gaf hem zijn **verdiende** loon* he gave him his just deserts/what was coming to him; *zijn **verdiende** loon hebben/krijgen* get/receive one's just deserts/reward, ⟨inf; AE⟩ get/receive one's come-uppance, ⟨AE⟩ get what's coming to o.s. ▪ ⟨sprw⟩ *ondank is 's werelds loon* ingratitude is the way of the world; ± eaten

bread is soon forgotten; ⟨sprw⟩ *een arbeider is zijn loon waard* the labourer is worthy of his hire; ⟨sprw⟩ *boontje komt om zijn loontje* he that mischief hatches, mischief catches

loonaandeel [het] ⟨ec⟩ wage share (ratio), salary (ratio), ratio of wages and salaries to national product

loonachterstand [de^{m}] wage/salary arrears

loonactie [de^{v}] campaign for higher wages/pay

loonadministrateur [de^{m}] salary/wage(s) clerk, ⟨inf⟩ pay clerk

loonadministratie [de^{v}] wages administration/records

loonakkoord [het] ⟨ec⟩ wage/pay agreement, wage/pay settlement

loonarbeid [de^{m}] wage work, wage/hired labour ◆ *loonarbeid **verrichten*** work for wages, undertake wage work/labour

loonarbeider [de^{m}] wage labourer

loonbedrijf [het] contracting firm

loonbeheersing [de^{v}] wage control

loonbelasting [de^{v}] tax on wages/salaries, ⟨inf⟩ income tax, PAYE taxation

loonbelastingverklaring [de^{v}] ⟨in Nederland⟩ income tax declaration

loonbeleid [het] incomes policy

loonbeslag [het] ⟨jur⟩ attachment of earnings, distraint on wages

loonbod [het] wage offer

loonboek [het] pay/wage(s) book

loonbriefje [het] pay slip

looncconcurrentie [de^{v}] wage competition

loonconfectiebedrijf [het] clothing contracting firm

loonconflict [het] pay/wage dispute

looncontroledienst [de^{m}] wages (control) board

loonderving [de^{v}] loss of wages

loondienst [de^{m}] paid/salaried employment ◆ ***in** loondienst **treden*** enter employment; *mensen **in** loondienst* people in employment; ***in** loondienst **zijn bij*** be employed by/in the pay of/in the employ of, be on the payroll of; *loondienst **verrichten*** work for pay/wages, render paid services

loondorser [de^{m}] threshing contractor

loondruk [de^{m}] contract printing

looneis [de^{m}] pay/wage claim

loon-en-prijsspiraal [de] price-wage spiral

loonexplosie [de^{v}] wage explosion

loonfonds [het] wage fund

loonfront [het] wages front ◆ ***op** het loonfront **is alles rustig gebleven*** everything is quiet on the wages front

loongebouw [het] pay package

loongeschil [het] pay/wage dispute

loongolf [de] wave of wage/pay increases

loongrens [de] ① ⟨welstandsgrens⟩ maximum wage level (for entitlement to national health insurance) ② ⟨grens van het loonbedrag⟩ pay/wage limit

loongroep [de] pay/wage/earnings group

loonheffing [de^{v}] ⟨in Nederland⟩ payroll tax and social security premiums, wage tax

loonindexering [de^{v}] pay/wage indexing

looninflatie [de^{v}] wage inflation

loonintensief [bn] (with) high wage cost ◆ *een loonintensief **bedrijf*** a company with high wage cost

loonkaart [de] ± pay slip

loonklasse [de^{v}] pay/wage/earnings group

loonkosten [de^{mv}] labour costs

loonkosteninflatie [de^{v}] wage-push inflation

loonlasten [de^{mv}] ⟨ec⟩ labour costs ◆ ***hoge** loonlasten* high labour costs

loonlijst [de] payroll, pay sheet, register ◆ *van de loonlijst **afgevoerd worden*** be taken off the payroll; ***op** de loonlijst **staan*** be on the payroll

loonmaaier [de^{m}] harvesting contractor

loonmaatregel [de^{m}] (government) measure on wages/pay, government wage control

loonmatiging [de^{v}] pay/wage restraint

loonoffer [het] voluntary cut in pay/wages, voluntary pay cut

loononderhandeling [de^{v}] pay/wage negotiations

loonontwikkeling [de^{v}] wage movements ⟨mv⟩

loonovereenkomst [de^{v}] → **loonregeling**

loonovertreding [de^{v}] breach of pay/wage(s) agreement

loonpauze [de] pay/wage pause, wage/pay standstill, pause in wage movements

loonplafond [het] pay/wage ceiling

loonpolitiek [de^{v}] incomes policy

loonpost [de^{m}] ① ⟨bedrag op een loonlijst⟩ wage item/entry ② ⟨lonen als deel van de uitgaven⟩ wage bill, payload

loon-prijsspiraal [de] wage-price spiral

loonregeling [de^{v}], **loonovereenkomst** [de^{v}] pay/wage(s) agreement

loonronde [de^{v}] pay round

loonruimte [de^{v}] margin for pay/wage increases

loonschaal [de] pay/wage scale ◆ ***glijdende** loonschaal* sliding pay/wage scale

loonslaaf [de^{m}] wage slave

loonslip [de^{m}] pay slip

loonsom [de] average pay/earnings

loonspiraal [de] wage spiral

loonstaking [de^{v}] strike for higher pay/wages

loonstamkaart [de] salary/wage specification

loonstandaard [de^{m}] pay/wage level, pay/wage rate, standard/rate of pay ◆ *de loonstandaard **opvoeren*** ⟨werkgever⟩ raise the wage level, ⟨werknemers⟩ force up the wage level

loonstelsel [het] ① ⟨stelsel m.b.t. lonen⟩ wage structure ② ⟨dienstverhouding⟩ wage economy/society/system

loonstijging [de^{v}] → **loonsverhoging**

loonstop [de^{m}] pay/wage freeze ◆ ***opheffing** van de loonstop* lifting/end of the pay freeze

loonstrijd [de^{m}] pay/wage dispute

loonstrookje [het] pay slip

loonsverhoging [de^{v}], **loonstijging** [de^{v}] wage/pay increase, increase in wages/pay, ⟨inf; BE⟩ rise, ⟨AE⟩ raise, ⟨AE⟩ hike ◆ ***incidentele** loonsverhoging* incidental pay-rise; ***initiële** loonsverhoging* across-the-board pay-rise; *loonsverhoging **krijgen*** get a pay increase/a rise/raise

loonsverlaging [de^{v}] wage reduction, reduction in wages, ⟨inf⟩ (wage) cut

loontarief [het] wage rate

loontoeslag [de^{m}] wage supplement, extra/additional pay

loontrekkend [bn] wage-earning

loontrekkende [de] ⟨in België⟩ ± blue-collar worker

loontrekker [de^{m}] wage earner/worker

loonvloer [de^{m}] minimum wage

loonvoet [de^{m}] wage base

loonvoorschrift [het] pay/wage regulation, ⟨mv ook⟩ pay/wage control

loonvorming [de^{v}] wage base determination ◆ ***geleide** loonvorming* pay/wage control

loonwerker [de^{m}] contractor, ⟨i.h.b.⟩ agricultural contractor, contract worker

loonwet [de] ⟨alg⟩ law regulating wages, ⟨mv⟩ wage legislation, ⟨specifiek⟩ Wages Act

loonzakje [het] pay packet/^{A}envelope

¹loop [de^{m}] ① ⟨af-, ontwikkeling⟩ course, unfolding, development ◆ *de loop der **dingen/gebeurtenissen*** the course of things/events; *de loop van het **gevecht*** the course of the fight; *de loop van het **verhaal*** the thread/line of the story; *zijn gedachten de **vrije** loop laten* give one's thoughts/imagination free rein/play [2] ⟨deel van een vuurwapen⟩ barrel ♦ *met **dubbele** loop* double-barrelled [3] ⟨vlucht⟩ run, flight ♦ ***op** de loop zijn* be on the run/in flight, flee; ***op** de loop gaan (voor)* run away (from); ⟨inf⟩ bolt [4] ⟨voortbeweging van een zaak⟩ course ♦ *de loop van de **hemellichamen** bestuderen* study the course/movement of the stars; *de bal werd **in** zijn loop gestuit* the ball was stopped/blocked (in its course); *de loop van de **Rijn*** the course of the Rhine, the Rhine's course; *het water zijn **vrije** loop laten* let the water take its own course; *zijn tranen de **vrije** loop laten* not hold back one's tears [5] ⟨voortgang in de tijd⟩ course ♦ *het recht moet zijn loop **hebben/krijgen*** the law must take its course; ***in** de loop der jaren* over/through the years; ***in** de loop van de dag* in the course of/during the day; *in de loop der **tijd*** in the course of time, in due course [6] ⟨richting⟩ course, direction ♦ *de winkel ligt **uit** de loop* the shop/^{A}store is off the beaten track [7] ⟨het (harde) lopen⟩ ⟨lopen⟩ walk, gait, ⟨hardlopen⟩ run ♦ *iemand aan zijn loop **herkennen*** recognize s.o.'s walk [8] ⟨doorgang⟩ aisle, gangway

[2]**loop** [de^{m}] ⟨Engels⟩ loop

loopafstand [de^{m}] walking distance ♦ ***op** loopafstand* within walking distance

loopas [de] axle

loopauto [de^{m}] push car

loopbaan [de] [1] ⟨carrière⟩ career ♦ *een **langdurige politieke** loopbaan* a long/lengthy political career [2] ⟨m.b.t. een hemellichaam⟩ orbit

loopbaanbegeleiding [de^{v}] career counseling/guidance

loopbaanonderbreking [de^{v}] career interruption/break

loopbaanplan [het] career policy

loopband [de^{m}] treadmill

loopbeen [het] shank, tarsus

loopbrug [de] [1] ⟨brug voor voetgangers⟩ footbridge, catwalk [2] ⟨loopplank met leuning⟩ gangplank, gangway

loopdeur [de] wicket, wicket-door, wicket-gate

loopeend [de] runner duck

loopfiets [de] [1] ⟨hulpmiddel in de revalidatie⟩ ± walking frame [2] ⟨gesch⟩ hobby(horse), dandy horse

loopgips [het] walking plaster

loopgraaf [de] trench ♦ ***smalle** loopgraaf* slit trench

loopgravenkoorts [de] trench fever

loopgravenoorlog [de^{m}] trench war(fare)

loopgravenstelsel [het] entrenchment

loopijzer [het] light horse shoe

looping [de^{m}] loop

loopje [het] run, roulade ♦ *zij **maakte** loopjes op de vleugel* she played runs on the grand piano [•] *een loopje met iemand **nemen*** pull s.o.'s leg, play a trick on s.o., make fun of/poke fun at s.o.

loopjongen [de^{m}] errand/messenger boy

loopkabel [de^{m}] trolley wire, overhead (contact) wire

loopkat [de] crab, trolley

loopkever [de^{m}] [1] ⟨insect⟩ ground beetle [2] ⟨persoon⟩ camper

loopkraan [de] travelling/^{A}traveling crane, jenny

looplamp [de] portable/inspection lamp, trouble light

looplijn [de] run(ning) line

loopmeditatie [de^{v}] walking meditation

loopneus [de^{m}] runny/running nose, sniffles ♦ *een loopneus **hebben*** ⟨ook⟩ have (a case of) the sniffles, sniffle

loopnummer [het] ⟨atl⟩ running event

loopoefening [de^{v}] walking exercise ⟨ook van zieke⟩, ⟨hardlopen⟩ running exercise

loopoor [het] runny/running ear

looppad [het] aisle, passageway, ⟨BE ook⟩ gangway ♦ *een **smal** looppad* a catwalk

looppas [de^{m}] ⟨sport⟩ jog, run ♦ ***in** looppas* at a jog, at the double, ⟨mil⟩ on the double; ***lichte** looppas* light/slow jog; ***snelle** looppas* fast jog

loopplank [de] [1] ⟨om aan, van boord te komen⟩ gangplank, gangway, gangboard ♦ *de loopplank **inhalen*** haul/draw in the gangplank [2] ⟨om ergens over te lopen⟩ (foot) plank, bridge, duckboards [3] ⟨m.b.t. kegelen⟩ alley

looppop [de] walking doll

looprail [de] rail, track

looprek [het] walking frame, walker, Zimmer (frame)

looprichting [de^{v}] run, feed(ing), ⟨scheepv; van lijn⟩ lead ♦ ⟨amb⟩ *looprichting van het **papier*** the direction in which paper feeds

loopring [de^{m}] (ball) race

loops [bn] in heat/season

loopsheid [de^{v}] heat, season

loopsluis [de] passenger (loading) bridge, aviobridge, gangway

loopstal [de^{m}] loose house/yard, ⟨AE⟩ loafing barn/shed

looptechniek [de^{v}] running technique

looptijd [de^{m}] [1] ⟨tijd dat een wissel, lening loopt⟩ term, (period of) currency, duration ♦ *lening met **lange** looptijd* long-term loan; ***vaste** looptijd* fixed term [2] ⟨geldigheidsduur⟩ (length/term of) validity [3] ⟨m.b.t. regeltechniek⟩ execution time

loopton [de] [1] ⟨ton waarop men loopt⟩ barrel mounted on a rotating axis in a playground [2] ⟨ton waarin men loopt⟩ playground equipment made from a barrel mounted on wheels

looptraining [de] ⟨vnl. van bokser⟩ roadwork, running

loopvlak [het] tread ♦ *een band met een **glad** loopvlak* a tyre/^{A}tire with little/a worn/a smooth tread; *(voorzien van) een **nieuw** loopvlak* re-tread

loopvoet [de^{m}] ambulatory

loopvogel [de^{m}] flightless bird

loopvuur [het] brush fire, ⟨soms⟩ grass fire

loopwerk [het] running/moving parts, wheel mechanism

loopwiel [het] [1] ⟨m.b.t. een voertuig⟩ running wheel [2] ⟨m.b.t. een vliegtuig⟩ landing wheel [3] ⟨in een turbine⟩ runner, turbin wheel

loopzand [het] quicksand

loos [bn] [1] ⟨vals⟩ false, fake, dummy ♦ *loos **alarm*** false alarm; *een loos **gebaar*** an empty gesture; *een loos **gerucht*** an idle rumour; *een loze **zoom*** a false hem [2] ⟨leeg⟩ empty ♦ *een loos **beukennootje*** an empty/a deaf beech nut; *een loze **ruimte*** wasted space; *een loze **zondagmiddag*** a lazy/dead Sunday afternoon [3] ⟨ondeugend⟩ sly, cunning, crafty, sneaky, clever, wily ♦ *daar was laatst een **meisje** loos* there was once a clever girl; *het loze **vissertje*** the crafty fisherman [•] *er **is** iets loos* sth.'s up/going on

loosgaan [onov ww] have a rave, let one's hair down, party like there's no tomorrow

loosgat [het] drain

loosheid [de^{v}] [1] ⟨sluwheid⟩ slyness, cunning, craftiness, sneakiness, wiliness [2] ⟨sluwe daad⟩ sly/crafty/sneaky action, sly/crafty/sneaky deed, sly/crafty/sneaky thing

loospijp [de] drain/waste pipe

loot [de] [1] ⟨twijg⟩ shoot, cutting ♦ *er komen **nieuwe** loten aan* it's getting new shoots, new shoots are coming [2] ⟨nakomeling⟩ (off)shoot, offspring, ⟨van familie⟩ scion ♦ *de Germaanse talen zijn loten van dezelfde **stam*** the Germanic languages are all members of the same family/are all related

lootje [het] lottery/raffle ticket, lot ♦ *lootjes **trekken*** draw lots

[1]**lopen** [onov ww] [1] ⟨zich te voet voortbewegen⟩ walk ♦ ⟨in België; fig⟩ ***achter** iets lopen* chase, run after, ↑ pursue; ***achter** iemand aan lopen* ⟨ook fig⟩ run after s.o.; ***heen en weer** lopen* walk back and forth/up and down/to and fro; *iemand **in de weg** lopen* get in s.o.'s way; *iemand **laten** lopen* ⟨vrijlaten⟩ let s.o. go; ⟨zich niet meer bemoeien met⟩ leave s.o.

alone/be; *over zich* ***laten*** *lopen* let o.s. be walked all over/bullied; ***leren*** *lopen* learn to walk; ***met*** *iemand lopen* go with s.o.; *te zwak* ***om*** *te lopen* too weak to walk/to get about/ᴬaround; *het is te ver* ***om*** *te lopen* it's too far to walk; ***op*** *zijn sokken lopen* walk around in one's socks; ***op*** *handen en voeten lopen* walk on one's hands and feet/on all fours; *zijn schoenen* ***stuk*** *lopen* walk the soles off one's shoes; ***trappen*** *lopen* go upstairs and downstairs/up and down the stairs; ⟨in België⟩ ***verloren*** *lopen* get lost, lose one's way [2] ⟨rennen⟩ run ♦ *het* ***op*** *een lopen zetten* take to one's heels; ⟨scherts⟩ show a clean pair of heels; *de atleten liepen zich* ***warm*** the athletes warmed up; *lopen!* scram!, hop it!, be off with you!, beat it!; *hij liep wat hij kon* he ran as hard as he could; *uit alle macht lopen* run flat out [3] ⟨zich verplaatsen⟩ go, run ♦ *maandenlang had hij* ***bij*** *een specialist gelopen* he had been seeing/consulting a specialist for months; *de wind loopt* ***naar*** *het westen* the wind shifts to the west; *hij loopt voor elk wissewasje* ***naar*** *de dokter* he goes to the doctor for the slightest (little) thing, ⟨inf⟩ he goes to the doctor at the drop of a hat [4] ⟨m.b.t. zaken: voortbewogen worden⟩ run ♦ *die* ***auto*** *loopt lekker* that car runs/goes well; *er loopt weleens een slechte fles* ***tussendoor*** every so often you get a defective bottle; *iets* ***laten*** *lopen* let sth. go; ⟨nalatig⟩ let sth. slide/slip; *het schip liep vast* ***op*** *een rots* the ship ran onto a rock; *een rilling liep* ***over*** *haar rug* a shiver ran down her back; *deze* ***trein*** *loopt 's zondags niet* this train doesn't run on Sundays [5] ⟨stromen⟩ run ♦ *het water loopt* ***door*** *de goot* the water runs along/down the gutter; *de* ***kraan*** *loopt niet meer* the tap's stopped running; *alles* ***laten*** *lopen* ⟨incontinent⟩ let everything go; ⟨nalatig⟩ let everything slip/slide; *zijn* ***neus/ogen/wond*** *begon(nen) weer te lopen* his nose/eyes began to run/stream again, his wound began to bleed again; *de tranen liepen* ***over*** *zijn wangen* (the) tears ran down his cheeks; *het zweet liep haar* ***over*** *het gezicht* (the) sweat ran down her face; *het bloed loopt* ***uit*** *de wond* blood flows/runs out of/from the wound; ⟨fig⟩ *de zaak begint* ***vol*** *te lopen* the place is starting to fill up [6] ⟨in werking zijn⟩ run ♦ *dit* ***horloge*** *loopt uitstekend* this watch keeps excellent time/runs/goes splendidly; *de* ***motor*** *loopt langzaam* the engine turns over/runs slowly; *een motor die loopt* ***op*** *benzine/alcohol* an engine that runs on petrol/ᴬgasoline/alcohol; ⟨fig⟩ ***warm*** *lopen voor* get/be enthusiastic about [7] ⟨voortduren⟩ run ♦ *de* ***contracten*** *lopen nog* the contracts are still in force/valid; *dat onderzoek loopt* ***over*** *heel wat jaren* the investigation is spread over/will take/will run for a good many/few years; *hij heeft een* ***rekening*** *lopen bij deze bank* he has an account with this bank; *het eerste tijdperk loopt* ***tot*** *1100* the first period runs up to 1100 [8] ⟨zich uitstrekken⟩ run ♦ *deze lijnen lopen* ***evenwijdig*** these lines run/are parallel; *deze weg loopt* ***naar*** *Haarlem* this road goes/leads to Haarlem; *de prijzen lopen* ***van*** *€ 100* ***tot*** *€ 1000* the prizes range/go/run from 100 to 1000 euros; *het gebergte loopt* ***van*** *het oosten* ***naar*** *het westen* the mountain range runs from east to west [9] ⟨zich ontwikkelen⟩ run, go ♦ *het is* ***anders*** *gelopen* it worked out/turned out otherwise/differently; *de zaak loopt* ***fout/scheef*** it's (all) going wrong; *alles loopt* ***gesmeerd*** everything's running smoothly; *de zaak loopt* ***op*** *zijn einde* the business is running down; *de contacten lopen* ***over*** *bedrijf X* the contacts go through company X; *het moet al heel* ***raar*** *lopen als ...* things will have to go very badly wrong for ... to ...; *deze* ***zin*** *loopt niet* this sentence doesn't run properly/doesn't work [10] ⟨blootgesteld worden aan⟩ run [11] ⟨geschikt zijn om op, in te lopen⟩ be ♦ *deze schoenen lopen* ***gemakkelijk*** these shoes are comfortable (to walk in) [12] ⟨+ onbepaalde wijs: bezig zijn met⟩ be ⟨+ ...ing⟩ ♦ *hij liep maar te* ***lachen*** he was just laughing (all the way); *ze liepen uren te* ***wandelen*** they walked (around) for hours [•] ⟨sprw⟩ *als twee honden vechten om een been, loopt de derde ermee heen* two dogs fight for a bone, and a third runs away with it; ⟨sprw⟩ *krakende wagens lopen het langst* a creaking gate hangs long; ⟨sprw⟩ *op één been kan men niet lopen* a bird never flew on one wing; wet the other eye; ⟨sprw⟩ *wie boter op zijn hoofd heeft, moet niet in de zon lopen* those who live in glass houses should not throw stones; ± be not a baker if your head be of butter; ⟨sprw⟩ *als 't hek van de dam is, lopen de schapen overal* ± when the cat's away the mice will play; ⟨sprw⟩ *met vallen en opstaan leert men lopen* if at first you don't succeed, try, try, try again

²lopen [ov ww] ⟨deelnemen aan⟩ go to, attend ♦ ***college*** *lopen* attend lectures

³lopen [onpers ww] ⟨naderen⟩ go/get on (for), go/get on (towards) ♦ *het loopt* ***tegen*** *zes uur/zessen* it's going on/getting on for/towards six (o'clock)

lopend [bn] [1] ⟨die, dat loopt⟩ walking, running, going ♦ *een lopende* ***patiënt*** an ambulant/a walking patient [2] ⟨zich voortbewegend⟩ running, moving, going ♦ *lopende* ***band*** ⟨band zelf⟩ conveyor belt; ⟨systeem⟩ assembly line; *productie aan de lopende* ***band*** assembly line/flow production; *lopend* ***schrift*** italic (writing), running hand; *een nauwkeurig lopend* ***uurwerk*** a precision/an accurate clock/timepiece [3] ⟨voortgang hebbend⟩ current, running ♦ *het lopende* ***jaar*** the current year; *de zesde van de lopende* ***maand*** the sixth of this month; *een lopende* ***rekening*** current account, ⟨BE⟩ credit/charge account; *de lopende* ***rentetermijn*** the current interest term; *lopende* ***schulden*** running/current/outstanding/open debts; *de lopende* ***uitgaven*** the day-to-day costs/expenses; *de lopende* ***zaken*** current affairs, the affairs in hand [4] ⟨rondgaand⟩ current, going round [5] ⟨stromend⟩ running, streaming ⟨ook ogen⟩, ⟨neus/oor ook⟩ runny ♦ ⟨cul⟩ *lopend* ***meel*** a thick liquid mixture of water and flour used as a thickener [6] ⟨zich uitstrekkend⟩ running ♦ ⟨in België⟩ *lopende* ***meter*** metre run, running metre [7] ⟨waarbij gelopen wordt⟩ walking ♦ *een lopend* ***buffet*** buffet lunch/dinner, a stand-up buffet

lopendebandwerk [het] production line work

loper [deᵐ] [1] ⟨persoon⟩ walker, ⟨voor bank e.d.⟩ courier, messenger ♦ *hij is een* ***slechte*** *loper* he is a poor walker [2] ⟨tapijt⟩ carpet (strip), ⟨op kast/tafel⟩ runner ♦ ⟨fig⟩ *de (rode) loper voor iemand* ***uitleggen*** give s.o. a red-carpet welcome/the red-carpet treatment; *een kale trap* ***zonder*** *loper* uncarpeted stairs [3] ⟨schaakstuk⟩ bishop ♦ *loper* ***aan*** *damezijde* queen's bishop [4] ⟨sleutel⟩ passkey, master/skeleton key, picklock [5] ⟨paard⟩ racehorse, runner, fast trotter [6] ⟨schaats⟩ runner [7] ⟨scherts; been⟩ paw, trotter [8] ⟨raampje van rekenliniaal⟩ runner, cursor [9] ⟨varken⟩ weaner

lopertje [het] [1] ⟨kleine loper⟩ (little) walker/runner [2] ⟨boomkruipertje⟩ (short-toed) tree creeper

lor [het, de] [1] ⟨vod⟩ rag ♦ *ik begrijp er* ***geen*** *lor van* I haven't a clue, I cannot make head or tail of it; *het kan me* ***geen*** *lor schelen* I couldn't care less, ↓I don't give a damn, I don't give a hoot/a snap/ᴮtwopence, I don't care a fig [2] ⟨prul⟩ piece of trash/junk/rubbish ♦ *een* ***dronken*** *lor* a drunken sod, a boozer, a lush; *een lor* ***van*** *een boek* a trashy book; *een lor van een vent* a good-for-nothing

loran [de] (long-range navigation) loran

lord [deᵐ] lord ♦ ⟨inf⟩ *lord* ***wanhoop*** bungler, blunderer

lordose [deᵛ] ⟨med⟩ lordosis

lordschap [het] lordship

lorentzkracht [de] ⟨natuurk⟩ Lorentz force

lorgnet [het, de] lorgnette, pince-nez ♦ *een lorgnet* ***dragen*** wear a lorgnette/pince-nez, lorgnette; *een man* ***met*** *een lorgnet op* a man wearing a lorgnette/pince-nez

lorgnon [het, deᵐ] lorgnette, lorgnon

lork [deᵐ] → **lorkenboom**

lorkenboom [deᵐ], **lork** [deᵐ] larch

lororekening [deᵛ] ⟨fin⟩ loro account

lorre [deᵐ] (Pretty) Polly

lorrenkraam [de] jumble stand/booth/stall, rummage stand/booth/stall

lorrenman [de^{m}] rag(-and-bone) man
lorrenmand [de] rag basket
lorrenwerk [het] trashy work, bad job, mess, botch
lorrie [de^{v}] [1] ⟨wagentje op rails⟩ lorry, trolley, ⟨vnl BE⟩ truck, (railway) bogie [2] ⟨kiepkarretje⟩ tipper, dumper, dump car, ⟨vnl BE⟩ trolley
lorrig [bn] trashy, rubbishy, paltry ◆ *voor een lorrige honderd **euro** kun je het krijgen* you can have it for a measly hundred euros
lorum ⟨inf⟩ [•] ***in** de lorum zijn* ⟨in de war⟩ be confused; ⟨dronken⟩ be ^{B}sloshed/^{B}plastered/^{A}soaked; ⟨in moeilijke omstandigheden⟩ be in a tight spot
^{1}**los** [de^{m}] lynx
^{2}**los** VERLIEZEN [bn, bw] [1] ⟨niet stevig vastzittend⟩ loose ⟨bw: ~ly⟩ ◆ *er **is** een schroef los* a screw has come loose; *een losse **tand/kies*** a loose tooth/molar; *haar hoest **werd** losser* her cough loosened up; *een losse **zitting*** ⟨van stoel⟩ a loose/drop-in seat [2] ⟨niet bevestigd, gebonden⟩ loose ⟨bw: ~ly⟩, free, ⟨veter, knoop⟩ undone, ⟨afneembaar⟩ detachable, ⟨roerend⟩ movable ◆ *los **arbeider*** casual/day labourer, odd-jobman; *een losse **boord*** a detachable collar; *losse **goederen*** loose/unpacked/bulk goods, movables; *zij kamde haar losse **haren*** she combed her loose hair; *ze **liepen** los naast elkaar* they walked without holding hands; *los en **vast*** movable and immovable; *hij schold op alles wat los en **vast** zat* he let forth a stream of abuse; *een losse **voering*** a detachable lining; *los!* let go!; ⟨bokssp⟩ break! [3] ⟨afzonderlijk⟩ loose ⟨bw: ~ly⟩, separate ⟨bw: ~ly⟩, individual, odd, single ◆ *een boek in losse **afleveringen*** a book in instalments; *losse **centen/dubbeltjes*** loose change/coins; *losse **nummers*** ⟨van een krant/tijdschrift⟩ single/odd issues/numbers; *thee **wordt** bijna niet meer los **verkocht*** tea is hardly sold loose anymore [4] ⟨niet strak gespannen⟩ slack ⟨bw: ~ly⟩, loose ⟨bw: ~ly⟩ ◆ *er is een losse **band** tussen de beide instituten* there is a loose connection between the two institutes; *een los **jak*** a loose jacket; *de **vingers** los maken* loosen up one's fingers [5] ⟨niet dicht, compact⟩ loose ⟨bw: ~ly⟩ [6] ⟨enkel maar, niets dan⟩ sheer ⟨bw: ~ly⟩, pure ⟨bw: ~ly⟩ ◆ *losse **patronen*** blank cartridges, blanks [7] ⟨onsamenhangend⟩ disconnected ⟨bw: ~ly⟩, ⟨opmerkingen⟩ disjointed, stray ◆ *losse **gedachten*** stray thoughts; *losse **geschriften*** miscellaneous writings [8] ⟨leeg⟩ empty ⟨bw: emptily⟩, sold out ◆ *hij **is** los* he is (all) sold out; *het schip **is** los* the ship is empty [9] ⟨op zichzelf staand⟩ detached ⟨bw: ~ly⟩, independent, separate ◆ *een losse **aantekening*** an occasional note/jotting; *losse **feiten*** isolated facts; *los **van*** apart from, besides; *dat is niet los te denken **van*** this cannot be detached/dissociated from; *los **van** de rooms-katholieke kerk* separated/detached from the RC Church; ⟨inf⟩ *ben je nou helemaal **van** God los?* have you gone out of your mind?; *nog even los **van** mijn mening hierover* (quite) apart from what I think about it [10] ⟨niet stijf, sierlijk⟩ easy ⟨bw: easily⟩, loose, informal, relaxed ◆ *een losse **houding*** an easy/a relaxed pose/attitude; *een losse **stijl*** an easy/a fluent style [11] ⟨oppervlakkig⟩ casual ⟨bw: ~ly⟩, light, idle ◆ *hij is wat los **in** de **mond*** he has a loose tongue, he doesn't watch what he is saying; ⟨onfatsoenlijk⟩ he has a rather coarse turn of phrase [12] ⟨losbandig⟩ loose ⟨bw: ~ly⟩, lax, fast ◆ *losse **zeden*** loose/lax morals [13] ⟨m.b.t. slaap⟩ light ⟨bw: ~ly⟩ [•] *ze leven **er** maar op los* they live from one day to the next; ***erop** los slaan* hit out; ***erop** los praten* talk nineteen to the dozen; ***erop** los schieten* fire/blaze away; *met losse **handen** **rijden*** ride with no hands; *op iemand los slaan* weigh/pitch into s.o., bash away at s.o.
losarm [de^{m}] derrick
losbaar [bn] ⟨aflosbaar⟩ redeemable, ⟨betaalbaar⟩ payable ◆ *een losbare **rente*** payable interest
losbandig [bn, bw] lawless ⟨bw: ~ly⟩, ⟨vnl. m.b.t. vrouw⟩ loose, fast, dissipated, riotous, licentious ◆ *zich losbandig **gedragen*** behave licentiously; *een losbandige **jeugd*** a wild youth; *een losbandig **leven** leiden* lead a wild/loose life, go the pace; *een losbandig **mens*** a profligate
losbandigheid [de^{v}] lawlessness, looseness, licentiousness, debauchery, profligacy ◆ *iemand **tot** losbandigheid aanzetten* incite s.o. to lawlessness/licentiousness
losbarsten [onov ww] [1] ⟨plotseling tevoorschijn komen⟩ break out, burst out/up, flare up, erupt, ⟨storm ook⟩ blow up ◆ ***applaus** barstte los* there was a burst of applause; *een hevig **geweervuur** barstte los* there was a heavy burst of gunfire; *de losbarstende **lavastroom*** the erupting flow of lava; *een losbarstend **onweer*** a thunderstorm bursting/breaking [2] ⟨m.b.t. emoties⟩ burst (out), break (out), explode ◆ *hij kon zich niet langer bedwingen en barstte los* he could no longer control himself and burst out [3] ⟨losgaan⟩ burst/break (loose)
losbarsting [de^{v}] explosion, outburst, ⟨van vulkaan⟩ flare-up, eruption
losbeitelen [ov ww] chisel/chip off
losbijten [ov ww] [1] ⟨losmaken⟩ chew/bite through ◆ *de hond heeft het **touw** waaraan hij vastlag losgebeten* the dog has chewed through the line it was fastened with [2] ⟨door vocht openen⟩ bite off (with a corrosive), etch away
losbinden [ov ww] untie, ⟨gevangene⟩ release, ⟨knoop⟩ undo, loose(n)
losbladig [bn] [1] ⟨samengevoegd uit losse bladen⟩ loose-leaf ◆ *een losbladig **systeem*** a loose-leaf system [2] ⟨plantk⟩ ◆ *losbladige **kelk*** polysepalous calyx; *losbladige **kroon*** polypetalous/choripetalous corolla
losbol [de^{m}] loose/fast liver, debauchee, rake, libertine, profligate
^{1}**losbranden** [onov ww] ⟨beginnen⟩ fire/blaze away, burst into ◆ *brand **maar** los!* fire away!
^{2}**losbranden** [ov ww] ⟨losmaken⟩ burn off/loose
^{1}**losbreken** [onov ww] [1] ⟨los worden⟩ break loose, be torn (loose) ◆ *het **touw** brak los* the rope broke/was torn loose [2] ⟨zich uit gevangenschap bevrijden⟩ break out/free, escape ◆ *de **hond** is losgebroken* the dog has torn itself free/loose; *het **schip** is losgebroken* the ship has broken adrift/away from its moorings [3] ⟨met geweld in beweging komen⟩ burst out, blow up, set in ◆ *hij had zich lang bedwongen, maar **eindelijk** brak hij los* for a long time he had controlled himself, but finally he burst out; *een hevig **onweer** brak los* a heavy thunderstorm broke
^{2}**losbreken** [ov ww] ⟨brekend losmaken, afscheiden⟩ break off, tear off/loose, separate ◆ ***planken** losbreken* tear off boarding
loscedel [het, de] unloading, discharge
losdag [de^{m}] day of discharge, discharging day
losdoen [ov ww] undo, ⟨veter, knoop in touw⟩ untie, ⟨losknopen⟩ unbutton ◆ *doe maar gauw je **jas** los* come on, unbutton your coat
^{1}**losdraaien** [onov ww] ⟨losgaan⟩ come loose/undone, loosen up ◆ *er is een **schroef** losgedraaid* a screw has come loose
^{2}**losdraaien** [ov ww] [1] ⟨uit elkaar halen⟩ unscrew, untwine, untwist [2] ⟨opendraaien, losmaken⟩ take off/out, twist off/out, loosen ◆ *een **schroef** losdraaien* loosen a screw
losdrukken [ov ww] press loose/off/out/open, push loose/off/out/open ◆ *het **slot** losdrukken* push open the lock
los- en laadbedrijf [het] loading and unloading
losgaan [onov ww] [1] ⟨loslaten⟩ come loose/off, work loose/off, give way, become untied/unstuck/detached ◆ *mijn **haar** gaat steeds los* my hair keeps coming undone; *die **kram/schroef/bout** gaat los* that cramp/screw/bolt is coming loose; *mijn **veter** is losgegaan* my shoelace has become undone [2] ⟨fel afgaan op⟩ (let) fly/go (at), go (for) ◆ ***erop** losgaan* go for it, make a dash for it [3] ⟨opengaan⟩ open (up) ◆ *de **koffer** ging los* the suitcase opened [4] ⟨feesten⟩ let o.s. go, let one's hair down, party like there's no tomorrow
losgeld [het] [1] ⟨losprijs⟩ ransom (money) ◆ *losgeld **eisen***

voor iemand hold s.o. to ransom, ask a ransom for s.o. [2] ⟨heffing bij het lossen⟩ cost of discharge, ⟨scheepv ook⟩ landing/wharf charges, wharfage
losgelegenheid [de^v] discharging facility, ⟨scheepv ook⟩ landing facility
losgespen [ov ww] unbuckle, unclasp, ⟨riem⟩ unstrap
losgooien [ov ww] loose(n), cast off ⟨ook scheepvaart⟩, ⟨scheepv ook⟩ unmoor, unanchor, unleash ♦ *het **anker** losgooien* unmoor/trip the anchor, unanchor; *een **boot** losgooien* cast a boat off/loose/adrift; *gooi de **touwen** los* cast off the ropes
losgraven [ov ww] dig up/out/loose, loosen ♦ *de **grond** losgraven* dig up/loosen the soil; *de **wortels** van een boom losgraven* dig up/out the roots of a tree
loshaken [ov ww] unhitch, unclasp, ⟨aanhanger⟩ uncouple, detach, ⟨kleding⟩ unhook
loshangen [onov ww] [1] ⟨niet goed vastzitten⟩ hang loose, trail ♦ *haar **haar** hing los* she was wearing her hair loose/down [2] ⟨niet opgestoken zijn⟩ hang/be down [3] ⟨vrij hangen⟩ trail, flow, float (free), hang free ♦ *het **touw** hangt los* the rope is trailing/hanging free
losharken [ov ww] rake/hoe/loosen/break (up)
loshaven [de] port of unloading/landing/discharge
losheid [de^v] [1] ⟨ongedwongenheid⟩ looseness, abandon(ment), ease [2] ⟨toestand⟩ laxity, looseness ♦ *de losheid van een **weefsel*** the looseness/laxity of a (woven) cloth; ⟨fig⟩ *losheid van **zeden*** moral laxity
losjes [bw] [1] ⟨zonder stevige verbinding⟩ loosely ♦ *dat **zit** losjes aan elkaar* that is loosely fixed/connected [2] ⟨luchthartig⟩ airily, lightly, lightheartedly ♦ *de zaken losjes **opnemen*** take matters lightly/lightheartedly [3] ⟨oppervlakkig⟩ casually, lightly, superficially ♦ *hij **ging** er losjes **op in*** he went into it cursorily; *hij **zei** het zo losjes* he just mentioned it in passing/casually [4] ⟨luchtig⟩ loosely, airily ♦ *zich losjes **kleden*** wear light clothes
loskade [de] discharging/landing quay
loskloppen [ov ww] beat loose/off, knock loose/off ♦ ***eieren** loskloppen* beat eggs
losknippen [ov ww] cut (loose/off/out) ♦ *een **naad** losknippen* cut (through) a seam
losknopen [ov ww] undo, ⟨touw⟩ untie, ⟨jas ook⟩ unbutton
loskomen [onov ww] [1] ⟨los worden⟩ come loose/off, break loose/free, come apart ♦ *de **hoest**/het **slijm** komt los* the cough/slime is breaking up; *hij kan niet loskomen **van** zijn verleden* he cannot forget his past, he is wedded to his past; *de snelheid bij het loskomen van het **vliegtuig*** the speed as the plane gets off the ground/becomes airborne [2] ⟨zich uiten⟩ come out, unbend, relax, loosen/open up, expand ♦ *hij komt niet zo **gauw** los* he does not unbend easily; *de **tranen** en **verwijten** kwamen los* tears and reproaches came out [3] ⟨beweeglijk worden⟩ (be)come loose, be loose(ne)d, get going, start to move ♦ *de **tongen** kwamen los* tongues started wagging [4] ⟨beschikbaar worden⟩ be released, be set free, become available [5] ⟨uit de gevangenis komen⟩ be released, be set free, come out
loskopen [ov ww] buy off/out, ⟨gevangene⟩ ransom, redeem
loskoppelen [ov ww] detach, uncouple, disconnect, unlink, separate ♦ *de **aanhangwagen** loskoppelen* disconnect/uncouple the trailer; ***spoorwagens** loskoppelen* uncouple railway/^Arailroad carriages; ⟨fig⟩ *de bijstandsuitkeringen loskoppelen **van** het minimumloon* unlink social security benefits from the minimum wage; *je kunt die twee **zaken** niet loskoppelen* you cannot separate the two
loskrijgen [ov ww] [1] ⟨los, vrij krijgen⟩ get loose, ⟨los ook⟩ get undone, ⟨vrij ook⟩ get free/released ♦ *een **gevangene**/**knoop** loskrijgen* get a prisoner released/a knot untied; *een **schroef** loskrijgen* get a screw out [2] ⟨tot zijn beschikking krijgen⟩ secure, extract, (manage to) obtain, ⟨geld ook⟩ raise ♦ ***geld** van een vrek loskrijgen* extract money from a miser; *die handelsreiziger weet altijd **orders** los te krijgen* that salesman always manages to get some orders, ⟨inf⟩ that salesman always wangles out some orders; ***subsidie** loskrijgen* secure a grant
¹loslaten [onov ww] ⟨losgaan⟩ come/peel off, come loose/unstuck/untied, give way ♦ *de **lijm** heeft losgelaten* the glue has given way/has become unstuck; *de **zolen** laten los* the soles are coming loose/off
²loslaten [ov ww] [1] ⟨vrijlaten⟩ release, set free, let off/go, discharge, ⟨hond⟩ unleash ♦ ***honden** loslaten op de demonstranten* set (the) dogs at the demonstrators; *laat **me** los!* let go of me!, let me go! [2] ⟨laten blijken⟩ reveal, speak, ⟨informatie⟩ release, ⟨geheimen⟩ leak ♦ *hij laat **niets** loslaten* his lips are sealed, he doesn't give away anything; *geen woord loslaten **over** iets* keep mum/close about sth.; *zij wil niets loslaten **over** het programma* she will not reveal anything about the programme [3] ⟨met rust laten⟩ let go (of) ♦ *ik laat je **zus** niet los voor zij antwoord heeft gegeven op mijn vraag* I shan't let go of your sister until she has answered my question; *het probleem laat mij niet los* the problem keeps haunting me [4] ⟨in de steek laten⟩ let go, give up, drop, abandon ♦ *wij kunnen die oude **man** niet loslaten* we cannot abandon the old man; *de **traditie** loslaten* depart from tradition [5] ⟨m.b.t. problemen⟩ let go, relinquish
loslating [de^v] [1] ⟨het vrijlaten⟩ release, liberation, setting free [2] ⟨het losgaan⟩ coming off/loose, peeling off
losliggen [onov ww] be loose, not be fixed
losliggend [bn] loose, free(-lying) ♦ *losliggende **tegels*** loose tiles
loslippig [bn] loose-lipped, loose-tongued, talkative, indiscrete ♦ *hij **is** mij te loslippig* he is too loose-lipped for my taste
loslippigheid [de^v] lack of discretion, indiscretion, ⟨gesch, m.b.t. oorlogsgeheimen⟩ careless talk
losloon [het] unloading charges, ⟨scheepv ook⟩ landing charges
loslopen [onov ww] [1] ⟨vrij rondlopen⟩ walk about (freely), run free, ⟨misdadiger, wild dier⟩ be at large, ⟨vee⟩ stray ♦ *de **honden** lopen er los* dogs run free there [2] ⟨terechtkomen⟩ be all right ♦ *het **zal** wel loslopen* it will be all right, it'll sort itself out [3] ⟨los gaan zitten⟩ work loose/off, come loose/off ♦ *het **voorwiel** is losgelopen* the front wheel has come loose [4] ⟨losdraaien, werken⟩ run free
loslopend [bn] free(-ranging), at large, stray, untethered, ⟨ook fig⟩ unattached ♦ *een loslopende **hond*** a stray dog; *verboden voor loslopende **honden*** dogs not allowed except on leash; ⟨fig⟩ *een loslopende **vrijgezel*** an unattached (young) man/bachelor
losmaken VERLIEZEN [ov ww] [1] ⟨maken dat iets, iemand los wordt⟩ release, set free, ⟨knoop in touw⟩ untie ♦ *een **gevangene** losmaken* release a prisoner, set a prisoner free; *de **hond** losmaken* unleash the dog; *een **knoop** losmaken* untie a knot, undo a button; *de dollar losmaken **van** de goudstandaard* unlink the dollar from gold; ***zich** losmaken van iets/iemand* break away/free from/extricate o.s. from sth./s.o.; ***zich** van een denkbeeld/gedachte losmaken* dissociate o.s. from an idea/a thought [2] ⟨minder samenhangend maken⟩ loosen (up), rake/make loose, break (up) ♦ *de **grond** om een boom losmaken* loosen up the soil around a tree [3] ⟨ter beschikking weten te krijgen⟩ get hold of, extract, obtain ♦ ***geld** losmaken* extract/obtain money [4] ⟨interesse, emoties oproepen, tevoorschijn brengen⟩ stir up interest, stir up a commotion, create a stir ♦ *die tv-film heeft een hoop losgemaakt* that TV film has created quite a stir [·] *wie maakt **me** los?* who'll buy the last one(s)?
losmiddel [het] stripping/unmoulding agent
lospeuteren [ov ww] [1] ⟨met moeite losmaken⟩ prize off [2] ⟨trachten te verkrijgen, te weten te komen⟩ extract, get (out of) ♦ *een man die **geld** van me wilde lospeuteren* a man

who tried to get money out of me; ***met** gevlei lospeuteren* wheedle (from/out of); ***met** trammelant lospeuteren* wrest (from)

lospier [de^m] unloading pier, landing stage/pier

lospikken [ov ww] 1 ⟨m.b.t. gevogelte⟩ peck (loose) 2 ⟨m.b.t. houweel⟩ pick loose

losplaats [de] ⟨voor schepen⟩ unloading quay, ⟨voor wagens⟩ unloading bay ♦ *de reder **bepaalt** de losplaats* the (ship-)owner determines the place of discharge/for unloading; *een losplaats **op** het station* an unloading stage at the station

lospraten [ov ww] 1 ⟨gedaan krijgen⟩ talk (s.o.) out of ⟨bijvoorbeeld geld⟩, extract (by talking), wheedle (away) 2 ⟨vrijspraak verkrijgen voor⟩ obtain the release of, talk (s.o.) into releasing

losprijs [de^m] ransom (money) ♦ *er **werd** een losprijs van één miljoen voor hem **geëist*** ⟨ook⟩ he was being held to ransom for one million (euros)

losraken [onov ww] 1 ⟨vrij komen⟩ be released, be set free, break free, get out 2 ⟨los gaan⟩ come loose/off/away, dislodge, become detached ♦ *het **schip** raakte weer los* the ship got afloat again; *er raakten wat **stenen** los* some stones (were) dislodged

losrijden [ov ww] ⟨sport⟩ drop, leave behind, break away from, escape from

losrijgen [ov ww] unlace, ⟨aan elkaar genaaide stukjes stof enz.⟩ untack, ⟨kralen⟩ unpick

¹**losrukken** [onov ww] ⟨op iemand, iets afgaan⟩ let rip, strike out (at)

²**losrukken** [ov ww] ⟨losmaken⟩ tear loose, rip off, wrench away/off, yank away/off ♦ ⟨fig⟩ *zich losrukken **uit** de kring* tear o.s. away from the circle; *zij rukte zich **uit** zijn armen los* she tore herself loose from his arms

löss [de] loess

lössbodem [de^m] loess (land), loessial soil

¹**losscheuren** [onov ww] ⟨losgaan⟩ be torn loose, come off ♦ *er is een **blad** losgescheurd* a page has been torn out

²**losscheuren** [ov ww] 1 ⟨los doen worden⟩ tear loose, rip off/away 2 ⟨zich vrij maken⟩ tear (o.s.) loose, wrench/drag (o.s.) away ♦ *zich **uit** de armen van zijn vriendin losscheuren* tear o.s. loose from the arms of one's girlfriend

losschieten [onov ww] slip (off/out), come off/loose, become detached, snap ♦ *de **grendel** schoot los* the bolt slipped/shot back

losschroeven [ov ww] unscrew, loosen, ⟨deksel⟩ screw off, disconnect ⟨bijvoorbeeld stangen⟩

¹**losschudden** [onov ww] ⟨losgaan⟩ come/work/shake loose, be loosened/detached/dislodged

²**losschudden** [ov ww] ⟨losmaken, openen⟩ shake loose/off/open

lossebandstoot [de^m] ⟨sport⟩ bank shot

¹**lossen** [onov ww] 1 ⟨ontladen worden⟩ be unloaded, be discharged/disburdened ♦ *deze **wagens** lossen gemakkelijk* these vans are easy to unload 2 ⟨achteropraken⟩ stay/fall behind, be left behind, be dropped ♦ *bij de eerste klim al **moeten** lossen* be shaken off/dropped on the first climb

²**lossen** [ov ww] 1 ⟨ontladen⟩ discharge, unload, clear, empty, disburden 2 ⟨uitladen⟩ unload, land, discharge, ⟨bagage⟩ unship, ⟨passagiers⟩ disembark ♦ ***vaten** lossen* land/unship casks 3 ⟨losrijden⟩ shake off, break away from, escape from 4 ⟨afschieten⟩ fire ♦ *een **schot** lossen* fire a shot; ⟨sport⟩ *een **schot** op (het) doel lossen* shoot at the goal 5 ⟨loslaten⟩ ⟨duiven⟩ release, set free, let go/out ♦ *de **duiven** werden om 8.30 te Orléans gelost* the pigeons were released at Orléans at 8.30

lössgrond [de^m] loess(land), loess(ial) soil

lösshoudend [bn] loessial

lossing [de^v] 1 ⟨het in-, aflossen⟩ paying back, repayment, redemption 2 ⟨ontlading⟩ unloading, discharging, unshipping ♦ *het schip ligt **in** lossing* the ship is being unloaded/discharged/is discharging

lossingshaven [de] port of discharge

lossjorren [ov ww] unlash

¹**losslaan** [onov ww] 1 ⟨opengaan⟩ fly open, burst/blow open 2 ⟨uit de band springen⟩ go astray, go adrift, lose one's bearings ♦ *die **jongen** is helemaal losgeslagen* that boy has gone completely astray 3 ⟨van zijn ankers slaan⟩ break away, break loose, be turned adrift, break from the moorings

²**losslaan** [ov ww] ⟨losmaken, openen⟩ knock open, knock loose/in

lossnijden [ov ww] cut free/loose, ⟨gehangene⟩ cut down

losspringen [onov ww] slip, snap/spring open, come loose/off, ⟨plank, spijker⟩ start ♦ *het **slot** springt vanzelf los* the lock springs/snaps open by itself

losstaan [onov ww] 1 ⟨niet stevig staan⟩ stand loose, be unstable 2 ⟨openstaan⟩ be open, be ajar/unlocked ⊡ *losstaan **van*** be unrelated to

losstaand [bn] detached, ⟨feit⟩ isolated, ⟨huis, schuur, muur enz.⟩ freestanding, disconnected

lossteiger [de^m] landing stage ♦ *los- en **laadsteiger*** loading and unloading stage

losstormen [onov ww] storm, rush, charge, fly ♦ *woedend was ze **op** hem losgestormd* she had let rip/had stormed at him

lostornen [ov ww] unpick, pick to pieces

lostrekken [ov ww] 1 ⟨losmaken⟩ pull loose, loosen, draw loose ♦ *de **dekens** lostrekken* pull the blankets loose; ***zich** lostrekken* tear/wrench o.s. away 2 ⟨openen⟩ (pull) open ♦ *het **slot** lostrekken* pull off the lock

los-vast [bn] half-fastened, ⟨fig⟩ casual, shallow ♦ *een los-vaste **verhouding*** a casual relationship

loswaaien [onov ww] blow, loose, blow open ♦ *het **luik** is losgewaaid* the shutter has blown open

losweg [bw] 1 ⟨zomaar⟩ off-hand, thoughtlessly 2 ⟨nonchalant⟩ lightly, loosely, carelessly

¹**losweken** [onov ww] ⟨door weking losgaan⟩ become unstuck

²**losweken** [ov ww] 1 ⟨wekend losmaken⟩ soak off, ⟨met stoom⟩ steam off/open ♦ *een **postzegel** losweken* soak/steam off a stamp 2 ⟨langzaam losmaken⟩ detach, ease away/off ♦ *hij probeert **zich** los te weken van zijn oude omgeving* he is trying to ease himself away/detach himself from his old milieu

¹**loswerken** [onov ww] ⟨gaan loszitten⟩ come loose, loosen ♦ *de **bouten** zijn losgewerkt* the bolts have come loose

²**loswerken** [ov ww] 1 ⟨bevrijden⟩ extricate, detach, disengage, free ♦ ***zich uit** de modder loswerken* extricate o.s. from the mud 2 ⟨met moeite loskrijgen⟩ extract, release, force off/away

loswerpen [ov ww] ⟨scheepv⟩ cast off

loswikkelen [ov ww] unwrap, ⟨stof⟩ unfold, ⟨verband ook⟩ unswathe

loswinden [ov ww] unwind, untwist, unswathe, untwine ♦ *een **zwachtel** loswinden* unswathe a bandage

loswrikken [ov ww] wrest, dislodge, extract, disengage, wrench ♦ *losgewrikte **trottoirtegels*** flagstones wrested/dislodged from the pavement

loswringen [ov ww] wring, extricate ♦ ***zich** loswringen* wring (o.s.) loose/free, extricate o.s.

loswroeten [ov ww] dig root up

loszagen [ov ww] saw off, saw loose

zich loszingen [wk ww] break free

loszinnig [bn, bw] frivolous ⟨bw: ~ly⟩, wild, ⟨opmerking⟩ flippant

loszinnigheid [de^v] frivolity, levity

loszitten [onov ww] be loose, ⟨touw⟩ be slack, ⟨knoop⟩ be coming off ♦ ⟨fig⟩ *zijn **handen** zitten los* he lashes out at the slightest provocation; *die **knoop** zit los* that button is coming off; *de **schroeven** zitten los* the screws are loose/have come loose

lot [het] [1] ⟨loterijbriefje⟩ ⟨met geldprijs⟩ lottery ticket, ⟨met prijs in natura⟩ raffle ticket, lot ♦ ⟨in België⟩ *het **grote** lot* the first prize; ⟨in België⟩ *lotje **trekken*** draw lots; *een **vals/ongeldig** lot* a counterfeit/void lottery ticket; ***winnend** lot* winning number [2] ⟨bewijs van aandeel in een loterij⟩ lottery-share, lottery-bond [3] ⟨wat door een lot wordt toegewezen⟩ lot, share ♦ ⟨fig⟩ *dat is een lot uit de **loterij*** he/she/it is a gem; ⟨fig⟩ *een lot **uit** de loterij trekken* draw a lucky number, back a winner; *zijn lot **verbinden aan*** throw in one's lot with [4] ⟨voorwerp waarmee geloot wordt⟩ lot, die ♦ *het lot **beslist** in zulke gevallen* these cases are decided by lot; ***door/volgens** het lot aanwijzen* determine/appoint by lot [5] ⟨de fortuin⟩ fortune, chance ♦ *het lot was hem **gunstig** geweest* fortune had smiled upon him; *geld waarmee het lot hem rijkelijk **heeft bedacht*** money which fortune has bestowed upon him generously; *het lot is hem niet gunstig gezind* the dice are loaded against him [6] ⟨noodlot⟩ lot, fate, destiny ♦ *een **grimmig** lot* a dire fate; *zich **in** zijn lot schikken* accept/embrace one's lot/destiny; *het lot **wilde** dat zij nooit zouden trouwen* they were fated never to marry [7] ⟨dat wat iemand in zijn leven beschikt is⟩ fate, destiny, lot, portion, share ♦ *iemand **aan** zijn lot **overlaten*** leave s.o. to fend for himself/herself/themselves/to his/her/their own devices; *zich iemands lot **aantrekken*** take pity on s.o.; ***berusten in** zijn lot* resign o.s. to one's fate/lot/destiny; ***beschikken over** het lot van velen* determine/decide the fate of many (people); *dat **bezegelde** haar lot* that sealed her fate; *iemands lot **delen*** share s.o.'s lot; *vervuld van bitterheid **jegens** het lot en tegen de mensen* filled with bitterness about one's lot and mankind in general; ***met** zijn lot tevreden zijn* accept/be satisfied with one's lot; *hetzelfde lot **ondergaan*** meet with the same fate; *zijn lot **verbinden aan*** throw/cast in one's lot with; *een beter lot **verdienen*** deserve a better lot; *zijn lot in eigen hand hebben* ⟨ook⟩ be the captain of one's soul [8] ⟨jonge tak⟩ shoot

¹loten [onov ww] ⟨iets door het lot laten beschikken⟩ draw lots, ⟨door muntworp⟩ toss up ♦ *we moesten loten **om** de eerste prijs* we had to draw lots for the first prize

²loten [ov ww] ⟨door het lot krijgen⟩ draw (by lot) ♦ *hij heeft een zilveren **horloge** geloot* he drew a silver watch

loterij [de^v] ⟨met geldprijzen⟩ lottery, ⟨met prijzen in natura⟩ raffle, draw, ⟨fig⟩ lottery, gamble ♦ ***in** de loterij spelen* take part in a lottery/raffle; ⟨fig⟩ *het **is** een loterij* it's a gamble; ⟨in België⟩ *de **Nationale** Loterij* state/national lottery; *prijsvragen zijn vaak een **verkapte** loterij* contests are often lotteries in disguise

loterijbelasting [de^v] lottery tax

loterijbriefje [het] ⟨voor geldprijzen⟩ (lottery) ticket, ⟨voor prijzen in natura⟩ raffle ticket, lot

loterijkantoor [het] ± lottery shop

loterijlijst [de] lottery list

loterijspel [het] [1] ⟨spel⟩ ⟨voor geldprijzen⟩ lottery, ⟨voor prijzen in natura⟩ raffle, draw, game of chance [2] ⟨het spelen in de loterij⟩ lottery

loterijtrekking [de^v] (lottery) draw/^Adrawing

loterijwet [de] (Public) Lotteries Act

lotgenoot [de^m] partner (in misfortune/adversity), companion (in misfortune/adversity), fellow-sufferer

lotgeval [het; vaak mv] adventure(s), ↑vicissitude(s), ⟨mv ook⟩ fortunes, ups and downs ♦ *iemand zijn lotgevallen **verhalen*** recount one's adventures to s.o.

Lotharingen [het] Lorraine

lotie [de^v] ⟨natuurk⟩ washing

loting [de^v] drawing lots ♦ ***bij/door** loting aanwijzen* select/determine by drawing lots; ***bij/door** loting toewijzen* assign/appoint by lot

lotion [de] [1] ⟨haar-, gezichtswater⟩ lotion, wash ♦ ***vochtinbrengende** lotion* moisturizing lotion [2] ⟨haarwassing⟩ shampoo

lotje [•] *hij is van lotje getikt* he is barmy/batty/nuts/dotty, he has bats in the belfry, he is off his rocker

lotsbedeling [de^v] lot, portion, destiny

lotsbeschikking [de^v] fate, lot, fortune

lotsbestel [het] fate

lotsbestemming [de^v] fate, destiny, lot

lotsverandering [de^v] turn of fate, vicissitudes (of fortune), chance of luck

lotsverbetering [de^v] improvement in one's lot

lotsverbonden [bn] solidary

lotsverbondenheid [de^v] solidarity, sympathy

lotswisseling [de^v] change of fortune, vicissitudes (of fortune)

¹lotto [het] ⟨kienspel⟩ bingo, ⟨kinderspel⟩ lotto

²lotto [het, de^m] ⟨loterij⟩ lottery

lottoballetje [het] ⟨bij loterij⟩ lottery ball, ⟨bij kienen⟩ counter

lottobiljet [het] lottery ticket

lottobulletin [het] lottery ticket

lottoformulier [het] ⟨wat men invult⟩ lottery form, ⟨wat men als bewijs ontvangt⟩ pay slip

lottokaart [de] bingo/lotto card

lottospel [het] [1] ⟨kienspel⟩ bingo, ⟨kinderspel⟩ lotto [2] ⟨kaarten, nummers⟩ set of bingo/lotto cards and counters

lottotrekking [de^v] lottery draw/^Adrawing

lotus [de^m] [1] ⟨waterlelie⟩ lotus ♦ ***Indische** lotus* (Indian) lotus, nelumbo [2] ⟨klaver⟩ ⟨lotus corniculatus⟩ lotus, bird's-foot trefoil

lotusbloem [de] [1] ⟨bloem van de lotus⟩ lotus (flower) ♦ ***heilige** lotusbloem* (Indian/sacred) lotus, nelumbo; ***witte** lotusbloem* white lotus [2] ⟨lotus⟩ lotus

lotusboom [de^m] lotus tree

lotuseffect [het] lotus effect

lotuseter [de^m] lotus-eater

lotushouding [de^v] lotus position

lotusvoeten [de^mv] lotus feet

lou [bw] ⟨inf⟩ nothing, little ♦ *lou **loene**!* nothing doing!, forget it!, no dice!

louche [bn] shady, suspect, suspicious(-looking), louche ♦ *een louche **type*** a shady/louche character; *louche **zaken*** shady/louche business

loudspeaker [de^m] loudspeaker

louis d'or [de^m] ⟨gesch⟩ louis (d'or)

lounge [de^m] lounge

loungebank [de] lounge sofa

loungeclub [bn] lounge club

loungemuziek [de^v] lounge music

loungen [onov ww] lounge, relax in a pleasant environment

¹louter [bn] [1] ⟨enkel⟩ sheer, pure, ⟨niet meer dan⟩ mere, bare ♦ *hij doet het uit louter **medelijden*** he does it purely out of compassion; *door een louter **toeval**, het was louter **toeval*** by pure coincidence, it was pure coincidence [2] ⟨puur⟩ pure, sheer, unmixed ♦ *van louter **plezier*** out of sheer pleasure; *louter **zilver*** pure silver

²louter [bw] ⟨slechts⟩ purely, merely, only ♦ *het heeft louter **praktische** waarde* it has only practical value; *louter bij **toeval*** by mere chance, by the merest coincidence, purely by accident

louteren [ov ww] [1] ⟨fig⟩ purify, chasten, ennoble, refine ♦ *door **tegenspoed** gelouterd* chastened by adversity; *de louterende **werking** van iets* the chastening/purifying influence of sth. [2] ⟨m.b.t. metalen⟩ purify, refine

loutering [de^v] purification, catharsis, ⟨fig⟩ chastening

louteringsberg [de^m] Purgatory

louvredeur [de] louvred/^Alouvered door

louwmaand [de] January

love [de] ⟨tennis⟩ love

lovegame [de^m] ⟨tennis⟩ love game

lovehandles [de^{mv}] love handles, spare tyre
loven [ov ww] [1] ⟨prijzen⟩ praise, commend, laud, applaud, celebrate ♦ *iemands **ijver** loven* praise/commend s.o.'s diligence; *iemand **om** iets loven* praise s.o. for sth.; *iemand **zeer/ten zeerste/bijzonder** loven* commend s.o. highly, give s.o. high praise [2] ⟨m.b.t. God⟩ praise, bless, glorify ♦ *looft de **Heer*** praise the Lord [3] ⟨te koop aanbieden⟩ ♦ *loven en **bieden*** bargain, haggle
lovend [bn, bw] laudatory, approving, ⟨alleen na zelfstandig naamwoord⟩ full of praise ♦ *een lovende **recensie/bespreking*** a favourable review; *lovend over iemand **spreken*** speak well of s.o., extol s.o.'s virtues
lovenswaardig [bn, bw] laudable ⟨bw: laudably⟩, commendable, praiseworthy ♦ *een lovenswaardig **initiatief*** a commendable initiative
[1]**lover** [het] [1] ⟨lovertje⟩ → **lovertje** [2] ⟨gebladerte⟩ foliage, leafage, verdure ♦ *het lover van het **park*** the foliage of the park
[2]**lover** [de] ⟨geliefde⟩ lover
loverboy [de^{m}] loverboy
lovergirl [de^{v}] lovergirl
lovertje [het] spangle, paillette, sequin ♦ ***met** lovertjes versieren* (be)spangle
loveseat [de^{m}] love seat
low budget [bn] low-budget
low care [de] low care
lowcostmaatschappij [de^{v}] no-frills airline, low-cost carrier
low culture [de^{v}] low culture
low five [de^{m}] low five
low key [bw] low key ♦ *zich low key **opstellen*** keep a low profile
low profile [bn] low-profile
lowrider [de^{m}] [1] ⟨auto⟩ low-rider [2] ⟨fiets⟩ low-rider
loxodroom [de^{m}] ⟨aardr⟩ rhumb (line), loxodrome
loyaal [bn, bw] loyal ⟨bw: ~ly⟩, faithful, steadfast, true, sincere ♦ *zich loyaal **gedragen*** act loyally/faithfully; *een loyale **medewerking*** loyal cooperation; ***niet** loyaal* disloyal, unfaithful; *loyaal met iemand **omgaan*** be loyal to s.o.; *een loyaal **persoon/monarchist*** a trueblue, a trueblue monarchist
loyalisme [het] loyalism
loyalist [de^{m}] ⟨pol⟩ loyalist
loyaliteit [de^{v}] loyalty, constancy, fidelity, steadfastness ♦ ***gebrek** aan loyaliteit* disloyalty, inconstancy
loyaliteitsverklaring [de^{v}] declaration/pledge of loyalty
loyaltyprogramma [het] loyalty programme/^{A}program
[1]**lozen** [ov ww] [1] ⟨uit het lichaam verwijderen⟩ ⟨urine⟩ pass, discharge, ⟨uitwerpselen⟩ evacuate, drain off ♦ *zijn **water** lozen* pass/make water; *zijn **zaad** lozen* ejaculate [2] ⟨zich ontdoen van⟩ get rid of, send off, dump, unload, bundle off ♦ *gelukkig heb ik hem **kunnen** lozen* fortunately I was able to get rid of him/lose him
[2]**lozen** [ov ww, ook abs] ⟨m.b.t. water⟩ drain, empty ♦ *lozen **in/op** de zee* discharge into the sea
lozing [de^{v}] [1] ⟨m.b.t. vloeistoffen⟩ draining (off), discharge, drainage ♦ ***illegale** lozingen van olie/afvalstoffen* illegal dumping of oil/waste materials [2] ⟨m.b.t. het lichaam⟩ evacuation, emptying, voidance, passing [3] ⟨plaats van lozing⟩ discharge point, outlet
lozingsrecht [het] discharge right
lp [de] LP
lpg [het] LPG, LP gas ♦ ***op** lpg lopen/rijden* run/drive on LPG; *van benzine **op** lpg overstappen* change/switch from petrol to LPG
lpg-installatie [de^{v}] LPG installation ♦ *een lpg-installatie laten **inbouwen*** have an LPG system/unit installed
lpg-motor [de^{m}] LPG engine/motor
lpg-station [het] LPG station
lpg-tank [de^{m}] LPG tank
lpg-wagen [de^{m}] LPG car
L-plaat [de] ⟨Groot-Brittannië⟩ L-plate, ⟨USA⟩ driver's training plate/sign
ls [afk] (lagere school) primary school
L.S. [afk] (Lectori salutem) to whom it may concern, Dear Sir or Madam
lsd [het] LSD, acid
lt. [afk] (luitenant) Lt
lts [de] (lagere technische school) Junior Technical School
lub [de] frill, ruff(le)
lubben [ov ww] [1] ⟨castreren⟩ castrate, emasculate, ⟨m.b.t. dieren vnl.⟩ geld ♦ *een **paard** lubben* geld a horse [2] ⟨ingewanden wegnemen⟩ clean, gut [3] ⟨overhalen, strikken⟩ lure, inveigle
lubberen [onov ww] hang loosely, flap, flutter
lubberig [bn, bw] puckered, loose
Lucas Luke
lucht [de] [1] ⟨gasmengsel⟩ air ♦ *lucht **inademen*** breathe (in)/inhale air; *doen of iemand lucht **is*** ignore s.o., look right/straight through s.o.; ***polaire** lucht* polar air [2] ⟨dampkring⟩ air ♦ ***door** de lucht vervoeren* airlift; ***in** de lucht vliegen* blow up, explode, go up in the air; ⟨radio/tv⟩ ***in** de lucht zijn/blijven* be/stay on the air; ⟨fig⟩ *er hangt iets **in** de lucht* there is sth. brewing/in the wind/afoot; *er zit onweer **in** de lucht* ⟨ook fig⟩ there is a storm in the air/brewing; *iets **in** de lucht laten vliegen* blow sth. up/to smithereens; ⟨fig⟩ *dat plan hangt nog te veel **in** de lucht* this scheme is still too (much) up in the air; *zijn armen van afgrijzen **in** de lucht gooien* throw up one's hands in horror; ⟨fig⟩ *als het niet nader wordt beargumenteerd, blijft dat punt **in** de lucht zweven* if not argued better, that point will keep floating in the air; *de lucht **ingaan*** ⟨vliegtuig⟩ take to the air; ⟨radio⟩ go on the air; ***uit** de lucht halen* ⟨vliegtuig e.d.⟩ bring down; ⟨in België; fig⟩ ***uit** de lucht vallen* be dumfounded, be completely taken aback; ⟨fig⟩ ***uit** de lucht komen vallen* appear/come out of the blue/out of thin air; ⟨sport⟩ *een bal **uit** de lucht plukken* pick/snatch a ball out of the air; ⟨in België; fig⟩ *zij kwam **uit** de lucht gevallen* you could have knocked her down with a feather; *een etherpiraat **uit** de lucht halen* take a pirate station off the air; *hoe kom jij zo **uit** de lucht vallen?* where did you sprung from?; ⟨fig⟩ *die bewering is **uit** de lucht gegrepen* that statement is totally unfounded [3] ⟨ingeademde lucht⟩ air ♦ *een beetje **frisse** lucht* a breath of fresh air; *lucht **krijgen*** ⟨lett⟩ get air, breathe; ⟨fig⟩ get room to breathe; ***naar** lucht happen* gasp for breath/air; ***van** de lucht leven* live on air [4] ⟨buitenlucht⟩ air ♦ ***verandering** van lucht zal je goed doen* a change of air will do you good [5] ⟨hemel⟩ sky ♦ *de lucht **betrekt*** the sky is becoming overcast; *de vogels **in** de lucht* the birds of the air; *de luchten van **Ruysdael*** Ruysdael's skies [6] ⟨wolken⟩ ⟨mv⟩ clouds ♦ *er komt een **lelijke** lucht opzetten* threatening clouds are gathering [7] ⟨reuk, geur⟩ smell, scent, odour ♦ ⟨fig⟩ *lucht van iets **krijgen*** sense sth., get wind of sth.; *een merkwaardige lucht **verspreiden*** emit/give off a strange/peculiar smell [•] ***gebakken** lucht* hot air; *aan een overtuiging lucht **geven*** air/vent/give vent to an opinion; ***valse** lucht* (an) air leak(s); *de klachten waren niet **van** de lucht* complaints poured in; *zij is gewoon lucht **voor** hem* he treats her as though she weren't there; ⟨sprw⟩ *één vogel in de hand is beter dan tien in de lucht* a bird in the hand is worth two in the bush; ± better an egg today than a hen tomorrow
luchtaanjager [de^{m}] fan, ventilator, blower
luchtaanval [de^{m}] air attack/raid ♦ *een luchtaanval **uitvoeren** op een doel* bomb a target, carry out an airborn attack on a target
luchtacrobaat [de^{m}] [1] ⟨in een vliegtuig⟩ stunt flyer/flier [2] ⟨aan een zweefrek⟩ trapeze artist, ⟨AE⟩ aerialist
luchtacrobatiek [de^{v}] aerobatics, stunt flying

luchtafweer [de^m] [1] ⟨het afweren⟩ anti-aircraft defence [2] ⟨geschut⟩ anti-aircraft/AA guns
luchtafweerbatterij [de^v] anti-aircraft battery
luchtafweergeschut [het] anti-aircraft guns, flak
luchtafweerraket [de] anti-aircraft missile
luchtalarm [het] air-raid alarm/warning/siren, (air-raid) alert ♦ *het **einde** van het luchtalarm **geven*** sound the 'all clear' (signal); *luchtalarm **geven*** sound air-raid warnings; *er **is** drie keer luchtalarm **geweest*** the air-raid warning/siren has sounded three times; ***tijdens** (het) luchtalarm* during an air-raid alert
luchtballon [de^m] [1] ⟨luchtvaartuig⟩ (hot air) balloon ♦ *een **bestuurbare** luchtballon* a dirigible (balloon) [2] ⟨kinderspeelgoed⟩ balloon
luchtband [de^m] pneumatic tyre/^{A}tire
luchtbasis [de^v] air base
luchtbed [het] air bed/mattress, inflatable bed, ⟨BE⟩ Lilo
luchtbel [de] air bubble/bell
luchtbelwaterpas [het] spirit-level
luchtbescherming [de^v] [1] ⟨maatregelen⟩ air-raid protection/precautions [2] ⟨dienst⟩ air-raid defence/^{A}defense service
luchtbevochtiger [de^m] humidifier
luchtbevrachting [de^v] ⟨luchtv⟩ air freight(ing)
luchtbeweging [de^v] movement of the air, wind
luchtbezoedeling [de^v] ⟨in België⟩ air pollution
luchtblaas [de] (air) bubble, ⟨in vaste stof ook⟩ air cavity, ⟨in leiding, pomp enz.⟩ air lock
luchtbombardement [het] aerial bombardment, ⟨inf⟩ air raid
luchtborst [de] ⟨med⟩ pneumothorax
luchtbrug [de] [1] ⟨verbinding via luchtverkeer⟩ airlift ♦ *een luchtbrug **openen** op Engeland* start an airlift to England; ***per** luchtbrug **vervoeren*** airlift [2] ⟨brugverbinding⟩ overhead/elevated bridge
luchtbuis [de^m] [1] ⟨trachee⟩ trachea [2] ⟨pijp waardoor men lucht toevoert⟩ air pipe/tube
luchtbuks [de] air gun
luchtbus [de] air bus
luchtcamera [de] aerial camera
luchtcirculatie [de^v] air circulation
luchtcorridor [de^m] air corridor
luchtdeeltje [het] particle of air, aerial particle
luchtdefilé [het] ⟨luchtv, mil⟩ ⟨BE⟩ fly-past, ⟨AE⟩ flyby, ⟨AE⟩ flyover
luchtdemping [de^v] air damping
luchtdeur [de] air door
luchtdicht [bn, bw] airtight ⟨bw: ~ly⟩, hermetic(al) ♦ *iets luchtdicht **afsluiten*** seal sth. hermetically, make sth. airtight; *een luchtdichte **sluiting*** an hermetic seal; *luchtdicht **verpakt*** hermetically packed
luchtdichtheid [de^v] [1] ⟨meteo⟩ air/atmospheric density [2] ⟨techn⟩ airtightness
luchtdoelartillerie [de^v] anti-aircraft artillery, flak
luchtdoelraket [de] anti-aircraft missile
luchtdoop [de^m] maiden/first flight ♦ *zijn luchtdoop **krijgen/ondergaan*** make one's maiden flight
luchtdoorlatend [bn] breathable
luchtdruk [de^m] [1] ⟨m.b.t. de dampkringslucht⟩ (atmospheric) pressure, air pressure ♦ *een gebied van **hoge/lage** luchtdruk* a ridge of high pressure/a trough of low pressure, an area of high/low pressure [2] ⟨druk door de lucht uitgeoefend⟩ air pressure, ⟨ontploffing⟩ blast
luchtdrukboor [de] pneumatic drill
luchtdrukgeweer [het] air gun
luchtdrukpistool [het] air pistol
luchtdrukrem [de] ⟨verk⟩ air/pneumatic brake
luchtembolie [de^v] air embolism
[1]**luchten** [onov ww] ⟨aan de buitenlucht blootgesteld zijn⟩ air ♦ *een kleed te luchten **hangen*** hang the dress out to air
[2]**luchten** [ov ww] [1] ⟨aan frisse lucht blootstellen⟩ air, ventilate ♦ ***gevangenen** luchten* give prisoners an airing/a breath of fresh air; *de **kamers** luchten* air/ventilate the rooms; ***kleren** luchten* air clothes [2] ⟨uiten⟩ air, vent, give vent to, ventilate ♦ *zijn **hart** luchten* open up/pour out one's heart, relieve one's feelings [3] ⟨geuren met⟩ air, show off, parade [4] ⟨jacht⟩ scent [•] *zij **kunnen** elkaar niet luchten (of zien)* they hate the sight of one another, they can't stand the sight of one another; ↓ they hate each other's guts; *iemand/iets niet **kunnen** luchten (of zien)* hate the sight of s.o./sth.
luchter [de^m] [1] ⟨kandelaar⟩ candelabrum [2] ⟨lichtkroon⟩ chandelier
luchteskader [het] air/aerial squadron
luchtfietser [de^m] ⟨inf⟩ dreamer
luchtfietserij [de^v] dreaming, fantasizing
luchtfilter [het, de^m] air filter/cleaner
luchtfoto [de] [1] ⟨uit de lucht genomen foto⟩ aerial photo(graph), aerial view [2] ⟨röntgenfoto⟩ (pneumo)encephalogram
luchtfotograaf [de^m] air/aerial photographer
luchtfotografie [de^v] aerial photography
luchtgaatje [het] [1] ⟨ventilatieopening⟩ vent(-hole) [2] ⟨scherts; m.b.t. kapotte kleding⟩ ⟨ogm⟩ hole ♦ *er zitten luchtgaatjes **in** je trui* you can see the daylight through your sweater
luchtgas [het] air gas
luchtgekoeld [bn] air-cooled
luchtgesteldheid [de^v] [1] ⟨gesteldheid van de atmosfeer⟩ atmospheric condition ♦ ⟨meteo⟩ *de **algemene** luchtgesteldheid* the general atmospheric conditions [2] ⟨klimaat⟩ climate
luchtgevecht [het] dogfight
luchtgeweer [het] air gun, air rifle
luchtgolf [de] airwave
lucht-grondraket [de] air-to-ground missile, air-to-surface missile
luchthamer [de^m] pneumatic/air hammer
luchthartig [bn, bw] light-hearted ⟨bw: ~ly⟩, carefree, casual, flippant, airy ♦ *luchthartig over iets **heenstappen*** dismiss sth. light-heartedly/lightly; *op luchthartige **toon*** in a light-hearted/flippant tone
luchthartigheid [de^v] light-heartedness, casualness, nonchalance
luchthaven [de] airport ♦ ***op** de luchthaven Heathrow* at Heathrow airport
luchthavenbelasting [de^v] airport tax
luchthavengebouw [het] (air) terminal, airport building
luchthavenpolitie [de^m] airport police
[1]**luchtig** [bn] [1] ⟨niet compact⟩ light, airy ♦ *luchtig **gebak*** light pastry [2] ⟨m.b.t. kleren⟩ light, cool, thin ♦ *een luchtig **bloesje*** a light blouse/shirt [3] ⟨fris⟩ airy ♦ *een luchtig **vertrek*** an airy room
[2]**luchtig** [bn, bw] [1] ⟨niet ernstig⟩ airy ⟨bw: airily⟩, light-hearted, flippant, breezy ♦ *iets luchtig **opvatten*** treat sth. light-heartedly/lightly, make light of sth.; *een luchtig **romannetje*** a light-hearted little novel; *iets op luchtige **toon** meedelen* announce sth. casually; *'ja hoor', **zei** ze luchtigjes* 'oh yes', she said breezily/airily [2] ⟨licht⟩ airy ⟨bw: airily⟩, vivacious, light ♦ *luchtig **gekleed*** dressed lightly; *ergens luchtig overheen **lopen*** skate/skim over sth.
luchtigheid [de^v] [1] ⟨luchthartigheid⟩ airiness, light-heartedness, flippancy, breeziness [2] ⟨lichtheid⟩ lightness [3] ⟨frisheid⟩ airiness
luchtinfanterie [de^v] airborne infantry
luchtinfectie [de^v] aerial/airborne infection
luchtinlaat [de^m] air scoop/intake
luchtje [het] smell, scent, odour ♦ ⟨fig⟩ *aan dat zaakje zal wel een luchtje **zitten*** there's bound to be sth. fishy about it;

een ***lekker*** *luchtje* a pleasant smell; ⟨fig⟩ *een verhaal* ***met*** *een luchtje eraan* a fishy story; *een* ***vreemd*** *luchtje* a strange odour; *er zit een luchtje aan* it smells; ⟨fig ook⟩ there is sth. fishy about it [•] *een luchtje* ***scheppen*** take/get a breath of fresh air, get a bit of fresh air
luchtkabel [de^{m}] [1] ⟨van luchtspoorweg⟩ aerial cable [2] ⟨van elektrische leiding⟩ overhead cable
luchtkamer [de] ⟨techn⟩ air chamber
luchtkanaal [het] air duct/channel
luchtkartering [de^{v}] aerial survey(ing)
luchtkasteel [het] castle in the air, daydream, illusion ♦ *luchtkastelen* ***bouwen*** build castles in the air/Spain; *dat* ***zijn*** *maar luchtkastelen* they're only castles in the air
luchtklep [de] air valve
luchtkoeling [de^{v}] air cooling ♦ *een motor* ***met*** *luchtkoeling* an air-cooled engine/motor
luchtkoker [de^{m}] air/ventilating shaft, funnel
luchtkolom [de] air column
luchtkus [de^{m}] air kiss
luchtkussen [het] [1] ⟨met lucht gevuld kussen⟩ air cushion/pillow [2] ⟨m.b.t. een voer-, vaartuig⟩ air cushion [3] ⟨lucht in een vloeistofleiding⟩ air lock
luchtkussenboot [de] hovercraft
luchtkussentrein [de^{m}] hovertrain
luchtkussenvaartuig [het] ⟨BE⟩ hovercraft, ⟨AE⟩ air cushion vehicle, ⟨AE⟩ ACV, ⟨AE⟩ hydroskimmer
luchtkuur [de] air-cure, fresh-air cure, ⟨med⟩ aerotherapeutics
luchtlaag [de] layer of air, ⟨meteo⟩ aerial stratum ♦ ***isolerende*** *luchtlagen* insulating layers of air
luchtlanding [de^{v}] airborne landing
luchtlandingstroepen [de^{mv}] airborne troops
luchtledig [bn] vacuous, exhausted/void of air ♦ ⟨fig⟩ *in* ***het*** *luchtledige kletsen* talk hot air; *een ruimte luchtledig* ***maken*** create a vacuum; *een luchtledige* ***ruimte*** a vacuous space, a vacuum
luchtlek [het] leak/escape of air
luchtlijn [de] airline
luchtmacht [de] air force ♦ *de* ***Amerikaanse*** *luchtmacht* the U(nited) S(tates) Air Force/USAF; ***officier bij*** *de luchtmacht* air-force officer; *de* ***Koninklijke*** *luchtmacht* the Royal Air Force/RAF
luchtmachtbasis [de^{v}] air(-force) base
luchtmachtdivisie [de^{v}] air-force/airborne division
luchtmatras [het, de] ⟨in België⟩ air bed/mattress, inflatable bed, ⟨BE⟩ Lilo
luchtmeter [de^{m}] ⟨techn⟩ aerometer
luchtmobiel [bn] airborne ♦ *luchtmobiele* ***brigade*** airborne brigade
luchtmonster [het] air/atmospheric sample ♦ *luchtmonsters* ***nemen*** *om de mate van SO_2-verontreiniging vast te kunnen stellen* take air/atmospheric samples to determine the level of SO_2 pollution
luchtnet [het] airline system, air network
luchtoffensief [het] air offensive, airborne attack
luchtoorlog [de^{m}] air/aerial war, war in the air, ⟨alg⟩ air/aerial warfare
luchtoperatie [de^{v}] air operation
luchtopname [de] [1] ⟨opname vanuit de lucht⟩ aerial photograph, ⟨inf⟩ aerial photo/shot/picture [2] ⟨het opnemen van lucht⟩ air intake
luchtpijp [de] windpipe, trachea
luchtpiraat [de^{m}] air pirate, skyjacker
luchtpiraterij [de^{v}] air piracy, skyjacking
luchtplankton [het] aerial/airborne plankton
luchtpomp [de] [1] ⟨werktuig om lucht te verdunnen⟩ air/pneumatic pump [2] ⟨perspomp⟩ pump
^{1}**luchtpost** [het] [1] ⟨luchtpostpapier⟩ airmail paper [2] ⟨uitgaven van luchtpostzegels⟩ ⟨mv⟩ airmail editions
^{2}**luchtpost** [de] ⟨postvervoer⟩ airmail, airpost ♦ *een pakje* ***per*** *luchtpost verzenden* send a parcel by air(mail), airmail a parcel
luchtpostblad [het] air letter, aerogram(me)
luchtpostbrief [de^{m}] air(mail) letter
luchtpostpapier [het] airmail paper
luchtposttarief [het] airmail rate
luchtpostzegel [de^{m}] airmail stamp
luchtpostzending [de^{v}] airmail packet
luchtramp [de] air disaster
luchtrecht [het] [1] ⟨recht m.b.t. verkeer in de lucht⟩ aviation law [2] ⟨luchtport⟩ airmail postage
luchtreclame [de] aerial/sky advertising
luchtregeling [de^{v}] air conditioning
luchtreis [de] air voyage/trip ♦ *een luchtreis* ***maken*** make an air trip/a trip by plane
luchtreiziger [de^{m}] air traveller
luchtrooster [het, de^{m}] ⟨auto⟩ ventilator, ⟨vóór auto⟩ grill(e), ⟨muur⟩ wall ventilator
luchtroute [de] air route, airway
luchtruim [het] [1] ⟨dampkring⟩ atmosphere ♦ *het luchtruim* ***kiezen*** take off, take to the air [2] ⟨als territoriaal gebied⟩ airspace, air ♦ *het luchtruim* ***schenden*** violate (a nation's) airspace
luchtschip [het] airship, dirigible, ⟨klein⟩ blimp
luchtschommel [de^{m}] swing, ⟨bootje⟩ swingboat
luchtschroef [de] (aircraft) propeller, ⟨BE ook⟩ airscrew
luchtshow [de^{m}] air show
luchtslag [de^{m}] air/aerial battle
luchtslang [de] air hose
luchtsluis [de] air lock
luchtspiegeling [de^{v}] mirage, fata morgana
luchtspion [de^{m}] (pilotless) reconnaissance plane
luchtspoorweg [de^{m}] elevated/overhead/aerial railway, elevated/overhead/aerial ^{A}railroad
luchtsport [de] air sport
luchtsprong [de^{m}] caper ♦ *luchtsprongen* ***maken*** leap/dance about, cut capers; *een luchtsprong* ***maken*** *van plezier* jump (in the air) for joy
luchtsteward [de^{m}], **luchtstewardess** [de^{v}] ⟨man⟩ steward, ⟨vrouw⟩ stewardess, ⟨vrouw⟩ air hostess
luchtstewardess [de^{v}] → **luchtsteward**
luchtstoring [de^{v}] ⟨vaak mv⟩ atmospherics, static, ⟨techn ook⟩ strays
luchtstreek [de] zone, region ♦ *de* ***gematigde*** *luchtstreken* the temperate zones/regions/climates
luchtstrijdkrachten [de^{mv}] air force
luchtstroom [de^{m}] air current, flow of air ♦ *een* ***koude*** *luchtstroom* a cold/chilly current/stream of air; *een* ***sterke*** *luchtstroom* a blast/strong current of air
luchttaxi [de^{m}] air taxi, taxiplane
luchtteken [het] air sign
luchttoevoer [de^{m}] air supply, supply of air
luchttoren [de^{m}] air shaft
luchttorpedo [de] aerial torpedo
luchttransport [het] air/aerial transport
luchttrilling [de^{v}] air/aerial vibration
luchttunnel [de^{m}] wind tunnel
luchtvaarder [de^{m}] aeronaut
luchtvaart [de] aviation, flying ♦ *de* ***civiele/militaire*** *luchtvaart* civil/military aviation
luchtvaartdienst [de^{m}] Civil Aviation Authority
luchtvaartgeneeskunde [de^{v}] aeromedicine, air medicine
luchtvaartmaatschappij [de^{v}] airline (company) ♦ *de* ***Koninklijke*** *Luchtvaartmaatschappij* Royal Dutch Airlines, KLM
luchtvaartmuseum [het] aviation museum
luchtvaartschool [de] aviation/flight/flying school
luchtvaartshow [de^{m}] air show
luchtvaarttechniek [de^{v}] aeronautical engineering

luchtvaartterrein [het] 1 ⟨strook grond⟩ airfield 2 ⟨alles m.b.t. de luchtvaart⟩ aviation field
luchtvaartuig [het] aircraft
luchtvaartverdrag [het] aviation treaty/agreement
luchtvaartverkeer [het] air traffic
luchtveer [de] air spring
luchtverbinding [de^v] airlink ◆ *een geregelde luchtverbinding onderhouden met Zuid-Amerika* have regular flights to South America
luchtverdediging [de^v] air defence
luchtverdeling [de^v] air/atmospheric distribution
luchtverfrisser [de^m] air freshener ◆ *een luchtverfrisser in de wc* an air freshener in the lavatory/^A bath room
luchtvering [de^v] pneumatic/air suspension ◆ *een touringcar met luchtvering* a coach fitted with pneumatic/air suspension
luchtverkeer [het] air traffic
luchtverkeersleider [de^m] air traffic controller
luchtverkeersleiding [de^v] air traffic control
luchtverkenning [de^v] air/aerial reconnaissance
luchtverontreiniging [de^v] air pollution
luchtverplaatsing [de^v] displacement of air, air displacement
luchtverschijnsel [het] atmospheric phenomenon
luchtververser [de^m] air freshener, ⟨ventilator⟩ ventilator, ⟨elektrisch toestel⟩ extractor (fan)
luchtverversing [de^v] ventilation
luchtvervoer [het] air transport, transport by air
luchtvervuiling [de^v] air pollution
luchtverwarming [de^v] air heating
luchtvloot [de] 1 ⟨verzameling luchtvaartuigen⟩ air fleet 2 ⟨luchtvaartuigen van een land, maatschappij⟩ air fleet
luchtvochtigheid [de^v] atmospheric humidity
luchtvoertuig [het] ⟨BE⟩ hovercraft, ⟨AE⟩ air cushion vehicle, ⟨AE⟩ ACV
luchtvracht [de] air cargo/freight
luchtvrachtbrief [de^m] air(way) bill, air (freight) consignment note/bill
luchtwaardig [bn] airworthy
luchtwaardigheidsbewijs [het] certificate of airworthiness
luchtwacht [de] air surveillance, ⟨mil⟩ enemy aircraft warning service
luchtwapen [het] air force
luchtwasser [de^m] air cleaner, airwasher
luchtweerstand [de^m] drag, air resistance ◆ *de luchtweerstand* ***overwinnen*** overcome the air resistance
luchtweg [de^m] 1 ⟨mv; organen⟩ airways, bronchial tubes, bronchi 2 ⟨weg door de lucht⟩ airway, air route
luchtwortel [de^m] ⟨biol⟩ aerial root
luchtwortelboom [de^m] rhizophora
luchtzak [de^m] 1 ⟨valwind⟩ air pocket/hole ◆ ***in*** *een luchtzak terechtkomen* fly into/find o.s. in an air pocket/hole 2 ⟨blaas met lucht⟩ air bladder 3 ⟨longzak bij vogels⟩ air sac 4 ⟨luchtbel in een pijpleiding⟩ air lock/pocket
luchtziek [bn] airsick
luchtziekte [de^v] airsickness ◆ *snel last hebben van luchtziekte* be susceptible to airsickness
luchtzoen [de^m] air kiss
luchtzoenen [ww] air-kiss
luchtzuiger [de^m] extractor fan
luchtzuiging [de^v] backwash
luchtzuiverend [bn] ventilating, air purifying/cleaning ◆ *de luchtzuiverende* ***werking*** *van bomen* the air-purifying function of trees
luchtzuivering [de^v] purification of the air
luchtzuiveringsinstallatie [de^v] air cleaner/purifier
lucide [bn] lucid ◆ *lucide* ***ogenblikken*** lucid intervals
luciditeit [de^v] ludicity
lucifer [de^m] ⟨staafje met zwavelkopje⟩ match ◆ *een* ***afgebrande*** *lucifer* a dead match; *een* ***doosje*** *lucifers* a box of matches; *ergens een lucifer bij* ***houden*** put a match to sth.
Lucifer [de^m] ⟨engel⟩ Lucifer, Satan
lucifersdoosje [het] matchbox
lucifershouder [de^m] matchholder
lucifershout [het] matchwood
lucifershoutje [het] matchstick ◆ *afknappen* ***als*** *luciferstoutjes* break like a matchstick
luciferskop [de^m] matchhead
lucifersmerk [het] matchbox label
lucifersstokje [het] matchstick
lucky loser [de^m] ⟨sport⟩ lucky loser
lucky ten [de^m] type of lottery in which (a maximum of) ten out of twenty numbers must be correctly predicted and which are drawn by a notary every day
lucratief [bn, bw] lucrative ⟨bw: ~ly⟩, gainful, profitable ◆ *een lucratieve* ***aanbieding*** a lucrative offer; *een lucratief* ***baantje*** a lucrative job
lucullisch [bn] Lucull(i)an, lavish, luxurious
lucullus [de^m] epicure, gourmet, gourmand
lucullusmaal [het] Lucullian banquet
luddisme [het] Luddism
ludiek [bn, bw] playful ⟨bw: ~ly⟩, frivolous ◆ *ludieke* ***protestacties*** happenings; *een ludieke* ***sfeer*** a carnival atmosphere
lues [de] ⟨med⟩ lues
luetisch [bn] luetic
luguber [bn, bw] sinister ⟨bw: ~ly⟩, gruesome, grim, ghastly ◆ *een lugubere* ***grap*** a sick joke; *er luguber* ***uitzien*** look lugubrious; *een lugubere* ***vondst*** a lugubrious/sinister discovery
¹**lui** [de^mv] people, folk ◆ *de* ***kleine*** *luiden* ordinary people; *zijn* ***ouwe*** *lui* his old folks/parents; *dat zijn* ***vervelende*** *lui* they are annoying/boring people ▪ ⟨sprw⟩ *al ziet men de lui, men kent ze niet* ± a fair face may hide a foul heart; ± never judge by appearances; ± appearances are deceiving/deceptive
²**lui** [bn] 1 ⟨afkerig van inspanning⟩ lazy, idle ◆ *zo lui* ***als*** *een varken* bone idle/lazy; *liever lui* ***dan*** *moe zijn* be bone-idle; ⟨inf⟩ *een luie* ***flikker/donder*** a lazy devil, ⟨vnl BE⟩ a lazy tyke; *een lui* ***leven*** *leiden* lead a(n) easy/lazy life; ⟨fig; fin⟩ *een luie* ***markt/beurs*** a dull market; *een lui* ***schepsel*** a lazy/an idle creature; *een luie* ***stoel*** an easy chair; *een luie* ***trap*** easy stairs 2 ⟨laks, geneigd uit te stellen⟩ lazy, indolent ◆ *een luie* ***schrijver*** a lax writer; a hopeless (letter) writer 3 ⟨loom⟩ lazy, slow, heavy
³**lui** [bw] ⟨afkerig van inspanning⟩ lazily ◆ *er lui bij* ***liggen*** lie around lazily, sprawl
luiaard [de^m] 1 ⟨mens⟩ lazybones, sluggard 2 ⟨dier⟩ sloth
luid [bn, bw] loud ⟨bw: ~ly⟩ ◆ *luid en* ***duidelijk*** loud and clear; *luid* ***geschreeuw*** loud shouts/shouting; *kunt u iets luider* ***spreken?*** can you speak a little louder?, can you speak up?; *met luide(r)* ***stem*** in a loud voice; *iemand luid* ***toejuichen*** applaud s.o. loudly; *het geschreeuw* ***werd*** *luider* the shouts/cries were getting louder
¹**luiden** [onov ww] 1 ⟨m.b.t. een klok, bel⟩ sound, ring, ⟨doodsklok⟩ toll ◆ *de* ***klok*** *luidt* the bell is ringing/tolling 2 ⟨m.b.t. woorden⟩ read, run ◆ *luidend* ***als*** *volgt* reading/running as follows; *het verhaal luidt* ***als*** *volgt* the story runs as follows; *haar antwoord luidde ongeveer* ***als*** *volgt* her answer ran sth. like this; ⟨fin⟩ *de* ***hoofdsom*** *luidt in euro's* the principal is in euros; *het antwoord luidt* ***nee/ja*** the answer is no/yes; *althans, zo luidt het* ***verhaal*** at least, so the story goes; *het* ***vonnis*** *luidt ...* the verdict is ...
²**luiden** [ov ww] ⟨de klok in beweging brengen⟩ ring, sound, ⟨doodsklok⟩ toll ◆ *de koster luidt de* ***klok*** the sexton is ringing the bell
luidheid [de^v] loudness

luidkeels [bw] loudly, at the top of one's voice ◆ *luidkeels* ***lachen*** laugh at the top of one's voice; *luidkeels* ***protesteren*** protest loudly; *luidkeels* ***schreeuwen/roepen*** shout loudly; *iets luidkeels* ***verkondigen*** proclaim sth. loudly, peal sth.
luidop [bw] ⟨in België⟩ → **hardop**
luidruchtig [bn, bw] 1 ⟨luid⟩ loud ⟨bw: ~ly⟩ ◆ *een luidruchtig* ***geschreeuw*** loud shouts; *luidruchtig* ***zingen*** sing loudly 2 ⟨veel leven makend⟩ noisy ⟨bw: noisily⟩, boisterous, clamorous, loud(-spoken) ◆ *de klas was* ***erg*** *luidruchtig* the class was very noisy; *een luidruchtige* ***jongen*** a noisy boy
luidspreker [de^m] (loud)speaker ◆ ***dubbele*** *luidsprekers* double loudspeakers
luidsprekerbox [de^m] loudspeaker, ⟨inf⟩ speaker
luier [de] 1 ⟨doek voor baby's⟩ nappy, nappie, napkin, ⟨AE⟩ diaper ◆ ⟨fig⟩ *nog* ***in*** *de luiers zitten* still have children in nappies; *ze heeft al een* ***schone*** *luier aan* she has already had a clean nappy; *een kind een* ***schone*** *luier aandoen* change a baby's nappy; *luiers* ***spoelen*** wash nappies 2 ⟨ontlasting⟩ nappy, nappie, napkin, ⟨AE⟩ diaper ◆ *het kind had vanmorgen een* ***groene*** *luier* the baby had a green nappy this morning
luierbroekje [het] plastic pants
luiercentrale [de] nappy service, ⟨AE⟩ diaper service
luieren [onov ww] (be) idle/lazy, laze ◆ *de hele dag luierend* ***doorbrengen*** laze away the day
luierik [de^m] lazybones
luiermand [de] ⟨mand⟩ baby-linen basket, ⟨kleertjes⟩ baby-linen, layette
luierstoel [de^m] lounge chair, easy chair
luierstof [de] towelling, nappy material, ⟨AE⟩ diaper cloth
luiertas [de] nappy bag, ⟨AE⟩ diaper bag
luieruitslag [de^m] nappy rash, ⟨AE⟩ diaper rash
luierwas [de^m] washing of nappies/^A diapers ◆ *de luierwas* ***doen*** do/wash the (dirty) nappies
luifel [de] 1 ⟨afdak⟩ penthouse, (glass) porch, ⟨zonnescherm⟩ awning ⟨ook van tent⟩ 2 ⟨rand van een hoed, pet⟩ brim, ⟨pet⟩ peak
luifeldak [het] penthouse, lean-to
luifelstok [de^m] awning pole
luiheid [de^v] laziness, idleness
luiigheid [de^v] laziness
luik [het] 1 ⟨schot om een opening te sluiten⟩ hatch ◆ ⟨scheepv⟩ *de luiken* ***schalmen/sluiten*** batten down the hatches 2 ⟨opening in een vloer⟩ trapdoor, ⟨schip⟩ hatch(way) 3 ⟨schot om een kozijnopening te sluiten⟩ shutter ◆ *een huis* ***met*** *luiken voor de ramen* a house with shuttered windows 4 ⟨m.b.t. een tochtscherm, schilderij⟩ panel 5 ⟨in België; deel⟩ part, component, section
Luik [het] Liège
[1]**luiken** [onov ww] ⟨form⟩ ⟨dichtgaan⟩ close
[2]**luiken** [ov ww] ⟨form⟩ ⟨dichtdoen⟩ close
Luikenaar [de^m] inhabitant/native of Liège
Luiker [bn] → **Luiks**
luikgat [het] 1 ⟨door een luik gesloten gat⟩ hatch(way), scuttle 2 ⟨nokgat⟩ scuttle
luikje [het] hatch ◆ *een deur* ***met*** *een luikje* a door with a hatch
luikring [de^m] trapdoor handle
Luiks [bn], **Luiker** [bn, alleen attr] Liège
luilak [de^m] 1 ⟨luiaard⟩ lazybones, sluggard 2 ⟨feest⟩ celebration of the person who is the last one to get up on the Saturday before Pentecost
luilakbol [de^m] sweet roll served hot on the morning of the Saturday before Pentecost
luilakken [onov ww] 1 ⟨luieren⟩ (be) idle, laze 2 ⟨lang uitslapen⟩ have a long lie-in 3 ⟨luilak vieren⟩ celebrate the 'luilak' on the Saturday before Pentecost
luilakviering [de^v] celebration of the 'luilak' on the Saturday before Pentecost
luilekker [bn] carefree ◆ *een luilekker* ***leventje*** *leiden* lead a life of ease/the life of Riley
Luilekkerland [het] (land of) Cockaigne, (land of) Cockayne, land of plenty ◆ *je bent hier niet* ***in*** *Luilekkerland* you are not in the promised land here; *men waant er zich* ***in*** *Luilekkerland* it's like being in heaven/paradise
luim [de] 1 ⟨stemming⟩ humour, mood, temper 2 ⟨vrolijkheid⟩ mirth, merriment ◆ ***ernst*** *en luim* solemnity and mirth/merriment 3 ⟨gril⟩ caprice, whim
luimig [bn, bw] 1 ⟨grillig van humeur⟩ capricious ⟨bw: ~ly⟩ 2 ⟨grappig⟩ facetious ⟨bw: ~ly⟩
luipaard [de^m] leopard
luipaardenvel [het] leopard skin
luipaardhaai [de^m] leopard shark
luis [de] 1 ⟨m.b.t. mensen, zoogdieren⟩ louse ◆ *een leven* ***als*** *een luis op een zeer hoofd* a life of ease, the life of Riley; ⟨fig⟩ *een* ***hongerige*** *luis* a greedy person 2 ⟨m.b.t. planten en dieren⟩ ⟨dieren⟩ louse, ⟨planten⟩ aphid ◆ *die plant zit* ***vol*** *luis* that plant is smothered in/covered with pests
luister [de^m] lustre, splendour, glory ◆ *om de gelegenheid luister* ***bij te zetten*** to give added lustre to the occasion; *een gebeurtenis luister* ***bijzetten*** add lustre to an event
luisteraar [de^m], **luisteraarster** [de^v] listener ◆ ***trouwe*** *luisteraars naar dit programma* regular listeners to this programme/^A program
luisteraarster [de^v] → **luisteraar**
luisterboek [het] audio book
luistercabine [de^v] (listening) booth
luisterdichtheid [de^v] listening figures/ratings
luisteren [onov ww] 1 ⟨horen om iets te vernemen⟩ listen ◆ ⟨taalk⟩ *het onderdeel* ***begrijpend*** *luisteren* listening comprehension (section); ⟨radio⟩ ***blijf*** *luisteren!* stay tuned; *luister* ***eens*** listen, say; *luister* ***goed!*** listen and listen good, listen here, now listen; *als je* ***goed*** *luistert, hoor je het* if you listen carefully, you'll hear it; *goed* ***kunnen*** *luisteren* be a good listener; ***naar*** *de radio luisteren* listen to the radio; *even luisteren* ***of*** *de baby al slaapt* listen if the baby is asleep; *zij luisterde* ***of*** *ze zijn auto hoorde* she listened for his car; *zijn oor* ***te luisteren leggen*** keep one's ear to the ground; *met een half oor luisteren* listen with one ear 2 ⟨tersluiks trachten te horen⟩ eavesdrop, listen (in) ◆ ***aan*** *de deur luisteren* listen at the door; ***staan*** *te luisteren* be eavesdropping 3 ⟨aandacht schenken aan⟩ listen, respond ◆ *niet* ***naar*** *iets willen luisteren* not want to listen to/to hear sth.; *de hond luistert* ***naar*** *de naam Tino* the dog answers to the name Tino; ***naar*** *hem wordt toch niet geluisterd* nobody pays any attention to/listens to him anyway 4 ⟨gehoorzamen aan⟩ listen, follow, respond ◆ *luisteren* ***naar*** *goede raad* listen to good advice; *het schip luistert* ***naar*** *het roer* the ship responds/answers to the helm; ***naar*** *de stem van zijn hart luisteren* listen to/follow one's heart ▪ *dat luistert* ***nauw*** that requires precision, it's very precise work
luistergeld [het] radio licence fee
luisterlied [het] song in which the text is the most important element
luistermuziek [de^v] (serious) music
luisteronderzoek [het] ⟨radio⟩ monitoring of audience levels
luisterpop [de^v] easy-listening pop music
luisterpost [de^m] ⟨mil⟩ listening post
luisterrijk [bn, bw] 1 ⟨schitterend⟩ splendid ⟨bw: ~ly⟩, glorious, magnificent, resplendent, glittering ◆ *een luisterrijke* ***optocht*** a magnificent pageant; *iets luisterrijk* ***vieren*** celebrate sth. royally/in style 2 ⟨roemrijk⟩ splendid ⟨bw: ~ly⟩, glorious, illustrious, epic, magnificent ◆ *een luisterrijke* ***overwinning*** a glorious victory
luisterspel [het] radio play
luistertoets [de^m] listening comprehension test
luistervaardigheid [de^v] listening skill
luistervergunning [de^v] radio licence/^A license

luistervink [de] eavesdropper
¹luit [de^m] ⟨inf⟩ ⟨luitenant⟩ ↑ lieutenant ◆ *ja/nee, luit* yes/no, Sir
²luit [de] ⟨muz⟩ lute ◆ *de luit **bespelen*** play the lute
luitenant [de^m] 1 ⟨mil⟩ lieutenant, ⟨adm⟩ Lieut, Lt ◆ *eerste luitenant* ⟨Groot-Brittannië⟩ lieutenant; ⟨USA⟩ first lieutenant; ***tweede** luitenant* ⟨Groot-Brittannië; mar⟩ sub-lieutenant; ⟨bij Britse landmacht en in USA⟩ second lieutenant 2 ⟨wielersp⟩ water-carrier, domestique, second man
luitenant-admiraal [de^m] ⟨mil⟩ Admiral of the Fleet, Fleet Admiral
luitenant-generaal [de^m] ⟨mil⟩ lieutenant-general
luitenant-ingenieur [de^m] ⟨mil⟩ lieutenant in the Corps of Engineers
luitenant-kolonel [de^m] ⟨mil⟩ lieutenant-colonel
luitenantschap [het] ⟨mil⟩ lieutenancy
luitenant-ter-zee [de^m] ⟨mil⟩ lieutenant ◆ *luitenant-ter-zee 3e/2e/1e **klasse*** ⟨Groot-Brittannië⟩ sublieutenant, lieutenant, lieutenant commander; ⟨USA⟩ lieutenant junior grade, lieutenant, lieutenant commander
luitenant-vlieger [de^m] ⟨mil⟩ ⟨Groot-Brittannië; eerste luitenant-vlieger⟩ flying officer, ⟨Groot-Brittannië; tweede luitenant-vlieger⟩ pilot officer, ⟨USA⟩ first lieutenant
luitjes [de^mv] folk(s), people ◆ *de mazzel luitjes!* see you later, gang!
luitouw [het] 1 ⟨klokkentouw⟩ bell-rope 2 ⟨m.b.t. een molen⟩ hoisting rope 3 ⟨m.b.t. een heiblok⟩ hoisting rope
luitspeelster [de^v] → **luitspeler**
luitspel [het] lute-playing
luitspeler [de^m], **luitspeelster** [de^v] ⟨muz⟩ lute-player, lutenist
luiwagen [de^m] (long-handled) scrubbing brush
luiwammes [de^m] ⟨inf⟩ lazybones, sluggard
luiwammesen [onov ww] ⟨inf⟩ laze (about), loaf (about), (be) idle
¹luizen [ov ww] ⟨inf⟩ ⊡ *iemand erin luizen* take s.o. in, play a trick on s.o., trick s.o. into sth.; ⟨verleiden tot een verspreking/vergissing⟩ trip s.o. up
²luizen [ov ww, ook abs] ⟨luizen afvangen⟩ (de)louse
luizenbaan [de] ⟨inf⟩ soft/cushy job, soft/cushy number ◆ *nou, jij **hebt** ook een luizenbaantje* what a cushy job you have
luizenbos [de^m] ⟨scherts⟩ shock, mop
luizencape [de] lice cape, protective coat cover
luizenei [het] nit
luizenkam [de^m] fine-toothed comb
luizenleven [het] ⟨inf⟩ easy life, ⟨sl⟩ cushy life ◆ *een luizenleven **leiden*** have an easy/a cushy life, lead the life of Riley
luizenmarkt [de] ⟨scherts⟩ flea market
luizenmoeder [de^v] mother who checks for lice at primary school
luizenpaadje [het] ⟨inf⟩ ⟨ogm⟩ parting
luizenstreek [de] lousy trick
luizenveer [de] ⟨scherts⟩ ↑ match
luizig [bn] 1 ⟨vol luizen⟩ lousy, full of lice 2 ⟨armoedig⟩ lousy, shabby, cheap, two-bit ◆ *een luizige **boel*** a shabby mess; *zo'n ruzie om een luizig **dubbeltje**!* why argue about a lousy ^B sixpence/^A dime!
luizolder [de^m] hoisting floor
lukken [onov ww] succeed, be successful, work, manage, come off/through, gel ◆ *de cake is **goed** gelukt* the cake turned out well; *die foto is **goed/niet goed** gelukt* that photo has/has not come out well; *en, lukt **het** een beetje?* are you managing?, is it going well?; *het is **mij** gelukt* I did it, I managed; *het is **niet** gelukt* it didn't work/didn't go through, it was no go; *deze keer **moet** het lukken* this time it will work/it has to work; *dat lukt **nooit*** that will never work; *dat lukt je **nooit*** you'll never manage, ↓ you'll never swing that, you'll never bring it off; *de **poging** lukte niet* the attempt failed/was a failure; *het lukte hem **te ontsnappen*** he managed to escape; *de **truc** lukte niet* the idea/stunt/trick didn't work/failed; *het is hem **weer** gelukt* he's done it again/pulled it off again; *het zal **wel** lukken* it'll work; ***wil** dit lukken dan is het nodig ...* if this is to/for this to succeed/work, it is necessary ...; *het **wil** niet erg lukken, nietwaar?* it's not working, is it?; *dat **zal** niet lukken* that won't work
lukraak [bn, bw] haphazard ⟨bw: ~ly⟩, random, chance, wild, hit-or-miss ◆ *lukraak **antwoorden*** give a hit-or-miss answer; *lukrake **opmerkingen*** random comments/remarks; *een lukrake **poging** doen* take a wild shot, make a wild attempt
lul [de^m] 1 ⟨pik⟩ prick, cock, dick, pecker ◆ ⟨fig⟩ *zijn lul **achterna lopen*** ↑ run around in circles; *een **slappe** lul* a drooping prick; *een **stijve** lul hebben* have a hard-on 2 ⟨sul⟩ ⟨sl⟩ prick, shit(head), ass(hole), ⟨sl; BE⟩ twit ◆ *een **ouwe** lul* an old geezer/coot; *een **slappe** lul* ⟨van een man⟩ a gutless bastard/slob; ⟨BE ook⟩ a wally; ***voor** lul staan* stand there like an ass, ↑ stand there like an idiot/a fool; *iemand **voor** lul zetten* make s.o. look/feel a real prick 3 ⟨naarling⟩ bastard, ⟨BE⟩ son-of-a-bitch, ⟨AE⟩ motherfucker ⊡ *hij **is** de lul* he's had it, he copped it, he is for it
lul- ⟨vulg⟩ shitty, crappy ◆ *een **lulargument*** a shitty/crappy argument
lul-de-behanger [de^m] ⟨inf⟩ bungler
lulhannes [de^m] ⟨vulg⟩ ⟨BE⟩ wanker, ⟨AE⟩ jerk(-off)
lulkoek [de^m] ⟨inf⟩ bullshit, rot, ↑ twaddle, ↑ balderdash, ↑ hot air ◆ *lulkoek **verkopen*** talk rot
lullen [onov ww] ⟨inf⟩ (talk) bullshit, shoot the bull/breeze ◆ ***laat** ze maar lullen* just let them bullshit; ***niet** lullen!* cut the crap!; ***niet** lullen maar doen* cut the crap/bull and get down to work; *hij lult maar een eind **raak*** he's full of bull(shit)/crap; *er wordt hier **veel te veel** geluld* there is too much bullshitting going on here
lullensmid [de^m] ⟨stud⟩ short arm inspector
lulletje [het] ⟨inf⟩ ⊡ *een lulletje **rozenwater*** a wally, ± a la(h)-di-da
lullig [bn, bw] ⟨inf⟩ 1 ⟨flauw, onnozel⟩ ⟨bijvoeglijk naamwoord⟩ shitty, (bloody) stupid, pathetic, ridiculous, ⟨bijwoord⟩ in a shitty way ◆ ***doe niet zo lullig*** don't be such a jerk/tit; *ik vind het maar een lullig **gezicht*** I think it looks so stupid; *wat een lullig **smoesje*** what a pathetic excuse 2 ⟨karakterloos⟩ shitty, wet, spineless, yellow-bellied, white livered, weak-kneed ◆ ***dat vind** ik lullig **van** je* I think that's really shitty of you, you're a real shit 3 ⟨vervelend⟩ shitty, rotten, lousy ◆ ***wat** lullig dat je gezakt bent* what shit-awful luck that you failed; *da's ook lullig, nou heb ik de sleutel niet bij me* shit! I forgot/don't have my key
lullo [de^m] dickhead
lulopmerking [de^v] ◆ *wat is dat nou **voor** een lulopmerking!* what a stupid thing to say!
lulpraat [de^m] nonsense
lulverhaal [het] ⟨inf⟩ (piece of) bullshit/crap, (some) stupid bloody story
lumbaal [bn] lumbar ◆ ⟨med⟩ *lumbale **punctie**, lumbaal**punctie*** lumbar puncture; ⟨inf⟩ spinal tap
lumbago [de^m] ⟨med⟩ lumbago
lumbecken [ov ww] ⟨amb⟩ unsewn/perfect binding
lumen [het] 1 ⟨eenheid van lichtsterkte⟩ lumen 2 ⟨holte in een orgaan⟩ lumen 3 ⟨ruimte in een cel⟩ lumen 4 ⟨wijdte van een kanaalopening⟩ lumen
lumenseconde [de] lumen second
luminescent [bn] luminescent
luminescentie [de^v] luminescence
lumineus [bn] brilliant, bright, splendid ◆ *een lumineuze **gedachte*** a bright idea/brain wave/flash (of genius); *een lumineus **idee** krijgen* get a bright/brilliant idea, have/get a brain wave; *op een lumineus **idee** komen* come upon/get a

bright idea

lummel [de^{m}] [1] ⟨pummel⟩ lout, clodhopper, oaf ♦ *zo'n grote lummel als jij moest zich schamen zoiets te doen* (such) a big lump of a fellow like you, you should be ashamed; *een onbeschaafde lummel* an uncivilized lout, a boor [2] ⟨kaartsp; speler⟩ dummy [3] ⟨scheepv⟩ swivel bolt/pin

lummelachtig [bn, bw] loutish ⟨bw: ~ly⟩, clodhopping, oafish

lummelachtigheid [de^{v}] loutishness, loutish behaviour

lummelen [onov ww] [1] ⟨lanterfanten⟩ hang around/about, fool around/about, ⟨vnl BE⟩ muck about/around ♦ *hij heeft de hele dag maar wat **lopen** lummelen* he spent the whole day just hanging around [2] ⟨kaartsp⟩ sit out

lummelig [bn, bw] loutish ⟨bw: ~ly⟩, clodhopping, oafish

lumpsum [de^{m}] lump sum

lunair [bn] lunar

lunapark [het] [1] ⟨pretpark⟩ ⟨BE⟩ fun-fair, ⟨AE⟩ amusement park [2] ⟨cakewalk⟩ fun house

lunarium [het] lunarium

lunaticus [de^{m}] lunatic

lunatie [de^{v}] [1] ⟨tijd⟩ lunation, synodic month [2] ⟨reeks⟩ lunation, synodic month

lunatiek [bn] [1] ⟨maanziek⟩ lunatic [2] ⟨lichtzinnig, grillig⟩ lunatic, crazy

lunch [de^{m}] lunch(eon) ♦ *iemand een lunch **aanbieden*** invite s.o. to/buy s.o. lunch; *een **feestelijke** lunch* a luncheon party; *de lunch **gebruiken*** lunch, have/eat/take lunch(eon); *de lunch **is** om 1 uur* lunch(eon) is (served) at one o'clock; ***tijdens** de lunch* during lunch

lunchbespreking [de^{v}] business lunch

lunchconcert [het] lunch(eon) concert

lunchen [onov ww] lunch, have/eat/take lunch(eon)

lunchpakket [het] packed lunch ♦ *een lunchpakket (voor iemand) **klaarmaken*** make (s.o.) a packed lunch

lunchpauze [de] lunch break

lunchroom [de^{m}] ⟨BE⟩ tearoom, teashop, ⟨AE⟩ ± coffee shop

lunchtheater [het] lunch-time theatre, noon-time theatre

lunchtijd [de^{m}] lunch time

lunchtrommel [de] lunch box

lunchvoorstelling [de^{v}] lunch-time show, noon-time show

lunet [de] [1] ⟨bouwk⟩ lunette [2] ⟨bovenlicht⟩ lunette [3] ⟨vestingwerk⟩ lunette

luns [de] linchpin, axlepin

lunzen [ov ww] put in a linchpin, supply a linchpin

lupine [de] [1] ⟨plantengeslacht⟩ lupin(e) [2] ⟨zaad⟩ lupin(e) s

lupinose [de^{v}] lupinosis

lupuline [de] ⟨scheik⟩ lupulin

lupus [de^{m}] lupus

luren [de^{mv}] [•] *iemand **in** de luren leggen* take s.o. in, take s.o. for a ride, outsmart s.o.; ⟨sl⟩ have s.o. on toast

lurken [onov ww] [1] ⟨zuigen⟩ suck noisily ♦ *hij zat **aan** zijn pijp te lurken* he sat there sucking noisily on his pipe [2] ⟨met kleine teugen drinken⟩ slurp [3] ⟨pruttelend geluid geven⟩ gurgle, slurp, pop

lurven [de^{mv}] ⟨inf⟩ [•] *iemand **bij** zijn lurven krijgen/pakken/vatten* get/have s.o. by the short hairs

lus [de] [1] ⟨deel van een touw, lint⟩ loop, ⟨lasso, strop⟩ noose, ⟨bus, tram⟩ strap ♦ *zich **aan** de lus vasthouden* ⟨in de bus⟩ hold (on to) the strap; ⟨inf⟩ straphang; *iemand/passagier die zich **aan** de lus vasthoudt* ⟨inf ook⟩ straphanger; *een lus in een touw **maken*** make a loop at the end of a/in a rope; *een lusje aan een handdoek **zetten*** put/sew a loop onto a towel [2] ⟨vorm⟩ loop, ⟨mv; van een rivier/pad⟩ meanders ♦ *een lus **beschrijven** met een stok* draw a loop with a stick

lusfilm [de^{m}] (film-)loop

lusitanist [de^{m}] expert at Portuguese, Portuguese specialist

lust [de^{m}] [1] ⟨begeerte, zin⟩ desire, interest, fancy ♦ *de lust **bekroop** haar om ...* she was overtaken by the desire to ...; *iemand de lust tot iets **benemen*** spoil s.o.'s pleasure in/appetite for sth.; ***reislust*** wanderlust; ***tijd** en lust **ontbreken** me om ...* I have neither the time nor the energy to/for ...; *de lust tot lachen **zal** je wel **vergaan*** that'll wipe the smile off your face, you'll be laughing on the other side of your face then [2] ⟨hartstocht⟩ lust, passion, appetite, desire ♦ *zijn lusten **botvieren*** give one's desires/lust free rein; ***dierlijke** lusten* animal desire(s)/passions/lust; *iemands lusten **opwekken*** waken/rouse s.o.'s desire; ***vleselijke** lusten* desires of the flesh, carnal desires, animal lusts [3] ⟨plezier⟩ delight, interest, joy ♦ *werken dat het een (lieve) lust **is*** work with a will; *het **is** een lust haar te zien spelen* it is a joy/delight to see her playing; ⟨handel⟩ *met lusten **en lasten*** with all the joys and burdens/pluses and minuses; *zwemmen is zijn lust en zijn **leven*** swimming is his ruling passion/is meat and drink/all the world to him; *een mens zijn lust is een mens zijn **leven*** one's interests keep one going; *een lust **voor** het oog* a treat/feast for the eye, a sight for sore eyes; *wel de lusten maar niet de lasten willen hebben* want to have the fun but not the trouble [•] ⟨sprw⟩ *geen lusten zonder lasten* (there is) no pleasure without pain

lustbevrediging [de^{v}] sexual satisfaction, ↑ sexual gratification

lusteloos [bn, bw] listless ⟨bw: ~ly⟩, languid, apathetic, lackadaisical, ⟨handel⟩ dull ♦ *er lusteloos bij **zitten*** sit listlessly, be listless

lusteloosheid [de^{v}] listlessness, apathy, langour

lusten [ov ww] like, enjoy, be fond of, have a taste for, care for ♦ *zoveel eten/drinken **als** men lust* eat and drink one's fill/as much as one wants; *ik lust geen **erwtjes*** I don't care for peas; *iets **graag** lusten* be fond of/like sth.; ⟨fig⟩ *iemand **niet** lusten* not care for/be able to bear s.o.; *zij lust haar eten **niet meer*** she has lost her appetite, she's not interested in anything more to eat; *ik zou wel een **pilsje** lusten* I could do with a beer, I wouldn't mind/say no to a beer; ⟨fig⟩ *ik lust hem **rauw*** let me get my hands on him; *ik lust er wel eentje* I wouldn't say no to a drink; ⟨fig⟩ *'we nemen gewoon een tweede hypotheek' 'zo lust ik er nog wel eentje!'* 'we'll just take out a second mortgage' 'tell me another one!'; ⟨fig⟩ *zo lust ik er nog wel een paar!* is that all?, are you finished? [•] *hij zal **ervan** lusten* he's going to catch it (hot)/pay for this; ⟨sprw⟩ *een oude bok lust nog wel een groen blaadje* ± there's life in the old dog yet; ⟨sprw⟩ *wat de een niet lust, daar eet een ander zich dik in* one man's meat is another man's poison

luster [de^{m}] chandelier

lustgevoel [het] sense of pleasure, pleasurable feeling/sensation, lust

lusthof [de^{m}] [1] ⟨bekoorlijk oord⟩ (garden of) Eden, garden of delight, paradise [2] ⟨tuin⟩ pleasure garden/ground

lustig [bn, bw] [1] ⟨vrolijk⟩ cheerful ⟨bw: ~ly⟩, gay, merry, ⟨form⟩ blithe ♦ *er lustig op los **leven*** lead a carefree life; *lustig **zingen*** sing cheerfully [2] ⟨met kracht⟩ lusty ⟨bw: lustily⟩ ♦ *hij **sloeg** er lustig op los* he banged away lustily

lustmoord [de^{m}] sex murder/killing

lustmoordenaar [de^{m}] sex-murderer

lustobject [het] sex object ♦ *zij wil niet steeds als lustobject **beschouwd worden*** she doesn't want to be considered just as a sex object

lustoord [het] idyllic spot, delightful place

lustre [het] [1] ⟨metaalglazuur⟩ lustre [2] ⟨gloed in parels⟩ lustre, orient [3] ⟨stof⟩ lustre

lustreren [ov ww] lustre

lustrum [het] [1] ⟨vijfjarig bestaan⟩ fifth anniversary, lustre, quinquennium ♦ *het **tweede/vijfde** lustrum vieren* celebrate the tenth/twenty-fifth anniversary [2] ⟨viering⟩ fifth/

tenth/fifteenth/... anniversary (celebration)
lustrumcommissie [de^v] fifth/tenth/fifteenth/... anniversary (celebration) committee
lustrumjaar [het] fifth/tenth/... anniversary (year), ⟨alg⟩ quinquennial anniversary (year)
lustslot [het] pleasure/summer mansion
lusvlucht [de] loop
luswikkeling [de^v] lap winding, parallel winding
luteïne [het] lutein
lutetium [het] ⟨scheik⟩ lutetium, lutecium
lutheraan [de^m] Lutheran
lutheranisme [het] Lutheranism
lutherdom [het] 1 ⟨kerk⟩ Lutheran Church 2 ⟨leer⟩ Lutheranism
luthers [bn] 1 ⟨m.b.t. de kerk⟩ Lutheran ♦ ⟨zelfstandig (gebruikt)⟩ *de luthersen* the Lutherans; *de lutherse **gemeente*** the Lutheran congregation; *hij **is** luthers* he is (a) Lutheran; *het lutherse **kerkgenootschap*** the Lutheran denomination 2 ⟨m.b.t. de leer⟩ Lutheran ♦ *de lutherse **Bijbel*** the Lutheran Bible
lutrijn [de^m] ⟨bk⟩ lectern
luttel [bn, bw] ⟨bijvoeglijk naamwoord⟩ little, mere, ⟨bij mv⟩ few, small, slight, inconsiderable, ⟨bijwoord⟩ little ♦ *voor het luttele **bedrag** van tien euro* for a mere/the mere sum of ten euros
luva [de^v] ⟨lid van Luchtmacht Vrouwenafdeling⟩ ⟨Groot-Brittannië⟩ WRAF, ⟨USA⟩ WAF, ⟨Australië⟩ WRAAF
Luva [de^v] (Luchtmacht Vrouwenafdeling) ⟨Groot-Brittannië⟩ WRAF, ⟨USA⟩ WAF, ⟨Australië⟩ WRAAF
[1]**luw** [het] ⟨form⟩ lee, shelter
[2]**luw** [bn] 1 ⟨windvrij⟩ sheltered, protected 2 ⟨zoel⟩ warm, mild
luwen [onov ww] 1 ⟨minder winderig zijn⟩ subside, die/calm down, ⟨vnl BE⟩ quieten down, ⟨vnl AE⟩ quiet down, abate ♦ *zodra de **koopwoede** is geluwd* as soon as the rush to the shops has died down; *de **storm** luwde* the storm died down 2 ⟨bedaren⟩ subside, die/calm down, ⟨vnl BE⟩ quieten down, ⟨vnl AE⟩ quiet down, abate ♦ *het **enthousiasme** is geluwd* (the) enthusiasm has faded
luwte [de^v] 1 ⟨beschutte plaats⟩ lee, shelter ♦ ***in** de luwte van* under the lee of; *hier zitten we **in** de luwte* we are out of the wind here; ⟨fig⟩ ***in** de luwte van de politiek* on the political sidelines 2 ⟨zoelte⟩ warmth, mildness
[1]**lux** [de] 1 ⟨eenheid⟩ lux, metre-candle 2 ⟨licht⟩ light ♦ *lux perpetua* lux perpetua, ⟨ook r-k⟩ eternal light
[2]**lux** [bn, bw] ⟨inf⟩ luxurious ⟨bw: ~ly⟩, sumptuous, ⟨alleen attributief⟩ luxury ♦ *dat **is** wel erg lux* that is rather dear/expensive, ↓ that is rather pricy
luxaflex^MERK [de^m] Venetian blind(s)
luxatie [de^v] ⟨med⟩ 1 ⟨ontwrichting⟩ luxation, dislocation 2 ⟨verplaatsing van de ooglens⟩ (lens) luxation
[1]**luxe** [de^m] luxury ♦ *de **enige** luxe die hij zich permitteert* the only luxury he permits himself; *het zou **geen** (overbodige) luxe zijn* it would be no luxury, it's really necessary; ***in** luxe leven* live in luxury; ***in** luxe grootgebracht zijn* have been brought up in the lap of luxury; *dat **is** een luxe die we ons niet meer **kunnen veroorloven*** that is a luxury we can no longer afford; *soms **permitteert** hij zich de luxe van een dure sigaar* he occasionally indulges in an expensive cigar
[2]**luxe** [bn] luxury, fancy, de luxe ♦ *een luxe **leven** leiden* lead/live a life of luxury; ⟨inf⟩ *een luxe **tent*** a posh/fancy place
luxeartikel [het] luxury article, ⟨mv⟩ luxury goods
luxeauto [de^m] luxury car
luxeband [de^m] ⟨amb⟩ luxury/de luxe binding
luxebelasting [de^v] luxury tax
luxebroodje [het] (fancy) roll
luxe-editie [de^v] de luxe edition, cabinet edition
luxehotel [het] luxury hotel
luxehut [de] luxury/de luxe cabin
luxeleventje [het] ♦ *een luxeleventje **leiden*** live/have/lead the life of Riley
Luxemburg [het] Luxemb(o)urg

Luxemburg	
naam	*Luxemburg* Luxembourg
officiële naam	*Groothertogdom Luxemburg* Grand Duchy of Luxembourg
inwoner	*Luxemburger* Luxembourger
inwoonster	*Luxemburgse* Luxembourger
bijv. naamw.	*Luxemburgs* Luxembourgish
hoofdstad	*Luxemburg* Luxembourg
munt	*euro* euro
werelddeel	*Europa* Europe
int. toegangsnummer 352 www.lu auto L	

Luxemburger [de^m], **Luxemburgse** [de^v] Luxemb(o)urger
Luxemburgs [bn] Luxemb(o)urg, of/from Luxemb(o)urg
Luxemburgse [de^v] → **Luxemburger**
luxepaard [het] 1 ⟨paard⟩ riding horse 2 ⟨persoon⟩ pampered person ⊡ ⟨sprw⟩ *je hebt luxepaarden en werkpaarden* you have fancy/pleasure horses and workhorses
luxeren [ov ww] dislocate
luxe-uitvoering [de^v] luxury/de luxe model
luxezaak [de] luxury goods shop/^Astore
luxmeter [de^m] lux(o)meter, light meter
luxueus [bn, bw] luxurious ⟨bw: ~ly⟩, sumptuous, opulent, plush ♦ *luxueus **ingericht*** luxuriously/sumptuously furnished; *de luxueuze **inrichting** van haar **flat*** her posh/ritzy flat/^Aapartment; *een luxueus **leven** (**leiden**)* (lead/live) a life of luxury
luzerne [de] alfalfa, lucerne
luzernevlinder [de^m] ⟨gele⟩ pale clouded yellow (butterfly), ⟨oranje⟩ clouded yellow (butterfly)
L-vormig [bn, bw] L-shape(d)
LW [afk] (laag water) LW
lyceïst [de^m], **lyceïste** [de^v] ⟨BE⟩ ± grammar school student, ⟨AE⟩ ± high school student
lyceïste [de^v] → **lyceïst**
lyceum [het] 1 ⟨school⟩ ⟨BE⟩ ± grammar school, ⟨AE⟩ ± high school ♦ *op het lyceum **zitten*** be at grammar school/in high school 2 ⟨in België; school⟩ (type of) ^Bsecondary school/^Ahigh school
lychee [de] litchi, lychee
[1]**lycopodium** [de^m] ⟨biol; plant⟩ lycopodium
[2]**lycopodium** [het] ⟨geneesmiddel⟩ lycopodium (powder)
lyddiet [het] lyddite
Lydië [het] Lydia
Lydiër [de^m] Lydian
lydiet [het] lydite, Lydian stone, touchstone
Lydisch [bn] Lydian ♦ ⟨muz⟩ *Lydische **klanksoort*** Lydian mode ⊡ *Lydische **steen*** Lydian stone, lydite, touchstone
lymf [de] → **lymfe**
lymfangioom [het] ⟨med⟩ lymphangioma
lymfatisch [bn] 1 ⟨m.b.t. de lymfe⟩ lymphatic, lymphoid ♦ *lymfatische **reactie*** lymphangitis 2 ⟨m.b.t. het gestel⟩ lymphatic, lymphoid
lymfe [de], **lymf** [de] 1 ⟨weefselvocht⟩ lymph 2 ⟨vloeistof in de lymfklier⟩ lymph 3 ⟨vaccin⟩ vaccine lymph
lymfklier [de] lymph node/gland
lymfocyt [de^m] lymphocyte
lymfografie [de^v] lymphography, lymphangiography
lymfosarcoom [het] ⟨med⟩ lymphosarcoma
lymfspleet [de] ± lymph sac
lymfvat [het] lymphatic, lymphatic vessel
lymfvatenstelsel [het] lymphatic system
lynchen [ov ww] lynch
lynchgerecht [het] lynch law
lynchpartij [de^v] hanging party

lynx [de^{m}] ⟨zoogdier⟩ lynx
Lynx [de^{m}] ⟨astron⟩ Lynx
lynxoog [het] eye of a lynx, ⟨fig⟩ eagle eye ◆ *hij **had** lynxogen* he was lynx-eyed/sharp-sighted
lyofilisatie [de^{v}] lyophilization, freeze-drying
Lyon [het] Lyons, Lyon
Lyonees [bn] (of/from) Lyons
lyra [de^{m}] lyre
lyricus [de^{m}] lyric(al) poet, lyr(ic)ist
lyriek [de^{v}] [1] ⟨dichtsoort⟩ lyric(al) (poetry) [2] ⟨karakter⟩ lyricism ◆ *de lyriek van haar **stijl*** her lyrical style
lyrisch [bn, bw] [1] ⟨tot de lyriek behorend⟩ lyric(al) ◆ *lyrische **poëzie*** lyric poetry [2] ⟨emotioneel⟩ lyrical ◆ *lyrisch (over iets) **worden*** wax lyrical (about sth.)
lyrisme [het] [1] ⟨dichterlijke vlucht⟩ lyricism [2] ⟨gezwollenheid⟩ lyrical quality
lysergamide [het] lysergamide
lysine [het, de] ⟨biochem⟩ lysine
lysol [het, de^{m}] lysol
lysosoom [het] ⟨med⟩ lysosome

m

m [de] [1] ⟨letter, klank⟩ m, M ◆ *de m* m; *met een m* ***beginnen*** start/begin with m; *iets opzoeken* ***onder*** *de m* look sth. up under m [2] ⟨meter⟩ m ◆ m^2, m^3 m^2, m^3 [3] ⟨milli-⟩ m
m. [afk] ⟨taalk⟩ (mannelijk) m
M [afk] [1] (Romeins cijfer) M [2] ⟨natuurk, scheik⟩ M [3] (medium) M [4] ⟨op auto's⟩ (Malta) M
M. [afk] (mijnheer) Mr
ma [de^{v}] ⟨BE⟩ mum, ⟨AE⟩ mom, ⟨in Groot-Brittannië onbeleefd⟩ Ma ◆ ***pa en ma*** Mom/^{B}Mum and Dad; ⟨AE ook⟩ Pa and Ma
maag [de] [1] ⟨orgaan⟩ stomach, ⟨van dier ook⟩ maw ◆ *hij heeft het* ***aan*** *zijn maag* he suffers from stomach/gastric trouble; *daar krijg je het van* ***aan*** *je maag* that's bad for your stomach; *zijn maag* ***draaide*** *ervan* ***om*** it turned his stomach/made his stomach heave; *een* ***gezonde*** *maag* a good digestion, a strong stomach; *met een* ***hongerige*** *maag van tafel gaan* rise from table hungry; ⟨fig⟩ *ergens mee* ***in*** *zijn maag zitten* ⟨ergens mee verlegen zitten⟩ be at a loss what to do (with/about sth.), not know which way to turn, be worried about/troubled by sth.; ⟨ertegen opzien⟩ shrink from sth., dread having to do sth.; ⟨fig⟩ *iemand iets* ***in*** *de maag splitsen* ⟨ergens mee opschepen⟩ unload sth. onto s.o., palm/fob sth. off on s.o.; ⟨fig⟩ *laat je niks* ***in*** *je maag splitsen* don't let yourself be fobbed off with anything; ⟨fig⟩ *ze zitten er behoorlijk/lelijk mee* ***in*** *hun maag* they're at their wits' end what to do about it; ⟨fig⟩ *de regering zat verschrikkelijk met hem* ***in*** *haar maag* he was a terrible embarrassment to the government; *ik heb een* ***knorrende*** *maag* my tummy's rumbling; *met een* ***lege/volle*** *maag* on an empty/a full stomach; ***met*** *zijn maag* ***sukkelen*** suffer from stomach/gastric trouble, suffer with one's stomach; *op een* ***nuchtere*** *maag* on an empty stomach; *zijn maag* ***omkeren*** ⟨inf⟩ throw up, heave (one's heart) up; ⟨fig⟩ *het ligt mij zwaar* ***op*** *de maag* it sticks in my throat, ↓ it sticks in my gizzard/craw, ↑ it's a thorn in my flesh; *het toetje lag nogal zwaar* ***op*** *de maag* the dessert was rather filling, the dessert was/lay/sat rather heavy on the stomach; *een* ***rommelende*** *maag hebben* have a (g)rumbling/growling stomach; *dat* ***staat*** *in de maag* that filled the gap; *een* ***sterke*** *maag hebben* have a strong/cast-iron stomach; *een* ***zwakke*** *maag* a weak/queasy stomach, a poor digestion; *mijn maag is van streek* my stomach is upset/unsettled; *zijn ogen zijn groter dan zijn maag* his eyes are bigger than his stomach; *door het slingeren kwam zijn maag in opstand* the rolling/pitching made him feel sick/turned his stomach; *als ik paprika eet, krijg ik last van mijn maag* peppers disagree with me/don't like me; *van al dat vette eten raakte zijn maag van streek* all that greasy food upset/unsettled his stomach [2] ⟨maagstreek⟩ stomach, belly ◆ *een stomp* ***in*** *de maag* a punch in the stomach/belly [•] ⟨sprw⟩ *de liefde van een man gaat door de/zijn maag* the way to a man's heart is through his stomach
maagaandoening [de^{v}] stomach disorder, ⟨med ook⟩ gastric disorder
maagband [de^{m}] gastric band
maagbitter [het, de^{m}] (stomach) bitters, stomach elixir
maagbloeding [de^{v}] stomach bleeding, ⟨med ook⟩ gastric haemorrhage, haemorrhage of the stomach
maagd [de^{v}] [1] ⟨maagdelijk meisje⟩ virgin ◆ *zij is geen maagd meer* she is no longer a virgin; *de* ***Heilige*** *Maagd* the Blessed Virgin; ⟨fig⟩ *Jan* ***is*** *nog altijd maagd* Jan is still a virgin; *een* ***vestaalse*** *maagd* ⟨ook fig⟩ a vestal (virgin) [2] ⟨form; scherts⟩ maid(en) ◆ *een* ***kuise*** *maagd* a chaste maiden/virgin; *de Maagd van* ***Orléans*** the Maid of Orléans [•] *de* ***Nederlandse*** *maagd* the Maid of Holland
Maagd STERRENBEELD [de^{v}] [1] ⟨astrol, astron⟩ Virgo, the Virgin ◆ *(het teken van) de Maagd* (the sign of) Virgo/the Virgin [2] ⟨persoon⟩ Virgo ◆ *hij/zij* ***is*** *(een) Maagd* he/she is Virgo; *zij* ***is*** *nog net een Maagd* she just comes into Virgo
maag-darmcatarre [de] gastroenteritis
maag-darmkanaal [het] gastrointestinal tract, gastroenteric tract
maagdelijk [bn, bw] [1] ⟨van, als een maagd⟩ virginal ⟨bw: ~ly⟩, ⟨kuis⟩ chaste ◆ *de maagdelijke* ***staat*** virginity, virginhood [2] ⟨ongerept⟩ virgin(al) ⟨bw: virginally⟩, pristine ◆ *een maagdelijk* ***blad*** *papier* a virgin sheet of paper; *de informatica was toen nog een maagdelijk* ***gebied*** at the time, information theory was still virgin territory/soil; *de velden* ***lagen*** *er nog maagdelijk* ***bij*** the fields were still untouched; *maagdelijke* ***sneeuw*** virgin snow; *in maagdelijke* ***staat*** in pristine condition/a pristine state; *maagdelijk* ***wit*** virgin white; *maagdelijke* ***wouden*** virgin forests [•] ⟨fig⟩ *de maagdelijke* ***geboorte*** *van Christus* the virgin birth (of Christ)
maagdelijkheid [de^{v}] [1] ⟨ongereptheid⟩ virginity [2] ⟨m.b.t. meisje, vrouw⟩ virginity, virginhood, ⟨kuisheid⟩ chastity [3] ⟨r-k; ongehuwde staat⟩ celibacy
Maagdenburgse [bn] ⟨natuurk⟩ [•] *Maagdenburgse halve* ***bollen*** Magdeburg hemispheres
Maagdeneilanden [de^{mv}] Virgin Islands
maagdengoud [het] virgin gold
maagdenhoning [de^{m}] virgin honey
maagdenpalm [de^{m}] periwinkle, ⟨AE ook⟩ creeping/trailing myrtle
maagdenroof [de^{m}] abduction ◆ *de* ***Sabijnse*** *maagdenroof* the rape of the Sabines

maagdenvlies [het] hymen, maidenhead, virginal membrane
maagelixer [het] stomach elixir, (stomach) bitters
maagfistel [de] stomach fistula
maagfunctie [de^{v}] stomach function, gastric function ♦ *een gestoorde maagfunctie* a disturbed stomach function/gastric function, ⟨form⟩ gastric dysfunction
maaghevel [de^{m}] ⟨med⟩ stomach/gastric tube
maagholte [de^{v}] stomach (cavity)
maaghorzel [de^{m}] botfly
maaginhoud [de^{m}] stomach/gastric content(s), contents of the stomach
maagkanker [de^{m}] stomach cancer, cancer of the stomach
maagkatheter [de^{m}] stomach/gastric tube
maagklacht [de] stomach/gastric disorder, stomach/gastric complaint ♦ *maagklachten **hebben*** suffer from stomach trouble
maagkoorts [de] gastric fever
maagkramp [de] ⟨mv⟩ stomach cramps, ⟨mv⟩ gastric spasms
maagkuil [de^{m}] pit of the stomach
maagkwaal [de] stomach condition, stomach disorder/complaint
maaglijder [de^{m}] s.o. who has stomach troubles, s.o. who suffers from his/her stomach, gastric patient
maagmond [de^{m}] cardiac orifice
maagonderzoek [het] [1] ⟨van de maag⟩ examination of the stomach, ⟨met behulp van een gastroscoop⟩ gastroscopy ♦ *een **uitgebreid** maagonderzoek* an extensive examination of the stomach [2] ⟨van de maaginhoud⟩ stomach analysis, gastric analysis ♦ ***uit** het maagonderzoek **bleek** ...* the stomach analysis showed ...
maagontsteking [de^{v}] gastritis
maagoperatie [de^{v}] stomach operation
maagpatiënt [de^{m}] gastric patient ♦ *maagpatiënt **zijn*** suffer from stomach trouble, have a stomach condition; ⟨inf⟩ *hij is **zwaar** maagpatiënt* he has serious stomach trouble
maagperforatie [de^{v}] perforation of the stomach
maagpijn [de] stomachache, ⟨med⟩ gastralgia, ⟨kind⟩ tummy ache/trouble ♦ *zij **heeft** vaak maagpijn* she often has ^{B}stomachache/^{A}stomachaches/gastric pains; *van uien **krijg** ik maagpijn* onions give me stomachache
maagpomp [de] ⟨med⟩ stomach pump
maagpoort [de] pylorus
maagresectie [de^{v}] ⟨med⟩ resection of the stomach, gastrectomy
maagring [de] gastric band
maagsap [het] gastric juice
maagslang [de], **maagsonde** [de] stomach/gastric tube
maagslijmvlies [het] stomach lining, ⟨med⟩ mucous membrane of the stomach, gastric mucosa
maagsonde [de] → **maagslang**
maagstoornis [de^{v}] stomach disorder, ⟨med ook⟩ gastric disorder, ⟨lichte stoornis⟩ stomach upset, ⟨inf⟩ tummy upset
maagstoot [de^{m}] punch in the stomach/belly
maagstreek [de] gastric region, ⟨inf⟩ stomach ♦ *iemand **in** de maagstreek **treffen*** hit s.o. in the stomach
maagvergif [het] stomach poison
maagverharding [de^{v}] gastric sclerosis
maagverkleining [de^{v}] stomach reduction
maagvulling [de^{v}] [•] *het is gewoon maagvulling* all it does is fill/line your stomach
maagwand [de^{m}] stomach/gastric wall, wall of the stomach
maagzout [het] sodium bicarbonate, bicarbonate of soda
maagzuur [het] [1] ⟨maagsap⟩ gastric juice [2] ⟨bestanddeel van het maagsap⟩ hydrochloric acid [3] ⟨brandend gevoel⟩ heartburn, acidity of the stomach, ⟨med⟩ pyrosis, cardialgia ♦ *last hebben van **brandend** maagzuur* suffer from heartburn/acidity of the stomach/pyrosis/cardialgia; *een middeltje **tegen** brandend maagzuur* an antacid, a remedy against heartburn/acidity of the stomach
maagzweer [de] stomach ulcer, ⟨med⟩ gastric ulcer, ⟨oneig; zweer in een van de spijsverteringskanalen⟩ peptic ulcer, ⟨i.h.b.⟩ duodenal ulcer ♦ ⟨fig⟩ *daar **krijg** ik een maagzweer van* it will give me an ulcer
maaibinder [de^{m}] ⟨landb⟩ (reaper) binder
maaidorser [de^{m}], **maaidorsmachine** [de^{v}] combine (harvester)
maaidorsmachine [de^{v}] → **maaidorser**
^{1}**maaien** [onov ww] [1] ⟨maaivoeten⟩ → **maaivoeten** [2] ⟨m.b.t. paarden⟩ dish
^{2}**maaien** [ov ww, ook abs] [1] ⟨afsnijden⟩ mow, cut ♦ *het **gras** maaien* cut/mow the grass; ⟨gazon⟩ mow the lawn; *het **gras** moet nodig gemaaid worden* the grass badly needs mowing, ⟨BE ook⟩ the grass badly needs cutting [2] ⟨maaibeweging maken⟩ flail ♦ *een maaiende **beweging** maken* make a flailing movement; *wild **met** de armen maaien* flail about wildly; ***om** zich **heen** maaien* flail about/(a)round; ⟨voetb⟩ ***over** de bal (heen) maaien* miss the ball; *zijn tegenstander **tegen** de grond maaien* knock one's opponent to the ground; *hij maaide de kopjes **van** tafel* he swept the cups from the table [•] ⟨sprw⟩ *wie maaien wil, moet zaaien* ± nothing venture, nothing gain
maaier [de^{m}] [1] ⟨iemand die maait⟩ mower, cutter, ⟨oogster⟩ reaper [2] ⟨sport⟩ hacker, notorious/savage tackler
maaikneuzer [de^{m}] forage harvester, field chopper
maailand [het] mowing field
maaimachine [de^{v}] ⟨voor gras⟩ mowing machine, ⟨kleiner, voor gazon⟩ (lawn) mower, ⟨voor koren⟩ reaper, reaping machine, harvester
maaitijd [de^{m}] mowing time
maaiveld [het] [1] ⟨bouwk⟩ ground level, surface level ♦ *één meter **boven** het maaiveld* one metre above (the) ground level/surface level [2] ⟨hoogte van het grasland⟩ ground level, surface level [•] ⟨inf⟩ ***tegen** het maaiveld liggen* be flat on one's face
maaivoeten [onov ww] turn one's legs outwards (while/when walking), swing one's legs outwards (while/when walking), walk like a duck
maak [de^{m}] making, preparation, ⟨herstel⟩ repair ♦ *mijn fiets is **in** de maak* my bike is under repair/being repaired; *er zijn plannen **in** de maak **om** ...* plans are being made to ..., there are plans afoot/in hand to ...; *er is daarvoor een regeling/wet **in** de maak* there's a regulation being drawn up/a law in preparation to deal with that
maakbaar [bn] makable, ⟨herstelbaar⟩ repairable ♦ ⟨sport⟩ *dat was een maakbare **bal*** that was a genuine chance
maakbaarheid [de^{v}] manipulability ♦ *de maakbaarheid van de **samenleving*** the extent to which social change can be effected by government policies
maakloon [het] cost of making, charge for making, ⟨van fabrieksgoed⟩ manufacturing costs, ⟨van kleding, verstelwerk enz.⟩ cost of making up, charge for making up
maaksel [het] [1] ⟨constructie, vorm⟩ make, making, workmanship, ⟨in productieproces⟩ manufacture ♦ *is dat **eigen** maaksel?* did you make that yourself?, is that homemade?, is that of your own make/making?; *die pudding is **eigen** maaksel* that pudding is homemade, I made that pudding myself [2] ⟨product⟩ product, ⟨schepping⟩ creation, artefact, ⟨brouwsel⟩ concoction, ⟨apparaat⟩ contrivance, contraption ♦ *de mens is het maaksel van **Gods** handen* man is God's handiwork; *wat is dat voor **vreemd** maaksel?* what kind of a concoction/contrivance/contraption is that?

maakwerk [het] [1] ⟨op bestelling gemaakt werk⟩ goods made to order, custom-made goods ◆ *als maakwerk zijn die schoenen duurder* these shoes are more expensive when custom-made [2] ⟨pej⟩ routine/mediocre work, hackwork ◆ *dit blijspel is maar maakwerk* this comedy is just run-of-the-mill

^{1}**maal** [het] [1] ⟨hoeveelheid eten⟩ meal ◆ *een maal aardappelen* a dishful of potatoes [2] ⟨maaltijd⟩ meal ◆ *een feestelijk maal* a festive meal/dinner; ⟨inf⟩ a fine spread

^{2}**maal** [het, de] [1] ⟨keer⟩ time ◆ *anderhalf maal zoveel* half as much/many (again); *herhaalde malen* on multiple/repeated/many occasions, time/again and again; *hoeveel maal?* how many times?; *een paar maal* once or twice, several times; ⟨inf⟩ a couple of times; ⟨form⟩ *ten tweeden male* ⟨ogm⟩ for the second time; *iets voor de tweede maal proberen* try sth. for the second time,↓give sth. a second try; *ik verzoek u voor de laatste maal het pand te verlaten* for the last time, I request you to vacate/leave the premises [2] ⟨vermenigvuldigingsteken⟩ times ◆ *lengte maal breedte maal hoogte* length times/by width times/by height; *twee maal drie is zes* two times/twice three is/makes six

maalboezem [de^{m}] ⟨wwb⟩ [1] ⟨voorboezem van een gemaal⟩ headrace [2] ⟨boezem waarop gemalen wordt⟩ millrace

maalderij [de^{v}] mill, milling house

maalkruis [het] ⟨wisk⟩ multiplication sign

maalsel [het] [1] ⟨product⟩ sth. ground, grains, powder, ⟨van graan⟩ meal ◆ *doe het maalsel in het koffiezetapparaat* put the ground coffee in the coffee machine [2] ⟨hoeveelheid⟩ quantity to be ground

maalsteen [de^{m}] millstone, grindstone, ⟨bovenste⟩ grinder

maalstroom [de^{m}] [1] ⟨draaikolk⟩ whirlpool, vortex, eddy, maelstrom [2] ⟨fig⟩ vortex, maelstrom, merry-go-round, whirl, swirl ◆ *een maalstroom van gebeurtenissen* a whirl of events; *meegesleurd worden in de maalstroom van de politiek* be drawn into the vortex/maelstrom of politics

maaltand [de^{m}] molar

maalteken [het] multiplication sign

maaltijd [de^{m}] [1] ⟨handeling⟩ meal ◆ *aan de maaltijd zijn/zitten* be ^{B}at table/^{A}at the table; *tijdens de maaltijd* during/at dinner/the meal; ⟨regelmatig⟩ during meals, during/at mealtime(s) [2] ⟨middagmaal, diner⟩ meal, dinner ◆ *een maaltijd aanbieden* offer a meal; *een eenvoudige maaltijd* a simple/frugal meal; *een maaltijd in elkaar flansen* conjure/rustle/scramble up a meal, throw a meal together; *de maaltijd gebruiken* take/have a meal, have dinner, dine; *overnachting inclusief/exclusief maaltijden* ⟨BE⟩ full board/bed and breakfast; ⟨AE⟩ American/European plan; *een karige maaltijd* Lenten fare; *een lichte maaltijd* a light meal, a collation; ⟨'s middags⟩ a luncheon; *een stevige maaltijd* a square/substantial/hearty meal; *een uitgebreide maaltijd* an elaborate meal/dinner; *een uitstekend verzorgde maaltijd* an excellently prepared meal; *wij verzorgen al uw maaltijden* we cater for all your meals; *een warme maaltijd* a hot meal, a dinner

maaltijdbon [de^{m}] meal ^{B}voucher/^{A}ticket, ⟨voor lunch⟩ luncheon ^{B}voucher/^{A}ticket

maaltijdcheque [de^{m}] ⟨in België⟩ luncheon voucher

maaltijdsalade [de] main course salad

maaltijdschijf [de] nutrition guide

maaltijdsoep [de] main course soup

maaltijdvervanger [de^{m}] meal replacement

maaltje [het] meal ◆ *een maaltje bij elkaar scharrelen* scrape/piece together a meal

maalvlakte [de^{v}] working surface/area

maalzolder [de^{m}] grinding loft

maan [de] [1] ⟨m.b.t. de aarde⟩ moon ◆ *een door de maan beschenen dal* a moonlit valley; ⟨fig⟩ *naar de maan zijn* ⟨geld, kansen⟩ have gone (by the board), be gone; ⟨reputatie, carrière⟩ be ruined; ⟨bedrijf⟩ be wrecked; ⟨kansen⟩ be dashed; ⟨fig⟩ *loop naar de maan!* go to hell!, get lost!; ⟨fig⟩ *naar de maan reiken* cry/reach for the moon; ⟨fig⟩ *laat hem naar de maan lopen* blast him!, he can go to hell; ⟨fig⟩ *Nederland gaat naar de maan* Holland is going to the dogs/to pot/down the drain; ⟨fig⟩ *weer een hoop geld naar de maan* a lot of money down the drain/plughole again; *de maan schijnt/komt op/gaat onder/wast/neemt af* the moon is shining/rising/setting/waxing/waning; ⟨inf, fig⟩ *tegen de maan blaffen* bay (at) the moon [2] ⟨m.b.t. andere planeten⟩ moon, satellite [3] ⟨wisk⟩ lune [4] ⟨maand⟩ moon

maanatlas [de^{m}] moon/lunar atlas

maanauto [de^{m}] lunar vehicle, moon buggy

maanbaan [de] moon's orbit, lunar orbit

maanberg [de^{m}] lunar mountain, mountain on the moon

maanbeschrijving [de^{v}] selenography

maanbeving [de^{v}] moonquake

maanbewoner [de^{m}] moon-dweller, inhabitant of the moon

maanblind [bn] moonblind

maanbrief [de^{m}] reminder, dunning letter

maancyclus [de^{m}] lunar cycle, Metonic cycle

maand [de] [1] ⟨deel van het jaar⟩ month ◆ ⟨form⟩ *op de tiende van deze/vorige/volgende maand* on the tenth inst/ult/prox, on the tenth instant/ultimo/proximo; *de maand januari* the month of January [2] ⟨periode van 30 dagen⟩ month ◆ *binnen een maand* within a month; *ambtenaren hebben geen dertiende maand* civil servants do not get an annual/Christmas bonus; *ze is in haar vijfde maand* she is in the fifth month of her pregnancy; *ik heb hem in geen maanden gezien* I haven't seen him for/in months; *hij kreeg zes maanden* ⟨als gevangenisstraf⟩ he got/he was sentenced to six months; ⟨voor herexamen⟩ he was referred for six months; *drie maanden lang* for three months (on end); *om de twee maanden* every two months, every other month; *over een maand* in a month('s time); *vandaag over een maand* a month from today, this day month; *de huur bedraagt 800 euro per maand* the rent is 800 euros a/per month; *iemand een maand rust voorschrijven* prescribe s.o. a month's rest; *een maand vakantie* a month's ^{B}holiday/^{A}vacation; *een baby van vier maanden* a four-month-old baby; *een kind van negen maanden* a nine months'/full-term child

maandabonnement [het] monthly subscription, ⟨voor trein e.d.⟩ monthly (season) ticket, ⟨AE⟩ (monthly) commutation ticket, ⟨inf; BE⟩ monthly season

maandag [de^{m}] [1] ⟨dag⟩ Monday ⟨ook in samenstellingen⟩ ◆ *maandag baaldag* blue Monday; ⟨fig⟩ *een blauwe maandag* for a (short) time/while/spell; ⟨fig⟩ *luie maandag houden* keep (Saint) Monday; *maandagmorgen* Monday morning; *ik train altijd op maandag* I always train on Mondays; *'s maandags* on Mondays, every Monday; *ik doe het maandag* I will do it on Monday; *hij werkt 's maandags* he works on Mondays; ⟨vnl AE⟩ he works Mondays [2] ⟨astron⟩ lunar day

maandagmorgenexemplaar [het] ⟨scherts⟩ Monday/Friday model, dud, lemon

maandags [bn, bw] ⟨bijvoeglijk naamwoord⟩ Monday, ⟨bijwoord⟩ on Mondays, every Monday, ⟨vnl AE⟩ Mondays

maandagziekte [de^{v}] [1] ⟨slecht humeur⟩ Monday morning feeling, Monday morning blues ◆ *ik heb last van maandagziekte* I've got the Monday morning feeling [2] ⟨paardenziekte⟩ haemoglobinuria

maandbalans [de] ⟨boek⟩ monthly balance sheet

maandbericht [het] monthly report, monthly review/bulletin

maandblad [het] monthly, monthly magazine/review/journal

maandbloeding [de^{v}] menstrual bleeding, (monthly)

period

maandcijfers [de^{mv}] monthly figures

maandelijks [bn, bw] monthly, ⟨bijwoord ook⟩ once a month, every month ♦ *maandelijks **betalen*** pay monthly/ once a month; *een maandelijkse **rekening*** a monthly invoice; *in maandelijkse **termijnen*** in monthly instalments; *maandelijks **terugkerende** betalingen* monthly payments

maandenlang [bn, bw] for months (on end), months long ♦ *haar maandenlange **afwezigheid*** her months-long absence; *na een maandenlange **afwezigheid** zijn rentree maken* make one's comeback after an absence of months

maandformulier [het] monthly (lottery) form

maandgeld [het] monthly pay, ⟨van arbeider⟩ monthly wages, ⟨van kantoorpersoneel⟩ monthly salary, ⟨toelage⟩ monthly allowance

maandgemiddelde [het] monthly average, average over a/the month

maandhuur [de] monthly rent

maandkaart [de] monthly (season) ticket, ⟨AE⟩ (monthly) commutation ticket, ⟨inf; BE⟩ monthly season

maandkalender [de^{m}] (monthly) calendar

maandlasten [de^{mv}] monthly ^{B}overheads/^{A}overhead

maandloon [het] monthly wages, monthly pay

maandopgave [de] monthly statement/declaration/return

maandoverzicht [het] monthly survey

maandrekening [de^{v}] monthly account, ⟨nota⟩ monthly bill

maandroos [de] monthly rose

maandsalaris [het] monthly salary

maandstaat [de^{m}] monthly return, monthly statement/ summary/list

maandsteen [de^{m}] birthstone

maandstonden [de^{mv}] ⟨form⟩ menses, ↓(menstrual/ monthly) period

maandtabel [de] monthly table, monthly chart(s)

maandverband [het] sanitary ^{B}towel/^{A}napkin ♦ *een **pak** superabsorberend maandverband* a box of super-absorbent sanitary towels/napkins

maandverslag [het] monthly report

maaneclips [de] eclipse of the moon, lunar eclipse

maaneffect [het] ⟨bk⟩ effect of moonlight

maanexpeditie [de^{v}] lunar/moon expedition, expedition to the moon

maanfase [de^{v}] lunar phase, phase (of the moon)

maanfeest [het] Moon festival

maanfoto [de] lunar photograph, photograph/picture of the moon

maangestalte [de^{v}] lunar phase (of the moon)

maangod [de^{m}] moon god

maanjaar [het] lunar year

maankaart [de] map of the moon, lunar map/chart

maankalender [de^{m}] lunar calendar

maankarretje [het] moonbuggy, mooncrawler

maankoekje [het] moon cake

^{1}**maankop** [de^{m}] [1] ⟨zaaddoos⟩ poppyhead [2] ⟨plant⟩ (opium) poppy

^{2}**maankop** [het] ⟨verdovend sap⟩ opium

maankorst [de] crust of the moon, moon's crust

maankrans [de^{m}] halo/corona (round the moon)

maankrater [de^{m}] lunar crater

maankruid [het] [1] ⟨maanvaren⟩ moonwort, ⟨AE ook⟩ grape fern [2] ⟨judaspenning (Lunaria annua)⟩ honesty

maanlander [de^{m}] lunar module, ⟨wet⟩ LM, ⟨zeldz⟩ lunar excursion module

maanlanding [de^{v}] moon landing

maanlandschap [het] moonscape, lunarscape, lunar landscape ♦ *zijn gezicht **was** een maanlandschap* his face was heavily pockmarked/pocked

maanlicht [het] moonlight ♦ ***bij** maanlicht* by moonlight/ the light of the moon; *in het **heldere** maanlicht* in bright moonlight, under a clear moon

maanloos [bn] moonless ♦ *een maanloze **nacht*** a moonless night

maanmaand [de] lunar month

maanmannetje [het] man in the moon

maanmonster [het] sample of lunar soil/rock

maanolie [de] poppy-seed oil

maanoppervlak [het] surface of the moon, lunar/ moon's surface

maanraket [de] moon rocket

maanreiziger [de^{m}] moon voyager/traveller/^{A}traveler, luna(r)naut

maanring [de^{m}] halo/corona (round the moon)

maansatelliet [de^{m}] moon/lunar satellite

maanschaduw [de] lunar shadow

maanschijf [de] moon's disc

maansdag [de^{m}] lunar day

maansikkel [de^{m}] crescent (of the moon), crescent moon, sickle

maansondergang [de^{m}] setting of the moon, moonset

maanstand [de^{m}] position of the moon

^{1}**maansteen** [de^{m}] ⟨steen van, op de maan⟩ moonrock, lunar rock

^{2}**maansteen** [het, de^{m}] ⟨halfedelsteen⟩ moonstone

maansverduistering [de^{v}] eclipse of the moon, lunar eclipse

maansvereffening [de^{v}] ⟨astron⟩ evection

maantje [het] [1] ⟨kleine maan⟩ moon(let) [2] ⟨m.b.t. nagels⟩ half-moon, ⟨wet⟩ lunule [3] ⟨kale plek⟩ bald spot

maanverkenner [de^{m}] lunar rover, lunar roving vehicle, ⟨bemand⟩ lunar module

maanvis [de^{m}] [1] ⟨aquariumvis⟩ angelfish, scalare [2] ⟨klompvis⟩ short sunfish

maanvlek [de] moonspot

maanvlinder [de^{m}] Indian moon moth

maanvlucht [de] moonflight, lunar flight, flight to the moon

maanvormig [bn] moon-shaped, ⟨van halvemaan⟩ crescent-shaped

maanwagen [de^{m}] lunar vehicle, moon buggy

maanwandeling [de^{v}] ⟨ruimtev⟩ moon walk, walk on the moon

maanzaad [het] poppy seed, maw seed ♦ ***blauw** maanzaad* (grey) poppy seed; *brood **met** maanzaad* bread/loaf (covered) with poppy seed

maanzaadbrood [het] poppy-seed bread, ⟨broodje⟩ poppy-seed roll

maanzaadolie [de] poppy-seed oil

maanzand [het] regolith

maanzee [de] lunar sea, mare

maanziek [bn] [1] ⟨lijdend aan maanziekte⟩ moonstruck, moonstricken, lunatic, ⟨inf⟩ loony [2] ⟨wispelturig⟩ fickle, capricious, fitful, mercurial, quicksilver

maanziekte [de^{v}] lunacy

^{1}**maar** [het] ⟨tegenwerping⟩ but ♦ *er is **één** maar aan verbonden/bij* there is one but in the matter, there is a catch (in it); ***geen** maren!* (but me) no buts!

^{2}**maar** [de] ⟨geol⟩ maar

^{3}**maar** [de] → **mare**

^{4}**maar** [bw] [1] ⟨slechts⟩ but, only, just ♦ *zij bloost al, **als** je maar naar haar kijkt* she blushes if you so much as look at her; ***als** ik zelfs/ook maar een minuut te lang wegblijf* if I stay away even a minute too long; *je hoeft maar te **bellen*** you only have to phone/^{B}ring/^{A}call, just ^{B}ring/^{A}call/phone; *we konden alleen **nog** maar huilen* we could do nothing but cry, we were reduced to tears; *hij is nog maar **pas** hier* he has only just arrived, he hasn't been here but a short while; *hij is maar **twintig** jaar (oud) geworden* he only lived to be twenty; ***vergeet** het maar (rustig)!* forget it!; *al **was** het maar* *om haar te pesten* if only to make life difficult for her; *zeg het maar: koffie of thee?* which will it be: coffee or tea?; ***zonder** ook maar goedendag te zeggen* without so much as a goodbye [2] ⟨inderdaad, nogal, toch⟩ only, just ♦ *dat is maar **al te** duidelijk* that is only/all too clear; *dat doet hij maar **al te graag*** he'd be only too happy to do it; *dat komt maar **al te** vaak voor* that happens/occurs only/all too often; *ik vind het maar **gek/raar*** I think it's strange; *het is maar **goed** dat je gebeld hebt* it's a good thing you [B]rang/[A]called; *het is misschien maar **goed** dat we de bus gemist hebben* perhaps it's (just) as well we missed the bus; ***kom** maar binnen* come on/right in; ***laten** we hem maar gelijk geven* let's just agree with him and be/have done with it; *hij kwam maar **niet*** he didn't come and didn't come; *ze **vergeten** maar (liever) wat het kost* they conveniently forget what it costs; *je hebt het maar voor het zeggen* it's up to you, just say the word [3] ⟨m.b.t. twijfel⟩ only, as long as ♦ *als ik maar **kan*** if I (possibly) can, if I am able to; *ik wil wel tot diep in de nacht doorgaan, als het maar klaar **komt*** I'm prepared to go on until deep in the night, as long as/so long as/just so it's finished [4] ⟨m.b.t. een wens⟩ (if) only ♦ *ik **hoop** maar dat hij het vindt* I only hope he finds it; ***was** ik maar dood* I wish I were/was dead; ***was** ik maar nooit getrouwd* I wish/if only I'd never married [5] ⟨aanmaning, waarschuwing⟩ just ♦ *en **dan** maar klagen dat iedereen zakt* and then go on about everybody failing; ***doe** het nu maar* just do it, go ahead (and do it); ***geef** het nou maar **toe*** you may as well admit it; *het is maar **goed** ook* a good thing, too; *het **is** maar dat je het weet* as long as you know; ⟨je kunt het maar beter weten⟩ it's (just) as well you know; ***let** maar niet **op** hem* don't pay any attention to him; *wees daar maar **niet** bang voor* rest assured that that won't happen, you need have no fear on that score; ***pas** maar **op*** (you) (just) watch out/it, you'd better watch out/it; ***rustig** maar* (just) calm down, (just) compose/control yourself, ⟨inf⟩ (just) cool it; ***schiet** nou maar **op*** hurry up, will you?; *ik **zou** maar **uitkijken*** you'd better be careful/watch out [6] ⟨aanhoudend⟩ just ♦ *ze **bleef** maar kijken* she (just) stared and stared; ***en** maar kletsen, die vrouwen* talk, talk/[B]rabbit, rabbit, rabbit, that's all they do, these women; *je **gaat** je gang maar* go ahead (and do it), I'm not stopping you, please/suit yourself; *het houdt maar **niet op*** there seems to be no end to it, it never seems to end; *ik vind het maar **niks*** I'm none too happy about it; *maar **raak** vragen* ask questions at random, ask the wildest questions; *zij koopt maar **raak*** she just chucks her money about; ***wacht** maar, het kan nog veel erger* just wait, it can get a great deal worse; *en wij maar **wachten/werken*** and we just wait(ed) and wait(ed)/work(ed) and work(ed), and we just keep/kept on waiting/working [•] *geef **dan** maar een glas wijn* a glass of wine will be all right; ⟨inf⟩ ***doet** u maar een pond kaas* a pound of cheese, please; *wat wil je drinken? **geef** maar een pilsje* what'll you have? a beer, please/I'll have a beer; *hij vroeg er maar **liefst** 30 euro voor* he asked no less than 30 euros for it; ***wat** je maar wil* whatever you want; ***zoveel** als je maar wilt* as much/many as you like, any number you like

[5]maar [vw] [1] ⟨zuiver tegenstellend⟩ but [2] ⟨beperkend tegenstellend⟩ but, yet, only ♦ *klein, maar **dapper*** small but tough/game; *ik had je willen bellen, maar ik **wist** je nummer niet* I would have phoned, but/only/except I didn't know your number; *zij hebben ogen, maar **zien** niet* they have eyes, but/(and) yet do not see [3] ⟨in zijdelingse tegenwerpingen⟩ but ♦ ***ja** maar, als dat nu niet zo is* yes, but what if that isn't true?; supposing that isn't true, what then?; ***maar ja**, wat wil je voor vijftig euro* but then what do you expect for fifty euros; *maar **wacht** eens even* but wait a minute, hold on a minute, hold your horses!; *maar begrijpt u dat dan niet* but don't you understand? [4] ⟨anderzijds⟩ but then [•] *hij was altijd maar **dan ook** altijd te laat* he was always but always late; ***nee** maar!* really!, well, I never!, I say!; *hij keek in de koelkast, maar **zag** dat die leeg was* he looked in the refrigerator only to find it was empty

maarschalk [de[m]] ⟨mil⟩ [1] ⟨opperbevelhebber⟩ ⟨BE⟩ Field Marshal, ⟨AE⟩ General of the Army [2] ⟨eretitel⟩ marshal

maart [de[m]] March ♦ *maart roert zijn staart* ± March has a sting in its tail

Maarten [•] *de pijp aan Maarten geven* ⟨sterven⟩ kick the bucket, turn up one's heels/toes; ⟨niet meer willen meedoen⟩ quit, throw in the towel, chuck it in

maas [de] [1] ⟨m.b.t. een netwerk⟩ mesh ♦ ⟨fig⟩ ***door** de mazen van de wet kruipen* find a loophole in the law; ***door** de mazen (van het net) glippen* ⟨ook fig⟩ slip through the net; *net met **grote** mazen* coarse-mesh net, large-mesh net; *net met **kleine** mazen* fine-mesh net [2] ⟨m.b.t. breiwerk⟩ stitch [•] ⟨sprw⟩ *in elke wet zitten mazen* every law has a loophole

Maas [de] Meuse, ⟨m.b.t. Nederland vnl.⟩ Maas

maasgaren [het] darning/mending wool, ⟨katoen⟩ darning/mending cotton

maashagedis [de[m]] mosasaurus

maasknoop [de[m]] knot (in a/the) net

maasnaald [de] darning needle

maassteek [de[m]] darning stitch

Maastricht [het] Maastricht

maaswerk [het] [1] ⟨handeling⟩ netting, ⟨breiwerk stoppen⟩ darning [2] ⟨netwerk, gemaasd werk⟩ mesh (work), net(ting) [3] ⟨bouwk⟩ tracery

maaswijdte [de[v]] mesh

maaswol [de] darning/mending wool

[1]maat [de[m]] [1] ⟨makker⟩ pal, chum, buddy, ⟨vnl. BE, AuE⟩ mate [2] ⟨partner, ploegmaat⟩ (team)mate, ⟨kaartsp⟩ partner [3] ⟨aanspreekvorm⟩ ⟨vnl. BE, AuE⟩ mate, ⟨vnl AE⟩ bud, buddy, buddie, pal, chum, ⟨BE ook⟩ matey [4] ⟨mv; matrozen⟩ seamen, sailors, ⟨inf⟩ tars

[2]maat [GEWICHT] [LENGTE] [OPPERVLAKTE] [RECEPT] [STOF] [VLOEISTOF] [de] [1] ⟨vat⟩ measure ♦ ⟨fig⟩ ***met** twee maten meten* apply double standards; ⟨fig⟩ *de maat **is vol*** that's the limit, enough is enough, ↓ I've had it (up to here); *maten **voor** droge en natte waren* dry and liquid measures [2] ⟨hoeveelheid⟩ measure ♦ *in **belangrijke** mate* to a considerable extent, considerably, substantially; *een maat **wijn*** a measure of wine [3] ⟨eenheid⟩ measure, standard, ⟨vager⟩ indicator, guide ♦ *maten en **gewichten*** weights and measures; *de mens **is** de maat van alle dingen* man is the measure of all things [4] ⟨afmeting, grootte⟩ size, measure, ⟨van kubus⟩ dimension, ⟨precieze afmetingen, pasmaten⟩ measurements ♦ *de maat van iets **bepalen/nemen*** measure sth., take the measurements of sth.; *niet in **die** mate dat het hinderlijk is* not to such an extent that it is inconvenient; *in niet **geringe** mate* in no small measure, to no small extent/degree; *extra **grote** maten* outsizes; *neem maar een maat **groter*** try a size bigger/larger; *maat elf **hebben/dragen*** take (a) size eleven, take/wear an eleven; *welke maat **hebt** u?* what is your size?, what size do you take?; *in **hoge** mate* greatly, exceedingly, highly, in a great/large measure, to a great degree, to a great/large extent; ***incourante** maten* off-sizes; *in **meerdere** of **mindere** mate* to a greater or lesser extent, more or less; *de maten van **Miss World** 1992* ⟨fig⟩ the measurements/vital statistics of Miss World 1992; ***naar** de mate van zijn kunnen* to the best of one's ability; ⟨geestelijk⟩ according to one's lights; *in **ruime** mate* in great measure, to a large extent; *zij heeft een kleine maat **schoenen*** she takes a small size shoe/in shoes; *in **toenemende** mate* increasingly, more and more; *in **voldoende** mate* sufficiently, to a sufficient degree; *in **welke** mate ...?* to what extent/degree ...?; *in **zekere** mate* to a certain extent/degree, to some extent, in some measure [5] ⟨juiste, vereiste afmeting⟩ size, measure, ⟨precieze afmetingen⟩ measurements ♦ ⟨fig⟩ *zijn werk is duidelijk **beneden** de maat* his work is clearly not up to the mark/substandard/second-rate/inferior; *zijn optreden was **beneden/onder** de maat vanavond* his performance was off tonight;

de maat niet ***hebben*** be undersize(d); *iemand de maat* ***nemen*** take s.o.'s measure(ments); ⟨fig⟩ ***onder*** *de maat zijn* not be up to par/scratch/the mark, be inadequate/substandard; ⟨één keer⟩ be off; ⟨fig⟩ ***onder*** *de maat blijven* not come up to scratch/the mark/expectations; ⟨fig⟩ ***op*** *maat* tailor-made; *iets* ***op*** *maat snijden/zagen* cut/saw (down) to size [6] ⟨gematigdheid⟩ moderation, control, measure, ⟨m.b.t. alcohol ook⟩ temperance ◆ *maat* ***houden*** *met drinken* be a moderate drinker, drink moderately/in moderation; *zij kunnen geen maat* ***houden/weten*** *geen maat te* ***houden*** they don't know where to draw the line/when to stop, they have no sense of moderation, they overdo everything; ***met*** *mate* moderately, in moderation; *alles* ***met*** *mate* everything in moderation [7] ⟨muz; indeling volgens een tijdmaat⟩ time, ⟨alg ook⟩ rhythm, beat ◆ *de maat* ***aangeven/slaan/houden*** keep time; ⟨slaan ook⟩ beat time; *(geen) maat kunnen* ***houden*** be (un)able to keep time; ⟨fig⟩ ***in/uit*** *de maat lopen* march/step in time/out of time, (not) keep step/time; ⟨ook fig⟩ walk in step/out of step; ⟨fig ook⟩ step out of line; ***op*** *de maat van de muziek dansen* dance to the music, dance to the beat/rhythm of the music; ***tegen*** *de maat in* against the beat; ***uit*** *de maat zijn* be off one's stroke, be out of time [8] ⟨muz; afdeling van toonduur⟩ bar, measure ◆ *de* ***eerste*** *maten van het volkslied* the first few/the opening bars of the national anthem; ***twee*** *maten rust* two bars rest [9] ⟨lit⟩ metre, ⟨versvoet⟩ measure

maatanalyse [de^v] ⟨scheik⟩ volumetric analysis

maatbeker [de^m] [1] ⟨met maatverdeling⟩ measuring jug, ⟨kleiner⟩ measuring cup [2] ⟨met bepaalde inhoudsmaat⟩ measure

maatbuis [de] burette

maatcijfer [het] scale

maatcilinder [de^m] graduated/measuring cylinder, ⟨AE ook⟩ graduate

maatconfectie [de^v] ready-made/factory-tailored clothing

maatcontrole [de] inspection of measures

maatdeel [het] [1] ⟨muz⟩ beat (to the bar) [2] ⟨afgemeten deel⟩ measure

maatdop [de^m] measuring cap

maateenheid [de^v] unit of measure

maatgevend [bn] normative, ⟨een maat voor⟩ indicative, ⟨een voorbeeld van⟩ representative ◆ *dat is toch niet maatgevend?* ⟨geen maatstaf⟩ that is not a criterion, is it?; ⟨geen goed voorbeeld⟩ that is not representative, is it?; *maatgevend zijn* ***voor*** *iemands waarde* be indicative of/a criterion of/a measure of s.o.'s value; *zijn criteria zijn (niet) maatgevend* ***voor*** *mij* his criteria are (not) normative/the norm as far as I am concerned, his criteria (do not) apply to me as well

maatgevoel [het] sense of rhythm ◆ *geen maatgevoel* ***hebben*** have no sense of rhythm

maatglas [het] [1] ⟨met maatverdeling⟩ measuring glass, ⟨scheik⟩ graduated cylinder, ⟨AE ook⟩ graduate [2] ⟨met bepaalde inhoudsmaat⟩ measure, ⟨voor sterkedrank⟩ jigger, ⟨BE ook⟩ optic

maatgoed [het] [1] ⟨kleding⟩ → **maatkleding** [2] ⟨scheepv⟩ measurement goods

maathouden [onov ww] ⟨muz⟩ keep time ◆ ⟨fig⟩ *hij weet van geen maathouden* he doesn't know when to stop/where to draw the line, he has no sense of moderation, he overdoes everything

maatje [het] [1] ⟨vriendje⟩ chum, pal, buddy ◆ *dat zijn* ***dikke*** *maatjes* they are the best of friends/very thick; ***goede*** *maatjes zijn met iemand* be chummy/the best of friends/thick with s.o.; ***goede*** *maatjes worden met iemand* chum/pal up with s.o., ⟨AE ook⟩ buddy up with s.o.; *met iedereen* ***goede*** *maatjes zijn* ⟨ook⟩ be hail-fellow-well-met/as thick as thieves with everyone, ⟨sl; AE⟩ be kissing-kin with everyone; *zij waren al gauw* ***goede*** *maatjes* they soon chummed/palled up, ⟨AE ook⟩ they soon buddied up [2] ⟨mama⟩ ⟨BE⟩ mum(my), ⟨AE⟩ mom(my) [3] ⟨leerling, hulp bij ambachtelijk werk⟩ apprentice [4] ⟨inhoudsmaat⟩ decilitre [5] ⟨in België; glas jenever⟩ dram, snort(er) (of gin) [6] ⟨in België; maatjesharing⟩ ± young herring

maatjesharing [de^m] ± young herring

maatkan [de] measuring jug

maatkleding [de^v] custom(-made)/made-to-measure clothing, custom(-made)/made-to-measure clothes, ⟨BE ook⟩ tailor-made clothing, ↑ bespoke clothing, tailor-made clothes, ↑ bespoke clothes, tailor-mades

maatkleermaker [de^m] custom/made-to-measure tailor, ⟨BE ook⟩ ↑ bespoke tailor

maatkolf [de] ⟨scheik⟩ volumetric flask, calibrated flask

maatkostuum [het], **maatpak** [het] custom(-made)/made-to-measure suit, tailor-made (suit)

maatlat [de] rule(r), measuring rod

maatlepel [de^m] measure, measuring spoon

maatlijn [de] scale

maatlint [het] tape measure, measuring tape

maatpak [het] → **maatkostuum**

maatregel [de^m] measure, step, move, ⟨wet⟩ enactment, ⟨vnl. gerechtelijk⟩ proceeding ◆ ***algemene*** *maatregel van bestuur* ⟨Groot-Brittannië⟩ ± Order in Council; (implementing) regulation/ordinance/order; ***corrigerende*** *maatregelen* corrective measures; ***disciplinaire*** *maatregelen nemen tegen iemand* take disciplinary action/measures against s.o., discipline s.o.; ***drastische*** *maatregelen nemen* take drastic action/measures, take strong/radical measures; *geen* ***halve*** *maatregelen treffen* take no half(way) measures; *we* ***hebben*** *maatregelen* ***genomen*** *om één en ander soepel te laten verlopen* we've made arrangements to ensure that everything goes off/runs smoothly; *als je niet onmiddellijk maatregelen* ***neemt*** if you don't take action at once; *maatregelen* ***nemen*** take measures/steps/action, make a move/moves; *we kunnen beter meteen maatregelen* ***nemen*** we'd better act at once; ***snelheidsbeperkende*** *maatregelen* speed control measures; *een* ***strenge/harde*** *maatregel* a strong/strict/stringent/tough measure; *maatregelen* ***treffen*** take steps/action, deal with the matter

maatregelenpakket [het] set/package of measures

maatring [de^m] ring gauge/^Agage

maatschap [de^v] ⟨jur⟩ [1] ⟨overeenkomst⟩ partnership [2] ⟨samenwerkingsverband⟩ partnership

[1]**maatschappelijk** [bn] ⟨in België⟩ ⟨handel⟩ company-, company's

[2]**maatschappelijk** [bn, bw] [1] ⟨sociaal⟩ social ⟨bw: ~ly⟩ ◆ *maatschappelijk* ***aanvaardbaar*** acceptable to the general public; *maatschappelijk* ***aanzien*** social status; *maatschappelijke* ***acceptatie*** public acceptance; *maatschappelijk* ***actief*** *zijn* be socially active; *maatschappelijke* ***deugden*** social virtues; *maatschappelijke* ***dienstverlening*** social service; *op maatschappelijk* ***gebied*** in the social sphere; *bovenaan de maatschappelijke* ***ladder*** at the top of the (social) ladder/tree; *in maatschappelijk* ***opzicht*** socially; *de maatschappelijke* ***orde*** the social order; *de bestaande maatschappelijke* ***structuur*** *doorbreken* break through the existing social strata/structures; *een maatschappelijk* ***verschijnsel*** a social phenomenon; *hij zit in het maatschappelijk* ***werk*** he's a social worker, he does welfare work; *een instelling voor maatschappelijk* ***werk*** a social service/welfare institution [2] ⟨m.b.t. hulpverlening⟩ social ⟨bw: ~ly⟩ ◆ *maatschappelijk* ***werk*** social/welfare work; *een maatschappelijk* ***werk(st)er*** a social/welfare worker, ⟨BE⟩ welfare officer

maatschappij [de^v] [1] ⟨samenleving⟩ society ◆ *de* ***burgerlijke*** *maatschappij* bourgeois/middle class society; *de onderste* ***laag*** *van de maatschappij* the lowest stratum of society [2] ⟨vereniging m.b.t. wetenschap, kunst⟩ society, association ◆ *de maatschappij van* ***diergeneeskunde*** the Veterinary Society [3] ⟨vereniging m.b.t. een onderneming⟩ company

♦ *maatschappij **met** beperkte aansprakelijkheid* ⟨BE⟩ limited liability company, ⟨AE⟩ incorporated company; *maatschappij **op** aandelen* joint-stock company; *maatschappij **van/voor** levensverzekeringen* life insurance company/group; ⟨BE vnl⟩ life assurance company/group
maatschappijbeeld [het] view/image of society
maatschappijbevestigend [bn] tending to preserve the status quo ♦ *een maatschappijbevestigend **beleid*** status quo policy
maatschappijcriticus [de^{m}] social critic
maatschappijhervormer [de^{m}] social reformer
maatschappijhervorming [de^{v}] social reform, reform of society
maatschappijkritiek [de^{v}] social criticism
maatschappijkritisch [bn] critical of the social structure
maatschappijleer [de] social studies/science
maatschappijvlag [de] company flag
maatschappijvorm [de^{m}] social structure
maatschappijwetenschap [de^{v}] social science
maatschets [de] dimensioned sketch
maatslaan [ww] ⟨muz⟩ beat time
maatslag [de^{m}] [1] ⟨het slaan van de maat⟩ beat [2] ⟨slaande beweging⟩ rhythmical beat(ing)
maatsoort [de] ⟨muz⟩ time, ⟨lit⟩ metre
maatstaf [de^{m}] criterion, standard(s), measure, gauge, benchmark ♦ *iets naar zijn **eigen** maatstaven beoordelen* judge sth. by/according to one's own standards; *maatstaf van **heffing*** basis of levy; *dat **is** geen maatstaf* that is no criterion; *naar **menselijke** maatstaven* by/according to human standards; *een **nieuwe** maatstaf aanleggen (voor)* establish a new standard/criterion (to); ***strenge** maatstaf* high standard; *iets **als/tot** maatstaf (aan)nemen* take/use sth. as a standard/measure; *een goede maatstaf **vormen** voor iets* be a good measure of sth., be a good criterion for/of sth.
maatstelsel [het] (system of) measure(ment)
maatstok [de^{m}] rule(r), ⟨van één voet⟩ footrule ♦ *iets **met** een maatstok **afmeten*** measure sth. (off/out) with a rule
maatstreep [de] [1] ⟨maatverdelingsstreep⟩ grade mark, graduation [2] ⟨muz⟩ bar, measure
maatteken [het] ⟨muz⟩ time signature
[1]**maatvast** [bn] ⟨op maat blijvend⟩ dimensionally stable, size-holding
[2]**maatvast** [bn, bw] ⟨muz⟩ having a good sense of time, steady (in keeping time) ♦ *maatvast **spelen*** play steadily/evenly, keep in time
maatverdeling [de^{v}] [1] ⟨verdeling in maateenheden⟩ graduation, calibration [2] ⟨muz⟩ time division
maatvis [de^{m}] minimum weight/size fish
maatvloeistof [de] standard solution
maatvracht [de] ⟨handel⟩ measurement cargo/freight
maatwerk [het] made-to-measure/custom-made goods, ⟨kleren⟩ made-to-measure/custom-made clothes, ⟨schoenen⟩ made-to-measure/custom-made footwear, ⟨BE ook; kleren⟩ tailor-made clothes, tailor-mades, ↑ bespoke tailoring
macaber [bn, bw] macabre ⟨bw: ~ly⟩ ♦ *macabere **humor*** black humour
macadam [het, de^{m}] macadam
macadamiseren [ov ww] macadamize
macaroni [de^{m}] macaroni
macaronisch [bn] macaronic ♦ *macaronische **verzen*** macaronic verses, macaronics
macchiato [de^{m}] macchiato
Macedonië [het] Macedonia
Macedoniër [de^{m}], **Macedonische** [de^{v}] ⟨man & vrouw⟩ Macedonian, ⟨vrouw ook⟩ Macedonian woman/girl
[1]**Macedonisch** [het] Macedonian
[2]**Macedonisch** [bn] Macedonian

Macedonië

naam	*Macedonië* Macedonia
officiële naam	*Voormalige Joegoslavische Republiek Macedonië* Former Yugoslav Republic of Macedonia
inwoner	*Macedoniër* Macedonian
inwoonster	*Macedonische* Macedonian
bijv. naamw.	*Macedonisch* Macedonian
hoofdstad	*Skopje* Skopje
munt	*denar* denar
werelddeel	*Europa* Europe

int. toegangsnummer **389** www **.mk** auto **MK**

Macedonische [de^{v}] → **Macedoniër**
maceratie [de^{v}] ⟨med⟩ [1] ⟨verweking⟩ maceration [2] ⟨autolyse van een foetus⟩ maceration
mach [de] ⟨natuurk⟩ Mach ♦ ***getal** van mach* Mach number; *mach **twee vliegen*** fly at Mach two
macha [de^{v}] macho woman
machete [de] machete
machiavellisme [het] [1] ⟨staatsleer⟩ Machiavell(ian)ism [2] ⟨gewetenloze staatkunde⟩ Machiavell(ian)ism
machiavellist [de^{m}] Machiavellist
[1]**machiavellistisch** [bn] ⟨volgens het machiavellisme⟩ Machiavellian
[2]**machiavellistisch** [bn, bw] ⟨gewetenloos⟩ ⟨bijvoeglijk naamwoord⟩ Machiavellian, ⟨bijwoord⟩ in a Machiavellian way/manner/fashion, like a Machiavellist/Machiavellian
machinaal [bn, bw] [1] ⟨met machines werkend, gemaakt⟩ ⟨bijvoeglijk naamwoord⟩ mechanized, mechanical, ⟨attributief ook⟩ machine, ⟨bijwoord⟩ mechanically, by machine ♦ *machinaal **aangedreven*** power-driven; *machinaal **bewerken/produceren/drukken*** handle/manufacture/print by machine, machine-handle/machine-manufacture/machine-print; *machinaal **frankeren*** meter; *het sorteren **gaat** machinaal* sorting is mechanized/is done mechanically/by machine; *machinaal **gemaakt/vervaardigd*** machine-made; *machinale **productie*** mechanized production; *machinale **vertaling*** machine translation [2] ⟨zonder erbij na te denken⟩ mechanical ♦ *iets machinaal van buiten **leren*** learn by rote
machinatie [de^{v}] machination
machine [de^{v}] [1] ⟨toestel⟩ machine, engine, ⟨mv ook⟩ machinery ♦ ***aan** een machine **werken*** operate/run a machine; *een machine **bedienen*** operate/tend/mind a machine; *een met/op de machine **geschreven brief*** a typed/typewritten letter; ***met** de machine gemaakt* machine-made [2] ⟨fig; persoon⟩ robot, machine ♦ *hij **is** een machine **geworden*** he has turned into a robot/machine [3] ⟨motorfiets⟩ machine
machinebankwerker [de^{m}] lathe operator, fitter and turner
machinebouw [de^{m}] [1] ⟨concreet⟩ machine building/construction [2] ⟨als vak⟩ (mechanical) engineering
machineconstructeur [de^{m}] constructional engineer, machine(ry) designer
machinefabriek [de^{v}] machine/engineering works, machine/engineering factory
machinegaren [het] sewing cotton
machinegeweer [het] machine gun ♦ ***met** machinegeweren **beschieten*** machine-gun
machinekamer [de] engine room
machinekracht [de] machine/mechanical power
machinenaald [de] sewing machine needle
machineolie [de] machine/engine oil, ⟨voor naaimachine⟩ sewing machine oil
machinepapier [het] machine-made paper
machinepark [het] machinery
machinepistool [het] submachine gun, (semi)automat-

ic gun, ⟨AE ook; inf⟩ burp gun
machinerie [de^v] 1 ⟨samenstel van machines⟩ machinery, enginery 2 ⟨fig; stelsel⟩ machine, mill
machineschrift [het] typescript ♦ *een brief **in** machineschrift* a typed/typewritten letter
machineschrijven [het] typewriting, typing
machinestraat [de] (machine) production line
machinetaal [de] machine language
machinetekenaar [de^m] engineering/machine draughtsman, engineering/machine ^Adraftsman
machinetekenen [het] engineering/machine drawing
machinevermogen [het] engine power, output
machinevoerder [de^m] machine operator, machinist
machinezetsel [het] machine-composed text
machinezetter [de^m] compositor, typesetter
machinist [de^m] 1 ⟨spoorw⟩ ⟨BE⟩ engine driver, ⟨AE⟩ engineer 2 ⟨scheepv⟩ engineer ♦ ***eerste/tweede** machinist* first/second engineer 3 ⟨bestuurder van een machine⟩ machinist 4 ⟨toneel⟩ sceneshifter
machismo [het] machismo
machmeter [de^m] Machmeter
[1]**macho** [de^m] macho, he-man
[2]**macho** [bn, bw] ⟨bijvoeglijk naamwoord⟩ macho, ⟨bijwoord⟩ like a macho, in a macho way/fashion
machogedrag [het] macho behaviour, machismo
machokerel [de^m] macho-man, ⟨AE ook⟩ macho-guy
machoman [de^m] macho man
macht [de] 1 ⟨gezag⟩ power, force, control ♦ *niet meer **aan** de macht zijn* no longer be in power; ⟨inf⟩ be out; ***aan** de macht komen/zijn/brengen* come into/be in/bring to power; *alle macht **berust** bij/**is in** de handen van de president* all power lies/rests with the president/in the hands of the president; *de **gevestigde** macht* the Establishment; ⟨vaak scherts⟩ the powers that be; *macht der **gewoonte*** force of habit; *(naar) de macht **grijpen*** (attempt/try to) seize power, make a grab for power; *veel macht **hebben*** have great/far-reaching power; *de macht in handen **hebben/krijgen/nemen*** have/get/take power; ⟨nemen ook⟩ assume power/control; *iemand **in** zijn macht hebben* have s.o. in one's power; *de macht **ligt/berust** bij het volk* the power is vested/resides in/rests with the people; *uit de **ouderlijke** macht ontzet worden* be deprived of parental rights; *geen macht hebben **over** iemand* have no power/sway/control/authority over s.o.; *de macht **over** het leger hebben* have control of the army; *de macht **over** het stuur verliezen* lose control of the wheel; ⟨fig⟩ lose control; *de macht aan iemand **overdragen*** hand over/transfer power to s.o.; *de macht **overnemen*** assume power; *macht **uitoefenen*** exercise power; *de macht **verliezen*** lose control/power, fall from power 2 ⟨persoon, zaak, instantie⟩ power, force, authority ♦ *de **drie** machten in een staat* the three branches of government; ***hemelse/helse/boze** machten* heavenly/satanic powers; ⟨boze ook⟩ forces of evil; *een **hogere** macht* a higher power; ⟨in België⟩ ***inrichtende** macht* organizers, competent authority; ⟨van onderw⟩ ± (board of) trustees; *de **openbare** macht* the public authorities; ***rechterlijke** macht* the judicial branch, the judiciary/judicature; ***scheiding** der machten* separation of powers; *de **uitvoerende** macht* the executive branch; *de **vierde** macht* the bureaucracy/civil service; *de **wereldlijke/kerkelijke** macht* the secular/ecclesiastical authority/authorities/power(s); *de **wereldlijke** macht van de paus* the Pope's temporal power; *de **wetgevende** macht* the legislative branch/power, the legislature 3 ⟨vermogen om iets te doen⟩ power, authority, force ♦ ***bij** machte zijn om ...* be able/in a position to ...; *niet **bij** machte zijn (om) te* be unable/powerless to, not be able to/capable of (...-ing); *dat gaat **boven** mijn macht* that is beyond my power; *de macht **hebben** om ...* have the power to ...; *met **man** en macht* with might and main; ***met/uit** alle macht* with all one's strength/might; ***militaire** macht* military force; *zich **uit** alle macht verzetten* resist with all one's strength/might 4 ⟨invloed⟩ power ♦ *helemaal **in** iemands macht zijn* be completely in s.o.'s sway/power; ⟨inf⟩ be under s.o.'s thumb; *iemand geheel/volledig **in** zijn macht krijgen/hebben* get/have s.o. completely in one's power, ⟨inf⟩ get/have s.o. completely under one's thumb; *de macht van het **woord*** the power of the word 5 ⟨mogendheid⟩ power 6 ⟨wisk⟩ power ♦ ***derde** macht* cube, third power, power of three; *tot de **derde** macht verheffen* cube, raise to the third power; *3 **tot** de macht 3* 3 cubed, 3 to the power of 3/to the third power; *een getal **tot** de vierde macht verheffen* raise/carry a number to the fourth power/power of four; *x tot de **tweede/derde** macht* x squared/cubed; *x tot de **tweede** macht verheffen* square x; *27 is de derde macht **van** 3* 27 is the third power of 3, 27 is 3 cubed; *de **vierde** macht* the biquadratic/quartic 7 ⟨kracht⟩ power, force ♦ ***boven** je macht werken* do work above one's head; ⟨met te veel lichaamsinspanning⟩ stretch o.s. beyond one's physical limits; ⟨fig⟩ bite off more than one can chew 8 ⟨ook in samenstellingen; leger, troepen⟩ force(s) ♦ *een **gewapende** macht* an armed force 9 ⟨grote hoeveelheid⟩ loads, lots, stacks 10 ⟨meetkunde⟩ power • ⟨sprw⟩ *macht gaat boven recht* might is right; ⟨sprw⟩ *eendracht maakt macht* united we stand, divided we fall; union is strength; ⟨sprw⟩ *kennis is macht* knowledge is power
machteloos [bn, bw] powerless ⟨bw: ~ly⟩, impotent ♦ ***ik ben machteloos!*** ⟨ook⟩ my hands are tied!; *daar **sta** ik machteloos tegenover* I am powerless to do anything about that; *machteloze **woede*** impotent/helpless anger
machteloosheid [de^v] powerlessness, impotence
machtenscheiding [de^v] separation of powers
machthebbend [bn] ruling, empowered, ⟨(af)gezant⟩ plenipotentiary
machthebber [de^m] 1 ⟨dictator⟩ ruler, leader ♦ *de **huidige** machthebbers* the current/present rulers/leaders; ***militair** machthebber* military ruler/leader 2 ⟨gevolmachtigde⟩ plenipotentiary, attorney
[1]**machtig** [bn] 1 ⟨vermogen hebbend⟩ powerful 2 ⟨m.b.t. spijzen⟩ rich, heavy, filling ♦ ⟨fig⟩ *dat is mij **te** machtig* ⟨te moeilijk⟩ that is too much/hard for me; ⟨niet meer aan te zien⟩ I can't take that any more; ⟨fig⟩ *dat probleem was hem **te** machtig* that problem defeated him/got the better of him; ⟨fig⟩ *haar gevoelens werden haar **te** machtig* her emotions were too much for her, she was overcome by her feelings/emotions/by emotion 3 ⟨heerlijk⟩ wonderful, tremendous, great ♦ *een machtig **gevoel*** a wonderful feeling
[2]**machtig** [bn, bw] 1 ⟨groot⟩ huge ⟨bw: ~ly⟩, tremendous, stupendous, enormous ♦ *machtige **eiken*** massive oaks; *een machtige **hoop** mensen* a huge/an enormous crowd 2 ⟨meester zijnd⟩ competent (in) ⟨bw: competently⟩ ♦ *hij is het Frans **niet** machtig* he does not speak/have French, he has no French; *een taal machtig **zijn*** have mastered/have a firm grasp of a language; *een onderwerp (volkomen) machtig **zijn*** have full/(a) good command/a firm grasp of a subject 3 ⟨veel macht hebbend⟩ powerful ⟨bw: ~ly⟩, mighty • ⟨sprw⟩ *de pen is machtiger dan het zwaard* the pen is mightier than the sword
[3]**machtig** [bw] 1 ⟨krachtig⟩ powerfully 2 ⟨zeer⟩ tremendously, enormously, hugely ♦ *dat is machtig **mooi*** that is tremendously beautiful; *hij kan machtig **veel** eten* he can eat a tremendous/an enormous amount; *dat kost machtig **veel** geld* that costs a pretty penny/heaps of money/the earth; *dat doet mij machtig **veel** plezier* that pleases me tremendously, I'm awfully glad/terribly pleased
machtige [de] ruler, leader ♦ *de machtigen der **aarde*** the rulers of the earth
machtigen [ov ww] authorize, empower ♦ *iemand **tot** betaling machtigen* authorize s.o. to pay; *gemachtigd **zijn** (om) te* be authorized/empowered to
machtiging [de^v] authorization, authority, empower-

ment, ⟨jur⟩ power of attorney ◆ ⟨jur⟩ *machtiging* ***krijgen*** *van de rechtbank* obtain leave of the court; ⟨jur⟩ *krachtens* ***rechterlijke*** *machtiging* by/under the authority of the court; *machtiging* ***tot automatische afschrijving*** standing order; *machtiging* ***verlenen/vragen/bezitten/verkrijgen*** grant/ask for/have/acquire (the) authorization; *uitgaven* ***zonder*** *machtiging* unauthorized expenditures

machtigingsbrief [de^m] letter of authority, written authority

machtigingsnummer [het] ◆ *een enveloppe* ***met een*** *machtigingsnummer* ***erop*** a freepost envelope

machtigingswet [de] enabling act

machtlijn [de] ⟨wisk⟩ radical axis

machtpunt [het] ⟨wisk⟩ radical centre

machtreeks [de] ⟨wisk⟩ power series

machtsapparaat [het] instruments of power

machtsbasis [de^v] power base

machtsbelust [bn] power hungry

machtsblok [het] [1] ⟨pol; staten⟩ power block [2] ⟨personen⟩ power group/block

machtscentrum [het] centre of power, power base

machtsconcentratie [de^v] concentration of power

machtsdenken [het] ambition for power, obsession with power

machtsevenwicht [het] balance of power, power balance

machtsgebied [het] sphere of influence/power/authority

machtsgetal [het] ⟨wisk⟩ exponent, index, power

machtsgevoel [het] feeling/sense of power

machtsgreep [de^m] coup (d'état), seizure of power, take-over

machtshonger [de^m] hunger/thirst/craving/lust for power

machtsinstrument [het] instrument of power

machtsmiddel [het] means of (exercising) power, weapon

machtsmisbruik [het] misuse/abuse of power, misuse/abuse of authority

machtsontplooiing [de^v] ostentatious concentration of power, display of power, show of strength

machtsovername [de^v] assumption of power, ⟨inf⟩ take-over

machtsoverwicht [het] superior power, dominant position, ascendancy

machtspoliticus [de^m] [1] ⟨machtige politicus⟩ politician with a powerful position [2] ⟨machtsbeluste politicus⟩ power-hungry politician

machtspolitiek [de^v] power politics

machtspositie [de^v] position of power

machtssfeer [de] sphere of influence/power/authority ◆ *Afghanistan* ***ligt in*** *de machtssfeer* ***van*** *de Sovjet-Unie* Afghanistan is part of/is within the sphere of influence of the Soviet Union

machtsstaat [de^m] police state

machtsstrijd [de^m] struggle for power, power struggle ◆ *een machtsstrijd* ***voeren*** struggle for power

machtsuitbreiding [de^v] extension/expansion/spread/increase of (one's) power

machtsuitoefening [de^v] exercise of (one's) power

machtsvacuüm [het] power vacuum

machtsverheffing [de^v] ⟨wisk⟩ involution, raising/carrying to a higher power

machtsverhouding [de^v] balance of power, power relations ⟨mv⟩ ◆ *de* ***bestaande*** *machtsverhoudingen in Midden-Amerika* the existing/current/present balance of power in Central America; *de* ***nieuwe*** *machtsverhoudingen in Europa* the new balance of power in Europe; *de machtsverhoudingen* ***zijn gewijzigd*** the balance of power has shifted/has (been) altered/changed

machtsvertoon [het] display of power, show of strength ◆ *een* ***dergelijk*** *machtsvertoon* a display of power/show of strength of this/that kind

machtsvraag [de] question on which a party or individual will gain power

machtswellust [de^m] perverted exercise/enjoyment of power, tyranny

machtswellusteling [de^m] power-mad person, person drunk with power

machtswissel [de^m] change of power, ⟨inf⟩ take-over

machtswisseling [de^v] change of power, ⟨inf⟩ take-over

machtswoord [het] ± pronouncement, ± ultimatum ◆ *het machtswoord* ***spreken*** issue an ultimatum

macis [de^m] mace

macisolie [de] mace oil

maçonnerie [de^v] (free)masonry

maçonniek [bn] masonic

macramé [het] macramé

macrameeën [onov ww] do macramé

[1]**macro** [de^m] macro

[2]**macro** [bw] macro

macrobestanddeel [het] macro-component

macrobioot [de^m] macrobiotic

macrobiotiek [de^v] [1] ⟨levensbeschouwelijke leer⟩ macrobiotics [2] ⟨dieetleer⟩ macrobiotics

macrobiotisch [bn] macrobiotic ◆ *een macrobiotisch* ***restaurant*** a macrobiotic restaurant; *macrobiotisch* ***voedsel*** macrobiotic food

macrocefalie [de^v] ⟨med⟩ macrocephaly, mega(lo)cephaly

macro-economie [de^v] macroeconomics

macro-economisch [bn, bw] macroeconomic ◆ *macro-economische* ***verkenningen*** macroeconomic studies/research

macro-econoom [de^m] macroeconomist

macro-evolutie [de^v] macroevolution

macrofaag [de^m] ⟨med⟩ macrophage

macrofotografie [de^v] macrophotography, photomacrography

macroglossie [de^v] ⟨med⟩ macroglossia

macrohistorie [de^v] macrohistory

macrokosmos [de^m] macrocosm(os)

macrokristallijn [bn] ⟨geol⟩ macrocrystalline

macrolens [de] macro lens

macromoleculair [bn] macromolecular

macromolecule [de] macromolecule

macron [de^m] macron

macronutriënt [het, de] macronutrient

macro-objectief [het] macro lens

macro-organisme [het] macroorganism

macroparasiet [de^m] macroscopic parasite

macropsie [de^v] ⟨med⟩ macropsia, macropsy

macroscopie [de^v] macroscopy, macroscopical examination

macroscopisch [bn, bw] macroscopic(al)

macrosociologie [de^v] macrosociology

macrostructuur [de^v] [1] ⟨structuur⟩ macrostructure [2] ⟨gestructureerd geheel⟩ macrostructure

macrovirus [het] macro virus

maculadegeneratie [de^v] macular degeneration

maculatuur [de^v] [1] ⟨boeken van de oude druk⟩ remainders [2] ⟨misdruk⟩ mackle, macule

maculopathie [de^v] maculopathy

macwaarde [de^v] MAC level

Madagas [de^m], **Madagask** [de^m] ⟨man⟩ Madagascan, Malagasy

Madagask [de^m] → **Madagas**

Madagaskar [het] Madagascar ◆ *de* ***republiek*** *Madagaskar* the Malagasy Republic

Madagaskisch [bn] Madagascan, ⟨attributief ook⟩

Madagascar, of/from Madagascar ⟨na zn⟩

Madagaskar	
naam	*Madagaskar* Madagascar
officiële naam	*Republiek Madagaskar* Republic of Madagascar
inwoner	*Malagassiër* Malagasy
inwoonster	*Malagassische* Malagasy
bijv. naamw.	*Malagassisch* Malagasy
hoofdstad	*Antananarivo* Antananarivo
munt	*ariary* ariary
werelddeel	*Afrika* Africa
int. toegangsnummer **261** www .mg auto **RM**	

madam [de^{v}] [1] ⟨pej; vrouw⟩ woman, person, ⟨iron⟩ lady ♦ *de madam **spelen/uithangen*** act the lady [2] ⟨getrouwde burgervrouw⟩ lady [3] ⟨bordeelhoudster⟩ madam
made [de] [1] ⟨larve van een insect⟩ maggot, grub(worm), ⟨als visaas⟩ gentle, ⟨kaasvlieg⟩ cheesemite [2] ⟨madeworm⟩ pinworm, threadworm
madeliefje [het] daisy
madera [de^{m}] Madeira
maderasaus [de] Madeira sauce
maderiseren [onov ww] mature, ⟨techn⟩ 'Estufagem'
madeworm [de^{m}] pinworm, threadworm
madison [de^{m}] madison
Madoera [het] Madura
Madoerees [de^{m}], **Madoerese** [de^{v}] Madurese
Madoerese [de^{v}] → **Madoerees**
madonna [de^{v}] ⟨meisje, vrouw⟩ madonna
Madonna [de^{v}] ⟨Maria⟩ Madonna
madonnagezichtje [het] madonna's face, face of a madonna
madonnalelie [de] Madonna lily
madras [het] [1] ⟨gordijnstof⟩ madras [2] ⟨milde kerrie⟩ Madras curry
madrassa [de] madrassah, madrasa, medrese
Madrid [het] Madrid
madrigaal [het] [1] ⟨lit⟩ madrigal [2] ⟨muz⟩ madrigal
Madrileen [de^{m}], **Madrileense** [de^{v}] [•] *Madrileen **zijn*** be/come from Madrid
Madrileens [bn] Madrid ⟨attr⟩, of/from Madrid ⟨na zn⟩
Madrileense [de^{v}] → **Madrileen**
maduro [bn] maduro
maestro [de^{m}] maestro
maf [bn, bw] [1] ⟨mal⟩ crazy, nuts, balmy, bonkers, crackers, ⟨vnl BE ook⟩ daft ♦ *hij is **compleet** maf* he is completely bonkers/off his rocker; ***doe** niet zo maf* don't be so daft, stop goofing around [2] ⟨loom⟩ muggy, oppressive
maffen [onov ww] ⟨inf⟩ snooze, ⟨BE ook⟩ kip, have a kip/nap ♦ ***gaan** maffen* hit the hay/sack, conk out; ⟨BE ook⟩ kip/doss down; ⟨AE ook⟩ sack out, conk off
maffer [de^{m}] [1] ⟨slaapkop⟩ sleepyhead [2] ⟨stakingsbreker⟩ scab, ⟨BE ook⟩ blackleg
maffia [de] Mafia
maffiaclan [de^{m}] Mafia clan
maffiafamilie [de^{v}] Mafia family
maffialeider [de^{m}] Mafia boss
maffialid [het] mafioso, member of the Mafia
maffiapraktijk [de] Mafia practice
maffioso [de^{m}] mafioso
mafkees [de^{m}], **mafketel** [de^{m}], **mafkikker** [de^{m}] ⟨inf⟩ goof(ball), nut
mafketel [de^{m}] → **mafkees**
mafkikker [de^{m}] → **mafkees**
magazijn [het] [1] ⟨bergplaats voor waren⟩ warehouse, storehouse, depot, repository, stockroom, ⟨op kantoren e.d.⟩ supply room ♦ *boeken in het **centraal** magazijn onderbrengen* store books in the central repository; *iets **uit** het magazijn halen* get sth. from the warehouse/supply room/stockroom [2] ⟨grote winkel⟩ shop, ⟨AE⟩ store, business [3] ⟨m.b.t. geweer, pistool⟩ magazine [4] ⟨van diaprojector⟩ (slide) tray
magazijnadministratie [de^{v}] inventory/stock/stores records, warehouse books
magazijnbediende [de] ⟨in pakhuis; man⟩ warehouseman, ⟨vrouw⟩ warehousewoman, ⟨op kantoor e.d.⟩ supply clerk
magazijngoederen [de^{mv}], **magazijnvoorraad** [de^{m}] (warehouse) stock(s)/stores
magazijnhouder [de^{m}], **magazijnmeester** [de^{m}] warehouse/stock manager
magazijnier [de^{m}] ⟨in België⟩ [1] ⟨magazijnbediende⟩ ⟨in pakhuis; man⟩ warehouseman, ⟨vrouw⟩ warehousewoman, ⟨op kantoor e.d.⟩ supply clerk [2] ⟨magazijnchef⟩ warehouse/stock manager
magazijnmeester [de^{m}] → **magazijnhouder**
magazijnvoorraad [de^{m}] → **magazijngoederen**
magazine [het] [1] ⟨blad, tijdschrift⟩ magazine, ⟨weekblad⟩ weekly, ⟨maandblad⟩ monthly [2] ⟨programma, actualiteitenrubriek⟩ current affairs programme/^{A}program
mager [bn, bw] [1] ⟨dun⟩ slim, thin, lean, ⟨broodmager⟩ scrawny, skinny ♦ *zo mager **als een lat*** thin as a rake/rail/^{B}lath; *een mager **gezicht*** a lean face; *mager **worden*** lose weight, get thin [2] ⟨met weinig vet⟩ lean, meagre ♦ *magere **kaas*** low-fat cheese; *magere **kost*** lean/meagre fare; *magere **melk*** skim(med) milk; *magere **riblappen*** lean beef (ribs) [3] ⟨pover⟩ feeble, weak, meagre, poor, slender ♦ *mager **afsteken bij*** compare poorly to, not match up to; *een mager **excuus*** a feeble excuse; *een magere **ontvangst*** a thin/poor reception; *een magere **overwinning*** a narrow win/victory; *een mager **resultaat*** a poor/meagre result [4] ⟨onvruchtbaar⟩ poor, arid [5] ⟨drukw⟩ lean, light ♦ *een magere **drukletter*** light type [6] ⟨m.b.t. kwaliteit, gehalte stof⟩ lean ♦ *magere **klei/kalk*** lean clay/lime
magerte [de^{v}] leanness, thinness, sparsity
magertjes [bw] [1] ⟨sober, karig⟩ lean, thin, poor, scant ♦ *het magertjes **hebben*** go through/have lean/hard times, have trouble making ends meet, just get by [2] ⟨onbeduidend⟩ lean, thin, slim, scant, insignificant ♦ *zijn **rapport** is wat magertjes* ⟨schoolrapport⟩ his report is not so very/so good; ⟨verslag⟩ his report is a bit skimpy; *de opbrengst **was** magertjes* the proceeds were scant, the yield was poor/scant [•] *hoe was het? magertjes!* how was it? so-so!
magerzucht [de] anorexia (nervosa)
maggi [de^{m}] ⟨merknaam⟩ ± soup flavouring
maggiblokje [het] stock cube
maggiplant [de] lovage
Maghreb [de] Maghrib
magie [de^{v}] [1] ⟨toverkunst, toverij⟩ magic, wizardry, conjuring, sleight-of-hand, hocus-pocus ♦ ***witte** magie* white magic; ***zwarte** magie bedrijven* practice black magic [2] ⟨(geheime) riten⟩ magic, witchcraft, sorcery [3] ⟨fig; betovering, fascinatie⟩ magic
magiër [de^{m}] magician, wizard, conjuror, magus
magirusladder [de] extension/extending/fireman's ladder
magisch [bn] [1] ⟨m.b.t. toverkracht, bovenaardse macht⟩ magic(al), supernatural ♦ *een magische **kracht*** a magic power; ⟨fig⟩ *een magisch **kwadraat/vierkant*** a magic square; ⟨fig⟩ *het magisch **realisme*** Magic Realism; *magische **spiegel*** magic mirror; *op een haast magische **wijze*** as if by magic [2] ⟨fig; betoverend, fascinerend, verlokkend⟩ magic(al) ♦ *een magische **aantrekkingskracht*** a magic power/appeal
magister [de^{m}] ⟨gesch⟩ master
magistraal [bn] magisterial, magistral, authoritative, ⟨fig ook⟩ masterful, masterly ♦ *een magistrale **toon*** a magisterial/an authoritative tone; *een magistrale **voorstelling*** a masterly performance [•] ⟨med⟩ *magistrale **receptuur*** magistral preparation

magistraat [de^{m}] [1] ⟨overheidspersoon⟩ magistrate [2] ⟨rechterlijk ambtenaar⟩ magistrate [3] ⟨gesch; overheid, stadsregering⟩ magistrate

magistraatschap [het] magistracy, magistrature

magistratuur [de^{v}] [1] ⟨waardigheid⟩ magistrature, magistracy [2] ⟨rechterlijke macht⟩ magistrature, magistracy ♦ *de* ***staande*** *magistratuur* ⟨BE⟩ the Public Prosecutor, ⟨AE⟩ the Prosecuting/State Attorney; *de* ***zittende*** *magistratuur* the court/bench

magma [het] ⟨geol⟩ magma

magmatisch [bn] ⟨geol⟩ magmatic

magnaat [de^{m}] magnate, baron, tycoon

magneet [de^{m}] [1] ⟨stuk staal⟩ magnet [2] ⟨fig; persoon, zaak⟩ magnet

magneetanker [het] armature, keeper

magneetband [de^{m}] (magnetic) tape

magneetcode [de^{m}] magnetic code

magneetijzer [het], **magneetijzersteen** [het, de^{m}] magnetic iron (ore), magnetite, loadstone, lodestone

magneetijzersteen [het, de^{m}] → **magneetijzer**

magneetinductie [de^{v}] magnetic induction

magneetkaart [de] swipe card

magneetkern [de] [1] ⟨kern van een inductieklos⟩ magnetic core [2] ⟨comp⟩ magnetic core

magneetkraan [de] lifting-magnet type crane

magneetkracht [de] magnetic force/intensity

magneetkussen [het] magnetic cushion/space

magneetlamp [de] magnetic lamp

magneetnaald [de] magnetic needle

magneetontsteking [de^{v}] magneto (ignition)

magneetpas [de^{m}] magnetic pass, magnetic permit, magnetic ID card

magneetpleister [de] magnetic plaster

magneetpool [de] magnetic pole

magneetrem [de] magnetic brake

magneetschijf [de] ⟨comp⟩ (magnetic) disk

magneetschijfgeheugen [het] ⟨comp⟩ disk storage unit

magneetschool [de] specialist school

magneetsluiting [de^{v}] magnetic fastening

magneetspoel [de] magnet coil

magneetstaaf [de] magnetic bar, (bar) magnet

magneetstaafje [het] magnetometer

magneetstrip [de^{m}] magnetic tape stripe

magneetstripkaart [de] swipe card, smart card

magneettrein [de^{m}] maglev (train), magnet train

magneetveld [het] [1] ⟨krachtveld van een magneet⟩ magnetic field [2] ⟨magnetisch veld⟩ magnetic field

magneetwerking [de^{v}] [1] ⟨techn⟩ magnetism [2] ⟨fig⟩ magnetism

magneetzweefbaan [de^{mv}] maglev track

magneetzweeftrein [de^{m}] maglev train

magnesia [de] magnesia

magnesiet [het, de^{m}] magnesite

magnesium [het] magnesium

magnesiumlicht [het] magnesium light

magnesiumoxide [het] magnesium oxide, magnesia

magnesiumpoeder [het, de^{m}] magnesium powder

magnetisch [bn] [1] ⟨natuurk; met magnetische kracht⟩ (electro)magnetic ♦ *magnetisch* ***maken*** magnetize; *een magnetische* ***naald*** a magnetic needle [2] ⟨natuurk; m.b.t., veroorzaakt door magnetisme⟩ magnetic ♦ *magnetische* ***kracht/aantrekking*** magnetic force/attraction; *het magnetisch* ***noorden*** the magnetic north; *een magnetische* ***pool*** a magnetic pole [3] ⟨onweerstaanbaar, fascinerend⟩ magnetic ♦ *een magnetische* ***zuigkracht/bezieling*** a magnetic attraction/power

magnetiseerbaar [bn] magnetizable

magnetiseerder [de^{m}] magnetizer

magnetiseren [ov ww] [1] ⟨natuurk; magnetisch maken⟩ magnetize [2] ⟨het bewustzijn beïnvloeden, hypnotiseren⟩ magnetize [3] ⟨betoverende invloed hebben⟩ magnetize

magnetiseur [de^{m}] magnetizer

magnetisme [het] [1] ⟨magnetische kracht⟩ magnetism [2] ⟨het bezitten⟩ magnetism [3] ⟨theorie⟩ magnetism [4] ⟨fig; biologerende invloed⟩ magnetism

magnetochemie [de^{v}] ⟨natuurk⟩ magnetochemistry

magnetodetector [de^{m}] metal detector

magnetodynamisch [bn] magneto-dynamic ♦ *magnetodynamisch* ***element*** magneto-dynamic element

magneto-elektriciteit [de^{v}] magnetoelectricity

magneto-elektrisch [bn] [1] ⟨elektrisch geworden⟩ magnetoelectric ♦ *magneto-elektrische* ***inductie*** magnetoelectric induction [2] ⟨elektrische stroom opwekkend⟩ magnetoelectric ♦ *magneto-elektrische* ***machine*** magnetoelectric machine

magnetograaf [de^{m}] magnetograph

magnetogram [het] magnetogram

magnetometer [de^{m}] magnetometer

magnetomotorisch [bn] [•] *magnetomotorische* ***kracht*** magnetomotive force

magneton [het] ⟨natuurk⟩ magneton

magnetosfeer [de] magnetosphere

magnetron [de^{m}] [1] ⟨techn⟩ magnetron [2] ⟨magnetronoven⟩ microwave (oven)

magnetronfolie [de] microwave cling film, microwaveable plastic food wrap

magnetronoven [de^{m}] microwave oven

Magnificat [het] ⟨r-k⟩ magnificat

magnifiek [bn, bw] magnificent ⟨bw: ~ly⟩, marvellous, splendid, brilliant, glorious

magnitudo [de^{v}] magnitude

magnolia [de] magnolia

magnum [de^{m}] magnum, flagon

Magyaar [de^{m}] Magyar

Magyaars [bn] Magyar

maharadja [de^{m}] maharaja(h)

mahjong [het] mahjong(g)

[1]**mahonie** [het] mahogany, acajou

[2]**mahonie** [bn] [1] ⟨van mahoniehout⟩ mahogany [2] ⟨mahoniekleur hebbend⟩ mahogany(-coloured)

mahonieboom [de^{m}] [1] ⟨in Amerika⟩ mahogany (tree), acajou, Cuban/Dominican mahogany [2] ⟨in Afrika⟩ (African) mahogany

mahoniehout [het] mahogany, acajou

mahoniehouten [bn] mahogany ♦ *een mahoniehouten* ***tafel*** a mahogany (table)

mahonielak [het, de^{m}] mahogany lacquer

maidenparty [de] hen party

maidenspeech [de^{m}] [1] ⟨m.b.t. een volksvertegenwoordiger⟩ maiden speech ♦ *zijn maidenspeech* ***houden*** give one's maiden speech [2] ⟨alg⟩ maiden speech, debut (speech)

maidentrip [de^{m}] maiden trip

mail [de] (e-)mail

mailadres [het] mail address

mailart [de^{m}] mail art

mailbom [de] ⟨comp⟩ mail bomb

mailboot [de] mail(boat), packet boat

mailbureau [het] mailing list agency

maildienst [de^{m}] mail service

maileditie [de^{v}] overseas edition

mailen [ov ww] [1] ⟨reclamemateriaal sturen⟩ do a mail-out/mailing/mailshot (to) [2] ⟨per e-mail sturen⟩ e-mail

mailing [de^{m}] mailing, mailshot, mail-out

mailinglijst [de] mailing list

mailinglist [de^{m}] mailing list

maillot [het, de^{m}] tights, hose, ⟨AE ook⟩ leotard(s), ⟨ballet ook⟩ maillot, ⟨vleeskleurig⟩ fleshings

mailpapier [het] airmail (note)paper
mailserver [de^{m}] mail server
mailtje [het] e-mail ♦ *een mailtje **sturen** naar iemand* send (an) e-mail to s.o., e-mail s.o.
mailworm [de^{m}] e-mail worm, e-mail virus
mainframe [het] mainframe
mainport [de^{m}] transport/^{A}transportation hub, mainport
mainstream [de^{m}] mainstream
maintenee [de^{v}] kept/fancy woman, mistress, (par) amour, concubine
mais [de^{m}] 1 ⟨graansoort⟩ ⟨BE⟩ maize, ⟨AE⟩ corn, Indian corn 2 ⟨zaadkorrels⟩ maize (corn), (Indian) corn ♦ ***gepofte** mais* popcorn
maisbrood [het] ⟨vnl AE⟩ corn bread
maisgeel [bn] maize (yellow), ⟨AE⟩ corn, ⟨BE ook⟩ maize-coloured
maiskleur [de] maize (yellow), ⟨AE⟩ corn
maiskoek [de^{m}] corncake, ⟨AE⟩ corndodger
maiskolf [de] corncob, ear of maize, ear of Indian corn
maiskorrel [de^{m}] kernel of ^{B}maize/^{A}corn
maisolie [de] maize/^{A}corn oil
maison [de^{v}] house
maisonnette [de^{v}] maison(n)ette
maispap [de] maize porridge, ⟨AE⟩ mush
maisveld [het] maizefield, ⟨AE⟩ cornfield, field of maize/^{A}corn
maisvlokken [de^{mv}] corn flakes
maître d'hôtel [de^{m}] maître d'hôtel, headwaiter, ⟨AE ook⟩ maître d'
maîtresse [de^{v}] mistress, (par)amour, fancy woman, concubine ♦ *een maîtresse **hebben/onderhouden*** have/keep a mistress
maizena [de^{m}] ⟨BE⟩ cornflour, ⟨AE⟩ cornstarch, maizena
maj. [afk] (majoor) maj, Maj
majem [het, de^{m}] ⟨inf⟩ drink, ↑water
majesteit [de^{v}] 1 ⟨titel⟩ Majesty ♦ ***Harer** Majesteits Ambassadeur in Zwitserland* Her Majesty's Ambassador in/to Switzerland; ***Zijne/Hare** Majesteit* His/Her Majesty 2 ⟨m.b.t. God⟩ Majesty 3 ⟨waardigheid⟩ majesty, royal dignity, stateliness 4 ⟨verheven pracht⟩ majesty, grandeur, splendour, glory
majesteitelijk [bn, bw] majestic(al) ⟨bw: majestically⟩, regal, imperial, royal, kingly, queenly
majesteitsschennis [de^{v}] lese majesty, lèse majesté
majestueus [bn, bw] majestic(al) ⟨bw: majestically⟩, regal, imperial, royal, kingly, queenly ♦ *zich majestueus **bewegen*** move with majesty; *een majestueuze **houding*** a regal bearing, a majestic deportment
majeur [de] ⟨muz⟩ major ♦ ***in** majeur spelen* play in major/in a major key
majolica [het, de] majolica
majoor [de^{m}] 1 ⟨hoofdofficier⟩ major, ⟨luchtm; BE⟩ squadron leader 2 ⟨sergeant-majoor⟩ sergeant major 3 ⟨tamboer-majoor⟩ drum major
majoorsrang [de^{m}] rank of major
major [de^{m}] 1 ⟨oudste van twee broers⟩ senior, ⟨onderw; BE⟩ major 2 ⟨hoofdterm in een sluitrede⟩ major term
majoraan [de] (sweet) marjoram
majoraat [het] entailed estate
majordomus [de^{m}] 1 ⟨r-k⟩ major-domo 2 ⟨huisbediende⟩ major-domo
majoreren [onov ww] make an exaggerated (insurance) claim, claim excess expenses
majorette [de^{v}] (drum) majorette
majoriteit [de^{v}] 1 ⟨meerderheid⟩ majority 2 ⟨meerderjarigheid⟩ majority
majuskel [de] majuscule, capital
mak [bn, bw] 1 ⟨getemd⟩ tame(d) ⟨bw: tamely⟩, docile, gentle, quiet ♦ *mak **maken*** ⟨paard⟩ break in; tame, domesticate; *een mak **paard*** a tame/docile horse 2 ⟨meegaand⟩ meek ⟨bw: ~ly⟩, gentle ⟨bw: gently⟩, docile, tractable ♦ *zo mak **als** een lammetje* as meek/gentle as a lamb
makam [de^{m}] makam
makelaar [de^{m}] 1 ⟨tussenhandelaar in onroerend goed⟩ ⟨BE⟩ state agent, ⟨AE⟩ real estate agent, ⟨AE⟩ realtor, land agent, ⟨vnl BE⟩ house agent, ⟨alg⟩ broker ♦ ***beëdigd** makelaar en taxateur* sworn broker and ^{B}valuer/^{A}appraiser; *een makelaar **inschakelen*** engage a house agent 2 ⟨tussenhandelaar⟩ broker, agent, middleman, dealer ♦ *makelaar **in** wijnen* wine agent/dealer; *makelaar **in** effecten* stockbroker; *makelaar **in** assurantiën* insurance broker; *makelaar **in** roerend goed* personal property agent 3 ⟨bouwk⟩ king/crown post
makelaardij [de^{v}] brokerage, agency, ⟨i.h.b. in onroerend goed⟩ estate/land/house agency
makelaarsadvies [het] preliminary valuation/quotation (given by an estate agent)
makelaarskantoor [het] broker's office, (real) estate agent's office
makelaarsloon [het], **makelaarsprovisie** [de^{v}] brokerage, broker's commission/fee/remuneration, ⟨m.b.t. huizen ook⟩ estate agent's fees
makelaarsprovisie [de^{v}] → **makelaarsloon**
makelij [de^{v}] make, produce, making, facture, workmanship ♦ *van **eigen** makelij* homegrown, home-produced; *van **Griekse** makelij* made in/produce of Greece; *van **vreemde** makelij* foreign-made, foreign produce
maken [ov ww] 1 ⟨repareren⟩ repair, mend, fix ♦ *zijn **auto** kan niet meer gemaakt worden* his car can no longer be fixed/is beyond repair/is a total write-off; ⟨fig⟩ *iemand kunnen maken en **breken*** be able to make or break s.o.; *zijn auto **laten** maken* have one's car repaired/fixed/serviced; *een gebroken **schaal** maken* mend a broken dish 2 ⟨vervaardigen⟩ make (up), produce, ⟨in fabriek⟩ manufacture, ⟨machines⟩ construct, turn out ♦ *je snapt niet hoe ze het **ervoor** kunnen maken* one wonders how they can produce it at that price; ***kleren** maken* make/manufacture/sew garments/clothes; *deze auto wordt **niet meer** gemaakt* ⟨ook⟩ this model/car has been discontinued; ***van** een laken een jurk maken* make a dress out of a (linen) sheet, make a (linen) sheet up into a dress; *cider wordt **van** appels gemaakt* cider is made from apples; ⟨fig⟩ *wat moet je daar nou **van** maken?* what on earth can/do you make of this?; *een tafel die **van** hout/staal is gemaakt* a table made of wood/steel; *een cocktail maken **van** gin, ijs en tomatensap* make a cocktail out of gin, ice and tomato juice; ***van** deze oude goudstukken kan je een broche laten maken* you can get these pieces of old gold made up into a brooch 3 ⟨scheppen⟩ make, create, shape, fashion ♦ ***gedichten** maken* write poetry; ⟨inf⟩ *een **kindje** maken* make a baby; *God maakte de **mens** naar zijn beeld* God created man in his image; *geen tijd? dan maak je maar **tijd**!* no time? you'll just have to make time then!; ***voor** elkaar gemaakt zijn* be made for each other; *ze heeft **zichzelf** niet gemaakt* she cannot help being the way she is, she was born that way 4 ⟨in een toestand, positie brengen⟩ make, render, ⟨ridder⟩ create ♦ *iemand **dood/blind** maken* kill/blind s.o.; *dit weer maakt **dorstig*** this is thirsty weather; ***er** het beste **van** maken* make the most/best of it; ***er niet veel van** maken* make a mess of sth., do poorly, bungle sth., muck it up; *hij maakt **er** niet veel **van*** he's making a poor/bad job of it, he is not doing too well; *hij maakt **er** nog niet veel **van*** he is not very good at it yet; ***ervan** maken wat **ervan** te maken valt* make the best of a bad job; *zich **gehaat** maken* make o.s. hated, incur the hatred (of); ⟨fig⟩ *laat je niet **gek** maken* don't let it drive you out of your mind; *zich **klein** maken* cower, huddle up; *een bankbiljet **klein** maken* change a (bank) note, have a note broken; *maak het **kort*** make/keep it short, be brief; *hij zal het niet **lang** meer maken* he is not long for this world, he is sinking fast; *een zaak **tot** de*

zijne maken embrace a cause; *dat optreden maakte hem* ***tot een ster*** that performance made him a star; *ergens een werkplaats* ***van*** *maken* turn sth. into a workshop/workroom; *iemand* ***voorzitter*** *maken* make/appoint s.o. president/chairman/chairperson; *iets* ***waar*** *maken* make sth. good, deliver the goods; ⟨bewijzen⟩ prove sth./one's case; *iemand* ***wanhopig*** *maken* drive s.o. to despair; *maak er* ***wat*** *van!* go in there and fight!, there you go!, now for it!, go for it!; *het is maar wat je ervan maakt* it all depends on what you do with/make of it; *ze hebben er veel* ***werk*** *van gemaakt* they've gone through a lot of trouble for it; *zoiets maakt me* ***woest!*** this kind of thing really drives me up the wall/pole/round the bend/aggravates me no end; *zich van kant maken* do o.s. in 5 ⟨uitvoeren, doen plaats hebben⟩ make, create, do ♦ *een* ***blunder*** *maken* blunder; *lange* ***dagen*** *maken* work long hours; *een* ***doelpunt*** *maken* score a goal; *een* ***einde*** *maken aan* put an end/a stop/halt to, make an end of; *je hebt het* ***ernaar*** *gemaakt* you've asked for it; *een breed* ***gebaar*** *maken* make a magnanimous gesture; *je* ***hebt*** *daar niets* ***te*** *maken* you have no business there; ***hoe*** *heb je het (examen) gemaakt?* how did you do/get along (in the exam)?; *hij kan mij* ***niets*** *maken* he's got nothing on me/can't get at/touch me; *een* ***oefening/zijn huiswerk*** *maken* do an exercise/one's homework; ***sommen/een vertaling*** *maken* do sums, do/make a translation; ⟨sport⟩ *een goede/slechte/scherpe* ***tijd*** *maken* make a good/bad/(very) fast time; *een* ***uitstapje*** *maken* go on/take a trip 6 ⟨verkrijgen⟩ make, ⟨loon, winst⟩ earn, ⟨uit verkoop⟩ raise, get ♦ *veel* ***geld*** *maken* make/earn a lot of money; ***naam*** *maken* win/make a name for o.s.; ⟨kaartsp⟩ *een* ***slag*** *maken* make a trick 7 ⟨bedragen⟩ make, be 8 ⟨genoemde snelheid bereiken⟩ do, attain 9 ⟨veroorzaken⟩ cause, have, lead (to) ♦ *het slechte weer maakte* ***dat*** *ze de trein miste* the bad weather caused her to miss the train; *de slechte afwatering maakt* ***dat*** *het land zo drassig is* the land is so marshy because of the poor drainage; ***slachtoffers*** *maken* cause fatalities/loss of lives, lead to fatalities/casualties ⊡ *maak* ***dat*** *je wegkomt!* get out of here!, beat it!, clear off!; *ik weet het* ***goed*** *gemaakt* I'll tell you what, I'll make you an offer; *daar* ***heb*** *ik nooit mee* ***te*** *maken gehad* that's sth. I've never had anything to do with; ***heb*** *je weleens met X* ***te*** *maken gehad?* have you ever had any dealings with X?; *je* ***hebt*** *er niets mee* ***te*** *maken* it is none of your business; *dat* ***heeft*** *er niets mee* ***te*** *maken* that's got nothing to do with it, that's irrelevant; ⟨inf⟩ *zij gaat* ***het*** *maken* she's going to make it big, she's going places; ⟨inf⟩ ***het*** *(helemaal) maken* make it to the top, be top of the bill/top dog; *hij maakt* ***het*** *slecht* he is not (doing too) well; *moeder en kind maken* ***het*** *goed* mother and baby are doing well/^fine; ***hoe*** *maakt u het?* how do you do?; ⟨inf⟩ how are you?; ***hoe*** *maakt je broer het?* how is your brother?; *dan* ***krijg*** *je met mij* ***te*** *maken* in that case you'll have to deal with me/you'll have me to contend with; *de student* ***krijgt*** *in de toekomst* ***te*** *maken met andere vakken* the student will have to face/deal with other subjects; ⟨inf⟩ *dat* ***kun*** *je niet maken* you cannot do that, it isn't done; ⟨inf⟩ *dat* ***kun*** *je tegenover haar niet maken* you can't do that to her; *ergens mee* ***te*** *maken* ***hebben*** have sth. to do with sth.; *ze wil niets meer met hem* ***te*** *maken* ***hebben*** she does not want anything more to do with him; ***van*** *een vijf een zes maken* change/turn a five into a six/a fail into a pass; ⟨inf⟩ *maak het nou (een beetje)!* you can't be serious!; ⟨verbazing⟩ go away!; ⟨sprw⟩ *geld alleen maakt niet gelukkig* riches alone make no man happy; ± money isn't everything; ⟨sprw⟩ *(de) kleren maken de man niet* clothes do not make the man; ⟨sprw⟩ *men moet geen slapende honden wakker maken* let sleeping dogs lie; ⟨sprw⟩ *vele kleintjes maken een grote* many a little makes a mickle; many a mickle makes a muckle; ⟨sprw⟩ *vele handen maken licht werk* many hands make light work; ⟨sprw⟩ *onbekend maakt onbemind* unknown, unloved; ⟨sprw⟩ *geld maakt vrienden* he that hath a full purse never wanted a friend; ± success has many friends; ⟨sprw⟩ *(de) kleren maken de man* the tailor makes the man; fine feathers make fine birds; ⟨sprw⟩ *de gelegenheid maakt de dief* opportunity makes the thief

make-over [de^m] makeover

maker [de^m] 1 ⟨vervaardiger⟩ producer, architect, ⟨van schilderij⟩ artist, ⟨van boek⟩ author 2 ⟨Bijb⟩ Maker, Creator

make-up [de^m] 1 ⟨middelen⟩ make-up, cosmetics, ⟨dram⟩ grease paint ♦ *make-up* ***aanbrengen/opbrengen*** put on make-up 2 ⟨resultaat⟩ make-up, ⟨scherts⟩ war paint ♦ *mijn make-up* ***is uitgelopen*** my (eye) make-up/mascara has run

maki [de^m] lemur, macaco

making-of [de^m] making-of

makke [de] ⟨inf⟩ ⊡ *de makke* ***is*** *...* the snag is ...

[1]**makkelijk** [bn] ⟨eenvoudig⟩ easy, simple, facile, ⟨karwei, baan⟩ cushy ♦ *dat* ***maakt*** *de zaak er niet makkelijker op* that doesn't make things (any) easier ⊡ *nogal makkelijk zijn* ***in*** *bepaalde dingen* be a bit too easy-going/laissez-faire about some things; *een makkelijke* ***stoel*** ⟨soort stoel⟩ an easy chair; ⟨stoel die gemakkelijk zit⟩ a comfortable chair

[2]**makkelijk** [bw] 1 ⟨zonder veel inspanning⟩ easily, readily, well, casually ♦ *jij* ***hebt*** *makkelijk* ***praten*** it's easy (enough) for you to talk (like that) 2 ⟨zonder veel tegenstand⟩ easily, readily ♦ *waarom makkelijk* ***doen*** *als het ook moeilijk kan?* why make things so difficult for yourself; *hij* ***komt*** *makkelijk onder de invloed van anderen* he is easily influenced by others 3 ⟨zeer wel⟩ easily, certainly ♦ *dat* ***kan*** *makkelijk* ⟨het is te doen⟩ that is easily done; ⟨het is goed mogelijk⟩ that may well be, you may be right there

makken [ww] ⟨inf⟩ ⊡ *geen* ***cent*** *te makken hebben* not have a brass farthing/a red cent, be broke, ⟨BE ook⟩ be skint

makker [de^m] pal, buddy, chum, brother, fellow, ⟨vnl. BE, AuE⟩ mate ♦ *hé, makker!* hey mate!, ⟨vnl AE⟩ hey buddy/chum/pal/buster!

makkie [het] ⟨inf⟩ piece of cake, push-over, picnic, cinch, ⟨karwei⟩ soft/cushy/easy job ♦ *ik* ***heb*** *een makkie vandaag* I've got an easy one/job today; *ergens een makkie aan* ***hebben*** get off easy with sth.; ⟨sport⟩ *een makkie* ***hebben*** *aan zijn tegenstander* have one's opponent in one's pocket, walk all over one's opponent; *dat* ***is*** *toch zeker een makkie* that's a piece of cake, isn't it?

makreel [de^m] mackerel

makreelachtigen [de^mv] mackerel family, scombrids, Scombridae

makroon [de^m] macaroon

[1]**mal** [de^m] 1 ⟨model, patroon, uitslag⟩ mould, template, pattern, ⟨letter-⟩ stencil(-plate), ⟨mechanisch⟩ jig 2 ⟨tekengereedschap⟩ French curve 3 ⟨voorwerp om afmetingen te controleren⟩ gauge, template ⊡ *iemand* ***voor*** *de mal houden* fool/kid s.o., make fun/sport of s.o., pull s.o.'s leg

[2]**mal** [bn, bw] silly ⟨bw: sillily⟩, foolish, funny, crazy, cracked, mad ♦ ***ben*** *je mal?* of course not!, are you kidding?; ***doe*** *niet zo mal* don't be silly; *een mal* ***figuur*** *slaan* look cheap; *een mal* ***hoedje*** a silly/funny hat; *malle* ***ideeën*** *krijgen* get (silly) notions into one's head; *nee, malle* ***meid/jongen*** no, silly!; *een malle* ***vertoning*** a silly business, mumbo-jumbo

mala [de] mala

malabsorptie [de^v] malabsorption

malachiet [het] malachite

malachietgroen [het] malachite green, bice green

malacologie [de^v] malacology

malafide [bn] mala fide ♦ *malafide* ***aannemers*** fraudulent (building) contractors, ↓crooked (building) contractors

malaga [de^m] malaga

Malagasi [het] Malagasy

Malagassiër [de^m], **Malagassische** [de^v] Madagascan, Malagasy, inhabitant/native/citizen of Madagascar

Malagassisch [bn] Madagascan, Malagasy, ⟨na zelfstan-

dig naamwoord⟩ of/from Madagascar
Malagassische [de^{v}] → **Malagassiër**
malaise [de^{v}] ① ⟨gedrukte stemming⟩ malaise, dejection, depression, low ♦ ***algehele*** *malaise* total malaise; *een* ***gevoel*** *van malaise* a feeling of malaise/dejection ② ⟨ec⟩ depression, slump, stagnancy
malaisetijd [de^{m}] period of malaise
Malakka [het] ① ⟨stad, deelstaat in Maleisië⟩ Malacca ② ⟨aardr; Maleise Schiereiland⟩ (the) Malay Peninsula ③ ⟨staatkundig⟩ ⟨in Britse koloniale tijd⟩ (the) Malay States, ⟨1945-1963⟩ Malaya, ⟨na 1963⟩ West Malaysia, Peninsular Malaysia
malapropisme [het] malapropism
malaria [de] malaria
malariabestrijding [de^{v}] malaria control, ⟨maatregelen⟩ measures to combat malaria
malarialijder [de^{m}] malaria patient/sufferer, malarial patient
malariamug [de] malaria(l) mosquito
malariaparasiet [de^{m}] malaria parasite/germ
malariatherapie [de^{v}] malariotherapy
Malawi [het] Malawi

Malawi	
naam	*Malawi* Malawi
officiële naam	*Republiek Malawi* Republic of Malawi
inwoner	*Malawiër* Malawian
inwoonster	*Malawische* Malawian
bijv. naamw.	*Malawisch* Malawian
hoofdstad	*Lilongwe* Lilongwe
munt	*Malawische kwacha* Malawian kwacha
werelddeel	*Afrika* Africa
int. toegangsnummer 265 www .mw auto MW	

Malawiër [de^{m}], **Malawische** [de^{v}] ⟨man & vrouw⟩ Malawian, ⟨vrouw ook⟩ Malawian woman/girl
Malawisch [bn] Malawian
Malawische [de^{v}] → **Malawiër**
maledictie [de^{v}] malediction, curse, execration
Malediven [de^{mv}] Maldive Islands, Maldives
Malediviër [de^{m}], **Maledivische** [de^{v}] ⟨man & vrouw⟩ Maldivian, ⟨vrouw ook⟩ Maldivian woman/girl
Maledivisch [bn] Maldivian
Maledivische [de^{v}] → **Malediviër**
Maleier [de^{m}] Malay, ⟨oneig⟩ Malaysian ♦ *hij was zo dronken* ***als*** *een Maleier* he was as drunk as a lord/fiddler/a skunk (in a trunk)
^{1}**Maleis** [het] Malay
^{2}**Maleis** [bn] ① ⟨van de Maleiers⟩ Malay, ⟨AE⟩ Malayan, ⟨oneig⟩ Malaysian ② ⟨m.b.t. de taal⟩ Malay
Maleisië [het] Malaysia

Maleisië	
naam	*Maleisië* Malaysia
officiële naam	*Maleisië* Federation of Malaysia
inwoner	*Maleisiër* Malaysian
inwoonster	*Maleisische* Malaysian
bijv. naamw.	*Maleisisch* Malaysian
hoofdstad	*Kuala Lumpur* Kuala Lumpur
munt	*ringgit* ringgit
werelddeel	*Azië* Asia
int. toegangsnummer 60 www .my auto MAL	

Maleisiër [de^{m}], **Maleisische** [de^{v}] ⟨man & vrouw⟩ Malaysian, ⟨vrouw ook⟩ Malaysian woman/girl
Maleisisch [bn] Malaysian
Maleisische [de^{v}] → **Maleisiër**
^{1}**malen** [onov ww] ① ⟨draaien⟩ turn, grind ② ⟨in de war zijn⟩ rave, wander, ⟨inf⟩ be crackers, be raving, be crazy, be off one's rocker ♦ *malende* ***zijn*** be crazy/crackers/off one's crust ③ ⟨piekeren⟩ worry, puzzle, fret, care, bother ♦ *niet om iets malen* not care for sth. ④ ⟨steeds weer opdoemen⟩ keep going/running/churning ♦ *dat maalt hem steeds* ***door*** *het hoofd* it keeps going through his head, he can't shake it off/get over it ⊡ ⟨sprw⟩ *Gods molens malen langzaam* the mills of God grind slowly, yet they grind exceeding small
^{2}**malen** [ov ww] ① ⟨fijnmaken⟩ grind, ⟨graan ook⟩ mill, ⟨erts⟩ crush, ⟨grof⟩ kibble ♦ ***koffie*** *malen* grind coffee ② ⟨polderwater uitpompen⟩ pump, drain, lift ③ ⟨met het gebit fijnmaken⟩ chew, chomp, munch, grind ⊡ ⟨sprw⟩ *die het eerst komt, het eerst maalt* first come, first served
malentendu [het] malentendu, misunderstanding
maleo [de^{m}] maleo
malerij [de^{v}] ① ⟨deel van een molen, fabriek⟩ mill ② ⟨het malen⟩ grinding, milling
malheid [de^{v}] ① ⟨gekheid⟩ craziness, idiocy, foolishness ② ⟨dwaze daad⟩ folly, foolishness
malheur [het] ① ⟨ongeluk(je)⟩ accident, misfortune, mishap ② ⟨kwaal⟩ complaint, ailment, disorder ③ ⟨ellende⟩ trouble, misery ♦ *altijd malheur* ***hebben*** *met iets/iemand* be always having/running into trouble with sth./s.o.
mali [het] ⟨in België⟩ deficit, shortfall
Mali [het] Mali

Mali	
naam	*Mali* Mali
officiële naam	*Republiek Mali* Republic of Mali
inwoner	*Malinees* Malian
inwoonster	*Malinese* Malian
bijv. naamw.	*Malinees* Malian
hoofdstad	*Bamako* Bamako
munt	*CFA-frank* CFA franc
werelddeel	*Afrika* Africa
int. toegangsnummer 223 www .ml auto RMM	

malicieus [bn, bw] ① ⟨boosaardig⟩ malicious ⟨bw: ~ly⟩, malevolent, evil ② ⟨ondeugend⟩ mischievous ⟨bw: ~ly⟩, impish
malie [de^{v}] ① ⟨ringetje⟩ mail, ring ② ⟨hamer voor kolfspel⟩ mall(et)
maliënkolder [de^{m}] ⟨gesch⟩ coat of mail, (chain) mail, ring-mail, ring-armour, hauberk
maligne [bn] ⟨med⟩ malignant ♦ *maligne* ***tumoren*** malignant tumours
maligniteit [de^{v}] ⟨med⟩ malignancy
^{1}**Malinees** [de^{m}], **Malinese** [de^{v}] Malian
^{2}**Malinees** [bn] Malian
Malinese [de^{v}] → **Malinees**^{1}
maling [de^{v}] ① ⟨ook in samenstellingen; wijze van gemalen zijn⟩ grind ♦ ***grove*** *maling* course ground; ***snelfilter****maling* filter fine ② ⟨maalstroom van gedachten⟩ whirl of thought ⊡ *daar heb ik maling* ***aan*** I don't give a hoot, ↓I don't give a damn, ⟨BE⟩ let it go hang; *maling* ***aan*** *iets/iemand hebben* snap one's fingers at sth./s.o., not care/give a rap about sth./s.o., ↓not give a damn about sth./s.o., ⟨BE⟩ not give a tinker's curse about sth./s.o.; *maling hebben* ***aan*** *alles en iedereen* thumb one's nose at everything/everyone; *neem jezelf* ***in*** *de maling* pull the other leg (it's got bells on); ⟨vnl AE⟩ tell that to the marines!, tell me another (one)!; *iemand* ***in*** *de maling nemen* pull s.o.'s leg, fool s.o., take s.o. for a ride; *laat je niet* ***in*** *de maling nemen* don't let yourself be taken (in)/be had; *je neemt me (zeker)* ***in*** *de maling* you've got to be joking/kidding
mallejan [de^{m}] timber wagon/truck
mallemoer [de^{v}] ⟨inf⟩ ⊡ *dat gaat je* ***geen*** *mallemoer aan* that's none of your damn/bloody business; *daar schiet je* ***geen*** *mallemoer mee op* that doesn't get you anywhere, that doesn't help one bit; ***naar*** *zijn mallemoer* ruined, destroyed, finished; *dat is* ***naar*** *zijn mallemoer* that's broken (down)/bust

mallemolen [de^{m}] merry-go-round, whirligig, ⟨BE ook⟩ roundabout, ⟨AE ook⟩ carrousel
mallepraat [de^{m}] stuff (and nonsense), silly talk, balderdash
mallerd [de^{m}] silly
mallet [de^{m}] mallet
malligheid [de^{v}] foolishness, nonsense, tomfoolery, buffoonery ♦ *dat is maar malligheid* it's just (a lot of) tomfoolery; *malligheid* ***uithalen*** (play the) buffoon
malloot [de^{m}] idiot, ⟨BE ook⟩ twit, fool, scatterbrain ♦ *malloot!* silly!
Mallorca [het] Majorca
malloterie [de^{v}] foolishness
malloterig [bn] foolish, silly, crazy, cracked, hare-brained, ⟨BE ook⟩ crackbrained
malrove [de] horehound, hoarhound ⟨Marrubium vulgare⟩
mals [bn, bw] [1] ⟨zacht in de mond⟩ tender ⟨bw: ~ly⟩, ⟨fruit⟩ mellow ♦ *zo mals* ***als boter*** (as) soft as butter; *een malse* ***biefstuk*** a (nice) juicy steak; *mals* ***vlees*** tender meat [2] ⟨zachtzinnig⟩ ♦ *zijn oordeel was* ***niet*** *mals* he was very harsh in his judgement; *wat zij zei was lang* ***niet*** *mals* she didn't pull any punches; ***niet*** *mals zijn in zijn oordeel over iets* use harsh words about sth. [3] ⟨weldadig⟩ soft ⟨bw: ~ly⟩, gentle ⟨bw: gently⟩ ♦ *een mals* ***regentje*** gentle rain, a gentle shower [4] ⟨weelderig, zacht⟩ lush ⟨bw: ~ly⟩, luxurious ⟨bw: ~ly⟩ ♦ *het malse* ***gras*** the lush grass
malt [het, de^{m}] [1] ⟨alcoholvrij bier⟩ non-alcoholic beer [2] ⟨maltwhisky⟩ malt whisky, ⟨AE, IE⟩ malt whiskey
malta [de] Maltese potato
Malta [het] Malta

Malta	
naam	*Malta* Malta
officiële naam	*Republiek Malta* Republic of Malta
inwoner	*Maltees* Maltese
inwoonster	*Maltese* Maltese
bijv. naamw.	*Maltees* Maltese
hoofdstad	*Valletta* Valletta
munt	*euro* euro
werelddeel	*Europa* Europe
int. toegangsnummer 356 www .mt auto M	

maltase [de] maltase
[1]**Maltees** [de^{m}], **Maltese** [de^{v}] ⟨man & vrouw⟩ Maltese, ⟨vrouw ook⟩ Maltese woman/girl
[2]**Maltees** [het] ⟨taal⟩ Maltese
[3]**Maltees** [bn] Maltese
Maltese [de^{v}] → **Maltees**[1]
Maltezer [bn] Maltese ♦ *een Maltezer* ***kruis*** a Maltese cross; *een Maltezer* ***leeuwtje*** Maltese terrier; *de Maltezer* ***orde*** the Order of Hospitallers/of Malta; *een Maltezer* ***ridder*** a Knight of Malta, a (Knight) Hospitaller, a Knight of St John of Jerusalem
maltezerhond [de^{m}] Maltese (dog/terrier)
malthusianisme [het] Malthusianism
maltose [de] maltose, malt sugar
maltraiteren [ov ww] maltreat, ill-treat, manhandle, treat roughly/ill, abuse
maltwhisky [de^{m}] malt whisky, ⟨AE, IE⟩ malt whiskey
malus [de^{m}] (financial) penalty
malve [bn] ⟨form⟩ mauve, mallow/Perkin's purple, Perkin's violet
malveachtigen [de^{mv}] mallow family, Malvaceae
malversatie [de^{v}] malversation ⟨alleen enk⟩, embezzlement, misappropriation ⟨alleen enk⟩ ♦ *zich schuldig maken aan malversaties* embezzle, be guilty of malversation
malverseren [onov ww] embezzlement
malware [de^{m}] malware
mama [de^{v}], **mamma** [de^{v}] ⟨BE⟩ Mum(my), ⟨AE⟩ Mom(my), ⟨AE ook⟩ mama
mamba [de] ⟨dierk⟩ mamba
[1]**mamma** [de^{v}] ⟨med, dierk⟩ mamma
[2]**mamma** [de^{v}] → **mama**
mamma-amputatie [de^{v}] ⟨med⟩ mastectomy, ⟨ogm⟩ breast amputation
mammalia [de^{mv}] ⟨dierk⟩ mammals
mamma mia [tw] mamma mia
mammapoli [de^{m}] breast cancer clinic
mammasparend [bn] ⟨med⟩ ▪ *mammasparende* ***behandeling*** partial/conservative mastectomy
mammateam [het] mammography team
mammie [de^{v}] ⟨BE⟩ Mum(my), ⟨AE⟩ Mom(my)
mammoet [de^{m}] [1] ⟨dier⟩ mammoth [2] ⟨in samenstellingen⟩ mammoth, giant ♦ ***mammoettanker*** supertanker, VLCC ⟨Very Large Crude Carrier⟩
mammoetboom [de^{m}] [1] ⟨Sequoiadendron giganteum⟩ (giant) sequoia, big tree, wellingtonia [2] ⟨Sequoia sempervirens⟩ (California) redwood
mammoethal [de^{m}] immense/huge hall(way)
mammoetorder [de] mammoth order, immense/colossal/huge order
mammoetproject [het] mammoth project, huge/colossal/immense project
mammoettanker [de^{m}] mammoth tanker, supertanker, VLCC (Very Large Crude Carrier)
Mammoetwet [de] (Dutch) Mammoth Act, (Dutch) Secondary Education Act (of 1963)
mammografie [de^{v}] mammography
mammon [de^{m}] ⟨Bijb⟩ Mammon ♦ *de mammon* ***dienen*** serve Mammon
mams [de^{v}] ⟨inf; teder⟩ ⟨BE⟩ Mum(my), ⟨AE⟩ Mom(my)
man [de^{m}] [1] ⟨volwassen mannelijk mens⟩ man ♦ *de* ***aangewezen*** *man voor dat karweitje* the/the best/the obvious man for the job; ***ach*** *man, hou toch op* ah, go on (with you)/come off it; *de man* ***achter*** *de knoppen* the man behind/at the controls; ***als*** *mannen onder elkaar* (from) man to man; *die* ***arme*** *man* the poor [B]chap/fellow/man; ***beste*** *man* ⟨ook ironisch⟩ my dear [B]chap/fellow/man; *een* ***echte*** *man* ⟨ook⟩ a he-man; *de* ***goede*** *man weet nog van niets* the poor fellow knows nothing yet; *hij is hier de* ***grote*** *man* he is top dog/the great man/the big boss here; *als je wint ben je de* ***grote*** *man* if you win you make it big; *hij* ***is*** *er de man niet naar om* he is not the man to/the (sort of) man/fellow who would; ⟨fig⟩ *de man* ***met*** *de hamer tegenkomen* run/fly into trouble, hit the wall; ***op*** *de man spelen* ⟨sport⟩ go for the man/player; ⟨fig⟩ make personal attacks, get personal; *een man* ***uit*** *duizenden* a man in a million; *een man* ***van*** *niks* a good-for-nothing; *een man* ***van*** *de dag* an old man on his last legs; *een man* ***van*** *de daad* a man of action; *de man* ***van*** *haar hart* the man of her heart; *een man* ***van*** *de wereld* a man of the world, a man about town; *een man* ***van*** *eer/karakter* a man of honour/character; *een man* ***van*** *weinig woorden* a man of few words; *hij is een man* ***van*** *zijn woord* he is as good as his word, he is a man of his word; *hij is geen* ***vrij*** *man* he is not his own man/not free to act [2] ⟨mens⟩ man, person, human ♦ *iets* ***aan*** *de man brengen* sell/dispose of sth.; ***als*** *één man* as one (man), one and all, to a man; *een tientje* ***de*** *man* ten euros each; *de* ***gaande*** *en de* ***komende*** *man* the passers-by, the people coming and going; *de* ***gewone*** *man* the man in the street, the average person, the common man; ⟨fig⟩ *de* ***kleine*** *man* the common man, the man in the street; ***op*** *de man af* straightforward, straight from the shoulder, directly; *iemand recht* ***op*** *de man af iets zeggen* not beat about the bush, give it to s.o. straight; *iemand iets (recht)* ***op*** *de man af vragen* ask s.o. a point-blank question, ask s.o. sth. straight; ⟨fig⟩ *man en* ***paard*** *noemen* give/tell the whole story, give all the details; *10.000 man* ***publiek*** a 10,000-strong audience, a gate of 10,000; *vijf man* ***sterk*** five strong; *de man in de* ***straat*** the man in the street; ⟨sport⟩ *man tegen*

man man-to-man; ⟨AE, CanE⟩ man-on-man; ***tot** (op) de laatste man* to a man, to the last man; ***tweede** man* ⟨bijna de hoogste leider⟩ second in command; *een gevecht **van** man **tot** man* a hand-to-hand combat, a fight at close quarters; *man **voor** man* one by one, to a man [3] ⟨echtgenoot⟩ husband, ⟨inf⟩ hubby ◆ ***aan** de man komen* find (o.s.) a husband/man; *zijn dochters **aan** de man brengen* marry off one's daughters; ***als** man en vrouw leven* cohabit, live as man and wife [4] ⟨flink persoon⟩ man ◆ *zijn verdriet dragen **als** een man* take/bear it/bear one's grief like a man; *in dienst **maken** ze wel een man van je* the army will make a man (out) of you [5] ⟨lid van een bemanning⟩ man, hand ◆ *met man en **muis** vergaan* ⟨van schepen⟩ go down with all hands; ⟨mil⟩ ***tweeduizend** man* two thousand troops [6] ⟨lid van een groep, team⟩ man, hand ◆ *met man en **macht** aan iets werken* go all-out, make an all-out effort; *zich met man en **macht** tegen iets verzetten* resist sth. with might and main; ⟨sport⟩ ***met** tien man spelen* play with ten men, be one man short/down; ***met** hoeveel man zijn we?* how many are we?; ⟨sport⟩ *we **missen** een vierde man* we need a fourth (man) [7] ⟨in samenstellingen; m.b.t. een beroep⟩ man ◆ ***bloemenman*** florist, flowerseller [•] *onder die voorwaarden ben ik **je** man* under these conditions, I'm with you; ⟨sprw⟩ *een gewaarschuwd man/mens telt voor twee* forewarned, forearmed; ⟨sprw⟩ *de liefde van een man gaat door de/zijn maag* the way to a man's heart is through his stomach; ⟨sprw⟩ *(de) kleren maken de man niet* clothes do not make the man; ⟨sprw⟩ *de beste bode is de man zelf* ± if you want a thing well done, do it yourself; ± if you would be well served, serve yourself; ⟨sprw⟩ *als de wijn is in de man, is de wijsheid in de kan* when the wine is in, the wit is out; ⟨sprw⟩ *(de) kleren maken de man* the tailor makes the man; fine feathers make fine birds; ⟨sprw⟩ *een man een man, een woord een woord* an honest man's word is (as good as) his bond

Man [het] [•] *het **eiland** Man* the Isle of Man; *de taal van het **eiland** Man* Manx; *een bewoner van het **eiland** Man* a Manxman/Manxwoman; *een typisch gebruik op het **eiland** Man* a typical Manx custom

¹manachtig [bn] ⟨manziek⟩ man-mad

²manachtig [bn, bw] ⟨van vrouw: mannelijk van aard⟩ mannish ⟨bw: ~ly⟩

management [het] [1] ⟨het besturen⟩ management [2] ⟨leer⟩ management (studies), business studies

managementassistent [de^m] management assistant

managementbuy-out [de^m] management buy-out

managementconsultant [de^m] management consultant

managementfunctie [de^v] managerial position/post

managementopleiding [de^v] management training, ⟨cursus⟩ management course

managementteam [het] management team

managen [ov ww] [1] ⟨leiden⟩ manage, run, govern, administrate, control [2] ⟨fiksen⟩ fix, manage to get done

manager [de^m] [1] ⟨leider⟩ manager [2] ⟨belangenbehartiger⟩ manager, agent

managerziekte [de^v] managerial stress

managing director [de^m] managing director

manche [de] [1] ⟨wedstrijdonderdeel⟩ heat [2] ⟨bridge⟩ game, leg [3] ⟨windzak⟩ parachute

manchester [het] ⟨geribd⟩ corduroy, ⟨glad⟩ velveteen, cotton-velvet

manchet [de] [1] ⟨boord aan een mouw⟩ cuff, ⟨vast ook⟩ wristband [2] ⟨m.b.t. paddenstoelen⟩ annulus, ring [3] ⟨ring voor afsluiting⟩ sealing ring, ⟨pakking⟩ gasket [4] ⟨papieren omhulsel⟩ frill [5] ⟨schuimkraag⟩ head (of froth)

manchetknoop [de^m] cuff link, sleeve link, stud

manco [het] [1] ⟨tekort⟩ flaw, defect, shortcoming, ⟨gebrek⟩ imperfection, lack ◆ *zijn werk **heeft** één manco* his work has one flaw; *een ernstig manco **vertonen*** show a serious defect [2] ⟨hetgeen ontbreekt bij aflevering⟩ shortage (of delivery), deficit, ⟨op gewicht ook⟩ shortweight, ⟨op aantal ook⟩ shorts, ⟨op maat ook⟩ short measure

mancolijst [de] list of missing items

mand [de] [1] ⟨korf⟩ basket, bin, ⟨groot, met deksel⟩ hamper, ⟨laag, open⟩ scuttle ◆ *manden **vol** vis* baskets full of fish, fish by the basket(ful) [2] ⟨slaapplaats voor hond, kat⟩ basket ◆ ***in** je mand!* in your basket! [3] ⟨m.b.t. een luchtballon⟩ basket, car [•] *bij een verhoor **door** de mand vallen* have to own up/confess/come clean; *als onderzoeker/leraar **door** de mand vallen* fail as/fall short as a researcher/teacher; *hij is als aanvoerder lelijk **door** de mand gevallen* he's made a poor show(ing)/he's been a failure as captain; ⟨sprw⟩ *één rotte appel in de mand maakt al het gave fruit te schand* one rotten apple can spoil the whole barrel; the rotten apple injures its neighbours

mandaat [het] [1] ⟨machtiging⟩ mandate, authority, warrant, ⟨meer permanent⟩ tenure, ⟨functie⟩ (term of) office ◆ *geen mandaat **hebben*** have no authority/warrant; *mandaat **verlenen*** give a mandate, grant authority [2] ⟨opdracht⟩ mandate, order, instruction, precept, ordinance ◆ *een **blanco** mandaat krijgen* be given/get a free hand/full discretionary powers; *zijn mandaat **neerleggen**/ter beschikking **stellen*** resign (one's seat/office); *zij **ontvangen** hun mandaat van de kiezers* they get/receive their mandate from the electorate; *een mandaat **uitoefenen*** carry out a mandate, execute an order/instruction; *de kiezers hebben zijn mandaat **verlengd*** the voters have given him a new term of office/renewed his mandate [3] ⟨bevelschrift⟩ mandate, warrant, precept, order ◆ *mandaat **van/tot** betaling* warrant/order of/for payment [4] ⟨r-k⟩ mandate [5] ⟨in België; functie van volksvertegenwoordiger of gemeenteraadslid⟩ mandate ◆ *een **dubbel** mandaat* a double mandate

mandaatgebied [het] mandate, mandated/trust territory

mandaathouder [de^m] mandatary, mandatory

mandag [de^m] man-day

mandala [de^m] mandala

mandarijn [de^m] [1] ⟨vrucht⟩ mandarin (orange), ⟨klein⟩ tangerine (orange), ⟨groot⟩ satsuma (orange) [2] ⟨staatsambtenaar in China⟩ mandarin [3] ⟨formalist⟩ mandarin

mandarijneend [de] mandarin duck

mandataris [de^m] [1] ⟨gevolmachtigde⟩ mandatary, trustee [2] ⟨in België; afgevaardigde⟩ representative

mandateren [ov ww] authorize, warrant, give a mandate

mandator [de^m] mandator, mandant

mandekker [de^m] ⟨sport⟩ marker

mandekking [de^v] ⟨sport⟩ man-to-man marking, ⟨USA, Can⟩ (single) man-on-man coverage ◆ ***in** de mandekking spelen/staan* be marking/covering (one's opponent)

mandement [het] ⟨r-k⟩ charge

mandenwerk [het] basketry, wickerwork

mandfles [de] bottle in a wicker basket, ⟨groot⟩ demijohn, carboy

mandje [het] [1] ⟨kleine mand⟩ basket, ⟨voor fruit⟩ punnet, pottle ◆ *zo lek **als** een mandje* as leaky as a sieve, leaking like a sieve [2] ⟨voor boodschappen⟩ (shopping) basket [3] ⟨beurs⟩ portfolio, basket [4] ⟨bed⟩ ◆ ***ik ga** mijn mandje eens **opzoeken*** I think I'll turn in/hit the hay, ⟨vnl AE⟩ I think I'll hit the sack

mandola [de] mandola

mandoline [de^v] mandolin

mandometer [de^m] mandometer

mandragora [de] mandrake, mandragora

mandril [de^m] mandrill

mandvol [de] basket(ful)

manege [de] [1] ⟨bedrijf⟩ riding school/stables/academy, manege [2] ⟨plaats⟩ arena

manegebeweging [de^v] ⟨med⟩ circus movement

manegehouder [de^m^], **manegehoudster** [de^v^] riding-school owner
manegehoudster [de^v^] → **manegehouder**
manegepaard [het] riding-school horse
¹**manen** [de^mv^] 1 ⟨m.b.t. dieren⟩ mane, crest 2 ⟨m.b.t. mensen⟩ mane, mop
²**manen** [ov ww] 1 ⟨met aandrang herinneren⟩ remind, apply (for payment), ⟨sterker⟩ demand, press, ⟨nog sterker⟩ dun 2 ⟨aansporen⟩ urge, call for, admonish, counsel ♦ *iemand **tot** spoed manen* hurry s.o. up/along; *iemand **tot** kalmte manen* calm s.o. down, admonish s.o. to be/remain calm; *hij maande **tot** eendracht* he urged unity; ***tot** voorzichtigheid manen* caution, strike a note of warning/caution; *dit maant (ons) **tot** voorzichtigheid* this should be a warning to us (to proceed cautiously)
manenrob [de^m^] South-American sea lion
manenschaap [het] a(o)udad, maned sheep, arui, Barbary sheep
manenwolf [de^m^] maned wolf/dog
manenzwijn [het] wart hog
maner [de^m^] dun(ner), ⟨minder sterk⟩ person demanding payment
maneschijn [de^m^] moonlight, moonshine, light of the moon ♦ *bij maneschijn* by moonlight, in the light of the moon; *in de maneschijn wandelen* (take a) walk in the moonlight; *het is niet altijd **rozengeur** en maneschijn* it/life is not a bed of/all roses/beer and skittles
manga [de^m^] manga
mangaan [het] manganese
mangaanijzer [het] ferromanganese
mangaanknol [de^m^] manganese nodule
mangaanstaal [het] (Hadfield) manganese steel
mangaanzout [het] manganese salt
mangaanzuur [het] manganic acid
mangat [het] manhole, ⟨scheepv⟩ scuttle
mangatdeksel [het] manhole cover
mangel [de^m^] 1 ⟨toestel⟩ mangle, wringer, ironer ♦ ⟨scherts; fig⟩ *door de mangel gehaald worden* ⟨ondervraagd⟩ be put through the wringer; ⟨bekritiseerd⟩ be crucified; go through the wringer 2 ⟨biet⟩ mangel-wurzel, mangold(-wurzel), field beet
¹**mangelen** [onov ww] ⟨ontbreken⟩ lack, be lacking (in), want, be wanting
²**mangelen** [ov ww] ⟨gladmaken⟩ mangle, press ♦ ⟨fig⟩ *gemangeld **worden*** be mangled/harassed/badgered, go through/be put through the wringer
manggis [de^m^] mangosteen
mango [de^m^] mango
mangoeste [de] mongoose, ichneumon
mangrove [de^m^] mangrove
manhaftig [bn, bw] manful ⟨bw: ~ly⟩, ⟨bijvoeglijk naamwoord ook⟩ manly, brave ♦ *een manhaftige **daad*** a manful/manly/brave act/deed; *zich manhaftig **gedragen*** act manfully/bravely; ⟨iron⟩ *een manhaftig **kereltje*** a smart/perky (little) fellow
manhaftigheid [de^v^] manfulness, manliness, bravery, pluck
maniak [de^m^] 1 ⟨iemand met manie⟩ maniac, fan(atic), faddist, fool (for) 2 ⟨in samenstellingen; fanaat⟩ maniac, ⟨m.b.t. gezondheid⟩ freak, ⟨m.b.t. film⟩ buff, fan, ⟨pej of scherts⟩ fiend ♦ *een **seksmaniak*** a sex maniac 3 ⟨gestoorde⟩ maniac, ⟨inf⟩ crank
maniakaal [bn, bw] maniacal ⟨bw: ~ly⟩, fanatic ♦ *een maniakale **verzamelwoede*** collector's mania
manicheeër [de^m^] Manichaean, Manichee
manichees [bn] Manichaean
¹**manicure** [de^m^] ⟨persoon⟩ manicurist, manicure
²**manicure** [de] 1 ⟨het verzorgen⟩ manicure 2 ⟨(etui met) gereedschap⟩ manicure set
manicuren [ov ww] manicure ♦ *zich **laten** manicuren* have a manicure
manie [de^v^] 1 ⟨overdreven voorliefde, bevlieging⟩ mania, craze, rage, passion, fad ♦ *een manie **hebben** voor alles wat Engels is* have a passion/mania for all things English 2 ⟨psych⟩ mania, frenzy
manier [de] 1 ⟨wijze van doen, handelen⟩ way, manner, mode, style, fashion ♦ *dat is **dé** manier* that is the perfect/right way/style; *haar manier van **doen*** her manner/way of behaving, her behaviour; *daar is hij ook niet op een **eerlijke** manier aangekomen* he didn't get that by fair means; *iets op zijn **eigen** manier doen* do sth. in one's own way; ⟨inf⟩ play it one's own way; *dat is **geen** manier (van doen)* that is not the way (to do things/to treat s.o.); *iets op de **juiste** manier doen* do sth. properly/the right way; *hun manier van **leven*** their way of life/living; *o, **op** die/zo'n manier* oh, I see!, oh, is that what you mean!; ***op** alle mogelijke manieren* in every possible/conceivable way; ***op** de een of andere manier* somehow or other, by hook or by crook; ***op** een fatsoenlijke manier* in a decent manner/way, by fair means, decently; ***op** die manier bereik je niks* that will get you nowhere, you'll get nowhere that way; ***op** de gebruikelijke/die manier* (in) the usual/that way; ***op** die manier kom je nooit klaar* at this rate you'll never be finished; *dat kun je **op** verschillende manieren doen* there are various/several ways/ways and ways of doing this; *hij probeerde leuk te zijn **op** zijn manier* he tried to be what he thought was funny; *ze schrijft ook gedichten, **op** haar manier* she also writes poetry of a sort/after a/her own fashion; ⟨fig⟩ *ik heb **op** geen enkele manier moeilijkheden met hem gehad* I've had no trouble of any kind with him/no trouble with him at all/not the slightest trouble with him; *hij heeft een **rare** manier van lopen* he has a funny walk/way of walking; *ik vind het maar een **rare** manier van doen* I think it's a pretty strange thing to do; ⟨in België⟩ *bij manier van **spreken*** so to speak; *de manier **waarop*** the way it is done; *zo zijn onze manieren* ⟨ook ironisch⟩ that's the way we go about it (here)/we do things here 2 ⟨mv; omgangsvormen⟩ manners, breeding ♦ ***goede** manieren hebben* have/show good manners/breeding; *hij **heeft** geen manieren* he is ill-mannered/has no manners; ***nette/slechte** manieren* good/bad manners; *het getuigt van **slechte** manieren* it shows bad manners; *wat zijn dat voor manieren!* what kind/sort of behaviour is that!
maniërisme [het] 1 ⟨gekunsteldheid⟩ mannerism 2 ⟨stijl(periode)⟩ mannerism
maniërist [de^m^] mannerist
maniertje [het] 1 ⟨truc⟩ trick, knack ♦ *bestaat er een maniertje **om** dat te leren?* is there a trick to learning that? 2 ⟨lichte gemaaktheid⟩ air, mannerism ♦ *ik heb een hekel aan **die** maniertjes van hem* I can't stand the airs he puts on; ***fijne** maniertjes* airs and graces
¹**manifest** [het] 1 ⟨openbare bekendmaking⟩ manifesto 2 ⟨scheepsmanifest⟩ manifest
²**manifest** [bn] manifest, obvious, overt
manifestatie [de^v^] 1 ⟨betoging⟩ demonstration, ⟨inf⟩ demo, ⟨zonder pol doel⟩ happening, ⟨cultureel e.d.⟩ event ♦ *een manifestatie **tegen** de plaatsing van kernwapens* a demonstration against the deployment of nuclear weapons 2 ⟨vertoning⟩ demonstration, display, show ♦ *een manifestatie van **machtsmiddelen*** a display of power 3 ⟨verschijning⟩ manifestation, materialization
¹**manifesteren** [onov ww] ⟨betoging houden⟩ demonstrate
²**manifesteren** [ov ww] ⟨vertonen⟩ manifest, display, show
³**zich manifesteren** [wk ww] ⟨zich openbaren⟩ manifest o.s., display/show o.s.
manilla [de] 1 ⟨tabakssoort⟩ Manila (tobacco) 2 ⟨sigaar⟩ Manila (cigar)
Manilla [het] Manila
maning [de^v^] 1 ⟨het manen⟩ demanding payment

[2] ⟨aanmaning⟩ demand for payment, ⟨sterker⟩ dun
maniok [de^m] cassava, manioc(a)
manipel [de^m] [1] ⟨r-k⟩ maniple [2] ⟨Romeinse gesch⟩ maniple
manipulatie [de^v] [1] ⟨het toepassen van kunstgrepen⟩ manipulation, jugglery ♦ ***genetische** manipulatie* genetic engineering [2] ⟨beïnvloeding⟩ manipulation
manipulatief [bn] manipulative
manipulatiekunst [de^v] sleight of hand
manipulator [de^m] manipulator, juggler
manipuleerbaar [bn] manipul(at)able
[1]**manipuleren** [onov ww] ⟨bewegingen, bewerkingen uitvoeren⟩ manoeuvre, ⟨AE⟩ maneuver, manipulate, handle
[2]**manipuleren** [ov ww, ook abs] ⟨beïnvloeden⟩ manipulate, juggle (with), ⟨frauduleus⟩ rig ♦ ***genetisch** gemanipuleerd* genetically engineered; *manipuleren **met** statistische gegevens* manipulate statistics, juggle (with) statistics; *de **verkiezingen** manipuleren* rig the elections
manisch [bn] manic
manisch-depressief [bn] manic-depressive ♦ *manisch-depressieve **psychose*** manic-depressive psychosis/reaction; ⟨inf⟩ manic depression
manisme [het] manism, ancestor cult, necrolatry
manjaar [het] man-year ♦ ***dertig** manjaren* thirty man-years
mank [bn, bw] lame ⟨bw: ~ly⟩, crippled, game, ⟨inf⟩ gammy ♦ *mank zijn **aan** de linkervoet* have a crippled left foot, be lame in the left foot; ⟨fig⟩ *aan hetzelfde euvel mank **gaan*** suffer from the same defect; ⟨fig⟩ *die redenering **gaat** mank* that reasoning won't stand up/doesn't hold water; ⟨fig⟩ *deze vergelijking **gaat** mank* this comparison falls short; *mank **lopen*** walk with/have a limp, limp, hobble [•] ⟨sprw⟩ *niemand hinkt van/gaat mank aan andermans zeer* it is easy to bear the misfortunes of others
mankement [het] [1] ⟨gebrek⟩ defect, fault, ⟨m.b.t. machines; inf⟩ bug ♦ *een mankement **aan** de remmen* a brake defect, brake trouble; *dat mankement **is nu verholpen*** that bug has been ironed out; *nog heel wat mankementen **vertonen*** be full of shortcomings [2] ⟨lichaamsgebrek⟩ defect, disability ♦ *hij heeft een mankement **aan** de voet* he has (got) sth. wrong/sth. the matter with his foot
manken [onov ww] ⟨in België⟩ walk with a limp, have a limp, limp, hobble
mankepoot [de^m] ⟨beled⟩↑cripple, ⟨AE⟩ gimp
mankeren [onov ww] [1] ⟨schelen⟩ be wrong, be the matter, ⟨inf⟩ be up ♦ *ik mankeer **niets*** I'm all right, there's nothing wrong with me; ***wat** mankeert je toch?* what's wrong/the matter/up with you?, what has come over you? [2] ⟨ontbreken⟩ be missing ♦ *dat mankeert **er** nog maar **aan*** that's all I/we need(ed), that's the last straw, that (just) crowns everything [3] ⟨in gebreke zijn⟩ be wrong ♦ ***er** mankeert nogal wat **aan*** there's a fair amount wrong with it; *ik kom, **zonder** mankeren* I'll come without fail; ⟨inf⟩ I'll come, never fear!
mankracht [de] [1] ⟨menselijke kracht⟩ manpower, manual labour ♦ *de machine **wordt** door mankracht **bewogen*** the machine is driven by hand/manually [2] ⟨sterkte aan manschappen⟩ manpower, labour
manlief [de^m] ⟨iron⟩ one's lord and master, hubby ♦ *(maar) manlief!* hubby dear!
manloos [bn] husbandless, without a husband/man
manmeersituatie [de^v] power play
manmoedig [bn, bw] manful ⟨bw: ~ly⟩, manly, bold, brave
manmoedigheid [de^v] manfulness, manliness, bravery
manna [het] ⟨Bijb⟩ manna ♦ *het komt **als** manna uit de hemel vallen* it is like manna/pennies from heaven
manneke [het], **manneken** [het] little fellow, ⟨BE⟩ little chap, ⟨BE⟩ little lad, ⟨vnl AE⟩ little guy ♦ *pas op, manneke!* watch it, sonny!
manneken [het] → **manneke**
mannelijk [bn, bw] [1] ⟨m.b.t. het geslacht⟩ male ♦ *een mannelijk **kind*** a male child; ⟨form⟩ a man-child; *het mannelijk **lid*** the male organ; ⟨form⟩ the virile member; *een mannelijke **plant*** a male plant [2] ⟨(als) van een man⟩ masculine, male, manlike, virile, ⟨m.b.t. vrouw ook⟩ mannish, ⟨potteus⟩↓butch ♦ *de mannelijke **leeftijd** bereiken* reach manhood; *een mannelijke **stem*** a masculine voice [3] ⟨manhaftig⟩ manly, manful, virile ♦ *zich mannelijk **gedragen*** behave in a manly way, ⟨inf⟩ behave like a man; *dat **is/staat** mannelijk* that's the manly thing to do/way to behave; that looks manly [4] ⟨taalk⟩ masculine ♦ *een mannelijk zelfstandig **naamwoord*** a masculine noun [5] ⟨lett⟩ masculine ♦ *mannelijk **rijm*** masculine rhyme
mannelijkheid [de^v] [1] ⟨viriliteit⟩ manliness, virility, manfulness [2] ⟨penis⟩ manhood
mannenaangelegenheid [de^v] men's/(all-)male affair
mannenafdeling [de^v] [1] ⟨ziekenhuis⟩ men's ward [2] ⟨kantoor⟩ all-male department
mannenbeweging [de^v] men's liberation movement
mannenbroeders [de^mv] ⟨scherts⟩ brothers!, brother/fellow doctors! ⟨bijvoorbeeld tot gezelschap van dokters⟩
mannengek [de^v] man-chaser, ↑nymphomaniac
mannengemeenschap [de] male community, male (dominated) society, man's world
mannenhaatster [de^v] man-hater
mannenhand [de] man's hand
mannenhuis [het] [1] ⟨verpleeghuis⟩ (old) men's home [2] ⟨etnologie⟩ men's house
mannenklooster [het] monastery
mannenkoor [het] male-voice choir, men's chorus, men's choral society
mannenlijn [de] ± men's help line ♦ *de mannenlijn **bellen*** call the men's help line
mannenmaatschappij [de^v] man's world, male (dominated) society
mannenpil [de] male pill
mannenpraatgroep [de] men's discussion group
mannenrol [de] male part/role
mannenstem [de] male voice, man's voice
mannentaal [de] manly language, strong language, ⟨inf⟩ man-talk ♦ *dat is pas mannentaal!* now you're talking (like a man)!, that's strong language!
mannenverslindster [de^v] predatory female
mannenwereld [de] man's world
mannenwerk [het] [1] ⟨dat kracht vereist⟩ (a) man's job [2] ⟨dat past voor een man⟩ man's/men's work, work (fitting) for a man, work (fitting) for men
mannenzaal [de] male/men's ward
mannequin [de^m] [1] ⟨persoon⟩ model, mannequin ♦ ***als** mannequin showen/werken* model [2] ⟨etalagepop⟩ (shop-window) dummy, mannequin
mannetje [het] [1] ⟨jong, klein persoon⟩ little fellow/^B chap/^B lad, ⟨vnl AE⟩ little guy ♦ *een mannetje **van niks*** a little squirt/pip-squeak [2] ⟨gestalte van een mens⟩ male figure ♦ *het mannetje **in** de maan* the man in the moon [3] ⟨persoon⟩ man, ⟨BE⟩ chap ♦ ⟨fig⟩ *mannetje **aan** mannetje zitten* sit shoulder to shoulder, ⟨scherts⟩ sit thigh to thigh; *daar **heb** ik mijn mannetjes voor* I've got my men/chaps/people for that [4] ⟨dier, plant⟩ male, ⟨dier; inf⟩ he ♦ *een mannetje en een **wijfje*** a male and a female; a he and a she [5] ⟨getekend poppetje⟩ little man [6] ⟨vaak pej; ambachtsman⟩ (little) man [•] *mannetjes **maken*** ⟨smoesjes verkopen⟩ find excuses; ⟨theat⟩ do/play/stock parts; *zijn mannetje **staan*** hold one's own/one's ground, stick up for/look after o.s.
mannetjesdier [het] male
mannetjeseend [de^m] drake
mannetjesmaker [de^m] [1] ⟨pol⟩ spin doctor [2] ⟨aansteller⟩ poser, show-off [3] ⟨dram; acteur die stereotypen uitbeeldt⟩ stock/typecast actor

mannetjesmakerij [de^{v}] ⟨dram⟩ doing stock parts

mannetjesputter [de^{m}] ① ⟨sterke man, vrouw⟩ strapper, strapping/husky man, strapping/husky woman, ⟨m.b.t. man⟩ he-man, ⟨scherts; m.b.t. vrouw⟩ she-man ② ⟨iemand die knap in zijn vak is⟩ ace

mannetjesvaren [de] male fern

mannie [de^{m}] hubby

mannose [de] mannose

manoeuvre [het, de] ① ⟨wending⟩ manoeuvre, ⟨AE⟩ maneuver, move, ⟨mil⟩ evolution ◆ *een **verkeerde** manoeuvre bij het inhalen* a false manoeuvre while overtaking ② ⟨gevechtsoefening⟩ manoeuvre, ⟨AE⟩ maneuver ◆ ***op** manoeuvre zijn* be on manoeuvres ③ ⟨list⟩ manoeuvre, ⟨AE⟩ maneuver, stratagem, trick ◆ *manoeuvres **bij** de verkiezingen* electoral manoeuvring; *een **handige** manoeuvre* a clever move; ***politieke** manoeuvres* political stratagems

manoeuvreerbaar [bn] manoeuvrable, ⟨AE⟩ maneuverable

manoeuvreerbaarheid [de^{v}] manoeuvrability, ⟨AE⟩ maneuverability

[1]**manoeuvreren** [onov ww] ① ⟨behendig zijn⟩ manoeuvre, ⟨AE⟩ maneuver, manipulate ◆ ⟨inf⟩ ***met** iets manoeuvreren* manoeuvre/manipulate sth. ② ⟨gevechtsoefeningen houden⟩ manoeuvre, ⟨AE⟩ maneuver ◆ *de **troepen** manoeuvreren* the troops are manoeuvring

[2]**manoeuvreren** [ov ww] ① ⟨bewerkstelligen⟩ manoeuvre, ⟨AE⟩ maneuver ◆ *iemand **in** een onaangename positie manoeuvreren* manoeuvre s.o. into an awkward position; *hij **wist** het zo **te** manoeuvreren dat ...* he contrived to ... ② ⟨besturen⟩ manoeuvre, ⟨AE⟩ maneuver ◆ *een **schip** manoeuvreren* manoeuvre a ship

manometer [de^{m}] manometer, pressure gauge

manostaat [de^{m}] manostat

manou [het] rattan (cane)

manpower [de^{m}] manpower

mans [bn] ⊡ *hij is er mans **genoeg** voor* ⟨ook⟩ he's man enough to do it; *zij is er mans **genoeg** voor* she's (well) up to it, she can handle it; *hij **is heel** wat mans* he's got guts, he's quite a man/guy/fellow; ⟨flink⟩ he's strong/got muscles; *met melk **meer** mans* ⟨BE⟩ drinka pinta milka day, milk's got a whole lotta bottle

mansarde [de] mansard, attic (room), garret

mansardedak [het] mansard (roof), curb roof, ⟨AE⟩ gambrel roof

manschappen [de^{mv}] men, ⟨scheepv⟩ crew, ⟨BE ook; m.b.t. oorlogsschip⟩ ratings ◆ ***officieren** en manschappen* officers and men/other ranks/crew/ratings

manschappenwagen [de^{m}] ⟨politie; BE⟩ riot van, ⟨mil⟩ troop/personnel carrier

mansdik [bn] (as) thick as a man ⟨alleen na zn⟩

manshoog [bn] man-size(d), of a man's height

manshoogte [de^{v}] man's height, height of a man

manskerel [de^{m}] ⟨sterk⟩ he-man, ⟨ruw⟩ coarse fellow, ↓ butch, ⟨onguur⟩ unsavoury customer

manslag [de^{m}] manslaughter ◆ ***on(vrij)willige** manslag* unintentional/involuntary homicide; ⟨jur⟩ homicide by misadventure

mansoor [het, de] ⟨plantk⟩ hazelwort, asarabacca

manspersoon [de^{m}] fellow, guy, ⟨BE⟩ chap, male, man

mansvolk [het] menfolk(s)

mantel [de^{m}] ① ⟨jas⟩ coat, ⟨ook fig; zonder mouwen⟩ cloak, ⟨fig⟩ mantle ◆ ⟨fig⟩ *met de mantel der **liefde** bedekken* cover with the cloak of charity, gloss over, draw a (discreet) veil over ② ⟨bij vogels⟩ mantle ③ ⟨bij weekdieren⟩ mantle, pallium ④ ⟨fin⟩ ± scrip, ± share without the coupon sheets ⑤ ⟨techn⟩ casing, jacket, housing, (heating) mantle, cladding ◆ *de mantel (van splijtstofstaaf) **in** kernreactor* the casing (of fissionable material) in a nuclear reactor ⊡ *iemand de mantel **uitvegen*** haul s.o. over the coals, give s.o. a good/proper dressing-down, give s.o. a roasting; ⟨BE ook⟩ give s.o. a rocket

mantelanjer [de] ① ⟨Tunica prolifera⟩ tunica, proliferous pink ② ⟨Tunica saxifraga⟩ tunica, coat flower

mantelbaviaan [de^{m}] hamadryas baboon

manteldieren [de^{mv}] tunicates

manteleiwit [het] coat protein, capsid

mantelholte [de^{v}] ⟨dierk⟩ mantle cavity

mantelmeeuw [de] ⊡ ***grote** mantelmeeuw* great black-backed gull; ***kleine** mantelmeeuw* lesser black-backed gull

mantelorganisatie [de^{v}] umbrella organization

mantelovereenkomst [de^{v}] master contract, framework agreement

mantelpak [het] (woman's) suit

mantelzorg [de] volunteer aid

mantilla [de] mantilla

mantisse [de] mantissa

mantouxtest [de^{m}] Mantoux test

mantra [de] ⟨rel⟩ mantra

Mantsjoerije [het] Manchuria

Mantsjoerijs [bn] Manchurian

manuaal [het] ⟨muz⟩ manual

manueel [bn] ① ⟨m.b.t. het gebruik van de handen⟩ manual ◆ *manuele **therapie*** manual therapy ② ⟨handvaardig⟩ manual

manufacturen [de^{mv}] drapery, soft/^{A}dry goods

manufacturenwinkel [de^{m}] draper's, drapery, ⟨AE⟩ dry goods store

manumissie [de^{v}] ① ⟨manumissio⟩ manumission ② ⟨akte van invrijheidstelling⟩ manumission

manuscript [het] ① ⟨handschrift⟩ manuscript ② ⟨geschreven, getypte tekst⟩ manuscript, ⟨getypt ook⟩ typescript

manusje-van-alles [het] ⟨iemand die alles kan⟩ a jack-of-all-trades, ⟨iemand die alles moet doen⟩ a factotum, a (general) dogsbody, ⟨inf⟩ chief cook and bottle-washer

manuur [het] man-hour

manvolk [het] menfolk(s)

manwijf [het] mannish woman, ↓ butch, ⟨bazig⟩ dragon, battle-axe, ⟨AE⟩ battle-ax, ⟨fors; inf⟩ she-man, ⟨form⟩ virago

manxkat [de] Manx cat

manziek [bn] nymphomaniac(al)

maoïsme [het] Maoism

maoïst [de^{m}] Maoist

maopak [het] Mao suit

Maori [de^{m}] Maori

map [de] ① ⟨omslag⟩ file, folder, portfolio ◆ *iets **in** een map doen* put sth. in a file, file sth. ② ⟨m.b.t. de inhoud⟩ file ③ ⟨computer⟩ directory

maquette [de] (scale-)model, replica

maquiladora [de^{v}] maquiladora

maquillage [de^{v}] ① ⟨het opmaken⟩ making-up ② ⟨make-up⟩ make-up

maquilleren [ov ww] make up

maquis [het, de^{m}] Maquis

maraboe [de^{m}] ① ⟨vogel⟩ marabou ② ⟨kluizenaar⟩ marabout

marasquin [de^{m}] maraschino

marathon [de^{m}] ① ⟨marathonloop⟩ marathon ◆ ***halve** marathon* half-marathon ② ⟨wedstrijd van lange duur⟩ marathon ③ ⟨in samenstellingen; zeer lang durend⟩ marathon ◆ *marathon**vergadering*** marathon meeting; *marathonzitting* marathon session ⊡ ***filmmarathon*** film marathon

marathonloop [de^{m}] marathon race

marathonloper [de^{m}] marathon runner

marathonschaatsen [ww] marathon skate

marathonschaatser [de^{m}] marathon skater

marathonzitting [de^{v}] marathon session

MARC [de^{v}] (machtigingsregeling voor algemene radio-

communicatie) general broadcasting licence
marcelleke [het] tank top
marchanderen [onov ww] bargain, haggle ◆ *met haar valt niet te marchanderen* there's no moving/shifting/budging her
marcheren [onov ww] ① ⟨in ritmische pas lopen⟩ march, ⟨scherts ook⟩ troop ◆ ***doen** marcheren* march ② ⟨lopen⟩ walk ③ ⟨fig; lopen⟩ run (well), go well, move ◆ *de zaak marcheert **niet*** things aren't running/going well, things aren't working out
marconist [de^{m}] radio operator, ⟨scheepv; inf⟩ sparks
marcotteren [ov ww, ook abs] ⟨landb⟩ marcot (a plant/branch), air-layer (a branch/shoot)
Marcus Mark
mare [de], **maar** [de] ① ⟨tijding⟩ tidings ② ⟨gerucht⟩ word, report, rumour ◆ *de mare **gaat/loopt*** word/rumour has it, the report goes
[1]**marechaussee** [de^{m}] ⟨korpslid⟩ ⟨man⟩ military policeman, ⟨vrouw⟩ military policewoman, MP
[2]**marechaussee** [de^{v}] ⟨militair politiekorps⟩ military police, MP
marechausseekazerne [de] ± constabulary barracks
maren [ww] ↑ raise objections ◆ ***niets** te maren* no buts (about it); ⟨scherts⟩ don't 'but' me
maretak [de^{m}] mistletoe
margarine [de] margarine, ⟨inf; BE⟩ marg(e)
margarinebriefje [het] ↑ cohabitation agreement
margarita [de^{v}] margarita
marge [de] ① ⟨witte rand⟩ margin ◆ *opmerking **in** de marge* comment in the margin; ***over** de marge van een pagina gaan* bleed; *van een marge **voorzien*** give a margin, margin(ate) ② ⟨verschil⟩ margin ③ ⟨speelruimte⟩ margin ◆ *gerommel **in** de marge* fiddling about/^around; *de **smalle** marges van ...* the narrow margins of ... ④ ⟨fin⟩ ⟨m.b.t. wisselkoersen, rentetarieven⟩ band ⊡ *de **literaire** marge* the literary fringe
margedruk [de] margin pressure
margedrukker [de^{m}] craft letterpress printer
marginaal [bn] ① ⟨in de marge aangebracht⟩ marginal ◆ *een marginale **onderkop/titel*** a sidehead ② ⟨tegen de bestaansgrens aan⟩ marginal ◆ *marginale **bedrijven*** marginal companies; *een marginaal **bestaan*** a marginal existence ③ ⟨van weinig belang⟩ marginal, fringe ⟨alleen attr⟩ ◆ *een marginale **groep*** a fringe group
marginalia [de^{mv}] marginal notes, marginalia
marginaliseren [ov ww] marginalize
margriet [de] marguerite, (oxeye) daisy, ⟨BE ook⟩ moondaisy
margrietschijf [de], **margrietwiel** [het] daisywheel, ⟨op schrijfmachine, printer⟩ print wheel
margrietwiel [het] → **margrietschijf**
Maria-altaar [het] Lady altar
Mariabeeld [het] statue of the Virgin Mary, Virgin
Maria-Boodschap [de^{v}] Lady/Annunciation Day
mariadistel [de] milk thistle, Our-Lady's-thistle
mariage de raison marriage of convenience
mariahartje [het] ⟨plantk⟩ bleeding heart
Maria-Hemelvaart [de] Assumption
mariakaakje [het] ⟨handelsmerk⟩ Marie biscuit
Mariakapel [de] ⟨r-k⟩ Lady Chapel
mariakroon [de] ⟨bouwk⟩ pendant
Marialegende [de] ① ⟨m.b.t. het leven van Maria op aarde⟩ Marian legend ② ⟨m.b.t. een wonderbaar feit⟩ Marian legend
Maria-Lichtmis [de] Candlemas, the Purification
mariamaand [de] Mary month
Mariaverering [de^{v}] ⟨rel⟩ veneration of the Virgin Mary, veneration of the Blessed Virgin, ⟨pej⟩ Mariolatry
marien [bn] ⟨biol, geol⟩ marine
marifoon [de^{m}] marine telephone
marihuana [de] marijuana, marihuana, cannabis, ⟨inf⟩ grass, weed, pot ◆ ***aan** marihuana verslaafde* marijuana addict; ⟨inf⟩ grass smoker, pothead
marihuanasigaret [de] marijuana/cannabis cigarette, ⟨sl⟩ joint, stick, reefer
marimba [de] ⟨muz⟩ marimba
marinade [de^{v}] marinade ◆ *iets **in** de marinade zetten* marinate/marinade sth.
[1]**marine** [de^{v}] ① ⟨oorlogsvloot⟩ navy ◆ *de **Koninklijke** Marine* the Royal Navy ② ⟨krijgswezen⟩ navy ◆ ***bij** de marine zijn* be in the navy; *officier **bij** de marine* naval officer ③ ⟨bk⟩ seascape

> **marine**
>
> - het Nederlandse woord *marine* (onderdeel van het leger) wordt vertaald met navy
> - het Engelse woord Marine wordt gebruikt voor iemand die deel uitmaakt van de Marine Corps (in de Verenigde Staten) of de Royal Marines (in het Verenigd Koninkrijk), vergelijkbaar met het Nederlandse Korps Mariniers

[2]**marine** [bn] ⟨marineblauw⟩ navy (blue)
marinebasis [de^{v}] naval base
[1]**marineblauw** [het] navy blue
[2]**marineblauw** [bn] navy blue
marinehaven [de] naval port/harbour
marineluchtvaartdienst [de^{m}] naval air force, ⟨gesch; BE⟩ Fleet Air Arm
marineman [de^{m}] navy man
marineofficier [de^{m}] naval officer
marineren [ov ww] ① ⟨laten intrekken⟩ marinate, marinade ② ⟨inmaken⟩ marinate, marinade, pickle, souse ◆ *gemarineerde **haring*** marinated/pickled/soused herring
marinestaf [de^{m}] naval staff
marinestation [het] naval station
marinevaartuig [het] naval vessel
marinevliegtuig [het] naval aircraft
marinewerf [de] naval dockyard, ⟨AE⟩ naval shipyard, ⟨AE⟩ navy yard
marinewezen [het] naval affairs, ⟨inf⟩ navy
marinier [de^{m}] marine ◆ *het **Korps** Mariniers* the Marine Corps; ⟨inf⟩ the Marines
marinierskapel [de] band of the Royal Marines
marinisme [het] ⟨lit⟩ Marinism
[1]**marionet** [de^{m}] ⟨persoon⟩ puppet, pawn
[2]**marionet** [de] ⟨pop⟩ marionette, puppet (on a string)
marionettenregering [de^{v}] puppet regime/government
marionettenspel [het] puppet show
marionettentheater [het] puppet theatre/show
maritiem [bn] ① ⟨m.b.t. de zee, het zeewezen⟩ maritime ◆ *een maritiem **museum*** a maritime museum; *maritiem **recht*** maritime law; ⟨jur⟩ admiralty; *maritiem **station*** naval base/station ② ⟨zeevaart beoefenend⟩ maritime ◆ *een maritieme **mogendheid*** a maritime power
marjolein [de] (wild) marjoram, pot marjoram, origan
[1]**mark** [de^{m}] ⟨gesch⟩ ⟨munteenheid⟩ mark, ⟨BRD ook⟩ Deutsche mark, ⟨DDR ook⟩ ostmark, ⟨Finland ook⟩ markka
[2]**mark** [de] ① ⟨markgenootschap⟩ mark ② ⟨onverdeelde grond⟩ mark
markant [bn] striking, outstanding, prominent ◆ *een markante **figuur*** a striking personality; *een markante **plaats** innemen* take/have a prominent place; *markante **trekken*** striking features
markeerder [de^{m}] marker
markeerpen [de] → **markeerstift**
markeerstift [de], **markeerpen** [de] marker (pen), (magic) marker, marking pen
marker [de] marker (pen), ⟨markeerstift ook⟩ highlighter
markeren [ov ww] ① ⟨merken⟩ mark ◆ *met een **stift** markeren* highlight ② ⟨aanduiden door tekens⟩ mark ③ ⟨geur-

vlag afzetten⟩ mark
markering [de^{v}] marking, ⟨verk⟩ signposting
markeringsboei [de] marker buoy
markervaccin [het] marker vaccine
marketeer [de^{m}] marketer
marketentster [de^{v}] ⟨gesch⟩ camp follower, ⟨zeldz⟩ sutler, vivandière
marketing [de^{v}] marketing
marketingmanager [de^{m}] marketing manager
marketing mix [de] marketing mix
marketingstrategie [de^{v}] marketing strategy
marketmaker [de^{m}] market maker, ⟨BE⟩ (stock) jobber
markgraaf [de^{m}] margrave
[1]**markies** [de^{m}] ⟨markgraaf (als titel)⟩ marquis, ⟨BE vnl⟩ marquess
[2]**markies** [de] [1] ⟨luifel⟩ canopy, porch, ⟨AE ook⟩ marquee [2] ⟨zonnescherm⟩ awning, (sun-)blind
markieslinnen [het] striped canvas
markiezin [de^{v}] marquise, ⟨Groot-Brittannië⟩ marchioness
markizaat [het] marquisate
markt [de] [1] ⟨openbare verkoop⟩ market, mart ♦ ⟨m.b.t. maatregelen e.d.⟩ ***boven** de markt **zweven*** hang over the market; ⟨fig⟩ ***in** de markt **zijn voor*** be in the market for; ***naar** de markt **gaan*** go to market; ***op** de markt **kopen*** buy in/at the market; ***op** de markt **staan*** be in/at the market/in the marketplace; ⟨fig⟩ *zichzelf **uit** de markt **prijzen*** price o.s. out of the market; ***van** alle markten **thuis zijn*** be able to turn one's hand to anything, be an all-rounder/a jack-of-all-trades [2] ⟨plaats⟩ market(place), mart [3] ⟨uitwisseling van producten⟩ market, mart ♦ *de markt **beheersen*** control the market, dominate the market; *de markt **bewerken*** work upon/manipulate the market; *een markt **creëren*** create a market; *één **Europese** markt* a single/one European market; *er **is geen** markt meer voor dat product* there is no market for that product any more, ⟨inf⟩ there is no call for that product any more; ***op** de markt **komen*** come onto the market; ***op** de markt **gooien*** throw/dump on the market; ***op** de markt **brengen*** put/place/bring on the market, market; ⟨bijvoorbeeld nieuw product⟩ launch; *de markt **overstromen/overspoelen met*** flood/swamp the market with; *een boek **van** de markt **houden*** keep a book out of circulation, suppress a book; *van de markt **verdringen*** push out of/push off the market; *een markt **zoeken** voor een nieuw product* seek a market/an outlet/an opening for a new product; *de **zwarte** markt* the black market; ⟨voor particulieren⟩ the free/flea market [4] ⟨prijs⟩ market ♦ *de markt **bederven*** ruin/spoil trade/the market; *een **dalende** markt* a bear market; *goed **in** de markt **liggen*** be sal(e)able/marketable, sell well, be in great demand, find a ready sale; ⟨ook fig⟩ be on demand; *de markt **opdrijven*** force/drive the market up; *een **stijgende/oplopende/rijzende/willige** markt* a bull market [5] ⟨intensiteit van de handel⟩ market ♦ *een **flauwe** markt* a slow market; *de markt **was stil*** the market was quiet; *een **vaste** markt* a firm market [6] ⟨ec⟩ market ♦ ***de** markt* ⟨ook⟩ the marketplace; *de **vrije/open(bare)** markt* the open market [•] ⟨in België⟩ *het niet onder de markt **hebben*** be having a hard time (coping); *bij het **scheiden** van de markt* just at the last moment; ⟨sprw⟩ *bij het scheiden van de markt leert men de kooplui kennen* you know who your friends are when the chips are down
marktaanbod [het] market supply
marktaandeel [het] market share, share of a/the market
marktanalist [de^{m}] market analyst
marktanalyse [de^{v}] market analysis, ⟨onderzoek⟩ market research, ⟨gericht op marketing⟩ marketing research
marktbederver [de^{m}] [1] ⟨door lage prijzen⟩ undercutter, underseller, cut-price shop [2] ⟨dor laag bod⟩ underbidder, undercutter
marktbericht [het] market report
marktbond [de^{m}] market workers' union
marktconjunctuur [de^{v}] [1] ⟨toestand⟩ market conditions, state of the market [2] ⟨schommelingen⟩ market fluctuations
marktdag [de^{m}] market day
markteconomie [de^{v}] market economy
[1]**markten** [onov ww] ⟨naar de markt gaan⟩ go to market ♦ *gaan markten* go to market
[2]**markten** [ov ww] ⟨te koop aanbieden⟩ (bring to) market
marktevenwicht [het] market balance
marktfalen [het] market failure
marktfundamentalisme [het] market fundamentalism
marktganger [de^{m}] market-goer
marktgedreven [bn] market-driven
marktgeld [het] (market) toll, ⟨BE ook⟩ stallage
marktgemiddelde [het] market average
marktgericht [bn] market-oriented
marktgestuurd [bn] market-driven
marktgevoelig [bn, bw] sensitive to market changes/swings
marktgewoel [het] bustle/stir of the market
marktgoederen [de^{mv}] commodities, articles of trade/commerce
markthal [de] market hall, covered market
markthandel [de^{m}] market trade/dealings
marktideologie [de^{v}] market ideology
marktindex [de^{m}] market index
marktinvloed [de^{m}] effect on a/the market
marktkapitalisatie [de^{v}] market capitalization
marktkoers [de^{m}] market price/rate
marktkoopman [de^{m}] market vendor/dealer, stallholder
marktkraam [het, de] market stall, market booth
marktkramer [de^{m}] stallholder, market vendor
marktkweker [de^{m}] market gardener, ⟨AE⟩ truck farmer, ⟨AE⟩ trucker
marktleider [de^{m}] market leader
marktlieden [de^{mv}] market workers
marktlui [de^{mv}] market workers
marktmacht [de] market power
marktmaker [de^{m}] market maker
marktmechanisme [het] ⟨ec⟩ market forces
marktmeester [de^{m}] market superintendent
marktnotering [de^{v}] market rate, ⟨m.b.t. effecten enz.⟩ market quotation
marktonderzoek [het] market research, ⟨gericht op marketing⟩ marketing research
marktonderzoeker [de^{m}] market researcher
marktontwikkeling [de^{v}] market development
marktpartij [de^{v}] market party
marktplaats [de] [1] ⟨standplaats⟩ marketplace [2] ⟨stad⟩ market town
marktplein [het] marketplace, market square
marktpositie [de^{v}] [1] ⟨positie op de markt⟩ market position [2] ⟨toestand van de markt⟩ state of the market
marktpotentie [de^{v}] market potential
marktprijs [de^{m}] [1] ⟨op de markt⟩ price in/at the market [2] ⟨in het vrije goederenverkeer⟩ market price ♦ ***tegen** de marktprijs* at market price
marktproductie [de^{v}] consumer goods production, production of consumer goods
marktprognose [de^{v}] market forecast ♦ *een marktprognose **opmaken*** forecast the (course/behaviour of the) market
marktrecht [het] [1] ⟨marktgeld⟩ → **marktgeld** [2] ⟨op de markt gebruikelijk recht⟩ market law, law pertaining to markets [3] ⟨gesch⟩ right to hold a market
marktrente [de] market rate (of interest)

marktsector [de^{m}] market/private sector
marktsegment [het] market sector
marktsegmentatie [de^{v}] ⟨ec⟩ market segmentation
marktsituatie [de^{v}] market situation/position
marktsocialisme [het] market socialism
marktspeler [de^{m}] market player
marktstrategie [de^{v}] ⟨ec⟩ market strategy, ⟨gericht op marketing⟩ marketing strategy
marktstructuur [de^{v}] market structure, structure of the market
markttrend [de^{m}] market trend(s)
marktvergunning [de^{v}] market licence/^{A}license, ⟨voor kramer⟩ stallholder's licence/^{A}license
marktverkenning [de^{v}] marketing research
marktvraag [de] market demand
marktvrouw [de^{v}] market woman
marktwaar [de] market goods
marktwaarde [de^{v}] market value ◆ ⟨fig⟩ *de voetballer probeerde zijn marktwaarde te* ***verhogen*** the footballer tried to increase his market value
marktwagen [de^{m}] market van
marktwerking [de^{v}] free market (system), (free) market processes/operations ⟨mv⟩ ◆ *marktwerking* ***introduceren*** *in de gezondheidszorg* reorganize health care on a free-market basis, privatize health care
marktwezen [het] (holding of) markets
marlijn [de] ⟨scheepv⟩ marline, marlin(g)
marlpriem [de^{m}] ⟨scheepv⟩ fid, marlin(e)spike
marmelade [de] marmalade
marmer [het] [1] ⟨gesteente⟩ marble ◆ *zo hard* ***als*** *marmer* (as) hard as rock, rock-hard; ***Carrarisch*** *marmer* Carrara marble, carrara; ***rood*** *marmer* ⟨i.h.b. uit België⟩ rouge-royal marble [2] ⟨kleur, voorkomen⟩ marble, marbling
marmerachtig [bn] marble-like, marbly, ⟨form⟩ marmoreal
marmerader [de] vein in marble
marmerbeeld [het] marble statue
marmercake [de^{m}] marble(d) cake
marmereend [de] marbled teal
¹marmeren [bn] [1] ⟨van marmer⟩ marble ◆ *een marmeren* ***beeld*** a marble statue; *een buffet met marmeren* ***blad*** a marble-topped sideboard [2] ⟨met marmer bekleed⟩ marble
²marmeren [ov ww] marble, ⟨papier ook⟩ mottle, ⟨hout⟩ grain ◆ *gemarmerd* ***papier*** marbled/mottled paper
marmergroeve [de] marble-quarry
marmerkat [de] marbled (tiger) cat
marmerplaat [de] slab of marble, marble slab
marmerslag [de^{m}] marbling
marmot [de] [1] ⟨knaagdier in de Alpen⟩ marmot ◆ *slapen* ***als*** *een marmot* sleep like a log/top; ***grijze*** *marmot* whistler [2] ⟨inf; cavia⟩ guinea pig
marokijn [het] morocco (leather)
marokijnen [bn] morocco(-leather) ◆ *band met marokijnen* ***rug*** morocco-bound volume
Marokkaan [de^{m}], **Marokkaanse** [de^{v}] ⟨man & vrouw⟩ Moroccan, ⟨vrouw ook⟩ Moroccan woman/girl
Marokkaans [bn] Moroccan
Marokkaanse [de^{v}] → **Marokkaan**

Marokko

naam	*Marokko* Morocco
officiële naam	*Koninkrijk Marokko* Kingdom of Morocco
inwoner	*Marokkaan* Moroccan
inwoonster	*Marokkaanse* Moroccan
bijv. naamw.	*Marokkaans* Moroccan
hoofdstad	*Rabat* Rabat
munt	*Marokkaanse dirham* Moroccan dirham
werelddeel	*Afrika* Africa

int. toegangsnummer 212 www .ma auto MA

Marokko [het] Morocco
maroniet [de^{m}] Maronite
maronitisch [bn] Maronite
marot [de] [1] ⟨narrenstok⟩ (fool's) bauble [2] ⟨stokpaardje⟩ hobbyhorse, ⟨manie⟩ craze, mania
marquise [de^{v}] marquise
marron [de^{m}] [1] ⟨kastanje⟩ (sweet) chestnut [2] ⟨bosneger in Suriname⟩ maroon
¹mars [de] [1] ⟨tocht⟩ march ◆ *een* ***geforceerde*** *mars* a forced march; *zich* ***op*** *mars* ***begeven*** go on a march, march; *de soldaten zijn* ***op*** *mars* the soldiers are on the march [2] ⟨muz⟩ march ◆ *een* ***militaire*** *mars* a military march [3] ⟨korf⟩ (pedlar's) pack ◆ ⟨fig⟩ *hij heeft heel wat* ***in*** *zijn mars* he has a lot to offer; ⟨weet veel⟩ he is pretty knowledgeable; ⟨m.b.t. hersens⟩ he's got it up top/upstairs; ⟨fig⟩ *hij heeft niet veel* ***in*** *zijn mars* he doesn't have/hasn't got a lot to offer; ⟨weet niet veel⟩ he is pretty ignorant; ⟨m.b.t. hersens⟩ he hasn't got a lot up top/much upstairs; ⟨kan niet veel⟩ he's not up to much [4] ⟨scheepv⟩ top, ⟨van oorlogsschip⟩ fighting-top ◆ *de* ***grote*** *mars* the main-top
²mars [tw] march! ◆ *ingerukt mars!* dismiss!; *voorwaarts mars!* (forward) march!
Mars [1] ⟨planeet⟩ Mars [2] ⟨myth⟩ Mars
marsbevel [het] marching orders
marscolonne [de] marching column, line of marchers, ⟨form⟩ column of march
Marseille [het] Marseilles
marsepein [het, de^{m}] marzipan
marsepeinen [bn] marzipan
marsfractuur [de^{v}] ⟨med⟩ metatarsal/march fracture
marshal [de^{m}] marshal
Marshallhulp [de] Marshall aid
marshallplan [het] Marshall Plan
marshmallow [de] marshmallow
marsklaar [bn] ready/set to march
marskramer [de^{m}] hawker, pedlar, vendor
Marslander [de^{m}] Mars lander
marsmannetje [het] Martian
marsmuziek [de^{v}] marching music
marsorder [de] marching orders ◆ *marsorders* ***ontvangen*** *hebben* have received one's/be under marching orders
marsroute [de] line of march
marstempo [het] [1] ⟨bij het marcheren⟩ marching pace [2] ⟨van marsmuziek⟩ march time
martelaar [de^{m}], **martelares** [de^{v}] martyr
martelaarschap [het] martyrdom
martelaarsgezicht [het] face/air/look of a martyr
martelares [de^{v}] → **martelaar**
martelarij [de^{v}] torture
marteldood [de] [1] ⟨dood door marteling⟩ death through torture, martyr's death, martyrdom ◆ *iemand de marteldood* ***doen sterven*** torture s.o. to death; *de marteldood* ***sterven*** die a martyr('s death), die through torture [2] ⟨wrede dood⟩ cruel/agonizing death
¹martelen [onov ww] ⟨veel van zich vergen⟩ agonize
²martelen [ov ww, ook abs] [1] ⟨folteren⟩ torture ◆ *iemand* ***dood*** *martelen* torture s.o. to death [2] ⟨fig⟩ torture, torment, rack ◆ *dat wachten* ***is*** *martelend* this waiting is (sheer) torture/agony
martelgang [de^{m}] ⟨ook fig⟩ calvary, agony
marteling [de^{v}] [1] ⟨het martelen, gemarteld worden⟩ torture [2] ⟨foltering⟩ torture [3] ⟨fig; kwelling⟩ torture, torment ◆ *het was een* ***ware*** *marteling* it was sheer torture/agony
martellato [bw] ⟨muz⟩ martellato, martellando
martelpaal [de^{m}] torture post
marteltuig [het] instrument(s) of torture
¹marter [de^{m}] ⟨dier⟩ marten, ⟨Amerikaanse marter⟩ pine marten
²marter [het] ⟨bont⟩ marten, ⟨van sabelmarter⟩ sable

marterachtigen [de^{mv}] Mustelidae
marterharen [bn] ♦ *een marterharen **penseel*** a sable hair brush, a sable
martiaal [bn, bw] martial ⟨bw: ~ly⟩
Martiaans [bn] Martian
martial art [de^{m}] martial arts
martini [de^{m}] martini, vermouth
Martinikaan [de^{m}], **Martinikaanse** [de^{v}] ⟨man & vrouw⟩ inhabitant/native of Martinique, ⟨vrouw ook⟩ woman/girl from Martinique
Martinikaans [bn] of/from Martinique
Martinikaanse [de^{v}] → **Martinikaan**
Martinique [het] Martinique
marva [de^{v}] servicewoman in the Dutch navy, ⟨BE⟩ ± member of the WRNS, ⟨inf; BE⟩ Wren
Marva [de^{v}] Dutch Women's Naval Service, ⟨BE⟩ ± WRNS, ⟨inf; BE⟩ the Wrens
marxisme [het] Marxism
marxist [de^{m}] Marxist
marxistisch [bn] Marxist, Marxian
mascara [de] mascara
mascaron [de^{m}] ⟨bouwk⟩ mascaron, mask
mascarpone [de] mascarpone
mascotte [de] [1] ⟨gelukspoppetje⟩ mascot [2] ⟨figuurtje dat een merk vertegenwoordigt⟩ logo
masculien [bn, bw] masculine ♦ *masculien **gedrag*** masculine behaviour
masculinisatie [de^{v}] masculinization, virilization
masculinum [het] ⟨taalk⟩ masculine
maser [de^{m}] maser
maskage [de^{v}] [1] ⟨het gemaskeerd worden, zijn⟩ masking, camouflaging, disguising [2] ⟨natuurk; m.b.t. een geluid⟩ masking
masker [het] [1] ⟨gezichtsbedekking⟩ mask ♦ *zijn masker **afdoen/laten vallen*** remove/drop one's mask; ⟨fig⟩ *iemand het masker **afrukken*** pull/tear off s.o.'s mask, unmask s.o.; *een masker **opzetten*** put on a mask [2] ⟨cosmetisch preparaat⟩ (face) mask, (face) pack [3] ⟨voorwerp ter bescherming, isolering⟩ face guard, mask [4] ⟨schijn⟩ mask, screen, veil [5] ⟨biol⟩ larva [6] ⟨afdruk van iemands gelaat⟩ mask [7] ⟨foto⟩ mask
maskerade [de^{v}] [1] ⟨optocht⟩ ⟨optocht⟩ masked procession, ⟨feest⟩ masked ball, masquerade, ⟨gesch⟩ masque [2] ⟨houding⟩ masquerade
[1]**maskeren** [ov ww] mask, disguise
[2]**maskeren** [ov ww] mask, hide, camouflage, obscure ♦ *hij maskeerde zijn slechte **bedoelingen*** he masked his evil intentions; *het bos maskeert het **huis*** the wood hides the house
masochisme [het] [1] ⟨psychische gesteldheid⟩ masochism [2] ⟨fig⟩ masochism
masochist [de^{m}] masochist
masochistisch [bn] masochistic
masoniet [het] masonite
massa [de] [1] ⟨grote hoeveelheid⟩ mass, bulk ♦ *een massa **geld*** pots/barrels/bags of money; *iets **in** massa verkopen* sell sth. in bulk; *iets **in** massa produceren* mass-produce sth.; *zijn bezit werd **in** massa verkocht* his possessions were sold en bloc; *een massa **water*** a mass of water; ⟨inf⟩ gallons/tons of water [2] ⟨groot aantal⟩ mass, ⟨inf⟩ heaps, masses, oodles, piles, ⟨AE ook; inf⟩ slew ♦ *de soldaten vielen **bij** massa's* the soldiers were killed wholesale/dropped like flies; *een massa **fouten*** a mass/a slew/piles of errors; *massa's **mensen*** masses/swarms of people, ⟨AE ook; inf⟩ scads of people; *hij heeft een massa **vrienden*** he has heaps/loads/masses/oodles of friends [3] ⟨het volk⟩ mass, crowd, ⟨pol⟩ masses ⟨mv⟩ ♦ ***de** (grote) massa* the masses; ⟨met volgende zelfstandig naamwoord⟩ the mass/bulk (of); *de **domme** massa* the common herd, the ignorant masses; ***met** de massa meedoen* go with/follow the crowd, swim with the tide; *de **zwijgende** massa* the silent/voiceless masses, the faceless millions [4] ⟨hoeveelheid materie⟩ mass, quantity ♦ *het lijk was een **vormeloze** massa* the body was a shapeless mass/lump [5] ⟨natuurk⟩ mass ♦ ***kritische** massa* ⟨natuurk⟩ critical mass; *trage massa* ⟨natuurk⟩ inertial mass [6] ⟨geleidende eenheid⟩ mass
massa-actie [de^{v}] mass action, ⟨campagne⟩ mass campaign, ⟨demonstratie⟩ mass demonstration
massaal [bn, bw] [1] ⟨van een grote menigte⟩ massive ♦ *een massale **opkomst*** a massive turnout; *massaal **verzet*** massive resistance [2] ⟨in massa geschiedend⟩ mass, wholesale, ⟨goederen⟩ bulk ♦ *het massale **goederenvervoer*** transport of goods in bulk, bulk goods transport; *een massale **vernietiging** van groenten* wholesale/massive destruction of vegetables [3] ⟨groot geheel vormend⟩ massive [4] ⟨samenhangende massa vormend⟩ undivided ♦ *een massale **boedel*** an undivided estate
massa-artikel [het] mass-produced article
massabetoging [de^{v}] mass demonstration, ⟨krantentaal⟩ mass lobby
massabeweging [de^{v}] mass movement
massabijeenkomst [de^{v}] mass meeting
massacommunicatie [de^{v}] mass communication(s)
massacommunicatiemiddel [het] mass medium
massaconsumptie [de^{v}] ⟨ec⟩ mass consumption
massacre [de^{m}] massacre, carnage, slaughter
massacultuur [de^{v}] popular culture, mass culture, culture of the masses
massadeeltje [het] mass particle
massademocratie [de^{v}] mass democracy
massademonstratie [de^{v}] mass demonstration, ⟨krantentaal⟩ mass lobby
massadeportatie [de^{v}] mass deportation
massafabricage [de^{v}] mass production
massage [de^{v}] massage, massaging
massagedrag [het] mass behaviour
massage-instituut [het] massage parlour
massageolie [de] massage/massaging oil
massagetal [het] ⟨natuurk⟩ mass number
massagoed [het] bulk goods
massagraf [het] mass grave
massahuwelijk [het] mass wedding
massahysterie [de^{v}] mass hysteria
massaliteit [de^{v}] [1] ⟨eigenschap⟩ massiveness [2] ⟨jur⟩ (undivided) community of goods/property
massaloop [de^{m}] group run
massamaatschappij [de^{v}] mass society
massamedia [de^{mv}] mass media ⟨ook enk⟩
massamedium [het] mass medium
massamens [de^{m}] man in the crowd, one of the crowd
massamoord [de] mass murder
massamoordenaar [de^{m}] mass murderer
massaontslag [het] wholesale dismissal, ⟨mv; BE⟩ massive redundancies ♦ *in de chemische industrie **worden** massaontslagen **verwacht*** massive redundancies are expected in the chemical industry
massaproces [het] mass trial
massaproduct [het] mass-produced article
massaproductie [de^{v}] mass production
massaprotest [het] mass protest
massapsychologie [de^{v}] mass psychology
massarecreatie [de^{v}] mass recreation
massaregie [de^{v}] [1] ⟨het regisseren⟩ crowd direction [2] ⟨het sturen van de massa⟩ orchestration of a/the crowd, orchestration of a/the mob
massascène [de] crowd scene
massaspectrograaf [de^{m}] mass spectograph
massaspectrografie [de^{v}] mass spectography
massaspectrometer [de^{m}] mass spectrometer
massasprint [de^{m}] → **massaspurt**
massaspurt [de^{m}], **massasprint** [de^{m}] ⟨sport⟩ field

sprint, mass finish
massastart [de^{m}] mass start
massaterreur [de] mass terror
massatoerisme [het] mass tourism
massatransport [het] bulk transport, transport in bulk
massaverkoop [de^{m}] bulk selling/sales, selling/sales in bulk, selling/sales in quantity
massavernietigingswapen [het] weapon of mass destruction
massawerkloosheid [de^{v}] mass/massive unemployment
masseren [ov ww, ook abs] **1** ⟨m.b.t. spieren⟩ ⟨onovergankelijk werkwoord⟩ do massage, ⟨overgankelijk werkwoord⟩ massage **2** ⟨bilj⟩ make a massé (shot)
masseur [de^{m}], **masseuse** [de^{v}] ⟨man⟩ masseur, ⟨vrouw⟩ masseuse
masseuse [de^{v}] → **masseur**
[1]**massief** [het] ⟨geol⟩ massif ◆ *Centraal Massief* Massif Central
[2]**massief** [bn] **1** ⟨niet hol⟩ solid ◆ *massieve **banden*** solid tyres/^{A}tires; *een ring van massief **zilver*** a ring of solid silver **2** ⟨sterk, stevig⟩ solid, massive, heavy ◆ *massieve romaanse **kathedralen*** heavy Romance cathedrals; *een massieve **toren*** a massive tower
massiefkarton [het] solid cardboard
massificatie [de^{v}] consolidation
massificeren [ov ww, ook abs] consolidate
mast [de^{m}] **1** ⟨op schepen⟩ mast ◆ ***achter** de mast* abaft; *de **grote** mast* the mainmast; ***in** de mast* up the mast, aloft; *een vlag **in** (de top van) de mast voeren* fly a flag at the masthead; *de mast **strijken*** lower the mast; *het schip **verloor** zijn mast(en)* the ship lost its mast(s)/was dismasted; *de mast (in het spoor) **voeren/vastzetten*** step the mast; ⟨fig⟩ ***voor** de mast dienen* serve before the mast; ***zonder** mast(en)* mastless **2** ⟨voor elektriciteitsdraden⟩ pylon **3** ⟨antenne, zendinstallatie⟩ mast **4** ⟨dennenboom⟩ pine(-tree) **5** ⟨varkensvoer⟩ mast ⊡ ***voor** de mast zitten* be unable to eat anything else
mastaba [de] mastaba
mastbeuk [de^{m}] beech
mastbok [de^{m}] sheerlegs, shearlegs, shears
mastboom [de^{m}] **1** ⟨den⟩ pine(-tree) **2** ⟨paal⟩ pole
mastbos [het] **1** ⟨bos⟩ pinewood, ⟨groter⟩ pine-forest **2** ⟨zeilschepen⟩ forest of masts **3** ⟨radio-, televisiemasten⟩ forest of aerials, ⟨AE ook⟩ forest of antennas
mastectomie [de^{v}] mastectomy
mastel [de] ⟨in België⟩ ⟨BE⟩ maslin roll, ⟨AE⟩ wheat-and-rye roll
masteluin [het, de^{m}] **1** ⟨mengsel van tarwe en rogge⟩ ⟨BE⟩ maslin **2** ⟨brood⟩ ⟨BE⟩ maslin (bread)
masten [ov ww] mast
master [de^{m}] **1** ⟨academische graad⟩ Master **2** ⟨opleiding⟩ ⟨BE⟩ Master's degree course, ⟨AE⟩ Master's degree program **3** ⟨zender⟩ master station
masterbedroom [de^{m}] master bedroom
masterclass [de] master class
masterfase [de^{v}] master's phase
masteropleiding [de^{v}] master's (course), master's programme/^{A}program ◆ *ze **volgt** een masteropleiding Engelse letterkunde* she's doing a/her master's in English Literature
masterplan [het] master plan
masterstudie [de^{v}] ⟨BE⟩ master's degree course, ⟨AE⟩ master's program
mastertape [de^{m}] master tape
masticatie [de^{v}] ⟨med⟩ mastication
mastiek [het, de^{m}] **1** ⟨harssoort⟩ mastic **2** ⟨kitlijm⟩ mastic **3** ⟨mengsel gebruikt voor asfalt, dakbedekking⟩ mastic, asphalt mastic **4** ⟨in België; stopverf⟩ putty
mastiekbedekking [de^{v}] mastic coating/roofing
[1]**mastieken** [bn] mastic
[2]**mastieken** [ov ww] **1** ⟨met mastiek bedekken⟩ coat with mastic **2** ⟨in België; met stopverf dichten, vastmaken⟩ putty
mastiff [de^{m}] mastiff
mastino [de^{m}] mastiff
mastitis [de^{v}] ⟨med⟩ mastitis
mastklimmen [ww] climbing the greasy/slippery pole
mastkorf [de^{m}] ⟨scheepv⟩ crow's-nest
mastkraag [de^{m}] mast-coat
mastodont [de^{m}] **1** ⟨dier⟩ mastodon **2** ⟨fig; enorm gevaarte⟩ mastodon, giant
mastoïditis [de^{v}] ⟨med⟩ mastoiditis, mastoid
mastopathie [de^{v}] mastopathy
masturbatie [de^{v}] masturbation, onanism
masturberen [onov ww] masturbate
mastworp [de^{m}] clove hitch
[1]**mat** [de] **1** ⟨kleed⟩ mat ◆ *de **groene** mat* the football pitch, the soccer field; *matten **kloppen*** beat/shake mats; *van matten **voorzien*** mat **2** ⟨zitting van een stoel⟩ rush seat/bottom **3** ⟨bedekking van dijkglooiingen⟩ mat(ting) **4** ⟨sport⟩ mat, ⟨worstelen⟩ canvas
[2]**mat** [bn] ⟨schaakmat⟩ checkmate ◆ *mat **geven*** checkmate; *mat **staan*** be checkmated; *iemand mat **zetten*** checkmate/stalemate/stymie s.o.
[3]**mat** [bn, bw] **1** ⟨dof, glansloos⟩ mat(t), ⟨AE ook⟩ matte, ⟨klank, oog, markt⟩ dull, ⟨licht⟩ dim, ⟨ogen ook⟩ lacklustre, lustreless, ⟨verf⟩ flat ◆ *een matte **blik*** a lacklustre look; *een matte **foto*** a mat photograph, a photograph with a mat finish; *een matte **gloeilamp*** a frosted lamp; *mat **maken/worden*** mat(t), dull, tarnish; *een mat **oppervlak*** a mat surface; *mat **zilver*** frosted silver **2** ⟨niet doorschijnend⟩ mat(t), ⟨AE ook⟩ matte ◆ *mat **vensterglas*** mat/frosted window-glass **3** ⟨zwak, vlak⟩ flat ⟨bw: ~ly⟩, ⟨moe⟩ tired, weary ◆ *hij **reageerde** mat op het plan* he responded unenthusiastically to the scheme; *met matte **stem** spreken* speak in a flat voice
mataanval [de^{m}] mate attack
matador [de^{m}] **1** ⟨stierendoder⟩ matador **2** ⟨fig; baas⟩ past master, crack **3** ⟨troef⟩ matador **4** ⟨dominospel⟩ matador
matadorspel [het] matador
mataglap [bn] berserk ◆ *mataglap **zijn*** go berserk
matatu [de^{m}] matatu
matbeitel [de^{m}] matting tool
matbranden [ov ww, ook abs] mat(t), matte
match [de] match
[1]**matchen** [onov + ov ww] ⟨overeenkomen⟩ match, compare
[2]**matchen** [ov ww] ⟨vergelijken⟩ match, compare ◆ *gegevens **met** elkaar matchen* compare/match data
matchingfonds [het] matching fund
matchpoint [het] ⟨sport⟩ match point ◆ ***op** matchpoint staan* be at match point, have a match point
matchwinnaar [de^{m}] match winner
matdreiging [de^{v}] mating threat
mate [de] measure, extent, degree, intensity ◆ *in **dezelfde** mate* equally, to the same extent; *in **geringe** mate* to a small/limited degree/extent; *in **hogere** mate* to a greater/larger extent; ***in welke** mate?* to what extent?; *in **zekere** mate* to some/a certain extent; *in **mindere** mate* to a lesser degree; *in **die** mate **dat** ...* to the extent that ...; *in **aanzienlijke** mate* in considerable measure, to a considerable extent; ⟨in België⟩ *in de mate **van het mogelijke*** as much as possible; *in **grote/hoge/ruime/sterke** mate* to a great/large extent, largely; ***met** mate* in/with moderation, moderately; *in **onbeperkte** mate* to an unlimited extent/degree; *in **toenemende** mate* in an increasing degree, increasingly; *in **welke** mate ook* in whatever degree ⊡ ⟨sprw⟩ *alles met mate* moderation in all things
maté [de^{m}] maté, mate

matelassé [het] ⟨ind⟩ matelassé
mateloos [bn, bw] immoderate ⟨bw: ~ly⟩, excessive, extravagant, immense ♦ *mateloos* ***rijk*** immensely rich
mateloosheid [de^v] immoderateness, excessiveness, extravagance, ⟨drankmisbruik⟩ indulgence
matelot [de^m] sailor (hat), ⟨vnl BE⟩ boater
matennaaien [ww] screw one's friends
matennaaier [de^m] ⟨inf⟩ s.o. who does the dirty on his mates, s.o. who ^{A}screws his buddies
mater [de^v] 1 ⟨rel⟩ mother superior 2 ⟨plantk⟩ feverfew
materiaal [het] 1 ⟨grondstof⟩ material(s) ♦ ***erfelijk*** *materiaal* genetic material; ***goedkoop/inferieur*** *materiaal* shoddy material; ***onbewerkt*** *materiaal* raw material 2 ⟨gegevens⟩ material, data, evidence 3 ⟨gereedschap⟩ material, tools ♦ ***didactisch*** *materiaal* teaching aids
materiaalfout [de] faulty/defective material, fault/defect in the material
materiaalgevoel [het] familiarity with the material, knowledge of the material
materiaalkosten [de^{mv}] cost of material(s), material cost(s)
materiaalleer [de] materials science
materiaalman [de^m] ± groundsman
materiaalmoeheid [de^v] ⟨techn⟩ material fatigue
materiaalonderzoek [het] testing of materials ♦ ***station*** *voor materiaalonderzoek* testing-station
materiaalspanning [de^v] material stress
materiaaltoepassing [de^v] application of materials
materiaalwagen [de^m] equipment van/^{A}truck
materialisatie [de^v] materialization
materialiseren [onov ww] materialize ♦ ***zich*** *materialiseren* materialize
materialisme [het] 1 ⟨leer⟩ materialism ♦ ***dialectisch*** *en* ***historisch*** *materialisme* dialectical and historical materialism 2 ⟨gezindheid⟩ materialism
materialist [de^m] 1 ⟨aanhanger van het materialisme⟩ materialist 2 ⟨iemand die alleen waarde hecht aan stoffelijke goederen⟩ materialist
materialistisch [bn, bw] 1 ⟨van het materialisme⟩ materialistic ⟨bw: ~ally⟩ 2 ⟨van een materialist⟩ materialistic ⟨bw: ~ally⟩
materie [de^v] 1 ⟨stof⟩ matter ♦ ***ruwe*** *materie* raw material; ***vormeloze*** *materie* mass 2 ⟨zaak, kwestie⟩ (subject) matter
[1]**materieel** [het] material(s), equipment, ⟨mil⟩ materiel ♦ ***militair*** *materieel (en voorraden)* ordnance; ***rollend*** *materieel* rolling stock; ***vast*** *en* ***los*** *materieel* fixed and moveable plant; ***zwaar*** *materieel* ***inzetten*** use heavy equipment; *met* ***zwaar*** *materieel* ***uitrukken*** turn out with heavy equipment
[2]**materieel** [bn] material ♦ *materiële* ***goederen*** material goods; *materiële* ***hulp*** ***bieden*** give material help; *materiële* ***schade*** property/material damage • ⟨jur⟩ *de materiële* ***dader*** principal in the first degree; ⟨jur⟩ *het materiële* ***recht*** substantive law
materiegolf [de] matter wave, De Broglie wave
materiekunst [de^v] material art
maternaal [bn] maternal
maternalisme [het] maternalism
materniteit [de^v] 1 ⟨moederschap⟩ maternity, motherhood 2 ⟨kraaminrichting⟩ maternity hospital/home
matglanzend [bn] mat(-finished)
matglas [het] frosted/ground glass
matglazen [bn] frosted-glass, ground-glass
matheid [de^v] 1 ⟨apathie⟩ lassitude, apathy 2 ⟨matte kleur⟩ dullness 3 ⟨saaiheid, vlakheid⟩ dullness, flatness
mathematica [de^v] 1 ⟨wiskunde⟩ mathematics, ⟨inf⟩ maths, ⟨AE⟩ math 2 ⟨vrouwelijke wiskundige⟩ (woman) mathematician
mathematicus [de^m] mathematician
mathematiek [de^v] mathematics
mathematisch [bn, bw] 1 ⟨wiskundig⟩ mathematic(al) ⟨bw: mathematically⟩ 2 ⟨onweerlegbaar⟩ mathematic(al) ⟨bw: mathematically⟩ ♦ *dat* ***staat*** *mathematisch* ***vast*** it is (a) mathematically established (fact)
mathematiseren [ov ww] mathemat(ic)ize
matig [bn, bw] 1 ⟨binnen een redelijke maat⟩ moderate ⟨bw: ~ly⟩, temperate, mild 2 ⟨maat houdend⟩ moderate ⟨bw: ~ly⟩, ⟨eten en drinken ook⟩ abstemious, sober ♦ *een matig* ***drinker*** a moderate drinker; *een matig* ***mens*** a sober man 3 ⟨middelmatig⟩ moderate ⟨bw: ~ly⟩, ⟨tamelijk slecht⟩ mediocre ♦ *een matig* ***concert*** a mediocre concert; *hij is er maar matig mee* ***ingenomen*** he is not overpleased with it; *een matig* ***succes*** a moderate/an indifferent success; *ik* ***vind*** *dat maar matig* I find that rather mediocre, I think it a poor show; *zijn colleges* ***worden*** *maar matig* ***bijgewoond*** his lectures are not very well attended
[1]**matigen** [onov ww] ⟨zuiniger worden⟩ economize ♦ *matigen moeten we allemaal* we all have to economize
[2]**matigen** [ov ww] 1 ⟨beperken⟩ moderate, restrain, temper ♦ *de* ***looneisen*** *matigen* moderate wage claims; *matig uw* ***snelheid*** reduce your speed; ***zich*** *matigen* restrain/control o.s. 2 ⟨verminderen⟩ moderate, reduce ♦ *zijn* ***eisen*** *matigen* moderate one's demands; *de wind heeft de* ***hitte*** *wat gematigd* the wind has moderated the heat a little
matigheid [de^v] 1 ⟨gematigdheid⟩ moderation, moderateness ♦ *de sport* ***met*** *matigheid beoefenen* practise sports in moderation 2 ⟨soberheid⟩ moderation, soberness, temperance ♦ *matigheid* ***betrachten*** show/observe moderation
matiging [de^v] 1 ⟨het matigen⟩ moderation 2 ⟨het zich matigen⟩ moderation, temperance, restraint ♦ *matiging* ***betrachten*** use restraint, restrain o.s., show restraint/moderation
matigjes [bn, bw] mediocre, shoddy, so-so
matinee [de^v] matinée, ⟨AE⟩ matinee
matineus [bn] early ♦ ⟨iron⟩ *wat* ***ben*** *je matineus!* you are an early bird; *een matineus* ***persoon*** an early riser/bird
matje [het] 1 ⟨kleine mat⟩ mat ♦ ***op*** *het matje moeten komen/worden geroepen* ⟨ter verantwoording⟩ be put on the spot, be called/brought to account; ⟨berisping⟩ be (put) on the carpet, be carpeted 2 ⟨kapsel⟩ mullet
matkopmees [de] willow tit
matrak [de] ⟨in België⟩ ± baton, ⟨vnl BE⟩ truncheon
matras [het, de] mattress ♦ *een* ***springveren*** *matras* a spring mattress
matrasbeschermer [de^m], **matrasdek** [het] mattress cover
matrasdek [het] → **matrasbeschermer**
matriarchaal [bn] matriarchal
matriarchaat [het] 1 ⟨maatschappelijk bestel⟩ matriarchate, matriarchy 2 ⟨erfrecht⟩ matriarchate, matriarchy
matricide [de^v] matricide
matrijs [de] 1 ⟨(giet)vorm⟩ mould, matrix 2 ⟨snijijzer⟩ die
matrilineair [bn] matrilinear, matrilineal ♦ *matrilineaire* ***ordening*** matrilinear structure
matrimoniaal [bn] matrimonial, conjugal, marital
matrimonium [het] matrimony, marriage
matrix [de^v] 1 ⟨biol⟩ matrix 2 ⟨wisk⟩ matrix 3 ⟨matrijs⟩ matrix, mould
matrixalgebra [de^v] matrix algebra
matrixbord [het] ⟨verk⟩ motorway (speed restriction) signal, ⟨AE⟩ (electronic) speed limit sign/indicator
matrixprinter [de^m] ⟨comp⟩ matrix/dot printer
matroesjka [de^v] matryoshka (doll), Russian doll
matrone [de^v] 1 ⟨deftige, bejaarde vrouw⟩ matron 2 ⟨bazige, onaardige vrouw⟩ matron 3 ⟨corpulente vrouw⟩ matron
matroos [de^m] sailor, seaman, sailorman ♦ *matroos derde* ***klas*** ⟨Groot-Brittannië⟩ junior seaman; ⟨USA⟩ seaman recruit; *matroos eerste* ***klas*** ⟨Groot-Brittannië⟩ leading seaman; ⟨USA⟩ petty officer 3rd class; *matroos tweede* ***klas***

⟨Groot-Brittannië⟩ ordinary/able seaman; ⟨USA⟩ seaman apprentice, seaman; *licht matroos* ordinary seaman; *onbevaren/onervaren matroos* landlubber
matrozenbroek [de] (pair of) bell-bottom trousers, bell-bottoms
matrozenkiel [de^{m}] sailor's blouse
matrozenkraag [de^{m}] sailor collar
matrozenmuts [de] sailor's cap
matrozenpak [het] sailor suit
matrozenplunje [de] slops
matse [de^{m}] matzo, matzot(h)
matsen [ov ww] ⟨inf⟩ [1] ⟨klaarspelen⟩ fix [2] ⟨helpen⟩ do a favour, give a (helping) hand, ⟨m.b.t. baantje e.d.⟩ wangle ♦ *gematst **worden*** have s.o. do you a favour; *ik zal je wel matsen* I'll do/^{A}make you a deal; I'll wangle it for you
matslijpen [ww] mat(t), ⟨AE ook⟩ matte
^{1}**matten** [bn] rush ♦ *stoelen met matten **zitting*** rush-bottomed/seated chairs
^{2}**matten** [onov ww] ⟨inf⟩ ⟨vechten⟩ fight, scrap
^{3}**matten** [ov ww] [1] ⟨met biezen beleggen⟩ rush [2] ⟨van een zitting voorzien⟩ mat, bottom ♦ ***stoelen** matten* mend chairs [3] ⟨dof maken⟩ mat(t), ⟨AE ook⟩ matte
mattenbies [de] mat rush, bulrush
mattenklopper [de^{m}] carpet-beater
matteren [ov ww] [1] ⟨dof maken⟩ mat(t), ⟨AE ook⟩ matte, ⟨glas⟩ frost, ⟨verf⟩ flatten [2] ⟨m.b.t. kunstzijde⟩ mat(t), ⟨AE ook⟩ matte
mattering [de^{v}] matting
Matthäuspassion [de^{v}] St Matthew Passion
Mattheus Matthew
mattig [bn] mat(t)
matting [het, de] matting
maturiteit [de^{v}] maturity, ⟨volwassenheid ook⟩ adulthood
maturiteitsdiploma [het] ⟨in België⟩ ± Matriculation, General Certificate of Education
maturiteitsexamen [het] ⟨in België⟩ university entrance examination
matverf [de] matt paint
matvernis [het, de^{m}] mat(t) varnish
matvoering [de^{v}] ⟨schaak⟩ mating combination
matwerk [het] matting
Mauritaans [bn], **Mauritanisch** [bn] Mauritanian
Mauritanië [het] Mauritania

Mauritanië

naam	*Mauritanië* Mauritania
officiële naam	*Islamitische Republiek Mauritanië* Islamic Republic of Mauritania
inwoner	*Mauritaniër* Mauritanian
inwoonster	*Mauritaanse* Mauritanian
bijv. naamw.	*Mauritaans* Mauritanian
hoofdstad	*Nouakchott* Nouakchott
munt	*ouguiya* ouguiya
werelddeel	*Afrika* Africa

int. toegangsnummer 222 www .mr auto RIM

Mauritaniër [de^{m}], **Mauritanische** [de^{v}] ⟨man & vrouw⟩ Mauritanian, ⟨vrouw ook⟩ Mauritanian woman/girl
Mauritanisch [bn] → **Mauritaans**
Mauritanische [de^{v}] → **Mauritaniër**
Mauritiaan [de^{m}], **Mauritiaanse** [de^{v}] ⟨man & vrouw⟩ Mauritian, ⟨vrouw ook⟩ Mauritian woman/girl
Mauritiaans [bn] Mauritian
Mauritiaanse [de^{v}] → **Mauritiaan**
Mauritius [het] (island of) Mauritius
mausoleum [het] mausoleum
mauve [bn] mauve, mallow/Perkin's purple, Perkin's violet ♦ *het mauve* the mauve

Mauritius

naam	*Mauritius* Mauritius
officiële naam	*Republiek Mauritius* Republic of Mauritius
inwoner	*Mauritiaan* Mauritian
inwoonster	*Mauritiaanse* Mauritian
bijv. naamw.	*Mauritiaans* Mauritian
hoofdstad	*Port Louis* Port Louis
munt	*Mauritiaanse roepie* Mauritian rupee
werelddeel	*Afrika* Africa

int. toegangsnummer 230 www .mu auto MS

mauwen [onov ww] [1] ⟨miauwen⟩ mew, miaow [2] ⟨zeuren⟩ whine, whinge, moan [•] ⟨sprw⟩ *als katjes muizen, mauwen ze niet* ± a mewing cat is a bad mouser; ± a bleating sheep loses a bite
^{1}**mavo** [het] (middelbaar algemeen voortgezet onderwijs) lower general secondary education
^{2}**mavo** [de] school for lower general secondary education
mavodiploma [het] ± Certificate of Secondary Education, Certificate of Lower General Secondary Education
m.a.w. [afk] (met andere woorden) in other words
max. [afk] [1] (maximum) max [2] (maximaal) maximal
maxi [het] maxi ♦ *maxi **dragen*** wear a maxi, follow the maxi-fashion; *maxi-**jas*** maxi(-coat)
maxi-jurk [de] maxidress
^{1}**maximaal** [bn] ⟨het maximum bereikend⟩ maximum, maximal, ⟨snelheid⟩ top, full ♦ *maximale **belasting/rendement** van een installatie* peak load/efficiency of an installation; *maximale **doorrijhoogte** 3 meter* clearance 3 metres; *de maximale **dosis*** the maximum/ceiling dose
^{2}**maximaal** [bw] ⟨hoogstens⟩ at (the) most ♦ *dit werk **duurt** maximaal een week* this work lasts/takes a week at most; *een boete van maximaal honderd **euro*** a fine of not more than/not exceeding a hundred euros; *een aanvulling **tot** maximaal 90 % van het loon* a supplement up to a maximum of 90 % of the wages
maximaliseren [ov ww] maximize
maximalisme [het] [1] ⟨streven naar het maximale⟩ maximalism [2] ⟨pol⟩ maximalism
maximalist [de^{m}] maximalist
maxime [het] maxim
maximeren [ov ww] [1] ⟨bovengrens stellen⟩ fix the upper limit (of) [2] ⟨tot een maximum voeren⟩ maximize
maximum [het] maximum ♦ *het maximum**aantal** deelnemers* the maximum number of participants; *hij staat/zit **op** zijn maximum* he is at his maximum; ***tot** een maximum **van** honderd euro* (up) to a maximum of one hundred euros
maximumprijs [de^{m}] maximum price, ceiling price
maximumsnelheid [de^{v}] ⟨van weg⟩ speed limit, ⟨van voert⟩ maximum speed ♦ *zich aan de maximumsnelheid **houden*** keep within the speed limit; *aangehouden worden wegens het **overschrijden** van de maximumsnelheid* be stopped for exceeding the speed limit; *de maximumsnelheid **voor vrachtwagens** is 80 km* the speed limit for lorries is 80 km
maximumtemperatuur [de^{v}] maximum temperature
maxisingle [de^{m}] maxisingle, twelve-inch
maxwell [de^{m}] maxwell
Maya [de^{m}] Maya(n)
mayday [tw] mayday
mayonaise [de^{v}] mayonnaise ♦ *patat **met** mayonaise* ^{B}chips/^{A}French fries with mayonnaise
^{1}**mazelen** [de^{mv}] [1] ⟨rode vlekjes⟩ measles [2] ⟨ziekte⟩ measles ♦ *de mazelen **hebben/krijgen*** have/get measles
^{2}**mazelen** [onov ww] have measles ♦ ⟨fig⟩ *hij is **gepokt** en gemazeld in de politiek* he is an old hand in politics
mazen [ov ww] darn
mazout [de^{m}] ⟨in België⟩ (heating) oil
mazurka [de] mazurka

mazzel [de^m] ⟨Jiddisch; inf⟩ (good) luck, fluke, (lucky) break ◆ *een **geweldige** mazzel* the devil's own luck; *mazzel **hebben*** have (good) luck, fluke, have a lucky break; ⟨AE ook⟩ luck out; *een mazzeltje **hebben*** have a windfall; ***wat** een mazzel dat je thuis was!* what a piece of luck you were at home!; *de mazzel!* see you!
mazzelaar [de] lucky one, ⟨BE⟩ lucky dick, ⟨AE⟩ lucky duck, ⟨AE⟩ lucky stiff
mazzelen [onov ww] have (good) luck ◆ *dat **noem** ik nog eens mazzelen* that's what I call good luck
mazzelkont [de^m] lucky dog, ↓ lucky bastard
mazzeltof [tw] mazel tov
mb [afk] ⟨meteo⟩ (millibar) mb
MB [de^m] (megabyte) MB
MBA [de^v] (moderne bedrijfsadministratie) modern business administration
mbalax [de^m] mbalax
MBD [afk] (minimal brain dysfunction) MBD
MBD-kind [het] ⟨psych, med⟩ MBD child
mbo [het] (middelbaar beroepsonderwijs) intermediate vocational education ◆ *mbo-sd* intermediate vocational education in social services; *mbo-azpw* intermediate vocational education in labour and personnel
m.b.t. [afk] (met betrekking tot) with regard to, with/in reference to
m.b.v. [afk] (met behulp van) by means of, with the help of
MC [afk] (megacycle) MC ◆ *27MC* citizens' band, CB
mcdonaldisering [de^v] McDonaldization
MC'er [de^m] CB-er
md [de^m] md
mdf [het] (medium density fibreboard) MDF
m.d.v. [afk] (met dien verstande) provided
me [pers vnw] me [•] *daar krabbelt hij me toch zijn naam op de deur* scribbles me his name on the door!; *dit is me nog eens een kasteel* this is what I call a castle; *hij heeft me daar een blunder begaan* he has made a heavy blunder; *je bent me er eentje!* you are a (nice) one!, aren't you the one!
m.e. [afk] (middeleeuwen) MA
ME [de^v] [1] (mobiele eenheid) anti-riot squad, [B]S(pecial) P(atrol) G(roup) [2] ⟨med⟩ (myalgische encefalomyelitis) ME
meander [de^m] [1] ⟨bocht⟩ meander [2] ⟨randversiering⟩ meander
meanderen [onov ww] ⟨form⟩ meander, wind (about)
meandrisch [bn] meandrous, winding
[1]**meao** [de^v] vocational school for intermediate business education
[2]**meao** [het] (middelbaar economisch en administratief onderwijs) intermediate business education
mecanicien [de^m] [1] ⟨werktuigkundige⟩ mechanic [2] ⟨in België⟩ → **monteur**
meccano [de^m] meccano (set)
mecenaat [het] maecenatism, patronage
mecenas [de^m] Maecenas
mechanica [de^v] mechanics
mechanicisme [het] mechanicism
mechanicus [de^m] mechanic
mechaniek [het, de^v] mechanism, action, movement, works, ⟨klok⟩ clockwork ◆ *een **eenvoudig/vernuftig** mechaniek in een pop* a simple/an ingenious mechanical device in a doll
mechanisatie [de^v] mechanization
mechanisch [bn, bw] [1] ⟨machinaal⟩ mechanical ⟨bw: ~ly⟩ ◆ *mechanisch **aangedreven** machine* mechanically driven machine, power(-driven) device; *mechanische **krachtoverbrenging*** mechanical transmission of power/energy; *mechanische **piano*** player piano; *mechanisch **speelgoed*** clockwork toys; *mechanisch **voortbewogen*** mechanically propelled [2] ⟨fig⟩ mechanical ⟨bw: ~ly⟩ ◆ *iets mechanisch **doen*** do/perform sth. mechanically; *hij **doet** zijn werk mechanisch* he does his work mechanically [3] ⟨m.b.t. de mechanica⟩ mechanical ⟨bw: ~ly⟩ ◆ *mechanisch **rendement*** mechanical advantage; ⟨natuurk⟩ *mechanisch **warmte-equivalent*** mechanical equivalent of heat; ⟨plantk⟩ *mechanische **weefsels*** mechanical tissues
mechaniseren [ov ww, ook abs] mechanize ◆ *een gemechaniseerd **werktuig*** a power(-driven) tool/device
mechanisering [de^v] mechanization
mechanisme [het] [1] ⟨werking⟩ mechanism, ⟨fig ook⟩ machinery ◆ *een **bewegend** mechanisme* a motion; ⟨fig⟩ *het is een zeer **gecompliceerd** mechanisme* it is wheels within wheels [2] ⟨samenstel van bewegende delen⟩ mechanism, ⟨fig ook⟩ machinery ◆ *het mechanisme van een **geweer*** the action of a gun; ⟨fig⟩ *als ik kwaad word treden er allerlei mechanismen in **werking*** when I get angry sth. is liable to snap [3] ⟨filos⟩ mechanism
mechanistisch [bn] mechanistic
mechanotherapie [de^v] mechanotherapy
mechatronica [de^v] mechatronics
Mechelen [het] ⟨gesch⟩ Mechlin, ⟨moderne stad⟩ Malines, Mechelen
meconium [het] [1] ⟨sap van de papaver⟩ meconium [2] ⟨ontlasting⟩ meconium
medaille [de] [1] ⟨penning⟩ medal, ⟨prijs ook⟩ prize-medal ◆ *de winnaar van de **gouden/zilveren/bronzen** medaille* the gold/silver/bronze medallist/medal winner; *zijn borst was **met** medailles behangen* his chest was covered with medals, ↓ he had a chestful of medals, ↑ his chest was bemedalled; *het **regende** medailles voor de Oostbloklanden* it was raining medals for the Eastern-bloc countries; ⟨fig⟩ *dit is **één zijde** van de medaille* this is one side of the picture [2] ⟨r-k⟩ medal [•] ⟨sprw⟩ *elke medaille heeft een keerzijde* every medal has two sides/its reverse; there are two sides to every question
medaillespiegel [de^m] medal count
medailleur [de^m] medallist
medaillewinnaar [de^m] medallist, ⟨AE⟩ medalist
medaillon [het] [1] ⟨sieraad⟩ medallion, ⟨openspringend⟩ locket [2] ⟨bouwk⟩ medallion
med. drs. [de^m] (medicinae doctorandus) MB
[1]**mede** [de] [1] ⟨drank⟩ mead [2] ⟨meekrap⟩ madder
[2]**mede** [bw] ⟨form⟩ also ◆ *mede **hierdoor*** as a consequence of this/these and other factors; *dat **is** mede **in uw voordeel*** that is also to your advantage; *mede **namens** uw broers overhandig ik u dit cadeau* I hand you this present also on behalf of your brothers; *mede **wegens*** partly due to; *ik **zal** mede van de partij **zijn*** I shall also be of the party/company
medeaansprakelijk [bn] jointly liable ◆ *medeaansprakelijk **vennoot*** contributory
medeauteur [de^m] co-author, joint author (of) ◆ *A en zijn medeauteurs* A and his co-authors
medebeklaagde [de] co-accused, co-defendant
medebelanghebbende [de] person also/jointly interested (in), party also/jointly interested (in)
medebepalend [bn] contributory
medebeslissingsrecht [het] right of consultation
medebestuurder [de^m] [1] ⟨van bedrijf⟩ co-manager, co-director, fellow/joint manager, fellow/joint director [2] ⟨van vereniging e.d.⟩ fellow officer, fellow member of the committee ⟨enz.⟩; → **bestuurder** [3] ⟨van vakbond⟩ fellow official
medebewoner [de^m], **medebewoonster** [de^v] ⟨van huis; man & vrouw⟩ co-occupant, ⟨medehuurder; man & vrouw⟩ co-tenant, ⟨van stad/land; man & vrouw⟩ co-inhabitant, ⟨van stad ook; man⟩ fellow townsman, ⟨vrouw⟩ fellow townswoman, ⟨van land ook; man⟩ fellow countryman, ⟨vrouw⟩ fellow countrywoman
medebewoonster [de^v] → **medebewoner**
medebroeder [de^m] [1] ⟨ambtgenoot⟩ colleague [2] ⟨lid van eenzelfde orde⟩ fellow brother [3] ⟨naaste⟩ fellow

man, neighbour
medeburger [de^m] fellow citizen
medechristen [de^m] fellow Christian
mededader [de^m] ⟨jur⟩ ⟨al dan niet aanwezig⟩ accomplice, ⟨aanwezig⟩ principal in the second degree, ⟨aanstichter; niet aanwezig⟩ accessory before the fact
mededeelbaar [bn] communicable, conveyable
mededeelzaam [bn] communicative, expansive ♦ *hij **was** bijzonder mededeelzaam* he was in a very expansive mood; *na een paar pilsjes **wordt** hij wel mededeelzamer* he will talk more freely after a couple of beers; *niet erg mededeelzaam **zijn*** be self-contained/rather uncommunicative
mededeelzaamheid [de^v] communicativeness, expansivity, expansiveness
mededeling [de^v] announcement, statement, communication, notice, notification ♦ *een mededeling **aanplakken*** post a notice; ⟨radio/tv⟩ *nu volgt een **belangrijke** mededeling* an important announcement follows; *verslagen en mededelingen van het **congres*** proceedings and reports of the conference; *een mededeling **doen*** make an announcement/a statement; ***ingezonden** mededeling* advertisement; *een briefje **met** de mededeling dat ...* a note saying that ...; *een **officiële** mededeling **over*** an official statement about; *een **sensationele** mededeling doen* make a sensational announcement; ⟨inf⟩ drop a bombshell; *een **vertrouwelijke** mededeling* a confidential/privileged communication
mededelingenblad [het] newsletter, bulletin
mededelingenbord [het] notice board
mededinger [de^m], **mededingster** [de^v] ⟨alg⟩ rival, ⟨in wedstrijd⟩ competitor, contestant ♦ *een **onbekende** mededinger* ⟨ook⟩ a dark horse; *zij **won** het van haar mededingers* she beat her competitors
mededingersveld [het] field of competition/rivalry
mededinging [de^v] competition ♦ ⟨sport⟩ ***buiten** mededinging* not for competition, hors concours; ⟨sport⟩ *meedoen **buiten** mededinging* participate hors concours/outside the competition; ***vrije** mededinging* open competition
mededingingsautoriteit [de^v] competition authority
mededingingsbeleid [het] policy on competition
mededingingswet [de] Competitive trading act
mededingster [de^v] → **mededinger**
mededirecteur [de^m], **mededirectrice** [de^v] ⟨man & vrouw⟩ co-manager, ⟨man & vrouw⟩ joint manager, ⟨vrouw ook⟩ co-manageress, ⟨vrouw ook⟩ joint manageress
mededirectrice [de^v] → **mededirecteur**
mededogen [het] compassion ♦ *mededogen **hebben/tonen** met iemand* have compassion on/show compassion with s.o.; *iemand **met** mededogen gadeslaan* watch s.o. compassionately; *iemand **zonder** mededogen straffen* punish s.o. mercilessly
mede-eigenaar [de^m], **mede-eigenares** [de^v] ⟨man & vrouw⟩ joint proprietor/owner, ⟨vrouw ook⟩ joint proprietress
mede-eigenares [de^v] → **mede-eigenaar**
mede-eigendom [de^m] co-ownership, joint ownership ♦ ***in** mede-eigendom bezitten* hold in joint ownership
mede-erfgenaam [de^m] co-heir, joint heir
medegebruik [het] joint use ♦ *het medegebruik van een openbare **weg*** the joint use of a public road
medegerechtigd [bn] co-entitled, jointly entitled ♦ *medegerechtigd zijn **in** de boedel* be a co-participant in the estate
medegevoel [het] [1] ⟨medelijden⟩ sympathy [2] ⟨zich invoelen⟩ empathy
medehuurder [de^m] co-tenant
medeklinker [de^m] [1] ⟨klank⟩ consonant ♦ ***stemhebbende** en **stemloze** medeklinkers* voiced and voiceless consonants [2] ⟨teken⟩ consonant
medelander [de^m] nonnative (inhabitant)
medeleerling [de^m] fellow pupil
medeleven [het] sympathy, ⟨rouwbeklag ook⟩ condolence(s) ♦ *iemand zijn medeleven **betuigen*** condole with s.o., express one's condolences/sympathy to s.o.; *mijn medeleven **gaat uit** naar* my sympathy lies with; ***oprecht** medeleven* sincere sympathy; *blijk geven van medeleven* show/express sympathy, give expression to one's sympathy
medelevend [bn] sympathetic
medelid [het] fellow member
medelijden [het] pity, compassion, commiseration ♦ *geen **greintje** medelijden* not a spark of compassion; ***heb** medelijden (met)* have mercy (upon); *om medelijden mee te **hebben*** pitiable, to be pitied; *medelijden **met** iemand hebben* pity s.o., feel pity/sorry for s.o.; *we kregen medelijden **met** hem* we began to feel sorry for him; *hij heeft alleen maar medelijden **met** zichzelf* he only feels sorry for himself; *iemand **uit** medelijden helpen* help s.o. out of pity; *hij gaf iets **uit** oprecht medelijden* he gave sth. out of sheer pity; ***vol** medelijden zijn voor iemand* be/feel very sorry for s.o.; ***zonder** medelijden* pitiless
medelijdend [bn, bw] compassionate ⟨bw: ~ly⟩, piteous, pitiful ♦ *medelijdend **aankijken*** look with compassion; *een medelijdende **blik*** a look of compassion; *op medelijdende **toon*** in a compassionate tone (of voice)
medemens [de^m] fellow man, neighbour
medemenselijk [bn, bw] humane ⟨bw: ~ly⟩
medemenselijkheid [de^v] humanity, solidarity ♦ *iets doen **uit** medemenselijkheid* do sth. out of solidarity
mademinnaar [de^m] rival (lover)
Meden [de^mv] Medes
medeondertekenaar [de^m] co-signatory, ⟨bij legalisatie⟩ witness, ⟨van iemands kandidatuur bij verkiezingen; BE⟩ assentor
medeondertekenen [ov ww] co-sign, ⟨ter bekrachtiging⟩ countersign ♦ ***als** getuige medeondertekenen* witness a signature; *de directeur moet het **contract** medeondertekenen* the manager has to countersign the contract; *zij heeft de **petitie** medeondertekend* she has joined in signing the petition; *Suriname heeft het **verdrag** medeondertekend* Surinam is a signatory to the treaty
medeondertekening [de^v] [1] ⟨concreet⟩ co-signature, countersignature [2] ⟨het ondertekenen⟩ co-signing, countersigning
medeoorzaak [de] secondary/contributory cause
medeoprichter [de^m] co-founder
medeparaaf [de^m] co-initial
medepastoor [de^m] ⟨in België⟩ curate, assistant priest
medeplegen [ov ww] ⟨jur⟩ participate in the commission of, ⟨als mededader⟩ participate as principal in the second degree in the commission of, ⟨als niet-aanwezige aanstichter⟩ participate as accessory before the fact in the commission of
medeplichtig [bn] ⟨jur⟩ accessory ♦ *medeplichtig **aan** de moord* accessory to the murder; *dit **maakt** hem medeplichtig* this makes him an accessory, this incriminates him; *medeplichtig **zijn aan*** be (an) accessory to/the accomplice of
medeplichtige [de] ⟨jur⟩ accessory (to), accomplice, ⟨handlanger⟩ partner, associate (of/in), ⟨bij echtscheiding⟩ co-respondent ♦ *een medeplichtige **aan** een misdrijf* an accomplice in/a party to a crime, a principal in the second degree; *getuigen **tegen** zijn medeplichtige* turn/give ^B King's/ ^B Queen's/ ^A State's evidence; *hij **verraadde** zijn medeplichtigen* he betrayed on his associates/partners in crime, ⟨sl⟩ he peached on his associates/partners in crime
medeplichtigheid [de^v] ⟨jur⟩ complicity (in), participation (in) ♦ ***beschuldigen** van medeplichtigheid* accuse of complicity; ***schuldig** aan medeplichtigheid* guilty of complicity/being an accessory
medereiziger [de^m], **medereizigster** [de^v] fellow

traveller/^traveler/passenger, travel(ling) companion
medereizigster [de^v] → **medereiziger**
medeschepsel [het] fellow creature, ⟨mens⟩ fellow human being
medeschuldig [bn] implicated (in), also guilty, also to blame, ⟨jur⟩ accessory (to) ◆ *medeschuldig **aan** iets zijn* be implicated in/also guilty of/to blame for sth.
medeschuldige [de] co-offender, one of the culprits, one of the guilty parties, joint culprit
medespeelster [de^v] → **medespeler**
medespeler [de^m], **medespeelster** [de^v] ⟨sport⟩ teammate, (fellow) player, ⟨bridge⟩ partner, ⟨dram, film⟩ (fellow) actor, (fellow) actress, (fellow) performer, (fellow) cast member ◆ ***tot** de medespelers **behoorden** ...* the cast included ...
medesponsor [de^m] co-sponsor
medestander [de^m], **medestandster** [de^v] supporter, partner, ⟨pol⟩ partisan, ally, political friend/associate
medestandster [de^v] → **medestander**
medestrever [de^m] [1] ⟨mededinger⟩ rival, competitor, ⟨naar betrekking e.d.⟩ aspirant [2] ⟨medestander⟩ (fellow) supporter, fellow campaigner
medestrijder [de^m] [1] ⟨mededinger⟩ competitor, rival [2] ⟨wapenbroeder⟩ fellow combatant, comrade, brother-in-arms
medeverantwoordelijk [bn] jointly responsible (for), co-responsible (for), ⟨jur⟩ contributory
medeverantwoordelijkheidsheffing [de^v] ± super levy
medeverdachte [de] fellow suspect, co-suspect
medeverzekeraar [de^m] co-insurer
medewerker [de^m], **medewerkster** [de^v] [1] ⟨iemand die ergens aan meewerkt⟩ fellow worker, co-worker, cooperator, ⟨aan boek e.d.⟩ collaborator, ⟨aan krant enz.⟩ contributor, correspondent ◆ *medewerker **aan*** contributor to, collaborator in; *onze **juridische/economische/weerkundige/Londense** medewerker* our legal/economics/weather/London correspondent [2] ⟨werkkracht, functionaris⟩ employee, worker, assistant, staff member ◆ ***administratief** medewerker* administrative assistant, member of the administrative staff; *de medewerkers van het **bureau*** the staff (members) of the office; ***commercieel** medewerker* commercial assistant; *een **nieuwe** medewerker* a new worker/assistant/employee/staff member, an entrant; *een **tijdelijke/vaste** medewerker* a temporary/permanent staff member; ***wetenschappelijk** medewerker* lecturer, (academic) staff member, ⟨techn⟩ scientific staff member
medewerking [de^v] [1] ⟨het meewerken⟩ cooperation, collaboration ◆ ***met** medewerking **van*** assisted by, with the cooperation of; *met **welwillende** medewerking van* with the kind cooperation of [2] ⟨hulp⟩ assistance, support, cooperation ◆ *ze waren niet **bereid** tot medewerking* they were not cooperative/ready to cooperate; *alle/geen/weinig medewerking **krijgen** van* get full/no/little assistance from; *de politie **riep** de medewerking **in** van het publiek* the police made an appeal to the public for cooperation; *medewerking **verlenen** aan* render/give/lend (one's) assistance to, assist in
medewerkster [de^v] → **medewerker**
medeweten [het] (fore)knowledge ◆ *dit is **buiten** mijn medeweten gebeurd* this occurred unknown to me/without my knowledge, ↑ this occurred unbeknown(st) to me; *dit is **met** mijn medeweten gebeurd* this occurred with my knowledge; *deze geheime transactie is **met** medeweten van de directeur geschied* this secret transaction occurred with the knowledge of the director, ⟨jur⟩ this secret transaction occurred with the privity of the director, the director was privy to this secret transaction
medezeggenschap [het, de^v] say, voice, ⟨in bedrijf⟩ (employee) participation, (labour) co-partnership, joint management, co-management ◆ *de medezeggenschap in het bedrijfsleven stelt nog niet veel voor* employee participation still doesn't amount to much; *medezeggenschap **eisen/geven in*** demand/give a say; ⟨in bedrijf⟩ demand/allow workers participation/a share in management; *het personeel **heeft** enige medezeggenschap* the personnel has some say; *je hebt **in** deze zaak geen medezeggenschap* you have no say/voice in this matter
medezeggenschapsraad [de^m] representative advisory body/board/council
[1]**media** [de] ⟨taalk⟩ media, voiced stop/plosive
[2]**media** [de^{mv}] ⟨tv, kranten enz.⟩ media ◆ *de **geschreven** media* the press
mediaal [bn] [1] ⟨aan de binnenzijde⟩ medial, middle, central, ⟨van lichaam ook⟩ mesial ◆ ⟨taalk⟩ *een **mediale consonant*** a medial consonant [2] ⟨taalk⟩ medial, middle, central ◆ *de mediale **vorm*** the middle voice/form
[1]**mediaan** [het] ⟨boek⟩ ⟨drukpapier⟩ medium (paper)
[2]**mediaan** [de] [1] ⟨wisk⟩ median (line) [2] ⟨stat⟩ median [3] ⟨drukw⟩ 11 point type
[3]**mediaan** [bn] median
mediaanlijn [de] medial/mesial line
mediaanvlak [het] median plane
mediabaron [de^m] media baron, ⟨pers⟩ press baron/magnate
mediabeleid [het] media policy ◆ *een onduidelijk mediabeleid **voeren*** pursue an unclear media policy, pursue an unclear policy with regard to the media
mediabestel [het] media management, ⟨verdeling van zendtijd⟩ allocation of broadcasting time
mediacircus [het] media circus
mediadeskundige [de] media expert
mediageniek [bn] mediagenic
mediagigant [de^m] media giant
mediahype [de^m] media hype
mediakunde [de^v] multimedia studies, educational technology
mediakundige [de] multimedia specialist
mediakunst [de^v] media art(s)
mediamiek [bn] mediumistic, psychic(al) ◆ *mediamieke gaven **bezitten*** possess psychic powers
mediamix [de^m] media mix
medianota [de] Media Memorandum/Paper
mediante [de^v] [1] ⟨wisk⟩ mediant [2] ⟨muz⟩ mediant
mediapark [het] media park
mediaplanner [de^m] media adviser
mediaplanning [de] media planning
mediaspeler [de^m] [1] ⟨computerprogramma⟩ media player [2] ⟨apparaat⟩ (portable) media player
mediastilte [de^v] media silence
mediateur [de^m] mediator, intermediary, arbitrator
mediatheek [de^v] multimedia centre, multimedia (section of) library
mediatie [de^v] mediation, intermediation, arbitration
mediatief [bn, bw] mediate ⟨bw: ~ly⟩, mediating
mediation [de^v] mediation
mediatiseren [ov ww] mediatize
mediatisering [de^v] [1] ⟨het mediatiseren of gemediatiseerd worden⟩ mediatization [2] ⟨toenemende invloed van massamedia⟩ mediazation
mediator [de^m] mediator
mediatraining [de] media training course/workshop/seminar
mediawereld [de] world of the media
mediawet [de] Media act
medicaliseren [ov ww] medicalize
medicalisering [de^v] ⟨pej⟩ medicalization
medicament [het] medicament, medicine, medication, remedy, drug
medicamenteus [bn] medicinal, remedial
medicatie [de^v] ⟨med⟩ medication ◆ *een medicatie be-*

staande uit ... medication consisting of ...; *medicatie **toepassen*** use medication

medicijn [de] [1] ⟨geneesmiddel⟩ medicine, medication, medicament, drug ◆ ⟨fig⟩ *dat werkt **als** medicijn* it's a sure remedy; ⟨fig⟩ *hard werken is dan het **beste** medicijn* in that case hard work is the best medicine/remedy/cure; *medicijnen **innemen*** take medicines/medication/^{A}drugs; ***pillen, poeders** en andere medicijnen* medicines; ⟨pej⟩ doctor's stuff; *te veel medicijnen **slikken*** take too much medicine; *onder de medicijnen **zitten*** be doped, be drugged up (to the eyeballs) [2] ⟨mv; geneeskunde⟩ medicine ◆ *doctor **in** de medicijnen* Doctor of Medicine, MD; *een **student** (in de) medicijnen* a medical student; *medicijnen **studeren*** study/do medicine; ⟨AE ook⟩ go to medical school

medicijnencocktail [de^{m}] drug cocktail

medicijnkastje [het] medicine chest/cabinet/cupboard

medicijnlijn [de] medication info(rmation) line/phone

medicijnman [de^{m}] medicine man, shaman, witch doctor

medicijnvrouw [de^{v}] medicine woman

medicinaal [bn] [1] ⟨geneeskrachtig⟩ medicinal, ⟨wijn⟩ medicated ◆ *medicinale **wateren*** medicinal waters [2] ⟨als geneesmiddel⟩ medicinal ◆ *voor medicinaal **gebruik*** for medicinal use/purposes

medicus [de^{m}] ⟨form⟩ [1] ⟨arts⟩ doctor, physician, medical man/practitioner ◆ *(aanbevolen door) **de** (heren) medici* (recommended by) the medical profession [2] ⟨student⟩ medical student

mediene [de] [1] ⟨Joodse gemeenschap⟩ ± provincial Jewry [2] ⟨stadje in de provincie⟩ provincial town, small town

mediëren [onov ww] mediate

mediëvist [de^{m}] medievalist

mediëvistiek [de^{v}] [1] ⟨historische wetenschap⟩ medieval studies [2] ⟨beoefening van technische hulpwetenschappen⟩ medieval studies

medina [de] medina

medio [bw] in the middle of, mid ◆ *medio **september*** in/by/about the middle of September, in mid-September

mediocratie [de^{v}] mediocracy

mediocre [bn] ⟨form⟩ mediocre

mediocriteit [de^{v}] ⟨form⟩ mediocrity

medioneerlandistiek [de^{v}] Middle Dutch studies

[1]**medior** [de^{m}] person with more experience than a junior, but less than a senior

[2]**medior** [bn] middle

mediothecaresse [de^{v}] → **mediothecaris**

mediothecaris [de^{m}], **mediothecaresse** [de^{v}] audio-visual/multimedia technician, audio-visual/multimedia librarian

mediotheek [de^{v}] multimedia/audio-visual aids (to teaching)

[1]**medisch** [bn] ⟨m.b.t. de geneeskunde⟩ medical ◆ *op medisch **advies*** on/at the advice of one's doctor, on medical advice; *een medisch **centrum*** a medical centre; *de medische **ethiek*** ⟨deel van moraalfilosofie⟩ medical ethics; ⟨erecode van dokters⟩ medical/Hippocratic code; *de medische **faculteit*** the Faculty/School of Medicine; ⟨USA ook⟩ medical school; *een medisch(e) **onderzoek/keuring*** a medical examination, a test; ⟨inf⟩ a medical/checkup; ⟨AE ook⟩ a physical; *een medisch **student*** a medical student; ⟨inf⟩ a medic(o); *het medisch **tuchtrecht*** medical code of practice; *een medische **verhandeling*** a medical lecture/discourse

[2]**medisch** [bw] ⟨volgens de geneeskunde⟩ medical ◆ *iemand medisch **behandelen*** treat s.o., give s.o. medical treatment; *verpleging is medisch **noodzakelijk*** nursing is necessary for medical reasons

meditatie [de^{v}] [1] ⟨in oosterse godsdiensten⟩ meditation [2] ⟨overpeinzing⟩ meditation, reflection, cogitation [3] ⟨r-k⟩ meditation, contemplation

meditatief [bn] meditative, contemplative, reflective, pensive

medische termen

baarmoederhalskanker	cervical cancer
bijholteontsteking	sinusitis
blaasontsteking	cystitis
blindedarmontsteking	appendicitis
bloedarmoede	anaemia
bloedvergiftiging	septicaemia
breuk	hernia
gewrichtsontsteking	arthritis
hartaanval, hartinfarct	coronary, heart attack
hartstilstand	cardiac arrest
hernia	slipped disc
hersenvliesontsteking	meningitis
hersenbloeding	cerebral haemorrhage
herseninfarct	cerebral infarction
jicht	arthritis
keelontsteking	tonsillitis
longontsteking	pneumonia
onderkoeling	hypothermia
oorsuizen	tinnitis
reuma	rheumatism
rodehond	rubella
(onomkeerbare) sterilisatie	(bij de man) vasectomy; (bij de vrouw) tubectomy
uitdroging	dehydration
verwijdering van baarmoeder	hysterectomy
verwijdering van baarmoeder en eierstokken	complete hysterectomy
voorhoofdsholteontsteking	sinusitis

mediteren [onov ww] [1] ⟨in oosterse godsdiensten⟩ meditate [2] ⟨peinzen⟩ meditate, cogitate, reflect, ponder [3] ⟨r-k⟩ meditate, contemplate

mediterraan [bn] Mediterranean

mediterraans [bn] Mediterranean

[1]**medium** [het] [1] ⟨communicatiemiddel⟩ medium, ⟨minder juist enkelvoud en mv⟩ media ◆ *televisie is een **machtig** medium* television is a powerful medium, ⟨minder juist⟩ television is a powerful media [2] ⟨spiritisme⟩ medium, psychic, spiritual intermediary [3] ⟨hulpmiddel⟩ medium, vehicle [4] ⟨natuurk⟩ medium [5] ⟨taalk⟩ middle voice

[2]**medium** [bn] [1] ⟨m.b.t. sherry⟩ medium [2] ⟨m.b.t. kledingmaten⟩ medium(-sized) [3] ⟨m.b.t. vleesgerechten⟩ medium

mediumbereik [het] coverage

medium care [de] medium care

medley [de^{m}] medley

medoc [de^{m}] Médoc

medresse [de] medrese, madrassah, madrasa

medulla [de^{v}] ⟨med⟩ medulla, marrow ◆ *medulla spinalis* spinal marrow; *medulla oblongata* medulla oblongata, medulla

medusahoofd [het] [1] ⟨hoofd (als) van Medusa⟩ Medusa's head [2] ⟨vetplant⟩ medusa's head [3] ⟨med⟩ caput Medusae

[1]**mee** [de] [1] ⟨drank⟩ mead [2] ⟨meekrap⟩ madder

[2]**mee** [bw] [1] ⟨samen weg⟩ ◆ *mee **gaan** dansen* join in the dance, go dancing too; ***kan** ik ook mee?* can I come too/join you?; *hij **wil** met ons mee* he wants to go with/join us [2] ⟨in iemands voordeel⟩ ◆ *hij **heeft** ook alles mee* he has got every advantage/plenty/everything going for him; *hij **heeft** zijn uiterlijk mee* he has his looks going for him/to his advantage/in his favour; *wij hebben het **weer** mee* the weather's on our side; *het **zit** hem niet mee* the dice are loaded against him, things are not going his way, he's not having much luck [3] ⟨bijwoordelijk vorm van met⟩ ◆ *het **kan** er mee door* it is all right/passes muster, it'll do; ***ergens** te vroeg/laat mee komen* be too early/late with sth.; ***niets** mee te maken!* (it)

leaves me cold; *dat heeft er niets mee te maken!* that is beside the point/has nothing to do with it!; *daar spreekt u mee* ⟨aan telefoon⟩ speaking [4] ⟨in dezelfde richting⟩ with, along ♦ *met de klok mee* clockwise; *met de draad mee knippen* cut along the weave; *van hem mag Beethoven met de vuilnisman mee* to him, Beethoven is junk [•] *dat kan nog jaren mee* that will last/do for years, that still has a lot of mileage (on it)/a great deal of wear (left)

meebeslissen [onov ww] take part in deciding, help decide

meebidden [onov ww] pray (along) with, join in the prayer

meeblazen [ov ww, ook abs] blow (along) with

meebrengen [ov ww] [1] ⟨met zich brengen⟩ bring (along) (with one), ⟨vriend enz. ook; vriend enz.⟩ bring (around), ⟨in huwelijk⟩ bring into/to ♦ *je moet wel je eigen drank meebrengen* you must bring (along) your own drinks; *iets meebrengen uit Londen* bring sth. from London; *wat zal ik voor je meebrengen?* what shall I bring you?; ⟨scherts⟩ *je hebt mooi weer meegebracht* you brought good weather with you; ⟨scherts⟩ *wie wou je daarvoor meebrengen?* maybe you'd better bring in the reserves/call in reinforcements [2] ⟨van nature vertonen⟩ involve, entail, bring with it, carry ♦ *de situatie brengt mee dat ...* the situation necessitates/requires/has the effect of ...; *zijn positie brengt mee dat ...* his position involves ...; *de verplichtingen/kosten die zijn functie meebrengt* the obligations/costs which are involved in his function/his function carries/are incident to his function; *de gevaren die dit meebrengt* the dangers which this involves/attendant on this; *de moeilijkheden die dit met zich meebracht* the difficulties which ensued/resulted from this, the difficulties which this entailed; *de oude dag brengt vele ongemakken met zich mee* old age is accompanied by much discomfort; *ieder kind brengt zijn eigen zorgen mee* each child brings its own set of worries

meedeinen [onov ww] sway

[1]meedelen [onov ww] ⟨deelhebben in⟩ share (in), participate (in) ♦ *alle erfgenamen delen mee* all heirs are entitled to a share; *iemand laten meedelen in* give s.o. a share of

[2]meedelen [ov ww] ⟨kennisgeven van⟩ inform (of), let know, tell, communicate, impart, ⟨officieel⟩ notify, announce, ⟨berichten⟩ report ♦ *hierbij deel ik u mee, dat ...* I am writing to inform you that ...; *tot onze spijt moeten wij u meedelen* we regret to inform you; *over het overleg werd niets meegedeeld* nothing about the talks was disclosed; *de premier deelde mee dat* the prime minister announced that; *onze verslaggever heeft ons het volgende meegedeeld* our correspondent has reported the following to us; *ik zal het haar voorzichtig meedelen* I shall break it to her gently

meedenken [onov ww] think (along) with, help think ♦ *als jullie nou eens met me meedachten* if you could think along with me

meedingen [onov ww] [•] *kunnen/mogen meedingen* be able/allowed/eligible to compete; *meedingen naar een ambt/prijs* compete for an office/a prize; *meedingen naar een betrekking* compete/make a bid for a position; *er dingen vijftien teams mee naar het kampioenschap* fifteen teams have entered/are contending for the championship

meedobberen [onov ww] [1] ⟨dobberend meebewegen⟩ float along [2] ⟨fig⟩ bob along

meedoen [onov ww] join (in), take part (in), be/go (in) ♦ *meedoen aan een cadeau* put up/contribute sth. towards a present; *daar doe ik niet aan mee* I won't be a party to that; *meedoen aan een wedstrijd/examen* compete in a game/exam; *niet meedoen aan de strijd/het plan* stay out of the battle, have nothing to do with the plan; *meedoen aan een project/staking/oorlog* participate/take part/join in a project/strike/war; *waarom deed je niet mee aan de stemming?* why did you abstain (from voting)?; *kunnen/niet kunnen meedoen aan de prijsvraag* be eligible/ineligible to compete in/enter the contest; *ze deed dapper mee aan de knokpartij* she fought with the best of them/did her share of the fighting; *hij is te arm om mee te kunnen doen* he is too poor to keep up with the others; *hij kan nooit eens leuk meedoen* he can never join in the fun; *mag ik meedoen?* can I join in/you?; *met de mode meedoen* keep up with/follow the fashion; *met de massa meedoen* string along with/go along with the crowd; ⟨pej⟩ be like the common herd; *meedoen met zijn vrienden* join in with one's friends; *niet meedoen met een rage* not follow/go in for a fad; *de winkeliers moesten wel meedoen met deze actie* the shopkeepers had to fall in with this campaign, ⟨AE ook⟩ the storekeepers had to fall in with this campaign; *ik doe niet meer mee* count me out; ⟨aan project⟩ I opt/contract out; ⟨inf⟩ I quit/call it quits; ⟨kaartsp⟩ I'm out; *meedoen voor honderd euro* put in a hundred euros, ⟨inf⟩ chip in a hundred euros; *oké, ik doe mee* okay, I will join/I'm game/I'm in/count me in; *van het begin af meedoen* be in from/get in at the start/on the ground floor

meedogend [bn, bw] compassionate ⟨bw: ~ly⟩, merciful, clement

meedogendheid [de^{v}] compassion, mercy, clemency

meedogenloos [bn, bw] merciless ⟨bw: ~ly⟩, pitiless, relentless, remorseless, ruthless ♦ *een meedogenloos heerser* a merciless/ruthless ruler; *hij ranselde de misdadiger meedogenloos af* he flogged the criminal ruthlessly/relentlessly; *onze meedogenloze samenleving* our dog-eat-dog society; *meedogenloos zijn* be merciless/heartless/as hard as nails

meedraaien [onov ww] [1] ⟨meedoen⟩ work (with), collaborate ♦ *ik draai hier alweer een hele tijd mee* I've already worked here for quite a while [2] ⟨samen draaien⟩ turn with ♦ *meedraaien met de wind/klok/zon* turn with the wind/clockwise/with the sun

meedrijven [onov ww] drift (with) ♦ ⟨fig⟩ *zich laten meedrijven* let o.s. be carried along; *de arend liet zich meedrijven op de wind* the eagle was riding the wind; *met de stroom meedrijven* drift with the current/stream; ⟨fig⟩ let o.s. be carried along by the stream

meedrinken [ov ww, ook abs] drink with, join in a drink ♦ *voor de gezelligheid een glaasje meedrinken* have a drink/glass to be sociable; *wie drinkt er mee?* who will join me in a drink?

mee-eten [ov ww, ook abs] eat/dine with, join in eating ♦ *eet je een hapje mee?* will you join us/stay for a bite?, will you have sth. to eat with us?

mee-eter [de^{m}] [1] ⟨talgkliertje⟩ blackhead, ⟨med⟩ comedo [2] ⟨iemand die mee-eet⟩ fellow-diner

meegaan [onov ww] [1] ⟨vergezellen⟩ go along/with, accompany, come along/with ♦ *is er nog iemand die meegaat?* is there anyone else (who is) coming/going?; *laat Peter met je meegaan* let Peter accompany/go with you [2] ⟨volgen in denk-, handelwijze⟩ go (along) with, agree (with), concur (in) ♦ *met de mode meegaan* keep up/pace with (the) fashion; *meegaan met de regering* go along with/be in sympathy with/follow the government; *ik ga niet in alles met je mee* I don't agree/fall in/concur with you in everything; *meegaan met iemands zienswijze* agree with s.o.'s views, follow s.o. in his views; *hij kon niet meegaan met ons voorstel* he couldn't agree with/subscribe to our proposal; *tot zover kan ik met hem meegaan* I can agree/go along with him so far/up to this point [3] ⟨bruikbaar blijven⟩ last, serve, do service ♦ *een televisie gaat gemiddeld acht jaar mee* the average life of a television is eight years; *dit toestel gaat jaren mee* this machine will last for years/give years of service/stand years of use; *de mijne is langer meegegaan dan de jouwe* mine outwore/outlasted/lasted longer than yours; *deze jurk moet nog een tijdje meegaan* this dress must be made to do for a while yet

meegaand [bn] compliant, pliable, flexible, accommodating, ⟨form⟩ complaisant, ⟨volgzaam⟩ docile ♦ *hij is erg* *meegaand van aard* he's very accommodating/docile by nature; *een meegaand karakter hebben* have a tractable/pliant character

meegaandheid [de^{v}] compliance, pliability, flexibility, ⟨form⟩ complaisance, ⟨volgzaamheid⟩ docility

[1]meegeven [onov ww] ⟨wijken, soepel zijn⟩ give (way), yield ◆ *geef eens een beetje mee!* ⟨bij optillen⟩ don't be a dead weight, don't make yourself a dead lift; *de planken geven niet mee* there is no give in the boards; *het geeft mee als je er op drukt* it yields to pressure, it gives as you press on it/apply pressure on it

[2]meegeven [ov ww] ⟨geven⟩ give, provide (with) ◆ *iemand een boodschap meegeven* send a message with s.o.; *iemand een boterham meegeven voor onderweg* give s.o. a sandwich for along the way; *haar vader had haar flink wat meegegeven* ⟨in huwelijk⟩ her father had given her a large dowry; *geef het maar mee met de bode/vuilnisman* send it with the messenger/^{B}dustman/^{A}garbage man; *iemand een waarschuwing meegeven* give/issue s.o. a warning

meehelpen [onov ww] ① ⟨helpen⟩ help (in/with), give a hand (in/with), lend a hand (in/with), ⟨inf; BE⟩ muck in (with) ◆ *meehelpen aan/bij* ⟨ook⟩ assist with, lend one's assistance to; *kan ik meehelpen dragen?* can I give you a hand/help you carrying those things?; *meehelpen in het huishouden* help with/give a hand in the housekeeping ② ⟨mee van invloed zijn⟩ help (in) ◆ *ook zulke kleine dingen kunnen meehelpen om de situatie te verbeteren* such little things are also helpful in/conducive to improving the situation

meekomen [onov ww] ① ⟨komen⟩ come (along/with/also) ◆ *de bagage is meegekomen* the luggage has come as well; *ik heb er geen bezwaar tegen als hij meekomt* I don't object to his coming (along); *ik ga niet tenzij jij meekomt* I won't go unless you come with me; *ze kwam mee naar binnen/buiten* she came in/out also, ⟨AE ook⟩ she came along in/out ② ⟨tegelijk tevoorschijn komen⟩ come (also) ◆ *er kwam bloed mee* there was blood too ③ ⟨het tempo bijhouden⟩ keep up (with), keep pace (with) ◆ *op school kon hij niet meekomen* he couldn't keep up/pace with the others at school; *goed kunnen meekomen* be able to keep up easily

meekrap [de] ① ⟨plant⟩ madder ② ⟨poeder⟩ madder ③ ⟨kleurstof⟩ madder

meekrijgen [ov ww] ① ⟨ontvangen, toegewezen krijgen⟩ get, receive ◆ *kan ik het geld direct meekrijgen?* can I have the money immediately?; *vijf man meekrijgen* get five men/hands; ⟨fig⟩ *hij heeft niet veel verstand meegekregen* he wasn't provided with much of a brain; ⟨inf⟩ he was absent the day they passed out the brains ② ⟨op zijn hand krijgen⟩ win over, get on one's side ◆ *proberen de sociaaldemocraten mee te krijgen* try to get the social democrats to go along; *de zaal meekrijgen* win over the audience, carry the audience with one, get the audience on one's side ③ ⟨overhalen mee te komen⟩ get, persuade to go

meekunnen [onov ww] be able to last/live/run/... ◆ *die auto kan nog jaren mee* there's still a lot of mileage in that car, that car could keep on running for years

meel [het] ① ⟨van graan⟩ flour ② ⟨van plantaardige organen⟩ meal, ⟨van granen⟩ farina

meelachen [onov ww] join in the laugh(ter), laugh too

meelachtig [bn] ① ⟨als meel⟩ mealy, floury ② ⟨melig⟩ mealy, floury

meelbal [de^{m}] dumpling

meelbes [de] whitebeam, beam tree

meelbloem [de] ① ⟨fijn meel⟩ flour ② ⟨plantk; Clematis vitalba⟩ traveller's joy, old man's beard

meeldauw [de^{m}] ⟨plantk⟩ mildew, blight

meeldijk [de^{m}] ⟨wwb⟩ safety/inner/spare/back/subsidiary dike

meeldraad [de^{m}] ⟨plantk⟩ stamen

meeleven [onov ww] feel (for), sympathize, empathize ◆ *ik leef met u mee* I feel for/can empathize with you; *meeleven met iemands verdriet* commiserate with s.o., sympathize with/share in s.o.'s grief

meelezen [ov ww] ① ⟨samen lezen⟩ read (with/together) ② ⟨meebetalen aan een abonnement⟩ subscribe jointly

meelezer [de^{m}] ① ⟨m.b.t. wetenschappelijk werk⟩ reader ② ⟨m.b.t. abonnement op krant⟩ joint subscriber, (non-paying) reader

meelfabriek [de^{v}] flourmill

meeliften [onov ww] ① ⟨gratis meerijden⟩ hitch (a lift/ride) (with) ② ⟨fig; meegaan⟩ join in (with) ③ ⟨profiteren⟩ profit/benefit (from s.o. else's efforts) ◆ *meeliften op andermans succes* hitch a ride on s.o. else's wagon

meeligger [de^{m}] ⟨scheepv⟩ consort, companion ship/vessel, vessel/ship steering the same course, ⟨andere voertuigen⟩ car/^{B}lorry/^{A}truck/... going in the same direction

meelij [het] ⟨inf⟩ pity, compassion, ⟨medegevoel⟩ sympathy

meelijden [onov ww] commiserate (with), sympathize (with), share s.o.'s grief

meelijwekkend [bn, bw] pitiful ⟨bw: ~ly⟩, piteous, pitiable, pathetic, sorry ◆ *hij zag er meelijwekkend uit* he looked pitiful/a sorry sight

meelkalk [de^{m}] lime powder

meelkever [de^{m}] mealworm

meelkost [de^{m}] starchy/farinaceous food

meellijm [de^{m}] flour paste

meelokken [ov ww] entice (away), inveigle, lure

meeloopster [de^{v}] → **meeloper**

meelopen [onov ww] ① ⟨vergezellen⟩ go/walk/come along (with), accompany ◆ ⟨fig⟩ *ze loopt al een hele tijd mee in dit bedrijf* she's been around in/worked with this company for a long time; *mag ik een eindje met u meelopen?* may I walk/tag along with you? ② ⟨meedoen⟩ follow, go (with) ③ ⟨voordelig zijn voor⟩ go s.o.'s way, go well/smoothly ◆ *alles liep mee om het feest te laten slagen* all went well/smoothly to ensure a successful party; *alles loopt hem mee* everything's going his way

meeloper [de^{m}], **meeloopster** [de^{v}] hanger on, camp follower, ⟨pol⟩ fellow traveller, ⟨alg⟩ follower

meelpap [de] gruel, porridge

meelpeer [de] ⟨meelachtige peer⟩ mealy pear, ⟨melig persoon⟩ utter bore, drip

meelspijs [de] farinaceous food

meelstrooier [de^{m}] flour dredger/sprinkler

meelton [de] flour/meal bin

meeltor [de] mealbeetle

meeluisteren [onov ww] listen, ⟨stiekem⟩ eavesdrop, listen in, ⟨ook elektronisch⟩ monitor ◆ *meeluisteren naar* ⟨stiekem⟩ overhear, listen in to, eavesdrop on to; ⟨naar een telefoongesprek⟩ tap

meelworm [de^{m}] mealworm

meelzak [de^{m}] flour/meal sack ◆ ⟨fig⟩ *hij heeft gebloed als een meelzak* ± he came off without a scratch

meemaken [ov ww] ① ⟨beleven⟩ ⟨ervaren⟩ experience, ⟨doorstaan⟩ go through, live, ⟨zien gebeuren⟩ see, witness, ⟨deelnemen aan⟩ take part (in) ◆ *had hij dit nog maar mee mogen maken* if he had only lived to see this; *dat zal ik niet meemaken* I'll be long gone; *zoiets heb ik nog nooit meegemaakt* I have never seen/I have never been through anything like it; ⟨maakt me sprakeloos⟩ that really bowls me over; *ze heeft heel wat meegemaakt* she's seen/been through a lot (in her time) ② ⟨een reis volbrengen⟩ make ◆ *hij heeft de reis naar Noorwegen met hen meegemaakt* he made the journey to Norway with them

meemoeder [de^{v}] 'co-mother', partner of a homosexual mother

meeneemartikelen [de^{mv}] ⟨ec⟩ convenience goods

meeneemfiets [de] collapsible/folding bike

meeneemplaat [de] catch/driver/carrier plate

meeneemprijs [de^{m}] take-away/take-out price

meenemen [ov ww] 1 ⟨met zich meenemen⟩ take along/with/off/out, bring along, carry off ♦ ⟨fig⟩ *hij heeft zijn geheim meegenomen* ***in*** *het graf* he took his secret (with him) to the grave; *je* ***kunt*** *niets meenemen* you can't take it with you, spend it while you can; *Chinees eten* ***om*** *mee te nemen* Chinese food to take away, ⟨AE⟩ Chinese take-out; ***stiekem*** *meenemen* make off with, steal; *neem een* ***tas*** *mee* take along a bag, take a bag with you; ⟨fig⟩ *wij zullen uw* ***voorstellen*** *meenemen voor de volgende druk* we will consider your suggestion for the next printing 2 ⟨profijt hebben van⟩ get sth. out of, profit by/from ♦ ***dat*** *is meegenomen* that's a (welcome) bonus, that gets thrown in with the bargain; ***van*** *die lessen zullen zij niet veel meenemen* they won't get much from/out of/profit much by those lessons 3 ⟨in één moeite door verrichten⟩ do as well, take in ♦ *die* ***rand*** *kun je mooi even meenemen* you can do the edge as well/do the edge while you're [B]about/[A]at it ⊡ ⟨sprw⟩ *in het graf kun je niets meenemen* you can't take it with you when you go/die

meenemer [de[m]] 1 ⟨onderdeel van een draaibank⟩ catch, carrier, driver 2 ⟨inrichting aan een transportkabel⟩ (engaging) dog, flight attachment 3 ⟨iets dat meegenomen kan worden⟩ portable ♦ *meenemertje* bargain

meent [de] common (land)

meepakken [ov ww] grab, ⟨koopje⟩ snatch, snap up ♦ *pak mee!* bargain!

meepikken [ov ww] ⟨inf⟩ 1 ⟨stelen⟩ swipe, pinch, ⟨BE ook⟩ nick, half-inch 2 ⟨in één moeite door doen⟩ take in (while one is about/[A]at it), include ♦ *als we toch in de stad zijn, kunnen we dat* ***museum*** *mooi meepikken* as we'll be in town anyway, we can easily include/take in that museum (while we're about/at it)

meepraatster [de[v]] → **meeprater**

meepraten [onov ww] 1 ⟨met anderen praten⟩ take part in a conversation, join in a conversation ♦ *daar* ***kan*** *ik van meepraten* I know sth./a thing or two about that, you don't have to tell me; *hij* ***mag*** *ook meepraten* he may/can also join in the conversation/put in a word; *daar kun je niet* ***over*** *meepraten* you don't know anything about it 2 ⟨naar de mond praten⟩ go along (with), ⟨vleien⟩ toady ♦ *hij praat maar* ***met*** *zijn chef mee* he's just going along/falling in with his boss

meeprater [de[m]], **meepraatster** [de[v]] 1 ⟨slijmbal⟩ bootlicker, toady, a smooth/slimy character 2 ⟨naprater⟩ yes-man, parrot

meeprofiteren [onov ww] (also) get one's share, profit too (from/by), share in the benefits (of) ♦ *men liet het publiek meeprofiteren* ***van*** *de besparingen* part of the savings was passed on to the public

[1]**meer** [het] lake, ⟨SchE⟩ loch, ⟨IE⟩ lough ♦ *de* ***Friese*** *meren* the Frisian lakes; *het meer van* ***Galilea*** the Sea of Galilee, Lake Tiberias; *de* ***Grote*** *Meren* the Great Lakes; *het meer van* ***Lugano*** Lake Lugano

[2]**meer** [bn] ⊡ *wat meer* ***is*** what's more, moreover

[3]**meer** [bw] 1 ⟨in hogere mate⟩ more, ⟨achtervoegsel⟩ -er ♦ *hij is weinig meer* ***dan*** *...* he is little more/else than ...; *meer* ***dood*** *dan levend* more dead than alive; *meer* ***en*** *meer* more and more, increasingly; *hij* ***heeft*** *meer van zijn moeder dan van zijn vader* he takes more after his mother than his father; *meer* ***lang*** *dan breed* longer than wider; *meer of* ***minder*** more or less; *des* ***te*** *meer* all the more (so) 2 ⟨veeleer⟩ more, rather ♦ *hij is niet boos, hij is meer* ***verdrietig*** he is more sad/sad rather than angry 3 ⟨verder⟩ more, further ♦ *wie waren er* ***nog*** *meer?* who else was there?; *en* ***zo*** *meer* and so on/the like/all that 4 ⟨met ontkenning⟩ anymore, no more, (any) longer ♦ *zij is* ***geen*** *kind meer* she is no longer a child; *zij had* ***geen*** *geld meer* she had no/not any money left; *hij had* ***geen*** *appels meer* he had no more/was out of apples; *ik wil er* ***geen*** *woord meer over horen* I don't want to hear another word about it; ***niet*** *meer zijn* be no more/longer; ***niet*** *meer of minder* neither more nor less; *dat kan nu* ***niet*** *meer* that's no longer possible/not possible anymore; *ik weet het* ***niet*** *meer* I don't know anymore/don't remember, I forget; *dat is* ***niet*** *meer dan redelijk* that is only reasonable; *met een pond kom je tegenwoordig* ***niet*** *ver meer* a pound doesn't go very far these days 5 ⟨vaker⟩ more (often) ♦ *we moeten dit meer* ***doen*** we must do this more (often); ***steeds*** *meer* more and more, ever more; ***wel*** *meer* more often, frequently ⊡ *ik kan* ***niet*** *meer* I can't go on anymore/take any more, ⟨AE⟩ I'm through/finished; ***nooit*** *meer!* never again!

[4]**meer** [hoofdtelw] 1 ⟨van wat genoemd wordt⟩ more ♦ *hij heeft meer* ***boeken*** *dan ik* he's got more books than I (do); *meer* ***dan*** *eens* more than once; *tien* ***euro*** *of meer* ten euros or more/[A]plus (some), over ten euros; *meer* ***loon*** higher wages 2 ⟨van wat uit het verband blijkt⟩ more ♦ *er kan* ***nog*** *meer bij* there's room for more; ⟨iron⟩ as if that isn't enough; *wat kan ik* ***nog*** *meer doen?* what else can I do?; ***onder*** *meer* among others/other things, including; ***steeds*** *meer willen hebben* want to have more and more; *dat is meer* ***van*** *hetzelfde* that's just more of the same; ***zonder*** *meer* ⟨zomaar⟩ just like that; ⟨beslist⟩ naturally, of course, that goes without saying; ⟨meteen⟩ without delay, right away; *(dat is)* ***zonder*** *meer waar/een feit* (that's) absolutely true/an absolute fact, absolutely! ⊡ ⟨sprw⟩ *hoe meer zielen, hoe meer vreugd* the more the merrier; ⟨sprw⟩ *genoeg is meer dan te veel* ± enough is as good as a feast; ⟨sprw⟩ *als één schaap over de dam is, volgen er meer* if one sheep leaps over the ditch, all the rest will follow; ± the flock follows the bell-wether

ME'er [de[m]] special duty policeman/policewoman, ⟨mv ook⟩ anti-riot squad

meeraal [de[m]] conger (eel)

meeraderig [bn] multicore

meerarbeid [de] extra/additional work

meerbasisch [bn] ⟨scheik⟩ polybasic ♦ *meerbasische* ***zuren*** polybasic acids

meerboei [de] mooring buoy, dolphin

meerboezem [de[m]] (lake) reservoir

meerbolder [de[m]] mooring bollard

meercellig [bn] ⟨biol⟩ multicellular

meerdaags [bn] of/for more than one day, of some/several days, for some/several days, two-day, three-day, ...-day ♦ *meerdaagse* ***weerprognose*** weather forecast for the coming days

meerdelig [bn] multipartite, having many/several pieces, three-piece, four-piece, ...-piece

meerder [bn] greater ♦ *tot meerdere* ***eer*** *en glorie* to the greater honour and glory; ***het*** *meerdere* ⟨vnl. m.b.t. geld⟩ the excess/surplus

[1]**meerdere** [de[m]] superior, ⟨mil⟩ superior officer, ⟨vnl mv; iemand die wijzer, meer ervaren enz. is⟩ better ♦ *hij is mijn meerdere* ***in*** *kracht* he is my superior in strength; *zijn meerdere* ***moeten erkennen*** *in iemand* have to acknowledge s.o.'s superiority

[2]**meerdere** [hoofdtelw] several, a number of ♦ *dat is meerdere* ***keren*** *gebeurd* that has happened several times

[1]**meerderen** [onov ww] ⟨form⟩ ⟨groter in getal geworden⟩ increase ♦ *bij* ***het*** *meerderen zijner jaren* with the advancing of his years, with increasing age

[2]**meerderen** [ov ww, ook abs] 1 ⟨vermeerderen⟩ increase, multiply, add (to) ♦ ***zeil*** *meerderen* set extra sails 2 ⟨m.b.t. breien⟩ increase, add (on) ♦ *drie* ***steken*** *meerderen* add on/make three stitches

meerderheid [de[v]] 1 ⟨het groter zijn in aantal⟩ majority ♦ ***absolute*** *meerderheid* absolute majority; *de meerderheid* ***behalen/krijgen*** obtain/secure/win/gain a majority; ***bij*** *meerderheid van stemmen* with a majority of votes/a majority vote; ***in*** *de meerderheid zijn* be in the majority; ⟨pol⟩ hold/have a/the majority, be the majority (party); *een* ***ruime*** *meerderheid* a large majority; *bij* ***volstrekte*** *meerderheid van stemmen* with an absolute majority (of votes), by a large/clear majority 2 ⟨groep met de meeste stemmen⟩ majori-

ty ♦ *de zwijgende meerderheid* the silent majority [3] ⟨superioriteit⟩ superiority, supremacy
meerderheidsaandeelhouder [de^{m}] majority shareholder
meerderheidsbeginsel [het] majority rule
meerderheidsbelang [het] controlling interest ♦ *een meerderheidsbelang **hebben in een onderneming*** have a majority interest in a company
meerderheidsbesluit [het] majority decision
meerderheidscollege [het] ± council with majority support
meerderheidscultuur [de^{v}] majority culture
meerderheidskabinet [het] ⟨pol⟩ cabinet with majority support
meerderheidspakket [het] controlling share
meerderheidspartij [de^{v}] majority party
meerderheidsstelsel [het] majority system
meerderjarig [bn] [1] ⟨mondig⟩ of age ♦ *de meerderjarige **leeftijd** bereiken* reach one's majority, attain the age of majority, come of age; *meerderjarig **worden*** come of age; *bij haar meerderjarig **worden*** on her coming of age; *meerderjarig **zijn*** be of age [2] ⟨zelfstandig⟩ of age ♦ *zich meerderjarig **verklaren*** declare o.s. to be of age
meerderjarige [de] adult
meerderjarigheid [de^{v}] adulthood, (age of) majority, legal age, ⟨seksuele⟩ age of consent
meerderjarigverklaring [de^{v}] [1] ⟨van mondigheid⟩ declaration of majority [2] ⟨van zelfstandigheid⟩ declaration of majority
meerderlei [betr vnw] multiple
meerderman [de^{m}] [•] ⟨sprw⟩ *als meerderman komt, moet minderman wijken* ± the weakest go to the wall; ± might is right
meerdimensionaal [bn] multidimensional ♦ *meerdimensionale **meetkunde*** multidimensional geometry
meerduidig [bn] ambiguous, ⟨taalk⟩ polysemic
meerduidigheid [de^{v}] ambiguity, ⟨taalk⟩ polysemy
meeregeren [onov ww] be (one of the parties) in office, hold office, take part in government, share in government, participate in government
meereizen [onov ww] travel with ♦ *we zijn **met** hen meegereisd* we travelled with them/in their company
meerekenen [ov ww] count/reckon (in), include (in), take into account ♦ ***alles** meegerekend kost het ...* all in all/everything included it costs ..., it costs ... all told; *we rekenen **hem** niet mee* we're not counting him, we're leaving him aside/out (of the reckoning); ***porto** niet meegerekend* exclusive of postage, excluding mailing costs
meergeld [het] [1] ⟨m.b.t. het meren van schepen⟩ moorage [2] ⟨m.b.t. de verkoop van panden⟩ surplus, margin
meergevorderde [de] (more) advanced student
meergranen- multigrain
meerhokkig [bn] multi-celled
meerhoofdig [bn] joint ♦ *een meerhoofdig **bestuur*** a joint management
meerijden [onov ww] [1] ⟨als passagier⟩ come/ride (along) with ♦ ***kan ik morgen meerijden naar Utrecht?*** could you give me a lift to Utrecht tomorrow?; *ik vroeg of ik mee **mocht** rijden* I asked for a lift; ***stiekem** meerijden* be a stowaway (in a van/^{B}lorry/^{A}truck) [2] ⟨op de besturing letten⟩ ⟨vanaf de achterbank⟩ be a back-seat driver, ⟨achter⟩ drive from the back, ⟨voor⟩ drive from the passenger seat
meerjarenplan [het] long-range plan
meerjarenraming [de^{v}] long-range estimate
meerjarig [bn] of more than one year, long-range, long-term ♦ *een meerjarig **contract*** a long-term contract, a contract for more than one year; *een meerjarige **periode*** a period of more than one year; *meerjarige **planten*** perennials
meerkabel [de^{m}] mooring line/cable, ⟨mv⟩ moorings
meerkamp [de^{m}] multi-event
meerkanaalsweergave [de] multichannel reproduction
meerkat [de] guenon ♦ ***groene** meerkat* vervet
meerkeuzetoets [de^{m}] multiple-choice test
meerkeuzevraag [de] multiple-choice question
meerkleurendruk [de^{m}] multi-colour printing
meerkoet [de^{m}] coot
meerkosten [de^{mv}] additional/extra charges, additional/extra costs
meerledig [bn] compound, complex ♦ *meerledige **samenstellingen/zinnen*** compound words, compound/complex sentences
meerlettergrepig [bn] ⟨taalk⟩ polysyllabic
meerling [de^{m}] multiple birth
meermaals [bw] several times, more than once, repeatedly, often
meermalig [bn] multiple
meerman [de^{m}] merman
meermanskaart [de] ⟨verk⟩ ± group ticket, ± family ticket
meermin [de^{v}] ⟨myth⟩ mermaid

meervoudsvorming 1/3

standaard: -s

girl, girls
minute, minutes
month, months
day, days

woorden op sis-klank: -(e)s

bus, buses
kiss, kisses
judge, judges
house, houses

woorden op -y: -ies

story, stories
cry, cries

woorden op -o: -oes

hero, heroes
potato, potatoes
tomato, tomatoes
· soms: -os of -oes
volcano, volcano(e)s
· soms: alleen -os
kilo, kilos
solo, solos

meermotorig [bn] multiengine(d), multiple engined, multimotored
meeroken [onov ww] ♦ *moeten meeroken* be a victim of passive smoking, be subjected to passive smoking; *hij gelooft dat meeroken er de oorzaak van is dat hij kanker heeft* he believes his cancer came from passive smoking
meeropbrengst [de^{v}] ⟨ec⟩ marginal return/output, ⟨landb⟩ increased yield, surplus (produce) ♦ ***wet van de afnemende** meeropbrengsten* law of diminishing returns
meerpaal [de^{m}] mooring post, bollard, dolphin
meerpartijenstelsel [het] multi-party system
meerpolig [bn] multipolar
meerprijs [de^{m}] supplement ♦ ***tegen** een meerprijs van tien euro* for ten euros extra, for an extra/additional ten euros
meerrelatie [de^{v}] combined household
meerschuim [het] meerschaum, sepiolite
meerslachtig [bn] [1] ⟨taalk⟩ of/having more than one gender [2] ⟨heterogeen⟩ heterogeneous
meerslag [de^{m}] ⟨sport⟩ multiple take ♦ *meerslag **gaat voor*** multiple take precedes single take

meerstemmig [bn, bw] many-voiced ♦ *meerstemmig gezang* part-singing; *meerstemmig **lied*** part-song; ⟨gesch⟩ glee, madrigal; *meerstemmig **zingen*** sing in parts, harmonize
meerstromenland [het] [1] ⟨gebied⟩ area where several rivers flow alongside one another [2] ⟨fig⟩ political, social or cultural movement composed of many sub-movements
meertalig [bn] [1] ⟨meer dan twee talen gebruikend⟩ multilingual, ⟨veeltalig⟩ polyglot [2] ⟨in meer dan twee talen gesteld⟩ multilingual, ⟨veeltalig⟩ polyglot
meertaligheid [de^v] multilingualism, ⟨veeltaligheid⟩ polyglot(t)ism
meertouw [het] boatrope, painter, ⟨mv ook⟩ moorings
meertrapsraket [de] multistage rocket
meertros [de^m] mooring line/cable, ⟨mv ook⟩ moorings
meerval [de^m] European catfish, sheatfish
meervoud [het] ⟨taalk⟩ [1] ⟨vorm van een naamwoord⟩ plural ♦ ***in** het meervoud* (in the) plural; ***in** het meervoud zetten/uitdrukken* put in(to) the plural, pluralize [2] ⟨vorm van een werkwoord⟩ plural

meervoudsvorming 2/3

twaalf woorden op -f(e): -ves

calf/calves, half/halves, knife/knives, leaf/leaves, life/lives, loaf/loaves, self/selves, sheaf/sheaves, shelf/shelves, thief/thieves, wife/wives, wolf/wolves

soms -fs of -ves

scarf, scarfs/scarves
hoof, hoofs/hooves

de klinker verandert

man, men
woman, women
postman, postmen
foot, feet
louse, lice
mouse, mice
tooth, teeth
goose, geese

meervoudsvorm -en

child, children
ox, oxen

bij samenstellingen: -(e)s

grown-up, grown-ups
boy friend, boy friends

soms na eerste deel

sister-in-law, sisters-in-law

soms bij beide delen mv.

manservant, menservants

bij sommige vreemde woorden

stimulus, stimuli
phenomenon, ook phenomena
oasis, oases

¹meervoudig [bn] [1] ⟨wat in meer dan een deel, vorm bestaat⟩ plural, multiple ♦ ⟨jur⟩ *meervoudige **kamer*** full court; ⟨jur⟩ *meervoudig **stemrecht/kiesrecht*** a plural voting right/franchise [2] ⟨taalk⟩ plural ♦ *een meervoudig **onderwerp*** a plural subject
²meervoudig [bw] ⟨op meer dan een manier⟩ poly-, multi-, multiply ♦ *meervoudig **onverzadigde** vetzuren* polyunsaturated fatty acids
meervoudsuitgang [de^m] plural ending
meervoudsvorm [de^m] ⟨taalk⟩ plural (form)
meervoudsvorming [de^v] formation of the plural

meervoudsvorming 3/3

geen uitgang bij

· de volgende woorden:
deer, sheep, means, works, (air)craft, Swiss
· bij eigennamen op -ese
Portuguese
· bij dierennamen als jachtterm
(he shot two) grouse
· bij sommige woorden met telwoord
(two) dozen (boxes)
(three) million (people)
· alleen een meervoudsvorm, bijvoorbeeld
brains, clothes, pyjamas

meerwaarde [de^v] [1] ⟨overwaarde⟩ surplus value, excess value [2] ⟨ec⟩ surplus value, excess value, ⟨fig⟩ added value
meerwaardigheidsgevoel [het] sense/feeling of superiority, ⟨complex⟩ superiority complex
meerwerk [het] ⟨bouwk⟩ supplemental/additional/extra work
meerzijdig [bn] multilateral
mees [de] tit, titmouse ♦ ***zwarte** mees* coal tit
meeschreeuwen [onov ww] shout too, shout as well, shout along, join in the clamour/outcry
¹meesjouwen [onov ww] ⟨moeizaam, onwillig meegaan⟩ drag along (with s.o.)
²meesjouwen [ov ww] ⟨met zich meevoeren⟩ lug, tote, ⟨sl; AE⟩ schlepp, ⟨AuE; in bundel⟩ swag ♦ *een zware **last** meesjouwen* tote a heavy/weary load; ⟨fig⟩ bear a heavy burden
meeslepen [ov ww] [1] ⟨achter zich aan slepen⟩ drag (along/behind), tow, pull (along), have in one's train, lug ♦ *een kleed **met** zich meeslepen* drag a carpet behind one, pull along/lug a carpet [2] ⟨meebrengen, meenemen⟩ drag (along) ♦ *zijn kinderen meeslepen **naar** die vertoning* drag one's children to the showing/performance [3] ⟨zijn lot doen delen⟩ involve, drag down ♦ *die bank sleepte vele andere banken mee **in** het faillissement* that bank involved/dragged down many other banks in its bankruptcy/ruin [4] ⟨iemands wil, gevoel in een richting dwingen⟩ carry (with/away), sweep (along) ♦ *de algemene **geestdrift** sleepte hem mee* he was carried/led away by the general enthusiasm; *zich **laten** meeslepen* be/get carried away, fall for

meervoudswoorden 1/4

· in het Engels komen zogenaamde *meervoudswoorden* voor
· meervoudswoorden worden altijd in het meervoud gebruikt, ook al is er maar één van (deze draadtang *is* bot: *these wire-cutters are blunt*)
· om te benadrukken dat er maar één van is of dat er meer van zijn, gebruikt men a pair of of pairs of (ik heb twee nieuwe onderbroeken gekocht en één panty: *I bought two pairs of knickers and one pair of tights*)
· voorbeelden van meervoudswoorden staan hieronder en elders op deze pagina's

meeslepend [bn, bw] compelling ⟨bw: ~ly⟩, moving, stirring ♦ *groots en meeslepend* grand and compelling/majestic; *meeslepende **muziek*** compelling music
meesleuren [ov ww] [1] ⟨meevoeren⟩ sweep away/along, wash/carry away ♦ *meegesleurd **in** de lawine* swept away in the avalanche [2] ⟨achter zich aan sleuren⟩ lug/drag/force along ♦ *meegesleurd **bij** z'n haar* lugged/dragged along by his hair
¹meesmuilen [onov ww] ⟨spottend, ongelovig glimlachen⟩ smile derisively/scornfully ♦ *meesmuilend **gaf** hij*

antwoord smiling derisively, he gave his answer

meervoudswoorden	2/4
kleding aan de benen	
bretels	(BE) braces, (AE) suspenders
boxershort	boxers, boxer shorts
korte broek	shorts
joggingbroek	sweat pants
lange broek	(BE) trousers, (AE) pants
legerkleding	fatigues
onderbroek (meisjes en vrouwen)	(BE) knickers, (AE) panties
onderbroek (jongens en mannen)	underpants
overal	coveralls, overalls
panty	(BE) tights, (AE) nylons
pyjamabroek	pyjama bottoms, pyjama trousers
spijkerbroek	jeans
tuinbroek	dungarees
zwembroek	swimming trunks

[2]**meesmuilen** [ov ww] ⟨met een spottende, ongelovige glimlach zeggen⟩ smirk

meespelen [onov ww] [1] ⟨meedoen⟩ ⟨in spel⟩ take part in a/the game, join in a/the game, play (along with), ⟨in toneelstuk/film⟩ be cast (too), be among the cast, be a member of the cast, be a cast member ♦ *een* ***partijtje*** *whist/bridge meespelen* take a hand at whist/bridge [2] ⟨mede van invloed zijn⟩ play a part, count, tell ♦ *die* ***belangen*** *spelen daarbij mee* these interests also play a part/ are also a factor

meespreken [onov ww] [1] ⟨deelnemen aan een gesprek⟩ take part in a conversation, join in a conversation ♦ *ergens niet* ***over*** *kunnen meespreken* not know anything about sth.; *daar kan ik* ***van*** *meespreken* I know a thing or two about that [2] ⟨meebeslissen⟩ have a say (in) ♦ *hij heeft daarin een* ***woordje*** *mee te spreken* he has a say in/can also put in a word about this [3] ⟨van belang zijn⟩ also count/matter

meervoudswoorden	3/4
tangen en dergelijke	
combinatietang	pliers
draadtang	wire-cutters
heggenschaar	garden shears
kniptang	clippers
nagelknippertje	nail clippers
nijptang	pincers
pincet	tweezers
schaar	scissors
tang	tongs
tondeuse	hair clippers

[1]**meest** [bn] [1] ⟨het grootste deel van⟩ most, the majority/ bulk of ♦ *bij de meeste* ***bedrijven*** in most/the majority/bulk of businesses; *de meesten van zijn voorgangers* most/the majority of his predecessors; ***op*** *zijn meest* at (the) most/the outside; *de meeste* ***vrouwen*** most/the majority of women [2] ⟨zeer veel, groot⟩ most, greatest ♦ *met de meeste* ***belangstelling*** with (the) great(est) interest; *met de meeste* ***hoogachting*** with the utmost respect; ⟨in brief; BE⟩ Yours faithfully/respectfully, ⟨AE⟩ Faithfully (yours); *de meeste* ***tijd*** *doet ze niets* most of the time she doesn't do a thing

[2]**meest** [bw] [1] ⟨in de hoogste mate⟩ most, best, ⟨superlatief achtervoegsel⟩ -est ♦ *de meest* ***gelezen*** *krant* the most widely read newspaper; ***het*** *meest* the most; *het meest* ***houden van*** love/like (the) most/best; *de meest* ***uiteenlopende inzichten*** the most (widely) divergent views; *de meest* ***westelijke*** *stad* the westernmost city; *het meest voor de hand liggend* the readiest/most obvious/plausible [2] ⟨gewoonlijk⟩ mostly, usually

meestal [bw] mostly, usually, generally, predominantly, for the most part

meestamper [de[m]] catchy song/tune, singalong (song)

meestbegunstigd [bn] most-favoured

meestbegunstiging [de[v]] most-favoured nation treatment

meestbegunstigingsclausule [de] most-favoured nation clause

meestbiedende [de] highest bidder

meestemmen [onov ww] [1] ⟨zijn stem uitbrengen⟩ vote (with others), take part in a vote [2] ⟨instemmen⟩ agree (with), concur (with)

meestendeels [bw] ⟨form⟩ for the most part

meestentijds [bw] ⟨form⟩ (at) most times, mostly, as often as not

meervoudswoorden	4/4
voor ogen en oren	
bril	glasses; (BE ook) spectacles
beschermende bril (bijvoorbeeld sneeuwbril, stofbril, vliegbril)	goggles
koptelefoon	earphones
veldkijker, verrekijker	field glasses
verrekijker	binoculars
zonnebril	sunglasses

meester [de[m]] [1] ⟨iemand die macht, gezag heeft⟩ master, lord, ↓boss, ↓chief, ⟨scherts⟩ lord and master ♦ *iemand* ***als*** *zijn meester erkennen* recognize s.o. as one's master/superior; *een* ***brand*** *meester worden* master/subdue a fire, get/ have a fire under control/in hand; *zich meester* ***maken*** *van iets* take possession/control of sth., seize sth.; *iets meester* ***zijn*** master sth., be master/possess mastery/have a grasp of sth.; ⟨fig⟩ *een taal volkomen meester* ***zijn*** have a thorough command of/be highly conversant with/well versed in a language, ⟨inf⟩ be well up on a language; *zichzelf niet meer meester* ***zijn*** no longer be master/in control/possession of o.s. [2] ⟨iemand die een kunst volmaakt beheerst⟩ master, virtuoso, adept, expert ♦ ⟨scherts⟩ *hij is een meester* ***in*** *het verzinnen van uitvluchten* he's a master at/adept at dreaming up excuses/pretexts; *zij is een meester* ***op*** *het elektronisch orgel* she is an adept at/a virtuoso on an electronic organ, ⟨inf⟩ she knows her way around an electronic organ; *de* ***oude/Hollandse*** *meesters* the old/Dutch masters [3] ⟨onderwijzer⟩ teacher, ⟨BE ook⟩ (school)master [4] ⟨jur⟩ ± Master of Laws, ⟨adm⟩ LL M [5] ⟨schaak⟩ (international) master, ⟨adm⟩ IM [6] ⟨m.b.t. gildewezen⟩ master [7] ⟨vrijmetselarij⟩ master [8] ⟨in België; titel⟩ official title for lawyers/notaries [9] ⟨in België; onderofficier bij de zeemacht⟩ quartermaster [•] *een* ***oude*** *meester* an old master; ⟨sprw⟩ *zo meester, zo knecht* like master, like man; ⟨sprw⟩ *het oog van de meester maakt het paard vet* the master's eye makes the horse fat; ⟨sprw⟩ *bedrog loont zijn meester* cheats never prosper

meesterachtig [bn] dogmatic, magisterial, imperious ♦ *een meesterachtig* ***oordeel*** a dogmatic opinion; *op meesterachtige* ***toon*** imperiously

meesterbrein [het] [1] ⟨scherpzinnig verstand⟩ mastermind [2] ⟨persoon⟩ mastermind ♦ *het meesterbrein* ***achter*** *de treinkaping* the mastermind behind the train hijacking

meesteres [de[v]] mistress

meestergraad [de[m]] (degree of) master, ⟨van meester in de rechten⟩ ± (degree of) Master of Laws

meesterhand [de] master-hand, touch of a/the master, hand of a/the master ♦ *dit* ***verraadt*** *de meesterhand* this betrays the touch of a master/a master's hand

meesterklas [de^{v}] master class

meesterknecht [de^{m}] foreman, overseer, captain, supervisor, ⟨inf⟩ gaffer

meester-kok [de^{m}] chef

meesterlijk [bn, bw] masterly, skilful, expert ♦ *hij tekent meesterlijk* he draws in a masterly way/with consummate skill; *een meesterlijke zet* a masterstroke

meesteroplichter [de^{m}] supercrook, master crook

meesterproef [de] masterpiece

meesterschap [het] [1] ⟨volmaakte beheersing van een vak⟩ mastery, control, command, mastership ♦ *dat is met meesterschap gedaan* that has been done with mastery/skill [2] ⟨macht, gezag⟩ mastery, masterdom, masterhood, mastership ♦ ⟨fig⟩ *zijn meesterschap* ***over*** *de taal* his mastery/command of the language [3] ⟨graad⟩ masterhood, mastership, master craftsmanship

meesterspion [de^{m}] master spy

meesterstitel [de^{m}] title of Master (of Laws) ♦ *zij* ***voert*** *de meesterstitel* she bears the title of Master (of Laws)

meesterstuk [het] [1] ⟨kunststuk⟩ masterpiece, ↑ chef-d'oeuvre [2] ⟨voornaamste werk⟩ masterpiece, masterwork, masterly achievement [3] ⟨kunstschat⟩ masterpiece [4] ⟨behendige daad⟩ masterstroke, masterpiece, ↑ coup de maître

meesterteken [het] maker's mark/name, ⟨keur⟩ hallmark

meestertitel [de^{m}] Masters title

meesterwerk [het] [1] ⟨voortreffelijk werk⟩ masterwork, masterpiece [2] ⟨voornaamste werk⟩ masterpiece, masterwork, ↑ magnum opus, ↑ chef-d'oeuvre

meesterzet [de^{m}] [1] ⟨geniale zet⟩ brilliant move, stroke of genius ⟨denksport⟩ [2] ⟨geniale handeling⟩ stroke of genius, masterstroke/feat

meestrijden [onov ww] join in the fight, fight with/along(side), join forces with

meet [de] ⟨sport⟩ starting line/point, mark, ⟨eindstreep⟩ finish(ing line) ♦ ⟨fig⟩ ***boven/onder*** *de meet* above/below the mark; ⟨fig⟩ *van meet (af) aan* ***beginnen*** begin from/at the beginning/outset; ⟨inf⟩ start from scratch, take it from the top; ⟨fig⟩ ***weer*** *van meet (af) aan beginnen* make a fresh start, start afresh/anew

meet-and-greet [de^{m}] meet and greet event

meetapparaat [het] measuring instrument/apparatus, gauge, tester

meetapparatuur [de^{v}] measuring/measurement apparatus, measuring/measurement equipment

meetbaar [bn] measurable, quantifiable, gaugeable ♦ *een meetbare* ***grootheid*** a measurable quantity

meetband [de^{m}] tape measure, measuring tape

meetbank [de] bench micrometer

meetbereik [het] measuring/measurement range

meetboot [de] survey ship

meetbrief [de^{m}] ⟨scheepv⟩ bill/certificate of tonnage, certificate of registry

meetbrug [de] ⟨natuurk⟩ Wheatstone bridge, measuring bridge

meetbuis [de] ⟨natuurk⟩ Venturi tube

meetcilinder [de^{m}] [1] ⟨glazen cilinder⟩ (graduated) measuring cylinder, graduate [2] ⟨doorsnedemeter⟩ plug gauge/^{A}gage

meetdraad [de^{m}] ⟨techn⟩ [1] ⟨geleiding⟩ test lead [2] ⟨cilindrisch stukje staal⟩ pitch circle/line gauge

^{1}**meetellen** [onov ww] ⟨mede van belang zijn⟩ count, reckon, tell ♦ ***laten*** *meetellen* count as well, give great/due weight to; *dat telt* ***niet*** *mee* that doesn't count; ***niet*** *meer meetellen* no longer/cease to count (for anything); ⟨inf⟩ be a back number/out of the picture, ⟨AE ook⟩ be out of the ball game; *hij telt daar* ***niet*** *mee* he doesn't count (for much)/counts for nothing/is of no account/doesn't matter there

^{2}**meetellen** [ov ww] ⟨in een telling opnemen⟩ count also/in, include

meetflens [de^{m}] orifice plate, metering orifice

meeting [de] meeting

meetinstallatie [de^{v}] measuring equipment/apparatus

meetinstrument [het] measuring/measurement instrument

meetketting [de] measuring/surveyor's chain

meetklokje [het] dial indicator, clock gauge

meetkunde [de^{v}] geometry ♦ ***analytische*** *meetkunde* analytic(al) geometry; ***beschrijvende*** *meetkunde* descriptive geometry; *meetkunde van de* ***ruimte*** solid geometry, stereometry; ***vlakke*** *meetkunde* plane geometry; ⟨meten⟩ planimetry

^{1}**meetkundig** [bn] ⟨tot de meetkunde behorend⟩ geometric(al) ♦ *meetkundig* ***gemiddelde*** geometric mean; *meetkundige* ***plaats*** locus; *een meetkundige* ***reeks*** a geometric progression/series; *een meetkundig* ***vraagstuk*** a geometric problem

^{2}**meetkundig** [bw] ⟨volgens de meetkunde⟩ geometrically

meetkundige [de] geometrician

meetlat [de] measuring rod/staff/rule, graduated ruler, ⟨1 yard lang⟩ yardstick, ⟨landmeetk⟩ surveyor's rod

meetlijn [de] [1] ⟨uitgezette lijn⟩ traverse, fiducial line [2] ⟨meetlint⟩ measuring line/cord, tape measure

meetlint [het] tape measure, (measuring) tape

meetlood [het] plumb, plummet

meetpasser [de^{m}] (pair of) callipers, (pair of) ^{A}calipers, (pair of) calliper compasses, (pair of) ^{A}caliper compasses ♦ ***twee*** *meetpassers* two pairs of cal(l)ipers/cal(l)iper compasses

^{1}**meetrekken** [onov ww] [1] ⟨meereizen⟩ go/travel/trek (along) (with) [2] ⟨tegelijk (aan iets) trekken⟩ pull too

^{2}**meetrekken** [ov ww] ⟨slepen⟩ pull along, pull after one, pull behind one, drag along, drag after one, drag behind one

meetrillen [onov ww] vibrate simultaneously/too/sympathetically

meetring [de^{m}] wire gauge

meetronen [ov ww] coax along, cajole into going/coming (along), lure on

meetschip [het] survey ship

meetsignaal [het] measuring signal, test signal

meetspanning [de^{v}] measurement voltage, test voltage

meetstation [het] ⟨m.b.t. het weer⟩ weather station, ⟨alg⟩ measuring station

meettafel [de] instrument table, test board/desk/table, ⟨landmeetk⟩ plane table

meettechniek [de^{v}] measuring/measurement technique, ⟨mv⟩ methods/techniques of measurement ♦ *meet- en* ***regeltechniek*** measurement and control engineering, instrument engineering

meetteken [het] (measurement) mark/line/notch

meetuitrusting [de^{v}] measuring/measurement equipment

meetveer [de] steel measuring tape, tape/band measure

meetvermogen [het] measuring range/capacity

meetwaarde [de^{v}] measured value, measurement, reading

meetwagen [de^{m}] instrument car, ⟨BE⟩ instrument van, ⟨AE⟩ instrument truck, ⟨AE⟩ instrument bus, ⟨elek ook⟩ dynamometer wagon

meeuw [de] gull, sea-gull ♦ ***Audouins*** *meeuw* Audouin's gull; *Ross' meeuw* Ross's gull

meeuwtje [het] [1] ⟨kleine meeuw⟩ (small) (sea) gull/mew [2] ⟨zeezwaluw⟩ tern [3] ⟨duif⟩ turbit

meevallen [onov ww] [1] ⟨minder erg zijn⟩ turn out better than (was) expected/anticipated, prove better than (was) expected/anticipated, be better than (was) expected/anticipated ♦ *de onderzoeksresultaten vielen (ons) **niet** mee* the research results proved (to be) disappointing/fell short of our expectations; *het valt niet mee **om** zo hard te werken* hard work isn't as easy as one would think, ⟨inf⟩ hard work is no picnic; *de **pijn** viel mee* the pain wasn't so bad (as all that)/was less than was expected/might have been worse; *dat zal wel meevallen* it won't be so bad/won't come to that [2] ⟨de verwachting overtreffen⟩ exceed one's expectations ♦ *dat valt me **van** hem mee* he did better than I expected/exceeded my expectations

meevaller [de^m] piece/bit/stroke/slice of fortune, piece/bit/stroke/slice of luck, piece/bit/stroke/slice of good fortune, piece/bit/stroke/slice of good luck, piece/bit/stroke/slice of unexpected fortune, piece/bit/stroke/slice of unexpected luck, pleasant surprise, lucky break, godsend ♦ *een **financiële** meevaller* a windfall/bonus/bonanza

meevallertje [het] windfall, bonanza, bonus, bit of luck, ⟨vnl AE; m.b.t. koopje⟩ steal

meevaren [onov ww] sail on board the same ship (together/along with) ♦ *vaar je mee **naar** de overkant?* will you sail with me to the other side? [•] ⟨sprw⟩ *die aan boord is, moet meevaren* ± he who rides a tiger is afraid to dismount; ± in for a penny, in for a pound

meeverdienster [de^v] second wage-earner

meeverzekerd [bn] co-insured ♦ *meeverzekerde **gezinsleden*** co-insured family members

meevoelen [ov ww, ook abs] sympathize (with) ♦ *dat **kan** ik meevoelen* I (can) sympathize with that; *ik kan **met** je meevoelen* I sympathize with you

meevoeren [ov ww] [1] ⟨m.b.t. een persoon⟩ carry (along to/on), carry (about to/on), carry (off to/on), carry (out to/on), ⟨bij de hand, aan een touw⟩ lead (along), ⟨op de schouders, met de wind⟩ bear (on), sweep (off/away), swirl (off/away) [2] ⟨m.b.t. een zaak⟩ carry (along)

meevragen [ov ww] [1] ⟨vragen mee te gaan⟩ invite/ask to come along [2] ⟨uitnodigen⟩ invite to come too, invite to come as well, ask to come too, ask to come as well

meewaaien [onov ww] [•] ***met** alle winden meewaaien* trim one's sails (according) to the wind, blow hot and cold, swim with the tide, be a timeserver

meewandelen [onov ww] accompany, go/walk (along) with, ⟨met iemand ook⟩ join s.o. in a walk ♦ *mag ik een **eindje** meewandelen?* may I walk with/accompany you part of the/a little way?

meewarig [bn, bw] pitying ⟨bw: ~ly⟩, compassionate ♦ *met een meewarige **blik** keek ze hem aan* she looked at him pityingly; *op meewarige **toon*** in a pitying tone (of voice), with a note of pity

meewerken [onov ww] [1] ⟨samen aan iets werken⟩ cooperate, work together, participate (in), join (in), collaborate (in/on) ♦ *meewerken **aan** wetenschappelijk onderzoek* collaborate on/participate in scientific research; *we werkten allemaal een **beetje** mee* we all pulled together/did our little bit [2] ⟨behulpzaam zijn⟩ assist, contribute (to(wards)) ♦ *allen werkten mee **om** de onderneming te laten slagen* everyone assisted in making the venture successful/contributed to the success of the venture [•] ⟨taalk⟩ *meewerkend **voorwerp*** indirect object

meewillen [onov ww] obey ♦ *mijn **benen** willen niet meer mee* my legs fail me

meewind [de^m] tail/following wind

meezeulen [ov ww] ⟨inf⟩ drag along (with o.s.) ♦ *ik moest al die **boeken** meezeulen* I had to drag all those books along with me

meezingen [onov ww] sing along (with), join in (the singing) ♦ *de zaal begon het **lied** mee te zingen* the audience took up/joined in the song

meezinger [de^m] singalong (song), singable tune

meezitten [onov ww] be favourable ♦ *in die periode zat **alles** haar mee* she had a lucky streak, at that time she had everything going for her; *als **alles** meezit* if all goes well/runs smoothly; *het zat hem **niet** mee* luck was against him, he was unlucky

mefisto [de^m] ⟨mens⟩ Mephisto(pheles)

Mefisto ⟨duivel⟩ Mephisto(pheles)

mefistofelisch [bn, bw] ⟨bijvoeglijk naamwoord⟩ Mephistophelean, ⟨bijwoord⟩ in a Mephistophelean way/manner

[1]**mega** [bn] ⟨groot⟩ mega

[2]**mega** [bw] ⟨goed⟩ mega ♦ ***het loopt** mega* it's going mega

megabar [de^m] ⟨natuurk⟩ megabar

megabioscoop [de^m] multiplex (cinema)

megabyte [de^m] megabyte

megachip [de^m] megachip

megadyne [de^m] megadyne

megafoon [de^m] megaphone, (portable) loud-speaker, ⟨BE ook⟩ (loud-)hailer, ⟨AE ook⟩ bullhorn ♦ *de menigte **door** een megafoon toeroepen/toespreken* speak to/address the crowd through a/via/by (a) megaphone

megahertz [de^m] megahertz

megajoule [de^m] ⟨natuurk⟩ megajoule

megaliet [de^m] megalith

megalithisch [bn] megalithic

[1]**megalomaan** [de^m] megalomaniac

[2]**megalomaan** [bn] megalomaniac(al)

megalomanie [de^v] megalomania

megalopolis [de] megalopolis, supercity

megameter [de^m] ⟨astron⟩ megametre

megascoop [de^m] megascope

megastore [de^m] megastore

megaton [de] megaton

megatrend [de^m] mega-trend

megawatt [de^m] megawatt

megohm [het, de^m] ⟨techn⟩ megohm

mei [de^m] May ♦ ***begin** mei* early in May/(in) the beginning of May; *de **eerste** mei* ⟨Dag van de Arbeid⟩ May Day; ⟨buiten USA ook⟩ Labour Day; *de **maand** mei* the month of May

meibetoging [de^v] May-Day demonstration/rally, First of May demonstration, ⟨buiten USA ook⟩ Labour-Day demonstration

meibeweging [de^v] Socialist movement

meibloempje [het] daisy

meibock [het, de^m] May bock

meiboom [de^m] [1] ⟨versierde boom⟩ maypole [2] ⟨groene tak⟩ tree (with wreath) used for topping-out ceremony

meiboter [de] spring butter

meid [de^v] [1] ⟨meisje, vrouw⟩ girl, (young) woman, lass(ie), ⟨sl⟩ doll, gal ♦ *een **aardige** meid* a nice/sweet girl/little thing; *je bent al een **hele** meid* you're quite a woman/girl; ***kerels** en meiden* guys and dolls; *de **kleine** meid* the/my little girl/lass; *een **lekkere** meid* ⟨sl; BE⟩ a (nice) bit/piece of stuff/fluff/crumpet, ⟨inf; BE⟩ a dish; ⟨sl⟩ a package; ⟨sl; AE⟩ a cookie/good-looking broad; *een **mooie** meid* a beautiful/lovely woman/girl; *een **wilde/ondeugende** meid* a(n elfish) tomboy, a gamine [2] ⟨aanspreekvorm⟩ ⟨BE⟩ (old) girl, (little) woman, ⟨vnl. door feministen gebruikt⟩ sister [3] ⟨pej⟩ hussy, slut, ⟨mild⟩ petticoat, ⟨sl; AE⟩ broad [4] ⟨dienstbode⟩ maid, servant (girl), menial (servant)

meidag [de^m] [1] ⟨dag in mei⟩ May day, day in May [2] ⟨socialistisch feest⟩ May Day, ⟨niet in USA⟩ Labour Day [3] ⟨lentedag⟩ spring day

meidans [de^m] May dance

meidengek [de^m] girl-chaser, girl-crazy boy/man, girl-mad boy/man ♦ *hij **is** een meidengek* he is girl-crazy

meidengroep [de] [1] ⟨popgroep⟩ (all) female band/group [2] ⟨praat- of werkgroep⟩ girls' group

meidenhuis [het], **meidenopvanghuis** [het] wom-

en's shelter
meidenopvanghuis [het] → **meidenhuis**
meidoorn [de^m] hawthorn, haw, ⟨BE ook⟩ mayflower, may (tree) ♦ ***witte** meidoorn* whitethorn
meier [de^m] 1 ⟨inf; honderd euro⟩ ↑hundred-euro note 2 ⟨gesch; baljuw⟩ ⟨BE⟩ ± bailiff, ⟨AE⟩ ± sheriff
meieren [onov ww] ⟨inf⟩ carp, nag
meierij [de^v] ⟨gesch⟩ bailiwick
meifeest [het] May Day (celebration), maying, ⟨Keltisch⟩ beltane, bealtine ♦ *het meifeest gaan **vieren*** go a-maying
meikaas [de^m] grass cheese
meikers [de] May-cherry, Mayduke (cherry)
meikever [de^m] maybug, maybeetle, (cock)chafer
meiklokje [het] ⟨in België⟩ lily-of-the-valley
meikoningin [de^v] May Queen, Queen of the May
meikrans [de^m] May wreath
meiler [de^m] charcoal pile
meimaand [de] month of May, Maytime, Maytide
meinedig [bn] perjured, perjurious, forsworn
meineed [de^m] ⟨jur⟩ perjury ♦ *meineed **plegen*** perjure o.s., commit perjury, give false witness, forswear o.s.
meiose [de^v] ⟨biol⟩ meiosis
meiraap [de] turnip
meisje [het] 1 ⟨kind van het vrouwelijk geslacht⟩ girl, daughter, baby girl, ⟨inf; AE⟩ girl-child, ⟨IE⟩ colleen ♦ *zij **hebben** twee meisjes* they have two girls/daughters; *is het een jongen of een meisje?* is it a boy or a girl/a he or a she/a him or a her? 2 ⟨jonge vrouw⟩ girl, young woman/lady, lass, ⟨sl⟩ gal, ⟨AuE; sl⟩ sheila ♦ *een **lelijk** meisje* an ugly/a plain girl, a frump; ⟨euf⟩ not one's type; *meisjes van **plezier*** ladies of pleasure/the night/easy virtue, ↑filles de joie; ⟨sl⟩ joy girls 3 ⟨vriendin⟩ girlfriend, sweetheart, young lady/ woman, best girl, ⟨verloofde⟩ fiancée 4 ⟨dienstmeisje⟩ (serving/servant) girl, maid (servant) ♦ *een meisje voor halve dagen* ⟨BE⟩ a girl for half days, ⟨AE⟩ a part-time maid
meisjesachtig [bn, bw] girlish ⟨bw: ~ly⟩, girl-like, ⟨dichtl⟩ maidenly, ⟨m.b.t. mannen/jongens⟩ sissy, sissified
meisjesboek [het] girl's book
meisjesgek [de^m] girl-chaser, girl-crazy boy/man, girl-mad boy/man ♦ *een **oude** meisjesgek* a girl-crazy nut
meisjesgezicht [het] girl's face, ⟨meisjesachtig ook⟩ girlish face
meisjeshand [de] 1 ⟨kleine hand⟩ girl's hand 2 ⟨handschrift⟩ girl's hand(writing)
meisjesjaren [de^mv] girlhood, maidenhood
meisjeskleren [de^mv] girls' clothes
meisjesmeisje [het] girly-girl, girlie-girl
meisjesnaam [de^m] 1 ⟨voornaam⟩ girl's name 2 ⟨familienaam⟩ maiden name ♦ *na haar scheiding tekent zij weer met haar meisjesnaam* since her divorce she again signs (with) her maiden name
meisjesschool [de] girls' school
meisjeszot [de^m] girl-chaser, girl-crazy boy/man, girl-mad boy/man
meiske [het] (little) girl, little woman/miss, missy
meissner [het] Dresden (china)
meivakantie [de^v] ⟨in Nederland⟩ ⟨BE⟩ May holiday, ⟨AE⟩ May vacation
meivis [de^m] shad
meiwijn [de^m] May wine
mej. [afk] (mejuffrouw) Miss, Ms
mejonkvrouwe [de^v] m'lady
mejuffrouw [de^v] ⟨aanspreektitel; in brief, naam niet bekend⟩ Madam, ⟨ongehuwde vrouw⟩ Miss, ⟨adm; gehuwde of ongehuwde vrouw⟩ Ms
mekaar [wdg vnw] ⟨inf⟩ ↑each other, ↑one another ♦ *dik **voor** mekaar* just fine, ⟨BE⟩ nice as ninepence, okeydoke, sweet as it can be; *komt **voor** mekaar* OK, consider it done, okeydoke, you bet, right; ⟨BE ook⟩ right you are, righto, rightyho
mekka [het] ⟨eldorado⟩ Mecca
Mekka [het] ⟨stad⟩ Mecca
Mekkaganger [de^m] Mecca pilgrim
mekkeren [onov ww] 1 ⟨m.b.t. geiten, schapen⟩ bleat 2 ⟨zaniken⟩ keep on (at s.o. about sth.), nag, ⟨vnl AE; inf⟩ yammer, ⟨sl⟩ beef (about)
melaats [bn] leprous ♦ ⟨fig⟩ *... is niet melaats* ... is no leper/pariah
melaatse [de^m] leper
melaatsheid [de^v] leprosy, Hansen's disease
melancholica [de^v] → **melancholicus**
melancholicus [de^m], **melancholica** [de^v] melancholic, melancholiac
melancholie [de^v] 1 ⟨zwaarmoedigheid⟩ melancholy, depression 2 ⟨psych⟩ melancholia
melancholiek [bn, bw] melancholy ⟨bw: melancholily⟩, melancholic, despondent, doleful, sombre ♦ *een melancholieke **bui*** a melancholy/gloomy mood, ⟨inf⟩ a blue mood; *hij is een melancholiek **type*** he is a melancholy type
melanemie [de^v] ⟨med⟩ melanemia
Melanesië [het] Melanesia
Melanesiër [de^m], **Melanesische** [de^v] ⟨man & vrouw⟩ Melanesian, ⟨vrouw ook⟩ Melanesian woman/girl
Melanesisch [bn] Melanesian
Melanesische [de^v] → **Melanesiër**
melange [het, de^m] blend, mixture, mélange ♦ *een **geurige** melange* a fragrant blend; *melange van **koffie*** coffee blend, blend of coffee; *melange **voor** sigaren* cigar blend
melangeren [ov ww] mix
melaniet [het] melanite
melanine [de] melanin
melanisme [het] melanism
melanistisch [bn] melanistic
melanoom [het] melanoma
melasma [het] ⟨med⟩ melasma
melasse [de] ⟨BE⟩ treacle, ⟨AE⟩ molasses, blackstrap (molasses)
melbatoast [de^m] Melba toast
melde [de] 1 ⟨geslacht Atriplex⟩ orache, saltbush 2 ⟨benaming voor verschillende soorten van ganzenvoet⟩ goosefoot ♦ ***blauwe** melde* many-seeded goosefoot
¹**melden** [ov ww] 1 ⟨laten weten⟩ report, inform (of), advise, state, mention, make mention of, communicate ♦ *een **schadegeval** melden* report/claim the damage(s); *ze heeft **zich ziek** gemeld* she has reported (herself) sick, ⟨mil⟩ she has gone sick; ⟨inf; BE⟩ she has gone on the sick/the panel; ⟨telefonisch⟩ she called in sick 2 ⟨aankondigen⟩ report, announce ♦ *niets te melden **hebben*** ⟨fig⟩ have nothing/ no news to report
²**zich melden** [wk ww] ⟨aanmelden⟩ report, check in ♦ *zich melden **bij de politie*** report (o.s.) to the police, ⟨criminelen⟩ give o.s. up to the police; *bezoekers dienen zich te melden **bij de portier*** visitors are requested to check in with the doorman/doorkeeper
meldenswaard [bn], **meldenswaardig** [bn] worth mentioning/stating/reporting, worthy of mention
meldenswaardig [bn] → **meldenswaard**
melder [de^m] 1 ⟨persoon⟩ informant, announcer, notifier, bearer of news 2 ⟨ook in samenstellingen; toestel⟩ alarm, ⟨techn⟩ detector, actuator, ⟨verbinding met politie⟩ police box ♦ ***rookmelder*** smoke detector
melding [de^v] 1 ⟨vermelding⟩ mention(ing), report(ing), informing, stating, noting ♦ *melding **maken** van iets* make mention of/reference to sth., mention/note sth. 2 ⟨aanmelding⟩ reporting, announcing
meldingsplicht [de] (one's) duty to report (to/at)
meldkamer [de] ⟨alg⟩ centre, ⟨voor noodgevallen⟩ emergency/incident room, ⟨voor klachten⟩ complaints department, ⟨comm⟩ radio room
meldpost [de^m] reporting station

meldpunt [het] [1] ⟨om zich te melden⟩ check-in (point/site), registration centre/office/desk/booth [2] ⟨om zijn beklag te doen⟩ complaints office/centre/desk/booth/window

^{1}**melen** [onov ww] ⟨bloemig worden⟩ become mealy/floury

^{2}**melen** [ov ww] ⟨met bloem bewerken⟩ mix with flour

mêleren [ov ww] blend, mix, ⟨kaartsp⟩ shuffle ◆ *een gemêleerd **gezelschap*** mixed company; *zich **in** iets mêleren* get involved/mixed up in sth.; ***tabak** mêleren* blend tobacco; *een gemêleerd **tapijt*** a multi-coloured carpet

^{1}**melig** [bn] ⟨pulverachtig⟩ mealy ◆ *een melige **appel*** a mealy apple

^{2}**melig** [bn, bw] [1] ⟨flauw en grappig⟩ corny, banal ◆ *een melige **opmerking*** a corny remark [2] ⟨lusteloos⟩ dull, feeble, tiresome, slow ◆ *melig **zijn/doen*** be dull, act tiresome

melioratie [de^v] ⟨landb⟩ melioration, betterment

melioratief [bn] (a)meliorative, (a)melioratory

meliorisme [het] meliorism

melisme [het] ⟨muz⟩ melisma

melisse [de] ⟨plantk⟩ balm ⟨Melissa officinalis⟩

melk [de] [1] ⟨m.b.t. dieren⟩ milk ◆ *de koe **gaf** goed melk* the cow gave good milk/was a good milker/milked well; ***gecondenseerde** melk/koffiemelk* condensed/evaporated milk; ***gestandaardiseerde** melk* standardized milk; ***gesteriliseerde** melk* sterilized milk; ***halfvolle** melk* low-fat milk; *een land van melk en **honing*** a land of milk and honey; ⟨fig⟩ *niets **in** de melk/pap te brokk(el)en hebben* have no say/voice/influence in things, count for nothing; ⟨fig⟩ *heel wat **in** de melk/pap te brokk(el)en hebben* have a considerable say in things, wield a great deal of influence; ***magere** melk* skim(med) milk; *koffie **met/zonder** melk* coffee with/without milk/cream; ⟨BE ook⟩ white coffee/black coffee; ***met** melk en suiker graag* with sugar and milk/cream/milk and sugar, please; ***volle** melk* whole milk, full-cream milk [2] ⟨m.b.t. de vrouw⟩ milk [3] ⟨sap in planten, vruchten⟩ milk

melkachtig [bn] milky, ⟨biol ook⟩ lactescent ◆ *melkachtig **sap*** milky juice

melkalbast [het] milk glass

melkapparaat [het] milking machine/unit, milker

melkauto [de^m] ⟨BE⟩ milk van, ⟨AE⟩ milk truck

melkbeker [de^m] milk mug/beaker

melkbocht [de^m] milking yard/pen

melkboer [de^m] ⟨bezorger⟩ milkman, ⟨handelaar⟩ dairyman ◆ ⟨scherts⟩ *dat is er een van de melkboer* he/she must be the milkman's

melkboerenhondenhaar [het] mous(e)y hair

melkbrood [het] milk loaf

melkbus [de] milk can/^{B}churn

melkchocola [de^m] [1] ⟨snoep⟩ milk chocolate [2] ⟨drank⟩ cocoa, chocolate

melkcontroleur [de^m] milk inspector

melkdistel [de] sow thistle, milk thistle

melkemmer [de^m] [1] ⟨waarin gemolken wordt⟩ milking pail [2] ⟨waarin melk bewaard wordt⟩ milk pail

^{1}**melken** [onov ww] ⟨inf⟩ [1] ⟨iets uit iemand trekken⟩ coax [2] ⟨mekkeren⟩ whine, moan, go on about sth. ◆ ***lig** niet zo te melken* stop whining/moaning!

^{2}**melken** [ov ww] [1] ⟨van haar melk ontlasten⟩ milk ◆ *de **koeien** melken* milk the cows [2] ⟨fokken⟩ keep, breed ◆ ***duiven/konijnen** melken* keep/breed doves/rabbits; *zij melkt 40 **koeien*** she keeps 40 cows

melkeppe [de] milk parsley

melker [de^m] milker

melkerij [de^v] [1] ⟨bedrijf⟩ dairy farm [2] ⟨plaats waar gemolken wordt⟩ milking parlour

melkertbaan [de] ± workfare job

melketier [de^m] person with a government-subsidized job

melkfabriek [de^v] milk factory/plant, dairy factory, creamery

melkfles [de] [1] ⟨fles voor melk⟩ milk bottle [2] ⟨zuigfles⟩ feeding bottle

melkgebit [het] milk teeth

melkgeit [de^v] milch goat

melkgevend [bn] milk-producing, in milk ⟨na zn⟩, milch ⟨voor zn⟩ ◆ *een melkgevende **koe*** a cow in milk, a milch cow; *melkgevend **vee*** milking stock

melkgift [de] milk yield ◆ *die koe heeft een **lage** melkgift* that cow is a bad milker

melkglas [het] [1] ⟨drinkglas⟩ milk glass [2] ⟨melkwit glas⟩ milk glass, milch glass, opal(ine) glass

melkhaar [het] down, fuzz, ⟨inf⟩ peach fuzz

melkhok [het], **melkhuisje** [het] milking parlour

melkhuisje [het] → **melkhok**

melkinrichting [de^v] dairy, creamery

melkkalf [het] sucking calf

melkkan [de] [1] ⟨bij servies⟩ milk jug [2] ⟨melkbus⟩ milk can, ⟨BE⟩ milk churn

melkkannetje [het] milk jug

melkkies [de] milk tooth

melkkleur [de] milky colour

melkklier [de] mammary gland, ⟨med ook⟩ mamma

^{1}**melkkoe** [de^m] ⟨fig⟩ ⟨persoon⟩ milch cow, money spinner, ⟨inf⟩ gravy train

^{2}**melkkoe** [de^v] ⟨dier⟩ dairy/milch cow ◆ *een **goede** melkkoe* a good milker

melkkoeler [de^m] milk cooler

melkkoeltank [de^m] ⟨veet⟩ milk cooling basin

melkkoker [de^m] milk pot, high-sided saucepan with holes in lid

melkkoorts [de] milk fever, lactation tetany

melkkrat [het, de^v] milk crate

melkkruid [het] sea milkwort, sea trifoly

melkkuur [de] milk cure

melkkwarts [het] milky quartz

melklijst [de] milk record

melkmachine [de^v] milking machine, mechanical milker

melkman [de^m] milkman, dairyman

melkmeid [de^v] milkmaid, dairymaid

melkmuil [de^m] [1] ⟨groentje⟩ greenhorn, colt, raw recruit, ⟨AE ook⟩ rookie [2] ⟨lafbek⟩ milksop, sissy, milquetoast, ⟨BE⟩ wet

melkontromer [de^m] separator, creamer

melkontvangst [de^v] [•] ***rijdende** melkontvangst* tanker collection

^{1}**melkopaal** [de^m] ⟨halfedelsteen⟩ milky opal

^{2}**melkopaal** [het] ⟨halfedelgesteente⟩ milky opal

melkopbrengst [de^v] milk yield, milk production

melkpak [het] milk carton

melkpap [de] milk porridge

melkplant [de] milkweed

melkplas [de^m] milk lake/pond ◆ *de melkplas en de **boterberg** van de EG* the EC milk lake and butter mountain

melkpoeder [het, de^m] powdered/dried/dehydrated milk, milk powder

melkprijs [de^m] milk price

melkproduct [het] milk/dairy product

melkproductie [de^v] [1] ⟨hoeveelheid melk van een koe⟩ milk yield [2] ⟨totale hoeveelheid melk⟩ milk production/output

melkput [de^m] ⟨landb⟩ operator's working passage/pit

melkquotering [de^v] milk quotas ⟨mv⟩

melkquotum [het] milk quota

melkras [het] milk/dairy breed

melkreep [de^m] bar of milk chocolate

melkrijder [de^m] milk collector

melkrijk [bn] milky, with a high milk yield ⟨na zn⟩

melkrijp [bn] ⟨landb⟩ milk-ripe, milky

melkrijpheid [de^{v}] ⟨landb⟩ milk-ripeness, milkiness, milky stage of maturity
melkronde [de] ⟨in België⟩ milk round
melksap [het] milk, milky juice, latex
melkseparator [de^{m}] separator, creamer
melkserum [het] milk serum, whey
melkspiegel [de^{m}] escutcheon
melkstal [de^{m}] milking parlour/shed
melkstoeltje [het] milking stool
melkstomer [de^{m}] milk steamer
melksuiker [de^{m}] lactose, milk sugar
melktand [de^{m}] milk tooth
melktank [de^{m}] milk tank, ⟨groot⟩ bulk (milk) tank, farm bulk tank
melktijd [de^{m}] milking time
melktype [het] dairy type
melkvee [het] dairy cattle/stock
melkveehouder [de^{m}] dairy farmer
melkveestapel [de^{m}] dairy stock/herd
melkvet [het] milk fat
melkwagentje [het] milk float/cart, ⟨van melkslijter⟩ milkman's cart
melkweg [de^{m}] ⟨astron⟩ ⟨sterrenstelsel lijkend op de Melkweg⟩ (Milky Way) Galaxy, Milky Way (System)
Melkweg [de^{m}] ⟨astron⟩ ⟨sterrenstelsel⟩ Milky Way
melkweger [de^{m}] lactometer
melkwegstelsel [het] ⟨astron⟩ ⟨sterrenstelsel lijkend op de Melkweg⟩ galaxy, nebula
Melkwegstelsel [het] ⟨astron⟩ ⟨Melkweg⟩ Milky Way
melkwei [de] whey, milk serum
melkwit [bn] milk white, milky white
melkzeep [de] milk-based soap
[1]**melkzuur** [het] lactic acid
[2]**melkzuur** [bn] lactic acid ♦ *een melkzuur **zout*** a lactic acid salt, a lactate
melkzuurbacterie [de^{v}] lactic (acid) bacterium
melkzuurgisting [de^{v}] lactic fermentation
melkzwam [de] milk fungus
mellotron [het, de^{m}] mellotron
melodie [de^{v}] [1] ⟨muz⟩ melody, tune, air ♦ *een lied **op** de melodie van* a song to the tune of [2] ⟨m.b.t. woordklanken⟩ modulation
melodieus [bn, bw] melodious ⟨bw: ~ly⟩, tuneful, musical, sweet, euphonious
melodisch [bn, bw] melodic ⟨bw: ~ally⟩
melodrama [het] [1] ⟨toneelstuk⟩ melodrama ♦ ***schrijver** van melodrama's* ⟨ook⟩ melodramatist [2] ⟨reeks voorvallen⟩ melodrama [3] ⟨gesch; toneelspel⟩ melodrama
melodramatisch [bn, bw] melodramatic(al) ⟨bw: melodramatically⟩, ⟨inf⟩ corny ♦ *melodramatische **kost*** ⟨inf⟩ sob-stuff, corn; *melodramatisch **persoon*** ⟨vrouwelijk ook; inf⟩ sob-sister; *een melodramatisch **verhaal*** ⟨inf⟩ a sob story; *schrijfster van melodramatische **verhalen*** ⟨inf ook⟩ sob-sister
meloen [de] [1] ⟨plant⟩ melon (vine) [2] ⟨vrucht⟩ melon
meloenboom [de^{m}] papaya, ⟨BE ook⟩ pa(w)paw
meloencactus [de^{m}] melocactus, melon cactus, turk's cap cactus
meloet [de^{m}] drunk(ard) ♦ *zo dronken **als** een meloet* blind drunk, three sheets to the wind, half-cut
melomaan [de^{m}] melomaniac, music addict, ⟨inf⟩ music freak
melomanie [de^{v}] melomania, addiction to music
meltdown [de^{m}] meltdown
meltingpot [de^{m}] melting pot
melton [het] melton
[1]**mem** [de^{v}] ⟨Fries; moeder⟩ mum, ⟨AE⟩ mom
[2]**mem** [de] ⟨inf⟩ ⟨mv; tieten⟩ tits, boobs, ⟨sl⟩ knockers, ⟨BE⟩ bristols
membraan [het, de] [1] ⟨vlies⟩ membrane [2] ⟨trilplaatje⟩ diaphragm
membraanafsluiter [de^{m}] diaphragm valve
membraanevenwicht [het] osmotic equilibrium
membraanfilter [het, de^{m}] membrane/diaphragm filter
membraanmanometer [de^{m}] ⟨BE⟩ membrane manometer, ⟨AE⟩ diaphragm manometer
membrafoon [bn] ⟨muz⟩ membranophone
memento mori memento mori
[1]**memo** [het, de^{m}] [1] ⟨papier⟩ notepaper [2] ⟨nota⟩ note, ⟨op kantoor ook⟩ memo, ⟨inf⟩ chit
[2]**memo** [afk] (mens- en milieuvriendelijk ondernemen) ⟨landb⟩ organic farming
memobedrijf [het] ⟨landb⟩ organic farm
memoblaadje [het] memo card/sheet, ⟨m.b.t. telefoongesprek⟩ call sheet
memoblok [het] notepad, ⟨op kantoor ook⟩ memo pad
memoformaat [het] notebook-size, pocket-size
memoires [de^{mv}] memoirs
memorabel [bn] memorable, rememberable
memorabilia [de^{mv}] memorabilia
memorandum [het] [1] ⟨gedenkboek⟩ memorial (book), commemorative volume [2] ⟨diplomatieke nota⟩ memorandum, note [3] ⟨rekening⟩ bill, account [4] ⟨notitieboekje⟩ notebook
memorecorder [de^{m}] memo recorder
memoreren [ov ww] [1] ⟨vermelden⟩ mention, remind [2] ⟨opschrijven⟩ note, make a note of
memoriaal [het] daybook, book of account
memorie [de^{v}] [1] ⟨geheugen⟩ memory ♦ ***kort** van memorie zijn* have a short memory [2] ⟨beschouwing⟩ memorandum, statement ♦ *memorie van **aangifte*** estate duty account; ⟨pol⟩ *memorie van **antwoord*** memorandum in reply; ⟨jur⟩ *memorie van **debat*** statement of objection in an action of account; ⟨jur⟩ *memorie van **grieven*** statement of grounds of appeal; *een memorie **indienen*** submit a memorandum; ⟨pol⟩ *memorie van **toelichting*** explanatory memorandum/statement
memoriepost [de^{m}] memorandum entry/item, token entry, pro memoria item
memorisatie [de^{v}] memorizing
memoriseren [ov ww] memorize
memory [het] memory
memorystick [de] memory stick
men [onbep vnw] [1] ⟨de mensen⟩ one, ⟨inf⟩ people, they ♦ *de grote/onbekende men* the general public, people, the man in the street; *men **heeft** mij gezegd ...* I've been/I'm told ...; *men **zegt*** it is said, people/they say; *men **zegt** dat hij ziek is* he's said to be ill [2] ⟨ik en iedereen met mij⟩ one, ⟨inf⟩ you ♦ *men **kan** hen niet **laten omkomen*** they cannot be allowed to die; *men **zou zeggen** dat je nog niets hebt geleerd!* you still haven't learnt your lesson, by the look of it! [3] ⟨één of meer personen⟩ one, ⟨inf⟩ they ♦ *men **had** dat **kunnen voorzien*** that could have been anticipated/foreseen; *men **hoopt** dat die investering zal renderen* it is hoped that the investment will prove lucrative
menage [de^{v}] [1] ⟨huishouding van soldaten⟩ mess [2] ⟨voeding⟩ catering, ⟨mil⟩ mess
ménage à trois [de] ⟨euf⟩ ménage à trois
menageketel [de^{m}] [1] ⟨grote ketel voor thee, soep enz.⟩ dixie [2] ⟨busje voor individuele portie⟩ messtin
menageklep [de] ⟨scherts⟩ ↓gob, ⟨BE ook⟩ ↓cake-hole
menagerie [de^{v}] menagerie
menarche [de] ⟨med⟩ menarche
mendelisme [het] [1] ⟨erfelijkheidswetten⟩ Mendelism, Mendelian/particulate inheritance [2] ⟨verklaring volgens de wetten⟩ Mendelian explanation
meneer [de^{m}] gentleman, ⟨+ naam⟩ Mr, ⟨losstaand als aanspreekvorm, meestal: onvertaald; slechts in heel formele situaties⟩ sir ♦ *een **grote** meneer* a big man; ⟨iron⟩ *je bent een **mooie** meneer!* you're a fine one!; ⟨iron⟩ *is het zo*

naar meneer zijn zin? has his lordship/highness/nibs got everything he needs?; *de (grote/mooie) meneer* ***uithangen*** ⟨BE⟩ act posh, act (all) high and mighty

menen [ov ww] [1] ⟨in ernst bedoelen⟩ mean ♦ ***dat*** *meen je niet/kan je toch niet menen!* you (surely) can't be serious!/can't mean it!; *ik meen* ***het!*** I mean it!; *meen je* ***het*** *nou of niet* do you really mean it? [2] ⟨voorhebben⟩ intend, mean ♦ *het* ***ernstig/serieus*** *menen* be serious, mean business, (really) mean it; *het was* ***goed*** *gemeend* it was meant for the best/well-meant; *het* ***goed/kwaad*** *met iemand menen* mean well towards s.o., mean s.o. harm [3] ⟨veronderstellen⟩ think ♦ *ik meende* ***dat***... I thought ...; *meen nu* ***niet*** *dat*... don't go/start thinking that ..., don't run off/away with the idea that ...; *hij meende* ***te weten*** *dat*... he understood/was under the impression that ...; *ik meende hem* ***te*** *moeten waarschuwen* I thought/felt I ought to warn him [4] ⟨doelen op⟩ mean [•] ⟨sprw⟩ *elk meent zijn uil een valk te zijn* ± the owl thinks her own young fairest; ⟨sprw⟩ *ieder meent dat zijn pak het zwaarst is* every horse thinks its own pack heaviest

menens [bn] [•] *het* ***is*** *menens* it's (getting)/things are serious; *het* ***is*** *hem menens* he means it, he's serious/in earnest; *het* ***wordt*** *menens* it's getting/things are getting serious; *als het menens* ***wordt*** when things get serious/the chips are down/it gets down to the nitty-gritty

meneren [ov ww] sir, ↓ mister

mene tekel [het] the writing on the wall

mengbaar [bn] miscible, mixable

mengbak [de^m] mixing vessel/basin, ⟨rond⟩ mixing bowl, ⟨trog⟩ mixing trough, ⟨voor voer⟩ blending bin

mengbeker [de^m] liquidizer, blender

mengcondensor [de^m] mixing condenser

mengeldichten [de^mv] miscellaneous poems

mengeling [de^v] miscellany, mixture, medley ♦ *een* ***bonte*** *mengeling* a multicoloured mixture, a motley; *een mengeling van* ***kleuren*** a mixture/medley of colours

mengelmoes [het, de] [1] ⟨m.b.t. zaken⟩ mishmash, jumble, hodgepodge [2] ⟨m.b.t. mensen⟩ jumble, medley

mengelwerk [het] ⟨lit⟩ miscellany

[1]**mengen** [ov ww] [1] ⟨door elkaar werken⟩ mix, ⟨mêleren⟩ blend ♦ ***door*** *elkaar mengen* mix together; *meng de suiker* ***door*** *de pap* stir/mix the sugar into/through the porridge; ***kleuren*** *mengen* mix/blend colours; *noten gemengd* ***met*** *rozijnen* mixed nuts and raisins, nuts mixed with raisins; ***thee*** *mengen* blend tea [2] ⟨bij elkaar brengen, in verband brengen⟩ mix, involve, ⟨inf⟩ bring in, ⟨pej⟩ drag in [3] ⟨betrekken bij⟩ involve, ⟨inf⟩ bring in, ⟨pej⟩ drag in ♦ *ik werd* ***in*** *het gesprek gemengd* I was involved in/brought into/dragged into the conversation

[2]**zich mengen** [wk ww] ⟨zich inlaten met⟩ get (o.s.) involved (in), involve o.s. (in), ⟨inf⟩ get (o.s.) mixed up (in) ♦ *zich* ***in*** *de discussie mengen* come into/intervene in the discussion; ⟨pej⟩ break/butt/barge/cut into the discussion; *zich* ***in*** *iemands zaken mengen* poke one's nose into s.o.'s business/affairs; *zich mengen* ***in*** *de politiek/een twist* get (o.s.) involved/mixed up/involve o.s. in politics/an argument; *zich* ***onder*** *de menigte mengen* blend into the crowd; ⟨koningin e.d.⟩ mingle with the crowd(s)

menging [de^v] [1] ⟨handeling⟩ mixing, blending [2] ⟨resultaat⟩ mixture, ⟨melange⟩ blend, mix

mengkamer [de] mixing chamber

mengkleur [de] mixed/blended colour, mixed/blended shade, ⟨secondaire kleur⟩ secondary colour

mengkom [de] mixing bowl

mengkraan [de] mixer tap, mixing tap/^Afaucet

mengkristal [het] isomorphous compounds/series

mengmachine [de^v] mixer, mixing machine

mengmest [de^m] slurry, semi-liquid manure, semi-mixed manure

mengpaneel [het] ⟨muz⟩ mixing console/desk, mixer

mengproduct [het] mixture, ⟨melange⟩ blend, mix

mengras [het] cross-breed

mengsel [het] mixture, ⟨melange⟩ blend, mix ♦ ⟨scheik⟩ ***koudmakend*** *mengsel* freezing mixture; *een* ***rijk*** *mengsel* ⟨brandstof⟩ a rich mixture; *een mengsel* ***van*** *thee(soorten)* a blend of teas; ⟨fig⟩ *een mengsel* ***van*** *waarheid en verdichting* a mixture/blend of truth and fiction

mengsmering [de^v] petroil lubrication

mengtaal [de] mixed language, ⟨als moedertaal gebruikt⟩ creole (language), creolized language, ⟨voor comm⟩ pidgin

mengverhouding [de^v] mixture, ⟨lucht en brandstof⟩ air-fuel ratio

mengvoer [het] mixed/compound feed, mash ⟨ook voor pluimvee⟩

mengvorm [de^m] hybrid, ⟨pej⟩ mongrel

mengwarmte [de^v] ⟨scheik⟩ heat of mixing

mengzaad [het] mixed seed

menhir [de^m] menhir

menie [de] [1] ⟨verfstof⟩ red lead, minium [2] ⟨dekverf⟩ red lead

meniën [ov ww] red-lead

ménière [de^mv] Ménière

Ménière [•] *de ziekte van Ménière* Ménière's disease

menig [hoofdtelw] many ⟨+ mv⟩, many a ⟨+ enk⟩ ♦ *menig* ***mens*** many (people), many a person/a one; *menige slapeloze* ***nachten*** many sleepless nights/a sleepless night; *in menig* ***opzicht*** in many respects

menigeen [onbep vnw] many (people), many a person, many a one

menigerlei [bn] various (kinds of), many kinds of, of many kinds ⟨na zn⟩, ⟨form⟩ manifold

menigmaal [bw] many times, many a time, ⟨form⟩ ofttimes, ⟨AE⟩ often-times

menigte [de^v] [1] ⟨veel mensen⟩ crowd, ⟨form⟩ multitude, throng, host, ⟨pej⟩ mob ♦ *de* ***drukke*** *menigte* ⟨form⟩ the madding crowd; *de* ***grote*** *menigte* the great mass of people, the (general) public; *een* ***ontelbare/onoverzienbare*** *menigte* an innumerable/immense crowd [2] ⟨groot getal⟩ mass, host

menigvuldig [bn, bw] manifold, ⟨van veel soorten⟩ many kinds of, of many kinds ⟨na zn⟩, ⟨vaak⟩ frequent, ⟨talrijk⟩ numerous, ⟨overvloedig⟩ abundant

menigvuldigheid [de^v] multiplicity, frequency, abundance

mening [de^v] opinion, view ♦ ***afwijkende*** *mening* dissenting view/opinion; *een* ***andere/tegenovergestelde*** *mening toegedaan zijn* be otherwise-minded, take a different/opposite view; *naar mijn* ***bescheiden*** *mening* in my humble/poor opinion; ***bij*** *zijn mening blijven* stick to one's opinion/view(s); *ik* ***geef*** *mijn mening (graag) voor beter* I'm open to correction, here's/that's my opinion for what it's worth; *ja, nee,* ***geen*** *mening* ⟨in enquête⟩ yes, no, don't know; *zijn mening* ***geven*** give one's opinion/view(s); *een mening* ***hebben*** *over* have/hold an opinion/a view/views on; *zijn mening* ***herzien*** revise one's opinion; *er een eigen mening op na* ***houden*** have an opinion/a view of one's own, have one's own opinion/view (of/about sth.); *een mening* ***huldigen*** *omtrent/over iets* cherish/hold an opinion/a view on/about sth.; ***in*** *de mening verkeren dat* be under the impression that ...; *ik* ***kan*** *uw mening niet* ***delen*** I cannot share your opinions/view(s); *hierover* ***lopen*** *de meningen* ***uiteen*** opinions differ on this, there are various opinions about this; *zijn mening openbaar* ***maken*** state/voice one's opinions, ↑ give public utterance/expression to one's opinions; ***naar*** *mijn mening* in my opinion/view, I think/feel, to my mind/my way of thinking; *de* ***openbare*** *mening* public opinion; *een mening* ***toegedaan zijn*** hold an opinion, hold/take a view; *dezelfde mening* ***toegedaan zijn*** hold/have the same opinion/view(s) (about/on), be of one mind (about), agree (about/on); ***uiteenlopende*** *meningen* differing opinions/

views, a diversity of opinion(s); *een **uitgesproken** mening hebben over iets* hold strong/uncompromising views about sth.; ***van** mening **veranderen*** change one's opinion/view(s), ⟨inf⟩ change one's mind; ***van** mening **zijn** dat ...* be of the opinion/take the view that ...; ***van** mening **verschillen*** differ in opinion, have/hold different views; *zijn mening **ventileren*** air/ventilate one's opninions; *de meningen zijn (sterk) **verdeeld** (over die kwestie)* opinions/views differ (greatly) (on that matter), there is (great) controversy (about it), that's a very controversial matter; ***voor** zijn mening **durven uitkomen*** stand up for/defend one's opinion/view(s); ***vooropgezette** mening* preconception; *zich een mening **vormen** over* form an opinion on; *hij **was** de mening **toegedaan** dat ...* he was of the opinion that ..., in his opinion, ...; *ronduit zijn mening **zeggen*** speak one's mind, be frank; *iemand **zonder** mening* ⟨pol⟩ a 'don't-know'

meningitis [de^{v}] ⟨med⟩ meningitis ◆ *meningitis cerebrospinalis* cerebrospinal meningitis

meningokok [de] meningococcus

meningsuiting [de^{v}] [1] ⟨het uiten van zijn mening⟩ (expression of) opinion, speech ◆ ***vrije** meningsuiting* freedom of speech/opinion; ***vrijheid** van meningsuiting* freedom of speech/opinion [2] ⟨oordeel⟩ (statement of) opinion, view(s)

meningsverschil [het] [1] ⟨verschil van mening⟩ difference of opinion, divergence of views ◆ *hierover **bestaat/heerst** meningsverschil* there are differing opinions/there is a difference of opinion about this, views/opinions differ about this [2] ⟨onenigheid⟩ difference of opinion ◆ *meningsverschil **hebben*** have a difference of opinion

meningsvorming [de^{v}] (forming of) opinion ◆ *de **openbare** meningsvorming* (the forming of) public opinion

meniscus [de^{m}] [1] ⟨kraakbeenschijf⟩ meniscus, ⟨inf⟩ kneecap [2] ⟨natuurk⟩ meniscus [3] ⟨lens⟩ meniscus

^{1}**menist** [de^{m}] Mennonite

^{2}**menist** [bn] Mennonite

menistenleugentje [het] white lie, half-truth

mennen [ov ww] drive ◆ *een **paard/wagen** mennen* drive a horse/wagon

menner [de^{m}] driver, teamster, whip ◆ *hij is een **goede** menner* he is a good whip

meno [bw] ⟨muz⟩ meno

menopauze [de] [1] ⟨periode na de vruchtbaarheid⟩ menopause, ⟨inf⟩ change of life [2] ⟨overgang⟩ menopause, ⟨inf⟩ change of life

menora [de^{m}] menorah

^{1}**mens** [de^{m}] [1] ⟨redelijk wezen⟩ human (being), man, ⟨mensdom⟩ man(kind), ⟨minder seksistisch⟩ humankind, ⟨in samenstellingen; pol correct⟩ person ◆ *ik voel me een **ander** mens!* I feel (like) a new person/creature/man/woman; *ik **ben ook maar** een mens* I'm only human; *dat **doet** een mens **goed*** that does you good, ↑ that does one good; ***door** mensen **gemaakt*** man-made; ***geen** mens* not a soul; ⟨fig⟩ ***geen** (half) mens **meer zijn*** be worn out/shattered/dead beat; ⟨Bijb⟩ *de mens **geworden** Zoon van God* the incarnate Son of God; *de **grote** mensen* the grown-ups; *ik voel me maar een **half** mens* I'm not feeling too good, I'm feeling off colour; *de **inwendige** mens versterken* fortify the inner man; *die behandeling **maakte** weer een mens van hem* that treatment did wonders for him/put him back on his feet; *een mens **moet** toch **eten**!* a fellow/chap/girl's got to eat!; *het geld **onder** de mensen brengen* spend money generously/freely/liberally; *een mens **van** vlees en bloed* a person of flesh and blood [2] ⟨mv; personen⟩ people ◆ *(eenvoudige) mensen **als wij*** (simple) people/folk like us/such as we; *hij is **een van de** mensen die ...* he is one of those (people) who ...; *de **gewone** mensen* ordinary people; *sommige mensen **leren** het nooit!* some people/folk never learn!; *de **meeste** mensen* most people; ***onder** de mensen **komen*** get out and about, see people; *we **verwachten/krijgen** vanavond mensen* we're expecting people/we've got people coming (over/round) this evening; *zo **zijn** de mensen nu eenmaal* that's human nature (for you); *zeg dat niet als er mensen **bij zijn**!* don't say that in front of anybody!/when there are people around! [3] ⟨mv; medewerkers⟩ people ◆ *daar **heeft** zij haar mensen **voor*** she's got people to do that [4] ⟨type⟩ person ◆ *ik **ben geen** mens om ...* I'm not one/a person to ...; *een **onmogelijk** mens zijn* be impossible (to deal with) [5] ⟨mv; makkers⟩ people, folks, everybody ◆ ***beste** mensen* ⟨in brieven⟩ dear everybody; ⟨aanspreekvorm⟩ (hello,) everybody!, ⟨inf⟩ people!; *de **groetjes** mensen!* bye, folks!, see you, everybody!, ⟨BE⟩ cheerio, people! ⊡ ⟨sprw⟩ *kinderen en gekken/dronken mensen zeggen de waarheid* children and fools cannot lie; ⟨sprw⟩ *je hebt mensen en potloden* ± some are wise and some are otherwise; ⟨sprw⟩ *de mens wikt maar God beschikt* man proposes, God disposes; man does what he can, and God what he will; ⟨sprw⟩ *van brood alleen kan de mens niet leven* man cannot live by bread alone; ⟨sprw⟩ *een mens is nooit te oud om te leren* one is never too old to learn; ⟨sprw⟩ *kleine mensen, kleine wensen* small/little things please small/little minds; ⟨sprw⟩ *een gewaarschuwd man/mens telt voor twee* forewarned, forearmed; ⟨sprw⟩ *niets is veranderlijker dan een mens* nothing is more fickle than man; ⟨BE⟩ there's nowt so queer as folk; ⟨sprw⟩ *bescheidenheid siert de mens* modesty is a virtue

^{2}**mens** [het] ⟨(vrouwelijk) individu⟩ thing, creature, soul ◆ *het **arme** mens is doodziek* the poor thing/creature/soul is awfully ill; *het is een **braaf/best** mens* she's a good (old) soul; *ik kan **dat** mens niet uitstaan* I can't stand that creature/that one; *een **enig/leuk** mens* a marvellous/^{A}marvelous/nice creature/soul; *het **oude** mens!* the old woman/soul!; ⟨inf⟩ *mens, pas toch op* do watch out, won't you!; ⟨inf⟩ *mens toch!* ⟨verbaasd⟩ Good Lord!; ⟨medelijdend ook⟩ you poor soul/thing! ⊡ ⟨inf⟩ *mens, hou je kop!* will you shut up!

mensa [de] canteen, ⟨AE⟩ commons, ⟨BE⟩ refectory, ⟨AE⟩ (student) union, ↓ (university/student) restaurant

mensaap [AAP] [de^{m}] anthropoid (ape), ⟨minder juist⟩ ape, ⟨wet ook⟩ pongid ◆ *tot de mensapen **behorend*** anthropoid, pongid

mensachtig [bn] anthropoid, hominoid, ⟨inclusief de mens⟩ hominid

mensachtigen [de^{mv}] hominids

mensbeeld [het] portrayal of man(kind)

mensbeschouwing [de^{v}] contemplation of man(kind), ⟨antr⟩ anthropology

mensdag [de^{m}] man-day

mensdom [het] ◆ *het mensdom* man(kind); ⟨minder seksistisch⟩ humankind; the human race, humanity

^{1}**menselijk** [bn] [1] ⟨als mens⟩ human ◆ *de menselijke **soort*** the human species; ⟨wet⟩ genus Homo; *een menselijk **wezen*** a human being [2] ⟨bij de mens horend⟩ human ◆ ***niet** menselijk* non-human; *menselijk **verstand*** human intelligence [3] ⟨zoals eigen aan de mens⟩ human ◆ *naar menselijke **maatstaven*** by human standards [4] ⟨makkelijk⟩ human ◆ *hij begint wat menselijker te **worden*** he's starting to become more human ⊡ ⟨sprw⟩ *vergissen is menselijk* to err is human(, to forgive divine)

^{2}**menselijk** [bn, bw] ⟨humaan⟩ humane ⟨bw: ~ly⟩ ◆ *een menselijke **behandeling*** humane treatment; ***niet** menselijk* inhumane, inhuman

menselijkerwijs [bw] humanly ◆ *dat is menselijkerwijs **gesproken** onmogelijk* that is humanly impossible/isn't humanly possible

menselijkheid [de^{v}] [1] ⟨humaniteit⟩ humanity, humaneness ◆ ***misdaden** tegen de menselijkheid* crimes against humanity [2] ⟨redelijkheid⟩ humanity [3] ⟨menselijke natuur⟩ humanity, human nature

mensenbloed [het] human blood

mensendieck [het], **mensendiecktherapie** [de^{v}] Mensendieck physiotherapy

mensendiecktherapie [de^{v}] → **mensendieck**
menseneter [de^{m}] cannibal, man-eater
mensengedaante [de^{v}] human form/shape ◆ *een duivel in mensengedaante* the devil incarnate/in human form
mensengeslacht [het] 1 ⟨het mensdom⟩ human race, man(kind), ⟨minder seksistisch⟩ humankind 2 ⟨generatie⟩ generation (of man)
mensengroep [de] group/category of people
mensenhaai [de^{m}] great white shark
mensenhaat [de^{m}] misanthropy
mensenhand [de] 1 ⟨hand⟩ human hand 2 ⟨menselijk vermogen⟩ human/men's hands, ⟨kracht⟩ manpower, (human) musclepower, ⟨form⟩ hand of man ◆ ***door** mensenhanden bewogen* driven by manpower/(human) musclepower; *dat is niet **door** mensenhand gebouwd* that wasn't built by man/by human hands
mensenhandel [de^{m}] human trafficking, trafficking in humans
mensenhart [het] human heart
mensenhater [de^{m}] misanthrope, misanthropist
mensenheugenis [de^{v}] human memory ◆ ***sinds** mensenheugenis* from/since time immemorial
mensenjacht [de^{v}] man-hunt
mensenkenner [de^{m}] (good) judge of (human) character, (good) judge of human nature, ⟨zeldz⟩ (good) judge of men
mensenkennis [de^{v}] judgement of (human) character, insight into (human) character, judgement of human nature, insight into human nature ◆ *veel mensenkennis **hebben*** be a good judge of (human) character/of human nature
mensenkind [het] human (being), ⟨form⟩ son of man, mortal
mensenkinderen [tw] goodness gracious/me ◆ *mensenkinderen, wat vertel je me nu!* goodness gracious/me, whatever next?
mensenkluwen [het, de^{m}] tangle of people, ⟨alleen als lichamen beschouwd⟩ tangle of bodies
mensenkracht [de] human strength/force
mensenleeftijd [de^{m}] lifetime
mensenleven [het] 1 ⟨het leven van de mens⟩ (human) life 2 ⟨het bestaan van een mens⟩ (human) life ◆ *een oorlog **kost** veel mensenlevens* a war causes great loss of life/costs many lives; *een groot **verlies** aan/van mensenlevens* great loss of life; *bij die brand **zijn** twee mensenlevens **te betreuren*** the fire cost two lives, two died in the fire
mensenmassa [de] crowd/throng/mass (of people)
mensenmateriaal [het] human material
mensenmenigte [de^{v}] crowd, crush, throng (of people)
mensenmens [de^{m}] people person
mensenoffer [het] human sacrifice
mensenpaar [het] (human) couple ◆ *het **eerste** mensenpaar* ⟨ook⟩ Adam and Eve
mensenplicht [de] duty towards one's fellow men/humans, duty towards others
mensenras [het] race (of humans)
mensenrechten [de^{mv}] human rights
mensenrechtenbeweging [de^{v}] human rights movement
mensenredder [de^{m}] lifesaver
mensenroof [de^{m}] abduction
mensenschuw [bn] shy, afraid of people, ⟨pej⟩ unsociable, misanthropic ◆ *een mensenschuwe **persoon*** a recluse/misanthrope
mensenschuwheid [de^{v}] shyness, fear of company, ⟨pej⟩ unsociableness, misanthropy
mensensmokkel [de^{m}] frontier-running, ⟨handel⟩ slave-running
mensenstem [de] human voice
mensenstroom [de^{m}] stream/flood of people
mensentaal [de] human language
mensentype [het] type (of person/people)
mensenverstand [het] human intelligence
mensenvlees [het] human flesh
mensenvlo [de] human flea
mensenvrees [de] fear of people, ⟨form⟩ fear of men, ⟨med⟩ anthropophobia
mensenvriend [de^{m}] philanthropist
mensenwereld [de] human world, world of man
mensenwerk [het] work of man, works of men, man's handiwork
mensenwijsheid [de^{v}] human wisdom
mensenzee [de] sea of people/humanity
mensenziel [de] human soul
Mensenzoon [de^{m}] ⟨Bijb⟩ Son of Man
mens-erger-je-niet [het] ⟨BE⟩ ludo, ⟨AE⟩ sorry
menses [de^{mv}] menses
mensheid [de^{v}] 1 ⟨menselijke natuur⟩ human nature 2 ⟨het mensdom⟩ man(kind), ⟨minder seksistisch⟩ humankind, the human race, humanity
mensjaar [het] person-year
mensjewiek [de^{m}] Menshevik
menskracht [de] manpower
menskunde [de^{v}] 1 ⟨biologie⟩ human biology 2 ⟨mensenkennis⟩ → **mensenkennis**
menskundig [bn] revealing/showing good judgment of human nature, revealing/showing good insight into human nature ⟨alleen na zn⟩, ⟨minder juist⟩ shrewd
menslief [tw] ⟨verbaasd⟩ goodness (gracious/me)!, my goodness!, ⟨medelijdend⟩ (you) poor thing!
menslievend [bn, bw] charitable ⟨bw: charitably⟩, humane, humanitarian, ⟨weldadig⟩ philanthropic
menslievendheid [de^{v}] charity, humanity, ⟨weldadigheid⟩ philanthropy
mensonterend [bn] degrading, (humanly) disgraceful
mensonwaardig [bn] degrading, unworthy (of man)
menstruaal [bn] menstrual ◆ *menstruaal **bloed*** menstrual blood
menstruatie [de^{v}] menstruation, ⟨inf⟩ period
menstruatiecyclus [de^{m}] menstrual cycle ◆ *een **onregelmatige** menstruatiecyclus hebben* have an irregular menstrual cycle, have irregular periods, be irregular
menstruatiepijn [de] menstrual/period pain, ⟨mv ook⟩ menstrual cramps
menstruatiestoornis [de^{v}] menstrual disorder
menstrueren [onov ww] menstruate
mensuur [de^{v}] 1 ⟨muz⟩ scale, scaling, diapason 2 ⟨klinkend snaargedeelte⟩ stop 3 ⟨schermsp⟩ (fencing) measure
mensvriendelijk [bn] people-friendly ▪ *mensvriendelijk en milieuvriendelijk **ondernemen*** ± run a conservationist/organic enterprise/farm
menswaardig [bn] decent, dignified, worthy ◆ *een menswaardig **bestaan*** a decent/dignified existence; *een menswaardig **loon*** a living/decent wage
menswetenschappen [de^{mv}] ⟨biol, medicijnen, antr enz.⟩ life sciences, ⟨pol, ec enz.⟩ social sciences
menswetenschapper [de^{m}] ⟨m.b.t. biol, medicijnen, antr enz.⟩ life scientist, ⟨m.b.t. pol, ec enz.⟩ social scientist
menswording [de^{v}] 1 ⟨antropogenese⟩ origin of man(kind) 2 ⟨incarnatie⟩ incarnation ◆ *de menswording van Gods **zoon*** the incarnation of the Son of God
mens-zijn [het] (human) existence, humanity
mentaal [bn, bw] mental ⟨bw: ~ly⟩ ◆ *een mentale **klap*** a mental blow
mentaliteit [de^{v}] mentality, state of mind ◆ ***dat is geen** mentaliteit!* that's no way to think/no attitude!; ***iemand met die** mentaliteit!* s.o. of that mentality!
mentaliteitsverandering [de^{v}] change of/in mentali-

ty, change of/in attitude, change of/in outlook
mentee [de] mentee
menthol [de^{m}] menthol
menticide [de^{v}] menticide
mentor [de^{m}], **mentrix** [de^{v}] [1] ⟨studiebegeleider van leerlingen, studenten⟩ ⟨BE⟩ tutor, supervisor (of studies), ⟨AE⟩ student adviser [2] ⟨raadsman⟩ mentor
mentoraat [het] tutorage, tutorship ◆ *een mentoraat hebben* ⟨BE⟩ be a tutor, ⟨BE⟩ have a tutorial/tutorials; ⟨AE⟩ be an adviser/a student adviser
mentrix [de^{v}] → **mentor**
menu [het] [1] ⟨gerechten⟩ menu ◆ *het vaste menu* the fixed menu, the set meal/dinner/lunch [2] ⟨spijskaart⟩ menu, ⟨fig; scherts⟩ bill of fare ◆ *wat staat er vandaag op het menu?* ⟨ook fig⟩ what's on the menu/the bill of fare today? [3] ⟨comp⟩ menu
menubalk [de^{m}] ⟨comp⟩ menu bar, button bar
menuet [het, de^{m}] [1] ⟨dans⟩ minuet [2] ⟨muziek⟩ minuet
menugestuurd [bn] ⟨comp⟩ menu-driven
menukaart [de] menu
mep [de] clout, smack, ⟨inf⟩ wallop, whack, thump, bash, thwack ◆ *iemand een mep geven* ⟨ook⟩ clout/smack s.o. ⊡ *de volle mep* the full whack, ↑ the full amount
meppen [ov ww] [1] ⟨slaan⟩ clout, smack, ⟨inf⟩ wallop, whack, thump, bash [2] ⟨doodslaan⟩ ⟨vliegen⟩ swat
MER [de^{v}] (milieueffectrapportage) EIS, EIA
meranti [het] meranti
mercantilisme [het] ⟨gesch⟩ mercantilism
mercaptanen [de^{mv}] ⟨scheik⟩ mercaptans, thiols
mercatorprojectie [de^{v}] Mercator's projection
[1]**mercenair** [de^{m}] mercenary
[2]**mercenair** [bn] mercenary
merchandiser [de^{m}] merchandiser
merchandising [de^{v}] merchandising
merci [tw] ⟨inf⟩ thanks, ⟨BE⟩ ↓ ta, ⟨BE⟩ cheers
mercurialiën [de^{mv}] ⟨med⟩ mercurials, mercurial salts
Mercurius Mercury
mercuriusstaf [de^{m}] caduceus
mercurochroom [het] mercurochrome
merel [de] blackbird
meren [ov ww, ook abs] moor, ⟨overgankelijk werkwoord ook⟩ make fast
merendeel [het] greater part, bulk, most, ⟨van iets telbaars ook⟩ majority ◆ *het merendeel van de aanwezigen* most/the majority of those present; *voor het merendeel* for the most/greater part
merendeels [bw] [1] ⟨voor het grootste gedeelte⟩ for the most part, for the greater part [2] ⟨meestal⟩ mostly
merengue [de^{m}] ⟨dans⟩ merengue
merg [het] [1] ⟨substantie in beenderen⟩ (bone) marrow, ⟨wet⟩ medulla ◆ *de kou dringt door merg en been* the cold chills you to the bone/the marrow/cuts through you like a knife; *die kreet ging door merg en been* it was a harrowing/heart-rending cry; ⟨fig⟩ *tot op het merg* to the core [2] ⟨vruchtvlees⟩ flesh [3] ⟨plantk⟩ pith, ⟨wet⟩ medulla ⊡ ⟨med⟩ *het verlengde merg* the medulla (oblongata)
mergbeen [het] marrowbone
mergel [de^{m}] marl
mergelen [ov ww, ook abs] marl (land)
mergelgroeve [de] marlpit
mergelgrot [de] marl quarry cave
mergelkalk [de^{m}] marl, marl limestone
[1]**mergelsteen** [de^{m}] ⟨steen⟩ marlstone
[2]**mergelsteen** [het, de^{m}] ⟨steensoort⟩ marlstone
mergpijp [de] [1] ⟨mergbeen⟩ marrowbone [2] ⟨blokje cake⟩ 'mergpijpje', piece of cake wrapped in marzipan and chocolate
merguez [de^{m}] merguez
mergvlies [het] medullary membrane
meridiaan [de^{m}] [1] ⟨denkbeeldige cirkel⟩ meridian ◆ ⟨astron⟩ *door de meridiaan gaan, de meridiaan passeren* pass through the meridian, culminate; *de eerste meridiaan* the prime meridian; *magnetische meridiaan* magnetic meridian [2] ⟨onderdeel van een globe⟩ meridian [3] ⟨acupunctuur⟩ meridian
meridiaancirkel [de^{m}] [1] ⟨uurcirkel⟩ hour circle [2] ⟨meridiaankijker⟩ → **meridiaankijker**
meridiaankijker [de^{m}] meridian circle
meridiaanshoogte [de^{v}] meridian altitude
meridionaal [bn] [1] ⟨zuidelijk⟩ southern, ↑ meridional, ⟨form⟩ southerly [2] ⟨van noord tot zuid⟩ running north to south, running north-south ⟨alleen na zn⟩
meringue [de^{m}] meringue
merinosgaren [het] merino yarn
merinosschaap [het] merino (sheep)
meristeem [het] ⟨plantk⟩ meristem
merite [de] merit ◆ *iets op zijn merites beoordelen* judge sth. on its merits; *de merites van de zaak* the merits of the case
meritocratie [de^{v}] meritocracy
merk [het] [1] ⟨onderscheidingsteken⟩ mark, ⟨keur⟩ hallmark ◆ *de merken op zilver en goud* the hallmarks on silver and gold [2] ⟨handelsmerk⟩ brand (name), ⟨handelsmerk⟩ trademark, label ◆ *dat is wijn van een goed merk* that's a good brand of wine; *artikelen zonder merk* nonbrand/unbranded articles [3] ⟨koopwaar⟩ ⟨waspoeder, sigaren enz.⟩ brand, ⟨technische producten; tv, ijskast enz.⟩ make ◆ *een nieuw merk sigaren* a new brand of cigars
merkartikel [het] branded/proprietary brand
merkbaar [bn, bw] noticeable ⟨bw: noticeably⟩, appreciable, perceptible ◆ *dat heeft een merkbare invloed* it has a noticeable/an appreciable effect; *hij is merkbaar kalmer geworden* he has grown noticeably/appreciably calmer; *het verschil is al (goed) merkbaar* the difference is already noticeable/apparent/evident/in evidence/shows already
merkcijfer [het] [1] ⟨cijfer als merk⟩ (identifying) number [2] ⟨dossiernummer, referentienummer⟩ (reference/identifying) number
merkdoek [de^{m}] sampler
merkelijk [bn, bw] ⟨form⟩ [1] ⟨kennelijk⟩ evident ⟨bw: ~ly⟩ ◆ *brand door merkelijke schuld veroorzaakt* fire evidently caused by negligence [2] ⟨aanmerkelijk⟩ considerable ⟨bw: considerably⟩, appreciable, significant
merken [ov ww] [1] ⟨bemerken⟩ notice, see, ↑ perceive ◆ *ik merkte het aan zijn gezicht* I could tell/see by/from the look on his face; *je zult het gauw genoeg merken* you'll find out soon enough; *het is niet te merken* it doesn't show; *ze heeft problemen en dat is duidelijk te merken* she's got problems and it shows/and you can tell; *iets laten merken* show sth., let sth. be seen; ⟨per ongeluk⟩ give sth. away; *zonder iets te laten merken* without showing anything/giving anything away, ⟨inf⟩ without letting on; *hij liet niets merken* he gave nothing away/no sign; *hij liet niets van zijn bedoelingen merken* he gave no hint/inkling of his intentions; *ze liet duidelijk merken dat het haar verveelde* she made it clear (that) she was annoyed; *hij reed door een rood licht heen zonder het te merken* he drove through a red light without (even) noticing; *hij zou 1000 euro kunnen uitgeven zonder het te merken* he could spend 1000 euros and never notice it/miss it; *hij werd van zijn portefeuille beroofd zonder het te merken* he was robbed of his wallet unawares [2] ⟨markeren⟩ mark, ⟨met brandmerk⟩ brand
merkenbureau [het] [1] ⟨rijksmerkenbureau⟩ Trade Mark Office, ⟨Groot-Brittannië⟩ Patent Office [2] ⟨bureau van merkengemachtigden⟩ Trade Marks Registry
merkendorp [het] outlet village
merkengemachtigde [de] trade-marks consultant
merkenploeg [de] sponsored team
merkenrecht [het] [1] ⟨rechtsbescherming van merken⟩ trademark law [2] ⟨monopolie⟩ trademark right
merkenteam [het] brand team, sponsored team

[1]**merkentrouw** [de] brand loyalty

[2]**merkentrouw** [bn] loyal (to a particular brand)

merkenwet [de] patent and trade mark law

merkgaren [het] marking thread

merkijzer [het] marking/branding/searing iron

merkinbreuk [de] brand infringement

merkinkt [de^{m}] marking ink

merkjeans [de^{m}] branded jeans

merkkleding [de^{v}] designer clothing/clothes

merklap [de^{m}] sampler

merklat [de] dressmaker's/tailor's rule

merkloos [bn] unbranded, no(n)-brand ⟨bijvoorbeeld product⟩

merknaam [de^{m}] brand (name), ⟨minder juist⟩ trade name, trademark

merkpen [de] marker

merkproduct [het] branded/proprietary product

merksteen [de^{m}] boundary stone

merkteken [het] (identifying) mark/sign

merkvast [bn] faithful to a/this (particular) brand

merkwaardig [bn, bw] ① ⟨buitengewoon⟩ remarkable ⟨bw: remarkably⟩, noteworthy, notable ♦ ***het** merkwaardige van dit geval is dat ...* the remarkable thing/part (about this) is that ... ② ⟨vreemd⟩ peculiar ⟨bw: ~ly⟩, curious, odd ♦ ***het** merkwaardige van de zaak is ...* the peculiar/curious/odd thing/part (about it) is ...; *een merkwaardige **kerel*** a peculiar/a curious/an odd fellow/chap, ⟨vnl AE⟩ a peculiar/a curious/an odd guy ⊡ ⟨wisk⟩ *merkwaardige **producten/quotiënten*** remarkable products/quotients; ⟨wisk⟩ *merkwaardige **punten*** remarkable points

merkwaardigerwijs [bw] oddly/curiously/strangely enough

merkwaardigheid [de^{v}] ① ⟨curiositeit⟩ curiosity, ⟨vreemd ding⟩ oddity ♦ *de merkwaardigheden van een **streek*** the local curiosities/sights ② ⟨hoedanigheid⟩ ⟨buitengewoonheid⟩ remarkableness, noteworthiness, ⟨vreemdheid⟩ peculiarity, oddness, curiousness

MER-plichtig [bn] ♦ *MER-plichtige **bedrijven*** companies required to submit an EIS/EIS's/an EIA/EIA's

merrie [de^{v}] ① ⟨wijfje van het paard⟩ mare ② ⟨wijfje van andere dieren⟩ mare

merrieveulen [het] ⟨paard⟩ filly, ⟨andere dieren⟩ young mare, female foal

mersennegetal [het] ⟨wisk⟩ Mersenne('s) number ♦ *mersennegetallen **spelen** een belangrijke rol bij het zoeken naar priemgetallen* Mersenne numbers play an important part when looking for prime numbers

mes [het] ① ⟨snijinstrument⟩ knife, ⟨van scheerapparaat/grasmaaier enz.⟩ blade ♦ ***in** het (open) mes lopen* court disaster with open eyes; *het mes **in** de begroting **zetten*** reduce/slash the budget; ⟨fig⟩ ***met** het mes op de keel* under duress, at pistol-point/gun-point; ⟨fig⟩ ***onder** het mes gaan/zitten* (go and) be cut open; *de rug/het **scherp/hecht** van een mes* the back/blade/handle of a knife; *een **scherp/bot** mes* a sharp/dull knife; ⟨fig⟩ *het mes **snijdt** aan twee kanten* ⟨geeft dubbel voordeel⟩ it works both ways, we/you can kill two birds with one stone; ⟨geeft dubbel geld⟩ we/you can make twice as much money; *zij **trekken** hun messen* they pull/draw their knives; *met mes en **vork** eten* eat with a knife and fork; *messen en **vorken*** ⟨ook⟩ cutlery; *het mes in iets **zetten*** ⟨fig⟩ set about sth. vigorously, take firm/drastic action; ⟨bezuinigen⟩ take/apply the axe to sth., axe sth.; *het mes **zetten** in de uitgaven* trim/cut down expenditure; *iemand het mes op de keel **zetten*** ⟨ook fig⟩ put a knife to s.o.'s throat; ⟨fig ook⟩ hold a pistol/gun to s.o.'s head, put a pistol to s.o.'s head ② ⟨m.b.t. een balans⟩ knife-edge ⊡ ⟨sport⟩ *een **groot** mes opzetten* go into/use a big/large gear; *onderhandelingen **met** het mes op tafel* aggressive negotiations, negotiations with the gloves off; *ze begonnen direct **met** het mes op tafel te onderhandelen* as soon the negotiations started, the knives were out; ⟨sprw⟩ *het zijn niet allen koks die lange messen dragen* ± all are not thieves that dogs bark at; ± you can't tell a book by its cover

mesbeschermer [de^{m}] sheath/sleeve/case (of/for a knife), knife case/sleeve/sheath

mescal [de^{m}] mescal, peyote

mescaline [het, de] mescalin(e)

mesencefalon [het] ⟨med⟩ mesencephalon

mesje [het] ① ⟨klein mes⟩ (small) knife ② ⟨scheermesje⟩ (razor) blade

mesjogge [bn] ⟨inf⟩ crazy, nutty, batty, ⟨BE ook⟩ daft, ⟨AE ook⟩ meshug(g)a ♦ ***ben** je nou helemaal mesjogge?* are you completely cracked/out of your mind/^{B}barmy/^{A}bats?; *dat is een mesjogge **idee*** that's a harebrained idea/crackpot scheme; *dat **is** mesjogge* that's crazy/nuts/loony

mesmerisme [het] mesmerism

mesoderm [het] ⟨biol⟩ mesoderm

meso-economie [de^{v}] mesoeconomics

mesofyt [de^{m}] ⟨plantk⟩ mesophyte

Mesopotamië [het] Mesopotamia

Mesopotamiër [de^{m}] Mesopotamian

Mesopotamisch [bn] Mesapotamian

mesozoïcum [het] ⟨geol⟩ Mesozoic

mespunt [het] ① ⟨punt van een mes⟩ point/tip of a knife ② ⟨hoeveelheid⟩ pinch ♦ *voeg een mespuntje **zout** toe* add a pinch of salt

mess [de^{m}] ⟨mil⟩ ① ⟨vertrek⟩ mess (hall), messroom ② ⟨knoeiboel⟩ mess

messagen [onov ww] MSN

messchede [de] ① ⟨koker voor een mes⟩ knife sheath/case ② ⟨schelpdier⟩ razor shell/fish, ⟨AE ook⟩ razor clam

messcherp [bn] razor-sharp ♦ *een messcherp **intellect*** a razor-sharp intellect; *een messcherpe **opmerking*** a biting/caustic comment

messenblok [het] knife block

messenger [de^{m}] messenger

messenlegger [de^{m}] knife rest

messenmandje [het] ⟨BE⟩ plate basket

messenslijper [de^{m}] ① ⟨instrument⟩ knife-grinder, knife-sharpener ② ⟨persoon⟩ knife-grinder

messentrekker [de^{m}] knife fighter, ⟨sl⟩ shiv artist

Messiaans [bn] Messianic

Messias [de^{m}] ⟨Bijb⟩ Messiah

Messiasbelijdend [bn] messianic

messiascomplex [het] messiah complex

[1]**messing** [het] ⟨metaal⟩ brass ♦ ***rood** messing* tombac, tambac

[2]**messing** [de] ⟨houtbedekking⟩ tongue ♦ *een verbinding met messing en **groef*** tongue and groove joint

messnede [de] ① ⟨met een mes⟩ knife cut ② ⟨van een mes⟩ knife-edge

messroom [de^{m}] mess-room

messteek [de^{m}] stab/thrust (of a knife)

mest [de^{m}] ① ⟨gemaakt van uitwerpselen⟩ manure, dung, ⟨vloeibaar⟩ slurry, ⟨inf⟩ muck ② ⟨gemaakt van andere stoffen⟩ fertilizer, compost

mestaarde [de] mould

mestbank [de] manure bank

mestboekhouding [de^{v}] ± manure records

[1]**mesten** [onov ww] ⟨mest afscheiden⟩ excrete dung

[2]**mesten** [ov ww] ⟨(vee) vet maken⟩ fatten (up), ⟨patiënt/huisdier ook⟩ feed up, plump, ⟨gevogelte⟩ cram ♦ ⟨Bijb⟩ *het gemeste **kalf*** the fatted calf; *gemeste **os*** stalled ox; *op **stal** mesten* stall-feed

[3]**mesten** [ov ww, ook abs] ① ⟨vruchtbaar maken⟩ fertilize, manure, dress ② ⟨uitmesten⟩ clean out

mestfabriek [de^{v}] manure-processing factory/plant

mesthok [het] ① ⟨waarin dieren worden vetgemest⟩ fatt(en)ing pen ② ⟨voor mest⟩ dung shed

mesthoop [de^{m}] ① ⟨mestvaalt⟩ dunghill, dungheap, manure heap, midden, muckheap, ⟨BE⟩ mixen ◆ *zitten als Job op de mesthoop* have the troubles of Job [2] ⟨fig⟩ shambles, ⟨vulg⟩ pile of shit

mesties [de^m] ⟨man⟩ mestizo, ⟨vrouw⟩ mestiza, metis

mestinjectie [de^v] manure injection

mestinjector [de^m] manure injector

mestkalf [het] ⟨wordt gemest⟩ fatting calf, ⟨is gemest⟩ fattened calf

mestkar [de] muck/dung cart

mestkelder [de^m] manure cellar

mestkever [de^m] dung beetle, dung chafer, scarab (beetle)

mestkuiken [het] poussin, ⟨vnl AE ook⟩ spring chicken

mestkuil [de^m] dungpit

mestopslag [de^m] slurry depot

mestoverschot [het] manure surplus

mestprobleem [het] slurry problem

mestquotum [het] manure quota

mestrechten [de^mv] manure rights

meststof [de] fertilizer

mestvaalt [de] dunghill, dungheap, manure heap, midden, muckheap, ⟨BE⟩ mixen ◆ ⟨fig⟩ *op de mestvaalt van de geschiedenis belanden* end up on the rubbish heap of history

mestvarken [het] [1] ⟨varken⟩ porker, ⟨BE ook⟩ store pig, ⟨AE ook⟩ fattening hog [2] ⟨fig; gulzigaard⟩ pig

mestvee [het] ⟨wordt gemest⟩ beef/^Bstore cattle, beef/^Bstore stock, ⟨BE⟩ stores, fattening/fatting cattle, ⟨is gemest⟩ fatstock

mestverspreider [de^m] ⟨landb⟩ manure/muck spreader

mestvork [de] dung fork, manure fork, muckrake

¹met [bw] ⟨inf⟩ just as, at the same time/moment (as) ◆ *met dat ik de deur uitkwam ...* just as I came through the door ...

²met [vz] [1] ⟨in gezelschap van⟩ (along) with, of ◆ *met zijn allen aten ze vijf broden op* they ate five loaves (of bread) among them, ⟨inf ook⟩ they ate five loaves (of bread) between them; *met (zijn) **hoevelen** zijn zij?* how many of them are there?; *ze kwamen met **honderden*** they came in their hundreds; *we zijn met ons **tweeën*** there are two of us; *we zijn thuis met (ons) vieren/**vier** kinderen* there are four (of us)/four children in the family [2] ⟨plus⟩ with, and, plus, ⟨inclusief⟩ including ◆ *met **deze** erbij zijn het er zeven* this one makes seven, including this (one) there are seven; *met tien percent **korting** kopen* buy at a ten percent reduction/discount; *met **rente*** with/plus/and interest; *met **vijf*** plus/and five; *tot en met hoofdstuk drie* up to and including chapter three, ⟨AE⟩ through chapter three [3] ⟨m.b.t. deelneming, overeenstemming⟩ with ◆ *met elkaar **overeenstemmen*** be in agreement [4] ⟨vermengd met⟩ (mixed) with, and ◆ *een **brandewijntje** met* a brandy with sugar in it [5] ⟨m.b.t. een wederkerige handeling⟩ with ◆ *met **Janssen*** ⟨aan de telefoon⟩ (this is) Janssen speaking; *met wie **spreek** ik?* ⟨aan de telefoon⟩ who am I speaking/talking to?, who's this/that?; ***spreken/vechten** met iemand* speak to/fight with s.o. [6] ⟨in het bezit van⟩ with ◆ *een man met **geld*** a monied man; *een zak met **geld*** a bag of money; *een broodje met **ham*** a ham roll; *de man met de **hoed*** the man with the hat on; *met de **hoed** in de hand* (with) hat in hand; *met **kleren** en al dook hij het water in* he dived into the water clothes and all; *iemand met een hoed **op*** s.o. wearing a hat/with a hat on; ***patat** met of zonder* ^Bchips/^A(French) fries with or without mayonnaise [7] ⟨m.b.t. de omstandigheid, gezindheid⟩ with, by, at, in ◆ *met **bewondering** luisteren* listen in admiration; *met **dank*** with thanks; *met **dat** al* yet for all that, in spite of this; *met **geweld*** by force; *met **lof*** with honour, cum laude; *met **plezier** iets doen* do sth. with pleasure [8] ⟨door middel van⟩ with, by, per, through, in ◆ *met een cheque/geld **betalen*** pay by cheque/^Acheck/(in) cash; *zijn tijd **doorbrengen** met luieren* spend one's time lazing around/^Babout; *met hele emmers tegelijk* by the bucketful; *met de **hand** gemaakt* made by hand, hand-made; *met **inkt** schrijven* write in ink; *met de **(ochtend)post*** by/per (the morning) ^Bpost/^Amail; *met de **trein** van acht uur* by the eight o'clock train; *met dezelfde **trein** reizen* travel on the same train [9] ⟨gelijktijdig met⟩ with, by, at, in ◆ ***al** met al* altogether; *ik kom met **Kerstmis*** I'm coming at Christmas; *met **Kerstmis** tien jaar geleden* ten Christmases ago, ten years ago, come Christmas; *met de **klok** van twaalven ben ik bij je* at the stroke of twelve I'll be with you [10] ⟨aangaande⟩ with, for ◆ *met de **VUT** gaan* retire early [11] ⟨m.b.t. een hebbelijkheid⟩ with, and ◆ *jij altijd met je **gezeur*** you and your (continuous) whining; *daar heb je hem weer met zijn knappe **kinderen*** there he goes again, on about his handsome children [•] *met het **uur/de dag** werd het slechter* it got worse by the hour/every hour/by the day/every day

MET [de^m] (Middel-Europese tijd) CET, Central European Time

¹metaal [het] ⟨scheik⟩ metal ◆ ***edele/onedele/halfedele** metalen* precious/base/semi-precious metals; ***gedegen** metaal* unalloyed metal; *een metaal **harden*** harden/temper a metal; ***oud** metaal* scrap/old metal; *dat is **van** metaal* that is (composed of) metal; *geheel **van** metaal* all-metal; ***zuiver** metaal* unalloyed metal; ⟨als metaalslak⟩ regulus; ***zware/lichte** metalen* heavy/light metals

²metaal [de] ⟨metaalnijverheid⟩ metal industry, metalworks, ⟨m.b.t. staal⟩ steel industry ◆ *arbeider **in** de metaal* metalworker; ⟨m.b.t. staal⟩ steelworker

¹metaalachtig [bn] ⟨metaaldelen bevattend⟩ metallic, metalline

²metaalachtig [bn, bw] ⟨als (van) metaal⟩ metallic, metalline ◆ *het **klinkt** metaalachtig* it sounds metallic

metaalarbeider [de^m] metalworker, ⟨m.b.t. staal⟩ steelworker

metaalbarometer [de^m] aneroid barometer

metaalbedrijf [het] [1] ⟨metaalnijverheid⟩ → **metaalnijverheid** [2] ⟨metaalonderneming⟩ metalworks, ⟨m.b.t. staal⟩ steelworks

metaalbewerker [de^m] metalworker, metallist

metaalbewerking [de^v] metalworking

metaalboor [de] metal drill

metaaldekking [de^v] bullion

metaaldetector [de^m] metal detector

¹metaaldraad [de^m] ⟨draad van metaal⟩ wire, ⟨in lamp⟩ filament

²metaaldraad [het] ⟨tot draad getrokken metaal⟩ wire

metaalfabriek [de^v] metalworks

metaalfolie [het] ⟨halffabricaat⟩ leaf metal

metaalgaas [het] ⟨fijn⟩ wire gauze/cloth/mesh, ⟨grof, ook in glas⟩ wire netting, ⟨horrengaas⟩ screen cloth, screening ◆ *door metaalgaas zeven* screen

metaalgehalte [het] metal content

metaalgeld [het] coinage

metaalgieterij [de^v] foundry

metaalglans [de^m] metallic lustre ◆ *aardewerk **met** metaalglans* lustreware

metaalhoudend [bn] metallic, metalliferous, metalline

metaalindustrie [de^v] metal/metallurgical industry, ⟨m.b.t. staal⟩ steel industry

metaalklank [de^m] metallic ring, clank, ⟨van kleine voorwerpen⟩ jingle, jangle, tinkle, ⟨van munten⟩ chink

metaalkunde [de^v] metallurgy

¹metaalkundig [bn] ⟨m.b.t. de metaalkunde⟩ metallurgic(al)

²metaalkundig [bw] ⟨volgens de metaalkunde⟩ metallurgically

metaalkundige [de] metallurgist

metaallegering [de^v] metal alloy

metaalmoeheid [de^v] metal fatigue

metaalnijverheid [de^v] metal/metallurgical industry,

⟨m.b.t. staal⟩ steel industry
metaaloxide [het] metal oxide
metaalplaat [de] metal sheet, ⟨dikker⟩ metal plate ♦ ***bekleding** met/**wand** van metaalplaten* sheeting; *fotografie/positief **op** metaalplaten* ferrotype
metaalschaar [de] ⟨handgereedschap⟩ metal shears, (tin) snips, ⟨machine⟩ (metal) shearing machine
metaalslak [de] slag, cinder, scoria
metaalverbinding [de^v] 1 ⟨alg⟩ metallic joint 2 ⟨scheik⟩ metal(lic) compound, ⟨legering⟩ alloy
metaalverf [de] 1 ⟨verf voor metalen⟩ metal paint 2 ⟨uit metaal bereide verf⟩ metallic paint
metaalverwerkend [bn] ▪ *metaalverwerkende **industrie*** metallurgic(al)/metal-using industry
metaalvlinder [de^m] forester moth
metaalwaren [de^mv] metalware, metalwork
metaalwerk [het] metalwork
metaboliet [de] ⟨biol⟩ metabolite
metabool [bn] metabolic
metaboolsyndroom [het] metabolic syndrome
metacentrum [het] metacentre
metacommunicatie [de^v] metacommunication
metafase [de^v] ⟨biol⟩ metaphase
metafoor [de] ⟨lit⟩ metaphor, figure of speech ♦ ***afgezaagde/versleten** metaforen* overworked metaphors; *om een metafoor te **gebruiken*** metaphorically speaking
metaforisch [bn, bw] metaphorical ⟨bw: ~ly⟩, figurative ♦ *een woord metaforisch **gebruiken*** use a word metaphorically; *metaforisch **gezegd*** metaphorically speaking; *metaforische **uitdrukkingen*** metaphorical expressions
metafrase [de^v] metaphrase, prose translation
metafysica [de^v] metaphysics
metafysisch [bn, bw] metaphysical ⟨bw: ~ly⟩
metagenesis [de^v] ⟨biol⟩ metagenesis
metal [de^m] (heavy) metal
metaldehyde [het] metaldehyde
metalen [bn] 1 ⟨van metaal vervaardigd⟩ metal, metallic ♦ *metalen **schijven*** metal discs 2 ⟨als van metaal⟩ metallic ♦ *een metalen **klank*** a metallic sound
metalepsis [de^v] metalepsis
metallic [bn] metallic
metalliek [bn] 1 ⟨metaalachtig⟩ metallic 2 ⟨van metaal⟩ metallic, metal ♦ *metallieke **koppeling*** metal coupling; *metallieke **standaard*** ⟨fin⟩ (precious) metal standard
metallisatie [de^v] 1 ⟨metaalvorming⟩ metallization 2 ⟨bewerking⟩ metallization
metallisch [bn] ⟨natuurk, scheik⟩ metallic ♦ *metallisch **seleen*** metallic selenium
metalliseren [ov ww] 1 ⟨tot metaal maken⟩ metallize 2 ⟨een metaalachtig aanzien geven⟩ metallize 3 ⟨duurzaam maken⟩ metallize
metallochemie [de^v] metallochemistry, metal chemistry
metalloïde [het] metalloid
metallurg [de^m] metallurgist
metallurgie [de^v] metallurgy
metallurgisch [bn] metallurgic(al)
metalogica [de^v] metalogic
¹**metameer** [het] metamere
²**metameer** [bn] metameric
metamorf [bn] ⟨geol⟩ metamorphic, metamorphous
metamorfologie [de^v] metamorphology
metamorfose [de^v] 1 ⟨gedaanteverwisseling⟩ metamorphosis ♦ *een metamorfose **ondergaan hebben*** have undergone a metamorphosis, have been metamorphosed 2 ⟨myth⟩ metamorphosis, transformation 3 ⟨biol⟩ metamorphosis 4 ⟨plantk⟩ metamorphosis 5 ⟨geol⟩ metamorphosis
¹**metamorfoseren** [onov ww] ⟨van gedaante veranderen⟩ metamorphose (into), be transformed (into)
²**metamorfoseren** [ov ww] ⟨van gedaante doen veranderen⟩ metamorphose (into), transform (into)
metaplasie [de^v] ⟨med⟩ metaplasia
metaplasma [het] metaplasm
metastase [de^v] ⟨med⟩ metastasis
metastaseren [onov ww] metastasize
metastasering [de^v] metastasis
metataal [de] 1 ⟨taal waarin over taal gesproken wordt⟩ metalanguage 2 ⟨geformaliseerde taal⟩ metalanguage
metathesis [de^v] ⟨taalk⟩ metathesis
meteen [bw] 1 ⟨onmiddellijk⟩ immediately, at once, right/straight away, directly, ⟨inf⟩ pronto ♦ *meteen **betalen*** pay at once/on the nail; *ze was meteen **dood*** she died/was killed instantly; *ik **kom** meteen* I'm just coming, I won't be a minute/moment; *ze **kwam** meteen toen ze het hoorde* she came as soon as she heard it, she came right/straight away when she heard it; ***nu** meteen* right now, here and now; *doe het/kom **nu** meteen* do it/come this (very) minute/right now; ***tot** zo meteen* see you shortly/in a minute; *dat **zeg** ik u zo meteen* I'll tell you in (just) a minute/moment; *meteen ter zake komen* come straight to the point 2 ⟨tegelijkertijd⟩ at the same time ♦ *ik **heb** er meteen twee **gekocht*** I bought two while I was at it; ***koop** er ook meteen eentje voor mij* buy one for me (too) while you're at it; *ik zal dit meteen maar **meenemen*** I'll take this with me too/at the same time; *ik bood hem een bonbon aan en hij **nam** er meteen twee* I offered him a bonbon and he took two (at once) ▪ *zo meteen verklapt hij het nog* next thing, he'll be giving it all away; he'll be giving it all away, next
¹**meten** [onov ww] ⟨bepaalde afmeting hebben⟩ ⟨vnl. niet m.b.t. mensen⟩ measure ♦ *de **kamer** meet 3 m bij 5 m* the room is 3 (metres) by 5
²**zich meten** [wk ww] ⟨wedijveren⟩ measure (up to), match, measure o.s. (with), match o.s. (against) ♦ *jij kunt je niet **met** haar meten* you are no match for her; *hij kan zich **met** de besten meten* he can hold his own with the best (of them); *hij kan zich niet meten **met** zijn voorganger* he doesn't measure up to his predecessor
³**meten** GEWICHT LENGTE OPPERVLAKTE RECEPT VLOEISTOF [ov ww, ook abs] 1 ⟨lengte, oppervlakte, inhoud bepalen⟩ measure, ⟨schatten, peilen⟩ gauge, ⟨AE⟩ gage ♦ ***land** meten* survey land; ***op** het gezicht meten* measure by eye; ***vanaf** hier gemeten* measured/measuring from here 2 ⟨m.b.t. andere grootheden⟩ measure, ⟨met meettoestel⟩ meter, ⟨schatten, peilen⟩ gauge, ⟨AE⟩ gage ♦ *de **bloeddruk** van iemand meten* measure/take s.o.'s blood pressure; ***elektriciteit** meten* measure/meter electricity; ***warmte** meten* measure temperature 3 ⟨afpassen⟩ measure (out/off) ♦ *hij meet **ruim**/**krap*** he gives full/short measure
meteoor [de^m] 1 ⟨meteoriet⟩ meteor 2 ⟨zichtbaar verschijnsel in de dampkring⟩ meteor
meteoorkrater [de^m] meteor crater
meteoorregen [de^m] (meteor) shower
meteoriet [de^m] meteorite, meteoric stone, ⟨aeroliet⟩ aerolite, ⟨sideriet⟩ siderite
meteorisch [bn] meteoric
meteorograaf [de^m] meteorograph
meteoroïde [de^v] meteoroid
meteorologie [de^v] meteorology, ⟨het voorspellen van het weer ook⟩ weather forecasting
meteorologisch [bn] meteorological ♦ *de meteorologische **dienst*** the meteorological/weather service; *het meteorologisch **instituut** in De Bilt* the meteorological station/weather centre in De Bilt; *meteorologische **waarnemingen*** meteorological observations; *meteorologische **zomer*** meteorological summer
meteoroloog [de^m] meteorologist, ↓ weatherman
meteosatelliet [de^m] meteosat(ellite)
¹**meter** [de^m] 1 ⟨lengtemaat⟩ metre ♦ *méters te **groot*** miles/far too big; *vloerbedekking honderd euro de/per **strekkende***

meter floor covering a hundred euros per (linear) metre; ***vierkante/kubieke** meter* square/cubic metre [2] ⟨meettoestel⟩ meter, gauge, indicator, ⟨vnl. taximeter, snelheidsmeter; inf⟩ clock ◆ ⟨sport⟩ *op de meter **brengen*** ⟨een goede/slechte tijd⟩ clock, make; *de meter **opnemen*** read the meter [3] ⟨wijzer, naald⟩ indicator, (meter) needle ◆ *de meter **sloeg uit*** the (indicator/meter) needle jumped/reacted wildly [•] ***voor** geen meter* not at all, no way; *onderwijs, dat betaalt **voor** geen meter* the teacher's lot is not a lot

²**meter** [de^v] ⟨peettante⟩ godmother

meterconstante [de] measuring factor

meterhuur [de] standing charge

meterkast [de] meter cupboard, ⟨AE⟩ meter box, ⟨AE⟩ meter closet

meterlens [de] dioptre

meteropnemer [de^m] meter reader, ⟨m.b.t. gasmeter ook; inf⟩ gasman

meteropneming [de^v] meter reading

metersdiep [bn] [1] ⟨meters onder de oppervlakte reikend⟩ meters-deep [2] ⟨heel diep⟩ meters-deep

metershoog [bn] several metres high ⟨alleen pred⟩ ◆ *metershoge **golven*** waves several/ten/twelve/... metres high

meterstand [de^m] meter reading ◆ *de meterstand **opnemen*** take the meter reading, read the meter

metgezel [de^m], **metgezellin** [de^v] ⟨man & vrouw⟩ companion, ⟨vnl. man⟩ fellow, ⟨maat; vnl. man⟩ mate

metgezellin [de^v] → **metgezel**

methaan [het] methane

methaanvergisting [de^v] methane generation/production

methaanzuur [het] formic acid

methadon [het] methadon(e)

methadonbus [de] 'methadon(e) bus', bus supplying free methadon(e) to heroin addicts

methadonverstrekking [de^v] supply of methadone

methamfetamine [de^v] methamphetamine

methanol [het, de^m] methanol, methyl/wood alcohol

methode [de^v] [1] ⟨weldoordachte handelswijze⟩ method, system ◆ *een methode **volgen*** follow a method/system, proceed according to a method/system; ***volgens** een methode* according to a method/system [2] ⟨leerplan⟩ method, system [3] ⟨leerboek⟩ manual, method, ⟨eerste leesboek, beknopte handleiding⟩ primer [4] ⟨wijze van onderzoek⟩ method [•] *dat vind ik **geen** methode* I don't think that's the right way (of going about it)

methodiek [de^v] methodology

methodisch [bn, bw] methodical ⟨bw: ~ly⟩, systematic ◆ *methodisch te **werk** gaan* approach one's work methodically; *hij gaat methodisch te **werk*** ⟨ook⟩ he's a methodical worker

methodisme [het] Methodism, Wesleyanism

methodist [de^m] Methodist, Wesleyan

methodistisch [bn] Methodist, Wesleyan

methodologie [de^v] ⟨filos⟩ methodology

methodologisch [bn] methodological

methodoloog [de^m] ⟨filos⟩ methodologist

Methusalem [de^m] Methuselah ◆ *zo oud **als** Methusalem* as old as Methuselah

methylalcohol [de^m] methyl alcohol, methanol, wood alcohol

methylbromide [de^v] methyl bromide

methyleren [ov ww] methylate

metier [het] [1] ⟨vak⟩ métier [2] ⟨kennis van het vak⟩ métier, craftsmanship

meting [de^v] [1] ⟨het meten⟩ measuring, measurement, mensuration [2] ⟨keer dat men meet⟩ measurement ◆ *een meting **verrichten*** carry out a measurement

metonymia [de] metonymy

metonymisch [bn, bw] metonymic(al) ⟨bw: metonymically⟩ ◆ *het metonymisch **gebruik** van een woord* the metonymical use of a word

metrage [de^v] ⟨stof⟩ ± yardage, ⟨film⟩ ± footage, ± length

¹**metriek** [de^v] [1] ⟨leer van de versbouw⟩ metrics, prosody [2] ⟨lit; maatsoort⟩ metre [3] ⟨muz⟩ metrics

²**metriek** [bn] metric ◆ *het metrieke **stelsel*** the metric system; *aanpassen aan het metrieke **stelsel*** adapt to the metric system, metricize, metrify, metricate; *overschakelen op het metrieke **stelsel*** change to the metric system, metricate; ⟨inf⟩ go metric

¹**metrisch** [bn] ⟨tot de versmaat behorend⟩ metrical

²**metrisch** [bn, bw] [1] ⟨in verzen⟩ metrical, verse, metric ◆ *een metrische **vertaling*** a verse translation [2] ⟨volgens het metrieke stelsel⟩ metric ◆ *metrische **meetkunde*** metric geometry

metro [de^m] ⟨BE⟩ underground (railway), ⟨AE⟩ subway, ⟨BE ook; inf⟩ tube, ⟨vnl. m.b.t. Europese steden, vooral Parijs, ook⟩ metro ◆ ***met** de metro* by underground/subway/tube; ***met** de metro naar het werk gaan* go to work by tube/subway; *de metro **nemen*** take the tube/subway

metrobuis [de] metro tube, metro tunnel

metrokrant [de] free newspaper distributed at train stations

metrolijn [de] ⟨BE⟩ underground line, ⟨AE⟩ subway line, ⟨BE ook; inf⟩ tube line, ⟨vnl. m.b.t. Europese steden, vooral Parijs, ook⟩ metro line

metrologie [de^v] [1] ⟨leer van maten en gewichten⟩ metrology [2] ⟨techniek van het landmeten⟩ surveying

metrologisch [bn] metrological

metroloog [de^m] surveyor

metroman [de^m] metro man

metronomisch [bn] metronomic

metronoom [de^m] ⟨muz⟩ metronome

metronoomgetal [het] metronome number

metronymicum [het] metronymic, matronymic

metronymisch [bn] metronymic, matronymic

metropoliet [de^m] metropolitan, metropolitan bishop

metropolitaan [bn] metropolitan

metropolitaans [bn] metropolitan

metropool [de] [1] ⟨wereldstad⟩ metropolis [2] ⟨moederstad⟩ metropolis [3] ⟨stad waar een metropoliet zetelt⟩ metropolis

metroscoop [de^m] hysteroscope

metroseksueel [bn] metrosexual

metrostation [het] ⟨BE⟩ underground station, ⟨AE⟩ subway station, ⟨BE ook; inf⟩ tube station, ⟨vnl. m.b.t. Europese steden, vooral Parijs, ook⟩ metro station

metrosurfen [ww] metro surfing

metrotrein [de^m], **metrotreinstel** [het] ⟨BE⟩ underground train, ⟨AE⟩ subway train, ⟨BE ook; inf⟩ tube train, ⟨vnl. m.b.t. Europese steden, vnl. Parijs ook⟩ metro train

metrotreinstel [het] → **metrotrein**

metrotunnel [de^m] ⟨BE⟩ underground railway tunnel, ⟨AE⟩ subway tunnel, ⟨BE ook; inf⟩ tube tunnel

metrum [het] metre, measure

metselaar [de^m] bricklayer, ⟨sl; BE⟩ brickie

metselbij [de] mason bee

metselen [ov ww, ook abs] [1] ⟨(iets) bouwen⟩ build (in brick/with bricks), ⟨bakstenen op elkaar voegen⟩ lay bricks ◆ *het metselen* bricklaying; ***leren** metselen* learn to lay bricks, learn bricklaying; *een **muurtje** metselen* build a brick wall; *een gemetselde **schoorsteen*** a brick chimney [2] ⟨een nest maken⟩ build

metselkalk [de^m] mortar

metselspecie [de] mortar, ⟨dun, om tegels te voegen⟩ grout

¹**metselsteen** [de^m] ⟨gebakken steen⟩ brick

²**metselsteen** [het, de^m] ⟨als stofnaam⟩ brick

metselverband [het] bond, brick pattern

metselwerk [het] [1] ⟨gemetseld werk⟩ brickwork, masonry, stonework ◆ ***effen** metselwerk* smooth stonework;

opgaand metselwerk aboveground masonry; *metselwerk* ***voegen*** point brickwork [2] ⟨dat wat gemetseld moet worden⟩ brickwork, masonry
metselwesp [de] thread-waisted wasp
metselzand [het] masonry sand
metsen [onov + ov ww] ⟨in België⟩ → **metselen**
metten [de^mv] ⟨r-k⟩ matins ♦ *de* ***donkere*** *metten* Tenebrae; ⟨fig⟩ *iemand de metten* ***lezen*** read s.o. the riot act [•] ***korte*** *metten maken (met)* give short shrift (to), make short/quick work (of), deal summarily (with); ***korte*** *metten met iemand maken* quash/crush s.o., finish s.o. off (in a few short strokes)
metterdaad [bw] [1] ⟨in werkelijkheid⟩ indeed, in fact, actually, really [2] ⟨door daden⟩ actively ♦ *hij* ***heeft*** *metterdaad* ***getoond*** *u te willen helpen* he actively demonstrated his willingness to help you
metterhaast [bw] ⟨form⟩ post-haste
mettertijd [bw] in due time/course, in the course of time, with/in time ♦ *dat zal mettertijd wel* ***verbeteren*** that will get better with/in time
metterwoon [bw] ⟨form⟩ ♦ *zich metterwoon* ***vestigen*** *(in)* take up residence (in), establish o.s. (in)
metworst [de] ± German sausage, mettwurst
meubel [het] piece of furniture, ⟨mv⟩ furniture ♦ ***wat armoedige*** *meubeltjes* a few sticks of furniture; ***een paar*** *meubeltjes* some sparse furniture, a few bits of furniture
meubelbeslag [het] furniture fittings
meubelbeurs [de] furniture show/fair
meubelboulevard [de^m] furniture heaven/strip, row of furniture shops/^Astores
meubelen [ov ww] furnish
meubelfabriek [de^v] furniture factory
meubelhandel [de^m] furniture trade
meubelhoes [de] slip-cover, loose cover
meubelhout [het] furniture (quality) wood
meubelindustrie [de^v] furniture industry
meubelmagazijn [het] [1] ⟨opslagplaats⟩ furniture warehouse/storehouse/storeroom [2] ⟨meubelzaak⟩ furniture store
meubelmaker [de^m] furniture maker, ⟨kastenmaker⟩ cabinetmaker
meubelmakerij [de^v] furniture-making shop, furniture works
meubelontwerper [de^m] furniture designer
meubelplaat [het, de] blockboard
meubelstof [de] upholstery fabric/material, furniture fabric
meubelstoffeerder [de^m] upholsterer
meubelstuk [het] [1] ⟨meubel⟩ piece of furniture [2] ⟨fig; persoon⟩ part of the furniture
meubeltransport [het] furniture removal
meubelwas [het, de^m] furniture wax, furniture polish
meubelzaak [de] furniture business/firm/shop
¹**meubilair** [het] furniture, furnishings, appointments
²**meubilair** [bn] household
meubileren [ov ww] furnish, appoint ♦ *gemeubileerde* ***kamers*** furnished rooms/^Bflat/^Aapartment
meubilering [de^v] [1] ⟨het meubileren⟩ furnishing, appointing [2] ⟨het meubilair⟩ furniture, furnishings, appointments
meublement [het] furniture, furnishings, appointments
meug [de^m] taste ♦ *iets tegen* ***heug*** *en meug opeten/opdrinken* force down sth.; ***ieder*** *zijn meug!* to each his own, there's no accounting for taste; ***naar*** *zijn meug eten* eat to one's heart's content, eat one's fill
meun [de^m] [1] ⟨bruine zeevis⟩ rockling [2] ⟨zeegrondel⟩ sand gobey [3] ⟨kopvoorn⟩ chub
meur [de^m] stink
meuren [onov ww] ⟨inf⟩ [1] ⟨slapen⟩ ⟨BE⟩ kip, ⟨BE⟩ crack it, ⟨AE⟩ saw logs, ⟨AE⟩ catch forty winks, ⟨AE⟩ catch a few Z's [2] ⟨winden laten⟩ ⟨vulg⟩ fart, ⟨BE⟩ let off, ⟨AE⟩ let (one)
meute [de] [1] ⟨honden⟩ pack, hounds, cry, kennel [2] ⟨personen⟩ gang, horde, crowd ♦ *de* ***hele*** *meute* ***komt hiernaartoe*** the whole crowd is coming this way
mevr. [afk] (mevrouw) ⟨getrouwd, ongetrouwd⟩ Ms, ⟨getrouwd⟩ Mrs
mevroi [de^v] madam
mevrouw [de^v] [1] ⟨aanspreektitel voor, adressering aan een vrouw; vaak ook niet vertaald⟩ madam, ma'am, miss, ⟨inf; BE⟩ mum, mem, 'm ♦ *mevrouw de* ***barones*** Madam Baroness; *ja mevrouw* yes ma'am, yes 'm; *mevrouw de* ***voorzitter*** Madam Chairman/Chairperson; *wordt u al geholpen, mevrouw?* are you being served(, miss/madam)?; *met alle respect, mevrouw, ...* with all due respect, madam, ...; *er staat een mevrouw voor de deur* there's a lady/woman at the door; *(pardon) mevrouw, weet u ook de weg naar ...?* excuse me, could you tell me/do you know the way to ...? [2] ⟨m.b.t. een gehuwde vrouw⟩ Mrs ♦ *mevrouw Terborgh* Mrs Terborgh, ⟨vooral feministisch⟩ Ms Terborgh; *hoe gaat het met mevrouw?* how is the/your wife/the little woman/the missus [3] ⟨dame⟩ lady [4] ⟨vrouw des huizes⟩ mistress, ⟨inf⟩ missus, missis ♦ *de mevrouw* ***spelen ten opzichte*** *van/over iemand* queen it over s.o.
Mexicaan [de^m], **Mexicaanse** [de^v] ⟨man & vrouw⟩ Mexican, ⟨vrouw ook⟩ Mexican woman/girl
Mexicaans [bn] Mexican ♦ *Mexicaanse* ***hond*** feedback, howling, yowling
Mexicaanse [de^v] → **Mexicaan**
Mexico [het] Mexico

Mexico	
naam	*Mexico* Mexico
officiële naam	*Verenigde Mexicaanse Staten* United Mexican States
inwoner	*Mexicaan* Mexican
inwoonster	*Mexicaanse* Mexican
bijv. naamw.	*Mexicaans* Mexican
hoofdstad	*Mexico-Stad* Mexico City
munt	*Mexicaanse peso* Mexican peso
werelddeel	*Amerika* America
int. toegangsnummer 52 www .mx auto MEX	

Mexico-Stad [het] Mexico City
meze [de^mv] meze, mezze
¹**mezelf** [pers vnw] ⟨als object⟩ myself, ⟨inf⟩ me ♦ ***namens*** *mezelf* on behalf of myself, on my own behalf
²**mezelf** [wk vnw] ⟨als wederkerend voornaamwoord⟩ myself ♦ *ik* ***vermaak*** *mezelf wel* I'll look after myself, I'm enjoying myself all right
mezzaluna [de] mezzaluna
mezze [de^mv] mezze
Mezzogiorno [de^m] Mezzogiorno
¹**mezzosopraan** [de^v] ⟨zangeres⟩ mezzo-soprano
²**mezzosopraan** [de] ⟨stem⟩ mezzo-soprano
mezzotint [de] [1] ⟨zwarte kunst⟩ mezzotint [2] ⟨afdruk⟩ mezzotint
mezzo tinto [de^m] mezzotint
m.g. [afk] (met gelukwens(en)) congratulations
Mgr. [afk] (Monseigneur) Mgr, Msgr
m.g.v. [afk] (met gebruik van) using
m.h.d. [afk] [1] (met hartelijke dank) with sincere thanks [2] (met hartelijke deelneming) with condolences
m.h.g. [afk] [1] (met hartelijke gelukwens) congratulations [2] (met hartelijke groet) with best wishes, with kind regards
MHz [de^m] (megahertz) MHz
¹**mi** [de^m] ⟨deegsliertjes⟩ Chinese noodles
²**mi** [de] ⟨toon⟩ mi
m.i. [afk] [1] (mijns inziens) in my opinion [2] (mijnbouw-

kundig ingenieur) ME
miasma [het] [1] ⟨uitwaseming van rottende stoffen⟩ miasma [2] ⟨smetstof⟩ miasma
miauw [tw] miaow, mew
miauwen [onov ww] miaow, mew
mica [het, de^{m}] [1] ⟨mineraal⟩ mica [2] ⟨voorwerp⟩ mica object
micaplaatje [het] mica sheet
micaruit [de] mica pane
micel [de] ⟨scheik⟩ micelle
micraat [het] microcopy
micro [de^{m}] [1] ⟨microcomputer⟩ micro [2] ⟨in België; microfoon⟩ mike
microalbuminurie [de^{v}] microalbuminuria
microanalyse [de^{v}] microanalysis
microarchief [het] microfilm department, microfilm collection
microbalans [de] microbalance
microbarometer [de^{m}] microbarometer
microbe [de] microbe
microbicide [bn] microbicide
microbieel [bn] microbial, microbic
microbiologie [de^{v}] microbiology
microblog [het, de^{m}] microblog
microbloggen [onov ww] microblog
microcefaal [bn] microcephalic, microcephalous ◆ ***de microcefalen*** the microcephalics
microcefalie [de^{v}] microcephaly
microcentrum [het] centrosome
microchemie [de^{v}] microchemistry
microchip [de^{m}] microchip
microchirurgie [de^{v}] microsurgery
microcircuit [het] ⟨comp⟩ microcircuit
microcomputer [de^{m}] microcomputer, minicomputer
microdocumentatie [de^{v}] microfilm index
microdot [de^{m}] [1] ⟨gesch; microfilm⟩ microdot, pixel [2] ⟨microchip⟩ microdot
micro-economie [de^{v}] microeconomics
micro-elektronica [de] [1] ⟨vervaardiging, toepassing⟩ microelectronics [2] ⟨apparatuur⟩ microelectronic equipment
[1]**micro-elektronisch** [bn] [1] ⟨m.b.t. de micro-elektronica⟩ microelectronic [2] ⟨samengesteld uit micro-elektronica⟩ microelectronic
[2]**micro-elektronisch** [bw] ⟨m.b.t., volgens de micro-elektronica⟩ microelectronically
micro-element [het] trace element, microelement
microfauna [de] microfauna
[1]**microfiber** [het, de^{m}] microfibre
[2]**microfiber** [bn] microfibre
microfiche [het, de] microfiche
microfilm [de^{m}] [1] ⟨opname⟩ microfilm [2] ⟨materiaal⟩ microfilm
microfilmen [ov ww] microfilm, put on microfilm
microflora [de] microflora
microfonie [de^{v}] microphonics, microphonism
microfoon [de^{m}] microphone, ⟨inf⟩ mike ◆ ***voor de microfoon komen*** ⟨lett⟩ come to the microphone; ⟨voor de radio spreken⟩ go/be on the air
microfoonhengel [de^{m}] (microphone) boom
microfoonvrees [de] microphone fear, mike fright ◆ ***hij heeft microfoonvrees*** he is mike shy
microfoto [de] [1] ⟨foto van een zeer klein object⟩ photomicrograph, microphotograph [2] ⟨sterk verkleinde foto⟩ microphotograph
microfotografie [de^{v}] [1] ⟨m.b.t. zeer klein object⟩ photomicrography, microphotography [2] ⟨m.b.t. sterk verkleinde foto⟩ microphotography
microfotometer [de^{m}] microphotometer
microfysica [de^{v}] microphysics
microgeschiedenis [de^{v}] microhistory
microgolf [de], **microgolfoven** [de^{m}] ⟨in België⟩ microwave
microgolfoven [de^{m}] → **microgolf**
micrografie [de^{v}] [1] ⟨beschrijving⟩ micrography [2] ⟨tekening⟩ micrography, micrograph
microgram [het] microgram
microkaart [de] microcard, microfiche
microkaartsysteem [het] microfiche system
microklimaat [het] microclimate
microkopie [de^{v}] microcopy
microkorfbal [het] indoor korfball
microkosmisch [bn] microcosmic
microkosmos [de^{m}] [1] ⟨wereld in het klein⟩ microcosm [2] ⟨mens⟩ microcosm [3] ⟨wereld van de kleinste wezens⟩ microcosm
microkrediet [het] microcredit
microlens [de] microlens
microliet [de^{m}] [1] ⟨geol⟩ microlite, microlith [2] ⟨archeol⟩ microlith
microlithisch [bn] [1] ⟨geol⟩ microlitic, microlithic [2] ⟨archeol⟩ microlithic ◆ ***een microlithische cultuurfase*** a microlithic period
micromanie [de^{v}] ⟨med⟩ micromania
micromeren [de^{mv}] ⟨biol⟩ micromeres
micrometer [de^{m}] [1] ⟨micron⟩ micron, micrometre [2] ⟨meettoestel⟩ micrometer [3] ⟨astron⟩ micrometer
micromilieu [het] microhabitat
micron [het, de^{m}] micron
Micronesia [het] Micronesia
Micronesiër [de^{m}], **Micronesische** [de^{v}] ⟨man & vrouw⟩ Micronesian, ⟨vrouw ook⟩ Micronesian woman/girl
Micronesisch [bn] Micronesian
Micronesische [de^{v}] → **Micronesiër**
micronutriënt [het, de] micronutrient
micro-organisme [het] micro-organism
microprocessor [de] microprocessor
microprojectie [de^{v}] microprojection
microreproductie [de^{v}] microscopic reproduction
microschakeling [de^{v}] microcircuit
microscoop [het, de^{m}] ⟨optisch instrument⟩ microscope ◆ ***enkelvoudige microscoop*** simple microscope; ***iets met een microscoop bekijken*** ⟨ook fig⟩ look at sth./put sth. under the microscope; ***samengestelde microscoop*** compound microscope
Microscoop [het, de^{m}] ⟨sterrenbeeld⟩ Microscopium
microscopisch [bn, bw] [1] ⟨m.b.t. een microscoop⟩ microscopic ⟨bw: ~ally⟩ ◆ ***microscopisch onderzoek*** microscopic examination [2] ⟨zeer klein⟩ microscopic ⟨bw: ~ally⟩ ◆ ***microscopische diertjes*** microscopic animals, animalcules; ***microscopisch klein*** microscopic
microseconde [de] microsecond
microstructuur [de^{v}] microstructure
microtechniek [de^{v}] ⟨elek⟩ microelectronics, ⟨m.b.t. machines⟩ microtechnology
microtechnologie [de^{v}] microtechnology
microtomie [de^{v}] microtomy
microtonaal [bn] microtonal
microtoom [het] microtome
microtubulus [de^{m}] microtubule
microvezel [het, de^{m}] microfibre
microvolt [de^{m}] microvolt
microwave [de] microwave (oven)
microwereld [de] microworld
MID [de^{m}] (Militaire Inlichtingendienst) the Dutch military intelligence service
midasoren [de^{mv}] ass's/donkey's ears
middag [de^{m}] [1] ⟨na 12 uur⟩ afternoon ◆ ***de hele middag*** all/the whole afternoon; ***zij is er een hele middag geweest*** she

was there for a whole afternoon; ***in** de middag* in the afternoon; *'s middags* in the afternoon; *om 5 uur 's middags* at 5 o'clock in the afternoon, at 5 p.m.; *de middag **verslapen*** sleep away/through the afternoon [2] ⟨12 uur⟩ noon, twelve o'clock, midday ◆ *het **is** middag* it is noon; ⟨fig⟩ *de middag van het **leven*** the autumn of one's life; *'s middags* at noon, at lunch time; ***tegen/rond/voor/na** de middag* about/around/before/after noon/twelve; ***tussen** de middag* at lunch time, during the lunch hour
middagconcert [het] afternoon concert, lunch time concert
middagdutje [het], **middagslaapje** [het] afternoon nap, after lunch nap, siesta
middageten [het] [1] ⟨handeling⟩ lunch(eon), midday meal, ⟨warme hoofdmaaltijd ook⟩ dinner [2] ⟨voedsel⟩ lunch(eon), midday meal, ⟨warme hoofdmaaltijd ook⟩ dinner
middaghoogte [de^v] ⟨ook fig⟩ meridian, zenith, ⟨fig ook⟩ high point
middaglijn [de] meridian
middagmaal [het] [1] ⟨handeling⟩ lunch(eon), midday meal, ⟨warme hoofdmaaltijd⟩ dinner [2] ⟨voedsel⟩ lunch(eon), midday meal, ⟨warme hoofdmaaltijd⟩ dinner
middagpauze [de] lunch hour/break, lunch time
middagploeg [de] afternoon shift
middagschaft [de] lunch break, ⟨later op de middag⟩ tea break
middagslaapje [het] → **middagdutje**
middagsluiting [de^v] lunch time closing
middagtelevisie [de^v] daytime television/TV
middaguur [het] [1] ⟨12 uur 's middags⟩ noon, twelve o'clock ◆ *kort **na** het middaguur* right/shortly after twelve [2] ⟨uur van de namiddag⟩ afternoon hour ◆ ***in** de middaguren* in/during the afternoon (hours)
middagvoorstelling [de^v] matinee
middagwacht [de] ⟨scheepv⟩ afternoon watch
middagzitting [de^v] afternoon session
middagzon [de] afternoon sun, midday sun, ⟨form⟩ noonday sun
middel [het] [1] ⟨taille⟩ waist, middle ◆ *iemand **bij/om** zijn/haar/het middel pakken* grab s.o. by/around the waist; *een **slank** middel hebben* have a slender waist; ***tot aan** het/zijn/... middel* (right) up to one's middle [2] ⟨hulpmiddel⟩ means ◆ *alle middelen **aanwenden*** employ/use every (possible) means; *de crisis met alle **beschikbare** middelen bestrijden* employ/use every available means to combat the crisis; *middelen van **bestaan*** means of existence, livelihood; ***door** middel **van*** by means of, through; ***geen** middel onbeproefd laten* try everything, leave no stone unturned; *hij heeft **geen** middelen van bestaan* he has no means of support, he doesn't have the wherewithal to live; ***geoorloofde/krachtdadige** middelen* lawful/effective means; *het **is** een middel, geen doel* it's a means to an end; *middelen van **vervoer*** means of transportation/conveyance [3] ⟨geneesmiddel⟩ remedy, medicine ◆ *middelen **innemen*** swallow/take pills/medicine; *een **pijnstillend** middel* a painkiller; *een **probaat** middel* an efficacious/a tried and tested remedy; *een middeltje **tegen** hoofdpijn* a headache remedy [4] ⟨voor bekomen van bepaald (chemisch) effect⟩ agent ◆ ***chemische** middelen* chemical agents [5] ⟨mv; geld, bezit⟩ means, resources, funds, assets ◆ *gefinancierd uit **algemene** middelen* financed by the general fund; *mijn **bescheiden** middelen veroorloven mij dergelijke uitgaven niet* my modest means prohibit such expenditures; *hij heeft geen **eigen** middelen* he has no private/independent means; ***'s lands** middelen* the country's resources [6] ⟨jur; rechtsmiddel⟩ evidence, proof, argument ◆ *middelen ter **verdediging*** means of defence [•] ⟨sprw⟩ *het middel is erger dan de kwaal* the remedy may be/is worse than the disease; ⟨sprw⟩ *het doel heiligt de middelen* the end justifies the means
middelaar [de^m] mediator, go-between, ⟨handel⟩ middleman, agent
middelaarschap [het] mediation, mediatorship
middelbaar [bn] [1] ⟨tussen twee grootheden⟩ middle, average, medium, intermediate ◆ *middelbare **akte*** secondary school teaching certificate; *op middelbare **leeftijd*** in middle age; *de middelbare **leeftijd** bereiken* reach middle age; *een man van middelbare **leeftijd*** a middle-aged man; *middelbaar **onderwijs*** secondary education; *middelbare **scholen*** secondary schools [2] ⟨gemiddeld, dooreengenomen⟩ average, normal, mean ◆ *middelbare **tijd*** mean (solar) time, civil time
middelduur [bn] medium-priced
middeleeuwen [de^mv] [1] ⟨gesch⟩ Middle Ages ◆ *de **donkere** middeleeuwen* the Dark Ages [2] ⟨primitieve tijd⟩ Middle/Dark Ages
middeleeuwer [de^m] medi(a)eval man/woman
middeleeuws [bn] [1] ⟨m.b.t. de middeleeuwen⟩ medi(a)eval ◆ *middeleeuwse **geschriften/gebouwen*** medi(a)eval documents/buildings; *middeleeuws **Latijn*** mediaeval/low Latin [2] ⟨primitief⟩ medi(a)eval ◆ *middeleeuwse **opvattingen*** medi(a)eval ideas/notions; *middeleeuwse **toestanden*** medi(a)eval conditions
[1]**middelen** [onov ww] ⟨bemiddelen⟩ mediate
[2]**middelen** [ov ww] [1] ⟨het gemiddelde berekenen⟩ average [2] ⟨gelijkelijk verdelen⟩ split, divide
[1]**Middelengels** [het] Middle English
[2]**Middelengels** [bn] Middle English
middelenwet [de] Finance Act
middelevenredig [bn] ⟨wisk⟩ mean proportional
middelevenredige [de] ⟨wisk⟩ mean proportional ◆ ***meetkundig/rekenkundig** middelevenredige* geometric/arithmetic mean
middelfijn [bn] medium-fine, medium-sized ◆ *middelfijne **erwten*** medium-sized peas
[1]**Middelfrans** [het] Middle French
[2]**Middelfrans** [bn] Middle French
[1]**Middelfries** [het] Middle Frisian
[2]**Middelfries** [bn] Middle Frisian
middelgebergte [het] ⟨aardr⟩ low mountain range
[1]**middelgewicht** [de^m] ⟨sport⟩ ⟨persoon⟩ middleweight (fighter/boxer/wrestler)
[2]**middelgewicht** [het] ⟨sport⟩ ⟨gewichtsklasse⟩ middleweight ◆ *een gevecht **in** het middelgewicht* a middleweight fight
middelgroot [bn] medium-sized ◆ *een middelgroot **bedrijf*** a medium-sized business/company
middelhand [de] ⟨med⟩ metacarpus
middelhandsbeen [het] metacarpal
middelhoog [bn] medium-high
[1]**Middelhoogduits** [het] Middle High German
[2]**Middelhoogduits** [bn] Middle High German
middeling [de^v] [1] ⟨bemiddeling⟩ mediation [2] ⟨berekening van het gemiddelde⟩ averaging
middelkleur [de] intermediate colour, ⟨sigaren e.d.⟩ medium
middellands [bn] ⟨aardr⟩ Mediterranean ◆ *de Middellandse **Zee*** the Mediterranean (Sea); *het Middellandse **Zeegebied*** the Mediterranean
middellang [bn] [1] ⟨m.b.t. lengte⟩ medium (length/range) ◆ *vliegtuigen voor de middellange **afstand*** medium-range aircraft; ⟨burgerluchtvaart ook⟩ medium-haul aircraft; *middellangeafstandsloper* middle-distance runner [2] ⟨m.b.t. duur⟩ medium length/term ◆ *op middellange **termijn*** for a medium long period, for the medium range; ⟨zeldz⟩ in the medium term
middellangeafstandsraket [de] intermediate-range ballistic missile, IRBM, medium-range missile
middellijk [bn, bw] indirect ⟨bw: ~ly⟩ ◆ ⟨jur⟩ *middellijk **bewijs*** circumstantial evidence

middellijn [de] ⟨wisk⟩ ⟨van ronde voorwerpen⟩ diameter, ⟨van niet-ronde voorwerpen⟩ centre line
middelloodlijn [de] ⟨wisk⟩ perpendicular bisector
middelloon [het] average pay/wage
middelloonpensioen [het] average pay pension, pension based on average rather than final salary
middelloonsysteem [het] average wage system
middelmaat [de] [1] ⟨gemiddelde maat⟩ average ♦ *zich boven de middelmaat verheffen* raise o.s./rise above the crowd; *hij gaat de middelmaat niet te boven* he's just average [2] ⟨juiste maat tussen twee uitersten⟩ mean, average ♦ *de grijze middelmaat* dull mediocrity; ⟨fig⟩ *middelmaat versiert de straat* mediocrity is everywhere/the rule
middelmanagement [het] middle management
middelmatig [bn, bw] [1] ⟨gemiddeld⟩ average ⟨bw: ~ly⟩, medium, moderate, ordinary ♦ *van middelmatige gestalte zijn* have an average build/figure; *middelmatig groot* moderately/medium large [2] ⟨zwakjes⟩ average ⟨bw: ~ly⟩, middling, mediocre, so-so, indifferent ♦ *een middelmatig cijfer* an average [B]mark/[A]grade; *ik vind het maar middelmatig* I think it's pretty average/mediocre/indifferent/so-so; *zij zingt maar middelmatig* her singing is pretty average
middelmatigheid [de[v]] mediocrity
[1]**Middelnederlands** [het] Middle Dutch
[2]**Middelnederlands** [bn] Middle Dutch
middelpunt [het] [1] ⟨wisk⟩ centre, midpoint [2] ⟨het midden⟩ centre, middle (point) ♦ *het middelpunt van de aarde* the centre of the earth [3] ⟨centrale plaats⟩ centre, middle ♦ *in het middelpunt van de belangstelling staan* be the centre of interest/of all the excitement/of attention; *in het middelpunt van de politieke belangstelling staan* ⟨ook⟩ be in/hold the political spotlight; *middelpunten van verkeer/beschaving* traffic/cultural centres [4] ⟨hoofdpersoon⟩ central figure/person, pivot ♦ *het middelpunt zijn* be the central figure
middelpuntvliedend [bn] centrifugal ♦ *middelpuntvliedende kracht* centrifugal force
middelpuntzoekend [bn] centripetal
middels [vz] by means of
middelschot [het] partition
middelsoort [het, de] medium/middle grade, medium/middle quality, middle sort/type
middelst [bn] middle, middlemost, median, mid, centre ♦ ⟨zelfstandig (gebruikt)⟩ *de middelste van drie kinderen* the middle child of three; *de middelste rij/kolom* the middle/centre row/column; *de middelste vinger* the middle finger
middelstuk [het] centrepiece
middelvinger [de[m]] middle finger ♦ *de middelvinger opsteken naar iemand* ⟨BE⟩ put two fingers up at s.o., ⟨AE⟩ give s.o. the finger
middelvoet [de[m]] ⟨med⟩ metatarsus
middelvoetsbeen [het] metatarsal
middelvroeg [bn] medium early
middelzwaar [bn] medium, medium weight, middleweight
[1]**midden** [het] [1] ⟨plaats, punt⟩ middle, centre, ⟨wisk ook⟩ midpoint ♦ *het midden van een driehoekszijde* the middle of the side of a triangle; *dat laat ik in het midden* I'll leave that aside, I offer no opinion on/I'll not comment on that; ⟨fig⟩ *iets in het midden brengen* bring/put forward sth., put in a word, interpose sth.; *de waarheid ligt in het midden* the truth lies (somewhere) in between; *dat blijft voorlopig in het midden* we'll leave that aside for the moment, that will be left unresolved/undecided for the time being; *zij woont in het midden van de stad* she lives in the centre/middle of the city; *het juiste midden* the golden mean; *in het midden lopen* walk in the middle [2] ⟨tijdstip⟩ middle ♦ *in het midden van het trimester* halfway through the trimester, (in) midterm; *in het midden van de winter/week* in the middle of winter/of the week, (in) midwinter/midweek; *op het midden van de dag* in the middle of the day, (at) midday, at noon [3] ⟨m.b.t. een verzameling⟩ middle, centre, midst ♦ *te midden van* in the midst of, amidst, among; *te midden van haar familie* in the midst of her family circle [4] ⟨denk-, handelwijze⟩ centre ♦ ⟨pol⟩ *links of rechts van het midden?* left or right of centre? [5] ⟨omgeving⟩ milieu [•] *het midden houden tussen ... en ...* stand midway between ... and ..., be a cross/mixture between ... and ...; *hij is weer in ons midden* he is back in our midst; *de vijand is in ons midden* the enemy is in our midst; *iemand uit ons midden* one of us
[2]**midden** [bw] in the middle of ♦ *hij reed midden door het bos* he drove right through the forest; *midden in de roos* dead on target, bull's eye; *midden in de massa* in the thick of the crowd/mob; *midden in de zomer* in the middle of (the)/in full summer; *er midden in zitten* be in the thick of it/things; *midden in de winter* in the middle/depths of winter; *midden op de dag/in de week* in the middle of the day/week; *van midden juni tot midden augustus* from mid-June to mid-August; *hij is midden (in de) veertig* he is in his mid(dle) forties
middenaanvaller [de[m]] middle attacker
Midden-Afrika [het] Central Africa
Midden-Afrikaans [bn] Central African
middenafstandsloper [de[m]] ⟨atl⟩ middle-distance runner
Midden-Amerika [het] Central America
Midden-Amerikaans [bn] Central-American
middenas [de] central axis, ⟨van auto⟩ central axle
Midden-Azië [het] Central Asia
middenbaan [de] ⟨rijbaan⟩ middle/centre lane, ⟨ruimtev⟩ midcourse
middenbedrijf [het] [•] *het midden- en kleinbedrijf* small and medium-sized enterprises/businesses
middenberm [de[m]] ⟨BE⟩ central reservation/reserve, ⟨AE⟩ median strip, ⟨AE⟩ mall
middenbermbeveiliging [de[v]] crashbarrier, ⟨AE⟩ guard rail
middenbeuk [de] ⟨bouwk⟩ nave
middenblad [het] centre spread
middenbouw [de[m]] ⟨onderw⟩ middle school classes
middencirkel [de[m]] ⟨sport⟩ centre circle
middendek [het] middle deck
middendoor [bw] in two, in half ♦ *iets middendoor breken/snijden* break/cut sth. in two; *middendoor delen* ⟨ook⟩ bisect; *middendoor scheuren* tear across
Midden-Europa [het] Central Europe
Midden-Europees [bn] Central-European
middengedeelte [het] central part, ⟨van rivier⟩ central reaches
[1]**middengewicht** [de[m]] ⟨persoon⟩ middleweight
[2]**middengewicht** [het] ⟨gewichtsklasse⟩ middleweight
middengolf [de] ⟨comm⟩ medium wave
middengroep [de] middle group/bracket/class ♦ *de middengroepen* the middle classes
middenhandsbeentje [het] metacarpal
middenhersenen [de[mv]] midbrain, mesencephalon
middenin [bw] in the middle/centre ♦ *mag ik middenin lopen?* can I walk in the middle?; *middenin zit het klokhuis* in the centre is the core
middeninkomen [het] [1] ⟨gemiddeld inkomen⟩ median income, middle income [2] ⟨werknemer⟩ median income earner, middle income earner
middenjury [de] ⟨in België⟩ central examination committee
middenkader [het] middle management
middenklasse [de[v]] [1] ⟨m.b.t. de prijs, grootte⟩ medium/middle range, medium/middle size ♦ *een auto uit de middenklasse* a medium-sized/medium-priced car [2] ⟨archaïsch; middenstand⟩ middle class(es)
middenklasser [de] car in the medium-price range, car

in the medium-size range
middenklinker [de^m] ⟨taalk⟩ central vowel
middenkoers [de^m] moderate course, moderate policy
middenlijn [de] ⟨sport⟩ halfway line, ⟨vnl voetb⟩ centre line, midfield line
middenlinie [de] ⟨sport⟩ 1 ⟨vero; middenlijn⟩ halfway line, centre line, midfield line 2 ⟨spelers⟩ midfield (players)
middenmanagement [het] middle management
middenmarkt [de] mid-market
middenmidden [de] ⟨sport⟩ midfielder
middenmoot [de] middle bracket/group ◆ *die sportclub hoort thuis **in** de middenmoot* that's just an average (athletic) club
middenmoter [de^m] ⟨inf⟩ ± average joe, ⟨vnl AE⟩ average guy ◆ *een middenmoter **zijn*** be just (up to) average, be run-of-the-mill
Midden-Nederland [het] the Central Netherlands
middenoor [het] middle ear
middenoorontsteking [de^v] inflammation of the middle ear, ⟨med⟩ otitis media
Midden-Oosten [het] Middle East ◆ ***van/met betrekking tot** het Midden-Oosten* Middle Eastern
middenpad [het] (centre) aisle, ⟨trein, zaal ook; BE⟩ gangway, ⟨tuin⟩ centre path
middenpartij [de^v] 1 ⟨bouwk⟩ mid-section, middle section 2 ⟨pol⟩ centre/moderate/middle-of-the-road party ◆ *de middenpartij* the moderates
middenrif [het] diaphragm, midriff
middenrifademhaling [de^v] diaphragmatic/phrenic respiration
middenschip [het] ⟨bouwk⟩ nave
middenschool [de] ⟨BE⟩ comprehensive school, ⟨AE⟩ ± junior high school
middensegment [het] mid-segment
middenspel [het] ⟨schaak⟩ middle game
middenspeler [de^m] ⟨sport⟩ midfield player, midfielder, centre half(back)
middenstand [de^m] 1 ⟨zelfstandige ondernemers⟩ (the) self-employed, tradespeople, ⟨als klasse⟩ middle class, bourgeoisie ◆ ***lagere** middenstand* petit/petty bourgeoisie, lower middle class; *de **plaatselijke** middenstand* the local shopkeepers/tradespeople/merchants 2 ⟨stand in het midden⟩ central/middle position
middenstander [de^m] tradesman, shopkeeper, retailer, ⟨ambachtsman⟩ craftsman, ⟨uit de klasse⟩ bourgeois ◆ ***kleine** middenstander* small businessman; ***lagere** middenstander* petit/petty bourgeois
middenstandsbond [de^m] merchants'/retailers'/shopkeepers' association, association of small businessmen
middenstandsdiploma [het] ± tradesman's/retailer's certificate, ± tradesman's/retailer's diploma
middenstandsexamen [het] ± tradesman's/retailer's exam(ination)
middenstandspolitiek [de^v] policy concerning small businesses, ⟨AE⟩ ± small business administration
middensteentijd [de^m] ⟨gesch⟩ Mesolithic (period)
middenstem [de] ⟨muz⟩ middle voice
middenstijl [de^m] mullion
middenstip [de] ⟨sport⟩ centre spot
middenstof [de] ⟨natuurk⟩ medium
middenstreep [de^m] white line
middenstrook [de] middle lane, centre lane
middenstuk [het] middle piece/part, central part
middenterm [de^m] 1 ⟨logica⟩ middle term, mean 2 ⟨wisk⟩ mean (proportional)
middenvak [het] middle shelf ⟨bijvoorbeeld in supermarkt⟩, ⟨sport⟩ middle zone, mid-zone
middenveld [het] ⟨sport⟩ 1 ⟨deel van het veld⟩ midfield, centrefield 2 ⟨spelers⟩ midfield players, midfielders, linkmen ⊡ ⟨pol⟩ *het **maatschappelijk** middenveld* civil society
middenvelder [de^m] ⟨sport⟩ midfielder, midfield man, midfield player, linkman
middenvoetsbeentje [het] metatarsal
middenvoor [de^m] ⟨vero; sport⟩ centre forward, striker, spearhead
middenweg [de^m] ⟨fig⟩ middle course/path/way, medium, mean ◆ *de **gulden** middenweg* the golden mean, the happy medium; *de **gulden** middenweg bewandelen/nemen/inslaan* steer/adopt a middle course, strike a happy medium
middenzwaard [het], **midzwaard** [het] ⟨scheepv⟩ centreboard, ⟨BE ook⟩ drop keel
middernacht [de^m] midnight ◆ *tot lang **na** middernacht* until way past midnight, until the early hours of the morning, far into the small hours; ***te** middernacht* at midnight
middernachtelijk [bn] midnight ◆ *het middernachtelijk **uur*** the midnight hour
middernachtzon [de] midnight sun
middle class [bn] middle class
middle-of-the-road- middle-of-the-road
middle-of-the-road [bn, bw] middle-of-the-road
middle-of-the-roadmuziek [de^v] middle-of-the-road music, music for the masses, easy listening
midgetgolf [het] miniature/midget golf, ⟨BE ook⟩ crazy golf
midgetgolfen [onov ww] play miniature/midget golf, ⟨BE ook⟩ play crazy golf
midhalf [de^m] ⟨sport⟩ centre half
midi [het] midi, midcalf
midiset [de^m] midi system
midkapindex [de^m] MidCap Index
midkapper [de^m] midcapper
midlifecrisis [de] midlife crisis
midlotto [de] midweek(ly) lottery
[1]**midscheeps** [bn] ⟨scheepv⟩ ⟨in het midden van het schip⟩ ◆ *een midscheepse **aanvaring*** a collision amidships/in the midship; *midscheepse **masten*** mainmasts
[2]**midscheeps** [bw] ⟨scheepv⟩ ⟨in, naar het midden van het schip⟩ amidships ◆ *het roer midscheeps **leggen*** right the helm
midterm review [de] midterm review
midvoor [de^m] ⟨vero; sport⟩ centre forward, striker, spearhead
midweek [de; ook in samenst] midweek
midweeks [bn] midweekly
midwinter [de^m] midwinter
midwinterblazen [ww] ⟨folklore⟩ 'midwinterblazen', traditional blowing of large horns at midwinter
midwinterhoorn [de^m] ⟨folklore⟩ midwinter horn
midzomer [de^m] midsummer
midzomernacht [de^m] midsummer night
midzomernachtfeest [het] Midsummer's Eve festival
midzwaard [het] → **middenzwaard**
miep [de^v] ⟨BE⟩ bird, ⟨AE⟩ broad
miepen [onov ww] whinge
mier [de] ⟨dierk⟩ ant ◆ *zo arm **als** de mieren* as poor as a churchmouse; *gevleugelde **mier*** flying/winged ant
mieren [onov ww] 1 ⟨peuteren, prutsen⟩ fiddle (about), tinker, tamper, fumble 2 ⟨piekeren⟩ fret (about), puzzle, worry (about) 3 ⟨zaniken⟩ nag, harp (on), go/keep on (about), whine
mierenegel [de^m] echidna, porcupine/spiny ant-eater
mierenei [het] ant('s) egg
miereneter [de^m] ant-eater, ⟨grote⟩ ant-bear
mierenhoning [de^m] honeydew
mierenhoop [de^m] anthill, antheap
mierenleeuw [de^m] ant-lion, ⟨AE⟩ doodle-bug
mierenlokdoos [de^m] ant trap

mierennest [het] [1] ⟨nest van mieren⟩ ants' nest, formicary [2] ⟨fig⟩ ants' nest, anthill
mierenneuken [ww] nitpicking, hairsplitting
mierenneuker [de^{m}] ⟨vulg⟩ nitpicker, hairsplitter, ↑ quibbler, ↑ niggler
mierentietjes [de^{mv}] goose flesh/pimples, ⟨AE ook⟩ goose bumps
mierenzuur [het] formic acid
mierik [de^{m}] horseradish
mierikswortel [de^{m}] [1] ⟨wortel⟩ horseradish [2] ⟨plant⟩ horseradish
mierzoet [bn] [1] ⟨bovenmatig zoet⟩ sickly sweet [2] ⟨overdreven sentimenteel⟩ saccharine, cloying(ly sweet)
mies [bn] nasty, ugly, dismal, vile
mieter [de^{m}] ⟨inf⟩ ⊡ *dat gaat je **geen** mieter **aan*** ↓ that's none of your damn business, ⟨BE⟩ that's none of your ruddy business, ⟨vulg; BE⟩ that's none of your bloody business; *iemand **op** zijn mieter geven* give s.o. a dressing down/[B]telling off/[B]rocket
[1]**mieteren** [onov ww] ⟨inf⟩ [1] ⟨zaniken⟩ nag, harp (on), whine, go on ◆ *zij ligt constant **te** mieteren* she's always/forever nagging/going on [2] ⟨schelen, uitmaken⟩ ⟨ogm⟩ matter
[2]**mieteren** [ov ww, ook abs] ⟨inf⟩ ⟨(doen) vallen⟩ ⟨onovergankelijk werkwoord⟩ crash, come crashing, tumble, drop, fall, ⟨overgankelijk werkwoord⟩ fling, throw, dash, chuck ◆ *iets **naar beneden** mieteren* fling sth. down(stairs)
[1]**mieters** [bn] ⟨inf⟩ ⟨geweldig⟩ great, terrific, super, lovely, ⟨AE⟩ swell ◆ *een mieterse **knul*** a great chap, ⟨vnl AE⟩ a great guy; *een mieterse **tijd*** a grand/swell time, a rare/high old time; *mieters **werk*** a plump job; *een mieters **wijf*** a terrific woman, ⟨AE⟩ a swell broad
[2]**mieters** [bw] ⟨inf⟩ ⟨erg⟩ damn(ed) ◆ *deze opdracht is mieters **lastig*** this assignment is damned hard, this is a devil of an assignment; *een mieters **mooi** toneelstuk* a fantastic play
[3]**mieters** [tw] ⟨inf⟩ [1] ⟨heerlijk⟩ great, lovely, super, wonderful, ⟨AE⟩ swell [2] ⟨vero; vervloekt⟩ damn, blast, hell
mietje [het] [1] ⟨homo⟩ queer, pansy(-boy), ⟨AE⟩ fag(got) [2] ⟨pietlut⟩ quibbler, hairsplitter, niggler ⊡ ⟨fig⟩ *laten we elkaar geen mietje **noemen*** let's talk straight, let's call a spade a spade
miezel [de^{m}] drizzle, mizzle
miezeren [onpers ww] drizzle, mizzle
miezerig [bn] [1] ⟨regenachtig⟩ drizzly [2] ⟨nietig⟩ tiny, puny, measly, scrubby, sorry ◆ *een miezerig **kereltje*** a runt(y) guy [3] ⟨triestig⟩ dismal, gloomy, murky, drab ⊡ *hij **zag** er miezerig **uit*** he looked a sorry sight
migraine [de] migraine ◆ *een **aanval** van migraine* a migraine, an attack of migraine
migrainestift [de] headache pencil
migrant [de^{m}] migrant
migrantenkerk [de] migrant church
migrantenliteratuur [de^{v}] migrant literature
migrantenraad [de^{m}] migrant workers' council
migrantentaal [de] migrant language
migrantenwerk [het] social support for migrants
migratie [de^{v}] [1] ⟨m.b.t. een bevolking⟩ migration [2] ⟨m.b.t. dieren, vogels⟩ migration [3] ⟨m.b.t. gassen, vloeistoffen⟩ migration [4] ⟨computer⟩ migration
migratiedruk [de^{m}] migration pressure
migratieoverschot [het] population growth caused by migration
migratiestop [de^{m}] immigration ban
migratietheorie [de^{v}] theory of migration
migreren [onov ww] migrate
mihoen [de^{m}] (thin) Chinese noodles
mihrab [de^{m}] mihrab
[1]**mij** [pers vnw] me, ⟨inf⟩ us ◆ *hij **had** het mij **gegeven*** he gave it to me; ***moet** u mij **hebben**?* are you looking for me?; ⟨iron⟩ *dan **moet** je net mij **hebben**!* well, you know me!; *dat is **van** mij* that's mine, that belongs to me; *een vriend **van** mij* a friend of mine; *dat is toch niet **voor** mij bedoeld?* you mean that's for me?; *dat is mij **te duur*** that's too expensive for me, I can't afford that
[2]**mij** [wk vnw] myself ◆ *ik **heb** mij te barsten **gelachen*** I laughed till I thought I'd burst, I nearly split my sides; *ik **schaam** mij zeer* I am deeply ashamed
Mij. [afk] (maatschappij) ⟨bedrijf⟩ Co, ⟨genootschap⟩ S
mijden [ov ww] [1] ⟨ontwijken⟩ avoid, keep/steer clear of, fight shy of, ⟨sterker⟩ shun ◆ *iemand mijden **als de pest*** avoid/shun s.o. like the plague; *slecht **gezelschap** mijden* steer clear of bad company; *de **vijand** mijden* elude the enemy [2] ⟨er niet komen⟩ avoid, by-pass, keep clear of, ⟨sterker⟩ shun ◆ *iemands **huis** mijden* avoid s.o.'s house [3] ⟨ontkomen⟩ avoid, keep/steer clear of
mijl [de] [1] ⟨maat⟩ mile ◆ *hij steekt mijlen **boven** de anderen **uit*** he towers above the rest, he rises head and shoulders above the others; ***Engelse** mijl* (statute) mile; *hij schoot er mijlen **naast*** he missed it by a mile; *hun standpunten lopen mijlen **ver** uiteen* their points of view are miles/poles apart; *dat is een mijl **op zeven*** it'll take (you) forever, you're not getting anywhere [2] ⟨grote afstand⟩ mile ◆ *hij **bleef** mijlen **achter*** he was miles behind
mijlenver [bn, bw] ⟨bijvoeglijk naamwoord⟩ miles (away), ⟨bijwoord⟩ miles (away), for miles (and miles) ◆ *mijlenver **achterblijven*** be miles behind; *mijlenver **in de omtrek*** for miles around ⊡ *mijlenver boven iets **uitsteken*** tower above sth., be streets ahead of sth.; *het **hangt** me mijlenver **de keel uit*** I'm sick and tired of it
mijlpaal [de^{m}] [1] ⟨afstandspaal⟩ milestone [2] ⟨belangrijk feit⟩ milestone, landmark ◆ *een mijlpaal **in** haar leven* a milestone in her life; *een mijlpaal **in** de geschiedenis* a milestone/landmark in history
mijlschaal [de] ⟨aardr⟩ scale
mijmeraar [de^{m}] (day)dreamer
mijmeren [onov ww] muse (on), (day)dream (about), meditate (on), contemplate ⟨ov ww⟩ ◆ *hij **zat** te mijmeren* he was daydreaming/musing
mijmering [de^{v}] reverie, musing(s), meditation, (day) dreaming ◆ ***droeve** mijmeringen* sad musings; *in **zoete** mijmeringen **verzonken*** lost in sweet reverie
[1]**mijn** [de] [1] ⟨delfplaats⟩ mine, pit, ⟨open⟩ quarry ◆ ***in** de mijn **afdalen*** go down into the mine/pit; ***in** de mijnen **werken*** work in the mines, be a miner; *een mijn **ontginnen/exploiteren*** work/exploit a mine; ⟨fig⟩ *die bibliotheek is een **rijke** mijn voor de historicus* that library is a mine of information/treasure-house for the historian; *de mijnen in dat gebied **zullen** spoedig **uitgeput zijn*** the area will soon be mined out/exhausted [2] ⟨mijnbouwmaatschappij⟩ mine, mining company ◆ ***bij** de mijn **werken*** work for a mining company [3] ⟨mil; toestel⟩ mine ◆ *een **drijvende** mijn* ⟨als zodanig bedoeld⟩ a floating mine; ⟨losgeraakt⟩ a drifting mine; *mijnen **leggen/vegen*** lay/sweep mines; ***op** een mijn **lopen*** strike/hit a mine; *onze kust ligt **vol** mijnen* our coast(al waters) is(/are) heavily mined; *een mijn tot **ontploffing brengen*** detonate a mine [4] ⟨mil; ruimte, gang⟩ mine ◆ *een mijn **graven/aanleggen** onder iets* undermine sth., mine sth.
[2]**mijn** [bez vnw] [1] ⟨van mij⟩ my ◆ *mijne **heren*** Dear Sir(s), gentlemen; *mijns **inziens*** in my opinion, as I see it; *mijn **plicht** roept* duty calls me [2] ⟨zelfstandig (gebruikt)⟩ mine ◆ ***de** mijnen* my family/people; *ik en **de** mijnen* me and my family/people; *het mijn en **dijn*** mine and thine, meum and tuum; *hij kent het verschil tussen het mijn en het **dijn** niet* he doesn't know the difference between mine and thine/meum and tuum; *ik zal **het** mijne doen* I'll do my bit/what I can; *ik heb **het** mijne gedaan* I've done my share/bit; *ik denk er **het** mijne van* I have my own opinion about this, I know what I think of this; *daar moet ik **het** mijne van weten/hebben* I must get to the bottom of this
mijnader [de] mineral vein

mijnarbeid [de^m] mining
mijnbouw [de^m] mining (industry)
mijnbouwdeskundige [de] mining expert
mijnbouwkunde [de^v] mining engineering
mijnbouwkundig [bn] mining ♦ *een mijnbouwkundig ingenieur* a mining engineer
mijnconcessie [de^v] mining concession
mijndetector [de^m] mine detector
mijnen [onov ww] ± buy (at a public auction)
mijnengevaar [het] mine hazard, ⟨opschrift⟩ danger! mines
mijnenjager [de^m] mine hunter
mijnenlegger [de^m] minelayer, ⟨mv ook⟩ minecraft
mijnenruimer [de^m] minesweeper
mijnent ⟨form⟩ ▪ *te mijnent* at my house/place
mijnentwege [bw] ⟨form⟩ 1 ⟨uit mijn naam⟩ in my name 2 ⟨wat mij betreft⟩ as far as I am concerned
mijnenveger [de^m] minesweeper
mijnenveld [het] minefield ♦ ⟨fig⟩ *een* ***emotioneel*** *mijnenveld* an emotional minefield; ⟨fig⟩ *een mijnenveld aan* ***gevoeligheden*** a minefield of sensitive/delicate issues
mijnerzijds [bw] ⟨form⟩ on/for my part
mijngang [de^m] mine gallery, drift, head(ing)
mijngas [het] mine gas, firedamp, methane ♦ ***verstikkend*** *mijngas* chokedamp, blackdamp
mijnheer [de^m] 1 ⟨aanspreektitel⟩ sir, ⟨inf⟩ mister, ⟨ook iron; tegen adellijk iemand⟩ your lordship ♦ *mijnheer* ***pastoor*** your reverend; *mijnheer de* ***voorzitter*** mister chairman; *mijnheer Jansen* Mr Jansen; *had mijnheer nog iets gewenst?* anything else, sir? 2 ⟨heer⟩ gentleman ♦ ⟨iron⟩ *een* ***fijne*** *mijnheer!* a nice guy! 3 ⟨belangrijk man⟩ gentleman, grand seigneur, ⟨BE ook⟩ toff ♦ ⟨iron⟩ *en wat* ***deed*** *mijnheer?* and what did his lordship do?; *de* ***grote/mooie*** *mijnheer uithangen* play the grand seigneur/gentleman; *een* ***hele*** *mijnheer* quite the gentleman 4 ⟨heer des huizes⟩ ♦ ***is*** *mijnheer* ***thuis?*** is Mr X in?; ⟨tegen bediende⟩ is your master in?; ***mijn*** *mijnheer* my master 5 ⟨marine⟩ sir 6 ⟨mil⟩ sir
¹**mijnheren** [onov ww] ⟨inf⟩ ⟨vaak 'mijnheer' zeggen⟩ ± fawn, ± be obsequious
²**mijnheren** [ov ww] ⟨inf⟩ ⟨iemand met 'mijnheer' aanspreken⟩ sir, mister
mijnhout [het] pit-props, ⟨in mijnschacht⟩ crib
mijnindustrie [de^v] mining industry
mijningang [de^m] pithead
mijningenieur [de^m] mining engineer
mijnlamp [de] miner's/safety lamp, Davy (lamp)
mijnlift [de^m] mine lift, cage
mijnongeluk [het] mine/mining accident
mijnopruimingsdienst [de^m] mine/bomb/explosives disposal service, mine/bomb/explosives disposal squad, mine/bomb/explosives disposal unit
mijnramp [de] mining/colliery/pit disaster
mijnrecht [het] mining law
mijnschacht [de] mine shaft, pit
mijnsluiting [de^v] pit closure
mijnstad [de] mining town
mijnstaking [de^v] miners' strike
mijnstreek [de] mining area/district
mijnstut [de^m] pit-prop
mijntrechter [de^m] mine crater
mijnwagentje [het] tub, mine car, tram, hutch
mijnwater [het] water in the/a mine
mijnwerker [de^m] miner, mine worker, ⟨kolenmijn⟩ collier, coal miner
mijnwerkersbevolking [de^v] mining population
mijnwerkersbond [de^m] miners' union
mijnwet [de] Mines Act, ⟨olie-industrie⟩ Mining Act ♦ ***natte*** *mijnwet* (Netherlands) Continental Shelf Mining Act 1965
mijnwezen [het] 1 ⟨m.b.t. de mijnontginning⟩ mining (matters/industry/activity) 2 ⟨mijnen in een streek⟩ mines
mijnworm [de^m] hookworm, miner's worm
mijnwormziekte [de^v] ancylostomiasis, miner's anaemia, ⟨niet wet⟩ hookworm disease
mijnziekte [de^v] carbon monoxide poisoning
mijt [de] 1 ⟨opgestapelde hoop⟩ stack, pile, ⟨van koren/hooi ook⟩ rick 2 ⟨diertje⟩ mite, ⟨wet⟩ acarid
mijter [de^m] 1 ⟨hoofddeksel⟩ mitre 2 ⟨bisschoppelijke waardigheid⟩ episcopate
mijteren [ov ww] 1 ⟨met een mijter sieren⟩ mitre 2 ⟨tot bisschop verheffen⟩ mitre
mijzelf [pers vnw] myself ♦ *ik begin mijzelf te leren* ***kennen*** I'm getting to know myself; *plaatsen* ***voor*** *mijzelf en echtgenote* ⟨ook⟩ seats for self and wife
mik [de] loaf (of rye-bread) ▪ ⟨inf⟩ ***dikke mik*** (you can) go fly a kite/take a running jump/jump in the lake; ⟨inf⟩ *het is* ***dikke mik*** it's all right, ⟨vnl AE ook⟩ it's a-OK; ⟨inf⟩ *het is* ***dikke mik*** *tussen die twee* they're as thick as thieves
¹**mikado** [de^m] ⟨Japans⟩ ⟨titel⟩ mikado
²**mikado** [het] ⟨Japans⟩ ⟨spel⟩ spillikins, jackstraws
mikimotoparel [de^m] cultured pearl
¹**mikken** [onov ww] 1 ⟨richten⟩ (take) aim ♦ *zij kan zeer* ***goed*** *mikken* she's a crack shot; *je moet* ***nauwkeurig*** *mikken alvorens te schieten* you have to take careful aim before you shoot; *mikken* ***op*** *iets* (take) aim at sth. 2 ⟨ambiëren⟩ aim (for/at), go (for), try (for) ♦ *je moet* ***hoger*** *mikken* you should aim higher/raise your sights; ***hoog*** *mikken* aim high; *te* ***hoog*** *mikken* ⟨ook⟩ let one's ambitions outrun one's abilities; *ze mikt* ***op*** *het presidentschap* she is aiming at/she's set her sights on the presidency
²**mikken** [ov ww] ⟨inf⟩ ⟨gooien⟩ chuck, fling, throw
mikmak [de^m] ⟨inf⟩ caboodle, lot, works ♦ *de* ***hele*** *mikmak* the lot, the works, the whole caboodle
mikpunt [het] butt, target, object ♦ *hij is een* ***eeuwig/voortdurend*** *mikpunt van spotternij* he is a standing joke/a laughing stock; *iemand* ***tot*** *een mikpunt* ***maken*** *van plagerijen/grappen* make s.o. the butt of one's teasing/jokes; *mikpunt zijn* ***van spot*** be the object of derision
mil. [afk] (militair) mil
Milaan [het] Milan, Milano
Milanees [bn] Milanese
milchig [bn] milky
mild [bn, bw] 1 ⟨gul⟩ generous ⟨bw: ~ly⟩, liberal ♦ *met milde* ***hand*** lavishly, generously 2 ⟨overvloedig⟩ generous ⟨bw: ~ly⟩, liberal, profuse, lavish, plentiful ♦ *een milde* ***gift*** a generous donation 3 ⟨welwillend⟩ mild ⟨bw: ~ly⟩, ⟨oordeel⟩ clement, charitable, ⟨straf⟩ lenient, kind ♦ *mensen mild* ***beoordelen*** judge people with charity; *iemand mild* ***bestraffen*** punish s.o. lightly/leniently; *milde* ***kritiek*** mild/charitable criticism; *hij is* ***niet*** *mild in zijn kritiek* he is severe/harsh in his judgement/criticism; *een mild* ***oordeel*** a clement/lenient view/judgement; *het hart mild* ***stemmen*** soften the heart 4 ⟨zacht⟩ mild ⟨bw: ~ly⟩, ⟨regen⟩ soft, ⟨weer⟩ genial, gentle, tender ♦ *een milde* ***regen*** a soft/gentle rain; *een milde* ***shampoo*** a mild shampoo; *een milde* ***sigaret*** a mild cigarette
mildheid [de^v] 1 ⟨toegeeflijkheid⟩ mildness, clemency, charity, kindness ♦ *de gevangenen* ***met*** *mildheid behandelen* treat the prisoners with charity/clemency 2 ⟨goedgeefsheid⟩ generosity, liberality, lavishness ♦ *hij* ***werd geprezen*** *om zijn mildheid* he was praised for his generosity 3 ⟨zachtheid⟩ mildness, softness, gentleness ♦ *de mildheid van een* ***sigaret*** the mildness of a cigarette
miliaria [de^mv] ⟨med⟩ miliaria, ⟨ogm⟩ heat rash, prickly heat
milieu [het] 1 ⟨sociale kring⟩ milieu, (social) environment, ambience ♦ *iemand uit een* ***ander*** *milieu* s.o. from a different social background/milieu; *een* ***bekrompen/asociaal*** *milieu* a narrow-minded/an antisocial environment;

het familiale/sociale milieu the domestic/social environment [2] ⟨biol⟩ environment ♦ *welke zijn de* ***gevolgen*** *voor het milieu?* what are the environmental effects?; *de* ***vervuiling*** *van het milieu* environmental pollution [3] ⟨onderwereld⟩ gangland, underworld ♦ *hij zit in het milieu* he is part of the underworld

milieuactivist [de^m] conservationist, environmentalist, anti-pollutionist

milieuambtenaar [de^m] environment official, anti-pollution officer

milieubederf [het] environmental pollution

milieubeheer [het] conservancy, conservation (of nature), environmental protection/management

milieubelasting [de^v] anti-pollution tax

milieubeleid [het] conservation/environmental policy

milieubeleidsplan [het] environmental policy plan ♦ ***Nationaal*** *Milieubeleidsplan* National Environmental Policy Plan

milieubeschermer [de^m] environmentalist, preservationist

milieubescherming [de^v] conservation, environmental protection

milieubeweging [de^v] ecology/environmental/anti-pollution movement, conservation movement

milieubewust [bn] environmentally aware/conscious, environmentalist, ⟨personen ook⟩ environment-minded, ⟨handeling⟩ ecological

milieubewustheid [de^v], **milieubewustzijn** [het] environmental awareness

milieubewustzijn [het] → **milieubewustheid**

milieubiologie [de^v] ecology, environmental biology

milieubureau [het] environmental bureau ♦ ***Europees*** *Milieubureau* European Environmental Bureau, EEB

milieucontainer [de^m] ± recycling bin

milieucriminaliteit [de^v] crimes against the environment

milieudefensie [de^v] environmental protection, conservancy, conservation

milieudelict [het] crime against the environment

milieudeskundige [de] environmentalist, ⟨wet⟩ ecologist

milieudruk [de^m] environmental pressure

milieueconomie [de^v] environmental economy

milieueffectrapportage [de^v] environmental impact statement, ± environmental impact assesment

milieuerosie [de^v] environmental deterioration

milieufreak [de] ⟨scherts⟩ ecology freak, ⟨ogm⟩ fanatical conservationist

milieugevaarlijk [bn] environmentally hazardous, hazardous to the environment

milieugrens [de] environmental limit

milieugroep [de] ecology group, anti-pollutionists, environmentalists, ⟨actiegroep ook⟩ eco-activists

milieuheffing [de^v] environmental/pollution tax/fee(s)/charge(s), tax according to the polluter-pays principle

milieuhygiëne [de] [1] ⟨bestrijding van milieubederf⟩ environmental protection, pollution control [2] ⟨toestand van het milieu⟩ state of the environment, environmental health

milieu-inspectie [de^v] environmental inspectorate

milieu-intensief [bn] environmentally intensive/taxing, resource-intensive

milieukeur [de] ecolabel, ecomark, environmental seal of approval

milieukeurmerk [het] ecolabel, ecomark, environmental seal of approval

milieukunde [de^v] environmentology

milieuminister [de^m] minister of/for the environment, minister of/for environmental affairs, environment(al affairs) minister, ⟨inf⟩ energy minister

milieuonvriendelijk [bn] environmentally unfriendly

milieuorganisatie [de^v] environmental organization, green organization, environmental pressure group

milieupartij [de^v] ecology party

milieuplanning [de^v] environmental/ecological planning

milieupolitie [de^v] anti-pollution squad

milieupolitiek [de^v] conservation policy, environmental policy

milieuprobleem [het] environmental problem

milieuramp [de] environmental disaster, ⟨op zeer grote schaal ook⟩ eco-catastrophe

milieuschade [de] environmental damage

milieuschadelijk [bn] environmentally damaging/harmful, damaging/harmful to the environment

milieustraat [de] recycling centre

milieutaal [de] sociolect

milieutaks [de] ⟨in België⟩ environmental tax

milieutechniek [de^v] environmental technology

milieutechnologie [de^v] ⟨m.b.t. het milieu⟩ environmental technology, ⟨milieuvriendelijk⟩ green technology

milieutoeslag [de^m] ⟨fiscus⟩ supplementary grant for anti-pollution investment

milieuveilig [bn] environmentally safe, non-polluting

milieuvergunning [de^v] environmental permit

milieuverkenning [de^v] environmental study

milieuverontreiniging [de^v], **milieuvervuiling** [de^v] environmental pollution

milieuvervuiling [de^v] → **milieuverontreiniging**

milieuvraagstuk [het] environment(al) issue

milieuvriendelijk [bn, bw] environment-friendly, nature-friendly, ecologically sound, ecological, harmless to the environment, environmentally friendly/safe

milieuwachter [de^m] environmentalist

milieuwerker [de^m] ⟨scherts⟩ refuse collector

milieuwet [de] environment law

milieuwetenschappen [de^mv] environmental science(s)

milieuwetgeving [de^v] environmental legislation

milieuzone [de] environmental zone

¹militair [de^m] soldier, serviceman, military/militia man, ⟨mv⟩ (the) troops/military ♦ ***dienstplichtig*** *militair* conscript, ⟨AE⟩ draftee; *een* ***goed*** *militair* a fine soldier

²militair [bn, bw] ⟨bijvoeglijk naamwoord⟩ military, army, war(like), armed, soldiers', ⟨bijwoord⟩ in a military fashion/way ♦ *militaire* ***academie*** military academy/school; *militaire* ***bijstand*** military aid/support/relief/assistance; *de militaire* ***dienst*** military service, ⟨BE ook⟩ national service; *in militaire* ***dienst*** *gaan* do one's military service, join the Army; *ontslag uit militaire* ***dienst*** separation from the service; *uit militaire* ***dienst*** *ontslagen worden* be discharged (from military service), get one's discharge; ⟨inf; BE⟩ get one's ticket; *met militaire* ***eer*** with military honours; *iemand de militaire* ***eer*** *bewijzen* render s.o. military honours; *de militaire* ***groet*** *brengen* salute (in military fashion), stand at the salute; *militaire* ***hulp*** *geven* give military aid; *hij koos voor een militaire* ***loopbaan*** he chose a career in the military/the army; *militaire* ***politie*** military police; *militair* ***tehuis*** servicemen's recreation center

militair-industrieel [bn] military-industrial ♦ *het militair-industrieel* ***complex*** the military-industrial complex

¹militant [de^m] ⟨in België⟩ activist

²militant [bn, bw] militant ⟨bw: ~ly⟩ ♦ *een militante* ***feministe*** a militant feminist; *zij* ***treedt*** *altijd nogal militant* ***op*** she is pretty militant; ⟨sl⟩ she comes on pretty strong; *de militante* ***vleugel*** *van een partij* the militant wing of a party

militaria [de^mv] militaria

militariseren [ov ww] [1] ⟨drillen⟩ militarize ♦ ***arbeiders*** *militariseren* militarize workers, train workers for combat [2] ⟨bewapenen⟩ militarize

militarisme [het] [1] ⟨positieve houding m.b.t. het militaire⟩ militarism [2] ⟨invloed van het leger⟩ militarism
militarist [de^{m}] militarist
militaristisch [bn, bw] ⟨bijvoeglijk naamwoord⟩ militarist(ic)
military [de^{m}] ⟨sport⟩ three-day event, eventing
militie [de^{v}] [1] ⟨krijgsmacht⟩ militia [2] ⟨in België; militaire zaken⟩ military affairs, ⟨i.h.b.⟩ conscription
milium [het] Milium, millet grass
[1]**miljard** [het] [1] ⟨duizend miljoen⟩ billion, ⟨BE ook⟩ (a/one) thousand million ◆ *hij **heeft** miljarden* he has got billions, he is a multimillionaire/^{A}billionaire; *daaraan **zijn** miljarden **uitgegeven*** thousands of millions/billions have been spent on this [2] ⟨ontelbare menigte, hoeveelheid⟩ billion, ⟨AE⟩ zillion
[2]**miljard** [hoofdtelw] [1] ⟨duizend miljoen⟩ billion, ⟨BE ook⟩ (a/one) thousand million ◆ *de schade loopt in de miljarden **euro's*** the damage runs into billions/thousands of millions (of euros); *een miljard **liter** olie* a billion litres of oil [2] ⟨bijzonder veel⟩ billion, ⟨AE⟩ zillion ◆ *miljarden **muggen*** billions/zillions of mosquitoes
miljardair [de^{m}] multimillionaire, ⟨AE⟩ billionaire
miljardendans [de^{m}] billion-dollar/euro/... deal/transaction/affair
miljardennota [de] budget
[1]**miljardste** [bn] billionth ◆ *een miljardste **lichtjaar*** one billionth of a light-year; *een miljardste (deel) van de wereldbevolking* a billionth part of the world population
[2]**miljardste** [rangtelw] billionth
[1]**miljoen** [het] [1] ⟨duizendmaal duizend⟩ million ◆ *misschien wint ú het **half** miljoen!* perhaps you will win the half million!; ⟨iron⟩ *een **paar** miljoentjes verdienen* earn a few million(s); *een tekort van **zes** miljoen* a six-million deficit, a deficit of six million(s) [2] ⟨ontelbare menigte⟩ million
[2]**miljoen** [hoofdtelw] [1] ⟨duizendmaal duizend⟩ (a/one) million ◆ *dit project zal miljoenen **euro's** gaan kosten* this scheme/project is going to cost millions of euros; *een miljoen kubieke **meter** gas* a million cubic metres of gas [2] ⟨bijzonder veel⟩ million
[3]**miljoen** [rangtelw] ⟨de miljoenste⟩ one million
miljoenenbedrijf [het] multimillion pound/dollar industry
miljoenencontract [het] multimillion contract, ⟨sl; AE⟩ megabucks contract
miljoenendans [de^{m}] million-dollar/euro/... deal/transaction/affair
miljoenenerfenis [de^{v}] inheritance of millions
miljoenennota [de] budget
miljoenenomzet [de^{m}] turnover of millions (of pounds/dollars), million-dollar turnover
miljoenenorder [de^{m}] order worth millions of pounds/dollars, million-dollar order
miljoenenrede [de] budget speech/address/statement
miljoenenschade [de] damage amounting to millions, damage which runs into millions
miljoenenschuld [de] multimillion pound/dollar debt
miljoenenstad [de] city with over a million inhabitants
miljoenenstrop [de] financial loss/blow/setback running into millions
miljoenenverlies [het] loss running into millions
miljoenenwinst [de^{v}] profit of millions
miljoenenzwendel [de^{m}] fraud running into millions
miljoenmaal [bw] [1] ⟨miljoen keren⟩ a million times [2] ⟨ontzaglijk vaak⟩ a million times
[1]**miljoenste** [bn] millionth ◆ ⟨zelfstandig (gebruikt)⟩ *een kans van **een** miljoenste* a/one chance in a millionth; *een miljoenste **lichtjaar*** one millionth of a light-year
[2]**miljoenste** [rangtelw] millionth ◆ *de (één) miljoenste **bezoeker** sinds de opening van Disneyland* the millionth visitor since Disneyland was opened
miljoenvisje [het] guppy
miljonair [de^{m}] millionaire ◆ ***tweemaal** miljonair (zijn)* (be) a millionaire twice over; *enige malen/**veelvoudig** miljonair* multimillionaire; ⟨inf⟩ zillionaire; *een **vrouwelijke** miljonair* a millionairess
milkbar [de] milk bar
milkshake [de^{m}] milk shake
mille [het] (one) thousand ◆ ***pro** mille* per mill/thousand; *zij **verdient** veertig mille per jaar* she earns forty thousand a year
millefleurs [het] millefleurs
millenarisme [het] millenarianism
millennium [het] [1] ⟨tijdperk⟩ millennium ◆ ***van** een/het millennium* millennial, millenary [2] ⟨duizendjarig Godsrijk⟩ millennium
milliampère [de^{m}] milliampere
millibar [de^{m}] millibar
millicurie [de^{v}] millicurie
milligram [het, de^{m}] milligram(me)
milliliter [de^{m}] millilitre
millimeter [de^{m}] millimetre ◆ *werken (tot) **op** de millimeter nauwkeurig* carry out work accurate to the millimetre; ⟨fig⟩ *op de/een **vierkante** millimeter* on the/a postage stamp
millimeteren [ov ww] ⟨haar⟩ crop
millimeterpapier [het] graph paper
millimeterwerk [het] precision work
millimicron [het, de^{m}] nanometer, ⟨vero⟩ millimicron
milliseconde [de] millisecond
millivolt [de^{m}] millivolt
milliwatt [de^{m}] milliwatt
milt [de] ⟨biol⟩ spleen
miltontsteking [de^{v}] splenitis
miltvergroting [de^{v}] splenomegaly
miltvuur [het] ⟨med⟩ anthrax, splenic fever ◆ *miltvuur onder het **vee*** anthrax/splenic fever in cattle
miltvuurbacterie [de^{v}] anthrax
milva [de^{v}] ⟨lid van een Militaire Vrouwenafdeling⟩ ⟨BE⟩ ± WRAC, ⟨AE⟩ ± WAC
Milva [de^{v}] (Militaire Vrouwenafdeling (bij het leger)) ⟨BE⟩ ± WRAC, ⟨AE⟩ ± WAC
[1]**mime** [de^{m}] ⟨speler⟩ mime (artist)
[2]**mime** [de] [1] ⟨pantomime⟩ mime ◆ *mime **spelen*** perform a mime [2] ⟨gebaar⟩ mime
mimegroep [de] mime group
mimen [ov ww] mime
mimeren [ov ww] mime
mimesis [de^{v}] [1] ⟨nabootsing⟩ mimesis, mimicry [2] ⟨lit⟩ mimesis
mimespeelster [de^{v}] → **mimespeler**
mimespel [het] mime
mimespeler [de^{m}], **mimespeelster** [de^{v}] mime (artist)
mimetisme [het] mimetism
mimi [de] nest of tables
mimicry [de^{v}] mimicry
mimicus [de^{m}] mime (artist)
mimiek [de^{v}] [1] ⟨uitdrukkingsbewegingen⟩ facial expression ◆ *iets **door** mimiek **uitdrukken*** show sth. by (one's) facial expression [2] ⟨gebarenkunst⟩ mime
[1]**mimisch** [bn] ⟨m.b.t. de mimiek⟩ mimic(al), mimetic
[2]**mimisch** [bw] ⟨door middel van gebaren⟩ mimically, mimetically ◆ *iets mimisch **voorstellen*** represent sth. mimetically
mimiset [de^{m}] nest of tables
mimitafeltje [het] small table
mimografie [de^{v}] mimography
mimosa [de] [1] ⟨plant⟩ mimosa, ⟨AuE⟩ wattle [2] ⟨plantengeslacht⟩ mimosa
[1]**min** [de^{v}] ⟨voedster⟩ (wet) nurse

²min [de] [1] ⟨negatieve waarde⟩ minus ♦ *tien punten/euro* ***in*** *de min staan* have a minus of ten points/euros [2] ⟨minteken⟩ minus (sign), negative sign ♦ *voor dit cijfer moet je een min* ***plaatsen*** you must place a minus before this figure; *zij heeft op haar rapport voor tekenen een* ***zeven*** *min* she has a seven minus for drawing on her report
³min [de; vaak minne] ⟨genegenheid⟩ love ♦ ***hoofse*** *min* courtly love [•] *iets* ***in*** *der minne schikken* settle sth. amicably/by mutual agreement; ⟨ook⟩ settle sth. out of court
⁴min [bn] ⟨nietig, zwak⟩ poor ♦ *arbeiders waren haar* ***te*** *min* workmen were below/beneath her
⁵min [bn, bw] [1] ⟨klein⟩ poor ⟨bw: ~ly⟩ ♦ *min* ***denken*** *over iemand* have a poor opinion of s.o.; *daar moet je niet te min over* ***denken*** that's not to be sneezed at [2] ⟨gemeen⟩ mean ⟨bw: ~ly⟩, low(-down), shabby, base ♦ *iemand min* ***behandelen*** treat s.o. badly; *een minne* ***streek*** a mean/dirty trick [3] ⟨weinig⟩ little ♦ ***zo*** *min mogelijk fouten maken* make as few mistakes as possible; *ik weet het net* ***zo*** *min* ***als*** *jij* your guess is as good as mine; *zij is (net)* ***zo*** *min verlegen* ***als*** *ik* she is as little shy as I am; *ik kan het me net* ***zo*** *min* ***als*** *jij permitteren* I can't afford it, and no more can you
⁶min [bw] [1] ⟨negatief⟩ minus ♦ *de thermometer staat op min 10°* the thermometer stands at minus 10° [2] ⟨minder⟩ less ♦ *min of meer* more or less, somewhat, sort of [3] ⟨natuurk⟩ negative
⁷min [vz] minus, less ♦ ***tien*** *min* ***drie*** *is zeven* ten minus three equals seven; ⟨inf⟩ three from ten leaves/is seven
⁸min [afk] (minuut) min
min. [afk] [1] (minimum) min [2] (minister) Min [3] (ministerie) Min
Mina ± Mina, Minnie ♦ ⟨fig⟩ ***Dolle*** *Mina* ⟨beweging⟩ Women's Lib(eration) (Movement); ⟨fig⟩ ***dolle*** *mina* ⟨persoon⟩ militant feminist, ⟨ook pej⟩ Women's Libber
minachten [ov ww] disdain, hold in contempt, despise, look down on
minachtend [bn, bw] disdainful ⟨bw: ~ly⟩, contemptuous, depreciatory ♦ *minachtend* ***behandelen*** treat with contempt; *een minachtende* ***blik*** a disdainful look; *minachtend* ***spotten*** mock contemptuously
minachting [de^v] contempt, disdain ♦ *zich de minachting van* ***anderen*** *op de hals halen* bring o.s. into contempt; *minachting* ***koesteren*** *voor iemand* feel contempt for s.o.; *iemand* ***met*** *minachting behandelen* treat s.o. with contempt/like dirt; *een* ***onverholen*** *minachting tonen voor iets* have an undisguised contempt for sth.; ***uit*** *minachting* ***voor*** in contempt of; *een blik* ***vol*** *minachting* a contemptuous/disdainful look
minaret [de] minaret
minarine [de^v] ⟨in België⟩ low-fat margarine
mind [de^m] mind ♦ *zijn mind* ***opmaken*** make up one's mind
¹minder [bn] [1] ⟨geringer⟩ less, smaller ♦ *ik doe het niet* ***voor*** *minder* I won't do it for less; *er was minder* ***vraag*** demand was down; *minder* ***worden*** ⟨aanbod, aantal, vraag e.d.⟩ decrease, diminish, lessen, decline [2] ⟨inferieur⟩ inferior, lower ♦ *het niet* ***met*** *minder doen* refuse to do with less; *ze wordt er* ***niet*** *minder om* that won't diminish her, that won't affect her reputation; *de mindere* ***rangen*** the lower/inferior ranks [3] ⟨geringer van betekenis⟩ minor ♦ *de regen* ***wordt*** *minder* the rain is easing off [4] ⟨slechter⟩ worse ♦ *minder* ***dan*** ⟨in kwaliteit⟩ inferior to; *het* ***is/smaakt*** *er niet minder om* it is/tastes none the worse for it; *mijn ogen* ***worden*** *minder* my eyesight is failing; *peren/appels* ***worden*** *minder in het voorjaar* pears/apples are not so good in the spring; *de zieke* ***wordt*** *minder* the patient is getting worse; *naar het einde toe* ***wordt*** *het (wat) minder* ⟨bijvoorbeeld boek, film⟩ it gets worse/goes off towards the end; *het* ***wordt*** *minder met de omzet/service/kwaliteit* the turnover/service/quality gets worse
²minder [bw] [1] ⟨van graad⟩ less ♦ *dat was minder* ***geslaagd*** that was rather less successful/was not so/very successful [2] ⟨van wijze⟩ less ♦ ***hoe*** *minder erover gezegd wordt, hoe beter* the less said about it the better; *minder gaan* ***roken/drinken*** cut down on smoking/drinking; *kan het* ***wat*** *minder?* there's no need to shout! [3] ⟨van modaliteit⟩ less ♦ *het* ***zijn*** *minder de commentaren dan de sensatieverhalen die de aandacht trekken* it is not so much the sensational stories as the comments/it is the sensational stories rather than the comments that attract the attention
³minder [telw] less ⟨met n-telb zn⟩, fewer ⟨met telb zn⟩ ♦ *een paar* ***dagen*** *minder* fewer days; *weinig minder* ***dan*** sth./little short of; *niemand minder* ***dan*** ... no less a person than ...; *een bedrag van niet minder* ***dan*** *300 euro* no less a sum than 300 euros; *in minder* ***dan*** *twee weken na hun huwelijk* within two weeks of their wedding; *net iets minder* ***dan*** *100 euro/30 seconden* just under a hundred euros/30 seconds; *niet minder* ***dan*** *300 mensen hebben gesolliciteerd* no less than 300 people sent in an application/their applications; *het is* ***iets*** *minder, mag dat?* it's a little less, OK?/is that all right?; ***in*** *minder dan geen tijd was hij terug* he was back in less than no time; *dat* ***is*** *er weer één minder* that'll be one less; *vijf minuten* ***meer*** *of minder* give or take five minutes; *groepen van* ***negen*** *en minder* groups of nine and under; ***niets*** *minder dan dat* nothing less than that; *hij heeft niet veel geld, maar nog minder* ***verstand*** he has little money and even less intelligence [•] ⟨sprw⟩ *hoe minder verstand, hoe gelukkiger hand* fortune favours fools
minderbedeeld [bn] less fortunate
minderbegaafd [bn] ⟨euf⟩ backward
minderbroeder [de^m] ⟨r-k⟩ Friar Minor, Minorik
minderdraagkrachtige [de] financially weak person ♦ *de minderdraagkrachtigen* the financially weak
mindere [de] [1] ⟨ondergeschikte⟩ inferior ♦ ***op*** *zijn minderen* ***neerzien*** look down on one's inferiors [2] ⟨mil⟩ private (soldier) ♦ ***de*** *minderen* the rank and file; ⟨op schip⟩ the ratings [3] ⟨minder bekwame⟩ inferior ♦ *hij bleek op alle punten haar mindere te* ***zijn*** he proved to be her inferior on all scores
¹minderen [onov ww] [1] ⟨minder worden⟩ decrease, diminish, lessen, decline ♦ *de* ***kou*** *is geminderd* the cold is less; *de* ***pijn*** *mindert* the pain is lessening/easing off [2] ⟨m.b.t. brei-, haakwerk⟩ decrease [•] *minderen* ***met*** *(roken)* cut down on (smoking)
²minderen [ov ww] ⟨minder maken⟩ decrease, diminish ♦ ***snelheid/zijn vaart*** *minderen* slow down, reduce one's speed; *twee* ***steken*** *minderen* decrease two stitches
minderhedenbeleid [het] minorities policy, policy towards minorities
minderhedenvraagstuk [het] the problem of the minorities
minderheid [de^v] [1] ⟨kleinste groep⟩ minority ♦ ***in*** *de minderheid zijn* be in the minority, be outvoted, be outnumbered; *een minderheid (van zes personen)* ***stemde*** *tegen het voorstel* a minority (of six persons) voted against the motion [2] ⟨deel van de bevolking⟩ minority (group) ♦ ***etnische*** *minderheid* ethnic minority; *zigeuners* ***vormen*** *een minderheid* gipsies constitute a minority (group) [3] ⟨lagere rang⟩ inferiority
minderheidsbelang [het] minority interest
minderheidscultuur [de^v] minority culture
minderheidsgroep [de] minority group
minderheidsgroepering [de^v] minority group
minderheidskabinet [het] ⟨pol⟩ minority government
minderheidsnota [de] minority report
minderheidspartij [de^v] minority party
minderheidsregering [de^v] ⟨pol⟩ minority government
minderheidsstandpunt [het] minority opinion, minority point of view
mindering [de^v] [1] ⟨vermindering⟩ decrease ♦ ***in*** *minde-*

ring komen be reduced/diminished; *iets* ***in*** *mindering brengen (op)* deduct sth. (from) ② ⟨m.b.t. brei-, haakwerk⟩ decrease

minderjarig [bn] minor, underage ◆ *minderjarig* ***zijn*** be a minor, be underage

minderjarige [de] minor

minderjarigheid [de^{v}] minority

[1]**mindervalide** [de^{m}] disabled (person) ◆ *de mindervaliden* the disabled

[2]**mindervalide** [bn] disabled ◆ *mindervalide arbeidskrachten* (semi-)invalid workers

mindervalidenzorg [de] social care of the disabled

minderwaarde [de^{v}] ① ⟨beneden het vereiste blijvende waarde⟩ short value ◆ *de minderwaarde van een* ***onderpand*** the short value of a security ② ⟨lagere, mindere waarde⟩ loss in value, decrease in value ◆ *de minderwaarde van de* ***tabak*** *door lekkage* the loss in value of the tobacco through leakage

[1]**minderwaardig** [bn] ⟨zonder veel waarde⟩ inferior (to), ⟨kwaliteit ook⟩ poor, low ◆ *dat is minderwaardig* ***fabricaat/goed*** these are low-quality products/goods; ***fysiek*** *minderwaardig* physically unfit; ***geestelijk*** *minderwaardig* mentally disordered/deficient/defective; *minderwaardig* ***geld*** depreciated money

[2]**minderwaardig** [bn, bw] ⟨gemeen⟩ mean ⟨bw: ~ly⟩, low, base ◆ *dat* ***vind*** *ik minderwaardig* I think that is low/a mean trick

minderwaardige [de] deficient ◆ ⟨jur⟩ ***geestelijk*** *minderwaardigen* mentally disordered persons

minderwaardigheid [de^{v}] inferiority, ⟨kwaliteit ook⟩ poor/low quality

minderwaardigheidsbesef [het] ⟨psych⟩ sense/feeling of inferiority

minderwaardigheidscomplex [het] ⟨psych⟩ inferiority complex

minderwaardigheidsgevoel [het] feeling/sense of inferiority

minderwerk [het] ⟨bouwk⟩ deduction, reduction, cost savings

mindfulness [de^{v}] mindfulness

mindset [de^{m}] ⟨psych⟩ mindset

mind you [tw] mind you

[1]**mineraal** [het] ① ⟨delfstof⟩ mineral ◆ ***rijk*** *aan mineralen* rich in minerals; ⟨attributief⟩ mineral-rich; *hun* ***rijkdom*** *aan mineralen* their mineral resources; ***zware*** *mineralen* heavy minerals ② ⟨voedingszouten⟩ mineral

[2]**mineraal** [bn] ① ⟨uit de aardkorst afkomstig⟩ mineral ◆ *een minerale* ***bron*** a mineral spring; *mineraal* ***gesteente*** rock; *minerale* ***olie*** mineral oil ② ⟨van anorganische oorsprong⟩ mineral

mineraalchemie [de^{v}] mineral chemistry

mineraalwater [het] mineral water ◆ ***koolzuurhoudend*** *mineraalwater* sparkling/fizzy/carbonated mineral water

mineralenboekhouding [de^{v}] ± chemicals balance sheet, record of chemicals' input and output of livestock-raising businesses, required as environmental protection measure

mineralisatie [de^{v}] ⟨geol⟩ ① ⟨het doen overgaan in anorganische stof⟩ mineralization ② ⟨afzetting van mineralen⟩ mineralization

mineraliseren [ov ww, ook abs] mineralize

mineraloge [de^{v}] → **mineraloog**

mineralogie [de^{v}] mineralogy

mineralogisch [bn] mineralogical

mineraloog [de^{m}], **mineraloge** [de^{v}] mineralogist

mineren [ov ww] ① ⟨kruitmijnen aanleggen⟩ mine ② ⟨m.b.t. insecten⟩ mine

minestrone [de] ⟨cul⟩ minestrone (soup)

[1]**mineur** [de^{m}] ⟨mil⟩ miner

[2]**mineur** [de] ① ⟨muz⟩ minor ◆ *dit stuk staat* ***in*** *(c-)mineur* this piece is in (C) minor ② ⟨stemming⟩ minor key ◆ *een* ***rede in*** *mineur* a speech in a minor key; ***in*** *mineur (gestemd)* ***zijn*** be depressed

mineurstemming [de^{v}] minor key

mingporselein [het] Ming (porcelain)

minheid [de^{v}] ① ⟨lage handelswijze⟩ meanness, lowness, baseness ② ⟨nietigheid⟩ littleness

mini [het] ① ⟨rok, jurk⟩ mini ◆ *mini* ***dragen*** wear minis/a mini ② ⟨auto⟩ mini

miniaturisatie [de^{v}] miniaturization

miniatuur [de^{v}] ① ⟨vaak in samenstellingen; klein model⟩ miniature ◆ *miniatuur****autootje*** ⟨ook⟩ model car; ***in*** *miniatuur* in miniature; *miniatuur****woordenboek****, miniatuur****staat*** miniature dictionary/state ② ⟨hoofdletter, illustratie⟩ miniature, illumination ◆ *een getijdenboek* ***met*** *miniaturen* an illuminated breviary ③ ⟨schilderwerk⟩ miniature

miniatuurformaat [het] miniature format

miniatuurschilder [de^{m}], **miniatuurschilderes** [de^{v}] miniaturist, miniature painter

miniatuurschilderes [de^{v}] → **miniatuurschilder**

miniatuurspoorbaan [de] miniature/model railway, ⟨in pretpark e.d.⟩ scenic railway

miniatuurtrein [de^{m}] miniature/model train

minibar [de] minibar

minibike [de^{m}] minibike

minibus [de] minibus

minicomputer [de^{m}] minicomputer

minicontainer [de^{m}] ⟨BE⟩ wheelie bin, ⟨AE⟩ garbage can

minidisc [de^{m}] minidisc

minidiscspeler [de^{m}] minidisc player

[1]**miniem** [de^{m}] ⟨in België⟩ (13 to 15-year-old) junior

[2]**miniem** [bn, bw] small, slight, negligible, ⟨bedrag/kosten ook⟩ nominal, marginal ◆ *een miniem* ***kansje*** ⟨ook⟩ an outside chance; ***uiterst*** *miniem* infinitesimal; *een miniem* ***verschil*** a slight/trifling difference

miniformaat [het] miniature format

minigolf [het] miniature golf, midget golf

mini-instructie [de^{v}] mini-preliminary inquiry

minima [de^{mv}], **minstbedeelden** [de^{mv}] minimum wage earners ◆ *de* ***echte*** *minima* the true minimum wage earners

[1]**minimaal** [bn] ⟨min, laf⟩ mean, base, low

[2]**minimaal** [bn, bw] ⟨uiterst klein, weinig⟩ minimal ⟨bw: ~ly⟩, minimum ◆ *minimaal* ***presteren*** achieve very little, perform very poorly; ⟨taalk⟩ *minimale* ***(woord)paren*** minimal pairs

[3]**minimaal** [bw] ⟨minstens⟩ at least ◆ *hier moet je minimaal twaalf voor* ***zijn*** ⟨ook⟩ the minimum age is twelve

minimal art [de] ⟨bk⟩ minimal art, minimalism, rejective art, reductivism

minimaliseren [ov ww] ① ⟨zo klein mogelijk maken⟩ minimize, minify, keep to a minimum ◆ *de* ***verschillen*** *minimaliseren* minimize the differences ② ⟨kleineren⟩ belittle, minimize, depreciate, deprecate ◆ *het* ***aantal*** *slachtoffers minimaliseren* minimize the number of victims/casualties

minimalisme [het] minimalism

minimalist [de^{m}] minimalist

minimode [de^{v}] mini (fashion/style)

minimum [het] ① ⟨kleinste waarde⟩ minimum ◆ *sigaren met een minimum* ***aan*** *nicotine* cigars with a minimum of nicotine; *het* ***absolute/uiterste*** *minimum* the absolute/very/bare minimum; *tot het/een minimum* ***beperken/terugbrengen*** reduce to the/a minimum, minimize; *de lonen* ***zijn*** *tot een minimum* ***gedaald*** wages have fallen/dropped to a minimum ② ⟨mv; mensen met minimumloon⟩ → **minima**

minimumeis [de^{m}] minimum requirement

minimuminkomen [het] minimum income ◆ *de minimuminkomens* the minimum wage earners

minimuminzet [de^m] minimum stake
minimumjeugdloon [het] minimum youth wage
minimumleeftijd [de^m] minimum age ♦ *de minimumleeftijd is **gesteld** op zestien jaar* the minimum age is sixteen; *niet toegestaan voor mensen **onder** de minimumleeftijd* persons under the minimum age not allowed
minimumlijder [de^m] ⟨iron⟩ [1] ⟨iemand met een minimumloon⟩ minimum wage earner [2] ⟨iemand die de kantjes eraf loopt⟩ minimalist
minimumloner [de^m] minimum wage earner
minimumloon [het] minimum wage
minimumprijs [de^m] minimum price ♦ ***vastgestelde** minimumprijs* fixed minimum price
minimumprogramma [het] minimum programme/^{A}program
minimumsnelheid [de^v] minimum speed
minimumtarief [het] ⟨van arts, notaris⟩ minimum fee
minimumtemperatuur [de^v] minimum temperature, bottom temperature
minimumthermometer [de^m] minimum thermometer
minimumuitkering [de^v] minimum benefit/allowance
minipil [de] minipill
minipupil [de^m] member of a sports club in the 6-7 year age group
minirok [de^m] miniskirt
miniseren [ov ww] cut down (on) ♦ *het **roken** miniseren* cut down (on) smoking
miniserie [de^v] mini series
minishort [de^m] minishorts
ministelsel [het] minimal social security system
minister [MINISTERIE] [de^m] ⟨pol⟩ [1] ⟨hoofd van een departement⟩ minister, ⟨Groot-Brittannië, sommige functies⟩ secretary of state, ⟨USA⟩ secretary ♦ *minister van **Binnenlandse Zaken*** Minister of the Interior; ⟨Groot-Brittannië⟩ Secretary of State for the Home Department, ⟨inf⟩ Home Secretary; ⟨USA⟩ Secretary of the Interior; *minister van **Buitenlandse Zaken*** Minister for Foreign Affairs/Relations; ⟨Groot-Brittannië⟩ Secretary of State for Foreign Affairs; ⟨Groot-Brittannië; inf⟩ Foreign Secretary; ⟨USA⟩ Secretary of State; *minister van **Defensie*** Minister of Defence; ⟨Groot-Brittannië⟩ Secretary of State for Defence; ⟨USA⟩ Secretary of Defense; ⟨Groot-Brittannië, USA; inf⟩ Defence/^{A}Defense Secretary; *minister van **Economische Zaken*** Minister for Economic Affairs; ⟨Groot-Brittannië⟩ ± President of the Board of Trade, ± Secretary of State for Trade and Industry; ⟨USA⟩ ± Secretary for Commerce; ***eerste** minister* prime minister, premier; *minister van **Financiën*** Minister of Finance; ⟨Groot-Brittannië⟩ Chancellor of the Exchequer; ⟨USA⟩ Secretary of the Treasury; ***gevolmachtigd** minister* minister plenipotentiary; *minister van **Justitie*** Minister of Justice; ⟨Groot-Brittannië⟩ ± Lord (High) Chancellor; ⟨USA⟩ ± Attorney General; *minister van **Landbouw, Natuurbeheer** en **Visserij*** Minister of Agriculture, Nature Management and Fisheries; ⟨USA⟩ Secretary of Agriculture; *minister van **Onderwijs, Cultuur** en **Wetenschappen*** Minister of Education, Cultural Affairs and Science; ⟨Groot-Brittannië; inf⟩ Education Secretary; ⟨USA⟩ Secretary of Education; *minister van **Ontwikkelingssamenwerking*** Minister for Overseas Development; *minister van **Sociale Zaken** en **Werkgelegenheid*** Minister for Social Services and Employment; ⟨USA⟩ ± Secretary of Labor, ⟨inf⟩ Labor Secretary; *minister van **Staat*** Minister of State, honorary title bestowed on former politicians for exceptional services; *minister van **Verkeer** en **Waterstaat*** Minister of Transport and Public Works; ⟨Groot-Brittannië⟩ ± Secretary of State for Transport; ⟨USA⟩ Secretary of Transportation; *minister van **Volksgezondheid, Welzijn** en **Sport*** Minister of Health, Welfare and Sports; ⟨Groot-Brittannië⟩ ± Secretary of State for Social Services; ⟨USA⟩ ± Secretary of Health and Human Services; *minister van **Volkshuisvesting**, Ruimtelijke **Ordening** en **Milieubeheer*** Minister for Housing, Spatial Planning and the Environment; ⟨USA⟩ ± Secretary for Housing and Urban Development; ***zittend** minister* Minister of the Crown; *minister zonder portefeuille* minister without portfolio [2] ⟨staatsvertegenwoordiger⟩ minister
ministerconferentie [de^v] [1] ⟨vergadering⟩ Cabinet meeting [2] ⟨landenconferentie⟩ conference of Ministers
ministerie [het] [1] ⟨departement⟩ ministry, ⟨Groot-Brittannië sommige, USA alle⟩ department ♦ *ministerie van **Binnenlandse Zaken*** Ministry/Department of the Interior; ⟨Groot-Brittannië⟩ Home Department, ⟨inf⟩ Home Office; ⟨in België⟩ *ministerie van **Binnenlandse Zaken** en Openbaar Ambt* Ministry of Internal Affairs and Public Office; *ministerie van **Buitenlandse Zaken*** Ministry of Foreign Affairs; ⟨Groot-Brittannië⟩ Foreign Office; ⟨USA⟩ State Department; *ministerie van **Defensie*** Ministry of Defence; ⟨USA⟩ Department of Defense, ⟨inf⟩ (the) Pentagon; *ministerie van **Economische Zaken*** Ministry of Economic Affairs; ⟨Groot-Brittannië⟩ ± Department of Trade and Industry; ⟨USA⟩ Department of Commerce; *ministerie van **Financiën*** Ministry of Finance, Finance Department; ⟨Groot-Brittannië⟩ Treasury; ⟨USA⟩ Treasury Department; *ministerie van **Justitie*** Ministry/Department of Justice; *ministerie van **Landbouw, Natuurbeheer** en **Visserij*** Ministry of Agriculture, Nature Management and Fisheries; ⟨USA⟩ Department of Agriculture; *ministerie van **Onderwijs, Cultuur** en **Wetenschappen*** Ministry of Education, Cultural Affairs and Science; ⟨Groot-Brittannië⟩ ± Department/Ministry of Education and Science; ⟨USA⟩ ± Department of Education; *ministerie van **Ontwikkelingssamenwerking*** Ministry for Overseas Development; *ministerie van **Sociale Zaken** en **Werkgelegenheid*** Ministry for Social Affairs and Employment; ⟨USA⟩ Department of Labor; *ministerie van **Verkeer** en **Waterstaat**,* ⟨in België⟩ *ministerie van **Verkeerswezen***

ministeries in Nederland

ministerie van Algemene Zaken (AZ)	Ministry of General Affairs
ministerie van Binnenlandse Zaken en Koninkrijksrelaties (BZK)	Ministry of the Interior and Kingdom Relations
ministerie van Buitenlandse Zaken (BuZa)	Ministry of Foreign Affairs
ministerie van Defensie	Ministry of Defence
ministerie van Economische Zaken (EZ)	Ministry of Economic Affairs
ministerie van Financiën	Ministry of Finance
ministerie van Justitie	Ministry of Justice
ministerie van Landbouw, Natuur en Voedselkwaliteit (LNV)	Ministry of Agriculture, Nature and Food Quality
ministerie van Onderwijs, Cultuur en Wetenschap (OCW)	Ministry of Education, Culture and Science
ministerie van Sociale Zaken en Werkgelegenheid (SZW)	Ministry of Social Affairs and Employment
ministerie van Verkeer en Waterstaat	Ministry of Transport, Public Works and Water Management
ministerie van Volksgezondheid, Welzijn en Sport	Ministry of Health, Welfare and Sport
ministerie van Volkshuisvesting, Ruimtelijke Ordening en Milieubeheer (VROM)	Ministry of Housing, Spatial Planning and the Environment

Ministry of Transport and Public Works; ⟨Groot-Brittannië⟩ Ministry of Transport; ⟨USA⟩ ± Department of Transportation; *ministerie van **Volksgezondheid, Welzijn** en **Sport*** Ministry of Health, Welfare and Sports; ⟨Groot-Brittannië⟩ ± Department of Health and Social Security; ⟨USA⟩ ± Department of Health and Human Services; *ministerie van **Volkshuisvesting, Ruimtelijke Ordening** en **Milieubeheer*** Ministry for Housing, Spatial Planning and the Environment; ⟨USA⟩ ± Department of Housing and Urban Development; ⟨in België⟩ *ministerie van Sociale **Voorzorg*** Ministry for Social Precaution [2] ⟨gebouw⟩ ministry [3] ⟨ambtenaren⟩ Ministry [4] ⟨het kabinet⟩ Cabinet ♦ *een ministerie **vormen*** form a government [5] ⟨predikantenvergadering⟩ consistory [•] *het **Openbaar** Ministerie* the Public Prosecutor; *ambtenaar van het **Openbaar** Ministerie* counsel for the prosecution/^{B}crown/^{A}state

Ministry, Minister, State Secretary

de Engelse woorden Ministry, Minister en State Secretary beginnen met een hoofdletter als er een *specifiek* ministerie of een specifieke minister of staatssecretaris wordt bedoeld

ministerieel [bn] ministerial, departmental ♦ *bij ministerieel **besluit**/ministeriële **beslissing*** by a Ministerial Order; *een ministeriële **commissie*** a departmental committee; *ministeriële **crisis*** Cabinet crisis; *de ministeriële **verantwoordelijkheid*** ministerial responsibility

minister-president [de^{m}] prime minister, premier

ministerraad [de^{m}] council of ministers ♦ *lid van de ministerraad* Cabinet Minister, Minister of the Crown; *(de) **vergadering** van de ministerraad (vandaag)* (today's) meeting of the Cabinet

ministerschap [het] [1] ⟨ambtsperiode⟩ ministry [2] ⟨ambt⟩ ministership, secretaryship, ministerial office

ministersploeg [de] team of ministers, ministerial team

ministersportefeuille [de^{m}] ministerial portfolio

ministerspost [de^{m}] ministerial post, ministerial office

ministerswisseling [de^{v}] Cabinet reshuffle

ministerszetel [de^{m}] seat in the government, ministership, ministerial office

minitaxi [de^{m}] minicab

minitrip [de^{m}] minitrip

minivoetbal [het] ⟨sport⟩ [1] ⟨zaalvoetbal⟩ indoor soccer/football [2] ⟨voetbal voor pupillen⟩ midget football

^{1}**mink** [de^{m}] ⟨dier⟩ mink

^{2}**mink** [het] ⟨bont⟩ mink

minkukel [de^{m}] ⟨scherts⟩ twit, dumb-cluck, ninny, twirp

min-maxcontract [het] contract specifying minimum and maximum hours of work

minnaar [de^{m}], **minnares** [de^{v}] [1] ⟨iemand die van een ander houdt⟩ ⟨man & vrouw⟩ lover, ⟨vrouw ook⟩ love, ⟨vrouw ook⟩ mistress ♦ *een **betaalde** minnaar* a gigolo, a lounge lizard; *een minnaar **hebben*** have a lover; *een **onervaren** minnaar* an inexperienced lover; *een **ontrouwe** minnaar* an unfaithful lover; ⟨inf⟩ a two-tuner; *een (rijke) **oudere** minnaar* a sugar-daddy; *een vrouw met **veel** minnaars* a woman with many lovers [2] ⟨liefhebber⟩ lover, devotee ♦ *een minnaar van de **jacht*** a lover of the chase

minnares [de^{v}] → **minnaar**

minne [de] → **min**^{1}

minnebrief [de^{m}] love letter

minnedicht [het] ⟨form⟩ love poem

minnegod [de^{m}] god of love

minnekozen [onov ww] make love, bill and coo, dally, pet

minnelijk [bn, bw] amicable ⟨bw: amicably⟩, friendly ♦ *een minnelijke **schikking*** an amicable/a friendly settlement/arrangement; *bij minnelijke **schikking** regelen* settle amicably/by agreement/out of court

minnelyriek [de^{v}] minnesong, minnesang, (courtly) love lyric

^{1}**minnen** [onov ww] ⟨vrijen⟩ court ♦ *minnende **paartjes*** courting/loving couples

^{2}**minnen** [ov ww] ⟨form⟩ ⟨beminnen⟩ ⟨ogm⟩ love

minnenijd [de^{m}] jealousy

minnepijn [de] pang of love

minnespel [het] courting, lovemaking

minnetjes [bn, bw] poor ⟨bw: ~ly⟩, thin ♦ *de zieke **voelt** zich erg minnetjes* the patient feels very low/poorly

minnezang [de^{m}] [1] ⟨de lyriek⟩ minnesong, minnesang, (courtly) love lyric [2] ⟨minnedicht⟩ love poem

minnezanger [de^{m}] minstrel, troubadour

^{1}**minor** [de^{m}] [1] ⟨logica⟩ minor term [2] ⟨stud⟩ minor

^{2}**minor** [bn] minor, junior

minorisering [de^{v}] ⟨in België⟩ discrimination

minoriteit [de^{v}] [1] ⟨minderheid⟩ minority [2] ⟨minderjarigheid⟩ minority

minorpromotie [de^{v}] underpromotion

minpunt [het] minus (point), demerit

^{1}**minst** [bn] [1] ⟨geringste⟩ slightest, ⟨laagst, slechtst⟩ lowest ♦ *niet **de/het** minste ...* ⟨kans, twijfel enz.⟩ not a bit/a shadow of ..., not the least touch of ..., not the slightest ...; *de minste **fout** niet door de vingers zien* not overlook the slightest mistake; *die vaas heeft niet de minste **waarde*** that vase has no value at all/whatever [2] ⟨zelfstandig (gebruikt)⟩ least ♦ *bij **het** minste of geringste* at the least little thing, at the drop of a hat, at/on the slightest provocation; *die schram is nog **het** minste* that scar doesn't matter (so) much; *er niet **het** minste van weten* not know the first/slightest thing about it; *hij heeft er niet in **het** minst bezwaar tegen* he does not object (to it) at all; ***op** z'n minst* at (the very) least; *zij is **op** zijn minst veertig* she's forty, if she's a day, she's at least forty; ***ten** minste* at least; ***ten** minste/**op** zijn minst een week* at least one week, one week at least

^{2}**minst** [bw] ⟨in de geringste mate⟩ least ♦ ***het** minst slapen van allemaal* sleep least of all; *wat ik **het** minst verwacht had, gebeurde* what I had least expected happened

^{3}**minst** [telw] ⟨bij niet-telbare naamwoorden⟩ least, ⟨bij telbare naamwoorden⟩ fewest ♦ *zij verdient het minste **geld*** she earns the least money; *de minste **overtredingen** gemaakt hebben* have committed the fewest offences

minstbedeelden [de^{mv}] → **minima**

minste [de^{m}] ♦ ***wees** maar de minste* make the first move, give way

minstens [bw] at (the) least ♦ *ik **dacht** minstens dat ...* I thought at (the very) least that ...; *het zijn er minstens **duizend*** there are a thousand at least; *hij is minstens **veertig*** he is forty, if he's a day; *ik moet minstens **vijf** euro hebben* I need five euros at least

minstreel [de^{m}] [1] ⟨troubadour⟩ minstrel, troubadour [2] ⟨dichter⟩ minstrel, poet

mint [de] [1] ⟨likeur⟩ mint, crème de menthe [2] ⟨kleur⟩ mint green

minteken [het] [1] ⟨m.b.t. aftrekkingen⟩ minus (sign) [2] ⟨m.b.t. negatieve waarde⟩ minus (sign), negative sign

^{1}**minus** [het] [1] ⟨minteken⟩ minus (sign) [2] ⟨tekort⟩ minus

^{2}**minus** [vz] minus, less ♦ ***zeven** minus **drie** is **vier*** seven minus three equals four

minuscuul [bn, bw] tiny, minuscule, minute ♦ *minuscuul **klein*** minuscule; *een minuscuul **klein** deel(tje)* a minute fraction; *minuscuul **schrift*** minuscule handwriting; *minuscuul **schrijven*** write very small; *minuscule **vliegjes*** tiny flies

minuskel [de] [1] ⟨kleine letter⟩ minuscule ♦ ***in** minuskel* minuscule; ***Karolingische** minuskels* Carolingian minuscules [2] ⟨bijbelhandschrift⟩ minuscule

minuskelschrift [het] minuscule, Carolingian

minuspool [de] negative pole

minusteken [het] minus sign

minutenlang [bn, bw] ⟨bijvoeglijk naamwoord⟩ minute-long, of (several) minutes ⟨na zn⟩, ⟨bijwoord⟩ (for) minutes ♦ *het **duurde** minutenlang voordat ze doorging* it was minutes before she went on; *hij **zweeg** minutenlang* he was silent for minutes

minutenwijzer [de[m]] minute hand

minutieus [bn, bw] meticulous, detailed, precise, ⟨detail ook⟩ minute ♦ *iets minutieus **beschrijven*** describe sth. in meticulous/minute detail; *een minutieus **onderzoek** instellen* carry out a careful inquiry

minuut [de] 1 ⟨deel van een uur⟩ minute ♦ *om **drie** minuten voor/over halfvier* at three twenty-seven/thirty-three, at twenty-seven minutes past three/to four; *er ging **geen** minuut voorbij of ik dacht aan haar* not/hardly a minute went by without me thinking of her; ***iedere** tien minuten rijdt er een tram* there's a tram every ten minutes/at ten-minute intervals; *het is tien minuten **lopen*** it's a ten-minute walk; ***op** de minuut **af** beginnen* start on the dot; *ze kwam om/het was vijf uur, **op** de minuut **af*** she arrived at/it was five o'clock sharp/precisely, she arrived on the stroke of five/at five o'clock on the dot; *je hebt er **op** de minuut **af** vijf uur over gedaan* it took you precisely five hours/five hours to the minute; *vijf minuten **pauze** nemen* take five 2 ⟨deel van een graad⟩ minute 3 ⟨origineel van een akte⟩ original (of the instrument) ♦ *de akte berust **in** minuut bij de notaris* the original of the instrument is with the notary 4 ⟨ogenblik⟩ second, minute ♦ *een minuut(je) **geduld** alstublieft* (hang on) just a sec(ond) please; ***geen** minuut zit hij stil* he won't sit still for a second; *de situatie verslechterde **met** de minuut* the situation was getting worse by the minute

minuutteken [het] minute mark

minvermogend [bn] poor, needy, impecunious, indigent, of limited means ⟨na zn⟩ ♦ ***de minvermogenden*** the poor (and needy), people/those of limited means

minzaam [bn, bw] 1 ⟨vriendelijk⟩ affable ⟨bw: affably⟩, amiable, genial, lik(e)able ♦ *iemand minzaam **ontvangen/bejegenen*** receive/treat s.o. graciously 2 ⟨m.b.t. personen van lagere rang⟩ bland ⟨bw: ~ly⟩, benign, ⟨neerbuigend⟩ condescending ♦ *een minzaam **knikje*** a bland/benign nod; *de vorst **onderhield** zich minzaam met de aanwezigen* the monarch graciously conversed with those present

minzaamheid [de[v]] 1 ⟨vriendelijkheid⟩ affability, amiability, geniality 2 ⟨m.b.t. personen van lagere rang⟩ blandness, benignity, ⟨neerbuigend⟩ condescension

mioceen [het] ⟨geol⟩ Miocene

mips [afk] ⟨comp⟩ (a million instructions per second) mips

mirabel [de] mirabelle (plum)

mirabile dictu [bw] mirabile dictu, wonder of wonders

[1]miraculeus [bn] ⟨rel⟩ ⟨wonderdoend⟩ miraculous, wonderworking, ⟨zeldz⟩ thaumaturgic ♦ *een miraculeus **Mariabeeld*** a miraculous image of the Virgin Mary

[2]miraculeus [bn, bw] ⟨wonderbaarlijk, verbazingwekkend⟩ miraculous ⟨bw: ~ly⟩, wonderful, marvellous, prodigious

mirakel [het] 1 ⟨wonder⟩ miracle, wonder ♦ *God alleen kan mirakelen **doen*** only god can work/perform miracles 2 ⟨iets wonderbaarlijks⟩ miracle, prodigy, marvel, wonder

[1]mirakels [bn] ⟨inf⟩ ⟨verdomd⟩ dashed, confounded, darned ♦ *die mirakelse **hond/drempel!*** that dashed/darned dog/doorstep!

[2]mirakels [bw] ⟨inf⟩ ⟨zeer⟩ awfully, incredibly, marvellously, ⟨AE⟩ marvelously ♦ *zij is mirakels **gelukkig*** she's marvellously happy; *'t is mirakels **vervelend*** it's a darned nuisance

mirakelspel [het] ⟨gesch⟩ miracle play

mirliton [de[m]] mirliton, reed-pipe, ⟨bij feestelijkheden⟩ novelty whistle, kazoo

mirre [de] myrrh

mirrorsite [de] mirror site

mirte [de[m]] myrtle

mirtenkrans [de[m]] myrtle crown/wreath

mirtenolie [de] myrtle oil

[1]mis [de] 1 ⟨plechtigheid⟩ Mass ♦ *de mis **doen/celebreren/opdragen/lezen*** say/celebrate/read Mass; *de **heilige** mis bijwonen* attend Mass; *een mis **met** drie heren* a High/Solemn Mass; ***naar** de mis gaan* go to Mass; *een **plechtige/gezongen** mis* a Solemn/sung Mass; *een **stille/gelezen** mis* a Low Mass; *de mis **van** 12 uur* 12 o'clock Mass; *de **zwarte** mis* Black Mass; ⟨m.b.t. dodenmis ook⟩ Mass for the dead, Requiem Mass 2 ⟨muziek, gezangen⟩ Mass ♦ *een mis van **Palestrina*** a choral Mass by Palestrina

[2]mis [bn, bw] 1 ⟨niet raak⟩ out, off target ♦ *mis **is** mis* a miss is as good as a mile; ***net** mis* not quite!, close!, almost!; *was het mis of **raak?*** was it (a) hit or (a) miss?; *het schot **was** mis* the shot missed/was out, the shot was off target 2 ⟨onjuist⟩ wrong ♦ *als ik het mis **heb** moet je 't maar zeggen* correct me if I'm wrong; *ik kan het mis **hebben** maar* ... I may be wrong but ...; *je **hebt** het mis* you're wrong/mistaken; *je **hebt** het helemaal mis* you're quite wrong/way off/way out; ⟨inf⟩ *mis **poes!*** (that's where you're) wrong!, nope!; ⟨dat is pech⟩ tough (luck)!; *je hebt het niet **ver** mis* you're not far out/off/wrong; *heb ik het **ver** mis als ik zeg dat* ... am I wrong/far out if I say that ...; *in niet mis te **verstane** bewoordingen* in no uncertain terms 3 ⟨niet in orde, verkeerd⟩ wrong ♦ *het **liep** mis* it went wrong; *daar is niks mis **mee*** there's nothing wrong with that; *het is weer mis **met** hem* ⟨weer ziek⟩ he's ill/sick again; ⟨kwade bui⟩ he's in one of his angry moods again; *het is helemaal mis **met** het weer* it's rotten weather, ↓ it's lousy weather, the weather's all wrong • *dat is lang **niet** mis!* that's not bad (at all)/not to be sneezed at; ⟨sprw⟩ *niet schieten is zeker mis* ± he who makes no mistakes, makes nothing; ± nothing ventured, nothing gained

misandrie [de[v]] ⟨med⟩ misandry

misantroop [de[m]] misanthrope, misanthropist

misantropie [de[v]] misanthropy

misantropisch [bn, bw] misanthropic(al) ⟨bw: misanthropically⟩

misbaar [het] clamour, ⟨protest ook⟩ outcry, uproar, ⟨lawaai ook⟩ hullabaloo ♦ *misbaar **maken*** ⟨schreeuwen⟩ beat one's breast, shout blue murder; ⟨ophef maken⟩ make a fuss, take on; *met **veel** misbaar* with a great deal of noise

misbaksel [het] 1 ⟨wanproduct⟩ waster, wastrel, ⟨aardewerk⟩ misfire 2 ⟨mismaakt persoon⟩ monster, monstrosity, freak, ⟨mispunt⟩ bastard, louse, ⟨sl⟩ shitbag, arsehole

misbelletje [het] sacring bell, Sanctus bell

misboek [het] ⟨r-k⟩ 1 ⟨missaal⟩ missal 2 ⟨kerkboek⟩ service/prayer book

misbruik [het] 1 ⟨verkeerd gebruik⟩ misuse, abuse, improper use, ⟨overmatig gebruik ook⟩ excess ♦ *misbruik van **bevoegdheid*** misuse of authority; ⟨jur⟩ misfeasance; *misbruik wordt **gestraft*** improper use will be punished; *misbruik van **gezag*** abuse of authority; *misbruik van iemand **maken*** impose on/take advantage of s.o., use/exploit s.o.; *misbruik **maken** van zijn macht* abuse/misuse one's power, pull rank (over s.o.); *van iemands goedheid misbruik **maken*** trespass upon/presume upon/take (undue) advantage of s.o.'s kindness/s.o.'s good nature; *misbruik **maken** van iemands **gastvrijheid*** impose on s.o.'s hospitality; *misbruik **maken** van iemands lichtgelovigheid* trade/play on s.o.'s credulity; *misbruik van **recht*** abuse of law; ***seksueel** misbruik* sexual abuse; *misbruik van **sterkedrank*** alcoholic excess; *misbruik van **vertrouwen*** abuse/breach of confidence/trust; *misbruik van **voorwetenschap*** misuse of inside(r) knowledge 2 ⟨verkeerde gewoonte⟩ abuse, malpractice, excess ♦ *misbruiken **tegengaan*** suppress abuses/malpractice

misbruiken [ov ww] 1 ⟨verkeerd gebruikmaken van⟩ abuse, misuse, ⟨goedheid⟩ impose upon, ⟨gezag⟩ make improper use of ♦ *iemands **goedheid** misbruiken* impose upon/presume/operate on s.o.'s kindness; *Gods **naam** misbruiken* use God's name in vain; *iemand **seksueel** misbruiken* abuse s.o. sexually; *zijn **talenten** misbruiken* prostitute/abuse one's talents; *zich misbruikt **voelen*** feel put upon/used/exploited [2] ⟨verkrachten⟩ violate, rape, assault sexually, dishonour ◆ *een **meisje** misbruiken* violate a girl

miscalculatie [de^v] miscalulation

miscasting [de] miscasting

misconceptie [de^v] misconception

misdaad [de] [1] ⟨delict⟩ crime, criminal act, offence ◆ *een misdaad **begaan/plegen*** commit/perpetrate a crime; *de politie **denkt** niet **aan** een misdaad* the police do not suspect foul play; *een **golf** van misdaden* a crime wave; *dat **is** geen misdaad* that's hardly a/no crime; *een misdaad **jegens** de gemeenschap* a public wrong; *de **perfecte** misdaad* the perfect crime; *de **plaats** van de misdaad* the scene of the crime; *misdaden **tegen** de menselijkheid* crimes against humanity; ***zware** misdaad* serious crime, felony [2] ⟨misdadigheid⟩ crime, criminality, criminal practices ◆ *misdaad **loont** niet* crime doesn't pay; *de stad van misdaad **zuiveren*** clean up the town [3] ⟨moreel slechte daad⟩ outrage, moral offence ◆ *haar zo te onderdrukken **is** een misdaad* it's an outrage to oppress her like that

misdaadbestrijding [de^v] measures to combat crime, fight against crime, crime prevention

misdaadcijfer [het] crime rate

misdaadfilm [de^m] crime film/^Amovie, ⟨vaak euf⟩ action film/^Amovie

misdaadroman [de^m] ⟨ook mv⟩ crime fiction

misdaadserie [de^v] crime series

misdaadsyndicaat [het] crime syndicate

[1]**misdadig** [bn, bw] ⟨van de aard van een misdaad⟩ criminal ⟨bw: ~ly⟩, ↑ felonious ◆ *met een misdadig **doel*** with criminal intent; *misdadig **gedrag*** criminal behaviour; *het **is** bepaald misdadig* it's downright criminal, it's highway robbery; *misdadige **jeugd*** juvenile delinquents; *misdadige **onachtzaamheid*** criminal negligence; *een misdadig **plan*** a criminal plan/scheme; *misdadige **praktijken*** criminal practices; *een misdadig **verleden*** a criminal past; *misdadige **verwaarlozing*** criminal neglect

[2]**misdadig** [bw] ⟨onbehoorlijk⟩ outrageously, criminally ◆ *deze huur is misdadig **hoog*** the rent is outrageously high

misdadiger [de^m], **misdadigster** [de^v] criminal, malefactor ◆ ***omgaan met** misdadigers* consort/associate with criminals; *wat een **stelletje** misdadigers* ⟨fig⟩ what a bunch of ruffians/thugs/gang of criminals; quite a rogues' gallery, isn't it

misdadigersbende [de] gang, band of criminals

misdadigersgezicht [het] criminal('s)/crook's face, face of a criminal

misdadigheid [de^v] crime, criminality, delinquency ◆ *de misdadigheid van een **plan*** the criminal character/nature of a plan; *de **toenemende** misdadigheid van de jeugd* the increase in juvenile crime/delinquency, increasing crime among the young

misdadigster [de^v] → **misdadiger**

misdeeld [bn] deprived, underprivileged, ⟨zeldz⟩ disinherited, dispossessed ◆ ⟨zelfstandig (gebruikt)⟩ ***de** misdeelden* the underprivileged/deprived/needy; ***door** de natuur misdeeld* unfavoured by nature, with little natured ability/few natural gifts/endowments; *het misdeelde **kind*** the deprived child

misdienaar [de^m] ⟨r-k⟩ acolyte, server, ⟨jongen ook⟩ altar boy

misdienette [de^v] ⟨r-k⟩ altar girl

[1]**misdoen** [ov ww] ⟨onrecht aandoen⟩ do (s.o.) wrong, do (s.o.) an injustice ◆ ***alles** wat ze jou heeft misdaan* everything/all the wrongs she did to you

[2]**misdoen** [ov ww, ook abs] ⟨zondigen⟩ do wrong, sin/offend (against the law), sin/offend (against a person) ◆ *je hebt absoluut **niets** misdaan* you've done absolutely nothing wrong, you've done no wrong at all; ***wat** heb ik misdaan?* what have I done wrong?, how have I offended you?, where's the sin in that?; ***wat** heb ik misdaan, dat je me zo uitscheldt?* what have I done to deserve such abuse?

zich misdragen [wk ww] misbehave, behave badly, ⟨m.b.t. kinderen ook⟩ be naughty, be a naughty boy/girl ◆ *zich **schandelijk** misdragen* misbehave grossly, make a shameful exhibition of o.s.; ⟨iron⟩ *ik heb me kennelijk misdragen* I've been a naughty boy/girl, I'm in (her/his) bad/black books

misdrijf [het] [1] ⟨ernstig strafbaar feit⟩ criminal offence/act, crime, ⟨jur⟩ indictable offence, felony ◆ *de politie **denkt** niet **aan** een misdrijf* the police do not suspect any foul play; *een **ernstig** misdrijf* a serious crime/offence; *een misdrijf **plegen*** commit a criminal offence; ***politieke** misdrijven* political offences; *misdrijven **tegen** de mens(elijk)heid* crimes against humanity [2] ⟨in België; strafbaar feit⟩ legal/penal/criminal offence

misdrijven [ov ww] do wrong, sin/offend (against the law), sin/offend (against a person)

misdruk [de^m] [1] ⟨vellen papier⟩ spoilage, ⟨slecht drukwerk⟩ mackle [2] ⟨boek⟩ reject (copy), bad copy

misduiden [ov ww] [1] ⟨verkeerd uitleggen⟩ misinterpret, misconstrue, mistake (s.o.'s meaning) [2] ⟨kwalijk nemen⟩ resent, take (sth.) ill, take (sth.) in a wrong spirit

mise [de^v] [1] ⟨spel; loterij; inleg⟩ stake, ante [2] ⟨wijnbotteling⟩ bottling

mise-en-scène [de^v] stageing, stage setting, mise en scène

miseigen [het] ⟨r-k⟩ ± liturgy ◆ *het **dominicaanse** miseigen* the Dominican liturgy

[1]**miserabel** [bn] [1] ⟨armzalig⟩ miserable, wretched, pathetic, pitiful, ⟨bedrag⟩ paltry ◆ *een miserabel **beetje*** a mere pittance [2] ⟨verachtelijk⟩ miserable, abject, mean, despicable ◆ *een miserabele **vent*** a wretched/despicable man [3] ⟨slecht⟩ abysmal, rotten, wretched, dreadful ◆ *miserabele **omstandigheden*** wretched circumstances; *een miserabele **roman*** an abysmal/a dreadful novel

[2]**miserabel** [bw] [1] ⟨op een nare manier⟩ miserably, wretchedly, pathetically ◆ *miserabel aan zijn einde **komen*** come to a sad/wretched end [2] ⟨vreselijk⟩ abysmally, dreadfully ◆ *miserabel **slecht** zingen* sing wretchedly, be a dreadful/rotten singer

misère [de] [1] ⟨ellende⟩ misery, squalor, misfortune ◆ ***in** de misère zitten* be in bad trouble/the dumps, be under a cloud; ***wat** een misère!* what a wretched business!/dreadful state of affairs! [2] ⟨kaartsp⟩ misère ◆ *misère **gaan/spelen*** bid/play misère

miserie [de^v] ⟨in België⟩ → **ellende**

misfortuin [het] misfortune

misgaan [onov ww] [1] ⟨mislukken⟩ go wrong, miscarry, fail, come to grief, misfire, ⟨huwelijk⟩ break down, be/go on the rocks ◆ *het gaat helemaal mis **met me*** everything is going wrong (for me), I'm losing my grip; *dit **plan** moet haast wel misgaan* this plan is bound to fail/^Bcome a cropper; *er **is** iets misgegaan* sth. went wrong, ↓ there's been a cock-up [2] ⟨niet raken⟩ miss ◆ *het **schot** ging mis* the shot missed

misgeboorte [de^v] [1] ⟨miskraam⟩ miscarriage, ⟨med⟩ (spontaneous) abortion [2] ⟨niet levensvatbaar kind⟩ non viable baby, abortion, ⟨doodgeboren⟩ stillbirth, ⟨ernstig misvormd⟩ monstrum

misgewaad [het] ⟨r-k⟩ (mass) vestment(s)

misgokken [onov ww] guess/gamble wrong, make a miscalculation, bet on the wrong horse

misgooien [ov ww, ook abs] miss, throw wrong

misgreep [de^m] blunder, slip, error, ↓ clanger

misgrijpen [onov ww] miss one's hold ◆ *hij greep mis en **viel*** he missed his hold and fell; *nu de boekenkast anders is* *ingedeeld grijp ik steeds mis* I keep getting hold of the wrong book/I can never find what I'm looking for now that the bookcase has been rearranged

misgunnen [ov ww] (be)grudge, resent ◆ *iemand zijn **voorspoed/geluk** misgunnen* begrudge s.o. his prosperity/ happiness, resent s.o.'s prosperity/happiness

¹mishagen [het] ⟨form⟩ displeasure, discontent, dissatisfaction

²mishagen [onov ww] ⟨form⟩ displease, dissatisfy

mishandelen [ov ww] ill-treat, maltreat, ⟨lichamelijk letsel toebrengen⟩ assault, batter, ↓ knock about, ⟨in elkaar rammen⟩ beat up, ↓ do over ◆ *een mishandelde **baby*** a battered baby; ⟨fig⟩ *een **boek** mishandelen* give a book a good deal of punishment, ill-treat a book; ***dieren** mishandelen* be cruel to/maltreat animals; *mannen die hun **vrouw** mishandelen* men who batter their wives; ⟨fig⟩ *een **woord/ taal** mishandelen* murder a word/language

mishandeling [deᵛ] ill-treatment, maltreatment, assault, battery ◆ *mishandeling van **dieren*** cruelty to animals; ***echtscheiding** op grond van mishandeling* divorce on the grounds of cruelty; ***zware** mishandeling* grievous bodily harm; ⟨in politierapport vaak⟩ GBH; ⟨met mes/vuurwapen⟩ malicious wounding

mishemd [het] alb

mishoren [ww] ⟨r-k⟩ go to Mass

misintentie [deᵛ] ⟨r-k⟩ special/particular intention

misinterpretatie [deᵛ] misinterpretation

miskelk [deᵐ] chalice, communion cup

miskennen [ov ww] [1] ⟨verloochenen⟩ disown, ignore, deny, repudiate ◆ *van niet te miskennen **betekenis*** of (an) undeniable/indisputable significance; *die overeenkomst **valt** niet te miskennen* that similarity is impossible to deny/ is unmistakable; *zijn **vrienden** miskennen* disown one's friends [2] ⟨niet waarderen⟩ misunderstand, fail to appreciate, underestimate, sell short, ⟨verkeerd inschatten⟩ misjudge ◆ *een miskend **genie/talent*** a genius/talent manqué, a misunderstood genius/talent; *een miskende **held*** an unsung hero

miskenning [deᵛ] [1] ⟨het niet op juiste waarde schatten⟩ misunderstanding, failure to appreciate, underestimation, misjudgment [2] ⟨verloochening⟩ denial, repudiation

miskleed [het] ⟨r-k⟩ (mass) vestment

miskleun [deᵐ] ⟨inf⟩ blunder, boo-boo, ⟨vnl BE⟩ clanger, ⟨BE ook⟩ bloomer, ⟨vnl AE ook⟩ goof

miskleunen [onov ww] ⟨inf⟩ (make a) blunder, put one's foot in it, ⟨vnl BE⟩ drop a clanger, ⟨vnl AE ook⟩ (make a) goof

miskleur [de] [1] ⟨niet de juiste kleur⟩ off colour [2] ⟨tabak, sigaren⟩ discoloured/off-shade cigar, second choice tobacco

miskoop [deᵐ] bad bargain/buy/investment, waste of money, (good) money down the drain ◆ *de nieuwe speler **bleek** een miskoop* the new player turned out to be money down the drain/a waste of money

miskraam [het, de] miscarriage, ⟨med⟩ (spontaneous) abortion ◆ *een miskraam **hebben/krijgen*** have a miscarriage, miscarry

misleiden [ov ww] mislead, deceive, delude, hoodwink, ↓ con ◆ ***iemand** misleiden* ⟨ook⟩ lead s.o. up the garden path; *zich door de schijn **laten** misleiden* be fooled by appearances; *misleidende **reclame*** (deliberately) misleading advertising; ***zichzelf** misleiden met* fool/delude o.s. with

misleiding [deᵛ] deception, misrepresentation, fraud, deceit ◆ *misleiding van de **mensen*** deception of the public

mislezen [ww] ⟨r-k⟩ say Mass

¹mislopen [onov ww] ⟨misgaan⟩ go wrong, fall through, miscarry, misfire, fail ◆ ***dat** loopt mis!* that's going to turn out wrong/badly!; *het liep mis **met** haar* she came to grief/a sad end; *het **plan** liep mis* the plan miscarried/was abortive/was a failure

²mislopen [ov ww] [1] ⟨iemand, iets niet treffen⟩ miss ◆ *je **kunt** hem niet mislopen met zijn oranje hoed* you can't miss him/there's no mistaking him with that orange hat of his [2] ⟨iets niet krijgen⟩ miss (out on) ◆ *je bent een fantastisch **feestje** misgelopen* you missed out on a great party; *die straf ben je **mooi** misgelopen* you certainly managed to wriggle out of that punishment; *hij is zijn **promotie** misgelopen* he missed (out on) his promotion/was passed over

³zich mislopen [wk ww] ⟨in België⟩ take the wrong turning, get lost, go the wrong way, miss the way

mislukkeling [deᵐ] failure, ⟨inf⟩ flop, dud, loser ◆ *een grote mislukkeling **zijn*** be a complete failure/flop, be a dead loser

mislukken [onov ww] [1] ⟨misgaan⟩ fail, be unsuccessful, go wrong, miscarry, ⟨plan/poging ook⟩ fall through, ⟨onderhandelingen⟩ break down, collapse, ⟨huwelijk⟩ be/go on the rocks, break down ◆ *de **aanslag** mislukte* the attack was unsuccessful; *een project **doen** mislukken* torpedo/ wreck a project; *het **feest** mislukte* the party fell flat/was a failure, ⟨inf⟩ the party flopped/bombed; *een mislukte **foto*** a photo that went wrong; *de **onderhandelingen** zijn mislukt* the talks have broken down; *een mislukte **onderneming*** an unsuccessful/ill-fated business/operation; *een mislukte **oogst*** a crop failure; *het **plan** mislukte totaal* the plan was a total disaster/failure, ⟨inf⟩ the plan was a complete washout; *een mislukte **poging*** an abortive/unsuccessful attempt; *mijn **taarten** mislukken altijd* my pies always go wrong; ***tot** mislukken gedoemd zijn* have the cards/odds stacked against (one/sth.), be doomed to fail(ure), be ill-fated/ill-omened; *al mijn **vakantiefoto's** zijn mislukt* none of my holiday snaps came out; *een poging **zien** mislukken* see an attempt fall through, be defeated in an attempt [2] ⟨niet worden wat het worden moest⟩ turn out a disappointment, fall short of expectations ◆ *een mislukte **advocaat*** a failed lawyer; *zij is mislukt **als** actrice* she was a failure as an actress, ⟨inf⟩ she was a flop as an actress; *een mislukt **genie*** a genius manqué; *zijn **zoon** is mislukt* his son failed in life/ turned out a failure/was a disappointment to him

mislukking [deᵛ] failure, ⟨van onderhandelingen⟩ breakdown, collapse, fiasco, flop ◆ *het feest/plan werd één **grote** mislukking* the party/plan was a complete/an utter fiasco/ disaster/ᴬa bummer; ***tot** mislukking gedoemd zijn* be foredoomed to failure, have no chance of success; ***uitlopen** op een mislukking* prove a/end in failure/fiasco

mismaakt [bn] deformed, misshapen, ⟨gezicht⟩ disfigured ◆ *een mismaakt **kereltje*** a misshapen little fellow

mismaaktheid [deᵛ] deformity, ⟨m.b.t. gezicht⟩ disfigurement

mismanagement [het] mismanagement

mismatch [deᵐ] mismatch

mismeesteren [ov ww] ⟨in België⟩ give the wrong treatment, treat badly

mismoedig [bn] dejected, dispirited, depressed, despondent, ⟨zonder moed⟩ disheartened, discouraged ◆ *dit antwoord **maakte** hem mismoedig* this reply made him depressed/disheartened him/took all the heart out of him; *mismoedig **worden*** lose heart, become discouraged

misnoegd [bn] displeased (with/at), discontented, dissatisfied (with), disgruntled (at sth./with s.o.), not best pleased (with/about) ◆ *een misnoegd **gezicht*** a disgruntled face

¹misnoegen [het] displeasure, dissatisfaction (at/with), discontent(edness) ◆ *iemands misnoegen **opwekken*** incur s.o.'s displeasure; *zich het misnoegen van iemand op de hals halen* bring s.o.'s displeasure down (up)on one

²misnoegen [ov ww] displease

miso [deᵐ] miso

misoffer [het] ⟨r-k⟩ Sacrifice of the Mass

misogaam [deᵐ] misogamist

misogamie [de^v] misogamy
[1]**misogyn** [de^m] misogynist
[2]**misogyn** [bn] mysogynous, misogynistic(al)
misogynie [de^v] misogyny
misoogst [de^m] bad/poor harvest, failure of the crop/ harvest, crop failure
[1]**mispakken** [ov ww] ⟨in België⟩ ⟨verkeerd vastpakken⟩ catch/take hold of (sth.) the wrong way
[2]**zich mispakken** [wk ww] ⟨in België⟩ ⟨zich vergissen⟩ get (sth.) wrong, make a mistake ◆ *zich mispakken **aan*** get the wrong (person/thing)
[3]**mispakken** [ov ww, ook abs] miss one's hold (on sth.), fail to catch hold (of sth.)
mispeer [de] sporting blooper
[1]**mispel** [de^m] ⟨boom⟩ medlar (tree)
[2]**mispel** [de] ⟨vrucht⟩ medlar ◆ *zo rot **als** een mispel* rotten through (and through)
mispelboom [de^m] medlar (tree)
mispeuteren [ov ww] ⟨in België⟩ ↑ perpetrate, do, be up to
mispickel [het] ⟨geol⟩ mispickel, arsenopyrite
misplaatst [bn] out of place ⟨attr: out-of-place⟩, misplaced, ⟨opmerking ook⟩ uncalled-for, unwarranted, inappropriate, ↑ inapposite, ⟨gevoel ook⟩ mistaken, ⟨medelijden ook⟩ misdirected ◆ *die **opmerking** is geheel misplaatst* that remark is completely out of place/uncalled-for/unwarranted/inappropriate; *een misplaatst **superioriteitsgevoel*** a misplaced sense of superiority; *misplaatste **trots*** unwarranted pride; *zich misplaatst **voelen*** feel out of place
misplaatstheid [de^v] inappropriateness
[1]**misprijzen** [het] ⟨in België⟩ contempt, disdain
[2]**misprijzen** [ov ww] disapprove of ◆ *een misprijzende **blik*** a look of disapproval, a disapproving look; *hij **keek** haar misprijzend **aan*** he looked at her disapprovingly
mispunt [het] [1] ⟨vervelend persoon⟩ pain (in the neck), bastard, louse ◆ ***wat** een mispunt ben jij!* you really are a pain (in the neck)! [2] ⟨bilj⟩ miss
misraden [ov ww, ook abs] guess wrong, fail to guess
zich misrekenen [wk ww] miscalculate, be out in one's reckoning, ⟨inf⟩ slip up
misrekening [de^v] [1] ⟨fout⟩ miscalculation ◆ *een misrekening **maken*** make a miscalculation [2] ⟨tegenvaller⟩ miscalculation, disappointment ◆ *dat concert **is** financieel een misrekening **geweest*** that concert was a disappointment financially
misrijden [onov ww] get lost, go wrong, go the wrong way
miss [de^v] ⟨schoonheidskoningin⟩ beauty queen, ⟨in titel⟩ Miss ... ◆ ***schaars geklede** missen* scantily clad beauty queens
missa [de^v] ⟨r-k, muz⟩ ▪ *missa brevis* missa brevis
missaal [het] ⟨r-k⟩ missal
misschien [bw] perhaps, maybe, possibly ◆ ***bent** u misschien mevrouw van Dale?* are you by any chance Mrs van Dale?; *misschien **heb** je geluk* you never know your luck, you may (just) be lucky; *pas op, hij **heeft** misschien een pistool* be careful, he might have a gun; ***heeft** u misschien een paperclip voor me?* do you happen to have/could you possibly let me have a paper clip?; *het **is** misschien beter als ...* it may be better/perhaps it's better if ...; ***kennen** jullie elkaar misschien?* do you happen to know each other?; *mag ik misschien even wat **opmerken**?* may I hazard a remark?; ***tenzij** misschien* ⟨met zelfstandig naamwoord⟩ except perhaps/ maybe; ⟨met werkwoord⟩ unless perhaps/maybe; *misschien **vertrek** ik morgen, misschien ook niet* maybe I'll leave tomorrow, maybe not; *zoals je misschien **weet*** as you may know; ***wilt** u misschien een kopje koffie?* ⟨ook⟩ would you care for some coffee?; *het **zou** misschien goed **zijn** te ...* it might be a good idea to ...
misschieten [ov ww, ook abs] miss

[1]**misselijk** [bn] [1] ⟨onpasselijk⟩ sick (to one's stomach), queasy, ↑ nauseated, ⟨AE ook; inf⟩ nauseous ◆ *zoiets **maakt** me misselijk* that sort of thing makes me (feel) sick; *misselijk **makende** ideeën* nauseating/sickening ideas; *een misselijk **makende** stank* a nauseating/sickening smell; *ze **werd** misselijk door het bewegen van de boot* the movement of the boat made her feel sick/queasy; *ik **word** er misselijk van* it makes me (feel) sick, it turns my stomach; *om misselijk van te **worden*** sickening, nauseating, disgusting, revolting; *misselijk **worden** bij het zien van bloed* be nauseated by/feel sick at the sight of blood; *je **wordt** er misselijk van de stank* the smell makes you sick/turns your stomach [2] ⟨mis, gering⟩ mean ◆ *dat is **niet** misselijk* that's quite sth., that's no mean thing
[2]**misselijk** [bn, bw] ⟨onuitstaanbaar⟩ nasty ⟨bw: nastily⟩, ⟨gedrag ook⟩ disgusting, revolting, ⟨grap ook⟩ sick ◆ ***doe** niet zo misselijk!* don't be (so) disgusting/revolting!; *een misselijke **grap*** a sick joke; *een misselijke **kerel*** a nasty bloke, ⟨vnl AE⟩ a nasty guy; *een misselijke **opmerking*** a nasty/snide remark; *een misselijke **streek*** a nasty trick
misselijkheid [de^v] [1] ⟨onpasselijkheid⟩ (feeling of) sickness, queasiness, ↑ nausea [2] ⟨onuitstaanbaarheid⟩ nastiness, ⟨gedrag ook⟩ disgusting/revolting nature [3] ⟨iets misselijks⟩ (piece of) nastiness
misselijkmakend [bn] nauseating, sickening ◆ *een misselijkmakend **iets*** a stomach turner; *het **is** misselijkmakend* it turns my stomach
[1]**missen** [onov ww] [1] ⟨ontbreken⟩ be missing ◆ *er missen een paar bladzijden **uit** dat boek* there are a few pages missing from that book [2] ⟨niet raak schieten⟩ miss ◆ ⟨sport⟩ *missen voor open doel* miss an easy shot/an open goal/net, miss an easy goal, ⟨sl⟩ miss a sitter; ⟨fig⟩ miss an ideal chance [3] ⟨in België; zich vergissen⟩ → **vergissen** ▪ *het **schot** miste* the shot missed; *dat kan niet missen* that can't go wrong/fail, that's bound to work
[2]**missen** [ov ww] [1] ⟨doel niet treffen⟩ miss ◆ *de **bal** miste het doel* the ball missed (the goal), the ball went wide; ⟨fig⟩ *zijn **doel** missen* miss/overshoot the mark; *de maatregelen misten hun **doel*** the measures didn't work/were ineffective, the measures failed (to have/produce/achieve the intended/desired effect); *het **schot** miste het doel* the shot missed (the/its target); *zijn **uitwerking** missen* ⟨grapje, argument, theaterstuk enz.⟩ fall flat; *zijn woorden misten hun **uitwerking*** his words didn't have the intended effect; ⟨vonden geen gehoor⟩ his words fell on deaf ears; *zijn woorden misten hun **uitwerking** niet* his words had the intended/desired effect/did not pass unheeded [2] ⟨niet op tijd bereiken⟩ miss ◆ *ik had haast mijn **trein** nog gemist* I almost/nearly missed/I only just caught the train [3] ⟨m.b.t. afwezigheid van iets of iemand⟩ go/do without, get along without, ⟨het stellen zonder ook; vnl. m.b.t. geld⟩ spare, afford, ⟨ontberen⟩ lack, lose, be without ◆ *ik kan mijn **bril** niet missen* I can't do without/get along without/ afford to lose my glasses; *ze kunnen **elkaar** niet missen* they can't get along/do without one another; *kun je je **fiets** een paar uurtjes missen?* can you spare/do without your bike for a couple of hours?; *ik kon het **geld** eigenlijk niet missen* I can't really spare the money, I can't really/can ill afford it; *hij mist **gevoel** voor humor* he is lacking in/lacks/is devoid of/hasn't got a sense of humour; *hij **kan** best wat missen* he won't miss it, he can (well) afford it; *meer **kan** ik niet missen* I can't spare any more, ⟨m.b.t. geld ook⟩ I can't afford any more; ***kun** je er een missen?* have you got one to spare?, can you spare one?; *we **kunnen** je hulp best missen* we can get along/do without your help, we don't need your help; *geef maar wat je **kunt** missen* give what you can (afford); *zij moest een **oog** missen* she had to lose an eye/lost an eye; ***overtuiging** missen* be unconvincing/lacking in conviction; *ik mis mijn **portemonnee*** I can't find my purse, I've lost/ mislaid my purse; *ze kan **slecht** gemist worden* she can ill be

spared, I/we/... can ill spare her/can't get along/do without her/can't afford to lose her; *ik kan de **tijd** niet missen* I can't spare the time; *we missen een van onze **vliegtuigen*** one of our planes is missing; ***zelfvertrouwen** missen* be lacking in/lack self-confidence; *ik zou het voor geen geld willen missen* I wouldn't part with/do without it for the world [4] ⟨betreuren van afwezigheid⟩ miss ◆ *ik mis in dit boek een inleidend **hoofdstuk*** what this book needs is/I regret the fact that this book doesn't have an introductory chapter; ***iemand** zeer missen* miss s.o. badly; *we hebben je **node** gemist* we really missed you [5] ⟨mislopen⟩ miss ◆ ***aan** die reünie heb je niks gemist* you didn't miss much by not going to the reunion; *hij heeft geen **college/dag** gemist* he hasn't missed/didn't miss a single lecture/day, he wasn't absent for a single lecture/day; *dat is een gemiste **kans*** that's a missed chance; *je **kunt** het niet missen* you can't miss it, you can't go wrong/lose your way; *je hebt je **roeping** gemist* you('ve) missed your vocation; *je hebt **wat** gemist!* you('ve) really missed sth.!; *geen **woord** missen van wat er gezegd wordt* not miss a word of what is (being) said; *ik had het voor geen goud willen missen* I wouldn't have missed it for any amount of money/the world/anything/all the tea in China; *je weet niet wat je gemist hebt* you don't know what you missed, you really missed sth. [•] ⟨sport⟩ *zo'n **bal** mag je niet missen* you can't miss a ball like that; *een **vraag** missen* get an answer wrong

misser [de^{m}] [1] ⟨mislukking⟩ failure, fiasco, ⟨inf⟩ flop, dead loss, boo-boo, ⟨AE⟩ goof [2] ⟨sport⟩ miss, ⟨schot⟩ bad/poor shot, ⟨worp⟩ misthrow, bad throw, ⟨bilj⟩ miscue

missie [de^{v}] [1] ⟨opdracht⟩ mission ◆ *missie **volbracht*** mission accomplished [2] ⟨personen met een opdracht⟩ mission, delegation ◆ ***diplomatieke** missie* diplomatic mission/delegation [3] ⟨r-k; bekeringsactiviteit⟩ missionary work ◆ ***in** de missie werken* do missionary work [4] ⟨zendingsgenootschap⟩ mission [5] ⟨vertegenwoordiging⟩ mission, legation

missiebisschop [de^{m}] missionary bishop

missiepost [de^{m}] ⟨r-k⟩ mission, missionary post, mission station

missiepriester [de^{m}] ⟨r-k⟩ missionary (priest)

missieprocuur [de^{v}] ⟨r-k⟩ office of a missionary order

missieverklaring [de^{v}] mission statement

missiewerk [het] ⟨r-k⟩ mission(ary) work

missiezuster [de^{v}] missionary

missile [de] missile

missing link [de^{m}] missing link

missionair [bn] ⟨pol⟩ in office

missionaris [de^{m}] missionary

missionarishouding [de^{v}] missionary position

missioneren [onov ww] ⟨r-k⟩ do missionary work

mission impossible [de^{v}] mission impossible

missionstatement [het] mission statement

mississippiboot [de] paddle boat

missive [de] missive

misslaan [ov ww, ook abs] ⟨verkeerd slaan⟩ mishit, hit wrong, ⟨niet raken⟩ miss ◆ *de **bal** misslaan* mishit/miss the ball

misslag [de^{m}] [1] ⟨verkeerde slag⟩ ⟨verkeerd⟩ mishit, bad/poor shot, ⟨niet raak⟩ miss [2] ⟨flater⟩ mistake, error

misspringen [onov ww] miss one's jump, jump wide (of the mark), jump off-target, ⟨te ver/hoog⟩ jump too far/high, ⟨niet ver/hoog genoeg⟩ not jump far/high enough

misstaan [onov ww] [1] ⟨lelijk staan⟩ not suit, ↑ not become ◆ *die **jas** misstaat u volstrekt niet* that jacket doesn't look at all unbecoming on you/suits you well [2] ⟨ongepast zijn voor⟩ not become, not be fitting ◆ *een verontschuldiging zou niet misstaan* an apology would not be amiss/not be out of place; *wat meer bescheidenheid zou (je) niet misstaan* you could do with being a little more modest

misstand [de^{m}] abuse, wrong, evil ◆ ***op** een misstand **wijzen*** point out an abuse; ***sociale** misstanden* social evils/abuses/wrongs; *een misstand aan de kaak stellen* expose/denounce an abuse

misstap [de^{m}] [1] ⟨verkeerde stap⟩ false/wrong step [2] ⟨verkeerde, slechte daad⟩ lapse, slip, faux pas ◆ *een misstap **begaan*** make a slip; ⟨inf⟩ slip up; *een misstap **uit** zijn jeugd* a youthful indiscretion/lapse

misstappen [onov ww] step/tread in the wrong place, ⟨uitglijden⟩ miss/lose one's footing

misstelling [de^{v}] ⟨drukw⟩ misplacing, lay-out error

misstoot [de^{m}] ⟨bilj⟩ miscue, miss

misstoten [ov ww, ook abs] ⟨bilj⟩ miscue

missverkiezing [de^{v}] ⟨schoonheidskoninginnen⟩ beauty contest, Miss Holland/... contest

mist [de^{m}] [1] ⟨nevel⟩ fog, ⟨lichter⟩ mist ◆ *afstand houden **bij** mist* keep one's distance in fog(gy weather); ***dichte** mist* (a) thick/heavy/dense fog; *de mist werd **dichter*** the fog thickened; ***door** mist aan de grond blijven/staan* ⟨vliegtuig⟩ be grounded by fog, be fogbound; ***door** mist opgehouden schip/reizigers* fogbound ship/travellers; ***flarden** mist* patches of/patchy fog; ⟨fig⟩ *iets **gaat** de mist **in*** sth. goes wrong/misfires/founders/draws a blank; ⟨m.b.t. grap ook⟩ that falls flat; ⟨fig⟩ *iemand **gaat** de mist **in*** s.o. louses/messes/goofs/screws sth./things up, s.o. bungles sth.; *er **hangt** een mist boven de weilanden* mist hangs over the meadows; ***in** mist en nevelen **gehuld*** a complete mist surrounds it; ⟨fig⟩ ***in** de mist **verdwijnen*** disappear in the mist; *er **komt** mist (opzetten)* it's getting/growing foggy/misty; ***lichte** mist* mist, haze; *de mist **trekt op*** the fog's lifting; ***zeer dichte** mist* dense fog, ⟨AE⟩ zero visibility fog; ⟨inf ook⟩ pea-soup (fog), a pea-souper [2] ⟨fig⟩ mist, fog ◆ *er kwam een mist **voor** zijn ogen* it grew misty before his eyes

mistachterlicht [het] rear fog lamp

mistasten [onov ww] [1] ⟨ernaast pakken⟩ reach for the wrong one/thing, take hold of the wrong one/thing ⟨enz.⟩ ◆ *nu we de boekenkast anders ingedeeld hebben, tast ik steeds mis* now we've reorganized the bookcase, I keep reaching for/getting hold of the wrong book [2] ⟨zich vergissen⟩ miscalculate ◆ ***lelijk** mistasten* miscalculate badly; ⟨inf⟩ back the wrong horse

mistbank [de] bank of fog, ⟨kleiner⟩ patch of fog, fog bank/patch

mistel [de^{m}] mistletoe

mistelboom [de^{m}] tree bearing mistletoe

mistella [de] mistelle

misten [onpers ww] be foggy, ⟨lichter⟩ be misty ◆ *het mistte **erg*** it was very foggy, there was (a) thick/heavy/dense fog; *het mistte voor mijn ogen* ⟨kreeg waas voor ogen⟩ it grew misty before my eyes; ⟨begreep er niets van⟩ I was in a complete fog

mister [de^{m}] mister

mistflard [de], **mistsliert** [de] patch of fog, fog patch, ⟨heel dun⟩ wisp of fog

mistgordijn [het] curtain of fog

misthoorn [de^{m}] ⟨scheepv⟩ foghorn

mistig [bn] [1] ⟨nevelig⟩ foggy, ⟨lichter⟩ misty ◆ *een mistige **dag*** a foggy day; *mistig **weer*** foggy weather; *het **wordt** mistig* it's getting foggy, (the) fog's coming down/setting in, there's fog about [2] ⟨fig; vaag⟩ hazy, ⟨form⟩ nebulous ◆ *een mistig **betoog/figuur*** a hazy/nebulous argument/character

mistlamp [de] fog lamp ◆ *bij mist: mistlampen aan!* use your fog lamp in heavy fog!

mistletoe [de^{m}] mistletoe

mistlicht [het] fog lamp

mistnet [het] mistnet

mistral [de^{m}] mistral

mistroostig [bn] [1] ⟨m.b.t. personen⟩ dispirited, dejected, disconsolate, despondent, gloomy ◆ ***over** iets mistroostig zijn* be dispirited/dejected/gloomy about sth.; *mistroos-*

tig voor zich uit ***staren*** stare dispiritedly/dejectedly/gloomily into the distance ② ⟨m.b.t. zaken⟩ dismal, gloomy, miserable ◆ *mistroostig* ***weer*** dismal/miserable/gloomy weather

mistrouwig [bn, bw] distrustful ⟨bw: ~ly⟩, suspicious

mistsignaal [het] fog signal

mistsignaleringssysteem [het] fog warning system

mistsliert [de^{m}] → **mistflard**

mistveld [het] stretch of fog ◆ ***uitgebreide*** *mistvelden* extensive (stretches of) fog

misvatten [ov ww] misunderstand, ⟨form⟩ misapprehend, misconstrue

misvatting [de^{v}] misconception, misapprehension, fallacy, delusion, error ◆ *een* ***algemene*** *misvatting* a common fallacy/error; *op dit gebied* ***bestaan*** *nog veel misvattingen* there are still plenty of misconceptions/fallacies on this subject; *het* ***slachtoffer*** *van een misvatting zijn* labour under a delusion

misverstaan [ov ww] misunderstand, mistake, ⟨form⟩ misapprehend, misconstrue ◆ *iemands* ***bedoeling*** *misverstaan* misunderstand/mistake s.o.'s intention(s); *in niet mis te verstane* ***bewoordingen*** in unmistakable/no uncertain terms; ***elkaar*** *misverstaan* misunderstand each other, talk/be at cross-purposes; *een niet mis te verstaan* ***signaal*** an unmistakable signal

misverstand [het] misunderstanding, ↑ misapprehension, ↑ misconception ◆ *laat daar geen misverstand over* ***bestaan*** let there be no mistake about it; *dat* ***moet*** *een misverstand* ***zijn*** there must be a misunderstanding; ***op*** *een misverstand* ***berusten*** be based on a misunderstanding; *een misverstand uit de weg* ***ruimen*** eliminate/remove a cause/source of misunderstanding; *om misverstanden te* ***vermijden*** to prevent misunderstandings; *aanleiding geven tot misverstanden* give rise to misunderstanding(s)

misvormd [bn] deformed, disfigured, misshapen, ⟨med⟩ malformed, ⟨verdraaid⟩ distorted ◆ *een misvormd* ***beeld*** ***krijgen*** get a distorted picture (of sth.); *een misvormd* ***gelaat/lichaam*** deformed/misshapen features, a deformed/misshapen body

misvormen [ov ww] deform, disfigure, ⟨med⟩ malform, ⟨verdraaien⟩ distort

misvorming [de^{v}] ① ⟨het geven, hebben van een wanstaltige vorm⟩ deformation, ⟨med⟩ malformation, ⟨verdraaiing⟩ distortion ② ⟨datgene wat misvormd is⟩ deformity, ⟨med⟩ malformation, ⟨verdraaiing⟩ distortion

miswijn [de^{m}] ⟨r-k⟩ altar/sacramental wine

miswijzen [onov ww] ① ⟨verkeerd wijzen⟩ give a wrong indication ② ⟨m.b.t. een kompas⟩ deviate, ⟨inf⟩ be out

miszeggen [ov ww] ① ⟨iets verkeerds zeggen⟩ say sth. wrong, ⟨iets ongepasts ook⟩ say the wrong thing ◆ *heb ik daaraan* ***iets*** *miszegd?* have I said/did I say sth. wrong/the wrong thing? ② ⟨beledigen⟩ (say sth. to) offend ◆ *hij heeft mij nooit* ***iets*** *miszegd* he's never said anything to offend me

miszitten [onov ww] be wrong ◆ *de kandidaat zat* ***bij*** *drie antwoorden mis* the candidate got three answers wrong; ***dat*** *zit mis* that's wrong/not right, there's sth. wrong/not right with that

mitaine [de] mitten, mitt

mitella [de] ⟨med⟩ sling

mitigatie [de^{v}] mitigation

mitigeren [ov ww] mitigate

mitochondriaal [bn] mitochondrial

mitochondrium [de^{v}] ⟨biol⟩ mitochondrion, chondriosome

mitose [de^{v}] ⟨biol⟩ mitosis

mitotisch [bn] mitotic ◆ *mitotische* ***deling*** mitotic (cell) division, mitosis

mitrailleren [ov ww] machine-gun

mitrailleur [de^{m}] machine gun

mitrailleurband [de^{m}] machine-gun (cartridge-)belt

mitrailleurpistool [het] submachine gun, machine/automatic pistol

mitrailleursnest [het] machine-gun nest

mitrailleurvuur [het] machine-gun fire

mitralisklep [de] mitral valve

^{1}**mits** [het, de] condition, proviso ◆ *er is één mits aan verbonden* there's one condition/proviso (attached); ⟨inf⟩ there's a string attached; *de nodige mitsen en* ***maren*** have a lot of reservations

^{2}**mits** [vz] ⟨in België⟩ ① ⟨tegen⟩ at ② ⟨behoudens⟩ subject to

^{3}**mits** [vw] if, provided that, providing that, on condition that, on the understanding that ◆ *mits goed bewaard, kan het jaren meegaan* (if) stored well, it can last for years

m.i.v. [afk] ① (met ingang van) wef, with effect from, (as) from ② (met inbegrip van) incl

mix [de^{m}] mix

mixage [de] (sound) mixing

mixdrank [de^{m}] mixer drink

mixed [bn] mixed

mixed grill [de] mixed grill

mixed pickles [de^{mv}] mixed pickles

mixed zone [de] mixed zone

mixen [ov ww] ① ⟨ingrediënten mengen⟩ mix ② ⟨op één band overbrengen⟩ mix

mixer [de^{m}] ① ⟨handmixer⟩ mixer, ⟨bekervormig⟩ liquidizer, ⟨AE⟩ blender, ⟨keukenmachine⟩ food processor ② ⟨drank⟩ mixer ③ ⟨iemand die mixt⟩ mixer ④ ⟨schakeltechnicus⟩ mixer

mixfonds [het] mix fund

mixture [de^{v}] mixture

mixtuur [de^{v}] ① ⟨farm⟩ mixture ② ⟨m.b.t. kopergravures⟩ (etching) ground ③ ⟨muz⟩ mixture ④ ⟨scheik⟩ mixture

mizrach [het] mizrach

mjammie [tw] yummy

mkb [het] (midden- en kleinbedrijf) SME

MKZ [afk] (mond- en klauwzeer) FMD

m.l. [afk] (middelbare leeftijd) middle age

mld. [afk] (miljard) billion

Mlle [afk] (Mademoiselle) Mlle

mln. [afk] (miljoen) million

m.m. [afk] (mutatis mutandis) mm

Mme [afk] (Madame) Mme

m.m.k. [de] (magnetomotorische kracht) mmf

mmm [tw] ① ⟨heerlijk!⟩ mmm, yummy, yum-yum ② ⟨bij ongeïnteresseerdheid⟩ mmm, (ah) well ③ ⟨als bevestiging⟩ mmm, ⟨inf; AE⟩ yup, ⟨AE⟩ yep

mmo [het] (middelbaar middenstandsonderwijs) intermediate commercial education

mms [de] ⟨gesch⟩ (middelbare meisjesschool) girls' secondary school

m.m.v. [afk] (met medewerking van) with the cooperation of

m.n. [afk] (met name) in particular

mnemoniek [de^{v}] mnemonics

mnemotechnisch [bn, bw] mnemonic ⟨bw: ~ally⟩

mo [het] (middelbaar onderwijs) secondary education ◆ *mo Engels doen* do a (part-time) teacher training course in English

moa [de^{m}] moa

moai [de^{m}] moai

mo-akte [de] secondary school teaching certificate ◆ *een mo-akte Engels* ***halen*** get a teaching certificate in English

m.o.b. [afk] (met onbekende bestemming) destination unknown

MOB [het] (Medisch Opvoedkundig Bureau) Medical and Educational Advice Centre

mobben [ov ww] mob

mobbing [de] mobbing

^{1}**mobiel** [het, de] ① ⟨decoratief voorwerp⟩ mobile ② ⟨telefoon⟩ ⟨BE⟩ mobile (phone), ⟨AE⟩ cellphone, ⟨AE⟩ cellular phone, GSM (phone)

[2]**mobiel** [bn] [1] ⟨verplaatsbaar⟩ mobile ♦ ⟨bouwk⟩ *mobiele **belasting*** live load; *nu zij die auto heeft, **is** zij veel mobieler* now that she's got that car, she's a lot more mobile; *een mobiele **kraan*** a movable crane/derrick; *het mobiele **nummer*** ⟨BE⟩ the mobile (phone) number, ⟨AE⟩ the cellphone number; *mobiele **telefoon*** ⟨BE⟩ mobile (phone), ⟨AE⟩ cellphone, ⟨AE⟩ cellular (tele)phone, GSM (phone) [2] ⟨gevechtsklaar⟩ mobile ♦ *mobiele **eenheid*** special duty police, ± riot police; ⟨Groot-Brittannië⟩ Special Patrol Group; ⟨USA⟩ state troopers; *het leger mobiel **maken*** mobilize the army

mobilair [bn] moveable ♦ *mobilaire **hypotheek*** ⟨BE⟩ bill of sale, ⟨AE⟩ chattel mortgage

[1]**mobile** [het, de] mobile

[2]**mobile** [bn] ⟨muz⟩ mobile

mobilhome [het, de^{m}] ⟨in België⟩ camper (van), ⟨BE ook⟩ dormobile, motor caravan, ⟨AE ook⟩ motor home, RV, recreational vehicle

mobilisatie [de^{v}] [1] ⟨handeling⟩ mobilization ♦ *de algemene mobilisatie **afkondigen*** proclaim/promulgate general mobilization [2] ⟨periode⟩ mobilization

mobilisatiebevel [het] mobilization order

mobiliseerbaar [bn] mobilizable

mobiliseren [ov ww] [1] ⟨ook fig; gevechtsklaar maken⟩ mobilize ♦ ⟨scherts; fig⟩ *hij heeft zijn hele **familie** gemobiliseerd* he mobilized his entire family; ***reservisten** mobiliseren* mobilize reservists/reserves [2] ⟨med⟩ restore/improve (s.o.'s) mobility

mobiliteit [de^{v}] [1] ⟨beweeglijkheid⟩ mobility ♦ ⟨soc⟩ ***horizontale/verticale** mobiliteit* horizontal/vertical mobility [2] ⟨mv; m.b.t. een onderneming⟩ liquid/available assets

mobiliteitscentrum [het] employment office

mobiliteitsfonds [het] mobility fund

mobilofonisch [bn, bw] radiotelephonic ⟨bw: ~ally⟩ ♦ *mobilofonisch **contact*** radiotelephonic contact; *iemand mobilofonisch **oproepen*** call s.o. over the radiotelephone

mobilofoon [de^{m}] radiotelephone ♦ *iemand **via** de mobilofoon oproepen* contact s.o. via the radiotelephone

mobilofoonabonnee [de^{m}] radiotelephone subscriber

mobilofoonnet [het] radiotelephonic network

moblog [de^{m}] moblog

mobylette [de^{v}] Mobylette, moped

mocassin [de^{m}] [1] ⟨indianenschoen⟩ moccasin [2] ⟨pantoffel, schoen⟩ moccasin, ⟨AE ook; schoen⟩ loafer

mockumentary [de^{m}] mockumentary

mock-up [de^{m}] mock-up

mocro [de^{m}] Moroccan

[1]**modaal** [het] [1] ⟨m.b.t. statistiek⟩ modal, modal value [2] ⟨modaal inkomen⟩ standard/average income ♦ ***Jan** Modaal* the man in the street, Mr Average, the average worker; *vier **maal** modaal* four times the standard/average income; *de groepen net **onder** modaal* the income groups just below the standard/average income

[2]**modaal** [bn] [1] ⟨m.b.t. statistiek⟩ modal, ⟨m.b.t. inkomen e.d. ook⟩ standard, average ♦ *een modaal **inkomen** hebben* earn a standard/an average income; *gezinnen met een modaal **inkomen*** families with a standard/an average income; *modale **werknemer*** employee earning a standard/an average income [2] ⟨taalk⟩ modal ♦ *modale **hulpwerkwoorden*** modal auxiliaries, modals [3] ⟨zeer middelmatig⟩ average, ⟨pej⟩ mediocre ♦ *een modaal **student*** an average student [•] ⟨muz⟩ *modale **notatie*** modal notation

modaliteit [de^{v}] [1] ⟨taalk⟩ modality ♦ *een **bepaling** van modaliteit* an adjunct of modality [2] ⟨filos⟩ mode [3] ⟨beding⟩ stipulation, ⟨jur⟩ proviso [4] ⟨prot⟩ ± branch [5] ⟨in België; voorwaarden⟩ term

modder [de^{m}] mud, mire, dirt, ⟨slijk⟩ sludge ♦ *met een dikke laag modder **bedekken*** cake with mud; ***door** de modder baggeren* slosh/wade/slop through the mud/mire; *iemand/iets **door** de modder halen/sleuren* ⟨ook fig⟩ drag s.o./sth. through the mire/mud; ⟨alleen fig⟩ fling/throw dirt at s.o.; ⟨fig⟩ *met zijn voeten/poten **in** de modder staan* have his sleeves rolled up, put his shoulder to the wheel, keep his nose to the grindstone; *tot over zijn knieën **in** de modder zakken* sink up to one's knees in the mud; ***met** modder naar iemand gooien* ⟨ook fig⟩ sling/fling/throw mud/dirt at s.o.; engage in mud-slinging; *ze zit **onder** de modder* she's covered in mud

modderaar [de^{m}], **modderaarster** [de^{v}] bungler, muddler, dabbler

modderaarster [de^{v}] → **modderaar**

modderbad [het] mud bath ♦ ⟨iron⟩ *hij **haalde** een modderbad* he took a dip in the mud

modderballet [het] mud bath ♦ *de **wedstrijd** van vandaag werd een modderballet* today's match turned into a mud bath

moddercampagne [de] mud-slinging campaign, smear campaign

modderen [onov ww] [1] ⟨met modder knoeien⟩ play with mud [2] ⟨fig; schipperen⟩ play around, not be (so/too) fussy [3] ⟨klungelen⟩ mess around, ⟨BE ook⟩ mess about, muddle (along/through) ♦ *modderen **met** een gebruiksaanwijzing* get in a muddle with the instructions [4] ⟨baggeren⟩ wade through the mud

modderfiguur [het, de] [•] *een modderfiguur **slaan*** cut a sorry figure, look like a fool

moddergevecht [het] [1] ⟨modderworstelen⟩ mud wrestling [2] ⟨discussie waarbij op de man wordt gespeeld⟩ mudslinging

modderig [bn] muddy ♦ *modderig **zand*** muddy sand

moddermolen [de^{m}] dredge, dredger

modderpaadje [het] mud track

modderpoel [de^{m}] quagmire, ⟨fig; smeerboel⟩ mire ♦ *het (voetbal)veld was één **grote** modderpoel geworden* the (football-)pitch had turned into a quagmire; ⟨fig⟩ *de modderpoel van de **seksindustrie*** the mire of the sex business

modderschuit [de] mud boat/barge, hopper barge ♦ *dat staat als een vlag **op** een modderschuit* it looks totally out of place

moddersmijten [ww] mud-sling

modderstroom [de^{m}] mudflow, ⟨m.b.t. vulkaanuitbarsting⟩ lahar

moddervechten [ww] [1] ⟨sport⟩ mud wrestling [2] ⟨fig; elkaar belasteren⟩ mud-slinging

moddervet [bn] bloated, ⟨BE ook⟩ gross, disgustingly/grossly/obscenely fat ♦ *zich moddervet **eten*** eat o.s. silly, stuff o.s.

moddervulkaan [de^{m}] mud volcano, salse

modderworstelen [ww] mud wrestling

mode [de] [1] ⟨trend⟩ fashion, trend, vogue ♦ *de mode **bepalen*** set the fashion, be a trendsetter/the arbiter of fashion; *je bent **drie** modes achter* you're three fashions behind; *'t is dé **grote** mode* it's all the rage; *blauw is **in** de mode* ⟨ook⟩ blue is in; *erg **in** de mode zijn* be quite the thing/all the vogue; ***in/uit** de mode raken* come into/go out of fashion/vogue; *dat komt weer **in** de mode* that'll come back again/come back into fashion/come in again; *een mode **in** de psychologie* a trend/new wave in psychology; *de mode **is veranderd*** fashions have changed; *maak je niet dik, dun **is** de mode* keep your hair on(, it won't grow back again); *zich naar de **laatste** mode kleden* dress in the height of fashion/after the latest fashion; *de **nieuwste** mode* the latest fashion; *dat is **uit** de mode* that's out (of fashion)/out of vogue; *de mode **volgen*** keep up with/follow the fashion/the (latest) fashions; *(in de) mode **zijn*** be fashionable/in vogue [2] ⟨als verschijnsel⟩ fashion ♦ ***aan** mode onderhevig zijn* be affected by fashion [3] ⟨mv; kleding⟩ fashion

modeaccessoire [het] fashion accessory

modeartikel [het] [1] ⟨m.b.t. het modevak⟩ fashion article [2] ⟨iets dat in de mode is⟩ fashionable article

modebeeld [het] (current) fashion ♦ *vrolijke kleuren **bepalen** het modebeeld* cheerful colours are in fashion/are fashionable
modebeurs [de] fashion fair
modebewust [bn, bw] fashion-conscious⟨bw: ~ly⟩
modeblad [het] fashion magazine
modegek [de^{m}] ⟨man & vrouw⟩ fashion plate,⟨man & vrouw⟩ faddist, ⟨man & vrouw⟩ follower of fashion, ⟨man ook⟩ dandy, ⟨man ook⟩ fop, ⟨man ook; AE⟩ dude
modegevoelig [bn] latest-fashion, trendy ♦ *een modegevoelig **artikel*** a high-fashion article; *een modegevoelige **branche*** a fashionable/trendy trade/business
modegril [de] fashion fad, whim of fashion
modehuis [het] fashion house, couturier
modekleding [de^{v}] fashionable clothes
modekleur [de] fashion(able) colour
modekoning [de^{m}] top fashion designer
modekwaal [de] fashionable complaint
^{1}**model** [het; ook in samenst] [1] ⟨type van gebruiksvoorwerpen⟩ model, type, style ♦ *schoenen van **Italiaans** model* Italian-style shoes; *een **klein/groot** model tv* a small/large type of TV; ***naar** Engels model* on/after the English model; *flats gebouwd **naar** één model* blocks of flats built to a uniform pattern; *het **nieuwste** model videorecorder* the newest/latest model in video recorders; *een klok van een **prachtig** model* a clock of a marvellous design; *een nieuw model **stoel*** a new type of chair; *jassen **volgens** (het voorgeschreven) model* regulation coats [2] ⟨ontwerp⟩ model, design, ⟨m.b.t. auto ook; gevolgd door nummer⟩ mark ♦ ***gezien** het model is die auto van rond 1950* the model of the car dates it at about/around 1950; *het model van een **overhemd*** the make of a shirt; *een model **voor** een plastiek* a model for a piece of sculpture [3] ⟨iemand die poseert⟩ model, sitter ♦ *model **staan*** sit, model for [4] ⟨nabootsing⟩ model, mock-up [5] ⟨schema⟩ model [6] ⟨juiste, ideale vorm⟩ model, style ♦ ⟨mil⟩ ***buiten** model* non-regulation; *goed **in** model blijven* keep its/stay in shape; *iets weer **in** (zijn) model brengen* reshape sth.; *iemands haar **in** model knippen/kammen* cut/comb s.o.'s hair in style, style s.o.'s hair; *die trui is nu helemaal **uit** (zijn) model* that sweater is now completely out of shape [7] ⟨voor-, toonbeeld⟩ model, paragon ♦ ***als** model nemen voor iets* model sth. on, model o.s. on; *model **staan** voor* serve as a model/pattern for [8] ⟨iemand die als voorbeeld dient⟩ paragon [9] ⟨scheik⟩ → **modelstof**
^{2}**model** [bn, bw] [1] ⟨correct⟩ correct ♦ *model **gekleed/bepakt*** dressed/packed in accordance with prescribed regulations [2] ⟨voorbeeldig⟩ model, exemplary ♦ *zich model **presenteren*** be on one's best behaviour
modelactie [de^{v}] [1] ⟨protestactie⟩ work-to-rule ♦ *een modelactie **voeren*** work to rule [2] ⟨goed uitgevoerde actie⟩ model action
modelboerderij [de^{v}] model farm
modelbouw [de^{m}] model making, modelling (to scale)
modelbouwen [ww] model making
modelechtgenoot [de^{m}], **modelechtgenote** [de^{v}] model husband/wife
modelechtgenote [de^{v}] → **modelechtgenoot**
modelflat [de^{m}] ⟨BE⟩ show-flat, ⟨AE⟩ model apartment
modelkamer [de] [1] ⟨kamer met modellen⟩ show room [2] ⟨kamer in een modelwoning⟩ show room
modelkeuken [de] model kitchen
modelkleding [de^{v}] regulation dress
modelleerhoutje [het] ⟨amb⟩ modelling/^{A}modeling stick, modelling/^{A}modeling tool
modellenbureau [het] modelling/^{A}modeling agency
modelleren [ov ww] [1] ⟨boetseren⟩ model ♦ *modelleren **naar*** fashion after, model on [2] ⟨in het klein voorstellen⟩ make a (scale) model of
modelleur [de^{m}] [1] ⟨boetseerder⟩ modeller, ⟨AE⟩ modeler [2] ⟨confectie⟩ (dress) designer
modelmaker [de^{m}] patternmaker
modelnaaister [de^{v}] ± (dress) designer's assistant
modelschijf [de] (rotating) modelling/^{A}modeling stand
modelspoorbaan [de] model railway
modelstof [de] ⟨scheik⟩ model substance
modelstudie [de^{v}] ⟨bk⟩ life study
modeltekenen [onov ww] draw from a model
modeltheorie [de^{v}] model theory
modelvliegtuig [het] (radio-controlled) model ^{B}aeroplane/^{A}(air)plane
modelwoning [de^{v}] show house
modem [het, de^{m}] ⟨comm⟩ modem
modemagazijn [het] fashion house
modeontwerp [het] fashion design
modeontwerper [de^{m}], **modeontwerpster** [de^{v}] ⟨man & vrouw⟩ fashion designer, ⟨man⟩ ↑ couturier, ⟨vrouw⟩ ↑ couturière
modeontwerpster [de^{v}] → **modeontwerper**
modeplaat [de] [1] ⟨plaat⟩ fashion plate [2] ⟨persoon⟩ fashion plate
modepop [de] fashion plate
moderaat [bn] moderate, temperate
moderamen [het] [1] ⟨president, leiding van een vergadering⟩ chairman (of a/the meeting), chairwoman (of a/the meeting) [2] ⟨rel⟩ synod(al) board ♦ ***breed** moderamen* enlarged synod
moderantisme [het] moderatism
moderateur [de^{m}] [1] ⟨bestuurder, leider⟩ moderator [2] ⟨m.b.t. een machine⟩ regulator, governor
moderatie [de^{v}] [1] ⟨matiging⟩ moderation [2] ⟨gematigdheid⟩ moderation, moderateness, temperateness
^{1}**moderato** [het] ⟨muz⟩ moderato
^{2}**moderato** [bw] ⟨muz⟩ moderato ♦ *een passage **in** moderato* a moderato passage
moderator [de^{m}] [1] ⟨leider van een debatingclub⟩ moderator, president, chairman [2] ⟨godsdienstleraar, geestelijk adviseur⟩ school pastor/chaplain [3] ⟨voorzitter van een synode⟩ moderator [4] ⟨m.b.t. kernenergie⟩ moderator [5] ⟨m.b.t. internetfora⟩ moderator
modereren [ov ww] [1] ⟨matigen⟩ moderate, subdue, tone down [2] ⟨m.b.t. internetfora⟩ moderate
^{1}**modern** [bn] ⟨van de nieuwere tijd⟩ modern ♦ ⟨vnl bk⟩ ***de** modernen* the moderns; *(de) moderne **geschiedenis*** modern history; *de moderne **schrijvers*** modern writers; *de moderne **talen*** the modern languages; *van/in de moderne **tijd*** of the modern age, in modern times
^{2}**modern** [bn, bw] [1] ⟨nieuwerwets⟩ modern, modernistic, ⟨pej⟩ new-fangled ♦ *een huis met alle moderne **comfort*** a house with all modern conveniences/comforts, a house with all mod cons; *modern **denken*** be a progressive thinker; *vrije liefde en al dat andere moderne **gedoe*** free love and all that other new-fangled stuff; *moderne **ideeën*** modern/progressive ideas; *het huis **is** modern **ingericht*** the house has a modern interior; *de **meest** moderne technieken* ⟨ook⟩ state-of-the-art technology; *uitgerust met de **meest** moderne wapens* equipped with the latest/most modern/most up-to-date weapons; *moderne **ouders*** modern/progressive parents; *van het moderne **slag*** of the modern persuasion; ***uiterst** modern* avant-garde, way-ahead, up-to-the-minute, ultra modern [2] ⟨rel⟩ modernistic ♦ *de protestantse leer modern **benaderen*** have a modernistic approach to Protestant doctrine; *de moderne **theologie*** modernistic theology
moderniseren [ov ww] modernize, ⟨boeken⟩ update, bring up to date
modernisering [de^{v}] modernization, ⟨r-k⟩ aggiornamento
modernisme [het] [1] ⟨geest van het nieuwe⟩ modernism [2] ⟨rel⟩ modernism
modernist [de^{m}] modernist
modernistisch [bn, bw] modernistic

moderniteit [de^{v}] modernity, novelty
modeshow [de^{m}] fashion show, fashion/dress parade
modesnufje [het] craze, fad, novelty ♦ *het **nieuwste** modesnufje* the latest word/thing
modest [bn] 1 ⟨ingetogen⟩ modest 2 ⟨bescheiden⟩ modest, unassuming, unpretentious
modevak [het] fashion
modevakschool [de] school of fashion/dress design
modeverschijnsel [het] fad, craze, nine days' wonder ♦ *tot een modeverschijnsel **maken*** set a fashion/the trend; *een modeverschijnsel **zijn*** be fashionable
modewereld [de] fashion world, ⟨wereldje⟩ fashion scene, world of fashion
modewoord [het] vogue word
modezaak [de] 1 ⟨aangelegenheid m.b.t. de mode⟩ matter of fashion; zie ook **modeverschijnsel** 2 ⟨winkel⟩ clothes shop/^{A}store, ⟨groot⟩ fashion store, ⟨dames⟩ dress shop, ⟨heren⟩ (gentlemen's) outfitter's
modieus [bn, bw] fashionable ⟨bw: fashionably⟩, chic, stylish, ⟨pej⟩ modish ♦ *een modieuze **dame*** a lady of fashion; *modieus **gekleed*** fashionably dressed; ***niet** modieus* unfashionable; ⟨gewoonte, gebruik⟩ outmoded; *een modieus **persoon*** a trendy person; *de modieuze **wereld*** fashionable circles; ⟨vero of scherts⟩ bon ton
modificatie [de^{v}] 1 ⟨verandering⟩ modification, alteration 2 ⟨biol⟩ modification 3 ⟨scheik, natuurk⟩ modification
modificeren [ov ww] modify
modinette [de^{v}] seamstress, midinette
modisch [bn] modish, fashionable
modulair [bn] modular
modulatie [de^{v}] 1 ⟨stembuiging⟩ modulation, inflection, intonation 2 ⟨muz⟩ modulation 3 ⟨bouwk⟩ modulation 4 ⟨verandering van draaggolven⟩ modulation 5 ⟨comp⟩ transaction
modulator [de^{m}] modulator
module [de^{m}] 1 ⟨maat(staf)⟩ module 2 ⟨comp, onderw⟩ module 3 ⟨gietvorm⟩ mould, cast, matrix 4 ⟨wisk⟩ modulus 5 ⟨muntmaat⟩ module
moduleren [ov ww, ook abs] 1 ⟨muz⟩ modulate 2 ⟨draaggolven veranderen⟩ ⟨overgankelijk werkwoord⟩ modulate 3 ⟨bouwk⟩ design according to a modular system 4 ⟨met stembuiging spreken⟩ modulate (one's voice), intone 5 ⟨onderw⟩ modularize ♦ *gemoduleerd **onderwijs*** modular education 6 ⟨comp⟩ modulate
modulering [de^{v}] modularization
modus [de^{m}] 1 ⟨wijze⟩ mode ♦ *een modus vinden om met iemand om te gaan* come to terms with s.o., work out a way to deal with s.o. 2 ⟨taalk⟩ mood 3 ⟨jur⟩ term, condition, clause 4 ⟨muz⟩ mode ♦ *de **vijfde** modus* the Lydian mode ⊡ *modus operandi* modus operandi; *modus ponens* modus ponens; *modus procedendi* procedure, modus procedendi; *modus quo* (mode of) procedure, modus; *modus vivendi* modus vivendi; *tot een modus vivendi komen met iets* come to terms with sth., work out a modus vivendi
[1]**moe** [de^{v}] ⟨inf⟩ ⟨BE⟩ mum(my), ⟨AE⟩ mom ♦ ***pa** en moe* mum/mom and dad ⊡ ***nou** moe!* well I say!, well I never!; ⟨sl; BE⟩ blimey!
[2]**moe** [bn] 1 ⟨vermoeid⟩ tired, fatigued ♦ *zo moe **als** een hond* dog-tired, dead tired, tired as a dog; *moe **in** de benen* leg-weary; *dat **maakt** hen moe* it wearies them, it wears them out; ⟨sterker⟩ it sickens them; *hij **maakt** er zich moe mee* he tires himself out with it; *hij **maakt** zich niet graag moe* he doesn't like to work overmuch, he's not too fond of working; *moe **van** het wandelen* tired with walking; *moe **van** de reis/het reizen* worn out from the journey/travelling; *jij **wordt** zo gauw moe* you tire so easily/quickly 2 ⟨beu⟩ tired (of), weary (of) ♦ *zij **is** het leven moe* she is weary of life/tired of living; *hij **werd** het moe* he got tired of it; *zij **werd** het luisteren moe* she grew tired of listening; *hij **wordt** het praten over zijn werk nooit moe* he never tires of talking about his work
moed [de^{m}] 1 ⟨dapperheid⟩ courage, valiance, ⟨soldatenmoed⟩ bravery, ⟨heldenmoed⟩ valour, ⟨durf, lef⟩ nerve, spunk, ⟨in tegenspoed⟩ pluck ♦ *al zijn moed **bijeenrapen/verzamelen*** muster up/summon up/pluck up one's courage; *de **euvele** moed hebben om ...* have the nerve/face/audacity to ...; *daar **heeft** hij de moed niet toe* he doesn't have the nerve/heart to do that; *zich moed **indrinken*** give o.s. Dutch courage; *met de moed der **wanhoop*** in a last desperate effort 2 ⟨vertrouwen in wat komen gaat⟩ courage, heart, spirits ♦ *met **frisse/nieuwe** moed beginnen* begin with fresh/renewed courage; ⟨na tegenslag ook⟩ come up smiling; ⟨scherts⟩ *dat **geeft** de burger moed* that's/there's a cheerful thought; *vol **goede** moed begon hij opnieuw* he started afresh/anew in good heart/spirits; ***houd** er de moed maar in!* chin up!, keep your pecker up!; ***hou(d)** moed!* keep your spirits up!, cheer up!; ⟨vormelijk⟩ be of good cheer/comfort!; *iemand moed **inspreken/geven*** put courage/fresh heart into s.o.; *hij **kreeg** weer moed* he felt confident (about it) again/had faith in it again; *de moed niet **laten zakken*** bear up; *dat gaf me weer **nieuwe** moed* that gave me new heart/put fresh heart into me/got me going again; *het ontneemt mij de moed **om** ...* it discourages/disheartens me to ...; *de moed **opgeven/laten zakken*** lose heart/courage, get downhearted; *moed **putten uit*** take heart from, draw/derive courage from; *moed **vatten*** pluck up/take courage, take heart; *de moed **verliezen*** lose heart/courage, lose one's nerve; ⟨fig⟩ *de moed **zonk** hem in de schoenen* his heart sank into his boots, his spirits sagged/sank ⊡ *in arren moede iets doen* do sth. out of desperation; *het werd hem bang **te** moede* he felt faint at heart
moedeloos [bn, bw] despondent ⟨bw: ~ly⟩, dispirited, down-hearted, low-spirited, dejected ♦ ⟨fig⟩ *een moedeloos **gebaar*** a despondent gesture; *het is om moedeloos van te **worden*** it's enough to make one despair
moedeloosheid [de^{v}] despondency, dejection
moeder [de^{v}] 1 ⟨vrouw met kinderen⟩ mother ♦ *een **alleenstaande** moeder* a single mother; ⟨fig⟩ *Moeder de **Gans*** Mother Goose; *kom op, 't is je moeder niet* ⟨fig⟩ come on, it won't bite you; *hij is niet bepaald moeders **mooiste*** he's no oil painting; *een **ongehuwde** moeder* an unmarried mother; *bij moeders **pappot**/op moeders **schoot** (blijven) zitten* ⟨fig⟩ be/remain tied to one's mother's apron strings; ⟨kind⟩ ***vadertje** en moedertje spelen* play mothers and fathers/mummies and daddies; *moeder de **vrouw*** the missus/missis, the wife; ⟨scherts⟩ my old Dutch, her indoors, my trouble and strife; ***werkende** moeder* working/wage-earning/double-duty mother; *moeder **worden*** become a mother 2 ⟨zorgzame vrouw⟩ mother (figure) ♦ *moeder(tje) **spelen*** ⟨ook fig⟩ play/be mother 3 ⟨bestuurster⟩ matron ♦ *de moeder van de **jeugdherberg*** the matron of the youth hostel 4 ⟨oorsprong⟩ mother ♦ *de moeder der **sporten*** the mother of sports 5 ⟨iets dat de mensen beschermt, voedt⟩ mother ♦ *Moeder **Aarde*** Mother Earth; *onze moeder de Heilige **Kerk*** our Mother Church; *Moeder **Natuur*** Mother Nature 6 ⟨enigszins bejaarde vrouw⟩ mother ♦ *hoe gaat 't, moedertje?* how are things with you, mother/dear? ⊡ ⟨sprw⟩ *voorzichtigheid is de moeder van de porseleinkast* ± look before you leap; ± fools rush in where angels fear to tread; ± discretion is the better part of valour; ⟨sprw⟩ *die de dochter trouwen wil, moet met de moeder vrijen* he that would the daughter win, must with the mother first begin
moederband [de^{m}] 1 ⟨verbondenheid⟩ maternal bond 2 ⟨comp⟩ master tape
moederbedrijf [het] parent company
moederbij [de^{v}] queen (bee)
moederbinding [de^{v}] mother fixation
moederblad [het] top copy
moederbord [het] ⟨comp⟩ motherboard

moederborst [de] mother's breast ♦ *het kind ligt/is nog aan de moederborst* the child is still being breast-fed/suckled

moederbrigade [de^{v}] ± school crossing patrol, ⟨AE ook⟩ safety patrol

moedercel [de^{v}] ⟨biol⟩ mother cell, parent cell

moedercomplex [het] ⟨psych⟩ Oedipus complex

Moederdag [de^{m}] Mother's Day, ⟨BE ook⟩ Mothering Sunday

moederdier [het] [1] ⟨dier⟩ mother (animal), female parent, ⟨vnl. m.b.t. pluimvee⟩ dam [2] ⟨vrouw⟩ (overindulgent/Jewish) mother

moederen [onov ww] [1] ⟨als een moeder zijn⟩ play mother, act like a mother ♦ *moederen **over** iemand* mother s.o. [2] ⟨moeder zijn⟩ mother

moederfiguur [de] mother figure

moederhand [de] a woman's touch ♦ *hier **ontbreekt** een moederhand* this place needs/lacks/could do with a woman's touch

moederhart [het] mother's heart

moederhuis [het] [1] ⟨klooster⟩ mother house [2] ⟨r-k; zetel van bestuur⟩ mother house [3] ⟨in België; kraaminrichting⟩ obstetric clinic, maternity home/hospital

moederinstinct [het] maternal instinct

moederkerk [de] [1] ⟨r-k⟩ Mother Church [2] ⟨hoofdkerk⟩ mother church

moederklok [de] master clock

moederklooster [het] ⟨r-k⟩ mother convent

moederkoek [de^{m}] placenta

moederkoren [het] [1] ⟨woekering⟩ ergot, spurred rye [2] ⟨zwam⟩ ergot

moederland [het] [1] ⟨land met overzeese bezittingen⟩ mother country [2] ⟨land van oorsprong⟩ motherland, ⟨van geëmigreerden⟩ old country ♦ *zijn ouders bleven **in** het moederland achter* his parents stayed (behind) in the old country/in the home country/at home

moederleed [het] a mother's grief

moederlief [de^{v}] dear mother, mother/mummy dear ♦ *daar **helpt** geen moederlief/moedertjelief aan* there's no escaping it

[1]**moederlijk** [bn] ⟨afkomstig van moeder⟩ maternal ♦ *het moederlijk **erfdeel*** maternal inheritance/portion

[2]**moederlijk** [bn, bw] [1] ⟨vol liefde en zorg⟩ motherly ♦ *moederlijke **liefde*** motherly love, a mother's love [2] ⟨(zoals) eigen aan een moeder⟩ maternal ⟨bw: ~ly⟩, motherlike ♦ *de moederlijke **staat*** motherhood, maternity

moederloog [het, de] ⟨scheik⟩ [1] ⟨oververzadigde oplossing⟩ mother liquor [2] ⟨de overblijvende vloeistof⟩ mother liquor, mother-water, ⟨na zoutwinning uit zeewater⟩ bittern

moederloos [bn] motherless ♦ *moederloos **kalf/veulen*** ⟨AE⟩ maverick

Moedermaagd [de^{v}] Virgin Mother, Holy Mother

moedermaatschappij [de^{v}] parent company

moedermavo [de] secondary education for adults, especially women

moedermelk [de] mother's milk, breast milk, ⟨eerste melk⟩ foremilk, ⟨wet⟩ human milk ♦ *de baby **krijgt** nog moedermelk* the baby is still being breast-fed; *dit heeft hij **met** de moedermelk meegekregen* he took it in with his mother's milk

moedermoord [de] matricide

moedermoordenaar [de^{m}] matricide

moedernaakt [bn] mother-naked, stark-naked

moederneuker [de^{m}] motherfucker

moeder-overste [de^{v}] ⟨r-k⟩ Mother Superior, ⟨als aanspreekvorm⟩ Mother

moederplant [de] [1] ⟨plant waarvan andere afstammen⟩ parent (plant) [2] ⟨kamerplant⟩ mother-of-thousands, Aaron's beard

moederplicht [de] maternal duty

moederrecht [het] maternal right, ⟨erfrecht⟩ matriarchy

moederschap [het] motherhood, maternity ♦ *(iemand) **op** het moederschap **voorbereiden*** train (s.o.) in mothercraft

moederschip [het] [1] ⟨schip dat als basis dient⟩ mother ship, carrier [2] ⟨schip dat lichters meeneemt⟩ barge carrier [3] ⟨ruimteschip⟩ mother ship

moederschoot [de^{m}] womb, uterus ⊡ ⟨fig⟩ ***vanaf** de moederschoot* from the cradle on

moederskant [de^{m}] mother's side ♦ ***van** moederskant* on the/one's mother's side, on the maternal side; ⟨van halfbroers/zusters⟩ uterine

moederskindje [het] [1] ⟨sterk aan de moeder gebonden kind⟩ mother's child [2] ⟨onzelfstandig kind⟩ mother's boy/girl, mummy's/mamma's/namby-pamby boy, mummy's/mamma's/namby-pamby girl

moedersleutel [de^{m}] master/skeleton key

moedersmoeder [de^{v}] maternal grandmother

moedersvader [de^{m}] maternal grandfather

moedertaal [de] [1] ⟨eigen taal⟩ mother tongue, native language/tongue ♦ *iemand met Engels **als** moedertaal* a native speaker of English [2] ⟨oorspronkelijke taal⟩ mother tongue

moedertaalspreker [de^{m}] native speaker

moedertasjes [de^{mv}] ⟨plantk⟩ shepherd's purse

moedervlek [de] birthmark, ⟨moedervlekje⟩ mole

moedervorm [de^{m}] ⟨drukw⟩ matrix

moederzegen [de^{m}] [1] ⟨moederlijke zegen⟩ mother's blessing [2] ⟨zegen van het moederschap⟩ blessing of motherhood

moederziel [de] ⊡ *moederziel **alleen*** all alone; *moederziel **alleen** achterblijven* be cast away

moederzorg [de] mother('s) care, maternal care

moedig [bn, bw] brave ⟨bw: ~ly⟩, spirited, courageous, valiant, ⟨met lef⟩ plucky ♦ *moedig **als** een **leeuw*** lionhearted; *een moedige **daad*** a brave/courageous act; ⟨ridderlijk⟩ a gallant deed; *moedig **door** de **drank*** pot-valiant; *zich moedig **gedragen*** be brave; *een moedig **man*** ⟨ook⟩ a man of character, a heart of oak

moedjahedien [de^{mv}] mujaheddin, mujahideen

moedwil [de^{m}] [1] ⟨boze opzet⟩ wilfulness, spite, ⟨ook jur⟩ malice ♦ *ik deed het niet **met/uit** moedwil* I did not do it out of malice/spite [2] ⟨uiting van baldadigheid⟩ wantonness, mischief

moedwillig [bn, bw] wilful ⟨bw: ~ly⟩, malicious, spiteful ♦ *iets moedwillig **bederven*** spoil sth. out of spite

moedwilligheid [de^{v}] wilfulness, malice, ⟨baldadigheid⟩ wantonness, mischief

moeflon [de^{m}] mouf(f)lon

moefti [de^{m}] mufti

moegestreden [bn] battle-weary

moeheid [de^{v}] [1] ⟨het moe zijn⟩ tiredness, weariness, fatigue, lassitude [2] ⟨m.b.t. de grond⟩ exhaustion [3] ⟨m.b.t. metalen⟩ fatigue

moei [de^{v}] ⟨lit⟩ ⟨ogm⟩ aunt

moeial [de^{m}] busybody, meddler, ⟨inf; BE⟩ Nos(e)y Parker

[1]**moeien** [ov ww] [1] ⟨betrekken (in)⟩ involve (in), mix up (in/with) [2] ⟨op het spel zetten⟩ stake, risk, venture, hazard, jeopardize ♦ *er is een hele dag **mee gemoeid*** it will take/cost a whole day; *er is een groot bedrag **mee gemoeid*** it involves a substantial amount of money; *zijn leven is **ermee** gemoeid* his life is at stake/risk

[2]**zich moeien** [wk ww] ⟨zich bemoeien met⟩ concern o.s. (with), involve o.s. (in/with), ⟨inf⟩ poke/put one's nose in, stick one's oar in

[1]**moeilijk** [bn, bw] [1] ⟨problematisch⟩ difficult, ⟨bijwoord vnl⟩ with difficulty, ⟨ingewikkeld⟩ intricate ♦ *een moeilijk **begaanbare/berijdbare** weg* a bad/poor road; ***doe** niet zo moeilijk* don't make such a fuss; ⟨zelfstandig (gebruikt)⟩

het moeilijke is, dat ... the trouble/difficulty/problem is that ...; *moeilijk **horen/spreken/lezen*** have difficulty hearing/speaking/reading, hear/speak/read with difficulty; *het zichzelf moeilijk **maken*** make things difficult for o.s., make it hard on o.s.; *in moeilijke **omstandigheden** verkeren* be in trouble/difficulties/dire straits; *moeilijk **opvoedbare** kinderen* problem children [2] ⟨zwaar⟩ difficult, ⟨bijwoord vnl⟩ hard, arduous, strenuous, laborious, heavy, trying ◆ *een moeilijke **bevalling*** a difficult labour/confinement; *het is moeilijk te **geloven*** it's hard to believe/almost incredible/almost beyond belief; *hij **had** het erg moeilijk met haar overlijden* he found it hard to come to terms with/to cope with her death; *het moeilijk **hebben*** be hard put to it, have a rough time, have a (hard/bad) time of it; ***het** moeilijkste is nu achter de rug* we've had the hardest part/broken the back of it, we've turned the (sharpest) corner now; *hij **maakte** het ons moeilijk* he made things difficult for us, he gave us a hard time; *een moeilijke **taak*** a difficult task, a hard row to hoe, a hard nut to crack; *moeilijk **te vinden*** hard to find; ⟨krijgen⟩ hard to come by/to get; *het zijn moeilijke **tijden*** these are hard/trying times; *dat zal hem moeilijk **vallen*** it won't be easy for him, it will go hard with him/be heavy-going for him; *dat is nog te moeilijk **voor** je* that's still too difficult/complicated for you, you're not up to it yet, it's still out of your reach [3] ⟨vervelend⟩ difficult, tedious, tiresome, awkward, annoying ◆ *zij **deden** er nogal moeilijk over* they made rather a fuss about it; ⟨inf⟩ *moeilijk **doen*** be difficult, make difficulties over/about sth., make an issue/meal of sth.; *een moeilijk **geval*** a difficult/hard case; *een moeilijk **karakter/kind*** a difficult character/child; *zij is een moeilijk **persoon*** she is hard to please/a (very) difficult person (to please) [•] ⟨sprw⟩ *alle begin is moeilijk* all things are difficult before they are; the first step is the hardest; every beginning is hard

^{2}moeilijk [bw] ⟨eigenlijk onmogelijk⟩ hardly, scarcely, barely, (only) just ◆ *ik **kan** (toch) moeilijk **wegblijven*** I can hardly stay away, can I?; *daar kan ik moeilijk iets over **zeggen*** it's hard for me to say

moeilijkheid [de^{v}] difficulty, trouble, problem ◆ *daar **heb** ik (grote) moeilijkheden mee* I find it (very) difficult, I'm having (a lot of) trouble with it; *hij **heeft** moeilijkheden met zijn zoon* he's having problems with his son; ***in** moeilijkheden komen* get into trouble/hot water, get o.s. into trouble, get in a scrape/mess; *iemand **in** moeilijkheden brengen* get s.o. into trouble, get s.o. in a tight spot; *hij verkeerde/zat **in** moeilijkheden* he was in a scrape/fix/hole/tight corner, he was in trouble; *moeilijkheden **maken*** make difficulties, make/stir up trouble; *moeilijkheden **ondervinden*** experience/meet with/run up against difficulties; *hij hielp me **uit** de moeilijkheden* he got me out of that scrape/out of trouble; *zo zijn we **uit** de moeilijkheden gekomen* that's how we got out of the wood(s); *om moeilijkheden **vragen*** be asking for trouble; *moeilijkheden **zijn** er om overwonnen te worden* problems are there to be overcome; *daar **zit/ligt** de moeilijkheid* there's the rub/catch; *moeilijkheden onder ogen zien* confront problems/difficulties; *moeilijkheden uit de weg gaan* avoid difficulties/trouble

moeilijkheidsgraad [de^{m}] ⟨van examen enz.⟩ level of difficulty, ⟨van probleem enz.⟩ degree of complexity, ⟨m.b.t. sport en spel⟩ degree of difficulty

moeite [de^{v}] [1] ⟨last⟩ trouble, difficulty, ⟨minder sterk⟩ bother ◆ *hij **had** veel moeite met dat werk* he had a lot of difficulty/trouble with that job; *hij **had** er geen moeite mee om zichzelf uit te nodigen* he felt no qualms about inviting himself; *ik **heb** moeite met zijn gedrag/uiterlijk* I find his behaviour/appearance hard to take/stomach/swallow; *moeite **hebben** met iemand* have problems/difficulties with s.o.; *moeite **hebben** om te/met plassen* have difficulty passing water; *met die jongen **krijg** je nog moeite* that boy will give you a lot of bother/trouble [2] ⟨inspanning⟩ effort, trouble, exertion, pains, labour, struggle ◆ ***alle** moeite is voor niets geweest* all the trouble/effort has been in vain; ***bespaar** je de moeite* (you can) save/spare yourself the trouble/bother; *er is veel moeite aan **besteed*** considerable effort has been put into it/expended on it, great pains have been taken with/spent upon it; *moeite **doen*** take pains/trouble, exert o.s.; *veel moeite **doen** voor iets* take much trouble/take pains over sth.; *u hoeft geen extra moeite te **doen*** no need to bother, you need not bother, don't put yourself out, no need to go out of your way; *doe (maar) **geen** moeite* don't bother/trouble, never mind; ***geen** moeite was hem te veel* he spared no pains/effort; *zich moeite **geven/getroosten** om* go to the trouble of, put o.s. out, take the trouble, bother to; *ik **had** moeite mij in te houden* I had difficulty restraining myself/holding myself back, I could hardly control myself; *dat werk **heeft** veel moeite **gekost*** that job has cost/given a lot of trouble; *dat gaat **in** één moeite door* (that's) no trouble at all; ⟨iron⟩ *het **is** de moeite!* big deal!; ⟨ongeloof⟩ indeed!; *het **is** de moeite niet (waard)* it's not worth it/the effort/the bother, it's a waste of time; *het is een **kleine** moeite om dat ook even te doen* it's not much effort to do that as well; *het **kost** me moeite om* I find it hard to; *dat **loont** de moeite* it's worth the effort/trouble, it's worth (your/the) while; ***met** moeite de 100 (km/u) halen* barely do/reach 100 kilometres per hour; *wij vonden **met** veel moeite de weg terug* we only found the way back with great difficulty; *dat is me **te veel** moeite!* I can't be bothered/troubled (with it/that)!, that's too much trouble!, that's not worth the effort!; ***vergeefse** moeite* wasted effort; *dat is **voor** de moeite* that's for your trouble; *dank u wel **voor** de moeite!* thank you very much!, sorry to have troubled you!; *het is de moeite **waard*** it's worth (your/the) while; *het bezoek was zeer de moeite **waard*** it was a most rewarding visit; *een inspanning die de moeite **waard** is* an effort worth making; *het is de moeite **waard** om het te proberen* it's worth a try/trying, it's worth (your) while trying; *de dingen die het leven de moeite **waard** maken* the things that make life worth living; ***zich** veel/de grootste moeite **getroosten*** spare no pains, go to any/all lengths, go to/take great pains, go out of one's way, bend over backwards; *Frans **zonder** moeite!* French without tears!

moeiteloos [bn, bw] effortless ⟨bw: ~ly⟩, painless, easy ◆ ***leer** moeiteloos Engels!* learn English without tears!; *het paard **won** de wedstrijd moeiteloos* the horse ran away with the race

moeizaam [bn, bw] laborious ⟨bw: ~ly⟩, painful, toilsome, ⟨zwaar⟩ ponderous, ⟨bijwoord ook⟩ with difficulty ◆ *zich moeizaam een weg **banen** (door)* make one's way with difficulty (through); *het **gaat** nog moeizaam* it's still tough going, it's still an uphill battle/struggle; *moeizaam **sleepte** hij zich **voort*** he dragged himself along, he slogged/plodded along heavily; *moeizaam **vooruitkomen*** advance with difficulty

moeke [het, de^{v}] ⟨BE⟩ mummy, ⟨AE⟩ mommy, ⟨AE⟩ momma ◆ *een **gezellig(e)** moeke* a real mum

moellah [de^{m}] mullah

^{1}moer [de^{v}] [1] ⟨vulg; moeder⟩ ⟨ogm⟩ mother [2] ⟨moederplant⟩ layer [3] ⟨wijfjesdier⟩ ⟨konijn⟩ doe, ⟨bijenkoningin⟩ queen (bee), ⟨vos⟩ vixen [•] ⟨inf⟩ ***geen** moer* not a damn thing; ⟨BE ook⟩ (sweet) Fanny Adams, bugger-all; *dat gaat je **geen** moer aan* that's none of your damn/bloody business; ⟨inf⟩ ***geen** (ene) moer waard zijn* not worth a tinker's cuss/^{B}tupenny damn; *daar schiet je **geen** moer mee **op*** that doesn't get you anywhere/doesn't help one bit; ⟨inf⟩ *dat kan me **geen** (ene) moer schelen* I don't give a damn/tinker's cuss, ⟨vulg⟩ I don't give a fuck, ⟨AE⟩ I don't care two bits; ⟨inf⟩ *iets **naar** zijn moer helpen* bugger sth. up, ↑ mess sth. up; ⟨vulg⟩ fuck sth. up

^{2}moer [het] [1] ⟨veen(grond)⟩ ⟨grond⟩ peat soil, ⟨gebied⟩ peat bog [2] ⟨veenslik⟩ ⟨ook als brandstof⟩ peat

^{3}moer [de] [1] ⟨bevestigingsmiddel⟩ nut, female screw

2 ⟨droesem⟩ dregs, lees, sediment, draff, ⟨druivenmoer⟩ mare
moeraal [de^{m}] (European) moray
moeras [het] 1 ⟨drassig land⟩ swamp, marsh, morass, ⟨veen⟩ bog ♦ *een moeras **droogleggen*** drain a marsh 2 ⟨fig; moeilijkheid⟩ morass, (quag)mire ♦ ***in** het moeras zitten* be in a quagmire/morass; *steeds dieper **in** het moeras raken* get deeper and deeper into the morass; *iemand **uit** het moeras helpen* help s.o. out of the morass/(quag)mire
moerasbos [het] swamp forest
moerasdamp [de^{m}] marsh gas(es)/fume(s)/odour(s), miasma
moeraseik [de^{m}] bog oak, swamp/pin/Spanish oak
moerasgas [het] methane, marsh gas
moerasgebied [het] marshland, swampland, boggy/marshy area, mire
moerasgrond [de^{m}] marshy/swampy/boggy soil, marshland, swampland
moerashertshooi [het] Marsh St. John's wort
moerashoornslak [de] viviparid
moeraskers [de] marsh yellow cress
moeraskoorts [de] marsh fever, malaria, paludism, swamp fever
moerasland [het] marshland, swampland
moeraslucht [de] marsh fume(s)/odour(s), miasma
moerasplant [de] marsh plant
moerasschildpad [de] terrapin, marsh tortoise
moerassig [bn] 1 ⟨uit moeras bestaand⟩ swampy, marshy, boggy 2 ⟨drassig⟩ boggy, swampy ♦ *moerassig **maken/worden*** ⟨ook⟩ poach
moerassneeuwhoen [het] willow grouse
moerasspirea [de^{m}] meadowsweet
moerasvaren [de] buckler fern
moerasveen [het] bog fen, peat bog
moerasviooltje [het] marsh violet
moerasvoetbal [het] swamp soccer
moerbalk [de^{m}] tie-beam
¹moerbei [de^{m}] ⟨boom⟩ mulberry (tree)
²moerbei [de] ⟨vrucht⟩ mulberry
moerbeiboom [de^{m}] mulberry tree
moerbeistadium [het] morula
moerbeivlinder [de^{m}] silkworm moth
moerbeizijde [de] natural/real silk
moerbes [de] mulberry
moerbout [de^{m}] (nutted) bolt
Moerdijk [de^{m}] ▪ ***boven/beneden** de Moerdijk* ± in the north/south of Holland/the Netherlands
moerdraad [het] female/internal thread, nut-thread
moeren [ov ww] 1 ⟨kapotmaken⟩ wreck, bust, ⟨vulg⟩ fuck up, ⟨BE ook⟩ bugger up 2 ⟨schroefmoer in hout draaien⟩ tap 3 ⟨planten afleggen⟩ layer
moermantherapie [de^{v}] Moerman therapy
moerplaatje [het] washer (plate)
moerschroef [de] 1 ⟨schroef⟩ female screw 2 ⟨moer⟩ female nut
moersleutel [de^{m}] (nut) spanner, tommy, ⟨AE ook⟩ wrench ♦ ***verstelbare** moersleutel* ⟨ook BE⟩ monkey wrench
moerstaal [de] ⟨inf⟩ ⟨ogm⟩ mother tongue ♦ ***spreek** je moerstaal* speak plain English/Dutch/...
moervos [de^{m}] vixen
¹moes [de^{v}] ⟨kind; moeder⟩ ⟨BE⟩ mummy, ⟨AE⟩ momma, ⟨AE⟩ mommy
²moes [het] ⟨gerecht⟩ purée ♦ ***tot** moes laten koken* purée, boil down, cook to a pulp; ⟨fig⟩ *iemand **tot** moes slaan/hakken* beat s.o. to a jelly/a mummy/a pulp
moesappel [de^{m}] cooking apple, cooker
moesgroente [de^{v}] greens, green/leaf(y) vegetables
moesgrond [de^{m}] ⟨perceel⟩ vegetable garden, ⟨aarde⟩ garden ^{B}mould/^{A}mold
moesje [het] 1 ⟨schoonheidsstip⟩ beauty spot 2 ⟨stipje op stof⟩ polka dot 3 ⟨mama⟩ ⟨BE⟩ mummy, ⟨AE⟩ momma, ⟨AE⟩ mommie
moeskruid [het] potherb, vegetable
moesson [de^{m}] 1 ⟨wind⟩ monsoon 2 ⟨jaargetijde⟩ monsoon ♦ ***droge** moesson* dry monsoon; ***natte** moesson* wet monsoon, rain
moessonregen [de^{m}] monsoon rains
moestuin [de^{m}] kitchen/vegetable garden
¹moet [de^{m}] ⟨noodzakelijkheid⟩ must, necessity
²moet [de] ⟨indruk⟩ dent, mark
¹moeten [het] ▪ *een **heilig** moeten* a sacred duty, an overriding obligation, a must
²moeten [ov ww] ⟨inf⟩ 1 ⟨mogen, believen⟩ like ♦ *ik moet die **man** niet* I don't like that man 2 ⟨in België; schuldig zijn⟩ owe
³moeten [hulpww] 1 ⟨willen⟩ want, need ♦ *wat moet ik beginnen zonder jou?* what would I do/what am I to do without you?; *ik moet er niet aan **denken** wat het kost* I hate to think what it costs; *moeten jullie niet **eten**?* don't you want to eat?; *wie moest jij **hebben**?* who did you want (to see/to speak to)?; *ik moet nu nog bloem **hebben*** ⟨in winkel⟩ all I need now is flour; and now I want some flour, please; and could I have some flour, please; *hij moest er niet veel van **hebben*** he did not take kindly to it; *het huis moet **nodig** eens geschilderd worden* the house wants re-painting/a lick of paint (badly); *en toen moest hij zo **nodig** een vreselijk dure auto kopen* and then he had to go and buy this amazingly expensive car; ⟨inf⟩ ***wat** moet je?* what do you want?, what's with you?; ⟨inf⟩ ***wat** moet dat?* what does this mean?, what's all this about?, what's going on here?; ***wat** moet dat moet* it has to be done; ***wat** moest hij van jou?* what did he want from/with you?; ***wat** moeten jullie hier?* what are you (all) after?, what are you doing here?; ***wat** moet dat speelgoed hier?* what are those toys doing here?; *dat moet ik nog **zien*** I'll have to see; *hij moest en **zou** het hebben* he had to have it/would have it 2 ⟨verplicht zijn, zich verplicht voelen⟩ must, have to, be obliged to, ⟨voorwaardelijke wijs, of milder⟩ should, ought to, ⟨bij afspraak/bevel ook⟩ be to, mean to ♦ *moest (je) **dat** nou (doen)?* did you really have to do that?; *je moet er tóch **doorheen*** ⟨m.b.t. moeilijkheden⟩ you'll have to see it through/out anyway, you'll have to face it/the music; *ik moet er niets van **hebben*** I don't want to know, I don't want to have anything to do with it, I want none of it; *moet je dat beslist **kwijt**?* must you say/write that?, do you really have to say/is it really necessary (for you) to say/write that?; *moet u nog **ver** (gaan)?* do you still have far to go?, have you still got a long way to go?; *ik moet **zeggen**, dat ...* I must/should say/have to say that ...; *of het moest **zijn** ...* unless it be ...; *officieren moeten altijd in uniform **zijn*** officers must wear/are to wear their uniforms at all times 3 ⟨behoren⟩ should, ought to ♦ *dat moet je nog eens **doen** (als je durft)!* (just you) do that again (if you dare)!; *hij moet **eraan**!* he's in for it!, his hour has come!; *daar moet op **gedronken worden*** that calls for a drink; *dat moet **gezegd** (worden)* it must be/has to be said; *moet je eens **horen*** listen (to this); *je moet nog eens zo laat thuis **komen**!* just you try coming home that late again!; *moet **kunnen**!* no problem!; ⟨inf⟩ *het moest niet **mogen*** it shouldn't be allowed; *ik moet nog **naar** Antwerpen* I (still) have (got) to go to Antwerp; *ik moet (zo) **nodig*** I've got to go!; *hoe moeten we nu **verder**?* where do we go from here?; *ik moest dat maar **vergeten*** I had better/best forget it; *de trein moet om vier uur **vertrekken*** the train is due to leave at four o'clock; *alles moet **weg*** everything must go; *moet je nu al **weg/ervandoor**?* are you off already?, must you be off so soon?; *je moest eens **weten** ...* if only you knew ...; *dat moet jij (zelf) **weten*** it's up to you, it's your decision; *ik moet morgen (weer) in Utrecht **zijn*** I'm due in/have (got) to be in Utrecht (again) tomorrow; *je moet wel anglist **zijn** om dit te (kunnen) vertalen* you have to have studied English to (be able to) translate this;

het moet al heel slecht weer ***zijn,*** *wil hij thuis blijven* the weather's got to be pretty bad for him to stay at home/ stay in; ***zo*** *moet (je) het niet (doen)* that's not the way to do it, you shouldn't/mustn't do it like that; *het is gedaan* ***zoals*** *het moet* it has been done properly/as it should; *als het moet, dan* ... if it can't be avoided, then ...; *ze moet er nodig eens even uit* she needs a day out [4] ⟨logisch onvermijdelijk, noodzakelijk zijn⟩ must, have to ♦ ***aan*** *een bril moeten* need glasses; ***als*** *het moet* if need be, if it must be; *dat hij nou net op dat moment moest* ***binnenkomen*** he would (have to) walk in at that moment; *moet het nog lang* ***duren?*** how long is this going to last?, how much longer?; *die kies moet* ***eruit*** that molar has (got) to come out; *waar moet dat* ***heen*** *(met die drugs)?* what are things coming to/what's the world coming to (with these drugs)?; *kome wat* ***komen*** *moet* come what may; *het moest er wel van* ***komen*** it was bound to happen, it had to happen; *ik moest wel* ***lachen*** I couldn't help laughing; ***wat*** *moet,* ***dat*** *moet* what must be must be; *dat moet wel een succes* ***worden*** that's bound/it can't fail to be a success; *hij moest nog twee/zestig* ***worden*** he isn't two/sixty yet; *het heeft zo moeten* ***zijn*** it had to be/happen (like that); *het zal wel* ***zo*** *moeten (gebeuren)* that's probably how it is done/has to be done, it probably should be done like this [5] ⟨waar(schijnlijk) zijn⟩ must, ⟨naar men zegt⟩ be supposed/said/believed/reported to ♦ *zij moet vroeger een mooi meisje* ***geweest zijn*** she must have been a pretty girl once; *Londen moet 350 kilometer van hier* ***liggen*** London must be 350 kilometres away; *dat schilderij moet de koningin* ***voorstellen*** that painting's supposed to represent the Queen; ***wat*** *moet dat voorstellen?* what's that supposed to be?; *ze moet erg rijk* ***zijn*** she is said to be very rich [6] ⟨in België; behoeven⟩ need, want [•] ⟨sprw⟩ *geld moet rollen* you can't take it with you (when you die/go); money is there to be spent

moetje [het] ⟨inf⟩ [1] ⟨gedwongen huwelijk⟩ shotgun marriage/wedding [2] ⟨kind⟩ 7-month baby

moezel [de^m^] Moselle

Moezel [de] Mosel

moezelwijn [de^m^] Moselle (wine)

¹mof [de^m^] ⟨scheldnaam⟩ kraut, Hun, ⟨mil⟩ Jerry

²mof [de] [1] ⟨koker van bontwerk⟩ muff [2] ⟨ring voor verbinding van buizen⟩ (coupling) sleeve, bush [3] ⟨verwijd uiteinde van een buis⟩ socket

moffel [de^m^] muffle

moffelen [ov ww] [1] ⟨lakken⟩ enamel [2] ⟨emailleren⟩ enamel [3] ⟨wegkapen⟩ snatch (away), snap up, grab (at), seize [4] ⟨wegstoppen⟩ stash (away), spirit/secret away ♦ *een voorwerp* ***in*** *zijn zak moffelen* stash an object in one's pocket

moffellak [het, de^m^] stoving/baking/stove enamel

moffeloven [de^m^] muffle furnace

moffelsleutel [de^m^] socket spanner/^A^wrench

moffin [de^v^] → **mof¹**

mofkoppeling [de^v^] sleeve coupling

mogadon [het] Mogadon

¹mogelijk [bn] [1] ⟨kunnende gebeuren, gedaan worden⟩ possible, feasible, potential ⟨alleen attr⟩ ♦ *dit alles is ons mogelijk* ***gemaakt*** *door* ... all this has been made possible for us by ...; ⟨filos⟩ ***het*** *mogelijke* the possible; ⟨zelfstandig (gebruikt)⟩ *al* ***het*** *mogelijke doen* do one's utmost/all one can/everything possible, leave no stone unturned; ***hoe is*** *het (godsterwereld) mogelijk!* how on earth is it possible!; ***hoe is*** *het mogelijk, dat je je daarin vergist hebt?* how could you possibly have been mistaken about this?; *dit zou het ons mogelijk* ***maken*** *de kosten met de helft te verminderen* this would enable us to cut costs by half; *het is* ***ons*** *niet mogelijk* it's impossible for us, we cannot possibly ...; *niet* ***voor*** *mogelijk houden* think sth. impossible, believe sth. to be impossible; ***zo*** *mogelijk* if possible; *voor zover mogelijk* as far as possible [2] ⟨denkbaar⟩ possible, conceivable ♦ *op* ***alle*** *mogelijke manieren* in every possible/conceivable way; *het is* ***best/heel goed*** *mogelijk dat hij het niet gezien heeft* he may very well not have seen it, it's quite/very possible that he didn't see it; *het* ***is*** *mogelijk dat hij wat later komt* he may come a little later; *alle mogelijke* ***middelen*** all possible means; *alle mogelijke* ***soorten*** *van* ... all possible/conceivable kinds of ... [3] ⟨eventueel⟩ possible, likely ♦ *bij mogelijke* ***moeilijkheden*** in case of trouble/difficulties

²mogelijk [bw] [1] ⟨als kan gebeuren⟩ possibly ♦ ***zo*** *goed mogelijk* as best one can; ***zo*** *gauw/snel mogelijk* as soon as possible; ***zoveel*** *mogelijk* as far/often/much as possible [2] ⟨misschien⟩ possibly, perhaps, maybe

mogelijkerwijs [bw] possibly, perhaps, maybe, conceivably

mogelijkheid [de^v^] [1] ⟨het mogelijk zijn⟩ possibility, feasibility, ⟨faciliteit⟩ facility ♦ *de mogelijkheid* ***openlaten*** leave open the possibility/door, let in/admit the possibility [2] ⟨iets dat mogelijk is⟩ ⟨abstr⟩ possibility, ⟨te grijpen kans⟩ chance, opportunity, ⟨gebeurtenis⟩ eventuality ♦ *dat* ***behoort tot*** *de mogelijkheden* it is within the bounds of possibility/the possible; *dat* ***behoort*** *niet* ***tot*** *de mogelijkheden* that is not an option; *de mogelijkheid* ***bestaat*** *dat* ... there is a possibility that ...; *er* ***bestaat*** *een kleine mogelijkheid dat* ... it is just possible that ...; *Amsterdam* ***biedt*** *vele mogelijkheden* Amsterdam offers a lot of opportunities; *dat ligt* ***binnen*** *de mogelijkheden* that is within the bounds of possibility/our/... reach; *er* ***doen*** *zich verschillende mogelijkheden* ***voor*** there are various possibilities; *met* ***geen*** *mogelijkheid* not possibly, not for the life of me; *er is* ***geen*** *mogelijkheid dat te doen* there's no possibility of doing that; *ik zie* ***geen*** *mogelijkheid me daarvoor vrij te maken* I cannot possibly get time off for this; *de mogelijkheid is* ***groot*** *dat* ... it is quite possible ..., there is every possibility ...; *zij* ***onderschat*** *haar mogelijkheden* she underestimates herself; *op alle mogelijkheden voorbereid zijn* be prepared for anything/all eventualities; *voor ieder de mogelijkheid* ***scheppen*** *zoiets te doen* create the chance/opportunity for everyone to do/of doing a thing like that; *ik* ***sluit*** *deze mogelijkheid beslist niet* ***uit*** I certainly cannot exclude this possibility; *een* ***tweede/andere*** *mogelijkheid* ⟨ook⟩ an alternative; *ze* ***wees op*** *de mogelijkheid dat* ... she suggested ... [3] ⟨mv; kans op succes⟩ possibilities, prospects ♦ *het land* ***biedt*** *grote mogelijkheden voor het toerisme* the country offers good prospects for tourism; *een loopbaan* ***met*** *mogelijkheden* a career with good prospects; *nieuwe mogelijkheden* ***voor*** *de export* new openings/ prospects for export

mogelijks [bw] ⟨in België⟩ possibly

¹mogen [ov ww] ⟨sympathiek vinden⟩ like, be fond of, ⟨houden van⟩ love ♦ *ze mogen* ***elkaar*** *niet* ⟨ook⟩ there's no love lost between them; *ik mocht hem* ***meteen*** *al niet* I took an instant dislike to him; *ik mag hem* ***wel*** I quite/rather like him; *zij is een beetje arrogant, maar dat mag ik* ***wel*** she's a bit arrogant but I don't mind that/but I like them/women/... like that/that way

²mogen [hulpww] [1] ⟨toestemming, recht, vrijheid hebben⟩ can, be allowed/permitted to, ⟨tegenwoordig tijd of indirecte rede⟩ ↑ may, ⟨met ontkenning⟩ must, ⟨in voorwaardelijke wijs⟩ should, ought to, ⟨vnl. m.b.t. toelating door afwezige persoon⟩ be to ♦ *mag die tv* ***aan?*** can I turn the TV on?; ***alles*** *mag toch maar vandaag de dag* anything goes nowadays, doesn't it?; *mag ik* ***alsjeblieft?*** do you mind? ⟨nadruk op 'mind'⟩; *mag ik* ***bedanken?*** I hope you don't mind/do you mind if I refuse/say no; *mag Deirdre* ***blijven spelen?*** is it alright/OK if Deirdre stays to play?, can Deirdre stay and play?; *zij mag* ***doen*** *wat ze wil* she is allowed/permitted to/she can do what/as she likes; *ik mag het* ***eigenlijk*** *niet vertellen* I'm not really supposed to tell you; *mag ik* ***even?*** do you mind?, may I?; *je mag* ***gaan spelen,*** *maar je mag je nieuwe schoenen niet vuilmaken* you can go out and play, but you're not to get your new shoes dirty;

er mag hier niet ***gerookt worden*** you're not allowed/permitted to smoke here, you may/must not smoke here, smoking is forbidden/not allowed/permitted here; *je mag het* ***gerust*** *eens proberen* you're welcome to try it/give it a try; *mag ik een* ***kilo*** *peren van u?* (can I have) two pounds of pears, please; *hij zei dat ik ook mocht* ***komen*** he said (that) I could/might come too; *mag ik er even* ***langs?*** excuse me (please), may I just get past/by?; *mag ik uw* ***naam*** *even?* could/may I have your name, please?; *dat mag* ***niet*** that's not allowed, that's forbidden; ⟨tegen de regels⟩ that's against the rules; ⟨tegen de wet⟩ that's illegal/against the law; *ik gebruik geen zout meer; mag* ***niet*** *van de dokter!* I'm not allowed to take salt; doctor's orders!; ***van*** *mij mag het* it's alright by me, as far as I'm concerned it's alright, I don't mind; *dat mag niet* ***van*** *haar moeder* her mother has forbidden (her to do) that/won't let her do that/won't allow her to do that; ***van*** *mij mag het een maand duren* I don't mind if it takes a/another month; *ze mag geen zout gebruiken* ***van*** *de dokter* the doctor says she's not to have salt; *hij wou meekomen maar hij mocht niet* ***van*** *zijn moeder* he wanted to come along but his mother wouldn't let him; *ze mogen maar* ***veel*** *tegenwoordig* they can get away with anything nowadays; *als ik* ***vragen*** *mag* if you don't mind my asking; *mag ik u iets* ***vragen?*** may I ask you sth.?, do you mind if I ask you sth.?; *u mag hier even* ***wachten*** please take a seat (for a minute); *dat mag ik niet* ***zeggen*** I'm not at liberty/allowed to tell you; *zoiets mag je niet* ***zeggen*** one doesn't say that, it isn't done to say that sort of thing; *mag ik zo* ***vrij zijn?*** do you mind?; *mag het een onsje meer* ***zijn?*** do you mind/is it alright if it's a bit more?; *vandaag doe ik eens rustig aan, mag ik alsjeblieft?* I'll take it easy today if you don't mind [2] ⟨reden hebben, moeten⟩ should, ought to ◆ *dat mag ook weleens* ***gezegd worden*** there's no harm in saying that, too; ⟨sport, voetb⟩ *die* ***had*** *nooit mogen* ***zitten*** that should never have been a goal; *je* ***had*** *me weleens mogen* ***waarschuwen*** you might/could (well) have warned me; *ik mag niet* ***mopperen*** I mustn't complain; *je mag je weleens* ***scheren*** you could do with shaving/a shave, you ought to/should have a shave; *je mag van geluk* ***spreken*** *dat ...* you can think/count yourself lucky that ..., you can thank your (lucky) stars that ...; *je mag wel* ***uitkijken,*** *het is glad op straat* you'd better/you should be careful, it's slippery out; *hij mag blij* ***zijn*** *dat ...* he ought to/should be happy that ...; *wat een mooie jas! dat mag ook wel voor dat geld* what a lovely coat! it ought to/should be at that price [3] ⟨m.b.t. toegeving⟩ may, might ◆ *wat er ook moge* ***gebeuren*** whatever happens, come what may; *hoe dat ook moge* ***zijn*** be that as it may; *dat mag dan zo* ***zijn,*** *maar ...* that's as maybe, but ...; that may well be so, but ...; granted, but ...; *hij mag dan slim* ***zijn,*** *sterk is hij niet* he may (well) be clever/granted he's clever, but he isn't strong [4] ⟨m.b.t. een mogelijkheid⟩ should, ⟨minder waarschijnlijk⟩ were ... to ◆ *mocht dat het geval* ***zijn,*** *...* should that be the case, ...; in that case, ...; if so, ... [5] ⟨kunnen⟩ ◆ *het mocht niet* ***baten*** it was no use/good, it didn't work; *dat ik dit nog mag* ***meemaken!*** that I should live to see this!; *je mag erop* ***rekenen*** *dat ...* you can rely on it/assume that ...; *dit mag bekend* ***verondersteld worden*** this may be taken for granted; *het heeft niet zo mogen* ***zijn*** it was not to be [6] ⟨m.b.t. een wens⟩ ◆ *moge dit jaar u veel geluk* ***brengen*** ⟨alg, bijvoorbeeld m.b.t. schooljaar⟩ I hope you will be very happy in the coming year; ⟨nieuwjaarsgroet⟩ Happy New Year; *lang moge hij* ***heersen*** long may he reign [•] *zij mag* ***gezien worden*** she's a good/great looker; ⟨BE ook⟩ she's a bit of alright; *ik mag* ***graag*** *een sigaartje roken* I like/enjoy a nice cigar; *zo mag ik het* ***horen/zien*** that's what I like (to hear/see), that's the spirit; ⟨horen ook⟩ now you're talking; *het mocht* ***wat*** it doesn't mean a thing, much ado about nothing, so what!; *dat mocht je* ***willen*** wouldn't you just like that; you'd like that, wouldn't you?; *hij mag er* ***zijn*** ⟨heeft kwaliteiten⟩ he's one to be reckoned with, he's pretty good, he's got what it takes, he's got class, he's one of the best; ⟨is groot/flink van postuur⟩ he's a big chap/fellow, ⟨vnl AE⟩ he's a big guy; ⟨is knap⟩ he's some guy/^{A}quite a hunk; *wat mag het* ***zijn?*** ⟨in winkel⟩ can I help you?; ⟨in café⟩ what are you having/will you have?; ⟨ober⟩ what can I get you?; ⟨sprw⟩ *lieve kinderen mogen wel een potje breken* ± one man may steal a horse, while another may not look over a hedge

mogendheid [de^{v}] power ◆ ***de grote*** *mogendheden* the great powers, the superpowers; *een* ***maritieme*** *mogendheid* a maritime power; ***vreemde*** *mogendheden* foreign powers

mogol [de^{m}] Mogul

mogul [de^{m}] mogul

moguls [het] mogul skiing

[1]**mohair** [het] mohair

[2]**mohair** [bn] mohair

Mohammed [de^{m}] Mohammed

mohammedaan [de^{m}], **mohammedaanse** [de^{v}] Mohammedan, Muhammadan

mohammedaans [bn] Mohammedan, Muhammadan

mohammedaanse [de^{v}] → **mohammedaan**

mohammedanisme [het] Mohammedanism, Muhammadanism

Mohikanen [de^{mv}] [•] *de* ***laatste*** *der Mohikanen* the last of the Mohicans

[1]**moiré** [het] ⟨ook foto⟩ moire, watered silk, tabby

[2]**moiré** [bn] moiré, ⟨stof, i.h.b. zijde⟩ watered

moireren [ov ww] ⟨ind⟩ water, tabby

mojito [de^{m}] mojito

mok [de] [1] ⟨beker⟩ mug [2] ⟨paardenziekte⟩ grease (heel), greasy heel

moker [de^{m}] sledgehammer, sledge, ⟨met twee handvatten⟩ maul, ⟨van hout⟩ beetle

mokeren [onov ww] [1] ⟨met een moker slaan⟩ use a sledgehammer, hammer with a sledge, sledgehammer [2] ⟨hard slaan⟩ hammer

mokerslag [de^{m}] [1] ⟨slag met een moker⟩ sledgehammer blow [2] ⟨fig⟩ sledgehammer blow

mokka [de^{m}] [1] ⟨koffie⟩ mocha (coffee) [2] ⟨crème⟩ cream flavoured with coffee

mokkaboon [de] chocolate (shaped like a coffee bean) with coffee filling

mokkakoffie [de^{m}] mocha coffee

mokkakopje [het] (small) coffee cup

mokkapunt [de^{m}] ± slice of (chocolate-)mocha cake

mokkataart [de] ± (chocolate-)mocha cake

mokkel [het, de^{v}] ⟨inf⟩ chick, ⟨BE⟩ cracker, ⟨vnl AE; sl⟩ broad, dame, ⟨AuE⟩ sheila ◆ *een* ***lekker*** *mokkel* a nice piece of crumpet/skirt, a cracker

mokken [onov ww] sulk (about/over), grouch, grouse, ⟨kinderachtig⟩ pout, ⟨inf; BE⟩ have got the hump ◆ *mokkend* ***draaide*** *hij zich* ***om*** he turned his back on us in a sulk; ***zitten*** *mokken* sit sulking

mok-school [de] ± school for maladjusted children

Mokum [het] ⟨inf⟩ Amsterdam

Mokumer [de^{m}], **Mokumse** [de^{v}] ⟨inf⟩ Amsterdammer, inhabitant of Amsterdam

Mokums [bn] ⟨inf⟩ Amsterdam, of/from Amsterdam

Mokumse [de^{v}] → **Mokumer**

[1]**mol** [de^{m}] [1] ⟨dier⟩ mole ◆ *zo blind* ***als*** *een mol* as blind as a bat; ⟨fig⟩ *die man is echt een* ***blinde*** *mol* that man is very short-sighted/myopic [2] ⟨fig; spion⟩ mole

[2]**mol** [het] ⟨bont⟩ moleskin

[3]**mol** [de] [1] ⟨muz; teken⟩ flat [2] ⟨muz; toonaard⟩ minor ◆ *een aria in a-mol* an aria in A minor [3] ⟨scheik⟩ mol(e)

molaar [de] ⟨med⟩ molar

molair [bn] ⟨scheik⟩ molal, molar

molariteit [de^{v}] ⟨scheik⟩ molarity

Moldau [de] Vltava

Moldavië [het] Moldova, Moldavia

Moldavië	
naam	*Moldavië* Moldova
officiële naam	*Republiek Moldavië* Republic of Moldova
inwoner	*Moldaviër* Moldovan
inwoonster	*Moldavische* Moldovan
bijv. naamw.	*Moldavisch* Moldovan
hoofdstad	*Chisinau* Chisinau
munt	*Moldavische leu* Moldovan leu
werelddeel	*Europa* Europe
int. toegangsnummer 373 www.md auto MD	

Moldaviër [de^m], **Moldavische** [de^v] Moldovan, Moldavian
Moldavisch [bn] Moldovan, Moldavian
Moldavische [de^v] → **Moldaviër**
moleculair [bn] ⟨scheik⟩ molecular ♦ *moleculaire aantrekking* molecular adhesion; *moleculaire **biologie*** molecular biology; *moleculaire **genetica*** molecular genetics; *de moleculaire **keuken*** molecular gastronomy; *moleculaire **zeef*** molecular sieve
moleculairgewicht [het] ⟨scheik⟩ molecular weight
moleculariteit [de^v] ⟨scheik⟩ molecularity
molecule [het, de] molecule
moleculespectrum [het] ⟨natuurk⟩ molecular spectrum
molen [de^m] [1] ⟨inrichting, gebouw⟩ mill, windmill, water mill [2] ⟨maalinstrument⟩ mill, ⟨koffie⟩ grinder [3] ⟨toestel met draaiende beweging⟩ mill ♦ ⟨wielersp⟩ *de grote molen draaien* pedal a big gear, ride in a big gear, ride in overgear [4] ⟨heng⟩ reel [•] *de **ambtelijke** molen(s)* the wheels of government; ***ambtelijke** molens malen langzaam* the mills of government grind slowly; ***door** de molen gaan/moeten* ⟨m.b.t. procedure⟩ have to go through the mill, ⟨het zwaar te verduren krijgen⟩ be put through the mill; *het zit **in** de molen* it is in the pipeline; ⟨sprw⟩ *Gods molens malen langzaam* the mills of God grind slowly, yet they grind exceeding small
molenaar [de^m] [1] ⟨eigenaar van een molen⟩ miller, millowner [2] ⟨werkman die het instrument bedient⟩ miller
molenaarsknecht [de^m] miller's man
molenaarster [de^v] [1] ⟨vrouwelijke molenaar⟩ (female) miller [2] ⟨molenaarsvrouw⟩ miller's wife
molenas [de] sail axle
molenbaas [de^m] [1] ⟨m.b.t. asfalt-, betonmolens⟩ mixer-driver, machinist [2] ⟨m.b.t. een baggermolen⟩ dredgeman
molenbord [het] shutter
molenkap [de] mill cap
molenkolk [de] millpond, millpool
molenlasten [de^mv] costs of polder drainage
molenmeester [de^m] member of the committee responsible for the upkeep of a polder
molenpaard [het] ⟨beled⟩ fat lump/cow [•] *werken **als** een molenpaard* work like a slave
molenrad [het] mill/water wheel
molenroede [de] stock
molenstander [de^m] millpost
molensteen [de^m] millstone ♦ ⟨fig⟩ *dat hangt me **als** een molensteen om de nek* it is a millstone round my neck; ⟨fig⟩ *de hoge energieprijzen zijn een molensteen **voor** onze economie* the price of energy is a millstone for our economy
molenstuw [de^m] milldam
molentje [het] [1] ⟨kleine molen⟩ (small) (wind)mill [2] ⟨speelgoed⟩ windmill [•] *hij loopt **met** molentjes* he has bats in the belfry, he is not all there, he's a bit touched/cracked/potty/barmy
molentocht [de^m] [1] ⟨hoofdsloot⟩ millrace, millrun, millstream, ⟨BE ook⟩ leat [2] ⟨recreatieve tocht⟩ windmill trip
molentrechter [de^m] (mill) hopper
molenvang [de] (mill) brake
molenvliegtuig [het] autogiro, gyroplane
molenwiek [de] [1] ⟨m.b.t. molen⟩ sail arm, wing [2] ⟨sport⟩ hook serve, roundhouse
molenzeil [het] sail
molest [het] molestation, annoyance, nuisance ♦ *iemand molest **aandoen*** molest s.o.; *vrij **van** molest* coverage not extended to war risk
molestatie [de^v] molestation, annoyance, nuisance
molestclausule [de] clause excluding war-risk coverage
molesteren [ov ww] [1] ⟨overlast aandoen⟩ molest, annoy [2] ⟨in elkaar slaan⟩ ⟨persoon⟩ beat up, ⟨ding⟩ wreck, ruin
molestpremie [de^v] war-risk (insurance) premium
molestrisico [het, de^m] war risk (and/or risk of civil commotion/piracy/seizure/restraint of prices)
molestverzekering [de^v] war-risk insurance, riot and civil commotion insurance
molière [de^m] lace-up
mollen [ov ww] [1] ⟨stukmaken⟩ ⟨ding⟩ wreck, ruin, bust (up), ⟨persoon⟩ beat up, ⟨doden⟩ do (s.o.) in [2] ⟨grond effenen⟩ level [3] ⟨voorzien van drainagegangen⟩ make mole drains in
mollengang [de^m] mole tunnel/track
mollengat [het] mole hole
mollenknip [de] mole-trap
mollenrit [de^m] mole's burrow
mollenval [de] mole-trap
mollenvel [het] moleskin
mollig [bn] [1] ⟨zacht voor het gevoel⟩ soft, ⟨speelgoed⟩ cuddly ♦ *het mollige **gras*** lush grass [2] ⟨m.b.t. personen⟩ plump, ⟨i.h.b. kind⟩ chubby, ⟨vrouw, i.h.b. m.b.t. de borsten⟩ buxom, ⟨kind⟩ podgy, rotund ♦ *een mollig **kind/meisje*** a chubby child/girl; *haar mollige **vormen*** her buxom figure; *de baby **werd** mollig* the baby plumped out/became podgy
molligheid [de^v] plumpness, chubbiness, rotundity
mollusk [de^m] ⟨dierk⟩ mollusc, ⟨AE⟩ mollusk
molm [het, de^m] [1] ⟨stof van vergane stoffen⟩ ⟨van hout⟩ mouldered wood, ⟨van aarde⟩ humus [2] ⟨bederf in hout⟩ wood rot [3] ⟨vezels van turf⟩ peat (dust) [4] ⟨bederf in graan⟩ mould, mildew
molmachtig [bn] [1] ⟨lijkend op molm⟩ peaty [2] ⟨een beetje vergaan⟩ mouldering, ⟨AE⟩ moldy, mildewy, worm-eaten
molmbeer [de^m] manure consisting of peat and dung
molmen [onov ww] rot, moulder
molmgrond [de^m] humus
moloch [de^m] Moloch
molotovcocktail [de^m] Molotov cocktail
molshoop [de^m] [1] ⟨hoopje aarde⟩ molehill, molecast ♦ ⟨fig⟩ *van een molshoop een berg maken* make a mountain out of a molehill [2] ⟨fig; nietig hoopje⟩ molehill
molsla [de] ⟨salade⟩ dandelion leaf salad, ⟨blaadjes⟩ dandelion leaves
molteken [het] ⟨muz⟩ flat
[1]**molton** [het] flannel, ⟨katoen⟩ flannelette, molleton, ⟨fijne kwaliteit⟩ swanskin ♦ *met molton **gevoerd*** lined with swanskin
[2]**molton** [bn] flannel(ette), ⟨fijne kwaliteit⟩ swanskin
moltondeken [de] flannel(ette) undersheet
moltoonschaal [de] ⟨muz⟩ minor scale
moltoonsoort [de] ⟨muz⟩ minor key mode
Molukken [de^mv] Moluccas, Molucca Islands
Molukker [de^m], **Molukse** [de^v] ⟨inf⟩ ⟨man & vrouw⟩ Moluccan, ⟨vrouw ook⟩ Moluccan woman/girl
Moluks [bn] Molucca(n)
Molukse [de^v] → **Molukker**
molybdeen [het] ⟨scheik⟩ molybdenum

mom [het, de] ▪ ⟨fig⟩ *onder het mom van vriendschap* under the guise/veil of friendship; *onder het mom de weg te vragen* on/under the pretext of asking the way, pretending to ask the way
mombakkes [het] mask
moment [het] 1 ⟨ogenblik⟩ moment, minute, instant, time ♦ *op het* ***allerlaatste*** *moment* at the (very) last moment/minute; *het* ***beslissende/cruciale*** *moment* the decisive/crucial moment; *een moment* ***dacht*** *ik dat ...* for a moment I thought that ...; *op het moment* ***dat*** *hij binnenkwam* the moment/minute he came in; *net op* ***dit*** *moment* just now; ***één*** *moment, ik kom zó* ⟨form⟩ one moment please, I'm just coming; ⟨inf⟩ hang on a minute, I'm just coming; *hij kan* ***elk/ieder*** *moment binnenkomen* he could come in any moment/minute (now)/(at) any time (now); ***geen*** *moment aarzelen* not hesitate for a second/moment; ***geen*** *moment voor zichzelf hebben* not have a moment/minute to call one's own/to o.s.; ***geen*** *moment (heb ik geloofd dat ...)* not for a moment (did I believe that ...); *daar heb ik* ***geen*** *moment aan gedacht* it never occurred to me; *een* ***groot*** *moment voor de mensheid* a great moment for mankind; *een ingreep op het* ***juiste*** *moment* a well-timed intervention; *het* ***kritieke*** *moment* the critical moment; ⟨pregn⟩ *dit is niet het moment* ***om*** *...* this is not the (right) moment/no time/not the (right) time to ...; ***op*** *het verkeerde moment* at the wrong moment, inopportunely, untimely; ***op*** *dit moment kan ik u niet helpen* I can't help you at the moment/just now; ***voor*** *het moment* for the moment/the time being; *in een* ***zwak*** *moment* in a weak moment, in a moment of weakness; *moment!* just a moment/minute; ⟨inf⟩ just a mo/tick/sec 2 ⟨natuurk⟩ moment
momentaan [bn, bw] 1 ⟨tegenwoordig⟩ → **momenteel** 2 ⟨taalk⟩ momentaneous, instantaneous, momentary
momenteel [bn, bw] ⟨bijvoeglijk naamwoord⟩ present, current, ⟨bijwoord⟩ at present, at the moment, currently, right now, ⟨AE ook⟩ presently
momentenstelling [de^v] ⟨natuurk⟩ (Law of) conservation of momentum
momentopname [de] 1 ⟨foto⟩ instantaneous exposure/photograph 2 ⟨fig⟩ random indication/picture, picture at a given moment (in time), snapshot (in time) ♦ *zo'n proefwerk is ook maar een momentopname van de* ***kennis*** *van de leerling* such a test can only give a random indication of the pupil's knowledge/can only indicate the pupil's knowledge at a given moment (in time)
momentschakelaar [de^m] quick-break switch
momentsluiter [de^m] drop shutter
moment suprême [het] supreme moment
momentum [het] momentum
mommelen [onov ww] mumble, mutter
mompelen [ov ww, ook abs] 1 ⟨binnensmonds spreken⟩ mumble, mutter ♦ ***in*** *zichzelf mompelen* mutter to o.s.; ***voor*** *zich* ***uit*** *mompelen* mutter under one's breath; ⟨vooral losse woorden of korte zinnen⟩ mouth 2 ⟨tersluiks opmerken⟩ mutter, murmur ♦ *hij mompelde al zoiets* I heard him muttering/saying sth. to that effect
monachaal [bn] monachal, monastic, ⟨pej⟩ monkish
Monaco [het] Monaco
monade [de^v] 1 ⟨wisk, filos⟩ monad 2 ⟨biol⟩ monad
monarch [de^m] monarch
monarchaal [bn, bw] 1 ⟨monarch aan het hoofd hebbend⟩ monarchic(al), monarchal 2 ⟨monarchistisch⟩ monarchist, monarchical
monarchie [de^v] 1 ⟨alleenheerschappij⟩ monarchy ♦ *de* ***erfelijke*** *monarchie* the hereditary monarchy 2 ⟨staat(svorm)⟩ monarchy ♦ *een* ***constitutionele*** *monarchie* a constitutional monarchy
monarchist [de^m] monarchist, royalist ⟨in het bijzonder tijdens de Engelse Burgeroorlog⟩
monarchistisch [bn, bw] ⟨bijvoeglijk naamwoord⟩ monarchist(ic), royalist(ic), ⟨bijwoord⟩ like a monarchist/royalist

Monaco	
naam	*Monaco* Monaco
officiële naam	*Vorstendom Monaco* Principality of Monaco
inwoner	*Monegask* Monegasque
inwoonster	*Monegaskische* Monegasque
bijv. naamw.	*Monegaskisch* Monegasque
hoofdstad	*Monaco* Monaco
munt	*euro* euro
werelddeel	*Europa* Europe
int. toegangsnummer 377 www .mc auto MC	

monastiek [bn] monastic, monachal, ⟨pej⟩ monkish
mond [de^m] 1 ⟨m.b.t. de mens⟩ mouth ♦ *een mond* ***als*** *een hooischuur hebben* have a large mouth/a big mouth/a mouth big enough for two people; ⟨fig⟩ have a big mouth, have plenty of cheek; ***bij*** *monde van* through, from; ***doe*** *je mond dan* ***open*** say sth. (for goodness' sake); *ik heb het uit zijn* ***eigen*** *mond* I heard it from his own lips/straight from the horse's mouth; *heb je* ***geen*** *mond?* haven't you got a tongue in your head?, have you lost your tongue?; ***geen*** *mond opendoen* not/never open one's mouth, keep one's lips sealed; *een* ***grote*** *mond hebben* be loud-mouthed; ⟨brutaal zijn⟩ be cheeky, give s.o. lip; ⟨stoer doen⟩ talk big; *hij kan zijn* ***grote*** *mond niet houden* he can't keep his big mouth shut; ⟨fig⟩ *een* ***grote*** *mond opzetten tegen iemand, iemand een* ***grote*** *mond geven* talk back at/to s.o., answer s.o. back, give s.o. lip, sauce s.o.; ⟨AE ook; sl⟩ sass s.o.; *dat is een* ***hele*** *mond vol* that's quite a mouthful; *zijn mond* ***houden*** ⟨beleefd⟩ keep quiet, hold one's tongue; ⟨inf⟩ shut up; ⟨sl⟩ wrap up; ⟨fig⟩ *ruw/grof* ***in*** *de mond zijn* be rough-spoken; ⟨fig⟩ *hij is wat los* ***in*** *de mond* he has a loose tongue, he doesn't watch what he is saying; ⟨onfatsoenlijk⟩ he has a rather coarse turn of phrase; ⟨fig⟩ *bepaalde woorden* ***in*** *de mond nemen* use/utter certain words; ⟨fig⟩ *dat woord ligt hem* ***in*** *de mond bestorven* that word is always on his lips, he is always saying/using that word; ⟨fig⟩ ***met*** *de mond vol tanden staan* be at a loss for words/tongue-tied/stuck for an answer; ⟨fig⟩ *iemand* ***naar*** *de mond praten* play up to s.o., curry favour with s.o.; *een kus* ***op*** *de mond* a kiss on the mouth/lips; *de vinger* ***op*** *de mond leggen* put one's finger to one's lips; *mond* ***open*** *en ogen dicht* open your mouth and shut your eyes; ⟨fig⟩ *met* ***open*** *mond naar iets kijken* stare at sth. open-mouthed/agape/with one's mouth (hanging) open; *zijn mond* ***opendoen*** open one's mouth; ⟨mening geven⟩ speak up; ⟨fig⟩ *behoorlijk zijn mond* ***roeren*** give one's tongue plenty of exercise, talk away; ⟨fig⟩ *met een* ***scheve*** *mond* wry-mouthed; *iemand de mond* ***snoeren*** ⟨inf⟩ silence s.o.; muzzle/gag s.o.; *zijn mond* ***staat*** *geen ogenblik* ***stil*** he talks incessantly, his tongue is always wagging, he never stops talking; ⟨fig⟩ *met* ***twee*** *monden spreken* be two-faced; *(als)* ***uit*** *één mond* with one voice, unanimously; *en dat* ***uit*** *haar mond!* and (that) coming from her too!; ⟨fig⟩ *het viel me* ***uit*** *de mond* it slipped out; *iets* ***uit*** *zijn eigen mond sparen* ⟨lett⟩ save some of one's food for s.o. else; ⟨bezuinigen⟩ go without food/stint o.s. to buy sth. for s.o. else; ⟨fig⟩ *iemand het eten* ***uit*** *de mond kijken* watch s.o. longingly while they eat; ***uit*** *zijn mond klinkt het ongeloofwaardig* it sounds unbelievable coming from him; *het gerucht ging* ***van*** *mond* ***tot*** *mond* the rumour went round; *de mond* ***vertrekken*** distort one's mouth; *zijn mond nog* ***vol*** *hebben* still have one's mouth full; ⟨fig⟩ *ze heeft er de mond* ***vol*** *van* she can talk of nothing else; ⟨fig⟩ *iedereen heeft er de mond van* ***vol*** everybody is full of it, it is on everybody's lips; ⟨fig⟩ *zij hebben de mond* ***vol*** *over ontwapening, maar ...* they have a lot to say about/make a great song and dance about disarmament, but ...; *hij antwoordde wat hem* ***voor*** *de mond kwam* he said the first

thing that came into his head; ⟨fig⟩ *zijn mond* ***voorbijpraten*** spill the beans, blow the gaff; ⟨vnl AE⟩ shoot one's mouth off; ***zeven*** *monden te voeden hebben* have seven mouths to feed; ⟨scherts⟩ *zijn mond staat er gewoon naar* he never says anything else [2] ⟨m.b.t. een dier⟩ mouth, muzzle [3] ⟨riviermonding⟩ mouth, ⟨monding⟩ estuary [4] ⟨opening⟩ mouth, ⟨vuurwapen⟩ muzzle, ⟨muziekinstrument⟩ embouchure ◆ *de mond van een* ***kanon*** the muzzle/embouchure of a canon; *de mond van een* ***schaaf*** the mouth of a plane; *de mond van een* ***vulkaan*** the mouth of a volcano ⊡ ⟨sprw⟩ *bitter in de mond maakt het hart gezond* bitter pills may have blessed effects; ⟨sprw⟩ *de morgenstond heeft goud in de mond* the early bird catches/gets the worm; ⟨sprw⟩ *beter hard geblazen dan de mond gebrand* better (be) safe/sure than sorry; ⟨sprw⟩ *die te wijd gaapt, verstuikt de mond* grasp all, lose all

mondademen [onov ww] breathe through one's mouth

mondain [bn] ⟨badplaats⟩ fashionable, ⟨vaak pej⟩ worldly ◆ *mondaine* ***vrouwen*** fashionable/sophisticated women, mondaines, women of the world

mondarts [de^{m}] stomatologist

mondbeschermer [de^{m}] ⟨sport⟩ gum shield, mouthpiece

monddelen [de^{mv}] mouth parts

monddood [bn] ⊡ *monddood* ***maken*** silence; ⟨ook m.b.t. pers⟩ gag

monddouche [de] [1] ⟨handeling⟩ mouth-spray [2] ⟨apparaat⟩ mouth spray

mondegreen [de^{m}] mondegreen

[1]**mondeling** [het] oral (exam(ination)), ⟨m.b.t. universiteit ook; BE⟩ viva voce (examination) ◆ *mondeling* ***doen*** take one's orals; *voor het mondeling* ***zakken/slagen*** fail/pass one's orals

[2]**mondeling** [bn, bw] oral ⟨bw: ~ly⟩, ⟨overeenkomst, contract⟩ verbal, ⟨bericht, informatie⟩ by word of mouth ◆ ⟨jur⟩ *een mondeling* ***bewijs*** parol evidence; *mondelinge* ***communicatie*** vocal communication; *een mondeling* ***examen*** an oral (exam(ination)); ⟨BE ook; m.b.t. universiteit⟩ a viva (voce); *iemand mondeling* ***examineren*** give s.o. an oral (examination); *mondelinge* ***overlevering*** oral tradition; *mondeling* ***stemmen*** give/cast one's vote orally; *mondeling* ***taalgebruik*** (the) spoken language; ⟨spreekvaardigheid⟩ oral proficiency, fluency; *een mondelinge* ***toezegging/afspraak*** a verbal agreement/arrangement

mond-en-klauwzeer [het] foot-and-mouth disease

mondgat [het] mouth orifice

mondgevoel [het] mouthfeel

mondharmonica [de^{v}] ⟨muz⟩ ⟨vnl BE⟩ mouth organ, harmonica

mondharmonicaspeler [de^{m}] ⟨vnl BE⟩ mouth organist, harmonica player

mondharp [de] Jew's/Jews' harp

mondheelkunde [de^{v}] dentistry, ⟨mondchirurgie⟩ dental surgery

mondhoek [de^{m}] corner of the/one's mouth

mondholte [de^{v}] oral cavity

mondhygiëne [de] oral hygiene

mondhygiëniste [de^{v}] dental hygienist

mondiaal [bn, bw] worldwide, global, mondial

mondialisering [de^{v}] globalization

mondig [bn] [1] ⟨meerderjarig⟩ of age ⟨pred⟩ ◆ ⟨jur⟩ *iemand mondig* ***verklaren*** declare s.o. of age [2] ⟨in staat voor zichzelf op te komen⟩ mature, independent, responsible ◆ *mondige* ***consumenten*** articulate consumers; *de PvdA wil mensen altijd mondig* ***maken*** the (Dutch) Labour Party tries to give people a say in how their lives are run, ⟨verantwoordelijkheid geven⟩ the (Dutch) Labour Party tries to make people responsible for their own lives

mondigheid [de^{v}] [1] ⟨meerderjarigheid⟩ majority [2] ⟨zelfstandigheid, recht⟩ maturity, independence, responsibility ◆ ***politieke*** *mondigheid* ⟨bewustheid⟩ political awareness, ⟨betrokkenheid⟩ political involvement

mondigheidsverklaring [de^{v}] declaration of majority

monding [de^{v}] mouth, ⟨rivier⟩ estuary, ⟨vuurwapen⟩ muzzle, ⟨lozingspunt⟩ outfall, ⟨rivier ook⟩ debouchement, embouchure ◆ *de monding van de* ***Theems*** the Thames estuary

mondje [het] [1] ⟨kleine mond⟩ little/small mouth ◆ *(denk erom,) mondje* ***dicht*** don't breathe a word, keep mum, mum's the word; *ogen open en mondje* ***dicht*** pay attention and keep quiet; ⟨fig⟩ *hij is niet* ***op*** *zijn mondje gevallen* ⟨rad van tong⟩ he has a way with words; ⟨bijt van zich af⟩ he gives as good as he gets; *zijn mondje* ***roeren*** have one's say; ⟨fig⟩ *zijn mondje weten te* ***roeren*** have the gift of the gab; *een* ***zuinig*** *mondje* a prim mouth [2] ⟨mondvol⟩ mouthful, ⟨eten of drinken⟩ taste, ⟨eten⟩ bite, nibble, ⟨vloeistof⟩ drop ◆ ⟨fig⟩ *een* ***aardig*** *mondje Frans spreken* have a fair smattering of French, speak quite good/reasonable French

mondjesmaat [bw] scantily, sparsely, in dribs and drabs, in/by driblets ◆ *iemand mondjesmaat* ***bedelen*** apportion s.o. poorly; *mondjesmaat inlichtingen* ***krijgen*** receive sparse information; *iets mondjesmaat* ***toedienen/verstrekken*** distribute sth. in dribs and drabs, administer sth. in driblets

mondjevol [het] ⊡ *hij kent een mondjevol* ***Frans*** he has a smattering of/knows a little French

mondkapje [het] surgical mask

mondklem [de] lockjaw

mondkost [de^{m}] [1] ⟨levensmiddelen⟩ provisions, victuals, food [2] ⟨proviand⟩ → **mondvoorraad**

mondmasker [het] mask

mondopening [de^{v}] mouth opening

mond-op-mondbeademing [de^{v}] mouth-to-mouth (resuscitation/respiration), rescue breathing, ⟨inf⟩ kiss of life ◆ *mond-op-mondbeademing* ***toepassen*** apply mouth-to-mouth resuscitation, give (s.o.) the kiss of life

mond-op-neusbeademing [de^{v}] mouth-to-nose resuscitation/respiration, rescue breathing

mondprop [de] gag

mondschilder [de^{m}] mouth painter

mondslijmvlies [het] mucous membrane of the mouth

mondspiegel [de^{m}] mouth mirror

mondspleet [de] mouth opening

mondspoeling [de^{v}] [1] ⟨het spoelen⟩ rinsing the mouth [2] ⟨drank⟩ mouthwash, (mouth) rinse

mondspray [de^{m}] mouth spray

mondstuk [het] [1] ⟨deel van een instrument⟩ mouthpiece, ⟨blaasinstrument⟩ embouchure [2] ⟨deel van een pijp⟩ mouthpiece, dip [3] ⟨filter⟩ filter, (filter) tip ◆ *sigaretten* ***met*** *mondstuk* filter-tipped cigarettes, filter tips; *sigaretten* ***zonder*** *mondstuk* plain/untipped cigarettes [4] ⟨paardenbit⟩ bit [5] ⟨deel van een kanon⟩ muzzle, embouchure

mond-tot-mondreclame [de] advertisement by word of mouth, word-of-mouth advertising

mondvol [de^{m}] mouthful ◆ ⟨fig⟩ *een mondvol* ***Engels*** a little/smattering of English; *dat is een* ***hele*** *mondvol* that is (rather) a mouthful

mondvoorraad [de^{m}] provisions, supplies, victuals

mondwater [het] mouthwash

mondzuiverend [bn] antiseptic (for the mouth), cleansing (for the mouth) ◆ *een mondzuiverend* ***middel*** an antiseptic mouthwash

Monegask [de^{m}], **Monegaskische** [de^{v}] Monegasque

Monegaskisch [bn] Monegasque

Monegaskische [de^{v}] → **Monegask**

monetair [bn, bw] monetary ⟨bw: monetarily⟩ ◆ *monetair* ***akkoord*** monetary/currency agreement; *monetair compenserende* ***bedragen*** monetary compensatory amounts; *het Internationaal Monetair* ***Fonds*** the International Monetary

Fund; *monetaire* ***handel*** *met het buitenland* foreign exchange; *de monetaire* ***reserve*** reserve currency
monetarisme [het] ⟨ec⟩ monetarism
monetarist [de^{m}] ⟨ec⟩ monetarist
monetaristisch [bn] monetarist
money [de] money
moneybelt [de^{m}] money belt
moneymaker [de^{m}] moneymaker
mongolenplooi [de] epicanthus, epicanthic fold
Mongolië [het] Mongolia

Mongolië	
naam	*Mongolië* Mongolia
officiële naam	*Mongolië* Mongolia
inwoner	*Mongool, Mongoliër* Mongolian
inwoonster	*Mongoolse, Mongolische* Mongolian
bijv. naamw.	*Mongools, Mongolisch* Mongolian
hoofdstad	*Oelan Bator* Ulan Bator
munt	*tugrik* tugrik
werelddeel	*Azië* Asia
int. toegangsnummer 976 www .mn auto MGL	

mongolisme [het] ⟨med⟩ mongolism, Down's syndrome
mongoloïde [bn] mongoloid
mongool [de^{m}], **mongooltje** [het] mongol
Mongool [de^{m}], **Mongoolse** [de^{v}] ⟨bewoner van Mongolië⟩ ⟨man & vrouw⟩ Mongol(ian), ⟨vrouw ook⟩ Mongol(ian) woman/girl
mongools [bn] Mongolian
^{1}**Mongools** [het] Mongolian
^{2}**Mongools** [bn] Mongolian ♦ *de Mongoolse volksrepubliek* the Mongolian People's Republic
mongoolse [de^{v}] Mongol
Mongoolse [de^{v}] → **Mongool**
mongooltje [het] → **mongool**
monisme [het] ⟨filos⟩ monism
monist [de^{m}] monist
monistisch [bn, bw] monistic ⟨bw: ~ally⟩
monitor [de^{m}] [1] ⟨radio-, televisieontvanger⟩ monitor ♦ *deze zaak wordt bewaakt* ***met*** *monitors* this ^{B}shop/^{A}store is guarded by closed-circuit television, closed-circuit television cameras are guarding this ^{B}shop/^{A}store; ***op*** *de monitor* on the monitor, on-screen [2] ⟨m.b.t. elektronische impulsen⟩ monitor ♦ ***aan*** *de monitor* ***liggen*** be on a heart monitor [3] ⟨m.b.t. radioactieve straling⟩ monitor [4] ⟨in België; jeugdleider⟩ youth leader [5] ⟨in België; studiementor⟩ tutor, student counsellor (in academic matters)
monitoraat [het] ⟨in België⟩ [1] ⟨instantie⟩ student counselling service (in academic matters) [2] ⟨gebouw⟩ student counselling service building
monitoren [ov ww] monitor
monkelen [onov ww] [1] ⟨verholen lachen⟩ give a half-smile [2] ⟨spottend glimlachen⟩ laugh mockingly/slily, snigger, smirk
monnik [de^{m}] monk, religious, ⟨vnl r-k ook⟩ friar ♦ ***leven*** ***als*** *een monnik* ± live like a monk, live an ascetic life; *een* ***benedictijner*** *monnik* a Benedictine (monk); ⟨fig⟩ *het zijn niet allen monniken, die kappen dragen* you can't judge a book by its cover [•] ⟨sprw⟩ *gelijke monniken, gelijke kappen* what's sauce for the goose is sauce for the gander
monnikachtig [bn, bw] monkish(ly)
monnikenarbeid [de^{m}] donkey work
monnikengewaad [het] monk's/friar's habit
monnikenklooster [het] monastery, friary
monnikenleven [het] monastic life, monasticism, ⟨vaak pej⟩ monkery
monnikenorde [de] monastic order
monnikenschrift [het] Gothic (script)
monnikenwerk [het] drudgery, donkey work ♦ *dat* ***is*** *monnikenwerk* that is sheer drudgery; *monnikenwerk* ***verrichten*** do the donkey work
monnikschap [het] monkhood
monniksgier [de^{m}] black vulture
monnikskap [de] [1] ⟨gewaad van een monnik⟩ (monk's) cowl [2] ⟨kop op een schoorsteen⟩ cowl [3] ⟨plantk⟩ monkshood, aconite ♦ ***gele*** *monnikskap* wolf(s)bane
monnikspij [de] (monk's) frock/habit, cowl
monnikssteen [de^{m}] large medieval brick
mono [bw; ook in samenst] mono ♦ *een uitzending* ***in*** *mono* a mono broadcast/transmission; *een* ***mono-opname*** a mono recording; ⟨form⟩ a monaural/monophonic recording
monochromatisch [bn] [1] ⟨eenkleurig⟩ monochromatic, unicolour(ed) [2] ⟨kleurenblind⟩ monochromatic [3] ⟨van één golflengte⟩ monochromatic, homochromatic
monochromatisme [het] monochromatism
monochromie [de^{v}] monochrome, monotint
monochroom [bn] monochrome, monotint
monocle [de^{m}] monocle, eyeglass
monocraat [de^{m}] monocrat
monocratie [de^{m}] monocracy
monoculturalisme [het] monoculturalism
monocultuur [de^{v}] monoculture
monocyt [de^{m}] ⟨biol⟩ monocyte
monodrama [het] monodrama
monofaag [de^{m}] monophagous animal/insect
^{1}**monofoon** [de^{m}] monophone
^{2}**monofoon** [bn] monophonic
monoftong [de] ⟨taalk⟩ monophthong
monoftongering [de^{v}] ⟨taalk⟩ monophthongization
monogaam [bn] [1] ⟨van de aard van monogamie⟩ monogamous [2] ⟨in monogamie levend⟩ monogamous, ⟨m.b.t. vrouw met één man ook⟩ monandrous
monogamie [de^{v}] [1] ⟨m.b.t. mensen⟩ monogamy, ⟨m.b.t. vrouw met één man ook⟩ monandry, ⟨van man, m.b.t. geslachtsgemeenschap ook⟩ monogyny [2] ⟨m.b.t. dieren⟩ monogamy
monogenese [de^{v}] monogenesis, monogeny
monogonie [de^{v}] monogenesis, monogeny
monografie [de^{v}] monograph, study
monografisch [bn] monographic
monogram [het] [1] ⟨figuur van letters⟩ monogram [2] ⟨drukw⟩ monogram
monokini [de^{m}] monokini
monoklonaal [bn] ⟨biol⟩ monoclonal
monokristal [het] single crystal, monocrystal
monoliet [de^{m}] monolith
monolietbouw [de^{m}] monolithic construction
monolithisch [bn] monolithic ♦ ⟨fig⟩ *het monolithische* ***blok*** *van het communisme* the monolithic communist bloc
monologue intérieur [de^{m}] ⟨lit⟩ interior monologue, stream of consciousness
monoloog [de^{m}] [1] ⟨alleenspraak⟩ monologue, soliloquy ♦ *een monoloog* ***houden/voeren*** carry out a monologue [2] ⟨stuk⟩ monologue
^{1}**monomaan** [de^{m}] monomaniac
^{2}**monomaan** [bn] monomaniac(al)
monomanie [de^{v}] monomania
^{1}**monomeer** [de^{m}] ⟨scheik⟩ monomer
^{2}**monomeer** [bn] ⟨scheik⟩ monomeric
monomoleculair [bn] monomolecular
monomorf [bn] monomorphic, monomorphous
mononucleair [bn] mononuclear ♦ *mononucleaire* ***bloedlichaampjes*** mononuclear blood corpuscles
monoplegie [de^{v}] ⟨med⟩ monoplegia
monopolie [het] monopoly, ⟨van distributie⟩ exclusive right(s) ♦ ⟨fig⟩ *hij meent daarvan het monopolie te* ***hebben*** he thinks he has/holds the monopoly; *een monopolie* ***in*** *graan verwerven* corner the market in corn; ***natuurlijk*** *monopolie* natural monopoly; ***wettelijk*** *monopolie* legal monopoly
monopoliegeld [het] [1] ⟨spel⟩ Monopoly money [2] ⟨alg⟩

Monopoly money [3] ⟨onecht uitziend geld⟩ Monopoly money
monopolieheffing [de^{v}] import levy
monopoliehouder [de^{m}] monopolist, one/person having a monopoly
monopoliën [onov ww] ⟨spel⟩ play Monopoly
monopoliepositie [de^{v}] monopoly position
monopolieprijs [de^{m}] monopoly price
monopoliestelsel [het] monopoly (system)
monopoliseren [ov ww] monopolize
monopolisering [de^{v}] monopolization
monopolist [de^{m}] monopolist
monopolistisch [bn, bw] monopolistic ⟨bw: ~ally⟩
monopoly [het] ⟨spel⟩ Monopoly
monopsonie [het] monopsony, single-customer market
monorail [de^{m}] monorail ♦ *met de monorail* by monorail
monosacharide [de^{v}] ⟨scheik⟩ monosaccharide
monoski [de^{m}] mono-ski
monoskiën [ww] monoski, go monoskiing
monospermie [de^{v}] monospermous/monospermal reproduction
monostrofisch [bn] ⟨lit⟩ monostrophic
monosyllabe [de] ⟨taalk⟩ monosyllable
monosyllabisch [bn] ⟨taalk⟩ monosyllabic
monotheïsme [het] monotheism
monotheïst [de^{m}] monotheist
monotheïstisch [bn] monotheistic
monothematisch [bn] monothematic
monotonie [de^{v}] [1] ⟨m.b.t. geluid⟩ monotony [2] ⟨gebrek aan afwisseling⟩ monotony
monotoon [bn, bw] [1] ⟨m.b.t. geluid⟩ monotonous, ⟨bijwoord ook⟩ in a monotone, ⟨muz⟩ monotonal [2] ⟨zonder afwisseling⟩ monotonous, unvarying, ⟨fig⟩ flat ♦ *monotoon **spreken*** speak in a monotone, drone [3] ⟨wisk⟩ monotonic
monotropie [de^{v}] monotropy
monotype [de] monotype
monovalent [bn] ⟨scheik⟩ monovalent, univalent
monovin [de] monofin
monoxide [het] monoxide
monroeleer [de] Monroe doctrine
monseigneur [de^{m}] ⟨r-k⟩ Monsignor
monster [het] [1] ⟨proefwaar⟩ sample, specimen, ⟨van stof⟩ swatch ♦ ***gratis** monster* free sample; *koop **op** monster* sale by sample; *monsters **trekken/nemen*** take samples, sample; *monster zonder **waarde*** ⟨post⟩ sample (of no commercial value); ⟨vnl BE; fig⟩ two-a-penny; ⟨AE⟩ a dime a dozen [2] ⟨angstaanjagend gedrocht⟩ monster ♦ *een monster van een **vrouw*** a fright [3] ⟨mens⟩ monster, freak (of nature), monstrosity [4] ⟨in samenstellingen; zeer groot, omvangrijk iets⟩ monster, mammoth, giant, jumbo ♦ *monster**petitie*** monster petition
monsterachtig [bn, bw] [1] ⟨afzichtelijk⟩ monstrous ⟨bw: ~ly⟩, hideous ⟨bw: ~ly⟩ ♦ *een monsterachtig **geheel*** a monstrous whole; *hij is monsterachtig **lelijk*** he is hideously ugly [2] ⟨afschrikwekkend⟩ monstrous ⟨bw: ~ly⟩, terrifying, horrifying ♦ *monsterachtige **eigenschappen*** horrifying traits; *monsterachtig **wreed*** monstrously cruel [3] ⟨op een monster lijkend⟩ monstrous ⟨bw: ~ly⟩ ♦ *monsterachtige **dieren*** monstrous beasts, chimaeras
monsterbedrijf [het] mammoth concern, giant enterprise
monsterbeurs [de] sample(s) fair
monsterboekje [het] muster-book
monsterboor [de] sampler
[1]**monsteren** [onov ww] ⟨scheepv⟩ sign on
[2]**monsteren** [ov ww] [1] ⟨keuren⟩ examine, inspect, ⟨taxeren⟩ assess, ⟨metalen⟩ assay, ⟨eetwaren/wijn ook⟩ taste ♦ *een **paard** monsteren* inspect a horse [2] ⟨tonen⟩ show, demonstrate [3] ⟨inspecteren⟩ review, inspect ♦ *de **troepen** monsteren* review the troops [4] ⟨vergelijkend nagaan, beschouwen⟩ compare, consider ♦ *zij monsterde de **kandidaten** met een kritische blik* she assessed the candidates with a critical glance [5] ⟨scheepv⟩ muster, review
monstering [de^{v}] [1] ⟨keuring, demonstratie⟩ inspection, ⟨paarden ook⟩ presentation [2] ⟨inspectie⟩ review [3] ⟨scheepv⟩ muster, the signing on of a crew
monsterkaart [de] sample card
monsterlijk [bn, bw] [1] ⟨afzichtelijk⟩ monstrous ⟨bw: ~ly⟩, hideous ⟨bw: ~ly⟩ [2] ⟨afschrikwekkend⟩ monstrous ⟨bw: ~ly⟩, horrible ⟨bw: horribly⟩ ♦ *een monsterlijk **gebouw*** a monstrosity of a building; *een monsterlijke **hoed*** a ghastly hat; *dat **klinkt** monsterlijk* that sounds awful
monsterpartij [de^{v}] sample lot
monsterplaat [de] specimen
monsterproces [het] ⟨jur⟩ mass/mammoth trial
monsterproductie [de^{v}] epic production
monsterrol [de] ⟨scheepv⟩ muster-roll ♦ *op de monsterrol* ⟨mil⟩ on the strength
monsterscore [de^{m}] ⟨sport⟩ record score, mega-score, super-score
monstertocht [de^{m}] mammoth/gigantic journey, mammoth/gigantic trip
monsterverbond [het] [1] ⟨tegennatuurlijk verbond⟩ monstrous alliance [2] ⟨zeer groot verbond⟩ mammoth alliance
monstervergadering [de^{v}] mass meeting
monsterzege [de] ⟨sport⟩ mammoth victory, super-victory
monsterzending [de^{v}] sample assortment/shipment, trial package
monsterzitting [de^{v}] a marathon session
monstrans [de] ⟨r-k⟩ monstrance
monstrueus [bn, bw] monstrous ⟨bw: ~ly⟩
monstrum [het] [1] ⟨monster⟩ monstrosity, ⟨misgeboorte⟩ monstrum [2] ⟨slechte regeling⟩ monstrosity
monstruositeit [de^{v}] [1] ⟨wanstaltigheid⟩ monstrosity [2] ⟨iets dat wanstaltig is⟩ monstrosity
montaan [bn] montane, mountain ⟨attr⟩ ♦ *montane **planten*** montane flora, mountain plants
montaanwas [het, de^{m}] montan wax, lignite wax
montaanzuur [het] montanic acid
montage [de^{v}] [1] ⟨het monteren⟩ assembly, mounting, ⟨toneel⟩ staging, ⟨juwelen⟩ setting [2] ⟨drukw⟩ ⟨opplakken⟩ mounting, ⟨combineren van foto's en teksten⟩ stripping (in), ⟨concr⟩ paste-up ♦ *een montage van diverse **knipsels*** a paste-up of various cuttings [3] ⟨film⟩ montage, editing
montageatelier [het] assembly/fitting (work)shop, ⟨van handwerksman⟩ assembly atelier
montagebalk [de^{m}] ⟨techn⟩ strip-lighting fixture
montageband [de^{m}] assembly line
montagebouw [de^{m}] prefabrication
montagefabriek [de^{v}] assembly works/plant
montagefoto [de] [1] ⟨m.b.t. bestaande foto's⟩ photomontage [2] ⟨m.b.t. getuigenverklaringen⟩ Photofit (picture)
montagehal [de] assembly shop/room/hall
montagemeubel [het] do-it-yourself (furniture) unit
montagerubber [de^{m}] mounting rubber
montageruit [de] light box
montagetafel [de] cutting/editing table
montagevloer [de^{m}] ⟨bouwk⟩ [1] ⟨vloer in systeembouw⟩ prefabricated floor [2] ⟨verhoogde vloer⟩ raised floor
montagewagen [de^{m}] repair ^{B}van/^{A}truck, ⟨tram, trein⟩ repairs carriage
montagewoning [de^{v}] prefabricated house, ⟨inf⟩ prefab
Montenegrijn [de^{m}], **Montenegrijnse** [de^{v}] Montenegran
Montenegrijns [het] Montenegran

Montenegrijnse [de[v]] → **Montenegrijn**
Montenegro [bn] Montenegro

Montenegro	
naam	*Montenegro* Montenegro
officiële naam	*Republiek Montenegro* Republic of Montenegro
inwoner	*Montenegrijn* Montenegran
inwoonster	*Montenegrijnse* Montenegran
bijv. naamw.	*Montenegrijns* Montenegran
hoofdstad	*Podgorica* Podgorica
munt	*euro* euro
werelddeel	*Europa* Europe
int. toegangsnummer 382 www .me auto MNE	

monter [bn, bw] lively, cheerful, ⟨vnl BE; inf⟩ chirpy, ⟨aard⟩ vivacious, buoyant, ⟨persoon⟩ sprightly, jaunty ♦ *iets monter **doen*** do sth. cheerfully/jauntily/with a lively air/briskly; ***fris** en monter* fresh and lively; ⟨inf⟩ full of beans, alive and kicking; *monter **zijn*** be in good/blithe/high/great spirits, be of good cheer/cheerful; *niet monter **zijn*** be in poor/low spirits; ⟨inf⟩ feel under the weather/(down) in the dumps/out of sorts

[1]**monteren** [onov ww] ⟨fin⟩ rise, appreciate

[2]**monteren** [ov ww] [1] ⟨in elkaar zetten⟩ assemble, fix, rig (up), ⟨machine enz.⟩ install, fit, set up, ⟨huis⟩ erect ♦ ***eenvoudig** te monteren zijn* be easy to assemble/fix [2] ⟨aan iets bevestigen⟩ mount, fix, fit, ⟨in huis/auto⟩ put in ♦ *onderdelen monteren **aan/op*** mount parts on, fix/fit parts to [3] ⟨m.b.t. een film, foto⟩ ⟨film⟩ edit, cut, ⟨foto⟩ assemble ♦ *een fraai gemonteerde **film*** a well-edited film [4] ⟨opmaken, in orde brengen⟩ fix, ⟨schilderij/ets ook⟩ mount, ⟨sieraden⟩ set, mount

montessorionderwijs [het] Montessori (system/method of) education

montessorischool [de] Montessori school

monteur [de[m]] mechanic, ↑ engineer, ⟨automonteur⟩ motor/garage mechanic, ⟨elektricien⟩ electrician, ⟨bij fabriek⟩ machinist, ⟨stelt machines op⟩ fitter, ⟨zet machines in elkaar⟩ assembler, ⟨voor reparaties⟩ serviceman, ⟨vnl AE ook⟩ repairman

montuur [het, de[v]] frame ♦ *een bril met **hoornen/gouden** montuur* horn-rimmed/gold-rimmed glasses; *dat montuur **staat** je goed* that frame suits you; *een bril **zonder** montuur* rimless glasses/spectacles

montycoat [de[m]] duffle coat

monument [het] [1] ⟨gedenkteken⟩ monument, memorial ♦ *een monument **oprichten*** erect a monument; *een monument **ter** herinnering aan de doden* a memorial to the dead; ⟨iron⟩ *een monument **van** wansmaak* a monument to bad taste [2] ⟨overblijfsel⟩ monument, memorial ♦ *dit gebouw is **als** monument erkend* this building [B]is listed (as a historic monument)/[A]has been declared a national monument, this is a listed building; *het behoud van **historische** monumenten* the preservation of historic/[B]ancient monuments; ***industrieel** monument* industrial monument; *de monumenten van onze **kunst*** our artistic heritage; *het monument van onze **taal*** our linguistic heritage

monumentaal [bn, bw] monumental ⟨bw: ~ly⟩ ♦ *het monumentale **karakter** van de klassieken* the monumental nature of the classics; *monumentale **kunst*** monumental art

monumentalisme [het] monumentalism

monumentengroen [bn] canal green

monumentenlijst [de] ± list of national monuments and historic buildings, ± schedule of ancient monuments ♦ ***op** de monumentenlijst plaatsen* ⟨gebouw⟩ list; ⟨oude monumenten⟩ schedule; *het gebouw staat **op** de monumentenlijst* the building has a preservation order on it, the building [B]is listed (as a historic building/national monument)/[A]has been declared a national monument/historic site

monumentenwet [de] ⟨Groot-Brittannië⟩ ± Historic Buildings and Ancient Monuments Act

monumentenzorg [de] [1] ⟨behoud van monumenten⟩ conservation/preservation of monuments and historic buildings [2] ⟨organisatie⟩ ⟨BE⟩ ± the National Trust ⟨ook van tuinen⟩, ⟨AE⟩ ± Historic Buildings Council/Trust, Historical Society

[1]**mooi** [bn] [1] ⟨knap⟩ good-looking, handsome, ↑ personable, ⟨vrouw ook⟩ pretty, beautiful, lovely ♦ ⟨scherts; zelfstandig (gebruikt)⟩ *je kijkt al **het** mooi **eraf*** don't spoil it with looking!; *een mooie **meid*** a beautiful/lovely woman/girl; *zij is nu **op** haar mooist* she's in the bloom of her beauty, she's at the peak of her loveliness, she looks her loveliest [2] ⟨aangenaam voor het oog, fraai⟩ lovely, beautiful, nice ♦ *dat is **een** mooie/mooitje!* what a beauty!; ***het** mooi(e) is eraf* it's spoilt; ⟨fig⟩ the beauty has worn off, ↑ the gilt is off the gingerbread; *welke vind jij **het** mooist?* which one do you like best?; *mooie **kleren*** pretty/smart clothes; *een mooie **kop** met haar* a beautiful head of hair; *mooi **maken*** beautify, embellish, pretty up; ⟨versieren⟩ adorn; ⟨uiterlijk⟩ spruce/smarten up; *een mooi **plekje** (in de natuur)* a beauty/scenic spot; *er mooi **uitzien*** look smart, ⟨m.b.t. vrouw⟩ look lovely; *er niet mooier op **worden*** not retain its/one's appearance; ⟨vrouw⟩ lose one's looks; ⟨weer⟩ grow worse; ⟨groente⟩ deteriorate, go [B]off/[A]bad [3] ⟨fraai gekleed, verzorgd⟩ smart, nice, fine ♦ *wat **ben** je mooi vandaag* you're smart today, how pretty you are today, you are a picture/as pretty as a picture today; *zich mooi **maken*** dress up; ⟨scherts⟩ beautify o.s.; ⟨inf⟩ posh/smarten up, prank/spruce o.s. up, get spruced up; *er **op** zijn mooist uitzien* look one's best; *in zijn mooie **pak*** in his Sunday best; ⟨inf⟩ in his best bib and tucker [4] ⟨esthetisch aangenaam⟩ beautiful ♦ *een mooi **gedicht*** a charming poem; *iets mooi **vinden*** like sth., think sth. is nice/pretty [5] ⟨uitstekend⟩ good, ⟨heel mooi⟩ excellent, splendid ♦ *mooie **cijfers** halen* get good [B]marks/[A]grades [6] ⟨aangenaam, gunstig⟩ good, fair, fine, ⟨bedrag⟩ nice, handsome, substantial, ⟨vakantie⟩ jolly, pleasant ♦ *het weer **bleef** mooi* the good weather kept up/held, the weather continued fine; *een mooi **gebaar*** a beau geste; *een mooie **herfstdag*** a fine/glorious autumn day; ***het** mooie van de zaak was, dat ...* the beauty of it all was that ...; *dat **is** niet zo mooi* ⟨m.b.t. gedrag⟩ that's not very nice; ⟨m.b.t. situatie⟩ that's a bit of a mess, that's a fine/pretty kettle of fish; *het **kon** niet mooier* it couldn't have been better; *mooie **praatjes*** fine/smooth/sweet talk, ⟨pej⟩ slick talk, soft words/soap; ***prachtig** mooi weer* glorious weather; *een mooi **salaris*** a handsome salary; *ik kreeg een mooi(e) **spel/kaart*** I was dealt (out) a good/pat hand; *hij **stelt** zich alles veel te mooi **voor*** all his geese are swans; *een mooie **stuiver** bijverdienen* make a pretty penny on the side; *het is **te** mooi om waar te zijn* that is/sounds too good to be true; *iets mooier **voorstellen** dan het is* represent sth. better than it is; *het had zo mooi kunnen **zijn*** oh, for the glorious might-have-beens; *het zal wel niet zo mooi **zijn** als het lijkt* it's not all jam/honey [7] ⟨leuk⟩ good, nice, pleasant, funny ♦ ⟨zelfstandig (gebruikt)⟩ ***het** mooiste is, dat ...* (and) to crown (it) all ..., (and) the best part of it is that ...; *maar **het** mooiste komt nog* but the best/cream is still to come; *het **is** mooi (geweest) zo!* that's enough now!, all right, that'll do!; *dat is **allemaal** mooi en aardig, maar ...* that is all very well/fine, but ...; *een mooie **mop*** a good joke; ⟨inf⟩ a good'un; *het was **niet** mooi meer* it wasn't even funny, it wasn't funny anymore; *een mooi **verhaal*** a nice/good story, ⟨iron⟩ a likely story; *dat is niet zo mooi **van** je* that's not very nice of you [8] ⟨iron; onaangenaam, slecht⟩ pretty, fine, right, nice, precious ♦ ⟨iron⟩ *jij bent me ook **een** mooie!* you're a (nice) one/funny sort, and no mistake!; *een mooie **manier** (van doen) is dat!* that's a fine way of carrying on!; *wel nu **nog** mooier!* well, I never!; I like that!; that's the limit!; *een mooie **opvoeder** zou*

jij zijn! a nice/good one you'd be at bringing him/them up!; *het zal me wel een mooi **plan** zijn!* that will be the day!; *jullie zijn een mooi **stelletje*** you're a fine/pretty/right/nice pair, there's a pair of you; *mooie **vrienden** heb jij* that's a nice pack of friends you've got, fine friends you have

[2]**mooi** [bw] ① ⟨op fijne, gunstige wijze⟩ well, nicely ◆ *het vlees wordt mooi **bruin*** the meat is browning nicely; *mooie **dikke** plakken ham* nice thick slices of ham; *we **hebben** haar niet mooi **behandeld*** we didn't treat her fairly, we didn't do right by her; *jij **hebt** mooi **praten*** it's all very well for you to talk; *de lucht is mooi **helder*** the sky is beautiful and clear; *zij is mooi **geslaagd*** she passed with good marks, she passed easily; *dat **is** mooi **meegenomen*** that is so much to the good/so much gained; *mooi/niet mooi **vallen*** ⟨van jurk⟩ hang well/badly; *we **zijn** er mooi vanaf **gekomen*** we're well out of that; *mooi **zo**!* good!, well done!, that's right/fine!, ⟨AE⟩ alright! ② ⟨behoorlijk⟩ well ◆ *hij **was** mooi op weg om alcoholist te worden* he was well on the way to becoming an alcoholic; *we zijn mooi op tijd* we've just made it nicely; ⟨vroeg⟩ we're in good time ③ ⟨ter verzekering van iets⟩ certainly, ⟨inf⟩ jolly well ◆ *ze **heeft** het mooi **verknald*** she's made a right/pretty muck-up/mess of it, she's messed/botched/bungled it; *hij **is** er toch maar mooi in **geslaagd*** he jolly well managed (to do it) all the same; *dat **kun** je wel mooi **vergeten*** you can jolly well forget that; *ik **zit** er maar mooi **mee**!* I'm landed/saddled with it!, that's a facer!; *mooi niet, mooi van niet!* you bet he/she/it didn't/won't!, certainly not!; ⟨inf⟩ no way!; *mooi dat ze niet wilde komen* you see she jolly well didn't want to come, trust her not to come

mooidoenerij [de^v] ⟨mv⟩ airs and graces ◆ *best aardig als je door haar mooidoenerij heenkijkt* kind-hearted enough once you get behind her airs and graces

mooierd [de^m] ⟨iron⟩ (nice) one

mooiigheid [de^v] ⟨pej⟩ ① ⟨het mooi zijn⟩ prettiness, fineness ② ⟨schone schijn⟩ fine appearance(s), finery

mooiklinkend [bn] euphonious, euphonic, ⟨muz⟩ tuneful, ⟨stem⟩ pleasant

mooimakerij [de^v] ① ⟨opschik⟩ finery, frippery, frills, fallals, trappings, trimmings ② ⟨te rooskleurige voorstelling⟩ rosy picture, ⟨pol; van statistieken⟩ window-dressing

mooipraatster [de^v] → **mooiprater**

mooiprater [de^m], **mooipraatster** [de^v] ① ⟨die de dingen te gunstig voorstelt⟩ humbug, smooth talker ② ⟨vleier⟩ flatterer, wheedler

mooipraterij [de^v] ① ⟨te gunstige voorstelling⟩ humbug, smooth talk ② ⟨vleierij⟩ flattery, ⟨inf⟩ blarney, soft soap

moois [het] fine thing(s), ⟨denken van iemand⟩ nice opinion ◆ *waar heb je **dat** moois gekocht?* where did you buy such a beauty/nice one?; ⟨iron⟩ *dat is ook **wat** moois!* that's a pretty business!, here's a nice state of affairs!, here's a pretty/fine kettle of fish!; *trek eens **wat** moois aan* go and brisk/smarten/spruce yourself up; ⟨iron⟩ *dat is helemaal **wat** moois* now that sure is nice; ⟨iron⟩ *hij zal nog wat moois beleven!* he'll catch it!; ⟨iron⟩ *het zou me wat moois zijn, als ...* that would be a fine thing if ...

mooischrijverij [de^v] ⟨pej⟩ fine writing, all style and no content, ↑ meretricious style

mooizitten [onov ww] beg, sit up and beg

Mookerhei [de] ▪ *iemand **naar** de Mookerhei wensen* wish s.o. to the bottom of the sea/Jericho

moonbootsMERK [de^{mv}] moon boots

Moor [de^m] Moor

moord [de] murder, killing, ⟨sluipmoord⟩ assassination, ⟨jur⟩ homicide ◆ *als je nu niet ophoudt, **bega** ik een moord* if you don't stop now, I'll do (for) you/I might kill you; ⟨fig⟩ *moord en **brand** schreeuwen* cry/scream blue murder, raise a hue and cry; *ik zou er een moord voor kunnen **doen*** I could/am willing to commit a crime for it; ⟨fig⟩ *het is daar moord en **doodslag*** they are at each other's throats there; *daar komt moord en **doodslag** van* that will lead to blood and mayhem/blood and murder/ruin and damnation; ⟨fig⟩ that will set the cat among the pigeons, there'll be hell to pay (when that gets out); *de moord **op** A.* the murder of A.; *een moord **plegen/begaan*** commit murder, take a life; *een **politieke** moord* a political assassination; ***wegens** moord veroordeeld/opgehangen worden* be condemned/hanged for murder, be convicted of murder ▪ ⟨vulg⟩ ***stik** de moord!* go to hell/blazes!, drop dead!, get stuffed!

moord- (a) devil (of a) ◆ *een moord**baan*** a plum (job); *een moord**film*** a fantastic film/^{A}movie; *je bent een moord**griet**/moord**vent*** you're a devil of a/a terrific girl/fellow

moordaanslag [de^m] attempted murder ◆ *een moordaanslag **doen** (op)* attempt to murder (s.o.); *de moordaanslag **op** de paus* the attempted assassination/murder of the pope

moordbrigade [de^v] ① ⟨groep moordenaars⟩ terrorist squad ② ⟨politieafdeling⟩ homicide squad

moordcommando [het] hit squad, death squad

[1]**moorddadig** [bn] ① ⟨dood, verderf brengend⟩ murderous ◆ *een moorddadig **gevecht*** a murderous fight, a massacre ② ⟨afschuwelijk⟩ abominable, terrible ③ ⟨fantastisch⟩ terrific, splendid

[2]**moorddadig** [bw] ① ⟨afschuwelijk⟩ abominably ◆ *het was moorddadig **heet*** it was abominably/blisteringly/scorching/sizzling hot, the heat was killing ② ⟨fantastisch⟩ terrifically, awfully, terribly ◆ *moorddadig **goed*** terrific, awfully good

moorden [onov ww] kill, murder, ⟨om politieke redenen⟩ assassinate, take a life, commit murder

moordenaar [de^m], **moordenares** [de^v] ⟨man & vrouw⟩ murderer, ⟨vrouw⟩ murderess, ⟨man & vrouw⟩ killer, ⟨om politieke redenen; man & vrouw⟩ assassin, ⟨jur; man & vrouw⟩ homicide, ⟨wreed; man & vrouw⟩ butcher, ⟨man & vrouw⟩ slaughterer, ⟨halsafsnijding; man & vrouw⟩ cutthroat ◆ ⟨Bijb⟩ *de **goede** moordenaar* the repentant thief

moordenaarshand [de] ⟨form⟩ the hand of an assassin ◆ *hij viel **door** moordenaarshand* he met his death at the hands of an assassin, he was assassinated/murdered, an assassin/a murderer took his life

moordenares [de^v] → **moordenaar**

moordend [bn] murderous, deadly, slaughterous, ⟨dodelijk⟩ mortal, fatal ◆ *moordende **concurrentie*** cutthroat/ruinous competition; *moordende **hitte*** murderous heat; *een moordend **klimaat*** a murderous climate; *een moordend **tempo** onderhouden* keep up a punishing tempo/pace; *zo'n leven is moordend **voor** zijn gestel* such a lifestyle will destroy/wreck/ruin his constitution/health; *moordend **vuur*** murderous fire

moordkuil [de^m] murderers' den, den of cutthroats

moordlust [de^m] bloodlust, bloodthirstiness, murderousness

moordlustig [bn] murderous ◆ *een moordlustige **blik in de ogen*** (with) a murderous look in one's eyes

moordmachine [de^v] machinery of death/destruction

moordpartij [de^v] (wholesale) massacre, slaughter, ⟨mensen⟩ bloodbath, ⟨wreed⟩ butchery, ⟨dieren en mensen⟩ carnage

moordtuig [het] instrument(s) of murder, murderous weapon(s), murder weapon(s)

moordverhaal [het] murder story

moordwapen [het] murder weapon

moordzaak [de] murder case, case of murder, ⟨jur⟩ murder trial

moordzuchtig [bn] murderous

moorkop [de^m] ① ⟨gebakje⟩ ± chocolate éclair ② ⟨paard⟩ black-headed horse

Moors [bn] Moorish, ⟨bouwk⟩ Moresque

moos [het] ⟨Barg⟩ bread, ⟨BE ook⟩ lolly, rhino
moot [de] piece, cut, ⟨filet⟩ fillet, ⟨dun⟩ slice ♦ *iets aan/in mootjes hakken* cut/chop up sth., cut sth. to bits (and pieces); *iemand aan/in mootjes hakken* make mincemeat of s.o., cut s.o. to pieces/shreds; *een vis in moten snijden* fillet a fish, cut fish into fillets; *een moot tong/kabeljauw/schol* a fillet of sole/cod/plaice; *een moot zalm* ⟨gebakken⟩ a salmon steak; a slice of salmon
mop [de] [1] ⟨grap⟩ joke, jest, ⟨inf⟩ gag, wheeze, rib-tickler ♦ *een leuke/een goeie mop* a prize/capital joke; *een mop met een baard* a stale/well-worn joke; ⟨inf⟩ a chestnut; *een schuine mop* a blue/bawdy/dirty joke; *een mop niet snappen* miss a joke; *moppen tappen* crack jokes, jest, joke; ⟨samen⟩ swap jokes; *wat een mop!, da's ook een mop!* what a joke! [2] ⟨koekje⟩ ± shortcake, ± shortbread, ⟨met amandelsmaak⟩ macaroon [3] ⟨metselsteen⟩ ± large (moulded) brick [4] ⟨deuntje⟩ (popular) tune [5] ⟨meisje, vrouw⟩ doll, moppet, ⟨vnl BE; inf⟩ sweetie, chickabiddy
mopneus [de^{m}] [1] ⟨stompe neus⟩ snub nose, pug (nose) ⟨ook van hond⟩ [2] ⟨persoon⟩ snub-nosed/pug-nosed person
moppenblaadje [het] comic
moppentapper [de^{m}], **moppentapster** [de^{v}] joker, wag, humourist, ⟨in theat⟩ comedian, ⟨inf⟩ card
moppentapster [de^{v}] → **moppentapper**
mopperaar [de^{m}], **mopperaarster** [de^{v}], **mopperkont** [de^{m}], **mopperpot** [de^{m}] grumbler, ⟨inf⟩ grouser, growler, crab, grump, bellyacher, ⟨vnl AE⟩ grouch ♦ *een eeuwige mopperaar* a compulsive grumbler; *een ouwe mopperkont* an old grouser
mopperaarster [de^{v}] → **mopperaar**
mopperen [onov ww] grumble, grouse, ⟨BE ook⟩ grizzle, ⟨vnl AE ook⟩ grouch, ⟨inf⟩ bellyache ♦ *ik mag niet mopperen* I mustn't complain/grumble/grouch; *op iemand mopperen* grumble/grouse at/about s.o.; *over iets mopperen* grumble about/at sth.; *wat zit je te mopperen?* what are you grumbling about?
mopperig [bn] grumbling, grumpish, grumpy, glum, sulky, ⟨inf⟩ crabby ♦ *een mopperige oude man* a grumpy/cantankerous old man
mopperkont [de^{m}] → **mopperaar**
mopperpot [de^{m}] → **mopperaar**
moppertoon [de^{m}] grumbling tone of voice ♦ *op zijn bekende moppertoon* in/with his usual grumpy manner
moppie [het] ⟨inf⟩ [1] ⟨wijfie⟩ ⟨vnl BE⟩ love, ⟨AE⟩ honey, sweetheart ♦ *ha moppie, ben je daar weer* hello love/honey, are you back? [2] ⟨wijsje, deuntje⟩ tune
moppig [bn, bw] funny ⟨bw: funnily⟩, comical, droll
mopshond [de^{m}] pug(-dog)
mopsteen [de^{m}] ± large (moulded) brick
[1]moquette [de] moquette
[2]moquette [bn] moquette
mora [·] *iemand in mora stellen* declare s.o. in default; *in mora zijn* be in default
moraal [de^{v}] [1] ⟨heersende zeden en gebruiken⟩ morality, morals ♦ *de losse moraal van het Franse hof* the loose morals/morality of the French court [2] ⟨zedenleer⟩ morality, ethics ♦ *de christelijke moraal* Christian ethics/morality; *dubbele moraal* double moral standard [3] ⟨iemands voorstelling van goed en slecht⟩ morals, moral principles [4] ⟨(zeden)les⟩ moral ♦ *een moraal bevatten* carry/point a moral; *de moraal van een fabel* the moral of a fable; *dat is de moraal van de historie* that is the moral of history; *de moraal trekken uit een verhaal* draw the moral from a story [5] ⟨sport⟩ morale ♦ *hij heeft geen moraal* his morale is broken/low; *op moraal winnen* win by sheer force of will/by pluck/grit
moraalfilosofie [de^{v}] moral philosophy
moraalleer [de] moral doctrine, moral teachings
moraalridder [de^{m}] moral crusader
moraaltheologie [de^{v}] moral theology
moraaltheorie [de^{v}] moral philosophy, moral theory, ethics
moralisatie [de^{v}] moralism
moraliseren [onov ww] moralize, sermonize, preach, point/draw a moral ♦ *op moraliserende toon spreken* moralize, preach(ify), sermonize; ⟨inf⟩ talk like a Dutch uncle
moralisme [het] moralism
moralist [de^{m}] moralist
moralistisch [bn, bw] [1] ⟨het moralisme betreffend⟩ moralistic ⟨bw: ~ally⟩ [2] ⟨vervuld van moralisme⟩ moralistic ⟨bw: ~ally⟩ ♦ *(een heleboel) moralistisch gezeur* (a lot of) sermonizing/moralistic claptrap
moraliteit [de^{v}] [1] ⟨zedelijkheid⟩ morality, (good) morals, ethic ♦ *de publieke moraliteit* public morals [2] ⟨lit; toneelspel⟩ morality (play), moral play [3] ⟨lit; stichtend verhaal⟩ moral tale
moraliter [bw] morally ♦ *dat is moraliter niet verantwoord* that is morally irresponsible
moratoir [bn] ⟨jur⟩ moratory
moratorium [het] [1] ⟨m.b.t. betaling⟩ moratorium, suspension ♦ *een moratorium instellen/opheffen* declare/lift a moratorium [2] ⟨m.b.t. experimenten⟩ moratorium, ban ♦ *een moratorium van kernwapens* a moratorium on atomic/nuclear weapons
Moravië [het] Moravia
Moraviër [de^{m}], **Moravische** [de^{v}] Moravian
Moravisch [bn] Moravian ♦ *Moravische broeders* Moravian/United Brethren, Herrnhuters
Moravische [de^{v}] → **Moraviër**
morbide [bn] morbid ♦ ⟨fig⟩ *morbide humor* morbid/sick humour
morbiditeit [de^{v}] [1] ⟨ziekelijkheid⟩ morbidity, sickliness [2] ⟨ziektecijfer⟩ morbidity, sickness rate
mordent [de^{m}] ⟨muz⟩ mordent
mordicus [bw] adamantly ♦ *ergens mordicus tegen zijn* be dead against sth.; *iets mordicus volhouden* maintain sth. obstinately
more [de] ⟨taalk⟩ mora
[1]moreel [het] morale, esprit de corps ♦ *het moreel hooghouden* keep the/one's morale up, keep up morale; *het slechte/goede moreel van de troepen* the low/high morale of the troops
[2]moreel [bn, bw] [1] ⟨zedelijk⟩ moral ⟨bw: ~ly⟩, ethical ♦ *moreel besef* moral sense/faculty; *moreel juist gedrag* morally correct behaviour, ethical behaviour; *de morele kant van het probleem* the morality/moral aspect of the problem; *een morele kwestie* a matter of ethics/principles; *een morele overwinning* a moral victory; *iemand moreel steunen* give s.o. moral support; *ik voel me moreel verplicht het te doen* I feel (in) honour bound to do it, it is my bounden duty to do it; *een morele verplichting* a moral duty; *morele verwording* moral degradation/corruption/leprosy/degeneration; *morele waarden* moral/ethical values; *de morele winnaar* the moral victor [2] ⟨overeenstemmend met de zedelijkheid⟩ moral ⟨bw: ~ly⟩
moreen [het] moreen
[1]morel [de^{m}] ⟨boom⟩ morello(-tree)
[2]morel [de] ⟨kers⟩ morello (cherry)
morendo [bw] ⟨muz⟩ morendo
morene [de] moraine, drift
mores [de^{mv}] mores ♦ ⟨fig⟩ *iemand mores leren* teach s.o.
morfeem [het] ⟨taalk⟩ morpheme ♦ *vrij/gebonden morfeem* free/bound morpheme
morfen [ov ww, ook abs] morph
morfine [de] morphine, morphia, narcotic ♦ *morfine spuiten* inject o.s. with morphine, take morphine (shots)
morfinespuitje [het] morphine shot, ↑ morphine injection
morfineverslaving [de^{v}] morphine addiction
morfinisme [het] morphinism

morfinist [de^m] morphine addict, morphinist, morphinomaniac
morfofonologie [de^v] → **morfonologie**
morfogenese [de^v] morphogenesis
morfogenetisch [bn] morphogenetic
morfologe [de^v] → **morfoloog**
morfologie [de^v] [1] ⟨biol⟩ morphology [2] ⟨aardr⟩ morphology [3] ⟨taalk⟩ morphology
morfologisch [bn, bw] morphologic(al) ⟨bw: morphologically⟩
morfoloog [de^m], **morfologe** [de^v] morphologist
morfonologie [de^v], **morfofonologie** [de^v] ⟨taalk⟩ mor(pho)phonology, ⟨vnl AE ook⟩ morphophonemics
morganatisch [bn] [•] *morganatisch **huwelijk*** morganatic marriage
[1]**morgen** [de^m] [1] ⟨dageraad⟩ morning, daybreak, dawn ◆ *de morgen **breekt aan*** morning is breaking; ***tegen** de morgen heeft het gevroren* it froze around daybreak; *stel niet uit **tot** morgen, wat gij heden doen kunt* never put off till tomorrow what you can do today, there's no time like the present [2] ⟨ochtend⟩ morning ◆ *hij **haalde** de morgen niet* he didn't outlive the night; *de **hele** morgen* all morning; ***gedurende/in** de morgen* throughout/in the morning; *de **volgende** morgen* the next/following morning; *'s morgens* in the morning, ⟨AE⟩ mornings; ⟨ploegendienst⟩ mornings; *(goede) morgen!* (good) morning!; *om 8 uur 's morgens* at 8 a.m. [3] ⟨fig; begin⟩ morning ◆ *de morgen van het **leven*** the morning of (one's) life [•] ***goeie morgen!*** ⟨groet⟩ good morning!; ⟨als het kwartje is gevallen⟩ bingo!; ⟨bij verbazing⟩ my goodness!, goodness gracious!
[2]**morgen** [het, de^m] ⟨landmaat⟩ ⟨vero⟩ morgen, (a measure of land equal to about) two acres
[3]**morgen** [bw] tomorrow ⟨ook in samenstellingen⟩ ◆ *ja, morgen **brengen*** not likely!, no way!, catch me!; *morgen **kan** ook nog* it will do tomorrow; *ik doe het morgen **meteen*** I'll do it first thing tomorrow (morning), I'll do it first thing in the morning; *morgen**middag*** tomorrow afternoon; *morgen **over** een week* a week tomorrow, tomorrow week; ***tot** morgen!* see you tomorrow!, till tomorrow!; *we hebben **tot** morgen de tijd* tomorrow will do; *de dag **van** morgen* the morrow; *de krant **van** morgen* tomorrow's (news)paper; ***vanaf** morgen* taking effect tomorrow, as of/from tomorrow; ***vandaag** of morgen* one of these (fine) days; *morgen **vroeg*** tomorrow morning, tomorrow in the morning [•] ⟨sprw⟩ *morgen komt er weer een dag* tomorrow is another day; ⟨sprw⟩ *heden rood, morgen dood* here today and gone tomorrow; ⟨sprw⟩ *heden ik, morgen gij* ± today you, tomorrow me
morgenafstand [de^m] ⟨astron⟩ amplitude
morgenappel [het] morning parade/roll-call
morgenavond [bw] tomorrow evening
morgengebed [het] morning prayers, ⟨anglic⟩ Morning Prayer, ⟨r-k⟩ Matins
morgenkrieken [het] daybreak, crack of dawn, break of day
Morgenland [het] ⟨form⟩ morning land, the East/Orient ◆ *de wijzen **uit** het Morgenland* the Wise Men of the East, the Magi, the three Wise Men
morgenlicht [het] (morning) dawn
morgenlucht [de] morning air
morgenmiddag [bw] tomorrow afternoon
morgenochtend [bw] tomorrow morning, in the morning ◆ *het kan wel **tot** morgenochtend wachten* it can wait until morning; *morgenochtend zie je het heel anders* it will all look different in the morning
morgenpost [de] early/morning mail, ⟨vnl BE ook⟩ morning post
morgenrood [het] aurora, red morning sky [•] ⟨sprw⟩ *avondrood, mooi weer aan boord; morgenrood, water in de sloot* red sky at night shepherd's/sailor's delight; red sky in the morning shepherd's/sailor's warning
morgenschemering [de^v] morning twilight, dawn(ing), morning dawn/peep
morgenster [de] [1] ⟨plant⟩ ◆ *de **blauwe** morgenster* salsify, oyster plant; *de **gele** morgenster* goatsbeard, Jack-go-to-bed-at-noon [2] ⟨gesch; knots⟩ morning star, mace
Morgenster [de] [1] ⟨planeet Venus⟩ morning star, daystar [2] ⟨Lucifer⟩ Lucifer
morgenstond [de^m] [1] ⟨ochtenduren⟩ early morning (hours) [2] ⟨fig; begin⟩ dawn ◆ *de morgenstond van het **leven*** the dawn of life [•] ⟨sprw⟩ *de morgenstond heeft goud in de mond* the early bird catches/gets the worm
morgenvroeg [bw] tomorrow morning
morgenwacht [de] ⟨scheepv⟩ morning watch
morgenwake [de] ⟨Bijb⟩ morning watch
morgenwijding [de^v] ⟨radio⟩ ⟨vnl BE⟩ ± Thought for the Day, early morning service
morgenzang [de^m] morning song
morgenzon [de] morning sun
Moriaan [de^m] blackamoor
morielje [de] morel
morille [de] morel
morinelplevier [de^m] dotterel
mormel [het] [1] ⟨pej; hond⟩ mutt, tyke, ⟨bastaard⟩ mongrel ◆ *een **keffend** mormeltje* a yapping tyke [2] ⟨lelijk schepsel⟩ freak (of nature), monster ◆ *een **verwend** mormel* a spoilt brat
mormoon [de^m] Mormon, ⟨eigen benaming⟩ Latter-day Saint
mormoons [bn] Mormon
morning-afterpil [de] morning-after pill
moroos [bn] [1] ⟨somber⟩ morose, gloomy, sullen [2] ⟨knorrig⟩ bad-tempered ◆ *een morose **stemming*** a black/morose mood
morose [bn] [1] ⟨somber⟩ morose, melancholy, pensive [2] ⟨gemelijk⟩ morose, dyspeptic, splenetic, sullen, peevish
morosofie [de^v] morosophy
Morpheus [•] *in de **armen** van Morpheus* in the arms of Morpheus
morphing [de] ⟨comp⟩ morphing
morrelen [onov ww] [1] ⟨peuteren⟩ fiddle ◆ *hij zat **aan** zijn bromfiets te morrelen* he was tinkering/fiddling (around) with his moped; ⟨fig⟩ ***aan** deze criteria kan niet gemorreld worden* these criteria cannot be tampered with [2] ⟨iets in 't donker doen⟩ fumble ◆ ***aan** een deur morrelen* fumble at a door
morren [onov ww] [1] ⟨brommend iets zeggen⟩ mutter, murmur ◆ *morrend **gehoorzamen*** obey under protest/mutteringly; *morren **over*** fret/grumble at [2] ⟨protesteren⟩ grumble, complain ◆ *hij hielp **zonder** morren* he helped ungrudgingly/uncomplainingly/without a murmur
morsdoek [de^m] bib
morsdood [bn] stone-dead, (as) dead as a doornail ◆ *ik **schiet** hem morsdood* I'll shoot him dead/shoot and kill him
morse [het] Morse (code), dot-and-dash code ◆ ***in** morse seinen* signal in (international) Morse (code), morse
morsealfabet [het] Morse code/alphabet
morselamp [de] Aldis lamp
[1]**morsen** [onov ww] ⟨knoeien⟩ make a mess ◆ *het kind **zit** te morsen **met** zijn eten* the child is messing around with his food
[2]**morsen** [ov ww, ook abs] ⟨bevuilen⟩ mess, make a mess on/of, ⟨wijn, melk, zout⟩ spill, ⟨thee, water⟩ slop ◆ *je morst **op** je pak* you've spilled sth. on your suit, you're making a mess on your suit; *koffie **op** het kleed morsen* spill coffee on the carpet; ⟨sport⟩ ***punten** morsen* drop points; *wijn inschenken **zonder** te morsen* pour wine without spilling
morseschrift [het] Morse code
morsesleutel [de^m] Morse key
morseteken [het] Morse sign/letter

morsetoestel [het] Morse apparatus

morsig [bn, bw] dirty ⟨bw: dirtily⟩, messy ⟨bw: messily⟩, ⟨handen⟩ grimy, ⟨handen, kleren⟩ grubby ♦ *een morsige vrouw* a messy/frowzy/slovenly woman

morspot [de^{m}] messy/clumsy person, messy/clumsy child

morsring [de^{m}] dripcatcher

mortaliteit [de^{v}] mortality

mortaliteitscoëfficiënt [de^{m}] mortality rate, death rate

mortel [de^{m}] [1] ⟨metselspecie⟩ mortar, ⟨dun, om tegels te voegen⟩ grout [2] ⟨steengruis⟩ brick/stone dust, grit

mortelbak [de^{m}] (mortar) hod

^{1}**mortelen** [onov ww] ⟨in gruis vallen⟩ become gritty, crumble, ⟨fijn⟩ pulverize

^{2}**mortelen** [ov ww] ⟨vergruizen⟩ reduce to dust/grit, ⟨fijn⟩ pulverize

mortelig [bn] gritty

mortelkalk [de^{m}] lime putty

mortelmolen [de^{m}] mortar/pug mill, mortar mixer

mortier [het, de^{m}] [1] ⟨vuurmond⟩ mortar [2] ⟨vijzel⟩ mortar

mortierbom [de] mortar bomb

mortiergranaat [de] mortar shell, mortar grenade

mortierstamper [de^{m}] pestle

mortificatie [de^{v}] ⟨form⟩ [1] ⟨versterving⟩ mortification (of the flesh) [2] ⟨vernedering⟩ mortification, humiliation [3] ⟨ongeldigverklaring⟩ annulment, ⟨m.b.t. huwelijk⟩ nullification

^{1}**mortificeren** [onov ww] ⟨form⟩ ⟨afsterven⟩ mortify ♦ *het weefsel is gemortificeerd* the tissue has mortified

^{2}**mortificeren** [ov ww] ⟨form⟩ [1] ⟨kastijden⟩ mortify, ⟨het vlees⟩ crucify [2] ⟨tenietdoen⟩ annul, nullify, ⟨lening⟩ amortize, redeem

mortuarium [het] [1] ⟨vertrek waar lijken bewaard worden⟩ mortuary, morgue [2] ⟨rouwcentrum⟩ funeral home/parlour, ⟨AE⟩ mortician's parlor, ⟨AE ook⟩ mortuary [3] ⟨necrologium⟩ necrology, obituary list

morzel [de^{m}] ⟨in België⟩ small/little piece, ⟨inf⟩ small/little bit

mos [het] [1] ⟨kleine plantjes⟩ moss ♦ *er **groeit** mos tussen de stenen* there's moss growing between the stones; ***met** mos begroeide boomstammen* moss-grown/moss-covered/moss-clad tree trunks [2] ⟨mv; plantk⟩ moss ⊡ ⟨sprw⟩ *een rollende steen vergaart geen mos* a rolling stone gathers no moss

mosachtig [bn] [1] ⟨op mos lijkend⟩ mosslike [2] ⟨met mos bedekt⟩ mossy, moss-grown

mosasaurus [de^{m}] mosasaur, mosasaurus

mosbloempje [het] crassula

mosdiertje [het] [1] ⟨mv; Bryozoa⟩ Bryozoa, Polyzoa [2] ⟨diertje van dat geslacht⟩ moss animal(cule), ⟨wet⟩ bryozoan

mosgroen [bn] moss-green, mossy green

moskee [de^{v}] mosque

Moskou [het] Moscow

Moskoviet [de^{m}] Muscovite

Moskovisch [bn] Muscovite ⊡ ***Moskovisch glas*** muscovite, Muscovy glass, white mica

moslaag [de] [1] ⟨laag mos⟩ layer of moss [2] ⟨vegetatielaag⟩ moss layer

moslim [de^{m}] Muslim, Moslem, Muhammadan ♦ *de Zwarte Moslims* the Black Muslims

moslima [de^{v}] young self-assured, ambitious Muslim woman

moslimbroederschap [de^{v}] Muslim Brotherhood

moslimfundamentalisme [het] Islamic fundamentalism

moslimgeestelijke [de^{m}] Muslim cleric

moslimhuwelijk [het] [1] ⟨door imam afgesloten huwelijk⟩ Muslim marriage, Islamic marriage [2] ⟨huwelijk tussen moslims⟩ Muslim marriage, Islamic marriage

moslims [bn] Muslim, Moslem, Muhammadan

moslimschool [de] Muslim school, Islamic school

moslimstaat [de^{m}] Muslim state, Islamic state

moslimstrijder [de^{m}] Islamic militant

moslimvrouw [de^{v}] Muslim girl/woman

mosplant [de] moss plant, cellular plant

mosroos [de] moss rose

mossel [de] mussel ♦ ⟨cul⟩ ***gekookte** mosselen* mussels au naturel; *de **gewone/eetbare** mossel* the common/edible mussel ⊡ ⟨in België⟩ *mossel noch **vis*** ⟨van zaken⟩ neither fish nor fowl/flesh, neither fish, flesh, nor good red herring; ⟨in België⟩ *die vent is mossel noch **vis*** you never know where you stand with that fellow

mosselachtigen [de^{mv}] bivalves, ⟨wet⟩ Lamellibranchia(ta), Bivalvia

mosselbank [de] mussel bed/bank/scalp

mosselkrabber [de^{m}] [1] ⟨schuit⟩ mussel boat, cockler [2] ⟨persoon⟩ mussel raker/gatherer

mosselkrabbetje [het] mussel crab, pea crab

mosselkreeft [de] ostracod, ⟨klasse⟩ Ostrocada

mosselkweker [de^{m}] mussel farmer

mosselman [de^{m}] cockler

mosselparasiet [de^{m}] mussel parasite, (noxious kind of) copepod

mosselput [de^{m}] mussel pond

mosselseizoen [het] mussel season

mosselteelt [de] mussel culture/farming

mosselvangst [de^{v}] mussel fishing

mosselvergiftiging [de^{v}] mussel poisoning, ⟨med⟩ mytilotoxism ♦ *mosselvergiftiging **hebben*** be musselled

mosselvloot [de] ⟨pej⟩ fleet of cockboats

mosselzaad [het] seed mussels

mossig [bn] [1] ⟨mosachtig⟩ mosslike, mossy [2] ⟨bemost⟩ mossy, moss-grown, moss-covered, moss-clad

mosso [bw] ⟨muz⟩ mosso

most [de^{m}] must, stum

mostapijt [het] mossy carpet, carpet of moss

mosterd [de^{m}] [1] ⟨plantengeslacht⟩ mustard ♦ ***bruine/gele** mosterd* black/white mustard; ***wilde** mosterd* field/wild mustard, charlock [2] ⟨kruiderij⟩ mustard ♦ ***bruine** mosterd* brown/English mustard; *gele mosterd* French/Dijon mustard; *hij weet waar Abraham de mosterd **haalt*** he knows his beans/stuff, he's been around; *als mosterd na de maaltijd komen* come (too) late in the day

mosterdbad [het] mustard bath

mosterdgas [het] mustard gas

mosterdgeel [bn, bw] mustard (yellow)

mosterdmolen [de^{m}] mustard mill

mosterdolie [de] mustard-seed oil

mosterdpap [de] mustard poultice

mosterdplant [de] mustard (plant)

mosterdpleister [de] mustard plaster, sinapism

mosterdpoeder [het, de^{m}] mustard powder

mosterdpot [de^{m}] mustard pot/jar

mosterdzaad [het] [1] ⟨zaden⟩ mustard seed [2] ⟨fig⟩ grain of mustard

^{1}**mot** [het] [1] ⟨turfmolm⟩ peat dust [2] ⟨zaagsel⟩ sawdust

^{2}**mot** [de] [1] ⟨vlinder⟩ moth [2] ⟨larve⟩ (clothes) moth ♦ ***door** de mot aangevreten* moth-eaten, mothy; *de mot **zit** in dat laken* that sheet has got moth (in it), that sheet is moth-eaten [3] ⟨inf; ruzie⟩ tiff, scrap, ⟨vnl AE ook⟩ spat, ⟨vnl BE ook⟩ breeze ♦ *ze **hebben** mot* they have fallen out with each other; ***zocht** je soms mot?* did you want to make sth. of it?; *mot **zoeken*** look for trouble, be spoiling for a fight [4] ⟨in België; klap⟩ → **klap^{1} bet 2**

motdistel [de] milk thistle

motecht [bn] mothproof ♦ *motecht **maken*** mothproof

motel [het] motel, ⟨AE ook⟩ motor court/inn/lodge

motet [het] motet

motgaatje [het] moth-hole
motherfucker [de^{m}] mother fucker
motie [de^{v}] motion, ⟨aangenomen motie⟩ resolution, ⟨AE ook⟩ resolve ♦ *een motie **aannemen*** pass/carry/adopt a motion/resolution; *motie van **afkeuring*** vote/motion of censure; *een motie **indienen*** put/propose/table/introduce/move a motion/resolution; *een motie **intrekken*** withdraw a motion; *een motie van **orde indienen*** introduce a motion of order; *een motie **steunen*** support a motion; ⟨vnl. de eerste na degene die indient⟩ second a motion; *motie van **vertrouwen*** vote of confidence; ⟨ook⟩ resolution/motion of confidence, confidence motion; *een motie **verwerpen*** reject/defeat a motion/resolution; *motie van **wantrouwen*** vote of no-confidence; ⟨ook⟩ resolution/motion of no-confidence, no-confidence motion
motief [het] 1 ⟨beweegreden⟩ motive, cause, reason, ground, ⟨stimulans⟩ incentive, stimulus ♦ *een **heimelijk** motief* an ulterior motive; *uit **onedele** motieven handelen* act dishonourably, act with dishonourable motives; *er is geen duidelijk motief **voor** de misdaad* there is no obvious/clear motive behind/for the crime; *op grond van **welke** motieven zou hij dat doen?* what motives would incite/inspire/cause him to do that? 2 ⟨lit, bk⟩ motif, theme 3 ⟨vorm, figuur⟩ motif, motive, design, pattern 4 ⟨muz⟩ motif, figure, ⟨van fuga/rondo⟩ subject
motievenonderzoek [het] motivation(al) research
motivatie [de^{v}] 1 ⟨het gemotiveerd-zijn⟩ motivation 2 ⟨psych⟩ motivation
motivator [de^{m}] motivator
motiveren [ov ww] 1 ⟨gronden aanvoeren voor⟩ explain, account for, state/give one's reasons for, state/give one's motives for, ⟨verdedigen⟩ defend, ⟨rechtvaardigen⟩ justify ♦ *een **handelwijze** motiveren* explain/account for/justify one's behaviour 2 ⟨stimuleren⟩ motivate, stimulate, incite ♦ *het **succes** motiveert mij om door te gaan* success gives me the incentive to carry on; *iemand motiveren **voor** iets* motivate s.o. into doing sth.
motivering [de^{v}] 1 ⟨het motiveren, gemotiveerd-zijn⟩ motivation 2 ⟨datgene waarmee men iets motiveert⟩ motive(s), ground(s) ♦ *de motivering van het **vonnis*** the reasons/grounds stated/given in the judg(e)ment, ⟨BE⟩ ± rider to the verdict
motmugje [het] (minute) moth-like fly, ⟨wet⟩ psychodid
motor [de^{m}] 1 ⟨machine⟩ engine, ⟨elektromotor⟩ motor ⟨vnl in samenstellingen⟩ ♦ ***met** een/twee/drie/vier motoren* single-/twin-/three-/four-engined; ***op** de motor varen* use the engine, motor; *een **schone/zuinige** motor* a clean/economical/low-consumption engine; *de motor **starten/afzetten*** start/turn off the engine/motor 2 ⟨motorfiets⟩ motorbike, ↑ motorcycle, ⟨sl⟩ chopper ♦ ***op** de motor* on the/by motorbike 3 ⟨fig; drijvende kracht⟩ driving force, hub, dynamo ♦ *hij is de motor van de **schaakclub*** he is the driving force behind the chess club
motoraandrijving [de^{v}] motor drive ♦ ***met** motoraandrijving* motor-driven, motorized, powered; ***satellieten zonder** motoraandrijving* unpowered satellites
motoragent [de^{m}] motorcycle policeman, police motorcyclist, ⟨in motorescorte⟩ outrider, ⟨vnl. AE, AuE⟩ trooper, ⟨inf⟩ motorcycle cop
motorambulance [de] motorcycle ambulance
motorbarkas [de] motor launch
motorblok [het] engine block
motorboot [de] motorboat, cabin cruiser, ⟨barkas⟩ motor launch, ⟨vnl AE; klein⟩ runabout
motorbrandstof [de] motor fuel, ⟨straalmotor⟩ jet fuel
motorbril [de^{m}] (pair of) goggles ♦ ***twee** motorbrillen* two pairs of goggles
motorclub [de] motor(bike) club
motorcoureur [de^{m}] motorcycle racer, ⟨motorsp⟩ rider
motorcross [de^{m}] motocross, ⟨BE ook⟩ scramble, scrambling
motorcrosser [de^{m}] (motocross) rider/racer
motordumper [de^{m}] dump/tipper [B]lorry, dump/tipper [A]truck
motoreiwit [het] motor protein
motorfiets [de] motorcycle, ⟨vnl BE; inf⟩ motorbike, ⟨sport⟩ bike, machine ♦ ***lichte** motorfiets* ⟨BE⟩ light motorcycle, ⟨inf; BE⟩ light motorbike; ⟨AE⟩ motorbike; *motorfiets met **zijspan*** motorcycle/motorbike with sidecar, sidecar motorcycle/motorbike; ***zware** motorfiets* powerful/high-cc/large-capacity motorcycle/motorbike; ⟨inf⟩ superbike
motorgeronk [het] drone of an engine, ⟨luider⟩ engine roar
motorhelm [de^{m}] crash helmet, safety helmet
motorhuis [het] engine housing/frame, ⟨elektromotor⟩ motor housing/frame
motoriek [de^{v}] ⟨het systeem⟩ (loco)motor system, locomotion, ⟨de bewegingen zelf⟩ locomotion, voluntary movements ♦ *een **gestoorde** motoriek* disturbances of/in the motor system, a motor dysfunction
[1]**motorisch** [bn] ⟨bewegend⟩ locomotor(y), motor(ial) ♦ *motorische **kracht*** locomotive force/power, motor power; ⟨med⟩ *motorische **zenuwen*** motor nerves
[2]**motorisch** [bn, bw] 1 ⟨m.b.t. de motor⟩ motor, engine 2 ⟨m.b.t. de motoriek⟩ motor ♦ *motorische **afasie*** motor aphasia; *een motorisch **gehandicapte*** a disabled person, a motor disabled/handicapped person
motoriseren [ov ww] 1 ⟨van motoren voorzien⟩ motorize 2 ⟨met motorvoertuigen uitrusten⟩ motorize
motorisering [de^{v}] motorization
motorjacht [het] motor yacht, (cabin) cruiser
motorjas [de] motorcycling coat
motorkap [de] ⟨BE⟩ bonnet, ⟨AE⟩ hood, ⟨van oudere vliegtuigen⟩ cowling
motormaaier [de^{m}] motor mower
motorolie [de] (engine) oil
motorongeluk [het] motorcycle/bike accident
motorpech [de^{m}] engine trouble
motorpolitie [de^{v}] motorcycle police
motorrace [de^{m}] motorcycle race
motorrem [de] vacuum brake
motorrennen [de^{mv}] motorcycle race(s)/racing
motorrijden [het] motorcycling
motorrijder [de^{m}], **motorrijdster** [de^{v}] motorcyclist, ⟨inf; BE⟩ motorbike rider
motorrijdster [de^{v}] → **motorrijder**
motorrijtuig [het] ⟨form⟩ motor vehicle
motorrijtuigenbelasting [de^{v}] ± road tax
motorrijwiel [het] ⟨form⟩ motorcycle
motorschip [het] motor vessel/ship
motorsport [de] motorcycle racing, motorcycling
motorstoring [de^{v}] engine trouble, engine failure/breakdown
motortaxi [de^{m}] motorcycle taxi
motortractie [de^{v}] motor traction
motorvermogen [het] engine power
motorvliegtuig [het] power plane
motorvoertuig [het] motor vehicle, automobile
motorwedstrijd [de^{m}] motorcycle race
motorzeiler [de^{m}] motor sailer
motregen [de^{m}] drizzle, mizzle, misty rain, ⟨met dichte mist⟩ Scotch mist
motregenen [onpers ww] drizzle ♦ *het motregende een **beetje*** there was a slight drizzle
motschildluis [de] whitefly
motsen [ov ww] crop, ⟨staart⟩ dock
motsneeuw [de] light snowfall
motten [ww] ⟨inf; gew⟩ ↑ must (do sth.), have to (do sth.), want, need ♦ *wat mot je van me?* whadd'you want (from

me)?
mottenbal [de^{m}] mothball, camphor ball ♦ *iets* ***in*** *de mottenballen* ***doen*** mothball sth., put sth. in mothballs, camphorate sth.; ⟨fig⟩ *een vloot/schip* ***in*** *de mottenballen* ***leggen*** mothball a fleet/ship; ⟨fig⟩ *iets* ***uit*** *de mottenballen* ***halen*** take sth. out of mothballs
mottenkruid [het] moth mullein
mottenzak [de^{m}] mothproof bag
motterig [bn] drizzly, mizzly
mottig [bn] ① ⟨mistig⟩ misty, damp, mizzly ② ⟨door de mot beschadigd⟩ moth-eaten, mothy, mothed ③ ⟨in België; lelijk⟩ god-awful ④ ⟨in België; misselijk⟩ → **misselijk**[1] **bet 1**
motto [het] motto, device, ⟨vnl pol⟩ slogan, catchword, watchword, ⟨op munt/medaille⟩ legend, lemma ⟨bijvoorbeeld bij foto⟩ ♦ ***als*** *motto* ***dienen*** serve as a motto; ⟨fig⟩ ***onder*** *het motto* ***van*** on the pretext of, on the principle that; *brieven* ***onder*** *het motto ...* letters marked ...
motvrij [bn, bw] mothproof ♦ *iets motvrij* ***bewaren/maken*** mothproof sth.; *motvrij* ***maken*** mothproof
mouche [de] beauty spot, patch
mouilleren [ov ww] ⟨taalk⟩ palatalize
mouilleringstheorie [de^{v}] ⟨taalk⟩ palatalization theory
mouliné [het, de^{v}], **moulinetgaren** [het] stranded threads
moulinetgaren [het] → **mouliné**
moulure [de^{v}] moulding
mountainbike [de^{m}] mountain bike
mountainbiken [onov ww] go mountain-bike racing
mountainbiker [de^{m}] mountain biker
mountainboard [het] mountain board
mountainboarden [onov ww] mountainboard
Mount Everest [de^{m}] Mount Everest
mountie [de^{m}] Mountie
moussaka [de^{m}] moussaka
mousse [de] mousse
mousseline [het, de] ⟨katoen⟩ muslin, ⟨fijn; vnl. zijde of wol⟩ mousseline
mousselinen [bn] ⟨katoenen⟩ muslin, ⟨van zijde/wol⟩ mousseline
mousselinesaus [de] mousseline (sauce)
mousseren [onov ww] sparkle, ⟨inf⟩ fizz, effervesce
mousserend [bn] sparkling, fizzy, effervescent ♦ *mousserende* ***dranken*** fizzy drinks; *mousserende en niet mousserende* ***wijnen*** sparkling/bubbly and still/non-sparkling wines
mout [het, de^{m}] malt
moutbrood [het] malt bread
mouten [onov ww] malt, make malt
mouter [de^{m}] maltster
mouterij [de^{v}] ① ⟨het mouten⟩ malting, malt-making ② ⟨plaats⟩ malt-house, malting (plant)
moutextract [het] malt extract
moutjenever [de^{m}] malt gin
moutkuip [de] malt-steep
moutmeel [het] malt flour
moutsuiker [de^{m}] malt sugar, ⟨scheik⟩ maltose
moutvloer [de^{m}] malt(ing)-floor
moutwijn [de^{m}] malt spirit
mouw [de] sleeve ♦ ⟨fig⟩ *iemand* ***aan*** *zijn mouw* ***trekken*** pull s.o.'s sleeve, pull s.o. by the sleeve; ⟨fig⟩ *ergens een mouw* ***aan*** ***weten te passen*** find a way round sth., find a way out, come up with a solution to sth.; ***ingezette*** *mouwen* set-in sleeves; ⟨fig⟩ *iemand iets* ***op*** *de mouw* ***spelden*** tell s.o. tales, take s.o. for a ride; ⟨inf⟩ put one over on s.o., kid s.o.; *de mouwen* ***opstropen*** roll up one's sleeves; ⟨fig⟩ *iets* ***uit*** *zijn mouw* ***schudden*** toss sth. off, throw/dash sth. off; ***wijde/lange*** *mouwen* wide/full/long sleeves
mouwband [de^{m}] armband
mouwgat [het] armhole
mouwloos [bn] sleeveless
mouwplank [de] sleeveboard
mouwschort [het, de] sleeved apron
mouwslab [de] bib with sleeves
mouwstreep [de] ⟨mil⟩ stripe
mouwvest [het] cardigan
move [de] move
moven [ww] ⟨inf⟩ move off, get out, beat it
moveren [ov ww] ⟨form⟩ ① ⟨tot iets bewegen⟩ move, motivate ♦ *om hem moverende* ***redenen*** for reasons of his own ② ⟨voorstellen⟩ move, ⟨zaak, kwestie⟩ put forward, raise, ⟨onderwerp⟩ broach
moyenne [het] mean, average score
mozaïek [het] ① ⟨ingelegde stukjes⟩ mosaic ♦ ***met*** *mozaïeken* ***versierd*** mosaic, tesselated ② ⟨fig; samenstel⟩ mosaic ③ ⟨m.b.t. televisie⟩ mosaic
mozaïekvloer [de^{m}] mosaic floor
mozaïekwerk [het] mosaic (work)
mozaïsch [bn] Mosaic(al) ♦ *de mozaïsche* ***wet*** Mosaic(al) law, Law of Moses
Mozambikaan [de^{m}], **Mozambikaanse** [de^{v}] ⟨man & vrouw⟩ Mozambican, ⟨vrouw ook⟩ Mozambican woman/girl
Mozambikaans [bn] Mozambican
Mozambikaanse [de^{v}] → **Mozambikaan**
Mozambique [het] Mozambique

Mozambique	
naam	*Mozambique* Mozambique
officiële naam	*Republiek Mozambique* Republic of Mozambique
inwoner	*Mozambikaan* Mozambican
inwoonster	*Mozambikaanse* Mozambican
bijv. naamw.	*Mozambikaans* Mozambican
hoofdstad	*Maputo* Maputo
munt	*metical* metical
werelddeel	*Afrika* Africa
int. toegangsnummer 258 www .mz auto MOC	

mozarteffect [het] Mozart effect
Mozes Moses
mozzarella [de^{m}] mozzarella
mp [de^{m}] (minister-president) PM
[1]**MP** [de^{v}] (Militaire Politie) MP
[2]**MP** [afk] (mijlpaal) milestone
mp3 [de] MP3
mp3-speler [de^{m}] MP3-player
MPS [de^{v}] ⟨med⟩ (meervoudigepersoonlijkheidsstoornis) MPD
mr. [afk] (meester) ± LL M ⟨achter de naam⟩
Mr [afk] ① (mister) Mr ② (monsieur) M
MRI [de^{m}] ⟨med⟩ (Magnetic Resonance Imaging) MRI
MRI-scan [de^{m}] ⟨med⟩ MRI scan
ms [het] ① (metrieke stelsel) metric system ② (motorschip) MV, MS (motor ship)
ms. [afk] (manuscript) MS, ms
MS [de] (multiple sclerose) MS
MS-DOS [het] ⟨comp⟩ MS-DOS
mt [het] (managementteam) MT
MTB [afk] (mountainbike) MTB
mts [afk] (middelbare technische school) (Dutch) intermediate technical school
mud [het, de] hectolitre, ⟨aardappels, kolen; inf⟩ ± sack
mudjevol [bn] stuffed, crammed, packed
mudvol [bn] cramfull, jam-packed, jam-full, chock-full
muesli [de^{m}] muesli
mueslireep [de^{m}] health bar, ⟨AE ook⟩ granola bar
muezzin [de^{m}] muezzin
muf [bn] ① ⟨onfris⟩ musty, stale, mouldy, fusty, ⟨kamer⟩ stuffy, fuggy ♦ *er hing een muffe* ***lucht*** the air was stale; *het*

ruikt hier muf it smells mouldy (in) here [2] ⟨saai⟩ stuffy, dull ♦ *een muffe boel* a dull affair, a bore, a yawn
muffig [bn] rather/somewhat musty, rather/somewhat stale, rather/somewhat stuffy, rather/somewhat fuggy
muffigheid [de^v] [1] ⟨m.b.t. lucht⟩ mustiness, stuffiness [2] ⟨m.b.t. smaak⟩ mouldiness
muffin [de^m] muffin
mug [de] [1] ⟨insect⟩ mosquito, ⟨klein⟩ gnat, midge ♦ ⟨fig⟩ *van een mug een olifant maken* make a mountain (out) of a molehill [2] ⟨nietig persoon⟩ midge, insect
muggenbeet [de^m] [1] ⟨steek⟩ mosquito/gnat bite [2] ⟨bult⟩ mosquito/gnat bite
muggenbult [de] mosquito bite
muggendoek [het] mosquito net(ting), gauze
muggengordijn [het] mosquito net/curtain
muggennet [het] mosquito net
muggenolie [de] insect lotion/repellent, citronella
muggenorchis [de] Gymnadenia ♦ *grote muggenorchis* fragrant orchid
muggensteek [de^m] mosquito/gnat bite
muggenstift [de] mosquito-repellent stick
muggenziften [onov ww] niggle, split hairs, strain at a/every gnat, ⟨inf⟩ nitpick, pettifog
muggenzifter [de^m] niggler, hairsplitter, faultfinder, ⟨inf⟩ nitpicker, pettifogger
muggenzifterig [bn] nitpicking, niggling, hairsplitting, faultfinding, carping
muggenzifterij [de^v] niggling, hairsplitting, faultfinding, ⟨inf⟩ nitpicking, pettifogging
mui [de] channel, gully
[1]**muil** [de^m] [1] ⟨bek⟩ mouth, muzzle, jaws, ⟨zachte snuit⟩ chops ♦ *de leeuw **sperde** zijn muil wijd **open*** the lion opened his jaws wide [2] ⟨mond⟩ trap, gob, gullet ♦ *iemand een klap op/voor zijn muil geven* punch s.o. in the face
[2]**muil** [de] ⟨schoeisel⟩ mule, slipper, scuff ♦ ***Zweedse** muil* clog
muilband [de^m] muzzle ♦ ⟨fig⟩ *iemand een muilband aandoen* muzzle/gag s.o.
muilbanden [ov ww] muzzle
muildier [het] mule
muilezel [de^m] hinny, ⟨AE ook; sl⟩ jughead ♦ ⟨in België⟩ *zo koppig als een muilezel* stubborn as a mule
muilezeldrijver [de^m] muleteer, mule driver, ⟨AE⟩ muleskinner
muilkorf [de^m] muzzle
muilkorven [ov ww] [1] ⟨muilbanden⟩ muzzle [2] ⟨de mond snoeren⟩ muzzle, gag
muilpeer [de] clout, slap in the face
muiltje [het] mule, slipper ♦ ***het glazen muiltje** van Assepoester* Cinderella's glass slipper
muis [de] [1] ⟨knaagdier⟩ mouse ♦ ***muizen vangen*** mouse, catch mice [2] ⟨duimspier⟩ ball ♦ *de muis van de **hand*** the ball of the thumb/hand; ⟨wet⟩ the thenar (eminence) [3] ⟨aardappel⟩ kidney [4] ⟨spiervlees⟩ round piece of silverside [5] ⟨meisje⟩ mouse [6] ⟨comp⟩ mouse ♦ ***een mechanische muis*** a mechanic mouse, a roller ball mouse; *een **optische** muis* an optical mouse [•] ⟨sprw⟩ *als de kat van huis is, dansen de muizen (op tafel)* when the cat's away the mice will play
muisachtigen [de^mv] ⟨wet⟩ Myomorpha
muisarm [de^m] mouse arm, RSI
muiscursor [de] mouse cursor
[1]**muisgrijs** [het] (mouse-)dun, mouse-grey, ⟨AE⟩ mouse-gray
[2]**muisgrijs** [bn] dun(-coloured), mouse-coloured, mous(e)y
muishand [de] [1] ⟨hand⟩ mouse hand [2] ⟨geneeskunde; RSI-achtige aandoening⟩ mouse arm
muisje [het] [1] ⟨kleine muis⟩ little mouse ♦ ⟨fig⟩ *ik heb er een muisje van **horen piepen*** a little bird told me; *er **komt** een muisje aangelopen* ± this little piggy went to market; ⟨fig⟩ *dat muisje zal een staartje hebben* this won't be the end of it, this won't stop here [2] ⟨mv; anijszaadjes⟩ aniseed comfits ♦ ***gestampte** muisjes* aniseed (sugar) crumble; *beschuit **met** muisjes* rusk with aniseed comfits
muiskleurig [bn] dun(-coloured), mouse-coloured, mous(e)y
muisklik [de^m] ⟨comp⟩ click (of the mouse) ♦ ***met één** muisklik* with one click (of the mouse), by single-clicking
muismatje [het] mouse mat
muisstil [bn] (as) still/quiet as a mouse
muiswiel [het] mouse wheel, scroll wheel
muiten [onov ww] mutiny, rebel ♦ ***aan** het muiten **slaan*** (rise in) mutiny; *de bemanning **was aan** het muiten* the crew was mutinying; *muitend* mutinous, rebellious
muiter [de^m] mutineer, rebel
muiterij [de^v] mutiny, rebellion ♦ *er **brak** muiterij **uit*** a mutiny broke out; *muiterij **plegen*** mutiny
muizen [onov ww] [1] ⟨muizen vangen⟩ mouse, catch mice [2] ⟨smikkelen⟩ tuck away/in, dig in [•] ⟨in België⟩ ***ervandoor/eruit** muizen* slip away/off, slope off; ⟨sprw⟩ *als katjes muizen, mauwen ze niet* ± a mewing cat is a bad mouser; ± a bleating sheep loses a bite
muizenbeetje [het] ⟨vnl. m.b.t. drupje drank⟩ toothful, ⟨m.b.t. kennis⟩ smattering
muizengaatje [het] mouse hole
muizengerst [de] wall barley
muizengezichtje [het] mousy face
muizengif [het] mouse poison/killer
muizenhaver [de] mouse poison/killer
muizenhol [het] mouse hole
muizenis [de^v] trouble, care, worry, bother(ation) ♦ *muizenissen in het hoofd **hebben*** have a lot on one's mind
muizenkeutel [de^m] mouse-droppings
muizennest [het] [1] ⟨nest⟩ mouse nest [2] ⟨muizenis⟩ care, worry, bother(ation)
muizenoor [het] ⟨plantk⟩ mouse-ear hawkweed
muizenstaart [de^m] [1] ⟨staart (als) van een muis⟩ mouse tail [2] ⟨plantk⟩ mouse tail [3] ⟨oerinsect⟩ springtail, ⟨wet⟩ sminthurid
muizentarwe [de^v] mouse poison/killer
muizentrapje [het] ± twisted paperchain
muizenval [de] mousetrap
muizenvanger [de^m] mouser
mukluk [de^m] mukluk
[1]**mul** [de^m] ⟨vis⟩ red mullet, surmullet
[2]**mul** [het] ⟨weefsel⟩ mull
[3]**mul** [het, de] [1] ⟨fijne aarde⟩ dust [2] ⟨turfmolm⟩ mull, ⟨grof⟩ peat dust
[4]**mul** [bn] [1] ⟨rul⟩ loose ♦ *mul **zand*** shifting sand [2] ⟨zanderig⟩ sandy ♦ *een mulle **weg*** a sandy/gritty road
mulat [de^m], **mulattin** [de^v] ⟨man & vrouw⟩ mulatto, ⟨vrouw ook⟩ mulatress
mulattin [de^v] → **mulat**
mulflora [de] forest flora/annuals
mulgrond [de^m] mull, mould, ⟨AE⟩ mold
mulo [het] ⟨gesch⟩ (meer uitgebreid lager onderwijs) advanced elementary education
multichannel [bn] multichannel
multiculti [bn] multicultural, multiculti
multicultureel [bn] pluralist(ic), multiracial, mixed, multicultural
multicultuur [de^v] multicultural society
multidisciplinair [bn] multidisciplinary
multifocaal [bn] multifocal ♦ *multifocale **brillenglazen*** multifocals
multifunctioneel [bn] multifunctional ♦ *een multifunctioneel **wijkcentrum*** a multifunctional community centre
multikul [de^m] multicultural nonsense
multilateraal [bn] multilateral ♦ *een multilaterale over-*

eenkomst a multilateral agreement/pact; *multilaterale strijdmacht* multilateral forces
multilateralisme [het] multilateralism
multimedia [de^mv] multimedia
multimediaal [bn] multimedia
multimediacomputer [de^m] multimedia computer (system)
multimedia-pc [de^m] multimedia PC
multimediatoepassing [de^v] multimedia application
multimiljonair [de^m] multimillionaire
multimodaal [bn] multimodal
multinationaal [bn] multinational ◆ *multinationale concerns* multinationals
multinational [de^m] multinational
multipara [de^v] ⟨med⟩ multipara
[1]**multipel** [de^m] multiple
[2]**multipel** [bn] multiple ◆ ⟨comm⟩ *multipele telefoons* multiple telephones
multiplayer [de^m] multiplayer
multiple [bn] multiple, multiform ◆ *multiple choice* multiple choice test, multi-choice test
multiplechoicetest [de^m] multiple choice test, multi-choice test
multiplechoicevraag [de] multiple choice question, multi-choice question
multiple sclerose [de^v] multiple sclerosis
multiplex [het] 1 ⟨hout⟩ multiply, five-ply, plywood, bonded wood 2 ⟨comm⟩ multiplex (system)
multiplexsysteem [het] multiplex system
multiplicatie [de^v] multiplication
multiplicator [de^m] 1 ⟨wisk⟩ multiplier 2 ⟨elek⟩ multiplier 3 ⟨ec⟩ multiplier
multipliceren [ov ww] multiply
multiplier [de] multiplier
multipurpose vehicle [het] multipurpose vehicle, MPV
multiraciaal [bn] multiracial
multitasken [onov ww] 1 ⟨comp⟩ multitask 2 ⟨verschillende dingen tegelijk doen⟩ multitask
multitasking [de^v] ⟨comp⟩ multitasking
multitest [de^m] extensive test
multivariabel [bn] ⟨stat⟩ multivariate
multiversum [het] multiverse, meta-universe
multivitamine [de] multivitamin
multivitaminepreparaat [het] multivitamin preparation
multoband [de^m] multi binder, ring binder
multoblaadje [het] ⟨handelsmerk⟩ 17-(23-)hole sheet
multomap [de] ring binder
mum [het] ⟨inf⟩ ▪ *in een mum (van tijd)* in no time, in a jif(fy)/wink/trice, in two ticks
mummelen [onov ww] 1 ⟨mompelen⟩ mumble, mutter ◆ *binnensmonds mummelen* mutter under one's breath 2 ⟨kauwen⟩ mumble
mummelmond [de^m] toothless mouth
mummie [de^v] mummy
mummieslaapzak [de^m] mummy sleeping bag
mummificatie [de^v] 1 ⟨m.b.t. een lijk⟩ mummification 2 ⟨m.b.t. weefsel⟩ mummification
[1]**mummificeren** [onov ww] 1 ⟨m.b.t. een lijk⟩ mummify 2 ⟨m.b.t. weefsel⟩ mummify
[2]**mummificeren** [ov ww] ⟨m.b.t. een lijk⟩ mummify
München [het] Munich
münchhausen-by-proxysyndroom [het] Munchausen syndrome by proxy (MSBP), Munchausen syndrome
municipaal [bn] municipal, civic
municipaliteit [de^v] 1 ⟨gemeentebestuur⟩ municipality 2 ⟨gemeente⟩ municipality 3 ⟨gemeentehuis⟩ municipal offices
munitie [de^v] (am)munition, ⟨inf⟩ ammo ◆ *scherpe munitie* live ammunition/cartridges; *van munitie voorzien* munition
munitiedepot [het] (am)munition depot, arsenal, magazine, ⟨tijdelijk⟩ (am)munition dump
munitiefabriek [de^v] (am)munition works/factory
munitiekist [de] (am)munition chest, caisson
munster [het] 1 ⟨kloosterkerk⟩ minster 2 ⟨domkerk⟩ minster
munsterkerk [de] minster
munt [de] 1 ⟨geldstuk⟩ coin ◆ ⟨fig⟩ *iemand met gelijke munt terugbetalen* give s.o. a taste of their own medicine, pay s.o. back in his own/the same coin, give as good as one gets, (re)pay s.o. in kind; *gouden munten* gold coins; ⟨inf⟩ *klinkende munt* hard cash/money, real money; *munten slaan* coin, mint/strike coins; ⟨fig⟩ *munt slaan uit iets* capitalize on/make capital out of/cash in on sth.; *valse munten* bad/false/base coins; ⟨sl⟩ plugs 2 ⟨penning voor automaten⟩ token ◆ *munten voor de koffieautomaat* tokens for the coffee-machine 3 ⟨stempel op een munt⟩ mintage 4 ⟨plaats waar gemunt wordt⟩ mint 5 ⟨plantk⟩ mint ▪ *één Europese munt* one European currency; *in de munt van dat land* in the currency/coinage/money of that country; *een zwakke munt* a weak currency
muntautomaat [de^m] ⟨telefoon⟩ coin-box, ⟨wasautomaat e.d.⟩ coin-op
muntbiljet [het] bank note ◆ *muntbiljetten van vijf euro* five euro notes
muntcollege [het] (supervisory board of the) Mint
muntdrop [het, de] ⟨BE⟩ ± pontrefact cakes
munteenheid [de^v] monetary unit, currency unit ◆ *Europese munteenheid* European Currency Unit
munten [ov ww] mint, coin, strike coins ◆ *gemunt metaal/geld* specie ▪ ⟨fig⟩ *het op iemand gemunt hebben* have it in for s.o., be down on s.o., be out for s.o.'s blood; *zij hebben het op mijn leven gemunt* they're after my life
muntenkabinet [het] 1 ⟨verzameling⟩ coin collection 2 ⟨bewaarplaats⟩ coin cabinet
munt- en penningkunde [de^v] numismatics
munter [de^m] minter, coiner
munterij [de^v] 1 ⟨het munten⟩ coinage 2 ⟨werkplaats⟩ mint
muntgas [het] slotmeter gas
muntgehalte [het] fineness/standard of coinage
muntgeld [het] coin(s), (ready) cash
munthervorming [de^v] currency reform
muntinworp [de^m] insertion of coins ◆ *na muntinworp wachten tot* … insert money and wait until …
muntje [het] 1 ⟨muntstuk⟩ coin, piece, ⟨BE⟩ bit, ⟨van koper⟩ copper, ⟨voor automaat⟩ token 2 ⟨in België; pepermuntje⟩ peppermint
muntmeester [de^m] Master of the Mint, mintmaster
muntmetaal [het] bullion
muntmeter [de^m] slot-meter
muntontwaarding [de^v] ⟨in België⟩ currency/monetary depreciation, currency erosion, inflation
muntpariteit [de^v] mint par (rate), mint par of exchange, par rate (of exchange)
muntrecht [het] coinage/mintage right(s), right(s) of coinage/mintage, privilege of a mint
muntslag [de^m] 1 ⟨het slaan⟩ mintage, coinage 2 ⟨manier van slaan⟩ impression
muntslang [de] ⟨fin⟩ snake
muntslot [het] coin-operated lock, coin-box lock
muntsoort [de] currency, valuta
muntsorteerder [de^m] coin-sorter, coin sorting machine
muntspecie [de^v] specie, coins
muntstelsel [het] monetary system, (system of) coinage/currency

¹muntstempel [de^m] ⟨matrijs⟩ die
²muntstempel [het, de^m] ⟨reliëf⟩ type, stamp, impression, mintage, punch
muntstuk [het] coin
muntteken [het] mintage, mintmark
munttelefoon [de^m] pay (tele)phone, coin-box
munttelefoontoestel [het], **munttoestel** [het] pay (tele)phone, coin-box
munttoestel [het] → **munttelefoontoestel**
muntverzamelaar [de^m] coin collector, ↑ numismatist
muntvoet [de^m] standard (of coinage), monetary standard
muntwet [de] currency/coinage act, currency/coinage law, ⟨mv ook⟩ currency regulations
muntwezen [het] currency/monetary system, (system of) coinage/currency
muntzijde [de] tail
muon [het] ⟨natuurk⟩ muon
mupi [de^m] (mobilier urbain pour plans et information) billboard
muralisme [het] muralism
murgh [de^m] murgh
¹murmelen [onov ww] ⟨m.b.t. een beekje⟩ gurgle, guggle, purl, babble
²murmelen [ov ww, ook abs] ⟨mompelen⟩ murmur, mumble, mouth
murmureren [onov ww] murmur, grumble
murw [bn] tender, soft, pulpy, mellow ♦ ⟨fig⟩ *iemand murw maken* break s.o.'s spirit, bring s.o. to his knees; *iemand murw slaan* beat s.o. into a pulp/jelly, beat/knock s.o. silly/senseless
mus [de] sparrow ♦ ⟨fig⟩ *iemand blij maken met een* ***dode*** *mus* fob s.o. off (with sth.); ⟨fig⟩ *blij zijn met een* ***dooie*** *mus* get all excited about nothing (in particular); *blij zijn* ***met*** *een dooie mus* get (all) excited about nothing (in particular); ⟨zeldz⟩ find a mare's nest; *de mussen* ***vallen*** *(van de hitte) van het dak* it's a real scorcher, it's like an oven
musculair [bn] muscular
musculatuur [de^v] musculature
museaal [bn, bw] museological
musette [de] accordion
museum [het] museum, ⟨m.b.t. bk ook⟩ art gallery ♦ *museum voor natuurlijke historie* natural history museum
museumbeheerder [de^m] curator
museumbezoeker [de^m] museum-goer, gallery-goer
museumconservator [de^m] conservator
museumdirecteur [de^m] museum director/manager/head
museumdorp [het] town/village preserved in its original form
museumjaarkaart [de] annual museum pass
museumkaart [de] museum season ticket
museumstuk [het] [1] ⟨voorwerp in een museum⟩ museum piece [2] ⟨voorwerp dat een museumplaats waard is⟩ museum piece [3] ⟨scherts⟩ museum piece
museumzaal [de] gallery
musical [de^m] musical
musicalia [de^mv] music paraphernalia
musiceren [onov ww] make music ♦ *er werd daar nooit gemusiceerd* there was never any music there, they never played music there
musichall [de^m] music-hall
musicienne [de^v] musician
musicologie [de^v] musicology
musicoloog [de^m] musicologist
musicus [de^m] musician
musivisch [bn] mosaic
¹muskaat [de^m] ⟨wijn⟩ muscat, muscatel, muscadel, ⟨AE ook⟩ scuppernong
²muskaat [de] ⟨specerij⟩ nutmeg
muskaatdruif [de] muscadine, muscat
muskaatnoot [de] nutmeg (apple)
muskaatnotenolie [de], **muskaatolie** [de] nutmeg oil
muskaatolie [de] → **muskaatnotenolie**
muskaatwijn [de^m] muscat, muscatel, muscadel, ⟨AE ook⟩ scuppernong
muskadel [de] [1] ⟨druif⟩ muscadine, muscat, ⟨AE ook⟩ scuppernong [2] ⟨wijn⟩ muscat, muscatel, muscadel, ⟨AE ook⟩ scuppernong
muskadelwijn [de^m] muscat, muscatel, muscadel, ⟨AE ook⟩ scuppernong
musket [het] [1] ⟨bolletjes suiker⟩ ± hundreds and thousands [2] ⟨geweer⟩ musket, fusil
musketier [de^m] [1] ⟨gesch⟩ musketeer, fusilier, fusileer [2] ⟨prominent⟩ musketeer
musketon [het, de^m] karabiner, snaplink, crab
muskiet [de^m] mosquito
muskietengaas [het] mosquito net(ting)
muskietennet [het] mosquito net
muskietenplaag [de] mosquito plague, plague of mosquitos
muskus [de^m] musk
muskusachtig [bn] musky
muskusdier [het] musk
muskuseend [de] musk/Muscovy duck
muskushert [het] musk deer
muskuskruid [het] moschatel
muskusplantje [het] musk, monkey flower
muskusrat [de] muskrat, ⟨vooral het bont ook⟩ musquash
mussenhagel [de^m] dust shot
must [de^m] must
mustang [de^m] mustang
must have [de^m] must-have
mutabel [bn] mutabel, changeable, variable
mutabiliteit [de^v] mutability, changeability, variability
¹mutageen [het] ⟨biol⟩ mutagen
²mutageen [bn] ⟨biol⟩ mutagenic
mutagen [het] ⟨scheik⟩ mutagen
mutant [de^m] mutant
mutatie [de^v] [1] ⟨verandering van een gegeven⟩ mutation, alteration, ⟨comp, boekh⟩ transaction ♦ ⟨mil⟩ *een mutatie* ***hebben*** have at transfer; ⟨comp⟩ *mutaties* ***verwerken*** process transactions/transactional data [2] ⟨(om)wisseling⟩ mutation, ⟨van personeel⟩ turnover, ⟨verloop van personeel⟩ wastage ♦ *veel mutatie van* ***personeel*** considerable staff turnover/changes [3] ⟨biol⟩ mutation ♦ ***progressieve*** *mutatie* progressive mutation; *een mutatie* ***vertonen*** mutate, sport [4] ⟨stemwisseling⟩ breaking of the voice
mutatierecht [het] transfer duty
mutatietheorie [de^v] ⟨biol⟩ mutation theory
mutatis mutandis [bw] mutatis mutandis
¹muteren [onov ww] [1] ⟨wijziging ondergaan⟩ mutate [2] ⟨m.b.t. stem⟩ break
²muteren [ov ww] ⟨wijziging aanbrengen (in)⟩ mutate, change, alter, ⟨vorm, karakter⟩ modify, ⟨grondig⟩ transform
muthee [de^m] 'mu' tea, type of herbal tea
mutilatie [de^v] mutilation
mutileren [ov ww] mutilate, main, mangle, disfigure, cripple
muting [de] muting
mutisme [het] mutism ⟨ook psychologie⟩
muts [de] [1] ⟨hoofddeksel⟩ hat, cap, bonnet, ⟨baret⟩ beret ♦ ⟨fig⟩ *de muts* ***staat*** *hem niet goed, zijn muts* ***staat*** *(hem) verkeerd/verdraaid* he got out of bed on the wrong side this morning; *een* ***wollen*** *muts* a knitted cap [2] ⟨m.b.t. klederdracht⟩ bonnet ♦ *een* ***Brabantse/Friese*** *muts* a Brabantian/Frisian bonnet [3] ⟨netmaag⟩ reticulum, honeycomb

4 ⟨schoorsteenkap⟩ bonnet, hood

mutsaard [de^{m}] faggot

mutsen [onov ww] 1 ⟨kwebbelen, teuten⟩ babble 2 ⟨klungelen⟩ bungle

mutsig [bn] frumpy

mutualisme [het] 1 ⟨ec⟩ mutualism 2 ⟨plantk⟩ mutualism, symbiosis

mutualiteit [de^{v}] 1 ⟨wederkerigheid⟩ mutuality, reciprocity 2 ⟨in België; ziekenfonds⟩ ⟨BE⟩ ± National Health Service, ⟨AE⟩ ± Medicare

mutueel [bn, bw] mutual ⟨bw: ~ly⟩, reciprocal

1**muur** [de^{m}] 1 ⟨metselwerk⟩ wall ♦ ⟨gesch⟩ *de **Berlijnse** Muur* The Berlin Wall; *een **blinde** muur* a blank wall; *de **Chinese** Muur* The Great Wall of China; ⟨fig⟩ a chinese wall; *een **dragende** muur* a supporting wall; *een **gemene/gemeenschappelijke** muur* a common/party wall; *de muren **komen** op mij **af*** the walls are closing in on me; ⟨fig⟩ ***op** een muur van onbegrip **stuiten*** be met by a wall of complete/blank incomprehension; ***tegen** de muren **praten*** talk to the wall; *iemand **tegen** de muur **zetten*** stand s.o. up against the wall; ⟨fig⟩ ***tussen** vier muren **zitten*** be behind bars; ⟨fig⟩ *de muren hebben hier **oren*** the walls have ears here 2 ⟨wand⟩ wall ♦ ⟨inf⟩ ***uit** de muur **eten**, iets **uit** de muur **trekken*** eat from a vending machine; ± eat/get some fast food; *een schilderij van de muur **halen*** take a painting down 3 ⟨sport⟩ wall ♦ *een muurtje **vormen/opstellen*** make/line up a wall

2**muur** [de] ⟨plant⟩ chickweed

muurafdekking [de^{v}] coping, top course

muuranker [het] wall clamp, ⟨tussen muur en vloer⟩ (wall/beam) anchor

muurbloem [de] wallflower

muurbloempje [het] ⟨scherts⟩ wallflower

muurhaak [de^{m}] wall hook

muurhuis [het] house built in a city wall

muurkalk [de^{m}] plaster

muurkanker [de^{m}] efflorescence (on walls)

muurkast [de] wall cabinet, ⟨AE⟩ closet, ⟨ingebouwd⟩ built-in cupboard

muurkluis [de] wall safe

muurkrant [de] wall poster, bill, placard

muurlamp [de] wall lamp

muurleeuwenbek [de^{m}] mother-of-thousands, mother-of-millions, Kenilworth ivy, ivy-leaved toadflax

muurpeper [de^{m}] stonecrop, wall pepper, sedum

muurpijler [de^{m}] pilaster

muurreclame [de] (wall) advertisements

muursafe [de^{m}] wall safe

muurschakelaar [de^{m}] wall-mounted switch

muurschildering [de^{v}] ⟨bk⟩ mural, wall painting, fresco

muurstut [de^{m}] buttress

muurtafel [de] wall table

muurvaren [de] wall rue (spleenwort)

muurvast [bn, bw] firm ⟨bw: ~ly⟩, solid, steady, ⟨onbuigzaam⟩ unyielding, unbending ♦ *muurvast **komen** te **zitten*** get completely stuck; ⟨fig⟩ *de besprekingen **zitten** muurvast* the talks have reached total deadlock

muurverf [de] masonry paint

muurverwarming [de^{v}] wall heating

muurvlakte [de^{v}] wall space

m.u.v. [afk] (met uitzondering van) with the exception of

muzak [de^{m}] ⟨iron, pej⟩ muzak, ⟨BE ook⟩ wallpaper music

muze [de^{v}] 1 ⟨myth⟩ muse ♦ ⟨fig⟩ *de **tiende** muze* film 2 ⟨mv; schone kunsten en wetenschappen⟩ (the) Muses, (the) sacred Nine ♦ *zich **aan** de muzen **wijden*** devote o.s. to the arts; *de **lichte** muze* light entertainment 3 ⟨inspiratie⟩ (the) muse

muzelman [de^{m}] ⟨vero⟩ Mussulman, ⟨ogm⟩ Muslim, Moslem

muzenberg [de^{m}] ⟨myth⟩ Mountain of the Muses, Helicon, Parnassus

muziek [de^{v}] 1 ⟨toonkunst⟩ music ♦ ***ernstige** muziek* serious music; *onderwijs **in** de muziek* music education/teaching; ***lichte** muziek* light music 2 ⟨voortbrengselen⟩ music ♦ *muziek van **Mozart**/van de **Stones*** music by Mozart/the Stones; ***oude** muziek* early music 3 ⟨uitvoering, weergave⟩ music ♦ *dat klinkt mij **als** muziek in de oren* it's music to my ears; *op de **maat** van de muziek dansen/lopen* dance/walk in time to the music; *muziek **maken*** make music; ⟨in groepsverband improviseren⟩ jam; *bal na, **met** muziek **van** ...* dance afterwards, music by ...; *het nieuwe jaar **met** muziek verwelkomen, **met** muziek afscheid nemen van het oude jaar* play the New Year in/out; ***op** muziek dansen* dance to music; *hij zong **op** de muziek/**met** de muziek **mee*** he sang along with the music; *zal ik (wat) muziek **opzetten**?* shall I put some music on?; *zet de muziek wat **zachter*** turn the music down a little; ⟨fig⟩ *daar **zit** muziek **in*** that sounds promising, that has potential; ⟨fig⟩ *er **zit** muziek in dat meisje* that girl will go far 4 ⟨bladmuziek⟩ music ♦ *een tekst **op** muziek **zetten*** set a text/lyrics to music, score lyrics/a text 5 ⟨musici⟩ musicians, music ♦ ⟨scherts⟩ *hij is **met** de muziek **mee*** he's gone with the wind

muziekacademie [de^{v}] conservatory, academy of music

muziekalbum [het] music album

muziekavondje [het] musical evening, ⟨AE⟩ musicale

muziekbehang [het] ⟨inf⟩ piped/canned background music, ⟨pej⟩ muzak, ⟨BE ook⟩ wallpaper music

muziekbibliotheek [de^{v}] 1 ⟨m.b.t. bladmuziek⟩ music library 2 ⟨m.b.t. boeken en platen⟩ music library

muziekblad [het] 1 ⟨blad papier⟩ sheet of music 2 ⟨tijdschrift⟩ music magazine

muziekcassette [de] musiccassette

muziekclip [de^{m}] music video, video clip, music clip

muziekconcours [het] ⟨solisten⟩ music(al) competition/^{A}contest, ⟨fanfares⟩ band contest

muziekcritica [de^{v}] → **muziekcriticus**

muziekcriticus [de^{m}], **muziekcritica** [de^{v}] music critic

muziekdienst [de^{m}] 1 ⟨kerkdienst⟩ musical service 2 ⟨website⟩ music download service

muziekdirecteur [de^{m}] musical director

muziekdoos [de] music(al) box

muziekdrager [de^{m}] music carrier

muziekdrama [het] music drama

muziekfeest [het] → **muziekfestival**

muziekfestival [het], **muziekfeest** [het] festival of music, music festival

muziekgezelschap [het] music society/club

muziekgroep [de] music(al) group, ⟨popmuziek⟩ band

muziekhandel [de^{m}] music shop

muziekinstrument [het] musical instrument ♦ *een muziekinstrument **bespelen*** play a musical instrument

muziekje [het] bit/piece of music, little music ♦ *een muziekje **opzetten*** play a bit of music, play some/a little music

muziekkapel [de] band

muziekkenner [de^{m}] connoisseur of music

muziekkoepel [de^{m}] gazebo, conservatory

muziekkorps [het] band

muziekkrant [de] music guide, entertainment guide

muziekkritiek [de^{v}] music criticism

muziekleer [de] music theory, theory of music

muziekleraar [de^{m}], **muzieklerares** [de^{v}] music teacher, teacher of music

muzieklerares [de^{v}] → **muziekleraar**

muziekles [de] music lesson

muzieklessenaar [de^{m}] music stand

muziekliefhebber [de^{m}], **muziekliefhebster** [de^{v}] music lover

muziekliefhebster [de^{v}] → **muziekliefhebber**

muziekmobieltje [het] music cell/mobile phone, MP3 cell/mobile phone

muzieknoot [de] (musical) note
muzieknummer [het] musical item/number
muziekonderwijs [het] music education/teaching
muziekpapier [het] music paper
muziekpedagogiek [de^{v}] pedagogics of music
muziekrechten [de^{mv}] music rights
muziekschool [de] school of music
muziekschrift [het] [1] ⟨notatie⟩ (musical) notation [2] ⟨schrift met notenbalken⟩ manuscript paper
muzieksleutel [de^{m}] clef
muziekstandaard [de^{m}] music stand
muziekstuk [het] piece of music, composition
muziektent [de] bandstand
muziektheater [het] [1] ⟨theatergebouw⟩ music theatre [2] ⟨opera⟩ music theatre
muziektherapie [de^{v}] music therapy
muziekuitvoering [de^{v}] musical performance, concert
muziekvereniging [de^{v}] musical society/association
muziekvermogen [het] ⟨audio⟩ maximum output/volume
muziekwereld [de] world of music, music scene
muziekwetenschap [de^{v}] musicology
muzikaal [bn, bw] [1] ⟨begaafd, gevoelig voor muziek⟩ musical ⟨bw: ~ly⟩ [2] ⟨m.b.t. de muziek als kunst⟩ musical ⟨bw: ~ly⟩ ♦ *muzikale achtergrond* background music; *muzikaal behang* background music, ⟨BE⟩ wallpaper music, ⟨AE⟩ elevator music; ⟨vnl pej⟩ muzak; *geen muzikaal gehoor hebben* have no ear for music, be tone-deaf; *muzikaal gevoel* feel for music, musicality; *zonder muzikaal gevoel* unmusical; *muzikale omlijsting* musical accompaniment; ⟨form⟩ *muzikale vormgeving* musical form [3] ⟨de indruk makend van muziek⟩ musical ⟨bw: ~ly⟩, melodious ♦ ⟨taalk⟩ *muzikaal accent* pitch/musical accent
muzikaliteit [de^{v}] [1] ⟨begaafdheid⟩ musicality, musical talent, feel for music [2] ⟨indruk, gevoel⟩ musicality ♦ *een taal vol muzikaliteit* a melodious language
muzikant [de^{m}] [1] ⟨musicus⟩ musician [2] ⟨straatmuzikant⟩ street musician, ⟨BE ook; inf⟩ busker ♦ *rondtrekkende muzikanten* travelling musicians
muzisch [bn] artistic ♦ *muzische vorming* art education
mv. [afk] (meervoud) pl
mw. [afk] (mevrouw of mejuffrouw) Ms
mwah [tw] all right, I suppose so ♦ *trek in een borrel? mwah, vooruit* care for a drink? oh, all right
MX-raket [de] MX missile/rocket
Myanmar [het] Myanmar

Myanmar (Birma)

naam	*Myanmar (Birma)* Myanmar
officiële naam	*Unie van Myanmar* Union of Myanmar
inwoner	*Myanmarees; Birmaan* Burmese
inwoonster	*Myanmarese; Birmaanse* Burmese
bijv. naamw.	*Myanmarees; Birmaans* Burmese
hoofdstad	*Naypyidaw; Yangon* Naypyidaw; Yangon
munt	*kyat* kyat
werelddeel	*Azië* Asia

int. toegangsnummer 95 www.mm auto MYA

[1]**Myanmarees** [de^{m}], **Myanmarese** [de^{v}] ⟨man & vrouw⟩ inhabitant/native of Myanmar, ⟨vrouw ook⟩ woman/girl from Myanmar, Burmese
[2]**Myanmarees** [bn] Myanmar, of/from Myanmar, Burmese
Myanmarese [de^{v}] → **Myanmarees**[1]
mycologie [de^{v}] mycology
myelitis [de^{v}] ⟨med⟩ [1] ⟨ontsteking van het ruggenmerg⟩ myelitis [2] ⟨ontsteking van het beenmerg⟩ myelitis
myocard [het] ⟨med⟩ myocardium
myologie [de^{v}] ⟨med⟩ myology
myoom [het] ⟨med⟩ myoma
myopie [de^{v}] myopia, short-sightedness
myositis [de^{v}] ⟨med⟩ myositis
myriade [de^{v}] [1] ⟨tienduizendtal⟩ myriad [2] ⟨menigte⟩ myriad, swarm, sea, legion, host ♦ *myriaden insecten* a swarm/sea/myriad of insects
mysterie [het] [1] ⟨iets onbegrijpelijks⟩ mystery, enigma, puzzle ♦ *een mysterie onthullen* solve a mystery; *John is voor mij een volslagen mysterie* John is a complete mystery/enigma to me [2] ⟨r-k⟩ mystery ♦ *het mysterie der Heilige Drie-eenheid* the Mystery of the Holy Trinity; *de Droeve Mysteries* the sorrowful mysteries [3] ⟨gesch⟩ mystery [4] ⟨lit⟩ mystery, thriller
mysteriespel [het] ⟨lit⟩ mystery play
mysterieus [bn, bw] mysterious ⟨bw: ~ly⟩, enigmatic ♦ *een mysterieus antwoord* an enigmatic answer; *een mysterieuze verdwijning* a mysterious disappearance; *het werd allemaal nog mysterieuzer* the mystery deepened, things became more and more mysterious
mystica [de^{v}] → **mysticus**
mysticisme [het] mysticism
mysticus [de^{m}], **mystica** [de^{v}] mystic
[1]**mystiek** [de^{v}] [1] ⟨streven⟩ mysticism [2] ⟨leer⟩ mysticism
[2]**mystiek** [bn] [1] ⟨geheimzinnig⟩ mystic, mysterious, mystical ♦ *de mystieke roos* the mystic rose [2] ⟨rel; m.b.t. de mystiek⟩ mystical, mystic ♦ *een mystieke ervaring* a mystical experience
mystieken [de^{mv}] mystics
mystificatie [de^{v}] mystification, hoax, deception, sham
mystificeren [ov ww] mystify
mythe [de^{m}] [1] ⟨verhalende overlevering⟩ myth [2] ⟨persoon⟩ legend ♦ *iemand tot een mythe maken* make a legend of s.o., turn s.o. into a legend [3] ⟨fabeltje⟩ myth [4] ⟨ongefundeerde voorstelling⟩ myth
mythevorming [de^{v}] mythologization, creation of a legend
mythisch [bn] mythic(al)
mythiseren [ov ww], **mythologiseren** [ov ww] mythologize, make a legend of (s.o.), turn (s.o.) into a legend
mythologie [de^{v}] [1] ⟨verhalen⟩ mythology [2] ⟨studie⟩ mythology
mythologisch [bn] mythological ♦ *een mythologisch handboek* a guide to mythology
mythologiseren [ov ww] → **mythiseren**
mytholoog [de^{m}] mythologist
mythomanie [de^{v}] mythomania, ↓compulsive lying
mytylschool [de] school for physically handicapped children
myxomatose [de^{v}] myxomatosis
m.z. [afk] (moet zijn) for … read … ♦ *blz. 196, Holand, m.z.: Holland* p 196, for 'Holand' read 'Holland'